5

HISTORIA
DE LA
LITERATURA ESPAÑOLA
E
HISPANOAMERICANA

**

EMILIANO DIEZ-ECHARRI †

Catedrático de Crítica Literaria de la Universidad de Oviedo

Y

JOSE MARIA ROCA FRANQUESA

Catedrático de Lengua y Literatura del Instituto Femenino de Oviedo
y Adjunto de la misma Universidad

HISTORIA
DE LA
LITERATURA
ESPAÑOLA
E
HISPANOAMERICANA

AGUILAR

SEGUNDA EDICION, 1966

NUM. RGTRO.: 1707-60

DEPOSITO LEGAL M. 4068-1966

© Aguilar, S. A. de Ediciones
Madrid (España), 1966
Reservados todos los derechos.

Printed in Spain · Impreso en España por Gráficas Ume, S. A. · Castillo Piñeiro, 8 · Madrid-20

AL LECTOR

La Historia *que hoy ofrecemos al público, no obstante su extensión, poco frecuente en obras de esta clase, a la vez que un libro de consulta es, o pretende ser, un simple manual. Y a esta doble consideración informativa y didáctica responde en sus líneas más generales: abundante bibliografía, dispuesta de modo que no entorpezca la lectura ni ahogue la parte expositiva, convirtiendo en catálogo lo que debe ser ante todo historia literaria; referencias de obras y autores tan copiosas como lo permitan las condiciones de un manual; supresión de aquellos capítulos—literaturas hispanolatina, hispanoárabe, hispanohebrea—que, aunque interesantes por sí mismos, no responden de manera directa al título de nuestro libro; estudio detallado de épocas y movimientos, de forma que el lector pueda encuadrar desde el primer instante cualquier producto en el marco que le corresponda; una intención crítica llevada a todas y cada una de las páginas de la obra, porque una* Historia de la Literatura *que no sea crítica apenas rebasa la categoría de mero repertorio cronológico; y una estricta jerarquización de valores.*

En este último aspecto hemos querido poner especial cuidado. Distinguimos hasta cuatro categorías de escritores:

a)   Los universales y eternos. Sus obras, cada vez más estimadas y leídas, merecen llegar al conocimiento de toda persona culta.

b)   Los que, sin un valor intrínseco permanente, deben ser asimismo conocidos en cuanto encarnan una tendencia, una escuela o una época.

c)   Los llamados escritores de segundo orden. No tienen el mérito de los anteriores, pero sus nombres son dignos de recuerdo, ya que han coadyuvado, casi siempre allanando caminos, al triunfo de los otros.

d)   La comparsería: turbamulta de escritores a los que una circunstancia cualquiera dió repentina celebridad, que inmediatamente se apagó sin dejar rastro. Son los que nutren los repertorios bibliográficos de determinadas ciudades y regiones. También, a su modo, han contribuído al triunfo de un movimiento o a definir el carácter de una época.

Los autores del primero y segundo grupo son estudiados con toda atención, tanto en el aspecto biográfico como en el literario, y hasta en el puramente humano. Los del tercero llevan amplia mención, bajo epígrafe propio. Los del cuarto son despachados en una simple lista enumerativa. La parte anecdótica, datos biográficos correspondientes a escritores de segundo y tercer orden, así como citas y ejemplos aclaratorios de juicios formulados en el texto, van en notas al final de cada capítulo.

Y una innovación, que casi ya no lo es porque tiene algún precedente, si bien en menor escala y con método distinto del seguido por nosotros: hemos dado cabida en nuestro libro, junto a la literatura española, al complejo literario de los pueblos hispanoamericanos. Con ello no hacemos sino llevar a la práctica las aspiraciones formuladas en los tres Congresos de Literatura celebrados recientemente en Salamanca, Santiago de Compostela y Santander, bajo los auspicios del Instituto de Cultura Hispánica. En esos Congresos o Jornadas, a las que asistieron representantes de todos los países hispanoamericanos e hispanistas de todo el mundo, se acordó por unanimidad llevar a la Historia de la Literatura el mismo principio de unidad que ha regido siempre la Lengua. Y estudiar, en consecuencia, conjuntamente, las dos literaturas, la hispanoamericana y la peninsular, con idéntico criterio y en un plano de igualdad absoluta. No ignoramos las razones que se oponen a esta concepción unitaria de las letras hispánicas. Leguizamón, en el prólogo de su Historia de la Literatura hispanoamericana, *las ha expuesto con notoria claridad. Pero nosotros, sin desconocer la fuerza de sus argumentos, seguimos creyendo que las ventajas de unificar las dos literaturas, hasta donde sea posible esa unificación, superan con mucho a los inconvenientes. Ya se entiende que hasta el período de la Emancipación las dos deben ir fundidas en los mismos capítulos y bajo idénticos apartados, puesto que la americana no es durante toda la época mal llamada* colonial *sino una prolongación y copia de la española. Pero a partir de aquella fecha la literatura hispanoamericana alcanza su mayoría de edad y ofrece, aun dentro de los caracteres comunes a nuestra lengua, perfil y personalidad propios. Por ello desde principios del siglo XIX es estudiada en capítulos independientes, si bien encajados junto a los relativos a las letras peninsulares dentro de los mismos grandes apartados: Romanticismo, Posromanticismo, etcétera. La epopeya de Pedro de Oña, el tearto de Ruiz de Alarcón, las poesías de la Madre Castillo, pueden ir firmados por cualquier autor peninsular. No así las leyendas de Ricardo Palma o las novelas de Rómulo Gallegos. Aun con ese método, no estamos seguros de haber acertado plenamente, pues las grandes dificultades con que se tropieza en su aplicación práctica, por las profundas diferencias existentes entre aquellas literaturas y la nuestra, sólo se aprecian al tratar de reducirlas a un común denominador.*

Porque tenemos de la literatura el concepto tradicional, es decir, el que considera obra literaria solamente aquella que comporta en sí un contenido estético, hecha abstracción de su contenido doctrinal, hemos prescindido de títulos que suelen figurar en libros como el nuestro. Nadie se extrañe, por tanto, de no encontrar citados autores y obras muy valiosas quizá por otros conceptos, pero de escasa o nula calidad literaria.

Por último, estamos seguros de que a lo largo de nuestra Historia *el lector encontrará erorres y omisiones, casi inevitables en esta clase de libros. Para unos y otras pedimos indulgencia y solicitamos el concurso de los mismos lectores, con el fin de corregirlas en sucesiva edición, si hubiese lugar a ella.*

Los Autores.

PROLOGO A LA SEGUNDA EDICION

Esta segunda edición sale a la luz cuando ya goza de la eterna mi entrañable amigo EMILIANO DIEZ ECHARRI —26 de abril de 1963—. Sean, pues, mis primeras palabras un tributo sincero a su memoria. Sólo quiero llamarle AMIGO. Porque si los parientes y familiares son los amigos que nos impone la sangre, los AMIGOS son los familiares y parientes que elegimos, sin imposiciones de ningún tipo ni orden, en uso del don más preciado que nos concede Dios después de la Gracia: la libertad.

Quien dice AMIGO dice amor y sacrificio, comprensión y consejo, desinterés y fe. Todo esto he hallado en Díez Echarri a lo largo de los quince años que día tras día he convivido con él. Por eso sé muy bien lo que he perdido con su ausencia definitiva. Y no quiero hablar de su competencia intelectual para no predisponer al lector; que la juzgue por la obra que tiene en sus manos. Si de algo pecó a lo largo de su vida fué de no ver mala intención en nada; quien como él fué bueno por naturaleza no podrá concebir en nadie aviesa intención.

Al preparar esta segunda edición quiero dejar intacto cuanto él y yo escribimos. Creo que puede ser una prueba más de mi afecto. Por otra parte, el éxito que ha alcanzado la primera, agotada a los dos años, ha hecho también imposible de llevar a cabo las ampliaciones y correcciones que creo imprescindibles. Por eso sale al público una SEGUNDA EDICION mientras va muy adelantada la TERCERA, tan reformada y ampliada, que bien podrá considerarse como obra nueva.

No quiero dejar de rendir el más respetuoso tributo a la Crítica. Excesivamente laudatoria, y sólo quiero consignar unos nombres: Dámaso Alonso, Nicolás González Ruiz, Morales Oliver, López Estrada, Rafael Benítez Claros, Rafael Ferreres, Manuel Avello, Eliseo Gallo, y los P.P. Rafael M. Hornedo, Félix García y Victoriano Rivas. Entre las «críticas» extranjeras quiero destacar la del profesor italiano Carlo Rossi, en el Osservatore Romano; la de César Milego, en la B. B. C., y la de los profesores Fleckniakosca y Darmhorst.

Junto a esta crítica que podríamos denominar «consagrada» u «oficial», no quiero silenciar otra, más numerosa —profesores, amigos, hasta alumnos— que me ha brindado datos, observaciones y hasta, ¿por qué no decirlo?, errores, debidos a información deficiente. A todos nuestro agradecimiento y el ruego de que sigan favoreciéndonos con sus valiosas observaciones.

Oviedo, diciembre de 1965.

BIBLIOGRAFIA*

A) ESPAÑA

Historias

ANDRÉS, P. Juan: *Origen, progresos y estado actual de toda la literatura;* trad. de Carlos Andrés, 10 vols., Madrid, 1784-1806.—BELL AUBREY, F. G.: *Literatura castellana;* trad. de M. Manet, Barcelona, 1947.—BRENAN, Gerald: *The literature of the Spanish People;* Cambridge, University Press, 1951.—CEJADOR Y FRAUCA, Julio: *Historia de la lengua y de la literatura castellanas;* 14 vols., Madrid, 1915-1922.—CIROT, G., y DARBORD, M.: *Littérature espagnole européenne;* París, Armand Colin, 1956.—CONDE, Lorenzo: *Letras españolas. Historia ilustrada de la literatura española* (sólo alcanza hasta el siglo XVIII); Barcelona, 1936.—DÍAZ-PLAJA, Guillermo: *Historia de las literaturas hispánicas* (en publicación; han salido cinco volúmenes); Barcelona, 1949. Díaz-Plaja corre con la dirección de esta obra, cuyos capítulos corresponden a destacados especialistas.—ESTRELLA GUTIÉRREZ, Guillermo: *Historia de la literatura española;* Edit. Kapelusz, Buenos Aires, 1951.—FERNÁNDEZ ESPINO, José: *Curso histórico-crítico de la literatura española* (sólo llega a Cervantes); t. I, Sevilla, 1871.—FITZMAURICE-KELLY, James: *Historia de la literatura española desde los orígenes hasta 1900;* traducida del inglés y anotada por A. Bonilla y San Martín, Madrid, 1901.—GALLO, Yugo: *Storia della letteratura spagnola;* Milán, Academia, 1952.—GARCÍA DE ANDOAÍN, Florentín: *Literatura nacional y extranjera* (2 tomos; el II, dedicado a la española); Burgos, 1950.—GILI GAYA, Samuel: *Iniciación en la literatura española;* Barcelona, Spes, 2.ª ed., 1952.—HURTADO JIMÉNEZ DE LA SERNA, JUAN, y GONZÁLEZ PALENCIA, Angel: *Historia de la literatura española;* 6.ª ed., corregida y aumentada, Madrid, 1949.—MÉRIMEE, Ernest: *Précis d'histoire de la littérature espagnole* (hay varias traducciones en castellano); París, 1908.—MONTOLÍU Y DE TOGORES, Manuel: *Literatura castellana;* 5.ª ed., 1947.—RÍO, Angel del: *Historia de la literatura española* (2 vols.); Nueva York, 1948.—RÍOS, José Amador de los: *Historia crítica de la literatura española* (7 vols.); Madrid, 1861-1865. Sólo llega a los Reyes Católicos; pero, aunque incompleta, es de excepcional interés.—RISCO, Alberto: *Historia de la literatura española y universal;* 14.ª ed., Madrid, Razón y Fe, 1952.—ROMERA-NAVARRO, Miguel: *Historia de la literatura espagnola;* Boston, 1928.—SAINZ DE ROBLES, Federico Carlos: *Diccionario de la literatura* (3 vols. muy nutridos; el II va íntegramente dedicado a escritores españoles e hispanoamericanos); Madrid, Edit. Aguilar, 1953.—SALCEDO RUIZ, Angel: *La literatura española* (3 volúmenes); Madrid, 1917.—TICKNOR, George: *Historia de la literatura española* (4 vols.); traducida y anotada por P. Gayangos y E. de Vedia; Madrid, 1851-1856.—VALBUENA PRAT, Angel: *Historia de la literatura española* (3 vols.); Barcelona, 3.ª ed., 1950.

Hay, además, numerosísimos manuales e historias de épocas y géneros, que serán anotadas en los capítulos correspondientes.

Antologías

Hay muy pocas de carácter general que abarquen todos los géneros en prosa y verso y que se adapten a la índole de nuestro libro. Las tres más recomendables en este sentido son: *Antología general de la liteteratura española,* por ANGEL DEL RÍO y AMELIA A. DEL RÍO, 2 vols., Nueva York-Madrid (Revista de Occidente), 1954; *Antología de la literatura española,* por JUAN HURTADO y J. DE LA SERNA y ANGEL GONZÁLEZ PALENCIA, 2.ª ed., Madrid, 1940; y *Antología de la literatura española,* edit. por el Consejo Superior de Investigaciones Científicas, 2 vols. (I, siglos XVIII-XIX, y II, siglos XII-XVII).

Por géneros y épocas: *Antología de poetas líricos castellanos,* por MARCELINO MENÉNDEZ PELAYO (10 volúmenes), tomos XVII-XXVI de las «Obras completas» de M. P., editadas por el Consejo Superior de Investigaciones Científicas, Madrid-Santander, 1944-1945. Sólo llega hasta Boscán; pero es la más completa y, desde luego, la mejor de la poesía medieval, con valiosísimos estudios preliminares.—*Historia y antología de la poesía castellana* (del siglo XII al XX), por FEDERICO CARLOS SAINZ DE ROBLES; Madrid, Edit. Aguilar, 1948. Edición ilustrada con prólogo, notas, vocabulario e índices.—*Antología de la poesía lírica española,* por ENRIQUE MORENO BÁEZ; ed. Revista de Occidente, 1952.—*Las mil mejores poesías de la lengua castellana* (ocho siglos de poesía española e hispanoamericana); preparación y selección de José Bergua; 15.ª ed., Madrid.—*Antología de la poesía española. Poesía de tipo tradicional,* por DÁMASO ALONSO y JOSÉ MANUEL BLECUA; Edit. Gredos, Madrid, 1956.—*Floresta lírica española,* por JOSÉ MANUEL BLECUA; Edit. Gredos, Madrid, 1957.—*Antología de prosistas españoles,* por RAMÓN MENÉNDEZ PIDAL; Espasa-Calpe, Madrid, 7.ª ed., 1956.—*Cuentos de las Españas,* recopilados por Doris K. Arjona y Carlos V. Arjona; Nueva York, Charles Scribner's Sons, 1956.—*El teatro español. Historia y antología* (desde sus orígenes hasta el siglo XIX); introducción, estudios, notas, selección y apéndices por FEDERICO CARLOS SAINZ DE ROBLES (3 vols.); Madrid, Edit. Aguilar, 1942.—*Antología de la prosa amena desde Alfonso el Sabio hasta nuestros días,* por el padre HERRERA ORIA (4 vols.); Valladolid, 1918.—*Antología histórica de la lengua española,* por JOAQUÍN DE ENTRAMBASAGUAS (I, desde los orígenes hasta Nebrija); Valladolid, 1941.—*Old Spanish Reading,* por J. D. M. FORD; Nueva York,

---

* Sólo se incluyen aquí las obras de carácter general; las de épocas, géneros y autores van al final de los capítulos correspondientes.

1919.—*Literatura española medieval*, por LEONIDA BIANCOLINI (Del Cid a *La Celestina*), con textos, notas y glosario; Roma, 1955.—*Poesías antiguas castellanas*, recopiladas por TOMÁS ANTONIO SÁNCHEZ; Madrid, 1779.—*Poesías selectas castellanas*, seleccionadas por J. MANUEL QUINTANA (6 vols.); Madrid, 1830-33.—*Antología de líricos castellanos*, por A. BONILLA Y SAN MARTÍN (3 vols.); Madrid, 1917.

Textos

Citamos sólo las colecciones que estimamos más importantes:

Biblioteca de autores españoles, desde la formación del lenguaje hasta nuestros días (llamada también «Biblioteca Rivadeneyra»); Madrid, 1846-1880; llegó a publicar 71 volúmenes.—*Nueva biblioteca de autores españoles, bajo la dirección de M. Menéndez Pelayo*; Madrid, Ed. Bailly-Baillière, 1905-1918; 25 volúmenes, con obras no incluídas en la Rivadeneyra, a la que vino a completar.—*Biblioteca de autores españoles* (en publicación); continúa a las dos anteriores y lleva publicados 35 vols.; Madrid, Edit. Atlas.—*Biblioteca clásica*, dirigida también por Menéndez Pelayo. Empezó a publicarse en 1878, y comprende cerca de 300 vols., en su mayor parte de autores extranjeros (los españoles están representados por unos 40 tomos); Madrid, Edit. Hernando.—*Biblioteca clásica Castilla*; empezó su publicación en 1948, y cada tomo lleva prólogo, introducción y notas; Madrid, Edit. Castilla.—*Biblioteca clásica Ebro*; Zaragoza, Edit. Ebro. Publicó cerca de un centenar de tomitos, con buenos estudios críticos y notas.—*Biblioteca «Emecé» de obras universales*; Buenos Aires, Edit. Emecé; lleva publicados más de un centenar de volúmenes, la tercera parte aproximadamente de autores castellanos.—*Biblioteca literaria del estudiante* (en publicación). Empezó a editarla el Instituto-Escuela, y actualmente es continuada por el Consejo Superior de Investigaciones Científicas, Madrid.—*Bibliotecas populares Cervantes*; Madrid, C. I. A. P., s. a.; 109 vols.—*Biblioteca hispánica*, ed. Foulché-Delbosc, Barcelona-Madrid, 1900.—*Clásicos castellanos*; Madrid, ediciones La Lectura y Espasa-Calpe. Van ya más de 150 vols. muy cuidados, con excelentes prólogos y notas.—*Colección Austral*; Edit. Espasa-Calpe Argentina, Buenos Aires. Publicación muy nutrida, pero de obras heterogéneas, y que comprenden autores tanto castellanos como de otras lenguas. Lleva publicados desde 1940 más de 1.000 volúmenes.—*Colección Crisol* (en publicación); Madrid, Edit. Aguilar. Lleva editados cerca de medio millar de tomos, de cuidada presentación y muy manejables; la mitad aproximadamente corresponden a autores de lengua castellana.—*Colección Joya* (en publicación); Madrid, Edit. Aguilar. Han salido hasta ahora un centenar de volúmenes, correspondiendo la mitad a escritores españoles. Cuidadísima presentación y excelentes estudios crítico-biográficos.—*Colección Obras Eternas* (en publicación); Madrid, Edit. Aguilar. Ediciones en papel biblia, de lujo, con las obras completas de cada autor en uno o varios volú-

menes, precedidas de amplios estudios preliminares.—*Colección de Escritores Castellanos*; Madrid, 1880-1929. 161 vols., especialmente de escritores modernos, con estudios críticos de primer orden.—*Colección* de Baudry; París, 1845-72, 60 vols.—*Colección* de Brockhaus; Leipzig, 1863-87, 24 vols.

Existen, referidas a determinadas épocas o regiones, otras muchas bibliotecas: de *Bibliófilos Andaluces* (Sevilla, 1898-1907, 44 vols.); de *Bibliófilos Madrileños* (Madrid, 1866-1900); de *Libros raros y curiosos* (Madrid, 1871-1896, 24 vols.); de *Libros de antaño* (Madrid, 1872-1898, 15 vols.); de *Antiguos libros hispánicos* (en publicación, Madrid, C. S. I. C., 25 vols. hasta ahora).

Revistas

Entre los centenares de publicaciones que pueden consultarse, y a las cuales se hace alusión en el curso de nuestra obra, anotamos sólo las más conocidas:

Boletín de la Real Academia Española (Madrid); *Boletín de la Real Academia de la Historia* (Madrid); *Boletín de la Sociedad Menéndez Pelayo* (hoy, «Boletín de la Biblioteca Menéndez Pelayo», Santander); *Bulletin Hispanique* (Bordeaux); *Cruz y Raya* (Madrid, 1933-36); *Cuadernos de Literatura Contemporánea* (Madrid); *Cuadernos Hispano-Americanos* (Madrid); *Gaceta Literaria* (Madrid); *Indice* (Madrid); *Insula* (Madrid); *Revista de Archivos, Bibliotecas y Museos* (Madrid); *Revista de Filología Española* (Madrid); *Nueva Revista de Filología Hispánica* (México); *Revista Hispánica Moderna* (Nueva York, Columbia University); *Revista de Literatura* (Madrid); *Revista de Occidente* (Madrid); *Revue Hispanique* (París-Nueva York); *Romania* (París); *The Hispanic Review* (Filadelfia).

Algunas de estas revistas han dejado ya de publicarse: *Cruz y Raya, Revista de Occidente*, etcétera. La mayor parte se sigue publicando, y su consulta es obligada para el conocimiento a fondo de la literatura española. *Revista de Filología Española, Nueva Revista de Filología Hispánica, Revista Hispánica Moderna* y *Revista de Literatura* publican, además, bibliografía sistemática y casi exhaustiva de literatura española e hispanoamericana.

Repertorios bibliográficos

Desde la conocida *Bibliotheca vetus et nova*, de NICOLÁS ANTONIO (Madrid, 1788), hasta nuestros días, pasando por los catálogos de Gallardo, La Barrera, etcétera, los repertorios bibliográficos de literatura castellana abundan bastante. Los dos mejores son: HOMERO SERIS: *Manual de bibliografía de literatura española* (2 fascículos con 423 y 1.086 páginas), Nueva York, Centro de Estudios Hispánicos, 1954; y la *Bibliografía de la literatura hispánica*, que bajo la dirección del profesor don JOAQUÍN DE ENTRAMBASAGUAS viene publicando don José Simón Díaz (Madrid, C. S. I. C., 1950). Han aparecido hasta ahora cinco tomos.

B) HISPANOAMERICA

Historias (generales)

ANDERSON IMBERT, Enrique: *Historia de la literatura hispanoamericana*; México, Fondo de Cultura Económica, 1954.—AUBRUN, Charles V.: *Histoire des lettres hispanoaméricaines*; París, 1954. — AYALA DUARTE, Crispín: *Resumen histórico-crítico de la literatura hispanoamericana*; Caracas, 1927.—BARRERA, Isaac: *Historia de la literatura hispanoamericana*; Quito, Universidad Central de Ecuador, 1935.—BAZIN, R.: *Histoire de la littérature americaine de langue espagnole*; París, 1953.—BARÓN CASTRO, R.: *Literatura hispanoamericana (Epocas prehistórica y colonial)*; en «Historia de la literatura universal» dirigida por C. Pérez Bustamante; Madrid, 1946.—BELLINI, Giuseppe: *Storia e letteratura ispano-americana*; Milán, Edit. La Goliardica, 1955.—BLANCO GARCÍA, P. Francisco: *La literatura española en el siglo XIX* (en el vol. III, Literatura hispanoamericana); Madrid, 1894.—BLANCO SÁNCHEZ, Rufino: *Elementos de literatura española e hispanoamericana*; 3.ª ed. Madrid, 1925.—CEJADOR Y FRAUCA, Julio: *Historia de la lengua y literatura castellanas* (vols. X, XI y XII, Literatura americana); Madrid, 2.ª ed. 1927.—COESTER, Alfred: *Historia literaria de la América española* (trad. del inglés por Rómulo Tovar); Madrid, Edit. Hernando, 1929.—DAIREAUX, Max: *Panorama de la literatura hispanoamericana*; París, Editions K. R. A., 1930.—FLORES, Santiago G.: *Lecciones de literatura española e hispanoamericana*; México, 1940.—GARCÍA PRADA, Carlos: *Estudios hispanoamericanos*; México, 1945.—GEORGI, Manuel: *Curso de historia de literatura hispanoamericana*; Buenos Aires, 1937.—LEGUIZAMÓN, Julio: *Historia de la literatura hispanoamericana* (2 vols.); Buenos Aires, Editoriales Reunidas, 1945.—MAZZEI, Angel: *Lecciones de Literatura americana y argentina*; Buenos Aires, 1952.—PÉREZ TÉLLEZ, Emma: *Literatura española y americana*; 1944.—PIROTTO, Armando: *La literatura en América*; Montevideo, 1937.—PONCELIS, P. Manuel: *Literatura hispanoamericana*; Madrid, 1896.—PRAMPOLINI, Santiago: *Historia universal de la literatura* (tomos XI y XII, Literaturas iberoamericanas); Buenos Aires, Utha Argentina, 1940.—SÁNCHEZ, Luis Alberto: *Historia de la literatura americana desde sus orígenes hasta nuestros tiempos*; Santiago de Chile, Edit. Ercilla, 2.ª ed., 1940.—IDEM: *Nueva historia de la literatura americana*; Buenos Aires, Edit. Americalee, 1944.—SOMMA, L.: *Storia della letteratura americana*; Roma, 1946.—TORRESRIOSECO, Arturo: *La gran literatura iberoamericana*; Buenos Aires, Emecé Editores, 1945.—VALDASPE, Tristán: *Historia de la literatura hispanoamericana*; Buenos Aires, 5.ª ed., 1951.

Historias (nacionales)

ANTILLAS

MITJÁNS, Aurelio: *Historia de la literatura cubana*; Madrid, 1918.—REMOS Y RUBIO, Juan José: *Historia de la literatura cubana* (2 vols.); Habana, 1945.—SALAZAR Y ROIG, S.: *Historia de la literatura cubana*; Habana, 1939.—GARCÍA GODOY, Federico: *Literatura dominicana*; en «Revue Hispanique», volumen XLIII.—HENRÍQUEZ UREÑA, Pedro: *Literatura de Santo Domingo y Puerto Rico*; en «Historia Universal de la literatura», de Prampolini, t. XII, Buenos Aires, 1941.—IDEM: *Panorama histórico de la literatura dominicana*; Río de Janeiro, 1945.—MEJÍA DE FERNÁNDEZ, Abigail: *Historia de la literatura dominicana*; Santiago (Rep. Dominicana), Edit. «El Diario», 5.ª ed., 1943.—TEJERA, Apolinar: *Literatura dominicana*; Santo Domingo, 1922.

ARGENTINA

ALONSO CRIADO, Emilio: *Literatura argentina*; Buenos Aires, 4.ª ed., 1916.—ESTRELLA GUTIÉRREZ, Fermín: *Panorama sintético de la literatura argentina*; Santiago de Chile, Edit. Ercilla, 1938.—GARCÍA VELLOSO, Enrique: *Historia de la literatura argentina*; Buenos Aires, E. A. Estrada, 1914.—GIMÉNEZ PASTOR, Arturo: *Historia de la literatura argentina* (2 vols); Buenos Aires, Edit. Labor, 1948.—MATTEIS, Emilio: *Panorama de la literatura argentina contemporánea*; Génova, 1929.—PINTO, Juan: *Panorama de la literatura argentina contemporánea*; Buenos Aires, 1941.—ROJAS, Ricardo: *Historia de la literatura argentina. Ensayo histórico sobre la evolución de la cultura en el Plata* (8 vols.); Buenos Aires, 1924-25.—ARRIETA, Rafael Alberto: *Historia de la literatura argentina* (desde sus orígenes hasta 1950); 6 vols., Buenos Aires, 1959.

BOLIVIA

ALARCÓN, Abel: *Literatura boliviana*; en «Revue Hispanique», XLI.—BEDREGAL, Juan Francisco: *Estudio sintético sobre literatura boliviana*; 1925.—CÉSPEDES ESPINOSA, H.: *Historia de la literatura boliviana*; Cochabamba, 1948.—DÍEZ DE MEDINA, Fernando: *Literatura boliviana*; Madrid, Aguilar, Editorial, 1954.—FINOT, Enrique: *Historia de la literatura boliviana*; México, Porrú Hnos., 1943.

CENTROAMERICA

MONTALBÁN, Leonardo: *Historia de la literatura de la América Central* (2 vols.); San Salvador, 1929-31.—SOTELA, Rogelio: *Escritores de Costa Rica*; San José, 1942.—DÍAZ VASCONCELOS, L. A.: *Apuntes para la historia de la literatura guatemalteca. Epocas indígena y colonial*; Guatemala, 1952.—VELA, David: *La literatura guatemalteca*; Guatemala, 1943.—BERMÚDEZ, Néstor: *Escritores de Honduras* (2 vols.); 1941. VALLE, Rafael Heliodoro: *Historia intelectual de Honduras*, en «Revista del Archivo y Biblioteca Nacional de Tegucigalpa», marzo-abril 1948.—AYALA DUARTE, Crispín: *Historia de la literatura en Nicaragua*, en «Anales de la Universidad Central de Venezuela», mayo-junio, Caracas, 1931.—LINDO, Hugo: *Panorama de la literatura salvadoreña*, en «Atenea», núm. 174, Concepción (Chile), 1939.—RIVAS, R. M.: *La literatura del Salvador*, en «Nueva Revista de Buenos Aires», t. VI.

CHILE

AMUNATEGUI SOLAR, Domingo: *Bosquejo histórico de la literatura chilena*; Santiago de Chile, Imprenta Universitaria, 1915 y 1920.—EYZAGUIRRE, José Víctor: *Historia eclesiástica, política y literaria de Chile* (3 vols.); Valparaíso, 1947-50.—FIGUEROA, Pedro Pablo: *La literatura chilena*; Santiago, 1891.—LATORRE, Mariano: *La literatura de Chile*; Buenos Aires, Facultad de Filosofía y Letras, 1941.—LILLO, Samuel: *La literatura chilena*; Santiago, 1930.—MEDINA, José Toribio: *Historia de la literatura colonial de Chile* (3 vols.); Santiago de Chile, 1878.—MONTES, Hugo, y ORLANDI, Julio: *Historia de la literatura chilena*; Santiago de Chile, Edit. Pacífico, 1955.—SILVA CASTRO, Raúl: *Curso de historia de literatura chilena*; en «Instituto Pedagógico» de la Universidad de Chile, Santiago, 1933.—TORRES-RIOSECO, Arturo: *Breve historia de la literatura chilena*; México, Ediciones Studium, 1956.

COLOMBIA

ARANGO FERRER, Javier: *La literatura de Colombia*; Buenos Aires, Facultad de Filosofía y Letras, 1940.—BAYONA POSADA, Nicolás: *Panorama de la literatura colombiana*; Bogotá, 1942.—GÓMEZ RESTREPO, Antonio: *Historia de la literatura colombiana* (4 vols.); Bogotá, 2.ª ed., 1945.—ORTEGA, José J.: *Historia de la literatura colombiana*; Bogotá, Escuelas Salesianas, 1934.—OTERO MUÑOZ, Gustavo: *Resumen de historia de literatura colombiana*; Bogotá, Editorial A. B. C., 2.ª ed., 1937.—RUANO, J. M.: *Resumen histórico-crítico de la literatura colombiana*; Bogotá, 1925.—SANÍN CANO, B.: *Letras colombianas*; México, «Fondo de Cultura Económica», 1944. VERGARA Y VERGARA, José María: *Historia de la literatura en Nueva Granada desde la conquista hasta la independencia* (1538-1820); 2 vols., Bogotá, 1931.

ECUADOR

ARIAS, Augusto: *Panorama de la literatura ecuatoriana*; Quito, 2.ª ed., 1948.—BARRERA, Isaac J.: *La literatura ecuatoriana* (4 vols.); Quito, 1955.—HERRERA, Pablo: *Ensayo sobre la literatura ecuatoriana*; Quito, 1860 y 1889.

MEXICO

GARCÍA ICAZBALCETA, J.: *Literatura mexicana*; en «Memorias de la Academia Mexicana», t. II, 1880.— GONZÁLEZ PEÑA, Carlos: *Historia de la literatura mexicana desde los orígenes hasta nuestros días*; México, 4.ª ed., 1952.—JIMÉNEZ RUEDA, Julio: *Historia de la literatura mexicana*; México, 1928, 1934 y 1942.—PIMENTEL, Francisco: *Historia crítica de la literatura en México*; México, 1883.—REYES, Alfonso: *Letras de la Nueva España*; México, Fondo de Cultura Económica, 1948.—URBINA, Luis G.: *La vida literaria en México*; Madrid, 1917.—VIGIL, José María: *Reseña histórica de la literatura mexicana*; México, 1908.

PARAGUAY

DECOUD, José Segundo: *La literatura en el Paraguay*, Asunción, 1889.—CENTURIÓN, Carlos R.: *Historia de las letras paraguayas: época precursora y época de formación* (2 vols.), Buenos Aires, 1947.

PERU

BOLOÑA, Eleazar: *Literatura peruana del coloniaje*, tesis, «Anales de la Univ. del Perú», t. XVIII.— SÁNCHEZ, Luis Alberto: *La literatura peruana. Derrotero para una historia espiritual del Perú* (3 vols.), Lima, en edición de 1943, aumentada en 1951.— TAURO, Alberto: *Elementos de literatura peruana*, Lima, 1946.—YÉPEZ MIRANDA, Alfredo: *Pasado y presente de las letras peruanas*, Cuzco, 1942.

URUGUAY

GARCÍA CALDERÓN, Ventura, y BARBAGELATA, Hugo: *La literatura uruguaya*, «Revue Hispanique», t. XXI, 1914.—MONTERO BUSTAMANTE, R.: *Historia de la literatura uruguaya*, 1910.—REYLES, Carlos: *Historia sintética de la literatura uruguaya* (3 vols.), Montevideo, 1931.—ROXLO, Carlos: *Historia crítica de la literatura uruguaya* (7 vols.), Barreiro y Ramos, Montevideo, 1912-16.—ZUM FELDE, Alberto: *La literatura del Uruguay*, Buenos Aires, 1939; *Proceso intelectual del Uruguay y crítica de su literatura*, Edit. Claridad, Montevideo, 1941.

VENEZUELA

CALCAÑO, Julio: *Reseña histórica de la literatura venezolana*, Caracas, 1888.—GÜELL Y MERCADER, José: *Literatura venezolana* (2 vols.), Caracas, 1883.— PÉREZ CORONADO, José Antonio: *Literatura patria*, Venezuela, 1864.—PICÓN FEBRES, Gonzalo: *La literatura venezolana en el siglo XIX*, Empresa El Cojo, Caracas, 1906.—PICÓN SALAS, Mariano: *Formación y proceso de la literatura venezolana*, Edit. Cecilio Acosta, Caracas, 1940.

Antologías (generales)

VERSO

América literaria, por FRANCISCO LAGOMAGGIORE (2 vols.), verso y prosa, Buenos Aires, 1890-91.— *América poética*, por RAFAEL MARÍA MENDIVE, La Habana, 1854-56.—*América poética*, por JUAN MARÍA GUTIÉRREZ, Valparaíso, 1846.—*Antología americana*, Barcelona, 1897.—*Antología americana*, por ALBERTO GHIRALDO, G. HERNÁNDEZ y G. SÁEZ, Madrid, 1920-24.—*Antología de la poesía hispanoamericana* (2 volúmenes), por LEOPOLDO PANERO, Edit. Nacional, Madrid, 1950.—*Antología de poetas americanos*, por ERNESTO MORALES, 1941.—*Antología de poetas hispanoamericanos*, por M. MENÉNDEZ PELAYO, Madrid, 1893-95 (publicada en las «Obras completas» de M. P. con el título de «Historia de la poesía hispanoamericana»).—*Antología poética hispanoamericana*, por CALIXTO OYUELA (4 tomos), Buenos Aires, 1917.— *Antología hispanoamericana* (prosa y verso), por JORGE CAMPOS, Edit. Pegaso, Madrid, 1950.—*Colección de los mejores autores americanos* (2 vols.), por PEDRO LASO DE LOS VÉLEZ, Barcelona, 1875.—*Colección de poesías escogidas de poetas de la América española*, por ENRIQUE DE ARRASCAETA, Montevideo, 1881.— *Florilegio del Parnaso americano*, por MICHAEL A. DE VITIS, Edit. Maucci, Barcelona, 1927.—*Hispanic An-*

thology, por THOMAS WALSH, Nueva York-Londres, 1920.—*Joyas poéticas americanas*, por CARLOS ROMAGOSA, Córdoba (Argentina), 1897.—*Las cien mejores poesías modernas líricas hispanoamericanas*, Mundo Latino, Madrid, 1928.—*Latin American Literature*, por la Pan American Union, D. C., Washington, 1917.—*Poesías. Antología hispanoamericana*, por LUCILO PEDRO HERRERA, Buenos Aires, 1932.— *Poetas españoles y americanos*, por M. FOMBONA PALACIO, Caracas, 1876.—*Tesoro del Parnaso americano*, Barcelona, 1903.—*Tesoro del Parnaso americano*, por MANUEL NICOLÁS CORPANCHO, Méjico, 1863.— *The Oxford Book of Spanish Verse*, por JAMES FITZMAURICE-KELLY, Clarendon Press, Oxford, 1913.

PROSA

Antología del cuento hispano americano, por ANTONIO R. MANZOR, Edit. Zig-Zig, Santiago de Chile, 1939.—*Autores americanos. Sus mejores cuentos*, por ALBERTO GHIRALDO, Sanz Calleja, Madrid, 1917.—*La joven literatura hispanoamericana. Antología de poetas y prosistas*, por MANUEL UGARTE, Colín, París, 1912.—*Lecturas americanas. Prosa y verso*, por ENRIQUE ESTEBAN SCARPA, Edit. Zig-Zag, Santiago de Chile, 1944.—*Literatura americana* (prosa y verso), por MARTÍN CORONADO (2 tomos), Edit. Igón Hermanos, Buenos Aires, 1885.—*Los mejores cuentistas americanos*, por VENTURA GARCÍA CALDERÓN, Maucci, Barcelona, 1917.—*Narradores hispanoamericanos*, por José SANZ DÍAZ, Edic. Hynsa, Barcelona.—*Prosistas americanos*, por JOSÉ DOMINGO CORTÉS, Tip. Lahura, París, 1875.

Antologías (nacionales)

ANTILLAS

Antología de poetas jóvenes de Puerto Rico, por EVARISTO RIVERA CHEVREMONT, San Juan, 1918.—*Antología dominicana*, por PEDRO HENRÍQUEZ UREÑA, Nueva York.—*Antología puertorriqueña*, por MANUEL FERNÁNDEZ JUNCOS, Puerto Rico, 1907.—*Cien de las mejores poesías cubanas*, por RAFAEL ESTENGER, Ediciones Mirador, La Habana, 1943.—*Cuba poética*, colección de JOSÉ FORNARIS y J. LORENZO LUACES, La Habana, 1855 y 1861.—*El Parnaso cubano*, por ANTONIO LÓPEZ PRIETO, La Habana, 1881.—*Guirnalda cubana*, por OCTAVIO IRIO Y BAUSÁ, 1881.—*Joyas del Parnaso cubano*, La Habana, 1855-56.—*La lira criolla*, La Habana, 1935.—*La nueva lira criolla*, La Habana, 1903.—*Las cien mejores poesías cubanas*, por J. M. CHACÓN Y CALVO, Madrid, 1922.—*Parnaso cubano*, por ADRIÁN DEL VALLE, *Barcelona*, 1907 y 1912.—*Parnaso cubano*, por ANTONIO LÓPEZ PRIETO, Edit. M. de Villa, La Habana, 1881.—*Parnaso dominicano*, por Osvaldo BAZIL, Maucci, Barcelona, 1917.—*Parnaso portorriqueño*, por ENRIQUE TORRES RIVERA, Maucci, Barcelona, 1920.—*Poetas puertorriqueños*, selec. de JOSÉ MARÍA MONJE, MANUEL M. SAMA y ANTONIO RUIZ QUIÑONES, Mayagüez, 1879.

ARGENTINA

Argentina Anthology of Modern Verse, por PATRICIO GENNON y HUGO MANNING, Buenos Aires, 1924.— *Antología contemporánea de poetas argentinos*, por MORALES y QUIROGA, Buenos Aires, 1817.—*Antología de escritores jóvenes* (2 vols.), Buenos Aires, 1918.— *Antología de la poesía argentina moderna*, por JULIO NOÉ, Buenos Aires, 1925.—*Antología de poetas argentinos*, por JUAN DE LA CRUZ PUIG (10 vols.), Buenos Aires, 1910.—*Antología poética argentina*, por ERNESTO MORALES, Edit. Sudamericana, Buenos Aires, 1934.—*Antología poética argentina*, por JORGE L. BORGES, SILVINA OCAMPO y A. BIOY CASARES, Buenos Aires, 1941.—*Cancionero popular rioplatense*, por JORGE M. FURT, Buenos Aires, 1923.—*El Parnaso argentino*, por JOSÉ LEÓN PAGANO, Maucci, Barcelona, 1904.— *La guirnalda argentina*, por TOMÁS GIRÁLDEZ, Buenos Aires, 1863.— *La lira argentina*, Buenos Aires, 1826.— *Nuestro Parnaso* (4 vols.), por ERNESTO MARIO BARRERA, Buenos Aires, 1913.—*Nuevo Parnaso argentino*, por J. E. GRAMAJO, Buenos Aires, 1922.

BOLIVIA

Antología boliviana, por FERMÍN ROJAS, Cochabamba, 1906 y 1914.—*Parnaso boliviano*, por LUIS F. BLANCO MEAÑO, Maucci, Barcelona, 1919.—*Poetas bolivianos*, por E. FINOT y F. MOLINA.—*Poetas nuevos de Bolivia*, por GUILLERMO VISCARRA FABRE, Edit. Trabajo, La Paz, 1941.—*Poetas contemporáneos de Bolivia*, por JOSÉ EDUARDO GUERRA, La Paz, 1919.

CENTROAMERICA

Escritores y poetas de Costa Rica, por R. SOTELA, San José, 1923.—*Lira costarricense*, por MÁXIMO FERNÁNDEZ, San José, 1891.—*Los mejores poetas de Costa Rica*, por EDUARDO DE ORY.—*Parnaso costarricense*, por RAFAEL BOLÍVAR CORONADO, Maucci, Barcelona, 1921.—*Parnaso guatemalteco*, por HUMBERTO PORTA MENCOS, Maucci, Barcelona, y Guatemala, 1928.— *Antología de poetas hondureños*, por JESÚS CASTRO, Tegucigalpa, 1939.—*Honduras literaria*, por RÓMULO E. DURÓN (2 vols.), Tegucigalpa, 1896-99.—*Antología de Panamá*, por DEMETRIO KORSI, Maucci, Barcelona, 1926.—*Parnaso panameño*, por OCTAVIO MÉNDEZ PERSIRA, Panamá, 1916.—*Apuntes para una antología*, por JERÓNIMO AGUILAR, León (Nicaragua), 1925.—*Parnaso nicaragüense*, por ALBERTO ORTIZ, Maucci, Barcelona, 1912.—*Guirnalda salvadoreña*, por ROMÁN MAYOR RIVAS, San Salvador, 1886.—*Parnaso salvadoreño*, por S. L. ERAZO, Maucci, Barcelona, 1916.

CHILE

Antología chilena, por P. P. FIGUEROA, Santiago, 1908.—*Antología de poetas chilenos*, por Y. PINO SAAVEDRA, Bibl. de Escrit. de Chile, 1940.—*Exposición de la poesía chilena desde sus orígenes hasta 1941*, por CARLOS POBLETE, Buenos Aires, 1941.—*Nuestros poetas. Antología chilena moderna*, por ARMANDO DONOSO, Nascimento, Santiago, 1924.—*Parnaso chileno*, por JOSÉ DOMINGO CORTÉS, Edit. La República, Santiago, 1871.—*Parnaso chileno*, por ARMANDO DONOSO, Maucci, Barcelona, 1910.—*Poetas chilenos*, por JOSÉ DOMINGO CORTÉS, Santiago, 1864.

COLOMBIA

Antología de líricos colombianos, por CARLOS GARCÍA PRADA, Imp. Nacional, Bogotá, 1936-37.—*Antología de poetas colombianos*, por GUSTAVO OTERO MU-

ÑOZ, Cromos, Bogotá, 1930.—*Antología poética de Colombia*, por ROBERTO ARRAZOLA, Edit. Colombia, Buenos Aires, 1943.—*Las cien mejores poesías líricas colombianas*, por JOSÉ VARGAS TAMAYO, Bogotá, 1919, y Madrid, 1924.—*Parnaso colombiano* (3 vols.), por JOSÉ M. VERGARA Y VERGARA, Bogotá.—*Parnaso colombiano* (2 vols.), por JULIO AÑEZ, Bogotá, 1886-87.— *Parnaso colombiano*, por EDUARDO DE ORY, Cádiz, 1914.—*Parnaso colombiano*, por FRANCISCO CARO GRAU, Maucci, Barcelona, 1915.—*Poesía colombiana*, por CARLOS ARTURO CAPARROSO, Bogotá, 1942.—*Prosistas y poetas bogotanos*, Edit. Centro, Bogotá, 1938.— *Poesía colombiana*, por el P. JOSÉ J. ORTEGA TORRES, Bogotá, 1942.

ECUADOR

Antología ecuatoriana (2. vols.), por JUAN LEÓN MERA, Quito, 1892.—*Lira ecuatoriana*, por V. EMILIO MOLESTINA, Guayaquil, 1865.—*Literatura ecuatoriana*, por V. EMILIO MOLESTINA, Lima, 1868.—*Parnaso ecuatoriano*, por MANUEL GALLEGOS NARANJO, Quito, 1879.—*Parnaso ecuatoriano*, por JOSÉ BRISSA, Maucci, Barcelona, s. a.

MEXICO

Antología de la poesía mexicana moderna, por RAFAEL ANGARICA ARVELO, México, 1928.—*Antología de la poesía mexicana moderna*, por MANUEL MAPLES ARCE, Roma, 1940.—*Antología de poetas mexicanos*, por JOSÉ M. ROA BÁRCENA, Acad. Mexicana, México, 1892-94.—*Antología de la poesía mexicana*, por EDUARDO DE ORY, Aguilar Editor, Madrid, 1936.—*Antología mexicana* (prosistas y poetas), por ADALBERTO A. ESTEVA, México, 1893.—*Colección de poesías mexicanas*, Libr. R. Bouret, París, 1883.—*El parnaso mexicano*, por JOSÉ J. PESADO, México, 1855.—*El parnaso mexicano*, por F. J. ARREDONDO y V. DE LA RIVA PALACIO (24 tomitos), México, 1885-86.—*El parnaso mexicano*, por ADALBERTO A. ESTEVA, Maucci, Barcelona, 1915.— *Las cien mejores poesías mexicanas modernas*, por A. CASTRO LEAL, México, 1939.—*La lira mexicana*, por JUAN DE DIOS PEZA, Madrid, 1879.—*Las cien mejores poesías líricas mexicanas*, México, 1914.—*Lira mexicana*, Legación de México, Madrid, 1919.—*Poetas y escritores mexicanos*, por JUAN DE DIOS PEZA, 1877.

PARAGUAY

Antología paraguaya, por JOSÉ RODRÍGUEZ ALCALÁ, Asunción, 1910.—*Indice de la poesía paraguaya*, por SINFORIANO BUZÓ GOMES, Edit. Tupá, Buenos Aires, 1943.—*Parnaso paraguayo*, por FLEYTAS DOMÍNGUEZ, Asunción, 1911.—*Poesías paraguayas*, por IGNACIO A. PANÉ, 1904.

PERU

El Parnaso peruano, por JOSÉ TORIBIO POLO, Lima, 1862.—*Indice de la poesía peruana contemporánea, 1900-1937*, por LUIS A. SÁNCHEZ, Edit. Ercilla, Santiago de Chile, 1938.—*Las cien mejores poesías líricas peruanas*, por MANUEL R. BELTROY, Lima, 1921.— *Parnaso peruano*, por JOSÉ DOMINGO CORTÉS, Valparaíso, 1871.—*Parnaso peruano*, por VENTURA GARCÍA CALDERÓN, Maucci, Barcelona, 1914.—*Pequeña antología peruana*, por ALBERTO GUILLÉN, Santiago, 1930.

URUGUAY

Antología de la moderna poesía uruguaya (1900-1927), por ILDEFONSO PEREDA VALDÉS, El Ateneo, Buenos Aires, 1927.—*Antología de poetas uruguayos (1807-1921)*, por MARIO FALCAO ESPALTER, Montevideo, 1922.—*Antología y crítica de la literatura uruguaya*, por NICOLÁS FUSCO SANSONE, Montevideo, 1940.—*El parnaso oriental*, por RAÚL MONTERO BUSTAMANTE, Montevideo, 1905.—*Indice de la poesía uruguaya contemporánea*, por ALBERTO ZUM FELDE, Edit. Ercilla, Santiago, 1934.

VENEZUELA

Antología de la moderna poesía venezolana, por OTTO D'SOLA (2 vols.), Bibl. Venezolana de Cultura, Caracas, 1940.—*El Parnaso venezolano*, por JOSÉ ANTONIO CALCAÑO, Caracas, 1908.—*Parnaso venezolano* (12 vols.), Curaçao, 1888-89.—*Parnaso venezolano*, por JULIO CALCAÑO, Caracas, 1892.—*Parnaso venezolano*, por JUAN GONZÁLEZ GAMAZO, Barcelona, 1918.

Textos y revistas

Los mismos señalados para la literatura española.

Repertorios bibliográficos

Los ya reseñados para la literatura española, y además: *Biblioteca de Autores Mexicanos* (78 vols.), bajo la dirección de VICTORIANO AGÜERO; México, 1896-1910.—*Bibliographie Hispanique* (13 vols.); por R. FOULCHÉ DELBOSC; Nueva York, The Hispanic Society of America, 1905-1917.—*Bibliography of American Spanish*, por C. CARROL MARDEN; «Revue Hispanique», 1911.—*A Bibliography of Spanish-American Literature*, por ALFRED COESTER, en «The Romanic Review», 1912.—*Manuel de l'hispanisant* (2 vols.), por R. FOULCHÉ-DELBOSC y BARRAU-DIHIGO; Nueva York, 1920-25.—*Biblioteca hispánica*, por FOULCHÉ-DELBOSC (19 vols.); Madrid-Barcelona, 1900-1913.—*A handy bibliographical guide to the study of the Spanish Language and Literature...*, por WILLIAM HANSSLER, S. LOUIS, C. Writer, 1915.—*Hispanic American Bibliographies*, por CECIL K. JONES; Baltimore, 1922.— *A Bibliography of Latin Americans Bibliographies*, por CECIL K. JONES; Washington, 1942.—*Biblioteca hispano-americana* (7 vols.), por JOSÉ TORIBIO MEDINA; Santiago de Chile, 1898-1907.—*Ensayos de una bibliografía literaria de España y América*, por ANTONIO ELÍAS DE MOLÍNS (2 vols.), Barcelona, 1902.— *Manual del librero hispanoamericano*, por ANTONIO PALÁU Y ULCET; Barcelona, Librería Anticuario, 1923.—*Bibliothèque américaine*, por H. TERNAUX; París, 1837.—*Bibliografía americana*, por BENJAMÍN VICUÑA MACKENNA; 1879.

La Harvard University Press publica anualmente desde 1936, en forma sistemática y ordenada, la bibliografía de toda clase de obras de la América hispánica *(The Handbook of Latin American Studies)*, y el Harvard Council of Hispano-American Studies publicó (1931-36) bibliografías de cada uno de los países hispanoamericanos.

INDICE GENERAL

INDICE GENERAL

INTRODUCCION

EDAD MEDIA Y PRERRENACIMIENTO

RENACIMIENTO Y BARROCO

***

DEL NEOCLASICISMO AL MODERNISMO
(Siglos XVIII y XIX)

LITERATURA CONTEMPORANEA
(DEL MODERNISMO A NUESTROS DÍAS)

ÍNDICES ALFABÉTICOS

INTRODUCCION

LENGUA Y LITERATURA ESPAÑOLAS
GENERALIDADES

I. Proceso formativo del castellano: *Cambios fonéticos. Cambios morfológicos. El vocabulario. El español y las lenguas precolombinas. Cultismos y dobletes.*—II. El español preliterario: *Los «Diplomas». Los «Glosarios».*—III. Cronología: *Edad Media. Renacimiento y Barroco. Neoclasicismo y Romanticismo. Realismo. Modernismo y otras formas.*—IV. Caracteres fundamentales: *Improvisación. Anonimia y colaboración. Tradicionalismo. Realismo o verismo.*—Notas.—Bibliografía.

I. PROCESO FORMATIVO DEL CASTELLANO

El castellano o español [1] pertenece a la gran familia lingüística indoeuropea. Con el francés, el italiano, el portugués, el rumano y numerosos dialectos más o menos afines a cada una de estas lenguas, forma el grupo de los idiomas «neolatinos», así llamados porque todos proceden del latín evolucionado en mayor o menor grado, según épocas y países. Por corresponder estas lenguas a la amplia región que constituyó en su día el Imperio romano, se vienen llamando también «romances» o «románicas». De todas ellas, el castellano es una de las más importantes, y en ciertos aspectos la que ofrece mayor interés. La cantidad y cualidad de sus obras literarias le otorgan un puesto aventajado; su belleza y sonoridad son reconocidas por todos; el número de sus hablantes—150 millones—la coloca en segundo o tercer lugar entre las lenguas cultas; y por su expansión política también figura a la cabeza, ya que es el idioma oficial de veinte Estados [2].

De los dos latines que se hablaban en los países romanizados, el oficial o culto y el vulgar —llamados asimismo *sermo eruditus, urbanus,* y *sermo rusticus*—, el castellano, como las otras lenguas romances, deriva principalmente del segundo. Es la misma lengua que hablaban en la Península los españoles romanizados, sometida luego a una profunda transformación, en la que actuaron múltiples causas: substratos lingüísticos, contactos con idiomas de otros pueblos (godos, árabes), préstamos, y los inevitables cambios fonéticos y morfológicos a que está sujeta siempre toda lengua viva. No se olvide que España, país de tránsito de varias civilizaciones y puente entre Africa y Europa, por su posición geográfica tenía que recibir, y de hecho recibió, múltiples influencias en todos los órdenes de la cultura, y especialmente en la lengua. Se puede dar como seguro que ya en la corte visigótica el pueblo tenía como lengua usual y familiar el romance, es decir, un instrumento de expresión que, sin renegar de su origen, se había

ido separando más y más del latín escrito que nosotros conocemos, hasta el punto de que muchas voces latinas eran ya desconocidas para el vulgo. Gracias a los dialectos mozárabes podemos rastrear el punto en que se encontraban el latín vulgar y el romance a principios del siglo VIII, cuando los musulmanes invadieron España [3].

«El idioma español—escribe Menéndez Pidal— se formó muy lentamente, por integración del trabajo lingüístico realizado en las varias comarcas españolas. El romance vulgar, como planta espontánea, fué naciendo sobre las distintas porciones del suelo peninsular con caracteres bastante diversos. Nacía en torno a los distintos centros culturales que, por su mayor actividad política, social, literaria, podían constituirse en foco de irradiación para el uso idiomático. La unificación de esas varias modalidades así creadas se logra merced al multisecular proceso histórico en que las diversas comarcas van realizando su comunidad de destino» [4]. No entra en nuestro propósito, ni es de este lugar, seguir ese lento proceso formativo del idioma castellano, que empieza antes de la misma invasión germanogótica y no termina hasta bien entrada la Edad Media. Sólo nos interesa destacar aquí cómo entre los numerosos romances, dialectos, hablas, o como se los quiera llamar, que afloran en «las varias comarcas españolas», pronto se imponen por su importancia dos grupos: el portugués, con el leonés, al Occidente, y el catalán, con el aragonés, al Oriente. Hasta tal punto ocupan esos dos grupos el territorio nacional, que en cualquier mapa lingüístico del siglo X se puede observar su predominio casi absoluto. Durante la dominación visigoda y en los primeros siglos de la Reconquista, el romance que llamamos castellano, y que es el núcleo de la espléndida lengua española, no sólo se encontraba en estado embrionario, sino en manifiestas condiciones de inferioridad respecto de aquellos otros dos dialectos.

Sólo con los comienzos y posterior desarrollo de

la hegemonía política de Castilla sobre los otros reinos cristianos peninsulares, aquel romance vulgar, que había empezado a usarse en una reducida comarca de Burgos, se vigoriza, se ensancha y hasta se impone como lengua oficial, a costa de los otros dialectos, que o desaparecen o, en el mejor de los casos, pasan a segundo plano.

Cambios fonéticos

Ya queda dicho que la lengua castellana no es sino un latín vulgar evolucionado. Se entiende que para llegar el latín al estado en que lo encontramos en los primeros documentos literarios ha tenido que sufrir una serie de hondas transformaciones. He aquí las más importantes:

a) Sustitución de la cantidad prosódica de las vocales largas y breves por el timbre de vocales abiertas y cerradas: toda vocal larga del latín clásico se hace cerrada; toda breve, abierta.

b) La yod (*i* semiconsonántica en hiato con otra vocal) precedida de *c* y *t* palataliza la consonante, dando lugar a la *z*: *fortia: fuerza; ratione: razón; eritiu: erizo.*

c) Las consonantes fricativas sonoras intervocálicas desaparecen: *sartagine, sartaine: sartén.*

d) Sonorización de consonantes oclusivas sordas intervocálicas: *lupu: lobo; cepulla: cebolla; apicula: abeja; rota: rueda; metu: miedo.*

e) Evidente simplificación de grupos consonánticos. Consonantes dobles en sencillas; grupos análogos que, tras una asimilación, se hacen también letra sencilla, etc.: *gutta: gota; septem: siete; altariu, autairu: otero; saltu, sautu: soto; falce, fauce: hoz.* Como se ve en los últimos ejemplos, *l* más consonante da vocalización de ésta, y en algunos casos el diptongo resultante monoptonga en *o*.

f) Diptongación de vocales breves *e* y *o* acentuadas; la primera en *ie*, la segunda en *ue*, pasando por el diptongo intermedio *uo*: *metu: miedo; rota, ruota: rueda; porta, puorta: puerta.*

g) Los grupos *b, d, g,* más yod, palatalizan en *y*: *badía: baya; podíu: poyo.*

h) El grupo latino *ct* palataliza en *ch*, previa la vocalización de la *c*, que actúa luego como yod: *pectu, peito: pecho; lacte, leite: leche.* La yod precedida de *n* y *l* da *ll* y luego *j*: *palia, palla: paja; muliere, muller: mujer.* Los grupos *c'l* y *g'l* resultantes de una pérdida de vocal también dan *j*: *novacula: navaja; oculu: ojo; coagulu: cuajo.*

i) Entre el siglo v y el IX se pierden las vocales pro y postónicas, cuya caída ya se había iniciado en el latín vulgar: *lapide, lapde: laude; calidu: caldo; lepore: liebre; litera: letra; capitulu: cabildo.*

j) *O* y *u* finales se confunden: *terminus* y *terminos*. En los siglos x y xi aún perdura la diferencia.

k) El diptongo *au* monoptonga en *o*, y el *ai* en *e*: *mauru: moro; saltu, sautu: soto; sartagine, sartaine: sartén; carraria, carreira: carrera.*

l) Pérdida de la *e* final, fenómeno que en los siglos XII y XIII se produce tras de cualquier consonante, pero que a finales del mismo XIII se restringe a la *d, l, r, z, n* y *s: bonitate, bondade: bondad; fidele, fiele: fiel; amare: amar; falce: fauce; foz: hoz.*

Cambios morfológicos

No menos interés revisten en la evolución de nuestra lengua las modificaciones operadas en la morfología de las palabras. Limitamos nuestra referencia a las de mayor interés:

a) La declinación, cuyas desinencias casuales estaban ya en trance de desaparecer en la baja latinidad, se pierde por completo en castellano. Sólo se conserva, y eso fragmentariamente, en los pronombres personales. En romance, como en el bajo latín, la función oracional se expresa por preposiciones.

b) Los tres géneros latinos—masculino, femenino y neutro—quedan reducidos a los dos primeros. El neutro sólo persiste en los pronombres demostrativos *esto, eso, aquello* y en el artículo *lo*. Los sustantivos latinos neutros, al pasar al romance, adoptan arbitrariamente cualquiera de las dos formas, masculina o femenina.

c) Los sustantivos romances provienen del acusativo latino, cuya *m* final ya estaba perdida en el latín vulgar.

d) Los adjetivos de dos terminaciones se reducen a una, y los de tres a dos, perdiendo la forma neutra. En cuanto a su gradación, desaparece la desinencia del comparativo latino, *ior-ius*, que queda reemplazada por los adverbios *más, menos* y *tan*; y la del superlativo, *issimus*, persiste en *ísimo*, que alterna con *muy* y *más*. Se conservan, sin embargo, los comparativos irregulares: *mayor, menor, peor*, etc.

e) Los numerales pasan al romance del uno al quince; pero, a partir de éste, se forman por perífrasis: *diez y seis, treinta y cuatro*. Se conservan también decenas, centenas, etc.

f) Los pronombres personales conservan sus nominativos, genitivos, dativos y acusativos en singular. Las formas de ablativo *mecum, tecum, secum*, se mantienen con doble preposición antepuesta y pospuesta: *conmigo* (cum-mecum), *contigo* (cum-tecum), *consigo* (cum-secum).

g) La conjugación se mantiene mejor que la declinación. Pierde, no obstante, la voz pasiva completa, salvo el participio: *armatus: armado*. El sistema temporal experimenta hondo cambio: desaparece el futuro imperfecto en *-bo* y *-am*, sustituído por una perífrasis formada con el infinitivo y las formas del presente de indicativo del verbo *habeo: amar-he: amaré*. El imperfecto de subjuntivo en *-are, -ere, -ire*, se pierde, y queda reemplazado por formas del pluscuamperfecto de indicativo y de subjuntivo: *ama(ve)ram: amara; ama(vi)ssem: amase*. En cambio, la conjugación se enriquece con tiempos del modo potencial que no existían en latín; una perífrasis semejante a la que da lugar al futuro nos suministra las formas del potencial simple: infinitivo más terminaciones del imperfecto de indicativo de *habeo (amar-ía: amaría)*. Es de notar que muy a menudo la fonética del verbo se ve turbada por la analogía.

h) La evolución de las partículas es más normal. Sólo el adverbio romance se enriquece con los adverbios de modo formados con el adjetivo y el sustantivo *mente (dócil-mente, pausada-mente)*, que pierde su valor semántico originario para convertirse en mero sufijo.

El vocabulario

El léxico o conjunto de palabras que componen el castellano es básicamente latino. Ello no obsta para que en nuestra lengua encontremos millares de voces originarias de otros idiomas, antiguos y modernos, que han pasado a ella en diferentes épocas y por diversos motivos. Ya el Padre Mariana, a últimos del xv, consideraba la lengua castellana como «una avenida de muchas lenguas», y lo mismo habían advertido antes Juan de Valdés y Fernando de Herrera. Esas voces, en número de millares, se han introducido en el castellano en forma de préstamos, calcos o simples extranjerismos, por los inevitables y continuos contactos del pueblo español con gentes de otras razas y distinto idioma. Muchas palabras castellanas son simples substratos lingüísticos, es decir, restos de antiguas lenguas habladas en la Península antes de la dominación romana, que han sobrenadado en la corriente de los siglos [5]. Por lo que el castellano se nos presenta, en cuanto a su vocabulario, como un amplio mosaico en que las voces latinas alternan con otras de procedencia árabe, germana, vasca, francesa, italiana, etc. Lo que no le impide ser un idioma fundamentalmente latino, ya que todas esas voces, al pasar al castellano, se han adaptado a su morfología, se han «castellanizado»; sin contar con que la esencia de una lengua no reside tanto en su fondo léxico como en su sistema interno, en la estructuración de las piezas gramaticales dentro de un esquema propio y definido. El sistema elocutivo del castellano es radicalmente latino.

Veamos cuáles son las lenguas que más han influído en la nuestra:

Celtas, iberos y vascos.—Son escasos los restos lingüísticos del ibero que se pueden dar por seguros; la dificultad dimana de su alfabeto, no descifrado aún totalmente, lo que da lugar a las más diversas interpretaciones de los textos. Los celtas, que fundaron diversas ciudades, las denominaron con los compuestos de *briga* (fortaleza), *sego* y *segi* (victoria): *Conimbriga* (Coimbra), *Brigantium* (Betanzos), *Segobriga* (Segorbe), etc. Mayor importancia tiene el vascuence: frente al dominio creciente del latín, que iba anulando los idiomas primitivos hasta hacerlos desaparecer, la región vasca se mantiene aislada de la civilización grecorromana y conserva su propio idioma, aunque plagado de latinismos. Revelan origen vasco palabras que llevan los sufijos o voces *berri* (nuevo), *erri* (quemado), *gorri* (rojo), *otz* (frío), etc.

Fenicios, cartagineses y griegos.—Los tres pueblos dejan su rastro en nuestra lengua, sobre todo en el área toponímica. Los fenicios fundaron numerosas colonias, como *Gadir* (Cádiz), *Malaka* (Málaga), *Abdera* (Adra), *Ebussus* (Ibiza). A los cartagineses se deben, entre otros, *Cartago* (Cartagena), *Portus Magonis* (Mahón). Los griegos colonizan Levante y dejan su huella en ciudades como *Lucentum* (Alicante), *Emporion* (Ampurias), *Rhode* (Rodas). Las cuestiones relativas al centro y nordeste de España se presentan más oscuras; apoyándose en la toponimia, cobra cada día más valor la hipótesis de una inmigración ligur, que nos habría dejado el sufijo *asco*, frecuente en nombres geográficos: *Benasque, Biosca* (nombres de las provincias de Huesca y Lérida, respectivamente).

Germanismos.—Contrariamente a lo que se viene diciendo, los términos germánicos que pasan directamente al castellano son escasos en número; la mayor parte llegaron por conducto del latín. Los visigodos, antes de dominar nuestra Península, habían estado largo tiempo en contacto con los romanos, de los que tomaron la nomenclatura para su industria, su agricultura y su comercio. A su vez, «prestaron» a los romanos numerosas voces. Estas son las que, ya latinizadas, pasan a nuestra lengua. Otra vía de penetración, menos importante, aunque directa, es la de los suevos, vándalos, alanos y de los mismos visigodos. En conjunto, las voces de origen germánico introducidas en el romance castellano son muy numerosas. Corresponden a la vida militar: *guerra, guardar, robar* (igual a *saquear*), *guarnir* (más tarde, *guarnecer*), *yelmo, dardo, estribo,* etc.; a relaciones diplomáticas: *bando, heraldo, embajada, tregua,* etc.; a utensilios e indumentaria: *jabón, falda, cofia,* etc.; a cualidades y estados de ánimo: *orgullo, escarnio, desmarrido, fresco, blanco,* etcétera. Abundan mucho los nombres propios de persona: *Ramiro, Rosendo, Bermudo, Elvira,* y los calcos o imitación de voces germánicas con elementos latinos: *cum-regare (cumrrear, correar)*. Adviértase que estos germanismos, bien procedan del fondo común románico o bien del gótico, siguen en su evolución las mismas leyes fonéticas antes señaladas. Procedentes del contacto directo con los visigodos, tenemos, entre muchas: *sayón, hato, ataviar, porra, aliso, marta, gana.*

Arabismos.—Después del latino es el elemento árabe el más importante en nuestra lengua. Pasan de 4.000 las palabras que traen ese origen. No es de extrañar, si se tiene en cuenta la larga permanencia del pueblo árabe en España y su íntimo contacto, que en ocasiones fué fusión, con los pueblos cristianos de la Península. Aunque hubo períodos de lucha violenta, hubo otros también de relaciones culturales y de convivencia amistosa entre moros y cristianos. La suerte de los *arabismos* ha variado en las diversas épocas: hasta el siglo XI se introducen fácilmente; durante la baja

Edad Media luchan con la competencia latina y extranjerizante, y al final del medievo se inicia el retroceso. A la organización bélica, administrativa y judicial de los árabes, así como a la agricultura, debe el naciente romance castellano infinidad de voces: *atalaya, alcaide, almena, adalid, zaga, alcázar, almadén, acequia, alfarero, albéitar, arrobas, fanegas, azotea, alcantarilla, alfil, alarife, alcachofa, alifafe, acelga, alférez, aldaba, alubia, alguacil*, etc. De este modo se podría alargar la lista en más de 4.000 vocablos.

Otras lenguas.—Figura a la cabeza entre los préstamos de lenguas modernas el *galicismo*, proveniente no sólo del francés, sino del provenzal. Se introducen principalmente en dos períodos: a partir del reinado de Alfonso VI de Castilla, con la llegada de los monjes de Cluny, y en el siglo XVIII, coincidiendo con el triunfo en España de la dinastía borbónica y las corrientes del neoclasicismo. Se dividen en dos clases: viejos, que se hallan ya en el Diccionario de Nebrija (1495), y modernos. A los primeros pertenecen *paje, jardín, gañán, manjar, bajel, sargento* y muchos más; del segundo tipo son *hotel, parterre, charretera, ficha, corsé, petimetre*, etc. La influencia francesa, intensa en los siglos XII y XIII *(homenaje, mensaje, palafrén, vergel, mesón, monje, deán)*, decae en el XIV y XV; durante el XVI y el XVII es España la que influye en el exterior, incluída Francia; en el XVIII se intensifica la invasión gala en nuestra lengua, hasta quedar el castellano materialmente sembrado de galicismos *(arribar, detalle, favorito, interesante, intriga, modista, rango, resorte, confort, coqueta*, etc.); esta invasión, aunque en menor grado, persiste duránte el XIX y hasta nuestros días *(explotar, bolsa, cotizar, garantía, aval, debate, burocracia)*. Incluso la influencia lingüística francesa afecta a la construcción de la frase: «Orden disponiendo la creación...», en vez de «Orden que dispone la creación...».

El italiano es, después del francés, la lengua que más ha enriquecido la nuestra. Se explican los numerosos *italianismos* por la larga dominación española en algunas regiones de aquel país y por la honda influencia de la Italia renacentista en nuestras letras desde mediados del XIV a principios del XVI. Voces italianas son *fachada, carroza, soneto, cantata, piano, escopeta, medalla, barcarola, centinela, parapeto, fragata, piloto, espadachín, saltimbanqui, gaceta, avería, corsario, tramontano*, etc. Los italianismos más frecuentes corresponden a las bellas artes.

Los *inglesismos* son, en su mayor parte, de introducción reciente, y gran número de ellos se refieren al deporte: *boxeo, corner, penalty, gol;* también los hay relativos a formas, objetos y usos sociales: *dandy, tilbury, club*, etc.

El alemán moderno también ha prestado al castellano algunas voces: *obús, banquete, brindar, bigote*, etc.

El español y las lenguas precolombinas

El descubrimiento de América aportó al castellano numerosas voces. Nombres de animales desconocidos en el Viejo Continente, de productos agrícolas, de utensilios, invaden nuestro idioma y pasan desde él a las otras lenguas europeas. Naturalmente, son más numerosos en el español hablado en América que en el peninsular, aun siendo en éste muy abundantes. Es también natural que el mayor porcentaje de *americanismos aborígenes* procedan de lenguas de las Antillas, aunque su cultura fuese inferior a la incaica, la azteca, la quechua, etc. «Los primeros indígenas con que tropezaron los descubridores—escribe Menéndez Pidal—pertenecían a la familia de los *arahuacos*, extendida por la Florida, las Antillas y regiones varias de Venezuela, Colombia y el Brasil; ellos, a pesar de su estado de cultura, inferior al de otras razas americanas, enseñaron primero a los españoles muchos vocablos de cosas de allá, que no fueron después sustituídos por los propios de pueblos más cultos, como los aztecas y los incas» [6]. Este es el motivo de que pasasen al castellano voces como *canoa, huracán, maíz, cacique, sabana, colibrí, enaguas, caribe, caníbal* y otras muchas, todas de origen arahuaco.

Del azteca tomó el castellano, entre otras: *cacahuete, cacao, pampa, chocolate, tomate, jícara, petaca;* del inca: *alpaca, cóndor, vicuña, puma;* del guaraní: *tapioca, gaucho, poncho;* del taíno (primitiva lengua de Santo Domingo): *batata, boniato, tabaco.*

Hay que tener, asimismo, en cuenta los romances peninsulares, que, si bien en menor escala, también acusan su presencia en el vocabulario castellano. De cuando en cuando tropezamos con voces gallego-portuguesas: *morriña, chubasco, chopo, menina, sarao, follada, cuita* (coita), *ledo;* valenciano-catalanas: *paella, seo, nao, capicúa;* y hasta andaluzas, que revelan la *j* etimológica: *jamelgo, jalear, jolgorio, juerga*, etc.

Cultismos y dobletes

Aunque la masa idiomática del español está constituída por voces tomadas del latín popular, sobre las cuales se ha operado todo el proceso de una larga evolución fonética, hay muchas que han pasado directamente por conducto de la Iglesia, de la administración, de las cancillerías o de simples particulares, conocedores del latín clásico, que han querido, mediante la introducción de nuevas voces, enriquecer la lengua. «A consecuencia de este legado—leemos en la *Historia de la Lengua española*, de R. Lapesa—, el vocabulario latino ha pasado a las lenguas romances siguiendo diversos caminos: unas palabras han vivido sin interrupción en el habla, libres del recuerdo de su forma literaria y abandonadas al curso de su evolución fonética; se han transformado al tiempo que nacían las nuevas lenguas, y muestran en sus sonidos cambios regulares característicos; por ejemplo, *filius, genesta, saltus,* han dado en castellano *hijo, hiniesta, soto,* según leyes fonéticas que distinguen el castellano de otras lenguas romances. Son las palabras llamadas populares o tradicionales, que constituyen el acervo más representativo de cada lengua. Tan antiguas como las voces populares, y pertenecientes como ellas a la lengua hablada, hay otras que no han tenido un proceso fonético desembarazado de reminiscencias cultas. Mientras *argilla* y *ringere* se deformaban hasta llegar a *arcilla* y *reñir,* no sucedía igual con *virgine* o *angelus,* que en la predicación y ceremonias religiosas se pronunciaban de una manera más o menos distante de la latina pura, pero esencialmente respetuosa con ella; el oído de las gentes se acostumbró a la pronunciación eclesiástica, y el influjo cultural impidió que se consumaran las tendencias fonéticas; *virgine* dió *virgen,* no *verzen;* y *angelus, ángel,* en vez de *año* o *anlo.* De igual modo, *saeculum, regula, apostolus, episcopus, miraculum, periculum, capitulum,* pasaron a *sieglo: siglo; regla, apóstol, obispo, milagro, peligro, cabildo,* muy distintos de las soluciones normales, [que], de haber obedecido a las leyes fonéticas, hubieran dado «sejo», «reja», «abocho», «besbo» o «ebesbo», «mirajo», «perijo», «cabejo», como *tegula* dió *teja* y *vetulu* dió *viejo»* [7]. Tenemos en todos estos casos y mil análogos un producto verbal que se viene llamando *semicultismo;* se da en aquellas palabras en que la evolución fonética sólo se realiza en parte: *saeculum: siglo* evolucionó en cuanto presenta sonorización de la *c;* pero no continuó su marcha evolutiva, que hubiera desembocado en *sejo.*

Hay, en cambio, muchas voces en las que la fidelidad a la forma latina escrita es absoluta *(evangelio, subsidio,* etc.). Tenemos entonces los llamados *cultismos.* En todo tiempo, bien por necesidades de nuevas denominaciones para nuevos objetos o inventos, bien por el simple deseo de ennoblecer, hermosear y ensanchar la lengua, se han producido estos cultismos; pero hay algunas épocas particularmente favorables. En la lengua castellana esas épocas suelen corresponder a cambios de gustos y de escuelas, especialmente poé-

ticas: Mena, en el siglo XV; Herrera y Góngora, a últimos del XVI y principios del XVII; los líricos modernistas, al final del XIX y comienzos del XX, etcétera. En los correspondientes capítulos tendremos ocasión de subrayar estas periódicas invasiones de voces cultas, que suelen ir seguidas de una reacción en favor de los términos populares.

Muchos cultismos desaparecen sin dejar rastro; pero otros, en gran número, quedan circulando en la corriente de la lengua. De este modo, ocurre con frecuencia que hay una duplicidad de voces para designar la misma cosa, porque el término culto adquiere carta de ciudadanía dentro del idioma y la voz popular anteriormente formada se resiste a desaparecer. Tenemos entonces lo que con un flagrante galicismo denominamos *doblete:* dos formas, vulgar y culta, para el mismo objeto. En castellano abundan mucho: *colocar, colgar; título, tilde; frígido, frío.* Aparentemente, las dos formas tienen el mismo valor semántico; pero, a poco que se observe, se verá que, aun en aquellas cuya sinonimia parece más evidente *(fosa, huesa; íntegro, entero)* la significación es distinta, si no en esencia, al menos en matices. De ordinario se trata de términos independientes, sin otro nexo común que su etimología. Compárense *lego* y *laico, signo* y *seña, artículo* y *artejo, capítulo* y *cabildo, concilio* y *concejo, radio* y *rayo, colocar* y *colgar, litigar* y *lidiar, cátedra* y *cadera,* y al punto se apreciará la diferencia.

La mayor parte de los cultismos son latinos; pero los hay también griegos en notable cantidad. Estos helenismos nada tienen que ver con las voces toponímicas antes aludidas. Se trata de términos modernos tomados del griego para designar artes, ciencias, inventos y otras manifestaciones del progreso y la cultura universal, y que son ya comunes a todas las lenguas de países civilizados. Muchos de estos nombres de conceptos generales nos llegaron por conducto del latín clásico: *idea, fantasía, filosofía, poesía, tragedia, comedia, oda, siringa;* algunos entraron directamente en el latín hispánico a mediados del VI, cuando se establecieron los griegos en el levante de la Península, merced a la cesión territorial realizada por Atanagildo; no pocos, por conducto de la Iglesia: *episcopus, apostolus, parabola;* los más, ya queda dicho, son de origen moderno: *teléfono, telégrafo, hipódromo.*

II. EL ESPAÑOL PRELITERARIO

Nuestra lengua, como todas las cultas, hubo de recorrer, antes de llegar a convertirse en instrumento apto para la expresión literaria, un largo período de tanteos, de indecisiones y de lucha con otros idiomas ya plenamente formados, especialmente con el latín. Como lengua hablada, se sabe que el romance era utilizado ya en la corte visi-

gótica; pero como lengua escrita sólo está documentada a partir del siglo IX. Naturalmente, los documentos que acreditan su existencia tienen mayor valor para el filólogo y el lingüista que para el historiador de la literatura. Se reducen a algunos testimonios notariales redactados en latín, en los que acaso por descuido se insertan voces y construcciones romances; a dos glosarios castellanos, en los que la lengua vulgar aparece usada conscientemente, y a varios diccionarios mozárabes que, al relacionar las lenguas árabe y latina, nos suministran de cuando en cuando formas romances equivalentes.

Los «Diplomas»

Han sido estudiados minuciosa y diligentemente por Menéndez Pidal, quien nos ha suministrado abundantes materiales para juzgar del estado de nuestra lengua en aquella remota época. He aquí dos muestras. La primera es una declaración de derechos que el conde de Castilla tenía en Espeja hacia 1030, y dice así: «*Ipsos infanciones* de Spelia abuerunt *fuero* per *anutba* tenere in Gormaz et in Oxima et in Sancti Stefani; quando *prenderunt ipsas* casas mauros, mandavit domno Sancio comite que tenuissent ipsas *anutbas* in Karazo et in Penna fidele, quomodo totos *infantiones* faciebant, et non *quesierunt infantiones* de Spelia su mandato facere. Proinde *presot ille* comite tota Spelia, et non eis laxabit nisi mas *hereditatelias*.» Como se ve, esto es aún latín, con escasa intervención de formas romances. La segunda es una escritura extendida en Sobrarbe varios años más tarde, hacia el 1090: «De illa participon que feci senigor Sango Garcese. Ad Galino Acenarece era lorika, ero kabalo, era espata. Ad Sango Scemenones ero kabalo, era mulla, era espata, era ellemo. Ad Scemeno Fertungones, si tene illa onore, tienga ero kabalo per meno de Cornelga; e si lesca era onore, ero kabalo segat suo engenobo; e dos elmos» [8].

De los diccionarios mozárabes, que abundan en formas romances, el más importante es el Glosario de la Biblioteca de Leyden, publicado por Seybold (Berlín, 1900), cuya escritura retrotrae Villada al siglo x y Bertoni al ix. Simonet ha estudiado obras de autores árabes, especialmente médicos y farmacéuticos, en las que aparecen asimismo correspondencias de formas castellanas.

Los «Glosarios»

Mayor importancia tienen para nuestro objeto las *Glosas Emilianenses*, compuestas en el monasterio de San Millán de la Cogolla (Rioja), y las *Glosas Silenses*, escritas en el de Silos, al sudeste de Burgos. Ambos datan del siglo x, si bien las *Emilianenses* son, a juicio de Menéndez Pidal, algo anteriores a las *Silenses*. Se trata de ciertas

anotaciones puestas al margen de unas homilías y de un penitencial latino [9]. Los monjes a quienes iban destinadas se cuidaron de ilustrar con su correspondencia romance aquellas palabras o expresiones cuyo sentido era más difícil o simplemente ininteligible. Las *Emilianenses* incluyen un párrafo en romance de cierta extensión y dos glosas en vasco. Ejemplo: «Quidam (qui en fot) monacus filius sacerdotis ydolorum... Et ecce repente (lueco) unos de principibus ejus veniens adorabit eum. Cui dixit diabolus unde uenis? Et respondit: fui in alia prouincia et suscitabi (lebantai) bellum (pugna) et effusiones (bertiziones) sanguinum... similiter respondit: in mari fui et suscitabi (lebantaui) conmotiones (moueturas) et submersi (trastorne) nabes cum omnibus... Et tertius ueniens (elo terzero doabolo uenot)...» Así en las *Emilianenses;* y en las *Silenses:* «*De sacrificio uel perceptione eius*... Omnis clerus qui non beno sacrificium custodierit relinquens (elaiscaret) illut deuorandum (por manducaret) feris ad nicilumque illut deuenerit (non aflaret), uno anno peniteat. Omne sacrificium sordidatum (nafregatu) uel uetustatum (obetereiscitu, osmatu) proditum (aflatu fueret), igni comburere (kematu siegat)... Si super linteamina fusum fuerit id, modica (poca) abluantur (labatu siegat) limpha (agua) et sumatur a clero: ob inde III diebus peniteat; il amplius (si magis vertieret), XII diebus peniteat.»

Sin duda estos glosarios no son el primer tanteo de escritura en vulgar. Se supone que para redactarlos los glosadores tuvieron que manejar algún diccionario latino-castellano. Por otra parte, las recientes investigaciones sobre las *jarchas*, que se estudiarán en su lugar, permiten aventurar la hipótesis de que ya en el siglo x existía en romance castellano una lírica, siquiera fuese de carácter rudimentario. Sabida es, por último, la tesis de Menéndez Pidal, según la cual, dada la nota realista de nuestra épica primitiva y su propincuidad, casi coetaneidad, al hecho narrado, algunos cantares de gesta debieron de componerse antes del año 1000. Bien es verdad que tales cantares, que versarían sobre Bernardo del Carpio, los Siete Infantes de Lara o el conde Fernán González, no han llegado a nosotros en su primera versión, sino sólo en formas prosificadas o en resúmenes muy posteriores.

Teniendo en cuenta esto, y que ninguna de las producciones anteriores a la mitad del xii alcanza auténtico rango literario, podemos decir que la historia de la literatura castellana empieza con el *Cantar* o *Poema de Mio Cid*, hacia el año 1140.

III.   CRONOLOGIA

No se nos oculta lo arriesgado que es dividir la historia—en nuestro caso, la historia literaria—en períodos. Arriesgado y siempre, quiérase o no,

más o menos arbitrario. Los períodos, por muy distintos que sean, se interfieren entre sí: cada período arrastra elementos del anterior y lega los suyos propios, o parte de los suyos, al siguiente. Se podrían señalar en cada época tres series de factores: normales, rezagados y adelantados o revolucionarios. Así, en pleno triunfo clasicista del siglo XVIII, encontramos, sin salirnos de nuestra literatura, a los defensores de lo tradicional, a los epígonos del barroco, a los neoclásicos puros y a los prerrománticos. De igual modo, en el Renacimiento, al lado de los italianizantes, están los poetas tradicionalistas de los *Cancioneros*, aferrados a los metros antiguos: Castillejo y su grupo. No obstante, apenas hace falta decir que una clasificación se impone, aunque sólo sea por razones de claridad y de método. La exige también la misma índole de las creaciones literarias, tan diversas en cada época. No es posible confundir un poema de Berceo con uno de Garcilaso, ni encuadrar en el mismo esquema una comedia de Calderón y una comedia de Leandro Fernández de Moratín. Cada época tiene sus producciones y postula, si queremos entenderla en toda su amplitud, una consideración aparte.

Para nuestra literatura hemos aceptado la división cronológica corriente, a sabiendas de que es susceptible de mayores precisiones y aun de rectificaciones. Dividimos, por tanto, nuestro estudio en los siete grandes períodos ya generalmente admitidos:

Edad Media.
Renacimiento.
Barroco.
Neoclasicismo o siglo XVIII.
Romanticismo.
Realismo y Naturalismo.
Epoca contemporánea.

Si bien a cada una de estas épocas ha de preceder el correspondiente capítulo introductorio, con el estudio de sus caracteres y aspectos más interesantes, vayan ahora por adelantado unas nociones muy sumarias.

Edad Media

Comprende un amplio período, el más largo, sin duda, de nuestra historia cultural. Llámase *media* en relación con las dos épocas que la anteceden o la siguen: Antigüedad grecolatina y Renacimiento. Históricamente dura diez siglos, limitados por dos fechas extremas: 476 y 1453, o, lo que es lo mismo, caída definitiva del Imperio de Occidente con Rómulo Augusto y toma de Constantinopla por los turcos. Pero en el aspecto literario, la Edad Media se reduce considerablemente, haciendo coincidir sus inicios con el desarrollo de las literaturas en lengua vulgar.

En el caso concreto de la castellana tiene una fecha fija de arranque: 1140, año en que se supone compuesto el *Poema del Cid;* y otra fecha de tope: 1530, en que empiezan a introducirse las formas métricas italianas por conducto de Boscán y Garcilaso, si bien la obra conjunta de ambos poetas no aparece hasta 1542. Aun estas dos fechas, sin embargo, son susceptibles de modificación. Antes de componerse el *Mio Cid,* no ha duda de que existió literatura en lengua romance. Menéndez Pidal ha demostrado que los poemas épicos castellanos se redactaron casi coetáneamente a los hechos narrados; y los recientes descubrimientos de los señores García Gómez y Cantera han puesto de relieve la existencia de una poesía lírica anterior a la épica conservada, poesía lírica de la que Menéndez Pelayo había tenido ya algún barrunto. Las fechas que damos, al igual que las señaladas para otras épocas, tienen una finalidad puramente orientadora.

Si el inicio ha de retrotraerse, al parecer, en más de un siglo, lo mismo debe hacerse con la fecha terminal. ¿Qué son, en definitiva, los reinados de Juan II de Castilla o de Alfonso V de Aragón sino auténtico Prerrenacimiento? Hasta tal punto, que cada día va ganando más terreno la tesis formulada por Gaston Paris respecto a la literatura francesa y que, aplicada a la nuestra, nos llevaría a distinguir en el largo período medieval dos épocas o fases distintas: Edad Media propiamente dicha, que llegaría hasta mediados del XIV, y Prerrenacimiento, que comprendería la segunda mitad de ese siglo, todo el XV y primer tercio del XVI, hasta la invasión de las formas italianas. Pero de esto se hablará por extenso en su lugar.

Renacimiento y Barroco

Dejamos para más adelante el estudio de sus caracteres en relación con la literatura española y nos limitamos aquí a su aspecto cronológico. En el caso concreto de España, su aparición puede datarse a principios del XVI, si bien en las dos centurias anteriores ya había dado, como queda dicho, abundantes frutos. La introducción de las formas métricas italianizantes, la traducción de *El cortesano* por Boscán, la obra de Guevara, la larga serie de escritores erasmistas, entre otras manifestaciones, lo califican suficientemente en el cuarto de siglo que va de 1525 a 1550. A partir de esta fecha, las tendencias renacentistas se imponen hasta principios de la centuria siguiente. No interesa por ahora abordar el importantísimo problema previo de si hubo o no Renacimiento en España. Baste anticipar que, negada por algunos la existencia de un verdadero Renacimiento español, hoy la respuesta es no sólo afirmativa, sino sumamente favorable para nuestras letras. Según ilustres críticos, y no precisamente compatriotas nuestros, en España no sólo existió un período de cultura renacentista, sino que esa cultura fué aquí más original, más duradera, más fecunda y rica que en cualquier otro país de Europa [10].

Volviendo a la cronología, recordaremos la sub-

división de Menéndez Pidal, basada en considera-
raciones idiomáticas, y la más interesante para
nosotros de Pfandl, que se apoya en razones literarias. Pfandl distingue dos Renacimientos: primero y segundo. Aquél coincidiría con el reinado
de Carlos I: período de inquietud religiosa, de
expansión europea, de introducción de ideas y
formas nuevas. El otro correspondería al reinado
de Felipe II (1556-1598): afianzamiento religioso,
creación de clima propicio a la Contrarreforma
y a las manifestaciones del Barroco. El mismo
Pfandl, benemérito historiador de nuestras letras
en el Siglo de Oro, señala una primitiva etapa de
matiz platónico, caracterizada por la evolución de
ideas antes adquiridas; otra etapa de matiz ascético, y otra final, de matiz místico, en que aquellas
ideas deberían alcanzar su pleno desarrollo [11].

Al *Barroco* se le ha definido como la «síntesis
intensificada de la tradición grecolatina». Significa
esto que el Barroco, en muchos aspectos, no es
sino un producto o, mejor, una continuación del
Renacimiento. Y, en efecto, los grandes escritores
barrocos son, en el fondo, consumados humanistas,
lo que vale tanto como decir consumados renacentistas, si aceptamos la consabida definición del humanismo como la «aristocracia del Renacimiento».
Si, atendiendo a la cronología, y advirtiendo una
vez más que los límites literarios nunca pueden tener absoluta precisión, nos decidimos a dar como
fecha inicial del Barroco la de 1600, lo considerare-
mos liquidado con la muerte de Góngora (1627),
en la lírica; con la de Quevedo (1645), en la prosa; con la de Calderón (1681), en el teatro. Por
donde se ve que el Barroco literario tuvo en unos
géneros mayor duración que en otros. Lo que
queda desde la muerte de Calderón hasta finales
del XVII y todo el primer tercio del siglo siguiente, aunque muy influído todavía por el estilo barroco, apenas pesa en una estimación crítica general.

Neoclasicismo y Romanticismo

Con la aparición de la *Poética,* de Luzán (1737),
y del *Diario de los Literatos* (en el mismo año)
viene a sancionarse la influencia neoclásica francesa, ya iniciada con el ascenso de los Borbones
al trono español y consolidada luego en el primer
tercio de siglo. Convertida nuestra literatura en
campo de batalla entre innovadores y tradicionalistas, durante la primera mitad del siglo XVIII, y
entre neoclásicos y prerrománticos, durante la segunda mitad y primeras décadas del siguiente, pueden señalarse como fechas extremas del Neoclasicismo la ya citada de 1737 y la de 1834, año en
que regresan los desterrados políticos.

Estos, que han asistido a los cambios de rumbo
literario en Francia e Inglaterra, imponen el *Romanticismo* en nuestra patria. A partir de 1810
puede decirse que empieza la difusión de las teo-

rías románticas alemanas en Francia, si bien no
triunfan hasta 1830, con la batalla de *Hernani.* En
España es el duque de Rivas quien lo hace triunfar con su *Don Alvaro o La fuerza del sino* (1835),
que ya había tenido en el mismo teatro algún anticipo más o menos definido, como *La conjuración
de Venecia.* Pero el romanticismo importado por
Rivas, Espronceda, Martínez de la Rosa y otros
compañeros de proscripción sólo representa una
de las dos caras del auténtico romanticismo español. La otra, no menos interesante, es la del romanticismo tradicional y cristiano, cuya iniciación
parte de los artículos de *El Europeo* (Barcelona,
1823-24), de las traducciones de Walter Scott, de la
apología de nuestro teatro del Siglo de Oro y de
los estudios sobre el Romancero llevados a cabo
por Agustín Durán (1828-1832) y, sobre todo, de
la memorable polémica mantenida en Cádiz por
Juan Nicolás Böhl de Faber contra José Joaquín
de Mora y Antonio Alcalá Galiano, en defensa
también de nuestro glorioso teatro del XVII. En
cualquiera de los dos aspectos, el cristiano y el
liberal o escéptico, el Romanticismo se nos ofrece
como un movimiento fugaz, que apenas dura tres
decenios, viéndose anegado pronto por las tendencias realistas, aun cuando no sea difícil encontrar
una corriente subterránea de origen claramente romántico, que perdura hasta bien entrada la Epoca
Contemporánea.

Realismo, Modernismo y otras formas

Superada la primera mitad del siglo XIX, se apodera de las letras españolas la misma tendencia
realista que domina en otros países de Europa,
particularmente en Francia; tendencia que ofrece
no pocas veces rasgos de un auténtico naturalismo
y que en unos géneros tiene mayor duración y
más acusado relieve que en otros. Sus manifestaciones más típicas están en la novela y en el teatro; también es la novela el género que recoge
sus mejores frutos. Literariamente, este período,
que viene a llenar la segunda mitad del XIX, suele
dividirse en dos etapas: época isabelina (1850-
1868) y época de restauración (1875-1898), con un
breve paréntesis entre ambas. En la primera, el
realismo conserva aún cierto tinte romántico, a
pesar de que aborda temas de actualidad: el teatro de Ventura de la Vega, de Ayala y de Tamayo; la novela de *Fernán Caballero.* En la segunda,
el realismo se nutre ya de elementos naturalistas:
Galdós, Emilia Pardo Bazán, Palacio Valdés, el
Padre Coloma, etc. No importa que todos ellos
evolucionen más o menos definidamente hacia zonas espiritualistas. El naturalismo es la tendencia
dominante; y hay una década, la que va de 1880
a 1890, en que el signo naturalista no puede estar
más claro: en 1883 publica Emilia Pardo Bazán
La cuestión palpitante, y un año después aparece
la mejor novela del naturalismo español: *La Re-*

genta, de Leopoldo Alas *(Clarín)*. El realismo se puede dar por cerrado a finales del XIX, sin que la producción posterior de novelistas como Palacio Valdés, Blasco Ibáñez y otros sirva para otra cosa que para prolongar su agonía.

El hecho es que en la última década del siglo pasado empiezan a manifestarse pujantes otras tendencias. En la lírica, esas tendencias son recogidas por el *Modernismo*; en la prosa, por un grupo de escritores, ensayistas y novelistas en su mayor parte, que integran la que luego se llamó *Generación del 98*. No hay, hablando con propiedad, adecuación entre ambas escuelas y tendencias; y aunque con frecuencia aparecen estudiadas juntamente y como si fuesen un mismo proceso, la verdad es que son dos fenómenos simultáneos, pero distintos. Bien es verdad, y ello ha sido motivo de confusión, que algunos de los componentes del «noventa y ocho» militaban a la vez en las filas del Modernismo. En su lugar veremos cómo el Modernismo, en sus más representativos intérpretes, se redujo a una actitud estética, mientras los hombres del «noventa y ocho» extendían su esfera de acción a los grandes problemas de la vida. El Modernismo, de origen francés, penetra en España por vía de América y se impone y triunfa gracias, sobre todo, a la obra de Rubén Darío. Movimiento tan efímero como el Romanticismo, puede considerarse liquidado con la muerte de su máximo representante, Rubén Darío (1867-1916), o, como otros quieren, al terminar la guerra europea (1918). La Generación del 98 ha tenido una proyección más intensa y duradera, y en no pocos aspectos, a medio siglo de distancia, nos estamos aún beneficiando de su legado. A partir del Modernismo se han ido sucediendo una serie de tendencias que afectan principalmente a la poesía: ultraísmo, dadaísmo, surrealismo, futurismo, etc. Ninguna de ellas ha marcado época; y hoy, pasados apenas veinte años, no tienen más valor que el puramente arqueológico. El teatro y la novela han permanecido más estacionarios. El ensayo, en cambio, ha tenido a partir del «noventa y ocho» singular florecimiento.

Cuanto hemos dicho de la literatura española en sus distintos períodos puede referirse también a la hispanoamericana. Hasta principios del XIX, ésta no fué sino una proyección de aquélla. Desde la época de la Emancipación, segunda década del XIX, corre asimismo por cauces análogos y sufre idénticos cambios: Romanticismo, Naturalismo, Modernismo, etc. Unas veces, como en el Romanticismo, España se adelanta, si bien en muy poco tiempo; otras, como en el Modernismo, ocurre lo contrario. En general, se nos ofrecen ambas como una misma y espléndida realidad.

IV. CARACTERES FUNDAMENTALES

Una división cronológica de nuestra literatura es, como ha podido verse en los párrafos anteriores, relativamente fácil: basta, en general, seguir la evolución cultural de los otros pueblos occidentales, particularmente de los latinos, con cuyas literaturas tiene la nuestra tantas vinculaciones. Una caracterización, un señalamiento previo de notas específicas que la distingan y le den fisonomía propia entre todas las demás, es algo más difícil. El problema se plantea en dos partes o aspectos: ¿Es posible una caracterización? Y dado que exista tal posibilidad, ¿cuáles son las notas fundamentales de la literatura española?

A lo primero contestan algunos negativamente. El criterio de analogía, llevado a la literatura universal, todo lo que nos da son rasgos comunes; y a lo más que puede aspirarse es a señalar ciertas notas generales y válidas para grandes grupos o familias: literaturas occidentales, literaturas orientales, literaturas semíticas, etc. En tal sentido, ni la literatura española, ni la francesa, ni la italiana, tendrían una fisonomía o rasgos propios, sino los comunes a las literaturas occidentales y, mejor aún, a las literaturas románicas.

Sin embargo, hay un hecho indudable: aun reconociendo en todas las literaturas de los países llamados latinos, o de ascendencia latina, ciertos rasgos fundamentales comunes, lo que pudiéramos llamar el «aire de familia», no puede negarse que cada una ofrece por su parte notas características y personales que, sin anular aquellos rasgos, le dan una fisonomía propia. Hay un estilo, una forma de expresarse típicamente española, que no es el mismo estilo ni la misma forma de expresarse que encontramos, p. ej., en los escritores franceses o italianos. No se trata aquí de calidad literaria; se trata de modos y estilos. Y es evidente que, aun manejando idénticos temas, no lo hace lo mismo un español que un francés. Y es también evidente que a lo largo de toda nuestra literatura, desde el *Cantar de Mio Cid* hasta los escritores del 98, tanto en la poesía como en la novela, en el teatro y en la exposición doctrinal, se nos va revelando continuadamente una serie de notas o caracteres que no encontramos en otras literaturas o que, por lo menos, no los encontramos con tanta insistencia como en la nuestra; de la misma manera que en aquéllas descubrimos notas acusadas y permanentes que en la española no se manifiestan, o se manifiestan sólo en forma muy atenuada.

¿Cuáles son esos caracteres, referidos a la literatura española? Milá y Fontanals, Arturo Farinelli, Fidelino de Figueiredo, Salvador de Madariaga, Dámaso Alonso y Guillermo Díaz-Plaja, entre otros, han intentado señalarlos más o menos sistemáticamente. Pero el que con más precisión lo ha hecho ha sido Menéndez Pidal, a quien seguiremos en nuestra breve exposición [12]. El gran filólogo e investigador de nuestras letras enumera como las notas más destacadas de la literatura española las siguientes: sobriedad y sencillez, improvisación, pragmatismo, popularismo o arte mayoritario, anonimia, contenido y fondo ético, realismo y tradicionalismo. Como varias de estas notas son afines, hasta el punto de dársenos como consecuencia unas de otras, limitaremos nuestra atención a las cuatro o cinco más importantes. No hace falta advertir que no se trata de caracteres necesarios, sino dominantes, por lo que cuanto se diga a este respecto tiene un valor relativo. Un siglo puede ser más realista que otro; y, aun dentro de un mismo escritor, una obra puede estar redactada con más sobriedad que otra. Además, se trata de caracteres que tienden a atenuarse, conforme las culturas nacionales se van universalizando y haciendo más uniformes [13].

Improvisación

Es una de las notas más acusadas. El español tiene gran aptitud improvisadora. Ello hace que el número de precursores sea mayor que el de los auténticos maestros; que la cantidad exceda a la calidad: Alfonso el *Sabio*, Lope de Vega, etc.; que el número de obras conclusas, perfectas, en el sentido de totalmente acabadas, sea inferior al de otras literaturas. De ahí algunos defectos: descuidos, a veces inexplicables; falta de estímulo para dar a la obra los últimos toques; excesiva facilidad. Y algunas ventajas: expresividad, autenticidad, calor humano, originalidad. De ordinario, los escritores españoles imprimen a su obra un indeleble sello personal; su insumisión a normas fijas se traduce en una falta de auténticas escuelas; en cambio, produce individualidades de primer orden. Sirva de ejemplo la Generación del 98, sobre cuyos componentes todavía no estamos de acuerdo, ya que los miembros más destacados—Baroja, Unamuno, Maeztu—, tan distintos y hasta opuestos entre sí, empiezan por renunciar a toda filiación. Esta tendencia a lo espontáneo, a cuanto se sustraiga a leyes previas, explica el uso y abuso de ciertos géneros y, dentro de esos géneros, de ciertos procedimientos: la plurimetría en el teatro, la asonancia, el anisosilabismo y otros recursos análogos.

Explica también el *pragmatismo*; en otras palabras: el arte al servicio de la vida y no del arte mismo. El hombre puro de letras en España no existe, o existe en menor proporción que en otras literaturas. Ni siquiera en el Renacimiento ese producto se da entre nosotros. Literatura y vida andan mezcladas, lo mismo en Alfonso el *Sabio* que en Santillana, en el Arcipreste de Hita que en Jorge Manrique, en Fray Luis de León que en Garcilaso, en Ercilla que en Quevedo. Casos

como el de Góngora son excepciones. En nuestros poetas, la vida es lo esencial; el arte, la literatura, lo accesorio. Son primero monjes o soldados, profesores o alcabaleros; y luego, a cierta distancia, escritores.

Consecuencia de este contacto con la vida, de esta inmersión en la realidad, es la naturaleza de su obra, pletórica de elementos humanos y especialmente apta para ser captada por el pueblo, por la multitud. La literatura española se nos aparece así como un *arte de mayorías*. Nuestro teatro del Siglo de Oro, nuestra épica medieval, nuestra novela picaresca, nuestro romancero, se dirigen al público y son recogidos y asimilados por él. Nunca, desde el teatro griego, y acaso ni siquiera entonces, hubo un género más popular que la comedia española del XVII o que el romance en cualquiera de las épocas. En nuestros mismos días, cuando un poeta cultiva con acierto ese metro, como acaba de hacerlo García Lorca, su popularidad es inmensa. Pero, entiéndase bien, arte popular no significa vulgar; mucho menos significa arte rudo e irreflexivo. Por las obras que han alcanzado mayor difusión entre el pueblo corre una vena inextinguible de rica poesía.

Anonimia y colaboración

Porque el poeta, el escritor español, relega a segundo plano la vida del arte y persigue, antes que los valores estéticos, los valores humanos, su obra suele encerrar un gran contenido moral. No faltan, es cierto, en la literatura española obras de intención malsana y contenido censurable. Pero en menor proporción que en otras literaturas románicas. Cuando un poeta castellano se apodera de un tema general escabroso, le infunde un profundo sentido ético. Tal ocurre con *La bella malmaridada,* en que la esposa infiel pide su propio castigo. Y este anteponer a todo una intención trascendente explica también la frecuente *anonimia* en nuestras letras. Desde el *Cantar de Mio Cid* hasta el *Lazarillo,* pasando por el *Alexandre,* el *Amadís, La Celestina* y casi todo el Romancero, las obras anónimas abundan, como si sus autores quisieran demostrarnos que, más que el éxito y la fama que acompaña al éxito, les importan las consecuencias, especialmente las derivadas de su contenido doctrinal o moral.

Y esta *anonimia,* muchas veces intencional, se traduce también con frecuencia en un fenómeno curioso: la *colaboración,* bien sucesiva o bien simultánea. En el primer caso se trata de una verdadera colaboración; en el segundo son más bien refundiciones. «Cada códice de *Crónicas generales de España*—escribe Menéndez Pidal—, y hay centenares de ellos, es un individuo aparte, en el cual desconocidos colaboradores introdujeron particulares retoques o adiciones que lo hacen insociable con cualquier otro de los manuscritos conocidos.»

Casi toda nuestra épica medieval lleva este sello colectivista.

Tradicionalismo

Es una consecuencia de lo anterior y acaso el rasgo más significativo de las letras hispanas. Los temas se perpetúan, pero no sólo en obras dispersas, sino en forma de ciclos enteros: el cidiano, el de los Amadises, el de los Palmerines, las Celestinas, etc. Los temas saltan de la epopeya primitiva a las crónicas; de éstas al Romancero, al teatro clásico, al neoclásico, al moderno; luego, también a la lírica y a la novela. Un tema no se agota nunca; tiene que recorrer todos los géneros, y después de haberlos recorrido, vuelve renovado, modernizado. Piénsese en el Cid o en los infantes de Lara. Esto ha permitido a Menéndez Pidal formular su curiosa teoría de los «frutos tardíos». Mientras en otros países occidentales el divorcio del Renacimiento con la Edad Media es absoluto, en España, donde la ruptura nunca fué completa, «ciertos viejos géneros literarios pudieron reflorecer después, dando frutos que, precisamente por su tardía madurez, tuvieron mejor sazón y fueron apreciados, como venidos en época más adelantada que la que en otros países los había producido». Estos frutos aparecen: *a)* en los libros de caballerías; *b)* en los romances; *c)* en la mística; *d)* en los autos sacramentales, versión moderna del teatro primitivo; *e)* en la comedia, de raíz medieval, aunque de técnica y procedimiento modernos; *f)* en el drama de honor, tema arcaico, con planteamiento nuevo; *g)* en la picaresca, donde el cuento medieval halla amplio desarrollo.

Realismo o verismo

Decir realismo es decir copia directa de la vida, sin intromisión o con intromisión muy escasa de elementos fantásticos e imaginativos. La ausencia de lo maravilloso, y hasta de lo mitológico, en nuestras letras contrasta con su prodigalidad en otras literaturas. Ni siquiera en el siglo XVI, en plena invasión renacentista, la abundancia de motivos clásicos es excesiva. En este aspecto no puede compararse a Garcilaso o Fray Luis de León con los poetas de la Pléyade; mucho menos con sus coetáneos italianos. Ya este fenómeno se presenta en la raíz misma de la literatura castellana: póngase el *Cantar de Mio Cid* al lado del *Roland*. La sobriedad, la desnudez del primero, su estricto ajuste a la realidad geográfica e histórica, su parquedad de elementos imaginativos, forman evidente contraste con la profusión de estos elementos en la *chanson* francesa, donde lo real e histórico se reduce a un levísimo soporte.

Se han buscado las causas de este alejamiento, esta aversión a cuanto significa «maravilloso», de la índole que sea, y especialmente el suministrado por la mitología. Y se aducen varias: Agustín Durán y Valera lo atribuyen al afán de mantener a toda costa la pureza de la fe; Menéndez Pelayo y Federico Schlegel, con más acierto, a nuestro parecer, lo explican por innecesario, por superfluo, ya que lo fantástico nada tiene que hacer en un pueblo donde lo natural y lo real ha superado casi siempre a lo imaginario. En otros pueblos, la poesía se ha hecho historia; entre los españoles, la historia se hace poesía. Lucano, Prudencio, el Romancero, toda nuestra épica, y no sólo la popular, sino la culta del Renacimiento, lo atestiguan. Nuestra epopeya es crónica rimada, escrita en fresco, sobre los mismos hechos:

> es relación sin corromper, sacada
> de la verdad, cortada a la medida,

decía de la suya el más grande de nuestros épicos cultos. *La Araucana, La Austríada, El Carlo famoso, La Dragontea,* entre otros; *El Arauco domado, El Marañón, La Argentina* y tantos y tantos poemas compuestos en el Nuevo Mundo a imitación del de Ercilla, están hechos en caliente, de cara a la realidad. Y este documentarse en la realidad, que se ensaya en el *Cantar de Mio Cid*, pasa al teatro, a la novela, a la misma poesía lírica.

Pero no conviene exagerar las cosas. De tiempo atrás se viene insistiendo, sin duda con exceso, en este carácter realista de la literatura española, dándole una categoría casi de único y de exclusivo. España viene siendo considerada por muchos como el país de la picaresca, de la Celestina y de Goya. Insistamos en que si es cierto que el *realismo* predomina en nuestras letras y en el arte español en general, paralela a él corre una abundante vena idealista. Sin salirnos del Siglo de Oro, recordemos a los escritores de orientación platónica, a los poetas de la escuela sevillana y a Góngora y los suyos. Frente a tal concepto unilateral se han pronunciado modernamente varios críticos, entre ellos Dámaso Alonso. En el afán de buscar lo pintoresco español, viene a decirnos en su ensayo *Escila y Caribdis de la literatura española*, se ha sintetizado ésta en el teatro del Siglo de Oro, la novela picaresca, la épica medieval, el Romancero y, todo lo más, la mística. Ello ha contribuído a formar una idea equivocada del carácter español y, en consecuencia, de nuestras letras. Dámaso Alonso hace un análisis del *realismo* en aquel género en que se nos da con mayor intensidad, la novela picaresca, y concluye señalando la doble corriente, idealismo-realismo, popularismo-aristocratismo, como una constante de nuestra literatura. A conclusiones análogas ha llegado González Palencia en su libro *Del Lazarillo a Quevedo*. Sin discutir el predominio de la nota realista en nuestras letras, debemos subrayar la alternancia de ese realismo con un idealismo también muy acusado. Y esta dualidad se da en todas las épocas y en los escritores más representativos, empezando por Cervantes.

NOTAS

1. Empleamos indistintamente los términos *español* y *castellano* aplicados a nuestra literatura, conforme se viene haciendo tanto en España como fuera. Bien es verdad que el primer término, *español*, se impone más y más de día en día. Nosotros preferimos casi siempre llamar *castellana* a la literatura medieval, porque durante la Edad Media estuvo casi sólo reducida a Castilla, y *española* a la posterior, dejando la denominación de *hispanoamericana* o *hispánica* para la del Nuevo Continente. Pero tampoco en esta discriminación hacemos demasiado hincapié.

2. La última estadística de hablantes del castellano, que tenemos a la vista, da los siguientes informes: España, 29.000.000; Méjico, 26.500.000; Filipinas, 20.250.000; Argentina, 18.000.000; Colombia, 11.300.000; Perú, 8.600.000; Chile, 6.000.000; Cuba, 5.500.000; Venezuela, 5.100.000; Bolivia, 3.100.000; Guatemala, 3.000.000; Uruguay, 2.400.000; Ecuador, 2.200.000; República Dominicana, 2.200.000; El Salvador, 1.900.000; Honduras, 1.500.000; Paraguay, 1.500.000; Nicaragua, 1.100.000; Costa Rica, 900.000; Panamá, 900.000. Estos datos han sido tomados redondeándolos en más y en menos en centenas de millar. Si acaso algún país puede estar representado por mayor número de hablantes que el real—p. ej., Filipinas—, faltan, en cambio, Puerto Rico, los 3.000.000 de norteamericanos que hablan español, los sefarditas y los norteafricanos. La suma de todo excede bastante de los 150 millones.

En cuanto a las calidades estéticas del español, remitimos a nuestros lectores al libro de MARIO PEI *Histoire du langaje* (chapitre IX), en el que, por razones de sonoridad, se da al español, junto con el italiano y el japonés, el primer puesto entre las lenguas del mundo.

3. Vid. M. PIDAL: *El idioma español en sus primeros tiempos*, 4.ª ed., Buenos Aires, págs. 9-16.

4. *Ob. cit.*, pág. 28.

5. Llámase *préstamo* lingüístico al elemento que una lengua toma de otra, bien adaptándolo en su forma original, bien imitándolo o transformándolo; hay préstamos dentro de la misma lengua cuando un término de la jerga se incorpora a la lengua general, o viceversa. *Calco* es un préstamo en que se imita el esquema o significación de una palabra extranjera, pero no su entidad fonética. Se entiende por *substrato* en filología toda palabra que sobrenada al desaparecer una lengua y que se injerta en las lenguas posteriores; a veces no se trata de palabras, sino de simples hábitos fonéticos.

6. *Manual de Gramática histórica española*, 6.ª ed., 1941, pág. 28.

7. R. LAPESA, págs. 59-60.

8. La traducción del primero, según M. Pidal, sería: «Los infanzones de Espeja tenían fuero de prestar anúteba en Gormaz, en Osma y en San Esteban; y cuando estas poblaciones fueron tomadas por los moros, mandó el conde don Sancho que prestasen las anútebas en Carazo y en Peñafiel, como todos los infanzones hacían, y no quisieron los infanzones de Espeja hacer su mandato. Por ello tomó el conde toda Espeja, y no les dejó sino las pequeñas heredades (heredadejas).»

La transcripción del segundo a la habitual ortografía hubiese sido, según el mismo M. Pidal: «De illa partición que fecí señor Sancho Garceoz. Ad Galino Acenárez era lorico (la loriga), ero (el) caballo, era espata. Ad Sancho Xemenones ero caballo, era mula, era espata, ero élemo (yelmo). Ad Xemeno Fertuñones, si tene illa onore (la honor o feudo), tienga ero caballo per mano de Cornella; e si lexa era onore, ero caballo seyat (sea) suo engénovo (ingenuo, libre) e dos élmos...»

9. No siempre la correspondencia romance va al margen; a veces va entre líneas, o bien se hace una llamada, valiéndose de una cruz. En algunas glosas, tal ocurre en las *Emilianenses*, el glosador no se limita a las correspondencias léxicas, sino que llega a *ordenar* el texto latino para su mejor interpretación. El orden viene expresado por medio de letras: *a, b, c, d...* Casi todas las glosas conservadas son de carácter religioso. Las *Emilianenses* abarcan, siempre dentro de la temática religiosa, asuntos heterogéneos: ejemplos de varios ascetas, comentario de sermones de San Agustín, relato del martirio de San Cosme y San Damián, etc. Las *Silenses*, cuyo original se conserva en el Museo Británico, recogen en su texto un penitencial de la época, con enumeración de pecados y castigos.

10. Véase este problema tratado con toda amplitud en el capítulo preliminar de la Parte II de nuestra *Historia*: Renacimiento.

11. LUDWIG PFANDL: *Historia de la Literatura nacional española en la Edad de Oro*, trad. del alemán por J. Rubio Balaguer, Barcelona, 1933.

12. *Algunos caracteres primordiales de, la literatura española*, por R. M. PIDAL: primeramente en «Bulletin Hispanique», XX, 1918, págs. 205-332; recientemente, en «Historia general de las literaturas hispánicas», Barcelona, vol. I, págs XV-LIX. Para Milá y demás autores citados en el texto, véase la Bibliografía al final de este capítulo.

13. En una especie de «deporte intelectual»—así lo califica su propio autor—, el profesor Díaz-Plaja ha tratado de «filiar los más importantes análisis de la esencia de lo español literario», resumiéndolos en los siguientes diez enunciados: *a)* Lo español, en función de lo italiano. *b)* Lo español, en función de lo francés. *c)* Lo español, tema romántico. *d)* Lo español, fuente de otras literaturas. *e)* Realismo y antirrealismo. *f)* Lo español, católico. *g)* Lo español, como improvisado. *h)* Los valores morales: quijotismo y senequismo. *i)* La cultura española como cultura fronteriza. *j)* La épica, como elemento característico nacional. La inconsistencia de alguno de estos enunciados de *a)*, p. ej., salta a la vista. Por otra parte, la serie puede aumentarse casi indefinidamente con análogos conceptos: lo español, frente a lo árabe; lo español, frente a lo judío; lo español, frente a lo clásico; el sentido de lo efímero en la literatura española; el sentido de lo heroico, etc. DÍAZ-PLAJA: *Hacia un concepto de la literatura española*, Colec. Austral, 1948.

AUBREY F. G. BELL, el fervoroso hispanista inglés, en su libro *Castilian Literature* (Oxford, 1938; trad. esp., Barcelona, 1947), tras un buceo detenido y hondo en el complejo de las letras hispánicas, ha intentado resumir los rasgos más típicos de nuestra literatura en los siguientes enunciados: *Originalidad; universalismo; amplitud de contenido; carácter democrático; individualismo; expresión concreta y realismo; fuerza imaginativa; verticalismo o jerarquización de valores:* espíritu, religión, materia; *equilibrio; sutileza; energía; hombre y paisaje; instinto dramático; humor y sátira; habilidad narrativa; vena épica tradicional.* Apenas hace falta advertir que estos caracteres, fácilmente reducibles a cinco o seis enunciados, coinciden en gran parte con los señalados en el texto. También GEORGE TYLER NORTHUP (*An Introduction to Spanish Literature*, Univ. of Chicago Press, 1925) ha intentado señalar las notas características de la literatura española en función de la Geografía, la Historia y la Raza.

BIBLIOGRAFIA

I. EMILIO ALARCOS LLORACH: *Fonología española*, Madrid, Gredos, 1950; *Perfecto simple y compuesto en español*, «Rev. Fil. Esp.», XIII, 1947, págs. 108-39.—AMADO ALONSO: *Castellano, español, idioma nacional. Historia espiritual de tres nombres*, Buenos Aires, Losada, 1943; *Trueques de sibilantes en antiguo español*, «Nueva Rev. Fil. Hispánica», I, 1947; *El problema de la lengua en América*, Madrid, 1935; *Examen de las noticias de Nebrija sobre antigua pronunciación española*, «Nueva Rev. Fil. Hisp.», III, 1949.—M. ASÍN PALACIOS: *Contribución a la toponimia árabe de España*, Madrid-Granada, 1940.—M. BARTOLI: *Introduzione alla Neolinguistica*, Ginebra, 1925.—WILFRED A. BEARDSLEY: *Infinitive constructions in old Spanish*, Columbia Studies, 1921.—V. BERTOLDI: *La Iberia en el substrato étnico-lingüístico del Mediterráneo*, «Nueva Rev. Fil. Hisp.», I, 1947, págs. 128-47.—R. S. BOGGS, LLOYD KASTEN, HAYWARD KENISTON: *Tentative Dictionary of medieval Spanish*, 2 vols., Chapel Hill, N. C., 1946.—AMÉRICO CASTRO: *Lengua, enseñanza y literatura*, Madrid, V. Suárez, 1924.—RUFINO J. CUERVO: *Apuntaciones críticas sobre el lenguaje bogotano*, Bogotá, 1867.—J. D. M. FORD: *The Old Spanish Sibilants*, Harward Philology, VII.—E. GAMILLSCHEG: *Romania Germánica. Historia lingüística de los visigodos*, «R. Fil. Esp.», XIX, 1932.—V. GARCÍA DE DIEGO: *Manual de dialectología española*, Madrid, 1946.—H. GAVER: *Essai sur l'évolution de la prononciation du Castillan depuis le XIVe siècle*, París, 1920.—M. GÓMEZ MORENO: *Las lenguas hispánicas*, Disc. Acad. Esp., Madrid, 1942; *Sobre los iberos y su lengua*, «Hom. a M. Pidal», III, Madrid, 1925.—FEDERICO HANSSEN: *Gramática histórica de la lengua castellana*, Buenos Aires, 1943.—P. HENRÍQUEZ UREÑA: *Observaciones sobre el español de América*, «Rev. Fil.

Esp.», VIII, 1921.—AVELINO HERRERO MAYOR: *Presente y futuro de la lengua española en América*, Buenos Aires, 1943.—HAYWARD KENISTON: *The Syntax of Castilian Prose: The sixteenth Century*, Univ. of Chicago, 1937.— RAFAEL LAPESA: *Historia de la lengua española*, Madrid, 1950.—F. LÁZARO CARRETER: *F. H., ¿fenómeno ibérico o romance?*, «Actas 1.ª Reunión Toponimia Pirenaica», Zaragoza, 1949.—R. MENÉNDEZ PIDAL: *Manual de Gramática histórica*, 8.ª ed., Madrid, 1949.—W. MEYER-LÜBKE: *Introducción a la lingüística románica*, Anejo «Rev. Fil. Esp.», Madrid, 1926; *La sonorización de las sordas intervocálicas latinas en español*, «Rev. Fil. Esp.», XI, 1924.— S. G. MORLEY: *La modificación del acento de la palabra en el verso castellano*, «Rev. Fil. Esp.», XIV, 1927, págs. 256-72.—T. NAVARRO TOMÁS: *Estudios de fonología española*, Syracuse Univ. Press, Nueva York, 1946.— E. K. NEUVONEN: *Los arabismos del español en el siglo XIII*, Helsinki, 1941.—J. OLIVER ASÍN: *Historia de la lengua española*, 6.ª ed., Madrid, 1941.—W. REINHARD: *El elemento germánico en la lengua española*, «Rev. Fil. Esp.», XXX, 1946, págs. 295-309.—ROBLES DÉGANO: *Ortología clásica de la lengua castellana*, Madrid, Tabarés, 1925.—A. STEIGER: *Contribución a la fonética del hispano-árabe y de los arabismos en el ibero-romano*, Madrid, 1932.—J. TERLINGEN: *Los italianismos en español desde la formación del idioma hasta principios del siglo XVII*, Amsterdam, 1943.—ANTONIO TOVAR: *Prehistoria lingüística de España*, «Cuad. de Hist. de España», VIII, Buenos Aires, 1947; *La sonorización y caída de las intervocálicas y los estratos indoeuropeos en Hispania*, «Bol. R. Acad. Esp.», XXVIII, 1948.—J. B. TREND: *The Language and History of Spain*, Londres, 1953.

II. RUFINO J. CUERVO: *Disquisiciones sobre antigua ortografía y pronunciación castellanas*, «Rev. Hispanique», 1895.—R. DOZY y W. ENGELMANN: *Glossaire des mots espagnols et portugais dérivés de l'arabe*, Leyden. 1869.— L. DE EGUÍLAZ: *Glosario etimológico de las palabras españolas de origen oriental*, Granada, 1886.—W. J. ENTWISTLE: *The Spanish Language*, Londres, 1936.—J. B. FOREST: *Old French borrowed words in the Old Spanish of the twelfth and thirteenth centuries*, «Romanic Review», 1916.—R. MENÉNDEZ PIDAL: *Documentos lingüísticos de España. I. Reino de Castilla*, Madrid, 1919; *Orígenes del español. Estado lingüístico de la Península Ibérica hasta el siglo XI*, anejo «Rev. Fil.», Madrid, 1929; resumen de la obra anterior en *El idioma español en sus primeros tiempos*, Colec. Austral, núm. 250, Buenos Aires, 1942; *Carácter originario de Castilla* y *La Unidad del idioma*, «Castilla. La tradición. El idioma», Colec. Austral, núm. 501, Buenos Aires, 1945, págs. 9-40 y 171-218.—FRANCISCO J. SIMONET: *Estudios históricos y filológicos sobre la literatura hispanomozárabe*, «Rev. Univ. de Madrid», 1873; *Glosario de las voces ibéricas y latinas usadas entre los mozárabes*, Madrid, 1889.—J. SAROLHANDY: *Vestiges de phonétique ibérienne en territoire roman*, «Rev. Inter. de Estudios Vascos», VII.—JOHN ANTHONY STRAUSBANGH: *The use of «aver'a» and «aver de» as Auxiliary Verbs in Old Spanish from the earliest texts to the end of the thirteenth century*, Chicago, 1936. W. REINHART: *El elemento germánico en la lengua española*, «Rev. Fil. Esp.», XXX, 1946.

III. E. BAGUÉ Y PETIT: *La baja Edad Media. Historia de la cultura española*, Barcelona, 1956.—KONRAD BURDACH: *Riforma, Rinascimento, Umanesimo. Due dissertazioni sui fondamenti della cultura e dell'arte della parola moderna*, Florencia, 1935.—V. CIAN: *Umanesimo e Rinascimento*, Florencia, 1941.—FR. DE DAINVILLE: *La naissance de l'humanisme moderne*, París, s. a.—GUILLERMO DÍAZ-PLAJA: *El espíritu del Barroco. Tres interpretaciones*, Barcelona, 1940.—RAMÓN M. PIDAL: *La lengua en tiempo de los Reyes Católicos. Del retoricismo al humanismo*, «Cuad. Hispanoam.», 1950.—JOHAN NORDSTRÖM: *Moyen Age et Renaissance*, París, 1933.—G. PARÉ, A. BRUNET y P. TREMBLAY: *La Renaissance du XIIe siècle. Les écoles et l'enseignement*, París-Ottawa, 1933.—J. RUBIO Y BALAGUER: *De l'Edat Mitjana al Renaixement*, Barcelona, 1948.—MARIO RUFFINI: *Le origine letterarie in Spagna*, Turín, 1951.—RUDOLF STADELMANN: *Sobre el espíritu del final de la Edad Media*, Halle, 1929.—CARLOS VOSSLER: *La ilustración medieval en España y su trascendencia europea*, «Estampas del mundo románico», Colec. Austral, núm. 624, págs. 131-48, Buenos Aires, 1946.

Véase la bibliografía que figura al frente de los capítulos preliminares de cada uno de estos períodos literarios.

IV. ANTONIO ALMAGRO: *Constantes de lo español en la historia y en el arte*, Madrid, 1955.—DÁMASO ALONSO: *Escila y Caribdis de la literatura española*, «Cruz y Raya», Madrid, octubre, 1933.—MARTÍN ALONSO: *Ciencia del lenguaje y arte del estilo*, Madrid, 1947.—LUIS ARAÚJO COSTA: *La materia y la forma literaria*, «Rev. Nac. de Educ.», núm. 71, 1947, págs. 28-45.—ERNEST BERNHEIM: *Introducción al estudio de la historia* (apéndice bibliográfico de Rafael Martínez), Barcelona, 1937.—P. COLLOMP: *La critique des textes*, París, 1931.—E. COTARELO MORI: *Bibliografía de las controversias sobre la licitud del teatro en España*, Madrid, 1904.—JOSÉ M.ª DE COSSÍO: *Notas y estudios de crítica literaria. Poesía española. Notas de asedio*, Madrid, 1936.—HELBERT CYSARS: *El principio de los períodos en la ciencia literaria*, «Filosofía de la ciencia literaria», Méjico, 1946.—ULISES CHEVALIER: *Repertoire des sources historiques du Moyen Age*, Bibliographie, 2 vols., París, 1905-1907.—EDMUND KERCHEVER CHAMBERS: *The Medieval Stage*, Oxford, 1903.—G. DÍAZ-PLAJA: *Hacia un concepto de la literatura española*, Colec. Austral, núm. 297; *Esquema historiográfico de la literatura española*, «Hist. gen. de las lit. hispánicas», Barcelona, 1949.—ERMATINGER: *Filosofía de la ciencia literaria* (serie de 15 artículos), Méjico, Fondo de Cult. Económica, 1946.—ARTURO FARINELLI: *Consideraciones sobre los caracteres fundamentales de la literatura española*, «Ensayos y discursos de crítica hispanoeuropea», Roma, 1926.—FIDELINO DE FIGUEIREDO: *La lucha por la expresión*, Colec. Austral, núm. 692; *Características da Litteratura hespanhola*, Santiago de Compostela, 1935.—J. FITZMAURICE KELLY: *Spanish Bibliography*, Hispanic Society, Londres, 1925.—FOULCHÉ-DELBOSC Y BARRAU-DIHIGO: *Manuel de l'hispanisant*, 2 vols., Nueva York, 1920 y 1926.—Z. GARCÍA VILLADA: *Metodología y crítica históricas*, 2.ª ed., Barcelona, 1921.— HELEN GARDNER: *The limits of Literary Criticism. Reflections on the Interpretation of Poetry and Scripture*, Oxford, 1956.—AMÉDÉE GASTOUÉ: *Le cantique populaire en France*, Lyon, 1924.—OTIS H. GREEN: *Fingen los poetas. Notes on the Spanish Attitude toward Pagan Mythology*, «Est. dedicados a M. Pidal», I, Madrid, 1953, págs. 275-88.—HELMUTH A. HATZFELD: *Esthetic Criticism Applied to Medieval Romance Literature*, «Romance Philology», I, págs. 305-27, 1947, 1948.—P. J. G. LEHMAN: *Die Parodie im Mittelalter*, Munich, 1922.—OSVALDO LIRA: *Lirismo y épica*, «La vida en torno», págs. 195-240, Madrid, 1949.—SALVADOR DE MADARIAGA: *The Genius of Spain*, Oxford.—ANTONIO MARÍN OCETE: *El estado actual de la crítica de los textos*, «Bol. Univ. Granada», IV, 1932, págs. 349-61.—JACQUES MARITAIN: *Art et Scholastique*, París, 1927.—R. MENÉNDEZ PIDAL: *Los españoles en la historia y en la literatura*, Buenos Aires, 1951.— S. MONTERO DÍAZ: *Lecciones de Metodología y Crítica históricas*, Madrid, 1950; *Introducción al estudio de la Edad Media*, Murcia, 1948.—A. MUÑOZ ALONSO: *Expresión filosófica y literaria de España*, núm. 17 de «Colec. Remanso», Barcelona, 1956.—GEORGE TYLER NORTHUP: *An introduction to Spanish Literature*, Univ. of Chicago Press, 1936.—M.ª DEL PILAR OÑATE: *El feminismo en la literatura española*, Madrid, 1938.—G. PASQUALI: *Storia della tradizione e critica del testo*, Florencia, 1934.—HENRI PEYRE: *Les Générations Littéraires*, París, 1948.—LUDWIG PFANDL: *El español. Idealismo y realismo*, número especial de la revista «Das Deutsche Buch.», cuads. 9-10, Leipzig, 1924.—C. SÁNCHEZ ALBORNOZ: *España, un enigma histórico*, 2 vols. B. Aires, 1956.—MANUEL DE SANDOVAL: *De lo inconsciente y lo voluntario en las obras literarias y poéticas*, disc. acad., Madrid, 1920.—HOMERO SERIS: *Manual de bibliografía de literatura española*, 1.ª parte, Nueva York, 1948.—J. SIMÓN DÍAZ: *Bibliografía de la literatura hispánica* (en curso de publicación), Madrid, C. S. I. C., 1950-1958.—A VALBUENA PRAT: *El sentido católico en la literatura española*, Barcelona, 1941.— VOSSLER, SPITZER Y HATZFELD: *Introducción a la estilística romance*, Buenos Aires, 1942.—KARL VOSSLER: *Algunos caracteres de la cultura española*, Colec. Austral, número 270, Buenos Aires, 1941; *Características de la lengua y poesía románicas: italiano, francés, español*, Munich, 1946.—VARIOS: *Estudios sobre la historia de la cultura de España*, 12 tomos, Münster, 1928-1956.

EDAD MEDIA

Y

PRERRENACIMIENTO

CAPITULO PRIMERO

LITERATURA ESPAÑOLA DE LA EDAD MEDIA

I. Presupuestos básicos: *Los manuscritos. Factores religiosos y sociales. El ambiente: público y autores. Estado cultural.*—II. Relaciones e influencias: *Las germánicas. Las del mundo oriental: árabes y judíos. Las literaturas europeas.*—III. Otros aspectos: *Temática y motivaciones. Estudios sobre la Edad Media.*—Notas.—Bibliografía.

I. PRESUPUESTOS BASICOS

El estudio de la literatura medieval española presupone la consideración de una serie de hechos, sin cuyo conocimiento la idea que de esa literatura pudiéramos formarnos siempre resultaría deficiente y errónea. Tales hechos afectan tanto a los escritores y sus obras como al medio en que fueron producidas. No nos detendremos, aunque en una historia más extensa que la nuestra sería conveniente hacerlo, ni en las relaciones entre la lengua y la literatura durante ese largo período, ni en el análisis de las fuentes, especialmente las de orden bibliográfico; ni en la transmisión y estado de los manuscritos, ni siquiera en la enumeración y recuento de aquellos hechos políticos más salientes que jalonan la historia del medievo y que tanto habían de influir en el curso de las letras europeas en general y de las españolas en particular. Son materias que están ya circunscritas en otras disciplinas y que toda persona culta conoce con más o menos detalle. Sólo unas palabras respecto a los textos y también a la evolución político-social, porque esta última nos da pie para la división ya antes aludida de la Edad Media literaria en los dos subperíodos: Edad Media propiamente dicha y Prerrenacimiento.

Los manuscritos

Sabido es que casi todo lo que conocemos de la literatura medieval nos ha llegado por textos manuscritos. Sólo una mínima parte de la misma se conserva en los llamados «incunables», libros impresos a finales del xv y antes de 1500. ¿Cómo se transmitían y conservaban esos textos medievales? De ordinario, en forma irregular y deficiente. El juglar, que iba de castillo en castillo y de pueblo en pueblo recitando su poema, disponía de un texto casi siempre fragmentario, que él mismo completaba, corregía y refundía a su modo, adaptándolo a los diversos públicos y lugares. El recitador era, pues, dueño de introducir toda clase de modificaciones. Así se entiende que el texto original haya llegado a nosotros las más de las veces profundamente adulterado, ya que en la mayor parte de los casos ha debido de sufrir varias reelaboraciones; y que en aquellas obras de las que se poseen varios manuscritos encontremos entre unos y otros profundas diferencias, no sólo de forma, sino a veces también de fondo. Esto por lo que hace a la poesía popular.

En la culta sucede algo análogo. Aunque escritas por personas ilustradas, en general clérigos, y con un estilo más correcto, al faltar la imprenta, pasaban pronto a manos de los copistas, que se encargaban de reproducirlas, no siempre con el cuidado que fuera de desear. De ahí el sinnúmero de omisiones, alteraciones y faltas que por todas partes nos salen al paso al comparar copias de un mismo texto. Se puede afirmar que muchas de las incorrecciones métricas de los poemas de Berceo y hasta del Arcipreste de Hita—defecto o exceso de sílabas—tienen ese origen. Y otro tanto ocurre, aunque el fenómeno revista menor gravedad, con las obras en prosa. Todo ello ha de tenerse en cuenta antes de formular un juicio definitivo sobre cualquier obra de este período, si no queremos incurrir en el pecado de cargar al autor errores y defectos atribuíbles más bien al copista. En este sentido podrá ayudarnos, aparte de varias disciplinas tan fundamentales para la fijación de textos como la paleografía y la historia de la lingüística, el cotejo de los diversos manuscritos de un mismo texto, cuando se disponga de ellos, al objeto de comprobar coincidencias y variantes. De ordinario, no hace falta advertirlo, la copia más antigua es la que mayor autenticidad ofrece. En las obras históricas, didácticas y, sobre todo, de carácter doctrinal, la seguridad es mayor. Conservadas desde el principio en las grandes bibliotecas de monasterios y Universidades, y manejadas a diario por gente culta, las alteraciones resultaban en ellas más difíciles.

Factores religiosos y sociales

La literatura del medievo está íntimamente ligada a las creencias religiosas y a la evolución social. El feudalismo, en su doble manifestación, religiosa y laica, monasterio y castillo, da origen a dos formas de literatura totalmente distintas. De una parte, los cantares de gesta, la narración de hazañas de los reyes y nobles feudales, épica que se caracteriza por su realismo; de otra, la literatura religiosa en sus varias manifestaciones, más culta, tanto en la utilización de fuentes como en la forma, vaciada casi siempre en moldes métricos perfectos. En lo religioso, hasta muy entrada la Edad Media, se considera el mundo un valle de lágrimas. Tal vez, como contrapeso a la miseria y opresión del feudalismo, se busca un rayo de esperanza en la vida ultraterrena.

Cronológicamente, estas características corresponden a la alta Edad Media, en la que la vida social es muy rudimentaria. Pero en el siglo XII, que se puede considerar de tránsito entre la alta y la baja Edad Media, el panorama social sufre un brusco cambio: apogeo de nuevas órdenes religiosas, formación de grandes núcleos y triunfo de la Escolástica.

La aparición de una nueva clase social, la burguesía, provoca el nacimiento y desarrollo de una literatura propia, orientada en gran parte contra las clases e instituciones hasta entonces dominantes. La burguesía se nutre y enriquece con los despojos del feudalismo. Favorecida por los reyes, que se apoyan en ella en su lucha contra la nobleza, la burguesía se adueña de la cultura y crea sus instrumentos literarios, enderezados y dispuestos casi siempre para el ataque. Su carácter será eminentemente satírico, antinobiliario y antirreligioso. Los nombres de Boccaccio, Chaucer y Jean de Meun, en el extranjero, son suficientemente reveladores. Lo heroico se ha hecho sátira; a Roldán ha sucedido Renart; a la fuerza, la astucia. España no podía ser una excepción. Lo mismo que la inglesa, la italiana o la francesa, nuestra literatura acusa la gran transformación social. Al acento grave de Berceo responde un siglo más tarde el tono burlón, desenfadado y jovial del Arcipreste de Hita.

Los siglos XI, XII y buena parte del XIII ofrecen una literatura propiamente medieval: épica popular, obras marianas, mester de clerecía, debates, etcétera. El XIV señala el pleno triunfo de la burguesía, y en lo que atañe a las letras, un preludio del Renacimiento, que se va acusando más y más a lo largo de la centuria siguiente. Son estos dos siglos el período de transición entre la Edad Media y la época renacentista. La sociedad ha cambiado, y con ella, como ocurre siempre, también ha cambiado la literatura. Nuevos temas, nuevos modos de ver la vida, nuevas formas de expresarla. Una alegría de vivir, un goce sensual, lo invade todo. La muerte ya no es liberación de miserias, sino castigo. La disolución moral corre parejas con la libertad expresiva. La poesía deja de nutrirse con los grandes temas nacionales o religiosos; y aunque no faltan obras de altura, casi siempre se esteriliza en el cultivo de temas baladíes, al estilo de los que llenan las farragosas páginas de los *Cancioneros,* o, lo que es peor, en una sátira desvergonzada, de que son ejemplo las *Coplas del provincial* y las de *Mingo Revulgo.* Oportunamente insistiremos en esto, sin que por ahora nos interese otra cosa que señalar esa línea divisoria del medievo, que da lugar a dos literaturas enteramente distintas.

El ambiente: público y autores

Más importancia tiene para nuestro objeto la consideración del medio en que nace y se desarrolla la obra, juntamente con el público al que va dirigida. El mayor error sería el de querer interpretarla con un criterio actual. Si toda creación artística, para ser bien enjuiciada, exige un encuadramiento en la época y el ambiente en que nació, este principio, muchas veces olvidado, debe aplicarse con particular esmero a la literatura de la Edad Media. No hemos de pretender que los poetas y escritores en general de aquellos remotos siglos vengan a nosotros, sino que debemos ir nosotros a ellos; no hemos de preguntarnos de antemano si encajan o no en nuestra moderna sensibilidad, puesto que no escribían para nosotros. Si algún gran poeta, como el Arcipreste de Hita, todavía a siete siglos de distancia, conmueve nuestras fibras, es porque se trata de un genio excepcional y entre nosotros acaso único. A los demás hay que verlos en función de su tiempo y de su público.

El poeta, el narrador de la Edad Media, escribía para un público inculto y en algunos aspectos semibárbaro, y lo hacía en una lengua aún no fijada del todo ni morfológica ni sintácticamente. Su canto iba destinado a la recitación, no a la lectura. De aquí las continuas repeticiones, las reiteraciones, la abundancia de frases hechas, especies de clisés prefabricados. De aquí también la falta de originalidad. Al poeta no le importaba entrar a saco en campo ajeno, porque estaba previamente convencido de que todos los temas y hasta el modo de tratarlos eran del dominio común. Por eso tampoco él se sentía propietario. Quitaba o ponía de su cosecha lo que estimaba conveniente, y así, casi siempre dentro del anonimato, lo entregaba a los demás. El juglar que recitaba en el patio de armas de un castillo o en la plaza de un pueblo las hazañas del Cid o la tragedia de los infantes de Salas se hallaba muy ajeno a toda consideración estética. Ni por un momento pensaba que hacía obra de arte. Buscaba sólo, o al menos de manera especial, entretener a un auditorio ávido de relatos sorprendentes, enardecerlo en su lucha contra el moro o enfervorizarlo en sus devociones, según se tratara·

de poema heroico o religioso; y acaso también ganar por este medio su cotidiano sustento. Así se explica la falta de retoque, la ausencia de todo artificio y un sentido casi nulo de eso que suele llamarse equilibrio y composición de la obra literaria.

Pero frente a este lado negativo encontramos frecuentemente una vena de poesía auténtica, fresca e ingenua, que brota, sin darse cuenta el mismo autor, de la índole del poema. Basta el argumento y su simple relato para sumergirnos, aún ahora al cabo de tantos siglos, en una atmósfera de belleza virginal. Por otra parte, ya queda dicho, el poema va destinado a la recitación pública, y esto le da una especial contextura. En un auditorio, el sentido crítico está menos despierto que en el lector. Este puede calibrar detenidamente los factores positivos y negativos, mientras que para aquél los defectos, irregularidades y repeticiones casi pasan inadvertidos. Por ello, el poeta medieval se mueve con gran libertad y apenas necesita acomodarse a normas previas. Su verso es libre, irregular, sin cómputo de sílabas ni acentos fijos. Series indeterminadas de cláusulas métricas, que no tienen entre sí más nexo común que la rima imperfecta o asonante, soporte mínimo de la versificación, aunque suficiente para mantener un principio de armonía y halagar el oído de un auditorio poco refinado.

Más adelante, la poesía pasa a manos cultas. El verso cobra regularidad y la prosa empieza a fijarse. Con el «mester de clerecía» se impone una técnica versificatoria y, aunque todavía en estado rudimentario, las «artes de componer» debieron de hacer su aparición. Pero aún subsisten en una serie de fórmulas estereotipadas ciertos vestigios de la poesía juglaresca. Berceo pide, ni más ni menos que cualquier recitador de la época anterior, «un vaso de bon vino». A últimos del xiv y durante todo el xv, la poesía, por influjo en gran parte de la lírica galaico-portuguesa y de la provenzal, se va haciendo más y más artificiosa; abundan las *preceptivas poéticas*, de las que nos quedan algunos restos en el *Arte de trovar*, de Enrique de Villena; en la *Gaya o Silva copiosísima de consonantes*, de Guillén de Segovia, y en la *Carta o proemio* del marqués de Santillana al condestable de Portugal, considerada como la primera historia de la poesía escrita en castellano, a la vez que el primer tratado en que se aborda el estudio de la poesía y de sus géneros con un sentido crítico. Tampoco faltaban los estudios de retórica destinados a los escritores en prosa. Aristóteles no era del todo desconocido, si bien indirectamente, y los tratados de Cicerón —*Retórica a Herennio, De la invención*—, así como las *Instituciones oratorias*, de Quintiliano, andaban en manos de los cultos. Con estas retóricas antiguas alternaban otras más recientes, nacidas en el seno mismo de la Edad Media, particularmente de procedencia francesa: las de Mateo de Vendôme, Eberardo el Alemán, Juan de Garlande, etc., obras todas ellas que tuvieron la virtud de exhumar las viejas teorías clásicas, adaptándolas de paso a las exigencias de una época distinta [1].

Estado cultural

Todo esto nos lleva a decir dos palabras sobre el estado del mundo medieval en orden a la cultura. Empezando por la antigüedad clásica, debe recordarse que no les era totalmente desconocida. Es cierto que de la mayor parte de los autores sólo tenían noticias indirectas, y aun en aquellos cuyas obras manejaban directamente—Cicerón, Quintiliano, Séneca, Virgilio, etc.—apenas calaron más allá de la corteza. Leían la letra, pero se les escapaba el espíritu. Tuvo que llegar el Renacimiento, y concretamente el humanismo, para que los hombres descubriesen la inmensa corriente de vida y de belleza que circula por debajo de aquellos textos venerables. Antes del xiv, sin embargo, no faltaron entre nosotros hombres que presintieron ese mundo maravilloso de formas y de ideas. Recuérdese a Pero López de Ayala, Santillana, Juan de Mena y acaso también al Arcipreste de Hita.

En la baja Edad Media empiezan a cumplir su benemérita misión cultural las Universidades, que entre nosotros no habían de alcanzar su plenitud hasta el Renacimiento. Pero antes que se creasen las Universidades como tales centros de cultura existían las «escuelas monacales», organizadas en torno a los monasterios, y hasta ciertas escuelas privadas, a las que se alude bien claramente por Alfonso el *Sabio* en un título de las *Partidas* [2]. Allí se distingue, por un lado, el «Estudio general», donde se cursan Gramática, Lógica, Retórica, Aritmética, Geometría, Música, Astronomía, así como Leyes y Decretos; de otro lado, el «Estudio particular», de ámbito mucho más reducido. Los Estudios generales sólo podían ser establecidos por el Papa, el emperador o el rey; los particulares podían ser fundados por cualquier prelado o concejo. De los primeros nacieron evidentemente las Universidades, con el mismo cuerpo de enseñanzas, reducidas al *trivium* y al *quadrivium*, que ya en ellos se profesaban. Más tarde, a finales del xiv, se les agregó la Teología. Las primeras Universidades entre nosotros fueron las de Palencia, Salamanca y Valladolid. La de Palencia fué creada por Alfonso VIII, quien la dotó de abundantes medios, haciendo venir, según testimonio del arzobispo don Rodrigo, «sabios de Francia e Italia, para que la disciplina de la sabiduría nunca faltase de su reino, y congregó en Palencia maestros de todas las facultades»; la de Salamanca, donde ya existían Estudios generales, fué elevada al rango de Universidad por Fernando III en 1242. Los Estudios de Valladolid no fueron confirmados como Universidad hasta el 1346, por bula de Clemente VII. Alcalá, que contaba con Estudios desde 1293, no la tuvo hasta principios del xvi, gracias al cardenal Cisneros, que la inauguró en 1508.

El estado cultural de este período puede también deducirse de las propias obras de los escritores de cada siglo y de las bibliotecas monacales y privadas, cuyos catálogos más o menos completos han llegado hasta nosotros. Los poetas, especialmente los del «mester de clerecía», tienen a gala citar las fuentes adonde iban a inspirarse, o simplemente a buscar información. Así nos enteramos de que entre sus autores predilectos figuraban Cicerón, Séneca y Boecio. En cuanto a las bibliotecas particulares, por fortuna disponemos de datos sobre algunas: la de don Pedro Fernández de Velasco, conde de Haro; la de Enrique Villena y, sobre todo, la del marqués de Santillana. El cotejo de esos catálogos revela a las claras las preferencias de aquellos próceres.

II. RELACIONES E INFLUENCIAS

No pueden pasarse por alto en un estudio de la literatura medieval. La particular posición geográfica de España y sus contactos con diversos pueblos y razas durante ese largo período, especialmente los que mantiene Castilla dentro y fuera de la Península, conforman hasta cierto punto todo su proceso cultural y en mayor grado el de su literatura. Si por una parte la constante lucha por su independencia le da cierta rudeza, a la que contribuyen también los substratos aborígenes, por otra su inevitable roce con pueblos de cultura superior o más refinada, como son, de un lado, el árabe y el judío, y de otro, el francés y más tarde el italiano, van moldeándola y dándole flexibilidad hasta quitarle su herrumbre definitiva, sin que por ello se desvirtúen en modo alguno aquellos rasgos esenciales—realismo, popularismo, etc.—que la caracterizan desde el principio. En este orden de influencias se puede señalar una triple línea, que atraviesa sin quebrarse toda nuestra literatura del medievo: la tradicional, la judeo-islámica y la europea. Con razón se ha llamado a nuestra cultura medieval «una cultura de fronteras». Y Vossler ha podido hablar de una *época de luces*, referida a España, y que comprendería del siglo X al XIV, ambos incluídos. Las peregrinaciones a Santiago desde todos los puntos de la Cristiandad, especialmente desde Francia, y la Escuela de traductores de Toledo, promovida ya por el arzobispo don Raimundo y luego fomentada por Alfonso el *Sabio,* son dos factores decisivos en el desarrollo no sólo de la cultura peninsular, sino de toda la cultura europea. Por las primeras entraban en España las corrientes renovadoras del otro lado del Pirineo; gracias a la Escuela de Toledo, el mundo cristiano pudo conocer la cultura oriental y beneficiarse de ella. De este modo, España, a la vez que recibía influencias exteriores, proyectaba la suya hasta los más apartados rincones de Europa.

Sin que ello nos impida volver sobre el asunto en los capítulos dedicados a cada género, vayan por delante unas brevísimas observaciones.

Influencia germánica

Es probablemente la más antigua. Y se acusa de modo especial en la épica primitiva. Conocida es la tesis, que explanaremos en otro lugar con mayor detalle, según la cual no sólo la vieja épica castellana, sino toda la épica europea, tiene su origen en los cantos del pueblo germano. Si bien es cierto que las *canciones de gesta* castellanas están muy directamente influídas por las francesas, no se puede negar tampoco que en aquéllas subsisten múltiples elementos de procedencia netamente germánica. Menéndez Pidal ha demostrado la íntima relación entre la leyenda de Walter, escrita en verso latino, de asunto germánico, y un romance del XVI: el de Gaiferos y Melisendra. La leyenda de Walter era cantada en el siglo XIII en Alemania, Inglaterra y Noruega; y el romance de Gaiferos, cuyo tema tantas analogías tiene, no sólo de fondo, sino también de detalle, con la leyenda, revela la existencia de un nexo misterioso entre las dos épicas. Entonces el romance sería un eslabón de esa cadena, que en su mayor parte ha desaparecido.

La hipótesis de Menéndez Pidal se robustece con otros argumentos: el mundo que nos describen los primitivos poemas castellanos es enteramente germánico; y germano también es el ambiente que en el mismo se respira: duelos, consultas del rey con los vasallos, votos de difícil cumplimiento, etc. Y hasta los vicios y virtudes: castidad, fidelidad, independencia, pereza, suciedad. Pero de esto se hablará más extensamente al estudiar los orígenes de la épica castellana.

El mundo oriental: árabes y judíos

Las influencias de fuente oriental son mucho más importantes y están plenamente comprobadas. Dejando a un lado la tesis de Ribera, según el cual nuestra épica deriva de la musulmana-andaluza, el influjo árabe está patente en varios géneros—lírica, apólogo, novela—y hasta en obras de carácter doctrinal, sin contar las de fondo científico, que por ahora no hacen al caso. Por conducto persa y arábigo llega a nosotros el «cuento» o apólogo de origen indio, que es recogido primero por el judío converso Pero Alonso, en su *Disciplina clericalis,* se continúa en las colecciones del *Calila e Dimna* y del *Sendebar* y culmina en las obras del infante don Juan Manuel. De fuente árabe procede también una parte de la lírica castellana, la que se desarrolla en estrofas inspiradas en el *zéjel;*

y árabe es asimismo casi toda la poesía recién descubierta que se viene designando con el nombre genérico de «jarchas». Influencias arábigas hay en la métrica de las *Cantigas* de Alfonso el *Sabio*, en el poema aljamiado de *Yuçuf*, en el *Libro de Buen Amor* y en otras muchas obras, sin contar las de fondo doctrinal: el *Bonium* o *Bocados de oro*, el *Poridat de poridades*, etc.

La influencia hebrea es menor y se manifiesta más bien en el suministro de temas. El odio al judío es uno de los rasgos salientes de nuestra literatura medieval. Lo encontramos ya en la primera y única pieza dramática que se conserva del medievo: el *Auto de los Reyes Magos*; reaparece en la *Disputa entre un cristiano y un judío*, breve fragmento exhumado por Américo Castro, y se manifiesta a cada paso en los poetas de los *Cancioneros*. Este sentimiento de aversión al judío persistirá a lo largo del teatro del Siglo de Oro.

Las literaturas europeas

Por razones de vecindad y motivos políticos, las influencias más claras son las francesas. El continuo trato con Cataluña y Navarra, las peregrinaciones a Santiago, los enlaces reales con las Casas de Castilla, Navarra y Portugal; el establecimiento de los monjes cluniacenses, entre otros factores, influyeron en las relaciones mutuas de las dos literaturas, francesa y castellana. Huellas francesas indudables existen en las dos únicas muestras que tenemos de la épica popular primitiva: el *Cantar de Mio Cid* y el *Roncesvalles*; más acusadas aún

en los poemas del «mester de clerecía» y en los primeros libros del género caballeresco, cuyo entronque con los poemas franceses del ciclo bretón, o con las prosificaciones de éstos, es evidente. En cambio, un poema como el *Roman de la Rose*, acaso la obra más difundida en Europa durante el siglo XIII, no parece haber tenido en España especial aceptación. La poesía alegórica castellana procede más bien de Italia, que influye entre nosotros por medio de Dante, de Boccaccio y de Petrarca, aparte de otros poetas de menos fama, como Guido Cavalcanti. Dante es imitado por Santillana, Mena y multitud de vates que figuran en el *Cancionero de Baena*; Petrarca, por el mismo Santillana, y a Boccaccio, especialmente en sus obras de alabanza y vituperio de las mujeres, le siguen, entre muchos, el canciller Ayala, el doctor Juan García, el Arcipreste de Talavera, el poeta Torrellas y el condestable don Alvaro de Luna.

Mención aparte merece la lírica provenzal y galaico-portuguesa, cuya proyección sobre la nuestra, aunque indudable, no está suficientemente delimitada. Bien clara la influencia provenzal en determinados tipos de la poesía cortesana, no sabemos aún con toda certeza qué es lo que nos llegó directamente a través de los trovadores provenzales y qué es lo que recibimos por conducto indirecto de la lírica gallega. De todos modos, la importancia de los *Cancioneros* galaico-portugueses en la lírica castellana, desde su origen hasta bien entrado el siglo XV, no puede soslayarse y en su lugar habremos de insistir sobre ella.

III. OTROS ASPECTOS

Se pregunta, ante todo, si la literatura castellana medieval tiene unos caracteres peculiares que la distinguen de la misma literatura de otros períodos. Y la respuesta es negativa. Las mismas notas o rasgos fundamentales que asignábamos en la Introducción de nuestro libro a la literatura española en general son válidos para la época que ahora vamos a estudiar. Hay una línea constante que va desde el *Cantar de Mio Cid* hasta las últimas producciones de nuestros días. El mismo realismo del viejo poema o del *Libro de Buen Amor* pasa a *La Celestina*, agita luego toda nuestra novela picaresca y se va perpetuando en Cervantes, Quevedo, Torres Villarroel, los grandes novelistas del XIX y el Pío Baroja de nuestros días. Los viejos temas y hasta la vieja técnica perduran a través de los siglos por aquel carácter tradicionalista ya destacado anteriormente, y rebrotan a cada paso, como puede verse en los romances de Rivas o de García Lorca, herederos directos de un género ya cultivado en el siglo XIV. El mismo carácter popular que distingue a la épica juglaresca ha de reconocerse

en el teatro de Lope, en el sainete de don Ramón de la Cruz, en las leyendas de Zorrilla y en las comedias de los hermanos Quintero. La literatura española es homogénea y consecuente consigo misma.

Lo único que cabe subrayar en la medieval es cierta insistencia en determinados rasgos: un mayor arraigo de lo *popular*, que hace acto de presencia, casi sin excepción, en todas las producciones literarias del medievo, con interferencia muchas veces de elementos folklóricos: Arcipreste de Talavera, *Adagios*, de Santillana; *La Celestina*, etcétera; un *fondo religioso* y didáctico-moral, aún más recargado, si cabe, que en otras épocas; un *realismo* sano, que preludia nuestra mejor novela y nuestro mejor teatro del Siglo de Oro; y, sobre todo, una gran *fidelidad* a la vida y a la Historia, que impide a nuestros escritores perderse en la región de lo inverosímil y de lo absurdo. Pero, repitámoslo, todos estos rasgos son comunes a la literatura española de cualquier género y época.

Temática y motivaciones

Lo que sí tiene la literatura medieval es sus temas preferidos. Entiéndase bien: preferidos, pero no exclusivos.

Por lo pronto, los temas religiosos, y entre ellos, con especial predilección, el *mariano*. Sin incurrir en exageradas tesis, como la de Glunz[3], que casi reduce toda la literatura medieval a una paráfrasis de la Biblia, hay que reconocer que el ideal religioso inspira y preside la mayor parte de nuestras producciones literarias anteriores al Renacimiento. La primera manifestación del romance castellano que conocemos está contenida en las *Glosas Emilianenses* y es una plegaria a Jesucristo; las dos únicas muestras del teatro medieval que nos quedan son el fragmento del *Auto de los Reyes Magos* y la representación del *Nacimiento de Nuestro Señor*, de Gómez Manrique, ambas, como se ve por sus títulos, profundamente religiosas; nuestro primer poeta de nombre conocido, Berceo, no cantó sino a santos y a la Virgen. Se puede afirmar que si la mayor parte de la literatura europea del medievo está bajo el signo de la Iglesia, la castellana lo está en mayor grado. Este sentido religioso, y con frecuencia, más que religioso, teológico, lleva a nuestros poetas a preferir ciertos motivos, como el de la muerte, que alcanzaría su mejor expresión en la famosa *Danza* del códice escurialense, remedo entre nosotros de aquella ficción tan extendida por la poesía y el arte de la Edad Media, según la cual convoca la Muerte a todos los estados sociales para que participen en su baile; o como el de la fugacidad de la vida, tan soberbiamente expuesta en las *Coplas* manriqueñas; o bien el de la filosofía práctica y profundamente moral, resumida en los sentenciosos *Proverbios* del rabino don Sem Tob. Pero en el inmenso acervo de argumentos e inspiraciones suministrados por la Iglesia a los poetas y escritores medievales, ninguno gozó de tantas preferencias como el tema mariano. La Virgen María, con sus infinitas advocaciones e inagotables simbolismos—mediadora entre el cielo y la tierra, reparadora de la primera culpa, ejemplar supremo de amor y de virtud, etc.—, llena le mente del hombre medieval y trasciende a cada paso a todos los productos no sólo de la literatura, sino también de las artes plásticas. Entre nuestros poetas basta recordar a Berceo, al Rey Sabio, al Arcipreste de Hita y a tantos otros de menor categoría.

Motivos constantes en las letras medievales fueron asimismo la animadversión al judío, ya aludida en apartado anterior; las relaciones con el pueblo musulmán, que da origen a todo un género o subgénero, el del romance morisco; la censura de ciertas clases sociales, especialmente del clero y de la nobleza, que provocará toda la sátira del xv; y, por último, aunque cronológicamente sean anteriores, los temas de polémica—entre el estado seglar y el religioso, entre el eclesiástico y el caballero, entre el alma y el cuerpo, etc.—, que dieron nacimiento al género literario de los *Debates* o *Disputas*, con testimonios tan interesantes dentro de nuestras letras como los *Denuestos del agua y el vino* y el poema de *Elena y María*.

Recientemente, Robert Curtius ha puesto de relieve la importancia de los llamados «tópicos» dentro del conjunto de la literatura medieval[4]. Bien mirado, esos «tópicos» no son sino elementos acumulados con el tiempo, de los que el poeta puede disponer como si fueran suyos para realzar el valor expresivo o simplemente el valor de contenido de su obra; son verdaderos «lugares comunes», elaborados unos durante el período medieval, procedentes otros de la antigüedad. Los hay de fondo y de forma. El mayor o menor empleo de algunos de estos tópicos, así como su aparición y desuso, nos dan hasta cierto punto la fisonomía y el alma de una obra o de un autor determinado. Ejemplos: contraposición de las armas y las letras; contraste de infancia y vejez; dedicatorias; afectada modestia, etc.

Estudios medievales

El conocimiento de la literatura española de la Edad Media es más bien tardío. Se puede decir que arranca de mediados del xix. No es que antes careciésemos de referencias sobre tan largo período; pero esas referencias nos llegan sin el menor sentido crítico. Información bibliográfica y biográfica encontramos ya en la *Biblioteca Hispana vetus* (Roma, 1696), de Nicolás Antonio, que da noticias de obras y autores hasta el 1500. Durante el siglo xviii se ocuparon de nuestras letras medievales, entre otros, Luis José Velázquez, el P. Sarmiento, Tomás Antonio Sánchez, Leandro Fernández de Moratín y el P. Juan Andrés. Luis José Velázquez dedicó casi por entero las dos primeras partes de sus *Orígenes de la poesía castellana* (1754) al estudio de las letras en este período, que enjuició con un criterio excesivamente estrecho. Más considerable fué la aportación de fray Martín Sarmiento, discípulo preclaro del P. Feijoo, que nos legó en sus *Memorias para la Historia de la poesía y de los poetas españoles* (1775) abundante material, aprovechado en su mayor parte por la crítica y la investigación ulteriores. A don Tomás Antonio Sánchez se debe el conocimiento y divulgación de buen número de textos medievales, incluídos en su *Colección de poesías castellanas anteriores al siglo XV* (Madrid, 1779); a Leandro F. de Moratín, estudios sobre los orígenes de nuestro teatro, y al P. Juan Andrés, jesuíta expulso en Italia, la inclusión en su célebre Historia (*Origen, progresos y estado actual de toda la literatura*, 1782-1798) de estudios sobre las letras españolas en la Edad

Media, y particularmente sobre influencias árabes y sobre la Escuela de traductores de Toledo.

Durante el Romanticismo, las obras de los hermanos Schlegel, de Federico Bouterweck, Sismonde de Sismondi, Fernando Wolf y Jorge Ticknor, entre los extranjeros, y las de Bartolomé José Gallardo y Agustín Durán, entre nosotros, contribuyen a un conocimiento más exacto del período medieval. Bello, el gran polígrafo americano, también centra su atención en este período, y anticipa, en torno al *Cantar de Mio Cid*, al Romancero y a la primitiva versificación castellana, hipótesis que luego confirmaría la crítica moderna. Una obra fundamental fué la *Historia crítica de la literatura española* (1861-1865), de José Amador de los Ríos, en siete gruesos volúmenes que sólo alcanzan hasta finalizar el reinado de los Reyes Católicos. Las producciones medievales y sus autores son tratados por Amador de los Ríos con un acopio de datos y un criterio histórico desconocidos hasta entonces. Agréguese a los anteriores el nombre de don Manuel Milá y Fontanals, cuyos trabajos de investigación medieval, especialmente el titulado *De la poesía heroico-popular castellana* (1874), señalan un hito en esta clase de estudios.

Pero los dos grandes investigadores de la Edad Media española son Menéndez Pelayo y Menéndez Pidal. En sus *Orígenes de la novela*, en la *Historia de las ideas estéticas,* en sus estudios parciales sobre el teatro, y muy especialmente en la *Antología de poetas líricos castellanos*, dedicada toda ella, menos el último tomo, al período que nos ocupa, Menéndez Pelayo analiza, juzga y expone, siguiéndolo desde su origen hasta su pleno desarrollo, todo el proceso cultural español durante la Edad Media, con un conocimiento de la materia difícilmente igualable. A completar la obra del maestro santanderino, con un rigor crítico mayor aún si cabe, viene la de otro maestro no menos insigne, Menéndez Pidal. Arranca éste del *Cantar de Mio Cid*, del que empieza por hacernos un estudio exhaustivo; y, ampliando paulatinamente la órbita de sus investigaciones, pasa al de la poesía juglaresca, a la epopeya en general, al de la lengua primitiva, etc., para terminar por ofrecernos en una larga serie de obras la exposición acaso más completa que existe de una literatura romance en la Edad Media. Una legión de investigadores españoles, discípulos en su mayor parte de uno u otro maestro, y numerosos hispanistas extranjeros vienen haciendo objeto de sus investigaciones a nuestra literatura medieval, por cierto con los más felices resultados. De ellos y de sus obras se hará mención en los capítulos correspondientes.

NOTAS

1. Vid. Francisco López Estrada : *Introducción a la literatura medieval*, Madrid, 1952, cap. II. Esta obrita, redactada con buen método y claridad, constituye un ex-

celente estudio introductorio de nuestras letras en este período.

2. Partida II, ley 1.ª, tít. 31.

3. H. H. Glunz : *Die Literarästhelik des europäischen Mittelalters: Wolfram, Rosenroman, Chaucer, Dante,* 1937. Vid. López Estrada : *ob. cit.,* págs. 120 y sgs.

4. Ernst Robert Curtius : *Literatura europea y Edad Media latina,* trad. del alemán, 2 vols., Méjico, 1955, I, págs. 122-59.

BIBLIOGRAFIA

I. G. Bertoni : *Poesie, leggende e costumanze del medioevo,* Módena, 1927.—Johannes Bühler : *Vida y cultura en la Edad Media,* trad. de W. Roces, Méjico, 1946.—Américo Castro : *La realidad histórica de España,* Méjico, 1954.—H. J. Chaytor : *From script to Print. An Introduction to Medieval Literature,* Cambridge, 1945.—Edmond Faral : *Les Arts poétiques du XIIe et du XIIIe siècle,* Paris, 1923.—J. García Mercadal : *España vista por los extranjeros. I. Relaciones de viajeros desde la edad más remota hasta el siglo XVI. II. Relaciones de viajeros y embajadores. Siglo XVI,* Cartagena-Madrid, 1919.—A. Graf : *Miti, leggende e superstizione del medioevo,* Turín, 1925.—Rashdall Hastings : *The Universities of Europe in the Middle Ages,* Oxford, 1936.—P. Henríquez Ureña : *Cultura española de la Edad Media,* «Plenitud de España», págs. 85-127, Buenos Aires, 1940.—J. Huizinga : *El otoño de la Edad Media,* Madrid, 1930.—Alfred Jeanroy : *Les origines de la poésie lyrique en France,* Paris, 1925 ; *Histoire sommaire de la poésie occitane, des origines à la fin du XVIIIe siècle,* Toulouse, 1945.—Ch. V. Langlois : *La vie en France au Moyen Age. De la fin du XIIe siècle au milieu du XIVe siècle,* 4 vols, Paris, 1924-1928.—Pierre Le Gentil : *La Poésie lyrique espagnole et portugaise à la fin du Moyen Age,* Rennes, 1949.—M.ª Rosa Lida : *La idea de la jama en la Edad Media castellana,* Méjico, 1952.—F. López Estrada : *Introducción a la literatura medieval española,* Madrid, 1952.—Wilhelm Luebke-Max Semrau : *Die Kunst des Mittelalters,* 14.ª ed., Esslingen, 1910.—M. Milá y Fontanals : *Lección inaugural de curso en la Univ. de Barcelona,* Barcelona, 1865.—A. Navarro González : *Valoración de la poesía en la literatura medieval castellana,* «Cuad. de Literatura», VI, 1949, págs. 13-43.—Casiano Pellicer : *Tratado histórico sobre el origen del histrionismo en España,* Madrid, 1804.—Justo Pérez de Urbel : *Las letras en la época visigoda,* en «Hist. de España», dirigida por M. Pidal, vol. III, págs. 379-431, Madrid, 1940 ; *El monasterio en la vida española de la Edad Media,* Barcelona, 1942.—José Amador de los Ríos : *Historia social, política y religiosa de los judíos en España,* 3 vols., Madrid, 1875.—J. Rubio y Balaguer : *Vida española en la época gótica. Ensayo de interpretación de textos y documentos literarios,* Barcelona, 1943.—Robert K. Spaulding : *How Spanish grew,* Berkeley-Los Angeles, 1943.—Valdemar Vedel : *Ideales de la Edad Media: I. Vida de los héroes. II. Romántica caballeresca. III. El espíritu de las ciudades. IV. La vida monástica,* Barcelona, «Manuales Labor», núms. 29, 105, 296 y 304.—Dámaso Alonso : *De los siglos oscuros al de Oro,* Gredos, Madrid, 1958.

II. Antonio Alatorre : *Las «Heroidas» de Ovidio y su huella en las letras españolas,* Méjico, 1950.—A. Baccelli : *Da Virgilio al juturismo,* Città di Castello, Soc. Dante Alighieri, 1931.—Marcel Bataillon : *¿Melancolia renacentista o melancolia judía?,* «Est. hispánicos», hom. a Archer M. Huntington, Wellesley, 1952, págs. 39-50.—Frederick Bliss L. : *The Roman de la Rose and Mediaeval Castilian Literature,* «Romanische Forschungen», XX. 1907.—R. R. Bolgar : *The Classical Heritage and its Beneficiaries,* Cambridge, 1954.—Carolina B. Bourland : *Boccaccio and the «Decameron» in Castilian and Catalan Literature,* «Rev. Hispanique», XII, 1925, págs. 1-232.—E. Carré Aldao : *Influencias de la literatura gallega en la castellana,* Madrid, 1915.—Américo Castro : *Los judíos en la literatura y en el pensamiento españoles,* «La realidad histórica de España», cap. XIV, págs. 525-561, Méjico, 1954.—Ernest Robert Curtius : *Europäische Literatur und Lateinisches Mittelalter,* Bern, 1948.—W. J. Entwistle : *The Arthuriand Legend in the Literatures of the Spanish Peninsula,* Londres-Toronto, 1925.—Arturo Farinelli : *Italia e Spagna,* 2 vols., Turín, 1929 ; *Dante in Ispagna, Francia, Inghilterra, Germania,* 1922.—A. González Palencia : *Moros y cristianos en España medieval,* Madrid, 1945.—M.ª Rosa Lida : *Transmisión y recreación* de temas grecolatinos en la poesía lírica española, «Rev. Fil. Hispánica», I, 1939.—M. LOT-BORODINE: Sur les origines et les fins du service d'amour, «Mélanges Jeanroy», París, 1928.—P. JOSÉ MADOZ: Escritores de la época visigoda, «Hist. gen. de las Lit. Hispánicas», vol. I, Barcelona, 1949.—M. MENÉNDEZ PELAYO: De las influencias semíticas en la literatura española, «Est. y disc. de crít. hist. y lit.», vol. I, págs. 194-217, Santander, 1941; De las ideas acerca del arte en la Edad Media, «Hist. de las ideas estéticas», vol. I, cap. V, págs. 443-482, Santander, 1940.—RAMÓN M. PIDAL: Las leyendas moriscas en su relación con las cristianas, «Estudios literarios», Colec. Austral, núm. 28, págs. 111-26; España, eslabón entre la Cristiandad y el Islam, Colec. Austral, núm. 1.280.— A. A. NEUMAN: The Jews in Spain: Their Social, Political and Cultural Life during the Middle Ages, 2 vols., Filadelfia, 1942.—RATHFON CHANDLER POST: Medieval Spanish Allegory, Cambridge, 1915.—ALFONSO REYES: Influencia del ciclo artúrico en la literatura castellana, «Capítulos de lit. española», 2.ª serie, Méjico, 1945, págs. 294-302.—MARTÍN DE RIQUER: Relaciones entre la literatura renacentista castellana y la catalana de la Edad Media, «El Escorial», enero 1941.—B. SANVISENTI: I primi influssi di Dante, del Petrarca e del Boccaccio sulla letteratura spagnuola, Milán, 1902.—RUDOLPH SCHEVILL: Ovid and the Renascence in Spain, Berkeley, 1913.

III. ABILIO ALAEJOS: La poesía del «retiro». Reflejos psicológicos del alma de España, «Rev. de Espiritualidad», 1948, núms. 26, págs. 73-88, y 27, págs. 204-24.— RENÉ BASSET: Mille et un contes, récits et légendes arabes, 3 vols., París, 1924-1927.—FRANK CALLCOTT: The Supernatural in Early Spanish Literature, Hisp. Institute, Nueva York, 1923.—LUDWIG CLARUS: Estudio de la literatura medieval de España, introducción de Joseph von Görres, 2 tomos, Mainz, 1846.—E. COTARELO MORI: Estudios de historia literaria de España, Madrid, 1901.—JOA-QUÍN COSTA: Poesía popular y Mitología celta en España, Madrid, 1881.—J. P. W. CRAWFORD: The Spanish Pastoral Drama, Pensilvania, 1915, núm. 4; Spanish Drama before Lope de Vega, A revised edition by..., Univ. of Pensylvania Press, Filadelfia, 1937.—WILLIAM EMPSON: Seven Types of Ambiguity, Nueva York, 1947.—J. FILGUEIRA VALVERDE: Formas paródicas de la lírica medieval gallega, «Anales Asoc. Esp. Progreso Ciencia», vol. XII, págs. 913-34, Madrid, 1947.—C. GUERRIERI CROCETTI: L'epica spagnuola, Milán, 1946.—HANS JANNER: La glosa española. Estudio histórico de su métrica y de sus temas, «Rev. Fil. Esp.», XXVII, 1943, págs. 181-232.—HUBERT DE MANOIR: Marie. Etudes sur la Sante Vierge sous la direction de..., 2 vols., París, 1952.—A. MILLARES CARLO: Literatura española hasta fines del siglo XV, Méjico, 1950.— S. G. MORLEY: Strophes in the Spanish Drama before Lope de Vega, «Hom. M. Pidal», I, 1925, págs. 501-31.— AMÉDÉ PAGES: Le thème de la tristesse amoureuse en France et en Espagne du XIVe au XVe siècle, «Romania», LVIII, 1932.—SILVIO PELLEGRINI: Studi su trove e trovatori della prima lirica ispano-portoghese, Turín, 1937.— BERNARD PEZ y FREDERICK CRANE: Liber de Miraculis Sanctae Dei Genitricis Mariae, «Cornell Studies», I, 1925. R. D. PERÉS: La leyenda y el cuento populares. Ensayo histórico, Barcelona, 1951.—LUDWIG PFANDL: Historia de la literatura española: I. Edad Media y Renacimiento, Leipzig, 1923.—PUYMAGRE, CONDE DE: Les vieux auteurs castillans, 2.ª ed., París, 1890; La Cour littéraire de don Juan II, 2 vols., París, 1873.—J. A. SÁNCHEZ PÉREZ: El culto mariano en España. Tradiciones y leyendas, etc., Madrid, 1943.—HENRY THOMAS: Spanish and portuguese romances of chivalry, the revival of the chivalry in the Spanish Peninsula, and its extension and influence abroad, Cambridge, Univ. Press, 1920.—GIUSEPPE TOFFANIN: Storia dell'umanesimo dal XIII al XIV secolo, 3.ª ed., Bolonia, 1943.—KARL VOSSLER: La soledad en la poesía española, Madrid, 1941.

CAPITULO II

EPICA MEDIEVAL CASTELLANA

I. GENERALIDAES: *Los cantares de gesta. Orígenes y formación. Características. Gestas y juglares. Cronología.*—II. EL «CANTAR DE MIO CID»: *Noticia y contenido. Historicidad y realismo. Valores humanos del poema. Valores estilísticos.. Influencia francesa. Valoración y fortuna.*—III. CICLOS ÉPICOS: *El «Cantar de Rodrigo y de la pérdida de España». Ciclo de Fernán González y sus sucesores. Cantar de los siete infantes de Lara. Otros poemas heroicos: «Bernardo del Carpio». «La mora Zaida» y la «Gesta del abad de Montemayor».*—IV. ÉPICA DE TEMA FRANCÉS: *El «Mainete». La «Peregrinación del rey de Francia». El «Roncesvalles».*—NOTAS.—BIBLIOGRAFÍA.

I. GENERALIDADES

Las primeras manifestaciones de la poesía castellana propiamente dicha corresponden a la epopeya. En esto sigue España la tradición de todos los pueblos cultos, cuyas más tempranas pruebas de poesía auténtica se nos dan en el género heroico. Recientes descubrimientos de unos cantos líricos, denominados *jarchas,* que vendrían a ampliar en más de un siglo los límites cronológicos de nuestra literatura, no bastan a invalidar aquella afirmación[1]. Sin contar con que las tales *jarchas* no representan un tipo de poesía castellana pura, sino una mezcla del vulgar mozárabe con el árabe, que poetas cultos arábigo-españoles e hispano-judíos colocaban al final de sus *muwassahas,* tenemos el problema de la coetaneidad de los cantares de gesta o poemas épicos. Está demostrado que estos *cantares de gesta* tuvieron que componerse a raíz de los hechos narrados. Si el Cid muere en 1099 y cuarenta años después está ya hecho su poema, es lógico suponer que lo mismo sucedería con Bernardo del Carpio, Fernán González, los infantes de Lara y otros héroes o personajes, cuyos cantares encontramos prosificados en las Crónicas. En tal caso hay que remontar el de Fernán González al siglo x y el de Bernardo del Carpio a últimos del IX. No importa que no dispongamos hoy de esos poemas; su existencia está plenamente demostrada.

Podemos distinguir dos tipos de epopeya: una, primitiva, anónima, de carácter nacional, destinada a la recitación o canto en público: la *Ilíada,* la *Chanson de Roland,* los *Nibelungos,* el *Cantar o Poema de Mio Cid;* y otra, erudita, culta, artificiosa, propia más bien de períodos refinados y destinada a la lectura: la *Eneida,* el *Orlando furioso,* la *Araucana,* la *Henriada,* etc. La primera suele ser anónima; la segunda tiene paternidad conocida. Todavía encontramos, al lado de esta segunda, un tercer tipo, de carácter burlesco y tardío desarrollo, cuyos remotos orígenes han de buscarse en la *Batracomiomaquia.*

Nuestra epopeya medieval pertenece al primer tipo: es anónima, primitiva y casi rudimentaria en algunos aspectos; va destinada a la recitación en la plaza pública o en el patio del castillo y, sin perder su carácter nacional, es en el fondo enteramente castellana. Aparece como una creación de Castilla frente al reino leonés y va marcando en sus orígenes y formación todo el proceso evolutivo del viejo condado hasta convertirse en el primer reino peninsular. Como este proceso está lleno de dificultades y de acciones heroicas, la poesía en que se canta tiene que ser también heroica, una verdadera poesía de *gesta.*

Los cantares de gesta

En los pueblos alejados de la batalla—Galicia, Cataluña, el mediodía de Francia—no es extraño que en plena Edad Media floreciera una poesía refinada, de galanterías y de amores. No era éste el caso de Castilla, empeñada primeramente en afirmar y consolidar su propia existencia, y luego, en ensanchar más y más sus dominios, a costa de continuas luchas, unas veces contra los soberanos limítrofes, otras, casi siempre, contra el poderío musulmán. En tales circunstancias su poesía tenía que reflejar ese estado de heroicidad y de lucha permanente. De ahí el nacimiento en Castilla, precisamente en Castilla, de esos poemas que, por celebrar hechos o hazañas señalados, se vienen llamando *cantares de gesta.* Se corresponden con una poesía análoga que por los mismos días, o poco antes, se desarrolla en el norte de Francia y que suele inspirarse en motivos parecidos: las *Chansons de geste.* Al principio, unas y otras, españolas y francesas, se desenvuelven en forma autónoma; pero a partir del siglo XI, y sobre todo en el XII, las francesas influyen en las nuestras.

Desconocida durante mucho tiempo no sólo la naturaleza, sino hasta la existencia de estos *cantares de gesta* castellanos, persistía la opinión de que la primitiva poesía heroica castellana eran los *romances*; y a éstos se referían los grandes críticos y poetas, tanto nacionales como extranjeros, especialmente los románticos, cuando ponderaban la excelencia de nuestra épica medieval; y a éstos también iban a buscar su inspiración novelistas y dramaturgos de todas las épocas. Hoy, gracias a los estudios de Milá y Fontanals, Menéndez Pelayo, Menéndez Pidal y otros meritísimos investigadores, se conoce no sólo la existencia, sino la génesis, formación y características de esta otra poesía heroico-popular, mucho más antigua y más auténticamente castellana que los *romances*, con ser éstos un producto típico de nuestra literatura.

Se conservan, es cierto, escasas muestras de esta épica: el *Poema de Mio Cid* (1140), un pequeño fragmento del de *Roncesvalles* (segunda mitad del siglo XIII) y el *Cantar de Rodrigo* (principios del XV). Pero, aun siendo tan exiguos los restos, su existencia está confirmada por múltiples testimonios, especialmente por las llamadas *prosificaciones*, a que más adelante aludiremos.

Orígenes y formación

¿Cómo nacieron los cantares de gesta castellanos? La pregunta tiene un doble sentido: uno, relativo a su formación o al proceso que hubieron de recorrer hasta plasmar en la forma en que los hallamos actualmente; otro, relacionado con el origen de los mismos. Se pretende saber si son de creación autóctona o están inspirados en otras literaturas.

Sobre el proceso formativo de nuestra épica se formulan las mismas teorías que las expuestas para explicar la épica en general. Pueden reducirse a dos: *a)* la epopeya, y, por tanto, la canción de gesta, no es sino el resultado o agregación de una serie de poemas cortos, que recibirían diversos nombres, según las naciones: *baladas, cantilenas, romances*. Estos poemitas de carácter popular, compuestos a raíz de los hechos narrados, tuvieron antes existencia autónoma y vinieron a integrarse en el poema largo que llamamos *cantar de gesta; b)* nuestros poemas épicos, al igual que las *Chansons de geste* francesas, nacieron ya hechas y tales como ahora las encontramos en el *Roland* o en el *Mio Cid*. Lejos de ser éstos una aglutinación de los romances, son los romances el resultado lógico de una disgregación de aquellos poemas.

Expliquemos ambas tesis. Federico Augusto Wolf, tomándola del abate D'Aubignac, formuló a últimos del XVIII la primera y la aplicó a los poemas homéricos [2]. Guillermo Grimm la extendió pocos años después a la epopeya oriental y a las occidentales europeas, y un siglo más tarde vuelve sobre ella Gaston Paris y lanza a la circulación su famosa *théorie des cantilènes*, según la cual los cantares de gesta medievales, y particularmente los franceses, se habrían formado por aglutinación de una serie de poemitas breves de carácter entre lírico y narrativo, con más elementos de lo primero que de lo segundo. Por lo que hace a la épica castellana, y según opinión de la mayor parte de los críticos del XIX, los romances habían sido la base y como el germen de los poemas de gesta. Tapia, Hübner, A. Durán, el mismo Wolf, afirmaron la existencia de romances sobre el Cid anteriores al poema y base luego del mismo.

Frente a esta concepción se alzó primero la voz autorizada de Milá y Fontanals, y después, con mayor rigor científico, las de Menéndez Pelayo y Menéndez Pidal. Los romances no sólo eran posteriores al poema extenso, sino que salieron de él casi siempre, bien directamente, bien de modo indirecto, a través de las prosificaciones de los cantares de gesta en nuestras viejas Crónicas. Amador de los Ríos y Milá y Fontanals todavía llegaban a admitir que, si bien los romances que conocemos actualmente son sin duda posteriores a las gestas, pudo haber otros anteriores a ellas; pero el mismo Milá hubo de rectificar más tarde, rechazando de plano y por falta de pruebas la «teoría de las cantilenas».

Hoy, después de las magistrales exposiciones de Bédier en Francia y de Menéndez Pidal en España, nadie se atreve a sostener la primera tesis [3]. En efecto: cuando declina la sociedad feudal y la nobleza guerrera, desplazada en buena parte por la burguesía, pierde sus antiguos privilegios, las clases sociales se transforman, decae el gusto por los relatos extensos y se tiende a conservar los puntos culminantes y emotivos de los mismos. De esta forma, al poema largo sucede el corto. Sin contar con que los factores estilísticos, métricos, etcétera, acusan en los romances una elaboración mucho más tardía que la del cantar de gesta. Sobre ello habremos de volver al estudiar el *Romancero*.

También en cuanto al origen de nuestra épica hay varias teorías: *a)* Francés. *b)* Germánico. *c)* Arábigo-andaluz.

El origen francés lo defienden Gaston Paris y Eduardo de Hinojosa. Fundamentan su tesis en las innegables semejanzas entre las dos épicas, y, siendo la francesa cronológicamente anterior a la nuestra, parece lógico que haya influido en ella. Menéndez Pidal no niega en absoluto tal influencia, pero la retrasa hasta principios del XII, cuando ya habían sido compuestos varios cantares de gesta castellanos, entre ellos el de Fernán González y el de los infantes de Lara. Por tanto, en su arranque inicial no pudo derivar la nuestra de aquélla. Con Pidal coincide, en términos generales, el alemán H. Morf, quien se inclina a creer que las *chansons* sirvieron, en efecto, de modelo a la epopeya castellana, pero no en sus inicios, sino en un período ya avanzado. Ha de advertirse que Gaston

Paris formula su tesis con un sentido de gran comprensión. De la misma manera, viene a decir, que no es desdoro para la épica francesa su procedencia de la germana, tampoco debe serlo para la española su derivación de la francesa.

Frente a la tesis anterior, Menéndez Pidal formula la suya en favor del origen germánico de nuestra épica. «Conviene—dice—suponer para la epopeya castellana los mismos orígenes germánicos que se le han descubierto a la francesa.» Fué introducida en España por los visigodos, quienes, al igual que los demás pueblos germanos, tenían desde antiguo cantos guerreros. La existencia de tales cantos está confirmada por varios historiadores, entre ellos Tácito, Jordanes y Ablavio. Ejemplo de esta épica es el poema latino del siglo x, titulado *Walter de España o de Aquitania*. La objeción de Wolf, expuesta antes por Dozy (1849), de que los godos no pudieron introducir su epopeya en España, por estar ya romanizados al venir y haber perdido sus viejos mitos, es rebatida por Pidal diciendo que en la epopeya germana, como luego en la primitiva española, no se trata precisamente de tradiciones míticas, sino de hechos históricos, y de la misma manera que aquéllos trajeron a la Península y aclimataron en ella multitud de instituciones, usos y costumbres destinados a tener fuerte arraigo durante el largo período medieval, también debieron de traer sus cantos guerreros. Lo poco que de éstos conocemos concuerda admirablemente con nuestros primeros poemas épicos, lo que induce a pensar que habrán nacido de ellos. Menéndez Pidal rechaza la tesis de Gaston Paris e intenta corroborar la suya con una serie de argumentos que resumimos a continuación:

1.º Si la épica castellana fuese imitación de la francesa, aparecería ya perfecta desde su cuna, como lo es aquélla; pero sólo alcanza cierto grado de perfección después de largo tiempo. La épica francesa observa una gran regularidad métrica; la castellana es irregular. La francesa admite lo fantástico y maravilloso en mucha mayor proporción que la española; aquélla, sin dejar de basarse en hechos reales, es, más que verista, verosímil; la nuestra es, ante todo, verista, realista, casi histórica.

2.º Los primeros contactos literarios entre España y Francia corresponden a la segunda mitad del XI: Crónica del falso Turpín, peregrinaciones compostelanas. Los poemas castellanos, de ello dan fe las *prosificaciones*, por su precisión cronológica y topográfica acusan una antigüedad que rebasa aquella fecha.

3.º Las costumbres descritas en nuestras gestas se corresponden con las germanas. En líneas generales son: el rey o el señor, para tomar alguna determinación importante, consulta con sus vasallos; las ofensas, conflictos guerreros o falsas imputaciones, se resuelven mediante el duelo; como castigo infamante, a la mujer pública se le recorta la falda; el caballero, en ocasiones solemnes, pronun-

cia votos de difícil realización; el manto de la dama se utiliza como refugio sagrado por el perseguido *(Cantar de los infantes de Lara)*; la presencia de la esposa, hijas o prometida alienta al caballero y acrece su arrojo *(Cantar de Mío Cid)*; los familiares de la víctima se constituyen en vengadores de la ofensa, cobrándose en sangre o en dinero *(Cantar de los infantes de Lara)*; el adulterio es castigado con la muerte *(Cantar de García Fernández)*, etc.

Rastreando algunas «huellas que aparecen en los primeros historiadores musulmanes de la Península, de una poesía épica romanceada que debió florecer en Andalucía en los siglos IX o X», el profesor Julián Ribera formuló en 1915 su tesis, favorable al origen arábigo-andaluz de nuestra epopeya [4]. Parte Ribera de la coexistencia de un dialecto romance al lado del árabe en la Andalucía musulmana, y aunque es cierto que la poesía árabe no cultiva lo épico y narrativo, sino sólo lo lírico-descriptivo, también lo es que en las crónicas musulmanas llegaron a penetrar restos de leyendas de carácter indígena, del mismo modo que las gestas castellanas penetraron en las crónicas españolas de época posterior. Entre esas leyendas, en las que alienta un vivo espíritu nacionalista, se pueden citar la de la *Generosidad de Artabás,* godo que cede a los árabes las aldeas y cortijos; la del *Primer conde de Andalucía,* referente al mismo Artabás, que, despojado de sus bienes, se presenta a Abderramán I, y éste, no sólo se los devuelve, sino que le otorga el título de conde; y la de *Izrac ben Mont* (o Montell), señor de Guadalajara y su región fronteriza, que aparece prosificada en la *Historia de Benalcutía*. Sobre todo en esta última, basada en un hecho real ocurrido sólo un siglo antes de su inclusión en la Crónica, Ribera descubre gran número de coincidencias con los cantares de gesta españoles y las *Chansons* francesas [5]. Para él existió una épica popular andaluza, por desgracia ya casi totalmente perdida. Esa épica tuvo vigencia mientras encontró un ambiente adecuado en la gran masa de cristianos residentes en zonas musulmanas, y luego desapareció casi sin dejar rastro. Aunque Menéndez Pidal afirma que «en vano buscaríamos en la primitiva epopeya española huellas de influencia árabe», Ribera se esfuerza por demostrar que tales huellas son muy abundantes, no sólo en la nuestra, sino en la francesa. Si de la España musulmana, la nación más culta entonces de Europa, partieron para todo el mundo influencias artísticas; si de allí salió la filosofía, la astronomía, la lírica en gran parte, la música, la medicina, la matemática y hasta el apólogo, «¿por qué —pregunta Ribera—no había de pasar también la épica?» Y termina diciendo que, «demostrada la continuidad del elemento europeo dentro de Andalucía, nada tiene de extraño que éste haya sido el nexo de la continuidad de las manifestaciones épicas, enlazando las primitivas del siglo IX con las posteriores de literaturas romances europeas».

La tesis de Ribera revela más ingenio que rigor científico. Si en la lírica, en el cuento y en otros géneros la influencia árabe es indudable, no ocurre lo mismo en la épica. Frente a las infinitas semejanzas señaladas por Menéndez Pidal entre las costumbres germanas y las nuestras, que luego tienen su reflejo en la epopeya, son muy escasas las que aparecen entre las nuestras y las árabes. Aparte algunas voces de armas y empleos bélicos, de la costumbre de pagar al señor la quinta parte del botín, ya prescrita en el *Corán*, y de otros pocos caracteres puramente accesorios, todo lo demás es distinto entre los dos pueblos. En cambio, es de notar el fondo esencialmente cristiano de nuestros cantares de gesta : el Cid se muestra siempre devoto y hace celebrar misas. Bien es verdad que este fondo no siempre es lo suficientemente fuerte para eliminar ciertos residuos de supersticiones paganas, como la creencia en agüeros.

En síntesis : no se puede negar que la épica castellana tiene muchos puntos de contacto con la francesa, sobre todo a partir del siglo XI ; está demostrado, por otra parte, que del pueblo germano, por conducto de los visigodos, ha recibido multitud de elementos ; finalmente, la continua y larga convivencia de cristianos y musulmanes originó un intenso intercambio en todos los órdenes de la cultura y de la vida, que pudo muy bien afectar a nuestras primitivas canciones épicas. ¿Por qué empeñarse en buscar a éstas una sola derivación y no concebirlas más bien como producto simultáneo de esos tres factores, acrecido con los valiosos y múltiples elementos aportados por el genio nacional?

Características

Aunque coincide nuestra épica en muchos puntos con las de otros pueblos, especialmente con la francesa, no se puede negar que ofrece rasgos peculiares, que la definen como algo original y autónomo. Tales rasgos, entre otros, son el realismo, la extensión, la historicidad y el sentido tradicionalista.

Nuestra épica se distingue, ante todo, de la francesa por su mayor *realismo*. Escrita «al calor de sucesos actuales», suele atenerse tanto a las realidades topográficas como étnicas, sin dar apenas cabida a lo fantástico y maravilloso. Una comparación entre el *Roland* y el *Mio Cid* basta para demostrar este aserto. De ahí también su valor como documento histórico. No que nuestra épica sea rigurosamente histórica, en el sentido de que se pueda confundir con un registro de fechas, nombres y sucesos, sino que, por basarse siempre en un acontecimiento real y haber sido compuesta a raíz del mismo, encierra ya en sí aquel valor documental. Hasta tal punto es ello cierto, que las Crónicas aprovechan luego esos cantares de gesta, ni más

ni menos que si se tratara de materiales reunidos para la Historia. Nuestra épica, además, es *permanente* ; queremos decir que, una vez nacida, sigue viviendo y desarrollándose a lo largo de toda nuestra historia, más o menos evolucionada, pero sin solución de su continuidad. El cantar de gesta no es sino el eslabón inicial de una larga cadena, que se continúa en las crónicas, en los romances, en el teatro. Los temas épicos primitivos perduran a través de toda la literatura española. Ni siquiera en el XVIII, que en tantos órdenes significa una ruptura con la tradición, se olvidan tales temas. Esto da a nuestra épica un profundo sentido *tradicionalista*. En Francia, p. ej., donde existió una poesía heroica más perfecta y copiosa que la nuestra, una vez abandonados hacia el siglo XIV los temas que la nutrían, desaparecen para no volver más. En España, los mismos temas retoñan insistentes un siglo y otro, con el Renacimiento y con el Barroco, con el neoclasicismo y con el romanticismo. Juan de la Cueva, Guillén de Castro, Lope de Vega, Moratín, el duque de Rivas, Zorrilla, Fernández y González, etc., se encargan de mantener vivas en la imaginación popular las figuras del Cid, de don Rodrigo, último rey godo ; de los infantes de Lara. «He aquí cómo el tradicionalismo, que caracteriza tantas manifestaciones de la vida española (acaso más veces para mal que para bien), se revela eminentemente en esta prodigiosa y fecunda continuidad de los temas históricos, más notable, con mucho, que la manifestada en la literatura griega, continuidad que da a la literatura española ese hondo espíritu nacional que Federico Schlegel exaltaba como primero en el mundo» [6].

Gestas y juglares

Empleamos indistintamente los términos *poema*, *gesta* y *cantar* porque así los encontramos en las principales muestras que tenemos de este género poético : *Poema de Mio Cid*, *Cantar de los infantes de Lara*, *Gesta del abad de Montemayor*, etcétera. El nombre que mejor les cuadra es el de *cantar*, puesto que no se escribían para la lectura, sino que iban destinados al canto o pública recitación, lo que llegó a constituir uno de los espectáculos más interesantes de la Edad Media. De esta misión se encargaban los *juglares*.

El juglar ha sido estudiado en su cometido y en sus diversos tipos, con la minuciosidad con que él sólo puede hacerlo, por Menéndez Pidal [7]. «Juglares—dice el sabio maestro—eran todos los que se ganaban la vida actuando ante un público, para recrearle con la música, o con la literatura, o con la charlatanería, o con juegos de manos, de acrobatismo, de mímica, etc.» Para mejor cumplir su oficio tomaba nombres referentes a su cometido o al instrumento que manejaba : *Alegret*, *Pedro Agudo*, *Cítola* y otros más o menos ingeniosos. Se sabe de un juglar navarro llamado *Ancho*. Los juglares no sólo actuaban ante el pueblo, sino también en palacios y hasta en la Corte. Se vestían con colores chillones y ropajes llamativos. Su primera mención en España data de 1116, en Sahagún; poco después aparecen citados en León. Había varias clases de juglares: el *cazurro*, que ejercía artes plebeyas; el *remedador*, que se dedicaba a imitar; el *goliardo*, estudiante o clérigo de aparición más tardía, conocedor de instrumentos y componedor de canciones, a la manera de nuestro Arcipreste de Hita, y el juglar *narrativo* o de *gesta*. Este es el que ahora nos interesa [8].

El juglar se apoderaba del cantar o gesta escrita por otro, probablemente por el *trovador*, y la recitaba en público. No hace falta decir que él se otorgaba la suficiente libertad para añadir, quitar, alterar o poner lo que creía conveniente en la escritura primitiva. El auditorio, muy aficionado a este espectáculo, pedía más y más detalles sobre el héroe o el suceso del poema, y el juglar añadía elementos de su propia cosecha, generalmente inventados por él, con lo que la gesta original se iba apartando cada día más de su primera redacción. En algunos poemas se ven perfectamente estas sucesivas interpolaciones; el fenómeno aparece más claro aún en las gestas francesas, de las que se conservan varias versiones distintas.

Para esta clase de interpolaciones se prestaban fácilmente nuestros cantares de gesta, por su especial estructura. Por lo pronto, la epopeya española, lo mismo que la francesa, empieza usando el sistema de rima más fácil: la asonancia. Pero mientras aquélla deriva pronto hacia la consonancia, la nuestra permanece siempre fiel al sistema primitivo. Hasta 1150, todos los poemas franceses son asonantes; luego empiezan a preferir la rima perfecta, y, según el testimonio de Menéndez Pidal, de las 17 *chansons* compuestas entre 1175 y 1190, son consonantadas 12 y asonantadas sólo cinco. En nuestra épica aparece siempre el asonante como único señor, hasta el punto de que, al evolucionar el cantar de gesta para convertirse en romance, éste también acepta el mismo sistema como norma general.

Algo parecido ocurre con el metro. Desde sus comienzos a su fin, éste es irregular en cuanto al número de sílabas. Gira en torno a un módulo fijo: el tradicional octonario, de dos hemistiquios de ocho sílabas cada uno. Pero, dentro de este módulo, fluctúa continuamente: 7 + 7, 6 + 7, 7 + 6, 8 + 8, 7 + 8, 8 + 7, 6 + 8, 8 + 6, etc. La regularidad o isosilabismo prácticamente no existe. Cuando en la poesía castellana surgen la estrofa y el verso regulares, ya no se trata del género épico, sino de una nueva modalidad, que responde al nombre de «mester de clerecía». Este se ajusta más o menos fielmente, casi siempre con estricto rigor, al cuento de sílabas y a la regularidad estrófica. El cantar de gesta no respeta metro ni estrofa; en cuanto al primero, vacila indefinidamente entre las 10 y las 18 sílabas; en cuanto a la segunda, se

prolonga en largas series y manteniendo la misma asonancia hasta agotar el motivo o circunstancia que provoca la narración.

Con esta libertad, que tanto facilita la improvisación, bien se entiende que a los juglares no les costaría trabajo alterar el texto primitivo, casi siempre para aumentarlo, cuando así lo pidiera el auditorio [9].

Cronología

Menéndez Pidal, a quien se deben los mejores estudios en la materia, ha señalado cuatro etapas en la formación y desarrollo de nuestra épica:

a) *Orígenes y formación.* — Nacen los cantares de gesta en época no determinada todavía, aunque no posterior al siglo X, y en forma cada vez menos rudimentaria se van componiendo los primeros y creándose un repertorio de temas, que pasarán a la épica posterior. Este período de formación se puede dar por terminado en 1140.

b) *Florecimiento.*—Abarca casi un siglo: 1140 a 1236. En la primera fecha se compone el *Poema de Mio Cid*; en la segunda se escribe la *Crónica del Tudense*, en la que por primera vez se utilizan las gestas como fuente histórica. Durante este tiempo, los cantares han ido ganando en perfección y longitud. Supone Menéndez Pidal que los más antiguos tendrían una extensión media de 500 a 600 versos; el de *Mio Cid* tiene 3.730. Por otra parte, la influencia francesa se acusa cada vez más con motivo de la intensificación de relaciones políticas entre los dos pueblos y de las peregrinaciones jacobeas. La temática nacional se enriquece con asuntos tomados de las *chansons* francesas.

c) *Prosificaciones.*—En el siglo largo que media entre 1236 y 1350, los cantares de gesta, a pesar de tener que enfrentarse con el nuevo género del «mester de clerecía», siguen cultivándose con éxito y mereciendo el favor del pueblo. Pero el fenómeno más significativo de esta tercera fase es su aprovechamiento para la Historia. Los cronistas e historiadores oficiales se dan cuenta del gran valor histórico y humano que los cantares de gesta encierran, y no se limitan a aprovecharlos como fuentes, sino que los copian e incorporan a sus obras. A veces, esta labor prosificadora no es tal, y el cantar pasa al texto de la Crónica en fragmentos rimados, tales como los recitaba el juglar o se leían en las copias manuscritas. Es así como han podido reconstruirse, rastreando por las Crónicas, cantares enteros: el de los *infantes de Lara*, el de *Sancho II de Castilla*, etc. El primero que los utilizó fué Lucas de Tuy en su *Chronicon mundi*; luego, Ximénez de Rada, Alfonso X el *Sabio* y otros [10].

d) *Decadencia.*—Esta sobreviene en la segunda mitad del XIV y durante todo el XV. Más que decadencia, se puede llamar evolución. El cantar de gesta antiguo se va mixtificando cada día más con elementos imaginativos; la historia se hace leyenda. De los viejos cantares quedan sólo aquellos episodios o hechos que más suscitan la emoción del pueblo. Estos episodios, desgajados del tronco común y arreglados al gusto de la nueva sociedad, son los *romances*. El cantar de gesta no ha muerto; simplemente ha evolucionado hacia nuevas formas.

II. EL «CANTAR DE MIO CID»

Es el primer monumento escrito que se conserva de la épica castellana. Es también el primer gran documento literario de nuestra lengua. Antes de componerse el *Cantar de Mio Cid*, sin duda, se escribieron otros; pero no los conocemos, al menos de manera directa. Tan venerable por su antigüedad como valioso por su contenido, en cuanto expresión del alma nacional en el momento en que se estaba cuajando el ser mismo del pueblo español, el *Cantar* o *Poema de Mio Cid* aparece en el centro de nuestra épica, no en forma de tanteo o de balbuciente iniciación, sino con toda la madurez de una cosa lograda. El valor del *Poema* como símbolo de la raza fué ya reconocido por Schlegel: «Un solo recuerdo como el del Cid es de más valor para una nación que toda una biblioteca llena de obras literarias, hijas únicamente del ingenio y sin un contenido nacional.»

Noticia y contenido

Gracias a los estudios de don Ramón Menéndez Pidal, que ha consagrado buena parte de su vida al estudio del *Cantar*, éste nos es conocido en todos los aspectos: histórico, lingüístico, literario, etc. [11]. Fué ignorado hasta que en 1779 lo publicó don Tomás Antonio Sánchez en el tomo I de *Poesías antiguas castellanas*. Escrito hacia el año 1140, según todos los indicios, ha llegado a nosotros en copia única, hecha en 1307 por un tal Per o Pero Abbat. Consta de 3.730 versos, y al códice en que se conserva le faltan una hoja al principio y dos en el interior, perdidas por el natural desperfecto del manuscrito a través del tiempo. Estas mutilaciones han sido subsanadas por M. Pidal, quien se sirvió para llevar a cabo su labor de la refundición del *Cantar* que aparece en la *Crónica de veinte reyes*, sin duda la más próxima a la copia de Per Abbat. Se ignora quién fué el autor, aunque, por el conocimiento a fondo que demuestra de ciertos lugares y la morosidad con que habla de ellos, puede inferirse que debió de ser compuesto por un juglar de Medinaceli o sus alrededores. Dada la proximidad entre la redacción del *Poema* y los hechos que narra, es probable que conociera al Cid; si no lo trató, al menos conoció a quienes lo trataron. En cuanto al copista Per Abbat, la identificación es difícil. Este mismo nombre figura en numerosos documentos de la época, y no se sabe si el Abbat responde a un apellido o a cargo conventual, aunque en este segundo supuesto M. Pidal opina que iría seguido del nombre del convento en que

desempeñaba su cargo. Consta el *Poema* de tres partes: a) *Cantar de destierro* (hasta el v. 1.085 inclusive). b) *Cantar de las bodas* (se refiere a las de las hijas del Cid con los infantes de Carrión; desde el v. 1.086: «Aquí conpieca la gesta de Mio Cid el de Bivar», hasta el 2.277: «El Criador vos vala con todos los sos santos»). c) *Cantar de la afrenta de Corpes* (desde el v. 2.278: «En Valencia sedi Mio Çid con todos los sos», hasta el 3.730: «En este logar se acaba esta razón»). Al final va el *explicit* del copista:

Quien escribió este libro — del Dios paraíso
Per Abbat lo escrivió en el mes de mayo — en era
[de 1345 años.

La parte perdida, y restaurada por M. Pidal, según la citada *Crónica de veinte reyes*, cantaba la expedición del Cid para cobrar las parias que los moros de Andalucía pagaban al monarca castellano, su incidente con el conde García Ordóñez y la venganza de éste, acusando al Cid ante el rey de quedarse con parte de los tributos, acusación que provoca la enemistad del soberano y el destierro del héroe. El *Cantar*, tal como nos ha sido conservado, entra *ex abrupto* en el momento en que el Cid abandona sus palacios y posesiones para cumplir la orden de destierro:

De los sos oios tan fuertemientre llorando,
tornava la cabeça i estávalos catando.
Vió puertas abiertas e uços sin cañados,
alcándaras vazías sin pelles e sin mantos,
e sin falcones e sin adtores mudados...

El contenido de los tres *Cantares* es como sigue:

Cantar 1.° El Cid sale de Vivar; pasa por Burgos, donde nadie le da albergue por temor a las represalias del rey. Aquí está el episodio intensamente emotivo de la niña de nueve años, tan felizmente aprovechado por M. Machado en uno de sus mejores poemas. Va a Cardeña para despedirse de su esposa e hijas, doña Sol y doña Elvira; como buen señor, se preocupa de pagar la soldada a sus vasallos. Para procurarse dinero engaña a los judíos Raquel y Vidas, que se lo dan en cantidad (trescientos marcos oro y otros tantos plata), a cambio de dos grandes arcas que creen llenas de joyas y lo están de arena. Empieza la serie de conquistas: arrebata a los moros Castejón y Alcover; se interna por Teruel y Zaragoza, cobrando cuantiosos tributos. Envía por Alvar Fáñez al rey un rico presente. Avanza por las montañas de Morella y combate al conde don Remont de Barcelona, al que hace prisionero, para ponerlo en libertad al cabo de tres días.

Cantar 2.º El Cid se dirige a Valencia; conquista Jérica, Onda, Almenar y Murviedro. Sitiado por los moros valencianos, los derrota y pone sitio a la capital, de la que se apodera, inutilizando previamente el socorro que enviaba a los sitiados el rey moro de Sevilla. Envía nuevos obsequios al rey de Castilla y le pide autorización para que su mujer e hijas vayan a su lado. Nombra obispo de Valencia a don Jerónimo. Su esposa, doña Jimena, y sus dos hijas son recibidas triunfalmente en la capital. Cercada ésta poco después por el rey de Marruecos, el Cid le derrota, y del espléndido botín envía en un tercer obsequio al rey Alfonso VI. Los infantes de Carrión, ansiosos de las riquezas del Cid, solicitan sus hijas en matrimonio. Interviene el rey para que dé el Cid su asentimiento a la boda, y perdona solemnemente al héroe. Con los preparativos de las bodas, festejos, regalos y celebración de los esponsales termina la segunda parte.

Cantar 3.º Pronto se pone de manifiesto la cobardía de los infantes, por lo que son objeto de las burlas del Cid. Ante un león desmandado se esconden vergonzosamente; cuando el rey Búcar ataca Valencia, dan muestras de la misma cobardía. Dolidos por las burlas del héroe, proyectan vengarse en las hijas de aquél. Piden permiso para llevarlas a Castilla, y, al pasar por el robledal de Corpes, desnudan a sus esposas, y, después de haberlas maltratado, las abandonan villanamente. Félez Muñoz, sobrino del Cid, que les acompañó hasta cerca de Corpes, sospecha de los de Carrión, retrocede en busca de sus primas y las halla en el más lastimoso estado. Una vez atendidas, las lleva consigo a San Esteban de Gormaz. El Cid se entera de la villanía de sus yernos; ordena que sus hijas regresen a Valencia, y se dirige al rey Alfonso en demanda de justicia, ya que

elle casó mies fijas, ca non gelas di yo.

El Rey convoca Cortes en Toledo, y, a ruegos del Cid, ordena que acudan a ella los infantes y que devuelvan a Rodrigo todo el ajuar de sus hijas y las espadas Tizona y Colada, que él les había regalado. Luego el Cid los reta para reparar su honor, tachándoles de «menos valer»; el desafío se verifica en la vega de Carrión: Pedro Vermúdez vence a Fernando; Martín Antolínez, a Diego; Muño Guztios, a Asur González. El anuncio de las bodas de doña Elvira y doña Sol con los infantes de Navarra y de Aragón pone fin al poema.

Historicidad y realismo

Lo primero que sorprende en el *Cantar de Mio Cid* es su carácter eminentemente histórico. No sólo su protagonista, sino casi todos los personajes citados en el poema, amigos o enemigos del héroe, tuvieron existencia real: doña Jimena, la fiel esposa; las dos hijas, que no se llamaban Elvira y Sol, sino Cristina y María; Alvar Fáñez, el esforzado lugarteniente; Martín Antolínez, el astuto burgalés; Pero Vermúdez, tan callado como valeroso; hasta el minúsculo Diego Téllez, todos

son seres auténticos que vivieron y se movieron en torno al Cid. Su existencia, lo mismo que la realidad de los principales hechos cantados en el poema, está ampliamente documentada por don Ramón Menéndez Pidal. La parte en que interviene la fantasía es muy limitada: la aparición de San Gabriel cuando, desterrado el Cid de Castilla, se le aparece para predecirle grandes victorias; el episodio de las arcas de arena; la escena del león, de probable origen francés; el cambio de nombre de las hijas. He aquí lo poco a que queda reducido lo maravilloso y fantástico en un largo poema, donde se nos refieren docenas y hasta centenares de sucesos.

Si la fidelidad a la historia es grande, no es menor la fidelidad a la geografía: pueblos y lugares se corresponden exactamente con los que existen y conocemos en la actualidad. Si el juglar describe con mayor precisión y más detalles la región comprendida entre San Esteban de Gormaz y Calatayud, es porque allí había nacido probablemente, y por ello le era más conocida. Esta comarca fronteriza debió de ser entonces un importante centro de producción poética, ni más ni menos que unos siglos más tarde al finalizar la Edad Media, lo fué la línea andaluza, fecunda productora de *romances*.

Contrasta este realismo y esta ausencia de lo maravilloso con las gestas francesas, por ejemplo, con la de *Roland*, en la que lo inventado e imaginativo excede con mucho de lo real. Y, lejos de causar extrañeza en el lector, se explica como una lógica consecuencia de las circunstancias que presidieron la redacción de nuestras gestas. Compuestas al calor de los hechos narrados, al juglar no le hubiera sido fácil ni permitido cambiar la psicología de unos personajes o el desarrollo de unos sucesos tan recientes, y que se suponían tan frescos en la memoria del público que los escuchaba como en la suya propia.

Valores humanos del poema

Esta aproximación, casi simultaneidad, a los hechos narrados no es óbice para que el poeta llene de contenido humano su obra. El Cid es un héroe, pero no un héroe fantástico a la manera de Roldán o de Sigfrido, sino de carne y hueso, con todas las pasiones que caben en un corazón humano. Lleva a cabo hazañas; pero esas hazañas, si sorprendentes y extraordinarias, nunca rebasan la esfera de las fuerzas humanas. El Cid está siempre dentro de lo real; se mueve en un círculo perfectamente lógico: se preocupa de la vida familiar, de alcanzar la mejor posición para sus hijas; ni en sus momentos de máximo triunfo olvida que es padre, esposo y vasallo de un rey. Su actitud ante Alfonso VI no puede ser más normal y correcta: disculpa al monarca, no achacando a mala intención ni a la animosidad el destierro, que más bien interpreta como fruto de la calumnia:

> Esto me an buolto mios enemigos malos.

Leal siempre con su soberano, le envía parte del botín a cada nueva conquista, porque, enemistado o no con él, es su natural señor:

> Con Alfonso mio señor non quería lidiar.

Esta prueba de fidelidad será constante en nuestra literatura, y el teatro de la Edad de Oro nos suministra de ello infinitos ejemplos. Sólo una vez parece que el juglar se sale de esta norma de respeto al soberano legítimo para increparle:

> ¡Dios, qué buen vassallo si oviesse buen señor!

Pero esto no lo dice el Cid, sino el pueblo y siempre en la forma más contenida y respetuosa.

Hasta en aquellos episodios que evidentemente responden a una invención poética, como el engaño a los judíos Raquel y Vidas, el juglar se preocupa de hacerlos más verosímiles, explicándolos, ya que no justificándolos, por la apremiante necesidad. El Cid tiene conciencia de que no obra a derechas, y quisiera que nadie se enterase de su acción:

> De noche lo lieven, que non lo vean cristianos.
> Véalo el Criador con todos los sos santos,
> *yo más non puedo e amidos lo fago.*

Valores estilísticos

Sería inútil buscar en el *Cantar de Mio Cid* esa poesía quintaesenciada que responde a una técnica previa y a una larga elaboración del lenguaje y del estilo. Ni metáforas rebuscadas, ni expresiones desconcertantes. Todo está dicho de una manera sobria, llana y precisa. La poesía, que la hay y a veces de los más altos quilates, brota de la entraña misma de los hechos. El juglar no necesita ir a caza de imágenes originales; le brotan sin darse cuenta, cuando hacen falta:

> Assís parten unos d'otros commo la uña de la carne,

dice para expresar el dolor de la separación del Cid y de su esposa en Cardeña. Para pintar el amanecer le basta un solo verso:

> Apriessa cantan los gallos e quieren crebar albores.

Valencia, con su mar y su espléndida huerta, está compendiada en cuatro versos definitivos:

> Ojos vellidos catan a todas partes;
> miran Valençia cómmo yaze la çibdad,
> e del otra parte a ojo han el mar;
> miran la huerta espessa es e grand.

De cuando en cuando el poeta no se contenta con narrar; para dar mayor viveza y emotividad al relato se introduce él mismo, por medio de expresiones en que se le va toda el alma:

> ¡Quál ventura serie ésta, si ploguiesse al Criador
> que assomasse essora el Cid Campeador!,

exclama, sin poder contenerse, después de haber descrito la villanía de los infantes en el robledal de Corpes. Otras veces acude al auditorio para que se sume al hecho:

> *Veriedes* aduzir tanto cavallo corredor,
> tanta gruessa mula, tanto palafré de sazón,
> tanta buena espada con toda guarnizón...
> Tanta cuerda de tienda i *veríades* crebar,
> arrancarse las estacas e acostarse a todas partes
> [los tendales...

En las descripciones paisajísticas tiene toques definitivos:

> Ixie el sol, ¡Dios qué fermoso apuntaba!

Dámaso Alonso, que ha hecho un penetrante estudio sobre el estilo del *Mio Cid*[12], señala la diferencia de éste con los poemas del «mester de clerecía» y con las Crónicas en un punto concreto: el uso directo. En el *Cantar de Mio Cid* no suele hallarse verbo introductor, como no lo hallamos en poemas juglarescos franceses y sí, en cambio, en la *Chanson de Roland*, «divergencia —dice el sabio profesor— que abre una sima entre una y otra canción de gesta e inutiliza las teorías que quisieron explicar nuestro *Mio Cid* como consecuencia del *Roland*». El procedimiento estilístico de la *dramatización*, casi constante en el poema, contribuye a darle gran rapidez por la supresión de elementos lógicos de enlace. Esta supresión queda manifiesta al intentar reducir al estilo actual los versos de la antigua gesta. Otros detalles estilísticos —variación retórica, repetición de asonancias en series gemelas, etc.— son objeto de atinadas observaciones por parte del profesor Dámaso Alonso.

En general, se distinguen en el *Cantar* tres planos distintos: el narrativo, en que el juglar se limita a contar los hechos:

> Entrados son los ifantes al robredo de Corpes,
> los montes son altos, las ramas pujan con las nuoves,
> e las bestias fieras que andan aderredor.
> Fallaron un vergel con una limpia fuont;
> mandan fincar la tienda ifantes de Carrión...;

el dramático, en que los personajes irrumpen en el relato, para convertirlo en acción viva:

> ¡Feridlos, cavalleros, por amor del Criador!
> ¡Yo so Ruy Díaz, el Çid de Bivar Campeador!,

y el lírico, con la intervención directa del juglar:

> Dió apartir estos dineros e estos aueres largos;
> en la su quinta al Cid caen cien cavallos.
> ¡Dios, qué buen pago a todos sus vassallos,
> a los peones e a los en cavalgados!

Influencia francesa

Escrito el *Cantar* al promediar el siglo XII, es lógico que en él las huellas de las *chansons de geste*, especialmente del *Roland*, aparezcan visibles. No se olvide, ya lo advertimos antes, que si al principio nuestros cantares de gesta brotan libres de toda influencia extraña, luego sufren diversos influjos, particularmente el francés. El *Cantar* se escribe precisamente cuando las relaciones político-culturales entre España y el país vecino estaban en pleno auge, por el constante trasiego de peregrinos a Compostela y por el matrimonio de las infantas Urraca y Teresa con los condes borgoñones Enrique y Raimundo. Los grandes señores, al venir de Francia a España con nutrido séquito, se hacían acompañar también de juglares que divulgaban sus cantos por plazas y castillos a lo largo de la ruta. Así debió de surgir el deseo de imitar en algunos giros y detalles las *chansons* francesas, del mismo modo que en arte se empezó a imitar su arquitectura. En el *Cantar de Mio Cid,* esa imitación aparece en varios aspectos: caracterización de personajes por una frase o calificativo, a la manera clásica: Aquiles, *el de los pies ligeros*; Héctor, *domador de caballos;* Ulises, *el sagaz o astuto;* Tetis, *la de los argentados pies.* Del mismo modo en el *Cantar:* Martín Antolínez, «ardida lança», o «burgalés complido»; el Cid, «en buena ora nasçido» o «el que en buena ora çinxó espada». Sería un error pensar que tal recurso lo tomó el juglar de la literatura clásica, absolutamente desconocida cuando se escribía el poema, y no del *Roland* o de cualquiera otra *chanson,* en las que el uso es corriente.

Acusan asimismo influencia francesa ciertas reiteraciones descriptivas, oraciones hechas a base de los mismos textos hagiográficos y la expresión de los sentimientos en forma casi idéntica: *el plorer des oilz* del *Roland* se corresponde con el *De los sos oios tan fuertemientre llorando* de nuestro poema. Hasta ciertos paralelismos en los personajes parecen indicar una inspiración francesa: al *Rollanz est preuz e Olivier est sage* se adecua en cierto modo la pareja Alvar Fáñez-Martín Antolínez, notables, respectivamente, por su valor y por su astucia.

Valoración y fortuna

El *Cantar de Mio Cid* debió de alcanzar pronto gran difusión. Unos quince años sólo después de compuesto, ya se le cita como famoso en el poema latino sobre la Conquista de Almería; en el siglo XIII se le imita en el de *Fernán González.* Durante el mismo siglo XIII y el XIV pasa, refundido y ampliado, a las prosificaciones de la Crónica general de Alfonso el *Sabio,* a la *Crónica de 1344* y a la *Particular del Cid.* La que nos da la *Crónica de veinte reyes* procede de una versión primitiva, próxima a la de Per Abbat, y es la aprovechada por M. Pidal para la reconstrucción de la parte desaparecida [13]. A pesar de todas estas refundiciones, el primitivo poema no influyó para nada en nuestros dramaturgos del XVII. Cuando Guillén de Castro escribe *Las mocedades del Cid* ignora la existencia del *Cantar* que nos ocupa. Su publicación por Tomás A. Sánchez (1779) sólo alcanzó al sector erudito, y aun en éste no supo estimarse en su valor. El mismo Quintana, que alaba algunos pasajes del *Cantar,* no llega sino a descubrir en él, «de cuando en cuando..., alguna intención poética». Fué en el romanticismo y luego, posteriormente, durante la segunda mitad del XIX, cuando empezó a valorarse en toda su extensión.

Dos palabras aún sobre la métrica del *Mio Cid.* Como la de los otros *cantares de gesta* conocidos o reconstruídos, es una métrica irregular. Se desarrolla en series desiguales de versos asonantados y muy variables en cuanto al número de sílabas. Se creyó algún tiempo que el verso del *Cid* intentaba remedar, aunque sin lograrlo, la métrica clásica; de esta opinión eran T. Antonio Sánchez y Amador de los Ríos. Otros sostenían que se trataba de una imitación del metro germano (Delius), o del alejandrino francés (Bello), basándose en la frecuencia de versos de catorce sílabas en el poema. Milá, Restori y Cornu, en cambio, se inclinaban por adjudicar al Cid un metro de base octosilábica. Después de los estudios realizados por Henríquez Ureña y M. Pidal, parece incuestionable que se trata de versos sumamente irregulares, que fluctúan entre las diez y las veinte sílabas, repartidos en dos hemistiquios sumamente variables: 7+7, 7+8, 7+9, 8+8, 6+7, 7+10, etcétera. La mayor frecuencia corresponde a los de catorce sílabas, siguiendo en orden decreciente los de quince, trece, dieciséis, doce, y así sucesivamente [14]. El *Poema del Cid* ha tenido varias versiones al castellano moderno: A. Reyes, en prosa; Pedro Salinas, Luis Guarner y F. López Estrada, en verso de romance.

III. CICLOS EPICOS

Ante todo, una aclaración: aplicamos a la poesía heroica castellana el término «ciclo», aun a sabiendas de que no le corresponde en un sentido estricto y escudándonos únicamente en que no se ha inventado otro para designar esa masa de cantares de gesta dispersos por las *Crónicas,* de cuya existencia no cabe dudar. En cualquier caso, nada hay en nuestra epopeya medieval que nos permita aplicarle el concepto *cíclico* vigente en otras literaturas; concretamente, en la francesa. Sabido es que en Francia con la palabra «ciclo» se designa una serie de obras agrupadas en una sola *gesta* y a las que sirve de tema común una gran figura histórica: *Geste du Roi, Geste de Guillaume d'Orange, Geste de Doon de Mayence* [15]. Entre nosotros estos seriales no solían darse. Más bien se trata de cantares o poemas independientes. Sólo en el caso de Fernán González y sus sucesores tenemos un auténtico ciclo épico. Los descendientes del conde castellano suscitan una nutrida serie de poemas, entre los que destaca el de *La condesa traidora*. El caso del Cid, eje del cantar de su nombre y figura relevante en otros (de *Sancho II*, del *Cerco de Zamora*), tal vez podría considerarse otro ciclo épico.

Menéndez Pelayo insinúa una razón más original que convincente para explicar esta diferencia entre las dos épicas: la castellana y la francesa. Esta encuentra en la gran figura de Carlomagno un principio de unidad que da cohesión a múltiples gestas desligadas. «Tal género de unidad —escribe el maestro— no lo consentía nuestra historia, llena de dispersión e individualismo, ni podía brotar arbitrariamente de la fantasía de los juglares. El Cid alcanzaba o superaba la talla de Roldán, pero ni Fernando el *Magno* ni Alfonso VI, con haber sido grandes reyes, podían ejercer sobre la fantasía aquel misterioso prestigio que durante toda la Edad Media se ligó al nombre del domador de la barbarie sajona, del gran restaurador del imperio de Occidente.» Como quiera que sea, es innegable que nuestra epopeya se presenta más bien en forma de cantares o poemas sueltos. A ellos nos vamos a referir en los siguientes enunciados:

El «Cantar de Rodrigo y de la pérdida de España»

Sabido es que las leyendas suelen nacer de un propósito de justificación. La lucha comercial de los griegos se poetizó creando el rapto de Helena, la esposa de Menelao; el fracaso de Carlomagno en Roncesvalles se justifica con la traición de Ganelón y la presencia de ejércitos moros, numerosos como las arenas del mar. Los poemas épicos cantan grandes éxitos o lloran tremendos fracasos. El *Cantar de Rodrigo y de la pérdida de España* es la historia de un gran fracaso. Sobre el mismo tema debió de escribirse más de un cantar. Sus huellas prosificadas aparecen en las crónicas *Pseudo Isidoriana* y *Silense*. M. Pidal lo ha estudiado a fondo en sus múltiples variantes [16]. Se trata de una ficción épica de carácter muy especial: mientras unos defienden que nació entre los musulmanes, otros opinan que es de remota procedencia germánica. Es la leyenda más antigua de las conservadas por la tradición. Sin duda, hubo

otras anteriores, pero no dejaron rastro. El recuerdo de ésta se explica por la magnitud de la tragedia que le sirve de base. En su formación colaboraron, desde diverso punto de vista dos civilizaciones: cristiana y árabe.

La leyenda de Rodrigo, a juzgar por las prosificaciones y versiones posteriores, debía de abarcar tres partes o fases: a) *La cueva de Hércules o Casa encantada de Toledo*. b) *Amores de Rodrigo con la Cava*. c) *Penitencia en Viseo*.

1.ª parte.—Alude a la tradición de una casa encantada existente en Toledo y cuyos avatares estaban ligados a la suerte del imperio godo. Cada monarca, al subir al trono, ponía un candado a la casa en señal de respeto. Don Rodrigo, llevado de la codicia y creyendo que en ella se ocultaban grandes riquezas, desoye las amonestaciones de sus consejeros y manda abrirla. En vez de los tesoros que esperaba, encuentra unos cofres conteniendo varios lienzos con figuras de árabes y una inscripción en que se predice que, al ser abierta la casa, gentes como las allí dibujadas invadirán España y se harán sus dueños. Al salir el rey aparece un águila de gran tamaño, portadora de un hacha encendida; se posa sobre la casa y le prende fuego.

2.ª parte.—Gira en torno a los amores del rey con la Cava, Florinda u Oliva (con todos estos nombres se la conoce), bellísima dama de la Corte, hija del conde don Julián. Según el relato de la *Isidoriana*, el rey godo Getico (Witiza), como oyera ensalzar la hermosura de Oliva, hija de don Julián, conde de Tingitania, despacha falsas cartas a Tánger con la orden de que Oliva venga a Toledo, mientras encarga a un duque que entretenga al padre con fiestas y banquetes. El rey abusa de la joven, y don Julián, al enterarse por un escudero del deshonor de su hija, cruza el estrecho de Gibraltar y pacta con Tarik la entrada de los moros en España.

3.ª parte.—Seguramente de origen cristiano, ya que en ella se reivindica al rey Rodrigo. Se refiere a la penitencia de éste en Viseo. Vencido en Guadalete y aconsejado por un monje, se encierra en un sepulcro con una serpiente de dos cabezas que le va devorando lentamente. A la muerte del rey, las campanas de Viseo tocan solas en señal de perdón.

La más interesante es la segunda parte. El relato de la *Pseudo-Isidoriana* es tan circunstanciado, está hecho con tal precisión y con tal lujo de detalles, así como con tal abundancia de nombres de personas y lugares, que, desde luego, excluyen toda idea de transmisión oral en prosa, ya que ésta sería incapaz de conservar tan abundante información. Según M. Pidal, hemos de ver en esta leyenda de la hija del conde, tal como aparece en el siglo XI, la primera narración conservada de un juglar español, probablemente mozárabe. Dadas las nieblas que envuelven el hundimiento de la monarquía visigoda, no es de extrañar que las variantes sean muchas. La más popular es la que recoge Zorrilla en sus dramas *El puñal del godo* y *La calentura*.

Ciclo de Fernán González y sus sucesores

Son varias las relaciones poéticas que conocemos relativas a los condes de Castilla, y que nos han llegado especialmente a través de la *Crónica Najerense* (1115).

1.ª *Cantar del conde Fernán González.*—El primer conde castellano independiente de León es el único héroe popular cantado por un poeta culto del «mester de clerecía», que aprovecha elementos suministrados por un juglar. Según la *Najerense*, Fernán González, preso en Cirueña por el rey de Navarra, es liberado de la prisión por la infanta doña Sancha, hermana del rey, previa palabra de casamiento. Fernán González es ya el personaje legendario que libera a Castilla del dominio leonés.

2.ª *Cantar de García Fernández.*—A tenor de la *Crónica general*, García Fernández, «el de las blancas manos», así llamado porque las tenía de tal belleza que en presencia de las damas las llevar enguantadas para que no se enamorasen de él, contrajo matrimonio con doña Argentina, joven de singular hermosura, hija de un conde francés que había venido en peregrinación a Compostela. Seis años más tarde otro caballero francés seduce a doña Argentina con ocasión de hallarse enfermo el conde castellano, y se la lleva a su país. Restablecido García, peregrina a Santa María de Rocamador, y, después de dejar como jueces del país a dos parientes, acompañado de un escudero, emprende viaje en busca de sus ofensores, a quienes logra al fin encontrar. Doña Sancha, hija del primer matrimonio del seductor, se enamora de García, al que promete ayudar en su venganza bajo promesa de matrimonio. García da muerte a los adúlteros, y con su nueva esposa regresa a Castilla.

3.ª *Cantar de la condesa traidora.*—Lo encontramos ampliamente prosificado en la *Crónica general*. La infelicidad del conde García Fernández se repite en su segundo matrimonio. La condesa se enamora de Almanzor, y para deshacerse de su marido hace que se vaya debilitando su caballo. En un combate con los moros el conde perece por la flaqueza de aquél. La condesa viuda intenta envenenar a su propio hijo Sancho García, que obstaculiza sus tratos con el moro. Avisado Sancho por una camarera y un montero, hace que su madre beba la droga venenosa preparada para él.

4.ª *Romanz del infant García.*—El Tudense, el Toledano y, sobre todo, Alfonso el *Sabio* suministran amplios detalles de este cantar. García, último conde castellano, es asesinado por los Velas cuando se dirigía a León para contraer matrimonio con doña Sancha, hermana de Bermudo III. El *Romanz* narra la venganza de doña Sancha, ayudada por Sancho el *Mayor*, de Navarra, cuñado del difunto conde. El carácter novelesco de esta última parte, similar a tantas otras leyendas de venganza—*Los Nibelungos*—, salta a la vista.

5.ª *Cantar de los hijos de Sancho de Navarra.*—García, hijo de Sancho el *Mayor*, acusa de adulterio a su madre, la reina. Ramiro, bastardo del rey, sale por el honor de su madrastra. En versiones posteriores se indica la causa del odio de García hacia su madre: se había negado a dar al infante un caballo que perteneció a su esposo.

6.ª *Cantar de Sancho II y cerco de Zamora.*—A la muerte de Fernando I, Sancho, quebrantando el testamento de su padre, usurpa los reinos de sus hermanos Alfonso y García y pone cerco a Zamora. Un mal caballero, Vellido Dolfos, enamorado de doña Urraca, mata traidoramente a Sancho para satisfacer su pasión amorosa. Al pasar el regicida ante la tienda del Cid, éste le pregunta por el rey, y no sabiendo cómo justificar su desaparición, se da a la fuga. El Cid, que recela de la traición, monta en su caballo y se lanza en su seguimiento; pero, antes de darle alcance, Vellido entra en Zamora [17].

Este relato, el más extenso de los contenidos en la *Najerense*, se amplía y modifica en el siglo XIII. El coloquio entre el Cid y don Sancho antes de la batalla de Vulpéjara se desarrolla dentro de una gradación regular que parece pensada en verso. El espíritu de la narración, hostil a la infanta doña Urraca, que ofrece su amor sin reservas a Vellido, acusa una procedencia castellana, manifestada reiteradamente en documentos del siglo XI, en los que también se hace a la infanta culpable de la muerte de su hermano. En refundiciones posteriores la acusación se atenúa al dejar en tablas el combate entre castellanos y zamoranos con motivo del reto entre el Cid y Diego Ordóñez.

Cantar de los siete infantes de Lara

Ha sido reconstruído íntegramente por Menéndez Pidal [18]. La *Crónica Najerense* no lo incluye, aunque debía de estar ya compuesto cuando aquélla se escribió; probablemente, la no inclusión obedece a que no afecta de modo directo a ningún conde ni rey de Castilla. Esta «sombría epopeya de la venganza» ha sido extraída principalmente de la *Crónica de 1344*. He aquí su asunto:

Para honrar las bodas de Ruy Velázquez, señor de Vilvestre, con doña Lambra, dama principal emparentada con el conde de Castilla, se celebran en Burgos grandes fiestas. A ellas acude doña Sancha, esposa de Gonzalo Gustios y hermana de Ruy Velázquez, acompañada de sus hijos, los siete infantes de Lara o de Salas. Surge una disputa entre Alvar Sánchez, primo de doña Lambra, y Gonzalo González, el menor de los siete infantes. Gonzalo da muerte a aquél; se generaliza la lucha entre los dos bandos, y, al fin, por intervención del conde de Castilla y de Gonzalo Gustios, se hacen las paces, accediendo los infantes a escoltar a doña Lambra hasta Barbadillo. Aquí doña Lambra hace que un criado suyo afrente a Gonzalo González arrojándole un cohombro tinto en sangre. A pesar de haber buscado refugio bajo el manto de su señora, el criado es muerto por los infantes. Doña Lambra, furiosa, insta a su marido para que vengue la ofensa, y, a tal efecto, Ruy Velázquez pacta con los moros, tramando la más terrible venganza. Envía a Gonzalo Gustios a Córdoba, portador de una carta escrita en árabe para Almanzor, en la que le pide que mate al mensajero y se presente en la frontera, donde le entregará a los siete infantes. Estos salen al campo en compañía de su ayo Nuño Salido; pero, víctimas de una celada, son vencidos y muertos tras heroica lucha con los moros. Las siete cabezas y la del ayo son enviadas a Córdoba, donde Almanzor las presenta a Gustios. El llanto del infeliz padre en presencia de los despojos de sus vástagos es el pasaje más emotivo y bello del poema [19].

Entre tanto, Almanzor, que en vez de matar al atribulado padre se había limitado a encarcelarlo, se decide a ponerle en libertad. Durante la prisión ha tenido a su servicio «una mora fidalga» que ha quedado encinta de él. Antes de partir para Castilla, Gustios le hace prometer que si lo que nace es varón, le enviará también a Castilla para que sea el vengador. En señal Gustios deja a la mora la mitad de su anillo. Pasado cierto tiempo, Mudarra, que tal es el nombre del bastardo, se presenta en Salas, es reconocido por Gustios, reta a Velázquez, le da muerte y, fallecido el conde de Castilla, se apodera de doña Lambra, a la que hace quemar viva.

Difícil separar en tan tremenda historia lo imaginario de lo cierto. Desde luego, el carácter de esta leyenda es tan realista, tan profundamente histórico, que no hay más remedio que admitirla como reflejo fiel de un suceso real que impresionó al pueblo castellano en su día y hubo de pasar a la poesía con ligeras alteraciones. La precisión geográfica confirma esta hipótesis. El único personaje inventado por el poeta debió de ser Mudarra.

La leyenda de los infantes de Lara influyó mucho en el Romancero y posteriormente en el teatro: Juan de la Cueva (Tragedia de los siete infantes de Lara), Lope de Vega (El bastardo Mudarra y siete infantes de Lara), Hurtado de Velarde (Gran tragedia de los siete infantes de Lara), Cubillo de Aragón (El rayo de Andalucía y Genízaro de España), Matos Fragoso (El traidor contra su sangre). Fuera del teatro, en el Romanticismo, tenemos El moro expósito, del duque de Rivas; la novela Los siete infantes de Lara, de Fernández y González, etc.

Otros poemas heroicos: «Bernardo del Carpio», «La mora Zaida» y la «Gesta del abad de Montemayor»

El poema de Bernardo del Carpio es una gesta de invención castellana para oponer una figura de talla a la francesa de Roland. Tiene varias versiones: en una se hace a Bernardo hijo del conde de Saldaña y de doña Timbor, hermana del rey de Francia; en otra, hijo del mismo conde y de doña Jimena, hermana de Alfonso II, el Casto. Esta segunda es la que ha persistido en la literatura. Debió de tener una elaboración muy lenta, ya que «sus sucesivas capas de estratificación todavía se disciernen en el complejo y vacilante relato de la General» (M. Pelayo). Derivaciones suyas son, entre otras: Mocedades de Bernardo, de Lope de Vega; El casamiento en la muerte, una de las mejores creaciones del mismo Lope; El conde de Saldaña y Hazañas de Bernardo del Carpio, de Cubillo de Aragón; La libertad de España por Bernardo del Carpio, de Juan de la Cueva; Alfonso II, el Casto, de Hartzenbusch.

En la historia latina del Tudense encontramos narrado por primera vez el Cantar de la mora Zaida; y con algunas variantes, en la del Toledano y en la General. Según estos relatos, la hija del rey moro de Sevilla Abenabet se enamora de Alfonso VI de Castilla, sin haberle visto y sólo movida por su buena fama. El rey la toma por esposa. Muerto Abenabet por los almorávides, Alfonso VI organiza dos expediciones contra Córdoba y Sevilla para vengarle.

La noticia más antigua que tenemos de la Gesta del abad don Juan de Montemayor se halla en el proemio de un poema, hoy perdido, sobre la batalla del Salado. Era original de Alfonso Giraldes. Siglo y medio más tarde, Diego Rodríguez de Almela dedica un largo capítulo de su Compendio historial a la victoria que sobre las huestes de Almanzor obtuvo el abad don Juan. En esta narración y en la de un cuaderno popular, todavía posterior, hay claros vestigios de un original poético.

Según estos relatos, el abad don Juan de Montemayor, gran hidalgo y señor de todos los abades portugueses, obraba milagros por permisión divina. Yendo a maitines cierta noche halla a un niño, fruto de incesto; lo recoge, lo bautiza con el nombre de García y lo educa amorosamente. Armado caballero, y después de recibir del rey Ramiro de León 300 vasallos, traiciona a los cristianos. Fingiendo que va a combatir contra los moros, abjura de su fe y toma el nombre árabe de Zulema. En las campañas de Galicia hace alarde de su celo mahometano, entra a caballo en la basílica compostelana y profana y quema sus reliquias. Pasa a Portugal y pone cerco a Montemayor. Los sitiados, para evitar que viejos, niños y mujeres caigan en poder del moro y se sientan tentados a abjurar, resuelven darles muerte, empezando por el abad don Juan, que ejecuta a su hermana y a cinco sobrinos. En su desesperación, hacen una salida, arremeten contra los moros, a los que desbaratan, sembrando entre ellos la mortandad. En la lucha matan al mismo Zulema. Mientras recogen los cristianos un rico botín, llega la nueva de que las víctimas de Montemayor habían resucitado. Don Juan, en acción de gracias, edifica el monasterio de Alcobaça, donde termina su vida entregado a la penitencia.

M. Pidal ha demostrado que la *Gesta del abad* responde a usos y estilos de la épica castellana:

lenguaje directo (*sabet, viérades,* etc.); empleo de la interjección *ya*, como en el *Mio Cid*; expresión de emociones fuertes, bien «llorando de sus ojos» o bien «cayendo amortescidos», por influencia francesa. Ofrece este cantar imitaciones indudables del *Mio Cid* y del *Fernán González*, y, en menor cantidad, del de los *infantes de Lara*. «La forma poética—escribe M. Pidal—se reconoce aun a través de su prosificación, en la cual hay bastantes frases rítmicas y restos de asonantes, especialmente en los discursos, que son siempre lo que menos se altera en una prosificación... Los asonantes van en series, no estróficas.»

IV. EPICA DE TEMA FRANCES

Tres son los poemas, inspirados en temas franceses, de los que tenemos noticia, bien por conducto directo, bien por su prosificación en las Crónicas: el *Mainete,* la *Peregrinación del rey de Francia* y el *Roncesvalles*[20].

Se refiere el *Mainete* a la fantástica estancia de Carlomagno en Toledo, cuando era aún mozo, y sus no menos fantásticas aventuras amorosas con la bella Galiana. El tema está relacionado con el de la *Mora Zaida,* más arriba aludido, y los amores de ésta con Alfonso VI. Para M. Pidal, el autor del *Mainete* se inspiró únicamente en leyendas españolas, sin tener para nada en cuenta las francesas.

La *Peregrinación del rey de Francia* está sugerida, sin duda, por la francesa de título análogo *Le pèlerinage de Charlemagne,* si bien el cantar castellano no alude a éste, sino al viaje que hizo a Compostela en 1511 el rey de aquel país, Luis VII. Según las crónicas, fué muy bien acogido y espléndidamente agasajado por su suegro, Alfonso VII el Emperador.

El más interesante de los cantares de tema francés es el *Roncesvalles*. Lo que se conserva de él es un pequeño fragmento, 100 versos, encontrado en Pamplona, y que M. Pidal ha estudiado y analizado con la pericia y hondura con que él solo puede hacerlo. He aquí su contenido:

El emperador Carlos halla en el campo de Roncesvalles el cadáver del arzobispo Turpín; llora sobre él y ordena que lo envíen a su tierra:

¡Sacat al arcebispo desta mortalidade!
Levémosle a su tierra, a Flanderes la ciudade.

Avanza por el campo y descubre inmediatamente el de Oliveros; manda que lo limpien de sangre y polvo, y le pregunta, como si estuviera vivo, por Roldán:

Digádesme, don Oliveros, caballero naturale,
¿dó dexaste a Roldán? Digádesme la verdade.
Cuando vos fiz compañeros diésteme tal homenaje,
porque nunca en vuestra vida non fuésedes partidos maes.

Por fin descubre el de Roldán, haciendo sobre él largo lamento:

Pues vos sodes muerto, Francia poco vale.
Mío sobrino, ante que finásedes era yo para morir maes.
Atal viejo mezquino, ¿qui lo conseyárade?

El duque de Aymón encuentra el cuerpo de su hijo Reinalte de Montalbán; lo aparta a un lado y, con el duque de Bretaña y el caballero Beart, acude a consolar al emperador.

Aunque este episodio es una de tantas variantes como se hicieron en varias literaturas—italiana, inglesa, noruega, alemana, etc.—de la *Chanson de Roland,* ha de advertirse que nuestro juglar no traduce servilmente, sino que imita con gran libertad. Las semejanzas entre el cantar francés y lo que conocemos del español son tan imprecisas, por lo general, que «más que una copia directa remedan una reminiscencia muy vaga, y a veces ni aun esto, pues pertenecen a la categoría de lugares comunes, que pueden ocurrirse independientemente a varios poetas». El lamento en el cantar español, más que al del emperador en *Roland,* se parece al de Gustios en el poema de los *infantes de Lara*.

Tiene el *Roncesvalles* una faceta interesante: su verso viene a respaldar, una vez más, la tesis de M. Pidal y H. Ureña sobre la irregularidad métrica de nuestros viejos cantares de gesta. Al igual que el *Cid,* emplea casi constantemente la *e* paragógica, y su cuadro métrico revela que está escrito en verso anisosilábico de base heptasílaba, aunque con leve tendencia al octosílabo. La proporción de los dos poemas es:

Sílabas	6	7	8	9
El *Roncesvalles* ..	13 %	39 %	26 %	10 %
El *Mio Cid*	18 %	39 %	24 %	6 %

NOTAS

1. De ellas nos ocuparemos por extenso en el capítulo dedicado a la lírica y teatro primitivos.

2. D'AURIGNAC: *Conjeturas académicas,* 1715; FEDERICO-AUGUSTO WOLF: *Prolegomena ad Homerum,* 1795. Antes,

Perrault, Lamotte y otros partidarios de los «modernos», en la famosa polémica de los «antiguos y los nuevos», habían defendido algo semejante. no viendo en la *Ilíada* y en la *Odisea* más que un revoltillo de trozos diversos, y mucho antes aún, entre los *jorizontes* alejandrinos (χωρίζοντες) aparece ya la dualidad de autores para las dos grandes epopeyas griegas.

3. J. BÉDIER: *Les légendes épiques. Recherches sur la formation des Chansons de geste*, 4 vols., 3.ª ed., 1925; G. PARIS: *Littérature française au Moyen Age*, 5.ª ed., 1914. La bibliografía, muy abundante sobre la materia, de M. Pidal va en fin de capítulo. Lo mismo las de Milá y M. Pelayo.

4. *Discurso en la Academia de la Historia*, 1915.

5. El argumento en extracto es éste: Muza ben Muza, rey moro de Zaragoza, planta sus reales frente a Guadalajara, cuyo señor, Israc ben Mont, es tributario de los califas de Córdoba por tradición familiar. Como Israc se apresta para combatirle, Muza le envía un mensaje diciendo que no viene en plan de guerra, sino con ánimo de paz. Convencido de que Israc ben Mont es el príncipe más hermoso de Andalucía, viene a ofrecerle su bella hija en matrimonio. Israc acepta y la toma por mujer. Esto provoca la cólera del califa. y, para apoderarlo, Israc va a Córdoba, e, introducido en Palacio, sufre las recriminaciones del monarca, quien le acusa de haber pactado con su enemigo. Israc se disculpa: «¿Qué daño puede causarte—le dice—el que tu amigo goce de la hija de tu enemigo? Si consigo atraerle por este medio, lo haré; si no, seré el primero en combatirle para someterle.» Convencido el califa, le agasaja espléndidamente. Pero Muza, al enterarse, monta en furia, reúne un gran ejército y cae sobre Guadalajara, sembrando la mortandad por los campos y jardines del contorno. Israc, que en aquel momento hallábase en la alcazaba durmiendo reclinado en el regazo de su mujer, es despertado por ésta. «Mira lo que hace aquel león», dice a su marido. Israc va en busca de su cota de mallas, se la viste rápidamente, sale al campo y tira a Muza una lanzada tan certera, que éste, sintiéndose herido de gravedad, encomienda el mando a otro. Al volver a Zaragoza, muere cerca de Tudela.

6. M. PIDAL: *Flor nueva de romances viejos*, proemio, 9.ª ed. de la Colec. Austral.

7. *Poesía juglaresca y juglares*, Madrid, 1924.

8. Había también «juglaras» o «juglaresas», tipo muy corriente, en el siglo XIII, de mujer vagabunda que se ganaba la vida cantando en público. La reina Calectrix, del poema de *Alexandre*, advierte a éste:

Non vin ganar averes ca *non soe joglaresa*.

9. Que las gestas iban destinadas a la recitación en público se desprende de ciertas expresiones muy abundantes en ellas. Por ejemplo, en el *Mio Cid* hallamos: «Mala cueta es, *señores*, aver mingua de pan.» «Nueve meses cumplidas, *sabet*, sobrella yaz.» O formas verbales en segunda persona, también muy frecuentes: «Yo vos diré», «Aquí *veríades*», etc.

10. VALBUENA PRAT: *(Historia de la literatura española*, I, cap. II) da una lista de las principales gestas prosificadas:

1.ª *Cantar de la hija del conde don Julián y de la pérdida de España*. Quedan vestigios de él en la crónica *Seudo-Isidoriana* (s. XI) y en la *Silense* (h. 1115).

2.ª *El conde Fernán González*. Incluído en la *Crónica Najerense* y adaptado posteriormente al «mester de clerecía».

3.ª *La condesa traidora y el conde Sancho García*. Prosificado en la *Primera Crónica general*.

4.ª *Romanz dell Infant García*. Se refiere a la traición del conde don Vela y sus hijos, que matan alevosamente al último conde castellano. El relato aparece en la *Historia* del arzobispo Jiménez de Rada.

5.ª *Gesta de Ramiro y García, hijos de Sancho el Mayor*. Se prosifica en la *Historia* del Toledano y en la *Crónica general* (1244).

6.ª *Sancho II de Castilla y cerco de Zamora*. Ha sido reconstruída por Puyol Alonso con fragmentos de la *Crónica general* y de la *Crónica particular del Cid*.

7.ª *Cantar de los infantes de Lara o de Salas*. Exhumada por M. Pidal, extrayéndola de la citada *Primera crónica*. Según el sabio reconstructor, debió de escribirse a raíz del suceso que conmemora, ocurrido hacia el 980.

8.ª *Mio Cid* (1140).

9.ª *Cantar de la mora Zaida*. Resumido en las Histo-

rias del Tudense, del Toledano y en la *Primera Crónica general*.

10. *Cantar de Roncesvalles*. Escrito hacia 1220. Acusa influencias directas de las *chansons de geste*.

11. *Bernardo del Carpio*. Prosificado en la *Crónica general*. Existían varias versiones de la leyenda a principios del XIII.

12. *Peregrinación del rey de Francia*. La que hizo a Compostela Luis VII. Debe inspirarse en la *Pèlerinage de Charlemagne*.

13. *Mio Cid*. Refundición prosificada en la *Primera Crónica general*.

14. *Bernardo del Carpio*. Refundición del primitivo en la misma *Crónica general*.

15. *Segundo cantar de los infantes de Salas*.

16. *Gesta del abad don Juan de Montemayor*. Muy divulgada en Portugal a principios del XIV, aparece recogida en el *Compendio historial* de Diego Ruiz de Almella. Autor, probablemente leonés.

17. *Gestas carolingias francesas*. «Cantares» adaptados en el siglo XIV, a los que alude la *Primera Crónica general*.

18. *Cantar de Rodrigo*. Entronca ya con los primeros romances.

De algunos de estos cantares de gesta nos ocuparemos más por extenso en este mismo capítulo: «Ciclos épicos».

11. Conocida la tesis de Julio Cejador sobre la prioridad del *romance* respecto al *cantar de gesta*, no ha de extrañar que no admita tales prosificaciones del *Poema de Mio Cid*. En su opinión, el *Cantar* es único, y tiene por autor algún erudito afrancesado que intentó poner en verso alejandrino (metro del «mester de clerecía») romances populares escuchados directamente de labios de algún juglar. Lejos de haber pasado el *Cantar* a las *Crónicas*, es aquél una amplificación del texto que encontramos en ellas. Los que pasaron a la *Crónica* fueron los romances, como se deduce de la gran abundancia de octosílabos que hay en las prosificaciones. El mismo autor erudito del *Cantar* no supo sustraerse a este ritmo octosilábico, según se ve en el crecido número de *pies de romance* (octosílabos) que se le cuelan en el *Poema*. La opinión de Cejador ha sido rebatida con argumentos definitivos por M. Pidal.

12. *El Cantar de «Mio Cid»: texto, gramática y vocabulario*, págs. 190-91.

13. *Estilo y creación en el Poema del Cid*, «Ensayos sobre poesía española», «Revista de Occidente», Buenos Aires, 1946.

14. La persistencia de la *e* paragógica en el *Mio Cid*, como en el *Roncesvalles* luego, y más tardíamente en los romances *(mase* por *más, cibdade* por *ciudad, sone* por *son, llamare* por *llamar*, etc.), ha sido interpretada por M. Pidal como un simple arcaísmo. Perdida esta *e*, casi siempre de procedencia etimológica, a finales del XI, los juglares la seguían manteniendo para dar mayor sabor al relato. *Vid.* M. PIDAL: *De primitiva lírica española y antigua épica*, Buenos Aires, 1951, y *La forma épica en España y en Francia*, «Revista de Filología Española», t. XX, 1933.

15. A la primera, llamada también *Gesta de Charlemagne*, corresponden: *Berte aux grands pieds*, el *Mainet*, *Le reine Sibile*, *Le pèlerinage de Charlemagne*, *Huon de Bordeaux*, *Les Saisnes*, *Ogier le Danois* y la *Chanson de Roland*. La *Geste de Guilaume d'Orange* o de *Garin de Montglane*, aparte de las siete *chansons* en las que Guillermo es principal personaje, abarca otras varias: la de *Aliscans*, la de *Girard de Vienne*, la de *Aimeri de Narbonne*, etc. Por último, a la *Geste de Doon de Mayence* suelen adscribirse las de *Gormond et Isembart*, *Renaud de Montauban*, *Girard de Roussillon*, etc.

16. *Floresta de leyendas españolas: Rodrigo, el último godo*, «Clásicos Castellanos», 3 vols.

17. Todo este relato parece novelesco y contrasta con el carácter fundamentalmente histórico de la épica castellana. Lo único que responde a la realidad es la muerte de García Fernández en lucha contra los moros. Lo del envenenamiento de la condesa, se supone que Rodríguez de Rada, hombre de inmensa lectura, lo tomó de alguna leyenda extranjera, por ejemplo, de Rosmunda. El cantar de *La condesa traidora* no ofrece clara separación del *Sancho García*, hasta el punto de que M. Pidal lo considera único. Entre las obras que recogen la temática de este ciclo destacan *El conde Fernán González*, de Lope de Vega; *Sancho García*, de Cadalso; *Los monteros de Espinosa* (leyenda), *Historia de un español y dos francesas*, *El eco del torrente*, *El caballo del rey don*

Sancho y Sancho García, de Zorrilla; *El testimonio vengado,* de Moreto; *El conde García Fernández* (novela), de Blasco Ibáñez; *La condesa de Castilla,* de Cienfuegos.

18. *La leyenda de los infantes de Lara,* 1896.

19. Júzguese por la reconstrucción de M. Pidal:

Desí besó la cabeça e púsola en su lugar;
la de Gonzalo González en brazos la fué a tomar,
remesando sus cabellos faziendo duelo muy grande:
—Fijo Gonzalo González, a vos amava vuestra madre...
las vuestras mañas qui las podría contar?
buen amigo para amigos, e para señor leal;
conosçedor de derecho, amávades lo judgar,
en armas mucho esforçado, a los vuestros franquear,
alançador de tablado nunca ome lo vido tal,
en cámera con las dueñas mesurado en el fablar,
dávades las vuestras donas muy de buena voluntad;
menester avie agudeza quien con vos se razonase,
e mucho serie agudo si lo peor non levase.
Los que me tenien por vos enemigos me serán,
aunque yo torne a Lara nunca valdré un pan;
non he pariente ni amigo que cure de me vengar,
más me valdría la muerte que veer este pesar.
La cabeça de las manos sobre las otras s'el cae,
e dió en tierra amorteçido, que de sí non sabie parte.
Pesó mucho a Almanzor e comenzó de llorar.

20. Fué hallado en 1916 en el Archivo Provincial de Navarra. «Hállase escrito el fragmento—explica M. Pida¹— en dos folios de grueso pergamino cosido toscamente en su margen para formar una cartera o carpeta... La escritura tiene los caracteres propios de la usual por Navarra y Aragón en los veinte primeros años del siglo XIV. Puede decirse que nuestro fragmento fué manuscrito en Navarra hacia 1310. Se trata, pues, de dos hojas de un códice épico, coetáneo del manuscrito del *Poema del Cid.*» Vid. *Roncesvalles: un nuevo cantar de gesta español del siglo XIII,* «Revista de Filología Española», IV, 1917, págs. 105-204.

BIBLIOGRAFIA

I. DÁMASO ALONSO: *La primitiva épica francesa a la luz de una «Nota Emilianense»,* «Rev. de Filología Esp.», vol. XXXVII, págs. 1-94, Madrid, 1953.—DÁMASO ALONSO: *«La epopeya castellana a través de la literatura española»,* por Menéndez Pidal, «De los siglos oscuros al de oro», págs. 51-69, Madrid, 1958.—JOSEPH BÉDIER: *Les légendes épiques. Recherches sur la formation des Chansons de geste,* 4 vols., París, 1908-1913.—L. BESZARD: *Les larmes dans l'épopée,* «Zeitschrift für Roman. Philologie», XXVII, 1903.—A. J. DICKMANN: *Le rôle du surnaturel dans les chansons de geste,* París, 1926.—E. FARAL: *Les jongleurs en France au Moyen Age,* París, 1910.—LEÓN GAUTIER: *Les Epopées françaises, étude sur les origines et l'histoire de la littérature nationale,* París, 1878-1894.— JULES HORRENT: *La Chanson de Roland dans les littératures française et espagnole au Moyen Age,* Bibliothèque de la Faculté de Philosophie et Lettres de l'Université de Liege, 1951.—MARÍA ROSA LIDA: *El amanecer mitológico en la poesía narrativa española,* «Rev. de Filología Hispánica», VIII, Buenos Aires, 1946; *La idea de la fama en la Edad Media castellana,* Méjico, 1952.—MARCELINO MENÉNDEZ PELAYO: *Antología de poetas líricos castellanos,* vol. I, cap. II, Santander, 1944; *Estudios sobre el teatro de Lope de Vega,* vols. III y IV, Madrid, 1922; *Tratado de romances viejos,* «Antología de poetas líricos castellanos», vols. VI y VII; *La primitiva poesía heroica,* «Est. y discursos de crítica histórica y literaria», vol. I, págs. 143-60, Santander, 1941.—R. MENÉNDEZ PIDAL: *Romancero hispánico. Teoría e historia,* 2 vols., Madrid, 1953; *Poesía juglaresca y juglares,* Madrid, 1924; *Flor nueva de romances viejos,* Colec. Austral, núm. 100, Buenos Aires, 1939; *Reliquias de la poesía épica española,* Madrid, 1951; *La forma épica en España y en Francia,* «De la primitiva lírica española y antigua épica», Colec. Austral, núm. 1.051, Buenos Aires, 1951; *La epopeya castellana a través de la literatura española,* Madrid-Buenos Aires, 1945; *Los godos y la epopeya española,* Colec. Austral, núm. 1.275, Madrid, 1956; *Problemas de la poesía épica,* «Los godos y la epopeya española», págs. 59-88.—MANUEL MILÁ Y FONTANALS: *De la poesía heroico-popular castellana,* Barcelona, 1874; *Observaciones sobre la poesía popular,* Barcelona, 1853.— MANUEL DE MONTOLÍU: *La poesía heroico-popular y el mester de clerecía,* «Hist. general de las literaturas hispánicas», vol. I, Barcelona, 1949.—S. G. MORLEY: *Are the spanish romances written in quatrains?,* «Rom. Review», VII, 1916.—GASTON PARIS: *Histoire poétique de Charlemagne,* París, 1865.—PÍO RAJNA: *Origini dell'epoca francese,* Florencia, 1884; *Osservazioni e dubbi concernenti la storia delle romanze spagnuole,* «Rom. Review». VI, 1915.—JULIÁN RIBERA: *Sobre el origen árabe de la épica medieval.* Discurso en la Academia de la Historia, 1915.— ERICH VON RICHTHOFEN: *Estudios épicos medievales,* Madrid, 1954.—MARTÍN DE RIQUER: *Los cantares de gesta franceses. Sus problemas, su relación con España,* Madrid, 1952.—I. SICILIANO: *Les origines des chansons de geste, théories et discussions,* París, 1951.—KARL VOSSLER: *Formas literarias en los pueblos románicos,* Colec. Austral, núm. 455, Madrid, 1944.

II. DÁMASO ALONSO: *Estilo y creación en el poema del Cid,* «Ensayos sobre poesía española», pág. 69-111, Buenos Aires, 1956.—LUIS ASTRANA MARÍN: *Desafueros contra el «Cantar de Mío Cid»,* «Cervantinas y otros ensayos», págs. 391-420, Madrid, 1944.—CH. V. AUBRUN: *La métrique du Mío Cid est régulière,* «Bull. Hispanique». 1947.— G. BERTONI: *Il Cantare del Cid,* Bari, 1912.—L. BROOKS: *El verso 1.726 del «Poema del Cid»,* «Rev. de Fil. Española», XXXV, 1951, págs. 337-349.—M. CAPELLA: *El poema del Cid, gesta de una raza,* Madrid, 1941.—JULIO CEJADOR: *El Cantar de Mío Cid y la epopeya castellana,* «Rev. Hispanique», 1920.—CARLOS CLAVERÍA: *Notas sobre el Cid en el Norte de Europa,* «Rev. de Filología Esp.», XXV, 1941, págs. 92-102.—H. CORBATO: *La sinonimia y la unidad del «Poema del Cid»,* «Hispanic Review», IX, 1941, págs. 327-47.—PEDRO COROMINAS: *Las ideas jurídicas en el «Poema del Cid»,* «Revista general de Legislación», 1900.—GUILLERMO DÍAZ PLAJA: *Las descripciones en las leyendas cidianas,* «Bull. Hispanique», 1933.—E. C. HILLS: *The Unity of the «Poema del Cid»,* Hispania, XII, 1929.— EDUARDO DE HINOJOSA: *El derecho en el Poema del Cid,* «Homenaje a M. Pelayo», vol. I, págs. 541-81, Madrid, 1899.—JULES HORRENT: *El Cantar de Mío Cid frente a la tradición Rolandina,* Zaragoza, 1956.—ARCHER M. HUNTINGTON: *Poem of the Cid,* 3 vols., texto, traducción. notas y estudio por..., Nueva York, 1907-1908.—RAMOND L. KILGOUR: *The Chivalry of the Cid,* Harvard Philology, vol. XVII, págs. 113-28, 1935.—H. R. LANG: *Notes on the metre of the Poem of the Cid,* «Romanic Review», V. 1914.—J. MARTÍN ALONSO: *La geografía del Poema del Cid,* «Razón y Fe», núm. 518, 1941.—F. MATEU LLOPIS: *La moneda en el Poema del Cid,* «Bol. Real Acad. Buenas Letras», Barcelona, vol. XX, 1947, págs. 43-56.—BARBARA MATULKA: *The Cid as a Courtly Hero; From the Amadis to Corneille,* Columbia University, 1928.—R. MENÉNDEZ PIDAL: *La España del Cid,* Buenos Aires, 1943; *Cuestiones de método histórico: I. La épica española y la «Literarästhetik des Mittelalters»* de E. R. Curtius. *II. La crítica cidiana y la historia medieval. III. Mío Cid el de Valencia,* «Castilla. La tradición. El idioma», Colec. Austral, núm. 501, Buenos Aires, 1945, págs. 75-170; *Cantar de Mío Cid. Texto, gramática y vocabulario,* 3 vols., Madrid, 1944-1946; *Poema de Mío Cid,* edición y notas de..., Clásicos Castellanos, Madrid, 1913; *Poesía e historia en el «Mío Cid»,* «De la primitiva lírica española y antigua épica», Colec. Austral, núm. 1.051, Buenos Aires, 1951, págs. 11-36; *Fórmulas épicas en el «Poema del Cid»,* «Los godos y la epopeya española», Colec. Austral, páginas 242-55.—ERICH VON RICHTHOFEN: *Sobre el origen de la épica románica y los poemas de Roldán y del Cid,* «Estudios épicos medievales», págs. 337-48, Madrid, 1954.— M. SERRANO: *Exactitud geográfica del Poema del Cid,* «Rev. de España», vol. CXLII.

III. RAMÓN DE ABADAL: *El comte Bernat de Ribagorça y la llegenda de Bernardo del Carpio,* «Est. dedicados a M. Pidal», vol. III, Madrid, 1951.—J. O. ANDERSON: *The «Letter of Death» Motiv in the Leyenda de los Siete Infantes de Lara,* «Hispania», XIII, 1930.—R. BASSET: *La Maison fermée de Tolède,* «Bull. Société de Geogra. et d'Arch. d'Oran», XX, 1898.—GEORGES CIROT: *Sur le «Fernán González». Le thème de la femme qui délivre le prisonnier,* «Bull. Hispanique», XXX, 1928, págs. 118 y sgs.— M. DEFOURNEAUX: *La légende de Bernardo del Carpio,* «Bull. Hispanique», XLV, 1943, págs. 116-38.—W. J. ENTWISTLE: *The cantar de gesta of Bernardo del Carpio,* «Modern Language Review», XXIII, 1928.—A. M. ESPINOSA: *Sobre la leyenda de los infantes de Lara,* «Rom. Review», XII, 1920.—B. L. FOSCOLO: *Una redazione inedita della legenda degli Infantes de Lara,* «St. Med.», vol. IV, 1912-1913, págs. 231-53.—A. B. FRANKLIN: *A study of the origins of the legend of Bernardo del Carpio,*

«Hispanic Review», V, 1937, págs. 286 y sgs.—TH. HEINER-
MANN: *Untersuchungen zur Entstehung der Sage von Bernardo del Carpio*, La Haya, 1927.—J. HOYOS: *El solar de
Arias Gonzalo*, Madrid, 1917.—A. H. KRAPPE: *La légende
de la Maison fermée de Tolède*, «Bull. Hispanique», XXVI,
1924; *La Légend of Rodrick last of the visigoth Kings
and the Ermanarich cycle*, Heidelberg, 1923.—M. MENÉN-
DEZ PELAYO: «*La leyenda de los infantes de Lara*», por
M. Pidal, «Est. y discursos de crítica hist. y literaria»,
vol. I, Santander, 1941, págs. 119-42.—R. MENÉNDEZ PI-
DAL: *La leyenda de los infantes de Lara*, Madrid, 1934;
*Floresta de leyendas heroicas españolas. Rodrigo, el últi-
mo godo*, 3 vols., Clásicos Castellanos, Madrid, 1942;
Córdoba y la leyenda de los infantes de Lara, «Los godos y la epopeya española», págs. 211-40; *Realismo de
la epopeya española. Leyenda de la condesa traidora*,
«Historia y epopeya», págs. 4-27, Madrid, 1934; *El «Romanz del Infant García y Sancho de Navarra antiempe-
rador*, «Historia y epopeya», págs. 33-98; *La leyenda
del abad don Juan de Montemayor*, «Historia y epopeya», págs. 99-234.—ENRIQUE MORENO BÁEZ: *El poema de
los siete infantes de Salas*, «Insula», núm. 20, 1947.—
GASTON PARIS: *La légende des Infants de Lara*, «Journal
des Savants», 1898.—MIGUEL ANGEL PRADO: *Estudio comparado de las derivaciones eruditas y populares del «Cantar de don Sancho II de Castilla»*, Stanford, vol. XVII,
1942.—JULIO PUYOL ALONSO: *Cantar de gesta de don
Sancho II de Castilla*, Madrid, 1911.—ESPERANZA REIG
SALVÁ: *El cantar de Sancho II y cerco de Zamora*, anejo XXXVII de la «Rev. Fil. Esp.», Madrid, 1947.—ERICH
VON RICHTHOFEN: *Elementos germánicos en la leyenda
francesa y española* (Sancho II, Cid e Infantes de Lara),
«Estudios épicos medievales», págs. 130-220; *España como
punto de partida en el desarrollo de las leyendas romá-
nico-occidentales* (Rodrigo, el último godo; la Condesa
traidora y Alfonso VI), «Estudios épicos medievales».
págs. 69-93.

IV. CH. V. AUBRUN: *De la mesure des vers anisosylla-
biques médiévaux. La «Cantar de Roncesvalles»*, «Bull. Hispanique», LIII, 1951, págs. 351-74.—P. BOISSONNADE: *Du
nouveau sur la «Chanson de Roland»*, París. 1923.—A.
BURGER: *La légende de Ronceveaux avant la Chanson de
Roland*, Romania, LXX, 1948-1949, págs. 433-73.—JULES
HORRENT: *Roncesvalles, étude sur le fragment de cantar
de gesta conservé a l'Archivo de Navarra (Pamplona)*,
Bibl. de Philosophie et Lettres, Liège, 1951.—R. MENÉNDEZ
PIDAL: *La «Chanson des Saisnes» en España*, «Los godos
y la epopeya española», págs. 177-209; *Galiene la Belle
y los palacios de Galiana en Toledo*, «Historia y epopeya», págs. 263-88; «*Roncesvalles». Un nuevo cantar de
gesta español del siglo XIII*, «Rev. de Filología Esp.»,
vol. IV, 1917, págs. 105-204; *La Chanson de Roland desde
el punto de vista del tradicionalismo*, Zaragoza, Fac. de
Fil. y Letras, 1956.—H. PETRICONI: *Das Rolandslied und
das Lied von Cid*, Romanistiches Janhrbuch, Hamburgo,
1947-1949, págs. 215-32.—MARTÍN DE RIQUER: *El tema de
la «Chanson de Roland» en España*, «Los cantares de
gesta franceses...», págs. 125-32.—RUGGERO M. RUGGIERI:
*Nuove osservazioni sui rapporti tra il framento di Ron-
cesvalles a la leggenda Rolandina in Francia e in Italia*, Zaragoza, F. de Fil. y Letras, 1956.—Y. SAROÏHANDY:
La légende de Ronceveaux, «Hom. a M. Pidal», vol. II,
págs. 259 y sgs., 1925.

CAPITULO III

LA POESIA EN EL SIGLO XIII: «MESTER DE CLERECIA»

I. La nueva escuela: *Notas características. Cronología. El «Libro de Apolonio».*—II. Gonzalo de Berceo: *Datos biográficos y humanos. La producción literaria.—Las vidas de santos. El poema mariano. Los «Milagros». Análisis de los más conocidos. Obras menores. Berceo, poeta actual.*—III. Otros dos poemas del xiii: *El «Libro de Alexandre». El «Poema de Fernán González».*
NOTAS.—BIBLIOGRAFÍA.

I. LA NUEVA ESCUELA

A principios del xiii la épica española cantada por los juglares había alcanzado ya a su apogeo y llevaba más de medio siglo de existencia su obra maestra, el *Cantar de Mio Cid.* Surge entonces una nueva escuela o género poético, más culto, más refinado; no opuesto, como suele decirse, a la épica popular, sino distinto. Es el llamado «mester de clerecía». El nombre significa *ministerio* u *ocupación de hombres cultos,* ya que clerecía era sinónimo de cultura o ciencia, y por el nombre de clérigo solía entenderse no sólo los dedicados a la Iglesia, sino cualquier persona perteneciente a la clase intelectual y selecta. Lo encontramos usado por primera vez en el *Libro de Alexandre,* en un pasaje en que el autor contrapone su arte sabio al de los juglares, mostrando en ello todo el orgullo del maestro:

> Mester trago fermoso non es de ioglaría:
> *mester* es sen pecado, ca es de *clerezía*
> fablar curso rimado por la cuaderna vía
> a sillavas cuntadas, ca es grant maestría.

Ello no obsta para que el mismo autor del *Alexandre,* al igual que Gonzalo de Berceo y el Arcipreste de Hita, cultivadores todos del nuevo género, se proclamen más de una vez *juglares.*

Notas características

Y es que la distinción entre las dos maneras o escuelas no siempre ni en todos los aspectos aparece clara. Afirmar, como lo hace Menéndez Pelayo, que la poesía del «mester de clerecía» iba destinada a la lectura, mientras la del «mester de juglaría» se destinaba a la recitación, es un poco temerario. El mismo auditorio que se apiñaba en las plazas públicas para escuchar las hazañas del Cid o las lamentaciones del viejo padre de los infantes de Lara, acudía a oír los milagros de Nuestra Señora, las desventuras de Apolonio y tal vez las apicaradas chanzas del Arcipreste de Hita. Sólo así se entiende que llegaran a tener tal persistencia en el pueblo ciertos milagros y leyendas: el del niño judío, el del monje Teófilo, el de la casulla de San Ildefonso, etc.

La diferenciación entre las dos escuelas ha de buscarse por otro lado: en la temática y en la forma versificatoria, forma que ha tenido siempre, por más que los manuales de literatura se empeñen en ignorarlo, una importancia capital.

En la temática: los motivos que inspiraban a los juglares eran casi siempre de fuente nacional, concebidos desde un punto de vista exclusivamente castellano (oposición a la vida política y social del reino leonés); los que inspiran a los poetas del «mester de clerecía» son temas universales. Aquéllos van a buscarlos en la tradición popular; éstos los buscan y encuentran en la historia y en las obras cultas del pasado, bien de la antigüedad clásica o bien del acervo hagiográfico y de las tradiciones marianas del medievo. Cuando el «mester de clerecía» trata un tema épico, propio más bien de la «juglaría», vemos que lo hace con un amplio sentido universalista. Así es como al conde Fernán González le despoja de toda nota localista para convertirlo en el intérprete del resurgimiento nacional. Y es que el poema del conde está escrito a mediados del xiii, cuando Fernando III y Jaime el *Conquistador* parece que van a dar cima a la Reconquista. El odio castellano-leonés se ha esfumado para dar paso a la conciencia de un imperio. Este sentido universalista impele a los poetas del «mester de clerecía» a bucear en las literaturas extranjeras, particularmente en la francesa y en la hebrea, en busca de nuevos temas y motivos. Oportunamente tendremos ocasión de señalar estas inspiraciones venidas de fuera.

Pero la innovación más importante se ha de buscar en la métrica. A la irregularidad casi constante de los cantares de gesta oponen los del «mester de clerecía» una regularidad cuidadosamente observada; a la rima asonante o imperfecta, la rima perfecta. Desde el primer momento adoptan como estrofa básica la *cuaderna vía*, llamada también con poca exactitud *tetrástrofo monorrimo*, estancia de cuatro versos de catorce sílabas inspirada, sin duda, en el alejandrino francés. El isosilabismo se respeta al principio con todo rigor, especialmente por Gonzalo de Berceo; luego, durante el siglo XIV y aun antes, tiende a relajarse, mezclándolo con versos de dieciséis sílabas, y aun, dentro de un mismo verso, alternando hemistiquios desiguales: siete más ocho, o viceversa. Bien es verdad que la mayor parte de las irregularidades que afectan al cómputo silábico se han de atribuir, sin duda alguna, a error de los copistas. Para nosotros en esto no hay discusión: no se conciben, tratándose de poetas cultos como son los del «mester de clerecía», que a cada paso están alardeando de sus conocimientos y dominio de la «çiençia de trobar», estas caídas lamentables que tendrían en métrica análoga significación a las del músico que en un compás cualquiera metiese unas notas de más. Para reducir al mínimo tales irregularidades han de tenerse en cuenta los cambios prosódicos operados desde entonces. ¿Cómo medían y leían ellos sus versos? Probablemente, la sinalefa no tenía el mismo valor que entre nosotros; era más frecuente el hiato; aplicaban sinéresis a términos en que nosotros no la usamos, etc.

En términos generales, hay que sentar que la poesía heroica utilizaba un metro irregular en las sílabas, o anisosilábico, y la poesía culta un metro isosilábico o regular; que aquélla prefería la rima imperfecta, en largas series, y ésta la rima consonante, en estrofas de cuatro versos, las más de las veces alejandrinos. Esta estrofa o cuarteta de catorce sílabas por verso, en dos hemistiquios de siete, será el vehículo en que rueden las ingenuas vidas de santos, los milagros de la Virgen, las leyendas de Alejandro, Apolonio y Fernán González, en el siglo XIII. En el siguiente, el Arcipreste de Hita, don Sem Tob y Ayala introducirán hondas modificaciones, y a fines del XIV será sustituída, para no volver más—a no ser en forma muy modernizada por el romanticismo—, por otra estrofa no menos regular y monótona: la octava dodecasílaba o *de arte mayor*.

Una última diferencia entre las dos escuelas: los poetas épicos son casi siempre anónimos; los del «mester de clerecía», con pocas excepciones, llevan nombres conocidos. Unos y otros, insistamos en ello, escriben para el pueblo, y si aspiran los del «mester de clerecía» a que los admire el lector culto, no menos les interesa ganarse el favor del gran público:

> Quiero fer la pasión del sennor Sant Laurent
> en romanz, que lo pueda saber toda la gent...,

escribe por todos Gonzalo de Berceo. Para ello el «mester de clerecía», al igual que la poesía heroica popular, adopta también sus clichés o fórmulas hechas: invocación a Dios *(En el nombre del Padre, que fizo toda cosa)*, o bien acude a procedimientos estilísticos peculiares de las viejas gestas: *Bien valdrá, como creo, un vaso de bon vino... Destos tales miraclos aun más vos diría... David, tan noble rey, una fardida lança...* Y cien ejemplos análogos que certifican una comunicación directa entre el poeta y el público.

Cronología

El «mester de clerecía» tuvo una vida larga: siglo y medio aproximadamente. Se inicia con el *Libro de Apolonio*, compuesto hacia 1235-1240 y se cierra con el *Rimado de Palacio*, escrito a últimos del XIV. Tiene dos fases claramente diferenciadas: las obras correspondientes al XIII observan la *cuaderna vía* con estricto rigor, sin concesiones a otros metros; las del XIV la relajan, según advertimos antes, con interpolación de metros espúreos. A la primera fase pertenecen el *Libro de Apolonio*, el de *Alexandre*, el *Poema de Fernán González*, algunos fragmentos de la *Historia troyana* y toda la producción de Berceo; a la segunda, el *Libro de buen amor*, el *Rimado de Palacio*, la *Vida de San Ildefonso*, el *Poema de Yuçuf*, los *Proverbios en rimo del sabio Salomón* y el *Libro de la miseria del omne*. En cierto modo se pueden incluir también en el «mester de clerecía» los *Proverbios morales* de Sem Tob, aunque escritos en cuartetas heptasilábicas, originadas tal vez por el desglose de los dos hemistiquios del alejandrino.

El «Libro de Apolonio»

Es, ya queda dicho, la más antigua muestra de la escuela. El autor se enorgullece de la innovación y declara que quiere componer «un romançe de nueva maestría». Con este poema entra también en la literatura castellana el tema bizantino con sus peculiares características: viajes, naufragios, pérdidas, reconocimientos o anagnórisis, escenas de piratería, etc. Es la clásica novela de aventuras que, en forma algo evolucionada, perdura aún en nuestros días.

En su argumento se reduce a una de las muchas variantes de la leyenda de Apolonio de Tiana, leyenda de origen bizantino que tuvo su primitiva expresión en una novela griega perdida, pero que se divulgó en la Europa occidental por varias versiones latinas, encontrando amplia acogida en toda la literatura posterior. Nuestro poema pudo derivar bien de la versión intercalada en la *Gesta romanorum* o bien de la *Historia Apolonii regis Tiri*, atribuída a Simposio, o acaso, como quieren algunos, de un poema franco-provenzal sobre el mismo asunto. Su composición se fija entre 1235 y 1240; está escrito en cuartetas alejandrinas, si bien hay alguna que otra estrofa de cinco versos, alteración atribuíble, sin duda, al copista. Es de autor anónimo. En 624 coplas nos relata las aventuras más importantes del legendario Apolonio de Tiro [1]. He aquí en síntesis su argumento:

Tras la consabida invocación «En el nombre de Dios e de Santa María», el autor anuncia la finalidad de su libro: contarnos las aventuras del rey Apolonio, cómo perdió a su hija y a su esposa y

> commo las cobró amas, ca les fué muy leal.

Atraído por la belleza de la hija del rey Antíoco, la pretende Apolonio por esposa. La condición única que impone el padre es que el pretendiente descifre un enigma (las relaciones incestuosas del rey con su propia hija). De no acertar el pretendiente morirá «descabezado» como tantos otros que aspiraron a la mano de la princesa. Apolonio descifra el enigma, suscitando con ello la ira de Antíoco, que ve descubiertos sus culpables amores. Para librarse de Antíoco huye a Tarso, mientras su perseguidor le busca en Tiro, donde halla a los habitantes desolados, lamentando la desaparición de su señor. Al dirigirse a Pentapolín, naufraga. Llega luego a los dominios del rey Architastres, con cuya hija Luciana contrae matrimonio. Paseando un día los dos esposos por la orilla del mar, se enteran por un marinero de la muerte de Antíoco y de su hija, y de cómo esperan a Apolonio para proclamarlo rey. Emprenden nuevo viaje. Da Luciana a luz una niña, a la que llaman Tarsiana; pero, suponiendo que la madre ha muerto, es arrojada al mar. La recoge un médico, que la hace volver a la vida, e ingresa en un monasterio de Efeso, consagrado a la diosa Diana. Apolonio llega a Tarso, donde deja a su hija al cuidado del matrimonio Estrangilo y Dionisia. El aya Licórides cuenta a Tarsiana su origen. Muere el aya, y Dionisia compromete al malvado

Teófilo para que dé muerte a Tarsiana. Cuando aquél se dispone a ejecutar el mandado, aparecen unos piratas, la roban, la conducen a Mitilene y la venden en el mercado. Su comprador intenta destinarla a la prostitución, pero Tarsiana le convence de que le reportará mayores ganancias actuando como juglaresa. Antinágoras, señor de Mitilene, se enamora de ella. Apolonio va a Tarso para reunirse con Tarsiana; informado de su muerte por Dionisia y Estrangilo, sigue viaje hacia Tiro; pero una tempestad le arroja a Mitilene, donde traba amistad con Antinágoras, que para distraerle presenta a la bella juglaresa. Esta le abraza, y Apolonio, tomándolo como desacato, la abofetea. Se reconocen padre e hija; casa ésta con Antinágoras; dan muerte al explotador de Tarsiana, y, avisado de que Luciana vive en Efeso, va a reunirse con ella. Tarsiana y Antinágoras ocupan el trono de Antíoco, y Apolonio muere bendecido por sus súbditos.

Salvando los inevitables anacronismos, el *Libro de Apolonio* se hace notar por su melancolía, suavidad y sencillez. Los hechos están narrados con la mayor naturalidad. Hay pasajes que denotan en el anónimo poeta extraordinarias dotes descriptivas: la actuación de Tarsiana como juglaresa, el reconocimiento de padre e hija, etc. [2] El tipo de ésta ha tenido luego varias imitaciones: la Preciosa, de Cervantes, en *La Gitanilla;* la Esmeralda, de Víctor Hugo, en *Nuestra Señora de París;* la Marina, de Shakespeare, en *Pericles, príncipe de Tiro,* y otras muchas. Porque abunda en formas dialectales aragonesas, se ha creído que su autor pudo ser de aquella región. Fué, sin duda, persona ilustrada, y tiene verdadera preocupación, la misma que vemos en Berceo, por demostrar la veracidad de su relato:

> Su nombre fué Teófilo, si lo saber queredes;
> catarlo en la estoria, si a mí non creyedes.

II. GONZALO DE BERCEO

Cábele la gloria a Gonzalo de Berceo (h. 1195-d. 1264) de ser el primer poeta castellano de nombre conocido. Surge cuando nuestra lengua, aunque no adulta todavía, se ha ensayado ya en temas de gran aliento, encontrando para ellos expresiones idóneas, y cuando la poesía, probablemente siguiendo los pasos de la francesa, ha derivado hacia el ancho cauce de la «cuaderna vía», adquiriendo de paso una regularidad y fijeza que le estaban siendo muy necesarias. Berceo se beneficia de estos adelantos y nos ofrece en su obra, relativamente voluminosa, una poesía fresca, ingenua, erudita y popular a la vez, personal y colectiva; una poesía que con siete siglos encima parece recién salida de sus manos. Cuando se piensa en el enorme salto que hubo de darse para que aquellos versos duros y toscos del *Cantar de Mio*

Cid se convirtieran en esta masa maleable y fluida que son las estrofas de Berceo, es cuando se ve más clara la significación de este poeta en el proceso general de nuestra literatura.

Datos biográficos y humanos

Lo poco que sabemos de él lo encontramos en su obra y en documentos de la época [3]. Nació en Berceo, pequeño pueblo de la Rioja, diócesis de Calahorra. Fué educado en el inmediato monasterio de San Millán de la Cogolla, importante centro cultural en la Edad Media. Ordenado sacerdote, no se sabe si perteneció a la comunidad del monasterio o sólo al clero del pueblo natal. El hecho de que se conservan en el monasterio hasta fecha reciente manuscritos suyos parece confirmar lo primero. Al menos puede afirmarse que estuvo estrechamente vinculado al convento de San Millán y a los monjes del mismo. Escrituras estudiadas por fray Plácido Romero indican que Berceo era diácono en 1221, y, siendo indispensable para ello la edad de veintitrés años, resulta que su nacimiento ha de ponerse hacia 1198. En 1238 figura entre los «prestes» del pueblo; en otra escritura de 1242 lo encontramos actuando como «cabezalero y maestro de confesión» de un tal Pero Gil. De un pasaje de la *Vida de Santa Oria* se deduce que alcanzó edad avanzada:

> Quiero en mi vejez, maguer so ya cansado,
> de esta santa Virgen romanzar el dictado...

Como aún aparece su nombre en documento de 1264, cabe suponer que moriría entre 1265 y 1270.

Pocas noticias, como se ve. Las suficientes, sin embargo, para encuadrarlo en una época y ambiente determinados, a la vez que para sorprenderle en sus gustos y actividades. Su obra nos da un espíritu ingenuo, algo pagado de su erudición, sencillamente devoto, atento a sus deberes eclesiásticos, que hacía compatibles con una decidida entrega al cultivo de la poesía. Berceo escribe y escribe mucho. Pero siempre sobre materia devota. Su alma profundamente mariana y religiosa se efunde a diario en los versos, que van brotando de su pluma sin esfuerzo, con absoluta naturalidad. Con ellos, más que una gloria mundana, a la cual acaso no renunciaba en el fondo de su conciencia, persigue una finalidad superior: pregonar las grandezas de la Virgen y de los santos y por este medio propagar su devoción. El mismo se llama más de una vez «trovero» y «vocero» de la Gloriosa.

Azorín se lo imagina ante un paisaje «fino y elegante», entregado a la para él dulcísima tarea de redactar la Introducción de los *Milagros*:

> Amigos e vasallos de Dios omnipotent,
> si vos me escuchássedes por vuestro consiment,
> quería vos contar un buen aveniment:
> terrédeslo en cabo por bueno veramente.

Y así es como hay que representarse al bueno, al sencillo y admirable Gonzalo de Berceo: alejado de toda turbulencia mundanal, escardando en el *Speculum historiale* o en cualquier otra colección hagiográfica un milagro, un suceso prodigioso, para trasladarlo al pergamino y dárnoslo convertido en la más encantadora poesía:

> Quiero en estos arbores un ratiello sobir,
> e de los sos miraclos algunos escrivir;
> la Gloriosa me guíe que lo pueda complir,
> ca yo non me trevría en ello a venir.

La producción literaria

Berceo debió de iniciar sus actividades literarias ya pasada la treintena. Se supone que la *Vida de Santo Domingo de Silos* fué escrita hacia 1230, y ya no cesó de producir hasta la ancianidad.

Esto le permitió dejarnos una producción considerable. Suele clasificarse en esta forma:

Biografías de Santos: *Vida de Santo Domingo de Silos, Vida de San Millán de la Cogolla, Vida de Santa Oria.*

Obras marianas: *Loores de Nuestra Señora, Planto que fizo la Virgen el día de la Passión de su Fijo Jesuchristo, Miraclos de Nuestra Señora.*

De carácter vario: *Martirio de Sant Laurencio, Signos que aparesçerán antes del Juicio, Sacrificio de la Misa.*

Paráfrasis de himnos: *Veni, Creator Spiritus; Ave, Sancta María; Tu, Christe.*

Las vidas de santos

La de *Santo Domingo de Silos* se inspira en la historia latina sobre el mismo bienaventurado, del abad Grimaldos. Es bastante extensa (777 estrofas en cuaderna vía), y va dividida en tres partes: referencia biográfica, milagros hechos por el santo en vida y milagros realizados después de muerto. La primera ofrece escaso interés; en cambio, lo tiene la segunda en cuanto inicia la técnica narrativa que luego ha de culminar en los *Milagros de Nuestra Señora*. Hay descripciones logradas, como la de las tres coronas, que habrá de repetir en forma análoga en otras obras:

> Vedíame en suennos en un fiero lugar,
> orilla de un flumen tal fiero commo mar:
> qualquier avríe miedo para él se plegar,
> ca era pavoroso e bravo de passar.

La misma técnica y división establece en la *Vida de San Millán*, en la que sigue la breve noticia escrita por San Braulio y adicionada por algún monje del monasterio de la Cogolla. Es curioso un pasaje en que el poeta se lamenta de la morosidad de los pueblos en el pago de sus tributos al monasterio. Hay que subrayar asimismo el fragmento relativo a la batalla de Simancas, único episodio de carácter épico trazado por la pluma de Berceo.

La mejor, aunque muy breve (205 estrofas), de las tres biografías es la de *Santa Oria*. Escrita en su vejez, está penetrada de fervor místico. El poeta, ya viejo y fatigado, augura próxima su muerte. Por otra parte, lo avanzado de la estación invernal le obliga a escribir con más lentitud que quisiera.

> Los días no son grandes, anochecerá privado,
> escrivir en tinievra es un mester pesado.

Ello no obsta para que al irse cerrando sus ojos para las bellezas de la tierra, se vayan abriendo mejor a las luminosidades del más allá. Después de referirse a la patria y ascendientes de la santa y a su vida de penitencia y mortificación, Berceo nos da uno de sus pasajes más inspirados: el del tránsito de Oria de la tierra al cielo portada por las vírgenes Agata, Cecilia y Eulalia. No faltan, como en toda la obra de Berceo, rasgos de ingenuidad: Oria se extraña de no encontrar en el cielo al obispo de su diócesis. Pregunta la causa, y se le responde:

El obispo don Gómez non es aquí, hermana;
pero que trajo mitra fué cosa muy llana,
tal fué como el árbol que florece e non grana.

Berceo se atiene a la sucinta narración latina del monje Munio, confesor que había sido de la santa, y, aunque el pegarse demasiado al texto le hace con frecuencia prosaico, en general toca zonas de honda emotividad.

El poeta mariano

Berceo es, ante todo, el poeta de la Virgen. El humilde clérigo que repasa día y noche en su celda del monasterio o en la parroquia los prodigios de la Virgen, parece tener prisa por contárselos al pueblo, por difundirlos entre los fieles, para así provocar mayor devoción hacia la Gloriosa, que es como él la suele llamar. Sabe que están ya escritos en el latín, en el *Speculum historiale*, de Vicente de Beauvais, y no acierta a explicarse por qué no hayan de ponerse también en lengua vulgar. No se da cuenta de que el instrumento idiomático es aún tosco, y sin reparar en lo arriesgado de la empresa, fiado sólo de su amor a la Virgen y del anhelo de convertirse en su «trovero», allá se lanza a cantar los prodigios marianos en versos que unas veces nos hacen sonreír por su ingenuidad y que otras nos asombran por esa fragancia de cosa primitiva que nos traen al cabo de siete siglos:

Yo, maestro Gonçalvo de Verçeo nomnado,
iendo de romería caeçí en un prado
verde e bien sençido, de flores bien poblado,
logar cobdiçiaduero para omne cansado.

La expresión, como se ve, es todavía torpe y premiosa; la corriente versificatoria avanza con trabajo, chocando aquí y allí contra las murallas de la rima. Pero la intención es buena y la Virgen acabará por inspirarle:

Daban olor soveio las flores bien olientes,
refrescaban en omne las caras e las mientes,
manaban cada canto fuentes claras corrientes,
en verano bien frías, en yvierno calientes.
Avié hi grand abondo de buenas arboledas,
milgranos e figueras, peros e manzanedas,
e muchas otras fructas de diversas monedas;
mas non avié ningunas podridas nin azedas.

Y cosa sorprendente: su mismo fervor le hace elevarse a cimas poéticas, donde encuentra fórmulas de expresión que aún hoy nos sorprenden por su sencillez y pureza:

La verdura del prado, la olor de las flores,
las sombras de los árboles de temprados sabores,
refrescaronme todo, e perdí los sudores.
. . . .

Nunqua trobé en sieglo logar tan deleitoso,
nin sombra tan temprada, ni olor tan sabroso [4]

¿Quién era esta sombra, este lugar, este prado en el que «caesció» el maestro Berceo, lleno de aromas, de colores, de músicas tales, que

nin giga, nin salterio, nin mano de rotero,
nin estrument, nin lengua, nin tan claro vocero,
cuyo canto valiesse con esto un dinero?

El nos lo dice a continuación con su estilo lleno de encanto:

En esta romería avemos un buen prado,
en qui trova repairo tot romeo cansado,
la Virgin gloriosa, madre del buen criado,
del qual otro ninguno egual non fué trobado.
Esti prado fué siempre verde en onestat,
ca nunca ovo mácula la su virginidat...

Puesto a ensalzar a la Virgen, los loores se suceden atropelladamente, en una pugna por saltar del corazón al pergamino. Es el primer canto mariano y aun religioso que tenemos en nuestra lengua. No se trata de versos más o menos sentidos: son verdaderos gozos, salmos de exultación en que el alma de Berceo se derrite jubilosamente en obsequio de la Virgen:

Por todas las eglesias esto es cada día,
cantan laudes antella toda la clerecía:
todos li façen cort a la Virgen María:
éstos son rossennoles de grand plaçentería.
Tornemos ennas flores que componen el prado,
que lo façen fermoso, apuesto e temprado:
las flores son los nomnes que li da el dictado
a la Virgo María, madre del buen criado.
La benedicta Virgen es estrella clamada,
estrella de los mares, guiona deseada,
es de los marineros en las cuitas guardada,
ca quando essa veden es la nave guiada.
Es clamada, e eslo, de los cielos reyna,
templo de Jesucristo, estrella matutina,
sennora natural piadosa vezina,
de cuerpos e de almas salud e medecina...

Sigue recorriendo todos los títulos y comparaciones que le da la Escritura—arca, paloma, fuente, rocío, casa, fortaleza, etc.—, para cerrar su letanía con esta estrofa de imponderable candor:

Non es nomne ninguno que bien derecho venga,
que en alguna guisa a ella non avenga:
non a tal que raíz en ella no la tenga,
nin Sancho nin Domingo, nin Sancha nin Domenga.

Y, al fin, se declara impotente para celebrar tantas excelencias:

Sennores e amigos, en vano contendemos,
entramos en grand pozo, fondo nol trovaremos;
más serién los sus nomnes que nos della leemos
que las flores del campo del más grand que savemos.

Los «Milagros»

Fruto de esta devoción son los *Milagros de Nuestra Señora*. Constituyen la obra más extensa e importante de Berceo. Se trata de 25 relatos de otros tantos hechos prodigiosos realizados por la Virgen en favor de sus devotos. Sólo el último, *La iglesia robada,* parece original de Berceo. Los demás pertenecen al acervo de tradiciones y leyendas marianas, muy divulgadas en la Edad Media y aprovechadas por escritores de diversas naciones, especialmente franceses. Berceo en ningún momento intenta hacerlos pasar como mercancía propia. A cada paso alude a «la lectión», «la escriptura», «el dictado», de donde él los toma. Pero no se trata de copia o plagio servil. Nuestro escritor sabe arreglárselas para convertir en materia poética cuanto cae en sus manos, tras una reelaboración a fondo. Muchos de esos milagros se actualizan en la pluma del buen clérigo de San Millán; otros se localizan dentro del suelo patrio, con lo que ganan en humanidad e interés.

Se han buscado sus fuentes y se les han asignado varias. Primeramente se creyó que Berceo se habría inspirado en la *Leyenda áurea,* de Jacobo de Voragine, o en el *Speculum historiale,* de Vicente de Beauvais; luego se apuntó como origen más probable la colección francesa de Gautier de Coincy *Miracles de la Sainte Vierge,* en la que encontramos 18 de los 25 hechos prodigiosos narrados por Berceo. La hipótesis está hoy muy desechada; y ahora se señala para el poeta francés y el español una fuente común. Esta debió de ser, al menos para Berceo parece comprobada, un manuscrito latino encontrado en la Biblioteca de Copenhague (Thott, 128) por Richard Becker [5]. Este erudito ha hecho una severa confrontación de la obra de Berceo con el manuscrito, destacando la coincidencia no sólo de los temas y leyendas, sino del orden de las mismas. Berceo saltó cuatro milagros de los contenidos en el manuscrito en prosa de Copenhague (los núms. 16, 22, 25 y 26). Para los demás persigue el mismo orden del original latino, en el cual se contienen todos los casos recogidos por nuestro poeta, con excepción del 25 —*La iglesia robada*—, ya aludido. Esta ausencia tiene una explicación y en nada contradice la tesis de Becker. Parece que Berceo había dado por terminada su labor en el «milagro» 24, puesto que se cierra con esta estrofa:

Madre, del tu Gonzalvo sey remembrador,
que de los tos miraclos fué dictador:
Tú fes por él, Sennora, prezes al Criador,
tú li gana la gracia de Dios nuestro Sennor.
Amén.

Más tarde debió de añadir el último, ocurrido, por cierto, en España y acaso por aquellos días.

Análisis de algunos «milagros»

Casi todos pertenecen a la literatura universal en versiones más o menos aliteradas, a excepción del 25, que pudo conocer Berceo directamente, según se acaba de decir. Tampoco se conoce la fuen-

te de la bellísima *Introducción.* Aunque la comparación de la Virgen con un ameno prado es tópico en la Edad Media, Berceo sabe reseñarla con tales rasgos personales, que en ella, ya lo hemos visto, es acaso donde alcanza sabor más moderno y notas de mayor emotividad.

He aquí algunos «milagros» que han alcanzado máxima difusión:

La casulla. — Recoge una tradición piadosa de Toledo, según la cual la Virgen se aparece a San Ildefonso y le entrega, en premio a su devoción y al tratado que ha escrito en defensa de su virginidad, una preciosa casulla, que sirve de trágico dogal a uno de los sucesores del santo. Fué llevado a la pintura por Murillo; a la poesía, por Valdivielso (*Sagrario de Toledo*); al teatro, por Lope de Vega (*El capellán de la Virgen*).

El ladrón devoto.—Un facineroso guarda, en medio de sus vicios, especial devoción a la Virgen. Detenido por la Justicia, se le condena a la horca. Cuando los parientes van a retirar el cadáver lo encuentran salvo, gracias a que la Virgen ha interpuesto sus manos entre la soga y el cuello de la víctima. Los jueces, atribuyendo su salvación a defecto de la cuerda, intentan degollarle. Nuevamente se interponen las manos de la Virgen entre el cuchillo y el forajido. Reconocido el prodigio, «dexáronlo en paz que se fuesse su vía». y, tras una vida de penitencia, muere en gracia de Dios. El tema se repite en las colecciones de milagros y llega a la novela del XVII en *El verdugo de su esposa,* de María de Zayas.

El clérigo ignorante.—Un sacerdote «pobre de clerecía» es acusado ante el obispo de no saber otra misa que la de la Virgen. Se le retiran las licencias y el clérigo acude a María en demanda de consejo. La Gloriosa se aparece al prelado, le reprende y le emplaza a treinta días para que perdone a su capellán. Autorizado a que «cantasse como solíe cantar», el clérigo muere y ve a la Gloria. El tipo de santo ignorante fué llevado a la escena reiteradamente por nuestros dramaturgos del Siglo de Oro: Lope de Vega titula una de sus comedias *El saber por no saber.*

El milagro de Teófilo.—Es el penúltimo relato, el más extenso y acaso el más interesante. Teófilo, hombre de gran caridad y vicario del obispo, cuenta con el afecto y consideración generales. Muerto el prelado, intentan nombrarle sucesor, pero él declina por humildad tal nombramiento. Pero el sucesor en el obispado designa nuevo vicario; y Teófilo, herido en su orgullo, pacta, por consejo de un judío, con el diablo para que le devuelvan a su antiguo cargo. Reniega de Jesucristo y de la Virgen, extendiendo la correspondiente cédula:

e fízola guarnir
de su seiello mismo que nol podíe mentir.

Es repuesto en su empleo; pero, arrepentido al poco tiempo, se le perdona en atención a sus anteriores obras y la propia Virgen se encarga de recuperar y devolverle la cédula. La leyenda del pacto diabólico para obtener riquezas, juventud, amor, etc., se repite mucho en la literatura. A veces, el pacto lleva aneja la pérdida de la sombra. Una variante del tema encontramos en Boccaccio: cuento de Dionora y messer Ansaldo, del *Decamerón*, y también en el relato de Tarolfo, del *Filocolo*. En la novela de Alberto von Chamisso, el protagonista, Pedro Schlemil, pierde su sombra. La literatura alemana cuenta con una obra maestra que arranca de tema parecido: el *Fausto*, de Goethe; y la española, con dos comedias muy notables: *El esclavo del demonio*, de Mira de Amescua, y *El mágico prodigioso*, de Calderón.

La iglesia robada.—Es el 25 de los milagros; cierra, por tanto, la serie. En tiempo de San Fernando, un lego y un clérigo pasan de León a Castilla para robar una iglesia. Al intentar el clérigo apoderarse de la toca de la Virgen se le quedan adheridas las manos, de forma que ya no las puede separar. Buscan inútilmente la salida del templo («andavan como beudos, todos descalabrados»); pero, al no hallarla, son aprehendidos y sometidos a consejo. Un canónigo observa el prodigio de la toca pegada a las manos del clérigo, que confiesa su delito y es puesto en libertad.

Otros relatos muy repetidos son *El niño judío*, *El clérigo y la flor* y *La boda y la Virgen*.

En todos estos «milagros» y en los otros no aludidos abundan los rasgos de ingenuo primitivismo: la Virgen habla a veces como pudiera hacerlo una mujer celosa, los diablos juegan con el alma del pecador a la pelota, etc. Interesa hacer constar que el tema de la monja que se fuga del convento con su galán y es sustituída por la Virgen durante la ausencia, tema tan favorecido por la poesía posterior desde Lope de Vega a Zorrilla y a Fernández Shaw, no aparece en Berceo. Procede de las *Cantigas* de Alfonso el *Sabio* [6]. *La abadesa encinta*, del vate riojano, de un realismo encantador, nada tiene que ver con esta leyenda, aunque otra cosa se diga en algunos manuales de literatura.

Obras menores

Las otras producciones de Berceo tienen menor interés. Los *Loores de Nuestra Señora* acaso corresponden a su época de aprendizaje en el verso; al menos así parecen demostrarlo sus continuas vacilaciones en el uso de la «cuaderna vía», a no ser que carguemos sobre los copistas buena parte de sus numerosas fallas. Relato mediocre en 233 coplas, se limita a narrarnos la vida de Cristo, con fragmentos intercalados del Viejo Testamento y de los Santos Padres.

El *Sacrificio de la misa* explica en 297 coplas las ceremonias litúrgicas que el título indica. El tema escogido, con las inevitables referencias a cosas concretas, impide al poeta elevarse a la altura de otras veces. Parece que está inspirado en el *De sacro altaris mysterio*, de Inocencio III.

Para el poema *De los signos que aparecerán antes del Juicio* debió de tener presente un sermón de San Jerónimo. Se desarrolla casi todo en un tono mediocre, aunque no le faltan chispazos de inspiración y rasgos de ingenua belleza:

> El día postrimero, como diçe el Propheta,
> el ángel pregonero sonará la corneta,
> oírlo an los muertos, cada uno en su capseta,
> correrán al juiçio quisque con su maleta.

Comprende dos partes: señales que han de preceder al Juicio final y el mismo Juicio. Con la descripción del tormento de los condenados y bienaventuranza de los justos termina el poema. El *Martirio de Sant Laurençio* lo mismo puede derivar del himno de Prudencio que de algún santoral o martirologio. La obra, incompleta, se interrumpe precisamente al comenzar el suplicio. Tiene rasgos de intenso realismo:

> Las flammas eran vivas, ardientes, sin mesura,
> ardie el cuerpo sancto de la grant calentura,
> de lo que se tostava fervíe la asadura...
> Pensat, diz Laurençio, tornar del otro lado,
> buscat buena pevrada, ca asaz so assado,
> pensat de almorzar, ca avredes lazdrado;
> fijos, Dios vos perdone, ca feches grant pecado.

Mayor mérito tiene el *Planto que fizo la Virgen el día de la Passión de su Fijo*, por figurar aquí el cantarcillo popular de los veladores de Jesús, que Berceo denomina *cantica* y que es la primera manifestación lírica en lengua castellana de autor conocido:

> Cantaban los trufanes unas controvaduras,
> que eran a su madre amargas e muy duras:
> aljama, nos velemos, andemos en corduras,
> si non, farán de nos escarnio e gahurras.

Cantica

> Eya velar, eya velar, eya velar.
> Velat aljama de los judíos,
> eya velar.
> Que non vos furten el Fijo de Dios,
> eya velar.
> Ca furtárvoslo querrán,
> eya velar;
> Andrés, e Pedro et Johán,
> eya velar.

El relato de la Pasión en boca de la Virgen y la dramática escena del Descendimiento revelan un poeta de fina sensibilidad:

> Abrazaba la Cruz hasta do alcanzaba,
> besábali los piedes, en eso me gradaba,
> no podía la boca, ca alta me estaba,
> nin facía las manos que yo más cobdiciaba...

Se nota en el *Planto* la influencia de un sermón de San Bernardo, *De lamentatione Virginis Mariae*. Debió de componerse después de los *Milagros*, puesto que en su estrofa final se alude al de Teófilo.

Los himnos—*Veni, Creator*; *Ave, Sancta Maria*, y *Tu, Christe*—son traducciones parafraseadas de los litúrgicos del mismo nombre.

Berceo, poeta actual

Olvidado totalmente o semiolvidado durante varios siglos, Berceo ha vuelto a la actualidad. Para mantenerse en un puesto privilegiado entre nuestros buenos poetas le sobran méritos. Es, ante todo, autor simpático, rebosante de sencillez, modestia y humanidad. «Dícelo la escriptura, ca yo non lo sabía», nos dice en cierta ocasión, y en la *Vida de Santo Domingo de Silos* confiesa:

> El nombre de la madre deçir non lo sabría,
> como non fué escripto non lo devinaría...

¿Puede darse mayor ingenuidad? En otro pasaje interrumpe el relato, porque

> fallesció el libro en qui lo aprendía,
> perdióse un cuaderno mas no por culpa mía,
> escrivir a ventura sería grant folía.

Este acercamiento constante al lector, este abrirle sus íntimos secretos, este esmaltar sus narraciones con anécdotas y escenas de la vida cotidiana, prestan nuevo incentivo a unos poemas ya de suyo interesantísimos, en cuanto introducen en la poesía castellana, y con cuánto decoro, el tema religioso. Santa Oria es la «sierraniella» de Villavelayo; él mismo se nos define como «el versificador que en su portaleyo fizo esta labor». Aunque culto, escribe pensando en el pueblo; la insistencia con que se dirige a éste en segunda persona nos hace imaginar un grupo de oyentes rodeando al autor de los *Milagros* y de las *Vidas* [7]. De aquí también su léxico, tan rico en modismos y términos vulgares. No es de extrañar, por todas estas razones, que los escritores de nuestro siglo, particularmente los de la llamada «generación del 98», en su intento de rehabilitar todos los valores auténticamente castellanos y tradicionales, hayan hecho de Berceo uno de sus poetas favoritos [8].

III. OTROS DOS POEMAS DEL XIII: EL «LIBRO DE ALEXANDRE» Y EL «POEMA DE FERNAN GONZALEZ»

A la segunda mitad del siglo XIII corresponden otras dos importantes muestras del «mester de clerecía»: el *Libro de Alexandre* y el *Poema de Fernán González*. Con aquél penetra en nuestra literatura el tema clásico, como había penetrado con el *Libro de Apolonio* el tema bizantino.

El «Libro de Alexandre»

Es el *Libro de Alexandre* una obra de larga extensión —más de 10.000 versos en 2.511 estrofas—, «la obra, sin duda, de más aliento —escribe Menéndez Pelayo— entre las del siglo XIII, y la primera tentativa de epopeya clásica en nuestra lengua, además de... un repertorio de todo el saber de clerecía, y un alarde de la instrucción verdaderamente enciclopédica de su autor». ¿Quién pudo ser éste? Tenemos dos manuscritos: el de Osuna, del siglo XIV, hoy en la Biblioteca Nacional de Madrid, cuajado de leonesismos, y que lo atribuye a Johan Lorenço Segura de Astorga, natural de esta ciudad, y el de la Biblioteca Nacional de París, con muchos aragonesismos, que lo adjudica a Berceo [9]. La paternidad de éste se da por descartada tras un minucioso examen de forma y contenido. La cultura de Berceo es eclesiástica; la del autor del *Alexandre*, fundamentalmente profana; el estilo de aquél es sencillo y sobrio; el de éste, abundante y colorista; la actitud del primero ante el lector, de gran modestia; la del segundo es de orgullo, como quien está pagado de su arte y erudición. El problema del autor se complica por otro motivo: en el interior del libro el poeta solicita un descanso. En el manuscrito de Osuna se lee: *Gonzalo, ve dormir, que assaz as velado*; en

el de París, *Lorente, ve dormir...* Claro es que todo ello puede ser variante del copista. También ha sido atribuido a Alfonso X y al arcediano Jofre de Loaysa. Menéndez Pelayo, que ha estudiado la cuestión con particular interés, sin darla por resuelta, se inclina a favor de Juan Lorenzo Segura de Astorga, y al insigne maestro sigue hoy casi toda la crítica.

Que el autor fué clérigo, nadie lo duda. Que utilizó numerosas fuentes latinas y francesas, tampoco. Probablemente se inspiró en la obra de Quinto Cursio, tan leída en la Edad Media, *Historiarum Alexandri Magni Libri X*, y asimismo debió de aprovechar *L'Alexandreis*, de G. de Chatillon; *Le Roman d'Alexandre*, de Lambert le Tort, y la *Crónica Troyana*, de Guido de Colonna. Con elementos tomados de estos y otros autores —se señala también una *Historia de praeliis* del Arcipreste León, la obra de Josefo y hasta fuentes árabes—, Segura de Astorga, o quien fuese, construyó este poema de ancho aliento, dando unidad y cierto aspecto de grandeza al conjunto. Asombra, sobre todo, la pintura del héroe,

> rey noble pagano,
> que fué de grant esforçio, de coraçón loçano,

y la abundancia de descripciones, todas ellas movidas, pintorescas y fascinantes. El autor se nos muestra pintor de rica paleta, cuya mayor fuerza reside en el color. Hombre de imaginación fértil, deslumbra nuestros ojos con animados cuadros del más intenso cromatismo: las maravillas de Babilonia, los palacios de Poro, el bosque fatídico de la India y el retrato de la reina Talestrix, que figura en todas las antologías:

> Venía apuestamente Calectrix la reyna,
> vestía preciosos pannos de seda fina,
> açor en la su mano que fué de la marina,
> sería al menos de dos mudas ayna...

Hace gala, a lo largo de todo el poema, de su erudición y amor a la ciencia, y rompe a menudo la narración con digresiones, entre las que destacan una muy extensa sobre la guerra de Troya, en boca de Alejandro (1.688 versos), y un prosaico sermón sobre la corrupción de las costumbres. Abunda, ello es inevitable, en anacronismos: Aristóteles es un doctor escolástico; Alejandro ingresa en la orden de caballería el día del Papa San Antero, ciñendo una espada fabricada por Vulcano; Aquiles es ocultado por su madre en un convento de monjas. El poema termina con la arenga de Alejandro a sus generales al presentir su próximo fin y la muerte del héroe macedonio.

El *Alexandre* influye en el *Poema de Fernán González*, que copia versos enteros; en el Arcipreste de Hita, en la Crónica de Pero Niño y en otras obras posteriores. La mejor edición es la de Raymond S. Willis (Princeton-París, 1934).

Frente a la difusión de la leyenda de Alejandro en la literatura medieval europea, se creyó que el poema español era un producto aislado. Los estudios del profesor García Gómez sobre un texto árabe que recoge la misma leyenda son capitales para la situación del *Alexandre*. Aparte de tal versión árabe, hubo una narración aljamiada, y está la parte dedicada al héroe griego en la *Grande e general estoria* de Alfonso X, que responde en todo a las mismas fuentes que el poema del «mester de clerecía», que acabamos de estudiar. Este debió de escribirse hacia el 1240.

El «Poema de Fernán González»

Es Fernán González el único héroe nacional que mereció el honor de ser cantado por los poetas del «mester de clerecía». Anterior a este poema culto, existió otro de juglaría, prosificado luego casi íntegramente en la *Primera Crónica general* y después en la refundición de 1344. Gracias a tales obras y al Romancero, el conde castellano se convirtió en una figura casi tan popular como el Cid.

El cantar de juglaría influyó notablemente en el *Poema* que comentamos, y que debió de componerse entre 1250 y 1266. Hasta hace poco se ha tenido por su autor a un monje o familiar del monasterio de Arlanza; pero recientemente el padre Luciano Serrano, en la edición del mismo poema, ha rebatido tal atribución basándose en que una persona residente en aquel monasterio o simple conocedora del mismo «no diría nunca que la fortaleza de Muño estaba cerca de Lara, puesto que dista más de cuarenta kilómetros». El padre Serrano se refiere concretamente a estos versos:

> Que venie Almanzore con muy fuertes fonsados,
> que traíe treinta mill vasallos lorigados;
> non serién los peones por ninguna guisa contados;
> estaban cerca Lara en Muño ayuntados.

La explicación del padre Serrano no es del todo convincente, ya que el locativo *cerca* suele emplearse con un sentido de relatividad que muy bien pudiera extenderse a esos cuarenta kilómetros de que habla el poeta.

Asunto.—Tras la invocación general, común a todos los poemas del «mester de clerecía», y la declaración de tema:

> Del conde de Castiella quiero fer una prosa...
> como cobró la tierra toda de mar a mar,

viene un resumen de historia de la España cristiana: monarquía goda, invasión árabe, mísera vida de los cristianos sojuzgados, etc. El verdadero poema de Fernán González empieza en la estrofa tan sabida:

> Entonçes era Castiella un pequeño rincón,
> era Montes Doca de Castylla mojón,
> e de la otra parte, Fitero el fondón...

Siguen las luchas del conde castellano contra los moros y los reyes de León y Navarra; la leyenda de azor y del caballo como origen jurídico de la independencia de Castilla; la prisión de Fernán González; su liberación por la infanta doña Sancha y casamiento con ésta. El conde es presentado como prototipo de todas las virtudes. Con la proclamación de su invencibilidad termina el poema:

> Quiso Dios al buen conde esta gracia facer:
> que moros nin cristianos non le podían vencer.

Dos ideas capitales obsesionan al autor: la religiosidad, hasta el martirio, del pueblo español, y la hegemonía de Castilla sobre las demás regiones como firme valladar contra el moro y, a la vez, heredera directa de la soberanía visigótica:

> Desque los españoles a Christo conoscieron,
> desque en la su ley bautismo recibieron,
> nunca en otra ley tornarse quisieron,
> mas por guardar de aquesto muchos males sufrieron.

Y en otro lado:

> Pero de toda España Castiella es lo mejor,
> porque fué de los otros el comienço mayor...
> Aun Castilla la Vieja al mi entendimiento,
> mejor es que lo al, porque fué el çimiento.

Aunque lo épico da su tono general al poema, de modo que cabe señalar influencias del *Cantar de Mio Cid* y de las «gestas» francesas, no faltan pasajes llenos de lirismo, como el «Canto a España», que reaparece prosificado en la *Crónica general*. Al igual que Berceo, se afana por demostrar la fidelidad al texto en que se inspira:

> Como el escrito diz, nos assí lo fallamos.

Por último, es fácil señalar analogías con el *Libro de Alexandre* y con algunas obras de Berceo, especialmente con las *Vidas de San Millán y Santo Domingo*, cuya primera estrofa copia casi textualmente:

En el nombre del Padre que fizo toda cosa,
el que quiso nasçer de la Virgen preçiosa,
del Spíritu Santo, que es ygual de la espossa,
del conde de Castilla quiero façer una prosa.

NOTAS

1. El manuscrito se conserva en El Escorial, en el mismo códice que la *Vida de Santa María Egipciaca* y el *Libro de los tres reyes de Oriente.*
2. Transcribimos las estrofas del reconocimiento:

Vió buen Apolonyo que andaba carrera,
entendió bien sen falla que a su fija era,
salló fuera del lecho luego de la primera,
diziendo, valme, Dios, que era vertut vera.
Prísola en sus braços con muy grant alegría,
diziendo, ay, mi fija, que yo por vos muría;
agora he perdido la cuyta que auía,
fija, no amanesçió para mí tan buen día.
....

Començó a llamar, venit los míos vasallos,
sano es Apolonyo, ferir palmas e cantos,
echat las coberteras, corret vuestros cauallos,
alçat tablados muchos, pensat de quebrantallos.
Penssat como fagades fiesta grant e complida,
cobrada e la fija que auía perdida,
buena fué la tempesta, de Dios fué permitida,
por onde nos ouiemos a fer esta venida.

3. En la *Vida de San Millán* (copla 489) nos dice:

Gonzalvo fué su nomne que fizo este tractado,
en Sant Millán de Suso fué de niñez criado,
natural de Berceo, ond Sant Millán fué nado...

Y en la *Vida de Santo Domingo* (copla 757):

Yo, Gonzalvo, por nomne clamado de Verçeo,
de Sant Millán criado en la su merçed seo.

Insiste en lo mismo varias veces: *Milagros* (2 y 866); *Santo Domingo* (119), etc. Criado, aquí, está empleado por discípulo. *Vid.* para todo esto el documentado prólogo de A. G. Solalinde a los *Milagros* en Clásicos Castellanos, vol. 44.
4. Obsérvese el efecto de estos versos por una hábil combinación, naturalmente no deliberada, del ritmo binario y ternario, en los alejandrinos. Tendrían que pasar varios siglos, hasta llegar al *modernismo* con las hondas modificaciones métricas introducidas por Rubén Darío, para lograr algo semejante. Los mismos románticos, que tanto usaron el alejandrino, no alcanzan a ver las posibilidades que esta alternancia de ritmos comporta, y se limitaron a un ritmo uniforme, el binario yámbico.
5. *Gonzalo de Berceo's Milagros und ihre Grundlagen...,* inaugural-Diss., Strasburgo, 1910.
6. Conocida comúnmente esta cantiga por *Leyenda de sor Beatriz* o de *La monja y el galán*, ha sido estudiada a fondo por Armando Cotarelo y Valledor: *Una cantiga célebre del Rey Sabio*, Madrid, 1904. Después, por R. Guiette: *La léyende de la Sacristine*, París, 1927.
7. Desde aquella repetida introducción de la *Vida de Santo Domingo:*

Quiero fer una prosa en román paladino,
en qual suele el pueblo fablar con su vecino,
ca non so tan letrado por fer verso latino...,

hasta aquella estrofa con que empieza uno de los «milagros», el de *El sacristán impúdico:*

Amigos, si quissiéredes un poco esperar,
· aun otro miraclo os querría contar...,

las citas se podrían multiplicar indefinidamente: *San Millán*, 1; *Santo Domingo*, 315, 335, 376; *Milagros*, 1, 10, 16, 75, 122, etc.
8. Rubén Darío le ha dedicado en sus *Prosas profanas* un bello soneto «A maestre Gonzalo de Berceo»:

Ante tu delicioso alejandrino,
como el de Hugo espíritu de España,
éste vale una copa de champaña,
como aquél vale «un vaso de bon vino»...

Manuel Machado lo celebra en el *Retablo* que comienza:

Ya están ambos a diestra del Padre deseado,
los dos santos varones, el chantre y el cantado,
y el gran Santo Domingo de Silos venerado,
y el maestro Gonzalo de Berceo nomnado...

Y su hermano Antonio escribe en *Mis poetas:*

El primero es Gonzalo de Berceo llamado,
Gonzalo de Berceo, poeta peregrino...
Su verso es dulce y grave; monótonas hileras
de chopos invernales, en donde nada brilla;
renglones como surcos en pardas sementeras,
y lejos, las montañas azules de Castilla.

9. El manuscrito de la Nacional termina así:

Si quisiéredes saber quién escrivió este dictado,
Johán Lorenço, bon clérigo e hondrado,
Segura de Astroga, de mannas bien temprado,
el día del juyzio Dios sea mío pagado. Amén.

Y el de la Biblioteca de París:

Si queredes saber quién fizo este didato,
Gonçalo de Berceo es por nombre clamado,
natural de Madrid, en Sant Mylian criado,
del abat Johan Sánchez notario por nombrado.

El toponímico *Madrid* no debe extrañar a quien sepa que la localidad riojana de Berceo se llama también de este modo.

BIBLIOGRAFIA

I. Eduardo de la Barra: *Literatura arcaica*, Valparaíso, 1898.—Américo Castro: *Nuevas situaciones desde fines del siglo XIII, «La realidad» histórica de España*, Méjico, 1954, págs. 357-77.—Cornu: *Recherches sur la conjugaison espagnole au XIII et XIV siècles*, Florencia, 1886.—R. Post Chandler: *Medieval Spanish Allegory*, Harvard, vol. VI, 1915.—Edmond Faral: *Les arts poétiques du XII et du XIII siècle*, París, 1923, vol. 233 de la Bibl. de l'École des Hautes Études.—J. B. Forest: *Old french borrowed words in the old spanish with special reference to the Cid, Berceo' Poems, the Alexandre and Fernán González*, «Romanic Review», VII, 1916.—Pedro Henríquez Ureña: *La versificación irregular en la poesía castellana*, Madrid, 1933; *La cuaderna vía*, «Rev. Fil. Hispánica», vol. VII, Méjico, 1945.—H. Janner: *La glosa española. Estudio histórico de su métrica y de sus temas*, «Rev. de Fil. Española», XXVII, 1943, páginas 181-232.—Ramón Menéndez Pidal: *Poesía juglaresca y juglares*, Madrid, 1924; *Relatos poéticos en las crónicas medievales*, «Rev. Fil. Esp.», vol. X, 1923.—Manuel de Montolíu: *La poesía heroico-popular y el mester de clerecía*, «Hist. general de las literaturas hispánicas», vol. I, Barcelona, 1949.—A. Navarro González: *Valoración de la poesía en la literatura medieval castellana*, «Cuad. de Lit.», V, págs. 13-43, Madrd, 1949.—H. R. Patch: *The Goddess Fortuna in mediaeval literature*, Harvard, 1927.—Fray Justo Pérez de Urbel: *Historia del Condado de Castilla*, 3 vols., Madrid, 1945.—Conde de Puymaigre: *Les vieux auteurs castillans*, París, 1888.—Jorge Rubio Balaguer: *Vida española en la época gótica. Ensayo de interpretación de textos y documentos literarios*, Barcelona, 1943.—Pedro Salinas: *Reality and the Poet in Spanish Poetry*, The J. Hopkins Press, 1940.—Rudolph Schevill: *Ovid and the Renascence in Spain*, Berkeley, 1913.
Manuel García Blanco: *La originalidad del «Libro de Apolonio»*, «Rev. Ideas Estéticas», Madrid, 1945, páginas 351-78.—Raymond Grismer y Elizabeth Atkins: *The Book of Apollonius*, trad. y pról. de..., University of Minnesota Press, 1936.—Hagen: *Der roman von König Apollonius von Tyrus in seinen verschiedenen Bearbeitungen*, Berlín, 1878.—E. Klebs: *Die Erzalung von Apollonius von Tyrus*, Berlín, 1899.—C. Carroll Marden: *Unos trozos oscuros del «Libro de Apolonio»*, «Rev. Fil.

Esp.», III, 1916; *Note on the text of the «Libro de Apolonio»*, Modern Language Notes, 1903; *El «Libro de Apolonio»: An old Spanish Poem*, 2 vols. (introd., texto. gramática, notas y vocabulario), Baltimore, 1917-1922.—OTTO RANK: *Das Inzestmotiv in Dichtung und Sage*, Berlín, 1926.—S. SINGER: *Apollonius von Tyrus, Untersuchungen über das fortleben das antiken Romans in Spätern Zeiten*, La Haya, 1895.—*Libro de Apolonio*, versión de P. Cabañas, 1956.

II. DÁMASO ALONSO: *Berceo y los «topoi»*, «De los siglos oscuros al de oro», Madrid, 1958, págs. 74-85.—«AZORÍN» (José Martínez Ruiz): *Berceo*, «Al margen de los clásicos», Madrid, 1915.—RICHARD BECKER: *Gonzalo de Berceo's Milagros und ihre Grundlagen*, Estrasburgo, 1910.—BOUBE: *La poésie mariale; Gonzalo de Berceo*, «Etudes des PP. de la Compagnie de Jésus», XC, 1904, págs. 512-36.—ERASMO BUCETA: *Un dato para los «Milagros» de Berceo*, «Rev. Fil. Esp.», IX, 1922.—AGUSTÍN DEL CAMPO: *La técnica alegórica en la introducción a los «Milagros de Nuestra Señora»*, «Rev. Fil. Esp.», XXVIII, 1944, págs. 15-57.—AMÉRICO CASTRO: *Gonzalo de Berceo*, «La realidad histórica de España», cap. X, págs. 341-50.—G. CIROT: *Sur le «mester de clerecia»*, «Bull. Hispanique», 1942, págs. 5-16; *L'humour de Berceo*, «Bull. Hispanique», XLIV, 1942, págs. 160-65; *L'Expression dans Gonzalo de Berceo*, «Rev. Fil. Esp.», IX, 1922, págs. 154-70.—F. FERNÁNDEZ Y GONZÁLEZ: *Berceo o el poeta sagrado en la España del siglo XIII*, «La Razón», I, 1860.—JOHN D. FITZ-GERALD: *Gonzalo de Berceo in Spanish literary criticism before 1780*, «Romanic Review», I, 1910, págs. 290-301; *Versification of the cuaderna via as found in Berceo's «Vida de Santo Domingo de Silos»*, Columbia Studies, 1905; *Berceo: «Vida de Santo Domingo de Silos»*, ed. y notas de..., París, 1904.—TERESA CLARA GOODE: *Gonzalo de Berceo. «El sacrificio de la misa». A study of Symbolism and its sources*, 1933.—G. GUERRIERI CROCETTI: *Gonzalo de Berceo*, Brescia, 1947.—FEDERICO HANSSEN: *Sobre la formación del imperfecto en las poesías de Gonzalo de Berceo*, Santiago de Chile, 1895; *Sobre la pronunciación del diptongo ie en la época de Gonzalo de Berceo*, Santiago de Chile, 1895; *Notas de la «Vida de Santo Domingo de Silos» escrita por Berceo*, 1907.—N. HERGUETA: *Documentos relativos a Berceo*, «Rev. Arch. Bibl. y Mus.», 3.ª época, X, 1904.—KLING: *A propósito de Berceo*, «Rev. Hispanique», XXXV, 1915, págs. 77-90.—RUFINO LANCHETAS: *Gramática y vocabulario de las obras de Berceo*, Madrid, 1903.—EZIO LEVI: *Il libro dei cinquanta miracoli della Vergine*, Bolonia, 1917.—C. CARROLL MARDEN: *Cuatro poemas de Berceo*, anejo IX de la «Rev. Fil. Esp.», Madrid, 1929; *Berceo: Veintitrés milagros*, anejo X de la «Rev. Fil. Esp.», Madrid, 1929.—M. MENÉNDEZ PELAYO: *Antología de poetas líricos castellanos*, vol. I, cap. III, págs. 151-212, Santander, 1944.—FRAY JUSTO PÉREZ DE URBEL: *Manuscritos de Berceo en el Archivo de Silos*, «Bull. Hispanique», XXXII, 1930.—M. SÁNCHEZ RUIPÉREZ: *Un pasaje de Berceo* (expresión «lit vezera»), «Rev. Fil. Esp.», XXX, 1946, págs. 382-84.—A. G. SOLALINDE: *Berceo. Milagros de Nuestra Señora*, ed. y notas de..., Clásicos Castellanos, vòl. 44, Madrid,

1944; *El sacrificio de la misa*, ed. y estudio por..., Madrid, 1913.—HOWARD LESHER SCHUG: *Latin sources of Berceo's «Sacrificio de la misa»*, Peabody Contributions, 1936, núm. 171.

III. EMILIO ALARCOS LLORACH: *Investigaciones sobre el Libro de Alexandre*, anejo 45 de «Rev. Fil. Esp.», Madrid, 1948.—GEORGES CIROT: *La guerre de Troie dans le «Libro de Alexandre»*, «Bull. Hispanique», 1937.—G. DAVIS: *The debt of the «Poema de Alfonso Onceno» to the «Libro de Alexandre»*, «Hisp. Review», XV, 1947, páginas 436-52.—EMILIO GARCÍA GÓMEZ: *Un texto árabe occidental de la leyenda de Alejandro*, Madrid, 1929.—F. GUILLÉN ROBLES: *Leyendas de José, hijo de Jacob, y de Alejandro Magno, sacadas de dos manuscritos moriscos de la Bibl. Nacional de Madrid*, Zaragoza, 1888.—M. MACÍAS: *Juan Lorenzo de Segura y el Poema de Alejandro*, Orense, 1913.—R. MENÉNDEZ PIDAL: *El «Libro de Alixandre»*, «Cultura Española», V, 22.—PAUL MEYER: *Alexandre le Grand dans la littérature française du moyen-age*, París, 1886.—ALFRED MOREL-FATIO: *Recherches sur le texte et les sources du «Libre de Alixandre»*, «Romania», IV, 1875.—LUCILLA PISTOLESI: *Del posto che spetta al Libro de Alexandro nella storia della Letteratura Spagnuola*, «Revue de Langues Romanes», 1903.—RAYMOND S. WILLIS: *The Relationship of the Spanish «Libro de Alexandre» to the «Alexandreis» of Gautier de Chatillon*, Princeton University Press, 1934; *«El Libro de Alexandre». Text of the Paris and Madrid manuscripts*, with an introduction by..., Princeton-París, 1934.

GEORGES CIROT: *La Chronique Léonaise*, «Bull. Hispanique», XIII, 1911; *Sur le «Fernán González». Le thème de la femme qui délivre le prisonnier*, «Bull. Hisp.», XXX, 1928, págs. 113-46; *Fernán González dans la chronique léonaise*, «Bull. Hisp.», 1921-1922.—E. CORREA CALDERÓN: *La leyenda de F. González. Ciclo poético del conde castellano*, Colec. Crisol, núm. 185. Madrid, 1946.—ISABEL FREUN VON DYHERRN: *Stylkritische Untersuchung und Versuch einer Reconstruktion des «Poema de Fernán González»*, Leipzig, 1937.—ADALBERT HAMEL: *Das älteste Drama vom Conde F. González*, «Estudio in memoriam de Bonilla», vol. II, Madrid, 1930.—FEDERICO HANSSEN: *Sobre el metro del Poema de F. González*, Santiago de Chile, 1904.—C. CARROLL MARDEN: *An Episode in the Poema de F. González*, «Revue Hispanique», VII; *Poema de F. González*, texto crítico con introd., notas y glosario por..., Baltimore, 1904.—R. MENÉNDEZ PIDAL: *Notas para el Romancero del Conde F. González*, «Homenaje a M. Pelayo», Madrid, 1899.—FRAY JUSTO PÉREZ DE URBEL: *Historia y leyenda en el poema de F. González*, «Escorial», mayo 1944; *Fernán González*, Madrid, 1943.—CAMILO PITOLLET: *Notas al «Poema de F. González»*, «Bull. Hispanique», IV.—P. LUCIANO SERRANO: *Poema de F. González*, ed. y estudio por..., Madrid, 1943.—HELEN V. TERRY: *The treatment of the horse and hawk episodes in the literature of F. González*, «Hispania», California, 1930.—ALONSO ZAMORA VICENTE: *Poema de F. González*, ed., pról. y notas por..., Clásicos Castellanos, núm. 128, Madrid, 1946.—*Libro de Fernán González*, versión de E. Alarcos Llorach, 1956.

CAPITULO IV

LIRICA Y TEATRO PRIMITIVOS

A) Lírica popular y lírica culta: I. Sus orígenes: *Teorías principales. La procedencia árabe.*—II. Las «jarchas» o «jaryas»: *Su estructura. Su contenido.*—III. Principales tipos líricos medievales: Los *«Cancioneros galaico-portugueses». Formas castellanas.*—IV. Poemas hagiográficos y «debates»: *La «Vida de Santa María Egipcíaca». El «Libro de los tres Reis d'Orient». La «Disputa del Alma y el Cuerpo». La «Razón de amor» y los «Denuestos del agua y el vino». La «Disputa de Elena y María».*—B) Teatro medieval: I. Orígenes y formación: *El teatro religioso. Las representaciones profanas.*—II. El teatro medieval en España: *El «Auto de los Reyes Magos». Las dos piezas sacras de Gómez Manrique. Juegos de escarnio, «momos» y otras representaciones.*—Notas.—Bibliografía.

A) *LIRICA POPULAR Y CULTA*

I. SUS ORIGENES

«La poesía lírica trae siempre consigo cierta manera de emancipación del sentimiento propio respecto del sentimiento colectivo, y no es, por tanto, flor de los tiempos heroicos, sino de las edades cultas y reflexivas.» Está bien claro que la poesía aludida en las anteriores palabras por Menéndez Pelayo es la lírica propiamente dicha, la lírica culta, no la popular, que puede tener, y de hecho tiene, manifestaciones tan remotas como la épica y como cualquier otro género literario. La aparición de las «jarchas», a que se aludirá más adelante, corrobora, en lo referente a nuestra lengua, esta hipótesis, sin contar con la existencia de formas líricas dentro de composiciones predominantemente épicas y dramáticas. En Berceo —*Duelo de la Virgen*—encontramos el cantarcillo «Eya velar», considerado hasta hace poco el primer ejemplo de una lírica castellana.

El problema del origen de nuestra lírica, como el de la épica, está vinculado estrechamente al del origen común a toda la lírica europea, al menos al de la lírica romance. Después de haberse admitido como hecho inconcuso que fué la lírica provenzal la que sirvió de modelo a la de los restantes países, empezaron a surgir dudas y, con ellas, nuevas teorías y suposiciones. Helas aquí esquemáticamente resumidas.

Teorías principales

1.ª *La lírica medieval procede de la poesía cristiana de la Edad Media.* Tesis defendida por Meyer, quien afirma que durante el período medieval no se había perdido por entero la tradición poética de la antigua literatura latina. En latín se escribe la poesía goliardesca, que contribuye poderosamente al desarrollo de la lírica romance [1]. Del mismo modo que se hace derivar el teatro medieval de las farsas y mimos de las ciudades de la Campania continuados en la baja latinidad, también a la lírica se le puede asignar una derivación análoga.

2.ª *De la vieja poesía pagana.* Gaston Paris defiende que la génesis de la lírica medieval ha de buscarse en las fiestas primaverales, especialmente en las mayas, reminiscencia de las viejas fiestas paganas en honor de Venus, Flora, etc. La tesis, repetida varias veces, se formuló primeramente en orden al teatro griego: la tragedia, explicada como un desarrollo de las fiestas báquicas o dionisíacas; la comedia, por las de la vendimia.

3.ª Jeanroy, refiriéndose especialmente a la francesa, le busca un origen *aristocrático* y *antipopular*, que serían las Cortes provenzales o las del norte de Francia. La misma pastorela, con su carácter notoriamente popular, habría nacido en ese ambiente artificioso y refinado. Sin duda, en las Cortes del mediodía y norte de Francia existió ese florecimiento; pero ocurre preguntar: ¿en dónde se inspiraron sus poetas?

4.ª Wechssler, que señala la lírica provenzal como el modelo y fuente de las demás, establece el entronque de aquélla con la poesía religiosa latina. Aparentemente, es la misma teoría de Meyer; sólo que Wechssler da una importancia capital a la poesía mariana. Señala, y en ello no parece ir descaminado, un doble proceso de paganización y cristianización. De la reverencia a María, del culto amoroso que le tributan los vates, de la concepción del mundo como «valle de lágrimas», de la súplica para que «vuelva sus ojos misericordiosos», se pasa a la mujer en general, a la que se hace archivo de todas las gracias y donaires [2]. Casi no hace falta advertir que, en efecto, el culto mariano pudo provocar el nacimiento de cierta lírica, en especial del género cortesano; pero no explica la génesis de la lírica medieval en términos absolutos.

5.ª *Influencias musicales*. Ciertas melodías musicales pudieron determinar e imponer tipos estróficos. Falla esta teoría por el mismo lado que las anteriores, en cuanto explica algunas formas líricas; pero no ataca el problema de los orígenes en su raíz.

Teoría del origen árabe

La tesis del influjo árabe-andaluz en el nacimiento y desarrollo de la lírica romance, lanzada por Julián Ribera hace unos años y defendida luego por Nykl y Menéndez Pidal, es la que cuenta hoy mayor número de adeptos. Su argumento básico es la semejanza del tema amoroso y del modo de tratarlo entre las canciones árabes y las provenzales, así como la disposición estrófica, caracterizada, sobre todo, por el empleo del *zéjel*, común a la lírica arábigo-andaluza y a la europea. Se tiene por inventor del *zéjel* a Mucaddam el Cabrí el *Ciego*, que vivió en tiempos de Abderramán III, entre los años 870 y 940.

Rodríguez Lapa ha intentado quitar fuerza al argumento anterior. Para ello cita varias estrofas en tres versos monorrimos, correspondientes a la poesía latina del siglo XI, con lo que da por demostrado que «mucho antes del poeta cordobés Aben Cuzmán ya era conocida en Europa la combinación métrica del *zéjel*. La argumentación de

Lapa no puede ser más endeble: a) Nadie dice ya que Aben Cuzmán fuese el primero en emplear el *zéjel*; antes que él lo usan varios poetas andaluces, entre ellos el mencionado Mucaddam. b) Las estrofas latinas de tres versos que cita no son *zéjeles*. El *zéjel* tiene una construcción característica que en vano se buscará en la poesía latina anterior al XII; concretamente, se compone de un tríptico monorrimo con estribillo, seguido de un cuarto verso de rima igual a la del estribillo, rima que se repite—y esto es lo más característico—en cada estrofa de la canción. Su esquema es éste:

$$
\begin{array}{ll}
a\text{-}a & \text{(Estribillo)} \\
b\text{-}b\text{-}b & \text{(Mudanza 1.ª)} \\
a & \text{(Vuelta)}
\end{array}
$$

Es una forma estrófica destinada, sobre todo, a la canción oral. El verso suelto que rima con el estribillo era como un toque de atención para la entrada del coro [3].

Hoy por hoy, pues, la teoría que se nos ofrece como mejor fundada es la que hace derivar la lírica europea de la arábigo-andaluza. Aun en el caso del *Cancionero* de Aben Cuzmán, a que alude Lapa, está demostrada la prioridad, puesto que su autor actuó como trovador errante o juglar antes que Guillermo de Poitiers empezara a poetizar. Por otra parte, las relaciones del mundo árabe con el cristiano están ampliamente documentadas por la crítica histórica. Por si esto era poco, la aparición de las «jarchas», si de un lado tira por tierra todas las concepciones tradicionales sobre la primitiva lírica española, por otro viene a respaldar la tesis de su origen arábigo-andaluz.

II. LAS «JARCHAS» O «JARYAS» [4]

Recientemente, S. M. Stern ha sorprendido al mundo filológico con un descubrimiento inesperado: la existencia de una antiquísima poesía lírica escrita en dialecto romance. El mismo Stern editó en 1948 hasta veinte poemitas mozárabes conservados en «muwassahas» hispano-hebraicas, a las que agregó en ese mismo año otra «jarcha» de una «muwassaha» arábigo-española. El caudal se incrementaba pronto con la valiosísima aportación del profesor García Gómez, que daba a conocer veinticuatro romances en «muwassahas» árabes, procedentes de un manuscrito del profesor Colin. Con ello, el número de ejemplares de este tipo se acercaba al medio centenar.

La importancia del descubrimiento consistía en vindicar para la poesía castellana la mayor antigüedad entre las romances, a la vez que ensanchar la historia de nuestra literatura en más de un siglo, al retraer sus inicios a cien años antes del *Poema del Cid*. Por otro lado, los caminos que se abren a la investigación sobre los orígenes de la lírica medieval son insospechados. Menéndez Pidal ha dejado oír ya su autorizada voz para, de una

parte, engranar esta lírica en su teoría de la tradicionalidad y suponerla continuadora de la poesía latina vulgar, y de otra, para localizar el lenguaje en que fué escrita, que es ni más ni menos el llamado «dialecto mozárabe». En la «Collezione di testi», que dirige en Palermo el profesor E. Li Gotti, inaugurada precisamente con un volumen sobre las jarchas, pueden estudiarse todas las canciones andalusíes conocidas hasta la fecha [5].

Qué son las «jarchas»

En realidad se trata de unas estrofillas españolas, anteriores a toda tradición literaria hispánica conocida, que figuran al final de las muwassahas hebraicas o árabes. La mayor parte de las encontradas hasta ahora corresponden a la primera mitad del siglo XI; pero hay algunas posteriores.

Sabido es que la muwassaha se reduce a una composición poética inventada por el poeta arábigo-andaluz Muccadam de Cabra, y que termina con una estrofilla en árabe vulgar o mozárabe. Pues bien: esta estrofilla es la *jarcha*, voz que significa

«salida». La muwassaha no se distingue sustancialmente del zéjel, antes aludido, sino en que aquélla
está escrita en árabe clásico, mientras el zéjel lo
está en árabe vulgar. Ambos convienen en su estructura métrica y en ir rematados por el estribillo
llamado jarcha. Parece que inicialmente los versos
de la jarcha fueron tomados de poesías populares
en romance, formando la base musical y métrica
sobre la que fué constituída la muwassaha. Ya Menéndez Pelayo, al estudiar las influencias semíticas
en la lengua española, intuía este fenómeno, cuando escribe que «el primer poeta castellano es probablemente Judá Leví, que versificó en su lengua y
en la vulgar de los cristianos».

Para Stern, más que un estribillo, la jarcha es
una «tornada», «finida» o «commiato», cuyo origen se remonta al siglo XI o antes. Con lo que
resulta ya inexacta la afirmación de Jeanroy sobre
Guillermo de Poitiers, del que dice que escribió *les
plus anciens de touts les vers lyriques dans une
langue moderne.*

La existencia de las jarchas estaba comprobada,
aunque no se tuvieran muestras hasta fecha reciente, por varios escritores. Ibn Bassām de Santarén
habla de la invención andaluza de las muwassahas
a fines del IX, y dice que estaban hechas con hemistiquios en formas métricas descuidadas y poco
usuales. Se tomaba una expresión en lengua vulgar
o romance, a la que llamaban «markaz», palabra
que quiere decir apoyo, similar en su significado a
la voz «jarcha», y sobre ella se construía la muwassaha.

Ibn Sanā al-Mulk, autor de una antología de muwassahas árabes, dice que la estrofa última sirve
de introducción a los personajes que hablan en
la «jarcha» y la une a la parte principal del
poema.

Salvo excepciones, la jarcha debe estar escrita en
dialecto vulgar, y aun español hablado, lengua
usual entre los personajes que en ella intervienen:
«Es condición de la jarcha que esté escrita en lengua del vulgo y jerga de ladrones», afirma.

De todo ello parece deducirse que las jarchas no
son en definitiva sino los versos finales, en forma
de estribillo, de las muwassahas árabes o hebreas,
que al ir compuestas en dialecto mozárabe lo están
realmente en castellano.

El contenido temático

Nos lo da Stern en las siguientes palabras: «Su
asunto depende del tema principal del poema; si
se trata de un poema de amor, la kharja (jarcha)
resume su contenido mediante la expresión quintaesenciada del sentimiento en cuestión. Si es un panegírico, la kharja hace, en una frase densa, el elogio del personaje que venía siendo celebrado en
la parte principal del poema. En todo caso, los versos de la kharja se ponen casi siempre en boca de
un personaje que no es el poeta. La mayor parte
de las veces reproduce palabras de mujeres, mozos, y hasta de palomas que cantan en las
ramas.

Con frecuencia se introducen en ella objetos inanimados, tales como una ciudad, la gloria, la batalla, etc. La última estrofa del poema, la que precede inmediatamente a la kharja, sirve de introducción a los personajes que hablan en el mismo
y establece un nexo con la parte principal.»

Citemos como ejemplo de jarcha una de las estudiadas por Stern:

> *Aman, ya habibi!*
> *Al-wahs me no faras.*
> *Bon, besa ma bokella;*
> *Eo se que te no iras.*

Su transcripción, siempre siguiendo a Stern,
sería:

> ¡Merced, amigo mío!
> No me dejarás solo.
> Hermoso, besa mi boquita;
> ya sé que no te irás.

El primer verso aparece totalmente escrito en
árabe; el segundo presenta una mezcolanza: la
palabra árabe «al-wahs» resulta de difícil traducción, aunque se sabe que quiere decir «soledad»,
«abandono», «tristeza»; el tercero y el cuarto son
castellanos ya. «Bon» se emplea en sentido de
«hermoso».

III. PRINCIPALES TIPOS LIRICOS

«La primitiva lírica peninsular—escribe Menéndez Pidal—tuvo dos formas principales: una, más
propia de la lírica galaico-portuguesa, y otra, más
propia de la castellana. La forma gallega es la de
estrofas paralelísticas completadas por un estribillo... La forma castellana es la de un villancico
inicial glosado en estrofas, al fin de las cuales se
suele repetir todo o parte del villancico a modo de
estribillo. En la forma gallega, el movimiento lírico parte de la estrofa, respecto de la cual el estribillo no es más que una prolongación; en la
forma castellana, el punto de partida está en el
villancico o estribillo, y las estrofas son su desarrollo. La forma gallega es de un hondo lirismo..., afectiva y musical. La forma castellana...,
narrativa, más propia para el canto colectivo, en
que perfectamente se pueden unir lo tradicional y
lo popular. La forma gallega, aunque conocida ya
en otras literaturas, es muy peculiar de Galicia,
por haber adquirido allí una regularidad y desarrollo grandes; fué también, de un modo más o menos completo, usada a veces en Castilla. La forma
castellana fué usada en las demás literaturas románicas, sobre todo en época primitiva; pero en el

centro de España tuvo más arraigo desde una época remotísima preliteraria, hasta el punto de haberse introducido en la poesía árabe andaluza desde el siglo XI y ser en el XII la forma propia de las canciones del cordobés Abencuzmán.»

Aunque la lírica propiamente castellana sea tan antigua o más que la gallega y más que la provenzal, según hemos tenido ocasión de ver en los epígrafes anteriores, hay que reconocer que fuera de las «jarchas» apenas quedaron de ella testimonios escritos. Ni siquiera eruditos mucho más cercanos a la época medieval que nosotros, ni aun los mismos poetas del XV, tuvieron de esa lírica el menor conocimiento; en cambio, conocían e imitaban deliberadamente la provenzal y la galaico-portuguesa, que, dígase lo que se quiera sobre su origen, habían alcanzado antes que la nuestra un alto grado de madurez y perfección. Si bien la repulsa de Menéndez Pelayo a toda influencia árabe es demasiado categórica, hay que reconocer que nuestra lírica medieval está mucho más ligada con las escuelas provenzales y galaico-portuguesas que con las propiamente andaluzas. Así nos lo dice de la manera más clara y tajante el primer historiador que ha tenido nuestra literatura, el más cercano a las fuentes: «Non ha mucho tiempo qualesquier decidores e trovadores destas partes, agora fuesen castellanos, andaluces o de la Extremadura, todas sus obras componían en lengua gallega o portuguesa.»

Los «Cancioneros galaico-portugueses»

La afirmación de Santillana está confirmada por la existencia de los famosos Cancioneros, que recogen múltiples muestras de la poesía española, escrita precisamente en gallego-portugués. Esa poesía llena un largo período de nuestra historia literaria en lo referente a la lírica, período que quedaría inexplicablemente vacío si ella no existiera. No es que durante el mismo la lírica castellana dejara de producirse; evidentemente se producía, sobre todo la de tipo popular; es que los grandes poetas, para la efusión lírica, preferían el gallego, como lengua más refinada y acaso también más apta para la expresión de ciertos sentimientos. El ejemplo de Alfonso el Sabio, que compone su voluminosa obra histórica y doctrinal en castellano y busca el gallego-portugués para sus Cantigas a la Virgen, todavía en la segunda mitad del siglo XIII, es harto significativo.

Lo mejor de esa poesía, que sólo marginalmente nos corresponde examinar aquí, puesto que no está escrita en castellano, se nos da en los famosos Cancioneros. Son éstos: el Cancionero de Ajuda, el Cancionero portuguez da Vaticana, el Canzoniere portoghese Colocci-Brancuti y el Cancionero de Martín Codax (Las siete canciones de amor) [6]. Las composiciones en ellos contenidas se dividen en dos grupos: de tipo provenzal y corte aristocrático, un poco artificiosas; y de tipo popular indígena. Al primer grupo corresponden casi todas las incluídas en el Cancionero de Ajuda; al segundo, las incluídas en los otros dos, en el de la Vaticana y el de Colocci-Brancuti de Cagli. Aquéllas, más antiguas y también más trabajadas; éstas, más frescas y espontáneas.

En cuanto al tema, se reparten en:

Cantigas de amor o de ledino. Un caballero se lamenta del desvío de su dama, de una prohibición, etc. Destacó en ellas el almirante Payo Gómez Chariño.

Cantigas de amigo. La voz amigo es aquí sinónima de amante, y se repite con frecuencia en el poema. que puede adoptar varias formas: balada, al estilo provenzal; de tema marino; villanescas o villanas, que equivalen a nuestras serranillas o pastorelas. Se distinguió en su cultivo el rey don Dionís, por sus 53 cantigas de amigo.

Cantigas de escarnio y de maldecir. Verdaderas sátiras, algunas muy obscenas y escandalosas, contra altos personajes. Parecen ser imitación burda, y en un tono mucho más cínico, del serventesio provenzal.

Formas castellanas

Si atendemos a nuestra lírica, encontraremos formas que coinciden con las que se acaban de reseñar en los Cancioneros galaico-portugueses y otras que parecen más bien propias y exclusivas de Castilla.

Están las mayas o canciones de mayo, cuya existencia se certifica por alusiones del Libro de Alexandre, del cantar épico del cerco de Zamora y del Poema de Alfonso XI; los cantares de vela, de que encontramos un ejemplo en el Duelo de la Virgen, de Berceo:

> Eya velar, eya velar, eya velar.
> Velat aljama de los judíos,
> eya velar;
> que non vos furten el hijo de Dios,
> eya velar...;

las serenatas a las mozas:

> Despertad, ojuelos verdes,
> que a la mañana lo dormiredes;

los villancicos, de tan larga tradición luego en toda la literatura castellana, hasta nuestros mismos días; las canciones para determinadas fechas (San Juan, Nochebuena, Carnaval), y, sobre todo, las serranillas. De éstas se distinguen dos tipos: la verdadera serrana, mujer montaraz y agreste, que vive en lo alto de la sierra y cuyo oficio es conducir al caminante a través del bosque o del puerto cerrado por la nieve, cargándolo, si llega el caso, sobre sus robustas espaldas, y la otra, más refinada, inspirada en la pastorela provenzal o francesa. De la primera tenemos típicas muestras en las «Canticas de serrana» del Libro de buen amor, del Arcipreste de Hita; de las segundas nos dejó ejemplos definitivos Santillana en sus «Serranillas».

El tipo provenzal de *tensó* influyó considerablemente, asimismo, sobre todo en la poesía llamada de *debates* o disputas, a la que luego aludiremos.

IV. POEMAS HAGIOGRAFICOS Y «DEBATES»

Al lado de esta lírica popular, con muy escasas muestras antes del siglo XIV, se desarrolla otro género, de influencia más bien francesa que provenzal o gallega. Es una poesía que, a través de Francia, responde entre nosotros a grandes temas europeos, y que se polariza principalmente en dos direcciones: *hagiografías* y *debates*. De la primera nos quedan dos ejemplares curiosos: *Vida de Santa María Egipcíaca* y *Libro de los tres Reis d'Orient*; de la segunda, que se extiende a los más variados asuntos, se conservan tres textos castellanos: *Disputación del alma y el cuerpo*, *Disputa del agua y el vino* y *Elena y María*. Esta clase de disputas eran muy del gusto de la Edad Media; se discutían las excelencias del invierno y el verano, de la vejez y la juventud, de una u otra religión, de un clérigo y un caballero, etc. En la literatura árabe, en la latina, y especialmente en la francesa, se nos ofrecen buen número de muestras [7].

La «Vida de Santa María Egipcíaca»

Se trata de un poemita más bien narrativo que lírico. Está inspirado en la *Vie de Sainte Marie l'Egyptienne*, atribuída a Roberto Grosseteste, obispo de Lincoln. Su texto, contenido en un códice del Escorial, fué publicado por el marqués de Pidal en 1856. Su redacción puede datarse a últimos del XII o principios del XIII. En 1.451 versos pareados, de rima consonante y eneasílabos en su mayor parte, se cuenta la historia de la bienaventurada María de Egipto, la cual, tras una vida disoluta, se convierte al impedirle dos ángeles la entrada en el templo. Encontramos aquí el primer retrato femenino hecho en lengua castellana. Hay episodios destacables: la maldición de los padres a la santa, las aventuras de ésta en Alejandría, su viaje a Jerusalén, su purificación en el Jordán, su vida de penitencia en el desierto durante cuarenta y siete años y su muerte ejemplar:

> Premió los oios bien convenientes,
> çerró su boca, cubrió sus dientes.
> Enboluiós en sus cabellos,
> echó sus braços sobre sus pechos.
> El alma es della salida.
> Los ángeles la an reçebida.
> Los ángeles le van levando.
> ¡Tan dulçe son van cantando!

Las coincidencias del relato con el de Jacobo de Vorágine en su «Leyenda áurea», algo posterior, se explican por beber los dos en la misma fuente. Caracteres morfológicos y sintácticos delatan el origen francoprovenzal del poema español. La métrica, con su predominio de eneasílabos, va calcando la francesa; pero el poeta castellano no ha podido evitar el deslizamiento de no pocos versos octosílabos, siguiendo el metro ya entonces sin duda popular en nuestra poesía.

El «Libro dels tres Reis d'Orient»

También se le supone origen francés o provenzal al *Libro dels tres Reis d'Orient*, que figura en el mismo códice escurialense que la *Vida de Santa María Egipcíaca*, y fué publicado, como ésta, por el marqués de Pidal en 1856. Se compone de 250 versos pareados, de ocho y nueve sílabas, aunque con muchas irregularidades, y, contrariamente a lo que parece indicar su título, no se refiere a la adoración de los Reyes Magos, sino a episodios de la infancia de Jesús, según los Evangelios apócrifos; sólo unos versos al principio aluden a la Adoración, para seguir con el relato de la degollación de los Inocentes, huída a Egipto, etc. La Sagrada Familia cae en manos de dos bandoleros; uno quiere dar muerte a Jesús y a sus padres; el otro los salva. El hijo de éste, niño de corta edad, ha sanado de la lepra al bañarse en la misma agua que sirvió al Niño Dios. He aquí cómo lo cuenta el anónimo vate:

> La vertut fué fecha man a mano,
> metiol gafo e sacol sano.
> En el agua fincó todo el mal,
> tal lo sacó como vn cristal.
> Quando la madre vió el fijo guarido
> grant alegría a consigo.
> «Huéspeda, en buen día a mi casa viniestes,
> que a mi fijo me diestes.
> Et aquell ninyo que allí jaz,
> que tales miraglos faz,
> a tal es mi esperança,
> que Dios es sines dubdança.»
> Corre la madre muy gozosa,
> al padre dize la cosa...

El bandolero piadoso ayuda en su fuga a los cautivos. Pasa el tiempo, y el poeta nos traslada al Calvario: el niño sanado de la lepra es Dimas, el buen ladrón; el otro es Gestas, hijo del bandolero que quiso dar muerte a la Sagrada Familia:

> Este fué en infierno miso
> e el otro en paraysso.
> Dimas fu saluo
> e Gestas fe condapnado.
> Dimas a Gestas
> medio diuina potestas.

La «Disputa del alma y el cuerpo»

Según la edición de Menéndez Pidal, es un fragmento de un poema que figura al dorso de un pergamino del monasterio de Oña de 1201, y que debió de ser compuesto por estos mismos años. Consta de 37 versos largos, que acaso fuera mejor considerarlos como cortos, de siete, ocho o nueve sílabas. Es traducción del poema francés *Débat du corps et de l'âme*, que a su vez deriva de otro latino, *Rixa animi et corporis*. En ambos el alma y el cuerpo de un difunto se culpan recíprocamente de sus pecados:

> ell ama es ent asida, desnuda ca non uestida,
> e guida d'un jfant fazie duelo tan grant.
> tan gran duelo fazie, al cuerpo maldezie...
> tot siempre, t' maldizre, ca por ti penare...

Tema favorito de la poesía medieval, se encuentra en todas las literaturas. En la castellana persiste largamente: en el siglo XIV lo hallamos con el título de *Revelación de un ermitaño*; en el XVII lo aprovecha Calderón para su auto sacramental *Pleito matrimonial del cuerpo y el alma*, y hasta en el XVIII suministra materia para un romance vulgar, *Apartamiento del alma y del cuerpo*.

Valbuena Prat, rastreando el origen del tema, se remonta a un pasaje de San Pablo a los Gálatas. El texto a que alude nos parece insuficiente, ya que el Apóstol se limita a consignar la oposición entre el espíritu y la carne. «La carne—escribe textualmente, codicia contra el espíritu y el espíritu contra la carne, y estas cosas se oponen la una a la otra para que no hagáis lo que quisiereis.» Puestos a buscarle antecedentes, cabría ir hasta la literatura faraónica, en la que topamos con un título análogo: «Lucha del cansado de la vida con su alma».

La «Razón de amor» y los «Denuestos del agua y el vino»

Son dos poemitas que figuran en un códice de la Biblioteca Nacional de París, a continuación uno del otro. Fueron publicados por Morel-Fatio [8] en 1887, y, aunque al final se lee: *Qui me scripsit scribat — Semper cum Domino vivat — Lupus me fecit de moros*, se entiende que las dos composiciones son anónimas y que el Lope de Moros corresponde al nombre de un simple copista y no del autor, ya que la citada suscripción, por el lugar en que va y la forma en que está redactada, es una mera fórmula. Las dos partes, la *Razón* y los *Denuestos*, aparecen débilmente soldadas, pero no simplemente yuxtapuestas, como quieren algunos. Hay entre ellas, en efecto, cierta unidad argumental. Menos dramáticas que la *Disputa del alma y el cuerpo*, contienen, en cambio, mayor fondo lírico, hasta el punto de que la *Razón de amor* está considerada la composición lírica más antigua que tenemos en castellano, ya que las jarchas sólo en pequeña parte están escritas en nuestra lengua.

En la *Razón feita d'amor* se nos describe a una hermosa doncella que avanza por un huerto ameno. Ha preparado un vaso de vino, resguardándolo del calor, para ofrecerlo a su amante. El poeta, que avanza por un olivar, descubre a la hermosa, el vaso de vino y otro de agua:

> Arriba del mançanar
> otro vaso ui estar;
> pleno era d'un agua fryda
> que en el mançanar se nacía.

Se olvida de pronto de los dos vasos, para referirnos una aventura amorosa con quejas mutuas por parte de los dos amantes e inmediato reconocimiento. Al llegar a este punto, y después de haber posado «amos en par...so ell olivar», el relato vuelve al tema primitivo. Una *palomela*, que acaba de entrar en el jardín, derrama el agua sobre el vino, y empieza la segunda parte:

> Aquis copiença a denostar
> el vino y el agua a ma[n]llevar.

Sigue una de tantas discusiones, tan frecuentes en la Edad Media, en que cada uno de los elementos pregona sus excelencias y censura los defectos del contrario. La disputa queda indecisa, ya que ambos alegan pruebas definitivas: el agua sirve para el bautismo; el vino se convierte, por obra del sacerdote, en sangre del Redentor.

Tienen estos poemitas pasajes de alta calidad. Por ejemplo, la descripción del huerto:

> Pleguém' a una fuente perenal,
> nunca fué omne que vies' tal;
> tan gran virtud en sí avía,
> que de la fridor que d'í ixía,
> cient passadas a derredor
> non sentríades la calor.
> Todas las yerbas que bien olíen
> la fuent cerca de sí las tenie:
> i es la salvia, í son as rosas,
> í el lirio e las violas;
> otras tantas yerbas í avía,
> que sol' nombrar no las sabría... [9]

La *Razón de amor* recuerda los «cantares d'amigo» galaico-portugueses, en los que parece estar inspirada, y los *Denuestos* imitan o tal vez copian alguna «disputa» francesa, acaso la *Disputoïson du vin et de l'aiaue*. ¿Autor de estos poemitas? Ya queda dicho que son anónimos; sin embargo, él mismo nos dejó vagas referencias sobre su personalidad:

> Qui triste tiene su coraçón
> benga oír esta razón.
> Odrá razón acabada,
> feita d'amor e bien rimada.

Un escolar la rimó,
que siempre dueñas amó,
mas siempre ovo criança
en Alemania y en Francia;
moró mucho en Lombardía
para aprender cortesía.

Y en otro lugar insiste:

Clérigo e no cavallero,
sabe muito de trovar,
de leyer e de cantar.

La «Disputa de Elena y María»

Un «debate» más por el estilo de los anteriores. Fué dado a conocer y minuciosamente analizado (1914) por Menéndez Pidal [10], que pone su redacción hacia 1280. Consta de 402 versos pareados, de medida muy irregular, si bien predominan los de siete y ocho sílabas; está incompleto al principio y al fin.

Dos hermanas, nobles e hidalgas, María y Elena, enamorada aquélla de un abad y ésta de un caballero, discuten sobre cuál de los dos amantes es mejor. La controversia por parte de cada interlocutora abarca dos aspectos: loa del propio amigo y mofa del otro. María elogia en su abad la vida regalada, exenta de inquietudes y rencores, abundancia de viandas y bebidas, el buen lecho, los vasallos, las buenas cabalgaduras, etc. mientras el caballero ha de ir poco menos que mendigando por castillos y palacios, pasa hambre y frío, se alberga en malas posadas, en tanto que su enamorada se consume esperando:

parades mientes cuánto verná
e catádesle las manos que adurá,
e se non tray nada,
luego es fría la posada.

Elena describe a su caballero siempre rodeado de escuderos y vasallos, gran cazador, amante des-prendido, liberal, complaciente con su dama. Contrasta esta vida de altas empresas con la del abad: «rezar el salterio» y «enseñar a sus monaciellos», dormir, «folgar» y seducir casadas y solteras. La discusión se hace violenta:

Créasme de cierto
que más val (¿concierto?)
un beso de infançón
que cinco de abadón,
como el de tu barvirrapado,
que siempre anda en su capa encerradc,
que la cabeça, la barva e el pescueço
non semeja seron escuezo.

Ante la imposibilidad de dirimir la contienda, acuerdan presentarse en la Corte del rey Orión para que falle.

Hemos visto en la *Razón feita de amor* apuntar ya, en forma de simple esbozo y sin afán polemista, la discusión de las armas y las letras, de tan honda huella en toda nuestra literatura posterior; se dice allí escuetamente: «Clérygo e non cavallero.» Ahora, en la *Disputa de Elena y María,* se plantea con toda franqueza y por primera vez en el terreno amoroso la lucha entre el estado de religión y la milicia. Sin duda, este poema tiene antecedentes tanto en la literatura latina de la Edad Media *(Phillis et Flora)* como en la francesa del mismo período *(Hueline, Blancheflor e Florence, Le Jugement d'Amour).* Pero de ninguno de ellos parece haberlo tomado el poeta castellano directamente, creyéndose probable la existencia de otra versión anterior y primitiva en nuestra lengua, ya que aquéllos corresponden a una tradición culta, mientras el poema español adopta desde el principio un tono realista y juglaresco, muy en consonancia con nuestra más antigua poesía popular. Ciertos detalles de expresión hacen suponer que el autor fuese leonés o al menos muy ligado a la región leonesa.

B) *TEATRO MEDIEVAL*

I. ORIGENES Y FORMACION

Una vez más hemos de repetir respecto del teatro lo dicho respecto de la épica y de la lírica medievales: sus orígenes y formación coinciden en líneas esenciales con los del resto de Europa. Todo permite suponer que el teatro castellano seguiría el mismo proceso evolutivo que sabemos siguió en Alemania, Inglaterra, Italia y, sobre todo, Francia, donde ese proceso está no sólo estudiado, sino documentado paso a paso. Se vienen formulando a este propósito tres hipótesis:

a) El teatro medieval nació al calor de la Iglesia, y vino a ser una ampliación de la liturgia, según luego explicaremos.

b) Se originó más bien en las últimas formas degeneradas del teatro latino, dando lugar primeramente a ciertas obras de fondo bajo y chocarrero. De éstas, por adaptación de la vieja técnica a temas elevados, brotaría el teatro religioso.

c) Teoría ecléctica. El teatro religioso se inspiró en las ceremonias eclesiásticas; el profano nació de ciertas supervivencias del latino medieval. Con ello se presupone ya la existencia dе una doble dirección dramática en la Edad Media: religiosa y profana.

El teatro religioso

Que el drama medieval, al menos el de tema religioso, nació de las ceremonias eclesiásticas, nadie lo pone ya en duda. Su proceso genético es sencillo. Ciertos textos litúrgicos contienen en sí abundantes elementos dramáticos, bien en el canto alternado o bien en la simple recitación a varias voces. Recuérdense los oficios de Navidad o de Semana Santa, en especial los de Viernes Santo, con la triple intervención de Jesús, el Evangelista y el Pueblo. Esos elementos no tardarían en ser aprovechados por una masa de creyentes, cuyo mayor deseo era dar al relato el máximo grado de verosimilitud, a la vez que la máxima plasticidad. Se trata de intervenir directamente en la acción. Al principio esto se hace mediante ciertas interpolaciones dialogadas que se introducen en los *responsorios* del oficio divino o en los *introitos* de las misas solemnes en determinadas festividades. Tales interpolaciones, llamadas *tropos*, no sólo afectaban a los responsorios e introitos, sino que pronto se extienden a los sermones y homilías. Se sabe de uno de San Agustín —el *Vos, inquam, convenio*—que se recitaba de esta forma dialogada en la vigilia de Navidad, y que dió origen a todo un ciclo dramático, el de los Profetas de Cristo, al que pertenece el célebre canto de la Sibila, repetidamente romanceado en los dialectos de oc.

En su primera etapa estos «dramas litúrgicos» —así se les viene llamando en la historia de las letras—estaban escritos totalmente en latín. De ellos tenemos la más antigua muestra en el *Misterio de los Reyes Magos* de la catedral de Nevers. No tardan en intercalarse pasajes o escenas enteras en lengua vulgar, y, por último, ante las exigencias de un auditorio cada vez más alejado del conocimiento del latín, se escriben ya sólo en romance. Y del interior de las iglesias, donde habían empezado a representarse exentos de todo aparato escénico, salen a los atrios y a las plazas, sirviéndoles casi siempre de fondo los pórticos de las catedrales. En época posterior la tramoya se complica, aumenta el número de personajes, la acción se amplía, y surge el verdadero drama religioso, que, andando el tiempo, desembocaría en los *mystères* franceses, los *miracleplays* ingleses, los *Deisliche Schauspiele* alemanes y las *sacre rappresentazione* italianas. En España se preferiría llamarles *autos*, de los que apenas nos queda otra muestra anterior al siglo xv que el *de los Reyes Magos*.

Desde el primer momento, y siempre a tono con las ceremonias litúrgicas, se manifiestan dos ciclos, más o menos extensos: el de Navidad, que comprende los *Pastores de Belén*, *Raquel*, *Los Inocentes* y los *Reyes Magos*, y el de Pascua, con las escenas de la *Resurrección* y de *Los viajeros* o discípulos de Emaús. Pronto el marco se ensancha hasta abarcar en los grandes *misterios* del xv (especialmente en Francia) toda la vida de Jesús, y, por último, todo el antiguo y casi todo el nuevo Testamento. Las órdenes monásticas contribuyen a difundir por toda Europa, sobre todo al principio, estas manifestaciones del teatro religioso.

Las representaciones profanas

«El florecimiento del teatro litúrgico en la Iglesia latina—escriben los señores Hurtado y González Palencia—abarca un período de cerca de cuatro siglos: desde fines del ix hasta el último tercio del xiii; pero ya desde fines del xi y, sobre todo, durante el xii, le hacen una competencia temible las representaciones o *juegos escolares*, que en un principio se diferenciaban muy poco de los dramas litúrgicos, y hasta empezaron representándose en el interior de los templos, aunque bien pronto, insuficientes por la afluencia de espectadores las antiguas basílicas, hubieron de utilizar, total o parcialmente, los claustros contiguos y aun los atrios y los cementerios. Al salir el teatro del templo y romperse los lazos que le unían a la liturgia, pudo permitirse amplificaciones y libertades glosando los textos bíblicos, y ya no se limitó a dramatizar los temas consagrados, sino que buscó argumentos nuevos en la vida y milagros de los santos Patronos de sus escuelas o de la localidad. Los *juegos* escolares fueron, durante el siglo xii, casi la única manifestación del teatro público» [11].

Este tránsito del drama religioso al profano no en todas partes se operó a la vez ni en idéntica forma. En Francia, por ejemplo, se sabe que tuvo un proceso lentísimo, durante el cual cada vez se iban introduciendo en el texto, de contenido fundamentalmente religioso, mayor cantidad de elementos extraños, muchas veces de carácter satírico. Con ello la piedad de los fieles, que había sido la promotora de tal género de manifestaciones literarias, lejos de salir ganando, empezó a sufrir serios quebrantos. Y hubo un momento en que el drama religioso, por injerencia de elementos espúreos, a veces hasta sacrílegos, se había prostituído de tal forma, que el Parlamento de París se vió obligado a prohibirlos terminantemente (1548), porque, en vez de motivo de edificación, eran causa de escándalo para los fieles.

Pero, al hablar del teatro profano medieval, más que a estas manifestaciones, que en definitiva no eran sino una secuela del drama litúrgico y de los *misterios* o *autos*, nos referimos a un género totalmente extraño, en su nacimiento y desarrollo, a cualquier influencia religiosa. Es la llamada *farsa* o *juegos de escarnio*, cuya existencia está plenamente acreditada por multitud de testimonios. Del mismo modo que los elementos dramáticos latentes en la liturgia germinan y producen el teatro religioso, también los elementos, que lleva implícitos una recitación pública hecha por el *juglar*, se convierten fácilmente en diálogo, y, luego, en verdadera representación. «El juglar que recita su *decir* o su *disputa* y tiene desarrollado el instinto para imitar diversas voces, para subrayar determinadas aptitudes y provocar la hilaridad del público, se ha convertido en un actor, y su poema en un drama, en algo teatral; dado el primer paso, lo demás es obra del tiempo» [12].

II. EL TEATRO MEDIEVAL EN ESPAÑA

Entre nosotros todas estas formas dramáticas tuvieron mucha difusión. Apenas nos quedan muestras de ellas, pero sí abundantes documentos que acreditan su existencia: cánones conciliares, disposiciones legislativas que regulan la intervención de clérigos y seglares en las representaciones; *consuetas* existentes en abadías y catedrales, etc. Los dos testimonios más interesantes son acaso el *Códice gerundense* de 1380, con curiosas noticias sobre las representaciones sagradas, y el de las *Siete Partidas* (Part. I, tít. VI, lib. XXXIV), en que se discriminan con toda claridad las dos dramaturgias, religiosa y profana, a la vez que se especifica qué clase de espectáculos están permitidos a los clérigos y cuáles no [13]. Por otra parte, entre los oficios litúrgicos de Pascua publicados por C. Lange, hay dos españoles, por cierto de los más antiguos de la colección; y en un códice de la Biblioteca Nacional de Madrid (*Tolosanae Ecclesiae Preces*) también se contienen varios.

Contrasta esta abundancia de documentos y hasta de textos en latín con la penuria de muestras en castellano. Sólo nos queda del teatro primitivo una pieza, y no completa: el *Misterio* o *Auto de los Reyes Magos*, cuya redacción primitiva puede remontarse a finales del XII o principios del XIII. Luego viene en nuestros anales dramáticos una ancha laguna de dos siglos y medio por lo menos, y ya no volvemos a encontrar nuevas muestras hasta Gómez Manrique, ya en las postrimerías del siglo XV.

Se ha intentado señalar alguna causa que justifique esta casi total desaparición de textos del teatro medieval. Hay quien piensa que en nuestros archivos eclesiásticos es posible que permanezcan aún muchos «misterios» sin descubrir, y que el día menos pensado podremos tener en este sentido alguna agradable sorpresa. En general, la crítica es un poco escéptica sobre este punto. «No creemos—afirma Menéndez Pelayo—que tan hipotéticos hallazgos lleguen a modificar mucho la impresión de pobreza que en este ramo ofrece nuestra literatura anterior al Renacimiento, formando pasmoso contraste con la enérgica vitalidad que desde entonces cobra el drama nacional, sacro y profano, hasta que en tiempo de Lope sus ramas llegan a cobijar a toda Europa» [14]. El mismo Menéndez Pelayo sugiere dos motivos: la escasa importancia que se daba a la labor literaria en obras que siempre giraban sobre los mismos temas, tratados de análoga manera, en que la parte del poeta era probablemente menos estimada que la del músico y tramoyista, y el no haber existido entre nosotros cofradías dramáticas, como en otras partes de Europa, que se encargaban de transmitirse los originales. Cualquiera de las dos causas, en especial la segunda, es suficientemente explicativa.

Si los textos de *autos* o *misterios* son tan raros, de otras clases de representaciones no queda ni rastro. Por ejemplo, los «juegos de escarnio», ya aludidos; las *moralidades* (farsas alegóricas, con abundante mezcla y aun predominio de elementos satíricos), y otros similares. Se considera que pudo tener este carácter de *moralidad* aquella comedia alegórica compuesta por Enrique de Villena en 1414 para las fiestas de la coronación de don Fernando el *Honesto*, en Zaragoza, ya que en ella intervienen como personajes la Justicia, la Verdad, la Paz y la Misericordia.

El «Auto de los Reyes Magos»

Es la primera y única muestra del teatro castellano anterior al siglo XV. Consta de 147 versos, distribuidos en cinco escenas, que componían acaso algo menos de la mitad de la obra. Está escrito en pareados desiguales: ocho, nueve, diez, siete y seis sílabas. Por su lenguaje se puede situar la redacción en los últimos años del siglo XII o primeros del XIII. Aunque presenta analogías con misterios sobre el mismo tema representados en las catedrales de Orleáns, Rouen, Limoges, etc., no se cree que proceda de ellos, ya que, estando comprobado que misterios similares latinos se representaban también en nuestras catedrales, bien pudo proceder de alguno de éstos [15].

La trama sigue el Evangelio de San Mateo con escasas modificaciones. Cada uno de los Reyes ha observado la aparición misteriosa de la estrella, y, guiados por ella, van apareciendo en escena. Reunidos ya, acuerdan emprender el viaje para adorar al Redentor y ofrecerle los tres dones del oro, el incienso y la mirra. En Jerusalén pierden de vista la estrella, y acuden a Herodes para que les indique el lugar del nacimiento del Mesías. Mientras los Magos van a adorarle, Herodes convoca a los rabinos para que descifren el sentido de la Escritura, y con la animada discusión de aquéllos termina la pieza.

Sin ser, claro está, una obra perfecta, el *Auto de los Reyes Magos* acusa, dentro de la natural rudeza de la época en que fué escrito, cierto grado de técnica y cierto movimiento en el diálogo que obliga a suponer no haber sido ésta la primera muestra en su género. Como rasgos más relevantes se podrían señalar el escepticismo de los tres Reyes, que no están dispuestos a dar crédito a sus ojos así como así; exigen, para convencerse, ver de nuevo la milagrosa estrella:

> Otra nocte me lo cataré,
> si es uerdad, bine lo sabré.
>
> (GASPAR.)

> Por tres noches me lo veré,
> mas de uero lo sabré.
>
> (BALTASAR.)

> Ueer lo e otra uegada,
> si es uerdad o si es nada.
>
> (MELCHOR.)

El vigoroso realismo que impregna y anima todas las situaciones lleva al poeta, para dar más sabor a la acción, al empleo de giros populares:

> Non es uerdad, non sé qué digo,
> todo esto non uale uno figo.
>
> (GASPAR.)

> Tal estrela non es in celo,
> desto so io bono strelero.
>
> (MELCHOR.)

La simpática ingenuidad, que les lleva tanto a los Magos como al mismo Herodes a las mayores confusiones:

> ¿Es? ¿Non es?
> Cudo que uerdad es.
>
> (MELCHOR.)

> ¿Quin uió nuncas tal mal?
> ¡Sobre rei otro tal!
> ¡Aun non so io morto,
> ni so la terra posto!
> ¿Rei otro sobre mí?
> ¡Nuncas atal non ui!
> El seglo ua a çaga,
> ia non sé qué me faga...
>
> (HERODES.)

Las escenas más logradas son este soliloquio de Herodes, el pasaje en que Baltasar sugiere a sus compañeros el medio más indicado para descubrir la naturaleza del Mesías y la discusión de los rabinos, con que se interrumpe el manuscrito.

Las dos «piezas sacras» de Gómez Manrique

Ya se ha dicho que desde este delicioso *Auto de los Reyes Magos* hay que saltar nada menos que hasta la segunda mitad del xv, en que nos sale al paso la figura severa de Gómez Manrique (1412-1490?), tío del célebre Jorge Manrique, el autor de las inmortales «Coplas». Mientras Menéndez Pelayo considera a Gómez Manrique, ante todo, un gran poeta lírico, y así lo estudiaremos nosotros en su lugar correspondiente, Valbuena Prat destaca con preferencia al dramaturgo. Si se tiene en cuenta que viene a cerrar el enorme hueco de nuestra poesía dramática desde principios del siglo xiii hasta los albores del Renacimiento, acaso haya que dar la razón a Valbuena.

Dos obras dramáticas se conservan de Gómez Manrique: la *Representación del Nacimiento de Nuestro Señor* y las *Lamentaciones fechas para la Semana Santa*. No es probable que tuviesen una intención teatral las siete estrofas puestas en boca de otros tantos personajes alegóricos—las siete Virtudes—, que dedicó al nacimiento de un sobrino suyo, y que sugieren un paralelo, aunque remoto, con las *moralités* de la literatura francesa.

La *Representación del Nacimiento*, escrita para las monjas del convento de Calabazanos y a petición de una hermana suya, vicaria del mismo, es un típico «auto» correspondiente al ciclo del Nacimiento. Sobre una trama sencilla se van sucediendo una serie de estampas, cada vez más movidas y complejas. Empieza por los celos de José, que se expresa en términos análogos a los que emplearían en su día los héroes de Lope o Calderón:

> ¡Oh, viejo desventurado!
> ¡Negra fué la suerte mía
> en casarme con María,
> por quien fuesse deshonrado!

Sigue la oración de la Virgen, llena de encanto:

> ¡Mi solo Dios verdadero,
> cuyo ser es inmovible,
> a quien es todo posible,
> fácil e bien fazedero!
> Tú, que sabes la pureza
> de la mi virginidad,
> alumbra la çeguedad
> de Josep, e su simpleza.

Viene luego la «denunciación» del ángel a los pastores:

> Yo vos denunçio, pastores,
> que en Bellén es hoy naçido
> el Señor de los Señores,
> sin pecado conçebido;
> e porque non lo dudedes
> id al pesebre del buey,
> donde çierto fallaredes
> al prometido en la Ley.

Se suceden el diálogo de los tres pastores; la adoración del Divino Infante; el bellísimo cuadro, acaso el más logrado del drama, en que los ángeles, después de exaltar a María, van presentando al Niño los atributos de la Pasión: el «astelo», la soga, los clavos, los azotes, la corona, la cruz y la lanza:

Con estos açotes crudos
romperán los tus costados
los sayones muy sañudos,
por lavar nuestros pecados.

E despúes de tu persona
ferida con descçplinas,
te pornán esta corona
de dolorosas espinas.

La pieza termina con un bellísimo villancico, cantado por las religiosas:

Callad vos, Señor,
nuestro Redentor,
que vuestro dolor
durará poquito.
Angeles del cielo,
venid dar consuelo
a este moçuelo
Jesús tan bonito...

Al ciclo dramático de la Pasión pertenece su otra obra, *Lamentaciones fechas para la Semana Santa*. La trama es aquí todavía más simple. Casi no se puede hablar de escenas, sino, como indica el título, de una sucesión de lamentos o sollozos. Intervienen la Virgen, San Juan y la Magdalena. Interesantísima la figura de ésta, en su mudo patetismo y sin proferir una sola palabra. Cada estrofa se cierra con el estribillo «¡Ay, dolor!», que a veces roza las cimas de lo trágico:

¡Ay, dolor, dolor,
por mi Fijo y mi Señor!
Yo soy aquella María
del linaje de David;
oyd, mortales, oyd
la gran desventura mía.
¡Ay, dolor!

Juegos de escarnio, «momos» y otras representaciones

Poco más que lo dicho ofrece nuestro teatro medieval. Hay, es cierto, noticias de otras representaciones escénicas, como las que anualmente se daban en el palacio del condestable don Miguel Lucas de Iranzo, alrededor de 1460. El propio condestable nos da noticia en su *Relación*. Personajes de la misma eran la Virgen, el Niño-Dios y San José; luego salían los Reyes Magos. Pero el hecho de que no se aluda para nada al diálogo parece indicar o que éste no existía o que era muy rudimentario. Posiblemente, representaciones de este tipo son el antecedente inmediato de los autos de Juan del Encina, destinados, como se sabe, al entretenimiento de la Corte o de altos señores, como el duque de Alba.

En cuanto a los «Juegos de escarnio», arriba aludidos, el profesor Lázaro Carreter opina que «tales juegos no constituían un subgénero dramático definido, sino que eran actividades espectaculares sacro-profanas, con intervención de fieles y clérigos»[16]. De tales actividades, al margen de lo estrictamente literario, serían ejemplo los juegos *Epis-*

coporum puerorum, conocidos en Alemania e Italia desde el siglo X, y documentados por Milá y Fontanals en Lérida y Gerona durante los siglos XIV y XV, y por Sánchez Arjona en Sevilla a principios del XVI. Esta solemnidad burlesca, denominada en Cataluña *Bisbetó* y en Sevilla *Fiesta del Obispillo*, consistía en la elección de un muchacho que, durante dos o tres días, ejercía funciones episcopales. Según el mismo Lázaro Carreter, estos «juegos de escarnio», con su pujante floración, habrían impedido la evolución y ulterior desarrollo de la farsa litúrgica, que debió por ello de quedar reducida a su fase más elemental y precaria.

Quedan, de otro lado, los «momos». Llamábase así, al parecer, a unos espectáculos que se daban en los salones de la Corte y de los palacios nobiliarios, desde mediados del siglo XV, con intervención de danzantes ataviados con alegóricos disfraces. Hay alusiones a estos juegos en la *Crónica de Juan II*, en la citada *Relación* de Miguel Lucas de Iranzo, en las obras de Alonso de Cartagena y de Diego de San Pedro y en varios otros documentos de la época. Los elementos dramáticos en tales fiestas eran nulos o casi nulos, y el diálogo, inexistente.

Cabría hablar también aquí de algunas églogas pastoriles en cuyo diálogo no es difícil descubrir cierto movimiento escénico, y más si se tiene en cuenta que muchas veces aparecen avaladas con acotaciones características y propias más bien de una obra destinada a la representación. A este género pertenece, p. ej., la égloga inserta por fray Iñigo de Mendoza en su *Vita Christi*; o bien la de Francisco de Madrid, recientemente editada por Gillet [17]. En esta última aparecen rúbricas tan significativas como la siguiente: «Aquí entra el pastor Fortunato hablando a los pastores.» Otro tanto cabe decir de no pocos poemas incluidos en los Cancioneros. Muchos de ellos, en forma dialogada, suministran base suficiente para formular la hipótesis de que pudieran ser auténticas piezas destinadas a la representación, o, al menos, representables. Hay alguno, como el *Diálogo del Amor y un viejo*, de Rodrigo de Cota, a quien se aludirá en el cap. X, que se desarrolla con arreglo a los cánones más exigentes de la técnica teatral. Nada menos que «acción, nudo y desenlace» descubría en él don Leandro Fernández de Moratín. ¿Basta ello para considerar teatro este *Diálogo*, al igual que las obras antes citadas y tantas disputas, debates, etc., como encontramos en la poesía, especialmente en la del siglo XV? Nosotros no nos decidiríamos a calificarlas de piezas dramáticas, por la misma razón que no damos título a ciertas églogas de Virgilio y de tantos imitadores suyos, a pesar de ofrecérsenos dialogadas.

Más levadura dramática contienen, sin duda, las *Coplas* de Luis Portocarrero, en las que Menéndez Pelayo descubría un «diálogo propio de la buena comedia..., que por lo fácil y animado y por la sal y donaire con que está escrito recuerda los mejores que en la *Propaladia*, de Torres Naharro, pueden leerse». Y algo parecido debe afirmarse de una obrita del comendador Escrivá, incluída en el *Cancionero General:* «Queja que da de su amiga ante el dios del Amor.» En ella dialogan animadamente una dama y el caballero que la solicita. Para Lázaro Carreter, la «apariencia teatral de esta queja es completa», y para Schack tiene todo el valor de un «pequeño drama alegórico».

Todo esto, sin ser en realidad auténtico teatro, prepara ya la doble floración religiosa y profana del teatro español renacentista. Este puede darse por iniciado con el *Auto de Navidad*, de Juan del Encina (1492). Pero esa floración, aunque ligada por el tema y en parte también por su expresión formal a la Edad Media, cae más bien dentro de la época renacentista; y allí será debidamente estudiada.

NOTAS

1. Llamábase «goliardo» a un tipo de estudiante o clérigo de vida errabunda, con aficiones literarias, muy frecuente en determinadas épocas de la Edad Media, y que constituye una de tantas manifestaciones, acaso la última, de la juglaría. M. Pelayo nos habla de «clérigos vagabundos y tabernarios (de los llamados en otras partes *goliardos*)...» Y M. Pidal califica al Arcipreste de Hita de «clérigo *agoliardado*, doneador alegre "que sabe los instrumentos e todas las juglerías"...» El origen del vocablo parece ser un fabuloso Papá Golías.

2. El poeta, ya por pura galantería, ya para la obtención de favores, hace de la dama el eje de su vida. Este proceso de idealización amorosa, con la consiguiente materialización, se puede seguir en Italia en el transcurso de sólo medio siglo: Beatriz, de Dante, es espíritu puro; Laura, del Petrarca, mantiene el equilibrio entre espíritu y materia; Fiammetta, de Boccaccio, es ya casi exclusivamente materia, carne. Un milagro de Berceo humaniza, materializa a la Virgen hasta hacerla expresarse como una mujer celosa cuando reprende a un devoto por haber contraído matrimonio después de haberse consagrado a Ella. Los trovadores trasladan luego a la dama de sus pensamientos las prerrogativas de bondad y belleza que los vates marianos solían elogiar en la Virgen.

3. He aquí un ejemplo:

Estribillo
Mis ojos no verán luz,
pues perdido he a Cruz.

Mudanza primera
Cruz cruzada, panadera,
tomé por entendedera,
tomé senda por carrera,

Vuelta
como faz el andaluz.

Estribillo
Mis ojos no verán luz, etc.

Mudanza segunda
Coidando que la habría,
díxelo a Fernán García
que troxiés'la pleitesía

Vuelta
e fuese pleités e duz.

Estribillo
Mis ojos no verán luz, etc.

(ARCIPRESTE DE HITA.)

4. De las tres formas—*jaryas, kharjas* y *jarchas*—, nosotros, por simples razones de grafía, preferimos la última, que, por otra parte, ya ha pasado al lenguaje corriente.

5. *Les chansons mozarabes éditées avec introduction, annotation sommaire et glossaire*, par S. M. Stern; «Collezione di testi» a cura del professore E. Li Gotti; Istituto di Filologia Romanza, Università di Palermo, 1953.

6. Han sido editados: el *Cancionero de Ajuda* (en 1824, en 1843 y en 1904); el de la *Vaticana* (ed. Monaci, 1875, y ed. T. Braga, 1878); el *Colocci-Bracuti* (ed. Molteni, 1880), y el de Martín Codax (ed. P. Vindel, Madrid, 1924).

7. Pasan estas disputas también a la prosa. En tal sentido merecen recordarse las tan frecuentes polémicas sobre las tres religiones—cristiana, mahometana y judía—, de las que Américo Castro nos ha ofrecido un curioso fragmento en la «Revista de Filología Española», vol. I, 1914.

8. En «Romania», vol. XVI.

9. Aún es quizá más sugestiva la descripción que nos hace de la doncella :

> Mas vi venir una doncella,
> pues nací non vi tan bella :
> blanca era e bermeja,
> cabelos cortos sobr'ell oreja,
> fruente blanca e loçana,
> cara fresca como mançana;
> nariz egual e dreita,
> nunca viestes tan bien feita;
> ojos negros e ridientes,
> boca a razón e blancos dientes,
> labros bermejos non muy delgados,
> por verdat bien mesurados;
> por la centura delgada,
> bien estant e mesurada;
> ....
>
> De las flores viene tomando
> en alta voz d'amor cantando,
> e decía : «¡Ay, meu amigo,
> si me veré ya más contigo!
> Amet' siempre e amaré
> cuanto que viva seré.
> Porque eres escolar
> quisquiere te devría más amar...

10. En «Revista de Filología Española», núm. 1, 1914.

11. *Historia de la Literatura española*, pág. 97, 3.ª ed.

12. *Idem íd.*, pág. 101.

13. «Los clérigos nin deuen ser fazedores de juegos descarnios, porque los uengan a uer gentes como se fazen. E si otros omes los fizieren, non deuen los clérigos y uenir, porque fazen y muchas villanías e desaposturas, nin deuen otrosí estas cosas fazer en las Eglesias; antes decimos que les deuen echar dellas desonrradamente a los que lo fizieren: ca la Eglesia de Dios es fecha para orar, e non para fazer escarnios en ella... Pero representación ay que pueden los clérigos fazer; así como de la nascencia de Nuestro Señor Jesu Christo, en que muestra como el Angel vino a los pastores e como les dixo como era Jesu Christo nacido. E otrosí de su Aparición, como los tres Reyes Magos lo vinieron a adorar. E de su Resurrección, que muestra que fué crucificado e resucitó al tercer día: tales cosas como estas, que mueuen al ome a fazer bien a auer devoción en la fe, pueden las fazer... Mas esto deuen fazer apuestamente e con grand devoción e en las Ciudades grandes donde ouieran Arçobispos o Obispos, e con su mandado dellos, e de los otros que touieran sus vezes: e non lo deuen fazer en las aldeas nin en los lugares viles, nin por ganar dineros con ellas.»

14. *Antología de poetas líricos castellanos*, ed. C. S. I. C., t. III, pág. 273.

15. Fué descubierto hacia 1785 por don Felipe Fernández Vallejo, canónigo de Toledo y después arzobispo de Santiago, en un manuscrito de la Basílica toledana, que se encuentra hoy en la Biblioteca Nacional de Madrid. Está escrito en castellano, pero con evidentes residuos mozárabes. También presenta abundantes rasgos catalanes y gascones, hasta el punto de que uno de sus más destacados comentaristas, el profesor Lapasa, se inclina por el origen gascón de la pequeña pieza.

16. *Teatro medieval*, pról., pág. 22, Edit. Castalia, Valencia, 1958.

17. *Hispanic Review*, 1943.

BIBLIOGRAFIA

A) 1. Dámaso Alonso: *Poesía de la Edad Media y poesía de tipo tradicional*, «Antología de la poesía española de la Edad Media», Buenos Aires, 2.ª ed., 1942; *Un siglo más para la poesía española*, «De los siglos oscuros al de Oro», págs. 29-34, Madrid, 1958.—Eugenio Asensio: *Los cantares paralelísticos castellanos. Tradición y originalidad*, «Rev. Fil. Esp.», XXXVII, 1953, págs. 130-67.— Pierre Belperron: *La Joie d'amour. Contribution à l'étude des troubadours et de l'amour courtois*, París, 1948.— Guido Errante: *Sulla lirica romanza delle origini*, Nueva York, 1943.—Edmond Faral: *Les Arts poétiques du XIIe et du XIIIe siècle*, París, 1923.—Blasi Ferruccio: *La «serranilla» spagnuola* (extr. del «Archivum Romanicum», XXV, 1941), Florencia, 1941.—Julio García Morejón: *A primitiva lírica peninsular ibérica*, «A Gazeta», Sao Paulo, 1955.—Federico Hanssen: *La seguidilla*, Santiago de Chile, 1909.—Alfred Jeanroy: *Histoire sommaire de la poésie occitane, des origines à la fin du XVIIIe siècle*, Toulouse, 1945; *La poésie lyrique des troubadours*, 2 vols., París, 1934; *Les origines de la poésie lyrique en France*, París, 1925.— Osvald Lira: *Lirismo y épica*, «La vida en torno», págs. 195-240, Madrid, 1949.—M. Lot-Borodine: *Sur les origines et les fins du service d'amour*, «Mélanges Jeanroy», París, 1928.—Ramón Menéndez Pidal: *Poesía árabe y poesía europea*, Colec. Austral, núm. 190, Madrid, 1941, págs. 13-78; *Poesía popular y poesía tradicional en la literatura española*, «Los romances de América», págs. 51-100, Colec. Austral, núm. 55, Buenos Aires, 1939; *La primitiva poesía lírica española*, «Estudios literarios», págs. 197-264, Colec. Austral, núm. 28, Buenos Aires, 1938; *Sobre primitiva lírica española*, «De primitiva lírica española y antigua épica», págs. 115-28, Colec. Austral, núm. 1.051, Buenos Aires, 1951; *Los orígenes de las literaturas románicas a la luz de un descubrimiento reciente*, Santander, 1951.—José María Millas Vallicrosa: *Sobre los más antiguos versos en lengua castellana*, «Sefarad», IV, 1946, págs. 362-91.—Carolina de Michaelis de Vasconcelos: *Das origens da poesia peninsular*, Lisboa, 1931.—A. Navarro González: *Valoración de la poesía en la literatura medieval castellana*, «Cuad. de Literatura», VI, 1949, págs. 13-43.—Aurelio Roncaglia: *La lírica arabo-ispanica e il sorgere della lirica romanza fuori della Penisola Iberica*, 1957; *Una tradizione lirica pretrovadoresca in lingua volgare*, «Cultura Neolatina», XI, 1951, páginas 213-49.—Julio Saavedra Molina: *Tres grandes metros: el eneasílabo, el tredecasílabo y el endecasílabo*, Santiago, Prensas de la Universidad de Chile, 1946.—Adolfo F. Von Schack: *Poesía y arte de los árabes en España y Sicilia*, 2 vols.—Bruce W. Wardropper: *Historia de la poesía lírica a lo divino en la cristiandad occidental*, Madrid, «Rev. Occidente», 1958.

II. Dámaso Alonso: *Cancioncillas de amigo mozárabes: Primavera temprana de la lírica europea*, «Rev. Fil. Esp.», 1949, págs. 297-349.—Emilio Alarcos Llorach: *Sobre las jarchas mozárabes*, «Rev. de Letras», Oviedo, 1950.—Francisco Cantera Burgos: *La canción mozárabe*, Univ. M. Pelayo, Santander, 1957; *Versos españoles en las muwassahas hispano-hebreas*, «Sefarad», IX, 1949, págs. 197-234.—Juan Corominas: *Para la interpretación de las jarchas recién halladas*, «Al-Andalus», XVIII, 1953.—L. Ecker: *Arabischer, provenzalischer und deutscher Minnesang*, Berlín, 1934.—M. Frenk Alatorre: *Jarchas mozárabes y estribillos franceses*, «Nueva Rev. Fil. Hispánica», VI, México, 1952.—Francesco Gabrielli: *La poesia araba e le letterature occidentali*, Real Acad. de Italia, 1943.—Emilio García Gómez: *Veinticuatro jarchas romances en muwassahas árabes*, «Al-Andalus», XVII, 1952, págs. 57-152; *sobre un posible tercer tipo de poesía arábigo-andaluza*, «Estudios dedicados a M. Pidal», II, Madrid, 1951, págs. 397-408; *Cinco poetas musulmanes. Biografías y estudios*, Colec. Austral, núm. 513, Buenos Aires, 1944; *Poemas arábigo-andaluces*, Colec. Austral, número 162, Madrid, 1940; *La lírica hispano-árabe y la aparición de la lírica románica*, «Al-Andalus», 1956, págs. 303-38.—W. Hoenerbach: *La teoría del «zéjel» según Sayl al-din Hilli*, «Al-Andalus», XV, 1950, págs. 297-334.—Pierre Le Gentil: *Le virelay et le villancico. Le problème des origines arabes*, París, 1954.—Ettore Li Gotti: *La «Tesi Araba» sulle «Origine» della lirica romanza*, Palermo, 1955.—M. Menéndez Pelayo: *De las influencias semíticas en la literatura española*, «Estudios y discursos de crit. hist. y lit.», págs. 194-217, vol. I, Santander, Aldus, 1941.—Ramón Menéndez Pidal: *España, eslabón entre la Cristiandad y el Islam*, Colec. Austral, núm. 1.280, Madrid, 1956; *Cantos románicos andalusíes continuadores de una lírica latina vulgar*, «Bol. Real Acad. Esp.», 1951, págs. 187-270; *La canción andaluza entre los mozárabes de hace un milenio*, «España, eslabón entre la Cristiandad y el Islam», págs. 9-31.—J. M.ª Millas Vallicrosa: *La poesía sagrada hebraico-española*, Barcelona, 1949.— A. R. Nykl: *La poesía a ambos lados del Pirineo hacia el año 1100*, «Al-Andalus», I, 1933; *L'influence arabe-andalouse sur les trobadours*, «Bull. Hispanique», XLI, 1939.—H. Peperes: *La poésie andalouse en arabe classique*, 1937.—Julián Ribera: *El Cancionero de Aben Cuzmán*, Disc. Real Acad. Esp., Madrid, 1912.—Hans Spanke: *La teoría árabe sobre el origen de la lírica románica a la luz de las últimas investigaciones*, «Anuario Musical», I, 1946, págs. 5-18, Barcelona-Madrid.— S. M. Stern: *Les chansons mozárabes*, Palermo, 1953; *Les vers finaux en espagnol dans les muwassahas hispano-hebraiques*, «Al-Andalus», XIII, 1948, págs. 299-346.—Julio García Morejón: *La más primitiva lírica occitánica*, «Revista Paideia», 4, 1955, Sorocaba, Sao Paolo (Brasil).

III. Eugenio Carré Aldao: *Influencias de la literatura gallega en la castellana*, Madrid, 1915.—F. de Castro Pires de Lima: *Nova contribuçao para o estudo das afinidades galaico-portuguesas do cancioneiro popular*, «Rev Dial. y Trad. populares», III, 1943, págs. 323-70, Madrid.— A. Cotarelo Valledor: *Payo Gómez Chariño, almirante y poeta*, Disc. Acad. Esp. Madrid, 1929.—J. Filgueira Valverde: *Formas paródicas en la lírica medieval gallega*, «Anales Asoc. Esp. Progreso de la Ciencia», XII, págs. 913-34, Madrid, 1947.—Henri R. Lang: *Cancionero gallego-castellano*, Nueva York, 1902.—C. de Lollis: *Dalle Cantigas di amor a quelle di amigo*, «Hom. a M. Pidal», I, Madrid, 1925.—M. Menéndez Pelayo: *La lírica galaico-portuguesa y sus Cancioneros*, «Ant. poetas líricos cast.», I, págs. 213-56, Santander, 1944.—C. Michaelis de Vasconcellos: *Cancioneiro de Ajuda*, Edic. y estudio de..., Halle, 1904.—E. Molteni: *Il Canzoniere portoghese de Colocci-Brancuti*, Halle, 1880.—Ernesto Monaci: *Il Canzioniere portuguese della Vaticana*, Halle, 1875.—M. Núñez González: *Monografía sobre la poesia popular gallega*, Madrid, 1894.—Amédé Pages: *Le thème de la tristesse amoureuse en France et en Espagne du XIVe siècle*, «Romania», LVIII, 1932.—Silvio Pellegrini: *Studi su trove e trovatori della prima lirica ispano-portoghese*, Turín, 1937.—Martín de Riquer: *La lírica de los trovadores. Antología comentada*, Barcelona, 1948.—M. Rodrigues Lapa: *Das origens da poesia lírica em Portugal*, Lisboa, 1921.

IV. Th. Batchiukof: *Le débat de l'Ame et du Corps*, «Romania», XX, 1891.—M. Menéndez Pelayo: *Antología de poetas líricos castellanos*, vol. I, cap. III, págs. 121-50 (poemas franco-provenzales, «disputas», etc.).—R. Menéndez Pidal: *«Elena y María». Edic. y estudio de..., «Tres poetas primitivos»*, págs. 13-46, Colec. Austral, núm. 800; *«Disputa del Alma y el Cuerpo» y «Auto de los Reyes Magos»*. Edic. y estudio por..., «Rev. Arch., Bibl. y Mus.», Madrid, 1900.—A. G. Solalinde: *La «Disputa del Alma y del Cuerpo»*, «Hisp. Review», I, 1933.—Leo Spitzer: *«Razón de amor»*, «Romania», LXXI, París, 1950, páginas 145-65.—B. Sutorius: *Le débat provençal de l'âme et du corps*, Freiburg, 1916.

B) I. José M.ª Aicardo: *Autos anteriores a Lope de Vega*, «Razón y Fe», vols. V, VI y VII, 1903.—Jenaro Alenda: *Catálogo de Autos sacramentales, historiales y alegóricos*, «B. R. Acad. Esp.», vols. V a X.—Ch. A. Aubrun: *Sur les débuts du théâtre en Espagne*, «Hom. a E. Martinenche», 1939.—Marcel Bataillon: *Essai d'explication de l'auto sacramental*, «B. Hispanique», XLII 1940, págs. 193-212.—R. Benítez Claros: *Antología del teatro medieval. Edic., pról. y notas de...*, Mendoza (Rep. Arg.), 1951.—Adolfo Bonilla y San Martín: *Las Bacantes o del origen del teatro*, Madrid, 1921.—Georges Cirot: *Pour combler les lacunes de l'histoire du drame religieux en Espagne avant Gómez Manrique*, «Bull. Hisp.», XLV 1943, págs. 55-62.—G. Cohen: *La Comédie latine en France au XIIe siècle*, París, 1931; *Le Théâtre en France au Moyen Age*, París, Rieder, 1931; *Histoire de la mise en scène dans le Théâtre religieux du Moyen Age*, «Memoires de l'Acad. Royale de Belgique», 1906.—E. Cotarelo Mori: *Bibliografía de las controversias sobre la licitud del teatro en España*, Madrid, 1904.—Coussemaker: *Dramès liturgiques du Moyen Age*, Rennes, 1860.—J. P. W. Crawford: *Spanish Drama before Lope de Vega*. A. revised edition by ..., Univ. of Pensylvania Press, 1937.—Cham-

RS: *The medieval stage,* Oxford, 1903.—EUGENE EVES-
E: *La «Comedia» latina en France au XIIe siècle,* Pa-
, 1931.—R. GONZÁLEZ: *El teatro religioso en la Edad
edia,* «La Ciudad de Dios», vols. CVI y CVII.—WILLIAMS
HENDRIX: *Some Native Comic Types in the early
anish Drama,* «Ohio Language», vol. I, 1925, págs. 1-
5.—ALFRED JEANROY: *Le théâtre religieux en France
XIIe au XIIIe siècle,* París, 1924.—EDUARDO JULIÁ MAR-
NEZ: *Representaciones teatrales de carácter popular en
provincia de Castellón,* Madrid, 1911.—EUGEN KOHLER:
eben spanische dramatische Eklogen,* Dresde, 1911.—
NRI MÉRIMÉE: *L'art dramatique à Valencia depuis les
igines jusqu'au commencement du XVIIIe siècle,* Tou-
use, 1913.—S. G. MORLEY: *Strophes in the Spanish Dra-
a before Lope de Vega,* «Hom. a Menéndez Pidal», I,
25, págs. 505-31.—A. A. PARKER: *Notes on the Religious
rico sobre el origen del histrionismo en España,* Ma-
id, 1804.—LEO ROUANET: *Colección de autos, farsas y
loquios del siglo XVI.* Edic. y estudio de..., 4 vols., Bar-
lona, 1901.—ADOLFO F. VON SCHACK: *Historia de la li-
ratura y del arte dramático en España,* vol. I, Ma-
id, 1885.—M. SEPET: *Origines catholiques du théâtre
oderne,* París, 1878.—ANGEL VALBUENA PRAT: *Literatura
amática española,* Barcelona, Labor, 1930.—RONALD B.
ILLIAMS: *The Staging of Plays in the Spanish Peninsula
rior to 1555,* «Iowa Spanish», vol. V, 1935.—YEUNG:
e Drama of medieval Church,* Oxford, 1951.—M. MILÁ
ONTANALS: *Orígenes del teatro catalán,* «Obras cometas», VI.—G. DÍAZ PLAJA: *Una aportación al estudio de*

la técnica medieval, «Cuad. Inst. Teatro», I, Barcelona,
1957.—W. T. SHOEMAKER: *Los escenarios múltiples en el
teatro español de los ss. XV y XVI,* «Cuad. Inst. Teatro», II, Barcelona, 1957.

II. NARCISO ALONSO CORTÉS: *Gómez Manrique,* «Su-
mandos biográficos», págs. 9-20, Valladolid, 1959.—EDUAR-
DO DE LA BARRA: *Restauración de «El Auto de los Reyes
Magos»,* Santiago de Chile, 1898.—HERMENEGILDO CORBATO:
«Los Misterios del Corpus de Valencia», edic., notas crí-
ticas y estudio de..., California Philology, vol. XVI, 1932.—
JOSÉ M.ª FERNÁNDEZ: *Un «Auto» popular de los Reyes
Magos,* «Rev. Dial. y Trad. populares», V, Madrid. 1949.—
JOSÉ FRADÉJAS: *Teatro religioso medieval,* Bibl. de Clási-
cos, vol. I, 1956-1957.—ANGEL GONZÁLEZ PALENCIA: *Los
Reyes Magos en la literatura española,* «Consigna», nú-
mero 96, 1949.—L. LÓPEZ SANTOS: *Autos del Nacimiento
leoneses,* «Archivos Leoneses», II, julio-diciembre, 1947.—
M. MENÉNDEZ PELAYO: *Gómez Manrique,* «Ant. de poetas
líricos», vol. II, cap. XVIII, págs. 339-78.—WINIFRED STUR-
DEVANT: *The «Misterio de los Reyes Magos». Its Position
in the Development of the Mediaeval Legend of the Three
Kings,* Johns Hopkins, Baltimore, vol. X, 1927, págs. 1-
130.—TOMÁS TERESA LEÓN: *Dramática: Auto de los Reyes
Magos,* «Rev. Dial. y Trad. Pop.», III, 1947.—MANUEL VI-
CENTE LORO: *Dramática: Auto de los Reyes Magos,* «Rev.
Dial. y Trad. Pop.», I 1945.—W. STURDEBENT: *The miste-
rio de los Reyes Magos,* Baltimore, 1927.—R. LAPESA:
Sobre el «Auto de los Reyes Magos», «Hom. a Krüger»,
II, Mendoza, 1954.

CAPITULO V

CREACION DE LA PROSA CASTELLANA: DE ALFONSO EL «SABIO» A DON JUAN MANUEL

I. PRIMERAS MANIFESTACIONES

Como suele ocurrir en todas las literaturas, nuestra prosa tiene un desarrollo más tardío que el verso. Se puede afirmar que hasta el reinado de Alfonso X, el *Sabio* (1252-1284), no existe una prosa castellana propiamente dicha. Hablamos, ya se entiende, de prosa literaria, es decir, del lenguaje vulgar deliberadamente llevado a obras de carácter doctrinal, histórico o puramente recreativo. En este sentido, lo poco que antes se había hecho en nuestra lengua cae al margen de la literatura. Ni cartularios, ni diplomas, ni fueros, como el *de Avilés*, ni cronicones, como los dos *de Cardeña*, aunque escritos en castellano y por ello muy dignos de consideración en una historia de la lengua, ofrecen interés desde nuestro particular punto de vista. Sí lo tienen, en cambio, algunas obras en prosa, generalmente traducciones, correspondientes al reinado anterior de Fernando III, el *Santo*, en cuanto preparan el terreno para las grandes realizaciones científico-literarias de la segunda mitad del XIII, y señalan de paso las vertientes principales por las que ha de discurrir la prosa castellana desde casi su nacimiento hasta el humanismo.

Estas vertientes o derivaciones pueden reducirse a tres: *prosa doctrinal, narrativa e histórica.* Lo que en este triple aspecto empieza a manifestarse en el siglo XIII es lo que luego, más o menos evolucionado, aunque respetando siempre el impulso inicial, vamos a encontrar en los siglos siguientes, hasta los albores mismos del Renacimiento. La historia será la misma ya sólidamente cimentada por Alfonso X en la *Crónica general* y en la *General Estoria*, si bien enriquecida con el sentido humanístico de López de Ayala, Pérez de Guzmán y Hernando del Pulgar; la prosa narrativa correrá por los mismos cauces del *Calila e Dimna*, aunque incrementada por las corrientes renacentistas e italianizantes de *El Corbacho* de *La Celestina*.

Un hecho interesa subrayar aquí: y es que reinado de Alfonso el *Sabio* se presenta com decisivo en la formación y fijación de nuest prosa. Durante los treinta años que él rige l destinos de Castilla aparecen unas cuantas obra de gran envergadura, redactadas totalmente en ca tellano; y esas obras señalan ya la suerte futu de la prosa castellana. Antes de Alfonso X nue tro idioma estaba en manifiestas condiciones inferioridad respecto al latín para ciertos usos ni la filosofía, ni la historia, ni la narración, siquiera el derecho, habían encontrado en él in trumento adecuado de expresión. Era demasiad rígido porque carecía aún de suficientes nexos ora cionales; era demasiado pobre porque carecía vocabulario; era, además, anárquico por los con tantes fluctuaciones de la fonética y de la grafí De las manos del rey *Sabio* y de sus colaborad res, nuestra prosa sale enriquecida y fijada. S imponía doble tarea: una referente a la sintax y otra al léxico. La primera se cumple median la formación de una cláusula amplia y trabad gracias al empleo de numerosas partículas con juntivas desconocidas hasta entonces, incluso p los mismos poetas: *para que, siquiera, aunqu como quiera que,* etc.; la segunda se resuelv aprovechando hasta el máximo las disponibilida des del castellano por medio de formaciones d *rivadas* y *compuestas,* con la introducción de nu merosos cultismos, especialmente griegos y latino o por la incorporación de voces técnicas, siempr acomodadas a la estructura de nuestra lengua fácilmente comprensibles para el lector. De est modo «la prosa castellana quedaba definitivamen

6

creada». La enorme gimnasia que supone la obra alfonsí la había convertido en vehículo de cultura, cumpliendo el generoso afán de divulgación expuesto en el prólogo del *Lapidario:* «Mandólo trasladar de arábigo en lenguaje castellano porque los homnes lo entendiesen mejor et se sopiesen dél más aprovechar» [1].

Escuela de Traductores de Toledo

Antes de reseñar las primeras manifestaciones de la prosa castellana se impone una alusión a la llamada *Escuela de Traductores de Toledo,* sin cuya previa labor no hubiera sido posible el florecimiento cultural de España durante los reinados de Fernando III y de su hijo Alfonso X. En el fondo, estos monarcas, sobre todo el segundo, no hicieron sino continuar, intensificándola, una labor ya felizmente iniciada en el siglo anterior.

La brillante cultura de la España musulmana va influyendo en Castilla a medida que avanza la Reconquista. Con la toma de Toledo (1085) la hegemonía intelectual de la Península pasa a ella. Poco más tarde, expulsados los judíos de Andalucía por los almohades, se refugian también en Toledo, y de este modo en la gran ciudad del Tajo se dan cita tres culturas importantísimas: la cristiana, la hebrea y la árabe. Toledo se convierte de pronto en uno de los grandes focos culturales del medievo; gracias a la luz que de allí irradia en varias direcciones, Europa se entera de la filosofía, la medicina, las ciencias naturales y la literatura de Oriente, beneficiándose con este inmenso acervo. En Toledo se traducen al latín, y alguna vez también a lengua vulgar, los textos árabes y judíos, que inmediatamente se derraman por las más afamadas universidades europeas.

En esta obra corresponde el más destacado papel al arzobispo y gran canciller de Castilla don Raimundo (1130-1150). Bajo su protección y con su ayuda empieza a reunirse en Toledo un grupo de hombres de ciencia que se dedica con ahinco al estudio y traducción de los textos orientales. No se trata, advierte Américo Castro, de una «escuela organizada, sino de traductores, que hacen sus versiones para responder a la curiosidad filosófica y científica de la Europa cristiana» [2]. Destacan en la primera etapa Dominico Gundisalvo y Juan Hispalense; Gundisalvo era arcediano de Segovia, y Juan era, al parecer, un judío converso de Sevilla. Trabajan en colaboración: Juan traducía el texto árabe al *romance vulgar,* y Gundisalvo lo iba transcribiendo en latín; por cierto, un latín claro y hasta elegante. Así es como Europa se entera de los libros de Avicena, Algazel, Avicebrón y otros. Gundisalvo, además de traducir, escribe otras originales: *De inmortalitate animae, De processione mundi, De divisione philosophiae,* todas muy influídas por la filosofía

hispano-musulmana. Pronto la escuela de Toledo alcanza celebridad y empiezan a afluir a ella sabios extranjeros: ingleses, como Roberto de Retines, Adelardo de Bath, Alfredo y Daniel de Morlay, Miguel Scoto; germanos, como los dos Herman, el alemán y el dálmata; italianos, como Gerardo de Cremona. En esta segunda etapa los extranjeros, desconocedores casi siempre del árabe, solían servirse para sus traducciones de algún mozárabe o judío, que les ponía en vulgar las obras de Averroes o de Avicena, y luego ellos las vertían al latín escolástico. Todavía hubo una tercera etapa: con Alfonso X, el *Sabio,* la *Escuela o Colegio de Traductores* recibe nuevo impulso; pero ya no es el latín la lengua preferida, sino el castellano vulgar. La influencia de la *Escuela* en Europa fué decisiva; no sólo se constituyó en la transmisora del pensamiento oriental, sino de la cultura griega a través de los árabes. Renán llegó a decir que la introducción de los textos árabes en los estudios occidentales influyó para siempre en la suerte de Europa.

Prosa doctrinal

Interesa citar la *Disputa del cristiano y el judío* [3] como primer texto acaso de prosa vulgar y también primera muestra en literatura castellana de esas discusiones entre individuos de distinta religión, que tanto habían de prodigarse en la Edad Media y de las que se harían eco, entre otros, Ramón Lull, don Juan Manuel y Boccaccio. El tema, no exclusivo de cristianos, lo encontramos igualmente entre árabes y hebreos, pronunciándose cada cual conforme a sus creencias. La parte teológica es muy pobre y el autor parece que pretende encubrir con burlas groseras la endeblez de sus argumentos. La práctica de la circuncisión entre los judíos le inspira especialmente comentarios de mal gusto. Es significativa esta aversión al pueblo hebreo, que constituirá una de las constantes en nuestra literatura y que vemos asimismo apuntar en nuestro primer intento de pieza dramática, el *Auto de los Reyes Magos.*

Entre los llamados «Catecismos político-morales», muy abundantes en la época de Fernando III, el *Santo,* y de su hijo Alfonso X, son dignos de mención: el *Bonium* o *Bocados de oro,* sentencias de filósofos indios, griegos, latinos y árabes, con alguna que otra biografía de hombres célebres, todo ello inspirado en el *Libro de las sentencias,* de Abulwafá Mobaxir ben Fátic; las *Flores de la filosofía,* colección de máximas y sentencias políticas, que señalan el arranque de la tradición estoica, tan persistente en nuestras letras hasta culminar en el barroco; el *Libro de los Doce Sabios o de la Nobleza y la Lealtad,* llamado así porque en él se nos presenta a un grupo de ilustres varones, que adoctrinan a un joven rey sobre sus principales deberes en orden a la justicia, la fidelidad, etc.

En la didáctica eclesiástica la obra más interesante son los *Diez mandamientos*, tratado penitencial para uso de confesores, con comentarios sobre el Decálogo. Por su lenguaje parece corresponder a principios del XIII.

Prosa narrativa

Se inicia con traducciones de obras orientales. Ostenta la primacía entre todas la que mandó hacer Alfonso X, siendo aún infante (1251), de una colección de fábulas indias y que desde el primer momento se llamó *Calila e Dimna*. Se trata, ya queda dicho, de una compilación de apólogos indios, recogidos por Barzuyeh, médico de Cosroes I de Persia, puesta en árabe por Abdalá Benalmocafa hacia el 730. Del árabe fué traducida al persa, al siriaco, al hebreo, al griego y al castellano. Debe su título al cuento más extenso de la colección, en el que se narran las aventuras de dos lobos hermanos, Calila y Dimna. Dimna calumnia ante el rey León al buey Senceba, su ministro; Senceba es condenado a muerte; luego se descubre el engaño y Dimna muere de hambre y sed en el calabozo. El resto de la obra está integrado por una serie de fábulas relatadas por diversos personajes en apoyo de sus opiniones: el religioso que vertió la manteca, la rana metamorfoseada, el piojo y la pulga; y algunas de intención satírica antifeminista, como la de «El carpintero, el barbero y sus respectivas mujeres».

El cuento más interesante se halla en el capítulo VII: un brahmán, cuya mujer ha quedado encinta cuando se la creía estéril, se hace exageradas ilusiones con el varón que le va a nacer; su mujer intenta refrenar tan prematura alegría refiriéndole el conocido cuento del religioso que vertió la manteca. Nace, en efecto, un varón; la madre cierto día lo deja al cuidado del marido, quien, por tener que ausentarse, lo confía a su vez a la custodia de un perro. Una culebra se acerca al niño; pero el can, antes que pueda picarle, la destroza. Cuando el padre vuelve y divisa a la puerta de su casa al perro cubierto de sangre, teme que su hijo haya sido víctima de la furia del can y da muerte al fiel animal. La esposa le recrimina por su precipitación y el brahmán termina mostrando su arrepentimiento.

Varios temas del *Calila e Dimna* han sido luego aprovechados; probablemente el que más versiones ha tenido es el de «El religioso que vertió la manteca»: *Doña Truhana*, de don Juan Manuel (*Libro de Patronio*); *Las aceitunas*, de Lope de Rueda; la conocidísima fábula de *La lechera*, etcétera.

Otro fabulario, también de origen indio, es el *Sendebar*. Lo mandó traducir al castellano en 1253 el infante don Fadrique, hermano de Alfonso X, con el título de *Libro de los engannos et de los assayamientos de las mujeres*. La obra

llegó a Europa por dos caminos: el occidental (*Syntipas*), del cual proceden la *Historia de los Siete Sabios de Roma* y la *Historia de los Diez Visires;* y el oriental, por los textos pelví, persa, siriaco, árabe y castellano. Perdidas todas las versiones menos la castellana, ésta ha de considerarse como la más próxima al texto original. Su técnica es similar a la de tantas colecciones árabes; enlace hábil de unos cuentos con otros, como en *Las mil y una noches* [4].

Un horóscopo anuncia tremendas desgracias a cierto príncipe si habla antes de cumplir determinado plazo. En tanto, su madrastra le acusa de haber querido hacerla violencia. El rey, su padre, le condena a muerte; pero el cumplimiento de la sentencia se dilata por siete días, durante los cuales la acusadora discute con siete sabios, que van narrando una serie de cuentos encaminados todos ellos a demostrar la perversidad de las mujeres. Llegado el octavo día y cumplido el plazo del horóscopo, el príncipe dice la verdad y la madrastra es condenada al fuego.

Aunque en el *Calila e Dimna* figuran ya varios cuentos antifeministas, la literatura misógina, de tanta difusión en la Edad Media, se inicia en el *Sendebar*. Este misoginismo deriva del concepto que los pueblos orientales tienen sobre la mujer. Hay que llegar al Renacimiento para que se la rehabilite totalmente, por obra sobre todo de Erasmo y de sus seguidores. Consta el *Sendebar* de veintiséis narraciones, bastante livianas en el fondo, sin llegar nunca a la lubricidad del *Decamerón* o de algunos «fabliaux» franceses.

Aunque no traducidos al castellano, tienen gran importancia en nuestra literatura y aun en todas las literaturas de la Europa occidental, dos libros que con los anteriores completan la novelística de procedencia india a través de los árabes: la *Disciplina clericalis* y el *Barlaam y Josafat*. La *Disciplina clericalis*, como anterior a las versiones del *Calila* y del *Sendebar*, abre la serie de obras narrativas inspiradas o tomadas del Oriente. Su autor, el judío de Huesca Rabí Moisés Sefardí, bautizado en 1106, y llamado Pero Alfonso por haber sido su padrino Alfonso I, el *Batallador*, debió de componer su obra primero en árabe y luego traducirla al latín. Consta de 33 apólogos, tomados directamente de fuentes árabes, pero que a su vez derivan de Persia y de la India. A pesar de estar escrita en un latín bárbaro, la *Disciplina* alcanzó increíble difusión: de ella tomaron numerosos cuentos Vicente de Beauvais (para el *Speculum historiale*), don Juan Manuel, el Arcipreste de Hita, Boccaccio, Timoneda, etc. Fué incorporada íntegramente, aunque con distinto orden, al *Libro de los enxemplos*, de Sánchez de Vercial, y en su mayor parte, al *Isopete historiado*, que mandó traducir (Zaragoza, 1489) don Enrique de Aragón.

El *Barlaam y Josafat*, calificado de novela mística por Menéndez Pelayo, es una adaptación cristiana de la leyenda de Buda, según se nos cuenta en el libro sánscrito *Lalita Vistara*. Existe en la Biblioteca Nacional una traducción latina del siglo XII; pero la primera versión castellana es muy tardía, la de Juan de Arce Solórzano (Madrid, 1608). No obstante, era muy conocida entre nosotros, acaso por haber sido recogida en obras de gran difusión: la *Leyenda áurea*, de Jacobo de la Vorágine; la *Flos Sanctorum;* etc. Parábolas del *Barlaam* pasaron al *Libro de las bestias*, de Lulio; a *El conde Lucanor*, al *Libro de los gatos*, a los *Castigos e documentos del rey don Sancho*, a *El caballero Cifar*, al *Libro de los exemplos*, a la *Silva curiosa*, de Medrano; a la *Segunda Celestina*, de F. de Silva; etc. Lope de Vega recoge el tema en su comedia *Barlaam y Josafat*, y parece que también influyó en *La vida es sueño*, de Calderón.

Prosa histórica

Durante el siglo XI y buena parte del XII la historia se sigue escribiendo en latín, y en forma de crónicas descarnadas y secas. Vayan por vía de ejemplo unos cuantos títulos: la *Crónica mozárabe* o *Continuatio Hispana*, que contiene las de San Isidoro, Idacio y Juan de Biclara, muy importante para el estudio de la invasión sarracena; la *Crónica Albeldense*, llamada también *Emilianense* y *Vigilana*, de carácter enciclopédico, comprensiva de los reyes godos y monarcas de Asturias-León y Navarra hasta el 976; la *Crónica de Alfonso III*, que abre la serie de relatos oficiales y abarca desde Wamba a Ordoño I (672-866); la *Crónica Silense*, polémica y apologética, escrita acaso por algún mozárabe toledano hacia 1115; la *Historia compostelana*, de sobresaliente valor, muy rica en pormenores, inspirada por el arzobispo Gelmírez, aunque redactada luego por varias manos.

Desde los comienzos del XIII ya los historiadores prefieren el romance. El *Liber regum* nos da la lista de los monarcas del pueblo hebreo y de Roma, así como las de árabes, visigodos y cristianos, tanto de España como de Francia, hasta Alfonso VIII, Ramiro el *Monje* y San Luis. Poseemos también la versión castellana de la *Historia góthica*, del arzobispo toledano don Rodrigo Ximénez de Rada; pero sólo con Alfonso X la historia empieza a tener rango literario.

En otro orden, en el legislativo, debemos mencionar la traducción al castellano del *Forum Iudicum*, ordenada por San Fernando. No creemos necesario aludir aquí a obras como *El Espéculo* y el *Fuero Real*, porque su doctrina pasó íntegra a las *Siete Partidas* de Alfonso el *Sabio*. El *Fuero Juzgo*, tan célebre en nuestra literatura jurídica, no es sino el citado *Forum Iudicum*, que San Fernando otorgó a Córdoba (1241), recién conquistada del dominio musulmán, haciendo que antes lo tradujeran al romance vulgar.

II. ALFONSO X, EL «SABIO»

La figura máxima de la ciencia y hasta de las letras españolas durante el siglo XIII es, sin género de dudas, el rey Alfonso X, el *Sabio* (1221-1284). Su obra responde aún al espíritu medieval, en cuanto aspira a resumir todo el saber humano en grandes síntesis y a la formación de enciclopedias para todos los ramos de la cultura. Como Santo Tomás concibe una *Summa Theologica*, también Alfonso concibe *summas* histórica, jurídica, científica y hasta astronómica. Para el logro mejor de sus aspiraciones echa mano de cuantos medios tiene a su alcance, que son por cierto muy copiosos. Se rodea de los mayores sabios del país y convierte su palacio en verdadera academia, donde conviven y colaboran sin estorbarse, dentro de la más ejemplar convivencia, cristianos, judíos y moros. El resultado de esa protección real y de esa colaboración son una serie de obras verdaderamente grandiosas, que si asombraron a sus contemporáneos hasta el punto de adjudicar al monarca que las inspiró el sobrenombre de *Sabio*, hoy todavía nos sorprenden tanto por el volumen de conocimientos que revelan como por el alto espíritu que las anima.

Vida y persona

Alfonso X, hijo y sucesor de Fernando III, el *Santo*, nació en Toledo, el 23 de diciembre de 1221. Apenas tenemos datos de sus primeros años: sólo sabemos que su ama de cría fué una tal Urraca Pérez y que pasó parte de su infancia al lado de los nobles don Garci Fernández y doña Mayor Arias, en los pueblos de Villaldemiro y Celada del Camino, ambos de la provincia de Murcia. Pronto quiso ayudar a su padre en la lucha contra el moro; y así le vemos desde 1237. a los dieciséis años, acompañar a Fernando III en sus brillantes campañas por tierras andaluzas. En una de sus primeras correrías el infante heredero añade a la corona de Castilla el reino de Murcia. Toma parte activa en la conquista de Sevilla (1248). Después de haber tenido dos novias oficiales, una princesa de Navarra y una cuñada de su padre, contrae matrimonio en Valladolid (1249) con doña Violante de Aragón, hija de Jaime el *Conquistador*. Se sabe que antes había sostenido relaciones íntimas con una bellísima dama, doña Mayor Guillén de Guzmán; y fruto de esos amores fué una hija bastarda, doña Beatriz, que había de casar luego con Aifonso III de Portugal. En mayo de 1252 muere el santo rey don Fernando.

Las últimas palabras que dirige al heredero son tan sobrias como sensatas: «Fijo, rico fincas de tierras e de muchos buenos vasallos, más que rey en la cristiandad sea; pugna por facer bien e ser bueno, ca bien has con qué.»

Con el acceso al trono empieza para Alfonso X una vida de preocupaciones y disgustos. Su constante anhelo de saltar al Africa, para destruir allí el poder mahometano, se ve siempre contrariado por uno u otro motivo. Su ataque a Algeciras termina con un auténtico desastre; el rey de Granada, tributario de Castilla, aprovecha las disensiones internas de este reino para aliarse con los arraeces y crearle situaciones comprometidas. A pesar de todo, Alfonso logra ensanchar sus dominios con la reconquista de ciudades como Jerez de la Frontera, Medinasidonia, Lebrija, Niebla y Cádiz. Pero los verdaderos sinsabores le vienen por otros lados. Alfonso X sentía afanes imperialistas, casi siempre muy justificados; en todos ellos fracasó. Conquista el Algarbe a poco de subir al trono y luego lo cede a su hija bastarda doña Beatriz. A la muerte de Teobaldo I de Navarra (1253) alega sus derechos a este reino; pero tiene que desistir por la intervención de su propio suegro el rey Jaime de Aragón; nuevamente en 1274 volvió a sus pretensiones, sin obtener resultado. Tenía derecho al ducado de Gascuña y así lo reconocen los mismos nobles gascones; pero todo termina en un arreglo matrimonial. Su pretensión más ambiciosa, la corona de Alemania, que llevaba consigo el Sacro Romano Imperio, le obliga a grandes dispendios, que provocan la protesta de sus súbditos castellanos, a largas negociaciones y, lo que es peor, al abandono temporal de su trono de España. Tampoco sacó en limpio sino una tremenda decepción. Este sueño quimérico, alimentado durante veinte años, terminó con la prohibición por parte del Papa de que siguiese llamándose «rey de romanos». Quiso titularse «emperador de España», y también tuvo que desistir ante la protesta de su suegro.

Los mayores disgustos proceden, sin embargo, del interior, de sus súbditos y, aún más, de su propia familia. Alfonso X era un hombre dotado de la mejor intención, pero débil de voluntad. Ve cómo los nobles se aprovechan de esa debilidad para dar rienda suelta a sus ambiciones de tierras, poder y privilegios. Alfonso intenta atraerles por el camino de las dádivas; pero ellos no se someten y sólo después de largo tiempo aceptan firmar unas bases que constituyen para el rey una capitulación. Durante un viaje a Francia, requerido por los negocios del Imperio, deja al frente del país al infante heredero don Fernando de la Cerda, que revela excepcionales dotes de gobierno. El infante muere a los veinte años, no sin antes recomendar como heredero a su hijo don Alfonso. Nuevo motivo de discordia: el infante don Sancho se siente menoscabado en sus derechos; el rey se los reconoce; pero surgen nuevas desavenencias, hasta el punto de que don Sancho se levanta en armas contra su padre. Este le deshereda públicamente, marcha contra él y cuando el infante, que ve perdida su causa, solicita el perdón paterno, Alfonso X muere en Sevilla, el 4 de abril de 1284. Cuentan las Crónicas

que su postrer enfermedad, de «dolor de ánimo», se agravó hasta su fatal desenlace con la falsa noticia de la muerte de su hijo Sancho, el rebelde. «Acaso—escribe Solalinde—le amaba más porque descubría en el fondo de esta rebeldía una fortaleza que a él le faltó durante todo su reinado.»

La personalidad de Alfonso el *Sabio* suele aparecer notoriamente deformada ante el vulgo y aun a los ojos de personas que se tienen por cultas. La deformación arranca de ciertas obras, que se le han atribuído indebidamente, y de ciertas frases con que se ha querido definir su actuación y su pensamiento.

Una de las más célebres es aquella del padre Mariana: *Dumque caelum considerat observatque astra, terram amisit,* dando a entender que sus altas especulaciones científicas le impidieron ocuparse debidamente de los negocios del Estado. La enorme injusticia de tal frase se desprende de la simple consideración de las andanzas de Alfonso en defensa de sus derechos [5]. Otra frase que se ha hecho famosa es aquella de Dante en su *Paraíso:*

> Vedrassi la lussuria e il viver molle
> di quel di Spagna...

Durante mucho tiempo se ha creído que el poeta florentino aludía en esos versos al Rey Sabio; hoy se tiene por más seguro que el aludido es Fernando IV, el *Emplazado*. La posteridad ha puesto en boca de Alfonso X otra frase que, de haber sido suya, revelaría un desmedido orgullo: «Si Dios me hubiera consultado, habría hecho el mundo de otra manera.» Pero se sabe ya que fué una especie calumniosa inventada en Cataluña, acaso por Pedro IV o por su cronista Bernat Descoll.

«Las infinitas desgracias de nuestro buen rey —escribe el citado Solalinde, a quien seguimos en nuestra exposición— han iluminado las mentes de poetas y falsarios, y así, entre los romances eruditos—basados en el relato no muy fiel de la Crónica del reinado de Alfonso, y en otros documentos de reconocida falsedad—se halla uno, que empieza «Yo salí de la mi tierra», atribuído al mismo Alfonso, en que se nos cuentan sus desilusiones y el deseo de perecer, como el rey Apolonio, en una barca sin gobierno que se adentrase en el mar. Hay quien ha tomado estos versos—infeliz y en gran parte ridícula taracea de frases arcaicas—por lenguaje y por producción anónima del pueblo, que reflejaban el suspirar del sabio monarca. Pero lejos de pertenecer al pueblo ese lenguaje, andan de por medio en todas estas ficciones los genealogistas, esos merodeadores de la Historia, capaces de falsificar la intangible verdad con tal de amontonar sobre un antecesor de cualquier título reciente las hazañas más nobles y las amistades de los monarcas. De este modo se engendró en el siglo XVII el *Libro de las querellas,* del que se aventuró también que formaba parte del romance antes aludido. Demostrado está definitivamente que tal libro no existió más que en la imaginación de Pellicer, el genealogista de la familia Sarmiento. Esos versos que a todos nos han hecho aprender en las clases de retórica,

A ti, Diego Pérez Sarmiento, leal
cormano, e amigo, e firme vasallo...

no son más que el acostumbrado argumento de que echaba mano Pellicer para convencer a los incrédulos de la extrema confianza que en un Sarmiento hubo de depositar el rey Alfonso» [6].

Todo ello indica que la figura del Rey Sabio, que nos ha transmitido la tradición y que incluso se ha proyectado en el teatro, no corresponde a la realidad. Alfonso X, como todos los grandes reyes, tuvo virtudes y defectos: el mayor de éstos, su bondad congénita, que le llevó muchas veces a un terreno de blandura y de extrema generosidad, casi siempre censurable en un monarca; sus máximas virtudes, el amor al saber, de que nos dejó tan vivas muestras, y el espíritu de justicia, que le llevó a defender en todas partes lo que juzgaba su derecho, aunque en esa defensa no le acompañara la fortuna.

Obras científicas y literarias

Se pueden distribuir en cinco apartados:

Históricas: *Primera Crónica general* y *General e grand Estoria*.
Jurídicas: Las *Siete Partidas*.
Científicas: Las *Tablas alfonsíes*, los *Libros del saber de Astronomía*, el *Astrolabio llano*, el *Astrolabio redondo*, el *Libro de la ochava esfera* y *Lapidario*.
Recreativas: *Libros de Ajedrez, Dados y Tablas*.
Poéticas: *Cantigas de Santa María*, en número de 420; *Cantigas profanas*.

Aparte de las obras anteriores, nos queda una *Carta a don Fernando de la Cerda* y dos *Testamentos*. Se han atribuido también a Alfonso X un *Septenario*, inédito aún y del que quedan dos manuscritos, uno en la catedral de Toledo y otro en El Escorial; el *Calila e Dimna*, un *Libro del tesoro o de la piedra filosofal*, otro sobre *Montería*, otro titulado *Clavis Sapientiae*. Probablemente ninguno de ellos le corresponde.

La «Crónica general» y la «Grand Estoria»

La *Crónica general*, llamada también *Primera Crónica*, porque de ella nace un enjambre de crónicas medievales, no pertenece a Alfonso X más que en su primera parte. La segunda, con los sucesos ocurridos en España desde la invasión musulmana hasta la muerte de San Fernando, fué redactada en el reinado de Sancho IV, hacia 1289. Si la primera parte interesa por la variedad de sus fuentes—mitológicas, históricas, poéticas—, la segunda ofrece importancia capital a los ojos del historiador de la literatura, porque en ella quedaron prosificados, según se advirtió en el capítulo II, numerosos cantares de gesta: el Cid, Bernardo del Carpio, Fernán González y sus sucesores, los Siete Infantes de Lara, Mainete, etc. En tal sentido, Sancho el IV no hace sino seguir un camino ya iniciado por su padre al incorporar a su Crónica, como fuente histórica, algunos poemas clásicos, entre ellos *La Farsalia*.

Las fuentes de la *Crónica general* son muy variadas; su estilo, múltiple; su concepción, amplia. Rebasando el concepto localista de las crónicas medievales, Alfonso X da a su obra un alcance universal. «Así—dice Menéndez Pelayo—, la historiografía castellana, libre de la limitación que se observa en otras regiones, es índice de una de las cualidades morales características de Castilla, a la que ésta debe su grandeza.» El estilo va siempre adaptado al fondo de la obra que le sirve de molde: apasionado cuando traduce versos de Ovidio; elocuente cuando le sirven de modelo los hexámetros de Lucano; pintoresco cuando se inspira en la prosa de Suetonio; viril cuando prosifica cantares de gesta. De cuando en cuando nos sorprenden pasajes de fuerte lirismo: capítulos 558 y 559 (*Loor de Espanna* y *Duelo de los godos de Espanna*). La amplitud con que está concebida la *Crónica general* se nos manifiesta ya al comienzo: «Mandamos ayuntar quantos libros pudimos auer de istorias en que alguna cosa contassen de los fechos d'Espanna»; y, a renglón seguido, se alude a las obras del arzobispo don Rodrigo, el Tudense, Orosio, Lucano, Tolomeo, Dion, Pompeyo Trogo, «et dotras estorias de Roma, las que pudimos auer, que contassen algunas cosas del fecho d'Espanna, et compusiemos este libro de todos los fechos que se pudieron fallar della desdel tiempo de Noé». El propósito moralizador aparece al momento: «Los fechos d'Espanna faze manifiestos este libro, en guisa que cada qual pueda saber por él muchas cosas venideras. Onde, si por las cosas pasadas quiere alguno saber las venideras, no desdenne esta obra, mas téngala en su memoria.»

La *Crónica general*, con variantes y amplificaciones, fué refundida en la *Segunda Crónica general* (1344); de ésta deriva luego la *Tercera Crónica general*, la *Crónica de Veinte Reyes* y la *Crónica de Castilla;* y de esta última nació la *Crónica particular del Cid*. Florián de Ocampo la publicó en 1541, cuando ya estaban impresas muchas crónicas particulares. La edición de Ocampo, plagada de errores, fué severamente criticada por Zurita; en ella se saltaba por alto nada menos que un reinado. Menéndez Pidal ha venido a subsanar todos aquellos errores con la nueva definitiva edición, que llena un gran vacío[7].

Las grandes obras atraían a Alfonso el *Sabio* de modo irresistible. Así nace en su ánimo la idea de componer una especie de Historia universal, que él realiza en buena parte con la *General e grand Estoria*. En ella se propuso narrar todos los hechos ocurridos desde la creación del mundo hasta su tiempo; pero el relato sólo llega hasta los padres de la Virgen. Parece que debió de componerse en los doce últimos años de su reinado; y en ella colaboraron personas conocedoras del latín, árabe, francés y hebreo. Consta de seis partes: íntegras la primera, segunda y cuarta; incompletas las otras tres. Del volumen y magnitud de la obra dará idea el hecho de que cualquiera de las cuatro primeras partes es tan extensa como la *Crónica general*, y que el manuscrito en que se conserva ocupa nueve códices depositados en la Biblioteca Nacional y en la Escurialense. De su composición sólo tenemos una fecha: la de 1280, que se nos da como final de la copia manuscrita de la cuarta parte. Sus fuentes son tan varias y copiosas como las de la *Crónica general*: la Biblia, con sus comentaristas y expositores; San Agustín, San Jerónimo, Orígenes, Beda, Paulo Orosio, San Isidoro, Casiodoro, Ovidio, Plinio, el *Alexandre*, la *Crónica troyana*. Más que enciclopedia histórica es enciclopedia de toda la cultura de aquel tiempo: costumbres, modas, inventos, creencias, todo se nos da allí en extraña mezcla. Se nos habla del descubrimiento de la música, del saber de Prometeo, de la naturaleza de los perros, de la inteligencia del caballo, de las tierras «do moraban mugieres extrañas», de la reina Semíramis, inventora de la ropa interior, etc. Sólo otra obra medieval es comparable a ésta: el *Speculum historiale*, de Vicente de Beauvais.

Las «Siete Partidas»

Constituyen el ensayo de sistematización del derecho más formidable que se realizó en toda la Edad Media. Al principio, este gran cuerpo legal se tituló *Libro de las leyes* o *Fuero de las leyes*. Debió de redactarse en Sevilla, residencia oficial de la Corte, y entre los años 1251-1256, si bien no fué sancionado hasta un siglo después (1348), en el reinado de Alfonso XI. Todo este tiempo tuvo que pasar para que entraran en vigor unas leyes que en no pocos puntos herían los intereses de la nobleza. Dado que el rey no pudo ser el redactor directo, se ignora quiénes fueron sus colaboradores. El nombre de Azón, jurisconsulto célebre de Bolonia, apuntado como autor de este código debe desecharse *a priori* por haber fallecido antes de iniciarse su redacción; tampoco puede pensarse por razones varias en otros juristas, como Ferrán Mateos, Rodrigo Esteban y Gonzalo Ibáñez, y menos aún en el Consejo de Castilla,

creado en tiempo de Juan I. Se cree con bastante probabilidad que fué redactado por una Comisión de jurisconsultos, de la que formaban parte, entre otros, Juan Alonso, arcediano de Santiago, Ferrando Martínez, el maestro Roldán, y, sobre todos, el «maestre de las leys» Jacobo Ruiz o Jácome Ruiz. Varias leyes de la Partida III proceden de la *Suma* de éste.

Aunque Alfonso X nos declara que, al acometer esta ingente obra, atendía ante todo a realizar un deseo de su padre, «que era complido de justicia e derecho, que lo quisiera fazer si más viviera, e mandó a Nos que lo fiziésemos», la verdad es que otras razones de no menor peso le estimularon a ello: una, poner en manos de los gobernantes un instrumento eficaz para el cumplimiento de sus funciones: «Dar ayuda e esfuerço—dice él—a los que reinassen después»; y otra, llevar al conocimiento de todos el derecho y la razón: que todos se guardasen «de fazer tuerto ni yerro».

Basado, sobre todo, en el Derecho romano, Alfonso X da toda clase de normas para la vida de la Iglesia; para la crianza, educación, conducta y gobierno de los reyes; para la administración de la justicia; para las convenientes relaciones entre los hombres, especialmente entre los de distintos credos religiosos, aspecto muy interesante en la época en que la compilación fué hecha; para la hacienda, testamentos, corrección y punición de los delitos[8]. Las *Partidas*, en una palabra, son una enciclopedia en la que, por medio de normas casi siempre las más justas, se regulan todas las relaciones humanas. Hay que destacar en ellas un sorprendente espíritu de tolerancia, que le lleva a dictar leyes como las que figuran en la Partida VII, por las que se autoriza a los judíos para seguir practicando sus cultos en las sinagogas e incluso «reparar et fazer en el mismo suelo, así como enante estaban» (ley 4.ª) las que se encontrasen en mal estado, y se conmina con graves penas a los cristianos que durante los mismos cultos se molestasen. Esta tolerancia pudo provenir tanto de su formación y cultura como del asiduo trato con hebreos y musulmanes, algunos de los cuales fueron sin duda sus colaboradores. En todo caso no deja de ofrecer vivo contraste con la intemperancia de que hicieron gala muchos de sus contemporáneos.

Para Alfonso X, «ley tanto quiere decir como leyenda en que yace enssennamiento e castigo escripto, que liga e apremia la vida del home que non faga mal, e muestra e enseña el bien que el home debe hacer e usar; e otrossí es dicha ley, porque todos los mandamientos de ella deben ser leales e derechos e complidos según Dios e según justicia». Influído por el sentido esotérico del número siete, tan característico de la Edad Media, considera siete las Partidas o partes del derecho, y hasta aparece en detalles curiosos, como al señalar las virtudes de las leyes: «Las leyes han de ser en siete maneras: creer, ordenar las cosas, mandar, ayuntar, galardonar, vedar y escarmentar.» Siete son también las letras de «Alfonso», que, por cierto, se corresponden con las iniciales del prólogo de cada Partida.

Aparte de su valor jurídico, nos ofrecen las *Siete Partidas* un gran valor informativo, como que despliegan ante nosotros un amplio cuadro de las costumbres de la época en múltiples aspectos: religioso, profesional, social, etc. En este sentido cabe subrayar las disposiciones relativas a juglares y juglaresas: el padre, por ejemplo, puede desheredar al hijo que, contra su voluntad, se hace juglar; las que se refieren al pueblo, que se define como una síntesis de todas las clases sociales; y las que afectan al teatro y diversos tipos de representaciones, muy interesantes para la historia del teatro medieval, ya que allí se hace tácitamente la afirmación de un teatro profano, al deslindar las obras autorizadas a los clérigos de aquellas a que no podían asistir.

Obras científicas

Son las que dieron al rey Alfonso su fama de sabio durante toda la Edad Media, si bien en el aspecto literario ofrecen, como fácilmente se comprenderá, menor interés. Son: las *Tablas alfonsíes*, los *Libros del saber de astronomía*, el *Astrolabio llano*, el *Astrolabio redondo* y el *Libro de la ochava esfera*. En su mayor parte se reducen a traducciones de originales árabes. En todos ellos se encierran reglas precisas y hasta matemáticas para el estudio de las estrellas y sus movimientos, junto con las normas convenientes para la construcción del instrumental propio de tales investigaciones. Consta que los palacios de Galiana, a orillas del Tajo, sirvieron de observatorio a los colaboradores del rey para tales estudios.

En los *Siete libros del saber de astronomía* se sigue el sistema tolemaico; y acaso el avenirse mal este sistema con el buen sentido del rey es lo que inspiró e hizo dar por buena y original la frase a que antes nos hemos referido: «Si Dios me hubiese consultado al crear el mundo...» Ya se ha dicho que es apócrifa y que corresponde a Pedro IV, el *Ceremonioso*, o a su cronista Descoll. De todos estos libros el que entraña más interés es el de la *Ochava esfera*, porque nos da noticias tanto de su composición y colaboradores como de la parte que en ella tomó Alfonso.

El *Lapidario* ocupa un lugar intermedio entre las obras científicas y las recreativas. Iniciado por Alfonso cuando aún era infante, fué acabado en 1279. Obedece a una concepción análoga a los *Libros de astronomía*: las piedras y sus virtudes están sometidas a la influencia de los signos del Zodíaco; el coral se relaciona con Tauro: la piedra del sueño, con Géminis; la esmeralda, con Ca-

pricornio, y así las demás. Alfonso redactó directamente la obra y, al hacerlo, nos dejó la prosa más bella y lograda de su siglo.

No vamos a detenernos en el análisis de los libros recreativos, casi siempre traducción, como los anteriores, de obras orientales. Con ellos el Rey Sabio buscaba sólo un remanso para él y sus lectores entre las «cuitas e trabajos de la vida». Interesa destacar la división que allí se hace de juegos: los que hoy llamamos deportes, es decir, aquellos en que los hombres hacen intervenir sus miembros «porque sean por ellos más recios et reciban alegría», tales como la jineta, la pelota, el lanzamiento de piedras o ballestas, el salto; y los que exigen una actitud sedentaria: ajedrez, tablas, dados. Da minuciosas reglas sobre cada uno e incluso los ilustra con figuras. El códice del ajedrez va desarrollando en miniatura cada una de las jugadas de que habla el texto. Las figuras de los jugadores, entre las que predominan las de tipo y traje orientales, están allí graves y hieráticas. La redacción de estos *Libros de ajedrez, dados y tablas* se terminó en Sevilla en 1283.

Las «Cantigas»

Literariamente, la obra más notable del Rey Sabio son las *Cantigas de Santa María*. El haberlas escrito en lengua gallega nos impide consagrarles un espacio que desentonaría en una obra dedicada exclusivamente a la literatura castellana. Son las *Cantigas* [9] una nutrida colección de cuatrocientas veinte composiciones, en metro vario y de distinta extensión, en las que se recogen hechos milagrosos o loores de la Virgen. Se suelen dividir en dos grandes grupos: *narrativas*, en número de trescientas sesenta, con el relato de leyendas piadosas, y *líricas*, en número de cuarenta, a través de las cuales el poeta da rienda suelta a sus acendrados sentimientos marianos. Las *líricas* se suelen llamar también «cantigas de loor». Las no incluídas en estos dos grupos se reducen a peticiones o acciones de gracias, prólogos, etc.

Alfonso, movido de su acendrado fervor hacia la Virgen, quiso hacerle este fino obsequio, y para ello recogió, poniéndolas en verso, todas las leyendas y hechos milagrosos de que tuvo noticia por mil diversas fuentes. Prefirió la lengua gallega sobre la castellana, él que tantas obras de mérito había escrito en nuestro vulgar romance, porque el gallego, lo mismo que el provenzal, había alcanzado un grado mayor de desarrollo lírico y, además, porque con su innegable dulzura se prestaba más a toda efusión e intimismo de carácter religioso. El rey Alfonso espiga por las grandes colecciones del medievo—el *Speculum historiale*, de V. de Beauvais; *Les miracles de la Sainte Vierge*, de Gautier de Coincy; el *De miraculis Beatae Virginis Mariae*, de Gualterio; etc.—, y va adaptando a verso gallego con admirable sencillez todas esas leyendas que corren por Europa, a las que agrega no pocas de carácter local. La mayor parte son temas de dominio público; algunas están tan difundidas, que de ellas tenemos hasta quince versiones de otros tantos autores. Así desfilan por las *Cantigas* el monje arrobado, que conoce durante trescientos años las dulzuras del paraíso; el niño judío arrojado al horno por su padre; el pecador empedernido que no puede llenar su vaso con toda el agua de los ríos y, al fin, lo colma con dos lágrimas de arrepentimiento; la monja tesorera que huye con el galán, y es sustituída por la Virgen; el caballero devoto de María, que llega tarde al combate por haberse retrasado oyendo misa, y encuentra a un adalid, enviado por Ella, ocupando su puesto; y tantas otras.

Para Valbuena Prat, en la lírica «Alfonso no pasa de ser un virtuoso de la forma». Sin duda lleva razón. Pero ha de tenerse en cuenta que las *Cantigas*—su mismo nombre lo dice—fueron compuestas para ser adaptadas a la música, lo que supone ya un «pie forzado» y una traba en cierto modo que se pone a la expresión poética. Menéndez Pelayo afirma que «el rey mismo compuso la música de todas estas canciones»; parece que no llegó a tanto. Hizo, en cambio, algo mucho mejor: «llamar a los mejores iluminadores de su tiempo para encargarles de la estupenda ilustración de los hechos que en ellas se narran». De este modo nos dejó en los códices que las contienen un tesoro de arte en que se funden admirablemente poesía, música y pintura, en una de las realizaciones más felices de la época [10]. Los códices de las *Cantigas* son cuatro: el de Toledo, el más antiguo, aunque incompleto; el 1.º de El Escorial, el más completo; el 2.º de El Escorial, integrado por dos tomos, de los que no queda más que uno; y el de Florencia, muy incompleto, con sólo unas cien composiciones.

Sobre la métrica de las *Cantigas* se ha discutido mucho: Ticknor, Valmar, Milá y Blanco García señalan un predominio provenzal; Menéndez Pelayo cree que domina la estructura gallega; Julián Ribera se inclina por la forma árabe. «La inmensa mayoría de ellas—dice—tienen la forma de *zéjel* de los moros españoles.» Recordemos que el *zéjel*, en una de sus formas más típicas, consta de un dístico en cabeza, que sirve de estribillo, seguido de una estrofa de cuatro versos, los tres primeros monorrimos y el cuarto rimando con el dístico inicial. Por lo menos trescientas *Cantigas*, según Ribera, se ajustan a este paradigma; hay unas pocas de imitación provenzal, y sólo cinco siguen la tradición gallega. Nosotros, aun reconociendo que en el fondo pueda llevar razón, nos permitimos, en cuanto al número, disentir del cómputo realizado por el famoso arabista.

Alfonso el *Sabio* sentía especial dilección por esta obra. En su testamento, donde apenas se alude a ningún otro de sus libros, dispuso que las *Cantigas* se custodiasen en la misma iglesia de su enterramiento, y que todos los años, en las fiestas de la Virgen, se cantaran sobre su tumba, dondequiera que ésta estuviese, bien en Sevilla, o bien en Santa María la Real, de Murcia.

En los cancioneros galaico-portugueses de Colocci-Brancutti y de la Vaticana figuran hasta treinta cantigas de carácter profano, originales sin duda de Alfonso X. Fuera de una, en loor de la Virgen, ya incluída en las *Cantigas de Santa María*, las demás son poesías de maldición, de amor o alusivas a hechos y personajes de la época, conforme a los géneros entonces en boga. Están también en gallego, como corresponde a los repertorios en que van incluídas, y algunas son francamente obscenas.

El Rey Sabio y sus colaboradores

¿Qué participación cabe atribuir al rey en esta ingente tarea? La pregunta, huelga decirlo, no afecta a la obra poética, sobre cuya originalidad no es posible abrigar dudas. Se refiere a las grandes producciones históricas, jurídicas y científicas. Aunque su realización supera con mucho la actividad de un hombre solo, y más si ese hombre tiene que atender a los más graves negocios del Estado, la verdad es que Alfonso tuvo en todas esas obras, más en unas que en otras, naturalmente, una intervención personal y muy directa. Desde luego, tuvo colaboradores, y él nada hizo por ocultarlo; antes, en varios pasajes de sus obras, destaca el nombre y la labor asignada a varios de ellos. Se sabe, por ejemplo, que en sus tratados de astronomía le ayudaron árabes y judíos, como Jehuda el Cohoneso, Bernaldo Abraham, Raciçag de Toledo y Samuel el Leví; españoles, como Gil de Tobaldos, Ferrando de Toledo y los dos D'Aspa, Juan y Guillén; italianos, como Juan de Cremona y Juan de Mesina; que en el *Lapidario* intervinieron Jehuda Mosca y el clérigo Garci Pérez; que para las *Cantigas* empleó como miniaturistas a Juan Pérez y Pedro Lorenzo; y que en su labor jurídica encontró excelentes auxiliares en los ya citados Ferrando Martínez y Jacobo Ruiz. Pero de no haber habido un espíritu superior que coordinase y dirigiera todos estos esfuerzos, las grandes obras alfonsinas no se habrían llevado a cabo.

Y no sólo fué esa labor directora y coordinadora. Por un pasaje de la *General e grand Estoria* nos enteramos de que el rey ejecutaba personalmente todo el trabajo previo de elección de materias, que después ordenaba, censuraba y corregía todos los originales. Por si esto fuera poco, aún se reservaba para sí—lo sabemos por otro pasaje del *Libro de la esfera*—la corrección y pulimento del estilo. En todo lo referente al lenguaje, el Rey Sabio tenía la máxima preocupación. Sobre todo, atendía a la poda de lo superfluo y a la sustitución de vocablos demasiado plebeyos por otros más nobles y correctos. Por otra parte, las numerosas obras que hubo de manejar para l composición de sus grandes obras le suministraron un copioso vocabulario, que vendría a enriquecer ya para siempre nuestra lengua.

III. LA EPOCA DE SANCHO IV

Continúa la prosa durante el reinado de Sancho IV, siguiendo en todo el impulso adquirido en los dos anteriores. La temática religiosa, al igual que la didáctica, de tan brillantes muestras en las colecciones hagiográfica y en los libros de milagros, tanto en latín como en castellano; y la literatura de distracción, que había cuajado en tantas compilaciones de fábulas y apólogos, unos de procedencia oriental y otros de fuentes clásicas, persisten tenazmente hasta mediados del XIV.

Acaso de todas las obras de este breve reinado (1284-1295), la más interesante sea la titulada *Castigos e documentos para bien vivir, que don Sancho IV de Castilla dió a su fijo.* En ella se incluye gran cantidad de ejemplos tomados de las narraciones marianas, al lado de disquisiciones pedagógicas y máximas extraídas en su mayor parte de autores clásicos: Cicerón, Valerio Máximo, etc. Entre los «enjiemplos» merecen subrayarse los de motivos diabólicos, especialmente aquellos en que el demonio adopta formas de «ribaldo» o pícaro, o bien se aparece en figura de mujer para seducir a ermitaños y varones beatíficos, con tantas versiones en la literatura posterior de todos los países. Sus últimos ecos, con ligeras variantes, llegarán a Herculano y a Tolstoi: *La dama del pie de cabra* y *El padre Sergio,* respectivamente.

A pesar de lo categórico de su título, los *Castigos e documentos* no es seguro que sean obra personal del monarca. Probablemente, como en los libros alfonsinos, sólo sea suya la inspiración, y el fautor material o colector de anécdotas, cualquier fraile cortesano. Croussac y Foulché-Delbosc consideran tomados los *Castigos* de la adaptación castellana del *De regimine principum,* de Egidio Colonna; pero el benemérito agustino padre Zarco del Valle, a la vista del manuscrito de El Escorial (Z, III, 4), sostiene que la obra, en su primera versión, estaba ya terminada en 1293, y la versión del libro de Colonna no se hizo hasta medio siglo más tarde (1345).

La «Gran conquista de Ultramar»

Análoga progresión experimenta por los últimos años del siglo XIII la prosa doctrinal. En este aspecto, la obra más notable de la época es la *Gran conquista de Ultramar,* enorme compilación de la historia de las Cruzadas, traducida a últimos del XIII o principios del XIV, de un original francés desconocido. Según Croussac, el compilador tuvo presente el *Roman d'Eracle,* traducción, a su vez, de la *Historia rerum in partibus transmarinis gestarum,* de Guillermo de Tiro (m. 1184).

La *Gran conquista* incorpora al relato numerosas leyendas—la de Baldovín y la Sierpe, la de Harpin de Bourges, la de *Mainete* (versión distinta de la que figura en la *Crónica general*)—, convirtiéndose de este modo en la primera muestra de literatura caballeresca que tenemos en castellano. En mil cien capítulos nos cuenta las hazañas de Godofredo de Bouillon, la conquista de Jerusalén, las expediciones a Egipto, Trípoli y Túnez, etc. El episodio más famoso es el constituído por la bellísima leyenda del *Caballero del Cisne,* que ocupa más de cien capítulos y tiende a explicarnos la genealogía de Godofredo. La leyenda en síntesis es así:

La infanta Isomberta huye de casa por no aceptar el matrimonio que le imponen sus padres. Contrae nupcias con el conde Eustacio, que al poco tiempo tiene que partir para la guerra. En su ausencia la infanta da a luz siete niños de un solo parto. A cada uno de ellos un ángel le coloca un collar de oro al cuello. La suegra, opuesta al matrimonio de su hijo con Isomberta, hace creer a aquél que su esposa ha dado a luz siete podencos; y, como era considerada adúltera la mujer que tenía más de un niño en un parto, Isomberta y los recién nacidos son condenados a muerte. El caballero Bandoval, encargado de cumplir la sentencia, abandona a los niños en un monte, donde son recogidos por el ermitaño y amamantados por una cierva. Seis de los niños van a pedir limosna, mientras el otro queda en casa. La madrastra los reconoce y manda darles muerte; pero, al quitarles los collares, se convierten en cisnes y huyen volando. La condesa ordena fundir los collares y que con ellos hagan una copa; pero el metal aumenta prodigiosamente y al orfebre le basta uno solo para la obra encargada, guardándose los restantes. Los seis cisnes se refugian en un lago próximo a la casa del ermitaño y de su hermanito. Tras dieciséis años de ausencia regresa el conde Eustacio. Se pregona el adulterio de la condesa, la cual habrá de morir, de no presentarse un defensor que dé muerte a sus acusadores. El ermitaño envía al hijo de la condesa, que aún permanecía con él. Vence y es reconocido por el conde. La madre de éste confiesa su calumnia. El conde ordena que traigan los seis cisnes, los cuales, al ponerse los collares, vuelven a su forma primitiva. Pero queda uno que no puede recobrar la forma humana; el del collar fundido para la copa. El caballero vencedor recibe la gracia de ganar todas las batallas reñidas «contra dueña inocente», y el cisne la de guiarle a todas partes. De aquí su sobrenombre de *Caballero del Cisne*.

La segunda parte, de fuentes remotísimas, se relaciona con el mito de Psiquis. Entre las damas que defiende el *Caballero del Cisne* está Beatriz de Bullón, con quien contrae matrimonio, a condición de que nunca le pregunte por su origen y procedencia, pues en el momento en que tal haga, partirá para siempre. Beatriz, incapaz de frenar su curiosidad, formula unas preguntas y el Caballero se aleja en el bajel tirado por el cisne.

La leyenda, aparecida en Alemania (h. 1200) con el nombre de *Lohengrin*, ha sido renovada recientemente por Wagner en la ópera del mismo título.

IV. DON JUAN MANUEL

Lo que significa para el verso el Arcipreste de Hita, significa para la prosa el llamado «Infante» don Juan Manuel (1282-1349?) [11]. Los dos viven por el mismo tiempo; y los dos enriquecen y ensanchan la expresión literaria, uno en su forma poética, otro en la narrativa. La misma distancia que media entre el verso lento, monocorde y un poco premioso de Berceo y la estrofa ágil, suelta y espontánea de Juan Ruiz, existe también entre la cláusula todavía algo vacilante de Alfonso el *Sabio* y la ya firme y cuajada de su sobrino Juan Manuel. Con el *Libro de Patronio*, o *Conde Lucanor* (1335), don Juan Manuel crea un género nuevo, el mismo que por aquellas fechas, sólo que con un leve retraso respecto del prócer castellano, creaban en Italia e Inglaterra, respectivamente, Boccaccio y Chaucer.

Biografía y carácter

Nieto de San Fernando y sobrino carnal de Alfonso el *Sabio*, nace don Juan Manuel en Escalona, en 1282. Sus padres fueron el infante don Manuel, hermano de Alfonso X, y doña Beatriz de Saboya. Fué muy favorecido por Sancho IV. Huérfano de padre a los dos años y de madre a los ocho, se convirtió pronto en uno de los señores más poderosos del reino. Desde niño empezó a ejercer importantes cargos: fué señor de Villena y de Alarcón; a los doce años era Adelantado de Murcia. Peleó en su adolescencia contra los moros; intervino activa y hábilmente en la minoría de Fernando IV y actuó como tutor en la de Alfonso XI. Venció a los moros en Vera y obtuvo altos honores, como el privilegio de armar caballeros. En las luchas políticas de la época tuvo destacada intervención, pronunciándose unas veces a favor del rey y otras en su contra, aunque demostró no guardar fidelidad a nadie. Casado tres veces y suegro de dos reyes, vió aumentar de tal modo sus dominios que se enorgullecía de poder «ir de Murcia a Navarra, pasando cada jornada por villa cercada de castillos suyos». Se desconoce la fecha de su muerte, que debió de ocurrir antes de agosto de 1349, ya que en esa fecha su hijo don Fernando se titula señor de Villena y habla de su padre como ya difunto.

Se descubre en don Juan Manuel, a la primera ojeada, una doble personalidad: la del hombre público y la del escritor. Como en tantos otros personajes insignes, sólo que con un perfil más acusado, la conducta de don Juan Manuel está en franca contradicción con la doctrina que predica en sus libros. Como hombre público, don Juan Manuel es cauteloso, hábil, desconfiado; un auténtico precursor de Maquiavelo. El oportunismo, la ambición y la intriga son sus consejeros. En su afán de imponer su criterio, que casi siempre se confunde con su egoísmo, no vacila en aliarse con los enemigos tradicionales de España, con los mismos moros; y esto en contra de su rey. Su carácter se pone de manifiesto en una carta al rey Alfonso IV de Aragón, reproducida por Giménez Soler en su biografía de don Juan Manuel [12]. En ella impone dos condiciones para ir a Valencia con objeto de acompañar al monarca: primera, que no se hable de política; segunda, que todos los gastos durante la estancia corran de su propia cuenta. Por la primera evita alusiones a su conducta pasada; por la segunda se considera más independiente, como quien nada tiene que agradecer. Sin embargo, al final de su vida, y después de haber peleado valientemente en El Salado, se retira al convento de dominicos de Peñafiel, a vivir entre los libros y prácticas devotas. A esta época corresponde el retrato que de él se conserva, en que aparece postrado ante el altar con roja vestidura, blancos los cabellos y la barba. Sus nobles facciones, ha dicho el profesor Sánchez Cantón, «expresan inteligencia, energía y desengaño».

Este hombre, que se pasó gran parte de la vida entre las intrigas y la lucha, es, al mismo tiempo, un espíritu refinado y de extrema sensibilidad. Muchos de los defectos que se le imputan, y que sin duda tuvo, son propios de la época y producto de las circunstancias en que hubo de vivir; y en todo caso, hay que agradecerle el haber sabido emplear parte de su tiempo en la redacción de una serie de obras literarias, que le hacen el iniciador de esa larga cadena de escritores guerreros—feliz alianza de las armas y las letras—, que habrá de continuarse luego con Ayala, Pérez de Guzmán, Santillana, Garcilaso, Acuña, Virués y Cervantes.

La obra literaria

El mismo don Juan Manuel nos dió la lista de sus libros: *La crónica abreviada, El libro de los sabios, El libro de la caballería, El libro del infante, El libro del caballero et del escudero, El libro del conde, El libro de la caza, El libro de los engaños, El libro de los cantares.*

Esta enumeración, que figura en el prólogo del *Conde Lucanor*, no es completa; a ella habría que añadir el mismo *Conde Lucanor*, el *Libro de los Estados*, el de los *Exemplos*, el de los *Consejos o castigos*, por otro nombre llamado *Libro infinido*, y algunas obritas pequeñas: *Maneras de amor, Tratado sobre la Asunción de María*, etc.

No conocemos la cronología de toda esta producción. Según Giménez Soler, debió de empezar por las obras de entretenimiento: *Libro del caballero y del escudero* (1326); *Libro de los Estados* (1327-1332); *Libro de los exemplos* (1330-1335). Sin embargo, el *Libro de la caballería* fué compuesto antes del 1325.

De las obras de don Juan Manuel se vienen haciendo dos reparticiones: primera, *expositivas* y *narrativas*; segunda, que es la que nosotros preferimos, *obras menores* y *mayores*.

Obras menores

Las históricas propiamente dichas, *Crónica abreviada* y *Crónica complida*, se han perdido. De las que nos quedan del autor no puede sacarse el menor indicio respecto a ellas. Se ha supuesto que serían compendio y continuación de las obras análogas del Rey Sabio.

Si lamentable es tal pérdida, no lo es menos la del *Libro de los cantares*, que tuvo en su poder y prometió publicar Argote de Molina (1548-1598). A juzgar por las muestras poéticas que nos ofrece don Juan Manuel en las «moralidades» insertas al final de cada cuento del *Lucanor*, la lírica no era su fuerte, si bien se revela un aventajado discípulo de los trovadores gallegos y dueño de los secretos del «arte de trovar». Sólo en el *Lucanor* nos ofrece tres tipos distintos de endecasílabos.

Contrariamente a la opinión de quienes no ven en el *Libro de la caza* interés alguno, nosotros le concedemos relativa importancia, en cuanto obra clave que nos revela los móviles de la conducta de su autor en determinados aspectos. Allí se pretende justificar su orgullo, que le hace creerse superior a los mismos reyes, toda vez que «él tuvo la bendición de sus padres», lo que no alcanzaron de los suyos respectivos Alfonso X ni Sancho IV.

Menos relieve tienen el *Libro de los consejos o castigos que fizo don Johán Manuel para su fijo*, por otro nombre *Libro infinido*, encajado dentro de la tradición didáctica, aunque para acentuar su tono suasorio se prescinde de los consabidos ejemplos; el tratado *De las maneras de amor*, simple análisis de las diversas formas de la amistad; y el *Tractado en que se prueba por razón que Sancta María está en cuerpo y alma en el paraíso*, exposición árida y fría, pero interesante, en cuanto anticipa razones del dogma asuncionista.

Obras mayores

Son tres: una en que predomina lo didáctico, el *Libro del caballero et del escudero;* otra en que didactismo y novela están en equilibrio, el *Libro de los Estados;* y otra tercera, en que hay pleno dominio del elemento novelesco, el *Conde Lucanor.*

El *Libro del caballero y del escudero* nos ha llegado incompleto: le faltan los capítulos III a XVII. Consta de dos partes: una, de trama novelesca, y otra, doctrinal. Esta segunda puede considerarse una enciclopedia de los conocimientos de la época en materia de astronomía, ciencias naturales y hasta teología. Sus fuentes principales son San Isidoro (*Etimologías*), Alfonso X, el *Lucidario*, el *Libre del Ordre de cavalleria*, de Lull. El soporte novelesco es muy sencillo: un rey convoca cortes, a las que acude gran número de caballeros y escuderos; entre ellos un mancebo de humilde origen, pero de excelentes cualidades. En este punto se interrumpe el relato, y al reanudarse, vemos al joven escudero adoctrinado por un caballero anciano acerca de todo lo concerniente a la orden de caballería. Concurre el doncel a unas justas; al regresar a la ermita donde vive retirado el caballero, recibe nuevos consejos y asiste a su muerte.

De escaso valor novelesco, el *Libro de los Estados* importa como exposición y resumen del ideario político de su autor, quien nos dejó en él de paso frecuentes alusiones de carácter autobiográfico. Verdadero tratado de educación y crianza de príncipes, despliega ante nuestros ojos un amplio cuadro de la sociedad en la época en que fué escrito. Su tema es la conocida leyenda de Buda en su adaptación cristiana. Los tres encuentros de Buda—con el leproso, el viejo decrépito y el cadáver—quedan sintetizados aquí en uno solo: encuentro «con el cuerpo del home finado».

He aquí su trama: El rey pagano Morován encarga de la educación de su hijo Johas al maestro Turín, quien debe evitar por todos los medios que el infante sepa lo que es dolor y muerte, a fin de que viva más feliz. Contra las intrucciones del padre y los cuidados del maestro, el príncipe, al atravesar un día cierta calle, ve un grupo de gentes que lloran desconsoladamente a un hombre muerto. Johás indaga de su maestro el secreto de la vida y de la muerte; pero, incapaz Turín de satisfacer su curiosidad, lo envía al santo varón Julio, quien se encarga de instruirle en las verdades cristianas. Padre e hijo se convierten.

El *Libro de los Estados* plantea uno de los problemas predilectos de la Edad Media, el de la diferencia de religiones, que cada escritor, ya queda dicho, resuelve en favor de la suya: así, Judá Haleví, en su *Cuzari;* así, Ramón Lull, en el *Libre del gentil y dels tres savis;* así, también nuestro don Juan Manuel. Pocos años más tarde, Boccaccio, en el cuento de *Los tres anillos,* dejará el problema flotando en una niebla de escepticismo. Como el *Libro del caballero y del escudero,* consta el *De los Estados* de des partes: novelesca y doctrinal. Esta última, monótona y fría, de menos valor.

El «Conde Lucanor»

Es la obra máxima de don Juan Manuel. Representa el triunfo de su técnica narrativa y sintetiza al mismo tiempo su pensamiento político, social, religioso y hasta literario. El *Libro de Patronio,* o *Conde Lucanor* crea hasta cierto punto el género novelesco no sólo en España, sino en Europa, ya que, terminado el 12 de junio de 1335, se anticipa en trece años a la otra gran colección de cuentos medievales, el *Decamerón,* de Boccaccio, cuya redacción no se inicia hasta 1348. Un doble propósito, humano y espiritual, anima a Juan Manuel en la composición de todas sus obras, pero muy especialmente en la que nos ocupa. La forma expositiva se ajusta en todo a ese propósito: quiere enseñar, pero que la enseñanza penetre por el camino de la amenidad. De aquí su curioso símil del médico que administra la medicina amarga endulzada con miel. Viene a ser el *Conde Lucanor* una exposición de filosofía práctica, en que la misma ausencia de todo método científico contribuye al mayor encanto de la obra. Un joven conde, Lucanor, interroga a su ayo Patronio sobre una serie de problemas: gobierno, amistad, conducta, etc. Y el ayo, en vez de contestarle teóricamente, le lleva al terreno de la práctica, mediante un «ejemplo» o símil relacionado con la pregunta que se formula.

La variedad temática de estos «ejemplos» es grande: fábulas orientales y clásicas, milagros, temas de las Cruzadas, de la historia nacional y extranjera, leyendas, tradiciones y hasta experiencias personales del autor. Es de notar la ironía de algunos de estos cuentos; por ejemplo, del XXI: «Del juicio que dió un cardenal entre los clérigos de París y los frailes menores». El pleito, que amenaza eternizarse, proviene del derecho de prelación al toque de campanas en las primeras horas del día. El cardenal, en presencia de ambas partes, cancela el litigio con estas palabras: «Amigos, este pleito ha mucho durado, et habedes todos tomado gran costa et grand daño, et yo non vos quiero traer en pleito, mas dovos por sentencia: que el que antes despertare, ante tanga.» De las cinco partes que suelen distinguirse en el *Conde Lucanor,* la más novelística y animada es la primera, con cincuenta y un «ejemplos» o cuentos.

Anotamos los que juzgamos más interesantes: III, «Del salto que fizo el rey Richalte de Inglaterra en la mar contra los moros», tomado de una antigua narración, *De saltu templarii,* y aprovechado por Tirso de Molina en *El condenado por desconfiado;* VII, «De lo que contenció a una mujer quel dicían doña Truhana», de procedencia oriental, como el anterior, inspirado probablemente en «El religioso que vertió la manteca», del *Calila e Dimna;* X, «De lo que contenció a un homne que por pobreza et mengua de otra vianda comía atramuces», semejante al de la conocida décima de *La vida es sueño:* «Cuentan de un sabio que un día...»; XI, «De lo que contenció a un deán de Santiago con don Yllán, el gran maestre de Toledo», derivado del libro *De las cuarenta mañanas y las cuarenta noches,* y que debió de influir en *La prueba de las promesas,* de Ruiz de Alarcón, y en el *Don Juan de Espina en Milán,* de Cañizares; XXXII, «De lo que contenció a un mancebo que casó con mujer muy fuerte y muy brava», tema análogo al de *La fierecilla domada,* de Shakespeare; XL, «De las razones porque perdió el alma un Siniscal de Carcasona», muy semejante al cuento 1.º (I jornada) del *Decamerón;* LI, «De lo que contenció a un rey cristiano que era muy poderoso et muy soberbio», que influyó, sin duda, en la comedia de Rodrigo Herrera *Del cielo viene el buen rey.*

Otros cuentos del *Lucanor* parecen producto de experiencias personales o bien recogidos directamente de la tradición: el XV, «De lo que contenció a don Lorenzo Suárez sobre la cerca de Sevilla», acaso tomado del cap. XL de la *Crónica del rey San Fernando;* el XXVII, «De lo que contenció a un emperador et a don Alvarháñez con sus mujeres»; el XLII, «De lo que contenció a una falsa beguina», muy frecuente en los sermonarios de la época.

Ideología y estilo

Interesa la ideología de don Juan Manuel en tres aspectos: político, humano y literario.

En lo político, concibe una federación de Estados sobre la base de unos principios generales de amor y de justicia. Aspira al universalismo, y ve en la lengua el mejor camino para llegar a él. Por ello quiere que su obra, a ser posible, se traduzca al latín.

Constituye a la prudencia en eje de la vida política; una buena parte de sus «ejemplos» no persiguen sino eso: inculcar el espíritu de la prudencia lo mismo en el rey que en el vasallo. Apartándose de Maquiavelo, cuyo antecesor es y con quien tantos puntos tiene de contacto, estima que el príncipe más debe serlo por el afecto de sus súbditos que por el temor. Se pronuncia contra la pena de muerte por dos razones: por la irreparabilidad del error posible en la sentencia y por la pérdida de un ser humano, que puede ser algún día útil al Estado.

En lo relativo a la personalidad humana y al orden de la conducta, se mueve sobre unos pocos principios básicos: *a)* el conocimiento de sí mismo y autoanálisis de las propias pasiones y afectos. «La mayor desconoscencia es quien non conoscen a sí, pues ¿cómo conocerá a otro?»; *b)* ocupación constante y condena de toda ociosidad. La vida es milicia, no destierro y valle de lágrimas, como en Berceo, sino continuo batallar en busca de la fama, que sólo se logra a costa de heroicas acciones. «En mal punto fué nascido el omne que quiso valer más por obras de su linaje que por las suyas» *(Libro de los Estados,* capítulo LXXXV); *c)* frecuente examen de conciencia, conformidad con la voluntad divina y sometimiento de las pasiones al freno de la razón. Los sentimientos humanos mejor analizados son el odio y el amor. El pecado original radica en el acto de la carne, por llevar ya en sí un cierto desorden natural. Junto al amor coloca, en la más alta jerarquía, a la amistad. Sobre ésta, en su doble aspecto de falsa y verdadera, nos ofrece numerosos «ejemplos» (I, V, IX, XII, XIII, etc.) y el bello dístico:

Nunca homne podríe tan buen amigo fallar
como Dios que lo quiso por su sangre comprar.

La base del matrimonio debe ser el amor; pero un amor racional y razonado. Frente a los fueros feministas proclamados por Alfonso el *Sabio,* don Juan Manuel defiende la sujeción y sometimiento de la mujer al marido. Los tres tipos mejor caracterizados son: el soberbio (cuento LI), el hipócrita (cuento XVI) y el ingrato (cuento XI).

Mayor interés ofrece su ideología literaria. Don Juan Manuel es el primer escritor medieval que tiene conciencia del valor de su obra. Se preocupa constantemente de que no contenga errores, y nos da abundantes pruebas del cuidado con que leía y cotejaba los textos. En este como en otros aspectos su principal fuente de información es la experiencia. Este sentimiento, siempre al vivo, del valor de su propia obra aguza su espíritu crítico y le lleva a una continua vigilancia sobre los copistas, que por pereza o incapacidad pueden desfigurar el sentido del texto. Para obviar tales inconvenientes se decide a corregir personalmente sus escritos. En tal sentido, es muy elocuente cierto pasaje del *Lucanor:* «Et porque don Johán vió et sabe que en los libros contescen muchos yerros en los trasladar, cuidando por la una letra que es la otra, en escribiéndolo, múdase toda la razón, et por aventura confúndese, et los que después fallan aquello escripto, ponen la culpa al que fizo el libro; et porque don Johán se receló desto, ruega a los que leyeren cualquier libro que fuere trasladado del que él compuso, e de los libros que él fizo, que si fallaren alguna palabra mal puesta,

que non pongan la culpa a él fasta que vean el libro mismo que don Johán fizo, que es emendado, en muchos lugares de su letra.» No se trata de un mero pretexto para paliar posibles defectos; antes está dispuesto a reconocer los fallos que proceden de la propia ignorancia: «Pero desque vieren los libros que él fizo, por las menguas que en ellos fallaren, non pongan la culpa a la su atención, mas pónganla a la mengua del su entendimiento, porque se atrevió a se entretener a fablar en tales cosas.»

Persigue la universalidad de su obra; para lo cual recaba la opinión de aquellos que él juzga «sabidores», a la vez que procura expresarse, dentro de cierta aristocrática elegancia, con el estilo más llano posible, a fin de ser entendido por todos. En la segunda parte del *Lucanor* tropezamos con un «Razonamiento que hace don Johán por amor de don Jaime Señor de Xérica», muy revelador en orden a la posición estética del infante. Confiesa éste que siempre ha procurado escribir con «razones... asaz llanas e declaradas», para que se aprovechen de ellas los que no sean letrados. Como don Jaime—«uno de los hombres del mundo (dice él) que yo más amo et por ventura non amo a otro tanto como a él»—le rogara que escriba más oscuro «et que si algún libro feciese non fuese tan declarado», don Juan se dispone a seguir su consejo, no sin excusarse antes por los inconvenientes que de ello se puedan derivar: «Et porque estas cosas de que yo cuido fablar non son en sí muy sotiles, diré yo con la merced de Dios lo que dijiere con palabras tales, que los que fueren de tan buen entendimiento como don Jaime, que las entiendan muy bien, et los que no las entendieren non pongan la culpa a mí, ca yo non lo quería facer sinon como fiz los otros libros, mas pónganla a don Jaime, que me lo fizo así facer.»

Considera la obra literaria propiedad personal, ni más ni menos que la que el hombre tiene sobre sus bienes materiales. Contrasta tal criterio con el de su coetáneo el Arcipreste de Hita, que lanzaba su *Libro de buen amor* a la plaza pública, autorizando al primero que llegase para tomarlo, dejarlo, acrecerlo o disminuirlo en la forma que quisiera. Don Juan Manuel, por el contrario, cree que sus escritos son íntegramente suyos y que nadie tiene derecho a poner en ellos la mano para modificarlos en lo más mínimo. Y para que no haya en ello dudas, nos adelanta en el prólogo de sus obras el cuento del caballero de Provenza, tan elocuente como sabroso [13].

Por todo ello hemos de ver en el autor del *Conde Lucanor* uno de los escritores más representativos de la Edad Media española. Rosenbranz lo califica de intermediario entre la novelística oriental y la occidental. *Azorín* evoca su figura en el momento de acabar alguna de sus páginas, contemplando «el severo y noble campo de Castilla... con el gesto sereno de Erasmo retratado por Holbein». Menéndez y Pelayo alaba su exquisita delicadeza de alma y aquella su repugnancia instintiva a todo lo feo y plebeyo, condición estética, a la par que ética, de espíritus valientes, que le impide caer en las lubricidades de un Boccaccio o de un Chaucer.

V. LA «CRONICA TROYANA»

Otra forma novelística, cuyas primeras manifestaciones corresponden a la época que estamos estudiando, es la de los libros de caballerías, que por haber tenido entre nosotros un desarrollo muy posterior no analizamos aquí, reservando su referencia para incluirla en el período renacentista.

Sólo queremos por el momento aludir a una de las primeras muestras del género en las letras españolas, si bien por ser mera adaptación de una obra extranjera sólo ofrece valor muy secundario: la llamada Crónica troyana. Se trata, ya lo indica el título, de una extensa narración de la guerra de Troya; pero no siguiendo el relato homérico, desconocido casi durante toda la Edad Media, sino a tenor de los fantásticos relatos que sobre aquella guerra nos dejaron dos historiadores apócrifos: Dares el Frigio y Dictis el Cretense [14]. Las falsas narraciones de éstos alcanzaron enorme boga y crédito en el medievo, sobre todo desde que el poeta francés Benoît de Sainte-More les dió cabida en su Roman de Troie, extenso poema perteneciente al «ciclo clásico», integrado por más de treinta mil versos, aparecido a fines del siglo XII. El Roman de Troie pronto se hizo famoso tanto en Francia como fuera. Guido della Colonna hizo una refundición de él al latín (1287), titulándola Historia troyana; y en España tuvo dos versiones durante el siglo XIV: una en prosa, que empezó a hacerse en el reinado de Alfonso XI y terminó en el de Pedro I (1350), y otra, mezcla de prosa y verso, realizada por las mismas fechas.

De todos modos, la leyenda de Troya estaba fresca de tiempo atrás en la memoria de los españoles; en el siglo XI encontramos frecuentes alusiones a Aquiles, Héctor, Eneas, etc. Pero una manifestación en lengua vulgar no aparece hasta que Lorenzo de Astorga, en el siglo XIII, inserta un largo fragmento sobre esta materia en el libro de Alexandre, y Alfonso el Sabio la recoge en sus dos grandes obras históricas la Crónica General y la Grande e general estoria.

NOTAS

1. Vid. Rafael Lapesa: Historia de la lengua española, Madrid, 1942, págs. 133-34.
2. España en su historia, Buenos Aires, 1948.
3. Publicado por Américo Castro en «Revista de Filología Española», vol. I, año 1914.
4. Véase González Palencia: Versiones castellanas del Sendebar, Madrid-Granada, 1946.
5. El poeta Marquina vertió al castellano la frase de Mariana en dos versos definitivos:

De tanto mirar al cielo,
se le cayó la corona.

6. Antonio G. Solalinde: Prólogo a la Antología de Alfonso X el Sabio, Colec. Austral, 3.ª ed., 1946.
El romance apócrifo nos retrata a don Alfonso lamentando sus desgracias:

Yo salí de la mi tierra
para ir a Dios servir,
e perdí cuanto había
desde enero fasta abril...

Apareció por vez primera en el Sumario de las maravillosas y espantables cosas, de Gutiérrez de Torres (1524), y, según Cotarelo, procede de una carta que incluyó Pedro Barrantes en sus Ilustraciones de la Casa de Niebla, dándola como original de Alfonso X.
En cuanto al Libro de las Querellas, probablemente es una superchería de don José Pellicer de Osau y Tovar, historiador, poeta y forjador de incontables fábulas. Con decir que las dos famosas estrofas, atribuidas al rey Alfonso, están en «octavas de arte mayor», y que tal metro no se inventó hasta un siglo más tarde, queda deshecha la burda falsificación.
7. Primera Crónica General. Estoria de España, que mandó componer Alfonso el Sabio y se continuaba bajo Sancho IV en 1289, Nueva Biblioteca de Autores Españoles, t. V, Madrid, 1906.
8. El contenido se agrupa en los siguientes apartados:
Partida I.—«Del estado eclesiástico y cristiana religión». Verdadero código canónico, con detallada exposición sobre los clérigos y prelados; obligaciones y circunstancias de los mismos; administración de Sacramentos y materia dogmática.
Partida II.—«De los emperadores, reyes e grandes señores de la tierra». Definición del «imperio» y prerrogativas del emperador; educación, estudios, matrimonios de los monarcas; concepto del tirano y clases de tiranía. Se distinguen dos tipos de tirano, el de fuerza y el de naturaleza, con una doctrina que recogerán luego nuestros grandes teólogos y juristas del XVI.
Partida III.—«De la justicia y de su administración: cómo se ha de hacer en cada lugar, por palabra de juicio o por obra de fecho». El legislador muestra gran comprensión de las costumbres vigentes, y a ellas atiende con frecuencia en la parte dispositiva.
Partida IV.—«Del humano parentesco matrimonial e del parentesco que ha entre los homes».
Partida V.—«De los empréstitos, e compras, e cambios, e todos los otros pleitos e posturas que fazen los homes entre sí».
Partida VI.—«De los testamentos y herencias».
Partida VII.—«De las acusaciones e malfechos que fazen los homes e de las penas e escarmientos que han por ellos».
Interesa destacar en este amplio código las leyes 1-11, tít. XXI, de la Partida III, de carácter pedagógico, sobre maestros, alumnos, métodos de enseñanza, obtención y colación de grados, etc., en las que se demuestra que el rey estaba en los más nimios detalles de la organización escolar; las de la Partida IV, referentes a la amistad, en las que se sigue muy de cerca el conocido tratado de Cicerón sobre el mismo tema y se supera con mucho la doctrina expuesta años más tarde por su sobrino don Juan Manuel, en su estudio sobre Las maneras de amor, y las de la VII, consagradas a regular las relaciones entre cristianos, moros y judíos (leyes 2.ª y 4.ª, tít. XXIV).
9. Aceptamos como más correcta, siguiendo en ello al Diccionario de la Real Academia Española, la acentuación llana, cantiga, si bien muchos autores siguen prefiriendo la forma esdrújula, cántiga, que también está admitida.
10. «En este códice de El Escorial T j i —copiamos de Valbuena Prat—, además de dos miniaturas iniciales (folios 4 y 5), hay 1.255 miniaturas en 210 páginas, pues cada grupo de pinturas está dividido en seis compartimientos, excepto uno, que lo está en ocho. El códice j b 2 de El Escorial ofrece en la portada la famosa mi-

niatura del rey entre juglares, juglaresas y artistas gráficos. S'obre el folio 29 hay otra de Alfonso entre dos coros de hombres y mujeres. Cada diez composiciones hay miniaturas de un músico o dos tocando tubas, instrumentos de arco, etc.» *(Historia de la literatura española,* 2.ª ed., I, pág. 126.)

11. Aunque no le corresponde el título de *Infante* en su acepción actual, nosotros, siguiendo una costumbre inveterada, no vacilamos en aplicárselo, porque así se le viene llamando en todas las historias.

12. Va fechada en el castillo de Garci-Muñoz, el 3 de enero de 1332, y en ella don Juan Manuel dice que visitará al rey con dos condiciones: «la una, porque yo sé que el cuydado embarga mucho a la salut, que en quanto yo fuese con vusco que non fablemos en ningún seso ni en cosa que podades tomar cuydado ni enojo; la otra, que me dexedes comer mis dineros en vuestra tierra, e enbío vos esto desir desde acá, porque si me lo non otorgades, que sepades que non vos yré ver, et fasermedes en ello muy grand pesar». Esta carta es, según Andrés Giménez Soler *(Don Juan Manuel: biografía y estudio crítico,* pág. 594), el único autógrafo que se conserva del autor del *Conde Lucanor.*

13 Un artesano, que se dedica a hacer zapatos, acusa a un caballero de haberle estropeado la mercancía. El caballero argumenta diciendo que él tenía compuesta una canción, «de la qual se pagaba mucho», y que el zapatero la interpretaba tan mal, que se la estaba echando a perder. Por la misma razón que éste atentaba contra una propiedad intelectual suya, él atentaba contra una mercancía propiedad del artesano.

14. Un tal L. Septimio se fingió traductor de un original griego que, según él, había sido escrito por *Dicthis cretense,* combatiente nada menos que de la guerra troyana. Según una carta anexa, Dicthis, a diferencia de Homero, que no presenció directamente la guerra, había hecho un relato fiel de toda ella desde el rapto de Helena hasta la muerte de Ulises. Tan inapreciable obra en un testigo presencial había sido enterrada junto con su autor; pero un terremoto hízola salir a la superficie en el año penúltimo del reinado de Nerón. Todo esto, como se ve, es pura fantasía de Septimio, el cual, sin embargo, se inspira en buenas fuentes.

No se puede decir lo mismo de la *Historia de excidio Troiae,* de Dares Frigio, mucho más tardía (s. v), aunque llegó a disfrutar de la misma popularidad. El supuesto autor dice haber descubierto el original griego de la misma en Atenas y haberlo traducido al latín para desmentir las patrañas homéricas. La verdad es que el autor de toda suerte de patrañas es él. Si Dicthis se atiene a la tradición, Dares, por su parte, inventa cuanto quiere. Arranca de la expedición de los argonautas, y, en su afán de dar al relato visos de exactitud, llega a exageraciones como los caps. XII-XIII, en que nos describe con pelos y señales el carácter tanto físico como moral de treinta héroes y otras tantas heroínas aludidas por Homero.

BIBLIOGRAFIA

I. ALEMANY BOLUFER: *Calila e Dimna,* estudio y notas de..., R. Acad. Esp., Madrid, 19:5 —PEDRO ALFONSO: *Disciplina clericalis,* trad. estudio y notas de A. González Palencia, Madrid-Granada, 1948.—RENÉ BASSET: *Mille et un contes, récits et légendes arabes,* 3 vols., París, 1924-1927.—F. BLISS LUQUIENS: The *«Roman de la Rose» and Mediaeval Castilian Literature,* «Romanische Forschungen», XX, 1907.—E. CARRÉ ALDAO: *Influencias de la literatura gallega en la castellana,* Madrid, 1915.— AMÉRICO CASTRO: *Disputa entre un cristiano y un judío,* «Rev. Fil. Esp.», 1914.—A. GONZÁLEZ PALENCIA: *El Arzobispo don Raimundo de Toledo,* Barcelona, Edit. Labor, 1942; *La huella del león* (tema oriental), «Historias y leyendas», págs. 111-144, Madrid, 1942; *Versiones castellanas del «Sendebar»,* Ed. y pról. de..., Madrid-Granada, 1946.— RAFAEL LAPESA MELGAR: *Notas para el léxico del siglo XIII,* «Rev. Fil. Esp.», XVIII, 1931.—MARÍA ROSA LIDA: *La idea de la fama en la Edad Media castellana,* México, 1952.— M. MENÉNDEZ PELAYO: *Orígenes de la novela,* cap. III, vol. I, Madrid, 1944; *La doncella Teodor,* «Est. y disc. de crít. hist. y literaria», vol. I, págs. 219-54, Santander, 1941; *El apólogo y el cuento oriental,* «Oríg. de la novela», vol. I, cap. II.—R. MENÉNDEZ PIDAL: *Las leyendas moriscas en su relación con las cristianas,* «Estudios literarios», págs. 111-26, Colec. Austral, núm. 28; *Relatos poéticos en las crónicas medievales. Nuevas indicaciones,*

«Rev. Fil. Esp.», vol. X, 1923, págs. 329-72.—J. M.ª MILLAS VALLICROSA: *Las traducciones orientales de los manuscritos de la Biblioteca de la Catedral de Toledo,* Madrid-Barcelona, 1952.—PEDRO PENZOL: *Las traducciones del «Calila e Dimna»,* Madrid, 1931.—R. D. PERÉS: *La leyenda y el cuento populares. Ensayo histórico,* Barcelona, 1951.— RAÚL M. PÉREZ: *Vocabulario clasificado de «Kalila e Dimna»,* The Univ. of Chicago Press, 1943.—Conde de PUYMAYGRE: *Les vieux auteurs castillans,* 2.ª ed. París. 1890.— J. M.ª RAMOS LOSCERTALES: *Relatos poéticos en las crónicas medievales. Los hijos de Sancho III,* «Filología», II, 1950, págs. 45-64.—JULIÁN RIBERA TARRAGÓ: *Huellas que aparecen, en los primitivos historiadores musulmanes de la Península, de una poesía épica romanceada que debió florecer en los siglos IX y X,* Disc. académico, Madrid. 1915.—JULIO SAAVEDRA MOLINA: *Tres grandes metros: el eneasílabo, el tredecasílabo y el endecasílabo,* Prensas de la Univ. de Chile, Santiago, 1946.—B. SÁNCHEZ ALONSO: *Las versiones en romance de las Crónicas del Toledano,* «Hom. Menéndez Pidal», I, Madrid, 1925.—M. SERRANO Y SANZ: *Cronicón Villarense (Liber regum). Primeros años del siglo XIII. La obra histórica más antigua en idioma español,* «Bol. Acad. Esp.», VI, 1919.—A. GARCÍA SOLALINDE: *«Calila e Dimna».* Pról. y vocabulario de..., Madrid, 1927.—J. ANTONIO TAMAYO RUBIO: *Escritores didácticos de los siglos XIII y XIV,* «Hist. general de las literaturas hispánicas», I, Barcelona, 1949.

E. ALARCOS: *El Toledano, Jordanes y San Isidoro,* «Bol. Bibl. M. Pelayo», vol. XVIII.—CERRALBO, Marqués de: *El arzobispo don Rodrigo* (disc.), Madrid, 1903.—ELOY DÍAZ-JIMÉNEZ: *Don Lucas de Tuy,* «Rev. Castellana», V, 1919.— J. GOROSTERRATZU: *Don Rodrigo Jiménez de Rada gran estadista, escritor y prelado,* Pamplona, 1925.—M. RODRÍGUEZ Y RODRÍGUEZ: *Fuero Juzgo: Su lenguaje, gramática y vocabulario,* Santiago, 1905.

II. THEODORE BABBIT: *«La Crónica de veinte reyes». A comparison with the text of the «Primera crónica general» and a study of the principal latin sources,* Yale. vol. XIII, 1936.—ANTONIO y PÍO BALLESTEROS: *Alfonso X de Castilla y la Corona de Alemania,* «Rev. Arch., Bibl. y Mus.», 1916.—ANTONIO BALLESTEROS: *Dónde nació Alfonso X de Castilla,* «Bol. Acad. Historia».—PEDRO BOHIGAS: *La «Visión de Alfonso X» y las «Profecías de Merlin»,* «Rev. Fil. Esp.». XXV, 1941, págs. 383-98 —FRANK CALLCOTT: *The supernatural in early spanish literature studied in the works of the court of Alfonso X, el Sabio,* Inst. de las Españas, Nueva York, 1923.—AMÉRICO CASTRO: *Alfonso el Sabio y los judíos,* «La realidad histórica de España», págs. 451-68.—E. COTARELO MORI: *Estudios de historia literaria de España,* págs. 1-41 (sobre la atribución del «Libro de las Querellas»), Madrid, 1901.—J. M. DIHIGO: *Las «Siete Partidas». Estudio lingüístico,* «Rev. Fac. Fil. y Ciencias», La Habana, 1923.—A. GARCÍA SOLALINDE: *Intervención de Alfonso X en la redacción de sus obras,* «Rev. Fil. Esp.», II, 1915; *«General Estoria».* Edic. y estudio de..., Madrid, 1930; *Alfonso X, astrólogo,* «Rev. Fil. Esp.», XIII, 1926; *Fuentes de la «General Estoria» de Alfonso el Sabio,* «Rev. Fil. Esp.», vols. XXI y XXIII, 1934 y 1946; *Una fuente de las «Siete Partidas»,* «Revue Hispanique», 1934.—FEDERICO HANSSEN: *Los endecasílabos de Alfonso X,* «Bull. Hispanique», XV, 1913.—José LLAMPAYAS: *Alfonso X. El hombre, el Rey, el Sabio,* Madrid. 1947.—GONZALO M. PIDAL: *Cómo trabajaron las Escuelas alfonsíes,* «Nueva Rev. Fil. Hispánica», V, 1951; *Alfonso X, el Sabio,* «Hist. de las Lit. Hispánicas», I, Barcelona, 1949.—R. MENÉNDEZ PIDAL: *Alfonso X y las leyendas heroicas,* «De la primitiva lírica española y antigua épica», págs. 47-72, Colec. Austral, núm. 1.051; *La «Crónica General» de España que mandó componer Alfonso el Sabio,* «Estudios literarios», págs. 137-96, Colec. Austral, núm. 28; *Crónicas generales de España,* 3.ª ed., Madrid, 1918.—MONDÉJAR, Marqués de: *Memorias históricas de Alfonso X, el Sabio, y observaciones a su Chrónica,* Madrid, 1777.—D. PÉREZ MONZÚN: *Diccionario de las voces que en sus «Siete Partidas» usó Alfonso X,* Madrid, 1790.— EVELYN S. PROCTER: *Alfonso X of Castile patron of literature and learning,* Oxford, 1951.—José AUGUSTO SÁNCHEZ PÉREZ: *«Libro del Tesoro», falsamente atribuido a Alfonso X, el Sabio,* «Rev. Fil. Esp.», XIX, 1932; *Alfonso X, el Sabio. Prólogo y bibliografía,* Madrid, 1922.— O. J. TALLGREN-TUNLIO: *Acerca del literalismo arábigo-español de la Astronomía alfonsina,* «Al Andalus», II. 1934.—GONZALO TORRENTE BALLESTER: *Alfonso X y Sancho IV. Crónicas. Antología,* 2 vols., Madrid, Edit. Nacional.

PEDRO AGUAYO BLEYE: *Santa María de Salas en el si-*

glo XIII (Estudio de algunas cantigas alfonsinas), Bilbao, 1916.—AUBREY F. G. BELL: *The «Cantigas de Santa María» of Alfonso X*, «Modern Languages Review». X, 1915.—H. COLLET y L. VILLALBA: *Contribution à l'étude des Cantigas d'Alphonse le Savant*, «Bull. Hisp.», 1911.— A. COTARELO VALLEDOR: *Una cantiga célebre del Rey Sabio* (leyenda de sor Beatriz), Madrid, 1904.—J. FILGUEIRA VALVERDE: *La cantiga CIII. Noción del tiempo y gozo eterno en la narrativa medieval*, Santiago de Compostela, 1936.—P. FIDEL FITA: *La cantiga LXIX de Alfonso el Sabio, Fuentes históricas*, «Bol. Acad. Hist». vol. XV.— R. GUIETTE: *La légende de la Sacristine*, Paris, 1927.— C. DE LOLLIS: *Dalle Cantigas di amor a quelle di amigo*, «Hom. Menéndez Pidal», I, 1925.—HUBERT DE MANOIR: *María. Etudes sur la Sante Vierge, sous la direction de...*, 2 vols., Paris, 1952.—T. MARULLO: *Osservazioni sulle Cantigas de Alfonso X e sui «Miracles», de G. de Coincy* «Arch. Roman.», XVIII, 1934.—M. MENÉNDEZ PELAYO: *Las Cantigas del Rey Sabio*, «Est. y disc. de crít. hist. y lit.», I, págs. 161-89.—M. PELÁEZ: *La legenda della Madonna delle Neve e la Cantiga de Santa María n.º CCCIX di A. el Sabio*, «Hom. a M. Pidal», I, 1925.—BERNARD PEZ y FREDERICK CRANE: *Liber de Miraculis Sanctae Dei Genitricis Mariae*, «Cornell Studies», I, 1925.—AGAPITO REY: *Indice de nombres propios y de asuntos importantes de las C. de Santa María*, «Bol. Acad. Esp.», XIV, 1927.— JULIÁN RIBERA: *La música de las Cantigas*, Madrid, 1922.— F. SÁNCHEZ CASTAÑER: *Antecedentes celestinescos en las C. de Santa María*, «Mediterráneo», Valencia, 1943.— J. A. SÁNCHEZ PÉREZ: *El culto mariano en España. Tradiciones, leyendas*, etc., Madrid, 1943.—JUAN VALERA: *Las C. del Rey Sabio*, «Obras completas», vol. II, M. Aguilar, Madrid, 1942.—VALMAR, Marqués de (Leopoldo A. Cueto): *Estudio histórico-crítico y filológico sobre las C. del Rey don A. el Sabio*, ed. Real Acad. Esp., 2 vols. Madrid, 1889. WYREMBEK y MORAWSKI: *Les légendes du «Fiancé de la Vierge» dans la littérature médievale*, Poznan, 1934.— D. C. CLARKE: *Versification in Alfonso el Sabio's, «Cantigas»*, «Hispanic Rev.», XXIII, 1955.

III. DÁMASO ALONSO: *La leyenda de Tristán e Iseo y su influjo en España* (apéndice al libro *Tristán*, de André Mary), Barcelona, 1947.—PEDRO BOHIGAS BALAGUER: *Orígenes de los libros de caballería*, «Hist. de las Lit. Hispánicas», I, Barcelona, 1949; *Los textos españoles y gallego-portugueses de la demanda del Santo Grial*, anejo VII de «Rev. Fil. Esp.», Madrid, 1925.—S. DUPARC-QUIOC: *La «Chanson de Jerusalem» et «La Gran Conquista de Ultramar»*, «Romania», LXIV, págs. 32-40, 1940-1941.—W. J. ENTWISTLE: *The Arthurian Legend in the Literatures of the Spanish Peninsula*, Londres-Toronto, 1925.—ARTURO GARCÍA DE LA FUENTE: *Los «Castigos e Documentos del rey don Sancho IV el Bravo*. Estudio preliminar de...*, El Escorial (Madrid), 1935.— GORDON WILLIAM HARRISON: *A Study of the Range and Frequency of Constructions Involving and Pronominal Adjectives... in the «Gran Conquista de Ultramar»*, Chicago Dissertation, 1940.—M. MENÉNDEZ PELAYO: *Orígenes de la novela* (vol. I, caps. IV y V), Santander, 1944.— AGAPITO REY: *Las leyendas del ciclo carolingio en la «Gran Conquista de Ultramar»*, «Rom. Philology», III, Los Angeles, 1949-1950.—ALFONSO REYES: *Influencia del ciclo artúrico en la literatura castellana* («Capítulos de Lit. Esp.», 2.ª serie, México, 1945.—MARTÍN DE RIQUER: *El Caballero Cifar*. Estudio por...*, Barcelona, 1951.— JUSTINA RUIZ DE CONDE: *El amor y el matrimonio secreto en los libros de caballería*, Madrid, 1948.

IV. ANTONIO BALLESTEROS: *El agitado año de 1325 y un escrito desconocido de don J. Manuel*, «Bol. Acad. Hist.». 1949, vol. CXXIV, págs. 9-58.—JUAN BENEYTO: *Los orígenes de la ciencia política en España (Juan Manuel y el Canciller Ayala)*, Madrid, 1949.—ANGEL BENITO DURÁN: *El hombre en sus pasiones y en su ordenación hacia el último fin, según el Infante don J. Manuel en el «Libro del C. Lucanor»*, Inst. de Est. Manchegos, C. Real, 1948.— JOSÉ M. BLECUA: *D. J. Manuel: «Libro Infinido» y «Tractado de la Asunción»*. Est. y ed. de...*, Univ. de Granada, 1952.—CAROLINA C. BOURLAND: *Boccaccio and the «Decameron» in Castilian and Catalan Literature*, «Rev. Hispanique», XII, 1905, págs. 1-232.—F.º de P. CANALEJAS: *Raimundo Lulio y don Juan Manuel*, «Rev. de España», vols. II y IV.—M. CARDENAL IRACHETA: *Don Juan Manuel. Antología, selección y prólogo de...*, Madrid, 1941.—J. M. CASTRO y CALVO: *El arte de gobernar en las obras de don Juan M.*, Barcelona, 1945.—J. M. CASTRO y M. DE RIQUER: *Obras de don Juan Manuel*. Ed. preparada por...*, C. S. I. S., 1955.—J. M. CASTRO y CALVO: *D. Juan M.: Libro de la caza*. Ed., estudio y notas de...*, C. S. I. C., 1947.— GEORGES CIROT: *L'Hirondelle et les petits oiseaux dans «El C. Lucanor»*, «Bull. Hispanique», XV, 1913.—MERCEDES GAIBROIS: *El Príncipe don J. M. y su condición de escritor*, Madrid, 1945; *Los testamentos inéditos de don J. M.*, «Bol. Acad. Hist.», XCIX, 1931, págs. 25-59.—A. GIMÉNEZ SOLER: *Don J. M. Biografía y estudio crítico*, Zaragoza, 1932.—S. GONZÁLEZ: *Una fuente de la historia de Barlaán y Josafat, La Apología de Aristides*, «Razón y Fe», CXIX, 1940.—M. GOYRI DE PIDAL: *Sobre el ejemplo 47 de «El C. Lucanor»*, «Correo erudito», I, 1940.— J. GUTIÉRREZ DE LA VEGA: *«Libro de la caza»*. Ed., estudio y notas de...*, «Bibl. Venatoria», III, Madrid, 1879.— E. HANSSEN: *Notas a la versificación de don J. M.*, «Anal. Univ. de Chile», vol. CIX.—FÉLIX HUERTA TEJADAS: *Vocabulario de las obras de don J. M.*, separata del «Bol. Real Acad. Esp.», vols. XXXIV, XXXV y XXXVI.—E. JULIÁ MARTÍNEZ: *«El C. L.»*. Ed., observaciones preliminares y ensayo bibliográfico por...*, Madrid, 1933.—A. H. KRAPPE: *Le Faucon de l'Infant dans «El C. L.»*, «Bull. Hispanique», XXXV, 1933.—M.ª ROSA LIDA: *Tres notas sobre don J. Manuel*, «Roman. Philology», vol. IV, págs. 155-94, 1950-1951.—M. MENÉNDEZ PELAYO: *Orígenes de la novela* (vol. I, caps. II y III), Madrid, 1944; *Antología de poetas líricos* (vol. I, cap. VI), Santander, 1941.—J. MILLE JIMÉNEZ: *La fábula de la lechera a través de las diversas literaturas*, «Est. de Est. Esp.», La Plata, 1925.—SÁNCHEZ CANTÓN: *«El C. L.»*. Estudio preliminar de...*, Madrid, 1920.—J. MANUEL TORRES LÓPEZ: *La idea del Imperio y de la guerra en el «Libro de los Estados»*, «Cruz y Raya», núm. 2, págs. 63-90, Madrid, 1933; *El arte y la justicia de la guerra en el «L. de los Estados»*, «Cruz y Raya», núm. 8, págs. 33-72, Madrid, 1933.—JOSÉ VALLEJO: *Sobre un aspecto estilístico de don J. Manuel*, «Hom. a M. Pidal», vol. II, págs. 63-85, Madrid, 1925.

V. LEONARTE: *Poemas de historia troyana*. Ed., pról., notas y vocabulario por A. Rey, Madrid, 1932.—R. MENÉNDEZ PIDAL: *Historia troyana en prosa y verso* (anejo XVIII de «Rev. Fil. Esp.»), Madrid, 1934; *Historia troyana polimétrica*, «Tres poetas primitivos», Colec. Austral, número 800, págs. 82-148.—AGAPITO REY y A. GARCÍA SOLALINDE: *Ensayo de una bibliografía de las leyendas troyanas en la literatura española*, Bloomington, Indiana University, vol. VI, págs. 5-103, 1942.—ANTONIO G. SOLALINDE: *Las versiones españolas del «Roman de Troie»*, «Rev. Fil. Esp.», III, 1916.

CAPITULO VI

LA POESIA EN EL SIGLO XIV

I. Visión panorámica.—II. El «mester de clerecía» en el xiv: *Dos poemas «aljamiados»: el de «Yusuf» y el de «Yoçef». La «Vida de San Ildefonso». Los «Proverbios en rimo del Sabio Salomón» y el «Libro de la miseria del omne».*—III. El Arcipreste de Hita: *Vida y semblanza. El «Libro de buen amor». Elementos integrantes. Influencias y fuentes. Aspecto métrico. Técnica, estilo y valoración.*—IV. Ultimas manifestaciones del «mester de clerecía»: *El «Rimado de Palacio».*—V. Poesía didáctico-moral: *Sem Tob. La «Doctrina cristiana». La «Revelación de un ermitaño».*—VI. Los poemas épicos del xiv: *El «Cantar de Rodrigo». El «Poema de Alfonso Onceno».*—Notas.—Bibliografía.

I. VISION PANORAMICA

A principios del xiv se observa un cambio político-social en la vida española, que trae aparejada consigo la correspondiente transformación literaria. Las campañas guerreras de San Fernando y de Jaime I, el *Conquistador*, en la anterior centuria, habían quebrantado duramente el poderío árabe, que deja de constituir ya un serio peligro. Salvo esporádicos intentos, como el llevado a cabo contra Tarifa en el reinado de Sancho IV y la invasión benemerina aplastada por Alfonso XI en el Salado, el poderío musulmán en la Península apenas vuelve a dar señales de vida. Todo ello se traduce en una pérdida del gusto por las narraciones épicas, que, al aparecer desprovistas del aliciente de lo actual, sólo producen algunas tardías y mediocres manifestaciones. Cuando reaparezca el género heroico, a últimos de siglo, estará ya totalmente transformado; y esta transformación plasmará en un género nuevo: el romance. Más adelante, ya promediado el xv, la nota fina, galante, matizada de cuando en cuando de profundo lirismo, habrá sustituído en los romances fronterizos y moriscos a la sobria rudeza de nuestras antiguas gestas.

En esta decadencia del sentimiento guerrero que caracteriza a la alta Edad Media, habrán influido, no menos que razones políticas, motivos o circunstancias de orden social. Una nueva clase, la burguesía, se apiña alrededor de las ciudades y va adquiriendo cada vez mayor importancia, gracias al comercio y a los privilegios dispensados por los reyes, que se apresuran a apoyarse en ella para contrarrestar el influjo de la nobleza, así guerrera como eclesiástica. Se caracteriza esta nueva clase por un sentido realista de la vida, lo que la lleva al cultivo de la sátira, con preferencia de carácter social y religioso. La nobleza, por su parte, se agrupa en torno a la corte, factor que,

unido a la influencia de la poesía trovadoresca galaico-portuguesa, explica el auge y floración de la lírica desde los últimos años del xiv.

Aún pueden agregarse otros factores de índole exclusivamente cultural. La gran obra de Alfonso X abre nuevos horizontes, a la vez que da entrada al elemento oriental, tanto en obras narrativas como didáctico-morales.

El «mester de clerecía» sigue cultivándose; pero su temática ha cambiado totalmente. Otro tanto ocurre con los demás géneros poéticos derivados de la centuria anterior. Si de la narración del *Calila e Dimna*, o del *Sendebar*, cargados de digresiones morales, de consejos de utilidad práctica y de violentas diatribas antifeministas, a la prosa ceñida y trabajada del *Libro de Patronio* hay un salto enorme, no es menor el que existe entre el verso ágil de forma y apicarado de fondo del Arcipreste de Hita y las monótonas estrofas del «mester de clerecía» en su primera época; como no se puede comparar el estilo nervioso y apasionado del Canciller Ayala con el de las dos *Crónicas* alfonsinas, si es que Ayala ha de ser incluído entre los autores del xiv y no entre los del xv, como el gran prosista que abre en España el período de transición de la Edad Media al Renacimiento.

Resumamos, pues, como notas fundamentales de la literatura del xiv: influencias de Alfonso X por sus obras tanto narrativas como históricas y científicas; proyección de los catecismos político-morales en los tres grandes escritores: don Juan Manuel, Sem Tob y Ayala; persistencia de los temas épicos, pero sin el espíritu anterior y notablemente transformados; realce de la escuela lírica de derivación galaico-portuguesa. Si agregamos la difusión alcanzada por la literatura caballeresca de los tres ciclos—carolingio, clásico y bretón—, difusión que se manifiesta por el momento más que en la redacción de obras propias en la lectura de las extranjeras; y la presencia del espíritu burgués, representado en el gusto por los «fabliaux» y en la tendencia hacia la sátira, tendremos esbozado un cuadro esquemático de la literatura de este período. Añadamos que el siglo XIV no es época de producción intensa, como lo serían el XV, el XVI y el XVII, por ejemplo; es más bien parco en creaciones literarias; pero, a cambio de esta penuria, puede ofrecernos tres o cuatro individualidades de primer orden: el Arcipreste de Hita, el infante don Juan Manuel y el canciller Ayala.

II. EL «MESTER DE CLERECIA» EN EL XIV

Está representado por dos obras notables (los *Proverbios morales*, de Sem Tob, y el *Rimado de Palacio*, de Ayala), una obra genial (el *Libro de buen amor*, del Arcipreste de Hita) y varias obras muy mediocres. Estas últimas sólo sirven para darnos idea de la decadencia del género. En cambio, en aquéllas puede apreciarse la evolución o transformación experimentada por el mismo: evolución que afecta a los temas, de mayor alcance, y a la forma. La «cuaderna vía», en efecto, se hace mucho más flexible; a las largas tiradas uniformes de alejandrinos, que todavía constituyen el elemento básico de estos poemas del XIV, sustituyen de cuando en cuando otros metros y estrofas: el octonario repartido en dos hemistiquios octosilábicos; el hexasílabo, el pentasílabo, el tetrasílabo, etc., en múltiples combinaciones, como tendremos ocasión de ver al estudiar la métrica del *Libro de buen amor*. Nada menos que veintidós esquemas distintos ha podido señalar Cejador en la obra poética del Arcipreste.

Antes de estudiar esta figura, una de las más relevantes de nuestras letras medievales, y quizá la más destacada de su siglo en la literatura universal, después de Dante Alighieri, dediquemos una brevísima mención a otros poemas del «mester de clerecía».

Dos poemas «aljamiados»

Llámase literatura «aljamiada» a la escrita en castellano con caracteres árabes. *Aljamia* es el nombre que daban los moros a la lengua castellana. Los judíos y moros, al quedarse a vivir entre los cristianos conforme avanzaba la reconquista, iban olvidando sus lenguas nativas y asimilando el castellano: sólo conservaban durante largo tiempo, por razones de superstición, la escritura de sus antepasados; de ahí que escribieran algunos poemas con caracteres árabes. Nos quedan de ello dos testimonios curiosos: *Poema de Yusuf* y las *Coplas de Yocef*.

El *Poema de Yusuf* es la principal muestra que tenemos de literatura «aljamiada». De autor anónimo, las particularidades dialectales delatan la naturaleza aragonesa del poeta que lo escribió: *a tú, sobre tú, tienga, vienga*, etc. Recoge la historia bíblica del casto José, pero no según la versión de la Biblia, sino según la del Alcorán. Se conserva en dos manuscritos, ambos incompletos (Biblioteca Nacional y Academia de la Historia), y está compuesto para los musulmanes, aunque influído por tradiciones judaicas. La fecha de su composición es incierta; pero la utilización por un morisco del metro de «cuaderna vía» parece indicar que se hizo cuando la escuela estaba en todo su apogeo, es decir, a últimos del siglo XIII o principios del XIV. De escaso valor literario en general, no faltan pasajes, especialmente descriptivos, que se hacen notar por su emoción. La presencia de José en un banquete ante las damas de la corte, escandalizadas porque Zalija le hace objeto de tenaz persecución, siembra entre ellas el desconcierto. Pendientes de sus encantos, no saben qué hacer, y en su confusión llegan a cortarse las manos en vez de las naranjas que les acaban de servir:

> Reutaban a Zalija las duennas del lugar,
> porque su captivo quería voltariar;
> ella de que lo supo arte las fué a buscar,
> convidólas a todas, llevólas a yantar.
> Dióles ricos comeres e vinos esmerados...,
> dióles ricas toronjas e canninetes en las manos,
> tajantes e apuestos e muy bien temperados.
> E fuese Zalija adó Yusuf estaba.
> De púrpura e de seda muy bien lo aguisaba,
> e de piedras preçiosas muy bien lo afeitaba,
> verdugadero en sus manos a las duennas lo enviaba.
> Ellas, de que lo vieron, perdieron su cordura,
> tanto era de apuesto e de buena figura;
> pensaban que era tan ángel e tornaban en locura,
> cortábanse las manos e non le habían cura.

Análogo sentido tienen las *Coplas de Yoçef*, largo fragmento de un poema también referente a José, que se conserva en un manuscrito de la Universidad de Cambridge, junto con los *Proverbios* de Sem Tob. También pertenecen estas *Coplas* a la literatura aljamiada, sólo que sus caracteres no son ahora árabes, sino hebreos. Además, proceden del texto bíblico directamente y no del coránico. Su redacción es posterior, probablemente de mediados del XIV, ya que la versificación delata la misma época en que se escribieron los dísticos que encierran cada cuento del *Conde Lucanor* y de la *Historia troyana*. Tiene la particularidad de que, dentro del esquema alejandrino de la «cuaderna vía», en cada copla los primeros hemistiquios riman entre sí, lo que confirma su natural y relativa independencia; el último verso forma una especie de estribillo libre.

La «Vida de San Ildefonso» y otros poemas

Tres obritas, que han llegado a nosotros en versiones defectuosísimas, señalan el paulatino descenso del «mester de clerecía»: *La vida de San Ildefonso*, los *Proverbios del rey Salomón* y el *Libro de la miseria del omne*.

La vida de San Ildefonso quiere ser una imitación de Berceo, pero queda a infinita distancia de la frescura, ingenuidad y gracia del modelo. Obra prosaica, aunque en verso, sabemos que fué compuesta por un beneficiado de Úbeda, autor también de otro poema sobre la Magdalena, hasta hoy desconocido [1]. Su pérdida apenas es de lamentar, si hemos de juzgar por el que ha llegado a nosotros. Relata la vida de San Ildefonso, gran devoto de María, deteniéndose en el milagro de la entrega de la casulla, que había inspirado a Berceo una de sus mejores leyendas. La Virgen le impone como condición que sólo él pueda vestirla:

> Mío Fijo, e mío Sennor, non quiera consentir
> que otro la haya si non vos para vestir;
> haberá el que la probase mala muerte a morir,
> por ninguna manera non podrá ende foir.

Los versos transcritos bastan para dar idea de esta infeliz composición. Bien es verdad que su texto original es uno de los que han llegado a nosotros más adulterados, con multitud de versos mutilados, suprimidos o cambiados a capricho del copista.

También es sumamente defectuoso el texto de los *Proverbios en rimo del sabio Salomón, rey de Israel*, breve poema compuesto de cincuenta y seis estrofas en metro alejandrino, de tres, cuatro y seis versos cada una. Según el códice más antiguo, su autor fué Pedro Gómez, traductor del *Libro del tesoro;* pero hoy está considerado por la crítica más bien como un simple copista o amanuense, a la manera de Per Abbat en el *Poema del Cid.* Tampoco puede atribuirse al canciller Ayala, como lo hizo Floranes, ya que la factura de los versos y también el estilo delatan una mano distinta. Encaminado a demostrar la vanidad de las cosas humanas y la inconsistencia de la fortuna, está dentro de la línea doctrinal del mismo Ayala y del rabí don Sem Tob.

A la segunda mitad del XIV, probablemente, corresponde el *Libro de miseria del omne*, poema anónimo encontrado en las ruinas de una torre en la Montaña de Santander. Consta de quinientas dos estrofas en versos de dieciséis sílabas, repartidas en dos hemistiquios, y representa la última evolución del «mester de clerecía». Parece escrito por algún presbítero, acaso monje, con cura de almas. Es curioso que el propio autor confiesa haberlo escrito para lectura: «Leer vos lo he bien plano, ca no se quiere cantar.» En el fondo se reduce a una paráfrasis en verso del tratado *De contemptu mundi*, del Papa Inocencio III, con anécdotas de martirios extraídas del *Flos Sanctorum.* Tétrico y pesimista, el autor se recrea en la más zafia descripción de las miserias humanas y en la negación y envilecimiento de cuanto hay de más bello en la vida. La insistencia en los motivos repugnantes hace pensar en Quevedo, y su pesimismo entra de lleno en la corriente española que viene desde Séneca a nuestros días, después de culminar en el barroco. Sólo que en otros escritores, como Quevedo o Mateo Alemán, es arte, y a veces arte maravilloso, lo que en el autor de *La miseria del omne* no es sino la más grosera enumeración de repugnantes actos y dolencias fisiológicas [2].

III. EL ARCIPRESTE DE HITA

En la primera mitad del XIV, en medio de una sociedad guerrera y semibárbara, extinguido el eco rudo de los cantares de gesta y el más amable y próximo del «mester de clerecía», se alza la voz poderosa de un poeta solitario, cuyas resonancias llegan llenas de vigor y de frescura hasta nuestros días. Situado entre dos épocas literarias, a ninguna de las dos pertenece por entero. Recogió de la anterior valiosos elementos: la cultura arábiga, fomentada por Alfonso el *Sabio*, la literatura de apólogos y sentencias, la intención moralizadora y satírica, la corriente lírica de los cancioneros galaico-portugueses, adaptando muchos de sus ritmos al castellano; recogió también el alejandrino del «mester de clerecía», ya en trance de desaparición. Pero todo ello supo renovarlo, vivificarlo, enriquecerlo hasta el infinito en el fondo y en la forma. Este poeta, uno de los mayores que ha dado nuestra literatura y el mayor sin duda de la Edad Media española, fué Juan Ruiz, más conocido por el *Arcipreste de Hita.*

Vida y semblanza

Pocas noticias biográficas tenemos de Juan Ruiz, y esas pocas las encontramos en su propia obra. Bien es verdad que, a falta de documentos escritos, él mismo nos ha dejado informes sobre su persona, mucho más interesantes que cualquier inscripción en el registro o acta notarial.

Parece fuera de duda que nació en Alcalá de Henares: «Fija, mucho vos saluda uno que es de Alcalá» [3], dice en cierto pasaje (e. 1.510), y las frecuentes menciones topográficas que en su poema hace de lugares cercanos a la vieja ciudad parecen confirmar tan terminante declaración. Pero no se sabe la fecha de su nacimiento. En la *Cantiga de los clérigos de Talavera* alude a su vejez:

> ¡Ay viejo mesquino, en que envegecí!
> (e. 1.694)

y como esto se escribía antes de promediar el XIV, hay que suponerle nacido en el último cuarto del siglo anterior. Tal vez fué riguroso coetáneo de don Juan Manuel. En dos pasajes por lo menos nos declara su nombre, seguido de su cargo:

> Porque de todo bien es comienço e rayz
> la Virgen Santa María, por ende, yo, Juan Ruys,
> Arçipreste de Fita...
> (e. 19)
> Yo, Johan Ruyz, el sobredicho Arçipreste de Hita...
> (e. 575)

Probablemente estudió en Toledo, de cuyo arzobispado dependía; y cabe suponer que allí se pondría en contacto con las literaturas oriental y rabínica, tan florecientes en la gran ciudad por aquellas fechas. Sufrió larga prisión por orden del arzobispo don Gil de Albornoz, según declara al final de su *Libro*, que debió de terminar hacia 1343, hallándose todavía en la cárcel. Se desconocen los motivos que tuvo el severo arzobispo para imponer al arcipreste tan dura pena. En el *Libro* se insinúa que, como el destierro del Cid, se debió a ciertas calumnias:

> Faz que todo se torne sobre los *mescladores*.

Menéndez Pelayo cree que puede atribuirse a «causas meramente curiales», acaso a falsas delaciones de los clérigos de Talavera enojados por la sangrienta sátira que contra ellos había escrito Juan Ruiz[4]. Puymagre interpreta la prisión como un castigo a la vida relajada del arcipreste; explicación poco lógica, ya que Juan Ruiz no fué ni mejor ni peor que cualquier clérigo de su época. Tampoco sabemos la fecha de su muerte: un documento publicado por Antonio Sánchez revela en 1351 era arcipreste de Hita un tal Pedro Fernández, por lo que hay que suponer que Juan Ruiz había muerto; a no ser que, cosa poco probable, hubiera sido exonerado de su cargo. Cejador, sin razones convincentes, pone su muerte en 1348.

A cambio de datos tan sucintos sobre su vida, tenemos trazado de mano maestra su retrato físico. De él se desprende que era hombre de recia complexión, cabeza grande, «velloso, pescozudo», ancha boca y luenga nariz, cargado de espaldas y largo de piernas[5]; todo, en fin, lo que corresponde a un temperamento robusto y sensual, nacido para *toda juglaría* e impenitente *donneador* de hembras de cualquier linaje. Sobre su talante físico, toda la crítica parece de acuerdo; no lo está, en cambio, en cuanto a su contextura moral. Cada crítico la interpreta a su gusto; para Amador de los Ríos fué un sacerdote ejemplar, que se erige por medio de su obra en el censor implacable de los pecados de su época; para Puy-

magre, «un precursor de Rabelais, librepensador en embrión, un enemigo solapado de la misma Iglesia a quien servía»; Menéndez Pelayo, que empieza por calificarle de «clérigo libertino y tabernario», termina por adoptar una postura intermedia y lo juzga un producto típico de su siglo, mezcla asombrosa de ascetismo y mundanidad. A ello da pie su misma obra, en la que alterna ya desde el principio este doble plano de sensualismo y de piedad, pasando de la súplica sincera ante la Virgen a la burla chocarrera, cuando no a la misma parodia de los himnos litúrgicos. Esto ha llevado a Cejador a ver en el *Libro* del Arcipreste simple y llanamente una sátira anticlerical. Con él coincide en nuestros días Américo Castro, que advierte en la obra de Juan Ruiz el «fruto ambiguo de la alegría vital y de los frenos moralizantes», y atribuye su gran valor al «arte con que supo armonizar (castellana y cristianamente) las dos tendencias fundamentales de la literatura árabe de los siglos previos: sensualidad y ejemplarismo moral».

Debió de ser persona de cuenta, puesto que el gran estadista y conocedor de hombres Gil de Albornoz le otorgó su confianza; y el hecho de confiarle misión tan delicada como el traslado de las «letras» a los clérigos de Talavera, con plenos poderes para retraerlos de la licenciosa vida que llevaban, parece indicar que su conducta no correspondía a los calificativos que le adjudican Puymagre y Menéndez Pelayo. «¿Con qué autoridad —escribe Cejador— hubiera pretendido enmendar a los demás, si él hubiera sido uno de tantos? ¿Cómo el severo don Gil de Albornoz le hubiera encomendado cargo tan grave y delicado como el de llevar las cartas del Papa a la clerecía de Talavera?»

Hombre culto, dentro de las limitaciones de la época, conocía muy bien la Sagrada Escritura, los Derechos civil y canónico, aparte de toda literatura latino-eclesiástica de su siglo y las principales obras escritas en lengua vulgar, incluídos los libros de don Juan Manuel. En su obra menciona las *Decretales*, el *Espéculo*, el *Libro de las tafurerías*, el *Conde Lucanor*, el *Poema de Alexandre*, algunas de las muchas versiones medievales del *Isopete*, el *Pamphilus*, los *Aforismos*, de Catón, etcétera. Cita también a Aristóteles, Tolomeo e Hipócrates, a quienes conocía probablemente de segunda mano. Tampoco a Ovidio, a quien cita en varios pasajes, debió de leer directamente, sino a través de su imitador del *Pamphilus*. No hay, en cambio, alusiones a la *Disciplina clericalis*, que debió de conocer, dada su enorme difusión en aquella época.

El «Libro de buen amor»

Sin duda, el Arcipreste de Hita escribió varias obras; él mismo nos lo dice:

Fise muchos cantares de danzas e troteras
para judías e moras, e para entendederas...
Cantares fis algunos de los que disen ciegos,
et para escolares que andan nocherniegos,
et para otros muchos por puestos andariegos,
cazurros e de burlas, *no cabrien en dies pliegos.*

Pero sólo ha llegado hasta nosotros un largo poema en mil setecientas veintiocho estrofas, conocido por el *Libro de buen amor,* título que el propio Arcipreste le da en varios pasajes [6]. Se conserva en tres códices del siglo XIV: el de Gayoso
(en la Academia Española), el de Salamanca (en
la Biblioteca de Palacio) y el de Toledo. La
mejor edición es la de Ducamin (Toulouse, 1901).
Se trata de un poema misceláneo y multiforme,
cuyo contenido es en síntesis el siguiente:

Después de una «oración qu'el Arcipreste fizo
a Dios», un prólogo en prosa en el que expone las
causas que le han movido a escribir su libro y
unos Gozos a la Virgen, entra en materia parafraseando a su modo una sentencia de Aristóteles.
Afirma que el hombre sólo se mueve por dos
incentivos: la busca del sustento diario y el deseo
amoroso. El mismo se confiesa, como los demás,
dominado por este deseo; hasta llega a decir que
tuvo «de las mugeres a veces grand'amor». Inicia
sus aventuras, al principio sin éxito. Se irrita con
don Amor, que termina aconsejándole lo que ha
de hacer para el logro de sus deseos; a las instrucciones de aquél se unen las de doña Venus.
Se enamora de doña Endrina y, con intervención
de la vieja medianera Trotaconventos, logra sus
pretensiones; con este capítulo, «De cómo doña
Endrina fué a casa de la vieja é el Arcipreste acabó lo que quiso», termina la que podríamos llamar primera parte, en cuya escena final alguna
mano escrupulosa suprimió una serie de estrofas, 32 según Cejador, sin duda demasiado expresivas.

La segunda parte se inicia, tras breve digresión,
con los repetidos encuentros del arcipreste en la
sierra. Se trata de cuatro serranas distintas, que
le inspiran otras tantas «cánticas» burlescas, que
es lo mejor que dejó Juan Ruiz, especialmente la
última:

Cerca la Tablada
la sierra passada,
falléeme con Aldara
a la madrugada...

Siguen unas coplas a Santa María de Vado y a
la Pasión del Señor, y a continuación viene el
episodio más largo e interesante del libro: la
«Pelea que ovo don Carnal con la Quaresma», parodia estupenda de las luchas caballerescas. Ha
pasado la Cuaresma, llega el domingo de Ramos,
y don Carnal, burlando la vigilancia de don Ayuno
y harto de las abstinencias que le había impuesto
un fraile, atraviesa la Mancha y Extremadura alborotando cuantos animales encuentra a su paso;
envía un cartel de desafío a doña Cuaresma para
contender el domingo de Pascua; pero ella, presintiendo la derrota, huye el sábado por la noche.
Recibimiento apoteósico de don Carnal, que viene a Toledo acompañado de don Amor. Nuevas

aventuras del arcipreste, que hace el amor a una
monja, aconsejado por su medianera Trotaconventos; pretende luego a una mora. Más digresiones y poemas líricos (elogio de la mujer chica,
gozos y cánticas de Santa María, una cántica de
escolares); y el poema se cierra con la «Cántica
de los clérigos de Talavera», llena de ingenio y
de malicia. El códice de Gayoso añade dos «Cantares de ciego». A lo largo de la obra se intercalan hasta 32 fábulas y cuentos.

Dos problemas previos plantea el *Libro de buen
amor:* el autobiográfico y el de su finalidad.
¿Qué valor autobiográfico ha de darse a esta especie de novela, mezcla de picaresca y de didáctica? A juzgar por la lectura de muchos pasajes,
es un resultado de experiencias personales. No se
pueden contar, y menos con el detalle con que
lo hace Juan Ruiz, ciertos hechos sin haber antes tenido de ellos una vivencia directa. Por si
hay dudas, él mismo contribuye a remachar tal
suposición, presentándose como protagonista: *El
Arcipreste fué enamorado, El amor vino al Arcipreste, De la vieja que vino al Arcipreste y de
lo que le contesció con ella, De cómo el Arcipreste fué a provar la sierra e de lo que le
contesció con la serrana, De cómo el Arcipreste
fué enamorado de una dueña, que vido estar fa-
ciendo oración,* etc. Tales y otros análogos son
los títulos que encabezan los principales episodios.
Bien es verdad que hay aventuras en las que tan
pronto habla en primera como en tercera persona:
el amante de doña Endrina es unas veces el Arcipreste y otras don Melón de la Huerta. Ello induce a María Rosa Lida a afirmar que se trata de
un viejo hábito de exposición doctrinal, mediante
el cual y «para mayor eficacia, presenta como vivido y observado en propia persona el caso abstracto sobre el que dogmatiza» [7]. Por mucho, sin
embargo, que queramos deslindar lo real de lo
ficticio y por mucha indulgencia y hasta simpatía
con que miremos a Juan Ruiz, siempre se nos aparecerá éste en primer plano a la vuelta de cada
página; y no con esos rasgos de ingenuidad con
que aspira a presentárnoslo Cejador, sino encarnado en un clérigo apicarado, ducho en toda clase
de galanteos y aun en cosas que exceden del simple galanteo; un clérigo, en fin, si no «libertino
y tabernario» (Menéndez Pelayo), al menos de
costumbres nada ejemplares, y que de haber vivido en la época de un San Paciano y bajo su
jurisdicción, habría sufrido un castigo más duro
que el impuesto por don Gil de Albornoz.

Tampoco la intención está clara: para Cejador
es, ante todo, una sátira y un aviso; sátira de los
clérigos de vida airada, como aquellos de Talavera «que tanto abundan por España»; y aviso
dirigido a todos los hombres, en especial a los
cristianos y eclesiásticos, para que huyan del loco
amor mundano y de sus funestas consecuencias.
Así lo confirma el mismo Arcipreste en el prólo-

go en prosa que encabeza su *Libro:* «Onde yo, de mi poquilla ciencia, e de mucha e grand rudeza, entendiendo cuantos bienes fazen perder el alma e al cuerpo e los males muchos que les aparejan e traen el amor loco del pecado del mundo..., fiz esta chica escriptura en memoria de bien e compuse este nuevo libro, en que son escriptas algunas maneras e maestrías e sotilezas engañosas del loco amor del mundo, que algunos usan para pecar; las quales leyéndolas e oyéndolas ome o muger de buen entendimiento, que se quiera salvar, descogerá e obrarlo ha...» Como, por otra parte, y a renglón seguido, no sin cierto descoco y basándose en que «es humanal cosa el pecar», promete a los que «quisieren usar del loco amor», algunas maneras para ello, el lector no sabe qué pensar y ya no ve tan limpia la intención del poeta.

Elementos integrantes

Menéndez Pelayo ha enumerado los materiales más importantes que entraron en la composición del *Libro de buen amor:*

a) Una novela picaresca de forma autobiográfica, cuyo protagonista es el mismo autor; se dilata por todo el libro, dándole unidad, y es en los descansos de la acción, siempre desigual y tortuosa, donde van interpolándose los otros componentes.

b) Una colección de *enxiemplos,* fábulas o cuentos, en número de treinta y dos, y de muy diversa inspiración, que vienen a respaldar la doctrina. Uno de los más agudo y de más fina intención es el de Don Pitas Payas (estr. 474-489).

c) Una paráfrasis del *Arte de amar,* de Ovidio, inspirada en cualquiera de las cien imitaciones que del poeta de Sulmona corrían en la Edad Media.

d) Varias sátiras, bien de carácter serio, como las coplas sobre las propiedades del dinero, bien de carácter festivo, como el delicioso elogio de la mujer chica.

e) El poema burlesco o parodia épica de imitación francesa, *Batalla de don Carnal y doña Cuaresma,* al que pueden agregarse otros episodios también alegóricos de gran belleza: *El triunfo del Amor,* la descripción de los meses del año, etc.

f) Una serie de poesías líricas sagradas y profanas, con gran diversidad de temas y formas métricas. Predominan en lo sagrado las cantigas y loores a la Virgen, y en lo profano, las de serrana y las villanescas.

g) La comedia *De Vetula,* del seudo Pamphilio, parafraseada en forma narrativa en el episodio de don Melón de la Huerta y doña Endrina.

h) Muchas digresiones morales y ascéticas, con toda la traza de haber servido antes al Arcipreste de apuntes para sus sermones. Por ejemplo, después del fallecimiento de la servicial Trotaconventos viene una larga peroración de doscientos versos sobre la muerte; y luego, otra no menos extensa sobre el modo de vencer a los tres enemigos: mundo, demonio y carne.

Influencias y fuentes

Múltiples y de índole distinta: clásicas, latinocristianas, francesas, árabes y provenzales.

Clásicas.—Aparte de la presencia de Ovidio, a través de sus imitaciones medievales, y muy notable en algunos episodios, tenemos la de Esopo, Fedro, Tolomeo, Catón, Aristóteles, etc. Y todavía señala Menéndez Pelayo «otra influencia clásica más honda, pero velada, y de la cual seguramente él mismo no tuvo jamás plena conciencia. Y en rigor, tal influencia no debe llamarse clásica, sino pagana, puesto que trasciende del ideal del arte al de la vida, y viene a ser una especie de rehabilitación de la carne pecadora, una desenfrenada expansión de la alegría del vivir, contrapuesta al ascetismo cristiano».

Latino-cristianas.—Fué Juan Ruiz hombre de cultura eclesiástica que acredita con citas frecuentes y no pocas veces pedantescas. Es visible esta influencia, tanto en algunas digresiones morales, censuras de vicios o sátira de costumbres, como en varias oraciones intercaladas en el poema. Así, la que «el Arcipreste fizo a Dios» está inspirada en la Oración por los agonizantes.

Francesas.—Sin duda se han exagerado; para Cejador son casi nulas; para Menéndez Pelayo se reducen a cinco o seis cuentos (el mancebo que quería casar con tres mujeres, el ladrón que fizo carta al diablo, etc.). El referente a Pitas Payas, considerado de origen francés por su gran abundancia de galicismos, parece invención personal del Arcipreste; al menos en la literatura de aquel país no tiene precedente. La imitación más extensa es la *Pelea de don Carnal y doña Cuaresma,* inspirada, sin duda, en el flabliau *Bataille de Karesme et de Charnage.* Pero aun en este caso, el Arcipreste supo castellanizar el tema con alusiones de picante sabor, parodias de nuestros cantares de gesta y enumeración de peces de nuestros ríos. Lo imitado del francés, por mucho que se estire la cuenta, no llega a 500 versos en un poema que se acerca a los 7.000.

Arabes.—El mensaje de Trotaconventos a la mora parece indicar que el de Hita conocía el árabe; se sabe, por otra parte, que compuso cantares para «troteras e danzaderas» moriscas, y en su obra encontramos alusiones a instrumentos adecuados e inadecuados para acompañar las tonadas arábigas. De cualquier modo, lo oriental en el *Libro de buen amor* se manifiesta en numerosos apólogos, que pudo conocer por colecciones como el *Calila e Dimna* o el *Sendebar.* Américo Castro, primeramente en su obra *España en su historia,*

(Buenos Aires, 1948), y luego en un artículo, «*El libro de buen amor*», *del A. de H.* («Comparative Literature», IV, 1952), ha intentado establecer las conexiones de contenido y forma entre el libro del Arcipreste y la poesía arábigo-española, especialmente la de *El collar de la paloma.*

Provenzales.—Son escasas. El mismo tipo de serrana forzuda y varonil que sorprende al viajero y lucha con él, no es el propio de esta lírica refinada. Juan Ruiz, más que imitar la poesía trovadoresca, lo que hace es parodiarla en un sentido realista. El lirismo provenzal le llega muy de segunda mano y apenas hay nada en sus canciones que no pueda explicarse por fuentes peninsulares: las *Cantigas de loores de Santa María* tienen su precedente inmediato en las de Alfonso X, el *Sabio;* las *serranillas,* en los Cancioneros galaicoportugueses, especialmente en el de la *Vaticana;* la estrofa llamada *estribote,* en el *zéjel* arábigo.

Si muchas son las influencias que el Arcipreste refleja, no son menos las que ejerce: en este sentido, su mayor gloria consiste en haber anticipado y hasta creado dos tipos de novela, llamadas a tener entre nosotros especial relieve: la dramática y la autobiográfica. Por la primera influye en la *Celestina;* por la segunda, en todo un género tan típicamente español como el picaresco.

Aspecto métrico

El Arcipreste está convencido de que ha revolucionado o va a revolucionar el arte de la versificación castellana, y en parte lleva razón. El mismo anticipa que uno de los motivos que le mueven a escribir su libro fué éste: «e compósele otrosí a dar algunos leçión e muestra de metrificar e rrimar e de trobar: ca trobas e notas e rrima e ditados e versos, que fiz, complidamente segund que esta çiençia requiere».

La versificación básica del *Libro de buen amor* es el llamado *tetrástrofo* monorrimo o cuaderna vía, casi siempre de 14 sílabas. Pero se ha observado que alterna a cada paso con estrofas de 16; y aun dentro de una misma estrofa se combinan los dos metros; y hasta dentro de un mismo verso cada hemistiquio lleva una escansión distinta. En el tetrástrofo de Hita, por consiguiente, caben el hemistiquio de siete y el de ocho sílabas en sus cuatro combinaciones:

$$7 + 7, \quad 8 + 8, \quad 7 + 8, \quad 8 + 7.$$

El cómputo silábico está representado por versos tetra, penta, hexa, hepta y octosílabos. Los versos endecasílabos, que algunos han creído descubrir en las coplas 1.678-1.683, no son tales si se dividen como parece indicar su acoplamiento a la música, según ha demostrado Julián Ribera [8]. Tampoco son dodecasílabos, como quería Puyol, los de las coplas 1.049-1.058; la rima indica que

entre los hemistiquios no hay simple cesura, sino verdadera pausa.

Mayor aún es la riqueza en combinaciones estróficas: desde estrofas de 10 versos hasta estrofas de dos, en forma pareada, Julio Cejador ha podido señalar veintidós combinaciones distintas. En tal sentido, el *Libro* del Arcipreste es una Poética completa del siglo xiv.

Técnica, estilo y valoración

Inaugura entre nosotros Juan Ruiz, en forma afortunada, el método narrativo autobiográfico. ¿De dónde lo tomó? Pudo inspirarse en muchos autores. El autobiografismo es el procedimiento más natural que se presenta a un escritor que intente trazar un amplio cuadro de la vida. La idea de un personaje espectador y narrador a la vez no pasó inadvertida a los antiguos; se da ya en dos obras famosas de la literatura latina: *El Satiricón* y *El asno de oro.* No es probable que de ellas la tomara el Arcipreste, como tampoco del alegorismo poético francés o italiano, encarnado en el *Roman de la Rose* y en *La Divina Comedia.* La obra de Dante no fué conocida en Castilla hasta últimos del xiv, y el poema francés de Lorris y de Meung en nada se parece al *Libro de buen amor.* Más bien parece, como quiere Menéndez Pelayo, que nuestras dos primeras novelas picarescas, ambas en verso, la del Arcipreste y el *Llibre de les dones,* del valenciano Jaime Roig, son productos enteramente espontáneos.

En cuanto a la propiedad literaria, parece que Juan Ruiz no tenía conciencia de autor a la manera de don Juan Manuel: lanza su libro como un bien mostrenco para disfrute y aprovechamiento del primero que llegue, y hasta autoriza a cualquier advenedizo para que lo reforme, aumente o cercene, sin más condiciones que la de ser entendido en el arte de trovar:

> Qualquier ome que l'oya, sy bien trobar sopiere,
> puede más añedir e enmendar si quisiere.
> Ande de mano en mano: cualquier que lo pudiere;
> como pella las dueñas, tómelo quien pudiere.

Ello no le impide afirmar y hasta gloriarse una y otra vez de las altas enseñanzas que encierra su obra. Tiene también de la poesía un concepto personal:

a) La poesía suele esconder un sentido oculto, que debe desentrañar el lector; no importa que en su forma externa aparezca deleznable; hay que calar hondo si se quiere llegar al meollo:

> ca según buen dinero yace en vil correo,
> asy en feo libro yace saber non feo.

> Entiende bien mis dichos e piensa la sentençia,
> non contesca contigo como al dotor de Grecia.

b) El arte embellece lo feo natural, que puede tratarse siempre que se haga con decoro:

La burla que oyeres non la tengas por vil;
la manera del libro entiéndela sotil;
saber el mal desir bien, encobierto dofieguil,
tú no fallarás uno de trobadores mil.

c) Triple finalidad del arte: enseñar, divertir y crear belleza:

Fué compuesto el rromance por muchos males e daños
que fasen muchos e muchas a otras con sus engaños,
e por mostrar a los synples fablas e versos estraños
que pueda faser un libro de buen amor aqueste,
que los cuerpos alegre et a las almas preste.

Destacan en el *Libro de buen amor* cualidades literarias y humanas que pocas veces encontramos juntas en tan alto grado. Primero, un asombroso poder de captación de las realidades materiales; en el Arcipreste todos los sentidos están abiertos y dispuestos a recoger, sin deformarlo, cuanto a ellos llega. Segundo, un arte supremo para trasladar al poema todas esas sensaciones y comunicárselas al lector por medio de un lenguaje que, aun tan alejado del nuestro, parece siempre actual, por su garbo, su abundancia y su frescura. Tercero, una fuerza de expresión que, si a veces se diluye en vana palabrería, de ordinario se nos da concentrada, bastándole al poeta tres o cuatro versos para caracterizar un personaje o describir todo un proceso de amor:

¡Ay, quán fermosa vyene doña Endrina por la plaça!
¡Qué talle, qué donayre, qué alto cuello de garça!
¡Qué cabellos, qué boquilla, qué color, que buenandança!
Con saetas de amor fyere, quando los sus ojos alça.

Cuarto, una ironía trascendental que dignifica todo el poema, distinguiéndolo por su amplia visión y hondo sentido de las demás creaciones de su tiempo. Quinto, un realismo ejemplar y sano, que ha-

bía de trascender a la mejor novelística de la Edad de Oro:

Diz «Vente conmigo.»
Levóme consigo,
dióme buena lumbre,
com'era costunbre
de sierra nevada,
Dióm'pan de centeno,
tyznado, moreno;
dióme vino malo,
agrillo e ralo,
e carne salada...

Añádase a esto su variedad de voces y de cuerdas. «A lo aristofanesco de alguna serranilla—escribe Cejador—y de la contienda entre don Carnal y doña Cuaresma, junta el candor de égloga, más natural que el de Teócrito, en otras serranillas; a la vena satírica quevedesca del poder del dinero y las costumbres de los clérigos talaveranos, caballeros y monjas, la delicada y suave unción de los gozos de la Virgen, en el tono con que los ha cantado siempre el pueblo; a lo dramático y hondamente psicológico de la paráfrasis del *Pamphilius*, lo sublimemente trágico de la elegía a la Muerte; a lo tristísimamente endechado en las cantigas a María, lo triunfalmente pindárico del epinicio a Cristo como vencedor de la Muerte misma, reina del universo; a lo sentencioso de los consejos de don Amor y lo oriental de los apólogos, lo muy occidental... del rezo de los clérigos con sus amigotes golfines...» Por su estilo, finalmente, es uno de nuestros escritores más originales; y por su riqueza léxica y gramatical, el más caracterizado de la Edad Media. En Juan Ruiz ha de estudiarse mejor que en otro alguno el castellano de la época en que vivió. Por todo ello, el *Libro de buen amor* constituye el documento humano más valioso de su siglo.

IV. ULTIMAS MUESTRAS DEL «MESTER DE CLERECIA»: EL «RIMADO DE PALACIO»

A finales de siglo aparece la obra que cierra el ciclo poético del «mester de clerecía». Se titula, con una denominación poco exacta, el *Rimado de Palacio* [9]. Su autor, el Canciller PERO LÓPEZ DE AYALA (1332-1407), a quien habremos de referirnos por extenso en el capítulo dedicado a la prosa histórica del XIV-XV, no es clérigo, como Berceo, Juan Ruiz y demás cultivadores del género, sino político eminente, cortesano y guerrero. Un guerrero que, al igual que don Juan Manuel, encuentra en su constante ajetreo ratos de ocio para dedicarse a las letras [10].

El *Rimado de Palacio* es un extenso poema de 8.000 versos, constituído por una amalgama de los más dispares asuntos: morales, políticos, religiosos y hasta ascéticos. Se nos ha conservado en dos códices, el escurialense y el de la condesa de Campo Alange (en la Biblioteca Nacional), y de-

bió de empezar a escribirse hacia 1383, para no terminar hasta 1403. Se suelen distinguir en él cuatro partes:

1.ª Una exposición de vicios y virtudes, seguida de una especie de confesión general de los pecados del autor:

Pensando yo en la vida deste mundo mortal,
que es poca e peligrosa, llena de mucho mal,
faré mi confisión en la manera qual
mejor se me entendier, si Dios aquí me val...

2.ª Una sátira violenta de la sociedad contemporánea, que alcanza a todos los grados, profesiones y jerarquías.

3.ª Una serie de composiciones de carácter lírico, que constituye como un desahogo del poeta, y en las que se dirige a Dios y a la Virgen en acentos de íntima religiosidad.

4.ª Una extensa paráfrasis de diversos pasajes tomados de las *Morales*, de San Gregorio, que no sólo tradujo o hizo traducir, sino que llegó a comentar en muchas de sus partes con acotaciones puestas al margen de los códices. Varios pasajes de la misma pasaron versificados al poema.

En la primera parte, al hacer confesión de sus defectos, figura la conocida alusión a los libros de caballerías:

> Plógome otrosí oyr muchas vegadas
> libros de deuaneos e mentiras probadas,
> Amadís, Lanzarote, e burlas asacadas,
> en que perdí mi tiempo a muy malas jornadas.

La más importante, sin embargo, es la segunda parte, con una sucesión de cuadros llenos de vigor y de tipos de toda clase flagelados por el canciller. Mercaderes, letrados, prestamistas, eclesiásticos y civiles, alcaldes y obispos, cristianos y judíos, nadie se libra de su sátira sangrante [11]. Porque la sátira de Ayala en nada se parece a la de Juan Ruiz; la de éste es amable, regocijada, indulgente, y a lo más que llega es a la donosa *Cantiga de los clérigos de Talavera*, tan llena de gracia y buen humor; la del canciller es sombría, amarga y llena

de preocupación, hasta hacerle estallar en las duras imprecaciones del *Dictado sobre el cisma de Occidente*, uno de los mejores y más inspirados fragmentos del poema. ¿Inspirados? Sólo con gran dosis de indulgencia se puede adjudicar tal calificativo a un poema que se distingue por su prosaísmo. Ni podía ser de otro modo, ya que, en definitiva, y salvo unos pocos pasajes, el *Rimado de Palacio* no pasa de ser un sermón lleno de reflexiones doctrinales y morales. Puymagre señaló su nota positiva, que excluye toda evasión al reino del ideal, y Clarus vió en él un «espejo de la sociedad del siglo XIV», una sociedad que Ayala, hombre de mundo, llegó a conocer en todas sus virtudes y flaquezas; más en éstas acaso que en aquéllas.

La métrica es parecida a la del Arcipreste de Hita, sin tanta variedad. También Ayala rompe la unidad del «mester de clerecía», con el alejandrino como base, e introduce el verso de dieciséis sílabas, estrofas líricas de diversos metros casi siempre inspirados en el zéjel, y hasta formas irregulares. En pasajes de composición más tardía, por ejemplo, en el *Dictado del cisma*, aparece ya la copla de arte mayor.

V. POESIA DIDACTICO-MORAL: SEM TOB

Antes que el canciller Ayala compusiera su *Rimado de Palacio*, la poesía en forma de sentencias y consejos se había introducido ya en nuestra literatura gracias a un rabino de Carrión llamado Semtob o Santos, y más conocido por don SEM TOB [12]. Sus *Proverbios morales al rey don Pedro*, aunque no tuvieran otra significación, serían ya de estimar por haber inaugurado entre nosotros un género que luego cultivarían poetas como Santillana, Pérez de Guzmán, Gómez Manrique y tantos otros. Se componen los *Proverbios morales* de 686 estrofas, en cuartetas de versos heptasílabos, lo que quiere decir que ya el alejandrino se ha desglosado en sus dos hemistiquios, que de este modo pasan a constituirse en unidades métricas independientes. En el fondo se trata de un típico caso de poesía gnómica, a base de sentencias llenas de experiencia y sabiduría. Las fuentes son múltiples: libros didáctico-morales de la Sagrada Escritura, el Talmud, Avicebrón, Honain ben Ishac, la *Disciplina clericalis* y otras colecciones. Insiste el poeta en la utilidad de sus consejos, prescindiendo de que provengan de un judío:

> Por nascer en espino
> la rosa, yo non siento
> que pierda, ni el buen vino
> por salir del sarmiento.
>
> Nin vale el azor menos
> porque en vil nido siga,
> nin los ensemplos buenos,
> porque judío los diga.

Tienen estos *Proverbios* todas las ventajas e inconvenientes de la literatura aforística, que en lo literario sólo puede rayar a mediana altura, por mucho valor que tenga en lo conceptual. La gravedad, la intención sana, la valentía y la llaneza con que están formulados hace simpática y hasta amable su lectura.

El estilo de Sem Tob es la antítesis del de Juan Ruiz. A la exuberancia, colorido y viciosa lozanía de éste opone el judío de Carrión una concisión y parsimonia verbal difícilmente superable:

> En suenno una fermosa
> besaba una vegada,
> estando muy medrosa
> de los de su posada.
>
> Fallé boca sabrosa,
> saliva muy temprada,
> non vi tan dulce cosa
> mas agra a la dexada.

El marqués de Santillana hace un elogio de ellos en su célebre *Carta* al condestable de Portugal. Existen dos códices de los Proverbios: el de El Escorial, editado por Janer, y el de la Biblioteca Nacional de Madrid.

La «Doctrina cristiana» y la «Revelación de un ermitaño»

Sin más fundamento que el figurar en el mismo códice escurialense que los *Proverbios*, se han atribuído a Sem Tob otros tres poemas de muy distinto carácter y extensión: *Danza de la muerte, Doctrina cristiana* y *Revelación de un ermitaño.* La más superficial comparación de estilo, lengua, métrica de estos poemas, con el auténtico de Sem Tob, basta para desechar tal hipótesis. De la *Danza de la muerte,* escrita seguramente ya en el xv, nos ocuparemos en otro lugar. Una brevísima alusión a los otros dos poemas.

La *Doctrina cristiana* o *Doctrina de la discrición* tiene interés en cuanto representa el primer catecismo español en verso. Según la última estrofa, es obra de un Pedro de Veragüe. Consta de 154 coplas en tercetos monorrimos octosílabos, seguidos de su quebrado tetrasílabo:

Malos vicios de mí arriedro;
e con todo esto non medro

si non este nombre: Pedro
de Berague.

Explana la materia íntegra de un catecismo: Credo, Mandamientos, Obras de misericordia, Pecados capitales, Sacramentos, etc. No obstante su escaso valor literario, gozó de mucha popularidad, y hasta tuvo impresiones en el siglo xvi.

La *Revelación de un ermitaño* es de finales del xiv. Se sabe esto no sólo porque el autor anónimo nos lo dice en la primera copla [13], sino también por su metro: estancias de arte mayor en octavas dodecasílabas. Repite el tema de la *Disputa del alma y el cuerpo,* y acusa evidentes influencias de Dante. Su autor alardea de versificador: «la escriuió en rymas, ca era sabydor en esta çiença gaya».

VI. DOS POEMAS EPICOS DEL XIV

Ecos rezagados de los cantares de gesta nos llegan en dos obras dignas de estima por distinta razón: el *Cantar de Rodrigo* y el *Poema de Alfonso XI.*

Se demuestra en el primero cómo, a pesar de la decadencia de las antiguas gestas, la personalidad de ciertos héroes sigue viviendo en la imaginación popular, que no acierta a desprenderse de su hechizo. Uno de tales héroes, sin duda el predilecto, es el Cid. Pero su figura, que llena buena parte de la poesía popular en los siglos anteriores, ha venido a sufrir hondos cambios. A medida que un suceso o personaje se aparta en el tiempo, la fantasía lo va deformando más y más, y, en su intento de atribuirle mayores hazañas para revestirlo de nuevas galas, termina por desvirtuar lo más genuino de su personalidad. La geografía y la historia quedan sacrificadas, y el héroe, en fuerza de querer aparecer bravo, resulta fanfarrón; o tratando de mostrarse más agudo, discreto e ingenioso, resulta insolente y pedantesco. La épica degenera en novelería y romance. Es el destino de todos los géneros en su decadencia. Es lo que ocurre, por ejemplo, al Cid en el siglo xiv.

El «Cantar de Rodrigo»

Se llama también las *Mocedades de Rodrigo,* porque nos presenta al Cid en la primera época de su vida. Ya en la *Crónica de 1344* aparece prosificado este poema, que tuvo una redacción en verso muy posterior, probablemente a principios del xv, en la *Crónica rimada de las cosas de España desde la muerte del rey don Pelayo hasta don Fernando el Magno, y más particularmente de las aventuras del Cid.* El códice fué publicado por Michel (1846), y es un conjunto abigarrado de sucesos reales y fantásticos cantados con escasa inspiración [14]. Consta de 1.225 versos, precedidos de un fragmento en prosa ligeramente asonantada. La parte relativa al Cid empieza en el verso 280. Una breve síntesis del argumento dará idea del falseamiento llevado a cabo con el tipo cidiano de la gesta primitiva:

El conde de Gormaz lesiona a unos pastores que están al servicio del padre de Rodrigo y roba sus rebaños. Aunque Rodrigo sólo cuenta doce años de edad, desafía y da muerte al conde. La hija de éste, Jimena Gómez, demanda al Cid en matrimonio, si bien el héroe, si bien accede por complacer al rey Fernando, que de esta manera pretende calmar la enemistad de las dos familias, jura no volver a besar la mano del monarca ni ver a Jimena hasta tanto no haya vencido en cinco lides. Vence en una y se reconcilia con el rey. Parte en peregrinación a Santiago de Compostela; al regreso socorre a un leproso que no es otro que San Lázaro; por la noche se le presenta en sueños y le augura éxito en sus empresas. Rodrigo derrota al conde de Saboya, coge prisionera a su hija, que entrega por manceba a Fernando I. Llega a París, desafía a los Doce Pares, al rey de Francia y al Papa, tratando a todos con singular desprecio y altanería. La hija del conde de Saboya da a luz un hijo cuyo padre es el «buen rey don Fernando». Para celebrar tan fausto acontecimiento, el Papa implora una tregua de un año, demanda que apoyan el emperador de Alemania y el rey de Francia, que apadrinan al niño. Por último, el rey Fernando otorga una tregua de doce años; y el poema se interrumpe en el punto en que está negociando con un cardenal.

Si el *Cantar de Mio Cid* consigue darnos la figura de un héroe nacional encuadrado perfectamente en la historia, el *Cantar de Rodrigo* apenas logra ofrecernos otra cosa que un vulgar aventurero, fanfarrón, locuaz y reñidor. Ello no disminuye su valor en cuanto héroe popular, hasta el punto de que éste será el Cid legendario que pase luego a los romances y al teatro, tanto español como extranjero, desde Juan de la Cueva y Guillén de Castro a Lope de Vega y Hartzenbusch, y desde Corneille a Víctor Hugo. La versificación es irregular: dominan los versos de dieciséis sílabas, con mezcla de los de quince y diecisiete. Se le considera como una muestra de transición entre el cantar de gesta y el romance.

«Poema de Alfonso Onceno»

Es el último eco del «mester de juglaría». En 2.455 coplas de cuatro versos cada una, casi siempre mal medidos, narra los sucesos principales del reinado de Alfonso XI a partir del año 1312. En la copla 1.841 se cita como autor a Ruy Yáñez; pero, según todas las probabilidades, el tal Yáñez fué un simple copista, a lo más un traductor del poema, ya que éste se supone escrito originariamente en gallego. Abona tal tesis, mantenida por Cornu, la facilidad con que los versos, incorrectos en nuestra lengua, se trasladan al gallego, resultando en éste perfectos de medida y rima:

Castellano

Fallóla sobre Algezira
con su hueste e su pendón:
el buen Rey, cuando lo viera
alegró su corazón.

La reyna vostra fija
vos demanda que le dedes
la vuestra muy real frota
vos gela enviedes.

Gallego

Achu-o em Algeisira
con sua hoste e pendom:
e bom rei quando o vira
allegrou se o coraçom.

A rainha vossa filha
vos demanda que le dedes
a vossa real flotilha
e que vos lhe a enviedes.

La demostración parece convincente, y, en tal caso, el papel de Yáñez se habría limitado al de un versificador mediocre y traductor inhábil. A no ser que, como quieren la señora Michaëlis y Menéndez Pidal, sea el poema obra de un poeta leonés acostumbrado a escribir en gallego-portugués. Numerosas alusiones a Portugal abonan esta tesis. Se ha atribuído asimismo a Alfonso Giraldes, autor de un poema sobre la batalla del Salado. Pero éste en nada se parece al de *Alfonso Onceno*.

Destaca por la minuciosidad y detalle, hasta el punto de que por alguien se ha creído que su autor pudo ser el mismo que redactó la *Crónica* en prosa de Alfonso XI, a la cual añade no pocas noticias. Cualquiera que sea su autor, indudablemente tuvo que presenciar, según es el realismo de la narración, muchos de los sucesos en el *Poema* aludidos. El manuscrito del mismo se conserva en El Escorial, y procede de la biblioteca de don Diego Hurtado de Mendoza.

NOTAS

1. Nos lo dice él mismo:

E el de la Magdalena ovo enante rimado
al tiempo que de Ubeda era beneficiado;
después cuando esto fizo vivía en otro estado.

La época en que se escribió se puede calcular con cierta aproximación por otros versos también del poema:

Reinaba don Alfonso cuando él lo fisiera,
fijo de don Sancho e de donna María,
astragaban los moros toda el Andalusía.

Sin duda hay aquí error del copista: o bien equivocó el nombre de rey, poniendo «Alfonso» por «Fernando», o bien en el segundo verso puso *fijo* por *nieto*, ya que, si se refiere efectivamente a Alfonso XI, éste era nieto de los mencionados Sancho y María.

2. Léase el fragmento que empieza:

Cuando es bivo el omne cría mota sin mesura...,

cuya continuación nos impide transcribir el respeto a nuestros lectores.

3. La versión de otro códice: *uno que mora en Alcala*, parece menos correcta, al menos si se atiende a la estructura del verso.

4. Está contenida en las coplas 1.690 a 1.709, en ochenta versos alejandrinos, que ofrecen un animado cuadro de la vida y disolutas costumbres del clero talaverano. «El severo arzobispo de Toledo, don Gil de Albornoz —escribe Cejador—, encargó a nuestro Arcipreste llevase las cartas del Papa a Talavera y las leyese a aquellos clérigos de vida desgarrada. Cómo recibieron estas órdenes es lo que el Arcipreste pinta en esta sátira, que chorrea ironía por todas partes, aunque sin amargura ni ensañamientos, como escrita con el sano propósito de que se enmendasen. No es posible que aquellos clérigos se quedasen sin dar coces contra el aguijón. Piensan, pues, acertadamente los que suponen que ellos fueron los que indispusieron al arzobispo contra nuestro Arcipreste, haciendo llegar, sin duda, hasta él chismes y cuentos, acaso que tampoco su excelencia se libraba de las sátiras del que tan vivas sabía escribirlas. Don Gil de Albornoz, hecho a mandar y a ser respetado, de genio recio y hasta tiránico, daría crédito a las hablillas.» *Libro de Buen Amor*, «Clásicos Castellanos», 6.ª ed., con prólogo y notas de Julio Cejador y Frauca, vol. II, pág. 277.

5. He aquí su autorretrato:

Señora, diz la vieja, yo lo veo a menudo:
el cuerpo á muy grant, miembros largos, trefudo,
la cabeça non chica, velloso, pescoçudo,
el cuello non muy luego, cabel prieto, orejudo.
Las cejas apartadas, prietas como carbón,
el su andar infiesto, bien como de pavón,
el paso segurado é de buena raçón,
la su nariz es luenga, esto le desconpón.
Las encías bermejas é la fabla tunbal,
la boca non pequeña, labros al comunal,
más gordos que delgados, bermejos como coral,
las espaldas byen grandes, las muñecas atal.
Los ojos ha pequeños, es un poquillo baço,
los pechos delanteros, bien trefudo el braço,
bien cumplidas las piernas; el pie, chico pedaço;
señora, dél non vy más...

(Coplas 1.485-88.)

6. Es el que ha prevalecido hasta ahora. Jener lo tituló *Libro de cantares*; Santillana, *Libro del Arcipreste de Hita*; pero en las coplas 13, 933 y 1.630, el mismo autor nos dice claramente cómo quiere que se llame:

Por amor de la vieja e por decir raçón,
Buen Amor dixe al libro...

No obstante, Menéndez Pelayo escribe: «El libro queda realmente innominado; cuando Juan Ruiz se refiere a él, lo hace siempre en los términos más genéricos: trovas, e cuento rimado; libro de buen amor, tomando quizá este vocablo *amor*, no solamente en su sentido literal, sino en el muy vago que los provenzales le daban, haciéndole sinónimo de cortesía, de saber gentil y aun de poesía.»

7. «Para dar vida dramática a la sátira—había escrito Cejador—había en primera persona el de Hita, poniéndose así en el lugar del dicho Arcipreste abstracto, que personifica toda la perdida clerigalla. De este modo, en forma autobiográfica, va describiendo cuanto a aquellos clérigos solía acontecerles, que se resume en la lucha en su alma y en sus obras entre el espíritu cristiano del amor de Dios o buen amor, como el Arcipreste le llama, y el del espíritu carnal y mundano, que él titula *locura* o *loco amor*.» *Ob. cit.*, Introducción, pág. XX.

8. Son aquellos que dicen:

Quiero seguir
a ty, flor de las flores,
sienpre desir,
cantar de tus loores,
no me partir,
de ty servir,
¡mejor de las mejores!

Los supuestos dodecasílabos se inician con esta estrofa:

Myercoles a terçia
el cuerpo de Xristo
Judea l'apreçia;
es'ora fué visto
quán poco lo preçia
al tu Fijo quisto
Judas el que l'vendió, su discípulo traydor.

9. Se ha llamado también *Rimos de las maneras de Palacio* y *Libro de los fechos de Palacio*, títulos que sólo pueden aplicarse a una parte del poema.

10. Fué poeta, humanista e historiador. *Vid.* en cap. VIII su biografía y estudio más detallados.

11. Allá van tres o cuatro ejemplos:

Los reyes e los príncipes, e los emperadores,
los duques e los condes, e los otros sennores,
gouiernan las su tierras con los sus moradores,
que a do moraban çiento fincan tres pobladores.
. . . .

Perlados que'sus eglesias deuían gouernar,
por cobdiçia del mundo allí quieren morar,
e ayudan reuoluer el mundo a más andar,
como reueluen tordos un pobre palomar.
. . . .

¿Pues qué de los mercaderes aquí podrán desir?
Si tienen tal ofiçio para poder fallir,
jurar e perjurar, en todo sienpre mentir,
oluidan Dios e alma, nunca cuidan morir.

Habla de los letrados:

Si quisieres sobre un pleito con ellos aver consejo,
pónense solphemente e luego abaxan el çejo;
disen: grant questión es esta e grant trabajo sobejo
el pleyto será luengo, ca atanne a todo el conçejo.

Y hasta al Padre Santo llega su lamento:

El obispo de Roma, que Papa es llamado,
que Dios por su vicario nos ovo ordenado,
el logar de Sant Pedro a él fué otorgado,
está cual vos lo vedes, malo, nuestro pecado.

12. Se desconocen las fechas de nacimiento y muerte de este poeta, que vivió, sin duda, en el reinado de Pedro el *Cruel*, a quien dedicó su libro, y del cual recibió protección y estima:

Sennor noble, rrey alto,
oyd este sermón
que vos dise don Santo,
judío de Carrión.

13. Es así:

Después de la prima la hora pasada,
en el mes de enero, en la noche primera,
en cccc, e beynte durante la *hera*,
estando acostado allá en mi posada...

Con el término *hera* se alude a la española, que precede en treinta y ocho años a la *Era cristiana*. Por tanto, debió escribirse el año 1362.

14. Se halla este cantar en el códice n. 9988 de la Bibl. Nac. de París, descrito por don Eugenio Ochoa en el *Catálogo de manuscritos españoles* existentes en dicha Biblioteca, y fué publicado por Michel (1846), reproducido por Wolf (Viena, 1847) y por A. Durán, tomo XVI de la «Bibl. AA. EE.».

BIBLIOGRAFIA

I. ANTONIO ALATORRE: *Las «Heroidas», de Ovidio, y su huella en las letras españolas*, México, 1950.—RENÉ BASSET: *Mille et un contes, récits et légendes arabes*, 3 vols., París, 1924-1927.—R. R. BOLGAR: *The Classical Heritage and its Beneficiaries*, Cambridge, 1954.—GEORGES CIROT: *Inventaire estimatif du «Mester de clerecía»*, «Bull. Hisp.», XLVIII, 1946; *Sur le «mester de clerecía»*, «Bull. Hisp.», XLIV, 1942.—JOSÉ M.ª DE COSSÍO: *Notas y estudios de crítica literaria. Poesía española. Notas de asedio*, Madrid, Espasa-Calpe, 1936.—BLASI FERRUCCIO: *La «Serranilla» spagnuola*, Florencia, 1941 (Extr. de Archivum Romanicum, vol. XXV).—J. FILGUEIRA VALVERDE: *Formas paródicas de la lírica medieval gallega*, Anales Asoc. Esp. Progr. Ciencia, vol. XII, Madrid, 1947.—JULIO GARCÍA MOREJÓN: *A primitiva lírica peninsular ibérica*, «A Gazeta», San Paulo, 1955.—HELEN GARDNER: *The limits of Literary Criticism. Reflections on the Interpretation of Poetry and Scripture*, Oxford, 1956.—A. GONZÁLEZ PALENCIA: *Moros y cristianos en España medieval*, Madrid, 1945.—A. GRAF: *Miti, leggende e superstizione del medio evo*, Turín, 1925.—OTIS H. GREEN: *Fingen los poetas. Notes on the Spanish Attitude toward Pagan Mythology*, «Est. dedicados a M. Pidal», I, págs. 275-78, Madrid, 1953.—PEDRO HENRÍQUEZ UREÑA: *La cuaderna vía*, «Rev. Fil. Hisp.», VII, 1945.—PIERRE LE GENTIL: *Le virelay et le villancico. Le problème des origines arabes*, París, 1954.—P. J. G. LEHMAN: *Die Parodie im Mittelalter*, Munich, 1922.—R. M. PIDAL: *España, eslabón entre la Cristiandad y el Islam*, Col. Austral, número 1.280, Madrid, 1956; *Poesía árabe y poesía europea*, Col. Austral, núm. 190, Madrid, 1941.—MONTAIGLON-RAYNAUD: *Recueil général et complet des fabliaux des XIIIe et XIVe siècles*, París, 1872-1890.—MARÍA DEL PILAR OÑATE: *El feminismo en la literatura española*, Madrid, 1938.—AMÉDÉ PAGES: *Le thème de la tristesse amoureuse en France et en Espagne du XIVe au XVe siècle*, «Romania», LVIII, 1932.—R. CHANDLER POST: *Medieval Spanish Allegory*, Cambridge, 1915.—PUYMAIGRE, Conde de: *Les vieux auteurs castillans*, 2.ª ed., París, 1890.—RUDOLPH SCHEVILL: *Ovid and the Renascence in Spain*, Berkeley, 1913.—J. A. TAMAYO RUBIO: *Escritores didácticos de los siglos XIII y XIV*, «Hist. Gen. de las Lit. Hisp.», vol. I, Barcelona, 1949.—KARL VOSSLER: *La soledad en la poesía española*, Madrid, 1941.—BRUCE W. WARDROPPER: *Historia de la poesía lírica a lo divino en la cristiandad occidental*, Madrid, 1958.

II. MIGUEL ARTIGAS: *Un nuevo poema por la cuaderna vía. Edic. y estudio del «Libro de miseria de omne»*, «Bol. Bibl. M. Pelayo», 1919-1920.—F. GUILLÉN ROBLES: *Leyendas de José, hijo de Jacob, y de Alejandro Magno, sacadas de dos manuscritos de la B. Nac. de Madrid*, Zaragoza, 1888.—C. E. KANY: *«Proverbios de Salomón». An unedited old Spanish Poem*, «Hom. M. Pidal», I, 1925.—R. M. PIDAL: *Poema de Yúçuf. Materiales para su estudio*, «Rev. Arch. Bibl. y Mus.», VII, 1902, págs. 91-129, 276-309 y 347-62; *Poema de Yúçuf*, Col. Filológica, Granada, 1952.—H. MORF: *El Poema de José*, Leipzig, 1883.—A. PAZ Y MELIÁ: *Opúsculos literarios de los siglos XIV a XVI* (Proverbios de Salomón), Madrid, 1892.—A. RESTORI: *Alcuni appunti su la Chiesa di Toledo nel secolo XIII* (Vida de San Yldefonso), «Atti. de R. Ac. Scienze di Torino», XXVIII, 1893.—SAROÏHANDY: *Remarques sur le poème de Yúsuf*, «Bull. Hisp.», VI, 1904, págs. 182-93.—M. SCHMITZ: *Ueber das altspanische Poema de Yusuf*, «Romanische Forschungen», IX, Erlangen.

III. JOSÉ MARÍA AGUADO: *Glosario sobre Juan Ruiz*, Madrid, 1928.—DÁMASO ALONSO: *Pobres y ricos en los libros de «Buen Amor» y de «Miseria de Omne»*, «De los siglos oscuros al de oro», págs. 105-13, Madrid, 1958; *La bella de Juan Ruiz, toda problemas*, «De los siglos oscuros al de oro», págs. 86-99; *Tres poetas en desamparo: A. de Hita, el Canciller Ayala y Fray Luis de León*, «De los siglos oscuros al de oro», págs. 114-24.—H. H. ARNOLD: *The Octosyllabic «cuaderna vía» of Juan Ruiz*, «Hisp. Rev.», VIII, 1940, págs. 125-38.—AZORÍN

(J. Martínez Ruiz): *Al margen de los clásicos*, Madrid, 1915.—F. Babillot: *El «Libro de Buen Amor»*, «Bull. Hisp.», XXXVI, 1934.—S. Bataglia: *Saggio sul «Libro de Buen Amor»*, «Nuova Cultura», 1930.—Joseph Bedier: *Les fabliaux*, París, 1893.—Angel Benito Durán: *Filosofía del A. de Hita. Sentido filosófico del «L. de Buen Amor»*, Alcoy, 1946.—A. Bonilla y San Martín: *Una comedia latina de la Edad Media. «El Liber Pamphilii* (Fuente del episodio de «Don Melón y doña Endrina»), «Bol. Ac. Historia», LXX, 1917.—Erasmo Buceta: *La «Políticas, de Aristóteles, fuente de unos versos del «L. de B. Amor»*, «Rev. Fil. Esp.», XII, 1925.—Américo Castro: *El «L. de B. Amor» del A. de Hita, «La realidad histórica de España»*, cap. XII, págs. 378-442, Méjico, 1954.—F. Castro Guisasola: *El horóscopo del rey Alcaraz en el «L. de B. Amor»*, «Rev. Fil. Esp.», XI, 1924.—J. Cejador F.: *Libro de Buen Amor*, ed. y estudio de..., 2 vols., Clás. Cast., «La Lectura», núms. 14 y 17.—Tommy Joy Hester: *An Analysis of the Characteristics of Alexandrine Verse as Found in Juan Ruiz's «L. de B. Amor»*, Oklahoma Theses, 1938.—F. Lázaro Carreter: *Los amores de don Melón y doña Endrina. Notas sobre el arte de Juan Ruiz*, «Arbor», 1951, XVIII, págs. 210-36.—F. Lecoy: *Recherches sur le «L. de B. A.», de Juan R., Arcipreste de Hita*, París, 1938. (Véanse las críticas de esta obra de Georges Cirot: «Bull. Hisp.», XLII, 1940, págs. 155-62, y E. Alarcos Llorach: «Rev. Fil. Esp.», XXVII, 1943, págs. 443-50).—M.ª Rosa Lida: *Notas para la interpretación, influencia, fuentes y texto del «L. de B. Amor»*, «Rev. Fil. Hisp.», II, 1940, págs. 105-50.—Lore Terracini: *L'uso dell'articolo davanti al possessivo nel'Libro de B. Amor*, Turín, 1951.—M. Menéndez Pelayo: *Antologia de poetas líricos*, I, cap. V, págs. 257-314, Santander, 1941.—Gonzalo M. Pidal: *El Arcipreste de Hita*, «Hist. Gen. de las Lit. Hisp.», I, Barcelona, 1949.—L. G. Moffatt: *The imprisonment of the Archpriest*, «Hispania», California, XXXIII, 1950, págs. 321-27.—Jaime Oliver Asín: *Historia y prehistoria del castellano «Alazoza». Novedades sobre el «L. de B. Amor»*, «Bol. R. Ac. Esp.», XXX, 1950, págs. 389-421.—J. S. Pons: *L'Archiprêtre de Hita. Esquisse pour un portrait*, «Bull. Hisp.», LII, 1950, págs. 303-12.—Julio Puyol Alonso: *El A. de Hita. Estudio crítico*, Madrid, 1906.—Alfonso Reyes: *El A. de Hita y su «L. de B. Amor»*, «Cuatro ingenios», Colec. Austral, núm. 954, págs. 15-31.—Henry B. Richardson: *An Etymological Vocabulary to the «L. de B. Amor» of J. Ruiz, A. de Hita*, Yale, II, 1930.—C. Sánchez Albornoz: *Literatura y vida antes del Arcipreste*, «España, un enigma histórico», vol. I, cap. VII, págs. 377-450, Buenos Aires, 1956; *Frente al supuesto mudejarismo del Arcipreste*, «España, un enigma histórico», cap. VIII, págs. 351-533.—A. H. Schutz: *La tradición cortesana en dos coplas de Juan Ruiz*, «N. Rev. Fil. Esp.», Méjico, 1954.—Leo Spitzer: *Zur Auffassung der Kunst des Arcipreste de Hita*, «Zeitschrift für Romanische Philologie», LIV, 1934, págs. 237-70.—O. Tacke: *Die Fabeln des Erzpriesters von Hita im Hahmen der mittelalterlichen Fabelliteratur*, Breslau, 1911.—L. Vázquez de Parga: *Juan Ruiz entre Islam y Occidente*, «Clavileño», núm. 8, 1951.—F. Lázaro Carreter: *Los amores de don Melón y doña Endrina. Notas sobre el arte de Juan Ruiz*, «Arbor», XVIII, 1951.

IV. M. Díaz de Arcaya: *El gran Canciller don P. López de Ayala. Su estirpe, su casa, vida y obras*, Vitoria, 1900.—Rafael Floranes: *Vida literaria de P. López de Ayala*, «Documentos inéditos», vols. XIX y XX.—B. José Gallardo: *El gran Canciller P. L. de Ayala y su famoso «R. de Palacio»*, «Rev. Española», Madrid, 1832.—Albert E. Kuersteiner: *The use of the relative pronoun in the «R. de Palacio»*, «Rev. Hispanique», 1911; *A textual study of the First Cantica sobre el Fecho de la Iglesia in Ayala's Rimado* (Studies in honour of A. Marshall Eliot), Baltimore, 1911; *Poesías del Canciller P. López de Ayala*, estudio y edic. de..., Hispanic Society, Nueva York, 1920.—Rafael Lapesa: *El Canciller P. López de Ayala y otros poetas del mester de clerecía*, «Hist. gen. de las Lit. Hisp.», vol. I, Barcelona, 1949.—M. Menéndez Pelayo: *Ayala. El C. de Baena*, «Antol. de poetas líricos», I, cap. VII, págs. 341-420, Santander, 1941.—Francisco Meregalli: *La vida política del Canciller Ayala*, Varese-Milán, 1955.—S. Griswold Morley: *Pero López de Ayala: «El R. de Palacio»*, «Hom. a A. M. Huntigton», Wellesley, 1952.—Helen L. Sears: *The «R. de P.» and the «De regimine principum» tradition of the Middle Ages*, «Hisp. Review», XXI, 1952.—Sánchez Albornoz (Claudio): *El Canciller Ayala, historiador*, «Españoles ante la Historia», Ed. Losada, Buenos Aires, 1958.

V. Emilio Alarcos Llorach: *La lengua de los «Proverbios morales» de don Sem Tob*, «Rev. Fil. Esp.», XXXV, 1951, págs. 249-309.—Américo Castro: *Los judíos en la literatura y en el pensamiento españoles: D. Sem Tob*, «La realidad histórica de España», cap. XIV, páginas 525-61.—Y. González Llubera: *The text and Language of Santob de Carrion's «Proverbios Morales»*, «Hisp. Review», VIII, 1940, págs. 113-24; *Santob de Carrión* (ed. y estudio de la obra y del autor), Univ. Press, 1947.—M. Menéndez Pelayo: *Antologia de poetas líricos*, vol. I, cap. VI.—A. A. Neuman: *The Jews in Spain: Their Social, Political and Cultural Life during the Middle Ages*, 2 vols., Filadelfia, 1942.—Claudio Sánchez Albornoz: *Literatura y vida después del Arcipreste: Sem Tob*, «España, un enigma histórico», vol. I, cap. IX, págs. 535-614.—J. A. Tamayo Rubio: *La rosa y el judío* (Sem Tob), «Finisterre», I, págs. 377-383.

VI. B. P. Bourland: *El «Cantar de Rodrigo»*, estudio y edición de..., «Revue Hispanique», XXIV, 1911.—Diego Catalán M.-Pidal: *Poema de Alfonso XI. Fuentes, dialecto y estilo*, Madrid, 1953.—G. Davis: *The Debt of the «Poema de Alfonso Onceno» to the «Libro de Alexandre»*, «Hispanic Review», XV, 1947, págs. 436-52.—M. Menéndez Pelayo: *Tratado de romances viejos*, «Antol. de poetas lír.», vols. VI y VII; *Estudios sobre el teatro de Lope de Vega*, vols. III y IV; *La primitiva poesía heroica*, «Est. y disc. de crít. hist. y literaria», vol. I, págs. 143-60; *Antología de poetas líricos castellanos*, vol. I, cap. VI.—R. Menéndez Pidal: *Poesía juglaresca y juglares*, Madrid, 1924; *Flor nueva de romances viejos*, Colec. Austral, núm. 100, Buenos Aires, 1939; *La epopeya castellana a través de la literatura española*, Madrid-Buenos Aires, 1945; *Reliquias de la poesía épica española*, Madrid, 1951.—C. Michaelis de Vasconcellos: *Romances velhos en Portugal*, Madrid, 1909.—*Poema de Alfonso XI*, publicado por Yo Ten Cate, Amsterdam, 1942.

CAPITULO VII

LA POESIA EN EL SIGLO XV

I. Literatura del Cuatrocientos: *Cambios de dirección. Prosa popular y prosa culta. Los «Cancioneros».*—II. El «Cancionero de Baena»: *Escuelas representadas en el mismo. La galaico-portuguesa. La tradicional castellana. La alegórico-dantesca.*—III. El «Cancionero de Stúñiga»: *Lope de Stúñiga y Carvajal. Juan de Tapia. Otros poetas.*—Notas.—Bibliografía.

I. LITERATURA DEL CUATROCIENTOS

Sobre el siglo xv como puente de tránsito entre el medievo y el Renacimiento ya se adelantó algo en el capítulo I, al estudiar los caracteres de aquel período. Entonces tuvimos ocasión de anticipar un concepto ya hoy generalizado y es éste: que el siglo xv, tanto como clausura de un ciclo cultural, es puerta que se abre de par en par a otro ciclo, si más breve en el aspecto cronológico, no por ello menos importante. Las dos denominaciones, *ocaso de la Edad Media* y *umbral del Renacimiento*, aplicadas a la centuria que estamos estudiando, tienen casi idéntica validez. En un mismo género, y hasta casi en un mismo autor, encontramos testimonios justificativos para ello. Piénsese en López de Ayala, a quien no se sabe dónde incluir, pues si por su obra poética cae aún dentro del «mester de clerecía», por su producción histórica está mucho más cerca de los humanistas del xvi que de los cronistas medievales.

Insistamos en esto. En los últimos años del xiv y primeros del xv se opera en todos los órdenes de la vida un profundo cambio, que trae aparejada una transformación análoga en el campo de las letras. El derecho germánico, acostumbrado a ver en el rey un par de la nobleza—«nos que cada uno valemos tanto como vos y todos juntos más que vos»—y que pacta con sus vasallos, formando una especie de jerarquización feudal, se ve poco a poco sustituído por el derecho romano, que considera al rey el señor natural de sus súbditos. Se robustece con ello el poder y autoridad del monarca y el noble se acerca más a la Corte. La existencia de una nobleza en torno al soberano es el signo externo del afianzamiento del poder real. La manifestación externa de todo ello es la presencia continua del magnate, del noble, del señor, en las salas de Palacio, hasta convertirse, con el Renacimiento, en el verdadero cortesano. «Desde el punto de vista literario—ha escrito Díaz-Plaja—es evidente el progreso que supone una organización así para el refinamiento de las costumbres y de la cultura. La figura del rey centra una serie de actividades de carácter artístico: músicos, poetas, artistas, forman parte integrante del servicio palatino. La nobleza se familiariza con los juegos del espíritu y bien pronto los torneos de la inteligencia y del ingenio tienen su lugar junto a los ejercicios militares» [1].

Cambios de dirección

Por lo pronto, la poesía acusa inmediatamente un cambio de dirección: a la influencia francesa sucede la italiana; a los temas heroicos y de «milagros», los temas alegóricos. Es curioso que, siendo la poesía alegórica originaria de Francia y habiendo tenido allí su manifestación más temprana en el *Roman de la Rose*, no penetrase en Castilla por vía francesa, sino a través de dos obras italianas: *La Divina Comedia* y *Los triunfos.* Dante y Petrarca sustituyen con sus poemas a los amazacotados relatos de Lorris y de Meung [2]. Este cambio de gusto, por el que lo italiano elimina a lo francés, es ya señalado por el marqués de Santillana en su famoso *Proemio* al condestable don Pedro de Portugal, que constituye, ya lo veremos en otro lugar, el primer ensayo de literatura crítica castellana. De Francia persisten los temas novelescos, tanto del ciclo bretón como carolingio, fundidos con episodios de las Cruzadas, según hemos podido observar en las breves alusiones que dedicamos en el capítulo anterior a la *Gran conquista de Ultramar* y a la *Crónica troyana.* Este tipo de lecturas sigue compartiendo el favor del público con el *Amadís,* cuya primera redacción ya es recordada por viejos poetas del *Cancionero de Baena,* como Ferrús y el canciller Ayala. La novela caballeresca y la psicológico-sentimental perduran durante todo el siglo xv y aun saltan al siguiente, en el que la primera alcanza entre nosotros su grado de madurez. Basta aludir por ahora a ellas, ya que en el capítulo correspondiente se tratarán con mayor espacio.

La escuela galaico-portuguesa, aunque sigue cultivándose intensamente, se bate en retirada, cada vez con menos bríos, para terminar dando paso franco al alegorismo dantesco. Después de breve período de coexistencia, la primera desaparece y, al lado de la alegórica, se impone la tradicional castellana. La tendencia italiana se ve favorecida por razones políticas, como son los contactos cada vez más frecuentes entre españoles y nativos de aquel país y, sobre todo, la conquista de Nápoles por el rey Alfonso V de Aragón. En torno a este soberano se agrupan los poetas que en su mayor parte integran el *Cancionero de Stúñiga*.

Dentro de la poesía que venimos llamando épica o heroica aparece y se desarrolla briosamente un nuevo género: los *romances*. Persistiendo luego a lo largo de los siglos hasta nuestros días, los *romances* están llamados a constituir el más rico florón de la poesía castellana. Con los romances triunfa el octosílabo, que pasa a ser el verso español más genuino. También el cambio de orientación poética comporta un cambio no menos profundo en la métrica: el «mester de clerecía» había empleado con preferencia, casi de modo exclusivo, el verso alejandrino, distribuido en estrofas monorrimas («cuaderna vía»); el alegorismo prefiere el dodecasílabo, repartido en octavas llamadas «coplas de arte mayor» y casi siempre con esta disposición: ABBAACCA. Aparentemente, un metro pausado y monótono había sido reemplazado por otro más movido y elástico. En el fondo, no sabríamos decir si la poesía, en punto a versificación, salió ganando, ya que lo que se logra en agilidad de andadura se pierde en flexibilidad rítmica. En efecto, el dodecasílabo es, por más breve, más ligero; en cambio, el alejandrino tiene más variedad acentual, al moverse con ritmo de base yámbica y anapéstica, mientras el sustituto mantiene siempre la misma acentuación de ritmo anfibráquico. Uno y otro quedaron definitivamente desplazados: el alejandrino, a últimos del XIV; el dodecasílabo, a principios del XVI. Cuando algún poeta los usa es siempre de modo esporádico y para remedar la «vieja fabla». Sólo a partir del romanticismo vuelven a retoñar, pero con características especiales, que se estudiarán oportunamente.

El *teatro* sigue la tradición primitiva iniciada con el *Auto de los Reyes Magos:* obras religiosas sobre los ciclos de Navidad y la Pasión, destinadas a representarse en iglesias y monasterios, y piezas *de escarnio,* de las que no tenemos pruebas ni testimonios directos. Es aquí donde menos se descubre una auténtica evolución. El teatro camina mucho más lento que la poesía y que la prosa. No obstante, las auras renacentistas, que empezaron a soplar en el XV, crean un clima propicio para que, a finales de siglo, puedan producirse obras como la *Tragicomedia de Calisto y Melibea* o las «églogas» de Juan del Encina.

También la prosa histórica acusa un notable progreso. A las *summas* de Alfonso el *Sabio* suceden las «crónicas particulares», bien de reinados o bien de personajes famosos. En cualquier caso, la cláusula se mueve de otra manera, con otro garbo y otro ritmo. Tal vez la innovación más importante en este aspecto sea la introducción del género biográfico, que, iniciado por Pérez de Guzmán, encuentra su más afortunado cultivador en Hernando del Pulgar.

La prosa popular y la culta

La doble corriente lingüístico-estilística, ya advertida por don Juan Manuel cuando, por seguir el consejo de don Jaime, señor de Xérica, abandona el estilo llano para dar paso a un lenguaje «oscuro», casi conceptista, se perfila más y más en el cuatrocientos.

Con el renacer de la antigüedad clásica surge la admiración por el pasado de Roma, cuya cultura se estudia a la vez en Castilla, con Juan II, que en Nápoles, con Alfonso V, el *Magnánimo.* Surge un auténtico proceso de latinización, al que contribuye en gran parte la influencia italiana ya señalada, especialmente la de Dante y Boccaccio, cuyas obras se traducen e imitan con esmero. Don Juan Manuel y el Arcipreste de Hita parecen ya anticuados. Su lenguaje, inspirado en el habla vulgar y corriente, se califica de pobre. En un intento, varias veces repetido luego, de divorciar la lengua literaria y la del pueblo, se introducen gran número de voces cultas y se persigue con ahinco la creación —que más tarde intentarán también los culteranos—de una lengua exclusiva para la poesía, siguiendo en esto el ejemplo de los poetas florentinos. El hipérbaton se extrema; los cultismos proliferan. Juan de Mena siembra sus versos y su prosa de palabras latinas: *clarífico, crinado, superno, marital, ofuscar, nítido, poluto, exilio, flagelo,* etc. Hay que decir, en honor de la verdad, que casi todas estas palabras han adquirido luego carta de naturaleza en nuestra lengua, por lo que su introducción ha de considerarse beneficiosa. No sucede lo mismo con el hipérbaton. Y es que, mientras todo lo que afecta al léxico apenas pasa de la superficie del idioma, lo que atañe a la sintaxis, como es el hipérbaton, se relaciona con la misma estructura, con el alma viva de la lengua. Por ello, las innovaciones léxicas suelen prosperar; las sintácticas, no. Cuando Juan de Mena nos habla del «muy virtuoso perínclito conde», tenemos la impresión de estar leyendo castellano, a pesar de la novedad del vocablo «perínclito»; cuando Villena escribe «una vuestra carta recibí», nos damos cuenta inmediata de que ha habido un grave atentado contra la lengua.

Si el estilo «escuro» de don Juan Manuel hacía presentir en cierto modo el conceptismo, la ornamentación y sintaxis de Mena y Villena preludian a Góngora. La innovación no triunfa sino en parte, como queda dicho: en lo referente al vocabulario, y no de manera definitiva. La lengua popular vuelve pronto por sus fueros y adquiere su viejo rango en el Arcipreste de Talavera. En el *Corbacho,* de éste, al decir de Menéndez Pelayo, «la lengua desarticulada y familiar, expresiva y donairosa, la lengua de la conversación, la de la plaza y el mercado, entró por vez primera con una bizarría, con un desgarro, con una libertad de giros y movimientos, que anuncian la proximidad del grande arte realista español».

Los «Cancioneros»

Llámanse así grandes compilaciones poéticas, correspondientes de manera especial al siglo xv, en que se nos dan reunidas en crecido número composiciones de ingenios que florecieron en determinada época o determinada región. Los hay también que corresponden al siglo xvi. Aparecen primero en Provenza y Cataluña; a su imitación, se hacen luego en Portugal y Galicia; y, finalmente, ya en pleno siglo xv, en Castilla. Se trata de verdaderas antologías, que ofrecen a nuestros ojos triple valor: *a)* porque gracias a ellos nos son conocidos muchos poetas, que de otro modo hubieran quedado en olvido; *b)* porque, si bien en general las composiciones que recogen son de escasa calidad, las hay también merecedoras de estima; *c)* porque mediante su lectura penetramos en lo más íntimo de la sociedad a que cada compilación de éstas corresponde.

Los *Cancioneros* peninsulares más antiguos que conocemos son los galaico-portugueses, que datan de los siglos xii y xiv. A esta época pertenecen los cuatro famosísimos: *Cancionero de Ajuda, de la Vaticana, de Colocci-Brancuti* y *de Martín Codax,* ya aludidos en el capítulo dedicado a la primitiva lírica castellana.

Pero aquí nos interesan más los formados por poetas de nuestra lengua. El primero que se conoce es el recogido por Juan Alfonso de Baena (h. 1445), para ofrecerlo a Juan II de Castilla. Se le llama *Cancionero de Baena,* por el nombre de su colector, y es la mejor fuente para el conocimiento y estudio de la poesía castellana durante los reinados de Enrique II, Juan I, Enrique III y minoría de Juan II. De él nos ocupamos más adelante. Sigue en importancia el *de Stúñiga,* que es a la corte de Alfonso V de Aragón lo que el *de Baena* a la de Juan II; también volveremos a estudiarlo en este mismo capítulo. Importantísimo es asimismo el llamado *Cancionero General* y también *Cancionero de Hernando del Castillo,* que desempeña en los reinados de Enrique IV y de los Reyes Católicos el mismo papel que los de *Baena* y *Stúñiga* en los anteriores: verdadero «corpus poetarum» de las épocas respectivas. En otro capítulo insistiremos sobre él, consignando de paso sus notas características.

Otros *Cancioneros* menos importantes son el de Gómez Manrique, el de fray Ambrosio de Montesinos, el de Juan del Encina, el de Ramón de Llavia, el famosísimo de D'Herberay des Essarts (de fines del xv, según Gallardo) y, sobre todo, el de Juan Fernández de Constantina, *Guirnalda esmaltada de galanes y eloquentes dezires de diversos autores,* íntimamente relacionado con el de Castillo y, en opinión de muchos críticos, anterior a él. También son dignos de mención el *Cancionero de burlas provocantes a risa,* añadido al *General* (edición Valencia, 1519), integrado por composiciones sucias y chocarreras, más bien que deshonestas; y el *Cancionero General de García de Resende,* impreso en Lisboa (1516), a imitación del de Castillo, con poemas de 286 poetas portugueses, de los cuales unos 30 escriben también en castellano.

II. EL «CANCIONERO DE BAENA»

Ya queda dicho que es el «corpus poetarum» de los reinados de Enrique II, Juan I, Enrique III y minoridad de Juan II. Fué compilado «con gran pena» o trabajo por el judío converso Juan Alonso de Baena, hacia 1445, para servir de solaz y placer al rey, a los prelados, a las damas y altos caballeros de la Corte. Comprende 576 composiciones de 54 poetas conocidos y diez anónimos. Aunque «en el *Cancionero de Baena,* como en todos los de su clase, hay muchos versos y muy poca poesía», según dice Menéndez Pelayo, todavía su valor es inapreciable, en cuanto nos ilustra sobre la evolución de la lengua en un período de transición, nos informa sobre la vida y andanzas de muchos poetas que en él figuran y nos presenta un animado cuatro de la sociedad castellana en la primera mitad del siglo xv. En este sentido, como crónica so

cial, ha sabido valorarlo el conde de Puymagre en su conocido estudio sobre la Corte de Juan II[3]:

«La Historia presenta los personajes con cierto énfasis y rigidez, más como estatuas que como hombres. Pero los detalles secundarios que la Historia olvida y que nos muestra a los héroes bajo un aspecto verdaderamente humano hay que buscarlos en las memorias y en las canciones. Leamos el *Cancionero de Baena* y desfilarán ante nuestros ojos los caballeros de férrea armadura, los monjes con su sayal, las nobles damas con sus ropas de brocado, los judíos más o menos convertidos, los médicos árabes, los doctores en Teología, las monjas de Sevilla, que traían competencia con las de Toledo; todo un mundo que vive y se mueve, que se deleita en rimar versos ligeros, que canta y celebra *al rey de la faba,* pide aguinaldos, propone y resuelve enigmas. En este *Cancionero* todo se mezcla por modo extrañísimo: versos de imitación provenzal, cánticos a la Virgen, impiedades que hubiesen escandalizado a Parny, estancias místicas en que se tratan los más impenetrables misterios del Cristianismo, coplas de amor, visiones dantescas. Al lado de una canción en que se diviniza a las mujeres, se tropieza con obscenidades del género más repugnante. Las alegorías más sutiles alternan con los memoriales de los poetas que tienden la mano para pedir dinero. A una pieza mordaz contra los judíos sigue una declaración de amor a una graciosa criatura del linaje de Agar...»

En el prólogo del *Cancionero* nos expone Baena, su colector, el concepto de la poesía, que apenas difiere del corriente en la época, expuesto también por poetas más cultos que él, como Santillana. En general, se reduce a fundir los dos conceptos tradicionales: el de Platón (poesía como *inspiración* de lo alto) y el de Aristóteles (poesía como imitación o «mimesis») [4].

Escuelas representadas

No hace falta advertir que en el *Cancionero de Baena,* al igual que en los otros, no se sigue el orden cronológico ni hay apenas sentido crítico ni nada que se parezca a una discriminación de escuelas. Sin embargo, basándose en los temas y en el metro, ha podido agruparse a casi todos sus poetas, al menos a los más destacados, en tres escuelas principales: *galaico-portuguesa, tradicional castellana* y *alegórico-dantesca.*

Ello nos permite penetrar con cierto método en esta enmarañada selva y extraer unos pocos nombres representativos de cada escuela o tendencia. Buena parte de este *Cancionero* es simple continuación de los galaico-portugueses, aunque las composiciones vayan escritas en castellano. Hay algunas de Macías, de Gerena, de Villasandino, del Arcediano de Toro, compuestas en gallego; pero tan impuras de dicción, «que duda uno si están escritas en castellano agallegado o en un gallego castellanizado» (M. P.). Cuando se hizo esta magna compilación, la poesía castellana había desplazado ya a la gallega; y es lamentable que, sintiéndose y siendo en buena parte heredera de ésta, no acertase nunca a asimilar su delicado sentimentalismo. Ni una sola vez en todo el *Cancionero de Baena* tropezamos con nada que nos recuerde, no ya el hondo y fresco lirismo de las «cantigas de amigo y de ledino», pero ni siquiera la fina suavidad de las serranillas de Santillana.

La imitación italiana está representada especialmente por poetas andaluces, que abundan bastante en el *Cancionero;* anuncian los primeros albores de la lírica renacentista y son el eslabón inicial de esa cadena ininterrumpida de vates, que se van sucediendo siglo tras siglo, y que solemos llamar la «escuela sevillana». Del lado opuesto, los seguidores de la tradición castellana, por su tendencia a lo filosófico y conceptual, sugieren cierto paralelismo con la lírica salmantina.

En conjunto, y aunque la fuente inmediata de esta poesía haya de buscarse en Galicia, el *Cancionero de Baena* presenta un aspecto más provenzal que galaico. De origen provenzal son los *dezires,* a manera de *requesta* y de *disfamación,* tan abundantes en esta antología, claro reflejo de la *tensó* y del *serventés.*

Agrupados por escuelas, los principales poetas de este *Cancionero* son:

a) Escuela galaico-portuguesa: Macías, Ferrús, Villasandino, Gerena, el Arcediano de Toro y Juan Rodríguez del Padrón.

b) Escuela tradicional castellana: Fernán Sánchez de Talavera o Calavera, Ayala y fray Diego de Valencia.

c) Escuela alegórico-dantesca: Ferrán Manuel de Lado, Imperial, Ruy Páez de Ribera, Gonzalo y Diego Martínez de Medina [5].

Escuela galaico-portuguesa

El más antiguo de los poetas incluídos en el *Cancionero de Baena,* con excepción de Ayala, es PEDRO DE FERRÚS, llamado el *Viejo.* Se conservan cinco poesías suyas: a la muerte de Enrique II; en elogio de una dama, a quien él llama Bellaguisa; disputa con los judíos de Alcalá, etc. La que más fama le ha dado es la *disputa* con el Canciller Ayala, su amigo, sobre las excelencias del invierno y del verano, muy digna de tener en cuenta por las citas de héroes, tanto del ciclo carolingio como bretón, que nos revelan la época de difusión en Castilla de los libros de caballería, y por la consabida alusión (primera que se conoce en lengua castellana) de un *Amadís* en tres libros:

> Amadís el muy fermoso
> ....
> sus proezas fallaredes
> *en tres libros,* e diredes:
> que le dé Dios santo poso.

Poco sabemos de la vida de GARCI-FERNÁNDEZ o FERNÁNDEZ DE GERENA, y aun ese poco lo debemos a las rúbricas del *Cancionero* y a las sátiras mordaces de Villasandino. El marqués de Santillana lo cita en su *Proemio:* «En tiempo del rey don Johán... fué también Garci Fernández de Gerena.» Casó con una juglaresa morisca, fué ermitaño y cristiano arrepentido. Como poeta señala el punto de transición de la poesía galaico-castellana. Su composición más delicada es una oración a la Virgen, que lleva este estribillo:

> Virgen, flor de espina,
> syempre te serví;
> santa cosa e dina,
> ruega a Dios por mí.

Las cinco composiciones que se insertan en el *Cancionero de Baena*, originales del famoso trovador gallego MACÍAS, el *Enamorado*, son de lo más insulso que se puede dar en su género. En cambio, la leyenda y la fantasía popular han hecho de Macías un mártir del amor. Con mayor o menor fundamento se nos da en la *Nobleza de Andalucía*, de Argote de Molina (lib. II), una versión de su vida y muerte desgraciadas. Según eso, Macías, doncel de don Enrique de Villena, muere atravesado por un venablo que le arroja un marido celoso, cuando estaba entonando una de sus trovas amorosas. Otra versión más antigua dice que fué muerto mientras besaba la tierra que acababa de pisar su amada. La literatura se apoderó pronto de esta figura para convertirla en protagonista de dramas y novelas. Cuando la alegoría dantesca invade nuestro Parnaso, Macías es el personaje obligado de todos los *Infiernos de amor*, desde el compuesto por Santillana hasta el de Sánchez de Badajoz. En el XVII, Lope de Vega lo elige para figura central de su comedia *Porfiar hasta morir*, una de las mejores del gran dramaturgo; y Bances Candamo, de la suya *El español más amante y desgraciado Macías*. Con el romanticismo, Larra vuelve a ponerlo de moda en su drama *Macías* y en la novela *El doncel de don Enrique el Doliente*.

Uno de los últimos poetas que cultivan el gallego y que figuran en el *Cancionero de Baena* es el conocido por ARCEDIANO DE TORO. Ignoramos detalles de su vida. Como a Gerena, también a éste lo recuerda en su *Proemio* el marqués de Santillana: «Vivió en el tiempo del rey don Johán... Fizo Crueldad e trocamiento, e otra canción que dice: de quien cuydo et cuydé.» Es mejor poeta en gallego que en castellano. Destaca un testamento satírico *Despedida del Amor*, lugar común en la Edad Media, del que tenemos el más típico ejemplo en el poeta francés François Villon. Dice así el del Arcediano:

> Adeus, Amor, adeus el Rey
> que eu ben serví,
> adeus la reyna a quen loei
> e obedescí.
> Adeus, sennores
> que muyto amé;
> adeus los trobadores
> con quem trobé...

El poeta de quien mayor número de composiciones se insertan en el *Cancionero de Baena* y al que más estimó éste, a juzgar por las alabanzas que le tributa, es ALFONSO ALVAREZ DE VILLASANDINO, o de Illescas (¿-1424?). «Esmalte e lus, e espejo, e corona, e monarca de todos los poetas et trovadores, maestro et patrón del arte poética», le llama Baena. En cambio, Santillana, crítico más severo, lo pospone a Imperial y le considera «gran decidor», comparándole con Ovidio por su facilidad para versificar: «todos sus motes e palabras eran versos». Versificador incansable, pone su musa al servicio de cuantos están dispuestos a pagarle; y así sus temas son variadísimos, desde las cantigas de *disfamación* y en alabanza de las mancebas de Enrique II hasta las loas a la Virgen, alternando los más delicados conceptos con las expresiones más procaces. En su copiosa producción se distinguen: a) *poesías religiosas*, entre las que hay algunas que revelan un arrepentimiento sincero, especialmente la que empieza:

> Virgen digna de alabanza,
> en ty es mi esperança...,

tan estimada del autor, que por ella sola ya se cree merecedor del perdón de sus culpas; b) *cantigas de loor y disfamación*, en las que la musa fácil de Villasandino siempre está dispuesta a venderse al mejor postor, y lo mismo difama a una respetable señora por no atender los requerimientos amorosos de un pretendiente, que colma de hiperbólicas alabanzas a la querida de un rey o de un alto caballero. A sueldo del Adelantado don Pedro Manrique escribe una de sus más finas cantigas:

> Señora, flor de açucena,
> claro visso angelical...;

c) *tensós* o *debates*, entre los que destacan algunos de fondo doctrinal: el sostenido con el dominico fray Pedro de Colunga sobre «algunas figuras escuras del Apocalipsi»; la contestación a un bachiller sobre qué es la muerte, en que Villasandino, haciendo gala de un ascetismo poco en consonancia con su vida, nos invita a una continua penitencia; y la *disfamación* de una dama que se negó a aceptar los requerimientos de cierto caballero, contestada por Alfonso de Baena y sin duda la composición más desvergonzada que salió de la pluma del poeta; d) *amorosas*: las mejores del repertorio y en las que Villasandino hace alarde de hondos y nobles sentimientos. Tales son, entre otras, la dirigida a una linda morita, por la que el poeta no vacila en hipotecar su salvación.

> Quien de linda se enamora,
> atender deue perdón
> en caso que sea mora...;

la que dedica a doña Constanza de Guevara:

> Quando yo os vi donzella,
> de vos mucho me pagué:
> ya dueña vos loaré,

y una «despedida de amor», tópico frecuente de la época, según acabamos de ver en el Arcediano de Toro. Muy notables, porque nos ilustran en circunstancias relativas a su vida, son las dos dedicadas a su esposa, doña Mayor: «Cantiga por amor e loores de su esposa la postrimera que ouo, que avía nombre Mayor», y otra en que se alude ya desde el título a «la mala vida que en uno avían por çelos e vejez», y otros motivos que el decoro nos impide mencionar. También tiene algunas en elogio de diversas ciudades. La que compuso a Sevilla le valió cien doblas de oro y la promesa «dende en adelante, de cada año por cada cantiga otras ciento».

La cualidad más destacable de Villasandino, ya queda dicho, es su facilidad; de ella dimanan también sus defectos, que son los comunes a los poetas de su época: mucho artificio y poco sentimiento; mucho verso y escasa poesía. Su principal labor reside en el aspecto informativo, en cuanto nos da una idea muy clara del lamentable estado a que habían llegado las costumbres en un siglo en que se toleraban y hasta se pagaban a buen precio tales procacidades. Pasados pocos años—Villasandino tuvo la desgracia de «sobrevivirse»—, remozada en gran parte la poesía y revitalizada por obra de los italianizantes, perdida ya la lozanía y el vigor de sus años mozos, nuestro poeta fué cayendo en el olvido para terminar en el pesado pedigüeño:

> Señores, para el camino
> dad al de Villasandino.

Escuela tradicional castellana

No son raras en el *Cancionero de Baena* las poesías de fondo filosófico y meditativo, que surgen como una reacción frente a las intemperancias de Villasandino y otros poetas de su cuerda. Sus temas preferidos son la fugacidad de las cosas, la inconstancia de la fortuna y otros análogos. En general, ofrecen escaso valor literario. Todavía cabe destacar, sin embargo, el nombre del comendador FERNÁN SÁNCHEZ DE TALAVERA [6], que planteó a los d más trovadores la tremenda cuestión de los *precitos* o predestinados, llegando a conclusiones que rozan la doctrina maniquea:

> Y desta quistión se podía seguir
> una conclusión bien fea atal:
> que Dios es causa e ocasión de mal.

En esta justa teológica toman parte el canciller Ayala, Ferrán Manuel de Lando, fray Alonso de Medina, fray Diego de Valencia, un judío converso y un médico moro. Aparte tal discusión, cuyos últimos ecos llegarán al mejor drama de su género, *El condenado por desconfiado*, compuso Sánchez de Talavera varios *dezires*, entre los que sobresalen el titulado las «Vanas maneras del mundo», en estilo sentencioso que recuerda a Sem Tob y Ayala, arreglado con pompas de la forma alegórica, y el dedicado *A la muerte del Almirante*, de tono asimismo sentencioso, cuyas raíces se hallan en Boecio y en San Gregorio Magno, y muy digno de tenerse en cuenta como antecedente inmediato de las *Coplas* de Manrique:

> ¿A dó los convites, cenas o ayantares?
> ¿A dó las justas, a dó los torneos?
> ¿A dó nuevos trajes...?
> ¿Qué se fisieron los Emperadores,
> Papas et Reyes et grandes perlados...,
> e los que fallaron sciencias e artes,
> doctores, poetas e los trobadores?

El mismo tono, aunque menos inspirado poéticamente, encontramos en el *Sermón* que a la muerte de Enrique III compuso fray Miguir, religioso jerónimo. A vueltas de infinitas pedanterías y lugares comunes, con la inevitable mención de cuantos personajes famosos conoce el autor, reales o legendarios, tropezamos de cuando en cuando con versos que se deben situar en esa corriente ascética, llamada a tener su más bella expresión en las coplas manriqueñas. Dice fray Miguir, adelantándose al poeta de Paredes de Nava:

> ¿A dó sus imperios, ryquezas, poderes,
> reinados, conquistas e cavallerías...?
> ¿A dó los saberes e sus maestrías?

Escuela alegórico-dantesca

En un *decyr* compuesto en 1435 se citan hasta veintiocho poetas calificados de *viejos*, que, sin embargo, vivían aún en aquella fecha. El dato es curioso, porque revela un evidente cambio de gusto e indica de paso que la escuela cortesana de imitación gallega acababa de sucumbir ante otra corriente más fresca y pujante, más rica de contenido y más en consonancia con las exigencias, cada día crecientes, del espíritu. Tal es la escuela de imitación italiana, que empieza por tomar al Dante por modelo, y que pronto ampliaría sus preferencias a Petrarca y a Boccaccio.

La primacía de esta orientación, que inaugura los contactos culturales de España con Italia, continuados luego ininterrumpidamente durante más de dos siglos, corresponde a micer FRANCISCO IMPERIAL, hijo de un comerciante genovés avecindado en Sevilla. No es Imperial poeta de primer orden, pero tiene el mérito de ser el legítimo precursor de Santillana y Boscán al adelantarse a todos en el empleo del endecasílabo italiano, que intercala a cada paso entre los dodecasílabos de arte mayor, seguramente llevado más de su oído, hecho a la métrica toscana, que por el propósito deliberado de aclimatar el nuevo metro en nuestra lírica [7]. Hombre de rara cultura, cita con frecuencia a Virgilio, Horacio, Lucano, Ovidio y otros clásicos, aparte de los italianos, que le son familiares; pero en sus versos apenas hay otro reflejo que el de la poesía dantesca, como si en toda su vida no hubiera leído más libro que *La Divina Comedia*. Su obra capital, el *Dezyr de las siete virtudes* (núm. 250 del *Cancionero de Baena*), es un centón de pasajes tomados del «Purgatorio» y del «Paraíso» dantescos. Como Dante toma por guía a Virgilio, así Imperial se hace acompañar por el poeta florentino.

«En un prado verde que un rosal enflora» se realiza su encuentro con el autor de *La Divina Comedia*, cuya fisonomía se nos describe en los siguientes versos:

Era en la vista benigno e suave,
e en el color era la su vestidura
cenisa e tierra que seca se cave;
barba e cabello alvos syn mesura.
Traía un libro de poca scriptura,
escripto todo con oro muy fino;
e comenzaba: *en medio del camino:*
e del laurel corona e centura.

Viene a continuación la parte alegórica: aparecen siete doncellas, tres vestidas de rojo, que simbolizan las virtudes teologales, y cuatro de blanco, que representan las cardinales; y en contraste con este grupo beatífico, siete serpientes que rodean Sevilla, alegoría de los siete pecados capitales. El poeta rompe en acentos de indignación contra la ciudad y sus vicios; pero todo termina de una manera plácida, mientras Dante le consuela y un coro de espíritus angélicos entona el «Caeli, Regina, salve».

Imperial, más que un imitador, es un traductor de Dante en muchos pasajes. Ello no le resta mérito, ya que sabe combinar los elementos alegóricos de manera que su obra tiene apariencias de original. De la estimación que gozó entre sus contemporáneos nos certifica el laudatorio juicio estampado por Santillana en su tantas veces citado *Proemio*: «Passaremos a Miçer Francisco Imperial, al qual yo non llamaría deçidor o trovador, mas poeta; como sea çierto que si alguno en estas partes del Occaso meresçió premio de aquella triunphal e láurea girlanda, loando a todos los otros, éste fué.» El *Dezyr de las siete virtudes* no sólo es su poema más extenso e importante, sino el que caracteriza su manera y estilo, como se ve en otro de sus largos poemas, la *Visión de los siete planetas*. Solo en composiciones ligeras, como la escrita «Por amor e loores de una fermosa mujer de Sevilla», se aparta de aquella técnica.

El ejemplo de Imperial es seguido pronto por otros poetas, no en cuanto al empleo del endecasílabo, que sólo aparece en los sonetos de Santillana antes de su aclimatación por obra de Boscán, sino en cuanto al procedimiento alegórico. De la región andaluza pasa a Castilla, donde lo encontramos usado en las composiciones de un paje de Juan I, de origen francés: Ferrán Manuel de Lando. Hombre violento, interesa más por sus polémicas con Villasandino y con Baena que por el mérito de sus poesías. En su discusión con Villasandino, en la que se llega a los mayores insultos, se ventila antes que nada un predominio de escuelas: la galaico-portuguesa o la italianizante. Termina por triunfar ésta, y el propio Villasandino pareció dar testimonio de su derrota al aplicar la técnica alegórica en su *Dezyr a la muerte de Enrique III*. De Manuel de Lando lo único que acaso cabe citar es su poesía a fray Vicente Ferrer «cuando vino a predicar a Castilla».

Ruy Páez de Ribera, sevillano como Imperial, pasa por el primer discípulo de éste. De familia noble, reducido luego a extrema pobreza, encontró en sus propios reveses y desventuras una fuente de inspiración. A este sentimiento de angustia responde el *Proceso que ovieron en uno la Dolencia e la Vejez e el Destierro e la Pobreza*, en el que cada una de estas figuras alegóricas va exponiendo en forma cruda y realista su influjo sobre el hombre:

El pobre non tiene parientes ni amigos,
donayre nin seso, esfuerzo e sentido,
e por la pobreza le son enemigos
los suyos mesmos por verlo caydo.
Todos le tienen por desconocido...

En tono más plácido se desenvuelve su otro *dezyr* sobre el *Proceso entre la Soberbia y la Mesura*, compuesto en loor de la regencia de Fernando de Antequera.

Al sevillano Gonzalo Martínez de Medina se atribuye el famoso *Dezyr que fué fecho sobre la justicia et pleitos et la grand vanidad de este mundo*, virulento cuadro de costumbres sociales que nos recuerda lo más agrio del *Rimado de Palacio*. El poeta llega a envidiar la justicia barata de tierra de moros, donde un solo alcalde libra lo civil y criminal. El látigo de su indignación no cae sólo sobre los alcaldes, notarios, oidores y señores del Consejo, sino que, al igual del de Ayala, alcanza a lo más alto, aspirando a marcar con sus golpes a Papa, cardenales, obispos y prelados simoníacos:

E por esta vía todos los estados
trae corronpidos sin otra dubdança,
Papas, Cardenales, Obispos, Perlados,
del todo los tiene en su pertinança,
que ya de Dios non han remenbrança
e de la luxuria, soberbia, cobdicia,
engaños, sofismas, mentiras, malicia,
abonda el mundo por su mala usança.

La más notable de las composiciones que se atribuyen a Diego Martínez de Medina, hermano del anterior, que fué uno de los fundadores del monasterio jerónimo de Buenavista, es un *Dezyr contra el amor mundanal*. Aunque de redacción desmayada y prosaica, interesa por el decálogo de infelices amadores a que en él se hace alusión, sin que deje de figurar el Virgilio de la leyenda, suspendido de un cesto, o el Aristóteles, que anda a lo cuadrúpedo y se deja ensillar por su dama.

En cuanto al colector del *Cancionero*, el escribano real, de origen judío, Juan Alfonso de Baena, apenas merece consideración como poeta, aunque su nombre recabe un alto puesto como autor de tan valiosa antología. Lo mejor que de él nos queda es un *Dezyr a Juan II*, no inserto en el *Cancionero*. Se sabe que era vanidoso, insolente y pedigüeño. El mismo alude a su mala lengua, «barrena que taladraba y cercenaba cuanto fallaba»

III. EL «CANCIONERO DE STUÑIGA»

Esta colección, que es a la Corte de Alfonso V, el *Magnánimo,* lo que es el *Cancionero* de Baena a la de Juan II, fué formada probablemente en Nápoles después de la muerte de aquel rey, toda vez que en unos versos se alude ya a la «divisa del rey Ferrante, su sucesor». Lleva el nombre de Stúñiga, no por haber sido éste su colector, sino por figurar en cabeza de los poetas que lo integran. Ofrece mayor carácter lírico que el de Baena; sus composiciones, por esto mismo, son, en general, más breves, y se da entrada en él a formas populares, como villancetes, glosas y romances. De estos últimos se insertan dos, originales ambos de un mismo poeta: Carvajal o Carvajales. Y no es ésta su nota menos destacable, puesto que lo convierte en el primer cancionero donde aparecen ejemplos del castizo verso español, siquiera esos dos romances pertenezcan al género lírico más que al narrativo.

Otra nota distingue al *Cancionero de Stúñiga* del de Baena: mientras éste se nos da como un cuadro de la sociedad de la época, aquél encierra mayor contenido histórico, de forma que ha podido decir un crítico ilustre que, siguiendo atentamente la cadena de estas composiciones, se puede trazar un cuadro de la vida guerrera del reinado de Alfonso V. Allí se nos informa sobre el desastre de Ponza, la prisión de Génova, la conquista de Nápoles y la muerte de muchos y famosos caudillos. Es curioso que, a pesar de estar hecho en y para una corte italiana, en el *Cancionero de Stúñiga* la influencia dantesca es menor que en el de Baena. Permaneció inédito hasta 1872, en que lo publicaron el marqués de Fuensanta del Valle y don José Sancho Rayón. Figuran en él muchos poetas; pero sólo aludiremos a los más importantes.

Lope de Stúñiga y Carvajal

Son los dos autores más destacados de la colección: el primero, porque abre la lista, dando de paso su nombre a la antología; el segundo, por la cantidad y calidad de su obra. LOPE DE STÚÑIGA, de familia principal, justador afamado, que apadrinó a su primo Suero de Quiñones en el célebre *Paso honroso* (1439), está representado en el *Cancionero* con poesías del género amoroso y satírico. Entre las satíricas merece citarse el decir *Sobre la cerca de Atienza,* contra don Alvaro de Luna; entre las amorosas, la titulada *A su amiga que estaba mal, Querella* y *Canción.*

CARVAJAL o CARVAJALES, de quien se desconocen datos biográficos es, de los poetas del *Cancionero de Stúñiga,* el más fecundo—figura con cuarenta y cinco composiciones—y el que ofrece mayor variedad temática: poesía amorosa, de loor, serranillas, etc. Lo más notable son las serranillas, que cultiva en su doble forma: serranilla salvaje, a lo Arcipreste de Hita, y serranilla gentil, a lo marqués de Santillana. En la primera forma se alude a la serrana de «piernas pelosas», «de dientes muy luengos», «calva, cejijunta y muy nariguda», «barbuda» y «galindos los pies que al diablo semblaba». Las composiciones de este tipo—no hace falta subrayarlo—tienen todas un marcado matiz antifeminista. Las del otro tipo, las cortesanas, disfrazan encuentros amorosos y aventuras con gentiles damas en varias partes de Italia. Se distinguen por su delicadeza y fina galantería. La más notable es la que empieza:

> Desnuda en una queça,
> lavando en la fontana,
> está la niña lozana,
> las manos sobre la treça.

Dignas de mención son asimismo, entre las amorosas, la que dice:

> Quien me apartara de vos,
> apartado sea de Dios...;

y entre las laudatorias, la dirigida a *Madama Lucrecia, en la mejor edad de su belleza.* Ya queda dicho que la mayor novedad de Carvajal y aun del *Cancionero* son los dos romances, uno de carácter amatorio y otro histórico, que en el mismo se insertan.

Juan de Tapia y otros poetas

Después de Carvajal, el poeta de quien el *Cancionero* nos ofrece mayor número de composiciones es JUAN DE TAPIA. Fué éste uno de los pocos que quedaron en Nápoles, muerto ya Alfonso V, y llegó a tomar parte en la lucha del rey Ferrando contra los barones del bando angevino. Sus poesías son casi todas amorosas, y merecen citarse la que escribió *Estando ausente de su amiga,* algunas en que celebra a damas de la Corte napolitana y una especie de «testamento» amoroso:

> Mi alma encomiendo a Dios,
> mi cuerpo doy a la tierra,
> el corazón dexo a vos,
> dama que le fazéis guerra.

Más que por sus *Coplas de las calidades de las donas,* sosa e inocente invectiva, el catalán PEDRO TORRELLAS, ayo del príncipe de Viana, alcanzó fama por la leyenda que sobre su martirio a manos de las irritadas mujeres se nos cuenta en el *Tractado de Grisel y Miravella,* compuesto por Juan de Flores. Las *Coplas* de Torrellas fueron glosadas e imitadas por todos los detractores del sexo femenino.

El principal mérito del caballero aragonés JUAN

DE VILLALPANDO, otro de los poetas del *Cancionero*, reside en haber sido el único autor que con Santillana hizo sonetos ya en el siglo XV. Bien es verdad que los sonetos de Villalpando nada tienen que ver con los italianos, como no sea en el número de versos, puesto que están escritos en metro de arte mayor.

Por algunas poesías insertas en Cancioneros manuscritos tenemos curiosas noticias sobre JUAN DE DUEÑAS, poeta de vida azarosa, salpicada de aventuras y amoríos, que le pusieron a pique de perder el alma y renegar de su fe por una «gentil judía». Hallándose preso en una torre de Nápoles escribió la *Nao de Amor remitida al Rey nuestro Señor*, extensa composición de carácter alegórico, que es, con *El pleyto que ovo con su amiga*, lo mejor que nos dejó en el *Cancionero*.

Cerremos esta lista con el nombre de JUAN DE ANDÚJAR, cuya producción es en su mayor parte de fondo histórico. En quince coplas de arte mayor, *Loores al Señor Rey don Alfonso*, ensalza las virtudes y caballerosidad del monarca, como en otras composiciones celebra sus amoríos. Tiene una alegoría en octosílabos, *Cómo procede la fortuna*, en que aparecen varios personajes famosos—Semíramis y su hijo, Dido y Eneas, Ariadna y Teseo, Píramo y Tisbe, Cleopatra, Pasifae, etc.—lamentando su destino.

NOTAS

1. *Historia de la poesía lírica española*, 2.ª ed., Madrid, 1948, pág. 51.

2. Pierre Le Gentil (*La poésie lyrique espagnole à la fin du Moyen Age*, I, Rennes, 1949) se esfuerza por demostrar, y hasta cierto punto parece lograrlo, que la influencia francesa persiste durante todo el siglo XV casi con la misma intensidad que en los anteriores. Según él, poetas como Villasandino, Imperial, Santillana y Juan de Mena, por no citar sino los más ilustres de aquel siglo, deben su inspiración francesa, tanto en la temática como en su tratamiento, mucho más de lo que se venía creyendo hasta ahora. La tesis de Menéndez Pelayo, para quien, a partir de Imperial y sus secuaces, podía darse por interrumpido el influjo ultramontano, debe ser desechada, a juicio del crítico francés, o al menos sometida a severa revisión. El propio Juan del Enzina habría tenido presentes los «misterios» franceses; la poesía amorosa de ese tiempo estaría fuertemente inspirada por la ultrapirenaica; la de fondo moral—*Decires, Plantos, Visiones*—, aun en las obras de más claro influjo italianizante, tendría sus raíces en la francesa; y hasta la *Danza de la muerte*, que para J. M. Clarke (*The Dance of Death*, Glasgow, 1950), «no parece un producto importado», tanta es la originalidad con que tratan el tema los poetas españoles, estaría estrechamente ligada a la *Danse macabre*. La sátira de tipo personal—*Coplas de Mingo Revulgo*, por ejemplo—recuerda las pastorelas políticas francesas; las serranillas tendrían su precedente y paradigma en las *pastourelles* de aquel país; y los géneros políticos dialogados, en las *demandes d'amour* o en las *coblas y tensons* provenzales. Le Gentil va pasando revista a todos los géneros que nutren las grandes Cancioneros peninsulares, y a todos los busca y encuentra alguna analogía en sus similares franceses.

Nos parece, sin embargo, que al ilustre crítico francés se le ha ido un poco la mano. Eugenio Asensio, en una detallada y aguda reseña del libro (*Rev. Fil. Esp.*, XXXIV, 1950), ha demostrado que muchas de las fuentes señaladas por Le Gentil como de origen francés son bastante más antiguas de lo que él supone y, desde luego, comunes a todas las literaturas occidentales. De todos modos, y aun reconociendo en el autor de este libro un inmoderado afán de verlo todo a través de un prisma galo, no es posible negar que su obra constituye una valiosísima aportación al conocimiento de nuestra lírica medieval. «Con todos los reparos que se puedan poner—escribe el profesor Asensio—, viene a llenar un inmenso vacío... Sus

pruebas de que la influencia francesa continuó operante y eficaz aun después del descubrimiento de Italia por Imperial obligarán a matizar un capítulo de nuestra historia literaria.»

3. *La Cour Littéraire de Don Juan II, Roi de Castille*, págs. 122-23.

4. «La Poetrya e gaya sciencia es una scriptura e composición muy sotil e byen graciosa, e es dulce e muy agradable a todos los oponientes e rrespondientes della e componedores e oyentes, la qual sciencia es avida e rrecebida e alcanzada por gracia infusa del Señor Dios que la da e la embya, e influye en aquel o aquellos que byen e sabia e sotyl e derechamente la sabe fazer e ordenar e componer e limar e escandir e medir por sus pies e pausas, e por sus consonantes e syllabas e acentos, e por artes sotyles e de muy diversas singulares nombranzas, e aun assymismo es arte de tan elevado entendimiento e de tan sotil engeño, que la non puede aprender, nin aver, nin alcanzar, nin saber byen nin como debe, salvo todo ome que sea de muy altas e sotiles invenciones, e de muy elevada e pura discreción, e de muy sano e derecho juycio, e tal que haya visto e oydo e leydo muchos e diversos libros e escripturas, e sepa de todos lenguajes, e aun que aya visto e platicado muchos fechos del mundo, e, finalmente, que sea noble, fidalgo e cortés... e que tenga donayre en su rrasonar, e... que siempre se prescie e se finja de ser enamorado...»

5. El ms. original del *Cancionero de Baena* estuvo en la biblioteca de Isabel la Católica; pasó luego a la del Escorial; fué sacado de allí para su estudio por cierta Comisión, y cayó en manos de J. Antonio Conde, cuyos herederos lo vendieron en pública subasta a la Biblioteca Nacional de París en 1.140 francos. En 1851 lo editó don Pedro José Pidal, no directamente, sino a través de una copia muy defectuosa que le fué remitida de París.

6. Dámaso Alonso, basándose probablemente en el texto impreso del *Cancionero*, defiende la lectura «Calavera» y no «Talavera», como quiere Menéndez Pelayo. Parece que el códice de París escribe «Talavera».

7. La métrica de Imperial está pidiendo un estudio a fondo y más minucioso que cuantos se han hecho hasta ahora. En su *Decir de las siete virtudes* hay estrofas enteras que sólo tienen «octavas de arte mayor» la disposición externa; su ritmo es enteramente endecasílabo:

> Cerca la ora qu'el planeta enclara
> al Oriente, que es llamada aurora,
> fuime a una fuente por lavar la cara,
> en prado verde que un rrosal enflora;
> e assy andando, vynome a essa ora
> un grave sueño, magüer non dormía,
> mas contemplando a mi fantasía
> en lo que el alma dulce assabora.

BIBLIOGRAFIA

J. BALAGUER: *Apuntes para una historia prosódica de la métrica castellana*, Madrid, C. S. I. C., 1954.—DOROTHY CL. CLARKE: *El esdrújulo en el hemistiquio de arte mayor*, «Rev. Fil. Hispánica», V, 1943, págs. 263-75; *The «copla de arte mayor»*, «Hisp. Review», VIII, 1940, páginas 202-13.—H. GAVEL: *Essai sur l'évolution de la pronunciation du Castilan depuis le XIVe siècle*, París, 1920.—P. HENRÍQUEZ UREÑA: *El endecasílabo castellano*, «Rev. Fil. Española», VI, 1919; *La versificación irregular en la poesía castellana*, anejo de la «Rev. de Filo ogía», Madrid, 1920.—HANS JANNER: *La glosa española. Estudio histórico de su métrica y de sus temas*, «Rev. Fil. Esp.», XXVII, 1943, págs. 181-232.—H. LANG: *Las formas estróficas y términos métricos del Cancionero de Baena*, «Est. in memorian de A. Bonilla», I, Madrid, 1927.—V. LEONETTI: *Storia della técnica del verso italiano*, Milán, 1933.—M. MENÉNDEZ PELAYO: *El endecasílabo en la poesía castellana*, «Estudios y disc. de crit. hist. y lit.», II, págs. 111-18, Santander, 1941.—M. MILÁ Y FONTANALS: *Del decasílabo y endecasílabo anapésticos*, «Obras completas», vol. V.—A. MOREL-FATIO: *L'Arte Mayor et l'hendécasyllabe dans la poésie castillane du XVe siècle et du commencement du XVIe siècle*, «Romania», XXIII, 1894.—S. G. MORLEY: *La modificación del acento de la palabra en el verso castellano*, «Rev. Fil. Esp.», XIV, 1927, páginas 256-72.—J. ROMÉU FIGUERAS: *El cosante en la lírica de los Cancioneros musicales españoles de los siglos XV y XVI*, «Anuario Musical», V, 1950, págs. 15-61, Barcelona.—R. DEL ROSARIO: *El endecasílabo español*, monografías de la Univ. de San Juan de Puerto Rico, 1944.—JULIO SAAVEDRA MOLINA: *Tres grandes metros: el eneasílabo, el tredecasílabo y el endecasílabo*, Santiago de Chi`e, Prensas de la Univ., 1946; *El verso de arte mayor*, Santiago de Chile, Prensas de la Univ., 1946.—THOMAS: *Le decasyllabe roman et sa fortune en Europe*, Lila, 1904.—ZURITA NIETO: *Las coplas de nueve versos en la poesía castellana del siglo XV*, «Rev. Castellana», vols. IV y V, Valladolid.

I. V. AUBRUN: *Le Chansonnier espagnol d'Herberay des Essarts*, edic. y estudio histórico de..., Burdecs, 1951.—R. R. BOLGAR: *The Classical Heritage and its Beneficiaries*, Cambridge, 1954.—E. CARRÉ ALDAO: *Influencias de la literatura gallega en la castellana*, Madrid, 1915.—ARTURO FARINELLI: *Italia e Spagna*, 2 vols., Turín, 1929; *Dante in Ispagna, Francia, Inghilterra, Germania*, Turín, 1922.—WERNER P. FRIEDERICH: *Dante's Fame abroad 1350-1850* (la parte española, en págs. 13-55), Roma, 1950.—A. GONZÁLEZ DE AMEZÚA: *Fases y caracteres de la influencia de Dante en España*, Madrid, 1922.—OTTIS H. GREEN: *Courtly Love in the Spanish «Cancioneros»* «P. M. L. A.», LXIV, 1949, págs. 247-301.—PIERRE LE GENTIL: *La Poésie lirique espagnole et portugaise a la fin du Moyen Age. Les théories et les genres*, Rennes, 1949.—A. MOREL-FATIO: *Catalogue des manuscrits espagnols et portugais de la Bibl. Nationale de Paris* (estudio sobre los Cancioneros), París, 1892.—MUSSAFIA: *Per la bibliografia dei «Cancioneros» spagnuoli*, 1902.—M. NÚÑEZ GONZÁLEZ: *Monografía sobre la poesía popular gallega*, Madrid, 1894.—M. DEL PILAR OÑATE: *El feminismo en la literatura española*, Madrid, 1938.—AMÉDÉ PAGES: *Le thème de la tristesse amoureuse en France et en Espagne du XIVe au XVe siècle*, «Romania», LVIII, 1932.—CHANDRE R. POST: *Medieval Spanish Allegory*, Cambridge, Harward Univ. Press, 1915.—PUYMAIGRE, Conde de: *La Cour lettéraire de Jean II, roi de Castille*, 2 vo's., París, 1873.—ROBERTO ROSSI: *Dante e la Spagna*, Milán, 1929.—BERNARDO SANVISENTI: *I primi influssi di Dante, del Petrarca e del Boccaccio sulla letteratura spagnuola*, Milán, 1902.—J. TERLINGEN: *Los italianismos en español desde la formación del idioma hasta principios del siglo XVII*, Amsterdam, 1943.—FRANCISCA VENDRELL: *Los Cancioneros del siglo XV*, «Hist. gen. de las lit. hispánicas», Barcelona, 1951.

II. M. CHAVES: *Micer Francisco Imperial. Apuntes bibliográficos*, Sevilla, 1899.—L. DOLFUSS: *Etudes sur le Moyen Age espagnuole*, París, 1894.—N. W. EDDY: *Dante and F. Manuel de Lando*, «Hisp. Review», 1946 —R. LAPESA MELGAR: *Notas sobre Micer Francisco Imperial*, «Nueva Rev. Fil. Hispánica», VII, 1953; *La lengua de la poesía lírica desde Macías hasta Villasandino*, «Romance Philology», Univ. of California Press, agosto, 1953.—M. LÓPEZ ATOCHA: *Memoria doctrinal acerca de Rodríguez del Padrón*, Madrid, 1906.—P. A. LÓPEZ: *La literatura crítico-histórica y el trovador J. Rodríguez del Padrón* (conferencia), Santiago de Compostela, 1918.—CARLOS MARTÍNEZ BARBEITO: *Macías el «Enamorado» y Juan Rodríguez del Padrón. Estudio y antología*, 1951.—M. MENÉNDEZ PELAYO: *De las ideas acerca del arte en la Edad Media*, «Historia de las Ideas estéticas», vol. I, págs. 443-82; *Antología de poetas líricos*, vol. I, cap. VII, págs. 341-420 (Estudio sobre el canciller Ayala y el «Cancionero de Baena»).—PIDAL, Marqués de: *La poesía castellana en los siglos XIV y XV* (Introd. a la ed. del «Cancionero de Baena»), Madrid, 1851.—HUGO A. RENNERT: *Macías, o Namorado* (trad. y notas de José Carré Alvarellos), Lugo, 1902.—ARNALD STEIGER: *Sobre unos versos del «Cancionero de Baena»*, «Rev. Fil. Esp.», XXXVI, 1952, págs. 6-30.—WALTER SCHMID: *Der Wortschatz des «Cancionero de Baena»*, Romanica Helvetica, vol. 35, Berna, 1951.

III. P. BACH Y RITA: *The Works of Pere Torroella*, Nueva York, Inst. de las Españas, 1930.—VÍCTOR BALAGUER: *Alfonso V y su corte de literatos*, «Las calles de Barcelona», Barcelona, 1856.—F. BOFARULL Y SANS: *Alfonso V en Nápoles*, «Hom. a M. Pelayo», I, Madrid, 1899.—B. CROCE: *La Corte spagnuola di Alfonso d'Aragona a Napoli*, Nápoles, 1894.—SAMUEL GILI GAYA: *Sobre Pedro de Mendoza, poeta del C. de Stúñiga*, «Bol. Bibl. M. Pelayo», núms. 2 y 3, Santander, 1948.—JORDÁN DE URRÍES: *Los poetas aragoneses en tiempo de Alfonso V* (discurso), Zaragoza, 1890.—EZIO LEVI: *Un juglar español en Sicilia: Juan de Valladolid*, «Hom. a M. Pidal», III, Madrid, 1925. EUGENIO MELE: *Torrellas e Pontano*, «La Rinascita», Florencia, 1938.—M. MENÉNDEZ PELAYO: *Antología de poetas líricos*, vol. II, cap. XIV, págs. 245-84 (Corte de Alfonso V de Aragón y poetas del C. de Stúñiga).—M. MILÁ Y FONTANALS: *Opúsculos literarios*, «Obras completas», vol. IV.—FRANCISCA VENDRELL: *La Corte literaria de Alfonso V de Aragón y tres poetas de la misma*, «Bol. R. Acad. Esp.», vols. XIX y XX, 1932 y 1933.

CAPITULO VIII

LA PROSA PRERRENACENTISTA: HISTORIA, DIDACTICA Y NOVELA

A) HISTORIA.—I. EL CANCILLER AYALA: *Vida y persona. Producción literaria. «Crónicas». Traducciones. Juicio crítico.*—II. COLECCIONES Y MONOGRAFÍAS: *Las «Generaciones y semblanzas». «Claros varones de Castilla». Biografías personales: Alvar de Santamaría, Gutiérrez Díaz de Gámez, Diego de Valera, Pedro de Escavias.*—III. CRÓNICAS DE REINADOS Y HECHOS FAMOSOS: *Juan II, Enrique IV, Enríquez del Castillo, Alonso de Palencia, Lucas de Iranzo, Pedro Niño, etc.*—B) DIDÁCTICA: *Villena. Alfonso de la Torre. Otros prosistas: Príncipe de Viana, Juan de Lucena, Martín de Córdoba, etc.*—C) NOVELA.—I. NOVELA SENTIMENTAL: *Rodríguez del Padrón. Diego San Pedro Flores y la decadencia del género.*—II. OTRAS FORMAS NOVELESCAS DEL XV: *Apólogos.* *Relatos históricos. El Arcipreste de Talavera.*—NOTAS. BIBLIOGRAFÍA.

CUADRO GENERAL

El panorama de la literatura castellana en el siglo XV ya queda trazado a grandes rasgos en otro capítulo. Insistimos aquí en algunos aspectos referentes a la prosa de ese mismo período, que en general experimenta un cambio análogo al de la poesía con la introducción del alegorismo dantesco. También de Italia llega ahora la transformación en la prosa castellana. Hasta ese momento nuestros escritores se habían inspirado en modelos orientales y latino-eclesiásticos; ahora, a imitación de los humanistas italianos, prefieren las obras clásicas, y a ellas se van en busca de motivos inspiradores y recursos estilísticos. La sencillez de don Juan Manuel, que ofrece toda clase de justificaciones cuando se decide a escribir en lenguaje culto u «oscuro», se convierte en deliberado artificio y en un estilo afectadamente pulido. Se escribe no sólo para decir cosas, sino para decirlas bellamente. Se atiende al fondo y a la forma.

Por otra parte, la casuística amorosa, herencia de la escuela trovadoresca provenzal, trasciende desde la poesía a la novela, a la vez que los dominios de ésta se sienten invadidos por una ráfaga de aire nuevo: la prosa animada y moderna de Boccaccio. La historia rompe con la uniformidad antigua de la crónica, y en manos del canciller Ayala se transforma en narración auténtica y viva, gracias a la incorporación de elementos desconocidos hasta entonces en las lenguas vulgares—retratos, discursos—, y tomados directamente de los grandes historiadores latinos, particularmente de Tito Livio. No importa que Ayala cronológicamente esté aún dentro del XIV; por su concepción enteramente humanística de la historia, está más metido en el Renacimiento y aun más cerca de

nosotros que muchos escritores del XV y del mismo XVI. Ayala abre, además, un nuevo género, el de la biografía, que no tardará en alcanzar su plenitud con las obras, insuperables en su clase, de Fernán Pérez de Guzmán y Hernando del Pulgar.

La literatura caballeresca, en su mayor parte de influencia y filiación francesas, aunque venía cultivándose desde la centuria anterior, alcanza en ésta gran desarrollo, fundida a veces con antiguos temas de *milagros*[1]. Pero como su plenitud corresponde más bien al siglo XVI, con un evidente retraso respecto del mismo género en Francia, preferimos reservar su estudio para aquel período.

Por último, la prosa doctrinal, si bien permanece en parte pegada a los modos y estilos de la época anterior, no deja de beneficiarse conceptual y formalmente al ponerse en contacto con los grandes tratadistas latinos (no cabe aquí todavía hablar de los griegos). La sintaxis latinizante nos ofrece bellos ejemplos en las obras de Juan de Lucena y Alfonso de la Torre.

Concretando aún más: cabe resumir toda la prosa del XV, o al menos sus manifestaciones literarias más importantes, en tres apartados:

A) Historia en sus diferentes modalidades (crónica, biografías, relato de hechos o monografías), etcétera).

B) Didáctica.

C) Novela en sus diversos tipos: histórica, feminista, sentimental.

Todavía se podría hacer un cuarto apartado para la obra más importante del siglo XV y aun de toda la Edad Media castellana: *La Celestina*. Pero nosotros, teniendo en cuenta su especial interés, la reservamos para un capítulo especial.

A) HISTORIA

Un somero análisis de la producción histórica durante el siglo xv nos ofrece tres tipos de obras: *a)* Relatos biográficos, ya personales o ya colectivos. *b)* Crónicas de un reinado. *c)* Narraciones de hechos particulares, en las que de ordinario se interfieren fantasía y realidad. He aquí un breve índice:

BIOGRAFÍAS:

Colectivas: *Generaciones y semblanzas, Claros varones de España.*

Personales: *Crónica de don Alvaro de Luna, Crónica del Cid, Crónica de don Pero Niño, Hechos del condestable Lucas de Iranzo.*

CRÓNICAS DE REINADOS:

Crónica de Juan II, Crónica del rey don Enrique IV de este nombre, Décadas, Crónica de los Reyes Católicos (Diego Valera), *Historia de los Reyes Católicos don Fernando y doña Isabel* (Andrés Bernáldez), *Crónica de los Reyes Católicos* (Alonso Flores).

HECHOS PARTICULARES:

Historia del Gran Tamerlán, Andanzas e viajes de Pedro Tafur, Libro del Paso Honroso, Seguro de Tordesillas.

A este índice queremos ajustar nuestras referencias, no sin aludir antes en un epígrafe aparte al canciller Ayala.

I. EL CANCILLER AYALA

Si prescindimos de los compendios de don Juan Manuel—*Crónica abreviada* y *Crónica complida*—, escritos todavía bajo la influencia de Alfonso el *Sabio,* en el canciller PERO LÓPEZ DE AYALA (1332-1407) encontramos al primer gran historiador castellano, entendiendo este título de historiador a la manera moderna y no como simple recopilador de noticias, al modo de los viejos cronistas. Frente a la obra de Alfonso el *Sabio,* valiosa, sobre todo, por las múltiples fuentes que suministra, la de Ayala se nos ofrece llena de interés, en cuanto abre nuevos horizontes técnicos y formales que han de influir en el tono de buena parte de la historiografía nacional del siglo xv.

La vida y el hombre

Nace en Vitoria en 1332, hijo de don Fernán Pérez de Ayala y de doña Elvira de Cevallos. Alavés el padre y montañesa la madre, en el hijo vendrían a fundirse los dos opuestos caracteres que se reparten buena parte del norte de España: la perseverancia del éuscaro y la cautela y astucia del cántabro. Se educa al lado de su tío el cardenal Gómez Barroso, a quien probablemente acompañó a Aviñón. Criado entre los donceles de Palacio, pronto entra al servicio del rey don Pedro I, que le nombró capitán de su flota y alguacil mayor de Toledo. Cuando el bastardo don Enrique se proclama rey en Calahorra y don Pedro pide auxilio a los ingleses, Ayala, juntamente con su padre, se pasa al bando de aquél, porque entendieron—dice en su *Crónica*—«que los fechos de don Pedro no iban de buena guisa, y determinaron partirse de él con acuerdo de non volver más». Don Enrique le nombra alférez mayor de la Orden de la Banda; asiste a la batalla de Nájera, en la que es hecho prisionero por la caballe-

ría del Príncipe Negro: rescatado a los seis meses, alcanza de don Enrique nuevas mercedes, especialmente a raíz de la tragedia de Montiel: alcalde mayor de Vitoria, alcalde mayor de Toledo, etc. Asiste con sus consejos al rey Carlos VI de Francia en la batalla de Rosebeck, por lo que le es concedida una pensión de mil francos oro. De nuevo cae prisionero, ahora de los portugueses, en Aljubarrota (1385); permanece encerrado en una jaula de hierro en el castillo de Oviedes durante más de un año, hasta que es rescatado mediante el pago de 30.000 doblas de oro abonadas por su mujer, doña Leonor de Guzmán; su pariente el maestre de Calatrava y los reyes de Francia y de Castilla. Interviene en las negociaciones de paz con la casa de Lancaster y se opone en las Cortes de Guadalajara al proyecto de repartición del reino por Juan I. Durante la minoría de Enrique III forma parte del Consejo de Regencia y ajusta treguas con Portugal. Nombrado canciller mayor de Castilla, fallece, casi repentinamente, en 1407.

Ayala, como don Juan Manuel y en mayor grado que éste, es el tipo del político hábil, atento siempre al medro personal, pero a la vez pendiente del interés público, y que sabe cohonestar de la mejor manera ambos objetivos. Arrimado siempre a la parte en que puede sacar mayor provecho, lo hace de modo que al servir sus intereses personales presta también evidentes servicios a la causa del Estado, y hasta en los momentos en que su conducta puede parecer más sospechosa se las arregla para respaldarla con tales razonamientos y justificaciones, que casi queda como un acto meritorio lo que a primera vista parecía una auténtica traición.

Diestro en la política, en la diplomacia y en la

guerra, su actuación no pudo ser más afortunada. Y al lado de este perfil de hombre público está su fisonomía literaria, mucho más importante para nosotros. Ayala es, en este sentido, uno de nuestros grandes escritores de la Edad Media y del Prerrenacimiento: de la Edad Media, por su obra en verso; del Prerrenacimiento, por sus producciones en prosa. En algún género, la historia, ocupa el primer puesto entre todos, un puesto comparable y aun superior al que suele otorgarse en la literatura francesa a Felipe de Commines, con el que tantas afinidades tiene como político y hombre de Estado.

En lo físico se sabe que fué de contextura recia y musculosa: diestro en toda clase de ejercicios, lo mismo de armas que de caballería y de caza; dotado de un valor que rayaba con frecuencia en lo temerario, y de una salud a toda prueba, que le hizo llegar a una lozana senectud, a pesar de haber sido, según el testimonio de su sobrino Fernán Pérez de Guzmán, muy dado a mujeres, más de lo que a tan sabio caballero como él convenía».

Producción literaria

Ayala ofrece a los ojos del historiador de nuestras letras triple aspecto: poeta, escritor original en prosa y traductor. Como poeta nos dejó su obra en el *Rimado de Palacio,* ya ampliamente aludido en el capítulo VI; como escritor original en prosa le debemos las *Crónicas,* el *Libro de cetrería o de las aves de caza* y el *Linaje de Ayala,* hoy perdido; como traductor, los *Morales,* de San Gregorio; el *De summo bono,* de San Isidoro; el *De consolatione philosophiae,* de Boecio; los ocho primeros libros de la *Caída de príncipes,* de Boccaccio, y las *Décadas* I, II y IV, de Tito Livio. Se le atribuye asimismo un romanceamiento de la *Crónica troyana* y una traducción de Valerio Máximo.

Las «Crónicas»

Son cuatro, y recogen los reinados de Pedro I, Enrique II, Juan I y Enrique III. Esta última quedó sin concluir por la muerte del canciller, ocurrida sólo un año después que la del monarca.

De todas ellas, la más celebrada y leída es la de Pedro I. La agitada vida de Castilla durante su reinado, el carácter de *Cruel* con que el canciller nos lo presenta y lo hace pasar a la Historia, la severidad con que lo juzga, unido todo ello a la circunstancia de haber desertado Ayala de su bando para pasar al de don Enrique, prestan especial interés a esta *Crónica,* que ha merecido siempre la prioridad entre las cuatro, aunque, a nuestro juicio, no es la mejor desde el punto de vista literario. En tal aspecto, nosotros otorgaríamos la primacía a la de don Juan I, que es donde el arte narrativo de Ayala alcanza su madurez. La de don Pedro interesa más, si se quiere, por el dramatismo de ciertos cuadros y la bizarría de algunos relatos: muerte de Garcilaso y del rey Bermejo; tragedia de Montiel; generosa competencia entre el Príncipe Negro y Duguesclin sobre el rescate de este último, etc. Ayala nos da un don Pedro cruel y degenerado, en contraste con el caballeroso y justiciero monarca que nos había de ofrecer el teatro tanto clásico como romántico. Va dividida en diecinueve apartados, correspondientes a otros tantos años del reinado de don Pedro. Con sólo modernizarla y abreviarla, traduciéndola literalmente en algunos pasajes, Próspero Merimée nos ha dejado en su *Histoire de don Pedro I* un libro tan dinámico, sugestivo y ameno como la mejor de sus novelas.

La deserción de Ayala ha llevado a algunos a dudar de su veracidad. Hoy se le considera escritor imparcial y verídico por dos razones: partidario de don Enrique, no vacila en consignar hechos que le son desfavorables; historiadores de aquel tiempo, como el portugués Fernán López, el italiano Villani y el francés Froissart, coinciden con Ayala en términos generales. Zurita, no obstante, le propuso varias enmiendas.

En su estilo sobrio y grave las *Crónicas* reflejan el carácter austero de un Ayala en su madurez. Ha traducido ya cuando las compone a diversos autores, y de ellos le ha quedado cierto tono sentencioso y moralizador que le inspira frecuentes digresiones y máximas de bien vivir. Sus retratos de reyes y personajes están trazados con pulso firme y rasgos inconfundibles; sus cuadros de época rebosan vida y vigor; los personajes salen de su pluma tal como fueron física y moralmente, sin que a la mirada penetrante del cronista se oculte el más pequeño repliegue [2]. Muy influído por Salustio y Tito Livio, de ellos aprendió el arte de amenizar el relato con frecuentes arengas, discursos y diálogos, que convierten las *Crónicas* en uno de los libros más amenos de aquel siglo.

Completa la obra en prosa de Ayala el *Libro de cetrería o de las aves de caza,* compuesto para entretener los ocios de su cautiverio en Oviedes, y dirigido al gran cazador don Gonzalo de Mena, obispo de Burgos. Pertenece a un género de literatura copioso en la Edad Media, y en el que se habían ya empleado reyes, príncipes y magnates, como Alfonso X, Alfonso XI y don Juan Manuel. Interesa, tanto por sus observaciones y noticias referentes a la Historia Natural y a la geografía de España, como por el abundante vocabulario que de este deporte cinegético contiene. Ayala ve en el ejercicio de la caza un esparcimiento honesto y noble a la vez, ya que sirve para «tirar a los omes de ocio y malos pensamientos, y que puedan aver entre los sus enojos y cuidados algund plazer y recreamiento sin pecado».

Las traducciones

«Por avisar e ennoblecer la gente e nación de Castilla—escribe su nieto don Pedro López de Ayala—, fizo romanzar de latín en lenguaje castellano algunas crónicas y estorias que nunca antes dél fueron vistas ni conocidas en Castilla» [3]. ¿Qué obras son éstas? Al frente de todas figura la traducción de las *Décadas* I, II y IV de Tito Livio, notable esfuerzo si se tiene en cuenta la época en que se realizó, llevado a cabo por Ayala en los últimos años de su vida y a instancias del rey Enrique III. Al hacer esta traducción del gran historiador patavino, tuvo, sin duda, a la vista la francesa, entonces muy nombrada, del benedictino Pedro de Bercheur. Pero ello no le impidió abordar de frente el texto latino, en cuya interpretación e imitación se había ya ejercitado largo tiempo.

Su preocupación de moralista se echa de ver en otras traducciones: los *Morales,* de San Gregorio, que, reducidos a verso, pasarán a incorporarse, según dijimos oportunamente, al *Rimado de Palacio*; el *De summo bono,* de San Isidoro, libro muy divulgado en toda la época medieval; el *De consolatione,* de Boecio, y, sobre todo, el *De casibus virorum illustrium,* que Ayala sustituye por *Caída de príncipes,* muy interesante, por señalar

el inicio de la influencia italiana (no en lengua vulgar aún) a expensas de la francesa y de la oriental, que empiezan a declinar entre nosotros.

Juicio crítico

Nadie lo ha formulado mejor que Menéndez Pelayo. «El canciller Ayala—dice—no es un escritor enciclopédico, como Alfonso el *Sabio*; pero es, después de don Juan Manuel, el tipo más perfecto que nuestra Edad Media ofrece del prócer escritor, del moralista práctico, del político que cosecha su doctrina, no en abstractos aforismos, sino en las enseñanzas y conflictos de la vida. Y es al mismo tiempo, sin controversia alguna, nuestro más grande historiador de los tiempos medios, el único que, sin desdoro, puede hombrearse con los grandes narradores de la edad de oro, desde Mendoza hasta Melo. Y es, finalmente, aunque no del modo exclusivo que pretendía Floranes, iniciador y fautor de un movimiento intelectual derivado en parte de la cultura francesa y en parte de la erudición latino-eclesiástica, mediante el cual se abren las puertas de Castilla a un nuevo género de prosa de tendencias clásicas, muy diversa de la deleitable prosa semioriental que campea en los patriarcales escritos del Rey Sabio, de su hijo y de su sobrino» [4].

II. COLECCIONES Y MONOGRAFIAS

Un afán, muy explicable dentro de la corriente prerrenacentista, suscita en varios escritores el deseo de consignar los hechos de algunos grandes hombres de la época, con el sano propósito de que queden perpetuados en el futuro y a la vez sirvan de ejemplo a las gentes venideras. Unas veces estas biografías se nos dan en forma colectiva, haciendo desfilar ante nuestros ojos toda una galería de personajes ilustres; así, en los *Claros varones de Castilla,* de Hernando del Pulgar. Otras veces el biografiado es un solo individuo, como ocurre en el *Victorial,* de Gutierre Díaz de Gámez, o en la *Crónica de Juan II,* por Galíndez de Carvajal. En uno y otro caso, dentro de la variedad, todas estas obras presentan un carácter común, y es el tono encomiástico en que están redactadas, sin duda porque sus autores eran, en su mayor parte, parientes o familiares de los biografiados.

Las «Generaciones y semblanzas»

La biografía colectiva se inicia en nuestras letras con la obra de FERNÁN PÉREZ DE GUZMÁN (¿1376-1460?) [5] *Generaciones y semblanzas.* Sobrino del canciller Ayala y tío del marqués de Santillana, ofrece, como aquél, el triple aspecto de traductor, poeta y escritor original en prosa. Entre sus traducciones figuran varias epístolas de Séneca y fragmentos de Cicerón, Boecio, Bruneto Latini y otros, con los que hizo una recopilación: la *Floresta de los filósofos.* En su obra poética cabe distinguir dos etapas: la juvenil, en que domina el tema amoroso de influencia provenzal (preguntas, respuestas y decires esparcidos por los cancioneros de la época, especialmente por el de Baena), y la ya madura, con una tendencia moralizadora, fruto, sin duda, de su amarga experiencia de la vida y de sus largas meditaciones en el retiro de Batres. Destacan en la primera, por su fina gracia, el *Decir a Leonor de los Paños* y el *Decir que fizo a su amiga,* y en la segunda, las *Coplas* a la muerte del almirante don Diego Hurtado, las dedicadas a la muerte del obispo de Burgos y los *Loores* de los claros varones de España, apología de las principales figuras de nuestra historia. Aunque no faltan pasajes emotivos, la inspiración queda de ordinario ahogada entre consideraciones y máximas de tendencia moralizante. Con algunas de las obras poéticas de Pérez de Guzmán se publicó en Sevilla (1516) una colección titulada *Las sietecientas,* a imitación de las *Trescientas,* de Mena.

Mucho más interesa su obra en prosa. Descartadas la *Crónica de Juan II* y el *Valerio de las historias,* que erróneamente se le venían atribuyendo, nos queda como libro original suyo, y no en su totalidad, el *Mar de historias.* Consta de tres partes: las dos primeras, en que se relatan los hechos memorables de personajes históricos—Alejandro, César, Carlomagno—o legendarios—el rey Artús, los caballeros del Santo Grial—, sólo de una manera muy relativa pueden considerarse originales; sigue en ellas muy de cerca el *Mare historiarum*, de Giovanni de Colonna; la tercera parte, conocida por el título de *Generaciones y semblanzas* desde la época de Galíndez Carvajal, le pertenece por entero. En ella se nos dan las «semblanzas y obras de los excelentes reyes de España don Enrique III e don Juan el II y de los venerables prelados e notables caballeros que en los tiempos destos nobles reyes fueron».

* Las *Generaciones y semblanzas* no son historia ni biografía: son más bien bocetos de retrato de muchas personas a quienes el autor conoció y observó directamente. En el prólogo, Pérez de Guzmán nos expone los motivos que le movieron a escribir su obra: actitud de los que se pagan más de los hechos fabulosos que de los auténticos; deseo de que las cosas aparezcan ante la posteridad tal como fueron, ya que, redactadas las historias por encargo de reyes, príncipes y grandes señores, sus autores «escriben más lo que les mandan o creen que agradará, que la verdad del hecho como pasó». Exige en el historiador o cronista tres condiciones: una, referente al estilo, «porque la buena forma honra e guarnece la materia»; otra, el valor de los testimonios, que deben proceder de información directa o de testigos dignos de fe, y otra tercera, que hace relación a la oportunidad: «la estoria non sea publicada viviendo el rey o príncipe en cuyo tiempo e señorío se ordena, porque el estoriador sea libre para escribir la verdad sin temor».

Atento él a esta triple exigencia, hace desfilar con la máxima sobriedad ante nuestros ojos una serie de personajes cuyos retratos se nos dan, más que en forma de auténtica biografía, en simple esbozo, lo que no obsta para que queden caracterizados en sus rasgos fundamentales. Vemos pasar al enfermizo y «melenconiozo» Enrique III; a su hermano el infante de Antequera, «fermoso de gesto, sosegado e benigno, casto e honesto..., la fabla vagarosa»; a Ruy López Dávalos, «de buen cuerpo e buen gesto..., cuerdo e discreto»; a don Alonso Enríquez, «de razón breve e corta»; a don Enrique de Villena, «que sabía fablar muchas lenguas, comía mucho e era muy inclinado al amor de las mujeres»; a don Pedro de Frías, «de bajo linaje..., no muy buen letrado, muy astuto e cauteloso»; a don Juan II, «falto de aquellas virtudes que a todo hombre, e principalmente a los reyes, son necesarias»; al conde de Niebla, al maestre de Calatrava, etc. Su amor a la verdad se manifiesta en semblanzas como la del valido don Alvaro de Luna, contra el que sentía indisimulable rencor, lo que no le impide reconocer sus buenas cualidades. No están exentos de su censura sus propios familiares, y ya hemos visto antes cómo reprueba en su tío el canciller Ayala el amor desordenado a las mujeres, ni tampoco los personajes más encumbrados, como doña Catalina de Lancaster, mujer «mucho gruesa», cuya voluntad estaba en manos de los favoritos, «vicio común de los reyes». El estilo de las *Generaciones y semblanzas* es cortado, seco y grave, a la manera de Salustio; su tono moralizador, sentencioso y con cierto dejo pesimista, cae dentro de un estoicismo perfectamente cristiano.

Los «Claros varones de Castilla», de Hernando del Pulgar

Menos espontánea, más elaborada, por tanto, y con un mayor atuendo literario que las *Generaciones y semblanzas,* nos dejó el cronista de los Reyes Católicos, HERNANDO DEL PULGAR (¿1436-1493?) [6], una serie de sugestivos retratos bajo el título de los *Claros varones de Castilla.* Pulgar se propone como modelo a Pérez de Guzmán, a quien, si no iguala en sobriedad y laconismo, excede en viveza y fantasía. Como secretario y embajador que fué de los Reyes Católicos, es autor de una *Crónica* de este reinado que abarca desde 1468 al 1490. Traducida por Nebrija al latín de orden de la reina Isabel, en esta lengua se publicó por vez primera en 1545, lo que indujo a algunos a darla como obra original del docto humanista; pero ya en 1565 apareció en Valladolid la edición castellana con el nombre de Pulgar, su verdadero autor. Es de gran valor histórico, porque Pulgar presenció como testigo directo la mayor parte de los hechos que narra. Sin embargo, la cronología de la primera parte aparece equivocada, y omite hechos importantes, inculpación que ya le hizo Galíndez de Carvajal. Siguiendo a Tito Livio, pone en boca de sus personajes arengas y discursos que han sido muy celebrados.

En el género epistolar son dignas de mención sus treinta y dos *Letras* o cartas, en las que lo festivo y hasta humorístico alterna felizmente con el tono admonitorio y severo. Destacan la dirigida al arzobispo Carrillo para recriminarle por su rebeldía; a la reina dándole cuenta de la marcha de su *Crónica,* y a su hija dándole consejos.

Lo mejor, sin duda, de la obra literaria de Pulgar son sus *Claros varones de Castilla,* impresos ya en Toledo en 1486, colección de veinticuatro retratos de altos personajes de la Corte de Enrique IV. No todos están igualmente logrados: en general, Pulgar hace alarde de un sentido de la historia y de la biografía enteramente modernos. Más que a los rasgos fisonómicos externos atiende a los internos y espirituales, a las virtudes y defectos, a las grandezas, pasiones, debilidades y vicios. Más político que Pérez de Guzmán, aunque tan veraz como él, no siempre sus juicios coinciden con los de otros cronistas: por ejemplo, el que formula sobre Enrique IV, tan distinto y distante del de Alfonso de Palencia. Vemos, no obstante, a través de la prosa concisa, severa y elegante de Pulgar, a los principales personajes de la Corte de Enrique IV tales como eran: a este mismo rey, «negligente, (que) con dificultad entendía en cosa agena de su delectación, porque el apetito le señoreaba la razón»; al marqués de Santillana, «agudo, discreto y de tan gran corazón, que ni las grandes cosas le alteraban, ni en las pequeñas placíale entender»; a su hijo, el duque del Infantado, «bien instruído en letras latinas, de buena memoria..., e aborrecía tanto mentiras e mentirosos, que ninguno de los tales ovo jamás logar cerca dél»; al conde de Alba, «cauto e astuto en los engaños de la guerra»; a Garcilaso, «callado, sufrido..., amigo de efectos y enemigo de palabras»; al almirante don Fadrique, «de buen entendimiento, impaciente... e (que) no podía tolerar buenamente las cosas que le parecían excesivas e contrarias a la razón»; al arzobispo Carrillo, «gran trabajador de las cosas de la guerra, y cuanto era amado de algunos por ser franco, tanto era aborrecido de muchos por ser belicoso, siendo obligado a religión», etc. El estilo de Pulgar, ya lo dijo el grave Capmany, «es vivo, conciso e ingenioso sin agudezas». En él reluce una grandeza sin pompa y una cultura sin afectación; desaparece el arte a la vista de su sencillez. No hay voces superfluas ni reflexiones inútiles... Pinta de un rasgo, y nunca retoca lo que una vez sale de su pluma. Podemos decir que es el escritor castellano de su tiempo, que dijo las cosas más serias con mayor delicadeza y las más importantes con mayor elegancia» [7].

Biografías personales

Entre 1455 y 1460 debió de componerse la *Crónica de don Alvaro de Luna* por algún familiar del condestable, que Nicolás Antonio supone fué un Antonio Castellanos, y Amador de los Ríos atribuye a Alvar García de Santa María. Presenta caracteres análogos a los Ayala en la suya sobre el rey don Pedro: el autor es veraz, pero afecto con exceso a don Alvaro, de quien relata con gran minuciosidad los méritos, procurando silenciar el lado desfavorable. El mejor capítulo es el último, dedicado a la afrentosa muerte del Privado, «el mejor caballero que en todas las Españas ovo en su tiempo, e mayor señor sin corona». La *Crónica* se imprimió en Milán (1546) por un biznieto del condestable.

Reproducción de la *Crónica general* de 1344, a través de la *Crónica de España abreviada,* de mosén Diego de Valera, es en los capítulos correspondientes la *Crónica particular del Cid,* que relata los hechos más destacados del héroe castellano desde Fernando I hasta su muerte, con inclusión de leyendas derivadas de cantares de gesta. De autor anónimo, fué impresa en Sevilla en 1498 y reimpresa muchas veces en los dos siglos siguientes.

Con el título de *Victorial,* escribió GUTIERRE DÍAZ DE GÁMEZ (1379-1450) la vida caballeresca de su señor don Pedro Niño, queriendo hacerle pasar por el arquetipo del hombre cortesano y valiente. El *Victorial,* por su trama compleja y por su mezcla de elementos reales y fantásticos, parece, más que realidad, una novela caballeresca. Inútil buscar en él nada que se parezca a la crítica histórica; hay, en cambio, abundante documentación sobre la vida marítima y campestre en Inglaterra, Francia y España, así como sobre el carácter y costumbres de los naturales de estos países. El *Victorial* fué editado, por Llaguno (1782) basándose en el manuscrito de la Academia de la Historia, pero suprimiendo algunos episodios; Puymagre y Circourt lo publicaron luego en París (1867) en su texto íntegro.

La *Relación de fechos del Condestable Miguel de Lucas de Iranzo* nos cuenta la vida de este extraño personaje, que desde la más baja clase social llegó a los más altos cargos, gracias a su privanza con Enrique IV. Atribuída la *Relación* por unos a Juan de Olid, criado de Iranzo, y por otros a Pedro de Escavias, constituye un documento valiosísimo de la vida doméstica del XV: fiestas, manjares, vestidos, etc.

III. CRONICAS DE REINADOS Y HECHOS FAMOSOS: DE JUAN II

El principal problema que plantea la *Crónica del serenísimo rey don Juan II,* publicada por LORENZO GALÍNDEZ DE CARVAJAL en 1517, se refiere a su autor o autores. Se ha creído que en su redacción intervinieron varias manos: Alvar García de Santa María (m. 1460), hermano del converso Pablo de Santa María, habría escrito la primera parte; para el resto se han apuntado los nombres de Juan de Mena, Rodríguez de la Cámara, Diego de Valera, fray López de Barrientos y Fernán Pérez de Guzmán. Otros la han atribuído a Pero Carrillo de Albornoz, halconero de Juan II y tronco de la casa de Priego. Tras un análisis más minucioso, la crítica se inclina hoy a considerarla obra de un solo autor.; así al menos parece indicarlo la uniformidad del estilo. Como quiera que sea, las continuas citas de Séneca y otros escritores clásicos revelan un humanista, conocedor también de Boccaccio, a quien cita a propósito de la muerte de don Alvaro de Luna, y dueño de un estilo suelto, sobrio y elegante. Está dividida por años, y es, por los datos que suministra, la más documentada de las correspondientes a aquel reinado.

El reinado de Enrique IV

El calamitoso período en que gobernó a Castilla Enrique IV tuvo dos cronistas de talla, servidor uno y enemigo otro del monarca: Enríquez del Castillo y Alfonso de Palencia. La diferencia de ambos está, más que en los hechos que narran, en la forma de enjuiciarlos. Una prueba: tanto Castillo como Palencia nos ofrecen la semblanza fisonómica del rey con rasgos hasta cierto punto exactos; pero, basándose en la nariz roma del monarca, el primero lo compara con un león, y el segundo le ve apariencias de mono.

DIEGO ENRÍQUEZ DEL CASTILLO (1433-1504?) [8] nos dejó en la *Crónica del rey don Enrique IV de este nombre* (ed. Sancha, 1787) un documento parcialista y demasiado favorable a la causa del monarca cuya vida relata. Se sabe que Castillo escribía su *Crónica* día tras día; pero, preso después de la batalla de Olmedo, los partidarios de don Alfonso se apoderaron del manuscrito, que se apresuraron a entregar a Palencia, cronista del bando opuesto, y aquél hubo de rehacer su obra de memoria, por lo que la cronología deja mucho que desear. El afán de glorificar al rey le hace, por otra parte, incurrir en frecuentes falsedades. Aunque de estilo declamatorio y pedantesco, se dejan leer por su interés histórico algunos capítulos: el de la destitución del rey en Avila, el de la batalla de Olmedo, el del casamiento de ~~~~~~~~~ Beltraneja, etc.

Las *Décadas*, de ALFONSO FERNÁNDEZ DE PALENCIA (1423-1492) [9], fueron escritas en latín con el título de *Gesta hispaniensia ex annalibus suorum dierum* y traducidas al castellano por el señor Paz y Meliá con el de *Crónica de Enrique IV*.

De ella existía una versión castellana antigua, llamada *Crónica de Palencia*. Abarca los años que median entre 1440 y 1477, largo período de tiempo durante el cual Castilla pasó por una situación lamentable, que Palencia describe en forma fiel y descarnada. Ya se ha dicho que su informe contradice al de Castillo [10]. ¿Quién refleja la verdad? Basándose en su animadversión hacia don Alvaro de Luna y don Enrique, se ha venido tachando a Palencia de exagerado y poco veraz. Pero documentos posteriores confirman en todo sus juicios, hasta el punto de que, según su traductor, «aún se quedó corto en la relación de vicios, maldades y desgobierno». Otras obras de Palencia son la *Batalla de los perros y los lobos*, escrita primero en latín y luego vertida al castellano por él mismo, quien de este modo pretendía ejercitarse en el arte del estilo histórico, y el *Tratado de la perfección del triunfo militar*, en excelente prosa y lleno de curiosas notas sobre el carácter francés, italiano y catalán. Las dos obras fueron impresas en Sevilla hacia 1490.

Cronistas de los Reyes Católicos

Aparte de Hernando del Pulgar, ya citado, los Reyes Católicos tuvieron tres cronistas de nota: Diego de Valera, Bernáldez y Flores.

A mosén DIEGO DE VALERA (1412-¿1488?) [11] debemos, además de unas *Epístolas* llenas de útiles consejos para los gobernantes, la *Crónica abreviada* o *Valeriana* (Sevilla, 1482), y la *Crónica de los Reyes Católicos*. Aquélla, en cuatro partes, comprende un tratado de cosmografía y toda la historia de España desde Túbal hasta don Juan II, inspirándose en los cronicones reales y con admisión de toda suerte de fábulas y leyendas; la *Crónica de los Reyes Católicos* abarca el reinado de estos monarcas desde 1474 hasta 1488, con especiales referencias de las guerras de Portugal y de Granada. La laguna entre la *Crónica abreviada* y la de los *Reyes Católicos* correspondiente al reinado de Enrique IV la llenó Valera con el *Memorial de diversas fazañas*, escrito sin duda a la vista de las *Décadas* de Palencia. Otras obras de Valera son: *Tratado de las armas o de los rieptos y desafíos*, *Providencia contra Fortuna*, *Ceremonial de príncipes*, etc. Como poeta tiene algunos versos calificados por Menéndez Pelayo de «pocos y malos».

La *Historia de los Reyes Católicos don Fernando y doña Isabel*, de ANDRÉS BERNÁLDEZ (m. 1513), más conocido por el *Cura de los Palacios* [12], sin grandes pretensiones de profundidad ni de estilo, se hace notar por su exactitud y veracidad. Está redactada siguiendo aún los viejos modelos castellanos, como si no hubiesen existido Ayala, Pérez de Guzmán o Hernando del Pulgar. Pero es interesantísima, porque se extiende hasta 1513, y nos da amplias noticias del descubrimiento de América, noticias recogidas por Bernáldez de labios del mismo descubridor. También merece leerse la defensa que Bernáldez hace de la Inquisición. Fué publicada por Lafuente Alcántara en Granada, 1856.

Una ejemplar fidelidad histórica y una pureza de estilo no menos estimable, sin mezcla de latinismos, campean en la *Crónica de los Reyes Católicos*, de ALONSO FLORES [13], que recoge los principales sucesos del final del reinado de Enrique IV y los primeros años de los Reyes Católicos, hasta la terminación de la guerra contra Alfonso V de Portugal. Introduce, como Pulgar, breves arengas y discursos que hacen el relato sumamente pintoresco. Merecen recordarse sus semblanzas de Fernando e Isabel.

Hechos célebres

En una época en que el amor a la aventura, fomentado sin duda por los libros de caballerías, estaba tan al vivo, no es de extrañar que surgiesen relaciones de hazañas y de hechos en general sorprendentes. En ellos la fábula, la leyenda y la realidad andan mezcladas de modo que hoy nos es muy difícil separar lo que a una y otra corresponde. Ya hemos dado cuenta de los *Fechos del condestable Miguel Lucas de Iranzo* y de la *Crónica de don Pedro Niño*, tan novelescos dentro de su fondo histórico. He aquí otros muy notables:

Para relatarnos la embajada que el rey Enrique III de Castilla envió al Gran Tamorlán de Persia con valiosos regalos y en correspondencia a los que aquél antes había mandado al monarca castellano, uno de los emisarios, RUY GONZÁLEZ DE CLAVIJO [14] escribió su *Historia del Gran Tamorlán*. En ella se nos hace minuciosa descripción de las ciudades por donde van pasando los emisarios: Gaeta, Mesina, Rodas, Chío, Constantinopla, Teherán, Samarcanda, etc., hasta llegar a la corte del rey persa; de los monumentos más notables; de las costumbres, ejércitos, ritos, etc. Parece que es un libro fundamentalmente verídico. Argote de Molina lo publicó en Sevilla (1582).

A describir su odisea por Europa, Asia y Africa, entre los años 1435-1439, consagró PEDRO TAFUR (¿1410-1484?) [15] un libro tan interesante como instructivo y ameno: *Viajes y andanzas por diversas partes del mundo*. Conducido por Tafur, que sabe narrar con animado estilo, el lector recorre las principales ciudades de Italia, Egipto, Palestina, Grecia, Turquía, Alemania, Austria, Flandes, etc. En Constantinopla, Tafur fué muy agasajado del emperador. Intercala numerosas leyendas de cuantos países visita, lo que da aún mayor amenidad al relato.

Un hecho de armas que tuvo enorme resonancia en su tiempo quedó puntualmente reseñado en el *Libro del Passo Honroso de Suero de Quiñones*, original de PERO RODRÍGUEZ DE LENA, escribano que presenció el suceso y se encargó de dar fe del mismo. Contiene la relación de los combates sostenidos por Suero de Quiñones y nueve compañeros comprometidos a defender contra cualquier caballero que se presentase, y por el período de un mes, el puente de San Marcos de Orbigo, a seis leguas de León. El suceso es rigurosamente histórico; está consignado en la *Crónica de Juan II*, que fué quien otorgó la autorización, y en los *Anales* de Zurita; y prueba que muchas de las aventuras que se leían en los libros de caballerías estaban más cerca de la realidad que lo que vulgarmente se piensa [16]. Sobre esto mismo compuso el duque de Rivas su poema *El paso honroso*. Maury también lo reproduce en *Esvero y Almedora*.

Menos interés ofrecen el *Seguro de Tordesillas*, compuesto por don PEDRO FERNÁNDEZ DE VELASCO, conde de Haro, sobre un episodio famoso en la historia de Juan II: la tregua concertada (1439) entre los reyes de Castilla y Navarra, el infante de Aragón y los nobles de todos los bandos; y la *Divina retribución sobre la caída de España en tiempo de don Juan I*, breve compendio de la historia de Castilla durante casi un siglo, desde la batalla de Aljubarrota hasta el triunfo de Toro, que el autor considera una compensación providencial de aquel desastre. El celo patriótico del autor y su sencillez, como que se dirige a toda clase de lectores, hace simpática la lectura de esta obra.

B) *DIDACTICA*

Villena

La prosa didáctica del xv tiene su más famoso representante, aunque no el mejor, en don ENRIQUE DE VILLENA (1384-1434) [17], personaje cuya vida se desenvuelve entre nieblas y contradicciones, hasta quedar convertida en una leyenda que ha dado pie a varias obras de teatro. Nacido en las mismas gradas del trono, descendiente de la Casa Real de Aragón por su padre y de la Casa Real de Castilla por su madre, su vida real no justifica, en rigor, la aureola de gloria y de fama con que nos lo presentan sus coetáneos: antes ofrece el más cómico contraste entre lo desmesurado de sus ambiciones y lo ridículo de sus logros efectivos. Ni siquiera pudo disfrutar jamás de aquel marquesado de Villena que le otorgó en circunstancias harto vergonzosas Enrique III, y con cuyo título ha pasado indebidamente a los ojos de la posteridad. Habiéndole tocado vivir en época de ambiciones y revueltas, no supo, como su amigo

Juan de Mena, mantener un papel de puro intelectual, ni acertó, como Santillana, a cultivar simultáneamente armas y letras, cosechando de paso honores, prebendas y laureles. En su desgraciada vida sólo hay un momento de fugaz felicidad: aquel en que acompañó al infante de Antequera a Zaragoza, donde tuvo ocasión de presidir unas justas poéticas. De la consideración que como hombre de letras mereció a sus contemporáneos dan testimonio los dos mejores poetas de la época, Mena y Santillana: el primero le llama «honra de España e del siglo presente»; y Santillana compone en su honor el poemita *La defunción de don Enrique de Villena*, ya en otro lugar aludido. Villena debió de escribir bastante. Parte de sus libros fueron condenados al fuego de orden de don Juan II [18]: entre éstos cita Lope de Barrientos el titulado *Angel Raziel*. Se le atribuye un *Tratado de Astrología*, y son suyos, sin duda, otros dos tratados: uno sobre *fascinología, aojamiento* o mal de ojo (que Villena tomaba muy en serio), y otro sobre la *lepra*. Comentó asimismo algunos salmos; pero las dos obras que más fama le dieron, aunque no tanta como él esperaba[19], son *Los doce trabajos de Hércules* y el *Arte cisoria*. Los *Doce trabajos*, redactados primero en catalán y vertidos por el mismo autor al castellano, son una interpretación alegórica de los que el título anuncia, con aplicaciones de orden moral: por ejemplo, la destrucción de los centauros significa la de los malhechores; fueron editados en Zamora (1483). *El arte cisoria* o *Tratado del arte de cortar con el cuchillo* (Madrid, 1766) constituye un auténtico arte culinario, el más antiguo que existe en su clase en lengua vulgar, anterior incluso al de Ruperto de Nola. Interesa para el estudio de las costumbres, alimentos y bebidas medievales. Tiene también Villena un *Arte de trovar*, escrito en 1433, primer tratado de métrica que conocemos en lengua castellana. De él sólo se conservan pequeños fragmentos, dados a luz por Mayáns en sus *Orígenes de la lengua castellana* (1737). Hay que lamentar la pérdida del libro entero, que aún existía en tiempo de Quevedo, según éste nos dice en su prólogo a las poesías de fray Luis de León. De los trozos que se conservan apenas cabe colegir sino que es un tratado más a la manera del de Ramón Vidal de Besalú y de otras poéticas catalanas y provenzales, de las que hace el de Villena una enumeración no exenta, por cierto, de errores cronológicos.

A Villena corresponde también la primera traducción de la *Eneida* (1427-1428) en lengua vulgar, afeada por lo hueco e hinchado del lenguaje y por lo retorcido de la sintaxis, que quiere emular el hipérbaton latino; y otra versión también al castellano de la *Divina Comedia*[20].

El bachiller Alfonso de la Torre

Uno de los prosistas más estimables del xv es el bachiller ALFONSO DE LA TORRE, confundido durante largo tiempo con el poeta petrarquista del xvi, Francisco de la Torre[21]. Hacia 1440 compuso la *Visión delectable de la Filosofía y artes liberales* (Burgos, ¿1485?), dedicada a Juan de Beamonte, preceptor del príncipe de Viana. Sin ser propiamente una novela, por su artística disposición está muy lejos de los áridos tratados doctrinales, tan frecuentes en la época. La prosa de la Torre, suelta y llena de nervio, es un verdadero modelo de exposición científica. Refleja influencias arábigas: Algazel, Avempace, Maimónides, etc.; pero su principal fuente es el *De nuptiis Mercurii et Philologiae*, de Marciano Capella. En la primera parte nos habla de las artes liberales; en la segunda, de las virtudes cardinales y su influencia en el dominio de las pasiones. Fué impresa muchas veces en el mismo xv y traducida al italiano por Domenico Delfino (1556).

Otros prosistas

El citado PRÍNCIPE DE VIANA, don Carlos (1421-1461), discípulo de Alfonso de la Torre y amigo de Ausias March, halló en medio de sus desventuras tiempo para dedicarse a las letras, y aparte de una traducción de la *Etica*, de Aristóteles, nos dejó una interesante *Crónica de los Reyes de Navarra*, que comprende la historia de este reino desde sus orígenes hasta Carlos III, el *Noble*, abuelo del mismo príncipe. Fué impresa en Pamplona (1843).

Estimable prosista, con gran dominio de nuestra lengua, se nos revela JUAN DE LUCENA (m. 1506), que en 1463 escribió un tratado *De vita beata*, dedicado a Enrique IV e impreso en Zamora (1483). Dialogan en él Santillana, Mena y Alonso de Cartagena sobre la felicidad temporal; y aunque es una adaptación libre del *Dialogus de felicitate vitae*, del italiano Bartolomé Fazzio, todavía contiene bastantes elementos originales para considerarlo, a la vez que un texto de la buena prosa del xv, un documento informativo de primer orden. La defensa que hace Lucena de los judíos conversos es digna de leerse. Tiene este mismo autor una *Epístola exhortatoria a las letras*, en elogio de la reina Isabel. Lucena era oriundo de Soria y estuvo, ya adulto, en Roma, como familiar de Eneas Silvio Piccolomini, antes de ser éste elegido Papa.

Un género intermedio entre el tratado doctrinal y el didactismo en forma alegórica está representado por el libro *Castigos y doctrinas que un sabio daba a sus hijas*, interesante por la ideología feminista que representa. Está, en parte, inspirado en una historia de Petrarca y tiene ejemplos de Valerio Máximo, San Ambrosio, San Agustín y la Biblia. En algún aspecto puede considerarse un precedente de *La perfecta casada*, de fray Luis de León.

También está dentro de la tendencia feminista el *Libro de las claras e virtuosas mujeres*, de don ALVARO DE LUNA, el poderoso valido de Juan II y desdichada víctima luego (m. 1453). Su libro, prologado por Mena y dividido en tres partes—mujeres del Antiguo Testamento, del mundo clásico grecorromano y cristianas—, es una apología de las virtudes femeninas. Por ello afirma al final don Alvaro: «Deben callar los maldicientes.»

Una mención merecen los agustinos padre MARTÍN DE CÓRDOBA y padre LOPE FERNÁNDEZ. El primero, gran predicador y escriturario, profesor de las Universidades de Salamanca y de Tolosa, escribió para don Alvaro de Luna un tratado *De próspera y adversa fortuna*, que acaso corresponde al que registró minuciosamente Gallardo con el título de *Compendio de fortuna*, y para orientación de los religiosos compuso otro titulado *Alabanza de la virginidad*. Pero el libro que ha dado renombre al padre Córdoba hasta merecer ser incluído en el Catálogo de Autoridades de la

Lengua es el *Jardín de las nobles doncellas* (Burgos, 1500), escrito para educación de la infanta doña Isabel, con un estudio de las cualidades que debe reunir la mujer verdaderamente cristiana. Del padre Lope Fernández, agustino del convento de Toledo, se conserva en un manuscrito del Escorial una obra verdaderamente notable, tanto por su dialéctica como por su estilo lleno de imágenes y su honda filosofía; *El espejo del alma,* sobre los caminos que conducen a la paz y, por medio de la paz, a Dios.

Uno de los hombres más cultos de su tiempo es ALONSO DE CARTAGENA (1384-1456), varias veces aludido por nosotros en este mismo capítulo; hijo de Pablo de Santa María, a quien sucedió en el obispado de Burgos, muy favorecido por reyes y magnates con cargos y embajadas. Escritor de múltiple faceta, en lo teológico y doctrinal, merece recordarse su *Defensorium fidei* en favor de los judíos conversos; su *Tratado de la oración* y su *Doctrinal de caballeros;* en lo histórico, una *Genealogía de los reyes de España* desde Atanarico hasta Enrique IV, y en lo jurídico, el informe demostrativo de que las islas Canarias corresponden al rey de Castilla, en contra de los derechos alegados por Portugal. Tradujo y comentó también a Séneca. Pulgar, en sus *Claros varones,* nos dejó una bella semblanza de Cartagena.

Citemos, por último, a TERESA DE CARTAGENA, religiosa emparentada probablemente con la familia del anterior. Se supone que vivió en la segunda mitad del xv. Entre sus obras destacan la *Arboleda de enfermos,* serie de consejos a una enferma para que sufra con resignación por amor divino, y *Admiración de las obras de Dios,* dirigidas a doña Juana de Mendoza, esposa del famoso poeta Gómez Manrique.

C) *NOVELA*

Persisten formas de la época anterior—por ejemplo, las colecciones de apólogos de influencia oriental—, pero con una inevitable tendencia a desaparecer. Se ven suplantadas por tipos novelísticos nuevos y más en consonancia con los gustos de la sociedad del siglo xv. Estas nuevas formas son la novela *caballeresca,* que, reducida hasta entonces a simple traducción o calco de la francesa, empieza a independizarse, para adquirir pleno vigor a últimos de aquel siglo y primera mitad del siguiente: la *feminista,* de carácter misógino o antimisógino y de clara derivación boccacciana; la *sentimental,* con elementos a la vez italianos, provenzales y caballerescos; la *histórica,* muy interesante, si bien con escasas manifestaciones. Repartimos nuestra breve referencia en dos enunciados: uno, relativo a la novela sentimental, y otro, en que se incluyen las otras formas aludidas.

1. NOVELA SENTIMENTAL

Es una mezcla de elementos caballerescos, italianos y provenzales. Pero su modelo inmediato está en la *Fiammetta* de Boccaccio, y su nota característica es el análisis psicológico de los personajes. Aunque acepta y aplica la casuística amorosa de los provenzales, una profunda diferencia la separa del estilo y técnica de éstos. No en vano se ha introducido en ella toda la finura de los poetas del *dolce still nuovo.* Por lo pronto, las protagonistas son siempre doncellas, frente al objeto amoroso de los trovadores, que suele ser dama casada. El tono sensual al servicio de una intriga casi siempre basada en amores adúlteros, que constituye el eje de las narraciones italianas —piénsese en la misma *Fiammetta* y en la *Historia de duobus amantibus,* de Eneas Silvio Piccolomini—, desaparece por entero de las nuestras. En la distinta concepción del sentimiento erótico que presentan la lírica y la novela del xv ocurre un fenómeno análogo al del sentimiento del honor en la novela y teatro del xvII. En el teatro se lleva a efecto la venganza del honor mancillado, con el consiguiente castigo del ofensor y muchas veces de la esposa inocente; en la novela, en cambio, como género que no exige solución inmediata y, por tanto, da tiempo para la reflexión, es frecuente el perdón de la adúltera. Recuérdese cómo resuelve Cervantes el conflicto en *El celoso extremeño,* en cuya primera versión se realizaba el adulterio.

La novela sentimental tiene también conexiones con el género caballeresco. Algunas narraciones francesas y provenzales—*Paris y Viana, Flores y Blancaflor, Pierres y Magalona*—, sin perder su carácter de novelas de aventuras, anuncian ya el tipo sentimental. Sin embargo, el primer análisis de proceso amoroso lo encontramos en una obra italiana, en la *Vita nuova,* si bien las escasas citas que encontramos de esta obra durante el siglo xv parecen indicar que ejerció poca influencia. En la *Fiammetta,* en cambio, hay que buscar, a la vez que el modelo inmediato de construcción y desarrollo, el modelo de expresión: el lenguaje ampuloso y retórico que caracteriza las obras de esta clase procede de ahí. En la mencionada *Historia* de Eneas Silvio Piccolomini tenemos el patrón de la forma epistolar, muy adecuada para expresar ciertos estados de alma, y que luego adoptará en su narración Diego de San Pedro. Este, Rodríguez del Padrón y Juan de Flores son sus principales representantes.

Rodríguez del Padrón

La novela sentimental marca su aparición en el reinado de Juan II con *El siervo libre de amor*, de JUAN RODRÍGUEZ DE LA CÁMARA [22], más conocido por Rodríguez del Padrón, por su lugar de nacimiento. Tan interesante o más que por su obra fué su vida, en torno a la cual se ha tejido una leyenda que tiene cierta semejanza con la de Macías. Se dice, y también se deduce de su novela, que anduvo enamorado locamente de una alta dama de la Corte, que a su vez le correspondía; pero cierta indiscreción del amante, que reveló su secreto a un amigo, suscitó el enojo de la dama, la cual le condenó a no comparecer ya más en su presencia. Se cree que, dolido por ello, Padrón fué a llorar su desventura en la soledad de los montes gallegos; otros suponen que entró en la Orden franciscana. En cuanto a la dama objeto de su pasión, se ha indicado el nombre de la reina doña Juana, madre de la Beltraneja [23].

Padrón escribió un *Triunfo de las donas* en alabanza de las mujeres y refutación del *Corbaccio*; una *Cadira* del honor, apología de la nobleza, y *El siervo libre de amor*, que es su mejor obra y la única por la que merece figurar en la historia de las letras castellanas. Está dividida en dos partes: la primera, de carácter al parecer autobiográfico, nos cuenta los amores del poeta por una dama, quien, al enterarse de que los ha confiado a un amigo, lo despide; la segunda está constituída por una novela caballeresco-sentimental, la *Estoria de los dos amadores Ardanlier y Liesa*, que si por un lado recuerda los libros de caballerías (hay un episodio muy parecido al del *Paso honroso*), por otro anuncia la novela pastoril. Padrón, sin embargo, está aún muy cerca de la tradición amorosa provenzal; de ésta toma los tópicos de elección de dama casada y la revelación del secreto amoroso.

Tradujo Padrón algunos fragmentos de las *Heroidas* de Ovidio, y nos dejó una producción lírica exigua y mediocre: unas veinte composiciones de corte trovadoresco. Se le atribuyen también los romances del «Conde Arnaldos», «La infantina» y «Rosa florida», y si tuviera fundamento sólido tal atribución, más merecería recordarse por autor de estas tres joyas de nuestro Romancero que por todo el resto de su obra.

Diego San Pedro

La mejor muestra del género es la *Cárcel de amor*, del bachiller DIEGO DE SAN PEDRO [24]. Se publicó en 1492; pero un año antes había aparecido el *Tratado de los amores de Arnalte y Lucenda*

(1491), del mismo autor, que es un anticipo de aquélla. Arnalte requiere de amores a Lucenda, y, al no recibir respuesta favorable, confía su pasión a un amigo, Gerso. Este casa con la dama, y Arnalte, considerándole traidor, le desafía. La dama se acoge a un convento, y Arnalte se retira a un castillo, que le servirá de sepultura.

La *Cárcel de amor* se inicia con unos motivos de carácter alegórico, para dar paso pronto al relato de los desgraciados amores entre Laureola y Leriano. Calumniada aquélla por un rival de su amante, y en la creencia de que ha cometido actos atentatorios contra el honor, es condenada a muerte por su mismo padre. Leriano se las arregla para liberarla antes que se cumpla la sentencia; pero cuando el lector espera que la trama se resuelva felizmente, Diego de San Pedro, que rehuye los finales placenteros, la orienta hacia un desenlace fatal. Laureola, a pesar de amar a Leriano, lo rechaza para no dar pábulo a los rumores calumniosos que sobre ella se han divulgado, y el amante, comprendiendo las razones de la dama, se deja morir de hambre, mientras va bebiendo en una copa los pedazos de la última carta de Laureola. Antes de llegar a esta extrema resolución, Leriano hace un discurso en defensa de las mujeres. La novela, por tanto, ofrece triple y hasta cuádruple entronque: al principio, con el género alegórico; luego, en la marcha de Leriano a la Corte, su estancia en ella, su desafío, encarcelamiento de la dama y liberación, etc., con el caballeresco; la correspondencia epistolar entre los dos amantes nos da el elemento psicológico, y la disertación final, la tendencia feminista. Esta última refleja detenidas lecturas del *Corbaccio* por parte del autor. Los argumentos que emplean Teseo y Leriano en vituperio y alabanza, respectivamente, de la mujer, son casi los mismos que habíamos encontrado ya en Juan Rodríguez de la Cámara.

Tiene la *Cárcel de amor* una novedad: el empleo de la forma epistolar, sin duda inspirada en Eneas Silvio. La misma técnica aplicará luego Juan de Segura en su *Proceso de cartas de amores*. El estilo es una muestra más de su época: prosa elaborada, retórica, con profusión de similicadencias, hipérbaton retorcido, verbos clausurando la frase, etc. Pero sin llegar a las extravagancias que hacen tan ingrata la lectura de tantas obras de aquel tiempo.

La *Cárcel de amor* tuvo gran éxito al publicarse y también en los dos siglos siguientes. Influyó no sólo en España, sino en el extranjero. Fué traducida al francés por Herberay des Essarts; al inglés, por C. Holyband; al italiano, por B. Maraffi. Fué imitada, entre otros, por Juan de Lucena (*Repetición de amores*), por Cervantes (en algunas novelas episódicas del *Quijote*), y por Fernando de Rojas en la *Celestina* (llanto de los padres de Melibea).

Diego de San Pedro escribió otras obras: un *Sermón*, que sirvió de modelo a una farsa de Cristóbal de Castillejo; una *Egloga pastoral*, hoy perdida; un poema, *Desprecio de fortuna*, y algunas composiciones breves que, como el anterior, figuran en el *Cancionero general*.

Flores y la decadencia del género

Otra afortunada muestra de la novela sentimental, quizá la más lograda después de la *Cárcel de amor*, es la *Historia de Grisel y Miravella, con la disputa de Torrellas y Braçayda* (Lérida, 1495), de JUAN DE FLORES[25]. Ofrece la particularidad de fundir las dos corrientes de la novela boccacciana, la psicológico-sentimental y la misógina: fusión que apuntaba ya en la *Cárcel de amor*. El relato de Flores—que puede dividirse en dos partes: amores trágicos de Grisel y Mirabella; disputa casuística sobre las mujeres, con el triunfo de Torrellas—tiene un argumento sencillo.

Enterado el rey de Escocia de los amores de su hija Marabella con Grisel, decide castigar al más culpable de los dos. Como ambos enamorados recaban para sí toda la culpabilidad, se acuerda nombrar dos jueces, Brasaida y Torrellas. Vence éste, que inculpa de todo mal a la mujer, y, en consecuencia, resulta condenada Mirabella. Grisel se arroja a las llamas para no presenciar el suplicio de su amada, y ésta se echa al patio de los leones del rey. Las damas de la reina dan muerte a Torrellas en venganza de las sátiras que ha escrito contra las mujeres.

También la *Historia de Grisel y Miravella*, como la *Cárcel de amor*, tuvo éxito inmediato; fué traducida a varias lenguas—francés, inglés e italiano—, sirviendo de texto para aprender el español en ediciones bilingües, e influyó en Ariosto (*Orlando furioso*), Lope de Vega (*La ley ejecutada*), Fletcher (*Women pleased*) y Scudéry (*Le prince deguisé*).

La otra novela de Flores, *Breve tratado de Grimalte y Gradisa* (Lérida, 1495), marca una especie de conversión de lo sentimental a lo ascético, ya bien acusada en algunas obras anteriores, y se puede considerar una continuación de la *Fiammetta*, con no pocos elementos del género caballeresco.

Véase el argumento:

Grimalte, enamorado de Gradisa, busca por su encargo a Fiammetta, que, refugiada en Florencia, trata inútilmente de recobrar el amor de Pánfilo. Este rehusa, y Fiammetta muere de dolor y de desesperación. Grimalte desafía a Pánfilo como causante de la muerte de aquélla, pero Pánfilo rechaza el desafío y se retira a la vida penitente. Gradisa incita a su amante a que le desafíe de nuevo, y, tras una peregrinación de veintisiete años, le encuentra en Asia entregado a los más duros sacrificios. Grimalte queda haciéndole compañía, y con la aparición de Fiammetta, condenada por su impenitencia, termina la novela.

La monotonía de los temas provoca la decadencia del género, que pronto empieza a agonizar o, más bien, a transformarse en otro tipo de novela, la bizantina. Con el genio creador de Cervantes recibirá nueva savia, al quedar incorporada a *Don Quijote*, en los episodios de Luscinda, Cardenio, Dorotea y don Fernando. En otro aspecto evolucionará mediante la aplicación de soluciones trágicas, como ocurre en la *Selva de aventuras*, de Jerónimo Contreras, hasta desembocar con el mismo Cervantes en obras de más sencilla trama y más felices desenlaces. Pero todo ello ya no corresponde al siglo xv, sino a una época posterior. Al estudiar la novela en la segunda mitad del siglo xvi y primera del xvii volveremos a insistir en este entronque de lo psicológico-sentimental con lo bizantino, cuyas últimas manifestaciones son el *Proceso de cartas de amores* (Alcalá, 1548), del citado Juan de Segura, y la *Historia de los amores de Peregrino y Ginebra* (Sevilla, 1527).

II. OTRAS FORMAS NOVELESCAS DEL XV

Están representadas por algunas colecciones de influencia eclesiástico-oriental, calcadas todavía en módulos de la época anterior; alguna que otra manifestación de relato novelesco, basado en tradiciones y leyendas; y varias obras de contenido feminista o antifeminista, entre las que sólo hay una realmente estimable: el *Corbacho*, del Arcipreste de Talavera.

Colecciones de apólogos

Entre 1400 y 1420 empezó a circular una colección de 69 apólogos, traducidos de las *Narraciones* del monje inglés Odo de Cheriton. Su título, *Libro de los gatos*, probablemente deriva de un error de lectura: gatos por cuentos. Escaso interés tienen estos apólogos en sí mismos, ya que la mayor parte son versiones de fábulas esópicas o derivaciones del *Calila e Dimna*; sí lo tiene, en cambio, y muy grande, el tono de sátira violenta que informa todo el libro, en el que se vapulea duramente a todos los estados sociales, en especial al religioso. Por este tono recuerda más al Ayala del *Rimado de Palacio* que al Arcipreste de Hita del *Libro de buen amor*.

Al mismo tipo pertenece el *Libro de los exemplos o Suma de exemplos por A. B. C.*, del arcediano de Valderas (León) CLEMENTE SÁNCHEZ VER-

CIAL (1370-1426). En forma esquemática recopila
467 cuentos de diversas procedencias. No se trata de
una traducción más de alguno de aquellos *Alpha-
beta exemplorum,* tan frecuentes en la Edad Media, sino de una obra que, al menos en su exposición y estructura, tiene cierta originalidad. Cada
exemplo va precedido de una sentencia latina, traducida luego en verso. El estilo es de gran claridad
y sencillez. El *Libro* de Vercial fué publicado por
Gayangos, y luego, más completo, por Morel-Fatio.
Es autor también Sánchez Vercial de un manual
litúrgico, *Sacramental,* muy divulgado todavía en el
siglo XVI.

Interesante mezcla de relatos orientales, parábolas bíblicas, anécdotas de la historia romana y episodios tomados de las vidas y obras de los Santos
Padres, nos ofrece el *Espéculo de los legos,* manuscrito inédito de autor anónimo, que se limitó a traducir el *Speculum laicorum,* obra atribuída al inglés John Hoveden. Consta de 91 capítulos, y por
su fondo ascético parece destinado, al igual que el
Libro de los exemplos, al servicio de los predicadores.

Relato histórico

La narración de fondo histórico, sería demasiado pretencioso llamarla novela, no tiene en el siglo XV otra manifestación literaria que la *Crónica
sarracina* o *Crónica del Rey Rodrigo con la destrucción de España,* redactada hacia 1443 por PE-
DRO DEL CORRAL [26] y no impresa hasta medio siglo
después (¿Sevilla?, 1499). Su autor, con una inocente superchería, que luego habían de imitar otros,
entre ellos Ordóñez de Montalvo en el *Amadís* y
Cervantes en el *Quijote,* atribuye su libro a los fabulosos Eleastras, Alanzuri y Calestres. La verdad
es que la tomó básicamente de la *Crónica del moro
Rasís;* que amplificó ésta monstruosamente con elementos de la *Crónica troyana* y tal vez también de
algún cantar sobre el último rey godo, ya perdido;
y que, aderezándola de paso con no pocas cosas
de propia invención, supo componer una obra amena y novelesca, que fué muy del agrado de los españoles y extranjeros durante largo tiempo. De ella
derivan los romances de don Rodrigo tenidos por
viejos; y el mismo Padre Mariana la aprovechó
para su *Historia.* Pero la mayor parte de la literatura posterior sobre este tema no procede directamente del libro de Corral, sino de una suplantación
tardía, la *Verdadera historia del rey don Rodrigo
y de la pérdida de España* (Granada, 1592), atribuída a Abulcásim Taric Abentarique por su verdadero autor, el morisco granadino Miguel de Luna.

Renunciamos a extractar el asunto de la *Crónica
sarracina,* que en lo fundamental ya quedó expuesto en el capítulo II, al estudiar los ciclos épicos.
En la segunda parte figura la fabulosa historia del
origen de don Pelayo y amores de sus padres, tema
tratado luego reiteradamente, entre otros, por Cris-

tóbal Lozano, Zorrilla y Hartzenbusch. Lope de
Vega y Walter Scott, en cambio, se inspiraron en
el insulso libro de Luna; W. Irving, en Luna y
Corral; Roberto Southey también tuvo presente a
éste para su poema *Rodrigo, el último godo* (1815),
considerado por Menéndez Pelayo «el mejor de
cuantos se han dedicado a este argumento de nuestra historia».

El «Corbacho», del Arcipreste de Talavera

Aludidos ya anteriormente el libro de *Las claras
y virtuosas mujeres,* de don Alvaro de Luna, y el
Triunfo de las donas, de Rodríguez de la Cámara,
sólo nos resta, al tratar de la literatura feminista y
antifeminista, una singular alusión a ALFONSO
MARTÍNEZ DE TOLEDO (¿1398-1470?), más conocido
como «Arcipreste de Talavera» [27].

Ni las *Vidas de San Isidoro* y *San Yldefonso,* ni
su obra histórica *Atalaya de las Crónicas,* tienen
suficiente valor literario para recabar un puesto,
siquiera mediano, en la literatura del XV. En cambio, lo exige, y muy destacado, por su célebre *Corbacho* o *Reprobación del amor mundano* (Sevilla,
1498), que así se viene llamando al libro que él escribió sobre «los vicios de las malas mujeres e
complexiones de los hombres», y que, siguiendo el
ejemplo del otro famoso Arcipreste, con quien tantas analogías tiene, no quiso titular. «Sin bautismo
sea por nombre llamado Arcipreste de Talavera,
donde quier que fuere levado». El *Corbacho* no
tiene con la obra boccacciana, aunque otra cosa
parezca, más relación que la identidad de título,
que ya hemos dicho que no le fué puesto por su
autor; en cambio, acusa influencias del Arcipreste
de Hita y del catalán Francisco Eximenis. Tampoco se puede considerar un alegato en favor del sexo
femenino o una diatriba contra él, al modo de las
obras de Torrellas, Juan Rodríguez del Padrón o
don Alvaro de Luna. Hay sátira femenina; pero
es una sátira amable, simpática, como la de Juan
Ruiz. Casi se puede decir que el autor se recrea y
divierte en las mismas costumbres que describe.

Consta la obra de cuatro partes: *a)* exposición
doctrinal sobre los pecados que engendra el amor
mundano (verdadero tratado contra la lujuria inspirado en Gerson); *b)* sátira festiva contra las «malas e viciosas mujeres»; *c)* tratado psicobiológico
en que se establecen paralelos entre el amor y el
temperamento de los hombres; *d)* disquisición en
defensa del libre albedrío. La única parte novelesca
y de positivo interés es la segunda. En ella se nos
ofrecen con la más fina ironía cuadros familiares,
que tienden a poner de manifiesto las trazas de las
mujeres, los ardides y medios de que se valen para
el logro de sus propósitos. Lo que da relieve a la
obra, dentro de la literatura un poco monótona de
aquel tiempo, es el estilo. El Arcipreste de Talavera, como su predecesor el de Hita, conoce todos los

resortes del idioma y los aplica con una maestría pocas veces igualada: diálogos chispeantes, monólogos llenos de ingenio y que revelan un hondo conocimiento de la psicología humana; elipsis, giros y modismos del pueblo, enumeraciones, refranes, etcétera. Pero al lado de este lenguaje, cuya nota fundamental es la abundancia y verbosidad, el Arcipreste de Talavera no olvida su formación humanística ni la tendencia latinizante de la época; y así, su exposición se desarrolla en un doble plano estilístico: el culto, plagado de neologismos, similicadencias, transposiciones; el vulgar, con su animada verborrea, sus gritos, sus exclamaciones, sus modismos tomados directamente de la calle. En este sentido, el *Corbacho* es un documento inapreciable para el estudio de la lengua, sirviendo de antecedente inmediato a la *Celestina* y al *Lazarillo de Tormes*.

NOTAS

1. Tal sucede con el *Cuento del Emperador Ottas, et de la infanta Florencia su hija et del buen caballero Esmere* y con el *Cuento de la Santa Emperatriz que ovo Roma et de su grant castidad*. Ambos de amplia derivación en todas las literaturas, tratan el tema que A. Wallensköld ha estudiado bajo el título de *Cuento de la mujer casta deseada por su cuñado*.

2. He aquí la pintura de don Pedro: «E fué el rey don Pedro asaz grande de cuerpo, e blanco e rubio, e ceceaba un poco en la fabla. Era muy temprado e bien acostumbrado en el comer e beber. Dormía poco e amó mucho mujeres. Fué muy trabajador en guerra. Fué cobdicioso de allegar tesoros e joyas... e mató muchos en su regno, por lo qual el vino todo el daño que avedes oido. Por ende diremos aquí lo que dijo el profeta David: Agora los reyes aprended a ser castigados todos los que juzguedes el mundo, ca gran juicio e maravilloso fué éste e muy espantable.»

3. *Relación fidelísima de su linaje*.

4. *Antología de poetas líricos castellanos*, vol. I, página 350 (C. S. I. C.).

5. Desconocidas las fechas precisas de su nacimiento y muerte. Foulché-Delbosch, analizando documentos aportados por Amador de los Ríos, da para su nacimiento la de 1377-1379, y para su defunción, la de 1460. El dato de su vida más antiguo que conocemos con certeza es el que nos lo presenta como partidario del infante don Enrique de Aragón en 1419. Fracasado el infante, se retira Fernán Pérez a su señorío de Batres; pero todavía lo encontramos en 1431 en la batalla de Higueruela. Al año siguiente, acusado por tratos en «deservicio del rey de Castilla con los reyes de Aragón y Navarra», es acusado junto con el obispo de Palencia y otros supuestos conjurados. Obtiene la libertad por intervención del Papa y por falta de pruebas, y se retira definitivamente a su señorío de Batres, donde permanece entregado al estudio hasta su muerte. Sostuvo correspondencia con los más doctos varones de su tiempo, entre ellos con el obispo de Burgos don Alonso de Cartagena, de quien dice en las *Coplas* a su muerte que fué

«la fontana clara y fría
donde yo la grand sed mía
de preguntar saciaba».

Si se interpreta al pie de la letra un pasaje de los *Loores de los claros varones de España* hay que deducir que estuvo en Aviñón siendo muchacho.

6. Tampoco nos constan, como en el caso de Pérez de Guzmán, las fechas del nacimiento y de la muerte. Por razones que luego diremos, Pulgar debió de nacer antes de 1438. Se crió en las Cortes de Juan II y Enrique IV. Su educación fué esmerada. Gran conocedor de las intrigas palaciegas, pudo comentar sabrosamente las *Coplas de Mingo Revulgo*, si es que no son obra suya, como algunos opinan. Desempeñó misiones diplomáticas en Francia e Italia y ostentó el cargo de «Secretario e cronista» de los Reyes Católicos. Dudosas las fechas de su nacimiento y

muerte, no lo es su naturaleza. Sabemos que era castellano, probablemente de Toledo. En la dedicatoria de sus *Claros varones* se lee: «Movido por aquel amor de mi tierra que los otros ovieron de la suya, me dispuse a escrevir de algunos claros varones, perlados e cavalleros, naturales de los vuestros reinos, que yo conoscí e comuniqué.» Domínguez Bordona sitúa la fecha de nacimiento de Pulgar entre 1442 y 1454. Hipótesis inadmisible por varias razones: *a*) en 1463, o antes, según Alonso de Palencia, había sido enviado como embajador del rey de Castilla a la Corte de Francia; *b*) en 1481, solicitado por los Reyes Católicos desde el retiro en que se encontraba para escribir la *Crónica*, se llama a sí mismo «hombre viejo»; *c*) por las mismas fechas, o poco después, escribe a su hija monja, le recuerda la buena crianza que él y su mujer le dieron y le ruega que les pague en oraciones «agora que somos viejos». ¿Cómo podría desempeñar tal misión a los veinte años, ni llamarse «viejo» a los cuarenta?

7. *Teatro crítico de la elocuencia española*, Madrid, 1780-94, cinco vols.

8. Segoviano. Capellán, consejero y embajador en ocasiones de Enrique IV, a quien fué siempre leal. Cayó preso en la batalla de Olmedo. Su parcialidad se refleja en esta breve referencia que nos da del lamentable reinado de su señor: «Andaba el rey muy poderoso por su reino; todos los suyos, ricos, contentos y ganosos de su servicio; la Justicia, bien administrada en su Consejo, donde se oían las causas de Corte, y en la Chancillería, donde pendían los pleitos, tenía perlados, presidentes, letrados famosos de conciencia, donde se descubría la verdad y por ninguna cosa se torcía la justicia.»

9. Natural de Osma (Soria). Familiar de Alonso de Cartagena, estudió en Italia, y, a su regreso, sucedió a Mena en el cargo de secretario de cartas latinas y cronista. Abandonó el partido de don Enrique e intervino en los conciertos matrimoniales de Fernando de Aragón e Isabel de Castilla.

10. He aquí los retratos que nos dan uno y otro de Enrique IV: «Era persona de larga estatura y espeso en el cuerpo, y de fuertes miembros; tenía las manos grandes y los dedos fuertes y recios; el aspecto, feroz, casi a semejanza del león, cuyo acatamiento pone temor a los que miraba; las narices, romas e muy llanas, no que así nasciese, mas porque en su niñez rescibió lisión en ellas; los ojos, garzos e algo esparcidos; encarnizados los párpados; donde ponía la vista, mucho le duraba el mirar; la cabeza, grande y muy redonda; la frente, ancha; las cejas, altas; las sienes, sumidas; las quixadas, luengas y tendidas a la parte de yuso; los dientes, espesos y traspellados; los cabellos, rubios; la barba, luenga e pocas veces afeitada... Era de singular ingenio y de gran apariencia, pero bien razonado, honesto y mesurado en su habla.» Así Enríquez del Castillo. Oigamos ahora a Palencia: «Sus ojos, siempre inquietos en el mirar, revelaban en su movilidad excesiva la suspicacia o la amenaza; que su aplastada nariz (por accidente) le daba gran semejanza con el mono; que afeaban el rostro los anchos pómulos, y que la barba larga y saliente hacía parecer cóncavo el perfil de la cara, cual si se hubiese arrancado algo de su rostro.»

11. Nació probablemente en Cuenca; fué doncel de Juan II y del príncipe don Enrique; asistió a la batalla de la Higueruela (1431); armado caballero en el sitio de Huelma (1433); comenzó a viajar por Europa; en Bohemia combatió contra los husitas, siendo muy honrado por el rey Alberto. Representó a Juan II en Dinamarca, Inglaterra, Borgoña y Francia. Intervino en política, declarándose siempre enemigo acérrimo de don Alvaro de Luna. Fué corregidor de Palencia y de Segovia. Partidario de doña Isabel, de quien llegó a ser maestresala, murió en Puerto de Santa María, cuando desempeñaba el cargo de alcaide de aquel castillo (¿1488?). Su apellido paterno era García Chirino, y el materno, López; pero, debidamente autorizado por Juan II, firmó siempre Diego de Valera.

12. Fué capellán del arzobispo de Sevilla don Diego de Deza y cura de los Palacios entre 1488 y 1513. Debió de nacer en los últimos años del reinado de Juan II.

13. Vecino de Salamanca y familiar del duque de Alba. Se ignora la fecha de su nacimiento.

14. Con González de Clavijo formaban la embajada Alonso Pérez de Santamaría y Gómez de Salazar. Salieron de Madrid en 1403 y regresaron de los primeros —Clavijo y Santamaría— en 1406. Salazar murió en camino. Clavijo era madrileño.

15. Cordobés. Militó en la frontera de Jaén. Fué familiar de Juan II, caballero de la Orden de la Escama y Veinticuatro de Córdoba. El viaje lo realizó entre 1435 y 1439.

16. Los señores Hurtado y González Palencia dan so-

bre este memorable suceso los siguientes detalles: «El Caballero Suero de Quiñones, joven de veinticuatro años, había hecho la promesa de llevar al cuello, todos los jueves, una argolla en señal de cautiverio amoroso en que le tenía su dama, que no se nombra; y para librarse de ello se comprometió a defender, en unión de otros nueve compañeros de armas, el puente de San Marcos de Orbigo, a seis leguas de León, desde el 10 de julio de 1439 al 9 de agosto siguiente.» La comida y estancia de los que concurrían a la liza era costeada por la familia de Quiñones; se anunció el torneo en España y en el extranjero, invitando a todo el que quisiera acudir a él, con excepción de don Alvaro de Luna y el rey de Castilla. Inauguró los combates un justador alemán, Micer Arnaldo de la Floresta Bermeja, y contendieron 68 caballeros nacionales y de fuera. Todos los compañeros de Quiñones resultaron heridos, y un aragonés, Esberte de Claramonte, muerto. Se celebraron hasta 700 combates; y es muy curioso el voto que hizo otro aragonés, mosén Francés Davío, de no amar más a ninguna monja, voto que, por lo que supone de ofensa a la religión, suscitó las más vivas protestas del cronista. Mientras duró el Passo, Quiñones ayunaba todos los martes en obsequio de la Virgen y de su dama y sus compañeros oían misa a diario.

17. No fué nunca marqués, aunque se le ha venido dando este título, ni condestable, ni siquiera conde de Cangas de Tineo, nombramiento que le fué otorgado por Enrique III. Después de un divorcio escandaloso en 1414, «todo se había ido en humo: marquesado, condado y maestrazgo». Muerto el rey, su protector, se retiró al señorío de Iniesta y a la villa de Torralba, no suya, sino de su mujer, donde las letras, la alquimia y las ciencias ocultas ocuparon sus últimos años, que la desmedida glotonería y afición a los placeres debieron de acortar. Murió en Madrid (1434). Pérez de Guzmán escribió de él: «Aunque fué tan grand letrado, supo muy poco de lo que le cumplía.»

18. A ello alude Mena en el Laberinto:

«Perdió los tus libros sin ser conocidos,
e como en exequias te fueron ya luego
unos metidos al ávido fuego,
e otros sin orden no bien repartidos.»

19. «Pocos fallo que de las mías se paguen obras», nos dice en su enrevesado estilo.

20. La leyenda del marqués de Villena entró en la literatura e inspiró, entre otras obras, La cueva de Salamanca, de Ruiz de Alarcón; Lo que quería ver el marqués de Villena, de Rojas Zorrilla; La visita de los chistes, de Quevedo y La redoma encantada, de Hartzenbusch.

21. Sobre ello volveremos en el capítulo dedicado a la Lírica petrarquista. Alfonso de la Torre nació probablemente en Burgos. Las fuentes de sus obras fueron estudiadas por el notable hispanista Crawford.

22. Se ignoran las fechas de nacimiento y muerte. Sólo se sabe que vivía en 1440. Probablemente fué paje de Juan II, y se supone que, estando al servicio del cardenal Cervantes, asistió con él al Concilio de Basilea.

23. Lo absurdo de tal hipótesis se demuestra con sólo pensar que el rey se casó en 1452, y la obra estaba compuesta doce años antes. Los fautores de la leyenda no se pararon en barras, y hacen luego a nuestro poeta amante de la reina de Francia. Pasa por último a Inglaterra, donde unos caballeros franceses lo asesinan para vengar así la afrenta de su señor.

24. Tampoco sabemos qué año nació ni qué año murió. Cotarelo conjetura que fué de origen judío; estaba al servicio de don Pedro Girón, maestre de Calatrava, en 1459; regía como teniente la villa de Peñafiel en 1466. Debió de morir a últimos del xv. Como curiosidad citemos una continuación de la Cárcel de amor, hecha por un tal Nicolás Núñez. Laureola se lamenta en ella por la muerte de Leriano, y éste se le aparece en sueños, consolándola.

25. Nació en Lérida, probablemente entre 1465 y 1470. Ha sido incluído en el Catálogo de autoridades, de la Real Academia Española.

26. Se carece de referencias biográficas de este escritor. Se ha supuesto que fué hermano del aventurero Rodrigo de Villandrando, que vivió durante la primera mitad del xv. Pérez de Guzmán califica la Crónica sarracina de «trufa o mentira paladina», y al autor, de «liviano y presuncioso hombre».

27. Se sabe que fué bachiller en Decretos, que vivió largo tiempo en Aragón y en Barcelona, que fué capellán de los Reyes Viejos y racionero de la catedral de Toledo, su ciudad natal, y arcipreste de Talavera con anterioridad a 1436.

28. He aquí una muestra de su estilo:

«Dó mi gallina la rubia, la de la calza bermeja, o la de la cresta partida, cenicienta oscura, cuello de pavo, con la calza morada, ponedor de huevos. ¿Quién me la hurtó? Hurtada sea su vida. ¿Quién menos me hizo de ella? Menos se le tornen los días de la vida...?» En cuanto al título de la obra, escribe el prof. Dámaso Alonso: «No hay ni que decir que el título de Corbacho con que se ha conocido mucho tiempo el libro del Arcipreste de Talavera es una perfecta estupidez mantenida por la rutina. El mismo Farinelli tuvo que confesar, después de minucioso cotejo con el Corbaccio boccacciano, la originalidad del Arcipreste de Talavera.» (De los siglos oscuros al de oro, pág. 128.)

BIBLIOGRAFIA

Generalidades

Además de la bibliografía que figura en los capítulos correspondientes a la poesía del siglo xv, consúltense las siguientes obras:

FREDERICK BLISS LUQUIENS: The Roman de la Rose and Medieval Castilian Literature, «Romansche Forschungen», XX, 1907.—ERNEST ROBERT CURTIUS: Literatura europea y Edad Media latina, 2 vols., trad. de Margit Frenk y Antonio Alatorre, Méjico, 1955.—J. DOMÍNGUEZ BORDONA: La prosa castellana en el siglo XV, «Hist. Gen. Lit. Hispánicas», II, Madrid-Barcelona, 1951.—H. GAVEL: Essai sur l'évolution de la pronunciation du castillan depuis le XIVe siècle, París, 1920.—J. TERLINGEN: Los italianismos en español desde la formación del idioma hasta principios del siglo XVII, Amsterdam, 1943.

A) Historia

GEORGE CIROT: Les histoires générales d'Espagne, Burdeos, 1922.—GODOY ALCÁNTARA; Los falsos cronicones, Madrid, 1867.—M. MENÉNDEZ PELAYO: La historia considerada como obra artística, «Est. y disc. de crít. hist. y lit.», vol. VII, Madrid, 1942.—JOSÉ LUIS ROMERO: Sobre la biografía española del siglo XV y los ideales de vida, «Cuadernos de H. de España», Buenos Aires, 1944.—B. SÁNCHEZ ALONSO: Historia de la historiografía española, vol. I, Madrid, 1931.

I. GEORGE CIROT: Le témoignage de López de Ayala au sujet de don Fadrique frère de Pierre le Cruel, «Hispania», París, 1922.—JUAN DE CONTRERAS (Marqués de Lozoya): El cronista don Pedro López de Ayala y la historiografía portuguesa, «Bol. Acad. Historia», Madrid, 1933; Biografía del Canciller Don Pero López de Ayala, Vitoria, 1932.—M. DÍAZ DE ARCAYA: El Gran Canciller don Pero López de Ayala. Su estirpe, casa, vida y obras. Vitoria, 1900.—GUILLERMO DÍAZ PLAJA: Prólogo y notas a la edición de la Crónica de Pedro I, «Las cien mejores obras de la literatura española», vol. XCVIII, Madrid, C. I. A. P.—U. J. ENTWISTLE: The «Romancero» del rey don Pedro in Ayala and the «Cuarta Crónica General», «Modern Lang. Review», vol. XXV, 1930.—RAFAEL FLORANES: Vida literaria del Canciller P. López de Ayala, «Documentos inéditos para la historia de España», vols. XIX y XX.—EDUARD FUETER: Ayala und die Chronik Peters des Grausamen, 1905.—ALBERT F. KUERSTEINER: Poesías del Canciller P. López de Ayala, edic. y prólogo de..., 2 vols., Nueva York, 1920.—FRANCISCO MEREGALLI: La vida política del Canciller Ayala, Varese-Milán, 1955.—H. PETRICONI: La historia de don Pedro I, de Mérimée, y la Crónica del C. Pero López de Ayala, «Investigación y Progreso», 1931.—CLAUDIO SÁNCHEZ ALBORNOZ: El Canciller Ayala, historiador, «Rev. de la Fac. de Filosofía y Letras de la Univ. de Tucumán», I, núm. 2, 1953.—GONZALO TORRENTE BALLESTER: El Canciller Ayala: Crónicas y Antología, 2 tomos, Edit. Nacional, Madrid. Véase más bibliografía de Ayala en cap. VI, pág. 97.

II. CARLOS CLAVERÍA: Notas sobre la caracterización de los personajes en «Generaciones y semblanzas», «Anales de la Univ. de Murcia», X, 1951-52.—R. FOULCHÉ-DELBOSCH: Etude bibliographique sur F. Pérez de Guzmán, «Rev. Hispanique», XVI, 1906.—FRANCISCO LÓPEZ ESTRADA: La retórica en las «Generaciones y semblanzas» de F. Pérez de Guzmán, «Rev. Fil. Esp.», XXX, 1946.—JOSÉ LUIS ROMERO: F. Pérez de Guzmán y su actitud histórica, «Cuad. de Hist. de España», Buenos Aires, 1945.

J. DOMÍNGUEZ BORDONA: Fernán Pérez de Guzmán: Generaciones y semblanzas, ed. y notas de..., Clás. Castellanos, núm. 61, Madrid, 1941.—FERNANDO DEL PULGAR: Claros varones de Castilla, ed. y notas de..., Clás. Castellanos, núm. 49, Madrid, 1942.

A. BONILLA Y SAN MARTÍN: Anales de la literatura española, Madrid, 1904.—CARLOS CAMBRONERO: Cosas de antaño, «Rev. Contemporánea», IV, Madrid, 1893.—FRANCISCO CANTERA BURGOS: Alvar García de Santa María. Historia de la Judería de Bu´gos y de sus conversos más egregios, Madrid, C. S. I. C., 1952; Alvar García de Santa María, cronista de Juan II de Castilla, Madrid, C. Bermejo, 1951.

A. BONILLA SAN MARTÍN: Nuevos datos acerca de mosén Diego de Valera, «Bol. Bibl. M. Pelayo», núms. 4, 5 y 6, Santander.—A. GONZÁLEZ PALENCIA: Mosén Diego de Valera en Cuenca, «Moros y Cristianos», Madrid, C. S. I. C., 1945; Alonso Chirino´, médico de Juan II y padre de M. Diego de Valera, «Bol. B. M. Pelayo», Santander, 1926.—MARQUÉS DE LAURENCÍN: M. Diego de Valera y «El árbol de las batallas», «Bol. R. Acad. Hist.», LXXVI, Madrid, 1920.—JUAN DE LA MATA CARRIAZO: Mosén Diego de Valera: Crónica de los Reyes Católicos, ed. y estudio por..., anejo «Rev. Fil. Española», Madrid.—S. DE MELGAR: Sobre M. Diego de Valera. Notas y documentos inéditos, «Rev. Ateneo de Jerez», IX, 1932.—LUCAS DE TORRE: Mosén Diego de Valera. Apuntaciones biográficas, Madrid, Imp. Fortanet, 1914.

III. DIEGO CATALÁN: Un cronista anónimo del siglo XIV. La Gran Crónica de Alfonso XI. Hallazgo, estilo, reconstrucción, La Laguna, 1955.

GREGORIO MARAÑÓN: Ensayo biológico sobre Enrique IV de Castilla y su tiempo, Madrid, Colec. Austral, 1930.—JUAN DE LA MATA CARRIAZO: Crónica de Don Alvaro de Luna, Condestable de Castilla, ed. y estudio por..., Madrid, Espasa-Calpe, 1940; Crónica de los Reyes Católicos, de Alonso de Santa Cruz, ed. y estudio por..., 2 vols., Sevilla, 1951.—OCTAVIO DE MEDEIROS: Andrés Bernáldez. Antología, Madrid, Edit. Nacional.—JULIO PUYOL ALONSO: Los cronistas de Enrique IV, Madrid, Edit. Reus, 1921.—JUAN BLAS SITGES: Don Enrique IV y la Excelente Señora, Madrid, 1912.—JUAN TORRES FONTES: Estudio sobre la «Crónica de Enrique IV» del Doctor Galíndez de Carvajal, Murcia, 1946.

GEORGE CIROT: Les «Décadas» d'Alfonso de Palencia, «Bull. Hisp.», XI, 1909.—A. M. FABIE: Dos tratados de A. de Palencia, estudio de..., Madrid, 1876.—W. L. HOLLAND: Fur geschichte Castillens, Bruchstücke aus der Chronik des Alonso de Palencia, Tubinga, 1850.—A. PAZ Y MELIÁ: El cronista Alonso de Palencia. Su vida, sus obras, sus «Décadas», pról. y notas por..., Madrid, 1914.

B. JOSÉ GALLARDO: Ensayo de una biblioteca de libros raros y curiosos, vol. IV, sobre Pablo de Santa María.—FRAY CRISTÓBAL SANTOTIS: Biografía de Pablo de Santa María, Burgos, 1591.

J. DE LA MATA CARRIAZO: Relación de los fechos del Condestable Miguel Lucas de Iranzo, ed. y estudio de..., Madrid, 1942.—A. GONZÁLEZ PALENCIA: Don Pedro Niño y el condado de Buelma, «Moros y Cristianos», Madrid, 1945.—LÓPEZ ESTRADA: Edición y estudio de la Historia del Gran Tamorlán.—JUAN DE LA MATA CARRIAZO: «El Victorial». Crónica de don Pedro Niño, Conde de Buelna, ed. y pról. de..., Madrid, Espasa-Calpe.—PEDRO RODRÍGUEZ DE LENA: A Critical Annotated Edition of «El Passo honroso», de Suero de Quiñones, Illinois Theses, 1930.

M. JIMÉNEZ DE LA ESPADA: Cuestión bibliográfica sobre el libro de Pero Tafur, «Rev. Contemporánea», IV; Andanzas y viajes de Pero Tafur, ed. y estudio de..., Madrid, 1874.—A. RODRÍGUEZ VILLA: Pero Tafur, «Rev. Europea», vol. II.—R. RAMÍREZ DE ARELLANO: Pero Tafur, «Bol. Real. Acad. Hist.», XLI, Madrid, 1902.—A. VASILIEV: Pero Tafur. A Spanish traveller of the fifteenth Century, «Byzantion», VII, 1932, págs. 75-122.

B) Lidáctica

E. COTARELO MORI: Vida y obras de don Enrique de Villena, Madrid, 1896.—TOMÁS CRAME: Don Enrique de Villena, Madrid, Edic. Atlas, 1944.—L. G. A. GETINO: Vida y obras de Fray Lope de Barrientos, Salmanca, 1927.—MÉNDEZ RAYÓN: La «Eneida», de Virgilio, traducida por don Enrique de Villena, «Rev. Ibérica», vol. I.—MARGHERITA MONREALE: «Los doce trabajos de Hércules», de E. de Villena. Un ensayo medieval de exégesis mitológica, «Rev. de Literatura», Madrid, 1954.—A. PAZ Y MELIÁ: Opúsculos literarios de los siglos XIV al XVI, Madrid, Soc. de Bibliófilos Españoles, 1892.—CONDE DE PUYMAIGRE: Don Enrique de Villena et sa bibliothèque, «Re-

vue des Questions Historiques», XI, París, 1872.—F. J. SÁNCHEZ CANTÓN: El «Arte de trovar», de don E. de Villena, estudio, texto y notas de..., «Rev. Fil. Esp.», VI, 1919, págs. 158-80.—MARIO SCHIFF: La première traduction espagnole de la «Divine Comédie», «Hom. a M. Pelayo», I, págs. 269-307.—M. SERRANO Y SANZ: El mágico Villena, «Rev. de España», CCLII.

J. P. W. CRAWFORD: The «Visión delectable» of Alfonso de la Torre and Maimónides. «Guide of the Perplexed», «Publ. of the Modern Languages», XXI, 1913; The seven Liberal Arts in the «Visión delectable», «The Romanic Review», IV, 1913, págs. 58-75.

M. CASTILLO: Alvaro de Luna. Libro de las claras e virtuosas mujeres, ed. crítica de..., Valencia.—LEÓN DE CORRAL: Don Alvaro de Luna, según testimonios inéditos de la época, Valladolid, 1915.—M. MENÉNDEZ PELAYO: Don Alvaro de Luna, «Est. y disc. de crit. hist. y liter.», VII, Madrid, 1942.—M. RIZZO: Alvaro de Luna, Madrid, 1685.—CÉSAR SILIÓ: Don Alvaro de Luna, Madrid, Espasa-Calpe, 1934.

ANÓNIMO: Vie de Charles de Navarre, prince de Viane, Lausanne, 1788.—M. BASELGA: Fragmentos inéditos para ilustrar la historia literaria del príncipe de Viana, «Rev. de Archivos», Madrid, 1897.—DESDEVISES DU DEZERT: Don Charles d'Aragon, prince de Viana, París, 1889.

P. ENRIQUE FLÓREZ: España sagrada, vol. XXIV, sobre A. de Cartagena.—CH. H. HASKINS: Some early treatises on Falconery, «Rom. Review», XIII, 1922.—J. M.ª MOHEDANO HERNÁNDEZ: El Espéculo de los legos, ed. y estudio de..., Madrid, C. S. I. C., 1951.—P. LUCIANO SERRANO: Los conversos don Pablo de Santa María y don Alonso de Cartagena, Madrid, 1942.

Consúltense, además, Generaciones y semblanzas y Claros varones de Castilla, de F. PÉREZ DE GUZMÁN y de HERNANDO DEL PULGAR, respectivamente.

C) Novela

BÁRBARA MATULKA: An Anti-Feminist Treatise of Fifteenth Century Spain: Lucena's «Repetición», Nueva York, 1931.—MARGHERITA MONREALE: El tratado de Juan de Lucena sobre la Felicidad, «N. Rev. Fil. Hisp.», Méjico, 1955.—JACOB ORNSTEIN: La misoginia y el profeminismo en la literatura castellana, «Rev. Fil. Hispánica», III, 1941.—AMEDE PAGES: Le thème de la tristesse amoureuse en France et en Espagne du XIVe au XVe siècle, «Romania», LVIII, 1932.—BERNARDO SANVISENTI: I primi influssi di Dante, del Petrarca e del Boccaccio sulla letteratura spagnuola, Milán, 1902.

I. PEDRO BACH Y RITA: The Works of Pere Torroella, a Catalan Writer of the Fifteenth Century, Nueva York, 1930.—CAROLINA BOURLAND: Boccaccio and the «Decameron» in Castilian, and Catalan Literature, «Revue Hispanique», XII, 1905, págs. 1-232.—CH. E. KANY: The Beginnings of the Epistolary Novel in France, Italy and Spain Berkeley, 1937.—ANNA KRAUSE: La novela sentimental: 1440-1513, Chicago, «Humanistic Theses», VI, 1929.—EUGENIO MELE: Torrellas e Pontano, «La Rinascita», I, Florencia, 1938.—M. MENÉNDEZ PELAYO: Novela sentimental, bizantina y de aventuras, «Orígenes de la novela», I, cap. IV.

M.ª ROSA LIDA: Juan Rodríguez del Padrón. Vida y obras, «N. Rev. Fil. Hisp.», Méjico, 1942.—P. A. LÓPEZ: La literatura crítico-histórica y el trovador Juan R. del Padrón, Santiago de Compostela, 1918.—M. LÓPEZ ATOCHA: Memoria doctoral acerca de Rodríguez del Padrón, Madrid, 1906.—CARLOS MARTÍNEZ BARBEITO: «Macías los enamorado» y Juan R. del Padrón. Estudio y antología, 1951.

ERASMO BUCETA: Algunas relaciones de la «Menina e Moça» con la literatura española y, sobre todo, con las novelas de Diego de San Pedro, «Rev. Ayuntamiento de Madrid», 1933.—E. COTARELO MORI: Nuevos y curiosos datos biográficos del famoso trovador y novelista D. de San Pedro, «Bol. R. Acad. Esp.», XIV, 1927.—A. GIAMINI: La «Cárcel de amor» y «El cortesano» de Castiglione, «Revue Hispanique», XLVI, 1919.—S. GILI GAYA: Diego de S. Pedro: Obras, ed., pról. y notas de..., Clásicos Castellanos, Madrid, 1950.—ANNA KRAUSE: El «Tractado» novelístico de Diego de San Pedro, «Bull. Hispanique», LIV, 1952; Apunte bibliográfico sobre Diego de S. Pedro, «Rev. Fil. Española», XXXVI, 1952.—ANTONIO PÉREZ GÓMEZ: «La Pasión trobada», de Diego de San Pedro, «Rev. de Literatura», Madrid, 19.2.—BRUCE W. WARDROPPER: El mundo sentimental de «La cárcel de amor», «Rev. Fil. Esp.», XXXVII, Madrid, 1953.—B. MA-

TULKA: *The novels of Juan de Flores and their european diffusion*, Nueva York, 1931.

II. JUAN MENÉNDEZ PIDAL: *Leyendas del último rey moro*, Madrid, 1906.—MARTÍN DE RIQUER: *El «Africa» de Petrarca y la «Crónica sarracina» de P. del Corral*, «Rev. Bibliografia Nac.», IV, Madrid, 1943.—JOAQUÍN DEL VAL: *Juan de Segura. Proceso de cartas de amores*, prólogo de..., Valencia, 1956.—ALEXANDRE HAGGERTY KRAPPE: *Les sources du «Libro de Exemplos», de Clemente Sánchez, Arcediano de Valderas*, «Bull. Hisp.», XXX, 1937.—*El «Libro de los Gatos»*, ed. crít. de John Esten Keller, «Clásicos Hispánicos», 1958.

DÁMASO ALONSO: *El Arcipreste de Talavera o medio camino entre moralista y novelista*, «De los siglos oscuros al de oro», Madrid, 1958.—LESLEY BYRD SIMPSON: *«El Arcipreste de Talavera, o sea El Corbacho», de A. Martínez de Toledo*, ed. crítica y estudio de..., «Univ. of California Press», 1939.—GEORGE CIROT: *Notes complémentaires sur l'Atalaya de l'Archiprêtre de Talavera,* «Bull. Hispanique», XXVIII, 1926.—ARTURO FARINELLI: *Note sulla fortuna del «Corbaccio» nella Spagna medievale*, Hom. a A. Mussafia, Halle, 1905.—V. GARCÍA REY: *El Arcipreste de Talavera*, «Rev. Ayunt. de Madrid», 1928.—JOAQUÍN GONZÁLEZ MUELA: *El infinitivo en el «Corbacho» del Arcipreste de Talavera*, «Col. Filológica de la Univ. de Granada», 1958.—M. MENÉNDEZ PELAYO: *Orígenes de la novela*, vol. I, cap. III.—R. M. MIQUEL Y PLANAS: *Jaime Roig... «Espejo o libro de los consejos»*, trad. castellana de... (contiene un buen estudio del *Corbacho*), Barcelona, 1942.—MARIO PENNA: *Alfonso M. de Toledo e il suo «Arcipreste de Talavera»*, ed. y estudio de..., Turín (s. a.).—ERICH VON RICHTHOFEN: *Alfonso M. de Toledo und sein «Arcipreste de Talavera». Ein kastilisches Prosawerk des 15 Jahrhunderts*, «ZfR. Ph.», LXI, 1941.—ARNALD STEIGER: *Contribución al estudio del vocabulario del «Corbacho»*, «Bol. R. Acad. Esp.», vols. IX y X, Madrid, 1922-1923.—A. BARADAT: *Qui a inspiré son livre à l'Archiprête de Talavera?*, «Mél. offerts à M le prof. Henri Gavel», Toulouse, 1949.

CAPITULO IX

DOS GRANDES POETAS DE LA CORTE DE JUAN II: SANTILLANA Y MENA

I. Poetas cortesanos.—II. El Marqués de Santillana: *Vida y figura. Obra literaria. Poesía doctrinal. Trovadoresca. Alegórica. Los «Sonetos». El «Proemio al Condestable de Portugal» y otras producciones en prosa. Juicio crítico.*—III. Juan de Mena: *Vida y fortuna. La obra en prosa. Producción poética. El «Laberinto de la Fortuna». Estilo y lengua.*—Notas. Bibliografía.

I. POETAS CORTESANOS

En otra parte hemos aludido al espectáculo que ofrecía la Corte de los reyes de Castilla en el siglo xv, y especialmente en el reinado de Juan II. Era, ya queda subrayado, un bullir incesante de poetas y hombres de letras en torno al monarca, que muchas veces daba el ejemplo, sustrayéndose a los avatares de la política y de la guerra para entregarse al cultivo de la «gaya sciencia » [1]. Los *Cancioneros,* más aún los del tiempo de los Reyes Católicos, están plagados de nombres de elevada alcurnia y en tal cantidad, que Lope de Vega hubo de decir que en tiempo de Juan II y de Enrique IV los poetas eran, en su mayor parte, almirantes, condestables, duques, marqueses, condes, príncipes y reyes. Un poco exagerada se nos antoja tal afirmación, y ya hemos visto cómo en el *Cancionero* de Baena alternan en mayor cantidad los versificadores de humilde condición y hasta de baja estofa que los de cuna elevada; pero no hay duda de que con las primeras brisas del Renacimiento se les despertó a muchos nobles una comezón poética, que les llevaba a componer versos o proteger a los que los componían, en digna emulación con los grandes señores de las repúblicas y estados italianos. La mayor parte de estos poetas de alta esfera social son mediocres, y aun algo menos que mediocres, simplemente deplorables. Pero hay entre ellos dos que reclaman en justicia un lugar muy destacado dentro de la literatura castellana: el marqués de Santillana y Juan de Mena.

II. EL MARQUES DE SANTILLANA

Nadie sintetiza mejor la cultura literaria de la época de Juan II que don Iñigo López de Mendoza (1398-1458), marqués de Santillana. En cuanto prosista, nos dejó obras tan estimables como el *Proemio* al Condestable de Portugal, primer ensayo de historia literaria y aun de crítica realizado en castellano. Como poeta, confluyen en él las tres grandes corrientes de aquel tiempo: alegórico-italianizante, doctrinal y tradicional. En este último aspecto ha de señalarse el contraste que supone su desprecio por un género tan castizamente popular como el *romance* y la redacción de una obrita tan enraizada en el alma del pueblo como los *Refranes que dicen las viejas tras el fuego.* Discípulo de los italianos, que prefiere a los franceses, se nos muestra en sus *Sonetos* precursor de Boscán, mientras comparte con Mena el principado del alegorismo, introducido por Imperial; y si ninguna de sus obras puede compararse en inspiración con el *Laberinto de Fortuna,* tampoco cayó en los excesos que en el autor de ésta tanto se censuran.

Santillana es, por otra parte, el tipo del político hábil entregado a las letras; tipo que inició en el siglo anterior don Juan Manuel, que continuó Ayala y que en Santillana se ofrece como uno de los más interesantes eslabones de esa cadena de alianza entre armas y letras que tan felices resultados había de dar en el Renacimiento.

Vida y figura

Nace en Carrión de los Condes, cuna de otro moralista famoso, Sem Tob, el 19 de agosto de 1398. Hijo de don Diego Hurtado de Mendoza, señor de Hita y Buitrago, y de doña Leonor de la Vega, queda huérfano de aquél a los siete años, y sólo por la entereza y firme carácter de su madre pudo salvar su cuantioso patrimonio. Se educa al lado de su abuela doña Mencía de Cisneros. A los catorce contrae matrimonio con doña

Catalina de Figueroa, hija del Maestre de Santiago don Lorenzo Suárez. Dos años después va a Aragón como acompañante de don Fernando de Antequera, y allí pudo contemplar las justas literarias que nos describe Villena en su *Arte de trovar*. A partir de este momento, su vida se reparte entre la guerra, la política y las letras.

Interviene muy activamente en los negocios públicos. Partidario de los Infantes de Aragón, desacata al Rey en Avila y Tordesillas y le cerca en el castillo de Montalbán, lo que no le impide, poco después, pasarse a su partido para combatir a los Infantes. Su actitud le acarrea pingües ganancias, pues confiscados los bienes de aquéllos, Santillana recibe como merced doce señoríos. Tras la batalla de Olmedo (1445) obtiene los títulos de Marqués de Santillana y Conde del Real de Manzanares. Patrocina el matrimonio del Rey con Isabel de Portugal, con la que se alía en contra del privado don Alvaro de Luna, que acaba por sucumbir.

Los últimos años de su vida se vieron amargados por la pérdida de amigos y familiares muy queridos: Juan II (1454), su esposa doña Catalina y su hijo natural, el más querido, don Pedro Lasso de la Vega (1455), Juan de Mena, su íntimo amigo (1456). Abrumado por estos contratiempos, su ánimo se inclina a una vida de piedad y termina por retirarse a su señorío de Guadalajara, «aparejándose para bien morir», hecho que ocurrió en 1458. Había peleado también contra los moros, a los que tomó Huelma (1436).

Su retrato, tanto físico como moral, nos ha sido trazado de mano maestra por Hernando del Pulgar: «Fué omme de mediana estatura, bien proporcionado en la compostura de sus miembros e fermoso en las facciones de su rostro... Agudo e discreto, y de tan grand coraçón, que ni las grandes cosas le alteravan ni en las pequeñas plazíale entender. En la continencia de su persona e en el razonar de su fabla mostrava ser omme generoso e magnánimo. Fablava muy bien e nunca le oían dezir palabra que no fuese de notar, quier para dotrina, quier para placer.»

Esto en lo físico; en lo espiritual nos dice: «Era cortés e honrador de todos los que a él venían, especialmente de los ommes de ciencia... Tenía grand copia de libros, dávase al estudio, especialmente de la filosofía moral e de cosas peregrinas e antiguas. Tenía siempre en su casa dotores e maestros, con quien platicaua en las ciencias e lecturas que estudiaua. Fizo asimismo otros tratados en metros e en prosa muy dotrinables para prouocar a virtudes e refrenar vicios; e en estas cosas pasó lo más del tiempo de su retiramiento.»

En estos rasgos de Pulgar se adivina al prócer renacentista, al mecenas protector de hombres de ciencia y lleno de curiosidad de saber, que había de dar tono a la sociedad aristocrática de la época. Su selecta biblioteca, una de las más nutridas y valiosas de aquel tiempo, hoy en la Nacional, confirma las virtudes de este espíritu refinado, a quien sin esfuerzo se puede considerar como un auténtico renacentista[2].

Obra literaria

Escribió Santillana verso y prosa. En verso cultivó los géneros más en boga en la primera mitad del xv. He aquí el índice de sus obras, conforme a la clasificación de Amador de los Ríos:

VERSO

Doctrinales: *Doctrinal de Privados, Diálogo de Bías contra Fortuna, Proverbios.*

Trovadorescas: *Serranillas, Canciones, Decires.*

Alegóricas: *El infierno de los enamorados, Triunfete de amor, Querella de amor, Defunción de Don Enrique de Villena, Comedieta de Ponça.*

Italianizantes: *Sonetos fechos al itálico modo.*

PROSA

Lamentación en profecía de la segunda destrucción de España, Refranes que dicen las viejas tras el fuego, Carta-proemio al Condestable Don Pedro de Portugal, Glosa a los proverbios. Varios prólogos y cartas.

Poesía doctrinal

El *Diálogo de Bías contra Fortuna* fué compuesto con motivo de la persecución del conde de Alba, pariente del autor, por parte de don Alvaro de Luna, cuando éste, en el ocaso de su poderío, encarceló a todos sus rivales. En 180 coplas desarrolla el pensamiento básico de la doctrina estoica: la serenidad del sabio ante las inconstancias de la vida. En la dedicatoria cita como fuente a Diógenes Laercio, si bien parece haber sido su más directa inspiración el manoseado *Libellus de vita et mortibus philosophorum,* traducido poco hacía con el título de *Vidas y dichos de filósofos antiguos.* No falta, como en tantas obras del Marqués, la inevitable alusión a la inconstancia de los bienes terrenos:

> ¿Qué es de Nínive, Fortuna?
> ¿Qué es de Tebas? ¿Qué es de Atenas?
> ¿De sus murallas e almenas,
> que non pare· ·e ninguna?
> ¿Qué es de Tiro e de Sidón
> · e Babilonia?
> ¿Qué fué de Lacedemonia,
> ca si fueron ya no son?

El título lo debe a un coloquio del filósofo Bías con la Fortuna sobre lo deleznable de las cosas del mundo; aquél sostiene con éxito que nada hay comparable al imperio de la conciencia en el hombre justo y sabio. Son de notar descripciones felices, como la que el poeta hace de los Campos Elíseos.

Los *Proverbios de gloriosa doctrina e fructuosa enseñanza,* escritos para la educación del príncipe don Enrique, están basados en el *Libro de la sabiduría de Salomón,* aunque también acusan influencias de Sócrates, Platón, Aristóteles, Terencio, Virgilio, Ovidio y otros clásicos. Es la obra que dió más renombre a Santillana, hasta el punto de que en el siglo XVI se le conocía por el «Marqués de los Proverbios». En versos de pie quebrado trata de las principales virtudes y, por último, de la muerte. Concisos en demasía, resultan por ello con frecuencia oscuros, de modo que el mismo Santillana y su capellán, Pedro Díaz de Toledo, hubieron de glosarlos en prosa.

En el *Doctrinal de privados* (1452) «se introduce el autor fablando en nombre del Maestre» para hacer una sangrienta sátira política contra don Alvaro de Luna, después de decapitado. Aspira ante todo a poner de manifiesto la vanidad de las cosas humanas, tópico de la época, que tendrá su más feliz expresión en las *Coplas* de Jorge Manrique. En el *Doctrinal,* el orgulloso privado de Juan II hace pública confesión de sus culpas, y Santillana, no obstante el odio que le profesa, termina por otorgarle el perdón:

> Mas sea la conclusión
> que de todos mis pecados,
> confesados e olvidados,
> cuantos fueron, cuantos son,
> Señor, te pido perdón;
> e a vos, maestro d'Espina,
> honesta persona e dina,
> de su parte absolución.

Poesía trovadoresca

Forman el grupo más ameno y casi lo único que hoy se lee de Santillana. En las 10 *Serranillas,* tan celebradas en todo tiempo, sigue el tipo refinado y cortesano de las pastorelas provenzales, sin abandonar por ello la tradición de la serrana esquiva y semisalvaje, al modo de las del *Libro de buen amor.* Aparte de *La vaquera de la Finojosa,* tan popular y lograda, merecen una mención: la III («Camino de Lozoyuela»), la IV («Menga de Manzanares») y la IX («Mozuela de Bores»), con su delicioso final:

> Asy concluymos
> en nuestro proçesso
> sin façer exçesso,
> e nos avenimos.
> E fueron las flores
> de cabe Espinama
> los encubridores.

El tema de los *Cantares* y *Decires* es unas veces religioso y otras de amor. Ni en uno ni en otro nos llega al alma. A pesar de que, contradiciéndose a sí mismo, introduce motivos populares, esa poesía se nos antoja un poco falsa. Un velo de refinada cortesanía cubre todo sentimiento, impidiéndonos llegar al fondo de la materia. Ante las hipérboles y comparaciones rebuscadas con que nos encarece el amor sentimos la presencia de un poeta refinado, sí, pero que versifica por puro juego. Todavía podemos citar el *Villancico* a sus hijas:

> Por una linda floresta
> de lindas flores e rosas
> vide tres damas hermosas,
> que de amores han requesta.
> Yo, con voluntad muy presta,
> me llegué a conoscellas;
> comenzó la una dellas
> esta canción tan honesta:
> Aguardan a mí,
> nunca tales guardas vi.

La segunda de las damas canta:

> La niña que amores ha,
> sola, ¿cómo dormirá?

Y la tercera:

> Dejadlo al villano, pene:
> véngueme Dios delle.

Para terminar a coro las tres:

> Sospirando iba la niña,
> e non por mí,
> que yo bien se lo entendí.

Citemos otro bellísimo *Cantar que fizo a sus fijas loando su fermosura* [3]; los *Gozos de Nuestra Señora de Guadalupe;* el *Aguinaldo,* lugar común de la poesía trovadoresca, en que pide a la dama, el día de Reyes, que le devuelva la libertad; y el *Decir contra los aragoneses,* en tono agresivo, al que replicó Juan de Dueñas con otro no menos violento. Como de ordinario, Santillana, en este *Decir,* acude a la paremiología popular, donde encuentra refranes y modismos, que acomoda felizmente a su intención:

> Tal se piensa santiguar
> que se quebranta los ojos.

> Ni por mucho madrugar
> no amanace más *ayna.*

> El escaso, con franqueza
> da de lo ajeno a montones.

Poesía alegórica

Toma Santillana por modelos en los poemas de esta serie a Dante y Petrarca. Al primero lo imita en muchos pasajes; en otros, lo traduce, lo parafrasea y hasta lo copia. Así, el «Nessun maggior dolore...», del canto V *(Infierno),* de *La Divina Comedia,* se transforma en:

> La mayor cuyta que aver
> puede ningún amador
> es membrarse del plazer
> en el tiempo del dolor.

En el *Infierno de los enamorados,* el poeta, perdido en una selva poblada de animales feroces de toda clase—serpientes, tigres, leones—, encuentra cazando a un hombre de singular belleza: «tan fermoso los vivientes nunca vieron». Es Hipólito, que, para desengañar al poeta, le conduce en visita al infierno, donde penan los grandes amadores de la Historia. Entre otros, ve allí a Macías. Santillana glosa en parte el canto V del Infierno dantesco, episodio de Francesca de Rímini y Paolo, que él aplica a Macías y a su dama. La obra está escrita en estrofas de ocho versos octosílabos, con esta disposición de rima: a-b-a-b-b-c-c-b. Dará lugar este *Infierno* a otra serie de obras análogas, con la misma técnica y tema. La nota común a todas ellas es la aparición de los más famosos amantes: Paris y Helena; Orfeo y Eurídice; Aquiles y Polixena; Eneas y Dido; etc.

En *Triunfete de amor* sigue de cerca, aunque con cierta libertad, los *Triumphi Cupidinis*, del Petrarca, según se ve desde la primera estrofa:

> Vi lo que persona humana
> tengo que jamás no vió,
> ni Petrarca, que escribió
> de triunfal gloria mundana [4].

Describe el triunfo de Venus y Cupido, que pasan con su cortejo de reyes, emperadores, ilustres damas y altos personajes de la Sagrada Escritura y de la historia clásica. Una sirviente de Venus embraza el arco, dispara la flecha y deja malherido al poeta.

En la misma línea de lo alegórico, aunque en un plano de inferior calidad, nos dejó Santillana el *Sueño*, la *Querella de amor*, el *Planto de la Reina Doña Margarita*, la *Defunción de Don Enrique de Villena* y la *Coronación de Mosén Jordi de Sant Jordi*. En la *Defunción,* nueve doncellas, que representaban a las nueve musas, hacen el elogio del poeta, comparándole con los grandes ingenios de las épocas pasadas.

La obra más considerable del grupo alegórico es la *Comedieta de Ponça,* en octavas de arte mayor. Está dirigida a doña Violante de Prades y fechada en Guadalajara, el 4 de mayo de 1444. El diminutivo *comedieta,* al igual que el *triunfete* ya aludido, revela a las claras su filiación italiana y, concretamente, de Dante. La fama que alcanzó entre las obras de su género se debe, sin duda, a la importancia del suceso que relata: la batalla naval de la isla de Ponza (1435), en la que cayeron prisioneros el rey de Aragón Alfonso el *Magnánimo,* y sus hermanos.

Tras la invocación a Júpiter y a las musas, cuatro damas—las reinas de Navarra y Aragón, la infanta doña Catalina y la reina madre, doña Leonor—lamentan la prisión de sus esposos e hijos, don Alfonso, don Juan y don Enrique. Un varón venerable, vestido de negra túnica, Juan Bocaccio, las consuela [5]. Al final, la Fortuna predice la liberación de los prisioneros y sus grandes triunfos:

> E deste linaje, infinitos días
> verná quien possea grand parte del mundo;
> aved buen esfuerzo, que en esto me fundo,
> e cesen los plantos e las elegías.

Hay fragmentos muy logrados: la descripción de la batalla; la «loa de los oficios baxos e serviles», puesta en bocá de doña Catalina, y que constituye el primer trozo de imitación horaciana

en nuestra lengua. Bien es verdad que las alabanzas del Marqués a la paciente pobreza poco tienen que ver en el fondo con el epicureísmo y fina ironía del *Beatus ille*. Júzguese por esta octava:

> Benditos aquellos que con el azada
> sustentan su vida e viven contentos,
> e de cuando en cuando conocen morada
> e sufren pacientes las lluvias e vientos;
> ca éstos no temen los sus movimientos,
> nin saben las cosas del tiempo pasado,
> nin de las presentes se facen cuidado,
> nin las venideras do han nacimiento.

Los «Sonetos»

En número de 42, los *Sonetos fechos al itálico modo* versan sobre asuntos variados: morales («Amonestando a los hombres de buen vivir», «Quejándose sobre los males deste reyno»); amorosos («Cual demostrava la gentil Lavinia»); laudatorios (los dedicados a Sevilla, al Rey don Juan, al Rey don Enrique); históricos («Llanto de doña Urraca por su muerte de su hermano el rey don Sancho») [6]; religiosos (a San Andrés, San Miguel, Santa Clara, San Vicente Ferrer).

Influídos, como toda la obra de Santillana, por Dante y Petrarca, muchos son imitaciones directas del *Canzoniere* de este último y constituyen el primer ensayo en lengua castellana de aclimatación del soneto, que no se consolida hasta un siglo después, por obra de Boscán. Fallan los sonetos de Santillana por dos lados: acentuación y rima. La acentuación casi nunca responde a la del endecasílabo típicamente italiano: sexta sílaba, y en su defecto, cuarta y octava, al modo sáfico. El Marqués se deja llevar por el ritmo propio de la estrofa de arte mayor y acentúa en cuarta y séptima, con lo que le resultan verdaderos dodecasílabos acéfalos o endecasílabos de «gaita gallega» (que, métricamente, es casi lo mismo), en vez del auténtico verso italiano. Su inspiración parece proceder, más que del cancionero galaico-portugués, de esos citados dodecasílabos acéfalos, tan abundantes en las coplas de arte mayor, y a los que la simple pérdida de la sílaba inicial da un ritmo idéntico al de la «gaita». En la rima tampoco siguen el tipo italiano: suele Santillana componerlos con rimas cruzadas y hasta con tres rimas distintas en los dos cuartetos. La lírica modernista, por obra de Rubén y más aún de los Machado, había de volver a esta primitiva estructura.

El «Proemio al Condestable de Portugal» y otros opúsculos en prosa

De sus obras en prosa, la *Lamentación en profecía,* de estilo retórico y abundante en cultismos, recuerda el llanto de España inserto en la *Crónica General;* la *Glosa a los proverbios* no es, como indica su título, sino una serie de anotaciones para aclarar pasajes y lugares oscuros de aquéllos, bien históricos o mitológicos, y pueden, salvadas las distancias, considerarse un precedente de las ediciones modernas de nuestros clásicos; los *Refranes que dicen las viejas tras el fuego* constituyen la más antigua colección paremiológica que existe, no sólo en castellano, sino en lengua vulgar; muchos de ellos conservan todavía su prístino sabor. Por una extraña contradicción, el mismo que despreciaba los romances y cantos populares como indignos de ser cultivados y gustados por gentes de alta condición, se presenta ante nuestros ojos como el primer recopilador de estas preciosas muestras de la sabiduría popular. No vamos a detenernos en consideraciones sobre el valor del refrán en nuestra literatura. Basta recordar la *Celestina* y el *Quijote* para convencerse de que son una de las notas caracterizantes de la lengua y del pensamiento castellanos.

Otra significación muy distinta tiene la *Carta al Condestable don Pedro de Portugal,* puesta por el mismo Santillana como proemio de su *Cancionero* al enviar sus obras al magnate lusitano. Si por la doctrina que contiene puede considerarse una preceptiva literaria, por las notas que da y juicios que formula sobre autores conocidos ha de estimarse el primer intento de una historia crítica de la poesía escrito en castellano. He aquí sus ideas fundamentales.

La poesía es «fingimiento de cosas *útiles,* cubiertas o veladas con muy fermosa cobertura, compuestas, distinguidas e escandidas por cierto cuento, peso e medida». El criterio utilitario que encabeza la definición no es privativo de Santillana, sino el corriente de aquella época, el mismo que profesa Mena al distinguir entre poesía externa y poesía interna, o que encierra una enseñanza de carácter moral, expresada, eso sí, en forma elegante.

Prioridad del verso sobre la prosa: «Me esfuerzo en decir el metro ser antes en tiempo, e de mayor perfección e de más abtoridad que la soluta prosa.» Moisés, Josué, David fueron los primeros poetas.

La lírica romance nació de la provenzal: «Extendiéronse, creo, d'aquellas tierras e comarcas de los lemosines estas artes a los gallicos e a esta postrimera e occidental parte, que es la nuestra España, donde assaz prudente e fermosamente se ha usado.»

Tres tipos de poesía: *sublime, mediocre* e *ínfimo.* El primero corresponde a los poetas grecolatinos; el segundo, a los provenzales y a los del «dolce stil nuovo»; el tercero, a los autores de romances, *ínfimos poetas,* cuyas obras, a juicio de Santillana, sólo son capaces de «alegrar a gente de baxa e servil condición».

En su revista de las diversas literaturas y autores, muestra preferencia por los italianos, a quie-

nes tan de cerca siguió: «Los itálicos prefiero yo, so enmienda de quien más sabrá..., ca las sus obras se muestra de más altos ingenios, e adórnanlas e compónenlas de fermosas e pelegrinas estorias.»

Santillana demuestra conocer a los franceses: en su biblioteca figuraba, y aún se conserva, un soberbio ejemplar del *Roman de Rose,* y cita, entre otros, a Michault y a Alan Chartier. Conocía también los poetas galaico-portugueses, y alude a un *Cancionero* de esta escuela, propiedad de su abuela doña Mencía de Cisneros, con cuya lectura se deleitaba. Las literaturas catalana y valenciana le eran familiares: elogia a Pedro March, a Jordí de Sant Jordí y a Ausias March, «gran trovador e ome de assaz elevado espíritu». Sus informes de la castellana son muy retrasados; nada sabe de las canciones de gesta, ni siquiera de Berceo y los primitivos del mester de clerecía; alude a un poema de esta escuela, *Los votos del Pavón,* desconocido para nosotros, que, al parecer, era continuación del *Alexandre;* y elogia a Imperial, como el gran imitador de Dante en España; se refiere al *Decir de las siete virtudes,* y opina que a su autor, más que «decidor», hay que llamarle «poeta». Otros autores castellanos que cita son: Alfonso el *Sabio,* el Arcipreste de Hita, Fernández de Jerena, Sánchez de Talavera o Calavera, Villasandino y Sem Tob de Carrión, «que escribió muy buenas cosas».

Juicio crítico

Pasados cinco siglos largos, Santillana se nos presenta como un auténtico humanista. Más que su obra, acaso importa su actitud. Prócer, no sólo no desdeña el entregarse con ahinco al estudio, sino que ahonda en éste más y más, hasta adquirir una cultura poco corriente en la España de su época. Conocía, aparte de la lengua materna, el latín, el francés, el italiano, el provenzal, el gallegoportugués y el catalán. Su biblioteca, ya queda dicho, estaba nutrida con toda clase de obras clásicas y vulgares. Hace traducir a uno de sus hijos, al protonotario don Pero González de Mendoza, a través del latín, naturalmente, los primeros cantos de la *Ilíada,* y también por encargo suyo se vierten al castellano el *Fedon,* la *Eneida,* las *Metamorfosis* ovidianas y las *Tragedias,* de Séneca. En este aspecto continúa e intensifica una meritísima labor iniciada por el Canciller Ayala. Aunque su espíritu pertenecía al Renacimiento y se movía con el clima propio de éste, su obra está ligada aún a la Edad Media: al alegorismo italiano, en los poemas extensos; a la lírica provenzal, en las *Serranillas.* Aquéllos han pasado y sólo se leen ya como documentos de la historia literaria; éstas, las *Serranillas,* se mantienen en toda su frescura. El poeta que condena la poesía popular es hoy recordado precisamente por lo que en su obra hay de esa misma poesía del pueblo.

III. JUAN DE MENA

Santillana y Pérez de Guzmán encarnan al prócer castellano del xv; Mena, en cambio, es sólo un hombre de letras. Por el carácter reflexivo de su obra fué llamado el «Ennio español». No fué capricho de la suerte—escribe un ilustre crítico— el que en pleno siglo xv salvó a Mena del común naufragio de la literatura poética anterior al Renacimiento y le convirtió en un clásico e hizo que como tal fuese comentado por los más severos humanistas; fué su vena épica la que le salvó del contagio de la poesía frívola, como el temple elegíaco salvaría poco después las *Coplas* de Jorge Manrique.

Vida y fortuna

Pocos datos tenemos de JUAN DE MENA (1411-1456). Nace en Córdoba, ciudad que él recuerda siempre con singular afecto y orgullo [7]. Córdoba aparece vinculada a una concepción estilística peculiar, cuyos principales jalones son Lucano, Séneca el *Trágico*, Mena, Góngora, el Duque de Rivas y hasta García Lorca, en lo que tiene de cantor de la noble ciudad de los califas. Huérfano desde temprana edad, es recogido por unos deudos, según nos cuenta Valerio Francisco Romero en mediocres versos [8]. A los veintitrés años va a Salamanca para cursar estudios, y de la ciudad del Tormes pasa pronto a Roma. Allí se familiariza con los autores latinos, en especial con Virgilio.

Vuelto a España, pronto gana con sus obras poéticas alto prestigio, y Juan II le nombra su secretario de cartas latinas y cronista, honrándole, además, con el cargo de Veinticuatro de Córdoba Tuvo entrañable amistad con Santillana, Villena y otros ingenios ilustres de aquel tiempo. En medio de las vicisitudes políticas de la época, le cabe el honor de haberse mantenido siempre fiel al monarca y también, lo que es más de admirar, a don Alvaro de Luna. Murió, en Torrelaguna, en 1456. Se cree que su sepulcro fué costeado por el Marqués de Santillana.

La muerte de Mena en plena madurez [9], sólo contaba cuarenta y cinco años, impresionó vivamente a sus coetáneos. Gómez Manrique lo recuerda en el *Planto de las virtudes e poesía por el magnífico señor don Iñigo López de Mendoza*:

> Esta muerte, que condena
> a buenos e comunales,
> me levó a Juan de Mena,
> cuya vida fué tan buena,
> que vi pocas sus iguales.

Antón de Montoro le llama «primogénito de Séneca»; y Juan de Lucena, después de un encendido elogio, nos hace, por boca de Santillana, en la *Vida beata*, este retrato del vate cordobés:

«La poesía (de que tanta gloria, fama y loor nuestro Juan de Mena consigue) es tan dulce, que muchas veces me juró por su fe, de tanta delectación componiendo, algunas vegadas detenido, olvidados todos aferes, trascordado el yantar, y aun la cena, se piensa estar en la gloria.» En la misma obra se le describe «magrecidas las carnes por las grandes vigilias tras el libro, mas no durescidas ni callosas de dormir en el campo; el vulto pálido, gastado del estudio, mas no roto ni recosido por encuentros de lanza».

La obra en prosa

Tiene Mena verso y prosa. Como prosista es mediocre; su producción se reduce a la *Ilíada en romance*, más conocida con el nombre de *Homero romanceado*, y a unos comentarios a su propio poema la *Coronación*. La *Crónica de Juan II*, que le ha sido atribuída, no parece suya, si bien Alonso Cortés cree posible que saliesen de su pluma los capítulos referentes al año 1452.

Los *Comentarios de la Coronación* revelan una mezcla curiosa de medievalismo y humanismo. Por una parte, el aparato mitológico y las constantes referencias a la antigüedad clásica le dan un marcado sabor renacentista; pero detrás de ese aparato, que más bien revela un hombre del siglo xvi, asoma el espíritu enraizado en los problemas morales del medievo. La mitología se toma sólo como *exemplo*. A veces parece que al mundo de los *exemplarios*, tan comunes en el xvi, ha terminado por sustituir el de los ideales renacentistas; pero a poco que se rasque, se descubre una circulación soterránea de doctrinas moralizantes que tardarán en desaparecer todavía casi un siglo. Es un fenómeno análogo al de *conversión a lo divino* de un poema erótico o de un tema caballeresco, según echaremos de ver en el siglo xvi. A la vez que al moralista, y ello nos interesa ahora fundamentalmente, en estos comentarios descubrimos al escritor preocupado por problemas estilísticos y filológicos.

Fundándose en razones de estilo y de lenguaje, Valbuena Prat cree que pudo ser Mena el autor del breve tratado *De los remedios del amor*. Sin embargo, el fragmento que transcribe para respaldar tal suposición más bien acusa la mano del Arcipreste de Talavera, sin que queramos decir con ello que haya de adjudicarse al autor del *Corbacho*. Es digno de elogio también en Mena el propósito de encontrar un estilo elevado, que puede cristalizar en una prosa poética, aun a costa de cierta violencia constructiva y de cierta oscuridad por abuso de cultismos.

Producción poética

Están representadas en la poesía de Mena, como en la de Santillana, las tres corrientes o modas de la época: amorosa y satírica, entroncada con los *Cancioneros*; alegórica, según los modos italianizantes, y doctrinal.

En el género *amoroso, satírico y de requesta*, Juan de Mena no sobresale una pulgada entre la turbamulta de poetas cortesanos, que hicieron de este tipo de composiciones su ocupación favorita; las mismas hipérboles, los mismos lugares comunes, la misma artificiosidad y falta de sentimiento. Todavía se pueden destacar en las amorosas la titulada «En loor de una dama» y la que empieza:

> Muy más clara que la luna
> **sólo una**
> en el mundo vos nacistes...;

en las satíricas, la que compuso «Sobre un macho que compró a un Arcipreste». Se le han atribuído, con escaso fundamento, las famosas *Coplas de ¡ay Panadera!*, contra los caballeros que intervinieron en la batalla de Olmedo.

Al género alegórico pertenece, aparte del *Laberinto*, que exige mención especial, el poema en 51 quintillas dobles, la *Coronación* o *Calamicleos*, en honor del Marqués de Santillana, a quien nos presenta coronado en el *Parnaso* como excelso poeta. Menéndez Pelayo exagera al decir que sólo se pueden extraer de él cinco versos dignos de recuerdo:

> Los sus vultos virginales
> de aquestas doncellas nueve,
> se mostraban bien a tales
> como flores de rosales
> mezcladas con blanca nieve.

Nosotros entresacaríamos algunos más, que no desdicen de los transcritos; por ejemplo, los de la visión de las «tres fijas de la nocturna deesa», que le arranca este supremo acierto: «Nunca vi muerte tan muerta.» Blecua, por su parte, ha señalado el interés de algunas descripciones paisajísticas:

> Vi los collados monteses
> plantados por los reguardos
> de sus faldas e traueses,
> altas palmas y cipreses
> y cinamonos y nardos;
> e vi cubiertos los planos
> de jacintos y platanos,
> e grandes linaloeles,
> e de cedros e laureles
> los oteros soberanos.

Una utilización simultánea de elementos clásicos, alegóricos y de los *Cancioneros* encontramos en composiciones como lo *Claro oscuro* y *Al hijo muy claro de Hiperión*. La técnica de la primera es análoga a la del *Laberinto*.

En lo *doctrinal* aborda los temas frecuentes del género, sin acertar a darle gran relieve: las *Coplas contra los pecados mortales* son un auténtico «debate» entre la razón y la voluntad; el *Razonamiento que fase con la Muerte*, una de tantas versiones de la danza macabra, con el inevitable desfile de personajes de toda clase y estado, en especial de alta calidad [10]; el *Dezir sobre la justicia e pleitos e de la gran vanidad deste mundo*, una protesta más contra la relajación de las costumbres.

Cabe señalar aún algunas poesías, que podríamos llamar «de circunstancias»: *A Juan II por el triunfo de Olmedo*; *A Juan II cuando salió de Madrigal contra el Príncipe*, etc. Poeta en cierto modo áulico, Mena no pudo menos de rendir este tributo a quien tanto le protegía. Como todas las composiciones de esta clase, carecen de inspiración.

El «Laberinto de la Fortuna»

Es el poema más extenso de Mena, el que le dió fama en su tiempo y mantiene su nombre perenne en la historia de las letras. Más conocido por *Las trescientas*, por el número de sus coplas, aunque ya advirtió el Brocense que no son auténticas más que 297. Está escrito en *octavas de arte mayor* o de verso dodecasílabo, si bien hay muchos de once sílabas sólo, por «entrar—como decían nuestros preceptistas clásicos—con sílaba perdida»; y debió de concluirse en 1444, unos meses antes que la *Comedieta de Ponza*, del Marqués de Santillana, antes aludida. He aquí un extracto de su contenido:

Arrebatado el poeta por el carro de Belona, llega a una gran llanura, desde allí contempla el cristalino palacio de la Fortuna. Guiado por la Providencia penetra en él; descubre toda la *mundana machina* y, más al fondo, divisa tres ruedas: «dos inmotas e quedas», que representan el tiempo pasado y el futuro; otra móvil, que simboliza el presente:

> Bolviendo los ojos a do me mandava,
> vi más adentro muy grandes tres ruedas:
> las dos eran firmes, inmotas e quedas,
> mas la de enmedio boltar non cessava;
> e vi que debaxo de todas estava
> caída por tierra gran gente infinita,
> que avía en la fruente qual escrita
> el nombre a la suerte por donde passava.

Cada una de las ruedas contiene siete círculos influídos por los siete planetas, y en cada círculo moran varios personajes de la antigüedad y algunos contemporáneos del poeta.

En el primer planeta (la Luna) coloca a los amadores castos, a los hombres dados a la caza y a ejercicios corporales: Hipólito, Lucrecia, Penélope, destacando entre todos doña María Coronel, «que quiso con fuego vencer sus fogueras».

En el segundo (Mercurio) hallamos a los consejeros prudentes, «a los embajadores y medianeros de paces en tiempo de guerra y a los dados a justas y honestas mercaderías y a los que sus tierras libertaron; debajo déstos, a los que fueron viciosos en estas mismas obras»: Eneas, el traidor conde Julián y «Oppas maldito».

En el tercero (Venus) sitúa a

los que en el fuego de su juventud
facen el vicio ser santa virtud
por el sacramento matrimonial,

y junto a ellos, en círculo inferior, a los «adúlteros e fornicarios e otros notados de incestuosos»: Clitemnestra, Mirra, Pasifae y, finalmente, el poeta Macías.

Al cuarto (Febo) le asigna «grant turba de santos dotores»: Santo Tomás, Platón, Aristóteles, Demóstenes, Cicerón, Quintiliano, etc., y al lado de ellos:

Aquel claro padre, aquel dulce fuente,
aquel que en el cástalo monte resuena,
es don Enrique, señor de Villena,
honra de España e del siglo presente.
¡Oh ínclito sabio, autor muy ciente!
Otra e aun otra vegada yo lloro,
porque Castilla perdió tal tesoro
non conocido delante la gente.

En el quinto (Marte) habitan los grandes guerreros defensores de sus tierras, y debajo de ellos, «los belicosos en causas indinas»: los Metelos, Petreyo, Afranio, César, Mucio Scévola. Figura aquí el episodio de la muerte de Lorenzo Dávalos, uno de los pasajes más inspirados del poema.

En el sexto planeta (Júpiter) ve el poeta

los que reinan en paz gloriosa
e los muy humanos a sus naturales,
e muchos daquellos, seyendo mortales,
que biven çelando la pública cosa;
e vi bajo destos grand turba sañosa
de los invasores e grandes tiranos,
que por exceso mortal de sus manos,
dejan la fama cruel monstruosa.

Entre estos monarcas que «reinan en paz gloriosa», naturalmente, ocupa el puesto más destacado Juan II, su decidido protector.

Pueblan el séptimo (Saturno):

Las grandes personas en sus monarquías,
e los que rigen las sus señorías
con moderada justicia tenidos;
e vimos debajo los que non punidos
sufren que pasen males e vicios,
e los que pigros en los sus oficios
dejan los crímenes mal corregidos.

Si en el círculo anterior, y en general en toda la obra, canta la gloria del rey, en éste rinde tributo a la amistad y protección de don Alvaro de Luna. El episodio más logrado es la descripción de los conjuros que, a petición de los enemigos del valido, hace una maga de Valladolid.

La obra termina con una invocación al rey don Juan para que haga realidad las profecías anunciadas al poeta.

La influencia de Dante en el *Laberinto*, con ser profunda, es menor que la de Virgilio y Lucano. Mena fué capaz de recrear a Virgilio, y si no le superó—como quiere Menéndez Pelayo—, le sigue muy de cerca en más de una ocasión:

Nin baten las alas ya los alcïones,
nin tientan jugando de se roçiar,
los quales amansan la furia del mar
con sus cantares e lánguidos sones,

e dan a sus fijos contrarias sazones,
nido en invierno con grande pruina,
do puestos açerca la costa marina,
en un semilunio les dan perfeçiones.

(*El Laberinto de Fortuna*, copla 171.)

La presencia de Lucano es aún más constante: el episodio más bello del poema, el célebre conjuro de la maga de Valladolid, procede del libro VI de la *Farsalia* y reproduce el oráculo de la maga Ericto ante Pompeyo, si bien en forma libérrima y trasplantado briosamente a su tiempo.

El aire histórico del *Laberinto* se debe—dice Blecua—a la codicia de la fama que roe las entrañas de nuestros primeros renacentistas; a la exaltación que se hace en el poema de figuras como la del Condestable y la del conde de Niebla; al deseo de un monarca absoluto que acabase con el poder feudal de la nobleza. La vida de la fama llega a obsesionar a nuestros escritores del siglo XV, y aparte del *Laberinto*, la expone Mena en otras obras: en la *Coronación* dice: «Cuanto más que uno de los fines porque los hombres se al trabajo aplican es por la buena fama»; y en el *Laberinto* lamenta el olvido de los grandes hechos por falta de autores que los consignen, juicio que hallaremos repetido por Pérez de Guzmán, Hernando del Pulgar y otros:

Las grandes fazañas de nuestros mayores,
la mucha constancia de quien los más ama,
yaze en tinieblas dormida su fama,
dañada de olvido por falta de autores.

Mena se había propuesto crear un poema nacional basándose en un modelo alegórico; para ello no le faltaba dignidad épica ni hondo y sincero patriotismo. Si no lo consigue se debe al abuso de la alegoría y a la insuficiencia épica en que vive. Por eso el *Laberinto* interesa más en sus detalles, como obra fragmentaria, que en su conjunto. En este aspecto se queda en poema alegórico, en protesta contra la contextura moral de la época o en simple loa de personajes contemporáneos. La preocupación primordial de Mena es la crítica de las corruptelas de su época; las disensiones internas que retrasan la Reconquista le llenan de indignación. Por ellos los mejores trozos del *Laberinto* son los dedicados a exaltar los hechos bélicos o la muerte de caballeros cristianos en lucha contra los moros. Oigamos a la madre del «linpio macebo Lorenzo Dávalos», abrazada al cadáver de su hijo:

E rasga con uñas crueles su cara,
fiere sus pechos con mesura poca,
besando a su fijo la su fría boca,
maldice las manos de quien lo matara,
maldice la guerra do se comenzara,
busca con ura crueles querellas,
niega a sí mesma reparo de aquéllas,
e tal como muerta viviendo se para.

Dezía, llorando con lengua rabiosa:
«¡Oh matador de mi fijo, cruel,
mataras a mí, dexaras a él,
que fuera enemiga non tan porfiiosa;

fuera la madre muy más digna cosa
para quien mata levar mejor cargo,
e non te mostraras a él tan amargo
nin triste dejaras a mi querellosa.

Si antes la muerte me fuera ya dada,
cerrara mis ojos con estas sus manos
mi fijo delante de los sus hermanos,
e yo non muriera más de una vegada;
así morré muchas, desaventurada,
que sola padezco lavar sus feridas
con lágrimas tristes e non gradecidas,
maguer que lloradas por madre cuitada.

Estilo y lengua

Hemos aludido al estilo de Mena, que, como el de Góngora en el barroco, es la culminación de un movimiento cultista aparecido a fines del siglo XIV, aunque con más antiguas raíces. En Mena hay una preocupación constante por el estilo. Es muy honda la influencia clásica, tanto en la apropiación de latinismos puros como en la creación de palabras de gran valor musical: *nubífero, clarífico, belígero*... Ha de advertirse que muchas de estas palabras, tenidas entonces por neologismos vituperables, han pasado a enriquecer el caudal de la lengua. Es un fenómeno análogo al ocurrido con Góngora en el siglo XVII. *Canes, funéreos, auspicios, sidéreos, nucturnas, ígneo, averno, rubicunda, adversos, litigan*, etc., son, entre otros muchos, cultismos puestos en circulación por Mena. Otros—*menstrua* (mensual), *ultriz* (vengadora), *locuela* (habla), *punir* (castigar), *sciente* (sabio), *singulto* (sollozo) etc.—no han tenido la misma suerte.

Blecua ha señalado la importancia que tienen en el estilo de Mena los esdrújulos, generalmente adjetivos de tipo elusivo, formados con una base sustantiva. El hipérbaton es menos violento en el *Laberinto* que en la prosa, si bien llega con frecuencia a una gran complicación sintáctica. Es frecuente el fenómeno de escamotear el nombre y sustituirlo por una perífrasis alusiva:

E vimos al santo Doctor, cuya fiesta
nuestro buen César jamás solemniza.

Otras veces, la alusión es fácil y escueta: se ponen de relieve las características del nombre omitido y se alude a los personajes por sus hechos más destacados; véanse estos versos sobre el conocido mito de Progne, Filomena y Tereo:

Allí era aquel que la casta cuñada
fizo por fuerza non ser más doncella,
comiendo su fijo en pago de aquella
que por dos maneras dél fué desflorada.

Otros recursos estilísticos: alteración, ya de consonantes, ya de vocales, alternancias, etc., tienen menor interés.

La fama, que tan ardientemente persiguió, no se le mostró esquiva. Juntamente con Santillana y Jorge Manrique, constituye Mena la trilogía de poetas del siglo XV, con los que la posteridad se ha mostrado más amable, siendo, con Garcilaso

y Góngora, comentado como un clásico. Refiriéndose a su influjo, escribe Menéndez Pelayo: «El poeta que fué digno de ejercerlo tuvo, sin duda, cualidades eminentes, y nunca, a pesar de su notoria desigualdad y falta de gusto, podrán ser sus poemas materia indiferente en la historia de nuestras letras, porque los defiende la llama viva de la inspiración nacional, a la cual nada encontramos comparable en las demás literaturas de aquel siglo. Acentos de patria, de gloria y de justicia, como los que en aquel poema resuenan, no se oyeron en toda la centuria XV; ni en la poesía francesa, que, olvidada de sus orígenes épicos, se pierde en insulseces alegóricas, salvo cuando desciende con la fresca musa de Villon a la taberna y al mercado; ni en la poesía italiana, que hace alarde de escribir en latín y que, cuando emplea la lengua vulgar, repite monótonamente los temas petrarquescos, hasta que, ya muy a los finales de aquel siglo, Poliziano, Pulci y Lorenzo el *Magnífico* inician la poesía del segundo renacimiento.»

NOTAS

1. Una vez más remitimos al lector al estudio definitivo de Menéndez Pelayo: *Antología de poetas líricos castellanos* (caps. VII, VIII y XV), y al libro de Puymagre, algo envejecido ya, pero aprovechable en muchas partes: *La Cour littéraire de Don Juan II, Roi de Castille*, París, 1873.

2. El maestro Jorge Inglés nos dejó su retrato y también el de su esposa, sobre el que ha hecho Ortega y Gasset atinadas consideraciones *(Estudios sobre el amor. Divagación ante el retrato de la marquesa de Santillana)*. El gran maestro del ensayo español califica a nuestro poeta como «uno de los más jugosos brotes del Renacimiento en España».

3. De lo más inspirado de Santillana y notable por los detalles de indumentaria:

De espinas trahen los velos
e de oro las crespinas,
sembradas de perlas finas
que le aprietan los cabellos;
e las trufas bien posadas,
amas de oro arracadas,
rubios, largos, primos, bellos.
....
Ropas trahen a sus guisas,
todas fendidas por rrayas,
do les paresçen sus sayas
forradas de peñas grisas;
de martas e ricas sisas
sus ropas bien asentadas,
de azeytuní quartonadas...

4. En otro manuscrito los dos últimos versos se nos dan con esta variante:

Ni Valerio, que escribió
la grand estoria romana.

5. La reina doña Leonor interroga al poeta de Certaldo:

¿Eres tú, Boccaccio, aquel que tractó
de tantas materias, ca yo non entiendo
cue otro poeta a ti se egualó?
¿Eres tú, Boccaccio, el que copiló
los casos perversos del siglo mundano?
Señor, si eres tú, apresta la mano,
que non fué ninguna semblante que yo.

La primera novela del *Decamerón* conocida en España, *Historia de Walter y de la paciente Griselda*, no llegó directamente, sino a través de una traducción latina del Petrarca.

6. Parece inspirado, así al menos se deduce de la rúbrica del principio, en algún romance sobre el cerco de Zamora. Una vez más ha de subrayarse la anomalía de que acuda a la poesía popular quien afectaba desdeñarla tanto.

7. En el *Laberinto* (copla 124) leemos:

¡Oh flor de saber e de caballería,
Córdoba madre, tu fijo perdona
si en los cantares que agora pregona
non divulgare su sabiduria;
de sabios valientes loarte podría,
que fueron espejos muy maravilloso;
por ser de ti mesma seré sospechoso,
dirán que los pinto mejor que debia!

Y en la *Coronación*:

Puesto que digan de mí,
porque en Córdoba nasci,
que en loor suplo sus menguas,
callen, callen malas lenguas,
pues se sabe ser así.

8. Dicen así:

De padre e de madre fué presto privado
él y una hermana reciente nacido.

9. Sobre la muerte de Mena hay dos versiones: a consecuencia de la caída de una mula; por «un rabioso dolor de costado». No sabemos cuál sea la cierta.

10.

Padre Santo, emperadores,
cardenales, arzobispos,
patriarcas e obispos,
reyes, duques e señores;
los maestros e priores,
los sabios colegiales,
tú los faces ser iguales
con los simples labradores.

BIBLIOGRAFIA

I. ABILIO ALAEJOS: *La poesía del «retiro». Reflejos psicológicos del alma de España*, «Rev. de Espiritualidad», 1948, núm. 26, págs. 73-88, y núm. 27, págs. 204-24.—ANTONIO ALATORRE: *Las «Heroidas», de Ovidio, y su huella en las letras españolas*, Méjico, 1950.—R. R. BOLGAR: *The Classical Heritage and its beneficiaries*, Cambridge, 1954.—KONRAD BURDACH: *Riforma, Rinascimento, Umanesimo. Due dissertazioni sui fondamenti della cultura e dell'Arte della parola moderna*, Florencia, 1935.—ARTURO FARINELLI: *Dante in Spagna, Francia, Inghilterra, Germania*, 1922; *Italia e Spagna*, Turín, 1929.—H. GAVEL: *Essai sur l'évolution de la prononciation du Castillan depuis le XIVe siècle*, París, 1920.—A. GONZÁLEZ DE AMEZÚA: *Fases y caracteres de la influencia de Dante en España*, Madrid, 1922.—OTIS H. GREEN: *Fingen los poetas: Notes on the Spanish Attitude toward Pagan Mythology*, «Est. dedicados a M. Pidal», I, Madrid, 1953, págs. 275-78.—HANS JANNER: *La glosa española. Estudio histórico de su métrica y de sus temas*, «Rev. Fil. Esp.», XXVII, 1943, págs. 181-232.—PIERRE LE GENTIL: *La poésie lyrique espagnole et portugaise à la fin du Moyen Age*, Rennes, 1949.—M.ª ROSA LIDA: *Dido y su defensa en la literatura española*, «Rev. Fil. Hispánica», IV, 1942, págs. 209-52 y 312-82; *La idea de la fama en la Edad Media castellana*, Méjico, 1952; *Transmisión y recreación de temas grecolatinos en la poesía lírica española*, «Rev. Fil. Hispánica», I, 1939.—M. LOT-BORODINE: *Sur les origines et les fins du service d'amour*, «Mélanges Jeanroy», París, 1928.—M. MENÉNDEZ PELAYO: *De las ideas acerca del arte en la Edad Media*, «Hist. de las ideas est. en España», vol. I, cap. V, Santander, 1940; *Antología de poetas líricos*, vol. II, cap. VIII, págs. 7-30 (sobre Caracteres generales de la época de Juan II de Castilla).—AMÉDÉ PAGES: *Le thème de la tristesse amoureuse en France et en Espagne du XIVe au XVe siècle*, «Romania», LVIII, 1932.—CHANDLER RATHFON POST: *Medieval Spanish Allegory*, Cambridge, 1915.—PUYMAIGRE (Conde de): *La Cour Littéraire de Don Juan II*, 2 vols., París, 1873.—MARTÍN DE RIQUER: *Relaciones entre la literatura renacentista castellana y la catalana de la Edad Media*, «Escorial», enero 1941.—B. SANVISENTI: *I primi influssi di Dante, del Petrarca e del Boccaccio sulla letteratura spagnuola*, Milán, 1902.—RUDOLPH SCHEVILL: *Ovid and the Renascence in Spain*, Berkeley, 1913.—JEAN SEZNEC: *La survivance des dieux antiques. Essai sur le rôle de la tradition mythologique dans l'humanisme et dans l'Art de la Renaissance*, Londres, 1940.—GIUSEPPE TOFFANIN: *Storia dell'umanesimo dal XIII al XVI secolo*, 3.ª ed., Bolonia, 1943.—KARL VOSSLER: *La soledad en la poesía española*, Madrid, 1941.

II. W. C. ATKINSON: *The interpretation of «romances e cantares» in Santillana*, «Hisp. Review», 1936.—CH. W. AUBRUM: *Alain Chartier et le M. de Santillana*, «Bull. Hispanique», XL, 1938.—FERRUCCIO BLASI: *La «serranilla» spagnuola*, «Archivum Romanicum», XXV, 1941, págs. 86-139.—GEORGES CIROT: *La Topographie amoureuse du M. de Santillana*, «Bull. Hispanique», XXXVII, 1935.—JOSÉ M.ª DE COSSÍO: *Geografía de una serranilla del M. de Santillana*, «Correo Erudito», II, 1941.—V. GARCÍA DE DIEGO: *Marqués de S.: Canciones y decires*, ed. y estudio por..., Clás. Castellanos, Madrid, 1913.—A. HUARTE: *Los contratos de doña Leonor de la Vega* (Datos para la biografía de Santillana), «Bas. Ter.», 1923.—RAFAEL LAPESA: *La obra literaria del M. de Santillana*, Madrid, 1957.—M. MENÉNDEZ PELAYO: *Santillana*, vol. II, cap. XI de «Antología», págs. 77-138; *Horacio en España*.—R. MENÉNDEZ PIDAL: *Poesias inéditas del M. de Santillana*, «Poesía árabe y poesía europea», Colec. Austral, núm. 190.—M. OLIVAR: *Documents per a la biografia del M. de Santillana*, «Bol. Inst. Estudis Catalans», XI, 1926, Barcelona.—M. PÉREZ Y CURÍS: *El M. de Santillana, Iñigo L. de Mendoza. El poeta, el prosador y el hombre*, Montevideo, Edit. Renacimiento, 1916.—J. AMADOR DE LOS RÍOS: *Vida del M. de Santillana*, Colec. Austral, núm. 693, Buenos Aires, 1947.—MARIO SCHIFF: *La bibliothèque du M. de Santillana*, París, 1905.—J. SERONDE: *Dante and the French influence on the M. de Santillana*, «The Rom. Review», 1916; *A study of the relations of some leading French Poets of the XIV and XV centuries to the M. de Santillana*, «Romanic Review», 1915.—JOSÉ TERRERO: *Paisajes y pastoras en las serranillas del M. de Santillana*, «Cuad. de Literatura», VII, 1950, págs. 169-202, Madrid.—EVELINA VANNUTELLI: *Il Marchese di Santillana e Francesco Petrarca*, «Rivista d'Italia», 15 febrero 1924.—ANGEL VEGUE Y GOLDONI: *Los sonetos al itálico modo, de don Iñigo L. de Mendoza, M. de Santillana, estudio crítico y nueva ed. de los mismos por...*, Madrid, 1911.

III. J. M. AGUADO: *Heredades y casas de Juan de Mena*, «Bol. R. Acad. Esp.», XIX, 1932.—JOSÉ MANUEL BLEGUA: *Juan de Mena. El «Laberinto de Fortuna o Las Trescientas»*, ed., pról. y notas de..., Clás. Castellanos, núm. 119, Madrid, 1943; *Algunos aspectos del «Laberinto»*, «Castilla», vol. I, págs. 115-31, Valladolid, 1941.—ERASMO BUCETA: *La crítica de la oscuridad sobre poetas anteriores a Góngora*, «Rev. Fil. Esp.», VIII, 1921.—A. CARBALLO PICAZO: *Juan de Mena: Un documento inédito y una obra atribuida*, «Rev. de Literatura», I, 1952, págs. 269-99, Madrid.—R. FOULCHÉ-DELBOSCH: *Etudes sur le «Laberinto» de J. de Mena*, «Revue Hispanique», IX, 1902.—PAUL GROUSSAC: *Le commentateur du «Laberinto»*, «Revue Hispanique», 1904.—FEDERICO HANSSEN: *El arte mayor de J. de Mena*, «Anales de la Univ. de Chile», núm. LXVIII, 1906.—M.ª ROSA LIDA: *Juan de Mena, poeta del Prerrenacimiento español*, Méjico, 1950.—INEZ MACDONALD: *The Coronación of J. de Mena. Poem and commentary*, «Hispanic Review», VII, 1939, págs. 126-44.—EUGENIO MELE: *Il metro del primo coro dell' «Adelchi» e il metro d'Arte mayor*, «Studi di Filologia Moderna», 1908.—M. MENÉNDEZ PELAYO: *Juan de Mena*, «Antología...», vol. II, cap. XII, págs. 139-94.—C. R. POST: *The sources of Juan de Mena*, «Romanic Review», III, 1912, págs. 223-79.

Consúltese la bibliografía sobre métrica que se inserta en el cap. VII: «La poesía en el siglo XV».

CAPITULO X

ULTIMAS MANIFESTACIONES POETICAS DE LA EDAD MEDIA

I. LA SÁTIRA POLÍTICO-SOCIAL: *«Coplas del provincial». «Coplas de Mingo Revulgo» y de «¡Ay Panadera!». La «Danza de la muerte».*—II. LA DINASTÍA MANRIQUEÑA: *Rodrigo Manrique. Pedro y Gómez Manrique. Jorge Manrique y las «Coplas que fizo por la muerte de su padre».*—III. MÁS POETAS DE LA ÉPOCA: *Alvarez Gato. Antón Montoro.*—IV. EL REINADO DE LOS REYES CATÓLICOS: *Principales poetas. Fray Iñigo de Mendoza. Fray Ambrosio de Montesino. Padilla el «Cartujano». Cota y Sánchez de Badajoz. El «Cancionero General», de Hernando del Castillo.*—NOTAS.—BIBLIOGRAFÍA.

I. LA SATIRA POLITICO-SOCIAL

Estudiada la poesía en la primera mitad del xv en los capítulos anteriores, la que resta hasta el triunfo de la nueva escuela con el Renacimiento se puede incluir en dos apartados: época de Enrique IV y época de los Reyes Católicos.

Está ya admitido como tópico que el reinado de Enrique IV (1454-1474) significa un descenso total de nuestras letras. Los partidarios de la crítica sociológica, abusando una vez más del correlato cultura = sociedad y en su obsesión por ligar de una manera fatal el desarrollo del espíritu al de las instituciones político-sociales, no vacilan en considerar esos veinte años como un paréntesis en el proceso cultural de España. No se dan cuenta de que dos decenios son período harto breve para poder hablarse de decadencia en términos absolutos y de que los escritores de ese reinado se habían formado en su mayor parte durante el anterior y pasarán al siguiente en calidad de autores de prestigio. ¿Hasta qué punto, por otro lado, cabe llamar decadente a una época en que el género histórico se prestigia con nombres como el de Alfonso de Palencia y Hernando del Pulgar, y que en la lírica ofrece composiciones como algunas de Alvarez Gato y como las *Coplas* de Jorge Manrique, sin duda lo más perfecto, lo más hondo y lo más poético que nos dió la musa española a lo largo de la Edad Media?

Es cierto que la lírica en el reinado de Enrique IV no es tan frondosa ni acaso tan refinada como en los anteriores; pero ofrece en desquite tal nota de actualidad viva, de pasión y de lucha del momento, y una tal sinceridad, a veces hasta brutal y excesiva, que la hacen inapreciable a los ojos del historiador. Esta poesía de carácter satírico es, en efecto, reflejo de un estado social. «Nunca—escribe Menéndez Pelayo—imperó con mayor desenfreno la anarquía; nunca la luz de la conciencia moral anduvo tan a punto de apagarse en las al-

mas. Roto el freno de la ley en grandes y pequeños; vilipendiada en público cadalso y en torpe simulacro la majestad de la corona; mancillado con escandalosas liviandades el tálamo regio; enseñoreados de no pocas iglesias la simonía y el nepotismo; dormida y estéril, ya que no vacilante, la fe, e inficionadas, en cambio, las costumbres con el secreto y enervador contagio de los vicios de Oriente; inerme el brazo de la justicia..., suelta la rienda a todo género de tropelías y desmanes, venganzas privadas, homicidios y rapiñas, pareció que todos los ejes de la máquina social crujían a la vez, amagando con próxima e inminente ruina.» En tal ambiente no ha de extrañar que la literatura de libelo, la sátira, bien soez y desvergonzada, a la manera de las *Coplas del Provincial*, bien grave y amonestadora, como en las *Coplas de Mingo Revulgo,* encontrara su mejor terreno.

Las «Coplas del Provincial»

Son 149 coplas, escritas en un tono de lo más ofensivo y descarnado que puede darse, y destinadas a colmar de insultos a los más altos personajes seglares y eclesiásticos de la Corte de Enrique IV. La Corte es imaginada como un gran convento visitado por el Provincial, que llega

de nuevos motes cargado,
ganoso de decir mal.

Los frailes, las monjas y personajes de la nobleza a los que se cita casi siempre por su nombre, van desfilando ante el Superior, quien, sin morderse la lengua, les saca a relucir todos los trapos sucios, calificándolos, según cuadra a cada uno, con los más infamantes dicterios: judío, incestuoso, ladrón, sodomita, ramera, etc.

Hasta qué punto las *Coplas del Provincial* reflejan con su soez pintura un ambiente que existía en la realidad, no es posible determinarlo con exactitud; pero la lectura de las *Décadas*, de Palencia, inducen a pensar que los tiros iban casi siempre bien dirigidos. El mismo autor o autores aluden a lo certero de su puntería:

> Y en estos dichos se atreve,
> y si no, cúlpenle a él
> si de diez veces las nueve
> no diere en mitad del fiel.

Se discute si estas *Coplas* son obra de uno o varios autores. Los que defienden la paternidad única señalan como su autor a Antón de Montoro o bien a Alfonso de Palencia. Menéndez Pelayo rechaza de plano esta última atribución: ¿qué necesidad tenía de escudarse en el anonimato quien desde las páginas de sus *Décadas* latinas se había erigido en austero censor de la sociedad de su época? La desigualdad de estilo y las irregularidades métricas, tanto en la rima como en la estructura estrófica, sugirió a algunos la hipótesis de que en las *Coplas* debieron de colaborar varios poetas. Parece comprobar tal supuesto una composición del *Cancionero* de Alvarez Gato: *A los maldicientes que ficieron las «Coplas del Provincial», porque disiendo mal crescen en sus merescimientos.* Es éste un argumento de positiva fuerza; no así el de las incorrecciones métricas, que pueden muy bien atribuirse a simples descuidos o impericia de los copistas.

La redacción ha de situarse entre 1465 y 1474, ya que en ellas se llama duque de Alburquerque a don Beltrán de la Cueva, que no obtuvo ese título hasta la primera de las dos fechas indicadas, y se denigra como vivo aún al condestable Miguel Lucas de Iranzo, asesinado en 1473, en una espantosa matanza de conversos. Las alusiones, por tanto, corresponden a los últimos años de Enrique IV, que fueron en realidad los más afrentosos del siglo xv.

Las *Coplas del Provincial* alcanzaron enorme difusión, a la que contribuyeron, tanto como el innegable ingenio que campea en muchas de ellas, el cinismo y descato con que se sacan a relucir flaquezas y vicios de elevados personajes, puestos en solfa ante la plebe ávida de tales comentarios. En el siglo xvi, el Santo Oficio intentó hacerlas desaparecer; pero sólo logró con ello despertar mayor curiosidad. Prohibida su impresión, circularon en copias imperfectas, hasta que Foulché-Delbosc publicó su edición completa en la *Revue Hispanique* (1898).

«Coplas de Mingo Revulgo» y de «¡Ay, Panadera!»

Ofrecen mayor calidad literaria y un tono muy distinto que las anteriores. Las *Coplas de Mingo Revulgo* pretenden satirizar al rey Enrique IV, a su privado don Beltrán de la Cueva y a doña Guiomar de Castro, dama portuguesa con quien se decía que el monarca tuvo amores. Lo que en las

del *Provincial* es insulto procaz y difamación personal, en las de *Mingo Revulgo* se convierte en sátira colectiva y grave admonición, que comprende en mayor o menor escala todas las clases sociales. La expresión, aunque dura en el fondo, tampoco desciende en ningún momento al grado de plebeyez que domina en las del *Provincial*. Escritas en forma dialogada, el coloquio se desarrolla entre dos pastores, Gil Arribato, especie de profeta o adivino, y Mingo Revulgo, que representa al pueblo y se lamenta del abandono en que lo tiene su pastor. Convienen los dos en que la pérdida de todas las virtudes, tanto cardinales como teologales, influyen también en las desgracias presentes. El propósito moralizante fué ya destacado por Hernando del Pulgar, el más antiguo comentador de las *Coplas* y autor de ellas, según algunos: «Estas *Coplas* se ordenaron a fin de amonestar al pueblo a bien vivir. Y en esta Bucólica, que quiere decir cantar rústico y pastoril, quiso dar a entender la doctrina que dice so color de la rusticidad que parecen decir; porque el entendimiento, cuyo oficio es saber la verdad de las cosas, se ejercite inquiriéndolas y goce como suele gozarse cuando ha entendido la verdad de ellas.» Las *Coplas de Mingo Revulgo*, por su forma dialogada, aunque exenta de carácter dramático, preludian las sencillas *Eglogas* de Juan del Encina. Son en número de 32 estrofas, de nueve versos octosílabos cada una, sobre la base de una redondilla y una quintilla desligadas entre sí, con esta disposición: *a b b a c c d d c*. He aquí una, en que se alude a doña Guiomar:

> Uno le quiebra el cayado,
> otro le toma el çurrón,
> otrol quita el çamarrón,
> y él tras ellos desvabado;
> y aun al torpe majadero,
> que se precia de certero,
> fasta aquella zagaleja,
> la de Navaluz y Teja,
> lo ha traído al retortero [1].

Las *Coplas de Mingo Revulgo* son anónimas; Mariana, primeramente, y luego Sarmiento las atribuyen a Pulgar, basándose en que sólo comentándose a sí mismo un poeta puede glosarse con tanta claridad como él lo hace. Pero no se sabe que Pulgar hubiera escrito nunca verso, y, por otra parte, las alusiones son tan diáfanas que cualquier contemporáneo las hubiera adivinado, lo mismo que el historiador de los Reyes Católicos. Tres son las glosas que de ellas nos han llegado: la de Pulgar (Lisboa, sin año, aunque antes de 1485); la anónima, publicada por Gallardo, y la de Martínez de Barros (Madrid, 1564).

Anteriores cronológicamente a las del *Provincial* y de *Mingo Revulgo* son las *Coplas de ¡Ay, Panadera!*, escritas por un poeta anónimo para poner en ridículo a los caballeros que en la batalla de Olmedo (1445) demostraron su cobardía, dándose a la fuga ante las huestes del rey don Juan II. Sabido es que sólo quedaron en el campo 37 cadáveres; los demás rebeldes se salvaron por pies o cayeron prisioneros. A esta conducta responden las *Coplas*, en las que se designa a muchos personajes por su nombre. Están escritas en dobles redondillas, con el estribillo final, que les da título, de *¡Ay, Panadera!* La atribución de tales *Coplas* a Juan de Mena está ya desechada; tampoco debió de ser su autor el mariscal Iñigo Ortiz de Stúñiga, a quien las adjudica Argote de Molina. Nos han llegado por dos manuscritos: el de Gallardo y el de Menéndez Pelayo, en que el mote se sustituye por *Di, Panadera*.

La «Danza de la Muerte»

Aunque escrita casi con seguridad a principios del siglo xv, incluímos la *Danza de la Muerte* en este lugar porque es un documento animado del mismo espíritu de sátira y rebeldía que inspiró las *Coplas* anteriormente mencionadas. Responde nuestra *Danza de la Muerte* a un tema muy difundido en Europa durante la Edad Media, que consiste en simbolizar el tránsito de esta vida efímera a la eterna. En Francia, Alemania, Suiza, etc., tuvo amplias manifestaciones, no sólo en la poesía, sino también en las artes plásticas, especialmente en la pintura. A España el tema llegó un poco tardíamente, quizá por la resistencia del espíritu castellano, tan realista y sereno, a identificarse con una visión tan macabra. A principios del xv, como queda dicho, debió de componerse esta *Danza*, imitación probable de otra *Danse macabre* francesa. Consta de 79 coplas de arte mayor, en forma dialogada entre la Muerte y diversos personajes, que van sucesivamente compareciendo en su presencia. La Muerte va llamando a todos y les hace entrar en su danza, sin que nadie pueda sustraerse a esta llamada. Es así como vemos desfilar al Papa, Emperador, Rey, Cardenal, Obispo, Caballero, Mercader, Labrador, Físico, etc., en número de 33 personajes que simbolizan a toda la Humanidad:

> A la dança mortal venit los nasçidos
> que en el mundo soes de qualquiera estado,
> el que no quisiere a fuerça e amidos
> faserle he venir muy toste parado.
> Pues que ya el frayre bos ha preolcado
> que todos bayaes a faser penitençia,
> el que no quisiere poner diligençia
> por mí non puede ser más esperado...

Aunque la versión española atenúa lo terrorífico de las *danzas* extranjeras, no faltan pasajes del más crudo realismo, como la aparición de las dos doncellas, con un violento contraste entre la lozanía de su mocedad y la hediondez de sus cuerpos corroídos de gusanos:

> sepulcros escuros de dentro fedientes,
> e por los manjares gusanos royentes,
> que coman de dentro su carne podrida.

La forma dialogada le da con frecuencia un dinamismo dramático que la hará apta para las formas teatrales de tan amplia representación en la literatura del xvi.

La *Danza de la Muerte* figura en el mismo códice de El Escorial que contiene la *Doctrina cristiana*, la *Revelación de un ermitaño* y los *Proverbios morales*, de Don Sem Tob. Esta simple circunstancia ha hecho que algunos críticos juzguen su autor al judío de Carrión. Atribución poco probable, «entre otras razones —escriben los señores Hurtado y Palencia— porque en la estrofa 6.ª se recomienda la confesión» [2]. Hoy se considera obra anónima. Su tema se reproduce en el *Diálogo de Mercurio y Carón*, de Alfonso de Valdés; en la *Farsa llamada Danza de la Muerte*, de Juan Pedraza; en las *Cortes de la Muerte*, de Micael de Carvajal; en las *Barcas*, de Gil Vicente, y hasta en la segunda parte del *Quijote*, donde se alude a las *Cortes* de Carvajal.

II. LA DINASTIA MANRIQUEÑA

Hablamos de dinastía, porque los poetas de la familia son varios: dos de primer orden, Gómez y Jorge, y otros dos de menor cuantía, don Rodrigo y don Pedro.

Las escasas poesías que se conservan de don RODRIGO MANRIQUE revelan una decidida preferencia por el género alegórico, con predominio del verso octosílabo al de arte mayor, característico, al parecer, de la escuela dantesca. «En su totalidad —escribe el profesor Entrambasaguas— esta poesía demuestra una unidad que al fin es elemento integrante de la de los otros poetas de la familia: una posición elegíaca ante la lucha de la razón y las pasiones, enaltecida por el amor, que presenta la muerte como el único bien apetecible de la vida.» Poesía de desengaño que hace pensar en la caducidad de las cosas, pero sin ahondar con exceso en el tema.

De don PEDRO MANRIQUE se han conservado dos composiciones, ambas de carácter satírico. En ellas se ensaña con el ajuglarado Juan Poeta o Juan de Valladolid. Interesa especialmente la titulada *Coplas a Juan Poeta cuando lo cautivaron sobre el mar y lo llevaron allende*, por el vocabulario judeo-español y por las alusiones a costumbres de la época.

Gómez Manrique

La larga vida de GÓMEZ MANRIQUE (¿1412-1490?) [3], tío de Jorge, el famosísimo autor de las *Coplas a la muerte de su padre*, llena casi el siglo XV, uno de los más fecundos y agitados de nuestra historia. Iniciada su actuación pública en el momento en que don Alvaro de Luna riñe las más duras batallas contra la nobleza, puede asistir, tras el paréntesis del reinado de Enrique IV, al renacer glorioso y henchido de promesas del de los Reyes Católicos

Menéndez Pelayo lo conceptúa el mejor poeta de su siglo después de Santillana y Juan de Mena. En su producción encontramos la doble faceta, lírica y dramática. Para el mismo Menéndez Pelayo, Gómez Manrique es, sobre todo, un gran poeta lírico; otros, Valbuena Prat entre ellos, prefieren al autor dramático. Estudiadas sus dos obras del género—*Representación del Nacimiento de Nuestro Señor* y *Lamentaciones fechas para la Semana Santa*—en el capítulo dedicado al teatro medieval, sólo nos resta hablar aquí del aspecto lírico. En éste Gómez Manrique sigue fiel a las direcciones características de su época: la galaico-provenzal, con su triple modalidad amorosa, satírica y de reqüesta, y la alegórico-doctrinal. Recordemos, entre sus poemas de simple pasatiempo, la *Batalla de amores*, la *Carta de amores* y *Lamentación*. Deliciosa de forma y contenido es la dedicada *A una dama que iba encubierta*:

> El coraçón se me fué
> donde vuestro vulto vi,
> e luego vos conosci
> al punto que vos miré.
> ....
> Asi que con mis enojos
> e muy grande turbación,
> allá se fueron mis ojos
> do tenía el coraçón.

Destacan, entre las satíricas, las dirigidas a Juan Poeta, en las que no repara ante los más duros dicterios; el *Razonamiento de un rocín a su paje* y *En nombre de una mula*, las dos en metro de pie quebrado.

En lo alegórico-doctrinal se revela fiel discípulo de Mena y Santillana, así en el fondo como en la forma. Los poemas de este grupo suelen ir precedidos de un «prohemio» o prólogo en prosa en que se nos explica su contenido. Es en estas composiciones donde ha de buscarse al poeta de noble acento y de tendencia ascética más que ética, que contempla imperturbable la continua mudanza de las cosas. Recordemos el *Planto de las virtudes e poesía por el magnífico señor don Iñigo López de Mendoza*, imitación de la *Comedieta de Ponza* y de la *Coronación de Mosén Jordi*; las *Coplas por el contador Diego Arias de Avila*, profunda lección sobre la vanidad terrena, que pudo servir de modelo directo a su sobrino Jorge, para las suyas *A la muerte de su padre*; la *Consolatoria*, dedicada a su esposa, proclamando la fe como fuente de todo consuelo; y la *Defunción del muy noble Garci Lasso de la Vega*, en soberbias estrofas de arte mayor, que podrían ir firmadas sin desdoro por Juan de Mena.

Jorge Manrique

Sobrino del anterior, JORGE MANRIQUE (1440-1478)[4] debe su fama a una sola poesía: las *Coplas que fizo por la muerte de su padre*. De no ser por ellas su nombre habría quedado en penumbra como tantos otros que figuran en los viejos cancioneros.

Se conservan de él hasta medio centenar de composiciones, encuadradas todas ellas en la más pura escuela castellana y siguiendo la triple tendencia amorosa, festiva y doctrinal. Entre las galantes cabe señalar la *Profesión que hizo en la Orden del Amor*, el *Castillo de Amor* y la *Escala de Amor*, todas ellas mediocres y desvaídas. Rara vez logra matices de relativa finura, como en la titulada *Porque estando durmiendo le besó su amiga*. En cambio, y al igual que su coetáneo Alvarez Gato, no se detiene, en su prurito de buscar comparaciones, ante las mayores impiedades. Las burlescas son todavía más deleznables. Pocas cosas se pueden leer más desmayadas y exentas de gracia que el *Combite que fizo a su madrastra*, doña Elvira de Castañeda. En lo doctrinal nos dejó, aparte de las *Coplas*, una diatriba, también en verso de pie quebrado, contra *La fortuna*, que recuerda hasta cierto punto el *Diálogo de Bías*, del marqués de Santillana.

Lo que mantiene fresco el nombre de Jorge Manrique, y lo mantendrá mientras exista nuestra lengua, es el poema titulado *Coplas por la muerte de su padre don Rodrigo*, una de las composiciones más logradas de la literatura española, y sin duda la mejor de toda la lírica medieval. Consta el poema de 40 coplas, de pie quebrado, y se inicia con la consabida estrofa:

> Recuerde el alma dormida,
> avive el seso y despierte
> contemplando
> cómo se pasa la vida,
> cómo se viene la muerte,
> tan callando.

Tras unas consideraciones de carácter general, en que se compara la vida con el fluir de los ríos hacia el mar—«que es el morir»—, y después de una invocación a Jesucristo, pasa el poeta a considerar la inconsistencia de los bienes de este mundo; viene luego una alusión bellísima a sucesos contemporáneos, para llegar a don Rodrigo Manrique, a quien se nos presenta en vida y muerte como dechado de virtudes. En las últimas estrofas, bellísimo cuadro de ambiente familiar, se ha querido ver por vez primera en nuestra literatura la expresión renacentista de la vida perdurable de la fama. Afirmación inexacta, ya que la misma idea se nos anticipa en el *Conde Lucanor*, de don Juan Manuel[5].

Importa determinar hasta qué punto las *Coplas* manriqueñas son originales. Por lo pronto la influencia de Abul-Beka, insinuada por Valera, está ya totalmente descartada. Cierto que hay semejanzas ideológicas entre las poesías escritas por aquel poeta para lamentar la pérdida de Córdoba y Sevilla, Valencia y Murcia, y algunos pasajes de la composición de Manrique. Pero se trata de semejanzas casuales, ya que el tema que desarrollan —lo efímero de las glorias terrenas—y los ejemplos con que se respalda son comunes a todas las literaturas. No es probable que Manrique conociera la obra de Abul-Beka; en cambio, se puede demostrar que no hay en sus *Coplas* idea, sentimiento e imagen que no esté contenida en lecturas que debieron de serle familiares: Sagradas Escrituras, Santos Padres, moralistas y poetas clásicos, poetas doctrinales del xv, como Santillana, Sánchez de Talavera y, sobre todos, su tío Gómez Manrique, cuyas *Coplas para el señor Diego Arias de Avila* parecen haber sido el modelo más inmediato de las manriqueñas. Ambas composiciones, las de tío y sobrino, obedecen a idéntico plan y presentan evidentes analogías de conjunto y hasta de detalle.

Pedro Salinas ha estudiado recientemente los factores integrantes de las *Coplas* y descubre en ellas cierta inspiración de origen petrarquista. Antes Menéndez Pelayo, asistido de copiosas lecturas y llevado de un noble afán de agotar el análisis de las fuentes, señaló influencias harto discutibles, si no imaginarias. Refuta a Valera y subraya como el libro que más honda huella dejó en estas *Coplas* el *De consolatione philosophiae*, de Boecio. Algunos textos de que se sirve para su correspondiente confrontación ofrecen, es cierto, semejanzas, pero muy remotas. Augusto Cortina, por el mismo camino, llega a las siguientes conclusiones:

a) Debemos considerar como fuente inmediata las citadas *Coplas a Diego de Arias* y el *Planto de las Virtudes y Poesía,* de Gómez Manrique.

b) Son también fuentes, más o menos directas, pero sin duda utilizadas, la Biblia (Job, Salomón, Isaías, San Pablo y San Juan), Boecio y Próspero de Aquitania.

c) La elegía coincide en lugares comunes de concepto y de forma con obras doctrinales de la época, las cuales, aunque contribuyen a crear la atmósfera en que se mueve la obra, no debieron de ejercer en ella influjo directo.

En la apreciación literaria de las *Coplas* todo el mundo está de acuerdo. Pocas veces el elogio de la crítica ha sido tan unánime. Lope de Vega dijo que merecían estar escritas con letras de oro; Quintana las calificó como el mejor trozo de poesía del siglo xv; han sido glosadas innumerables veces y también puestas en música; uno de los mejores poetas de habla inglesa, Longfellow, las recreó en su idioma. Realmente, todo lo que se diga en su alabanza resulta pálido. Contrastan de tal manera con la obra total del mismo Jorge Manrique, que no falta quien se pregunta si no tendría parte en su composición su tío Gómez, indudablemente mejor poeta que el sobrino, el cual venía escribiendo versos adocenados cuando de pronto lo vemos enseñorearse del léxico y la versificación, hasta lograr la más célebre poesía tal vez de la lengua castellana.

El dominio del metro en las *Coplas* es tan absoluto, que sin temor podría firmarlas un poeta romántico: Zorrilla, Espronceda, Arolas, entre quienes el verso de pie quebrado alcanzó tanta fortuna. Su léxico es el mismo de hoy y de todos los tiempos. La sintaxis parece adelantarse en varios siglos y, dentro de ella, la cláusula se mueve sin el menor tropiezo. En una palabra, la lengua se actualiza, como en un milagroso anticipo del siglo xvi, del xvii, de cualquiera de los siglos subsiguientes:

> ¿Qué se fizo el rey don Juan?
> Los infantes de Aragón,
> ¿qué se ficieron?
> ¿Qué fué de tanto galán,
> qué fué de tanta invención
> como truxeron?
> Las justas e los torneos,
> paramentos, bordaduras
> e cimeras,
> ¿fueron sino devaneos?,
> ¿qué fueron sino verduras
> de las eras?
> ¿Qué se ficieron las damas,
> sus tocados, sus vestidos,
> sus olores?
> ¿Qué se ficieron las llamas
> de los fuegos encendidos
> de amadores?
> ¿Qué se fizo aquel trobar,
> las músicas acordadas
> que tañían?
> ¿Qué se fizo aquel dançar,
> aquellas ropas chapadas
> que traían?

III. MAS POETAS DE LA EPOCA: ALVAREZ GATO

Después de los dos Manrique la figura más relevante de la poesía en el reinado de Enrique IV es la de JUAN ALVAREZ GATO (1440?-1509?) [6]. Injustamente olvidado, puede figurar a la cabeza de la intelectualidad literaria de su tiempo.

De sus propios versos se deduce que a una juventud enamoradiza y desenvuelta debió de suceder una madurez tranquila y hasta devota. El mismo alude a los años en que

> era mozo potro
> sin tener seso ninguno.

Aun concediendo no poco a los convencionalismos de la época, no cabe poner en duda la evolución del poeta desde un género frívolo en que compone piececillas que huelen a franca tercería, hasta ese otro tono grave, en que lo mismo se zahiere el mal gobierno de Enrique IV, que se lamenta la hipocresía de ciertas actitudes o bien se pretende dar a la voz honda unción de carácter religioso. Cierto que esta religiosidad de Alvarez Gato nunca da la impresión de ser efusiva y sincera, como en los grandes maestros de la época siguiente, ni aun como en muchos de sus coetáneos. Es un misticismo laico, por así decirlo, que no arrebata ni emociona y que se dirige a Dios como podría hacerlo a un amigo, con mucha cortesía y escaso afecto. Sólo cuando glosa o parafrasea letrillas populares, enderezándolas a materias de religión, surge de nuevo la primitiva gracia y movimiento del poeta donjuanesco que había sido en sus años juveniles.

Prescindiendo de unos pocos escritos en prosa, de escaso relieve, consignemos que su producción poética, como la de casi todos los vates de la época, se canaliza en la triple dirección amorosa, religiosa y político-moral. En algunas composiciones Alvarez.Gato adopta con fortuna el tipo métrico del zéjel. Lo mejor ha de buscarse en el género amoroso, teñido a veces con una leve nota de ironía y burla. En su mayor parte los poemas de esta clase son desafíos de amor, quejas a diversas damas, loores y motes. En lo religioso, aunque acepta los convencionalismos de la época, según queda dicho, no faltan poemas —Al Crucifijo, Al Sacramento, A la Resurrección—, en cuyo fondo late auténtico fervor. Véase con qué gracia se anticipa a Lope de Vega en sus villancicos:

> Venida es, venida
> al mundo la vida.
>
> En un portalejo,
> con pobre aparejo,
> servido de un viejo,
> su guardia escogida,
>
> la piedra preciosa,
> nin la fresca rosa
> non es tan hermosa
> como la parida.
>
> Venida es, venida
> al mundo la vida.

Antón de Montoro

La poesía burlesca, jocosa y hasta epigramática en cierto modo, tiene durante esta época su mejor representante en ANTÓN DE MONTORO (1404-1480?) [7], judío converso y sastre, llamado por ello también el Ropero. En algunas composiciones de carácter religioso, como en la Cántica a Nuestra Señora, encuentra a veces acentos de sincera piedad; pero en otras, especialmente de loores, no se detiene ante las mayores irreverencias. Conocida es su Canción a la Reina Isabel, donde estampa blasfemias como ésta:

> Alta reina soberana,
> si fuérades antes vos
> que la hija de Santa Ana,
> de vos el Hijo de Dios
> recibiera carne humana.

Tampoco las amorosas o galantes ofrecen interés, a no ser cuando se iluminan con tal cual chispazo burlesco. El fuerte de Montoro es la poesía de contienda, en la que abundan las desvergüenzas e improperios, así como el epigrama, que anuncia al de Alcázar, aunque con una sal mucho más gruesa: A Miguel Durán, al corregidor Dávila, a don Pedro del Castillo de Ortexicar; y, sobre todo, los dirigidos contra el pobre Juan Poeta de Valladolid, judío converso como él. Sin salirse del género festivo, merecen recordarse: A un bebedor, A una mujer enamorada porque la vido tomar ceniza el miércoles, Al Conde de Cabra porque le demandó y no le dió nada, etc. Al género serio pertenece su poema, lleno de fuerza trágica, A la muerte de los dos hermanos Comendadores, inspirado en un episodio que algún tiempo se tuvo por fabuloso y luego resultó verídico, el mismo que habían de aprovechar en sendos dramas Lope de Vega y Cubillo de Aragón, y que antes habían recordado Francisco Delicado en la Lozana andaluza; Lope de Rueda, en el Coloquio de Timbria, y Rufo, en varios romances incluídos en sus Apotegmas.

Juan de Mena, el marqués de Santillana y otros poetas de la época tuvieron a Montoro en gran estima.

IV. EL REINADO DE LOS REYES CATOLICOS

Este período, que Valbuena Prat cierra con la muerte de la reina doña Isabel (1504) y que nosotros prolongamos en poco más de una década, hasta el fallecimiento de don Fernando (1516), significa el momento de cristalización nacional de las tendencias renacentistas. Los hechos culminantes de este período preparan los destinos de la España del siglo XVI. El ansia de saber trasciende a todas las clases sociales, haciendo posible el mecenazgo de los reyes y magnates sobre una legión de humanistas, que abonarían el terreno para el

brillante resurgir de la llamada Edad o Siglo de Oro. No es todavía el Renacimiento propiamente dicho; pero es su pórtico indispensable. Una doble serie de adquisiciones y limitaciones vienen a definirlo y encuadrarlo. Adquisiciones: unidad nacional, descubrimiento de América, conquistas de Italia, que afianzan nexos ya establecidos en el reinado de Alfonso V; introducción de la imprenta; limitaciones: expulsión de los judíos, creación del Santo Oficio, etc.

Más que el análisis de estos factores, que serán

estudiados en el capítulo dedicado al Renacimiento, época en que dieron sus mejores frutos, interesa aquí el panorama literario de finales del xv. En tal sentido, la literatura del reinado de los Reyes Católicos representa la cancelación de las ideologías y tipos anteriores; si algo de éstos pervive es sólo a costa de una honda transformación. En poesía, por ejemplo, género que más nos interesa ahora, mientras el alegorismo dantesco se nos ofrece en trance de liquidación, hay una feliz fusión de los últimos motivos medievales con las primeras tendencias renacentistas. El mismo doble plano —popularismo y espíritu de selección— que encontramos en la prosa de la Celestina, se refleja también en las últimas manifestaciones de la poesía de la época, que ofrece carácter predominantemente religioso.

Limitamos nuestra referencia a sus más conspicuos representantes: fray Iñigo de Mendoza, Montesinos, Padilla, Cota, Garci-Sánchez de Badajoz y Guillén de Segovia.

Fray Iñigo de Mendoza

Fray IÑIGO DE MENDOZA [8] fué un fraile franciscano, que mereció la protección de Isabel la Católica. Sátiras de la época nos lo retratan como un religioso apegado a lo mundanal y dado a galanteos, que no se desdeña de pedir favores a las damas:

> Este religioso santo,
> metido en vanos placeres,
> es un lobo en pardo manto:
> ¿cómo entiende y sabe tanto
> del trato de las mujeres?

Así reza una quintilla alusiva a él. No parece, sin embargo, que quepa atribuir el menor fundamento a tales diatribas. Las cosas habían cambiado mucho desde el reinado anterior, y no es presumible que mujer tan severa como la Reina Católica dispensara su protección a un fraile de relajadas costumbres. Como poeta nos dejó una Vita Christi, en quintillas dobles, y probablemente sin terminar, en la que se recogen los más destacados episodios de la infancia de Jesús, hasta la degollación de los Inocentes. La encabezan unos loores a la Virgen; y es de notar por la feliz mezcla que hay en ella de poesía seria y motivos populares: himnos, romances, villancicos y hasta un fragmento semidramático en lenguaje villanesco, que recuerda las Coplas de Mingo Revulgo. En los loores a la Virgen intercala una sátira sobre los devaneos de las damas. A imitación de Mena compuso la Justa y diferencia que hay entre la razón y la sensualidad, poema de carácter alegórico; y siguiendo la tendencia didáctica de su tiempo, Coplas «en vituperio de las malas hembras» y otras doce en loor «de las buenas mujeres», todas ellas salpicadas con alusiones de recio sabor popular:

> Son agua de por San Juan,
> que del vino nos despega
> y al pan non ayuda nada.

Carácter político revisten el Dechado de príncipes fecho a la señora reina de Castilla y Aragón, en coplas de pie quebrado, y el Sermón trovado, al rey Fernando el Católico.

Fray Ambrosio de Montesino

Fraile franciscano también y poeta favorito de la reina Isabel la Católica fué fray AMBROSIO DE MONTESINO [9], cuya poesía se caracteriza aún más que la de Mendoza por el constante empleo de formas y motivos populares. Es acaso el único entre los poetas de la Corte de los Reyes Católicos que se mantiene absolutamente fiel a la tradición castellana, sin concesiones de ninguna clase a las modas venidas de Italia. Glosas, canciones y villancicos extraídos de la lírica popular y trasladados a lo divino constituyen su nota más saliente. En tono mitad satírico, mitad moralizador, escribe la Doctrina y reprehensión de las mujeres en sus tres estados de casadas, doncellas y viudas, que Menéndez Pelayo compara con «O femina, guardate», de Jacopone da Todi. Entre sus poemas extensos, auténticas exposiciones teológicas, han de citarse el Tratado del Santísimo Sacramento, las Coplas del árbol de la Cruz y las Coplas a reverencia de San Juan Bautista; y entre los breves, las Coplas en gloria de Nuestra Señora y las In Nativitate Christi, uno y otro en metro hexasílabo y dialogado el segundo, sin duda por ir destinado a su recitación en conventos de monjas, como las obritas ya aludidas de Gómez Manrique. Escribió asimismo romances —por cierto, impresos como dísticos de 16 sílabas—; los más notables son el dedicado a la muerte del príncipe Alfonso de Portugal y otro En honra y gloria de San Francisco, rebosante de unción e ingenuidad:

> Usaba de duras peñas
> por blanda cama y estrado;
> ayunar sin comer nada
> era su mejor bocado;
> sospiros sonables, tristes,
> su canto más acordado;
> de espinas y duras guijas
> no le defendió calzado;
> sayal áspero vestía
> justo al cuerpo remendado...

No menos delicioso es el villancico:

> ¿Quién te trajo, Rey de gloria,
> por este valle tan triste?
> ¡Ay hombre! Tú me trajiste.

Las poesías de Montesino, impresas desde finales del xv, fueron recogidas en su Cancionero de diversas obras de nuevo trovadas (Toledo, 1508); y, a juzgar por los altos personajes a quienes van dirigidas, debió de disfrutar de extraordinaria reputación. Montesino se hizo célebre por la traducción de la Vita Christi, de Landulfo de Sajonia, en la que nos dejó una de las mejores muestras de la prosa del tiempo de los Reyes Católicos.

Padilla el «Cartujano», Cota y Sánchez de Badajoz

JUAN DE PADILLA (1468-1522?) [10], llamado también el *Cartujano* por haber sido monje profeso en la Cartuja de Santa María de las Cuevas de Sevilla, es el mejor imitador de Dante en España, si exceptuamos a Juan de Mena. Siguiendo a éste, escribió un *Laberinto del duque de Cádiz, Ponce de León,* hoy perdido. Nos quedan, en cambio, de Padilla dos obras que le dieron en su tiempo mucha celebridad: el *Retablo de la vida de Cristo* y los *Doce triunfos de los doce Apóstoles* (Sevilla, 1513 y 1521, respectivamente), ambos en verso dodecasílabo y coplas de arte mayor. El *Retablo,* reimpreso muchas veces en los siglos XVI y XVII, es una biografía de Cristo, siguiendo los cuatro relatos evangélicos, pero con rasgos de hondo dramatismo, que hacen pensar en el *Auto de la Pasión,* de Lucas Fernández, a quien no pocas veces supera en plasticidad:

> Mostraba su cara color de difunto,
> la carne moría, moría el sentido;
> el pecho sonaba con ronco latido,
> los ojos abiertos, la vista turbada,
> llena de sangre la boca sagrada,
> fríos los pies y su pulso perdido.

En los *Doce triunfos,* alegoría dantesca inspirada en *La Divina Comedia,* Padilla se hace acompañar por San Pedro, como Dante lo había sido por Virgilio y Beatriz. Confuso en determinados pasajes, en otros, especialmente en los descriptivos, sufre comparación con el mismo Dante. Merecen subrayarse los recuerdos y alusiones a personajes de nuestra tradición épica: Rodrigo, el último rey godo; el Cid, Vellido Dolfos, etc.

La figura de RODRIGO DE COTA [11], toledano de sangre judía, se va achicando conforme pasa el tiempo. Se le ha supuesto autor del primer acto de *La Celestina* y también de las *Coplas del Provincial* y de *Mingo Revulgo.* Una y otra atribución carecen de fundamento. Hoy su fama se cimenta en el *Diálogo entre el amor y un viejo,* nueva versión del género de debates o disputas, tan generalizado desde dos siglos atrás. Un viejo, que es el mismo poeta, escarmentado de los ardides del Amor, recibe la visita de éste en su pobre choza y entabla con él un diálogo en que se suceden las burlas despiadadas del dios ciego y las réplicas desabridas del anciano. Aquél zahiere al viejo, recordándole que no es él quien deja al pecado, sino al revés:

> Conviene también que notes
> que es muy más digna cosa
> en tu boca gargajosa
> *Pater nostres* que no motes;
> y el toser, que las canciones;
> y el bordón, que no la espada;

> y las botas y calzones,
> que las nuevas invenciones
> ni la ropa muy trepada.

No hacen falta nuevas muestras para ver el estilo, casi siempre plebeyo, en que el *Diálogo* está escrito. Acaso su mayor interés estriba en las posibilidades dramáticas que encierra y que movió a Moratín a incluirlo en sus *Orígenes del teatro.* Fué imitado por Encina en su *Egloga de Cristino y Febea.*

El poeta de quien el *Cancionero General* nos guarda mayor número de composiciones es GARCI SÁNCHEZ DE BADAJOZ [12]. Continúa el alegorismo de Santillana, a quien toma por principal modelo, en *El sueño* y en *Infierno de amor.* En el primero nos enfrenta con su propio entierro, mientras los pájaros cantan sus funerales; en el *Infierno de amor* hace desfilar a los poetas eróticos de los cancioneros, que entonan sus composiciones: Macías, Rodríguez del Padrón, Santillana, Guevara, Mendoza, Mena, Sosa, Jorge Manrique y otros. En *Liciones de Job* hace una sacrílega parodia de temas litúrgicos, volviéndolos a lo erótico, con tales libertades de fondo y forma, que hubo de ser prohibido el poema por el Santo Oficio. Sánchez de Badajoz fué muy estimado en los siglos XVI y XVII. Todavía Lope de Vega preguntaba: «¿Qué cosa se iguala a una redondilla de Garci Sánchez o de don Diego de Mendoza?»

Casi todos los géneros aludidos en este capítulo se resumen en la producción del poeta y preceptista sevillano PERO GUILLÉN DE SEGOVIA (1413-1474?) [13]. Al modo dantesco escribió un *Decir sobre el amor;* la intención moral y política anima otros poemas, como los *Decires contra la pobreza, Del día del juicio, Querella de la gobernación* y *Siete pecados mortales,* en que imita a Juan de Mena. El tema medieval de la «danza de la muerte» reaparece en su sátira *Discurso de los doce estados del mundo,* contra las más destacadas clases sociales: prelados, caballeros, mercaderes, etc. Finalmente, en los *Siete salmos penitenciales trovados,* su mejor obra, retirada de los *Cancioneros* por la Inquisición, nos deja el primer ensayo, y casi único, de imitación bíblica directa que encontramos, al decir de Menéndez Pelayo, en toda la Edad Media. Guillén de Segovia es autor asimismo de una *Gaya Sciencia* o *Silva copiosísima de consonantes para alivio de trovadores,* primer diccionario de rimas que existe en castellano, y que debió de ir precedido de una métrica o «gaya sciencia» de corte medieval [14]. Sus contemporáneos le llamaron «gran trovador» y para Menéndez Pelayo es el primer poeta del reinado de Enrique IV, después de los Manrique y de Alvarez Gato.

El «Cancionero General»

Llamado también «Cancionero de Hernando de Castillo», representa el *Cancionero General* en los reinados de Enrique IV y de los Reyes Católicos, análogo papel al *de Baena* en el de Juan II, y el *de Stúñiga* en el de Alfonso V de Aragón. Un «corpus poetarum» de aquellos dos reinados.

Se publicó por primera vez en Valencia (1511) y comprende 964 composiciones de 138 autores, sin contar los anónimos. Entre estos autores los hay de primer orden, como Mena, Santillana, Montoro, Alvarez Gato, Gómez Manrique, Pérez de Guzmán y Guillén de Segovia; y otros menores. Destacan entre éstos el comendador Escrivá, autor de los conocidos versos:

> Ven, muerte, tan escondida,
> que no te sienta venir...,

y de la novela sentimental *Queja que da su amiga ante el dios del Amor*; el marqués de Astorga, a quien se deben delicadas composiciones de tendencia erótica; Diego de San Pedro, cuya importancia está en el campo de la novela, según ya vimos en otro capítulo; el vizconde de Altamira, Soria, Guevara, Tapia, etc. Ninguno de ellos tiene el valor de los estudiados anteriormente.

El *Cancionero General* fué incrementado con nuevas composiciones en reimpresiones sucesivas (Toledo, 1520; Valencia, 1540; Amberes, 1557). La Sociedad de Bibliófilos Españoles lo editó (1882), relegando a un apéndice todo lo añadido a la primitiva edición. Continuaciones suyas son el llamado *Cancionero de obras nuevas hasta ahora impresas* (Zaragoza, 1554) y el de *Constantina*. Hay ya en este *General* un como esbozo o intento de clasificación temática: obras de devoción, canciones, romances, decires, motes, villancicos y preguntas.

NOTAS

1. «Mujer natural de Navaluz y Teja, que es interpretado o llamado antiguamente Portugal», reza la glosa que acompaña al viejo manuscrito. La alusión a doña Guiomar no puede ser más clara.
2. Para nosotros hay otra razón de mayor fuerza: las palabras que la Muerte dirige al rabí:

> Don rabí barbudo que siempre estudiastes
> en el Talmud e en los sus doctores,
> e de la verdad jamás non curastes,
> por lo cual abedes penas e dolores.

Piénsese también en la acusación de farsantes formulada por el rabí del *Auto de los Reyes Magos* contra sus hermanos de raza.
3. De Amusco (Tierra de Campos); hace el quince entre los hijos de Pedro Manrique y Leonor de Castilla, nieta del rey Enrique III. Enemigo de don Alvaro de Luna, toma parte en las luchas interiores entre el privado y la nobleza. Se indispone con Juan II; pero, a la muerte de éste, su sucesor le devuelve los bienes que le habían sido confiscados. Interviene con su hermano don Rodrigo, conde de Paredes, en la guerra contra los moros de Granada. Tras el divorcio del rey con doña Blanca, pasa al bando del infante don Alfonso, y, fallecido éste, se inscribe en el pacto de los Toros de Guisando (1468); un año después es comisionado por los Reyes Católicos para prestar en su nombre pleito homenaje a Alfonso V de Portugal, y en 1475 se le encarga de que desafíe, en nombre de los mismos reyes, al monarca lusitano por haber prestado su apoyo a la Beltraneja. Probablemente ese

mismo año fué nombrado corregidor de Toledo, y consiguió con habilidad mantener a la ciudad fiel al partido de los Reyes Católicos. Asiste a la batalla de Toro; interviene con frecuencia en favor de los conversos; reconstruye el puente de Alcántara y manda edificar las Casas Consistoriales, donde hace grabar los conocidos versos:

> Nobles, discretos varones
> que gobernáis a Toledo,
> en aquestos escalones
> desechad las aficiones,
> codicias, amor y miedo.
> Por los comunes provechos
> dexad los particulares:
> pues vos fizo Dios pilares
> de tan riquísimos techos,
> estad firmes y derechos.

Se ignora el año de su muerte, que, a juzgar por una copia del testamento, se sabe tuvo que ocurrir antes del 16 de febrero de 1491. Fué enterrado en el monasterio de Santa Clara de Calabazanos, fundado por su madre. El *Cancionero* de Gómez Manrique, que comprende 108 composiciones, fué publicado (1885) por Paz y Meliá.
4. Natural de Paredes de Nava, cuarto hijo del conde de Paredes y de su primera esposa, doña Mencía de Figueroa. Fué señor de Belmontejo. Las discordias civiles de la época y las inclinaciones políticas de sus familiares le obligan desde muy joven a intervenir en las luchas intestinas del reinado de Enrique IV y primeros años del de los Reyes Católicos. Partidario, como todos los de su casa, del infante don Alfonso, obtiene de él, entre otras mercedes, la encomienda de Montizón en la Orden de Santiago. Pasa al bando de los Reyes Católicos, y combate contra la Beltraneja. En 1474 asiste al Capítulo de la Orden de Santiago, que elige maestre a su padre. Acérrimo partidario de Isabel la Católica, lucha contra el marqués de Villena; es herido en el asalto al castillo de Garci-Muñoz en 1476. Pocos días después muere en Uclés, en cuyo monasterio recibe sepultura.

Al parecer, cuando le fueron a revestir los paños mortuorios, le encontraron en el seno unas coplas de un poema, sólo comenzado, «contra el mundo». En ellas desarrolla el mismo tema de su famosa elegía. Fueron impresas en el *Cancionero General* (ed. Sevilla, 1537), y continuadas por Rodrigo Osorio. Las coplas dicen:

> ¡Oh mundo! Pues que nos matas,
> fuera la vida que diste
> toda vida;
> que, según acá nos tratas,
> lo mejor y menos triste
> es la partida.
> De tu vida, tan cubierta
> de tristezas y dolores
> muy poblada;
> de los bienes tan desierta,
> de placeres y dulzores
> despojada.

5. Las estrofas de Manrique dicen:

> Assí, con tal entender,
> todos sentidos humanos
> conservados,
> cercado de su mujer
> e de sus hijos e hermanos
> e criados,
> dió el alma a quien ge la dió
> (el qual la ponga en el cielo,
> en su gloria),
> que aunque la vida perdió,
> dejónos harto consuelo
> su memoria.

6. Se le supone nacido en Madrid. Hijo de don Luis, cabeza de este noble apellido. Después de servir a Enrique IV, fué mayordomo de la reina doña Isabel. Tuvo amistad con las personas más destacadas de su tiempo.
7. Nacido probablemente en Montoro (Córdoba). En su oficio de sastre vivió pobremente, dirigiendo sin cesar cartas a distintos personajes en solicitud de dádivas. Estas no lograron sacarle de apuros, ya que él mismo confiesa no poder abandonar su humilde oficio:

> Pues no cresce mi caudal
> el trovar, nin da más puja,

adorámoste, dedal;
gracias fagamos, aguja.

Sostuvo contiendas poéticas con Juan Poeta y otros. Probablemente fué socorrido por don Pedro Fernández de Córdoba, padre del *Gran Capitán*. En la Semana Santa de 1473 se produjo una matanza de judíos y conversos, viéndose Montoro obligado a refugiarse en Sevilla. Desde allí se quejó a los Reyes Católicos por la persecución de que se hacía objeto a los conversos. Murió en Sevilla, al parecer. poco después de 1474.

8. Poco sabemos de la vida de este homónimo del marqués de Santillana. Su apellido induce a creer que estaba emparentado con la casa del Infantado, no sabemos si con lazos legítimos o ilegítimos. Menéndez Pelayo (*Antología de poetas líricos*, III, 42) sugiere que quizá fuera judío converso, adoptado por el marqués, y «que habría tomado al bautizarse el nombre de su padrino, como era costumbre en aquellos tiempos». En el *Cancionero General* hay dos composiciones (814 y 815) destinadas a zaherirle por sus costumbres, impropias de un religioso. En una de ellas se le llama «lindo frayle de Palacio».

9. Natural de Huete; llegó a ser obispo de Albania, y debió de morir hacia 1512.

10. Escasas noticias de su vida. Sevillano, al final del *Retablo*, nos da su nombre y apellido en un curioso acróstico, en que apartándose de la estructura corriente de este metro, inicia cada verso no con una, sino con dos o más letras:

Don religioso la regla me puso,
jurado con voto canónico;
ante su vista me hallo seguro
de la tormenta del mundo confuso.
Parece, por ende, mi nombre recluso,
digno lector, si lo vas inquiriendo;
llama, si quieres, mi nombre diciendo:
monje cartujo la obra compuso.

11. Rodrigo de Cota de Maguaque era toledano; se le llamaba el *Viejo* y el *Tío* para distinguirlo de algún sobrino de idéntico nombre. Hizo causa con los cristianos viejos, persecutores de conversos, por lo que su antiguo correligionario Montoro le atacó duramente.

12. Debió de nacer hacia 1460 y morir hacia 1526. Natural de Ecija, aunque oriundo de Extremadura. Se cree que una vehemente pasión amorosa le llevó a la locura, si bien algunos lo interpretaron como castigo del cielo por las irreverencias de ciertos poemas que escribió.

13. Era sevillano. El apéndice «de Segovia» lo debe a su larga residencia en esta ciudad. Protegido, al parecer, por don Alvaro de Luna, a la caída de éste quedó en la mayor miseria, teniendo que dedicarse, para ganar la vida, al oficio de copista. A punto de suicidarse, fué recomendado al arzobispo de Toledo, Carrillo, que le protegió, llegando a ser su contador.

14. *La Gaya de Segovia* o *Silva copiosísima de consonantes para alivio de trovadores*, recopilada por Pero Guillén de Segovia, ms. de la Biblioteca Nacional de Madrid, sign. Dd-13; procede de la del Cabildo de Toledo. Copia moderna del padre Burriel (1754). Sobre este manuscrito hay impresa una tesis de Oiva Joh. Tallgren (Helsinki, 1907), presentada para el doctorado en la Universidad de Finlandia.

BIBLIOGRAFIA

I. Abilio Alaejos: *La poesía del «retiro». Reflejos psicológicos del alma de España*, «Rev. de Espiritualidad», núm. 26, págs. 78-88, y núm. 27, págs. 204-24, 1948.—Antonio Alatorre: *Las «Heroidas» de Ovidio, y su huella en las letras españolas*, Méjico, 1950.—M.ª Rosa Lida: *Transmisión y recreación de temas grecolatinos en la poesía lírica española*, «Rev. Fil. Hisp.», I, 1939; *Dido y su defensa en la literatura española*, «Rev. Fil. Hisp.», IV, 1942, págs. 209-52 y 312-82; *La idea de la fama en la Edad Media castellana*, Méjico, 1952.—Gregorio Marañón: *Ensayo biológico sobre Enrique IV de Castilla y su tiempo*, Madrid, 1930.—Rudolph Schevill: *Ovid and the Renascence in Spain*, Berkeley, 1913.—Karl Vossler: *La soledad en la poesía española*, Madrid, 1941.—Bruce W. Wardropper: *Historia de la poesía lírica a lo divino en la cristiandad occidental*, Madrid, 1958.—Narciso Alonso Cortés: *Las Coplas del Provincial segundo*, «Miscelánea vallisoletana», 5.ª serie.—Miguel Artigas: *Nueva redacción de las «Coplas de la Panadera» según un manuscrito de la Bibl. M. Pelayo*, «Est. in memoriam de B. y San Martín», Madrid, I, 1927.—L. Dimier: *Les danses macabres et l'idée de la mort dans l'art chrétien*, París, 1905.—A. Fernández Merino: *«La Danza Macabra». Estudio crítico-literario*, Madrid, 1884.—R. Foulché-Delbosch: *Notes sur les «Coplas del Provincial»*, «Revue Hispanique», IV, 1889.—Isolde Ardinella Henniger: *Certain Aspects of the «Dance of Death» in Spanish Literature*, «Ohio State Masters'», núm. 5, 1931.—Francisco de A. Icaza: *La Danza de la Muerte* (códice de El Escorial), ed. y prólogo de..., Madrid, 1919.—L. P. Kurtz: *The Dance of Death and the Macabre Spirit in European Literature*, Nueva York, 1934.—H. R. Lang: *A passage in the «Danza de la Muerte»*, «The Romanic Review», III, — 1212.—E. H. Langlois: *Essai historique, philosophique et pittoresque sur les Danses de la Mort*, Rouen, 1851.—A. Lasso de la Vega: *La danza macabra en la poesía castellana*, «Rev. Europea», vol. X.—M. Menéndez Pelayo: *Antología de poetas líricos*, vol. II, págs. 285-302 (Poesía satírica en el reinado de Enrique IV).—W. Seelmann: *Die Totentänze des Mittelalters*, Norde-Leipzig, 193.—F. White: *The Dance of Death in Spain and Catalonia*, Baltimore, 1931. Emilio P. Vuolo: *Origine della Danza macabra*, «Cultura Neolatina», II, Roma, 1942.

II. N. Alonso Cortés: *Gómez Manrique*, «Sumandos biográficos», págs. 9-20, Valladolid, 1939.—V. Borghini: *Giorgio Manrique. La sua poesia e i suoi tempi*, Génova, 1952.—Rose Marie Burkart: *Leben Top und Jenseits bei Jorge Manrique und François Villon*, «Kölner Romanistische Arbeiten», Marburg, 1931.—Augusto Cortina: *Jorge Manrique. Cancionero*, pról. ed. y vocabulario por..., Clás. Castellanos, núm. 94, Madrid, 1929.—José M.ª de Cossío: *El mote «Sin mí, sin vos y sin Dios», glosado por Lope de Vega*, «Rev. Fil. Esp.», XX, 1933.—E. Robert Curtius: *Jorge Manrique und der Kaisergedanke*, «Zeitschrift f. Romanische Phil.», LII, Halle, 1932.—R. Foulché-Delbosch: *Jorge Manrique. Coplas por la muerte de su padre*, ed. y estudio por..., Bibl. Hispánica, Barcelona, 1904.—D. I. Garrido: *Las Coplas de Jorge Manrique*, «La Ciudad de Dios», años 39 y 40, vols. CXIX y sgs.—Anna Krause: *Jorge Manrique and the Cult of Death in the Cuatrocientos*, Univ. of Calif. Press, Berkeley, vol. I, págs. 79-176, 1937.—Lapidus Nejama: *Contribución a la crítica manriqueña*, «Humanidades», Bol. Univ. del Plata, XXVII, 1939.—M.ª Rosa Lida: *Una copla de Jorge Manrique y la tradición de Filón en la literatura española*, «Rev. Fil. Hisp.», IV, 1942, págs. 152-62.—M. Menéndez Pelayo: *Antología de poetas líricos*, vol. II, cap. XVIII (Gómez Manrique, págs. 339-78), cap. XIX (Jorge Manrique, págs. 379-422).—J. Nieto: *Estudio biográfico de Jorge Manrique e influencia de sus obras en la literatura española*, Madrid, 1902.—Julio Panceiro: *Jorge Manrique y su tiempo*, «Bol. Inst. Inv. Literarias» de la Univ. del Plata.—Petriconi: *Algo más sobre las «Coplas» de Jorge Manrique*, «Investigación y Progreso», VII; *El argumento de las «Coplas» de Jorge Manrique*, «Investigación y Progreso», VI.—José M.ª del Rey: *Manrique o el tiempo*, «Ensayos sobre poesía», págs. 87-110, Montevideo, 1956.—C. Rodríguez: *El teatro religioso de Gómez Manrique*, «Religión y Cultura», XXVII, 1934.—L. Salazar y Castro: *Historia de la Casa de Lara* (sobre J. Manrique, vol. II, págs. 407-11). Madrid, 1697.—Pedro Salinas: *Jorge Manrique o tradición y originalidad*, Buenos Aires, 1947.—Luigi Sorrento: *La poesía e i problemi della poesia di Jorge Manrique*, Palermo, 1941; *Jorge Manrique*, Palermo, 1946.

III. Jenaro Artiles Rodríguez: *Juan A. Gato, poeta madrileño del siglo XV. Nuevos datos bibliográficos y recopilación de los conocidos*, «Rev. Arch. Bibl. y Mus. del Ayunt. de Madrid», 1927; *Obras completas de Juan Alvarez Gato*, estudio preliminar de..., «Clásicos olvidados», IV, Madrid.—Erasmo Buceta: *Antón de Montoro y el «Cancionero de obras de burlas»*, «Modern. Philology», 1919.—E. Cotarelo Mori: *Cancionero de Antón de Montoro*, ed. y estudio de..., Madrid, 1900.—M. Menéndez Pelayo: *Antología de poetas líricos castellanos*, vol. II, cap. XVI, págs. 303-20 (sobre Antón de Montoro), y cap. XVII, págs. 321-38 (sobre Alvarez Gato y Hernán Mexía).—C. Michaelis de Vasconcelos: *Nuevas disquisiciones acerca de J. Alvarez Gato*, «Rev. Lusitania», Lisboa, 1902.—R. A. Ramírez de Arellano: *Antón de Montoro y su testamento*, «Rev. de Archivos», IV, 1900.

Ilustraciones a la biografía de A. de Montoro, «Rev. de Archivos», Madrid.

IV. A. AMARO: *Dos cartas de Fray Iñigo de Mendoza a los Reyes Católicos*, «Archivo Ibero-Americano», VII, 1917.—MARCEL BATAILLON: *Chanson pieuse et poésie de dévotion: Fray Ambrosio Montesino*, «Bull. Hispanique», vol. XXVII, 1925, págs. 228-38.—ERASMO BUCETA: *Montesinos fué obispo de Sarda*, «Rev. Fil. Esp.», VII, 1920.—A. CORTINA: *Rodrigo de Cota*, «Rev. Ayunt. de Madrid», VI, 1929.—E. COTARELO MORI: *Algunas noticias nuevas acerca de Rodrigo de Cota y Adición a las noticias acerca de Rodrigo de Cota*, «Bol. R. Acad. Esp.», vol. XIII, 1926, págs. 11-17 y 140-43.—J. M. ELIZONDO: *Coplas de fray Ambrosio Montesino en honor de San Francisco*, «Rev. Est. Franciscanos», 1910.—R. FOULCHÉ-DELBOSCH: *Deux léttres inédites d'Isabelle la Catholique concernant la famille de R. de Cota*, «Rev. Hispanique», I, 1894.—E. JANER: *De los Cancioneros antiguos*, «Rev. de España», núm. 81.—M.ª ROSA LIDA: *La hipérbole sagrada en la poesía castellana del siglo XV*, «Rev. Fil. Hispánica»,

VIII, 1946, págs. 125-30.—J. LÓPEZ PRUDENCIO: *Diego Sánchez de Badajoz. Estudio crítico, biográfico y bibliográfico*, Madrid, 1915.—JOSÉ MARTÍN JIMÉNEZ: *Cancionero de Garci Sánchez de Badajoz. Su vida atormentada, sus decires...*, «Archivo Hispalense», págs. 37-67, 1947.—M. MENÉNDEZ PELAYO: *Antología de poetas líricos*, vol. III (sobre Iñigo de Mendoza, págs. 41 y sgs.; sobre Juan de Padilla, págs. 77 y sgs.; sobre Rodrigo de Cota, págs. 199 y sgs.; sobre Sánchez de Badajoz, págs. 138 y sgs.; sobre Montesino, págs. 50 y sgs.).—A. MIOLA: *Un testo dramático spagnuolo del XV secolo* («Diálogo del Amor y un viejo»), «In memoriam di N. Crix e U. A. Canello», páginas 175-89, Florencia, 1896.—HUGO A. RENNERT: *The Poet Cartagena of the Cancionero General*, «M. Lang N.», IX, 1894.—O. J. TALLGREN: *Estudios sobre la «Gaya», de Guillén de Segovia. Capítulos de introducción a una edición crítica*, Hensinki, 1907.

Véase el primer apartado bibliográfico de los caps. VII, VIII y IX.

CAPITULO XI

LOS ROMANCES

I. Generalidades: *Naturaleza del romance. Notas características. Temática y versificación. Orígenes y proceso formativo. Cronología.*—II. Los Romanceros y su clasificación: *Romances viejos y nuevos. Clasificación temática.*—III. Romances históricos: a) *Del rey Rodrigo.* b) *De Bernardo del Carpio.* c) *De Fernán González.* d) *De los Infantes de Lara.* e) *Del Cid.* f) *Históricos varios.* g) *Del rey don Pedro.* h) *Fronterizos.* i) *De tema no castellano.*—IV. Otros tipos de romance: *Ciclo carolingio. Ciclo bretón. Novelescos sueltos. Líricos.*—V. Persistencia del Romancero.—Notas.—Bibliografía.

I. GENERALIDADES

La primera vez que aparece esta palabra *romance* dentro de nuestra literatura es en la citada «Carta-Prohemio» del Marqués de Santillana al Condestable de Portugal: «Infimos son aquellos que sin ningún orden, regla nin cuento facen estos *romances* o cantares, de que las gentes de baxa e servil condición se alegran.» Pero antes y después el vocablo *romance* ha tenido diversas acepciones:

a) Se aplicó primeramente a cualquiera de las lenguas nacidas del latín, y todavía en nuestras Facultades de Letras se estudia la rama de filología románica o romance para distinguirla de las otras ramas: clásica, semítica, etc. En este sentido dijo Berceo:

Quiero fer una prosa en *roman* paladino,
en qual suele el pueblo fablar a su vecino,
ca non so tan letrado por fer otro latino...,

y en la misma acepción se encuentra en la *Crónica General*, compuesta en tiempos de Alfonso el *Sabio*, cuando se alude a la «estoria del *Romanz* dell infant García», escrita en castellano, contraponiendo su testimonio a las del Arzobispo don Rodrigo y de Lucas de Tuy, redactadas en latín [1].

b) Pasó luego a designar cualquier composición en verso. Así ha de entenderse aquel pasaje del *Libro de Apolonio*:

Componer un *romance* de nueva maestría,
del buen rey Apolonio e de su cortesía...

con idéntico sentido la emplea, medio siglo más tarde, el Arcipreste de Hita:

Era de mill e trescientos e ochenta e un annos
fué compuesto el *romance* por muchos males de dannos,
que facen muchos e muchas a otros con sus engaños,
et por mostrar a los simples fablas e versos extraños.

c) En Francia y en Italia, después de haber designado cierta clase de poemas épicos, especialmente de los ciclos clásico y bretón (*Roman de Troyes, Roman de Thèbes, les Romans de la Table Ronde*), pasó a significar algunos relatos en prosa o verso de extensión considerable, frente a otros más breves, llamados *fableaux* y *novelas*. También en España parece tener esta acepción un texto de las Partidas (2.ª part., ley XX, tít. V), en el que, al enumerar *las alegrías que debe usar el rey en las vegadas*, se alude a la lectura «de los romances et de los otros libros que fablan de aquellas cosas de que los omes reciben alegría e placer». Aun se manifiesta más claro en este sentido en un pasaje atribuído por Argote de Molina [2] a San Pedro Pascual, obispo de Jaén, y escrito a principios del xiv: «E amigos, cierto creed que mejor dependeres vuestros días e vuestro tiempo en leer e oyr este libro, que en decir e oyr fablillas e *romances* de amor e otras vanidades...» De la continuación del mismo texto se desprende que aquí están aludidos el *Calila e Dimna* y otros apólogos redactados en prosa.

e) Por último, se llama *romance* un género poético, eminentemente popular, caracterizado tanto en su temática como en su forma externa por inconfundibles notas y que ha tenido en todo tiempo, a partir de últimos del xiv, en que se supone aparecieron sus primeras muestras, excepcional aceptación. Este es el *romance* aludido por Santillana, y el que vamos a estudiar aquí.

Naturaleza del romance

El romance no puede definirse de acuerdo con la tradicional clasificación de géneros. No es lírico ni narrativo y suele ser las dos cosas a la vez. Indudablemente nació con una marcada tendencia a la narración; pero pronto se fué cargando de elementos subjetivos, hasta el punto de que hay una inmensa serie de romances que son ante todo poesías líricas. Menéndez Pidal, a quien hemos de acudir siempre que se hable de romances, lo ha definido como «la canción épico-lírica de fondo más heroico y caballeresco» que existe en la literatura universal. «Sólo las *viser* danesas y suecas—agrega el ilustre investigador—pudieran comparársele; pero el Romancero, más que las ya excepcionales *viser*. no sólo representa más altamente la vida histórica nacional, sino que aparece más enraizado en la poesía heroica, esa poesía que informa los orígenes literarios de los pueblos modernos, y de la cual el Romancero continúa los héroes, los temas, la versificación y hasta los versos mismos. El Romancero, extendido por todos los climas y los mares adonde se dilató el imperio hispánico, es la canción épico-lírica que recrea la imaginación de más pueblos, por el hemisferio boreal y austral. Es la canción que ha alcanzado más altura literaria, haciéndose digna de informar importantes ramas de la producción artística, tanto en la época clásica como en la moderna; nótese, por ejemplo, que Víctor Hugo imita romances españoles y no canciones narrativas francesas. El Romancero, en fin, por su tradicionalismo, por la cantidad de vida histórica que representa y por la multitud de reflejos estéticos y morales, es quintaesencia de características españolas.» He aquí por qué podemos repetir con verdad que España es el país del Romancero [3].

En efecto, ningún pueblo tiene un tesoro semejante ni en cantidad ni en calidad. En cantidad, los romances ya catalogados suman muchos millares, con la temática más diversa, y cada día se están descubriendo otros nuevos. En calidad, cultivados primero por poetas anónimos y luego por ilustres escritores (desde Lope de Vega y Góngora hasta Zorrilla y el Duque de Rivas, o desde Quevedo y Calderón hasta los Machado y García Lorca), ofrecen tal contenido poético, que ha bastado para nutrir una buena parte del teatro nacional y extranjero. Desde que aparecen, al finalizar el siglo XIV, hasta nuestros días han venido escribiéndose romances casi sin interrupción; y el pueblo español, y aun todos los pueblos de habla castellana, han mostrado por ellos particular preferencia. Ya se entiende que aquí sólo estudiaremos el romance en cuanto producto medieval, es decir, el romance viejo o primitivo, casi siempre anónimo; el que figura en los antiguos Romanceros de la primera mitad del XVI, aunque compuesto con anterioridad.

Notas características

Las características del género casi pueden señalarse sin más que ahondar en el texto transcrito de Menéndez Pidal. El romance fué en su origen *narrativo*: se desglosó de las viejas canciones de gesta en la forma que más adelante diremos, y como aquéllas eran ante todo narración, también al romance pasó este carácter primordial. Por la misma causa, el romance fué *al principio histórico*, porque hacia la historia se orientaban casi de modo exclusivo nuestros viejos cantares de gesta, y el romance no era sino un fragmento más moderno, más puesto al día, de esos cantares.

Este carácter *fragmentario* da precisamente a los romances especial categoría y valor: el pueblo, mejor dicho, el juglar, en cuanto intérprete de éste, recogía en la enorme masa épica de las gestas nacionales o extranacionales aquel o aquellos episodios que más llamaban su atención, y con ellos formaba sus cantos. Cantos, sin duda, breves en su primera versión; que luego, en sucesivas elaboraciones, iban deformándose y de ordinario adquiriendo también mayor amplitud. Se ha observado que entre los romances con mayor número de versiones son más poéticos los más fragmentarios. «El romance del *Prisionero* en su versión más larga no vale lo que en su versión trunca», escribe Menéndez Pidal. «Y el *Infante Arnaldos* —sigue diciendo—, que todos admiran como la obra maestra del Romancero, como arquetipo de baladas, no es otra cosa que una versión fragmentaria» [4]. Pero este fragmentarismo no es casual; obedece siempre a una finalidad estética, una técnica mediante la cual se procura coger una situación dramática en su misma culminación, para avanzar vertiginosamente hacia su desenlace; o bien, arrancando de más atrás, subir de prisa hacia el climax y allí romper abruptamente la narración, dejando en el ánimo del oyente un principio de incertidumbre y de enigma.

Todo esto nos da otra cualidad, que es la sencillez. Los romances son composiciones aparentemente *sencillas*, tanto en su versificación como en su trama; se distinguen por la simplicidad de recursos empleados: versificación exenta de artificios, monorrímica, asonantada; ausencia de elementos maravillosos, y un *realismo* que denuncia su filiación directa de los cantares de gesta. Este realismo no les impide ser al mismo tiempo un género noble; decir que son *populares* no significa sino que han nacido y tuvieron su mayor vigencia entre el pueblo, sin que en ningún caso el término popular pueda confundirse con lo bajo, lo vulgar, lo plebeyo [5]. La frase de Santillana, «cantares de que las gentes de baxa e servil condición se alegran», no puede ser más injusta. Aunque nacidos en ambiente popular, los romances penetran pronto en los palacios: se sabe que, por lo menos desde 1445, se cantaban ya en las cortes de Castilla y Aragón, sin que después hayan sido nunca desalojados de las más altas esferas, y aunque escritos en su origen por juglares anónimos, luego merecieron ser cultivados por nuestros más altos poetas.

Otras dos notas hay que consignar: su *tradicionalismo* y su *pervivencia*. Los romances se apoderan de una serie de temas, casi siempre de carácter histórico; los van elaborando y reelaborando en sucesivas versiones, los transmiten al teatro, a veces a la novela, y ya no los abandonan en ningún momento del acontecer nacional. Contrasta ello con lo que ocurre en otros pueblos. Francia tuvo una poesía heroica más abundante y perfecta que la nuestra; sin embargo, desapareció casi sin dejar rastro: ni una sola de sus canciones épico-líricas posteriores se acuerdan para nada de Carlomagno o de sus doces pares, que, en cambio, dan materia para toda una inmensa serie de nuestros romances. Los Nibelungos tampoco encuentran su continuación en los cantares alemanes, y raro es el héroe de los poemas éddicos escandinavos que pasa a las *viser*. Nuestro Romancero recoge todos, absolutamente todos, los personajes y hechos de las canciones de gesta y aun de los poemas de los ciclos bretón y carolingio, los recrea en la forma que luego se dirá y los transmite hasta nuestros días, cada vez más enriquecidos de elementos poéticos.

Temática y versificación

La materia del Romancero es riquísima: no se reduce, como pudiera pensarse, en una consideración simplista, a la mera popularización de los viejos temas épicos medievales. Estos, es cierto, constituyen su núcleo inicial y su temática primitiva. Pero al lado de ellos tenemos los que recuerdan y celebran episodios de la lucha fronteriza entre moros y cristianos; los que se inspiran en las leyendas de los poemas carolingios y bretones; los de asunto clásico; los de carácter religioso y hasta bíblico; los novelescos, que recogen temas universales, y los puramente líricos. Constituyen un caudal inmenso y superior al tesoro poético de cualquier país, llámese balada, *viser* o cantilena. Personajes reales, como el Cid o don Rodrigo; imaginarios, como Bernardo del Carpio; semifabulosos, como los del ciclo artúrico; bíblicos, mitológicos, árabes, antiguos, modernos relativamente, españoles o extranjeros, pueblan ese mundo en perpetua ebullición que es el Romancero. Su período de máxima producción coincide con el siglo XV; unas veces surgían como fragmentos o brotes del viejo cantar heroico; otras, inspirados en un hecho inmediato. Ejemplo de estos últimos, los que se refieren al rey don Pedro y también los llamados *fronterizos*.

En su aspecto métrico, los romances plantean varios problemas. Primeramente, el relativo a la rima, que aunque según la definición corriente es asonantada, no siempre cumple tal requisito [6]. Los mejores del Siglo de Oro son ciertamente asonantados; pero los de época anterior, que son los estudiados aquí, presentan triple rima: los hay sólo asonantes, sólo consonantes y otros en que se simultanean ambas rimas. Todavía en la segunda

quincena del XVI San Juan de la Cruz los compone de rima consonante.

Otro problema es el relativo a la *e paragógica*, de tan frecuente empleo en los más antiguos:

> Estáuase el conde Dirlos,
> sobrino de don Beltrane,
> assentado en sus tierras,
> deleytando se en caçare,
> cuando le vinieron cartas
> de Carlos el emperante;
> de las cartas plazer uvo,
> de las palabras pesare.

Nebrija y el músico Salinas atribuyen esta *e* paragógica a exigencias de la música. Sabido es que tales composiciones iban destinadas al canto, al menos en los primeros tiempos. Pero queda siempre en pie una interrogación: por qué había de ser precisamente la vocal *e* y no otra cualquiera la que persiste en el verso. Otros quieren ver en ella la perpetuación de un arcaísmo, residuo de las lejanas gestas de donde los romances procedían.

Finalmente, no ha sido resuelto aún el problema que afecta a la división estrófica del romance. Para algunos era ésta siempre cuaternaria, es decir, que todo romance se puede dividir en fragmentos regulares de cuatro versos. La tesis, mantenida entre otros por Bello en su *Ortología y métrica*, ha sido rebatida con sólidas razones por Morley y Cirot. Nosotros opinamos que se confunden dos aspectos: los romances destinados al canto lógicamente irían escritos en estrofas regulares; los no destinados al canto pudieron muy bien eludir esta condición. Sin embargo, un análisis, aunque sea superficial, del Romancero permite afirmar que *casi todos* los romances van desarrollados en series cuaternarias. Y esto no sólo los antiguos, sino los artísticos de autores tan conocidos como Góngora, Lope y Quevedo. El mismo García Lorca, en nuestros días, rara vez se aparta del esquema cuaternario.

Con tales elementos—un tema de ambiente popular y un metro de simplicísima estructura—se fué formando a lo largo de la historia este género poético que, al decir de un eminente historiador de nuestras letras, «ha atravesado las edades y generaciones con tanto aplauso, que quizá no hay un solo español, aun entre los mismos que por fácil le desdeñan, que no haya cantado amores, hazañas, guerras, valentías o fábulas en esta clase de composición».

Orígenes y proceso formativo

Sobre los orígenes del romance se han formulado varias teorías. Durán, Wolf, Carolina Michaëlis, Cejador y en nuestros días Lang lo consideran la primera manifestación de la poesía nacional, más antiguo que las canciones de gesta, que en opinión de aquéllos fueron una derivación de los romances. Hacen coincidir su aparición con la época en que el pueblo español dejó de hablar latín para expresarse en castellano; o más exactamente, con la época en que el latín peninsular empezó a manifestarse como una lengua distinta. Quieren respaldar su hipótesis con la consideración de que existen en esa misma época composiciones métricas latinas, en rima asonante y verso octosílabo, de donde pudieron muy bien tomarlo o copiarlo nuestros viejos juglares. Es verdad que perduran vestigios de esta clase, sobre todo en la himnodia latinoeclesiástica; pero se ha observado un hiato, una solución de continuidad, entre la época a que pueden referirse tales vestigios y aquella en que se escribieron los romances más antiguos que conocemos; y ese hiato queda sin explicación en la teoría aludida. Por otra parte, la gramática histórica ha demostrado que desde el punto de vista lingüístico los romances, al menos los más antiguos, suponen un grado de evolución, inexplicable en la hipótesis de Cejador y de Durán.

Desechada ésta, el problema se plantea en términos más generales, haciéndolo coincidir con el del origen, formación y desarrollo de la épica castellana, teniendo en cuenta que los romances en su forma más antigua son también de naturaleza fundamentalmente épica. De este modo el romance quedaría reducido a una manifestación más, y algo más tardía, de los cantares de gesta. La tesis fué mantenida primeramente por Milá y Fontanals, si bien con dudas y vacilaciones; luego Menéndez Pelayo y Menéndez Pidal la han avalado con el peso de su autoridad y toda clase de argumentos y testimonios. Según ellos, primero fueron los cantares de gesta; y al desaparecer éstos, subsumidos unas veces en las Crónicas en forma prosificada, conforme se explicó en el capítulo primero, repartidos otras fragmentariamente en la memoria del pueblo, nacen los romances. A la desaparición de los cantares de gesta contribuyó, sobre todo, el cambio de gusto, favorecido por el mayor refinamiento de la sociedad y su aproximación inevitable hacia la más pulida métrica de los poemas cortesanos. De los cantares, pues, que seguían perdurando vivos en la memoria del pueblo, nacen en época evidentemente posterior estas composiciones, más breves que aquéllos, aunque restos de los mismos. Su entronque con la épica está ya fuera de dudas. «Algunos romances más viejos—explica Menéndez Pidal—no son otra cosa que un fragmento de poema, conservado en la memoria popular; por ejemplo, el romance de las *Quejas de doña Lam-*

bra no es más que un trozo separado de la *Segunda gesta de los infantes de Lara*, una breve escena en que doña Lambra pide a su marido venganza de la afrenta que sus sobrinos le acaban de hacer.»

El mismo Menéndez Pidal [7] ha explicado este proceso desintegrador de los viejos cantares hasta convertirse en los más antiguos romances llegados a nosotros. «Esos primitivos romances, que consistían en unos cuantos versos felices, más o menos fielmente repetidos y recordados por los oyentes de las gestas, al rodar en la memoria, en la fantasía y en la recitación de muchos individuos y generaciones, aflojaban su trabazón interna, propia de un relato circunstanciado y ligado a un conjunto, e iban desentrañando de sí mismos otros elementos poéticos, diversos de los que antes constituían el fragmento; se aligeraba la narración, se olvidaban algunos detalles objetivos interesantes en un fragmento breve y se desarrollaban o añadían, en cambio, elementos subjetivos y sentimentales que, en más o menos grado, venían a dar al nuevo estilo el carácter de una viva intuición épico-lírica de aquella escena fragmentaria» [8].

Cronología

¿Cuándo se realizó esta transformación? O, en otros términos, ¿qué antigüedad cabe asignar a los romances?

Julio Cejador y Durán, de acuerdo con la tesis expuesta, los juzgan anteriores a los mismos cantares de gesta. Pero, después de las investigaciones de Menéndez Pelayo y Menéndez Pidal, está demostrado que los más antiguos no se remontan sino a finales del XIV. Y esto cuando se trata de romances anónimos. De autor conocido, los más antiguos pertenecen a Carvajal, poeta de la corte de Alfonso V de Aragón; uno de ellos aparece fechado en 1442. En un manuscrito del Museo Británico figuran tres de fecha anterior, y se tienen noticias indirectas de que antes se habían escrito otros. Alvarez Gato considera ya «una antigualla» los de Don Bueso; Nebrija, en su *Gramática*, llama viejo a un romance sobre Lanzarote, y Juan de la Encina, en su *Arte de trovar* (1496), nos habla de «romances del tiempo viejo». Todo ello induce a pensar que cuando éstos se compusieron—finales del XV—los más antiguos debían de llevar un siglo de existencia. Con lo que se confirmaría la tesis de Entwistle y de Cirot, quienes remontan la antigüedad de los romances a mediados del XIV.

II. ROMANCEROS

Se llaman así, aunque sus editores no les daban casi nunca tal nombre, las grandes colecciones que se publicaron en su mayor parte durante el

siglo XVI; y luego, más completas aún en el siglo XIX, conteniendo romances viejos en mayor o menor número.

Cronológicamente, las más importantes han sido:

Cancionero de Constantina, de Juan Fernández de Constantina (principios del siglo XVI).

Cancionero general, de Hernando del Castillo (Valencia, 1511, 5.ª ed., 1527).

En ambos cancioneros, el de Constantina y el de Hernando, aparecen ya algunos romances mezclados con poemas de diversa índole.

Cuarenta cantos, de Alonso de Fuentes (Sevilla, 1550).

Cancionero de romances (llamado «sin año» porque se desconoce la fecha de la primera edición), de Martín Nucio, Amberes. La segunda edición es de 1550, también en Amberes; y hay otras de 1554, 1555, 1568, 1573, 1581, 1587. Esta colección ya está formada íntegramente por romances, todos anónimos, menos uno de Torres Naharro. Pero no todos pertenecen al grupo de «viejos», de que hablaremos inmediatamente.

Silva de varios romances, de Esteban de Nájera (Zaragoza, 1550).

Cuarenta cantos de diversas y peregrinas historias, de Alonso de Fuentes (Sevilla, 1550).

Romancero, de Lorenzo de Sepúlveda (Amberes, 1551).

Rosa de romances, de Juan de Timoneda *(Rosa de amores, Rosa española, Rosa gentil* y *Rosa real).* Valencia, 1572.

A partir de esta época, las colecciones o *romanceros* están formadas principalmente por romances artísticos, escritos a imitación de los viejos, pero por poetas eruditos. Ejemplo típico es el *Romancero general* (1600), con poesías de los más refinados vates del Siglo de Oro.

Durante casi dos siglos nadie se ocupa de reimprimir aquellas grandes colecciones, hasta que los alemanes, a fines del siglo XVIII, las exhuman y dan a conocer en toda la Europa culta. Herder, J. Grimm y Depping son los primeros. Luego un español, Agustín Durán, consagra buena parte de su vida a la recopilación y estudio de los viejos romances, que dan por resultado la publicación de su monumental *Romancero* (1828-1832), el más nutrido de los editados hasta entonces. F. Wolf y C. Hofmann editan (Viena, 1856) su *Primavera y flor de romances*; y, por fin, Menéndez Pelayo reúne en su romancero la mayor masa de composiciones del género conocida hasta la fecha, estudiando de paso con su genial maestría los mil problemas que la consideración de los romances suscita a la crítica. Los estudios posteriores de otro gran maestro, el señor Menéndez Pidal *(Flor nueva de romances viejos*, 1938), han arrojado nueva luz, confirmando a la vez todas las conclusiones de Menéndez Pelayo.

De todos estos romanceros, el más importante para nuestro objeto es el de Martín Nucio (Amberes, sin año), porque plantea el problema de las fuentes de este género poético. «¿De dónde tomó

Martín Nucio—pregunta Menéndez Pidal [9]—los romances de su Cancionero? Sin duda tuvo que ser de copias manuscritas o de impresiones de los mismos en pliegos sueltos, o bien de la recitación oral debida a los españoles residentes en los Países Bajos.» El hecho de que en solo dos años (1550-1552) aparezcan no menos que cinco impresiones, de ellas tres fuera de España, en Amberes, indica la extraordinaria difusión de esta clase de poemas.

Clasificaciones

Deccamin ha dicho que «una de las principales dificultades que se encuentran en una edición de romances consiste en su clasificación». Se pueden seguir tres criterios: cronológico, formal y temático. El primero, lo advirtió ya Durán, ofrece serios inconvenientes, porque en general se ignora la fecha exacta de la composición y sólo se puede deducir más o menos aproximadamente del estudio del lenguaje, modismos y carácter de las narraciones.

No son menores los riesgos que presenta la adopción de los otros criterios, dada la diversidad de asuntos, que muchas veces se interfieren—mezcla de épicos y líricos, de novelesco e histórico—, y la no menor variedad de las formas: asonante, consonante, mezcla de las dos rimas, etc.

No obstante, todos los que han estudiado los romances lo han hecho formulando de antemano su clasificación. Wolf, Durán, Ticknor, Depping y Milá han dado cada uno la suya. Las que han prevalecido hasta ahora son la de Grimm, que sigue un criterio cronológico, y la de Menéndez Pelayo, ajustada a un criterio temático. Una y otra se complementan.

Romances viejos y nuevos

Grimm (1815) dividió toda la materia del Romancero en dos grandes grupos, *viejos* o *populares* y *nuevos* o *artísticos*. Pertenecen al primer grupo los que ofrecen una antigüedad suficientemente probada (anterior al siglo XVI). El segundo comprende los compuestos por poetas del siglo XVI o posteriormente. Aquéllos son en su mayor parte anónimos; los *artísticos* o *nuevos* son en general de autor conocido.

Precisando más, son *viejos*:

a) Todos los existentes en el siglo XV.

b) Todos los impresos en las primeras colecciones, o sea en la primera mitad del XVI.

c) Algunos que, aunque impresos con posterioridad, se sabe que corresponden a la centuria precedente.

d) Otros conservados por tradición oral, que en su lenguaje, composición, etc., ofrecen rasgos inconfundibles de época anterior.

Son *artísticos* o *nuevos*:

Todos los originales de poetas posteriores, que

han venido cultivando este género sin interrupción y más o menos remozado, desde mediados del XVI hasta nuestros mismos días: San Juan de la Cruz, Lope, Calderón, Quevedo, Góngora, Meléndez Valdés, Moratín, Zorrilla, García Lorca...

Los romances estudiados en este capítulo pertenecen casi exclusivamente al grupo de *viejos.*

Valbuena Prat [10] sugiere la formación de otro tercer grupo, que se podría llamar de romances *vulgares*, constituído por los de composición posterior a los viejos, pero de escaso valor artístico. De ellos serían ejemplo los llamados «cantares o romances de ciego».

Clasificación temática

Está aceptada universalmente la que formuló Menéndez Pelayo con carácter definitivo, y según

la cual han quedado agrupados en los siguientes ciclos:

1. *Romances históricos*, con varios subgrupos: *a)*, el rey don Rodrigo y la pérdida de España; *b)*, Bernardo del Carpio; *c)*, el conde Fernán González y sus sucesores; *d)*, los infantes de Lara o de Salas; *e)*, el Cid; *f)*, romances históricos varios; *g)*, el rey don Pedro; *h)*, romances fronterizos; *i)*, romances históricos de tema no castellano.

2. *Romances del ciclo carolingio.*
3. *Romances del ciclo bretón.*
4. *Romances novelescos sueltos.*
5. *Romances líricos.*

Este mismo orden seguiremos en nuestra breve exposición, en la que nos limitamos a citar los más señalados de cada ciclo.

III. ROMANCES HISTORICOS

Giran sobre temas de la historia de España, y son tan numerosos que ha podido decir Ticknor que con ellos solos se podría reconstruir toda la historia nacional española de la Edad Media. No hace falta destacar la importancia que tienen para el conocimiento literario, político y social de aquellos remotos tiempos, puesto que, como ha dicho Durán, «apenas se hallan en otra parte vestigios del sentimiento íntimo de la incipiente sociedad que los produjo». De ordinario reproducen los mismos hechos que los cantares de gesta de donde proceden, aunque más fantaseados.

a) *Romances del rey Rodrigo.*—Son muy numerosos los que recuerdan la vida y las dramáticas vicisitudes del último rey de los godos. Lo mismo que se dijo al estudiar las canciones de gesta, corresponden a tres fases: los que se refieren a la Cueva de Hércules, los que se centran en el episodio de la Cava y los que describen la penitencia del rey vencido en Guadalete y retirado en Viseo. Estos últimos son los más patéticos y sugestivos. Y uno de los más bellos, aquel que nos retrata al monarca, recién derrotado, contemplando desde una colina el estrago y mortandad de la batalla [11].

Es también muy conocido y bello el que empieza: «Después que el rey don Rodrigo...»

b) *De Bernardo del Carpio.*—El fabuloso héroe de Roncesvalles también inspiró a la musa popular gran número de romances, que pasaron luego a las antologías.

La leyenda cuenta que Jimena, hermana de Alfonso el *Casto*, tuvo de sus ocultos amores con el conde de Saldaña un hijo, llamado Bernardo. Alfonso encarcela a Saldaña y cría en palacio, con todo esmero, al niño. Como el rey anduviera en tratos para poner su reino bajo la jurisdicción

del emperador Carlomagno, Bernardo se subleva, derrota a los franceses en Roncesvalles y exige la libertad de su anciano padre. Temeroso Alfonso de su bravura, accede a lo que le pide; pero cuando aquél va a recoger a su padre y a besarle la mano, le encuentra muerto.

Sobre este sencillo cañamazo los poetas del romancero bordaron bellísimas piezas, entre las que se destaca aquella del desafío del rey [12].

c) *Del conde Fernán González.*—También son numerosos los que giran en torno al guerrero esforzado y héroe de la independencia castellana, aquel a quien «moros nin cristianos no le podían vencer». Ya en otro capítulo se explicó su leyenda, cuyos principales episodios trascendieron al romancero popular. Sobresale el que empieza «Buen conde Fernán González...», en el que el héroe castellano responde con arrogancia al mensajero del monarca [13].

d) En torno a la espantosa tragedia de los infantes de Salas, que también quedó narrada en el capítulo primero, se fueron tejiendo multitud de romances, que recuerdan la negra traición de Ruy Blázquez o Velázquez, señor de Vilvestre, sobre los hijos de Gonzalo Gustioz y la venganza que el bastardo Mudarra tomó en su día sobre aquél. Los más celebrados son los que empiezan: «A Calatrava la Vieja...», «¡Ay Dios, qué buen caballero!...», y, sobre todos, «Pártese el moro Alicante...», en el que se reproduce la tremenda escena de Almanzor cuando presenta a Gustioz las cabezas sangrientas de sus hijos. También merece mención el que empieza: «A cazar va don Rodrigo—y aun don Rodrigo de Lara...», relativo al encuentro del bastardo con el asesino de sus familiares [14].

Romancero del Cid

e) La personalidad histórica y legendaria del Cid hizo brotar todo un romancero completo. Carolina Michäelis de Vasconcellos ha logrado reunir hasta 205 muestras del género, que tienen por tema al héroe de Vivar. Se suelen repartir en tres series: Mocedades de Rodrigo, partición de los reinos y cerco de Zamora; conquista de Valencia; castigo de los condes de Carrión. A este romancero del Cid se refería Hegel cuando, poniéndole por encima de todos los demás ciclos populares de cualquier literatura, lo comparaba con un collar de perlas.

No todos, claro está, tienen el mismo valor; ni siquiera se puede incluir a todos en el grupo de los *viejos*. Abundan los del siglo XVI, ya bien entrado. Tampoco ofrecen el mismo fondo de veracidad, que destacábamos en el cantar o poema; muchos de estos romances fantasean, y otros falsean y desfiguran la gran figura cidiana. Sin embargo, fué aquí, en el romancero, y no en el viejo poema, desconocido hasta últimos del siglo XVIII, donde bebieron su inspiración tantos y tantos poetas, especialmente dramaturgos, que escogieron por protagonista de sus obras al Cid Campeador: Guillén de Castro, Lope, Corneille, Monti, etc.

Los más famosos de la primera serie son los que empiezan: «Cabalga Diego Laínez—al buen rey besar la mano...», y aquel otro: «Cada día que amanece—veo quién mató a mi padre...»

En la segunda son más dignos de mención los que empiezan:

Doliente estaba, doliente, — este buen rey don Fer-
[nando...
Rey don Sancho, rey don Sancho, — no digas que no
[te aviso.
Riberas del Duero arriba — salieron dos zamoranos...
Ya cabalga Diego Ordóñez, — del real se había salido...
Por aquel postigo viejo — que nunca fuera cerrado...

Y en la tercera hemos de citar: «Tres cortes armara el rey,—todas tres a una sazón...», «Yo me estando en Valencia...», y, especialmente, el titulado «romance del rey moro que perdió Valencia», considerado por Menéndez Pelayo «el más bello y, sin duda, más popular y antiguo de todos los concernientes al Cid»:

Helo, helo, por dó viene — el moro por la calzada,
caballero a la gineta — encima una yegua baya;
borceguíes marroquíes — y espuela de oro calzada;
una adarga ante los pechos — y en su mano una zagaya.
Mirando estaba Valencia. — «De mal fuego seas quemada.
Primero fuiste de moros — que de cristianos ganada.
Si la lanza no me miente, — a moros serás tornada;
aquel perro de aquel Cid — prenderélo por la barba;
su mujer, doña Jimena, — será de mí captivada;
su hija Urraca Hernando — será mi enamorada...»

Más romances del ciclo histórico

f) *Históricos varios.*—Bajo este epígrafe se suele reunir los que se refieren a Alfonso X; a la

infanta doña Teresa, de quien se cuenta que fué entregada como esposa a Almanzor por su padre Bermudo II; al conde Vélez; al pecho de los cinco maravedís, que Alfonso VIII intentó poner como tributo a los hidalgos, y los que hacen alusión a la leyenda de Fernando IV el *Emplazado*. Celebérrimo es el titulado «Querellas del rey Alfonso X de Castilla», que Durán afirma tiene todas las características de los más antiguos, recogido por Alonso de Fuentes, no de los pliegos sueltos, sino directamente de la tradición oral:

Yo salí de la mi tierra — para ir a Dios servir,
y perdí lo que había — desde mayo hasta abril;
todo el reino de Castilla — hasta allí el Guadalquivir
Los obispos y criados — cuidé que metían paz,
entre mí y el hijo mío — como en su decreto yaz...
Felleciéronme parientes — y amigos que yo había,
con haberes y con cuerpos — y con su caballería... 15

g) *Romances del rey don Pedro.*—Los apasionantes episodios del reinado de Pedro I de Castilla, apellidado por unos el *Cruel* y por otros el *Justiciero*, quedaron reflejados en bellísimos romances, de los que cinco por lo menos, a juicio de Wolf, deben de ser viejos. Citemos el que se refiere a la muerte de don Fadrique, maestre de Santiago, sacrificado a golpes de maza por instigación de María de Padilla; el que empieza «Por los campos de Jerez...», alusivo a la visión de los crímenes del monarca; y el más poético y conocido de todos, si bien tiene trazas de pertenecer al grupo de los artísticos: rememora la tragedia de Montiel en versos de los más inspirados del Romancero:

A los pies de don Enrique — yace muerto el rey don
[Pedro,
más que por su valentía, — por voluntad de los cielos...

h) *Romances fronterizos.*—Tratan de episodios, casi siempre reales, surgidos de la lucha entre árabes y cristianos, durante el último período de la Reconquista. Para Wolf y Hofmann, además de históricos y muy populares, son los más nacionales y limpios de toda imitación extraña. Milá los considera «joya incomparable de la poesía castellana»; Menéndez Pelayo afirma que brotan «en forma esporádica con la dispersión y el desorden propio de las emboscadas y sorpresas, arremetidas y algaras, rebatos y saqueos de aquella crudísima guerra de fronteras en que se templó y arreció el brío castellano durante los siglos XIV y XV, preparándose para más altas, aunque no más castizas, empresas».

Los héroes que celebran tuvieron existencia real; sus personajes son de carne y hueso; las batallas y hechos que cuentan corresponden a acciones registradas por la Historia. Un penetrante aroma de poesía se desprende de estos poemas, en que se refleja de la manera más fiel el valor, las creencias, la caballerosidad de dos pueblos rivales e igualmente intrépidos y generosos.

Forman un grupo nutridísimo. *Moriscos, los mis moriscos — los que ganáis mi jornada...; Reduán, bien se te acuerda; De Antequera partió el moro; Abenámar, Abenámar; Alora, la bien cercada; Allá en Granada la rica...* Entre todos sobresale el de «El rey moro que perdió Granada», de obligada inclusión en todas las antologías [16].

i) Romances históricos de tema no castellano.— Constituyen un pequeño subgrupo en que se recogen algunos referentes a la historia de Navarra, Aragón, Nápoles, Portugal, etc. También los hay relativos a Roma. Uno de los más encantadores es el «de la reina de Nápoles», en que doña Juana de Aragón se lamenta de su infortunio [17].

IV. OTROS TIPOS DE ROMANCES

*Ciclo carolingio.—*Los hechos fabulosos de los Doce Pares y de los Caballeros de la Tabla Redonda—ciclos del imperio de Carlomagno y del artúrico o bretón—no podían menos de reflejarse en las inspiradas páginas de nuestro Romancero. «*La Crónica de Turpin,* el *Libro de los linajes reales de Francia,* el de *Los cuatro hijos de Aymón,* el de *Reinaldos de Montalván,* el de *Los encantos de Maugés* y otros diferentes—escribe Durán—han dado el corto número de romances viejos que poseemos sobre tales fábulas.»

Escasos en número, son, sin embargo, los más extensos del romancero. El del *Marqués de Mantua* supera los 1.200 versos, y el del *Conde Dirlos,* a que se aludió antes, es todavía más largo.

Llegaron a nosotros por diversos conductos: las obras mencionadas por Durán y los relatos de los peregrinos que iban a Santiago de Compostela. Nuestros poetas populares recogían el tema, que luego reformaban, agregando o suprimiendo de su cosecha, hasta dejarlo adaptado al gusto, lenguaje y tradiciones del pueblo español.

Son los más notables los de Valdovinos, del marqués de Mantua, del conde Dirlos y de Montesinos. Especialmente bello, por su delicado sentimiento, es el de doña Alda [18]. Al mismo ciclo carolingio corresponde el de Rosaflorida:

En Castilla hay un castillo — que se llama Rocafrida;
al castillo llaman Roca — y a la fonte llaman Frida.
El pie tenía de oro — y almenas de plata fina;
entre almena y almena — está una piedra zafira;
tanto relumbra de noche — como el sol a mediodía.
Dentro estaba una doncella — que llaman Rosaflorida:
siete condes la demandan, — tres duques de Lombardía;
a todos los desdeñaba: — tanta es su lozanía.
Prendóse de Montesinos — de oídas, que no de vista...

*Ciclo bretón.—*De influencia menor que el carolingio, sólo ha aportado al repertorio popular tres romances, uno referente a Tristán y dos a Lanzarote. El más conocido es el que parodió Cervantes:

Nunca fuera caballero — de damas tan bien servido
como fuera Lanzarote — cuando de Bretaña vino,
que dueñas curaban dél, — doncellas de su rocino;
esa dueña quintañona, — ésa le escanciaba el vino;
la linda reina Ginebra — se lo acostaba consigo...

Se suelen incluir en este grupo algunos relativos a Amadís de Gaula, que acusan una factura artística de fecha muy posterior.

Novelescos sueltos

Relacionada más o menos con los temas de los ciclos anteriores, pero con características especiales, encontramos una serie de romances, correspondientes unos al ciclo histórico nacional, inspirados otros en motivos del carolingio y de asunto autónomo no pocos, que por clasificarlos de alguna manera han sido encasillados bajo el epígrafe de «Romances novelescos sueltos». Los hay de asunto muy variado: desde los de tema mitológico o historia clásica («De como Cipión destruyó a Numancia») hasta los de escenas de la vida, que se dan en todos los tiempos y lugares, como el de «La bella malmaridada» [19].

Notables son, cada uno en su clase, los titulados: *Blanca niña* («Blanca sois, señora mía, — más que no el rayo de sol...»); *La morilla engañada* («Yo m'era mora, Moraima, — morilla de un bel catar...»); *El prisionero* («Que por mayo era, por mayo, — cuando hace la calor»); *La infanta encantada* («A cazar va el caballero, — a cazar como solía...»); *Rosa fresca* («Rosa fresca, rosa fresca, tan garrida y con amor...»), y aquel tan deliciosamente malicioso de la infantina o *La hija del Rey de Francia:*

De Francia partió la niña, —de Francia la bien guardada para París, — do padre y madre tenía. |nida;
Errado lleva el camino, —errada lleva la guía;
arrimárase a un roble — por esperar compañía...

Líricos

Finalmente, se agrupan bajo la denominación de líricos aquellos romances, también muy numerosos, en que el contenido épico-narrativo es casi nulo o queda eclipsado por la emoción puramente lírica. Esta emoción refleja el amor, la nostalgia, los celos o cualquiera de los sentimientos más hondos del alma. Aunque tienen casi siempre por núcleo una acción real, ésta ha desaparecido o se ha replegado a un último plano para dar paso al elemento sentimental. A veces el deslinde entre los de este grupo y los del precedente—novelescos sueltos—se hace imposible, porque lo lírico se desarrolla sobre una trama fundamentalmente novelesca; pero hay una buena cantidad de ellos en que la nota lírica lo domina todo, anulando las demás.

Destacan en este grupo por su exquisita ternura: *Fontefrida, Fontefrida...; Un sueño soñaba anoche...; Estáse la gentil dama...,* y *En Sevilla está una ermita...* Quizá el más sugestivo, por su profunda nota nostálgica, sea el titulado *El conde Arnaldos:*

¡Quién hubiese tal ventura — sobre las aguas del mar
como hubo el conde Arnaldos — la mañana de San Juan!
Con un falcón en la mano — la caza iba a cazar,
y venir vió una galera — que a tierra quiere llegar.

Las velas traía de seda — y la jarcia de un cendal;
marinero que la manda — diciendo viene un cantar
que la mar ponía en calma, — los vientos hace amainar
los peces que andan volando — los hace al mástil posar...

Solicitado por el cazador para que repita el cantar, el marino se niega:

Yo no digo esta canción — sino a quien conmigo va.

Se ve desaparecer la galera envuelta en el mismo halo de misterio con que había venido.

V. PERSISTENCIA DEL ROMANCERO

La importancia del Romancero estriba no sólo en el valor intrínseco de la mayor parte de sus poemas, sino en haber sido fuente inagotable de inspiración para muchos poetas dramáticos españoles y extranjeros. Los títulos de las obras que han pasado del viejo romancero al teatro llenarían muchas páginas.

Con frecuencia los poetas no se han contentado con tomar el tema para trasladarlo a la escena, dándole de paso nueva forma, sino que en el mismo diálogo han llegado a intercalar, reproducidos con más o menos fidelidad, romances enteros y fragmentos de los más populares. Y no ha sido ésta la causa que menos ha contribuído a su difusión asombrosa en todos los tiempos y entre todas las clases sociales. Sobre todo el gran Lope, que ha sabido utilizar mejor que nadie el elemento popular en sus comedias, echó mano muchas veces de este procedimiento, intercalando largos trozos de romances en obras tan conocidas como *El villano en su rincón, El casamiento en la muerte, El bastardo Mudarra, Las almenas de Toro, Los Ramírez de Arellano, Peribáñez y el comendador de Ocaña, El primer Fajardo,* etc. Menéndez Pelayo ha podido escribir un largo capítulo, no ya sobre las influencias del Romancero en Lope de Vega, que darían materia para un extenso libro, sino simplemente sobre los romances intercalados en sus comedias.

En la imposibilidad de seguir al detalle la proyección del Romancero en la literatura española y en la universal, y para que se pueda formar idea del desarrollo alcanzado por algunas de sus leyendas, recordemos que la de los infantes de Salas ha tenido, entre otras muchas, las siguientes derivaciones:

Los siete infantes de Lara, de Juan de la Cueva; *El bastardo Mudarra y siete infantes de Lara,* de Lope de Vega; *La gran tragedia de los siete infantes de Lara,* de Hurtado Velarde; *Auto de Mudarra,* de Alvaro Bustillos; *Los siete infantes de Lara,* de Vélez de Guevara; *El rayo de Andalucía y Genízaro de España,* de Cubillo de Aragón; *Gonzalo Bustos y Mudarra,* de Altés y Gunea; *Los siete infantes de Lara,* de J. Francisco Pacheco; *El Moro Expósito,* del duque de Rivas; *Los*

hijos de Lara, del padre Arolas, y otras obras similares de José Somoza, García Gutiérrez, Fernández y González, Matos Fragoso, Mallefille, Trueba Cosío, Oto Venio, Holland...

No es menor la proyección alcanzada por el Cid, el rey don Rodrigo, Pedro I de Castilla, y aun personajes del ciclo carolingio, como el marqués de Mantua, gracias al Romancero.

No es extraño que España lo guarde como un tesoro y que sobre él se hayan tejido coronas de alabanzas. Ya en el siglo XVI Argote de Molina afirmaba que el octosílabo, metro del romance, «es el propio y natural de España..., y que en ella tiene toda la gracia, lindeza y valentía, que es más propia de ingenio español que de otro alguno» [20]. Lope dice que los romances han sido verdaderamente inventados para contar los hechos más insignes; Martínez de la Rosa los consideraba como la poesía propiamente lírica de los españoles; Grimm, V. Hugo, Ticknor, Depping, Wolf, Hofmann, entre los extranjeros, les han dedicado cálidos elogios. «Los romances—escribió Hegel—son un collar de perlas; cada cuadro particular es acabado y completo en sí mismo y, al propio tiempo, estos cantos forman un conjunto armónico. Están concebidos en el sentido y el espíritu de la caballería, pero interpretados conforme al sentido nacional de los españoles... Graciosa corona poética que nosotros, los modernos, podemos oponer audazmente a lo más bello que produjo la antigüedad clásica.»

NOTAS

1. El propio Berceo insiste en *Martirio de San Lorenzo:*

Quiero fer la pasión del Sennor San Laurent
en *romanz* que la pueda saber toda la gent.

2. *Nobleza de Andalucía,* II, f. 180.
3. M. PIDAL: *Flor nueva de romances viejos,* 9.ª ed. de la Colec. Austral, Buenos Aires, 1952, págs. 40 y 41. El mismo Menéndez Pidal se enorgullece, y con plena razón, de ser «el español de todos los tiempos que ha leído y oído más romances». «Yo—escribe—, para estudiar la esencia y la vida de la poesía tradicional, he buscado los restos antiguos del Romancero en las bibliotecas principales de Europa; los he buscado con avidez en la tradición viva, y los he oído cantar en multitud de pueblos, desde las brañas de los vaqueros asturianos

hasta las cuevas del Sacro Monte, a la vista de la romancesca Granada; los oí a las orillas del Plata y al pie de la gigantesca mole de los Andes.»

4. Ob. cit., pág. 28.

5. Ya Juan de Valdés contraponía el estilo de los romances «con su hilo de decir», que va continuado y llano, «al decir bajo y plebeyo», que le desagradaba en no pocas canciones cortesanas.

6. El esquema métrico que nos dan las preceptivas al uso no corresponde por entero a la realidad. Definir el romance como una composición de versos octosilábicos y rima asonante, sin agregar más, equivale a dejar fuera millares de composiciones del género que no se ajustan a esa doble condición. Menéndez Pidal señala numerosos romances que ni constan de ocho sílabas ni tienen esa estructura tradicional. Hay que reconocer que el mejor romance, el más perfecto, es el que cumple aquellas dos exigencias: metro octosílabo y rima asonante.

7. *Poesía juglaresca y juglares*, pág. 417.

8. La objeción formulada por Pío Rajna, y basada en que romances muy antiguos desarrollan temas novelescos y no épicos, se rebate con la simple consideración de que no siempre pasaron a los *Cancioneros* los más antiguos. Transmitidos los romances oralmente al principio, debieron de pasar a poetas cultos, los que ya se encargarían, siguiendo el gusto de la época, de desarrollar aquellos que ofrecían materia apta para mayores artificios, con preferencia sobre los épicos, que se prestaban menos al lucimiento en unas Cortes como las de Juan II y Enrique IV.

9. Introducción al *Cancionero de Romances*, ed. facsímil del C. S. I. C., Madrid, 1945.

10. *Historia de la literatura española*, I, pág. 318.

11. Subióse encima de un cerro — el más alto que veía,
dónde allí mira su gente — cómo iba de vencida.
De allí mira sus banderas — y estandartes que tenía,
cómo eran todos pisados, — que la tierra los cubría;
mira por los capitanes, — que ninguno parescía;
mira el campo, tinto en sangre, — la cual arroyos corría.
El, triste de ver aquesto, — gran mancilla en sí tenía;
llorando de los sus ojos, — de esta manera decía:
«Ayer era rey de España, — hoy no soy de una villa;
ayer villas y castillos, — hoy ninguno poseía;
ayer tenía criados, — hoy ninguno me servía;
hoy no tengo una almena, — que pueda decir que es mía.»

12. Mentides, el rey, mentides, — que non decides la [verdad;
que si yo fuese traidor, — a vos os cabría en part.
Acordársevos debía — de aquello del Encinal,
cuando gentes extranjeras — allí os trataron tan mal,
que os mataron el caballo — y aun a vos querían matar.
Bernaldo como traidor — de entre ellos os fué a sacar:
allí me disteis el Carpio — de juro y de heredad;
prometísteme a mi padre, — no me guardaste verdad.
—Prendedlo, mis caballeros, — que igualado se me ha.
—Aquí, aquí mis doscientos, — los que comedes mi pan,
que hoy era venido el día — que honra debemos ganar.

13. Mensajero eres, amigo; — no mereces culpa, no;
que yo no he miedo al rey — ni a cuantos con él son;
tllas y castillos tengo, — todos a mi mandar son:
de ellos me dejó mi padre, — de ellos me ganara yo.
....
Cada día que amanece — por mí hacen oración;
no la hacían por el rey, — que no la merece, non:
él les puso muchos pechos — y quitáraselos yo.

14. —Dios te salve, caballero, — debajo la verde haya.
—Así haga a ti, escudero; — buena sea tu llegada.
—Dígame tú, el caballero, — ¿cómo era la tu gracia?
—A mí dicen don Rodrigo, — y aun don Rodrigo de Lara.
cuñado de Gonzalo Gustioz — hermano de doña Sancha...
....
Si a ti dicen don Rodrigo, — y aun don Rodrigo de Lara,
a mí Mudarra González, — hijo de la renegada;
por hermanos me los tuve — los siete infantes de Salas:
tú los vendiste, traidor, — en el val de Rabiana;
mas si Dios a mí me ayuda, — aquí dejarás el alma.

15. Obsérvese que es éste uno de los pocos romances en que cambia la rima varias veces, a pesar de su corta extensión. Tal fenómeno es poco frecuente, ya que hasta en los más largos suele arrastrarse la misma asonancia desde el segundo verso hasta el final. El del *Conde Dirlos*—1.366 versos octosilábicos—mantiene la *a* aguda a lo largo de todo el relato:

Estábase el conde Dirlos, — sobrino de don Beltrán,
asentado en sus tierras, — deleitándose en cazar...

16. Paseábase el rey moro — por la ciudad de Granada,
desde la puerta de Elvira — hasta la de Vivarramble.
«¡Ay de mi Alhama!»
Cartas le fueron venidas — de que Alhama era ganada:
las cartas echó en el fuego — y al mensajero matara.
«¡Ay de mi Alhama!»
Descabalga de una mula, — y en un caballo cabalga;
por el Zacatín arriba — subido se había a la Alhambra.
«¡Ay de mi Alhama!»
Como en el Alhambra estuvo, — al mismo punto mandaba
que se toquen sus trompetas, — sus añafiles de p!ata.
«¡Ay de mi Alhama!»
Y que las cajas de guerra — apriesa toquen al arma,
porque lo oigan sus moros, — los de la Vega y Granada..
«¡Ay de mi Alhama!»

17. Emperatrices y reinas, — cuantas en el mundo ha-
[bía,
cuantas buscáis la tristeza — y huís de la alegría,
la triste reina de Nápoles — busca vuestra compañía.
....
Yo lloré al rey, mi marido, — que de este mundo partía;
yo lloré al rey Alfonso, — porque su reino perdía;
lloré al rey don Fernando — las cosas que más quería;
yo lloré una su hermana — que era reina de Hungría;
lloré al príncipe don Juan, — que era la flor de Castilla;
lloré al príncipe, mi hijo, — porque fraile se metía...

18. En París está doña Alda, — la esposa de don
[Roldán;
trescientas damas con ella — para la acompañar;
todas visten un vestido, — todas calzan un calzar;
todas comen a una mesa, — todas comían de su pan,
si no era doña Alda, — que era la mayoral.
Las ciento hilaban oro, — las ciento tejen cendal,
las ciento instrumentos tañen — para doña Alda holgar.
Al son de los instrumentos — doña Alda adormido se ha;
ensoñado había un sueño, — un sueño de gran pesar...

19. Sobre el tema de la *malmaridada* o *malcasada*, uno de los más representativos del Romancero, existen centenares de versiones en castellano. Menéndez Pidal (proemio a la *Flor nueva de romances viejos*) lo ha estudiado con la maestría con que él sólo puede hacerlo en su incorporación al romancero y sus diferencias con el mismo tema en otras literaturas, especialmente en la francesa.

20. *Discurso sobre la poesía castellana*. Fué reproducido este interesantísimo opúsculo de Argote de Molina en la «Antología de poetas líricos castellanos», de M. Pelayo, t. IV de la ed. del C. S. I. C.

BIBLIOGRAFIA

I y II. Julio Cejador: *La Epopeya y los romances. Examen de una antigua teoría*, «Rev. Hispan!que», XLXIX, págs. 1-310.—George Cirot: *«Cantares» et «romances»*, «Bull. Hispanique», XLVII, 1945, págs. 15-25 y 169-86.— José M.ª de Cossío: *Notas y estudios de crítica literaria. Poesía española. Notas de asedio*, Madrid, 1936.—B. Croce: *Poesia popolare e poesia d'arte. Considerazioni teorico-stoiche*, «Crítica», 1929.—Clementina Díaz de Ovando: *Agua, viento, fuego y tierra en el romancero español*, «Anales Inst. Investigaciones Estéticas», Méjico, 1925.— Aurelio M. Espinosa: *El romancero*, «Hispania», XII, California, 1929, págs. 1-32.—R. Fouché-Delbosch: *Ensayo sobre los orígenes del romancero* (trad. del francés por Lucas de Torre), Madrid, 1914.—M. García Blanco: *El romancero*, «Hist. gen. Lit. hisp.», II, Barcelona, 1951.— G. J. Geers: *El problema de los romances*, «Neuphilologus», Amsterdam, 1920.—W. P. Ker: *Spanish and English ballads*, Londres, 1920.—M. Menéndez Pelayo: *Tratado de romances viejos*, vols. VI y VII de «Antología de poetas líricos», Santander, 1945; *Primavera y Flor de romances*, vol. VIII de «Antología...»; *Apéndices a la «Primavera» y «Flor de romances» y Suplementos a la misma «Primavera»*, vol. IX, de «Antología...».—Ramón M. Pidal: *Los orígenes del romancero*, «Los romances de América y otros estudios», Colec. Austral, núm. 55, Buenos Aires, 1939; *Poesía popular y romancero*, «Rev. Fil. Esp.», volúmenes I, II y III, Madrid, 1914, 1915 y 1916; *El romancero. Teorías e investigaciones*, Madrid, 1928; *Flor nueva de romances viejos*, estudio preliminar de..., Colec. Austral, núm. 100, Buenos Aires, 1939; *Romances y baladas*, «Bull. of Mod. Humanities, Research Ass'n.», 1927; *Poesía tradicional en el romancero hispano-portugués* (disc. Acad.

Ciencias de Portugal), Lisboa, 1943.—MILÁ Y FONTANALS: *De la poesía heroico-popular castellana*, Barcelona, 1874.— PÍO RAJNA: *Osservazioni e dubbi concernenti la storia delle romanze spagnole*, «Romanic Review», Nueva York, VI, 1915, págs. 1-45.—VITTORIO SANTONI: *Problemi di poesia popolari*, «Annali de la Scuola Normale Superiore di Pisa», 1935.—LEO SPITZER: *Notas sobre romances españoles*, «Rev. Fil. Esp.», XXII, 1935.—F. WOLF: *Sobre la poesía de los romances de los españoles*, «La España Moderna», nov.-dic. 1895 y sept.-oct. 1896; *Sobre una colección de romances españoles en la Biblioteca de la Universidad de Praga*, Viena, 1850.

III. ERASMO BUCETA: *Un dato sobre la historicidad del romance «Abenámar, Abenámar»*, «Rev. Fil. Esp.», VI, 1919; *Notas acerca de la historicidad del romance «Cercada está Santa Fe»*, «Rev. Fil. Esp.», IX, 1922, págs. 367-83.—GEORGE CIROT: *Sur les «Romances a la muerte del Príncipe de Portugal»*, «Bull. Hispanique», XXV, 1923.— JOSÉ M.ª DE COSSÍO: *Noticias literarias sobre «Abenámar»*, «Bol. Bibl. M. Pelayo», 1929.—RAFAEL FERRERES: *Romancero del Cid. Romances viejos*, selección y pról. de..., Valencia, 1941.—M. DE FOURNEAUX: *Légende de Bernardo del Carpio*, «Bull. Hispanique», XLV, 1943.—ELEAZAR HUERTA: *Poética del Mío Cid*, Santiago de Chile, 1948.—H. R. LANG: *Contributions to the restoration of the «Poema del Cid»*, «Rev. Hispanique», vol. LXVI, 1926.—RAMÓN M. PIDAL: *El Cid. Romances viejos*, Bibl. Corona, Madrid, 1915; *Notas para el romancero del Conde Fernán González*, «Hom. a M. Pelayo», Madrid, 1899; *Un nuevo romance fronterizo: Romance de la pérdida de Ben Zulema*, «Los romances de América y otros estudios», Colec. Austral, núm. 55.—SÁNCHEZ CANTÓN: *Nota para el romancero de los infantes de Lara*, «Correo Erudito», Madrid, 1941.

IV. JOSÉ M.ª DE COSSÍO: *Nueva versión (siglo XVI) de un romance de Gaiferos*, «Bol. Bibl. M. Pelayo», 1930; *Notas al romancero. Caracteres de la feminidad en la doncella que va a la guerra*, «Escorial», IV, Madrid, 1942. B. DE ECHEGARAY: *La leyenda de San Julián el Hospitalario en romances castellanos*, «Bull. Hispanique», LIII, 1951, págs. 13-33.—RAFAEL FOULCHÉ-DELBOSCH: *Un romance retrouvé («En un monte junto a Burgos»)*, «Revue Hispanique», 1898.—BONIFACIO GIL: *El tema de la doncella guerrera en el folklore riojano. Estudio comparativo*, «Berceo», V, 1950.—THOMAS R. HART: *«El Conde Arnaldos» and the Medieval Scriptural Tradition*, «Modern Language Notes», LXXII, 1957, págs. 281-85.—PÍO RAJNA: *«Rosaflorida»*, «Mélanges Picat», vol. II, págs. 115-34, París, 1913.

V. H. AACE PALUDAN: *Traductores y traducciones de romances españolas en Dinamarca e Islandia*, «Hom. a M. Pidal», I, Madrid, 1925.—NARCISO ALONSO CORTÉS: *Romances populares de Castilla*, recogidos por..., Valladolid, 1906.—JOHN BOWRING: *Ancien poetry and romances of Spain*, Londres, 1824.—HARRY A. DEFERRARI: *The Sentimental Moor in Spanish Literature before 1600*, Pensilvania, vol. XVIII, 1927, págs. 7-84.—R. MENÉNDEZ PIDAL Y ALVARO GALMES: *Cómo vive un romance. Dos ensayos sobre tradicionalidad*.—RAMÓN M. PIDAL: *Catálogo del romancero judeo-español*, «Cultura Española», 1906 y 1907; *Supervivencia del poema de Kudrun. Orígenes de la balada*, «Rev. Fil. Esp.», vol. XX, 1933; *Los romances de América y otros estudios*, Colec. Austral, núm. 55, Buenos Aires, 1939.—J. PEROTT: *Reminiscencias de romances en libros de caballerías*, «Rev. Fil. Esp.», vol. II, 1915.

Consúltese, además, la bibliografía que figura en el capítulo II, «Epica medieval castellana».

CAPITULO XII

«LA CELESTINA»

CUESTIONES QUE PLANTEA: *Argumento. El problema bibliográfico. ¿Novela o teatro? El problema del autor. Fernando de Rojas. Composición de la obra. Fecha y lugar. Valores permanentes de «La Celestina». Técnica y estilo. Fuentes literarias. Continuaciones, imitaciones y traducciones.*—NOTAS. BIBLIOGRAFÍA.

CUESTIONES QUE PLANTEA

Todas las corrientes literarias de la Edad Media española, desde el realismo del *Mio Cid* o del *Libro de buen amor*, hasta los complicados análisis psicológicos de Rodríguez de la Cámara y Diego de San Pedro, sin excluir las tendencias clasicistas de los escritores de la Corte de Juan II, convergen y se mezclan en una obra que apareció a fines del xv, auspiciada con todos los atributos de la inmortalidad. Nos referimos, claro es, a la *Tragicomedia de Calisto y Melibea*, más comúnmente llamada *Celestina*, del nombre del personaje que, sin ser el protagonista, desempeña en ella el máximo papel. La *Celestina*, cuya primera edición conocida data del 1499, cierra con el mayor decoro el largo período de nuestra literatura medieval, a la vez que abre con no menor dignidad el ciclo renacentista castellano. Su solo título suscita una serie de problemas que trataremos de dilucidar en los siguientes epígrafes, no sin antes decir dos palabras sobre su contenido.

Argumento

Al frente de la obra figura un «argumento» general; y al frente de cada *acto*, el particular del mismo. Helo aquí en breve síntesis: Calisto, mozo «de noble linaje, de claro ingenio, de gentil disposición, dotado de muchas gracias», entra en la huerta de la hermosa Melibea persiguiendo a un halcón. Ve a la joven, se enamora de ella, la requiere de amor; pero en principio es rechazado. Por consejo de su criado Sempronio acude a los oficios de una vieja alcahueta, Celestina, quien, mediante arterías y hechizos, logra poner en contacto a los dos jóvenes. El diálogo entre la vieja Celestina y Melibea es un prodigio de psicología femenina. La astuta alcahueta, viendo que no logra su propósito por el camino del amor, intenta atraer a la doncella por el de la compasión. «Yo dexo un enfermo a la muerte—dice a Melibea—, que con sola una palabra de tu noble boca salida, que le lleve metida en mi seno, tiene por fe que sanará.» «Me mueves a compasión—responde la joven—, yo soy dichosa si de mi palabra hay necesidad para salud de algún cristiano. Porque hacer beneficio es semejar a Dios.» Celestina logra que Melibea y Calisto, mutuamente enamorados, se entrevisten. Pero aquí empieza la tragedia. Sempronio y Pármeno, criados de aquél y amantes de Elicia y Areusa, pupilas de Celestina, acuerdan con éstas explotar en provecho común la pasión amorosa del galán. Todos ellos caen víctimas de su codicia. Como la vieja se niega a darles participación en un collar de oro que recibió de Calisto como recompensa, aquéllos la apuñalan. Saltan a la calle por una ventana; caen malheridos; la justicia los prende y al día siguiente son ahorcados en la plaza pública.

La *Celestina* tiene, luego habremos de verlo, varias versiones. En la de 16 actos, que es la más antigua que conocemos, a partir del suplicio de los criados la acción corre vertiginosa al desenlace. Calisto vence la virtud de Melibea, y, al saltar la tapia del jardín, cae al suelo y se mata. La misma Melibea lo dice en su discurso postrero:

«Como las paredes eran altas, la noche oscura, la escala delgada, los sirvientes que traía no diestros en aquel género de servicio, no vido bien los pasos, puso pie en vacío y cayó; y de la triste caída sus más escondidos sesos quedaron repartidos por las piedras y paredes. Cortaron las hadas sus hilos, cortáronle sin confesión la vida, cortaron mi esperanza, cortaron mi gloria, cortaron mi compañía.»

En la versión posterior, de 21 actos, aparte de profusos episodios, se introduce un nuevo personaje, Centurio, especie de *miles gloriosus*, bravucón y locuaz, a quien acuden Elicia y Areusa para que se deshaga de Calisto, causante, según ellas, de la desgracia que les aflige, con la muerte de los dos amantes y de Celestina. La primera parte, hasta la muerte de la vieja, es más bien de tono cómico; a partir de aquí se convierte en tragedia. De aquí el título de *tragicomedia* que ha terminado por imponerse.

El problema bibliográfico

¿Quién fué el autor o quiénes fueron los autores, en el supuesto de que hubiese varios, de la

Celestina? Antes de contestar a esta pregunta debemos decir dos palabras sobre los diversos estados o versiones con que la obra se nos ofrece. Porque la *Celestina,* en el aspecto bibliográfico, presenta por lo menos cuatro variantes:

a) La primera que conocemos, impresa en Burgos, en 1499; carece de una hoja al principio, en cuyo anverso iría, probablemente, el título, y en el reverso el «argumento» y acaso la carta de *El autor a un su amigo,* que aparece ya en la de Sevilla, dos años después. En el folio 91 se halla el escudo del impresor con esta leyenda: *Nihil sine causa. 1499. F. A. de Basilea.*

b) La de Sevilla (1501); también en 16 actos; suple la hoja indicada de la anterior y en todo lo demás es igual a la de Burgos. Como en ésta no declara el nombre del autor; en cambio, figuran al principio unos versos acrósticos en que se nos dice quién la escribió, y al fin, seis *octavas* de su editor, Alonso de Proaza. Lleva además título, el *incipit,* el «argumento» general y los particulares al frente de cada acto.

c) La de Sevilla (1502). Contiene ya 21 actos, un *prólogo* nuevo y tres octavas más añadidas al final. Los 13 primeros actos coinciden sustancialmente con los de anteriores ediciones; pero a la mitad del 14 empieza una larga interpolación, que se extiende hasta el 19; el 20 corresponde al 15 de la edición primitiva, y el 21 al 16. Se interpolan, pues, cinco actos seguidos y totales, aparte de muchas variantes, todo lo cual nos da una verdadera refundición.

d) Igual que la anterior; pero con un acto más, el 22, llamado de *Traso* (Toledo, 1526). Como este nuevo acto es muy tardío y evidentemente postizo, además de inútil, en las sucesivas reimpresiones nadie tiene en cuenta esta versión.

Se habla mucho de otras, que por ahora resultan problemáticas: una anterior a la de Burgos, de la que nadie ha visto un solo ejemplar; pero que algunos creen que debió de existir, ya que en la tenida por *princeps* se lee: «Con los argumentos nuevamente añadidos»; otra de Salamanca, en 1500, a que se alude en unas coplas de Alfonso de Proaza, que figuran al fin de la edición de Valencia de 1514. En la última de esas coplas se declara que el libro fué «impreso acabado» en Salamanca en dicho año[1].

También el título requiere una explicación. En la primera edición conocida, la de Burgos (1499) y en la de Sevilla (1501), se llama *Comedia de Melibea*[2]; en la refundición sevillana de 1502 ya se llama *Tragicomedia de Calisto y Melibea.* El nombre de *Celestina* se lo puso en Italia Alfonso Ordóñez, en la traducción que publicó en Venecia (1519). En España, la primera edición que la llama *Celestina* es la de Alcalá de Henares (1569). Sin embargo, en el uso común dominaba desde el principio este título; la *Celestina* la llama Luis Vives en dos ocasiones por lo menos (1521-1531),

y también la llama así fray Antonio de Guevara en los preliminares del *Aviso de privados y doctrina de cortesanos* (Valladolid, 1539).

¿Novela o teatro?

¿Debe considerarse la *Celestina* obra dramática o narrativa? El problema viene siendo discutido, aunque en el fondo carece de importancia. Drama o novela, la *Celestina* es uno de los productos más geniales de la cultura de su tiempo y con eso le basta. Sin pretensiones de sentar doctrina, he aquí nuestra opinión. Los géneros literarios «químicamente puros», tales como se nos dan con fines más bien docentes en las preceptivas tradicionales, casi nunca existen. Una novela, en cuanto tiene diálogo, es al mismo tiempo comedia o tragedia, drama o sainete; un drama, en cuanto relata escenas y circunstancias de un hecho, puede parecer a trechos obra narrativa. No es éste el caso de la *Celestina.* Indudablemente esta obra se escribió para la lectura. Nos lo dice su autor y, aunque no lo dijera, existen razones para creerlo así: desde el primer momento se publicó como obra de lectura[3]; su extensión desmesurada, aun en las primeras versiones de 16 actos, no consiente una representación; por otra parte, de haberla escrito para la escena, el autor habría suavizado o suprimido expresiones que no tolerarían en público ni los oídos menos timoratos. Del lado opuesto tenemos que la *Celestina* está concebida más bien como pieza dramática: la acción y el diálogo lo llenan todo, con las mínimas concesiones a la parte expositiva o narrativa. Y el mismo autor, que según acabamos de decir pensaba en lectores más que en espectadores, la titula *comedia,* incluyéndola así y a priori dentro de uno de los tipos clásicos del género teatral. Y, en efecto, cuando aligerada convenientemente ha sido trasladada a las tablas, se ha visto que llevaba en su seno tanta sustancia dramática como la mejor obra del teatro antiguo o moderno[4].

Menéndez Pelayo, que empieza por calificarla de *obra dramática,* la incluye en sus *Orígenes de la novela,* donde le dedica uno de los estudios más definitivos que salieron de su pluma[5]. Esta inclusión está justificada porque la *Celestina* trasciende su influencia desde el teatro a los otros géneros, de modo que en una historia de nuestra novela es imposible prescindir de ella. «Así como la antigüedad encontró en Homero la semilla de todos los géneros posteriores, y aun de toda la cultura helénica, la novela y el teatro, pues, da a los novelistas el primer ejemplo de observación directa de la vida, ya que las pinturas de los moralistas y satíricos apenas pasan de rasguños aun en el mismo arcipreste de Talavera, uno de los pocos precursores de Rojas» (M. P.).

El autor: Fernando de Rojas

Con estas observaciones previas ya nos es más fácil abordar el problema del autor. ¿Quién fué éste? Desde luego, el bachiller FERNANDO DE ROJAS escribió, si no toda, parte de la *Celestina*. Al frente de la edición de Sevilla de 1501 figuran, después de la breve carta de *El autor a un su amigo*, once coplas de arte mayor en versos acrósticos, de modo que, ordenando la primera letra de cada uno, puede leerse: «El bachiller Fernando de Rojas acabó la comedia de *Calysto y Melybea* e fue nascido en la Puebla de Montalvan.» Por si el lector no se había dado cuenta de ello, al final de la obra se agregan siete octavas del mismo metro de arte mayor, una de las cuales, la quinta, va destinada a declarar «un secreto que el autor encubrió en los metros que puso al principio del libro»:

> No quiere mi pluma ni manda razón
> que quede la fama de aqueste gran hombre,
> ni su digna fama ni su claro nombre
> cubierto de olvido por nuestra ocasión.
> Por ende juntemos de cada renglón
> de sus once coplas la letra primera,
> las cuales descubren por sabia manera
> su nombre, su tierra, su clara nación.

En efecto, siguiendo el consejo de Proaza, editor de la obra en Sevilla y autor indudable de estas coplas, llegamos a la lectura ya indicada, que nos da a Rojas como autor de la *Celestina*. Durante algún tiempo se creyó por algunos que este Rojas había sido un ente imaginario, quizá invención del editor y refundidor Proaza. Hoy su existencia real está fuera de dudas. Documentos publicados primero por Serrano Sanz y luego por don Fernando del Valle Lersundi identifican plenamente su personalidad [6]. Debió de nacer hacia el año 1465; era hijo de judíos conversos; estudió en Salamanca; sus padres fueron Garci González Ponce de Rojas y Catalina de Rojas, vecinos de la Puebla de Montalbán. Casó con Leonor Alvarez, y, como el conde de Puebla trataba mal a los hijosdalgo, y Fernando de Rojas lo era, se fué a vivir a Talavera, de donde llegó a ser alcalde. Otorgó testamento en la misma Talavera el 3 de abril de 1541 y había fallecido el 8 del mismo mes, fecha en que su mujer hacía el inventario de sus bienes. Entre ellos figuraba una interesantísima biblioteca. Serrano Sanz ha descubierto un proceso inquisitorial correspondiente al año 1525, contra Alvaro de Montalbán; en él declara el procesado bajo juramento «tener una hija llamada Leonor Alvarez, muger del bachiller Rojas que compuso a *Melibea*, vecino de Talavera»; y cuando se le autoriza para nombrar defensor, escoge «por su letrado al bachiller Fernando de Rojas, su yerno, vecino de Talavera, que es converso». A mayor abundamiento, en una *Historia de Talavera* original de Cosme Gómez Tejada de los Reyes, que se conserva manuscrita en la Biblioteca Nacional (ms. 2.039), se dice que «Fernando de Rojas, autor de la *Celestina*, fábula de Calixto y Melibea, nació en la Puebla de Montalbán, como él lo dice al principio de su libro... Pero hizo asiento en Talavera».

Indudable, pues, la paternidad de Rojas en la *Celestina*. Ahora bien: ¿a cuántos actos se extiende esa paternidad? Si hemos de creer lo que se nos dice en el prólogo de la edición sevillana, Rojas habría leído por casualidad el primer acto de la *Celestina*, que es con mucho el más extenso, y ganado por el primor de la fábula y la galanura del estilo, se decidió a continuarla, agregándole los quince restantes [7]. Por el mismo prólogo nos enteramos de que ese primer acto «no tenía firma del auctor, el cual, según algunos dicen, fué Juan de Mena, e según otros, Rodrigo Cota». A continuación se nos informa que escribió todos los quince actos en solos quinze días de unas vacaciones» y que silencia su nombre porque, «aunque obra discreta», es ajena de su *facultad* o, lo que es igual, de sus estudios y quehaceres jurídicos. Tenemos, por tanto, aparentemente clara la cosa: Rojas escribió sobre un original de Mena o de Cota, y como complemento de éste, quince de los dieciséis actos de que consta la *Celestina*. Y los escribió en solos quince días, a acto por jornada. Pero ¿es ello cierto?

La crítica moderna, casi sin excepción, lo niega. Por lo pronto no acepta lo de los quince días, plazo casi inverosímil, dada la madurez que revelan esos actos, tanto en su contenido como en su expresión, y dada también la edad de Rojas, que debía de frisar entonces por los 25 años. Menos aún admite, basándose en motivos de fondo y forma, la paternidad de Mena ni de Cota. De la comparación estilística entre las obras auténticas de éstos y la *Celestina* se deduce con absoluta certeza que ni uno ni otro pudieron escribir el primer acto que se les atribuye. Por otra parte, el mismo tono de incertidumbre en que se expresa el prólogo induce a dudar de tal atribución. El estilo de los quince actos es el mismo del primero; la concepción, idéntica; la línea marcada al principio no se pierde ni se desvía un solo momento. Todo indica que el que escribió el primer acto escribió también los otros quince, o viceversa. De lo contrario, tendríamos un caso de asimilación conceptual y estilística tan asombroso como no se da otro en toda la literatura universal. Las continuaciones de obras literarias, llámense *Lazarillo de Tormes*, *Don Quijote* o *Guzmán de Alfarache*, se distinguen de la primitiva por el estilo. No ocurre esto con la *Celestina* en su versión de los dieciséis actos. Hay una identidad manifiesta; son, como suele decirse, piezas de un mismo paño. Entonces, ¿a qué obedece la ficción del hallazgo de un primer acto? Simple pretexto del autor; tales ficciones eran frecuentes en la época: Ordóñez de Montalvo en las *Sergas de Esplandián* y Martorell en su *Tirante el Blanco,* entre otros, la utilizan. No obstante, Bonilla y San Martín sigue creyendo en la duplicidad de autores; Foulché-Delbosc opina que la carta o prólogo no es del autor de la *comedia,* sino de algún editor que inventó este artificio, a la vez que la fábula de la redacción de los quince actos restantes en otros tantos días; y recientemente, Manuel Criado del Val, estudiando a la luz de la semántica las constantes de los verbos de la pieza, en especial los auxiliares, ha intentado demostrar cómo el primer acto es, por su vocabulario y sus formas gramaticales, muy anterior a los quince siguientes.

¿Y los otros cinco actos? Menéndez Pelayo, Wolf, Carolina de Michaelis y otros lo adjudican al mismo Rojas; Cejador y Alonso Cortés opinan que fueron interpolados por algún editor, probablemente Alfonso de Proaza. El análisis estilístico y hasta estructural de la obra parece dar la razón a Cejador: ni la expresión, ni los caracteres, ni la ideología de los personajes es la misma en una y otra parte. Todo lo añadido en la edición de Sevilla (1502) sobre las anteriores da la impresión de cosa postiza. Se puede suprimir, como propone Cejador, y la línea fundamental no se rompe. Es más: gana en unidad, armonía y cohesión.

Nuestra postura ante el problema del autor de la *Celestina* es, por tanto, clara: Fernando de Rojas compuso los dieciséis actos, es decir, toda la comedia primitiva; luego, algún editor, probablemente Proaza, añadió los cinco restantes y las otras interpolaciones que se hallan a lo largo de la obra.

Fecha y lugar

Otras cuestiones no menos oscuras plantea la *Celestina:* ¿cuándo se escribió y en qué lugar pasa la acción? Para lo primero se han dado fechas que oscilan entre 1483 y 1497; la primera la sugiere Foulché-Delbosc; la segunda, Espinosa y Maeso. Todo depende de que ciertas frases del libro se tomen al pie de la letra y se apliquen a Toledo o Salamanca. Para nosotros tales frases están empleadas con carácter general, sin alusión a hechos o lugares determinados, por lo que no puede de ellas deducirse nada en concreto. Desde luego, la fecha que da Foulché-Delbosc es inadmisible. Por documentos auténticos posteriormente encontrados se conjetura que por aquellas fechas Rojas era todavía adolescente; y la *Celestina,* sin ser obra de varón maduro, demuestra ya larga experiencia de vida. Menéndez Pelayo, con buen acuerdo, deja el problema sin resolver, apuntando que debió de escribirse en la última decena del XV.

Como escenarios de la acción, en el supuesto de que ésta se base en un hecho real, se han dado tres ciudades: Salamanca, Toledo y Sevilla. La tesis de Salamanca se basa en una tradición casi

ininterrumpida y que se refleja en muchas obras del siglo XVI, según la cual existía en aquella ciudad la torre de Melibea y la casa de Celestina. En lo demás el libro apenas conviene a Salamanca más que a cualquier otra ciudad de Castilla. La atribución del escenario a Sevilla se debe al canónigo Blanco, quien alega para ello una frase que ha dado mucho que pensar a los comentadores: «Subamos, señor, al açotea alta, porque desde allí goze de la deleytosa vista de los navíos»[8]. Como la única ciudad de la Corona castellana desde cuyas azoteas se podía disfrutar del espectáculo de un gran río, con naves y todo, era Sevilla en aquellas fechas, de ahí la hipótesis de Blanco. Pero una atenta lectura de la *Celestina* revela que su autor desconocía en absoluto las costumbres, lenguaje, etcétera, de la España meridional, cuanto más de Sevilla. Queda Toledo, ciudad a la que, si prescindimos de la frase de «los navíos», puede convenir en todos sus pormenores topográficos y hasta étnicos de la obra: tenerías junto al río, parroquias de San Miguel y la Magdalena, calle del Arcediano, etc. ¿Y si, como sugiere Menéndez Pelayo, siguiendo el procedimiento más frecuente entre los novelistas, se tratase de una ciudad ideal, que el autor quiso mezclar con reminiscencias de las que tenía al escribir más presentes, es decir, de Salamanca y Toledo?

Valores permanentes de la «Celestina»

Si nos hemos detenido tanto en los problemas anteriores es porque la *Celestina* ocupa uno de los primeros puestos en nuestra literatura y todo cuanto a ella se refiere entraña importancia capital. Por su fábula de amor y de tragedia, hondamente humana, alcanza categoría universal; y así fué aceptada por las naciones cultas de Europa, que se apresuraron a traducirla en sus idiomas respectivos. Por la disposición del argumento, llevado sin vacilaciones hasta el final, es obra de singular maestría y que mantiene renovadamente el interés. Si un artista se revela en la pintura de caracteres, el autor de la *Celestina* ha de ser proclamado poeta de primer orden. El de Celestina, la vieja alcahueta, es tan definitivo que ha pasado a significar toda una especie de mujeres, harto frecuentes por desgracia en todas las épocas y ambientes. Contra la misma voluntad del autor, ella ha dado título a la obra. Para Menéndez Pelayo es «el genio del mal encarnado en una criatura baja y plebeya, pero inteligente y astuta, que parece nacida para corromper el mundo y encadenarle por la senda lúbrica del placer». Sempronio, que la conocía bien, afirma: «A las duras peñas promoverá e provocará a lujuria, si quiere.» Con el cebo de Areusa atrae a Pármeno, que antes había aconsejado a Calisto que nada concertara con ella. Sus múltiples oficios, muy bien descritos por el mismo Pármeno, le dan acceso a todas las casas. Su espíritu sereno y reflexivo le inspira siempre palabras adecuadas al fin que persigue y a la persona con quien habla. Sus recursos y mañas son infinitos. El que cae en sus redes, hombre o mujer, es difícil que se libere.

Ante Celestina los demás personajes, aun siendo un prodigio de humanidad, palidecen. Se ha dicho por alguien que la pareja de enamorados Calisto y Melibea [9] representa el misticismo y sensualismo, síntesis de dos épocas que convergen en el momento en que la obra se escribió. De aquí esa feliz fusión de amor y muerte, del ascetismo medieval y del goce de vivir renacentista. La pareja enamorada anuncia la de Romeo y Julieta. Pocas veces, antes del Romanticismo, la pasión amorosa había sido expresada con tan bellos acentos y tan finos matices. Melibea y Julieta son de la misma familia: tiernas, pero impulsivas; constantes en su amor hasta la muerte. El desenlace de la obra es lógico; sin el fondo de tragedia hubiera degenerado en una aventura más de carácter casero [10].

También los personajes secundarios tienen vida propia. Elicia y Areusa muestran los frutos de la enseñanza de Celestina; no son tan perversas como ella, acaso por carecer de experiencia. Tipo intermedio de las rameras de Terencio y las de Plauto, ni tan sentimentales como aquéllas ni tan abyectas como éstas. En Rojas hallamos por primera vez el paralelismo amoroso de amos y criados, que se repetirá tanto en nuestras comedias del Siglo de Oro. Técnica de contraste de parejas: Calisto y Melibea, Sempronio-Elicia, Pármeno-Areusa. Preguntado Juan de Valdés sobre cuáles entre los personajes de la Celestina «están mejor exprimidos», contesta: «La de Celestina está a mi ver perfectísimamente en todo cuanto pertenece a una fina alcahueta, y las de Sempronio y Pármeno; la de Calisto no está mal y la de Melibea pudiera estar mejor». No es de extrañar en el severo moralista esta última atenuante: «Se deja presto vencer—explica—, no solamente a amar, pero a gozar del deshonesto fruto del amor.»

Técnica y estilo

En su composición, la Celestina paga tributo al momento en que fué escrita. Si algunos pasajes no están suficientemente justificados—Calisto y Melibea se conocen antes de intervenir la alcahueta, son nobles y no se ve que haya oposición familiar u otro obstáculo que impida sus relaciones—se debe más bien a que Rojas concibe su obra no sólo en cuanto apología del amor, sino en íntima alianza de éste con la muerte, fruto de ese momento crucial del Renacimiento y el medievo a que acabamos de aludir. Pocos años más tarde, Juan del Encina resolverá un conflicto similar con el triunfo del amor: Venus salva a Plácida volviéndola a la vida.

Como en el Corbacho, del Arcipreste de Talavera, pero en más alto grado, en el estilo de la Celestina confluyen la tendencia culta y latinizante del humanismo—no se olvide que su autor había estudiado en Salamanca—y la popular, que venía ya abriéndose paso desde el Libro de buen amor. Lo que el Arcipreste de Hita hizo en verso y el de Talavera en prosa, si bien de manera todavía vacilante, dar carta de naturaleza en la república de las letras al lenguaje vulgar, lo consolida definitivamente Rojas en la Celestina. A ello contribuye en buena parte el Romancero, que acaba de ocupar un primer plano en los dominios de la literatura. En lo culto se aceptan giros y términos latinizantes: verbos al final de frase, similicadencias, construcciones violentas. Surgen vocablos como ánima, objecto, inmérito. Pero de ordinario lo natural vence a lo artificioso; y cuando algún personaje habla culto, surge la rectificación inmediata: «Deja, señor—dice Sempronio a Calisto—, esos rodeos, que no es habla conveniente la que a todos no es común.» Juan de Valdés señaló las virtudes y defectos del estilo en la Celestina; entre las primeras, la congruencia: «va bien acomodado a las personas que hablan»; entre los defectos, el abuso de latinismos «que no se entienden en castellano» y la acumulación de vocablos innecesarios y «tan fuera de propósito como magníficat a maitines». Por lo demás, en su opinión, «ningún libro hay en castellano donde la lengua esté más natural, más propia ni más elegante».

Moralmente, la Celestina mereció los severos reproches de escritores como Vives y Guevara. Sabido es el juicio de Cervantes:

> Libro en mi opinión divi-
> si encubriera más lo huma-.

Sin embargo, la Inquisición la dejó correr y la obra se imprimió por lo menos 35 veces en el siglo XVI. Sólo en la centuria siguiente se decidió a expurgarla de determinadas alusiones al clero. A juicio de Menéndez Pelayo, de no haberse escrito el Quijote ocuparía la Celestina el primer lugar entre las obras de imaginación compuestas en castellano.

Continuaciones, imitaciones y traducciones

Las dos continuaciones más importantes son la Segunda Celestina, de Feliciano de Silva, y la Tragicomedia de Lisandro y Roselia, probablemente de Sánchez Muñón. La de Feliciano de Silva es la única entre sus obras que merece sobrevivirle y sería injusto medirla con la misma vara que a sus novelas caballerescas (Don Florisel de Niquea, Don Rogel de Grecia), ridiculizadas por Cervantes a causa de su enrevesado estilo, y a las que tendremos ocasión de referirnos al estudiar las continuaciones del Amadís. Extraño parece continuar una obra en la que mueren los personajes más importantes; pero Silva no duda en resucitar a la vieja alcahueta y hacer que se presente ante las estupefactas Elicia y Areusa. Temperamento de novelista de folletín, Silva introduce en su obra el ridículo episodio pastoril de Acays y Filínides, una de las primeras manifestaciones del bucolismo en la novela. La obra debió de ser muy leída y sigue la tendencia anticlerical que ya se apunta en la Celestina. Más valor tiene, aunque siempre muy distante de su modelo original, la Tragicomedia de Lisandro y Roselia, de Sánchez de Muñón; en cambio, la Tercera Celestina, de Gaspar Gómez de Toledo, no pasa de una insípida rapsodia de la primitiva.

Las imitaciones han sido muchas, tanto dentro como fuera de España. El más antiguo de los imitadores entre nosotros fué el prócer aragonés don Pedro Manuel de Urrea, hijo segundo de los condes de Aranda y autor de un Cancionero (1513) que se sale de la monotonía general. Compuso una Egloga de la tragicomedia de Calisto y Melibea, de prosa trabada en metro, y la Penitencia de amor, fusión del tema de Rojas con el de Diego de San Pedro. No fué el de Urrea el único intento de adaptación al metro de la famosa obra; circuló un romance juglaresco sobre el mismo tema, y Juan Sedano puso la Celestina en coplas de arte menor. El tono rufianesco del tractado de Centurio influyó en el poeta popular Rodrigo de Reinosa, que en su Coloquio entre las Torres-Altas y el rufián Corta-Viento empleó deliberadamente el lenguaje de germanía.

En Portugal la Celestina fué imitada por Jorge Ferreira de Vasconcellos, en su comedia Euphrosina; y en Castilla, entre otros, por Sebastián Fernández (La tragedia Policiana); Alfonso de Villegas (Comedia salvaje); Pedro Hurtado de la Vera (La doleria del sueño del mundo); Alfonso Velázquez de Velasco (La lena o el celoso).

La huella de la Celestina en las letras posteriores, tanto novela como teatro, ha sido honda. Citemos, entre muchas, las églogas de Juan del Encina, Plácida y Victoriano y Fileno y Zambardo, si bien en ambas se sigue la apología gentílica del amor antes que la línea trágica del modelo; la sátira anticlerical de Torres Naharro, inspirada sin duda en la obra de Rojas; el tipo de «alcoviteira» de Gil Vicente, y para no alargar la lista, digamos que aparecen tipos celestinescos en El infamador, de Juan de la Cueva; en La Dorotea, de Lope de Vega; en El anzuelo de Fenisa, El Arenal de Sevilla, El rufián Castrucho, del mismo Lope; en El encanto es la hermosura y el hechizo sin hechizos, de Salas Barbadillo; y en comedias no representables: la Thebayda, la Hipólita, la Serafina y La lozana andaluza, de Francisco Regalado, libro en que se encierra lo más crudo y corrompido del Renacimiento, al menos entre nosotros.

La presencia de la Celestina en la novela es constante; más en la cortesana que en la picaresca. Un personaje influído por ella es la doña Clara de Astudillo en La tía fingida; Salas Barbadillo nos da la fuente de la inspiración en el título de una de sus novelas: La ingeniosa Helena, hija de Celestina, y Maria de Zayas toma el tipo de alcahueta para La burlada Aminta y venganza del honor.

La Celestina fué traducida pronto a las principales lenguas: italiana (1506), alemana (1520), francesa (1527), holandesa (1574), inglesa (1631), etcétera.

Fuentes literarias

Es tal la verosimilitud de la Celestina en sus principales escenas, que algunos han llegado a pensar que se basa en sucesos reales. Aunque no toda la acción, sin duda hay episodios que tienen este carácter. Determinadas alusiones, como aquella terrible de Sempronio a Calisto en el acto I recordándole cierta nefanda acción de su abuela, confirman la hipótesis. Otra alusión a probables hechos reales es la del embajador francés, al que Celestina engañaba dándole gato por liebre en sus esparcimientos amorosos. Aquélla, ya queda dicho, ha sido tenida por personaje real y su vida queda enlazada a tradiciones orales y escritas de Salamanca. Por otra parte, un cuento de Juan de Arguijo, recogido por Paz y Meliá en Sales españolas, ofrece gran semejanza con el episodio de la muerte de Calisto [11].

Pero no es a esta clase de fuentes a las que ahora aludimos. Ya se sabe que toda obra literaria, y con mayor razón la novela y el drama, se inspiran siempre en la realidad. Hablamos aquí de sus fuentes literarias. Menéndez Pelayo, Cejador y Castro Guisasola las han señalado de modo casi exhaustivo. Por lo pronto, el prólogo, que probablemente no pertenece a Rojas, es copia casi literal del De remediis utriusque fortunae, de Petrarca. Abundan las citas de la Biblia y más aún de autores clásicos: Heráclito, Aristóteles, Plauto, Terencio, Virgilio, Homero, Ovidio, Séneca, Plinio, Juvenal, etc., todo lo cual prueba la formación humanística de Rojas. Conoció la comedia latina medieval, aunque no es seguro que hubiese leído el Pamphilus, ya que todo lo que en la Celestina hay de éste lo pudo encontrar en el Arcipreste de Hita, cuya influencia es manifiesta. Del mismo arcipreste pudo tomar el retrato de Melibea, tan parecida en lo físico a Doña Endrina [12]. Del otro arcipreste, el de Talavera, debió de aprender el empleo de refranes, proverbios y giros populares que luego reaparece en el Quijote por boca de Sancho. La onomástica refleja influencias de Terencio; pero en otros aspectos vemos clara la huella de Plauto. Rojas aprovecha muchos elementos de la comedia latina: fondo lupanario, intevención de los criados en las aventuras del señor, soldados fanfarrones... Por todo ello Castro Guisasola termina calificándola de «obra terenciana, una comedia escrita a imitación de las de Terencio, bien que por no estar escrita con vistas a la escena no se ha tenido en cuenta su extensión, y alguna vez ni aun la excesiva crudeza de los hechos, resultando de este modo una comedia irrepresentable» [13].

NOTAS

1. Describe el tiempo y lugar en que la obra primeramente se imprimió acabada:

El carro Phebeo, después de auer dado
mill e quinientas bueltas en rueda,
ambos entonces los hijos de Leda,
a Phebo en su casa tenían possentado,
quando este muy dulce y breue tratado,
después de reuisto e bien corregido,
con gran vigilancia puntado e leydo,
fué en Salamanca impresso acabado.

2. El título completo, que reproduce la de Sevilla (1501), era: Comedia de Calisto e Melibea con sus argumentos nueuamente añadidos, la qual contiene, además de su agradable y dulce estilo, muchas sentencias filosofales y avisos muy necessarios para mancebos, mostrándoles los engaños que están encerrados en siruientes y alcahuetas. Después de los versos acrósticos a que aludimos en el texto, hay un segundo título, que no se sabe si es anterior o posterior al primero.

3. Aparte de que varias veces en el Prólogo se alude a «lectura» y nunca se habla de representación, tenemos la estrofa en que Proaza nos «Dize el modo que se ha de tener leyendo esta tragicomedia»:

Si amas y quieres a mucha atención
leyendo a Calisto mouer los oyentes...

4. Hace pocos años se hizo una adaptación para el teatro Español, de Madrid, respetando las partes fundamentales de la obra, y obtuvo un éxito de crítica y de público comparable a las mejores comedias del repertorio moderno.

5. En Orígenes de la novela, ed. C. S. I. C., vol. III, págs. 219-458.

6. Véase M. SERRANO SANZ: Noticias biográficas de Fernando de Rojas, autor de «La Celestina», y del impresor Juan de Lucena, «Revista de Archivos, Bibliotecas y Museos», 1902; F. DEL VALLE LERSUNDI: Documentos referentes a Fernando de Rojas, «Revista de Filología Española», 1925.

7. En la ed. de Clásicos Castellanos viene a ocupar él solo una quinta parte, exactamente 82 págs. de un total aproximado de 360 para los dieciséis actos de la versión primitiva. No es de extrañar esta irregularidad si se tiene en cuenta que en el primer acto va la exposición de la obra toda, que siempre requiere mayor espacio.

8. Téngase en cuenta que esta frase está en el acto XX, y ya hemos quedado en que tal acto corresponde, y por tanto también la frase, al interpolador. Este debió de ser, según las más verosímiles conjeturas, Alfonso de Proaza, el cual, por imprimir la obra en Sevilla, no ha de extrañar que al escribir su parte tuviese presente la ciudad del Betis y no las del Tormes o del Tajo.

9. Calisto, del griego χάλλιστος, superlativo de χαλός hermosísimo; Melibea, del griego μελί-βoia. término compuesto que significa la de la voz melosa o dulce.

10. Azorín, en el sugestivo artículo Las nubes, ha ideado este desenlace doméstico de la inmortal tragicomedia: Calisto y Melibea se han casado; de su matrimonio ha nacido una hija llamada Alisa, como su abuela materna. Los tres viven en la casa solariega de Melibea. «Desde la ancha solana, que está a la parte trasera de la casa, se abarca toda la huerta en que Melibea y Calisto pasaban sus dulces coloquios de amor.» Todo sonríe a esta familia; no obstante, Calisto está preocupado, y mira «pasar a lo lejos, sobre el cielo azul, las nubes». Han transcurrido dieciocho años, y Calisto presiente que va a desarrollarse de nuevo en el hogar su antigua historia. «En el jardín todo es silencio y paz. En lo alto de la solana, recortado sobre la barandilla, Calisto contempla extático a su hija. De pronto, un halcón aparece volando rápida y violentamente sobre los árboles. Tras él, persiguiéndole, todo agitado y descompuesto, surge un mancebo. Al llegar frente a Alisa, se detiene absorto, sonríe y comienza a hablarla.»

11. Dice así: «Supo la reina doña Isabel que el doctor Vargas, entrando a hablar a una monja, había caído de una escala que puso para entrar al monasterio y héchose pedazos, y dijo la reina: «Dichoso él si fuera de vuelta, suponiendo que saldría arrepentido.» Arguijo falleció en 1623. Pudo, por tanto, referirse a las siguientes soberanas: Isabel la Católica; Isabel de Portugal, esposa de Carlos I; Isabel de Valois, esposa de Felipe II; Isabel de Borbón, casada en 1615 con Felipe IV. Bien es verdad que, como advierte Millé Giménez, cuando los escritores del Siglo de Oro dicen simplemente «la reina doña Isabel», siempre aluden a la Católica. De referirse a Isabel de Portugal, hubiera dicho «la emperatriz»; a Isabel de Borbón la habría llamado «la reina nuestra señora», y lo mismo a la de Valois. Admitido así provisionalmente el sentido del texto, y teniendo en cuenta que Isabel la Católica reinó desde el 1474 al 1504, cabe sospechar que el trágico suceso pudiera influir en la concepción de La Celestina. La muerte del doctor Vargas recuerda, en efecto, la de Calisto.

12. «Los ojos verdes, rasgados; las pestañas luengas; las cejas delgadas y alzadas; la nariz mediana; la boca pequeña; los dientes menudos y blancos; los labios colorados y grosezuelos; el torno del rostro, poco más luengo que redondo; el pecho, alto... ¡Que se despereza el hombre cuando las mira! La tez, lisa, lustrosa, el cuero suyo oscurece la nieve; la color, mezclada, cual ella la escogió para sí...» (Acto I.) Este retrato o descripción ofrece cierta semejanza con el de Lucrecia en la Historia duorum amantium, de Eneas Silvio Piccolomini, y también con el de la reina Iseo en Tristán de Leonís. Pero es del Arcipreste de Hita de quien toma casi todos los rasgos. Repásese la recomendación de don Amor:

Busca mujer de talla, de cabeza pequeña,
cabellos amariellos...

13. Últimamente—aparte de numerosos artículos—han aparecido tres libros que pueden modificar las opiniones vigentes hoy en día en torno a determinados problemas de la famosa «tragicomedia»: Los problemas de Calisto y Melibea y el conflicto de su autor (Madrid, 1957), por Fernando Garrido Pallardó; El secreto de Melibea y otros ensayos (Madrid, 1959), por Segundo Serrano Poncela, y Salamanca, teatro de «La Celestina» (Madrid, 1959), por Federico Romero.

Garrido Pallardó cree que el conflicto de la obra se deriva de la disparidad de creencias religiosas de los protagonistas: Calisto, cristiano, y Melibea, conversa. De ahí nacería la imposibilidad del matrimonio y se justificaría la intervención de una «tercera», conocida de la familia de Melibea, por razones de vecindad y de credo religioso. Cuando Calisto muere, sabido es que su criado Tristán insta a Sosia, criado también del joven, para que le ayude a transportar el cuerpo del «querido amo a donde no padezca su honra detrimento...» aunque sea muerto en este lugar». Este lugar no puede ser otro, en opinión de Garrido Pallardó, que la Judería, donde moraba Melibea con sus padres. Parece ilógico que Melibea califique, sin previo conocimiento, de ilícito el amor de Calisto; esta circunstancia se explica, según el aludido crítico, porque, siendo la joven «conversa», supone que Calisto no va a ella con intenciones de contraer matrimonio. Este invade el huerto de Melibea porque es noble, y un privilegio feudal de la caza de altanería otorgaba a los caballeros el derecho a perseguir las piezas en cualquier lugar, siempre que fuese propiedad o tierra de villanos.

Análoga tesis defiende Serrano Poncela, para quien La Celestina es un libro de clave: «Lo que Fernando de Rojas nos cuenta... es la historia de los difíciles amores entre un cristiano viejo... y una judía conversa... Es decir, F. de Rojas, judío converso él, transfiere al terreno del arte un profundo conflicto social que, por encontrarse entre los que denominó Ortega los usos del tiempo, no necesitó, por entonces, de otros supuestos previos de razonamiento que el buen sentido del lector.» La «tragicomedia» se convierte, por tanto, en «ejemplo discreto y acusador del gran drama que dividía a los españoles». Tanto Garrido Pallardó como Serrano Poncela apoyan su argumentación con numerosos textos de la obra.

La tesis de Federico Romero pretende demostrar, ante todo, como indica ya el título de su libro, que la acción de *La Celestina* se desarrolla en Salamanca. Las razones de todo orden que alega parecen bastante convincentes. Para Romero, la tragedia de los dos amantes no se debe a diferencia de credos religiosos, sino a discordias familiares. Las familias de Calisto y Melibea militarían en bandos o partidos opuestos, como aquellos que, persiguiéndose a muerte, ensangrentaron por aquellos tiempos la ciudad del Tormes. El autor se habría limitado a reproducir en su inmortal obra uno de esos luctuosos sucesos. El conocido juicio de Cervantes:

> libro en mi opinión divi-
> si encubriera más lo huma-,

¿no podría referirse, más que al aspecto moral, al hecho de que la obra de Rojas nos ofreciera con pelos y señales un hecho realmente ocurrido? En este caso, *La Celestina* vendría a ser una obra similar a la conocida leyenda de «los amantes de Verona», universalizada por Shakespeare en *Romeo y Julieta*. Apoyándose en la similitud del lenguaje de *La Celestina* y de las obras poéticas del también «converso» Rodrigo de Cota, cree él mismo F. Romero que los dieciséis actos de la versión primitiva son de una pluma: la de Rodrigo de Cota. En cambio, «los actos injeridos del que se llamó *Tractado de Centurio* y las interpolaciones», de Rojas, de Proaza, o de entrambos.

Por el contrario, don Ramón M. Pidal —*Caracteres primordiales de la literatura española*—acepta integramente la afirmación del prólogo: «Fundándome en un principio más general, el carácter colectivo que a menudo se observa en la producción literaria española, creo temeridad del todo injustificada el tener sin más ni más por ficticia esa afirmación prologal.»

BIBLIOGRAFIA

ANTONIO ALATORRE: *Las «Heroidas», de Ovidio, y su huella en las letras españolas*, Méjico. 1950.—A. BACCELLI: *Da Virgilio al futurismo*, Città di Castello, Soc. Dante Alighieri, 1931.—V. CIAN: *Umanesimo e Rinascimento*. Florencia, 1941.—G. COHEN: *La Comédie latine en France au XIIe siècle*, 2 vols., París, 1931.—EUGENE EVESQUE: *La «Comédie» latine en France aux XIIe siècle*, París, 1931.— WILLIAMS S. HENDRIX: *Some Native Comic Types in the Early Spanish Drama*, «Ohio Language», vol. I, 1925, págs. 1-115.—MONTAIGLON-RAYNAUD: *Recueil général et complet des fabliaux des XIIIe et XIVe siècles*, París, 1872-1890.—A. A. NEUMAN: *The Jews in Spain: Their Social, Political and Cultural Life during the Middle Ages*, 2 vols., Filadelfia, 1942.—M.ª DEL PILAR OÑATE: *El feminismo en la literatura española*, Madrid, 1938.— AMÉDÉ PAGES: *Le thème de la tristesse amoureuse en France et en Espagne du XIVe siècle*, «Romania», LVIII. 1932.—GIUSEPPE TOFFANIN: *Storia dell'umanesimo dal XII al XVI secolo*, Bolonia, 3.ª ed., 1942.

GIULIA ADINOLFI: «*La Celestina» e la sua unità di composizione*, «Rev. di Fil. Romanza», vol. I, págs. 12-60. 1954.—MANUEL ASENSIO: *El tiempo en «La C.»*, «Hisp. Review», XX.—M. J. BAYO: *Nota sobre «La C.»*, «Clavileño», núm. 5, Madrid, 1954, págs. 48-53.—J. BERZUNZA: *Notes on Witchcraft Alcahuetería*, «Rom. Review», XIX, 1928.—ADOLFO BONILLA SAN MARTÍN: *Algunas consideraciones acerca de «La C.»*, «Anales de la Lit. Esp.», Madrid, 1904; *Antecedentes del tipo celestinesco en la literatura latina*, «Rev. Hispanique», 1906.—F. CASTRO GUISASOLA: *Observaciones sobre las fuentes literarias de «La C.»*, Madrid, 1925, anejo «Rev. Filología Esp.».— J. CEJADOR Y FRAUCA: *Fernando de Rojas: «La Celestina»*, ed. y notas de..., Clás. Cast., vols. XX y XXIII.— E. COTARELO MORI: *Algunas noticias nuevas acerca de R. de Cota y Adición a las «Noticias acerca de R. de Cota»*, «Bol. R. Ac. Esp.», XIII, 1926, págs 11-17 y 140-143.—M. CRIADO DEL VAL: *Indice verbal de «La C.»*, Madrid, C. S. I. C., 1955.—RUTH DAVIS: *New Data on the Authorship of Act I on the «Comedia de Calisto y Melibea»*, «Yowa Spanish», vol. III, 1928.—G. DELPY: *Les profanations du texte de «La C.»*, «Bull. Hispanique», 1947, vol. LIX.—RICARDO ESPINOSA MAESO: *Dos notas para «La C.»*, «Bol. R. Acad. Esp.», XIII, 1926, págs. 178-85.—R. FOULCHÉ-DELBOSC: *Observations sur «La C.»*, «Rev. Hispanique», 1900 y 1902.—FERNANDO GARRIDO PALLARDÓ: *Los problemas de Calisto y Melibea y el conflicto de su autor*, Madrid, 1957.—F. E. GARRO: *Ensayo psicológico sobre «La C.»*, «Anales Univ. de Chile», 1944.— STEPHEN GILMAN: *Diálogo y estilo en «La C.»*, «Nueva Rev. Fil. Hispánica», VII, 1953, págs. 461-69; *The art of «La C.»*, «Univ. of Wisconsin Press», 1956.—J. HURTADO DE LA SERNA: *Una nota acerca de «La C.»*, «Rev. Univ. Madrid», 1943.—RAMIRO DE MAEZTU: *Don Quijote, Don Juan y La Celestina*, Colec. Austral, núm. 31.— E. MARTINANCHE: *Quelques notes sur «La C.»*, «Bull. Hispanique», 1902, vol. IV.—M. MENÉNDEZ PELAYO: *La Celestina*, «Est. y disc. de crít. hist. y lit.», vol. II, págs. 237-58, Santander, 1941; *La Celestina*, «Orígenes de la novela», vol. III, págs. 1-69, Nueva Bibl. Aut. Españoles, Madrid.—R. MENÉNDEZ PELAYO: *Una nota a «La C.»*; «Rev. Fil. Esp.», vol. IV, 1917.—M. MILÁ Y FONTANALS: *El Cid, La Celestina y Los Nibelungos*, conferencias en la Real Acad. de B. Letras de Barcelona.— JUAN MILLE JIMÉNEZ: *Acerca de la génesis de «La Celestina»*, «Revue Hispanique», 1925.—R. MORALES: *Otro escenario más para «La C.»*, «Cuad. de Literatura», VII, 1950. págs. 221-31.—EMILIO OROZCO DÍAZ: *El huerto de Melibea: Para el estudio del tema del jardín en la poesía del siglo XV*, «Arbor», XIX, 1951, págs. 47-60.—CLARA L. PENNEY: *The book called Celestina*, Hispanic Society, Nueva York, 1945.—F. RANHUT: *Das Dämonische in der Celestina*, «Homenaje a Vossler», München, 1932.—KARL REISCHMANN: *La variedad estilística en la tragicomedia española de «La C.»*, Bonn, 1928.—FEDERICO ROMERO: *Salamanca, teatro de «La Celestina»*, Madrid, 1959.—CARMELO SANONA: *Aspetti del Retoricismo nella C.*, Roma, 1953.— CLAUDIO SÁNCHEZ ALBORNOZ: *Honor, orgullo y dignidad («La Celestina...»)*, cap. X del vol. I, págs. 615-62 de «España, un enigma histórico», Buenos Aires, 1956.— ADOLFO F. VON SCHACK: *Historia de la Literatura y del arte dramático en España*, Madrid, 1885.—SEGUNDO SERRANO PONCELA: *El secreto de Melibea y otros ensayos*, Madrid, 1959.—MANUEL SERRANO Y SANZ: *Noticias biográficas de Fernando de Rojas, autor de «La C.»*, «Rev. Arch. Bibliot. y Museos», Madrid, 1902.—LEO SPITZER: *Zur Celestina*, «Zf. RPh.» 1930.—J. URQUIJO E IBARRA: *La tercera Celestina y el canto de Lelo*, París, 1911.—A. VALBUENA PRAT: *Literatura dramática española*, Edit. Labor, Barcelona, 1930.—FERNANDO DEL VALLE LERSUNDI: *Documentos referentes a Fernando de Rojas*, «Rev. Fil. Esp.», XII, 1925.—RONALD S. WILLIAMS: *The Staging of Plays in the Spanish Peninsula Prior to 1555*, «Yowa Spanish», V, 1935.—FERNANDO WOLF: «*La Celestina» y sus traducciones*, «La España Moderna», 1895.

RENACIMIENTO

Y

BARROCO

CAPITULO XIII

CARACTERES GENERALES DEL SIGLO XVI:
RENACIMIENTO Y HUMANISMO

I. EL RENACIMIENTO Y SU CONCEPTO: *Rasgos fundamentales. Temas y géneros. Renacimiento y Humanismo.*—II. EL RENACIMIENTO EN ESPAÑA: *Problema previo: ¿Hubo en España verdadero Renacimiento? Factores y causas del Renacimiento español. Relaciones con Italia. La imprenta. Protección real. La «Políglota complutense». El lenguaje vulgar. Las Universidades. Notas específicas del Renacimiento español.*—III. LOS HUMANISTAS: *Vives. Nebrija. Arias Montano. Ginés de Sepúlveda. Otros humanistas.*—IV. RENACIMIENTO Y BARROCO.—NOTAS.—BIBLIOGRAFÍA.

I. EL RENACIMIENTO: CONCEPTO

La palabra Renacimiento implica un concepto de resurrección, de algo que sale de nuevo a la vida. Ese algo es el mundo clásico o, para decirlo en términos más exactos, el mundo pagano: Grecia y Roma.

Conviene, sin embargo, precisar bien este concepto. Precisarlo y, luego, deslindarlo de otro con el que suele ir casi siempre confundido. Nos referimos al concepto del humanismo, hermano gemelo del Renacimiento.

Si al decir Renacimiento pensamos en una época nueva que se abre en la Historia, desconectada por completo de la anterior, habremos de confesar que tal palabra, al menos referida al campo literario, no tiene sentido. En la Historia no se dan épocas separadas totalmente unas de otras, ni es posible establecer líneas divisorias entre dos períodos; mucho menos contraponer, como se suele hacer en nuestro caso, dos mundos, el antiguo y el moderno. Toda época es heredera en mayor o menor grado de la anterior, y deja, a su vez, un legado a la siguiente. En tal sentido tuvo razón Menéndez Pelayo cuando afirmó que la palabra Renacimiento carece de exactitud tanto histórica como filosófica. En las entrañas de la Edad Media palpitan muchos elementos del mundo clásico antiguo, que pugnan por manifestarse aquí y allí; y cada vez se va viendo con más claridad lo mucho que la cultura medieval debe al mundo grecolatino. En otro lugar hemos aludido a esto y hemos tratado de demostrar la existencia entre ese largo período que se viene llamando la Edad Media y este que ahora se abre ante nuestros ojos, de una zona neutra, que si por una parte se beneficia de los temas típicamente medievales, por otra preludia ya en la manera de tratarlos el amanecer de una época nueva. Es lo que de algún tiempo hasta aquí se viene llamando el Prerrenacimiento.

Por lo que toca a España, y en el campo puramente literario, baste recordar al Arcipreste de Hita y al de Talavera, al canciller Ayala, a Pérez de Guzmán y a tantos otros; o pensar en la poesía bucólica de los reinados de Juan II y de Enrique IV, para llegar a la conclusión de que nunca las influencias nórdicas u orientales llegaron a ahogar enteramente las tendencias clasicistas.

Si entendemos, en cambio, por Renacimiento no ya la reproducción de tal o cual forma del mundo antiguo, ni siquiera la inspiración de tal o cual idea tomada de este mundo, sino el resurgir de las formas clásicas en toda su amplitud, y, con un concepto todavía más hondo, una nueva manera de ver y de vivir la vida, en ese caso hay que reconocer que tal proceso existe en el curso de la Historia, con límites bien definidos en el espacio y en el tiempo. Primero lo encontramos en Italia, adelantada en más de un siglo a los otros pueblos de Europa; luego, con caracteres específicos dentro de un esquema general, en Francia, Alemania, Inglaterra y España.

Rasgos fundamentales

El Renacimiento, que en cada país adquiere al nacionalizarse un perfil peculiar, presenta, sin embargo, unos rasgos generales, que se dan con mayor o menor relieve en todos los pueblos adonde llegó su influjo, lo mismo en Francia que en España, en Alemania que en Inglaterra, heredados todos ellos del de Italia. Estos rasgos son:

a) *Veneración de lo antiguo.*—El hombre renacentista mira con asombro y cierta envidia a Grecia y Roma. Al comparar los productos literarios en lengua vulgar con los de aquellas naciones, descubre en estos últimos una manifiesta superioridad. Claro es que a veces se equivoca y en su ciego culto por lo «clásico» no siempre acierta a separar las supremas creaciones del arte de otros productos deleznables.

b) *Desprecio de lo vulgar.*—El Renacimiento impone la noción de arte sinónimo de aristocracia espiritual. Ni en los temas ni en el modo de tratarlos quiere nada con el vulgo o bajo pueblo. La actitud despectiva de Santillana, al definir el *romance* como un cantar «de que la gente baja e de servil condición se alegra», es bien elocuente y preludia un estado de ánimo que alcanzaría su plenitud en el Renacimiento. El *odi profanum vulgus* horaciano es repetido con fruición durante los siglos XVI y XVII, y toda una escuela—la preciosista en Francia, la manierista en Italia, la culterana en España—hará de esta frase su lema favorito.

c) *Ruptura con la tradición.*—Es una consecuencia de lo anterior. El hombre del Renacimiento empieza por volver la espalda a la Edad Media. Tiene la sensación de haber pasado por una zona de tinieblas para salir por fin a la luz. Todo el arte medieval, no sólo la poesía, sino la pintura, la escultura y hasta la misma arquitectura, es para él tosco, grosero y, por ello, despreciable. Boileau condenaba con un verso lleno de desprecio todo el teatro medieval; Fénelon con una frase pretendía hacer lo mismo. Este menosprecio fué en gran parte la causa de que se olvidaran primero y luego se perdieran tantos tesoros literarios del medievo, a los que el Renacimiento no concedió la menor estima. Se pretende, saltando sobre una fosa de doce siglos, enlazar el arte y hasta la vida con el arte de la antigüedad pagana. En algunos pueblos, Francia e Italia, esta ruptura es casi total. En otros, España e Inglaterra, nunca llega a realizarse plenamente. El arte nuevo y el viejo, la poesía tradicional y la importada de fuera coexisten sin estorbarse, según tendremos ocasión de comprobar.

d) *Estudio de la Naturaleza.*—Se busca lo bello y se le busca en su fuente más directa y auténtica. Es el mundo de la Naturaleza el que está más cerca del hombre y a él se va, imitando en ello como en todo a los grandes artistas grecolatinos. De la realidad circundante se escogen las más bellas formas, para que sirvan de módulos a la creación artística. Con ello se introduce en ésta un nuevo elemento, casi desconocido o al menos poco explotado por el hombre medieval: el paisaje. Bien es verdad que este paisaje, ya lo veremos en poetas como Garcilaso y Ercilla, resulta muchas veces convencional. El Tajo de las églogas garcilasianas puede ser cualquier otro río.

e) *Antropocentrismo.*—La mirada del hombre medieval, trascendiendo la vida terrena, se clavaba en lo alto. Y allí buscaba sus temas y el pasto para su espíritu. Dios era el centro de todo. Ahora el hombre se constituye en centro de sí mismo; a él se aplica su mayor actividad investigadora. Nace la verdadera psicología. Y como el hombre vive inmerso en la Naturaleza, la mirada del hombre, por extensión, también se proyecta sobre los fenómenos naturales, buscándoles de paso una explicación. Copérnico y Galileo formulan las nuevas teorías, llamadas a revolucionar la ciencia del cosmos.

f) *Independencia de la razón.*—La inteligencia humana se libera de trabas dogmáticas: a la teología sucede la filosofía y el estudio de las ciencias por demostración experimental; al método deductivo, el inductivo; al *Organon* aristotélico, el *Novum organon* de Bacon; al «magister dixit», los testimonios de la razón y de los sentidos. La ciencia se seculariza; la cultura pasa de los eclesiásticos a los laicos.

g) *Sentido crítico.*—Se buscan los textos más antiguos; se depuran, interpretan y aclaran, poniendo a contribución todos los instrumentos suministrados por la filología y la lingüística. Por un lado, este sentido crítico nos da una interpretación más correcta del pensamiento y un redescubrimiento de bellezas hasta entonces soterradas; por otro, desemboca en el «libre examen», con toda la liberación que él supone para la mente humana, pero asimismo con todos los peligros de caer en el error que esta doctrina comporta.

Temas y géneros

Los anteriores caracteres, que, insistimos, no se dan en el mismo grado en todas las naciones occidentales, aplicados a la literatura, señalan en ésta una época nueva—el Renacimiento—, distinta, tanto por los temas como por el modo de tratarlos, de la época precedente y de la que viene a continuación.

Los temas van a buscarse, al igual que todo, en el mundo clásico. La mitología pagana invade nuevamente Europa con su nutrida comparsa de dioses mayores y menores, héroes, ninfas, sátiros y centauros. Homero y Apolonio; Virgilio y Lucano están a la orden del día. Se los imita y a veces se los copia servilmente. Los grandes hechos de Grecia y Roma, históricos o fabulosos, suministran inagotable materia a poetas y dramaturgos. Se canta a Carlos V y a don Juan de Austria como los hubiera cantado Virgilio, de haber vivido ellos en la época augustea. Se expresa el amor, la esperanza o los celos como lo hacían muchos siglos atrás Safo y Catulo; la alegría de vivir o la pesadumbre de la vejez inminente, con las mismas palabras casi que Anacreonte u Horacio. El tema de la muerte y de las otras postrimerías, tan grato a la Edad Media, desaparece y no volveremos a encontrarlo hasta siglo y medio después, en una de las más típicas manifestaciones del Barroco. En su lugar, el hombre del Renacimiento prefiere cantar la vida y la jocunda satisfacción de gozarla. Si alguna vez un Ronsard, un Garcilaso, un Angelo Poliziano aluden a la fugacidad de la vida, es con una intención hedonista, para incitar al mayor disfrute del tiempo presente. Su pensamiento es pagano; su voz también es pagana.

A la vez que el contenido, se renuevan las formas. Nacen esquemas métricos más a tono con los asuntos a que son destinados. Resucitan los viejos géneros: la epopeya renacentista nada tiene que ver con la medieval; es un calco de Virgilio, según veremos en el capítulo correspondiente; el teatro, que debería suponerse una evolución normal de las *farsas* y *misterios* del medievo, es imitación de Plauto y de Terencio. En algunas naciones, España e Inglaterra, el teatro se libera pronto de tutelas clásicas y adquiere su sello personal. En otras, como Francia, la imitación perdura varios siglos. La comedia y la tragedia francesas se construyen durante todo el Renacimiento y el Clasicismo (siglo XVII) con arreglo a patrones grecolatinos, más o menos modificados. Renacen géneros desconocidos en la Edad Media: la *sátira*, entendida a la manera de Persio; la *epístola*, de carácter didáctico-moral, etc. La Historia no es ya simple relación de sucesos: se concibe a la vez como obra de arte. La misma novela, uno de los géneros típicos y más cultivados en este período, ofrece mayores analogías con ciertas fábulas literarias grecolatinas que con las narraciones similares de la Edad Media.

Renacimiento y Humanismo

Los dos conceptos, ya queda dicho, suelen darse confundidos. Y aunque en la realidad el Renacimiento y el Humanismo se presentan como un solo fenómeno, deben estudiarse por separado, puesto que, aun siendo coincidentes en muchos aspectos, no lo son en la totalidad. Renacimiento y Humanismo están entre sí en la misma relación que género y especie. El Renacimiento, lo hemos visto antes, es todo un tipo de vida, un fenómeno complejo que afecta a todos los órdenes del ser humano: político, económico, social, artístico y hasta religioso. Sabida es la importancia que en la Reforma tuvo el Renacimiento. El Humanismo, en cambio, afecta más a la formación espiritual. Se ha dicho por alguien que el Humanismo es la aristocracia del Renacimiento. No todos los hombres del Renacimiento fueron humanistas; pero todos los humanistas, por el simple hecho de serlo, se consideran hombres del Renacimiento. Garcilaso es poeta y hombre del Renacimiento, pero no humanista; fray Luis de León, Vives, Nebrija pertenecen por igual al Renacimiento y al Humanismo.

Insistiendo en este concepto, digamos que el Humanismo es una nueva manera de ver el mundo antiguo. La Edad Media no desconoció la antigüedad clásica; pero tampoco llegó a estudiarla, y menos aún a enjuiciarla rectamente. Veía en ella lo puramente externo; su espíritu se le escapa, demasiado influído, como estaba, por una concepción integralmente cristiana de la vida y del mundo. Con el Renacimiento surge un sentido desinteresado, una visión distinta y más lúcida, a la vez que más exacta, de las culturas clásicas. Ya no se ven hombres y cosas a través del mismo prisma: Virgilio es algo más que el «poeta profético»; Homero también es algo más que un narrador de aventuras y cantor de batallas. Se adivina detrás de todo ello un trasfondo humano y se busca lo que hay en sus obras de belleza imperecedera, de norma de vida y de acción. Los hombres que encarnan esta manera de ver son los *humanistas*.

Un humanista es al mismo tiempo poeta y filósofo, artista y erudito. Sabe leer un manuscrito griego, preparar una edición crítica, precisar un texto de Herodoto, distinguir a Lucano de Virgilio, a un historiador como Jenofonte de otro historiador como Tucídides. Humanista era Petrarca y casi el prototipo de todos los humanistas posteriores. A partir de él y durante siglo y medio, Italia es la cuna de los grandes humanistas. Los italianos influyen en Europa y de ellos aprenden el humanismo los otros pueblos. Francia tiene los suyos, muy notables: Turnèbe, Ramus, los dos Estienne, etc. Inglaterra y Alemania tienen también los suyos, y en España no podían faltar. Más adelante daremos los nombres de los más destacados.

Hay un humanismo cristiano y un humanismo laico, clásico o pagano. Y como el Humanismo es una de las formas del Renacimiento, la que mejor le caracteriza sin duda, hay también un renacimiento pagano y otro cristiano; o como quieren algunos, un renacimiento *integral*, que consiste en la imitación ciega, casi el calco, no sólo de las formas de la literatura y del arte, sino de las costumbres y de la vida de los antiguos, y otro renacimiento *moderado*, que, aspirando a reproducir en la forma el mundo clásico, nos lo quiere dar vivificado por un espíritu cristiano. Muchos opinan que sólo el primero es auténtico; y basándose en que la cultura española del XVI y del XVII está toda penetrada de espíritu cristiano y hasta católico, no vacilan en afirmar que en España no hubo verdadero Renacimiento. Porque España nunca supo liberarse de las «cadenas dogmáticas» para echarse en brazos del paganismo y del libre examen.

Esto nos lleva a considerar la naturaleza, el proceso y los caracteres integrantes del renacimiento español.

II. EL RENACIMIENTO EN ESPAÑA

Y ante todo, debemos plantearnos y tratar de resolver con la mayor objetividad un problema previo: *¿Hubo Renacimiento en España?*

La pregunta ha sido formulada repetidas veces y contestada en forma negativa; primero, por Enrique Morf, y recientemente, por el erudito alemán Klemperer [1]. El mismo criterio negativo domina en la Historia de Cambridge *(The Cambridge Modern History),* en cuyas páginas, siguiendo la huella de Prescott, se intenta presentar a España como un país «cerrado a los estudios liberales del Renacimiento».

Se pretendió hacer de los españoles—poetas, novelistas, pintores—simples epígonos de Italia; se intentaba negar a nuestros más altos valores del Siglo de Oro toda nota de originalidad. El renacimiento español había sido simple calco del italiano. Cuando había de enfrentarse con una figura de recia personalidad, a la que no se le podía negar méritos originales, se inventaba un calificativo nuevo por no llamarle renacentista. Tal es el caso de Toffanin respecto de Cervantes. Para no incluir al *Quijote* y a su autor en el movimiento renacentista, el crítico italiano inventa un pretendido ciclo cultural de «Contrarreforma» [2].

El problema, sin embargo, está ya resuelto definitivamente y del modo más favorable, gracias a los estudios de extranjeros como Farinelli, Morel-Fatio, Vossler, G. Graux, Pfandl, o de españoles como Menéndez Pelayo, Rodríguez Marín, Bonilla y San Martín, Altamira, etc. Pero el que ha examinado la cuestión con más hondura y amplitud ha sido Aubrey F. G. Bell, primeramente en *Notes on the Spanish Renaissance,* y luego en su hermoso libro *El Renacimiento español* [3]. Bell demuestra que España no sólo tuvo un espléndido Renacimiento, sino que éste fué en la Península Ibérica más original, más fecundo, más vario y, sobre todo, más duradero que en ningún otro país, puesto que se extendió por un período de dos siglos. Pfandl ha podido hablar por ello de un segundo renacimiento español, incluyendo en este epígrafe la literatura del reinado de Felipe II y dejando para la Contrarreforma toda la del siglo XVII. Otros prefieren establecer dos épocas, correspondientes a los dos siglos, XVI y XVII, «perfectamente separables dentro de una unidad integral superior» (Valbuena Prat), y designadas, respectivamente, como «Apogeo del Renacimiento español» y «Epoca nacional» [4].

Factores y causas

España, por tanto, no sólo tuvo su Renacimiento, sino que éste—si hemos de creer a beneméritos críticos e historiadores extranjeros—fué más duradero y original que el de otros pueblos. En algunos aspectos se adelantó a Italia: antes que ningún país tuviese una gramática de su lengua vulgar, Nebrija daba a la castellana la suya (1492); el Brocense publicaba su *Arte poética,* basada en la de Horacio, tres años antes que Scaligero la suya, y Cisneros se anticipa a todas las naciones con la edición de la monumental *Biblia políglota.*

Los límites de este Renacimiento son difíciles de señalar; imprecisa la fecha de su nacimiento; más imprecisa aún la de su fin. De ordinario se sitúa su arranque en los finales del XV, aunque no adquiere pleno desarrollo hasta mediados del XVI y ofrece tres fases bien definidas: un primer período de *influencias extranjeras,* claramente marcadas en la obra de Boscán, Garcilaso y, en general, de los poetas llamados petrarquistas; un segundo período de *asimilación,* en que los elementos de fuera quedan subsumidos en la gran masa nacional, y un tercer y último período de *españolización,* en que, sin desmentir los rasgos comunes a todo Renacimiento, nuestros productos culturales llevan un marcado sello de raza, que los distingue de los demás.

El renacimiento español, como el francés o el italiano, fué favorecido por una serie de factores o circunstancias que, a la vez que lo fomentan e impulsan, contribuyen a darle un perfil definido. Estas circunstancias, a las que vamos a referirnos muy de pasada, son, entre otras: *las relaciones con Italia, la introducción de la imprenta, la protección de los reyes, la «Biblia políglota», las Universidades, el triunfo de la lengua vulgar, la influencia de Erasmo*

Relaciones político-culturales con Italia

Hemos dicho que el renacimiento español no es un calco del italiano; pero sería injusto no reconocer las evidentes influencias de éste sobre aquél, especialmente en su etapa inicial.

No se olvide que España estuvo en continuo trato con la península Apenina de tiempo atrás: dominio de la Casa de Aragón en Sicilia y Nápoles; guerras de Fernando el *Católico* y de Carlos V. Ya en la Corte de Alfonso V, en Nápoles, se congregaban los más cultivados ingenios de Aragón y de aquella parte de Italia; con el pontificado del español Alejandro VI y sus sucesores ocurre otro tanto en Roma. Los Reyes Católicos acogen en su Corte a varios humanistas insignes de aquel país: Pedro Mártir de Anghiera, Lucio Marineo Sículo, llamado a España por el almirante de Castilla don Fadrique Enríquez, y que enseña en Salamanca durante doce años;

Alessandro Giraldino, preceptor de las princesas...

Los contactos que con tal motivo se establecen son muy íntimos, y el intercambio cultural e influencias mutuas, muy marcadas. Mayores por parte de Italia, ya que allí había un movimiento renacentista estabilizado y floreciente. España adopta en la lírica la métrica petrarquista; en la épica se sigue con absoluta fidelidad al Tasso y al Ariosto; la novela pastoril está casi calcada en la *Arcadia*, de Sannazaro; Lope de Rueda y Alonso de la Vega construyen su teatro sobre módulos italianos, y la traducción de *El cortesano*, de Castiglione, es el breviario de buenas maneras entre la alta sociedad española.

Por parte de España también se influye en Italia: Juan de Valdés se erige en el reformador religioso y especie de oráculo de la más escogida sociedad napolitana; Torres Naharro da a conocer en Nápoles y Roma sus comedias, antes incluso que en su patria; Garcilaso y Tansillo se influyen mutuamente; y antes, en el siglo xv, Stúñiga ha podido publicar un Cancionero, nutrido casi todo con poesías de vates españoles residentes en Nápoles; en tanto que un poeta catalán, Benedicto Gareth, por nombre académico «Chariteo», asimila de tal modo la lengua y la ideología del país de adopción, que se convierte en uno de los mejores poetas italianos del siglo xv, llegando a ser considerado como el precursor del *secentismo*.

Introducción de la imprenta

A principios del siglo xv, Coster de Harlem había impreso ya imágenes de santos, en madera, por medio de la «xilografía». Se cree que fué también Coster el primero en idear unos modelos en madera para reproducir imágenes de santos y leyendas. Pero el auténtico inventor de caracteres y tipos móviles fué Gutenberg, quien, además de fabricarlos en metal, los agrupó en planchas, sobre las que, accionando a brazo, se podía tirar un número ilimitado de ejemplares. La primera obra impresa de este modo fué la «Biblia Mazarina» (Maguncia, 1450). Con ello el camino a la difusión de las nuevas ideas humanísticas quedaba expedito.

España fué una de las primeras naciones en beneficiarse del invento. Se ha encontrado en Zaragoza cierto protocolo con un contrato para fundar imprenta en 1473. Pero el libro impreso más antiguo que se conoce corresponde a Valencia: *Les trobes en lahors de la Verge Marie*, posiblemente del 1474; recoge 45 composiciones, escritas en su mayor parte en valenciano, y presentadas en un certamen poético. En Barcelona se imprimían libros desde 1475; y en este mismo año salía de las prensas de Zaragoza un *Manipulus curatorum*. Un año después, la compañía de Antón Martínez, Bartolomé Segura y Alfonso del Puerto

lanzaba en Sevilla (1476) la *Sacramental*, del arcediano de Valderas, Clemente Sánchez Bercial. Se sabe que Toledo contaba con imprenta desde 1483, y que uno de los primeros libros editados en aquella ciudad fué el de los *Claros varones*, de Pulgar. Zamora la tenía desde 1482; y en fin, todas las capitales españolas se apresuran a implantar talleres de impresión, de modo que al entregar Nebrija (1492) la primera *Gramática Castellana* a las prensas salmantinas, ya éstas llevaban dos lustros lanzando libros impresos a los mercados nacionales y extranjeros; y cuando Cisneros, en 1502, emprende la edición de la *Políglota Complutense*, obra de colosal envergadura para aquellos tiempos, los talleres de Alcalá se hallan capacitados para dar cima a la empresa. El ilustre bibliófilo don Francisco Vindel, en su obra en nueve volúmenes *El arte tipográfico en España durante el siglo XV*, ha demostrado, incluso con facsímiles, que anteriores a las prensas valencianas de 1474 existían varias en Castilla desde 1470.

Protección real a la cultura

Los Reyes Católicos, como antes Alfonso V de Nápoles y luego Carlos I y Felipe II, se muestran desde el primer momento decididos protectores de la nueva cultura.

Ya en su Corte, Alfonso V había dispensado la más decidida protección a muchos sabios y literatos, constituyéndose, a imitación de los Médicis florentinos, en su auténtico mecenas. Los Reyes Católicos siguen sus huellas, fomentando por todos los medios el cultivo de las letras y de las artes y atrayendo a su Corte a ilustres humanistas extranjeros (Pedro Mártir, Lucio Marineo, Francisco Vidal de Noya); favorecen a los nacionales (Nebrija, Beatriz Galindo); colman de mercedes los estudios de Alcalá y Salamanca, hasta convertirlos en focos incomparables del saber europeo. La misma reina Isabel da ejemplo a sus damas de Palacio asistiendo a las clases de latín.

Carlos V otorga su protección y pensiona a Erasmo, a Pedro Aretino y a otros insignes escritores; nombra secretario suyo a Alfonso de Valdés e intima y trata con los poetas más célebres de su tiempo: Garcilaso, Vergara, Zúñiga, Acuña, a quien confía la redacción en verso de *Le Chevalier deliberé*, obra que el propio emperador había traducido en prosa.

Felipe II, su hijo, otorga idéntico trato y ayuda a ingenios como Hurtado de Mendoza, Antonio Agustín, Ambrosio de Morales, Arias Montano... Confía a éste la impresión de la «Políglota» de Amberes y crea bibliotecas, como la de El Escorial, con fondos impresos y manuscritos, que adquiere en todas las latitudes de su imperio.

«Políglota Complutense»

Los humanistas españoles no se limitan al estudio de la antigüedad clásica, sino que amplían su esfera de acción, llevando sus investigaciones a las lenguas orientales. La mejor muestra de ello es la Biblia «Políglota Complutense», gloria imperecedera de las prensas de Alcalá y del cardenal Cisneros, que promovió y alentó la magna empresa hasta su completa realización.

La «Políglota Complutense» consta de seis grandes volúmenes en folio: los cuatro primeros contienen todo el Antiguo Testamento en griego, latín, hebreo, y el 1.º también caldeo; el 5.º, el Nuevo Testamento en griego y latín; y el 6.º, un vocabulario hebreo-caldaico, un índice onomástico y una gramática hebrea, para la mejor inteligencia del texto.

Empezó la impresión en 1502 y se dió por terminada el 1517; pero muerto este mismo año Cisneros, no se publicó hasta 1520, por orden expresa del Papa León X a sus albaceas. Antes de empezar su ingente obra, el cardenal Cisneros había recogido cuantos manuscritos de textos bíblicos pudo hallar, no perdonando gasto alguno para lograr una edición definitiva y completa.

Intervinieron Antonio de Nebrija, Demetrio Lucas Cretense, Diego López de Estúñiga y Hernán Núñez Pinciano, en la parte griega y latina; Alfonso de Alcalá, Alfonso de Zamora y Pablo Coronel, judíos conversos, en la parte hebrea; y Juan de Vergara y Bartolomé de Castro, en la confrontación de textos. Se tiraron 600 ejemplares y fué la primera Políglota impresa en el mundo.

Triunfo del lenguaje vulgar

No se suele señalar entre los factores que contribuyeron al triunfo de las ideas renacentistas el predominio del romance frente a la lengua latina, hasta entonces tenida por única culta y digna de la atención de los doctos. Sin embargo, fué un factor decisivo. Nuestro idioma vernáculo, que se había desarrollado entre los siglos XI y XIV, y que se había robustecido en el XV con obras como *La Celestina*, concitaba todavía la desconfianza y animadversión de muchos hombres cultos o que se tenían por tales y que seguían considerándolo como instrumento poco apto para expresar determinadas ideas. Hubo que reñir no diremos una batalla, pero sí algunas pequeñas escaramuzas, y que vencer no pocas resistencias, antes que lograra imponerse como lengua de cultura.

No tuvo la castellana, es cierto, ni lo necesitó, un manifiesto a la manera del de Du Bellay en Francia, con su *Défense et illustration de la langue française*; pero desde mediados del siglo XVI, en prólogos, dedicatorias y discursos introductorios, se multiplican las apologías del idioma vulgar, que poco a poco va encontrando entre los sabios

y eruditos mayor número de defensores. Y no son, ciertamente, los humanistas, que debían por razones lógicas estar más adheridos a las lenguas clásicas y más distanciados de la vulgar, los últimos en defender y pregonar las prerrogativas de ésta. Vives, que escribió casi todas sus obras en latín, quería que las leyes se redactasen en castellano; Sánchez de las Brozas traduce su propia gramática latina a nuestra lengua y la da resumida en versos de corte popular, para su mejor retención en la memoria; Nebrija, Simón Abril y Arias Montano, consumados latinistas, no se desdeñan de escribir también en la lengua del pueblo.

No interesa aquí seguir el proceso en virtud del cual la prosa vulgar se va imponiendo hasta en las obras de más grave materia y desplazando paulatinamente al latín, materia es ésta más propia de una historia de la lengua que de una historia de la literatura. Baste señalar aquí cómo el Renacimiento, con un conocimiento más profundo de los idiomas clásicos, trajo también un mayor amor y más intenso cultivo de las lenguas romances.

Universidades y Colegios

Un factor, que hay que agregar a los anteriores y que nos da la explicación de ciertos aspectos del renacimiento hispano, son las Universidades. Los grandes centros universitarios extranjeros —Bolonia, París, Oxford—tuvieron su máxima floración en la Edad Media. Los españoles, en el siglo XVI. Salamanca, aunque de vieja tradición, se renueva totalmente; Alcalá adviene a la vida cultural llena de ímpetus creadores. Todo el territorio nacional y hasta determinadas regiones de ultramar se llenan de centros universitarios: Valladolid, Sevilla, Granada, Santiago, Valencia, Sigüenza, Osuna. Hasta treinta Universidades figuran en los catálogos a finales del XVI y principios del XVII. Los estudiantes ya no necesitan desplazarse al extranjero en busca de cultura: la encuentran en casa. Más aún: profesores españoles invaden las principales Universidades europeas: Vives, Mariana, Suárez, Verzosa, Encinas, Perpiñá, Cipriano de Valera y tantos otros dictan sus lecciones en Roma, París, Oxford, Coimbra o Lovaina.

Complemento de la Universidad eran los Colegios Mayores. Habían sido creados a últimos del XV y principios del XVI, a la sombra de los venerables muros universitarios. Todos ellos estaban calcados en el célebre Colegio Español de San Clemente, de Bolonia, obra imperecedera del cardenal Carrillo de Albornoz [5]. Alumnos superdotados, de escasos bienes de fortuna, se alojaban en ellos en calidad de becarios. El número de internos de cada Colegio era muy reducido: quince o veinte. Todos ellos tenían que ser ya graduados en artes, y en esto se distinguían de los alumnos de los Colegios Menores, que no estaban aún graduados. De los Colegios Mayores, sometidos a reglamentos de mucho estudio y disciplina, salieron hombres eminentes en la ciencia, el arte y las letras.

Influencias de Erasmo

En una historia de la literatura española, y al tratarse del Renacimiento, no puede faltar el nombre de DESIDERIO ERASMO (1465-1536)[6]. No era español, pero su influencia en los humanistas españoles es tan honda y persistente, que la actitud ideológica de muchos de ellos sólo se explica refiriéndola a Erasmo. Fué éste un espíritu libre, trabajador infatigable, erudito sin pedanterías y, en fin, hombre del más refinado gusto y de la más clara inteligencia. Encarnación feliz del Humanismo, unió a la agudeza de ingenio una extraordinaria flexibilidad espiritual y una cultura envidiable. Hábil polemista, dotado de fácil ironía, empezó por atacar las supersticiones más en boga de aquellos tiempos, haciendo blanco de sus tiros especialmente a los monjes y eclesiásticos en general. Como hablaba de sí con aparente modestia, no le fué difícil atraerse buen número de discípulos, sugestionados también al mismo tiempo por la magia de su estilo literario. En España, particularmente, sus admiradores fueron legión: unos, como García Matamoros, el Brocense, Lorenzo Palmirano y Cristóbal de Villalón, reducían su admiración por Erasmo a lo puramente humanístico; otros, como los hermanos Valdés, le siguieron también en su arriesgada doctrina, que los llevó inevitablemente al borde de la herejía.

No es de este lugar un estudio detallado sobre la introducción y desarrollo de las doctrinas erasmianas en nuestra literatura ni sobre las polémicas que en torno a esas doctrinas se suscitaron. Menéndez Pelayo lo ha tratado con su acostumbrada maestría; y luego, más extensamente, Marcel Bataillon en un concienzudo estudio, ya clásico entre nosotros[7]. Baste recordar aquí que el número de sus adeptos fué tan grande y tan ciega la admiración de muchos, que el propio Erasmo hubo de escribir: «Debo a España más que a los míos ni a otra nación alguna»[8].

Las obras de Erasmo son numerosas: el *Elogio de la locura*, las *Cartas*, los *Adagios* o *Apotegmas*, los *Coloquios* y el *Enchiridon* o *Manual del caballero cristiano* figuran entre las más conocidas. Tiene también ediciones con interpretación del *Nuevo Testamento*, el *Ciceronismo, De copia verborum et rerum,* etc.

En España, los *Coloquios* y el *Enquiridion*, traducidos inmediatamente, alcanzaron enorme difusión, que llegó hasta ciertas altas jerarquías eclesiásticas, como el arzobispo de Sevilla e Inquisidor general, Alonso Manrique.

Notas características

Todas estas circunstancias a la vez provocaron, fomentaron y dieron su carta de naturaleza al renacimiento español, que si en lo fundamental tiene analogías con el italiano, en el que se inspira al principio, pronto ofrece fisonomía propia y tan distinta de la de otras naciones, que, ya queda subrayado, ello dió pie a algunos historiadores extranjeros para afirmar que en España no había existido auténtico Renacimiento. Resumiendo, como hicimos antes con el Renacimiento en general, los rasgos fundamentales del nuestro, creemos que pueden reducirse a las siguientes notas:

a) *Eclecticismo.*—La literatura castellana del Renacimiento combina maravillosamente los elementos más dispares. En filosofía, Vives; en lírica, fray Luis de León; en la novela, Cervantes, y en el teatro, Lope de Vega, armonizan de la manera más feliz las tendencias clásicas con el espíritu cristiano y con el espíritu nacional. Nadie en todo el siglo XVI supo fundir mejor la forma pagana con el espíritu de Cristo que aquel poeta admirable de la *Vida del campo* y de la *Ascensión del Señor,* cuando nos describe a las nereidas empujando la navecilla que trae hacia las costas españolas el cuerpo del Apóstol Santiago:

> Nereidas a millares,
> del agua el pecho alzando,
> turbadas entre sí la van mirando:
> y de ellas hubo alguna
> que con las manos a la nave asida,
> la aguija con la una,
> y con la otra tendida
> a las demás que lleguen las convida.

b) *Integridad.*—El erudito profesional y el poeta profesional, tales como los vemos en Italia, no se dan en España durante este período. Fray Luis de León, Cervantes, Garcilaso, antes que poetas, son hombres con una profesión, con una misión determinada dentro de la sociedad. No se trata de diletantes; en ellos la literatura se funde con la vida y abraza la totalidad de su existencia. Su finalidad nunca es puramente estética; su arte es resultado de una intensa vida interior y exterior. «Si es cual o cual canción—escribe el Pinciano en su *Filosofía antigua poética,* ed. 1894, pág. 477—o soneto, o lírica y epigrama, puede bien ser accesoria de otras artes principales; mas si es una obra que haga libro, *menester es el hombre entero,* y más si es de las especies de poemas mayores, como si dijéramos un libro de tragedias o de comedias, o una épica.»

Compárese nuestro primer épico con otro gran épico italiano: Ercilla y Ariosto; éste canta materia de mero pasatiempo y ajena por completo a su persona; Ercilla se nos da todo en su poema, siendo en cierto modo, además de cantor, protagonista, o coadyutor al menos, de la acción.

c) *Tradicionalismo.*—El renacimiento español no rompe sus relaciones con el siglo xv, como sucede en Francia, por ejemplo; ni con la Edad Media, como en Italia, y si un momento, sobre todo al principio, parece desetenderse de la época anterior, pronto vuelve a ella, y Lope, Cervantes, Góngora acuden antes que a ninguna otra parte a la inexhausta fuente del Romancero.

Un notable escritor francés, L. P. Thomas *(Góngora et le gongorisme,* 1911, pág. 68) ha podido decir que el siglo xvii en España fué un período de reacción contra el italianismo, no buscando sólo beneficiarse de los tesoros de las literaturas antiguas, sino enlazar y renovar las tradiciones de dos siglos atrás. Y Dámaso Alonso nos habla *(Poesía española. Antología,* vol. I, pról., Madrid, 1933) de «una veta de literatura medieval (romancero y cancionero popular, etc.) que entra en el siglo xvi, pasa, adelgazándose, al siglo xvii y llega soterrañamente hasta nuestros días».

d) *Duración.*—Es también el renacimiento español más prolongado que cualquier otro. «Ningún país tuvo—escribe Bell *(El Renacimiento español,* Zaragoza, 1944, pág. 328)—una producción tan prolongada de obras maestras, con la mayor continuidad, durante siglo y medio, desde *La Celestina* hasta *El Criticón;* y cuando Italia había perdido en buena parte su vigor artístico y literario, España seguía produciendo obras maestras.»

e) *Espíritu constructor y humano.*—Frente al humorismo corrosivo y a la burla despiadada de un Ariosto y de un Rabelais, los humanistas españoles ofrecen un humorismo comprensivo, humano, a lo Cervantes. Frente al racionalismo de Descartes, frío y matemático, las efusiones interiores de nuestros grandes místicos. La literatura castellana no podrá acaso presentar un poeta tan comedido y limado como Malherbe; pero abunda en magníficas explosiones del sentimiento y se derrama incontenible en multitud de obras profundamente humanas.

Erasmo, Rabelais, el mismo Montaigne escriben bajo un signo negativo, destruyen más que construyen; Vives, Vitoria, fray Luis de León, los más grandes humanistas españoles, elevan sus soberbias construcciones doctrinales con arreglo a una norma filosófica, política o literaria.

f) *Universalidad.*—Y todo esto dentro de un espíritu universal, que abarca a todos los hombres y recoge todos los latidos. Se ha dicho que una literatura es tanto más universal cuanto mayor sea el fermento nacional que la informa. En este sentido, pocas tan universales como la española del Renacimiento, que abordó la totalidad de los temas, que cultivó todos los géneros y en todos ellos produjo obras de extraordinario mérito.

Hay pueblos que durante esa época abordaron determinados géneros, con olvido o preterición de otros. Francia cultiva la novela sólo en segundo término; Italia apenas puede ofrecer un teatro verdaderamente nacional hasta muy tarde. España produce poesía lírica y dramática, novela y ensayo, historia y cuento, todo con abundancia abrumadora. El teatro de Lope, por sus temas y por su contenido ideológico, es universal; el *Quijote,* en fuerza de ser un tipo que encarna a una raza, es también un símbolo universalmente humano.

III. LOS HUMANISTAS ESPAÑOLES

Se ha aludido antes a los humanistas y al gran papel que desempeñaron en el triunfo y propagación de las ideas que llevaba en su seno el Renacimiento. Incluso hemos hecho mención especial de Erasmo, como modelo imitado por los españoles. Sería imperdonable, no obstante, pasar por alto el nombre de algunos compatriotas meritísimos, a quienes cuadra de lleno el título de «humanistas», y que si en la historia de la literatura no ocupan un puesto de primera fila por haber redactado casi todas sus obras en latín, tampoco pueden pasarse por alto, ya que ellos con su enseñanza directa o con sus escritos contribuyeron a fomentar el gusto por las letras humanas y a la formación cultural tanto de los contemporáneos como de las generaciones sucesivas [9].

Vives

JUAN LUIS VIVES (1492-1540) [10] es un tipo integral del Renacimiento, no sólo español, sino europeo. De la talla de Erasmo, muy conocido y elogiado en vida, cae después en inexplicable olvido, y al cabo de más de tres siglos, su personalidad es rehabilitada en España por Menéndez Pelayo y en el extranjero por C. F. Lange, que señaló la importancia de su ideología. Desde principios del siglo actual su figura en el campo de la cultura universal se ha ido agigantando y hoy está considerado como uno de los grandes pensadores de la Humanidad. En la Universidad de Oxford, y a instancias de Foster Watson, uno de los que más a fondo lo han estudiado, se colocó una placa conmemorativa de la época en que ejerció Vives la docencia en dicho centro.

Asombra que en una vida tan breve y accidentada como la suya pudiera escribir tantos libros y sobre tan varia materia. Sus obras se suelen dividir en filosóficas, didácticas, morales, político-sociales, religiosas y varias.

Entre las filosóficas, unas 12, destacan: *De prima philosophia* y *De anima et vita.*

3

En las pedagógicas, que pasan de 20, destacan: *De causis corruptarum artium* y el celebérrimo diálogo *Exercitatio linguae latinae*, del que sólo en el siglo XVI se hicieron más de 50 ediciones.

De las morales, que son las más conocidas, merecen citarse: la *Introductio ad Sapientiam*, con más de 30 ediciones en el siglo XVI, y *De Institutione feminae Christianae*.

Al grupo de las religiosas corresponden, entre otras, las *Meditaciones sobre los Siete salmos penitenciales* y el tratado, en cuatro libros, *De veritate fidei Christianae*.

Más de una docena, por último, componen el grupo de las político-sociales, a las que hay que agregar muchos tratados de economía, jurídicos, etcétera.

En líneas generales, y sin entrar en el estudio detallado de estas obras, que caen fuera del cuadro de nuestra disciplina, se puede afirmar que en Vives encontramos un pensador original y profundo. En filosofía se nos muestra empírico y racionalista; enemigo de apriorismos, acude siempre que puede a la experiencia. Su tratado *De anima* marca un surco profundo en la historia de las ideas y métodos psicológicos, hasta el punto de que Watson ha podido llamarle «el padre de la psicología moderna». En el terreno pedagógico es un precursor de Montaigne, que seguramente le ha conocido, y cuyas semejanzas con Vives no pueden atribuirse a mera casualidad. Muchas máximas del español parecen redactadas por el autor de los *Ensayos*.

Pero sus méritos más extraordinarios residen en su obra humanística. Conocedor consumado de la antigüedad clásica, supo asimilarse las formas de los escritores de la Edad de Oro de la literatura latina sin renunciar a ninguna de las conquistas de su siglo. En sus *Diálogos* y en su *De causis* se nos revela como un gran preceptista que aspiraba a dar, frente a los retóricos y gramáticos antiguos, atentos a una lengua o un género, normas de validez universal.

Nebrija

Junto al filósofo y al retórico Vives, ELIO ANTONIO DE NEBRIJA (1441-1522) [11] se nos presenta como el verdadero y primer gramático, no sólo de España, sino de toda Europa, en la época moderna. Su *Gramática Castellana* (Salamanca, 1492) es la primera impresa de lengua vulgar. Coincide su aparición con el descubrimiento de América. Se dijera que Nebrija tenía prisa por dar a los conquistadores de las nuevas tierras un instrumento de difusión de la lengua, al mismo tiempo que difundían nuestra religión y nuestro imperio. El mismo había estampado en las primeras frases del prólogo, aquella que revela su concepción de unidad política y lingüística: «Siempre la lengua fué compañera del imperio.»

Escribe su *Gramática* porque observa que la lengua anda «suelta i fuera de reglas» y descubre la necesidad de someterla a normas, y además, «para que lo que agora i de aquí adelante... se escriviere pueda quedar en un tenor i estenderse en toda la duración de los tiempos que están por venir». Presiente que está forjando un instrumento que habrán de utilizar millones y millones de seres humanos en el correr de los siglos: «Que después que vuestra alteza—dice a la reina Isabel la *Católica*—metiesse debaxo de su iugo muchos pueblos bárbaros i naciones de peregrinas lenguas..., con el vencimiento aquéllos tenían necessidad de recebir las leies quel vencedor pone al vencido i con ellas nuestra lengua.»

Escribió, aparte de su Gramática, una *Orthografía castellana* (1517); un Diccionario latino-español y español-latino; obras de Teología (las *Quincuagenas*); de Derecho (*Lexico iuris civilis*); de Arqueología (*Antigüedades de España*); de Pedagogía (*De liberis educandis*); de Retórica, de Historia, etc.

Su mayor mérito consiste en haber promovido entre los españoles, con más intensidad que otro alguno, la afición a los estudios clásicos. «Yo fuí el primero—dice—que abrí tienda de lengua latina en España, y todo lo que en ella se sabe de latín se ha de referir a mí.» En efecto, enseñó la lengua de Marco Tulio en Salamanca y en otras Universidades con positivos resultados. Su obra fundamental en este aspecto fueron las *Institutiones latinae* (Salamanca, 1481), en cinco libros, que luego él mismo tradujo al castellano para mayor eficacia.

El «Brocense», A. Montano y Ginés de Sepúlveda

FRANCISCO SÁNCHEZ DE LAS BROZAS (1523-1601) [12], más conocido por el *Brocense*, autor de numerosos tratados de retórica, de dialéctica y de geografía, así como de unos *Comentarios* a las obras de Garcilaso y otros a las de Mena, que adquirieron gran difusión y fama. Entre sus obras destaca la *Minerva* o *De causis lingae latinae*, que ejerció enorme influencia, dentro y fuera de España, durante los siglos XVI y XVII. Puede afirmarse que la más importante dirección gramatical a lo largo de dos centurias, en Europa, procede del *Brocense*. Menéndez Pelayo lo llama «padre de la gramática general y de la filosofía del lenguaje»; y Picatoste resume su juicio sobre este insigne humanista diciendo que «el *Brocense* representa lo que Nebrija a principios de la misma centuria: la protesta del buen sentido y del claro criterio contra los métodos de enseñanza, la tendencia de las letras a influir beneficiosamente en favor de las ciencias, tendencia—agrega—que realmente no existía en forma visible más que en Italia y en España».

Otro de esos hombres de cultura inmensa y polifacética es BENITO ARIAS MONTANO (1527-1598) [13]. Su saber enciclopédico se orienta especialmente en tres direcciones: exegética (entre sus trabajos de este tipo destaca la *Políglota* de Amberes); de traducción (vertió, entre otras muchas obras, del hebreo al latín el *Itinerario*, de Benjamín de Tudela); y poético-humanista (escribía hexámetros latinos con la misma facilidad que podía hacerlo el más consumado poeta de la corte de Augusto). La labor más destacada de Arias Montano es la de hebraísta.

Por último, recordemos el nombre de JUAN GINÉS DE SEPÚLVEDA (1490?-1573), humanista notable, a quien Menéndez Pelayo, por su dominio del latín, adjudica el título de «ciceroniano». Fué cronista en latín de Carlos V y de Felipe II. En la polémica sobre la colonización de América se puso frente al tristemente célebre padre Las Casas. Su magisterio dejó honda huella entre sus contemporáneos.

Otros humanistas

De menor importancia, aunque muy dignos de recuerdo, son: HERNANDO ALONSO DE HERRERA (1460-1527), hombre de espíritu independiente, el primero en alzarse contra la autoridad del Estagirita («Muy devoto soy de Aristotil, más no su esclavo»), a la vez que gran filólogo, a quien Marineo Sículo otorga la palma entre todos nuestros latinistas; HERNÁN NÚÑEZ (1475-1553), llama-

do también el Pinciano y más comúnmente el Comendador, alumno destacadísimo de San Clemente, de Bolonia, catedrático de Alcalá y de Salamanca, que tomó parte importantísima en la edición de la *Políglota Complutense* como censor de imprenta y traductor del griego; FRANCISCO DE VERGARA (m. 1545), catedrático de griego en Alcalá, muy celebrado por Erasmo como helenista y autor de la primera gramática de aquella lengua *(De graecae linguae grammatica libri quinque,* 1537); ALVAR NÚÑEZ DE CASTRO (m. 1550), toledano, y profesor de griego, como los anteriores, biógrafo de Cisneros, editor, con Pedro Chacón, de las *Etimologías*, de San Isidoro, a instancias de Felipe II; ALFONSO GARCÍA MATAMOROS (1490?-1572), catedrático de humanidades en Alcalá, preceptista insigne y el más fervoroso apologista del humanismo español en su *De adserenda Hispanorum eruditione*, obra calificada por Menéndez Pelayo como «el himno triunfal del Renacimiento español»; PEDRO JUAN PERPIÑÁ (1530-1566), profesor de Coimbra, Roma y París, orador ciceroniano, cuya prematura muerte lloraron los más egregios poetas y humanistas europeos, entre ellos Aldo Manucio; JUAN LORENZO PALMIRENO (1514-1579), de Alcañiz, consumado pedagogo *(El latino de repente, El estudioso de la aldea, De ratione styli, De arte dicendi),* notable gramático y muy versado en letras clásicas, de quien se citan no menos de 76 obras en latín y castellano; el jesuíta JUAN BONIFACIO (1538-1606), salmantino, educador de varias generaciones de la Compañía de Jesús, el cual, en su *Christiani pueri institutio,* supo acomodar a la doctrina cristiana toda la retórica tradicional, especialmente la de Quintiliano.

IV. RENACIMIENTO Y BARROCO

Después de lo dicho, ya se entiende que el Renacimiento en España se extiende cronológicamente a lo largo del siglo XVI y buena parte del XVII. Sin embargo, en nuestro estudio preferimos seguir la denominación más en boga y llamar Renacimiento a secas al XVI, dejando para la centuria siguiente el término de «Barroco». Bien entendido que tan hombre del Renacimiento es Cervantes como fray Luis de León, Góngora como Garcilaso; si bien en los escritores y poetas del XVII el fermento nacional se manifieste con mayor empuje.

La época anterior, especialmente el reinado de Carlos V, parece ser una fase preparatoria, una fase de asimilación de elementos extraños desti-

nados a fundirse pronto con los autónomos, un asomarse al exterior en busca de cosas nuevas para encajarlas dentro de la masa propia; la época barroca, con todos esos elementos foráneos y con los muchos nacionales, procedentes unos de la Edad Media y surgidos otros al calor de la Contrarreforma, es un período de producción fecunda, de plenitud creadora y típicamente racial. No es desacertado en este aspecto hablar, como se viene haciendo ahora, de siglos de Oro en plural, en vez de Siglo de Oro; de dos Renacimientos, en vez de simple Renacimiento, ni bautizar el segundo—conforme lo hace Valbuena Prat—con el nombre de «Período Nacional».

NOTAS

1. ¿Se dió en España un Renacimiento?, «Logos», volumen XVI, 1927.

2. La fine dell'Umanesimo, ed. 1920, págs. 220 y 416.

3. Vid. las Notes en «Revue Hispanique», 1930. Del libro El Renacimiento español existe traducción (Zaragoza, 1944).

4. Historia de la Literatura española, I, pág. 395, 2.ª edición.

5. Más conocido por «San Clemente de los españoles». De él salieron muchas promociones, que volvían a España imbuidas del espíritu de la Iglesia renacentista. Todavía el Colegio Español de Bolonia sigue funcionando como en sus mejores tiempos, y en él se han formado eminentes profesores, juristas y hombres de gobierno que son ornamento y prez de la España actual.

6. Nace en Rotterdam. A los quince años entra en los Agustinos de Stein; sale de la Orden y continúa sus estudios en París y Bolonia. Fué corrector de la imprenta de Aldo Manucio, en Venecia, y luego en Basilea. Protegido en Roma por el Papa León X; en Inglaterra, por Tomás Moro; profesor de griego en Oxford y Cambridge; consejero de Car¹os V, que le pensionó. En Basilea llegó a rector de la Universidad.

7. Erasme et l'Espagne, París, 1937; hay edición española muy ampliada: Erasmo en España, 2 vols., Fondo de Cultura Económica, México-Buenos Aires, 1950.

8. «Sabido es, y puntualizado en recientes trabajos, que por entonces dominaba en las inteligencias más claras de la Península el humanismo alemán, representado especialmente por Erasmo, dirección menos artística, sin duda, que el humanismo italiano, pero más profunda y de más trascendentales resultados, tanto en la esfera de la filología como en el movimiento general de las ideas y en la reforma de los estudios. El arzobispo de Toledo, don Alfonso de Fonseca, y su secretario, Juan de Vergara; los hermanos de éste, Francisco y Bernardino Tovar; el inquisidor general, don Alonso de Manrique, y su secretario, Luis Nuñez Coronel; el benedictino fray Alonso de Virués, obispo electo de Canarias; Juan Maldonado, vicario general del Arzobispado de Burgos; el teólogo dominico Sancho Carranza de Miranda, hermano del célebre arzobispo del mismo apellido; el humanista valenciano Pedro Juan Oliver; el arcediano de Alcor, Alonso Fernández de Madrid; el abad Pedro de Lerma y su sobrino, el cancelario de la Universidad de Alcalá, Luis de la Cadena; el secretario de Cartas Latinas del emperador Carlos V, Alfonso de Valdés, y su hermano, el grande escritor y místico reformador Juan de Valdés, y, finalmente, el príncipe de nuestra filosofía Luis Vives, para no citar otros nombres posteriores o menos famosos, figuran por distintos conceptos en la apretada legión erasmiana, cuyas campañas y varios sucesos forman uno de los más curiosos episodios del Renacimiento de las letras de España.» M. PELAYO: Bibliografía Hispano-Latina Clásica, 1902, página 866.

9. La índole de nuestro libro nos obliga a pasar por alto una larga lista de escritores—filósofos, humanistas, historiadores, etc.— pertenecientes al siglo anterior y que pueden ser considerados como los «precursores» de nuestro humanismo. Recordemos al príncipe de Viana (n. 1561), traductor de la Filosofía moral, de Aristóteles, y en cuya biblioteca figuraban obras de los principales poetas, filósofos y, sobre todo, historiadores, griegos y latinos; a Juan de Moles Margarit (1404-1484), gerundense, historiador y diplomático, muy documentado en filología clásica; a Rodrigo Sánchez de Arévalo (1404-1470), teólogo, historiador y pedagogo, insigne por los tres conceptos y autor de obras (Speculum vitae humanae, De Monarchia Orbis, Compendiosa historia hispánica) muy estimadas en su tiempo; a Fernando de Córdoba (¿1423?-1486), hombre de prodigiosa erudición, que entre sus innumerables libros nos dejó comentarios de filósofos griegos y al obispo de Burgos Alfonso de Cartagena (1384-1456), que, al tiempo que se carteaba con Eneas Silvio, Leonardo de Arezzo y otros humanistas famosos, ponía glosas a Séneca, Cicerón y Quinto Curcio.

Menos aún podemos considerar aquí a la legión de humanistas españoles que en su intento de emular a Horacio, Catulo o Virgilio, emplearon sus mejores ocios en la composición de versos latinos, rayando no pocas veces a insospechable altura. El simple índice onomástico de los más destacados llevaría mucho espacio. Limitemos nuestra mención a los ya citados en el texto: Benito Gariteo y Alvar Gómez de Castro, Juan Sobrarias, Juan de Ver-

gara, amigo de Erasmo; Fernando Ruiz de Villegas, el bilbilitano Antonio Serón, el también aragonés Juan de Verzosa, Pedro Simón Abril, Jaime Juan Falcó, Domingo Andrés, Juan de Valencia, el carmelita Juan de Jesús María y la célebre poetisa Luisa Sigea de Velasco (¿1530-1560?), tan celebrada por su belleza como por su ingenio, muerta en su mejor juventud, y cuyo delicioso poemita Cintra mereció ser vertido al castellano por Menéndez Pelayo.

Sólo con los jesuitas que en el siglo XVI escribieron verso latino se podría formar una brillantísima antología: Perpiñá, Bonifacio, Mariana, Miguel Venegas, Hernando de Avila, Gaspar Sánchez y hasta el apóstol del Brasil Padre José de Ancheta, que, cautivo de los indios, compuso con una varilla por pluma y trazándolo primero en la arena para confiarlo acto seguido a la memoria, un poema en dísticos (5.286 vv.), De Beata Dei Matre Maria. Prodigio análogo al de Vicente Mariner (m. 1636), el helenista más fecundo que ha conocido España, autor de 380.000 versos griegos y latinos, si hemos de dar crédito a lo que él mismo nos dice. No fueron ajenos a tales solaces poéticos nuestros grandes humanistas (Nebrija, el «Brocense», Arias Montano, Fox Morcillo, etc.); Todos ellos escribían muy bien el verso latino; y el mismo Garcilaso nos dejó alguna bella muestra de estrofas alcaicas en latín, según veremos en su lugar.

10. Nace en Valencia y muere en Brujas. Pasa casi toda su vida fuera de la patria, dedicado a la enseñanza, a la redacción de sus múltiples obras y a la reforma de las costumbres. Estudia en Valencia, de donde pasa a París, destacando en la Sorbona. Enseña en Brujas, Lovaina, París y Oxford, siendo muy agasajado por los hombres más eminentes y por el mismo rey de Inglaterra Enrique VIII. Llegado el divorcio de éste, se enfrenta con el monarca y tiene que salir de Inglaterra, después de sufrir un arresto. Fué íntimo amigo de Erasmo y del Pontífice Adriano VI. Pero hubo de sentir dolorosas pérdidas familiares y sufrir continuas dolencias, entre ellas la que le llevó al sepulcro en lo mejor de su vida.

11. Natural de Lebrija (Sevilla), cuyo nombre adoptó por apellido. Estudió en Salamanca, y a los diecinueve años pasó a Italia, donde vivió durante diez años. Enseñó Retórica y Gramática en Salamanca; el cardenal Cisneros lo llevó a Alcalá para encargarle de los textos latinos y griegos de la Políglota Complutense (1502); después fué nombrado cronista real (1509), y todavía explicó una cátedra en Alcalá, donde murió en 1522. Casado con doña Isabel de Solís, tuvo de ella seis hijos y una hija. Nebrija fué un espíritu curioso, ávido de saber. Su inquietud se manifiesta en el interés que demuestra por estar al día. Ya en 1493, recién llegados de su viaje a América Colón y los compañeros, vemos sorprendidos cómo Nebrija se apresura a registrar en su vocabulario las palabras indígenas que aquéllos traen (por ejemplo, causa).

12. Nació en el pueblo de su nombre, Brozas (Cáceres), en 1523. Hijo de padres pobres, estudia, no obstante, en Salamanca. En 1554 tenía a su cargo la cátedra de Retórica del Colegio Trilingüe; cinco años después, otra de griego, que desempeñó hasta que fué acusado ante la Inquisición por sostener ideas contrarias al culto de las imágenes y afirmar que en la traducción de la Biblia había no pocos errores, así como por negar todo valor al criterio de autoridad. Se le señaló como lugar de reclusión la casa de su hijo, Lorenzo Sánchez, donde murió en 1601, antes que recayese sentencia en el proceso. No sabemos cuál habría sido ésta. Menéndez Pelayo opina que absolutoria; pero no deja de reconocer que el Brocense dió hartos motivos para la denuncia. Era un espíritu mordaz, agresivo, arrojado e independiente, enemigo de toda autoridad y tradición, hasta llegar a afirmar que no se debía dar crédito a los maestros si no probaban sus asertos con evidencia matemática; antiaristotélico rabioso y ramista (del fr. Ramus) manifiesto. Si no cayó en la herejía, anduvo muy cerca de ella.

13. Nació Arias Montano en Fregenal de la Sierra y cursó estudios en su pueblo natal, en Sevilla, Alcalá y probablemente en Salamanca. Asistió al Concilio de Trento, como acompañante del obispo don Martín Pérez de Ayala. Retirado a la Peña de los Ángeles, fué llamado por el rey, que le confió la dirección en Amberes de la Biblia Regia. Actuó como profesor de hebreo en El Escorial y se retiró definitivamente a la Cartuja de Sevilla, donde murió (1598).

14. Natural de Pozoblanco. Pasó buena parte de su juventud en Roma, donde intimó con el príncipe de Carpi. Carlos V le nombró cronista real. Escribió contra Erasmo la Antapología.

BIBLIOGRAFIA

I y IV. R. F. ARNOLD: *La cultura del Renacimiento*, Bibl. de Iniciación Cultural, vol. XXI, 3.ª ed., Edit. Labor, Barcelona.—JACOBO BURCKHARDT: *La cultura del Renacimiento en Italia*, trad. de Jaime Ardal, Barcelona, 1946.—J. CAMÓN AZNAR: *Teoría del Renacimiento*, «Revista de Occidente», XXXIX, 1930.—V. CIAN: *Umanesimo e Rinascimento*, Florencia, 1941.—F. CHABOD: *Il Rinascimento nelle recenti interpretazioni* (Memoria presentada al VI Congreso Intern. de Ciencias Históricas), Varsovia, 1933.—G. I. GEERS: *De Renaissance in Spanje*, Zütphen, 1932 (con 88 láminas).—H. HANSER: *La modernité de XVIe siècle*, París, 1930.—G. W. KNIGHT: *The Christian Renaissance with interpretations of Dante, Shakespeare,,,* Londres, 1933.—M. MENÉNDEZ PELAYO: *Sobre Humanismo*, t. II de «Historia de las ideas estéticas», ed. nacional, Santander, 1940.—JOHAN NORDSTRÖM: *Moyen Age et Renaissance*, París, 1933.—P. FÉLIX G. OLMEDO: *Humanismo*, «Humanidades», rev. de la Pontificia Universidad de Comillas, 1949.—P. F. PALUMBO: *Stato e cultura nel Rinascimento*, Roma, 1943.—WALTER PATER: *El Renacimiento*, J. Gili, Editores, Barcelona, 1946.—EDITH SICHEL: *The Renaissance*, Londres, 1914.—J. E. SPINGARN: *A history of literary criticism in the Renaissance*, Nueva York, 1899.—ROBERT STUPPERICH: *Vom Humanismus zur Reformation*, AFK, XXXVI, 1956.—GIUSEPPE TOFFANIN: *Historia del Humanismo*, Buenos Aires, 1953; *Intimità dell' umanesimo*, «Formender Selbstdarstellung... festgabe für Fritz Neubert», Berlín, 1956; *La fine dell' umanesimo*, Edit. Bocca, Turín, 1920.—RICARDO G. VILLOSLADA: *Renacimiento y Humanismo*, «Hist. gen. de las Lit. hispánicas», II, 1951.

II. *L'Age d'or espagnole* (textos de Arnoux, Camp, Barrault, etc.), 1955.—AUBREY F. G. BELL: *Notes on the Spanish Renaissance*, «Revue Hispanique», 1930; *El Renacimiento español*, Zaragoza, 194?; *Luis de León. Un estudio del Renacimiento español*, Barcelona, 1927.—EDUARDO CARREÑO: *Por el Siglo de Oro español (Glosas, citas, referencias)*, Caracas, 1955.—J. CATALINA GARCÍA: *Tipografía complutense*, Madrid, 1889.—*Catálogo del libro impreso en Zaragoza durante la época de Fernando el Católico (1474-1516)*, C. S. I. C., 1952.—BENEDETTO CROCE: *La Spagna nella vita italiana durante la rinascenza*, Bari, 1917.—J. L. ESTELRICH: *La lengua y la literatura italianas en la lengua y literatura castellanas*, «Anales de la Junta de Ampliación», t. X.—L. FERNÁNDEZ DE RETAMA: *Cisneros y su siglo*, Madrid, 1929.—J. G. FUCILLA: *Relaciones hispano-italianas*, anejo LIX de «Rev. Fil. Esp.», Madrid, 1953.—HELMUD HATZFELD: *Italianische Renaissance und Spanische Renaissance*, «Literaturwissenschaftliches Jahrbuch der Goerreschellschaft», I, 1926.—VÍCTOR KLEMPERER: *Gibt es eines spanische Renaissance?*, «Logos», 1927.—ANTONIO DE LATORRE: *La Universidad de Alcalá. Datos para su historia*, «Rev. de Archivos».—CARO LAYNN: *A College Professor of the Renaissance: Lucio Marineo Siculo among the Spanish Humanists*, University Chicago Press, 1937.—F. MÉNDEZ (O. S. A.): *Tipografía española. Historia de la introducción del arte de la imprenta en España*, Madrid, 1861.—M. MENÉNDEZ PELAYO: *Humanistas españoles del siglo XV*, «Estudios y disc. de crítica», II, Santander, 1942.—RAMÓN MENÉNDEZ PIDAL: *El lenguaje del siglo XV*, «Los romances de América y otros estudios», Colec. Austral, núm. 55.—J. F. PASTOR: *Las apologías de la lengua castellana en el Siglo de Oro*, Madrid, 1929.—LUDWIG PFANDL: *Historia de la literatura nacional española en la Edad de Oro*, Barcelona, 1933.—F. PICATOSTE: *Los españoles en Italia*, Madrid, 1887.—M. REVILLA: *La políglota de Alcalá*, Madrid, 1917.—BLANCA DE LOS RÍOS: *Del Siglo de Oro*, Madrid, 1910.—D. RUBIO: *Notes on Spanish Renaissance*, «Rev. Hisp.», LXXX, 1930.—RUDOLPH SCHEVILL: *Ovid and the Renascence in Spain*, «California Philology», vol. IV, 1903.—E. TODA Y GÜELL: *Bibliografía espanyola d'Italia*, Barcelona, 1927-30. R. TREVOR DAVIES: *The Golden Century of Spain*, Londres, 1954, 2.ª ed.—ANGEL VALBUENA PRAT: *La vida española en la Edad de Oro*.—F. VENDRELL GALLOSTRA: *La corte literaria de Alfonso V de Aragón...*, Madrid, 1933.—PIETRO VERRUA: *Epistolario de Lucio Marineo Siculo*, Città di Castello, 1940; *Precettori italiani in Spagna durante il regno di Fernando il Cattolico*, Andría, 1906.—KARL VOSSLER: *Introducción a la literatura española del Siglo de Oro*, Hamburgo, 1939) (hay trad. española).—DÁMASO ALONSO: *El crepúsculo de Erasmo*, «De los siglos oscuros al de Oro», Bibl. de Filol. Rom., Gredos, Madrid, 1958.—MARCEL BATAILLON: *Erasmo y España. Estudios sobre la historia espiritual del siglo XVI* (trad. de Antonio Alato-

rre), 2 tomos, México-Buenos Aires, 1950.—M. MENÉNDEZ PELAYO: *Los erasmistas españoles*, «Hist. de los heterodoxos españoles», t. III, Edit. Nacional, 1947.—GIUSEPPE CARLO ROSSI: *Erasmo nell'America del cinquecento*, «Fil. Romana», I, núm. 4, Nápoles, 1954.—J. LILLO RODELGO: *Pedagogía imperial de España. Contrib. al estudio de nuestro Siglo de Oro*, Madrid, 1941.—R. VILCHES ACUÑA: *España en la Edad de Oro*, Buenos Aires, 1946.—FRANCESCO VIAN: *Introduzione alla letteratura spagnuola del Siglo de Oro*, Milán, 1946.—FRANCISCO ESTEVE BOTEY: *El origen de la imprenta en España*, «Rev. Bibl. Nac.», V, 1945.—G. AJO y C. MARÍA SAINZ DE ZÚÑIGA: *Historia de las Universidades hispánicas*, Avila (Inst. Alonso de Madrigal, 1958.

III. ELOY BULLÓN: *Los precursores de Bacon y Descartes*, Salamanca, 1903.—CARLOS CLAVERÍA: *Humanistas creadores*, «Hist. gen. de las lit. hispánicas», II, Barcelona, 1951.—M. MENÉNDEZ PELAYO: *Humanistas españoles del siglo XVI*, «Estudios y disc. de crít. lit.», t. II, 1942.—M. BATAILLON: *De nouveau sur J. L. Vives*, «Bull. Hisp.», XXXII, 1930.—A. BONILLA Y SAN MARTÍN: *Luis Vives y la filosofía del Renacimiento*, Madrid, 1929.—JOSÉ CORTS GRAU: *J. Luis Vives. Antología*, Madrid, Edit. Nacional.—A. LANGE: *Luis Vives* (trad. española de Menéndez Pelayo), Madrid, 1894.—MARIANO PUIGDOLLERS OLIVER: *La filosofía española de Luis Vives*, Colec. Pro Ecclesia et Patria, Barcelona, 1940.—M. E. VALENTINI: *Erasmo y Vives. Contenido educativo del Humanismo*, Buenos Aires, 1934.—*Vives, humaniste espagnol*, por E. d'Ors, J. Zaragüeta y otros, París, 1941.—FOSTER WATSON: *Vives and the Renaissance education of women*, Londres, 1912; *Luis Vives, el gran valenciano (1492-1540)*, Oxford, 1922.—A. E. DE ASÍS: *Nebrija y la crítica contemporánea de su obra*, «Bol. Bibl. M. P.», Santander, 1935.—JOAQUÍN BALAGUER: *Las ideas de Nebrija acerca de versificación española*, «Bol. Inst. Caro y Cuervo», Bogotá, 1935.—M. MENÉNDEZ PELAYO: *Nebrija. Gramática castellana*, «Ant. de poetas líricos castellanos», t. IV, págs. 45-65, Edit. Nacional, 1944.—CELESTINO LÓPEZ MARTÍNEZ: *Elio Antonio de Nebrija, maestro y publicista*, Sevilla, 1947.—FÉLIX G. OLMEDO (S. I.): *Nebrija*. Edit. Nacional, Madrid.—Mons. PASCUAL GALINDO y LUIS ORTIZ MUÑOZ: *Edición crítica de la Gramática de Nebrija*, C. S. I. C., 1946.—P. LEMOS Y RUBIO: *El maestro A. E. de Lebrija*, «Rev. Hisp.», XXII, 1910.—J. B. MUÑOZ: *Elogio de Antonio de Nebrija*, «Memoria Acad. Hist.». III. E. WALBERG: *Estudio sobre Nebrilla*, ed. Halle, 1900.—AUBREY F. G. BELL: *Francisco Sánchez, el «Brocense»*, Hispanic Society, Londres, 1925.—URBANO GONZÁLEZ DE LA CALLE: *Francisco Sánchez de las Brozas. Ensayo biográfico*, Madrid, 1923.—M. MENÉNDEZ PELAYO: *La ciencia española*, ed. Madrid, 1891.—Marqués de MORANTE: *Biografía de Francisco Sánchez, el «Brocense»*, Madrid, 1859.—AUBREY F. G. BELL: *Benito Arias Montano*, Oxford University Press, VI, Londres, 1923.—T. GONZÁLEZ CARVAJAL: *Elogio histórico de... Arias Montano*, «Memorias de la Real Acad. de la Historia», Madrid, 1832.—P. U. GONZÁLEZ DE LA CALLE: *Arias Montano, humanista*, Badajoz, 1928.—LUIS MORALES OLIVER: *Benito Arias Montano*, 1922.—E. GORRIS: *Vie d'Arias Montano*, Bruselas, 1842.—AUBREY F. G. BELL: *Juan Ginés de Sepúlveda*, Oxford, 1925.—JUAN BENEYTO: *Ginés de Sepúlveda (humanista y soldado)*, Edit. Nacional, Madrid, 1947.—ANGEL LOSADA: *Juan Ginés de Sepúlveda a través de su «Epistolario» y nuevos documentos*, C. S. I. C., 1949.—F. SEPÚLVEDA: *Apuntes biográficos de Juan Ginés de Sepúlveda*, Madrid, 1862.—WILLIAM ATKINSON: *El teatro de Hernán Pérez de Oliva*, «Rev. Hisp.», LXIX, 1927.—NARCISO ALONSO CORTÉS: *Datos acerca de Pérez de Oliva*, «Hom. a Menéndez Pidal». I.—RICARDO ESPINOSA MAESO: *El maestro Fernán Pérez de Oliva en Salamanca*, «Bol. de la Real Acad. Española», XIII, 1926, págs. 433-73 y 572-90.—PEDRO HENRÍQUEZ UREÑA: *Estudios sobre el Renacimiento en España: el maestro Hernán Pérez de Oliva*, La Habana, Impr. El Siglo XX, 1914.—WILLIAM ATKINSON: *Hernán Pérez de Oliva. A Bibliographical and Critical Study*, «Rev. Hisp.», LXXI.—J. LÓPEZ de TORO: *Alfonso García Matamoros. Apología pro adserenda hispanorum eruditione*, anejo de la «Rev. de Filología Española», C. S. I. C., 1943; edición de las *Epístolas de J. Verzosa*, C. S. I. C., 1945.—MARGHERITA MORREALE DE CASTRO: *Pedro Simón Abril*, C. S. I. C., 1949.—P. VERRUA: *Cultori de la poesia latina in Ispagna durante il regno di Ferdinando il Cattolico*.—FÉLIX G. OLMEDO: *Humanistas y pedagogos españoles: Nebrija*, Madrid, Edit. Nac., 1942.—PABLO GRAF: *Luis Vives, como apologista*, trad. de Millás Vallicrosa, Madrid, 1943.—G. MARAÑÓN: *Luis Vives (Un español fuera de España)*, Madrid, 1942.—A. TOVAR y P. MIGUEL DE LA PINTA: *Proceso contra Francisco Sánchez de las Brozas*, Madrid, Inst. Nebrija, 1941.

CAPITULO XIV

LIRICA RENACENTISTA:
A) TENDENCIAS ITALIANIZANTES

I. INTRODUCCIÓN DE LAS FORMAS ITALIANAS: *Intentos frustrados. La «Carta a la Duquesa de Soma».*—II. BOSCÁN: *Datos biográficos. «El cortesano». Las poesías. Valoración de Boscán.*—III. GARCILASO DE LA VEGA: *La vida y el hombre. Galantería y amistad. Obra poética. Las «Eglogas». Los «Sonetos». Juicio crítico y fortuna de Garcilaso.*—IV. LÍRICOS PETRARQUISTAS: *Acuña. Gutierre de Cetina. Figueroa.*—V. LÍRICA DE TRANSICIÓN: *Hurtado de Mendoza. Gregorio Silvestre. Más poetas petrarquistas.*—VI. REACCIÓN TRADICIONALISTA: *Castillejo.*—NOTAS.—BIBLIOGRAFÍA.

I. INTRODUCCION DE LAS FORMAS ITALIANAS

La mayor innovación de nuestra poesía durante el Renacimiento, y que más honda huella ha de dejar en la literatura de los siglos sucesivos, consiste en la introducción de la métrica llamada por unos «petrarquista» y por otros, con más razón, «italianizante». La innovación se debe, como es sabido, a Boscán y queda consolidada por la obra de Garcilaso. Pero, al igual que sucede con todos los grandes cambios, el de nuestra poesía no se realiza sino cuando el terreno está suficientemente preparado.

El continuo intercambio de poetas italianos y españoles, a que se aludió en el capítulo anterior, facilita el conocimiento, cada vez mayor, de los poetas de aquel país y fomenta el gusto de los nuestros por una poesía menos original, si se quiere, pero mucho más refinada que la que se venía cultivando en Castilla. Por otra parte, las formas métricas empleadas hasta entonces estaban pidiendo una renovación. Se las consideraba moldes gastados y había que sustituirlos. El machaqueo continuo del dodecasílabo o verso de arte mayor, con su uniformidad desesperante, dentro de un sistema acentual que no tolera la menor libertad, empleado casi exclusivamente para temas graves, a lo largo de una centuria, había terminado por cansar el oído de nuestros compatriotas, que buscaban afanosamente un sustituto. De nada servían aquellos endecasílabos que subrepticiamente se deslizaban entre las filas uniformes de los de «arte mayor»—*dodecasílabos acéfalos*—, porque al mantener bien marcada la cesura después del primer hemistiquio, los asimilaba en todo a los otros, sin que lograran en ningún caso romper la insufrible monotonía del de «arte mayor».

Otro tanto habría que decir del octosílabo. Había «hartura» de este metro corto, como la había del largo. Los poetas de los *Cancioneros* habían hecho con el popular verso castellano todas las combinaciones imaginables, mezclándolo con su quebrado; pero no vieron que la renovación no tenía que afectar sólo a la estrofa, sino al ritmo; que no había de venir de la forma métrica externa solamente, sino del fondo, del contenido. Había que cambiar la vasija y el mosto. El destinado a realizar tan profundo cambio, cuyo mérito no será nunca suficientemente ponderado, fué un poeta catalán por su nacimiento, aunque castellano por su formación: Boscán.

Intentos frustrados

Se ha discutido mucho, sobre todo por los tratadistas de métrica del Siglo de Oro—Argote de Molina, Juan de la Cueva, Caramuel, etc.—si este título de introductor de la métrica italiana en nuestra poesía corresponde o no de hecho a Boscán. Se ha llegado a afirmar, y así lo hacen, entre otros, los tres preceptistas citados, que en el caso de Boscán no se trata de introducción de formas extrañas a nuestro Parnaso, sino de una auténtica repatriación. El endecasílabo venía, según ellos, usándose en la poesía castellana de siglos atrás, y hasta hay quien afirma que aquí tuvo su origen y que de España pasó a Italia y a otras naciones. En confirmación se aducía que ya en el Arcipreste de Hita, en algunas «moralidades» del *Libro de Patronio,* de don Juan Manuel, en Francisco Imperial, en Juan de Mena y, sobre todo, en el Marqués de Santillana *(sonetos fechos al itálico modo),* encontramos el metro endecasílabo.

La verdad es que, con excepción de este último, ninguno de los citados lo empleó deliberadamente. Los de Mena son, ya se dijo, dodecasílabos «acéfalos», y así los consideraron luego nuestros mejores tratadistas (Cascales, el Pinciano, etc.). A nadie le ocurrió pensar que fuesen versos italianos. Desde el primer momento fueron calificados como lo que eran: versos de arte mayor, «que entran con una sílaba perdida». Otro tanto se ha de decir de los que esporádicamente aparecen en Fernán Pérez de Guzmán, Alvar G. de Santa María y en el mismo Imperial, si bien éste anda más próximo a los módulos italianos, como que estaba familiarizado con la poesía de Dante. El único que procuró imitarlos a conciencia de lo que hacía, llevado de su admiración hacia los poetas de aquel país, fué Santillana, en sus *Sonetos*. Pero bien porque el terreno no estuviese preparado, o bien porque le faltase aliento para llegar a la cumbre y arrastrar a los demás con el ejemplo, lo cierto es que su empeño no prosperó. Algo semejante le había de suceder a Iriarte en el XVIII, al ensayar el mal llamado «endecasílabo anepesto» (Una criada / la casa barría...); el popular fabulista carecía del vigor necesario para moldear un nuevo metro, aquel que llevaría después a los suyos Rubén Darío en su famoso *Pórtico*:

> Libre la frente / que el casco rehusa,
> toda bañada / en la gloria del día...

Santillana, por mucho que quisiera inclinarse hacia el nuevo metro, forzosamente había de fluctuar entre el ritmo anfibráquico del dodecasílabo (tan corriente en su época, y empleado por él mismo en varias de sus obras: *Comedieta de Ponza*) y el ritmo más libre, mucho más movido, casi siempre yámbico, del endecasílabo italiano. De aquí la indecisión acentual, que hace que algunos de sus *Sonetos* se puedan leer casi íntegramente, como si estuviesen en «arte mayor»:

> Oy qué diré de ti, / triste emisferio,
> o patria mía, / que veo del todo
> ir todas las cosas / ultra el recto modo,
> donde se espera / inmenso lacerio?
> Tu gloria e laude / tornó vituperio,
> e la tu clara / fama en escureça!...
> Por cierto, España, / muerta es tu nobleça,
> e tus loores / tornados lacerio.

En cuanto a los consabidos versos de «gaita gallega», por mal nombre llamados *anapestos*, ni pueden servir de precedente al endecasílabo italiano ni tienen nada que ver con éste, aunque dentro de él, sobre todo en Dante. hay un tipo que, por atenuación del acento en octava, se aproxima al ritmo de aquéllos. El endecasílabo de «gaita gallega» se mueve dentro de una línea rítmica, no ya diferente, sino opuesta al italiano; su acentuación en séptima hace que marchen siempre divorciados.

Hoy, por tanto, nadie puede negar a Boscán la gloria de haber sido el renovador de nuestra métrica. La trascendencia que tal hecho tuvo en nuestra poesía no es fácil de decir: toda la mejor creación lírica de los siglos posteriores hasta hoy se volcó en los moldes fabricados por Boscán.

La «Carta a la duquesa de Soma»

El proceso que condujo al poeta catalán hasta tal innovación lo encontramos expuesto con toda claridad en la célebre *Carta a la duquesa de Soma*, que figura como introducción de la segunda parte de sus poesías. Documento importantísimo, porque, a la par que nos revela los motivos que le indujeron a la adopción de los metros y combinaciones toscanas, nos demuestra la conciencia clara que tenía Boscán de lo trascendente de su empeño [1]. Allí se alude a los que se escandalizan de los versos libres o exentos de toda rima [2], y el autor se jacta una vez y otra de su innovación. Para él, no cabe la menor duda, antes que sus versos no se han hecho otros en castellano de corte petrarquista:

«Lo que agora a mí me queda por hacer saber a los que quisieran leer este mi libro, es que no querría que me tuviesen por tan amigo de cosas nuevas que por hacerme inventor de estas trovas, *las quales hasta agora no las hemos visto usar en España*, haya querido probar a hacellas... De manera que si de escribir, por fácil cosa que fuera la que hubiera de escribirse, he tenido siempre miedo, mucho más le tuviera de *probar mi pluma en lo que hasta agora nadie en nuestra patria ha probado la suya*. Pues si tras esto escribo y hago imprimir lo que he escrito, y *he querido ser el primero que he juntado la lengua Castellana con el modo de escribir Italiano*, esto parece que es contradecir con las obras a las palabras...»

Parece presentir el éxito de su tentativa, y le daba el corazón que la nueva métrica se impondría a la tradicional castellana, sobre todo en ciertos temas:

«De manera que este género de trovas, y con la utoridad de su valor propio, y con la reputación de los antiguos y modernos que le han usado, es dino no solamente de ser recibido de una lengua tan buena como es la Castellana, más aún de *ser en ella preferido a todos los versos vulgares*. Y así pienso yo que lleva camino para sello; porque ya los buenos ingenios de Castilla, que van fuera de la vulgar cuenta, le aman y le siguen; y se exercitan en él tanto, que si los tiempos con sus desasosiegos no lo estorban, podrá ser que antes de mucho se duelan los Italianos de ver lo bueno de su poesía transferido a España.»

A esta misma Carta, a la que Menéndez Pelayo confiere la importancia de un manifiesto de escuela, pertenece el famoso pasaje en que describe Boscán sus relaciones literarias con Navaggiero y los consejos que de este embajador veneciano recibió, así como los estímulos de su entrañable amigo Garcilaso, para que perseverase en el propósito [3].

La innovación boscaniana no se limita al esquema métrico; afecta también a los paradigmas estróficos, siendo Boscán el primero que escribe en castellano (aparte de los sonetos, ya ensayados por Santillana) tercetos, octavas reales, llamadas *octava rima*; estancias y, lo que es más meritorio, poemas en verso libre.

Todavía la novedad penetra más hondo al adoptar, junto con la métrica italiana, los mismos temas por ésta tratados. La *Historia de Hero y Leandro,* luego aludida, es como una puerta que se abre de par en par hacia el mundo pagano del Renacimiento. Por ella entran en ruidosa algarabía ninfas, silenos, diosas, héroes, que invadirán nuestro parnaso tumultuosamente y harán en él morada durante tres siglos, exactamente hasta que sean desalojados por el Romanticismo.

II. JUAN BOSCAN

Por estas razones, el poeta barcelonés JUAN BOS-CÁN ALMOGÁVER (m. 1542), que, atendido el mérito intrínseco de sus obras, no pasa de escritor de segundo orden, cobra especialísimo relieve y se hace acreedor a uno de los primeros puestos en la historia de nuestra poesía, recabando una atención mucho mayor de la que se le venía otorgando hasta hace poco tiempo. Historiadores de nuestros días, como Hurtado-Palencia y Valbuena Prat, no vacilan en señalarle dentro del cuadro general de nuestra literatura un lugar destacado, estudiándolo con la detención y espacio que merece.

Datos biográficos

Se desconoce la fecha de su nacimiento y las vicisitudes de su infancia, no obstante los trabajos realizados por los eruditos. Masdéu y Torres Amat opinan que debió de nacer hacia el 1500; Menéndez Pelayo cree que en los últimos años del xv. Desde luego, se sabe que era natural de Barcelona; que vino pronto a Castilla, donde estudió con L. Marineo Sículo; que sirvió en la casa del duque de Alba y en la del Rey Católico, y que pertenecía a la clase noble de «ciudadanos honrados de Barcelona». Asistió a la expedición en auxilio de Rodas (1522), aunque no llegó a la isla. Casó con una «sabia, gentil y cortés dama», doña Isabel Girón de Rebolledo, cuyo nombre va perdurablemente vinculado al del poeta, como editora de sus obras, juntas con las de Garcilaso. Pasó una vida de hogar feliz, desahogada, de perfecto burgués. Murió en 1542.

Tuvo Boscán buenas amistades, entre ellas la de Garcilaso, cuyas poesías nos guardó. Amigos suyos fueron asimismo Diego Hurtado de Mendoza y Andrea Navaggiero, por cuyo consejo se decidió, según queda dicho, a la introducción de los metros italianos en España.

«El Cortesano», de Castiglione

Boscán escribió verso y prosa. En ésta sobresale como uno de los mejores escritores del reinado de Carlos V. Su traducción de *El cortesano,* de Baltasar Castiglione (Barcelona, 1534) demuestra hasta qué extremo llegó a dominar Boscán una lengua que no era la suya nativa.

El libro de Castiglione, nuncio del Papa en España a la sazón, le llegó por conducto de Garcilaso, que le obsequió desde Italia con un ejemplar.

Boscán lo leyó; y tanto se aficionó a su lectura, que se dispuso inmediatamente a traducirlo al castellano, haciéndolo con tal maestría que, en frase de Ambrosio de Morales, «*El Cortesano* no habla mejor en Italia, donde nació, que en España, donde le mostró Boscán por extremo bien el castellano»[4]. A juicio de Menéndez Pelayo la traducción ha sido hecha «en la más rica, discreta y aristocrática lengua castellana que puede imaginarse».

Las poesías

Aparecieron, ya está dicho, junto con las de su entrañable amigo Garcilaso, publicadas (Barcelona, 1543) por doña Ana Girón de Rebolledo. Ocupan las de Boscán tres de los cuatro libros que comprende la obra. El primero contiene las composiciones a la manera tradicional; el segundo ofrece 92 sonetos y 10 canciones de corte petrarquista, y el tercero, la *Historia de Hero y Leandro,* junto con varios poemas en tercetos y octava rima.

Las composiciones tradicionales imitan a los *Cancioneros* en su estructura métrica, y aunque calcadas en Jorge Manrique, están oreadas por aires renacentistas. «Son —escribe Menéndez Pelayo— coplas fútiles..., versos de amor, sin ningún género de pasión, devaneos tan insulsos que parecen imaginarios, conceptos sutiles y alambicados, agudezas de sarao palaciego..., algo, en suma, que recrea agradablemente el oído, sin dejar ninguna impresión en el alma.» Pero ya se acusa en ellas la soltura y dominio de la lengua castellana, cualidades que le capacitarán pronto para mayores empeños:

> Señora doña Isabel,
> tan cruel
> es la vida que consiento,
> que me mata mi tormento
> cuando menos tengo dél...

Los sonetos y canciones del segundo libro siguen muy de cerca en el tono, aunque no en la inspiración, al Petrarca, por quien Boscán sentía una admiración ciega. «Petrarca —dice— fué el primero que en aquella provincia (Italia) acabó de poner en su punto el verso lírico italiano.» Entre los sonetos abundan los duros y desmañados. Los debió de escribir en su primera época de imitación, porque el endecasílabo con frecuencia se le rebela, se le escapa de las manos. Hay otros casi logrados y en los que pisa más de cerca las huellas del vate de Arezzo. En las canciones tampoco es afortunado. A ellas debió de referirse el severo Herrera al decirnos que Boscán «se atrevió a llevar las joyas del Petrarca en su mal compuesto vestido».

En cambio, en los tercetos y octavas del libro tercero, así como en la *Historia de Hero y Leandro*, de redacción posterior sin duda, raya a mucha altura. Especialmente la octava rima, *octava real* en nuestra terminología métrica, se le da admirablemente. Pasajes encontramos en este poema —primer ensayo de tal estrofa en castellano— que no desmerecen de Bembo, a quien Boscán intentaba imitar [5].

Menos suerte tuvo con el verso libre utilizado para la *Historia de Hero y Leandro*. La falta de apoyo de la rima le obliga a avanzar con paso inseguro, aunque a veces acierta a soltar las amarras del consonante y se mueve con relativa libertad.

> Como suele pararse el alondrilla
> en mitad del tendido y raso campo,
> cuando el bravo alcotán sobre ella mueve
> las alas, meneándolas al viento,
> de miedo está la cuitadilla queda,
> helada, yerta, el corazón pasmado...

Más adelante :

> Cual suele el ruiseñor, entre las sombras
> de las hojas del olmo o de la haya,
> la pérdida llorar de sus hijuelos,
> a los cuales sin plumas, aleando,
> el duro labrador tomó del nido,
> llora la triste pajarilla entonces
> la noche entera, sin descanso alguno,
> y desde allí, do está puesta en su ramo,
> renovando su llanto dolorido,
> de sus querellas hinche todo el campo...

Téngase en cuenta, para mejor apreciar el mérito de Boscán, que es la primera vez que en castellano se ensaya el «verso libre». Muchos poetas del XVIII, que tanto usaron y abusaron de este metro, hubiesen querido manejarlo con igual soltura.

Valoración poética de Boscán

En general, el juicio formulado sobre Boscán, en cuanto poeta, es desfavorable. Se le concede la primacía en la introducción de los metros italianos y de cierto género de estrofas, y se piensa que con tal título le basta. Sigue prevaleciendo el juicio de Menéndez Pelayo, que en su *Antología de poetas líricos castellanos* le dedicó un estudio definitivo, consagrándole todo el último volumen. «Boscán —afirma el maestro de la crítica española— fué un ingenio mediano, prosista excelente cuando traduce, poeta de vuelo desigual y corto, de duro estilo y versificación ingrata, con raras, aunque muy señaladas, excepciones. No tiene ni el mérito de la invención ni el de la forma perfecta... Pero con toda su medianía es un personaje de capital importancia en la historia de las letras... Su destino fué afortunado y rarísimo : llegó a tiempo ; entró en contacto directo con Italia ; comprendió mejor que otro la necesidad de una renovación literaria ; encontró un colaborador de genio (Garcilaso), y no sólo triunfó con él, sino que participa en cierta medida de su gloria.»

Sin desconocer la justeza fundamental de este juicio, creemos que la vinculación a Garcilaso, si por una parte contribuye a perpetuar la gloria de Boscán, por otra viene a rebajar su figura. El ir unidos los dos nombres obliga involuntariamente a compararlos ; y de esta comparación, por fuerza ha de resultar rebajado el poeta catalán. Garcilaso era un genio y un lírico incomparable ; Boscán no era ni lo uno ni lo otro. Pero el hombre que forja por vez primera en castellano tercetos tan garbosos como algunos de los suyos ; que escribe, también por vez primera, el verso libre con la soltura que hemos visto ; que hace rodar con encantadora fluidez, asimismo antes que ninguno ensayase tal metro, 135 octavas reales ; que logra dar a muchos de sus sonetos una factura definitiva, aunque no sea un genio, habrá que reconocer que rebasó con mucho la «medianía» a que se refiere Menéndez Pelayo.

III. GARCILASO DE LA VEGA

Gran fortuna fué para Boscán, y aun mayor para la poesía española, encontrar un sucesor inmediato, que no sólo continuó su obra innovadora, sino que supo llevarla a un alto grado de perfección. Este hombre fué GARCILASO DE LA VEGA (1500?-1536).

La vida y el hombre

Nace en Toledo en fecha ignorada, probablemente hacia el 1500. De familia noble, desciende por línea materna del autor de *Generaciones y semblanzas*, F. Pérez de Guzmán. Se educa en su ciudad natal ; muy joven ingresa de «contino» en la Casa Real. Combate al lado del monarca en la guerra de los Comuneros ; toma parte en la expedición a Rodas, como Boscán ; interviene en la campaña de Navarra contra los franceses (1523). Sigue a la Corte en Valladolid, Burgos, Toledo, etcétera. En 1523 contrae matrimonio con doña Elena de Zúñiga, noble dama, aunque andaba locamente enamorado de Isabel Freyre, portuguesa y dama de la emperatriz Isabel. Garcilaso la inmortalizaría con el anagrama de Elisa ; pero ella no le correspondió.

En 1529 empieza su agitada vida fuera de España. Asiste a la coronación de Carlos V en Bolonia; a la campaña contra Florencia; representa al emperador en la Corte de Francia. Por haber patrocinado la boda de un sobrino suyo, contra la voluntad de Carlos V, es desterrado a una isla del Danubio—«río divino»—, en la que permanece varios meses. Perdonado a instancias del duque de Alba, se le ordena vaya a Nápoles o se recluya en un convento. Garcilaso elige lo primero y se dirige a Nápoles en compañía del marqués de Villafranca. La vida del genial poeta en la capital del virreinato es en extremo movida y fecunda: corre aventuras amorosas y alterna con la sociedad más culta y aristocrática, siendo por ella muy agasajado. Vuelto a España con una misión cerca del emperador, que se encuentra en Barcelona, sale luego para la jornada de Túnez (1534) y, finalmente, como jefe de 3.000 soldados de infantería toma parte en la campaña de Provenza. Allí encuentra la muerte de la manera más heroica. Bombardeada la fortaleza de Muy, cerca de Frejus, por la artillería española, como al emperador le pareciera que los soldados españoles tardaban en dar el asalto, Garcilaso, su jefe, se lanzó al ataque, para dar ejemplo, sin casco ni coraza; una gran piedra tirada de lo alto le derribó, hiriéndole gravemente. Días más tarde (13 ó 14 de octubre de 1536) fallecía en Niza, asistido por su amigo el marqués de Lombay, luego San Francisco de Borja. El emperador, en represalia, mandó arrasar la fortaleza y matar a todos sus defensores. Fué enterrado en el panteón familiar, en la iglesia de San Pedro Mártir, de Toledo.

Garcilaso, ya se ve por los datos que anteceden, era de la más rancia nobleza del reino. «Muy magnífico señor Garcilaso de la Vega», le llamó Gonzalo F. de Córdoba en sus *Batallas y quincuagenas;* así pudo, desde sus primeros años, frecuentar el ambiente más aristocrático—la corte estaba entonces en Toledo—y recibir una educación esmerada. Estudia los clásicos latinos, a quienes demuestra conocer a fondo [6]; los humanistas españoles, como Nebrija, y los italianos entonces en España—Lucio Marineo, Pedro Mártir y Navaggiero—despiertan y fomentan su gusto por las letras renacentistas. De este modo se forma su espíritu en la mejor escuela.

Por otra parte, pocos hombres mejor dotados para triunfar. Ingenio cultivado, carácter abierto, apostura corporal, un conjunto, en fin, de excelentes cualidades que le abren todas las puertas y le granjean todas las simpatías, empezando por la del emperador, que le demuestra particular afecto. Tamayo de Vargas nos lo describe proporcionado de cuerpo, de semblante sereno y grave, talle esbelto y «de una hermosura verdaderamente viril». Otro biógrafo nos lo presenta como «el más hermoso y gallardo de cuantos componían la corte del emperador».

Galanterías y amistad

Con tales prendas, sus aventuras galantes no pueden sorprendernos. Sin embargo, no debió de ser todo lo afortunado que cabía esperar en sus amores. En Nápoles se sabe que tuvo relaciones con una bellísima dama y «jamás—dice aludiendo a ella—fué consumido un corazón de tan hermoso fuego». Pero en su gran pasión, Isabel Freyre, fracasó. Esta bellísima dama portuguesa, que la emperatriz trajo consigo, encendió en el corazón del poeta toledano un fuego devorador, sólo extinguido con la muerte. Isabel había contraído matrimonio, y Garcilaso sabía que nunca sería correspondido. Es la espina mortal que lleva clavada por Francia, por Alemania, por Italia, y que le arranca los más doloridos lamentos: aquella Galatea que le hace exclamar en la primera de sus églogas:

> ¡Oh más dura que mármol a mis quejas
> y al encendido fuego en que me quemo,
> más helada que nieve, Galatea!...;

aquella Elisa, que le hace gritar por boca de Salicio, en la misma composición:

> ¿Quién me dixera, Elisa, vida mía,
> cuando en aqueste valle, al fresco viento,
> andábamos cogiendo tiernas flores,
> que había de ver con largo apartamiento
> venir el triste y solitario día
> que diese amargo fin de mis amores?
> El cielo en mis dolores
> cargó la mano tanto,
> que a sempiterno llanto
> y a triste soledad me ha condenado;
> y lo que siento más es verme atado
> a la pesada vida y enojosa,
> solo, desamparado,
> ciego, sin lumbre, en cárcel tenebrosa.

Mantuvo relaciones de amistad y trato con los ingenios más aventajados de su tiempo. En Nápoles y en España frecuentó la sociedad más culta y aristocrática: J. C. Caracciolo, marqués del Vasto, María de Cardona, esposa de Francisco de Este; Mario Galeota, Antonio Telesio, Seripando, Bembo, Bernardo Tasso, Juan de Valdés, Hernando de Acuña, Ginés de Sepúlveda y, sobre todo, el poeta Tansillo, que le dedicó algunos sonetos, influyendo en Garcilaso como éste dejó su huella en los versos de aquél. Bembo llama a Garcilaso «el más amado y obsequiado de cuantos españoles habían venido a Italia».

La amistad más entrañable fué la que le ligó con Boscán. Parece que partió de la más tierna edad, al coincidir ambos en la corte del emperador (1520). Garcilaso debía de tener unos diecinueve años, y pocos más Boscán. «Amistad memorable y ejemplar—escribe Menéndez Pelayo—, que se prolongó sin sombra alguna hasta la muerte de Garcilaso en 1536, y que convirtió a Boscán en guardador póstumo de la memoria y de los versos de su amigo» [7]. Garcilaso da ocasión a Boscán para escribir o traducir su obra más lograda, *El Cortesano*; y, a su vez, Boscán facilita a su amigo el instrumento con que ha de forjar sus poemas incomparables. En los sonetos y epístolas de uno y de otro han quedado huellas de este noble afecto. Se ha querido identificar a Boscán con el Nemoroso de la primera égloga garcilasiana, basándose en la correspondencia latina del nombre. Así lo afirmó el primero Sánchez de las Brozas: «Salicio es Garcilaso; Nemoroso, Boscán, porque *nemus* es bosque.» Pero Herrera en sus *Anotaciones*, Faria Sousa y, finalmente, el mismo Menéndez Pelayo, han demostrado que tanto Salicio como Nemoroso representan a Garcilaso. Realmente, no hace falta recurrir a esta alusión; continuamente el nombre del entrañable amigo se repite, sin disfraz alguno, en los sonetos y epístolas.

Obra poética

Es relativamente corta. Lo prematuro de su muerte, así como su vida accidentada, le impidieron ser más fecundo.

Su producción se reduce a:

Una epístola.

Dos elegías.

Tres églogas.

Cinco canciones.

Treinta y ocho sonetos.

Ocho composiciones, muy breves, de corte tradicional.

La *epístola*, en verso libre, así como una de las *elegías*, en tercetos, va dirigida a Boscán. La otra *elegía*, también en tercetos, al duque de Alba.

De las *églogas*, la primera está escrita en estancias; la segunda, de bastante extensión, en variedad de metros y combinaciones: tercetos, rima *in mezzo*, estrofas aliradas, etc.; y la tercera, en magníficas octavas reales.

Las *canciones* son de corte petrarquista, menos la V —*A la flor de Gnido*—, en que se emplea por vez primera en castellano [8] la estrofa que luego había de alcanzar tanta fortuna en manos de fray Luis de León, Herrera, Medrano y San Juan de la Cruz.

> Si de mi baxa lira
> tanto pudiese el son, que en un momento
> aplacase la ira
> del animoso viento,
> y la furia del mar y movimiento...

Las composiciones de corte tradicional son tan exiguas de contenido que no merecen comentario.

Eglogas y sonetos

Lo mejor, sin duda, son los *sonetos* y las *églogas*. Aquéllos no han sido superados en castellano, ni acaso en lengua alguna; y en ellos se hace notar una delicada esquisitez de conceptos junto a una finura insuperable en la expresión y una gran suavidad en el fluir del verso. Sobresalen los que tratan el tema amoroso o el celoso. Bellísimo es el tan conocido:

> ¡Oh dulces prendas por mi mal halladas,
> dulces y alegres cuando Dios quería!...

Y aquel otro que empieza:

> Pensando que el camino iba derecho,
> vine a parar en tanta desventura...

Donde Garcilaso da la nota más alta como poeta es en sus *Eglogas*, particularmente en la primera y tercera. No han vuelto a hacerse en castellano estancias más fáciles, más abundantes, más suaves que aquellas que cantan Salicio y Nemoroso en honor de Galatea y de Elisa:

> Por ti el silencio de la selva umbrosa,
> por ti la esquividad y apartamiento
> del solitario monte me agradaba;
> por ti la verde yerba, el fresco viento,
> el blanco lirio y colorada rosa
> y dulce primavera deseaba.
> ¡Ay, cuánto me engañaba!
> ¡Ay, cuán diferente era
> y cuán de otra manera
> lo que en tu falso pecho se escondía!
> Bien claro con su voz me lo decía
> la siniestra corneja, repitiendo
> la desventura mía.
> Salid sin duelo, lágrimas, corriendo.

Dignas hermanas de estas estancias son las octavas reales de la égloga tercera, en que se describe un cuadro bucólico de suprema belleza y serenidad, turbado solamente por el trinar de los pájaros, el mecerse de los árboles con la caricia de la brisa, un lejano susurro de abejas y de las aguas surcadas por ninfas nadadoras:

> Movióla el sitio umbroso, el fresco viento,
> el grato olor de aquel florido suelo;
> las aves con el fresco apartamiento
> vió descansar del trabajoso vuelo.
> Secaba entonces el terreno aliento
> el sol, subido en la mitad del cielo.
> En el silencio sólo se escuchaba
> un susurro de abejas que sonaba.

Juicio crítico y fortuna de Garcilaso

Garcilaso vive por entero la primera época del Renacimiento. Los poetas son todavía soldados y, antes que poetas, hombres de acción y caballeros del Imperio. Como el niño que despierta a un mundo nuevo y ya no sueña sino con él ni vive fuera de él, Garcilaso habita poéticamente entre ninfas, faunos y nereidas. El ruido de las batallas alterna con las risas alocadas de las ninfas. Todos sus motivos parten de la mitología o desembocan en ella: Dafne convertida en árbol, cuando huye de Apolo; Orfeo bajando con su arpa a los infiernos; Adonis tronchado como una tierna flor; Eurídice, con el pie mordido de la serpiente, «entre la hierva y flores escondida».

Quizá se ha exagerado al querer hacer de él un

poeta del Imperio; si con ello se quiere significar que vivió en aquella época gloriosa y la encarnó como soldado, como hombre de letras y como poeta, el título le cuadra a la perfección; pero Garcilaso, no se olvide, es antes que nada un poeta pagano. La nota cristiana, católica, que representa el imperio español está ausente de sus versos. Un paso más, y fray Luis realizará la feliz conjunción de la forma pagana y el espíritu cristiano, la alianza más bella de los dos mundos, el de la *Eneida* y el de la *Biblia*; otro paso más, y la nota cristiana dominará, sin estar por eso ausente el elemento grecolatino, en otro gran lírico: Herrera. Pero, aunque pagano, Garcilaso es un poeta español. Sus ninfas no viven orillas del Cefiso ni del Ofanto; habitan las riberas de los sagrados ríos de la patria; detrás de Galatea y de Elisa, disfrazadas de pastoras, aparece el rostro melancólico y purísimo de Isabel Freyre.

Por eso, porque es por encima de todo un poeta racial y profundamente humano, Garcilaso vive y vivirá mientras exista la lengua castellana. Su fortuna como poeta fué rápida, inmensa y sin eclipse. Todos los críticos, sin excepción, volcaron sobre él sus alabanzas. Pocos años después de su muerte, dos españoles egregios—magnífico poeta uno y humanista destacado otro—se dedican a comentar sus obras: las *Anotaciones,* de Herrera, y los *Comentarios,* del Brocense, contribuyen a divulgar aún más los versos de este lírico incomparable, que alcanza la rara fortuna de que sus poemas se «acomoden a lo divino» en obras como las de Sebastián de Córdova Sazedo y de Juan de Andosilla.

IV. LIRICOS PETRARQUISTAS

La lírica posgarcilasiana se canaliza en tres direcciones perfectamente diferenciadas: lírica italianizante, representada por el grupo de los llamados «petrarquistas»; lírica de transición, encarnada en aquellos poetas que simultanean las formas importadas de Italia con los metros indígenas, y lírica tradicional, que cultiva exclusivamente los metros de corte español, con preferencia el octosílabo, bien solo, o bien combinado con su pie quebrado.

Acuña, cantor del Imperio

HERNANDO DE ACUÑA (1520?-1580?) [9], miembro de una familia de soldados que vivió los mejores días del imperio español—un hermano suyo, Pedro, luchó en la Goleta al servicio del emperador; y otro, Diego, fué llamado *el gran cortesano*—, se ha hecho inmortal por un soneto en que acertó a sintetizar la grandeza y unidad de la monarquía hispana de los días de Carlos V:

Un monarca, un imperio y una espada... [10]

Las obras en verso fueron publicadas después de su muerte por su viuda, a imitación de las de Boscán (Madrid, 1591). Contienen canciones, madrigales y sonetos. Acusan una profunda influencia de Garcilaso. Escribió también la fábula de Narciso, la *Contienda de Ayax Telamonio y de Ulises,* con evidente inspiración horaciana, y tradujo algunos cantos del *Orlando enamorado,* de Boyardo.

Cetina

Otro arquetipo magnífico de aquella generación de poetas-soldados, parigual de Garcilaso en su ansia de aventuras y altas empresas, es el sevillano GUTIERRE DE CETINA [11] (1520-1557?). Como Garcilaso, recorre España, Alemania e Italia; va de un lado a otro enamorado y enamorándose. «Yo soy loco y me agrado de locuras», dice de sí mismo. Como Garcilaso, también frecuenta la más escogida sociedad de la Italia renacentista y de la España cortesana, y, como él, muere joven y alejado del patrio suelo.

Hazañas ha resumido la mayor cantidad de poesías suyas que se conocen: 244 sonetos; 11 canciones, todas amorosas; nueve estancias a la italiana; 17 epístolas en tercetos y cinco madrigales, entre los que sobresale el conocidísimo:

Ojos claros, serenos,
si de un dulce mirar sois alabados...;

si bien los otros no desmerecen por su finura al lado de éste. Tiene también una sextina de imitación petrarquista [12].

Entre los sonetos, hay algunos de excelente factura; siguen de cerca a los de Garcilaso, con el que tantos puntos tiene de contacto Cetina. Recuérdese el bellísimo que empieza:

Horas alegres que pasáis volando...

Las canciones destacan por fluidez y hondura de sentimiento; se aproxima tanto al Petrarca, que en algunos pasajes se identifica con él. En las epístolas imita especialmente a Ovidio y demuestra la mayor soltura en el manejo del terceto.

A pesar de tan buenas cualidades, Cetina no produce esa impresión de cosa lograda que advertimos en las composiciones de Garcilaso. «Le falta espíritu y vigor», sentenciaba el viejo Herrera; y Saavedra Fajardo lo califica de «afectuoso y tierno, pero sin vigor ni nervio». El profesor Lapesa destaca en sus versos la nota colorista y cierta armonía que no llega al alma, como llega en Garcilaso.

Figueroa y otros

Un poeta que por la sobriedad del lenguaje y por los influjos horacianos puede muy bien encuadrarse en la escuela salmantina, pero que nosotros, atendiendo a su vida, su formación y, sobre todo, a la temática de sus versos, consideramos como «petrarquista», es FRANCISCO DE FIGUEROA (1536-1617?) [13]. Escribió poesías amatorias, del género pastoril, a imitación de Garcilaso. La más famosa es la égloga *Tirsi*:

> Tirsi, pastor del más famoso río
> que da tributo al Tajo...,

en verso suelto, diestramente manejado. Tiene también en liras *Los amores de Damón y Galatea*, y una bella canción, que preludia la célebre de Lope de Vega *A la barquilla*:

> Cuitada navecilla,
> por mil partes hendida
> y por otras dos mil rota y cascada...

Entre sus numerosos sonetos, sobresale el titulado *A los ojos de Filis*:

> Como se viene Amor desnudo y tierno,
> temblando el triste va buscando un día
> donde escaparse de la nieve fría
> y el hielo mitigar del recio invierno...

Una mención especial merece aquí el diplomático y guerrero don FRANCISCO DE ALDANA (¿1528?-1575). Como a tantos otros de aquel siglo, sus tareas militares—fué general en Flandes, alcaide de una fortaleza en Guipúzcoa, etc.—no le impidieron dedicar a las musas sus mejores ocios. Su poesía, de la que nos restan escasas muestras, delatan un espíritu refinado, al que solicitan simultáneamente tres temas preferidos: el afectivo familiar (madre, hermano, mujer amada), el religioso y el del suelo patrio. Sobresale entre sus poemas una epístola en tercetos, *Carta del capitán Francisco de Aldana para Arias Montano*, que desarrolla todo un curso de filosofía del amor. Aldana había sido comisionado por Felipe II para acompañar al rey don Sebastián en su expedición al Africa, y allí, en la trágica jornada de Alcazarquivir, encontró la muerte luchando junto al infortunado monarca portugués.

También debe ser incluído en el grupo de los petrarquistas el poeta vallisoletano JERÓNIMO DE LOMAS CANTORAL (¿?-d. de 1578), cuyo nombre figura en el *Catálogo de Autoridades* publicado por la Real Academia Española. Sus *Obras* (Madrid, 1578) contienen sonetos, epigramas, elegías, epístolas y el poema *Amores y muerte de Adonis*, aparte de una traducción de las *Piscatorias* de Luis Tansillo. En todo ello se acusa la influencia de Petrarca y otros poetas italianos. En los versos cortos, de factura tradicional, casi compite con Castillejo. Cervantes elogió a Lomas Cántoral en su *Canto de Calíope*.

V. LIRICA DE TRANSICION

Son de este grupo los poetas que simultanean las dos formas, vieja castellana e italianizante, sin saber por cuál decidirse. Parecen sugestionados por el nuevo ritmo, más rico y armonioso que el usado hasta entonces; y, por otra parte, no aciertan a abandonar el camino trillado. Su misma indecisión les impide llegar a la soñada meta. Las dos figuras más representativas en este orden son Hurtado de Mendoza y Gregorio Silvestre.

H. de Mendoza

DIEGO HURTADO DE MENDOZA (1503-1575), del que nos ocuparemos en el capítulo XXVI con mayor espacio, es una personalidad de primera fila en el mundo español de la cultura renacentística, prócer erudito, a la manera de don Juan Manuel y del marqués de Santillana, pero de más amplia visión y con una formación humanística, adquirida en su larga estancia por tierras de Italia, y unos conocimientos de lenguas orientales y clásicas de que aquellos magnates carecían [14].

Como historiador, lo enjuiciaremos en el capítulo correspondiente. Como poeta, nos dejó una copiosa producción, tanto en versos de corte tradicional como italianizantes. Aquéllos comprenden redondillas, quintillas dobles, glosas, villancicos, etcétera. Entre los italianos hay 31 sonetos, varias canciones, algunas epístolas en tercetos y la *Fábula de Adonis, Hipomenes y Atalante*, en octavas reales, inspirada en Ovidio. El verso italiano no llegó a dominarlo; es duro, irregular en los acentos y abunda en terminaciones oxítonas, que contribuyen a restar sonoridad al endecasílabo. «Vivo y maravilloso en los sentimientos y afectos del ánimo—le llamó Saavedra Fajardo—; pero flojo e inculto»; es decir, descuidado.

En cambio, en las canciones al viejo estilo hace gala de un gracejo, una soltura, un donaire, que pocas veces han sido igualados. Sabida es la frase de Lope de Vega: «¿Qué cosa iguala a una redondilla de Garci-Sánchez o don Diego de Mendoza?»

El portugués G. Silvestre

En otro poeta, que si no es granadino, como Hurtado de Mendoza, debió de coincidir con él en Granada, puesto que allí vivió largo tiempo, como organista y maestro de capilla, se advierte esa misma dualidad de forma métrica. Nos referimos a GREGORIO SILVESTRE (1520-1569) [15], menos conocido de lo que merecen sus versos, algunos de auténtica perfección y elevado mérito. «Silvestre —ha dicho Díaz Plaja—ofrece el ejemplo de la fidelidad estilística; cuando rima en versos octosílabos, el tema es medieval; cuando utiliza el endecasílabo, su expresión es renacentista. Sus *Canciones*, en efecto, conservan toda la fraseología, toda la temática conceptista de los cancioneros... Sin embargo, está influído por la escuela renacentista, de la que recoge temas mitológicos (*Fábula de Dafne y Apolo; De Píramo y Tisbe*) [16].

Sus obras, recogidas por el profesor Marín Ocete (Granada, 1938), contienen poesías a la manera antigua, glosas, canciones de amor y pastoriles, poemas eruditos y mitológicos y algunos sonetos; de ellos, ocho religiosos, que son de lo más logrado de su producción. Si en los metros tradicionales revela ingenio, facilidad y pleno dominio, en los italianos no se muestra menos diestro. Sobre todo, los sonetos brotan de sus manos, limpios, centelleantes, casi perfectos:

> Aquel que sin moverse manda y mueve
> la máquina del cielo artificiosa,
> Aquel a quien sería fácil cosa
> hacer helar el sol y arder la nieve...,

dice en uno de los religiosos; y en otro de amor:

> Del oro fino son vuestros cabellos,
> señora, y de cristal la blanca frente;
> los ojos son dos soles en Oriente,
> que al mismo amor de amor matáis con ellos...

A veces quiere darnos un anticipo de descripción cromática, a lo Góngora:

> En esta sombra de las hebras de oro
> y el marfil y la nieve...
> color, matiz, esmalte y lienzo adoro.

Más poetas petrarquistas

Casi todos los autores de novelas pastoriles, de los que se hablará en su lugar, intercalaban en el texto, con gran abundancia y mezclados, versos de uno y otro género. Tales GIL POLO, MONTEMAYOR, GÁLVEZ DE MONTALVO y hasta el mismo CERVANTES.

El portugués SÁ DE MIRANDA (1485?-1558), uno de los primeros poetas italianizantes de su país, escribió también muchas composiciones en castellano. Merece citarse la *Fábula de Mondego* y las dos églogas *Alexio* y *Nemoroso*, esta última dedicada a llorar la muerte de Garcilaso.

VI. REACCION TRADICIONALISTA: CASTILLEJO

Se ha exagerado la reacción provocada por la invasión de metros italianos en la poesía castellana. Díaz Plaja habla [17] de «una larga y tenaz resistencia de los defensores de las formas tradicionales». La verdad es que esa resistencia existió, pero no en la forma violenta en que se suele creer. Hubo, sí, poetas que siguieron cultivando los viejos metros, más o menos ajustados al esquema de los cancioneros; pero no esos ataques al verso recién llegado de que nos hablan por ahí. Realmente no hubo polémica. El metro advenedizo, que adquirió muy pronto su carta de ciudadanía, no necesitó reñir batalla alguna. Su superioridad para determinados temas fué reconocida por todos desde el instante mismo de su aparición. La única voz solitaria que se alzó contra él fué la de Cristóbal de Castillejo; pero esa voz apenas encontró respuesta, porque el verso nuevo se iba imponiendo por su propia virtud, sin necesidad de lucha. Y eso fué todo: el endecasílabo quedó como más adecuado para ciertos temas de gran aliento; y el tradicional también perduró y perdura, como verso insustituíble, para otros temas de carácter popular. El que se hundió, sin posibilidad de resucitar, fué el típico verso de «arte mayor». Que todavía en el siglo XVI se siguiesen escribiendo octavas en dodecasílabos—el mismo Cervantes, por probarlo todo, incluyó algunas en la *Galatea*—, no significa nada; esas octavas nacían ya muertas. Representa CRISTÓBAL DE CASTILLEJO (1490?-1550?) [18], dentro del cuadro de la literatura renacentista española, el único esfuerzo aislado por detener la invasión italianizante.

Entre sus obras poéticas, que alcanzan cuatro volúmenes, sólo figuran tres sonetos y una octava real, todos ellos de carácter satírico. Lo demás está constituído por canciones, glosas, traducciones, villancicos, diálogos, casi siempre en octosílabo o combinaciones de éste con su quebrado. Su producción suele aparecer dividida en tres series:

a) Obras de amores.
b) Obras de conversación y pasatiempo; y
c) Obras de devoción y morales.

El auténtico poeta que hay en Castillejo, de estro fácil, retozón a veces, alegre y satírico, se nos da principalmente en las segundas: *Obras de pasatiempo*. Aquí su musa campa libérrima en diatribas contra el bello sexo (*Diálogo que habla de las condiciones de las mujeres*), contra los que abusan de la bebida (*Transfiguración de un vizcaíno*) o contra los partidarios de la nueva métrica. Para nuestro objeto es éste el aspecto más interesante. Castillejo, después de negar la originalidad de la métrica italiana, convoca a los más destacados poetas del viejo estilo: Jorge Manrique, G. Sánchez de Badajoz, Mena...

> Juan de Mena, como oyó
> la nueva trova pulida,
> contentamiento mostró,
> caso que se sonrió
> como de cosa sabida,
> y dijo: «Según la prueba,

> once sílabas por pie
> no hallo causa para que
> se tenga por cosa nueva,
> que yo mismo las usé.»

A él, más que la novedad implantada, le dolía la preterición en que con ello quedaban los viejos metros:

> Canciones y villancicos,
> romances y cosa tal,
> arte mayor y real
> y pies quebrados y chicos
> y todo nuestro caudal;
> y en lugar destas maneras
> y vocablos ya sabidos,
> cantan otras forasteras
> nuevas a nuestros oídos.

En su aversión no entraba para nada la impericia en el manejo del metro italiano, pues si la única octava real que escribió acusa grandes vacilaciones acentuales, en cambio los sonetos están construídos con gran seguridad:

> Garcilaso y Boscán, siendo llegados
> al lugar donde están los trovadores,
> que en esta nuestra lengua y sus primores
> fueron en este siglo señalados,
> los unos a los otros alterados
> se miran, con mudanza de colores,
> temiéndose que fueran corredores,
> espías o enemigos desmandados.
> Y juzgando primero por el traje,
> pareciéndoles ser como debía
> gentiles españoles caballeros;
> y oyéndoles hablar nuevo lenguaje,
> mezclado de extranjera poesía,
> con ojos los miraba de extranjeros.

No ha de extrañarnos este dominio de la técnica italiana, ya que Castillejo es un espíritu humanista y su poesía—fué Menéndez Pelayo el primero en notarlo—«pertenece al Renacimiento con el mismo derecho que la de Boscán».

En las *Obras de amores* merecen citarse: *Un sueño*, la glosa sobre el romance de *La bella malmaridada*, algunas traducciones de Ovidio y el *Sermón de amores*, inspirado en Diego de San Pedro. En las *morales* sobresalen los diálogos entre *La verdad y la lisonja* y el *Discurso de la vida de Corte*.

A la misma escuela pertenece ANTONIO DE VILLEGAS (m. hacia 1551), que escribió canciones y glosas, más famoso porque en su *Inventario* apareció incluída la célebre novela morisca *Abindarráez*, que estudiaremos en su lugar oportuno.

NOTAS

1. «En el primero (libro) habrá vuestra señoría visto esas Coplas (quiero decillo así), hechas a la castellana. Solía holgarse con ellas un hombre muy avisado y a quien vuestra señoría debe conocer muy bien, que es don Diego de Mendoza. Mas parécele que se holgaba con ellas como con niños, y así las llamaba las *Redondillas*. Este segundo libro terná otras cosas al modo italiano, las cuales serán sonetos y canciones: que las trovas desta arte así han sido llamadas siempre. La manera destas es más grave y de más artificio, y, si yo no me engaño, mucho mejor que la de las otras. Mas todavía, no embargante esto, cuando quise probar a hacellas, no dexé de entender que ternía en esto muchos reprehensores. Porque *la cosa era nueva en nuestra España*, y los hombres (¿nombres?) también nuevos, a lo menos muchos dellos; y en tanta nevedá era imposible no temer con cautela, y aun sin ella. Quanto más que luego, en poniendo las manos en esto, topé con hombres que me cansaron...»

«Los unos se quexaban que en las trovas desta arte los consonantes no andaban tan descubiertos ni sonaban tanto como en las castellanas. Otros decían que este verso no sabían si era verso o si era prosa. Otros argüían diciendo que esto principalmente había de ser para mujeres, y que ellas no curaban de cosas de sústancia, sino del son de las palabras y de la dulzura del consonante.»

2. «... ¿quién ha de responder a hombres que no se mueven sino al son de las consonantes? Y ¿quién se ha de poner en pláticas con gente que no sabe qué cosa es verso, sino aquel que, calzado y vestido con el consonante, os entra de un golpe por el un oído y os sale por el otro?»

3. «Estando un día en Granada con el Navagero tratando con él en cosa de ingenio y de letras, y especialmente en las variedades de muchas lenguas, me dixo por qué no probaba en lengua castellana sonetos, y otros artes de trovas usadas por los buenos autores de Italia; y no solamente me lo dixo así livianamente; más aún, me rogó que lo hiciese. Partíme pocos días después para mi casa, y con la largueza y soledad del camino, discurriendo por diversas cosas, fuí a dar muchas veces en lo que Navagero me había dicho; y así comencé a tentar este género de verso. En el qual al principio hallé alguna dificultad, por ser muy artificioso y tener muchas particularidades diferentes del nuestro. Pero después, pareciéndome, quizá con el amor de las cosas propias, que esto comenzaba a sucederme bien, fuí paso a paso metiéndome con calor en ello. Mas esto no bastara a hacerme pasar muy adelante si Garcilaso con su juicio, el qual no solamente en mi opinión, mas en la de todo el mundo, ha sido tenido por regla cierta, no me confirmara en esta demanda. Y así, alabándome muchas veces este mi propósito y acabándomelo de aprobar con su exemplo, porque quiso él también llevar este camino, al cabo me hizo ocupar mis ratos ociosos en esto más particularmente.»

4. Prólogo a las *Obras de F. Cervantes de Salazar*, Madrid, 1772.

5. Sirva de ejemplo esta descripción del Palacio del Amor:

> Amor los edificios representan,
> y aun las piedras aquí diréis que aman;
> las fuentes así blandas se presentan,
> que pensaréis que lágrimas derraman;
> los rios, al correr, de amor os tientan,
> y amor es lo que suenan y reclaman;
> tan sabrosos aquí soplan los vientos,
> que os mueven amorosos pensamientos.
> Sobre una fresca, verde y grande vega,
> la casa desta reyna está asentada;
> un rio al derredor toda la riega;
> de árboles la ribera está sembrada,
> la sombra de los quales al sol niega,
> en el solsticio, la caliente entrada;
> los árboles están llenos de flores
> por do cantando van los ruiseñores.

6. En su destierro de la Isla del Danubio, a que se alude en la biografía, compuso bellos versos latinos; los más conocidos son aquellas estrofas alcaicas que reproducen, no sólo en el metro, sino en su alada ligereza, la lírica horaciana:

> *Uxore, natis, fratribus et solo*
> *exul relictis, frigida per loca*
> *musarum alumnus barbarorum*
> *ferre superbiam, et insolentes*
> *mores coactus iam didici et invia*
> *per saxa voces ingeminantia*
> *fletusque, sub rauco, querelas*
> *murmure Danubii levare...*

Esta actividad ni era desconocida a su amigo Boscán:

> Y aquel que nuestro tiempo traxo ufano,
> el nuestro Garcilaso de la Vega
> . . . .
> con *su verso latino y castellano*,
> que desde el Helicón mil campos riega.

7. *Antología de poetas líricos castellanos*, ed. C. S. I. C., vol. X, pág. 50.

8. Se sigue diciendo por algunos que la invención de esta estrofa corresponde a Garcilaso, cuando él se limitó a adaptarla a nuestra lengua. Cierto que lo hizo con tal maestría y seguridad, que superó en fortuna a todas las otras estrofas. En cuanto a su invención, el mismo M. PELAYO, que le había adjudicado esta gloria (*Estudios y discursos...*, II, pág. 99, ed. del C. S. I. C.), rectifica después y reconoce que debió de inspirarse en Bernardo Tasso, a quien conoció en Nápoles nuestro poeta. Tasso ya había usado la misma estrofa en uno de sus *Salmos*.

9. Vallisoletano, de noble familia; militó en las guerras del Piamonte y de Alemania. Mereció de tal modo la confianza y afecto de Carlos V, que éste le confió el encargo de poner en quintillas dobles la versión que el mismo emperador había hecho en prosa de *Le chevalier delibéré*. Asistió también a la batalla de San Quintín.

10. El soneto es así:

Ya se acerca, Señor, o es ya llegada
la edad gloriosa en que promete el Cielo
una grey y un pastor solo en el suelo,
por suerte a nuestros tiempos reservada.

Ya tan alto principio en tal jornada
os muestra en fin de vuestro santo celo,
y anuncia al mundo, para más consuelo,
un monarca, un imperio y una espada.

Ya el orbe de la tierra siente en parte
y espera en todo vuestra Monarquía,
conquistada por Vos en justa guerra,

que a quien ha dado Cristo su estandarte
dará el segundo más dichoso día
en que, vencido el mar, venza la tierra.

Este magnífico soneto, que por cierto no suele figurar en las antologías más corrientes, iba dirigido *Al rey nuestro señor*.

11. Sevillano, de familia noble y bien acomodada. Acompaña a la Corte por España, Italia y Alemania, intimando con elevados personajes, compatriotas y extranjeros. A los veintiséis años, hastiado de Palacio, parte para América en compañía de un tío suyo; pocos años más tarde, en Puebla de los Angeles (Méjico), es agredido por Hernando de Nava cuando se hallaba platicando con una dama al pie de la reja. No se sabe si murió de resultas de esta agresión.

12. Sobre esta composición de complicadísimo artificio, que mereció los ocios de Petrarca y de algunos buenos ingenios españoles, véase el libro de Díez Echarri *Teorías métricas...*, C. S. I. C., 1949. Baste aquí advertir que en nada se parecía a la estrofa (A B A B C C), que después ha recibido el nombre de *sextina*.

13. De Alcalá de Henares. Durante su juventud anduvo por Italia, Flandes, etc., ocupado en misiones del emperador Carlos V y de su hijo, Felipe II. Se retiró a su ciudad natal, donde pasó el resto de sus días, en medio de la consideración y aprecio de todos.

14. Granadino. Estudió en Granada, Salamanca e Italia, especializándose en Filosofía, Derecho y Humanidades. Llegó a dominar perfectamente las lenguas clásicas, el hebreo y el árabe, y a reunir una de las mejores bibliotecas particulares de su tiempo y más rica en manuscritos, que legó a Felipe II para la de El Escorial. Desempeñó altas misiones diplomáticas en Inglaterra, Venecia y Roma. Fué gobernador de Siena y proveedor luego de la Armada. Ostentó el hábito de caballero de Alcántara y el primer título del marquesado de Mondéjar.

15. Natural de Lisboa, aunque de origen extremeño. Fué médico del rey de Portugal y vino a España con la emperatriz Isabel, esposa de Carlos V. Sirvió primero en casa de los condes de Feria; luego pasó a Granada como organista de la catedral. Allí mantuvo amistad con los más destacados escritores: Acuña, Mendoza, etc. Murió en Granada.

16. *Poesía lírica española*, Barcelona, 1937.

17. *Poesía lírica española*, pág. 111.

18. De Ciudad Rodrigo. Monje primero en el convento de San Martín de Valdeiglesias, sale de aquí para ocupar el cargo de secretario de don Fernando, rey de Romanos, Bohemia y Hungría, hermano de Carlos V. Este le otorgó no pocas mercedes, aunque el poeta se queja de su tacañería. Renunció a la mitra de Horbacia y a la Colegiata de Ardegge, y llevó una vida bastante irregular, por lo que ha sido comparado con el Arcipreste de Hita. Fué enterrado en el convento de su Orden de Wiener Neustadt (Austria).

BIBLIOGRAFIA

I. Dámaso Alonso: *Elogio del endecasílabo*, «Ensayos sobre poesía española», Madrid, 1944.—G. Argote de Molina: *Discurso sobre la poesía castellana,* reproducido por Menéndez Pelayo en su «Antología de poetas líricos», t. IV de la ed. nacional, 1944.—Andrés Bello: *Ortología y métrica* (muy importante para el conocimiento de los metros italianos), «Opúsculos gramaticales» («Obras completas», t. I), Madrid, 1890.—Ferrucio Blasi: *Dal classicismo al secentismo in Spagna*, Aquila, 1929.—José María de Cossío: *Las formas y el espíritu italianos en la poesía española*, «Hist. gen. de las lit. hisp.», t. II. Barcelona, 1951.—E. Díez-Echarri: *Teorías métricas del Siglo de Oro. Apuntes para la historia del verso español*, anejo de la «Rev. Fil. Esp.», XLVII, Madrid, 1949.—Marcit Frenk: *La lírica popular en los siglos de oro*, Méjico, 1946.—Joseph G. Fucilla: *Two Generations of Petrarchism in Spain*, «Modern Philol.», XXVII, Chicago, 1930.—A. Gallego Morell: *Dos ensayos sobre poesía española del siglo XVI*, «Insula», Madrid, 1951.—P. Henríquez Ureña: *La versificación irregular española*, publicaciones de la «Rev. de Filología», Madrid, 1933.—María Rosa Lida: *El ruiseñor de las «Geórgicas» y su influencia en la lírica española de la Edad de Oro*, «Vo stum und Kultur der Romanen», XI, 1949.—Federico Sainz de Robles: *Historia y antología de la poesía castellana* (Renacimiento. Siglo XVI, págs. 69-99), 2.ª ed., Aguilar, Madrid, 1951.—M. Sánchez de Enciso: *El soneto en España. La lira en España al itálico modo*, Madrid, s. a.—A. Romero y Martínez: *El soneto. Apuntes para un estudio*, «Ilustración Española y Americana», septiembre 1913.—Enrique Segura Covarsi: *La canción petrarquista en la lírica española del Siglo de Oro*, anejo V de «Cuadernos de literatura», C. S. I. C., Madrid, 1949.—Julio Vicuña Cifuentes: *Estudios de métrica española*, Santiago de Chile. 1929.—Alonso Zamora Vicente: *Sobre petrarquismo*, disc. inaugural del curso académico 1945-1946 en la Universidad de Santiago de Compostela.—G. Zenella: *Relazione poetiche tra l'Italia e la Spagna nel secolo XVI*, 1883.—*Poetas de los siglos XVI y XVII*, «Biblioteca literaria del estudiante», XIX, C. S. I. C., Madrid, 1933.—*Poetas del siglo XVI (1525-1590)*, selección, pról. y notas por Rafael Lapesa, Biblioteca Hispana, Barcelona, 1947.

II. Boscán: *Obras*, ed. Knapp, Madrid, 1875.—*El Cortesano*, ed. A. M. Fabié, «Libros de antaño», Madrid, 1863; otra ed. de *El Cortesano*, con estudio de Menéndez Pelayo e índice y notas de González Palencia, anejos de la «Rev. Fil. Esp.».—*Poesía*, ed. de la Bibl. de Autores Españoles, XXXII-XLII.—Cayetano Alcázar: *Centenario de Boscán*, «Rev. Univ. de Madrid», II, 1913.—José María de Cossío: *Sobre la transmisión del tema de Hero y Leandro*, «Rev. Fil. Esp.», XVI, 1929.—J. P. W. Crawford: *Notes on three Sonnets of Boscán*, «Modern Language Notes», XLI, 1926.—E. Díez-Echarri: Comentario sobre el *Boscán* (t. X de la «Antología de poetas líricos», de Menéndez Pelayo), «Arbor», Madrid, 1945.—F. Flamini: *La historia de Leandro y Hero y la octava rima de Boscán*, «Studi di storia italiana e stranjera», Livorno, 1895.—Antonio Gallego Morell: *Bibliografía de Boscán*, fascículos 1-4 de la «Rev. Bibliográfica Documental», III, 1949.—*Homenaje a Boscán en el cuarto centenario de su muerte*, C. S. I. C., 1944.—Arturo Marasso: *Juan Boscán*, «Est. de lit. cast.», págs. 1-34, 1955.—M. Menéndez Pelayo: *Boscán y sus obras*, todo el t. X de la «Antología de poetas líricos españoles», ed. Nacional, 1955.—Margherita Morreale de Castro: «*Claros y frescos ríos*». *Imitación de Petrarca y reminiscencias de Castiglione en la segunda edición de Boscán*, «Thesaurus», VIII, Bogotá, 1952.—E. Perco Po: *Boscán e Luigi Tansillo*, «Ras. Cri. Let. Ital.», XVII, 1912.—Ramón D. Peres: *El caso de Boscán*, «Rev. Hispanique», LXXXI, París-Nueva York, 1933. Arnold G. Reichenberger: *Boscán and the classics*, «Comparative Literature», III, 1951.—Carola Reig: *Ana Girón de Rebolledo, musa y editora de Boscán*, «Escorial», XV, 1944.—Martín de Riquer: *Juan Boscán y su Cancionero barcelonés*, Barcelona, 1945.—P. Restituto del Valle Ruiz: *Juan Boscán*, «Ciudad de Dios», t. LXXVIII.—Giacomo Zenella: *Parallelli literari. Studi. Juan Boscán y Andrés Navajero*, Verona, 1885.

III. Garcilaso: *Obras* (fasc. de la ed. de Lisboa, 1626), Nueva York, 1903.—Ed. de Tomás Navarro Tomás, «Clásicos Castellanos», Madrid, 1924.—Dámaso Alonso: *Garcilaso*, «Ensayo de métodos y límites estilísticos», Edit. Gredos, 2.ª ed., Madrid, 1952; *Garcilaso y su musa*, publicado fragmentariamente con el título *Elogio del endecasílabo* en «Ensayos sobre poesía española», Madrid, 1950.— Manuel Altolaguirre: *Garcilaso de la Vega*, Espasa-Calpe, Madrid, 1933.—Margot Arce Blanco: *Garcilaso de la Vega. Contribución al estudio de la lírica española del siglo XVI*, anejo III de «Rev. Fil. Esp.», 1930; *La Egloga primera de Garcilaso*, «La Torre», núm. 2, San Juan de Puerto Rico, 1953.—«Azorín»: *Garcilaso*, «Al margen de los clásicos».—José Manuel Blecua: *Garcilaso y Cervantes*, «Cuadernos Insula», Madrid, 1948; *Las obras de Garcilaso con anotaciones de Fernando de Herrera*, «Estudios Hispánicos», Wellesley, 1952.—Georges Cirot: *A propos des dernières publications sur Garcilaso de la Vega*, «Bull. Hisp.», XXII, 1920.—Carlo Consiglio: *I sonetti di Garcilaso de la Vega*, «Annail del corso di Lingue e Letterature Straniere della Università di Bari».—José María de Cossío: *Poesía española. Notas de asedio*, Madrid, 1936.—B. Croce: *Intorno al soggiorno di Garcilaso de la Vega in Italia*, Nápoles, 1894.—Guillermo Díaz-Plaja: *Garcilaso, el múltiple*, «Ensayos escogidos», 1944.—Gerardo Diego: *Poesía militar española. II, Garcilaso de la Vega*, «Orientación española», Buenos Aires, 1939.—William Entwistle: *The Loves of Garcilaso*, «Hispania», 1930.—E. Fernández Navarrete: *Vida del célebre poeta Garcilaso de la Vega*, Madrid, 1850.—Joseph G. Fucilla: *Sobre los sonetos de Garcilaso*, «Rev. Fil. Esp.», XXXVI, Madrid, 1952.—Antonio Gallego Morell: *La escuela de Garcilaso*, «Arbor», 1950.—Francisco García Lorca: *Análisis de dos versos de Garcilaso*, «Hispanic Review», XXIV, 1956.—Juan de Garganta: *Garcilaso, caballero y cortesano*, «Universidad Antioquía», XXX, Medellín (Colombia), 1954.—Joaquina García Volta: *Las Odas latinas de Garcilaso de la Vega*, «Rev. de Literatura», II, 1952.—Hayward Keniston: *Garcilaso de la Vega. A critical text with a bibliography*, Hispanic Society, Nueva York, 1925.—Rafael Lapesa: *La trayectoria poética de Garcilaso*, «Rev. de Occidente», Madrid, 1948.—J. Lillo Robelgo: *El sentimiento de la Naturaleza en la pintura y en la literatura españolas (con alusiones a Garcilaso)*, Toledo, 1929.—Gregorio Marañón: *El destierro de Garcilaso de la Vega*, «Finisterre», Madrid, 1043.—Marqués de Laurencín: *El poeta Garcilaso de la Vega no vistió el hábito de Alcántara*, «Bol. Acad. Esp.», LXV, 1914; *Garcilaso de la Vega y su retrato*, Madrid, Impr. Fortanet, 1914.—Audrey Lunmsden: *Problems connected with the second Eglogue of Garcilaso*, «Hispanic Review», XV, 1947.—M. Menéndez Pelayo: *Comentario al trabajo de B. Croce Intorno al soggiorno di G. de la V. in Italia*, «Est. y disc. de crítica», II, 1941.—R. Menéndez Pidal: *El lenguaje del siglo XVI*, «La lengua de Colón», Colec. Austral, 1942.—Tomás Navarro Tomás: *El endecasílabo en la tercera Egloga de Garcilaso*, «Romance Philology», Berkeley, 1951-1952.—Reyston O. Jones: *Garcilaso, poeta del humanismo*, «Clavileño», XXVIII, 1954; *The idea of love in Garcilaso's second Eglogue*, «Modern Language Review», XLVII, Cambridge, 1954.—A. Valbuena Prat: *Camoens y Garcilaso*, «Est. eruditos in memoriam A. Bonilla y San Martín», 1930.—E. M. Wilson: *La estrofa VI a la Canción a la flor de Gnido*, «Rev. Fil. Esp.», XXXVI, 1952.—Alonso Zamora Vicente: *Observaciones sobre el sentimiento de la Naturaleza en la lírica del s. XVI*, «Bol. Univ. Santiago de Compostela», 1943.

IV. Antonio Gallego Morell: *La escuela de Garcilaso*, «Arbor», 1950.—Narciso Alonso Cortés: *Don Hernando de Acuña. Noticias biográficas*, Biblioteca Stadium, Valladolid, 1913.—Elena Catena de Vildel: *Varias poesías de Hernando de Acuña*, ed. del C. S. I. C., Madrid, 1954.—José María de Cossío: *Imperio y milicia*, «Cruz y Raya», núm. 22.—J. P. W. Crawford: *Notes on the Poetry Hernando de Acuña*, «Rom. Review», 1916.—Narciso Alonso Cortés: *Datos para la biografía de Gutierre de Cetina*, «Bol. R. Acad. Esp.», XXXII, 1952; *Sobre los amores de Cetina y su famoso madrigal*, Valladolid, 1930.—Juan Bautista Avalle-Arce: *Gutierre de Cetina, Gálvez de Montalvo y Lope de Vega*, «Nueva Rev. de Filol. Hispán.», V, Méjico, 1951.—J. Manuel Blecua: *Otros poemas inéditos de Gutierre de Cetina*, «Nueva Rev. de Filol. Hispán.», IX,

Méjico, 1955; *Poemas menores de Gutierre de Cetina*, «Est. dedicados a Menéndez Pidal», V, 1954.—Joseph G. Fucilla: *Sobre un soneto de Gutierre de Cetina*, «Nueva Rev. de Filol. Hispán.», VIII, 1954.—Joaquín Hazañas y La Rúa: *Obras de Gutierre de Cetina*, con introd. de..., Sevilla, 1895.—Francisco A. de Icaza: *Sucesos reales que parecen imaginarios: G. Cetina, Juan de la Cueva y Mateo Alemán*, Impr. Fortanet, Madrid, 1919.—Rafael Lapesa: *Gutierre de Cetina. Disquisiciones biográficas*, «Est. Hispánicos», Wellesley, 1952; *La poesía de Gutierre de Cetina*, «Hommage à Ernest Martinenche», págs. 249 y siguientes.—Francisco Rodríguez Marín: *Documentos sobre Gutierre de Cetina*, «Bol. R. Acad. Esp.».—P. Savj-López: *Un petrarquista español: Cetina*, Trani, 1896.—Lucas de la Torre: *Algunas notas para la biografía de Gutierre de Cetina*, «Bol. R. Acad. Esp.», XI, 1924.—A. M. Withers: *The sources of the poetry of Gutierre de Cetina*, «Bull. Hisp.», XXII, 1920.—J. W. Crawford: *Francisco de Figueroa y sus poesias*, «Homenaje a M. Pidal», II; *The source of a Pastoral Eglogue attributed to F. de Figueroa*, «Modern Lang. Notes», XXXV, 1920.—Joseph G. Fucilla: *Fuentes italianas de F. de Figueroa*, «Clavileño», núm. 16, 1952.—A. González Palencia y E. Mele: *Notas sobre F. de Figueroa*, «Rev. Fil. Esp.», XXV, 1941. R. Menéndez Pidal: *Observaciones sobre la poesia de F. de Figueroa*, «Bol. R. Acad. Esp.», II, 1915.—Alonso Zamora Vicente: *Estudio sobre F. de Figueroa*, ed. de Poesías, «Clásicos Castellanos», 1941; *Discurso inaugural (sobre Petrarquismo)*, Univ. Santiago de Compostela, 1945.

V. R. Foulché-Delbosc: *Les oeuvres attribuées à Mendoza*, «Rev. Hisp.», 1914.—A. González Palencia: *Vida y obras de don Diego Hurtado de Mendoza*, C. S. I. C., 3 tomos, 1941-1943.—A. Morel-Fatio: *A propos de la correspondence diplomatique de D. Diego H. de Mendoza*, «Bull. Hisp.», XVI-2, 1911.—Antonio Rodríguez Villa: *Noticia biográfica y documentos relativos a D. Diego H. de Mendoza*, Madrid, 1873.—Eloy Señán Alonso: *Don Diego Hurtado de Mendoza*, Jerez, 1886.—Pedro de Cáceres: *Discurso breve sobre la vida y costumbres de Gregorio Silvestre*, «Obras», Lisboa, 1952.—D. García Pérez: *Autores portugueses en castellano*, Madrid, 1891.—A. Marín Ocete: *Gregorio Silvestre. Estudio biográfico y crítico*, «Public. Fac. Letras», Granada, 1939.—A. Morel-Fatio: *Notes sur la versification de G. Silvestre*, «Bull. Hisp.», XXIII, 1921.—H. A. Rennert: *G. Silvestre and his Residencia de Amor*, «Mod. Language Notes», 1899.—A. Rodríguez Moñino: *G. Silvestre*, selección y notas, «Cruz y Raya», núm. 26, 1935.—L. Martín Guzmán: *Poesías atribuidas a G. Silvestre*, «Rev. Hispanique», 1914.—*Poesias de Sá de Miranda*, ed. de C. Michaëlis, Halle, 1831.—*Novos estudos sôbre Sá de Miranda*, «Bol. da Seg. Clas.», V, Lisboa, 1912. N. Alonso Cortés: *Jerónimo de Lomas Cantoral*, «Rev. Fil. Esp.», VI, 1919.—G. Fucilla: *Imitaciones italianas de Lomas Cantoral*, «Rev. Fil. Esp.», XV, 1930.—Enrique Segura Covarsi: *Don Jerónimo de Lomas Cantoral. Un petrarquista olvidado*, «Rev. de Literatura», II, 1952.—José María de Cossío: *Francisco de Aldana*, «Cruz y Raya», núm. 13, Madrid.—A. Rodríguez Moñino: *El capitán Francisco de Aldana*, «Castilla», Valladolid, 1943.—*Obras completas de Francisco de Aldana*, C. S. I. C., Madrid, 1943.—Alfredo Lefebure: *La poesia del capitán Aldana (1537-1579)*, public. de la Fac. de Filosofía de la Univ. de la Concepción, 1954.

VI. J. Domínguez Bordona: *Cuatro notas sobre Cristóbal Castillejo*, «Homenaje a M. Pidal», III, 1925; *Obras de C. de Castillejo*, ed. y notas de..., «Clásicos Castellanos», Espasa-Calpe, Madrid.—Eloy Bullón: *Cristóbal de Castillejo y la influencia renacentista en la poesia castellana*, «Epoca», 1925.—R. Foulché-Delbosc: *Deux oeuvres de C. de Castillejo*, «Rev. Hispanique», XXXVI, 1916.—Juan Menéndez Pidal: *Datos para la biografía de C. de Castillejo*, «Bol. R. Acad. Esp.», II, 1915; *Nuevos datos para la biografía de C. de Castillejo*, «Bol. A. Acad. Esp.», II, 1915.—Clara Leonor Nicolay: *The life and works of Cristóbal de Castillejo*, Filadelfia, 1910.

CAPITULO XV

LIRICA RENACENTISTA: B) LOS SALMANTINOS

I. La poesía posgarcilasiana: *Escuelas literarias. Caracteres de la Salmantina.*—II. Fray Luis de León: *La vida. El hombre. La producción literaria. Obras en prosa. El «Cantar de los cantares» y «La perfecta casada». «Los nombres de Cristo». La «Exposición del libro de Job». Obra poética. Traducciones. Imitaciones. Poesías originales. Análisis de las más notables. Juicio crítico.*—III. Otros poetas salmantinos: *Malón de Chaide. Francisco de la Torre. Medrano.*—Notas.—Bibliografía.

I. POESÍA POSGARCILASIANA

Iniciada la reforma de la poesía por Boscán, de un modo que excede con mucho al simple tanteo, recogida y fijada definitivamente por Garcilaso, aceptada por el grupo de «petrarquistas», a que nos referimos en el capítulo anterior, sin obstáculos que vencer, corre libre de trabas durante toda la segunda mitad del siglo XVI, con el ritmo que le imprimieron los poetas ya mencionados. Es la misma poesía y, con todo, es distinta. A los poetas soldados—Garcilaso, Cetina, Acuña—suceden los poetas eclesiásticos, los religiosos, los profesores. A los humanistas simplemente, los pensadores y filósofos, exégetas, escriturarios y arqueólogos. A Garcilaso siguen Herrera y Fray Luis de León. En unos el pensamiento se adensa; en otros se impone la preocupación de la forma. La poesía se manifiesta multiforme y diversa, dentro siempre de los cauces clásicos en cuanto al fondo y de los módulos italianizantes en cuanto a la forma.

Imposible clasificarla en todas sus manifestaciones: harían falta tantos grupos y subgrupos como individuos la cultivan, porque cada uno pulsa su lira o, al menos, la pulsa a su manera. En el afán de establecer cierto principio de unidad, se ha procurado agrupar a sus más egregios representantes en escuelas, y de éstas se han señalado como más destacadas, durante este período, dos: la salmantina y la sevillana. Luego, ya más metidos en el Barroco, toparemos con otras—aragonesa, granadina, antequerana...—. Pero, por lo que afecta a la época que estudiamos, basta con las señaladas.

Escuelas literarias

Se ha de tener en cuenta, antes de pasar adelante, que el concepto de escuela literaria no corresponde al de otras disciplinas: tiene un sentido más amplio que en filosofía o en arte, por ejemplo. No significa grupo localizado en sitio concreto ni estrictamente circunscrito a determinados límites cronológicos; mucho menos aún, dependiente de un magisterio definido. Es suficiente cierta homogeneidad en los procedimientos. Para formar escuela literaria basta una similitud más o menos acusada en la forma y una estética admitida por todos y cuyo espíritu ande como vivificando todas las creaciones de la escuela. Tampoco hace falta que tal estética quede recogida en libros o manifiestos, a la manera de la «Pléyade» en Francia; basta con que se halle diluída en la atmósfera que respira el grupo.

En el caso de la escuela sevillana hubo, es cierto, un grupo que se formó en torno a un maestro —Mal Lara—; y con un auténtico manifiesto, aunque no llevase tal nombre: las *Anotaciones* de Herrera a Garcilaso, con lo que parece ajustarse al concepto tradicional de escuela. Pero en la salmantina se trata de unos cuantos poetas que escriben por temperamento, formación o lo que sea, de un modo casi uniforme, que manejan los mismos temas y motivos, que piensan casi al unísono, sin haber escuchado lecciones en común; quizás, en algún caso, sin conocerse mutuamente. La materia de las dos escuelas, en todo caso, es la misma y corresponde a la habitual en la lírica europea de la época. Lo que cambia es el procedimiento.

No se pueden establecer características fijas; en términos generales, cabe afirmar que en la escuela sevillana la forma domina sobre el contenido, mientras en la salmantina sucede lo contrario; o mejor aún, hay un mayor equilibrio entre ambos elementos. El *orientalimo* o *hebraísmo* que algunos señalan como nota peculiar de la sevillana, aparece muy acusado también en el más egregio representante de la salmantina—Fray Luis de León—. Si hay un alma eminentemente hebrea en la lírica castellana, ésa es la del autor de *Los Nombres de Cristo*.

Caracteres de la salmantina

Teniendo en cuenta las salvedades hechas en el apartado anterior, se pueden notar como sus caracteres distintivos:

a) *Concisión del lenguaje*, que aspira a expresar las cosas en la forma más breve, eliminando todo elemento superfluo y toda retórica innecesaria.

b) *Llaneza en la expresión*, sin rebuscamiento de vocablos o giros poéticos, más o menos originales.

c) *Cierto aparente desaliño* que nace del deseo de sacrificar lo accesorio a lo principal. En el verso, p. ej., alternancia de rima asonante y consonante dentro de la misma estrofa; empleo abusivo de rimas fáciles (participios en *ado, ido*; adjetivos en *oso*; imperfectos de verbo, en *ia* y *aba*).

d) *Tendencia a la pureza clásica*, manifiesta más en la palabra que en la idea.

e) *Preferencia por la estrofa corta y por el verso libre.* La estrofa más usada por los vates de esta escuela es la *lira* (aBabB) u otras de las llamadas canciones «aliradas»: AbAb; aBaBcC; aBabcC; aBbaCcDD... El mismo bachiller La Torre, cuando ensaya, por cierto con gran fortuna, un nuevo metro, escoge verso libre, repartido en estrofas de solos cuatro miembros:

```
¡Tirsis! ¡Ah Tirsis! Vuelve y endereza
tu navecilla contrastada y frágil
a la seguridad del puerto; mira
que se te cierra el cielo.
```

II. FRAY LUIS DE LEON

El hombre que mejor representa todas estas cualidades, realizando de paso la más feliz fusión de los elementos renacentistas con el espíritu cristiano, es el agustino FRAY LUIS DE LEÓN (1527-1591). En él nos es dado considerar un teólogo, un escriturario, un místico, un orador, un moralista, un filósofo y un político, todo ello a la vez y en grado relevante. Pero su faceta más sugestiva es la literaria, como escritor excepcional en verso y en prosa. En este sentido siempre se le ha considerado uno de los primeros valores de la cultura española. Su personalidad, menos conocida de lo que merece en el extranjero, va ganando realce de día en día, y hoy se puede decir que tiene ya categoría universal. Méritos para ocupar un puesto de honor entre los grandes líricos europeos no le faltan [1].

La vida

Hijo de un consejero real, Lope de León, y doña Inés de Varela, nace fray Luis en Belmonte (Cuenca) en 1527. Cursadas las primeras letras en Madrid y Valladolid, pasa a Salamanca para completar su formación en aquella Universidad. Poco después ingresa en el convento de San Agustín, donde profesa en 1544. Para imponerse en materias bíblicas es enviado a Alcalá y allí escucha las lecciones de la mayor autoridad de la época: Cipriano de la Huerga.

Graduado bachiller en Toledo, licenciado y maestro de Teología por Salamanca, entra de lleno en la vida universitaria, y, a la muerte del maestro Gallo, es nombrado para sucederle en la cátedra, tras reñida oposición (1561). Un año después gana, enfrentándose con los dominicos, la cátedra de Santo Tomás; y cuatro años más tarde, la de Durando. Abundaban a la sazón en la Universidad de Salamanca envidias y discordias. Lo que más enconaba los ánimos era la discusión empeñada en torno a la Biblia de Vatablo. Desde el principio las opiniones aparecían repartidas en dos sectores: el de los moderados o hebraístas, entre los que figuraban fray Luis, Grajal y Cantalapiedra; y el de los intransigentes, formado principalmente por dominicos (fray Gallo, fray Bartolomé Medina y León de Castro). Fray Luis es denunciado a la Inquisición por unos comentarios que había hecho sobre el *Cantar de los Cantares*. El 27 de marzo de 1572 es apresado, juntamente con Grajal y Cantalapiedra, y se le conduce a la cárcel de Valladolid, donde permanece hasta diciembre de 1576, en que sale absuelto, previa declaración de inocencia.

Su entrada en Salamanca, de regreso de la prisión, fué apoteósica. Sin embargo, renunció desprendidamente a su cátedra en el que la estaba desempeñando. Poco después se le concede otra de Teología y es al tomar posesión de ella cuando se supone que pronunció la célebre frase: «Decíamos ayer...» Todavía un año más tarde oposita a Filosofía Moral, que gana, y en 1579, a la de la Biblia, que regentó hasta su muerte.

En 1582 el odio de sus detractores consigue que se le incoe nuevo expediente; pero la Inquisición ahora se negó a continuar las diligencias dando por buenas las exculpaciones del procesado. Fué fray Luis miembro de la Comisión para la Reforma del Calendario Gregoriano; animó a Santa Teresa en la Reforma Carmelitana; intervino directamente en la de los mismos agustinos, fomentando la creación de los llamados recoletos, aunque él no llegó a vestir el hábito de los reformados; el Consejo Real le encomendó la publicación de las obras de Santa Teresa, cuya biografía estaba redactando cuando le sorprendió la muerte en Madrigal (15 de agosto de 1591), pocos días después de haber sido nombrado provincial de su Orden en Castilla.

Sus restos descansan en la capilla de la Universidad salmantina, a la que dió tanto lustre, y en cuyo patio fué erigida por suscripción una estatua

El hombre

Fray Luis de León gozó en vida de una fama universal y bien lograda que, al correr de los siglos, ha ido en continuo aumento. Los contemporáneos, fuera de unos pocos envidiosos, a los que hacía sombra la grandeza de su alma, lo colmaron de elogios y nos han transmitido abundantes rasgos sobre sus méritos, su fisonomía y su carácter. «Gigante en cuya comparación todos, antiguos y modernos, son como pigmeos», le llamó su sobrino fray Basilio Ponce. Cervantes, «ingenio que al mundo pone espanto»; Lope de Vega, «divino» y «honor de la lengua castellana». Suárez lo considera el talento más profundo y vasto de su tiempo; y un siglo después, Caramuel había de decir que, tratándose de fray Luis, *su solo nombre es un elogio (Ludovicus de Leone, quem nominasse laudasse sit)*. Bell, en nuestros días, lo califica de «astro el más refulgente de toda la España renacentista». A sus lecciones, si hemos de creer lo que nos dice fray Pedro de Aragón, colega suyo en el claustro universitario, asistían centenares de alumnos, y cada explicación era «un milagro». Los hombres más doctos de la época eran sus amigos. Para su etopeya, valga por todas la que nos hace de mano maestra Francisco Pacheco en su memorable *Descripción de verdaderos retratos* [2].

Fray Luis de León es, repetimos, el hombre excepcional en que se funden por modo maravilloso las más finas cualidades del hombre del Renacimiento con las más excelsas virtudes del alma cristiana. No sólo en sus versos, en su misma vida acierta a mezclar esos dos elementos, aparentemente dispares y antitéticos, que son la forma pagana y el espíritu cristiano [3]. Supo crearse un clima moral, de serenidad y armonía, del que no lograron sacarla las más crueles tempestades. Ante la maldad de los hombres reacciona no con la actitud de un estoico, sino con la resignada fortaleza de un discípulo de Cristo, que sabe comprender y perdonar:

> Aquí la envidia y mentira
> me tuvieron encerrado.
> ¡Dichoso el humilde estado
> del sabio que se retira
> de aqueste mundo malvado,
> y con pobre mesa y casa
> en el campo deleitoso
> a solas su vida pasa,
> con sólo Dios se acompasa,
> ni envidiado ni envidioso!

Cuando, pasada la tormenta, cabe esperar de él —no olvidemos «el natural colérico», de que habló Pacheco— una condenación o desprecio, se levanta sobre las miserias de la vida y brota de sus labios la más hermosa frase de resignación o de olvido: «Decíamos ayer...» [4]. Su serenidad y fortaleza interiores se han impuesto; los cinco años pasados en la prisión de Valladolid son un breve paréntesis que en su vida de sabio apenas cuenta.

Producción literaria

Escribió fray Luis de León obras en latín y en castellano. Las latinas, redactadas en un lenguaje que acusa pleno dominio de la lengua de Cicerón, no interesan en este lugar [5].

En castellano nos dejó verso y prosa; y dentro del verso, las hay de tres tipos: *traducidas, imitadas* y *originales*. He aquí un resumen:

Prosa: *Exposición del Cantar de los Cantares* (hacia 1561), *La perfecta casada* (Salamanca, 1583), *Los Nombres de Cristo* (1583), *Exposición del Libro de Job* (no se publicó hasta 1779).
Verso: *Poesías traducidas de autores clásicos y renacentistas, Poesías traducidas de autores sagrados, Poesías imitadas, Poesías originales* (aunque muy conocidas por manuscritos, no aparecieron hasta 1637, en que las publicó Quevedo).

Tiene, además, en prosa varias Cartas, una Apología de los libros de Santa Teresa y un fragmento de la vida de esta misma Santa, que probablemente estaba redactando cuando murió.

Obras en prosa: El «Cantar de los Cantares» y «La perfecta casada»

El *Cantar de los Cantares* es cronológicamente el primer libro que tenemos de fray Luis; debió de escribirlo cuando contaba sólo treinta y tres años (1561-62).

Se trata de una explanación o comentario del famoso libro del Rey Salomón, que tanto se presta a interpretaciones, por su carácter alegórico. Fray Luis traduce al pie de la letra primeramente los versículos de cada capítulo y luego se extiende en el correspondiente comentario.

Consta de ocho capítulos, y fué escrito para Isabel Osorio, monja del convento de Sancti Spiritus de Salamanca; pero habiendo adquirido, por copias sacadas contra la voluntad de su autor, extraordinaria difusión, sirvió a sus enemigos para acusarle ante la Inquisición de no respetar el precepto del Concilio de Trento, por el que se prohibía la versión al vulgar de los libros sagrados. Fray Luis pudo demostrar que su libro no iba destinado a la publicidad y que si habían circulado numerosas copias había sido contra su voluntad, por la indiscreción de un servidor, que lo transcribió furtivamente. Antes de quedar probada su inocencia, tuvieron que pasar cerca de cinco años de cárcel.

En su lenguaje claro, armonioso y sencillo se adivina ya al autor admirable de *Los Nombres de Cristo*.

Al *Cantar de los Cantares* sigue en orden cronológico *La perfecta casada*, que fué publicado mucho más tarde, junto con los *Nombres* (1583). Está dedicada a su parienta doña María Valero Osorio y expone en veinte capítulos los deberes que impone su estado de casada a una mujer verdaderamente cristiana.

Tomando pie del último capítulo de los *Proverbios,* fija los caracteres esenciales de la mujer para poder ajustarse al ejemplar bosquejado en la Sagrada Escritura. Sus fuentes son la Biblia y los Santos Padres, griegos y latinos; también acude con frecuencia a escritores paganos, con cuyas citas confirma su doctrina. Como se le acusara de no ser propio de un religioso escribir de tales materias, contestó en *Los Nombres de Cristo* (lib. III, Dedicatoria) que «del teólogo y del filósofo es decir a cada clase de personas las obligaciones que tienen».

El lenguaje reviste las mismas cualidades del *Cantar de los Cantares,* aunque con mayor soltura y dominio.

«Los Nombres de Cristo»

Es la obra más sólida de fray Luis y la de más empeño. Hay quienes consideran este libro como el mejor escrito de toda la literatura española. Sin ser propiamente un tratado teológico, recoge los conceptos fundamentales, tanto escriturarios como patrísticos, en torno a la onomástica de Cristo en las Sagradas Escrituras, enriquecidos por observaciones profundas y personales experiencias, que le dan un sello y un mérito especiales. Lo que confiere todavía más valor a la doctrina contenida en este tratado es su forma expositiva, clara, diáfana, sistemática y de una asombrosa armonía constructiva. Su lectura deja en el ánimo una impresión de paz y de sosiego difícil de borrar. El lenguaje, como en Platón, va siguiendo el curso del pensamiento, sin precipitaciones, majestuoso, seguro de su marcha y la meta que persigue. Fitzmaurice-Kelly lo ha calificado como «el mejor monumento de la mística española» y Menéndez Pelayo no vaciló en ponerle en parangón con los diálogos platónicos, proclamándolo «de superior calidad al de cualquier otro libro castellano» [6].

Los Nombres de Cristo, aparecidos, como se ha dicho, en 1583, están redactados en forma dialogada. El coloquio se desarrolla entre tres amigos religiosos—Juliano, Marcelo y Sabino—reunidos en la quinta de los agustinos llamada La Flecha, orillas del Tormes, en las cercanías de Salamanca. Los tres amigos, uno de los cuales es el mismo fray Luis y otro posiblemente el beato Orozco, disertan apaciblemente sobre los nombres que se dan a Cristo en las Escrituras. Cada uno expone, a propósito de tales nombres, sus razones y argumentos y los colocutores le contestan, arguyen o aclaran el comentario.

Consta de tres libros: I, Pimpollo, Faces de Dios, Camino, Pastor, Monte y Padre del siglo futuro; II, Brazo de Dios, Rey de Dios, Príncipe de la Paz, Esposo; III, Hijo de Dios, Amado, Jesús y Cordero. Este último no iba en las primeras ediciones, por lo que aparece desglosado del conjunto. Cada libro se cierra con la traducción en verso de un Salmo de David, que, por cierto, es de lo mejor que en punto a traducciones hizo nuestro poeta.

Se ha querido restar originalidad a esta obra, presentándola como una ampliación de otra del beato Orozco, titulada *De los nueve Nombres de Cristo,* que dió a conocer el Padre Conrado Muiños; pero la crítica se inclina a ver en la obra de Orozco, que más bien se reduce a meros apuntes, un extracto de la de fray Luis, pues ya se ha dicho que uno de los interlocutores es el mismo beato.

La exposición del «Libro de Job»

Tiene por eje el personaje bíblico de este nombre. Es la obra más extensa del autor y en la que éste invirtió más tiempo, casi veinte años. De aquí sus diferencias notables de estilo. Al principio más vivaz, pintoresco y abundante; al final, más sobrio, más concentrado y medido. No es cierto, como algunos han dicho, que es su obra postrera. Se sabe que empezó a redactarla hacia 1570, porque en una declaración prestada en marzo del 1572 ya habla de cierta traducción que tiene hecha del *Libro de Job* y que piensa publicar, si le autoriza el Santo Oficio. Se sabe también con certeza que trabajaba en esta misma obra poco antes de su muerte.

El plan expositivo se declara en el preámbulo: «Hago tres cosas: una, traslado el texto del *Libro* por sus palabras, conservando cuanto es posible en ella el sentido latino y el aire hebreo, que tiene su cierta majestad; otra, declaro en cada capítulo más extendidamente lo que se dice. La tercera, póngolo en verso, imitando muchos santos antiguos que en otros libros sagrados lo hicieron, y pretendiendo por esta manera aficionar a algunos al conocimiento de la Sagrada Escritura.»

Fray Luis dejó esta obra sin terminar; y otro hermano suyo en hábito, excelente poeta también, fray Diego González, completó las traducciones en verso para la primera edición, que no salió hasta 1779.

Sin ser lo mejor de fray Luis, el *Libro de Job* se distingue por la profundidad de sus pensamientos y la madurez de su estilo. Escrito en buena parte durante su época de persecuciones, trasciende a las páginas de todo el libro la fortaleza de su espíritu y la confianza en la Providencia que nunca le abandonó.

La obra poética

Es, ya se ha dicho, relativamente escasa. Para su más perfecto análisis sería ideal poderla ordenar cronológicamente; pero esto no es posible porque, si bien en algunos casos sabemos casi con certeza la fecha de creación, en la mayor parte de los poemas esa fecha es muy problemática [7].

El autor afirma en la Dedicatoria a Portocarrero que escribió su poesía siendo muy joven: «Entre las ocupaciones de mis estudios en mi mocedad, y casi en mi niñez, se me cayeron como de entre las manos estas obrecillas, a las cuales me apliqué más por inclinación de mi estrella que por juicio o voluntad.» La verdad es que, si algunas acusan la inexperiencia del principiante, la mayor parte revelan plena madurez. Por ejemplo: las sextinas *La cana y alta cumbre* son posteriores al 1568, porque se alude en ellas a la guerra de los moriscos; *Virtud, hija del cielo*, dedicada a Portocarrero, no pudo escribirse antes del 1570; en *El mundo y su vanidad* se refiere el poeta a la muerte del rey don Sebastián, hecho que ocurrió en 1578, por lo que ha de ser posterior a esta fecha; *Virgen que el sol más pura* tiene todas las trazas de haber sido escrita en la prisión. Pero esta catalogación cronológica sólo se puede aplicar a unos cuantos poemas; la fecha de la mayor parte sigue ignorada.

Por ello se suele seguir la misma división que él dió a sus versos. Porque ha de saberse que, aunque fray Luis no llegara a publicarlos—fué Quevedo, ya está dicho, su primer editor (1637)—, los tenía ya dispuestos y ordenados en tres partes para darlos a la luz. «Son tres partes—escribe a Portocarrero—las de este libro. En la una van las cosas que yo compuse mías. En las dos postreras las que traduje de otras lenguas, de autores así profanos como sagrados. Lo profano va en la segunda parte, y lo sagrado, que son algunos Salmos y capítulos de Job, va en la tercera.» A esta misma disposición ajustaremos nuestro análisis, pero invirtiendo el orden.

Traducciones

Corresponden, según hemos visto, a autores profanos y sagrados; entre aquéllos dominan Horacio y Virgilio. Del poeta de Venusa tradujo nada menos que veintitrés odas; de Virgilio, las diez Eglogas, el Libro I de las *Geórgicas* y parte del II. Tiene también traducida una *Olímpica* de Píndaro. una *Elegía* de Tibulo y algunos fragmentos de Eurípides y de Séneca.

Entre las traducciones sagradas figuran las de veintiocho Salmos, el capítulo último de los *Proverbios* de Salomón y capítulos del *Libro de Job*, que intercala en la Exposición del mismo.

Como traductor, fray Luis es admirable. Entiende la versión en un sentido muy amplio; no se ajusta a la letra. Un filólogo moderno encontraría en él hartas cosas que censurar: correspondencias léxicas poco ajustadas, amplificaciones, libertades de interpretación, etc. A cambio de esto, todo el espíritu del original está recogido y además recreado al pasar de una lengua a la otra. El no se proponía verter palabra por palabra, sino «hacer que hablen en castellano y no como extranjeras y advenedizas, sino como nacidas en él y naturales». En las traducciones de los Salmos se supera, ya que fray Luis, contra lo que se viene diciendo, conocía y sentía tan bien y hasta mejor la lengua hebrea que la griega y latina. No se puede mejorar la traducción que él hizo del salmo CIII. *Benedic, anima mea, Domino:*

> Alaba, ¡oh alma!, a Dios. Señor, tu alteza
> ¿qué lengua hay que te cuente?
> Vestido estás de gloria y de belleza
> y luz resplandeciente.
> Encima de los cielos desplegados
> al agua diste asiento;
> las nubes son tu carro, tus alados
> caballos son el viento...

Imitaciones

Fray Luis no habla de ellas; pero evidentemente las tiene. Unas veces se propone como modelo a los poetas toscanos, especialmente al Petrarca; así en el delicioso soneto *Agora con la aurora se levanta*; otras, a nuestros poetas del Cancionero, pero sólo en la forma, porque en el fondo es plenamente renacentista: así en *Imitación de diversos*, inspirada en el *Collige, virgo, rosas*, a través de los poetas italianos; otras veces, finalmente, imita a los clásicos, sobre todo a Horacio: *La Profecía del Tajo* está casi calcada en el *Pastor, cum traheret* o *Profecía de Nereo sobre la destrucción de Troya*; la misma *Vida retirada* (¡Qué descansada vida / la del que huye el mundanal ruido...), sin duda la más popular de sus odas, es una versión libérrima del *Beatus ille*.

Estas imitaciones están hechas con el mismo sentido de independencia y originalidad que las traducciones. Fray Luis no plagia; se inspira y luego, tomando una idea de este o el otro poeta, la vuelve a plasmar, a crear, en una palabra, actualizándola e insuflándole su propio espíritu. He aquí la actualización de la Oda XII (*Nolis...*), Libro 2.º, de Horacio:

> Al canto y lira mía
> no dicen las escuadras, las francesas
> banderas, en Pavía
> cautivas, ni las armas cordobesas,
> ni el nuevo mundo hallado,
> ni el mar con turca sangre hora bañado.

En sólo seis versos el poeta nos arranca del ambiente romano y nos trae a sus mismos días, con cuatro hechos contemporáneos y concretos: Francia derrotada en Pavía, la escuadra española vencedora, América descubierta y el triunfo de Lepanto.

Poesías originales

Son, sin duda, las mejores del autor. Aunque

pocas en número, alrededor de veinte, bastan para otorgar a fray Luis un puesto de honor en la lírica universal. El poeta se ha liberado de toda traba y vuela en cielo propio. A veces se remonta tan alto que creemos va a perderse de nuestra vista; pero inmediatamente le vemos descender en vuelo majestuoso hacia la tierra de la que no puede ni quiere separarse. Porque fray Luis de León, a la vez que un poeta divino, es profundamente humano.

Hay sobre todas siete u ocho que perdurarán mientras viva nuestro dioma. Estas son:

Vida retirada (Qué descansada vida...)
A Francisco Salinas (El aire se serena...)
A Felipe Ruiz (¿Cuándo será que pueda...?)
Noche serena (Cuando contemplo el cielo...)
De la vida del cielo (Alma, región luciente...)
A la Ascensión (¡Y dejas, Pastor santo...)
A Nuestra Señora (Virgen que el sol más pura...)

El crítico más exigente no sabrá por cuál decidirse, ya que encuentra en cada una de ellas un contenido y una calidad artística de primer orden.

La oda «Vida del campo»

Vida retirada, que otros llaman *Vida solitaria*, más conocida por *Vida del campo* en las Antologías, es la imitación del *Beatus ille* horaciano a que antes se aludió. Se ignora cuándo fué escrita; unos (Coster) la refieren a su época de estudiante, otros la retrotraen (Padre Llovera) a los años posteriores a su prisión. De cualquier modo, se acusa ya en ella el paso firme del poeta que conoce el terreno que pisa y ofrece una perfección formal impropia de los primeros ensayos. De Horacio apenas ha tomado sino el tema, tan común a todas las literaturas, de la placidez y ventajas de la vida campestre. La imitación en el estricto sentido no existe. El *labuntur altis interim rivis aquae* se ha convertido en estas tres estrofas definitivas:

Del monte en la ladera,
por mi mano plantado tengo un huerto
que con la primavera,
de bella flor cubierto,
ya muestra en esperanza el fruto cierto.
Y, como codiciosa
por ver y acrecentar su hermosura,
desde la cumbre airosa
una fontana pura
hasta llegar, corriendo, se apresura.
Y luego, sosegada,
el paso entre los árboles torciendo,
el suelo de pasada
de verdura vistiendo
y con diversas flores esparciendo.

«A Francisco Salinas» y «A Felipe Ruiz»

Compuesta probablemente el año 1577, con motivo de la publicación del tratado de éste sobre la Música, es, según Menéndez Pelayo, «la expre-sión más alta y más bella del sistema estético de Platón». Pocas veces el espíritu humano ha subido tan alto en alas de la poesía. Es la música quien hace volar al poeta por las regiones sidéreas, donde, luego de escuchar otra música «no perecedera, que es de todas la primera»,

ve cómo el gran maestro
a aquesta inmensa cítara aplicado,
con movimiento diestro
produce el son sagrado
con que este eterno templo es sustentado.

Por las mismas regiones ultratelúricas navega el poeta en la titulada *A Felipe Ruiz*. Sólo que ahora no es la música, sino el anhelo de romper las ataduras terrenales quien le transporta:

¿Cuándo será que pueda,
libre de esta prisión, volar al cielo,
Felipe, y en la rueda
que huye más del suelo
contemplar la verdad pura, sin velo?

El poeta se deja arrebatar por la imaginación hasta esas alturas, al parecer inaccesibles, desde las que podrá ver los cimientos del mundo, las fuentes de la luz, del agua y del aire y toda la sorprendente máquina de los astros:

Veré sin movimiento
en la más alta esfera las moradas
del gozo y del contento,
de oro y luz labradas,
de espíritus dichosos habitadas.

Las odas dedicadas a Felipe Ruiz son tres; la que nosotros estamos comentando, superior sin duda a las otras dos, corresponde a su época de madurez (1577-1588) y es enteramente original, sin influencias extrañas conocidas.

«Noche serena» y «La vida del cielo»

A la misma época de plenitud corresponde *Noche serena*. La comparación entre las miserias de la tierra y la grandeza del cielo hace prorrumpir al poeta en exclamaciones de creciente entusiasmo:

Morada de grandeza,
templo de claridad y hermosura,
mi alma, que a tu alteza
nació, ¿qué desventura
la tiene en esta cárcel baja, oscura?
¿Qué mortal desatino
de la verdad aleja así el sentido,
que de tu bien divino
olvidado, perdido,
sigue la vana sombra, el bien fingido?

Rebosante de serenidad y dulzura, sin tener «una sola palabra que no esté bien colocada y sea muy bien escogida» (Arjona), se nos ofrece la titulada por unos *Morada del Cielo* y por otros *De la vida del cielo*. Penetrado de un sentido profundamente místico, el poeta nos describe la celeste bienaventuranza y el gozo de las almas escogidas, representando a Jesús alegóricamente en forma de Pastor:

> De púrpura y de nieve
> florida, la cabeza coronado,
> a dulces pasos mueve,
> sin honda ni cayado,
> el buen Pastor en ti su hato amado.
> El va, y en pos dichosas
> le siguen sus ovejas do las pace
> con inmortales rosas,
> con flor que siempre nace,
> y cuanto más se goza más renace.
> Ya dentro, a la montaña
> del alto bien las guía, ya en la vena
> del gozo fiel las baña...

«En la Ascensión del Señor»

La pequeña oda *En la Ascensión* es una joya primorosamente labrada. Para nuestro gusto, de lo más logrado que existe en la lírica castellana. En otro lugar (*Literatura religiosa*, cap. XXV) la insertamos íntegra. No sabe uno qué admirar más, si la belleza de la alegoría, cambiante en cada estrofa—primero Jesús es el Pastor, luego el Padre, después el Amor Hermoso que se nos va de la vista, finalmente el Norte que nos guía—, o esa pasión contenida, que quiere estallar en gritos y se deshace en tristes lamentos. «Toda ella es belleza y grandeza», ha escrito Gerardo Diego; «soberbia oda», exclama Vossler; «no tiene más que cinco estrofas—dijo Arjona—, pero éstas bastarían para dar a León la corona de la lírica moderna».

Coster supone que se compuso en la festividad de la Ascensión de 1572, poco después de su arresto; Llovera dice que antes de 1578. Nosotros nos atreveríamos a apuntar, sin dar año fijo, una fiesta de la Ascensión, tras la hora de meditación que suelen hacer los religiosos agustinos en el coro conmemorando el fausto suceso. En uno de esos momentos, saturada el alma de fray Luis de emociones, casi en éxtasis, debió de brotarle sin querer la angustiosa interrogación:

> ¿Y dejas, Pastor Santo,
> tu grey en este valle hondo, oscuro?...

La canción «A la Virgen»

Una sucesión de metáforas también, y a cuál más bella, componen la fervorosa oda *A Nuestra Señora*. Aquí sí que se ve claramente la fecha. Fray Luis no pudo escribir esta inspirada poesía sino en la prisión y en los momentos más amargos de su vida. Le ha fallado todo: justicia humana, sabiduría, amistad; la tierra se le va de los pies; las olas se embravecen y le llegan al cuello. No hay más esperanza que la Virgen:

> Mira cómo empeora
> y crece mi dolor cada punto;
> el odio cunde, la amistad se olvida;
> si no es de ti valida

> la justicia y verdad que tú engendraste,
> ¿adónde hallarán seguro amparo?
> Y pues Madre eres, baste
> para contigo el ver mi desamparo.

Técnica y juicio crítico

De las palabras transcritas antes (*Dedicatoria* a Portocarrero) parece deducirse que fray Luis de León escribió sus poesías por puro pasatiempo: «Estas obrecillas a las cuales me apliqué más por inclinación de mi estrella que por mi juicio o voluntad.» Tal impresión aumenta cuando se lee en la misma *Dedicatoria*: «Nunca hice caso de esto que compuse, ni gasté en ello más tiempo que el que tomaba para olvidarme de otros trabajos, ni puse en ello más estudio del que merecía lo que nacía para nunca salir a luz; de lo cual ello mismo y las faltas que en ello hay, den suficiente testimonio.» Pero no nos engañemos ni caigamos en la candidez del Padre Blanco, cuando afirma que «nada hay en sus poesías que indique artificio». El mismo fray Luis nos había dicho en otro lugar que esto de bien escribir es cosa de gran cuidado y escrupulosidad, «negocio que, de las palabras que todos hablan, elige las que convienen, y mira el sonido de ellas, y aun cuenta a veces las letras, y las mide y las compone, para que no solamente digan con claridad lo que se pretende decir, sino con armonía y dulzura». Si esto exigía y aplicaba en la prosa, ¿qué no haría con sus versos?

Cierto que fray Luis, por contraste con Herrera, con Lope, con Góngora, no hizo de la poesía el eje de su vida. El era antes que nada un profesor de teología o de exégesis bíblica, un orador o un moralista; y luego, por añadidura, se entregaba a la poesía. Pero de eso a pensar que escribiese en *dilettante* hay un abismo. Quizá el no hacer de la poesía una profesión dé nuevos realces a sus producciones, porque él sólo escribe cuando se siente inspirado. Sobre esto de la inspiración también tiene nuestro poeta su teoría bien definida: la inspiración es algo divino, una especie de estado de gracia que los cielos dan a algunos seres privilegiados. Porque fray Luis sabe esto no siente prisas en crear; espera que venga el soplo de lo alto. Podrá haber en sus primeros ensayos, como en los de todos los poetas del mundo, poemas escritos más o menos por el placer de escribir. Pero, pasada esta etapa de tanteos, que en fray Luis casi siempre son ya sazonado fruto, pocos hombres han puesto en su creación más alma, más vida y más sinceridad. La forma serenamente clásica parece velar lo que hay en estas poesías de emotiva hondura y sacudimiento psíquico. Sin duda a ello se refiere Díaz Plaja cuando escribe que «la poesía de fray Luis es más intelectual que sensorial; admira más que seduce» [5]. La verdad es que a poco que se acerque el oído se percibe el palpitar de un corazón que sufre, se angustia y solloza.

Se pregunta uno por qué la poesía de fray Luis, menos perfecta métricamente que la de Herrera, menos vistosa que la de Góngora, menos abundante que la de Lope, vive en la memoria y en el alma de todos. Y no se acierta a contestar sino porque es natural, sencilla y, sobre todo, equilibrada. En unos poetas—Góngora—la forma supera y casi anula al contenido; en otros,—Quevedo, los Argensola—el concepto vence a la forma. En fray Luis fondo y forma se compenetran, se funden, dándonos la sensación de que para tal idea no hay sino aquella expresión y que para aquella expresión está sólo indicada tal idea.

Por ello, cuando Quevedo quiere oponer un dique a la avalancha culterana, publica (1637), como el remedio más eficaz de «la inmensidad de escándalos» que aparecen a cada paso, las poesías de fray Luis, ya muy conocidas por infinitas copias manuscritas [9]. A partir de aquel momento la fama del gran poeta ha ido en continua progresión y hoy está considerado como el más destacado lírico peninsular. Sin embargo, conviene deshacer dos errores muy frecuentes que afectan a su personalidad como poeta. Uno consiste en juzgarlo poeta fundamentalmente clásico, entendiendo por tal el que sólo mira a Grecia y Roma. Fray Luis—ya lo hemos dicho antes—tan penetrado como de sustancia clásica lo está de espíritu religioso, sobre todo de inspiración hebrea; tanto como al Helicón mira al Tabor.

Y otro error: no se puede negar lo mucho que debe fray Luis a los clásicos y la perfecta asimilación que de ellos hizo; pero debemos reaccionar contra la tendencia de ver en él sólo un imitador de Horacio; en algunas odas le siguió y tradujo maravillosamente; pero también siguió y tradujo a Virgilio con no menor maestría; y acaso su alma, profundamente sensible, tenía mayor afinidad con la del inmortal cantor de los campos que con la del exquisito, aunque un poco frío, Horacio [10].

III. MAS POETAS DEL GRUPO SALMANTINO

En torno a fray Luis de León, y más o menos vinculados a él, encontramos unos cuantos poetas que por haber vivido en Salamanca durante la época a que nos estamos refiriendo, o por su manera de sentir y de expresarse, afín a la del autor de la *Vida del campo*, suelen venir agrupados bajo el mismo epígrafe, por considerar un poco convencionalmente que forman la llamada *escuela salmantina*. Pertenecerían a este grupo, entre otros, FRANCISCO SÁNCHEZ DE LAS BROZAS, ya citado como uno de nuestros más egregios humanistas, que, aparte de traducir a Horacio y algunos salmos, escribió excelentes poesías originales; el también citado humanista BENITO ARIAS MONTANO, fino poeta en lengua castellana; FRAY BASILIO PONCE DE LEÓN, sobrino de fray Luis y agustino como él, uno de los grandes oradores del siglo XVI, que imitó a su tío en algunas poesías con tal destreza que varias de ellas han sido atribuidas al Maestro; ALONSO DE ESPINOSA, JUAN DE ALMEIDA y el PADRE FRAY MIGUEL DE GUEVARA, a quien se atribuye el célebre soneto *A Cristo Crucificado* («No me mueve, mi Dios, para quererte») y sobre el cual volveremos en el capítulo correspondiente.

Casi todos estos autores destacaron más en otros géneros literarios que en la poesía. Hay, sin embargo, tres poetas relacionados por diversos motivos con la escuela salmantina, que merecen particular mención: Malón de Chaide, Francisco de la Torre y el Padre Medrano.

Malón de Chaide

Al maestro FRAY PEDRO MALÓN DE CHAIDE (¿1530?-1589) [11] tendremos ocasión de referirnos con mayor espacio en el capítulo dedicado a la Mística, por ser uno de los más egregios representantes de la Escuela Agustiniana. Baste decir aquí que en su célebre *Tratado de la Conversión de la Magdalena* (1588) se nos revela no sólo prosista de primer orden, el más pintoresco y rico quizá de todos nuestros clásicos, sino también poeta de relevantes méritos. Discípulo de Fray Luis, a quien sin duda intentó imitar, carece de la sobriedad, sencillez y equilibrio del maestro, superándole, en cambio, por su galanura y vigor descriptivo.

Sólo poseemos del Padre Malón de Chaide unas pocas poesías intercaladas en su *Tratado*, casi todas traducciones o, más bien, paráfrasis de Salmos de la Biblia y de versículos del *Libro de Job*. Ellas bastan para demostrarnos que lo que en fray Luis era traducción admirable, casi mejorado el texto original, en su hermano de hábito y discípulo se descompone en una glosa poética, magnífica sin duda, pero privada del encanto, del nervio y la sustancia del texto primitivo. El Salmo CIII, que Fray Luis vierte en 78 versos, le lleva a Malón nada menos que 299; el versículo *In salicibus, in medio eius, suspendimus organa nostra*, queda diluido en esta larga estrofa:

Las harpas y vihuelas,
los instrumentos santos
a tu gran majestad, ¡Dios!, consagrados,
¿quién hay que no se duela?,
pues que con nuestro llanto

están del sentimiento destemplados,
y en los sauces colgados
oyen de nuestros pechos
otra música, llena
de lágrimas y pena,
con instrumentos de los ojos hechos,
y las voces que suenan
suspiros son que a Babilonia atruenan.

Francisco de la Torre

Más importancia tienen otros dos ingenios, que suelen ser incluídos en la escuela salmantina, si bien ninguno de los dos tuvo con el jefe y maestro de ésta personales vinculaciones.

De FRANCISCO DE LA TORRE apenas se sabe nada con certeza. Aureliano Fernández Guerra, que intentó reconstruir su biografía sin disponer de una documentación segura, nos dice que debió nacer en Alcalá de Henares (1554-1556), vivir algún tiempo en Italia y al final de su vida debió de ser sacerdote. Todo ello, así como su pasión por cierta Filis, no pasa de conjeturas, basadas en determinadas alusiones de sus versos. La verdad es que —como ha dicho el profesor Zamora Vicente—«no sabemos nada de su vida ni de si existió siquiera: su figura se ha alejado en un fondo de misterio, de niebla lírica en la que resaltan mejor sus versos». Estos fueron publicados, igual que los de fray Luis de León, por Quevedo, quien declara que los encontró con una aprobación de Ercilla y preparados ya para la imprenta entre los sobrantes de un librero. Como en el original aparecía borroso el nombre del autor, nuestro gran satírico los adjudicó al bachiller Alfonso de la Torre, autor de la *Visión deleitable* (ya aludida en su lugar), sin advertir las enormes diferencias de lenguaje y estilo entre un autor del siglo XV, como Alfonso de la Torre, y un poeta renacentista, como forzosamente tenía que ser el autor de los versos que él sacaba a la luz. En el siglo XVIII don Luis José Velázquez vuelve a imprimirlos y embrolla más la cuestión, al identificar a La Torre con el propio Quevedo, que habría querido encubrirse bajo tal seudónimo. Hoy se sabe que el autor en cuestión no pudo ser el bachiller Alfonso y mucho menos Quevedo. Se ignora todo lo demás.

La discusión apasiona porque no se trata de un ingenio mediocre, sino de un auténtico poeta, enmarcado dentro del estilo y tendencias de la escuela salmantina, aunque con un tono personalísimo, que le lleva a tocar temas inéditos hasta entonces en la poesía castellana y a ensayar con envidiable fortuna nuevos metros y estrofas. Sus poesías están agrupadas en tres libros: el primero contiene 32 sonetos, 6 odas y 2 canciones; el segundo, otros 32 sonetos, 5 odas y 4 canciones, y el tercero, 10 poemitas en versos adónicos, que él llama *Endechas*. Siguen a los tres libros 8 Eglogas en estancias y octavas reales, imitando a Garcilaso. Los temas preferidos por Francisco de la Torre

son el amor, de fondo neoplatónico y sin correspondencia por parte de la amada; la melancolía, fruto natural de esa pasión no correspondida; el paisaje, que se nos suele dar descrito con dos o tres pinceladas y nunca como elemento aislado, sino acompañando a la acción; y, sobre todos, la noche, el sentimiento hondo, múltiple y constante de la noche, en un anticipo de los mejores poetas románticos. «Es—ha dicho Zamora Vicente—el poeta nocturno por excelencia en nuestra vieja literatura.» La Torre canta a la noche en su dolor, en su alegría, en su tristeza, en su nostalgia y en su esperanza. La noche es para él la inseparable compañera y confidente. Famosísimas y llenas de ternura son sus dos canciones, *La cierva herida* y *Tórtola solitaria*, de obligada inclusión en todas las antologías; pero valen más para nuestro gusto algunas de sus odas y, sobre todo, varios de sus sonetos amorosos y, especialmente, los dedicados a la noche [12].

Francisco de la Torre ocupa un alto puesto en la poesía castellana no sólo como poeta, sino como afortunado inventor de algunas estrofas, entre ellas la que se compone de tres endecasílabos seguidos de un heptasílabo, todos ellos libres, que, adoptada luego por el Duque de Rivas y Cabanyes, había de dar a nuestro Parnaso dos de sus mejores piezas líricas: *El Faro de Malta* y *La independencia de la Poesía*. No es exacto, en cambio, que emplease, «seguramente por vez primera en nuestra literatura, la estrofa saficoadónica», según quiere algún crítico. La verdad es que Francisco de la Torre no dejó estrofa alguna de ese tipo. Las compuestas de tres endecasílabos y heptasílabos (ABCd), a que acabamos de aludir, sólo tienen un parecido externo con la estrofa sáfica; pero acentualmente ni aquellos endecasílabos son sáficos, ni el heptasílabo es adónico.

El padre Medrano

Si en Francisco de la Torre todo son penumbras, en cambio en el poeta FRANCISCO DE MEDRANO (¿1570?-1607) [13] todo es claridad y certidumbre. Conocemos su vida, en algún aspecto con los más minuciosos detalles, gracias a la labor de investigación y crítica realizada por el profesor don Dámaso Alonso.

El mismo profesor nos ha dado el resumen de su obra: 34 odas, 52 sonetos, un dístico latino y la traducción de este dístico. *La Epístola moral a Fabio*, que por algunos le ha sido atribuída, se puede afirmar casi con certeza que no le pertenece.

Medrano se nos ofrece, después del concienzudo estudio de Dámaso Alonso, como un lírico de gran aliento, puro, elegante y sobrio, con una sobriedad que llega en ocasiones a la más exagerada concisión. Traduciendo a Horacio, rivaliza con fray Luis, y a veces le supera. También Medrano, como el gran maestro de la escuela salmantina, imita al poeta de Venusa con absoluta libertad, sin contradecir por ello a la fidelidad del concepto, encajándolo de golpe en su época y en su medio. Véase el tema de la fugacidad de la vida (*Eheu! fugaces, Postume, Postume*) interpretado por nuestro poeta:

> ¡Ay Sorino, Sorino, cómo el día
> huyendo se desliza,
> y unos atropellando y otros años,
> a la muerte corremos a porfía!
> ¡Tanta priesa a volvernos en ceniza!
> ¿Y a tales desengaños
> malciegos, con afanes, ¡ay!, tamaños,
> tras una sombra de ambición mentida,
> fatigamos la vida?

Traduciendo a Horacio, llega a logros rara vez alcanzados, como es el verter al castellano estrofas latinas en el mismo número de versos y hasta casi de sílabas, verdadero alarde de concisión, tratándose de una lengua mucho más analítica y en la que el polisíndeton es uno de los principales caracteres.

El primero que encuadró a Medrano dentro de la escuela salmantina, no obstante sus vinculaciones de patria y residencia con la sevillana, fué Menéndez Pelayo. Nosotros, sin desconocer evidentes analogías con los poetas sevillanos, creemos que —fruto sin duda de su formación en aulas salmantinas—tiene mayores afinidades con el grupo acaudillado por fray Luis de León.

NOTAS

1. De un siglo a esta parte han estudiado a fray Luis de León, entre otros muchos, los siguientes extranjeros: Adolphe Coster y Alain de Guy, en Francia; F. R. Reuch y C. A. Wilkens, en Alemania; J. D. M. Ford, en los Estados Unidos; Aubrey F. G. Bell, en Inglaterra.

2. «Nació el año 1528, para la nación española y el mundo. En lo natural fué pequeño de cuerpo, en debida proporción: cabeza grande, bien formada, poblada de pelo crespo y el cerquillo cerrado. La frente, espaciosa; el rostro, más redondo que aguileño, como lo muestra el retrato; trigueño el color; los ojos, grandes y vivos. En lo moral, con especial don de silencio; el hombre más callado que se ha conocido, si bien de singular agudeza en sus dichos; con extremo abstinente y templado en la comida y la bebida y sueño; de mucho secreto, verdad y fidelidad; puntual en la palabra y promesas; compuesto, poco o nada risueño. Leíase en la gravedad de su rostro el peso de la nobleza de su alma; resplandecía en medio de esto, por excelencia, una humildad profunda. Fué limpísimo, muy honesto y recogido, gran religioso y observante de sus leyes... Fué muy espiritual y de mucha oración, y en ella, en tiempo de sus mayores trabajos, favorecido de Dios particularísimamente. Con ser de natural colérico, fué muy sufrido y piadoso para los que le trataban; tan penitente y austero consigo, que las más de las noches no se acostaba en la cama. Fué la mayor capacidad de ingenio que se ha conocido en su tiempo para las ciencias y artes..., siendo famoso matemático, aritmético y geómetra, y gran astrólogo y judiciario (aunque lo usó con templanza); fué eminente en el uno y otro derecho, médico superior que entraba en el General con los de esta Facultad y argüía en sus actos. Fué gran poeta, latino y castellano, como lo muestran sus versos. Estudió sin maestro la pintura y la ejercitó tan diestramente, que, entre otras, hizo (cosa difícil) su mismo retrato. Tuvo otras infinitas habilidades, que callo por cosas mayores. La lengua griega, latina y hebrea, la caldea y la siria supo como los maestros de ellas. Pues la nuestra, ¡con cuánta grandeza!, siendo el primero que escribió en ella con número y elegancia... Al paso de estas grandezas, fué la envidia que le persiguió; pero descubrió altamente sus quilates, saliendo de todo superior y con el mayor triunfo y honra que en estos reinos se ha visto. Fué varón de tanta autoridad, que parecía más a propósito para mostrar a los otros que para aprender de ninguno; grande su juicio y prudencia en materia de gobierno; alcanzó mucha estimación en España y fuera de ella con los mayores hombres... Descubrió su valor y ánimo grande, no sólo para desnudarse de la dignidad (cosa intentada de pocos), mas aun de todo cuanto tenía en la tierra. Varón de veras angélico...»

3. Lo expresó bien Menéndez Pelayo en los célebres versos de su *Epístola a Horacio*:

> Que vertió vino añejo en odres nuevos,
> y la forma purísima, pagana,
> labró con mano y devoción cristiana.

4. La célebre frase aparece consignada por primera vez en el *Monasticon Agustinianum*, de Nicolás Crusenio, agustino alemán, contemporáneo de fray Luis, que había estado en España y mantuvo correspondencia con los agustinos de Salamanca. El único que la ha impugnado por apócrifa es el padre Getino, sin serios argumentos.

5. Las obras latinas del maestro León son abundantes y de mucho valor: *Explanatio in Cantica Canticorum*; comentarios *In Abdiam Prophetam*, *In III Partem D. Thomae*, *In Epistolam II ad Thessalonicenses* y de los salmos XXVIII, XXXVI, LVII y LXVII; un opúsculo *De Utriusque agni, typici et veri, inmolationis legitimo tempore*. Y de carácter teológico tiene, entre otras, extensos tratados: *De Incarnatione Verbi, De fide, De Spe, De Charitate, De praedestinatione*. Estas son acaso las obras que dieron a Fray Luis su mayor renombre en vida.

6. *Historia de las ideas estéticas*, vol. II, pág. 102, ed. C. S. I. C.

7. W. J. ENTWISTLE (*Revue Hispanique*, vol. LXXV, 1927) intentó con escaso éxito una ordenación cronológica de las poesías de fray Luis. Véanse las notas del padre Félix García en *Obras completas de fray Luis de León*, Biblioteca de Autores Cristianos, 1944.

8. *La poesía lírica española*, pág. 122.

9. En el prólogo-dedicatoria al conde duque de Olivares escribe: «Las obras del reverendísimo fray Luis de León... son en nuestro idioma el singular ornamento y el mejor blasón del habla castellana... La dicción es grande, propia y hermosa... Todo su estilo, con majestad estudiado, es decente a lo magnífico de la sentencia...»

10. Repárese, en confirmación de esto, la versión, mejor aún, paráfrasis que hace de los presagios del sol en la muerte de César (pasaje final del lib. I de las *Geórgicas*). Da la impresión de que no le cabe el pensamiento en el molde de la octava real, y se va desbordando de una estrofa en otra en una deslumbradora sucesión de cuadros magistralmente trazados.

11. Véanse datos biográficos en el capítulo dedicado a la mística (Escuela Agustiniana).

12. He aquí uno de los más logrados:

> ¡Cuántas veces te me has engalanado,
> clara y amiga noche! ¡Cuántas, llena
> de escuridad y espanto, la serena
> mansedumbre del cielo me has turbado!
> Estrellas hay que saben mi cuidado
> y que se han regalado con mi pena:
> que entre tanta beldad, la más ajena
> de amor tiene su pecho enamorado.
> Ellas saben amar, y saben ellas
> que he contado su mal llorando el mío,
> envuelto en los dobleces de tu manto.
> Tú, con mil ojos, noche, mis querellas
> oye y esconde, pues mi amargo llanto
> es fruto inútil que al amor envío.

13. Nace en Sevilla a fines del 1569 o principios del 1570, de familia bien acomodada. Por su madre descendía de unos banqueros sevillanos. Ingresado en la Compañía de Jesús, hace su noviciado en Montilla (1584-85). Dos años después entra al Colegio de Córdoba, donde cursa artes, y luego a Salamanca para continuar sus estudios. Por causas que se ignoran salió de la Compa-

ñía hacia el 1602, y se retira a su finca de Mirarbueno, donde vive unos años entregado al culto de la amistad, a la poesía y a sus deberes religiosos. Murió en la primavera de 1607.

BIBLIOGRAFIA

I y II. *Obras de Fr. Luis de León*, ed. A. Merino (6 volúmenes), Madrid, 1804-1806. Fueron reproducidas con pról. del P. Conrado Muiños, en 4 vols, Madrid, 1885 — *Mag. Luysii Legionensis Augustiniani... Opera...* (7 vols.), Salamanca, 1891-1895.—*Obras completas de Fr. Luis de León*, con pról. y notas del P. Félix García, «Bibl. de Autores Cristianos», Madrid, 1944.—*Obras poéticas del Maestro Fr. Luis de León*, con texto y notas del P. J. Llovera (S. I.), I, Cuenca, 1931.—*Poesías*, con anotaciones de Menéndez Pelayo, Real Acad. Española, Madrid, 1928.— *Poesías de Fr. Luis de León*, ed. crítica por el P. Angel C. Vega (O. S. A.), de la Real Acad. Española, pról. de Ramón Menéndez Pidal y epíl. de Dámaso Alonso, Madrid, 1956.—*Poésies originales de Fr. Luis de León, classées par la première fois dans l'ordre chronologique*, con trad. y notas de Ad. Coster, Chartres, 1923.—Z. ACOSTA LOZANO: *Crítica de las obras poéticas de Fr. Luis de León*, «Arch. Agustiniano», XV, 1921.—DÁMASO ALONSO: *Poesía española (Ensayo de métodos y límites estilísticos). Garcilaso, Fr. Luis de León, etc.*, Madrid, Edit. Gredos, 2.ª ed., 1952; *Vida y poesía de Fr. Luis de León*, lección inaugural del curso académico 1955-56, Madrid, 1955; *Notas sobre Fr. Luis de León y la poesía renacentista*, «De los siglos oscuros al de oro», págs. 321-53, Madrid, 1958.—NARCISO ALONSO CORTÉS: *Fr. Luis de León en Valladolid*, «Miscelánea Vallisoletana», 5.ª serie, Valladolid, 1930.— LUIS G. ALONSO GETINO (O. P.): *Vida y proceso de Fray Luis de León*, Salamanca, 1907.—P. ALVAREZ TURIENZO: *Sobre Fr. Luis de León, filólogo*, «La Ciudad de Dios», LXIX, 1956 —A. ARANGO Y ESCANDÓN: *Proceso de Fr. Luis de León*, Méjico, 1866.—«AZORÍN»: *Los dos Luises y otros ensayos*, «Obras completas», t. XXVI, Madrid, 1921.— JUAN JOSÉ BAUTISTA: *Lirismo de Fr. Luis de León*, Cuenca, 1928.—AUBREY F. G. BELL: *Luis de León. Un estudio del Renacimiento español*, ed. inglesa de Oxford, 1925 (hay trad. española del P. Celso García); *The Chronology of Luis de León's Lyrics*, «Modern Language Review», vol. XXIII, 1928: *Notes on Luis de León's Lyric*, «Modern Language Review», vol. XXI, 1926.—A. M. CAYUELA: *Las grandes perspectivas cristianas en Fr. Luis de León*, «Razón y Fe», vol. LXXXIII, 1928.—MARIANO D. BERRUETA: *Fr. Luis de León*, «Bibl. Nueva», Madrid, 1952.—P. FRANCISCO BLANCO GARCÍA: *Fr. Luis de León. Biografía*, Madrid, 1904.—J. MANUEL BLECUA: *Versos atribuidos a Fray Luis de León*, «Bol. Bibl. Menéndez Pelayo», julio-septiembre, 1945.—José CAMÓN AZNAR: *El Renacimiento y Fr. Luis de León*, Cuenca, 1928.—José MARÍA DE COSSÍO: *Poesía española. Notas de asedio*, Madrid, 1936.—W. J. ENTWISTLE: *Luis de León's Life in his Lyrics*, «Rev. Hisp.», vol. LXXI, 1927; *Additional Notes on Luis de León's Lyrics*, «Modern Language Review», vol. XXII, 1927.—M. FERNÁNDEZ GALIANO: *Notas sobre la versión pindárica de Fr. Luis de León*, «Rev. Fil. Esp.», XXXVI, 1952.—JAMES FITZMAURICE-KELLY: *Fr. Luis de León. A biographical fragment*, Oxford University Press, Londres, 1921.—P. FÉLIX GARCÍA: Introd., pról. y notas a las *Obras completas de Fr. Luis de León*, «Bibl. de Autores Cristianos», Madrid, 1944.— A. GONZÁLEZ PALENCIA: *Fr. Luis de León en la poesía castellana*, «Historias y leyendas», Madrid, 1942.—J. GONZÁLEZ DE TEJADA: *Vida de Fr. Luis de León*, Madrid, 1863 — M. GUTIÉRREZ: *Fr. Luis de León y la filosofía del siglo XVI*, Madrid, 1904.—ALAIN GUY: *La pensée de Fr. Luis de León. Contribution a l'étude de la philosophie espagnole au XVIe siècle*, 1943.—*Homenaje a Fr. Luis de León*, «Religión y Cultura», vol. II, 1928 (21 artículos).—R. M. HORNEDO: *Algunos datos sobre el petrarquismo en Fr. Luis de León*, «Razón y Fe», 1928.—A. LAFORESTIER: *Poésies attribuées a Fr. Luis de León*, «Rev. Hispanique», 1919.— JOSÉ LÓPEZ DE TORO: *Fr. Luis de León y Benito Arias Montano*, «Rev. Arch., Bibliot. y Museos», LXI, 1955.— A. LUGAN: *Le grand poète-moine du siècle d'or espagnol Luis de León (1528-1591)* Belles Lettres, París, 1930 (hay trad. castellana, Nueva York, Hispanic Institute, 1924).— J. LLOVERA: *La edición príncipe de las poesías de Fr. Luis de León*, «Razón y Fe», vol. XCVIII, 1932.—F. MALDONADO

DE GUEVARA: *Fr. Luis de León y su explanación del salmo XXVI*, «Cruz y Raya», Madrid, 1934.—ARTURO MARASSO: *Interpretación y variantes en las poesías de Fr. Luis de León*, «Est. de Lit. cast.», 1955.—G. MAYÁNS Y SISCAR: *Vida y juicio crítico...*, «Obras de Fr. Luis de León», Valencia, 1762.—M. MENÉNDEZ PELAYO: Estudios sobre Fray Luis en *Ciencia española, Horacio en España, Estudios y discursos de crítica literaria, Historia de las ideas estéticas y Notas* a las poesías de Fr. Luis de León, ed. de la Real Acad. Esp.—R. MENÉNDEZ PIDAL: *Tres poesías inéditas de Fr. Luis de León en el cartapacio de Francisco Morán de la Estrella*, «Estudios literarios», Colec. Austral, núm. 28.—J. M. MILLÁS Y VALLICROSAS: *Probable influencia de la poesía sagrada hebraico-española en la poesía de Fr. Luis de León*, «Sefarad», XV, 1955.—F. CONRADO MUIÑOS SÁENZ: *Fr. Luis de León y Fr. Diego de Zúñiga*, Salamanca, 1914.—MUÑOZ IGLESIAS: *Fr. Luis de León, teólogo*, public. del Instituto Suárez (C. S. I. C.), Madrid, 1950.—FEDERICO DE ONÍS: Introd. a *Los nombres de Cristo*, ed. «Clásicos Castellanos», vol. XXVIII; *Sobre la transmisión de la obra poética de Fr. Luis de León*, «Rev. Filol. Esp.», 1950.—EMILIO OROZCO DÍAZ: *Sobre una posible fuente de Fr. Luis de León. Nota a la estrofa quinta de la Oda a Salinas*, «Rev. Filol. Esp». XXXVIII, 1954.—FRANCISCO PACHECO: *Libro de verdaderos retratos* (con el de Fr. Luis de León), ed. J. M. Asensio.—P. MIGUEL DE LA PINTA LLORENTE: *Autores y problemas literarios en torno a Fr. Luis de León*, «Rev. Lit.», VI, 1954; *Estudios y polémicas sobre Fr. Luis de León*, C. S. I. C, 1956.—*Proceso original que la Inquisición de Valladolid hizo al Maestro Fr. Luis de León*, «Colec. de documentos inéditos», vols. X y XI, Madrid, 1847.—CARLOS RESTREPO CANAL: *Fr. Luis de León, altísimo poeta lírico*, «Studium», I, Bogotá, 1957.—P. ATILANO SANZ (O. S. A.): *Bibliografía popular de Fr. Luis de León*, Salamanca, 1929. MIGUEL DE UNAMUNO: *De mística y humanismo*, «Ensayos».—P. RESTITUTO DEL VALLE RUIZ (O. S. A.): *Decíamos ayer..., leyenda*, «La Ciudad de Dios», vol. XXVI.—P. ANGEL CUSTODIO VEGA: *Fr. Luis de León*, «Hist. gen. de las literaturas hispánicas», II, Barcelona, 1951.—KARL VOSSLER: *Fr. Luis de León*, Colec. Austral, Espasa-Calpe, 1946. C. A. WILKENS: *Fr. Luis de León. Una biografía de la Inquisición e Iglesia españolas del siglo XV* (en alemán), Halle, 1866.—L. J. WOODWARD: *«La vida retirada» of Fr. Luis de León*, «Bull. of Hispanic Studies», XXXI. Liverpool, 1954.—P. JULIÁN ZARCO: *Bibliografía de Fr. Luis de León*, Málaga, 1929.

III. MALÓN DE CHAIDE: *La conversión de la Magdalena* puede leerse en la ed. de E. de Ochoa («Tesoro de novelistas españolas», vol. 3), en la «Bibl. de Autores Españoles» (vol. 27) y en «Clásicos Castellanos» (vols. 104-105), con pról. del P. Félix García.—RICARDO DEL ARCO: *El P. Malón de Chaide. Nuevos datos para su biografía*, «Estudios», Barcelona, 1919.—J. R. CASTRO: *Fr. Pedro Malón de Chaide*, Tudela, 1930.—P. FÉLIX GARCÍA: Pról. y notas al *Tratado de la conversión de la Magdalena*, «Clásicos Castellanos» (vols. 104-105), Madrid, 1943.—A. LANGENEGGER: *Des P. Pedro Malón de Chaide*, Zurich, 1933 —IGNACIO MONASTERIO: *Místicos españoles: Malón de Chaide*, Madrid, 1929.—PEDRO JOSÉ PIDAL: *El P. Malón de Chaide*, «Est. hist. y liter.», vol. 83 de la Colec. de Escritores castellanos, 1890.—P. GREGORIO SANTIAGO VELA: *El P. Malón de Chaide*, «Ensayo de una biblioteca de la Orden de San Agustín», vol. V, 1920; *El P. Maestro Fr. Basilio Ponce de León*, «Arch. Hispano-Agustiniano», XV.—*Poesías de Francisco de la Torre*, ed. J. López de Sedano, «El Parnaso español», Madrid, 1768-1772.—ALONSO ZAMORA VICENTE: Introd. a *Francisco de la Torre. Poesías*, «Clásicos Castellanos», Madrid, 1944.—NARCISO ALONSO CORTÉS: *Algunos datos sobre Hernando de Acuña y Francisco de la Torre*, «Hisp. Review», IX, 1941.—A. COSTER: *Sur Francisco de la Torre*, «Revue Hisp.», vol. LXV, 1925.—J. P. W. CRAWFORD: *Francisco de la Torre y sus poesías*, «Homenaje a Menéndez Pidal», II, 1925.—AURELIANO FERNÁNDEZ-GUERRA Y ORBE: *Demostración de que Francisco de la Torre fué una persona real y verdadera*, disc. de ingreso en la Real Acad. Esp., Madrid, 1857.—MEDRANO: *Poesías*, «Floresta de Rimas», ed. Böhl de Faber (vol. I, 1821) y «Bibl. de Autores Españoles» (vol. XXXII, 1854).—DÁMASO ALONSO: *Vida y obra de Medrano*, Inst. Miguel de Cervantes (C. S. I. C.), Madrid, 1948.—FRANCISCO RODRÍGUEZ MARÍN: *Documentos*, «Bol. Real Acad. Esp.», VII.

CAPITULO XVI

LIRICA RENACENTISTA: C) LOS SEVILLANOS

I. CARACTERES DE ESTA ESCUELA: *Etapas. Las «Academias sevillanas». Los precursores: Mal-Lara, Girón, Medina, Pacheco.*—II. FERNANDO DE HERRERA: *Vida y persona. El proceso amoroso. Obras. Poesía erótica. Poesía heroica. Las «Anotaciones». Juicio crítico.*—III. OTROS POETAS DEL GRUPO: *Baltasar de Alcázar. Pablo de Céspedes.*—NOTAS.—BIBLIOGRAFÍA.

I. CARACTERES DE LA LIRICA SEVILLANA

Coetáneo de los poetas estudiados en el capítulo anterior florece otro grupo de ingenios, que, por haber tenido como cuna la mayor parte de ellos la ciudad del Betis o su región circundante, es conocido en la historia de nuestras letras con el nombre de Escuela sevillana.

Distingue a ambos grupos—el salmantino y el sevillano—más que la naturaleza de los temas tratados que son los habituales en la lírica renacentista, la forma en que esos temas se presentan. Y no la forma íntima, sino la más extrema, la locución, que en los sevillanos suele ser más escogida y rebuscada, mientras que en los de Salamanca, ya lo hemos visto, acusa gran naturalidad y sencillez, hasta llegar en algunos momentos a verdadero desaliño.

Se pueden señalar como caracteres propios de la escuela sevillana, más acusados—claro está—en unos poetas que en otros, los que siguen:

a) *Exuberancia verbal,* frente a la sobriedad de los poetas salmantinos.

b) *Brillantez elocutiva,* en contraste con la sencillez y parquedad ornamental de aquéllos.

c) *Riqueza descriptiva,* que la diferencia notoriamente de la descripción breve, rápida—recuérdese lo que dijimos de Francisco de la Torre—de la otra escuela.

d) *Empleo abusivo de neologismos y cultismos,* especialmente tomados del latín. En su afán de crear una lengua fundamentalmente poética, los poetas sevillanos, y Herrera más que nadie, salpican sus versos de términos nuevos y sonoros (*cerúleo, sublimar, hórrido, infando*) o derivados (*languideza, ondoso*), con que, a la vez que dan al lenguaje un tono superior al de la lengua vulgar, contribuyen a enriquecer el idioma. Es lo mismo que había hecho en el siglo anterior Juan de Mena y que haría poco después Góngora.

e) *Uso preferente de la estrofa larga.* En fray Luis de León, en Medrano, en el Brocense y en La Torre, domina la lira o las canciones «aliradas». En Herrera, y más aún en Caro, las estrofas de más de 13 versos. *La Canción a las ruinas de Itálica* se desarrolla en estancias de 17.

Ya se ha dicho que no todos presentan una nota uniforme. Dentro de este cuadro de características generales, cada uno ofrece su matiz personal, su tono propio, que va desde la majestad un poco desbordada de Herrera hasta la ceñida mesura de Arguijo, al cincelar meticulosamente cada endecasílabo de un soneto; o desde la lozana floración de un Jáuregui y la exuberante armonía de un Céspedes hasta la grave serenidad de Andrada, o quien sea el autor de la *Epístola moral a Fabio,* o el arte miniaturesco de Rioja, el cantor de las flores y de la fugacidad de las cosas.

Las tres etapas de la Escuela

Cronológicamente se extiende a lo largo de cerca de cien años, período más que sobrado para que un estilo o manera artística evolucione más o menos fundamentalmente y, sin salir de sus líneas directrices, se manifieste en diversas formas. Mal-Lara, Girón, Herrera, pertenecen de lleno al siglo XVI, y en él nacieron y murieron. Por el contrario, Rodrigo Caro, Rioja, Quirós, aunque nacidos en esa misma centuria, corresponden literariamente al XVII. Rioja muere en 1659.

Ello ha movido a los historiadores de nuestras letras a distinguir dentro de la Escuela sevillana tres períodos o fases, llamadas por unos 1.ª, 2.ª y 3.ª escuela sevillana, y por otros, época de juventud, de apogeo y decadencia [1]. Pero esta última denominación anda muy en desacuerdo con la realidad, ya que no se puede llamar decadente a una escuela que está representada a la vez por poetas como Caro, Rioja, Andrada, Pedro de Quirós y Jáuregui. Nosotros preferimos la primera denominación; aunque, dado el escaso interés de los poetas del primer grupo y la exigüidad de sus obras, la dejamos reducida a dos épocas: primera, que alcanza hasta principios del XVII (fallecimiento de Alcázar, 1606); y segunda, hasta mediados de la centuria siguiente. Mal-Lara y sus compañeros, en tal caso, serán considerados como los «precursores» de la escuela.

Las Academias sevillanas

Así como en la Escuela salmantina no hay un momento que se pueda señalar como su génesis o punto de arranque, en la sevillana conocemos perfectamente la cuna y proceso formativo. Una y otro han de situarse en la famosa Academia de Mal-Lara. Este ilustre humanista, discípulo aventajado de Nebrija y de Hernández Núñez, fundó en la Alameda de Hércules, de Sevilla, una escuela de Latín y Humanidades, muy frecuentada por doctos varones y amantes de las bellas letras de toda la ciudad: Girón, Rivera, el canónigo Pacheco, Cristóbal de las Casas, Francisco de Medina y el mismo Herrera. Allí no solamente se estudiaba, sino que por el alto rango de las personas reunidas se cambiaban impresiones sobre toda clase de disciplinas liberales, especialmente sobre poesía. De este modo se constituye una especie de Academia precedente de lo que, andando el tiempo, habían de ser los cenáculos literarios.

El magisterio lo ejercían al principio Mal-Lara y el maestro Medina. De allí también había de salir un verdadero manifiesto poético, que tal valor entraña el prólogo que a las *Anotaciones* de Garcilaso, hechas por Herrera, puso el citado Francisco de Medina. En las *Anotaciones* se recoge, más que el pensamiento personal del autor, el criterio de todo el grupo o escuela, coincidente con el de Herrera, que, por su gran relieve y auténtico mérito como poeta, no tardó en erigirse en el oráculo del grupo. La Academia de la Alameda de Hércules alcanza larga vida, y al morir su fundador, Mal-Lara, hácese cargo de ella su concuñado, don Diego Girón.

Menos importancia tienen, aunque también contribuyeron a la difusión del buen gusto y de la cultura humanística, otras reuniones que por entonces y algo más tarde tenían lugar en la misma Sevilla. Merecen citarse las frecuentes Justas poéticas que se solían celebrar en casa del obispo de Escalas, y a las que se sabe concurrían ingenios destacados (Argote de Molina, Juan de la Cueva, Tamariz, Mexía); y aun son más dignas de destacar las reuniones celebradas en el taller del pintor FRANCISCO PACHECO (1571-1654)[2], sobrino del canónigo del mismo nombre y suegro del gran

Velázquez. El estudio de Pacheco, que junto con la pintura cultivaba brillantemente la literatura y la poesía, fué durante algún tiempo el punto de cita de los más aventajados ingenios de la ciudad del Betis.

«Precursores» de la Escuela

Los más destacados son Mal-Lara, Pacheco y Girón. Todos ellos, más que poetas, humanistas, en el amplio sentido que dimos a esta palabra en el capítulo XIII.

JUAN DE MAL-LARA (¿1527?-1571) era un sevillano, educado en Salamanca y Barcelona, que, terminada su formación, instala en su ciudad natal la Academia a que acabamos de aludir. Logró reunir una soberbia biblioteca, de la que hicieron almoneda su viuda e hijas, y que fué a parar a sus numerosos discípulos, entre éstos a Herrera.

Tiene varias obras en prosa, alguna de ellas aún inédita; como poeta destaca por su traducciones de Marcial y por un poema, probablemente perdido, *Los trabajos de Hércules*. Su obra más conocida en prosa es la *Filosofía vulgar* (Sevilla, 1568), de carácter paremiológico, en que, a imitación de los *Adagios*, de Erasmo, se recogen y glosan hasta 1.000 proverbios castellanos, con gran erudición y fina agudeza.

De DIEGO GIRÓN (m. 1590), concuñado de Mal-Lara y sucesor en su escuela, merecen citarse sus traducciones de Esopo al latín. En castellano deben recordarse algunas imitaciones fáciles de Virgilio y versiones de Horacio en las que se aproxima felizmente al movimiento rítmico del original[3]. Herrera, que le apreciaba mucho, lo cita con frecuencia en sus *Anotaciones* a Garcilaso.

También fué amigo y admirador de Herrera el clérigo sevillano FRANCISCO DE MEDINA (1544-1615), autor del prólogo a las *Anotaciones*, verdadero manifiesto poético, en que se señalan ya todas las notas predominantes de la Escuela sevillana. Tiene excelentes traducciones de Propercio y de Ausonio; y entre sus poesías originales destaca la oda *A Garcilaso*.

Aunque no sevillano, sino de Jerez de la Frontera, es digno de figurar como miembro de la Escuela el canónigo de la Metropolitana hispalense don FRANCISCO PACHECO (¿1540?-1599), homónimo y tío del otro Pacheco, pintor, aludido en el epígrafe anterior. Fué uno de los más asiduos asistentes a la Academia de Mal-Lara. Herrera, que le estimaba mucho, solía consultar con él.

II. FERNANDO DE HERRERA, EL «DIVINO»

Nadie supo recoger las enseñanzas humanísticas de Mal-Lara, para exponerlas en la teoría y desarrollarlas en la práctica, tan bien como FERNANDO DE HERRERA (1534-1597)), conocido por sus contemporáneos con el sobrenombre de el *Divino*. Con Garcilaso y fray Luis de León forma el gran trío de nuestra lírica en el siglo XVI, y su figura es altamente representativa porque encarna mejor que ninguna otra las tendencias de la escuela sevillana, no sólo en la Edad de Oro (siglos XVI y XVII), sino también en las tardías floraciones de últimos del XVIII y principios del XIX. Estamos por afirmar que el sello que imprimió Herrera a la poesía sevillana de su tiempo, con sus virtudes y defectos, se manifiesta hasta nuestros días en los ingenios de aquella región andaluza.

Vida y persona

Nace en Sevilla en 1534, de familia más bien humilde. Cursa humanidades en el Estudio de San Miguel. Carente de bienes, obtiene un beneficio en la parroquia de San Andrés, de donde saca los ingresos indispensables para atender a su existencia, siempre modesta. Su vida es vulgar, sin altibajos ni vicisitudes dignas de mención. Gran parte de ella se llena con su pasión, al parecer platónica, por la condesa de Gelves, doña Leonor de Milán, esposa de don Alvaro Colón y Portugal, biznieto del descubridor de América. El conde, aficionado a las letras, reunía en su palacio de Sevilla una tertulia escogida, de la que formaban parte, entre otros, Mal-Lara, Pacheco, Argote de Molina, Juan de la Cueva, Mosquera y el mismo Herrera. Este llegó a enamorarse ciegamente de la condesa, hasta hacer de su amor un verdadero culto. Herrera murió, en medio de la admiración de sus paisanos, en 1597. Dieciséis años antes (1581) se le había adelantado hacia la tumba su gran amor.

Herrera, bien se ve, no presenta el relieve de un fray Luis de León, un Garcilaso o un Cetina. Existencia vulgar, como la de todos los poetas del grupo sevillano que le tenía por maestro, en él se cumple el principio, ya por nosotros subrayado, de que a partir de 1550 el hábito talar ha sustituído a la cota de malla en nuestros máximos poetas. Vida sedentaria la suya, puede entregarse con fruición a la trabajosa tarea de pulir y repulir sus versos, hasta comunicarles ese punto de perfección formal que, unido a cierta grandilocuencia expresiva, parece constituir para él y sus discípulos el secreto de la poesía.

Garcilaso, Hurtado de Mendoza y Cetina eran militares; Herrera fué, y así se consideró él mismo, un «intelectual»; muy pagado de su talento,

de carácter retraído, un poco huraño y, desde luego, superior a cuantos le rodeaban. Pacheco, en sus *Retratos,* nos habla de su modestia y cortesía; «Enemigo de lisonjas—dice—, ni las admitió ni las dixo a nadie.» La misma semblanza nos hace Caro, que lo califica de «grave y severo, tanto en la vida como en los versos». Acaso esta reserva y gravedad naturales le acarrearan aquella fama de engreído que tenía entre los que no lo llegaron a tratar. «Hombre leído y estudioso..., pero bronco, arrogante..., áspero y terrible», escribe Rufo en sus *Apotegmas.* «Si aún no es humano, ¿por qué le llamáis *Divino?*», pregunta el mismo Rufo. Que tal fama no correspondía por entero a la realidad nos lo demuestra, entre otros datos, la modestia con que aceptaba las correcciones que de sus versos hacían los amigos y la humildad con que supo siempre rechazar toda clase de honores. Indudablemente sus numerosos detractores, entre ellos el Prête Jacopín, autor de unas *Observaciones,* a que se aludirá más adelante, contribuyeron a este descrédito del poeta. Se sabe que vivió siempre humildemente; rehusó cargos; comía con gran parquedad, no probaba el vino. Su única ocupación, desaparecida la condesa, fueron los libros, la poesía y el trato con los amigos.

A este perfil moral se ajusta el físico. En el retrato de Pacheco lo vemos de figura magra, a la que el hábito eclesiástico da cierta dignidad; semblante grave, frente despejada, cráneo abultado, hundidas sienes, honda mirada y en todo él un aire de melancólica gravedad.

El proceso amoroso

Se ha escrito mucho sobre la pasión del gran poeta sevillano por la condesa de Gelves. ¿Cuál fué la verdadera naturaleza de este afecto y adónde llegó nuestro poeta en el logro de sus anhelos? Rodríguez Marín, que ha dedicado un estudio a la elucidación de este tema, opina que fué un amor casi por entero platónico y, desde luego, sin correspondencia. Lo más que debió de obtener Herrera fueron sonrisas y tal cual promesa más o menos esperanzadora. El mismo poeta, que se pasó media vida cantando su pasión y celebrando las prendas físicas y morales de la amada en docenas de sonetos y bajo los más bellos nombres (Luz, Lucero, Estrella, Sirena, Aglaia o Esplendor, Heliodora, etc.), declara en unos versos (1572) lo imposible de su empeño. Y en una elegía consigna textualmente que todos sus anhelos se redujeron a sombra vana:

Sombras fueron de bien las que yo tuve,
oscuras sombras en la luz más clara.

En cambio, Coster y en nuestros mismos días Antonio Vilanova [4] deducen de la «biografía sentimental del poeta a través de su obra» que Herrera llegó a disfrutar fugazmente «de los más preciados favores, truncados por la esquivez y alejamiento de la amada». Llegan a más, a dar como positivamente comprobada, por los años 1571 a 1575, «la confianza de la condesa en un grado de extraordinaria intimidad», confianza que a partir de esa última fecha parece haberle sido negada.

Nosotros creemos, como Rodríguez Marín, que la pasión de Herrera nunca rebasó las líneas de lo que se viene llamando un «amor platónico», habiendo de entenderse ciertas expresiones que hallamos en sus versos como simples anhelos y desahogos literarios [5].

Obras de Herrera

Sólo se conserva una parte de lo que escribió. Por fortuna, esta parte conservada parece ser, al menos en lo que atañe a la producción poética, obra de madurez y, desde luego, lo mejor que salió de su pluma.

Las obras de Herrera que pueden darse por perdidas definitivamente [6] son:

La *Gigantomaquia*, poema mitológico muy celebrado por sus amigos y aludido reiteradamente por el propio Herrera en sus versos. Es obra de juventud.

Gestas de varones ilustres, epopeya de grandes empresas hispanas que no aparece citada en los contemporáneos, pero sí aludida por el mismo Herrera.

El rapto de Proserpina, traducido de Claudiano, en verso suelto, y que en sentir de Pacheco «fué la mejor de sus obras deste género».

El Amadís, poema épico planeado por Herrera para emular y aun superar a Bernardo Tasso en su *Amadigi* (1562). En opinión de algunos críticos, no pasó de simple proyecto; Coster, por su parte, opina que llegó a redactarse.

Los amores de Lausino y Corona, poema trágico, de ambiente pastoril e imitación italiana, que debía de aludir a sus amores con doña Leonor de Milán. Sólo conocemos de este poema dos versos incluídos por Pacheco en su *Arte de la pintura*.

El Faustino, poema cuya existencia está atestiguada por el mismo Herrera en dos pasajes de sus *Anotaciones* a Garcilaso, y también por unos versos de Juan de la Cueva [7].

Historia general del mundo, obra en prosa, de cuya composición tenemos múltiples referencias. Debió de ser obra de gran volumen. Según Pacheco, estaba terminada totalmente en 1590. Duarte, que prologó la edición de versos de Herrera (1611), dice que la dejó sin terminar. A ella alude también Juan de la Cueva en los versos citados.

Arte poética, preceptiva literaria para la cual tenía acumulados copiosos materiales. Herrera no llegó a redactarla en forma definitiva. Sabemos de esta preceptiva por alusiones del poeta en sus *Anotaciones* a Garcilaso y por el prólogo de Medina a las mismas *Anotaciones*.

Las obras que nos quedan de Herrera comprenden verso y prosa. Basándose en un texto de Pacheco, tío del pintor, se supone que Herrera debió de componer unas 1.000 poesías. Como las cuatro colecciones poéticas que de él tenemos sólo incluyen 530, se deduce que debieron de extraviarse otras tantas. Estas cuatro colecciones han aparecido en la forma siguiente:

a) *Algunas poesías de Fernando de Herrera* (Sevilla, 1582), publicadas por el propio autor.

b) *Versos de F. de H.* (Sevilla, 1870), recogidos por Pacheco y prologados por Enrique Duarte.

c) *Poesías inéditas de H.* (Sevilla, 1870), fueron dadas a conocer por José María Asensio.

d) *Poesías inéditas* (Madrid, 1948), que acaba de editar el profesor don Juan Manuel Blecua.

En estas composiciones las hay de corte petrarquista o italianizante y de estilo tradicional: quintillas, redondillas, etc., dominando con mucho las primeras.

En prosa nos queda: *Anotaciones a las obras de Garcilaso* (Sevilla, 1560) y una *Controversia sobre las Anotaciones*, en respuesta al Prête Jacopín, que había publicado un intencionado libelo contra Herrera, defendiendo a Garcilaso de unas pretendidas ofensas por parte del sevillano [8].

El poeta erótico

Desde el primer instante se descubren en Herrera dos tipos de composiciones líricas: amatorias y heroicas. Dentro de las primeras, que abarcan todos los momentos culminantes de un proceso amoroso (esperanza, admiración, dicha, nostalgia, etcétera), deben incluirse buen número de sonetos y elegías dedicados a la condesa de Gelves, si bien siempre velada con diversos y sugestivos nombres alegóricos: Luz, Estrella, Sirena... Los sonetos son de corte fundamentalmente petrarquista, aunque suponen respecto al cantor de Laura un avance y mayor refinamiento, al menos en lo puramente formal. Herrera, como fray Luis de León, ha encontrado el metro hecho, la lengua fijada; y puede desplegar en toda su amplitud el genio exuberante de que está dotado. Su inspiración se desborda en imágenes deslumbradoras y en una acumulación de epítetos, que a veces resulta excesiva y a veces también se nos ofrece como un anticipo del Góngora de los mejores sonetos:

> Agora que cubrió de blanco hielo
> el oro de la hermosa aurora mía,
> blanco es el puro sol y blanco el día,
> y blanco el color lúcido del cielo.

En este orden debemos destacar los sonetos *De tu cristal movible la belleza*, *De mi blanca sirena la luz pura* y la sentida *Elegía a la muerte de la condesa de Gelves*.

El poeta heroico

Donde Herrera despliega toda su potencia poética, haciendo gala de sus mejores dotes, es en el género heroico. No se olvide que en su juventud se había ensayado en la épica, escribiendo varios poemas desgraciadamente perdidos («épico frustrado», le llama Antonio Villanova); y que la épica tiene muchas analogías con la oda de corte heroico. A esta modalidad pertenecen las cuatro composiciones que han dado a Herrera un nombre imperecedero dentro de la lírica castellana: *Canción por la victoria de Lepanto, Canción por la pérdida del Rey Don Sebastián, Canción a Don Juan de Austria* y *Canción al Santo Rey Don Fernando*.

La *Canción por la victoria de Lepanto*, en estancias de 10 versos, empieza parafraseando el cántico de Moisés en acción de gracias por el tránsito del mar Rojo y sigue con inspiraciones de los salmos y profetas. El *Hymnum cantemus Domino, gloriose enim magnificatus est*, con que da principio el canto bíblico, queda incorporado en esta soberbia estrofa, que da comienzo a la *Canción:*

> Cantemos en el Señor, que en la llanura
> venció del ancho mar al Trace fiero;
> Tú, Dios de las batallas, Tú eres diestra,
> salud y gloria nuestra.
> Tú rompiste las fuerzas y la dura
> frente del Faraón, feroz guerrero;
> sus escogidos príncipes cubrieron
> los abismos del mar, y descendieron
> cual piedra en el profundo, y tu ira luego
> los tragó como arista seca al fuego.

Este levantado tono, ya tan difícil de lograr sin caer en lo puramente retórico, se mantiene a lo largo de las veintiuna estrofas del poema, y en ningún momento se acusa la vacilación o el cansancio.

No menos grandiosa es la *Canción por la pérdida del Rey Don Sebastián*, inspirada asimismo en pasajes de la Biblia. La derrota del ejército portugués en aguas del Lucus, cerca de Alcazarquivir, inspira a Herrera un canto, mitad epinicio, mitad elegía, en que cada estrofa por separado ofrece alto valor y que en su conjunto resulta impresionante. Escrita también en estancias, ahora de mayor amplitud, los 13 versos de cada estrofa se mueven con majestad, como corresponde al tono del poema. Aquel *equum et ascensorem deiecit in mare* del mencionado cántico de Moisés, se desglosa en estos tres soberbios endecasílabos:

> Y el Santo de Israel abrió su mano,
> y los dejó, y cayó en despeñadero
> el carro, y el caballo y caballero.

Luego parece soplar por el poema un viento profético:

> ¡Ay de los que pasaron confiados
> en sus caballos, y en la muchedumbre
> de sus carros, en ti, Libia desierta;
> y en su vigor y fuerzas engañados
> no alzaron su esperanza a aquella cumbre
> de eterna luz......

No es ajeno a Herrera el tono irónico; pero una ironía no aprendida en los clásicos grecolatinos, sino en los mismos profetas de Israel:

> ¿Son éstos, por ventura, los famosos,
> los fuertes, los belígeros varones
> que conturbaron con furor la tierra,
> que dominaron reinos poderosos,
> . . . .
> ¿Dó el corazón seguro y la osadía?
> ¿Cómo así se acabaron y perdieron
> tanto heroico valor en sólo un día?

Termina este poema de gran aliento con el vaticinio de la venganza:

> Tú, infausta Libia, en cuya seca arena
> murió el vencido reino lusitano,
> y se acabó su generosa gloria,
> no estés alegre y de ufanía llena
> . . . .
> despedazada con aguda lanza
> compensarás muriendo el hecho ultraje;
> y Luco, amedrentado, al mar inmenso
> pagará de africana sangre el censo.

Al lado de las *Canciones* a Lepanto y al rey don Sebastián palidecen casi las dedicadas *A Don Juan de Austria* y *A San Fernando*, si bien una y otra encierran bellezas de primer orden. A una estancia de esta última aludía Lope de Vega al decirnos que «aquí no excede ninguna lengua a la nuestra; perdonen la griega y la latina» [9]. Y agregaba: «Nunca se me aparta de los ojos Fernando de Herrera.» La de don Juan de Austria está escrita en liras, estrofa que por su corta extensión se presta menos que otras al vuelo del numen herreriano. La inspiración bíblica cede aquí paso a motivos paganos: al Dios de Sinaí reemplaza Júpiter tonante. Oigamos el principio:

> Cuando con resonante
> rayo y furor del viento impetuoso,
> a Encélado arrogante
> Júpiter poderoso
> despeñó airado en Etna cavernoso;
> y la vencida tierra,
> a su imperio rebelde, quebrantada,
> desamparó la guerra
> por la sangrante espada
> de Marte, con mil muertes no domada;
> en el sereno polo,
> con la suave cítara presente,
> cantó el crinado Apolo
> entonces dulcemente,
> y en oro y lauro coronó su frente.

Obsérvese el efecto obtenido por contraste entre la segunda y tercera estrofas: dura, erizada de *erres*, la una; blanda, remansada y melódica, la otra.

Las «Anotaciones» a Garcilaso

Fueron publicadas, ya queda dicho, en Sevilla (1580). Su valor es doble: histórico y doctrinal.

Históricamente las *Anotaciones* encierran elevado interés porque en ellas Herrera, a vueltas de comentar al vate toledano, nos suministra valiosísimas referencias de hechos y personas de su tiempo relacionadas con las bellas letras; doctrinalmente, porque con los juicios en sus páginas formulados se puede estructurar una auténtica preceptiva literaria; y como tal fué recibida por sus paisanos y admiradores.

Esa preceptiva responde exactamente a la manera de pensar de Herrera y demás ingenios de la Escuela sevillana; y, si bien se observa, pronto se echará de ver la correspondencia exacta que hay entre las principales poesías de aquéllos y las normas formuladas en las *Anotaciones*. De suerte que sería muy difícil discernir si los poetas metrificaban siguiendo tales normas, o si éstas se fueron redactando a la vista de las producciones de aquéllos.

Como quiera que sea, el concepto herreriano de la poesía aparece bien claro desde las primeras páginas. Ya el prologuista, Francisco de Medina, se duele de que los poetas «derraman palabras *vertidas con ímpetu natural* antes que asentadas en el *artificio* que piden las leyes de su profesión». Medina, y con mayor razón Herrera, lo que busca es la creación de una lengua especial y autónoma para la poesía, alejada y distinta del habla vulgar. «Ninguno—escribe Herrera—puede merecer la estimación del noble poeta, que fuese fácil a todos y no tuviese encubierta mucha erudición.» De ahí su afanosa búsqueda de voces arcanas y esotéricas, arrancadas especialmente en los dominios del latín; de ahí también el giro rebuscado, el hipérbaton muchas veces violento, que dan como consecuencia lógica lo que ellos precisamente anhelaban: un lenguaje casi inaccesible al vulgo. Un paso más y Carrillo y Sotomayor nos diría que «las musas lugar escogieron bien alto, trabajo apetecen y sudor»; otro paso más y Góngora, en una exagerada aplicación de los principios consignados en las *Anotaciones*, crearía *Las Soledades* y el *Polifemo*.

Pero sería un error no ver en las *Anotaciones* sino una teoría más o menos razonada sobre el lenguaje poético, que obsesionadamente se quiere apartar del vulgar. La doctrina sobre el neologismo y arcaísmo como fuentes de riqueza idiomática, los preceptos sobre elección de palabras atendiendo a la eufonía de sus fonemas, la constante preocupación por la sonoridad y altura del verso, todo ello avalado con citas propias y de extraños, dan extraordinario realce a este libro y lo convierten en un código del buen gusto, manejado constantemente por los vates de la Escuela sevillana, especialmente en su segunda época de plenitud.

Herrera se anticipa en tres siglos a Coll y Vehí en el intento de extraer de los sonidos vocálicos y consonánticos el mayor partido posible. Como quien conoce todas las posibilidades del idioma, y está al tanto de todos sus resortes, va dando normas y consejos para que la locución poética se mantenga siempre en el rango que le corresponde.

Las *Anotaciones*, interpretadas por algunos discípulos de la Escuela salmantina como un ataque a Garcilaso y una censura implícita de los comentarios que el Brocense había hecho al mismo poeta, suscitaron una violenta polémica, en la que se distinguió por sus injustos ataques el condestable don Juan Fernández de Velasco, conde de Haro, y antiguo alumno de Sánchez de las Brozas. Encubierto con el seudónimo de *Prête Jacopín* [10], el de Haro censura a Herrera su desvío hacia Garcilaso, cuando es lo cierto que el gran poeta de Sevilla demostró en todo momento el mayor aprecio y admiración por el lírico de Toledo. Las *Anotaciones*, ya se ha dicho, llevan un excelente prólogo del maestro Francisco Medina, de donde tomó no pocos conceptos Cervantes para su Dedicatoria de la Primera Parte del *Quijote*.

Fuentes y juicio crítico

Las fuentes de Herrera, ya se ha visto, son principalmente la Biblia en lo heroico; Petrarca, Castiglione y los neoplatónicos en lo amatorio. Según Pfondl, se ha exagerado la influencia petrarquista en este poeta. Herrera sólo ha tomado del poeta de Arezzo la técnica formal de versos y estrofas; y aun esto, a través de Garcilaso y de Boscán. El tono dulzón, voluptuoso y refinadamente sensual del Petrarca se resuelve en el poeta sevillano, que conocía a Platón mejor que su pretendido modelo, en una casta exaltación del objeto amado, reflejo de otra belleza más pura:

Que yo en esa belleza que contemplo,
aunque a mi flaca vista ofende y cubre,
la inmensa busco y voy siguiendo el cielo.

Como lírico, Herrera, también lo hemos visto, pulsa dos cuerdas: la amatoria y la heroica. Tan equivocado sería juzgarle poeta exclusivamente patriótico, sin estimar en lo que vale su tono sentimental, como verlo sólo del lado erótico, pasando por alto su significación en cuanto cantor de grandes victorias patrias. En general se le aprecia más por este concepto; y en las antologías apenas se insertan otros versos suyos que los de la *Canción a Lepanto* o a la *Derrota de Alcazarquivir*. Con todo, en muchos pasajes nos demostró que no le estaba negada la nota intimista y sentimental:

Si contigo viviera, ninfa mía,
en esta selva, tu gentil cabello
adornara con rosas, y cogiera
las frutas varias en el nuevo día,
las blancas plumas del gallardo cuello
de la garza ofreciendo, y te trajera
de la silvestre fiera
los despojos, contigo recostado...

III. OTROS POETAS DEL GRUPO SEVILLANO

En torno a Herrera pulula una multitud de poetas de segundo y tercer orden, a los que eclipsa con su luz el jefe de la escuela. Hay que avanzar hasta la segunda época, no menos interesante y mucho más fecunda que la estudiada, para tropezar con autores como Jáuregui, Rioja, Rodrigo Caro o Quirós. Quedan, sin embargo, dos poetas que, menos vinculados a la escuela que los citados anteriormente, deben estudiarse aquí, aunque sólo sea por estar ligados a ella con lazos de vecindad y de trato social. Estos dos poetas, cada uno con su nota personal bien definida, son Baltasar del Alcázar y Pablo de Céspedes.

El autor de la «Cena jocosa»

En BALTASAR DEL ALCÁZAR (1530-1606) [11], contemporáneo de Herrera, a quien sobrevivió, y sevillano como él, campea la musa andaluza en lo que tiene de humorismo sano y regocijado, de sal y de alegría. Mezcla de Anacreonte, Horacio y Marcial, se parece al primero en su irresistible inclinación hacia la vida apacible. «Bebió en su vaso —dice Rodríguez Marín— sin anhelar otro más grande o de mejor vidrio.» Tiene del poeta de Venusa la deliberada templanza y serenidad clásica, llevada a su vida y a sus versos; y, finalmente, heredó del famoso bilbilitano la vena chispeante, más que satírica epigramática, de un humor alegre, que sabe cosquillear sin herir ni ofender a nadie.

Escribió poesías amatorias, de delicada ternura (A Costanza, A una dama muy hermosa); religiosas, de gran fondo místico (A un Crucifijo); pero las que le han logrado un puesto envidiable en la literatura española son las de carácter festivo: A un giboso, A una vieja y, sobre todas, la conocidísima Cena jocosa:

> En Jaén, donde resido,
> vive don Lope de Sosa,
> y diréte, Inés, la cosa
> más brava dél que has oído...

«La Pintura», de Céspedes

Es de lamentar que no queden sino fragmentos de uno de los poemas didácticos más inspirados que se han escrito no sólo en castellano, sino en la literatura universal: el Arte de Pintura, de PABLO DE CÉSPEDES (1548-1608) [12]. No era éste sevillano, como los anteriores, sino cordobés,; pero vivió estrechamente ligado con los del Betis, especialmente con los asiduos contertulios del taller de Pacheco, al que le unía entrañable amistad. Además de algunas obras en prosa, casi por entero perdidas (Discurso sobre la antigua catedral de Córdoba, Discurso sobre el templo de Salomón, Tratado de perspectiva, Comparación de las antiguas pintura y escultura con las modernas), escribió en soberbias octavas reales su Arte de pintura, del que sólo nos quedan unos fragmentos que corresponden a los libros I y II. Prescindiendo de su valor técnico —Céspedes era excelente pintor, especializado en el arte del colorido—, su mérito literario es tal que, en opinión del sesudo Quintana, no «tiene nada que envidiar a lo más perfecto de cuanto en las Geórgicas... leemos. En efecto, pocas veces la octava real se ha movido en castellano con más gravedad y armonía. Véase en este elogio de Miguel Angel:

> Cual nuevo Prometeo, en alto vuelo
> alzándose. extendió las alas tanto.
> que puesto encima al estrellado cielo
> una parte alcanzó del fuego santo:
> con que, tornando enriquecido al suelo
> por nueva maravilla y nuevo espanto,
> dió vida con eternos resp:andores
> a mármoles, a bronces, a colores.

Todavía son mejores para nuestro gusto aquellas en que, tomándola de Virgilio, nos hace la descripción del caballo de raza. Parece increíble que la viva, la sugestiva enunciación virgiliana pueda superarse; pero nuestro poeta, haciendo hincapié en un rasgo, en una pincelada del autor de las Geórgicas, ensancha y completa el cuadro con una bizarría y un colorido insuperables. Veamos cómo desarrolla aquellos dos hexámetros:

> *Primus et ire viam, et fluvios tentare minaces*
> *audet, et ignoto sese committere ponti;*

así en Virgilio; y en el poeta cordobés:

> Parece que desdeña ser postrero
> si acaso, caminando, ignota puente
> le saliera al encuentro, y delantero
> precede a todo el escuadrón siguiente;
> seguro, osado, denodado, fiero,
> no duda de arrojarse a la corriente
> rauda, que con las ondas retorcidas
> resuena en las riberas combatidas.

Después ya no necesita modelo y vuela por iniciativa propia:

> Tal el gallardo Cílaro iba en suma,
> y los de Marte atroz iban, y tales.
> fuego espirando la albicante espuma
> de los sangrientos frenos y bozales;
> tal con el tremolar de libia pluma
> volaban por los campos desiguales
> con ánimos y pechos varoniles,
> los del carro feroz del grande Aquiles.
> A los cuales excede en hermosura
> el cisne volador del señor mío,
> que la victoria cierta se asegura
> de otro cualquiera en gentileza y brío;
> va delante a la nieve helada y pura
> en color, en correr al Euro frío,
> y a cuantos en su culto verso admira
> la ronca voz de la pelasga lira.

Dígase, al leer esto, si no es de lamentar la pérdida del poema, en su mayor parte.

NOTAS

1. Vid. ANGEL LASSO DE LA VEGA: *Escuela poética sevillana en los siglos XVI-XVII,* Madrid, 1871.

2. Sobrino del canónigo y suegro de Velázquez; nació en 1571 y murió en 1654. Lo que le confiere un título de acreedor a la inmortalidad no son sus versos (tiene algunos sonetos, epigramas y madrigales), ni siquiera su *Arte de la pintura,* en que recoge toda la teoría de su tiempo, sino su *Libro de descripción de verdaderos retratos de ilustres y memorables varones,* magnifica galería en que se nos dan física y literariamente dibujadas las siluetas de los más destacados ingenios de la época.

3. Obsérvese en esta traducción del *Beatus ille:*

Ya con la vid crecida contentísimo
    casa los altos álamos,
-y los ramos podando más estériles,
    enxiere otros más fértiles;
ya en el valle abrigado ve en gran número
    sus vacas repastándose.
Coge al tiempo su miel en nuevos cántaros,
    tresquila su grey lánguida.
Pues si su frente muestra hermosísimo
    el otoño fructífero,
cuán gozoso las peras coge, en viéndolas,
    y las uvas purpúreas...

4. *Historia de la Literatura hispánica,* II, pág. 690.

5. Casi se puede seguir este proceso amoroso en sus más nimios detalles, al hilo de la obra lírica del poeta. Primero es el deslumbramiento:

Un divino esplendor de su belleza,
pasando dulcemente por mis ojos...;

luego, la esperanza de acercarse al logro de sus deseos:

Si en sufrir más me excedes, yo te excedo
en pura fe y afectos de ternura.
¡Vive y confía, osado amante y ledo!

Al instante se da cuenta de lo arriesgado e inútil de su empeño. Surge el grito de rebeldía:

¡Quién pudiera traer siempre a la mano
de la razón la voluntad perdida,
sin que temiera su ímpetu liviano!
Varias revueltas de confusa vida,
dejadme respirar de mi deseo,
dejadme ya curar de esta herida.

Al fin, la conformidad:

Sigo al fin sin furor, porque mudarme
no es honra ya... ..

Puesto que la condesa no puede ser su amante, será ya para siempre la musa inspiradora:

Solo es el bien que busco y la victoria
agradar a mi luz, porque mi canto
haga de mis trabajos la memoria.
Entre suspiros dieron y entre llanto
la edad florida, al pensamiento incierto,
ley a los versos míseros que canto.

No se puede decir más claramente que lo que queda de ese gran amor no es ya sino una suave melancolía.

6. Enrique Duarte, que prologó la edición de los *Versos* (1619), alude al «naufragio en que pocos días después de su muerte [la de Herrera] perecieron todas sus obras poéticas». Parece, en efecto, que alguien quiso hacerlas desaparecer, y en buena parte lo logró. ¿Con qué intento? Coster opina que debieron de ser sustraídas por algún amigo para publicarlas como propias; otros creen que para salvaguardar el honor de la condesa, tan reiteradamente aludida en las composiciones de Herrera; y Vilanova nos habla de un «sabotaje póstumo a la gloria del poeta, dictado por la envidia y el rencor».

7. Dicen así:

Esa historia cantó en esta ribera
en plectro heroico Iclas el divino,

que enriqueció de honor su patria y era;
mas fué la suerte del cruel destino
que, arrebatado de la parca dura,
se perdió en ella y se perdió el *Faustino.*
Un gran volumen, una gran lectura,
de cosas de su tiempo sucedidas
que yo vi, *lo ocultó la envidia oscura.*

Este último verso, alusivo a la *Historia general del mundo,* parece confirmar la hipótesis de Vilanova, expuesta en la nota anterior.

8. *Controversia sobre las anotaciones de Garcilaso de la Vega,* por el *Prete Jacopin,* reimpresa en Sevilla por José María Asensio (1870).

9. Es aquella que empieza:

Cubrió el sagrado Betis de florida
púrpura y blandas esmeraldas llena,
y tiernas perlas la ribera undosa...

10. *Observaciones del Prête Jacopin, en defensa de Garcilaso de la Vega, contra las Anotaciones que hizo a sus obras Hernando de Herrera.*

11. Sevillano. Sirvió en las galeras del marqués de Santa Cruz; después administró los bienes de los condes de Gelves y los últimos años los pasó viviendo apaciblemente, aunque aquejado de una dolencia de gota, que no le pudo quitar su buen humor. Murió en 1606.

12. Cordobés. En Alcalá cursó estudios clásicos y orientales; pasó largas temporadas en Roma. Procesado por haber hablado con excesiva libertad del Santo Oficio, salió absuelto. Fué racionero de la catedral de Córdoba, desde donde hacía frecuentes viajes a Sevilla. Murió en 1603.

BIBLIOGRAFIA

I. NICOLÁS ANTONIO: *Bibliotheca Hispana nova,* II, Roma, 1672-1696.—RODRIGO CARO: *Claros varones en letras nacidos desta ciudad de Sevilla,* «Bibl. Colombina».—ADOLFO DE CASTRO: *Poetas líricos de los siglos XVI y XVII,* «Bibl. de Autores Españoles». vol. XXXII.—G. DÍAZ-PLAJA: (págs. 136-52), 2.ª ed., Barcelona, 1948.—FERRUCIO BLASI: *Dal classicismo al secentismo in Spagna,* Aquila, 1929.—B. J. GALLARDO: *Ensayo...,* III, 1863-1889.—RAFAEL LAPESA: *Historia de la lengua española* (cap. XI), Madrid, 1942.—ANGEL LASSO DE LA VEGA: *Historia y juicio crítico de la escuela poética sevillana en los siglos XVI y XVII,* Madrid, 1871.—M. MÉNDEZ BEJARANO: *Diccionario de escritores sevillanos,* Sevilla, 1922-1925.—M. MENÉNDEZ PELAYO: *Historia de las ideas estéticas en España,* ed. C. S. I. C., t. II.—FRANCISCO PACHECO: *Libro de descripción de verdaderos retratos de ilustres y memorables varones,* ed. fototípica de J. M. Asensio, Sevilla, 1886.—F. RODRÍGUEZ MARÍN: *Miscelánea de Andalucía,* Madrid, 1927.—DÁMASO ALONSO: *Crítica de noticias literarias transmitidas por Argote de Molina,* «Bol. Real Acad. Esp.», XXXII, 1957.—ANTONIO PALMA CHAGUACEDA: *El historiador Gonzalo Argote de Molina,* C. S. I. C., 1949.—Mal-Lara: *Algunos textos,* ed. «Soc. de Bibliófilos Andaluces», vols. 8 y 23.—Estudios: J. ACEVES: *Biografía de Mal-Lara,* «Rev. de Ciencias, Lit. y Artes», Sevilla.—J. GESTOSO y PÉREZ: *Nuevos datos para ilustrar las biografías de Juan de Mal-Lara y de Mateo Alemán,* Sevilla, 1896.—AMÉRICO CASTRO: *Juan de Mal-Lara y su filosofía vulgar,* «Hom. a M. Pidal», III, 1925.—KARL LUDWIG SELIG: *The commentary of Juan de Mal-Lara to Alciato's Emblemata,* «Hisp. Rev.», Pensilvania, 1956.—F. RODRÍGUEZ MARÍN: *Mal-Lara,* «Bol. Real Acad. Esp.», vol. V.—F. SÁNCHEZ Y ESCRIBANO: *Juan de Mal-Lara. Su vida y sus obras,* Nueva York, 1941.—F. RODRÍGUEZ MARÍN: *Una sátira del Lic. Francisco Pacheco,* «Rev. Arch.», 1908.—A. PALMA CHAHUACEDA: *El historiador G. Argote de Molina,* Madrid, 1947.—C. C. SMITH: *Fernando de Herrera and Argote de Molina,* «Bull. of Hisp. Studies», XXXIII, Liverpool, 1956.

II. FERNANDO DE HERRERA. *Poesías de Herrera:* en «El Parnaso español», de López Sedano, Madrid, 1773; «Colec. Ramón Fernández» (vols. 4 y 5), Madrid, 1786; «Biblioteca de Autores Españoles», ed. A. de Castro (vol. 32); *Rimas inéditas de Fernando de Herrera,* ed. J. M. Blecua; anejo de «Rev. Filol. Esp.», Madrid, 1948; *Relación de la guerra de Chipre y suceso de la batalla de Lepanto,* «Colec. de Documentos inéditos» (vol. 21), Madrid, 1851.—*Controversia sobre las Acotaciones a las obras de Garcilaso. Poesías inéditas,* «Soc. de Bibliófilos Andaluces» (vol. 2), 1870; *Poesías*, ed. «Clásicos Castellanos» (vol. 26), Madrid, 1914.—Estudios : J. M. Asensio: *Prólogo a Controversia sobre las Anotaciones...*, «Soc. de Bibliófilos Andaluces» (vol. 2), Sevilla, 1870.—Salvatore Bataglia: *Per il testo di Fernando de Herrera*, «Filología Romanza», I, Nápoles, 1954.—R. M. Beach: *Was Herrera a Greek Scholar?*, Filadelfia, 1908.—A. Bertaux: *L'ode de Herrera «La soledad»*, «Bull. Hisp.», 1932.—J. M. Blecua: *Las obras de Garcilaso con anotaciones de Fernando de Herrera*, «Est. Hispánicos», Wellesley, 1952; *La sensibilidad de Fernando de Herrera*, «Insula», VIII, 1953 ; *Los textos poéticos de Fernando de Herrera*, «Archivum», Rev. Facultad de Letras de Oviedo, IV, 1954.—E. Bourcier: *Les sonnets de Herrera*, «Annales de la Faculté des Lettres de Bordeaux», 1891.—Erasmo Buceta: *Una reminiscencia posible de la Araucana en una canción de Herrera*, «Rev. Filol. Esp.», XVI, 1929.—Ad. Coster: *Algunas obras de Herrera. Edición crítica*, París, 1908; *Poésies inédites de Herrera*, «Bull. Hisp.», XLII; *Fernando de Herrera el «Divino» (1534-1597)*, París, 1908.—J. Fernández de Velasco: *Observaciones del Ldo. Prête Jacopín a las Anotaciones de Fernando de Herrera a las obras de Garcilaso*, ed. «Soc. de Biblióf. Andaluces», 1870.—Joseph G. Fucilla: *Nuove imitazioni di Fernando de Herrera*, «Quaderni Ibero-americani», II, Turín, 1953.—A. Gallego Morell: *Una lanza por Pacheco, editor de Fernando de Herrera*, «Rev. Filol. Esp.», XXXV, 1951.—V. García de Diego: Pról. y notas a las *Poesías* de Herrera, «Clásicos Castellanos», XXVI, Madrid, 1914.—José María Irizar: *La naturaleza en Herrera*, «Rev. Literatura», VII, Madrid, 1953.

Pedro Lemus y Rubio: *Fernando de Herrera (1534-1597)*, «Bol. Real Acad. Esp.», 1948.—José López de Toro: *Los poetas de Lepanto*, C. S. I. C., Madrid, 1950.—Oreste Macrí: *Poesia e pittura in Fernando de Herrera*, «Paragone», núm. 41, Florencia, 1953.—A. Marasso: *La oscuridad poética de Fernando de Herrera*, «Nosotros», número 74, 1932.—A. Morel-Fatio: *L'hymne sur Lépante, publié et commenté*, París, 1893.—Emilio Orozco Díaz: *Realidad y espíritu en la lírica de Herrera*, «Bol. Univ. de Granada», XXIII, 1951.—L. Pfandl: *Herrera*, «Hist. lit. nac. esp.: Edad de Oro», epígrafe V, Barcelona, 1933.—F. Rodríguez Marín: *El «divino Herrera» y la condesa de Gelves*, «Anales Univ. Chile», CIX, 1951.—C. G. Smith: *Fernando de Herrera and Argote de Molina*, «Bull. of Hisp. Studies», XXXIII, Liverpool, 1956.—A. Valbuena Prat: *Herrera*, «Hist. lit. esp.», I, 2.ª ed., cap. XXIII.—Antonio Vilanova: *Fernando de Herrera*, «Hist. gen. de las lit. hisp.», II, Barcelona, 1951.—Villemain: *Le poète Herrera et la bataille de Lépante*, «Revue des Deux Mondes», octubre, 1858.

III. *Poesías* de Baltasar de Alcázar, ed. «Soc. de Bibliófilos And.», Sevilla, 1878; «Bibl. de Autores Españoles», vol. XXXII, y «Bibl. de Autores Clásicos Españoles», vol. XII, Madrid, 1910.—Estudios: Rodolfo Gil: *Baltasar de Alcázar*, «Ilust. Esp. y Amer.», I, 1919.—F. de P. Ureña: *Baltasar del Alcázar*, rev. «Don Lope de Sosa», II, 1914.—F. Rodríguez Marín: Introd. a las *Obras poéticas* de Baltasar de Alcázar, publ. de la Real Acad. Esp., 1910.—F. M. Tubino: *Pablo de Céspedes*, Madrid, 1868.

CAPITULO XVII

EPICA RENACENTISTA

I. Epica popular y épica culta: *La épica culta en España. Versificación y temas. Notas características. Elementos formativos. Clasificación de los poemas épicos.*—II. Poemas históricos: *El «Carlo famoso», de Zapata. La «Carolea». La «Austriada», de Rufo.*—III. Poemas religiosos: *El «Monserrate», de Virués.*—IV. Poemas imaginativos: *La «Angélica», de Barahona de Soto.*—V. Poemas de tema americano: *Ercilla. Datos biográficos. Análisis de la «Araucana». Defectos y virtudes. Imitadores de Ercilla. Pedro de Oña. Castellanos.*—Notas.—Bibliografía.

I. EPICA POPULAR Y EPICA CULTA

Tanto la épica renacentista como la barroca se viene designando con el nombre de épica «culta». Con ello se tiende a establecer una línea divisoria entre la epopeya de la Edad Media y la de los tiempos modernos, línea que viene expresada con el término que más exactamente caracteriza al género épico a partir del Renacimiento. Epica «culta», para distinguirla bien de aquella otra que estudiábamos en los grandes poemas del Medievo, menos refinada, menos artificiosa, más espontánea y popular.

Pero conviene no desorbitar el alcance de este último término. Decir popular no significa ni mucho menos que esos productos épicos hayan brotado inmotivadamente y como por generación espontánea de las entrañas del pueblo. En arte, por muy primitivo y rudimentario que sea, nada hay absolutamente espontáneo; toda creación es la resultante de un largo proceso de elaboración individual. Que tal creación sea anónima, que no conozcamos al autor en cuyo espíritu se ha elaborado, no quiere decir que carezca de paternidad. El pueblo como tal, la masa colectiva, no crea nada. Lo más que hace es recibir o rechazar lo que otros han creado.

Y ésta es la significación que tienen, cuando se trata de épica, los opuestos términos *popular* y *culta*. Popular, es decir, que responde a un estado de opinión, que recoge un sentir o un pensar colectivo y por ello encuentra eco en un amplio sector de la sociedad; a veces, en toda una nación, como el *Poema del Cid*; a veces también, en todos los que comulgan con unas creencias, como *La Divina Comedia*. Culta, es decir, creada conforme a módulos prefijados, siguiendo unos principios que se aceptan de antemano como válidos para todo lugar y tiempo, responda luego o no responda a la época y ambiente en que se produce. Tal es la épica española en la Edad de Oro.

La épica culta en España

Lo primero que sorprende en esta épica es su debilidad interna, su escaso valor en el conjunto de la épica universal. La épica castellana de la Edad de Oro en ningún momento alcanza la altura y robustez a que llegaron otros géneros literarios. No tiene la originalidad, la fuerza o la profusión de la lírica, la novela o el teatro. No ofrece ningún nombre de la resonancia mundial de Santa Teresa, Lope o Cervantes. En cierto sentido hasta habría que dar la razón a Bouterweek cuando afirma que «ningún español ha tenido éxito hasta ahora en la poesía épica». Ni Valbuena, ni Hojeda, ni el mismo Ercilla lograron escalar aquella cumbre donde se forjan las obras reveladoras de la presencia del genio.

En una época en que todas las circunstancias parecían haberse puesto de acuerdo para alumbrar un genio épico, éste brilla por su ausencia. Nunca hubo ambiente tan propicio: gestas inauditas, héroes incomparables, un espíritu tenso de religiosidad y de heroísmo, un pueblo lanzado virtiginosamente a la realización de las mayores empresas y ávido de verlas celebradas en altísimos poemas. El teatro, la lírica, la historia respondieron; pero el poema no surgió. Abundaron las obras del género, con mayores o menores méritos, con una mayor o menor aproximación al ideal; pero no falló la gran obra, esa obra que debería recoger todo el sentir de la raza, del pueblo, de la época, llámese *Os Lusiadas* o la *Ilíada*, la *Chanson de Roland* o el *Poema del Cid*.

¿Causas de tal fenómeno? Se han apuntado muchas. Hay quienes lo atribuyen a la pervivencia del *Romancero*. Mientra éste pudo canalizar los sentimientos épicos de la nación, se comprende que la poesía erudita no se afanase por crear esos grandes poemas que abundan en otras literaturas;

sólo cuando el sentido tradicional del *Romancero* se deshizo entre las manos de los poetas cultos, brota la épica propiamente dicha como género literario nuevo, que viene a sustituir a aquel otro de los «romances», tan nacional y popular al mismo tiempo. Pero esto, si aclara el retraso de la épica culta con relación a otros géneros, nada nos dice respecto al punto concreto que estudiamos: la inferioridad de esa misma épica en el vasto cuadro de nuestra literatura.

Tampoco puede hablarse de ausencia de estro épico en un pueblo como el nuestro, que había producido hacía siglos el *Poema del Cid* y que acababa de crear esa incomparable y multiforme epopeya del Romancero; menos aún de agotamiento en una época en que Ercilla, sobre un insignificante episodio de la conquista de Chile, hace un poema como *La Araucana*.

¿Qué faltó, pues, a nuestros épicos? Entre otras cosas, decisión y originalidad. Pudiendo volar por sí mismos, prefirieron servirse de alas ajenas. No supieron o no quisieron alejarse de sus modelos, a los que siguen casi siempre con excesiva fidelidad. Esos modelos eran los poemas italianos. Nuestra épica culta, lo mismo la renacentista que la barroca, va por ello a la zaga de la italiana. De nada sirve que los hechos que canta sean nacionales; el espíritu que la anima, la visión con que los enfoca, son extranjeros; la forma también lo es. No acertó nunca, como la lírica o el teatro o la novela, a desprenderse de este nexo inicial, a independizarse de sus modelos.

Versificación y temas

Y el metro. Siempre hemos creído que fué fatal para la épica renacentista la adopción de la octava real como su metro casi único y más idóneo. Por este lado, la épica española, y lo mismo la italiana, de donde nosotros tomamos la octava, forzosamente tenía que quedar en condiciones de inferioridad respecto a la grecolatina y aun a la misma épica medieval. «No ha de olvidarse —hemos escrito en otra parte [1]— que el género épico, por narrativo, pide un metro sumamente libre, de gran elasticidad y horizontes abiertos, susceptible de alargarse o contraerse según lo exija el relato. Nada de estrofas con corte fijo y cesura forzada, aunque esas estrofas se llamen octavas reales. Hasta tal punto, que ya en el siglo XVI, en pleno apogeo del *Orlando*, un tratadista y poeta italiano, que gozó de gran favor en España, el Trissino, desaprobaba la octava como forma narrativa, tachándole su incontinuidad, su separación entre estancia y estancia, separación que un poema épico no puede tolerar» [1].

Los españoles, y la misma acusación ha de hacerse a todos los poetas de lengua neolatina, no acertaron a encontrar nada parecido al hexámetro.

Ni siquiera inventaron los de la Edad de Oro algo que pudiera compararse en flexibilidad y libertad de movimiento con el verso de «romance».

Finalmente, el abuso de temas e inspiraciones clásicas, y más que clásicas, paganas. Franqueadas por el Renacimiento las puertas del Olimpo y puestos a disposición de la poesía moderna todos los tesoros y recursos del mundo antiguo, nadie se benefició de ellos tanto como la épica. Faunos, sirenas y ninfas, Dafnes y Narcisos pululan con tal profusión que nos hacen olvidar muchas veces la existencia de un mundo cristiano. Hasta en aquellos poemas cuya acción se desarrolla lo más alejada que cabe imaginar del mundo mitológico pagano, abundan estos motivos. Ercilla, ante una naturaleza exuberante y nunca vista, reacciona como un poeta que no hubiera salido de la academia; Pedro de Oña, nacido en América, apenas tiene ojos para las bellezas del paisaje nativo; sus comparaciones miran siempre hacia Grecia: sus indias son Dianas de blancura marmórea; sus jóvenes indios, Antíncos o Apolos.

Notas características

En resumen, la épica española de la Edad de Oro está caracterizada por las siguientes notas:

a) Inferioridad respecto a los otros géneros.

b) Florecimiento tardío.

c) Falta de ambiente popular. La novela y el teatro llegaron a la gran masa del público; la epopeya se movió siempre dentro de un círculo de lectores más reducido.

d) Imitación demasiado servil de los modelos italianos.

e) Falta, como consecuencia de ello, de originalidad.

f) Incapacidad de creación —que también afecta a la italiana, portuguesa y francesa— de un metro adecuado.

g) Abuso de motivos mitológicos.

Elementos formativos

Se ha dicho que nuestros poetas épicos siguen en gran parte a los italianos. Nadie, por tanto, entenderá bien este género en nuestra literatura sin conocer a grandes rasgos su desarrollo y formación en la de Italia.

Con el surgir del Humanismo, los poemas de Virgilio y Homero, y más tarde los históricos de Silio y de Lucano, se convierten en modelos a los que se va ajustando toda la creación épica de aquel país. El *Africa*, de Petrarca, todavía en latín, sobre la segunda guerra púnica, es un calco de aquéllos.

La *Teseida*, de Boccaccio (1340), primera tentativa de poema épico concebido plenamente a la manera clásica, aspira a ennoblecer la octava, dándole ya su metro propio a la epopeya culta. Durante el siglo XVI, Basini, F. Fidelfo, Girolamo Vida y el mismo Sannazzaro escriben poemas épicos cultos; pero el momento culminante está señalado por dos acontecimientos: la *Poética*, de Aristóteles, traducida al latín por Giorgio Valla (1498), y la publicación de *Italia liberata dai Goti*, del Trissino (1547). Aquélla, la *Poética*, se convierte en la fuente donde han de beber todos los teóricos. Esta, la obra del Trissino, aspira a constituirse en el modelo y aplicación práctica de los preceptos contenidos en la *Poética*. En la Dedicatoria a Carlos V, el Trissino llega a afirmar que ningún poema se ha compuesto en Italia, antes del suyo, que merezca el sobrenombre de épico, excluyendo de tal categoría los de Pulci, Boiardo y del mismo Ariosto.

En defensa de éste salen G. B. Giraldi Cincio y G. B. Pigna. La polémica se generaliza; y algunos críticos—Speroni, Scaligero, Minturno, Castelvetro—tratan de elaborar con carácter permanente y definitivo el concepto de poema épico heroico, diferenciándolo netamente del caballeresco (el de Ariosto) y del novelesco-fantástico. Y ha de ser Torcuato Tasso, unos años más tarde, el que imponga aquella teoría del poema heroico, que ha venido prevaleciendo entre todos los preceptistas hasta bien entrado el siglo XIX.

Para el Tasso un poema épico-heroico es «la imitación grande y perfecta de acciones ilustres, hecha mediante el lenguaje narrativo y en verso de alto tono, que enseñe y, a la vez, deleite». Entrañan, por tanto, estos factores elementos maravillosos, pero siempre sobre una base histórica:

unidad de acción, grandeza de esta misma acción, estilo elevado, lo que se ha venido llamando «épica trompa», verso grandilocuente y una finalidad didáctico-moral, al margen de lo puramente estético.

En cuanto al metro, el Trissino, que rechazaba la octava, según se ha dicho, quiso imponer el verso suelto o *sciolto*. Pero la *Avarchide*, de Luigi Alamanni, y el *Constante*, de F. Bolognetti (1582), señalan el triunfo definitivo del metro y de la escuela.

Clasificación

Cronológicamente repartimos la épica culta en dos capítulos: uno que corresponde al período Renacentista y otro al Barroco, separados ambos por la fecha históricamente decisiva de la muerte de Felipe II (1598).

Temáticamente se agrupa en dos series: poemas que tienen por base un hecho histórico y poemas en que domina lo imaginativo o fantástico, con un gran dominio numérico de aquéllos. Otros, atendiendo simultáneamente a la materia y al modo de tratarla, distinguen: poemas históricos, fabulosos, caballerescos, religiosos, cosmológicos y burlescos.

Nosotros, teniendo en cuenta que el elemento satírico-burlesco no aparece en la épica hasta pleno período barroco, con la *Mosquea* y la *Gatomaquia*, dividimos este capítulo sobre la epopeya renacentista en los siguientes apartados:

Poemas históricos,
Poemas religiosos,
Poemas imaginativos y
Poemas de tema y ambiente americano.

II. POEMAS HISTORICOS

Forman el grupo más importante y se ocupan de los mas variados aspectos: la Reconquista, las guerras de Italia, el Gran Capitán, Carlos V, don Juan de Austria, etc.

Acaso el más antiguo sea la *Historia partenopea* (1516), de ALONSO HERNÁNDEZ, escrito todavía en octavas de arte mayor, con el espíritu de la vieja escuela de Juan de Mena. Celebra con escasa inspiración las hazañas del Gran Capitán y es rigurosamente histórico.

Merecen sólo ligera mención los que consagraron a cantar las gestas del Cid y de los Reyes Católicos respectivamente DIEGO XIMÉNEZ DE AYLLÓN y EDUARDO DÍEZ. Ambos están ya en octavas reales. En aquél, bajo el título pretencioso *Los famosos y heroycos hechos del invencible y esforzado cavallero, honra y flor de las Españas, el Cid Ruy Díaz de Bivar* (1597), se recogen los principales pasajes de la Crónica del Cid; y en el otro, *Conquista que hicieron los Reyes don Fernando y doña Isabel en el reino de Granada* (1590),

se exalta en 20 largos cantos el último episodio de la Reconquista.

La figura de Carlos V
en la épica

Más suerte tuvo en esto su nieto Carlos V. Aureolado por la doble corona de héroe y de caballero cristiano, semisantificado en Yuste, apenas acababa de morir (1558), cuando ya la trompa épica de los españoles se dedicaba a inmortalizar sus hazañas y virtudes. De 1560 data la *Carolea*, de JERÓNIMO SEMPERE. y, a poco, JERÓNIMO DE URREA (muerto antes de 1565), con su *Carlos virtuoso*, se propone presentar al gran Emperador como el prototipo del caballero andante de la religión. Tanto Sempere como Urrea adolecen del mismo defecto, el de concebir la epopeya como un género intermedio entre la novela de caballería y el poema narrativo. No en vano uno y otr venían cultivando aquel género: Sempere es el autor del «libro a lo divino», *Caballería celestial de la Rosa Fragante* (1554), obra disparatada que tuvo que ser prohibida por la Inquisición; y Urrea, de la novela también caballeresca *Don Clarisel de las Flores* (Sevilla, 1879).

El «Carlo famoso», de Zapata

Mayor estimación merece, aunque sus virtudes literarias sean casi nulas, el *Carlo famoso*, de LUIS ZAPATA (1526-1595) [2], autor más conocido por su *Miscelánea*. Forman esta *Miscelánea* una serie de apuntes con los que el autor se proponía componer una obra de mayor extensión que habría de titular la *Varia historia*. Zurcido de anécdotas, historias y sentencias, a él habremos de referirnos al estudiar los *prosistas de tema vario*.

Su *Carlo famoso*, en cuya composición empleó trece años, consta de 22.000 versos repartidos en 50 cantos y, aunque tiene algunos momentos de inspiración, en su mayor parte se reduce a una pedestre crónica rimada. El episodio que intercala de la guerra entre gatos y ratones constituye el primer ensayo de poema épico-burlesco en nuestra lengua.

Rufo y su «Austriada»

Con el hijo bastardo de Carlos V como protagonista, y valiéndose de algunas *relaciones* que el propio don Juan de Austria le facilitó, publica JUAN RUFO (1547 hacia 1620) [3] su *Austriada* (1584), uno de los poemas épicos más logrados en lengua castellana. De Rufo volveremos a ocuparnos en otro capítulo, como autor de los famosos *Seiscientos Apotegmas*, primera colección de máximas morales publicada en España.

La Austriada, ya lo dice el título, recoge la vida y hazañas de don Juan de Austria. Empieza con la rebelión de los moriscos y la intervención de don Juan en aquella guerra (cantos I-IV); intercala luego un relato sobre el nacimiento, educación, infancia, etc., del protagonista; enlaza a continuación la guerra de las Alpujarras, y viene, por último, el nombramiento de don Juan como generalísimo de la Liga contra los turcos y la gran victoria de Lepanto. Todo ello narrado en 24 cantos y en versos de extraordinaria fluidez.

La escueta enunciación de su argumento nos habla de un defecto inicial: duplicidad de acción. No se sabe a punto fijo si Rufo quiso contarnos la guerra de Granada o la sostenida en el mar contra los turcos algunos años después, y que culminó en Lepanto. Para fundir en un solo cuerpo estos dos episodios tan dispares el autor tuvo que realizar verdaderos alardes de ingenio. Y aun así no logra su intento. De todos modos, *La Austriada* es obra de gran aliento, con abundantes pasajes inspirados, versificada con soltura y en la que destacan sobre el tono medio de prosaísmo no pocas notas de intenso colorido. El público la recibió con aplausos (tres ediciones en tres años: 1584-1585-1586), si bien en esta acogida pudo influir la naturaleza de los hechos narrados y la categoría del héroe, tan entrañablemente unido al pueblo español.

El problema suscitado en torno a la originalidad de *La Austriada* está ya resuelto. Se llegó a afirmar por algunos que Rufo había dado con su poema materia a Hurtado de Mendoza para la *Historia de las guerras de Granada*. Hoy se sabe que fué al contrario. El poeta se debió de inspirar en el historiador, a quien sigue con excesiva fidelidad. En el capítulo XXVI volveremos sobre esta cuestión.

III. POEMAS RELIGIOSOS

No podía faltar en la épica española la cuerda religiosa, que suena casi siempre a impulsos del sentimiento de la Contrarreforma. No se olvide que buena parte de la vida política, social y hasta cultural y militar de nuestro pueblo en aquella época se mueve en torno al gran problema suscitado por Lutero.

Este sello antirreformista tiene la *Década de la Pasión de Jesucristo* (1576), del capitán general de Cerdeña JUAN COLOMA, en que se presenta la Redención del género humano como dogma estrictamente católico; y también la *Universal redempción, pasión, muerte y resurrección de Nuestro Salvador Jesucristo y angustia de su Santísima Madre* (1574), del presbítero FRANCISCO HERNÁNDEZ BLASCO.

Todavía, en una línea tradicional castellana, el valenciano ALFONSO GIRÓN DE REBOLLEDO nos da versificada en quintillas su *Pasión de Cristo* (1583); y fray GABRIEL DE MATA aspira con *El caballero Asisio* a convertir a San Francisco en un Amadís del catolicismo. Pero los poemas épico-religiosos más importantes—*Vida de San José*, de Valdivielso, y *La Cristíada*, de Hojeda—corresponden a la centuria siguiente.

«El Monserrate», de Virués

En el siglo XVI apenas cabe destacar en este aspecto otra obra de relieve que *El Monserrate*. Su autor, CRISTÓBAL DE VIRUÉS (1550-1609) [4], estimable poeta lírico y destacado dramaturgo del grupo valenciano, a quien volveremos a referirnos en el capítulo correspondiente, obtuvo con su poema un puesto de honor entre la legión de poetas épicos castellanos. A juicio de Cervantes, sólo tres poemas del género merecían el honor de recordarse: *La Araucana, La Austriada* y *El Monserrate.*

Se publicó en 1587 y obtuvo desde el primer momento extraordinaria aceptación. Sin embargo, el mismo Virués, poco satisfecho de la primitiva redacción, lo refundió casi por entero y lo volvió a dar a la estampa en 1602, con el título de *El Monserrate segundo.*

En 24 cantos, en octavas reales, Virués nos da la conocida leyenda del ermitaño Fray Juan Garin, que después de librar del espíritu maligno que la poseía a una joven doncella, hija del conde de Barcelona, don Jofre, abusa de ella y, para ocultar su crimen, la asesina. Decide ir a Roma en súplica de perdón. Tras muchas peripecias llega a la Ciudad Eterna, y confiesa sus culpas al Pontífice. Regresa a España, atravesando de rodillas Italia y Francia. En Monserrate es cazado como una fiera por el conde don Jofre, a quien descubre su doble crimen. Desentierran a la ino-

cente doncella, que aparece viva, y Garin obtiene el perdón.

Tema poco apto para un poema épico, Virués saca de él, no obstante, todo el partido posible. Clemencín ha ridiculizado la figura del protagonista, «una persona de baja esfera, que empieza por ser seductor y asesino y concluye por venirse a cuatro pies desde Roma a Monserrat». Sin embargo, en este carácter de la obra, en cuanto glorificación del arrepentimiento y de la penitencia, reside quizá su principal éxito. No olvidemos el trasfondo de reacción antirreformista que encierran estos poemas.

Como narrador, Virués no retrocede ante ninguna escena, por descarnada que sea. Hasta parece complacerse en la pintura de cuadros fuertes y espeluznantes, que si algunas veces cumplen el propósito del autor, de herir en lo más profundo nuestra sensibilidad, otras nos producen verdadera repugnancia. La versificación peca de esa facilidad excesiva que casi siempre degenera en prosaísmo, y que es la nota común de nuestros poemas épicos.

IV. POEMAS IMAGINATIVOS O FABULOSOS

El ejemplo de Ariosto con su *Orlando* era demasiado fuerte para que los españoles dejasen de imitarle. Desde mediados del XVI, el *Orlando* era conocidísimo en España, donde había tenido en poco tiempo cuatro traductores: Jerónimo de Urrea, Hernando Alcocer, Vázquez de Contreras y Nicolás de Espinosa. Este último hasta se atrevió a completarlo con una *Segunda parte.* Los poemas, por tanto, fabulosos, mezcla del *Amadís* y del *Orlando,* no se hacen esperar entre nosotros. AGUSTÍN ALONSO y FRANCISCO DE VILLENA eligen a Bernardo del Carpio, el legendario antagonista de Roldán, por héroe de sus obras y sobre él publican sendos poemas: *El verdadero suceso de la famosa batalla de Roncesvalles* (1583) se titula el de Alonso, y las *Hazañas de Bernardo del Carpio* (1585) el de Villena. Pero la obra maestra sobre este mismo tema corresponde al período Barroco: el *Bernardo,* de Valbuena.

La «Angélica», de Barahona

No obstante, en el siglo XVI tenemos una que merece especial recuerdo: *Las lágrimas de Angélica,* de Barahona de Soto.

LUIS BARAHONA DE SOTO (1548-1595)[5] presenta a los ojos del historiador de la literatura cuádruple faceta: *a)* poeta lírico, a la manera tradicional castellana: en este aspecto destacan sus *Fábulas de Vertumno* y de *Acteón,* paráfrasis de las *Metamorfosis,* de Ovidio; *b)* lírico de corte italianizante: merecen citarse algunas elegías y sátiras y, sobre

todo, la *Egloga de las hamadríades,* así llamada porque empieza con este verso: «Las bellas hamadríades que cría...»; *c)* prosista elegante, que nos dió en sus *Diálogos de la Montería* el mejor libro castellano sobre la caza; *d)* poeta épico-narrativo, autor de *Las lágrimas de Angélica.*

Pasa este poema por el mejor entre los de su clase. En él aspiraba Barahona nada menos que a continuar el *Orlando furioso,* de Ariosto, llevando a su heroína, a través de diversas peripecias, hasta la recuperación del perdido trono de Catey. Pero la realización quedó muy lejos del propósito: el poeta español no tiene la fantasía, ni la gracia, ni la simpática desenvoltura del italiano. Todavía conserva, no obstante, suficientes atractivos para entusiasmar a hombres de tanto gusto como Lope de Vega y Cervantes. Aquél no se desdeña en imitarlo, y Cervantes dice por boca del Cura, al encontrar en el escrutinio de la biblioteca de Don Quijote *Las lágrimas de Angélica:* «Llorara yo si tal libro hubiera mandado quemar; porque su autor fué uno de los más famosos poetas del mundo, no sólo de España.»

Como en tantos otros poemas y novelas, de los que se anunciaba una segunda parte, no salió más que la primera (Granada, 1586). El asunto es difícil de resumir, por lo enmarañado de la trama y elevado número de sus episodios. Los más importantes son: la busca de Angélica por Medoro (aquélla se ha vuelto invisible en virtud de un anillo mágico) y el de los amores del temible Orco;

la descripción del cadáver del monstruo y la de
la vieja hechicera Canidia, que vuelve a la vida a
Sacripante y se hace amar por él.

Se censura a Barahona la abundancia de anacronismos e italianismos, así como la acumulación
excesiva de episodios. En cambio, se pondera la
belleza de algunas descripciones y la armonía de
muchos versos [6].

V. POEMAS DE TEMA Y AMBIENTE AMERICANO:
ERCILLA Y PEDRO DE OÑA

La gesta del descubrimiento y conquista de América, colosal empresa realizada en su mayor parte
por los españoles, no podía faltar en el catálogo
de nuestros poemas épicos. Ello hubiera sido tanto
como pretender que nuestros poetas se sintiesen
ajenos a una de las grandes realidades que se estaban desarrollando ante sus ojos. No se mostraron
indiferentes los juglares anónimos de la Edad Media, que celebraron al Cid, a Fernán González y
a tantos otros héroes de su tiempo; y tampoco quisieron mostrarse los poetas, ahora eruditos, que estaban presenciando día a día la realización de esta
magna obra. Pero, cosa extraña, cuando se espe-
raría que fuesen la figura providencial de Colón,
o las acciones casi fabulosas de Hernán Cortés, de
Pizarro, de Elcano y Magallanes materia adecuada de tales poemas, resulta que el mejor de todos
gira en torno a un episodio insignificante de la
conquista. El episodio es la guerra de los españoles
con los indios por apoderarse de un pequeño valle
de Chile; y el poema que lo celebra se llama *La
Araucana*. Su autor, don ALONSO DE ERCILLA Y
ZÚÑIGA (1533-1594), si no alcanza en general la
altura de un Tasso o de un Camoens, les supera
en algunos aspectos y adquiere gracias a *La Araucana* dimensiones universales, que le convierten en
el más genuino representante de la épica castellana
de todos los tiempos.

Datos biográficos

Nace Ercilla en Madrid (1533), de ilustre familia oriunda de Bermeo (Vizcaya). Su padre, el
jurisconsulto don Fortún García de Ercilla, fué
caballero de Santiago; su madre, doña Leonor
de Zúñiga, guarda-damas de la emperatriz Isabel;
y un hermano del poeta, limosnero mayor de
doña Ana de Austria y preceptor del príncipe don
Fernando.

Niño aún, entra en palacio como paje del príncipe don Felipe, hijo de Carlos V, a quien acompaña a los catorce años a Flandes y luego a Inglaterra. Antes de cumplir los veintiún años había
recorrido Ercilla casi toda Europa: Francia, Italia, Alemania, Bohemia, Silesia, Austria, Hungría,
Moravia, Estiria, Carintia, etc. En Londres se
hallaba acompañando a Felipe II, cuando tiene
noticias de la rebelión de los indios araucanos;
empujado por su espíritu aventurero, pasa a las
Indias con el adelantado Alderete, nombrado por
el rey para la pacificación del valle de Arauco.
Muerto Alderete, sigue viaje hasta Lima y milita
a las órdenes de don García Hurtado de Mendoza,

marqués de Cañete. «Tomando, ora la pluma, ora
la espada» interviene con singular arrojo en siete
batallas campales y en innúmeros encuentros;
acompaña a don García hasta el último límite del
valle de Chiloe, pasando al efecto el estrecho
de Magallanes; atraviesa dos veces con solos diez
soldados el peligroso desagüe de Ancudbox; se
mete más y más tierra adentro, y para memoria
de su intrepidez, graba con la punta de un cuchillo en el tronco del árbol más robusto una octava
alusiva a este hecho, que luego inserta en *La
Araucana*. Asiste a la fundación de varias ciudades: La Concepción, Tucapel, Los Confines, Osorno, Chiloe... Por una reyerta con otro oficial,
Juan de Pineda, es condenado a muerte y se le
indulta casi al pie del cadalso, conmutando su
pena por prisión y destierro [7]. Sabedor de las
atrocidades que comete en Venezuela Lope de
Aguirre, decide ir desde el Callao en su busca;
pero se le había adelantado don Diego García
de Paredes. En 1560 el rey paga sus buenos servicios con un repartimiento de indios y una lanza
de a caballo con mil pesos anuales.

Un año después (1561) enferma gravemente;
pero triunfa su vigor y juventud; tenía sólo veintiocho años. Vuelto a España, es nombrado gentilhombre de su majestad y contrae matrimonio
con la rica dama doña María de Bazán, que
aporta cuantiosa dote. Nombrado caballero de
Santiago, todavía sale otra vez al extranjero, recorriendo Francia, Italia, Centroeuropa, y asiste a
la coronación de Rodulfo como rey de Hungría
y romanos. A partir de 1571 su vida se desenvuelve plácidamente en la Corte, a la sombra de
palacio, rico, famoso y agasajado, aunque él en
sus últimos años se consideraba un poco injustamente olvidado. Durante algún tiempo actuó
como censor literario, dejando vinculado su nombre a la publicación de libros de poesía, como
los de Garcilaso, Herrera y Francisco de la Torre.
Murió en 1594. Sus restos fueron a reposar en
los Carmelitas Descalzos de Ocaña.

Análisis de «La Araucana»

Consta de 37 cantos, distribuídos en tres partes,
que se publicaron así: 1.ª parte (1569), 1.ª y 2.ª
(1578); 1.ª, 2.ª y 3.ª (1589). Toda la primera parte,
y algo de la segunda y tercera, fué redactada sobre
el propio escenario de batalla, en medio del fragor
de la contienda; y, si hemos de creer lo que nos
dice Ercilla en el prólogo, «muchas veces en cuero, por falta de papel, y en pedazos de cartas, algunos tan pequeños que apenas cabían seis versos,
que no... costó después poco trabajo juntarlos». Es

esta parte la más original y lograda, ya que en las otras, sugestionado Ercilla por el triunfo de la *Jerusalén libertada* y empeñado en seguir de cerca al Tasso, va perdiendo cada vez más interés, originalidad y brío.

Argumento

Empieza el poema con la descripción, habitantes, costumbres de Chile y llegada de los españoles (canto I); sigue en el II, uno de los más bellos, el consejo de los caciques para elegir capitán; primeras luchas, Valdivia ataca a Tucapel y sufre grandes pérdidas; venganza de los españoles (III-VI); llegada a La Concepción (VIII-IX); batallas de araucanos y españoles y fiestas de aquéllos por sus triunfos (X-XI).

Llegada del marqués de Cañete al Perú; envía auxilio a los españoles; Villagrán ataca a Lantaro y le infiere grandes pérdidas (XII al XVI). Nuevos ataques de los araucanos; empieza el episodio de San Quintín, intercalado para narrar lo que por los mismos días está ocurriendo a los españoles en Europa (XVII-XVIII). Asalto de los araucanos y retirada de Tucapel (XIX); Caupolicán revista a su gente; la bella Tegualda, hija del cacique Brancol, refiere al poeta su lastimosa historia y encuentra entre los cadáveres el de su marido (XX-XXI). Nuevas batallas; los españoles cortan las manos al indio Galvarino; discurso de éste ante la asamblea para excitar a la venganza (XXII-XXIII). Desafío de Caupolicán a los españoles; se traba la gran batalla, con suerte adversa para los de Arauco; obstinación y muerte de Galvarino; episodio del jardín y estancia del mago Fitón (XXIV-XXV-XXVI).

El poeta nos describe diversas ciudades de España, Africa, Asia y América; encuentro con la hermosa Glaura, que narra a Ercilla sus desdichas; nuevo combate y descalabro de los indios (XXVII-XXVIII). Interviene Andresillo, por cuyo consejo Caupolicán vuelve a atacar, para salir nuevamente derrotado (XXIX-XXX-XXXI). Episodio de la historia de Dido (XXXII-XXXIII). Prisión, castigo y muerte de Caupolicán, el valiente cacique indio, que antes de morir se hace cristiano (XXXIV). Con grandes trabajos tornan al Perú los españoles (XXXV-XXXVI). Digresión sobre los derechos de Felipe II al trono de Portugal.

Virtudes y defectos

De propósito hemos hecho una exposición más detallada que de costumbre, para que mejor resalten las virtudes y vicios de *La Araucana*. Porque el poema de Ercilla tiene graves defectos de composición y de estilo. En primer lugar, la desigualdad de éste, arreado y meticulosamente trabajado en unos pasajes, y trivial en otros hasta el desaliño; la prolijidad en los pormenores, que convierten el poema algunas veces en escueta crónica rimada; la incoherente interpolación de episodios, traídos un poco por los cabellos (evocación

de la batalla de San Quintín, historia de Dido, etc.), y la falta de sensibilidad y de fantasía. La unidad de acción, que se le viene negando, está salvada desde el momento en que Caupolicán queda constituído (Canto II) en el protagonista indiscutible del poema, y su figura gigantesca se sigue proyectando a lo largo del mismo, hasta su derrota definitiva y ejecución. Carece asimismo de valor la acusación formulada contra Ercilla por haber escogido tan parva materia para su poema. Ercilla no tiene dónde elegir; de haber acompañado a Hernán Cortés o a Pizarro, nos habría legado la más grandiosa epopeya sobre la caída del imperio de los aztecas o de los incas. Nos dió lo único que podía darnos, lo que había él mismo visto y vivido: la lucha de los habitantes de un pequeño valle por su independencia. Y eso es lo más sorprendente: que sobre tan parvo terreno—«veinte leguas contienen sus mojones», nos dice él mismo en el Canto I—acertase a levantar tan imponente construcción. Gracias a *La Araucana*, «Chile es el único de los pueblos modernos cuya fundación ha sido inmortalizada por un poema.» (Bello.) Se ha tachado también a Ercilla el abuso de motivos mitológicos y paganos; pero esta acusación alcanza a toda la epopeya culta, casi sin excepción, si bien en el caso de Ercilla reviste mayor gravedad por afectar a tema tan alejado del mundo grecolatino.

Riqueza de elementos épicos

Tales efectos están compensados por valores de fondo y forma de primer orden. No hay un poema en toda la literatura moderna, española o extranjera, que tantos elementos épicos contenga. Ninguno aventaja a *La Araucana* en tres cosas: valentía y viveza en las descripciones de batallas, variedad en las comparaciones [8] y acierto en la pintura de los caracteres de los caciques indios. En cambio, los caracteres femeninos son más convencionales: Guacolda, la amada de Lantaro, se parece demasiado a Dido y habla como ésta en el Libro IV de la *Eneida*; Tegualda, buscando en el campo de batalla el cuerpo de su esposo, recuerda a la Pantea de la *Ciropedia*, de Jenofonte.

Descripciones

Pasajes hay de una inspiración tan lozana, de un brío tan simpático y de una versificación tan rica, tan fluída y tan feliz que, una vez leídos, ya no pueden olvidarse. Son éstos los que entusiasmaban a Voltaire y los que han dado a *La Araucana* en todo tiempo una popularidad ilimitada. Recordemos aquel Canto II, con la llegada de los caciques para la elección de jefe. Ante los ojos del lector desfilan en pintoresca sucesión de primeros planos Tucapel, audaz y fanfarrón, dispuesto

a llegar a las manos con el primero que le contra-
ríe, araucano o español; el anciano Colocolo, sentencioso y prudente como un Néstor; Lincoya, el
bravo; Cayocupil, el bullicioso; Elicura, el robusto; Lemolemo, Paicubi, Purén, Temé y, sobre
todos, el inmenco Caupolicán. La entrada de éste
en escena reviste grandeza homérica. Se trata de
elegir un jefe que dirija a los araucanos en la
guerra; como todos lo merecen por su nobleza, se
acuerda, a propuesta del viejo Colocolo, que sea
proclamado capitán el que más tiempo sustente
sobre sus hombros un grueso madero. Durante
muchas horas han resistido Cayocupil, Purén, Pai-
cubí y otros la tremenda prueba; ya se dan todos
por vencidos ante la resistencia de Lincoya, que lo
ha soportado sin descanso un día y una noche:

> Ufano andaba el bárbaro y contento
> de haberse más que todos señalado,
> cuando Caupolicán a aquel asiento,
> sin gente, a la ligera, había llegado;
> tenía un ojo sin luz, de nacimiento,
> como un fino granate colorado;
> pero lo que en la vista le faltaba,
> en la fuerza y esfuerzo le sobraba.
> ....
> Con un desdén y muestra confiada,
> asiendo del troncón duro y nudoso,
> como si fuera vara delicada
> se lo pone en el hombro poderoso:
> la gente enmudeció maravillada
> de ver el fuerte cuerpo tan nervoso;
> la color a Lincoya se le muda,
> poniendo en la victoria mucha duda.

Dos días y dos noches estuvo andando sin parar
con la pesada carga. Hasta la luna, asombrada,
parece haberse detenido «a ver la extraña prueba
en qué paraba»:

> Y el bárbaro, en el hombro la gran viga,
> sin muestra de mudanza y pesadumbre,
> venciendo con esfuerzo su fatiga
> y creciendo la fuerza por costumbre.
> Apolo, en seguimiento de su amiga,
> tendido había los rayos de su lumbre,
> y el hijo de Leocán en el semblante,
> más firme que al principio y arrogante.
> Era salido el sol cuando el enorme
> peso de las espaldas despedía,
> y un salto dió, en lanzándolo, disforme,
> mostrando que aún más ánimo tenía.
> El circunstante pueblo, en voz conforme,
> pronunció la sentencia y le decía:
> «Sobre tan firmes hombros descargamos
> el peso y grande carga que tomamos» 9.

La Araucana obtuvo desde su publicación resonante éxito y vió multiplicarse en todo tiempo sus
ediciones. Las fuentes principales son Lucano y
Séneca entre los antiguos y Ariosto entre los modernos. Para la tercera parte Ercilla tuvo también
presente al Tasso.

Imitadores de Ercilla: «El Arauco domado»

El éxito de *La Araucana* suscitó una legión de
imitadores, especialmente en América. Los poemas

calcados sobre el de Ercilla se sucedieron con rapidez: *La Mejicana, La Argentina,* etc. Solamente
sobre Chile, y en relación estrecha con la obra
de Ercilla, aparecieron en poco tiempo cinco extensos poemas: *La cuarta y quinta parte de La
Araucana,* de DIEGO SANTISTEBAN OSORIO; *Las
guerras de Chile,* de JUAN DE MENDOZA; *El Purén
indómito,* de HERNANDO ALVAREZ DE TOLEDO; *El
compendio historial,* de MELCHOR XUFRE DEL
AGUILA, y *El Arauco domado,* de PEDRO DE OÑA.
Sólo este último merece consideración especial por
parte del crítico.

Su autor, PEDRO DE OÑA (1570-1643) [10], hijo de
un capitán español, pero chileno de nacimiento,
no disimula su obsesión de imitar a Ercilla. El
mismo confiesa que va «al olor de su rastro», y se
da cuenta de lo arriesgado de su empeño:

> ¿Quién a cantar de Arauco se atreviera,
> después de la riquísima Araucana?
> ¿Qué voz latina, hispérica o toscana,
> por mucho que de música supiera?

El, sin embargo, se atreve; aunque, para excu-
sar sus deficiencias, empieza por decirnos en el
prólogo que «es la primera labor que salió de sus
manos».

En el mismo *Prólogo* nos revela los móviles que
le impulsaron a redactar el poema; «el solo deseo
de hacer algún servicio a la tierra donde nací
(tanto como esto puede el amor a la patria), celebrando en parte con mis incultos versos las obras
de aquellos que, sirviendo en ella a su rey, dieron
a costa de sus vidas plumas y lenguas a la fama,
y el principal entre éstos el marqués don García
Hurtado de Mendoza». Recordemos que en *La
Araucana* Ercilla relega a segundo plano la figura
del marqués. Oña, en cambio, hace de ella el eje
de su poema, de suerte que todo él puede considerarse como un panegírico de don García, virrey
ya del Perú cuando Oña redactaba su *Arauco domado.* Se dice que fué escrito con gran apremio de tiempo, casi a destajo y a razón de veinte
octavas diarias. De ello parece quejarse el mismo
Oña:

> Es el discurso largo, el tiempo breve.
> ....
> Y danme tanta priesa cada día,
> que no me deja ir como se debe.

Por lo visto, el hecho de constituirse en adulador de los magnates tiene también sus peligros.
Oña, sin embargo, no podía quejarse. Don García
premió sus adulaciones y aquel deseo de llenar
con más o menos decoro la gran laguna que dejó
Ercilla, nombrándole corregidor de Jaén de Bra-
camoros.

La primera parte del *Arauco domado* se publicó en Lima (1596). La segunda, como la de
tantos poemas y novelas de la época, aunque
prometida reiteradamente, no llegó a escribirse;
o si se escribió, no llegó a publicarse ni hay de

ella noticias. Consta de 19 cantos en octavas reales; pero con una ligera variante en la disposición de la rima: ABBAABCC. Esta combinación, aunque manejada por Oña con evidente fortuna, no ha llegado a prosperar.

El *Arauco domado* reúne las mismas virtudes que el poema de Ercilla, al que tan de cerca intenta seguir, y adolece de los mismos vicios. Análoga estructura, idéntico colorido, la misma viveza en la descripción de las batallas, la misma valentía en la pintura de algunos caracteres. Pero aquí también, como en *La Araucana,* los indios llevan la mejor parte, mientras los españoles aparecen esbozados como a desgana. Los paisajes son tan convencionales como en Ercilla; teniendo ante los ojos una naturaleza virgen e inédita, Oña se complace en trasladar a Chile ninfas, Apolos y Narcisos, creando así un escenario enteramente artificioso. El prosaísmo se apodera con excesiva frecuencia del poeta y se extiende a cantos enteros, por ejemplo el II. Gusta de intercalar advertencias y consideraciones de carácter ético y lleva este prurito moralizador al extremo de empezar indefectiblemente cada uno de los cantos con una consideración de esta índole:

No hay cosa permanente ni segura
en esta corta y miserable vida,
do la prosperidad aun no es venida,
cuando para la vuelta se apresura...

(Canto II.)

Estos defectos no nos impiden calificar a Oña de altísimo poeta. Lo es sin duda y uno de los mejor dotados y de mayor aliento de cuantos ha producido la América hispana. Su destreza en la versificación es asombrosa: inventa una estrofa nueva o, al menos, un nuevo esquema estrófico y sabe darle tal aire que aun hoy nos asombra cómo de primera intención y sin anteriores tanteos han podido brotar aquellos versos tan sueltos y tan numerosos. Otras veces nos sorprende con su fino oído o nos deslumbra con imágenes insospechadas:

Con otros frescos árboles copados,
traspuestos del primero paraíso,
por cuya hoja el viento en puntos graves
el bajo lleva al triple de las aves.

Los árboles se ven tan claramente
en la materia líquida y serena,
que no sabréis cuál es la rama viva:
si la que está debajo o la de arriba.

O cuando nos pinta a Fresia metiéndose en el agua:

Mostrósele la fuente placentera,
poniéndose en el temple que ella quiso,
y aun dicen que de gozo al recibilla
se adelantó del término a la orilla 11.

Menor importancia tienen otras obras de Oña: *Ignacio de Cantabria* (Sevilla, 1636), poema de corto vuelo y escasa inspiración, no obstante los elogios que le dedicó Lope de Vega en su *Laurel a Apolo; El Vasauro,* escrito en edad avanzada, aunque con más fresco numen que el anterior; y otra composición de carácter histórico, *Temblor de Lima en 1609. El Vasauro,* del que ha hecho una edición crítica recientemente el erudito y filólogo chileno Rodolfo Oroz (Santiago, 1941), se llama así por el episodio central que le sirve de eje: un vaso de oro enviado por el rey Fernando de Aragón a Andrés de Cabrera, en recompensa por los servicios de éste a la causa cristiana. Poema de larga extensión, cerca de diez mil versos, mantiene un tono bastante elevado desde la primera página hasta el fin. Sus octavas—ha dicho Menéndez Pelayo—«son verdaderamente extraordinarias para compuestas por un poeta de sesenta y cinco años, y prueban que en su ingenio nunca llegó a secarse la inspiración, cuando escogió materia acomodada a sus fuerzas».

La «Elegía de varones ilustres»

No debemos terminar este apartado referente a la poesía épica de tema americano sin aludir, aunque sea de pasada, al «irrestañable versificador» JUAN DE CASTELLANOS (1522-1607) 12, llamado por algunos el Homero colombiano y considerado por casi todos como poeta indígena del Nuevo Mundo, si bien está probado que nació en España. Sus *Elegías de varones ilustres de Indias* son un caso único de incontinencia versificadora. Y no decimos incontinencia poética porque la auténtica poesía rara vez asoma en aquellas interminables tiradas de versos. Hasta 150.000 endecasílabos compuso el buen Castellanos para narrarnos los principales episodios del descubrimiento y la conquista, empleando diez años en reducir a pésimos versos lo que había antes escrito en no tan mala prosa. Esto no obstante, Castellanos ha tenido sus panegiristas, y hay que reconocer que si en cuanto poeta es detestable, en cuanto historiador, sobre todo del Nuevo Reino de Granada, «su lugar es de preeminencia», como ha dicho bien Leguizamón.

NOTAS

1. DÍEZ ECHARRI: *Teorías métricas del Siglo de Oro,* pág. 39, C. S. I. C., Madrid, 1949.
2. Datos biográficos de Zapata en el capítulo XXVII, dedicado más adelante a «Prosistas de tema vario».
3. Nace en Córdoba (¿1547?), hijo de un tintorero. Por renuncia de su padre, desempeña en su ciudad natal el cargo de jurado. Pero irregularidades administrativas le obligan a desplazarse a Portugal. En 1563 le encontramos en Granada, al lado de don Juan de Austria, en la guerra contra los moriscos, y tres años más tarde en la gran batalla de Lepanto. De juventud desordenada, pasó múltiples y contrarias vicisitudes: hasta nueve veces renunció al cargo de jurado. Muerto su padre, hereda Rufo la casa y la tintorería, y, renunciando a las musas, se dedica de nuevo a su antiguo oficio, volviendo a adoptar el verdadero nombre de Juan Gutiérrez, que en su juventud había cambiado por el de Rufo. Un hijo suyo fué pintor de cierto prestigio en Italia, y en público certamen venció al Caravaggio. Más datos sobre Rufo en el capítulo XXVII, dedicado a los «Prosistas de tema vario».

4. Valenciano. Hijo de un médico y humanista; también, como Ercilla, Rufo y tantos otros, siguió la carrera de las armas y combatió en Lepanto, donde fué herido. En Italia se aficionó a las bellas letras, cuyo cultivo alternó con sus deberes militares como capitán.

5. Nace en Lucena; estudia en Granada, donde se hace amigo de Gregorio Silvestre, Pedro de Padilla, Hurtado de Mendoza, Hernando de Acuña y otros ingenios que concurrían a la tertulia literaria de Venegas, alcaide del Generalife. Asiste a la guerra contra los moriscos; casa en Archidona, y ejerce su profesión de médico, llegando a ser regidor de la misma ciudad. Murió en Antequera (1595).

6. He aquí unos cuantos en que nos pinta a Medoro, que, herido por Orlando, invoca por todas partes a su amada:

Y cual el amador novillo suele
cercar el monte, río, valle y sierra,
y en toda parte escarba, mira y huele,
buscando por perdida su becerra,
y en testimonio fiel que el mal le duele,
con sus bramidos turba cie o y tierra,
así Medoro, triste y fatigado,
replica y llama el dulce nombre amado.
....

Si algún estruendo, aunque pequeño, siente;
si un bulto se le finge, aunque no sea;
si el agua hace un son confusamente;
si al aire cualquier hoja se menea
(¡oh triste del que espera, o del ausente,
o del que amando muere y devanea!),
Angélica parece, y se le antoja
el bulto, estruendo, el agua, el aire y hoja.

7. Ercilla lo recuerda en los cantos XXXVI y XXXVII:

Estuve en el tapete, ya entregado
al agudo cuchillo la garganta...
Ni digo cómo al fin, por accidente
del mozo capitán acelerado,
fuí sacado a la plaza injustamente,
a ser públicamente degollado...

A este hecho se atribuye la escasa participación del marqués de Cañete, don García, en La Araucana.

8. Leguizamón ha destacado con ejemp.os (I, 210-212) el acierto y originalidad de estas comparaciones. Véanse algunas:

Como el caimán hambriento, cuando siente
el escuadrón de peces, que cortando
viene con gran bullicio la corriente,
el agua clara en torno alborotando...

Como el aliento y fuerza van faltando
a dos valientes toros animosos,
....
que se van poco a poco retirando,
rostro a rostro con pasos perezosos,
cubiertos de un humoso espeso aliento,
y esparcen con los pies la arena al viento...

Como tímidos gamos que el ruido
sienten del cazador, y quietamente,
altos los cuellos, tienden el oido

Como parten la carne en los tajones
con los corvos cuchillos carniceros...

9. Rubén Darío, en uno de sus «sonetos áureos», el titulado Caupolicán, cantó este bellísimo episodio:

Anduvo, anduvo, anduvo. Le vió la luz del día,
la vió la tarde pálida, la vió la noche fría,
y siempre el tronco de árbol a cuestas del titán.
«¡El Toqui, el Toqui!», clama la conmovida casta.
Anduvo, anduvo, anduvo. La Aurora dijo: «Basta»,
e irguióse la alta frente del gran Caupolicán.

10. Nacido en Los Confines (Chile), en el fuerte de los Infantes de Engol (1570). Hijo del capitán Gregorio de Oña, sus primeros años se pasan en medio de los azares de la guerra, en que había de perecer su padre. Va a cursar estudios a Lima, en cuyo Colegio Mayor de San Felipe y San Marcos residía en 1596. En Lima escribe también la primera parte, y única publicada, de su Arauco domado, cuya impresión quiso aplazar hasta que saliera de aquellos reinos el marqués de Cañete, protagonista del poema, «porque el publicar sus loores

en presencia suya no engendrase... algún género de sospecha, cosa en que tan ajena está la limpieza de la verdad que en todo este discurso trato». Se ignora el año de su muerte, que debió de ser hacia el 1643.

11. En la Fábula del Genil, de Pedro de Espinosa, a que se aludirá por extenso en su lugar correspondiente, nos sorprende este pareado, tan parecido al de Oña:

Paró el agua a su queja, y por oilla
los sauces se inclinaron a la orilla.

¿Fué casualidad o imitación? Y, en este caso, ¿quién imitó a quién?

12. Los pocos datos biográficos que tenemos de Castellanos se han sacado rastreando en las Elegías. Por ello se sabe que nació en Alanís (Arzobispado de Sevilla); pasó muy joven a Indias, y anduvo peregrinando por diversas partes de Costa Firme. Vivió largo tiempo en las pesquerías de perlas de Cabagua y en el golfo de Paria; gastó su mejor edad y bríos entre «mestizas mozas diligentes». Cansado de su agitada vida, se acogió a sagrado; y en 1559 cantó su primera misa en Cartagena de Indias. El resto de su prolongada existencia, ochenta y cinco años, lo pasó ccmo beneficiado de Tunja, entregado al grato ocio de las letras y a su ministerio sacerdotal.

BIBLIOGRAFIA

I. G. Cirot: Coup d'œil sur la poésie épique du siècle d'or, «Bull. Hisp», Bordeaux, 1946.—Camillo Guerrieri Grocetti: L'Epica Spagnola, Mi án, Bianchi-Giovini, 1944.—Francisco Martínez de la Rosa: Apéndice sobre la poesía épica española, t. II de «Obras literarias», París, 1827.—Antonio Papell: La poesía épica culta de los siglos XVI y XVII, «Hist. gen. de las lit. hispánicas», II, Barcelona, 1951.—L. Pfandl: Historia de la literatura nacional española en la Edad de Oro (cap. IV, Epica), Barcelona, 1933.—Frank Pierce: History and poetry in the heroic Poem of the Golden Age, «Hisp. Review», 1952.—Luis Miguel Rocuant: Los líricos y los épicos, Madrid (s. a.).

II. B. Croce: Di un poema spagnuolo sincrono alle imprese del Gran Capitano nel Regno di Napoli (se refiere a la «Partenopea» de A. Hernández). «Archivo Storico per la provincia Napolitana», año XIX, fasc. III.—J. Borao: Noticia de don Jerónimo de Urrea, Zaragoza, 1866.—Zapata: Carlos famoso, edición original y completa, Zaragoza, 1566; Carlos famoso, ed. de J. Toribio Medina (conteniendo sólo la parte del poema que se refiere al descubrimiento de América), Santiago de Chile, 1916.—Pascual Gayangos: Introd. a la Miscelánea de Zapata, 1859.—J. Toribio Medina: El primer poema que trata del descubrimiento del Nuevo Mundo, «Carlos famoso», ed. Santiago de Chile, 1916.—Juan Menéndez Pidal: Vida y obras de don Luis de Zapata, disc. de ingreso en la R. Acad. Esp., 1915.—Antonio Rodríguez Moñino: Introd. a la Miscelánea, de Zapata, en el vol. XCIV de «Las cien mejores obras de la literatura española».—Rufo: Poesías, «Biblioteca Autores Españoles», vol. XLII; Los 600 apotegmas, ed. de la «Sociedad de Bibliófilos Españoles», vol. XLII; La Austriada, «Biblioteca de Autores Españoles», vol. XXIX.—G. Cirot: La «Guerra de Granada» y «La Austriada», «Boll. Hisp.», XII, 1920.—Foulché-Delbosc: Étude sur la «Guerra de Granada», de don Diego Hurtado de Mendoza, «Rev. Hisp.». I, 1894.—M. Pelayo: Orígenes de la novela (Rufo, III, 113-120). Ed. Nacional, 1943.—R. Ramírez de Arellano: Juan Rufo, jurado de Córdoba. Est. biográfico y crítico, Madrid, 1912.—Eugenio Asensio: España en la épica filipina, RFE, 1949, XXXIII.

III y IV. Historia del Monserrate, «Biblioteca Autores Españoles», vol. XVII.—A Farinelli: Una epístola poética de Virués, «Bolletino Storico della Svizzera Italiana», Bellinzona, 1892.—M. Menéndez Pelayo: Orígenes de la novela (Virués, II, pág. 162), Ed. Nacional, 1943.—F. von Münch: Virués'Leben und Werke, «Jahrbuch für Romanische um englische Literatur», II, Berlín, 1860.—Francisco Rodríguez Marín: Cristóbal de Virués (Bol. R. Acad. Esp.», X, 1922.—C. V. Sargent: A study of the dramatic works of Virués, Nueva York, 1930.—Barahona de Soto: Primera parte de la Angélica, Granada, 1586; en ed. facsímile de Archer M. Huntington, Nueva York, 1904; Poesías, en «Parnaso Español», de López Sedano, vols. II, VII y IX, Madrid, 1770-1773, y en «Biblioteca Autores Españoles», vols. XXV y XLII.—J. M. MOLINARO: *Barahona de Soto and Aretino*, «Italica», XXXII, Chicago, 1955.—F. RODRÍGUEZ MARÍN: *Luis Barahona de Soto. Estudio biográfico y crítico*, Madrid, 1903.—LEO ULRICH: *Angélica ed i «Migliori Plettri». Appunti allo stile della Contrariforma* (con referencias a Barahona de Soto y Lope de Vega), «Schriften um Vortrage des Petrarca-Instituts Köln», IV, Colonia, 1953.—RAMÓN MIQUEL PLANAS: *La leyenda de Fray Garin, ermitaño de Monserrat*, Barcelona, 1940-41.

V. MIGUEL LUIS AMUNÁTEGUI: *La alborada poética en Chile*, Santiago, 1882.—HIGINIO CAPOTE: *Las Indias en la poesía española del Siglo de Oro*, «Est. Americanos», VI, Sevilla, 1953.—ANGEL FRANCO: *El tema de América en los autores españoles del Siglo de Oro*, Madrid, 1954.—JUAN MARÍA GUTIÉRREZ: *Poetas suramericanos anteriores al siglo XIX*, Buenos Aires, 1865.—MARIANO LATORRE: *La literatura en Chile*, Buenos Aires Fac. de F.losofía y Letras, 1941.—JULIO A. LEGUIZAMÓN: *Historia de la literatura hispanoamericana* (Epica, t. I, cap. IV), Buenos Aires, 1945.—AIDA COMETTA MANZONI: *El indio en la poesía de América Española*, Buenos Aires, 1939.—M. MENÉNDEZ PELAYO: *Historia de la poesía hispano-americana* (Epica, t. I, cap. VII, y t. II, cap. XI), Ed. Nacional, 1948.—VALENTÍN DE PEDRO: *América en las letras españolas del Siglo de Oro*, Buenos Aires, Edit. Suramericana, 1954.—RODRÍGUEZ VELA: *Las conquistas del Valle de Arauco*, Sevilla, 1696.—L. ALBERTO SÁNCHEZ: *Nueva historia de la literatura hispanoamericana*, Buenos Aires, 1945.

ERCILLA (ediciones): Para el perfecto conocimiento de las ediciones de *La Araucana* anteriores a 1888 conviene consultar la «Biblioteca Americana», de Jose Toribio Medina, Santiago de Chile, 1888. Con posterioridad a esta fecha se han hecho varias: la monumental, del mismo J. T. Medina, en 5 vols., con documentos de la vida de Ercilla, texto e ilustraciones (Santiago de Chile. 1910-1917); la de Colec. Crisol, Edit. Aguilar, con pról. y notas de Concha de Salamanca (Madrid, 1946); la de A. M. Huntington, facsímile de la 1.ª ed. (Nueva York, 1902), etc.—Estudios: ADOLFO ARAGONÉS: *Ercilla*, Toledo, 1933.—AZORÍN: *Un capítulo dedicado a Ercilla en su ensayo Los dos Luises*.—P. BILBAO Y SEVILLA: *Don Alonso de Ercilla y Zúñiga, el vasco, el soldado, el poeta*, Madrid, 1917.—CHAPELET: Est. sobre *La Araucana* en el pról. a la trad. francesa.—J. D. DALE: *The Homeric Simile in «The Araucana»*, Washington, 1922.—SALVADOR DINAMARCA: *Los estudios de Medina sobre Ercilla*, Hispanic Institute in the United States, Nueva York, .953.—J. DUCAMIN: *La Araucana* (texto anotado), Paris, 1900.—FERNANDO DURÁN: *Lo lírico y lo ascético en Ercilla*, «Finisterre», Santiago de Chile, 1954.—A. FERRER DEL RÍO: Estudio sobre *La Araucana*, en la ª ed. de la Acad. Esp., Madrid, 1886.—E. GARCÍA GÓMEZ: *Una olvidada nota de Mehren sobre «La Araucana»*, «Rev. F.l. Esp.», XVII, 1930.—R. A. LATCHAN: *«La Araucana», de Ercilla*, «Rev. Católica de Santiago de Chile», 1923.—E. LIZAMA: *Apuntes para la historia de Lautaro*, «Rev. Católica de Santiago de Chile», 1917.—S. A. LILLO: *Ercilla y «La Araucana»*, «Anales de la Universidad de Chile», VI, 1928.—FRANCISCO MARQUÉS VILLANUEVA: *Sobre Ercilla y su épica*, «Archivo Hispalense», XXIII, Sevilla, 1955.—J. F. MEDINA: *Las mujeres de «La Araucana»*, «Hispania», California, 1928.—JOSÉ TORIBIO MEDINA: *Vida de Ercilla*, Biblioteca Americana del Fondo de Cultura Económica, Méjico-Buenos Aires.—M. MENÉNDEZ PELAYO: *Ercilla*, «Historia de la poesía hispanoamericana», II, páginas 222-37, Ed. Nacional, 1948; *Estudio sobre Ercilla*, «Bol. Real Acad. Esp.», XII.—M. MILÁ Y FONTANALS: *La Araucana* (est.), «Obras completas», Barcelona, 1893.—HUGO MONTES: Introd. a *La Araucana*, «Clásicos de Chile», núm. 2, Edit. del Pacífico, 1956.—LUIS MORALES OLIVER: *Raiz vascongada en la vida y en la obra del poeta Ercilla*, C. S. I. C., Madrid, 1955.—PERES DE CUNHA: *Os Araucanos*, Lisboa, 1741.—CRISTÓBAL PÉREZ PASTOR: *Documentos relativos a Ercilla*, Madrid, ¿1915?—J. L. PERRIER: *Don Garcia de Mendoza in Ercilla's Araucana*, «The Romanic Review», IX, 1918.—F. RODRÍGUEZ MARÍN: *Un estudio inédito de Alonso de Ercilla*, «Unión Iberoamericana», Madrid, 1920.—A. ROYER: *Étude littéraire sur L'Araucana*, Dijon, 1880.—LUIS ALBERTO SÁNCHEZ: *Alonso de Ercilla y Zúñiga*, «Escritores representativos de América», vol. I, Edit. Gredos, Madrid, 1957.—TAYER DE OJEDA: *Ensayo sobre algunas obras histór. utilizables para el estudio de la conquista de Chile*, Santiago de Chile.—VOLTAIRE: *Essai sur la poésie épique*, «Henriade» (con alusiones a Ercilla).—STROHMEYER: *Studie über die Araukana*, Bonn, 1929.

PEDRO DE OÑA: Textos: *Arauco domado*, 1.ª parte, Lima, 1596; 2.ª ed., Madrid, 1605; reimpresiones en Valparaíso, 1849, por Juan María Gutiérrez, y en Madrid, 1854, en vol. II de «Poemas épicos» de la «Biblioteca de Autores Españoles»; *El Vasauro*, ed. por la Universidad de Chile, 1941.—Estudios: JUAN MARÍA GUTIÉRREZ: Analiza *El Arauco Domado* en «Est. biográficos y críticos sobre algunos poetas suramericanos anteriores al siglo XIX», Buenos Aires, 1865.—JULIO A. LEGUIZAMÓN: *Pedro de Oña*, «Hist. de la lit. hispanoamericana», t. I, cap. IV, Buenos Aires, 1945.—ENRIQUE MATTA VIAL: *El licenciado Pedro de Oña. Estudio biográfico crítico*, Santiago de Chile, Imprenta Universitaria, 1924.—M. MENÉNDEZ PELAYO: *Pedro de Oña*, «Historia de la poesía hispanoamericana», II. págs. 238-50, Ed. Nacional, 1948.—LUIS ALBERTO SÁNCHEZ: *Pedro de Oña*, «Escritores representativos de América», vol. I, Edit. Gredos, Madrid, 1957.—RODOLFO OROZ: *Pedro de Oña, poeta barroco y gongorista*, «Acta Salmanticensis», X, núm. 1, Facu'tad de Letras de Salamanca, 1956.—JUAN DE CASTELLANOS: Textos: *Elegías de varones ilustres de Indias*, 1.ª ed. (Madrid, 1589), con el título de «Primera parte de las Elegías de Varones Ilustres de Indias», compuestas por Juan de Castellanos, Clérigo Beneficiado de Tunja en el Nuevo Reino de Granada; reimpresa con la 2.ª y 3.ª partes en la «Biblioteca de Autores Españoles», vol. IV. La 4.ª parte ha sido impresa por Antonio Paz y Meliá en la «Colección de Escritores Castellanos» con el título «Historia del Nuevo Reino de Granada». Toda la obra de Castellanos, completa, en ed. del académico venezolano Parra León (Caracas, 1930).—Estudios: MIGUEL ANTONIO CARO: Pról. a las *Obras de Castellanos*, Edit. A B C, Bogotá, 1955.—ANTONIO CURCIO ALTAMAR: *El elemento novelesco en el poema de Juan de Castellanos*, «Thesaurus», VIII, Bogotá, 1952.—D. M. JIMÉNEZ DE LA ESPADA: *Juan de Castellanos y su «Historia»*, Madrid, 1889.—M. MENÉNDEZ PELAYO: *Juan de Castellanos*, «Historia de la poesía hispanoamericana», I, págs. 414-23.

CAPITULO XVIII

LA NOVELA EN EL RENACIMIENTO Y EN EL BARROCO

ASPECTO GENERAL: *Formas novelísticas del Siglo de Oro. Libros de caballerías. Novela pastoril. Novela picaresca. Novela histórico-morisca. Novelas bizantina y cortesana. Otras formas no definidas.*—NOTAS.—BIBLIOGRAFÍA.

ASPECTO GENERAL

Las obras aparecidas en los siglos XVI y XVII, que hoy calificamos de *novelas,* no se denominaban así en aquella época. Se reservaba este nombre para un reducido número de obras de carácter amatorio, conforme al camino que trazó Cervantes en sus *Doce novelas ejemplares de honestísimo entretenimiento.*

Nosotros, siguiendo un criterio ya generalmente aceptado, agruparemos bajo la denominación genérica de *novela* todas las formas redactadas en prosa, de carácter imaginario, que se proponen como fin primordial, juntamente con el placer estético, la distracción de los lectores. En otras palabras: aquellas produccciones que en nuestros días no vacilaríamos en calificar con el nombre de *novelas.*

La novela, que en nuestra literatura medieval apenas aparece con escasas formas y éstas importadas casi siempre, adquiere en el Renacimiento y el Barroco capital importancia, sólo comparable con el éxito y extensión que alcanza el teatro durante la misma época, con Lope y sus continuadores. A diferencia de la lírica y de la épica, de tan acusado relieve en la Edad Media, el teatro y la novela apenas lograron salir antes del siglo XVI de una modesta mediocridad.

Este panorama cambia por completo en el Siglo de Oro. De igual modo que en el teatro logramos ponernos, tanto en cantidad como en calidad, a la cabeza de las literaturas europeas, también en la novela acertamos a crear formas tan originales como la picaresca, la cortesana y la morisca. Los últimos ecos de ésta llegan al Romanticismo en *El último Abencerraje,* de Chateaubriand. Si la novela medieval recibió su tono y dirección del italiano Boccaccio, la moderna lo recibe de Cervantes. En este sentido se puede decir que el autor del *Quijote* es el verdadero creador de la novela moderna.

El Renacimiento, ya se ha dicho anteriormente, fué un despertar de la antigüedad grecolatina. Un renacer a nueva vida. No ha de extrañar, por tanto, que en los diversos géneros literarios, al lado de creaciones y modalidades nuevas, se resuciten las viejas formas, adaptándolas al gusto de la época. Tradicionalismo e innovación representan las dos características más destacadas de nuestra literatura y de nuestro pueblo.

Formas novelísticas del Siglo de Oro

Para proceder con orden en el extenso campo que ofrece la novela en los siglo XVI y XVII, vamos a presentar un cuadro esquemático, a la vez que señalamos a grandes rasgos los caracteres más acusados de los diversos tipos. Estos pueden resumirse en los siete siguientes:

Novela de caballerías.
Novela pastoril.
Novela picaresca.
Novela histórico-morisca.
Novela bizantina.
Novela cortesana.
Formas no definidas.

La novela de caballerías

Se basa en una falsa idealización de la vida guerrera. Por su carácter idealista presenta cierta semejanza con el otro tipo de novela, la pastoril, que compartió el favor del público durante la segunda mitad del siglo XVI. También la pastoril era una idealización, sólo que de la vida bucólica y campestre.

Los libros de caballerías, no obstante su difusión en España, que excede al conjunto de todas las demás novelas de la Edad Media y del siglo XVI, no corresponden a un producto espontáneo de nuestro arte nacional. «Son—dice Menéndez Pelayo—una planta exótica que arraigó muy tarde y debió a pasajeras circunstancias su aparente y pomposa lozanía. Muchos son traducciones y otros imitaciones muy directas; pero es cierto que en el *Amadís*, y en el *Tirante* y en los dos *Palmerines*, el género se nacionalizó hasta el punto de parecer nuevo a las mismas gentes que nos lo habían comunicado y de imponerse a la vida cortesana de toda Europa durante toda una centuria.»

La facilidad con que el *Quijote* hizo desaparecer toda la balumba de Floriseles, Lisuartes, Duardos, Esplandianes y Caballeros de la Ardiente Espada, es buena prueba de que nunca gozaron de auténtico arraigo en el pueblo. Tal vez a la decadencia de estos libros contribuyó una razón social: mientras España pudo realizar las hazañas portentosas escritas en ellos, los caballerescos tuvieron actualidad; las aventuras del invencible Amadís de Gaula o de Palmerín de Inglaterra tenían un paralelo en las no menos prodigiosas de los descubridores y conquistadores de Méjico, del Perú, de la Florida. Cuando se extinguió esta sed insaciable de conquistas, aquellas narraciones decayeron rápidamente, porque resultaban anacrónicas. La cronología de los libros de caballerías parece venir en apoyo de nuestra tesis.

Su origen no ha de buscarse ni en Oriente ni en el mundo clásico. Nacen en la entraña misma de la Edad Media y no son más que una degeneración o, si se prefiere, una transformación de la épica. Cuando decae la sociedad feudal, al recitado en los castillos y plazas públicas sucede la lectura particular; a la gesta, el libro de caballerías. Una transformación social que trae consigo, como tantas veces, la de un género literario. En el capítulo siguiente volveremos sobre ello.

La novela pastoril

No menos idealista que la caballeresca, según hemos indicado, la novela pastoril también es un género importado en nuestra literatura. Las semejanzas que presentan ambas formas no pasaron inadvertidas a Cervantes; cuando Don Quijote en su lecho de muerte recobra el juicio y reconoce el gran fracaso de su vida de caballero andante, su escudero Sancho Panza le aconseja emprender la vida pastoril. Lo de menos es que el hidalgo manchego, ya en uso de su juicio, rechace la solución, conocedor de la falsedad de la vida pastoril, no menor que la caballeresca: lo que importa por el momento es la relación de semejanza que se establece entre ambas formas de vida y de novela. El paso de una a otra aparece insensible y plenamente lógico.

Considerado en su origen, el tema bucólico no presenta solución de continuidad, desde que aparece en Grecia con los idilios de Teócrito, Bión y Mosco y con la encantadora novelita de Longo, *Dafnis y Cloe*. En Roma tiene un cultivador tan excelso como Virgilio; en la Edad Media, las *pastorelas* provenzales y las serranillas galaico-portuguesas, que llegarán hasta bien avanzado el siglo XV con Santillana. Hemos eludido en esta breve relación a Boccaccio, que ejerce sobre la novela pastoril del Renacimiento una influencia especial. Las dos obras del escritor de Certaldo—*Ninfale d'Ameto* y *Ninfale Fiesolana*—influyen más en la forma puramente externa que en el fondo. De Boccaccio tomará la novela pastoril la mezcla de la prosa con el verso.

Dejando aparte las églogas de Juan de la Encina y de Lucas Fernández, de clara derivación virgiliana, y a las que hemos de referirnos en el capítulo correspondiente, el tema bucólico se polariza a partir del Renacimiento en tres direcciones: poesía lírica, teatro y novela pastoril.

Esta última es entre nosotros imitación italiana (la *Arcadia*, de J. Sannazaro) o portuguesa (*Menina e Moça*, de Bernardin Ribeiro).

Se ha tachado a esta clase de novela lo convencional del paisaje, la falsedad en la expresión de los afectos y en la pintura de las costumbres atribuídas a la gente rústica: la extraña mezcla de mitología clásica con supersticiones modernas. La verdad es que de todo se cuidaron los poetas menos de la fidelidad de la representación. El pellico del pastor fué para ellos un disfraz, y lo que hay de vivo y eterno en estas obras del Renacimiento es la feliz adaptación de la forma antigua a un modo de sentir juvenil y sincero, a una pasión enteramente moderna, sean cuales fueren los velos arcaicos con que se disfraza. El género pastoril es tan refinado, culto y artificial que en ninguna parte ha podido ser contemporáneo de la infancia de la sociedad: en Grecia aparece en la época alejandrina; en Roma, con los albores del Imperio; en el Mediodía de Francia, con las alegres y refinadas cortes provenzales. Elementos bucólicos pueden encontrarse antes sin duda; en Homero, Hesíodo y otros. Pero siempre como elementos accesorios, no constituyendo el nervio de la obra.

La visión idealista de la vida y el esfuerzo personal por llegar a este ideal son, ya se ha dicho, las dos notas principales de la novela caballeresca. La pastoril, en cambio, más idealista si cabe que la caballeresca, se nos ofrece diametralmente opuesta en cuanto a la acción. «Será—escribe González de Amezúa—quietud, vagar y petrarquismo en prosa, antítesis del medio social en que se escribe.»

La novela picaresca

Con la picaresca todo cambia: personajes, argumento y técnica narrativa. El pícaro es, en sentir de Américo Castro, «el señor visto por su ayuda de cámara». Es el héroe de signo negativo. La novela picaresca es la antítesis de la de caballerías; pero antítesis en todos los órdenes: en lo social, en lo moral y hasta en lo humano. Y no sólo en el carácter del protagonista, sino también en la técnica narrativa.

a) En lo social. La armadura del caballero andante se trueca en agujereado pespunte, el yelmo, en viejo sombrero; la espada, en sólido cuchillo de cacha amarilla.

b) En el aspecto moral. El pícaro no es héroe, sino cobarde; en justa correspondencia, todo lo que en la novela caballeresca era ideal y de alto vuelo se transforma en bajo y grosero. Los castillos se convertirán en malas ventas y posadas; la vaca que se sirve en la mesa será un muleto, muerto días antes y en estado de putrefacción. Don Quijote no lleva consigo dinero ni vituallas, por creer que al caballero andante se le tienen que abrir todas las puertas, ya que así lo leyó en los *Palmerines* y *Amadises*; el pícaro sabe que ha de luchar constantemente con el hambre.

c) En lo humano. La novela de caballerías es un canto a la fidelidad amorosa, y la dama único norte de acción del caballero, que busca por este medio el hacerse merecedor de sus favores; en la picaresca el sentimiento amoroso no interviene para nada. El pícaro, ha dicho Menéndez Pelayo, es temperamentalmente casto; es un misógino. Si alguna vez (en la novela picaresca de protagonista femenino) aparece el elemento amoroso, es sólo para atrapar incautos. La «pícara» no está enamorada; es «garduña de Sevilla» o «anzuelo de bolsas».

d) La misma antítesis encontramos en la técnica narrativa. Imposible de todo punto localizar la Insula Firme, el reino de Perio de Gaula o el del gigante Bandaguido; en cambio, podemos seguir paso a paso las aventuras de los pícaros. A la geografía fantástica de los libros de caballerías sucede la topografía exacta de la picaresca; la localización del viejo molino a orillas del Tormes, donde transcurre la infancia de Lázaro; del patio de Monipodio, centro de reunión del hampa sevillana, o la entrada de Pablos el *Buscón*, en Segovia y Alcalá de Henares.

e) *El caballero es universal;* el pícaro, nacional. Si un género literario es tanto más nacional cuanto más libre está de elementos extraños, ninguno tan nacional y español como la picaresca. Su protagonista encarna una nueva modalidad de vida, una nueva concepción del mundo en que vive, y esa concepción constituye la base de su filosofía. Ello explica en parte la técnica de esta clase de novela; el pícaro contempla el mundo y se siente solitario; pero, hombre al fin, quiere entrar en el medio que le rodea; dar a conocer su propia vida; y al no hallar panegiristas como el caballero, surge lo autobiográfico. Si en el primer capítulo de la novela de caballerías asistimos al nacimiento ilustre del héroe y nos enteramos de su ascendencia gloriosa, en el primero de la novela picaresca trabaremos conocimiento con los progenitores del pícaro, que no serán princesas ni reyes, ni siquiera damas y nobles de alta prosapia, sino rameras, «zurcidoras de voluntades», granujillas o rapabolsas, destinados a pagar en la horca o en galeras sus fechorías y «adversidades». He aquí, pues, otra nota de la picaresca: su carácter autobiográfico.

f) Y todavía un aspecto digno de destacarse. El pícaro sirve a muchos amos. Esto le permite trabar relación con las más variadas clases sociales, conocer su vida íntima, con lo que la picaresca se convierte fácilmente en novela de costumbres. El pícaro se constituye de este modo en una especie de censor de la sociedad en que vive; señala el mal, unas veces de manera fría y despiadada que raya en el sarcasmo; otras veces en forma irónica y suave, como tratando de comprender y hasta de disculpar las miserias humanas. Con tales caracteres bien se entiende que sólo podía aparecer el género al iniciarse el ocaso del período español. El pícaro, a la vez que lanza el grito de alarma, señala el peligro que corre una sociedad que se va anegando en un mundo de pequeñeces y de minúsculas ruindades.

Iniciado el género a raíz de la muerte de Felipe II (más adelante daremos las razones que nos mueven a excluir el *Lazarillo* del género auténticamente picaresco), alcanza su florecimiento en el primer tercio del siglo XVII, para decaer inmediatamente y convertirse en simple novela de pasatiempo o de «advertimiento» a los incautos, cuando sus autores, convencidos ya de la inevitable decadencia española o alejados de la misma, viven en la mayor inconsciencia.

No vayamos a ver, sin embargo, en la picaresca el reflejo fiel de toda la sociedad española del XVII y en los escritores del género espíritus resentidos que, en un complejo de impotencia, pretenden arrojar su bilis a la cara de sus contemporáneos. Tal nos ha sido presentado Quevedo, p. ej., en el famoso drama de Florentino Sanz. Pero ni todos los novelistas de la picaresca escriben como Quevedo, ni siempre éste lo hizo animado del resentimiento o del mal humor. Más bien ha de verse en la novela picaresca un cuadro de fondo costumbrista, que abarca una parte de la sociedad, más o menos amplia, pero siempre una sola parte. «De la misma manera que no se puede presentar con un tinte chulesco—ha escrito Salcedo Ruiz—a toda la sociedad del primer tercio de nuestro siglo, aunque la literatura nos haya ofrecido con frecuencia y hasta con cierta delectación tipos de chulo, tampoco podemos colgar el sambenito de «pícaros» a todos nuestros antepasados del XVII, aun reconociendo en el pícaro un tipo arrancado de la realidad. Por lo demás, este tipo ya existía con las mismas cualidades en la vida española y aun en la literatura anteriores al siglo XVI.» De don Furón, criado del Arcipreste de Hita, se dice:

> Era mintroso, bebdo, ladrón e mesturero,
> tafur, peleador, goloso, refertero,
> rennidor et adevino, susio e agorero,
> nescio, perezoso; tal es mi escudero.

El carácter autobiográfico—que, junto con el de «servir a muchos amos», constituye la nota más característica del género—no es original ni siquiera exclusivo de la picaresca. Se encuentra en obras anteriores, aun dentro de nuestra literatura, particularmente en el citado Arcipreste de Hita y en el valenciano Jaime Roig. Lo autobiográfico parece forma obligada cuando se pretende hacer critica social, política o moral. El autor, en tales casos, escudándose en un personaje que habla en primera persona, expone sus ideas con mayor libertad. La ficción adquiere también más visos de realidad. El estilo autobiográfico presenta los hechos, en expresión del costumbrista Juan de Zabaleta, «no como que cuenta», sino «como que padece».

Dentro de la técnica, la picaresca, aparte de las dos notas enunciadas—autobiografismo y servicio a muchos amos—, presenta otra tercera: la de concebirse como una especie de *roman à tiroirs*. La obra aparece como una serie de aventuras que no tienen más unidad que la de referirse al mismo protagonista. Su sino es un constante vagar; nunca lo hallamos en situación estable; sus aventuras son susceptibles de prolongarse indefinidamente. De aquí las múltiples continuaciones. Fenómeno, por otra parte, no exclusivo de este género, puesto que se da, aunque con modalidades distintas, en las de caballerías. Aquí las continuaciones vienen representadas por descendientes del héroe, como Esplandián, hijo de Amadís, formando verdaderos ciclos familiares: el de los Palmerines. En la picaresca las continuaciones respetan como protagonista al personaje inicial. Piénsese en las del *Lazarillo de Tormes*, del *Guzmán de Alfarache*, etc. Quevedo mismo, al final del *Buscón*, nos anuncia una segunda parte, que probablemente no llegó a escribir o al menos no conocemos.

Respecto al origen de la palabra *pícaro*, que dió su nombre a todo un género, no anda acorde la crítica [1].

Psicológicamente se le ha definido como «tipo de persona descarada, traviesa y bufona, y de no muy cristiano vivir». Es desvergonzado y vagabundo; hurta frecuentemente, pero no roba. La moderna jurisprudencia le condenaría a una quincena de cárcel por sus fechorías y rapiñas; pero no a presidio ni a muerte. Es un tipo que, aunque protagoniza de ordinario la novela, también aparece en el teatro.

La novela histórico-morisca

La primitiva novela histórica española es una rama desgajada de las Crónicas nacionales, injertas en el tronco de la literatura caballeresca. La transformación en novela de la poesía heroica sólo se realiza en un ciclo épico: el del rey don Rodrigo. La prosa histórico-novelesca aparece en la *Crónica Sarracina*, de Pedro del Corral. Al mismo género pertenece la estrafalaria *Historia verdadera del rey don Rodrigo y de la pérdida de España*, del falseador Miguel de Luna. Otro tipo de novela histórica, con influencias clásicas, tenemos en el «Libro áureo del Emperador Marco Aurelio», más conocido por el título de *Reloj de Príncipes*, de

fray Antonio Guevara. La obra tiene mucho de los antiguos tratados de *educación de príncipes*, que desde la *Ciropedia*, de Jenofonte, tanto se han venido prodigando en la literatura de todos los países.

La mejor muestra de novela histórica nos la dan los temas moriscos. El contacto de los pueblos cristiano y árabe engendra los romances fronterizos y moriscos (a los que se aludió en el capítulo XI); y de éstos arranca la novela morisca, que hallamos, ya formando cuerpo por sí sola, en las *Guerras civiles de Granada*, de Ginés Pérez de Hita, y en la *Historia de Abindarráez y de la hermosa Jarifa*, atribuída a Antonio de Villegas, o ya encajada en una obra extensa, como la «Historia de Ozmín y Daraja», que figura en el *Guzmán de Alfarache*, de Mateo Alemán.

Podríamos agregar a este grupo de narraciones las llamadas «de cautivos», muy difundidas en la literatura de los siglos XVI y XVII: novela, teatro y poesía. Lope de Vega, Góngora, y especialmente Cervantes, prodigan este tema en sus producciones.

La novela bizantina

Pareja a la histórico-morisca se desarrolla otra forma cuyos antecedentes se remontan a la antigüedad helénica. Nos referimos a la novela bizantina. Sus precedentes han de buscarse en las obras de Heliodoro de Emesa y Aquiles Tacio; pero el modelo que alcanzó mayor difusión en la Edad Media es la famosa leyenda de Apolonio, rey de Tiro, a la cual ya nos referimos en su capítulo correspondiente. Se trata de auténticas novelas de aventuras en las que el indispensable elemento amoroso se nos da diluído en una inacabable serie de naufragios, robos, separaciones violentas, inesperadas anagnórisis y todo el fastuoso aparato de los libros de este género, hasta desembocar en un desenlace siempre feliz.

De la importancia alcanzada por el género nos da idea el hecho de que Cervantes escribiera en él la que, a su juicio, debería ser la mejor novela de todos los tiempos: *Persiles y Segismunda*.

La novela cortesana

Ultima forma novelada del período que nos ocupa, en el orden cronológico, es la que González de Amezúa denomina *novela cortesana*. Breve siempre de extensión, puede considerarse como una rama de la de costumbres y debe su aparición y desarrollo a circunstancias especiales. La denominación del señor Amezúa, aunque acertada, no puede aplicarse a toda la novela corta del XVII, ya que buena parte de ella no se desarrolla en la corte ni en grandes ciudades, abarcando por este motivo los más variados temas: picaresco, de honor, italianizantes y hasta de cautivos.

La novela cortesana suele dársenos en series o colecciones; y la mayor parte de estas colecciones tienen por núcleo narrativo una ficción, que se va explanando conforme a las líneas trazadas por Boccaccio en su *Decamerón*. Repetidamente se hallan en nuestros novelistas alusiones a temas italianos, y la confesión paladina de que imitan un género «que tanta fortuna tiene en Italia». Pero, al lado de esta influencia que no cabe negar, son frecuentes las protestas de originalidad, rechazando toda posible relación con temas de los *novellieri*.

En efecto, el amplio cuadro imaginado por Boccaccio se complica y ensancha en nuestros novelistas cortesanos con una doble modalidad: la novela narrada con fin moralizador, de la que debe desprenderse una enseñanza, y la interpolación dentro de la trama general, constituída por los diversos cuentos, de una nueva novela que se desarrolla siempre entre los personajes encargados de la narración.

Aventuras de damas y galanes forman de modo casi exclusivo la temática de este tipo de narraciones, que con el teatro se disputan por espacio de un siglo el favor del público.

Destinada por su naturaleza a la lectura en tertulias, tan del gusto de la época de los Austrias, esta presencia real del auditorio confiere a nuestra novela cortesana un conjunto de notas que la distinguen de las otras formas noveladas del siglo XVII, a la vez que la independizan del mismo género tan en boga en Italia. Tales notas pueden resumirse así:

a) Artificio general y encuadramiento de las novelas, de clara derivación boccacciana. Este enmarcar una serie de novelas breves en un relato general se repite hasta la saciedad durante el siglo XVII: recuérdense *Los Cigarrales de Toledo*, de Tirso de Molina; el *Para todos*, de Montalbán; las *Tardes entretenidas, Jornadas alegres, Noches de placer* y tantas otras de Castillo Solórzano; las *Novelas ejemplares y amorosas*, de doña María de Zayas; las *Navidades de Madrid*, de doña María de Carbajal; las *Navidades de Zaragoza*, de don Matías de Aguirre; las *Auroras de Diana*, de don Pedro de Castro y Anaya; las *Meriendas de Ingenio*, de Andrés de Prado; los *Gustos y disgustos de Lentiscar de Cartagena*, de Ginés Campillo, y otras muchas colecciones y hasta de graves disertaciones, como los *Días de jardín*, del doctor Alonso Cano.

b) La brevedad de estas obritas viene determinada por la finalidad que persiguen estas narraciones y que podría resumirse en el título que Tirso de Molina aplicó a una de las suyas: *Deleitar aprovechando*.

c) Propósito moralizador. Los novelistas del siglo XVII proclaman hasta la saciedad este carácter ético de sus obras, ya en los innumerables incisos con que salpican la narración, ya en el título general o en los «prólogos al lector». Cervantes, al que hay que acudir siempre que se hable de

la novela española del siglo XVII, califica las suyas de *honestísimo entretenimiento*, título que debió de parecerle excesivo y redujo al de *Novelas ejemplares*. Se pretende, aunque a veces se consiga un resultado contrario, que de la lectura se saque, junto con la recreación, una enseñanza y un advertimiento. Tanto se repite el propósito moralizador, que se convierte en tópico y el mismo Lope de Vega hubo de burlarse donosamente de esta obsesión en su comedia *La discreta venganza*.

d) Alusiones frecuentes al desenlace. Se da más importancia a la narración en sí y a los factores estilísticos que a lo imprevisto del asunto. Por ello hasta es frecuente que el mismo novelista nos adelante el fausto o infausto desenlace de la obra. Este aparente desinterés por lo imprevisto se nos revela ya en el título de muchas novelas: *El verdugo de su esposa, El pronóstico cumplido, La constante cordobesa, Agueda la mal casada, La perseguida triunfante, Al fin se paga todo, El ingrato Federico*.

e) Estilo y lenguaje. Destinada a la lectura en tertulia, del mismo modo que exige brevedad, requiere también la constante atención del auditorio y que éste intervenga de algún modo en el relato. Se está muy cerca de una lectura comentada. Necesita, al parecer, la inmediata aprobación del público; de aquí las continuas alusiones al mismo, a lo largo del relato, en una serie de incisos con que se solicita su asentimiento, se le aconseja o se le despierta el interés. De aquí asimismo el lenguaje sencillo y natural, aunque cuidado. Los autores insisten que escriben tal como se habla, sin artificios ni rebuscamientos. La metáfora e imagen, cuando surge, es de fácil intelección. Sólo muy avanzado el siglo, en las últimas formas del género, se llega a ciertos extremos de mal gusto, verbigracia: la supresión, a todo lo largo de la novela, de alguna vocal.

f) Copia fiel, si bien algo idealizada, de la realidad y afirmación constante de la veracidad del hecho narrado. Los episodios se enlazan hábilmente con sucesos históricos, lo cual da a la narración un tono de mayor veracidad.

Las costumbres, preferentemente aristocráticas, alcanzan en mayor o menor escala a todos los tipos sociales: el embaucador, el rufián, el lacayo, la dama celestinesca de venerables tocas al estilo de la «tía fingida»; la criada murmuradora y rara vez fiel, el labriego hacendado, el parásito burlador que, al igual que el pícaro, paga sus travesuras a costa de las propias espaldas; la dama honesta y recatada junto a la de conducta dudosa y a la «alistada bajo la bandera del amor»; y, para que nadie falte en la serie, el corredor de filtros amorosos, el componedor de voluntades, el hechicero y, en fin, el mismo diablo. En este aspecto la novela cortesana nos ofrece un cuadro más amplio que el teatro.

Formas no definidas

Quedan aún algunas formas de difícil clasificación, tales como los *Sueños*, de Quevedo; *El Diablo Cojuelo*, de Vélez de Guevara (si bien ésta suele incluirse en la picaresca), y varias otras,

Creemos que el origen de estas obras puede remontarse a la antigüedad clásica, en la que tienen precedentes tan manifiestos como los diálogos de Luciano de Somosata. Se trata, en el fondo, de una literatura satírica que aprovecha el alegorismo para pasar revista a la sociedad de la época. En algún caso tales narraciones parecen una ampliación de la literatura paremiológica y la de apotegmas y agudezas, que tanto se prodigó durante el siglo XVI. Si intentáramos señalar alguna muestra del género dentro de la producción cervantina, recurriríamos a las dos breves narraciones insertas en las *Novelas ejemplares* con los títulos «El licenciado Vidriera» y el «Coloquio de los perros».

Expuestas en el presente capítulo las características de nuestra novela en los siglos XVI y XVII, en los que siguen estudiaremos por separado las principales producciones de cada una de estas formas, no sin insistir de nuevo en algunos puntos estudiados aquí sólo con carácter general.

NOTAS

1. La interpretación histórica de esta palabra—ha dicho el erudito hispanista alemán Ludwig Pfandl—ha resistido tenazmente hasta ahora toda la ciencia de los etimo'ogistas. Las más antiguas soluciones son: la palabra latina *pica*, a base de la cual *pícaro* significa un ser miserable, porque los romanos ataban sus prisioneros de guerra, vendidos como esclavos, a una lanza *(pica)* clavada en el suelo (Covarrubias); después se pensó en la radical latina *pic* (picus), en el sentido de picar, desde la cual *pícaro*, con la significación fundamental de abrir algo a go'pes de pico, evolucionó hasta indicar el mendigo, el andrajoso, el ladrón (Körting). Bonilla y San Martín relaciona esta palabra con algunos de los siguientes vocablos árabes: *bikaron* (madrugador), *bocaron* (mentira), *baycara* (vagabundo), *bacara* (arrancar). Alonso Cortés dec'ara que no sólo es posible, sino probable, su derivación del español *bigardo* (vago, vicioso); y ha demostrado, además, que originariamente se acentuó en llana: *pícaro*. Se ha pensado, por fin, en que los pícaros fuesen originarios de la Picardía. El Diccionario de Autoridades apunta que la palabra en cuestión puede derivar del español *picar*, porque el pícaro vivía picando aquí y allí, de restos y desperdicios.

BIBLIOGRAFIA

I. FERNÁNDEZ DE NAVARRETE: *Bosquejo histórico sobre la novela española*, «Bibliot. de Autores Españoles», XXXIII.—M. MENÉNDEZ PELAYO: *Orígenes de la novela*, C. S. I. C. (4 vols.), 1943.—L. PFANDL: *Historia de la literatura española en la Edad de Oro* (caps. II y XI), Barcelona, 1933.—E. B. PLACE: *Manual elemental de novelística española*, Madrid, 1926.—JOAQUÍN DEL VAL: *La novela española en el siglo XVII*, «Hist. gen. liter. hispán.», III, 1952.

II. PEDRO BOHIGAS BALAGUER: *La novela caballeresca sentimental y de aventuras*, «Hist. gen. liter. hispán», Barcelona, 1950.—ADOLFO BONILLA Y SAN MARTÍN: *Libros de caballerías*, «Nueva Bibl. de Autores Españoles», VI.—F. DE PAULA CANALEJAS: *Los poemas caballerescos y los libros de caballerías*, Madrid, 1878.—A. KRAUSE: *La novela sentimental (1440-1513)*, «University of Chicago», 1929.—M. MENÉNDEZ PELAYO: *Orígenes de la novela* (ed. cit.), vol. I, caps. IV y V.—H. THOMAS: *Las novelas de caballerías españolas y portuguesas*, orig. inglés, Cambridge, 1920 (trad. esp. de E. Pujals, C. S. I. C., 1952).—RAMÓN MARÍA TENREIRO: *Libros de caballerías*, «Bibl. del Estudiante», Madrid, 1924.—FELICIDAD BUENDÍA: *Estudio preliminar de Libros de caballerías españoles*, Aguilar, S. A., Madrid, 1954.

III. W. ATKINSON: *Studies in literary decadence. III, The pastoral novel*, «Bull. of Hispanic Studies». IV, 1927.—PABLO CABAÑAS: *La mito'ogia latina en la novela pastoril. Icaro o el atrevimiento*, «Rev. Liter», I, 1952.—ENRICO CARRARA: *La poesia pastorale*, «Storia dei generi litterari italiani», Milán.—RAFAEL FERRERES: *La novela pastoril y morisca*, «Hist. gen. liter. román.», II, 1953.—FRANCISCO LÓPEZ ESTRADA: *Las bellas artes en relación con la concepción estética de la novela pastoril*, «Anales Univ. Hispalense», XIV, 1953.—M. MENÉNDEZ PELAYO: *Orígenes de la novela* (ed. cit.), II, cap. VIII.—PFANDL: *Los pastores* (cap. II de la «Hist. lit. esp., Siglo de Oro»), Barcelona, 1933.—HUGO A. RENNERT: *The Spanish Pastoral Romaces*, 1892.—ANGEL VALBUENA PRAT: cap. XVIII de la «Hist. lit. esp.»: Origen, evolución y naturaleza de la novela pastoril.

IV. RAFAEL CANEVA: *Picaresca. Anticaballer'a y realismo*, «Univ. Antioquía», XXVII, Medellín (Colombia), 1952.—EMILIO CARILLA: *La novela picaresca española*, «Revista Univ. Litoral», núm. 30, Argentina, 1955.—AMÉRICO CASTRO: *Perspectiva de la novela picaresca*, «Rev. Arch. Bibl y Museos», XII, Madrid, 1935.—F. W. CHANDLER: *La novela picaresca en España* (trad. de Martín Robles). Madrid, 1913.—J. D. M. FORD: *Possibles foreign soerces of the Spanish novel of Roguery*, 1913.—F. J. GARRIGA: *Estudio de la novela picaresca española*, «Rev. Contemporánea», Madrid, 1891.—GILES RUBIO: *El origen y desarrollo de la novela picaresca*, 1890.—S. GILI GAYA: *La novela picaresca en el siglo XVI*, «Hist. gen. liter. román», II, 1951; *Apogeo y desintegración de la picaresca*, «Hist gen de la lit. hispán.», III, 1952.—J. F. GÓMEZ DE LAS CORTINAS: *El antihéroe y su actitud vital. Sentido de la novela picaresca*, «Cuad. de Liter.», VII, 1950.—ANGEL GONZÁLEZ PALENCIA: *Del Lazarillo a Quevedo. Estudios histórico-literarios* (4.ª serie), C. S. I. C., Madrid, 1946.—L. S. GRANJEL: *La figura del médico en el escenario de la novela picaresca*, «Arch. Hispanoamericano de Hist. Medicina», II, Madrid, 1950.—F. DE HAAN: *On Outline of the History of the Novela picaresca in Spain*, La Haya. 1903; *Picaros y ganapanes*, «Hom. a M. Pidal», II, 1925.—M. HERRERO GARCÍA: *Nueva interpretación de la novela picaresca*, «Rev. Filol. Esp.», 1937.—G. GUIDO MANCINI: *Classicismo e «Novela picaresca»*, «Annali delle Facoltà di Lettere e Filosofia». XVIII, Cagliari, 1951.—GREGORIO MARAÑÓN: Prefacio a la ed. del «Lazarillo», Colec. Austral. 1940.—MIREYA SUÁREZ: *La novela picaresca y el pícaro en la literatura española*, Madrid, 1926.—G. MOLDEHAUER: *Spanische Zensur und Schelmenroman*, «Homen. a Bonilla y San Martín», I, 1927.—MARY ADD'SON NEUMAN: *The Picaro in his Modern Counterpart*, «Vaidervilt Theses», 1947.—A. R. NYKI: *Pícaro*, «Rev. Hisp.», 1929.—A. PARDUCCI: *Motivi italiani nel romanzo picaresco spagnuolo*, «Convivium», 1939.—L. PFANDL: *Historia de la literatura nacional española en la Edad de Oro* (cap. IX).—MARCELINO C. PEÑUELAS: *Algo más sobre la picaresca, Lázaro y Jack Wilton*, «Hispania». XXXVI, Washington, 1953.—H. PESEUX-RICHARD: *A propos du mot «pícaro»*, «Rev. Hisp.». 1953.—FRANZ RAHUT: *Influencia de la picaresca española en la literatura alemana*, «Rev. Filol. Esp.», I, 1937.—H. RAUSSE: *Zur Geschichte des spanischen Schelmenromans in Deutschland*, Munich, 1908; *Die novela picaresca und die Gegenreformation*, «Funhorion». 8.°, suplemento, 1909.—G. REYNIER: *Le roman réaliste au XVIIe siècle*, París, 1914.—F. RODRÍGUEZ MARÍN: Prólogo a la ed. de «Rinconete y Cortadillo», Madrid. 1905.—F. RUIZ MORCUENDE: *La novela picaresca*, selección, «Public. antiguas», Madrid, 1922.—A. ROLAND: *La psicología de la novela picaresca*, «Hispania», XXXVI, Washington. 1954.—R. SALILLAS: *El hampa española en la novela picaresca*, «Ilustr. Esp. y Amer.», 1905.—B. SANVISENTI: *Pícaro*, «Bull. Hisp.», 1933.—L. SPITZER: *Español Pícaro*, «Rev. Filol. Esp.», XVII, 1930.—EDUARDO TODA OLIVA: *Amanecer en la picaresca española*, «Atenea», CXXII, Concepción, 1955. A. VALBUENA PRAT: Introd. a la *Novela picaresca*, Aguilar Edit., Madrid, 1943.—E. VLES: *Le roman picaresque hollandais des XVIIe et XVIIIe siècles et ses modèles espagnols et français*, La Haya, 1926.—R. H. WILLIAMS: *La Iglesia y el clero en la novela picaresca española*, tesis doctoral en la Univ. de Columbia.

V, VI y VII. MARÍA SOLEDAD CARRASCO URGOITI: *El moro de Granada en la literatura (del siglo XV al XX)*, «Rev. Occidente», Madrid, 1956.—A. MARTÍN GABRIEL: *Heliodoro y la novela española*, «Cuad. de Lit.», VIII, 1950.—M. MENÉNDEZ PELAYO: *Orígenes de la novela* (td. C. S. I. C.). vol. II, cap. IV (novela sentimental).—PFANDL: *Literatura española en la Edad de Oro* (novela bizantina), págs. 89-96, Barcelona, 1933.—R. MENÉNDEZ PIDAL: *Las leyendas moriscas en su relación con las cristianas*, «Estudios literarios», Colec. Austral, 1938.—H. MÉRIMÉE: *El Abencerrage d'après diverses versions publiées au XVIe siècle*, «Bull. Hisp.», XXX, 1928.—PFANDL: *ob. cit.* (sobre novela morisca), cap. II.—C. B. BOURLAND: *Boccaccio and Decameron in Castilian and Catalan Literature*, «Rev. Hisp.», XII, 1915; *The short history in Spain in the XVth century*, Northampton, 1927.—AGUSTÍN GONZÁLEZ DE AMEZÚA:

Formación y elementos de la novela cortesana, Madrid, Tip. de Arc., 1929.—F. N. JONES: *Boccaccio and his imitators in German, English, French, Spanish and Italian Literatures*, Chicago, 1922.—M. NICHOLS: *A study in the Golden Age* (sobre la novela cortesana, págs. 457-76), «Estudios Hispánicos», Wellesley, 1952.—F. RUIZ MORCUENDE: Pról. a la ed. de *El Patrañuelo*, «Clásicos Castellanos».—B. SANVISENTI: *I primi influsi di Dante, del Petrarca e del Boccaccio sulla letteratura spagnuola*, Milán, 1910.

CAPITULO XIX

LA NOVELA IDEALISTA
A) LIBROS DE CABALLERIAS

I. CARACTERISTICAS DEL GENERO

Estudiada en el capítulo anterior, y en términos generales, la naturaleza de los libros de caballerías, queda por consignar aquí su origen, su introducción en España y su exuberante floración, que excede con mucho al de todos los otros géneros novelescos juntos, en la Edad Media y siglo XVI. Aunque nacido, como veremos inmediatamente, de las Canciones de gesta o épica medieval, ofrecen características diametralmente opuestas, hasta el punto que en el confronte de los géneros—la gesta y el libro de caballerías—tenemos la especificación más precisa de los rasgos que dan fisonomía a éstos:

a) La épica responde a una mentalidad medieval y todavía tosca; la novela caballeresca a una mentalidad más refinada, que ha superado el estado feudal y sabe de cortesanías y discreteos amorosos.

b) En la épica se lucha por un destino superior, llámese Patria o Religión; en la novela caballeresca el protagonista emprende sus empresas con una finalidad individual y a veces sin objeto.

c) La épica se mueve en un cuadro histórico y geográfico, de contornos precisos y de horizonte limitado (Roncesvalles, Castilla); la novela caballeresca se desarrolla sobre un fondo imaginario.

d) En la épica la mujer ocupa un segundo plano y el amor casi está ausente de los protagonistas; el protagonista de la novela caballeresca lucha por la dama, a la que siempre lleva en el corazón y en los labios.

e) El héroe de la canción de gesta suele ser rudo, iletrado; el de la novela caballeresca, pulido, cortesano.

Origen de esta literatura

No es ni clásico ni oriental, aunque a veces encontremos elementos de una y otra literatura y hasta creaciones con rasgos análogos. «Nació —dice Menéndez Pelayo—de las entrañas de la Edad Media, y no fué más que una prolongación o degeneración de la poesía épica, que tuvo su foco principal en la Francia del Norte, y de ella irradió no sólo al Centro y al Mediodía de Europa, sino a sus confines septentrionales: a Alemania, a Inglaterra y Escandinavia, lo mismo que a España y a Italia.»

Aunque francés por la lengua, es germano y céltico por su ascendencia; y no ha de considerarse como poesía peculiar de un pueblo, sino de todo el Occidente europeo, habiendo tenido precisamente en España su mayor difusión y popularidad. El genio épico cristiano, mezclado con los símbolos de las olvidadas mitologías que se resisten a desaparecer, junto con la dispersión de las instituciones del mundo feudal, se traduce en una serie de poemas, no encajados en un ciclo determinado, sino entrecruzándose en el terreno de los tres—el clásico, el carolingio y el bretón—, aunque con evidente predominio de este último.

Tránsito de la «gesta» al libro de caballerías

El proceso formativo de este género literario, por disolución de las canciones de gesta, se puede seguir con bastante exactitud. Primero, aquéllas aparecen en forma métrica asonantada; luego, ante mayores exigencias del público, adoptan la rima consonante y más estudiados artificios; finalmente, al agotarse el genio creador de los juglares, el gusto del público, hecho a otros refinamientos y vuelto de espaldas a las auténticas gestas nacionales, hace que se desfonden aquellos temas, se amplifiquen, se desfiguren. Empieza ese fenómeno que los franceses llaman «desrimer», y que nosotros conocemos con el nombre de «prosificación». Los temas se mezclan, se hinchan desmesuradamente, se rellenan de elementos imaginarios y, de este modo, quedan convertidos en verdaderos libros de caballerías.

Esto ocurre primeramente en Francia y hasta tal punto está comprobado históricamente tal proceso de disolución en la épica francesa, que, según Menéndez Pelayo, «no hay un solo libro del género que no sea transformación de algún poema existente o perdido, pero cuya existencia consta de una manera irrecusable».

En España, más concretamente en Castilla, la disolución de la gesta sigue otros caminos: bien se prosifica para quedar absorbida por las *Crónicas*, sin sufrir deformaciones imaginarias o, al menos, manteniendo en lo esencial su veracidad histórica; o bien adquiere forma popular y fragmentaria en los innumerables poemas del Romancero. En ambos casos, en vez del aumento ampuloso, se nos da más bien un extracto del tema primitivo. Sólo la leyenda de Bernardo tuvo en Portugal un desarrollo muy tardío y puramente novelesco, a la manera francesa, en *La verdadeira terceira parte da historia de Carlo-Magno, em que se escreven as gloriosas açoes e victorias de Bernardo del Carpio*, por Alejandro Caetano Gomes Flaviense (1745). Si se buscase la causa de este retraso de casi dos siglos en nuestra literatura caballeresca con respecto a Francia, acaso nos daría la contestación el hecho de que en la época a que nos venimos refiriendo tales ficciones no eran necesarias para alimentar la imaginación de un pueblo, satisfecho plenamente con las historias mucho más verídicas de sus héroes nacionales.

Traducciones e imitaciones francesas

Tarde o temprano, sin embargo, la innovación tenía que imponerse en España, favorecida por el cambio de gusto del público, a que tantas veces nos hemos referido, y ayudada por el continuo intercambio de los dos pueblos, a cuyo fomento contribuían de una parte las incesantes peregrinaciones a Compostela y, de otra, las uniones entre soberanos y familias reales de ambos países, así como la llegada de numerosos aventureros y soldados, de que son típico ejemplo los que acompañaban al caballero Duguesclín.

Al principio los españoles se contentaban con traducir, o imitar a lo más, los poemas franceses de tipo caballeresco; y estos temas, traducidos o imitados, corresponden a los tres ciclos épicos, dominando lógicamente los pertenecientes al bretón. En esta orden quizás el primer libro de caballerías traducido al castellano sea *La Gran Conquista de Ultramar*, donde aparece la bellísima leyenda del Caballero del Cisne.

«La Gran Conquista de Ultramar»

Ya aludida por nosotros en el capítulo V, *La Gran Conquista de Ultramar* no es propiamente obra castellana, sino traducción de un original francés desconocido, realizada ya en tiempo de Sancho IV. Se trata de una enorme compilación de historias referentes a las Cruzadas, a la que se intercalan leyendas tan interesantes como la de Baldovín y la Sierpe: la de Harpín de Bourges y los ladrones; la de Mainete o juventud de Carlomagno; y, sobre todas, la bellísima de *El caballero del cisne*, relacionada con el mito de Psiquis y Cupido, que divulgada en Alemania desde 1200 con el nombre de *Lohengrin*, ha sido renovada por Wagner en su famosa ópera del mismo título.

La Gran Conquista consta de cuatro libros y en más de 1.100 capítulos se nos habla de Godofredo de Bouillon, de la conquista de Jerusalén, la fundación del Temple y de los Hospitalarios, las expediciones cristianas a Egipto, Túnez y Trípoli, etc. La leyenda de *El caballero del cisne* ocupa más de 100 capítulos. Parece que el compilador de *La Gran Conquista* se inspiró en el *Roman d'Eracle*, versión francesa de la *Historia rerum novarum in partibus transmarinis gestarum*, de Guillermo de Tiro (m. 1185).

Al ciclo carolingio pertenecen: el *Noble cuento del Emperador Carles Magnes de Roma e de la buena Emperatriz Sevilla, su mujer*; donde se narra las dramáticas aventuras de aquella resignada emperatriz perseguida por el traidor Macaire y acusada falsamente de adulterio; la *Historia de Enrri fi de Oliva, rey de Iherusalem, emperador de Constantinopla*, con las proezas de este caballero andante en tierras de ultramar; la *Historia de Carlo Magno y de los Doce Pares*, con las luchas que uno de ellos, Oliveros, sostuvo contra Fierabrás, rey de Alejandría; y la serie de libros escritos en torno a la legendaria figura de Reinaldos de Montalbán, con numerosas versiones en su mayor parte de origen italiano.

El ciclo clásico tuvo también enorme difusión, especialmente el extenso *Roman de la Troie*, de Benoit de Sainte-More, traducido ya por orden de Alfonso X en 1288. Al mismo ciclo corresponden *Flores y Blancaflor*, delicada novela de dos niños, hijo el uno de cierto rey sarraceno y la otra de una esclava cristiana; la *Historia del caballero Clamades y de la linda Claramonde*, de probable origen árabe, y las famosas historias erótico-caballerescas de *Pierres y Magalona*, de *Paris y Viana* y de la *Linda Melosina*.

Más abundante, el ciclo bretón, que se nutre de savia totalmente caballeresca, está representado por múltiples traducciones e imitaciones; las más antiguas son algunas de las incluídas en la citada *Gran Conquista de Ultramar* (historia de Corbalán, sultán de Mossul, de su madre la profetisa Halabra, de Baldovín y la sierpe, etc.). Siguen en antigüedad la *Estoria del rey Guillermo de In-*

glaterra, el *Cuento muy fermoso del emperador Ottas et de la infanta Florencia su fija,* el *Fermoso cuento de una sancta Emperatriz que ovo en Roma et de su castidad* y la *Estoria del caballero Plácidas, que fué después cristiano e ovo nombre Eustacio.* Más recientes parecen las adaptaciones de las leyendas de Tristán, Lanzarote y Perceval, conocidas universalmente por la *Demanda del Santo Grial.*

La fecha exacta de tales traducciones y adaptaciones no nos es conocida, aunque se estima que deben de corresponder en su mayor parte al siglo xv, si bien hay algunas mucho más antiguas. Se ha señalado el hecho curioso de que en el famoso escrutinio de la biblioteca de Don Quijote no se cita el título de ningún libro del ciclo artúrico.

Libros de caballerías

Dentro de la línea de los libros de caballerías, aunque por el espíritu más podrían entroncar con

la transformación del tema «a lo divino», cabe citar *La historia del rey Canamor y del infante Turián, su hijo* y *La destruición de Jerusalén.* Ambas representan un apartamiento de las novelas del ciclo bretón y del carolingio, predominantes en la época. Estas novelas se desenvuelven en el duro ambiente del paisaje que presenciara la tragedia de Cristo o en el muelle ambiente oriental donde nacerían más tarde los cuentos de *Las mil y una noches.* A este ambiente muelle pertenece la primera de estas historias; al segundo, *La destruición de Jerusalén.* En esta obra encontramos un concepto del judío que se repetirá hasta la saciedad en la novela y, sobre todo, en cuantas piezas de teatro traten el tema de la toma de Jerusalén por Tito y Vespasiano: el juego de palabras alusivo a la venta de Cristo por treinta dineros. En el capítulo XXII se dice: «Así como lo vendieron por treinta dineros, no queremos vender treinta judíos por un dinero.»

II. LIBROS DE CABALLERIAS PROPIAMENTE CASTELLANOS

A últimos del xv o principios del xvi nos encontramos ya con una serie de obras caballerescas típicamente castellanas por su creación y originalidad. Su aparición coincide naturalmente con el eclipse de los libros caballerescos de inspiración forastera. Que hayamos señalado aquella fecha —últimos del xv—como punto de arranque de las creaciones castellanas no quiere decir que antes no las hubiera, sino que a esa época corresponden las más antiguas que tenemos. El mismo *Amadís,* el más famoso de todos, sea cual fuere su autor y procedencia, no es sino una redacción corregida y ampliada de otro original mucho más antiguo, cuya existencia consta por muchos testimonios, como se dirá en su lugar.

«El caballero Cifar»

Aunque el *Amadís* ha sido considerado durante mucho tiempo como nuestro primer libro de caballerías en el orden cronológico [1], tal primacía no le corresponde. La obra caballeresca más antigua escrita originariamente en castellano es la *Historia del caballero de Dios que havia por nombre Cifar, el cual por sus virtuosas obras e hazañosas cosas fué Rey de Mentón.* Por las indicaciones del prólogo sabemos que debió de escribirse entre 1299 y 1305; se desconoce el autor, si bien algunos la atribuyen al arcediano Ferrant Martínez, a quien se alude en el prólogo; y, como era corriente en tal clase de libros, se nos informa que fué traducido de un original árabe al latín, y de esta len-

gua al castellano. Su idea fundamental ha sido tomada del cuento de las *Mil y una noches* «El rey que lo perdió todo»; pero con evidentes influencias también del *Speculum Historiale,* de Beauvais, de la *Leyenda áurea* y de la *Gesta romanorum.* Algunos de los apólogos intercalados proceden de Esopo; otros, de *El conde Lucanor* y de la *Disciplina clericalis,* de Pedro Alfonso. El autor manejó asimismo las *Siete Partidas,* las *Flores de Filosofía* y las obras de R. Lulio.

Tres elementos perfectamente diferenciados entran en la formación de este libro: una primera parte, de carácter hagiográfico, en forma novelada; una segunda parte, propiamente caballeresca, con las aventuras, encantamientos y fantásticas apariciones propias del género; y la tercera parte, en que domina el tono didáctico de los *Castigos* y documentos morales, tan divulgados en la época en que el libro se supone escrito. Bell señala, además, un germen muy acusado de novela picaresca en el escudero Ribaldo, antecedente de Sancho Panza, por sus socarronerías, y de los *pícaros,* por su astucia e industrias de que se vale para vivir.

El argumento de *El caballero Cifar,* de gran extensión y muchas complicaciones, es difícil de resumir. La primera parte narra los viajes y naufragios de Cifar y su esposa Grima, que, después de vender sus bienes y de fundar con el producto un hospital, salen del país con sus hijos. Cifar libera la ciudad de Galapia, sitiada por el conde Roboam, y al rey de Mentón, cercado también por el de Ester. Grima ha fundado un monasterio y, después de múltiples vicisitudes, se encuentran marido, mujer e hijos en Mentón, donde Cifar había sido proclamado rey. Es toda esta parte un relato de evidente carácter bizantino.

El elemento caballeresco destaca en los capítulos siguientes, en los que se narran las luchas de Cifar y de sus hijos contra el conde Nasón, a quien vencen y queman por traidor. Sus cenizas, arrojadas a un lago, hacen bullir las aguas y salir del fondo temerosas voces. Se intercala aquí la sugestiva historia de *La Dama del Lago*.

La parte final está dedicada casi íntegramente a los *Documentos y castigos* que el rey Mentón dió a sus hijos Garfín y Roboam. El carácter didáctico moralizador salta a la vista.

El caballero Cifar nos ha sido transmitido por dos códices (París y Madrid); la edición más antigua es la de Sevilla (1512).

III. EL «AMADIS DE GAULA»

Cuatro años antes que *El caballero Cifar* aparece en Zaragoza (1508) el libro de caballería más famoso e importante, no sólo de España, sino del mundo, el inmortal *Amadís de Gaula*, «obra capital—dice Menéndez Pelayo—en los anales de la ficción española y una de las que por más tiempo y más hondamente imprimieron su sello no sólo en el dominio de la fantasía, sino en el de los hábitos sociales».

El *Amadís*, impreso en Zaragoza, aparecía como obra, no original, sino *corregida*, de GARCI ORDÓ-ÑEZ DE MONTALVO [2], regidor de Medina del Campo en tiempo de los Reyes Católicos y hombre aficionado a la caza y pasatiempos literarios. El mismo nos dice que su labor consistió en *corregir* los tres primeros libros; que trasladó y enmendó el cuarto y que *añadió* el quinto. En efecto, existen abundantes testimonios de que Montalvo no pudo ser el autor del célebre libro, porque éste era conocido muchos años antes de que aquél viniese al mundo. Y aquí surge el primero y debatidísimo problema que plantea el *Amadís*: ¿quién es su primitivo autor? Y dada la dificultad de asignarle un autor concreto, ¿en qué lengua debió de ser redactado primeramente?

El litigio del «Amadís»

Tal polémica no tendría importancia si se tratase de un libro vulgar; pero ha de pensarse que el *Amadís* está considerado como la primera novela moderna que merece enteramente el título, pensada en grande y ejecutada según la técnica narrativa de los autores modernos.

El litigio se desarrolla entre críticos franceses, portugueses y españoles. Cada uno quiere recabar para su pueblo y su literatura la paternidad de la famosa novela.

Los portugueses aducen los siguientes argumentos: en 1454 aparece la *Crónica del conde don Pedro de Meneses*, escrita por Gomes Eannes de Azuzara, y en ella se lee que «el libro de *Amadís* fué compuesto a placer de un hombre, que se llamaba Vasco de Lobeira, en tiempo del rey don Fernando». Por otra parte, Miguel Leite Ferreira afirma en 1598 que «el original de Amadís *andaba en casa de Aveiro*», refiriéndose sin duda al original manuscrito. Finalmente, se sabe que Alfonso IV de Portugal, que empezó a reinar en 1325, ordenó la corrección del episodio de Briolanja (I, cap. XL), en el sentido de que Amadís, quebrantando por una vez la fidelidad jurada a Oriana, correspondiese al amor de la princesa Briolanja, a quien el mismo Amadís había repuesto en el reino de Sobradisa. De aquí quieren algunos deducir que la obra corresponde a un autor portugués de aquella época.

Contra tales argumentos replica la crítica española:

a) Vasco de Lobeira no pudo ser el autor de *Amadís*, porque fué armado caballero por Juan I el día de la batalla de Aljubarrota; pero precisamente en esta misma batalla cayó prisionero el canciller López de Ayala, que entonces tenía ya cincuenta y tres años; como el canciller, en una de las estrofas del *Rimado de Palacio*, afirma que leyó el *Amadís* cuando era joven, mal pudo escribirlo Vasco, que por los años a que se refiere Ayala no había nacido, puesto que el día de la batalla de Aljubarrota no debía llegar a los veinte años, según las prácticas caballerescas.

b) El original existente en la Casa de Aveiro tampoco prueba nada, ya que no se nos dice ni quién era el autor de tal original, ni fecha en que fué redactado, ni si era el primitivo, ni en qué lengua estaba compuesto.

c) Tampoco del episodio de Briolanja se puede deducir nada en concreto. Si fué corregido el texto, es porque existía anteriormente, ya que no cabe pensar que el autor primitivo de *Amadís*, que concibió a éste como un dechado de fidelidad y que hace girar casi todo el interés de la fábula sobre esa misma fidelidad, fuese a destruir su propia concepción por el capricho de un príncipe. Al autor de esta recensión casi podemos identificarlo en un Juan de Lobeira (no Vasco) *miles*, de quien se conservan poesías compuestas entre 1258 y 1286. Al menos es suya la delicada canción de Leoneta [3] inserta en el *Amadís* actual. La identidad del apellido pudo inducir a Azuzara a confundirlo con Vasco, personaje muy posterior.

La tesis del origen francés se apoya en razones más endebles. En el siglo XVI Nicolás de Herberay, señor des Essarts, traductor del *Amadís* español al francés por orden de Francisco I, afirmó que había existido *en langage picarde* un libro, del que quedaban aún fragmentos, que sirvió de origen a la novela castellana. Un siglo más tarde, en el XVII, renueva la tesis el obispo Huet, y todavía en el XVIII la vuelve a poner sobre el tapete el conde Tressan. Como ninguno de ellos aduce la menor prueba demostrativa de su aserto, no ha sido difícil a Menéndez Pelayo dar cuenta de tal tesis [4].

Desacreditada la atribución a Vasco de Lobeira, insostenible la de los manuscritos portugueses de la Casa de Aveiro, sin la menor base sólida la afirmación de Herberay, queda como única forma literaria que poseemos, y sobre la cual hemos de apoyarnos para juzgar, la del *Amadís* castellano de Garci Ordóñez de Montalvo, publicado en 1508, pero escrito probablemente algunos años antes.

Conclusiones

Las que se pueden dar como ciertas, en medio de la oscuridad que envuelve todo lo relativo al *Amadís,* pueden resumirse en las siguientes:

1. La famosa novela es una imitación libérrima y general de las del ciclo bretón, pero de ninguna en particular. Sus principales modelos son el *Tristán* y el *Lanzarote.*

2. Existía antes de 1325, en que empieza a reinar Alfonso IV de Portugal, que, siendo infante, mandó reformar el episodio de Briolanja. Por tanto, había texto más antiguo.

3. Tanto el texto primitivo como el reformado fueron conocidos por Ordóñez de Montalvo, quien nos dice que «el señor Ynfante Don Alfonso de Portugal, habiendo piedad desta fermosa doncella (Briolanja), de otra guisa lo mandó poner» [5].

4. No hay dato para afirmar en qué lengua estaba escrito el primitivo *Amadís;* probablemente existían varias versiones, tanto españolas como portuguesas, puesto que Montalvo no dice haber traducido, sino *corregido,* los tres primeros libros.

5. Estos eran conocidos en Castilla desde los tiempos de Ayala por lo menos:

Plogome otrosí oyr muchas vegadas
libros de devaneos e mentiras probadas,
Amadis, Lanzarote e burlas asacadas,
en que perdí mi tiempo a muy malas jornadas.

(Estrofa 162.)

Pero Ferrus o Ferrandes alude concretamente a los *tres* libros en uno de sus *dezyres:*

Amadys, el muy fermoso,
las lluvias e las ventiscas
nunca las falló ariscas,
por leal ser e fermoso.
Sus proezas fallaredes
en tres libros, e diredes
que le dé Dios santo poso.

También encontramos alusiones de Francisco Imperial y de Jerónimo San Miguel en poemas escritos respectivamente en 1405 y 1406.

6. La cuna del libro debe situarse con bastante probabilidad en la región noroeste de la Península Ibérica. Su idealismo sentimental, tan opuesto a la gravedad castellana, y sus vagos contornos geográficos, parecen indicar un origen galaicoportugués.

7. En su forma actual tuvo que ser redactado por Montalvo hacia el 1492, ya que en el libro se alude a hechos ocurridos por aquellas fechas y no posteriormente, como se viene afirmando [6].

Menéndez Pelayo opina que Ordóñez de Montalvo no se conformó con ser un mero corrector y refundidor, sino que realizó una labor mucho más honda. Donde más se nota la huella del regidor de Medina es en la dirección ética que acertó a dar a las narraciones livianas de su predecesor o predecesores. El cuarto libro, original suyo en la totalidad, es mucho más doctrinal y menos poético.

Argumento del «Amadís»

Constituye esta novela una intrincada selva de batallas extraordinarias, reconocimientos inesperados, encuentros imprevistos, peripecias, todo narrado con arte y sin decaer en momento alguno el interés.

El primer libro, de estilo más arcaico y movido que los otros, cuenta el nacimiento de Amadís, arrojado al río en un arca embetunada, con un anillo y una espada para su reconocimiento futuro; su crianza junto a Gandales de Escocia; sus amores idílicos con la princesa Oriana; la ceremonia de armarse caballero; sus primeras empresas; el reconocimiento de sus padres, Perión y Elisena; su encantamiento en el palacio de Arcalaus y liberación por dos doncellas de Urganda la Desconocida; la lucha con su hermano Galaor, sin conocerse; las cortes celebradas en Londres por el rey Lisuarte, padre de Oriana, y la reconquista del reino de Sobradisa, con la aventura de Briolanja.

El segundo libro, de menos acción y variedad, narra sus estupendas y continuas victorias contra caballeros gigantes y endriagos de diversos nombres: Famongomadan, Madanfabul, Cuadragante y Lindoraque, «el hijo del gigante de la Montaña defendida». Una buena parte está ocupada por su correspondencia con Oriana; y termina enemistado con el rey Lisuarte, por los ardides de los envidiosos Gandadel y Brocadán, enemistad que le hace salir de Londres, embarcado con sus 500 fieles, para dirigirse a la Insula Firme.

El libro tercero es más monótono. Oriana da a luz en secreto un niño, «que tenía debajo de la teta derecha unas letras tan blancas como la nieve e so la teta izquierda siete letras tan coloradas como brasas vivas; pero ni las unas ni las otras no supieron leer ni qué decían, porque las blancas eran de latín muy oscuro y las coloradas en lenguaje griego muy cerrado». Tal niño era Esplandián, fruto de los ocultos amores de Amadís con

Oriana. Sigue la infancia de Esplandián, amamantado, a semejanza de Rómulo y Remo, por una leona; su crianza por una hermana del ermitaño Nasciano. Entre tanto, el escenario de las proezas de Amadís se agranda; deja las islas Británicas y la península Armórica; viaja por Alemania, Bohemia, Italia, Grecia, islas del Mediterráneo, realizando las más sorprendentes hazañas, enmascarado con los más diversos nombres: Caballero de las Sierpes, Caballero de la Verde Espada, Caballero del Enano... Sus triunfos culminan con la entrada en Constantinopla. Lucha con el vestiglo y lo mata. Viene, por último, la liberación y conquista definitiva de Oriana y el descanso de los dos amantes en la Insula Firme. Hasta aquí el *Amadís* que debió de leer en tres libros Ferrús.

Uno de los episodios más bellos y más poéticamente redactados es el de la lucha y victoria sobre el Endriago, en la Insula del Diablo. La descripción del monstruo, producto informe del nefando ayuntamiento del gigante Bandaguino con su hija, es uno de los pasajes más gráficos y más ricos en léxico de la prosa castellana del siglo XV.

Se ha supuesto que en este tercer libro empieza ya la parte inventada por Montalvo, fundándose en que la historia del nacimiento de Esplandián debe de ser producto de su imaginación, introducida en el relato primitivo para justificar las *Sergas,* que luego escribió el buen regidor de Medina y de las que aquél sería el protagonista y héroe epónimo.

Montalvo, a quien no satisfacía sin duda el desenlace de la novela, quiso darle otro más en consonancia con las ideas profundamente religiosas de su pueblo y de su época. A tal fin inventó un cuarto libro, lleno de descripciones interminables y aventuras faltas de originalidad. La acción se reduce a las luchas de Amadís y sus vasallos de la Insula Firme contra el rey Lisuarte de Bretaña, con quien termina por reconciliarse después de haberle derrotado. Como en la batalla muere el emperador romano, a quien Lisuarte había prometido la mano de Oriana, ya no hay obstáculo para que ésta contraiga matrimonio con Amadís; y así todo termina en paz y gracia de Dios. Con la boda de los dos amantes y de otros personajes principales acaba el famoso libro.

Fama y fortuna del «Amadís de Gaula»

Está universalmente estimado como el mejor de todos los libros de caballerías españoles y extranjeros. La razón es obvia: pinta con mayor fidelidad que ningún otro las costumbres y el espíritu caballeresco de la época y está escrito, además, en un estilo sugestivo y brillante, con gran soltura y fluidez y una variedad de tonos como no se encuentra en ninguna obra de su clase.

Su éxito tanto en España como fuera ha sido enorme. Las ediciones se multiplican, convirtiéndolo en el libro más leído durante la primera mitad del XVI por todas las clases sociales, incluídos los religiosos y la nobleza. San Ignacio, Santa Teresa, Juan de Valdés y el mismo emperador Carlos V confiesan haber perdido en su lectura buena parte de la juventud. Es llevado muchas veces a las tablas, especialmente por Gil Vicente y Rey de Artieda. Se le traduce a todas las lenguas cultas: francés, inglés, holandés, alemán, italiano, y hasta se habla de versiones al hebreo. Ariosto lo imita en varios pasajes de su *Orlando* y Bernardo Tasso se inspira en él para los 100 cantos de su *Amadigi.* Todavía los prerrománticos alemanes lo toman como fuente de inspiración en obras como el *Gandalín,* de Wieland, y el *Nuevo Amadís* (1770).

La descendencia del «Amadís»

Pero el *Amadís* no es un libro estacionario. Estaba llamado a tener larga descendencia. Su árbol genealógico va echando ramas durante medio siglo hasta lograr multitud de hijos, nietos y biznietos. Se suelen señalar como vástagos del valiente tronco las siguientes continuaciones:

Quinto libro del Amadís, por otro título las *Sergas de Esplandián,* obra del mismo Montalvo (Sevilla, 1510), que si no merece el severo juicio de Cervantes cuando en el famoso escrutinio lo condenó sin piedad a la hoguera, hay que reconocer, en cambio, que carece del vigor, originalidad y frescura de su progenitor.

Sexto libro de Amadís de Gaula, en que se cuentan los «grandes e hazañosos fechos» de *Don Florisando,* sobrino de Gaula (Salamanca, 1510). Autor, Páez de Rivera.

Séptimo libro, en que se narran las hazañas de *Lisuarte,* hijo de Esplandián y nieto de Amadís (Sevilla, 1514). Autor desconocido.

Octavo libro, por otro nombre *Segundo Lisuarte,* con las aventuras de un hijo del anterior (Sevilla, 1526). Su autor, el bachiller Juan Díaz, da a la obra un desenlace de lo más vulgar, al hacer morir a Amadís de viejo y recluir a su viuda, Oriana, en el monasterio de Miraflores, del que llega a ser abadesa.

Noveno libro, llamado *Amadís de Grecia,* donde se resucita al héroe de Gaula, enlazando su acción con el primer Lisuarte. Se atribuye a Feliciano de Silva y apareció en Sevilla (¿1530?-1535).

Los libros décimo y undécimo, originales del citado Silva, y titulados *Don Florisel de Niquea* (Valladolid, 1532) y *Don Rogel de Grecia* (Medina del Campo, 1535), y el duodécimo, *Don Silves de la Selva* (Sevilla, 1546), escrito por Pedro de Luján, cierran brillantemente el ciclo de los Amadises.

Paralelo desarrollo alcanza la novela en otros países. Los doce libros de la edición española pasan a 20 en francés, 25 en italiano y 30 en alemán. A finales del XVII, el francés G. S. Duverdier publica todas las partes reunidas en 7 volúmenes, con el título de *Roman des Romans*.

Feliciano de Silva

De todos estos continuadores el único que merece una mención especial es FELICIANO DE SILVA (¿1492?-1560)[7], autor también—aparte de los libros citados—de una *Segunda Celestina* a la que ya aludimos en su lugar.

Literariamente, Silva se nos ofrece como un hábil explotador del filón caballeresco, un «gran industrial literario», que hubiera rivalizado en el siglo XIX con Fernández y González en la «fabricación» de novelas por entregas, y en el actual habría hecho competencia a los mejores guionistas de películas policíacas. De gran imaginación y estilo ampuloso, gusta perderse en intrincados razonamientos, adelantándose en casi un siglo al Barroco, tanto en su forma conceptista como en sus manifestaciones culteranas. A él se refiere Cervantes cuando dice que a Don Quijote ningún libro «le parecía tan bien como los que compuso el famoso Feliciano de Silva, porque la claridad de su prosa y aquellas entrincadas razones suyas le parecían de perlas y más cuando llegaba a leer aquellos requiebros y cartas de desafíos, donde en muchas partes hallaba escrito: *la razón de la sinrazón que a mi razón se hace, de tal manera mi razón enflaquece, que con razón me quejo de la vuestra fermosura*».

Tiene otro mérito Feliciano de Silva: el de haber sido el primero que introduce en la novelística peninsular el elemento pastoril. En cuanto al estilo, a partir del *Noveno libro de Amadís*, que hoy se da por suyo, y de la *Segunda comedia de Celestina* (1534), va avanzando a velas tendidas hacia lo desorbitado y extravagante. Véase ya desde el mismo título: *Crónica de los muy valientes y esforzados invencibles caballeros don Florisel de Niquea y el fuerte Anaxartes, fijos del muy excelente príncipe Amadís de Grecia; enmendada del estilo antiguo según que lo escribió Cirfea, reyna de Argines, traducida del griego en latín y del latín en romance castellano por el muy noble caballero Feliciano de Silva.*

Hurtado de Mendoza se burlaba donosamente de estos hombres, de vida morigerada y austera, católicos a machamartillo, que vivían, sin embargo, en un mundo imaginario de amores, aventuras imposibles y ensueños ultraterrenales: «Veis ahí a Feliciano de Silva, que en toda su vida salió más lejos que de Ciudad Rodrigo a Valladolid, criado siempre entre Nereidas y Danaydas, metido en la torre del Universo, adonde estuvo encantado, según dice en su libro, dieciocho años.»

IV. LOS «PALMERINES» Y OTRAS DERIVACIONES

A imitación de los *Amadises* fueron surgiendo otras familias y series menos conocidas, pero que también gozaron de cierta popularidad. La más notable es la de los Palmerines, constituída principalmente por los siguientes títulos:

1.º *Palmerín de la Oliva* (Salamanca, 1511), así llamado porque su protagonista también fué expuesto recién nacido, como Amadís; sólo que éste entre olivas y palmas. La lucha de Palmerín con tres leones debió de inspirar a Cervantes el conocido episodio de Don Quijote.

2.º *Primaleón* (Salamanca, 1512) relata las hazañas del caballero de igual nombre, hijo del de Oliva. Ambos son de autor desconocido.

3.º *Palmerín de Inglaterra* (Toledo, 1547-1548), el mejor, sin duda, de los tres, para el que Cervantes puso en labios del Cura, durante el escrutinio de libros, un juicio muy favorable, considerándolo «como cosa única», digna de conservase y guardarse en «otra caja como la que halló Alejandro con los despojos de Darío». En su capítulo LVI se inspiró el mismo Cervantes para «la famosa aventura del barco encantado». Atribuído durante algún tiempo a Luis Hurtado de Toledo, hoy se sabe que éste fué su traductor del portugués, y el verdadero autor, FRANCISCO DE MORAES (¿1500?-1572), secretario del embajador de Portugal en París, conde de Linhares. Moraes introdujo en la obra algunos datos autobiográficos, y se dió la circunstancia, otras veces repetida en la historia literaria, de que la traducción española apareció antes que el texto original portugués.

Los *Palmerines*, aunque no carecen de virtudes estilísticas y narrativas—sobre todo el de Moraes, que se distingue por el sentimiento lírico del paisaje y por cierta neblina de misterio que flota sobre la naración—, son, en conjunto, una copia exagerada del modelo: *Amadís*. Al igual que éste alcanzaron extraordinaria difusión en Europa y fueron traducidos reiteradamente a todas las lenguas de cultura.

Más novelas caballerescas

La relación de las obras del género publicadas en España durante aquella primera mitad del XVI nos llevaría mucho espacio. Mencionamos sólo las más importantes:

Don Florindo (Zaragoza, 1526), de Fernando Basurto.

Lepolemo (Valencia, 1521).

Don Cirolingio de Tracia (Sevilla, 1545), de Bernardo de Vargas.

Don Belianís de Grecia (Burgos, 1547), de Jerónino Fernández.

Felixmarte de Hircania (Valladolid, 1556), de Melchor Ortega.

No podemos seguir enumerando; la lista de los impresos y manuscritos es demasiado larga. Recuérdese que *más de cien cuerpos* de libros del género figuraban en la biblioteca del hidalgo manchego.

Libros de caballerías «a lo divino»

De antiguo venían clamando contra los estragos que en el orden moral producían tales libros los más sesudos varones. Que el daño para las conciencias cristianas era enorme lo confirma la conocida frase de Brantôme: «Querría tener tantos centenares de escudos como mujeres, seglares y religiosas ha pervertido el *Amadís.*»

Las censuras arreciaron en el siglo XVI ante la avalancha de Amadises, Palmerines y Floriseles, que llevaban trazas de reproducirse sin fin. Vives, el más grande filósofo español de aquella centuria, arremete contra ellos *(De institutione feminae cristianae* y *De causis corruptarum artium),* llamando de paso la atención sobre la ignorancia de sus autores; Melchor Cano, reformador de los estudios teológicos, refiere haber conocido un sacerdote que daba crédito a tales historias, alegando la misma razón que el ventero de Don Quijote, es a saber: cómo podían decir mentira libros impresos con la aprobación de los superiores y privilegio real *(De locis,* L. XI, cap. VI); en el mismo sentido se pronuncian, entre otros muchos, Antonio de Guevara *(Aviso de privados y doctrina de cortesanos),* Antonio de Venegas (Prólogo al *Apólogo de ociosidad,* de Luis Mexía), Juan de Valdés [8], Francisco de Salazar, Malón de Chaide, fray Luis de Granada y hasta el mismo Fernández de Oviedo *(Quincuagenas),* que los había escrito en su juventud:

> Sancto consejo sería
> que dexassen de leer
> y también de se vender
> esos libros de Amadís...

Como, a pesar del insistente clamoreo, la Inquisición no se decidía a prohibirlos, antes mostraba indulgencia, que no se compagina en modo alguno con el intolerante rigor de que se la suele acusar, y como el estrago moral seguía en aumento, algunos varones piadosos, dotados de mejor intención que ingenio, quisieron buscar el antídoto en un género de ficciones que en lo externo remedasen las de estos libros y en el fondo fuesen auténticas obras morales y ascéticas, disfrazadas con el encanto de la alegoría. Era ni más ni menos lo que se estaba haciendo en la lírica con Boscán y Garcilaso. De aquí una serie no corta de libros de caballerías «a lo divino», ninguno de los cuales merece mención especial.

Sólo a título de curiosidad recordaremos:

El Pelegrinaje de la vida humana, traducido del francés por fray Vicente Mazuelo (Tolosa, 1490).

El caballero determinado, también traducido del francés, primero por Acuña (1553), y luego por Urrea (1555).

La caballería celestial de la Rosa fragante (1554), de Jerónimo de San Pedro, obra tan oscura y descabellada que el Santo Oficio, después de haber pasado por alto el *Amadís,* se vió obligado a prohibirla.

El caballero del Sol o *Peregrinación de la vida del hombre puesto en batalla... en defensa de la razón...* (Medina, 1552), de Pedro Hernández de Villaumbrales; el mejor libro, sin duda, en su clase, ya que su autor pasa por uno de los buenos prosistas y escritores ascéticos del XVI.

La caballería christiana (1570), de fray Jaime de Alcalá; imitación del anterior.

V.   AUGE Y DESCREDITO DEL GENERO CABALLERESCO

Lo que llama la atención del crítico cuando estudia los libros de caballería, junto con su rápida y espectacular difusión, es su abandono y muerte repentinas. Tan fulminante como el triunfo fué también la derrota. Se suele ver en la adarga de Don Quijote, que concentraba en su punta el humorismo de Cervantes, el instrumento que les dió muerte. Y no hay tal; cuando Cervantes por medio del ridículo intenta y logra desacreditarlos, estaban ya muertos. El genial escritor no hace sino darles una magnífica sepultura. «En realidad de verdad—escribe Valbuena Prat—, el *Quijote* no ahogó el género caballeresco, sino que lo sustituyó en su agonía por el trágico egoísmo del fracaso del héroe, que en esta forma se transformaba en nueva modalidad de arte.»

Si, dejándonos de lucubraciones más o menos brillantes y siempre fáciles, tratamos de precisar las causas que contribuyeron primero a la aceptación sin precedentes de este género de libros y luego a su total abandono, quizá pudiéramos resumirlas en cuatro órdenes de factores: sociales, políticos, literarios y humanos [9].

Sociales.—La profunda transformación de costumbres, usos, modas y prácticas caballerescas que experimenta la sociedad europea durante el siglo XV, repercute necesariamente en España y origina una imitación de esas mismas costumbres y un desvío del gusto nacional hacia las modas y estilos literarios que prevalecen en las naciones extranjeras, principalmente en Francia. Uno de esos estilos, modas o géneros es el caballeresco.

Políticas.—Primeramente el advenimiento de la Casa de Trastamara; la llegada de aventureros franceses con Duguesclin e ingleses con el Príncipe Negro; luego las gestas asombrosas de los españoles en Italia y en el Nuevo Mundo, así como las legendarias luchas de los ejércitos en Italia, en Flandes y Alemania, han rebasado el estrecho círculo de nuestras canciones de gesta. Hace falta para nutrir la imaginación de los lectores un cuadro más amplio, con mayores aventuras y empresas, porque de otro modo la realidad superaría a todo lo imaginado. Sólo hazañas increíbles como las de Amadís o Palmerín podían excitar la curiosidad de un público que estaba viendo en la realidad epopeyas como la de Hernán Cortés, Pizarro o Núñez de Balboa. Peo todo ello, que en el fondo no era sino residuo de la Edad Media, tenía que desaparecer ante la luz del Renacimiento, porque no representaba sino lo más externo de la vida social y política; las formas estaban vacías de contenido y eran convencionales. Cuando llega con Felipe II una valoración exacta de la vida y un reajuste a los usos y costumbres racialmente españoles, todo aquel mundo ficticio se derrumba estrepitosamente.

Literarias.—Toda novela tiene dos aspectos: uno artístico y otro de ficción, de puro pasatiempo. En el siglo XV, y aun en el XVI, apenas existe más forma de ficción que los cuentos de Boccaccio con sus imitaciones y unas pocas novelas pastoriles. El público pedía más y solicitaba creaciones de más bulto, de mayor sustancia. No importaba que tales creaciones encerraran escaso valor estético; para la masa general de los lectores tal aspecto sólo tiene un valor secundario. Así, en el siglo pasado, las novelas de Dumas en Francia y de Fernández y González en España; así, en el actual, las narraciones policíacas. Cuando llega otra ficción más poderosa y directa, el teatro español del Siglo de Oro, todas aquellas fantasías caballerescts desaparecen.

Humanas.—Los temas de amor siempre sugestionan; y las novelas caballerescas los tomaban como núcleo de su narración; si a ello se agrega la aventura, en una época en que cada español llevaba dentro un espíritu ansioso de asomarse al exterior y de correr los más arriesgados albures, no ha de extrañarnos el éxito de tales libros. Con la generación de Felipe II el cuadro cambia: a las empresas terrenales suceden las empresas del cielo; a los amores del mundo, los amores divinos; a los conquistadores, los santos; a los poetas soldados, los poetas monjes. La mística abre otros horizontes: Ignacio de Loyola llama a las almas hacia más altas conquistas, mientras Juan de la Cruz canta amores insospechados.

NOTAS

1. Esta afirmación hecha por Cervantes en el donoso escrutinio es verdadera, si se atiende al origen remoto de la célebre novela, origen que nos es conocido. Pero aquí se trata de libro con fecha fija.

2. No se sabe de él sino lo que consta en el prólogo de su refundición y lo que en el cap. XCVIII de *Las sergas de Esplandián* nos dice por boca de Uganda la Desconocida. Debió de nacer hacia el reinado de Juan II, porque afirma él mismo haber conocido en Castilla muchos reyes y reinas, lo que hace presumir que en 1492 tendría lo por lo menos cincuenta años. Siguió muy pronto la carrera de las armas; era aficionado a la caza, y se sabe que el libro debió componerse, o más propiamente corregirse, hacia finales del XV, porque se mencionan sucesos posteriores a la toma de Granada y a la expulsión de los judíos. Tampoco hay certeza sobre el apellido; en la primera edición se dice que «fué corregido y emendado por el honrado e virtuoso caballero Garci Rodríguez de Montalbo»; en otras figura a nombre de «Garci Rodríguez de Montalbo», y en la de Roma (1525) se lee «Garci Gutiérrez de Montalbo».

3. La que lleva por estribillo:

> Leonoreta, fin roseta,
> blanca sobre toda flor;
> fin roseta, no se meta
> en tal cuita vuestro amor.

4. Vid. *Los orígenes de la novela*, ed. C. S. I. C., vol. I, cap. V.

5. Amadís, por el esfuerzo de su brazo, logró restituir a dicha princesa Briolanja el reino de Sobradisa, del que había sido despojada por un tío suyo, asesino también de su padre. Briolanja se enamora de Amadís; pero éste, fiel a Oriana, no puede corresponderle. Así en el texto primitivo. En la corrección, el héroe, autorizado por aquélla, accede a las peticiones de Briolanja.

6. En su forma actual es probable que se concluyera a finales del mismo año 1492 o principios del siguiente. Ha de tenerse en cuenta que los «prólogos» se solían escribir después de terminada la obra, y Montalvo, en el del *Amadís*, se congratula de haberse concluído recientemente un gran hecho de armas, «aquella santa conquista que el nuestro muy esforzado y católico rey don Fernando hizo del reino de Granada». Por lo demás, ni en los cuatro libros del *Amadís* ni en las *Sergas de Esplandián* se consigna suceso histórico alguno posterior a la conquista de Granada y a la expulsión de los judíos. En el capítulo CII de las *Sergas* hay una alusión clara a ambos sucesos: «No reteniendo sus tesoros, echaron del otro cabo de las mares aquellos infieles que tantos años el reino de Granada tomado y usurpado contra toda ley y justicia tuvieron; y no contentos con esto, limpiaron de aquella sucia lepra, de aquella malvada herejía que en sus reinos sembrada por muchos estaba.» Ya Clemencín, en sus anotaciones al *Quijote*, conjeturó que, como obras extensas que son, la composición del *Amadís* y de las *Sergas* debió de ocupar al autor bastantes años. Menéndez Pelayo, por su parte, afirma que en un pasaje del cap. LII del lib. IV de *Amadís* se ajusta «maravillosamente al tiempo de Enrique IV», por lo que no es descabellado suponerlo escrito entre 1470 y 1474, lustro en que la situación política y moral de Castilla había llegado a extremos lamentables. Tras lo expuesto, no parece descabellada la opinión, formulada sin reservas, de Menéndez Pelayo al afirmar que ambas novelas, el *Amadís* y su continuación, las *Sergas de Esplandián*, «fuesen impresas dentro del siglo XV, aunque hasta ahora no hayan sido descubiertas ambas ediciones».

Últimamente el descubrimiento de unos fragmentos manuscritos del *Amadís* (probablemente de principios del XV, ¿1420?) por A. Rodríguez Moñino, permite replantear todo el problema de la célebre novela y formular algunas rectificaciones al estado de la crítica sobre esta cuestión. Los fragmentos publicados por Rodríguez Moñino pertenecen al libro III (caps. LXV, LXVIII, LXX y LXXII) del original de Montalvo. Del confronte de estas conclusiones se deducen estas conclusiones: 1.ª Montalvo, más que como adicionador del *Amadís*, procedió como sintetizador, reduciendo el texto notablemente: 532 palabras del manuscrito se reducen a 378. 2.ª Las supresiones de Montalvo más bien perjudican al texto primitivo. 3.ª Parece que el refundidor medinés eliminó una *tercera parte* para que, al añadirle un *cuarto libro*, resultara un volumen aproximadamente igual al del *Amadís*, que corría a fines del siglo XIV. 4.ª El episodio de Nasciano, que según Menéndez Pelayo era una interpolación de Montalvo para preparar el relato de Esplandián, figura ya en el *Amadís* primitivo. Del estudio lingüístico de los fragmentos publicados por R. Moñino y el profesor Lapesa saca las siguientes conclusiones: *a)* Hay indicios de que el copista fué castellano viejo o leonés. *b)* No existe huella fonética ni morfológica de usos caducados antes de acabar los dos primeros tercios del siglo XIV. c) El lenguaje refleja el estado lingüístico propio de un texto compuesto en época muy anterior, aunque modernizado con usos vigentes hacia 1420 y respetado en el resto. Vid. A. Ro-DRÍGUEZ-MOÑINO: El primer texto manuscrito del «Amadís»..., y RAFAEL LAPESA: El lenguaje del «Amadís» manuscrito, «Bol. R. Acad. Esp.», XXXVI, págs. 199-225.

7. F. de Silva nace en Ciudad Rodrigo. Casó con una bellísima joven, hija de un judío converso y educada en el palacio de la marquesa de Cerralbo. Para vencer la oposición de sus familiares, Silva hizo correr la especie de que su prometida era hija natural del duque del Infantado y de una gitana. En El sueño de Feliciano de Silva, incluído en su Amadís de Grecia, se alude a estos amores con Gracia Fe. que así se llamó su esposa. Se le han atribuído los hechos caballerescos realizados por un hijo suyo y homónimo. paje de la Casa de Medinasidonia.

8. «MARCIO: ¿Habéislos vos leído?—VALDÉS: Sí que los he leído. — MARCIO: ¿Todos? — VALDÉS: Todos.—MARCIO: ¿Cómo es posible?—VALDÉS: Diez años, los mejores de mi vida, que gasté en palacios y cortes, no me empleé en ejercicios más virtuosos que en leer estas mentiras, en las cuales tomaba tanto sabor que me comía las manos tras ellas; y miral qué cosa es tener el gusto estragado, que si tomaba un libro en la mano de los romanzados de latín, que son de historia verdadera, o que a lo menos son tenidos por tales, no podía acabar conmigo de leerlos.» (Diálogo de la lengua.)

9. Cfr. MENÉNDEZ PELAYO: ob. cit., vol. I, págs. 454-66.

BIBLIOGRAFIA

I y II. Véase bibliografía del capítulo anterior (apartado II) y, además, Libros de caballerías (selección de R. M. Tenreiro), Madrid, 1924.—DIEGO CLEMENCÍN: Biblioteca de los libros de caballerías, Barcelona. 1942.—ROSARIO GARRIDO: Literatura caballeresca en España, Madrid, Imp. Sordomudos y Ciegos. 1905.—M. MENÉNDEZ PELAYO: Orígenes de la novela (Aparición y ciclos del género caballeresco). vol. I, cap. IV, ed. C. S. I. C.—PERDOMO GARCÍA: Las Canarias en la literatura caballeresca, «Rev. de Hist.», La Laguna, 1947.—IRVING A. LEONARD: Romances of Chivalry..., Berkeley. California, 1933.—MARTÍN DE RIQUER: Tirante el Blanco, Don Quijote y otros libros de caballerías, «Asoc. de Biblióf. de Barcelona», 1947-1949.—JOSEFINA RUIZ CONDE: El amor y el matrimonio secreto en los libros de caballerías, Edit. Aguilar, Madrid, 1948.—RAFAEL SCHIAFINO: La medicina en los libros de caballería andante, Buenos Aires, 1943.—P. BOHIGAS: Los textos españoles y gallego-portugueses de la Demanda del Santo Grial, anejos «Rev. Filol. Esp.».—CARLOS CLAVERÍA: Le Chevalier Déliberé de Olivier de la Marche y sus versiones españolas del siglo XVI, C. S. I. C., 1950.—CHARLES

P. WAGNER: El libro del caballero Cifar, «Language and Literature Studies», Univ. of Michigan, 1929.

III. MENÉNDEZ PELAYO: Orígenes de la novela (est. sobre El caballero Cifar, el Amadís, los Palmerines, libros de caballerías a lo divino, etc.), vol. I, cap. V.—E. BARET: Etudes sur la rédaction espagnole de l'Amadís de Gaula, de Garcia Ordóñez de Montalvo, París. 1853.—THEOFILO BRAGA: Historia das novellas portuguezas de... (Formaçao del «A de Gaula»), Porto, 1873.—LUDWIG BRAUNFELS: Kritischer Versuch über den Roman «Amadis von Gallien», Leipzig. 1876.—D. DUQUE Y MERINO: El argumento de Amadís de Gaula, «Rev. de España», núm. 73, págs. 75-340.—C. GARCIADELARIEGA: Literatura galaica: el «Amadís de Gaula», Madrid, 1909.—SAMUEL GILI GAYA: Amadís de Gaula, Barcelona, Universidad, 1956.—J. GIVANEL MAS: Una papeleta crítico-bibliográfica referente al octavo libro del Amadís de Gaula, «Hom. a Menéndez Pidal».—H. HIDALGO: Ediciones del Amadís, «Diccion. Bibliográfico Español». I.—URBANO LÓPEZ: Pról. al Amadís, ed. Madrid, 1838.—BÁRBARA MATULKA: On the Beltenebros episode in the Amadís, «Hispanic Review».—C. MORENO GARCÍA: Divulgaciones literarias: La novela de Amadís, «Rev. Cast.», III, IV y V, 1919.—WERNER MULERTT: Studien zu den letzten Büchern des Amadís-Roman, Halle, 1923.—F. G. OLMEDO: El «Amadís» y el «Quijote», Edit. Nac. 1947.—PALÁU: Bibliografía del «Amadís», «Manual de Bibliog.», I.—H. THOMAS: The romance of Amadís de Gaula, Londres, 1912.—A. THOMAS PIREZ: Estudo e notas: Vasco de Lobeira, Elvas, 1907.—HUGUES VAGANAY: Amadis en Francais. Essai de bibliographie. Florencia, 1906.—GRACE S. WILLIAMS: The Amadis Question, «Rev. Hisp.», XXI, 1909.—FOULCHÉ-DELBOSC: Sergas, «Rev. Hisp.», 1910.—S. GILI GAYA: «Las sergas de Esplandián» como crítica de la caballería bretona, «Bol. Bibl. M. Pelayo», 1947.—N. ALONSO CORTÉS: Feliciano de Silva, «Bol. Real Acad. Esp.», 1933.—ERASMO BUCETA: Algunas notas referentes a la familia de Fel. de Silva, «Rev. Filol. Esp.», XVIII. 1931.—E. COTARELO MORI: Nuevas noticias biográficas de Fel. de Silva, «Bol. Real Acad. Esp.», XIII, 1926.

IV. Palmerín de Inglaterra, texto por A. Bonillo y San Martín, «Nueva Bibliot. Autores Españoles», IX.—N. DÍAZ DE BENJUMEA: Disc. sobre Palmerín de Inglaterra y su verdadero autor, Lisboa, 1873.—C. MICHAELIS DE VASCONCELOS: Palmerín de Inglaterra, «Zeitschift für Romanische Philologie», VI, 1882.—EDWARD PURSER: Palmerín of England (Some Remarks on this roman and on the controversy concerning its authorship), Dublín-Londres, 1904.—JERÓNIMO BORAO: Noticia de don Jerónimo Jiménez de Urrea y de su novela caballeresca inédita «Don Clarisel de las Flores, Zaragoza, 1866.

V. Bibliografía en las obras generales citadas anteriormente.

CAPITULO XX

LA NOVELA IDEALISTA: B) GENERO PASTORIL

I. Antecedentes del género: *Elementos.*—II. La «Diana» de Montemayor: *Datos biográficos del novelista. Producción literaria. Argumento de la «Diana». Análisis. Personajes, fuentes y popularidad. Continuaciones de la «Diana»: Alonso Pérez. Jerónimo de Texeda. Fray Bartolomé Ponce y otros.*—III. La «Diana enamorada», de Gil Polo: *Argumento y análisis.*—IV. Otros cultivadores del género: «El pastor Fílida», de Gálvez de Montalvo. «La constante Amarilis», de Suárez de Figueroa.*—V. Decadencia y muerte de la novela pastoril.—Notas.—Bibliografía.

I. ANTECEDENTES DEL GENERO

En la misma línea sentimental que los libros de caballerías tiene la literatura española de la Edad de Oro otra manifestación no menos interesante: la novela pastoril.

Ya se dijo que como aquéllos proceden de una falsa idealización de la vida guerrera, ésta—la novela pastoril—trae su origen de otra idealización no menos falsa de la vida campestre. El idealismo bucólico no es un fenómeno aislado del siglo XVI, sino el rebrote más fuerte de un proceso que se manifiesta ya en Grecia (ciertos episodios de la *Odisea,* idilios de Teócrito, Mosco, Bión), que pasa luego a Roma (Virgilio, Calpurnio, Nemesiano) y, después de correr subterráneo a través de la Edad Media (*pastorelas, vaqueras,* etc.), vuelve a saltar más pujante con los primeros renacentistas italianos. Esta corriente va tan oculta, especialmente en los siglos medievales, que Herrera pudo escribir en sus Comentarios o *Anotaciones:* «Desde éstos—se refiere a Virgilio y Teócrito—hasta la edad de Petrarca y Boccaccio, no hubo poetas bucólicos.» Las serranillas del Arcipreste de Hita, en un lenguaje descarnado y brutal; las tan aristocráticas del marqués de Santillana, y, más tarde, los villancicos que aparecen en las obras de Juan de la Encina y Lucas Fernández, invalidan la afirmación del insigne comentarista de Garcilaso.

No es de aquí de donde tomaron los nuestros la novela pastoril. Ni siquiera de las obras del género, una en verso y otra en prosa, compuestas por Boccaccio con los títulos de *Ninfale Fiesolano* y *Ninfale d'Ameto,* sino de la famosa *Arcadia,* de Sannazaro, en que este autor napolitano supo resumir lo más selecto de los bucólicos griegos y latinos, mezclado con alusiones a sucesos y personas de la vida real, más o menos veladamente disfrazados: *Sincero* es el mismo Sannazaro; *Summontio,* Pedro de Summonte, segundo editor de la

Arcadia; *Meliseno,* el poeta latino G. Pontano, y *Barccisio,* el catalán Bernardo Garreth, por nombre poético llamado *Chariteo.*

Conforme a este patrón habían de confeccionarse luego las mejores obras del género, que en lo que atañe a España no siguen con absoluta fidelidad al modelo, antes se apartan en no pocos aspectos fundamentales. Aunque Scherillo y otros pretenden hacer de la novela pastoril española un calco fiel de la italiana, la verdad es que, si en muchos puntos coinciden, en otros se apartan tanto como la tendencia a lo clásico se aparta de la tendencia a lo barroco y la construcción de líneas cerradas se aleja de la construcción de líneas abiertas. La nuestra es más libre, más recargada y también más dinámica.

Hemos establecido al principio cierto paralelismo entre los dos tipos básicos de la novela sentimental, la pastoril y la caballeresca. Pero ese paralelismo no puede admitirse sin grandes reservas. Por lo pronto, mientras la novela caballeresca constituye por sí un género en que lo sustancial es el elemento caballeresco, la otra no posee personalidad propia, porque en ella lo pastoril es sólo un accidente, un aditamento, algo adjetivo a la acción, que se desarrolla casi con independencia de la circunstancia más o menos bucólica de los protagonistas. La novela pastoril es, en este sentido, un simple denominador común de obras de muy diversa índole, o, como ha dicho acertadamente el profesor López Estrada, «un nervio cultural que las une» [1].

Elementos de la novela pastoril

Ha sido Herrera en las precitadas *Anotaciones* a Garcilaso el que ha señalado con relativa exactitud los elementos integrantes del género.

a) Asunto bucólico, inspirado en los himnos a

Diana y otras divinidades de la mitología clásica; b) ambiente pastoril, con profusión de árboles, vides, regatos, etc.; c) «dicción... simple y elegante», con «palabras que saben al campo y a la rustiqueza de la aldea, pero no sin gracia y con profunda ignorancia y vejez, porque se templa su rusticidad con la pureza de las voces propias al estilo»; d) «sentimientos afectuosos y suaves». Todavía pudo haber agregado la intención casi siempre honesta, tan reiteradamente formulada en algunas obras del género, por ejemplo en la Diana, de Montemayor, y la deliberada idealización de la Naturaleza.

Sobre este último aspecto ha escrito el señor Valbuena Prat[2]: «Generalmente se acusa a la novela pastoril de falsear la Naturaleza. Más que la repetición del tópico importa explicar la modalidad de los paisajes de las narraciones bucólicas. Si nos fijamos en la sinceridad o insinceridad de los cuadros de descripción contenidos en la novela, observaremos que... denotan un verdadero sentimiento del paisaje... No se trata de falsedad, de fracaso en la descripción; la Naturaleza aparece en sus líneas esenciales, fuera de toda concrección determinada, como objeto de belleza análogo al de la lírica de las églogas.» Es decir, que los poetas bucólicos—y la novela pastoril encaja plenamente dentro de esta poesía—no nos dan un paisaje irreal, inexistente y mucho menos falso, sino un paisaje natural, embellecido y hermoseado más y más con arreglo a un arque-

tipo previo. Es el mismo fenómeno que se observa en la lírica renacentista, donde cada poeta canta la belleza de su dama, belleza real, pero enmarcándola dentro de unas líneas que sirven de módulo universal. Este creemos que es el pensamiento del señor Valbuena, y, en tal supuesto, coincidimos plenamente con él.

Otra característica cabría señalar: las narraciones pastoriles siempre, o casi siempre, se basan en un suceso amoroso real y sus pastores encarnan personajes conocidos de la aristocracia, de las armas o de las letras. En esto no hace sino continuar la línea ya iniciada por Virgilio en alguna de sus églogas y seguida por algunos de nuestros bucólicos, entre ellos el mismo Garcilaso. Cervantes nos había de decir, con referencia a su Galatea, que «muchos de los disfrazados pastores della lo eran solamente en el hábito». Esta exigencia que se cumple, según veremos, en obras tan representativas del género como la Diana, de Montemayor, o la Fílida, de Montalvo, convertía cada novela pastoril en una obra «de clave», con lo que el interés de su lectura por los contemporáneos se acrecía más y más.

Y otro distintivo aún: en la novela pastoril alternan verso y prosa, con tal profusión de la parte poética que la lectura de alguna de estas obras ha hecho pensar si no serían estas narraciones, en general de tan endeble fábula, mero pretexto de los autores para dar a conocer sus poemas.

II. LA «DIANA», DE MONTEMAYOR

La Arcadia, de Sannazaro, precedente inmediato de nuestras novelas pastoriles, apareció en Venecia, en 1502, e inmediatamente fué conocida en el extranjero, donde empezó a leerse primero en su texto original y luego, muy pronto, en traducciones. Entre nosotros la primera traducción sale en Toledo (1549), por obra del canónigo Diego López, del capitán Diego de Salazar y del racionero de la catedral Blasco de Garay; pero antes era ya muy popular, gracias a los ininterrumpidos contactos entre españoles e italianos.

Por estas fechas o, según todas las probabilidades, unos diez años más tarde, se publica la primera obra del género en nuestra lengua; pero, detalle digno de destacar, no escrita por un autor castellano, sino por un poeta portugués. Ese libro es la Diana, de Jorge Montemayor. El hecho de que sea un portugués el iniciador del género entre nosotros, sorprendente a primera vista, se explica por el triunfo de Menina e moça, novela de Bernardim Ribeiro, en la que van combinados elementos caballerescos y pastoriles con tal arte que tuvo la virtud de despertar el gusto de todas las clases sociales, tanto en Portugal como en el resto de la

Península, por las narraciones de este género. La novela de Ribeiro, escrita en lenguaje sencillo y encantador, había precedido en unos años a la aparición de la Diana y, si no influyó en ésta de manera ostensible, contribuyó en no escaso grado a prepararle el terreno y a fomentar el favor del público por esta clase de lecturas. La edición más antigua que se conoce de Menina e moça es de 1554. En cambio, la Diana debió de publicarse por primera vez hacia el 1558.

Datos biográficos

JORGE DE MONTEMAYOR (¿1520?-1561), llamado así por castellanización de su apellido, nace en Montemôr o Velho, cerca de Coimbra, donde se educa. Portugués por su cuna, los azares de la vida y su propia voluntad lo hicieron castellano. De origen probablemente humilde, que algunos sin razón suponen judaizante, pronto abandona el país natal en busca de más amplios horizontes. No está probado que viniese a España en el séquito de la infanta doña María, primera mujer de Felipe II. En cambio se sabe con certeza que fué cantor de su capilla, y que, muerta doña María, pasó a servir en la casa de la infanta doña Juana. Su gesto de abandonar Portugal parece que no sentó bien entre sus compatriotas, hasta el punto de que, dice uno de sus biógrafos, «sus obras fueron prohibidas en castigo de haber dado a reinos extraños lo que debía a aquel en que naciera»[3]. Sin embargo, Montemayor mantuvo siempre vivo en su alma el afecto hacia su tierra[4]. En 1552 vuelve a Portugal, como aposentador de la casa de doña Juana, madre del rey don Sebastián. En 1554 lo encontramos otra vez en Castilla; se ignora si formó parte del séquito que ese mismo año partió para Inglaterra acompañando al príncipe don Felipe. Varias alusiones de Sireno, el malhadado pastor de su *Diana*, indican que conocía aquel reino. Tampoco se tienen noticias ciertas sobre sus amores; parece que anduvo enamorado de cierta dama de la corte de doña Juana. Interviene en la guerra de Flandes, regresa a España (1559) y, dos años más tarde, muere en el Piamonte de manera trágica, según varios testimonios, en una reyerta por cuestión de celos[5].

Producción literaria

Exposición moral sobre el salmo ochenta y seis (Alcalá, 1548).

De los trabajadores de los reyes, carta dirigida desde Amberes a un grande de España (1558).

Cancionero en el que incluye sus poesías, hechas preferentemente según el estilo del siglo XV.

Traducción al castellano de los *Cantos de amor,* de Ausias March; y su más conocida, que le ha dado celebridad universal:

Los siete libros de la Diana (Valencia, 1559).

Argumento de la «Diana»

La acción se desarrolla en las riberas del Esla (León). La pastora Diana, que da título al libro, es amada a la vez por Sireno, a quien corresponde, y por Silvano, a quien aborrece. En ausencia de aquél, Diana casa con el pastor Delio, y su antiguo amante, ya de regreso, canta en compañía de Silvano los desvíos de la hermosa pastora y su pasión siempre en aumento. Una escena bellísima, en que tres ninfas son atacadas por unos salvajes, se resuelve gracias a la oportuna intervención de Felismena, que aprovecha la ocasión para contar su historia. Felismena ama a Félix, a quien siguió en hábito de hombre, sirviéndole de paje, mientras él está enamorado de Celia, que a su vez idolatra al presunto paje. Cuando Celia se entera de que bajo el atuendo masculino se oculta una mujer, muere de dolor En busca de un remedio para sus males van todos a casa de la sabia Felicia, que los hospeda en el palacio de las Ninfas, agasajándoles con músicas, danzas y cantos. Antes, en el camino, les salió al encuentro Belisa, que mata su padre por error. Felicia les administra el agua encantada, que tiene la virtud de cambiar, tras profundo sopor, las inclinaciones de cada uno. Felismena se encuentra con Félix, que termina por corresponderle; Selvagia y Silvano se enamoran mutuamente y Sireno cura de su vieja pasión.

En la *Diana* va intercalado un *Canto de Orfeo,* loa en honor de las damas de la Corte y de Valencia, como habían de hacer luego Gil Polo en la suya *(Canto de Turia)* y Cervantes en su *Galatea (Canto de Calíope).*

Análisis

Con este argumento Montemayor supo construir una obra que ha quedado como modelo de un género. Diecisiete ediciones en cuarenta años atestiguan claramente su éxito. Cervantes, que en el escrutinio de la biblioteca de Don Quijote no fué muy benévolo con esta clase de libros, empezando por su propia *Galatea,* sentencia por boca del cura: «Soy del parecer que no se queme, sino que se le quite todo aquello que trata de la sabia Felicia y de la agua encantada y casi todos los versos mayores, y quédesele enhorabuena la prosa y la honra de ser primero en semejantes libros.»

Con lo que el autor del *Quijote* nos da deslindados los méritos y deméritos de la obra. Demasiada fantasía por lo pronto: los palacios de la hechicera Felicia no tienen nada que envidiar por su magnificencia a tantos otros de los libros de caballerías; los ropajes de sus pastoras superan a las más ricas telas y brocados de la Corte; las fiestas y saraos rivalizan dignamente con las que se celebraban por aquellos días en los más suntuosos alcázares princepescos de Flandes y de Italia. Ya sabemos que todos estos defectos eran inherentes al género pastoril, así como el absurdo anacronismo de mezclar la mitología dentro de la vida y costumbres actuales; o la falta de verosimilitud de unos pastores que se expresan en lenguaje cortesano, refinado y casi académico, barajando conceptos aprendidos en Castiglione y León Hebreo. Vistas así las cosas, hay que confesar que rayan en lo absurdo: las figuras flotan en un paisaje inexistente; hablan a la vez en cristiano y en idólatara; alternan templos de Diana con conventos de monjas, como aquel del que es abadesa una tía de Felismena; conviven lascivos sátiros con caballeros educados en la Universidad. Todo ello y su falta de sentimiento ante el paisaje hace decir a Menéndez Pelayo que Montemayor «no tiene ojos para la Naturaleza».

A cambio de estos defectos consustanciales, ya se ha dicho, al género y casi se puede decir de carácter orgánico; junto a estas inexactitudes que, en último caso, contribuyen a aumentar su interés, en cuanto reflejan con cierta fidelidad las costumbres, usos y lenguajes de cierta clase social, la *Diana* de Montemayor reúne calidades de primer orden, que hacen sugestiva y amable su lectura aun para un espíritu de nuestros días.

Por lo pronto, su prosa: una prosa limpia, elegante, pulida, que se va recamando en musicales períodos, un poco muelle y lenta quizás; pero tan melódica y agradable al oído como no se había escrito tal vez en nuestra lengua antes de Cervantes. Y lo más asombroso es que no se descubre en ella rastro de lusitanismo.

«En cuanto los pastores esto cantaban, estaba la pastora Diana con el hermoso rostro sobre la mano, cuya delgada manga, cayéndole un poco, descubría la blancura de un brazo que a la nieve oscurecía; tenía los ojos inclinados al suelo, derramando por ellos unas espaciosas lágrimas, las cuales daban a entender su pena más de lo que ella quisiera decir; y, en acabando los pastores de cantar, con un suspiro, en compañía del cual parecía habérsele salido el alma, se levantó y, sin despedirse de ellos, se fué por el valle abajo, trenzando sus dorados cabellos, cuyo tocado se le quedó preso de una rama, y si con la poca mancilla que Diana de los pastores había tenido ellos no templaran la mucha que della tuvieron, no bastara el corazón de los dos a podella sufrir. Y ansí unos como otros se fueron a recoger sus ovejas, que desmandadas andaban saltando por el verde prado.»

No siempre la prosa de la *Diana* se adapta al párrafo largo. Con frecuencia, sobre todo en las descripciones, prefiere el período cortado:

«Vistieron a Felismena una ropa y basquiña de fina grana, recamada de oro de canutillo y aljófar, y una cuera de tela de plata aprensada. En la basquiña y ropa había sembrados a trechos unos plumajes de oro, en las puntas de los cuales había gruesas perlas. Y tomándole los cabellos con una cinta encarnada, se los revolvieron a la cabeza, poniéndole un enofión de redecilla de oro muy sutil, y en cada lazo de la red, asentado con gran artificio, un finísimo rubí. En dos guedejas de cabellos que los lados de la cristalina frente adornaban, le fueron puestos dos joyeles, engastados en ellos muy hermosas esmeraldas y zafiros de grandísimo precio, y de cada uno colgaban tres perlas orientales hechas a manera de bellotas. Las aracadas eran dos navecillas de esmeraldas con todas las jarcias de cristal. Al cuello le pusieron un collar de oro fino, hecho a manera de culebra enroscada, que de la boca tenía colgada un águila que entre las uñas tenía un rubí grande de infinito precio.»

Con no menor soltura maneja el verso, tanto el largo, al modo italiano, como el corto, a la manera tradicional española [6]. A veces, en el italiano, incurre en ciertas extravagancias métricas, a las que no fueron ajenos el mismo Petrarca y Sannazaro: las tres canciones en sextinas de los libros II, IV y V y los deplorables tercetos esdrújulos que cantan alternativamente Silvano y Sireno en el libro I. Pero, en general, demuestra en el empleo de la métrica italianizante un dominio mayor del que pudiera suponerse en un poeta no castellano. Sirva de ejemplo la bellísima canción de Diana, en el libro I, imitada del Petrarca:

Aquélla es la ribera, éste es el prado...

Sin embargo, su fuerte está en el verso tradicional castellano, que parece irle brotando de la pluma sin esfuerzo alguno. Ya en su *Cancionero* nos había dado de ello abundantes pruebas. Ahora, en la *Diana,* se supera.

Basándose en la interpretación literal de una carta del mismo Montemayor a Sá de Miranda y en cierta frase de Alonso Pérez en el prólogo a la *Segunda parte de la Diana* [7], se ha llegado a afirmar que aquél carecía en absoluto de formación humanística. Un examen de su obra permite sacar la conclusión de que Montemayor, si no era un humanista en el sentido estricto de esta palabra, tampoco carecía de aquellos conocimientos corrientes en los hombres de letras de su época. Su cargo en la capilla de la infanta doña María y los comentarios a varios textos sagrados de su *Cancionero* suponen necesariamente una compenetración íntima con el original latino.

Aunque escribía de ordinario en castellano, Montemayor también redactaba con soltura el portugués, como se ve en unos pocos fragmentos que intercala al final de su *Diana.*

Fuentes, personajes y popularidad

Su antecedente remoto parece haber sido el *Ninfale Fiesolano,* de Boccaccio, con el que tiene evidentes analogías y también vivos contrastes que han sido señalados por el profesor López Estrada. Su antecedente inmediato es la *Arcadia* de Sannazaro, según hemos hecho notar anteriormente. Por lo pronto ha tomado de ésta la disposición alternante de verso y prosa, aunque no con la simétrica regularidad del modelo, donde el verso viene siempre como final de capítulo, mientras en la *Diana* los cantos están sembrados sin orden y un poco a voleo.

Mucha influencia ejerció también en la *Diana* el autor de los *Diálogos de amor,* León Hebreo, hasta el punto de que algunos pasajes del libro IV parecen, más que imitados, traducidos del gran escritor neoplatónico. Menor fué el influjo de su paisano Bernaldim Ribeiro, aunque evidentemente el autor de la *Diana* no desconocía la *Menina e moça* y en no pocas ocasiones parece haberla tenido presente. Pero eran Ribeiro y Montemayor, aunque lusitanos ambos, dos espíritus ya no distintos, sino antagónicos. Toda la ternura, la pasión y el sentimiento de aquél se convierten en éste en galantería superficial y devaneos amorosos, en los que demuestra ser el autor de la *Diana* consumado maestro. La linda historia de don Félix y Felismena, uno de los pasajes más bellos de la obra, se inspira en Bandello; Montemayor sólo aprovecha la idea fundamental, que nos ofrece despojada de todo aparato de lascivia y hábilmente adaptada a las costumbres españolas. Al episodio de Abindarráez y Jarifa ni siquiera hemos de referirnos, toda vez que se trata de un relato interpolado en la *Diana* después de la muerte de Montemayor, y que rompe de forma desagradable la armonía de la obra.

Está planteado el problema sobre los personajes de la novela: se pregunta si, al igual que en la *Arcadia*, de Sannazaro, y luego en la *Galatea*, de Cervantes, corresponden a seres humanos de carne y hueso. La respuesta es afirmativa. Parece fuera de duda que la protagonista existió. Así lo aseguran, entre otros, Lope de Vega, Faria y Sousa y el monje Jerónimo P. Sepúlveda. «La Diana de Montemayor—escribe Lope en el acto I de su *Dorotea*—fué una dama natural de Valencia de Don Juan, junto a León; y Esla, su río, y ella serán eternos por su pluma.» Y Faria, el ilustre comentador de Camoens, refiere como anécdota curiosa que en 1603, con ocasión de pernoctar en Valderas (León) los reyes Felipe III y Margarita, su mayordomo, el marqués de las Navas, les presentó a la auténtica Diana, que vivía retirada en aquella localidad. Su nombre de pila era el de Ana; tenía a la sazón unos sesenta años y todavía —advierte Faria—en su rostro «se miraban rastros de lo que había sido... aquella decantada belleza». Los reyes quedaron tan satisfechos de haber visto a tan famosa mujer y tan encantados de su gracia y discreción, que la enviaron «cargada de dádivas». La referencia de Faria y Sousa coincide exactamente con lo que dice el P. Sepúlveda [8], sin más que cambiar el nombre de la localidad Valderas por Valencia de León e informarnos de que la tal Diana era muy entendida, cortesana y bien hablada, y *la más hacendada y rica del pueblo*.

De los mismos textos se deduce la inmensa popularidad que alcanzó la novela, sobre todo en el último tercio del XVI, durante el cual ya se ha dicho que tuvo diecisiete ediciones en castellano. No parece haber exagerado Lourenço Graesbeech cuando afirma [9] que *não havia casa onde se não lesse, rua onde se não cantassen o seus versos, nem conversaçao onde se não engrandecesse o seu styllo*. En los mismos términos se expresa el padre Malón de Chaide, un poco soliviantado ante la preferencia del público por estas narraciones, con menoscabo y descrédito de la lectura de obras devotas: «¿Qué ha de hacer la doncella que apenas sabe andar y ya trae una *Diana* en la faltriquera?»

La *Diana* ha influído en la literatura de su

tiempo más que ninguna otra obra del género, sin excluir la misma *Arcadia*, de Sannazaro. En pocos años fué traducida cuatro veces al francés y varias al inglés. Inspiró a Hardy, a Pousset, a D'Urfé y, todavía en el siglo XVIII, a Florián su *Estela*. La *Astrea*, de Honorato d'Urfé, prototipo de toda la novelería sentimental del siglo XVII, está calcada en nuestra *Diana*. Finalmente, de la historia de Félix y Felismena tomó Shakespeare el argumento para *Los dos hidalgos de Verona*.

Continuaciones de la «Diana»

Dado el éxito inicial de la obra de Montemayor, no hace falta decir que el número de sus imitadores y continuadores había de ser legión. Entre aquéllos, los hay desde el ingenio disparatado de Lofraso hasta escritores de primerísima fila, como Cervantes y Lope de Vega. Entre los continuadores destacan, aunque no con iguales méritos, Alonso Pérez, Texeda, Gabriel Hernández, fray Bartolomé Ponce y, sobre todos, Gil Polo.

El médico salmantino ALONSO PÉREZ publica en Valencia (1564) la *Segunda Parte de la Diana*, libro pedantesco, difuso y empedrado de inverosímiles aventuras que, impreso juntamente con el de Montemayor, alcanzó cierta celebridad y buen numero de ediciones. GABRIEL HERNÁNDEZ, vecino de Granada, tenía dispuesta para su publicación en 1582 una *Tercera Parte de la Diana*, que al parecer no llegó a imprimirse. La de JERÓNIMO DE TEXEDA, intérprete de lengua castellana en París, apareció en esta ciudad en 1587, y es, al decir de Menéndez Pelayo, una «piratería literaria». Copia desvergonzadamente a Gil Polo, de quien hablaremos a continuación, y lo que no encuentra en éste va a tomarlo con el mayor descaro de Alonso Pérez.

Por último, el cisterciense FRAY BARTOLOMÉ PONCE, admirador entusiasta de Montemayor y a quien debemos la noticia más concreta sobre la trágica muerte de éste, publicó en 1582 una parodia religiosa titulada *Clara Diana a lo divino*. La finalidad era idéntica a la que señalamos en la «conversión a lo divino» de los libros de caballerías y antes, en la lírica garcilasiana, por obra de Sebastián de Córdoba y Andosilla Larramendi: contrarrestar el efecto pernicioso de aquellas lecturas en las almas cristianas, dándoles un manjar análogo.

III. LA «DIANA ENAMORADA», DE GIL POLO

Muy superior a todas éstas, y en algunos aspectos al propio modelo de Jorge de Montemayor, es la *Diana enamorada*, original del poeta valenciano GASPAR GIL POLO [10]. Ya Alonso Pérez anunciaba en el prólogo de la suya que se daba

prisa a terminarla por recelo de que otro se le adelantara. ¿Conocía el médico salmantino a Gil Polo o, en todo caso, estaba enterado de que éste trabajaba en idéntica materia? El hecho es que en el mismo año que la suya (1564) aparece, ahora en Valencia, la *Diana enamorada*. De la calidad literaria de esta obra baste decir que es una de las pocas novelas pastoriles que todavía se leen sin cansancio y hasta con deleite. Cervantes ordenaba por boca del cura que se guardase «como si fuera del mismo Apolo».

Argumento y análisis

La *Diana enamorada,* en cuanto al asunto, es una continuación de la de Montemayor. Gil Polo toma el relato en el punto en que lo deja aquél. Diana ha vuelto a Sireno, y para que esto no parezca demasiado extraño, el autor se las ingenia de suerte que Delio, marido de aquélla, se enamore a su vez de la pastora Alcida, haciéndole morir súbitamente cuando iba en su persecución. Hay también historias intercaladas—Ismenia y Montano, Fileno y Felisarda—, danzas y cantos, y, sobre todo, el agua milagrosa de Felicia que cura todos los males y concilia las voluntades. La novela termina, como tenía que ser, con el regocijo de las bodas de Sireno y Diana, Montano e Ismenia, Arsileo y Belisa. A imitación del *Canto de Orpheo,* de Montemayor, también aquí se introduce un *Canto de Turia* en 44 octavas reales, dedicadas a celebrar los nombres de los más preclaros varones valencianos, desde los pontífices como Calixto y Alejandro, hasta los poetas como Ausias March, sin olvidar a los guerreros, como los Borja y Moncada, o a los filósofos, como Vives.

El cuadro novelesco de la *Diana enamorada,* como se ve, es más estrecho que el de la *Diana* de Montemayor. Su acción, menos movida. En cambio, hay en Gil Polo una visión del paisaje, un sentimiento de la Naturaleza, de la tierra precisamente donde sitúa la acción, que en vano sería buscar en la primera *Diana.* Las descripciones de la Naturaleza en Montemayor son vagas, imprecisas; se pueden aplicar lo mismo a León que a Levante, a España que a Italia. Son descripciones estereotipadas, que se sujetan a un patrón hecho. Las de Gil Polo se refieren a Valencia y sólo son aplicables a la ciudad del Turia y sus contornos. Este carácter de localización es la nota más original de la obra.

La parte poética

Y los versos. Se ha llegado a creer que la trama novelesca no fué sino un pretexto para intercalar en ella un buen número de composiciones líricas compuestas de antemano por el autor. Sea o no cierto, estas composiciones son tal vez, dentro del género bucólico, las que más se acercan a Garcilaso, y alguna de ellas, la *Canción de Nerea,* ha sido calificada por Menéndez Pelayo como «la más linda de todas las églogas *piscatorias* que se han compuesto en el mundo desde que Teócrito inventó el género».

Dotado Gil Polo de amplia cultura clásica, compenetrado hondamente con el espíritu de la antigüedad, pocos han sabido asimilarse mejor la serenidad virgiliana y la sencillez de Teócrito, que le permiten dar a sus descripciones del campo, del suelo y de la costa valenciana una transparencia cristalina y luminosa. En los versos largos sigue tan de cerca a Garcilaso, no sólo en lo conceptual, sino en la disposición estrófica, que a veces, sin darse cuenta, le copia versos enteros [11]:

> Corrientes aguas, puras, cristalinas,
> hermoseáis la plácida ribera...
> que, haciendo todo el año primavera,
>
> (*Alcida*, LI.)

En los versos breves hace alarde de una facilidad, gracia y soltura tales como sólo encontraremos después en algunas quintillas de Lope de Vega, de Moratín, padre (*Fiesta de toros en Madrid*), o de José Zorrilla [12].

Mucho se han ponderado, y con justicia, algunas innovaciones métricas de Gil Polo. Es, en efecto, uno de los contadísimos poetas que en la Edad de Oro ensaya el alejandrino, que él denomina *verso francés,* alternando con el heptasílabo con tanto acierto como se ve en el *Epitalamio de Diana y Sireno:*

> De flores matizadas se vista el verde prado,
> retumbe el hueco bosque de voces deleitosas,
> olor tengan más fino las coloradas rosas,
> floridos ramos mueva el viento sosegado.
> El río apresurado
> sus aguas acreciente,
> y pues tan libre queda la fatigada gente,
> del congojoso llanto,
> moved, hermosas Ninfas, regocijado canto.
> ....
> Remeden vuestras voces las aves amorosas,
> los ventecicos suaves os hagan dulce fiesta,
> alégrese con veros el campo y la floresta
> y os vengan a las manos las flores olorosas:
> los lirios y las rosas,
> jazmín y flor de Gnido,
> la madreselva hermosa y el arrayán florido,
> narciso y amaranto.
> Moved, hermosas Ninfas, regocijado canto.

Menos afortunado nos parece, a pesar de los elogios que por este motivo se le tributan, en la combinación del endecasílabo con el pentasílabo. Esta mezcla sólo es enteramente válida cuando el endecasílabo lleva cesura tras la quinta sílaba, o, en otros términos, cuando es de estructura sáfica. En los demás casos, por muy hábilmente que se les combine, siempre el pentasílabo introduce en el ritmo un pequeño desequilibrio [13]. Gil Polo llamó a estas composiciones «rimas provenzales». En Ginés Pérez de Hita (*Guerras civiles,* cap. XV) encontramos la misma disposición, a base de endecasílabos con su quebrado pentasilábico.

IV. OTROS CULTIVADORES

«Lo que después de Gil Polo apareció en el campo de la novela pastoril española sólo sirve para caracterizar negativamente aquella moda literaria», ha escrito Pfandl. Y casi lleva razón; no porque falten obras del género, algunas primorosamente escritas y de ingenioso argumento, sino porque quedan todas ellas muy por debajo de las *Dianas* de Montemayor y Gil Polo. Y este juicio es extensivo a la misma *Galatea,* de Cervantes, y a *La Arcadia,* de Lope de Vega, que estudiaremos en los capítulos dedicados a estos autores.

Con todo, entre el aluvión de narraciones pastoriles que inundaron España durante el último tercio del XVI y primero del XVII, hay dos obras que sobresalen con méritos propios y tienen un sello personal que las hace acreedoras a nuestro recuerdo: *El pastor de Fílida* y *La constante Amarilis.* Aún podríamos agregar *El Siglo de Oro en las selvas de Erifile,* de Bernardo de Balbuena; pero de este autor hablaremos en el capítulo de la Epica barroca.

«El pastor de Fílida»

Un poeta ingenioso y cortesano, que gozó de gran prestigio y de muchas simpatías entre sus coetáneos, Luis Gálvez de Montalvo [14] (¿1546-1591?), publicó en 1582, con el título *El pastor de Fílida,* una novela pastoril, calificada como «la menos bucólica de todas» las que se han publicado del género.

En ella, Gálvez nos cuenta, ocultándose bajo el nombre de Siralvo, sus amores por Fílida y la pasión de su señor *Mendino,* por Elisa. Todos estos personajes, que hacen una vida completamente alejada de los usos y ejercicios pastoriles, corresponden a seres reales: Siralvo, ya se ha dicho, es el autor; *Mendino,* su protector y mecenas, don Enrique de Mendoza y Aragón; *Montano,* el padre de Gálvez; *Arciolo,* don Alonso de Ercilla; *Tirsi,* el poeta complutense Francisco de Figueroa; *Campiano,* el doctor Campuzano, médico y poeta de Alcalá de Henares; y así todos los demás. *Fílida* parece corresponder a una noble doncella andaluza, doña Magdalena Girón, hermana del primer duque de Osuna.

El éxito de *El pastor de Fílida* fué grande; cinco ediciones en pocos años lo atestiguan. Se ha querido atribuir a la circunstancia de tratarse de una novela «de clave». Pero esto no lo explica todo; otras narraciones pastoriles también ofrecían esa nota, que parece consustancial al género, y no alcanzaron ni la popularidad ni los elogios que *El pastor de Fílida.* Su aceptación ha de explicarse por los valores intrínsecos, que son mu-

chos. Gálvez de Montalvo no era un escritor cualquiera. Al leer aquella prosa suya tan culta, tan trabajada, tan opulenta muchas veces, los elogios que le tributaron hombres como Cervantes y Lope de Vega no parecen excesivos [15]. Y todavía son mejores sus versos. Si en los largos peca a veces de culterano, anticipándose en unos años a Góngora, en los cortos no tiene rival, con excepción de Castillejo y de Gil Polo en su *Canción de Nerea.* Nadie ha dicho tantas ni tan divinas cosas sobre los ojos de la mujer. Para Montalvo, los ojos de Fílida constituyen una obsesión; y los celebra en docenas y docenas de poesías, a cual más bella:

> Ojos a gloria de mis ojos hechos,
> beldad inmensa en ojos abreviada...

> Fílida, tus ojos bellos
> el que se atreva a mirallos,
> muy más fácil que alaballos,
> le será morir por ellos.
> Ante ellos calla el primor,
> rindese la fortaleza,
> porque mata su belleza
> y ciega su resplandor.

> Son ojos *verdes,* rasgados,
> en el revolver suaves,
> apacibles sobre graves,
> mañosos y descuidados.
> Con ira y con mansedumbre,
> de suerte alegran el suelo,
> que, fijados en el cielo,
> no diera el sol tanta lumbre [16].

De propósito hemos subrayado la palabra *verde* [17]. Es éste un color grato a los poetas, especialmente del género pastoril; verdes eran también los ojos de la heroína de *Menina e Moça,* y verdes los de la pastora Silveria del libro II de la *Galatea.* También Góngora amaba este color y gustaba contrastarlo con el rojo de las mejillas y los labios. En cambio, cosa extraña y nueva en la poesía del Renacimiento, los cabellos, que hasta entonces habían sido siempre áureos, *hebras de oro,* son para Montalvo de un negro intenso, un negro de noche, de ébano:

> Ricas madejas de inmortal tesoro,
> cadenas vivas, cuyos lazos bellos
> *no se preciaron de imitar al oro,*
> porque apenas el oro es sombra dellos;
> luz y alegria que en tinieblas lloro,
> *ébano fino, tales sois, cabellos...*

Como Montemayor, como Gil Polo y Cervantes, también intercala Gálvez de Montalvo en su *Fílida* el correspondiente *Canto de Erión,* en alabanza de las damas de la Corte.

«La constante Amarilis»

Aunque encaja cronológicamente dentro del período barroco, aludimos aquí a esta obra porque

ya no hemos de volver a tratar por separado del
género pastoril. En cambio, de su autor, CRISTÓ-
BAL SUÁREZ DE FIGUEROA (1571-¿1639?) [18], habremos de ocuparnos nuevamente al estudiar la prosa
castellana durante el siglo XVII.

La constante Amarilis (Valencia, 1609) viene algo
rezagada si se atiende a las novelas pastoriles reseñadas hasta aquí. La hemos llamado novela, y
la verdad es que su intriga apenas sirve al autor
para otra cosa que para hilvanar en forma de «discursos», cuatro en total, unas conversaciones o sabrosos diálogos sobre el amor, la poesía, el trabajo y la fugacidad de la vida. La acción, casi
nula, se basa en la oposición de los familiares
de *Menandro* al casamiento de éste con *Amarilis,*
hasta que, vencidas felizmente las dificultades, terminan por casarse. Pero ya ha dicho muy bien
Valbuena y Prat que «la acción es lo de menos:

las ideas, el estilo, las descripciones, el paisaje, son
notables en esta novela. Y también los versos intercalados. Vale la pena revalorizar a Figueroa
poeta, sobre el cual pesa el sambenito, un poco
exageradamente recargado, del *maldiciente* y el *resentido*» [19]. Hay, en efecto, algunos sonetos y canciones (la de *Felicio,* en el disc. I, o la de *Clío,*
en el II) que le acreditan de poeta fino, ceñido y
elegante :

> Ya diciembre erizado
> con abarcas de nieve el campo pisa ;
> ya sopla cierzo airado,
> y a las aguas, que van vertiendo risa
> por escarchado suelo,
> mordazas pone de cristal el cielo.

También los personajes de esta novela, como los
de las anteriores, son históricos, y han sido identificados por M. Crawford.

V. DECADENCIA Y MUERTE DEL GENERO PASTORIL

La *Cintia de Aranjuez,* de GABRIEL DEL CORRAL
(1629), es el punto final de esta serie [20] de novelas
tan admiradas por los contemporáneos como olvidadas por la posteridad. El género muere por con-
sunción. Nuevas modalidades en el campo de la
novelística—la cortesana, la picaresca, que sigue
perviviendo siempre pujante—ocupan su puesto.
Ni siquiera tiene una muerte gloriosa como los
libros de caballerías, con los que ofrece tantas
semejanzas. Expirar el último aliento atravesado
por la lanza de Don Quijote es un honor ; con-
sumirse entre las insulseces que llenan la *Cintia,*
sin pena ni gloria, equivale a eso que llamamos
«sobrevivirse».

Nacidos ambos—la caballería y el bucolismo—
casi a la vez, engendrados por necesidad de llenar
con algo la sed de ilusiones del público, faltos
igualmente de todo sentido de realidad, tenían que
correr la misma suerte. Recuérdese lo que se dijo
sobre la decadencia de los libros de caballerías en
el capítulo anterior. El teatro y las novelas realistas de Cervantes, de Castillo Solórzano, de la
Zayas, etc., empezaban por ofrecer manjares más
apetitosos y que iban mejor con el temperamento
y los nuevos gustos de los españoles. La sutil
casuística del amor y de la hermosura, aprendida
en los *Diálogos,* de León Hebreo, no decía ya
nada a los españoles del XVII. El Renacimiento, al
menos en su primera modalidad, iba quedando un
poco lejos. Nuevos afanes traían nuevos problemas y con ellos alentaban nuevos gustos.

Y todavía la novela pastoril prolongó algunos
años más su agonía, porque no hubo un Cervantes que le diese la estocada mortal o, tal vez, porque encarnando en sus personajes seres reales, bajo
el pellico del pastor, justo era que durase por lo
menos lo que duró la vida de aquéllos o de sus

amigos y familiares. Hoy, perdido para nosotros
el interés de encontrar la «clave» o de resolver
el enigma, el género pastoril aparece a nuestros
ojos como un conjunto de novelas más o menos
estimables en cuanto al estilo, más o menos absurdas en cuanto a la fábula, pero sólo dignas de
tenerse en cuenta como crestomatías en las que
los autores iban depositando sus mejores versos.
Así es como tenemos que juzgarlas y disponernos
a leerlas : más que como novelas, como colecciones de poemas, de bellísimos poemas en no pocos
casos [21].

NOTAS

1. Pról. a la ed. de la *Diana,* de Montemayor, «Clásicos Castellanos», vol. 127.
2. *Historia de la Literatura española,* I, pág. 713.
3. «Prohibirase em Portugal as obras de Iorge de Monte Mayor parece que em castigo de dar a Reynos estranhos
o que devia a este onde nascera». Lourenço Craesbeek,
introd. a la ed. de la *Diana* (Lisboa, 1624).
4. En su epístola autobiográfica a Sá de Miranda declara :

> Riberas me crié del río Mondego

> Aquella tierra fué de mí querida ;
> déjala, aunque no quise, porque veía
> llegado el tiempo ia de buscar vida.

Y en otra epístola a don Jorge Meneses, incluida en su
Cancionero :

> Al campo de Mondego nos salgamos,
> al pie del alto fresno, sobre al río
> que los pastores tanto celebramos.
> Jamás te olvidaré, Mondego mío,
> ni aun olvidarte yo será en mi mano,
> si no fuere por muerte o desvarío.

5. Diego Ramírez Pagán, poeta murciano, en un soneto
compuesto a la muerte de Montemayor, dice :

> ¿Quién tan presto te dió tan cruda muerte?
> Invidia, y Marte, y Venus lo ha movido.
> ¿Sus huessos dónde están? En Piamonte.

Otro poeta, tan malo como Pagán, Francisco Marcos
Dorante, llora su desastroso fin en una elegía y coincide

con el anterior. Pero la noticia más concreta se debe al Padre Bartolomé Ponce, quien, en la dedicatoria de su *Clara Diana a lo divino*, después de contarnos su encuentro con Montemayor en casa de un caballero amigo de entrambos, escribe textualmente: «Con esto y mucha risa se acabó el convite y nos despedimos; perdone Dios su alma, que nunca más le vi; antes de allí a pocos meses me dixeron cómo *un muy amigo suyo le había muerto por ciertos celos o amores.*» El trágico suceso ocurrió en 1561.

6. He aquí estas quintillas dobles que por su gracia, por su musicalidad y transparencia compiten con las famosísimas de Gil Polo en su *Canción de Nerea*:

> ¿Por qué te vas, mi pastor?
> ¿Por qué me quieres dejar
> donde el tiempo y el lugar
> y el gozo de nuestro amor
> no se me podrá olvidar?
>
> ¿Qué sentiré yo, cuitada,
> llegando a este valle ameno,
> cuando diga: «¡Ah tiempo bueno!
> aquí estuve yo sentada
> hablando con mi Sireno»?
>
> ¡Mira si será tristeza
> no verte y ver este prado
> de árboles tan adornado,
> y mi nombre en su corteza
> por tus manos señalado!
>
> ¡O si habrá igual dolor
> que el lugar en que me viste
> vello tan solo y tan triste,
> donde con tanto temor
> tu pena me descubriste!
> . . . .
> No te duelan mis enojos;
> vete, pastor, a embarcar,
> pasa de presto la mar,
> pues que por la de mis ojos
> tan presto puedes pasar.
>
> Guárdete Dios de tormenta,
> Sireno, mi dulce amigo,
> y tenga siempre contigo
> la fortuna mejor cuenta
> que tú la tienes conmigo.
>
> Muero en ver que se despiden
> mis ojos de su alegría,
> y es tan grande el agonía
> que estas lágrimas me impiden
> decirte lo que quería.
>
> Estos mis ojos, zagal,
> antes que cerrados sean,
> ruego yo a Dios que te vean;
> que aunque tú causes su mal,
> ellos no te lo desean.
> . . . .

Y más adelante:

> Toma, pastor, un cordón
> que hice de mis cabellos,
> porque se te acuerde en vellos
> que tomaste posesión
> de mi corazón y dellos.
>
> Y este anillo has de llevar,
> do están dos manos asidas,
> que aunque se acaben las vidas
> no se pueden apartar
> dos almas que están unidas.

7. Dice así este continuador de la *Diana:* «... cierto si a su admirable juicio [el de Montemayor] acompañaran letras latinas..., muy atrás dél quedaran cuantos en nuestro vulgar lengua en prosa y verso han compuesto.»

8. MANUEL DE FARIA Y SOUSA: *Lusiadas de Lvis de Camoens, Príncipe de los poetas de España,* Madrid, 1639; nota sobre la octava 102 del canto IV. P. JERÓNIMO DE SEPÚLVEDA: *Sucesos del reinado de Felipe III,* publicado por el P. Zarco en «Documentos para la Historia del Monasterio de El Escorial», Madrid, 1924, t. IV.

9. *Ob. cit.,* Lisboa, 1624.

10. Tenemos escasas noticias de su vida. Se le ha con-

fundido durante algún tiempo con un hijo suyo del mismo nombre, jurisconsulto y autor de varios libros de Derecho, y con otro Gil Polo, profesor de griego en Valencia. Del autor de la *Diana enamorada* apenas se sabe sino que era notario en la misma Valencia por los años 1571 al 1573; que fué asesor de la Bailía y lugarteniente del Maestre Racional de aquel reino. En 1579 renunció su cargo en favor de un hijo suyo y pasó para asuntos del Patrimonio Real a Barcelona, donde murió en 1591.

11. O calca estrofas dándoles idéntica estructura. Compárese aquella octava de Garcilaso que empieza:

> ¿Viste el furor del animoso viénto...

con esta de Gil Polo:

> ¿Viste jamás un rayo poderoso,
> cuyo furor el roble antiguo hiende?
> Tan fuerte, tan terrible y riguroso
> es el ardor que l'alma triste enciende.
> ¿Viste el poder de un río poderoso,
> que de un peñasco altísimo desciende?
> Tan brava, tan soberbia y alterada
> Diana me parece estando airada.

12. Recuérdense los de su *Canción de Nerea,* que no copiamos porque figuran, sin falta, en todas las Antologías.

13. La razón es obvia: todo verso corto, para que empareje con el largo, debe ser un hemistiquio de éste; pero el endecasílabo de estructura petrarquista lleva por primer hemistiquio un heptasílabo, de acentuación obligada en sexta. Es, por tanto, el heptasílabo su corto natural y el único que puede alternar con él perfectamente, como el pentasílabo adónico lo hace con el endecasílabo de ritmo sáfico. Vid. esto mismo con más detalle en DÍEZ-ECHARRI: *Teorías métricas del Siglo de Oro,* C. S. I. C., Madrid, 1949, págs. 167-73 y 297-98.

14. Nace en Guadalajara (¿1546?), aunque su familia debió de ser oriunda de Arévalo. Estuvo al servicio de don Enrique de Mendoza y Aragón y murió en Palermo, probablemente en el hundimiento de un puente construído en el puerto para recibir al virrey, conde de Liste (1591). Tradujo en verso corto la *Jerusalén,* de Tasso, inédita aún, y el *Llanto de San Pedro,* de Tansillo (Toledo, 1587).

15. «No es éste pastor, sino muy discreto cortesano; guárdese como joya preciosa.» (Cervantes.) Y Lope, en *El laurel de Apolo:*

> Y que vive en el templo de la Fama,
> *aunque muerto en la puente de Sicilia,*
> aquel pastor de Fílida famoso,
> Gálvez Montalvo, a quien la envidia aclama
> por uno de la délfica familia...

En el *Isidro,* el mismo Lope también le dedica un entusiasta elogio.

16. El bellísimo elogio de los ojos de Fílida continúa así:

> Amor que suele ocupar
> todo cuanto el mundo encierra,
> señoreando la tierra,
> tiranizando la mar,
> para llevar más despojos,
> sin tener contradicción,
> hizo su casa y prisión
> en esos hermosos ojos.
> . . . .
> «Hielo que deja temblando,
> fuego que la nieve enciende,
> gracia que cautiva y prende,
> ira que mata rabiando,
> con otros mil señoríos
> y poderes que alcanzáis,
> vosotros me los prestáis,
> dulcísimos ojos míos.»
>
> Cuando de aquestos blasones
> el niño Amor presumía,
> cielo y tierra parecía
> que aprobaban sus razones;
> y él, dos mil juegos haciendo
> entre las luces serenas,
> de su pecho, a manos llenas,
> amores iba lloviendo.

Yo, que supe aventurarme
a vellos y a conocer
no todo su merecer,
mas lo que basta a matarme,
tengo por muy llano agora
lo que en la tierra se suena,
que no hay amor ni hay cade:
mas hay tus ojos, señora.

17. En otra composición escribe:

Ser *verde* el rayo de la lumbre vuestra...

Y contrastando dientes, boca y ojos:

Las finas *perlas*, el *coral* ardiente,
de las dos celestiales *esmeraldas*...

18. Vallisoletano, oriundo de Galicia. A los diecisiete años, por envidias de un hermano, abandona la casa paterna y marcha a Italia, donde se gradúa en Derecho. Desempeña allí varios cargos: fiscal de Martesana, juez de Teramo. Vuelve a Valladolid (1604); recorre España y, no encontrando aquí el aplauso y bienes que buscaba, regresa de nuevo a Italia en compañía del duque de Alba. Siendo auditor en Calabria, por un conflicto con las autoridades eclesiásticas, es excomulgado y luego encarcelado por el Santo Oficio. Por intervención de Felipe IV obtiene la libertad y se le nombra fiscal de la Audiencia de Trani. No se sabe con exactitud la fecha de su muerte, que debió de ocurrir hacia el 1639.

Hombre de carácter agrio, «público maldiciente, envidioso universal de los aplausos ajenos—al decir de Menéndez Pelayo—, tipo de misántropo y excéntrico... y de una monstruosidad moral de aquellas que ni el ingenio redime», Suárez de Figueroa escribió, aparte de otras obras, el interesantísimo cuadro de costumbres *El pasajero*, al que hemos de aludir en otro capítulo.

19. *Historia de la Literatura española*, I, 728, ed. cit.

20. Recordemos, entre otras de la serie: *Los diez libros de fortuna de amor* (1573), de Antonio de Lofraso, libro tan gracioso y disparatado como nunca se ha visto, según Cervantes; *Desengaño de celos* (1586), de Bartolomé López de Enciso; *Ninfas y pastores del Henares* (1587), de B. González de Bobadilla; *Los pastores de Iberia* (1591), Bernardo de la Vega. Y más tarde, en los primeros años del XVII, obras análogas de Arce Solórzano, Espinel Adorno, Francisco de Quintana y Gonzalo de Saavedra.

21. Son curiosos los juicios formulados por Cervantes en el famoso escrutinio de la librería de Don Quijote (1.ª parte, cap. VI). La *Diana* de Montemayor, pese a los peligros que entraña su lectura, es indultada del suplicio del fuego, siempre «que se le quite todo aquello que trata de la sabia Felicia y de la agua encantada, y casi todos los versos mayores, dejándole «en hora buena la prosa y la honra de ser primero en semejantes libros». La *Diana* del Salmantino es condenada sin remisión a las llamas; la de Gil Polo, en cambio, debe guardarse «como si fuera del mismo Apolo». Son también entregadas al fuego *Las Ninfas de Henares*, *El pastor de Iberia* y *Desengaño de celos*. *Los diez libros de fortuna de amor*, de Lofrasso, no obstante ser de lo «más disparatado», se salvan por indulgencia del señor Cura. Otro tanto ocurre con *El pastor de Filida*, que no es pastor, «sino muy discreto cortesano». En cuanto a *La Galatea*, del propio Cervantes, ni se le absuelve ni se le condena; de orden del Cura, queda en reserva hasta que salga la segunda parte, puesto que la primera «tiene algo de buena invención; propone algo y no concluye nada». Sabido es que la segunda parte no apareció.

BIBLIOGRAFIA

I. Bibliografía en el capítulo XVII (apartado III). Agréguese: JOSÉ CASO GONZÁLEZ: *Las principales corrientes de la literatura bucólica*, en una reseña publicada en «Archivum», Oviedo, mayo-agosto, 1953.

II. M. MENÉNDEZ PELAYO: *Orígenes de la novela pastoril y desarrollo del género hasta la «Galatea»*, «Orígenes de la novela»,. vol. I, cap. VIII, ed. C. S. I. C.— GARCÍA PÉREZ: *Catálogo de autores portugueses que escribieron en castellano*, Madrid, 1890.—M. MENÉNDEZ PELAYO: *Bernaldim Ribeiro*, ob. cit., cap. VIII, págs. 219-43.—JORGE MONTEMAYOR: Textos: *Exposición moral sobre el salmo LXXXVI del real profeta David*, Alcalá, 1546; *Las obras de George Montemayor repartidas en dos libros*, Amberes, 1554 (poesía y autos); *Segundo cancionero*, Amberes, 1558; *Diana*, «Nueva Bibl. Autores Españoles», VII, y «Clásicos Castellanos», con pról. y notas de F. López Estrada, 1946; *Cancionero*, ed. de González Palencia, «Bibl. Esp.», 1932.—Estudios: NARCISO ALONSO CORTÉS: *Sobre Montemayor y la «Diana»*, «Art. histórico-literarios», Valladolid, 1935.—MANUEL BATAILLON: *Une source de Gil Vicente et Montemayor*, Lisbonne, 1936.— A. GONZÁLEZ PALENCIA: *El Cancionero del poeta George de Montemayor*, «Del Lazarillo a Quevedo», Madrid, 1946.—ALFONSO LÓPEZ VIEIRA: *Notas de A Diana de Jorge de Montemayor*, en portugués, Lisboa, 1924.—M. PELAYO: *Jorge de Montemayor*, «Orígenes de la novela», vol. II, cap. VIII.—GEORG SCHOENHERR: *Jorge Montemayor, sein Leben und sein Schäferroman «Los siete libros de la Diana»* (con un índice de las ediciones y anotaciones bibliográficas), Halle, 1886.—MENÉNDEZ PELAYO: *Alonso Pérez* (continuador de la «Diana»), ob. cit., vol. II. cap. VIII; *Jerónimo de Tejeda*, *Gabriel Hernández* y *Fr. Bartolomé Ponde*, ibídem.

III. Textos: *La Diana enamorada*, ed. con notas de Cerdá y Rico, Madrid, Sancha, 1778; otra ed. en «Nueva Bibliot. Autores Españoles», XVII; las dos *Dianas* (de Montemayor y de Gil Polo), en «Bibliot. Clásica Española», Barcelona, 1886; la *Diana* de Gil Polo, ed. moderna, con pról. y notas de R. Ferreres, «Clásicos Castellanos», Madrid, 1953. Estudios: FITZMAURICE KELLY: *The Bibliography of the Diana enamorada*, «Rev. Hisp.», II, 1895.—JOSEPH G. FUCILLA: *Gil Polo y Sannazaro*, «Bol. Inst. Caro y Cuervo», V, Bogotá, 1949.—MENÉNDEZ PELAYO: *Gil Polo*, ob. cit., II, cap. VIII, págs. 290-306.

IV. JUAN BAUTISTA AVALLE-ARCE: *Gutierre de Cetina. Gálvez de Montalvo y Lope de Vega*, «Nueva Rev. Filol. Hisp.», V, 1951.—J. P. W. CRAWFORD: *Vida y obras de Cristóbal Suárez de Figueroa* (trad. Alonso Cortés), Valladolid, 1911; *Some notes on «La constante Amarilis»*, «Modern Language Notes», XXI, 1906.—MENÉNDEZ PELAYO: *Luis Gálvez de Montalvo*, ob. cit., vol. II, cap. VIII, págs. 217-42.—F. RODRÍGUEZ MARÍN: *La «Fílida» de Gálvez de Montalvo*, Madrid, Tip. Rev. Arch. Bibliot. y Mus., 1927.—MARÍA Z. VELLINGTON: *«La constante Amarilis» and its Italian pastoral sources*, «Philological Quarterly», XXXIV, Iowa, 1955.—MENÉNDEZ PELAYO: *Lofrasso*, ob. cit., II, VIII, págs. 311-17.—JOAQUÍN DE ENTRAMBASAGUAS: ed. de «La Cintia de Aranjuez», de G. del Corral, C. S. I. C., Madrid, 1945.

CAPITULO XXI

LA NOVELA PICARESCA

I. «AUTOBIOGRAFISMO» EN LA PICARESCA

Estudiados con relativa extensión en el capítulo XVIII los caracteres generales de la novela picaresca, sólo nos quedan en éste el análisis de sus más interesantes producciones, no sin insistir antes, una vez más, en su nota más destacada: el *autobiografismo*.

¿Cómo surge lo autobiográfico en la picaresca? Idea obsesionante de los siglos XVI y XVII es la de llegar a construir el tipo del hombre completo. Si en el orden social se llama *cortesano,* en el intelectual su nombre será el de *humanista.* En los tiempos medios se confunde a los hombres con los dioses. Así Alfonso el *Sabio* nos dice que don Júpiter nació en Atenas, donde estudió el *trivium* y el *quadrivium.* Con el Renacimiento se llega a la formación de un nuevo tipo humano, que en el orden caballeresco nos llevará al *Amadís* y en el espiritual a la legión de místicos y ascetas del XVI.

El *Amadís de Gaula,* prototipo de caballero puro, aparece en los primeros años del siglo XVI.

Todos los hechos deben explicarse lógicamente por las causas que los produzcan: no podemos, pues, contentarnos con decir que la literatura caballeresca surge en el XVI porque así le agradaba al pueblo. La novela de caballerías será el tapiz sobre el que se proyecten los futuros hechos de armas, continuación del ideal caballeresco de los siglos medios. Y la picaresca vendrá a ser su antítesis, algo así como la vida de un héroe de signo negativo. El pícaro contempla la realidad y observa que el caballero tiene biógrafos y panegiristas; observa también que nadie repara en él, dada su pequeñez. Tiene que ser el mismo pícaro quien dé cuenta de sus actos. Pero, consciente de su función social, su *vida* será reverso de la del caballero; y si éste se vanagloria de los más altos progenitores, el pícaro alardeará de su baja extracción social: sus padres serán indefectiblemente ladrones, busconas o alcahuetas. El pícaro resulta de este modo biógrafo de sí mismo.

II. EL «LAZARILLO DE TORMES»

Es la primera de nuestras novelas picarescas en el orden cronológico. Apareció sin nombre de autor en los últimos años del reinado de Carlos V. «Este librejo tan corto en tomo como largo en bienafortunado suceso» (Cejador) viene a completar la corriente humorística que representa en la Historia la *Crónica* de don Francesillo de Zúñiga, bufón del Emperador. Tuvo desde el principio éxito comparable al de *La Celestina* en la época anterior o al del *Guzmán de Alfarache* y el *Quijote* en la siguiente.

El *Lazarillo* plantea ante todo tres problemas:

uno referente a su carácter o género literario, otro referente al autor y otro a su cronología. Antes de abordar estos problemas, resumamos en unas líneas su argumento.

Argumento

La *Historia del Lazarillo de Tormes* recoge en forma autobiográfica las andanzas de un muchacho al que la pobreza obliga a ponerse al servicio de diversos amos y a aguzar de continuo su ingenio para no morirse de hambre. Huérfano de padre (muerto en la batalla de los Gelves), su madre lo entrega a un mendigo ciego para que le sirva de guía. Las inocentes burlas de que Lázaro hace objeto al ciego son vengadas atrozmente por éste, que en cierta ocasión, al descubrir que le bebe el vino, le propina con el jarro un golpe casi mortal. Curado de sus heridas, abandona al vengativo ciego y entra al servicio de un clérigo de Maqueda, la misma avaricia personificada, de cuyas manos sale también descalabrado. Sirve sucesivamente a un escudero pobre, a un fraile de la Merced, a un buldero y a un aguador, para acabar de pregonero en Toledo y casándose con una de las criadas del arcipreste de San Salvador.

¿Es propiamente novela picaresca?

Américo Castro opina que el *Lazarillo* no se ajusta al cuadro trazado de ordinario para el género picaresco. Las razones son éstas: Lázaro, el protagonista, se mueve por los mismos sentimientos de compasión y de piedad que el resto de los humanos, mientras los personajes de las otras novelas del género hacen siempre alarde de despreocupación y falta de humanidad [1]. A veces hasta encarnan el odio hacia la sociedad en que viven. En Lázaro subsisten valores éticos, que suelen estar ausentes en los otros protagonistas de la picaresca. El *pícaro*, lo ha señalado Pfandl, es por temperamento ladrón; Lázaro sólo hurta unas migajas de pan al clérigo de Maqueda, y ello no por afición, sino por pura necesidad. La crítica social, tan aguda en otras producciones del género y que constituye una de sus notas esenciales, no aparece en el *Lazarillo* ni podía aparecer, dado que el protagonista es un niño que sólo al final llega a su mayoría de edad. La palabra *pícaro*, que podría influir en su inclusión dentro del género, no aparece en la obra. Por todo ello la tesis de Américo Castro es perfectamente defendible.

Sin embargo, al lado de estos rasgos negativos hay una serie de notas positivas, que coinciden con las que han de definir después a la novela picaresca: realismo, con frecuencia exagerado; técnica narrativa autobiográfica; aventuras de carácter muy variado, reflejo de su tránsito por distintos estadios sociales, al servicio de muchos amos. En su contenido y en su intención el *Lazarillo* es, ni más ni menos que otras obras del género, un pequeño espejo de la sociedad o una serie de cuadros que reflejan las costumbres, ya que no de España, de un sector de la sociedad española del XVI. En este sentido, pues, puede ser incluido en la novela picaresca.

Tenemos, por tanto, que el *Lazarillo* ofrece rasgos comunes a todo el género picaresco, por un lado; que carece, por otro, de elementos al parecer consustanciales al mismo. Por lo pronto, lo que después había de llamarse la picaresca, el afán de robo, la alcahuetería y la vagancia, sólo apare-

ce veladamente y como insinuándose en Lázaro, que siempre se nos muestra deseoso de trabajar y de ganarse la vida honradamente. Y es que el género picaresco, tal como ahora lo vemos nosotros plasmado en la novelística del XVII, no se nos da formado plenamente hasta el 1599, o quizá hasta 1604, con las dos partes del *Guzmán de Alfarache*, de Mateo Alemán. Por todo ello ocurre preguntarse si al juzgar al *Lazarillo* no sufriremos error, tomando como género lo que sólo alcanza categoría de especie. Acaso habría de ir a la revisión del concepto corriente de novela picaresca. Definido el pícaro con rasgos tomados de unas pocas obra al azar—el *Guzmán*, el *Buscón*—, sin duda el *Lazarillo* debe ser excluido del género. Pero ¿por qué no ampliar este concepto de modo que en él quepa la obra que nos ocupa, aunque esté protagonizada por un niño, de igual forma que caben otras cuyos protagonistas nunca estuvieron al servicio de muchos amos, condición también esencial, al parecer, en las novelas del género?

El problema del autor

La *Vida del Lazarillo de Tormes y de sus fortunas y adversidades* se publicó anónima en Alcalá. La primera edición conocida corresponde a 1554. Se ha pensado que el anonimato pudo obedecer a temor a la Inquisición, o también al deseo del autor de pasar inadvertido para no perder el favor real por las ideas erasmistas que informan la novela. El autor, en este supuesto, habría sido un alto personaje de la Corte.

Ambas hipótesis carecen de fundamento. Por la misma época se publican obras con resabios erasmistas, cuyos autores no vacilan en estampar su nombre al frente de las mismas. Sin contar con que el erasmismo del *Lazarillo* se reduce a unas pocas expresiones innocuas, como las alusivas a la glotonería del clérigo de Maqueda o el tono burlón de los capítulos referentes al fraile de la Merced y al buldero. Reparar en tales minucias cuando Gil Vicente, Torres Naharro, Cristóbal de Villalón y Sebastián de Horozco hacían gala de una libertad de expresión que hoy mismo nos asombra, resulta un poco absurdo [2].

Como posible autor del *Lazarillo* F. de Haan exhumó a un Lázaro real, pregonero de Toledo en 1538, y llamado Lope de Rueda. Hay en el *Lazarillo* exceso de erudición para que pueda considerarse obra de un pregonero.

Más infundada es la atribución a los hermanos Valdés. Alfonso murió en 1532, y no consta que Juan escribiera obras de entretenimiento. Además, las diferencias estilísticas entre el *Lazarillo* y el *Diálogo de la lengua* son tales que permiten descartarlas desde luego y sin género de duda como creaciones del mismo autor.

En 1607 aparece un *Catalogus clarorum His-*

paniae scriptoruṃ... opera ac studio Valerii Andreae Taxandri, en el que se lee: «Don Diego Hurtado de Mendoza, persona noble y embajador de César cerca de los venecianos, dicen que escribió un comentario de Aristóteles y la guerra de Túnez que él mandó en persona... Compuso el libro de entretenimiento llamado *Lazarillo de Tormes*.» Por su parte, el padre Sigüenza, en la *Historia de la Orden de San Jerónimo*, atribuye la novela a su hermano en religión fray José de Ortega, elegido general de la Orden en 1552; afirma que la escribió en su juventud, siendo estudiante en Salamanca, y que el borrador de la obra fué hallado en su celda. ¿Es lógico suponer que una obra de juventud se guarde años y años y aparezca cuando su autor ha obtenido cargo tan importante como el de general de la Orden?

Para José María Asensio y Julio Cejador el *Lazarillo* es obra de Sebastián de Horozco. Se basan en que la novela reproduce muchos pasajes de su *Cancionero*. Cejador trata de fundamentar el anonimato en razones poco convincentes: «El *Lazarillo* fué puesto en el Indice inquisitorial. ¿Cómo iba Horozco a darse por autor siendo su pariente el que fué presidente del Consejo de Castilla, y de los más íntimos de Felipe II, don Diego de Covarrubias y de Leyva, siendo hijo suyo el obispo don Juan de Covarrubias y Horozco, a quien se acusó por una parte del clero y del pueblo de su diócesis a causa de algunos libros que había publicado, y tuvo que presentarse en Roma para sincerarse, formándosele un proceso que duró varios años?»

El *Lazarillo* fué prohibido, ciertamente, pero cinco años después de publicarse [3]. ¿Pudo Horozco prever con un lustro de antelación esta medida prohibitiva? ¿Cómo se explica, por otra parte, que no estampase su nombre al frente de esta obra y sí, en cambio, en el *Cancionero*, mucho más erasmista que aquélla?

Más sensata parece la atribución a don Diego Hurtado de Mendoza, defendida últimamente por González Palencia. Hoy por hoy sin duda sería lo más acertado considerar el *Lazarillo* obra anónima.

La cronología

Tan oscuro como el problema del autor se nos presenta el cronológico. Tenemos tres ediciones correspondientes al año 1554: la de Burgos, la de Alcalá de Henares y la de Amberes. Parece que de las tres la más antigua es la de Burgos; en la de Alcalá el texto aparece ampliado. Se habla de una edición anterior, también de Amberes (1553); pero hasta ahora nadie ha visto ejemplares de ella. Por lo cual, y en tanto no haya testimonios en contra, se puede dar la de Burgos como edición *princeps* del *Lazarillo*.

Significación y estilo

Inaugura *El Lazarillo del Tormes* un nuevo género literario: el de la novela picaresca. Todas las producciones del género se ajustarán en líneas generales a este módulo inicial. Variarán en no pocos detalles, pero casi siempre las dos notas señaladas—autobiografía y servicio a muchos señores—quedarán a salvo. La mayor o menor fidelidad con que se respeten las otras notas—sátira social, intención ético-docente, amoralidad del protagonista—nos dará una serie de subgrupos, con caracteres asimismo definidos: novelas en las que predomina lo descriptivo, novelas de fondo sentencioso y novelas inspiradas en el fracaso político de la España del XVII.

Sin embargo, entre el *Lazarillo* y estas producciones hay notables diferencias, explicables acaso por la gran laguna cronológica que las separa. La serie de novelas picarescas calcadas en el *Lazarillo* queda truncada con su prohibición en 1559 y no vuelve a reanudarse hasta pasado casi medio siglo, a raíz de la muerte de Felipe II. Los tiempos han cambiado profundamente, y la sociedad española reflejada en esta clase de libros es distinta. El *Lazarillo* es sátira sencilla, sin muestras de mal humor, sin hieles y sin sombras. El *Guzmán* es ya descarnado y agrio. Mucho más lo será el *Buscón* años más tarde [4].

También el estilo ha cambiado. El del *Lazarillo* es llano, conciso, popular, libre de retoricismos y extravagancias lingüísticas. Corresponde al protagonista, individuo de clase humilde, aunque de natural avispado. Lázaro es listo, pero carece de estudios; la erudición de que hace gala al principio, con citas de oradores, historiadores y filósofos, da la impresión de simple lista, por el estilo de la aludida por Cervantes en el prólogo del *Quijote*.

Continuaciones y derivaciones

Apenas había pasado un año desde la aparición del primer *Lazarillo* cuando se publica una Segunda parte anónima (Martín Nucio: Amberes, 1555). Menéndez Pelayo, que hace de ella una crítica despiadada, la califica de necia e impertinente. Creemos que la valoración de este librejo se ha exagerado en sentido negativo. Sin reunir los méritos de la *Primera parte*, no deja de ofrecer interés como sátira social. La tendencia erasmista adquiere aquí mayor volumen y un tono más descarnado.

Mayor interés ofrece la titulada también *Segunda parte del Lazarillo de Tormes sacada de las Crónicas antiguas de Toledo*, de JUAN DE LUNA [5]. En el «Prólogo a los lectores», nos declara los móviles que le impulsaron a componerla: «La ocasión, amigo lector, de haber hecho imprimir la segunda parte de *Lazarillo de Tormes* ha sido por haberme venido a las manos un librillo que toca algo de su vida, sin rastro de verdad. La mayor parte dél se emplea en contar cómo Lázaro cayó en el mar, donde se convirtió en un pescado llamado atún, y vivió en ella muchos años, casándose con una atuna, de quien tuvo por hijos tres peces como el padre y la madre. Cuenta también las guerras que los atunes hacían, siendo Lázaro

su capitán, y otros disparates tan ridículos como mentirosos, y tan mal fundados como necios.»

La obra de Luna es un libro desvergonzado y cínico. La verdad humana del *Lazarillo* primitivo se esfuma por completo en esta nueva redacción.

Entre las derivaciones del *Lazarillo de Tormes* es digna de mención la de Juan Cortés de Tolosa: *Lazarillo de Manzanares con otras novelas* (Zaragoza, 1617).

III. LA NOVELA PICARESCA DEL XVII: PRINCIPALES TIPOS

Se suelen distinguir tres grupos en la extensa producción picaresca: *a)* idealístico-satírica; *b)* realístico-optimista, y *c)* novelesco-descriptiva. Así lo hace Pfandl, si bien nosotros no acertamos a ver con toda claridad esta discriminación. La esencia de lo picaresco va debilitándose en cada uno de estos grupos, hasta fundirse con otras formas llamadas a constituir géneros nuevos, como la novela cortesana.

Idealístico-satírica

A este grupo pertenecen las mejores. Mateo Alemán y Quevedo son sus más eximios representantes. Ambos contemplan el panorama de una España que amenaza pasar del mundo heroico al realismo de los vagos y pícaros. Guzmán y Pablicos «actúan como cámara de alarma que señala la proximidad de la catástrofe». Ambos se dan cuenta de que los pícaros de la vida amenazan con superar a los de la fantasía.

Realístico-optimista

No tienen sus cultivadores ni el ingenio ni el profundo conocimiento de la vida de los del grupo anterior. Para ellos la picaresca es sólo una alegre manera de vivir. Las novelas de este grupo se convierten, parte conscientemente y parte sin quererlo, en reclamos de la vagancia. Más de un padre

noble tuvo que ir en busca de su hijo tras un grupo de estos pícaros, pues le había seducido la gracia de una *Gitanilla* o la hermosura de una fingida *ilustre fregona*. Picaresca regocijada, si alguna vez adopta el tono moralizador, más hace el efecto de sermón postizo que de sentido propósito didáctico. Los protagonistas son generalmente mujeres. Aparte algunas obras de Castillo Solórzano, las más importantes del grupo son: *La pícara Justina*, el *Estebanillo González* y *La ingeniosa Helena, hija de Celestina*.

Novelesco-descriptiva

Las obras que Pfandl clasifica en este grupo apenas tienen carácter picaresco. Funden una serie de elementos que las hacen semejantes—como ya hemos indicado—a las que González de Amezúa ha llamado novela cortesana. Se abandonan las líneas directrices del género, para ceñirse al cuadro trazado por Cervantes en sus *Ejemplares*. Característica de las novelas de este grupo es la duplicidad de acción y la introducción de relatos episódicos, a veces más interesantes que la misma narración central. Más que cuadros picarescos son relatos costumbristas. Aunque no carezcan de rasgos satíricos, la sátira nunca reviste el tono pesimista de un Alemán o el amargo y duro de Quevedo. Los principales representantes son Juan Martí, Vicente Espinel y Castillo Solórzano.

IV. MATEO ALEMAN

En 1599 aparece en Madrid la *Primera parte del pícaro Guzmán de Alfarache*, original del escritor sevillano Mateo Alemán (1547-¿1614?); y cinco años más tarde, en Lisboa (1604), la *Segunda parte* de la misma obra, con el subtítulo muy significativo de «Atalaya de la vida humana», con el que su autor quería darnos a entender el propósito de ofrecernos todo un cuadro de la vida y costumbres de la época. Lo que confiere al *Guzmán* una alta significación en la literatura española, aparte su inmensa popularidad, es el hecho de haber sido considerada desde el primer momento como el arquetipo de nuestra novela picaresca.

Datos biográficos

Nace Alemán en Sevilla, el mismo año que Cervantes (1547), con el que tiene tantas analogías. Hijo del doctor Hernando Alemán, médico de la cárcel, y de su mujer Juana de Enero, respira desde sus primeros años aquel ambiente penitenciario que tanto había de influir en su vida y en su obra. Estudia en el mismo Sevilla, probablemente con el maestro Juan de Mal-Lara, y se gradúa en Artes y Filosofía. Su novela está llena de recuerdos de la vida universitaria. Se sabe que en 1564 estaba matriculado en Medicina, y que de Sevilla pasó a las universidades de Salamanca y de Alcalá, donde continuó sus estudios hasta la muerte de su padre (1567). Hacía el cuarto curso y no llegó probablemente a terminar una carrera que no le gustaba.

La vida de Alemán es un tejido de aventuras, felices e infaustas, en que dominan la picaresca, que tan bien había de describirnos, las esperanzas y los desengaños. Por burla entabla relaciones con una doña Catalina de Espinosa, con la que termina por casarse, obligado por el tutor de la misma, capitán don Hernando de Ayala, y atraído por el cebo de unos miles de ducados. Hacia 1571 fué nombrado contador de resultas de Felipe II; pero ciertas irregularidades en el desempeño de su cargo le llevaron a la cárcel de Ciudad Real (1580), donde tuvo ocasión de completar su aprendizaje de las artes y mañas utilizadas por la gente de mal vivir. En Madrid, adonde se trasladó luego, ejercía junto al oficio de contador el de intermediario en compras, subastas y contratos. No debió de irle mal en su empleo porque se sabe que edificó casa propia junto al actual palacio del Senado. Por esta época visitó Italia, cuyas principales ciudades demostró conocer. La publicación en 1599 del *Guzmán* le dió enorme fama; pero continuó tan pobre como antes, víctima de los editores fraudulentos.

Vuelve a Sevilla (1601); se separa amistosamente de su mujer y vive con una Francisca Calderón. Su primo Juan Bautista del Rosso le adelanta algún dinero, además de imprimir por su cuenta el *Pícaro*. En 1602 lo encontramos de nuevo en la cárcel por deudas contraídas. Su primo Rosso paga las deudas y sale en libertad. Publica la *Vida de San Antonio de Padua* (1603); pasa a Lisboa, donde imprime la *Segunda parte del Guzmán*.

Cumplidos los sesenta años, sin medios de vida, se decide a emigrar a las Indias, y en 1608 embarca para Méjico en la misma flota en que iba el dramaturgo Juan Ruiz de Alarcón, haciéndose acompañar de sus dos hijos, Margarita y Antonio, y de su amiga Francisca [6]. Un año después imprime en el mismo Méjico su *Ortografía castellana* (1609); y en aquella ciudad terminó sus días, pocos años más tarde (¿1614?).

El «Guzmán de Alfarache»

Ya se ha dicho que pasa por la novela arquetípica del género. Al menos es su realización más lograda. Durante mucho tiempo ha sido conocida por el sobrenombre del *Pícaro* por antonomasia, lo que viene a demostrar que en ninguna otra obra se desarrollan mejor las notas que califican a la picaresca. Por ello, sin duda, hubo de alcanzar una difusión rápida y un número de ediciones superior al de cualquiera de nuestros libros clásicos. En 1602 apareció una *Segunda parte* apócrifa del *Guzmán*, firmada por un «Mateo Luján de Sayavedra», seudónimo que probablemente corresponde a un abogado valenciano, Juan José Martí (1570-1604), conocido en la Academia de los Nocturnos con el sobretítulo de «Atrevimiento». Mateo Alemán dió buena cuenta de él en el libro II de la continuación de su *Pícaro*. Esta parte apócrifa es inferior por todos los conceptos al original. Ni sus aventuras revisten el interés del verdadero Guzmán de Alfarache; ni el estilo, cuajado de pedantesca erudición, puede compararse con el de Mateo Alemán.

Es dudoso que éste llegara a componer una *Tercera parte*, que repetidamente anuncia y hasta da por redactada. Tampoco Cervantes escribió la Segunda de su *Galatea*, aunque así lo promete en distintas ocasiones. De haber escrito Alemán esa continuación, la habría publicado antes de su viaje a Méjico; y ya sabemos que no fué así. A mayor abundamiento, las dos partes conocidas forman unidad completa, con su final lógico y en todo congruente con la intención que el autor anticipa desde los preliminares de la novela. Alemán nos dice, en efecto, que el protagonista escribe su vida desde galeras; y en éstas lo encontramos, ya arrepentido, al terminar la obra. Creemos, por tanto, con el profesor Moreno Báez, que la Tercera parte no entró nunca en el plan original y que, de haber sido redactada, nada nuevo añadiría al libro que tenemos actualmente.

Argumento.

Fiel a la fórmula creada por el *Lazarillo,* Alemán empieza narrando el origen de su héroe. Guzmán es hijo de un genovés establecido en Sevilla y de «una gallarda moza», prenda de cierto caballero viejo que «tosía, quejábase de piedra, riñón y orina» y al que aquél termina por suplantar. Muertos el viejo y su padre, para huir de la miseria, Guzmán a los quince años decide buscarse la vida. Después de servir de mozo en una venta, pasa a la Corte, donde se coloca como ayudante de un cocinero. Roba a sus compañeros y se dirige a Toledo; aquí se finge hidalgo y es robado por dos damas. Tras una breve estancia en Génova, lo encontramos en Roma, donde un cardenal se apiada de sus fingidas llagas y le toma por criado. Entra luego al servicio del embajador de Francia, hombre enamoradizo, que halla en Guzmán un perfecto «corredor de oreja». Nuevas aventuras en Florencia, Bolonia y Siena, hasta que va a dar a la cárcel por calumniador. Estafa a un mercader, ayudado por Sayavedra, que se declara hermano de Juan Martí. Burla despiadadamente a sus parientes y huye con la galera del capitán Favelo. Cerca de Marsella les sorprende una tempestad; Sayavedra enloquece y se arroja al mar. En Zaragoza es burlado por una mozuela; llega de nuevo a la Corte; contrae matrimonio con la hija de un mercader. Estafa legalmente a varios acreedores. Enviuda y contrae nuevo matrimonio con una moza de mesón llamada Gracia, que se le fuga al poco tiempo. Guzmán vuelve a su antigua vida de ladrón; es condenado a azotes y a seis años de galeras. Descubre una conjuración y, con la promesa de obtener la libertad, concluye la novela.

Carácter y elementos de la novela

No se puede interpretar acertadamente la obra de Mateo Alemán sin tener en cuenta la doble intención con que fué escrita. Su autor quiso darnos a la vez una obra de entretenimiento y de sana moral. Para lo primero está el relato de aventuras tomadas de la vida real; para lo segundo, las admoniciones y experiencias que dictan esas aventuras. De aquí una parte narrativa y otra filosófica. Imposible establecer el deslinde entre ambas, porque acción y reflexión, picaresca y ascetismo, se entremezclan a lo largo del libro, formando un todo orgánico y coherente. Si tratamos de prescindir de las reflexiones, desvirtuaremos la finalidad de la obra, tan patente desde la primera página; si hacemos caso omiso de las incidencias del relato, quitamos a la novela el mayor interés y la dejamos convertida en uno de los infinitos tratados de ascética que por aquella época aparecieron. Al *Guzmán de Alfarache* hay que examinarlo, por tanto, en su conjunto.

El citado profesor Moreno Báez, que se ha dedicado a desentrañar la profunda lección encerrada en el *Guzmán,* ha desmontado al mismo tiempo las piezas esenciales que la integran y nos ha dado una síntesis de sus temas básicos [7], que pueden reducirse a cinco:

a) Afirmación de la maldad natural del hombre como consecuencia del pecado original. De aquí se desprende el convencimiento de la dignidad del *pícaro,* cuya alma también ha sido redimida por la sangre de Jesucristo.

b) Afirmación del libre albedrío, que permite escoger al hombre entre el bien y el mal. No podemos, por tanto, atribuir a la adversa fortuna ni a las estrellas las consecuencias de nuestros actos. Ni el influjo de las circunstancias ni la violencia y empuje de las pasiones logran anular la responsabilidad, aunque contribuyan a disminuirla.

c) Todo está regido por la Providencia, que lo ordena hacia un determinado fin por medios aptos para su logro. Con este tema se enlaza el de la caducidad de lo terreno, el de la brevedad de la vida y el de la sanción de delitos. Dios da a cada uno lo que necesita para salvarse.

d) El hombre precisa de los auxilios de la gracia para realizar los actos necesarios para su salvación. La primera gracia es gratuita, sólo depende de nuestro albedrío el cooperar o el rechazarla.

e) Para aumentar la gracia actual y obtener la habitual o santificante no basta la fe, ésta debe ir acompañada de actos de devoción y penitencia.

Novelas intercaladas

Siguiendo una costumbre de la época, Alemán inserta en el relato principal varias novelas episódicas [8]. La más interesante, *Historia de los dos enamorados Ozmín y Daraja,* es de tema morisco. Influída por Pérez de Hita, representa una feliz amalgama de tres tipos novelísticos —el sentimental, el caballeresco y el cortesano—, viniendo a ser un antecedente inmediato de la novela creada por Cervantes. Contrastan tanto el estilo como la doctrina de esta narración con el resto de la obra. El retrato de los dos amantes, tan fieles, tan puros y espirituales, junto con el elogio de sus virtudes y buenas prendas, no parece salido de la misma pluma que nos está contando las aventuras de Guzmán. El desarrollo y desenlace acusa influencias helenísticas o bizantinas: los amantes, separados una vez y otra por imprevistas circunstancias, acaban uniéndose definitivamente en matrimonio.

De distinto corte son las otras dos novelas episódicas del *Guzmán:* la de *Dorindo* y *Clorinia* y la de *Bonifacio* y *Dorotea.* De derivación italiana la primera, nos da un Alemán inclinado a lo tremebundo; en la segunda, una historia de venganza por honor, el realismo adquiere marcado tinte naturalista.

Sentido, técnica y estilo

El *Guzmán* se nos ofrece, ya queda dicho, como un libro de pasatiempo y de sabia lección. Para mejor lograr este doble fin el autor gusta de salpicar el relato no sólo con las historias novelescas aludidas, sino con toda clase de anécdotas, cuentos, máximas y diligencias didáctico-morales, bien de propia cosecha, bien extraídas de Séneca, del Evangelio, del refranero popular y hasta de los sermonarios al uso. El empleo abusivo de tales recursos ha hecho pensar que en el fondo lo que Alemán buscaba con tal procedimiento no era sino hacer pasar de contrabando, arropándola en consideraciones más o menos éticas, la vida desvergonzada de un pícaro. Esta hipótesis, lo mismo que la análoga formulada por Américo Castro respecto del *Quijote,* está desechada por la sana crítica.

Que Alemán quiso dar a su novela un tinte de *ejemplaridad,* está bien claro; que de ella se desprende una lección, tampoco puede ponerse en duda. ¿Qué lección es ésa? La que podía esperarse de un hombre que, vapuleado duramente por la vida y situado en su «atalaya», no acierta a ver de aquélla sino el ángulo más duro y desagradable. Un pesimismo sombrío tiñe la retina de este hombre, que sólo descubre de la sociedad el lado hostil, a tono con el concepto pesimista que informa todo el género. Sólo que el recelo, la misantropía y el resentimiento propios de la picaresca se acentúan en el *Guzmán* de forma que anuncian ya las páginas amargas de *Don Pablos* y del *Criticón.* «Todos vivimos en asechanza los unos de los otros —escribe Alemán—, como el

gato para el ratón y la araña para la culebra.»
Su visión del mundo y de los hombres se nos
muestra a las claras en el emblema que preside
la portada de sus libros: una serpiente vigilante
enroscada al pie de un árbol, una araña colgada
de un hilo, al acecho de su enemigo, y una leyenda
al pie: *ab insidiis non est prudentia.*

Todo ello parece indicar que el *Guzmán* es una
novela autobiográfica, si no en su totalidad, en
muy buena parte. Los acerbos comentarios en
torno al primer matrimonio del protagonista, sus
censuras contra la veleidad y corruptelas de los
ministros, las descripciones de la cárcel llenas de
desabrimiento y de negrura, sólo pueden ser hechos por un hombre que ha sufrido en su carne
viva los zarpazos de la adversidad o que ha pasado por situaciones similares a las que describe.
Cuando Alemán nos cuenta cosas vistas o vividas
se convierte en un consumado maestro de la novela, especialmente si esas cosas reflejan el lado
sombrío de la sociedad, que tan conocido le era.
En cambio, le falla el elemento amoroso. Se mueve mejor en el ambiente enrarecido de la filosofía estoica que en la atmósfera luminosa de los
tratadistas neoplatónicos; va mejor con Séneca
que con León Hebreo. Es una manera de ser como
otra cualquiera, que anticipa la especial actitud
de los grandes prosistas del barroco.

Para nosotros, a más de tres siglos y medio de
distancia, lo mejor del *Guzmán* es su prosa: una
prosa rica, espontánea y llena de expresividad,
colocada entre la sencillez un poco primitiva del
Lazarillo y la concisión trabajosamente elaborada
de los conceptistas, con todas las virtudes del uno
y de los otros, y sin ninguno de sus defectos. Alemán es un maestro del idioma a quien nunca faltan recursos para decir lo que quiere y como
quiere.

Otras obras de Alemán

Ni la *Ortografía castellana* (Méjico, 1609), ni
la *Vida de San Antonio de Padua* (Sevilla, 1609),
ni la traducción de algunas odas de Horacio merecen mención sino por estar escritas por la misma
pluma que el *Guzmán de Alfarache.* Su valor
es casi nulo. En cambio ofrece cierto interés la titulada *Sucesos de don fray García Guerra, arzobispo
de México* (1613), porque nos sitúa de lleno en la
misma línea ascética del *Guzmán.* Se trata de una
auténtica «lección de desengaños», puesta de manifiesto ya en la dedicatoria al canónigo don Antonio Salazar, al contraponer las adulaciones de que
fué objeto el arzobispo en vida y el olvido y despego que le rodean una vez muerto. Este contraste es el que mueve la pluma de Mateo Alemán,
llevándole a redactar unas consideraciones muy
a tono con su carácter [9].

V. MAS REPRESENTANTES DEL GENERO: ESPINEL

El éxito de Alemán suscitó muchos imitadores
que inundaron España de novelas picarescas, lo
mismo que años antes la habían inundado de libros de caballerías y años después lo harían de
colecciones de novelas cortas, a imitación de las
de Cervantes y Castillo Solórzano. Sólo vamos a
dar cuenta aquí de los más importantes, dejando
el análisis de dos de ellas—*Rinconete* y el *Buscón*—para los capítulos en que se estudia en conjunto la obra de sus autores respectivos, Cervantes
y Quevedo.

Espinel

Dos tópicos honran a VICENTE ESPINEL (1550-
1624) [10] desde la época de Lope de Vega: la invención de la *décima*, llamada también por ello *espinela*, y la adición de la quinta cuerda a la guitarra.
Sobre lo primero habría mucho que decir. En realidad no fué Espinel quien inventó esta estrofa, sin
duda una de las que más fortuna han tenido en
la poesía castellana de todos los tiempos, pero sí
le dió una particular estructura y unidad, contribuyendo, además, a divulgarla [11].

Espinel, que disfrutó fama de buen poeta entre
sus contemporáneos, mereciendo por tal concepto
las alabanzas de Cervantes y de Lope, nos dejó,
aparte de las *Rimas* (Madrid, 1591), en que incluyó
la mayor parte de sus versos originales, una célebre novela picaresca: *La vida del escudero Marcos de Obregón* (Madrid, 1618), única obra por la
que es actualmente recordado en la historia de
nuestras letras.

El *Marcos de Obregón,* aun siendo en el fondo
un libro picaresco, tiene otros elementos (aventuras, naufragios, cautiverios, escenas costumbristas) que le aproximan a distintos géneros, dándole
especiales matices. Se ha dicho que es la menos
picaresca de las novelas del género. Por lo pronto,
el protagonista no es un pícaro, sino un viejo
escudero reflexivo y experimentado; luego, la
acción se desenvuelve en un ambiente de sociedad
culta y escogida, poco adecuada para las «hazañas» de la picaresca. Como en el *Guzmán,* los
elementos autobiográficos ocupan no poca parte
del *Marcos de Obregón;* y como en aquél, también
en éste se intercalan a cada paso historias, cuentos, anécdotas y reflexiones. Con una diferencia
fundamental: Guzmán es narrador y actor de las
aventuras que narra; Obregón es más bien un
espectador; su actuación directa es mucho menor
que la de los otros «héroes» de la picaresca [12]. De

aquí que el interés de la obra radica más en las enseñanzas en ella diseminadas que en el desarrollo de la trama. Es una obra didáctica más que satírica. Ya nos lo advierte el autor en el prólogo: «El intento mío fué ver si acertaría a escribir en prosa algo que aprovechase a mi república, deleitando y enseñando.» Y más adelante: «Yo querría en lo que escribo que nadie se contentase con leer la corteza, porque no hay en todo mi *Escudero* hoja que no lleve objeto particular fuera de lo que suena.» Las enseñanzas del *Marcos de Obregón* se extienden a toda clase de materias: pedagogía, crítica de libros, preceptos de higiene, trato social, juegos, amores, normas de redacción, etc.

Si hemos de creer al mismo Espinel, su novela se publicó por una circunstancia fortuita [13]. Antes de darla a luz quiso someterla a juicio de varios amigos, entre ellos de Lope de Vega, «que como él se rindió a sujetar sus versos a mi corrección en su mocedad, yo en mi vejez me rendí a pasar por su censura y parecer». Gozó de favor ininterrumpido durante largo tiempo, hasta que Lesage, en su *Gil Blas*, se decidió a imitarle en algunos episodios. Esto provocó una ruidosa polémica suscitada por Voltaire, llamada *la cuestión de Gil Blas,* lo que contribuyó a dar mayor renombre a la obra de Espinel, relegando a segundo plano su producción poética [14]. En ésta debemos citar la traducción que nos dió del *Arte poético de Horacio,* uno de las primeras, o quizá la primera, que se hizo de la famosa *Epístola* en lengua castellana.

Volviendo al *Marcos de Obregón,* la obra está llena de recuerdos personales. Tal vez por ser producto de senectud, las debilidades humanas encuentran en el protagonista indulgente comprensión, similar a la que hallamos en Cervantes. Las aventuras del viejo escudero distan mucho de las de ambiente patibulario y tono escatológico del *Guzmán* o del *Buscón,* y están exentas del realismo de otros autores. Se suele señalar en Espinel una fina sensibilidad para el paisaje, especialmente para la percepción de determinados estímulos: olor de limoneros, naranjos, etc.

El «Estebanillo González»

Con el título de *Vida y hechos de Estebanillo González, hombre de buen humor, compuesta por él mismo* apareció en Amberes (1646) una obra que representa una feliz fusión de la crónica y el relato novelístico. El *Estebanillo* es una de las últimas manifestaciones del género picaresco. La crítica, por obra sobre todo de Millé Jiménez, afortunado edtior del libro, ha logrado identificar gran número de datos contenidos en la novela, ratificando de paso el carácter autobiográfico de la mayor parte de sus episodios. Se admite comúnmente la existencia de un Esteban González, bufón del duque de Amalfi, a quien por cierto va dedicada la obra. El fondo histórico de muchos de los sucesos aquí narrados se nos indica ya en el discurso «Al lector»: «Si, curioso de saber vidas ajenas, llegares a leer la mía, yo me llamo Estebanillo González, flor de la jacarandaina. Y te advierto que no es la fingida de Guzmán de Alfarache, ni la fabulosa de Lazarillo de Tormes, ni la supuesta del Caballero de la Tenaza, sino una relación verdadera, con parte presente y testigos de vista y contestes, que los nombro a todos para averiguación y prueba de mis sucesos, y el dónde, cómo y cuándo, sin carecer de otra cosa que de día, mes y año, y antes quito que añado.»

El autor nos cuenta sus correrías por Roma, Loreto, Pisa, Siena, Mesina, Palermo, Lombardía, Zaragoza, Madrid, Compostela, Sevilla, Barcelona, etcétera, hasta acabar en Nápoles, enfermo de la gota. Allí compone su libro, con el propósito expreso de hacerse *memorable.* La obra se cierra con un romance al duque de Amalfi, que tiene la particularidad de estar compuesto prescindiendo en absoluto de la vocal *o.*

El *Estebanillo,* aparte de su valor documental para el estudio de la vida y costumbres españolas y hasta europeas de la época, ofrece un gran interés para el conocimiento del lenguaje en ciertas clases sociales. Su protagonista, a quien encontramos en los más diversos ambientes—barbero, soldado, ladrón, practicante, criado de una comedianta, romero a Santiago, etc.—, vive enteramente al margen de toda moral. El amplio escenario en que se mueve complica el relato con exceso; pero ello no es obstáculo para que la novela se lea todavía con redoblado interés.

Juan Martí y Enríquez Gómez

Muy poco se parece a la obra de Mateo Alemán la que con el título de *Segunda parte de la vida del pícaro Guzmán de Alfarache* y bajo el seudónimo de «Mateo Luján de Sayavedra» publicó en Valencia el abogado de aquella capital JUAN MARTÍ (1570-1604) [15]. Lo de menos es aquí la aventura picaresca, que sólo se aprovecha como marco para la descripción de la vida contemporánea. En este sentido la obra de Martí ofrece interés por las noticias de toda clase que nos da. El ambiente universitario de Alcalá, las cofradías de mendigos y otros aspectos de la sociedad española del XVI nos son descritos con mucho pormenor y no sin ciertas dotes literarias. La comparación inevitable con el libro de Mateo Alemán ha perjudicado al de Martí, que no carece de méritos positivos. Termina la novela con una descripción de las fiestas organizadas en Valencia con motivo de las bodas reales (1599).

Un judaizante, hijo de converso portugués establecido en Segovia, ANTONIO ENRÍQUEZ GÓMEZ (1600-1660) [16], estimable dramaturgo de la escuela calderoniana y del que nos ocuparemos en otro lugar, publicó en Ruán (1647) uno de los últimos libros del género picaresco: *El siglo pitagórico y vida de don Gregorio Guadaña*. Con no poca gracia y mucha desenvoltura, Enríquez nos cuenta las sucesivas metempsicosis de un espíritu que pasa a animar los cuerpos de diversos sujetos, caracterizados por otros tantos vicios, hasta que purificado totalmente viene a encarnar en un hombre virtuoso. Esta técnica, tan sencilla como vieja ya en todas las literaturas, permite al autor hacer una crítica costumbrista con no escroche de ingenio. Se han señalado en el *Guadaña* evidentes influencias de Quevedo y hasta se ha llegado a decir que era una novela zurcida con desperdicios del *Buscón*. La verdad es que, aunque inspirada en el gran satírico, la obra de Enríquez tiene originalidad y valores propios. Su sátira no es corrosiva como la de aquél; y encontramos en esta novela una idealización de elementos femeninos que en vano sería buscar en ninguna producción de Quevedo.

Dos obras quedan por citar pertenecientes al género y que entrañan relativa importancia: *La desordenada codicia de los bienes ajenos* (París, 1619) y *Alonso, mozo de muchos amos* (1.ª parte, Madrid, 1624; 2.ª, Valladolid, 1626). La primera de estas novelas, *La desordenada codicia*, fué escrita por el doctor CARLOS GARCÍA, médico español que debió de vivir entre 1575 y 1630, aproximadamente. Poco se sabe de su existencia, y hasta se ha llegado a dudar de ella, suponiendo algún crítico que era simple seudónimo de cualquier famoso escritor. Sbarbi le ha identificado nada me-

nos que con Cervantes. Como quiera que sea, hoy no se duda de su existencia real, ya que aparece citado por Marcos Fernández en la *Olla podrida a la española* (Amberes, 1655) como «Doctor Garcías», autor asimismo de otro libro titulado *La oposición y conjunción de los dos grandes luminares de la tierra o Antipatía de los franceses y españoles* (París, 1619). Pero la obra que mantiene todavía fresco el nombre del doctor García es *La desordenada codicia de los bienes ajenos*, libro que encaja de lleno en el género picaresco. Arrancando de un siniestro episodio, cual es la actuación de un hijo como verdugo de sus propios padres, Andrés, el protagonista, narra al doctor García numerosos casos de latrocinio y otros excesos, hasta llegar a convertir la novela en una auténtica apología de ladrones y demás gente del hampa.

Alonso, mozo de muchos amos, por otro nombre, *El donado hablador*, puede considerarse como una postrera y culta continuación del *Lazarillo*. Su autor, el doctor JERÓNIMO DE ALCALÁ YÁÑEZ DE RIBERA (1563-1622), segoviano de nacimiento, había hecho estudios en los Carmelitas de su ciudad natal y cursado luego la carrera de Medicina en Valencia. De sus estudios religiosos le quedó cierta afición a los relatos devotos, de los que hace alarde a cada paso en esta obra .En tal sentido ha sido considerada por algunos, dada la abundancia de milagros y casos prodigiosos que cuenta, como una especie de picaresca «a lo divino». El éxito de la primera parte le animó a publicar una segunda dos años después (Valladolid, 1626). Alcalá Yáñez es autor también de *Los milagros de Nuestra Señora de la Fuencisla* (Salamanca, 1615).

VI. LA PICARESCA FEMENINA

La picaresca que Pfandl calificó de «realístico-optimista» y también «novelesco-descriptiva», es principalmente de protagonista femenino y ofrece características muy especiales. Sin apartarse de esa línea autobiográfica, que parece consustancial al género, introduce en éste una modificación: sus heroínas no pasan por diversos estamentos sociales; en otras palabras, no están al servicio de varios amos. Se trata en general de mozas avispadas y bien parecidas, de baja extracción y que utilizan sus encantos para «desplumar» a todo el que cae entre sus redes, valiéndose de trazas tan hábilmente urdidas como amenamente narradas. Como en el resto de la picaresca, el elemento amoroso juega escaso papel y sólo sirve de ordinario para encubrir mejor las fechorías de las protagonistas.

Muy significativamente, Castillo Solórzano tituló una de sus más famosas novelas *El anzuelo de las bolsas*. El hambre, la miseria, la sordidez no rezan ya con este tipo de narraciones, cuyos mode-

los más celebrados son *La pícara Justina*, *La ingeniosa Elena*, *Las harpías de Madrid*, *La niña de los embustes* y *La garduña de Sevilla*.

«La pícara Justina»

Muy celebrada en todo tiempo, su fama excede con mucho a sus escasos méritos literarios. Ya Cervantes, en el *Viaje del Parnaso*, estampó sobre su autor un juicio nada favorable, y Menéndez Pelayo la calificó, no sin razón, de «monumento de mal gusto». Pero si la trama ofrece escaso o nulo interés y si el ingenio del novelista, cualquiera que éste sea, brilla por la ausencia, en cambio, *La pícara Justina* constituye un valiosísimo documento lingüístico para el estudio del dialecto leonés, por la gran cantidad de dichos populares y refranes que en sus páginas se recogen. Consta de cuatro partes: la pícara montañesa, la pícara romera, la pícara pleitista y la pícara novia. Las aventuras se suceden aburridamente y el desenlace—matrimonio feliz de la protagonista, viudedad y nuevas nupcias con Guzmán de Alfarache—indican cuán mal entendía el autor las características del género picaresco. A no ser que deliberadamente se apartara de él, toda vez que al principio declara su propósito didáctico y moralizador.

Sobre el autor de *La pícara Justina* subsiste la controversia. La novela apareció (Medina, 1605) firmada por un Francisco López de Ubeda, médico toledano. El investigador Puyol Alonso, que nos ha dado una valiosísima edición crítica de aquélla, opina que López de Ubeda no es sino un seudónimo bajo el que se encubre el dominico fray ANDRÉS PÉREZ [17]. Sin embargo, tampoco da la cuestión por resuelta de modo definitivo. En las obras que se conservan de fray Andrés Pérez, especialmente *Sermones*, se encuentran giros y un léxico análogos al de *La pícara Justina*, lo que hace suponer que pudo él escribirla para publicarla luego a nombre de su amigo, el médico López de Ubeda.

«La hija de Celestina» o «La ingeniosa Elena»

Es ésta la obra maestra de ALONSO JERÓNIMO DE SALAS BARBADILLO (1581-1635) [18], quien en una serie de narraciones de carácter satírico, y tomando por escenario a Madrid, nos dejó una crónica de la sociedad española del XVII, hecha con tal garbo y tal gracia que quiere aproximarse, y a veces lo logra, a los relatos de Cervantes. Los cuadros novelísticos de Barbadillo, por un lado, caen dentro del género picaresco, y por otro, dentro de la llamada «novela cortesana». De ésta tienen la brevedad y el marco social. Se distinguen entre sus producciones: *El caballero puntual* (1614), *El sagaz Estacio, marido examinado* (1620); *Don Diego de noche* (1623), *La estafeta del dios Momo* (1627), *El curioso y sabio Alejandro, fiscal y juez de vidas ajenas* (1634), etc. En *Peregrinación sabia* reunió un copioso acerbo de fábulas, a base de animales y plantas. También cultivó la poesía con menguado éxito.

Su obra narrativa de más empeño, *La hija de Celestina* o *La ingeniosa Elena* (1612), cuenta las aventuras de una joven de singular hermosura que, al igual que Teresa de Manzanares o Rufina, utiliza sus encantos para cazar ingenuos. «Mujer de buena cara y pocos años—escribe Salas—, que es la principal hermosura; tan sutil de ingenio, que era su corazón la recámara de la Mentira, donde se hallaba siempre el vestido y traje más a su propósito convenientes.» Elena, después de recorrer Toledo, Sevilla y Madrid, se casa con el consentido Montúfar, a quien da muerte administrándole un veneno. Condenada a garrote, es ajusticiada a orillas del Manzanares, «causando en los pechos

más duros lástima y sentimientos dolorosos». La primera edición se halla libre de las reflexiones, máximas, versos y demás accesorios que entorpecen las impresiones sucesivas. Salas es un hábil narrador, fácil y copioso; temperamento satírico. Le suelen bastar dos líneas para pintar de mano maestra un personaje o una situación. *La ingeniosa Elena* refleja influencias de *La Celestina*, y, a su vez, influyó en Scarrón y en el *Tartufo*, de Molière.

La picaresca en Solórzano

De ALONSO DEL CASTILLO Y SOLÓRZANO (1584-¿1648?) nos ocuparemos en mayor espacio en el capítulo siguiente, dedicado a la novela cortesana [19]. Fué en este género en el que más sobresalió con colecciones como *Tardes entretenidas, Jornadas alegres, Noches de placer*, etc., que le dieron merecida fama, otorgándole uno de los primeros puestos entre los novelistas del XVII. Otras obras suyas caen más bien dentro de la picaresca. Tales son *Las harpías de Madrid* (Barcelona, 1631), con el relato de los fraudes cometidos en la corte por cuatro mujeres tan desenvueltas como astutas; *Las aventuras del bachiller Trapaza* (Zaragoza, 1617) y su continuación [20], *La Garduña de Sevilla y anzuelo de las bolsas* (Madrid, 1642), donde se cuenta primeramente el matrimonio de Trapaza con la celosa doña Estefanía, y luego las aventuras de Rufina, hija del matrimonio, en Sevilla, Córdoba, Málaga, Toledo y Zaragoza, hasta acabar honradamente sus días; *La niña de los embustes, Teresa de Manzanares* (1632), en la que el autor, al referir las trapacerías de la protagonista, hace alarde de sus mejores dotes narrativas. Los dos entremeses en ella intercalados, *El barbador* y *La prueba de los doctores*, interesan para el conocimiento de la vida de los cómicos y de la actitud de Solórzano frente al culteranismo. En *La Garduña de Sevilla*, siguiendo el ejemplo de Cervantes y de Mateo Alemán, se insertan tres novelas cortas, entre las que destaca por su fina comicidad *El conde de las Legumbres*.

Castillo Solórzano llega a la picaresca tras ejercitarse en la novela cortesana. De aquí su concepción del género, distinta de la predominante en la época anterior. En Solórzano, la narración, aun picaresca, se desarrolla en forma de novelas breves, independientes y susceptibles de continuarse indefinidamente. Por ello los relatos intercalados, p. ej., los tres de *La Garduña de Sevilla*, son auténticas novelas cortesanas.

De otras producciones menos interesantes *(La desordenada codicia de los bienes ajenos*, del doctor Carlos García; o *El donado hablador*; *Alonso, mozo de muchos amos*, del doctor Jerónimo de Alcalá Yáñez) no creemos necesario hablar aquí, dado su escaso valor literario. A Francisco Santos, que cierra el ciclo de nuestra picaresca, nos referiremos en el capítulo dedicado a los costumbristas del XVII; y a Vélez de Guevara, autor de *El diablo cojuelo*, cuando se le estudie como dramaturgo.

NOTAS

1. Lázaro siente compasión por el escudero hambriento: «Tanta lástima haya Dios de mí como yo había dél, porque sentí lo que sentía, y muchas veces había por ello pasado y pasaba cada día... Muchas veces pensaba si sería bien comedirme y convidarle; mas por me haber dicho que había comido, temíame no aceptaría el convite.» Unas vecinas se basan en ese mismo sentimiento de piedad para disculparle cuando la Justicia va a prender al escudero: «Señores —dicen al escribano—, éste es un niño inocente, y ha pocos días que está con ese escudero y no sabe dél más que vuesas mercedes, sino cuanto el pecadorcico se llega aquí a nuestra casa y le damos de comer lo que podemos por amor de Dios, y a las noches se iba a dormir con él.» Nunca más en la novela picaresca encontraremos expresiones parecidas.

2. Al hablar del clérigo de Maqueda (cap. II) dice: «Era el ciego para con éste un Alejandro Magno, con ser la misma avaricia, como he contado. No digo más sino que toda la lacería del mundo estaba encerrada en éste. No sé si de su cosecha era o lo había anejado con el hábito de clerecía.» Más adelante: «Y por ocultar su gran mezquindad decíame: —Mira, mozo: los sacerdotes han de ser muy templados en su comer y beber, y por esto yo no me desmando como otros. Mas el lacerado mentía falsamente, porque en cofradías y mortuorios que rezamos, a costa ajena comía como lobo y bebía más que un saludador.»

3. Como, a pesar de la prohibición inquisitorial, seguía publicándose clandestinamente, se pensó en expurgarla de rasgos anticlericales y erasmistas. A este fin responden las ediciones de Madrid, 1573; Zaragoza, 1599; Tarragona, 1586; Valladolid, 1603, y Medina del Campo, 1605. Américo Castro, obsesionado con la influencia semítica en nuestra literatura, cree que el *Lazarillo* es obra de un judío que se propuso satirizar la sociedad de la época, especialmente en el aspecto religioso: clérigo de Maqueda, fraile de la Merced, buldero, arcipreste de San Salvador, etc. Cabe, sin embargo, preguntar si esa misma sátira no podía ser hecha por un cristiano ferviente, sin necesidad de acudir a un judío. La sátira religiosa y costumbrista en la primera mitad del XVI es tan frecuente y reviste formas tan violentas, que la del *Lazarillo*, mírese por dónde se mire, resulta pálido reflejo de la que hacían, firmándola con su propio nombre, doctos varones de la época.

4. Se ha señalado como nota diferencial del *Lazarillo* la mocedad, casi niñez, del protagonista. Ahora hemos de atender al desenlace de la obra. Lázaro, ya hombre, se ha casado con la criada del arcipreste de San Salvador, llegando, según propia confesión, a la cumbre de la buena fortuna. Unos envidiosos quieren turbar la paz de su hogar con alusiones a la honorabilidad de su esposa. Lázaro corta todo comentario afirmando que está dispuesto a matarse con quien arroje una sospecha sobre la conducta de su mujer:

«Cuando alguno siento que quiere decir algo della, le atajo y le digo: Mira, si sois amigo, no me digáis cosa con que me pese, que no tengo por mi amigo al que me hace pesar. Mayormente si me quieren meter mal con mi mujer, que es la cosa del mundo que yo más quiero, y la amo más que a mí; que yo juraré sobre la hostia consagrada que es tan buena mujer como vive dentro de las puertas de Toledo. Quien otra me dijere, yo me mataré con él.»

5. Poco se sabe de este Juan de Luna (también I. de Luna y H. de Luna). Profesor de español en París, publicó unos *Diálogos familiares* (París, 1619) para estudiar nuestro idioma y el francés. Otros imitadores del *Lazarillo* son: Castillo Solórzano en su *Bachiller Trapaza*, aludido más adelante, y el holandés Bredero, en su comedia *De Spaensche Brabander Yerolimo*.

6. Para la vida y vicisitudes de Mateo Alemán en Méjico, vid. F. I. de Icaza.

7. *Lección y sentido del «Guzmán de Alfarache»*, Madrid, 1948.

8. No consideramos como tal la *Historia de don Luis de Castro y su amigo don Rodrigo de Montalvo*, tra-

ducción de una novela de Massuccio, según ya demostró Dunlop en su *History of prose fiction* (Londres, 1888, t. II, pág. 328). Un episodio igual se refiere en la novela de la Zayas *El prevenido engañado* y en la abigarrada miscelánea de Juan de Piña *Casos prodigiosos y cueva encantada*.

9. «La ocasión de un príncipe tan gran letrado, rico, poderoso, afable, bienquisto, y en el medio de sus días de donde le arrebató la muerte, y considerar que como el cuerpo se iba helando hacían lo mismo las más fervorosas lisonjas de los que le adulaban, que aquellos mismos, con el mal olor de la corrupción del cuerpo, huyeron dél, y apenas estaba en el sepulcro, cuando lo cubrieron de olvido, me obligó a desenterrarlo y ponerlo a los ojos del mundo para que consideren todos en él, desde la más levantada cabeza hasta los más humildes pies de sirvientes, que toda humana confianza es vana.»

10. Vida accidentada la de Espinel. Oriundo de las Asturias de Santillana, nace en Ronda (Málaga), y sus padres lo envían con un arriero a estudiar a Salamanca. Subviene a sus necesidades dando lecciones de canto. Cerrada la Universidad por desórdenes estudiantiles promovidos con motivo del proceso de Fray Luis de León, vuelve a Ronda, caminando, dice él, «a la apostólica». Obtiene una capellanía fundada por unos tíos suyos; reanuda en Salamanca sus estudios, y se hace amigo de varios magnates y escritores. Ansioso de aventuras, se incorpora a una flota de Santander (1574); pasa luego al servicio del conde de Lemos como escudero; poco después lo encontramos en Sevilla con el joven don Francisco G. de Sandoval, futuro duque de Lerma, que le favorece; embarca para Italia, y es hecho prisionero por los piratas de Argel; por la intervención de la flota genovesa recobra la libertad, y ya en Milán, se incorpora al ejército de A. Farnesio. Tres años después abandona la milicia, vuelve a España y, gracias a una *Epístola* dirigida al obispo Pacheco y en la que condenaba los excesos juveniles, obtiene las órdenes en Málaga. Fué nombrado capellán del Hospital de Ronda, donde llevaba una vida poco edificante; pasó a Madrid, y, graduado maestre de Artes en Alcalá (1599), obtuvo una capellanía cerca del obispo de Plasencia, en el mismo Madrid. Murió en 1624, y fué enterrado en la iglesia madrileña de San Andrés. Fueron amigos suyos, entre otros, Gálvez de Montalvo, Lope, Góngora, los Argensola, etc. Perteneció, como tantos ilustres escritores, a la Cofradía de Esclavos del Santísimo Sacramento.

11. En *El español Gerardo*, de Céspedes y Meneses, leemos: «Bien claramente dais a entender —dijo Leriano—, en estas espinelas, que así podríamos llamar este género de poesía, pues su primer inventor fué el maestro Vicente Espinel, insigne músico y elegantísimo poeta castellano y latino...» Vid. B. A. E., vol. XVIII, pág. 136. Y Caramuel (*Rhythmica*, cap. IV, art. XVI) escribe: «El ingenioso y docto poeta Espinel inventó un nuevo género de décimas, que el oído aprueba y que está ya aceptado con el consentimiento de todos.» Y a renglón seguido cita el elogio que Lope hace de Espinel en su *Dorotea*. Todos, por tanto, estaban convencidos de que nuestro hombre había sido el inventor de la afortunada estrofa.

12. Sin embargo, hay episodios, los del cautiverio y sus amores «con una doncellita a quien yo quería más de lo que ella pensaba», que producen impresión de sentimiento y experiencia vivida. La misma conversación del escudero con Alima está muy lejos, por su delicadeza de matices, del tono general de la novela picaresca.

13. «En tanto no tuve determinación... para sacar al teatro público mi *Escudero*, un caballero amigo me pidió unos cuadernillos dél, y llegando la noticia de cierto gentilhombre —a quien yo no conozco— aquella novela de la tumba de San Ginés, pareciéndole que no había de salir a la luz, la contó por suya, diciendo y afirmando que a él le había sucedido; que hay algunos espíritus tan fuera de la estimación suya, que se arropan a entretener a quien los oye con lo que se ha de averiguar no ser suyo.» *(Prólogo.)*

14. Cervantes, en el *Canto de Calíope*, escribe:

> Del famoso Espinel cosas diría
> que exceden al humano entendimiento,
> de aquellas ciencias que en su pecho cría
> el divino de Febo sacro aliento;
> mas pues no puede de la lengua mía
> decir lo menos de lo más que siento,
> no diga más sino que al cielo aspira,
> ora tome la pluma, ora la lira.

Lope, en *El laurel de Apolo*, le califica de «único poeta latino y castellano de estos tiempos», y en la dedicatoria de *La viuda valenciana*, para ponderar la dulzura de la voz de su amante Marta de Nevares, dice que oyéndola «el padre de la música, Vicente Espinel, se suspendería atónito».

15. Noticias biográficas escasas. Se cree que era levantino, abogado y tal vez profesor de Derecho en Valencia. Foulché-Delbosc, sin rechazar de plano la identificación de Martí con «Luján de Saavedra», opina que se trata de dos personas distintas. Documentos descubiertos por Francisco Martí Grajales y publicados por José Serrano y Morales en la *Revista de Archivos* (XI, 1904), aluden a un Juan José Martí, conocido por «Atrevimiento» en la Academia de los Nocturnos, nacido en Orihuela en 1574 y muerto en Valencia en 1604. Posiblemente sean éste y el continuador del *Guzmán* una misma persona. Mateo Alemán, en la *Segunda parte* del suyo, da a entender que un usurpador se había apoderado del original que ya tenía preparado y hubo de rehacerlo, apartándose «lo más que fué posible de lo que antes tenía escrito».

16. Segoviano. De niño abrazó la religión católica, pero debió de volver al judaísmo, porque se sabe que la Inquisición de Sevilla llegó a quemarlo en efigie por judaizante. Pasó a Francia en 1636; ya allí fué secretario o mayordomo de Luis XIII; luego vivió en Amsterdam, donde el grupo hispano-hebreo de aquella ciudad le protegió. Mantuvo siempre un encendido amor a su patria española.

17. Poco se sabe de este religioso. Leonés, según se desprende de sus *Sermones*, debió de ingresar muy joven, hacia los catorce años, en la Orden Dominicana. Empezó a predicar en 1592, y lo hizo en diversas ciudades de la Península. Publicó una *Vida de San Raymundo de Peñafort* (1601), *Sermones de Quaresma* (1618) y *Sermones de los Santos* (1622).

18. Madrileño, hijo de un agente de negocios de Indias. Estudió en Alcalá y Valladolid, adonde fué con la Corte. Vuelta ésta a Madrid, se instaló aquí y sucedió a su padre en el negocio o agencia. Por unas cuchilladas en riña fué procesado; y vuelto a procesar otras dos veces más, se le condenó, primero, a multa, y luego, a varios años de destierro en Zaragoza y Navarra. Establecido en Madrid, frecuentó las tertulias literarias y fué amigo de Paravicino, Valdivieso, Cervantes y otros escritores de fama.

19. Vid. allí nota biográfica.

20. Al final de *El bachiller Trapaza*, Solórzano nos anuncia su continuación con el título de *La hija de Trapaza y polilla de la Corte*, título que, al publicar el libro, cambió por el de *Garduña de Sevilla*.

BIBLIOGRAFIA

I. Véase bibliografía general en capítulo XVIII (apartado III) y, además, puede consultarse: *La novela picaresca española*, pról. de A. Valbuena Prat, ed. Aguilar, Madrid, 1943 y 1946.—Angel González Palencia: *Del Lazarillo a Quevedo*, Madrid, C. S. I. C., 1946.—*La novela picaresca*, «Bibliot. Liter. del Estudiante», Madrid, 1922.

II. Textos del «Lazarillo»: *Lazarillo de Tormes*, ed. J. Cejador y Frauca, «Clásicos Castellanos», Madrid, 1914; Colec. Obras Eternas, Aguilar, Madrid, 1943; «Serie escogida de Autores Españoles», pról. de José Trelles Graíño (comprende también la 2.ª parte de H. Luna), Madrid, 1947. En francés: *Vie de Lazarillo de Tormes*, prefacio de Morel-Fatio, 1896.—Estudios: Dámaso Alonso: *El realismo psicológico en el Lazarillo*, «De los siglos oscuros al de Oro», págs. 226-230.—W. Atkinson: *La novela picaresca: El Lazarillo de Tormes*, «Studies in Literary Decadence», 1924.—Marcel Bataillon: *El sentido de Lazarillo de Tormes*, Lib. des Editions Espagnoles, París, 1954.—A. Carvallo Picazo: *El señor D'Auville y el Lazarillo de Tormes*, «Rev. Bibliog. y Documental», V, Madrid, 1951.—J. Cejador: Pról. al *Lazarillo*, ed. «Clásicos Castellanos».—José María de Cossío: *La continuación del Lazarillo*, «Rev. Filol. Esp.», XXV, 1941.—Pablo García: *Variaciones en torno al Lazarillo*, «Atenea», CXXI, Concepción, 1955.—M. A. Garrone: *Le fonti italiane del Buldero del Lazarillo de Tormes*, «Farfulla di Domenica», XXXII, 1910.—Emilio Gascó Contell: Est. preliminar de la ed. del *Lazarillo*, «Clásicos y Maestros», Madrid, Afrodisio Aguado, 1956.—J. E. Gillet: *A Note on the Lazarillo de Tormes*, «Modern Language Notes», LV, 1940.—A. González Palencia: *Leyendo el Lazarillo de Tormes*, «Del Lazarillo a Quevedo», 3-39, Madrid, 1946.—Gabriel H. Lobett: *Lazarillo de Tormes in Russia*, «The Modern Language Journal», XXXVI, Menasha, Wisconsin, 1952.—F. Maldonado de Guevara: *Interpretación del Lazarillo de Tormes*, publ. Fac.

de Fil. y Letras, Madrid, 1957.—Arturo Marasso: *Aspectos del Lazarillo*, «Est. de Liter. Cast.», 1955; *La elaboración del Lazarillo*, ídem, íd.—Margarita Morreale: *Reflejos de la vida española en el Lazarillo*, «Clavileño», XXX, 1954.—Gustav Siebenmann: *Über Sprache und Stil in «Lazarillo de Tormes»*, Berna, 1953.—A. Valbuena Prat: *El Lazarillo de Tormes*, est. en Colec. Crisol, de Aguilar Editor, Madrid, 1956.—R. H. Williams: *Notes on the anonymous continuation of Lazarillo de Tormes*, «Rom. Review», 1926.—Alonso Zamora Vicente: *Lázaro de Tormes, libro español*, «Presencia de los clásicos», Colec. Austral, Buenos Aires, 1951.—Foulché-Delbosc: *Les oeuvres attribuées a Mendoza*, «Rev. Hisp.», 1915.—Señán Alonso: *Don Diego Hurtado de Mendoza. Apuntes biográficos y críticos*, Granada, 1886 (más bibliografía sobre Hurtado de Mendoza en caps. XIV y XXVI). Sobre la segunda parte del *Lazarillo*, véanse textos en «Bibliot. de Autores Españoles», vol. III, 1846, y ed. de Ochoa, «Tesoro de novelistas españoles», vol. I, París, 1847, así como en la ed. de José Trelles Graíño, ya citada, Madrid, 1947; y estudio de A. S. Sloan: *J. de Luna's Lazarillo and the French traslation of 1660*, «Modern Language Notes», XXXVI, 1921.

III. Consúltese bibliografía en cap. XVIII (apart. III).

IV. Textos de Mateo Alemán: *Guzmán de Alfarache*, ed. J. Tió, «Tesoro de autoridades célebres», vols. 9 y 11; ed. B. C. Aribau, «Bibl. de Autores Españoles»; ed. E. de Ochoa, «Colec. de los mejores Autores Españoles», vol. 33, París, 1847; ed. Julio Cejador, «Bibliot. Renacimiento», vols. 1-2, 1912; ed. Gil Gaya, «Clásicos Castellanos», 1926; *Odas de Horacio*, trad. por M. Alemán, ed. M. Pérez de Guzmán, Cádiz, 1893; *Sucesos de Fray García*, etc., A. H. Busha, «Rev. Hisp.», XXV, 1911.—Estudios sobre Mateo Alemán: Alvarez Guzmán: *Mateo Alemán*, Colec. Austral, Buenos Aires, 1953.—J. B. Avalle-Arce: *Mateo Alemán en Italia*, «Rev. Filol. Esp.», IV, 1944.—U. Cronan: *Mateo Alemán and Cervantes*, «Rev. Hisp.», XXV, 1910.—Sherman Eoff: *The picaresque psychology of Guzmán de Alfarache*, «Hisp. Review», XXI, 1953.—C. Espinosa: *La novela picaresca y el Guzmán de Alfarache*, Habana, 1935.—R. Foulché-Delbosc: *La biographie de Mateo Alemán*, «Rev. Hisp.», XLII, 1918.—M. García Blanco: *Mateo Alemán y la novela picaresca alemana*, Madrid, 1928.—G. J. Geers: *Mateo Alemán y el barroco español*, «Homen. a Van Praag», 1956.—J. Gestoso y Pérez: *Nuevos datos para ilustrar las biografías de Juan de Mal-Lara y de Mateo Alemán*, Sevilla, 1956.—Samuel Gili Gaya: Pról. al *Guzmán* de la ed. cit. de «Clásicos Castellanos».—Edward Glasser: *Two antisemitic plays in the «Guzmán de Alfarache»*, «Modern Language Notes», LXIX, Baltimore, 1954.—M. de Granges de Surgères: *Les traductions du Guzmán de Alfarache*, «Bull. du Bibliographile», 1885.—Malcolm Jerome Gray: *An Index to Guzmán de Alfarache, including Proper Names and Notable Matters*, Rutgers, 1948.—Hazañas y la Rúa: Disc. sobre Mateo Alemán en la Acad. Sevillana de Buenas Letras, 1892.—F. A. de Icaza: *Sucesos reales que parecen imaginarios de Gutierre de Cetina, Juan de la Cueva y Mateo Alemán*, Madrid, 1919.—Irving A. Leonard: *Mateo Alemán en México*, «Bol. Inst. Caro y Cuervo», V, Bogotá, 1949.—Enrique Moreno Báez: *Lección y sentido del «Guzmán de Alfarache»*, anejo XL de la Rev. Filol. Esp.», Madrid, 1948.—J. A. Van Praag: *Sobre el sentido de Guzmán de Alfarache*, «Est. dedicados a Menéndez Pidal», V.—F. Rodríguez Marín: *Vida de Mateo Alemán*, disc. en la Real Acad. Esp.», 1907; *Documentos referentes a Mateo Alemán y a sus deudos más cercanos*, Madrid, 1933.

V. Textos de Vicente Espinel: *Marcos de Obregón*, ed. C. Rosell, «Bibl. de Autores Españoles», vol. XVIII, 1851; ed. J. Cuesta, «Bibl. Escogida», vol. II, Madrid, 1868; ed. Samuel Gili Gaya, «Clásicos Castellanos», vols. 43 y 45, Madrid, 1922.—*Poesías*, ed. «El Parnaso español», de López de Sedano.—*Nuevas rimas de V. E.*, introd. de Dorothy Clotelle Clarke, Nueva York, Hispanic Institute in the United States, 1956.—Estudios sobre Espinel: Giovanni Lalabrito: *I romanzi picareschi di Mateo Alemán e Vicente Espinel*, Valleta, Malta, 1929.—P. Cortés: *Vicente Espinel. Sus ideas pedagógicas*, «Alhambra», 1916-1917.—Joaquín de Entrambasaguas: *Datos biográficos de Vicente Espinel en sus «Diversas rimas»*, «Rev. Bibliog. y Documental», IV, 1950; *Vicente Espinel, poeta de la reina Ana de Austria*, «Rev. de Literatura», VIII y IX, 1955 y 1956.—José Fradejas Librero: *De Pedro Alfonso a Espinel*, «Rev. de Literatura», IX, 1956.—Samuel Gili Gaya: Pról. a la ed. del *Marcos de O.*, «Clásicos Castellanos», 1922.—George Haley: *Vicente Espinel and the Romancero General*,

«Hisp. Review», XXIV, 1956.—MURET: *Notes sur Marcos de Obregón*, «Mélanges de ling. et de litt. offerts à Jeanroy», París, 1928.—TIECK: Pról. a la trad. alemana del *Marcos de Obregón*, Breslau, 1924.—ALONSO ZAMORA VICENTE: *Tradición y originalidad en «El escudero Marcos de Obregón»*, «Presencia de los clásicos», Colec. Austral, 1951.—Textos del *Estebanillo González*: «Tesoro de novelistas españoles», vol. 3, París, 1847; «Clásicos Castellanos», pról. de Juan Millé y Jiménez.—Estudios: ARTHUR S. BATES: *Historical Characters in «Estebanillo González»*, «Hisp. Review», VIII.—ERNEST GOSSART: *Les espagnols en Flandes. Histoire et Poésie*, Bruselas, 1944; *Estevanille González*, «Rev. de Belgique», Bruselas, 1893.—W. KNAPP JONES: *Estebanillo González*, «Rev. Hisp.», 1929.—Para Mateo Luján de Sayavedra (seudónimo de Juan Martí), vid. R. Foulché-Delbosc, «Rev. Hisp.», XLII, 1918; M. Mir, «Nueva Bibliot. de Autores Españoles», vol. III, 1906, y A. Castro, «Rev. Filol. Esp.», XVII, 1930; y el texto *Segunda parte del Guzmán de Alfarache*, «Bibl. de Autores Españoles», vol. III, 1849.—Antonio Henríquez Gómez: vid. textos en «Bibl. de Autores Españoles», vols. XLII y XLIII; y estudios: *Sobre los judíos de España*, de Amador de los Ríos; *Los heterodoxos*, de Menéndez Pelayo (vol. IV, págs. 314-20, de la ed. del C. S. I. C.), y en G. M. Vergara: *Ensayo de una col. de noticias referentes a la prov. de Segovia*, 1904.—Sobre el doctor Carlos García: A. CARBALLO PICAZO: *El Dr. Carlos García, novelista esp. del s. XVII*, «Rev. Bibliog. y Documental», V, 1951.—L. PFANDL: *Carlos García*, «Münchener Museum», II, 1913; López Barrera, «Bol. Bibl. M. Pelayo», 1925, y A. Rey, «Rom. Rev.», XXI, 1930.—Sobre Jerónimo de Alcalá Yáñez: texto de *El donado hablador*, «Bibl. de Autores Españoles», vol. XVIII, y «Tesoro de novelistas españoles», II, París, 1847; y estudios: BAEZA Y GONZÁLEZ: *Apuntes biográficos de escrit. segovianos*, Segovia, 1877.—JAMES WESLEY CHILDERS: *A Study of the Sources an Analogues of the Cuentos in Alcalá Yáñez «Alonso, mozo de muchos amos»*, Chicago, 1941.—GILI GAYA: *Jerónimo de Alcalá y la tradición novelesca*, «Rev. Est. Segov.», I, 1949.—C. LECEA Y GARCÍA: *Vida del Dr. Alcalá Yáñez*, «El verdadero amigo del pueblo», Segovia, 1868.—JOHN HERBERT ETLEY: *Jerónimo de Alcalá Yáñez y Rivera: «Alonso, mozo de muchos años»*, Illinois, Theses, 1938.

VI. G. E. ALVAREZ: *Le thème de la femme dans la picaresque espagnole*, Groningen, J. B. Wolters, 1955.—*La pícara Justina*, ed. E. de Ochoa, «Tesoro de novelistas españoles», vol. 3, París, 1847; ed. C. Rosell, «Bibliot. de Autores Españoles», vol. XXXIII, 1854; ed. J. Puyol y Alonso, «Soc. Bibliófilos Madrileños», vols. 7, 8 y 9, 1912. Estudios: M. CANAL: *El P. Fr. Andrés Pérez de León, autor de «La pícara Justina»*. «Ciencia Tomista», XXXIV, 1926.—R. FOULCHÉ-DELBOSC: *L'auteur de «La pícara Justina»*, «Rev. Hisp.», X, 1903.—H. R. LANG: *Contribution to Spanish Literature* (trata de «La pícara Justina» en parte), «Rev. Hisp.», XV, 1906.—J. PUYOL Y ALONSO: Pról. y bibliografía de *La pícara Justina*, en la ed. cit. de «Bibliófilos Madrileños», 1912.—FRANCISCO SÁNCHEZ CASTAÑER: *Alusiones teatrales en «La pícara Justina»*, «Rev. Filol. Esp.», XXV, 1941.—Texto de *La hija de la Celestina*, de Salas Barbadillo, en «Col. clásica de obras picarescas», I, 1907.—Noticias sobre Salas Barbadillo: *Hijos de Madrid*, de Alvarez y Baena, 1789, y *Bibliografía madrileña*, de Pérez Pastor.—Estudios: P. D'ALOSSE: *Molière, Scarron et Barbadillo*, Blois, 1888.—E. B. PLACE BULDER: *Salas Barbadillo, satirist*, «Rom. Review», XVII, 1926.—G. C. LA GRONE: *Salas Barbadillo and the Celestina*, «Hisp. Review», IX, 1941.—Textos de Castillo Solórzano: «Bibliot. de Autores Españoles», XXXIII, 1854; vols. 3, 5, 6 y 7 de la «Colec. de novelas escogidas de... ingenios españoles», Madrid, 1788-1794 (en conjunto, once novelas del autor); «Colec. selecta de antiguas novelas españolas», ed. Cotarelo y Mori, Madrid, 1906, vol. V: *Noches de placer*; vol. VII: *Las harpías en Madrid, Tiempo de regocijo*; vol. IX: *Tardes entretenidas*; vol. XI: *Jornadas alegres. La Garduña de Sevilla*, ed. F. Ruiz Morcuende, «Clásicos castellanos», XLII, 1922; *Entremeses*, ed. Cotarelo y Mori, «Nueva Bibliot. de Autores Españoles», XVII, 1911.—Noticias de Castillo Solórzano: *Bibliografía madrileña*, de Pérez Pastor, III.—Estudios: F. RUIZ MORCUENDE: Pról. a la ed. cit. de *La Garduña de Sevilla*.—PETER N. DUN: *Castillo Solórzano and the Decline of the Spanish Novel*, Oxford, 1952.—E. GARCÍA GÓMEZ: *Boccaccio y Castillo Solórzano*, «Rev. Filol. Esp.», XV, 1928.—RAFAEL MARÍA DE HORNEDO: *Fernández de Avellaneda y Castillo Solórzano*, «An. Cervantinos», II, Madrid, 1952.

CAPITULO XXII

OTRAS FORMAS NOVELESCAS DEL SIGLO DE ORO: BIZANTINA, MORISCA, ITALIANIZANTE Y CORTESANA

I. NOVELA BIZANTINA: *Núñez de Reinoso. Jerónimo de Contreras.*—II. NOVELA HISTÓRICO-MORISCA: *Elementos formativos y grupos. La «Historia del Abencerraje y de la hermosa Jarifa». Pérez de Hita.*—III. TENDENCIAS ITALIANIZANTES: *El cuento. La novela corta. «El Patrañuelo», de Timoneda. Antonio de Torquemada. Antonio Eslava.*—IV. NOVELA CORTESANA: *Lugo Dávila. Agreda. Camerino. Castillo Solórzano. María de Zayas. Pérez de Montalbán. Céspedes y Meneses. Decadencia del género.*—NOTAS.—BIBLIOGRAFÍA.

I. NOVELA BIZANTINA

Agotada hacía tiempo la novela sentimental de derivación boccacciana y en vías de agotarse la caballeresca, por incapacidad de encontrar formas renovadoras, aflora un nuevo género que sin llegar a la estrafalaria máquina de los libros de caballerías, con los que tiene tantos puntos de contacto, se mueve también en un mundo de lances complicados y de aventuras inverosímiles. Ello hace que la atención de los lectores se centre en él, por encontrar allí colmada en cierto modo su ansia siempre despierta de novedades. Estamos hablando de la novela bizantina, cuyos orígenes ya quedaron señalados en el capítulo correspondiente.

Núñez de Reinoso

Desde mediados del XVI nos eran conocidas las obras de Heliodoro de Emesa y de Aquiles Tacio, a las que pronto les salen imitadores. La desgracia acompañó las primeras traducciones de esas obras, ya que puede darse por perdida la que de *Teágenes y Clariclea* había hecho el humanista y catedrático de Alcalá, Francisco de Vergara. También ha de lamentarse la pérdida de la realizada mucho más tarde por Quevedo de la *Historia de los amores de Leucipe y Clitofonte.* En cambio, gran parte de los episodios de esta novela quedaron incorporados, a través de una versión italiana, a la *Historia de los amores de Clareo y Florisea* (Venecia, 1552), del poeta alcarreño ALONSO NÚÑEZ DE REINOSO[1]. En ella, junto a pasajes de invención propia e indudable originalidad, se incluyen hasta diecinueve capítulos de la citada novela de Aquiles Tacio, a quien Reinoso sigue de cerca, a la vez que a Ovidio, Séneca y otros escritores latinos. La imitación de Tacio empieza en el 5.º libro, que es precisamente donde empezaba también la de la traducción italiana de que él se sirvió[2]. Los pasajes más escabrosos del modelo se atenúan hábilmente, sustituídos por disquisiciones amorosas, puestas al día por *El Cortesano,* de Castiglione, y los *Diálogos,* de León Hebreo.

El argumento es complicado: en medio de una serie inacabable de aventuras no menos obcenas que inverosímiles, Tacio nos cuenta la fuga de dos jóvenes enamorados, Clitofón y Leukipe, de su casa de Alejandría. En el viaje naufragan y son hechos prisioneros por unos piratas. Clitofón logra evadirse; pero Leukipe queda en poder de los raptores, a los que burla cuando pretenden darle muerte. Vuelven a encontrarse en Alejandría y de nuevo caen en poder de unos bandidos. Creyendo Clitofón que su amada ha muerto, se dispone a casarse con una viuda rica; pero antes de consumar la boda, descubre a Leukipe entre las esclavas de la novia. Siguen unas espeluznantes aventuras y la novela concluye con la feliz unión de la pareja.

Así en el original de Tacio; pero, ya se ha dicho, Reinoso lo altera, dulcifica ciertos pasajes demasiado crudos y, en general, aquilata el texto, haciendo a los personajes más humanos. Cervantes en el *Persiles* sigue de cerca la ficción de Reinoso.

Jerónimo de Contreras

Síntesis de ideas renacentistas y de un medievalismo ya trasnochado, JERÓNIMO DE CONTRERAS[3] nos ofrece en su *Selva de aventuras* (Barcelona, 1565) la más rara mezcla del idealismo platónico con la casuística amorosa de la novela sentimental y de los temas caballerescos con elementos propios del género pastoril, hasta desembocar en una concepción del amor desesperadamente ascética, tal como la encontramos realizada en pleno período barroco.

He aquí su asunto: El noble caballero Luzmán, enamorado de Arbolea, es rechazado por ésta, que prefiere al matrimonio la vida religiosa. En busca de consuelo y de olvido emprende largos viajes, que dan pie al autor para una serie de aventuras. Al regresar a España, es hecho cautivo por los piratas, que le llevan a Argel. Rescatado, encuentra a Arbolea, ya profesa en un convento. Tras una última entrevista, decide Luzmán acogerse a la vida eremítica, cerca del monasterio donde vive su amada, y así termina la vida dedicado a obras de penitencia y caridad.

Más variada y amena que la novela de Reinoso, quizá por haber seguido otro modelo, Heliodoro

de Emesa, es la *Selva de aventuras,* también más verosímil y mejor construída. Cada aventura se nos da como un paso más hacia el desasimiento del mundo, en busca de la felicidad ultraterrena. Luzmán halla un incentivo para su vida de perfección en el ejemplo de Aristeo, retirado a la soledad en un bosque próximo a Zaragoza. La misma idea ascética preside la aventura de la hermosa Porcia, que ve en la muerte la suprema liberación. Luzmán simboliza el alma purificada por los sufrimientos, mediante los cuales se eleva a la altura de lo celeste. Este simbolismo debió de tomarlo Contreras del *Teágenes y Clariclea,* de Heliodoro de Emesa. Dedicada a la reina Isabel de Valois, la *Selva de aventuras* es el antecedente inmediato de *El Peregrino en su patria,* de Lope de Vega.

II. NOVELA HISTORICO-MORISCA

El Renacimiento, en su anhelo de una existencia mejor, crea la falsa idealización de la vida del campo y de la vida guerrera, según vimos en capítulos anteriores. Esta doble concepción había quedado representada en los dos tipos antagónicos, uno contemplativo y otro de acción, que encarnan los dos géneros de novela, pastoril y caballeresca. Con ellos, y por analogía, se crea otro tercer tipo, menos falseado y más próximo a la realidad: el del moro galante y caballeroso. Pero antes de protagonizar la novela llamada morisca, ya había entrado este tercer tipo en el Romancero, tomando carta de naturaleza al lado del caballero cristiano. La importancia que tal persona adquiere en la literatura, hasta llegar al Romanticismo (Chateaubriand, Víctor Hugo, Martínez de la Rosa, Zorrilla, Estébanez Calderón, etc.), puede explicarse tanto por el proceso idealizador de la novela del XVI como por razones políticas. El moro hace tiempo que ha dejado de ser un peligro para la integridad nacional y el hecho de presentarlo en competencia amorosa con el caballero cristiano ya no ofrece riesgo. Es curioso que la primera novela del género, *Historia del Abencerraje y de la hermosa Jarifa,* se base en un suceso seguramente real de finales del XIV o principios del XV.

El elemento morisco entra con carácter accesorio en novelas no incluídas hasta ahora dentro del género que estamos estudiando. Tal sucede en *Experiencias de amor y fortuna,* de Francisco de las Cuevas; en *La esclava de su amante,* de María de Zayas, y en otras varias. Por ese carácter de accidentalidad de lo morisco nos abstenemos también nosotros de tratarlas aquí. Pero en un estudio a fondo del romancero artístico, de la novela y hasta del teatro del XVI deben tenerse en cuenta.

En la novela propiamente morisca cabe distinguir dos grupos: a) *narraciones intercaladas* en un

relato extenso (ejemplos: *Historia del cautivo,* en el *Quijote; Historia de los amores de Ozmín y Daraja,* en el *Guzmán de Alfarache,* etc.); b) *Narraciones independientes.* Estudiadas aquéllas al analizar las obras de que forman parte, sólo nos ocuparemos aquí de las segundas. Tampoco podemos aludir a la estrafalaria *Historia del rey D. Rodrigo y de la pérdida de España,* de Miguel de Luna, ni al *Libro áureo del Emperador Marco Aurelio,* de fray Antonio de Guevara, centón o miscelánea de las más diversas fuentes y temas del que hablaremos en el epígrafe dedicado a su autor.

La «Historia del Abencerraje»

En un *Inventario* [4] del poeta Antonio de Villegas, publicado en Medina del Campo en 1565, aunque la aprobación estaba fechada desde 1551, aparece inserta la *Historia del Abencerraje y de la hermosa Jarifa,* bellísima narración basada en la competencia de generosidad entre el alcaide antequerano Rodrigo de Narváez y el noble moro Abindarráez. De ella dijo Gallardo que parece «escrita con pluma del ala de algún ángel», y Menéndez Pelayo, en su estudio de *El remedio en la desdicha,* de Lope de Vega, escribe que es «un dechado de afectuosa naturalidad, de delicadeza, de buen gusto, de nobles y tiernos afectos, en tal grado que apenas hay en nuestra lengua novela corta de su género que la supere». Por su parte, el profesor López Estrada *(El Abencerraje y la hermosa Jarifa)* la califica de «la más hermosa manifestación que produjo el ambiente de frontera».

El argumento es sencillo: En una escaramuza, el alcaide de Antequera y de Alora, Rodrigo Narváez, hace prisionero a Abindarráez, moro de la ilustre familia granadina de los Abencerrajes, cuando se dirigía a Coín para casarse secretamente con Jarifa. Bajo palabra de reintegrarse a la prisión, don Rodrigo le autoriza para que vaya a ver a su amada, la hermosa Jarifa, hija del alcalde de Cartama. El moro casa con ella en secreto y, ante la negativa de separarse de él, la lleva consigo al cautiverio. Don Rodrigo intercede cerca del rey de Granada para que el alcalde los perdone; y, obtenida la venia, da la libertad al prisionero. Como los esposos le envían un regalo de seis mil doblas y varios caballos, el de Alora les devuelve el dinero diciendo que él no acostumbra «robar damas, sino servirlas y honrarlas».

Está probado que Antonio de Villegas no pudo ser el autor de la *Historia del Abencerraje,* entre otras razones, por el estilo, totalmente distinto del resto de sus obras. Por ello hoy se considera anónima. Se cree que está basada en un hecho real: don Rodrigo Narváez existió y a él dedica Hernando del Pulgar una de las más bellas páginas de sus *Claros varones de Castilla.* La anécdota, probablemente tomada de tradición popular, figura en la *Crónica del ínclito infante Don Fernando que ganó Antequera,* libro impreso sin lugar ni año. Alcanzó pronto popularidad y fué incluída en la *Diana,* de Montemayor (ed. Valladolid, 1561), si bien afeada con trozos en verso; también fué recogida en numerosos romances artísticos. Cervantes la mencionó en el *Quijote;* y Lope de Vega no logró igualarla en emotividad y sencillez con su comedia *El remedio de la desdicha.*

Pérez de Hita

La obra que mejor define el género morisco en nuestra literatura es la titulada *Historia de los bandos de zegríes y abencerrajes o Guerras civiles de Granada,* del murciano GINÉS PÉREZ DE HITA (¿1544-1619?)[5]. Apareció publicada en dos partes muy distintas entre sí y alejadas cronológicamente. La primera, *Historia de los bandos de zegríes y abencerrajes, caballeros moros de Granada, de las civiles guerras que hubo en ella... hasta que el rey don Fernando el quinto la ganó* (Zaragoza, 1595), aunque introduce elementos fantásticos, es fundamentalmente histórica y se basa en el *Compendio,* de Garibay, y en las *Crónicas,*

de Hernando del Pulgar. La segunda, *Guerras civiles de Granada* (Cuenca, 1619), con predominio de elementos novelescos, relata la sublevación de los moriscos en tiempos de Felipe II, sublevación sofocada por don Juan de Austria, a cuyas órdenes sirvió Pérez de Hita.

Superior literariamente la primera parte nos da una magnífica visión de la Granada anterior a la conquista, describiéndonos con gran lujo de color las rivalidades de las nobles familias árabes, así como las luchas y desafíos de moros y cristianos. El árabe nos es presentado como prototipo de bizarría y caballerosidad. Varios romances fronterizos y moriscos intercalados en el texto lo amenizan y dan valor.

La segunda parte, inferior en calidad literaria, ha tenido mayor repercusión en las letras nacionales y extranjeras. La comedia de Calderón *Amar después de la muerte,* los dramas de Martínez de la Rosa y de Villaespesa titulados *Aben-Humeya,* la novela de Fernández y González *Los monfíes de las Alpujarras* y *La Alpujarra,* de Alarcón, entre otros, derivan de aquí. Pero su mayor interés radica en haber abierto a la Europa, un poco atónita ante tantas maravillas, el encanto inesperado de las costumbres, paisajes y arte granadinos, juntamente con los nombres sonoros de sus héroes y heroínas. Las demoiselles Scudéry, Lafayette y Villedieu; los caballeros Florián y Jouy; el alemán Schlegel, el norteamericano Irving, aparte de otros prerrománticos y románticos, dieron rienda suelta a su inspiración, al ejemplo de Pérez de Hita, degenerando más de una vez la pintura cálida de éste en cuadros caricaturescos y episodios excesivamente teatrales.

En la obra de Pérez de Hita sobresalen por su colorido los combates entre Muza y el Maestre de Calatrava, la acusación de adulterio contra la reina y su defensa por cuatro caballeros cristianos y los juegos de toros y cañas, con el recuento de los motes y divisas de los caballeros que en ellos toman parte[6]. También son dignos de mención algunos romances del mismo Pérez de Hita y las endechas con que una mora presagia a Abenhumeya su triste fin.

III.   TENDENCIAS ITALIANIZANTES

En la novelística del medievo señalábamos la triple dirección *oriental, franco-bretona* y *boccacciana.* El Renacimiento, con su complejidad cultural, abre nuevos horizontes a la novela, en la que se opera un doble proceso: ampliación de los modelos extranjeros y españolización paulatina de los temas. A la modalidad franco-bretona sucede la enmarañada selva de los libros de caballerías indígenas; la temática oriental encuentra digno

sustituto en la novela bizantina y en la morisca; y el campo que puede perder el novelista de Certaldo en *Il Corvaccio* y la *Fiammetta,* arquetipos informadores de nuestra novela del xv, queda sobradamente compensado con el *Decamerón,* que entra de lleno en nuestras corrientes literarias, juntamente con otros novelistas italianos: Straparola, Bandello, Sacchetti, Fierenzuola, Cintio, etc. La imitación de los italianos está al orden del día;

y es Cervantes el primero que puede jactarse de ser un novelista plenamente español, sin haber tenido que hurtar argumentos ni técnica de aquéllos.

La imitación italiana deriva en dos direcciones: el cuento y la novela corta.

El cuento

Presenta infinitas variedades: desde el simple rasgo ingenioso, entre chiste humorístico y máxima didáctica, hasta el relato de regular extensión, confundible muchas veces con la novela corta. Muchas anécdotas y referencias de los *Apotegmas*, de Rufo; de la *Miscelánea*, de Zapata, y de la *Floresta*, de Melchor de Santa Cruz, podrían igualmente calificarse de cuentos[7]. Aquí sólo queremos hacer alusión a la *Sobremesa y alivio de caminantes*, del valenciano JUAN DE TIMONEDA (murió en 1583)[8], dramaturgo, colector de romances y cuentista. De sus comedias nos ocuparemos en el capítulo correspondiente.

La *Sobremesa* (Zaragoza, 1563) es, al decir de su autor, una colección de «apacibles y graciosos cuentos, dichos muy facetos y exemplos acutísimos para saberlos contar en esta buena vida», narrados con brevedad, ingenio y galanura. Timoneda los tomó en su mayor parte de autores italianos (Boccaccio, Poggio, Morlini, Bandello); pero también acudió a los españoles, especialmente a las *Epístolas familiares*, del padre Guevara. A falta de la originalidad, le corresponde el mérito del arte narrativo. Tiene Timoneda otra colección menos importante, *Buen aviso y portacuentos* (Valencia, 1564). Pero la que le ha dado más fama es el *Patrañuelo*, al que aludimos inmediatamente.

La novela corta

En el *Patrañuelo* (Barcelona, 1578) ve Menéndez Pelayo «la primera colección de novelas escritas a imitación de las de Italia, tomando de ellas el argumento y los principales pormenores, pero volviendo a contarlas en una prosa familiar, sencilla, animada y no desagradable». Casi todas sus fuentes han sido señaladas por la crítica; y se puede afirmar que sólo una *patraña*, la novena, es acaso original. Sin embargo, y no obstante la afirmación de Menéndez Pelayo, creemos que la influencia italiana en el *Patrañuelo* ha sido exagerada. Mucho copió Timoneda de los italianos; pero no todo. Algunos temas, como el de Apolonio, son antiquísimos; otros, como el de la reina Geroncia, son simple variante de la leyenda, tan común a todas las literaturas, de la mujer perseguida injustamente y difamada, que al fin se rehabilita: el relato del abad y el cocinero (patraña 14) deriva de los *Cuentos de Canterbury*. Sin duda Timoneda no anduvo con remilgos en este orden; y a él debió de referirse Cervantes al decir en el prólogo de las *Ejemplares* que sus novelas son enteramente originales y no hurtadas de los italianos. La razón del título nos la dió el propio autor: «Patrañuelo se deriva de patraña, y patraña no es otra cosa sino una fingida traza tan lindamente amplificada y compuesta que parece que trae alguna apariencia de verdad.» El tema de la patraña 15, eco lejano de un cuento del *Decamerón* (9.º de la II jornada), se refleja en el drama de Shakespeare *Cimbelino*; en la comedia *Eufemia*, de Lope de Rueda, y, complicado con aventuras caballerescas y amorosas, en la novela de María de Zayas *El juez de su causa*. Al frente de cada *patraña* figuran unos versos que sintetizan el asunto. El estilo, descuidado de expresión, tiene sin embargo cierto encanto de cosa familiar.

Anticipándose en dos decenios al *Patrañuelo* aparecieron en 1553 unos *Coloquios satíricos*, de ANTONIO DE TORQUEMADA[9], autor igualmente del *Jardín de flores curiosas* (Salamanca, 1570), libro misceláneo sobre las más diversas materias (Historia, Filosofía, Geografía, etc.), que alcanzó mucha boga en su tiempo y en el que Cervantes no se desdeñó de espigar alguna que otra idea para su *Persiles*. Los *Coloquios*, aunque escritos en forma de diálogo por el estilo de los de Villalón, los hermanos Valdés o Pedro de Mexía, tienen interés desde nuestro punto de vista por los muchos elementos novelescos que encierran. Encierran una crítica de los principales vicios (el juego, la gula, el lujo) y sirvieron de precedente al insuperable *Coloquio de los perros*, de Cervantes.

En 1609 aparece en Pamplona otra colección de novelas inspiradas en fuentes italianizantes, si bien se mezclan con leyendas del ciclo carolingio y con historias fantásticas de hadas y encantamientos. Lleva por título *Noches de invierno* y tiene por autor al navarro ANTONIO DE ESLAVA[10]. La historia más interesante es la de «El emperador de Grecia y el rey de Bulgaria», considerada como fuente probable de *La tempestad*, de Shakespeare.

También merecen subrayarse los capítulos VIII y X, sobre temas del ciclo carolingio, y el IX, por la apología del sexo femenino puesta en boca de Camila. Otros relatos, como los incluídos en los capítulos V y VI, nos presentan a un Eslava dado a lo truculento.

V. LA NOVELA CORTESANA

Su iniciador es Cervantes con las *Ejemplares,* según veremos en su lugar. Pronto le salen al genial novelista una legión de imitadores, en quienes es más de loar casi siempre el propósito moralizante que las calidades de originalidad y estilo. A las *Novelas ejemplares de honestísimo entretenimiento,* título primitivo de las cervantinas, sigue una serie de nombre análogo: *Historias peregrinas y ejemplares,* de Céspedes y Meneses; *Sucesos y prodigios de amor en ocho novelas ejemplares,* de Montalbán; *Novelas morales,* de Agreda y Vargas; *Novelas amorosas y ejemplares,* de María de Zayas, etc. [11].

Estudiados en otro capítulo los caracteres del género, tócanos hacer mención ahora de sus más calificados representantes, entre los que figuran Lope de Vega y Tirso de Molina, a quienes se aludirá en su lugar.

Lugo Dávila, Agreda y Camerino

Entre los primeros imitadores de Cervantes figura FRANCISO DE LUGO DÁVILA [12], que en su *Teatro popular, novelas morales* (Madrid, 1622) inserta ocho novelas de valor y estilo muy desiguales. La más interesante es «El andrógino», que recuerda detalles de *El celoso extremeño* y debió de influir, a su vez, en *Amar sólo por vencer,* de María de Zayas. «La hermanía» es un calco mediocre del *Rinconete y Cortadillo;* y más de un rasgo de «Cada uno hace como quien es» nos recuerda la *Historia del curioso impertinente.* Lugo se expresa con claridad y corrección, si bien el abuso de reflexiones morales y de citas clásicas entorpece la marcha del relato. Para la historia del conceptismo ofrece interés la novela tercera, «Las dos hermanas», encabezada con un epigrama de Ausonio; hay pasajes que parecen de Gracián. El mismo Lugo declara su propósito, que sin duda olvida al final: «Y pues al curioso y docto se le dedican las novelas que llevan mi nombre, para diferenciar usaré en ésta el estilo lacónico, esto es, conciso; mas no quería ser afectado. Juzgadle, que agradará a algunos o por moderno en nuestro vulgar, o por parecer ellos más sabios; y en el caso que me toca será más dificultoso, por ser la acción y las personas que se introducen humildes.» Sin despegarse de la preceptiva aristotélico-horaciana, señala como exigencia básica de la novela su fundamento en la imitación, no entiende la unidad de tiempo al modo de italianos y franceses, que extiende «al necesario... hasta que pase la incómoda fortuna o la cómoda»; y pide para la novela un tema en que nada haya «que repugne al crédito».

Menos amenas en el aspecto estilístico, pero mejor construídas, son las doce *Novelas morales, útiles por sus documentos,* que publicó en Madrid (1620) DIEGO DE AGREDA Y VARGAS. Puestos a elegir, nosotros nos quedaríamos con «Aurelio y Alejandra», «El hermano indiscreto» y «Eduardo rey de Inglaterra». El tema de la primera puede relacionarse con la leyenda de Romeo y Julieta de Bandello o con la novela del mismo asunto, de Massuccio; la segunda, «El hermano indiscreto», nos demuestra cómo Agreda sabe cuando quiere desarrollar amenamente una intriga, basada en un sencillo episodio familiar. También aquí, como en la colección de Lugo, hay exceso de reflexiones morales, que no deben extrañar en quien nos advierte desde el prólogo que toda la mira de un escritor debe estar puesta en el aprovechamiento moral de sus lectores.

Las *Novelas amorosas,* que también en número de doce dió a la estampa en Madrid (1624) JOSÉ CAMERINO [13], son de lo más insípido que puede darse en su género, no obstante los elogios que les tributaron Lope de Vega, Ruiz de Alarcón, Vélez de Guevara y Guillén de Castro. El prurito de variar constantemente de tema y la falta de todo plan son sus mayores defectos. Cabe citar, dentro de la mediocridad general, «El pícaro amante» por su lenguaje sencillo; «El amante desleal», por la trágica fuerza del asunto, y «El casamiento desdichado», por su hábil intriga. Con los mismos materiales, mejor dispuestos, María de Zayas construyó la titulada *Aventurarse perdiendo.*

Castillo y Solórzano

A la producción picaresca de ALONSO DE CASTILLO Y SOLÓRZANO (1584-¿1648?) [14] ya hemos aludido en el capítulo anterior. Completemos la referencia de este escritor, sin duda el más fecundo de nuestros novelistas del Siglo de Oro, con un breve análisis del resto de su obra. En la picaresca Solórzano nos había ofrecido un tipo de novela alegre, desenfadada, exenta de toda preocupación de orden moral. Ahora, en la cortesana, al igual que María de Zayas, nos da en cierto modo un anticipo de novela romántica, llena de fuego y pasión.

Hasta nueve colecciones de cuatro, cinco, seis e incluso doce novelas, sin contar las picarescas, constituyen la aportación de este escritor a nuestras letras del XVII. Agreguemos ahora que, además del más fecundo, es el más ameno de nuestros novelistas, con excepción de Cervantes, y también el más hábil y el de mayor hondura psicológica. Acaso en este último aspecto sólo pueda comparársele la Zayas.

La novela cortesana de Castillo y Solórzano corresponde a su primera época de escritor y está representada, ya queda dicho, por nueve colecciones, entre las que debemos señalar como más importantes las seis siguientes: *Tardes entretenidas,* seis novelas (Madrid, 1625); *Jornadas alegres,* cinco novelas y una fábula (Madrid, 1626); *Tiempos de regocijo,* tres novelas, un entremés y varias poesías (Madrid, 1627); *Huerta de Valencia,* cuatro novelas y una comedia (Valencia, 1629); *Noches de placer,* doce novelas (Valencia, 1631); *Fiesta del jardín,* cuatro novelas y tres comedias (Valencia, 1634). En todas estas colecciones, y aun en todas y cada una de las piezas incluídas en las mismas, brillan las cuatro o cinco notas que definen a Castillo Solórzano como escritor de altura: gracia en el relato, que aparece a trechos salpicado por gotas de benévola ironía, casi siempre de la mejor fuente cervantina; acierto en la selección de temas, con una gran diversidad de tipos y situaciones; habilidad en el planteamiento y solución de los conflictos, y, unido a esto, un lenguaje sencillo y elegante que, si bien apunta aquí y allí cierta tendencia conceptista, sabe en general mantenerse equilibrado entre las dos modas dominantes en la época, conceptismo y culteranismo [15].

Muchos temas son del dominio común; pero Castillo halla siempre ocasión para remozarlos a su modo, dándoles su inconfundible sello personal. Así sucede con *El socorro en el peligro,* derivación sin duda de la leyenda *La difunta pleiteada.* Varias novelitas tienen carácter literario, como *El culto graduado* («*Tardes entretenidas*»), suficiente por sí sola para exonerar a su autor de la tacha gongorista que algunos le señalan. Para nosotros son las más bellas *El disfrazado, La cruel aragonesa, El duque de Milán, El ayo de su hijo* y *Lisardo enamorado.* Esta última ni por su extensión ni por la multiplicidad de sus aventuras puede incluirse entre las cortesanas. Pertenece a ese tipo de novela heterogénea—bizantina, pastoril, caballeresca y hasta morisca a la vez—, que, basada siempre en conflictos amorosos, tuvo su breve período de esplendor con manifestaciones tan típicas como *La cintia de Aranjuez,* de Gabriel del Corral; *Las experiencias de amor y fortuna,* de Francisco de las Cuevas, ya aludidas al hablar del género pastoril, y *El español Gerardo,* de Céspedes y Meneses.

A la vez que novelista de fama y estimable comediógrafo, fué Castillo y Solórzano poeta celebrado por sus contemporáneos. Cultivó preferentemente la poesía humorística y jocosa. La mayor parte de sus poemas están reunidos en los *Donaires del Parnaso* (Madrid, 1624 y 1625), donde encontramos algunas piezas de valor autobiográfico. El carácter de estas composiciones se revela en el título: «A un médico que casó con mujer vieja estando en su mano matarla», «A un galán que desconfiando alcanzar una dama que pretendía se empleó en la tercera de sus amores», «A una

creciente del Manzanares en julio». Recuerdan a Quevedo; pero sin la hiel del gran satírico.

María de Zayas

A la amenidad y demás cualidades reconocidas en Castillo y Solórzano une DOÑA MARÍA DE ZAYAS SOTOMAYOR (1590-¿1661?) [16] un conocimiento más hondo aún del corazón humano. María de Zayas es por ello, y por otras razones a que luego aludiremos, la escritora más representativa de todo el XVII español.

Menos copiosa su obra que la de Solórzano, aunque de características análogas, está resumida en sus dos colecciones, *Novelas amorosas y ejemplares* (Zaragoza, 1637) y *Novelas y saraos* (Zaragoza, 1647), muchas veces reeditadas y en parte traducidas al francés [17]. En dos aspectos se distinguen una y otra colección: el tono general de la primera es de suave amonestación, el de la segunda es de acre censura y de rigor, especialmente al juzgar al varón frente a la mujer; el desenlace de las novelas de la primera serie es siempre feliz, el de las otras es siempre trágico. La temática también es distinta y sumamente variada.

Problema espinoso el de las fuentes literarias de la Zayas. Si hemos de aceptar el juicio de sus contemporáneos, doña María nada puso de propia cosecha. En efecto, la lectura de sus obras nos dice que no es la originalidad su nota más acusada. Pero, hábil narradora, hay que reconocerle una destreza poco común en el arte de hilvanar y fundir en un solo relato episodios y escenas tomados de diversos autores. Esta *contaminatio,* sin embargo, aunque muy bien disimulada, no ha podido engañar a la crítica, que viene señalando la fuente total o parcial de casi todas sus novelas. *Aventurarse perdiendo* recuerda con exceso el episodio de Dorotea en el *Quijote* y *El casamiento desdichado,* de Camerino; *El imposible vencido* repite una vez más el archisabido tema de *La difunta pleiteada*; *El jardín engañoso* está ligado estrechamente con una *question* de *Il Filococo* y con un cuento (el de Dionora y Messer Ansaldo) del *Decamerón; El juez de su causa* presenta demasiado parecido con una «patraña» de Timoneda y con *El alcalde mayor,* de Lope de Vega; *El prevenido engañado* es un zurcido de varias novelas italianas, aunque su noble intención la coloca muy por encima de sus modelos, etc. Digamos en honor a la verdad que la Zayas, al apoderarse de temas ajenos, siempre acierta a mejorarlos y superarlos, *recreándolos* en el más amplio sentido de la palabra mediante la inserción de episodios inventados por ella. A su vez, algunos de sus relatos han influído en escritores de fuera: elementos de *El prevenido engañado* y de *El juez de su causa* fueron respectivamente aprovechados por Molière (*L'Ecole des femmes*) y Scarron (*Roman Comique*).

Menos fundamento tienen los que la reprochan de inmoral. Ha sido Pfandl quien más ha extremado su juicio en este sentido. «¿Se puede dar algo—pregunta—más ordinario y grosero, más inestético y repulsivo que una mujer que cuenta historias lascivas, sucias, de inspiración sádica y moralmente corrompidas?» Sin embargo, nosotros no encontramos en ella mayores excesos de este orden que las de cualquier otro novelista de su siglo, sin excluir tal vez a Cervantes. La Zayas se limita a reproducir la vida de su tiempo, con las aventuras corrientes de damas y galanes, ni más ni menos que lo hicieron otros, a ciencia y paciencia del Santo Oficio. ¿Que ello parece menos indicado, por tratarse de una mujer? Sin duda debe ser así. Pero téngase en cuenta que la Zayas, y éste es acaso su más relevante mérito, se constituye desde el primer momento en la auténtica campeona del fenimismo, frente al concepto subestimativo de la mujer en la literatura de la época; bien entendido que su entusiasta defensa de las prerrogativas del sexo débil no le impide reconocer los defectos de éste, cuando realmente los hay, ni fustigar a sus congéneres, haciéndolas responsables incluso de la corrupción general. Lo que proclama la Zayas, y lo hace con singular gallardía, es la igualdad de deberes y derechos de los dos sexos, especialmente en el terreno amoroso y cultural. En la negación de los unos radica para ella la infelicidad de muchos matrimonios; en la negación de los otros, el complejo de inferioridad de la mujer. Para la Zayas sólo puede exigirse plena responsabilidad a la mujer cuando ésta pueda, a su vez, actuar libremente.

Es autora asimismo de una comedia: *La traición en la amistad.* Su estilo, como el de Solórzano, con quien tantos puntos de semejanza tiene, es sencillo, natural y fácil. Ella misma declara que utiliza un lenguaje «común a todos y el que (sus padres) le enseñaron». Más de una vez arremete contra los que escriben para que nadie los entienda.

Pérez de Montalbán

El gran amigo y colaborador de Lope de Vega JUAN PÉREZ DE MONTALBÁN (1602-1638) [18], de quien nos volveremos a ocupar como dramaturgo, publicó (1624) bajo el título de *Prodigios y sucesos de amor* una colección de ocho «novelas ejemplares», que también puede incluirse en el género que estamos estudiando. Se distingue esta colección de las mencionadas hasta ahora en que las novelitas que la integran no tienen entre sí el menor elemento común, ni siquiera el mismo escenario o marco que contribuya a darles cierto aspecto de uniformidad. Van dedicadas cada una a un protector [19] y llevan los siguientes títulos: *La hermosa Aurora, La fuerza del desengaño, El envi-*

dioso castigado, La mayor confusión, La villana de Pinto, La desgraciada amistad, Los primos amantes y *La prodigiosa.*

En busca de mayor originalidad, suprime Montalbán los consabidos enlaces de derivación boccacciesca, poniéndose en guardia desde el prólogo contra sus posibles censores: «Sólo quiero que me agradezcas, lector querido, que no las has de haber visto en la lengua italiana..., y si acaso te agradaren..., sírvete de darme toda la alabanza, porque, como te digo, no tiene parte en ellas ni Boccaccio ni otro autor extranjero.» Se trata de novelas que sobre un fondo amoroso, como casi todas las del género, tienden a lo tremebundo: escenas sepulcrales, pasiones extremas, conflictos anormales e insolubles. El defecto que Pfandl le achaca de hacer hablar a sus personajes—sicilianos, polacos y albaneses—como lo harían los españoles y hacerles reaccionar también como nosotros, no es mayor en Montalbán que en cualquier novelista o comediógrafo de su tiempo. En cambio, nosotros le señalaríamos cierta tendencia a lo culterano, que debilita y desdibuja algunos caracteres en principio bien definidos, encubriendo tras una vacua palabrería ciertos gestos y acciones; también subrayaríamos el abuso de citas clásicas, en un alarde un poco necio de falsa erudición. Todo ello es más reprobable si se piensa en el prólogo de la *Primera parte* de sus comedias, donde se abomina de cuanto huele a culterano.

Aun con estos defectos hemos de mencionar como novelitas muy estimables *Los primos amantes, La villana de Pinto* y *La fuerza del desengaño.* Esta última, donde se convierte en ascético un tema amoroso, siempre dentro de la línea barroca, influyó directamente en *El desengaño amado y premio de la virtud,* de María de Zayas.

Céspedes y Meneses

Párrafo aparte merece dentro de la novela cortesana el madrileño GONZALO DE CÉSPEDES Y MENESES (¿1585?-1638) [20], cuya vida aventurera trasciende a sus novelas dándoles un marcado matiz autobiográfico. Aparte de *El español Gerardo y El soldado Píndaro,* que son sus mejores y más conocidas obras, publicó en Zaragoza (1623) una colección de seis narraciones breves con el título *Historias peregrinas y ejemplares,* que comprende los siguientes relatos: *El buen celo premiado, El desdén del Alameda, La constante cordobesa, Pachecos y Palomeques, Sucesos trágicos de D. Enrique de Silva* y *Los dos Mendozas.* La más endeble es la primera, *El buen celo premiado;* la más estimable acaso, *La constante cordobesa,* que ofrece un episodio sobrenatural digno de tenerse en cuenta al estudiar la génesis del *Burlador de Sevilla* [21]. *Pachecos y Palomeques* describe la lucha de dos bandos rivales en el Toledo de las Comunidades; *Sucesos trágicos* se basa en el odio de dos familias portuguesas durante la dominación española.

La tendencia de Céspedes a lo tremebundo no le impide alcanzar finos matices afectivos, p. ej., en *Los dos Mendozas*; y su inclinación a los estudios históricos—es autor de una *Historia apologética* (1622), sobre las alteraciones de Aragón en tiempo de Felipe II, y de otra *Historia de Felipe IV* (1631)—le lleva a anteponer a cada narración una sucinta reseña sobre el origen de la ciudad en que la acción se desarrolla: Zaragoza, Córdoba, Sevilla, Toledo, Lisboa o Madrid. Las Historias fueron aprovechadas por Lancelot en sus *Nouvelles* (París, 1628). *El poema trágico del español Gerardo y desengaño de amor láscivo* (Madrid, 1615) nos cuenta su propia vida a través de una larga serie de «en parte verdaderos y en parte fingidos desengaños», y la *Varia fortuna del soldado Píndaro* (Lisboa, 1626) relata, entre otros, el misterioso episodio del capitán Alonso de Céspedes, a quien se aparece en Granada y en las más extrañas circunstancias el cadáver de una de sus víctimas, vaticinándole su próxima muerte.

Decadencia del género

Después de disfrutar la novela cortesana durante la primera mitad del XVII de una popularidad sólo comparable a la del teatro de la misma época, decae rápidamente, hacia la segunda mitad del mismo siglo. Las colecciones de novelas de Cervantes, Castillo Solórzano y la Zayas, llenas de fresca inventiva o al menos de vida palpitante y cordial, quedan sustituídas por una serie de producciones en las que se pretende suplir la falta de argumentos y de arte narrativo con golpes malabaristas del peor gusto y alardes de virtuosismo. Aparecen novelas sin determinada vocal o escritas desde el principio al fin con «equívocos burlescos», como la anónima *El caballero invisible*, de cuya calidad literaria puede juzgarse por las líneas con que empieza: «En lo bajo de Andalucía, y vente luego, había un caballero, a quien llamaban y no respondía; era nacido de un brazo, gentilhombre en la ley, y de su color blanco donde tiran...» [22]. De este mal gusto general apenas se salvan dos o tres escritores de novelas, como DOÑA MARIANA DE CARVAJAL, que dió a la estampa (Madrid, 1663). una colección de ocho narraciones, *Navidades de Madrid y novelas entretenidas*, dignas de mención por el profundo conocimiento que revelan del corazón femenino; y ANDRÉS DE PRADO, natural de Sigüenza, a quien se ha confundido con su homónimo del siglo XVI, autor de la farsa *Cornelia*. Prado publicó en Zaragoza, el mismo año que la Carvajal (1663), su colección titulada *Meriendas del ingenio y entretenimiento del gusto*, con unas pocas novelitas, entre las que destaca como más

aceptable *La vengada a su pesar*, con elementos copiados de *La burlada Aminta*, de la Zayas [23].

NOTAS

1. Poco se sabe de su vida. Según Nicolás Antonio, nació en Guadalajara y floreció en el promedio del XVI. Debió de cursar Leyes, carrera que abandonó, hastiado por la aridez de tales estudios. Tampoco quiso seguir la carrera eclesiástica que le proponían sus padres, y sin edad ya para aprender la de las armas, se encontró en la vida un poco desorientado. Más adelante se acogió a una señora, que le mantenía a sus expensas. Cuando en 1562 publicó su *Clareo y Florisea* llevaba varios años por Italia, no se sabe si desterrado o fugitivo. En aquel país disfrutó de alto crédito como poeta. Cultivó la lírica española tradicional (romances, letrillas) y la italiana. Se ignora el año de su muerte.

2. Los *Ragionamenti amorosi*. de Ludovico Dolce (1546).

3. Probablemente aragonés. En las ediciones de sus obras se titula «cronista de Su Majestad», lo que no le impide cometer graves anacronismos. Según Nicolás Antonio, se adjudicaba también un título de alta graduación militar. Tiene otro libro, *Colección de varios sujetos* (Zaragoza, 1572), centón de elogios, prosa y verso, de ilustres varones españoles. Se ignoran las fechas de su nacimiento y muerte.

4. Contiene el *Inventario*, aparte de esta narración morisca, la *Historia de Píramo y Tisbe;* una novelita pastoril, *Ausencia y soledad de amor*, y algunas canciones y glosas. En la segunda edición (1577) se añade la *Disputa entre Aiax Telamón y Ulises sobre las armas de Achiles*. Como poeta, Villegas pertenece a la escuela tradicionalista de Castillejo. A las tres versiones que señalamos en el texto—la del *Inventario*, la de la *Diana*, de Montemayor, y la de la *Crónica del Infante Don Fernando...*—hay que añadir la del manuscrito de la Biblioteca Nacional, publicado recientemente (1957) por el profesor López Estrada, quien ha señalado de paso las variantes de los cuatro textos.

5. Poco se sabe de Pérez de Hita. Nació probablemente en Mula; fué zapatero y «vecino de la ciudad de Murcia». Debió de morir hacia 1619. Otros libros suyos son: *Bello troyano* y *Libro de la población y hazañas de la ciudad de Murcia*, que revelan en su autor una cultura poco corriente.

6. Episodios de esta clase abundan en nuestra literatura: en la leyenda de don Rodrigo, último rey godo; en la del conde de Barcelona, Ramón Berenguer III; etc. Alonso de la Vega trata un tema similar en su comedia *La duquesa de la Rosa*, que luego recoge Timoneda en su *Patrañuelo*, aludido en este mismo capítulo.

7. En el capítulo dedicado a «Prosistas varios del XVI» volveremos sobre estas y otras obras que, como ellas, fluctúan entre el cuento, el anecdotario, el centón paremiológico y el tratado didáctico-moral.

8. Vida escasamente conocida. Antes de ser impresor y librero se dedicó al zurrado de pieles. Cervantes lo cita en *Los baños de Argel* como editor de Lope de Rueda. Imprimió también la famosa colección *Rosa de romances* (1573), dividida en cuatro partes: *Rosa de amores, Rosa española, Rosa gentil y Rosa real*. A su muerte, la viuda, Isabel Ferrandis, vendió a su hijo el almacén de libros, y este último continuó con el negocio.

9. Apenas sabemos nada de su vida. Fué secretario del conde de Benavente; y su *Jardín de flores curiosas* mereció ser traducido inmediatamente al francés, italiano e inglés. Cervantes atribuía a Torquemada la novela caballeresca *Historia del invencible caballero don Olivante de Laura, príncipe de Macedonia* (Barcelona, 1564).

10. Natural de Sangüesa. También compuso una novela caballeresca del ciclo carolingio: *Los amores de Milón de Aglante con Berta y el nacimiento de Roldán y sus niñerías*.

11. La lista puede aumentarse indefinidamente: *Discursos morales* (Zaragoza, 1617) y *Libro de las novelas*, de Juan Cortés de Tolosa; *Novelas ejemplares y prodigiosas historias* (Madrid, 1624), de Juan de Piña; *La mojigata del gusto*, en seis novelas (Zaragoza, 1641), de Andrés Sanz del Castillo; *Los peligros de Madrid* (1646), por Baptista Ramiro de Navarra; *Los rumbos peligrosos...* (Amberes, 1683), de José de la Vega, etc., etc. Por las fechas de su publicación puede verse que corresponden en su totalidad al siglo XVII. Sobre algunas de ellas habremos de volver en el capítulo dedicado a la prosa del período barroco.

12. Debemos a Nicolás Antonio las escasas noticias que de él se conocen. *Matritensis, Americanae provinciae de Chiapa olim praetor, humanarum litteraeque peritus, lusit...* Da el catálogo de sus obras, y añade : *in vivis erat anno MDCLIX, Matriti.* Debió de cursar Jurisprudencia, y estuvo al servicio del duque de Maqueda. Siendo gobernador de Chiapa, donde residió unos diez años, un hermano suyo le publicó el *Teatro popular.* Se ignora el año de su nacimiento, que no debió de ser después de 1590, ya que en el 1615 publicaba algunas cosas, entre ellas un elogio de Salas Barbadillo.

13. De origen italiano, se sabe que se estableció en Madrid y desempeñó el cargo de Procurador de los Reales Consejos.

14. Natural de Tordesillas. Su padre, camarero del duque de Alba, debió de darle esmerada educación, aunque es probable que no llegara a obtener grados académicos, porque, según cree Cotarelo, la temprana muerte de su padre le obligó a suspender los estudios. En 1619, cumplidos ya los treinta años, lo hallamos en Madrid ; concurre a certámenes poéticos, y celebra (1621) en una décima *Los cigarrales de Toledo*, de Tirso. Entra al servicio de varios nobles : el marqués de Villar, el de los Vélez, con quien pasa a Valencia (1628) como maestresala de la casa. Reside temporalmente en Barcelona, donde publica varias obras, y en 1635 lo encontramos en Zaragoza. Desde la publicación de *La Garduña de Sevilla* (1624) hasta su muerte, que debió de ocurrir antes de 1646, nada sabemos de él.

15. En *La Garduña de Sevilla* nos dice, por boca del licenciado Monsalve : «Todo cuanto yo he podido ajustarme a lo que se escribe en estos tiempos lo he hecho ; mi prosa no es afectada de modo que cause enfado a los que la leyeren, ni tampoco tan baja de voces que haga el mismo efecto ; procuro cuanto puedo no cansar con lo prolijo ni desagradar con lo vulgar ; esta prosa que hablo es la que escribo, porque veo que más se admite en lo natural que lo afectado y cuidadoso.»

16. Los datos biográficos que tenemos de esta escritora se reducen a unas pocas alusiones de sus obras, algún documento exhumado por Serrano Sanz y una que otra deducción lógica hecha por González de Amezúa. Nacida en Madrid (1590), de familia distinguida—su padre era caballero del hábito de Santiago—, aficionada a las letras, según ella misma cuenta, debió de tener una formación casi autodidacta, siendo su mejor maestra la experiencia. De un pasaje de *La perseguida triunfante* se deduce que estuvo en Italia. Residió casi toda su vida en Madrid y algún tiempo en Zaragoza, donde hizo imprimir sus *Novelas.* Se ignora si contrajo matrimonio y la fecha de su muerte, que se ha de situar entre 1650 y 1660. Lope de Vega, Castillo Solórzano y Montalbán, entre otros, la celebran como poetisa.

17. La crítica no anda acorde sobre la fecha de la primera edición de estas novelas. Nosotros, disintiendo de Pfandl, creemos que no debió de ser anterior al 1637. Las novelas vienen repartidas así :

1.ª Parte : *Aventurarse perdiendo, La burlada Aminta y venganza del honor, El castigo de la miseria, El prevenido engañado, La fuerza del amor, El desengaño amado y premio de la virtud, Al fin se paga todo, El imposible vencido, El juez de su causa, El jardín engañoso.*

2.ª Parte : *La esclava de su amante, La más infame venganza, La inocencia castigada, El verdugo de su esposa, Tarde llega el desengaño, Amar sólo por vencer, Mal presagio casar lejos, El traidor contra su sangre, La perseguida triunfante, Estragos que causa el vicio.*

18. Madrileño. Hijo del librero Alonso Pérez, de ascendencia judía, amigo de Lope de Vega y editor de sus comedias. Seguramente fué el mismo Lope quien introdujo a Juan en los círculos literarios de la Corte, en los que figuró destacadamente. A los diecisiete años estrenó la comedia *Morir y disimular.* Fué doctor en Teología ; se ordenó de sacerdote en 1625 y asistió a varias justas poéticas en competencia con los mejores ingenios de su tiempo. En sus últimos años perdió la razón. Fué notario del Santo Oficio.

19. La más inmoral de todas, *La mayor confusión*, está dedicada a Lope de Vega, su entrañable amigo. Por cierto que fué prohibida por la Inquisición. Cosa que no deja de causar extrañeza, pues aunque su asunto es realmente escabroso—un caballero casado con su propia hija—, otras no menos inmorales eran consentidas por el Santo Oficio. Por ejemplo : *Al fin se paga todo* y *Estragos que causa el vicio*, de María de Zayas.

20. Nació en Madrid, según se desprende de cierto pasaje de *El español Gerardo.* Se ignora la fecha, que tuvo

que ser entre 1584 y 1590. De espíritu aventurero, le vemos en la cárcel y con peligro de perder la vida en el cadalso por cierta complicación amorosa. En 1620 vuelve a la cárcel, complicado en cierto proceso criminal. Condenado a ocho años de galeras, obtiene la libertad y el perdón real, probablemente a cambio de un destierro de la Corte. Reside en Zaragoza y Portugal, donde publica (1626) *El soldado Píndaro.* Su *Historia de Felipe IV*, favorable a la política de Olivares, le atrae la protección de éste y un título de cronista de Su Majestad. Vuelto a Madrid, reside en la Corte hasta su muerte (1638), que le sorprende en casa del duque de Maqueda. Perteneció a la Orden Tercera de San Francisco y escribió contra Richelieu un folleto titulado *Francia engañada, Francia defendida.*

21. El episodio es éste : Don Diego y su amigo don García están en una iglesia, en espera de penetrar el primero en el domicilio de doña Elvira. De pronto se abre una losa sepulcral y surge, vistiendo hábito franciscano, el padre de la dama, muerto hacía años. Le conmina a que desista de sus intentos bajo amenaza de eterna condenación, y los dos amigos caen al suelo como fulminados. El suceso, ocurrido, según se dice, en 1530, se divulga pronto por Córdoba.

22. Con razón calificó Pellicer en sus *Avisos* esta clase de obras de «rara aplicación del genio, extraña para intentada, inútil después de conseguida». Citemos, por vía de curiosidad : *Los dos hermanos*, de Francisco Navarrete y Ribera, escrita toda ella prescindiendo de la letra «a» ; *La carroza con las damas*, sin la «e» ; *La perla de Portugal*, sin la «i» ; *La peregrina hermitaña*, sin la «o» ; *La serrana de Cintia*, sin la «u». En *El Estebanillo González*, citada en el capítulo anterior, hay un largo romance en el que no aparece la «o».

23. Fácil nos sería aumentar la lista de autores de esta clase de relatos, que tanto éxito tuvieron en el siglo XVII. Sin ofrecer la importancia de los citados en el texto, nos creemos obligados a mencionar media docena de escritores, todos dignos de recuerdo por aportar en su obra alguna particularidad. MATÍAS DE LOS REYES, madrileño (¿1575?-1640), gran amigo de Tirso, aparte de seis comedias y un auto, nos dejó dos colecciones de relatos : *El curial del Parnaso* (1624) y *El Menandro* (1636), y una miscelánea, *Para algunos*, imitación del *Para todos*, de Montalbán. A falta de inventiva, campea en Reyes un estilo ágil que hermosea cuanto toma de los demás. En *El curial*, a vueltas de una serie de consejos y digresiones sobre política y moral, se nos ofrecen seis novelas, algunas de origen italiano ; *El Menandro* refiere las aventuras de un joven que abandona el hogar huyendo de las pretensiones amorosas de su madrastra ; pasa a Italia, donde se reúne su hermanastro Ricardo ; ambos traban amistad con Camilo ; el matrimonio de los tres jóvenes con tres hermosas damas y el castigo de la madrastra dan fin a la obra. De MIGUEL MORENO (n. hacia 1591-1635), segoviano, sólo conocemos dos novelas : *El cuerdo amante* y *La desdicha en la constancia*, que se distinguen por la elegancia del estilo (Moreno era enemigo del culteranismo) y por la fuerza dramática, en especial la segunda. A BALTASAR MATEO DE VELÁZQUEZ lo conocemos por las noticias que nos da en su obra *El filósofo del aldea* (Pamplona, 1626). Había nacido en Varaderrey (Cuenca), fué alférez y sirvió al rey en la Mamora y Larache. Su obra, un centón más de consejos y moralidades, con influencias de Salas Barbadillo, es una mezcla de «exemplarios» medievales y de la novela italiana. También a ANDRÉS SANZ DEL CASTILLO lo conocemos por lo que se nos dice en la portada de su libro *La mogiganga del gusto en seis novelas* (Zaragoza, 1641). Nacido en Brihuega, estudió en Salamanca y ejerció de relator en Sevilla, Granada y Zaragoza. El juicio de Nicolás Antonio, al considerar las novelas de Del Castillo tan ridículas en el argumento como en el título general, nos parece demasiado severo ; aunque de estilo afectado, achaque común de la época, están bien llevadas y suelen tener un desenlace ejemplar. Con el mismo título de *La mogiganga del gusto*, se imprimió en Zaragoza, 1622, una segunda parte, atribuída a Francisco de la Cueva y Silva ; superchería manifiesta, ya que de las seis novelas que inserta, cuatro pertenecen a la *Guía y avisos de forasteros*, de Liñán y Verdugo, y otra es la de *Dorido y Clorinia*, inserta en el *Guzmán de Alfarache.* Con tono erasmista y de sátira anticlerical caracterizan los *Diálogos de apacible entretenimiento...* (Barcelona, 1605), GASPAR LUCAS HIDALGO. Poco sabemos de su vida, que, a juzgar por su obra, debió de ser interesantísima. Para Pfandl, es un rezagado entre los novelistas del Renacimiento y un innovador entre los contemporáneos. Sus relatos, según confiesa en el prólogo,

tienden a alegrar lo fatigoso de la vida. Distinto de los anteriores es DIEGO DUQUE DE ESTRADA (1589-1647), a quien no sabríamos si calificar de novelista o de escritor de «memorias». Soldado, espadachín, enamoradizo, fraile finalmente en un convento de Cerdeña, es un producto típico de España y de la época. Sus *Comentarios del desengaño de sí mesmo...*, mezcla de realidad y de ficción, interesa más por los episodios que por el conjunto, y se leen todavía con creciente gusto.

BIBLIOGRAFIA

Para bibliografía general de este capítulo consúltese el XVIII: «La novela en el Renacimiento y el Barroco».

I. MENÉNDEZ PELAYO: *Novela bizantina*, «Orígenes de la novela», II, cap. VI, ed. C. S. I. C., 1943.—L. PFANDL: *Historia de la lit. esp. en la Edad de Oro*, cap. II, ed. Barcelona, 1933.—Para Alonso Núñez de Reinoso, texto: *Historia de los amores de Clareo y Florisea*, «Bibliot. Autores Españoles», III.—Estudios: MENÉNDEZ PELAYO: *Orígenes de la novela*, II, cap. VI, ed. cit.—B. J. GALLARDO: *Ensayo*, III, págs. 984-998.—Para Jerónimo de Contreras: MENÉNDEZ PELAYO: *Orígenes...*, II, cap. VI, págs. 83-88.—J. A. VAN PRAAG: *Eustorquio y Cloridene. Historia moscóvica (1629). De Enrique Suárez de Mendoza y Figueroa*, «Bol. R. Acad. Esp.», XXIII, 1936.

II. RAFAEL FERRERES: *La novela morisca*, «Historia de las Lit. Hisp.», III, Barcelona, 1952-53.—MENÉNDEZ PELAYO: *Novela histórica*, «Orígenes de la novela», II, capítulo VII, ed. C. S. I. C., 1943.—R. MENÉNDEZ PIDAL: *Las leyendas moriscas en su relación con las cristianas*, «Estudios literarios», Colec. Austral, núm. 28.—MARÍA SOLEDAD CARRASCO URGOITI: *El moro de Granada en la literatura*, Madrid, 1956.—G. CIROT: *Le maurophilie littéraire en Espagne au XVIe siècle*, «Bull. Hisp.», 1938; *Historia del Abencerraje*, texto en «Bibliot. Autores Españoles», III.—ADAMS y STARCK: *Estudio preliminar a la ed. de la Historia del Abencerraje*, Chicago, 1927.—J. P. W. CRAWFORD: *El «Abencerraje» and Longfellow's «Golgano»*, «Hispania», IX, 1926.—G. D. DALE: *An impublished version on the Historia de Abindarráez y Jarifa*, «Modern Language Notes», XXXIX, 1924.—H. AUSTIN DE FERRARI: *The sentimental Moor in Spanish Literature before 1600* (tesis doctoral en que se alude al Abencerraje), Filadelfia, 1927.—MENÉNDEZ PELAYO: *«El Abencerraje» de Antonio de Villegas*, «Orígenes de la novela», II, cap. VII, págs. 127-34, ed. cit.—MÉRIMÉE: *El Abencerraje d'après diverses versions publiées du XVIe siècle*, «Bull. Hisp.», XXX, 1928.—*El Abencerraje*, con pról. de Millás y Vallicrosa, ed. Barcelona, Edit. Aymá.—ELENA PRIMICEIRO: *La «Historia del Abencerraje» y los romances de Granada*, Nápoles, 1929.—PÉREZ DE HITA: *Guerras civiles de Granada*, ed. moderna con pról. de Paula Blanchard-Demouge, Madrid, 1913.—M. ACERO ABAD: *Ginés Pérez de Hita. Est. histórico y bibliográfico*, Madrid, 1889.—J. ESPÍN RAEL: *De la vecindad de Pérez de Hita en Lorca desde 1568 a 1577*, Lorca, 1922.—P. FESTUGIERE: *Ginés Pérez de Hita. Sa personne, son œuvre*, «Bull. Hisp.», XLVI, 1944.—MENÉNDEZ PELAYO: *«Las guerras civiles de Granada», de Ginés Pérez de Hita*, «Orígenes de la novela», II, cap. VII, págs. 134-49, ed. cit.—A. PÉREZ GÓMEZ: *Poesías no coleccionadas de Ginés Pérez de Hita a la muerte de Felipe II*, «CRBD», III, 1949.—E. RUTA: *L'Aristo in Pérez de Hita*, «Archivo Rom.», XVII, 1933.—GIOGIO VALLI: *Ludovico Ariosto y Ginés Pérez de Hita*, «Rev. Filol. Española», XXX, 1946.

III. B. SANVISENTI: *I primi influsi di Dante, del Petrarca e del Boccaccio sulla letteratura spagnuola*, Milán, 1902.—CAROLINE B. BOURLAND: *Boccaccio and Decameron in Castilian and Catalan Literature*, «Rev. Hisp.», XII, 1905.—F. N. JONES: *Boccaccio and his imitators in German, English, French, Spanish an Italian Literatures*, Chicago, 1922.—Textos de TIMONEDA: *Teatro*, ed. de M. Pelayo, 1911; *Patrañuelo y Sobremesa*, «Bibliot. Aut. Esp.», III; *Patrañuelo*, ed. «Clás. Cast.», Ruiz Morcuende, 1929; *Buen aviso*, ed. Schevill, «Rev. Hisp.», XV, 1911; *Romances*, «Bibliot. Aut. Esp.», X; *Sobremesa*, reimp. García Moreno, 1918.—L. GASPARETTI: *Sulla fonte ital. della Patraña VI di J. de Timoneda*, «Letter. Moderna», Milán, 1951.—J. E. GILLET: *A Note on Timone-*

da, «Modern Language Notes», XLIV, 1929; *Timoneda's Auto de la Quinta Angustia*, «Modern Language Notes», XLVII, 1932.—J. MARISCAL DE GANTE: *Est. sobre Timoneda en Los autos sacramentales*, Madrid, 1911.—MENÉNDEZ PELAYO: *Sobre la Sobremesa y Alivio*, «Orígenes de la novela», III, cap. IX, págs. 65-91.—RUIZ MORCUENDE: *Notas a la cit. ed. de El Patrañuelo*.—E. RICHTER: *Juan de Timoneda und das Imagen-Portia-Motiv*, «Shakespeare-Jahrbuch», XLIV, 1928.—F. SAINZ DE ROBLES: *Cuentos viejos de la vieja España*, Madrid, Ed. Aguilar, 3.ª ed., 1949.—GIOGIO VALLI: *Las fuentes ital. de la Patraña IX de J. de Timoneda*, «Rev. Filol. Esp.», XXX, 1946.—F. WOLF: *Juan de Timoneda*, «Wiener Jaharbücher der Literatur», vol. CXXII, 1848.—Textos de ANTONIO TORQUEMADA: *Coloquios satíricos*, «Nueva Bibliot. Aut. Esp.», VII, con est. de Menéndez Pelayo. Selección de Timoneda en *Cuentos viejos de la vieja España*, Ed. Aguilar, Madrid, 3.ª ed., 1949. *Cancioneros llamados «Enredo de amor», «Guisadillo de amor» y «El Truhanero»*, reimpresión del ej. único, con introd. de A. Rodríguez Moñino, Valencia, 1951.—GEORGE DAVIS CROW: *Antonio de Torquemada. Spanish dialogue writer of the sixteenth century*, «Hispania», XXXVIII, Washington, 1955.—J. H. ELSDON: *On the Life and Work of the Spanish Humanist Antonio de Torquemada*, Univ. of California, 1937.—F. SAINZ DE ROBLES: *Cuentos viejos de la vieja España*, Aguilar, 3.ª ed., 1949.—MENÉNDEZ PELAYO: Timoneda, Villegas, Rufo, Eslava, etc., en «Orígenes de la novela», II, cap. IX, ed. cit.—J. DE PEROTT: *Sobre las fuentes de algunos capítulos de las «Noches de invierno»* (de Eslava), «Cult. Esp.», XII, 1909.—J. ZALBA: *Dos escritores navarros inspiradores de Shakespeare y de Lope*, «Bol. Comisión Prov. Monumentos de Navarra», XV, 1924.

IV. Para generalidades sobre la novela cortesana consúltese el pról. de Angel Valbuena Prat: *Novela picaresca española*, Ed. Aguilar, 2.ª ed., 1946.—Textos de Agreda y Vargas: «Col. de nov. compuestas por los mejores ingenios españoles», vols. V y VI, Madrid, 1788-1794; «Bibliot. Aut. Esp.», vol. XXXIII, y «Tesoro de novelistas españoles», vol. III, París, 1847.—Noticias y alusiones de Agreda y Vargas en la *Bibliografía madrileña*, de Pérez Pastor, y en la *Hist. de la lit. nacional esp. de la Edad de Oro* (Barcelona, 1933), de L. Pfandl.—Textos de Castillo Solórzano: *Teresa de Manzanares, Noches de placer y Harpías*, ed. Cotarelo, «Colec. selecta de nov. esp.», vols. IV y VII, 1906-1908; ed. Ruiz Morcuende en «Clásicos Castellanos», XLII, 1922; *Tardes entretenidas*, ed. Cotarelo, Madrid, 1908; *Jornadas alegres*, ed. Cotarelo, 1909; *Comedias*, «Bibliot. Aut. Esp.», XLV; *Entremeses*, ed. Cotarelo, «Nueva Bibliot Aut. Esp.», XVII; *Bachiller Trapaza*, «Bibliot. Picaresca», 1905. En todos los textos citados hay estudios más o menos extensos sobre Solórzano.—Textos de María de Zayas y Sotomayor: *Novelas ejemplares y amorosas*, ed. Ochoa, «Colec. de los mejores aut. esp.», vol. XXXV, París, 1847; selección de las novelas de Zayas en «Bibliot. Aut. Españoles», vol. XXXIII; otra ed. de E. Pardo Bazán en «Biblioteca de la mujer», III; otra en «Biblioteca Universal», CIV.—Estudios: A. GONZÁLEZ DE AMEZÚA: Est. y notas en la ed. de la Real Acad. Española, 2 vols.—M. NELKEN: *Escritoras españolas*, Barcelona, Ed. Labor, 1930.—M. V. DE LARA: *De escritoras españolas*, «Bull. of Spanish Studies», IX, 1932.—SERRANO SANZ: *Apuntes para una biblioteca de escritoras españolas*, Madrid, t. II, 1905.—E. B. PLACE: *María de Zayas*, «The Univ. of Colorado Studies», XIII, 1923.—J. A. VAN PRAAG: *Sobre las nov. de Maria de Zayas*, «Clavileño», núm. 15, 1952.—LENA E. SILVANIA: *Doña María de Zayas. A contribution to the study of her work*, «Rom. Review», XIII, 1922.—Textos de Pérez de Montalbán (para otras obras del mismo véase cap. XXXIX (Novelas), en «Tesoro de nov. esp.», ed. de Ochoa, París, 1947, vol. II.—Otros autores de novela breve: *El español Gerardo*, «Bibliot. Aut. Esp.», XVIII, 1951; *Historias peregrinas y ejemplares*, ed. de Cotarelo, «Colec. selecta de nov. españoles», II, 1906.—Consúltese también: *El doctor don Cristóbal Lozano*, por Joaquín de Entrambasaguas; *Aspectos de la vida del hogar en el siglo XVII, según las novelas de doña María de Carvajal*, «Homen. a M. Pidal», II, 1925; *Realtà e fantasia nelle Memorie di Duque de Estrada*, Nápoles, 1928; *Un novelista del siglo XVII e imitador de Cervantes, desconocido: Ginés Carrillo Cerón*, por E. Cotarelo y Mori, «Bol. Real Acad Esp.», XII, 1925.

CAPITULO XXIII

TEATRO RENACENTISTA

I. EL TEATRO A PRINCIPIOS DEL XVI

No sabemos hasta qué punto se puede llamar «renacentista» al teatro español de principios del siglo XVI. Si por una parte se incorporan elementos de la nueva escuela, por otra, sigue con sus raíces hundidas en la temática medieval. También corresponde al medievo su técnica y hasta su expresión poética, que apenas sabe salirse del metro de arte mayor y de los paradigmas, ya demasiado manidos, de los Cancioneros. No ha de extrañarnos por ello que muchos autores incluyan a poetas como Juan del Encina y Lucas Fernández en la Epoca Medieval.

Es cierto que a últimos del xv y principios del xvi parece abrirse a nuestro teatro una nueva etapa con características no conocidas hasta entonces. Acaso la más acusada sea la secularización que le arranca al estrecho recinto de los autos y farsas sagradas, para lanzarlo a la corriente ideológica de la Europa renacentista. Las conquistas y descubrimientos de España, que dentro de la novela tienen amplia repercusión en el *Amadís,* también encuentran eco hasta cierto punto en el teatro; y la relajación del espíritu religioso, pre-

cursor de la Reforma, no puede menos de reflejarse en un género que, como el teatro, tiende siempre a copiar la vida en todos sus aspectos. La ideología de Erasmo se impone también a nuestros dramaturgos, si bien creemos que se ha exagerado la influencia del gran humanista en lo que afecta al teatro; en cambio, el lujo y la molicie de la Corte pontificia suscitan las agrias censuras, que más de una vez adoptan el tono de sátiras, de Torres Naharro, Encina y Gil Vicente, paralelas a las que leemos en los diálogos de Alfonso de Valdés. ¿Ha de atribuirse todo ello a la influencia erasmiana? Es probable que ni Juan del Encina ni Torres Naharro necesitaran inspirarse en el ejemplo ajeno, cuando pudieron ellos mismos percibir directamente, durante su estancia en Roma, los abusos que censuraban.

De un lado, pues, el teatro de principios del xvi ofrece innovaciones; de otro, sigue fiel a la tradición medieval. Deslindar lo que en cada escritor y en cada obra corresponde a una u otra época es la tarea propia de la crítica.

II. PERVIVENCIAS MEDIEVALES

Están representadas principalmente por el *Códice de Autos viejos* y por varias farsas que vuelven sobre el tema de *La danza de la muerte,* tan difundido en las literaturas occidentales durante el siglo xv.

El *Códice de Autos viejos* nos da el teatro religioso de este período calcado en su mayor parte sobre el medieval, con sus mismos temas y ciclos, si bien acusa la presencia de ciertos elementos alegóricos, en los que críticos como Valbuena y

Prat ven ya un precedente del auto calderoniano. *La danza de la muerte* refleja un aspecto muy interesante de esa tendencia satírico-social, que culminó también en el xv, y tiende a sobrevivir sea como sea, aún revistiéndose, como en el caso presente, de formas nuevas.

El «Códice de Autos viejos»

Se llama así una nutrida recopilación de las piezas más antiguas del teatro español del XVI. que se conservan en un códice manuscrito de la Biblioteca Nacional, correspondiente a la primera mitad de aquel siglo. Su título verdadero es el de *Colección de autos, farsas y coloquios del siglo XVI*; contiene 96 piezas dramáticas, con unos 50.000 versos. Tres de ellas están en prosa; todas son anónimas, menos una que va firmada por el maestro Ferrús y otra que se supone ser de Lope de Rueda. Ninguna lleva fecha. *El Códice de Autos viejos* fué publicado parcialmente por E. González Pedroso en el vol. LVIII de la B. A. E. de Rivadeneyra; y, posteriormente, en su totalidad, por Léo Rouanet en la *Biblioteca Hispánica* (4 tomos, 1901). Atendiendo a su temática suelen clasificarse en *Historiales*, que son los llamados *autos*, y *Alegóricos* o *farsas*[1]. Unos y otros tienen varias subdivisiones. Damos a continuación los títulos de los más importantes:

Historiales

Antiguo Testamento: *Auto del pecado de Adán, Auto de Caín y Abel, Desposorio de María, Robo de Dina, del Rey Nabucodonosor.*

Ciclos de Navidad y Pasión: *Auto de la Circuncisión, de la Huída a Egipto, de las donas que envió Adán a Nuestra Señora con San Lázaro, Entrada de Cristo en Jerusalén, Despedida de Cristo y su Madre, Descendimiento de la Cruz, Resurrección.*

Nuevo Testamento: *Degollación de San Juan Bautista, del «hospedamiento» que hizo Santa Marta a Cristo, del Hijo Pródigo, de la Prisión de San Pedro, de la Conversión de San Pablo.*

Temas hagiográficos: *Auto de Santa Elena, del Martirio de Santa Eulalia, de San Francisco, de San Jorge, del Martirio de San Justo y Pastor.*

Temas marianos: *Autos varios de la Asunción de Nuestra Señora, el coloquio de Fenisa.*

Alegóricos

Sobre tema histórico: *Auto del maná, de la Acusación contra el género humano, de los Triunfos del Petrarca, de la Residencia del hombre, de la Justicia divina contra los pecados de Adán, de la Culpa y captividad.*

Farsas sacramentales: *Farsa del Sacramento del amor divino, del Sacramento de los «cinco sentidos», del Triunfo del Sacramento, Farsa llamada de los Lenguajes, del Sacramento del engaño.*

Características de algunos «autos»

Las piezas *historiales* se nos ofrecen como eco postrero de un género próximo a extinguirse; en cambio las *farsas* son el precedente del auto sacramental, sin que ello signifique que el alegorismo, señalado como su nota distintiva, esté totalmente ausente de las obras del primer grupo. En efecto, la personificación de virtudes y vicios se nos da en piezas como *El pecado de Adán, Caín y Abel*, etcétera.

Las producciones relacionadas con el ciclo de Navidad tienden a lo anecdótico y alcanzan acentos de hondo lirismo, especialmente en villancicos, como en aquel de *La huída a Egipto*:

> Con el frío va penado
> el pelegrino,
> cansadito y colorado
> del camino.
> El que el cielo ha fabricado,
> hoy se nos muestra cansado.
> Huyendo va desterrado
> el pelegrino,
> rubicundo y colorado
> del camino.
> Camina, chiquito,
> si quieres caminar,
> pues que el rey Herodes
> os manda matar.

Las relativas a los ciclos de la Pasión y Resurrección insisten en los motivos de dolor que nos sorprenden en el famoso «Auto» de Lucas Fernández y que tienen su paralelo en la imaginería sacra de la época. La constante alusión a motivos dolorosos queda patente en el auto del *Despedimiento de Cristo de su Madre*, en que el Hijo va relatando con moroso deleite todos los tormentos de su Pasión:

> Ten ánimo para oíllo,
> pues que lo quieres saber;
> pues a mí, para sufrillo,
> para sentillo y decillo,
> no me puede fallescer.

El *Auto de los Triunfos del Petrarca*, conversión a lo divino de los *Triunfos*, del cantor de Laura, está en la línea de influencias petrarquistas ya subrayadas en Mena, Santillana y otros poetas del XV. Un diálogo inicial entre la Razón y la Sensualidad recuerda las *Coplas contra los pecados mortales*, del mismo Mena, a la vez que parece un anticipo de ciertos autos de Calderón. El Amor entra en escena, proclamando la sujeción de todos los seres a su mandato; pero es vencido por la Castidad, que aparece cantando un villancico y acompañada de Judit, Ruth, Débora y Susana. Tras la presentación de la Muerte y de la Fama, vencidas por el Tiempo, llega Jesucristo, supremo vencedor de todo:

> Soy un Dios terrible y fuerte,
> soy la verdadera luz;
> soy el que venció a la Muerte
> en el árbol de la Cruz
> y salvé la humana suerte.

En los temas del Antiguo Testamento es más frecuente la alternancia de lo alegórico e historial. La más dramática de todas estas producciones es sin duda el *Auto de Caín y Abel*, del maestro JAIME FERRUZ (m. 1594)[2], único autor citado en el *Códice*. Una loa inicial nos da el argumento, de acuerdo con el relato bíblico; la rivalidad de los dos hermanos, hasta desembocar en el fratricidio, está reflejada con trazos sobrios y emotivos.

Las «farsas» alegóricas

Preludian, ya queda señalado, muchos elementos que han de entrar después en la estructura interna del auto sacramental. El *Auto del maná*, por ejemplo, despliega un simbolismo aplicable a la Eucaristía. La más interesante quizá de todas estas *farsas* es la *Residencia del hombre*, con una serie de abstracciones—Justicia, Misericordia, Conciencia, Mundo, Carne, Hombre, etc.—que nos llevan de la mano a la afirmación del libre albedrío en los autos calderonianos: *El gran teatro del mundo, El gran mercado del mundo* y otros. Delicioso es el villancico cantado por el ángel:

> El Señor contino llama
> y ninguno le responde.
> Pecadores, ¿quién se absconde
> viendo al amor con que os ama?

Los autos del *Códice*—escriben los señores Hurtado y Palencia—, «faltos de movimiento, de intriga y de recursos dramáticos, están informados aún del espíritu medieval. Los personajes bíblicos o legendarios conservan algo de su fisonomía tradicional, pero los tipos secundarios (pastores, pajes, etcétera) son ya populares españoles. Por esto, por la introducción del *bobo*, cuyo antecedente está en el *pastor* de las églogas y del cual ha de resultar el *gracioso*, y por ser la única colección que se conserva de las manifestaciones más antiguas del teatro español del siglo XVI, merecen atención estas piezas, que hacen entre nosotros el mismo papel que los *misterios* franceses y las *sacre rappresentazioni* italianas».

«La danza de la muerte» en el teatro

El viejo tema de la muerte, de tanto arraigo en las literaturas europeas de los siglos medios y que termina por aclimatarse en España ya entrado el siglo XV, mediante el poema que estudiábamos en otro lugar, salta al teatro y encuentra durante la primera mitad del XVI varias versiones, a cual más interesantes. En alguna de ellas, así en la de Sánchez Badajoz, se combinan motivos satíricos en tal cantidad que vienen en cierto modo a dar la razón a Menéndez Pelayo cuando afirmaba la probable existencia de un teatro profano en nuestra Edad Media. La mezcolanza de misterios, farsas y moralidades, a semejanza del teatro francés medieval, es tan patente en Sánchez de Badajoz que, mientras no se demuestre el influjo transpirenaico en este escritor, hay que admitir que fué a inspirarse en temas de fondo nacional.

Una de las primeras derivaciones del poema del XV es la *Farsa llamada Dança de la muerte* (1551), del tundidor segoviano JUAN DE PEDRAZA [3]. Está escrita, salvo la loa, en estrofas de arte mayor y se distingue por su tono sobrio y el dinamismo de la acción.

Más importancia tiene la *Farsa de la muerte*, de DIEGO SÁNCHEZ DE BADAJOZ (¿1479?-1542) [4], autor de alegorías, farsas y moralidades, coleccionadas después de su muerte y publicadas con el título de *Recopilación en metro* (Sevilla, 1554). Parece que las escribió entre 1525 y 1547 y están estrechamente ligadas a la escuela de Gil Vicente. Valbuena Prat, con excesivo rigor sin duda, considera al teatro de Sánchez de Badajoz «un género prosaico formado por el detritus de motivos satíricos y devotos populares, con total ausencia de poesía». Sin embargo, en la *Farsa de la muerte*, que estamos comentando, se las arregla para darnos con una gran simplicidad—sólo tiene cuatro personajes: la muerte, un pastor, un galán y un viejo—una producción dramática estimable. El viejo es un personaje enteramente humano, lleno de acendrada fe cristiana, y aun sabiendo que la muerte representa el fin de todas las amarguras. no se resigna cuando ella aparece, y lucha hasta caer derrotado. Tiene también Sánchez de Badajoz cuadros costumbristas *(Farsa del matrimonio, Farsa de la hechicera)* y de tema bíblico *(Farsa de Tamar*, del *Rey David)*.

La más representativa muestra del género es la farsa llamada *Las Cortes de la Muerte*, de MICAEL DE CARVAJAL (1480-1530) [5]. Se trata de una de las obras teatrales más famosas y que más se representaron en el siglo XVI; a ella alude Cervantes en el cap. XI de la Segunda parte del *Quijote*. Según la primera edición conocida fué terminada por Luis Hurtado de Toledo. Su asunto es la consabida convocatoria hecha por la Muerte para que asistan a cortes todos los mortales. Hay una sucesión de escenas muy animadas, gracias a la presencia de los tipos más pintorescos: pastores, ladrones, rufianes, indios, moros, judíos y portugueses; no podían faltar los frailes, imprescindibles en esta clase de obras. Termina con el simulacro de un auto de fe en que se quema la efigie de Lutero. Todavía es mejor para nuestro gusto otra obra del mismo Carvajal, *Josefina*, tragedia bíblica basada en la historia del hijo de Job, en que los personajes históricos se combinan hábilmente con otros alegóricos, como la Envidia. El diálogo de José con la mujer de Putifar está llevado con sumo tacto, y es muy emotiva la oración de aquél ante la tumba de su madre, oración que ya encontrábamos en el poema de *Yusuf*.

El mismo tema atrae la atención del toledano SEBASTIÁN DE HOROZCO (¿1510?-1580) [6], autor de un *Coloquio de la Muerte con todas las edades y estados* Horozco es más conocido por sus *Representaciones* sagradas (entre las que sobresale la de la *Historia evangélica del capítulo nono de Sant Juan),* por su *Cancionero,* que recoge composiciones de tipo tradicional, y por sus *Relaciones* de sucesos, a las que aludimos en otro lugar.

III. JUAN DEL ENCINA

La transición de lo medieval a lo renacentista está representada por JUAN DEL ENCINA (¿1469?-1529), que viene siendo llamado el padre o «patriarca del teatro español». Haya sido o no el verdadero fundador de nuestra escena, el hecho es que desde muy antiguo se le tiene por tal, y aun los pocos que le niegan esta primacía reconocen que con él se abre una nueva era en la dramática castellana. Con Torres Naharro y el portugués Gil Vicente encarna ese momento de fluctuante actitud crítica que presagia la Reforma.

La vida y el hombre

Nace en Encina de San Silvestre (Salamanca), probablemente en 1469. Se cree que estudió con Nebrija. Joven aún, entró al servicio del duque de Alba, en cuyo palacio se celebraban representaciones dramáticas, a las que Encina ponía música. Hijo de Juan de Fermoselle, pronto cambió su apellido por el de su pueblo natal. Oposita (1498) a una plaza de cantor en la Universidad de Salamanca, siendo vencido por Lucas Fernández. Marcha a Roma y es nombrado cantor de la capilla de León X. Se le nombra asimismo racionero de la catedral de Salamanca (1502), sin que conste que viniese a España. En 1510 lo encontramos en Málaga, como procurador del Arcedianato, a pesar de no estar ordenado *in sacris.* Vuelve a Roma, donde reside casi continuamente, no obstante que el cabildo malagueño recaba su presencia y le insta a ordenarse para disfrutar de aquella prebenda. Logra dispensas de Roma y permuta su arcedianato por un beneficio de Morón (1519), al mismo tiempo que se le nombra para el priorato de la catedral de León. A los cincuenta años decide ordenarse de sacerdote y va en peregrinación a Jerusalén, donde celebra su primera misa. Desde 1523 hasta su muerte reside en León, donde es casi seguro que murió a fines del 1529, ya que a principios del 1530 se posesiona del priorato el sucesor.

La personalidad tanto humana como literaria de Juan del Encina viene encuadrada por cuatro poblaciones: Salamanca, síntesis de la cultura renacentista de la época, le da su formación clásica, tan acusada en alguna de sus églogas; Alba de Tormes, en cuyo palacio ducal hace sus primeros ensayos teatrales, le inspira esa mezcla feliz de aristocratismo y popularismo que se transparenta en el léxico de ciertos personajes, especialmente pastores[7]; Roma, la ciudad de los Papas, le semipaganiza, sumergiéndole en una atmósfera de arte sensual y de costumbres relajadas; Jerusalén, por último, le vuelve al estrecho camino del Evangelio, del que parece que no quiso apartarse ya. Estas dos últimas ciudades hacen de Encina un ejemplo más de ese dualismo tan frecuente en el carácter español (recuérdese al Arcipreste de Hita, a Lope de Vega), que tiende a pendulear entre lo sensual y lo ascético. El ambiente de la Curia romana a principios del XVI no era el más adecuado para el ejercicio de una vida cristiana y virtuosa. Encina siente enfriarse su fervor al contacto con la corte pontificia de Alejandro VI y de León X, que le colman de mercedes. Alejandro VI le llama en una bula «familiar de Su Santidad»; y León X, a sabiendas de que desatiende los deberes de su ministerio, le protege y autoriza para residir en Roma. Allí se representa (¿1513?) la égloga de *Plácida y Victoriano.* No tarda en superar esta crisis; y los Santos Lugares, con su contraste de pobreza frente al lujo romano, le inspiran sinceros acentos de contrición. Su *Trivagia,* largo poema en que nos cuenta el viaje a Tierra Santa, es un documento valioso en este sentido[8].

La obra

A Juan del Encina se le puede estudiar en tres aspectos: músico, autor dramático y poeta. Como músico compuso numerosas canciones, y especialmente los villancicos con que terminan sus obras dramáticas. Barbieri llegó a recoger hasta 68 composiciones musicales de Encina, de las que no tratamos aquí por ser tema ajeno a nuestro libro.

Como poeta nos dejó una interesante preceptiva en el *Arte de poesía castellana,* que encabeza el *Cancionero* (1496); y en este mismo *Cancionero,* buen número de poesías *a lo divino* y *profanas.*

Como dramaturgo se conservan de él hasta trece piezas de varia índole y extensión, que suelen repartirse en dos épocas, atendiendo tanto al tema como a la cronología:

1.ª época: Religiosas: tres *Eglogas o Autos de Navidad* y dos *Autos de la Pasión y Resurrección.*

Profanas: dos *Eglogas de Carnaval o Antruejo,* dos *Eglogas amorosas* y el *Auto del Repelón.*

2.ª época: *Egloga de tres pastores, Fileno, Zambardo y Cardonio; Egloga de Plácida y Victoriano; Egloga de Cristino y Febea.*

Análisis del teatro: 1.ª época

De las tres *Eglogas de Navidad* la primera es una simple introducción general a la obra del poeta, para defenderse de los ataques que sin duda le dirigían. El diálogo se desarrolla entre dos pastores: Mateo, detractor de la obra, y Juan, que es el mismo Encina. De las otras dos interesa la llamada «de las grandes lluvias» por la alusión a sucesos contemporáneos. En todas tres la trama es simplicísima y el diálogo frío, con una continua mezcla de lo religioso con lo profano.

En las dos *Representaciones* o *Autos* de la Pasión y Resurrección encontramos ya, siempre dentro de un aparato escénico elemental, mayor emotividad y palpitación humanas. Quizá sean menos frescas estas piezas que las citadas *Eglogas de Navidad* y también menos movidas y alegres, por la ausencia en ellas del elemento pastoril; pero no hay duda que tienen más profundidad y patetismo. En la primera se introduce a dos ermitaños que se dirigen al sepulcro del Salvador y en el camino cuentan las escenas de la Pasión, hasta que, llegados al sepulcro, la Verónica les muestra la sagrada faz impresa en el paño. La desolación del Calvario inspira a Encina acentos tan patéticos como los que oiremos poco después a Lucas Fernández en su *Auto de la Pasión*. En la *Representación a la santísima Resurrección de Cristo* intervienen la Magdalena, José de Arimatea, Cleofás y San Lucas. He aquí con qué sencillez cuentan su caso:

> MAGDALENA.
> Vile detrás de mí estar,
> y comenzó preguntarme
> la causa de mi llorar;
> mas ya que le iba a tocar,
> dijo: «No quieras tocarme.»
>
> LUCAS.
> Cuando íbamos camino
> al castillo de Emaús,
> nos apareció Jesús
> en traje de peregrino.
>
> CLEOFÁS.
> Y con el mesmo comimos,
> aunque algunos dudarán,
> y en verle partir el pan
> entonces le conocimos.

En las piezas *profanas* de esta 1.ª época se observa un deliberado propósito de realzar hasta lo sumo el elemento pastoril. Las dos *Eglogas* representadas la noche de Andruejo forman un todo, al que la primera sirve de mera introducción, con un diálogo lleno de alusiones a sucesos del momento, y la segunda es una auténtica *Egloga de Carnaval*, en que se dramatiza el consabido episodio de don Carnal y doña Cuaresma. Termina con el regocijado himno báquico:

> Hoy comamos y bebamos
> y cantemos y holguemos,
> que mañana moriremos.

Las otras dos *Eglogas amorosas,* conocidas con el nombre de «Mingo, Gil y Pascuala», forman en realidad dos breves actos de un mismo drama.

Son por el estilo y la belleza de sus versos lo mejor de la primera época de Encina. Son también las mejor construídas. El contraste entre la vida cortesana y la campesina, encarnada en unos pastores que se hacen palaciegos y un escudero que por el amor de una zagala se hace pastor, suministra a Encina ocasión para desplegar sus mejores dotes de autor teatral. Se cree que Lope de Vega las tuvo presentes en *Los prados de León*, y Barbieri las considera un antecedente de la zarzuela, ya que en el villancico final junto con la música se introduce la danza.

El *Auto del Repelón* enlaza directamente con los juegos de escarnio medievales; se refiere a las burlas que unos estudiantes hacen de dos pastores: Pernicuerto y Juan Paramás. Es grosera y hasta casi repugnante, en el fondo y en la expresión.

Cierra esta 1.ª época una *Representación* sin título, hecha ante el príncipe don Juan. Se distingue de las anteriores por la introducción de un personaje alegórico, el Amor, que en pulidos versos canta su omnipotencia:

> Prende mi yerba do llega;
> y en llegando al corazón,
> la vista de la razón
> luego ciega...

2.ª época

Ya metido en clima renacentista, Encina nos ofrece en las tres *Eglogas* de la 2.ª época otras tantas comedias de una técnica más depurada, de más amplias líneas constructivas y, sobre todo, más ricas en elementos dramáticos. Se preguntan algunos críticos si la estancia del poeta en Italia influiría en el cambio, al ponerle en contacto con un teatro mucho más avanzado y complejo que el nuestro. Y J. P. Crawford ha podido, en efecto, señalar los modelos italianos en los que debió de inspirarse nuestro poeta [9]. Con esos modelos alternan ciertas producciones novelísticas españolas de finales del medievo, y de modo especial la *Cárcel de Amor* y la *Celestina*.

Por la versificación, coplas de arte mayor, la más antigua de las tres debe ser la de *Fileno, Zambardo y Cardonio*. Tiene una trama simplicísima: «Se recuenta cómo Fileno, preso de amor de una mujer llamada Cefira, de cuyos amores viéndose muy desfavorecido, cuenta sus penas a Zambardo y a Cardonio; y no fallando en ellos remedio, por sus propias manos se mató.» Los caracteres están bien definidos: Fileno y Zambardo parecen encarnar los dos opuestos tipos del renacentista cultivado, lleno ya de problemas espirituales, y el rústico medieval, exento de toda inquietud. No hace falta subrayar las analogías de este cuadrito con el episodio de Marcela y Crisóstomo en *Don Quijote*, tanto en las motivaciones como en el desenlace. La concepción del amor como el elemento inseparable de la muerte es típicamente medieval; pero la exaltación del suicidio no puede ser sino fruto del Renacimiento:

> No rueguen por él, Cardonio, que es santo,
> y así le debemos nos de tener.
> Pues vamos llamar los dos sin carcoma
> al muy sancto crego que lo canonice;
> aquel que en vulgar romance se dice,
> allá entre groseros, el Papa de Roma.

El triunfo del ideario renacentista con su concepción pagana de la vida se nos da en las otras dos *Eglogas*, la de *Cristino y Febea* y la de *Plácida y Victoriano*. En aquélla, el protagonista, desengañado del mundo, decide hacerse ermitaño para servir a Dios. Cupido, enojado por tal determinación, envía a la ninfa Febea para que le tiente, y tan bien lo hace ella que le obliga a abandonar los hábitos. La solución está alejada del concepto ascético medieval como del hedonismo plenamente paganizante. Hay una transacción: también se sirve a Dios en el mundo y disfrutando de lícitos placeres:

> No todos los religiosos
> son los que suben al cielo;
> también servirás a Dios
> entre nos...

La *Egloga de Plácida y Victoriano* se aleja aún más de lo típicamente medieval para meterse en plena atmósfera renacentista. Hay diálogos desenfadados, expresiones irónicas a costa de los frailes, todavía en la misma línea de *La Celestina*; pero hay, sobre todo, un desenlace sorprendente: Venus interviene para devolver la vida a la hermosa Plácida, que se había suicidado. Obsérvense las tres soluciones: en la *Egloga de Zambardo y Fileno*, la muerte triunfa sobre el Amor; en *Cristino y Febea*, el Amor vence a la vida; en *Plácida y Victoriano*, vence a la misma Muerte. El clima poético de esta última se encuentra en el monólogo que precede al suicidio de Plácida.

La lírica de Encina

Menos influída por el Renacimiento que la producción dramática, ofrece tanto en la temática como en el estilo los caracteres ya señalados en la poesía del tiempo de los Reyes Católicos. La temática se reduce a amores, galanterías, asuntos burlescos y religiosos, sin la menor novedad de fondo ni de forma. Todo fríamente sentido y más fríamente expresado. El estilo se ajusta a los mismos clisés ya hechos y vaciados en las consabidas formas métricas—coplas de arte mayor

y de pie quebrado—de que se nutren los Cancioneros.

Cabe destacar un *Triunfo de la fama* sobre la conquista de Granada, calcado en el *Laberinto*, de Juan de Mena; unas pocas composiciones, como las tituladas «A una dama», «A una amiga en tiempo de cuaresma», «Contra los que dicen mal de las mujeres»; alguna de carácter religioso, entre las que sobresale aquella:

> ¿A quién debo yo llamar,
> vida mía,
> sino a ti, Virgen María?,

y, particularmente, las glosas y villancicos, sin duda los mejores compuestos hasta entonces:

> Montesina era la garza
> e de muy alto volar:
> no hay quien la pueda tomar.

Citemos, por fin, el extenso poema *Trivagia*, en soporíferas estrofas de arte mayor, tan frío y desmayado como casi todos los de su clase, y cuyo mérito principal reside en su fondo autobiográfico.

El «Arte de trovar»

Juan del Encina es autor, ya se dijo arriba, de un *Arte de trovar* o *Arte de la poesía castellana*, incluído al principio del *Cancionero* (1496) y dedicado «al muy esclarecido y bienaventurado príncipe don Juan». Es sin duda la principal aunque no muy brillante muestra de la preceptiva española anterior a la introducción de los módulos italianos; lo que quiere decir que supera a todo lo que conocemos en tal aspecto de Villena, de Santillana, de Guillén, de Segovia y del mismo Nebrija. Va dividida en nueve capítulos, por este orden: 1.º Nacimiento y origen de la poesía castellana; 2.º Diferencia entre poeta y trovador; 3.º «Cómo consiste en arte la poesía y el trovar»; 4.º De lo principal que requiere para aprender a trovar; 5.º, 6.º, 7.º, 8.º y 9.º De la medida, asonancia y consonancia y distintas clases de versos.

Hay en esta métrica de Encina algún eco, si bien muy lejano, de la italiana; pero no llega a presentir la gran revolución que se iba a operar pocos años más tarde en nuestra poesía. Sigue en todo aprisionado en la maraña de esquemas y combinaciones de los Cancioneros; habla de «trobar» y «trobadores» como podía hacerlo cualquier aficionado a los juegos de rima del Consistorio; y hasta cree como Nebrija que la poesía castellana había alcanzado en el siglo XV su madurez.

IV. LUCAS FERNANDEZ

Coetáneo y discípulo de Encina, a quien imitó alguna vez, es el también salmantino LUCAS FERNÁNDEZ (¿1474?-1542), que nos dejó en el *Auto de la Pasión* la obra acaso más importante del teatro religioso anterior a Calderón de la Barca. Sin las tendencias renacentistas que hemos observado en Juan del Encina, fiel en todo a las tradiciones medievales, Lucas Fernández supo alcanzar cimas de religiosidad, de patetismo y de fervor como sólo las podríamos encontrar en la imaginería impresionante de un Gregorio Hernández o un Pedro de Mena.

Vida y producción

Salmantino. Hijo de Alfonso de Cantalapiedra y de María Sánchez. Obtuvo (1498) una plaza de cantor de coro en la catedral de Salamanca, en competencia con Juan del Encina. Beneficiado luego de Alaraz; y, sucesivamente, también beneficiado de Santo Tomás Catuariense; abad de su clerecía; profesor de música en la Universidad y diputado de su estudio. En 1501 ya se representaban sus églogas y farsas en las fiestas del Corpus. En 1526 se graduó de maestro en la Universidad. Murió en Salamanca en 1542.

La obra de Lucas Fernández está constituida por seis *Farsas y Eglogas al modo y estilo pastoril o castellano* (Salamanca, 1514), y puede, como la de Encina, repartirse en dos grupos, religioso y profano, de esta forma:

Piezas profanas: *Comedia de Bras Gil y Beringuella*; *Farsa o cuasicomedia de una doncella, un pastor y un caballero*; *Farsa o cuasicomedia de dos pastores, un soldado y una pastora*.
Piezas sagradas: *Egloga o farsa del Nascimiento de Nuestro Redemptor Jesucristo*; *Auto o farsa del Nascimiento de Nuestro Señor Jesucristo*; *Auto de la Pasión*.
Diálogo para cantar.

En las piezas profanas, donde la influencia de Encina es más patente, Lucas Fernández se limita a contraponer diversos tipos—caballero, pastor, soldado—en diálogos llenos de vida y expresión. Dos notas singulares hay que señalar: el tipo del soldado fanfarrón, heredero directo del *miles gloriosus* plautino, tiene aquí una de sus primeras muestras; el autor, en su intento de esquematizar más y más a sus personajes, nos los presenta innominados: el Soldado, la Doncella, el Pastor. Esta generalización está hecha de un modo consciente: «Ignoramos sus nombres—dice el autor—e no los conocemos más de cuanto Naturaleza nos los muestra por la disposición de sus personas.» Abstracciones que si, por una parte, anuncian las de los autos calderonianos, por otra son simple residuo de los «debates» medievales, ya que eso son en definitiva estas *farsas*: meras disputas y competencias entre dos pastores, un pastor y un caballero, etc.

El «Auto de la Pasión»

Las dos *Eglogas del Nacimiento* apenas tienen interés: se reducen a diálogos y juegos pastoriles interrumpidos por la llegada de algún personaje que anuncia el natalicio de Jesús. En cambio, el *Auto de la Pasión* es una pieza capital del teatro primitivo. Pocas veces, ni siquiera en el Siglo de Oro, el dolor ante la tragedia del Gólgota ha encontrado notas de mayor emotividad.

El argumento se nos da expuesto al comienzo de la obra: «El primer interlocutor es San Pedro, el cual se va lamentando a facer penitencia por la negación de Cristo, como en la Pasión se toca. E el poeta finge toparse con San Dionisio, el cual venía espantado de ver eclipsar e turbarse los elementos, e temblar la tierra, e quebrantarse las piedras, sin poder alcanzar la causa por sus reglas de astronomía. E después entra San Mateo recontando la Pasión con algunas meditaciones. E finalmente entran las tres Marías.»

A diferencia de ciertos *misterios* franceses y *autos* españoles en los que las figuras de Jesús y de María juegan un papel preponderante, Lucas Fernández pone el mayor cuidado en no sacarlas a escena. Esta circunstancia da a sus piezas, especialmente al *Auto de la Pasión*, cierto tono narrativo que parece debiera anular todo elemento dramático. Pero no sucede así: el fervor religioso de Lucas Fernández, más sincero sin duda que el de Encina, le inspira acentos conmovedores, de esos que siempre llegan a la multitud:

> ¡Cuán desconsoladas fuimos,
> mezquina entre las mezquinas,
> cuando quitarle quisimos
> la corona, y no pudimos
> arrancarle las espinas!

Hay pasajes de un realismo exacerbado:

> ¡Con la cara ensangrentada,
> con la voz enronquecida,
> rompidas todas las venas
> y la lengua enmudecida;
> con la color denegrida,
> cargado todo de penas
> y los miembros destorpados,
> los ojos todos sangrientos,
> los dientes atenazados,
> lastimados
> los labios por los tormentos!

El *Auto de la Pasión,* que termina como los otros con un delicioso villancico, debió de representarse en la iglesia y, concretamente, el día del Jueves Santo. Cuando los personajes, guiados por María Magdalena, llegan al sepulcro de Jesús, simbolizado en el tradicional monumento, el poeta acota: «Aquí se han de hincar de rodillas los recitadores delante del monumento, cantando esta canción en canto de órgano.» El lenguaje de Lucas

Fernández es muy expresivo, en una feliz combinación de lo culto y lo popular; cuando el poeta quiere intensificar el sentido de la frase no vacila en echar mano de los términos más vulgares:

> Sin cesar voces jamás,
> «¡Crucifige!», todos claman.
> «¿A Jesús o a Barrabás?
> —les dijo—. ¿Cuál queréis más?»
> Por Barrabás todos braman.

V. TORRES NAHARRO

Frente a la técnica todavía medieval de Lucas Fernández y la técnica sólo en parte renacentista de Juan del Encina, el teatro de BARTOLOMÉ TORRES NAHARRO (¿m. 1531?) significa una entrega casi total a los nuevos modos dramáticos ya vigentes en Italia. El cuadro muy estrecho aún de la farsa primitiva se ensancha en sus manos desmesuradamente; a los pastores y ermitaños, personajes casi únicos del teatro anterior, se unen frailes, soldados, mozas, lavanderas, fámulos, despenseros y hasta damas y señores principales; la trama se complica con nuevos recursos y en cierto modo se inaugura la llamada *comedia de intriga* a la vez que el costumbrismo invade la escena y ésta termina por secularizarse casi totalmente.

Datos biográficos y humanos

Lo poco que sabemos de la vida y persona de Torres Naharro nos ha sido transmitido por dos documentos que figuran al frente de la *Propalladia* (ed. príncipe, Nápoles, 1517). Se trata de unas Letras Apostólicas de León X, por las que se concede a Naharro privilegio por diez años para imprimir sus obras; y una carta de cierto literato francés, residente en Nápoles y amigo del poeta, dirigida al humanista también francés Badio Ascensio. La carta va firmada por *Mesinierus I. Barbierus Aurelianensis,* latinización acaso de un Messinier Barbier de Orleáns, según opina Menéndez Pelayo [10].

De ambos documentos se deduce que Torres Naharro era natural de la Torre de Miguel Sesmero (Badajoz); que con ocasión de un naufragio fué hecho cautivo de los piratas y trasladado a Argel; que se hizo sacerdote en Italia y residió largos años en Roma y Nápoles. Todo lo demás son ya conjeturas. Posiblemente estudió en Salamanca y recibió allí una sólida formación humanística, de que dan muestra sus obras; acaso, llevado de su espíritu aventurero, ingresó en la milicia; sus obras revelan, al menos, un conocimiento a fondo de la vida militar. Obtenido el rescate, no sabemos cómo, debió de ir a Roma y, ordenado sacerdote, cambiar su vida inquieta por la plácida existencia de familiar de algún cardenal. Se supone que su principal protector fué el turbulento don Bernardino Carvajal, extremeño, como Naharro, cardenal de Santa Cruz, aspirante a la tiara y cabeza de un cisma al ver frustrada su ambición [11].

Dos cosas son ciertas: que conocía diversas lenguas (latín, italiano, portugués, valenciano, francés) y que llevó una vida agitada, que le permitió conocer muchos ambientes, reflejados luego en sus comedias.

Se ignoran las fechas de su nacimiento y muerte. El primero ha de situarse entre 1480 y 1490; la segunda tuvo que ser antes del 1533, según deduce Menéndez Pelayo de un pasaje del *Diálogo de la lengua,* de Valdés.

Ideología dramática

Antes de estudiar el teatro de Naharro interesa conocer sus ideas sobre la comedia. Sabido es que al frente de la *Propalladia,* título bajo el cual recopiló y publicó sus obras, tanto teatrales como líricas, anteriores a 1517 [12], puso un «prohemio» con ciertas indicaciones que constituyen una verdadera preceptiva dramática, por cierto la primera de tal clase que tenemos en España. En parte esa preceptiva se ajusta a la tradicional, transmitida desde Aristóteles a través de Horacio; en parte hay algunas innovaciones, que conviene subrayar, porque luego la producción dramática de Naharro veremos que sigue de cerca su propia doctrina. Los puntos capitales son:

a) Definición de la comedia como «artificio ingenioso de notables y finalmente alegres acontecimientos por personas disputados»; *b)* División en cinco actos, según el precepto horaciano. El los llama «jornadas», adelantándose en ello a Juan de la Cueva, «porque—explica—más parecen descansaderos que otra cosa» [13]; *c)* Limitación de interlocutores y hasta de personajes de la obra, «que no deben ser tan pocos que parezca la fiesta sorda, ni tantos que engendren confusión»; Naharro admite hasta doce [14]; *d)* Verosimilitud o «decoro», es decir, congruencia. Para Naharro, «el decoro en las comedias es como el gobernalle en la nao, el cual el buen cómico siempre debe traer ante los ojos». ¿Y en qué consiste ese decoro? En dar a cada uno lo suyo, evitar las cosas impropias, usar de todas las legítimas, de manera que el siervo no diga ni haga actos del señor, *et e converso;* y el lugar triste entristecello, y el alegre alegrallo, con toda la advertencia, diligencia y modo posible»;

y *e)* División de la comedia en dos tipos: *a noticia* y *a fantasía*.

Llama Naharro, empleando manifiestos galicismos, *comedias a noticias* las que se basan en un hecho real o que se ajusta a la realidad; y *comedias a fantasía* las que se basan en algo imaginario y fingido, aunque tenga color de verdad. Y respalda su división con ejemplos de propia cosecha: *Soldadesca* y *Tinellaria* son comedias *a noticias; Serafina* e *Himenea* lo son *a fantasía.* No cita *Calamita* y *Aquilina* porque probablemente cuando escribió el «prohemio» no habían sido aún compuestas.

Producción teatral

Siguiendo una clasificación establecida por Menéndez Pelayo y ya aceptada por todos, suele distribuirse así:

1.ª época: *Diálogo del Nacimiento* y *Comedia Trofea.*

2.ª época: dos comedias *a noticia: Tinellaria* y *Soldadesca.*

3.ª época: cuatro comedias *a fantasía: Calamita, Aquilaña, Serafina* e *Himenea.*

Intermedia entre la 2.ª y 3.ª épocas se suele poner otra comedia: *Jacinta.*

Las comedias del primer grupo son simples *églogas* a la manera de las de Encina. En el *Diálogo del Nacimiento* dos peregrinos, procedentes el uno de Santiago y el otro de Roma, entablan un diálogo difuso «más propio del aula que de la escena» y desaparecen para dejar paso a dos pastores groseros, que se dicen mutuamente las mayores desvergüenzas. Todo ello termina con un villancico irreverente. Lo único destacable de esta pieza es la novedad del metro de arte mayor combinado con su hemistiquio, novedad que sería imitada por Gil Vicente y que no hay duda constituye un acierto, en cuanto aligera la pesada andadura del dodecasílabo. Tampoco la *Comedia Trofea* merece particular mención. Estrenada en Roma (1514) en circunstancias muy solemnes [15], no correspondió a la grandeza de la ocasión ni a la categoría del público. Es una obra desaliñada, pretenciosa y hasta ridícula.

En cambio, son excelentes en su género las dos comedias *a noticia.* En *Soldadesca* un capitán del ejército pontificio, encargado de reclutar infantes, alterna con varios soldados españoles, con el labrador italiano Cola, con la criada de éste y con varias mujeres de vida alegre, en una serie de cuadros alegres y movidísimos, trasunto admirable de la vida real. Constituye el más antiguo ejemplo de costumbres y desafueros militares llevados a la escena, con un lenguaje crudo que recuerda al de algunas modernas novelas de guerra. Menos graciosa, y más soez aún, *Tillenaria* nos traslada al *tinello* o cocina de un cardenal, en que se mueven diversos personajes, en su mayor parte criados, que hablan cada cual su propia lengua: francés, portugués, latín macarrónico, catalán, italiano y castellano. Ninguno de ellos tiene pelos en la lengua y el diálogo, sin dejar de tener gracia, es de lo más atrevido que puede imaginarse. «Resulta un drama—escribe cierto crítico—para representado no delante del Papa, sino en la Torre de Babel.»

Con la comedia *Jacinta* nos asomamos a un mundo dramático nuevo. Es una especie de diálogo filosófico en que el autor, por boca de sus personajes, expone las ideas sobre la inconsistencia de los bienes terrenos, la amistad, el favor, la adulación, etc. Sobre un fondo dramático pobre, de apólogo infantil, Torres Naharro va tejiendo sus máximas, expuestas con sencillez, naturalidad y ciertos atildamientos.

Contrasta con esta comedia la llamada *Serafina,* pieza tan regocijada y chistosa como extravagante. Menéndez Pelayo la ha calificado de «puro disparate». Lo es, en efecto. Véase el argumento:

Floristán, caballero español tan enfatuado como libertino, contrae en Roma matrimonio con Orfea, después de haber abandonado en Valencia a Serafina, dama a quien había logrado bajo palabra de casamiento. La burlada se presenta a Floristán, quien, cansado de Orfea más que arrepentido, decide darle muerte y casarse con su antigua prometida. El fraile Teodoro, enterado de que no se ha consumado su matrimonio con Orfea, propone que se anule. La aparición de Policiano, hermano de Floristán y antiguo novio de Orfea, allana las dificultades: Floristán casa con Serafina y Policiano con Orfea.

Ni por las reacciones de los personajes, ni por la trama, ni por el desenlace la comedia *Serafina* es más que una bufonada. Todos allí parecen muñecos, incluído el fraile, que toma las cosas medio en broma, dando sus opiniones en latín macarrónico:

> *Fili mi, rogatus eo;*
> *tamen ut dixit Pilatus,*
> *ab ista morte lavatus,*
> *spero salutem in Deo.*

Tiene una nota interesante: por primera vez en nuestra escena aparece el tipo del «gracioso», no a la manera del bobo o del lacayo, encarnado en pastores chocarreros, sino como antihéroe, cobardón, interesado y egoísta, caracteres todos con los que pasará al teatro de Lope de Vega y sus seguidores. Se suele señalar el parecido entre el Lenicio de *Serafina* y el Polilla de *El desdén con el desdén.*

La tendencia costumbrista, con una derivación especial hacia lo que se viene llamando «de capa y espada», que se insinúa ya en *Serafina,* tiene plena realización en *Himenea,* sin duda la mejor pieza del teatro de Naharro. Aquí nos encontramos con el germen del futuro drama de honor. El simple argumento lo demuestra:

Himeneo, enamorado de Febea, le regala con músicas y ronda su calle en compañía de dos criados, Boreas y Eliso. Aceptado por la dama, que le promete franca acogida la noche siguiente, tiene lugar la cita; pero el marqués, hermano de aquélla, les sorprende e intenta dar muerte a Febea. Himeneo consigue convencerle de sus buenas intenciones, y el marqués, comprobada la inocencia de Febea, consiente en la boda.

Tenemos, pues, todos los elementos de la futura comedia de intriga: citas nocturnas, criados, honor de por medio, músicas, escondites, un hermano dispuesto a vengar su ultraje, si es que lo hubo, etcétera. Todo ello sería poco si al mismo tiempo *Himenea* no fuese una comedia «excepcional» —así la calificó el mayor de nuestros críticos—, tanto por la habilidad con que está llevada la trama como por la elegancia, nobleza y decoro de la expresión. *Himenea* es una comedia urbana escrita con mayor cuidado y pulcritud que el resto de las producciones del mismo Naharro. De sobria construcción, no ha de extrañar que entusiasmase a Moratín, quien veía realizados en ella los cánones de las tres unidades dramáticas. «La acción—escribe—consiste en la solicitud de Himeneo a la mano de Febea; el tiempo no excede de veinticuatro horas; el lugar de la escena es invariable.» Está demostrada la influencia de *La Celestina* en algunos pasajes; pero ello no resta mérito y originalidad a esta auténtica joya de principios del XVI, con la que Naharro se anticipa al mejor teatro del XVII.

Más endebles las otras dos comedias «a fantasía», *Calamita* recuerda con exceso a Plauto, y *Aquilana* nos presenta infantas enamoradas y príncipes disfrazados, recursos muy socorridos en el teatro posterior.

La obra lírica

Junto con sus comedias, Torres Naharro nos dió en la *Propalladia* varias composiciones de diversa índole y publicó también aparte algunas otras piezas de carácter satírico y amoroso. Su nombradía como autor dramático ha dejado siempre en penumbra sus producciones líricas en las que fué bastante fecundo. Por otra parte, le tocó vivir en una época de transición; la lírica estaba evolucionando o a punto de evolucionar, y ante la aparición de hombres como Garcilaso, Acuña y el mismo Boscán, portadores de una nueva poética, los versos de Torres Naharro, calcados sin excepción en los moldes de los Cancioneros, poco

interés podían ofrecer a los contemporáneos, cuyo paladar se estaba ya acostumbrando a más finos manjares. No deja de llamar la atención que, viviendo en Italia, no llegase Naharro a barruntar la próxima transformación de nuestra métrica. Permanece aferrado a los metros antiguos, y cuando emplea el endecasílabo lo hace en lengua toscana, en la que compuso tres sonetos:

Anotemos entre sus poesías como dignas de recuerdo: el *Psalmo en la gloriosa victoria que los españoles ovieron contra los venecianos,* con que celebra la retirada de los franceses después del desastre de Novara; el *Concilio de los galanes y cortesanas en Roma,* poema del género lupanario; las *Lamentaciones de amor;* cuatro romances, uno de ellos *A la muerte del Rey Católico;* y unas cuantas sátiras, en las que, a falta de imaginación, revela sus excepcionales dotes de observador, tan acusadas ya en sus comedias. Sobresale el retrato que hace de Roma, con sus agrias censuras de la Corte pontificia. Los romances fueron incluídos en el *Cancionero* de Amberes (s. a.), como anónimos, y luego en el de 1550. Ya antes corrían en pliegos sueltos y habían dado materia a varias glosas.

¿Juicio definitivo sobre Naharro? Su obra en conjunto se nos ofrece muy desigual: al lado de piezas de técnica tan rudimentaria como el *Diálogo del nacimiento* o de escasa acción como la *Comedia Jacinta,* otras tan movidas como *Soldadesca* y *Tinellaria;* junto a las incoherencias de *Serafina,* el logro casi total de *Himenea.* Una cosa no se le puede negar a Naharro: sus excepcionales dotes de observación que, aplicadas a la pintura de costumbres, le permitieron darnos cuadros, demasiado licenciosos en ocasiones, es cierto, pero siempre llenos de vida y del más sano realismo. «Hay un sentido tan enérgico de la vida—escribe Menéndez Pelayo—, una consistencia tan grande en las figuras dramáticas, una verdad en la expresión, y a veces una combinación tan diestra en las peripecias y efectos escénicos, que verdaderamente maravillan en autor tan principiante e inexperto. Bartolomé de Torres Naharro, inferior a otros contemporáneos suyos, había nacido hombre de teatro y en esta parte les aventaja a todos.» La misma multiplicidad y mezcolanza de lenguas, que hacen de alguna de sus piezas un trasunto de Babel, según queda dicho, confirman esa capacidad de observación y ese anhelo de ofrecernos cuadros vivos, anhelo que se extiende a la lírica; por ejemplo: a esas sangrientas sátiras de la Corte pontificia, que se dan la mano con las más acres censuras de Erasmo de Rotterdam.

VI. EL PORTUGUES GIL VICENTE

Portugués de nacimiento. Por su obra bilingüe, tanto cae dentro de la literatura portuguesa como de la castellana. Ello hace de GIL VICENTE .(d. de 1465-1536?) la figura más relevante del teatro peninsular en la primera mitad del XVI y, desde luego, la personalidad más destacada en todos los tiempos del teatro portugués, «que sin gran hipérbole puede decirse que nació y murió con él» (Menéndez Pelayo).

Vida y figura

Braacamp Freire ha documentado hasta donde ha sido posible la vida del «Plauto lusitano». Aun así, la mayor parte de esa vida permanece en penumbras. Se desconocen lugar y fechas de su nacimiento y muerte. Barcellos, Lisboa y Guimaraes se disputan su cuna. Fué músico, poeta, autor y actor; probablemente se graduó en Derecho; así al menos se deduce de una rúbrica del *Cancionero* de Resende, en que se le llama «Mestre Gil». Casó dos veces: con Blanca Becerra y con Melicia Rodrigues; de esta última le sobrevivieron dos hijos, Blanca y Luis, que editaron sus obras (1562). Desempeñó cargos al servicio de la reina doña Leonor; no se sabe cuándo entró, pero sí sabemos que desde 1502 sus obras se representaban en Palacio. Por una *Epístola* a Juan III sabemos asimismo que en los últimos años se dedicaba a recopilar sus obras. Consta que en 1540 había fallecido.

Algunos identifican a Gil Vicente con el orfebre del mismo nombre; Teófilo Braga creyó que eran una misma persona; Menéndez Pelayo opina lo contrario; en nuestros días, Fidelino de Figueredo defiende la identidad. Existe un documento que habla de «Gil Vicente, trovador mestre da balança». En tal supuesto, habría que ver en él al autor de varias obras de arte decorativo, entre ellas de la bellísima custodia gótica del Museo de Lisboa.

Gil Vicente se mueve casi toda su vida en un ambiente aristocrático y cortesano. Sus comedias, como antes las de Encina y por los mismos días las de Naharro, se representan ante un público de selección: las de Encina en el palacio de los duques de Alba; las de Naharro ante la Corte Pontificia; las de Gil Vicente ante los reyes de Portugal. Ello no le obliga a limitar la índole de sus temas, que abarcan los más variados aspectos de la vida humana; menos le impide expresarse con absoluta libertad, con un lenguaje lleno muchas veces de sangrientas burlas y de satírica intención, que si empareja por un lado con el de Torres Naharro, recuerda por otro lado el de Erasmo, en la censura de ciertos vicios y abusos. Por cierto, se dice que Erasmo aprendió el portugués con la sola intención de conocer a Gil Vicente, cuyas obras le habían sido reveladas por Damián de

Goes. Es muy significativo que el genial poeta lusitano dejara de escribir en 1536, exactamente el año en que se implantó en Portugal el Tribunal del Santo Oficio.

Producción dramática

Comprende 42 piezas de varia extensión y tema. Recogida y publicada por su hijo Luis Vicente (la edición príncipe es de Lisboa, 1562), este mismo se encargó de clasificarla de una manera muy simplista: obras de devoción, comedias, tragicomedias, farsas y obras menores. En ello seguía un plan ya al parecer trazado por su padre. Luego se han ensayado clasificaciones más racionales: la del marqués de Braga obedece a un orden cronológico (cuatro períodos: 1502-1510, *autos*; 1510-1517, *farsas*; 1518-1525, *comedias*; 1525-1536, *tragicomedias*); la de Valbuena Prat, sin desdeñar el factor tiempo, sigue una línea de mayor a menor simplicidad: dos épocas, de 1502 a 1510 y de 1511 a 1536.

Nosotros, coordinando ambas, nos atrevemos a establecer la siguiente, advirtiendo que sólo mencionamos las piezas más importantes:

Autos: *Monólogos del vaquero* (1502), *Auto pastoril castellano* (1502), *Auto dos Reis Magos* (1503), *Auto de S. Martinho* (1504), *Auto dos cuatro tempos* (¿1509?), *Auto da fe* (1510), *Auto da Sibila Casandra* (1513).

Farsas: *Farça do velho da horta* (1512), *Farça dos Almocreves*, *Farça dos físicos*, *Farça de Inés Pereira*, etc.

Comedias: *Comedia del viudo* (1514), *Trilogía de las Barcas*; *Infierno, Purgatorio y Gloria* (1517, 18 y 19), *Comedia Rubena* (1521).

Tragicomedias: *Don Duardos* (1525), *Amadís de Gaula* (1533), *Floresta de engaños* (1536).

De toda esta producción, once piezas están en castellano; doce en portugués y el resto en un lenguaje mezclado de uno y otro. Ya se entiende que nos ocupamos principalmente de las primeras.

Autos y farsas

Los autos son piezas de carácter devoto, generalmente breves y de construcción simplicísima. Corresponde la primacía (1502) al *Monólogo de vaquero*, que, según la rúbrica, debió representarse con motivo del *parto da muita esclarecida rainha doña María, e nascimento do príncipe dom Joan o terceiro em Portugal deste nome*. Carece de acción; pero tanto gustó a la soberana este monólogo, que encargó a su autor otro sobre el nacimiento, para que se representase en Navidad. En uno y otro, así como en el *Auto pastoril*, la influencia de Encina es manifiesta. Siguen cronológicamente el *Auto de los Reyes Magos,* el de los *Cuatro tiempos,* en que se hace intervenir una divinidad mitológica, con un intento indudable de secularizar el género; el *Auto de la fe,* en que se mezclan por vez primera portugués y castellano; y el de *San Martinho,* el más breve del grupo [16], de escasa trama, como todo, reducida a contar las *charidades que o benaventurado fez ao Pobre, quendo partió a capa.*

Con el auto de la *Sibila Casandra* (1513), tan intensamente lírico, Gil Vicente se emancipa de influencias extrañas y empieza a mostrar su personal estilo. Fué representado ante la reina doña Leonor y «trata, según la rúbrica, de la presunción de la Sibila Casandra, que, como por espíritu profético supiese el misterio de la Encarnación, presumió que ella era la Virgen de quien el Señor había de nacer, y con esta opinión nunca más quiso casarse». Intervienen las cuatro sibilas, y con ellas Moisés, Isaías, Abraham y Salomón, pretendiente a la mano de Casandra. Hay un simbolismo que presagia en cierto modo el de los autos de Calderón; hay también una mezcla arbitraria de elementos paganos y bíblicos (la sibila es sobrina de Moisés y Abraham); hay anacronismos ingenuos: venerables personajes del Antiguo Testamento vestidos de pastores con zamarra y bailando con lugareñas; y hay, sobre todo, un raudal de poesía popular y fresca, que brota aquí y allí con incontenible ímpetu. Destaca la deliciosa cantiga:

> ¡Muy graciosa es la doncella!
> Digas tú, el marinero
> que en las naves vivías,
> si la nave o la vela o la estrella
> es tan bella.

Las farsas de Gil Vicente son cuadros costumbristas muy animados, de fondo cómico, lenguaje popular y tipos que apenas llegan a esbozarse: *Farça de quem te farelos,* con un galán enamorado que tañe la viola a la puerta de su dama, y a quien acompañan los perros y gatos de la vecindad; *O velho da horta,* en que se ridiculiza al labrador metido en años, que se desvive por las doncellitas que van a su huerta; *Farça dos físicos,* antecedente de Molière, sátira del médico pedante y justificación de un clérigo enfermo de amores; *Farça de Inés Pereira,* basada en el refrán: «Más quiero asno que me lleve, que caballo que me derribe.»

Comedias y tragicomedias

La *Comedia del viudo,* que abre la serie (1514), ofrece rasgos similares a la *Aquilana,* de Naharro. Menéndez Pelayo, que la califica de «graciosa miniatura», ve en ella el primer ensayo, luego tan repetido, del príncipe disfrazado por amor. El corazón de don Rosvel vacila entre las dos bellas hijas del viudo, hasta que otro príncipe hermano suyo resuelve el conflicto casándose con la menor. Todo es en esta comedia decoro y comedimiento; hasta el fraile, que viene a consolar al viudo, es, por excepción en Gil Vicente, un buen religioso.

No sucede lo mismo en la *Comedia Rubena,* desaliñada y tosca, aunque rica en materiales folklóricos. Gil Vicente ha sabido explotar todo el inmenso tesoro de supersticiones, ensalmos y conjuros del alma popular, para dárnoslo envuelto casi siempre en una atmósfera de misteriosa poesía. Subrayemos como una de las más bellas canciones líricas del teatro vicentino aquella de las *Lavrandeiras:*

> Halcón que se atreve
> con garza guerrera,
> peligros espera.
> Halcón que se vuela
> con garza a porfía,
> cazarla quería
> y no la recela.
> Mas quien no se vela
> de garza guerrera,
> peligros espera.
> La caza de amor
> es de altanería:
> trabajos de día,
> de noche dolor.
> Halcón cazador
> con garza tan fiera,
> peligros espera.

Punto intermedio entre el drama religioso y la comedia de sátira es la *Trilogía de las barcas,* «obra capital —escribe Valbuena Prat— en los orígenes del teatro peninsular, y que marca un triunfo completo en la personalidad poética y dramática de Gil Vicente». Responde a una transformación clásica de las viejas *Danzas de la muerte,* despojadas de su aparato lúgubre y revestidas de mayor intención satírica. El Renacimiento dió al género otras derivaciones, y Erasmo y Pontano lo remozaron. De ellos arrancan las nuevas versiones del tema. Pocos años más tarde reaparece en el *Diálogo de Mercurio y Carón,* de Alfonso de Valdés. La *Barca do inferno,* en portugués, se relaciona con el Caronte pagano. Gobernada por un diablo, van entrando en ella distintos tipos sociales: el *Fidalgo,* el *Sapateiro,* el *Onzeneiro* o usurero, la *Alcoviteira* o alcahueta, etc. La sátira del clero alcanza extremos increíbles: un fraile irrumpe en escena bailando con una moza; la celestinesca Brízida Baz quiere congraciarse con el ángel para que la deje subir a la barca de la Gloria, alegando que ella es «a que criava as meninas —pera os conegos da Sé». La *Barca do Purgatório,* también en portugués, ofrece contrastes de encantadora ingenuidad: la jovencita pastora que cree haber visto al demonio en el momento de morir; el niño que, al verlo, exclama: «Mãe, e o coco está allí.» Basada en la leyenda de que en la noche de Navidad nadie pasa al infierno, abunda en elementos líricos populares. Valbuena Prat señala concomitancias con *El gran teatro del mundo*, de Calderón. La *Barca de la Gloria*, única escrita en castellano, es la más cargada de intención satírica y acaso por esto también la que más se acerca al género de las «danzas de la Muerte». El diablo se queja de que sólo le lleva la Muerte para sus dominios a pobres desvalidos:

> No fué más que un caballero,
> y lo al pueblo grosero:
> dejaste los principales
> ....
> los grandes de alto estado,
> ¡cómo tardan en mi pasaje!

La Muerte le promete llevarle pronto los poderosos; y empiezan a afluir a la barca del diablo los magnates de la Tierra: un Papa, un emperador, un cardenal, un duque, un obispo, etc. Hay pasajes de hondo patetismo, como el desconsuelo del obispo ante la muerte:

> Muy crueles voces dan,
> los gusanos cuantos son;
> a dó mis carnes están,
> sobre cuáles comerán
> primero mi corazón.

De las tragicomedias *Don Duardos* y *Amadís*, interesa más la primera. Señala un punto crucial de la Edad Media y el Renacimiento, al entroncarse, por un lado, con los libros de caballerías —deriva de Primaleón—, y por otro, con los deseos galantes de la época renacentista. Dámaso Alonso, que la da por representada entre 1521 y 1525, subraya el contenido lírico-emotivo con que se nos presenta el amor entre don Duardos y la princesa Flérida, todo lo cual revela una vez más en Gil Vicente rara habilidad y fina penetración psicológica. Si el carácter de don Duardos apenas ofrece motivos de consideración, en cambio, el proceso amoroso de Flérida, en una línea ascensional que va del simple interés por el supuesto hortelano hasta la fuga en su compañía, suministra a la crítica no pocos elementos de estudio. He aquí el argumento:

Don Duardos, príncipe de Inglaterra, se presenta en la Corte de Palmerín, emperador de Constantinopla, en demanda de licencia para combatir con Primaleón, por haber dado éste muerte al esposo de Gridonia. La razón que invoca don Duardos en su reto es simplemente el código de la andante caballería. El combate queda cortado por Flérida, que se interpone entre los dos caballeros. Se intercala aquí, en un brusco corte de la acción principal, el episodio de Camilote y de Maimonda, su dama, encarnación de la fealdad [17]. Don Duardos se enamora de Flérida; tras una serie de aventuras, y para acercarse más a ella, se emplea como hortelano. Flérida se interesa por él, se enamora luego y decide al fin huir. Una vez embarcados, don Duardos le revela su personalidad.

Amadís de Gaula, la otra tragicomedia, recoge los amores de éste con Oriana y el episodio de la penitencia de Beltenebros en Peña Pobre. En pocas obras se acredita como en ésta el talento dramático de Gil Vicente: otro se hubiera perdido en la enmarañada selva de los libros de caballerías; él reduce la acción a dos o tres episodios de la vida de Amadís y nos los da llenos de calor humano, en una sucesión de escenas bellísimas, como aquella en que Oriana pide al correo noticias de su galán.

El lirismo de Gil Vicente

Menéndez Pelayo señaló la riqueza de elementos líricos de que está lleno el teatro vicentino, elementos a los que ya hemos hecho referencia y que acrecen su valor al fundirse con la poesía popular. En nuestros días, Dámaso Alonso ha insistido en este aspecto, reuniendo lo que pudiera llamarse el «Cancionero castellano de Gil Vicente», entresacado de su producción dramática. La consecuencia de ello ha sido una revalorización total del gran dramaturgo lusitano, que, después de esos estudios, se nos ofrece ya no sólo un autor teatral de primer orden, sin duda el mejor de su época en España y de su país en todos los tiempos, sino un poeta lírico comparable a Garcilaso, a fray Luis de León y a San Juan de la Cruz. Al lado de los tres los sitúa Dámaso Alonso, quien llega a decir que «a todos ellos vence en variedad; y a casi todos en intensidad, en cercanía al misterio intangible de lo poético».

Tiene Gil Vicente, aparte de las canciones líricas intercaladas en sus piezas teatrales, numerosas composiciones sueltas —epístolas, romances, etc.—, hechas conforme a los módulos del *Cancionero* de Resende. Citemos entre muchas la paráfrasis del salmo L y el *Pranto y testamento de María Parda*, que se hizo muy popular.

NOTAS

1. Así Valbuena Prat: *Historia de la literatura española*, I, cap. XXX. Hurtado-Palencia, por su parte, los agrupan en tres series: Asuntos bíblicos, Leyendas y vidas de santos y Alegorías.

2. Natural de Valencia. Se ignora la fecha de su nacimiento, que debe situarse a principios del XVI, ya que en 1540 lo encontramos en su ciudad natal, terminados sus estudios y de regreso de París, en cuya Universidad se había doctorado. Desempeñó cátedras de Hebreo y Sagrada Escritura; fué canónigo de la catedral valenciana y asistió al Concilio de Trento.

3. Poco se sabe de él: que era natural de Segovia; que publicó (1551) una comedia en redondillas sobre la historia de Santa Susana, y que se le viene identificando con Juan Rodríguez Alonso de Pedraza o Juan de Rodrigo Alonso, a quien se atribuye la obra anterior.

4. Natural del pueblo cuyo nombre lleva. Gozó de gran popularidad; un sobrino suyo, encargado de hacer la *Recopilación*, lo presenta como pariente de Torres Naharro. Rodríguez Moñino (*Teatro extremeño del siglo XVI*) le atribuye una *Tragicomedia alegórica del Paraíso y el Infierno* (Burgos, 1539), inspirada en la trilogía de las *Barcas*, de Gil Vicente.

5. Natural de Plasencia. Estudió filosofía, y parece que también la carrera eclesiástica. Agustín de Rojas, en su *Viaje entretenido*, le cita como *comediante*, lo que no se opone a su probable condición de clérigo, ya que ese nombre se daba tanto a los que hacían comedias como a los que las representaban.

6. Se le supone nacido en Toledo, si bien él siempre se nombra «vecino de Toledo» y no natural de allí. Notable jurisconsulto, fué padre del lexicógrafo Sebastián de Covarrubias y Horozco. Cejador le atribuye el *Lazarillo de Tormes*.

7. Utiliza Encina en sus Eglogas un vocabulario especial que, por corresponder al dialecto hablado en la comarca de Sayago, se viene llamando «sayagüés». Menéndez Pelayo opina que no se trata de una copia del habla comarcal, sino más bien de «una jerigonza literaria convencional» inventada por poetas cultos y puesta en boca de pastores y gañanes.

8.   La tierra es estéril y muy pedregosa...
Yo cierto la tengo por admiración
que aquélla haya sido la de Promisión;
con todo, la estimo por más que preciosa.

¡Oh tierra bendita do Cristo nació,
do grandes injurias por nos padeció,
pasiones, tormentos y, al fin, cruda muerte!
¡Mis ojos indignos ya llegan a verte!

9. *The spanish pastoral drama*, Filadelfia, 1915, y *The source of Juan del Encina Egloga de Fileno y Zambardo*, «Revue Hispanique», 1914. Por su parte, J. E. Gillet ha dado a conocer en la «Hispanic Review», vol. XI (1943), una *Egloga* compuesta en 1495 por Francisco de Madrid, secretario que fué de los Reyes Católicos. El propósito que anima a su autor es fundamentalmente político; bajo disfraz pastoril y con influencias del Encina de la primera época y hasta las *Coplas de Mingo Revulgo*, presenta las disensiones entre Carlos VIII de Francia y Fernando el Católico. Obra de circunstancias, cabe subrayar la actitud del personaje Evandro, probable intérprete del autor, encargado de aconsejar la paz entre los dos monarcas.

10. En la carta pontificia se le llama *clericus pacensis dioecesis*, y en la carta de Mesiniero se nos da el pueblo de nacimiento: *Ex oppido de la Torre; gente Naharro... Cuius fortuna a principio sati difficilis quoniam naufragio ab agarenis pro mancipio captus*, etc. Naharro era, sin duda, su nombre gentilicio, al que antepuso Torres en memoria de su pueblo natal.

11. Este don Bernardino de Carvajal fué el alma del Concilio o conciliábulo de Pisa, reunido contra Julio II, bajo la protección del rey de Francia. Carvajal, que había tenido doce votos para Papa en el Conclave de 1503, no se resignó, y, convertido en cabeza de un cisma, reunió primero la Asamblea de Pisa, y, como ésta no prosperase, persistió en su rebelión hasta la muerte de Julio II. El sucesor de éste, León X, le otorgó la absolución, devolviéndole a su gracia y restituyéndole el capelo después de haber abjurado solemnemente su error en el Concilio de Letrán (1513). Carvajal era extremeño y, por tanto, paisano de Torres Naharro. Vid. Menéndez Pelayo: *Estudios y discursos de crítica histórica y literaria*, II, «Bartolomé de Torres Naharro y su *Propalladia*», págs. 269-388. Es un excelente estudio no sólo de la obra, sino de la personalidad del dramaturgo extremeño.

12. La razón del título nos la da el mismo Naharro por dos veces: «I titulélas *Propalladia a prothon quod est primum et Pallade, id est, primae res Palladis*, a diferencia de las que secundariamente y con más maduro estudio podrían suceder.» Y en unos versos *A los lectores*:

Propalladia los llamé,
primeras cosas de Palas.

Justifica la mezcla de sus comedias con obra de diverso género en estas palabras: «La orden del libro, pues que ha de ser pasto espiritual, me parece que se debía ordenar a la usanza de los pastorales pastos; conviene a saber: dándonos por *antepasto* algunas cosillas breves, como son los capítulos, epístolas, etc.; y por principal *cebo*, las cosas de mayor subjecto, como son las comedias; y por *pospasto*, ansí mesmo algunas otras cosillas, como veréis.» Cada comedia lleva su *introito*, a la manera de las de Plauto y Terencio.

13. La invención del vocablo se la había adjudicado a sí mismo Juan de la Cueva en el *Exemplar poético* (1056):

A mí me culpan de que fuí el primero
que reyes y deidades di al tablado,
de la comedia traspasando el fuero;
que el un acto de cinco le he quitado,
que *reduci los actos en jornadas*,
cual vemos que es en nuestro tiempo usado.

14. Lo que no impide que en su *Tinellaria* el mismo Naharro introdujera 20 personajes. Pero ya se excusa diciendo que «el subjecto della no quiso menos; el honesto número me parece sea de seis hasta doce personas».

15. Para solemnizar la solemnísima embajada que envió al Papa León X el rey de Portugal, don Manuel el *Animoso*. Aunque destinada a un público italiano en su mayoría, fué escrita en lengua castellana, como un tributo a los portugueses que se supone conocerían nuestro idioma.

16. Sólo tiene 75 versos, en estrofas de arte mayor. Es curioso lo que nos dice su autor en la rúbrica: «Nao foi mais porque foi pedido muito tarde.» Se representó ante la reina doña Leonor el día del Corpus (1504).

17. Camilote presentá a su dama ante la Corte de Palmerín, intentando que se la proclame belleza sin igual. La fealdad de Maimonda y los ditirambos de Camilote excitan la hilaridad de los presentes, en particular de don Robusto, al que Camilote reta a singular combate. Le da muerte, así como a otros caballeros; pero el mismo Camilote muere a manos de don Duardos. El profesor Dámaso Alonso, que con tanta penetración ha estudiado el aspecto lírico de la obra vicentina, ve en este episodio un antecedente de *Don Quijote*.

BIBLIOGRAFIA

I. Textos: *Colección de autos, farsas y coloquios del siglo XVI*, ed. L. Rouanet, 4 vols., Barcelona, 1901; *Teatro español anterior a Lope de Vega*, ed. J. N. Böhl de Faber, Hamburgo, 1838; *Teatro español del siglo XVI*, ed. U. Cronan, «Soc. de Biblióf. Madrileños», vol. X, 1913. Un índice de obras teatrales se encuentra en el *Manual de l'hispanisant*, de Foulché-Delbosc, vol. I, Nueva York, 1920.—Estudios: J. Bernet y Durán: *Historia del teatro español*, 2 vols., Barcelona, 1924.—A. Bonilla y San Martín: *El teatro escolar en el Renacimiento español*, «Hom. a M. Pidal», III, 1925.—Leicester Bradner: *The Rise of Secular Drama in the Renaissance*, «Studies on the Renaissance», III, Austin, 1956.—M. Cañete: *Teatro español del siglo XVI*, Madrid, 1885.—E. Cotarelo y Mori: *Estudios sobre la historia del arte escénico en España*, 3 vols., 1896-1902.—J. P. Wickersham Crawford: *The Spanish Pastoral Drama before Lope de Vega*, Filadelfia, Univ. of Pensylvania Press, 1937.—C. Juliá Martínez: *La literatura dramática del siglo XVI*, «Hist. de las Liter. hisp.», III, 1951.—Engen Kohler: *Sieben Spanische dramatische Eklogen*, Dresde, 1911.—G. H. Lewes: *The Spanisch Drama*, Londres, 1846.—S. G. Morley: *Strophes in the Spanish Drama before Lope de Vega*, «Hom. a M. Pidal», I, 1925.—Casiano Pellicer: *Tratado histórico sobre el origen de la comedia y del histrionismo en España*, 2 vols., Madrid, 1804.—C. Pérez Pastor: *Nuevos datos acerca del histrionismo español en los siglos XVI y XVII*, Madrid, 1901.—Darnell C. Roaten y F. Sánchez Escribano: *Wölfflin's principles in Spanish Drama: 1500-1700*, Nueva York, Hispanic Inst. of Univ. States, 1952.—F. Sáinz de Robles: *Historia del teatro español*, Madrid, Aguilar Ed., 1943.—C. W. Törnegren: *Primordia artis scenicae Hispanorum*, Helsingfors, 1843.—Angel Valbuena Prat: *Historia del teatro español*, Barcelona, Edit. Noguer, 1956; *Literatura dramática española* (caps. I, II y III), Colec. Labor, 2.ª ed., 1950.

II. Texto: *Colección de autos, farsas y coloquios del siglo XVI*, 4 vols., Barcelona, 1901.—José M.ª Aicardo: *Autos anteriores a Lope de Vega*, «Razón y Fe», vols. V, VI y VII, 1903.—Manuel Cañete: Est. sobre el maestro Ferruz en *Teatro español del siglo XVI*, Madrid, 1885.—E. González Pedroso: *Autos sacramentales desde su origen hasta fines del siglo XVII*, «Bibl. de Aut. Españoles», XVIII.—Marcos A. Moriñigo: *El teatro como sustituto de la novela en el Siglo de Oro*, «Rev. Univ. Buenos Aires», I, 1957.—A. A. Parker: *Notes on the Religious Drama in Medieval Spain*, «Modern Language Review», XXX, 1936.—Carl A. Tyre: *Religious Plays of 1590*, Iowa City, 1938.—Bruce W. Wardropper: *Introd. al teatro religioso del Siglo de Oro* (La evolución del auto sacramental: 1500-1648), Madrid, 1953.—*La Farsa llamada Danza de la Muerte,* ed. en al. por F. Wolf, Viena, 1852; reed. «Colec. Doc. inéditos para la hist. de España», XXII, 1853, y «Bibl. de Aut. Españoles», LVIII, 1865.—A. BONILLA Y SAN MARTÍN: *Est. sobre Juan de Pedraza,* «Rev. Hisp.», 1912.—*Recopilación en metro,* de Diego Sánchez de Badajoz, ed. V. Barrantes, 2 vols., Madrid, 1882-1886.— J. LÓPEZ PRUDENCIO: *El Bachiller Diego Sánchez de Badajoz,* Madrid, 1915.—*Tragedia llamada Josefina,* de M. de Carvajal, ed. M. Cañete, «Biblióf. Madrileños», 1870; *Las Cortes de la muerte,* «Bibl. de Aut. Españoles», XXXV.— M. CAÑETE: Est. sobre Carvajal en las dos ed. anteriores.—JOSEPH E. GILET: *Michael de Carvajal: Tragedia Josefina,* Elliot, 1932.—*Comedia Tibalda,* de Luis Hurtado de Toledo, ed., est. prel. y notas de Bonilla y San Martín, «Bibl. Hispánica», XIII, 1903.—*Comedia de Preteo y Tibaldo,* por Perálvarez de Ayllón y L. H. de Toledo, est. comp. de la ed. príncipe por H. Seris (Est. en honor de Bonilla, II, 130).—*Cancionero de Sebastián de Horozco,* ed. «Soc. Biblióf. Andaluces». 1874; *Refranes glosados,* de S. de H., ed. Cotarelo, «Bol. Real Acad. Española», 1915-1916.—*Comedia pródiga,* de Luis de Miranda, reeditada por J. M. de Alava, «Biblióf. Andaluces», 1868.— L. ROUANET: *Bartolomé Paláu y su «Farsa llamada Custodia del hombre»,* «Arch. de Inv. Históricas», 1911.—SERRANO Y SANZ: *Bartolomé Paláu y su «Historia de Santa Librada»,* «Bol. Real Acad. Española», 1922.

III. Textos de Juan de la Encina: *Cancionero,* reprod. facsímil de la ed. de 1946 por la Real Acad. Española, Madrid, 1928; *Teatro completo,* ed. Real Acad. Española, Madrid, 1893; *Egloga de Plácida y Victoriano,* «Clásicos Ebro», XIX, 1948 (con est. y notas de E. Giménez Caballero).—JOSÉ CASO GONZÁLEZ: *Cronología de las primeras obras de Juan de la Encina,* «Archivum», Fac. de Letras de Oviedo, 1953.—G. CIROT: *A propos d'Encina. Coup d'oeil sur notre vieux drame religieux,* «Bull. Hisp.», XLIII, 1941.—J. M. CORRAL: *Juan de la Encina,* «Rev. Catól. de Chile», XXXIV, 1918.—E. COTARELO Y MORI: Introd. al *Cancionero de J. de la E.,* ed. facsímil de la R. A. E., Madrid, 1928.—J. P. CRAWFORD: *The source of Juan Del Encina's Egloga de Fileno y Zambardo,* «Rev. Hisp.», 1914. E. DÍAZ-JIMÉNEZ: *En torno a Juan de la Encina,* «Rev. 2.ª Enseñanza», Madrid, 1928; *Juan de la E. en León,* Madrid, Imp. Fortanet, 1909.—R. ESPINOSA MAESO: *Nuevos datos biográficos de Juan del E.,* «Bol. Real Acad. Española», VII, 1921.—F. FLORES GARCÍA: *Poeta y sacerdote (J. del E.),* «Ilustr. Esp. y Amer.», I, 1910.—E. GIMÉNEZ CABALLERO: *Hipótesis a un problema de Encina* (su nombre), «Rev. Filol. Esp.», XIV, 1927.—J. J. HERRERO: Disc. en la Real Acad. Bellas Artes sobre Juan del Encina.—R. H. HOUSE: *A study of Encina and the Egloga interlocutoria,* «Rom. Rev.», VII, 1916.—RAFAEL LUNA: *Juan de la Encina,* «Rev. Contemp.», XI, 1877.—MAZZEI: *Contributo allo studio delle fonti specialmente italiane del Teatro de Juan de la E.,* Lucca, 1922.—M. PELAYO: *Antologia de poetas líricos castellanos* (II, 221-97; III, 351-53; IV, 30-44; V, 232-314; etc.).—RAFAEL MITJANA: *Nuevos documentos relativos a Juan del Encina,* «Rev. Filol. Esp.», I, 1914.—ORTIZ GALLARDO: *Juan de la Encina,* «Sem. Pint. Esp.», 1852.—J. P. WICKERSHAM CRAWFORD: *The source of Juan del Encina's Egloga de Fileno y Zambardo,* «Revue Hisp.», XXXVIII.—T. WYZEWA: *Juan de la Encina y los orígenes del teatro español,* «Rev. de Deux Mondes», 1894.

IV. Textos de Lucas Fernández: *Farsas y Eglogas...,* ed. Real Acad. Española, 1867; reprod. en facsímil de las mismas *Farsas y Eglogas* (ed. 1914) por la Real Acad. Es-

pañola, 1929.—M. CAÑETE: Pról. a la ed. de 1867.—E. COTARELO Y MORI: Introd. a la ed. facsímil de 1929.—ESPINOSA MAESO: *Lucas Fernández. Estudio biográfico,* «Bol. Real Acad. Esp.», 1923. ·J. J. HERRERO: *Lucas Fernández,* disc. en la Real Acad. de Bellas Artes de San Fernando, Madrid.—MOREL-FATIO: *Notes sur la langue des «Farsas y Eglogas»,* de Lucas Fernández, «Romania», París, 1881.

V. Textos de Torres Naharro: *Propalladia,* ed. Manuel Cañete, est. de Menéndez Pelayo, «Libros de antaño», IX y X, Madrid, 1900; reimpr. facsímil de la 1.ª ed. por la Real Acad. Esp.», Madrid, 1926.—HERMENEGILDO CORBATO: *El valenciano en la «Propalladia», de Torres Naharro,* «Rom. Philology», Univ. of California Press, III, 1950.— JOSEPH E. GILLET: *Torres Naharro and the Spanish Drama of the sixteenth century,* «Est. en honor de Bonilla», II, 1930, y «Hisp. Review», 1937; *Torres Naharro's «Propalladia» and Other Works,* Pensilvania, 1943-1951 (3 tomos).—P. MAZZEI: *Contributo allo Studio delle fonti specialmente italiane del teatro de J. de la E. y de Torres Naharro,* Lucca, 1929.—MENÉNDEZ PELAYO: Pról. de la *Propalladia* en ed. de «Libros de antaño» (Madrid, 1900), en los *Estudios y discursos de crítica* (vol. II, págs. 269-77, ed. C. S. I. C.).—M. ROMERA NAVARRO: Est. de la comedia *Himenea,* «Rom. Review», XII, 1921.

VI. Textos de Gil Vicente: *Obras,* ed. facsímil de la de 1562, dirigida por J. M. Rodríguez, Lisboa, 1928; *Obras,* ed. Barreto Feio y Gomes Monteiro, Hamburgo, 1834; *Obras completas,* con pref. y notas del prof. Marques Braga, Lisboa, 1942-1944; *Teatro y poesia,* Colec. Crisol, Aguilar Ed., Madrid; *Auto da Barca do Inferno,* ed. C. David Ley, C. S. I. C., Madrid, 1946; *Tragicomedia de Don Duardos,* texto, est. y notas de Dámaso Alonso, «Bibl. Hispano-Lusitana», I, Madrid, 1942.—J. DE ANNUNCIADA: *Gil Vicente,* «Rev. Lus.», VI, 1900-1901.—R. D. BASSAGODA: *Gil Vicente. Notas y coment. para el est. de sus poesias líricas castellanas,* «Bol. Real Acad. Argentina de Letras», 1942. A. EDUARD BEAU: *Die «Barcas» des Gil Vicente,* «Romanischen Forschungen», LIII, 1939.—AUBREY F. G. BELL: *Gil Vicente,* Hispanic Society, Londres, 1921.—J. BERGAMÍN: *El arte dramático católico de Gil Vicente,* «Criterio», Madrid, 1929.—ANSELMO BRAACAMP FREIRE: *Gil Vicente, trovador, Mestre da Balança,* «Rev. de Historia», 1917-1918.—THÉOFILO BRAGA: *Gil Vicente e as origens do Theatro Nacional,* «Hist. da Litter. Port.», Porto, 1898.— JULIO DANTAS: *O espirito da reforma religiosa na obra de Gil Vicente,* «Bol. Acad. Esp.», XXIII, 1936.—FIDELINO DE FIGUEIREDO: *Gil Vicente,* «Hist. da Lit. Clás. Portuguesa», I, 1922-1923.—W. S. HENDRIX: *The «Auto da Barca do Inferno» and the spanish tragicomedia alegórica del Parayso y del Infierno,* «Modern Philology», 1916.—RICARDO JORGE: *A Intercultura de Portugal e Espanna no passato e no futuro,* 1921.—J. JOAQMÍN NUNES: *As cantigas paralelisticas de Gil Vicente,* 1910.—E. PRETAGE: *The Portug. Drama in the sixteenth century,* «Manchester Quarterly», XVI, 1897.—R. OUGUELLA: *Gil Vicente,* Lisboa, 1890.—O. DE PRATT: *Gil Vicente. Notas e comentarios,* Lisboa, 1931.— J. M. DE QUEIROZ VELOSO: *Gil Vicente e a sua obra,* Lisboa, 1913.—HIPÓLITO RAPOSO: *Centenario de Gil Vicente,* 1937.—BRITO REBELO: *Gil Vicente,* 1902.—I. S. REVAH: *Recherches sur les oeuvres de Gil Vicente,* Lisboa, 1951; *Deux «Autos» méconnus de Gil Vicente,* Lisboa, 1948.— A. J. SARAIVA: *Gil Vicente e o fim do teatro medieval,* Univ. Lisboa, 1942.—VITERBO SOUSA: *Gil Vicente,* «Arch Hist. Port.», 1903.—CAROLINA MICHAELIS DE VASCONCELOS: *Notas vicentinas,* «Rev. Univ. de Coimbra», I, 1912.

CAPITULO XXIV

TEATRO PRELOPISTA

I. PRINCIPALES TENDENCIAS.—II. INFLUENCIA ITALIANA: *Lope de Rueda. Vida y figura. Producción dramática. Comedias. «Pasos» y «Coloquios». Juicio crítico. Más dramaturgos de la escuela italiana: Timoneda, Alonso de Vega.*—III. TEA-TRO CLASICISTA: *Traducciones e imitaciones. Fray Jerónimo Bermúdez. Rey Artieda. Cristóbal de Virués. Otros imitadores de la tragedia clásica: L. Leonardo de Argensola, Gabriel Lasso de la Vega.*—IV. FORMACIÓN DEL TEATRO NACIONAL: *Juan de la Cueva. Vida y obras. Teatro. «El infamador». El «Exemplar poético».*—NOTAS.—BIBLIOGRAFÍA.

I. PRINCIPALES TENDENCIAS

Llamamos así, *teatro prelopista,* al que se desarrolla en España desde la muerte de Gil Vicente hasta el triunfo del drama nacional por obra de Lope de Vega. Abarca un período aproximado de unos sesenta años, durante el cual fermentan una serie de elementos que, asimilados pronto por el genio portentoso de Lope, plasmarán en el magnífico teatro español del XVII.

Las dos direcciones fundamentales, religiosa y profana, heredadas del período anterior, se enriquecen con nuevas aportaciones, que han de ser aprovechadas en distinta escala por los dramaturgos del XVII: llegada a España de compañías italianas, que nos ponen en contacto con la comedia de intriga y con los temas de los *novellieri;* creciente conocimiento de las culturas clásicas, que dan como consecuencia un intento más o menos frustrado de imitar esas culturas, no sólo en la lírica y en la prosa, sino también en los productos escénicos; persistente influjo de *La Celestina,* que, todavía rebasado el promedio del XVI, provoca algunas imitaciones dignas de recuerdo, y la vuelta a los temas de la historia y del alma nacional, que encuentran en Juan de la Cueva, a la vez que un intérprete notable, un antecesor inmediato del gran Lope de Vega. Resultado: tres o cuatro manifestaciones dignas de consideración, que pueden resumirse en los siguientes epígrafes: a) *teatro de influencia italiana;* b) *de influencia clásica;* c) *de tema nacional;* d) *de derivación celestinesca.*

II. INFLUENCIA ITALIANA: LOPE DE RUEDA

El influjo de las letras italianas en las nuestras, iniciado a fines del XIV por Imperial con la introducción del alegorismo dantesco, se va intensificando paulatinamente por una serie de causas ya estudiadas en su lugar: la Corte de Alfonso V de Aragón en Nápoles, conquistas de Fernando el Católico, etc. A ellas ha de añadirse el advenimiento al solio pontificio de Papas españoles, Calixto III y Alejandro VI, que favorece una corriente migratoria cada día mayor entre las dos penínsulas latinas. Esa corriente no se limita, como pudiera pensarse, a determinadas clases sociales, sino que las comprende todas: clérigos y seglares, nobles y plebeyos, hombres y mujeres. Todos los españoles de alguna cultura conocen la lengua toscana; y, al revés, «en Italia—nos dice Valdés en su *Diálogo de la lengua*—, así entre damas como entre caballeros, se tiene por gentileza y galanía saber hablar castellano».

La misma influencia que en la lírica, y casi por los mismos días, empieza a acusarse en el teatro. En Italia, ya lo hemos visto, perfecciona su técnica Juan del Encina; allí también escribe y representa casi todas sus comedias Torres Naharro. Cuando se celebra en Valladolid (1548) el casamiento de doña María, hermana de Felipe II, con Maximiliano de Hungría, se representa para solemnizarlo una comedia de Ariosto, con preferencia a las españolas. La influencia dramática corre, pues, pareja de la influencia lírica; con una diferencia: que ésta se desarrolla en principio dentro de círculos aristocráticos, y aquélla, en medios populares. Por España andaban, desde 1535 por lo menos, compañías italianas que introducen y extienden el gusto tanto por las representaciones clásicas (Maquiavelo, Ariosto, Cintio, Pazzi, etc.) como por la llamada *commedia dell'arte.*

No es de extrañar que el primer impulso de nuestros dramaturgos fuese el de imitar un arte que creían y era en verdad más perfecto que el suyo.

y que, además, respondía al anhelo de grandezas y aventuras que alentaba entonces en el alma de todos los españoles. «El teatro italiano les suministraba lances estupendos, pero que en aquel tiempo no eran imposibles: humildes hidalgos o artesanos que se despiertan un día marqueses o príncipes y dueños de inmensos territorios; jóvenes desheredados que se casan con ricas y nobles doncellas, muchachas al parecer de baja extracción y que resultan hijas de mercaderes opulentos; robos de niños y ataques de corsarios, que sirven para preparar situaciones de alto interés dramático» [1].

El primero que destaca en el género es LOPE DE RUEDA (m. ¿1565?), que a la imitación de comedias italianas une el cultivo y perfeccionamiento de otro tipo de teatro popular: los *pasos*.

Vida y figura

Tenemos de Rueda escasas noticias, algunas de ellas transmitidas por Cervantes. Debió de nacer a principios del XVI, en Sevilla, de familia artesana. Fué de oficio batihoja, y nada más sabemos de él antes de dedicarse al teatro. Escribía las comedias que él mismo representaba. Debió de recorrer con su compañía muchas ciudades de España. En 1551 y 52 trabajaba en Valladolid y el Ayuntamiento le asignaba un salario para que se avecindase en la ciudad; en 1554 lo contrata el conde de Benavente para que amenice las fiestas organizadas en honor de Felipe II, a su paso por Benavente, camino de Inglaterra; ese mismo año daba representaciones en Valladolid; en 1559 estaba en Sevilla, con motivo de las fiestas del Corpus; en 1561 en Toledo, por la misma razón. Antonio Pérez y Cervantes nos recuerdan haberlo visto actuar, probablemente en Madrid; su amigo y editor Juan de Timoneda afirma que estuvo en Valencia. Casó primero con una cómica llamada Mariana, mujer de extraordinario ingenio, y, a lo que se cree, de gran belleza, que antes había entretenido al tercer duque de Medinaceli, enfermo y retirado en su palacio de Cogolludo. Muerto el duque, y ya casado Rueda con ella, presentó demanda reclamando al sucesor los salarios de Mariana, habiendo tenido que abonar por este concepto el nuevo duque 60.000 maravedís. Contrajo segundas nupcias con Angela Rafaela (o Rafaela Angela), valenciana. Murió en Córdoba, en 1565, después de otorgar testamento por el que instituye a su esposa heredera universal.

Lope de Rueda tuvo una especie de biógrafo y apologista, el mayor que podía soñar: Cervantes. En el «Prólogo» de sus *Ocho comedias y ocho entremeses nuevos nunca representados*, nuestro primer novelista escribe: «Los días pasados me hallé en una conversación de amigos, donde se trató de comedias y de las cosas a ellas concernientes, y de tal manera las subtilizaron y atildaron, que, a mi parecer, vinieron a quedar en punto de toda perfección. Tratóse también de quién fué el primero que en España las sacó de mantillas y las puso en toldo [2], y vistió de gala y apariencia; yo, como el más viejo que allí estaba, dije que me acordaba de haber visto representar al gran Lope de Rueda, varón insigne en la representación y en el entendimiento. Fué natural de Sevilla y de oficio batihoja, que quiere decir de los que hacen panes de oro; fué admirable en la poesía pastoril, y en este modo, ni entonces ni después acá ninguno le ha llevado ventaja; y aunque por ser muchacho yo entonces no podía hacer juicio firme de la bondad de sus versos, por algunos que me quedaron en la memoria, vistos agora en la edad madura que tengo, hallo ser verdad lo que he dicho... En el tiempo de este célebre español, todos los aparatos de un autor de comedias se encerraban en un costal... Las comedias eran unos coloquios como églogas entre dos o tres pastores y alguna pastora; aderezábanlas y dilatábanlas con dos o tres entremeses, ya de negra [3], ya de rufián, ya de bobo y ya de vizcaíno, que todas estas cuatro figuras y otras muchas hacía el tal Lope con la mayor excelencia y propiedad que pudiera imaginarse... Murió Lope de Rueda y, por hombre excelente y famoso, le enterraron en la iglesia mayor de Córdoba.»

No se sabe a ciencia cierta dónde vió Cervantes trabajar a Lope de Rueda. Unos opinan que en Sevilla, otros en Valladolid; Cotarelo y Mori da como más probable que fué en Madrid.

Producción dramática

Fué impresa en su mayor parte por el librero valenciano, y amigo del poeta, Juan de Timoneda. En 1567, dos años después de muerto aquél, aparecen sus cuatro *comedias*, dos *coloquios pastoriles* y un *diálogo*. Ese mismo año se publica bajo el título *El Deleitoso* una colección de *pasos* y *entremeses*; y tres años más tarde (1570), otra colección del mismo tipo titulada *Registro de representantes*. El mismo Timoneda advierte que, a la vez que editor, ha sido corrector de estas obras. Hoy, gracias a la Real Academia Española de la Lengua, poseemos una edición muy completa de las piezas de Lope de Rueda conservadas. Esa edición comprende cinco comedias, tres coloquios, diez pasos, un diálogo, un auto y dos piezas más de dudosa atribución. Los títulos son éstos:

Comedias: (en prosa) *Eufemia, Armelina, De los engañados, Medora*; (en verso) *Discordia y cuestión de amor*.

Coloquios pastoriles: (en prosa) *Camila, Timbria*; (en verso) *Prendas de amor*.

Pasos: *Los criados, La carátula, Cornudo y contento, El convidado, La tierra de Jauja, Pagar y no pagar, Las aceitunas, El rufián cobarde, La generosa paliza, Los lacayos ladrones*.

Diálogo: *Diálogo sobre la invención de las calzas* (en verso).

Auto: *Auto de Naval y Abigail*.

Atribuídas: *Los desposorios de Moisés, La farsa del Sordo.*

Las comedias

Lo más representativo de esta producción se encuentra en las *comedias* y los *pasos*. La comedia de Rueda deriva inmediatamente de la italiana. Sabido es que por aquellos años cómicos italianos recorrían nuestra Península dando a conocer las piezas más típicas del repertorio de su país. Famosa en este orden fué la compañía de Alberto Naseli, apodado *Ganasa*. De ellos debió de tomar Rueda temas y estructuras. Llenando luego este marco de tipos y expresiones tomadas de la realidad nos ofreció unas comedias movidas, pintorescas y llenas de interés.

Los engañados procede probablemente de la comedia del mismo título de Cechi, representada en Milán (1547) ante Felipe II, todavía príncipe de Asturias; y con más seguridad se inspira en la también italiana y anónima *L'Ingannati*, estrenada en Sena (1531). Toda su trama se desarrolla en torno a un recurso muy repetido en el teatro: el parecido de dos personas, que ya trató Plauto en sus *Menechmos* y que Shakespeare aprovechó en *La comedia de las equivocaciones.*

Con mayor acumulación de elementos novelescos y una mezcla afortunada de lo serio y lo jocoso construyó Rueda su comedia *Armelina*, relacionada estrechamente con *Il servigiale*, de Cechi. Del carácter fantástico de la pieza dará idea la aparición de Medea evocada por un moro, o la de Neptuno que sale del mar para impedir el suicidio de la protagonista.

En *Medora* se vuelve sobre el tema de *Los engañados*, con la sola variante de tratarse ahora de personas del mismo sexo. Debió de inspirarse en *La ciganna,* de Giancarli (Mantua, 1545).

Dejando a un lado la *Discordia y cuestión de amor*, que nada tiene que ver con la novela semihistórica del mismo nombre y que se reduce a una pieza pastoril con la intervención de divinidades mitológicas, la mejor comedia de Lope de Rueda es sin duda *Eufemia*. He aquí el asunto:

Leonardo, hermano de Eufemia, desoyendo los consejos de ésta, sale de su patria (un lugar de Calabria) para buscar fortuna en el extranjero. Llega a Valencia, donde entra al servicio de Valiano, señor de baronías, ante quien en diversas ocasiones ensalza la hermosura y otras prendas de Eufemia.

Valiano decide conocerla y tomarla por esposa, si la realidad responde a la pintura que de sus virtudes ha hecho Leonardo; manda a su criado Paulo que la recoja y lleve a Valencia. Parte el criado y, envidioso de la privanza de Leonardo, urde una calumnia. Regresa a Valencia y asegura a Valiano que Eufemia es indigna de ser su esposa, alabándose de haber obtenido él mismo sus fa-

vores; en prueba de lo cual exhibe unos cabellos que dice haberle cortado del lunar que la dama tiene en un hombro, y que en realidad ha obtenido por mediación de Cristina, criada de Eufemia.

Furioso Valiano, manda encarcelar a Leonardo y condenarle a muerte. Enterada Eufemia de la calumnia y del peligro que amenaza a su hermano, se presenta en Valencia, donde se desenmascara al calumniador, a quien se aplica el castigo reservado al inocente. Valiano desposa con Eufemia.

El argumento enlaza con un cuento de Boccacio (9.º, II, Jornada del *Decamerón)*; lo repite Timoneda en la *Patraña* 15; Shakespeare, en *Cimbellino*; María de Zayas, en *El juez de su causa,* etcétera. Todas estas versiones parecen tener una fuente común oriental.

Los «Pasos» y «Coloquios»

Son los pasos obritas de escasa acción y de trama elementalísima, pero que, por su carácter netamente realista, se convierten en auténticos cuadros de costumbres. Una anécdota cualquiera, puesta en diálogo y llevada hacia un desenlace a un ritmo precipitado, les sirve de soporte. Su personaje principal es el *bobo*, predecesor del *gracioso* de la comedia del xvɪɪ.; y, haciéndole compañía lacayos, esclavas, negras, valentones, gitanas, etc. El *paso*, con una ligera evolución, se convertiría andando el tiempo en el *entremés* de Cervantes y de Quiñones de Benavente, y en el *sainete* de Ramón de la Cruz. Valbuena Prat prefiere las comedias de Rueda a los pasos, basando su preferencia en que las comedias tienen mayor trama, más acción [4]. Nosotros, siguiendo la opinión corriente, nos inclinamos por los pasos, en los que vemos más originalidad y mayor interés literario en cuanto manifestación inicial de todo un género llamado a tener brillante floración. Los más logrados son, para nuestro gusto, *La tierra de Jauja, El convidado, La carátula* y *Las aceitunas.*

La burla que hacen de Mendrugo los ladrones, robándole su cazuela de comida mientras escucha absorto las maravillas de la tierra de Jauja, es asunto del paso de este título; en Quiñones de Benavente encontramos el mismo argumento.

El paso de *La carátula* se basa en las burlas que hace del bobo Alameda su amo Salcedo, al convencerle de que una máscara hallada en el campo es la cara de un santero muerto días atrás por ciertos ladrones. El pobre Alameda se retira a hacer penitencia en una ermita.

El convidado se refiere a las tretas de un licenciado y un bachiller para eludir su compromiso de obsequiar a cierto huésped. Carentes de dinero para invitarle a comer, el licenciado se finge enfermo, pero inmediatamente se descubre el engaño. El huésped los deja, mientras los dos se quedan peleando. Recoge un suceso real ocurrido en Alcalá, según leemos en el *Crotalón,* obra de Villalón ya citada en otro lugar.

El paso más célebre de Rueda, y el mejor sin duda, es el de *Las aceitunas.* Su tema es de rancio abolengo: lo encontramos en el *Calila,* en el *Conde Lucanor* («Cuento de la Truhana»), etc. Don Juan Manuel le da la versión más popularizada, la de la «Fábula de la lechera». Lope de Rueda nos lo ofrece con este argumento:

Torrubio comunica a su mujer Agueda que ha plantado un renuevo de olivo. Hacen cuentas de la cantidad de aceitunas que podrán recoger; además, plantarán otros renuevos y pronto tendrán un hermoso olivar; ella cogerá las aceitunas; él las llevará al mercado; su hija Mencigüela las venderá. Discuten los esposos el precio a que ha de venderse el celemín; Mencigüela recibe órdenes contrarias; y, aunque promete complacer a los dos, a ella van a parar todos los golpes. La discusión atrae al vecino Aloja, que, enterado del motivo de la disputa, pide muestra de las aceitunas para poder tasarlas. Cuando se entera de que acaban de plantar los renuevos y que tardarán en dar fruto treinta años, procura apaciguarlos y ponerlos en ridículo.

Menos interesantes las otras piezas, la única destacable es el *Diálogo sobre la invención de las calzas.* En él se ridiculiza el afán de lucir calzas de inusitada magnitud, para lo cual procuraban ahuecarlas rellenándolas de esparto, paja y otros ingredientes. Quiñones de Benavente en *El guardainfante* ridiculizó la misma moda.

Juicio crítico

Rueda ha venido disfrutando a lo largo de los siglos y casi sin interrupción de una gran fama. ¿Merecida? Según Menéndez Pelayo, esa fama excede a la importancia real de su producción dramática y se debe en buena parte a los recuerdos personales que de él nos legaron Cervantes, Juan Rufo y Agustín de Rojas. La fábula de sus comedias es íntegramente italiana aunque él la aderece con ingredientes propios; sus coloquios pastoriles son de escaso valor y nada nuevo aportan; en cambio, ha de reconocerse que los *pasos* inauguran un género que tuvo luego mucha aceptación. «El mérito positivo y eminente de Lope de Rueda —escribe el mismo Menéndez Pelayo, después de señalar las fuentes de sus comedias—no está en la concepción dramática, casi siempre ajena, sino en el arte del diálogo, que es un tesoro de dicción popular, pintoresca y sazonada, tanto en sus pasos y coloquios sueltos como en los que pueden entresacarse de sus comedias. Esta parte episódica es propiamente el nervio de ellas. Es lo que admiró, y en parte imitó, Cervantes no sólo en sus entremeses, sino en la parte picaresca de sus novelas. Lope de Rueda, con verdadero instinto de

hombre de teatro y de observador realista [5], transportó a las tablas el tipo de la prosa de la *Celestina,* pero aligerándole mucho de su opulenta frondosidad, haciéndole más rápido e incisivo, con toda la diferencia que va del libro a la escena» [6].

Más dramaturgos de la escuela italiana

En otra parte (cap. XXII) hemos aludido al valenciano JUAN DE TIMONEDA (m. 1583), editor, colector de romances, narrador en prosa y dramaturgo, todo en una pieza [7]. Allí se habló de sus cuatro colecciones de romances (*Rosa de amores, Rosa española, Rosa gentil* y *Rosa real*) y de sus novelas escritas a imitación de las italianas, que culminan en *El patrañuelo.* Tócanos decir ahora dos palabras del autor de comedias, título que algunos le discuten, alegando que en las mejores de sus obras su papel es de simple adaptador. Imitó efectivamente o tradujo de Plauto el *Anfitrión* y los *Menemnos.* En 1564 aparece la *Tragicomedia llamada Filomena* [8], con una superposición de lo trágico y cómico y velado influjo de *La Celestina;* y al año siguiente (1565) recoge bajo el título de *Turiana* varios entremeses, pasos, farsas y comedias, interesantes desde el punto de vista clásico. Dignos de mención son también los *Ternarios sacramentales* que preludian los de Lope. Están repartidos en dos series: *Auto de la oveja perdida, Auto del castillo de Emaús* y *Auto de la Iglesia* (Ternario 1.°); *Auto de la fuente sacramental, Auto de los desposorios de Cristo* y *Auto de la fe* (Ternario 2.°). En la mayor parte de tales «auctos» se combina felizmente lo popular, que nunca se rebaja a lo plebeyo, con una fina lírica dimanante del texto evangélico. De todos estos autos, el más interesante es el de *La oveja perdida,* precedente, salvo las distancias de época y genio, del «auto» de Lope de Vega. Cristo, San Miguel, San Pedro, el Apetito y el Custodio, todos ellos disfrazados de pastores, son sus principales figuras. Se abre la pieza con la aparición del Custodio llevando a cuestas a la Oveja, que es seducida por el Apetito. El pastor Cristóbal (Cristo) halla a la Oveja malherida, la cuida y la restituye al redil. Los versos de Cristóbal, dentro de su tono popular, trascienden la más íntima emoción. La alegoría eucarística, propia de la festividad del Corpus, cierra el auto:

> Que debajo de sayal, Pascual,
> que debajo de sayal hay al.
> Hay el que siempre convida,
> y El mesmo se da en comida,
> por darnos, de muerte, vida
> en su reino celestial.

Cómico de la compañía de Lope de Rueda debió de ser ALONSO DE LA VEGA (m. a. de 1566) [9], cuyas tres comedias conocidas—*Tholomea, Tragedia Se-*

ràfina y *La duquesa de la Rosa*—fueron dadas a conocer por Timoneda en 1566. La simple onomástica de personajes y lugares en que se desarrolla la acción acusa claramente una procedencia italiana. La *Comedia Tholomea* repite el tema de la semejanza física de dos hombres; *Serafina* es una mezcla de elementos mitológicos y pastoriles, que desemboca en el suicidio de sus dos principales personajes; *La duquesa de la Rosa,* superior a las otras dos, se basa en una de las consejas más divulgadas en la Edad Media: la princesa (en la comedia, una infanta) acusada falsamente de adulterio condenada a la hoguera y salvada por la intervención de un paladín, que se disfraza de fraile y confiesa a la dama para mejor cerciorarse

de su inocencia. Hay varias versiones en nuestra literatura: de la emperatriz de Alemania y el conde de Barcelona, en la *Crónica de Desclot*; de la duquesa de Lorena, defendida por el rey don Rodrigo, en la *Crónica Sarracena,* de P. del Corral; la de la sultana de Granada, defendida por cuatro caballeros cristianos, relato episódico de las *Guerras civiles de Granada,* de G. Pérez de Hita, etcétera. Vega se inspiró en Bandello (novela 44 de la II Parte), a quien supera en algunos aspectos: sucesión de pasajes morbosos e idealización de la protagonista. Timoneda en sus *Patrañas* 1.ª y 7.ª trata de los mismos temas de *Tholomea* y *La duquesa de la Rosa* [10].

III. TEATRO CLASICISTA: TRADUCCIONES E IMITACIONES

La vena del teatro clásico penetra en nuestra literatura a últimos del xv o principios del xvi. Nuestros humanistas, al repasar el valioso legado de la antigüedad grecolatina, forzosamente tenían que parar su atención en los productos escénicos, estimables por tantos conceptos. Y ensayan su imitación, aunque como siempre a esos ensayos preceda una etapa de traducciones y adaptaciones. En tal etapa se pueden señalar dos corrientes, que coinciden con los dos géneros más cultivados en aquellas literaturas: la griega, casi exclusivamente de tragedias; y la latina, que, con excepción de Séneca, es casi siempre de comedias. Así había de ser, puesto que los latinos apenas nos legaron de sus grandes trágicos—Ennio, Pacuvio, Accio—sino breves fragmentos. Entre los traductores sobresale el médico Villalobos, que nos dió el *Amphitruo,* de Plauto, y Pedro Simón Abril, que hizo de las seis comedias de Terencio una versión considerada aún la mejor que del gran comediógrafo latino tenemos en nuestra lengua. Tradujo asimismo la *Medea,* de Eurípides. Entre los adaptadores ocupa el primer puesto Fernán Pérez de Oliva (¿1494?-1531), que, aparte de un arreglo del *Amphitruo,* acomodó al castellano la *Electra,* de Sófocles, con el título de *La venganza de Agamenón,* y la *Hécuba,* de Eurípides, con el de *Hécuba triste.* Pérez de Oliva se hizo más notable por sus diálogos, en los que destaca el de *El cardenal Martínez Silíceo, la Aritmética y la Fama.*

Tras este período inicial vienen las producciones originales. En ellas se sacrifica con frecuencia la sobriedad y grandeza antiguas a lo terrorífico y novelesco, de modo que no les queda de clásicas sino lo más externo o accesorio: el respeto a las unidades. Todavía, sin embargo, hay cuatro o cinco autores que nos dejaron obras dignas de mención: Jerónimo Bermúdez, Rey de Artieda, Lupercio L. Argensola, Lasso de la Vega y Cervantes, cuya tragedia *Numancia* se estudiará en su lugar.

Bermúdez y Rey de Artieda

Un dominico gallego, FRAY JERÓNIMO BERMÚDEZ (¿1530?-1599) [11], nos ofrece en sus *Nise lastimosa* y *Nise laureada* (Madrid, 1577) dos tragedias de corte clásico muy estimables, especialmente la primera. El ser mera refundición de otra pieza portuguesa, la *Inés de Castro,* de Antonio Ferreira, no le resta mérito, ya que Bermúdez supo imprimirle su huella personal, llenando varias escenas con acentos de intenso dramatismo: súplicas de doña Inés (en anagrama *Nise*) ante el Rey, diálogo de aquélla y el Coro, etc. Tiene también interés la *Nise* en el aspecto métrico: el endecasílabo suelto, que luego quedará como metro típico de la tragedia clásica y neoclásica, se adapta perfectamente a las incidencias del diálogo y al curso de la acción; y la estrofa sáfica, ensayada con fortuna en los coros, llegará hasta nuestros días. Pemán la emplea todavía, y muy acertadamente, en los coros de la *Antígona* y de *Edipo.* Consideradas por algunos las mejores muestras del género en el xvi—nosotros preferimos la *Numancia*—, es de subrayar en ellas el feliz encaje de un tema nacional dentro de módulos greco-latinos.

Inspirado en leyendas populares el poeta valenciano micer ANDRÉS REY DE ARTIEDA (1544-1613) [12] compuso y publicó (Valencia, 1581) su tragedia *Los amantes,* sobre el conocido episodio de Diego Marsilla e Isabel de Segura, anticipándose en el tratamiento del tema a Tirso de Molina, Pérez de Montalbán y al famosísimo drama de Hartzenbusch *Los amantes de Teruel.* Artieda, destacado poeta lírico al que se alude en otro lugar, debió de componer varias piezas dramáticas de las que sólo queda el título: *Los encantos de Merlín, El príncipe vicioso, Amadís de Gaula.* El profesor Julián Martínez lo ha situado como dramaturgo en ese plano vacilante, tan característico del teatro inmediatamente anterior a Lope de Vega, en que se comulga con las doctrinas de éste, pero no se decide a dar el paso definitivo hacia la nueva escuela. «Fué un precursor nada más.»

Virués

A Cristóbal de Virués (1550-1609) como poeta épico se le estudia en el capítulo correspondiente [13]. Agreguemos ahora que en su personalidad literaria se distinguen otros dos aspectos no menos importantes: el lírico y el dramático. En su obra poética encontramos sonetos a la italiana y composiciones de corte tradicional que lo colocan en un punto intermedio entre los innovadores y la escuela de Castillejo. Destaquemos en tal sentido la graciosa letrilla: «Deja Blas a Gila — que es una veleta.»

Más nos importan sus tragedias, publicadas tardíamente (Obras trágicas y líricas del capitán C. de V., Madrid, 1609), cuando había triunfado ya la reforma de la escena por obra de Lope de Vega. Son cinco: La gran Semíramis, La cruel Casandra, Atila furioso, La infelice Marcela y Elisa Dido. En ellas virtudes y defectos alternan por partes iguales y todos dimanan de la misma fuente: su afán de imitar a Séneca, que le lleva a lo novelesco. No comprende la verdadera esencia de lo trágico, que Virués suele hacer consistir en una acumulación de catástrofes. Aunque conocía sin duda el teatro helénico, su modelo preferido es Séneca, a quien copia hasta en los mínimos detalles: Atila furioso responde al Hercules furens. Virués nos dió en el «prólogo» [14] su ideología dramática. Según sus palabras, construía las tragedias conforme a dos principios o técnicas: sujeción a las normas grecolatinas, ya consagradas, y asimilación de los métodos modernos en busca de un teatro acomodado a su época.

En La cruel Casandra y en La infelice Marcela encontramos por primera vez dentro del teatro valenciano el tipo de mujer intrigante y poco escrupulosa en la elección de medios para el logro de sus deseos, tipo que habría de pasar al Guillén de Castro de la primera época. La gran Semíramis, concebida como pieza distinta en cada una de sus tres jornadas, prepara, con la complejidad de su acción y la acumulación de incidentes, un género de teatro muy cultivado en la época posterior. La mejor es Elisa Dido, basada sobre la infeliz reina de Cartago y construída, según el autor, «conforme al arte antiguo».

La leyenda de Dido tiene en la literatura dos versiones: a) Dido prototipo de mujer casta y esposa fiel, que guarda celosamente la memoria del difunto marido, hasta preferir el suicidio al casamiento en segundas nupcias con Hiarbas, rey de los getulios; b) Dido celosa y desesperada que, habiendo otorgado sus favores a Eneas, se suicida

con la propia espada del troyano, al no poder retenerlo. Aquí la pasión de Hiarbas pasa a segundo plano. La primera es la versión oficial de los historiadores Trogo y Justino; la segunda es la versión poética de Virgilio.

En nuestro teatro se han explotado las dos: Virués y Lasso de la Vega dramatizan a la Dido casta; Guillén de Castro y otros siguen la leyenda virgiliana. No falta quien, como Cubillo de Aragón, mezcla las dos para ofrecernos una comedia de enredo.

Más imitadores de la tragedia clásica

Interesante como poeta lírico y estudiado como tal en otro capítulo, Lupercio Leonardo de Argensola (1562-1613) [15] acentúa aún más la acumulación de elementos novelescos en su tragedias La Isabela y La Alejandra, dando la impresión de que busca el efecto trágico por el camino de lo terrorífico y sangriento. Cervantes tuvo en alta estima su Isabela, que elogia altamente en el Quijote a pesar de lo disparatado del argumento, confusa mezcolanza de la comedia de santos con el tema de moros y cristianos. Para nosotros no tiene más valor que el de sus frecuentes alusiones a lugares de Aragón, conocidos del poeta, y el de tal cual fragmento lírico que se nos ofrece como remanso en la intrincada selva de aventuras. Aún es peor La Alejandra.

Un avance sobre los anteriores, a la vez que una aproximación al teatro nacional iniciado por Juan de la Cueva por los mismos días, significa Gabriel Lasso de la Vega (1559-1610) [16], poeta olvidado, cuyas obras aparecieron en Alcalá (1587) con el título de Primera parte del romancero y tragedias. Tratando el mismo argumento que Virués, ofrece, no obstante, en La honra de Dido, restaurada mayor acción, una trama más hábilmente conducida y una técnica infinitamente más perfecta: sucesos que antes se narraban se presentan aquí directamente. Como en La gran Semíramis, de Virués, las tres jornadas se nos dan en forma de episodios desligados. Se introduce una polimetría característica del teatro del XVII; y una serie de elementos ajenos hasta entonces a nuestra escena y de recursos inéditos en la misma auguran el dinámico teatro de Lope de Vega. La descripción de Cartago, acosada por el hambre y sitiada, sugiere el recuerdo de análogas escenas de la Numancia cervantina. En la lírica Lasso de la Vega manifiesta preferencia por los temas clásicos: «Al dorado Rubicón», «Ya desampara Pompeo», «Después de haber Julio César», etc. También cultivó los temas medievales patrios: «Estando cumpliendo el Cid», «Después que Gonzalo Gustos».

IV. FORMACION DEL TEATRO NACIONAL:
JUAN DE LA CUEVA

El último paso hacia la constitución de un teatro típicamente español lo dió el sevillano JUAN DE LA CUEVA (1543-1610). Al volver su mirada a los temas de la historia nacional y al decidirse a llevar a la escena sucesos contemporáneos *(Comedia del saco de Roma)*, este dramaturgo, mediocre por la calidad de su producción, se convierte en una de las figuras claves de la dramaturgia española. Juan de la Cueva abre un camino que, seguido luego, consciente o inconscientemente, por Lope de Vega y sus continuadores, desemboca en el gran teatro español del Siglo de Oro.

Vida y obra

Gracias a la diligencia de Francisco A. de Icaza, conocemos la biografía, si bien muy incompleta, de este escritor. Nació en Sevilla (1543). Rondando la treintena (1574), pasó a Méjico en compañía de su hermano Claudio, que luego fué arcediano e inquisidor. A su regreso, en Sevilla, se dedicó al teatro, y en 1579 estrenó su primera comedia. La colección más antigua de sus obras dramáticas data de 1583; es anterior, por tanto, a la de Lope de Vega. Murió en 1610. En su obra narrativa *Historia de la Cueva* (inédita), y al estudiar el origen de este apellido, se dice que su familia venía nada menos que de la casa de Alburquerque.

Cueva cultivó diversos géneros: la épica en su *Conquista de la Bética* (Sevilla, 1603), sobre la liberación de Sevilla por San Fernando, obra de escaso valor literario; la historia, en la obra inédita que acabamos de mencionar; la preceptiva, en su *Exemplar poético* (1506), de excepcional interés para la historia de nuestro teatro; la dramática, en las obras a que luego aludiremos, y la lírica. Como poeta lírico nos ofrece en sus *Obras* (Sevilla, 1582) algunas composiciones no desdeñables de corte petrarquista, con predominio del tema erótico, tratado con cierta ingenuidad; y en el *Coro febeo de romances historiales* (Sevilla, 1587), calificados por Gallardo como «los peores que se leen en castellano», algún que otro acierto (véase el que empieza: «Bachiller de un solo libro») dentro de la línea tradicional.

Su producción dramática está integrada por 14 comedias y tragedias, cuyos títulos más representativos son:

De tema clásico: *Tragedia de Ayax Telamón, Tragedia de la muerte de Virginia, Comedia de la libertad de Roma por Mucio Scévola.*

De asunto nacional: *Tragedia de los siete infantes de Lara, Comedia de la libertad de España por Bernardo del Carpio, Tragedia de la muerte del rey don Sancho, Comedia del saco de Roma.*

Novelescas: *Comedia del infamador, La constancia de Arcelina, El viejo enamorado.*

Análisis del teatro

En las obras de inspiración clásica, cuyos temas aparecen claramente en el título, sigue sobre todo a Virgilio, Ovidio y Tito Livio. *Ayax Telamón* está tomada del libro XIII de las *Metamorfosis* ovidianas; *La muerte de Virginia*, superior a cuanto se había producido hasta entonces tanto en Italia como en España, deriva de Tito Livio. Es la primera versión de un tema que luego alcanzaría fortuna en el teatro universal: Alfieri, Tamayo, etc.

Aun en los dramas de asunto nacional se acusan aquí y allí influencias clásicas: la escena entre Haja y Zayda con que empieza la jornada III de *Los infantes de Lara* está imitada de Virgilio; las invocaciones y sortilegios de ésta y de otras comedias también son paráfrasis de autores latinos. Pero estos elementos clásicos no terminan de encajar en el teatro de Cueva, que se mueve mucho mejor entre las crónicas medievales y los romances legendarios. Este es su fuerte y su mérito principal: el haber visto en la historia patria y en el tesoro del romancero la mejor cantera de inspiración y sugestiones dramáticas. En tal sentido se le puede tener por el iniciador y, en cierto modo, el maestro y precursor de Lope de Vega, como quiere Icaza, aunque «en sus escritos no se nombraron jamás». La importancia de obras como *Los siete infantes de Lara, La muerte del rey don Sancho* y *Bernardo del Carpio*, examinadas desde este punto de vista y cualesquiera que sean sus defectos de construcción escénica, no necesita subrayarse.

En *El saco de Roma* se dramatiza con brío y ejemplar verismo un suceso contemporáneo. «Tiene dignidad de tragedia clásica—escribe Valbuena Prat—el cuadro de la desolación del saqueo» [17]. Y en las novelescas hay un verdadero alarde de libertad moral, al justificar el fratricidio por razón de Estado en *El príncipe tirano*; por amor, en *La constancia de Arcelina.*

«El infamador»

Exige una mención especial, aunque sólo sea porque ha sido señalado como el antecedente de *El burlador de Sevilla*, lo que vale tanto como decir de Don Juan. Fué estrenada, según el propio autor, en Sevilla (1581) «por el gracioso representante Alonso de Cisneros». El argumento se nos da al principio con estas palabras:

«Leucino, galán y hombre rico, se aficiona de Eliodora, la cual jamás quiso oír su razón, aunque persuadida con continuos recaudos. Visto por Leucino que ninguna cosa aprovechaba de ella, quiso por fuerza gozar de la doncella, la cual, viéndose asida de un criado de Leucino llamado Otelio, le sacó la daga y lo mató. Acudió la Justicia, y Leucino declaró haberlo muerto Eliodora, infamando su virginal vida. Ella declara ser verdad la muerte, y así llevada a la cárcel, y Leucino y Farandón, un criado suyo, también fueron presos por la declaración della; y por los testigos, que fueron Leucino y Farandón, fué condenada a muerte. Aclaróse la verdad y que ella lo había muerto por diferente causa de la que los testigos deponían, y fué libre, y Leucino y Farandón condenados a muerte y ejecutados.»

¿Qué hay de la supuesta relación entre esta pieza y *El burlador de Sevilla?* Para Hazañas y Francisco A. de Icaza, a quienes siguen los señores Hurtado-Palencia, tal relación no existe. Valbuena Prat, en cambio, la da por probada. «No hay en *El infamador*—escribe Icaza—un solo rasgo que le asemeje a don Juan en ninguna de sus formas tradicionales... Leucino es un difamador y nada más que un difamador... Nada logra si no es el castigo de sus intentos, y no es burlador, sino burlado. Por tanto, lo menos donjuanesco posible.» Valbuena, por su parte, afirma: «Con todas sus diferencias, Leucino es el único precedente prelopista del carácter del Tenorio» [18]. ¿Quién lleva razón? Convenimos con los señores Hurtado-Palencia en que por su argumento la obra de Juan de la Cueva en nada se parece a la de Tirso o Zorrilla; pero disentimos de ellos y de Icaza cuando afirman que los protagonistas de una y otra no tienen un solo rasgo común. En el Leucino de *El infamador* nosotros descubrimos, entre otras, las siguientes notas donjuanescas:

a) Leucino, como don Juan, proclama la omnipotencia del dinero. «Por mi riqueza lo que quiero veo...», dice aquél; y el Tenorio: «Con oro nada hay que falle.»

b) Leucino se vanagloria de someter a su capricho buen número de mujeres, atraídas por su riqueza; don Juan hace lo mismo, valiéndose del espejuelo de su noble prosapia.

a) Leucino y don Juan oyen frecuentes admoniciones sobre su conducta. «Ruego a Dios que no llores lo que intentas», le dice a aquél en cierta ocasión Tercillo, su paje; y la diosa Némesis le amonesta:

Quiero darte
aviso, aunque era justo castigarte.

d) Los dos son castigados con la misma pena, la muerte, que en la obra de Tirso lleva implícita la condena eterna. Esta circunstancia no podía darse en la de Cueva, por moverse en el terreno mitológico. Y los dos suplican inútilmente el perdón.

e) La posición de Corineo y de don Diego Tenorio, padres respectivamente de Leucino y don Juan, es idéntica respecto de sus hijos. Dice don Diego:

En premio de mis servicios,
haz que lo prendan y pague
sus culpas, porque del cielo
rayos contra mí no bajen...

Y dice Corineo, en presencia de la Justicia:

¡Calla, fiero, no pases adelante,
que lo dicho a mil muertes te condena
y al infierno el gran Júpiter tonante
te arroje a padecer eterna pena!

El «Ejemplar poético»

Nutrido con ideas de Argote de Molina y del italiano Ruscelli, publica Juan de la Cueva en 1606 su *Exemplar poético*, «especie de manifiesto literario en pro de la escuela de Lope de Vega», según el juicio de Menéndez Pelayo, y considerado por Walberg como la primera poética original escrita en verso y en lengua vulgar, en la Península Ibérica [19].

No entra en nuestro propósito investigar las fuentes del *Exemplar*. En todo caso, conviene no exagerar demasiado las influencias extrañas, como hace Walberg, quien llega a decirnos que Juan de la Cueva se limitó a transcribir en verso lo que otros habían dicho en prosa. Conocía Cueva, desde luego, los principales tratados españoles e italianos; llevaba en la uña a Horacio y Aristóteles, e indudablemente se propuso imitar la Epístola de aquél a los Pisones, puesto que nos lo quiso dar en verso, eligiendo para ello el terceto, metro muy indicado siempre para esta clase de obras. Pero no es un pedisecuo ciego de Horacio ni de nadie. Cuando hace falta piensa por su cuenta. Su defensa del teatro contemporáneo, encarnado por Lope de Vega, es significativa. Y la circunstancia de ser un dramaturgo de cierta altura quien formula esos preceptos da al *Exemplar* mayor interés. Muchos de ellos son comunes a los tratadistas de la época; otros encierran nueva doctrina. Por ejemplo, los que establecen innovaciones en el arte dramático, basándose en el cambio de gustos y de épocas; los que aconsejan el cultivo de los temas nacionales:

la invención, la gracia y traza es propia
de la ingeniosa fábula de España.

Se alaba de haber sido el primero en aprovecharse de la historia y de la tradición patrias para sus comedias, así como de haber reducido a cuatro los cinco actos de los dramas de su tiempo. Ni lo uno ni lo otro era exacto: en el aprovechamiento de temas nacionales se le había adelantado Bartolomé Paláu con la *Historia de Santa Orosia*; en la reducción de actos, Micael de Carvajal, citado en el capítulo anterior.

Un juicio definitivo, aunque quizá demasiado severo, de Juan de la Cueva ha sido formulado por Menéndez Pelayo: «La escasa cultura—escribe nuestro máximo crítico—, así como redujo sus comedias a embriones bárbaros y groseros, así le impidió fecundizar la idea del progreso en el arte y reducirla a sus justos límites. En la crítica, como en la poesía, tuvo intenciones, atisbos y vislumbres mucho más que concepciones enteras. Manchando la tabla a prisa, no acertó a ser del todo ni poeta erudito ni poeta popular, y como no dejó obra perfecta, sufrió la suerte de todos los iniciadores a medias, siendo olvidado y atropellado el día del triunfo por los mismos a quienes había franqueado el camino»[20].

NOTAS

1. EMILIO COTARELO MORI: Pról. a las *Obras completas de Lope de Rueda* (ed. Real Acad. Española), Madrid, 1908 (2 vols.).

2. «Quando una persona va con más pompa y autoridad de la que le pertenece—escribe Covarrubias en su *Tesoro*—, decimos que lleva mucho toldo.» Poner en toldo equivale a enaltecer: y en este sentido dice Lope de Vega en *El premio del bien hablar* (I, 2):

Para el toldo que ésta trae
son muy bajos sus principios.

3. El tipo de negra, que se inaugura con Rueda, es frecuente en los dramaturgos posteriores. Rueda la presenta con mucha naturalidad: «Ayá en mi tierra de Monicongo», nos dice una de ellas.

4. *Literatura dramática española*, Colec. Labor, 2.ª ed., 1950, pág. 90.

5. Su capacidad observadora y de asimilación del lenguaje popular se echa de ver por todas partes. He aquí un fragmento de *Armelinda*:

«INÉS.—Llégate acá, hija, santiguarte he esta cabeza. En el nombre sea de Dios, que no empeza el humo, ni el zumo, ni el redrojo, ni el mal ojo, torobisco, ni lantisco, ni ñublo que traiga pedrisco. Los bueyes se pacentaban y los ánsares cantaban. Por ahí pasó el ciervo prieto, por tu casa de cabeza rasa y dixo: No tengas más mal que tenga la corneja en su nidal; así se aplaque este dolor, como aquesto fué hallado en banco de tundidor.»

6. *Estudios y discursos de crítica histórica y literaria*, ed. C. S. I. C., vol. II, págs. 387-88.

7. Vid. datos biográficos en el mismo capítulo.

8. El tema frío y difuso, apartándose de lo clásico, se adelanta a las soluciones que le darán Guillén de Castro y Rojas Zorrilla, representantes respectivos de los ciclos de Lope y Calderón: solución feliz en Guillén, trágica en Rojas.

9. Escasos datos de su vida. Vecino de Sevilla, donde se encontraba en 1560, tomando parte en representaciones del *Corpus*; fallecido en Valencia antes de 1566. Su teatro ha sido estudiado por M. Pelayo: *Estudios y discursos...*, ed. C. S. I. C., vol. II, págs. 379-402.

10. Las *Patrañas*, de Timoneda, vienen encabezadas con estas dos redondillas:

Patraña 1.ª

Argentina y Tolomeo,
los dos por la penitencia,
vinieron a conoscencia
no haber hecho caso feo.

Patraña 2.ª

La duquesa de la Rosa,
siendo sin culpa culpada,
por justicia fué librada,
dándola por virtuosa.

11. Oriundo de Galicia. Fué profesor de Teología en la Universidad de Salamanca; viajó por España, Francia, Portugal y Africa .Murió en 1599.

12. Nació en Valencia en 1544, y no en 1549, como se viene diciendo. Así se acredita en una declaración del propio Artieda, prestada ante la Corte de Gobernación de aquella ciudad en 1575 y en que él mismo se reconoce de «edad de 31 any». De familia acomodada, estudió Leyes en las Universidades de Valencia y Lérida. A los veinte años gozaba fama de buen poeta. Gil Polo lo alaba en su *Diana enamorada*. Perteneció al Ejército con grado de capitán y fué herido en Lepanto. Era miembro de la Academia de los Nocturnos, ocultándose bajo el seudónimo de «Centinela». Murió el 16 de noviembre de 1613.

13. Vid. sus datos biográficos en el capítulo *Epica renacentista*. Agreguemos a ellos el retrato que nos hace de Garín al final del poema épico-religioso *El Monserrate*, y que, según testimonio de Matías de Vargas, corresponde a su propia fisonomía:

Fra Garín, de aspecto venerable,
aguileña nariz, enjuta cara,
alegre vista, dulcemente afable,
aunque con gravedad discreta y rara.
Blanco, rubio, dispuesto y admirable
compostura, que daba muestra clara
a la primera vista de ser dino
de mucho más que un pobre peregrino.

Cervantes lo alaba por triplicado: en el *Viaje del Parnaso*, en el *Quijote* y en la *Galatea* («Canto de Calíope»). Lope de Vega lo cita en *El laurel de Apolo* y en el *Arte nuevo de hacer comedias*:

El capitán Virués, insigne ingenio,
puso en tres actos la comedia que antes
andaba en cuatro como pies de niño.

Esto no es totalmente exacto: Francisco de Avendaño había escrito ya (1553) una comedia en tres actos.

14. La resume en estos términos:

«En este libro hay cinco tragedias, de las cuales las cuatro primeras están compuestas habiendo procurado juntar en ellas lo mejor del arte antiguo y de la moderna costumbre, con tal concierto y tal atención a todo lo que se debe tener, que parece que llegan al punto de lo que en las obras de teatro de nuestros tiempos se debería usar. La última, tragedia de Dido, va escrita toda por el estilo de griegos y latinos, con curiosidad y estudio. En todas ellas (aunque hechas por entretenimiento y en juventud) se muestran heroicos y graves ejemplos morales, como a su grave y heroico estilo se debe, y no menos se ve esta intención en las obras líricas, pues asimismo miran todas al punto que los versos piden de mezclar lo útil con lo dulce.»

15. Vid. sus datos biográficos en el capítulo *Lírica del XVII*.

16. Madrileño. Pertenecía al noble linaje de los condes de Puertollano y fué guardia armado de los «Continuos» de Felipe II y Felipe III.

17. *Literatura dramática española*, Colec. Labor, página 95.

18. *Ob. cit.*, pág. 96.

19. M. PELAYO: *Horacio en España*, II, pág. 50; WALBERG: *Juan de la Cueva et son «Exemplar poético»*, Lund, 1904.

20. Estudiada en el capítulo correspondiente la proyección de la *Celestina* en el teatro, sólo mencionaremos aquí a Luis de Miranda, cuya *Comedia pródiga* (Sevilla, 1554) combina hábilmente elementos derivados, sin duda, de la *Celestina* con episodios inspirados en la parábola bíblica de «El hijo pródigo». Hay aquí también criados, cuyos oficios se utilizan para alcanzar a la dama; un joven enamorado y, sobre todo, una alcahueta (Briana) de enorme parecido con la protagonista de la célebre tragicomedia de Rojas. En cuanto al autor, no se sabe sino que era natural de Plasencia; se desconocen fechas de nacimiento y muerte.

BIBLIOGRAFIA

I. Véase bibliografía del capítulo anterior (apartado I). Y además: N. DÍAZ DE ESCOBAR: *Análisis de la escena esp. correspondientes a los años 1551-1639*, Málaga, 1910-1914.—JOHN VINCENT FALCONIERI: *A History of Italian Comedians in Spain. A Chapter of the Spanish Renaissance*, «Dissertation Abstracts», Univ. Michigan, XII, 1952.—

CHARLES DAVID LEY: El «gracioso» en el teatro de la Península (s. XVI y XVII), Madrid, Edit. Rev. Occidente, 1954.—JOSEPH A. MEREDITH: Instroito and Loa in the Spanish Drama of the sixteenth century, Filadelfia, 1928.—ANTHONY M. PASQUARELLO: The «entremés» in sixteenth century spanish-american, «The Hispanic American Historical Review», XXXII, 1952.—L. ROUANET: Intermèdes espagnols du XVIe siècle, Paris, 1897.

II. Textos de Lope de Rueda: Obras, ed. Real Acad. Española, Madrid, 1908; Teatro, ed. «Clásicos Castellanos», pról. de Moreno Villa.—N. ALONSO CORTÉS: Un pleito de L. de R., Valladolid, 1903; Lope de Rueda en Valladolid, «Miscelánea Vallisoletana», 5.ª serie, 1930.—A. BONILLA Y SAN MARTÍN: Registro de representantes (L. de R.), «Clásicos de la Lit. Esp.», Madrid, 1917.—M. CAÑETE: Lope de Rueda, «Almanaque de la Ilustr. Esp. y Amer.», 1884.—F. CARRERES Y DE CALATAYUD: L. de Rueda y Valencia, «Anales Centro Cult. Valenc.», XVI, 1946.—E. COTARELO Y MORI: L. de Rueda y el tetatro esp. de su tiempo, «Rev. Arch., Bibl. y Museos», 1898; Pról. a la ed. de la Real Acad. Esp., Madrid, 1908.—W. H. CHAMBERS: The Seven Farce of Lope de Rueda, Londres, 1903.—M. FERRER IZQUIERDO: Lope de Rueda, Madrid, 1899.—Marqués de FUENSANTA DEL VALLE: Obras de Lope de Rueda, «Colec. Libros raros y curiosos», XXIII y XXIV.—ISMAEL GARCÍA RÁMILA: Una incógnita estancia del gran L. de Rueda en Burgos, «Bol. Real Acad. Esp.», XXXI, 1951.—J. MORENO VILLA: Pról. a la ed. «Clásicos Castellanos», 1924.—NORTHUP: Ten Spanish Farces, Boston, Nueva York, Chicago, 1922.—S. SALAZAR: Lope de Rueda y su teatro, Santiago de Chile, 1911.—J. SÁNCHEZ ARJONA: Noticias referentes a los anales del teatro en Sevilla desde L. de Rueda hasta fines del siglo XVII, Sevilla, 1898.—A. L. STIEFEL: Lope de Rueda und das Italianische Lustspiel, «Zeitscrift für Romanische Philologie», XV, 1891.—A. DE VALLON: La comédie espagnole, «Le Contemporaine», 1883.—E. VERES D'OCÓN: Juegos idiomáticos en las obras de L. de Rueda, «Rev. Filol. Esp.», XXIV, 1950. Textos de Timoneda: Obras completas, ed. Menéndez Pelayo, «Bibliófilos valencianos» (con sólo un tomo del teatro profano), 1911; Obras, ed. E. Juliá Martínez, «Bibliófilos Españoles», XIX, XXI, XXII, 1947; Dramas, «Bibliot. Autores Españoles», 2 y 58.—Textos de su obra narrativa, véanse en el cap. XXII, así como estudios de esa misma obra.—C. P. WICKERSHAM CRAWFORD: Notes on the «Amphitrion» and «Los Menemnos» of Juan de Timoneda, «The Romanic Review Quarterly», Nueva York, 1914.—J. E. GILLET: A Note on Timoneda, «Modern Lang. Notes», 44, 1919, y Timoneda's «Auto de la Quinta Angustia», id., id., id., 47, 1931.—F. G. OLMEDO: Un nuevo lernario de Juan de Timoneda, «Razón y Fe», 47-48, 1916.—Textos de Alonso de la Vega: Tres comedias, ed. Halle, 1905.—Referencias a Alonso de Vega en Noticias del teatro en Sevilla, de Sánchez Arjona, ed. cit. de 1898, y en Menéndez Pelayo: Estudios y discursos de crítica, vol. II, págs. 379-402, ed. C. S. I. C., 1942.

III. A. DE MONTIANO Y LUYANDO: Discursos sobre las tragedias españolas, Madrid, 1750-1753.—Para el teatro de Pérez de Oliva vid. P. HENRÍQUEZ UREÑA: Pérez de Oliva, La Habana, 1914, y también un est. sobre su obra dramática por el mismo autor en «Rev. Hisp.», XLIX, 1927.—

Textos de Jerónimo Bermúdez: en «El Parnaso español», de López Sedano, y en «Tesoro del teatro español», de Ochoa, I, París, 1838.—A. APRAIZ: Doña Inés de Castro en el teatro castellano, Vitoria, 1911.—C. P. WICKERSHAM CRAWFORD: The influence of Seneca's Tragedies on Ferreira's «Castro» and Bermúdez's «Nise lastimosa» and «Nise laureada», «Modern Philology», Chicago, 1914.—L. DE SARALEGUI: Estudios sobre Galicia (con referencias a J. Bermúdez), Coruña, 1888.—Textos de Rey de Arieda: Poesías, «El Parnaso español», de López de Sedano, I; Los amantes, ed. Carreres y Valle, Valencia, 1908.—E. COTARELO: Sobre el origen y desarrollo de la leyenda de «Los amantes de Teruel», Madrid, 1907.—E. JULIÁ MARTÍNEZ: Nuevos datos sobre micer Andrés Rey de Artieda, «Bol. Ac. Esp.», 1933.—F. MARTÍ GRAJALES: Est. y notas de la ed. de Carreres y Valle, 1908.—Para Cristóbal de Virués, poeta épico, consúltese bibliografía en cap. XVII. Para el dramaturgo: F. RODRÍGUEZ MARÍN: Cristóbal de Virués, «Bol. Real Ac. Esp.», IX, 1922.—CECILIA VENNARD SARGENT: A Study of the Dramatic Works of Cristóbal de Virués, Hispanic Institute, Nueva York, 1930.—La bibliografía de Lupercio Leonardo de Argensola véase en el cap. XXXIV, apartado IV. Para Argensola dramático consúltese: J. P. WICKERSHAM CRAWFORD: Notes on the Tragedies of L. L. de Argensola, «Rom. Review», 1914.

IV. Textos de Juan de la Cueva: De la ed. más antigua de las Comedias y tragedias (Sevilla, 1583) se conserva un ej. único en Viena. La ed. de 1580, que citan algunos, no ha existido nunca. Exemplar poético, en «El Parnaso español», de López Sedano, vol. VIII, ed. de E. Walberg, Lund, 1904. Conquista de la Bética, Madrid, 1795. Viaje de Sannio, ed. de F. A. Wulff «Acta Universitatis Lundensis», 1887. Comedias y tragedias, ed. de F. A. De Icaza, Madrid, 1917.—M. BATAILLON: Simples reflexions sur Juan de la Cueva, «Bull. Hisp.», 1935.—HIGINIO CAPOTE: La «Epístola» de Juan de la Cueva, «An. de Est. Amer.», IX, Sevilla, 1952.—J. E. GILLET: Cueva's Comedia del Infamador an Don Juan Legend, «Modern Language Notes», XXXVII, Baltimore, 1922.—CAMILLO GUERRIERI CROCETTI: Juan de la Cueva e le origine del Teatro spagnuolo, Turín, 1936.—F. A. ICAZA: Juan de la Cueva, «Bol. Real Ac. Esp.», IV, 1917; Sucesos reales que parecen imaginados de Gutierre de Cetina, Juan de la Cueva y Mateo Alemán, Madrid, 1919; prólogos a Juan de la Cueva en ed. de «Clásicos Castellanos», LX (2.ª ed., 1941), y a las Tragedias y comedias, ed. Madrid, 1917.—MENÉNDEZ PELAYO: Historia de las ideas estéticas, II, 259-62, ed. C. S. I. C.—E. S. MORBY: Notes on Juan de la Cueva: versification and dramatic theory, «Hisp. Review», VIII, 1940.—L. PFANDL: Studien zur Juan de la Cueva, «Archiv für das Studium der neueren Sprachen», vol. XLIX, 1931.—N. D. SHERGOLD: Juan de la Cueva and the early theatres of Seville, «Bull. of Hispanic Studies», XXXII, Liverpool, 1955.—G. SPERANDEO: Some aspects of Juan de la Cueva's Dramatic. Art, 1931.—E. WALBERG: Juan de la Cueva et son «Exemplar Poético», Lud, 1904.—BRUCE W. WARDROPPER: Juan de la Cueva y el drama histórico, «Nueva Rev. Filol. Hisp.», IX, 1955.—F. A. WULFF: Poèmes inédits de Jua de la Cueva, Lund, 1886-1887.

CAPITULO XXV

LITERATURA RELIGIOSA: MISTICOS Y ASCETICOS

I. ASCÉTICA Y MÍSTICA: *Conceptos discriminatorios. Cronología. Notas características. Clasificación.*—II. LOS PRECURSORES: *Osuna. Laredo. El Beato Ávila.*—III. ASCÉTICA DOMINICANA: *Fray Luis de Granada. Datos biográficos. Obras castellanas. El «Libro de la oración» y otros. El lenguaje de Granada.*—IV. ESCUELA FRANCISCANA: *Diego de Estella. Fray Juan de los Angeles. La Venerable Madre María de Agreda.*—V. MÍSTICA AGUSTINIANA: *Fray Luis, místico. El Padre Chaide. Otros místicos agustinos.*—VI. MÍSTICA CARMELITANA: *Santa Teresa de Jesús. Datos biográficos y humanos. Obras en prosa. El «Libro de la vida». Las «Fundaciones». El «Camino de perfección». Las «Moradas». Obra poética. Fuentes, elaboración y lenguaje. San Juan de la Cruz. Vida y hombre. Obras. El «Cántico espiritual». El poeta.*—VII. ASCÉTICOS Y MÍSTICOS JESUÍTAS: *San Ignacio. Padre Alonso Rodríguez. La Puente .Nieremberg. Otros.*—VIII. MÍSTICOS HETERODOXOS: *Valdés y Molinos.*—IX. MÍSTICA AMERICANA: *Sor Juana Inés de la Cruz. Datos biográficos. Poesías. El lado místico.*—X. EL «SONETO A CRISTO CRUCIFICADO».—NOTAS.—BIBLIOGRAFÍA.

●

I. ASCETICA Y MISTICA

Simultaneando con la lírica y la épica, estudiadas en los capítulos anteriores, y anticipándose en varios decenios al apogeo del teatro y la novela, se desarrolla en España otro género especial «por el que nuestra lengua ha merecido—dice Menéndez Pelayo—ser llamada lengua de ángeles». Acabamos de calificarlo de género, y acaso no alcanza esa categoría, sino que deba ser más bien considerado como una manifestación especial de la llamada literatura religiosa, si bien por la profusión y brillantez de las obras que produjo y por la excepcional calidad de muchas de ellas, merece un capítulo aparte no sólo en la historia literaria, sino en toda historia de la cultura. Nos referimos a la Mística y la Ascética.

Conceptos discriminatorios

De ordinario estos dos nombres—Mística y Ascética—van unidos en todo estudio de nuestras letras, aunque corresponden a dos grupos de creaciones perfectamente diferenciadas en su contenido y finalidad. Mientras la Mística tiene como esencia y objetivo final la unificación con Dios en la plenitud de la fe y del amor, la Ascética se nos ofrece con un fondo didáctico y formativo del alma para el mejor ejercicio de las virtudes. «La palabra Mística—escribe Sainz Rodríguez, tomándolo del padre Seisdedos—sólo debe aplicarse para designar las relaciones sobrenaturales secretas, por las cuales eleva Dios a las criaturas sobre las limitaciones de la naturaleza, y las hace conocer un mundo superior al que es imposible llegar por las fuerzas naturales... Es una gracia extraordinaria,

cuya concesión depende exclusivamente de la voluntad divina. En cambio, la Ascética es producto de la actividad humana. Deriva esta palabra del verbo griego $\overset{\text{'}}{\alpha}\sigma\kappa\overset{\text{'}}{\epsilon}\omega$, que significa *ejercitarse*, y precisamente en esto consiste su contenido, pues es el período de la vida espiritual en que por medio de ejercicios, mortificaciones y oración logra el alma purificarse, purgarse o desprenderse del afecto a los placeres corporales y a los bienes terrenos.»

El ir juntas obedece a que en la literatura se manifiestan también simultáneas y como resultado de aquella fusión entre lo humano y lo divino, que en ningún país se ofrecen tan decididamente unidos como en el pueblo español. Flor tardía por naturaleza y que en ninguna literatura brota por su propia y espontánea virtud, sino después de larga elaboración intelectual, aparece en nuestra patria cuando ya había dado su perfume y frutos en otros países—Francia, Holanda, Alemania, Italia—; pero se manifiesta con tal vigor y lozanía que en vano le buscaríamos parangón en otra literatura. Nada menos que 3.000 libros de este género ha podido señalar Menéndez Pelayo, ateniéndose al repertorio bibliográfico de Nicolás Antonio. Verdad es que no todos ofrecen auténtico valor literario. Pero, aun descontadas las tres cuartas partes por ser de índole didáctica o de simple explicación de verdades religiosas, dogmas y principios teológicos o morales, todavía nos queda una lista nutridísima de tratados—verso y prosa—de carácter místico unos, ascético los más, que nos obligan a prestar particular atención a esta manifestación literaria.

Pfandl, que ha dedicado a su estudio singular atención [1], destaca un hecho significativo y que revela la extraordinaria difusión alcanzada por tales obras: del inventario realizado en la biblioteca de J. Jacobo Fugger, resulta que entre los 300 libros de habla española, reunidos en la década 1562-1572, más de la tercera parte son obras ascéticas y de edificación.

¿Qué influencia ejerció esta literatura entre los contemporáneos? Según Menéndez Pelayo, el movimiento místico fué mucho menos popular de lo que se suele suponer, ya que el sentido práctico de los españoles les inclinaba más bien al honesto ejercicio de las virtudes cristianas que al estado contemplativo. Existe el testimonio fehaciente del padre Alonso Rodríguez, quien en su famoso *Tratado de la Perfección* (cap. IV) pregunta: «¿Entiende alguien esto? Yo, por mi parte, declaro francamente que no entiendo nada.» Pero el ilustre jesuíta se refiere, sin duda, a la terminología estrictamente mística, privilegio de una aristocracia espiritual limitadísima, ya que por otros testimonios se sabe que, en cambio, los tratados de ascética andaban en todas las manos.

Cronología

Su momento de máxima floración coincide con el apogeo político de España y va vinculado estrechamente a aquella segunda mitad del siglo XVI, en que el espíritu religioso de la raza se siente exarcebado por la Reforma y lanzado a su máxima tensión, en un alumbramiento prodigioso de héroes y de santos: Ignacio de Loyola, Teresa de Jesús, Francisco Javier, Juan de Dios, Pedro de Alcántara y tantos otros.

Su duración, harto efímera según unos, es alargada por otros hasta abarcar dos centurias. Pfandl da por finiquitado el movimiento místico en el reinado de Felipe II. «En el siglo del *Buscón* y de *La pícara Justina,* del *Criticón,* de Gracián, y de las novelas de la Zayas y Sotomayor, la mística, considerada como una disposición de ánimo de la época, ya no es más que un remoto pasado.» Menéndez Pelayo, por el contrario, nos habla de «una escuela que estuvo en constante vigor de producción durante dos siglos». Situándose en el punto medio, Sainz Rodríguez le concede una vida relativamente larga, del 1500 al 1660; pero de estos çiento sesenta años, advierte, «sólo cincuenta son de producción que ofrece características nacionales».

Caracteres de la mística española

Nadie ha sabido señalarlos con tanta exactitud como Sainz Rodríguez, quien distingue dos clases de notas: objetivas o externas e intrínsecas. Entre las primeras señala: carencia manifiesta de tradición medieval, salvo el probable influjo luliano, y la posible, aunque escasa, influencia semítica; cronológicamente es la última de las grandes manifestaciones de la mística colectiva; se produce al final de la Reconquista, en un ambiente de exaltación de las virtudes y de la fe religiosa, convertidas en ideal político, coincidiendo con este fenómeno el choque de una serie de doctrinas filosóficas y religiosas; la escuela más castiza y representativa supone una armonía o concordia de las dos tendencias extremas de la mística universal; reviste en los mejores escritores un alto valor estético y expositivo. Estas cualidades expositivas contribuyen a su difusión y popularidad; en fin, predomina lo ascético sobre lo místico, y mientras aquélla, la ascética, se manifiesta en una tradición ininterrumpida, la mística es relativamente breve y transitoria.

Como características internas anota: una doctrina ortodoxa, mantenida firmemente en contraste con las otras literaturas místicas de Europa, que derivan hacia el panteísmo; nuestros místicos consideran imposible la unión de las sustancias y sólo creen en la unión de la voluntad; persistente seguridad en la afirmación del libre albedrío; e íntimamente ligada con esta doctrina del «libero arbitrio», la del *animismo.* Afirmación, por tanto, de la necesidad de las «obras» para la salvación del alma; mística activa, con gran calor humano, que se traduce en obras de caridad para el prójimo. De aquí ese misticismo profundamente moralista, que tan bien armoniza y se conjuga con la índole de nuestra filosofía nacional, en la que siempre ha predominado—recuérdese a Séneca—la ética sobre la metafísica. Misticismo psicológico más que ontológico, experimental más que doctrinal, con irresistible tendencia al moralismo. No el de las filosofías decadentes (pitagóricos, alejandrinos), esotérico y misterioso, sino popular, dirigido a la masa, a cuya educación tiende. De aquí el uso frecuente, casi con preferencia, del lenguaje vulgar. De aquí también el empleo de la metáfora y alegorías plásticas. Por ello los místicos ocupan lugar tan destacado en nuestra literatura. Ellos son los primeros en salir a la defensa de la lengua vulgar (piénsese en el Prefacio del *Tratado de la Magdalena,* de Malón de Chaide), considerándola apta para la expresión de las ideas más profundas. Ya fray Luis de León afirmaba: «No sé otro romance del que me enseñaron mis amas, que es el que ordinariamente hablamos.» Este volver sus ojos al lenguaje popular, esta decidida apología de la lengua vernácula frente a la casi absoluta supremacía del latín, en un generoso intento que recuerda el de Du Bellay en Francia por aquellas fechas, es lo que, de paso, aseguró a la mística y ascética españolas su extraordinaria difusión.

Clasificación

Se ha intentado ordenar a los escritores místicos en dos grupos: ortodoxo y heterodoxo. Pero dada la escasa lista de éstos—Juan de Valdés, Molinos y algún otro menos importante—ha terminado por prevalecer sobre el temático un criterio empírico, y es ya corriente clasificarlos por órdenes religiosas. Menéndez Pelayo justifica esta agrupación basándose en «la fidelidad con que en el seno de cada una de estas (órdenes) se iban heredando las tradiciones de virtud y de ciencia, y hasta de escuela filosófica y de formas literarias». El da cinco grupos como más destacados:

Ascéticos dominicos, cuyo prototipo es fray Luis de Granada.

Ascéticos y místicos franciscanos, serie muy numerosa, en que descuellan los nombres de San Pedro Alcántara, fray Juan de los Angeles y fray Diego de Estella.

Místicos y ascéticos agustinos, con fray Luis de León, el beato Orozco, Malón de Chaide, Fonseca, etcétera.

Místicos carmelitas, con San Juan de la Cruz, Santa Teresa, Jerónimo Gracián y otros.

Ascéticos y místicos jesuítas, tales como el padre Alonso Rodríguez, La Puente y Nieremberg.

Todavía, en un estudio de carácter exhaustivo, habría que dedicar sus correspondientes apartados a los miembros de otras órdenes religiosas, a los clérigos seculares y a los laicos.

Nuestra exposición se va a ajustar en lo posible al cuadro que acabamos de esborzar, con una breve alusión liminar a los que podemos llamar «precursores» de la escuela ascético-mística española.

II. LOS «PRECURSORES»

De tiempo atrás todos los grandes escritores místicos europeos eran conocidos y leídos en España. Con la invención de la imprenta y su rápido establecimiento en la Península la lectura se intensifica. Antes de terminar el siglo xv se imprime el *Kempis* o *Imitación de Cristo* en Zaragoza y Sevilla, y obtiene en veinte años por lo menos seis ediciones. También se editan profusamente las obras de Gerhard de Zütphen, Ludolfo de Sajonia, H. Herphius, del holandés Ruysbroeck y de los italianos Serafino di Fermo y Santa Catalina de Sena. Todo ello va preparando un clima propicio al mayor florecimiento de la escuela mística española.

En sus comienzos, y todavía bajo el influjo de los escritores extranjeros, de los que no acierta a desprenderse del todo, se nos ofrece con exceso especulativa y teórica. Así la encontramos en los libros de Hernando de Talavera (*Doctrina de lo que debe saber todo cristiano*), Juan de Dueñas (*Remedio de pecadores*), Pablo de León (*Guía del cielo*) y Alonso de Madrid (*Arte para servir a Dios*). Pronto echa a andar por sus pasos y adquiere naturaleza propia; aquella ascética de los libros se convierte en ascética del corazón y nuestros grandes místicos empiezan a contarnos a su modo personales y altísimas experiencias.

La mística española ha adquirido ya su perfil personal en Francisco de Osuna, Laredo y el beato Juan de Avila.

El «Abecedario espiritual», de Osuna

Francisco de Osuna (1497-¿1542?)[2] fué un religioso franciscano, que a los treinta años (1525) publica su *Primer abecedario espiritual,* al que habían de seguir otros cinco más, constituyendo una obra monumental, no sólo por su extensión y la originalidad de su doctrina, sino por la extraordinaria difusión que alcanzó y porque habría de servir luego de pauta a la mayor parte de los escritores del género. Santa Teresa tenía en gran estima el libro de Osuna. Con motivo del regalo que le hizo su tío Pedro de un ejemplar del *Tercer abecedario,* la eximia reformadora escribía: «Holguéme mucho con él y determinéme a seguir aquel camino con todas mis fuerzas» (*Vida,* cap. IV); todavía se conserva en el convento de Carmelitas de San José de Avila el ejemplar usado por la Santa y subrayado en los más importantes pasajes por su propia mano.

Osuna es un escritor más empírico que especulativo; en su doctrina no va más allá del recogimiento o la contemplación, es decir, no pasa de los primeros grados, sin acercarse a la *vía unitiva.*

«Subida del Monte Sión»

El que da un gran avance en este sentido es otro franciscano, FRAY BERNARDINO DE LAREDO, religioso lego en un convento próximo a Sevilla. En la *Subida del Monte Sión por la vía contemplativa* (1535) hace Laredo elevarse al alma creyente hasta la unidad absoluta con Dios en la oración. Sus fuentes son San Buenaventura, Herphius y Ricardo de San Víctor, lo que indica que todavía, al menos en su génesis, la doctrina mística era de inspiración extranjera. El salto de la tendencia quietista y preferentemente contemplativa a la mística de acción y de la voluntad lo da briosamente el beato Juan de Avila.

El beato Avila

JUAN DE AVILA (1500-1569)[3] es el verdadero apóstol, que no se conforma con santificarse a sí mismo, sino que aspira de paso a ganar almas para Dios. Sale de la celda a la calle; busca la plaza pública y recorre aldeas y ciudades andaluzas en incansable apostolado. Tenía hambre de almas para el cielo. El mismo decía que, al subir al púlpito, lo hacía como el halcón de caza que, según las viejas reglas de la cetrería, ha de ser soltado hambriento. Encarnación genuina del impulso activista de nuestra mística, para él la tranquila contemplación apenas tenía valor, si no se traducía en obras. «No habla palabras—decía su contemporáneo Antonio de Vieira—, sino obras; no enseña lo que dice, sino lo que hace.» No es de extrañar que San Ignacio, todo también celo de Dios y fiebre de apostolado, le admirase y fuera asiduo lector de sus obras. Entre éstas sobresalen el *Epistolario espiritual*, conjunto de 140 cartas dirigidas a personas de la más varia condición y estado (San Juan de Dios, San Ignacio, el duque de Gandía, la duquesa de Arcos, la condesa de Feria, etc.), que son consideradas como el más alto exponente del género epistolar después de las de Santa Teresa, y el tratado *Audi, filia, et vide* (1560), comentario de los versículos 11 y 12 del Salmo XLIV, en que son de destacar los capítulos que dedica a las falsas revelaciones y peligros del seudomisticismo[4].

Como orador el beato Avila es considerado el mejor de su siglo después del padre Granada. Literariamente se distingue por un tono de simpática llaneza, de sabroso casticismo, lleno de giros y locuciones populares, y por un lenguaje sencillo, espontáneo, de gran expresividad y del más asombroso realismo. Continuamente acude a comparaciones tomadas de la vida que le rodea para dar más fuerza a lo que dice:

«¿Quién contará el callar que es menester para los niños, que de cada cosita se quejan, el mirar no nazca invidia por ver ser otro más amado o que parece serlo, que ellos? El cuidado de darles de comer, aunque sea quitándose el padre el bocado de la boca, y aun dejar de estar entre los coros angelicales por descender a dar sopitas al niño?...»

Alma templada duramente para arrostrar las tempestades de la vida, no sólo no las teme, sino que las mira con gesto despectivo, mezcla de estoicismo senequista y de ascetismo cristiano; y hasta se burla de ellas con un donoso gracejo que recuerda al de Santa Teresa:

«¿Pensaba vuestra reverencia—escribe a un religioso, probado por la persecución—que no había de andar a solas, sin carretilla y sin que mano ajena le tuviese por la suya? ¿Todo había de ser comer manjar de niños, papitas y leche?... Si no fuese porque veo a vuestra reverencia penado, cuán de buena gana, oyéndole quejar y temblar, me reiría yo, como quien oye a un niño llorar y temblar, porque le han asombrado con un león de paja o con una máscara.»

III. ASCETICA DOMINICANA: FRAY LUIS DE GRANADA

En realidad no se puede hablar de místicos dominicos, porque los más conspicuos escritores de esa Orden cultivan casi exclusivamente el aspecto ascético. Entre ellos sobresalen: el gran orador y teólogo PADRE MELCHOR CANO (1509-1560), que tradujo del toscano al español el *Tratado de la victoria de sí mismo*, y como teólogo ha inmortalizado su nombre con el *De locis theologicis*; el PADRE ALONSO DE CABRERA (¿1549?-1595), cordobés, elocuente orador que, en sus *Consideraciones sobre todos los Evangelios de la Cuaresma* (Córdoba, 1601), revela un vocabulario abundante afeado por el abuso de textos latinos; y, sobre todos, el más grande de los oradores sagrados de España, PADRE FRAY LUIS DE GRANADA.

Datos biográficos

Nace fray Luis de Granada en la ciudad de su nombre (1504), de padres oriundos de Galicia. Su verdadero nombre era Luis de Sarriá. Quedó huérfano muy niño, y casi en la indigencia: su madre era una humilde lavandera de los dominicos de Santa Cruz. El conde de Tendilla, que tiene ocasión de conocer su vivacidad en una disputa infantil, lo toma bajo su protección, y le nombra paje o preceptor de sus hijos. En 1525 profesa en los Dominicos; en el Colegio de San Gregorio de Valladolid conoce a los más destacados religiosos de su Orden: fray Luis Bartolomé Carranza, Melchor Cano, etc. En Córdoba, cuyo convento de Porta Caeli restaura, se le ofrece ocasión de admirar y tratar al beato Juan de Avila. Pasa buena parte de su vida en Portugal, donde desempeña algunos altos cargos, entre ellos el de Provincial de su Orden; renuncia a la mitra de Viseo y al arzobispado de Braga para consagrarse a la predicación, en la que brilla como la máxima lumbrera de España y Portugal. De carácter ingenuo, se deja engañar por las falsas llagas de una monja del convento de la Anunziata de Lisboa; pero advertido su error, le inspira uno de sus más bellos escritos, el *Sermón de las caídas públicas*, sobre el pecado de escándalo. Admirado de todos, muere octogenario (1588).

Existe, entre muchos, el curioso juicio de Felipe II, que fué a escucharlo con motivo de su visita a Lisboa, en 1581: «Por ser tarde—escribe en carta a sus hijas—no tengo tiempo de deciros más sino que ayer predicó aquí, en la capilla, fray Luis de Granada, y muy bien, aunque es muy viejo y sin dientes...»

Obras castellanas

Fray Luis de Granada escribió obras en latín y en portugués, lenguas que conocía a fondo. Aquí sólo nos interesan las castellanas, que son numerosas:

Libro de la oración y meditación (Salamanca, 1554); *Guía de pecadores* (Lisboa, 1556); *Introducción al símbolo de la Fe* (Salamanca, 1583); *Memorial de la vida cristiana* (Lisboa, 1561); *Adiciones al Memorial* (1574); *Trece sermones*; *Meditaciones muy devotas* (1574); *Compendio y explicación de la doctrina cristiana* (1559); *Compendio de la doctrina espiritual.*

Tiene también varias biografías (del Beato Avila, de fray Bartolomé de los Mártires, etc.), algunas traducciones (entre ellas el *Contemptus Mundi o Imitación de Cristo*, de Tomás de Kempis, y la *Escala espiritual*, de San Juan Clímaco).

El «Libro de la oración» y otros

El *Libro de la oración y meditación* (Salamanca, 1554), inspirado en otro de igual título de San Pedro de Alcántara, pero con el sello personal, inconfundible, de Granada, es un compendio de meditaciones sobre la oración, la limosna, el ayuno, las penitencias...

El *Memorial de la vida cristiana* (Lisboa, 1561) nos presenta una filosofía del Amor divino, con experiencias místicas. Las *Adiciones* (1574) completan la anterior exposición con un fino análisis de la voluntad. Las *Biografías* acusan la mano del autor, aunque son más bien semblanzas o simples apuntes. La *Retórica (Libri sex ecclesiasticae rhetoricae)* recoge la doctrina oratoria de los clásicos grecolatinos, especialmente Cicerón y Quintiliano, con lo que aspira a formar el perfecto orador cristiano.

La «Guía de pecadores» y el «Símbolo de la Fe»

Mención aparte merecen por su categoría literaria y por la difusión que alcanzaron la *Guía de pecadores* y la *Introducción al Símbolo de la Fe*.

La *Guía de pecadores* (Lisboa, 1556) constituye un hermoso tratado de ascética en que se señala al alma pecadora el mejor camino hacia Dios. Se exponen los peligros del mundo, la vanidad de las glorias terrenas, los remedios para evitar cada pecado, la mortificación de los sentidos y la práctica de las obras de misericordia. El autor, en páginas brillantes exalta la grandeza de Dios y los títulos que a Él nos obligan: creación, redención y predestinación. De estilo desigual y que se resiente del tono oratorio inseparable del padre Granada, la *Guía* sigue siendo uno de los libros clásicos de la literatura ascética y el mejor de su autor después del *Símbolo de la Fe.*

La *Introducción al Símbolo de la Fe* (Salamanca, 1583) señala la máxima altura de fray Luis de Granada como escritor y pensador cristiano. Es a la vez una Teodicea, una Teología cristiana y una Apologética. Consta de cuatro partes: primera, descripción del mundo, del hombre y tratado de la creación y de la Providencia; segunda, apologética, trata de las excelencias de la Fe, corroboradas por la historia y el martirologio cristiano; tercera, estudia el misterio de la Redención, en sus frutos y figuras, y cuarta, examina el mismo misterio a la luz de las profecías. Llama la atención el sentimiento de la naturaleza, expresado con finos toques no superados por otro escritor. Un amor infinito hacia los seres naturales—obras de Dios, al fin—, hombres, animales y plantas, lleva a Granada a ponerlos casi siempre como ejemplos en unos análisis psicológicos que revelan en el autor sensible temperamento.

El lenguaje de Granada

Menéndez Pelayo nos habló de la «vehemencia y el arranque oratorio» del padre Granada, señalando a la vez sus mayores méritos y defectos. Toda la obra de este escritor se resiente, en verdad, de cierto inmoderado lujo expresivo. No hay que olvidar que Granada es, ante todo, orador y orador del más alto vuelo. Será, sin embargo, injusto no ver en él asimismo un consumado artífice del lenguaje, de léxico abundante, original, vivo. Con sus giros y metáforas originales Granada ha suministrado al idioma nuevos recursos. Entre sus buenas cualidades destacan: el sentimiento estético de la naturaleza, que le hace precursor de Saint-Pierre, un dominio pleno de los recursos expresivos, una riqueza exuberante de vocabulario y una aptitud sorprendente para el análisis. Sus mayores defectos son: falta de unidad y de plan, exceso de retórica y desigualdad del estilo, trabajado unas veces con nimia escrupulosidad y descuidado otras hasta el abandono.

IV. ESCUELA FRANCISCANA

La nota afectiva que arranca del *Poverelo*, de Asís, y sigue una línea ininterrumpida con Jacopone, San Buenaventura y demás escritores de la Orden, es también la que predomina en los místicos franciscanos españoles.

Preparada la Escuela por fray Alonso de Madrid, Osuna y Laredo, aludidos ya en este mismo capítulo, culmina con San Pedro de Alcántara, fray Diego de Estella, fray Juan de los Angeles y la venerable sor María de J. de Agreda.

San Pedro Alcántara y el P. Estella

DIEGO DE ESTELLA (1523-1578) [5], en el mundo Diego Ballestero, figura como uno de los grandes oradores y directores espirituales de su tiempo. Tiene la *Vida, loores y excelencias de San Juan Evangelista* (1554) y el *Tratado de la vanidad del mundo* (1565); su obra capital son las *Cien meditaciones devotísimas del Amor de Dios* (1578), que inspiraron a San Francisco de Sales su tratado sobre la misma materia. El estilo del padre Estella es seco, árido y afeado por el exceso de citas y textos latinos; pero se hace estimar por su claridad y método expositivo.

Mas que por su valor literario, casi nulo, debe traerse aquí el recuerdo de SAN PEDRO DE ALCÁNTARA (1499-1562), por la influencia que ejerció, tanto con su vida como con sus obras, en nuestros más relevantes escritores místicos: fray Luis de Granada, Santa Teresa, etc. El *Tratado de la oración y meditación* (1540), basado en el *Abecedario espiritual*, de Francisco de Osuna, es una mezcla de doctrina reflexiva y de sentimiento intuitivo, en virtud de la cual se señala al alma el mejor camino para llegar a la unión íntima con Dios, a través de la *meditación* y de la *contemplación*. Por la una se pesan las razones; por la otra se levantan los afectos. Una busca, la otra encuentra; una es medio, la otra término. Y el amor de Dios es la suma y coronamiento. Esta aspiración al místico amor de Dios adquiere una interpretación todavía más profunda en la obrita *Petición especial de amor de Dios*.

Fray Juan de los Angeles

Los libros más bellos sobre el Amor divino salieron de la pluma de otro humilde franciscano, FRAY JUAN DE LOS ANGELES (¿1536?-1609) [6], a quien Menéndez Pelayo da la palma entre los escritores de su Orden.

Sus obras principales son:

Triunfos del amor de Dios (1590), que refundió y amplió en su *Lucha espiritual y amorosa entre Dios y el alma* (1600); *Diálogos de la conquista del espiritual y secreto reino de Dios* (1595); *Manual de la vida perfecta* (1608), continuación del anterior, redactado en forma de diálogo entre Maestro y Discípulo; *Consideraciones espirituales sobre el Cantar de los Cantares* (1607); *Tratado de los soberanos misterios de la Misa* (1604), y *Vergel espiritual del alma religiosa* (1609).

En todos estos libros se casa felizmente una gran erudición profana con conocimientos profundos de nuestra religión. Su lectura es continuo deleite para el lector, por la suavidad de lenguaje y abundancia de doctrina. El eje de ésta en todas las obras de fray Juan de los Angeles es el *amor*; pero no entendido de una manera seca, sino amor fruitivo, unitivo, en cuanto nos lleva a Dios. Su método es eminentemente psicológico, en un atrevido sondeo de todos los afectos del alma humana. Si Granada mira al exterior, a la Naturaleza, y por ella quiere que el hombre ascienda a Dios, fray Juan de los Angeles se sumerge en lo más íntimo del alma, alumbra sus recovecos y escondrijos y en todas partes encuentra razones para el Amor divino. «Quien tiene sciencia del amor, la tiene de todo el bien y el mal del hombre, de todos los vicios y virtudes, de su felicidad y perdición; y quien esto ignora, dése por ignorante de todo género de bien o mal que toque al hombre.»

Muy influído por los místicos, especialmente por Tauler y por Ruysbroeck, busca siempre a Dios en la contemplación íntima del alma. Su lenguaje es, ya se ha dicho, abundante, y de una maravillosa suavidad, que convierte cada uno de sus tratados en «un río de leche y miel» (Menéndez Pelayo).

La venerable madre Agreda

Casi no nos atrevemos a calificar de mística a una famosa escritora de la misma Orden franciscana, cuyas obras alcanzaron extraordinaria difusión dentro y fuera de España. Aludimos a la venerable madre SOR MARÍA DE JESÚS DE AGREDA (1602-1665) [7], llamada en el mundo María Coronel. «Monja seudomística», dice Pfandl, y no sin razón.

Tres obras nos ha dejado la madre Agreda, dos de ellas de literatura devota y otra de carácter político: la *Escala*, la *Mística ciudad* y las *Cartas* al rey Felipe IV. La *Escala* es un breve tratadito de ascética sin grandes aspiraciones. Mucho más importante son las *Cartas*, que en número de un centenar recogen la larga correspondencia de la autora con Felipe IV, en el período comprendido entre los años 1643-1665. El monarca, al regreso de un viaje a Zaragoza, quiso detenerse en Agreda para conocer a sor María de Jesús, de quien había oído contar cosas sorprendentes. Tan encantado salió de la conversación con la monja, superiora entonces del convento de Franciscanas Concepcionistas de aquella localidad, que desde el mismo instante la tomó por consejera, aunque no siempre siguiera sus indicaciones. El epistolario, cuya edición íntegra nos dió Francisco de Silvela en 1885 [8], revela en el monarca un espíritu indeciso y pusilánime que, desesperado de toda salvación para sus reinos por la vía natural, ha terminado por poner sólo en Dios su confianza; y descubre en la monja, al lado de esa natural inexperiencia de la mujer que apenas ha salido de la celda, una sagacidad y firmeza poco comunes, a la vez que la fe más ciega en los destinos de su patria. «Esta navecilla de España—escribe—no ha de naufragar jamás, por más que llegue el agua al cuello.» Valdría la pena confrontar tales declaraciones con las que hacían por los mismos días, y aun algo antes, esos grandes escritores del Barroco que se llaman Quevedo y Saavedra Fajardo.

Otra cosa es la *Mística ciudad de Dios*, escrita entre 1650 y 1665, aunque no publicada hasta un lustro más tarde (1670). Se trata de una original mezcla de libro devoto y de novela piadosa, de relato bíblico y de exaltadas confidencias místicas. Esta obra de ingentes proporciones, en que se narra con toda clase de detalles, más o menos imaginarios, la vida de la Virgen aun antes de nacer [9], obtuvo la mayor estimación de los españoles. Nada menos que dieciséis ediciones de ella

se conocen correspondientes a los últimos años del XVII y primera mitad del XVIII. El manuscrito llena ocho gruesos tomos, y la obra impresa tres enormes volúmenes en folio. Ello indica con qué meticulosidad cumplió la madre Agreda su oficio de biógrafa de la Virgen. Capítulos hay como aquel en que nos cuenta con toda clase de pormenores la estancia de María en el seno de Santa Ana, que hicieron soliviantarse, y no sin razón, al severo Bossuet. En su afán de precisar, llega a decirnos que la Madre de Dios murió un viernes, 13 de agosto del año 55, a la edad de sesenta y nueve años y once meses. Amort y Chaillot dieron buena cuenta de estas falsas o al menos fantásticas revelaciones, que tan poco favorecen a la causa de la religión [10]. Lo único que salva a sor María de Jesús de Agreda es la rectitud de su intención y una simpática sencillez e ingenuidad que trasciende casi siempre al lenguaje.

V. MISTICA AGUSTINIANA

Por los mismos cauces de doctrina fundamentalmente amorosa, aunque con mayores influencias platónicas—consecuentes siempre con la dirección filosófica de su santo Fundador—, discurre la Mística agustiniana. Unos cuantos escritores de alta talla, como son Santo Tomás de Villanueva, fray Pedro de Vega, fray Hernando de Zárate y el Beato Orozco, van preparando el camino y formando la gran escuela que alcanzará su apogeo en fray Luis de León y fray Pedro Malón de Chaide.

La mística de fray Luis de León

Del eximio poeta agustino ya se habló por extenso en el capítulo dedicado a la lírica renacentista. Allí quedó también esbozada su figura de poeta, prosista y exegeta bíblico. Sólo resta añadir aquí que su formación, eminentemente platónica, y su fervoroso sentimiento cristiano le impulsaban de un modo necesario hacia las regiones puras del misticismo. En fray Luis, búsquelo él deliberadamente o no. se transparenta siempre un fondo místico: su lira da las notas más profundas y emocionadas precisamente cuando deja hablar a su corazón, henchido de emoción religiosa. Cuando más se aparta de Horacio, de Petrarca o del Bembo, para aproximarse a David, más grande poeta se nos revela. El hombre que acertó a verter al castellano, con la fidelidad de forma y fondo que vimos en su lugar, algunos salmos de la Biblia; el alma que, ante el espectáculo de la noche estrellada, prorrumpe en aquel grito nostálgico:

¿Cuándo será que pueda,
libre de esta prisión, volar al cielo?...

es que lleva metida en lo más hondo la nostalgia de Dios y del más allá...

Dígase si se quiere, como lo hace Pfandl, que el misticismo de fray Luis en sus poesías religiosas es más bien de carácter platónico o teresiano o franciscano. Nadie podrá negarle una auténtica experiencia mística, siquiera en esa experiencia no haya alcanzado aquel último grado a que hubieron de ascender espíritus privilegiados, como Teresa de Jesús y Juan de la Cruz. A estas poesías, sin duda, se refería Ganivet cuando afirmaba que las hay tales en nuestros místicos que «igual da comenzar por el fin que por el principio, porque cada verso es una sensación pura y deslizada como una idea platónica».

Otro carácter tienen, desde el punto de vista que estamos esudiando, sus obras en prosa. Aunque Cejador lo ha llamado «el último de los místicos del glorioso reinado de Felipe II», la verdad es que no puede clasificársele como tal de manera absoluta. Es una mística, por decirlo así, ecléctica, que procura reducir a unidad multitud de experiencias y doctrinas, acaso más ajenas que propias. Ni en *Los nombres de Cristo* ni en *La perfecta casada* se nos revela como un ascético, en el sentido estricto de la palabra. En ninguno de estos libros, ya estudiados antes por nosotros en su aspecto literario, como tampoco en la *Exposición del Libro de Job*, se nos da un sistema ascético definido. Fray Luis no inventa teorías nuevas, ni explana otras ya formuladas sobre la oración, la meditación o la práctica de las virtudes. Es un asceta activo; sigue el camino de la perfección cristiana, y a lo que más aspira es a enseñar ese mismo camino y a educar el alma, según normas universales de la conciencia cristiana.

El «Tratado de la Magdalena», de Chaide

Un discípulo de fray Luis de León, agustino como él, y como él profesor de Universidad, aunque no de la salmantina, sino de las de Huesca y Zaragoza, dió a la literatura devota castellana el libro «más brillante compuesto y arreado, el más alegre y pintoresco». Ese libro es el de *La conversión de la Magdalena* y su autor el padre fray PEDRO MALÓN DE CHAIDE (¿1530?-1589)[11] estudiado ya como poeta del grupo salmantino.

Ya en el prólogo, y siguiendo la línea iniciada años antes por otro hermano de hábito, el Beato Orozco, sale a la defensa de la lengua castellana contra los que la consideran inadecuada para la expresión de altos conceptos. «Habemos de ver muy pronto —escribe— todas las cosas curiosas y graves escritas en nuestra lengua vulgar, y la lengua española subida en su perfección, sin que tenga envidia alguna de las del mundo, y tan extendida cuando lo están las banderas de España, que lleguen del uno al otro polo...» Su finalidad era atajar la perniciosa influencia de los libros de caballerías y de las poetas profanos[12]. Para ello se propone escribir, y lo logra cumplidamente, dentro del género devoto, un tratado que por las galas del estilo deleite a los lectores.

Tiene por asunto, como indica el título, la historia de la conversión de la Magdalena, siguiendo el relato evangélico, parafraseado con gran amplitud. Describe el alma humana, a ejemplo de la Magdalena, en su cuádruple estado de inocencia, pecado, arrepentimiento y reconciliación con Dios. La exposición de doctrinas ascéticas alterna con brillantes descripciones y con una acción casi novelesca, hábilmente conducida. La segunda parte está integrada por la versión, también parafraseada, del salmo 88, *Misericordias Domini in aeternum cantabo*, y se cierra con un comentario del sermón de Orígenes.

El lenguaje es animado, brillante, rico. Merece ser destacada la nota patética de algunos pasajes. En el curso del libro aparecen intercaladas varias poesías, paráfrasis casi siempre de algún salmo; y aunque no tenemos otras muestras de la vena poética de Malón de Chaide, podemos deducir de

ellas que el autor de la *Conversión de la Magdalena* era un lírico inspirado.

Otros místicos agustinos

A SANTO TOMÁS DE VILLANUEVA (1488-1555), «último Santo Padre de la Iglesia española» (Menéndez Pelayo), debemos, aparte sus obras latinas, unos *Opúsculos*, el *Soliloquio entre Dios y el alma para después de la Comunión*, y un *Sermón del Amor de Dios*, valiosa muestra de la oratoria sagrada en aquel tiempo.

Del padre PEDRO VEGA, agustino del convento de Salamanca, es la *Declaración de los siete salmos penitenciales*, uno de los libros más ricos en léxico de nuestro Siglo de Oro.

El BEATO ALONSO DE OROZCO (1500-1591) está considerado como el precursor inmediato de fray Luis de León, en el aspecto místico, desde que el padre Conrado Muiños dió a la luz en «La Ciudad de Dios» el opúsculo titulado *De nueve nombres de Cristo*, precedente sin duda del famoso libro de fray Luis. No necesitaba de este mérito para ser considerado como estimable escritor. Sus obras son numerosas. Antes que el Beato Avila publicara su *Audi, filia* (1560), Orozco había dado a la imprenta varias de las suyas. Entre ellas destaca *Las siete palabras de la Virgen*, donde se inserta la primera apología, impresa, de la lengua castellana.

Dignos de mención son asimismo el conquense PADRE MONTOYA, autor de *Meditación de la Pasión*; el PADRE HERNANDO DE ZÁRATE, que escribió el *Discurso de la paciencia cristiana*; el PADRE MÁRQUEZ, «rey de los predicadores y predicador de los reyes», que dió a la imprenta, además de su *Gobernador cristiano*, obra de universal renombre, su libro sobre los dos *Estados de la espiritual Jerusalén*, y el PADRE CRISTÓBAL DE FONSECA (1550-1631), considerado por algunos (Alonso Cortés) como autor de la *Segunda Parte del Quijote*, disfrazado con el seudónimo de Avellaneda. A este Fonseca se refiere Cervantes cuando en el Prólogo de la Primera Parte escribe: «Si tratáredes de amores, con dos onzas que sepáis de la lengua toscana toparéis con León Hebreo, que os hincha las medidas; y si no queréis andaros por tierras extrañas, en vuestra casa tenéis a Fonseca, *Del amor de Dios*, donde se cifra todo lo que vos y el más ingenioso acertar a desear en tal materia.»

VI. MISTICA CARMELITANA

La cumbre más alta de la mística española tiene un nombre concreto: el Carmelo. Teresa de Jesús y Juan de la Cruz, ambos carmelitas y reformadores de su Orden, señalan el ápice a que la mente humana puede llegar en su ascensión hacia lo divino. En las *Moradas*, de Santa Teresa, encontramos el más penetrante análisis de la vida místi-

ca interior, junto con la descripción más precisa de los cuatro grados —meditación, reposo, unión y éxtasis— por los que el alma llega a las alturas de lo divino.

Y lo que más asombra aquí es esa fusión, al parecer imposible, entre el quietismo extático, degustador de goces inefables, y el dinamismo de una vida entregada casi por entero a la acción. Santa Teresa, con la cabeza perdida en las regiones celestes, siente siempre que sus pies caminan sobre la arcilla de los terrenos. Arrebatada a una atmósfera de visiones ultraterrenas, sus ojos no se apartan de las realidades cotidianas. «Entre los pucheros también anda el Señor», es una de sus frases más conocidas y que la retrata de cuerpo entero. Así, con esa fusión de lo humano y lo divino, del cielo y la tierra, la gran escritora se nos muestra como el punto culminante del misticismo universal, donde convergen y se mezclan las dos grandes corrientes de lo especulativo y lo empírico, de lo real y lo ideal.

Y a su lado, aunque en plano distinto, San Juan de la Cruz, «el más abstracto y puritano de nuestros místicos, verdadero temperamento metafísico, la hondura de cuyo pensamiento nos hace recordar a veces el genio sintético de Hegel» (Sainz Rodríguez). Todo ello con un fondo de calor humano y unos latidos de alma traspasada por el amor, como no es fácil encontrar otra ni en los más refinados representantes del erotismo terreno. Nadie como él ha sabido cantar los arrobos y efusiones del espíritu humano, ascendido a los últimos peldaños de la escala amorosa o sumergido en el mar sin fondo de la Divinidad. «Poesía tan angélica, tan celestial y divina que ya no parece de este mundo, ni es posible medirla con criterios literarios, y eso que es más ardiente de pasión que ninguna poesía profana, y tan elegante y exquisita en la forma y tan plástica y figurativa como los más sabrosos frutos del Renacimiento» (Menéndez Pelayo).

Santa Teresa de Jesús: Datos biográficos

No se sabe qué admirar más en la gran escritora abulense, si su vida o sus libros. Ni aquélla puede entenderse sin éstos, ni éstos tienen sentido sin ponerlos al par de su vida.

Nace TERESA DE CEPEDA Y AHUMADA en Avila (28 de marzo de 1515). La ciudad natal, cercada de murallas, frente a una extensa llanura, impresiona y conforma su espíritu en los primeros años. Cuando sólo contaba siete, sugestionada por la lectura del Martirologio, intenta huir de casa a tierra de infieles en busca de martirio. Aficionada luego a los libros de caballerías, tan difundidos en la época, empieza a escribir uno en colaboración con su hermano Rodrigo. Durante dos años recibe esmerada educación en el convento de Agustinas de su ciudad natal; antes de cumplir los veinte ingresa en las Carmelitas de la Encarnación, en la misma Avila. Ya en el noviciado le es concedido el don de lágrimas. Pasa luego una dolorosa enfermedad que la tiene «toda encogida, hecha un ovillo..., sin poder menear brazo, ni pie, mano ni cabeza, más que si estuviera muerta»; las reliquias de tal dolencia le durarán toda la vida. Vienen después largos años de vacilaciones, éxtasis, arrobos, sufrimientos y sequedades de espíritu, hasta el momento, tan gráficamente descrito por ella misma, de la transverberación: «Vi un ángel cabe mí, hacia el lado izquierdo, en forma corporal...; no era grande, sino pequeño, hermoso mucho, el rostro tan encendido que parecía de los ángeles muy subidos, que parece todo se abrasa.» El Querubín le arroja un dardo de oro, que le traspasa el corazón, llegándole a las entrañas y dejándola toda inflamada en el amor divino y presa de vivísimos dolores. «Era tan grande el dolor que me hacía dar aquellos quejidos—sigue diciendo la Santa—y tan excesiva la suavidad que me pone este gravísimo dolor, que no hay desear que se quite, ni se contenta el alma con menos que Dios.» Los éxtasis se hacen más frecuentes, llegando alguna vez a verdaderas «cristofanías».

Con tan intensa vida interior alterna una actividad externa inigualable. La reforma de la Orden Carmelitana, acariciada de tiempo atrás, absorbe buena parte de sus energías, ocasionándole innumerables trabajos, disgustos y persecuciones. Se la denuncia a la Inquisición por el libro de su *Vida*; es procesada y encarcelada. «Fémina inquieta y andariega», la llama el Nuncio de Su Santidad, monseñor Sega, con dos epítetos que en su censura encierran la mejor alabanza. Estamos en el año 1578, el más trabajoso de su vida, en que parece que «le hacían guerra todos los demonios». La Santa no se acobarda: en colaboración con San Juan de la Cruz funda o reforma 32 conventos, diseminados por toda España, especialmente en Castilla y Andalucía. Aquel pequeño convento de San José, célula de la reforma carmelitana con sus cuatro novicias, retoña vigorosamente en Medina, Sevilla, Beas del Segura, Toledo, Burgos... Y aún le queda tiempo para visitar a personas de toda clase social y para comunicarse con ellas en centenares de cartas, que pasan por insuperables modelos del género epistolar.

En los últimos días de septiembre de 1582 sale de Burgos, donde acababa de fundar un convento de Descalzas, y se dirige a Alba de Tormes. Aquí, en casa de la duquesa de Alba, entrega su alma a Dios el 4 de octubre. Treinta años después es beatificada (1614), y diez años más tarde canonizada.

De carácter franco, abierto, comunicativo, irresistiblemente simpática, severa y graciosa, desbordante de sano optimismo, nos queda el retrato físico que nos hizo de ella fray Juan de la Miseria, pintor de escasas facultades. Al verlo la Santa, que había accedido a retratarse por obediencia al provincial de la Orden, no pudo menos de exclamar con su acostumbrado gracejo: «Dios os lo perdone, fray Juan; ¡qué fea y vieja me habéis pintado!»

Obras en prosa

Son las siguientes:

Camino de perfección (Salamanca, 1585); *Libro de su vida* (Salamanca, 1588); *Castillo interior* o *Las Moradas* (Salamanca, 1588); *Libro de las relaciones; Conceptos del Amor de Dios* (1612); *Suma* y *compendio de los grados de la oración* (Valencia, 1613); *Libro de las fundaciones* (Bruselas, 1613); *Avisos espirituales* (Barcelona, 1641); *Siete meditaciones sobre la oración del Padrenuestro* (Amberes, 1656); *Cartas varias*.

El «Libro de la vida» y las «Fundaciones»

El *Libro de la vida* debió de redactarse entre 1562 y 1565, a instancias de don Francisco de Soto y Salazar, inquisidor de Toledo y director espiritual de la Santa. Alcanza hasta la primera fundación (1562), y en él se nos relata con sorprendente naturalidad toda la existencia de aquella extraordinaria mujer, sus luchas, sufrimientos, éxtasis... Tiene también varios capítulos doctrinales sobre la oración y sus clases. Inspirado en las *Confesiones*, de San Agustín, encuentra su continuación en el *Libro de las fundaciones*, también de carácter autobiográfico, que comprende su vida desde 1567 a 1582, con el proceso de creación de 18 nuevos conventos. Día a día va anotando en él todos sus pasos y vicisitudes de su existencia, hasta pocos meses antes de su muerte. Más correcto de lenguaje que el de la *Vida*, campean en este de las *Fundaciones* las mismas notas de gracia natural y fina agudeza que habían de hacer inconfundible el estilo de la Santa entre todos los demás escritores.

También tiene fondo autobiográfico, pudiendo ser considerado como un complemento de los anteriores, el *Libro de las relaciones*, que comprende las cartas dirigidas a San Pedro de Alcántara y otros confesores suyos, para relatarles los favores especiales que de Dios iba recibiendo.

El «Camino de perfección»

Atendiendo a ruegos de las monjas Descalzas del primer monasterio reformado, el de San José de Avila, y por petición expresa de fray Domingo Báñez, empieza a redactar en 1565, para terminarlo cinco años después, su *Camino de perfección*. «Mientras la descripción de la *Vida*—ha escrito Pfandl—constituye un relato más bien pasivo, reflexivo y retrospectivo, el *Camino* es, en cambio, un programa activista, un fogoso grito de guerra contra la reforma.» La tónica del libro es la salvación del alma propia y de tantas almas ajenas como sea posible. Para ello nada mejor que la oración constante, la mortificación, la penitencia y la pobreza. Y sobre estas virtudes instruye a sus religiosas. Ya se sabe que mientras andaba por caminos polvorientos y posadas, fundando nuevas casas para su Orden, no se olvidaba de las ya establecidas y a todas atendía, aconsejaba y cuidaba con exquisito celo. Cuando la princesa de Eboli insiste en continuar en el convento de Pastrana, recibiendo visitas y conservando regalos como en el mundo, la Santa no se acobarda y, al

no poder expulsar a la dama linajuda, porque la casa era propiedad de ella, hace salir de allí a sus religiosas antes que el mal ejemplo cunda entre su rebaño.

Análisis de «Las Moradas»

La obra más importante y conocida de la Mística Doctora, pasando por alto los *Conceptos del Amor de Dios*, los *Avisos espirituales* y las *Siete meditaciones*, es sin duda alguna el *Castillo interior* o las *Siete Moradas*. Escrita en edad avanzada (1577), cuando la autora llevaba disfrutando durante dos lustros de las más altas experiencias místicas, con esa calma que dan los desengaños de la vida, después de haber obtenido el desasimiento de todas las ligaduras terrenas, el *Castillo interior* se nos da como cifra y resumen de toda la doctrina mística de la Santa.

Para mejor dejarse entender, finge una bellísima alegoría; mejor aún, no es ella quien la finge, pues cuenta el padre Yepes, en su *Vida de Santa Teresa*, que fué Dios mismo quien se la reveló, cuando se hallaba en oración, víspera de la Santísima Trinidad. Imagina la vida espiritual del hombre como un castillo fabricado de cristalinos diamantes, en el cual hay siete moradas, en las que ha de detenerse el alma en su camino hacia la perfección y antes de conseguir la unión mística con el Esposo. En la primera morada el alma, ya en estado de gracia, no está aún exenta de pecado, siquiera éste sea venial; en la segunda, entra en la «vía purgativa» por medio de ejercicios ascéticos; la tercera señala un mayor apartamiento de las cosas terrenales, pero aún se halla el alma sometida a duras pruebas, con que Dios la acrisola por medio de sequedad de espíritu y arideces; hasta aquí llega la *purgatio*.

En la cuarta morada empieza la vida sobrenatural, por medio de la oración de recogimiento; en la quinta se verifica la unión parcial de las potencias con Dios, mientras perduran aún la enfermedad, las persecuciones y escrúpulos que contribuyen a purificar más y más el alma; la sexta señala la oración de unión, en que los sufrimientos y privaciones se tornan placer y adviene el *desposorio del alma con Cristo*. Termina aquí la *illuminatio* y empieza, con la última y séptima morada, la verdadera unión mística con el Esposo. Es aquel inefable estado de ventura que Teresa acertó a expresar en una sola frase: «El espíritu del alma fundido con la esencia de Dios»; o que San Juan de la Cruz, su hermano en religión y en arrobos sublimes, supo decir en versos no escuchados hasta entonces:

> Quedéme y olvidéme,
> el rostro recliné sobre el Amado,
> cesó todo y dejéme,
> dejando mi cuidado
> entre las azucenas olvidado.

Para llegar a estas recónditas mansiones, después de haber franqueado con paso firme alturas que marean, hace falta tener, como la tenía Santa Teresa, muy bien sentada la cabeza. Se necesita también, para no perderse en estos minuciosos análisis, una experiencia de estados sobrenaturales como la suya. Y, aun alcanzado esto, no puede uno menos de asombrarse ante aquel lenguaje tan gráfico, tan maleable, que se pliega del modo más perfecto a las más abstrusas concepciones de la mente.

La obra poética

Entendemos por tal la escrita en verso. Se han atribuído a Santa Teresa numerosas poesías; pero una crítica más segura sólo reconoce como suyas siete, y aun alguna de ellas no con absoluta certeza. Desde luego, se sabe que escribió bastantes versos. El padre Yepes, en su *Vida*, lo afirmaba así, y también tenemos el testimonio de sor Inés de Jesús, en las informaciones que dió con motivo de la causa de beatificación de la santa madre. Contamos asimismo con la propia declaración de ésta, que en carta a su hermano Lorenzo (1577) le anunciaba el envío de unos «villancicos». Se refieren a la glosa que empieza: «¡Oh hermosura, que excedéis—a todas las hermosuras!...» Suya es también la conocida glosa sobre la letrilla:

> Vivo sin vivir en mí,
> y tan alta vida espero,
> que muero porque no muero...

En todos sus poemas resplandece la misma vitalidad sana, el mismo lenguaje castizo de sus obras en prosa. En la forma externa se acerca a los metros del Cancionero. Por ello, aunque nó hubiera otras razones, parece poco probable la atribución a la Santa del famosísimo soneto *A Cristo Crucificado*, escrito en metro italianizante, desconocido para ella.

Fuentes, elaboración y lenguaje

Durante mucho tiempo se juzgó a Santa Teresa poco menos que iletrada. Hoy se conocen casi con detalle los libros que leyó y que más influyeron en su formación. Morel-Fatio y Etchegoyen han señalado con bastante exactitud las fuentes. Manejaba día y noche los Evangelios, la *Vida de Cristo*, del Cartujano; los libros de Laredo, Osuna, el Beato Avila y, sobre todos, las *Confesiones*, de San Agustín. En éstas encontró un alma gemela y no disimula el regocijo que tal hallazgo le produjo. «Como comencé a leer las *Confesiones*, paréceme me veía yo allí; comencé a encomendarme mucho a este glorioso Santo. Cuando llegué a su conversión y leí cómo oyó aquella voz en el huerto, no me parece sino que el Señor me la dió a mí, según sintió mi corazón; estuve por

gran rato que toda me deshacía en lágrimas, y entre mí mesma con gran afleción y fatiga.»

Dada su actividad sin tregua, nunca dispuso la Santa de tiempo para reposar tales lecturas, y mucho menos para estructurarlas en un cuerpo de doctrina. Ni siquiera sus propias experiencias encontraron aquel punto de madurez que sólo dan largas horas de rumia interior, en que se van acentuando los conceptos hasta encontrar la forma de expresión más adecuada. Se sabe que escribía con aquella espontaneidad que le era congénita, un poco sin plan, ya que no tenía tiempo de prepararlo, y un poco también «a la buena de Dios». «A la luz de la vela—escribe Pfandl—, en la silenciosa celda, disputó a la fatiga del día la mayor parte de aquellas horas que podía emplear con el papel y con la pluma. Escribía de mala gana y a vuela pluma; pero, una vez en marcha, era tanta la fuerza con que la inspiración la dominaba, que hubiera querido tener muchas manos para escribir.»

Sin embargo, esta mujer que redactaba sin plan preconcebido, que no sólo no buscaba en su expresión las galas retóricas y la belleza formal, sino que consideraba a ésta como una tentación de vanidad, esta mujer que se «perdía» por la sencillez y la naturalidad, había de ser una de las autoridades máximas de la lengua. Sin afectaciones ni cultismos, utilizando el lenguaje común entre las clases populares de Castilla la Vieja, logra crearse un instrumento de expresión inimitable y rico como pocos. Con frecuencia encontramos en ella formas anticuadas: *mijor, entramos* (entrambos), *anque, Ilesia, naide*; otras veces nos salen al paso deformaciones: *iproquesía, intrevalo*; anacolutos, transiciones bruscas, cortes inesperados que dejan como en el aire el discurso. Pues con tales defectos difícilmente encontraremos un lenguaje más sugestivo, más arrebatador que el de la Santa de Avila. No pasaron inadvertidas estas irregularidades a fray Luis de León. «En algunas partes de lo que escribe—nos dice—, antes de que acabe la razón que comienza, la mezcla con otras razones»; con todo, reconoce «una elegancia desafeitada que deleita en extremo».

En general, el estilo de Santa Teresa se caracteriza por su riqueza léxica popular, por lo atrevido de sus metáforas, por su espontaneidad y sencillez. «A veces—escribe el señor Lapesa—la expresión sobrecoge por su fuerza impresionante: *una pena delgada y penetrativa... Un recio martirio sabroso... Es como uno que está con la candela en la mano que le falta poco para morir muerte que la desea...*» Emplea diminutivos encantadores: *esta encarceladita de esta pobre alma... Como avecica que tiene el pelo malo, cansa y queda...* No vacila en utilizar las más sorprendentes paradojas: *glorioso desatino..., rayo de tinieblas...* En fin, sabe ensanchar ilimitadamente el sentido de las palabras hasta hacer que quepan en ellas conceptos a primera vista inexpresables [13].

San Juan de la Cruz: La vida y el hombre

La vida de SAN JUAN DE LA CRUZ, aunque más breve y menos agitada, corre parejas con la de Santa Teresa, de quien él había de ser el colaborador más activo en la reforma carmelitana.

Juan de la Cruz, en el mundo Juan de Yepes y Alvarez, nace en Fontiveros (Avila), de familia noble venida a menos, en 1542. Se educa al lado de su madre y pasa algunos años de su mocedad sirviendo como enfermero en el Hospital de Medina del Campo. En esta misma población, y en el Colegio de los Jesuitas, hace sus primeros estudios, mostrando especial disposición para las Humanidades. En 1563 pasa a Salamanca para cursar Artes y Filosofía.

En 1567 su encuentro con Santa Teresa; de acuerdo con ella, toma la decisión de reformar el Carmelo; y, en efecto, un año después, en Duruelo, inicia la empresa acompañado de sólo dos religiosos, a los que denomina «Carmelitas Descalzos». Desempeña el cargo de Maestro de novicios en Mancera, funda el Colegio de Alcalá de Henares y de 1572 a 1577 permanece en Avila como confesor del monasterio reformado por la Santa y del que era superiora. La gran Reformadora le muestra particular afecto: «Aquel santico de fray Juan», escribe cariñosamente el padre Jerónimo Gracián; en otra ocasión, exclama ante sus monjas: «Hijas, bendito sea Dios, que ya tengo para la fundación de mis descalzos *fraile y medio*.» El *fraile* era Antonio de Heredia y el *medio fraile* Juan de la Cruz. Tan insignificante y poca cosa parecía.

Los Carmelitas Calzados no perdonan al reformador y empiezan a moverle cruda guerra. En la noche del 3 de diciembre de 1577 se le detiene y es conducido preso a Toledo, donde se le hace objeto de humillaciones y malos tratos. A los ocho meses consigue huir y, auxiliado por Santa Teresa, se dirige a Almodóvar. En años sucesivos lo encontramos en Beas, Baeza, Granada y, finalmente, es nombrado Vicario Provincial de Andalucía. En el Capítulo de la Orden (1591) se le exonera de su cargo y se le envía, casi confinado, al retiro de Peñuela. Sale de aquí para Ubeda, víctima de unas «calenturillas», y en esta ciudad, dulcemente, entrega su alma a Dios en la noche del 13 de diciembre del 1591. Cuando el Santo agoniza las campanas del convento están tocando a maitines. «Me voy a cantarlas al cielo», suspira, y éstas son sus últimas palabra.

Durante algún tiempo se trató de presentar a San Juan de la Cruz como hombre hosco, poco sociable, defensor de doctrinas duras e inaccesibles; un hombre, para decirlo en dos palabras, poco humano. Sin embargo, sus biógrafos atestiguan lo contrario: era persona afabilísima, de gran sencillez y extraordinaria gracia. El Padre Eliseo de los Mártires, que le trató frecuentemente, escribe: «Fué hombre de mediano cuerpo, de rostro grave

y venerable, algo moreno y de buena fisonomía. Su trato y conversación apacible, muy espiritual y provechosa para los que le oían y comunicaban... Fué amigo de recogimiento y de hablar poco; su risa poca y muy compuesta. Cuando reprendía como superior—que lo fué muchas veces—era con dulce severidad, exhortando con amor paternal, y todo con admirable serenidad y gravedad.» Y el Padre Jerónimo de San José, ilustre tratadista de historia, en su *Vida* del Santo, nos da un retrato parecido: «Era el venerable Padre—escribe—de estatura mediana y pequeña, bien trabado y proporcionado el cuerpo, aunque flaco por la mucha y rigurosa penitencia que hacía. El rostro de color trigueño, algo macilento, más redondo que largo, calva venerable, con un poco de cabello delante... Era todo su aspecto grave, apacible y sobremanera modesto, en tanto grado que sola su presencia componía a los que le miraban, y representaba en el semblante una cierta vislumbre de soberanía celestial que movía a venerarle y amarle justamente.»

Obras

Los escritos de San Juan fueron publicados casi treinta años después de muerto (Alcalá, 1618), con el título de *Obras espirituales que encaminan a un alma a la perfecta unión con Dios*, y comprenden los siguientes tratados: *Subida al Monte Carmelo, Noche oscura del alma, Llama de amor viva*. Posteriormente (Bruselas, 1627) salió a luz su *Cántico espiritual*, cuyo título primitivo era *Declaración de las canciones que tratan del ejercicio de Amor entre el Alma y el Esposo Cristo*.

La técnica expositiva de estas cuatro obras es casi idéntica. El autor encabeza cada capítulo o libro con unas cuantas estrofas (casi siempre *liras*) que luego explana ampliamente en los capítulos sucesivos. De suerte que cada libro no es sino un extenso comentario en prosa de la poesía, en general muy breve, que precede al texto.

El «Cántico espiritual»

Según eso, en el *Cántico espiritual* se parafrasean aquellas admirables estrofas dialogadas entre la Esposa (el alma) y el Amado (Dios) inspiradas en el *Cantar de los Cantares*, de Salomón. En ellas la Esposa interroga a todas las criaturas si han visto pasar al objeto de su Amor:

> ¡Oh bosques y espesuras
> plantados por la mano del Amado!
> ¡Oh prado de verduras,
> de flores esmaltado!
> Decid si por vosotros ha pasado.

Las criaturas se apresuran a contestarle:

> Mil gracias derramando,
> pasó por estos sotos con presura,
> y, yéndolos mirando,
> con sólo su figura
> vestidos los dejó de su hermosura.

Pero al alma desalada no bastan a satisfacerle tales referencias; no se contenta con informes del Amado; quiere tenerle ante los ojos:

¡Ay, quién podrá sanarme!
Acaba de entregarte ya de vero,
no quieras enviarme
de hoy ya más mensajero,
que no saben decirme lo que quiero.

Y todos cuantos vagan
de ti me van mil gracias refiriendo,
y todos más me llagan,
y déjame muriendo
un no sé qué que quedan balbuciendo...
....

Apaga mis enojos,
pues que ninguno basta a deshacellos,
y véante mis ojos,
pues eres lumbre de ellos
y sólo para ti quiero tenellos.

Aparece el Amado y empiezan los sublimes desposorios entre el Alma y Dios, que nadie ha sabido expresar con tan bellas imágenes:

Gocémonos, Amado,
y vámonos a ver en tu hermosura
al monte y al collado,
do mana el agua pura;
entremos más adentro en la espesura.

Y luego, a las subidas
cavernas de las piedras nos iremos,
que están bien escondidas,
y allí nos entraremos
y el mosto de granadas gustaremos.

Antes de adentrarse en estas intimidades, la Esposa y el Esposo han encontrado acentos de mutuo arrullo, en que la lengua se deshace en una música de suavidades infinitas:

ESPOSA.
Mi Amado, las montañas,
los valles solitarios nemorosos,
las ínsulas extrañas,
los ríos sonorosos,
el silbo de los aires amorosos.

La noche sosegada,
en par de los levantes de la aurora,
la música callada,
la soledad sonora,
la cena que recrea y enamora... 14

A continuación sigue el minucioso comentario en prosa, rico de experiencias, pero algo fatigoso y fragmentario. En él se explana verso a verso el Cántico inicial, siguiendo al alma por los tres momentos—purgativo, iluminativo y unitivo—hasta llegar al supremo éxtasis.

La misma forma externa adoptan Noche oscura del Alma y Llama de Amor viva. En aquélla, ocho estrofas de limpia factura y profundo sentido dan tema para el comentario; en la Llama de Amor sólo cuatro estrofas, tan bellas como todas las de San Juan, suministran materia para el análisis. Ambos tratados—Noche oscura y Llama de Amor—forman con el Cántico espiritual un todo,

hasta llegar a constituir un sistema completo de alta teología mística.

San Juan de la Cruz, poeta

Si Santa Teresa nos asombra con su prosa, y en el verso es más bien figura de segundo orden, su compañero de hábito es ante todo poeta. Como prosista, aun reconociéndole subidos quilates, no pocas veces se nos muestra desmayado y difuso. Como poeta se remonta a cumbres inaccesibles, y encuentra un estilo tan personal que en su análisis apenas tienen nada que hacer lo métodos críticos aplicados a diario [15]. Aquí la inteligencia fracasa y es más bien la intuición la que toma parte. El mismo San Juan nos había dicho en el Prólogo de su Cántico que «la sabiduría mística... no ha menester distintamente entenderse para hacer efecto..., porque es a modo de la fe en la cual amamos a Dios sin entenderle».

Algunos quieren descubrir en esta poesía un gran fermento humanístico; y, en efecto, no falta ese elemento, reliquia de su formación en el Colegio de Jesuítas de Medina. Pero esta influencia es casi puramente externa y afecta a la disposición estrófica, que en sus mejores versos copia la lira garcilasiana. El mismo San Juan lo dice: «La compostura de estas liras son como aquellas que en Boscán están, vueltas a lo divino...» [16]. En el fondo, como a fray Luis de León, la inspiración le viene de la Biblia, sublimada por el más vivo sentimiento de amor a Cristo. Otros, por el contrario, quieren hacer de San Juan una especie de poeta superrealista, en que los versos brotan de un modo espontáneo y casi sin elaboración previa. Esto contradice su técnica de escritor, arriba expuesta, en que cada estrofa sirve de clave para todo un largo tratado. Habrá, pues, que convenir—ha dicho muy bien Díaz Plaja—«en el hecho contradictorio de que estas poesías, tenidas por puras efusiones espontáneas, son un complicado producto especulativo, en que cada verso, cada frase, cada palabra es objeto de una larga «declaración» que desarrolla el pensamiento allí comprimido». Hay, por tanto, que considerarlas como productos simultáneos de un gran artista que tiene conciencia de lo que hace y de un alma en «estado de gracia», en ese estado que en un hombre como Homero llamamos inspiración y en un hombre como San Juan éxtasis divino.

La obra poética de San Juan es corta: las tres Canciones aludidas (En una noche oscura, ¿Adónde te escondiste? y ¡Oh, llama de amor viva!), de ocho, de cuarenta y de cuatro estrofas, respectivamente, con un total de 264 versos; seis romances, dos glosas, tres composiciones muy breves, que San Juan llama «Coplas», y dos bellísimas Canciones «a lo divino». Los romances están compuestos en rima perfecta, y todos ellos con la concordancia *ía, ía,* menos el último, que adopta la rima *aba, aba,* y todos también, como era costumbre, repartidos en series cuaternarias. Las Glosas «a lo divino» desarrollan, en tres y nueve estrofas, respectivamente, estos villancicos:

(Primera)   Sin arrimo y con arrimo,
sin luz y a oscuras viviendo,
todo me voy consumiendo.

(Segunda)   Por toda la hermosura
nunca yo me perderé,
sino por un no sé qué
que se alcanza por ventura.

Las que San Juan llama «Coplas» son auténticas glosas parecidas a las anteriores. La primera lleva por tema:

Entréme donde no supe,
y quedéme no sabiendo,
toda ciencia trascendiendo;

la segunda, el consabido villancico:

Vivo sin vivir en mí,
y de tal manera espero
que muero porque no muero,

y la tercera:

Tras un amoroso lance,
y no de esperanza falto,
volé tan alto, tan alto,
que le di a la caza alcance.

Por último, las dos Canciones (*De Cristo y el alma* y *Del alma que se huelga de conocer a Dios por la fe),* compiten en belleza con las liras. He aquí los primeros versos de ésta:

Que bien sé yo la fuente que mana y corre,
aunque es de noche.
Aquella eterna fonte está ascondida,
que bien sé yo dó tiene su manida,
aunque es de noche.
Su origen no lo sé, pues no lo tiene,
mas sé que todo origen de ella viene,
aunque es de noche.

Ha de advertirse, finalmente, que las cuatro estrofas que preceden a la *Llama de amor viva* no son propiamente liras garcilasianas, como las que preceden al *Cántico espiritual* y a los otros libros, sino «canciones aliradas», de seis versos cada una, en esta forma: abCabC.

VII.   ASCETICOS Y MISTICOS JESUITAS

La Escuela mística jesuíta se manifiesta desde el primer momento con un sello inconfundible. Ya los *Ejercicios,* de San Ignacio, anuncian una doctrina basada en la más férrea disciplina ascética, por medio de la lucha consigo mismo, del dominio absoluto de las pasiones y de la anulación de la propia voluntad. Nada menos parecido al «quietismo» de otras escuelas que el impulso hacia el exterior de aquel hombre que, según el dicho Apóstol, concebía la vida del hombre como una milicia sobre la tierra. Orientados fundamentalmente a la práctica de las virtudes, los *Ejercicios* señalan dentro de la Orden una pauta y un camino.

Entre los muchos escritores del género que tiene la Compañía, los más genuinos representantes son: el padre Rodríguez, el padre La Puente y el padre Nieremberg.

Del PADRE ALONSO RODRÍGUEZ (1538-1616) [17] es conocidísimo el *Ejercicio de perfección y virtudes cristianas,* que, escrito hace tres siglos y medio, sigue siendo el mejor libro para la formación de sacerdotes, tanto seculares como regulares. Su popularidad por ello es inmensa; leído a diario en seminarios, conventos y casas de formación, ya se comprende que ha alcanzado innumerables ediciones. Consta de tres partes y está redactado con singular claridad y llaneza, a la vez que comprobada su doctrina con múltiples ejemplos tomados del martirologio y de las vidas de los Padres del Yermo.

Al vallisoletano PADRE LUIS DE LA PUENTE (1554-1624) [18] corresponden las *Meditaciones de los misterios de nuestra santa Fe,* (1605), paralelo del *Libro de la oración,* del padre Granada, por el patetismo y sentido emocional, aunque más casuístico y detallista; la *Guía espiritual* (1609), el *Tratamiento de la perfección del cristiano en todos los estados* (1612-1616) y el *Directorio espiritual para la Confesión, Comunión y Misa* (1625). Distingue al padre La Puente una ordenación y estructura perfectas, que le llevan a exponer los problemas en una acertada graduación, en la que se revela profundo pensador y gran teólogo.

Con el PADRE JUAN EUSEBIO NIEREMBERG (¿1595?-1658) [19], uno de los cinco o seis grandes prosistas del siglo XVII —a juicio de Menéndez Pelayo—, culmina la Escuela místico-ascética jesuíta. Sus numerosas obras suelen dividirse en cuatro grupos:

Tratados de perfección cristiana.
Libros de oración.
Traducciones.
Biografías.

Aparte de su traducción del *Kempis,* que es ya clásica, estimada como la mejor que tenemos en castellano y superior desde luego a la del padre Granada, sus libros más importantes son la *Diferencia entre lo temporal y eterno* (1643) y la *Vida divina y camino real para la perfección* (1633). En el primero se defiende la tesis de que lo temporal no es sino el camino que nos conduce a lo eterno. El padre Nieremberg toma sus argumentos de cuatro fuentes principales: Sagrada Escritura, Filosofía (pagana y cristiana), Historia y Santos Padres. Sus comparaciones son ingeniosas y pintorescas. En *Vida divina* se pretende señalar el mejor camino para llegar a la perfección, que el sabio jesuíta pone en la conformidad con la voluntad divina. Es de admirar en el padre Nieremberg, como en casi todos los jesuítas, la riqueza de léxico y el absoluto dominio de nuestra lengua, más de tener en cuenta en Nieremberg por tratarse de un escritor de origen alemán.

Otros ascéticos jesuítas

PADRE LUIS DE LA PALMA, escritor sobrio y elegante: *Historia de la Sagrada Pasión* (1624), *Camino espiritual de la manera que lo enseña San Ignacio en el libro de los Ejercicios* (1625).

PADRE PEDRO DE RIVADENEYRA (1527-1611), aparte de sus obras históricas, a que aludiremos en su lugar, tiene un *Tratado de la tribulación*, de un estoicismo templado por la esperanza cristiana.

SAN FRANCISCO DE BORJA (1510-1572), autor de una *Meditación sobre los Evangelios*, en que se expone ampliada la doctrina de San Ignacio en sus *Ejercicios*.

VIII. MISTICOS HETERODOXOS: VALDES

Hasta aquí todos los autores estudiados se mueven dentro de la ortodoxia católica. Hay otro grupo, menos numeroso e importante desde luego, cuyas obras figuran al margen del dogma católico o entran de algún modo en el terreno de la herejía. En su mayor parte, y cualquiera que sea la trascendencia de su obra desde el punto de vista religioso y filosófico, tienen escaso relieve en el aspecto literario, por haber escrito casi todos sus libros en latín y ser éstos de contenido estético limitado; pero hay varios que exigen al menos una mención en obras como la muestra; y existe uno cuya personalidad no puede pasarse por alto, dada la trascendencia de sus doctrinas y la innegable calidad artística de sus escritos. Este es Juan de Valdés.

JUAN DE VALDÉS (¿-1545)[20], a quien hemos de volver más adelante como autor del *Diálogo de la lengua*, es uno de los hombres que más honda huella han dejado en la Europa de su tiempo. Hermano de otro escritor insigne, Alfonso de Valdés, de quien también hablaremos, ofrece como escritor tres facetas distintas: el humanista consumado, conocedor perfecto del griego, del latín y del hebreo; el filólogo castellano, al tanto de todos los secretos de su idioma nativo, y el reformador religioso, con personales atisbos místicos, que ejerce sobre sus contemporáneos irresistible atracción. En el primer aspecto, su obra más importante son los *Comentarios a las Epístolas de San Pablo* (Venecia, 1556); en el segundo, el *Diálogo de la lengua*, de que hablaremos en su lugar, y en el tercero, que es el que aquí nos interesa, el *Alfabeto cristiano* y las *Ciento diez consideraciones divinas* (Basilea, 1550).

El *Alfabeto* es un diálogo mantenido entre el propio Valdés y la bellísima Julia Gonzaga, una de sus más fervientes admiradoras y discípulas. A la pregunta de ésta sobre cuál es el camino más recto para la salvación, se responde que esas vías o caminos son tres: la luz natural, que nos hace conocer la omnipotencia de Dios; el Antiguo Testamento, que nos muestra al Creador como enemigo de la iniquidad, y Cristo, vía luminosa y maestra... Pero no basta creer en Él, hay que meditar cada día, a cada momento, sobre uno mismo, sobre Dios y sobre Jesucristo. En este libro la doctrina de Valdés no es aún claramente herética, aunque ya apuntan ciertos errores.

Donde se nos muestra perfectamente heterodoxo es en las *Ciento diez consideraciones divinas*, que, aunque escritas originariamente en castellano, sólo nos son conocidas por traducciones de la lengua italiana. La obra alcanzó enorme difusión, sobre todo en Italia, Francia y Suiza. Está dividida, como el título indica, en 110 puntos de meditación, casi todos muy breves y expuestos con cierto desorden. Desde sus primeras páginas trasciende un fanatismo exagerado y una irresistible tendencia luterana hacia la justificación del hombre por la gracia y no por sus obras. Sus fuentes principales son Lutero, Erasmo, de quien Valdés era amigo personal e íntimo, Bucero y Melanchton. Como puntos básicos hay que señalar: el hombre queda justificado e incorporado a Cristo por los méritos de la Redención; confianza ilimitada en la gracia de Dios; el solo intento de querer justificarse por sus propias obras es gravísimo pecado; renuncia a la luz de la razón natural para entregarse en brazos de la voluntad divina; unión del hombre con Dios por el amor; éste nace de un conocimiento intuitivo. En resumen: estado de quietismo, en espera de la venida del Espíritu Santo, aniquilación de la voluntad e indiferencia por el dogma. Es decir, teología protestante.

Con esta doctrina, expuesta en forma sugestiva y avalada por una vida de costumbres irreprochables, Valdés consiguió introducir el protestantismo en Italia, con tal fortuna que sólo en Nápoles había alcanzado en poco tiempo más de 3.000 prosélitos, entre los que figuraban personas de la más alta clase social y de elevado rango eclesiástico:

Ochino, dos veces general de los capuchinos y elocuentísimo orador; Martir Vermigli, uno de los napolitanos más eruditos de su época, que formaba con Valdés y Ochino cierta especie de «triunvirato diabólico» de la asociación; varios abades y obispos, la princesa Julia Gonzaga, la duquesa Camerino, Victoria Colonna, el marqués Galeazzo Caracciolo, chambelán del Imperio; el protonotario y secretario de la Sede Apostólica, Pietro Carnesecchi, y tantos otros.

Los otros místicos heterodoxos, que merecen una mención, quedan, en cuanto escritores, a larga distancia de Valdés.

MIGUEL DE MOLINOS (1627-1696) es un pseudomístico que en realidad no puede pretender ningún lugar en la historia intelectual de su patria, pero que dió nombre a un sistema que mostró tener vitalidad fuera de ella» (Pfandl). Aragonés de nacimiento, estudió la carrera eclesiástica y, después de desempeñar en Valencia los cargos de beneficiado y de confesor en un convento de monjas, se trasladó a Roma en 1665, y allí no tardó en erigirse jefe de un amplio círculo de hombres exaltados sobre los que llegó a ejercer un dominio absoluto. Su doctrina, muy conocida con el nombre de *quietismo*, fué expuesta en un tratadito ascético-místico, *Guía espiritual que desembaraza al alma y la conduce al interior camino para alcanzar la perfecta contemplación*, redactado primeramente en italiano y publicado en Roma, en 1675. Esta *Guía*, cuyas ediciones se multiplicaron por los últimos años del XVII, influyó extraordinariamente en algunos países de Europa, y de manera especial en Italia y Francia.

Anterior a Molinos fué CIPRIANO DE VALERA (¿1532?-d. de 1602), sevillano y fraile durante su juventud en San Isidro del Campo. Pronto abrazó el protestantismo, viéndose obligado a expatriarse y, después de peregrinar por varias naciones de Europa, se refugió en Inglaterra, llegando a ser profesor de la Universidad de Oxford. Valera se hizo famoso por la traducción castellana de la Biblia (Londres, 1596) hecha a imitación de la de Casiodoro de Reyna, en un estilo puro, castizo y que todavía se deja leer con agrado. Es el texto que han difundido y siguen difundiendo las Sociedades Bíblicas en territorios de habla castellana. Valera es autor también de algunos opúsculos religiosos de escaso interés.

A Valera y a Reyna se había anticipado FRANCISCO DE ENCINAS (1520-1552), quien en 1543 ya publicaba la versión parcial de la Biblia correspondiente al *Nuevo Testamento*. Fué Encinas hombre de vida aventurera y desdichada. Nacido en Burgos, estudia y se educa en Lovaina. Admirador de Melanchton, y posiblemente discípulo suyo, abraza el protestantismo y escribe numerosas obras, firmadas de diversas maneras: *Dryander, Du Chesne, Eichmann, Van Eick*, que no son más que su apellido en griego, francés, etc. En 1543 empezó a redactar sus curiosísimas *Memorias*, luego de haber seguido varios cursos en la Universidad de Witemberg. Al aparecer el *Nuevo Testamento* es encarcelado en Bruselas y recogidos por orden de Carlos V todos los ejemplares; pero logra fugarse con la complicidad de carceleros y magistrados. Vuelve a Witemberg; contrae matrimonio en Estrasburgo; pasa a Inglaterra, donde obtiene una cátedra de Griego en Cambridge. En 1552 va a Ginebra, deseoso de conocer a Calvino; pero, ya de regreso, fallece en Estrasburgo víctima de la peste. Hombre de asombrosa cultura, sus obras, muy abundantes, destacan por la brillantez y propiedad del lenguaje: *Nuevo Testamento de Nuestro Redemptor* (1543), *Breve y compendiosa institución cristiana* (1540). *Historia del estado de los Países Bajos y de la religión de España* (1558), *Memorias de Francisco Enzinas* (1543 a 1545). Tiene también excelentes traducciones de Luciano. Mosco, Plutarco y Tito Livio.

Citemos, por último, al doctor CONSTANTINO PONCE DE LA FUENTE, autor de una *Summa de doctrina cristiana* (Sevilla, 1544), de la que dice Menéndez Pelayo que es «el mejor escrito de los *catecismos castellanos*, aunque, por desgracia, no el más puro». Fué el doctor Ponce de la Fuente uno de los más célebres protestantes españoles. Natural de San Clemente (Cuenca), se había hecho notar en Sevilla como orador y había acompañado al príncipe don Felipe en su viaje a Flandes y Alemania (1548). Pero sus deslices heréticos le llevaron a las cárceles de la Inquisición, donde murió, acaso suicidado. En Amberes publicó (1556) la *Confesión del pecador*, que pasa por uno de los trozos más elocuentes y bellos de la mística española.

IX. MISTICA AMERICANA: SOR JUANA INES DE LA CRUZ

La literatura religiosa americana discurre durante los siglos XVI y XVII por los mismos cauces que la peninsular. Ni podía ser de otro modo si se tiene en cuenta que de España iban al Nuevo Mundo el tema, los principios religiosos y la orientación. Por eso aquí tampoco cabe hablar, sino en

muy raros casos, de una auténtica mística, y siempre habrá uno de referirse en términos generales a la literatura devota.

Tal carácter revisten los numerosos libros de índole ascética y expositiva de dogmas o verdades religiosas que lanzaban a luz las prensas instaladas en Méjico, en Lima o en Bogotá desde los mismos días de la conquista. Obras como las del argentino Luis de Tejeda (1604-1680), las del ecuatoriano Fray Gaspar de Villarroel, las del mejicano Padre Gaona, las del agustino Fray Juan de la Anunciación, y tantos otros, no son sino calcos de las cien y cien que sobre doctrina cristiana o comentarios de la Biblia se publicaban por el mismo tiempo en la Península. Pero hay dos figuras, ambas femeninas, en quienes la nota mística propiamente dicha adopta un tono personalísimo y digno de estudio. Estas dos mujeres son Inés de la Cruz y la madre Castillo. Como esta última corresponde al siglo XVIII a ella volveremos en el estudio de las letras americanas dedicado a ese siglo.

En sor Juana Inés de la Cruz (1651-1695) estamos acostumbrados a ver a la autora de las famosas redondillas *Contra las injusticias de los hombres* (Hombres necios que acusáis / a la mujer sin razón), que si no son, como quiere Valbuena Prat, «lo peor de su obra», tampoco han de señalarse como lo mejor. Sor Juana tiene múltiples facetas, todas ellas interesantes, y merece, por ello, un lugar señalado en la historia de la literatura.

Datos biográficos

Nace (1651) en la alquería de San Miguel Nepantla, lugar a 12 leguas de Méjico. Sus padres fueron el capitán don Pedro Manuel de Asbaje y doña Isabel Ramírez de Santillana. El primer rasgo que se acusa en ella y con que había de asombrar a sus contemporáneos es la precocidad: no llegaba a los ocho años cuando compone su primera poesía, una *loa* al Santísimo. Su afán por aprender era grande y su aprovechamiento no menor. «Siendo así—nos cuenta ella misma—que en las mujeres (y más en tan florida juventud) es tan apreciable el adorno natural del cabello, yo me cortaba de él cuatro o seis dedos..., imponiéndole ley de que si cuando volviese a crecer hasta allí no sabía tal o cual cosa..., me lo había de volver a cortar, en pena de la rudeza.» A los trece años aparece en el palacio de la Virreina, marquesa de Mancera, en calidad de damita de honor. Tras unos meses de asistencia a fiestas, saraos y demás pasatiempos mundanos, ingresa como novicia en las Carmelitas Descalzas; pero meses después tiene que salir enferma.

Es entonces, a los dieciséis años, cuando tiene lugar en el mismo palacio del Virrey el examen o prueba con que asombra a lo más escogido de las ciencias y las artes de la ciudad, congregadas a oírle. «No cabe en humano juicio—dice el propio Virrey—creer lo que allí se vió....» Juana responde sin dificultad a las preguntas que le hacen cuarenta filósofos, teólogos, escriturarios, artistas, historiadores, matemáticos y poetas, que asisten a la milagrosa exhibición. Pero poco después, y cuando todo en la vida parecía sonreírle, toma la decisión irrevocable de ingresar en el convento de San Jerónimo (24 de febrero de 1669).

Ya dentro del claustro se impone por su prudencia, sabiduría y virtud hasta convertirse en el centro de la vida religiosa y social de Méjico. Le consultan las damas, los prelados y hasta el mismo Virrey. Pero su pensamiento está más alto: ha decidido entregarse por completo a Dios y para ello empieza un camino de sacrificios y renunciaciones. El 5 de marzo de 1694 rubrica con su propia sangre una *Protesta* de servirle, renunciando a lo que más ama; abandona toda clase de «estudios humanos» y vende los 4.000 volúmenes de su biblioteca para entregar su producto a los pobres. Poco tiempo después, 27 de abril del mismo año, muere de un contagio adquirido asistiendo a sus hermanas.

El retrato que se conserva de ella, pintado por Miranda, nos presenta una mujer de figura esbelta, rasgos aristocráticos, facciones dulces y bondadosas y de una cautivadora hermosura. Sus contemporáneos, atendiendo a la amplitud de sus conocimientos y su alta calidad poética, la llamaron la «Décima Musa». Y así se la viene designando en las antologías.

Las poesías

Las obras de sor Juana, publicadas en tres tomos y en diferentes fechas y lugares, abarcan prosa y verso [21]. Dentro de éste hay que distinguir las propiamente líricas y las dramáticas, de las que nos ocuparemos en otro lugar. Su creación lírica se desarrolla en multitud de sonetos, romances, redondillas, décimas, liras, etc., de una factura impecable [22]. Lo que caracteriza a esta mujer como poetisa es la hondura del pensamiento, que aparece siempre revestido con un ropaje deslumbrador. No se crea por ello que le está negada la nota sentimental, profundamente humana y de ternura femenina. Entre sus sonetos encontramos algunos que demuestran un conocimiento muy hondo del corazón humano: *Esta tarde, mi bien, cuando te hablaba...,* o aquel otro: *Detente, sombra de mi bien esquivo...* Leguizamón destaca como rasgo sobresaliente «una inteligencia de aprehensión, de aptitud cognoscitiva» [23], que en ella lo absorbe todo, hasta el amor, o al menos lo posterga a un segundo plano. Valbuena Prat, en cambio, apunta el doble plano—místico y sensual—que se interfiere en muchas de sus composiciones y que nos dan una faceta hasta ahora inédita de la gran poetisa: la mística.

El lado místico

En efecto, no es posible sino a impulsos de un vivo sentimiento místico expresarse como ella lo hace en alguna de sus poesías, con versos que traen resonancias del *Cantar de los Cantares* y ecos lejanos de San Juan de la Cruz:

Terso el bulto delicado,
de lo que a la vista ofrece,
parva de trigo parece
ccn azucenas vallado...,

escribe en *El divino Narciso,* para darnos las señas del Amor. Y continúa:

Con un ojo solo bello
el corazón me ha abrasado,
el pecho me ha traspasado
con el rizo de un cabello:
abre el cristalino sello
de ese centro claro y frío
para que entre el amor mío;
mira que traigo escarchada
la crencha de oro, rizada
con las perlas del rocío.

La obra de más empeño de sor Juana es la silva *Primero sueño,* imitación de las *Soledades,* de Góngora, alabada encomiásticamente por Vossler; pero de sentido alegórico y oscuro, aunque rica de expresión y de atrevidas imágenes.

Sus obras en prosa, en parte desaparecidas, ofrecen menor interés. Destaca su *Carta atenagórica,* escrita para rebatir al famoso jesuíta Antonio Vieyra, «príncipe de los oradores de su tiempo», que había querido en un sermón sobreponer sus personales opiniones a las de San Juan Crisóstomo, San Agustín y Santo Tomás.

X. EL «SONETO A CRISTO CRUCIFICADO»

No queremos poner punto final a este capítulo dedicado a la literatura piadosa sin aludir al famosísimo *Soneto a Cristo Crucificado,* joya de la lírica castellana, tan estimado y popular que apenas habrá un español, y acaso tampoco un americano, medianamente culto que no lo conozca de memoria. Es el que empieza:

No me mueve, mi Dios, para quererte,
el cielo que me tienes prometido...

Se viene atribuyendo a San Ignacio de Loyola, a San Francisco Javier, a Santa Teresa de Jesús, al franciscano fray Pedro de los Reyes y al agustino fray Miguel de Guevara. La atribución a San Ignacio y a San Francisco no tienen otra base que la similitud de los conceptos de efusión mística expresados en el soneto con los que encontramos en las obras de aquéllos. Si se tiene en cuenta que tales conceptos eran corrientes en los escritores místicos de la época y que figuran ya en el Beato Avila [24], quedará manifiesta la gratuidad de la atribución. Tampoco tiene base sólida la atribución a Santa Teresa, ya que ésta nunca demostró su aptitud para componer metro italiano, y menos aún una estrofa tan artificiosa como el soneto. Las razones que apoyaban la paternidad del padre Reyes carecían de todo fundamento. Quedaba como única tesis defendible la atribución al padre Guevara, que por algún tiempo pareció la más verosímil; pero también está ya descartada. Alberto María Carreño había publicado en Méjico [25] (1915) un trabajo en que intenta probar que el soneto correspondía por razón de prioridad al poeta agustino fray Miguel de Guevara, muerto en Michoacán en 1640. En efecto, el soneto aparece en una obra manuscrita de este fraile (*Arte doctrinal para aprender la lengua matlatzinga*) fechada en 1638. Como al lado del soneto aparecen otras composiciones similares, que tienen el mismo corte, y como además el padre Guevara lo da por suyo, no hay ningún motivo, al parecer, para discutirle la paternidad. Pero otro agustino, el padre Zarco, ha encontrado que el soneto aparece ya entre las páginas de un libro impreso en Madrid diez años antes [26], en 1628. Por lo que en tanto no se aporten nuevas pruebas, la composición ha de darse por anónima.

El último trabajo que conocemos sobre esta materia es una tesis doctoral de la Sister Mary Cyria Huff (*The sonnet «No me mueve mi Dios», its Theme in Spanish Tradition,* Washington, 1948), en la que se hace remontar la antigüedad del soneto a la segunda mitad del XVI, pero sin fijar concretamente el nombre del autor.

NOTAS

1. Vid. *Historia de la literatura nacional española en la Edad de Oro,* pág. 4.

2. Nace en Osuna. A los trece años pasa con su padre a Africa y presencia la toma de Trípoli por los españoles. Ingresa en la Orden franciscana, y como representante de la misma asiste a varios Capítulos generales. Visita Francia, Alemania y Países Bajos. Se ignora la fecha de su muerte, que debió de ocurrir antes del 1542.

3. Natural de Almodóvar del Campo. Estudia Derecho en Salamanca y Artes y Teología en Alcalá, donde tiene por maestro a fray Domingo Soto. Muertos sus padres, renuncia a cuantiosa herencia, que reparte entre los pobres, y se ordena sacerdote. Primeramente, llevado de su celo apostólico, pretende pasar a las Indias; pero el arzobispo de Sevilla don Alonso Manrique le disuade de hacerlo; entonces, y ya durante cuarenta y cinco años, se dedica a la predicación con tal actividad y fruto, que mereció llamarse el *Apóstol de Andalucía.* Aparte de su labor misionera, se consagró a la dirección de las almas: por su consejo entró en Religión doña Sancha Carrillo, para quien compuso el libro *Audi, filia.* Aconsejó a San Ignacio, San Francisco de Borja y otros jesuítas, a quienes ayudó en la fundación de varios colegios. El mismo quiso entrar en la Compañía de Jesús, pero desistió por lo avanzado de su edad. Murió septagenario y en olor de santidad. Ha sido beatificado en 1894.

4. Recuérdese al grupo de «alumbrados» de Llerena y Sevilla, a la embaucadora sor Magdalena de la Cruz, monja clarisa, y a sor María de la Visitación, del convento de la Anunziata de Lisboa, que sorprendió la buena fe del venerable padre fray Luis de Granada con supuestas estigmatizaciones.

5. Nació en la ciudad de su nombre (Navarra); estudió en Salamanca, y, habiendo ingresado en la Orden franciscana, figuró como uno de los grandes oradores y directores espirituales de su siglo. Fué amigo del célebre Ruy Gómez de Silva, el ministro de Felipe II y esposo de la princesa de Eboli.

6. Nace fray J. de los Angeles en la Corcuela, lugar cercano a Oropesa (Toledo); llamábase de nombre en el siglo Juan Martínez. Ocupó en la Orden de los Francis-

canos Descalzos los más altos cargos: fué predicador de la emperatriz doña María, hermana de Felipe II, y director espiritual de sor Margarita de la Cruz, hija del emperador Maximiliano II, y profesa en las Descalzas Reales de Madrid.

7. Hija de Francisco Coronel y Catalina de Arana, nació en Agreda (Soria). Sus padres disfrutaban de buena posición, y cuando María, hija única, cumplió los dieciséis años, llevados de su ardiente celo de servir a Dios, se separaron para ingresar, cada uno por su lado, en la Orden franciscana. La esposa convirtió su casa en convento, y en él profesó María al cumplir sus dieciocho años. Antes de los veinticinco fué elegida priora, y empezó a divulgarse la fama de sus virtudes y de su sabiduría. La Inquisición llegó a procesarla; pero salió triunfante de todas las acusaciones. Murió en mayo de 1665. Fué una ardiente defensora del misterio de la Inmaculada Concepción.

8. Antes (1855) este epistolario había sido publicado en extracto por Germond de Lavigne en francés y por Ludwig Clarus en alemán (1856).

9. El título completo de la obra es: *Mística Ciudad de Dios y vida de la Virgen, manifestada por ella misma.* Sobre la vida y obras de la madre Agreda escribió Manuel Francisco de Armesto una *Comedia de la coronista más grande de la más sagrada historia* (1736).

10. Eusebio Amort, fraile agustino alemán, en su libro *De revelationibus* (Augsburgo, 1744), y en una *Controversia* mantenida contra el franciscano Diego González Mateo, que salió en defensa de la madre Agreda; y Chaillot, en sus *Principes de théologie mystique* (París, 1866). Amort, después de demostrarnos *quantus et qualis idiota sit Gonzalerius,* afirma terminantemente: *hic liber de Civitate Dei plenus est fabulis et ineptiis, quos auctor vendit pro revelationibus.*

11. Malón de Chaide (¿1530?-1589) nace en Cascante (Navarra). Ingresa en la Orden de San Agustín, en cuyo convento de Salamanca hace la profesión. Tiene por maestro, entre otros eximios varones, a fray Luis de León. Catedrático en Huesca y en Zaragoza, ocupa también altos cargos en su Orden, adquiriendo gran fama como orador, teólogo y poeta. Muere en Barcelona (1598).

12. «Los libros de amores y las Dianas y Boscanes y Garcilasos y los monstruosos libros y silvas de fabulosos cuentos y mentiras de los Amadises, Floriseles y Don Belianis», escribe en el prólogo, aludiendo a ello.

13. Vid. RAFAEL LAPESA: *Historia de la lengua española,* págs. 161 y 164.

14. Y contesta el Esposo:

A las aves ligeras,
leones, ciervos, gamos saltadores,
montes, valles, riberas,
aguas, aires, ardores,
y miedos en la noche veladores;
por las amenas liras
y cantos de sirenas os conjuro
que cesen vuestras iras
y no toquéis el muro,
porque la Esposa duerme más seguro.
Entrádose ha la Esposa
en el ameno huerto deseado,
y a su sabor reposa,
el cuello reclinado
sobre los dulces brazos del Amado...

15. Véase DÁMASO ALONSO: *La poesía de San Juan de la Cruz* (Desde esta ladera), Madrid, C. S. I. C., 1942.

16. Obsérvese que confunde a Boscán con Garcilaso.

17. El padre Rodríguez era vallisoletano; estudió en Salamanca y desempeñó varios cargos de responsabilidad en la Compañía.

18. De Valladolid, como el padre Rodríguez. Vivió muchos años en su ciudad natal, en Medina y en Salamanca.

19. Madrileño e hijo de un alemán que vino a España con la emperatriz María de Austria, viuda de Maximiliano. Estudió Leyes en Alcalá. Ingresado en la Compañía, hizo su noviciado en el mismo Madrid, donde pasó casi toda su vida.

20. Se ignora la fecha exacta del nacimiento de Valdés. Nació en Cuenca; pasó varios años de su juventud en la Corte, y luego estuvo al servicio del duque de Escalona. Luego, por los buenos oficios de su hermano Alfonso, secretario del emperador, pasó a Roma, y, finalmente, a Nápoles, donde murió (1545). En sus años mozos fué muy aficionado a la lectura de libros de caballerías, de los que había de abominar después.

21. El primer tomo apareció en Madrid (1689) con el rimbombante título de *Inundación castálida de la única poetissa Musa décima Soror Juana Ines de la Cruz;* el segundo, en Sevilla (1691), y el tercero, también en Madrid (1700).

22. A veces logra ritmos inéditos, como en estos decasílabos romanceados del más subido barroquismo:

Tránsito a los jardines de Venus,
órgano es de marfil, en canora
música, tu garganta, que en dulces
éxtasis aun al viento aprisiona.
Pámpanos de cristal y de nieve,
cándidos tus dos brazos provocan;
Tántalos los deseos ayunos,
míseros sienten frutas y ondas.
Dátiles de alabastro tus dedos,
fértiles de tus dos palmas brotan...

23. *Historia de la literatura hispanoamericana,* Buenos Aires, 1945, t. I, págs. 242-56.

24. «Aunque no hubiera el infierno que amenaza, ni el paraíso que nos invita, ni una ley que nos obliga, el justo, sólo por amor de Dios, obraría como obra.» *(Audi, filia,* cap. L.)

25. *Fray Miguel de Guevara y el célebre soneto castellano «No me mueve, mi Dios...»,* Méjico, 1915.

26. *Libro intitulado vida del espíritu. Para saber tener oración y unión con Dios... Compuesto por el doctor don Antonio de Rojas, presbítero natural de Madrid,* Madrid, 1628. El trabajo del padre ZARCO *De re litteraria,* «Ciudad de Dios», 1923, CXLII.

BIBLIOGRAFIA

I. *Místicos españoles,* selec., pról. y notas bibliográficas por Luis Santullano, Madrid, 1934.—G. ALABART Y SANS: *Revisió del concepte de mysticisme iberich,* disc. en Real Acad. Bellas Letras, Barcelona, 1918.—E. ALLISON PEERS: *El misticismo español,* trad. esp., Colec. Austral, núm. 671, Buenos Aires, 1947; *Studies on the Spanish Mystics,* Londres, 1937.—J. BROUWER: *De Psychologia der Spaansche Mystick,* Amsterdam, 1930.—JEAN CHUZEVILLE: *Les mystiques espagnols,* París, Edit. Grasset, 1952.—J. DOMÍNGUEZ BERRUETA: *Filosofía mística española,* Madrid, 1947.—JOSEPH VON GOERRES: *Die Cristliche Mystik* (5 tomos), Rogensburg, 1879-1880.—P. GROULT: *Les mystiques des Pays-Bas et la littérature espagnole du XVe siècle,* Lovaina, 1926.—HELMUT HATZFELD: *Estudios literarios sobre mística española,* Madrid, Edit. Gredos, 1955.—M. HERRERO GARCÍA: *La literatura religiosa,* «Hist. de las Lit. román.», II, Barcelona, 1953; *Escritores místicos españoles,* Barcelona, Edit. Exito, 1951.—A. LEVASTI: *I Mistici Tedeschi, Paessi Bassi, Spagnuoli, Francesi,* Florencia, 1925.—MENÉNDEZ PELAYO: *De la poesía mística en España* (disc. de ingreso en la R. A. E.), incluido en «Est. y disc. de crítica», II (ed. C. S. I. C., 1941); *La estética platónica en los místicos del siglo XVI y XVII,* «Hist. de las ideas estéticas», II, cap. VII (ed. C. S. I. C., 1940).—PEDRO SAINZ RODRÍGUEZ: *Introducción a la Historia de la mística en España,* Madrid, 1927.—P. ROUSSELOT: *Les mystiques espagnols,* París, 1864.—Padre JOAQUÍN SANCIS: *La escuela mística alemana y sus relaciones con nuestros místicos del Siglo de Oro,* Madrid, Edit. Verdad y Vida, 1946.—WOLFGANG STAMMLER: *Von der Mystik zum Barock 1400-1600,* Stuttgart, 1950.—TORRES GALEOTE: *La mística española,* Sevilla, 1907.

II. *Breve y muy provechosa doctrina,* de H. de Talavera, ed. M. Mir, «Nueva Bib. Autores Españoles», XVI, 1911.—Textos de Alonso de Madrid: *Obras,* «Nueva Bibliot. Autores Españoles», XVI, con est. del P. Mir; *Arte de servir a Dios,* «Biblioteca Franciscana», I, 1926.—A. P. GUILLAUME: *Un precurseur de la Réforme Catholique: Alonso de Madrid,* «Rev. Hist. Ecclesiastique», XXV, 1929.—J. CHRISTIAMS: *Alonso de Madrid. Contribution à l'histoire de ses écrits,* «Lettres Romanes», IX, Lovaina, 1955.—FIDELE DE ROS: *Alonso de Madrid, théoricien du pur amour,* «Arch. Historicum Societatis Iesus», XXV, Roma, 1956.—Textos de Francisco de Osuna: *Abecedario espiritual,* 3.ª parte, ed. P. Mir, «Nueva Bibl. Autores Españoles», XVI, 1911.—R. FIDELE DE ROS: *Le père Francisco de Osuna,* París, 1937.—S. L. FRANKLIN: *Francisco de Osuna,* «Bull. of Spanish Studies», IX, 1932.—E. ALLISON PEERS: Int. y notas al libro de Bernardino

de Laredo *The Ascent of Mount Sion*, Londres, 1952.—
SERGIO CABALLERO VILALDEA: *Fray Bernardino de Laredo* (Médico y boticario franciscano del s. XVI), Madrid, Prensa Española, 1948.—P. FIDELE DE ROS: *Un inspirateur de Sainte Thérèse: le frere Bernardin de Laredo*, 1948.—Textos del beato Juan de Avila: *Obras escogidas*. «Tesoro de pros. españoles», ed. Ochoa, París; *Epistolario espiritual*, «Clásicos Castellanos», ed. García de Diego, 1912; *Obras*, ed. J. Fernández Montaña, 4 vols., Madrid, 1901; *Obras completas*, «Biblioteca de Autores Cristianos» (introd., biografía y notas del doctor don Luis Sala Balust), Madrid, 1952.—A. ARENAS: *La patria del beato J. de Avila*, Valencia, 1918.—MARCEL BATAILLON: *Jean d'Avila, retrouvé..*, «Bull. Hisp.», LVII, 1955.—
J. M. DE BUCK: *Jean d'Avila et ses œuvres*, «La Nouvelle Revue Théologique», Tournay, 1928; *Le bienheureux Jean de Avila. Lettres de direction* (trad., intr. et notes), Lovaina, 1927.—A. CATALÁN DE LA TORRE: *El beato Juan de Avila*, Zaragoza, 1894.—P. GERARDO DE SAN JUAN DE LA CRUZ: *Vida del maestro Juan de Avila*, Toledo, 1915.—
NICOLÁS GONZÁLEZ RUIZ: *El maestro Juan de Avila y su Epistolario*, «Bull. of Spanish Studies», V, 1928.—T. RUIZ DEL REY: *Vida del padre maestro Juan de Avila*, Madrid, Apostolado de la Prensa, 1952.

III. FRAY VICENTE BELTRÁN DE HEREDIA: *Las corrientes de espiritualidad entre los dominicos de Castilla durante la primera mitad del siglo XVI*, «Ciencia Tomista», 1939.—A. COLUNGA: *De mysticis dominicanis*, «Miscellanea Dominicana», Roma, 1923.—Para Melchor Cano véase *Conquenses ilustres*, de Fermín Caballero, II, Madrid, 1871, y la *Historia de los heterodoxos españoles*, de M. Pelayo, *passim*.—L. F. VIVANCO: *A. de Cabrera. Antología.*, Ed. Nac., Madrid.—Textos de fray Luis de Granada; *Obras*, ed. Ant. Sancha, 8 tomos, Madrid, 1781-1782; ed. de «Bibliot. Autores Españoles», vols. VI, VIII y XI; ed. J. Cuervo, 14 vols., Madrid, 1906; *Obra selecta*, «Biblioteca de Autores Cristianos», Madrid, 1952.—DÁMASO ALONSO: *Sobre Erasmo y fray Luis de Granada*, «De los siglos oscuros al de Oro», Madrid, Edit. Gredos, 1958.—
AZORÍN: *Los dos Luises y otros ensayos*, «Obras completas», t. XXVI, Madrid, 1921.—SISTER MARY BERNARDA BRETANO: *Nature in the works of Fr. Luis de Granada*, 1936.—E. CARO: *El tercer centenario del maestro fray Luis de Granada*, Madrid, 1888.—JUSTO CUERVO: *Biografía de fray Luis de Granada*, Madrid, 1906.—*Fray Luis de Granada y la Inquisición*, «Hom. a M. Pelayo», I; *Fray Luis de Granada, verdadero y único autor del Libro de la oración*, Madrid, 1919.—A. HUERGA: *Fr. L. de G. en Escalaceli. Datos para el conocimiento de su vida*, «Hispania», Madrid, 1950.—*Bibliografía de fray Luis de Granada*, por M. Llaneza, Salamanca, 1926-1928 (4 vols.).—JOSÉ J. DE MORA: Pról. y biografía de Fr. L. de G. en la ed. de sus obras de la «Bibliot. Autores Españoles», VI.—R. L. OECHSLIN: *Louis de Grenade ou la rencontre avec Dieu*, París, 1954.—A. PIDAL Y MON: *Luis de Granada como orador sagrado*, «Col. Escrit. Cast.», IV, 1887.—PAULINO QUIRÓS: *Biografía del venerable... Fr. Luis de Granada*, Almagro, 1915.—REBECCA SWITZER: *The Ciceronian Style in Fr. Luis de Granada*, Nueva York, Hispanic Institute, 1927.—J. I. VALENTI: *Fr. Luis de Granada. Ens. biogr. y crítico*, Palma de Mallorca, 1889.—P. LAÍN ENTRALGO: *La antropología en la obra de fray L. de Granada*, Madrid, 1946.

IV. D. DOBBINS: *Franciscan Mysticism*, Nueva York, 1927.—S. GRÜNWALD: *Franziskanische Mystik*, Munich, 1932.—*Tratado de la oración*, de San Pedro de Alcántara, Salamanca, 1926.—E. ALLISON PEERS: *San Pedro de Alcántara*, «Bull. of Spanish Studies», III, 1926.—R. DE NANTES: *Pedro de Alcántara*, «Études franciscaines», X, 1903.—J. A. STELZIG: *Das Leben des hl. Petrus von Alcantara*, Rogensburg, 1857.—*Obras escogidas* de fray Diego de Estella, ed. Ochoa, «Col. de los mejores aut. esp.», vols. XII y XLIV, 1847; *Meditaciones del amor de Dios*, ed. R. León, Madrid, 1920; *Modo de predicar*, est. y ed. crítica por Pío Sagüés Azcona, Madrid, C. S. I. C., 1951.—PIERRE GROULT: *Un disciple espagnol de P. de Kempis: Diego de Estella*, «Lettres Romanes», V y VI, Lovaina, 1951.—FIDEL DE LEGARZA: *Nuevos est. sobre Fr. Diego de Estella*, «Arch. Iberoamericano», XI.—J. PÉREZ DE URBEL: *Fray Diego de Estella*, «Rev. Eclesiástica», oct. 1924.—JOSÉ ZALBA: *Fray Diego de Estella. Estudio histórico*, Pamplona, 1924.—*Obras de fray Juan de los Angeles*, «Nueva Bibliot. Autores Españoles», XX y XXIV, ed. del P. Fr. Jaime Sala, Madrid, 1912 y 1917; *Diálogos de la conquista*, ed. del P. Mir, Madrid, 1885.—
JUAN DOMÍNGUEZ BERRUETA: *Fray Juan de los Angeles*,

Madrid, Ed. Voluntad, 1927.—A. GONZÁLEZ PALENCIA: *El P. Fr. Juan de los Angeles y sus «Diálogos de la conquista del reino de Dios»* (incluido en «Del Lazarillo a Quevedo»), Madrid, 1946.—MENÉNDEZ PELAYO: *Hist. de las ideas estéticas*, II, C. S. I. C., 1940.—J. SANCHÍS: *Fray Juan de los Angeles* (tesis doctoral), 1941.—F. TORRES Y GALEOTE: *La mística española y «Los triunfos del amor de Dios»*, Sevilla, 1907.—A. TORRO: *Fray Juan de los Angeles, místico-psicólogo*, Barcelona, 1924.—Textos de la madre María de Jesús de Agreda: *Cartas*, ed. F. Silvela, Madrid, 1885; *Vida de la Virgen*, ed. E. Pardo Bazán, 1899; *Antología* (Correspondencia con Felipe IV), Ed. Nacional, Madrid.—P. PEDRO FABO: *La autora de la Mística Ciudad de Dios*, Madrid, 1917.—
LUIS GARCÍA ROYO: *La aristocracia española y sor María de J. de Agreda*, Madrid, Espasa-Calpe, 1951.—M. GEDDES: *The Life of María de J. de Agreda, a late famous Spanish Nun*.—GERMOND DE LAVIGNE: *La seur María de Agreda et Phylippe IV. Correspondence inédite*, París, 1855.—
Z. ROYO CAMPOS: *Agredistas y anteagredistas*, Totana, 1929.—P. SAMANIEGO: *Vida de sor María de Jesús de Agreda*, Madrid, 1720.—JOSÉ SÁNCHEZ DE TOCA: *Sor María de Agreda*, «Rev. de Esp.», CX y CXIII, 1886; *Felipe IV y sor María de Agreda*, Madrid, 1924.—F. SILVELA, M. SERRANO Y SANZ: *Apuntes para una biblioteca de escritoras españolas*, (Sor M. de Agreda, vol. I), Madrid, 1903.—
F. SILVELA: *La ven. madre sor María de J. de Agreda*, Madrid, 1896.—F. XIMÉNEZ DE SANDOVAL: *Un mundo en una celda. Sor María de J. de Agreda*, Madrid-Buenos Aires, Ed. Studium, 1952.—G. TORRENTE BALLESTER: *Sor María de Agreda. Correspondencia con Felipe IV*, Madrid, 1942 (2 vols).

V. J. MONASTERIO: *Místicos agustinos españoles*, Escorial, 1929.—P. CONRADO MUIÑOS: *Influencia de los agustinos en la poesia castellana*, «Ciudad de Dios», XVII y XVIII.—P. GREGORIO DE SANTIAGO: *Ensayo de una biblioteca de la Orden de San Agustín*, 1920.—Para fray Luis de León y Malón de Chaide véase bibliografía en cap. XV (apartados II y III); consúltese, además: RAFAEL G. Y GARCÍA DE CASTRO: *Fray Luis de León, teólogo y escriturario*, Granada, 1928.—MUÑOZ IGLESIAS: *Fray Luis de León, teólogo*, Inst. Suárez del C. S. I. C., 1950.—R. DEL ARCO: *El P. Malón de Chaide*, «Estudio», 1920.—JOSÉ MARÍA SAN JUAN URMENETA: *Fray Pedro Malón de Chaide*, Pamplona, 1957.—JOSEPH VINCI: *Vida y obras de Pedro Malón de Chaide*, «Religión y Cultura», II, Madrid, 1957.—FRAY TOMÁS RODRÍGUEZ: *Santo Tomás de Villanueva, teólogo, moralista, mistico y escriturario*, «Ciudad de Dios», XIV, XVI.—Las *Obras castellanas* de Santo Tomás de Villanueva han sido publicadas por la «Bibliot. de Autores Cristianos», Madrid, 1952, con introd., versión y notas de Fr. S. Santamaría.—Para otros místicos agustinos consúltese: F. A. FARIÑA: *Doctrina de la oración del beato Orozco*, Barcelona, 1927.—M. GUTIÉRREZ CABEZÓN: *Los Nombres de Cristo de Orozco y de León*, «Ciudad de Dios», XC, XCI y XCV, 1912-1913.—Fr. JUAN MÁRQUEZ: *Vida del V. P. Fr. Alonso de Orozco*, Madrid, 1648.—FRAY MANUEL DE QUEVEDO: *Compendio de la dilatada... vida... de Alonso de Orozco*, Madrid, 1730.—M. CARDENAL IRACHETA: *Est. sobre el P. Márquez en la Antología* publicada por la Ed. Nacional.—IGNACIO MONASTERIO: *Est. crítico sobre el P. Márquez en «Ciudad de Dios»*, XIV-XVII.—P. ZARCO: *De re litteraria* (sobre el P. Montoya), «Ciudad de Dios», CXLI.—C. G. MORÁN: *Fray Cristóbal de Fonseca*, «España y América», Madrid, 1921. Véase asimismo M. Pelayo: *Historia de las ideas estéticas*, t. II, cap. VII.

VI. P. CRISÓGONO DE JESÚS: *La escuela mistica carmelitana*, Avila, 1930.—JOSÉ MARÍA DE LA CRUZ: *Caracteristicas doctrinales y literarias de la esc. mist. carmelitana*, «Monte Carmelo», LXVIII, Burgos, 1955.—Textos de Santa Teresa: *Obras*, ed. V. de la Fuente, Madrid, 1881, y en «Bibliot. Autores Españoles», LIII y LV; ed. del Apostolado de la Prensa, Madrid, 1916; ed. del P. Silverio de Santa Teresa (9 vols.), Burgos, 1922; ed. de «Bibliot. de Autores Cristianos», preparada por Efrén de la Madre de Dios y Otilio del Niño Jesús, Madrid, 1951-1953; *Las Moradas*, ed. de «Clásicos Castellanos», al cuidado de Navarro Tomás; *Poesías*, ed. de «Letras Españolas», con pról. del R. P. Francisco Jiménez Campaña.—H. DE CURZON: *Bibliographie thérésienne*, París, 1902.—G. CIROT: *Les éditions des œuvres de S. T.*, «Bull. Hisp.», 1920.—A. MOREL-FATIO: *Les deux premières éditions des œuvres de S. T.*, «Bull. Hisp.», X, 1908.—
E. ALLISON PEERS: *St. Teresa de Jesús and other essais*,

Londres, 1953.—Marcelle Auclair : *La vie de Sainte Thérèse d'Avila*, Club du meilleur Livre, 1955.—Andreas Back : *Das mystische Eslebnis des Gottesnähe bei der hl. Theresia von Jesus*, Würzburg, 1930.—C. Bayle : *Santa Teresa de Jesús*, Madrid, 1932.—Louis Bertrand : *Sainte Thérèse*, París, 1927.—J. B. Boucher : *Vie de Sainte Thérèse*, 2 vols., París, 1810.—A. Castro : *Santa Teresa y otros ensayos*, Madrid, 1929.—Conde de la Viñaza : *Santa Teresa de Jesús*, Madrid, 1882.—Crisógono de Jesús : *Santa Teresa. Su vida y su doctrina*, Col. Pro Ecclesia et Patria, Barcelona, 1933.—G. Cunninghame Graham : *Santa Teresa. Being some account of her life and times*, London, 1894 (trad. esp., Madrid, 1927).—Juan Domínguez Berrueta : *Santa Teresa de Jesús*, Madrid, 1934.—G. Etchegoyen : *L'amour divin. Essai sur les sources de Ste. Thér.*, Burdeos, 1924.—E. del Niño Jesús : *Santa Teresa y el espiritualismo*, Madrid, 1930.—Gabriel de Jesús : *Vida gráfica de Sta. Ter.*, 2 vols., Madrid, 1929-1930.—Jeanne Galzy : *Sainte Thérèse d'Avila*, Ed. Rieder, 1927.—E. Hofele : *Die hl. Theresia*, Regensburg, 1882.—R. Hoornaert : *Ste. Thérèse, écrivain. Son milieu, ses facultés, son œuvre*, París, 1922.—R. Hoornaert : *Ste. Thérèse d'Avila. Sa vie et ce qu'il faut avoir lu de ses écrits*, Burges, 1951.—H. Hoys : *L'Espagne thérésienne*, Gante, 1893.—H. Joly : *Ste. Thérèse*, París, 1903.—E. Juliá Martínez : *Santa Teresa y su cultura literaria*, Castellón, 1922.—P. de Juvigny : *Ste. Thérèse de J. à l'Ecole du Christ*, París, 1953. —José de Lamano y Beneite : *Sta. Teresa de J. en Alba de Tormes*, Salamanca, 1914.—Mauricio Legéndre : *Ste. Thérèse d'Avila*, 1929.—Marcel Lepee : *Ste. Thérèse mystique*, París-Bruges, 1951.—P. Miguel Mir : *Sta. Teresa de J. Su vida, su espiritu, sus fundaciones*, 2 tomos, Madrid, 1913.—Louis Oechslin : *L'intuition mystique de Ste. Thérèse*, Bibl. de Philos. Contemporaine, 1946.—J. Palumbo : *Liriche di T.' de G. Studio introduttivo e versione*, Palermo, 1930.—A. Risco : *Sta. Teresa de J.*, Bilbao, 1925.—R. Saint Cheron : *La vierge d'Avila*, París, 1903.—José M.ª Salaverría : *Santa Teresa de Jesús*, Madrid, 1920.—A. Sachez Moguel : *El lenguaje de Sta. Teresa de J.*, Madrid, Imp. Clásica Esp., 1915.— Juan Tamayo : *Ideas pedagógicas de Santa Teresa*, Jaén, 1930.—G. Truc : *Les mystiques espagnols Ste. Thérèse et St. Jean de la Croix*, París, 1921.—William Thomas Wals : *Santa Teresa de Avila*, trad. esp. de M. de Alarcón, Madrid, 1951.—Th. Vasseroth : *Ste. Thérèse et le développement de sa théologie mystique*, París, 1904.— H. Waach : *Theresia von Avila*, Friburgo, Herder, 1955.— J. A. Zugasti : *Santa Teresa de Jesús*, Madrid, 1915.

Textos de San Juan de la Cruz : *Obras*, ed. de la «Bibliot. Autores Españoles», XXVI ; ed. Orti y Lara, Madrid, 1872 ; ed. crítica del P. Gerardo de San Juan, 3 vols., Toledo, 1912-1914 ; ed. de *Obras completas* de la «Bibliot. de Autores Cristianos» ; ed. del P. Silvero de Santa Teresa, Burgos, 1943, etc. *Poesías*, ed. Böhl de Faber, en «Floresta», núm. 1 ; ed. de W. Stork, Münster, 1854 ; ed. González Palencia, Madrid, 1926, etc. *Cántico espiritual*, según el códice de Sanlúcar de Barrameda, ed. y notas del P. Silverio de Santa Teresa, Burgos, 1928 ; ed. de «Clásicos Castellanos», con pról. de Martínez de Burgos ; ed. de Fr. Casto del Niño Jesús, Santander, 1956, etc.—Dámaso Alonso : *La poesia de San Juan de la Cruz. Desde esta ladera*, Madrid, C. S. I. C., 1942.—E. Allison Peers : *San J. de la Cruz, espiritu de llama* (trad. de Eulalia Galvarriato), Madrid, 1950.— J. Baruzi : *Saint Jean de la Croix et le problème de l'experience mystique*, París, 1924 (2.ª ed. aumentada, 1931).—A. F. G. Bell : *St. John of the Cross*, «Bull. Hisp.», VII, 1930.—P. Bruno de Jesús María : *Saint Jean de la Croix*, París, 1929 (hay ed. cast., Eds. Fax, Madrid).—A. Castro Albarrán : *El espiritualismo en la mistica de San Juan de la Cruz*, Salamanca, 1929.— P. Crisógono de Jesús : *San Juan de la Cruz*, Colec. Pro Ecclesia et Patria, 1946 ; *San Juan de la Cruz. Su obra científica y su obra literaria*, Avila, 1929.— Dom Chevalier : *Le Cantique spirituel de St. Jean de la Croix. Notes historiques, texte critique, version française*, 1930.—Jean Descola : *Quintessence de St. Jean de la Croix*, París, 1952.—M. Dimimuid : *St. Jean de la Croix*, París, 1916.—J. Domínguez Berrueta : *El misticismo de San Juan de la Cruz en sus poesias*, Madrid, 1854.—R. Encinas y López Espinosa : *La poesia de San Juan de la Cruz*, Valencia, 1905.—R. P. François de Sainte Marie : *Initiation à Saint Jean de la Croix*, «La Vigne du Carmel», 1946.—R. P. Garrigou-Legrange : *Perfection chrétienne et contemplation selon St. Thomas et St. Jean de la Croix*, 2 vols., Saint-Maximin, 1926.— Sergio González : *La mistica clásica española* (est. sobre San J. de la Cruz y Santa Teresa), Bogotá, Univ. Javeriana, 1955.—Miguel Herrero García : *San Juan de la Cruz y el «Cántico espiritual»*, Madrid, Escelicer (s. a.).—Camilo Geis : *La poesia de San Juan de la Cruz*, 1943.—R. Hoornaert : *L'âme ardente de Saint Jean de la Croix*, 1947.—*Homenaje a San· Juan de la Cruz en el IV Cent. de su nacimiento (1542-1952)*, C. S. I. C., Madrid, 1945.—Francisco Indurain : *Mistica y poesia en San Juan de la Cruz*, «Rev. de Lit.», II, 1952.—Fr. Kronseder : *Der hl. Johannes vom Kreuz*, Regensburg, 1926.— D. Lewis : *Life of St. John of the Cross*, Londres, 1897.— Max Milner : *Poésie et vie mystique chez St. Jean de la Croix*, París, 1951.—Henry Sanson : *St. Jean de la Croix entre Bossuet et Fénelon*, París, Presses Universitaires, 1953.—J. A. Sobrino : *Estudios sobre San Juan de la Cruz*. An. de «Rev. Lit.», 1950.—G. Truc : *Les mystiques espagnols Ste. Thérèse et St. Jean de la Croix*, París, 1921.—Jean Vilnet : *Bible et mystique chez Saint Jean de la Croix*, Etudes Carmelitaines, Bruges, 1949.—Hildegard Waach : *Johannes vom Kreuz*, Wien München, 1954.—El centenario de San Juan de la Cruz (1942) provocó la aparición de numerosos trabajos que se reflejan en la *Bibliografia de San Juan de la Cruz* en la Biblioteca Nacional («Rev. de Espiritualidad», II, números 7 y 8). Los últimos 60 títulos aparecidos hasta la fecha figuran en la «Rev. de Literatura», XI, números 21-22, 1957.—Emilio Orozco Díaz : *Poesia y mistica*. Introd. a la lirica de San Juan de la Cruz, Colec. Guadarrama, Madrid, 1958.

VII. P. Fidel Fita : *Galería de jesuitas ilustres*, Madrid, 1880.—L. Richstatter : *Die Mystik in des Gessellschaft Jesu*, «Zeitschrift für Aszese und Mystik», V, 1930.—Camilo María Abad : *Ascetas y misticos españoles del Siglo de Oro anteriores y contemporáneos al V. P. Luis de la Puente*, «Miscelánea Comillas», 1948, X. *Obras completas* de San Ignacio, ed. de la «Bibliot. de Autores Cristianos», 1957, con notas del P. I. Iparraguirre.—Para San Ignacio, que sólo de modo indirecto cae dentro del área de nuestra consideración, véase *Bibliografia sobre la vida, obras y escritos de San Ignacio de Loyola*, por el P. Jesús Juan Belz, Edit. Razón y Fe, Madrid.—Dos libros que abordan el aspecto literario de San Ignacio son : Guillermo Díaz-Plaja : *El estilo de San Ignacio y otras páginas*, Barcelona, Edit. Noguer, 1956, y Sabino Solá : *En torno al castellano de San Ignacio*, «Razón y Fe», CLIII, 1956.—P. Pérez Goyena : *Tercer centenario de la muerte de Alonso Rodriguez*, «Razón y Fe», XLIV, 1916.—O. Stanley : *Vida y obras del· P. Alonso Rodriguez* (tesis doct. Univ. Columbia).—C. M. Abad : *Luis de la Puente. Compendio de su santa vida*, Palencia, 1939.—P. Juan Eusebio Nieremberg : *Obras espirituales* (6 vols.), Madrid, 1892 ; *Epistolario*, ed. N. Alonso Cortés, 1915.—Para el P. Ribadeneyra consúltese la bibliografía del cap. XXVII, apartado II.

VIII. E. Boehmer : *Spanish Reformers*, Strassburg-London, 1874.—Fermín Caballero : *Alfonso y Juan de Valdés*, Madrid, 1875.—Edmondo Cione : *Juan de Valdés. La sua vita e il suo pensiero religioso*, Bari, 1938.— H. Heep : *Juan de Valdés...*, Leipzig, 1909.—M. Pelayo : *Historia de los heterodoxos españoles*, III, págs. 187-258, y *Discursos de critica...*, II, págs. 59-64.—José F. Montesinos : *Cartas inéditas de Juan de Valdés al cardenal Gonzaga*, anejo de «Rev. de Filol. Esp.», Madrid.— B. Wiffen : *Life and writtings of Juan de Valdés*, Londres, 1865.—Más biografia de Juan de Valdés en capitulo XXVII, apartado IV.—M. Bataillon : *Erasme et l'Espagne*, París, 1937 (hay trad. española).—P. Dudon : *Le quiétiste espagnol Molinos*, París, 1921.—Joaquín de Entrambasaguas : *Miguel de Molinos*, Madrid, 1935.— Ch. Lea : *Molinos and the Italian Mystics*, «The American Historical Review», II, 1906.—P. A. Martín Robles : *Del Epistolario de Molinos*, «Esc. Española de Arqueología e Historia en Roma», I, Madrid, 1912.—Menéndez Pelayo : *Historia de los heterodoxos españoles*. IV, págs. 253-73.

IX. Textos de sor Juana Inés de la Cruz : *Obras completas*, «Clásicos de México», 1940 ; ed. de «Fondo de Cultura Económica», 2 vols., con pról. y notas de Alf. Méndez Plancarte, Méjico, 1953-1954 ; *Poesia y teatro*, selec. y pról. de Matilde Muñoz, Edit. Aguilar, Madrid, 1946.—P. Henríquez Ureña : *Bibliografia de Sor Juana Inés de la Cruz*, «Rev. Hisp.», 1917.—Dorotea Schons : *Bibliografia de sor Juana Inés de la Cruz*, versión cast., Méjico, 1927.—David Arce : *Natural y sobrenatural de* sor Juana, Guanajato, 1955.—AMADO NERVO: Juana de Asbaje, Madrid, 1910.—ANITA ARROYO: Razón y pasión de Sor Juana, Méjico, Porrúa y Obregón, 1952.—ROSA MARÍA CARRETO LEÓN: En torno a Sor Juana Inés de la Cruz, Méjico, 1951.—EMILIO CARILLA: Sor Juana. Ciencia y poesía. Sobre el «Primero sueño», «Rev. Filol. Esp.», XXXVI, 1952.—JOSÉ MARÍA DE COSSÍO: Observaciones sobre la vida y obra de Sor Juana Inés de la Cruz, «Bol. Real Acad. Esp.», XXXII, 1952.—EZEQUIEL A. CHÁVEZ: Sor Juana Inés de la Cruz, Barcelona, 1931.—JESÚS JUAN GARCÉS: Vida y poesía de Sor Juana Inés de la Cruz, Madrid, Pub. del Inst. Cultura Hispánica, 1953.—JULIO JIMÉNEZ RUEDA: Sor Juana Inés de la Cruz en su época, Méjico, Edit. Porrúa, 1951.—ALFONSO JUNCO: El amor de Sor Juana, Méjico, Edit. Jus, 1951.—JULIO A. LEGUIZAMÓN: Sor Juana Inés de la Cruz, «Hist. de la Lit. hispanoamericana», I, págs. 242-62, Buenos Aires, 1945.—JOSÉ MARÍA PEMÁN: Sinceridad y artificio en la poesía de Sor Juana Inés de la Cruz, «Bol. Real Acad. Esp.», XXXII, 1952.—JESÚS REYES RUIZ: La época literaria de Sor Juana Inés de la Cruz, Monterrey, Univ. Nueva León, 1951.—LUIS ALBERTO SÁNCHEZ: Sor Juana Inés de la Cruz, «Escrit. represent. de América», vol. I, págs. 109-26, Madrid, Edit. Gredos,

1957.—MANUEL TOUSSAINT: Compendio bibliográfico del Triunfo Parténico, Méjico, 1941.—KARL VOSSLER: La décima musa de Méjico, trad. del al., Buenos Aires, 1938.—Sor Juana Inés de la Cruz, hom. de la Ext. Cultural Univ. en el Tercer centenario de su nacimiento, Bogotá, 1951.

X. E. ASENSIO: El soneto «No me mueve, mi Dios» y un auto vicentino inspirado en Santa Catalina de Siena, «Rev. Filol. Esp.», XXIV, 1950.—A. M. CARREÑO: Fr. Miguel de Guevara y el célebre soneto, Méjico, 1915.—ALDA CROCE: Due traduzioni italiane del soneto «A Cristo crucificado», «Rev. Filol. Esp.», 1942.—FOULCHÉ-DELBOSC: Soneto a Cristo crucificado, «Rev. Hisp.», II y VI, 1865.—P. GREGORIO DE SANTIAGO: El P. Miguel de Guevara y el soneto «No me mueve...», «Basíl. Teres.», VI, 1920.—SISTER MARY HUFF: The sonnet «No me mueve...», its Theme in Spanish Tradition,, Washington, 1948.—FRANCISCO LÓPEZ ESTRADA: En torno al soneto «A Cristo crucificado», «Bol. Real Acad. Esp.», XXXIII, 1953.—E. MELE: Due sonetti dell'Abate Figari tradotti dello Spagnuolo, «Bull. Hisp.», 1914.—LEO SPITZER: «No me mueve, mi Dios...», «Nueva Rev. Filol. Hisp.», VII, 1953.—J. ZARCO: De re litteraria, «Ciudad de Dios», CXLII, 1923.

CAPITULO XXVI

LA PROSA EN EL SIGLO XVI: A) HISTORIA

I. NUEVO CONCEPTO DE LA HISTORIA

En la época anterior, la Historia se ha mantenido en los estrechos límites de la monografía o había aspirado lo más a recoger dentro de su campo visual el panorama de un reinado. Ahora, en el Renacimiento, adquiere perspectivas más amplias dentro del espacio y del tiempo. A los retratos, magníficos si se quiere, pero al fin meros retratos o siluetas individuales, de Pérez de Guzmán, suceden los cuadros mucho más extensos de Ocampo y de Morales, en un intento de unificación, que no por haberse frustrado en algunos aspectos es menos generoso. Hasta en las llamadas «historias o crónicas de sucesos particulares» la visión gana en amplitud y profundidad; y el suceso, llámese conquista de la Nueva España o guerra de Flandes, queda encajado en el marco general, cuando no incorporado a la corriente de los acontecimientos universales.

La Historia tiende a articularse en unidad, sea social o política, religiosa o ideológica. A la mera curiosidad, que registra el hecho por su solo interés humano, sucede la concepción pragmática, que aspira a interpretarlo, calibrarlo y deducir de él las necesarias consecuencias.

Y todavía otra novedad: surge con carácter deliberado la concepción estética de la Historia. Se narra para dar conocimiento de las cosas y para crear obra de arte. Mariana y Hurtado de Mendoza, como luego Solís, tanto o más que de la veracidad del hecho se ocupan de la belleza del relato. Era una secuencia necesaria del concepto humanístico de la Historia, a la que los españoles no podían ni debían sustraerse. Obras hay, como la de Solís, que, prescindiendo de su valor documental, se leen hoy casi sólo por sus innegables calidades literarias.

Cierto que, con raras excepciones, falta aún en nuestros historiadores del Renacimiento el sentido crítico. Fuera absurdo pedir a los españoles lo que entonces estaba ausente en los demás. Aun así, alienta en los nuestros una tendencia irresistible a la autenticidad del documento, al control de la información, tendencia que se manifiesta principalmente en un Zurita, de quien por esto mismo se pudo decir que tenía «alma de archivero»; o en un Cabrera de Córdoba, que se niega a dar a la estampa la segunda parte de su *Historia,* por temor a que la proximidad de los hechos hubiese podido desfigurar la visión objetiva de los mismos.

Influencias del Humanismo

Si indagamos la causa de tal cambio de dirección en los estudios históricos, encontraremos que es, si no exclusiva, al menos la más importante, el Humanismo. «El cultivo de las letras clásicas—escribe Montero Díaz [1]—, renaciente progresivamente desde el siglo XIV, y en pleno auge durante la segunda mitad del XV y el XVI, aleccionó a los historiadores con la gran experiencia de la antigüedad. El encanto narrativo de Herodoto, la penetración de Tucídides, el acerado racionalismo de Polibio, la ejemplaridad de Tácito: todas las grandes virtudes de los historiadores clásicos pudieron ser, en mayor o menor medida, aprovechadas por los escritores del Renacimiento. Y si era rica y provechosa la herencia antigua, renovada entonces y difundida por la imprenta, también sirvió de mucho

la herencia medieval. Los últimos siglos del medievo habían producido una espléndida historiografía... La renovación del espíritu europeo, iniciada
desde el siglo XII y vertiginosamente acentuada en
las centurias siguientes, había producido una historiografía llena de matices, sensible al paisaje y
al carácter de los hombres, abundante en retratos,
preocupada por las causas profundas de los hechos. La conjunción de ambas tendencias, clásica
y medieval, constituye en el Renacimiento un género histórico nuevo, floreciente y genial. Es la
obra del Humanismo.»

Visión de los españoles

Por lo que hace a España, nuestros historiadores
se enfrentaban con nuevos problemas, a los que
había que dar solución. Por lo pronto, tenían que
rebasar el estrecho círculo en que se movía su concepto de Patria y Estado y adoptar una actitud definida ante la realidad de una España elevada de
golpe a la categoría de rectora de pueblos y de
Imperio casi universal. «La historia nacional—dice
el mismo profesor Montero Díaz—fué para aquellos escritores algo más que un caso concreto y particular de la ciencia histórica; superó con mucho
la categoría de *problema aislado,* transformándose
en elemento esencial para una comprensión profunda del pasado histórico humano.»

De otra parte, había que hacer frente a realidades imprevistas, a situaciones insólitas, que les
planteaba con sus nuevas razas, estados, costumbres, etc., el descubrimiento del Nuevo Mundo. El
medio geográfico y humano era totalmente distinto. Pero nuestros historiadores no se arredran, para
todo encuentran una solución original y casi siempre acertada.

Caracteres y clasificación

Una síntesis de lo dicho hasta aquí nos daría,
con las obligadas excepciones, las notas fundamentales de la literatura histórica española en el período que estudiamos, y que podrían reducirse a
las cinco siguientes:

a) Visión más amplia del hecho.
b) Concepto pragmático de la Historia.
c) Mayor objetividad en el juicio.
d) Mayor exactitud en los datos y una mejor
información.
e) Intención estética en el lenguaje.

Para el estudio de los historiadores de este período se vienen aplicando los dos consabidos métodos: cronológico y temático o por materias; y
este segundo, que es el preferido, suele dividirse
por reinados: así se habla de historiadores de Carlos V, de Felipe II, etc. Es el que vamos a seguir
nosotros, pero encuadrándolos dentro de la división
general ya establecida para otros géneros: Renacimiento y Barroco. Dentro de la historia española
del Renacimiento hacemos dos grandes apartados:
la relativa propiamente a España (historiadores generales, de reinados y de sucesos particulares) y la
referente a América (historiadores de Indias). Este
último epígrafe no necesita justificarse. La importancia que adquieren desde el primer instante los
libros destinados a recoger los descubrimientos,
conquistas y demás sucesos relacionados con el
Nuevo Mundo exige en todas las historias de Literatura española una consideración especial. Cuando se trata de un libro como el nuestro, destinado
también al estudio de la Literatura americana, esa
consideración debe ser llevada a primer plano.

II. OBRAS DE CARACTER GENERAL

Ocampo y Morales

El primero que se propuso hacer una historia de
España con cierto sentido de unidad fué el zamorano FLORIÁN DE OCAMPO (¿1495?-1558) [2]. Empieza
por editar la *Crónica de España que mandó componer Alfonso el Sabio* (Zamora, 1541), y que, según Menéndez Pidal, no es sino un texto de la
Tercera Crónica general. Después, por su cuenta,
inicia la publicación de otra obra más ambiciosa, la
Crónica general de España, en ochenta libros, de los
que sólo llegó a publicar cinco: cuatro en Zamora (1543) y uno en Medina (1553). Es un tejido de
verdades y fantasías, sin sentido crítico y dejándose llevar con excesiva credulidad de las fábulas
de Annio de Viterbo. Llega sólo a la muerte de
los Escipiones.

Con más sentido crítico y amor insobornable a

la verdad, la obra de Ocampo es continuada por
AMBROSIO DE MORALES (1513-1591) [3]. Antes de emprender su tarea como continuador de la *Crónica*
se había preparado convenientemente, haciendo entrar como documentos históricos de valor inapreciable testimonios ajenos a la literatura: inscripciones, monedas, estatuas, etc. Resultado de ello
es su *Libro de las antigüedades de las ciudades de
España,* con muchos datos de todo género, ya aprovechados en parte por Ocampo. Su espíritu de justicia le hace salir en defensa de Zurita, atacado
por Alonso de Santa Cruz. En la continuación de
la *Crónica* de Ocampo encontramos un historiador
exacto, objetivo y dotado de excelentes condiciones para la investigación. En 1752 le encarga el
rey de un viaje por León, Asturias y Galicia, para
inventariar reliquias, libros, manuscritos y sepulturas, en iglesias y monasterios. Fruto de su labor

es la detallada relación que con el título de *Viaje santo* dejó redactada, en la que se localiza la cuna de la Reconquista (Covadonga) y se reúne un cuerpo de manuscritos e inscripciones *(Corpus veterum inscriptionum)* depositado en El Escorial. Editó también las obras de su tío Fernán Pérez de la Oliva, a las que agregó de propia cosecha quince *discursos* filosófico-morales.

Los «Anales», de Zurita

Más concienzudo en sus investigaciones que los dos anteriores y aun que ningún otro historiador de la época, se nos muestra el aragonés JERÓNIMO DE ZURITA (1512-1580) [4]. Con amplia cultura clásica, adquirida en Alcalá, en las aulas del comendador griego Hernán Núñez, y en posesión de ri-

cos y copiosos documentos, como cronista del reino de Aragón, primero, y hombre de confianza o secretario de Felipe II, después, supo utilizarlos con ejemplar honradez y escrupulosidad en sus *Anales de la Corona de Aragón* (1562-1580), que abarcan la historia de aquel reino desde su origen hasta la muerte de Fernando el Católico. Redactado en presencia de documentos originales, recogidos de propia mano en archivos de España, Italia y Sicilia, constituyen la historia más completa de la monarquía aragonesa. Falta en ella, es cierto, trabazón y armonía; en cambio, reúne tales cualidades de veracidad y está escrita con tal rigor crítico, que difícilmente se encontrará ni aun en los tiempos modernos una obra que la supere. En lo formal quería seguir a Tácito; pero su estilo es duro y por ello alejado de su modelo.

III. EL PADRE MARIANA

El hombre que logró aproximarse al inmortal autor de los *Anales* y de la *Germanía*, tanto como lo permite una lengua moderna, y que consiguió el doble objetivo de hacer una historia nacional y artística a la vez, alcanzando con sus obras un alto puesto en la historiografía española de la Edad de Oro, fué un jesuíta toledano, el Padre JUAN DE MARIANA (¿1536?-1624).

Como la de tantos españoles de su época, la vida del Padre Mariana está llena de dramatismo: procesado por la Inquisición, se le recluye en un convento y sus libros se queman públicamente en París. Sin embargo, es de los pocos españoles de su tiempo que puede asistir a la glorificación de sus escritos: su *Historia de España* es leída, loada encomiásticamente y censurada con la mayor violencia por sus mismos contemporáneos.

Datos biográficos

Nace el padre Mariana en Talavera de la Reina (¿1536?); por no saberse el día exacto y no encontrarse la fe de bautismo, hubo quien le acusó de mal nacido y le echó en cara su ascendencia francesa por parte de la madre, afirmación totalmente infundada. Parece que se crió en Puebla Nueva. Estudió Humanidades con tal intensidad, que llegó a dominar y hablar el latín tan bien como el castellano. Muy joven, pasa a Alcalá, donde cursa Artes y Teología. Llega a esta ciudad el padre Nadal, enviado por San Ignacio; Mariana intima con él, y queda tan prendado de la vida mortificada y laboriosa de los jesuítas, que ingresa en la Compañía cuando aún no tenía diecisiete años. Hace el noviciado en Simancas bajo la dirección de San Francisco de Borja. Terminados sus estudios, es enviado a Roma, de donde pasa a Sicilia y París como uno de los hombres de más valer en la Orden. Resentida su salud, vuelve a España, después de haber actuado

como profesor durante trece años en los mejores colegios de la Compañía. Se establece en Toledo; sigue dedicándose a la enseñanza, a la vez que estudia idiomas orientales, lo que hace que se le encargue del dictamen sobre la *Políglota* de Amberes. Su informe, hecho de manera concienzuda, le acredita como uno de los hombres más doctos en la materia y censor obligado de todas las obras referentes a la Sagrada Escritura.

La laboriosidad de Mariana es asombrosa; enseña y a la vez escribe incansablemente. Aparte de su obra monumental *(Historia de España)*, redacta sus *Tractatus septem* (Colonia, 1601), uno de los cuales, el *De mutatione monetae*, le acarrea un proceso y grandes amarguras [5]. Pero todas las adversidades no logran agotar las energías de aquel espíritu indomable, que a los ochenta años todavía encuentra fuerzas para emprender una obra de gran empuje: los *Escolios al Antiguo y Nuevo Testamento*, en cuya redacción le sorprende la muerte el 16 de febrero de 1624.

En el Museo Británico hay 10 tomos de manuscritos suyos todavía inéditos.

Obras latinas y castellanas

Mariana escribió en latín la mayor parte de sus obras. La misma *Historia* apareció antes en latín que en castellano. Como alguna de ellas, aunque redactada en el idioma clásico, es de gran importancia para el conocimiento de este autor, vamos a enumerarlas por orden cronológico, dando a continuación una ligera referencia de las más destacadas:

a) *Historiae de rebus Hispaniae libri XXV* (1592).

b) *De ponderibus et mensuris* (Toledo, 1593).

c) *De Rege et Regis institutione* (Toledo, 1599).

d) *Tractatus septem* (Colonia, 1609): De monetae mutatione.—De spectaculis.—De morte et inmortalitate.—De adventu Iacobi minoris.—Pro editione Vulgatae.—De annis arabum.—De die mortis Christi.

e) *Discurso de los grandes defectos que hay en la forma de gobierno de los jesuítas.*

El «De Spectaculis» y otros tratados

Los más importantes, aparte los *XXV libri Historiae,* de que nos ocuparemos en párrafo separado, son el *De Rege et Regis institutione, De adventu Iacobi minoris* y *De Spectaculis.*

En el primero se expone la doctrina del egregio jesuíta sobre la Monarquía, en aparente contradicción con las ideas que prevalecían por aquel tiempo en España y en Europa. La teoría del Padre Mariana ha dado lugar a torcidas interpretaciones. Se le ha querido presentar como un apologista del regicidio, cuando no hizo sino adelantarse a los más ilustres sociólogos modernos en la interpretación del papel que compete al soberano. Para Mariana, el Estado nace de la necesidad de asociarse en común para defenderse de los peligros y facilitar y mejorar la vida *(homo natura est animal sociabile).* El Estado no debe limitarse a la mejora de la vida física, sino atender también a la espiritual, y la mejor forma de lograrlo es la monarquía, preferentemente hereditaria, ya que aun con ciertas desventajas tiene menos riesgos que la electiva. El monarca *(primus inter pares),* si en cuanto príncipe tiene ciertos privilegios, en cuanto hombre está sujeto a las comunes leyes del orden y de la moral de los otros ciudadanos, y el Estado tiene el derecho y hasta el deber de revocarlo cuando falta a sus deberes. El Estado, y en casos especialísimos el individuo, puede eliminar al monarca convertido en tirano, siempre que éste haya pisoteado los sagrados derechos del pueblo y resulten ineficaces razonamientos y exhortaciones. Esta doctrina dió lugar a torcidas interpretaciones, que desorbitaron el sentido de tan magnífico tratado de política social. Cuando en 1610 fué asesinado Enrique IV en Francia por Ravaillac, se pretendió que el asesino había obrado inducido por la lectura de este libro, que por tal motivo fué quemado en París públicamente. Al proclamarse la República española en 1873, los revolucionarios inscribieron el nombre del Padre Mariana en su bandera, como grito de combate, y hasta le erigieron una estatua en su ciudad natal.

En el tratado *De Spectaculis,* de gran valor por los datos que suministra sobre las corridas de toros, la vida de los cómicos y las mujeres públicas en España, Mariana se declara enemigo de aquellos dos géneros de espectáculos, así como de la prostitución autorizada, en contra de la opinión de muy doctos varones.

El *De adventu Iacobi apostoli in Hispaniam* defiende la tradición, tan extendida en toda Europa, de la venida del apóstol Santiago a España, en carne mortal. Todo el libro es un verdadero modelo de crítica histórica, sobre todo al interpretar el texto del *Codex Calistinus* y al abordar el problema del *voto de Santiago,* tan discutido en todas las épocas.

La «Historia de España»

Apareció primeramente en latín, pero no en su integridad, sino sólo los XXV primeros libros, distribuídos en trece volúmenes, con el título de *Historiae de rebus Hispaniae libri XXV* (Toledo, 1592); trece años después se publicaba íntegra, en sus XXX libros, que hoy tiene, y también en latín (Maguncia, 1605). Pero en el intermedio de las dos fechas, y movido por el ruidoso éxito que la obra había alcanzado, el mismo autor la vierte al castellano y la publica en Toledo (1601). De modo que la *Historia* «completa» apareció antes en nuestra lengua que en la latina.

El texto castellano, que aquí nos interesa, no se reduce a una versión del original latino: el autor se mueve con gran libertad, y si en lo sustancial nada cambia, en el aspecto lingüístico y literario se adapta maravillosamente a los giros y modos de la lengua y a la exigencias del público al que va dirigida la obra.

Abarca toda la historia de España y Portugal desde los más remotos tiempos hasta la muerte de Fernando el Católico. Luego, el mismo Mariana agregó (1619) un sucinto *Sumario,* con los principales acontecimientos hasta principios del XVII.

Concepción, análisis y estilo

El ilustre jesuíta da a su obra desde el principio un sello de sincronismo y de síntesis, al concebir la Península ibérica, incluído Portugal, como un solo Estado o super-Estado, cuya cabeza sería Castilla. Por ello, todos los sucesos ocurridos en su territorio, en cualquier lugar y época, alcanzan repercusión nacional; y los hechos gloriosos de todos sus hombres, así como sus instituciones, buenas o malas, su cultura, etc., pertenecen a un acervo común. En este sentido, la *Historia* del Padre Mariana es nacional.

Pero también se puede decir en cierto modo que es internacional. Mariana, al redactarla, no persigue una finalidad meramente apologística, de exhibición de hechos gloriosos, sino que aspira a descubrir la verdad y proyectarla al extranjero. Se empezaba a combatir a España, casi siempre injustamente; se iniciaba la red de calumnias en que habían de quedar envueltas durante siglos las más gloriosas gestas de la nación. A disipar esa visión errónea viene el jesuíta con su *Historia.* La escribe primero en latín, lengua de cultura universal, y más aún entonces que ahora. El gran idioma puede ser un vehículo que lleve la verdad a todos los confines de la Europa culta.

El latín del Padre Mariana casi no tiene que envidiar al de los grandes escritores de la época de Augusto. Sus modelos parecen ser Tito Livio y Tácito; también hay muchos pasajes que recuerdan el estilo apretado y denso de Tucídides. Idénticas cualidades resplandecen en el texto castellano. Pocas veces nuestra lengua ha corrido con tanta fluidez, elegancia y riqueza [6]. Para aumentar el encanto de la obra y por seguir más de cerca a sus modelos, el autor intercala arengas, inspiradas unas veces en las *Crónicas*, inventadas las más por él mismo. Con ello consigue elevar al máximo el interés de la narración, que se ofrece esmaltada a cada paso con graves reflexiones morales y corolarios de índole política, dirigidos a extraer de los hechos las consecuencias pertinentes. Cierto sabor clásico y un regusto arcaico, como sólo hallamos en Cervantes, prestan a esta prosa un inimitable encanto, que hace que aún hoy se lea con sabrosa delectación. Esto indica que Mariana, tanto como historiador, quiso ser literato. Pocas veces se habrá llevado a la Historia una tan decidida intención estética y pocas veces también se ha logrado más plenamente. Considerada así, la *Historia de España* se nos muestra como uno de los más venerables monumentos del idioma.

Se ha censurado a Mariana su falta de sentido crítico. En efecto, su crítica es escasa. En tal aspecto no puede compararse con Zurita, que pudo decir de sí mismo que no había inventado nada. Tampoco Mariana inventa, pero concede excesivo crédito a ciertas fábulas extendidas por España en su siglo, aun entre personas ilustradas: venida de Túbal, reinado de Hispalo, Hespero, Atlas; existencia de Hércules, etc. Bien es verdad que el capítulo a ellos dedicado lleva el significativo título «De los reyes *fabulosos* de España», y que reiteradamente inserta aquel *plura transcribo quam credam*, con que queda a cubierto de toda sospecha de ingenua credulidad. Con las leyendas de santos, que afectan a lo más sagrado para él, la Religión, se muestra más circunspecto.

Fueter, con extrema ligereza, nos habló de la *improbidad nacionalista de Mariana* [7], sin ver que lo que él califica de este modo no es sino un plausible intento de injertar en la Historia Universal la gran Historia de España; un esfuerzo gigantesco por destacar en el acontecer humano el factor hispánico. En la misma línea conceptual, y casi por los mismos días, un extranjero, Campanella [8], escribe un tratado para demostrar que la Monarquía hispana es agente providencial, motor y centro de la Historia del Universo.

La *Historia de España* obtiene desde su publicación resonante éxito y provoca también vivas polémicas. Los primeros en atacarla fueron el Padre Pablo Ferrer, Lupercio L. de Argensola y Luis de Urreta. Aquél le hacía ciertas rectificaciones referentes a Portugal; Argensola recababa para Zaragoza la cuna de Prudencio, que Mariana había adjudicado a Calahorra, y Urreta le reprochaba su ostentación en el latín.

Más duros fueron en sus ataques Pedro Mantuano, secretario del condestable de Castilla don Juan Fernández de Velasco, y el marqués de Mondéjar. Mantuano, en unas *Advertencias* (1613), le censuraba por haber admitido como histórica la leyenda de Bernardo del Carpio; y Mondéjar, en otras, le acusaba de seguir ciegamente a Garibay y Ocampo. En defensa del jesuíta salió Tamayo de Vargas, entablándose entre éste y Mantuano una curiosa polémica que duró algún tiempo.

Pese a todos los ataques, la obra de Mariana se impuso tanto en España como fuera, viniendo a ser, hasta la publicación de la de Lafuente, el único libro donde han estudiado la historia de su patria muchas generaciones españolas durante dos siglos y medio.

Garibay y Vaseo

También son historiadores de carácter general ESTEBAN DE GARIBAY ZAMALLOA (1525-1599), natural de Mondragón y autor de *Los cuarenta libros del compendio historial* (Amberes, 1571) y de las *Ilustraciones genealógicas de los Reyes de España* (Madrid, 1546), y JUAN VASEO (1510-1561), natural de Brujas y catedrático de Gramática en Salamanca, que escribió sin el menor sentido crítico ni literario la *Chronica rerum memorabilium Hispaniae* (Salamanca, 1552).

IV. HISTORIAS DE REINADOS Y SUCESOS

Historiadores de Carlos V

Siguiendo el camino iniciado en tiempos de Juan II con su famosa *Crónica,* ya estudiada en su lugar, y continuado en los reinados siguientes por Enrique del Castillo, Diego de Valera, Hernando del Pulgar y el Cura de los Palacios, nos encontramos con varios cronistas e historiadores que se ocuparon preferentemente del emperador Carlos V.

Ya el mismo emperador manifestó deseos de que quedaran perpetuados los hechos más importantes de su reinado al dictar a su confidente VAN MALEN (1550) unos *Comentarios* en francés, cuyo original debe de haberse perdido y que, a juzgar por la versión portuguesa son de valor literario y hasta histórico casi nulo. Tampoco merece más que una ligera mención la crónica que con el título *De rebus gestis Caroli V* nos dejó JUAN GINÉS DE SEPÚLVEDA, redactada en treinta libros y en latín, lo que hace que interese más como humanista, y así se le estudió en su lugar.

Más importancia tiene ALONSO DE SANTA CRUZ, cosmógrafo de la Casa de Contratación de Sevilla, que acompañó en su expedición a Sebastián Cabot y, además de continuar la historia de los Reyes Católicos, que dejó incompleta Pulgar, nos dió una *Crónica de Carlos V*, que abarca la historia del emperador hasta 1550. Ofrece muy particular interés por haber sido el autor testigo presencial de muchos de los acontecimientos que relata, como el de la guerra de las Comunidades.

PEDRO MEXÍA (1499-1551) [9], el autor de la *Silva de varia lección*, de que habremos de ocuparnos más adelante, por haber sido una de las obras más leídas en Europa durante los siglos XVI y XVII, también nos dejó una *Historia del emperador Carlos V*, que sólo llega hasta la coronación del César en Bolonia (1530). Mexía había sido nombrado cronista real a la muerte de fray Antonio de Guevara. De su *Historia* sacó no poco provecho el más conocido de los cronistas de Carlos V, el Padre Sandoval.

Este Padre fray PRUDENCIO DE SANDOVAL [10], benedictino, es uno de los escritores que se benefician durante siglos enteros de una fama inmerecida. Sus dos obras más conocidas son la *Historia de los cinco reyes* (Fernando I, Sancho II, Alfonso VI, doña Urraca y Alfonso VII) y la *Historia de la vida y hechos del emperador Carlos V* (Valladolid, 1605-1606). Aunque él afirma que se propone imitar a Zurita, nada hay de común entre ellos. Le faltan las dos cualidades esenciales en todo historiador y que en grado tan alto resplandecen en el autor de los *Anales*: sentido crítico y honradez. Saquea descaradamente el manuscrito de Pedro Mexía; copia del de Guevara, no impreso aún; acepta todas las patrañas puestas en circulación por impostores como Luis de Ariz en sus *Grandezas de España*, sin tomarse la molestia de verificar las fuentes; en fin, como estilista carece de todo valor. Interesa únicamente por los numerosos documentos que inserta.

La historia festiva y caricaturesca de este reinado tiene un representante magnífico en el bufón DON FRANCESILLO DE ZÚÑIGA (m. 1532) [11], que nos dejó en su *Coronica historia* (1527) una relación puntual de la vida escandalosa, de intrigas y picardías de la corte de España, a partir de la muerte de Fernando el Católico. Era don Francesillo bufón del emperador, a quien distraía de sus graves quehaceres con graciosas ocurrencias, y por ello estuvo en especiales circunstancias para conocer todos los secretos de la corte y de la nobleza. La *Coronica*, en la que satiriza con extraordinaria agudeza a los personajes más augustos, sin exceptuar al gran Cisneros, se divulgó enormemente y no dejó de irritar a varios nobles que aparecían ridiculizados en sus mayores defectos. Alguno de ellos contrató a un rufián que, sorprendiendo a don Francesillo en su retiro de Navarredonda, donde se había refugiado huyendo de la tormenta, lo asesinó, dándole de cuchilladas. Su muerte fué tan grotescamente trágica como su vida. Al preguntar su esposa a la gente que le traía mal herido la causa del alboroto, el bufón contestó: «Señora, no es nada, sino que acaban de matar a vuestro marido.»

Cronistas del Gran Capitán

Casi no debía citarse aquí la *Breve parte de las hazañas del Gran Capitán* (Sevilla, 1527), de Pérez del Pulgar, y que por su estilo y lenguaje más corresponde a la época anterior; ni la *Crónica manuscrita* sobre el mismo personaje, de autor anónimo, publicada recientemente (1908); ni menos la *Vida y crónica de don Gonzalo Fernández de Córdoba*, escrita en italiano por Paulo Jovio y traducida a nuestra lengua en 1554. La magna figura del vencedor de Garellano no tuvo un historiador digno de sus proezas.

En cambio, la rebelión de los moriscos, en tiempos de Felipe II, sofocada por su hermano don Juan de Austria, encontró dos cronistas de indudable altura: Hurtado de Mendoza y Mármol Carvajal.

«Guerra de Granada», de H. de Mendoza

A HURTADO DE MENDOZA (1503-1575) [12], considerado como poeta, ya se aludió por extenso en el capítulo dedicado a la lírica petrarquista. Aquí lo estudiamos como escritor en prosa. Humanista consumado, guerrero, poeta y diplomático a la vez, encarna como pocos la cultura renacentista de la época. De sus obras en prosa la que goza de mayor estimación es la *Guerra de Granada*. Desterrado de la corte por Felipe II, a causa de una reyerta que tuvo con Diego de Leiva en la antecámara real y con ocasión de hallarse moribundo el príncipe don Carlos, vivió confinado primeramente en el castillo de la Mota y luego en Granada. Allí toma parte en la guerra, a las órdenes de su sobrino el marqués de Mondéjar. Terminada la lucha, continúa exiliado en su ciudad natal, hasta que en 1574 se le permite regresar a la corte. Durante el destierro en Granada debió de redactar su libro.

Recoge éste en cuatro partes los sucesos ocurridos desde el origen de la contienda, con la conjuración de los moriscos, hasta la muerte del cabecilla Abenaboo. Sigue un orden cronológico riguroso, lo que le hace pecar algunas veces de confuso. Sin embargo, resplandece su imparcialidad, que le lleva a censurar los defectos de sus mismos compatriotas cuando los hay, y un afán loable por encontrar las causas de lo ocurrido y señalar los oportunos remedios. En el lenguaje se ve un manifiesto empeño de imitar a Salustio, lo que, si consigue muchas veces, le hace ser en otras excesivamente brusco. En ocasiones se acerca a la admirable coneisión de Tácito y a su valiente expresivismo.

Recientemente se ha planteado el problema de la autenticidad del famoso libro. Se pretende que la *Guerra de Granada* no es sino una prosificación de los dieciocho primeros cantos de *La Austriada,* de Rufo, realizada por cierto Juan Arias. La tesis, mantenida en 1914 por don Lucas de Torres, ha sido rebatida por el hispanista Foulché-Delbosc, quien ha demostrado con evidentes razones que no fué Hurtado el que se inspiró en el poema de Rufo, sino éste en el libro de aquél. Las razones principales son: la *Guerra* precisa lugares y personas que en el poema aparecen indicados de modo vago; no se notan restos de consonantes que puedan acusar la prosificación; no hay epítetos inútiles, como en el poema, por exigencia de la rima; es más concisa la obra de Mendoza, fenómeno inconcebible, de haber sido resultado de prosificación; en la *Guerra* aparece la etimología de la voz «España», que Morales trasladó a sus *Antigüedades,* confesando habérsela dado el erudito Hurtado de Mendoza, lo que prueba a las claras que éste es el verdadero y único autor.

Lo que debió de suceder es que, al publicar Tribaldos de Toledo por vez primera la *Guerra* (1627), como no disponía sino de una copia muy incorrecta, hubo de utilizar para el relleno de ciertas lagunas los relatos complementarios de Rufo y Pérez de Hita, con otros que halló a la mano. De ahí las coincidencias.

Otros cronistas e historiadores

Como una antítesis de Hurtado de Mendoza se nos ofrece LUIS DE MÁRMOL CARVAJAL (¿1520?-1600), granadino también, que asistió a la conquista de Túnez (1535) y residió largo tiempo en el norte de Africa, donde se familiarizó con la lengua, costumbres y cultura árabes. Esto le permitió escribir primeramente su *Descripción general de Africa* (Granada, 1573), y luego su *Historia de la rebelión y castigo de los moriscos de Granada* (Málaga, 1600), en la que, frente a las duras críticas formuladas por Mendoza contra la gestión oficial, pretende salir en defensa de la política del Gobierno. A distinta finalidad corresponde también distinto lenguaje. Al estilo nervioso, rápido y denso de Hurtado se opone un lenguaje flojo, abundante y descolorido.

Las guerras de Alemania tuvieron un narrador fiel y sencillo en el magnífico señor don LUIS DE ZÚÑIGA Y AVILA, embajador de España en Roma y compañero de Carlos V en las más brillantes expediciones. Su *Comentario* (Venecia, 1548) recoge la lucha en Alemania, por los años 1546 y 1547, en un lenguaje conciso, llano y exento de afectación. Imita a César, y lo logra, hasta el punto de haber dicho de él Carlos V que si sus hazañas no igualaban a las de Alejandro Magno, tenía, en cambio, un cronista mejor.

También es la sencillez la más loable virtud de los *Comentarios de lo sucedido en las guerras de los Países Bajos desde 1567 hasta 1577,* publicados, primero, en francés (París, 1591), e inmediatamente en castellano (Madrid, 1592), por otro gran diplomático español, don BERNARDINO DE MENDOZA (1540-1604) [13]. Aparte de la virtud señalada, son de destacar la veracidad y precisión en los datos militares.

Otros historiadores de los sucesos de Flandes, Cataluña, etc., caen de lleno dentro del período barroco.

V. HISTORIA DE AMERICA

La gesta del descubrimiento de América, junto con las empresas grandiosas a que dió lugar, por fuerza habían de excitar la atención y la pluma de los escritores españoles y aun de algunos nativos, tan ligados a ellas por razón de nacionalidad y muchas veces incluso como protagonistas o coautores de los hechos narrados.

El mismo CRISTÓBAL COLÓN (¿1451?-1506) se constituye en precursor y como maestro de todos al anticiparnos en sus *Cartas* y otros escritos fragmentarios noticias sobre las etapas preparatorias y circunstancias del Descubrimiento. Estas noticias nos sorprenden todavía hoy por su imparcialidad y exactitud. Parece que pensaba, a imitación de César, escribir unas memorias o anales que probablemente no llegó a redactar. Las *Cartas,* publicadas en 1493 y traducidas inmediatamente al latín por el catalán Leandro de Cosco, tuvieron pronto por lo menos ocho ediciones. Para A. Humbolt, están llenas de «belleza y simplicidad de expresión». Menéndez Pelayo encuentra en ellas la «espontánea elocuencia de un alma inculta a quien grandes cosas dictan grandes palabras», y Menéndez Pidal reconoce en este hablar balbuciente rasgos estilísticos magníficos. La crítica actual, menos comprensiva, censura en Colón cierta monotonía y una innegable pobreza de expresión y de léxico. Muchas descripciones, más que inspiradas en la realidad, parecen calcadas en moldes renacentistas.

Abierto el camino por el propio Descubridor, el número de los que siguen sus huellas, afanándose por dar informes y testimonios de las nuevas tierras, gentes y costumbres, es tan elevado, que se hace necesario, para proceder con alguna claridad, un criterio de ordenación previa. Se han seguido varios: el de la intervención directa y carácter autobiográfico (Cortés, Bernal Díaz); el de información sobre el terreno (Las Casas); el de información documental (Gómara, Solís), y el más racional y aceptado por casi todos, que, haciendo caso omiso de consideraciones puramente formales, va derecho al asunto o materia que se expone [14]. De acuerdo con este último criterio, la historiografía de América o Indias queda agrupada en dos grandes sectores: historias generales e historias particulares o regionales; y dentro de este segundo grupo se suelen señalar tres subgrupos, con arreglo a los viejos virreinatos: Méjico, Perú (en que va incluído, por razones de contigüidad histórico-geográfica, el de Nueva Granada) y Río de la Plata.

Crónicas generales

Apenas debemos recordar aquí a PEDRO MÁRTIR DE ANGHIERA (1459-1526) [15], uno de los más destacados impulsores de los estudios humanísticos en España. Aunque tiene el mérito de haber sido el primero que recogió en sus *Decades de orbe novo* (1511-1516) la vida toda del Nuevo Continente, con sus pobladores, su fauna y su flora, basándose probablemente en las mismas relaciones de los descubridores, cae fuera de nuestro estudio por haber escrito su obra en latín. Mártir de Anghiera, en definitiva, es más humanista que historiador, y su libro se resiente por fuerza del defecto de verlo todo a través de un prisma clásico: las mujeres indígenas son para él heroínas de la antigua Roma, y Colón, un duplicado de Eneas o Alejandro Magno. A los caníbales «alimentados con carne humana» no acierta a llamarles sino *lestrigones* o *polifemos*, lo que prueba que no sabe apartarse un ápice de Homero y de Virgilio.

El primer historiador de América propiamente hablando es GONZALO FERNÁNDEZ DE OVIEDO Y VALDÉS (1478-1557) [16], que residió en aquel continente largo tiempo (1513-1545) y, ya de edad avanzada, fué nombrado cronista de Indias. Su permanencia en aquellas tierras, que le permitió recoger innumerables y valiosos testimonios, junto con su prodigiosa memoria para retener los hechos y transmitirlos por escrito, prestan singular realce a su *Historia general y natural de las Indias, Islas y Tierra Firme del mar Océano*. La primera parte, con la descripción y conquista de las Indias occidentales, apareció en Toledo (1526); la segunda y

tercera, que relataba la conquista de Méjico, Perú y demás regiones, quedó sin publicar por los manejos del Padre Las Casas, que veía en Oviedo un contradictor de su doctrina sobre el trato a los indios. Las editó Amador de los Ríos el siglo pasado (1851-1855).

En conjunto, la obra de Oviedo es de valor incalculable por la abundantísima información de todo orden que suministra. El autor era un observador fiel y un anotador minucioso. Nada le pasa por alto: etnografía, fauna, flora, costumbres, instituciones; todo nos lo da en un lenguaje natural, exento de artificios y tal como le va acudiendo a la memoria. Pero, al mismo tiempo, ese lenguaje abunda en giros populares, que reproducen exactamente el habla de Castilla durante la época. En la polémica suscitada por Las Casas sobre el trato a los indios. Oviedo adopta una postura media, no inclinándose por el rigor ni por la excesiva blandura. Ello le concitó las iras del célebre dominico.

La «Brevísima relación», del Padre Las Casas

Si hay un historiador famoso, más que por el valor intrínseco de su libro por la repercusión que éste tuvo en toda la Europa de aquel tiempo y aun de siglos posteriores, ese historiador es el Padre BARTOLOMÉ DE LAS CASAS o CASAUS (1470-1566) [17]. Queriendo hacer un gran servicio a los indígenas del Nuevo Continente, no logró otra cosa que inferir daños irreparables a su patria. Residente durante largos años en Cuba y Santo Domingo, después en Méjico, donde llegó a ser nombrado obispo en Chiapa (1544), conocedor de la vida que llevaban los indios y del trato que se les daba por parte de los españoles, con un celo plausible, pero desorbitado, se propuso corregir algunos defectos que él mismo descubrió, o creyó descubrir, en la conquista y civilización de aquellas tierras. Primero había intentado hacer de los indígenas pacíficos agricultores, a cuyo objeto fundó en Cumaná una colonia, que fracasó ruidosamente. Luego, con una vehemencia sólo disculpable por la sana intención que le guiaba, envió a Carlos V (1542) su *Brevísima relación de la destruyción de las Indias*, en la que, con la mejor fe y el más laudable propósito, acumula las más graves acusaciones contra los conquistadores y colonizadores de América, exagerando sus crueldades, que no fueron otras ni mayores que las inherentes a toda conquista armada.

El libro del Padre Las Casas, impreso en Sevilla diez años después, si literariamente carece de valor, históricamente tampoco sufre una revisión seria. No obstante, se divulgó rápidamente por toda Europa, sirviendo de vehículo a la calumnia contra España, y los enemigos de ésta encontraron en él toda clase de argumentos para combatirla. Hoy, aquietados los ánimos y disponiéndose de mejor y más abundante documentación sobre los hechos denunciados por Las Casas, se puede suscribir íntegramente el juicio formulado por Fueter en su *Historiografía*: «Las Casas es un teórico fanático. un perfecto doctrinario, incapaz de sacar una lección de las experiencias más duras. Toda su obra está supeditada a una tesis: quiere demostrar que los indígenas de América, pacíficos, afables, dotados por la Naturaleza de todas las virtudes, no han sido corrompidos sino por los españoles. Inventa noticias fantásticas acerca del número inmenso de los indios en su origen (fantasías que tienen eco en las historias populares), para imputar a la brutalidad española una monstruosa disminución en la población.»

El Padre Las Casas compuso también una *Historia de las Indias*, de estilo pobre, pero escrita con cierto método y bien articulada. Abarca desde el descubrimiento hasta 1520.

El debate sobre la «Relación»

En torno al libro del Padre Las Casas, y antes de aparecer, se suscitó vivo debate, que no ha terminado hasta nuestros días. Carlos V, impresionado por las acusaciones formuladas por Las Casas, mandó que se reuniera en Valladolid una Junta de letrados y teólogos para que dictaminara sobre ellas. El humanista Ginés de Sepúlveda contradijo valientemente las afirmaciones del dominico. Más

tarde, en pleno siglo XVIII, el abate enciclopedista Raynal (1713-1796) pone sobre el tapete la *Destruyción*, sacando de ella numerosos testimonios sobre la colonización española y aduciendo amañados los mismos hechos denunciados por Las Casas. En vano refutan a Raynal, por una parte, el abate Nuix, y por otra, su traductor el duque de Almodóvar. Se persiste en ver la gestión española en América a través del libro de Las Casas y de los comentarios de Raynal; la «leyenda negra» es una nube que se va espesando más y más e impide ver la realidad de los hechos. Hay que llegar a nuestros días para que ceda la calumnia y resplandezca la verdad. Ch. Lummis, André, Juderías demuestran la inconsistencia de las acusaciones, y últimamente Rómulo D. Carbia asesta a la «leyenda negra», con sus obras perfectamente documentadas, un golpe mortal [18]. El escritor argentino Roberto Lavillier ha calificado la leyenda negra de «error judicial con tres siglos de retraso».

En honor a la verdad ha de decirse que el alegato del Padre Las Casas no fué enteramente estéril. Su campaña, según Henríquez Ureña, «contribuyó a producir dos grandes acontecimientos: uno, las Nuevas Leyes de 1542, que determinaron finalmente la situación de los indios [19]; el otro, las doctrinas jurídicas expuestas en la Universidad de Salamanca por fray Francisco de Vitoria, el reformador de la teología y de la teoría política».

VI. HISTORIADORES DE MEJICO

Hernán Cortés y otros

El descubrimiento y conquista de los territorios de Nueva España, tan rica en episodios novelescos y hazañas extraordinarias, tuvo muchos cronistas, y algunos de gran mérito. El primero fué el mismo HERNÁN CORTÉS (1485-1547), el más célebre, sin duda, de todos los conquistadores, que nos dejó en sus *Cartas* y *Relaciones* dirigidas a Carlos V (1523-1525) una detallada exposición de las principales vicisitudes de su conquista. Cortés no era sólo guerrero incomparable y político muy hábil, sino un espíritu cultivado, que escribía nuestra lengua con soltura, dignidad y cierto sabor clásico, que le venía de su formación humanística en las aulas salmantinas.

Otros historiadores de Méjico dignos de nota son: fray TORIBIO DE MOTOLINIA [20], autor de unos *Memoriales* y una historia de los *Indios de Nueva España*, fuente de gran importancia para la primitiva historia de Méjico; FRANCISCO CERVANTES DE SALAZAR (¿1514?-1575), ilustre polígrafo, que entre sus numerosas obras nos dejó una *Crónica de la Nueva España*, abundantísima en noticias de toda índole, que sirvieron de fuente a Antonio de Herrera para sus valiosas *Décadas* o *Historia de*

las Indias occidentales, de que hablaremos en su lugar; fray BERNARDINO DE SAHAGÚN, que vivió en Méjico durante sesenta años (1530-1590) y nos legó en los doce libros de su *Historia general de las cosas de Nueva España*, redactada primero en lengua mejicana y luego en castellano, la más abundante mina de noticias sobre el Imperio de los aztecas y su conquista por los españoles.

Pero los dos historiadores más sobresalientes de la conquista de Méjico son López de Gómara y B. Díaz del Castillo. Ambos toman por materia de su libro el mismo hecho y nos cuentan las mismas batallas y sucesos; sin embargo, difícilmente se encontrará dentro de la literatura dos escritores más antitéticos por el estilo, la forma expositiva y el enfoque general del asunto.

López de Gómara

FRANCISCO LÓPEZ DE GÓMARA (1512-¿1572?), soriano, capellán de la casa de Hernán Cortés, y por ello en situación privilegiada para conocer los hechos de fuente directa, da a luz en Salamanca (1568) la *Historia de las Indias y Conquista de México*, con la que se propone ante todo hacer la apología del incomparable conquistador. Para el mejor logro de sus fines empieza por rebajar el mérito de los capitanes y soldados que acompañaban a Cortés en su magna gesta, como si la figura de éste no fuera por sí suficientemente grande y necesitase achicar a las demás para alcanzar mayor relieve. La obra aparece dividida en dos partes: *Hispania Victrix* o *Historia general de las Indias*, la primera; y *Conquista de México*, la segunda. Los hechos narrados alcanzan hasta 1551. Literariamente sigue o intenta seguir a Salustio y Cicerón; su cultura humanística se patentiza a cada paso con citas y alusiones del mundo clásico. Escribe en un estilo cuidadoso y retocado una y cien veces. De tal manera pesa cada palabra antes de ponerla, que ya se cuida de advertir a sus posibles traductores que «guarden mucho las sentencias, mirando bien la propiedad de nuestro romance». Se da cuenta desde el principio de la importancia de su misión, como cronista del más alto suceso: «La mayor cosa—escribe en su dedicatoria a Carlos V—, después de la creación del mundo, sacando la encarnación y muerte del que lo crió, es el descubrimiento de las Indias; y así las llaman Nuevo Mundo.» Su admiración ciega por Hernán Cortés resta objetividad al relato.

Bernal Díaz del Castillo

Antítesis de Gómara por todos los conceptos es BERNAL DÍAZ DEL CASTILLO (1492-1581) [21], a quien no vacilaríamos en calificar como uno de los más insignes historiadores, y cuyo libro, exento de todo aparato literario y desnudo de toda intención artística, se lee siempre con deleite, ya que rebosa sinceridad y simpatía por todas sus páginas.

Bernal Díaz había acompañado a Hernán Cortés, sin faltar un solo día, en todos los azares de la conquista; había asistido a sus triunfos y derrotas, tomando parte, según él mismo confiesa con explicable orgullo, «en ciento diez y nueve batallas». Y cuando, ya anciano, se hallaba en Guatemala disfrutando de una encomienda de que le hiciera merced el emperador, en pago de sus buenos servicios, cae en sus manos la *Historia* de López de Gómara, en la que se intenta acumular sobre Hernán Cortés todo el mérito de la conquista. El viejo soldado, que a creer sus propias palabras andaba ya pergeñando una especie de *Memorias* sobre la magna gesta, se apresura a redactar su libro con el doble propósito de que resplandezca la verdad en toda su pureza y que la gloria de la empresa quede equitativamente repartida entre cuantos tomaron parte en ella. A la intención apologética de Gómara, que concibe al héroe como eje de la acción, sustituye Bernal Díaz el concepto de la conquista como empresa colectiva. No intenta en modo alguno rebajar la figura de Cortés, por el que siente en todo momento admiración sin límites, sino realzar como se merecen las de los otros ca-

pitanes y hasta simples soldados, que le ayudaron con su brazo y sus consejos.

Bernal Díaz debió de redactar su libro hacia 1568, y de edad avanzada, pues afirma que cuando lo estaba escribiendo de los quinientos cincuenta compañeros que habían ido a Méjico sólo vivían cinco. Pero la obra no apareció hasta muchos años después (1632), con el título de *Verdadera historia de los sucesos de la conquista de la Nueva España*. En CCXII capítulos nos expone todas las vicisitudes de la conquista hasta en sus mínimos detalles. Su estilo es el menos parecido al de Gómara: rudo, sin pulir; pero pintoresco, animado, riquísimo, lleno de gracia y de vivacidad. Los retratos que en los últimos capítulos nos da de los principales compañeros que intervinieron en la conquista están hechos con trazos tan toscos como valientes y definitivos. Pocas veces, o quizá nunca, se han narrado los hechos con tanta desnudez, sinceridad y verismo. Lo relata todo, favorable o desfavorable; lo que puede realzarle a los ojos del lector y lo que puede redundar en su descrédito. Ni siquiera disimula el miedo que se apodera de ellos antes de entrar en combate. En una palabra: es un escritor realista y profundamente humano, cuya narración respira tal naturalidad y gracia y ofrece tal sello de autenticidad, que, al decir de Robertson, «su libro es uno de los más singulares que se pueden encontrar en lengua alguna».

Cronistas nativos

Apenas terminada la conquista, nos encontramos ya con varios cronistas, quizá el título de historiadores les venga un poco holgado, nacidos en el mismo suelo de Méjico. Parece como si el Nuevo Mundo tuviera prisa por incorporarse a la corriente cultural europea y hacer acto de presencia en el mundo de las letras. Entre estos cronistas indígenas merecen citarse, por lo que a Méjico se refiere:

JUAN SUÁREZ DE PERALTA, hijo de uno de los primeros pobladores de Nueva España, hombre, según confesión propia, de «poca gramática», pero afanoso de aprender, que nos dejó un *Tratado del descubrimiento de las Indias y su conquista*, no publicado hasta el siglo XIX (Madrid, 1878), y lleno de interesantes datos y observaciones obtenidas directamente.

Más importancia tienen don HERNANDO DE ALVARADO TOZOZOMOC y don FERNANDO DE ALBA IXTLILXOCHITL, ambos de sangre real, como hijo aquél de Cuitlauac, penúltimo emperador azteca, y descendiente el otro por línea paterna de los reyes acolhuas. Nos dejaron, respectivamente, la *Crónica mejicana* y la *Historia chichimeca*, con relatos muy originales e interpretación de leyendas, jeroglíficos aztecas, etc., cuya lengua les era familiar.

VII. HISTORIADORES DEL PERU, CHILE, NUEVA GRANADA Y RIO DE LA PLATA

La lista de los primitivos historiadores del Perú, no menos brillante y nutrida que la de Méjico, se abre con el nombre del jesuíta Padre BLAS VALERA, famoso porque con sus manuscritos suministró no pocos materiales para su obra al Inca Garcilaso.

Cronológicamente siguen: FRANCISCO LÓPEZ DE JEREZ (1504-1539), sevillano, que escribe por orden de Pizarro, de quien era secretario, la *Verdadera relación de la conquista del Perú* (Sevilla, 1534), de tono excesivamente encomiástico para el conquistador del Imperio incaico; PEDRO CIEZA DE LEÓN (1518-1560), también sevillano y soldado, que en su *Crónica del Perú* (Sevilla, 1553) nos ofrece una enciclopedia completa de aquellos territorios: geografía, historia, costumbres, etc.; y AGUSTÍN DE ZÁRATE (m. después de 1560), «contador de mercedes», que pasó en 1546 al Perú, donde tuvo ocasión de presenciar la rebelión de Gonzalo Pizarro. Nos dejó en su *Historia del descubrimiento del Perú...* (Amberes, 1555) un documento fidedigno, aunque algo desfigurado por su visión partidista de los hechos.

Más importancia tiene un fraile, dominico como Las Casas, aunque libre de todo fanatismo, el Padre REGINALDO DE LIZÁRRAGA —en el siglo, Baltasar de Ovando—, que nos dió en su *Descripción breve de toda la tierra del Perú, Tucumán, Río de la Plata y Chile* el más amplio cuadro descriptivo de la América del Sur, hecho durante aquel siglo. Fruto de observación directa, obtenida durante sus incesantes peregrinaciones como visitador de los conventos de su Orden primeramente, provincial luego y, por último, obispo de la Asunción, las noticias de todo orden que nos da son de valor inestimable, ya que, según él mismo afirma, «lo visto es verdad, y lo oído, no menos».

La historiografía de los territorios de Nueva Granada está representada por el famoso aventurero GONZALO JIMÉNEZ DE QUESADA (¿1503?-1579) [22], explorador del río Magdalena y fundador de Santa Fe de Bogotá (1538), que, en su *Compendio historial de las conquistas del Nuevo Reino de Granada,* obra perdida en su mayor parte, suministró no pocos datos a los cronistas posteriores: Oviedo, Valdés, Herrera, etc.; el franciscano fray PEDRO DE AGUADO, provincial que fué de su Orden y autor de dos *Historias,* una de Santa Marta y otra de Venezuela, dignas de mención más por los datos que recoge que por su mérito literario, y fray PEDRO SIMÓN, también franciscano, llamado hiperbólicamente el Herodoto de Venezuela por sus *Noticias historiales de las conquistas de tierra firme en las Indias occidentales* (Cuenca, 1626), libro considerado por algunos como «la relación más completa y más preciosa de los acontecimientos del siglo XVI en Nueva Granada».

Chile, al igual que Méjico respecto de Hernán Cortés, cuenta como primer cronista a su conquistador, PEDRO DE VALDIVIA, quien, siguiendo el ejemplo de Colón y de Cortés, envió a Carlos V una *Carta* para informarle de sus andanzas en aquellas tierras desde su nombramiento como gobernador de las mismas en 1537. Más importancia literariamente tiene el Padre ALONSO DE OVALLE (1601-1651), jesuíta y chileno de nacimiento, en quien se ha celebrado sobre todo el arte y vigor descriptivo de la naturaleza y el sentimiento del paisaje, hasta el punto de haber sido llamado por algún crítico americano «el paisajista». Es autor de la *Histórica relación del Reyno de Chile...,* donde destaca por su grandeza y colorido el pasaje en que nos describe la imponente cordillera de los Andes.

Corresponde la primacía entre los historiadores del Río de la Plata a PERO HERNÁNDEZ, autor de los *Comentarios de Alvar Núñez Cabeça de Vaca* (Valladolid, 1555), que aparecieron como segunda parte de la obra del mismo título del propio Alvar Núñez. Pero Hernández, que actuó cerca del adelantado Cabeza de Vaca como su escribano o secretario, nos da una relación muy pormenorizada, aunque exenta de interés literario, sobre todo lo acaecido desde que se preparó la expedición en España, para auxiliar a don Pedro de Mendoza, hasta el regreso del mismo Alvar.

También el virreinato del Río de la Plata, como los de Méjico y Perú, tiene su primitivo historiador indígena. Este es RUY DÍAZ DE GUZMÁN, hijo de Alonso Riquelme de Guzmán —sobrino de Alvar Núñez— y de doña Ursula de Irala. Doña Ursula era, a su vez, hija de español e india. Ruy Díaz, que había luchado incansablemente contra los indios y recorrido en servicios militares gran parte de la América meridional (m. en Asunción, 1629), compuso unos *Anales del descubrimiento, población y conquista de las provincias del Río de la Plata,* que por no haber sido publicados hasta fecha relativamente tardía (1835) se conocen con el nombre de *Argentina manuscrita.* El valor de esta obra ha sido muy discutido: históricamente es escaso, por la excesiva credulidad del autor, que admite toda clase de leyendas, aun las más inverosímiles; en cambio, literariamente nos revela un escritor dotado de lenguaje castizo y con unas cualidades de naturalidad, sencillez y modestia que le hacen altamente simpático.

VIII. EL INCA GARCILASO

La figura más destacada de toda la historiografía peruana, y aun uno de los valores más positivos de la literatura de Indias, es un escritor indígena por cuyas venas corría sangre imperial de los incas mezclada con noble sangre española: GARCILASO DE LA VEGA (1539-1616), llamado EL INCA, emparentado con el poeta toledano e hijo de una princesa peruana, nos lega en sus *Comentarios reales* el «libro más genuinamente americano que en tiempo alguno se ha escrito», mezcla de historia y de novela, de geografía y de folklore. En sus páginas apuntan ya briosamente, rompiendo la corteza de cultura renacentista de que estaba revestido el autor, aquellas notas de pintoresquismo y exuberancia verbal que habían de caracterizar ya para siempre a toda la literatura americana.

Datos biográficos

Nace en Cuzco en 1539. Fueron sus padres el capitán español don García Lasso de la Vega (el apellido Garcilaso no es sino la voz compuesta y sincopada de García y Lasso) y la princesa Isabel Chimpu Ocllo, prima de Atahualpa. El capitán García, su padre, había tomado parte en la conquista del Perú y quedó allí, llegando a ser durante el trienio 1553-1556 gobernador de Cuzco. Era nuestro Inca descendiente por línea paterna del inimitable cantor de la Flor de Gnido y hallábase emparentado también con otros grandes poetas, como el marqués de Santillana y los dos Manriques; por línea materna era nieto del príncipe Huallpa Túpac y bisnieto del rey Túpac Yupanqui.

Parece que en su corazón de niño fué mucho más honda la huella de la madre que la del padre; él mismo recuerda con fruición las mil historias que oyó de labios de la princesa y de los familiares que venían a visitarla.

Desposeída la madre y muerto el padre en América, a los veinte años viene a España (1561). Desembarca en Lisboa, pasa por Sevilla, donde es muy agasajado por sus deudos, y va a Madrid para solicitar que le sean devueltas las tierras pertenecientes a su madre. Defraudado en su petición, se inscribe en la milicia, donde sirve a las órdenes de don Juan de Austria, alcanzando el grado de capitán. Por fin termina por instalarse en Andalucía, que le recuerda su Cuzco natal, y allí, entre el cultivo de las bellas letras y el trato de doctos y virtuosos varones, deja pasar la mayor parte de su existencia. Ya en edad madura se hizo clérigo, aunque se duda si llegó a recibir órdenes mayores.

Murió en Córdoba, casi octogenario (1616), y fué enterrado en la capilla de las Animas, que él mismo mandó en su senectud comprar y reedificar dentro de la catedral, y que ahora lleva su nombre.

Producción literaria: los «Comentarios»

Antes de los *Comentarios* había publicado dos obras: la traducción de los *Diálogos de amor* (Madrid, 1590), de Judas Abrabanel, hecha con tal cuidado y pulcritud que, en sentir de Menéndez Pelayo, «mejora en gran manera la forma desaliñada del texto italiano», y *La Florida del Inca o Historia del adelantado Hernando de Soto* (Lisboa, 1605), en que con aliento digno de epopeya—García Calderón la califica «Araucana en prosa»—se cuenta la expedición de Soto a la citada península de América del Norte.

Los *Comentarios reales* aparecen algo más tarde (primera parte, en Lisboa, 1609; y completos, en Córdoba, como obra póstuma, en 1616). Son, sin duda, el más sazonado fruto del ingenio de su autor. En dos partes, nueve y ocho libros, respectivamente, nos habla del origen de los Incas, su idolatría, leyes, gobierno e instituciones de paz y guerra; su vida, sus conquistas y «todo lo que fué aquel Imperio y su república antes que los españoles pasaran a él». Viene luego la que el propio autor llama *Historia del Perú,* en que se ocupa del descubrimiento, «cómo lo ganaron los españoles, las guerras civiles que hubo entre Pizarros y Almagros sobre la pastrija de la tierra, castigo y levantamiento de los tiranos y otros sucesos particulares». Termina con el relato emocionante de la ejecución por orden del virrey y muerte ejemplar del príncipe Inca [23]. «legítimo heredero de aquel Imperio por línea recta de varón desde el primer Inca, Manco Cápac, hasta él», que, como dice el Padre Blas Valera, «fueron más de quinientos años, y cerca de seiscientos».

Los *Comentarios* están tejidos de memorias personales, recuerdos de la infancia y testimonios tomados de diversos autores. En la primera parte predomina con mucho la aportación personal, cuando nos describe su casa de Cuzco, las grandes caballerizas, patios y salas de los palacios y el abigarrado desfile de trajes y fiestas de los indígenas. En la segunda sigue principalmente a Gómara, Agustín de Zárate y, con más frecuencia, al Padre Valera, paisano suyo y, como él, también mestizo. La narración está llevada con tal colorido y lujo de detalles pintorescos, que más parece una novela. Un suave tinte de melancolía por tantas grandezas desaparecidas envuelve en singular encanto toda esta narración, en la que se adivina fácilmente la nostalgia del autor, atado por lazos irrompibles a la tierra que le vió nacer. Ni su educación fundamentalmente humanística, ni su larga permanencia en España, en contacto con otros hombres y otra cultura, han podido borrar de su alma el recuerdo siempre fragante del regazo materno. La admiración por las cosas de su país, que apenas pudo vislumbrar cuando niño, se le escapa sin querer a cada paso y hace que se incline su juicio del lado indígena, bien al valorar más de lo debido determinadas actitudes de sus conterráneos, bien al formular, siempre con gran circunspección, algunas censuras contra los conquistadores. Aun en estos casos, su censura es discreta, contenida y resignada, demostrándose en todo momento la nobleza y elegancia de su espíritu.

Los *Comentarios*, que alcanzaron desde su publicación gran éxito, sufrieron durante el siglo XIX un momentáneo eclipse. A él contribuyó, en primer lugar, la prohibición de su lectura por el Consejo de Indias, a últimos del XVIII, por considerarlos fuente de peligrosas sugestiones para los súbditos del virreinato del Perú, y después los juicios adversos formulados por Ticknor, Menéndez Pelayo, González de la Rosa y otros críticos e historiadores de nuestra literatura. Ticknor los calificó de obra llena de chismografías; González de la Rosa los considera un plagio descarado; y no fué mucho más benévolo en sus juicios Menéndez Pelayo, si bien luego, en la *Historia de la poesía hispanoamericana*, modificó su criterio en sentido favorable. Hoy, sin desconocer lo que hay de novelesco y puramente imaginativo en esta obra y lo mucho que el autor tomó de otros cronistas, particularmente del Padre Blas Valera, los *Comentarios* se nos ofrecen como una visión deslumbradora, pero exacta en sus líneas generales, de una civilización exótica ya desaparecida, y su autor, como una «figura patriarcal que se alza en el pórtico de la literatura peruana para trazar esas normas de naturalidad, circunspección y gracia que caracterizan el espíritu de su país» (Augusto Cortina).

NOTAS

1. *La doctrina de la Historia en los tratadistas del Siglo de Oro*, estudio preliminar al libro de Luis Cabrera *Historia para entenderla y escribirla*, ed. del Inst. de Estudios Políticos, Madrid, 1948.

2. Nace Ocampo en Zamora (¿1495?); estudia en Alcalá con Nebrija (1509-1514). Tomó parte en la guerra de las Comunidades; fué cronista de Castilla y canónigo en su ciudad natal. Murió en 1558.

3. Cordobés. Vino al mundo en la casa llamada de los Sénecas, de la ciudad de los Califas. Estudió en Salamanca, al lado de su tío, Fernán Pérez de Oliva, cuyas obras publicó. Ingresa en los Jerónimos, pero sale al poco tiempo ordenado de sacerdote; profesó una cátedra de Retórica en Alcalá, donde tuvo por discípulo a don Juan de Austria. Hombre de gran espíritu ascético, hallándose en el noviciado, y en un momento de exaltación religiosa, procedió a la amputación de sí mismo, dando lugar a una escena impresionante. Murió en 1591.

4. Natural de Zaragoza e hijo del médico de Carlos V don Miguel de Zurita. Estudió en Alcalá, de donde pasó como «contino» a la Casa del Emperador; joven aún (1541), fué nombrado cronista del Reino de Aragón. Tuvo también empleos de confianza cerca de Felipe II, de quien llegó a ser secretario. Murió en 1580.

5. En él desaprobaba Mariana la medida adoptada por Felipe III de acuñar gran cantidad de moneda vellón de ley inferior a la acuñada por los monarcas anteriores... La disposición produjo una depreciación enorme, que repercutió en perjuicio de las clases más humildes, ya que los banqueros se negaban a aceptar la moneda, si no era en su valor real. Mariana, siempre vehemente defensor de la justicia, señaló el desacierto de la medida. Esta había sido inspirada por el duque de Lerma; y el poderoso valido, molesto por la censura, se valió de todos los medios para procesar, por conducto de la Inquisición, al ilustre jesuita, que logró salir absuelto, tras muchos sinsabores.

6. Sus narraciones no pueden ser más animadas y pintorescas. Ejemplos, entre muchas, la de las guerras de Aníbal (lib. II); la irrupción de los bárbaros (lib. V); los últimos años de Pedro I (lib. XVII); y todo el cap. XII del lib. XXII, en que nos hace un retrato incomparable de don Alvaro de Luna, con la magistral descripción de su muerte. No menos bellas las arengas, como la que dirige el condestable Dávalos al infante don Fernando, para ofrecerle la corona de Castilla, llena de generosos ímpetus, de libertad y de independencia.

7. *Histoire de la Historiographie*, París, 1914. Ha de insistirse mucho en la injusticia con que se censura la excesiva credulidad de Mariana: «Mi intento—escribe él mismo—no fué hacer historia, sino poner en orden y estilo lo que otros habían recogido..., sin obligarme a averiguar todos los particulares. De suerte que si doy buen autor de lo que digo, con esto el censor se debe dar por contento y volver sus filos y pleito contra el que lo dijo primero. Que nadie puede obligarme a más de lo que yo pretendí obligarme por mi sola voluntad.»

8. *De Monarchia Hispanica*, Amsterdam, 1641.

9. Véase datos biográficos en el capítulo siguiente, nota 5.

10. Obispo primero de Tuy y luego de Pamplona; sucesor de Ambrosio de Morales en el cargo de cronista real. Nació en 1553 y murió en 1620.

11. De origen judío, gordiflón, pequeño y contrahecho, fué Francesillo en su juventud sastre remendón en Béjar, de donde debió de pasar al servicio del duque de este título y, por conducto del mismo, llegar a Palacio. Carlos V quedó cautivado de su ingenio festivo y le protegió hasta el punto de llegar a llamarse «criado... bienquisto del emperador». Molesto éste, sin embargo, por cierto chiste contra sus grandes, lo arrojó de Palacio, y Francesillo fué a refugiarse en su finca de Navarredonda (Avila). Aparte de la anécdota a que se alude en el texto, es curiosa la que se refiere de los últimos momentos de su vida. Perico de Ayala, truhán del marqués de Villena, se acercó al lecho donde se hallaba malherido y moribundo el bufón. «Hermano, don Francés—le dijo—, ruégote por la grande amistad que de siempre hemos tenido que cuando estés en el cielo, lo creo que será así según ha sido tu buena vida, ruegues a Dios que haya merced de mi alma.» Don Francesillo le respondió: «Atame un hilo a este dedo meñique para que no se me olvide.»

12. Vid nota biográfica en el cap. XIV.

13. Bernardino de Mendoza nace en Guadalajara en 1540 y muere en Madrid en 1604. Estudia en Alcalá y, todavía joven, desempeña cargos de gran responsabilidad en Roma. En la batalla de Mook fué jefe de la caballería española. En 1578 es nombrado embajador de Felipe II en Londres; en 1584 va a París con el mismo cargo e interviene directamente en todas las conjuras de los descontentos contra el rey de Francia. Vuelto a España, ingresó en una celda del convento de San Bernardo. Felipe II estimaba en mucho sus servicios.

14. Vid. LEGUIZAMÓN: *Historia de la literatura hispanoamericana*, t. I, cap. III.

15. Natural de Arona, cerca de Anghiera (Lombardía). Estudió en Roma (1478-1487), de donde lo trajo a España el conde de Tendilla, embajador de los Reyes Católicos, «para preceptor de los donceles de la Corte». Brilló como profesor, gramático e historiador, hasta su muerte en Granada (1526).

16. Gonzalo Fernández de Oviedo, aunque oriundo de Asturias, nació en Madrid. Asistió muy joven a la conquista de Granada; luego pasó a América, donde desplegó una «monstruosa actividad física e intelectual», llegando a ser alcaide de la fortaleza de Santo Domingo. Escribió libros de caballerías, mística, historia y poesía.

17. Natural de Sevilla. Pasó a las Indias en 1502; y ya dominico y sacerdote fué el primer sacerdote que dijo su «primera misa» en el Nuevo Mundo.

18. LUMMIS: *Los exploradores españoles del siglo XVI*, trad. Cuyás, Barcelona, 1921; JUDERÍAS: *La leyenda negra*, ed. Araluce, Barcelona; RÓMULO D. CARBIA: *Historia*

de la leyenda negra hispano-americana, Buenos Aires, 1943.

19. *Las corrientes literarias en la América hispánica*, pág. 18.

20. Su verdadero nombre era Toribio de Benavente. Desembarcó en las costas mejicanas en 1524; y al dirigirse descalzo y a pie desde Veracruz a la capital, a su paso por Tlaxcala, los indios, viéndole de tan humilde traza, exclamaban: «¡Motolinia! ¡Motolinia!», que quiere decir «¡Pobre! ¡Pobre!» Conocedor el sencillo franciscano del significado de la exclamación, dijo: «Este es el primer vocablo que sé de esta lengua y será de aqui en adelante mi nombre.» Trabajó infatigablemente en Méjico, Guatemala, Nicaragua y Yucatán.

21. Nació en Medina del Campo; se desconoce la fecha exacta, aunque se supone que fué en 1492, de padres probablemente bien acomodados. Pasa a América como simple soldado (1514) en compañía de Pedrarias Dávila, que acababa de obtener el gobierno de Darién; de aquí se desplaza a Cuba, y su situación de aventurero le mueve a inscribirse como voluntario en cuantas empresas se presentaban: primero, para la expedición al Yucatán, bajo las banderas de Francisco Fernández de Córdoba; luego, para la Florida, con Juan Ponce; después, tras breve estancia en Cuba con los pocos que se salvaron de aquella aventura, toma parte en la expedición de Grijalva, regresa otra vez a las Antillas; y, finalmente, se alista entre las fuerzas de Hernán Cortés, embarcándose en la nave de Pedro de Alvarado. En toda ocasión supo portarse como el mejor, y terminada la conquista de Méjico, recibe por premio de sus buenos servicios una encomienda en Guatemala, donde se establece definitivamente. Figura como uno de los primeros pobladores de la ciudad de Santiago de los Caballeros, en la que ocupó el cargo de regidor. Sus méritos y servicios, muy estimables, fueron recomendados especialmente al emperador, primero por Hernán Cortés, en carta escrita de Méjico (1540), y después por el virrey don Antonio de Mendoza.

22. Cordobés. Estudió primero Derecho, pero luego se dedicó a grandes empresas y conquistas. Hombre aventurero, osado y emprendedor, algunos han visto en él un arquetipo del que se sirvió Cervantes para su *Quijote*. Después de conquistar el Imperio de los chibchas, vino a España (1539); pero, vuelto a Nueva Granada, murió en Mariquita, orillas del Magdalena, en 1579.

23. Véase con qué sencillez y grandeza nos relata la muerte del último príncipe Inca:

«Al pobre príncipe sacaron en una mula con una soga al cuello y las manos atadas, y un pregón delante, que iba pregonando su muerte y la causa de ella, que era tirano, traidor contra la corona de la majestad católica. El príncipe, oyendo el pregón, no entendiendo el lenguaje español, preguntó a los religiosos que con él iban qué era lo que aquel hombre iba diciendo. Declaráronle que le mataban porque era auca contra el rey su señor. Entonces mandó que le llamasen a aquel hombre, y cuando lo tuvo cerca, le dijo: «No digas eso que vas pregonando, pues sabes que es mentira, que yo no he hecho traición, ni he pensado hacerlo, como todo el mundo lo sabe...»

»Pasaban de trescientas mil ánimas las que estaban en aquellas dos plazas, calles, ventanas y tejados para poderlo ver. Los ministros se dieron priesa hasta llegar al tablado, donde el príncipe subió y los religiosos que le acompañaban, y el verdugo en pos de ellos con su alfanje en la mano. Los indios, viendo a su Inca tan cercano a la muerte, de lástima y dolor que sintieron, levantaron murmullo, vocería, gritos y alaridos; de manera que no se podía oír. Los sacerdotes que hablaban con el príncipe le pidieron que mandase callar a aquellos indios. El Inca alzó el brazo derecho con la mano abierta y la puso en derecho del oído, y de allí la bajó poco a poco hasta ponerla sobre el muslo derecho. Con lo cual, sintiendo los indios que les mandaba callar, cesaron de su grita y vocería y quedaron con tanto silencio que parecía no haber ánima nacida en toda aquella ciudad. De lo cual se admiraron mucho los españoles, y el visorrey entre ellos, el cual estaba a una ventana mirando la ejecución de su sentencia. Notaron con espanto la obediencia que los indios tenían a sus príncipes, que aun en aquel paso la mostrasen, como todos lo vieron. Luego cortaron la cabeza al Inca; el cual recibió aquella pena y tormento con el valor y grandeza de ánimo que los Incas y todos los indios nobles suelen recibir cualquiera inhumanidad y crueldad que les hagan...»

BIBLIOGRAFIA

I. *Historiadores de los siglos XVI y XVII*, selec. de Samuel Gili Gaya, Madrid, 1925.—B. SÁNCHEZ ALONSO: *Historia de la historiografía española. I, Hasta la publicación de la Crónica de Ocampo (1543)*, Madrid, C. S. I. C., 1947; II y III, 1950; *Fuentes de la historia española e hispano-americana*, C. S. I. C., 1952.—R. BALLESTER: *Las fuentes narrativas de la historia de España durante la Edad Moderna* (fasc. 1.º), Valladolid, 1927.—E. FUETER: *Histoire de l'historiographie*, París, 1914.—R. ALTAMIRA: *La enseñanza de la Historia*, Madrid, 1891.—G. CIROT: *Les Hist. génér. d'Espagne entre Alphonse X et Philippe II*, Burdeos, 1905.—VICENTE GENOVÉS: *Dos fases de la metodología histórica*, Valencia, 1934.—MENÉNDEZ PELAYO: *La Historia considerada como obra artística*, «Est. y disc. de critica...», vol. VII, C. S. I. C., 1942.—S. MONTERO DÍAZ: *La doctrina de la Historia en los tratadistas del Siglo de Oro* (est. prel. al libro de Luis Cabrera «De Historia para aprenderla y entenderla»), Madrid, Inst. de Est. Politicos, 1948.—B. SÁNCHEZ ALONSO: *La literatura histórica en los siglos XVI y XVII*, «Hist. gen. Liter. hispánicas», III, 1951-1953.

II. *Obras de Ocampo*, ed. B. Cano, Madrid, 1791.—MARCEL BATAILLON: *Sur Florián d'Ocampo*, «Bull. Hisp.», XXV, 1923.—E. CCTARELO Y MORI: *Varias noticias nuevas acerca de Florián de Ocampo*, «Bol. Real Acad. Esp.», XIII, 1926.—*Obras de Morales*, ed. en 6 vols., Madrid, 1791-1792. G. CIROT: *De auctoribus ab A. de Morales adhibitis ad scribendam historiam*, «Hom. a Bonilla», II, 1930.—RAMÓN COBO SAN PEDRO: *A. de Morales. Apuntes biográficos*, Córdoba, 1871.—E. REDEL: *Ambrosio de Morales*, Córdoba, 1909.—P. ENRIQUE FLÓREZ: *Vida de A. de Morales* (pról. al «Viaje santo»), Madrid, 1765.—*Obras (Anales) de Zurita*, ed. Lanaja, 7 vols., Zaragoza, 1621; *Colec. de las crónicas y memorias de los reyes de Castilla*, ed. Llaguno y Amírola, Madrid, 1799-1780; *Anales*, «Bibl. Autores Españoles», LXVI.—CONDE DE LA VIÑAZA: *Los cronistas de Aragón*, disc. Acad. Hist., 1904.—P. AGUADO Y BLEYE: *La librería del hist. Zurita*, «Idearium», II, 1917.—G. CIROT: *Los «Anales» de Zurita*, «Bull. Hisp.», XLI.—A. CANELLAS: *El testamento de Zurita y otros documentos*, «Rev. Zurita», I, 1933.—F. USTARROZ y D. J. DORMER: *Progresos de la Historia en el Reino de Aragón y elogio de Zurita*, Zaragoza, 1878.

III. *Obras* del P. Mariana, ed. Pi y Margall, «Bibliot. Aut. Españoles», XXX y XXXI.—FÉLIX ASENSIO: *El profesorado de Juan de Mariana y su influjo en la vida del escritor*, «Hispania», XIII, Madrid, 1953.—A. BALLESTEROS: *Disc. en elogio del P. J. de Mariana*, Madrid, Tip. Rev. Arch., 1925.—M. BALLESTEROS: *Est. y notas*, en *Anto²ogia*, Edit. Nac., Madrid.—P. BESSON: *J. de Mariana, expurgado*, «Rev. Crist.», XXXVII, 1916.—G. CIROT: *Mariana historien*, Burdeos, 1905.—Z. GARCÍA VILLADA: *El P. J. de Mariana, historiador*, «Rev. Fr.», LXIX, 1924.—P. GARZÓN: *El P. Mariana y las escuelas liberales*, Madrid, 1889.—PEDRO GONZÁLEZ DE LA CALLE: *Algunas notas complementarias acerca de las ideas morales del P. Mariana*, «Rev. Arch., Bibliot. y Museos», 3.ª ép., vols. 29-32, 1913-1915.—A. GONZÁLEZ PALENCIA: *Polémica entre Pedro Mantuano y Tamayo de Vargas con motivo de la «Historia» del P. Mariana*, «Del Lazarillo a Quevedo», Madrid, 1946.—J. LAURES: *The Political Economy of J. de Mariana*, Nueva York, 1928.— Para Vaseo: *El maestro Juan de Vaseo*, por I. A. Huarte, «Rev. Arch.», 1919, y *Un historien belge oublié*, por A. Roersch, Bruselas, 1929.—Para Garibay, consultar *Bibliografía madrileña*, de Pérez Pastor, III.

IV. A. MOREL-FATIO: *Historiographie de Charles V*, «Bibliot. de l'Ecole des Hautes Etudes», París, 1913.— *Obras de Ginés de Sepúlveda*, ed. y est. de Cerdá, 1870; *Demócrates Segundo o de las justas causas de la guerra contra los indios*, ed. crít. bilingüe con introd. y notas de Angel Losada, Madrid, C. S. I. C., 1951.—ANGEL LOSADA: *Un cronista olvidado de la España imperial: Juan Ginés de Sepúlveda*, «Hispania», XXXI, 1948. (Más bibliografía de Sepúlveda en cap. XIII, apart. III.) *Crónica de los Reyes Católicos*, de Alonso de Santa Cruz, ed. y est. de J. de Mata Carriazo, Esc. Est. Americanos, 1951.—B. SÁNCHEZ ALBORNOZ: *Las crónicas de los Reyes Católicos por A. de Santa Cruz*, «Rev. Filol. Esp.», XVI, 1929.—JUAN BAUTISTA AVALLE-ARCE: *Los «errores comunes»: Pero Mexía y el P. Feijoo*, «Nueva Rev. Filol. Hisp.», X, 1956.— R. COSTES: *Pedro Mexía, chroniste de Charles-Quint*, «Bull. Hisp.», XXII y XXIII, 1920-21.—J. GARCÍA SORIANO: *Estudio sobre Pedro Mexía*, ed. «Bibliof. Españoles», 1933.— Más bibliografía sobre P. Mexía, como escritor narrativo, véase en cap. XXVII (apart. III).—V. CASTAÑEDA: *El cro-*

nista Fr. *Prudencio de Sandoval. Nuevas noticias biográficas*, Madrid, 1929.—*Obras* de don Francesillo de Zúñiga, «Bibliot. Autores Españoles», XXXVI. con est. de Adolfo de Castro.—A. MOREL-FATIO: *La chronique scandaleuse d'un bouffon du temps de Charles-Quint*, «Bull. Hisp.», XI. 1909.—A. GONZÁLEZ PALENCIA: *El mayorazgo de don Francés de Zúñiga*, «Del Lazarillo a Quevedo». Madrid, 1946.—JUAN MENÉNDEZ PIDAL: *Don Francesillo de Zúñiga, butón de Carlos V*, «Rev. Arch. Bibl. y Mus», XX XXI, 1909.—Para Hurtado de Mendoza como poeta consúltese la bibliografía del cap. XIV. apartado V; como historiador. véase G. CIROT: *La «Guerra de Granada» y «La Austriada»*, «Bull. Hisp.», 1920.—R. FOULCHÉ-DELBOSC: *Étude sur la «Guerra de Granada»*, de D. H. de Mendoza, «Bull. HISP». 1894: *L'authenticité de la «Guerra de Granada»*, «Revue Hisp.». 1915.—J. MICHELS: *Sobre la «Guerra de Granada»*, de don D. H. de Mendoza, «Rev. Filol. Esp.», XXIII, 1936.—A. MOREL-FATIO: *Quelques remarques sur la «Guerra de Granada»*, «Ecole Practique des Hautes tudes». París, 1914.—LUCAS DE TORRE: *Don Diego H. de Mendoza no fué el autor de la «Guerra de Granada»*, «Bol. de Ac. Hist.», LXIV, 1914.—Obras de Mármol Carvajal: en «Bibliot. Aut. Españoles». XXI.—Obras de don Luis de Avila y Zúñiga, en el mismo tomo XXI de la «B. AA. EF.»—Obras de Bernardino de Mendoza. en el t. XXVIII de la misma «Biblioteca».—Estudios: A. GONZÁLEZ PALFNCIA: *Don Luis de Avila y Zúñiga, gentilhombre de Carlos V*, Madrid, 1931.—A. MOREL-FATIO: *Don Bernardino de Mendoza* (I, La vie; II, Les œuvres), «Bull. Hisp.», 1906.

V. *Exploradores y conquistadores de Indias*. «Biblioteca Literaria del Estudiante», XVI. 1934.—LEWIS HANKE: *The Spanish Struggle for Justice in the Conquest of America*, Filadelfia, Univ. of Pensilvania. 1949.—J. JUDERIAS: *La leyenda negra*, Barcelona.—CH. F. LUMMIS: *Los exploradores españoles del siglo XVI. Vindicación de la acción colonizadora en América*, trad. de A. Cuyás, Barcelona, 1921.—RÓMULO D. CARBIA: *Historia de la leyenda negra hispanoamericana*, Buenos Aires. 1953; *La Crónica Oficial de las Indias Occidentales*, Buenos Aires, 1940.—F. CARRILLO GUERRERO: *Principios fundamentales de la colonización española en América* (tesis). Madrid, 1910.—*La Carta de Colón anunciando el Descubrimiento...*, repr. del impr. en Barcelona (1493). Congreso Academias de la Lengua. Madrid. 1956. *Transcripción y reconstitución* del mismo. con notas críticas, Madrid, Imp. Hauser y Menet, 1956.—JOAQUÍN BALAGUER: *Colón, precursor literario*, «Rev. Dominicana Cultura». I. 1955.—J. GUILLÉN: *La perla marinera en el Diario del primer viaje de Colón*, Madrid, Instituto Hist. de la Marina, 1951.—MENÉNDEZ PELAYO: *Los historiadores de Colón*, «Est. y disc.», ed. cit.—S. DE LA ROSA Y LÓPEZ: *Libros autógrafos de don C. Colón*, Sevilla, 1891.—CARLOS SANZ: *La Carta de Colón. Su actualidad...*, «Rev. R. Ac. Historia», CXXXIX, 1956.—*Décadas del Nuevo Mundo*, de P. M. de Anghiera, Buenos Aires. 1944.—J. H. MARIEJOL: *Un lettré italien a la cour d'Espagne: P. M. d'Anghiera. Sa vie et ses œuvres*, París, 1887.—Textos de Fernández de Oviedo: «Bibliot. Autores Españoles». I, ed Amador, y ed. fragment. por E. Alvarez López. Madrid, 1942. Estudios en el mismo Oviedo en Amador de los Ríos (ed. Ac. de Historia. 1851). Morel-Fatio («Rev. Hisp.», XXI, 1883) y M. Ballesteros (selec. de «Escritores de Indias». Edit. Ebro. Zaragoza, 1941).—Consúltese también: LUCAS F. DE PIEDRAHITA: *Hist. gen. de la Conquista del Nuevo Reino de Granada* (Antología), «Biblioteca», 2, Bogotá, 1951.—A. LÓPEZ MENESES: *Fern. de Oviedo y trad. del «Corbaccio»*, «Rev. Ayunt. Madrid». XII, 1935.—A. REY: *Book XX of Oviedo's Historia*, «Rom. Rev.», XVIII, 1927.—ALBERTO SALAS: *Fern. de Oviedo y la naturaleza de las Indias*, «Sur», Buenos Aires. 1952.—Textos del P. Las Casas: *Historia*, en «Docum. inéd.», LXII-LXVI. *Historia apologética*, «Nueva Bibliot. Aut. Españoles», XIII. *Historia de las Indias*, ed. A. Millares Carlo y est. prel. de Lewis Hanke. Méjico. 1951 (3 vols.). *Obras escogidas*, Edics. Atlas («Bibliot. Aut. Españoles»), Madrid, 1957, con est. prel. de J. Pérez de Tudela.—ENRIQUE ALVAREZ LÓPEZ: *El saber de la Naturaleza en el P. Las Casas*, «Bol. R. Ac. Historia», CXXXII, 1953.—VENANCIO DIEGO Y CARRO: *B. de las Casas y las controversias teológico-jurídicas de las Indias*, en el mismo «Bol. Ac. Hist.».—A. M. FABIÉ: *Vida y escritos de Fr. B. de las Casas*, 1879.—JUAN FRIEDE: *Fr. B. de las C., exponente del mov. indigenista esp. del s. XVI*, «Rev. Indias», XII, 1953.—M. GIMÉNEZ FERNÁNDEZ: *El plan Cisneros-Las Casas para la reform. de las Indias*, Sevilla, Esc. Est. Hispanoamericanos, 1953.—L. HANKE: *B. de las Casas. An*

interpretation of his life and writings, La Haya, 1951; la misma obra en cast., Santiago de Chile, 1954.—ANGEL LOSADA: *Dos obras inéd. de Fr. B. Las Casas*, «Cuad. Hispanoamericanos», XIII, 1952.—MANUEL MARTÍNEZ: *Las Casas, historiador*, «Ciencia Tomista», LXXXIX, 1952.—R. MENÉNDEZ PIDAL: *El P. Las Casas y Vitoria, con otros temas...*, Colec. Austral, 1958.—FERNANDO ORTIZ: *La leyenda negra contra Fr. B. Las Casas*, «Cuad. Americanos», LXV, Méjico, 1952.—C. PÉREZ BUSTAMANTE: *El «lascasismo» en «La Araucana»*, «Rev. Est. Pol.», XLIV, Madrid. 1952.—ROBERT E. QUIRK: *Some notes on a controversial controversy* (G. de Sepúlveda y Las Casas), «The Hisp. American Historical Review», XXXIV, Durham, 1954.—ALBERTO SALAS: *Las Casas y la Historia de las Indias*, «Sur», Buenos Aires. 1952.—R. SCHNEIDER: *El Padre de los Indios* (Las Casas ante Carlos V), trad. de J. C. Lehman. Buenos Aires. 1956.—M. RODRÍGUEZ NAVAS: *Fr. B. de las Casas*, «Cult. Hispanoamericana», 1915.

VI. RAMÓN IGLESIA: *Cronistas e historiadores de la conquista de México*, Méjico, 1942.—*Las Cartas de Hernán Cortés* pueden verse en ed. Gayangos, París, 1866, y en el vol. XXII de la «Bibliot. Aut. Españoles», y est. sobre ellas, en «Acta Salmanticensia», X, Fac. Letras de Salamanca, 1956.—*La Historia de los Indios de Nueva España*, de (Motolinia», ha sido reimpresa en Méjico, 1941, y una selec. de las *Relaciones de la Nueva España*, con introd. de Nicolau d'Olwer, ha sido edit. por la Univers. Nacional de México en 1956. Hay un est. sobre «Motolinia», de J. T. Ramírez (1858), y otro, reciente, de Francis Borgia Steck, en la trad. inglesa de la *Historia* publicada por la Academy of American Franciscan History (Wáshington, 1951).—Para Cervantes de Salazar, vid. *Obras*, ed. de Cerdá y Rico, Madrid, 1772, y la *Crónica de Nueva España*, ed. y pról. de M. Magallón, Madrid, 1914.—Para Bernardino de Sahagún, vid. texto de la *Historia general de las cosas de Nueva España*. Méjico, 1929-1930, con estudio de Carlos M. Bustamante y ed. post. de Méjico, 1938, así como el trabajo de N. d'Olwer: *Fr. Bernardino de Sahagún*, Méjico, 1952.—Textos de López de Gómara: *Historia general de las Indias*, «Bibliot. Aut. Españoles», XXII; *Historia de la conquista de México*, con intr. y notas de J. Ramírez Cabañas, Méjico, 1943; *Antología*, prologada por Darío Fernández Flórez. Madrid, Edit. Nacional.—Textos de Bernal Díaz del Castillo: «Bibliot. Aut. Españoles», XXVI; ed. Jenaro García, Méjico, 1904-1905; C. S. I. C., 1941.—Estudios sobre Bernal Díaz: C. SÁENZ DE SANTAMARÍA: *¿Fué Remón el interpolador de la Crónica de B. Díaz?*, «Missionalia Hispanica», XII, Madrid, 1956.—LUIS ALBERTO SÁNCHEZ: *Bernal, el cronista*, «Bolívar», Bogotá, 1951.

VII. JOSÉ DE LA RIVA AGÜERO: *La historia en el Perú*, Lima, 1910.—Textos de Francisco de Jerez y de Cieza de León en «Bibliot. Autores Españoles», XXVI; sobre Fr. Reginaldo de Lizarraga, vid. est. de J. Caillet-Bois en «Nueva Rev. Filol. Hisp.», VII, 1953; sobre Fr. Pedro de Aguado y Fr. Pedro Simón, consúltese el art. de A. López *Historiadores franciscanos de Venezuela y Colombia* en «Arch. Iberoamericano», XIV y XVI, 1920.

VIII. Textos del Inca Garcilaso: *Los Comentarios Reales de los Incas*, «Colec. de Historiadores Clásicos del Perú», Lima-Buenos Aires, Emecé, 1941. *Diálogos de amor* de León Hebreo, trad. del Inca Garcilaso, en «Nueva Bibliot. Autores Españoles», XXI, ed. Bonilla, 1915. *Antología* (2 tomos), con pról. de Darío Fernández Flórez, Madrid, Edit. Nacional, 1945.—Estudios: EUGENIO ASENSIO: *Dos cartas desconocidas del Inca Garcilaso*, «Mar del Sur», VII, Lima, 1952.—CARLOS MANUEL COX: *Interpretación económica de los «Comentarios» del Inca Garcilaso*, «Cuad. Americanos», LXX, Méjico, 1953.—José DURÁN: *Veracidad y exactitud en «La Florida del Inca»*, «Letras», LIV-LV, Lima, 1955.—JULIA FITZMAURICE-KELLY: *El Inca Garcilaso de la Vega*, Oxford, Univ. Press, 1921.—JOSÉ DE LA RIVA AGÜERO: *Introd. crítica a la Antología de los Comentarios del Inca Garcilaso*, Madrid, 1929.—AURELIO MIRÓ QUESADA: *El Inca Garcilaso en 1563*, «Mar del Sur», VI, Lima, 1951; *El Inca Garcilaso y su concepción del arte histórico*, en el mismo número de «Mar del Sur».—E. MORENO BÁEZ: *El providencialismo del Inca Garcilaso*, «Est. Americanos», VIII, Sevilla, 1954.—*Nuevo estudio sobre el Inca Garcilaso*, Lima, Centro Est. Hist. Militares», 1955.—RAÚL PORRAS BARRENECHEA: *El Inca Garcilaso en Montilla* (1561-1614), Lima, San Marcos, 1955.—LUIS ALBERTO SÁNCHEZ: *Garcilaso Inca de la Vega*, «Escrit. represent. América», I, Madrid, Edit. Gredos, 1957.—JOHN VARNER: *La Florida del Inca*, «Bolívar», V, Bogotá, 1951.

CAPITULO XXVII

LA PROSA EN EL SIGLO XVI: B) ESCRITORES VARIOS

I. DIRECCIONES PRINCIPALES.—II: HISTORIA RELIGIOSA: *P. Ribadeneyra. Fray José de Sigüenza. Falsos cronicones.*—III. PROSISTAS DE TEMA VARIO: *Un prebarroco: el P. Guevara. La «Silva de varia lección», de Mexia. Otros libros de pasatiempo. Más escritores del género. Colecciones paremiológicas.*—IV. OBRAS DIALOGADAS Y PEDAGÓGICO-MORALES: *Diálogos platónicos: León Hebreo. Diálogos lucianescos y erasmianos: los hermanos Juan y Alfonso Valdés. Otros erasmistas. Villalón y Laguna. Tratados pedagógico-morales: el «Examen de ingenios», de Huarte.*—NOTAS.—BIBLIOGRAFÍA.

I. DIRECCIONES PRINCIPALES

Incluímos en este capítulo tres órdenes de escritores:

a) Algunos historiadores no comprendidos en el capítulo anterior, y que, por estar encuadrados cronológicamente en el reinado de Felipe II o por las características de sus obras, tampoco pertenecen propiamente al período barroco.

b) Un buen número de autores que nosotros llamaríamos *polígrafos* y que, por la índole varia de su producción, suelen andar por las historias de la Literatura como extravagantes y agrupados bajo los más diversos epígrafes, sin quedar inscritos definitivamente en ninguno. Sus obras tanto tienen de historia como de fábula; tanto de lección moral, al estilo de Plutarco, como de anecdotario, a la manera de Aulo Gelio. Son auténticos tratados misceláneos, con ejemplares tan típicos como los del Padre Guevara y los del caballero Pedro Mexía.

c) Otro grupo no menos nutrido de escritores también polígrafos, cuyas obras tocan, como las anteriores, los temas más heterogéneos. Las distingue de aquéllas una tendencia fundamentalmente didáctica, sea moral, filosófica, literaria o de simple divulgación. La lista de autores que suelen incluirse en los dos últimos grupos es muy crecida, por lo que limitaremos nuestra mención a los de mérito literario más positivo.

Todavía quedan los llamados preceptistas, al modo de Cascales, el Pinciano o González de Sala. Sus doctrinas revisten excepcional importancia en el orden literario; pero, teniendo en cuenta que tales doctrinas forman un cuerpo homogéneo durante los dos períodos—Renacimiento y Barroco—del Siglo de Oro, las dejamos para su estudio al final de éste y en su capítulo correspondiente.

II. HISTORIA RELIGIOSA

Padre Ribadeneyra

La historiografía religiosa cuenta con innumerables cultivadores, tanto en lo que se refiere a vidas de santos como a crónicas de diversas Ordenes; pero sólo presenta, durante la segunda mitad del XVI, dos figuras de relieve. el Padre Ribadeneyra y Fray José de Sigüenza.

El Padre PEDRO DE RIBADENEYRA (1527-1611) [1], toledano, discípulo de San Ignacio, que le solía llamar con íntima familiaridad «Perico», ofrece la triple faceta de biógrafo, historiador apologético de la Iglesia y escritor ascético. En el primer aspecto deben recordarse sus biografías de *San Ignacio* (1583) y de *San Francisco de Borja,* así como el *Flos Sanctorum* (1599-1601), colección de

vidas de santos, en su mayor parte mártires, en la que se describe con intenso realismo toda clase de torturas para edificación de cristianos tibios y cobardes.

En el segundo aspecto destaca su *Historia del Scisma del Reino de Inglaterra* (Madrid, 1588), y como escritor ascético nos dejó un bello *Tratado de la tribulación.* También escribió contra Maquiavelo otro tratado, *De la religión y virtudes que debe tener un príncipe cristiano.*

La *Historia del Cisma,* sin duda el mejor y más conocido de sus libros, recoge con bastante objetividad y amplia documentación todo el desarrollo de la lucha religiosa en Inglaterra durante los reinados de Enrique VIII, María Tudor e Isabel. Sigue en parte las referencias de Sendero, Polidoro y el cardenal Polo, y en buena parte también habla por información directa, ya que Ribadeneyra residió en Inglaterra durante algunos años y fué testigo presencial de muchos sucesos. El *Tratado de la tribulación* se dirige, en primer lugar, a los espíritus afligidos para infundirles ánimo en su desgracia; pero trae, además, otra finalidad: la de reavivar la fe y confianza de los católicos españoles y de la Iglesia en general, «por tantas vías combatida y perseguida por los ministros de Satanás». Téngase en cuenta que Ribadeneyra escribía su *Tratado* en 1589, un año después del desastre de la Armada Invencible. El libro, pues, no puede venir más a punto. La doctrina del egregio jesuíta, empapada de senequismo—llama a Séneca «excelentísimo y gravísimo filósofo»—, se puede resumir en este axioma: Dios aprieta, pero no ahoga. «Así como el buen tañedor de vihuela—escribe—no estira demasiado la cuerda por que no se rompa, ni la afloja mucho, porque no haría consonancia ni armonía, así aquel músico celestial no nos da siempre prosperidad, porque no aflojemos y perdamos la suave armonía de la virtud, ni tampoco nos aprieta siempre con trabajos y aflicciones, porque no quebremos y desesperemos en ellos.»

El lenguaje del Padre Ribadeneyra es siempre abundante, fácil y de gran riqueza léxica, lo que hace de él uno de los escritores más amables del Gran Siglo.

Padre Sigüenza

Un modestísimo fraile jerónimo, fray JOSÉ DE SIGÜENZA (¿1544?-1606) [2], sucesor de Arias Montano en el cargo de bibliotecario de El Escorial, acertó a darnos, en la *Historia de la Orden de San Jerónimo* (1595-1600-1605), uno de los más preciados monumentos de la lengua y de la literatura castellanas. Pese a lo humilde del título, la obra está concebida con gran ambición y escrita en un lenguaje tan levantado y digno, que Unamuno, en una afortunada comparación, la ha llamado «el Escorial de la literatura clásica española». Consta de tres partes: una, en que se relata la vida del santo fundador, y otras dos, en las que se pormenoriza la historia y desarrollo de la Orden en España. Destacan las descripciones de los tres grandes monasterios de Yuste, Guadalupe y El Escorial, tan estrechamente vinculados a las personas de los monarcas españoles, en particular a las de Carlos V y Felipe II. El cuadro histórico, estrecho de por sí y reducido a la mera crónica de una Orden, en manos del Padre Sigüenza se ensancha increíblemente, hasta adquirir dimensiones nacionales; el asunto se ennoblece y prestigia con aquella prosa grave, severa, de amplias líneas arquitectónicas, que convierte al Padre Sigüenza en uno de los más estimables estilistas del siglo XVI.

Falsos cronicones

Dejando para otro capítulo del período barroco la referencia de algunos historiadores, como Solís, Fray Jerónimo de San José, etc., hemos de aludir aquí a unos cuantos seudohistoriadores cuyas obras, de poco interés literario y de menos interés científico, alcanzaron, no obstante, gran resonancia, porque contribuyeron en algunos momentos a desorientar la opinión pública, desviando a la Historia de su más concreta finalidad. Aludimos a los llamados *falsos cronicones*.

Eran éstos, según los califica Pfandl, «fingidos fragmentos de relatos históricos que se suponía procedentes de un monasterio de Fulda; trataban de los primeros tiempos del cristianismo en España, y celebrando los hechos de los héroes nacionales de la fe, llamaban nuevos santos al cielo, sin olvidar a los contemporáneos de la tierra, a los cuales atribuían generosamente viejísimos y famosos antepasados». Como el primero y principal fautor de tales fábulas se señala al Padre JERÓNIMO ROMÁN DE LA HIGUERA (1538-1611), jesuíta toledano quien, con el fin de documentar la tradición de la venida de Santiago a España, inventó unos fragmentos del *Cronicón* de un supuesto Flavio Lucio Dextro, que aseguraba existía en el citado monasterio de Fulda.

Antes, y en la colina de Sacromonte (Granada), habían aparecido varias láminas de plomo con inscripciones árabes y latinas, cuyo contenido se refería a la Inmaculada Concepción y a las predicaciones de Santiago en la Península Ibérica. Se les atribuyó por algunos gran antigüedad, y, aunque más tarde su autenticidad fué descalificada por Roma (1682), de momento el éxito de los plomos fué enorme y movieron al citado Padre La Higuera a dar a conocer sus *Cronicones*: el de *Flavio Lucio Dextro*, ya aludido; el de *Luitprando*, con noticias de Witiza, Rodrigo, Carlomagno, Roldán, etc., y el de *Julián Pérez*, con datos sobre Santa Bárbara y el casamiento de la infanta Teresa con el moro Abdalá. Este último fué publicado por Ramírez del Prado (1628). Siguieron los de Antonio de Lupián Zapata (*Cronicón de Hauberto*), de Gaspar Roig y Valpi (*Cronicón de Liberato*) y otros varios. Nicolás Antonio, primeramente, y más tarde Mayáns y el Padre Flórez, dieron buena cuenta de estas torpes falsificaciones, que tuvieron engañados durante algún tiempo a hombres del prestigio de Tamayo de Vargas, Cascales y Rodrigo Caro.

III. . PROSISTAS DE TEMA VARIO

No pueden considerarse historiadores, ni ellos mismos intentaban serlo, aquellos literatos que, basándose en hechos más o menos históricos o tenidos por tales, se dedicaron durante casi todo el siglo XVI y buena parte del siguiente a exponer en forma de anecdotario sus ideas filosóficas, religiosas, políticas y hasta sociales, casi siempre revestidas de una forma bella, por lo que sus creaciones en muchos casos caen de lleno dentro del campo de nuestra disciplina. Tales anecdotarios fluctúan infinitamente en su estructura externa y en su contenido: unas veces se acercan a la novela histórica, por reflejar una acción hasta cierto punto articulada en torno a determinados personajes; otras se desmenuzan en una serie infinita de pequeños apólogos, ejemplos y sentencias, llegando en no pocos casos a revestir la forma de centón, como en las numerosas colecciones de apotegmas y proverbios que inundaron España durante la segunda mitad del XVI. Alguno de estos libros ejerció notoria y decisiva influencia no sólo en España, sino fuera de ella. Figuran como los más calificados escritores del grupo Fray Antonio de Guevara y el caballero Mexía.

Un prebarroco: el Padre Guevara

Así, «prebarroco», lo llama, y muy acertadamente, el señor Valbuena y Prat. Es este Padre Fray ANTONIO DE GUEVARA (¿1480?-1545) [3] —obispo inquisidor, predicador real y pulido cortesano—, uno de los escritores españoles más conocidos en el extranjero y que mayor influjo ha ejercido en todas las épocas. Sus libros, traducidos inmediatamente a las lenguas cultas, alcanzaron tal número de ediciones, sobre todo en Francia e Inglaterra, que su éxito y popularidad sólo admitía comparación con los de la Biblia. Robando tiempo a sus ocupaciones en la corte, el Padre Guevara escribe incansablemente de *omni re scibili*, llegando a producir una obra de extraordinario volumen. No vamos a reseñar aquí todos los títulos [4]; bastará un breve comentario sobre sus tres libros más conocidos y originales: el *Relox de príncipes o Libro del emperador Marco Aurelio*, las *Epístolas familiares* y *El menosprecio de corte y alabanza de aldea*. Cualquiera de los tres basta a prestigiar un escritor.

El *Relox de príncipes* es, de todos sus libros, el más famoso. Aparece en Valladolid en 1529; pero antes habían corrido numerosas copias manuscritas, y hasta se habían hecho ediciones fraudulentas. Consta de dos partes: una novela histórica, que el autor, con un procedimiento muy utilizado por aquellos días en el género caballeresco

y seguido por el mismo Cervantes, supone traducción de un manuscrito antiguo, y un tratado de príncipes, a la manera de la *Ciropedia* de Jenofonte, al que está incorporada la narración. De carácter eminentemente pedagógico, contiene abundantes enseñanzas sobre la educación, creencias religiosas, comportamiento y manera de gobernar de un príncipe cristiano, todo ello esmaltado con múltiples ejemplos y apólogos y avalado con citas de Plutarco, Diógenes Laercio, Valerio Máximo y otros filósofos y escritores de la antigüedad. Traducido en 1531 al francés y cuatro años más tarde al inglés, alcanza en menos de cincuenta años hasta doce ediciones en esta última lengua. El episodio del «Villano del Danubio», magistralmente narrado, había de inspirar a La Fontaine la fábula del mismo nombre.

Aunque escritas con miras menos ambiciosas, no ceden en importancia las *Epístolas familiares,* superando incluso al *Reloj* o *Marco Aurelio* en interés humano, amenidad y gracejo. Redactadas por Guevara cuando se hallaba en Palacio, rodeado de consideraciones y elevado casi al rango de árbitro espiritual de la nobleza, son un producto típicamente cortesano y el documento que más fielmente refleja la vida palatina en los tiempos del emperador. A creer del autor, la corte es un señuelo engañoso, semillero de intrigas, ardides y desengaños; pero en el fondo, y por mucho que él haga por disimularlo, el Padre Guevara se encontraba en ese mundo como en su propio elemento. A veces se le escapa una leve queja: «A la corte me trujeron, aflojo los ayunos, quebranto las fiestas, olvido las disciplinas, no hago limosnas, rezo poco, predico raro, hablo mucho, sufro poco, rezo con tibieza, celebro con pereza, presumo mucho y como demasiado.» Entonces viene el añorar la calma de su celda. Pero la nube pasa pronto, y Guevara está en sus glorias perorando, asesorando a las altas damas y redactando estas *Epístolas* en un lenguaje florido lleno de tropos y figuras y con un conocimiento exacto de las debilidades y grandezas de los hombres que le rodean, empezando por las suyas propias.

Todavía aparece más acusado este contraste entre la vida del escritor y sus pretendidos deseos de soledad en el otro libro citado y no menos famoso: el *Menosprecio de corte y alabanza de aldea.* La antítesis entre las dos vidas —la de Palacio y la rural—, con sus ventajas y desventajas, es aquí continua; pero está llevada a unos extremos, que casi nos hacen dudar de la sinceridad del buen obispo, y llega uno a sospechar si en la elección del tema no habría influído, más que un auténtico anhelo de vida recoleta, la oportunidad que brindaba para trazar cuadros opuestos, llenos de colorido y adornados de toda clase de galas retóricas. El lenguaje, ya recargado, del *Reloj* y de las *Epístolas*, se hace aquí más oratorio, más florido, lleno de contraposiciones tan brillantes como casi siempre innecesarias. El *Menosprecio* se publicó diez años más tarde que el *Marco Aurelio*, en 1539.

Menéndez Pelayo nos habló de la «genialidad oratoria poderosa, pero intemperante», del Padre Guevara, aludiendo sin duda a su retórica fácil y superficial brillantez. Ha de reconocerse, sin embargo, que el famoso franciscano tiene una significación muy concreta en la estilística castellana del XVI. Nadie refleja como él la manera de hablar y hasta de pensar en la época imperial. Quizá Guevara no hizo sino exagerar en bien y en mal, en sus virtudes y en sus defectos, los modos y estilos característicos de aquel tiempo. «La obra de Guevara—ha podido escribir Rosenblat—aparece vinculada de la manera más estrecha a la figura deslumbrante de Carlos V. El emperador la inspiró, al emperador está dedicada. Su difusión por Europa es la irradiación misma del Imperio.» No se puede juzgar, por tanto, a Guevara con un criterio del día; hay que estudiarlo en función de la época en que escribió, y que tan genuinamente representa. Y en este sentido el mismo Menéndez Pelayo ha señalado algunos pasajes del *Marco Aurelio* como la mejor prosa del tiempo de Carlos V. En resumen: puede suscribirse el juicio de Valbuena Prat que considera a Guevara «escritor fácil, abundante, ameno, lleno de cultura amplia»; tal vez un poco desordenado y desaprensivo en lo que a citas se refiere—lo que le valió serias admoniciones del bachiller La Rhúa—, sin grandes pretensiones científicas ni alarde de erudición. Su finalidad era, y la logró plenamente, envolver unos cuantos principios morales y políticos en formas literarias galanas y digeribles. Si logró o no su intento, lo dice mejor que nada su popularidad en toda Europa, superior a la de cualquier otro escritor de aquel tiempo.

La «Silva de varia lección», de Mexía

No menos leído que Guevara fué el magnífico caballero PEDRO MEXÍA (¿1499?-1551)[5]. También la obra de este afamado escritor sevillano es abundante y heterogénea. Recordemos sus cuatro libros más importantes: *Historia imperial y cesárea*, *Historia del emperador Carlos V*, *Coloquios* y *Silva de varia lección*.

La *Historia imperial* (Sevilla, 1545) quiere ser, sin llegar a ello, una historia universal. Recoge la vida de los emperadores romanos y de los alemanes hasta Maximiliano I. El Padre Sandoval, Alonso Morgado y Diego de Zayas tomaron de Mexía no pocas noticias; Lope se inspiró en él para su comedia *Roma abrasada*.

A la *Historia del emperador Carlos V* se aludió en el capítulo correspondiente. Los *Coloquios* o *Diálogos* (Sevilla, 1547), escritos a imitación de los antiguos de Platón y Luciano y de sus contemporáneos Juan de Valdés y Villalón, ofrecen doble carácter: de divulgación científica y de mero pasatiempo. Los más famosos son el *Diálogo de los médicos*, el *Coloquio del sol*, el del *Convite* y del *Porfiado*.

El libro más importante de Mexía es la *Silva de varia lección*, que, publicado por primera vez en Sevilla (1540), se reimprimió infinitas veces en España, Italia y Flandes. El intento de Mexía al redactarlo no era otro que poner al alcance de todo el mundo una serie de conocimientos variados sobre las más distintas materias. Lo escribe en castellano, porque—dice en el prólogo—«el número de los que no saben latín... es mayor que el de los otros». Aspira a instruir deleitando, y por ello su exposición adopta la forma de anecdotario. En tres, cuatro o cinco partes, según las ediciones, vuelca todos sus conocimientos sobre las materias más heterogéneas: las maravillas del mundo, la inteligencia de las hormigas, la existencia del hombre-pez, la reforma del calendario, las sibilas y profecías. Historiador al fin—recuérdese que había sucedido a Guevara en el cargo de cronista imperial—, domina con mucho en la *Silva* el elemento histórico o puramente legendario: la papisa Juana, los Güelfos y Gibelinos, la reina María de Aragón y múltiples relatos relacionados con Roma, Constantinopla y Jerusalén. Sus fuentes son numerosas: Apuleyo, Aulo Gelio, Valerio Máximo, San Isidoro, y también modernos, como Maquiavelo. Libro sin pretensiones de erudición, resulta tan entretenido como la mejor novela, y así fué de calurosa la acogida que tuvo en todos los sectores de la sociedad. «Yo veo que Pedro Mexía agrada a todo el mundo con aquella su *Silva de varia lección*», escribe don Diego de Mendoza en sus cartas al Bachiller de Arcadia; y Juan de Mal Lara sentencia que «Mexía merece ganar eterna fama y ser tenido por el primero que en España comenzó a abrir las buenas letras». Estilísticamente es inferior a Guevara, más natural y desaliñado. En cambio, le gana en amenidad y espíritu crítico. Guevara—ya se ha dicho—afectaba cierto desprecio por la exactitud y la verdad históricas; Mexía procuraba guardarse de una nimia credulidad. A cada paso abre interrogantes ante fenómenos o sucesos que rebasan *la común orden de la Naturaleza*.

Otros libros de pasatiempo

Dos escritores que contribuyen con Mexía a fijar el arte narrativo de la época y que tienen con él evidentes puntos de afinidad, aunque literariamente de menor talla, son Antonio de Torquemada y Luis Zapata.

El *Jardín de flores curiosas* (1570), de ANTONIO DE TORQUEMADA, ya aludido como narrador en el Capítulo XXII, se distingue de la *Silva de varia lección* en que ésta cultiva con preferencia el elemento histórico y aquél el elemento popular. Las noticias que da Torquemada suelen ser sensacionales. Aquí encontramos por vez primera el episodio del espectador de su propio entierro. En general, el autor del *Jardín de flores* se nos muestra crédulo con exceso y llevado por irresistible tendencia al mundo de lo fantástico y extravagante. Cervantes, en el famoso escrutinio, puso en boca del cura un juicio demasiado severo: «sólo sé decir que éste (libro) irá al corral por disparatado y arrogante». Ticknor insinúa maliciosamente que el inmortal novelista no se desdeñó de saquear el *Jardín de flores* cuando tuvo que pergeñar las aventuras hiperbóreas del *Persiles*. Pero hoy parece comprobado que tanto Cervantes como Torquemada bebieron en la misma fuente: las grandes compilaciones de Nicolo Zeno y de Olaus Magnus. De todos modos, la obrita que comentamos es un tesoro del saber popular en aquel tiempo y uno de los libros que distrajo de sus graves ocupaciones a nuestros antepasados con su rico y ameno anecdotario.

Otro carácter reviste la *Miscelánea* de LUIS DE ZAPATA (1526-1595) [6], ya citado en el capítulo de la Epica renacentista como autor del poema *Carlo famoso*. Libro de esparcimiento como los anteriores, ofrece la *Miscelánea* el singular interés de que sólo recoge anécdotas y sucesos de la vida contemporánea. De aquí su importancia como testimonio de una época. En este aspecto se parece más a Guevara, en cuanto fuente para la historia de las costumbres. La *Miscelánea*, que debió de escribirse en los últimos años del XVI (hacia 1595), conservada en un manuscrito de la Nacional de Madrid, no se publicó hasta 1859.

Más escritores del género

SEBASTIÁN DE HOROZCO (¿1510?-1580), padre del lexicógrafo Sebastián de Covarrubias y Horozco, más conocido como dramaturgo por su *Representación de la Historia evangélica del cap. nono de Sant Juan,* recogió en sus *Relaciones,* en forma amena, una serie de sucesos de la época referentes a Toledo, que ofrecen cierto valor histórico.

Más importancia tiene la *Floresta española de apotegmas y sentencias,* que publicó en Toledo (1574) MELCHOR DE SANTA CRUZ DE DUEÑAS [7], colección de cuentos y anécdotas, distribuídas en doce partes, según profesiones y categorías. «Santa Cruz—escribe Pfandl—elevó las colecciones de refranes a la categoría de literatura...» Basada en la experiencia y sabiduría popular—el mismo Santa Cruz confiesa ser *hombre de ningunas letras*—, su nota más destacada es la concisión y la agudeza. Dos ejemplos servirán de muestra. Alguien presenta a su dama una canción; la dama, ofendida por la mala calidad de la música, persigue al autor, apedreándole. Un amigo intenta apaciguarle; no podía soñar con más éxito: «Mira: las piedras te siguen como en otro tiempo a Orfeo.» Otra anécdota: Una banda de ladrones, que acostumbraba a robar sólo la mitad del dinero a los que caían en sus manos, desvalija a un pobre hombre que llevaba por todo capital siete reales. Como no tenía medio real para el reparto, invita a los ladrones a que se lleven cuatro y le dejen tres. El capitán, muy digno, contesta: «De ningún modo, hermano; con lo mío me haga Dios merced.»

Con la colección de Santa Cruz corre parejas la de JUAN RUFO (¿1547?-d. de 1620) [8], citado asimismo en el capítulo de la Epica como autor de *La Austriada.* Era este Rufo hijo de un tintorero, y vivió una vida disipadísima y agitada. Siendo niño robó a su padre, valiéndose de llaves falsas; malgastó sus años mozos en los burdeles y tabernas de Salamanca; más aficionado a las mujeres, al juego y a los bienes ajenos que a los libros, hubo de visitar varias veces la cárcel y no por su gusto... En fin: enamoradizo impenitente, pendenciero, poeta, después de haber fracasado en su intento de dedicarse a la agricultura, recorrió como infatigable trotamundos las principales ciudades de España e Italia, y cuando no otra cosa, sacó de sus andanzas un rico caudal de experiencia, que luego condensó en sus célebres *Seyscientos apotegmas*—en realidad, son setecientos—, que publicó en 1596. Para Santa Cruz lo esencial del apotegma es su concisión y contenido profundo. Rufo señala las mismas notas; pero, llevando la primera hasta el límite máximo: *Breve y aguda sentencia... que en menos palabras no se pueda decir.* Y así los hace él, con tal sentido de densidad conceptual en la mínima expresión verbal, que puede ser considerado como un legítimo precursor de Gracián. En Torquemada y en Santa Cruz se ve primero el elemento narrativo, y se espera la conclusión o sentencia; en Rufo, anécdota y consecuencia se dan fundidas, y el dicho ingenioso salta simultáneo, como ·la chispa del yunque al golpe del martillo. Sirvan estos ejemplos: «Díjose que una mujer adúltera escapó de su marido por no tener él con qué matalla; respondió: —Teniendo cuernos, ¿le faltó con qué?» Otro: «Un viejo pregunta a Rufo si debía teñirse los cabellos. Rufo contesta: —No borres en una hora lo que Dios ha escrito en sesenta años.» También los hizo en verso con singular agudeza.

Colecciones paremiológicas

De estos apólogos breves, escuetos, entendidos a la manera de Rufo, al proverbio o refrán, no hay más que un paso. Así que por la misma época y con idéntica finalidad aparecen en diversas capitales españolas sendas colecciones que tienen por autores a destacados literatos y humanistas. Las más notables son: la de BLASCO DE GARAY (Toledo, 1541); la de PEDRO DE VALLÉS (Zaragoza, 1549); la de JUAN DE MAL LARA (Sevilla, 1568); la de LUQUE FAXARDO (Sevilla, 1603); la de SEBASTIÁN DE COVARRUBIAS Y HOROZCO (1611), y la más nutrida de todas, del famoso «Comendador griego» HERNÁN NÚÑEZ, profesor de Gramática y Retórica en Salamanca; lleva por título Refranes o proverbios en romance (1555), y está integrada por más de 8.000, muchos de ellos con su correspondiente glosa. Parece probado que cerca de la mitad los tomó descaradamente de un cuaderno manuscrito que le había prestado el doctor PÁEZ DE CASTRO.

Todas estas colecciones tienen, como se recordará, un precedente del más rancio abolengo en nuestra lengua: Los refranes que dicen las viejas tras el fuego, ordenados por A B C, del marqués de Santillana.

IV. OBRAS DIALOGADAS Y PEDAGOGICO-MORALES

Con una tendencia docente más acusada que en los escritores del grupo anterior, y dando a su exposición casi siempre forma dialogada, encontramos una lista de autores, algunos de primer orden, que nos dejaron en sus obras el testimonio fehaciente sobre la manera de pensar y de sentir entre los españoles de su tiempo. En los libros que acabamos de citar se exponen principalmente las costumbres de la época; en las que vamos a reseñar ahora, las ideas y sentimientos. Aquéllos atendían más bien al puro deleite y pasatiempo del lector; en éstos predomina lo doctrinal sobre lo meramente anecdótico y narrativo.

Imposible señalarles fuente común. La influencia más acusada parece ser la de Erasmo con sus Coloquios, tan leídos en España. Pero hay otros autores cuyo espíritu se deja sentir más o menos perceptiblemente: Plutarco, Séneca, Luciano de Samosata y Castiglione.

Diálogos platónicos:
León Hebreo

La lista de autores de este género tiene que ir siempre encabezada por un libro no escrito en lengua castellana, pero sí por un español: los Diálogos de amor, de León Hebreo, que informaron durante el siglo XVI toda la filosofía platónica, toda la estética y buena parte de la literatura mística y hasta de la poesía erótica española: recuérdese la lírica amatoria de Herrera.

JUDÁ ABRABANEL (¿1460?-d. 1521), que así se llamaba por verdadero nombre el autor, era uno de los hebreos expulsados de España en 1492. Había nacido probablemente en Lisboa, donde su padre, Isaac Abrabanel, ejercía el cargo de consejero del rey de Portugal Alfonso V, y con él pasó a la corte de Fernando el Católico (1484). Su alta condición no le eximió del destierro, y al proclamarse el edicto de expulsión contra los judíos, pasó a Nápoles, donde encontraron excelente acogida por parte del rey don Fernando y de su hijo Alfonso. Se sabe que vivió en Génova, ejerciendo la Medicina, y en esta última ciudad, hacia 1502, Judá redacta sus Dialoghi d'amore, que debió de publicarse mucho más tarde. La edición más antigua que se conoce es la de Roma, 1535. Se ignora la lengua en que Abrahanel compuso sus Diálogos, que en todo caso aparecen llenos de hispanismos; tampoco se sabe la fecha de su muerte, ni si antes había abrazado el cristianismo, si bien el mismo autor protesta una vez y otra de su fidelidad a la sagrada religión mosaica.

«El libro es—y hablamos ahora por boca de Menéndez Pelayo—una filosofía o doctrina del amor, tomada esta palabra en su acepción platónica y vastísima. A esta nueva ciencia la llama el autor Philographia, y la desarrolla en tres diálogos, de los cuales son interlocutores Philón y su amada Sophía, personajes enteramente abstractos, que simbolizan, como sus nombres lo indican, el amor o apetito y la ciencia o sabiduría. Trata el primer diálogo De la naturaleza y esencia del amor; el segundo, De su universalidad; el tercero, De su origen.»

La teoría de León Hebreo, que sólo de un modo secundario interesa exponer aquí, procede directamente de Platón, a quien amplía considerablemente, esforzándose por animar todo el sistema cosmológico medieval mediante la idea del amor.

Su pensamiento eje es el de la forma dominando y enseñoreándose de la materia, y la idea única, a su vez, como origen de toda forma. Se ha dicho que tal teoría constituye la más amplia exposición estético-idealista antes de Hegel.

Lo que para nosotros tiene más valor y debe destacarse antes que nada, es la proyección de toda esta teoría en la estética, y, en general, en la literatura amatoria española de la Edad de Oro, sin excluir la del mismo Cervantes. Leídos primero en su texto italiano, pronto empiezan las traducciones de los Diálogos, que se suceden ininterrumpidamente (Juan Gudalla, Montesa, etc.), hasta llegar a la del Inca Garcilaso (1590), la mejor, según se ha dicho. La medida de su difusión nos la da Cervantes en el prólogo del Quijote: «Si tratáredes de amores, con dos onzas que sepáis de lengua toscana, toparéis con León Hebreo, que os hincha las medidas.»

Diálogos lucianescos y erasmianos: los hermanos Valdés

Con evidentes influencias de Luciano de Samosata y más marcadas aún de Erasmo de Rotterdam, se nos presentan dos escritores conquenses, cuyos libros breves y enjundiosos constituyen otros tantos tesoros de la lengua castellana. Son los hermanos ALFONSO y JUAN DE VALDÉS. A este último ya nos hemos referido por extenso en el capítulo de la Mística (Místicos heterodoxos), donde quedaron reseñadas sus obras de carácter religioso. Queda por decir aquí dos palabras de su Diálogo de la lengua.

Escrito este minúsculo volumen para instruir a algunos amigos italianos en las propiedades y caracteres de la lengua castellana, porque se había llegado a un estado de cosas que «en Italia, así entre damas como entre caballeros, se tiene por gentileza y galanía saber hablar castellano», el autor va exponiendo con gran claridad y sencillez a sus otros colocutores [9] todo lo que atañe a los orígenes, fonética y ortografía de nuestra lengua.

Respecto a lo primero, reputa la lengua latina como principal fundamento de la nuestra, señalando los evidentes influjos arábigos. Tal principio, que a la altura a que han llegado las investigaciones lingüísticas en los idiomas romances, sobre todo a partir de F. Díez, no tiene mérito alguno, no dejaba de entrañar cierta originalidad en una época en que se asignaban a nuestra lengua ora orígenes godos, ora hebreos. En cuanto a la fonética y a la flexión da algunas reglas caprichosas defendiendo, por ejemplo, los futuros saliré, en vez de saldré, y poneré, en vez de pondré, y en contra del uso. Tampoco en sintaxis aporta ideas originales. En cambio, es muy interesante su teoría sobre lexicografía y estilo: «Cuando hablo o escribo—dice—llevo cuidado de usar los mejores vocablos que hallo, dejando siempre los que no son tales»; para facilitar esta selección, la lengua castellana nos ofrece tal riqueza de palabras que entre ellas podemos «escoger como entre perlas». Y, en cuanto al estilo, «escribo—agrega—como hablo; solamente tengo cuidado de usar de vocablos que signifiquen bien lo que quiero decir, y dígolo cuanto más llanamente me es posible, porque, a mi parecer, en ninguna lengua está bien la afectación». En otra parte señala: «Todo el secreto del estilo consiste en que digáis lo que digáis con las menos palabras que pudiéredes, de suerte que no se pueda quitar ninguna sin ofender la sentencia, o al encarecimiento, o la elegancia.» Por último, erigiéndose en crítico literario, recomienda como los mejores libros para el aprendizaje de nuestra lengua los de Juan de Mena, Garci Sánchez de Badajoz, Juan del Enzina y Jorge Manrique, entre los poetas—no se olvide que aún no había aparecido Garcilaso—, y entre los prosistas, algunos libros de caballerías (Amadís, Palmerín, Primaleón), el bachiller La Torre (Alfonso) y, sobre todos, La Celestina, «el libro castellano donde la lengua está más natural, propia y elegante».

El Diálogo de la lengua debió de redactarse hacia 1535, y permaneció inédito hasta 1737. En esta fecha, y tomándolo de un manuscrito de la Biblioteca Real, lo publicó Mayáns, no sin graves erratas y garrafales defectos de copia. El editor lo dió como anónimo; luego, Casiano Pellicer (Tratado histórico sobre el origen y progresos del histrionismo en España) sugirió como posible autor el nombre de Valdés, pero atribuyéndolo a Alfonso. Hoy, después de los estudios de Usoz, Pedro Pidal y Fermín Caballero, la paternidad de Juan de Valdés está fuera de duda. En él Valdés se nos revela, más que filólogo y erudito, a la manera moderna, humanista y escritor consumado, para quien las lenguas clásicas, y menos aún la suya propia, no tenían secretos. «Como diálogo—escribe Menéndez Pelayo—no tiene pero; con tratarse de gramática, ni un punto decae el interés y movimiento. Los interlocutores son hombres de carne y hueso, y no sombras; caracteres vivos arrancados de la realidad... Después de Fernando de Rojas y antes de Cervantes, nadie dialogó como Juan de Valdés.»

El «Mercurio y Carón», de A. de Valdés

Con más intenso dramatismo y revestidos de cualidades literarias de más alto rango, se nos ofrecen otros dos diálogos originales de ALFONSO DE VALDÉS (¿1490?-1532) [10], hermano mayor de Juan. Había recorrido buena parte de Europa, siguiendo la corte del emperador, en cuya secretaría desempeñó durante algún tiempo el delicado cargo de redactor de cartas latinas, y murió en Viena en 1532, todavía joven, víctima de la peste que azotó la ciudad en el otoño de dicho año. Era este Alfonso un erasmista rabioso (erasmiciorem Erasmo), lo que le llevó a bordear muchas veces el campo de la herejía, y devotísimo de la mejestad cesárea de Carlos V, en cuya defensa escribió los dos opúsculos a que acabamos de hacer referencia: Diálogo de Lactancio y Diálogo de Mercurio y Carón.

El primero corrió algún tiempo manuscrito con el título de Diálogo en que particularmente se tratan las cosas acaecidas en Roma el año 1527. Se refiere al saco de la Ciudad Eterna por lansquenetes y españoles al mando del condestable de Borbón; e intenta, ya que no justificar los desmanes cometidos, explicarlos como un castigo del cielo por los pecados de la cristiandad, sobre todo de las altas jerarquías eclesiásticas. Tiene dos partes: una, narrativa, en que Valdés cuenta con mal disimulada fruición la entrada de los imperiales en

Roma y los excesos y crímenes por ellos perpetrados; y otra, apologética, en que pretende volcar sobre la augusta persona de Clemente VII toda la culpa de lo ocurrido, dejando salva la responsabilidad del emperador. El argumento es simplísimo: Lactancio—el mismo Valdés—tropieza en una plaza de Valladolid con el arcediano del Viso, que acababa de llegar de Roma en hábito de soldado; entran en el templo de San Francisco y entablan conversación sobre las cosas últimamente acaecidas en Roma. El arcediano narra los luctuosos sucesos del *saco*, y Lactancio intenta luego explicarlos como castigo de Dios a la cristiandad. El encuentro de Lactancio y el arcediano pudo inspirar a Cervantes el episodio análogo de *El casamiento engañoso*.

El *Diálogo de Mercurio y Carón* (1528-¿1530?) fué atribuído erróneamente durante algún tiempo a Juan. M. Bataillon [11] ha probado con toda clase de argumentos que no puede pertenecer sino a Alfonso. Tiene como pretexto el famoso reto de los reyes de Francia e Inglaterra a Carlos V; pero después, en una concepción típicamente lucianesca, se amplía el cuadro, haciendo intervenir como interlocutores personajes y motivos mitológicos: Mercurio, Aqueronte, la laguna Estigia. El transporte de las almas en la barca de Carón da motivo a Valdés para disparar los dardos de su sátira contra diferentes estados y profesiones: el hipócrita, el usurero, el predicador, el obispo, el rey, el cardenal, siendo, naturalmente, las altas autoridades de la Iglesia las que llevan la peor parte. A veces, su sátira reviste caracteres sangrientos, como cuando intenta definirnos al obispo: «Obispo es traer vestido un roquete blanco, decir misa con una mitra en la cabeza y guantes y anillos en las manos, mandar a los clérigos del obispado, defender las rentas dél y gastarlas a su voluntad, tener muchos criados, servirse con salva y dar beneficios.» El desfile de figuras distintas comunica al *Diálogo* intenso dinamismo y amenidad, lo que, unido a su lenguaje vivo, armónico y expresivo, hace que se lea con ininterrumpida atención. Sus principales modelos son Luciano y Erasmo, cuyas ideas y hasta formas de expresión reproduce tan fielmente que se ha llegado a considerar a Valdés como «el erasmismo al servicio de la política imperial».

Otros erasmistas

En la misma línea de sátira erasmiana, encajada en moldes lucianescos, tenemos a JERÓNIMO DE MONDRAGÓN con su curiosa y originalísima *Censura de la locura humana y excelencias de ella*, libro influído, como se ve en el título, por *Elogio de la locura*, de Erasmo; EUGENIO DE SALAZAR, madrileño, oidor en Méjico, Santo Domingo y Guatemala, ministro luego (1601) del Consejo de Indias

y autor de unas *Cartas* de tono humorístico, en que satiriza donosamente los vestidos, comidas y costumbres de diversas profesiones y estados de la corte; y, sobre todos, Cristóbal de Villalón, escritor discutidísimo, cuya figura de trazos borrosos no aparece todavía exactamente encuadrada en nuestra historia literaria.

Villalón y Andrés Laguna

González Palencia distingue bajo este nombre de CRISTÓBAL DE VILLALÓN «tres escritores por lo menos, acaso cuatro, homónimos»: *a*) un Villalón salmantino, autor de la *Tragedia de Mirrha* (Medina, 1536), obra inspirada en las *Metamorfosis*, de Ovidio. Se trata de un escritor «de criterio independiente, carácter mordaz y satírico y muy aficionado a Erasmo», según el mismo Palencia; *b*) un Villalón vallisoletano, catedrático de Lógica de la Universidad de su ciudad natal y autor de la *Ingeniosa comparación entre lo antiguo y lo moderno*; *c*) un tercer Villalón, gramático y teólogo, autor de una *Gramática castellana*; y *d*) y un Villalón complutense, autor de *El viaje a Turquía*, el *Diálogo de las transformaciones de Pitágoras* y *El crotalón*, tres obras que acusan una dependencia directa y simultánea de Luciano y de Erasmo. A este último Villalón nos estamos refiriendo. Debió de vivir entre 1505 y 1581, aproximadamente.

No habrá de extrañar que su personalidad apareciese desdibujada y en sombras si se tiene en cuenta que el autor de estos libros quiso ocultar su verdadero nombre bajo seudónimo, mostrándose disfrazado con el de Chistophoro Ghosopho, sin duda para *despistar*, permítasenos el vocablo, a los sabuesos del Santo Oficio, que por los días en que Villalón escribía, en Valladolid, donde sin duda se encontraba, andaban a la caza de herejes luteranos y más o menos erasmistas. Como Villalón, ya que no lo primero, era lo segundo en grado superlativo y se despacha a su sabor en las más acres censuras contra el clero católico, temió salir a la palestra con su verdadero nombre. De aquí la confusión [12]. Pero encontrándose las cosas en tal punto, he aquí que interviene el ilustre hispanista Marcel Bataillon, y en un libro ya clásico para el estudio del erasmismo en España [13] sostiene la tesis de que el autor del *Viaje a Turquía* no es otro que el doctor ANDRÉS LAGUNA (1499-1560), viajero infatigable y autor de obras muy valiosas de tipo científico, especialmente las dedicadas a la botánica. La atribución al doctor Laguna del *Viaje a Turquía* se basa en argumentos casi convincentes y está formulada con el máximo rigor.

El *Viaje a Turquía*, sea quien fuere su autor, relata las propias aventuras durante un largo cautiverio en Constantinopla, su fuga y las visitas a diversos monasterios griegos del monte Athos, Lemnos, Atenas, Samos, Roma y Génova, aprovechando de paso su narración para descargar unos cuantos golpes contra el cristianismo falso de sus contemporáneos y la brutalidad y codicia de los soldados españoles.

En *El crotalón*—llamado así porque es como un juego de sonajas que convoca a la danza de la vida—sueña el autor, dentro de una técnica enteramente lucianesca, que oye el diálogo de un zapatero con un gallo. Este refiere sus impresiones en su continua transmigración a través de varios cuerpos de hombres y animales, lo que le da pie para moralizar al estilo de Erasmo [13] y poner en la picota muchas costumbres que él consideraba «vicios de su tiempo». La obra está llena de motivos populares y sabrosas anécdotas y redactada con un estilo ágil, vigoroso y abundante [14].

Tratados pedagógico-morales: «Examen de ingenios»

Con sagaces anticipaciones, que revelan en su autor un agudo psicólogo, se publica en Baeza durante el último tercio del xvi (1575) un libro extraño por las teorías que defiende, nada corrientes en la época en que se escribió y notabilísimo por su forma de exposición: el *Examen de ingenios para las ciencias*, del doctor JUAN HUARTE DE SAN JUAN (¿1530-1591?) [15]. En él se nos revela un auténtico precursor de la Psicología experimental, que invade a la vez con no escasa competencia y acierto los campos asignados hoy a la Patología y Psiquiatría humanas, a la Pedagogía, Antropología y Eugenesia.

«La tesis cardinal que sostiene—ha dicho Rodrigo Sanz, su mejor comentarista—es que la variedad de talentos y de índoles proviene del temperamento corporal, siendo el entendimiento del hombre (o sea el alma) en esta vida tan dependiente del organismo como la imaginación y la memoria, o como el ver y el oír.» Distingue Huarte tres clases de talento, según el temperamento cerebral que predomine: *memoria*, con aptitud especial para las lenguas, geografía, historia, contabilidad y leyes; *entendimiento*, con mayor disposición para la dialéctica, filosofía natural y moral, jurisprudencia práctica y medicina; *imaginativa*, con particular inclinación a la música, poesía, oratoria, dibujo, matemáticas, arquitectura. Existe cierta incompatibilidad entre las tres facultades, de modo que el predominio de una anula o disminuye la potencia de la otra. El ingenio lo da la naturaleza, no el estudio.

En el orden eugenésico expone principios aceptados luego por la medicina moderna, y en orden a la buena educación y crianza de los hijos se anticipa en ocasiones a la más avanzada pedagogía. Sostiene, como Demócrito, que el hombre es un enfermo desde que nace; la familia contribuye a aumentar tal estado patológico; por

ello, aconseja que el joven salga de la casa paterna a educarse en un medio lo más alejado posible. La inteligencia alcanza su máximum de potencialidad de los treinta a tres a los cincuenta años. En fin: Huarte expone una serie de principios, especulativos unos, tomados de la experiencia directa los más, que nos obligan a incluirle entre los precursores de los métodos científicos más modernos.

El *Examen de ingenios*, expurgado por el Indice en 44 pasajes por sus arriesgadas teorías, sobre todo en lo relativo a la inmortalidad del alma, fué pronto traducido a todas las lenguas cultas, incluído el latín.

Literariamente se distingue por su lenguaje digno y conciso.

Menos importancia tienen, dentro del mismo género, los tratadistas pedagógico-morales FERNÁN PÉREZ DE LA OLIVA (1494-¿1531?), afortunado adaptador de Plauto e introductor entre nosotros de la tragedia griega, y que en su *Diálogo de la dignidad del hombre* nos dejó tres disertaciones de tipo escolástico llenas de ideas originales; y el célebre médico de Fernando el *Católico* y de Carlos V, FRANCISCO LÓPEZ DE VILLALOBOS (¿1473?-1549), autor de abundantes obras, entre las que sobresalen *Los ocho problemas* (Zamora, 1543), y las *Tres grandes* (Zaragoza, 1544). En la primera, con agudo espíritu de observación y gran ingenio—de él se dijo que era el «hombre más chocarrero y de burlas que había en Castilla»—, glosa las costumbres y vicios de su época; en las *Tres grandes* (*gran parlería, gran porfía* y *gran risa*) diserta humorísticamente sobre el tipo del estudiante sempiterno charlatán, sobre el perpetuo contradictor y sobre la risa franca y auténtica y la risa hipócrita y disimulada. Destaca en Villalobos lo espontáneo de su vena satírica, que le lleva a burlarse de todo, viéndolo siempre por el lado grotesco.

NOTAS

1. Nació en Toledo. Hallándose en Roma como paje del cardenal Farnesio, una circunstancia fortuita le llevó al pobre domicilio de San Ignacio; el santo fundador y el joven, de carácter díscolo, intimaron grandemente. Ingresado en la Compañía, fué con el tiempo el más destacado biógrafo de San Ignacio y el encargado de establecer la Orden en Bélgica.
2. Nacido en Sigüenza (Guadalajara) hacia 1544, profesó en el monasterio de El Paular (Segovia) en 1567. Pasó a El Escorial, de cuya biblioteca estuvo encargado algunos años, y luego desempeñó altos cargos en su Orden. Fué amigo de Pedro Valencia y autor de estimables poesías. Su *Historia* fué continuada por fray Francisco de los Santos.
3. Llamábase por nombre completo Antonio de Guevara y de Noroña, y era oriundo de las Asturias de Santillana. De familia noble, muy joven aún pasó a la corte, al parecer como paje del príncipe don Juan. A la muerte de Isabel la *Católica* renuncia a los placeres de Palacio para vestir el hábito de San Francisco, en cuya Orden desempeñó importantes cargos. Nombrado predicador y cronista de Carlos V (1526); después, obispo de Guadix, y, por último, de Mondoñedo, donde murió. Había asistido con el emperador a la guerra de las Comunidades, y posteriormente le acompañó en la empresa de Túnez y en sus viajes por Italia.
4 *Avisos de privados y doctrina de cortesanos*, 1539;

Oratorio de religiosos y Exercicio de virtuosos, 1542; *De los inventores del marear y muchos trabajos que se pasan en las galeras,* etc.

5. Sevillano. Estudió en su ciudad natal y en Salamanca. Cultivó la amistad de Fernando Colón, hijo del Descubridor, y se relacionó con los hombres más eminentes de su tiempo. Sostuvo correspondencia con Erasmo, Vives, Ginés de Sepúlveda y otros. Se le llamó el *Astrólogo* por sus predicciones, entre ellas la de su propio fallecimiento. Hombre cultísimo en matemáticas y navegación, fué muy consultado por los marinos. Desempeñó altos cargos: alcalde de la Hermandad de Hijosdalgo, contador de la Casa de Contratación, regidor veinticuatro de Sevilla, cronista del emperador. Fué enterrado en la iglesia de Santa María. Arias Montano compuso el epitafio en latín para su sepultura.

6. Extremeño. Se educó en compañía de Felipe II, y fue paje de la emperatriz. Se distinguió por su habilidad en el manejo de la espada y por sus finos modales cortesanos. Después de acompañar a Felipe II en Flandes e Italia, fué privado del emblema de caballero de Santiago, a cuya Orden pertenecía, y recluído varios años por su vida irregular. En su casa de Llerena se dedicó a escribir cuanto había visto y oído.

7. Pocas noticias de su vida. Apenas se sabe sino que fué toledano de adopción, aunque debió de nacer en Dueñas. Aparte de la *Floresta,* escribió *Cien tratados* (1576) dirigidos a Felipe II.

8. Vid. nota biográfica en el capítulo XVII, «Epica renacentista».

9. Son éstos dos españoles y dos italianos: *Marcio,* que —según la opinión de Usoz y de Caballero—es Marco Antonio Magno, apoderado de Julia Gonzaga; *Coriolano,* probablemente el secretario del virrey don Pedro de Toledo; un soldado español apellidado *Torres,* que se ha querido identificar con Torres Naharro, pero que nada tiene que ver con él, y el propio *Valdés,* que atiende en plan de maestro a las consultas formuladas por los otros. Hay también otro personaje curioso, un tal *Aurelio,* que hace las veces de escribiente o taquígrafo, y al que los amigos esconden en sitio donde puede oír todo el coloquio.

10. Nació en Cuenca, se ignora el año. Era de familia oriunda de Asturias; su padre ejercía el cargo de regidor perpetuo *(rector conchensis,* dice Mártir de Angleria) y procurador en Cortes por aquella ciudad. Debió de estudiar en Alcalá de Henares. Hay quien supone que fué clérigo: pero de sus escritos parece deducirse lo contrario. A pesar de sus opiniones arriesgadas, vivió y murió dentro del catolicismo.

11. *Alfonso de Valdés, auteur du «Diálogo de Mercurio y Carón»,* «Homenaje a Menéndez Pidal», I.

12. Para Pfandl tal confusión no parece existir, ya que nos da la biografía, hasta con cierto lujo de detalles (vid. *Hist. de la lit. nacional española en la Edad de Oro,* pág. 110). Valbuena, en cambio, habla de «obras atribuídas a Villalón... sin dar la cuestión por resuelta».

13. *Erasme et L'Espagne,* París, 1937.

14. Recientemente («Revista de Literatura», IX, julio-diciembre 1956), José Fradejas Lebrero, basándose en que una frase de *La tragedia de Mirrha,* obra indiscutible de Cristóbal de Villalón, se repite en *El Crotalón* casi al pie de la letra, se inclina por identificar al autor de los dos libros. Como, por otra parte, parece indudable que *La ingeniosa comparación* es del mismo Cristóbal, al menos así lo cree el comentador autor del *Erasmo en España,* tendríamos tres Villalones reducidos a uno solo. Hay más: el cuarto Villalón, al que aluden los señores Hurtado y González Palencia en su *Historia de la literatura,* era gramático y teólogo. Y ocurre que numerosas reminiscencias bíblicas del *Crotalón* acusan en su autor profundo conocimiento de los Libros Sagrados, condición indispensable para ser considerado buen teólogo, lo que nos daría pie para identificar también a este cuarto Villalón con el autor de los tres libros anteriores. Con lo que nos quedarían cuatro escritores, al parecer distintos, resumidos en una sola persona verdadera. Esta es la conclusión a que intenta llegar el profesor Fradejas en su sagaz análisis.

15. Escasos datos biográficos e imprecisos. El doctor Huarte nació en San Juan de Pie de Puerto; debió de licenciarse en Medicina en la Universidad de Huesca; pero ejerció su profesión en Linares, donde contrajo matrimonio. En 1571 se sabe que actuó como médico en Baeza durante una peste, y allí mismo publicó su *Examen,* que hubo de reelaborar ante las fuertes censuras de la Inquisición. Murió en Linares.

BIBLIOGRAFIA

I. Vid. bibliografía general en el capítulo anterior.

II. *Obras escogidas* del P. Ribadeneyra, «Bibliot. Aut. Esp.», LX; *Obras completas,* «Bibliot. Aut. Cristianos», Madrid, 1945; *Antología,* Edit. Nacional, Madrid.—R. LAPESA: *La vida de S. Ignacio del P. Ribadeneyra,* «Rev. Filol. Esp.», XXI, 1934.—P. LÓPEZ: *Vida del P. Ribadeneyra,* Madrid, 1920.—MENÉNDEZ PELAYO: *Est. y disc. de crítica...,* II, ed. C. S. I. C.—*Historia de la Orden de San Jerónimo,* del P. Sigüenza, «Nueva Bibl. Aut. Esp.», 1907.—P. GONZÁLEZ: *El P. Sigüenza considerado como poeta,* «Ciudad de Dios», CXIX.—J. ZARCO: *El proceso inquisitorial del P. Sigüenza,* «Rel. y Cult.», enero, 1928.—J. GODOY ALCÁNTARA: *Historia crítica de los falsos cronicones,* Madrid, 1868.—SOR MARÍA GONZAGA MENGES: *Fray José de Sigüenza, poeta e historiador,* versión esp. de G. Méndez Plancarte, Méjico, «Abside», 1944.

III. Textos de Fr. Antonio de Guevara: *Menosprecio de Corte,* ed. de Martínez de Burgos, «Clásicos Cast.», 1915; *Reloj de príncipes,* ed. A. Rosemblat, «Signo», Barcelona, 1936; *Epístolas familiares,* «Bibl. Aut. Esp.», XIII; *Antología,* por Martín de Riquer, Barcelona, 1940.—C. CLAVERÍA: *Guevara en Suecia,* «Rev. Filol. Esp.», XXVI, 1942.—JOSÉ MARÍA DE COSSÍO: Sel. y est., Santander, 1953.—L. CLEMENT: *A. de Guevara. Ses lectures et ses imitateurs franç. au XVI siècle,* «Rev. d'Hist. Litt. de la France», 1900-1901.—R. COSTES: *A. de Guevara. Sa vie,* París, 1925.—J. M. GÁLVEZ OLIVARES: *Guevara in England,* Berlín, 1916.—J. GIBBS: *The Birthplace and Family of Fr. A. de Guevara,* «Modern Lang. Review», XLVI, 1951.—L. KARL: *Notes sur la fortune des œuvres de Guevara à l'etranger,* «Bull. Hisp.», XXXV, 1938.—J. MARICHAL: *Sobre la originalidad renacentista en el estilo de Guevara,* «Nueva Rev. Fil. Hisp.», IX, 1955.—MENÉNDEZ PELAYO: *Orígenes de la novela,* II, 109-127, C. S. I. C., 1943.—P. ROS: *A. Guevara, auteur ascétique,* «Et. Franciscaines», 1938.—VARIOS: *Est. acerca de Guevara en el IV cent. de su muerte,* «Arch. Iberoamer.», Madrid, 1946.—Bibliografía de Pero Mexia como historiador, en capítulo anterior. *Silva de varia lección,* ed. García Soriano (2 vols.), 1933-34. *Diálogos o Coloquios,* ed. Milroney, Iowa, 1930.—MENÉNDEZ PELAYO: *El magnífico caballero Pedro Mexia,* «Est. y disc. de crítica...»,* II, ed. C. S. I. C., 1941.—KARL L. SELIG: *Pero Mexia's «Silva de varia lección»,* «Modern Lang. Notes», LXXII, Baltimore, 1957.—*Coloquios satíricos,* de A. de Torquemada, «Nueva Bibl. Aut. Esp.», VII; *Otros coloquios,* en la misma «Bibl.», XXI.—G. DAVIS CROW: *Antonio de Torquemada...,* «Hispania», Washington, XXXVIII, 1955.—J. H. ELSDON: *On the Life and Work of... A. de Torquemada,* «Univ. of California», 1937.—*Miscelánea,* de L. de Zapata, ed. P. Gayangos, Madrid, 1859.—E. SEGURA COVARSI: *La «miscelánea» de Zapata,* «Rev. Est. Extrem.», X, 1954. Bibliografía de Zapata, poeta épico, en capítulo XVII.—*Floresta española,* de Melchor de Santa Cruz, ed. P. Ayanguren, «Soc. Bibl. Madrileños», vol. III, 1910.—*Los 600 apotegmas,* de Juan Rufo, ed. A. G. de Amezúa, «Soc. Bibl. Españoles», vol. XLII, 1924.—A. GONZÁLEZ DE AMEZÚA: *Juan Rufo y su libro «Los 600 apotegmas»,* Madrid, 1923. Bibliografía de Rufo, poeta épico, en el cit. cap. XVII.—P. ANGEL GONZÁLEZ: *Sebastián de Covarrubias y Orozco. Datos biográficos,* «Historias y leyendas», Madrid, 1942.—*Pequeños textos,* de Juan de Mal-Lara, en «Biblióf. Andaluces», vols. VIII y XXVIII. Amplias referencias de todos postres autores véanse en FEDERICO C. SAINZ DE ROBLES: *Cuentos viejos de la vieja España,* Madrid, Aguilar Edit., 3.ª ed., 1949.

El refranero general español, parte recopilado y parte compuesto por J. María Scarbi (10 vols.), Madrid, 1874-1878. Estudios: JULIO CEJADOR: *La ironía y gracejo en los refranes,* «Esp. Moderna», 1906.—MELCHOR GARCÍA: *Catálogo paremiológico,* Madrid, 1918.—F. RODRÍGUEZ MARÍN: *De los refranes en general y en particular en España,* disc. en Ac. Buenas Letras.—J. MARÍA SCARBI: *Monografía sobre los refranes, adagios y proverbios castellanos,* Madrid, 1891.

IV. Los *Diálogos de amor,* de León Hebreo, pueden leerse en la trad. del Inca Garcilaso, «Nueva Bibl. Aut. Esp.», XXI.—Estudios: J. CARVALHO: *León Hebreo, filósofo,* Coimbra, 1918.—MENÉNDEZ PELAYO: estudia a L. Hebreo en *Ideas estéticas,* II, 10-48, e incidentalmente en *Orígenes de la novela,* II, ed. C. S. I. C.—H. PFLAUM:

Die Idea das Liebe. León Hebreo, Tübingen, 1926.—Isaia Sonne: *Intorno a la vita di León Hebreo*, Firenze, 1934.—Marcel Bataillon: *Erasme et l'Espagne*, 1937. Trad. castellana: *Erasmo en España*, 2 vols., Méjico-Buenos Aires, Fondo Cultura, 1950.—Eugenio Asensio: *El erasmismo y las corrientes espirituales afines*, «Rev. Fil. Esp.», XXXVI, 1952.—E. Boehmer: *Spanish Reformers*, Estrasburgo-Londres, 1874.—Textos de Juan de Valdés: *Diálogo Doctrina Cristiana*, ed. M. Bataillon, Coimbra, 1925. *Diálogo de la lengua*, ed. de J. F. Montesinos, «Clás. Castellanos», 1928. *Trataditos*, ed. E. Boehmer, Bonn, 1880. *Ciento y diez consideraciones*, ed. Usoz, Londres, 1863. *Alfabeto cristiano*, trad. del texto ital., Usoz, 1861. *El salterio*, ed. Boehmer, Bonn, 1880. *Comentario de los salmos*, «Rev. Crist.», Madrid, 1885. *Cartas de San Pablo*, ed. Usoz, 1856.—Estudios: M. Artigas: *Al margen de una cuestión literaria (Paternidad del Diálogo de la lengua)*, «Bol. Men. Pel.», II, 1920.—F. Caballero: *Alfonso y Juan de Valdés*, Madrid, 1875.—E. Cione: *J. de V. La sua vita e il suo pensiero*, Bari, 1838.—E. Cotarelo: *¿Quién fué el autor del «Diálogo de la lengua»?*, «Bol. Real Acad. Esp.», VI, 1919.—A. González Blanco: *J. de V., el gran heresiarca español*, «Estudios», III, 1919.—H. Heep: *Juan de Valdés*, Leipzig, 1909.—Menéndez Pelayo: *Hist. de los heterodoxos españoles*, III, 187-258 (ed. C. S. I. C., 1948).—P. Miguélez: *Sobre el verd. autor del «Diálogo de la lengua», según el cód. escurialense*, Madrid, 1918.—Benjamín B. Wiffen: *Life and writings of J. de Valdés*, Londres, 1865.—*Diálogo de Mercurio y Carón*, de Alonso de Valdés, ed. J. F. Montesinos, «Clás. Castellanos», 1928.—Giuseppe Bagnatori: *Cartas inéditas de A. de Valdés*, «Bull. Hisp.», LVII, 1955.—M. Bataillon: *A. de Valdés, autour du «Diál. de Mercurio y Carón»*, «Hom. a M. Pidal», I.—P. Besson: *A. de Valdés*, «Rev. Crist.», XXXVIII, 1917.—J. F. Montesinos: *Algunas notas sobre el «Diál. de Mercurio y Carón»*, «Rev. Filol. Esp.», XVI, 1929.—J. Zarco Cuevas: *Testamento de Alonso y Juan de Valdés*, «Bol. Real Acad. Esp.», XIV, 1927.

Textos de Villalón: *El Crotalón*, «Soc. Bibl. Españoles», vol. IX, y «Nueva Bibl. Aut. Esp.», VII; *Tragedia de Myrrha*, ed. Foulché-Delbosc, «Rev. Hisp.», XIX, 1908; *Viaje de Turquía*, «Nueva Bibl. Aut. Esp.», II; Colec. Universal, Calpe, Madrid; Colec. Crisol, Aguilar, Madrid, 1947; *Ingeniosa vomparación*, «Soc. Bibl. Esp.», XXXIII, 1898; *Escolástico*, «Bibl. Madrileños», vol. V; *Diálogo de las transformaciones de Pitágoras*, «Nueva Bibl. de Aut. Esp.», vol. VII. Los textos de «Aut. Esp.» llevan est. de M. Pelayo: el de «Crisol», de J. García Morales.—Estudios: N. Alonso Cortés: *Cristóbal de Villalón. Algunas noticias biográficas*, «Bol. Real Acad. Esp.», I, 1914; *La patria de Villalón*, «Rev. Cast.», III, 1924.—A. Farinelli: *Dos excéntricos: Villalón y Huarte*, anejo de «Rev. Filol. Esp.», 1936.—Rita Hamilton: *Villalón y Castiglione*, «Bull. Hisp.», LIV, 1952.—S. E. Howell: *Lucian in «Crotalón»*, «KFLQ», II, 1955.—F. A. de Icaza: *Cervantes y los orígenes de «El Crotalón»*, «Bol. Real Acad. Esp.», IV, 1917.—Richard J. A. Kerr: *El problema de Villalón y un ms. desconocido del Scholastico*, «Clavileño», núm. 31, 1955.—Para Laguna, véase: Marcel Bataillon: *Andrés Laguna, autour du «Viaje de Turquía»...*, «Bull. Hisp.», LVIII, 1956. Hernández Morejón: *Historia de la Medicina*, II.—Olmedilla y Puig: *Vida y escritos de Andrés Laguna*, Madrid, 1887.

El *Examen de ingenios*, de Huarte de San Juan, puede leerse en la ed. «Aut. Esp.», LXV; «Bibl. Clás. Española», Barcelona, 1884; en la refundida y prologada por Climent Terrer, Barcelona, 1917; y una *Antología*, con pról. de Emiliano Aguado, ha sido publicada por la Edit. Nacional, Madrid, 1943.—Estudios: M. Artigas: *Notas para la bibliografía del «Examen de ingenios»*, «Hom. a C. Echegaray», 1928.—José D. Forgione: *Huarte de San Juan, precursor español de la orientación profesional*, «Historia», II, Buenos Aires, 1956.—J. M. Guardia: *Essai sur l'ouvrage de Juan Huarte*, París, 1855.—J. Guibelet: *Examen de «L'Examen des esprits»*, París, 1631.—M. de Iriarte, S. I.: *El Dr. Huarte de San Juan y su «Examen de ingenios»*, Madrid, 1948.—Santiago Larregla: *Huarte de San Juan: Un médico navarro por tierras del Santo Reino*, «Bol. Inst. Est. Gienenses», III, 1956.—G. Marañón: *Examen actual de un «Examen» antiguo*, «Cruz y Raya», Madrid, 1933.—O. Marticorena: *Filósofos españoles: Juan Huarte*, «Rev. de España», XV, 1916.—R. Salillas: *Un gran inspirador de Cervantes: el Dr. Juan Huarte y su «Examen de ingenios»*, Madrid, 1905.

CAPITULO XXVIII

CERVANTES: A) EL HOMBRE, EL POETA Y EL DRAMATURGO

I. LA VIDA Y EL HOMBRE : *Infancia y formación. La época heroica. El cautiverio. «Por estas asperezas se camina...» Etapa fecunda.*—II. LA PERSONALIDAD HUMANA DE CERVANTES.—III. OBRAS CERVANTINAS Y CLASIFICACIÓN : *Poesía. Teatro. Novela.*—IV. CERVANTES, POETA : *Lírica tradicional e italianizante. Poemas largos. Estimación crítica.*—V. CERVANTES, AUTOR DRAMÁTICO : *Producción dramática y cronología. Primera época: «Los tratos» y «La Numancia». Segunda época: Comedias. Los entremeses. Ideología dramática de Cervantes.*
NOTAS.—BIBLIOGRAFÍA.

I. LA VIDA Y EL HOMBRE

La cumbre más alta de la literatura española, a la vez que uno de los grandes valores de la universal, es MIGUEL DE CERVANTES SAAVEDRA (1547-1616). En él, como en casi todos los genios, vida y obras se conjugan de la manera más perfecta. Su personalidad, tanto humana como literaria, llena de tal modo un capítulo, acaso el más importante de las letras castellanas, que se puede afirmar que no conocerá bien éstas, al menos en su fase más floreciente, quien desconozca a Cervantes, ya que en él confluyen las principales corrientes de su tiempo y recoge con más fidelidad que cualquier otro escritor las virtudes de la raza. Cervantes, además, con su *Don Quijote,* aporta al acervo cultural humano una de las creaciones más logradas y estimables en el transcurso de los siglos.

Varias poblaciones—Madrid, Toledo, Consuegra, Esquivias, Alcázar de San Juan, Córdoba, Sevilla, Lucena—se han disputado durante mucho tiempo el honor de su cuna. Esta gloria corresponde ya de modo indubitable a la pequeña ciudad universitaria de Alcalá de Henares. En esta población, cercana a Madrid, que disfruta del mismo cielo transparente y de los mismos delgados aires que la capital, vino al mundo el príncipe de las letras hispánicas. Allí mismo, probablemente, había nacido dos siglos antes otro escritor festivo, humano y realista como él: Juan Ruiz, arcipreste de Hita.

Infancia y formación

No se sabe qué día nació Cervantes. Sólo se conoce la fecha exacta en que fué bautizado—9 de octubre de 1547—en la parroquial de Santa María la Mayor. Se ha supuesto que pudo nacer el 29 de septiembre, por celebrar ese día la Iglesia la festividad del santo de su nombre. Fueron sus padres don Rodrigo de Cervantes, médico ciruja-

no, y doña Leonor de Cortinas, de quien apenas tenemos noticias.

Por razones de profesión, el padre del novelista hubo de recorrer diversas poblaciones (Valladolid, 1552; Sevilla, 1564; Madrid, 1566), y allí iba el joven Cervantes con el autor de sus días, sin que se sepa tampoco a ciencia cierta qué estudios hizo ni en qué centros [1]. Suponen unos que los inició en los Jesuítas de Sevilla; otros conjeturan que debió de hacerlos en Salamanca; se da por seguro que también los siguió en Valladolid, por el conocimiento que demuestra de la vida estudiantil en estas capitales. Dos datos parecen comprobados: que en Sevilla, muy joven aún, casi niño, vió representar sus *pasos* al gran Lope de Rueda, de donde debió de arrancar su irreprimible afición al teatro, y que más adelante asistió en Madrid a las clases de Humanidades del maestro Juan López de Hoyos.

En fecha desconocida, posiblemente en 1569, pasa a Italia con el séquito del cardenal Julio Acquaviva. Se ha querido relacionar su salida de España con cierto lance ocurrido a un «Miguel de Zerbantes», lance del que salió herido cierto Antonio de Sigura; en tal supuesto, la marcha de Cervantes a Italia habría obedecido al deseo de burlar la acción de la justicia. La conjetura carece de pruebas. Lo que sí sabemos de cierto es que, siguiendo a Acquaviva, nuestro escritor estuvo en Milán, Florencia, Palermo, Venecia, Parma, Ferrara y Roma. La huella que en su alma habían de dejar tales ciudades no se borraría nunca. Y a partir de este momento la vida de Cervantes entra en una fase nueva.

La época heroica

El 7 de octubre de 1571 se riñe la gran batalla de Lepanto, en la que las flotas combinadas de

Venecia, del Papa y de España, bajo el mando supremo de don Juan de Austria, aplastan a la armada mahometana. En aquella memorable acción, a bordo de la galera *La Marquesa*, mandada por el capitán Francisco de San Pedro, se hallaba Cervantes. Consta, por documentos, que era soldado de tiempo atrás y que militó en la compañía de Diego de Urbina. Cervantes, como Garcilaso, tenía madera de soldado y se portó siempre bravamente.

En Lepanto lo iba a demostrar, cubriéndose de gloria. «El dicho Miguel de Cervantes—consta en documento suscrito por testigos presenciales—estaba malo y con calentura; y... su capitán y... otros muchos amigos le dijeron que pues estaba enfermo... que se estuviese quedo, abajo en la cámara de la galera, y el dicho Miguel de Cervantes respondió que qué dirían dél... e que más quería morir peleando por su Dios y por su rey, que no meterse so cubierta.» En efecto, interviene valerosamente en la lucha, y es herido en el pecho y en el brazo izquierdo, perdiendo de resultas, no la mano, como se ha dicho por algunos, sino el movimiento de la misma. El inmortal escritor había de recordar luego en distintas ocasiones este episodio glorioso, sobre todo cuando contesta a las viles insinuaciones de Avellaneda, el autor del *Quijote* apócrifo. «Lo que no he podido dejar de sentir—escribe—es que se me note de viejo y de manco, como si hubiera sido en mi mano detener el tiempo, que no pasase por mí, o si mi manquedad hubiera nacido en una taberna, sino en la más alta ocasión que vieron los siglos pasados, los presentes, ni esperan ver los venideros.» Y en demostración de la estima en que tiene aquellos recuerdos de valor, añade: «Si mis heridas no resplandecen en los ojos de quien las mira, son estimadas a lo menos en la estimación de los que saben dónde se cobraron; que el soldado más bien parece muerto en la batalla que libre en la fuga; y es esto en mí de manera, que si ahora me propusieran y facilitaran un imposible, quisiera antes haberme hallado en aquella facción prodigiosa, que sano ahora de mis heridas, sin haberme hallado en ella.»

Para convalecer y curar de sus heridas es llevado al hospital de Mesina, donde permanece algún tiempo. Al año siguiente interviene en las acciones de Navarino, Túnez y La Goleta. Vuelve a Palermo, donde se le cita como «soldado aventajado». En 1575 sale de Nápoles para España, donde espera obtener el grado de capitán. Lleva cartas recomendatorias del propio don Juan de Austria y del duque de Sessa, virrey de Sicilia. A la altura de Les Saintes Maries, cerca de Marsella, la galera *Sol,* en que viajaba, es atacada por tres naves turcas, al mando del renegado albanés Arnaute Mamí. Los españoles se defienden valerosamente, pero al fin tienen que rendirse ante el número de sus enemigos, y Cervantes, junto con su hermano

Rodrigo, es hecho prisionero y conducido a Argel. El infausto suceso será recordado dos años más tarde por el propio Cervantes:

> En la galera *Sol,* que oscurecía
> mi ventura su luz, a pesar mío,
> fué la pérdida de otros y la mía.
>
> Valor mostramos al principio y brío;
> pero después, con la experiencia amarga,
> conocimos ser todo desvarío.
>
> Sentí de ajeno yugo la gran carga,
> y en las manos sacrílegas malditas
> dos años ha que mi dolor se alarga.

El cautiverio

No sabía Cervantes, cuando escribía estos versos en su *Epístola a Mateo Vázquez*, que no había transcurrido aún la mitad de su cautiverio. Cinco años pasó en aquellos «baños» o mazmorras argelinas, en las que agonizaban veinte mil cristianos, tan desventurados como él. Allí «aprendió a tener paciencia en las adversidades». Aprendió también muchas lecciones de alta experiencia humana, que luego había de trasladar a sus libros. Su vida en el cautiverio nos es conocida principalmente por algunas de sus comedias (*El trato* y *Los baños de Argel*) y novelas (*La historia del cautivo*, intercalada en el *Quijote*), que en muchos pasajes tienen valor autobiográfico. También la conocemos indirectamente por la *Topografía e historia general de Argel* (1604), de fray Diego de Haedo, abad de Frómista, libro escrito probablemente con informes facilitados por Cervantes en Valladolid.

Dos veces intentó fugarse y las dos fracasó en sus propósitos por delación de algún compañero. La primera tentativa de fuga se planeó de acuerdo con su hermano Rodrigo, rescatado tiempo hacía y que le ayudaría desde España para la evasión. Cuando la fragata que los había de recoger se aproximaba a la costa argelina y los cautivos se hallaban ya preparados en el jardín, donde habían practicado una cueva, fueron delatados por el propio jardinero, un español llamado el *Dorador*. El guardián Baxí los sorprendió con gente armada, «y haciendo salir della [la cueva] a los cristianos, los prendieron luego a todos, y particularmente maniataron a Miguel Cervantes, un hidalgo principal de Alcalá de Henares, que *fuera autor de este negocio*». El rey Hasan, que mostró excepcional generosidad con Cervantes, se limitó a ordenar que se hiciese más rigurosa su prisión; pero, contra lo que todos esperaban, no lo maltrató de palabra ni de obra. El segundo intento fracasó también por la conducta desleal de otro español, el doctor Blanco de Paz, que, además, trató mediante insidias de dificultar el rescate de Cervantes.

Por fin, los frailes trinitarios, deshechas todas las maquinaciones, tomaron por su cuenta el rescate, del que se encargó fray Juan Gil. Este religioso hizo declaraciones favorables y muy elogiosas, manifestando que Cervantes había hecho durante el período de cautiverio «cosas por donde merece que Su Majestad le haga mucha merced». Entregado el dinero del rescate, Cervantes salió para Valencia el 24 de octubre de 1580.

«Por estas asperezas se camina...»

Cervantes se instala de primera intención en Madrid. Desempeña cargos de poca monta, y tanto por afición como para subvenir a las necesidades de cada día, escribe y publica *La Galatea* (1585), por la que Blas de Robles le da 1.336 reales, y varias comedias, que le valen a 20 ducados pieza, y que se representan con relativo éxito. Otro suceso hay en esta época de su vida : su casamiento con doña Catalina Salazar y Palacios, dama de Esquivias, diecinueve años más joven que él, y que aporta una estimable dote : 182.297 maravedís. Pero la diferencia de edad, de gustos o lo que sea, hace que tal boda constituya, como dice Valbuena Prat, «un íntimo fracaso». Conoce y alterna con escritores residentes en la corte : Rufo, Gálvez de Montalbo, Pedro de Padilla, etc.

Los ingresos no bastan para cubrir las necesidades, y, apartándose un poco de las letras, se dedica a otros negocios : libranzas, negociación de cartas de pago... En 1587 obtiene el cargo de comisario para proveer trigo con destino a la Armada Invencible; reside en Sevilla, pero recorre numerosos pueblos de Andalucía. Todavía después del fracaso de la Invencible sigue desempeñando el cargo, pero se le paga tarde y mal; hay momentos en que anda bordeando la miseria. Es la época más negra de su vida: compra fiada la tela para sus trajes; por ciertas irregularidades de un subordinado suyo en el acopio de trigo, es procesado, y mediante fiadores, por carecer él de recursos, se le permite que siga por su empleo recorriendo los pueblos andaluces. En 1597 quiebra en Sevilla el banquero Freire de Lima, en cuyo establecimiento tenía consignada Cervantes determinada cantidad para la Hacienda. Es encarcelado y puesto en libertad a los tres meses, mediante fianza. Dos años después vuelve a ser encarcelado en Sevilla por determinados atrasos con la Hacienda. Quizás aquí, en la oscuridad de la prisión, empezó a redactar *Don Quijote*.

La Corte ha pasado a Valladolid. Y allá va Cervantes, en busca de un arrimo junto a la nobleza, o en el mismo Palacio. Antes ha fracasado en su intento de pasar a las Indias. Se resigna a vegetar en Valladolid, pobre, oscura, penosamente. Vive allí con sus dos hermanas, Andrea y Magdalena, y con una hija natural que tuvo de Ana Franca de Rojas, esposa del cómico Alonso Rodríguez. Esta hija se llamaba Isabel y figuraba en la familia como criada de Magdalena. Ocurre en Valladolid un incidente enojoso, que ha dado pie para suposiciones comprometedoras sobre la conducta de Cervantes y su familia. En la noche del 27 de enero de 1605 es acuchillado en riña a la puerta de la casa que habitaba Cervantes el caballero navarro don Gaspar de Ezpeleta. Se supone que era asunto en que mediaban amoríos. El alcalde sospecha de alguna mujer de la casa y son procesadas y encarceladas once personas, entre ellas sus hermanas, su hija y el mismo Cervantes. Durante este tiempo, su esposa, doña Catalina, residía en Esquivias.

Etapa fecunda

En el nuevo traslado de la Corte a Madrid (1606), Cervantes también cambia de residencia. Es el período de su vida más fecundo para las letras. En 1605 ha publicado la Primera parte del *Quijote* en Madrid, vendiendo el privilegio al librero Francisco de Robles. Desde esta fecha a 1613, en que aparecen las *Novelas ejemplares*, escribe sin tregua ni descanso. En 1614 sale a luz su *Viaje del Parnaso*; un año después (1615), las *Ocho comedias y ocho entremeses nuevos*; el mismo año, la Segunda parte del *Quijote* y, por fin, ya con carácter póstumo —lo estaba terminando de prisa en el lecho de muerte—, el *Persiles*.

En 1610, Cervantes había intentado pasar a Nápoles con el conde de Lemos, fracasando en su proyecto por la oposición de Lupercio L. de Argensola, que aconsejó al conde que no lo incluyera en su séquito. Durante sus últimos años, el glorioso escritor se había inscrito como miembro de la Hermandad de Esclavos del Santísimo y de la Orden Tercera Franciscana.

La muerte vino a sorprenderle, en pleno trabajo, el día 22 de abril de 1616 [2]. Fué enterrado en el convento de las Trinitarias de la calle de Cantarranas (hoy Lope de Vega), de Madrid. La partida de defunción de la parroquia estaba redactada así : «En 23 de abril de 1616 murió Miguel Cervantes Saavedra, casado con doña Cathalina de Salazar, calle de León. Recibió los Santos Sacramentos de mano del licenciado Francisco López. Mandóse enterrar en las monjas Trinitarias. Mandó las misas del alma y lo demás a voluntad de su mujer, que es testamentaria, y al licenciado Francisco, que vive allí.»

II. LA PERSONALIDAD HUMANA DE CERVANTES

Esta es la vida del escritor. Accidentada y multiforme, llena de contrastes, de virtudes y también, ¿cómo no?, de pequeñas miserias. A una etapa de aventuras arriesgadas, brillantes y hasta heroicas, sucede otra de estrecheces, de vulgaridad, acaso de claudicaciones. Pero sean cuales fueren las vicisitudes de su existencia —horas radiantes de la *Marquesa* y horas de cautiverio o prisión de Argel, Sevilla y Valladolid—, Cervantes camina siempre con los ojos abiertos, en una captación continua de lugares y de almas. Es uno de esos hombres que han visto mucho y comprendido mucho. La vida ha sido para él escuela de fecundas experiencias; y todas esas experiencias van a pasar a su obra convertidas en materia artística.

Paolo Savj-López, después de decirnos que Cervantes «fué siempre señorialmente sobrio, como hombre y como artista», lo evoca, al final de su vida, «solo, en pie, sin un árbol que le conceda arrimo», en una existencia llena de dignidad y de trabajo, con una gloria precaria y ya desprovisto de ilusiones. No tuvo la suerte de morir joven, como Garcilaso, ni de asistir a su propia apoteosis, como Lope de Vega. La mayor parte de su vida transcurre en una desalentadora medianía. Admira que mientras concibe y empieza a redactar en lo oscuro de la cárcel el *Quijote*, ese regalo de gracias y donaires que hace para siempre a la Humanidad, no brota de sus labios una queja ni acusa su alma el más ligero desaliento.

Hay algunos críticos que parecen complacerse en arrojar pelladas de barro sobre las más altas reputaciones, y no descansan hasta encontrar en nuestro primer escritor alguna que otra debilidad o flaqueza. Nos recuerdan a cada paso sus amores con Ana Franca de Rojas, por otra parte tan discretamente velados, y el lamentable episodio de Ezpeleta, en Valladolid. Sería absurdo empeñarse en ver un Cervantes sin defectos; los tuvo, sin duda, y él es el primero que no hace nada por disimularlos. Pero, por encima de todas las humanas flaquezas, lo que nos dan su vida y sus obras es una personalidad rica de afectos; un espíritu aristocrático, con la aristocracia de la inteligencia, que sabe comprenderlo todo, revestirlo de gracia alegre y comunicárselo a los demás.

En lo físico nos quedan varios retratos; probablemente ninguno de ellos corresponde al original. El de Jáuregui, que figura en la Real Academia y que ha venido siendo considerado casi durante medio siglo como el más exacto y verídico, es una burda falsificación [3]. Pero, a falta de una iconografía auténtica, tenemos la descripción que nos hizo de sí mismo el propio Cervantes en el prólogo de las *Novelas ejemplares*, capaz de suplir con ventaja a todos los retratos:

«Este que veis aquí, de rostro aguileño, de cabello castaño, frente lisa y desembarazada, de alegres ojos y nariz corva, aunque bien proporcionada, las barbas de plata, que no ha veinte años que fueron de oro; los bigotes grandes, la boca pequeña, los dientes ni menudos ni crecidos, porque no tiene sino seis, y esos mal acondicionados y peor puestos, porque no tienen correspondencia los unos con los otros; el cuerpo entre dos extremos, ni grande ni pequeño; la color viva, antes blanca que morena; algo cargado de espaldas, y no muy ligero de pies. Este, digo, que es el rostro del autor de *La Galatea* y de *Don Quijote de la Mancha*, y del que hizo el *Viaje al Parnaso*, a imitación del de César Caporal Perusino, y otras obras que andan por ahí descarriadas, y quizá sin el nombre de su dueño; llámase comúnmente MIGUEL DE CERVANTES SAAVEDRA. Fué soldado muchos años, y cinco y medio cautivo, donde aprendió a tener paciencia en las adversidades. Perdió en la batalla naval de Lepanto la mano izquierda de un arcabuzazo; herida que, aunque parece fea, él la tiene por hermosa, por haberla cobrado en la más memorable y alta ocasión que vieron los pasados siglos, ni esperan ver los venideros, militando bajo las vencedoras banderas del hijo del rayo de la guerra, Carlos V, de feliz memoria.»

III. OBRAS CERVANTINAS Y CLASIFICACION

Sin alcanzar el volumen abrumador de las producciones de Lope de Vega, Tirso de Molina o Calderón, las obras de Cervantes son también considerables en número y, desde luego, más variadas. Escribe prosa y verso, novela y teatro; y, dentro de cada género, cultiva todas las modalidades conocidas en su tiempo: lírica tradicional y petrarquista; teatro dramático, comedia de enredo, de capa y espada, entremés, etc.; novela pastoril, cortesana, caballeresca, morisca y bizantina. No se conforma con cultivar todos los géneros, sino que los modifica, a veces tan hondamente que de sus manos salen convertidos en un género nuevo. Tal sucede con la novela corta. Sus *Ejemplares* han de ser ya el arquetipo de este género.

Una clasificación de las obras cervantinas es siempre difícil e imperfecta. Si se atiende al criterio cronológico, se sacrifica el aspecto temático, y viceversa. Nosotros, en un intento de combinar ambos, establecemos la siguiente:

POESÍA

Viaje del Parnaso, Canto de Calíope, Epístola a Mateo Vázquez, Composiciones sueltas (elegías, sonetos, letrillas, odas, romances y poesías de ocasión, especialmente en loor de algún libro); *Composiciones insertas en novelas,* sobre todo en *La Galatea,* bastante numerosas.

TEATRO

1.ª época: *El trato de Argel, El cerco de Numancia.*

2.ª época: Comedias y entremeses. Las comedias son: *El gallardo español, La casa de los celos, Los baños de Argel, El rufián dichoso, La gran sultana doña Catalina de Oviedo, El laberinto de amor, La entretenida* y *Pedro de Urdemalas.* Todas ellas en verso.

Entremeses: *El juez de los divorcios, El rufián viudo, La elección de los alcaldes de Daganzo, La guarda cuidadosa, El vizcaíno fingido, El retablo de las maravillas, La cueva de Salamanca* y *El viejo celoso.* Todos en prosa, menos *La elección de los alcaldes de Daganzo* y *El rufián viudo.*

Atribuídas: *La soberana Virgen de Guadalupe, La cárcel de Sevilla, El hospital de los podridos, Los refranes,* etc.[4]

NOVELA

La Galatea (1585), *Don Quijote de la Mancha,* 1.ª Parte (1605), *Novelas ejemplares* (1613), *Don Quijote,* 2.ª Parte (1615), *Los trabajos de Persiles y Segismunda* (1617).

Las «Novelas ejemplares», en número de doce, llevan por título: *La gitanilla, El amante liberal, Rinconete y Cortadillo, La española inglesa, El licenciado Vidriera, La fuerza de la sangre, El celoso extremeño, La ilustre fregona, Las dos doncellas, La señora Cornelia, El casamiento engañoso* y *El coloquio de los perros.*

Se ha ensayado con las novelas una clasificación por géneros. En tal caso, el *Quijote* sería, aun reconociendo su fondo predominantemente caballeresco, la síntesis de las manifestaciones novelísticas en la época de Cervantes. Las demás novelas vendrían encuadradas así:

Pastoriles: *La Galatea y La pastora Marcela* (inserta en el *Quijote).*

Italianizantes: *La gitanilla, La fuerza de la sangre, La señora Cornelia, La española inglesa, Las dos doncellas* y *El curioso impertinente* (intercalada en el *Quijote).*

Moriscas: *El amante liberal* y *La historia del cautivo* (también incluída en el *Quijote).*

Realistas: *La ilustre fregona, El casamiento engañoso, El celoso extremeño* y *La tía fingida* (atribuída a Cervantes).

Picarescas: *Rinconete y Cortadillo.*

De sátira lucianesca: *El licenciado Vidriera* y *El coloquio de los perros.*

Bizantinas: *Los trabajos de Persiles y Segismunda.*

Obsérvese que por mucho que se quiera matizar en el estudio de las novelas cervantinas, por muy lejos que se quiera llevar el análisis de sus notas, nunca la clasificación por géneros podrá ser exacta. En Cervantes, más que en cualquier escritor, los géneros se entrecruzan. *El amante liberal,* p. ej., atendiendo al lugar de la acción, es de género morisco; al desarrollo de la misma, bizantino; y a su estructura general, italianizante. Lo mismo puede decirse de *La gitanilla* y de varias más. De ordinario, en la novela cervantina se interfieren los dos planos, realismo e idealismo, que, combinados magistralmente en el *Quijote,* harían de esta obra la más perfecta fusión de la parte espiritual y material del hombre.

IV. CERVANTES, POETA

A la personalidad de Cervantes como poeta apenas se suele conceder importancia. Su obra en prosa, sobre todo el *Quijote,* absorbe de tal manera la atención de los estudiosos, que el lado poético—y al hablar aquí de poesía nos referimos concretamente al verso—queda como en sombras.

Sin embargo, la producción poética de Cervantes no es nada escasa. Aparte de las diez comedias de su primera y segunda época—escritas íntegramente en verso—, Cervantes hizo numerosas poesías de varia índole: odas, canciones, romances, sonetos, etc. Buen número de ellas figuran en los Cancioneros de la época; otras permanecen anónimas, y una parte no pequeña fué a incorporarse a sus novelas, especialmente a *La Galatea,* donde encontramos nada menos que veinte sonetos y una gran cantidad de églogas, canciones, villancicos, glosas de variada extensión y gran diversidad de metros. En el género italianizante dominan las octavas reales, tercetos y liras; hay también verso blanco, del que Cervantes echó mano con frecuencia. En el tradicional español abundan las quintillas dobles. Por ensayarlo todo, emplea también la octava de arte mayor, ya en desuso («Egloga de Orompo, Crisio, Marsilio y Orfenio», lib. III de *La Galatea);* y en otro lugar, la sextina italiana, de tan retorcido artificio[5]. La égloga citada es de mucha extensión, 627 versos; y aun lo es más el *Canto de Calíope* (lib VI), con sus 111 octavas reales. En *La gitanilla* y el *Quijote* intercala romances, metro que no aparece en *La Galatea.*

Lírica tradicional e italianizante

La primera discriminación que habría que hacer en un estudio a fondo de la personalidad de Cervantes como poeta debería partir de un desglose de su producción dramática y de la puramente lírica. Aquí sólo nos referimos a ésta. Díaz-Plaja ha propuesto una catalogación de las poesías cervantinas partiendo de su mayor o menor contenido popular. Valbuena Prat prefiere, al parecer, la consideración por estilos y escuelas; y, aun reconociendo que la posición lírica es la menos destacada en Cervantes, ve en él una singularísima síntesis de las dos escuelas que se repartían entonces la afición del público: la nacional y la italiana. Dentro de aquélla hay que destacar numerosos romances, de impecable factura, tanto sueltos como intercalados, sobre todo en *La gitanilla* y en alguna de sus comedias. Composiciones encontramos de este género, tan típicamente español, que no desmerecen de las mejores de Góngora. Léase el que empieza:

> Escuchadme los de Orán,
> caballeros y soldados...
>
> *(El gallardo español*, jorn. I),

o aquel otro de *La gitanilla*:

> Hermosita, hermosita,
> la de las manos de plata,
> más te quiere tu marido
> que el rey de las Alpujarras...

Con no menor soltura y elegancia maneja los metros cortos. Recuérdense sus letrillas, de tan delicioso sabor popular:

> Tristes de las mozas
> a quien trujo el tiempo
> por casas ajenas
> a servir a dueños...
>
> *(La entretenida*, jorn. II.)

> Madre, la mi madre,
> guardas me ponéis;
> que si yo no me guardo
> no me guardaréis...
>
> *(El celoso extremeño.)*

> A la puerta puestos
> de mis amores,
> espinas y zarzas
> se vuelven flores...
>
> *(Pedro de Urdemalas*, jorn. I.)

Y, finalmente, por no alargar la lista, aquel conjuro tan delicadamente ingenuo de Preciosa en *La gitanilla*:

> Cabecita, cabecita,
> tente en mí, no te resbales...

En la escuela italianizante cultiva—ya se ha dicho—todas las modalidades, aunque con evidente tendencia hacia los temas y esquemas garcilasianos, de ambiente pastoril. A veces se acuerda de Herrera y empuña la trompa heroica (*Dos canciones a la Armada Invencible*). Pero no era ésta su cuerda, como tampoco lo era la de tono religioso. En cambio, el soneto lo construía de

modo casi logrado, especialmente los de carácter burlesco. En la memoria de todos están aquellos cuatro que empiezan:

> Voto a Dios, que me espanta esta grandeza...
> Un valentón de espátula y gregüesco...
> Maestro era de esgrima Campuzano...
> Vimos en julio otra Semana Santa...

Cualquiera de ellos es digno de figurar como modelo del género satírico.

Poemas largos

Mención especial merecen el *Canto de Caliope*, la *Epístola a Mateo Vázquez* y *El viaje del Parnaso*.

El *Canto de Caliope*, inserto en el libro VI de *La Galatea*, es uno de tantos poemas laudatorios de la época. En ciento once octavas reales, casi siempre inspiradas, se celebra en tono hiperbólico a otros tantos vates contemporáneos de Cervantes, prodigando los elogios a manos llenas. Todos los poetas nombrados viven en el momento en que Cervantes compone su poema. Ya él mismo se cuida de advertirnos:

> Pienso cantar de aquellos solamente
> a quien la Parca el hilo aun no ha cortado.

Por esta galería desfilan personas de todos conocidas—Lope, Góngora, los Argensola, etc.—, y otros que ha mucho tiempo pasaron a las sombras del olvido.

La *Epístola a Mateo Vázquez*, secretario de Felipe II, fué enviada por Cervantes desde Argel en el segundo año de su cautiverio con intención de inclinar a su favor el ánimo del monarca y de este modo acelerar su redención. Escrita en tercetos, algunos muy sueltos e inspirados, tiene un fondo autobiográfico de positivo valor.

Al mismo género que el *Canto de Caliope*, tan cultivado en el Siglo de Oro, con las consiguientes loas ditirámbicas de ingenios del día, corresponde el *Viaje del Parnaso*. Se inspira en el poema del mismo título de Cesare Caporali, y está escrito en tercetos, distribuídos en ocho cantos. Con sus 3.000 versos aproximadamente, es la obra poética de más empeño de Cervantes. Escrito en plena madurez, el terceto aquí se mueve con soltura, y los juicios que da sobre autores y obras vienen casi siempre envueltos en esa suave ironía de la que Cervantes se nos ofrece maestro incomparable. Sigue al *Viaje* una *Adjunta* en prosa donde campean el humor y la sátira cervantina.

Estimación crítica

Reseñadas las más conocidas obras en verso de Cervantes, ¿qué hemos de pensar de él como poeta? Sabida es la desestimación en que se le ha tenido en tal aspecto. Reconociendo a su prosa la más alta calidad literaria, se les ha negado a sus versos toda clase de méritos. A lo largo de tres centurias, Cervantes ha sido presentado a la posteridad como un hombre ayuno de inspiración, inhábil para el manejo del verso, incapaz de elevarse a las regiones puras de la poesía; un prosista, en fin, incomparable, pero desdichado poeta.

Quizá el primero y principal culpable de este juicio subestimativo sea el propio Cervantes, que en diversas ocasiones—con una modestia incomprensible—se adelantó a confesarnos su fracaso:

> Yo, que siempre me afano y me desvelo
> por parecer que tengo de poeta
> la gracia que no quiso darme el cielo...
>
> *(Viaje del Parnaso.)*

A aumentar esta impresión desfavorable contribuyeron los juicios de algunos coetáneos, envidiosos del renombre que le dió la publicación de la Primera parte del *Quijote*. El bilioso y alicorto Villegas escribía en una de sus Epístolas:

> Irás del Helicón a la conquista
> mejor que el mal poeta de Cervantes,
> donde no le valdrá ser quijotista.

Otro ingenio, agrio y cejijunto, Cristóbal Suárez de Figueroa, le dispara también sus dardos envenenados desde las páginas de *El pasajero*, y, por no citar sino los más destacados, Lope de Vega, resentido quizá por la crítica que había hecho Cervantes de sus comedias, no vacila en escribir al duque de Sessa: «De poetas no digo; ¡buen año es éste! Muchos están en ciernes para el año que viene, pero ninguno hay tan malo como Cervantes ni tan necio que alabe *Don Quijote*» [5].

Tales juicios y otros análogos han hecho que la crítica de Cervantes, poeta, haya sido hasta hace poco negativa. Hoy, en cambio, se reacciona en sentido opuesto y se tiende al elogio desmesurado. Creemos que tanto pecan los unos como los otros: los que le negaban todo mérito poético, como los que ahora pretenden ponerle a par con Garcilaso, Góngora o fray Luis de León. Cervantes es un poeta estimable, pero no de primer orden; su prosa vale mucho más que su verso. En éste hay momentos, muchos momentos, de verdadera inspiración, pero ningún poema de esos que acusan la presencia del genio. De no haber escrito más que verso, y en la coyuntura forzosa de tener que juzgarle por él, Cervantes ocuparía un puesto en nuestro Parnaso, pero un puesto alejado de esas cumbres que se llaman Lope, Góngora y Quevedo.

V. CERVANTES, AUTOR DRAMATICO

Muy distinto juicio ha de merecernos su producción teatral. Si no fuésemos enemigos de afirmaciones absolutas, nos atreveríamos a decir que Cervantes es el dramaturgo español más completo, anterior a Lope. Y, al aventurar tal juicio, no pensamos en la perfección formal de sus comedias, más o menos discutible, ni en el hábil juego de la acción y de los personajes, sino en la pluralidad de aspectos y modos dramáticos. Frente a la producción unilateral—bilateral, lo más—de Lope de Rueda o de Juan de la Cueva, Cervantes ofrece una multiplicidad de temas y de técnicas que lo convierten, al igual que sucede con la novela, en zona de convergencia de todas las corrientes dramáticas de su tiempo. Su ingenio se aplica por igual a la tragedia de corte clásico y al breve y regocijante sainete, a la comedia de enredo y a la de aventuras moriscas, al drama religioso y al de ambiente caballeresco. Un ligero análisis de su teatro nos mostrará esta nueva faceta cervantina, tan digna de ser destacada.

Producción dramática y cronología

Ignoramos el número de obras que escribió Cervantes para el teatro. Debió de ser elevado. Tenemos testimonios, en la *Adjunta al Parnaso* y en el prólogo de sus *Ocho comedias y ocho entremeses*, de los que parece deducirse que desde su más tierna infancia fué aficionado a las tablas y debió de consumir muchas horas escribiendo para el teatro.

—¿Y vuesa merced, señor Cervantes—pregunta, por boca de Pancracio de Roncesvalles, en la *Adjunta al Parnaso*—, ha sido aficionado a la carátula? ¿Ha compuesto alguna comedia?

—Sí—dije yo—, muchas; y, a no ser mías, me parecieran dignas de alabanza, como lo fueron: *Los tratos de Argel, La Numancia, La gran Turquesca, La batalla naval, La Jerusalem, La Amaranta o La de mayo, El bosque amoroso, La única o La bizarra Arsinda*, y otras muchas de que no me acuerdo; mas la que yo más estimo y de la que más me precio fué y es una llamada *La confusa*, la cual, con paz sea dicho, de cuantas comedias de capa y espada hasta hoy se han representado, bien puede tener lugar señalado por buena entre las mejores.

PANCRACIO.—Y ¿ahora tiene vuestra merced algunas?

MIGUEL.—Seis tengo, con otros seis entremeses.

PANCRACIO.—Pues ¿por qué no se representan?

MIGUEL.—Porque ni los autores me buscan, ni yo los voy a buscar a ellos.

PANCRACIO.—No deben de saber que vuestra merced las tiene.

MIGUEL.—Sí saben; pero como tienen sus poetas paniaguados y les va bien con ellos, no buscan pan de trastrigo; pero yo pienso darlas a la estampa para que se vea despacio lo que pasa aprisa, y se disimula, o no se entiende cuando las representan; y las comedias tienen sus razones y tiempos, como los cantares.

Esto en la *Adjunta*. Y en el prólogo a sus *Ocho comedias y ocho entremeses* (Madrid, 1615), después de recordarnos que vió en su niñez a Lope de Rueda representar pasos y comedias, afirma haber compuesto él mismo «en este tiempo hasta veinte comedias o treinta, que todas ellas se recitaron, sin que se les ofreciese ofrenda de pepinos ni de otra cosa arrojadiza».

Tenemos, pues, por un lado, esa lista de comedias, la mayor parte perdidas, que no llegaron a representarse porque los «autores» o cómicos preferían las de otros ingenios. Señalan en la dramática cervantina una primera época, de la que sólo nos quedan *Los tratos de Argel* y *La Numancia*. Tenemos, por otro lado, «hasta veinte comedias o treinta», que se representaron con evidente éxito. Finalmente, tenemos la colección de dieciséis piezas—ocho comedias y ocho entremeses— que él mismo dió a la estampa un año antes de morir. Todavía podríamos aumentar la lista con varias atribuídas, ninguna de las cuales puede incluirse entre las aludidas en la *Adjunta*, puesto que no corresponden los títulos. Y aun indica en el mismo prólogo mencionado otra que estaba componiendo, *El engaño a los ojos,* de la que no sabemos nada. Para Astrana Marín ni Cervantes compuso tal comedia, ni le pasó nunca por la imaginación. Se trata de una ironía terrible, tan sutil y finísima como aquella aplicada a Lope, cuando dijo (prólogo de la 2.ª parte del *Quijote*): «que el tal adoro el ingenio, admiro las obras y la *ocupación continua y virtuosa*». Sabido es que, según la crítica más reciente, en esta última frase se esconde una sangrienta alusión a la vida escandalosa de Lope. Del mismo modo, Astrana Marín quiere descubrir en *El engaño a los ojos* una alusión no menos sangrienta contra alguno de los *autores* (empresarios o directores de compañías) que habían rechazado las comedias de Cervantes; y muy posiblemente, contra Juan de Morales Medrano, cuya esposa, la conocida cómica Jusepa Vaca, le engañaba a vista de todos.

Todo ello demuestra que la producción dramática de Cervantes no debió bajar de las sesenta o más obras. Pero sólo nos quedan con carácter de autenticidad absoluta diez comedias y ocho entremeses. A ellas se va a concretar nuestro análisis.

Primera época: «Los tratos» y «Numancia»

Ya se ha dicho que de esta primera época no han llegado a nosotros más que *El trato* o *Los tratos de Argel* y *El cerco de Numancia*.

Los tratos, primera de las comedias conocidas de Cervantes, refleja la vida de cautiverio con sus intrigas, amoríos y ardides para que los cristianos apostaten de su fe. Escrita en verso, como todas las comedias cervantinas, ofrece un cuadro muy animado, con varios pasajes de valor autobiográfico, ya que el mismo Cervantes se introduce como un personaje más, con su propio apellido de Saavedra. Lope de Vega la imitó en sus *Cautivos de Argel* (1598).

La Numancia, auténtica tragedia de alto vuelo, señala una cima en nuestro teatro, y es, indudablemente, la mejor tragedia antes de Lope de Vega. Nunca se ha movido en nuestra escena con tal soltura una masa tan importante. Sin personajes destacados, puede decirse que tiene por protagonista a toda la ciudad, inmolándose voluntariamente en aras de su libertad. Por su sencillez, grandeza y el tono épico de muchas escenas, así como por la feliz mezcla de elementos líricos y dramáticos, ha sido comparada con las tragedias de Esquilo.

Segunda época: Comedias

De las ocho comedias que se conservan correspondientes a esta segunda época, *El gallardo español,* primera de la serie, reproduce una vez más el tema, tan caro a Cervantes, de los moros y cristianos. También aquí se introduce el autor con el nombre de Fernando de Saavedra. Bien versificada, hay quien la considera la mejor del grupo. En *Los baños de Argel* vuelve sobre el mismo asunto de cautivos, tratado con mayor emoción, mayor dominio técnico y sentimiento mucho más hondo. Aún tiene otra, bellísima, de tema análogo, *La gran sultana doña Catalina de Oviedo,* basada en un hecho al parecer histórico: el cautiverio de una dama española de ese nombre, la cual, llevada a Constantinopla, enamoró con su hermosura y buenas prendas al sultán, hasta el punto de que llegó a hacerla su esposa. Se distingue por la fluidez de la versificación.

Del género caballeresco son *La casa de los celos* y *El laberinto de amor.* Con un argumento extravagante y confuso la primera, y con una trama tan complicada la segunda, que Schevill y Bonilla, los dos ilustres comentaristas cervantinos, se declaran impotentes para desenmarañarla, señalan ambas el punto más flojo en toda la obra del autor.

La entretenida es una deliciosa comedia típica «de capa y espada» que, salvando las naturales distancias, puede compararse con *La villana de Vallecas,* de Tirso, por la gracia chispeante del diálogo y el realismo de las situaciones. Algunos versos presagian, en efecto, al ilustre fraile mercedario.

La mujer ha de ser buena
y parecerlo, que es más.

Con *El rufián dichoso* Cervantes aborda la comedia «de santos», de tan larga tradición en nuestra escena. Se basa en un hecho real: la vida de hampa y disipación de Cristóbal de Lugo y su posterior conversión y entrega a Dios en el claustro. El primer acto, de aventuras y escándalos, que pasa en Sevilla, da pie a Cervantes para trazar uno de aquellos cuadros de picardía y burdel en que se nos reveló pintor incomparable. La acción de los otros dos actos, en Méjico, no desmerece, por su dinamismo y vigor, del principio de la obra.

Casi todos los críticos coinciden en que *Pedro de Urdemalas* es la comedia más original y lograda de Cervantes. El argumento tiene evidentes analogías con *La gitanilla:* un pícaro que, por amor a una joven, vive con una tribu de gitanos y se adiestra en sus mañas. Este tipo debía de ser popular en el siglo XVI, y hasta aparece con este mismo nombre, Pedro de Urdemalas, en obras de Villalón, Hurtado de la Vera, Espinel y otros. Pero Cervantes, a la vez que realza con su inagotable ingenio el interés del tema, lo anima, encuadrándolo en una serie de animadas escenas que reflejan fielmente costumbres de la época. Una vez más nos encontramos al genial escritor en su propio ambiente: escenas de pícaros, gitanos, gente del hampa, tipos del bajo pueblo, que se nos dan como trozos de vida auténtica, y no superpuestos o hilvanados a la buena de Dios, sino injertados en la misma acción y formando partes esenciales de ella.

Los entremeses

Si en la comedia Cervantes es más o menos discutible, en el entremés se nos presenta como maestro insuperable. Ni antes de él Lope de Rueda ni después Quiñones de Benavente o Ramón de la Cruz han sabido elevar a mayor perfección esas pequeñas piezas teatrales, apuntes rapidísimos tomados directamente del natural, en las que con cuatro trazos seguros se nos da una animada escena de la vida real o se nos ofrece un problema cotidiano planteado y resuelto en pocos minutos, sobre la marcha. «Un diálogo maravilloso, fresco y vivo de artista —escribe Savj-López—, que no se parece a los antiguos autores de farsa, sino sólo a él, y que todo lo ve con el color de su propia alma», aumenta la sugestión de estos cuadritos, en los que todo es verdad, alegría y movimiento.

Los entremeses son ocho, todos en prosa, menos *El rufián viudo* y *La elección de los alcaldes de Daganzo*, en verso libre, por lo que se ha creído que corresponde a una época anterior en la producción cervantina. Su extensión es la corriente en estas piececillas, destinadas a distraer al público en los entreactos. Sus temas, variadísimos: conflictos matrimoniales *(El juez de los divorcios)*, escenas del hampa *(El rufián viudo)*, cuadros costumbristas de aldea *(La elección de los alcaldes* y *El retablo de las maravillas)*, la vieja intriga del marido burlado en su ausencia, pero no concebida a la manera calderoniana, sino con una visión jocunda y boccaccesca *(La cueva de Salamanca)*; rivalidades amorosas entre soldados fanfarrones y gentes de sacristía *(La guarda cuidadosa)*, la dama muy pagada de sí misma y docta en ardides que resulta engañada *(El vizcaíno fingido)*. Todos esos temas, tratados de manera intrascendente, con una visión de benévola alegría, casi de complacencia, con una sonrisa comprensiva ante las debilidades o miserias humanas.

Ideología dramática de Cervantes

Se ha hablado y discutido mucho sobre esto. Para nosotros, sin embargo, la cuestión está bien clara. Cervantes había recibido en su niñez una educación clásica, de completo acuerdo con la que se daba entonces en nuestras universidades y centros humanistas. Allí aprendió la preceptiva tradicional, basada en Aristóteles y en Horacio; la misma que por aquellos días habían de exponer en sus conocidos tratados el Pinciano, Cascales o González de Salas. Le habían enseñado que la comedia debe ser moralizadora y docente, a la manera de Terencio; que existen ciertas exigencias de acción, lugar y tiempo, las que no pueden transgredirse impunemente; que no debe mezclarse lo trágico y lo cómico; que el número de actos debe ser fijo, etc., etc. Y cuando, en el capítulo XLVIII de la Primera parte del *Quijote,* se le presenta ocasión de formular sus ideas sobre el teatro, expone por boca del canónigo los mismos conceptos, ni más ni menos que le habían enseñado en su juventud.

Pero de esto a tener una teoría dramática estructurada hay un abismo. Si él censura acerbamente el nuevo teatro encarnado en Lope de Vega, lo hace, más que en nombre propio, en nombre de una doctrina tradicional, cuyos preceptos ve conculcados por la nueva escuela. De paso desahoga el mal humor que le produce verse, como tantos otros, oscurecido, eclipsado totalmente por aquel «monstruo» *que se había alzado con el cetro de la monarquía cómica.* según sus propias palabras.

¿Se puede, sin más que leer su dura diatriba del *Quijote,* encasillar a Cervantes entre los enemigos del teatro nacional? No, porque ello equivaldría a enfrentarlo con su propio teatro, en el que también se conculcan aquellos preceptos y se salta por encima de las unidades de lugar y tiempo. Recuérdese que el primer acto de *El rufián dichoso* pasa en Sevilla y los otros dos en Méjico y muchos años más tarde. Cervantes mismo se dió cuenta de esta flagrante transgresión e intentó justificarla en un diálogo entre figuras alegóricas—la Curiosidad y la Comedia—introducidas en la citada obra. Pregunta la Curiosidad por qué ha reducido a tres los cinco actos y cambia «sin discurso alguno» tiempos, teatros y lugares. La Comedia contesta:

> Los tiempos mudan las cosas
> y perfeccionan las artes.
> ....
> No soy mala, aunque desdigo
> de aquellos preceptos graves
> que me dieron y dexaron
> en sus obras admirables
> Séneca, Terencio y Plauto,
> y los griegos que tú sabes.
> He dexado parte dellos
> y he también guardado parte,
> *porque lo quiere así el uso,*
> *que no se sujeta al arte.*
> Ya represento mil cosas,
> no en relación como antes,
> sino en hecho...

No aducía otras razones justificativas de su revolución teatral el propio Lope de Vega: *lo quiere así el uso.* Y, más adelante, explicando el continuo cambio de lugares:

> El pensamiento es ligero,
> bien pueden acompañarme.

Cervantes, pues, no sólo no cree—al menos en su edad madura—en la validez absoluta de la preceptiva dramática tradicional, sino que no vacila en transgredir sus preceptos cuantas veces lo juzga conveniente. Quizá en su juventud sus ideas se ajustaban a aquella preceptiva dramática; pero luego, con el tiempo, tanto en la teoría como en la práctica, sufrieron un cambio radical.

NOTAS

1. Sobre sus posibles estudios y formación han escrito, entre otros, RODRÍGUEZ MARÍN: *Cervantes estudió en Sevilla*, 1905, y *Cervantes y la Universidad de Osuna*, 1899; BLANCA DE LOS RÍOS: *¿Estudió Cervantes en Salamanca?*, 1899; N. ALONSO CORTÉS: *Cervantes en Valladolid*, 1916; MENÉNDEZ PELAYO: *Cultura literaria de Cervantes*, «Estudios y discursos de crítica», C. S. I. C., vol. I. En general, para todo lo referente al autor del *Quijote*, consultar el libro definitivo de ASTRANA MARÍN: *Vida ejemplar y heroica de Miguel de Cervantes Saavedra*, Madrid.

2. Y no el 23 de abril, como se ha venido diciendo. Astrana Marín ha demostrado cumplidamente que ese día fué el de su entierro, no el de su fallecimiento. «Las partidas de defunción de entonces—dice el benemérito investigador—lo son de sepelio..., según he podido comprobar consultando centenares de aquéllas en los archivos parroquiales de Madrid y provincias. Así, la partida de defunción de Lope de Vega (suscrita por la misma parroquia que la de Cervantes) dice que murió el 28 de agosto de 1635, cuando fué el 27, como nadie ignora.» Otro tanto ocurre con la de Quevedo y con la de la misma hija de Cervantes. Este «murió—termina afirmando Astrana Marín—el viernes 22 de abril de 1616».

3. A raíz del descubrimiento del retrato en Oviedo (1910), se entabló viva discusión en torno a su autenticidad. Rodríguez Marín, Sentenach, A. Pidal y otros lo creían auténtico; Foulché-Delbosc, Puyol y Azorín dudaban que lo fuera. Hoy está plenamente comprobado qué

se trata de una superchería realizada en la Escuela de Artes y Oficios de Oviedo por un profesor de la misma llamado Albiol. Ducho éste en todas las fórmulas de Cenino Cennini, falsificó, por cierto muy torpemente, una tabla encontrada poco antes en la tienda de un chamarilero de aquella ciudad, y, sin más que poner en la parte superior una inscripción (*D Miguel de Cervantes Saauedra*), y en la inferior otra (*Iuan de Iauregui pinxit. año 1600*), previos, además, ciertos retoques, la hizo pasar por el auténtico retrato de Cervantes, y como tal se lo donó a la Real Academia Española. Con decir que aún viven los que presenciaron la falsificación, que Cervantes nunca tuvo ni usó el «don» y que Jáuregui en 1600 sólo tenía dieciséis años, está demostrada la falsedad. Jáuregui, en efecto, pintó a Cervantes; pero no es éste el retrato. Astrana Marín, el cultísimo cervantista, sugiere con abundantes razones que el auténtico retrato pintado por Jáuregui bien puede ser el que conserva en su poder el marqués de Casas Torres. Se trata de un lienzo de 0,50 por 0,45 metros, y representa un hombre de unos sesenta y cinco años de edad, cuyos rasgos coinciden con los del autorretrato cervantino en el prólogo de las *Novelas Ejemplares*. Vid. ASTRANA MARÍN: *Cervantinas y otros ensayos*, Madrid, 1944.

4. «Veo con sumo dolor—escribe Astrana Marín—cómo todavía los editores de Cervantes siguen imprimiendo y atribuyéndole muchas obras que de ningún modo escribiera. Lejos ya aquellos lustros que un falsario de talento, don Adolfo de Castro, pudo publicar el grueso volumen de *Varias obras inéditas* (Madrid, 1874), donde achacó al genio alcalaíno seis trabajos que jamás salieron de su pluma. Hoy la crítica cervantina ha avanzado lo suficiente para que no se reproduzcan sin protesta los entremeses *Los habladores*, *Los mirones*, *Doña Justina y Calahorra*, *La cárcel de Sevilla*, *El hospital de los podridos*, los *Refranes*, los *Romances*, el *Diálogo entre Sillania y Selanio* y la *Canción a la elección del arzobispo de Toledo*, la *Carta a don Diego de Astudillo Carrillo*, la comedia *La soberana Virgen de Guadalupe* y diversas composiciones sueltas.» (*Cervantinas*, pág. 37.)

5. Vid. sobre esta complicada composición DÍEZ ECHARRI: *Teorías métricas del Siglo de Oro* (cap. VII, «La antigua sextina»), Madrid, 1949.

6. Lope debió de conocer el juicio de Cervantes sobre su teatro antes de aparecer formulado expresamente en el cap. XLVIII de la primera parte del *Quijote*. La carta al duque de Sessa está fechada en 14 de agosto de 1604, es decir, un año antes de publicarse la inmortal novela.

BIBLIOGRAFIA

La bibliografía cervantina es copiosísima. FEDERICO CARLOS SAINZ DE ROBLES (*Diccionario de la Literatura*, II, Madrid, 1953), hace ascender a más de 6.000 los libros que tratan de Cervantes, a 60.000 los estudios monográficos y a medio millón los artículos periodísticos. De ese inmenso repertorio hemos entresacado unos 350 títulos, que nos parecen los más interesantes, y que van distribuidos en los tres capítulos dedicados al genial escritor conforme a las materias que en cada uno se tratan. Precede una sucinta relación de los principales catálogos bibliográficos.

L. RIUS: *Bibliografía crítica de las obras de Cervantes*, 3 vols., Madrid, 1895-1904.—H. SERIS: *La colección cervantina de la Sociedad Hispánica de América*, «University of Illinois Studies», VI, 1920.—GABRIEL M. MARTÍN DEL RÍO Y RICO: *Catálogo bibliográfico de la Sección de Cervantes de la Biblioteca Nacional*, Tip. «Rev. Arch.», 1930.—JEREMÍAH FORD y RUTH LANSING: *Cervantes. A tentative bibliography of his works...*, Cambridge, Harvard University Press, 1931.—*Catálogo de la Primera Exposición Cervantina*, Patronato Nacional del IV Centenario del nacimiento de Cervantes, Madrid, s. i.—*Catálogo de la Segunda Exposición Cervantina*, Patronato Nacional del IV Centenario, Madrid, 1948.—*Catálogo de la Exposición Cervantina en la Biblioteca Nacional para conmemorar el CCCXXX aniversario de la muerte de Cervantes*, Madrid, 1946.—JUSTO GARCÍA MORALES: *Catálogo de la Exposición antológica de ediciones ilustradas del «Quijote»*, organizado en Alcalá de Henares, Dip. Prov., Madrid, 1956.—*Catálogo de ediciones del «Quijote», traducciones, imitaciones, obras menores y libros referentes a Cervantes*, Barcelona, Casa Prov. de Caridad, s. a.—E. COTARELO Y MORI: *Bibliografía de los principales escritos publicados con ocasión del tercer centenario del «Quijote»*, «Rev. Arch.», XII, 1905.—J. BRIMEUR: *Supplément français à la bibliographie de Cervantes*, «Rev. Hisp.», XV, 1906.—J. CHATENAY: *Quelques additions à la bibliographie de Cervantes*, «Rev. Hisp.», VIII, 1901.

I y II.—LUIS ASTRANA MARÍN: *Vida ejemplar y heroica de Miguel de Cervantes Saavedra*, Madrid, Ed. Reus (6 vols.), 1951-1957.—MARTÍN FERNÁNDEZ DE NAVARRETE: *Vida de Cervantes*, Acad. Esp., Madrid, 1819.—R. BAUMSTARK: *Cervantes*, Freiburg, 1875.—H. H. WATTS: *Cervantes, his life and works*, Londres, 1895.—RAMÓN LEÓN MÁINEZ: *Cerv. y su época*, Jerez de la Frontera, 1901.—P. SCHEERBART: *Cervantes*, Berlin, 1904.—E. BENOT: *Est. acerca de Cerv. y del «Quijote»*, Madrid, 1905.—MENÉNDEZ PELAYO: *Disc. acerca de Cerv. y el «Quijote»*, 1905.—F. NAVARRO LEDESMA: *El ingenioso hidalgo Miguel de Cervantes Saavedra*, Madrid, 1905.—M. S. OLIVER: *Vida y semblanza de Cervantes*, Barcelona, 1916.—J. CEJADOR Y FRAUCA: *Miguel de Cerv. Saav. (Biografía, bibliografía y crítica)*, Madrid, 1916.—JOAQUÍN LÓPEZ BARRERA: *Cerv. y su época*, Madrid, 1916.—ANDRÉ SUÁREZ: *Cervantes*, París, 1916 (hay trad. esp. de R. Baeza).—FITZMAURICE-KELLY: *Miguel de Cerv. Saavedra*, 1917.—P. SAVJ-LÓPEZ: *Cervantes*, Nápoles, 1913 (hay trad. esp. de A. G. Solalinde).—ALEJANDRO POPESCU-TELEGA: *Cervantes*, Bucarest, 1924.—RUDOLPH SCHEVILL: *Cervantes*, Nueva York, Duffield and Company, 1919.—V. TARKIAINEN: *Miguel de Cerv. Saav.*, Werner Södestrom Osakeyhtiön Kirjapainosa Porvoossa, 1918.—HAN RYNER: *L'ingénieux hidalgo Miguel de Cervantes*, París, 1926.—A. CASTRO: *Cervantes*, 1931.—LUIS ASTRANA MARÍN: *Cervantinas y otros ensayos*, Madrid, 1944.—R. MARTÍ ORBERA: *Cervantes, caballero andante. Historia novelada*, Madrid, 1947.—RICARDO ROJAS: *Cervantes*, Buenos Aires, 1948.—MIGUEL HERRERO GARCÍA: *Vida de Cerv.*, Madrid, 1948.—JUAN SEBASTIÁN ARBÓ: *Cervantes*, Barcelona, 1951.—SANTIAGO MONTERO DÍAZ: *Cervantes, compañero eterno*, Madrid, 1957.—MARIANO TOMÁS: *Vida y desventura de Miguel de Cerv.*, Barcelona, s. a.—J. M. RIGUERA MONTERO: *La cuna y la oriundez de M. de Cerv. Saav.*, La Coruña, 1905.—A. GONZÁLEZ DE AMEZÚA: *Lugar del nacimiento de Miguel de Cerv.*, «Bol. Ac. Hist.», CXXXIII, 1953.—N. GONZÁLEZ AURIOLES: *Recuerdos autobiográficos de Cerv. en «La española inglesa»*, Madrid, 1913.—F. RODRÍGUEZ MARÍN: *Nuevos documentos cerv. hasta ahora inéditos*, Madrid, 1914.—BLANCA DE LOS RÍOS: *¿Estudió Cerv. en Salamanca?*, «España Moderna», 1899.—F. RODRÍGUEZ MARÍN: *Cerv. estudió en Sevilla*, disc., 1905; *Cervantes y la Universidad de Osuna*, «Hom. a M. Pelayo», 1899.—M. ROTONDO Y NICOLÁU: *La cueva de Cerv. en Argel*, Madrid, 1895.—F. RODRÍGUEZ MARÍN: *El Dr. Juan Blanco de la Paz*, Madrid, 1916.—CELESTINO LÓPEZ MARTÍNEZ: *Residencia de Cerv. en Sevilla*, Sevilla, 1949.—JUAN AGAPITO Y REVILLA: *Recuerdos de Cerv. en Valladolid*, «Bol. Soc. Cast. Excursiones», 1905.—N. ALONSO CORTÉS: *Cerv. en Valladolid*, «Bol. Soc. Cast. Excursiones», 1905; *Casos cerv. que tocan a Valladolid*, Madrid, 1916.—MANUEL DE FORONDA Y AGUILERA: *Cervantes, viajero*, Madrid, 1880. JOSÉ SÁNCHEZ ROJAS: *Las mujeres de Cerv.*, Barcelona, 1916.—JORDAO A. DE FREITAS: *Cervantes e Argensola*, Lisboa, 1916.—VICENTE FERRAZ Y CASTÁN: *Ana Franca (Visión del Quijote)*, Madrid, 1940.—R. MENÉNDEZ PIDAL: *De Cervantes y Lope de Vega*, Buenos Aires, 1943.—JOSÉ DE ARMAS Y CÁRDENAS: *Cervantes y el Duque de Sessa...*, Habana, 1909.—RAMÓN LEÓN LAÍNEZ: *El Conde de Lemos y el Arzobispo Sandoval y Rojas, protectores de Cervantes*, Jerez de la Frontera, 1901.—J. M. ASENSIO Y TOLEDO: *El Conde de Lemos, protector de Cervantes*, Madrid, 1880. A. MOREL-FATIO: *Cervantes et les Cardinaux Acquaviva et Colonna*, «Bull. Hisp.», 1906.

AURELIO BAIG Y BAÑOS: *La Mancha y Cervantes*, Madrid, 1934.—E. COTARELO Y MORI: *Puntos oscuros en la vida de Cerv.*, Madrid, 1916.—JUAN GIVANEL Y MAS: *Hist. gráfica de Cerv. y del «Quijote»*, Madrid, 1946.—J. PUYOL ALONSO: *El supuesto retrato de Cervantes*, Madrid, 1915. A. BAIG Y BAÑOS: *Hist. del retrato auténtico de Cervantes*, Madrid, 1916.—S. PÉREZ DE GUZMÁN Y GALLO: *Los retratos de Cervantes*, «Arte Español», III, 1916.—N. SENTENACH: *El retrato de Cervantes*, «Rev. Arch.», XXXIV, 1916.—F. RODRÍGUEZ MARÍN: *El retrato de Cervantes*, Madrid, 1917.—RAFAEL MARÍA DE HORNEDO: *¿Retrató Jáuregui a Cervantes?*, «Anales Cerv.», I, 1951.—ASTRANA MARÍN: *El retrato de Cervantes que tienen en la Academia es falso*, «La Estaf. Literaria», núm. 50, 1956.—AMÉRICO CASTRO: *El pensamiento de Cervantes*, Madrid, 1925; *Cerv. y la Inquisición*, «Modern Philology», XXVII, 1930; *Eras-*

mo en tiempo de Cervantes, «Rev. Filol. Esp.», XVIII, 1931.—A. F. G. BELL: *The Character of Cerv.*, «Rev. Hisp.», LXXX, 1930.—R. SCHEVILL: *The education and culture of Cerv.*, «Hisp. Rev.», I, 1933.—MENÉNDEZ PELAYO: *Estudios cervantinos*, incluidos en «Est. y disc. de crítica...», I, págs. 257-420 (ed. C. S. I. C., 1942).—JUAN ANTONIO TAMAYO RUBIO: *Ideas estéticas y literarias de Cervantes*, «Rev. Ideas Estéticas», Madrid, 1948.—ANGEL FLORES y J. M. BERNARDETE: *Cerv. across the Centuries*, Nueva York, 1927.—R. BENÍTEZ CLAROS: *Cerv. en la evolución de su época*, «Cuad. de Lit.», 1948.—JUAN BENEYTO: *Mundo, cultura y política de Cervantes*, «Rev. Nac. Educ.», Madrid, 1947.—JOSÉ R. MARTÍNEZ VAL y MARGARITA PEÑALOSA: *Cerv. y su España*, Ciudad Real, 1947.—ANTONIO VILANOVA: *Erasmo y Cervantes*, Madrid, ed. C. S. I. C., 1949.—OSWALDO ORICO: *Camoens y Cervantes*, Madrid, Edit. Nacional.

III. Las ediciones de las *Obras completas* de Cervantes son numerosísimas. Anotamos las tres que juzgamos más difundidas: *Obras completas*, ed. Hartzenbusch, 12 vols., Madrid, 1863; *Obras completas*, ed. R. Schevill y A. Bonilla y San Martín, 14 vols., 1914 y sgs.; *Obras completas*, ed. Aguilar (Colec. «Obras Eternas»), con pról., notas e índices de Angel Valbuena Prat, Madrid.

IV. *Poesías de Cervantes*, compiladas y prologadas por Ricardo Rojas, Buenos Aires, 1916.—*Viaje del Parnaso*. ed. Rodolfo Schevill y Bonilla y San Martín, Madrid, 1922. *Viaje del Parnaso* (adjunta al *Parñaso*), con introd. y notas (más de 900) de Agustín del Campo, Madrid, «Bibl. Clásica Castilla», 1948.—LUIS VIDART Y SECHUCH: *Cervantes, poeta épico*, Madrid, 1877.—E. SILVELA: *Cervantes, poeta*, Madrid, 1905.—ADOLFO DE CASTRO: *Cervantes, ¿fué o no fué poeta?*, «Sem. Pint. Esp.», 1851.—ALFREDO MALO: *Cervantes, poeta*, «AVH», año X, núm. 1, 1949.—A. LATORU: *El «Viaje del Parnaso», de Cervantes*, «Le Correspondant», marzo, 1865.—E. COTARELO: *Epístola a Mateo Vázquez*, 1905.—MENÉNDEZ PELAYO: *Cervantes considerado como poeta*, «Est. y disc. de crítica...», I, 257-68 (ed. C. S. I. C., 1942).—GERARDO DIEGO: *Cervantes y la poesía*, «Rev. Filol. Esp.», XXXII, 1948.

V. *Teatro de Cervantes*, «Bibl. Clásica» (3 vols.), números 197-99, y Colec. Universal, de Espasa-Calpe.—*Comedias y entremeses*, ed. Blas Nasarre (2 vols.), Madrid, 1749.—*Colección de entremeses, loas y bailes*, etc., ed. Cotarelo y Mori (2 vols), Madrid, 1911.—*Entremeses*, ed. L. C. Viada y Lluch, Barcelona, 1914.—*La Numancia*, ed. L. Sorrento, Milán, 1920.—*Los tratos de Argel*, ed. L. Pfandl, Leipzig, 1925. Véanse, además, en las numerosas ediciones de las *Obras completas*.—Estudios sobre el teatro cervantino: RICARDO DEL ARCO GARAY: *Cerv. y la farándula*, «Bol. Real Acad. Esp.», XXXI, 1951.—LUIS ASTRANA MARÍN: *El teatro de Cerv.*, «Bol. Informativo», 1957. J. CASALDUERO: *Sentido y forma del teatro de Cervantes*, Madrid, Aguilar, 1951.—A. COTARELO VALLEDOR: *El teatro de Cerv.*, Madrid, 1915.—V. DEPTA: *Cervantes als Dramatiker*, «Zeitschrift für Französ. und engl. Unterricht», XXIV, 1925.—N. DÍEZ DE ESCOBAR: *Apuntes dramáticos cervantinos*, Madrid, 1905.—R. GONZÁLEZ: *El teatro de Cervantes*, «Ciudad de Dios», LXVII.—A. LASSO DE LA VEGA: *Cerv., autor dramático*, «Ilustr. Esp. y Amer.», I, 1883.—E. SEÑÁN: *Cerv., autor dramático*, «Luciddarium», Granada, 1917.—G. B. PALACÍN: *¿En dónde oyó Cervantes recitar a Lope de Rueda?*, «Hisp. Rev.», XX, Pensilvania, 1952.—MAX AUB: *«La Numancia», de Cerv.*, «La Torre», IV, San Juan de Puerto Rico, 1956.—MARCEL BATAILLON: *«Ulenspiegel» et le «Retablo de las Maravillas», de Cerv.*, «Hom. a Van Praag», 1956.—DÁMASO ALONSO: *Una fuente de «Los baños de Argel»*, «Rev. Filol. Esp.», XIV, 1927.—S. GRISWOLD MORLEY: *Notas sobre los Entremeses de Cerv.*, «Est. dedicado a M. Pidal», II, 1951.—M. J. GARCÍA: *Est. crítico acerca del entremés «El vizcaíno fingido»*, Madrid, 1905.—M. GARCÍA BLANCO: *El tema de «La cueva de Salamanca» y el entremés cervantino de este título*, «Anales Cervantinos», I, Madrid, 1951.—F. LÁZARO CARRETER: *Notas sobre el texto de dos entremeses cervantinos*, «Anales Cervantinos», III, 1953.—LUIS ROSALES: *La vocación y «El rufián dichoso», de Cerv.*, «Acta Salmanticensia», X, 1956.—SALVADOR SALAS GARRIDO: *Exposición de las ideas estéticas de M. de Cervantes*, Málaga, 1905.—A. BONILLA Y SAN MARTÍN: *Las teorías estéticas de Cerv.*, «Cervantes y su obra», Madrid, 1916.—LUIS VIDART Y SCHUCH: *Algunas ideas de Cerv. referentes a la literatura preceptiva*, Madrid, 1878.—RAFAEL DE BALBIN LUCAS: *La construcción temática de los entremeses de Cervantes*, «Rev. Filol. Esp.», XXXII, 1948.

CAPITULO XXIX

CERVANTES: B) LAS NOVELAS

I. LA GALATEA

Ya se ha dicho que Cervantes, sin dejar de ser un poeta muy estimable y un dramaturgo de primera fila, destaca, sobre todo, como novelista, hasta el punto de que puede ser considerado el verdadero maestro de la novela moderna y hasta auténtico creador de alguno de sus tipos: la novela corta. También hemos dado en el capítulo anterior la clasificación de sus producciones.

Cronológicamente, la primera novela cervantina es *La Galatea* (Alcalá, 1585). La publica el autor a los treinta y ocho años; pero de ciertas frases del prólogo se deduce que la tenía escrita hacía ya algún tiempo. Su título, *Primera parte de la Galatea,* revela a las claras que iba a tener continuación, y así lo promete Cervantes en el mismo prólogo: «Ya que en *esta parte* la obra no responda a su deseo, *otras* ofrece para adelante de más gusto y de mayor artificio.» Varias veces después, a lo largo de su vida, reitera la misma promesa; recuérdese la sentencia del cura en el famoso escrutinio del *Quijote:* «Es menester esperar la segunda parte que promete»; y todavía, en la dedicatoria del *Persiles,* cuatro días antes de expirar, recibida ya la extremaunción, sueña con dar remate a este primogénito de su fantasía: «Si a dicha—escribe al de Lemos—, por buena ventura mía, que ya no sería ventura, sino milagro, me diese el cielo vida, las verá, y con ellas el fin de *La Galatea...*»

Cervantes la tituló «égloga»; está dividida en seis libros, y entra de lleno dentro del género pastoril, tan difundido y estimado por aquellos días. Esto quiere decir que responde a las características de familia, ya apuntadas en otro lugar. Quiere decir también que adolece de todos los defectos señalados: convencionalismo en el lenguaje, en las ideas, en los sentimientos y hasta en el atuendo de los personajes. Tales defectos no pasaban inadvertidos a Cervantes, que se apresura a disculparse de «haber mezclado razones de filosofía entre algunas amorosas de pastores». Bien es verdad que ya se cuida de advertirnos que «muchos de los disfrazados pastores della lo eran solamente en el hábito», y que la escribió muy joven, «habiendo apenas salido de los límites de la juventud».

Argumento

La Galatea casi se puede decir que carece de argumento. Es más bien, como todos los libros de su género, un continuo sucederse de cuadros y motivos que dan pie para que los «disfrazados pastores» puedan desahogar en forma de canciones sus más variados sentimientos: celos, amor, alegrías...

Sobre una trama simplicísima, los amores de Elicio y Erastro por Galatea, bellísima pastora de las riberas del Tajo, va tejiendo Cervantes multitud de episodios que aparecen en forma de novelitas intercaladas: la de Lisandro, Carino y Leonida; la de Teolinda y Artidoro; la del ermitaño Silerio con la hermosa Nísida, etc. La habilidad de Cervantes para engarzar en el relato principal estas historietas episódicas revela ya al consumado maestro en el arte de la narración, que había de culminar en numerosos pasajes del *Quijote.* Siempre tendió Cervantes a estas digresiones, al margen de la acción principal, que si distraen al lector momentáneamente de su camino contribuyen, en cambio, a amenizar el relato, desplegando ante los ojos nuevos e insospechados panoramas.

De las poesías intercaladas, en número que se aproxima a ochenta, ya se habló antes. Muchas, sin duda, fueron escritas por el autor con destino a *La Galatea*; otras se ve que, redactadas hacía tiempo, han sido aquí encajadas más o menos a la fuerza. Para las églogas el modelo ha sido Garcilaso.

«La Galatea» y la «Arcadia», de Sannazaro

Se suele aceptar como lugar común que *La Galatea* es un calco de la famosa novela de Sannazaro. Scherillo primeramente, y luego Fitzmaurice Kelly, Rennert y el mismo Menéndez Pelayo, han contribuído a divulgar esta creencia. Scherillo llega a más: propone, para que destaque bien el plagio, que se imprima la novela cervantina, anotando al margen los pasajes tomados de la *Arcadia*. Sin embargo, una lectura más detenida de *La Galatea* na permitido ver cuánto había de apresurado en tal apreciación. Ya se dijo en su lugar que toda la novelística pastoril española, como en general la europea, trae su origen de Sannazaro o se inspira en él directamente. Pero acaso sea Cervantes, de cuantos cultivaron el género, quien menos le debe. Hay entre el novelista italiano y el español evidentes analogías, pero son mucho mayores las diferencias.

Schevill y Bonilla, hace unos años, y en nuestros días el profesor Indurain [1], se han ocupado de precisar unas y otras. Lo que es construcción enteramente clásica de Sannazaro, acusando una línea cerrada, se convierte en Cervantes en construcción barroca, de línea abierta. Para Sannazaro el elemento pastoril lo es todo; para Cervantes no es sino el motivo que da pie para la acción. Lo novelesco, que en el italiano brilla por su ausencia, y que en la novela pastoril española va ganando importancia a partir de la *Diana* de Montemayor, con Cervantes adquiere aún mayor relieve. Las historias se suceden y entrecruzan sin interrupción: la de Teolinda; la de Leonarda y Artidoro; la de Silerio y Timbrio. La inspiración clásica, bebida por Sannazaro en sus mismas fuentes, sobre todo en Virgilio, llega a Cervantes por mil diversos canales. Y un dato muy significativo, que ha destacado el mismo profesor Indurain: tanto y más que la *Arcadia*, conocida por Cervantes no sólo en su traducción española, sino también en su original texto italiano, influyó en él otro libro no menos conocido y manejado por Cervantes: los *Diálogos de amor* de León Hebreo. A éste sí que sigue nuestro novelista con los ojos cerrados, hasta el punto de que el libro IV de *La Galatea* no es sino una paráfrasis brillantísima de los mismos conceptos expuestos por Judá Abrabanel en los famosos *Diálogos*.

Valor literario de «La Galatea»

De lo dicho se desprende que esta primera novela cervantina, dada su escasa acción y lento desarrollo, apenas ofrece interés para un lector moderno. En cambio, lo tiene, y muy grande, para el crítico. Aparte del mérito intrínseco de algunas composiciones, verdadero modelo dentro del género bucólico, está su prosa rítmica, acompasada, abundante, preludio indispensable para llegar al logro definitivo de la prosa del *Quijote*. Muchas de las mejores descripciones del *Quijote* están aquí como en germen [2]. Se diría que Cervantes, antes de emprender la redacción de su obra inmortal, había querido probar aquí sus fuerzas y ejercitar sus aptitudes. Para ello el género pastoril le brindaba excelente oportunidad.

Este género, en efecto, por su misma índole, requiere gran finura de conceptos y un estilo pulido, afeitado, armonioso, con que suplir, mediante los primores y galas del lenguaje, lo endeble de la fábula. Cervantes no lo ignora, y adorna su locución con toda clase de arreos poéticos, buscando en todo momento los mejores efectos: similicadencias por posición del verbo al final; simetría en la distribución de elementos oracionales, adjetivaciones paralelísticas o por contraste y otros recursos análogos.

En cuanto a la temática, Gili Gaya [3] ha podido decir que en *La Galatea* «vemos preformados no pocos temas y procedimientos que han de desarrollarse en obras ulteriores, por ejemplo, la alusión a los celos como señales de mucha *curiosidad impertinente* (I, 228); novelas intercaladas, como la de Timbrio; ironías de los protagonistas, tan insólitas en el género pastoril como características de las obras maduras de Cervantes; la crueldad de la pastora Gelasia, precursora de la arisca Marcela del *Quijote*, y que, como ella, habla a su auditorio asombrado desde lo alto de una roca inaccesible». *La Galatea* ofrece, además, interés excepcional como exponente de las ideas estéticas de su autor, saturado de la filosofía neoplatónica, que había aprendido, sobre todo, en el Padre Fonseca y en los *Diálogos* del citado León Hebreo.

Algunos historiadores y críticos, basándose en la confesión del mismo Cervantes—«muchos de los disfrazados pastores de ella *(La Galatea)* lo eran sólo en el hábito»—, se han dado a la ardua tarea de identificar sus más destacados personajes. Se da por seguro que *Tirsi* corresponde a Francisco de Figueroa; *Meliso*, a don Diego Hurtado de Mendoza; *Astraliano*, a don Juan de Austria; *Siralvo*, a Gálvez de Montalbo, y *Lauso*, al propio Cervantes. Menos seguridad ofrecen otras correspondencias: *Larsileo*, Mateo Vázquez; *Crisio*, Cristóbal de Virués; *Silvano*, Gregorio Silvestre, y la misma *Galatea*, bajo cuyo disfraz quieren descubrir algunos a la esposa de Cervantes, doña Catalina de Palacios.

¿Una novela de evasión?

Es ya opinión difundida entre los críticos que Cervantes escribió *La Galatea* en un anhelo de evadirse del mundo real hacia las regiones de la fantasía. Parece haber sido el profesor Américo Castro el padre de esta teoría[4], hoy aceptada por casi todos, aplicada también al *Persiles*. Incluso se habla de estas dos obras, *La Galatea* y el *Persiles*, como creaciones de nostalgia. Cervantes, desilusionado de todo, habría ido a refugiarse en el mundo interior de su imaginación para vivir allí su propia vida.

No creemos que, al menos aplicada a *La Galatea*, tal hipótesis sea aceptable, entre otras razones porque no es necesaria. La elaboración y publicación de *La Galatea*, antes que ninguna otra novela cervantina, se explica por dos motivos: primero, el género pastoril estaba en pleno auge por los años en que empezó a escribir Cervantes, y es natural que éste lo cultivara antes que cualquier otro; segundo, mal podía escribir una obra de carácter realista, a la manera del *Quijote* o de las *Ejemplares*, quien carecía aún de elementos de información sobre la vida y los hombres. Téngase presente que *La Galatea* aparece en 1585, un lustro después de su llegada de Argel, y estaba redactada de tiempo atrás. Todo induce a creer que Cervantes la escribió en la época más feliz de su vida, reciente el matrimonio con doña Catalina, que había aportado no despreciable dote y cuando todo—amigos, fortuna y hasta gloria—parecía sonreírle. En estas circunstancias, buscar un mundo de *evasión* parece un contrasentido.

II.　LAS «NOVELAS EJEMPLARES»

La colección de las doce *Novelas ejemplares* aparece en Madrid en 1613. Suponen, por tanto, una etapa intermedia entre la Primera y Segunda partes del *Quijote*, a ocho años de distancia de aquélla y dos de ésta. Pero se sabe que estaban ya preparadas para la imprenta un año antes y su elaboración debió de haber empezado mucho tiempo atrás: alguna de estas breves narraciones—concretamente, *Rinconete y Cortadillo*—es ya aludida en la Primera parte del *Quijote*.

Corresponden casi todas a la mejor época de Cervantes, aquellos años plenamente lúcidos, maduros y fecundos, del primer decenio del XVII. La aparición del *Quijote* de Avellaneda (1614) le obligó, sin duda, a desviar la atención hacia otro lado, dejando en el telar sin concluir muchas pequeñas narraciones de este tipo, para acudir a la terminación de su obra capital. El vacío ocasionado con tal motivo en nuestras letras queda compensado con creces mediante esa Segunda parte del *Quijote*, muy superior en el concepto de todos los críticos a la primera.

Cervantes dió a su colección el título de *Novelas ejemplares*, y es la primera vez que en nuestra lengua se emplea la palabra «novela» en tal acepción. Debió de tomar este término del italiano, donde se empleaba más bien para designar el «cuento», como distinto del *romanzo* o narración extensa. En España, con anterioridad a Cervantes, el término *novela* significaba o bien una invención imaginaria, para distinguirla de lo estrictamente histórico («digo verdad, no son novelas», escribe en una *Epístola* Gutierre de Cetina), o bien como sinónimo de «cuento», tal como lo encontramos en Lope de Vega, Cristóbal de Figueroa y otros. El mismo Cervantes llama también «cuentos» a sus *Ejemplares*[5].

Fué, por tanto, nuestro genial novelista el que introdujo este título específico de un nuevo género literario; fué asimismo, y esto es más importante, el que introdujo el género. La novela corta, tal como nos la da Cervantes y se ha venido luego cultivando, era desconocida en España antes de él. Existía desde *El conde Lucanor*, de don Juan Manuel (siglo XIV), el *cuento* o relato breve; y abundaba, como hemos visto en capítulos anteriores, la narración o *historia* extensa, en libros de caballerías, de picaresca, bizantinos, pastoriles o de ambiente cortesano. La forma intermedia se debe a Cervantes. El lo sabe; y en este sentido no le falta razón cuando dice: «Yo soy el primero que he novelado en lengua castellana.»

Lo de *Ejemplares* se explica por el carácter fundamentalmente moralizador que el propio autor quiso conferirles, aunque la realidad quedara algunas veces bastante lejos de su intención: abundan en pasajes resbaladizos y alguna vez tocan en lo escabroso. Esto a pesar de las protestas, sin duda sinceras, de Cervantes[6]: «Heles dado el nombre de *Ejemplares*, y si bien lo miras, no hay ninguna de quien no se pueda sacar un ejemplo provechoso... Si por algún modo alcanzara que la lección de estas novelas pudiera inducir a quien las leyera a algún mal deseo o pensamiento, antes me cortara la mano con que las escribí que sacarlas al público: mi edad no está ya para burlarse con la otra vida...»

Técnicamente, las *Novelas ejemplares* son modelos de narración breve. Cervantes, que inaugura el género, sigue ostentando el título de maestro insuperable. Toma un asunto, casi siempre de la vida real, y, yendo derecho al cogollo—las *medias res*, que aconseja Horacio—, lo desarrolla en cuatro pinceladas soberbias. Así como en la novela larga gusta de digresiones y escenas de relleno, en estas otras hay una implacable poda de todo lo superfluo: la descripción es rápida, el retrato de los personajes se reduce a los rasgos más salientes; a veces, ni eso; le basta una cualificación general: «Era mozo de gentil disposición y de buen parecer...» Nada del minucioso detalle con que nos asombra en el *Quijote*. Dentro del marco de la novela corta no caben estas efusiones de la fantasía y de la pluma.

El tema, ya se dijo, es muy vario: asuntos que corresponden al género italianizante (*El amante liberal*, *Las dos doncellas*, *La española inglesa*, *La señora Cornelia*, etc.), asuntos de aventuras (*La gitanilla*), género picaresco (*Rinconete y Cortadillo*), morisco (*El amante liberal*), realista (*La ilustre fregona*, *El celoso extremeño*, *El casamiento engañoso*), de sátira lucianesca (*El licenciado Vidriera*, *El coloquio de los perros*), siempre con las interferencias a que nos hemos referido en el capítulo anterior, de modo que cada título puede perfectamente encuadrarse en dos y hasta tres géneros simultáneos. Por ello nuestro breve análisis expositivo se va a ajustar al orden en que aparecieron dispuestas por el propio Cervantes, sin criterio alguno, o tal vez obedeciendo a razones que nos son desconocidas.

«La gitanilla» y «El amante liberal»

En *La gitanilla*, que encabeza la serie, un caballero mozo, don Juan de Cárcamo, se enamora perdidamente de Preciosa, joven bellísima, dechado de discreción y honestidad, que forma parte como cantadora y danzarina de una tribu de gitanos. Preciosa le impone como condición para otorgarle su amor que abandone a sus padres e ingrese en la tribu. Así lo hace Cárcamo, y después de haber vivido algún tiempo con nombre supuesto, adaptado a las costumbres y mañas de los gitanos, es descubierta su verdadera personalidad al ingresar en la cárcel de Murcia, acusado de robo y asesinato. También se descubre la personalidad de Preciosa, que no es tal gitana, sino hija del corregidor Acebedo, raptada por una vieja de la tribu cuando tenía corta edad. La novelita acaba, como es de suponer, en casamiento.

Es de las más bellas y leídas entre las de Cervantes. El señor Icaza supone que en *La gitanilla* Cervantes noveló un pasaje de *El coloquio de los perros* relativo al origen del llamado «conde» entre los gitanos. Pfandl opina que en esta obrita el autor se manifiesta tan alejado de la dura realidad como la novela pastoril lo estaba de la auténtica vida de los pastores. Reconoce, sin embargo, que Cervantes estaba muy enterado del ambiente gitano y que «lo único que hizo, a causa de la noble figura de Preciosa, fué refinar un poco aquel ambiente y cubrir discreta y misericordio-

samente con un ligero velo sus feos defectos, sus lacras y sus harapos, tanto morales como físicos». Preciosa tiene antecedentes dentro de nuestra literatura en Tarsiana del *Libro de Apolonio* y en el *Patrañuelo*, de Timoneda; ha inspirado dramas de Antonio de Solís, Alexander Hardy, Middleton, Rawley, Longfellow, y, según E. Baret, sirvió de modelo a Víctor Hugo para la Esmeralda de *Nuestra Señora de París*.

Menor importancia tiene *El amante liberal*, considerada casi unánimemente como la más floja de las *Novelas ejemplares*. En ella se expone una vez más el tema de cautivos, tan frecuente en Cervantes, desarrollado ahora sobre las aventuras de dos jóvenes, Ricardo y Leonisa, prisioneros de los turcos. El escenario predilecto para esta clase de narraciones, que hasta ahora había sido Argel, se traslada a Turquía. Valbuena, basándose en el carácter del protagonista —fanfarrón y espadachín—, retrotrae su composición a los primeros años del Cervantes escritor y supone que la refundiría mucho tiempo después, entre 1610 y 1612. Como quiera que sea, *El amante liberal* no carece de bellezas de primer orden y, no obstante lo dicho al principio, acusa en todas sus páginas, y de modo especial en las descripciones, la mano firme del autor del *Quijote* y del *Persiles*.

«El celoso extremeño»

Gira sobre un argumento apasionante, a la vez que constituye un profundo estudio psicológico de la pasión amorosa. Un indiano, viejo y rico, Carrizales, casa con Leonora, joven bellísima, pero inexperta. El marido, para sustraerla a las seducciones que la rodean y enloquecido por los celos, la incomunica con el mundo exterior. Pero el audaz galán Loaysa encuentra la maña de llegar hasta ella. El viejo marido los sorprende en profundo sueño. La novela tuvo dos desenlaces, correspondientes a otras tantas redacciones: la del manuscrito de Porras de Cámara (1606), según la cual el adulterio se realiza; y la retocada por el mismo Cervantes, en que el acto no se consuma, porque un profundo sueño, ocasionado «por el desvelo de las pasadas noches», se apodera de los dos amantes. Carrizales muere del pesar, después de haber legado a la esposa casquivana toda su fortuna, instándole a que se case con el galán. Pero Leonora, arrepentida, entra en un convento.

Bien trazados los caracteres y soberbiamente estudiadas las reacciones, *El celoso extremeño* es uno de los grandes aciertos de Cervantes. El desenlace, sobre todo con el perdón del anciano, en una época en que el sentimiento del honor estaba exacerbado en la conciencia nacional, da una nota de osadía y originalidad a esta novela, que se acerca a las soluciones en casos análogos de la novela contemporánea. Rodríguez Marín, máximo comentador de esta y de todas las obras cervantinas, ha querido identificar a Loaysa con un Alonso Alvarez de Soria, poeta satírico sevillano y joven de costumbres disolutas, que pagó con la horca sus desafueros y atrevimientos de la pluma.

«Rinconete y Cortadillo»

Uno de esos aguafuertes de realismo impresionante, como sólo se dan en algunas épocas de la pintura española, un cuadro de increíble fuerza plástica, que, una vez visto, no se borra ya de la imaginación, eso es *Rinconete y Cortadillo*. Aquí lo de menos es la acción; el elemento descriptivo lo absorbe todo. Pocas veces, no ya en la literatura española, sino en la universal, se ha reproducido con tanta fuerza, tal exactitud y tanto color un trozo de la vida real.

Dos muchachillos desharrapados, Rincón y Cortado, se encuentran un buen día a la puerta del mesón del Molinillo (Alcudia) y convienen en irse juntos a Sevilla para probar fortuna. Empiezan por estafar con unos naipes «astrosos» a un arriero todo su capital. Ya en camino, vacían las maletas de unos viajeros a quienes se habían agregado. En Sevilla, después de emplearse en varios oficios, conocen la existencia de una «cofradía» o banda organizada de truhanes, espadachines, ladrones y otras gentes de mal vivir. Al frente de ella está Monipodio, «alto de cuerpo, moreno de rostro, cejijunto, barbinegro y muy espeso; los ojos hundidos». El retrato que de él hace Cervantes es de los que no se olvidan. A este jefe del hampa sevillana, «el más rústico y disforme bárbaro del mundo», son presentados los dos pícaros. Sufren el correspondiente examen, del que salen nuestros héroes muy airosos, y Rincón y Cortado ingresan en la «academia» con todos los honores. Luego empiezan a sucederse con increíble rapidez las escenas de la asamblea en el patio de Monipodio, con un abigarrado desfile de «cofrades» de uno u otro sexo: la *Gananciosa*, la *Cariharta*, *Chiquiznaque*, *Maniferro*, el *Repolido*; un caballero que acude a comprobar si se dieron las cuchilladas «de catorce puntos», que había encargado y pagado; un alguacil, amigo de la banda, que viene en busca de una bolsa robada por Cortadillo; se lee la memoria de cuchilladas, espantos y alborotos encargados para la semana; se distribuye parte de la ganancia; se asigna el distrito en que han de trabajar Rinconete y Cortadillo, y con el anuncio del inmediato arribo de *Lobillo* el de Málaga, un truhán «que con naipe limpio quitara el dinero al mismo Satanás», se disuelve la asamblea hasta la próxima semana.

El cuadro está tomado directamente de la vida sevillana en los últimos años del XVI, vida que Cervantes conocía palmo a palmo, sin que se le ocultase el menor de sus rincones. El patio de Monipodio y la «cofradía» que allí funcionaba respondían a un hecho real, confirmado por Zapata en su *Miscelánea*. «En Sevilla—escribe Zapata—dicen que hay cofradía de ladrones, con su prior y cónsules;

como mercaderes, hay depositario entre ellos, en cuya casa se recogen los hurtos, y arca de tres llaves donde se echa lo que se hurta...» Cervantes, gracias a su experiencia personal y observación directa, ha sabido completar este cuadro con unas notas de color alegre, regocijado, de tal suerte que lo que es en sí criminal y hasta repulsivo moralmente, casi se nos hace divertido y simpático.

«La española inglesa»

En un doble plano de aventuras idealizadas y poco verosímiles, por una parte, y de sucesos reales, por otra, se desenvuelve la trama de *La española inglesa*. Arranca de un suceso histórico: el saqueo de Cádiz por los ingleses en 1596. Un caballero británico rapta y lleva consigo a su patria a una niña de siete años—Isabela—, que entrega a su esposa, católica como él, para que la eduque. Crece la niña en edad y hermosura, llamando la atención de la corte de Londres, y especialmente del noble Ricaredo, que la pide por esposa. La reina Isabel de Inglaterra accede a entregarle la mano de la bella española; pero antes quiere probar el valor de Ricaredo, para lo cual le confía el mando de un navío armado en corso, que debía hacerse a la mar inmediatamente. El noble Ricaredo realiza algunas hazañas, entre ellas la liberación de una nave portuguesa, de la que se habían apoderado los turcos. Entre los liberados cristianos están los padres de Isabela, que vuelven a Inglaterra con su salvador. Próxima a consumarse la boda, una camarera de la reina, cuyo hijo también amaba a Isabela, administra a ésta una pócima que la pone a la muerte y le hace perder su belleza. Isabela va a Roma; después se reúne en España con sus padres; va recobrando paulatinamente su hermosura, y cuando, perdida la esperanza de volver a encontrar a su amado, iba a ingresar en un convento, aparece Ricaredo, con quien contrae matrimonio.

Valbuena Prat destaca el respeto con que Cervantes habla de Inglaterra y de la reina Isabel, precisamente en días no lejanos del desastre de la Invencible y de las piraterías de Drake. Nos presenta una reina de Inglaterra que los españoles no estamos acostumbrados a ver: amable con una compatriota nuestra, condescendiente y, lo que es más de admirar, tolerante en materia religiosa. Cuando se entera de que Isabela es católica, la reina afirma que «por eso la estimaba en más, pues tan bien sabe guardar la ley que sus padres le habían enseñado».

«El licenciado Vidriera»

Con esta novelita, una de las producciones más discutidas de Cervantes, entramos en un género de novela completamente distinto: el argumento o acción aquí apenas cuenta; lo que vale es el contenido ideológico, expuesto casi en forma de apotegmas. Un estudiante, Tomás Rodaja, que, recogido a los once años por dos caballeros también estudiantes, había cursado Leyes en Salamanca con singular aprovechamiento, después de recorrer como soldado Italia, Flandes y Francia, vuelve a la ciudad del Tormes para terminar su carrera. Allí una dama se enamora de él, y no pudiendo atraerse su voluntad, más inclinada a los libros que a pasatiempos amorosos, le administra unos *hechizos*, que le trastornan la razón, haciéndole creer que es de vidrio y que ha de romperse al más pequeño choque. De aquí su nuevo nombre de «licenciado Vidriera». Pero, al perder la razón, su ingenio se aguza y su inteligencia se ilumina, de modo que llega a ser consultado en todas partes como un oráculo. Un religioso jerónimo lo sana, y fracasado como abogado y hombre de claro juicio el que tanto triunfara como demente, se ve obligado a pasar a Flandes, donde encuentra heroica muerte.

El interés de esta obrita se centra en los juicios ingeniosos, en las sentencias agudas, en las rápidas e intencionadas respuestas que el loco va prodigando por donde pasa. Icaza y Menéndez Pelayo sólo ven en *El licenciado Vidriera* un pretexto para insertar apotegmas. Valbuena Prat, en cambio, da especial importancia al protagonista como tipo hondamente humano. Para Pfandl, «*El licenciado Vidriera* no hace más que vestir con artística forma narrativa lo que medio siglo antes Timoneda, Mal-Lara, Santa Cruz y Rufo habían intentado por el camino de la sencilla colección de anécdotas».

Navarrete lanzó la idea de que Cervantes tomó su personaje del humanista alemán Gaspar Barth, traductor de la *Celestina*, quien también perdió la razón y se llegó a creer de vidrio; Foulché-Delbosc ha demostrado cronológicamente lo absurdo de tal hipótesis; otros señalan un caso análogo, el de la locura pasajera, en Aquiles Tacio, autor que seguramente conocía Cervantes. Finalmente, se pone de relieve el paralelismo de dos grandes demencias inventadas por Cervantes: la de Don Quijote, loco por la lectura de libros de caballerías, y la del licenciado Vidriera, saturado de lecturas de filosofía y jurídicas.

«La fuerza de la sangre», «Las dos doncellas» y «La ilustre fregona»

En la misma línea idealista de *La gitanilla*, aunque más encajadas en la realidad y con un encuadramiento más preciso de personajes y lugares, encontramos *La fuerza de la sangre*, *La ilustre fregona* y *Las dos doncellas*. En las tres hay ocultación de personalidades, anagnórisis o reconocimientos inesperados y fausto desenlace.

En *La fuerza de la sangre*, un niño atropellado por un anciano caballero, es curado por éste en su domicilio. La madre del pequeño, que acude a visitarle durante su convalecencia, reconoce en la habitación donde está el paciente la misma estancia en que años atrás, raptada por un mancebo desconocido, había sido profanada. El anciano resulta abuelo del niño, y el raptor, por tanto, hijo de aquél. Es llamado de Italia, donde se encontraba, y casa con Leocadia, que así se llamaba la joven madre. La acción se desarrolla en Toledo.

También es Toledo escenario de *La ilustre fregona*, así titulada por Constanza, criada de un mesón y que luego resulta ser de ilustre sangre. Dos caballeros jóvenes y amigos de aventuras, don Tomás de Avendaño y don Diego de Carriazo, paran en el mesón del Sevillano, donde sirve la doncella, y para lograr su amor, el Avendaño, que la quiere, se hace mozo del mesón. Descubierta la personalidad de una y otro, contraen matrimonio.

«Ejemplo de pura novela de aventuras» llama Pfandl a *Las dos doncellas*. El extracto de la obra se hace difícil por lo complicado de la acción, cuyos protagonistas son dos doncellas que, en hábito de hombre, buscan a su seductor. Un caballero joven, que luego resulta hermano de una de ellas, también anda en su busca. Por fin lo encuentran en Barcelona, a punto de embarcarse para Italia, y todo termina en doble boda. De las dos doncellas casa con él la que le había sacrificado su virginidad; la otra contrae matrimonio con el hermano de aquélla.

Campea en las tres novelitas un estilo ágil, impresionista y movido, y ha de destacarse la acertada ambientación de tipos y lugares, que en algunos pasajes—mozas y arrieros del mesón—adquiere categoría de escena vivida.

«La señora Cornelia»

Cervantes nos traslada a Italia, a un ambiente que también le era conocido. Dos caballeros españoles, don Antonio de Isunza y don Juan de Gamboa, son protagonistas en una misma noche de dos sucesos distintos. A don Antonio le llaman desde un portal oscuro y le confían un bulto, que luego resulta ser un recién nacido. Don Juan, después de intervenir en una reyerta, salvando la vida a un caballero atacado, encuentra a una dama velada, que al conocer su calidad de extranjero, le pide protección. En la posada donde coinciden se aclara todo: la dama es doña Cornelia, celebrada por su belleza en toda la ciudad, y el niño, hijo suyo habido con el duque de Ferrara bajo palabra de casamiento. Salen en busca del duque y todo termina felizmente en matrimonio.

La señora Cornelia se lee con gusto, a pesar de lo convencional de su argumento, por su construcción armónica y lo sobrio y transparente de su estilo. «Un vaho de plástica belleza—escribe Valbuena Prat—, como en la calle *que tenía portales sustentados en mármoles*, hace resaltar las figuras movidas de los dos españoles, en que con entusiasmo pinta Cervantes la proverbial cortesía y valor de su nación.»

«El casamiento engañoso» y «El coloquio de los perros»

Cierran la serie de las *Ejemplares* y constituyen dos piezas íntimamente ensambladas, que se completan mutuamente. Icaza ha demostrado que su composición debe fecharse en Valladolid, hacia 1603 ó 1604, y con él coincide también Amezúa, quien ha estudiado con todo detalle la estancia de Cervantes en Valladolid por aquellas fechas. El mismo Icaza comprobó la exactitud asombrosa de muchos pormenores de estas obras.

El casamiento, relato nada «ejemplar», sirve de introducción al *Coloquio*. En él, Campuzano, que acaba de dejar el hospital de la Resurrección, en Valladolid, donde estuvo sudando unas «bubas», cuenta a su amigo el licenciado Peralta el engaño de que fué objeto por parte de una doña Estefanía, a quien entregó, embaucado por promesas fantásticas, la mano de esposo. Abandonado por ella, ingresa en el hospital para curarse una «lupicia», único recuerdo que le dejó la desaprensiva cónyuge. Terminado su relato, Campuzano entrega a Peralta un manuscrito, donde dice que figura transcrita la conversación que oyó desde la cama a dos perros, *Cipión* y *Berganza*, del mismo hospital de la Resurrección. Peralta duda del buen juicio de su amigo, pero lee el manuscrito. Este es *El coloquio de los perros*, por otro título, *Coloquio que pasó entre Cipión y Berganza*.

Esta obrita, la más desconcertante y original sin duda del autor, reproduce el diálogo de los dos canes, dotados por especial gracia del cielo, y sólo durante una noche, del don de la palabra. *Berganza*, interrumpido constantemente por los sabrosos comentarios de *Cipión*, relata sus aventuras y desventuras desde que vino al mundo en el matadero de Sevilla hasta su llegada con una compañía de cómicos a Valladolid. Sus servicios sucesivos con negociantes, pastores, gitanos, moriscos, alguaciles, poetas hambrientos, cómicos, etc., le dan pie para hacer una sátira, más o menos punzante, pero siempre aguda y graciosa, de las costumbres y vicios de cada clase social. La galería de tipos que hace desfilar Cervantes ante nuestros ojos no puede ser más sugestiva: el pastor que «hace de lobo», de acuerdo con sus compañeros, para comer carnero cuando les apetecía; el alguacil que, de acuerdo también con el escribano, desvalija a los incautos, sorprendiéndolos en la cama, con la complicidad de sus mancebas; el poeta ramplón, autor de un larguísimo poema en esdrújulos y sin verbo alguno; el alquimista, próximo a encontrar la piedra filosofal; el matemático, que va a resolver la cuadratura del círculo, y otros personajes por el estilo.

En *El coloquio de los perros*, Cervantes desenvuelve una idea que por lo visto le acosaba con persistente obsesión: la verdad tiene más fuerza de persuasión puesta en boca de locos o de seres irracionales. En una obra genial es Don Quijote el que dice la amarga verdad; en otra, el licenciado Vidriera; aquí son dos perros *Cipión* y *Ber-*

ganza. Por su técnica, se aproxima a la novela picaresca, ya que utiliza el recurso, tantas veces por nosotros destacado, de un protagonista que pasa por diversos estadios sociales, como medio el más indicado para tomar puntos de referencia.

De ordinario viene señalándose como fuente del *Coloquio* el *Asno de oro*, de Apuleyo; cada día, sin embargo, conforme la crítica va afinando más y más sus métodos de investigación, se ve mejor lo poco que debe nuestro Cervantes al gran escritor de Madauro. Menos base tiene aún la relación que se ha querido establecer con los diálogos de Alfonso de Valdés; y si bien es verdad que el *Coloquio* tiene ciertos puntos de contacto con algún diálogo de Luciano, hay que reconocer que la originalidad de Cervantes ha sido casi absoluta, utilizando como fuente principal sus propias experiencias y observaciones.

Concepción y técnica de la novela corta en Cervantes

Lo primero que destaca en el Cervantes de las *Novelas ejemplares* es la originalidad. Nada de buscarle entronques ni inspiraciones boccaccescas. Ni en la finalidad, ni en el estilo, ni en la exposición, ni en el desenlace, ni mucho menos en la manera de llevar el argumento, hay entre el novelista de Certaldo y el nuestro el menor punto de contacto. Y esto no somos nosotros los españoles, sino los extranjeros, y precisamente algunos italianos, los primeros en reconocerlo. En tal sentido, pues, hay que adjudicarle el mérito de novedad que él mismo reclamaba para sus historias: «Yo soy el primero que he novelado en lengua castellana, que las muchas novelas que en ella andan impresas, todas son traducidas de lenguas extranjeras, y *éstas son mías propias, no imitadas ni hurtadas*.»

¿En qué se basa esta novedad que caracteriza las *Ejemplares* hasta convertirlas en una creación típicamente cervantina? Pfandl ha señalado seis notas distintivas: *a)* finalidad ética, frente a la obscenidad y desenfreno de Boccaccio y sus imitadores. Que haya pasajes escabrosos en Cervantes, impuestos por la naturaleza del tema o por la índole de la situación, no resta validez a este principio. El estilo siempre es pulcro; la intención, honesta. «Antes me cortara la mano con que las escribí —dice— si por algún modo alcanzara que la lección destas novelas pudiera inducir a quien las leyera a algún mal deseo o pensamiento.» *b)* aplicación del principio *deleitar aprovechando*; por eso escribe en el prólogo: «Si bien lo miras, no hay ninguna de quien no se pueda sacar algún ejemplo provechoso.» *c)* uso frecuente del estilo directo y del diálogo. Cervantes parece haberse percatado antes que nadie del estrecho parentesco de la novela con el drama; de aquí que la técnica puramente narrativa es sustituída por la descripción directa y el diálogo que aproxima la escena, poniéndola ante los ojos mismos del lector. d) armoniosa mezcla de lo cómico y alegre con lo serio, que explica el éxito inmenso de estas novelitas, ya que está demostrado que el mayor efecto en las obras literarias se obtiene casi siempre excitando sentimientos mixtos. e) desenlace feliz: todas las *Novelas ejemplares* acaban en boda o reconciliación. Inclinado naturalmente al optimismo, a pesar de las amargas experiencias de su vida, Cervantes siempre, y hasta en las más trágicas situaciones, tiende a poner una pincelada de alegría y de sano humor; es el hombre que ve la vida con ojos alegres; y f) concepto exacto de lo que debe ser la novela corta, que está respecto de la larga en la misma relación que un episodio respecto a toda una vida. La novela corta actúa sobre un suceso fragmentario de cierta importancia y complicación y, sin detenerse en escenas accesorias, marcha directa y decididamente al desenlace.

Con estos materiales, Cervantes ha construído la novela corta, llevándola a tal punto de perfección que no ha sido después superada. Sus imitadores, tantos como cultivadores ha tenido el género, apenas han sabido apartarse un ápice del camino que él trazara primero; y lo han hecho tanto mejor cuanto con más fidelidad han seguido las líneas que él nos dejó marcadas.

¿Es «La tía fingida» de Cervantes?

Antes de exponer lo que hay sobre este particular, ya que no intentamos dar una contestación concreta, vamos a extractar su argumento.

Un buen día llega a Salamanca doña Claudia de Astudillo y Quiñones, bajo cuyo nombre supuesto se encubre una redomada alcahueta, que se hace acompañar de dos dueñas, un escudero y una bellísima joven, a quien hace llamar doña Esperanza de Torralba y Meneses, presentándola en todas partes como su sobrina y protegida. La verdad es que la vieja se da buena maña para explotar los encantos de la moza, cuyas primicias lleva ya vendidas bonitamente por tres veces mediante hábiles manejos. Un estudiante se enamora de la tal doña Esperanza; pero, descubierta la verdadera profesión de ésta, dan todos con los huesos en la cárcel, de donde hubieran salido tarde y muy mal parados, a no mediar un influyente caballero, amigo del estudiante. Este, olvidando los malos pasos de la joven, le ofrece su mano de esposo y la lleva a su tierra, donde inicia una vida de honestidad y decoro.

Tal es el asunto de *La tía fingida*; más descarnado, más libre sin duda que los de las otras novelas auténticas de Cervantes. Ahora ocurre preguntar: ¿Es obra suya *La tía fingida*? Gallardo, Cejador y otros creen que sí; Bello, Adolfo de Castro y, cerca de nosotros, el señor Icaza, que es quien ha examinado más honda y minuciosamente la cuestión, contestan en sentido negativo.

Los que adjudican a Cervantes la paternidad de esta obra se basan en las siguientes razones: *La tía fingida* figura en el mismo manuscrito que *El celoso extremeño* (en su primera y más libre redacción); las analogías de estilo con el de Cervantes son continuas y manifiestas; la crudeza del tema y libertad de exposición se explican porque debió de corresponder esta novelita a una época lejana de Cervantes, el cual, de haberla dado a la imprenta, hubiera limado muchas frases y conceptos, como hizo con *El celoso* en su segunda y definitiva redacción; Cervantes alude a otras muchas novelas suyas que «andan por ahí descarriadas y quizá sin el nombre de su dueño»[7]. Una de estas novelas puede ser *La tía fingida*.

Los argumentos que esgrimen los partidarios de la tesis contraria son: *La tía fingida* sigue muy de cerca los *Raggionamenti* del Aretino; pero Cervantes siempre se vanaglorió de no imitar a nadie, de no «andar—son sus propias palabras—buscando autores que digan lo que yo me sé decir sin ellos». Las analogías de *La tía fingida* con otras novelas cervantinas, en lo que afecta al lenguaje, no son mayores que las que se pueden descubrir entre la misma *Tía fingida* y algunas obras de otros escritores, p. ej., Salas Barbadillo, contemporáneo de Cervantes. Y en cuanto a las situaciones de extremada crudeza, algunas guardan corprendente semejanza con ciertos pasajes de *El crotalón*, obra muy conocida en el siglo XVI, de Cristóbal de Villalón, a la que hemos aludido en otro capítulo.

El problema está, por tanto, muy lejos de solucionarse, porque no hay pruebas concretas en un sentido ni en otro. Don José Toribio Medina (Santiago de Chile, 1919)[8] da casi por segura la atribución a Cervantes. También Valbuena Prat, en nuestros días, sin pronunciarse en forma absoluta, se inclina hacia este lado. Y en opinión del ilustre cervantista don Luis Astrana Marín «pudo la obra... ser escrita por Cervantes, y no es indigna de él; mas faltan las pruebas directas, positivas e incontrovertibles». Pero a renglón seguido la reputa «espuria», aunque reconoce «algunos argumentos que militan en contra».

Recientemente, el profesor Criado de Val ha situado el problema en un terreno inédito y totalmente distinto mediante el análisis verbal del texto. Los resultados de tal análisis dan por descartada la atribución de *La tía fingida* a Cervantes. El método seguido en esta investigación es de gran rigor científico y consiste, en líneas generales, en la comparación entre la frecuencia, los significados y los usos de determinadas formas verbales «supletivas» (*amara, amase, amare, amaría* y sus compuestos principalmente) en *La tía fingida* y en las *Novelas ejemplares*. Los «índices» que resumen este análisis separan radicalmente el sistema verbal usado en *La tía fingida* del de los relatos auténticos de Cervantes, a la vez que descubren claras interpolaciones en *Rinconete y Cortadillo* y en *El celoso extremeño*, que coinciden con los datos de la novela apócrifa. La conclusión a que llega el profesor Criado de Val por este método, aconsejable por sus fecundas consecuencias para otros casos de dudosa autenticidad, es que *La tía fingida* corresponde a Porras de la Cámara, que la dió a conocer y que probablemente intentó con ella imitar a Cervantes. Faltan, sin embargo, para confirmar este último dato—el mismo Criado de Val lo reconoce—otros documentos auténticos de Porras de la Cámara que pudieran compararse con *La tía fingida*.

III. LAS NOVELAS EPISODICAS

Reiteradamente hemos aludido a ellas en los enunciados anteriores. No podemos detenernos en su estudio particular ni siquiera dar una lista de todas ellas. Ya se ha dicho también que son muy numerosas (nueve en el *Quijote* y doce en el *Persiles*, aparte de varias en *La Galatea*); y hemos ponderado la habilidad asombrosa con que Cervantes las inserta en el cuerpo del libro, sin que apenas se note la juntura.

Hay tres novelas episódicas, no obstante, las tres pertenecientes al *Quijote*, que queremos destacar, por su carácter enteramente marginal y porque representan, quizá con más fidelidad que las mismas *Ejemplares*, las más acusadas directrices de la novelística del XVII. Estas tres novelas son: la de la pastora Marcela y el estudiante Crisóstomo, la de *El curioso impertinente* y *La historia del cautivo* [9], modelos, respectivamente, de la novela pastoril, italianizante y morisca.

Sin duda, el autor las había redactado de tiempo atrás, entre tantas otras breves como, aparte de las *Ejemplares*, debió de escribir Cervantes; y luego, al componer la Primera parte del *Quijote*, tuvo la ocurrencia de interpolarlas, siguiendo una costumbre bastante extendida en aquella época. Recuérdense las interpolaciones de Mateo Alemán, por los mismos días, en su *Guzmán de Alfarache* (historias de Dorido y Clorinia, de Doroteo y Sabina, de Ozmín y Daraja). La más ajena al texto es la de *El curioso impertinente*, que, sin embargo, siempre atrajo con preferencia la atención de los críticos.

El argumento es sencillo: Dos amigos viven felizmente en Florencia. Uno de ellos casa con cierta dama noble, rica y singularmente hermosa; pero acosado por los celos sin motivo, y para averiguar con certeza si su esposa le es fiel, instiga a su amigo para que intente seducirla. Este se resiste al principio; mas, al fin, consiente. Y el resultado es que amigo y esposa acaban por enamorarse y engañar al marido. Con el tiempo se descubre la infidelidad. El marido muere de desesperación, el amigo busca la muerte en la guerra y la esposa entra en un convento.

Obsérvese el desenlace fatal, que acusa una composición anterior a la de las *Ejemplares*. En éstas, ya se ha dicho, la solución hubiera sido distinta. Para Cejador es la más italianizante de las novelas cervantinas; pero esto mismo la hace más idealista, más alejada de la realidad. Sus personajes no tienen edad; la descripción de tipos y costumbres, tan cara a Cervantes, brilla por su ausencia. Todo es falso aquí, empezando por la acción, que repugna a los normales sentimientos humanos. Dentro de la alegría y realismo sano de las *Ejemplares*, la de *El curioso impertinente* habría desentonado como una nota falsa en una melodía. No es de extrañar la sentencia del cura: «Bien me parece esta novela, pero no me puedo persuadir que esto sea verdad; y si es fingido, fingió mal el autor.» Tiene razón don Julio Cejador: es una magnífica novela italiana; pero no es española.

En cambio, la del estudiante Crisóstomo y la pastora Marcela tiene, dentro del género pastoril, tan convencional y falso en su origen, una construcción perfectamente lógica. Sobre una trama tan endeble como los amores de un estudiante por una bellísima pastora y la muerte del protagonista al no verse correspondido, Cervantes ha sabido construir un relato, cuyo interés no decae un momento, y acoplarlo a la acción general de suerte que apenas se nota la soldadura. Hay pasajes, como aquel en que la bellísima pastora razona su desvío hacia Crisóstomo, que son de lo mejor que ha salido de la pluma de Cervantes.

Otro tanto ha de decirse de la otra novela episódica, la del cautivo cristiano y la hermosa Zoraida. Aquí Cervantes conocía bien el terreno que pisaba. Así está dosificado el interés, retratados los personajes, que en parte tienen valor autobiográfico, ambientada la acción y, en fin, terminada la obra de tal modo, que no vacilaríamos en proclamar este relato como una de las piezas más perfectas y hermosas de la novelística española.

IV. LOS TRABAJOS DE PERSILES Y SEGISMUNDA

La última novela de Cervantes, y en la que más empeño puso, es la titulada *Los trabajos de Persiles y Segismunda*, impresa un año después de su muerte (Madrid, 1617). Todavía en el lecho mortuorio, tres días antes de expirar, venía trabajando en ella con el ahinco del hombre que quiere dar el último toque a una obra en la que ha puesto sus mayores ilusiones y que ve lo imposible de cumplir ese anhelo, porque la vida se le escapa por momentos.

Pocos documentos más patéticos que la carta-dedicatoria, dirigida al conde de Lemos desde el mismo lecho, de donde habían de sacarlo sólo horas después para llevarlo al sepulcro: «Aquellas coplas antiguas, que fueron en su tiempo celebradas, que comienzan «Puesto ya el pie en el estribo», quisiera yo no me vinieran tan a pelo en esta mi epístola, porque casi con las mismas palabras las puedo comenzar, diciendo:

> Puesto ya el pie en el estribo,
> con las ansias de la muerte,
> gran señor, ésta te escribo.

»Ayer me dieron la extremaunción, y hoy escribo ésta; el tiempo es breve, las ansias crecen, las esperanzas menguan, y con todo esto llevo la vida sobre el deseo que tengo de vivir, y quisiera yo ponerle coto hasta besar los pies de vuesa excelencia...» Nos figuramos a Cervantes trabajosamente incorporado en el lecho, aprovechando los últimos momentos que le quedan de vida para perfilar su obra predilecta antes que la mano se le enfríe y se niegue a sostener la pluma.

Venía trabajando en el *Persiles* hacía mucho tiempo, desde 1609. Ya en la dedicatoria de la Segunda parte del *Quijote*, fechada en 31 de octubre de 1615, anuncia el libro, «a quien daré fin dentro de cuatro meses». Pero la enfermedad de hidropesía, que ensombreció sus últimos años y le restó buena parte de sus energías, así como su deseo de perfilar más y más la obra, le impidieron realizar su proyecto en el plazo prefijado. Cervantes cerró sus ojos a la luz de la vida corporal sin tener el consuelo de ver salir al mundo aquel hijo amado de su fantasía. Pequeños descuidos de estilo en una obra tan meticulosamente trabajada y tan formalmente perfecta indican que algunos pasajes, sobre todo al final, quedaron sin retocar por falta de tiempo. Se ha observado que el *Persiles* acaba de una manera abrupta; el desenlace viene un poco precipitado. El último libro tiene menos capítulos, y más breves, que los anteriores: 23 capítulos, el primero; 22, el segundo; 21, el tercero; y sólo 14 el cuarto. Por otra parte, la extensión en páginas es aproximadamente la mitad de los otros libros. Cervantes muere con el gran desconsuelo de ver que la obra que más ama no ha tenido plena y definitiva realización.

Porque en ninguna puso él tanto interés, tanto cariño, tanta ilusión, como en el *Persiles*. Y aquí sí que viene bien aquella teoría de la «evasión», formulada por el profesor Américo Castro, a que nos referimos anteriormente. En *La Galatea*, Cervantes no tenía por qué buscar refugio dentro de sí mismo, en el mundo feliz e inédito de su fantasía. Ignoraba aún lo que la vida podría ofrecerle en el futuro, y era más lo que esperaba por lo que tenía de hecho en la mano. Ahora, en cambio, desilusionado de todo, solo, en un ambiente frío u hostil, sacudido brutalmente por la adversidad, era el tiempo de recogerse en su mundo interior, en aquel maravilloso mundo de su imaginación, y crear allá seres, acciones y aventuras, todo ello lo más alejado posible del mundo real. El libro donde alentasen esos seres y en cuyas páginas se narrasen aquellas acciones sería totalmente hijo suyo: un hijo de su alma, por cuyas venas no correría una gota de sangre que no fuese suya. ¡Y cómo lo amaba Cervantes, qué ilusiones se hacía respecto a él! «Ha de ser el más malo o el mejor que en nuestra lengua se haya compuesto...—dice con cierto orgullo al de Lemos; y, rectificando la disyuntiva, agrega—: Me arrepiento de haber dicho *el más malo*, porque, según la opinión de mis amigos, ha de llegar al extremo de bondad posible.» El bueno de Cervantes no se da cuenta de que, a través de la opinión de esos supuestos amigos, se transparenta demasiado su propio pensamiento.

Análisis del «Persiles»

Lleva un subtítulo, *Historia septentrional*, y narra en sus cuatro libros las peregrinaciones, aventuras o *trabajos* (así se decía entonces) de Periandro y Auristela, nombres supuestos de Persiles y Segismunda, hijos, respectivamente, de la reina de Tule, isla situada «en la última parte de Noruega, casi debajo del Polo Artico», y de la reina de Finlandia, isla distante «como trescientas leguas de Tule». Después de haber recorrido en accidentada navegación, abundante en peligros, luchas, naufragios, prisiones y fugas, las regiones del norte de Europa, llegan a Lisboa; y de aquí, a través de España—Guadalupe, Trujillo, Talavera, Toledo, Quintanar, Ocaña, Valencia, Barcelona—, se dirigen a Roma. La boda de los protagonistas pone feliz término a sus trabajos.

El relato aparece interrumpido por la presencia de nuevos personajes, que van contando su historia: la de los bárbaros Antonio y Constanza, la de Rutilio, la de Clodio y Rosamunda, la de Tozuelo, la de Isabela Castrucho y Andrés Marulo, etcétera.

Esta sucinta exposición indica que el *Persiles* entra de lleno en el cuadro de la novela bizantina; los episodios se suceden sin interrupción; las aventuras insólitas, las hazañas extraordinarias, los reconocimientos inesperados y las historias sorprendentes se acumulan sin cesar. «Novela dinámica y peripecia prolongada», la llama Gili Gaya, en contraste con *La Galatea,* y W. J. Entiwstle dice de ella que es un «océano de aventuras». Dijérase que en sus páginas había querido realizar Cervantes aquellas sus teorías literarias acerca de la novela. tantas veces por él expresadas, sobre todo en el *Quijote:* «...tanto la mentira es mejor cuanto más parece verdadera, y tanto más agrada cuanto tiene más de lo dudoso y posible. Hanse de casar las fábulas mentirosas con el entendimiento de los que las leyeren, escribiéndose de suerte que, facilitándose los imposibles, allanando las grandezas, suspendiendo los ánimos, admiren, suspendan, alborocen y entretengan de modo que anden a un mismo paso la admiración y la alegría juntas...» *(Quijote,* I, 47). .

Fuentes y valoración

Nadie ha señalado las fuentes del *Persiles* tan acertadamente como los señores Schevill y Bonilla cuando lo juzgan «un encantador mosaico de recuerdos de las lecturas y de la vida» de su autor. Cervantes había manejado, sin duda, buen número de libros que sobre estas regiones desconocidas y semifabulosas, en que él sitúa la acción, se venían publicando desde últimos del siglo XIV [10]. Había leído la obra de los hermanos Zeno, que dos siglos antes se hicieron a la vela en Gibraltar con dirección a Inglaterra y Flandes, y que, empujados por las tormentas fueron a dar en las costas de Groenlandia. También conocía los relatos de Olao Magno, Antonio Torquemada, Pero Mexía y del mismo Inca Garcilaso. Con todo ello, mezclado con los múltiples elementos que le suministra su fantasía, Cervantes construye esta novela extraordinaria, «especie de Decamerón itinerante», al decir de Jean Babelon.

Pero no caigamos en la tentación de restarle originalidad. Hay en el *Persiles* más deseo de información precisa, más exactitud en los datos de lo que generalmente se cree. Cervantes no acude sólo a su fantasía, si bien ésta suministra sus mejores materiales; también del archivo de su memoria extrae no pocos datos. Cuando escribe con su acostumbrada plasticidad una tormenta, un naufragio, un combate, simplemente una navegación, no pide nada a nadie; le basta con reproducir lo que lleva grabado fielmente en su memoria y en su retina. Y entonces vuelve a ser el escritor realista, el insuperable pintor de la naturaleza tal como lo vemos en las mejores páginas del *Quijote.*

¿Respondió el *Persiles* a las esperanzas de su autor? En general se da una contestación negativa. Pese a su estilo, el más trabajado, compuesto y armonioso de libro alguno escrito en castellano; pese a la variedad incesante de escenarios y personas, el *Persiles* vino al mundo con un pesado lastre de cosa muerta: el género bizantino había cerrado su ciclo; nadie, ni el mismo Cervantes, sería capaz de abrirlo otra vez.

Sin embargo, no desestimemos su valor ni su éxito. La aparición del *Persiles* puede juzgarse como se quiera, menos como un fracaso. Diez ediciones en doce años indican la acogida que tuvo por parte del público. A esta novela se refirió Ganivet cuando escribía: «Cervantes es nuestro Ulises.» La obra se puso a la venta a principios de 1517, con tanto éxito que el mismo año reimprimíase en Madrid, París, Barcelona, Valencia, Pamplona y Lisboa. «Caso único—dice Astrana Marín—en los fastos de la librería.»

NOTAS

1. F. Indurain: *Relección de «La Galatea»,* «Cuadernos de Insula», I, *Homenaje a Cervantes con motivo del IV Centenario de su nacimiento,* Madrid, 1947.
2. Sirva, entre muchas, de ejemplo aquella que empieza: «Al acabar Tirsi..., mil suertes de pintados pajarillos...», que se reproduce casi literalmente en el *Quijote:* «En esto ya comenzaban a gorjear en los árboles mil suertes de pintados pajarillos...»
3. S. Gili Gaya: *Galatea o el perfecto y verdadero amor,* «Cuadernos de Insula», I, *Homenaje a Cervantes,* Madrid, 1947.
4. En ésta, como en tantas cosas, Menéndez Pelayo se le había adelantado, sosteniendo la misma tesis. «Yo creo—escribe el gran crítico en el cap. VIII de *Orígenes de la novela*—que algo faltaría en la apreciación de la obra de Cervantes si no reconociésemos que en su espíritu alentaba una aspiración romántica nunca satisfecha, que después de haberse derramado con heroico empuje por el campo de la acción, se convirtió en actividad estética, en energía creadora, y buscó en el mundo de los idilios y de los viajes fantásticos lo que no encontraba en la realidad. Tal sentido tiene, a mi ver, el bucolismo suyo, como el de otros ingenios del Renacimiento.» El subrayado es nuestro. No queremos decir que Américo Castro se haya inspirado en Menéndez Pelayo; nos limitamos a señalar la coincidencia. Ya queda dicho que *La Galatea* data nada menos que del 1585; fué publicada en Alcalá por Blas de Robles, padre de Francisco de Robles, el librero-editor de *Don Quijote.* Este Francisco de Robles, a la vez que al comercio de libros, se dedicaba a otro negocio más saneado: una casa de juego, donde cobraba el barato.
5. En Francia, en cambio, existe la diferenciación de los tres tipos *roman, nouvelle* y *conte.* Sobre el sentido primitivo de la palabra novela entre nosotros ha escrito Fernández de Navarrete: «No se entendía por este vocablo sino las cortas, que antes se llamaban cuentos, y que ahora se llamarían las novelas; las obras de recreo de más extensión, o se llamaban libros de caballerías, si trataban de hechos de armas o de proezas de caballeros (que tal significado tuvo en lo antiguo la palabra caballería); o fábulas pastorales, si la escena pasaba en las cabañas; o bien historias, usurpando a las verdaderas este nombre, si no tomaban el título general de libros de pasatiempo.» (E. F. de Navarrete: *Bosquejo histórico sobre la novela,* t. XXXIII, «Biblioteca de Autores Españoles», 1924.)
6. Nos parece totalmente inadmisible y falta de toda base lógica la tesis de Ortega y Gasset que sugiere en Cervantes una actitud hipócrita y comparable a la de Descartes ante el catolicismo. La razón que alega Cervantes no puede ser de más peso: «Mi edad no está ya para burlarse con la otra vida.»
7. Dos veces al menos (prólogo de las *Ejemplares* y

dedicatoria al conde de Lemos de sus *Ocho comedias)* anuncia otra segunda colección de novelas (*Las semanas de jardín)*, que o no llegó a redactar por completo o debieron de perderse manuscritas.

8. J. TORIBIO MEDINA : *Novela de «La tía fingida»*, con anotaciones y estudio, Santiago de Chile, 1919.

9 Ocupan estas novelas los caps. XII - XIII - XIV, XXXIII-XXXIV-XXXV y XXXIX- XL-XLI de la Primera parte.

10 Véase un resumen de estas expediciones en JEAN BABELON : *Cervantes y lo maravilloso nórdico*, en el citado «Cuaderno de Insula», I.

BIBLIOGRAFIA

I. *La Galatea*, «Bibliot. Aut. Esp.», I, 1846; ed. de R. Schevill y A. Bonilla, Madrid, 1914. — Estudios : F. EGEA : *Sobre la «Galatea»*, «Rev. Arch.», XLII, 1921.— FRANCISCO LÓPEZ ESTRADA : «*La Galatea*», *de Miguel de Cervantes*, lec. inaugural del curso académico 1948-1949, Univ. de La Laguna ; *La influencia italiana en «La Galatea»*, «Comparative. Literature», IV, 1952.—JOHN BRANDE TREND : *Cervantes in Arcadia*,.Oxford,` 1954.—PAOLO SAVJ LÓPEZ : *Il Cervantes Arcade*, Nápoles, Tessitori, 1906.— JOSÉ TORIBIO MEDINA : *El Lauso de la «Galatea» de Cervantes es Ercilla*, «Rom. Rev.», X, 1919.

II y III. *Novelas ejemplares*, «Col. de Aut. Esp.», Leipzig, 1863-1887; las mismas, ed. Kresner, Leipzig, 1866. *Cinco novelas ejemplares*, ed. R. J. Cuervo, «Bibliotheca Romanica», Estrasburgo, 1905. *Novelas ejemplares*, ed. Rodríguez Marín, «Clásicos Castellanos», 27 y 36, Madrid, 1914 y 1917.—Estudios : A. GONZÁLEZ DE AMEZÚA : *Cerv., creador de la novela corta española*, introd. a la ed. crítica y comentada de las «Novelas ejemplares», Madrid, C. S. I. C., 1956.—G. HAINSWORTH : *Les nouvelles exemplaires de Cerv. en Italie*, «Bull. Hisp.», XXXI, 1919.—JULIÁN APRAIZ : *Est. histórico-crítico sobre las «Novelas ejemplares»*, Vitoria, 1901.—F. A. DE ICAZA : *Las novelas ejemplares de Cervantes*, Madrid, 1901, 2.ª ed., 1915.—JOAQUÍN CASALDUERO : *Sentido y forma de las «Novelas ejemplares»*, Buenos Aires, Inst. Filología, 1943.—ENRIQUE SORDO : *Realidad y ficción de las «Novelas ejemplares»*, «Cuad. Liter.», III, 1948.—M. MERRY Y COLOM : *Ensayo crítico sobre las «Novelas ejemplares» de Cerv.*, Sevilla, 1877.—FRANZ RAUHUT : *Consideraciones... sobre «La gitanilla» y otras nov. cerv.*, «Anales cervantinos», III, 1953.—JOSÉ MARÍA CHACÓN Y CALVO : *El realismo ideal de «La gitanilla»*, «Bol. Ac. Cubana de la Lengua», II, 1953.—W. V. WURZBACH : *Die Preciosa de Cervantes*, «Kochs Studien zur Vergleinchenden Literaturgeschichte»,.I, 1901.—E. FEY : *Das literarische Bild der Preciosa des Cervantes*, «Rev. Hisp.», LXXV, 1929.— W. V. WURZBACH : *Preciosa, La ilustre fregona, El curioso impertinente, etc.*, «Einführung in die romanischen Klassiker», III y IV, Estrasburgo, 1913.—JAIME OLIVER ASÍN : *Sobre los orígenes de «La ilustre fregona»*, «Bol. R. Ac. Esp.», XV, 1928.—JOAQUÍN CASALDUERO : *Notas sobre «La ilustre fregona»*, «Anales cervantinos», III, 1953.— A. GONZÁLEZ PALENCIA : *Un cuento popular marroquí y «El celoso extremeño»*, «Hom. a M. Pidal», I, 1925.— F. RODRÍGUEZ MARÍN : *El Loaysa de «El celoso extremeño»*, Sevilla, 1901.—E. MELE : *La nov. «El celoso extremeño» de Cerv.*, «Nueva antología», 1906.— AMADEE MAS : *Quelques réflexions au sujet de «El celoso extremeño»*, «Bull. Hisp.», LVI, 1954.—G. CIROT : *«El celoso extremeño» et l'histoire de Floire et Blancheflore*, «Bull. Hisp.», XXXI, 1929.—G. CIROT : *Sur les maris jaloux de Cervantes*, «Bull. Hisp.», 1929.—S. RIVERA MONESCAU : *El modelo de «El licenciado Vidriera»*, «Rev. Hist. Valladolid», II, 1924.—EDMUND KUNG : *A note on «El licenciado Vidriera»*, «Modern Language Notes», LXIX, 1954.—F. A. DE ICAZA : *Algo más sobre «El licenciado Vidriera»*, «Rev. Arch.», XXXIV, 1916.—G. HAINSWORTH : *La source de Lic. Vidriera*, «Bull. Hisp.», XXXII, 1930.—A. GONZÁLEZ DE AMEZÚA : Introd. y notas a la ed. crítica de «El casamiento engañoso» y de «El coloquio de los perros», Madrid, 1912.—ANTONIO OLIVER : *La filosofía cínica y «El col. de los perros»*, «An. cerv.», III, 1953.—JULIÁN MARÍAS : *La pertinencia del Curioso impertinente*, «Revista», III, Barcelona, 1954.—J. APRAIZ : *Juicio de «La tía fingida»*, Madrid, 1896.—R. FOULCHÉ-DELBOSC : *Etude sur «La tía fingida»*, «Rev. Hisp.», 1899.—F. A. DE ICAZA : *De cómo y por qué «La tía fingida» no es de Cerv.*, Madrid, 1916.—M. CRIADO DEL VAL : *Análisis verbal del estilo. Indices verbales de Cervantes, de Avellaneda y del autor de «La tía fingida»*, Madrid, C. S. I. C., 1953.—J. TORILIO MEDINA : Est. y notas de «La tía fingida», Santiago de Chile, 1919.

IV. *Persiles y Segismunda*, ed. en 2 vols. de Schevill y Bonilla, Madrid, 1914.—R. SCHEVILL : *Persiles y Segismunda*, «Modern Language Notes», XXIII, 1908.—P. DE NOVO Y CHICARRO : *Bosquejo para una ed. crit. de «Persiles y Segismunda»*, Madrid, 1928.—CARLOS DE MESA : *Divagaciones en torno al «Persiles»*, «Bolívar», núm. 33, Bogotá, 1954.—A. LUBAC : *La France et les français dans le «Persiles»*, «Anales Cervantinos», I, 1951.—JOAQUÍN CASALDUERO : *Sentido y forma de «Los trabajos de Persiles y Segismunda»*, Buenos Aires, 1946.—LUIS DA CÁMARA CASCUDO : *Naturaleza y retórica en el «Persiles»*, «Univ. Pontif. Bolivariana», XIX, Medellín (Colombia), 1954.— A. BAIG Y BAÑOS : *Sobre el «Persiles»*, «Rev. Castellana», V, 1919.—R. ARCO GARAY : *Estética cervantina en et «Persiles»*, «Rev. Ideas Estéticas», núms. 22-23, 1948.

CAPITULO XXX

CERVANTES: C) DON QUIJOTE DE LA MANCHA

I. LA NOVELA: *Ficha bibliográfica. Génesis y elaboración. Elementos integrantes. Técnica constructiva. Fuentes y modelos.*—II. EL MUNDO DEL «QUIJOTE»: *Geografía. Parte descriptiva. Los personajes y su fisonomía. Figuras femeninas.*—III. EL «QUIJOTE» DE AVELLANEDA: *Argumento. Problema de autor. Juicio crítico.*—IV. INTERPRETACIONES DEL «QUIJOTE»: *El pensamiento de Cervantes. La crítica extranjera. La crítica española. Universalidad del «Quijote».*
NOTAS.—BIBLIOGRAFÍA.

I. LA NOVELA

En 1605, ya casi sexagenario, Cervantes publica la más lograda de sus obras: *Don Quijote de la Mancha.* Con ella el autor, que hasta ese momento no había rebasado la línea de lo que se viene llamando un escritor de segunda fila—aún no habían aparecido tampoco las *Ejemplares*—, se coloca de un salto a la cabeza de los escritores de su siglo y aun de su lengua. El desconcierto que en la república de las letras debió de producir la aparición de la inmortal novela puede deducirse de la citada alusión de Lope en su carta al duque de Sessa, de unos «versos de cabo roto» insertos en *La pícara Justina* y del agrio prólogo del *Quijote* de Avellaneda. En los medios literarios, tan propensos siempre a la envidia, hubo auténtica consternación. No se podía concebir que un hombre catalogado ya como poeta mediocre y autor de comedias poco más que aceptables, un escritor que, a juicio de los enterados, había dado ya cuanto llevaba dentro, se revelase sin previo aviso el genio de su época. «Conténtese con su *Galatea* y comedias en prosa—aconsejaba el falso Avellaneda—, que eso son las más de sus novelas; no nos canse.» Pero ¿qué poder iba a tener la opinión de sus detractores, aunque éstos se llamasen Lope de Vega y Quevedo, contra una obra que acababa de nacer ungida con todos los carismas de lo genial?

Ficha bibliográfica

La primera edición del *Quijote* apareció en Madrid, en enero de 1605, costeada por el librero Francisco de Robles e impresa en los talleres de Juan de la Cuesta. El permiso de impresión data del 26 de septiembre de 1604. Su título *Primera parte del Ingenioso Hidalgo don Quixote de la Mancha*, indica a las claras que, al igual que de la *Galatea* y de otras obras, Cervantes pensaba darnos una continuación. Se ha hablado de una edición anterior, correspondiente a 1604; pero hoy ya nadie cree en ella; al menos, de tal edición no existe rastro. El conocido juicio de Lope de Vega en su carta a Sessa, formulado, según algunos, antes de aparecer el *Quijote,* se explicaría porque la obra cervantina, como otras famosas de aquel tiempo, debía de ser conocida en los medios literarios por copias manuscritas. Sin embargo, Astrana Marín ha intentado demostrar, y a nuestro parecer lo logra, que esta célebre carta, datada por Durán, Schack, Amezúa y otros en agosto de 1604, no pudo escribirse hasta diciembre de 1605, es decir, casi un año después de la aparición de la Primera parte del *Quijote* y cuando esta inmortal novela llevaba cinco o seis ediciones y era conocida por todos los españoles[1]. La novela, en su primera edición, iba dividida en cuatro partes: primera, capítulos I-VIII; segunda IX-XIV; tercera, XV-XXVII; cuarta, XXVIII-LII. Esta subdivisión no prosperó en sucesivas ediciones. Aquel mismo año tuvo el *Quijote* seis impresiones más: otra en Madrid, también por Juan de la Cuesta; tres en Lisboa y dos en Valencia.

Corrieron nueve años a partir de la publicación de la novela; las ediciones se sucedían; la fama de Cervantes llenaba la Península y aun había trascendido al extranjero, sin que por eso sus condiciones de vida mejorasen. Y he aquí que en 1614 un tal Alonso Fernández de Avellaneda, que no se sabe quién es, publicó en Tarragona una continuación de la obra cervantina con el título de *Segundo tomo del Ingenioso Hidalgo don Quijote de la Mancha*, pretendiendo con ella emular y aun eclipsar la gloria de Cervantes. Esta intromisión de Avellaneda, sin duda, fué la que estimuló a aquél a volver sobre *Don Quijote*, dándose prisa a terminar la *Segunda parte*, que apareció en 1615, también en Madrid y en la misma imprenta de Cuesta. Cervantes debía de ser un escritor más bien lento. Hemos visto en el capítulo anterior cómo promete la continuación de la *Galatea,* que nunca llegó a redactar, y cómo la sensación de una muerte próxima le obligó a terminar apresuradamente el *Persiles.* Ahora, estimulado por la publicación del falso *Quijote,* se decide a terminar el suyo. Quizá de no haber publicado su obra Avellaneda, tampoco tendríamos la *Segunda parte del Quijote* cervantino.

El éxito fué inmediato y sin precedentes. Ni Shakespeare, ni Montaigne, ni escritor alguno de aquel siglo, lo alcanzaron tan grande. En los años que median entre la publicación de las dos partes se envían a las Indias cientos y cientos de ejemplares; se imprime en Bruselas (1607); se traduce al inglés (Londres, 1612); al francés (París, 1614); al italiano (Venecia, 1622). Luego se multiplican las traducciones en todas las lenguas, incluídos el hebreo, chino, japonés, vasco. Es el libro de literatura profana que más ediciones ha tenido [2].

Génesis y elaboración

Se ha investigado y hasta discutido mucho sobre el lugar y circunstancias en que nació el *Quijote.* Parece fuera de duda que vino al mundo en una cárcel. Nos lo dice sin rodeos el propio autor en el prólogo: «Y así, ¿qué podría engendrar el estéril y mal cultivado ingenio mío, sino la historia de un hijo seco, avellanado, antojadizo y lleno de pensamientos varios y nunca imaginados de otro alguno, *bien como quien se engendró en una cárcel,* donde toda incomodidad tiene su asiento y donde todo triste ruido hace su habitación?» Y lo confirma en el prólogo de la *Segunda parte* el falso Avellaneda, cuando, haciendo un juego con la palabra *yerros,* nos dice que Cervantes escribió su *Don Quijote* «entre los de una cárcel, y así no pudo dejar de salir tiznado de *ellos».* ¿Qué cárcel fué ésa? Dada la fecha en que debió de escribirse, teniendo que estar terminado el 1604, no pudo ser otra que la de Sevilla. En efecto: en ella entra Cervantes en 1602 por ciertas irregularidades en sus comisiones y apremios. Los señores García Soriano y García Morales nos describen el establecimiento penitenciario de Sevilla como «el más pintoresco y espantoso lugar de la abigarrada España de entonces. En ella alternaban los repugnantes criminales con personas como Cervantes, a las que su mala estrella conducía a tan inmunda Babel. Los presos eran innumerables; el escándalo, continuo. Se jugaba en tablas alquiladas, se comía y se bebía en sus cuatro bodegones, alternando los cánticos báquicos con los lamentos de los condenados a muerte. Aquél fué el escenario que rodeó a Cervantes mientras escribía por ahuyentar sus negros pesares, y quizá

por preparar unos miserables recursos para cuando saliera de tal infierno» [3].

No quiere decir esto que Cervantes compusiera en Sevilla y en su cárcel toda la Primera parte del *Quijote.* Simplemente que allí nació la idea germinal y allí debió de emborronar las primeras cuartillas. Conocida es la hipótesis según la cual el *Quijote* debió de nacer en la mente de su autor y planearse en principio como un cuento o novelita breve, que luego, ante las ilimitadas posibilidades del argumento, se iría estirando hasta alcanzar la forma en que hoy lo conocemos. En tal supuesto, Cervantes habría redactado en Sevilla los primeros capítulos, que después continuó en Valladolid, en Madrid, acaso en Toledo. Rodríguez Marín, el mejor comentarista de Cervantes, opina que el *Quijote,* en su planteamiento inicial, debería terminar «con la vuelta a su casa del apaleado héroe, a lomo del jumento propiedad de su vecino Pedro Alonso, o más bien con el escrutinio o consiguiente cremación de la librería caballeresca» [4].

Más oscuro es el otro aspecto: la causa ocasional o coyuntura que movió a Cervantes a poner manos a la obra. Se ha pensado, y la idea va ganando terreno entre los biógrafos cervantinos, que fué la enemistad con Lope de Vega lo que le decidió a escribir el *Quijote.* En tal caso, la intención satírica de poner en ridículo los libros de caballería quedaría como una causa remota y su diatriba contra Lope como una causa o motivación inmediata. Sabido es que entre Lope de Vega y Cervantes existía de antiguo una rivalidad más o menos latente, derivada de los juicios poco benévolos formulados por aquél sobre las obras cervantinas, del semifracaso de Cervantes en la escena mientras Lope triunfaba en toda regla y de la reprobable conducta del dramaturgo con Elena Osorio, de cuyos padres era Cervantes íntimo amigo. En Sevilla debieron de encontrarse el dramaturgo y el novelista a principios de 1602: Lope, en la cumbre de su gloria; Cervantes, arrastrando su opacidad y penuria por la bulliciosa urbe. Precisamente las andanzas de Lope por Andalucía pocos meses antes tras la gallarda comedianta Micaela Luján (la *Camila Lucinda* de sus versos) y su exaltada pasión, que se deshace en cientos de poemas lacrimosos, daban pábulo a los comentarios y rechiflas de sus numerosos enemigos, empezando por el más temible de todos, el mordaz Góngora [5]. Cervantes, según eso, debió de ver una espléndida ocasión para desahogar su malhumor. Y, sin olvidar la primitiva intención de convertir su novela en una parodia satírica de los libros de caballerías, pudo muy bien concebir a su héroe en ciertas ocasiones como una contrafigura de Lope de Vega. Los que así piensan aducen infinidad de pasajes de la Primera parte, y sobre todo del prólogo, que parecen tener segunda intención y referirse a diversos y conocidos aspectos de la obra o de la vida de Lope de Vega [6]. La violentísima reacción de los amigos de éste al aparecer la obra parece también indicar que vieron en ella, aparte de la censura contra el teatro de Lope, formulada en el capítulo XLVIII, otras veladas alusiones [7].

Elementos integrantes

No vamos a dar aquí el argumento de la novela, por ser de todos conocido. Limitamos nuestro análisis a sus elementos esenciales.

El *Quijote*, antes que nada, es un relato construído sobre las aventuras de un personaje más o menos real. Por ser este personaje, según su propia calificación, un «caballero andante», y porque sus aventuras caen de lleno dentro de las características del género, se puede decir que el *Quijote* es, sobre todo, una novela caballeresca. Ni importa que el género salga de ella malparado y hasta satirizado. Lo que especifica a una obra literaria dentro del género no es el tono, sino el asunto: un poema épico, *La Mosquea* o *La Gatomaquia*, no por su carácter burlesco pierde la naturaleza de épico.

En torno a este primordial elemento caballeresco se aglutinan, sin romper la unidad del libro, otros varios: el *pastoril*, bien en un plano idealista (episodio de Crisóstomo y Marcela), bien realista (historia del cabrero y bodas de Camacho); el *sentimental* (narraciones incidentales de Fernando y Dorotea, de Cardenio y Luscinda); el *picaresco* (aventura de los galeotes, de Maritornes, de Ginesillo de Pasamonte); el *morisco* (historia del cautivo y de la bella Zoraida, cargada de riqueza autobiográfica); el *italianizante* (novela intercalada de «El curioso impertinente»). De este modo el *Quijote* se erige en síntesis de todas las formas novelísticas de la época, a la vez que se nos da como el arquetipo de la novela moderna. Añádase el elemento *doctrinal*, de gran importancia en la obra cervantina. Nos sale al paso en cada página, especialmente en los consejos de Don Quijote a Sancho antes de partir éste para el gobierno de la Insula Barataria, consejos que recuerdan, por su fondo y por su tono, el *Diálogo de Mercurio y Carón*, de Alfonso de Valdés. Hay, además, en el *Quijote*, una teoría literaria formulada con precisión en varios pasajes: escrutinio del Cura y el Barbero en la librería del hidalgo; disertación del canónigo sobre los libros de caballerías y sobre el teatro; episodio de las Cortes de la Muerte y de Angulo el Malo; discurso sobre las armas y las letras; observaciones hechas sobre la poesía por el hijo del Caballero del Verde Gabán, etc. Insistamos en que, por encima de estos elementos, convenientemente articulados, destaca en el *Quijote* lo caballeresco. Tomando por modelo para las aventuras del protagonista el arte

irónico del Ariosto y para las historias de amor aquel otro libro que él calificó de «divino», *La Celestina* [8], asistido, sobre todo, por su inagotable inventiva, Cervantes logra construir una de las narraciones más extraordinarias y acaso la más original que han inventado los hombres.

Técnica constructiva

Ya se ha dicho que Cervantes, según la opinión de sus más doctos comentadores, concibió el *Quijote* como una novela corta, al modo tal vez de las *Ejemplares*. Tampoco debió prever el volumen que alcanzaría en su ulterior redacción. Menéndez Pidal, y con él la más sana crítica, opina que «no ideó a su protagonista dentro de un plan bien definido desde el comienzo, sino en una visión sintética algo confusa» [9]. De los dos modos que el artista tiene de crear, abarcando con claridad toda la obra desde el principio o recibiendo sólo el chispazo inicial para verla luego surgir en planos sucesivos, Cervantes debió de seguir el segundo. Abonan la tesis multitud de detalles que no han pasado inadvertidos para la crítica: la Primera parte, aun dentro de su perfección e innegable valor, acusa ciertas vacilaciones; da la impresión Cervantes de que el protagonista se le escapa un poco de las manos; ofrece menos armonía constructiva, menos coherencia. La Segunda parte, más madurada, es un prodigio de equilibrio. El autor sabe perfectamente adónde va; se ha hecho dueño del personaje y del asunto, y ya no los deja hasta llevarlos al final.

También la técnica es distinta en una y otra Parte: en principio se ajusta, claro es, a la propia de los libros de caballerías, puesto que literariamente a ellos pertenece el *Quijote*. Una serie de aventuras encadenadas va canalizando la acción de sus principales personajes, Don Quijote y Sancho; pero en la Primera parte el relato se escinde frecuentemente con la inserción de episodios extraños a la misma novela y que de momento relegan las figuras principales a un segundo plano: los episodios de Marcela, Dorotea, el Curioso Impertinente, el Cautivo, etc.; en la Segunda, por el contrario, ningún meandro ni digresión entorpece la marcha del relato, que va derecho hacia el desenlace ya previsto por el autor. Hasta en episodios aparentemente ajenos a la acción principal, como las bodas de Camacho (caps. XX y XXI), o el retablo de Maese Pedro (caps. XXV-XXVII), Don Quijote y Sancho siempre están en primera fila; ellos lo llenan todo, mientras los demás personajes son puramente accesorios [10]. Todo induce a pensar que la figura misma de Don Quijote sólo estaba esbozada al empezar la obra; conforme ésta avanza, el personaje se define más y más, hasta adquirir sus rasgos fundamentales. Pfandl llega a decir que a partir del momento en que el valeroso héroe se hace acompañar del honrado Sancho, «la novela se sale del plan y propósito iniciales». El ideal se hace cada vez más alto, más lejano y trascendental.

Se ha llegado incluso a hablar de un doble proceso de «quijotización» y «sanchización», según el cual en los dos personajes capitales de la novela se opera un visible cambio: Don Quijote se hace cada vez más comprensivo, más humano, alcanzando con su locura a cuantos le rodean, desde el bachiller Carrasco a Sancho Panza; éste, por su parte, se va idealizando y perdiendo bastedad y egoísmo en su contacto con aquél. Hasta hay un instante en que estaría dispuesto a renunciar a su máxima aspiración: el gobierno de la ínsula[11]. En este doble proceso radica en parte la esencia de la obra: lo ideal, lo noble y puro triunfa sobre lo material y grosero. También se ha hablado de dos momentos en Don Quijote: el hamletiano y el fáustico; aquel en que, joven aún, lee novelas caballerescas en su lugar manchego, se enamora y medita, sin atreverse a declarar su amor, y el otro, en que se lanza ya al mundo en busca de aventuras. Todavía cabe señalar una especie de desdoblamiento de personalidad que da como resultado un personaje cuerdo y loco a la vez, o, como lo define el propio Cervantes (Parte segunda, cap. XVIII), un *entreverado loco lleno de lúcidos intervalos*, aquejado de una extraña insensatez, que le lleva a *hacer cosas del mayor loco del mundo, y decir razones tan discretas que borran y deshacen sus hechos*. ¿Se dió cuenta Cervantes de este desdoblamiento? Parece que sí, y, en todo caso, importa subrayar que, como consecuencia del mismo, acertó a crear un producto arquetípico humano de soberana belleza, en el que se amalgaman la cordura y la demencia, el sueño y la realidad, todas las energías del cuerpo y el espíritu puestas al servicio del bien y de la justicia. Es lo que se llamará ya para siempre el «quijotismo».

Fuentes y modelos

Ni por un momento cabe pensar que Cervantes se sacó el *Quijote* íntegramente de su imaginación. Por muy original que sea un escritor y mucha inventiva que tenga, siempre su obra aparecerá ligada, en mayor o menor grado, a las producciones anteriores, e inspirada más o menos en la realidad. En este sentido se han señalado numerosas obras que pudieron servirle de precedentes literarios, y hasta personas de carne y hueso que quizá tomó por modelos.

En cuanto a las primeras, se citan, ante todo, los libros de caballerías, que Cervantes conoció al detalle, especialmente el *Amadís*, parodiado en muchos lugares del *Quijote*; *El caballero Cifar*, cuyo escudero tiene cierta analogía con Sancho

Panza; la serie de los *Palmerines*; el *Tirante*, etc. También debió de tener presente *La Celestina*. Y, entre los extranjeros, el *Orlando furioso*, de Ariosto, recordado e imitado más de una vez. Ha de tenerse en cuenta que la sátira contra las novelas caballerescas tenía ya, cuando Cervantes redacta la suya, muchos precedentes: desde el canciller López de Ayala, que las califica «libros de devaneos y mentiras probadas», hasta Teófilo Folengo (1496-1554), que había intentado ridiculizarlas en sus poemas cómicos *El Orlandino* y *Baldus*; sin contar las severas censuras de escritores como Malón de Chaide, Juan de Valdés, Luis Vives y Jerónimo de Urrea. Del *Crotalón* pudo derivar, mejor que directamente de Italia, la novela *El curioso impertinente*; en Séneca debió de inspirarse para la bellísima pintura del Siglo de Oro («Dichosa edad y siglos dichosos aquellos...»); el descomunal combate con los cueros de vino está inspirado en Apuleyo; las sentencias de Sancho, gobernador, sobre los diez escudos y sobre la bolsa del ganadero, quizá salieron de la *Leyenda áurea*, de Jacobo de Vorágine, y del *Norte de los estados*, de Francisco de Osuna; el episodio de Clavileño parece derivar de la novelita *Clemades y Claramunda*.

Pero la influencia más cercana, hasta el punto de considerarse el antecedente inmediato de los primeros capítulos, es una obrita endeble y anónima hasta ahora: *El entremés de los romances*. Ya se aludió antes a ella. Fué exhumada por Adolfo de Castro, que la atribuyó a Cervantes, atribución ya por todos desechada. Millé señala como probable autor a Góngora, si bien advierte la ausencia de esa causticidad a que nos tiene acostumbrados el poeta cordobés. Menéndez Pidal cree que se compuso hacia 1591; ve en Bartolo, protagonista del *Entremés*, retratado a Lope de Vega, y estima que la locura en él producida por la lectura de romances debió de sugerir a Cervantes la de Don Quijote por los libros de caballerías. Esta influencia sólo llega al capítulo VII; a partir de éste Cervantes halla su camino, y Don Quijote pasa de protagonista de un suceso particular y anecdótico a encarnación de un tipo humano universal[12].

¿Existió este tipo en la realidad? La crítica ha contestado afirmativamente. Julián Apraiz cree que el caballero de Esquivias Alonso Quijada fué el modelo indiscutible de Don Quijote; Rodríguez Marín nos habla del mismo Alonso Quijada, tío de la mujer de Cervantes, y de un Martín Quijano, teniente de veedor de las galeras del Puerto de Santa María. Anécdotas que avalan la locura del Ingenioso Hidalgo no faltan: Menéndez Pelayo recordó que en el *Arte de galantería* de Francisco de Portugal se alude a una familia que lloraba amargamente la muerte de Amadís; se sabe asimismo que un estudiante de Salamanca, lector apasionado de libros caballerescos, se puso a esgrimir su espada contra supuestos villanos que atacaban a un caballero, y en la ya citada *Miscelánea,* de Zapata, se nos habla de un caballero honrado que se lanzó a los caminos para realizar las locuras de Orlando. Que Cervantes conoció alguno de estos modelos no cabe duda. Y no sólo Don Quijote; también Sancho, el bachiller Carrasco, el Ventero, Maritornes, etc., eran personas de carne y hueso que el genial novelista tropezó en sus andanzas y luego trasladó a su libro revestidas con todos los atributos del arte [13].

II. EL MUNDO DEL «QUIJOTE»: GEOGRAFIA Y PERSONAJES

El mundo del *Quijote* puede estudiarse en el doble aspecto geográfico y humano.

Geográficamente responde en todo a la realidad del escenario en que se desarrollan los hechos, y ha sido descrito muchas veces con minuciosa exactitud. Está delimitado por las tres salidas del hidalgo manchego, a quien Cervantes sigue paso a paso, cuidando de informarnos de todas sus andanzas con precisión de biógrafo más que de novelista. Primera salida: Argamasilla de Alba, de donde parte en busca de aventuras «por la puerta falsa de su corral» [14]; campo de Montiel; la venta donde fué armado caballero; el bosque donde topa la «primera aventura»; el lugar cercano donde es apaleado y molido por los mercaderes toledanos, y el regreso al pueblo gracias al buen corazón de su vecino Pedro Alonso. Escenario reducido a dos o tres leguas.

Segunda salida: horizonte más amplio, pero sin alejarse de la Mancha. Campo de Criptana, con la aventura de los molinos de viento; Puerto Lápice, con el encuentro de los frailes de San Benito y la escena del vizcaíno; Villarfubia y Malagón, con las historias del pastor Crisóstomo, de los yangüeses y de la venta en que mantearon a Sancho; paso del Guadiana y estupenda batalla contra los carneros; Miguelturra, no lejos de Ciudad Real, donde se supone la aventura de los batanes; Almagro, y, bastantes leguas adelante, la comarca de Torrenueva, donde el hidalgo dió libertad a los galeotes, y la próxima Sierra Morena, en que estuvo remedando la penitencia de Beltenebros, «ferido de punta de ausencia», hasta que, por la intervención del Cura y del Barbero y siguiendo un camino más corto que a la ida, regresó a su lugar.

El itinerario de la tercera salida, mucho más importante en el aspecto geográfico, puesto que Cervantes lleva a su héroe hasta Barcelona, haciéndole atravesar buena parte de Castilla, Aragón y Cataluña, está jalonado por los siguientes lugares: Toboso, patria de Dulcinea; río Záncara, Osa de la Vega (encuentro con el carro de las Cortes de la Muerte); Belmonte (combate de Don Quijote con el Caballero del Bosque); Pedernoso (escena de los leones y encuentro con el Caballero del Verde Gabán); San Clemente, o El Provencio tal vez, y Bonillo (bodas de Camacho). A partir de aquí la toponimia es menos precisa: parece que se internó por tierras de Albarracín, Daroca y Cariñena; que atravesó el Ebro entre Boquiñán y Pedrola, y que el palacio de los duques de Villahermosa estaba cerca de esta última villa. Para no coincidir con el *Quijote* de Avellaneda [15], evita Cervantes que su héroe entre en Zaragoza, aunque sitúe en comarca próxima a esta ciudad muchas de sus aventuras: los santos de talla, las redes, los toros. En Alcalá de Ebro se supone emplazada la Insula Barataria. Sin entrar en Zaragoza, sigue Don Quijote hacia Barcelona; cruza el Ebro cerca de Osera; encuentra en la región de Solsona a la *partida* de Guinart, y, protegido por éste, llega a la capital de Cataluña la víspera de San Juan. El regreso a su «lugar» manchego fué más rápido, y en buena parte siguió el mismo itinerario.

Se ve bien claro que la odisea quijotesca responde exactamente a la realidad geográfica de España. Ni podía ser de otro modo, dado el conocimiento que las continuas andanzas por el territorio patrio habían dado a Cervantes. Difícil hubiera sido a Don Quijote encontrar un guía más documentado [16].

Parte descriptiva

Ello, sin embargo, no debe llevarnos a querer encontrar en el *Quijote* una especie de *vademecum* con información puntual de comarcas y lugares. Cervantes no llega a eso. Si en la descripción humana desciende a detalles personales de identificación inconfundible, en la de cosas se mantiene casi siempre en una vaga imprecisión: la casa de don Diego Miranda es una de tantas mansiones solariegas, con sus armas sobre la puerta, ancho zaguán, patio, bodega y cueva llena de tinajas; el río Ebro es como todos los grandes ríos; la venta donde mantean a Sancho no se diferencia apenas de otras ventas. Las descripciones de la naturaleza responden a un concepto renacentista; están hechas conforme a moldes prefabricados. La aurora es siempre blanca o rosada, y viene derramando indefectiblemente «líquidas perlas»; el bosque es siempre «espeso». Son descripciones poéticas más que reales. Cervantes, con los ojos tan abiertos siempre para captar realidades, se deja llevar en esto por su formación humanística. Lo mismo, ya lo subrayamos en su lugar, ocurría con los historiadores y poetas primitivos de América (Colón,

Gómara, Ercilla, Oña), en quienes la visión clásica de Dianas y Antinoos anulaba muchas veces la realidad de las bellezas indias.

Esto significa que tampoco hay en el *Quijote* sentimiento del paisaje, al menos en el sentido que hoy le damos. La descripción de la naturaleza como tal descripción, como elemento autónomo y fuente de emoción estética, no existe. No existió hasta época reciente. Cervantes, como los clásicos en general, sólo concibe el paisaje de una manera accesoria, en cuanto marco de una acción humana, y por ello le bastan tres o cuatro pinceladas descriptivas, las indispensables para incorporar el escenario a la acción.

Los personajes y su fisonomía

No sucede lo mismo con las personas. Cervantes nos las da con sus pelos y señales; se puede decir que nos hace de ellas una auténtica filiación: naturaleza, edad, aspecto físico, cualidades morales; todo lo que individualiza un ser humano y le hace inconfundible con los demás. Y esto no sólo en los personajes más importantes, sino también en los secundarios. Maritornes es «una moza asturiana, ancha de cara, llana de cogote, del un ojo tuerta y del otro no muy sana»; la moza de partido que ayudó al ventero en la operación de armar caballero a Don Quijote se llamaba la Tolosa, y «era hija de un remendón natural de Toledo que vivía en las tendillas de Sancho Bienaya». Y así los demás personajes.

Estos forman un mundo abigarrado y múltiple, que en lo social va desde la más escogida aristocracia de los duques de Villahermosa hasta la ínfima categoría de Sancho y de Tomé Celial; y en lo ético, desde el puro ideal de Don Quijote hasta las solapadas intenciones de un Ginesillo de Pasamonte o la desalmada conducta de los yangüeses y la falta de escrúpulos de los bandidos de Roque Guitart. Nobles y plebeyos, hidalgos y villanos, clérigos y laicos, damas de alto copete y mujeres de vida airada, ricos y pobres, campesinos y ciudadanos, pícaros y soldados, cómicos, mercaderes, doncellas, estudiantes, bandidos, terceras de oficio, muchachas casaderas, viejas enamoradas, venteros, trajinantes, cristianos, moros. Todo un mundo de seres pulula, se agita y vive en las páginas de esta incomparable novela. Pasan de trescientos los personajes del *Quijote* que ha recogido en su «Censo» Valbuena y Prat, y se aproximan a mil los de toda la producción cervantina [17].

Y es de admirar tanto como la presentación de cada uno de ellos, que se convierte en retrato fisonómico inconfundible, la inagotable inventiva de Cervantes para la onomástica. Cada uno va bautizado con su nombre, y este nombre es el que mejor cuadra al personaje. Nombres sonoros, eufónicos, cuando así lo pide la persona: Don Qui-

jote de la Mancha, Dulcinea del Toboso, Alifanfarrón del Arremangado Brazo; Micocolembo, gran duque de Quirocia; Brandabarbarán de Boliche, Altisidora, el Caballero de la Blanca Luna, la infanta Micomicona, la condesa Trifaldi. Nombres plebeyos: Sancho Panza, la dueña Rodríguez, Maritornes. Nombres congruentes con el estado o profesión: Camacho el rico, Sansón Carrasco, la hermosa Quiteria, el doctor Tirteafuera, Ginesillo de Pasamonte, etc. Hasta para los animales y seres inanimados encuentra apelativos sorprendentes: *Rocinante, Rucio,* la cueva de Montesinos, *Clavileño,* etc.

En esta galería destacan, como es natural, el protagonista Don Quijote y su antagonista Sancho. Don Quijote es el hidalgo alto, avellanado y enjuto físicamente; mediano hacendado de un poblacho manchego, dueño de una pequeña hacienda, un flaco caballejo y un galgo [18]. Ve pasar los meses, mientras enmohecen las armas de sus mayores, y la lectura de libros de caballerías, pasto entonces predilecto de nacionales y extraños, termina por secarle el cerebro, engendrando en su ánimo el deseo incoercible de emular las hazañas de Amadís, Lanzarote y demás caterva. Moralmente, Don Quijote es un espíritu ejemplar: quiere nada menos que instaurar sobre la tierra el imperio de la justicia. Es, además, un buen cristiano. Se lanza por los caminos del mundo dispuesto a «enderezar entuertos» y vengar agravios. Su brazo está siempre del lado del débil, del humilde, del bueno. Pero la experiencia le enseña demasiado duramente, casi siempre a costa de su organismo malparado, que la justicia absoluta es en el mundo un ideal tan inasequible como aquella Dulcinea con quien sueña y a la que nunca logrará acercarse.

Junto a él, Sancho Panza, opuesto en lo físico, no tanto en lo moral. Sancho, regordete, panzudo y achaparrado, mirando casi siempre a la tierra, pero con un fondo de honradez y de hombría que le lleva no pocas veces a sacrificar en aras del bien y de la justicia su propio egoísmo. El espíritu idealista del señor parece comunicarse al escudero, proyectando sobre él una tenue luz que ennoblece su grosera figura, y de este modo resulta Sancho, más que la antítesis de Don Quijote —en esa dualidad ya tópica de idealismo y realismo—, su complemento y proyección [19].

Análogo interés ofrecen tipos como el del cura Pero Pérez, el del socarrón Sansón Carrasco, el comedido Caballero del Verde Gabán, el engolado e intransigente capellán de los duques; el fogoso Cardenio, inmortalizado por Shakespeare en una de sus comedias; el avispado Ginesillo, que parece escapado del *Guzmán de Alfarache;* el discreto Canónigo, los Duques, el Cautivo, Juan Haldudo, Basilio el Pobre, etc.

Las figuras femeninas

Menos numerosas que los varones, las mujeres del *Quijote* forman, sin embargo, una nutrida y vistosa galería. También representan todas las clases sociales, todos los ejemplares posibles del sexo. El amor y la belleza ideales están representados por Dulcinea, con su correspondencia física en Aldonza Lorenzo Nogales; la pastora Marcela es la mujer esquiva e insensible a toda seducción; frente a ella, otra pastora, Leandra, cegada por los vistosos trajes de Vicente Roca, se nos presenta como la mujer fácil—«antojadiza» la llama Cervantes—y proclive a todas las seducciones. Maritornes, la Tolosa y la Molinera son otros tantos ejemplares de mujeres de la vida o «mozas destas que llaman de partido»; doña Rodríguez encarna muy bien el papel de «dueña», tal como entonces se entendía esta profesión; Altisidora es la doncella despreocupada y un tanto casquivana; la Duquesa tiene todo el aristocrático perfil de las señoras de su clase. El Ama y la Sobrina, Teresa Panza y su hija Sanchica son cuatro

tipos definitivos de mujer lugareña: un poco pagadas de su hidalguía aquéllas; toscas, rústicas y hacendosas Teresa y su hija. Dorotea, Luscinda, Camila, Quiteria y hasta Zoraida nos ofrecen otras tantas modalidades de un sólo sentimiento: el amor. Dorotea, decidida y tenaz, representa la reflexión; Luscinda, la fidelidad; Camila, la inexperiencia y poco juicio; Quiteria, la obstinación, y Zoraida, el sacrificio por el hombre a quien ama.

Ha de advertirse que así como en las mujeres de baja extracción Cervantes nos da toda clase de detalles en un minucioso análisis fisiológico, en las otras mujeres se limita a señalar rasgos generales. En otras palabras: los retratos de la Duquesa, de Dorotea, de Luscinda, de la misma Dulcinea del Toboso, se ajustan a los cánones de belleza clásica divulgados por el Renacimiento: todas son rubias, tienen perlas por dientes y la carne amasada de rosas y de nieve. Los de Maritornes, Sanchica, etc., están tomados del natural; son bocetos de un realismo impresionante, y como documentos humanos tienen mayor valor que los otros.

III. EL «QUIJOTE» DE AVELLANEDA

En julio de 1614, nueve años después de la publicación de la Primera parte del *Quijote,* apareció en Tarragona el *Segundo Tomo del Ingenioso Hidalgo don Quixote de la Mancha.* Firmábalo como autor Alonso Fernández de Avellaneda, natural de Tordesillas [20]. Cervantes, ya queda dicho, hallábase a la sazón trabajando en la Segunda parte del suyo, y esta inesperada intrusión del llamado Avellaneda le movió a darse la mayor prisa para terminarlo.

En el prólogo Avellaneda, con el pretexto de defender a Lope de Vega, ataca duramente a Cervantes hasta llegar casi al insulto; le echa en cara su vejez y la lesión o inutilidad de su brazo, y termina llamándole «soldado tan viejo en años cuanto mozo en bríos». Cervantes respondió con el admirable prólogo de la Segunda parte, lleno de dignidad y de ironía. «Quisieras tú—dice, dirigiéndose al lector—que lo diera [21] del asno, del mentecato y del atrevido; pero no me pasa por el pensamiento: castíguelo su pecado, con su pan se lo coma y allá se lo haya. Lo que no he podido dejar de sentir es que me mote de viejo y de manco, como si hubiera sido en mi mano haber detenido el tiempo, que no pasase por mí, o si mi manquedad hubiera nacido en una taberna, sino en la más alta ocasión que vieron los siglos pasados, los presentes, ni esperan ver los venideros. Si mis heridas no resplandecen en los ojos de quien las mira, son estimadas a lo menos en la estimación de los que saben dónde se cobraron;

que el soldado más bien parece muerto en la batalla que libre en la fuga; y es esto en mí de manera, que si ahora me propusieran y facilitaran un imposible, quisiera antes haberme hallado en aquella facción prodigiosa que sano ahora de mis heridas sin haberme hallado en ella... He sentido también que me llame envidioso, y que, como a ignorante, me describa qué cosa sea la envidia que en realidad de verdad, de dos que hay yo no conozco sino a la santa, la noble y bien intencionada; y siendo esto así, como lo es, no tengo yo de perseguir a ningún sacerdote, y más si se tiene por añadidura ser familiar del Santo Oficio, y si él lo dijo por quien parece que lo dijo, engañóse de todo en todo; que de tal adoro el ingenio, admiro las obras y la ocupación continua y virtuosa.» La alusión a Lope no puede ser más clara.

Argumento

Don Quijote, después de una temporada en casa, entretenido en la lectura de libros devotos, convencido por Sancho y por un Alvaro Tarfe, que pasa por Argamasilla en dirección a Zaragoza, donde van a celebrarse unas justas, se decide también a ponerse en camino y concurrir a ellas. Hace su tercera salida con el nombre de *El Caballero Desamorado.* Tras varias vicisitudes llega a Zaragoza, donde es encarcelado por meterse a liberar a un ladrón. Sale de la cárcel gracias a los buenos oficios de don Alvaro; concurre a las justas y gana el premio; desafía a un gigantón de las procesiones, e invitado por un escribano disfrazado de etíope, sale de Zaragoza en dirección a la corte de Bramidán de Tajayunque. En el camino topan con un soldado, un ermitaño, una mujer atada a un árbol, a quien Don Quijote toma por la reina Cenobia, no siendo otra que Bárbara la *Acuchillada*. Llega a Alcalá, donde reta a unos estudiantes que lo dejan maltrecho; en Madrid desafía a un Marqués, a quien toma por rey de Persia. Invitado por don Alvaro para ir a Córdoba, en nombre de la infanta Bulerma, se pone nuevamente en marcha; pero en Toledo es encerrado en una casa de orates. De allí sale una vez más a buscar aventuras con el nombre de *El Caballero de los Trabajos*.

El problema del autor

Basándose en alusiones de Cervantes, se ha visto en *Alonso Fernández de Avellaneda* un simple seudónimo. Pero ¿a quién responde en la realidad ese nombre? La crítica se lanzó a identificarle por todos los caminos, sin que hasta la fecha el enigma haya sido resuelto en forma satisfactoria. Se han aventurado nombres y más nombres; raro será el escritor prestigioso de la época a quien no se haya atribuido con argumentos mejor o peor razonados. Partiendo siempre del testimonio de Cervantes, se afirmó que el autor tenía que ser aragonés; pero los indicios gramaticales de la obra son insuficientes para respaldar tal hipótesis. Señalamos a continuación las principales suposiciones hechas hasta ahora.

Pellicer, Gallardo, La Barrera, Rosell y otros lo atribuyeron al confesor del rey, fray Luis de Aliaga; Benjumea, a fray Andrés Pérez, el supuesto autor de *La pícara Justina*; Ceán Bermúdez, al doctor Juan Blanco de la Paz; León Máinez, a Lope de Vega; Adolfo de Castro, a Ruiz de Alarcón. La inconsistencia de todas estas hipótesis ha sido demostrada brillantemente por Menéndez Pelayo: el Padre Aliaga no debió de ser, puesto que, si quería vindicar una ofensa, tenía a mano medios más rápidos y expeditivos, como confesor que era del rey; tampoco cabe adjudicarlo a fray Andrés Pérez, como se desprende del confronte estilístico de las dos obras que se le atribuyen, ni a Lope de Vega, cuyo estilo en prosa en nada se parece al del *Quijote* apócrifo; ni al doctor Blanco, incapaz de redactar una obra de esta envergadura; ni, en fin, a Ruiz de Alarcón, cuya nobleza de conducta repugna a los procedimientos empleados por el «licenciado Avellaneda».

En nuestros días han apuntado otros nombres. Menéndez Pelayo indicó a un oscuro poeta aragonés, Alfonso Lamberto, que utilizó el seudónimo *Sancho Panza* en un certamen de Zaragoza; la hipótesis del maestro, muy original y bien razonada, no es concluyente. Blanca de los Ríos atribuye el *Quijote* apócrifo a Tirso de Molina;

la verdad es que no aporta pruebas, y, en todo caso, las cualidades literarias reconocidas por todos en Tirso brillan aquí por su ausencia. Paul Croussac lo adjudicó a Juan Martí (el famoso *Mateo Luján de Sayavedra*); Menéndez Pelayo, en un artículo, modelo de crítica e investigación, demostró lo absurdo de tal hipótesis, puesto que Martí había muerto en 1604. Baig Baños y Toribio Medina se inclinan por el dominico fray Alonso Fernández, basándose en la afirmación de Tamayo de Vargas, quien dice terminantemente que el licenciado de Tordesillas no usó seudónimo; pero, aparte de que el apellido Alonso Fernández debía ser muy corriente en España y todavía lo es, resulta que el religioso de quien nos hablan Baños y Medina es autor de libros devotos y serios, y mal se pueden compaginar éstos con las desvergüenzas que encontramos en el *Quijote* de Avellaneda. Juan Millé y Jiménez lo asignó a Quevedo; Alonso Cortés, al agustino fray Cristóbal de Fonseca, aludido en el prólogo de la Primera parte por Cervantes; Cotarelo y Mori, al dramaturgo valenciano Guillén de Castro, etc. Ninguno de ellos aporta argumentos definitivos. La última hipótesis ha sido formulada por los eruditos investigadores García Soriano y García Morales, quienes señalan como autor casi seguro al novelista Alonso del Castillo Solórzano, ya extensamente estudiado en otro capítulo por nosotros, y en quien concurre la triple circunstancia de ser amigo de Lope, escritor de reconocido ingenio y natural de Tordesillas [22].

Todo ello indica que el enigma está muy lejos de su solución. En todo caso, la crítica ha llegado a varias consecuencias: el autor del *Quijote* apócrifo no era poderoso ni acaso literato de primer orden. El mismo Cervantes no debió de identificarlo. Si no religioso, estaba al menos estrechamente vinculado con Ordenes regulares, probablemente con la de los dominicos, ya que se muestra muy devoto del Rosario. Tenía conocimientos de Teología. Era admirador de Lope de Vega, y muy probablemente pertenecía al círculo literario del *Fénix*. Si no era aragonés, había residido en Aragón, pues conoce muy bien Zaragoza y su comarca.

Juicio crítico

El *Quijote* de Avellaneda no puede compararse en calidad literaria con el de Cervantes; no tiene ni la frescura, ni la gracia, ni el ingenio, ni la inventiva, ni la trascendencia humana de éste. Pero ello no significa que sea obra mediocre. Ante ella, la crítica ha emitido juicios dispares: desde Mayáns, que lo ve «lleno de impropiedades, solecismos y barbarismos»; duro y desapacible», y, en suma, digno del desprecio que ha tenido», hasta

Montiano y Luyando, que lo considera superior al de Cervantes. Entre tales extremos, Menéndez Pelayo ocupa una posición intermedia y sensata: censura la concepción materialista de la vida, la vulgaridad de pensamiento, la ausencia de todo ideal y de toda elevación estética en su autor, junto con cierta preferencia por lo hediondo, que le lleva a tratar con especial delectación los aspectos más torpes y las funciones más ínfimas del organismo animal; en cambio, le reconoce cuali-dades estimables: narración clara, si bien algo lenta; episodios interesantes y una trama hábil-mente conducida. Avellaneda tiene también gra-cia, pero es una gracia espesa; tiene fuerza có-mica, pero de carácter plebeyo; el chiste es fre-cuente, pero grosero, a veces hasta brutal. Los caracteres, más que sátiras de personajes, resultan caricaturas por lo exagerado. Sin embargo, ofrece la suficiente amenidad para constituir aún una lec-tura entretenida.

IV. INTERPRETACIONES DEL «QUIJOTE»

Frente al *Quijote* se vienen manteniendo dos posturas: la de aquellos que lo leen con mirada ingenua, sin empeñarse en desorbitar el espíritu de su letra, y la de aquellos otros que se afanan por encontrarle una significación más o menos origi-nal y profunda. Los primeros se conforman con lo que Cervantes les da en una primera intención: una novela llena de interés, asombrosamente ame-na, muy bien escrita, salpicada de gracia, de in-genio y de ideas luminosas. Si, además, como suele ocurrir con las obras cimeras del arte, esta novela, por la categoría del que la hizo, queda convertida en un producto de valor universal y sus personajes rebasan la esfera de simples indi-viduos para convertirse en símbolos de la Hu-manidad o de buena parte de ella, mucho mejor. A la pregunta: ¿Qué finalidad persiguió Cervan-tes al escribir el *Quijote?*, contestan con las pro-pias palabras de aquél: «Poner en aborrecimiento de los hombres las fingidas y disparatadas histo-rias de los libros de caballerías»; y, como este propósito lo reitera varias veces y en buena parte lo cumple, se dan con ello por satisfechos. Los otros no quieren contentarse con que el *Quijote* sea una sátira y un maravilloso cuadro de la so-ciedad, a la vez que la obra de pasatiempo más bella que ha brotado jamás del ingenio humano, y se dan a buscarle interpretaciones esotéricas que unas veces resultan razonables y otras, las más, totalmente absurdas. Cada lector, según ellos, debe darnos su interpretación personal. Quien con más vigor ha defendido esta tesis es Unamuno; el *Quijote*, para él, no es ni puede ser en modo al-guno lo que en su mente quiso Cervantes que fuera, sino lo que cada uno de sus lectores des-cubre en él. De aquí a proclamar la validez de los juicios más extravagantes no hay más que un paso.

Ya sabemos que es característico en las gran-des obras literarias de todos los tiempos revelar a unos una cosa y a otros otra; pero ello no nos da derecho a cerrar los ojos ante lo que salta a la vista y, sobre todo, a leer en un libro lo que el autor no quiso ni pudo poner. Así es como se ha hecho de Cervantes un alquimista, un filósofo, un nigromante, un geógrafo y hasta un sociólogo anárquico, que arremete en su obra contra todas las instituciones de su tiempo. Hasta se han es-crito lucubraciones bizantinas en las que se trata de descifrar cómo habría sido el *Quijote* si su autor hubiera pertenecido a la nobleza. Los libros sobre la administración, la moralidad, la botánica, la metafísica, la religión del *Quijote*, suman doce-nas y hasta centenares [23]. Hay quien asegura que Don Quijote protagoniza a Carlos V; otros ven en él la caricatura del duque de Lerma; Díaz de Benjumea (*Comentarios filosóficos del Quijote, La estafeta de Urganda, El mensaje de Merlín, La verdad sobre el «Quijote»*) ve encarnado en él al propio Cervantes; Pi y Molist, médico alienista (*Primores del «Quijote»*) descubre en este libro la panacea universal para todos los males; Adol-fo Saldías (*Cervantes y el «Quijote»*) lo interpreta desde el punto de vista sociológico: frente al Ingenioso Hidalgo, símbolo de la aristocracia con-servadora, Sancho Panza, encarnación del *estado llano* y capaz de gobernarse a sí mismo; Benigno Pallo (*Interpretación del «Quijote»*) adivina en sus páginas un continuado ataque contra la Biblia y la teocracia. Ya se entiende que tales interpreta-ciones no pueden tomarse en serio. Hay otras, sin embargo, formuladas por españoles y extranjeros, que tienen un fondo de verdad y no deben pasar inadvertidas.

El pensamiento o intención de Cervantes

¿Cuál fué esa intención o finalidad por parte del autor? Para nosotros está tan clara, que no admite dudas: derribar «la máquina mal fundada de los libros de caballerías» y procurar a los lec-tores un libro de ameno y honesto entretenimien-to. Ambos propósitos—creación de una obra bella y sátira de un género—se anuncian ya desde el prólogo. Cuando recibe la visita del amigo y ma-nifiesta su perplejidad ante la estructura que ha de dar a su libro, todavía, por lo visto, sin termi-nar, el amigo le dice: «*Pues esta vuestra escritura no mira a más que a deshacer la autoridad y ca-bida que en el mundo y en el vulgo tienen los libros de caballerías,* no hay para qué andéis mendigando sentencias de filósofos, consejos de la Divina Escritura, fábulas de poetas, oraciones de retóricos, milagros de santos, sino procurar que a la llana, con palabras significantes, honestas y bien colocadas, salga vuestra oración y período sonoro y festivo, pintando en todo lo que alcanzáredes y fuese posible vuestra intención; *dando a entender vuestros conceptos sin intrincarlos ni oscurecerlos.* Procurad también que, leyendo vuestra historia, el melancólico se mueva a risa, el risueño la acreciente, el simple no se enfade, el discreto se admire de la invención, el grave no la desprecie ni el prudente deje de alabarla. En efecto, llevad la mira puesta a derribar la máquina mal fundada destos caballerescos libros, aborrecidos de tantos y alabados de muchos más; que si esto alcanzásedes, no habríades alcanzado poco.» Y en otro lugar: «Cuanto más, que si bien caigo en la cuenta, este vuestro libro... todo él es una invectiva contra los libros de caballerías.» Y aun repite en diversos pasajes y con machacona insistencia su propósito inicial.

Bien es verdad que para algunos, Pfandl entre ellos [24], esta misma insistencia sobre una intención, que aparece ya clara desde la primera página y, por tanto, resulta innecesaria, revela el interés de Cervantes por ocultar un propósito subterráneo. Nosotros, siguiendo el consejo de Maeztu: «leamos las líneas y no las entrelíneas», sin desconocer la trascendencia del *Quijote* en cuanto expresión poética de un modo de ser humano, seguimos creyendo de buena fe lo que nos dice su autor. Y ello no contradice la hipótesis antes apuntada de que en los primeros capítulos pueda haber una velada alusión a Lope de Vega, ya que ésta pudo ser muy bien el motivo ocasional y lo otro la causa final y verdadera. Tampoco contradice el sentir de aquellos que ven en el *Quijote* una lección y hasta un documento social de valor incalculable. Sabido es que para Cervantes la comedia, y lo mismo, naturalmente, la novela, debe ser *espejo de la vida humana, ejemplo de las costumbres e imagen de la verdad,* cuya finalidad básica es la de *deleitar aprovechando,* y precisamente en el *Quijote* demostró lo bien que sabía cumplir ese programa.

La crítica extranjera

De ordinario se busca en el *Quijote* interpretaciones simbólicas y trascendentales. En Inglaterra suelen verlo a través del humorismo británico, plasmado en el *Hudibras* de Butler, obra de sátira religiosa. En 1711 se imprimía en Londres una *Vida de don Quijote alegremente traducida en verso hudibrástico.* El influjo de Cervantes se acrecienta desde mediados del siglo XVIII: la posición de Fielding, al combatir y parodiar la novela sen-

timental de Richardson, es análoga a la de Cervantes ante los libros de caballerías. Pero el *Quijote* no es comprendido en toda su amplitud.

Tampoco lo es en Alemania, a pesar de que allí se han formulado juicios profundos sobre la obra cervantina. En general pecan los exegetas germanos de querer encontrar más de lo que hay. Bonterweck ve en el *Quijote* «una lucha entre poesía y prosa, entre desinterés y egoísmo»; nace con ello el problema de la dualidad, idealismo y realismo, tan repetido después. Análoga es la interpretación de Tieck.

Con el romanticismo hubo una nueva visión y un estudio más a fondo del *Quijote,* sobre todo en Francia. Heine, Schlegel, Walter Scott, Víctor Hugo, Mérimée, Sainte Beuve, Gautier, nos han dejado páginas bellísimas y llenas de comprensión. Con los juicios y alabanzas que los mayores genios le han prodigado se podría hacer un extenso libro.

Rousseau: «Las locuras que duran mucho divierten poco; es preciso escribir como Cervantes para hacer leer seis volúmenes de visiones.» Goethe: «He hallado en Cervantes un verdadero tesoro de deleites y enseñanzas.» Schelling: «Hasta ahora sólo hay dos novelas, y son el *Quijote,* de Cervantes, y *Wilhelm Meister,* de Goethe.» Schlegel: «El *Don Quijote,* esta obra de invención única en su clase, ha dado origen a todo el género de la novela moderna.» W. Scott: «La ironía seria del autor del *Quijote* es una especial cualidad de su genio a que algunos pocos se han acercado, pero que nadie ha podido alcanzar.» Mérimée: «¡Desgraciado aquel que no ha tenido algunas de las ideas de Don Quijote y que no ha arrostrado los golpes y el ridículo para enderezar entuertos!»

Heine admira la «gran serenidad épica que como un cielo de cristal envuelve el mundo de sus criaturas»; Taine, «la nobleza de sus ideas caballerescas»; Flaubert, «la perfecta fusión de ilusión y realidades»; Carducci, «la gran sátira que encierra contra el excesivo entusiasmo humano»; T. Gautier, «la exaltación caballeresca, el ánimo aventurero, juntos con el sentido práctico y una especie de alegre bondad llena de suavidad y de ironía»; Sainte Beuve, la perfección de «una obra maestra, sin sombra alguna, de claridad perfecta, amena, sensata, en la que, si para algo entra lo quimérico, es para ridiculizarlo».

La crítica española

En la estimación e interpretación del *Quijote* la crítica española ha pasado por varios momentos: primero, fué durante largos años la lectura ingenua del libro, como una de tantas novelas, sin duda la más amena e ingeniosa; luego, coincidiendo con el criticismo del XVIII y el auge de la erudición del XIX, vienen las interpretaciones esotéricas y hasta extravagantes, ya aludidas al principio; por último, la «generación del 98» impone un criterio interpretativo mucho más personal e intimista.

Al primer momento responden juicios como el del polígrafo portugués Faria y Sousa, que califica el *Quijote* de «simple sátira de costumbres»; o el de Quevedo, que le llama «Amadís puesto en ridículo», atribuyendo la muerte del héroe manchego a «un molimiento de palos».

Entre los intérpretes subjetivistas destacan, ya queda dicho, los del «98» y sus discípulos. *Azorín* quiere que cada lector saque del *Quijote* una impresión distinta, a tono con el momento y circunstancias de la lectura; y en esta posibilidad de interpretación múltiple reside para él lo más vital de la gran novela. Unamuno (*Vida de Don Quijote y Sancho,* 1905) aconseja que se lea e interprete su texto como el de la Sagrada Escritura, ya que es una fuente de sugerencias infinitas y de gran valor en la vida del hombre. Supone que el *Quijote* creció tanto durante su elaboración que al mismo Cervantes se le escapó la grandeza de su obra. Ramón y Cajal (*Psicología de Don Quijote y el quijotismo,* 1905) lo interpreta como una sabia lección dirigida a los españoles, y atribuye nuestros fracasos a la falta de espíritu quijotesco. Bonilla y San Martín (*Don Quijote y el pensamiento español*) descubre en la novela un trasunto de los grandes problemas filosóficos de la época, y en su protagonista, un símbolo de la Justicia. Otras interpretaciones tan interesantes como agudas son las de Ortega y Gasset (*Meditaciones del «Quijote»,* 1914), Gómez de Baquero (*El sentido moderno del «Quijote»,* 1920), Manuel Azaña (*La invención del «Quijote»,* 1934), Salvador de Madariaga (*Guía del lector del «Quijote»,* 1935) y Ramiro de Maeztu (*Don Quijote, Don Juan y la Celestina,* 1939). Sin duda, el estudio más interesante en este aspecto es el de Américo Castro: *El pensamiento de Cervantes* (Madrid, 1925). La mirada del sabio profesor no se limita al *Quijote;* abarca toda la obra cervantina, que interpreta y analiza con un criterio moderno y estrictamente científico, empezando por encuadrar a nuestro primer novelista dentro de su época y ambiente. La conclusión a que llega es que Cervantes no sólo no fué ajeno a los problemas suscitados por el Renacimiento y la Reforma, sino que se vió inmerso en ellos y hasta arrastrado por algunas de sus corrientes, en particular por la doctrina erasmiana.

Frente a estas interpretaciones, o más bien al margen de ellas, tenemos la opinión de sabios como Menéndez Pelayo, Valera, Ganivet, Rodríguez Marín y otros, que se resisten a ver en el *Quijote* otra cosa que una novela, todo lo profunda que se quiera, pero novela ante todo. Creen que con ser autor del mejor libro que existe en su género le basta y sobra a Cervantes para su gloria; y estiman que no pudo llevar a ella grandes

ideas filosóficas, políticas o sociales, porque sus conocimientos de tales disciplinas no rebasan los del español medio de su época. «Cervantes—afirma Menéndez Pelayo—era poeta y sólo poeta, *ingenio lego,* como entonces se decía.» Y Ramiro de Maeztu aconseja leer el *Quijote,* «haciéndonos más niños de lo que realmente somos»; porque *el mayor daño que se puede hacer al «Quijote»* —nos lo advierte *Azorín*—es seguir laborando sobre ese misticismo cervantista[25].

Universalidad del «Quijote»

¿Previó Cervantes la difusión y alcance de su obra? Algunos, basándose en su predilección por el *Persiles,* opinan que la realidad superó con mucho sus ilusiones; aún más: que nunca llegó a darse cuenta de la magnitud de su empeño. Contra tal opinión están las propias palabras del autor: «Tengo para mí que el día de hoy están impresos más de doce mil libros de la tal historia; si no, dígalo Portugal, Barcelona, Valencia, donde se han impreso; y aun hay fama que se está imprimiendo en Amberes, *y a mí se me trasluce que no ha de haber nación ni lengua donde no se traduzca*» (cap. III, Parte II).

Y al final insiste en lo mismo, al proclamarse creador del personaje e identificarse con él para siempre: «Y el prudentísimo Cide Hamete[26] dijo a su pluma: Aquí quedarás colgada de este espetera y de este hilo de alambre, ni sé si bien cortada o mal tajada, péñola mía, adonde vivirás luengos siglos, si presuntuosos y malandrines historiadores no te descuelgan para profanarte... Para mí [su pluma] sola nació Don Quijote, y yo para él; él supo obrar y yo escribir; solos los dos para en uno, a despecho y pesar del escritor fingido y tordesillesco que se atrevió o se ha de atrever a escribir con pluma de avestruz, grosera y mal desaliñada, las hazañas de mi valeroso caballero...»

La posteridad ha venido a darle la razón: sólo la Biblia le supera en ediciones[27].

NOTAS

1. En un asiento del Registro de la Hermandad de Impresores, correspondiente a 1604, también figuran «2 *Don Quijotes,* a 85 pliegos», pareciendo indicar que ya ese año debía de estar compuesto. Pero el asiento, aunque iniciado en 1604, abarca varios años después.

2. Más datos bibliográficos: *El ingenioso / Hidalgo don Quixote de la Mancha / Compuesto por Miguel de Ceruantes / Saauedra.* Papel de impresión de mala ca:idad, procedente de los pinares de El Paular; amarillento. Tipos redondos, más bien grandes, de los llamados *atanasios,* para el texto, y *cursivos de lectura* en los epígrafes. Muchas erratas y foliación equivocada alguna vez. Bordeando el escudo tipográfico, la leyenda: *Post tenebras, spero lucem.* Va *Dirigido al duque de Béjar, / Marqués de Benalcácar, y Baña- / rcs, Vizconde de la Puebla de Alcocer, Señor de las villas de Capilla, Curiel y Burguillos.* En el mismo escudo la fecha: *Año 1605.* Al pie. la imprenta: *Con privilegio. / En Madrid, por Iuan de la Cuesta.* Y en la última línea de la portada: *Véndese en casa de Francisco Robles, librero del Rey nro. señor.*

Este Robles pertenecía a familia alcalaína, relacionada, sin duda, con Cervantes, puesto que otro Robles, Blas, había costeado la edición de *La Galatea*, y se sabe que a ellos acudió el gran novelista más de una vez en solicitud de dinero por sus libros. Se ignora lo que pudieron darle por el *Quijote*, aunque se sabe que, aparte la suma convenida por la cesión, Robles entregó otros adelantos. Por las *Novelas ejemplares* percibió 1.600 reales. Es de suponer que el *Quijote* sería mejor tasado. Del impresor Juan de la Cuesta se sabe que era segoviano y que en 1599 había venido a Madrid para regentar la tipografía de María de Quiñones. La imprenta era una de las cuatro que había entonces en Madrid, y estaba en la calle de Atocha, donde luego se alzó el Hospital de Nuestra Señora del Carmen.

El *Quijote*, en su primera edición, no lleva licencia eclesiástica, cosa que llama la atención de los bibliógrafos. Fué tasado a doscientos noventa maravedís y vendido el ejemplar, y durante mucho tiempo los de esta primera edición han sido confundidos con los de otra del mismo año e impresor. Hoy el error está deshecho, gracias a pequeñas variantes que han podido señalarse en las portadas de una y otra edición. Vid. *Guía del lector del «Quijote»*, extenso y detallado estudio con que los señores García Soriano y García Morales encabezan la magnífica edición de la Colec. «Joya», Madrid, 1951. Estos mismos señores ofrecen un interesante cuadro sinóptico de 1.055 ediciones de la famosa novela, donde aparece Francia con 234 ediciones; Inglaterra, con 179; Alemania, con 71; Rusia, con 42; Holanda, con 24, etc.

3. *Ob. cit.*, pág. 31.

4. Ed. comentada del *Quijote*, Madrid, 1928, vol. VII, pág. 51.

5. El cual ya venía ridiculizando a Lope en varios poemitas que figuran en los romanceros de la época, particularmente en el que empieza «Ensíllenme el asno rucio», sin contar sonetos como aquel celebérrimo: «Por tu vida, Lopillo, que me borres — las diecinueve torres de tu escudo», alusivo a la manía de grandezas del *Fénix*. El mismo Cervantes le había lanzado alguna que otra pulla, como la que figura en el *Romancero General* de 1600, que por cierto empieza con las mismas palabras del *Quijote*: «En un lugar de la Mancha...» Es muy probable que también se refiera a Lope el *Entremés de los romances*, considerado hoy como el germen del *Quijote*, y al cual aludiremos luego. Entre el protagonista de esta piececita y Lope hay, en efecto, demasiadas coincidencias: Bartolo se vuelve loco por la lectura del romancero, y a los pocos días de casarse con Teresa la abandona para ir a luchar contra los ingleses en compañía de su escudero Bandurrio. *Belardo* (seudónimo de Lope) también se exalta leyendo romances; los compone en gran cantidad, autobautizándose con sonoros nombres: *Zaide, Gazul, Tarfe*, etc.; abandona a Belisa (después de haberla raptado) a los cuatro días de casarse con ella, y también se incorpora a las tropas que van contra los ingleses en la *Invencible*.

6. Por ejemplo, la penitencia y lamentaciones de Don Quijote en Sierra Morena recordarían el paso de Lope por los mismos parajes, ya que *Camila Lucinda* era de un pueblecito de aquella sierra; los versos de cada roto, sonetos, etc., con que Cervantes ensalza su propia obra, atribuyéndolos a diversos personajes, serían una parodia burlesca de la manía de Lope, que llenó sus primeros libros (*La Arcadia, El Isidro, La hermosura de Angélica*) con poemas encomiásticos de fingidos autores; las citas y acotaciones, a que se refiere en la sabrosa conversación con el amigo, no son sino una clarísima alusión al mismo Lope, que solía esmaltar sus prólogos de pedantescos lugares comunes, etc.

7. «En los medios diferenciamos—escribía Avellaneda—, pues él—se refiere a Cervantes—tomó por tales el ofenderá mí y particularmente a quien tan justamente celebran las naciones extranjeras, y la nuestra debe tanto, por haber entretenido honestísima y fecundamente tantos años los teatros de España con estupendas e innumerables comedias, con el rigor del arte que pide el mundo y con *la seguridad y limpieza que de un ministro del Santo Oficio se debe esperar*.»

8. Lo dice por boca de «El Donoso, poeta entreverado», en las décimas de *cabo roto* que figuran en el prólogo:

... según siente *Celesti-*,
libro en mi opinión *divi-*,
si encubriera más lo *huma-*.»

9. *Un aspecto en la elaboración del «Quijote»*, Madrid, 1924.

10. El propio Cervantes (2.ª parte, cap. XLIV) intenta justificar la técnica, seguida en una y otra parte: «... por parecerle que siempre había de hablar de él y de Sancho, sin osar extenderse a otras digresiones y episodios más graves y más entretenidos... También pensó... que muchos, llevados de la atención que piden las hazañas de Don Quijote, no la darían a las novelas o pasarían por ellas o con prisa o con enfado..., y así, en esa Segunda parte, no quiso ingerir novelas sueltas ni pegadizas, sino algunos episodios que lo pareciesen, nacidos de los mismos sucesos...» Se ha pensado si la novela *El curioso impertinente*, sin duda la que más se despega del relato general, estaría destinada al grupo de las *ejemplares*, ya que por su estilo y carácter hermana perfectamente con otras italianizantes de la serie: *El amante liberal, La fuerza de la sangre y La señora Cornelia*. En cambio, la historia de Crisóstomo y de Marcela, por su tono pagano, es un eco de la *Egloga de Fileno, Zambardo y Cardonio*, de Juan del Encina.

11. Este proceso se revela en múltiples pasajes. Don Quijote exige de los mercaderes toledanos que reconozcan sin pruebas, sólo por fe en su palabra, que Dulcinea es la más hermosa doncella del mundo: «sin verla—les dice—lo habéis de creer, confesar, afirmar, jurar y defender»; en cambio, en las bodas de Camacho el *Rico*, cuando los asistentes ponderan a Quiteria como la más bella mujer que existe, Don Quijote les excusa: «Bien parece que éstos no han visto a mi Dulcinea del Toboso; que si la hubieran visto, ellos se fueran a la mano en las alabanzas de esta Quiteria.» Ha habido un descenso de fe. Otro tanto se puede decir de Sancho, aunque en sentido inverso: la Duquesa insinúa sus dudas sobre el buen juicio del escudero al ver la fidelidad con que sigue en todo a su señor: «Por Dios, señora—se excusa aquél—, que ese escrúpulo viene con parto derecho..., que si yo fuera discreto, días ha que había de haber dejado a mi amo.» Más aún: cuando Don Quijote recobra el juicio, al final de la obra, es Sancho el que parece haberlo perdido: «Levántese de esa cama y vámonos al campo vestidos de pastores, como tenemos concertado...»

12 Hay que pensar, examinando los fundamentos de lo cómico quijotesco en la aventura de los mercaderes toledanos, que Cervantes no ideó el episodio con una combinación enteramente libre de los recursos propios de su fantasía, sino que ésta se hallaba como estrechada y constreñida por el recuerdo indeleble de *El entremés de los romances*, que había producido en su ánimo una vigorosa impresión cómica.» (M. Pidal.) Pero el ilustre cervantista don Luis Astrana Marín afirma, en oposición a Menéndez Pidal, que el *Entremés de los romances* es posterior en varios años a la Primera parte del *Quijote* «y una de tantas obras a que dió origen éste». Vid. Astrana Marín: *Desafuero contra el Cantar de Mío Cid*, en «Cervantinas y otros ensayos», Madrid, 1944.

13. Los señores García Soriano y García Morales, ya citados, han encontrado en el Archivo de la Delegación de Hacienda de Albacete un inventario de los bienes del cura que había en El Bonillo, pueblo en el que se celebraron las bodas de Camacho, en tiempo de Cervantes, y en dicho inventario figura, entre otras cosas, el *Retrato de un caballero loco*. ¿Sería Don Quijote?

14. A no ser que, como quieren otros, se trate de Argamasilla de Calatrava, si bien la proximidad de Montiel da mayores probabilidades a la de Alba.

15. Cervantes debía de estar componiendo el capítulo LIX de la Segunda parte cuando se enteró de la publicación del *Quijote* de Avellaneda. Como éste había hecho de Zaragoza escenario principal de las aventuras de su héroe, no quiso aquél que el suyo pisara las calles de la ciudad. Para ello hubo de variar el plan primitivo.

16. La geografía del *Quijote* ha sido estudiada con más o menos detalle por Fermín Caballero, Ramón León Máinez, Manuel de Foronda y Aguilera, Martín Sarmiento, Cesáreo Fernández-Duro, Francisco Navarro Ledesma, Angel Dotor Municio, Justo García Morales, Aurelio Baig Baños, etc. Otros no se han conformado con estudiar el itinerario del hidalgo manchego, sino que han repetido paso a paso la misma ruta. Destacan entre éstos Henry David, Giménez Serrano, el dibujante Urrabieta Vierge y el insigne Azorín.

17. *Obras completas de Cervantes*, colec. «Eternas», Edit. Aguilar, Madrid, págs. 1901 y sgs.

18. Unamuno, en su ensayo iconológico *El Caballero de la Triste Figura*, ha señalado diecisiete puntos extraídos de la novela, y que debe tener presentes todo artista que se disponga a darnos la efigie del héroe manchego; unos se refieren al aspecto físico, otros intentan calar en lo psicológico, y son varios los que ofrecen un

cóntenido muy vago que ni afecta a lo uno ni a lo otro. Damos como ejemplo el primero y el último:

(I) «Frisaba la edad de nuestro hidalgo en los cincuenta años; era de complexión recia, seco de carnes, enjuto de rostro, gran madrugador y amigo de la caza.» (1.ª parte, cap. I.)

(XVII) «Era de ver la figura de don Quijote: largo tendido, flaco, amarillo, estrecho en el vestido, desairado y, sobre todo, no nada ligero.» (2.ª parte, cap. LXX.)

19. Se viene interpretando a Sancho como un anti-Quijote, lo cual no parece del todo exacto. Puestos a buscarle al hidalgo manchego una contrafigura, no sería difícil hallarla en la misma novela; por ejemplo, en la persona del ventero Palomeque el Zurdo, indiferente a la locura del héroe y atento sólo a sus ganancias.

20. La portada reza: Segundo tomo del Ingenioso Hidalgo don Quijote de la Mancha, que contiene su tercera salida, y es la quinta parte de sus aventuras. Compuesto por el Licenciado Alonso Fernández de Avellaneda, natural de la villa de Tordesillas. Al Alcalde, Regidores e Hidalgos de la noble villa de Argamasilla, patria feliz del hidalgo caballero don Quijote de la Mancha. Tarragona, 1604.

21. Diera vale tanto como llamara.

22. Los dos «Don Quijotes». Investigaciones acerca de la génesis de «El Ingenioso Hidalgo» y de quién pudo ser Avellaneda, Toledo, 1944. Vid. asimismo: Guía del lector del «Quijote», ob. cit., págs. 64-68.

23. Véase la abundante bibliografía inserta por materias en la antes citada Guía del lector del «Quijote», de los señores García Soriano y García Morales. Allí mismo se comentan interpretaciones tan peregrinas como la de Antonio María Rivero (Memorias maravillosas de Cervantes), que concibe la primera parte del Quijote, escrita en forma anagramática, puesto que, colocando las letras en determinada posición, dicen las cosas más insólitas que se puede imaginar sobre Cervantes y su vida.

24. «Cuanto más enérgicamente asegura tantas veces Cervántes lo que por fin resume en la conocida frase: no ha sido otro mi deseo que poner en aborrecimiento de los hombres las fingidas y disparatadas historias de los libros de caballerías, con tanta mayor claridad adquirimos la convicción de que, consternado ante la grandeza de su creación poética, ha querido salvarse de sus posibles consecuencias, como temeroso de que sin esta precaución, bien o mal interpretado por los contemporáneos, el Quijote hubiese sido considerado como un atrevimiento inaudito o hubiese podido ser objeto de violentos ataques.» (Historia Lit. nac. españ., Edad de Oro, págs. 328-29.)

En este terreno de interpretaciones cervantinas se hace imprescindible una alusión al Buscapié, el discutido opúsculo que tanto ruido metió en el siglo XIX. La anécdota es curiosa: se venía creyendo por algunos que Cervantes había revelado el verdadero sentido del Quijote en una obrita extremadamente rara e impresa anónima con el título de Buscapié. El primero que aludió a ello fué Vicente de los Ríos en un discurso pronunciado en la Real Academia Española (1776) e incluído luego en su Vida de Cervantes. En esta misma obra se publica una carta en la que un don Antonio Ruidíaz asegura haber visto en casa del conde de Saceda un ejemplar del Buscapié. De todo ello se hace eco Juan A. Pellicer en su Biblioteca de traductores españoles, 1778. Pasan los años, y en 1848 aparece en Cádiz un librito llamado a provocar enorme revuelo en la república de las letras: El Buscapié / opúsculo inédito / que en defensa de la primera parte / del Quijote / escribió / Miguel de Cervantes Saavedra / Publicado con notas históricas críticas / y bibliográficas / por don Adolfo de Castro. El alboroto fué grande. Pero tres años después (1851) el ilustre bibliófilo Bartolomé José Gallardo demostraba en un saladísimo folleto (Zapatazo a Zapatilla i a su falso Buscapié un puntillazo) que el opúsculo publicado por Castro era una superchería de éste, invención suya, por cierto muy bien hecha, puesto que había logrado imitar el estilo y lengua de Cervantes con evidente maestría. No faltaron, sin embargo, quienes defendieron la autenticidad del opúsculo, y hasta se hicieron ediciones del Quijote en que figura el Buscapié como obra cervantina y en forma de apéndice.

25. Vid., una vez más, el citado prólogo de los señores García Soriano y García Morales. No podemos, ya se entiende, hacernos aquí eco de imposturas como la de Giménez Caballero, que quiere ser original y resulta casi extravagante. Ve en Don Quijote «el nacimiento de la España quijotera, sensible, humanitaria, liberal, pacífica, derrotista y renunciadora», y en Cervantes un «genial

hipócrita», al que, no sabiendo ya qué inri colocarle, le busca una absurda ascendencia judía.

26. Imaginario autor arábigo de quien Cervantes supone haber tomado su Don Quijote.

27. Véanse abundantes datos sobre imitaciones, versiones e interpretaciones artísticas (pintura, escultura, música, etc.) del Quijote en la cit. ed. de la Colec. Jova, Aguilar, Madrid, págs. 91-150.

BIBLIOGRAFIA

I. J. S. BENAGES y J. S. FONBUENA: Bibliografía de ediciones del «Quijote» impresas desde 1605 hasta 1917, Barcelona, 1917.—F. VINDEL: El «Quijote». Su importancia y ediciones, Madrid, 1933.—M. HENRICH: Iconografía de las ediciones del «Quijote», 3 vols., Barcelona, 1905.—A. GONZÁLEZ PALENCIA: Las ediciones académicas del «Quijote», Madrid, «Rev. Bibliot. Ateneo», 1947.—E. B. REINOSO: Los comentadores del «Quijote», «Crón. de los Cervantistas», 1872.—S. MADARIAGA: Guía del lector del «Quijote», 4.ª ed., Buenos Aires, 1953.—JOSÉ DE ARMAS Y CÁRDENAS: El «Quijote» y su época, Madrid, 1915.—ROSA BAZÁN DE CÁMARA: El alma del «Quijote», Buenos Aires, 1924.—M. A. BUCHANAN: Cervantes and the books of Chivalry, «Modern Lang. Notes», XXIX, 1914.—ETIENNE BURNET: Don Quichote. Cervantes et le XVI siècle, Túnez, Edit. Calypso, 1954.—CLEMENTE CORTEJÓN: Diccionario de todas las palabras usadas en el «Quijote», Madrid, Suárez, 1905-1913.—LEOPOLDO EGUILAZ Y YANGUAS: Notas etimológicas a «El ingenioso hidalgo...», Madrid, V. Suárez, 1899.—A. FERNÁNDEZ SUÁREZ: Los mitos del «Quijote», Madrid, M. Aguilar, 1953.—JUSTO GARCÍA MERCADAL: Cervantes y «Don Quijote», Zaragoza, Lib. General, 1947.—M. I. GERHARDT: Don Quijote. La vie et les livres, Amsterdam, 1955.—EUGENIO GUZMÁN: El «Quijote» y los libros de caballerías, Madrid, 1907.—HELMUT HATZFELD: «Don Quijote» als Wortkunstwerk, Leipzig, Berlín, 1927 (hay trad. cast. de M. C. de I.: «Don Quijote» como obra de arte del lenguaje, Madrid, C. S. I. C., 1949).—P. HAZARD: Don Quichotte de Cervantes. Etude et analyse, París, 1931.—G. W. FRIEDRICH HEGEL: Ueber Cervantes «Don Quijote» (conferencias sobre estética, 1818), «Obras completas», II, Stuttgart, 1953.—AUGUST F. JACCACI: On the trait of «Don Quixote», Londres, 1897.—S. MADARIAGA: Don Quixote. An introductory essay in psychology, Oxford, 1935.—RAMIRO DE MAEZTU: «Don Quijote», «Don Juan» y «La Celestina», Madrid, Calpe, 1926.—F. MALDONADO DE GUEVARA: La maiestas cesárea en el «Quijote», «An. de Rev. de Lit.», Madrid, 1948.—RAFAEL MAYA: Los tres mundos de Don Quijote, Bogotá, Ministerio Educación, 1952.—M. PELAYO: Disc. acerca de Cerv. y el «Quijote», 1905.—J. ORTEGA Y GASSET: Meditaciones del «Quijote», 1914.—GIOVANNI PAPINI: Don Quijote, Barcelona, Gráf. Industrial, 1942.—RAFAEL PERALTA Y MAROTO: Cosas del «Quijote», Madrid, A. Aguado, 1944.—LUIS RUBÍN PÉREZ: La literatura del «Quijote», Valladolid, 1916.—SANTIAGO RAMÓN Y CAJAL: Psicología de Don Quijote y quijotismo (disc.), Madrid, 1905.—AUGUST RUEGG: Miguel de Cerv. und sein «Don Quijote», Bern, 1949.—FRIEDRICH W. J. SCHELLING: Über Cervantes' Don Quijote, «Obras», t. III, Leipzig, 1907.—KARL W. F. SOLGER: Über Cervantes' Don Quijote, Leipzig, 1929.—FERNANDO SOMOZA VIVAS: El «Quijote» y los libros de caballerías, Tegucigalpa, 1905.—ROMÁN TORNER: Algo más sobre «Don Quijote», Bilbao, Ed. Moderna, 1947.—M. UNAMUNO: Vida de Don Quijote y Sancho, «Obras completas», A. Aguado, y Colec. Austral, núm. 33.—JUAN VALERA: Cerv. y el «Quijote», Madrid, 1952.

JULIO CEJADOR Y FRAUCA: La lengua de Cervantes (2 vols.), Madrid, 1905.—JAIME OLIVER ASÍN: El «Quijote» de 1604, «Bol. Acad. Esp.», XXVII, 1948.—GABRIEL SÁNCHEZ Y ALONSO-GASCÓ: La primera ed. del «Quijote» y los libreros en el año 1605, Madrid, R. Velasco, 1905.—ILDEFONSO RODRÍGUEZ: Algunos datos acerca de Juan de la Cuesta, impresor de la primera ed. del «Quijote», Madrid, 1905.—RAMÓN LEÓN MAÍNEZ: Publicación del Ing. Hid. Don Quijote de la Mancha, Jerez, 1901.—F. RODRÍGUEZ MARÍN: La cárcel en que se engendró el «Quijote», Madrid, «Rev. Arch.», 1916.—BLANCA DE LOS RÍOS: La cuna del «Quijote», Madrid, Tip. El Liberal, 1916.—JOSÉ GÓMEZ OCAÑA: La invención del «Quijote», Sevilla, 1916.—MANUEL AZAÑA: La invención del «Quijote», Madrid, 1934.—FRANCISCO NAVARRO LEDESMA: Cómo se hizo el «Quijote», Madrid, B. Rodríguez, 1905.—JUAN PÉREZ DE GUZMÁN: El «Quijote» en su incubación y en su publicación (1600-1605), Madrid,

«Rev. Arch.», 1905.—JUAN MILLE JIMÉNEZ: *Sobre la génesis del «Quijote»*, Barcelona, Edit. Araluce, 1931.—JUSTO GARCÍA MORALES: *Génesis y difusión del «Quijote»*, número extraord. de «Ejército», 1947.—R. MARTÍNEZ UNCITI: *Génesis del «Quijote»*, Valladolid, Tip. Cuesta, 1918.—R. MENÉNDEZ PIDAL: *Un aspecto de la elaboración del «Quijote»*, Madrid, 1920.—F. RODRÍGUEZ MARÍN: *Los modelos vivos del «Quijote»*, Madrid, «Rev. Arch.», 1916; *El modelo más probable de «Don Quijote»*, Madrid, «Rev. Arch.», 1918.—C. EGUÍA RUIZ: *Sobre el modelo vivo de «Don Quijote»*, «Razón y Fe», LXXIV, 1926.—CONSTANTINO COMMENO LASCARIS: *El nombre de Don Quijote*, «An. Cervantinos», II, 1952.—EDUARDO JULIÁ MARTÍNEZ: *La alegría de Lope y la tristeza de Cervantes*, «Cuad. de Lit.», I, 1947.—CAYETANO VIDAL DE VALENCIANO: *El «Entremés de refranes», ¿es de Cervantes?*, Barcelona, J. Jepús, 1883.—JOSÉ MARÍA GAONA: *Curiosas noticias de la patria de Don Quijote*, «Ilustr. de Madrid», 1872.—F. CABALLERO: *Patria de Don Quijote*, «Real Soc. Geográfica», Madrid, 1905.—AURELIO BAIG Y BAÑOS: *El índice del «Quijote»*, Madrid, 1912.—NICOLÁS PÉREZ: *El Antiquijote*, Madrid, 1905.—FERNANDO BOEDO: *El Contraquijote*, Madrid, 1916.

II. RAMÓN SÁNCHEZ SAMOANO: *La geografía del «Quijote»*, Oviedo, 1905.—F. NAVARRO LEDESMA: *La tierra de Don Quijote*, «Blanco y Negro», 1905.—JOSÉ MARTÍNEZ RUIZ («Azorín»): *La ruta de Don Quijote*, Madrid, 1912.—AUGUSTO D'HALMAR: *La Mancha de Don Quijote*, Santiago de Chile, Edit. Ercilla, 1934.—F. GARCÍA PAVÓN: *La Mancha que vió Cervantes*, «Cuad. Estud. Manchegos», VII, 1954-55.—JUSTO GARCÍA MORALES: *La geografía y los mapas del «Quijote»*, núm. extraord. de «Ejército», 1947.—CESÁREO FERNÁNDEZ DURO: *Conocimientos geográficos de Cervantes*, «Real Soc. Geográfica», Madrid, 1905.—ANGEL DOTOR MUNICIO: *La Mancha y el «Quijote»*, Barcelona, 1933.—ANTONIO BLÁZQUEZ DELGADO: *La Mancha en tiempo de Cervantes*, Madrid, 1905.—GUIDO BATTELLI: *Paesi e figure del Cervantes*, «Letterature Moderne», IV, Milán, 1953.—JULIO PUYOL ALONSO: *Estado social que refleja el «Quijote»*, Madrid, 1905.—RICARDO DEL ARCO Y GARAY: *La sociedad española en las obras de Cervantes*, Madrid, C. S. I. C., 1951.—JOSÉ GOYANES CAPDEVILA: *Tipología del «Quijote»*, Madrid, 1932 (prol. del doctor Marañón).—REMIGIO SALOMÓN: *Nota de las personas que intervienen... en Don Quijote*, «Seman. Pint. Español», 1850.—HIPÓLITO ROMERO FLORES: *Biografía de Sancho Panza*, Barcelona, Aedos, 1952.—W. S. HENDRIX: *Sancho Panza and the comic types of the XVII century*, «Hom. a M. Pidal», II, 1925.—E. CAMERÓN: *Woman in Don Quixote*, «Hispania» (California), IX, 1925.—S. EDITH TRACHMAN: *Cervantes' Women of Literary Tradition*, Nueva York, Hispanic Institute, 1932.—CARLOS DE MONTERO: *Las mujeres del «Quijote»: Marcela*, Murcia, 1917.—CONCHA ESPINA: *El amor de las estrellas. Mujeres del «Quijote»*, Madrid, Renacimiento, 1916.—ASUNCIÓN CEA BERMÚDEZ: *Pro Cervantes. El «Quijote» y la mujer*, Ciudad Real, 1916.—CARMEN CASTRO: *Personajes femeninos de Cervantes*, «An. Cerv.», II, 1952.—RICARDO DEL ARCO: *Mujer, amor, celos y matrimonio vistos por Cervantes*, «Bol. M. Pelayo», XXVIII, 1952.—MARÍA CARBONELL: *Las mujeres del «Quijote»*, Valencia, Doménech, s. a.—A. BAIG Y BAÑOS: *La emperatriz del mundo (Dulcinea)*, Madrid, 1916.—ARMANDO COTARELO VALLEDOR: *La Dulcinea de Cervantes*, Madrid, Mag. Español, 1947.—JOSÉ FERNÁNDEZ ESPINO: *Disc. acerca de Dulcinea del Toboso*, Sevilla, 1873.—FEDERICO TORRES: *Dulcinea del Toboso*, Barcelona, Edit. Selección, 1955.—E. VERES D'OCÓN: *Los retratos de Dulcinea y Maritornes*, «An. Cerv.», I, 1951.—ALFREDO VICENTI: *La mujer de Sancho*, La Coruña, 1905.

III. N. ALONSO CORTÉS: *El falso «Quijote» y fray Cristóbal de Fonseca*, Valladolid, 1920.—JOAQUÍN ARIAS SANJURJO: *Avellaneda y el sentido oculto del «Quijote»*, Santiago, 1935.—JOSÉ DE ARMAS Y CÁRDENAS: *El «Quijote» de Avellaneda y sus críticos*, Habana, 1884.—AURELIO BAIG Y BAÑOS: *Quién fué el licenciado Alonso Fernández de Avellaneda. Ensayo sobre la estructura espiritual del falso «Quijote»*, Madrid, 1915.—ADOLFO BONILLA Y SAN MARTÍN: *Cervantes y Avellaneda*, «Crit. Cervantina», Madrid, 1917.—THEOPHILO BRAGA: *Quem foi o auctor do segundo «Don Quixoteq»?*, Lisboa, 1905.—E. COTARELO Y MORI: *Sobre el «Quijote» de Avellaneda*, Madrid, 1934.—J. EEPÍN RAEL: *Investigaciones sobre el «Quijote» apócrifo*, Madrid, Espasa-Calpe, 1942.—J. GARCÍA SORIANO: *Los dos «Don Quijotes»*, Toledo, 1944.—ALFRED-LEOPOLD G. DE LAVIGNE: *Les deux «Don Quichotte». Etude critique*, París, 1852.—STEPHEN GILMAN: *Cervantes y Avellaneda*, Méjico, 1951.—PAUL GROUSSAC: *Un énigme littéraire. Le «Don Quichotte»*

d'Avellaneda, París, 1903.—RAMÓN LEÓN MAÍNEZ: *¿Fué Lope de Vega el autor del falso «Don Quijote»?*, Jerez de la Frontera, 1901.—F. MARTÍNEZ MARTÍNEZ: *Guillén de Castro no pudo ser A. F. de Avellaneda*, Valencia, 1935.—*Lo que debe leer atentamente el que intente descubrir el falso A. F. de Avellaneda*, Valencia, 1943.—JOSÉ TORIBIO MEDINA: *El disfrazado autor del «Quijote» impreso en Tarragona fué Fr. Alonso Fernández*, Santiago de Chile, 1918.—OCTAVIO MÉNDEZ PEREIRA: *Cerv. y el «Quijote» apócrifo*, Panamá, Imp. Nacional, 1914.—MENÉNDEZ PELAYO: *El «Quijote» de Avellaneda*, «Est. y disc. de crítica...», I, ed. C. S. I. C.—VALENÍN RODRÍGUEZ FERNÁNDEZ: *¿Quién fué Avellaneda?*, Instituto de Oviedo, 1905.—J. B. SÁNCHEZ PÉREZ: *Avellaneda*, Madrid, Escelicer, 1940.—JUAN SERRA VILARO: *El rector de Vallfogosa, Vicente García, autor del «Quijote» de Avellaneda*, Madrid, C. S. I. C., 1949.—JOSÉ ENRIQUE SERRANO MORALES: *El lic. Alonso Fern. de Avellaneda, ¿fué Juan Martí?*, Madrid, «Rev. Arch.», 1904.—JOSÉ TORRERO: *Itinerario del «Quijote» de Avellaneda*, «An. Cerv.», II, 1952.—F. VINDEL: *Las treinta casualidades que hacen que sea Alonso de Ledesma el autor del falso «Quijote»*, Madrid, 1941.—W. WOLF: *El «Don Quijote» de Avellaneda...*, Giessen, 1907.

IV. FELICIANO CERECEDA: *Las interpretaciones del «Quijote»*, «Razón y Fe», 1947.—EDUARDO GÓMEZ DE BAQUERO («Andrenio»): *El sentido moderno del «Quijote»*, Castellón, 1920.—J. M. ASENSIO TOLEDO: *Interpretaciones del «Quijote»*, disc. en la Acad. Esp., 1904.—LUIS BARAHONA JIMÉNEZ: *Glosas del «Quijote»*, San José de Costa Rica, 1953.—A. BONILLA Y SAN MARTÍN: *«Don Quijote» y el pensamiento español*, Madrid, 1905.—JOAQUÍN CASALDUERO: *Sentido y forma del «Quijote»*, Madrid, Edit. Insula, 1949.—JOSÉ CAMÓN AZNAR: *Don Quijote en la teoría de los estilos*, Inst. Fern. el Católico, Zaragoza.—M. GARCÍA BLANCO: *Algunas interpretaciones modernas del «Quijote»*, «Rev. Ideas Estéticas», 1948.—SANTIAGO MONSERRAT: *Interpretación histórica del «Quijote»*, Córdoba (Argentina), 1956.—P. DAVID RUBIO: *¿Hay una filosofía en el «Quijote»?*, Nueva York, Hispanic Institute, 1924, y Buenos Aires, Universidad, 1943.—M. UNAMUNO: *El Caballero de la Triste Figura y otros ensayos*.—RAFAEL URBANO: *¿Es un libro esotérico el «Quijote»?*, Madrid, 1905.—AMENODORO URDANETA: *Cerv. y la crítica*, Caracas, «La Opinión Nacional», 1877.—J. VALERA: *Sobre el «Quijote» y sobre las diferentes maneras de comentarlo y juzgarlo*, Madrid, 1864.

ADOLFO DE CASTRO: *El Buscapié*, Cádiz, «Rev. Médica», 1848.—GABINO DE G. VÁZVUEZ: *El «Buscapié» cervantino*, Mérida (Yucatán), 1903.—B. JOSÉ GALLARDO: *Zapatazo a Zapatilla i a su falso Buscapié un puntillazo*, Madrid, 1851.—CAYETANO ALBERTO DE LA BARRERA: *Conjeturas sobre... la patraña del «Buscapié»*, Sevilla, «Rev. de Ciencias, Lit. y Artes», 1856-59.

JUSTO GARCÍA MORALES: *Las ilustraciones y los comentarios del «Quijote»*, Madrid, Edit. Castilla, 1948.—F. A. DE ICAZA: *El «Quijote» durante tres siglos*, Madrid, 1918.—CAYETANO A. y RAMÍREZ DE ARELLANO: *Causa de la universalidad del «Quijote»*, Córdoba, 1905.—F. RODRÍGUEZ MARÍN: *¿Se lee mucho a Cervantes?* Cuenca, 1930.—R. PÉREZ DE AYALA: *«Don Quijote» en el extranjero*, Madrid, 1905.—EMILIO CARILLA: *Cervantes y América*, Buenos Aires, 1951.—JULIO FERRES CORDERO: *Don Quijote en América*, Caracas, 1930.—EDMUND DORER: *Die Cervantes Literatur in Deutschland*, Zurich, 1887.—J. J. A. BERTRAND: *Cervantes en el país de Fausto*, Madrid, Edit. Cultura Hispánica.—CARLOS BRATLI: *Don Quijote en Dinamarca*, «Inform. Danesas», Madrid, 1953.—M. BARDON: *«Don Quichotte» en France au XVIIe et au XVIIIe siècles*, París, 1931.—*Don Quijote en Francia*, Inst. Français en Espagne, 1947.—MARQUÉS DE FIGUEROA: *El «Quijote» en Inglaterra*, La Coruña, P. Ferrer, 1905.—JOSÉ DE ARMAS Y CÁRDENAS: *Cervantes en la literatura inglesa*, Madrid, Imp. Renacimiento, 1916.—J. FITZMAURICE-KELLY: *Cervantes in England*, Londres, 1905.—JOSEPH FUCILLA: *Sobre la boga cervantina en Italia*, del libro «Relaciones hispano-italianas», Madrid, C. S. I. C., 1953.—A. SPEZIALE: *Il Cervantes e l'imitazioni nella novelistica italiana*, Mesina, 1914.—ALEXANDER POPESCU-TELEGA: *Cervantes in Italia*, Craiova, Ramuni, ¿1942?.—JOSÉ ARES MONTES: *Cervantes en la literatura portuguesa del s. XVII*, «An. Cerv.», II, 1952.—EDWARD GLASER: *The literary fame of Cervantes in seventeenth century Portugal*, «Rev. Hisp.», XXIII, 1955.—CARLOS BARROSO: *Cervantes in Portugal*, Lisboa, 1812.—C. DERJAVIN: *La crítica cervantina en Rusia*, «Bol. Real Acad. Hist.», 1929.—ESTEBAN PUJALS: *Proyección de Cervantes en la literatura rusa*, «Rev. Nac. Educación», 1951.—KENNETH GRAHAM: *Don Quijote en Yanquilandia*, Madrid, 1955.

CAPITULO XXXI

LITERATURA BARROCA: GENERALIDADES

I. PANORAMA DE CONJUNTO: *Los géneros. Poesía: épica y lírica. Teatro. Prosa.*
II. EL XVII, SIGLO BARROCO: *Tres acepciones de la palabra «barroco». La doble faz del barroco literario: culteranismo y conceptismo.*—III. EL CULTERANISMO: *Orígenes. Concepto. Caracteres y procedimientos.*—IV. EL CONCEPTISMO: *Sus factores. El conceptismo como fenómeno histórico. Aspectos internos. Aspectos externos o formales.*—NOTAS.—BIBLIOGRAFÍA.

I. PANORAMA DE CONJUNTO

En 1598 muere en El Escorial Felipe II. España mantiene aún su grandeza y conserva íntegros sus dominios. Pero dentro de aquel inmenso organismo han empezado a actuar, ya hace tiempo, gérmenes de descomposición. Nadie vislumbró mejor este declive de nuestro gran Imperio que el sesudo Padre Mariana, cuando afirmaba, a principios del siglo XVII, que España, «con su peso y grandeza, trabaja y se va a tierra» [1]. Hacían falta reyes enérgicos y ministros con una visión de altura, capaces de enfrentarse con hombres como Mazarino y Richelieu, y, en vez de esto, suceden a Felipe II monarcas abúlicos y una serie de privados más atentos al medro personal y a la satisfacción de su orgullo que a los graves negocios del Estado. Aquel Imperio, construído con tantos sudores por los Reyes Católicos, incrementado desmesuradamente por su nieto Carlos I y mantenido, entre reveses y victorias, por Felipe II, empieza a deshacerse poco a poco por la inercia de los unos y la ineptitud de los otros. Todavía los gloriosos tercios ganan batallas por los campos de Europa; pero en vez de sentirse, como antes, asistidos por un pueblo fanáticamente idealista y espoleado por una fe ciega en sus destinos, sólo ven tras sí una nación exangüe, agotada por un siglo de lucha sobrehumana y, en el fondo, casi estéril. En todo caso, pronto sonará en el reloj de la Historia la hora de Westfalia, que arrebatará a España preciosos jirones de su Imperio, y la hora, aun más triste, de Rocroy, en la que la invencible bravura de nuestros tercios sufrirá su quebranto definitivo.

No es de este lugar señalar las causas de la caída. Decir que los imperios están llamados inevitablemente a desaparecer, no es decir nada. Hay que buscar los motivos. Y en el caso de España se vienen señalando varios: la desproporción entre la potencia militar y la económica; la expulsión de los moriscos, que si como medida política pudo ser defendible, en el aspecto económico fué fatal para la industria y la agricultura; las conmociones internas, que culminan en la sublevación de Portugal, en el intento separatista de Cataluña y en los brotes subversivos de Nápoles y Sicilia; la coalición contra España de los estados luteranos, fomentada casi siempre por Inglaterra y Francia; la desidia de los monarcas, la incomprensión de los ministros; el relajamiento, la prodigalidad y el lujo de las altas clases, en violento contraste con la depauperación y miseria del bajo pueblo...

Pero éste es asunto que afecta a la historia general más que a la estrictamente literaria. Si aludimos a él es por la íntima correlación que existe casi siempre entre la política y la literatura. Ambas suelen recorrer en la Historia una curva análoga. A un orden social, religioso y político, es natural que corresponda otro orden cultural, artístico y literario paralelo. Sin pretender llevar a sus últimas consecuencias la ecuación época-arte, como lo han hecho las escuelas deterministas del pasado siglo, es evidente que la literatura española del XVII no podía ser idéntica a la del siglo anterior. Mantiene, es cierto, aún muchos de sus factores integrantes; pero en otros aspectos fundamentales se separa de ella y hasta toma una dirección opuesta.

Los géneros: lírica y épica

La literatura del XVI, como en general toda la literatura española, era realista o idealista; y también ambas cosas a la vez. Pero con un realismo sano y alegre, con un idealismo jocundo, traspasado de luz renacentista. El realismo del XVII, en cambio, es triste, agrio, hosco y hasta cruel. Cervantes, que aun escribiendo dentro de esta última centuria está ya formado espiritualmente en la anterior, no se burla de las flaquezas y fracasos del prójimo; no suelta la carcajada, se limita simplemente a sonreír; su pluma apenas está levemente mojada en la ironía. Quevedo no se contenta con rebañar en el tintero las más amargas hieles; hace de su pluma arpón envenenado o látigo feroz. Arranca a sus personajes cuanto tienen de humano y sentimental y nos da luego fantoches y trágicos peleles. Compárese *Rinconete* y el *Buscón*.

Otra cosa: el idealismo está de baja. Se acabó su más alta expresión: la mística. Siguen publicándose por docenas, por centenares, libros devotos; pero son libros de rezo, de meditación. El manantial purísimo, que brotaba del cielo mismo y donde abrevaban almas excepcionales—Teresa de Jesús, Juan de la Cruz o Juan de los Angeles—, se agotó hace tiempo. Ahora todo son disquisiciones teológico-morales, consideraciones de los «novísimos» a lo Padre Nieremberg; nada que se parezca a las cálidas confidencias de *Las moradas*.

En la lírica se ha roto aquel equilibrio maravilloso, fruto tal vez el más preciado del Renacimiento, que descubríamos en Garcilaso, en fray Luis de León, en el mismo Herrera. La admirable fusión de fondo y forma, sin predominio manifiesto del uno o de la otra, ha terminado. Unos poetas, los culteranos, perseguirán locamente la conquista de la forma y sus más altos primores, con menosprecio del contenido; otros, los conceptistas, atenderán primordialmente a éste, con un olvido, más aparente que auténtico, de la expresión literaria. En ambos casos se nos darán obras de alta calidad, pero siempre encontraremos que les falta algo. No llegan, por mucho que se aproximen, a la belleza total. Así, el *Polifemo*, de Góngora; así también, aunque de signo contrario, muchos sonetos de Quevedo.

Sigue fluyendo, es cierto, al margen de estas dos grandes corrientes, culterana y conceptista, la limpia vena del siglo anterior en poetas madrileños, aragoneses y sevillanos. Pero, fuera del nombre glorioso de Lope, todos los demás figuran en segunda fila y, en todo caso, no son ellos los que marcan la impronta a la lírica del período que estudiamos.

Nada nuevo aporta el siglo XVII en el género épico. Ya el anterior, según indicamos oportunamente, se limitó a copiar los poemas italianos con más o menos fortuna, y fué ésta la zona poética en que menos se manifestó la originalidad de nuestros vates. El XVII hereda los moldes del XVI y se limita a utilizarlos, sin introducir alguna modificación. Tampoco podía introducirla. La epopeya, en su estricto sentido renacentista, era un género falso, con su fronda de mitología pagana; un género que pervivía casi por arte de milagro y que estaba llamado a desaparecer. El teatro primeramente, y luego, con más empuje, la novela, vendrían a barrerla. A partir de mediados del XVII y

después, durante el XVIII, ningún poeta que se estime en algo se acuerda de escribir epopeyas. Se hacen numerosos poemas narrativos en general de poca extensión; pero poemas extensos, en doce, veinte y hasta treinta cantos, lo que se dice epopeyas auténticas, ya no se estilan. Las que brotan con el romanticismo—*Fausto* o *Leyenda de los siglos*, fuera de España, *Diablo Mundo* o *Moro Expósito*, entre nosotros—no tienen contacto alguno con la renacentista. En la primera mitad del XVII continúan apareciendo, es cierto, abundantes muestras del género; pero ninguna llega en méritos a *La Araucana*, y, en cambio, casi todas están contaminadas por el virus culterano.

El teatro

Un solo género, el dramático, lejos de declinar, alcanza en esta época su apogeo, elevándose a increíble altura. El siglo XVII es, en efecto, el gran siglo del teatro castellano. Nunca éste, ni acaso otro cualquiera dentro de la literatura universal, llegó a tan asombrosas plenitudes. Ni por el brillante y nutrido cuadro de autores, ni por el número abrumador de sus obras, ni por la calidad de buena parte de ellas, el teatro español del XVII cede a otro, anterior o posterior, antes quizá aventaja a todos en algunos aspectos.

Es un período de florecimiento relativamente breve; pero en él han tenido magnífica expresión todos los géneros dramáticos: comedia y tragedia, sainete y drama, teatro filosófico y teológico. Y, aun dentro de la comedia, todas las modalidades: de tesis y de enredo, caballeresca y mitológica, de fantasía o imaginaria y de costumbres; histórica y fabulosa. Y aún quedaba espacio para una manifestación típicamente española: el auto sacramental. Es la época en que los autores de primer orden se cuentan por docenas: Lope de Vega y Montalbán, Tirso de Molina y Ruiz de Alarcón, Rojas Zorrilla y Moreto, Guillén de Castro y Vélez de Guevara, Calderón de la Barca y Cubillo de Aragón. La época en que dramaturgos que en otro tiempo quedarían consagrados como genios de la escena pasan casi inadvertidos y relegados a ínfimo lugar. Un solo comediógrafo, Tirso de Molina, escribe quinientas obras. Otro, verdadero «monstruo de la Naturaleza», cerca de dos mil. Autores franceses de la talla de Corneille y de Molière no se desdeñan en copiarlos y hasta confiesan casi con orgullo estos legítimos hurtos. Luego, al finalizar el siglo, ese teatro también se precipitará por la rampa del mal gusto. Conceptismo y culteranismo, que ya apuntan más o menos veladamente en Rojas Zorrilla y en Calderón, terminarán por asaltar la fortaleza y minarla hasta dar con ella en tierra.

Pero en tanto llega eso, docenas, centenares de obras gloriosas habrán venido a enriquecer nuestro tesoro literario. Gracias a ellas, el siglo XVII no será inferior en conjunto al XVI y el título de «Edad de Oro» corresponderá a los dos con igual derecho.

La prosa

Junto con la lírica es la prosa la que sufre un cambio más profundo. Siguen produciéndose libros de gran valor y escritos con agudeza, originalidad e ingenio. Ingenio, originalidad y agudeza: he ahí tres notas características de la prosa del XVII. Escritores de innegable valía; de renombre universal algunos, como Gracián y Quevedo. Su lenguaje, sin embargo, aunque cargado de expresividad y belleza, no es el mismo de hace unos años. Aquella prosa opulenta, llena, de fray Luis de Granada, que se derrama sin precipitaciones ni saltos, como río próximo a su desembocadura, no vuelve a escribirse. Y aquella otra tan medida, tan precisa y preciosa, que camina siempre directa hacia su objeto, sin que sobre ni falte una palabra, aquella

prosa limpia y cuidada de fray Luis de León, tampoco. Ahora es una redacción nerviosa, desarticulada. Se diría que el pensamiento no sabe adónde va y avanza a saltos desiguales, sin esa ilación lógica y ese dominio de la palabra y del concepto que debe presidir todo discurso humano. Y unas veces es la más avara economía de vocablos, como si en nuestro léxico tan rico hubieran de faltar medios expresivos; y otras veces, un juego pueril de antítesis y correlaciones, con frecuencia traídas por los cabellos, de metáforas audaces, que deslumbran un momento y se apagan sin dejar rastro. Prosa cortada, de construcción casi siempre paratáctica, más apta para el lanzamiento de ideas nuevas, originales y sorprendentes que para el raciocinio lógico o la clara exposición de verdades y principios.

Pero de todo esto volveremos a hablar en el momento adecuado. Por ahora baste decir que, aunque el siglo XVII nos ofrece excelentes escritores en prosa, también a esa prosa alcanza por diversos conceptos la decadencia común a toda nuestra literatura.

II. EL XVII, SIGLO BARROCO

Y hechas las anteriores observaciones sobre la época que vamos a estudiar, unas palabras acerca del calificativo de «barroco» con que nos resolvemos a encabezarla. Y empecemos por decir que el epígrafe general de «barroco» aplicado a toda una época de nuestra Historia literaria, no puede admitirse sin grandes salvedades. Precisamente en literatura, con mayor fundamento que en cualquier otra de las bellas artes, el término «barroco» tiene una aplicación limitada. Llamar barroco al siglo XVII en un estudio como el nuestro es aceptar de antemano por denominador común una sola de sus notas, siquiera sea ésa la más importante y la que le da mayor relieve. Pero ha de insistirse siempre, y así lo haremos más de una vez, en que ni toda la producción literaria de tal siglo aparece reseñada con la impronta barroca, ni el fenómeno barroco es exclusivo de la centuria décimo-séptima, sino más bien uno de los caracteres distintivos del espíritu humano, al que acompaña en todas sus manifestaciones a lo largo de la Historia. Y no sólo en la literatura, sino en el arte, en la filosofía y aun en la vida misma. Luego tendremos ocasión de ver, cuando estudiemos los fenómenos culterano y conceptista —esas dos grandes vertientes del barroco en nuestras letras—, cómo es relativamente fácil ir retrayendo sus orígenes, primero, a la escuela sevillana, con Herrera; luego, a la poesía alegórica del XV, con Juan de Mena; y así, siglo tras siglo, hasta la misma época romana. Lucano, en algunos aspectos, anuncia a Góngora; y Séneca, en su prosa escueta y trabajada, que re-

zuma contenido, preludia a Quevedo y a Gracián.

Sólo, pues, con estas limitaciones nos resolvemos a llamar barroca a la época que vamos a estudiar, a sabiendas, una vez más, de que no siempre se puede trazar una línea fronteriza exacta entre dos períodos literarios, en nuestro caso, entre el Renacimiento y el Barroco. Sabemos que se manifiestan a nuestros ojos como dos fenómenos distintos —la poesía de Góngora no es la de Garcilaso—, y al mismo tiempo nos veríamos apurados si tuviésemos que señalar el punto preciso donde el uno termina y empieza el otro. Las interferencias son continuas; las raíces del barroco se hunden en la entraña del XVI, y, por otra parte, el espíritu renacentista penetra en toda la lírica, la historia y el teatro del XVII. Góngora no sabe salir del mundo mitológico greco-latino; sus temas son paganos; su verso preferido, el endecasílabo, en forma de soneto o de octava real. Todo ello, Renacimiento puro. Lope y Cervantes —los dos inmensos genios de nuestra literatura—, a horcajadas sobre la fecha clave del 600, miran por igual a las dos vertientes. Tan razonable sería encajarlos en el Renacimiento como en el Barroco.

Y aquí se nos muestra plenamente justificado el criterio de historiadores, como Valbuena Prat, que optan por dividir nuestra Edad de Oro en dos grandes períodos, correspondientes a los dos siglos: Apogeo del Renacimiento (s. XVI) y Período nacional (s. XVII). Nosotros, siguiendo una corriente muy del día, hemos preferido para el segundo la denominación de Barroco; pero, si se tienen en cuenta las aclaraciones que anteceden, tanto da lo uno como lo otro.

Tres acepciones del barroco

El término «barroco» se aplicó originariamente a las artes plásticas. En tal sentido se designaba así el estilo dominante en la arquitectura y escultura, sobre todo de las naciones occidentales de Europa, durante el siglo XVII y parte del XVIII. Dentro de este estilo había varias modalidades, que van desde el fantástico desenfreno ornamental del *churriguerismo* hasta las gracias mórbidas del *rococó*. Posteriormente, su sentido se extendió a otras bellas artes—la poesía, la música—y aun a todas las manifestaciones del espíritu: la filosofía. Pudo hablarse, pues, de una *época barroca*. Todavía otra acepción: se llamó «barroco» a un conjunto de caracteres que aparecen y desaparecen en determinados momentos del acontecer histórico, más o menos acentuados y con mayor o menor duración, según las circunstancias en que se manifiestan. Esos caracteres tuvieron relieve especial durante la mencionada centuria, y por ello al siglo XVII le ha quedado por antonomasia adscrito el nombre de «barroco». La aplicación de este término a la literatura es de fecha reciente, y sólo ha podido hacerse previo el ensanchamiento y una violenta desfiguración de su concepto primitivo.

Tenemos, por tanto, tres acepciones del «barroco»:

a) Las artes plásticas del XVII; en este sentido se puede hablar con toda justificación de una pintura, una escultura y una arquitectura barrocas.

b) Todas las manifestaciones espirituales de ese siglo. Como esas manifestaciones son las que informan y dan tono a la vida de aquella misma época, se puede también hablar, con bastante propiedad, de una «época barroca».

c) Y el «barroco» como *constante histórica*. Se viene observando que, en el ámbito de las artes y hasta de la vida misma, a cada período de lucidez, de canon, de norma y equilibrio, sucede otro período de vacilación, de libertad, de pugna por evadirse del canon. Más breve: el clasicismo provoca siempre un anticlasicismo. Este anticlasicismo sería el «barroco». En esta línea conceptual, Eugenio d'Ors, siguiendo la evolución del arte desde la caverna hasta nuestros días, ha podido catalogar hasta veintidós especies de «barroco»[2], sin negar que son el siglo XVII y parte del XVIII los que ostentan con mejores títulos este signo.

Ya se entiende que, por ahora, sólo nos interesa la segunda acepción, en cuanto el concepto de «barroco» salta de las artes plásticas a la literatura.

Categorías del barroco

No podemos entretenernos aquí en un análisis a fondo del fenómeno barroco, ni siquiera aplicado a la literatura. En España y fuera hay sobre ello muy buenos estudios. Tampoco podemos aludir al barroco en su función histórica, cultural. o religiosa, como lo han hecho, entre otros, Eugenio d'Ors, E. Wölfflin y E. Weisbach[3]. Sería alejarnos demasiado de nuestro objetivo. Bástenos enumerar sucintamente las notas características que se vienen discerniendo a este estilo, notas que, si bien formuladas primordialmente para el arte plástico. pueden extenderse sin grandes modificaciones al arte literario. Wölfflin—no se puede hablar del barroco sin acudir a él—las ha formulado a modo de categorías, en contraposición a las del clasicismo. Al carácter *lineal* de éste opone el carácter *pintoresco* del barroco; a la superficialidad del primero, la *profundidad* del segundo; a la *forma cerrada*, la *forma abierta*; a la *unidad*, la *pluralidad*; y a la *claridad*, la falta de claridad o *confusión*.

Todavía nos da una idea más precisa, aunque referida a la arquitectura, Hartman en su pequeña *Historia de los estilos artísticos*: «Las formas grandiosas—dice—, las masas monumentales, el efectismo sorprendente, son las aspiraciones supremas de los arquitectos; de aquí la tendencia a la aplicación de las distintas formas. según su capacidad decorativa, y a buscar en el conjunto el mayor efecto pintoresco posible. Para lograr el mayor efectismo se desnaturalizan las formas, se las hace variar en su función lógica, se las amontona confusamente, y el conjunto adquiere carácter de intenso dinamismo. Las columnas se retuercen, sin que, por tanto, puedan sostener nada; los arquitrabes se curvan, se dislocan; los ángeles hacen oficio de soportes, y en la decoración se introducen rocas y otros elementos naturales que hasta entonces sólo se habían aplicado en pintura»[4]. Esta intromisión de un arte en otro: la literatura que se hace pictórica, la arquitectura escultural, etcétera; esta suplantación de valores, en que lo puramente decorativo relega a segundo plano y hasta llega a anular lo sustancial; esta inversión de perspectivas, que atrae la mirada del espectador—en nuestro caso, el lector—hacia lo simplemente accesorio, con menoscabo de lo fundamental, es la nota más acusada del barroco.

«La consecuencia—ha escrito muy acertadamente Julián Marías—es una aparente paradoja: concisión y meticulosidad. En efecto, los ingredientes ornamentales reciben una condensación necesaria para su eficacia *aislada*; la agudeza, el concepto, la metáfora barroca son contracciones de esencias alusivas, quintaesencias, como gustaba decir Gracián. Pero su acumulación, su proliferación inaudita, hace que se multipliquen esas concisiones con un resultado de prolijidad; y como su brevedad y densidad impiden que se resbale sobre ellas, ya que reclaman consideración alerta y aparte, esto engendra la peculiar fatiga en la lectura de los textos barrocos, su morosidad, su esencial falta de fluencia intelectual, lírica o narrativa» [5].

Doble faz del barroco: culteranismo y conceptismo

Ya en el terreno estrictamente literario, el barroco presenta dos modalidades: culteranismo y conceptismo.

Los amantes del encasillamiento de estilos o técnicas contraponen un poco ligeramente ambas modalidades y hasta las definen por una simple diferenciación de aspectos. El culteranismo, según ellos, sería un vicio de forma; el conceptismo, un vicio de fondo. Pero todavía no está probado, ni remotamente, que estas dos manifestaciones de nuestra literatura comporten en sí meros factores negativos. Llamar vicio al estilo culterano o conceptista es prejuzgar una cosa sin haberla antes examinado; es querer cancelar un pleito que se viene sosteniendo hace tres siglos, sin que hasta la fecha haya encontrado solución, quizá sin que la encuentre nunca.

Frente a los que opinan que la reforma de Góngora fué funesta para las letras españolas, está la inmensa legión de los que creen que, gracias a ella, nuestra poesía alcanzó uno de sus momentos culminantes, de proyección por primera vez universal. Hasta hay quien afirma que el barroco es «la mayor aportación hispánica a la cultura humana» [6].

No se puede, pues, hablar de vicios de fondo ni de forma. Mucho menos, centrar toda la técnica

culterana en ésta, y toda la técnica conceptista, en el contenido. El deslinde de ambas tendencias es muy difícil, y más de una vez culteranismo y conceptismo se entrecruzan, se funden en un mismo fenómeno. La doble faz de nuestro barroco literario entonces se hace borrosa. La metáfora propia del gongorismo es también un juego conceptual; la condensación expresiva de los conceptistas, de otra parte, no es extraña a los culteranos. Estos la aceptan de buen grado, en cuanto contribuye al enriquecimiento de la frase. En esa sudorosa búsqueda de la metáfora nueva, de la expresión insólita, allá se van a la mano los discípulos de Góngora y los de Quevedo.

Algunos han pretendido establecer la diferenciación alegando que el culteranismo prefiere el verso; el conceptismo, la prosa. Observación superficial y casi pueril, que no se ajusta, además, a la realidad de los hechos: Paravicino, furibundo culterano, hacía sus sermones, naturalmente, en prosa; Quevedo, encarnación del conceptismo, nos dejó muestras imperecederas de esta tendencia en verso. Otros intentan diferenciar ambas escuelas, prescindiendo de los factores formales y fijándose, sobre todo, en el aspecto teleológico. En tal caso, el culteranismo tendría una finalidad primordial y casi exclusivamente estética; el conceptismo perseguiría un fin práctico ético-docente. Por último, hay quien pretende fundamentarse en el aspecto topográfico: el conceptismo se produce y adquiere vigor en las tierras pobres y austeras de Castilla y Aragón; el culteranismo, en cambio, nace, se aclimata y florece en la opulenta región andaluza. Pero esto equivale a confundir una mera circunstancia concomitante con la misma esencia de la cosa.

III. EL CULTERANISMO EN ESPAÑA

El inventor de esta palabra, o al menos el que la empleó por vez primera con la significación que nosotros le damos, parece haber sido el humanista Bartolomé Jiménez Patón, aludido por Lope en los conocidos versos:

> Gente ciega, vulgar y que profana
> lo que Patón llamó *culteranismo*.

Por haber sido Góngora su más caracterizado representante, se le viene llamando también *gongorismo*, y corresponde cronológicamente con otros movimientos similares en distintas literaturas europeas: el *marinismo*, en Italia; el *preciosismo*, en Francia; el *eufuismo*, en Inglaterra. Se discute si en nuestra poesía se introdujo procedente de la italiana o fué al contrario. Lo indudable es que en España revistió excepcional importancia y que, en todo caso, si hubo influjo italiano, éste no fué decisivo. Nuestra poesía no necesi-

taba solicitaciones extrañas, ya que por propio impulso, y como una evolución perfectamente natural, iba derivando fatalmente hacia el signo culterano. Dentro de las escuelas andaluzas, tanto la de Sevilla como la granadino-antequerana, venían de tiempo atrás incubándose y adquiriendo desarrollo los gérmenes que habían de provocar el nacimiento de la nueva escuela.

Orígenes

Por lo demás, el fenómeno culterano no era nuevo. Rastreando en sus orígenes, observamos que es casi tan antiguo como la poesía. Luego veremos cuáles son sus notas características, y tendremos ocasión de comprobar que esas mismas notas, más o menos acusadas, se encuentran en todas las literaturas. Ya en la antigüedad clásica Aristófanes, en *Las ranas*, comparaba la poesía de Eurípides, «por lo oscuro y turbio», con el canto de los batracios. Mucho se ha escrito sobre la hinchazón de Lucano, en quien siempre se ha visto un precursor de Góngora. Y hasta en Ausonio, con su colorismo rebuscado; en la escuela trovadoresca, con su alambicada técnica, y en la metafísica poética de Petrarca y sus imitadores, cabe descubrir precedentes culteranos.

En España esta tendencia encontraba un clima particularmente propicio. Ya se ha dicho que de Lucano hasta Herrera, pasando por Juan de Mena, la línea barroca, que busca la novedad en la frase, se va desarrollando sin solución de continuidad. Había, además, causas especiales que favorecían el triunfo de lo culterano. El Renacimiento, con su revelación de los imperecederos modelos de la antigüedad grecolatina, había engendrado un culto casi supersticioso hacia ellos. Se les consideraba la meta ,el supremo *desideratum* de la poesía y del arte. De ahí la tremenda lucha por acercarse a ellos. Se pretendía nada menos que escribir en castellano como ellos lo habían hecho en griego o en latín. Se helenizaba, se latinizaba la poesía, como en tiempos de Juan de Mena; más aún que entonces. Ya los *Comentarios*, de Herrera, son una invitación a los poetas para escribir en castellano con una técnica semilatina. Para ello se persiguió acuciosamente la innovación en todos los órdenes: innovaciones léxicas, con introducción de neologismos y de vocablos cultos; innovaciones sintácticas, con violencias de hipérbaton desconocidas antes; innovaciones literarias, con el empleo de metáforas originales e insólitas. De ahí, al no estar nuestra lengua estructurada adecuadamente para tales licencias, el más grave defecto: oscuridad.

De ahí también un factor positivo: la frase se purifica, se aquilata, se ennoblece. Tras penoso esfuerzo, se ha realizado un alejamiento de lo vulgar y una aproximación hacia el más alto ideal de la poesía.

Concepto de lo culterano

Esto nos lleva a la definición del fenómeno culterano. Definición difícil, porque tiene que abarcar los dos lados: el positivo y el negativo: lo que hay en él de abuso de ciertos procedimientos, con la consiguiente oscuridad, y lo que hay de aportación de nuevos valores estéticos.

Las definiciones dadas hasta hoy pecan casi siempre por defecto. Ven sólo el lado oscuro del problema, y están evidentemente influidas por los juicios adversos de muchos contemporáneos de Góngora: Cascales, Pedro de Valencia, Jáuregui, Lope de Vega o Quevedo. Cuando la Real Academia Española, en su *Diccionario*, nos dice que el culteranismo «consiste en no expresar con naturalidad y sencillez los conceptos, sino falsa y ama-

neradamente por medio de voces peregrinas, giros rebuscados y violentos y estilo oscuro y afectado», nos da una visión del problema defectuosa y parcial. El fenómeno culterano ha de juzgarse en su integridad: viendo a la vez sus defectos y sus méritos. En Góngora hay pasajes difíciles, oscuros, de enrevesado hipérbaton; pero los hay asimismo de transparencia cristalina, de musicalidad inigualable, de perfección formal casi absoluta. Y ocurre preguntar si la conquista de la forma no es ya un valor positivo, un logro digno de tenerse en cuenta.

En la imposibilidad de penetrar en su esencia de un modo directo—todo movimiento artístico se sustrae a una definición precisa—, quizá nos acercásemos más a su verdadero concepto estudiándolo en su finalidad y en sus procedimientos.

Ante todo, el culteranismo es un *movimiento de minorías*. En esto se aparta del barroco en general y de algunas formas del barroco, como el romanticismo o el medievalismo, que buscaban preferentemente al pueblo, y conviene con el clasicismo renacentista, poesía de selección. Pero ¿no se venían contraponiendo hasta ahora como cosas distintas y casi contradictorias lo clásico y lo barroco? Y he aquí que en literatura, al menos en la española, la forma del barroco que llamamos culterana se nos ofrece, más que como una reacción, como «una condensación intensificada» de la poesía renacentista, según el acertado juicio de Dámaso Alonso.

Movimiento de minorías, pues, nuestro culteranismo. Y ello no por circunstancias fortuitas, sino deliberadamente buscadas. Todos los poetas culteranos lo son a sabiendas de que van a tener pocos lectores, que están haciendo una poesía difícil, trabajada, casi ininteligible para el «vulgo profano». *Paraíso cerrado para muchos, jardines abiertos para pocos* es el título de un libro del poeta granadino Soto de Rojas. Y otro escritor, también granadino y culterano, Angulo y Pulgar, nos dice que «el impulso de hacer versos es un furor divino con que el poeta se inflama..., y esta inflamación le produce el embeleso que *no le permite ser humano en su lengua*». En lo que coincide con otro exaltado gongorista, Martín Vázquez Siruela, para quien todo poema, si quiere ser bueno, ha de venir escrito en un lenguaje recóndito o *escondido*, con gran ornato de palabras nuevas y de expresiones inaccesibles al vulgo, hasta parecer que se «habla en lengua extraña». Y la razón nos la da Francisco F. de Córdoba, abad de Rute y uno de los más entusiastas panegiristas del autor de las *Soledades*: «porque lo admirativo, cierto es que no se produce de lo común y ordinario..., sino de lo extravagante, de lo raro, de lo nuevo, de lo no esperado o pensado». Y acto seguido se invita al poeta a la búsqueda y empleo de «palabras diferentes de las vulgares», de giros insólitos, de metáforas, paráfrasis, transposiciones, etc., para realzar la elocución. En menos palabras: se quiere crear un lenguaje especial para la poesía, porque «es lícito—advierte el mismo abad de Rute—querer descollar sobre los demás usando de nuevo estilo».

Caracteres y procedimientos del culteranismo

No son sino consecuencias lógicas de este postulado previo. Por ser de selección, la poesía culterana debe tener su lenguaje propio, buscado asimismo por procedimientos especiales.

Estos procedimientos se ordenan:

a) Al vocabulario.
b) A la sintaxis.
c) Al lenguaje poético, en forma de metáforas.
d) A los motivos mitológicos.

El aspecto métrico apenas queda afectado por las nuevas escuelas. Dígase lo que se quiera, ni Góngora ni ninguno de sus imitadores introducen en el verso hispano modificaciones sensibles. Cierto que en ellos el endecasílabo adquiere perfección casi absoluta, pero no mayor que la que había alcanzado en Balbuena, en Herrera, en el mismo Garcilaso.

El *léxico* se renueva, el vocabulario se enriquece por la introducción de innumerables términos no usados hasta entonces. Tales términos son tomados, como es lógico, del latín principalmente. Ello no obsta para que la poesía resulte extraña y difícil aun a las personas conocedoras del idioma originario. De aquí las acerbas censuras de los contemporáneos de Góngora. Recordemos la «Receta» de Quevedo:

> Quien quisiera ser *culto* en sólo un día,
> la jerI aprenderá gonza siguiente:
> *fulgores, arrogar, joven, presiente,*
> *candor, construye métrica armonía...*

Obsérvese que todas, absolutamente todas las voces rechazadas como insólitas por Quevedo han pasado al vocabulario y nos resultan hoy familiares. El concepto de innovación, por tanto, es relativo, y, en el caso de Góngora al menos, supone una riquísima aportación al caudal idiomático.

La *sintaxis* se revoluciona. Por medio de transposiciones, de hipérbatos violentos, de un régimen casual u oracional desconocido en castellano —acusativos griegos, ablativos oracionales—, se aspira a la creación de una lengua nueva. No hay duda que, aplicadas moderadamente, tales innovaciones pueden contribuir a ensanchar los cuadros expresivos del idioma; pero, llevadas al abuso, son causa de oscuridad. Aquí es donde se ensañaron, y no sin razón, los enemigos de Góngora. No vió éste, y no quieren ver los que le defienden hasta

en sus excesos sintácticos, que cada lengua tiene su estructura interna, estructura que no puede violentarse impunemente. Esos giros están bien en latín, donde la especial morfología de las palabras, sobre todo las de desinencia casual, consienten libertades que no pueden admitirse en castellano sin que se engendre confusión.

Otro tanto puede decirse de la *metáfora*. La metáfora, se alegaba entonces y se vuelve a repetir insistentemente ahora, es el lenguaje propio de la poesía. Mucho habría que hablar de esto. Por lo pronto, la metáfora es la forma de la poesía y de cualquier otro lenguaje, porque éste se nos da siempre por modo de símbolo—cada palabra es un símbolo—, y todo símbolo comporta en sí un principio de comparación. Pero los culteranos se refieren a la metáfora estrictamente literaria, que consiste en trasladar un término de su primera y más directa significación a otra que no es suya propia. En tal sentido no falta razón a Ortega y Gasset cuando dice que poetizar no es sino «eludir el nombre cotidiano de las cosas» para que, al sernos presentadas por un lado no habitual o menos conocido, aumenten a nuestros ojos en valor estético. Una cosa es, sin embargo, indispensable en toda metáfora: la conciencia de la misma. El poeta ha trasladado de A a B un término, porque entre A y B hay alguna relación de semejanza. Primero ha podido comparar dos seres —A y B—; después ha llegado a más: los identifica. Mientras el lector descubre la semejanza, todo va bien; cuando el poeta, en su deseo de establecer asimilaciones o identificaciones originales, se aleja tanto que el lector pierde de vista el fundamento de toda similitud, nace, como siempre, el desconcierto, la oscuridad. Góngora y los suyos se excedieron; al llamar a las aves «cítaras de pluma» vemos perfectamente la relación comparativa; al calificar a una caverna de «bostezo de la tierra», esa relación ya es menos clara; cuando nos encontramos con que un peñasco es la «indigna tiara de animal peligroso», no sabemos qué pensar. Se nos oculta, al menos sin un detenido análisis, la relación entre los dos objetos identificados. Y esto, repetido una y otra vez, engendra oscuridad.

Añádase el último de los elementos señalados: abuso de *motivos y alusiones mitológicas*. Con el Renacimiento, dioses, ninfas, héroes y toda clase de personajes del mundo grecolatino invaden nuestra lírica en alegre tropel. Joves, Cupidos y Citereas se introducen hasta en las poesías de fray Luis de León durante su primera época. Con los culteranos la turba invasora se multiplica en número alarmante. Es difícil leer dos versos seguidos de Soto, de Villamediana o de Góngora sin tropezar con un nombre mitológico.

IV. EL CONCEPTISMO

Frente al fenómeno culterano, como antípoda suyo, suele ponerse el conceptista. Y en ambas tendencias quiere resumirse el barroco literario español del XVII.

Ya hemos aludido antes a la dificultad de deslindar bien *ambas tendencias,* que de día en día nos van revelando mayores puntos de contacto. Decir que lo culterano atiende primordialmente a la forma y lo conceptista a la idea es enunciar una sola de sus notas. Eso no basta, y, para tener una visión siquiera aproximada del conceptismo, hace falta ahondar más y más en su estudio y manifestaciones.

Pfandl [7], contraponiendo, como todos los historiadores y críticos de nuestra literatura, ambos movimientos, pretende establecer netamente sus notas diferenciales y caracteres específicos. Pero su descripción, muy valiosa en algunos aspectos, resulta en su conjunto poco clara. Tampoco Menéndez Pelayo [8], en las breves alusiones que dedicó a esta materia, se nos muestra demasiado original. Y los numerosos comentaristas de Gracián o Quevedo, muy atinados en ciertos aspectos, no han llegado a ofrecernos un cuadro esquemático donde podamos ver de una ojeada cuáles son las concomitancias del culteranismo con el conceptismo, cuáles las diferencias y cuáles, finalmente, las notas que definen al uno y al otro.

Nosotros, sin intentar un estudio a fondo, que rebasaría la finalidad de nuestra obra, vamos a decir dos palabras, atendiendo al triple aspecto histórico, de contenido y de forma.

El conceptismo, fenómeno histórico

Lo ha estudiado muy bien Menéndez Pelayo [9]. señalando de paso las causas que le dieron origen. Aparece junto con el culteranismo y «en el momento en que la cultura genuinamente española había llegado a la cumbre». ¿Fué resultado de un agotamiento creador? ¿Fué producto lógico de determinadas circunstancias sociales, políticas o religiosas?

Para Menéndez Pelayo tal explicación pecaría de falsedad en su misma base. «El *conceptismo,* lejos de nacer de penuria intelectual, se fundaba en el refinamiento de la abstracción; era una especie de escolasticismo llevado al arte.» Sin contar con que idénticas tendencias—aunque con menos empuje—afloraban al mismo tiempo en casi todas las literaturas de Europa: en Italia, en Alemania, en Francia, naciones sobre las que no podían actuar las mismas circunstancias que entre nosotros. La causa hay que buscarla, pues, por otro camino.

El autor de las *Ideas estéticas* quiere encontrarla en aquella literatura de salón, de ingenio, de discretos filosóficos que florecían junto a la literatura sana, y que logró lanzar sobre toda Europa «una plaga peor que la langosta, la plaga de las églogas, de los madrigales, de los sonetos, de las canciones metafísicas al modo toscano, de las novelas pastoriles, de las farsas alegóricas». Literatura, agregaríamos nosotros, también de antítesis, de juegos de palabras y retruécanos, muy propia para aguzar y lucir el ingenio, y de la que ya encontramos no pocas muestras en algunos parlamentos de las novelas pastoriles y en algún pasaje del propio Cervantes. De aquella «razón de la sinrazón que a mí razón se hace...», del *Quijote,* a ciertos retorcimientos verbo-conceptuales de Gracián no hay más que un paso. Pfandl, pretendiendo ahondar más, ve en el fenómeno conceptista uno de los aspectos típicos del ilusionismo barroco: el enaltecimiento del individuo o la oposición que se da naturalmente en toda sociedad entre el filisteo y el espíritu cultivado, el hombre adocenado y la personalidad, la necedad y la inteligencia. «En la antigüedad—nos dice—fué el sabio el ideal colectivo; en la Edad Media, el santo; en el primer Renacimiento, el erudito; en el segundo, el cortesano; pero el ideal barroco del hombre de ingenio procede de España.» Según eso, el conceptismo encarna aquel carácter típico del español ilustrado del XVII, que señalaremos luego como una de sus notas más destacadas: el *ingenio.*

Originariamente parece que *concepto* quería expresar algo así como esbozo o aspecto intelectual sobre un tema determinado. Y en este sentido Santa Teresa tituló su comentario del Cantar de los Cantares *Aspectos del amor de Dios.* Luego «la palabra concepto—escribe el mismo Pfandl—fué precisando el sentido hasta significar con ella, en los círculos literarios, la iluminación recíproca de dos ideas ingeniosamente ligadas y comparadas entre sí. De aquí el gusto de los conceptistas por las antítesis y contraposiciones tanto verbales como conceptuales».

Y una observación curiosa: mientras el *culteranismo* se manifiesta desde el primer momento a la luz del día y dando la cara, el *conceptismo,* como tal movimiento literario, pasa inadvertido. Las obras de Góngora y sus seguidores circulan por todas partes con una etiqueta clara: son productos culteranos, y como tales excitan las diatribas de los unos y el desmesurado elogio de los otros. Los libros de Gracián, de Quevedo y de Salas Barbadillo, coincidentes en tantos aspectos, no tienen un denominador común. Todavía el gran diccionario de Covarrubias, en su segunda edición de 1674, no sabe que el término *concepto* puede también designar toda una escuela literaria.

Aspectos internos

Suelen darse involucrados con los de forma. Sin embargo, creemos que se pueden perfectamente separar cuatro o cinco notas que definen el conceptismo en función del contenido. Estas notas serían:

a) El *ingenio.* Lo que priva en los escritores de esta tendencia no es la inspiración, ni el gusto, ni el poder creador, sino el ingenio. Para ellos, como existe un *furor divinus,* prerrogativa de los grandes artistas, hay también un *furor ingenii,* que el cielo da a ciertos hombres privilegiados solamente. Este ingenio, del que nos habían hablado ya Vives, Fox Morcillo y Herrera, es para Gracián casi de naturaleza superior al mismo *genio.* El genio sin ingenio—viene a decirnos—es una cosa a medias e incompleta; el genio arrebata; pero lo que anima y vivifica las cosas es el ingenio.

b) La *agudeza.* Es la manifestación natural del ingenio. Gracián, que escribió sobre ella un largo tratado, al que se viene confiriendo la categoría de preceptiva o retórica conceptista, no nos quiso dar una definición de la agudeza. «Déjase percibir, no definir», escribe en cierto sitio. Pero bien se deduce, a través de muchos textos suyos, que *agudeza,* para los conceptistas, era sinónimo de pensamiento nuevo, original, penetrante, sutil, expresado también en forma insólita. El propio Gracián la divide en «agudeza verbal o de palabras y agudeza de conceptos, que consiste más en la sutileza del pensar que en las obras».

c) El *concepto.* Es la base y fundamento de toda la doctrina. «Tiene cada potencia un rey entre sus actos y otro entre sus objetos—leemos en el mismo Gracián—. Entre los de la mente reina el *concepto,* triunfa la agudeza. Entendimiento sin agudeza ni conceptos es sol sin luz, sin rayos.» En otra parte compara el lenguaje con un árbol, del que dice que «son las voces lo que las hojas; y los conceptos, el fruto». La aspiración de un perfecto conceptista sería llenar su obra de tantas ideas como palabras y aunque algunas de éstas encerrasen tres o cuatro ideas. Hay que reconocer, tras la lectura de algunos libros de Gracián y Quevedo, que, si no lograron llegar a esa meta, se le acercaron bastante.

d) El *humor.* Todos los escritores conceptistas tienden irresistiblemente a ver la vida a través de un prisma deformador. Aquella jocunda alegría del Renacimiento, que iluminaba, traspasándolos con su luz, todos los objetos, se ha convertido en desencanto, pesimismo y hieles. Y son precisamente los escritores de este grupo quienes dan salida a ese mal humor. Unas veces, como en Quevedo, es

carcajada franca y burla despiadada; otras, en Gracián, es pesimismo concentrado y admonición agria. Pero siempre la actitud de estos escritores ante la vida es de censura, de burla, de interpretación humorística de las cosas. Para ello empiezan por desarticular las ideas y sentimientos, ofreciéndolos exagerados, abultados o, al menos, fuera de su aspecto normal. No sin motivo, al definir el «humor», tal como lo entienden los ingleses, suele pensarse en el *esprit* francés y en la «agudeza» española.

e) La *tendencia ético-docente.* El culterano busca casi exclusivamente una finalidad estética; quiere, ante todo, agradar; se siente más que nada poeta. El conceptista persigue una finalidad moral, política y pedagógica. Quevedo, Gracián o Saavedra Fajardo, tres cimas señeras del conceptismo, no aspiran a deleitar, o sólo aspiran a ello en última instancia; quieren, sobre todo, amonestar, aprovechar, enseñar. De ahí la preferencia del culterano por el verso, como que se presta más a los primores de la forma, y la del conceptista por la prosa. De ahí también que haya podido decirse que «si el cultismo fué un amaneramiento superlativo del lenguaje, el conceptismo lo fué del concepto o pensamiento».

Aspectos externos o formales

Ese amaneramiento y distorsión de la idea no podía realizarse, naturalmente, sino a expensas de la expresión hablada. De aquí que al lenguaje trasciendan también ciertas notas y caracteres tan consustanciales al conceptismo como puedan serlo las que acabamos de enumerar en orden al pensamiento. Aunque los escritores conceptistas afectan una despreocupación absoluta por la forma y por cuanto significa retórico cuidado—«más obran quintaesencias que fárragos», sentencia Gracián—, la verdad es que todo retorcimiento y todo juego de ideas, al ser expresado, exige otro juego y retorcimiento paralelo en las palabras. La antítesis conceptual no se expresa sino con otra antítesis verbal. Y, aunque ellos no quieran confesarlo, hay que reconocer que Gracián, Quevedo o Barbadillo trabajaron su estilo con tanto apuro como los mismos culteranos, usando y abusando de ciertas figuras retóricas tanto como ellos. La metáfora, por ejemplo, que para unos era enriquecimiento sensorial de la frase, para los otros se convertía en juego intelectual; pero ambos la necesitaban y la buscaban con idéntico ahinco.

Tenemos, por tanto, dentro del lenguaje conceptista una serie de factores literarios y lingüísticos que le dan especial fisonomía. Los más importantes de estos factores son:

a) Antítesis. Es el más importante de los recursos a que puede acudir un escritor conceptista. Antítesis de palabras, de frases, de ideas. No se puede leer una página de Quevedo sin hallar una oposición, un contrasentido de sorprendente originalidad.

b) *Laconismo*. Pero un laconismo deliberado, que tiende más que nada a vigorizar los contornos, a dejar como clavada en el cerebro del lector la idea capital. «Lo bueno, si breve, dos veces bueno», había dicho Gracián. En este orden parece haber sido Saavedra Fajardo, en algunas de sus obras, el que obtuvo mayores éxitos.

c) *Voces equívocas o de doble sentido*. Es uno de los artificios más frecuentes en el conceptismo, especialmente en las obras festivas. Gracián los llama «ingeniosos equívocos», y dice que consisten en «usar de alguna palabra que tenga dos significaciones, de modo que deje en duda lo que quiso decir». El maestro supremo del «equívoco» ha sido Quevedo.

d) *Hipérbole*. Lo estimamos un factor insuficientemente estudiado dentro del barroco. Afecta por igual a culteranos y conceptistas. No les basta la metáfora; tienen que estirarla, agrandarla desmesuradamente. Cualquier obra festiva de Quevedo—el retrato del dómine Cabra, por ejemplo—, y más aún sus versos, bastarían a probar el enorme partido que supieron sacar a esta figura.

e) En el aspecto gramatical se empieza a señalar un nuevo artificio de innegable importancia dentro del barroco conceptista: el empleo del *zeugma*. Consiste esta figura en la conexión de varios elementos con una palabra que sólo se acomoda por su sentido a uno de ellos. Los conceptistas, sin duda, acuden a este artificio llevados de su afán de concisión. «Es el engaño muy *superficial*, y topan luego con él los que lo son» (Gracián).

«Lo que principalmente buscaba el conceptista al escribir—dice Menéndez Pidal—era hacer gala de agudeza e ingenio; por eso muestra gusto especial por las metáforas forzadas, asociaciones anormales de ideas, transiciones bruscas, y gusto por los contrastes violentos en que se funda todo humorismo, que humoristas son los grandes escritores de este siglo, Quevedo y Gracián. En estos autores geniales, el conceptismo aparece lleno de profundidad, la frase encierra más ideas que palabras (al revés del culteranismo, que prodiga más las palabras que las ideas); pero en los autores de orden inferior de este siglo la agudeza suele estribar solamente en lo rebuscado del pensamiento, en equívocos triviales y en estrambóticas comparaciones. El siglo XVI fué el del esplendor de la prosa castellana; el XVII es ya de decadencia, y uno de los síntomas de ésta es precisamente el buscar como principal sazón de la obra literaria el artificio y la agudeza.»

NOTAS

1. *De spectaculis*, cap. XXVII.
2. Que son, según las definiciones de D'Ors: *Barocchus pristinus*, tipo matriz de civilización prehistórica, no limitado cronológicamente, ya que existe aún entre los pueblos salvajes; *Barocchus archaicus*. correspondiente a las antigüedades cretense y micénica, de una morfología emparentada con el «Fin de siglo»; *Barocchus macedonicus*, restringido a la época inmediatamente anterior a Alejandro; *Barocchus alexandrinus*, en una hora semejante a la que presenta la Historia de la cultura en los siglos XVII-XVIII; *Barocchus romanus*, variedad del anterior, aunque muy influído por el Oriente (en una desviación de éste, relacionada con el fenómeno religioso del pelagianismo, encuentra D'Ors nada menos que el precedente del «estilo jesuita»); *Barocchus bhudicus* y *Barocchus pelagianus*, dos variedades del anterior; *Barocchus ghoticus*, que se manifiesta en ciertas opulencias del gótico florido; *Barocchus franciscanus*, la corriente del gótico que dominó en la Orden de los F. M.; *Barocchus manuelinus* y *Barocchus orificensis*, los estilos portugués y español, denominados, respectivamente, «manuelino» y plateresco; *Barocchus nordicus*, el holandés, de corriente luterana, en que sobresale el genio de Rembrandt; *Barocchus paladinus*, el del «orden gigante», que, nacido en Italia, pasa a Inglaterra en las obras de Iñigo Jones; *Barocchus rupestris*, el llamado «rococó», y *Barocchus maniera*, el manierismo contrapuesto al barroco general; *Barocchus rococó*, el gracioso y enfático de Francia y Austria; *Barocchus tridentinus* (también *iesuiticus)*, el más conocido de todos, hasta el punto de que sus notas se han constituído en definitorias de toda clase de barrocos: Bernini, Belarmini, Della Porta, los Carracci; *Barocchus romanticus*, con los precursores e iniciadores del romanticismo: Watteau, S. Rosa, Vico, Rousseau, Goya, Delacroix, Herder, Goethe, Schiller, el mismo Beethoven; *Barocchus finisecularis*, arte llamado «Fin de siglo»; *Barocchus posteabellicus* (sic), la confusión existente desde la primera guerra mundial; *Barocchus vulgaris*, cierta actitud ante las manifestaciones del arte popular, fácilmente asimilables al «folklore». y *Barocchus officinalis*, floraciones de arte, un poco ingenuas, como la señorita que se disfraza de arlesiana o el caballero escocés con faldas y cornamusa. Ya se entiende con el elástico criterio de y cornamusa. Ya se entiende que con el elástico criterio de Eugenio d'Ors la serie de barrocos puede incrementarse casi hasta el infinito.
3. EUGENIO D'ORS: *El barroco en la Historia*; WERNER WEISBACH: *El barroco. Arte de contrarreforma*; ENRIQUE WÖLFFLIN: *Conceptos fundamentales del arte*.
4. HARTMANN: *Historia de los estilos*, Manuales de Labor, págs. 250-57.
5. *Diccionario de la Literatura española*, «Revista de Occidente», Madrid, 1949.
6. JOSÉ FRANCISCO CIRRE: *Forma y espíritu*, Méjico, 1950.
7. *Historia de la literatura nacional española en la Edad de Oro*, Barcelona, 1933, págs. 240-80.
8. *Historia de las ideas estéticas*, ed. C. S. I. C., II, págs. 324-26.
9. *Ob. cit.*, II, pág. 326 y sigs.

BIBLIOGRAFIA

I. JESÚS DELEITO PIÑUELA: *El declinar de la monarquía española*, Madrid, Espasa-Calpe, 1956; *La vida religiosa española bajo el Cuarto Felipe*, ídem id.; *La mala vida en la España de Felipe IV*, ídem, id.—EDUARDO CARREÑO: *Por el Siglo de Oro español*, «Notas, citas y referencias», Caracas, 1955.—M. HERRERO GARCÍA: *Estimaciones literarias del siglo XVII*, Madrid, 1930.—FRANCO LANZA: *Studi nella letteratura barocca*, «Aevum», XXXIX, 1955.—VICENTE PALACIO ATARD: *Derrota, agotamiento, decadencia en la España del siglo XVII*, «Bibl. del Pensamiento Actual», Madrid.—LUDWIG PFANDL: *Cultura y costumbres del pueblo español en los siglos XVI y XVII*, Barcelona, 1929.—R. TREVOR DAVIES: *The Golden Century of Spain*, Londres, Macmillan and Co., 1954.—KARL VOSSLER: *Algunos caracteres de la cultura española*, Madrid, 1941.—B. CROCE: *Richerche hispanoitaliane*, Nápoles, 1898.—F. SILVELA: *Historia y vicisitudes del mal gusto en nuestra literatura nacional*, «Rev. de España», CXLVII y CXLVIII, 1894.

II. ALEJANDRO CIORANESCU: *El barroco o el descubrimiento del drama*, «Universidad», La Laguna, 1947.— G. DÍAZ-PLAJA: *El espíritu del barroco. Tres interpretaciones*, Barcelona, 1940.—JOSEPH A. FUCILLA: *A Rhetorical Patern in Renaissance and Baroque Poetry*, «S. R.», III, 1956.—STEPHEN GILMAN: *Introducción a la ideología del Barroco*, «Rev. de Educación», 1956.—W. HESSE: *Spanish verse of the sixteenth and seventeenth centuries*, Madison, 1951.—J. A. MARAVALL: *Barroco y Racionalismo*, «Finisterre», febrero 1948.—RAFAEL MARÍA ORNEDO: *¿Hacia una desvalorización del Barroco?*, «Razón y Fe», CXXV y CXXVI, 1942.—EMILIO OROZCO DÍAZ: *Temas del Barroco, poesía y pintura. Estudios y ensayos*, Granada, 1947; *Lección permanente del barroco español*, Colec. «O Crece o Muere», núm. 17.—MIGUEL FRANCISCO SALVÁ: *Meditaciones en torno al Barroco*, «Crist.», XI, 1954.—F. SÁNCHEZ ESCRIBANO: *Actitud de Voltaire ante el barroco español*, «Modern. Language Journal», XXXVII, 1953.—ENRIQUE TIERNO GALVÁN: *Notas sobre el Barroco*, «Anales Univ. de Murcia», 1954.

III y IV. JUAN J. BAJARDIA: *Gongorismo y surrealismo como problemas del barroco*, «Nueva Democracia», núm. 4, XXXIV, Nueva York, 1954.—E. BUCETA: *Algunos antecedentes del culteranismo*, «Rom. Review», II, 1920; *La crítica de la oscuridad sobre poetas anteriores a Góngora*, «Rev. Filol. Esp.», VIII, 1921.—M. CAÑETE: *Observaciones acerca de Góngora y del culteranismo en España*, «Rev. de Ciencia», I, 1855; luego, en «Rev. Hisp.», XLVI, 1919.—AUGUSTO CORTINA: *En torno al conceptismo y culteranismo*, «Rev. de Educ.», 1956.—A. FARINELLI: *Gongorismus und Conceptismus*, «Reden und Caracteristiken», Bonn, 1925.—MENÉNDEZ PELAYO: Para «Gongorismo y conceptismo», ved *Historia de las ideas estéticas*, II, cap. X, ed. C. S. I. C., Madrid, 1940.—L. MILLE GIMÉNEZ: *Lope, Góngora y los orígenes del culteranismo*, «Rev. de Archivos», 1923.—L. PAUL THOMAS: *Le lyrisme et la préciosité cultistes en Espagne*, Halle-Paris, 1909; *Góngora et le gongorisme considérés dans leurs rapports avec le marinisme*, Paris, 1911.

CAPITULO XXXII

EPICA BARROCA

I. CARACTERES Y CLASIFICACIÓN.—II. POEMAS HISTÓRICOS: La «Neapolisea», de
Trillo y Figueroa. La «Raquel», de Ulloa. Otros poemas históricos.—III. POEMAS
RELIGIOSOS: La «Creación del mundo», de Acevedo. La «Cristiada», de Hojeda.
La «Vida de San José», de Valdivielso. Más poemas épico-religiosos.—IV. POE-
MAS FANTÁSTICOS Y DE TEMA AMERICANO: Balbuena. Datos biográficos. «Gran-
deza mexicana» y «El Siglo de Oro». El «Bernardo o Victoria de Roncesvalles».
Otros poemas de tema indianista.—V. POEMAS BURLESCOS: La «Mosquea», de
Villaviciosa. La «Asinaria», de Fernández de Ribera.—VI. ROMANCES ARTÍSTICOS:
Incorporación a la escena. Vigencia del género.—NOTAS.—BIBLIOGRAFÍA.

I. CARACTERES Y CLASIFICACION

La épica barroca ofrece los mismos caracteres
y se desenvuelve bajo el mismo signo que la renacentista, de la que nos ocupamos con todo espacio en el capítulo XVII. Todo cuanto en él dijimos
acerca de la épica culta, en general, es también
aplicable a los poemas del siglo XVII, que sólo se
distinguen de los del período anterior por el predominio de elementos barrocos, tímidamente esbozados en unas obras, como en la Cristiada, de Hojeda, y acusadamente marcados en otras, como en

la Neapolisea, de Trillo y Figueroa. En lo demás,
estructura tanto externa como interna, disposición,
metro y modelos, se ajustan íntegramente al cuadro esbozado allí para la épica culta.

Válida es asimismo la clasificación formulada:
poemas históricos, religiosos, imaginarios y de tema
americano, acrecida ahora con el nuevo grupo de
los épico-burlescos, si bien este último apenas aparece representado sino por dos poemas dignos de
nota: la Mosquea y la Gatomaquia.

II. POEMAS HISTORICOS

La lista de poemas de tema histórico durante
el XVII es tan abundante como la del siglo anterior. Pero de ellos sólo cabe destacar dos de relativo mérito: la Raquel, de Luis de Ulloa, y la
Neapolisea, de Francisco de Trillo y Figueroa, ya
que el Bernardo, de Balbuena, aunque basado en
un hecho semihistórico, más bien corresponde al
grupo de los poemas de imaginación.

La «Neapolisea», de Trillo y Figueroa

FRANCISCO DE TRILLO Y FIGUEROA (¿1615-
1665?) [1], «ingenio gallego injertado en andaluz»,
como le llama G. Morell, fué un poeta de sello
culterano, que llegó a disfrutar de cierta fama, gracias a sus Poesías varias (Granada, 1652), en las
que se acerca de tal modo a su modelo Góngora
que algunas de sus composiciones han sido atribuídas al gran poeta cordobés. Comprenden toda
clase de temas: heroicos, amorosos, satíricos y elegíacos, en variedad de metros, aunque con evidente
predominio del soneto y del romance.

Como épico, nos dejó en su Neapolisea (Granada, 1651) el relato de las hazañas del Gran Capitán, desarrollado en ocho cantos en octavas reales.
Su pedantesca erudición, continuas alusiones a la
mitología y afán culterano desfiguran un poema
escrito, por otra parte, en verso flúido y de evidente inspiración. A veces, Trillo supera al mismo
Góngora en lo violento del hipérbaton:

> Fulminado a las playas del Tridente,
> sobre una inculta apareció venera,
> rudo escollo de obas eminente,
> el gran Neptuno, a la cruel ribera:
> no assí quando del Persa en son doliente
> selva nadante le oprimió severa,
> furioso el Ponto, de las altas rocas
> prendió en estrago mucho, en señas pocas.

Ulloa y su «Raquel»

Exenta de todo vicio, tanto culterano como conceptista, se nos ofrece, en cambio, la Raquel, de
LUIS DE ULLOA Y PEREIRA (1584-1674) [2], calificada
por Quintana inexactamente como «último suspiro
de la antigua musa castellana». Su autor, hombre

de vida azarosa y que llegó a desempeñar cargos de cierta importancia, escribió obras en verso y en prosa, destacando sus *Memorias familiares y literarias,* donde nos cuenta con todo detalle los disgustos y luchas que hubo de sostener con *Fraudelio,* anagrama de un hermano suyo disipador y libertino, para que le reconociese sus derechos. Entre sus poesías merecen citarse las dedicadas *A Filis,* de carácter amoroso; los *Soliloquios* y la *Paráfrasis de los siete salmos penitenciales* (Madrid, 1655).

El mérito sobresaliente de la *Raquel,* estimada por algunos como la mejor obra épica de su siglo después del *Bernardo,* de Balbuena, consiste en la brevedad: un solo canto en setenta y seis octavas reales. Cuenta los trágicos amores de Alfonso VIII con la hermosa judía de Toledo, siguiendo la referencia de la *Crónica general.* Sobre el mismo tema habían escrito antes Lope de Vega su comedia *Las paces de los reyes y Judía de Toledo,* y Mira de Amescua la suya, *Desgraciada Raquel,* en la que por primera vez se designa con tal nombre a la bella favorita. Posteriormente lo llevaron a las tablas Diamante y García de la Huerta. El mismo Lope introduce este episodio en el canto XIX de su *Jerusalén conquistada.*

Los señores Hurtado y González Palencia han formulado un juicio excesivamente severo, a nuestro parecer, sobre el poema de Ulloa. Sin negarle la «intención moralista, corte . estoico y aire desengañado», que da a su lenguaje cierto tono sentencioso y oratorio, hay que reconocer que es uno de los pocos poemas que aún hoy pueden leerse con agrado.

Otros poemas históricos

No por su valor, que lo tienen muy escaso, sino por pura información bibliográfica, anotamos aquí otros poemas de asunto histórico que, si no otra cosa, demuestran al menos la afición de poetas y público a esta clase de literatura. Por orden cronológico son:

Antigüedades de las islas Canarias (1604), de ANTONIO DE VIANA, en verso suelto con octavas intercaladas, sobre la conquista de aquel archipiélago.

Expulsión de los moros (1610), de GASPAR DE AGUILAR, destacado dramaturgo y lírico de la escuela valenciana, a quien habremos de referirnos en los capítulos correspondientes.

Liga deshecha de los moriscos (1612), de JUAN MENÉNDEZ DE VASCONCELOS.

Nápoles recuperada por el rey don Alfonso (1651), del PRÍNCIPE DE ESQUILACHE, poeta a quien se aludirá en el estudio de la lírica del XVII.

Y una mención especial merece CRISTÓBAL DE MESA (1561-1633), incansable productor de versos, en quien, de haber correspondido la calidad a la cantidad, tendríamos un Homero redivivo. Nacido en Zafra, abrazó el estado eclesiástico y trató al Tasso en Italia. Tradujo a Homero y a Virgilio; escribió algunas tragedias y, como épico, intentó enriquecer nuestro Parnaso con tres poemas históricos, aparte de otros de varia índole, igualmente pesados y faltos de inspiración: *Las Navas de Tolosa* (1594), en treinta cantos; *La restauración de España* (1607), sobre Pelayo y los inicios de la Reconquista, y *El Patrón de España* (1612), sobre la venida del apóstol.

III. POEMAS RELIGIOSOS

Con la épica histórica corre parejas, por su profusión, la de carácter religioso. El nutrido catálogo de obras de este grupo se suele repartir en cuatro ciclos: poemas de tema bíblico, inspirados en el Antiguo Testamento; poemas evangélicos, basados en la vida de Cristo; poemas hagiográficos o de vidas de santos, y el ciclo de «Cruzadas y combate de la fe», como le llama Pfandl, del que tenemos una típica muestra en la *Jerusalén conquistada,* de Lope de Vega. Haciendo caso omiso de este último, que será estudiado en el capítulo correspondiente al gran dramaturgo, vamos a señalar un único poema destacable en cada ciclo.

La «Creación del mundo», de Acevedo

Un poeta extremeño, ALONSO DE ACEVEDO [3], al que Cervantes nos presenta saludándole en italiano y «desde lexos», para darnos a entender su inclinación por las cosas de aquel país, nos legó en la *Creación del mundo* el más importante poema castellano sobre un tema del Antiguo Testamento. Decir el más importante no significa, ni mucho menos, excelencia estética, sino cierta superioridad sobre la masa de obras mediocres basadas en temas análogos.

La *Creación del mundo* se inspira en el famoso poema francés de Guillermo de Saluste, señor de Bartas, la *Semaine* (1578); pero no directamente, sino a través de su traducción italiana. Vió la luz en Roma (1615), y recoge en siete cantos, de cien octavas cada uno, las obras del Señor en los siete días del *Génesis,* siguiendo muy de cerca la narración mosaica. Aunque carece el poema español de muchos defectos que suelen señalarse al francés, derivados sobre todo de su insoportable y pedantesca erudición, y en un estudio comparativo el fallo sería favorable al castellano, se ve desde el primer momento que el tema le viene ancho a nuestro poeta. El sobrio relato bíblico, tan lleno de majestad dentro de su sencillez, se diluye en centenares de versos, carentes casi siempre de nervio y de auténtica inspiración. Para llenar aquella imponente armazón de cien octavas por canto, previamente señaladas, recurre a episodios totalmente ajenos al tema : el diluvio universal y la batalla de Lepanto, intercalados, sin venir a cuento, en el segundo día de la creación; o la descripción de Vera de Plasencia, patria del poeta, en el cuarto día. Otras veces se entretiene en detallarnos minuciosamente costumbres de pájaros y peces, acudiendo a toda clase de falsas tradiciones: el fénix, que vive mil años; la lamprea, que es fecundada con ciertos vapores atmosféricos; la víbora, que mata al macho y es devorada a su vez por los hijos; el basilisco, que provoca la muerte con su mirada; el león, que huye del gallo... Sólo en el último canto, el poeta, deshaciéndose de su enojosa erudición histórico-mitológica, acierta a volar más libre y nos da unas estrofas limpias, naturales y bellísimas, que casi nos compensan de las anteriores arideces.

El juicio más atinado sobre la obra de Acevedo, aun reconociéndole pasajes de indudable mérito, nos sigue pareciendo el de Pfandl: «... algunos detalles hermosos y un conjunto fracasado.»

La «Cristiada», de Hojeda

De mucho más aliento que el poema anterior nos parece la *Cristiada*, de fray DIEGO DE HOJEDA (¿1570?-1615) [4], cuyos méritos, sin embargo, no corresponden, en nuestra opinión, a la extraordinaria fama que ha llegado a alcanzar.

Se publicó por primera vez en Sevilla (1611). En doce cantos, en octavas reales, relata, no la vida de Jesús, como induciría a creer su título, sino sólo los episodios más salientes, desde la última Cena hasta el descendimiento de la Cruz y sepultura. En el amplio cuadro de gigantescas proporciones destacan pasajes como la oración del Huerto, la flagelación, el «crucifige», el suicidio de Judas y las últimas palabras en la Cruz. La concepción del poema es fundamentalmente barroca; barrocos son también los múltiples elementos que el poeta introduce para dar realce a la narración: el manto simbólico de la culpa, que envuelve a Jesús con siete pliegues; las visiones de masas de santos y de triunfos de la Iglesia, en una apoteosis fulgurante, que recuerda la manera de Rubens; las cohortes celestiales, acaudilladas por el arcángel San Miguel y dispuestas a castigar a sangre y fuego a la Humanidad obcecada. Todo esto es bello. Pero al Padre Hojeda le sobran tanto la inventiva y el talento como le falta la vena épica. Compararlo, como se viene haciendo, con Klopstock y aun con Milton es desorbitar las cosas. Que el autor de la *Mesiada* se inspirase en Hojeda para algunos pasajes de su obra, no quiere decir que al alemán y al español haya que ponerlos en el mismo plano.

Quiérase o no, Hojeda, muchas veces, en fuerza de parecer sencillo, resulta pedestre en grado sumo [5].

El mejor análisis de la *Cristiada* sigue siendo el de Quintana, que acertó a sacarla del olvido, señalando de paso con bastante exactitud sus virtudes y defectos. Entre éstos destaca: la falta de colorido; un lenguaje excesivamente vulgar, hasta caer con frecuencia en lo prosaico; desleimiento de ideas y escaso vigor en el trazado de los caracteres. Entre sus virtudes apunta: sencillez casi bíblica, pensamientos sublimes, verso fácil y una acción hábilmente llevada, sin digresiones extrañas ni motivos ajenos al tema.

Evidentemente, Hojeda se inspiró para su *Cristiada* en la obra latina de Jerónimo Vida sobre el mismo tema. Lleva al frente de cada canto una octava, en que se resume la materia del mismo, y suele ser considerada como el mejor poema religioso compuesto en lengua castellana.

La «Vida de San José», de Valdivielso

Más positivos valores, aunque no haya alcanzado tanta aceptación por parte de la crítica, tiene para nuestro gusto el poema titulado *Vida, excelencias y muerte del gloriosísimo patriarca San José* (Toledo, 1604), del sacerdote toledano maestro JOSÉ DE VALDIVIELSO (¿1560?-1638) [6].

Era Valdivielso eminentemente lírico, y en este género pulsó la cuerda religiosa con tanto acierto casi como Lope de Vega, a quien se acerca en su habilidad para intercalar en temas sagrados los motivos populares. Su *Romancero espiritual... del Santísimo Sacramento* (Toledo, 1612) abunda en composiciones de metro breve que rebosan candor y deliciosa ingenuidad. Sus villancicos son también encantadores:

> Galán rebozado
> de mi corazón,
> mal se disimulan
> finezas de amor.
> . . . .
> La puerta me ronda
> mi amado Esposo;
> lindo cuerpo tiene
> su gracia que adoro.

Con frecuencia nos recuerda a Juan del Enzina:

> Trajo un salterio Pascual,
> un caramillo Llorente,
> una bandurria Clemente
> y una flauta Foncarral;
> y en el portal
> bailó Antón
> el dongolondrón...

Como dramaturgo ocupa Valdivielso, con sus *Doce autos sacramentales y dos comedias divinas* (Toledo, 1622), un lugar intermedio entre Lope de Vega y Calderón, aunque más cercano al primero por su tendencia al empleo de motivos populares, por su sencillez y ternura. Son los mejores *El hijo pródigo*, lleno de detalles costumbristas; *El hospital de los locos*, de intensa acción y realismo; la parodia «a lo divino» de *El villano en su rincón*; *El peregrino*, precedente acaso de *El año santo de Roma*, de Calderón, y *La amistad en el peligro*. Sus dos comedias—*El nacimiento de lo mejor* y *El Angel de la Guarda*—son de escaso mérito.

En cambio, lo tiene, y muy grande, su poema épico-religioso *Vida, excelencias y muerte del gloriosísimo patriarca San José*, si bien el abusivo empleo del elemento popular, con el correspondiente léxico, tomado también del habla del pueblo, lo afea en no pocos pasajes [7]. Valdivielso se nos revela aquí como un perfecto miniaturista, que trabaja la estrofa, y aun dentro de la estrofa cada verso, con una minuciosidad de orfebre. De aquí que su poema no resista el examen de conjunto y sí, en cambio, salga airoso de un análisis por partes. Algunas de éstas son insuperables, como la descripción del amanecer en el día de los Desposorios o el cuadro del Nacimiento de Jesús [8].

El poema, ya lo dice el título, expone, desde su nacimiento a su glorioso tránsito, la vida del patriarca, y aun lo representa descendiendo al Limbo, para consolar con promesas de próxima libertad a las almas de los Santos Padres que esperaban su liberación. Consta de veinticuatro cantos, en octavas reales, y fué escrito por mandato del prior del monasterio de Guadalupe, con ocasión del traslado solemne de unas reliquias al altar de San José, en la iglesia de aquel convento. El mismo Valdivielso advierte en el prólogo que lo escribió «mandado de quien es razón que sea obedecido». Sobre sus fuentes, el mismo autor indica: «Todo lo que digo del glorioso santo es sacado de las divinas letras y de santos y autores gravísimos, añadiendo algunas consideraciones piadosas y discursos poéticos.»

Se le señalan como defectos capitales: digresiones silogísticas sobre puntos dogmáticos, más propias de un tratado de Teología que de una obra poética; descripciones monstruosamente recargadas; abuso de la personificación y alegoría, casi siempre de carácter mitológico, o, como dice Rosell, tendencia «a vestir la hermosa imagen de la religión cristiana con el grosero atavío de los ídolos del gentilismo». Tales tachas están justificadas. No lo está tanto la de haber desencadenado en el alma de San José la tormenta de los celos al ver encinta a su bienaventurada Esposa. Para muchos, este cuadro de los celos del Patriarca, que ocupa casi todo el canto X, fué un desacierto; para nosotros es más bien una nueva fuente de interés y de belleza que acusa la pericia del autor. Como se revela también artista consumado cuando, con una técnica perfectamente barroca, se olvida del protagonista para volcar toda la luz

sobre María y el Niño Dios. Todo ello, está bien claro, más que defectos, son procedimientos de escuela. Valdivielso, no se olvide, se halla cómodamente instalado dentro del más puro barroco. De éste tiene la prodigalidad sin tasa, la fantasía exuberante, a la que ni puede ni quiere poner freno; lo vario y rico del estilo, la versificación musical y caudalosa, en que las estrofas van sucediéndose sin el menor esfuerzo; y la abundancia y atrevimiento de imágenes. Nos parece acertado, en definitiva, el juicio de Valbuena y Prat cuando proclama la *Vida de San José* como «uno de nuestros mejores poemas épicos de la Edad de Oro». Aún agregaríamos nosotros que el primero entre los religiosos, con preferencia a la misma *Cristiada*, de Hojeda.

Más poemas épico-religiosos

De vario mérito, aunque siempre de escaso valor, son:

Sagrario de Toledo, del mismo Valdivielso, que sugirió a Calderón la comedia *Origen, pérdida y restauración de la Virgen del Sagrario*. Su asunto, fundamentalmente heroico, no se adaptaba a la apacible musa del autor, por lo que apenas supo sacarle partido.

La Divina Semana, de JUAN DESSI; sobre el mismo tema que Acevedo, pero con escasa inspiración.

La culpa del primer peregrino (1644), de ANTONIO ENRÍQUEZ GÓMEZ, sobre la caída de Adán y Eva.

El David (1624), de JACOBO UZIEL, en que se intenta poetizar la vida del rey profeta.

El Valle de Lágrimas (1606), del incansable CRISTÓBAL DE MESA, ya citado en el apartado anterior con tres poemas históricos.

Y el menos malo de todos, la *Invención de la Cruz* (1624), de FRANCISCO LÓPEZ DE ZÁRATE, sobre el hallazgo de la Santa Cruz por Santa Elena, madre de Constantino, y el triunfo de éste contra Majencio.

Es asombrosa la cantidad de epopeyas inspiradas en la vida de la Virgen y los santos, especialmente los españoles. Santa Teresa inspira a BARTOLOMÉ SEGURA una *Amazona cristiana*, en que lo heroico y activista domina sobre lo místico y piadoso. Y San Ignacio de Loyola suministra con su vida tema para dos poemas en los que la épica barroca se manifiesta con toda su pujanza. Son autores de esos poemas ANTONIO DE ESCOBAR Y MENDOZA (1589-1669), jesuíta vallisoletano, y HERNANDO DOMÍNGUEZ CAMARGO (¿1590-1656?), nacido en Santa Fe de Bogotá. El *San Ignacio* del Padre Escobar, publicado en Valladolid (1613), viene ya arreado con todas las galas y elementos, tanto estilísticos como temáticos, que caracterizarían al barroco en su período álgido. «Una noble retórica anima todo este poema, en el que no falta. en los momentos en que se asoma al tema heroica, la visión plástica de la España de los Austrias», según Valbuena y Prat. El estilo es a veces casi castrense y el lujo desorbitado, como cumple al arte jesuítico:

> La mano alabastrina enarbolaba
> un gallardo pendón, en cuyo seno
> un hermoso Jesús se dibujaba
> de rayos de oro guarnecido y lleno...

Es autor asimismo el Padre Escobar de una *Historia de la Virgen Madre de Dios...* en la que se compara a Nuestra Señora con una mística ciudad, cuyos doce cimientos son otras tantas piedras preciosas: caspe, zafiro, calcedonia, esmeralda...

Más recargado aún de galas, más suntuoso y culterano, con una exuberancia plenamente churrigueresca y una suntuosidad digna de Rubens, se nos muestra el poeta colombiano Domínguez Camargo en su *Poema heroico de San Ignacio de Loyola* (Madrid, 1666). Camargo aprovecha todos los recursos del culteranismo peninsular para encajarlos en un cuadro de enormes dimensiones y motivos típicamente americanos.

Citemos, finalmente, a BALTASAR ELISIO DE MEDINILLA (1585-1620), poeta toledano, discípulo y amigo de Lope de Vega. Es autor de un poema en cinco cantos, *Limpia Concepción de la Virgen Nuestra Señora* (Madrid. 1617), una de tantas obras del género inspiradas por la devoción mariana de los españoles.

IV. POEMAS FANTASTICOS Y DE TEMA AMERICANO: BERNARDO DE BALBUENA

Encuadramos bajo este epígrafe no sólo los poemas de carácter imaginativo, sino también los de ambiente americano, ya que ambas modalidades fueron cultivadas con igual fortuna por su mejor y casi único representante, BERNARDO DE BALBUENA. Es éste un poeta en toda la extensión de la palabra. dotado pródigamente por la Naturaleza de cuantas dotes se requieren para crear una de esas obras que se hacen acreedoras a la inmortalidad. A él habría que adjudicar, por encima del mismo Ercilla, el cetro de nuestra épica, si, como tuvo imaginación, fantasía, inventiva inagotable y sentido de la musicalidad del verso. hubiese tenido también mesura en el empleo de tales cualidades. No la tuvo, y su prodigalidad en todos los órdenes es causa de que *El Bernardo*, su más destacado poema, superior. en no pocos aspectos a la *Araucana* y al mismo *Orlando*, no pueda en su conjunto compararse con ellos.

Datos biográficos

Nació Balbuena en Valdepeñas, en 1568, de padres nobles, llamados Gregorio de Villanueva y Luisa de Balbuena; se ignora el motivo que le movió a adoptar el apellido materno. Parece que en sus primeros años estudió en Granada, y es seguro que joven aún pasó a Nueva España, donde siguió su educación, cursando en uno de los mejores colegios de Méjico, con gran fruto, la Teología y graduándose bachiller. Allí mismo se sabe que obtuvo por lo menos tres premios en otros tantos certámenes públicos. Hacia 1608 regresa a España y se gradúa doctor en Sigüenza; poco después es nombrado abad mayor en Jamaica, y en 1619, obispo de Puerto Rico, donde falleció el 11 de octubre de 1627. Parte de sus obras, entre ellas *El Divino Christiados*, se perdió en el ataque de los holandeses a Puerto Rico, al ser saqueado el palacio episcopal (1625).

Quedan la *Grandeza mexicana* (Méjico, 1604), *El Siglo de Oro en las selvas de Erífile* (Madrid, 1607) y el *Bernardo* o *Victoria de Roncesvalles* (Madrid, 1624).

«Grandeza mexicana» y «El Siglo de Oro»

La primera es un poema descriptivo de la capital mejicana. En nueve cantos de tercetos encadenados, Balbuena nos da un cuadro animadísimo y abigarrado de las casas, calles, jardines y paisaje circundante. Lo que llama la atención, ante todo. es la fuerza del colorido. Balbuena es el primero que observa directamente la naturaleza del Nuevo Mundo y la contempla con ojos no empañados por la mitología y los prejuicios clásicos. La deformación del paisaje, que señalábamos en Oña y en Ercilla, no se da aquí. Las cosas aparecen con sus verdaderos contornos; a veces esos contornos se agrandan desmesuradamente, como corresponde a una naturaleza no sospechada hasta entonces y en estado casi virginal. Pero entre el poeta y la realidad no se interpone cristal alguno. Con razón ha escrito Menéndez y Pelayo que «si de algún libro hubiéramos de hacer datar el nacimiento de la poesía americana propiamente dicha, en éste nos fijaríamos» [9].

No podemos decir otro tanto del *Siglo de Oro en las selvas de Erífile*, colección de doce églogas bellísimas, del más puro corte clásico, inspiradas en la antigüedad grecolatina. especialmente en Teócrito. La fuerza del tema arrastra al autor a un mundo de ambiente y de personajes mitológicos en que se mueve con sorprendente soltura. Se le ha señalado como fuente, aparte de los *Idilios* del poeta siracusano, la *Arcadia* de Sannazaro.

El «Bernardo o Victoria de Roncesvalles»

Donde Balbuena demostró el poder incomparable de su genio y la exuberancia de su fantasía, continuamente renovada y continuamente fresca, fué en el *Bernardo*. Nada menos que cuarenta cantos en octavas reales, con más de 40.000 versos, componen este poema fabuloso, tanto en el personaje que centra la acción como en sus innumerables episodios. Quien no lo haya leído, o al menos hojeado superficialmente, no podrá darse cuenta de aquella enmarañada selva de aventuras inesperadas y desconcertantes con que el autor nos sorprende al filo de cada canto y al final de cada estrofa. Amor, duelos, luchas, separaciones, encuentros o anagnórisis, casamientos, muertes, encantos, filtros..., todo se nos da en una deslumbrante sucesión de cuadros pintados con singular bizarría. Historia y fábula, mundo clásico y mundo caballeresco, cristianos y moros, ninfas y sílfides, divinidades paganas y santos de la Iglesia, Europa y América, todo es materia aprovechable para el poeta, y de todo saca partido, en mayor o menor grado. Ya se entiende que el conjunto tiene que ser de un barroquismo llevado al frenesí.

Se han señalado como elementos integrantes principalmente tres: uno de origen caballeresco, que viene a través de los Amadises y Palmerines, y al que no es ajeno el *Orlando,* da lugar a las escenas de magia, duelos, encuentros más o menos fortuitos, etc.; otro segundo, de procedencia clásica, que está representado por continuas alusiones a héroes homéricos, y del que son ejemplos típicos la transformación de Proteo, tomada de Virgilio, y la soberbia descripción del castillo de la Fama, inspirada en Ovidio; y otro tercer elemento, de carácter nacional, que hace que el *Bernardo,* aunque basado en un hecho tan poco consistente desde el punto de vista histórico como la batalla de Roncesvalles, y con un protagonista enteramente fabuloso, rezume por todos sus poros el amor a España, a su tradición y a sus grandezas.

Podemos indicar como sus fuentes más directas: los poemas griegos del ciclo troyano, no precisamente los homéricos; los tres grandes épicos latinos, Virgilio, Ovidio y Lucano; Dante y Pulci, de los italianos; nuestro romancero. Van Horne ha establecido las relaciones del *Bernardo* con los poemas de Camoens, Ercilla, Zapata y Barahona de Soto, entre otros.

En esta maraña de acciones y episodios que forman el Bernardo, según queda dicho, ya se entiende lo difícil que es destacar el argumento. En términos generales, puede reducirse a lo que sigue: Carlomagno y sus doce Pares tienen de tiempo atrás sometido el mundo a su capricho y acobardado con su brutal dominio. Las hadas que rigen el destino de los hombres han decretado su ruina. Para ello han escogido como ejecutor de la venganza a Bernardo del Carpio, hijo del conde de Saldaña y de la hermana de Alfonso el *Casto.* El mago Oronto lo educa en todas las artes y virtudes caballerescas, disponiéndole convenientemente para las más altas empresas. Una de ellas consiste en conquistar la armadura de Aquiles, que le capacitará para vencer luego a los tiranos franceses. Tras furiosos combates, se apodera de la codiciada armadura, y, después de poner en libertad a Orontes y a trescientos caballeros españoles cautivos en el alcázar de la Fama, se dirige a Roncesvalles, donde derrota a los franceses, dando muerte a su más destacado paladín, el hasta entonces invicto Roldán.

El despliegue de elementos fantásticos que el poeta hace a lo largo de los cuarenta cantos y el derroche de poesía con que los avalora y satura no puede ponderarse fácilmente. Pero en esto, como en todo, hay una medida. Y Balbuena la rebasó con creces. Quintana le reprocha la «prodigalidad con que se ven empleados por todas partes el oro, los diamantes, los rubíes». En verdad, todo ello cansa. Y si, leído por partes, el *Bernardo* resulta siempre bello y en ocasiones asombroso, hay que confesar que una lectura íntegra o seguida se hace insoportable.

Viene llamando la atención de los lectores del *Bernardo* la fluencia y musicalidad del verso. Parece que en esto Balbuena tenía su teoría bien madurada y la ponía en práctica, evidentemente con éxito. «Y porque el ser los versos de muchas dicciones y sinalefas—escribe en el prólogo—los hace llenos y sonoros, y dos asonantes juntos disminuyen la suavidad de las cadencias, y los consonantes en verbales humillan mucho el estilo y le descaecen, se ha huído todo lo posible destas dos cosas, procurando llenar los versos de manera que en cinco mil octavas que tiene este poema, que son cuarenta mil versos, no se hallará uno que sea de solas tres dicciones, sino que el menos lleno tiene cuatro, y algunos de catorce dicciones y dieciocho sílabas, como el último de la octava 138 del libro IX, que dice:

Que es luz, que es mal, que es fin, que es vida y muerte.

En el mismo prólogo nos dice que lo compuso muy joven, «con los bríos de la juventud y con la leche de la retórica en los labios».

A pesar de ello y de la inexperiencia del autor (el *Bernardo* fué escrito por Balbuena en plena mocedad), el dictamen que pronuncie la crítica sobre el poema tiene que ser francamente favorable. Las virtudes superan con mucho a los vicios. Frente a su prolijidad innegable y la pesadez de muchos pasajes está el nervio épico de la narración, su principio y desenlace felices, el trazado de algunos caracteres, plenamente conseguido, y la variedad asombrosa de sus episodios.

Otros poemas de tema indianista

Estudiadas las grandes obras de Hojeda y Balbuena, que, aunque escritas por españoles, se pueden perfectamente encuadrar—y así se viene haciendo—dentro de la literatura hispanoamericana, nada destacable nos ofrece en este género la poesía castellana de ultramar en todo el largo período que venimos llamando barroco. Los poemas narrativos, a imitación especialmente de Ercilla, se multiplican, dominando con mucho los de tema histórico. Pero casi todos se pueden considerar más como simples crónicas rimadas que como obras de auténtica creación. Reseñamos sucintamente los más notables.

Nuevo mundo y conquista, poema de FRANCISCO DE TERRAZAS, del que sólo se conservan algunos fragmentos, y éstos de dudosa autenticidad. Fué Terrazas un estimable poeta lírico de la escuela de Cetina, elogiado por Cervantes en su *Canto de Calíope,* y el más antiguo de los poetas mejicanos de quién queda noticia y obra publicada.

Historia de la Nueva México (Alcalá, 1610), por GASPAR DE VILLAGRA, poema en que se intercalan provisiones y reales cédulas, sin que, al decir de Menéndez Pelayo, «se conozca notablemente la transición de los versos a la prosa cancilleresca».

El Peregrino Indiano (Madrid, 1599), primer libro impreso de poeta nacido en Méjico. Fué éste ANTONIO DE SAAVEDRA GUZMÁN, y su único mérito

el haberse adelantado a todos los nativos de aquel país en dar un libro a la imprenta.

Armas antárticas, de JUAN DE MIRAMONTES Y ZUÁZOLA, escrito entre 1608-1615 y no publicado hasta nuestros días (Quito, 1921), es un poema muy superior a los anteriores, con versos muy felices.

También merece recordarse la *Argentina y conquista del Río de la Plata* (Lisboa, 1602), del arcediano MARTÍN DEL BARCO CENTENERA. A él se debe la introducción del adjetivo compuesto «rioplatense», del que saldrá luego, dice Leguizamón, un gentilicio y «el nombre vivo de un país». Pero su poema es tan pobre que «no merece—escribe Juan María Gutiérrez—llevar en su blasón los cuarteles del hidalguísimo Ercilla, sino cruzado por barras transversales que indican bastardía».

Juan de Mendoza y Monteagudo, Hernando Alvarez de Toledo y Melchor Jufré del Aguila nos dejaron, respectivamente, en *Guerras de Chile,* el *Purén indómito* y el *Compendio historial del descubrimiento y conquista y guerra del Reyno de Chile,* otras tantas crónicas versificadas, carentes de todo valor artístico. Atienden más a la verdad histórica que a la expresión estética.

Entre los de tema religioso, y aludido en el capítulo XVII el *Ignacio de Cantabria,* de Pedro de Oña, sólo cabe citar aquí *La Thomasiada* (Guatemala, 1667), de DIEGO SÁENZ OVECURRI. Extraño este poema a toda inquietud estética, ofrece el único interés de ser una especie de muestrario métrico o de puesta en práctica de los famosos e inútiles tratados de Rengifo y Caramuel.

V. POEMAS BURLESCOS

Muy poco cultivada en nuestra literatura la epopeya satírica, apenas tiene otra representación estimable que los dos poemas ya citados: la *Mosquea* y la *Gatomaquia.*

Pfandl intenta establecer un entronque más o menos directo del barroco con el género satírico, y nos habla de una «especial preferencia por la exposición burlesca de las antiguas fábulas en verso». La verdad es que tal preferencia no aparece por parte alguna. Una literatura que en su más plena vigencia y en un período de más de cien años sólo puede ofrecer tres o cuatro muestras de un género determinado, no manifiesta excesiva predilección por tal género. Y la realidad en España es ésta: que nuestra poesía épico-burlesca no puede ser más exigua, tanto en cantidad como calidad. Por otra parte, pretender relacionarla con el período barroco, como una secuela de él, parece poco lógico. La epopeya burlesca abunda en todas las literaturas y en todos los tiempos; arranca nada menos que de la *Batracomiomaquia,* atribuída al viejo Homero, y conside-

rada hasta ahora como el supremo modelo dentro de su género.

La «Mosquea»

En España la primera manifestación es la *Mosquea,* de JOSÉ DE VILLAVICIOSA [10]. En doce cantos y en rotundas octavas reales, «las más sonoras y trompeteadoras que se han escrito en castellano», dice con evidente hipérbole Cejador, se nos cuenta la feroz guerra de las moscas con las hormigas.

A punto de celebrarse en Mosquea un torneo en el que Sanguileón, rey de las moscas, otorgará la mano de su hija al más bizarro caballero, una mensajera trae la noticia de que el rey de las hormigas acaba de dar muerte a 7.000 moscas y hecho prisionero al bravo Ranifuga. Estalla la guerra; en auxilio de las moscas viene Matacaballo, cuñado de Sanguileón; y en auxilio de las hormigas, cuyo rey, Granestor, movilizó inmediatamente sus fuerzas, acude un nutrido ejército de pulgas, piojos, chinches, arañas y otros animalejos. Después de múltiples escaramuzas y encuentros, se acerca la batalla definitiva. Los preparativos son como para un choque cósmico: el Infierno interviene; Carón prepara su barca para el transporte de tantos muertos; las Furias azuzan el odio; la Parca afila sus tijeras, y Plutón dispone centenares de demonios encargados de recoger la presa. Júpiter mismo, asustado, ordena que se cierren las puertas del cielo y que el sol se abstenga de salir. Pero el odio entre los dos bandos es superior a todo. Asinicedo, por parte de las moscas, es el encargado de llevar la provocación al campo enemigo. La batalla se entabla con tal ferocidad, que el clamor y los miembros rotos llegan al Olimpo, amargando el néctar de los dioses. Muertos o prisioneros la mayor parte de los jefes de uno y otro bando, la lucha termina por agotamiento de los dos ejércitos.

Nadie puede negar a Villaviciosa habilidad para conducir la acción y para dosificar el interés de modo que éste no decae en ningún momento. El lector se siente incorporado desde el principio a las rencillas y disensiones de aquellos minúsculos seres que, gracias a la fuerza y colorido con que los describe el poeta, cobran a nuestros ojos categoría casi humana. Con frecuencia olvidamos que se trata de bichos insignificantes y hasta repulsivos.

VI. ROMANCES ARTISTICOS

En la clasificación cronológica, que en su lugar correspondiente (cap. XI) se hizo de los romances, señalábamos dos grupos bien diferenciados: los *viejos,* llamados también *populares,* y los *artísticos o nuevos.* Comprendíamos bajo esta segunda denominación todos los publicados por poetas conocidos a partir del 1550, y algunos de los que figuran en las primeras colecciones, que se sabe con certeza fueron escritos con posterioridad al siglo xv.

La vitalidad del romance y su cultivo no solamente no decrece con la introducción de los metros italianos en España, sino que, pasados los primeros momentos de indecisión, los mismos poetas eruditos se esfuerzan por llevarlo a sus obras y rivalizan en su empleo. logrando darle una flexibilidad y un conjunto de perfecciones supremas que hasta entonces no había tenido. El romance coexiste de la manera más digna y con vida propia frente a la avalancha de metros foráneos; y si puede hablarse de un triunfo definitivo de éstos y una derrota en toda regla de la métrica tradicional castellana, es entendiendo siempre por esta métrica la de los *Cancioneros* del reinado de Juan II y sus inmediatos sucesores. Nunca se habla de vencimiento, ni aun siquiera de lucha, con referencia a los romances.

Los cuales, lejos de perder terreno, van ganan-

La *Mosquea* está inspirada en el poema del mismo título, escrito en latín macarrónico por Teófilo Folengo; sigue de cerca en su desarrollo a la *Eneida,* y tiene evidentes reminiscencias de las *Metamorfosis,* de Ovidio. La versificación, ya se ha dicho, es siempre fácil, abundante y armoniosa.

La «Asinaria»

Pasada por alto la *Gatomaquia,* de Lope de Vega, a la que aludiremos al tratar de este poeta, no encontramos ya digno de mención otro poema satírico que la *Asinaria,* de RODRIGO FERNÁNDEZ DE RIBERA (1579-1631). Más estimable como prosista por sus dos libros *Los antojos de mejor vista* y *El mesón del mundo,* es Ribera también un poeta inspirado. Sus odas de carácter moral y sus composiciones religiosas, publicadas con el título de *Sagradas poesías* (1612), acreditan hondo sentimiento y exquisito gusto. En otras aparece influido por la corriente culterana. Como poeta narrativo tiene el poemita en redondillas sueltas *Las lágrimas de San Pedro,* imitado de Tansi'' , y la citada *Asinaria,* vulgar imitación del *Asno ue Oro,* de Apuleyo, escrita en trece cantos en tercetos encadenados, pero sin la gracia del modelo.

do cada día nuevas conquistas. Recuérdese que en tiempos del marqués de Santillana todavía estaban relegados a aquel ínfimo género de poesía «de que las gentes de baja e servil condición se alegran». Con la publicación, a mediados del xvi, de las primeras grandes colecciones, suben, por decirlo así, de las calles y plazas a los palacios de magnates, se introducen en las celdas de los eclesiásticos cultos y se incorporan a las bibliotecas de escritores, poetas y eruditos, juntamente con las *Rimas,* del Petrarca, o el *Orlando,* del Ariosto. De verso popular y humilde ha saltado a la categoría de verso nacional. Los mejores poetas, en el reinado de Felipe II, no desdeñan cultivarlo, unas veces en forma anónima, otras prestigiándolo con su nombre. Este cultivo va en progresión constante: Lope, Quevedo y Góngora, los tres gigantes de la poesía de su tiempo, muestran por el romance predilección no disimulada. Gran parte de su más lograda producción está escrita en romance. La más conocida poesía de Lope de Vega—*A mis soledades voy...*—es un romance. Romance son también las más acertadas sátiras de Quevedo. Y el caso de Góngora es singular: se podrá discutir sobre el valor más o menos permanente de las *Soledades* y del *Polifemo;* incluso, aunque no suele hacerse, se puede poner en tela de juicio la excesivamente cacareada agudeza y picardía de sus *letrillas*. De lo que nadie duda es de que sus romances constituyen una joya inapreciable de nuestra lírica.

Incorporación a la escena

Con su aplicación al teatro, este verso tan popular y erudito, tan sencillo y refinado, tan fácil y tan susceptible, al mismo tiempo, de toda clase de artificios, recibe su espaldarazo. El romance será ya el metro español por excelencia.

La crítica, hasta época reciente, no había sabido valorar este factor métrico, que tanto contribuyó, sin duda, al éxito y difusión de nuestro teatro. Frente a la rigidez y monotonía del decasílabo francés, primeramente, y luego del insustituible alejandrino, nuestro teatro ofrece la más rica polimetría, con un predominio manifiesto del verso octosílabo en sus más variadas formas.

Cabe preguntarse si las obras de Lope y de Calderón hubieran llegado al corazón de las multitudes, escritas, no como lo están, en un metro fácil y eminentemente popular, sino en pesados endecasílabos y graves alejandrinos. Nuestros dramaturgos, con el mayor acierto, en vez de irse con los líricos y épicos tras el artificioso metro italiano, adoptaron desde el primer momento un metro indígena, el octosílabo, capaz de admitir en unas combinaciones, como la décima, todas las galas y aderezos de la rima, y en otras, como el romance, todas las gamas y transiciones del diálogo escénico. Dotado de una libertad de acentuación casi omnímoda, con la mínima cantidad de ritmo métrico y de rima, el romance fluctúa entre el verso y la prosa, conservando las ventajas de una y de otro.

Vigencia del género

Pero aquí queremos aludir de manera especial al romance *artístico*. Este fué fundamentalmente lírico, en contraste con el *viejo*, casi siempre narrativo. Encontramos ya algunos romances de esta clase en las colecciones de Fuentes, Sepúlveda, Padilla y Timoneda. Juan de la Cueva incluyó hasta un centenar de ellos en su *Coro febeo de romances históricos* (1587), y Ginés Pérez de Hita intercaló en la prosa novelesca de sus *Guerras civiles de Granada* gran cantidad de romances, propios y ajenos, algunos del más subido valor. Los cancioneros y antologías de la época están llenos de composiciones de esta clase, unos de autor conocido y otros todavía anónimos. Destacan entre todos el *Romancero general* y la *Primavera y Flor de los mejores romances* (Madrid, 1622), de PEDRO ARIAS PÉREZ, que en 1639 había alcanzado ya quince ediciones, prueba definitiva de la popularidad del género en todos los sectores de la sociedad. En cuanto al *Romancero general*

de 1600, se trata de una vastísima recopilación que se nutre de múltiples fuentes, ya perfectamente conocidas y estudiadas [11]

A fines del XVII y durante casi todo el XVIII sufre un pasajero eclipse, sin desaparecer nunca por completo. Meléndez Valdés, por ejemplo, lo cultiva con singular fortuna. Con el romanticismo vuelve a su puesto de honor: Zorrilla, el duque de Rivas y Espronceda sienten por él predilección especial. Por último, en plena poesía contemporánea, lo encontramos magistralmente tratado por Rubén Darío, Machado, Guillén, Alberti, Juan Ramón Jiménez y García Lorca.

NOTAS

1. Su biografía ha sido fijada recientemente por Gallego Morell. Nacido en La Coruña, pasa a Granada cuando tenía once años. Abraza la profesión militar, presta sus servicios en Italia, y, abandonadas pronto las armas, vuelve a Granada, donde frecuenta las tertulias literarias, consagrado por entero a la poesía y a la historia. Murió hacia 1665.

2. Nace en Toro (1584); estudia Humanidades, probablemente en Valladolid; casó tres veces, la primera con una prima de catorce años que murió pocos meses después. De sangre hidalga, fué procurador en Cortes y corregidor de León y de Logroño. Desempeñó otros cargos elevados. En su casa solariega se celebraron las Cortes que promulgaron las leyes de Toro y fué jurada doña Juana la Loca por heredera del trono. Murió a los noventa años (1674), tras larga vida en que supo conciliar libros, poesías, servicios a la patria y amores. Durante su corregimiento en León le había sido confiada la educación de don Juan de Austria, hijo de Felipe IV y la Calderona.

3. Hay pocos datos de su vida. Natural, probablemente, de la Vera de Plasencia, fué canónigo en el mismo Plasencia y vivió largo tiempo en Roma. Se ignoran las fechas de su nacimiento y de su muerte, aunque sabemos que vivió en la segunda mitad del XVI y primer tercio del XVII. La alusión de Cervantes aparece en estos dos tercetos del *Viaje del Parnaso:*

> Y desde lexos se quitó el sombrero
> el famoso Acevedo y dixo: *A dio,*
> *voy siete il ben venuto, cavaliero,*
> *so parlar zenese e tusco anchio.*
> Y respondí: *La vostra signoria*
> *sia la ben trovata, patrón mío.*

4. Pocos datos tenemos del padre Hojeda. Nació en Sevilla hacia 1570. Muy joven pasó a América, donde fué regente de estudios de su religión en Lima, y murió siendo superior del colegio fundado por él (1615).

5. Ejemplo, la negación de Pedro (lib. IV):

> Díjole, pues, el bravo: «Tú eres dellos.»
> Y él respondió: «No soy; hombre, ¿qué quieres?»,
> y una hora estuvo conversando entre ellos;
> y otro le dijo: «Al fin, ¿tú dellos eres?»
> Aquí Simón echó todos los sellos;
> aquí perdió, perdidos, sus haberes;
> aquí negó y mintió, juró y maldijose, si trató jamás de Dios al Hijo.

Un escritor peruano, don Juan Manuel de Berriozábal, compuso y editó en Madrid (1841) una *Nueva Cristiada* que, calcada en la del padre Hojeda y desprovista de elementos superfluos, viene a ser una copia infelicísima de aquélla. Consta de nueve cantos, más breves que los del dominico. El refundidor nos dice que quiso conservar «en lo posible el grandioso plan del antiguo poema, sus ideas y hasta sus versos cuando son buenos o pueden convenir a las nuevas dimensiones..., creando imágenes nuevas, retocando y avivando las antiguas, suprimiendo todo lo frío, todo lo difuso, todo lo insípido...» (Disc. preliminar, pág. 16.)

6. Nace en Toledo (¿1560?) y muere en Madrid, en

casa propia de la calle de Mesón de Paredes (1638). Se llama ya maestro en 1602, y sacerdote cuando concurrió a las fiestas de traslación de las sagradas reliquias de San José en Guadalupe. Vivió largas temporadas en Madrid, muy honrado y elogiado de los poetas, especialmente de Lope de Vega, que alude a él en la *Jerusalén*, en la *Filomena* y en *El laurel de Apolo*. Fué capellán del cardenal arzobispo don Bernardino de Sandoval y Rojas, y disfrutó una capellanía de rito mozárabe en la catedral toledana. Aparte de las citadas en el texto, tiene otras obras, como la *Exposición parafrástica del Psalterio* (1623).

7. Léase en el canto xv la minuciosa y larga escena de los pastores.

8. Desde la octava que comienza:

Abrió el cielo las puertas de diamante,

hasta aquella vistosa cabalgata de ángeles:

> Mezclan jacintos en sus alas bellas,
> zafiros, amatistas, esmeraldas,
> y de menudas, cándidas estrellas,
> hacen ricas coronas y guirnaldas;
> sus hebras de oro coronadas dellas
> ondean gozosas sobre sus espaldas;
> hacen espadas de los rayos puros
> del sol, que alumbra los sagrados muros.

9. *Historia de la poesía hispanoamericana*, vol. I.

10. Nació en Sigüenza (1589). Doctorado en Leyes, fué luego relator del Consejo de la Inquisición, inquisidor en Murcia y Cuenca y canónigo en esta ciudad. Murió en 1658.

11. Recientemente (1957) la Real Academia Española ha publicado las *Fuentes del Romancero General (Madrid, 1600)* en 12 tomos, reproducción facsímil de las primeras ediciones. La publicación, esmeradamente preparada y anotada por Antonio Rodríguez Moñino, comprende las siguientes *Fuentes*: Tomo I. *Flor de varios romances nuevos y canciones*, recopilado por Pedro de Moncayo (Huesca, 1589).—II. *Flor de varios romances nuevos. Primera y Segunda partes*, recopiladas por Pedro de Moncayo (Barcelona, 1591).—III. *Flor de varios romances nuevos. Tercera parte*. Textos de P. Moncayo y Felipe Mey (Madrid, 1593-Valencia, 1593).—IV. *Quarta y Quinta Partes de Flor de romances*, recopilados por Sebastián Vélez de Guevara (Burgos, 1592).—V. *Ramillete de Flores. Quarta Parte de Flor de romances*, recopilados por Pedro de Flores (Lisboa, 1593).—VI. *Ramillete de Flores. Quinta Parte de Flor de romances*, recopilados por Pedro de Flores (Lisboa, 1593).—VII. *Ramillete de Flores. Sexta Parte de Flor de romances*, recopilados por Pedro de Flores (Lisboa, 1593).—VIII. *Sexta Parte de Flor de romances nuevos*, recopilados por Pedro de Flores (Toledo, 1594).—IX. *Séptima Parte de Flor de romances nuevos*, recopilados por Francisco Enríquez (Madrid, 1595).—X. *Flores del Parnaso. Octava Parte*, recopiladas por Luis de Medina (Toledo, 1596).—XI. *Flor de varios romances. Novena Parte*, hecha imprimir por Luis de Medina (Madrid, 1597).—XII. *Romances diversos no incluidos en los once tomos precedentes.*

BIBLIOGRAFIA

I. Véase bibliografía general en el cap. XVII *(Epica renacentista)*, apartado I.

II. Trillo y Figueroa: Textos: *Obras*, ed. de Antonio Gallego Morell, Madrid, C. S. I. C., 1951 (Bibliot. Ant. Libros Hispánicos). *Poesías*, ed. de A. de Castro, «Bibliot. Aut. Esp.», XLII.—Estudios: Emilio Orozco Díaz: *Un poema de Trillo Figueroa desconocido*, «Bol. Univ. Granada», XII, 1940.—A. Gallego Morell: *Francisco y Juan de Trillo y Figueroa*, Publ. Univ. Granada, 1950; *Un romance de Trillo Figueroa y otro romance contra Trillo Figueroa*, «Bol. R. Ac. Esp.», XXXII, 1952.—Robert James: *L'imitation poétique chez Francisco de Trillo y Figueroa*, «Bull. Hisp.», LVIII, 1956.—Ulloa: *Poesías*, «Bibliot. Aut. Esp.», XXXIX y XLII. *Memorias familiares y literarias*, ed. de M. Artigas, «Bibliófilos Esp.», 1925.—Estudios: J. G. Aráez: *Don Luis de Ulloa Pereira*, «Anejos Rev. Literatura», Madrid, C. S. I. C., 1952.—José M. Lope Toledo: *Don Luis de Ulloa, buen pagador*, «Berceo» VI, Logroño, 1951.—José Zamora: *Don Luis de*

Ulloa, *parroquiano de Palacio*. «Berceo», VII, Logroño, 1952.—Menéndez Pelayo: Vid. Ulloa *en Estudios sobre Lope de Vega*, IV, pág. 101 y sgs., ed. C. S. I. C., 1949.—Antonio de Viana: *Islas afortunadas*, nueva ed. de F. Löher, «Bibliothek des Literarischen Vereins Stuttgart», vol. 165, 1883.—Estudios: María Rosa Alonso: *El poema de Viana. Est. histórico-literario de un poema épico del siglo XVII*, Madrid, C. S. I. C., 1952, Anejos de «Cuadernos de Literatura».—*La conquista bethencuriana y la de la isla de la Gran Canaria y sus relaciones con el poema de Viana*, «Monte Carmelo», XII, Burgos, 1951.—Cristóbal de Mesa: Bibliografía en *Ensayo* de B. J. Gallardo, III, pág. 780, y A. Rodríguez Moñino: *Cristóbal de Mesa. Estudio bibliográfico (1562-1563)*, Badajoz, 1951.—Juan de la Cueva: Véase bibliografía en cap. XXIV, apart. IV.

III. Alonso de Acevedo: *Creación del mundo*, «Bibliot. Aut. Esp.», XXIX.—Estudios: D. Berjano Escobar: *Poetas placentinos contemporáneos a Lope de Vega*, Cáceres, 1901.—M. Thibaut de Mesières: *Les poèmes inspirés du début de la Gènèse* (con dos capítulos sobre Acevedo), Lovaina, 1931.—Diego de Ojeda: *La Cristiada*, «Bibliot. Aut. Esp.», XVII. Ed. ilustrada con pról. de F. Miguel y Badía, Barcelona, 1896.—Estudios: F. J. Cuervo: *El maestro Fr. Diego de Ojeda y la Cristiada*, 1898.—Mary Adgar Meyer: *The sources of Hojeda's «La Cristiada»*, Univ. of Michigan Publications, Language and Literature, XXVI, 1953.—Menéndez Pelayo: Est. de «La Cristiada», *Hist. de la lit. hispanoamericana*, II, págs. 96-99, ed. C. S. I. C.—Frank Pierce: *The poetic hell in Hojeda's «La Cristiada»: imitation and originality*, «Est. ded. a M. Pidal», IV, 1953.—Quirós: *Nuevos datos sobre Diego de Hojeda*, «Ciencia Tomista», IV.—P. J. Rada y Gamio: *La Cristiada*, Madrid, 1917.—Francisco Reina y Castillón: *El alma española a través de la Cristiada* (colec. de artículos que estudia la obra del P. Ojeda), Santander, Edit. Cantabria, 1951.—J. de la Riva y Agüero: *Nuevos datos sobre el P. Hojeda*, «R. U. C. P.», 1936.—Luis Alberto Sánchez: *Fray Diego de Hojeda*, «Escritores representativos de América», I, págs. 63-69, Edit. Gredos, Madrid, 1957.—J. de Valdivielso: *Poesías espirituales*, ed. de E. Ochoa, «Tesoro de escr. místicos esp.», vol. III, París, 1847. *Vida y muerte del Patriarca San José. Poema épico*, «Bibliot. Aut. Esp.», XXIX. *Autos sacramentales*, ibíd., LVIII. *Romancero espiritual*, ed. de M. Mir, «Colec. Escrit. Cast.», I, 1880.—Estudios sobre Valdivielso: *Temas de arte y literatura*, de A. Vegue y Goldoni, Madrid, 1928; *Los autos sacramentales*, de J. Mariscal de Gante, Madrid, 1911; *Catálogo*, de La Barrera, II, y *Bibl. Madrileños*, de Pérez Pastor, II.—Para Francisco López de Zárate, véase la ed. de *Obras varias*, por J. Simón Díaz, C. S. I. C., 1947, y los estudios de Eustaquio Fernández Navarrete: *Retrato y biografía de López de Zárate*, «Semanario Pintoresco Español», 1845, y de José María Lope Toledo: *El poeta López de Zárate*, 1954, y *Más noticias biográficas sobre López de Zárate*, «Berceo», IX, Logroño, 1954.—Sobre Escobar Mendoza y Domínguez Camargo, consúltese A. Valbuena Prat: *Historia de la literatura Española*, I, capítulo XXXVII.—San Román: *Elisio de Medinilla y su personalidad literaria*, Toledo, 1921.

IV. Textos de Bernardo de Balbuena: *La grandeza mexicana*, impresa en Méjico en 1604, reimpresa en Madrid por la Real Acad. Esp. en 1821. Va seguida de *El Siglo de Oro en las selvas de Erífile*, cuya 1.ª ed. es de 1606; otras ediciones de *Grandeza mexicana*: Madrid, 1829 y 1837; Nueva York, 1928; Méjico, 1860; ed. facsímil por la Soc. de Bibliófilos Mexicanos en 1927; *El Bernardo o La victoria de Roncesvalles*, ed. príncipe, Madrid, 1624; reimpresa en el vol. XVII de la «Bibl. de Aut. Españolas».—Estudios sobre Balbuena: Mario Méndez Bejarano: *Poetas españoles que vivieron en América*, Madrid, ed. Renacimiento, 1929.—E. Vasco: *Valdepeñeros ilustres*, Maldepeñas, 1890-95.—A. Corianescu: *La première edition de «El Bernardo»*, «Bull. Hisp.», XXXVII, 1935.—Joseph G. Fucilla: *Glosses on «El Bernardo»*, de Balbuena, «Modern Language Notes», Baltimore, 1934; *Bernardo Balbuena's «Siglo de Oro» and its sources*, «Hispanic Rexiew», Pensilvania, 1947.—M. Fernández Juncos: *Don Bernardo de Balbuena, obispo de Puerto Rico. Estudio biográfico y crítico*, Puerto Rico, 1884.—J. Van Horne: *La «Grandeza mejicana», de Balbuena*, pról., introd. y notas, «Illinois Language», VII, págs. 319-486, 1930; del mismo: *El «Bernardo», de Balbuena. A Study of Poem*, «Studies in Language and Literature», XII, Univ. of Illinois, 1927; el mismo: *Bernardo de Balbuena*, Méjico,

1940; el mismo: *Bernardo de Balbuena y la literatura de Nueva España*, «Arbor», Madrid, 1945.—MENÉNDEZ PELAYO estudia a Balbuena en *Historia de la poesia hispanoamericana*, I, págs. 45-56 (ed. C. S. I. C.).—G. MIRELES MALPICA: *La significación de Balbuena, Alarcón y Altamirano dentro de la evolución de la cultura literaria mexicana*, Méjico, 1954.—VALENTÍN DE PEDRO: *América en las letras españolas*, Buenos Aires, 1954.—F. PIERCE: *L'Allegorie poétique au XVIe siècle. Son evolution et son traitement par Bernardo de Balbuena*, «Bull. Hisp.», LI y LII, 1949 y 1950; el mismo: *El «Bernardo», de Balbuena a baroque fantasy*, «Hisp. Review», Pensilvania, 1945.—G. PORRAS MUÑOZ: *Nuevos datos sobre Bernardo de Balbuna*, «Rev. de Indias», X, Madrid, 1950.—LUIS ALBERTO SÁNCHEZ: *Bernardo de Balbuena, vEscrit. represent. de América*, I, Edit. Gredos, Madrid, 1957.—FRANCISCO M. ZERTUCHE: *Bernardo de Balbuena y la «Grandeza mexicana»*, «Armas y Letras», XI, Monterrey, 1954.—Para todos los otros poetas comprendidos en este apartado consúltese MENÉNDEZ PELAYO: *Historia de la poesia hispanoamericana*, passim.—Para Barco Centenera: DOLLY MARÍA LUCERO ONTIVEROS: *El Renacimiento y América en «La Argentina»*, de Barco Centenera, «Cuad. Hispano-Americanos», XXI, Madrid, 1954.

V. VILLAVICIOSA: *La Mosquea*, ed. Sancha, 1877, y «Bibl. de Aut. Españoles», XVIII.—Estudios: A. GONZÁLEZ PALENCIA: *José de Villaviciosa y «La Mosquea»*, «Historias y leyendas», Madrid, 1942; antes en «Bol. Real Acad. Española», XIII y XIV, 1926 y 1927.—J. P. WICKERSHAM CRAWFORD: *Folengo's Moschaea and Villaviciosa's Mosquea*, «Publications of the Modern Language Association, XXVII, 1912.—PEDRO LEMOS Y RUBIO: *Rodrigo Fernández de Rivera y su obra «La Asinaria»*, «Bol. Real Acad. Española», XXXII, 1952.—J. HAZAÑAS Y DE LA RÚA: Biografía de *R. F. de Rivera*, Sevilla, 1899.

VI. *Romancero general* (1600, 1604, 1615), ed. A. González Palencia, Madrid, C. S. I. C., 1947.—*Segunda parte del Romancero general y flor de diversa poesia*, ed. Joaquín de Entrambasaguas, Madrid, C. S. I. C., 1948.—*Cancionero de 1628*, ed. J. Manuel Blecua, C. S. I. C., 1945.—CHARLES AUBRUN: *Chansonniets espagnoles du XVIIe siècle*, «Bull. Hisp.», Burdeos, 1949.

CAPITULO XXXIII

LIRICA DEL XVII
CONCEPTISTAS Y CULTERANOS

I. Conceptismo en verso: *Alonso de Ledesma y Alonso de Bonilla.*—II. El culteranismo en verso: Carrillo y Sotomayor: *Biografía. Obras. El «Libro de la erudición poética».*—III. Luis de Góngora: *Datos biográficos. Perfil humano. Obra literaria. Las «dos épocas» de Góngora. Poemas de metro corto: endechas, romances, letrillas. Los sonetos. Otros poemas de breve extensión. Poemas largos: el «Polifemo», las «Soledades» y el «Panegírico al Duque de Lerma». La polémica gongorina. Góngora, poeta de primer orden.*—IV. Otros poetas culteranos: *El Conde de Villamediana y Soto de Rojas. Más representantes del culteranismo.*—Notas.—Bibliografía.

I. CONCEPTISMO EN VERSO

De las dos direcciones en que, según queda dicho, se canaliza el barroco literario, una—la culterana—atiende preferentemente a la poesía, al verso; la otra—la conceptista—, al pensamiento, a la prosa. De aquí que casi no pueda hablarse propiamente de una lírica conceptista, mientras que la culterana ocupa uno de los capítulos más importantes de toda nuestra literatura. Realmente, poeta conceptista de altura sólo hay uno: Quevedo; y aun en el verso de éste, allá se andan mezclados y casi equilibrados en iguales dosis los factores propios de su escuela con los típicamente culteranos. Su odio a Góngora no le impedía ser a veces en sus poesías tan oscuro y culto como él. Y ello se comprende fácilmente: la modalidad culterana afecta más directamente a la forma, a la expresión; la conceptista, a la idea, al contenido.

La preferencia, pues, de Góngora y los suyos por el verso y de los conceptistas por la prosa está justificada. Ello hace que, al enfrentarnos con la poesía barroca, apenas tengamos que aludir sino de pasada a los poetas conceptistas y, en cambio, los culteranos absorban por entero nuestra atención. Quevedo, que podía llenar con su lírica un apartado, se reserva para el capítulo en que se estudian su vida y obras en conjunto.

Aquí sólo nos resta decir dos palabras sobre los antecedentes del conceptismo. Porque el conceptismo, que culmina en Quevedo, también tiene lógicamente sus precursores. Estos son varios, pero sólo dos merecen nuestra atención [1].

Ledesma y Bonilla

El segoviano Alonso de Ledesma Buitrago (1562-1623) es considerado por todos como el iniciador del conceptismo en el verso. Se sabe poco de su vida: únicamente que se educó en los Jesuítas, de donde le viene su preferencia por ciertos temas y su formación lingüística e intelectual. Sus obras son: *Conceptos espirituales* (en tres partes, publicadas en 1600, 1608 y 1612), *Juegos de Noche Buena con cien enigmas* (1611), *Romancero y monstruo imaginado* (1615) y *Epigramas y Hieroglíficos* (1625) [2]. Todas ellas de carácter serio, menos el *Romancero*, que se reduce a una absurda ficción bufonesca. Ledesma lleva ya el conceptismo a su más alto grado. Sus pensamientos, a veces profundos, con frecuencia sentidos y siempre ingeniosos, se pierden en una maraña de antítesis, juegos de palabras, metáforas de sabor culterano y, sobre todo, del supremo recurso de la escuela: la contraposición de dos ideas.

Fué muy leído y elogiado por Lope de Vega, Cervantes, Nicolás Antonio y Gracián, que le llama «divino» y toma de él ejemplos y argumentos para su teoría de la *agudeza*. Los predicadores del siglo XVII explotaron las obras de Ledesma, especialmente sus *Conceptos*, para extraer de allí innumerables comparaciones aplicables a la Eucaristía y a otros temas sagrados [3]. Recientemente, el erudito investigador Francisco Vindel ha intentado probar con múltiples razones que Ledesma fué el autor del *Quijote* apócrifo, ocultándose bajo el seudónimo de Avellaneda.

Tampoco tenemos noticias del andaluz Alonso de Bonilla, que con Ledesma suele repartirse la paternidad del conceptismo. Inferior en inspiración e ingenio al segoviano, este andaluz de Baeza nos legó en los *Peregrinos pensamientos de misterios divinos* (1614) y en el *Nuevo jardín de flores divinas* (1617) dos testimonios característicos de lo conceptuoso poético, vuelto «a lo divino». Maneja el romance y el soneto con relativa soltura; pero, en general, es un poeta mediocre, a pesar de la afirmación de Lope de Vega de que «en este género de poesía—de *agudeza*—no hay quien le iguale».

II. EL CULTERANISMO EN VERSO: CARRILLO Y SOTOMAYOR

Durante mucho tiempo se ha tenido a Góngora no sólo por el máximo representante del culteranismo, sino también por su iniciador y creador. Hoy tal idea está desechada. Sin contar algunos ingenios de la escuela sevillana y granadina, el genial vate cordobés tuvo un precursor inmediato en Carrillo y Sotomayor. «El primer cultista de España», le llamó Gracián; y, en efecto, no se puede hablar de Góngora sin aludir primero a él.

Don LUIS CARRILLO Y SOTOMAYOR, de tan breve vida y tan escasa obra, es uno de esos poetas cuya figura se agranda por momentos. Su *Fábula de Acis y Galatea* puede considerarse no sólo el antecedente, sino el molde del *Polifemo*. Su *Libro de la erudición poética* [4] es, sin pretensiones de serlo, ni más ni menos que el manifiesto de la escuela culterana.

Biografía

Había nacido en Córdoba (1582 ó 1583), de familia noble. Su padre era presidente del Consejo de Hacienda. Estudia en Salamanca, obtiene el hábito de Santiago y, muy joven, es nombrado cuadralbo de las galeras de España; es decir, comandante de cuatro naves. Es probable que visitase Italia y frecuentó con seguridad las ciudades costeras de Andalucía y Levante, especialmente Cartagena. Murió joven, a los veintisiete años, (1610), en el Puerto de Santa María. Dos años antes había dejado de escribir, «ocupado todo—nos dice su hermano don Alonso—en maciza virtud de santidad». Su muerte fué hondamente sentida por todos los ingenios de España, entre los que contaba con muchos amigos: Cascales, Góngora, el mismo Quevedo. Hombre tan envidioso y displicente como Suárez de Figueroa le dedica en *El pasajero* (1617) los más encendidos elogios [5].

Obras

Las obras de Carrillo y Sotomayor son escasas, si se comparan con las de otros poetas de su tiempo, pero abundantes, si se atiende a su corta vida. Fueron publicadas por su hermano don Alonso en 1611 (edición muy incorrecta) y reeditadas en 1613. Se reducen a dieciocho romances, letrillas y redondillas; cincuenta sonetos, dieciséis canciones, dos églogas, tres pequeñas composiciones antepuestas a su traducción de *Remedios de amor*, de Ovidio, y la *Fábula de Acis y Galatea*, en treinta y cinco octavas reales.

Lo mejor es indudablemente la *Fábula de Acis y Galatea*. Se discute si Góngora la tomó o no por modelo de su *Polifemo*. Para nosotros no hay la menor duda: el *Polifemo* se escribió a la vista del poema de Carrillo. Dámaso Alonso, tan profundo conocedor de Góngora, intenta probarnos que ambos poetas cordobeses recorrieron un camino aparte. Pero García Soriano [6] había establecido antes la confrontación de los dos poemas, y de ella resultan tales semejanzas que es imposible atribuirlas a simple coincidencia de gustos o de métodos. La misma estrofa—octava real—, las mismas alusiones mitológicas, las mismas metáforas... Lo cual no rebaja en un ápice el mérito del *Polifemo*. Entre éste y la *Fábula de Acis* siempre habrá la diferencia que existe entre un esbozo y una obra plenamente lograda.

Por lo demás, Carrillo y Albornoz se nos ofrece como un poeta sin madurar. Murió demasiado joven. A los veintisiete años—ya hemos visto que dejó de escribir dos antes de su muerte—, un talento, por grande que sea, no está cuajado. El caso de Rimbaud, asombrando a Francia y aun a toda Europa con versos admirables, escritos antes de salir de la pubertad, es poco frecuente. Hasta la poesía, que baja directamente del cielo, necesita una técnica, y esa técnica exige su tiempo. Cuando es tan trabajada como la culterana, ese tiempo se debe contar por lustros. Carrillo, pues, no llegó a cuajar. Probablemente, de haber vivido más, habría podido ser digno émulo de Góngora. A la edad en que le sorprendió la muerte quedó en un simple precursor. Sus romances y letrillas, sin estar faltos de inspiración, nos parecen incoloros. Los sonetos más inspirados y pulidos acusan todavía una mano inexperta. No faltan algunos francamente buenos, sin llegar nunca a la calidad suprema de los de Góngora, Lope o Quevedo. Para nuestro gusto destacan los titulados *A Laura, empleada en otro dueño* («Mientras que bebe el regalado aliento...»), *A la vista de Celia* («Escuadrones de estrellas temerosas...») y *A unas flores presentadas* («Las honras, la osadía del Verano...»), nueva versión del «Carpe diem». Las canciones —en estrofas aliradas, menos la IV, en sextinas— tienen cierto sabor horaciano, sin el nervio de Medrano o de fray Luis; por último la *Fábula de Acis y Galatea* presenta una factura mucho más cuidada. Aquí, en efecto, encontramos al poeta culterano casi hecho. Varias de estas octavas podrían llevar sin desdoro la firma de Góngora. Menos audaz que éste en el hipérbaton, no le va a la zaga en lo atrevido de las metáforas y en la musicalidad del verso:

De cuál era marfil, la blanca mano
o el peine, que entre el oro discurría
—o si era el sol aquel que el oceano
de sus hermosos rayos lo vestia,
o aquel que, altivo, del Titón anciano
la blanca esposa, pálido, seguía—
dudoso el Etna, aun aetenia en su falda
abrasada las perlas de esmeralda.

El «Libro de la erudición poética»

Más importancia tiene a nuestro objeto el *Libro de la erudición poética*, reeditado hace poco por el Consejo Superior de Investigaciones Científicas. «Prólogo del *Cromwell* de la revolución culterana», le llama García Soriano; dejémoslo, y ya es bastante, en simple manifiesto, o, lo más, en fervorosa apología del estilo culto.

Todas sus páginas respiran esa distinción, esa finura espiritual y aristocratismo poético que caracteriza a los componentes del grupo. Sin ser un tratado doctrinal propiamente dicho, ni una preceptiva articulada en reglas, ofrece entre la maraña de citas latinas y sentencias de enrevesado hipérbaton una serie de principios que coinciden exactamente con los reseñados por nosotros en el capítulo XXXI. Estos principios son: 1.º Las Musas, que gustan del ocio y «del compuesto hablar», no revelan sus secretos al primer advenedizo. 2.º Al ejercicio de la poesía sólo se llega tras ardua labor: «No sin trabajo se dexan ver las Musas. Lugar escogieron bien alto...» 3.º La falta

de estudio y de constante lima impidió que los poetas españoles igualaran a los italianos: aplicadas «con diligencia y estudio las fuerzas del ingenio, tuviera Italia acerca de nosotros menos ocasión de desprecio». 4.º «Diferente es el estilo del historiador al del poeta.» El ornato externo o elocución es tan esencial a la poesía como el velo a Isis; ese ornato se logra mediante un lenguaje culto, lleno de términos difíciles y expresiones rebuscadas, porque «mal cosas se emprenderán con palabras humildes». 5.º La poesía no nació para el vulgo, sino para espíritus selectos. Con gran fruición Carrillo transcribe el *Odi profanum vulgus, et arceo*. El también, como Horacio, aparta con gesto de desdén al vulgo ignaro. 6.º Lícito le es al poeta un género de lenguaje diferente del ordinario, y no sólo por la novedad y selección de las palabras, sino «por la disposición dellas», por el hipérbaton. «Los poetas de la común manera de hablar y costumbre del vulgo se apartan; apártase grandísimamente Virgilio con helenismos.» 7.º No aconseja Carrillo la oscuridad; pero tampoco la rehuye: «Efectos son del buen hablar dificultar algo las cosas.» 8.º Las «translaciones» también contribuyen a realzar la calidad del poema: «la translación, en la qual ay grandíssimo adorno a las palabras, no acomoda sus cosas al vulgo...» Y 9.º Aquella constante obsesión de la escuela: el poema ha de ser *escondido*. «Aristóteles repite la necesidad que tienen los buenos versos de huyr del vulgo..., enseñó la agudeza (y que sea) el poema escondido, a juizio de pocos.»

III. LUIS DE GÓNGORA

El hombre que mejor asimila todos estos preceptos, aplicándolos concienzudamente a su obra y elevando de paso la poesía culta a la más alta categoría estética, es don LUIS DE GÓNGORA Y ARGOTE (1561-1627). El nos da en soberbia plenitud lo que en Carrillo era sólo promesa poética. Hiperbólicamente exaltado por unos, censurado por otros hasta el insulto soez, discutido siempre, Góngora se nos muestra por encima de gustos y escuelas, como un espíritu de selección que acertó a llevar la lírica hispana a sus más altas cimas. Con Lope y Quevedo forma la gran trilogía lírica de su siglo.

Datos biográficos

Nace en Córdoba (1561), hijo de Francisco de Argote y doña Leonor de Góngora. Su padre era juez de bienes confiscados por la Inquisición y bibliófilo notable. A los quince años pasa a estudiar en Salamanca, donde se aficiona más a la poesía, los devaneos amorosos y los juegos de azar —pasión que siempre había de dominarle— que a los

cánones y leyes. Al abandonar, cuatro años después, la Universidad (1580), no traía grado alguno académico, pero sí cuantiosas deudas. Por protección de sus parientes obtiene en Córdoba un beneficio eclesiástico, y parece que estaba ordenado *in sacris* a los veinticuatro años, pues ya asistía (1585) a los cabildos de la catedral. Se le acusa ante el obispo (1589) de asistir poco al coro y frecuentar, en cambio, espectáculos profanos (teatros y corridas de toros) y entregarse con exceso al juego. También se le reprende por hablar durante los oficios canónicos; a lo que contesta, no sin cierto gracejo, que guardaba en el coro silencio por necesidad, pues se hallaba sentado entre un sordo y un prebendo que nunca dejaba de cantar.

Con una comisión del cabildo recorrió muchas partes de España: Galicia, Navarra, León, ambas Castillas, etc. Numerosos sonetos recuerdan su paso por varias ciudades. También hizo muchos viajes a Madrid y uno especial a Salamanca (1593), donde cayó enfermo de cuidado. «Muerto me lloró el Tormes en su orilla», escribe en uno de sus sonetos. Su viaje a Cuenca, diez años más tarde, así como los que hizo a Granada y Toledo, debieron de impresionarle hondamente. Del primero queda el delicioso romance:

En los pinares del Júcar
vi bailar unas serranas...

Siempre falto de recursos, agobiado de deudas, obsesionado por ir a Madrid, donde esperaba brillar al lado de Lope y tanto como él, obtiene al fin (1612), y por mediación del duque de Lerma, una capellanía de honor de Felipe III. Góngora le pagaría el favor dedicándole varias poesías, entre ellas el famoso *Panegírico*. Ya entonces era conocido en la corte por la *Flor de romances nuevos* (Huesca, 1589), de Pedro de Moncayo, entre los que figuran doce de Góngora, y por varios sonetos y canciones incluídas en las *Flores de poetas ilustres* (1605), de Pedro Espinosa. También su *Polifemo* y las *Soledades* circulaban ya por Madrid en copias manuscritas. Su estancia en la corte le acarreó no pocos disgustos, por su carácter agrio y su lenguaje mordaz. Pronto se enemistó con los más altos ingenios de la época, y si en sus diatribas contra Lope de Vega llevó la mejor parte, porque indudablemente le ganaba en ingenio satírico y burlón, en cambio, frente al coloso Quevedo, tenía que sucumbir. Pocas veces ha tenido que aguantar un hombre burlas tan sangrientas como las que Quevedo le dirigió. Tras doce años de estancia en la capital, la abandona desengañado, maltrecho y paladeando las hieles de la derrota:

Mal haya el que en señores idolatra
y en Madrid desperdicia sus dineros...,

escribe por aquellos días en una célebre composición.

De tiempo atrás, Góngora venía arrastrando una grave enfermedad (probablemente, arteriosclerosis prematura), cuyos síntomas empezaron a manifestarse en 1609. A los cincuenta años se había ordenado sacerdote; parece que en su juventud tuvo amores con una dama incógnita. Privado de la memoria un año antes de morir, con frecuentes dolores de cabeza y desvanecimientos, sucumbió de apoplejía en mayo de 1627, a los sesenta y seis años de su edad. Todo el mundo, hasta sus mayores enemigos, enmudeció ante la muerte del gran hombre. Sólo la musa de Quevedo, implacable y brutal, se atrevió a perseguirle más allá de la tumba:

Fuése con Satanás culto y pelado;
miren si Satanás fué desdichado.

Perfil humano

Su retrato físico nos lo da un escritor contemporáneo: «Fué don Luis de Góngora de buen cuerpo, alto y robusto, blanco y rojo, pelo negro... Ojos grandes, negros, vivísimos, corva la nariz...» Este último dato ha inducido a algunos a creer que era de ascendencia judía. Quevedo repetidas veces alude a ello, más o menos veladamente; y en nuestros días no ha faltado quien exhumara este argumento para reforzar la tesis del fondo semítico en el barroco [7].

Lo que está fuera de duda es su ingenio privilegiado. Pellicer, su biógrafo, afirma que destacaba por la agudeza entre los catorce mil estudiantes de Salamanca, y Ambrosio de Morales, amigo de su padre, exclamó al conocerle, cuando contaba Góngora quince años: «¡Qué gran ingenio tienes, muchacho!» El retrato que de él se conserva nos revela un hombre de frente alargada, nariz aguileña, boca grande, sumida y pronta a la mordacidad y a la maledicencia. Aunque sus rasgos faciales no lo acusaran, sabemos, por testimonio de sus contemporáneos y, mejor aún, por sus mismos versos, que fué hombre de carácter agrio, zumbón, amigo de ridiculizar las flaquezas ajenas, dotado de una *vis cómica* no vulgar y de una propensión innata hacia la sátira. De aquí sus muchos versos de carácter burlesco, en los que desciende con frecuencia a la expresión grosera y hasta obscena. Nos parece, sin embargo, exagerada la afirmación de Vossler de que en Góngora se malogró un Juvenal. Su sátira es, más que cuchillada o mazazo contundente, picadura venenosa. Cuando cruza sus dardos con Lope, lleva las de ganar; cuando se enfrenta con Quevedo, sucumbe bajo su clava. Es ingenioso, no genial. Para una décima, una letrilla ligera, admirable; en una obra sostenida, su tono decaería pronto. Por eso, nunca intentó hacerla. Artigas, a quien debemos la mejor biografía de Góngora, anota su fondo bilioso; envidioso, nos atrevemos a decir nosotros. Y, además, de un orgullo desmedido. Su carta *En respuesta de la que le escribieron* (¿1613?) respira vanidad por todas sus líneas. Hay quien atribuye a esta vanidad la preferencia del apellido materno por el paterno; en realidad, parece que obedeció a otras razones.

Este es el lado negativo de su persona. El positivo nos muestra un espíritu refinado en su formación y en sus gustos. De su trato en Salamanca con los clásicos griegos y latinos le quedó siempre una tendencia irresistible hacia la perfección y exquisitez formal. Amaba la música, y esa afición, así como su dominio de determinados instrumentos, se deja notar en todos y cada uno de sus versos, especialmente en los de arte mayor, los más sonoros tal vez que se han escrito en nuestra lengua.

Obra literaria

Parece que el gran poeta venía preparando la edición de sus obras cuando le sorprendió la muerte en 1627. Antes de esta fecha ya eran conocidas la mayor parte; unas circulaban profusamente en copias manuscritas; otras habían sido recogidas en colecciones. Sólo en las de Moncayo y Espinosa, a que antes aludimos, figuraban casi un centenar.

El mismo año de su muerte las publicó Juan López de Vicuña con el título de *Obras en verso del Homero español*. Seis años más tarde (1633) las edita, mejorándolas, Gonzalo de Hozes [8], y en ésta han venido apoyándose ya casi todas las ediciones posteriores, reproduciéndola, hasta que en nuestro siglo (1921) aparece la definitiva de Foulché-Delbosc, basada en el llamado «manuscrito de Chacón». Era este Chacón amigo de Góngora y señor de Polvoranca; para regalársela al condeduque de Olivares quiso sacar una copia de las obras de aquél, y así lo hizo, agregándole abundantes notas aclaratorias y fechando cuidadosamente cada composición. El mismo nos dice que consultó para ello muchas veces al propio Góngora, y debe de ser verdad, puesto que la cronología es muy exacta. Foulché, que ha intentado rectificarla, sólo pudo señalar variantes de fecha en veinticuatro composiciones, de ellas catorce con error menor de un año. Si se tiene en cuenta que los poemas se aproximan al medio millar, sacaremos la conclusión de que en el manuscrito chaconiano se nos da un texto fidedigno y de la mayor autoridad.

En general, se vienen dividiendo las obras de Góngora en *Pequeños poemas* y *Poemas mayores*, comprendiendo, naturalmente, en el primer grupo los de metro corto (romances, letrillas, etc.), y también los de metro mayor de poca extensión (sonetos, canciones). En el segundo grupo figuran los tres poemas largos: el *Polifemo*, las *Soledades* y el *Panegírico al duque de Lerma*. Tiene, además, Góngora dos obras dramáticas: *Las firmezas de Isabela* y *El doctor Carlino*, esta última refundida por Antonio de Solís.

Hasta ahora, y clasificado por géneros, todo lo que tenemos de Góngora es:

a) 94 romances auténticos y 18 atribuíbles; entre ellos figuran algunos que más bien son letrillas y glosas.

b) 121 letrillas auténticas y 25 atribuíbles. Lo mismo que sucede en los romances, aquí también se incluyen multitud de composiciones breves de diversos géneros.

c) 166 sonetos auténticos y 62 atribuíbles.

d) 32 composiciones de vario asunto, y en general de corta extensión, agrupadas bajo el título *Otras composiciones de arte mayor*, y una atribuíble del mismo corte: prólogo a *La gloria de Niquea*.

e) 3 poemas o composiciones largas: el *Polifemo*, las *Soledades* y el *Panegírico al duque de Lerma*.

f) 2 dramas: *Las firmezas de Isabela* y *El doctor Carlino*.

g) Un epistolario que contiene 129 cartas de escaso valor en su mayor parte.

Las «dos épocas» de Góngora

Antes de proceder al análisis de las principales obras gongorinas queremos abordar, siquiera de pasada, una cuestión muy discutida en nuestros días: la que Dámaso Alonso denomina «Los dos Góngoras». ¿Hay, en efecto, dos etapas distintas y hasta contrapuestas en el proceso creador del gran lírico?

Desde que el eminente humanista Cascales —que tenía motivos para conocerlo bien— calificó a Góngora de «príncipe de luz y príncipe de las tinieblas», refiriéndose, respectivamente, a sus dos maneras o estilos, el tradicional y el culto, apenas hay manual ni historia de la literatura en que no se venga repitiendo esta discriminación. Con ella se quiere indicar que en Góngora hubo dos etapas creadoras, cronológicamente separadas y de opuesto signo: de un lado, el poeta sencillo, fácil, claro y popular, autor de encantadores romances y letrillas; de otro, el poeta oscuro, difícil, ininteligible y extraño, autor del *Panegírico* y las *Soledades*. La línea divisoria suele establecerse exactamente en 1611. Hasta esa fecha Góngora había sido un poeta, por decirlo así, normal; entonces empieza el poeta excéntrico, desequilibrado *culto*. En la primera modalidad es el hombre que recibe los elogios unánimes de la crítica y del gran público, que sabe sus versos de memoria; en la segunda, cuenta con la repulsa casi universal. Tal estado de opinión se impone hasta a los más doctos, y el mismo Menéndez y Pelayo lo recoge en sus *Ideas estéticas* [9], contribuyendo a fomentarlo con el peso decisivo de su autoridad casi omnímoda. Todavía más cerca de nosotros, Lucien Paul Thomas nos habla de «dos períodos», y Pfandl los da por definitivamente probados [10]. Tal cambio de dirección obedecería, según unos, a influencias de Marini; según otros, a la lectura de las obras de Carrillo, sobre todo del *Libro de la erudición poética*, cuyos principios tan bien encajaban en la actitud estética de Góngora, y, conforme a una tercera opinión, a la enfermedad que por aquellas fechas le aquejó. Tendríamos, por tanto, que los grandes poemas gongorinos —el *Polifemo* y las *Soledades*— serían un producto de causas patológicas, y como tal habría que estudiarlos.

Y en este momento interviene la crítica actual, que replantea el problema, dándole otra solución. Los estudios a fondo de la lengua poética de Góngora, realizados por Spitzer, Pabst, Artigas, Cossío y, sobre todos, Dámaso Alonso, han permitido fijar la cuestión sobre bases más sólidas. Nada de dos estilos; mucho menos ese corte radical que se pretende establecer entre la producción anterior a 1611 y la siguiente. Todo lo más que cabe admitir son dos tendencias en la poesía gongorina; pero esas tendencias —la aristocrática y la popular, la que va a lo real y la que se evade de lo cotidiano en busca de la belleza absoluta— venían ya dadas desde el Renacimiento, y en Góngora se manifiestan no con carácter sucesivo, sino en forma simultánea.

En tal sentido el estudio más serio realizado

hasta ahora es el de Dámaso Alonso [11]. En él se «intenta probar la falsedad de la separación tradicional en el arte de Góngora y cómo en el poeta de las obras más *claras* está en potencia el autor de las *Soledades* y del *Polifemo*», para llegar a la conclusión de que no hay entre las dos épocas límite cronológico definido, sino que una va dando origen a la otra, porque «lo que caracteriza a la segunda no es más que la *intensificación en el pormenor* y la *densificación en el conjunto de lo que era ya propio de la primera*». División longitudinal, no transversal, propone el culto profesor. Todos los factores estilísticos, que luego serían notas peculiares del gongorismo, apuntan ya en los primeros poemas que conocemos. Estos factores son léxicos, sintácticos y literarios. Para comprobarlo, D. Alonso establece el paralelo entre un romance de la primera época, el conocido de *Angélica y Medoro,* y pasajes análogos de las *Soledades* y el *Polifemo.* Del análisis se desprende que en el romance, escrito diez años antes (1602), abundan los cultismos, las metáforas, los giros sintácticos y demás recursos del estilo culterano casi tanto como en aquellos poemas. «¿Por qué —pregunta el agudo crítico— se salva este romance, considerándolo modelo de naturalidad, de la condenación implacable de las *Soledades,* etc.? ¿Por qué se condena en estas últimas obras lo que deleita en *Angélica y Medoro?* [12]

Quizá pudiéramos contestarle, sin afán de rectificación, que entre tantos factores estilísticos sometidos a examen ha quedado preterido, o al menos sin destacar suficientemente, uno: el hipérbaton. En *Angélica y Medoro* la construcción sintáctica es normal; en el *Polifemo,* ya, y más aún en las *Soledades* y en el *Panegírico,* es netamente latina. De ahí la claridad del romance, a pesar de los neologismos y metáforas rebuscadas, y la oscuridad de los poemas. Imposible negar que en el orden constructivo de la frase se ha operado un cambio en el Góngora de 1611-1612, aun reconociendo que en las composiciones de metro menor, escritas con posterioridad, sigue los módulos tradicionales. Hasta esa fecha la frase se sujeta a un orden lógico de estructuración enteramente castellana; luego se rompe, se descoyunta anárquicamente, hasta hacerse casi ininteligible [13]. No vale decir que el Góngora de las *Soledades* es fácil y claro; el hecho de que éstas hayan tenido que traducirse al castellano —y ¡con sudores a veces!— indica bien hasta dónde llega esa claridad.

Entre las dos tesis, pues, nos quedamos en el punto medio: ni dos épocas contrarias absolutamente, ni unidad estilística tan continuada que imposibilite la introducción en los poemas largos de un nuevo factor: el hipérbaton. En todo caso, justo es reconocer que Dámaso Alonso, con su sagaz crítica, nos ha aproximado a una exacta interpretación del poeta.

Poemas de metro corto: endechas, romances, letrillas

Conservamos, ya se ha dicho, más de doscientas composiciones de arte menor: romances, letrillas, endechas, etc. Góngora no cesó de cultivar este género a lo largo de su vida: la célebre endecha *La más bella niña...* está fechada en 1580, y la letrilla burlesca *Doña Menga, ¿de qué te ríes?,* en 1625. Otro tanto sucede con los romances: el último, de indudable autenticidad, corresponde a un año antes de su muerte. Unos y otros, romances y letrillas, constituyen la parte más conocida entre las creaciones del autor y lo único que ha quedado siempre a salvo de toda crítica adversa.

Realmente, en ellos Góngora es maestro supremo. En el romance, si no ostenta la primacía de todo nuestro Parnaso, a nadie cede en finura, perfección formal y agudeza. Los tiene de muchas clases: líricos (*Aquí entre la verde juncia, En el caudaloso río, Frescos airecillos*), caballerescos (*En un pastoral albergue,* que es el citado de *Angélica y Medoro*), fronterizos, amorosos, burlescos, de ambiente pastoril, religiosos y moriscos. Alguno de estos últimos es, para nuestro gusto, de lo más hermoso que existe en castellano:

> Servía en Orán al rey
> un español con dos lanzas,
> y con el alma y la vida
> a una gallarda africana...

El mismo corte tienen los que empiezan: *Famosos son en las armas..., Entre los sueltos caballos...,* etc. A veces sigue a Quevedo, y casi le alcanza, en lo desgarrado del lenguaje, al describir tipos y escenas de la «germanía»:

> Violante de Navarrete,
> lavandera de rodete,
> entre hembras luminaria
> y entre lacayos cohete.

> Quiso a un mozo de nogal,
> de mostacho a lo turquete,
> cuyas espaldas pudieran
> dar tablas para un bufete;

> de la cámara de Marte
> gentilhombre matasiete,
> como lo muestra en la cinta
> la llave del pistolete.

De la misma variedad de temas, agudeza y donaire son sus *Letrillas.* Muchas de ellas se han hecho populares: *Bien puede ser, Ande yo caliente, Dineros son calidad, Da bienes fortuna, Los dineros del sacristán, Cuando uno estornuda,* etcétera. Con frecuencia desciende a obscenidades y proserías: *Labré a mi despecho...* Algunos villancicos, aunque menos espontáneos que los de Lope, son de una finura sorprendente:

> *Caído se le ha un clavel*
> *hoy a la Aurora del seno:*

> *¡qué glorioso que está el heno*
> *porque ha caído sobre él!*
> ....
>
>   De un solo clavel ceñida,
> la Virgen, aurora bella,
> al mundo se lo dió, y ella
> quedó cual antes florida;
> a la púrpura caída
> sólo le fué el heno fiel.
>   *Caído se le ha un clavel, etc.*

Sonetos

Varias veces hemos aludido a los sonetos de Góngora. No falta quien los juzga los mejores de la lírica española y capaces de competir con cualesquiera otros de la universal. Y lo son, en efecto, si se atiende a los valores formales. Sólo que aun en los más propiamente líricos falta la nota de sentimiento íntimo, de la pasión profundamente humana, del amor o del dolor. Detrás de ellos se ve casi siempre más el cerebro que el corazón. Aun así, los hay admirables. Desde aquel espléndido que empieza «Mientras por competir con tu cabello», insuperable versión barroca del *Carpe diem*, fechado en 1582, hasta aquel otro dedicado *A la brevedad engañosa de la vida*, escrito cuarenta años después (1623), se pueden ir sacando de la producción de Góngora, y año tras año, sonetos incomparables y por docenas. Unos son amorosos *(En el cristal de tu divina mano, No destrozada nave en roca dura, Gallardas plantas que con voz doliente)*; otros, en gran número, burlescos *(Duélete de esa puente, Manzanares; Sea bien matizada la librea; Llegué a Valladolid, registré luego...)*; los hay en abundancia sugeridos por las polémicas literarias de la época *(Patos del aguachirle castellano; Por tu vida, Lopillo, que me borres; Cierto poeta en forma peregrina...)*; no menos abundantes y curiosos son los dedicados a ciudades o edificios (varios a Valladolid, al Sacro Monte de Granada, a Córdoba, a El Escorial...); muchos de circunstancias y laudatorios (a Rufo, a don Luis de Vargas, a Soto de Rojas, a Villamediana, al conde de Lemos...), y algunos también religiosos, de extraordinario valor (a la Purísima Concepción, bellísimo, aunque de retorcido hipérbaton; a la Virgen de Atocha, al nacimiento de Cristo). Imposible escoger los mejores entre tal abundancia. Nuestras preferencias se inclinarían por los que empiezan: *Mientras por competir con tu cabello; Ilustre y hermosísima María; La dulce boca que a gustar convida; En el cristal de tu divina mano; Peinaba al sol Belisa sus cabellos; No de la sangre de la diosa bella, y Ayer naciste y morirás mañana*[14].

Otros poemas breves

El resto de los poemas cortos—silvas, estancias, tercetos y liras—, agrupados bajo el epígrafe general de *Canciones,* tiene importancia, no sólo por sus bellezas intrínsecas, sino porque nos va señalando, mejor que cualquier otro género, el proceso de Góngora desde sus primeros balbuceos líricos hasta la entrega total a lo culterano. La oda a Camoens por sus *Lusiadas,* toda en esdrújulos, es muy significativa; ya la escuela sevillana venía de antiguo sintiendo predilección por las terminaciones proparoxítonas, y así las encontramos en varias composiciones de Diego Girón y Cristóbal Mosquera de Figueroa. Hasta se ha llegado a deducir de aquí cierta preferencia de Góngora por el ritmo dactílico [15], preferencia que, dicho sea de paso, nosotros no descubrimos por ninguna parte. Lo que sí parece manifiesta e innegable es su devoción por Herrera, cuyos pasos sigue al principio muy de cerca. En este orden, la canción a la Armada Invencible (título exacto: *De la Armada que fué a Inglaterra*) (1588) y la dedicada a San Hermenegildo (1590) señala la máxima aproximación al estilo herreriano [16]. Antes, en las finísimas estrofas que empiezan *Corcilla temerosa,* nos había dado cierto anticipo, aunque a pequeñas dosis, del estilo culterano. Después, éste se va recargando cada vez más *(Donde las altas ruedas,* 1598; *¡Qué de invidiosos montes levantados!,* 1600; *Sobre trastes de guijas,* 1603; *Abra dorada llave* (¿1605?), *Verde el cabello undoso,* 1606), hasta culminar en la oda *De la toma de Larache* (¿1611?), en la que juegan ya todos los factores del nuevo estilo. Ello confirma una vez más la tesis de Dámaso Alonso sobre el proceso *intensificativo* del lenguaje culterano en Góngora, sin contradecir por eso la nuestra sobre aparición de un nuevo factor, el hipérbaton. La oda *A Larache* no tiene que envidiar nada en este punto a las *Soledades* o al *Panegírico* [17]. Poéticamente, aunque abunda en pasajes inspirados, es inferior a cualquiera de los poemas largos y aun a la mayor parte de los breves.

Poemas largos: «Polifemo», las «Soledades», el «Panegírico»

Son, ya lo hemos dicho, tres de diferente extensión y calidad: *La fábula de Polifemo y Galatea* (1613), las *Soledades* (1614) y el *Panegírico al duque de Lerma* (1617).

En ellos la personalidad poética de Góngora se despliega en toda su plenitud: con sus defectos y sus virtudes. El culteranismo alcanza aquí su cima; antes no había podido llegar a tanto; después ya no haría sino descender. Cuando se habla de la escuela culterana para ensalzarla o censurarla, siempre se piensa en estos poemas.

El *Polifemo,* primero cronológicamente, es un prodigio poético. Consta de 504 endecasílabos, distribuídos en octavas reales. Sobre un tema tan baladí como los amores de Acis y Galatea y la venganza del monstruo Polifemo, Góngora ha trazado este maravilloso cuadro lírico-descriptivo, apurando las más brillantes tintas de su paleta y las notas más armoniosas de su lira. Pintura, música y poesía se funden aquí entrañablemente para producir una obra sin igual en su clase. Los versos se van plegando con docilidad a la exigencia de las estrofas, y cada una de éstas, sin romper la armonía del conjunto, constituye en sí una unidad perfecta y radiante. Por ello, y porque en raras ocasiones la frase llega a romperse con la brusquedad de las *Soledades*, nos parece el *Polifemo* la obra más lograda del autor. Hasta es posible, con cierta base de cultura clásica, seguir sin mayor esfuerzo el pensamiento del poeta. El *Polifemo* se inspira en Ovidio y más directamente—véase el apartado anterior—en Carrillo y Sotomayor. Inútil querer respaldar nuestro juicio con algún ejemplo. Cualquiera de sus estrofas sirve. Valga ésta por todas [18]:

> La fugitiva ninfa en tanto, donde
> hurta un laurel su tronco al sol ardiente,
> tantos jazmines cuanta yerba esconde
> la nieve de sus miembros, da a una fuente.
> Dulce se queja, dulce le responde
> un ruiseñor a otro, dulcemente,
> al sueño de sus ojos la armonía,
> por no abrasar con tres soles el día.

En las *Soledades*, Góngora, rompiendo todo lo que hay de contención y equilibrio en el *Polifemo*, se desboca. Aquí es donde el barroco se nos da en sus más violentos tonos: metáforas extrañas, que quieren ser originales; elipsis terribles, condensaciones verbales, a fuerza de presión intelectual, y, sobre todo, un hipérbaton violentísimo que hace la narración casi ininteligible. Ni vale decir que las *Soledades*, aunque de fondo narrativo, son fundamentalmente líricas. Ese lirismo, tan maceradamente trabajado, también se nos escapa casi siempre. «Potro es gallardo, pero va sin freno», había dicho Góngora refiriéndose a Lope de Vega. ¿No es a sí mismo a quien en justicia corresponde esta definición?

Al parecer, Góngora se había propuesto escribir un vasto poema en cuatro partes: *Soledad de los campos, Soledad de las riberas, Soledad de las selvas, Soledad del yermo*. Por motivos que desconocemos no redactó más que las dos primeras, y aun la segunda quedó inconclusa. Así, pues, lo que tenemos es: la *Dedicatoria al duque de Béjar* (37 versos); la *Soledad primera* íntegra (1.091 versos), y la *Segunda*, sin concluir (979 versos). Tampoco nos consta la fecha exacta de su redacción; únicamente sabemos que la primera estaba terminada antes de mayo de 1611, porque en tal fecha se la enviaba Góngora a su amigo Pedro de Valencia.

El argumento—pretexto más bien para zurcir una serie de motivos descriptivos—es muy simple. Cierto joven, víctima de un naufragio, es arrojado por las olas a una playa desconocida. Tras penosa ascensión, descubre una cabaña, a la que se acoge, siendo solícitamente atendido por sus moradores. Con motivo de unas bodas entre campesinos, presencia diversos bailes, juegos, escenas bucólicas, hasta que la pareja de novios se retira al tálamo nupcial. Hasta aquí la primera. El escenario de la segunda cambia por entero: antes era la sierra; ahora es la playa. El mismo joven errante se nos aparece en una cabaña de pescadores; presencia u oye el relato de las penosas tareas de aquella gente, para acabar con la descripción de una cacería.

Ignoramos lo que hubiera sido el poema, de haber llegado a terminarse. Lo que nos queda, sin embargo, casi la mitad, permite formar de él un juicio de conjunto. Este en manera alguna puede ser favorable a Góngora. «Prueba difícil y hasta cierto punto negativa», ha escrito un crítico tan poco sospechoso como Díaz Plaja. «Corona incoherente de impresiones de la naturaleza», nos dice Pfandl. Y a las *Soledades* sin duda se refería Menéndez y Pelayo al formular su implacable condenación de lo culterano. En efecto: por mucha condescendencia que se tenga con Góngora, las *Soledades*, como poema en bloque, no puede admitirse. Otro juicio habría que emitir, consideradas en detalle; en este aspecto, tanto una como otra, están sembradas de bellezas. Escritas en silva de variable extensión, raro es el grupo de versos en que no nos salen al paso dos o tres aciertos expresivos, de esos que acreditan a un auténtico poeta. En general, ya lo advirtió Dámaso Alonso, las cosas se definen en las *Soledades* por una de sus notas características, casi siempre de naturaleza cromática; y esta nota se condensa en un nombre, el de mayor contenido estético: *plata, cristal, marfil, nácar, mármol, pórfido, diamante, oro*... Nadie como Góngora ha sabido reducir a un solo término, sustantivándolas de paso, un conjunto de cualidades que de ordinario suelen expresarse en una seria adjetival. El mar no es argénteo, es simplemente *plata*; la carne no es rósea o blanca; es *nieve, rosa* o *azahar*.

El *Panegírico al Duque de Lerma* (1617) consta de seiscientos treinta y dos versos en octavas reales, y es infinitamente más oscuro que el *Polifemo* y que las mismas *Soledades*. Se necesita especial disposición de ánimo y arrestos varoniles para adentrarse en aquella espesa selva de alusiones mitológicas, motivos heráldicos y lugares tanto históricos como geográficos de que van repletas las setenta y nueve estrofas del poema.

La polémica culterana

La publicación de estos poemas—mejor, su divulgación, ya que algunos fueron conocidos antes de publicarse—suscitó una verdadera batalla. Inmediatamente se dividieron los campos: amigos y enemigos del culteranismo, o, lo que es igual, amigos y enemigos de Góngora, puesto que en él estaba encarnado el nuevo estilo. La batalla se inicia en vida del poeta y continúa, con mayor o menor virulencia, hasta nuestros días. Es más: creemos que durará mientras dure la poesía, porque hasta cierto punto está identificada con la eterna discusión sobre la esencia de lo poético. Para unos lo poético es exactamente lo que hizo Góngora; para otros, sin negar al gran lírico cordobés las más altas virtudes estéticas, lo poético es otra cosa. Vale la pena resumir el proceso de esta controversia, de la que Menéndez Pelayo ha hecho una exposición magistral, aunque algo parcialista [19].

El ataque al culteranismo es inmediato, y le viene por todos los flancos: en nombre de los humanistas contestaron a Góngora Pedro de Valencia y Cascales; en nombre de la escuela sevillana, Jáuregui; en nombre de la escuela nacional y popular, Lope de Vega; en nombre de los conceptistas, Quevedo. Hasta el atrabiliario Faría y Sousa, para quien Camoens era el ideal de la perfección poética, intentó ridiculizar al autor del Polifemo.

El helenista Pedro de Valencia [20], a quien Góngora acudió en demanda de consejo, recién compuestas las Soledades, reconoce en el lírico cordobés un ingenio «nativo, generoso y lozano»; pero termina reprobando su nuevo estilo, porque «la principal regla es que el pensamiento sea grande; que, si no lo es, mientras más se quisiere engrandecer y extrañar con estruendo de palabras, más hinchada y más ridícula sale la frialdad». Francisco de Cascales [21], el más egregio tratadista literario de su tiempo, proclama a Góngora «el cisne que más bien ha cantado en nuestras riberas»; pero también rechaza el lenguaje culterano. «Harta desdicha que nos tengan amarrados al banco de la oscuridad solas palabras», escribe en carta a Luis de Tribaldos; y luego califica la poesía gongorina de «ciega, enigmática y confusa», declarando que su lengua parecía todas las de Babel juntas. En defensa de Góngora salieron Francisco del Villar, juez de Andújar, y el granadino Martín de Angulo y Pulgar [22]. Aquél alegaba que Góngora no había hecho sino aplicar al castellano las leyes que rigen el hipérbaton y construcción latina, a lo que contestaba Cascales, muy juiciosamente, «que la lengua latina tiene su dialecto y propio lenguaje, y la castellana el suyo, en que no convienen, como tampoco la francesa, ni la italiana, ni otra alguna de las derivadas del latín».

Jáuregui, poeta y crítico sevillano del que nos ocuparemos por extenso en otro lugar, atacó a Góngora en el Discurso poético y el Antídoto contra las «Soledades» [23]. «Toda obra poética—afirma en el Antídoto—consta de tres partes: alma, cuerpo y adorno.» La principal es el alma, asunto o contenido, y «quien errare en esta parte no le queda esperanza de algún merecimiento». En el Discurso hace una disección despiadada del nuevo estilo, sin nombrar a Góngora, sentando de paso unos cuantos principios. El más importante: hay que sacrificarlo todo a la perspicuidad y a la gracia, entendiendo por tales la sencillez y naturalidad.

Más conocidos son los discursos de Lope de Vega contra la nueva poesía, impresos el uno con su poema La Philomena (1621) y el otro con La Circe. «Un señor de estos reinos», probablemente el duque de Sessa, le había pedido opinión sobre el particular, y Lope la da, contraria en todo a la nueva escuela. Aduce las mismas razones que Jáuregui y Cascales: oscuridad, confusión y excesivo ornato. «Si el esmalte cubriese todo el oro, no sería gracia de la joya, sino fealdad notable.»

Más importancia tiene el ataque de Quevedo. Unas veces se reviste de sátira para poner en la picota a Góngora y a los gongorinos, como en La Perinola, La Culta Latiniparla, La aguja de navegar cultos y en tantos romances y letrillas; otras veces, en forma indirecta, mediante la publicación de las obras de fray Luis de León y del bachiller La Torre, como el medio más eficaz para atajar la invasión del mal gusto [24].

Por último, debemos citar al portugués Manuel de Faria y Sousa. Era éste un hombre «extravagantísimo, áspero y maldiciente», que, muy amante de su patria y separatista furibundo, escribió todas sus obras en castellano. Su odio a Góngora procedía de que adivinaba en él un rival de Camoens. Consideraba al autor de Os Lusiadas, no ya el mejor poeta de España y del mundo, sino un ser inspirado por el espíritu divino. Como Góngora con su fama hacía sombra a su ídolo, no perdonó ocasión de zaherirle [25].

Estos eran los principales adversarios. En su defensa salieron, aparte los poetas de la escuela, numerosos expositores y apologistas. Destacan: el doctor limeño don Juan de Espinosa Medrano, don José Pellicer de Salas Tovar, don Cristóbal Salazar Mardones y don García Salcedo y Coronel. Trillo y Figueroa hace la apología de Góngora, con quien tantos puntos tenía de contacto, en el prólogo de su Neapolisea (1651); Espinosa Medrano publica en Lima (1694) su Apologético en favor de don Luis de Góngora, príncipe de los poetas líricos de España, brillantísimo alegato que Menéndez Pelayo califica de «perla caída en el muladar de la poética culterana»; Salazar y Mardones ilustra en un volumen de 400 páginas la Fábula de Píramo y Tisbe (Madrid, 1636), romance gongorino de 127 estrofas, y, por último, Pellicer,

con sus *Lecciones solemnes* (Madrid, 1630), y Salcedo Coronel con sus *Comentarios* (Madrid, 1648),
contribuyen a divulgar y enaltecer la obra del discutido vate andaluz. Este último, Salcedo Coronel.
«en tres disformes volúmenes, veinticuatro veces
mayores que los versos de Góngora, que comenta,
deja fuera de toda discusión posible que no hay
en las *Soledades* pensamiento ni palabra alguna
que no tenga su origen en los poetas más tersos
y puros de la antigüedad [26].

Durante el siglo XVIII, de tendencias prosaicas y
didácticas, se acentúa el menosprecio hacia Góngora; a principios del XIX empieza nuevamente a
ser comprendido, y en tal sentido se orientan los
comentarios elogiosos de Quintana, Martínez de la
Rosa y otros. Pero el juicio adverso de Menéndez
Pelayo, expresado en términos de excepcional
acritud, detiene en gran parte la rehabilitación de
Góngora [27]. Ya en pleno siglo XX, un estudio más
detenido y sereno de sus obras, realizado en parte
con motivo del tercer centenario de su muerte,
por Foulché-Delbosc, Artigas, Thomas, Dámaso
Alonso, Reyes y varios más, contribuye a darnos
una visión objetiva y casi exacta del poeta.

Antes, parnasianos y simbolistas lo habían escogido por su maestro, tanto en España como fuera.
Verlaine, Moréas y Heredia, en Francia, le dedican grandes elogios. Entre nosotros se puede decir que, a partir de Rubén Darío, se siente por Góngora. más que devoción, verdadero culto [28].

Góngora, poeta de primer orden

¿Cuál ha de ser nuestro juicio definitivo? Ni
podemos alabarlo en bloque, como hacen sus ciegos apologistas, ni rechazarlo totalmente. El Góngora de los romances elegantes, movidos y armo-
niosos, durará mientras dure la lengua castellana.
El Góngora de las letrillas, ingenioso, malinten-
nado, aunque con menos *vis cómica* de lo que se
dice de ordinario, y, desde luego, a inmensa distancia de Quevedo. también es acreedor a un alto
puesto en la historia de nuestra lírica. El Góngora
de los sonetos, perfectos, impecables desde el punto
de vista formal, si bien demasiado cerebrales y
fríos, merece codearse con Lope, con Garcilaso y
con Quevedo. Algo más bajo queda en las canciones, aunque las tiene tan deliciosas como aquella en
sextinas aliradas: *De la florida falda...* Por último está el Góngora discutido, execrado por muchos, admirado por otros tantos: el del *Polifemo*
y las *Soledades*. Hay que reconocer que en estos
poemas, con un generoso intento de llegar a la
máxima expresión poética, se extravió. Pero aun
su mismo camino, lleno de sombras y recodos, quedó sembrado de joyas poéticas de los más altos
quilates. Comúlguese o no con su estilo—y nadie
más alejado que nosotros de su manera y lenguaje—, hay que reconocer en Góngora, hasta en sus
errores, un espíritu poético de primer orden.

IV. OTROS POETAS CULTERANOS

Góngora no deja una escuela propiamente dicha,
a la manera de la sevillana o de la antequerana-
granadina. A sus numerosos discípulos e imitadores les falta para constituir una escuela cohesión
y acatamiento a un jefe determinado. Aunque este
jefe en realidad era Góngora, nunca él pretendió
ejercer el menor magisterio, e incluso algunos de
sus imitadores—Jáuregui, Esquilache, Arguijo—siguieron la corriente culterana contra su propia voluntad. Otros lo hicieron deliberadamente, entregándose en cuerpo y alma al nuevo estilo. Entre
éstos destacan el conde de Villamediana, Soto de
Rojas, Pantaleón de Ribera, Polo de Medina, fray
Hortensio F. de Paravicino, Miguel de Barrios,
Gabriel Bocángel, Pedro de Medina, Agustín de
Salazar, Antonio F. Gómez, Trillo y Figueroa y
sor Juana Inés de la Cruz. Estudiada la atrayente
figura de sor Juana en el capítulo XXV, entre los
escritores místicos y ascéticos, y aludido Trillo
y Figueroa en el captíulo que dedicamos a la
épica barroca, digamos aquí dos palabras de los
restantes.

El conde de Villamediana y Soto de Rojas

Dentro de la línea gongorina, pero con características personales, está la poesía de don JUAN
DE TASSIS Y PERALTA [29], más conocido por su título nobiliario de conde de Villamediana. De vida
intensamente novelesca, Villamediana, como poeta,
alterna con Lope, Mira de Amescua y los Argensola, aunque sus gustos y estilo le sitúen dentro
del área de influencia gongorina. Sus *Obras* (Zaragoza, 1629) contienen sonetos magníficos, en número de unos doscientos; narraciones extensas:
*Fábula de Faetón, de Apolo y Dafne, de la Fénix,
de Venus y Adonis*, etc., y una «invención dramática», *La gloria de Niquea*, prologada por Góngora, de trama endeble, sobre un episodio del *Amadís de Grecia*. En todas se acusa una influencia
más o menos marcada del gongorismo, especialmente en el abuso del retruécano. Más fama le
dieron sus epigramas, acerados, agresivos, sangran-
tes, con los que zahería sin recato a personas de
toda condición social, sobre todo de la más alta
nobleza. Algunos se han hecho populares [30].

PEDRO DE SOTO DE ROJAS [31] mezcla el preciosismo propio de los vates granadinos con las audacias formales del estilo culterano. «Poeta minucioso y goloso», le llama acertadamente Gerardo Diego. Su poesía es sensual, espléndida, recamada; su verso, mórbido, frente a la dureza diamantina del de Góngora. El tema más anodino le sirve de pretexto para tejer bellísimas metáforas y descripciones. Ya en las *Flores,* de Espinosa, a que aludiremos por extenso en otro capítulo, figuran varias composiciones suyas, que sobresalen entre las demás por su suavidad y finura. Sus principales obras son: *Discurso poético* (1612), *Desengaño de amor en rimas* (1623), *Los rayos de Faetón* (1639), en octavas reales y del más rabioso gongorismo; *Paraíso cerrado para muchos, jardines abiertos para pocos,* con los fragmentos de *Adonis* (1652) y un *Elogio de las fiestas que se hicieron en Granada* (1609), también en octavas, cuyo corte recuerda las de Pedro de Espinosa en su *Fábula del Genil.*

Más representantes del culteranismo

SALVADOR JACINTO POLO DE MEDINA (1603-1676), natural de Murcia y rector del Seminario de esta ciudad, destacó, sobre todo, en el género festivo. Sus epigramas pueden compararse a los de Alcázar. Aunque en *Academias del jardín,* colección de versos propios y ajenos, sigue la vena tradicional, en otras obras, como *Ocios de la soledad,* rindió tributo al gusto gongorino. Tiene en prosa el *Hospital de los incurables* (1636), sueño inspirado en los de Quevedo, aunque sin el vigor satírico de éste.

GABRIEL BOCÁNGEL Y UNZUETA (1608-¿1658?), bibliotecario que fué del cardenal infante don Fernando, a quien dedica la *Lira de musas* (1635), oscila entre el cultismo y el conceptismo, sin decidirse enteramente por uno u otro. Lope le elogia en su *Laurel de Apolo.*

Menos importancia tienen AGUSTÍN DE SALAZAR Y TORRES (1642-1675), cuyas obras aparecieron con el título de *Cítara de Apolo* (1681), autor de una ininteligible *Soledad,* donde sigue de la manera más servil el estilo culterano gongorino; ANTONIO ENRÍQUEZ GÓMEZ (1600-1660), judío converso segoviano, que llegó a capitán de los Tercios y en sus *Academias morales de las musas* aspiró a fusionar inútilmente las maneras conceptuosa y culterana; ANASTASIO PANTALEÓN DE RIBERA (1600-1629), asiduo concurrente de las academias poéticas y autor de lindas poesías, que recogió el amigo y apologista de Góngora, Pellicer (*Obras,* 1634), y MIGUEL DE BARRIOS, por su verdadero nombre Daniel Leví, judío de Montilla, aunque oriundo de Portugal, que residió largo tiempo fuera de España, en Bruselas y Amsterdam, y en sus obras *Flor de Apolo* (1664), *Poesías famosas* (1674) y *Coro de las musas* (1672)

aspira, según confesión propia, a sobrepasar al mismo Góngora.

Mención especial merecería el celebérrimo Padre fray HORTENSIO FÉLIX DE PARAVICINO; pero, orador sagrado más que poeta, a él habremos de referirnos cuando estudiemos la oratoria del período barroco.

NOTAS

1. González Palencia (*Hist. de la Literatura española,* pág. 558) cita, tomándolo de R. Schevill y A. Bonilla, al poeta conquense Miguel Toledano, autor de una *Minerva Sacra* (Madrid, 1616), «que disputa a Alonso de Ledesma la palma de representante del conceptismo».

2. Pfandl (*Hist. de la Literatura nac. española,* página 518) alude a un manuscrito que existió en la antigua Hofbibliothek de Darmstadt: *Burlas en equivocos, compuestas por A. de Ledesma.*

3. Hay otro Alonso de Ledesma que nada tiene que ver con el que nos ocupa, autor de unas *Quinquagenas de preguntas y respuestas.*

4. Reeditado recientemente por el C. S. I. C., Madrid, 1948, con un prólogo de M. Cardenal Iracheta.

5. Lo que no le impidió entrar en la producción del fenecido amigo para robarle algunos sonetos con que enriquecer su *Constante Amarilis.* Vid. DÁMASO ALONSO: *Poesías completas de Luis Carrillo de Sotomayor,* Madrid, 1936.

6. *Don Luis Carrillo y Sotomayor y los orígenes del culteranismo,* «Bol. de la Real Acad. Esp.», t. XIII, diciembre, 1926. Dámaso Alonso alega que las coincidencias entre los dos poetas, Carrillo y Góngora, no son mayores que las que puedan existir entre ellos y Barahona, Pérez Sigler, Sánchez de Viana, Castillejo, Lope de Vega, Anguillara y otros, ya que todos ellos trataron el mismo tema y bebieron en fuentes comunes: Virgilio y Ovidio. En todo caso, sigue argumentando el docto profesor, si hubo imitación por parte de Góngora, fué una imitación noble: aquel napló con asesinato de que nos hablan los críticos y que siempre ha estado permitido. Vid. *La supuesta imitación por Góngora de la Fábula de Acis y Galatea,* «Rev. Filol. Esp.», XIX, 1932.

7. Díaz-Plaja, entre otros. Léase su libro *El espíritu del Barroco. Tres interpretaciones,* Barcelona, 1940. En cuanto a Quevedo, baste recordar sus consabidos versos:

> Yo te untaré mis versos con tocino
> para que no los muerdas, Gongorilla...;

los otros:

> ¿Por qué censuras tú la lengua griega,
> siendo sólo rabí de la judía,
> cosa que tu nariz aun no lo niega?

8. *Todas las obras de don Luis de Góngora en varios poemas, recogidos por don Gonzalo de Hozes y Córdoba,* Madrid, 1633.

9. *Historia de las ideas estéticas en España,* ed. del C. S. I. C., t. II, cap. X.

10. «Comienza su estilo cultista, sin haber dado antes pruebas extraordinarias de él, en forma extrañamente abrupta, con la oda *A la toma de Larache* y el soneto *Para la quarta parte de la Pontifical del Doctor Bavia.* Las dos proceden, sin duda, del año 1611.» PFANDL: *Hist. de la Literatura nac. española,* pág. 525. Y más adelante: «No puede sostenerse que en la producción de Góngora no se dan dos períodos definidos...»

11. *La lengua poética de Góngora,* «Rev. de Filol. Española», anejo XX, Madrid, 1935.

12. DÁMASO ALONSO: ob. cit., pág. 37.

13. Basta comparar el principio de los dos poemas. El romance comienza así:

> En un pastoral albergue,
> que la guerra entre unos robles
> lo dejó por escondido
> o lo perdonó por pobre,
> do la paz viste pellico
> y conduce entre pastores
> ovejas del monte al llano
> y cabras del llano al monte,

mal herido y bien curado,
se alberga un dichoso joven,
que, sin clavarle Amor flecha,
lo coronó de favores...

Las *Soledades,* en cambio, se abren con estos versos :

Pasos de un peregrino son, errantes,
cuantos me dictó, versos, dulce musa :
en soledad confusa,
perdidos unos, otros inspirados.
¡Oh tú, que, de venablos impedido
—muros de abeto, almenas de diamante—,
bates los montes, que, de nieve armados,
gigantes de cristal los teme el cielo ;
donde el cuerno, del eco repetido,
fieras te expone, que—al teñido suelo,
muertas, pidiendo términos disformes—
espumoso coral le dan al Tormes!,
arrima a un fresno el fresno...

14. No podemos resistir a la tentación de transcribir
el primero, cuyo verso final nos parece, con su estudiada
gradación, uno de los más logrados de la lírica castellana :

Mientras por competir con tu cabello
oro bruñido al sol relumbra en vano;
mientras con menosprecio en medio al llano
mira tu blanca frente el lirio bello;

mientras a cada labio, por cogello,
siguen más ojos que al clavel temprano,
y mientras triunfa con desdén lozano
del luciente cristal tu gentil cuello;

goza cuello, cabello, labio y frente,
antes que lo que fué en tu edad dorada
oro, lilio, clavel, cristal luciente,

no sólo en plata o viola troncada
se vuelva, más tú y ello juntamente
en tierra, en humo, en polvo, en sombra, en nada.

15. Vid. Pfandl : *ob. cit.,* pág. 527.
16. La huella de Herrera se descubre desde la primera estrofa :

Levanta, España, tu famosa diestra
desde el francés Pirenne al moro Atlante,
y, al ronco son de trompas belicosas,
haz, envuelta en durísimo diamante,
de tus valientes hijos feroz muestra
debajo de tus señas victoriosas;
tal, que las flacamente poderosas
fieras naciones contra tu fe armadas,
al claro resplandor de tus espadas
y a la de tus arneses fiera lumbre,
con mortal pesadumbre
ojos y espadas vuelvan,
y, con su sol las nieblas, se resuelvan;
o cual la blanda cera desatado
a los dorados luminosos fuegos
de los yelmos grabados,
queden, como de fe, de vista ciegos...

17. Como puede apreciarse ya en estos versos de la
segunda estrofa :

Las garras, pues, las presas españolas
del rey de fieras no, de nuevos mundos,
ostenta el río, y gloriosamente,
arrogándose márgenes segundos,
en vez de escamas de cristal, sus olas
guedejas visten ya de oro luciente.
Brama, y menospreciándole serpiente,
león ya no pagano
le admira reverente el Oceano...

18 O esta otra :

Purpúreas rosas sobre Galatea
la Alba entre lilios cándidos deshoja:
duda el Amor cuál más su color sea,
o púrpura nevada o nieve roja.
De su frente la perla es, Eritrea,
émula vana. El ciego dios se enoja,
y condenado su esplendor la deja
prender en oro al nácar de su oreja.

19. *Historia de las ideas estéticas en España,* ed. del
C. S. I. C., t. II, págs. 324-54.
20. *Censura de «Las Soledades», «Polifemo» y obras de
don Luis de Góngora, hecha... por Pedro de Valencia,* manuscrito en poder de don Aureliano Fernández-Guerra,
aludido por Menéndez Pelayo, *ob. cit.,* pág. 331. Subrayemos el hecho, señalado por Dámaso Alonso y comprobado con abundantes testimonios, de que la Carta
de Pedro de Valencia encierra más elogios que censuras. Valencia acepta en bloque tanto el *Polifemo* como
las *Soledades,* rechazándolas sólo en pequeños pasajes.
Y, en efecto, algunos contemporáneos, como Vázquez Siruela y el abad de Rute, citan a Valencia entre los
apologistas del poeta cordobés. Vid. Dámaso Alonso :
Góngora y la censura de Pedro de Palencia, «Estudios y
ensayos gongorinos», Madrid, 1955.
21. Cascales : *Cartas philologicas,* VIII, IX y X ; hay
ed. de «Clásicos Castellanos», con introd. y notas por
J. García Soriano.
22. *Epístolas satisfactorias. Una a las objeciones que
opuso a los Poemas de D. Luis de Góngora el L. Francisco
de Cascales...,* por don Martín de Angulo y Pulgar (Granada, 1635).
23. *Discurso poético de don Juan de Jáuregui* (Madrid, 1623).
24. Sobre la crítica literaria en Quevedo puede consultarse todavía con provecho el estudio de don Aureliano
Fernández-Guerra en el mismo t. II de las *Obras* del gran
satírico de la «Biblioteca de Autores Españoles».
25. Léase lo que escribe sobre él Menéndez Pelayo
(*ob. cit.,* págs. 347-49) : «Profesaba tal hombre sobre la
poesía las ideas más extrañas y desvariadas : la consideraba sólo como una obra científica que no exige sino
invención, afecto, imágenes y alarde de todas las ciencias, y declaraba que lo elegante de la expresión y lo
perfecto del metro eran cosa de muy poca importancia.
Perseguía con verdadero encarnizamiento la reputación
del Tasso. *poeta común y trivial, indigno de ser nombrado...* Calificaba a los poetas por lo que supieron de
Ciencias Naturales e Históricas y por la *alegoría* oculta
bajo sus ficciones... Cada palabra de Camoens ha dado
ocasión a Manuel de Faría para escribir dos o tres páginas de comentario.»
26. M. Pelayo : *Ob. cit.,* pág. 352.
27. Vale la pena que lo copiemos aquí, aunque sólo en
parte : «Mayor era el pecado de los culteranos. Góngora
se había atrevido a escribir un poema entero (las *Soledades),* sin asunto, sin poesía interior, sin afectos, sin
ideas, una apariencia o sombra de poema, enteramente
privado de alma. Sólo con extravagancias de dicción
(*verba et voces praetereaque nihil*) intentaba suplir la
ausencia de todo, hasta de sus antiguas condiciones de
paisajista. Nunca se han visto juntos en una obra tanto
absurdo y tanta insignificancia. Cuando llega a enten-
dérsela, después de leídos sus voluminosos comentadores,
indígnale a uno, más que la hinchazón, más que el lati-
nismo, más que las inversiones y giros pedantescos, más
que las alusiones recónditas, más que los pecados contra
la propiedad y limpieza de la lengua, lo vacío, lo desierto
de toda inspiración, el aflictivo nihilismo poético (*ateísmo* le llamaba Cascales) que se encubre bajo esas pomposas apariencias, los carbones del tesoro guardado por
tantas llaves. ¿Qué poesía es esa que, tras de no dejarse
entender, ni halaga los sentidos, ni llega al alma, ni
mueve el corazón, ni espolea el pensamiento, abriéndole
horizontes infinitos? Llega uno a avergonzarse del entendimiento humano cuando repara en que tal obra
gastó la madurez de su ingenio un poeta, si no de los
mayores (como hoy liberalmente se le concede), a lo
menos de los más bizarros, floridos y encantadores en
las poesías ligeras de su mocedad. Y el asombro crece
cuando se repara que una obrilla, por una parte tan
baladí y por otra tan execrable, como las *Soledades,*
donde no hay una línea que recuerde al autor de los
romances de cautivos y de fronteros de Africa, hiciese
escuela y dejase posteridad inmensa, siendo comentada
dos y tres veces letra por letra con la misma religiosidad
que si se tratase de la *Ilíada.*» (*Ob. cit.,* t. II, páginas 329-30.)

28. Recuérdense sus dos sonetos, uno en alejandrinos :

En tanto pace estrellas tu Pegaso divino
y vela tu hipogrifo, Velázquez la fortuna...,

y el otro, de corte tradicional, en que se dice a Góngora
por boca de Velázquez :

Alma de oro, fina voz de oro,
al venir hacia mi, ¿por qué suspiras?
Ya empieza el noble coro de las liras
a preludiar el himno a tu decoro...

29. Nació en Lisboa, donde su padre era correo mayor (1582). Educado esmeradamente en Palacio, casa con doña Ana de Mendoza, de la familia de los duques del Infantado. Elegante, ingenioso, manirroto, aficionado a la pintura, la poesia, las joyas y la música, pronto sobresalió en la corte, lo mismo entre los poetas que entre los altos palaciegos. Su afición desmedida al juego le ocasiona un destierro a Valladolid (1608). En Nápoles, adonde va acompañando al conde de Lemos, llama la atención su talento y prodigalidad, para la que le daban pie sus cuantiosas rentas como correo mayor del reino. Vuelto a Madrid (1617), sus sangrientas sátiras contra los más encumbrados personajes, sin respetar ni al valido duque de Lerma, le acarrean otro destierro, probablemente a Andalucía, de que se le indulta al subir al trono Felipe IV. Sus aventuras amorosas constituyen uno de los capitulos más apasionantes de aquel alegre reinado. Conocida es la leyenda según la cual el osado conde llegó a poner los ojos en la misma reina, Isabel de Borbón, la bellisima que acababa de contraer matrimonio con Felipe IV. Aunque las últimas investigaciones van deshaciendo gradualmente esta leyenda, tenemos el testimonio de madame Aulnoy, dama de la corte, quien afirma que la reina necesitó de toda su virtud para resistir a las seducciones de Villamediana. En todo caso, nadie desconoce anécdotas como la del incendio de Aranjuez, provocado por el mismo conde durante la representación de su comedia *La gloria de Niquea*, para en el tumulto apoderarse de la reina, a la que saca en brazos de entre las llamas; la de las justas celebradas en la plaza Mayor de Madrid, a las que concurre el mismo conde con el mote: «Son mis amores...», y dibujados al pie, unos reales de vellón alusivos a su pasión por la reina; y otras muchas que han nutrido la novela y el teatro. En la noche del 21 de agosto de 1621, al volver de Palacio en su coche acompañado de don Luis de Haro, fue asesinado por un desconocido. Unos atribuyeron su muerte a venganza por sus sátiras; otros, a su pasión por la reina; recientes documentos aportados por Alonso Cortés parecen confirmar la sospecha de que se debió a castigo por vicios inconfesables.

30.   EPITAFIO A DON RODRIGO CALDERÓN

Aquí yace Calderón.
Pasajero, el paso ten;
que en hurtar y morir bien
se parece al buen ladrón.

AL DESTIERRO DEL PADRE PEDROSA

Un ladrón y otro perverso
desterraron a Pedrosa,
porque les predica en prosa
lo que yo les digo en verso.

AL MARQUÉS DE MALPICA

Cuando el marqués de Malpica,
caballero de la llave,
con su silencio replica,
dice todo cuanto sabe.

A VERGER, ALCALDE DE MADRID

¡Qué lindo viene Verger
con cintillo de *diamantes*,
diamantes que fueron antes
de amantes de su mujer!

31. Probablemente nació en Granada (¿1585?); pasó su juventud en Madrid, donde asistió a la Academia Salvaje, trabando amistad con Lope, Cervantes, Vélez de Guevara y otros. Intimó especialmente con Góngora, hasta convertirse en su más ciego panegirista y entusiasta imitador. Vuelto a Granada y nombrado canónigo de San Salvador (1616), establece allí definitivamente su residencia, que alterna con algunos viajes a la corte. Muere en 1658. Gallego Morell ha fijado recientemente la personalidad de Soto, hasta ahora un poco desvaída, estudiando de paso su poesía y publicando sus obras.

BIBLIOGRAFIA

I. Véase bibliografía general para este capítulo en el XXXI. Y, además, consúltese FEDERICO CARLOS SAINZ DE ROBLES: *Historia y antologia de la poesia española*, Madrid, Aguilar Edit., 2.ª ed., 1951.—LEDESMA: *Poesias*, «Bibliot. Aut. Esp.», XXXV.—Estudios: C. PÉREZ PASTOR: *Bibl. Madrid.*, II.—E. MERIMÉE: *La vie et les oeuvres de Quevedo*, Paris, 1886.—M. QUINTANILLA: *Alonso de Ledesma. Datos biogr.*, «Est. Segovianos», I, 1949.—KARL L. SELIG: *Poesias olvidadas de A. de Ledesma*, «Bull. Hisp.», LV, 1953.—FRANCISCO VINDEL: *A. de Ledesma, autor del falso «Quijote»*, Madrid, 1941.—BONILLA: *Poesias*, «Bibliot. Aut. Esp.», XXXV.—Estudios: B. J. GALLARDO: *Ensayo*, II, pág. 108, y IV, pág. 1134.—A. CHÉRCOLES VICO: *Don Lope de Sosa* (A. de Bonilla), V, 1917.—TOLEDANO: *Minerva sacra*, ed. de A. G. Palencia, C. S. I. C., 1949.—Referencias de Toledano en CEJADOR: *Historia de la lengua y lit. esp.*, IV, y en Schevill y Bonilla San Martin: Pról. a *Poesias sueltas*, de CERVANTES, Madrid, 1922.

II. LUIS CARRILLO DE SOTOMAYOR: *Poesias completas*, ed. de D. Alonso, Madrid. Signo, 1936; *Libro de la erudición poética*, ed. de M. Cardenal Iracheta, «Bibliot. Ant. Libros Hisp.», Madrid, C. S. I. C., 1946.—Estudios: DÁMASO ALONSO: *La supuesta imitación por Góngora de la «Fábula de Acis y Galatea»*, «Rev. Fil. Esp.», 1932.—ERASMO BUCETA: *Carrillo de Sotomayor y Suárez de Figueroa*, «Rev. Fil. Esp.», VI, 1919.—J. GARCÍA SORIANO: *Don Luis Carrillo y Sotomayor y los orígenes del culteranismo*, «Bol. R. Ac. Esp.», XIII, 1926.

III. GÓNGORA: *Obras poéticas*, ed. de Foulché-Delbosc, 1921; *Cartas y poesias inéditas*, ed. de Linares García, Granada, 1892; *Poésies inédites*, ed. de H. A. Rennert, «Rev. Hisp.», IV, 1897; *Poesias*, «Bibliot. Aut. Esp.», X y XXXII; *Obras completas*, ed. y notas de Juan e Isabel Millé Giménez; *Soledades*, 3.ª ed., por D. Alonso, Madrid, «Soc. Est. y Publ.», 1956; *Poésies attribuées à Góngora*, ed. de Foulché-Delbosc, «Rev. Hisp.», XIV, 1906.—Estudios: R. FOULCHÉ: *Bibliographie de G.*, «Rev. Hisp.», XVIII, 1908.—B. ALEMANY Y SELFA: *Vocabulario de las obras de don Luis de G. y A.*, Madrid, 1930.—D. ALONSO: *La lengua poética de Góngora*, Madrid, 1935; *Estudios y ensayos gongorinos*, Madrid, Edit. Gredos, 1956.—MIGUEL ARTIGAS: *Don Luis de G. y A. Biografia y est. crítico*, Madrid, 1925; *Góngora y el gongorismo*, Córdoba, 1928.—F. AYALA AYALA: *Góngora en Centroeuropa*, «Rev. de Occidente», XXVIII, 1930.—G. BOUSSAGOL: *Góngora, prince de la lumière et prince des ténèbres*, «Memoires de l'Acad. des Sciences, Inscriptions et Belles Lettres de Toulouse», VII, 1929.—J. M. BERNARDETE: *Góngora revaluated*, «Rev. Est. Hispánicos», I, 1928.—J. LUIS CANO: *Góngora y Dámaso Alonso*, «Bolivar», XLIII, Bogotá, 1955.—M. CAÑETE: *Observaciones acerca de G. y del culteranismo*, «Rev. de Ciencias, Lit. y Arte», Sevilla, 1885.—*Carta a don L. de G. en censura de sus poesias, por Pedro de Valencia*, «Rev. Arch.», julio, 1899.—JOSÉ MARÍA DE COSSÍO: *Anecdotario incompleto de don L. de G.*, «Notas y est. de crít. lit.», Madrid, Espasa-Calpe, 1929.—EDWARD CHURTON: *Góngora. An historical and critical essay in the times of Philipp III and IV of Spain*, 2 vols., Londres, 1862.—D. DEVOTO: *Gracia y burla de don L. de G.*, «Quaderni Ibero-Americani», Turín, 1954.—*Egloga fúnebre a don L. de G., por Martín de Angulo y Pulgar, de versos entresacados de sus obras* (reprod. de la ed. de Sevilla, 1638), «Rev. Hisp.», LXXX, 1930.—W. ENTWISTLE: *A meditation on the «Primera Soledad»*, «Est. Hispánicos», Wellesley, 1952.—J. DE ESPINOSA: *Apologético en favor de don L. de G.*, ed. de V. García Calderón, «Rev. Hisp.», LXV, 1925.—A. FARINELLI: *Gongorismus und marinismus*, «Deutscher Litteraturceitung», XXXIII, 1912.—JUAN DE GARGANTA: *Góngora, señorito cordobés, pretendiente en Corte*, «Univ. de Antioquia», Medellin (Colombia), 1956.—M. GONZÁLEZ FRANCÉS: *Góngora, racionero*, Córdoba, 1896.—HELMUT HATZFELD: *The baroque of Cervantes and the baroque of Góngora*, «Anales Cerv.», III, 1953.—F. A. DE ICAZA: *Góngora, músico*, «Summa», Madrid, 1916.—ROYSTON O. JONES: *The poetic unity of the «Soledades» of G.*, «Bull. of Hispanic Studies», XXX, 1954.—A. MARASSO: *G. y el gongorismo*, «Est. de lit. cast.», 1955.—A. MÉNDEZ PLANCARTE: *Horacio en G.*, «Abside», XV, Méjico, 1951; *Cuestiúnculas gongorinas*, Méjico, 1955.—Z. MILNER: *G. et Mallarmé*, «Hispania», Paris, 1920.—J. MILLÉ JIMÉNEZ

Lope, Góng. y los orígenes del culteranismo, «Rev. Arch.», 1923; *Notas gongorinas*, «Hispania», XLV, 1925.—M. DE MONTOLIU: *El sentido arquitectónico, decorativo y musical en la obra de G.*, «Bol. R. Ac. Esp.», XXVIII, 1948.—E. OROZCO DÍAZ: *Góngora*, Barcelona, «Clásicos Labor», 1953; *Elogio y censura del gongorismo. Un «parecer» inédito del Abad de Rute sobre las «Soledades»*, «Clavileño», 1951.—WALTHER PABST: *Gongoras Schööpfung in seinen Gedichten «Polifemo» und «Soledades»*, separata de la «Rev. Hisp.», LXXX, Nueva York-Paris, 1930.—CLARA LUISA PENNEY: *Luis de G. y A.*, Hispanic Society, Nueva York, 1926.—A. RODRÍGUEZ DE ARELLANO: *G. y el Greco*, Toledo, 1914.—A. RETORTILLO Y TORNOS: *G. y el gongorismo*, Madrid, 1890.—A. REYES: *La estrofa reacia del «Polifemo»*, «Nueva Rev. Fil. Hisp.», VIII, 1954; *Los textos de G. Corrupciones y alteraciones*, «Bol. R. Ac. Esp.», III, 1916; *Cuestiones gongorinas*, «Rev. Hisp.», LXV, 1925.—GINO L. RIZZO: *Il barocco del G. nella critica di M. Pelayo e di B. Croce*, «Italica», Chicago, 1957.—A. H. RYAN: *Una bibliog. gong. del s. XVII*, «Bol. R. Ac. Esp.», XXXIII, 1953.—L. SALEMBIEN: *Góngora*, «Bull. Hisp.», XXXI y XXXII, 1929-1930.—P. SALINAS: *Don L. de G. o la exaltación poética de la realidad*, «Número», IV, Montevideo, 1952.—W. SAVISENTI: *Las «Soledades» de G.*, «Conv.», XV, 1943.—DOROTHY SCHONS: *The influence of G. on Mexican Literature during the seventeenth Century*, «Hisp. Rev.», VII, 1939.—C. C. SMITH: *Dos libros raros gongorinos en la Univ. de Cambridge*, 1955.—ARTHUR TERRY: *An Interpretation of Gongora's Fábula de Piramo*, «Bull. of Hisp. Studies», IV, Liverpool, 1956.—L. P. THOMAS: *L. de G. Intr., trad. en notes*, Paris, 1932; *Le lyrisme et la préciosité cultistes en Espagne*, Halle, 1909; *Étude sur G. et le gongorisme considérés dans leurs rapports avec le marinisme*, «Mém. Acad. Royale», Bruselas, 1911.—L. DE TORRES: *Documentos relativos a G.*, «Rev. Hisp.», XXXIV, 1915.—GIUSEPPE UNGARETTI: *Góngora sous nos yeux*, «Monde nouveau», XCII, Paris, 1955.—A. VILANOVA: *Las fuentes del «Polifemo» de G.*, 2 vols., C. S. I. C., Madrid, 1957.—J. WARSHAW: *G. as a precursor of the Symbolists*, «Hispania», California, XV, 1932.—J. ARES MONTES: *G. y la poesía portuguesa del s. XVII*, Madrid, Edit. Gredos, 1956.—Puede consultarse también el núm. 4, t. XIV, de la «Revista de Filología Española», 1927, y el VIII del «Bol. Real Acad. de Ciencias, Bellas Letras y Nobles Artes de Córdoba», 1928, dedicados ambos íntegramente a estudios de Góngora.

IV. ANTONIO GALLEGO MORELL: *La escuela gongorina*, «Hist. gen. de las Lit. Hisp.», III, Barcelona, 1953.—VILLAMEDIANA: *Poesias*, «Bibliot. Aut. Esp.», XLII; *Antologia poética*, ed. de Luis Rosales, Madrid, 1944.—Estudios: N. ALONSO CORTÉS: *La muerte de Villamediana*, Valladolid, 1928.—E. COTARELO MORI: *El conde de Villamediana*, Madrid, 1886.—J. CHABAS: *Juan de Tassis*, «Rev. de Occid.», 1928.—G. MARAÑÓN: *Gloria y miseria del C. de V.*, «Don Juan», Colec. Austral, núm. 129.—B. PINHEIRO DA VEIGA: *Fasciginia* (con muchas referencias a V.), trad. de A. Cortés, Valladolid, 1923.—LUIS ROSALES: *Notas a las Cartas de Juan de Tassis*, «Escorial», abril de 1949.—Soto de Rojas: A. GALLEGO BURÍN: *Un poeta gongorino. Don Pedro Soto de Rojas*, Granada, 1927.—A. GALLEGO MOREL: *Pedro Soto de Rojas*, «Bol. Univ. Granada», XX, 1948.—POLO DE MEDINA: *Poesias*, «Bibliot. Aut. Esp.», XVI y XLII; *Obras*, ed. de González Palencia, C. S. I. C., Madrid, 1944; *Obras escogidas*, ed. de J. M. Cossio, «Clásicos Olvidados», Madrid, 1931.—Estudios: MARIANO BAQUERO GOYANES: *Salvador Jacinto Polo de Medina. Los naranjos*, «Monteagudo», Murcia, 1953.—MARTÍN MARINERO: Pról. a *Obras de P. de M.*, Zaragoza, 1670.—J. M. COSSÍO: *J. P. de M.*, «Notas y est. de crit. lit.», Madrid, Espasa-Calpe, 1939.—A. J. GONZÁLEZ: *J. Polo de Medina*, Murcia, 1875.—BOCÁNGEL: *Obras de Gabriel de Bocángel y Unzueta*, ed. de R. Benítez Claros, C. S. I. C., «Bibliot. Ant. Libros Hisp.», 1946.—Estudios: RAFAEL BENÍTEZ CLAROS: *Vida y poesia de Bocángel*, Madrid, C. S. I. C., Anejo 3 de «Cuad. de Literatura», 1950.—Referencias a Bocángel en GALLARDO: *Ensayo*, II.—PANTALEÓN DE RIBERA: *Obras*, ed. de Rafael de Balbín Lucas, Madrid, C. S. I. C., 1944.—ENRÍQUEZ GÓMEZ: *Poesias*, «Bibliot. Aut. Esp.», XLII.—BARRIOS: *Poesias*, «Bibliot. Aut. Esp.», XLII.—Estudio: *Los judios de España*, de AMADOR DE LOS RÍOS.—PARAVICINO: *Poesias*, «Bibliot. Aut. Esp.», XVI y XXXV. (Más bibliografia de Paravicino como orador, en cap. XLV de esta misma HISTORIA.)

CAPITULO XXXIV

LIRICA DEL XVII: GRUPOS DIVERSOS

I. POESÍA BARROCA Y EXTRABARROCA: *Escuelas y grupos.*—II. POETAS SEVILLANOS: *Arguijo. Jáuregui. Rioja, cantor de las flores. Rodrigo Caro. La «Epístola moral a Fabio». Quirós.*—III. POETAS GRANADINO-ANTEQUERANOS: *Las «Flores de poetas ilustres». Espinosa y su «Fábula del Genil». Otros poetas del grupo.*—IV. POETAS VALENCIANOS: *La «Academia de los Nocturnos». Principales representantes.*—V. POETAS ARAGONESES: *Los hermanos Argensola. Villegas. Esquilache y Liñán de Riaza.*—VI. POETAS PROSAICOS.—VII. POETAS AMERICANOS DEL XVII: *Terrazas, María de Alvarado y Rosas de Oquendo. El movimiento culterano en América. La tendencia conceptista.*—NOTAS.—BIBLIOGRAFÍA.

I. POESIA BARROCA Y EXTRABARROCA

No toda la poesía lírica del XVII se canaliza en esa doble dirección culterano-conceptista que acabamos de estudiar en el capítulo precedente. Otros raudales, no menos ricos y fecundos, fertilizan al mismo tiempo el Parnaso español. Cierto es que Góngora y Quevedo, corifeos cada cual de un movimiento antagónico, encarnan las dos posiciones extremas y más visibles de la poesía hispana en aquel siglo, llevándose tras sí no pocos ingenios, arrebatados por la irresistible fuerza de su espíritu; pero no es menos cierto que otros muchos se resistieron a seguir sus pasos. Ni Góngora ni Quevedo, con ser mucho, lo son todo en la poesía castellana del XVII, ni el concepto de «barroco» abarca sino una parcela—todo lo rica que se quiera, pero porción al fin—de su feracísimo campo. Nos ha fascinado la palabra «barroco», y ya no vemos sino barroquismo en toda la literatura del XVII, aunque el lenguaje sea tan sobrio como el de Rioja, la temática y su expresión tan estrictamente clásica como en Arguijo y la voz tan distante de todo gorgorito a la moda como en Villegas.

Tenemos una larga lista de poetas en quienes la influencia de los dos grandes maestros es nula o escasamente apreciable. Los hay como Jáuregui, que, después de manifestarse contra la invasión culterana, se enrolan en ella más o menos conscientemente; los hay que se le oponen en forma decidida; los hay, como el citado Villegas, perfectamente extraños a toda innovación, y que siguen viviendo y cantando—en pleno triunfo del *Polifemo*—como en los días de Garcilaso o de Francisco de la Torre.

Escuelas y grupos

Estos poetas, muy numerosos y dignos algunos de mejor recordación, suelen venir agrupados en los manuales de Historia literaria casi sin otro criterio que el puramente localista o regional, ya que muchas veces no descubrimos entre ellos similitudes formales ni de contenido bastante para una clasificación más definida. Así se distinguen el grupo de Sevilla y el de Granada-Antequera, el valenciano y el aragonés, referidos exclusivamente, como se ve, a la región o lugar en que floreció cada grupo. Nosotros, siguiendo ese mismo criterio, y estudiada ya en los capítulos anteriores la lírica propiamente barroca, vamos a resumir lo más destacado de la poesía extrabarroca en los siguientes apartados:

a) Poetas sevillanos: Arguijo, Jáuregui, Caro, Rioja, Quirós y el autor de la *Epístola moral a Fabio.*

b) Poetas granadino-antequeranos: Espinosa, Cristobalina F. de Alarcón, Espinel, Plaza, etc.

c) Poetas del grupo valenciano: Tárrega, Aguilar, Orts, Rey de Artieda, etc.

d) Poetas aragoneses: los dos Argensolas (Lupercio y Bartolomé), Villegas, Liñán de Riaza, Esquilache.

e) Poetas prosaicos: Setanti, Enríquez Gómez, Leví Barrios, Rebolledo.

f) Poetas americanos: Terrazas, María de Alvarado, Domínguez Camargo, Tejeda, etc.

II. POETAS SEVILLANOS

La escuela sevillana, tan felizmente iniciada por Mal-Lara y que había alcanzado su apogeo en Herrera, lejos de agotarse con la desaparición de éste, reflorece durante toda la primera mitad del siglo XVII con una ininterrumpida serie de poetas líricos, en quienes el arte alcanza las más altas calidades. Y he aquí un contraste entre las dos grandes escuelas castellanas de la Edad de Oro, la de Sevilla y la de Salamanca: mientras ésta se extingue por completo con su siglo y apenas sobrevive unos años a su máximo representante, fray Luis de León, la de Sevilla se mantiene largo tiempo en plena vitalidad, y lo que pierde en potencia y majestad lo gana con creces en finura de expresión y matizaciones estilísticas.

Hay quien quiere ver en esta tercera época de la escuela sevillana una simple fase de transición al barroco. Así, Pfandl encabeza el estudio de Rioja, Caro y Arguijo con el rótulo «transición al barroquismo», sin darse cuenta de que esos poetas, aunque contemporáneos de Góngora, no pudieron influir en él, ya que escribieron y publicaron sus obras con posterioridad a las *Soledades* y al *Polifemo*. Rioja, el más representativo del grupo, es dieciséis años más joven que el vate cordobés, y la obra capital de la escuela, la *Epístola moral a Fabio*, no debió de escribirse, según todos los indicios, antes de 1626. Más acertado nos parece considerar a este selecto grupo como continuador de las tradiciones herrerianas, influído, es claro, por los nuevos modos de su tiempo, pero sin alejarse en lo fundamental de las líneas trazadas para la escuela hispalense en sus primeros días. Las famosas *Silvas*, de Rioja, con su adjetivación redundante y acuciosamente perseguida, encajan muy bien dentro de la manera herreriana, y los sonetos de Arguijo o los tercetos de la *Epístola moral* podrían haber sido firmados por cualquiera de los poetas sevillanos de la época anterior, sin excluir a Medrano, si es que éste ha de figurar en la escuela acaudillada por Herrera y no entre los salmanticenses. Y, en efecto, no ha faltado quien atribuyera a Medrano la famosa *Epístola*. No hay nada o hay muy poco de común entre esta poesía tan serena, tan contenida, tan equilibrada de fondo y forma y esa otra tan conceptuosamente retorcida de Quevedo o tan desorbitadamente cargada de elementos expresivos de Góngora.

Los poetas más relevantes del grupo son Arguijo Jáuregui, Rioja, Caro y Quirós.

Arguijo

JUAN DE ARGUIJO (1560-1623)[1], verdadero prócer y mecenas sevillano, es un ingenio selecto y cultísimo que vive con unas décadas de retraso. Poeta arqueólogo, a la manera de Caro, ve por todas partes mármoles y bronces. Sus temas favoritos corresponden a la mitología o a la historia clásicas. Su estrofa preferida, el soneto, que él trabaja impecablemente y de que nos dejó muchas y valiosas muestras. Merecen citarse: *A Venus en la muerte de Adonis, Narciso, Ariadna, A Baco, Sísifo, Orfeo*, entre los mitológicos; *A Rómulo, Horacio Cocles, A Pompeyo, A César*, entre los históricos. Son todos perfectos, marmóreos, pero fríos. Más cerca de nuestra sensibilidad están los de carácter filosófico-moral. Algunos de éstos—*Al río Guadalquivir, Al tiempo, La tempestad y la calma*—pueden citarse entre los mejores que se han hecho en castellano[2].

Escribió también una silva, *A la vihuela*, y una colección de cuentos breves en prosa.

Jáuregui

El hispalense JUAN MARTÍNEZ DE JÁUREGUI Y HURTADO (1583-1641)[3], poeta y erudito, crítico de arte y pintor, debe su fama especialmente a dos motivos: sus ataques contra Góngora y Quevedo, de que ya hicimos mención en el capítulo XXXIII, y su retrato de Cervantes. Los ataques al culteranismo (*Discurso poético* y *Antídoto contra las «Soledades»*) se distinguen por su ecuanimidad y por su lenguaje, horro de toda alusión personal. Ni una sola vez cita a Góngora. Ya se sabe que Jáuregui, enemigo del nuevo estilo, había de hacer poco tiempo después su defensa en la *Apología por la verdad* (1625), alegato en favor de fray Hortensio de Paravicino. En cuanto al célebre retrato de Cervantes, está ya demostrado que se trata de una suplantación y que el conservado con tanto celo por la Academia Española no corresponde en modo alguno al pintado por Jáuregui[4]. Pero ésta es cuestión a discutir y resolver entre los críticos de arte.

Como poeta, Jáuregui debe ser considerado en sus composiciones originales y en sus traducciones. Las originales están contenidas en sus *Rimas* (Sevilla, 1618), colección de poesías religiosas y profanas, trabajadas con exquisito gusto y con gran sentido del ritmo, pero sin auténtica inspiración. Jáuregui no pasa, como poeta, de una discreta medianía.

Como traductor, nos dejó algunas versiones de clásicos (Horacio, Marcial y Ausonio); varias de salmos y de himnos de la Iglesia, hechas con gran fidelidad en el sentido y originalidad en la forma; y, sobre todo, las de la *Aminta*, del Tasso, y de la *Farsalia*, de Lucano. Aunque Cervantes exagera evidentemente al decir que en la *Aminta* no se sabe cuál es la traducción y cuál el original, ha de reconocerse que nunca Lucano ni el Tasso tuvieron más feliz intérprete. Hay quien cree que fué el estilo ampuloso y declamatorio de Lucano el que resabió su gusto, tan exquisito antes, haciéndole derivar hacia formas culteranas. Su fábula histórico-mitológica en verso *Orfeo* cae ya de lleno bajo el influjo de Góngora.

Jáuregui, que sentía predilección por el metro italianizante, cultivó no menos felizmente el verso corto, en especial en su forma de redondillas. Pero su fuerte estaba en el endecasílabo suelto o exento de rima, que muchos españoles habían ensayado antes con desigual fortuna, y al que el traductor de *Aminta* supo dar en nuestra lengua toda la soltura, agilidad y fluencia que tenía ya en la italiana.

Rioja, cantor de las flores

El prestigio de FRANCISCO DE RIOJA (1583-1659) [5], poeta y erudito del grupo sevillano, sufrió rudo golpe al serle negada la paternidad de dos obras que le venían siendo adjudicadas y que constituyen dos monumentos de la lírica de aquel tiempo: la *Canción a las ruinas de Itálica* y la *Epístola moral a Fabio*. La crítica ha demostrado que ni una ni otra le pertenecen. Con ello, el Rioja poeta de primer orden ha descendido a la categoría de los poetas de tono menor, autor de composiciones aladas, simpáticas, bellísimas; pero sin que en ninguna de ellas surja la llamarada del genio.

Aun así, reducido en sus dimensiones, Rioja es un poeta de voz íntima y conmovida, que nos habla de temas eternos y profundamente humanos. Su mirada se vuelve hacia las flores, cuya melancólica vida y efímera belleza ha sabido cantar con voz llena de sentimiento y de nostalgia. Un aire leve de estoicismo, atemperado por la esperanza cristiana, presta mayores encantos a su melancolía. La factura del verso, exquisita; la adjetivación, fruto de meticulosa búsqueda; los sentimientos, finos y depurados. A veces, una simple inversión le basta para los más anhelados logros:

> Cuantas veces te miro
> entre los admirables lazos de oro,
> por quien lloro y suspiro,
> por quien suspiro y lloro...
>
> *(Al clavel.)*

Otras alcanza la plenitud formal, no sin un esfuerzo de creación mal disimulado, como en su silva *Al jazmín:*

> Naciste entre la espuma
> de las ondas sonantes,
> que blandas rompe y tiende el Ponto en Chío;
> y quizá te formó suprema mano,
> como a Venus también de su rocío:
> o, si no es rumor vano,
> la misma blanca diosa de Citera,

> cuando del mar salió por vez primera
> por do en la espuma el blanco pie estampaba,
> de la playa arenosa,
> albos jazmines daba...

Su producción poética es más bien escasa: tres docenas de sonetos amorosos, dos docenas de sonetos morales y las célebres *silvas*, llamadas así por estar escritas en este género de metro. Son composiciones muy breves —la más conocida, *A la rosa*, sólo tiene treinta y un versos—, pero henchidas del sentimiento de la Naturaleza y de profundas reflexiones sobre la vida. Debemos destacar las dedicadas *A la rosa, Al jazmín, A la rosa amarilla, Al clavel* y *A la arrebolera.*

Se suele señalar en Rioja un gusto por lo arcaizante en el lenguaje (Pfandl) y cierta predilección por los epítetos más expresivos. En cuanto al tema, busca preferentemente los objetos minúsculos, cuyos cambiantes matices examina y describe con morosa complacencia.

Se conservan de Rioja algunos escritos en prosa: una *Carta* sobre las poesías de Herrera, un *Discurso* sobre los clavos de Cristo; el *Aristarco*, contestación en nombre del Conde-duque a la *Proclamación* (1640) de los catalanes, redactada por Gaspar de Sala, y el *Nicandro*, en defensa del mismo Conde-duque.

Rodrigo Caro

Una sola poesía, y no muy extensa, ha bastado para inmortalizar a RODRIGO CARO (1573-1647) [6], cuyo nombre queda con ella vinculado para siempre a las mejores letras castellanas: la *Canción a las ruinas de Itálica*. Su autor era ya conocido ventajosamente entre los eruditos por sus obras de arqueología, de las que sobresalen las *Antigüedades de Sevilla y Chorographya de su convento jurídico* (1634), que revela extensos conocimientos de historia y epigrafía, aunque afeados por influencias de los falsos cronicones; *El Santuario de Nuestra Señora de la Consolación* (1622), la *Relación de las inscripciones y antigüedades* (1882), el *Memorial de Utrera* (1883) y los *Varones insignes en letras... de Sevilla*, apuntes biográficos de personajes ilustres de la ciudad, como San Isidoro, Mal-Lara, Herrera, etc. Hasta época reciente (1883) no se ha conocido su obra maestra en prosa, *Días geniales y lúdricos,* «el libro de más erudición clásica que produjo la escuela de Sevilla», según Menéndez Pelayo, especie de colección folklórica de inestimable valor, escrita en seis diálogos, a la manera de los de Juan de Robles en *El culto sevillano.*

Como poeta, Caro no hubiera pasado a la posteridad, a no habérsele discernido con irrebatibles argumentos la paternidad de la *Canción a las ruinas de Itálica*. Ni los varios sonetos que de él se conocen, ni su silva *A Carmona*, ni la oda *A Sevilla antigua y moderna*, que va con el libro de las *Antigüedades,* acusan un poeta siquiera de segunda fila. Todo en estas composiciones es frío, desmayado y monótono. Pero con la *Canción* acertó. Poeta de una sola composición, y ésta relativamente corta—apenas cien versos—, se situó de un golpe en la vanguardia de nuestra lírica. Se ha dicho de él que más que poeta es arqueólogo; se ha dicho también que solamente su extraordinaria cultura, unida a un depurado gusto y a una incesante pulimentación, pudo dar forma a esta obra tan marmórea, tan perfecta. Quizá sea verdad. Acaso la auténtica inspiración no estuvo presente durante el proceso gestativo de esta obra. Los insistentes retoques acusan una creación en frío premiosa y lenta. En todo caso, aunque el autor se sintió unos momentos arrebatado por el estro, pronto debió de pasársele ese estado *de gracia.* Ni los primeros versos, con su retorcido hipérbaton, ni la última estrofa, con su inesperada alusión al sepulcro de San Geroncio, tienen nada de auténtica poesía. Pero, producto de una inspiración verdadera o fruto de la técnica asistida por el sentimiento de las cosas pretéritas, la *Canción a las ruinas de Itálica* nos ofrece un conjunto poético casi perfecto y en su clase no superado todavía. Pocas veces la nostalgia de la pasada grandeza ha encontrado tan conmovedores ecos en el alma de un hombre.

El tono de la *Canción* no es uniforme. Parece vacilar entre la grandilocuencia herreriana y cierto tinte de melancólica ternura, a lo Rioja. También es muy de Herrera la estrofa, amplia y rozagante, que recuerda las dedicadas *A la pérdida del rey don Sebastián.* Dice así Caro:

> Aquí nació aquel rayo de la guerra,
> gran padre de la patria, honor de España,
> pío, felice, triunfador Trajano,
> ante quien muda se postró la tierra
> que ve del sol la cuna y la que baña
> el mar, también vencido, gaditano.
> Aquí de Elio Adriano,
> de Teodosio divino,
> de Silio peregrino
> rodaron de marfil y oro las cunas;
> aquí ya de laurel, ya de jazmines,
> coronados los vieron los jardines,
> que ahora son zarzales y lagunas.
> La casa para el César fabricada,
> ¡ay!, yace de lagartos vil morada;
> casas, jardines, césares murieron,
> y aun las piedras que de ellos se escribieron.

Pronto aparece detrás del poeta el erudito, que echa mano de todos sus recuerdos clásicos y de los medios expresivos que le suministra la retórica:

> Así a Troya figuro,
> así a su antiguo muro,
> y a ti, Roma, a quien queda el nombre apenas,
> ¡oh, patria de los dioses y los reyes!,
> y a ti, a quien no valieron justas leyes,
> fábrica de Minerva, sabia Atenas,
> emulación ayer de las edades,
> hoy ,cenizas, hoy vastas soledades,
> que no os respetó el hado, no la muerte,
> ¡ay!, ni por sabia a ti, ni a ti por fuerte.

Está escrita la *Canción* en estrofas de corte petrarquista: seis estancias de diecisiete versos cada una.

Su historia es bien sabida: la encontró Sedano en el manuscrito M-82 de la Biblioteca Nacional y, no entendiendo las iniciales R. C. que llevaba al frente, se la adjudicó a Rioja, sin otro fundamento que el de hallar en el mismo manuscrito varias poesías originales del mismo Rioja. Así corrió largos años en las colecciones y antologías, hasta que don Aureliano Fernández-Guerra, en un informe leído ante la Academia Española, demostró que el texto utilizado por Sedano era de puño y letra de Rodrigo Caro. Después se ha comprobado que coincidía, salvo algunas variantes, con el de la misma *Canción* inserto dos veces en el *Memorial de Utrera* y con copias autógrafas, una existente en Carmona y otra tomada de un original autógrafo por Gallardo. Caro no se cansó de limarla una y otra vez; pero el texto más perfecto es, sin duda, el que corre en todas las antologías, ofrecido ya en *El Parnaso español* por Sedano.

La *Canción* tiene antecedentes tanto en la poesía clásica (Ovidio, Propercio) como en la moderna: Castiglione (*Alle rovine di Roma*), J. Vida (*De Roma suis ruinis sepulta*), Cetina (*Al monte donde fué Cartago*). Y aun entre los contemporáneos: Artieda (*A la potencia del tiempo*), B. Argensola (*A las ruinas de Sagunto:* «Estas son las reliquias saguntinas...»), Quevedo (*Roma sepultada en sus ruinas:* «Buscas en Roma a Roma, ¡oh peregrino!...»). Sin salir del recinto sevillano, tenemos a Arguijo (soneto *A Cartago*), Jáuregui (soneto *Epitafio a las ruinas de Roma*), Quirós (soneto *A las ruinas de Itálica o Sevilla la Vieja*). Como se ve, el tema era común. Pero hay dos composiciones, dos sonetos, cuyas coincidencias con la *Canción* de Caro se nos antojan algo más que fortuitas. Uno es de Medrano y otro de Rioja. En el de Medrano leemos:

> Estos de rubia mies campos ahora
> fueron un tiempo Itálica; este llano
> fué templo; aquí a Teodosio, allí a Trajano,
> puso estatuas su gente vencedora...

Y el de Rioja (*A las ruinas del anfiteatro de Itálica*) empieza:

> Estas ya de la edad canas ruinas
> que aparecen en puntas desiguales,
> fueron anfiteatro y son señales
> apena de sus fábricas divinas...

Caro—basta una superficial lectura de su *Canción*—juega con las mismas ideas, expresadas casi con idénticas palabras: *...este llano fué plaza, allí fué templo... Trajano, Teodosio divino... De todo apenas quedan las señales...* Más aún: arranca con el mismo violento hipérbaton que Medrano:

> Estos de rubia mies campos ahora...,

que en la *Canción* se convierten en

> Estos, Fabio, ¡ay dolor!, que ves ahora...

La «Epístola moral a Fabio»

Con la *Canción a las ruinas de Itálica* corre parejas en popularidad la *Epístola moral a Fabio*. Sólo que entre ambas composiciones hay evidentes contrastes: aquélla es producto de un erudito que, a fuerza de paciencia y lima, logró por una sola vez tocar la sagrada vestidura de la belleza. Nos representamos a Caro «construyendo» su pequeña obra como quien va levantando un edificio, piedra a piedra, día tras día, a costa de muchos sudores y fatigas. La *Epístola*, en cambio, es el fruto sazonado, que cae espontáneamente y por su propio peso. En el autor de la *Epístola*, sea quien fuere, hay un poeta consumado, y estos tercetos maravillosos resumen lo mejor de su inspiración, de su experiencia personal—«la más acendrada poesía es experiencia», nos ha dicho Goethe—y de su vida.

¿Quién fué ese autor? El problema dista mucho de estar aclarado. Sedano la publicó como de Bartolomé L. de Argensola, sobre la fe de un manuscrito que así lo aseguraba; el Padre Estala, de las Escuelas Pías, fundándose en que el autor no podía ser aragonés, sino andaluz, dadas las frecuentes alusiones al Betis y a Itálica, la atribuyó a Rioja, y bajo el nombre de éste circuló en todas las colecciones, hasta que Adolfo de Castro (1875) descubrió en la Biblioteca Colombina un manuscrito con la copia de la famosa *Epístola*, en la que se lee que su autor es el capitán ANDRÉS FERNÁNDEZ DE ANDRADA. Según el mismo manuscrito, Andrada debió de dirigirla a don Alonso Téllez de Guzmán, pretendiente en Madrid y que fué corregidor en Méjico. Pero de Andrés Fernández de Andrada no se conocen más versos, fuera de la *Epístola*, que un insignificante fragmento sobre la toma de Larache. Y es, en verdad, extraño que un hombre desconocido como poeta para sus contemporáneos, puesto que no figura en ninguna de las grandes colecciones antológicas de la época, produjera una obra tan acabada, tan perfecta, tan sostenida de tono e inspiración. Sería un caso único en la historia de las letras. Por otra parte, el manuscrito hallado por Castro no es original, sino copia bastante posterior a la época en que debió de escribirse la *Epístola*. La atribución a Andrada, por tanto, no tiene suficiente base.

El señor Carbonell la atribuye a Francisco de Medrano; pero la poesía de Medrano, recogida y trabajada, dista mucho de esta de la *Epístola*, tan natural, fácil y numerosa. Aurelio Baig Baños, después de fijar con buen tino la fecha de la *Epístola* en 1626, coincidiendo su redacción con el desbordamiento del Guadalquivir y la caída del condeduque de Olivares, termina por atribuirla a Rodrigo Caro, previo un minucioso cotejo de analogías con la *Canción a las ruinas de Itálica*. Nosotros creemos, a pesar de todas las coincidencias conceptuales, que no pueden encontrarse dos obras más dispares, atendiendo a la forma, que la *Canción* y la *Epístola*. El que escribió aquélla era un erudito y un técnico; pero tenía muy poco de poeta. La *Epístola* nos habla, desde el primer endecasílabo hasta el último, de un inspiradísimo artista.

Hasta hoy, pues, lo único cierto es que su autor pertenecía a la escuela sevillana; pero ese autor sigue siendo anónimo.

Consta la *Epístola* de doscientos cinco versos, distribuídos en tercetos encadenados con su serventesio final. Pocas obras hay en nuestra poesía más logradas. Nacionales y extranjeros han volcado sobre ella sus elogios: *perfecta* la ha llamado Quintana; *excelente*, Martínez de la Rosa; *prodigiosa*, González Palencia. Y Pfandl ha escrito: «Si alguna vez la lírica llenó brillantemente su cometido de convertir el verso en digna expresión del sentimiento, es aquí.» Pero sería un error creer que su mérito principal está en el contenido; tampoco lo está exclusivamente en la forma: una vez más la belleza casi absoluta brota aquí del equilibrio entre forma y fondo. Porque se trata de un poema compuesto por una serie de lugares comunes muy barajados en la antigüedad clásica, aunque maravillosamente acomodados a la época y circunstancias en que debió de escribirlo el autor: la serenidad del ánimo justo frente a las adversidades de la vida; la fugacidad de las cosas, comparable a la de las flores, tema tan querido de la escuela sevillana; el menosprecio de los placeres cortesanos; el elogio de la vida campestre y de la *aurea mediocritas*... Todo esto lo encontramos ya una y otra vez en Horacio, en Epicteto, en Séneca y en Marco Aurelio. Sólo que en Horacio, por ejemplo, está diluído en veinte o treinta odas, y aquí se nos da armónicamente mezclado en una sola composición. ¡Y en qué forma tan maravillosa! He aquí el *sicut umbra* de la Biblia o el *Eheu, fugaces!*... del clásico:

¿Qué es nuestra vida más que un breve día,
do apenas sale el sol cuando se pierde
en las tinieblas de la noche fría?

¿Qué es más que el heno, a la mañana verde,
seco a la tarde? ¡Oh ciego desvarío!
¿Será que de este sueño me recuerde?

¿Será que pueda ver que me desvío
de la vida viviendo, y que está unida
la cauta muerte al simple vivir mío?

Como los ríos, que en veloz corrida
se llevan a la mar, tal soy llevado
al último suspiro de mi vida.

No supo hacerlo mejor el mismo Jorge Manrique. Y he aquí el reiterado tema de las flores:

Pasáronse las flores del verano,
el otoño pasó con sus racimos,
pasó el invierno con sus nieves cano;

las hojas que en las altas selvas vimos
cayeron, ¡y nosotros a porfía
en nuestro engaño inmóviles vivimos!

No menos bello es el consorcio que hace del *auri sacra fames* y del *angulus ridet* horaciano:

> ¡Pobre de aquel que corre y se dilata,
> por cuantos son los climas y los mares,
> perseguidor del oro y de la plata!

> Un ángulo me basta entre mis lares,
> un libro y un amigo, un sueño breve,
> que no perturben deudas ni pesares.

La doctrina de la moderación, templada por la moral cristiana, viene expuesta en unos tercetos definitivos:

> ¡Cuán callada que pasa las montañas
> el aura, respirando mansamente!
> ¡Qué gárrula y sonante entre las cañas!

> ¡Qué muda la virtud por el prudente!
> ¡Qué redundante y llena de rüido
> por el vano, ambicioso y aparente!
> . . . .

> Una mediana vida yo posea,
> un estilo común y moderado,
> que no lo note nadie que lo vea.

> En el plebeyo barro mal tostado
> hubo ya quien bebió tan ambicioso
> como en el vaso múrrino preciado;

> y alguno tan ilustre y generoso
> que usó, como si fuera plata neta,
> del cristal transparente y luminoso.

> Sin la templanza, ¿viste tú perfeta
> alguna cosa? ¡Oh muerte! Ven callada,
> como sueles venir en la saeta.

La fusión de elementos clásicos y cristianos, como se ve, es felicísima. No comprendemos por qué razón se ha podido decir de la *Epístola* que «es un compendio del pensamiento filosófico y moral de la Contrarreforma». Todo lo que hay en ella está en los Libros sagrados, y mejor aún, en los filósofos y poetas greco-latinos. Si bien se mira, ni siquiera parece escrita por un católico; sólo una vez suena la palabra *Dios* y otra *Señor*; en cambio, hay referencias a Juno, Astrea, etc. Y el único filósofo aludido por su nombre es un pagano: Epicteto. Este sabor pagano aumenta cuando se lee en latín; p. ej., en la bellísima versión que hizo de ella en dísticos el padre Tomás Viñas, de las Escuelas Pías.

Quirós

Sin más razón que el paisanaje, se suele incluir entre los poetas de la escuela sevillana a PEDRO DE QUIRÓS (¿-1667) [7], cuyo estilo conceptuoso muchas veces le acerca más bien a los ingenios madrileños del XVII. Su nombre permaneció ignorado y su obra desconocida hasta que en 1838 Amador de los Ríos empezó a publicar algunas de sus poesías, que pronto ganaron el favor del público. Medio siglo después (1887) Menéndez Pelayo le dedicó un documentado estudio crítico-biográfico; y desde aquel momento Quirós figura por derecho propio en todas las historias literarias y antologías. Se trata de un poeta de tono menor, pero muy estimable en su género. Más fecundo que ninguno de sus paisanos, escribió abundantes sonetos, madrigales, canciones, décimas, etc.; varias loas y una égloga religiosa *Al nacimiento de Cristo*. Cultivó también la poesía festiva, a imitación de su compatriota Alcázar; tradujo himnos latinos (su versión del *Ave Maris Stella* es la mejor que tenemos en castellano, superior incluso a las de Lope y Valdivielso). Llevan justificada fama su madrigal a una *Tórtola* («Tórtola amante que en el roble moras...») y su soneto *A Itálica* («Itálica, do estás? Tu lozanía...») Pero, aunque menos conocidos, son más bellos los dos sonetos *A un ciprés junto a un almendro* y *A una rosa blanca que se abrió en Viernes Santo*. Con frecuencia atina con expresiones felicísimas:

> Al canto de los dulces ruiseñores
> el alba despertó, vistióse de oro,
> y con amena risa y blando lloro
> desmayo a estrellas dió y aliento a flores;

pero abusa con exceso de la mitología, de las correlaciones y antítesis rebuscadas, que le hacen caer en el conceptismo. Sus versos eróticos, en general de metro breve, recuerdan por su soltura y gracia las *barquillas* de Lope, con cuyos escritos estaba familiarizado.

III. POETAS GRANADINO-ANTEQUERANOS

«Antequera, en la segunda mitad del siglo XVI y en el primer tercio del XVII—escribe Rodríguez Marín—fué una Atenas andaluza, que poco tuvo que envidiar a Granada, aunque mucho a Sevilla» [8]. En efecto, ya en 1504 se creaba una cátedra de Gramática, costeada por el cabildo, y de la que había de brotar como de un humilde grano excelente cosecha. Preceptores ilustres de esa cátedra fueron sucesivamente Juan de Vilches, Francisco de Medina—el prologuista insigne de las *Anotaciones a Garcilaso*, de Herrera—, Juan de Mora, Juan de Aguilar, Bartolomé Martínez y otros. Tanta maña se dieron estos maestros en fomentar el cultivo y afición por las buenas letras en la ciudad del Guadalhorce, que ésta era ya a últimos del XVI y primeros años del XVII un foco de cultura artístico-literaria, comparable a los que por las mismas fechas encontramos en Córdoba, Granada y Valencia. Como en estas ciudades, también en Antequera empezó a funcionar una auténtica Academia, a la que pertenecían muchos y destacados ingenios.

Menéndez Pelayo opina que no puede llamarse en rigor *escuelas* a estos grupos cordobés, granadino o antequerano, porque los poetas que los integran no aparecen entre sí suficientemente enlazados ni ofrecen similitud de condiciones y estudios necesaria para constituir una escuela poética con teoría y práctica propias. Pero «es indudable, afirma a renglón seguido, que los ingenios de Granada y Antequera forman un grupo de consideración en la historia de nuestra poesía lírica» [9]. Más que granadino, este grupo es antequerano, porque de Antequera es su más calificado representante, Pedro de Espinosa; y porque, pasado el apogeo de la gran escuela granadina con Hurtado de Mendoza, Silvestre, Acuña y Barahona de Soto, los de la ciudad del Guadalhorce superan en número y calidades estéticas a los de la ribera del Genil.

Se suele dar como jefe y fundador de esta agrupación a Espinosa; pero ese título corresponde en justicia a otro poeta del grupo, AGUSTÍN DE TEJADA PÁEZ (1567-1595), nacido once años antes que aquél, poeta selecto, que por haber vivido largo tiempo en Granada fué el primero y principal vínculo entre los vates de esta ciudad y los de Antequera. Tejada fué a la ciudad de la Alhambra cuando sólo contaba veinte años (en 1568), y allí residió largas temporadas, con frecuentes viajes a su Antequera natal, a donde importó el buen gusto literario que había bebido al lado de Juan de Arjona, Andrés del Pozo y Gregorio Morillo. La primacía del grupo, sin embargo, se la lleva el citado Pedro Espinosa, no sólo por su valor personal como poeta, sino por haber sido el colector de las famosas *Flores*.

Las «Flores de poetas ilustres»

Constituyen, en frase de Bartolomé J. Gallardo, «el mejor tesoro de poesía española que tenemos», y cumplen respecto a nuestra poesía lírica de la Edad de Oro una misión parecida a la de los *Cancioneros* respecto al reinado de los Reyes Católicos y antecesores.

Se trata de una vasta antología, en la que van incluídas composiciones de los más destacados poetas de la época. Recogidas por un antequerano, dominan naturalmente las de poetas andaluces y, sobre todo, las del grupo que estudiamos. Es desde luego el más nutrido repertorio que tenemos de creaciones líricas de últimos del XVI a principios del XVII.

El iniciador, ya se ha dicho, fué Espinosa. Para ello recorrió en su juventud diversas ciudades —Granada, Sevilla, Madrid, Valladolid—, relacionándose de paso con los ingenios más ilustres. La *Primera parte*, con 228 composiciones, apareció en Valladolid (1605). Incluía poesías de autores fallecidos y contemporáneos. También figuraban 19 originales del mismo Espinosa. El poco éxito que

tuvo esta *Primera parte*, unido a ciertos desengaños amorosos, le desanimó en la empresa; y Espinosa abandonó el mundo para buscar su felicidad en un retiro.

Su labor fué continuada por el licenciado AGUSTÍN CALDERÓN [10], cordobés, poeta estimable, amigo y posible colaborador de Espinosa en sus comienzos. Calderón tenía terminada la *Segunda parte* en 1611; pero, a falta de un editor, quedó largo tiempo inédita; hasta que en 1896 la sacaron a luz en Sevilla los señores Quirós de los Ríos y Rodríguez Marín. Con ello las *Flores de poetas ilustres* se completa en sus dos partes, que recogen composiciones de cerca de un centenar de poetas, figurando al lado de nombres famosísimos, como el de Lope, Quevedo, Góngora o los Argensola, otros desconocidos.

Pocos años más tarde (1627-1628) otro antequerano, don IGNACIO DE TOLEDO Y GODOY, reunía en la misma ciudad una tercera colección manuscrita de poesía de su época, que acaba de ser publicada con el título de *Cancionero antequerano* por el C. S. I. C., y gracias a la diligencia del profesor don Dámaso Alonso [11]. Este *Cancionero*—escribe Dámaso Alonso—«puede ser considerado como una gran antología de poesía española del primer tercio del siglo XVII, de la cual serían partes primera y segunda las colecciones conocidas con los nombres de *Flores* de Espinosa y *Flores* de Calderón».

Espinosa y su «Fábula del Genil»

El más calificado poeta del grupo ya se dijo que es PEDRO ESPINOSA (1578-1650) [12]. Su figura, borrosa hasta época reciente, ha sido esclarecida por la labor investigadora de Rodríguez Marín [13]. Espinosa es uno de los pocos poetas que van ganando en estimación y fama conforme pasan los años. Tocado algunas veces del vicio culterano, que ridiculizó en cierto célebre soneto [14], y con más frecuencia de la epidemia conceptista—sostuvo amistad estrecha con Quevedo—, su poesía, sin embargo, se mantiene casi siempre en esa línea de dignidad y de elegancia que constituye y como define toda la producción lírica andaluza. Iguala a los mejores vates de Sevilla y de Córdoba en lo escogido de la dicción y supera a todos en riqueza descriptiva, colorido y exuberancia verbal. Su *Fábula del Genil* es un continuado tapiz de vislumbres y pompas orientales. Pero, si en la minuciosidad y finura del detalle recuerda los arabescos de la Alhambra, en la impecable pureza del verso reproduce a Garcilaso. Hay estrofas que parecen arrancadas de la Egloga III del vate toledano:

Corta las aguas con los blancos brazos
la ninfa, que con otras ninfas mora
debajo de las aguas cristalinas
en aposentos de esmeraldas finas.

El despreciado dios su dulce amante
con las náyades vido estar bordando,
y, por enternecer aquel diamante,
sobre un pescado azul llegó cantando;
de una concha una cítara sonante
con destrísimos dedos va tocando;
paró el agua a su queja, y, por oílla,
los sauces se inclinaron a la orilla.
....

Vido, entrando Genil, un virgen coro
de bellas ninfas de desnudos pechos,
sobre cristal cerniendo granos de oro
con verdes cribos de esmeraldas hechos;
vido, ricos de lustre y de tesoro,
follajes de carámbano en los techos,
que estaban por las puntas adornados
con racimos de aljófares helados...

Así de tersa, de luminosa y rica es siempre la poesía de este genial vate antequerano. Lo mismo cuando en su primera época se dedica a temas profanos que cuando, más tarde, se vuelve a motivos religiosos su paleta encuentra los más vivos colores y su lira las notas más brillantes. Véase un breve fragmento de la oda *A la navegación de San Raimundo, desde Mallorca a Barcelona*:

Tiran yeguas de nieve
el carro de cambiante argentería
sobre que viene el día,
con rubias trenzas de quien perlas llueve;
la alcatifa, sembrada de diamantes,
de génuli, carmín y azul ceniza,
cuando de sus alcobas
cerúleas, espumantes,
sale Neptuno horrendo
quitando de la frente musgo y ovas...
....

Arrojan los delfines
por las narices blanca espuma en arco
sobre el profundo charco;
y, destilando las verdes crines
aljófar, las nereidas asomaron
y las dulces sirenas
sobre pintadas conchas de ballenas...

Y todavía este soberbio soneto *A la Asunción*, maravilloso retablo de un barroquismo impresionante:

En turquesadas nubes y celajes
están en los alcázares empíros
con blancas hachas y con blancos cirios
del sacro Dios los soberanos pajes;

humean de mil suertes y linajes,
entre amaranto y plateados lirios,
inciensos indios y pebetes sirios
sobre alfombras de lazos y follajes.

Por manto el sol, la luna por chapines,
llegó la Virgen a la empírea sala,
visita que esperaba el cielo tanto.

Echáronse a sus pies los serafines,
cantáronle los ángeles la gala,
y sentóla a su lado el Verbo Santo.

Escribió Espinosa abundantes poesías, la mayor parte en metro italiano (sonetos, canciones, etcétera). Muchas aparecieron, como se ha dicho, insertas en la primera y segunda parte de las *Flores*; otras permanecieron inéditas hasta que a finales del siglo pasado las publicó Rodríguez Marín. Es también autor de una de las pocas composiciones en verso alejandrino que conocemos de la Edad de Oro, el hermoso soneto que empieza:

Como el triste piloto que por el mar incierto
se ve con turbios ojos sujeto de la pena...

Tiene asimismo algunas obritas en prosa: *Espejo de cristal*, serie de meditaciones preparatorias para la muerte; *El perro y la calentura*, «novela peregrina» (1625), atribuída a Quevedo erróneamente por haber sido impresa junto con las *Cartas del Caballero de la Tenaza*; *El bosque de doña Ana* (1624), relación de la visita que hizo Felipe IV a este célebre coto; un *Panegírico de la ciudad de Antequera* (1526); un *Pronóstico judiciario*, de carácter satírico, y otro *Panegírico del Duque de Medina Sidonia*, en cuya Casa había servido como capellán Espinosa.

Otros poetas granadino-antequeranos

Prescindiendo de Trillo y Figueroa y de Soto de Rojas, a quienes se incluyó en la lista de los culteranos, los más notables son: CISTOBALINA FERNÁNDEZ DE ALARCÓN, llamada la «musa antequerana», de quien se conserva una hermosa canción llorando el mal de ausencia; JUAN DE MORALES y, sobre todos, LUIS MARTÍN DE LA PLAZA, conocido por sus madrigales, entre los que sobresale el que empieza:

Iba cogiendo flores
y guardando en la falda
mi ninfa para hacer una guirnalda...

También suele incluirse en este grupo a VICENTE MARTÍNEZ ESPINEL, de quien hicimos extensa mención en el capítulo de la novela picaresca, como autor de *El escudero Marcos de Obregón*. Espinel coleccionó sus poesías en el libro *Diversas rimas* (1591), donde, al lado de composiciones originales, figuran algunas traducciones de Horacio, entre ellas la de la famosa *Epístola ad Pisones*. Fué Espinel el primero que empleó la décima, en su forma actual, hasta el punto de que se le considera su creador. Por eso se llama también a esta estrofa, que tanta fortuna alcanzó en nuestra métrica, *espinela* [15].

IV. POETAS VALENCIANOS

La «Academia de los Nocturnos»

Casi todos los componentes de este grupo pertenecen a una reunión de carácter literario que funcionó en Valencia durante la última decena del XVI, y que se titulaba a sí misma «Academia de los Nocturnos».

Era ésta una de tantas reuniones o tertulias derramadas por aquel tiempo en diversas capitales españolas, con el fin de mantener vivo el culto de las musas. Al revés de lo que sucedía en otras reuniones de su tipo, carentes de toda organización, la «Academia de los Nocturnos» tenía su reglamento escrito y sus funciones prefijadas. Había sido establecida en 1591, en casa del noble y culto caballero don Bernardo Catalán y bajo la presidencia del mismo. Uno de los que más contribuyeron a su creación y su más asiduo asistente fué el poeta Gaspar de Aguilar. Tenía la Academia como finalidad primordial, según el breve preámbulo de sus instituciones, cultivar el entendimiento de todos y mezclar lo dulce con lo provechoso. Establecía para ello con carácter obligatorio una reunión semanal y el nombramiento de un lector para cada sesión, encargado de disertar sobre la materia que se le encomendase.

La «Academia de los Nocturnos» recibió este nombre porque sus sesiones se celebraban de noche. Los académicos adoptaron nombres congruentes con la hora: Francisco Tárrega, se apellidaba *Miedo*; Francisco Desplugues, *Descuido*; Miguel Beneito, *Sosiego*; Gaspar Aguilar, *Sombra*; Rey de Artieda, *Centinela*; Gaspar Mercader, *Relámpago*; Guillén de Castro, *Secreto*, y así los demás. Duró sólo tres años, y en el transcurso celebró ochenta y ocho sesiones, habiendo sido Aguilar el que más veces intervino: veintisiete, con discursos en cuatro de ellas y lectura de composiciones poéticas en el resto. Gaspar Mercader, otro de los «Nocturnos», recogió en *El prado de Valencia*, mezcla de novela pastoril y de selección antológica, numerosas composiciones de poetas pertenecientes a la Academia. Pero el repertorio más copioso de la escuela es el llamado *Cancionero de los Nocturnos*. Por influjo de Guillén de Castro la Academia renació en 1616 con el nombre de *Los Montañeses del Parnaso*; pero apenas se tiene noticias de sus actividades en este segundo período.

Principales representantes

En 1616 Guillén de Castro intenta resucitarla, bautizándola con el nombre «Los Montañeses»; pero pronto desaparece sin dejar rastro.

Los poetas de la «Academia de los Nocturnos», alguno de universal renombre, pertenecen más bien al género dramático—Tárrega, Aguilar, Carlos Boyl, Guillén de Castro—, y como tales serán estudiados en su lugar correspondiente. Pero algunos también nos dejaron estimables composiciones de carácter lírico.

El canónigo don FRANCISCO DE AGUSTÍN TÁRREGA (¿1554?-1602), famoso por sus comedias históricas, que examinaremos en el lugar correspondiente, y uno de los fundadores de la Academia, leyó en una de sus sesiones el conocido soneto *A un pensamiento*, que también ha sido atribuído a Lupercio L. de Argensola. La composición es de gran belleza:

> Llevó tras sí los pámpanos octubre,
> y con las grandes lluvias insolente,
> no sufre el Turia márgenes ni puente,
> mas antes los vecinos campos cubre...

J. Manuel Blecua, en su edición de las *Rimas* de los hermanos Argensola (1953), lo sigue atribuyendo a Lupercio. Pero más recientemente E. Juliá Martínez defiende la paternidad de Tárrega. Uno y otro se basan en argumentos de gran fuerza; más convincentes, a nuestro parecer, los de Juliá, puesto que se apoya en una noticia sacada de las *Actas* de la Academia de los Nocturnos, según la cual en la sesión del 2 de enero de 1594 Tárrega dió lectura al «Soneto a un pensamiento», que se le había encargado en la sesión anterior [16].

GASPAR DE AGUILAR (1561-1623), aparte de sus obras dramáticas y en prosa, nos dejó deliciosas composiciones líricas, entre las que sobresalen sus dos *Fábulas*—De Júpiter y Europa y De Endimión y la Luna—; la primera en tercetos encadenados y la segunda en fáciles quintillas a la española.

De REY DE ARTIEDA, JAIME ORTS, HERNANDO PRETEL, y otros quedan abundantes muestras en el *Cancionero de los Nocturnos*, destacando por su tono festivo las redondillas de Pretel «A una señora que queriendo mucho a su galán, sabiendo que le enojaba en asomarse a la ventana, nunca se quitaba de ella»:

> Si mi afición te da gusto
> y mi voluntad estimas,
> Lisbis, ¿por qué me lastimas
> con uno y otro disgusto?

Recuerdan por su agudeza las popularísimas de sor Juana Inés de la Cruz: «Hombres necios que acusáis...»

V. POETAS ARAGONESES

En la llamada «Escuela Aragonesa» se suele incluir a tres poetas de cierto relieve—los dos hermanos Argensola y Villegas—y dos de inferior jerarquía, que son el príncipe de Esquilache y Liñán de Riaza.

No hay entre ellos más vinculaciones que el ser todos nativos u oriundos del reino de Aragón, cierta gravedad de pensamiento y de estilo y el ofrecérsenos igualmente libres de toda contaminación culterano-conceptista.

Los hermanos Argensola

Suponen LUPERCIO (1559-1613) y BARTOLOMÉ LEONARDO DE ARGENSOLA (1562-1631)[17] la máxima reacción contra los vicios literarios de su tiempo. Propugnaron el retorno a los módulos y normas clásicas y combatieron los excesos ornamentales del gongorismo; no, como otros, con sátiras, diatribas o disertaciones críticas, sino con la fuerza persuasiva del ejemplo. Frente al torrente avasallador de las escuelas barrocas, ellos cultivan un arte equilibrado, lleno de ponderación y de mesura, tan grave en el fondo y tan noblemente sereno en su forma, que Lope de Vega pudo decir de ellos: «Han venido de Aragón a reformar en nuestros poetas la lengua castellana, que padece por novedad frases horribles, con que más se confunde que ilustra.» Hermanos por la sangre y por el carácter, estrechamente vinculados también en su vida y aficiones literarias, juntos igualmente deben ser estudiados.

La personalidad de Lupercio es menos acusada, no por otra razón que la puramente cuantitativa. Nos dejó menor número de composiciones que Bartolomé, porque la muerte le sorprendió mucho antes, en el inicio de su madurez; o, quizá, porque algunas han desaparecido. Ya se ha dicho que había condenado, antes de morir, sus poesías al fuego. Aun así conservamos centenar y medio de ellas—la mitad aproximadamente que la de su hermano (1634)—, publicadas por su hijo Gabriel Leonardo de Albión en las *Rimas* (1634), junto con las de su tío Bartolomé. Hay en ese acervo poético sátiras, epístolas, canciones, letrillas al modo tradicional, si bien en escaso número, y sonetos. Estos pasan del centenar. Entre las sátiras, muy influídas por Horacio, Ovidio y Juvenal, sobresalen la dirigida *A Flora,* cortesana («Muy bien se muestra, Flora, que no tienes...»), y la *Carta a don Juan de Albión* («Aquí donde en Afranio y en Petreyo...»). De las epístolas son las dos mejores la brillantísima *Descripción de Aranjuez* («Hay un lugar en la mitad de España...») y *Al doctor Domingo de Vengochea* («En esta enfermedad tan

importuna...»). Entre los sonetos, muchos de ellos inmejorables, deben señalarse los que empiezan: «Yo os quiero confesar, don Juan, primero...», de profundo sentido filosófico, sobre el valor de la hermosura corporal; «Muros, ya muros no, sino trasunto...», tributo de Lupercio al consabido tema de las ruinas, y, por encima de todos, el dedicado *Al sueño* («Imagen espantosa de la muerte...»), calificado por Remcke, con evidente hipérbole, «el más hermoso de toda la poesía española». La canción *Alivia sus fatigas...,* de indisimulable inspiración horaciana, es asimismo bellísima. Muy afortunado en sus traducciones de Horacio, Lupercio se nos muestra ceñido con exceso al original.

Más fecundo Bartolomé, acaso por haber vivido más años y tenido más tiempo de escribir, apenas se distingue cualitativamente de su hermano. El mismo lenguaje grave y selecto, el mismo tono sentencioso y la misma expresión comedida. Debemos citar entre sus composiciones el inevitable soneto elegíaco («Estas son las reliquias saguntinas...»); la también inevitable epístola («Esos consejos das, Euterpe mía...»); algunas excelentes epístolas, como las dirigidas *A don Fernando de Borja* y *A don Nuño de Mendoza,* y muchos sonetos excelentes. El que empieza con los consabidos versos

> Dime, Padre común, pues eres justo,
> ¿por qué ha de permitir tu providencia...,

con su hondo sentido teológico, es de lo mejor que existe en la poesía universal.

Con decir que a los hermanos Argensola se les viene llamando los *Horacios españoles,* está hecho su elogio. De un gusto depurado, de una formación humanística muy cimentada, aunque sin los aletazos geniales de un fray Luis de León, acertaron a darnos, en una época de lamentables desviaciones literarias, versos del más puro corte y del más levantado estilo. Amantes de la lima, siguen también en esto al venusino, puliendo, corrigiendo, cincelando incansables cada estrofa y aun cada frase. Severos por naturaleza y sobrios, como buenos aragoneses, su anhelo de eliminar toda afectación y lujo innecesario—aquel «follaje ambicioso del ornato», a que alude Bartolomé en una epístola—les llevó más de una vez a lo prosaico y desmañado[18]. Pero, en general, su verso es digno y noble. Si no brillan por su talento inventivo ni por la pompa del lenguaje, se hacen admirar por el gusto, la elegancia y la altura de pensamiento. Nada más ajeno a ellos que lo que se viene llamando entusiasmo o furor poético; tampoco conocieron la elevación patética, a la manera de Herrera. Tuvieron, eso sí, y en mayor grado que ningún otro poeta de su tiempo, el sentido de la medida, de la justeza y del orden. El juicio definitivo lo pronunció Quintana: «Su reputación está, al parecer, más afianzada en los vicios que les faltan que en las virtudes que poseen.»

Fueron también los Argensola excelentes historiadores, de buen juicio y depurado estilo; y en este género nos dejaron varias obras muy estimables, a las que habremos de aludir en el capítulo correspondiente.

El anacreóntico Villegas

Si los hermanos Argensola beben en fuentes latinas, y de las más puras, ESTEBAN MANUEL DE VILLEGAS (1589-1669) [19], otro poeta encasillado en el mismo grupo de los aragoneses, se abreva en cristalinas corrientes griegas. Teócrito y Anacreonte, sobre todo este último, son sus modelos. Y en verdad que los imita, especialmente al de Teos, en cuanto la lengua española, rígida y por naturaleza algo dura, puede acercarse a la helénica, tan maleable, tan mórbida, tan graciosa. Alguna vez intentó empuñar la trompa épica, pero el fracaso fué absoluto:

> Quisiera yo esta vez, Filipe augusto,
> trompa sonando de metal robusto,
> tu nombre dar al viento,
> si de él fuera capaz tanto elemento...
>
> *(Oda I.)*

No era esta su cuerda. Era más bien aquella otra fácil del diminuto instrumento anacreóntico, aquel delicioso «barbiton», que inmortalizó para siempre en la memoria de los hombres los temas intrascendentes del amor apacible, del vino, del campo, de las flores. Por eso, cuando se vuelve a los latinos, su autor preferido es Catulo. A este género juguetón, alegre, corresponden las cuarenta y cuatro cantilenas y las sesenta y cuatro monóstrofes de sus *Eróticas*. Unas veces inventa; otras, las más, va calcando libremente a sus modelos; pero siempre es fino, alado y, desde luego, lo mejor que en su estilo tenemos en castellano. Véase cómo pide un primer beso a Lidia:

> Divide esos claveles,
> más dulces que las mieles
> y más que los panales;
> divide esos corales,
> que, juntos a los míos,
> harán parar dos ríos
> en que triste me anego;
> harán templar el fuego
> que consume mis venas;
> harán cesar las penas
> que me alteran la calma;
> harán vivir un alma
> y morir mil pesares.
> Ea, pues, no te pares,
> Lidia, que sólo un beso
> darlo no es un gran exceso... [20]

Sus versos fueron recogidos y publicados en un volumen con el título de las *Eróticas o Amato-*

rias. Villegas, hombre vanidoso y muy pagado de sí mismo, había mandado poner en la portada un sol naciente y unas estrellas que se eclipsan, con la siguiente inscripción: *Me surgente, quid istae?...*, lo que le acarreó la enemiga de los poetas aludidos, hasta el punto de que hubo de mandar suprimir el emblema en los ejemplares sobrantes de venta [21].

Las Eróticas van distribuídas en ocho libros y en esta forma: Parte primera, Odas (L. I); Versiones de Horacio (L. II); Cantilenas (L. III); El Anacreonte o Monóstrofes (L. IV). Parte segunda: Elegías (L. I); Eidilios (L. II); Sonetos y Epigramas (L. III), y Las Latinas (L. IV).

El simple enunciado de estos títulos indica a las claras las preferencias del autor. Muy versado en letras clásicas y conocedor, como ninguno de sus coetáneos, de la poesía grecolatina, sus ojos se van tras Grecia y Roma, y en una atmósfera agitada por vientos renovadores, él sigue respirando el aire de otros siglos.

Mención especial merecen *Las Latinas*. Villegas ha trabajado con más ahinco que nadie en la adaptación de los metros clásicos al castellano. En tal aspecto *Las Latinas* suponen el intento más serio realizado hasta ahora. ¿Logró su propósito nuestro poeta? Creemos que la crítica viene exagerando las resultados obtenidos. Y eso que Villegas realizó su ensayo sobre la única base posible en nuestra lengua, la que el Pinciano señalaba en aquella fórmula simplista: «Consideremos en los versos latinos el número de sílabas que tienen y las partes adonde ponen su acento, y haremos sus versos nuestros.» Sólo que hay versos latinos —precisamente los más conocidos: el exámetro, el pentámetro, el senario yámbico, etc.— que no tienen número de sílabas fijo ni acentuación constante, y el principio formulado por el Pinciano resulta, claro es, inservible. Villegas hizo lo que pudo, que no fué poco. Nos dió una *Egloga en hexámetros*, imitación de Virgilio, poco afortunada; un brevísimo ensayo en dísticos, aún más desdichado, y dos felicísimas adaptaciones del sáfico latino en sus odas *A la Paloma* y *A Céfiro*. Esta última es la tan conocida y celebrada:

> Dulce vecino de la verde selva,
> huésped eterno del abril florido,
> vital aliento de la madre Venus,
> céfiro blanco...

No es cierto que Villegas introdujera la estrofa sáfico-adónica en castellano. Antes que él la habían empleado, entre otros, Antonio Agustín, el Brocense, Jerónimo Bermúdez y Alcázar. En cambio, fué él quien dió a este metro un paradigma de acentuación constante, en cuarta y octava, que se ha venido respetando desde entonces y que no corresponde exactamente a la latina. El sáfico en Horacio acentúa en forma fija la cuarta sílaba; pero el acento de octava pasa con suma frecuencia a sexta [22].

Poesía formal la de Villegas, aunque no acertó en el metro largo, obtuvo en el corto, especialmente en los de tipo anacreóntico, notas deliciosas y casi perfectas que influyeron grandemente entre los neoclasicistas del XVIII.

En su vejez tradujo el *De Consolatione* de Boecio. Y antes había redactado unas *Disertaciones*, con comentarios sobre los clásicos de la antigüedad. El original inédito estuvo todavía en poder del padre Sarmiento.

Esquilache y Liñán de Riaza

Son los dos nombres que completan la Escuela Aragonesa. Don FRANCISCO DE BORJA Y ARAGÓN, príncipe de Esquilache (1581-1658), virrey del Perú, es autor de unas *Obras en verso* (1639), que alcanzaron mucha fama en su tiempo y que le acreditan de poeta grave, sobrio y elegante, siempre dentro de los moldes clásicos. En el metro largo reproduce el tono de los Argensola; en el breve—letrillas y romances—sigue con bastante fidelidad la mejor tradición de Góngora y de Lope. Tradujo a Tomás de Kempis y escribió el poema épico *Nápoles recuperada* (1651), en torno a las empresas de Alfonso V.

No aragonés, como se ha venido creyendo, sino toledano, fué PEDRO LIÑÁN DE RIAZA († 1607), de quien ya se incluyeron varias poesías en las *Flores de Espinosa*. Lo mejor de Riaza ha de buscarse en los romances, fáciles e ingeniosos, que ya citaba como clásicos en su *Mercurius Trimegistus* Jiménez Patón. En alguno alcanza tal grado de perfección, que ha sido atribuído a Góngora. Gracián, Lope y Cervantes lo elogian mucho. Suyas son la poesía a *La Noche* y la *Sátira contra el amor*. No parece, en cambio, corresponderle la *Vida del pícaro*, escrita en endecasílabos casi perfectos, metro que Liñán no llegó nunca a dominar bien.

VI. POETAS PROSAICOS

Huyendo por igual de los dos grandes escollos de la época, las extravagancais culteranas y los retorcimientos conceptistas, unos cuantos escritores, enemigos de toda innovación, fueron a caer en un vicio mayor: el prosaísmo. «Poetas prosaicos» se les viene, en efecto, llamando, a falta de otro apelativo más adecuado. En ellos se cumple la sentencia del clásico: *serpit humi...* También éstos, por temor a excesos verbales o conceptuales, en vez de levantar el vuelo, se arrastran por tierra y resultan fríos, pedestres, apoéticos. Con un siglo casi de antelación, cultivan la misma poesía de fondo didáctico-moral, que había de llenar un ancho capítulo en la historia de la literatura del siguiente siglo.

El más representativo de esta tendencia es don BERNARDINO DE REBOLLEDO (1597-1676)[23], conde de este mismo título y señor de Irián, a quien no sabemos si su formación o su distanciamiento de España mantuvieron alejado de todo contagio gongorista. Escribió sus famosas *Selvas*, que son tres: *Selva militar y política*, largo poema didáctico, en que explana su doctrina militar sacada de la experiencia; *Selvas Dánicas*, exposición de las glorias católicas de Dinamarca y diatriba contra el protestantismo, y *Selva Sagrada*, con traducciones de los salmos. Sus poesías, reunidas bajo el título de *Ocios* (Amberes, 1650), merecieron los elogios de Moratín en *La derrota de los pedantes*. La verdad es que Rebolledo rara vez sintió el soplo de una auténtica inspiración.

Mejor prosista que poeta, su *Discurso sobre la hermosura y el amor*, en elegante y clara prosa, ha sido llamado por Menéndez Pelayo «el canto de cisne de la escuela platónica entre nosotros»[24].

Al mismo género pertenecen JOAQUÍN SETANTI, JUAN SORAPAN DE RIEROS y ALONSO DE BARROS, que cultivaron preferentemente la poesía moralizante y paremiológica.

VII. POETAS AMERICANOS

No se atribuya a subestimación intencionada la escasa importancia que concedemos a la lírica americana en el siglo XVII. No podemos dar relieve a una cosa que no lo tiene. La lírica americana en el período que estudiamos, como la épica, como el teatro, no existe con personalidad propia; es una simple prolongación de la peninsular y, como ésta, se polariza en torno a los dos extremos del eje Góngora-Quevedo. América produce por este tiempo muchos poetas; pero esos poetas no son más que nombres. No pesan nada, no significan nada. Sin originalidad ni voz propia, «toda esa enorme producción—no somos nosotros, es un crítico americano quien lo dice[25]—sólo interesa hoy a la paleografía, al bibliófilo o al historiador de la cultura. Escasa o ninguna relación tiene con el goce estético. El tiempo ha cernido ya unos cuantos valores y los demás descansan en el osario común». Y antes había dicho: «Nada hay en Hispanoamérica que recuerde el espléndido florecimiento de las escuelas poéticas españolas. Antes que la noble sustancia de su lírica fueron alcanzados los límites pervertidos de su descomposición.»

Día llegará, hemos de agregar por nuestra cuenta, en que los poetas de la América hispana encuentren su cuerda y dejen oír su voz propia. Pero eso ha de tardar; no se forma en un siglo, ni siquiera en dos, una cultura. Muchas generaciones pasaron antes que Séneca, Marcial o Lucano se hiciesen escuchar en Roma. Las letras coloniales no podían sustraerse a esta ley que parece inherente a la historia de los pueblos. «Se repite en ellas—seguimos copiando al mismo historiador— el ejemplo de todas las épocas en las que el arte se reduce a mera habilidad formal: los artistas proliferan como los hongos después de la lluvia. La auténtica inspiración está casi siempre ausente de los certámenes a los que concurren poetas por centenares.» Estos certámenes nos pueden dar la medida de la enorme cantidad de vates que pululan por todo el vasto territorio colonial. Se organizan por doquiera, especialmente en las cortes virreinales, para celebrar cualquier clase de acontecimiento: natalicios o exequias, cumpleaños, canonizaciones, entrada y éxodo de altos funcionarios. El que quiera formar una extensa lista de autores no tiene más que acudir a las múltiples *descripciones* que de tales fiestas nos quedan [26]. Pero entre las docenas y centenares de nombres no le será dado sacar nada que se parezca, no ya a un Góngora, ni siquiera a un Espinosa o un Pedro Quirós. Unicamente el nombre señero de sor Juana Inés de la Cruz, ya extensamente aludida en otro capítulo, se eleva a mil codos sobre esta masa semianónima de mediocridades.

Terrazas, María de Alvarado y Rosas Oquendo

Todavía, en nuestro deseo de insertar algunos nombres, podemos anotar los que siguen:

FRANCISCO DE TERRAZAS, hijo del conquistador del mismo nombre y aludido por Cervantes en el *Canto de Calíope*. En las *Flores de varia poesía...*, colección formada en Méjico en 1577, figuran sonetos suyos que recuerdan la manera de Cetina.

MARÍA DE ALVARADO, que gustaba ocultarse bajo el seudónimo de *Amarilis,* escribe versos de estilo limpio y fácil y dirige a Lope de Vega una Epístola, que con su respuesta mereció ser publicada por éste al final de la *Filomena.*

La sátira tiene su representante en MATEO ROSAS OQUENDO, poeta mordaz que desahoga su antifeminismo en punzantes e ingeniosos versos.

Pero lo más destacado, ya se ha dicho, de la lírica barroca colonial se agrupa en torno a Góngora y a Quevedo. Conceptismo y culteranismo son dos movimientos que habían de encontrar al otro lado del Atlántico amplias repercusiones.

El movimiento culterano en Hispanoamérica

«El americanismo—copiamos de Torres-Ríoseco [27]—comenzó a expresarse en cierto estilo barroco de arte y de vida. Elementos del arte indio contribuyeron a la alteración de la arquitectura española en América. Las iglesias coloniales estaban recargadas de alhajas y de colores; los santos estaban recuajados de terciopelo, de sedas y de oropeles. Hoy, este estilo barroco americano señala un período definido en la Historia, e interesa principalmente a los críticos de arte; sin embargo, no se limitó al arte. Había también elemento barroco en la moda y en la conversación. Las gentes exageran en el vestir, en los gestos, en los bailes y en las plegarias... En la artificiosa y espléndida vida cortesana de Méjico y Perú, la lengua fácil, galante o picaresca, era siempre celebrada; los poetas cortesanos trataban de superarse unos a otros en frases adornadas, en imágenes fantásticas, en comparaciones raras, en versos altisonantes, en conceptos insólitos.» Más claro: la semilla sembrada en España por Góngora y Quevedo, también en América encontraría terreno abonado.

Y así fué; los amaneramientos y preciosismos culteranos inmediatamente hallan eco en la Lima colonial. Uno de sus más claros exponentes es PEDRO DE PERALTA Y BARNUEVO (1663-1743), poeta cortesano, capaz de someter su musa a los mayores suplicios, como en aquella composición dedicada al virrey Armendáriz, con el empleo exclusivo de la vocal *a.* Barnuevo, tanto en su poema *Lima fundada* como en sus poesías breves, se revela entusiasta discípulo del maestro cordobés.

Y aun es mayor la significación de JUAN ESPINOSA MEDRANO (1632-1688), elocuentísimo orador de cuya pluma brota el más encendido elogio que ha suscitado hasta ahora el estilo gongorino. Espinosa, llamado también el *Lunarejo* por un lunar que llevaba en la cara, es el primero que en su *Apología en favor de Góngora* (1662) se remonta a la misma fuente, señalando ya a Séneca y Lucano como los remotos precursores del lenguaje culto.

La nota culterana se acentúa asimismo en otros poetas, como en el bogotano HERNANDO DOMÍNGUEZ CAMARGO, ya aludido en el capítulo XXXII, y en el rioplatense LUIS DE TEJEDA (1604-1680), hombre de vida aborrascada, que, después de correr las más románticas aventuras, murió de lego en un convento dominico. Compuso muchas poesías, sobre todo de asunto religioso, entre las que sobresale su poema autobiográfico *El peregrino en Babilonia.*

La tendencia conceptista

Aparece en una turbamulta de poetas, afanosos de retorcer más y más sus conceptos para celebrar la belleza de una dama o las virtudes y excelencias de cualquier dignatario civil o eclesiástico. Sus nombres, más que al orden de la cultura pertenecen al acervo de la erudición. Destaca únicamente el limeño JUAN DEL VALLE Y CAVIEDES (1653?-1692), apodado también «el poeta de la Ribera», por la caja de ribera o baratijas con que se ganaba la vida, después de malbaratar la hacienda. Caviedes es la réplica de Quevedo en América, satírico y mordaz como él, aunque sin su garra poderosa. Se le atribuye una colección de versos titulada *Poesías diversas*; y son suyas, sin duda, las reunidas en el sabroso *Diente del Parnaso*, en que se ensaña reiteradamente con algunas clases sociales, sobre todo con los médicos, a quienes zarandea una vez y otra con más sentido del humor que de la malevolencia. «La obra de Caviedes—ha escrito Luis Alberto Sánchez— es el primer documento humano de la época colonial.»

NOTAS

1. Nació en Sevilla (1560), de familia noble y acaudalada. Ocupó altos cargos en su ciudad natal, donde se constituyó en verdadero mecenas de poetas, músicos y artistas en general. Murió pobre (1623).

2. *La tempestad y la calma* empieza con el célebre cuarteto:

Yo vi del rojo sol la luz serena
turbarse, y que en un punto desparece
su alegre faz, y en torno se oscurece
el cielo, con tiniebla de horror llena...

3. Jáuregui era también sevillano. Enemigo por igual de Góngora y de Quevedo, mantuvo, en cambio, buena amistad con Cervantes, cuyo retrato pintó. Fué caballero de Calatrava, y murió en Madrid.

4. Vid. nota 3 del cap. XXVIII.

5. Teólogo, jurista y erudito, además de poeta, Rioja era natural de Sevilla. Protegido por el conde-duque de Olivares, residió algún tiempo en Madrid como bibliotecario del rey, y a la caída del valido se retiró a Sevilla. Todavía volvió a la corte, donde murió. Sus coetáneos le motejaban de altanero, lo que hizo decir a Lope de Vega en una carta que «nunca se apeaba de su divinidad».

6. Caro nació en Utrera; estudió en Osuna y quizá en Sevilla, donde ejerció la abogacía y desempeñó cargos de confianza: visitador del Arzobispado, juez de testamentos, consultor del Santo Oficio, etc. Fué amigo de Pacheco, Rioja, Quevedo y otros.

7. Nació en Sevilla a fines del XVI y murió en Madrid en 1667. Al establecerse en Sevilla los Clérigos Menores, fué uno de los primeros en profesar (1624). Fué prepósito del colegio de Salamanca y visitador general de la Orden en España.

8. *Luis Barahona de Soto: estudio biográfico, bibliográfico y crítico*, Madrid, 1903, pág. 22.

9. *Horacio en España*, t. II (forma el vol. VI de «Bibliografía Hispanolatina Clásica», ed. del C. S. I. C., Madrid, 1951).

10. No por Juan Antonio Calderón, como se viene repitiendo en casi todos los manuales y aun en libros de crítica histórica. Vid. RODRÍGUEZ MARÍN : *Pedro Espinosa...*, Madrid, 1907, pág. 223.

11. C. S. I. C.: *Cancioneros del Siglo de Oro. I: Cancionero Antequerano, 1627-1628, recogido por Ignacio de Toledo y Godoy*, publicado por Dámaso Alonso y Rafael Ferreres, Instituto Miguel de Cervantes, Madrid, 1950.

12. Nació en Antequera (1578). Cursó Cánones y Teología no se sabe en qué Universidad. Enamorado ciegamente de la poetisa Cristobalina Fernández de Alarcón, sufrió un grave desengaño al contraer ésta segundas nupcias, y se retiró como penitente a la ermita de la Magdalena, cerca de su ciudad natal. Desde entonces firmó siempre con el seudónimo *Pedro de Jesús*. En 1611 se trasladó a otra ermita de Archidona, y poco después entraba al servicio de la casa de Niebla, siendo nombrado capellán de la Caridad de Sanlúcar y rector de San Ildefonso. Estuvo vinculado estrechamente al duque de Medina Sidonia, hasta que, por la sublevación de éste, el rey incorporó a la Corona el estado de Sanlúcar. Murió Espinosa en 1650.

13. *Pedro Espinosa. Estudio biográfico, bibliográfico y crítico*, Madrid, 1907.

14. El que empieza :

Rompe la niebla de una gruta oscura
un monstruo lleno de culebras pardas...

15. Existe una composición llamada de «décimas falsas», a base de dos quintillas independientes en sus rimas, y Enzina, en *El triunfo del Amor*, trae décimas con el mismo paradigma que la de Espinel, pero con los versos 4 y 7 quebrados.

16. Vid. «Revista de Literatura», t. XIV, 1958. Por lo demás, el soneto tiene variantes en uno y otro autor:

No sufre Turia márgenes ni puente...

(TÁRREGA.)

No sufre Ibero márgenes ni puente...

(ARGENSOLA.)

17. Nacieron los dos hermanos, LUPERCIO y BARTOLOMÉ LEONARDO DE ARGENSOLA, en Barbastro (1559 y 1562, respectivamente). El padre era de origen italiano, y la madre de noble familia aragonesa. Lupercio, el mayor, estudió en Huesca y Zaragoza, y Bartolomé, en estas mismas Universidades y en Salamanca. Pronto aquél entra como secretario al servicio del duque de Villahermosa, mientras su hermano cursa Teología, siendo nombrado rector del castillo solariego de los duques de ese título. De aquí el sobrenombre de «rector de Villahermosa» con que se conoce a Bartolomé. Ambos pertenecieron a la corte de la emperatriz viuda doña María : Lupercio como secretario y Bartolomé como capellán. Con tal motivo residen en Madrid, donde frecuentan Academias poéticas y el trato de los más brillantes ingenios de su época ; se relacionan con la aristocracia, y empiezan a sobresalir como poetas. Muerta la emperatriz, Lupercio es nombrado cronista de la Corona de Aragón, y Bartolomé, a instancias del conde de Lemos, presidente del Consejo de Indias, se dedica también a la Historia, redactando por aquel tiempo su *Conquista de las islas Molucas*.

Designado Lemos virrey de Nápoles, se lleva consigo (1610) a los dos hermanos entre una nutrida corte de poetas de tercer orden, lo que no dejó de provocar la sátira de Cervantes, dolido de que el conde, por consejo de Lupercio, no le hubiera incluído en su séquito. Bartolomé va como capellán del virrey, y su hermano mayor, como director literario de aquel grupo de poetas, en cuya elección, al decir del mismo Cervantes, tuvieron los Argensola

la voluntad, como la vista, corta...

Tres años más tarde (1613) muere Lupercio, habiendo antes quemado el manuscrito de sus poesías. Su hermano permanece al lado de Lemos hasta que expira el gobierno de éste (1616). Vuelto a España, nombrado canónigo de Zaragoza y cronista de Aragón, como antes su hermano, se establece en la capital aragonesa, donde se constituye en director de toda la vida cultural y amigo y consejero de la nobleza. Rodeado de fama y de respeto, muere en 1631. *El gran ingenio de nuestra España y siglo* le llamaría Jerónimo de San José.

18. Fácil sería acumular testimonios. Los pasajes prosaicos saltan por dondequiera que se abran las *Rimas*. He aquí una descripción de Salamanca:

Salamanca es un pueblo seco y frío,
cercado de pizarras y arenales,
tristes de invierno, estériles de estío.

Algunas casas tiene principales
y antiguas, que llamaba Zoilo viejas,
con magníficas puertas y corrales...

Así Bartolomé, y Lupercio abundan en versos tan insoportables como éstos:

> Entre esas peñas ásperas y yertas,
> con las nieves continuas, cuyas cumbres
> de escuras nubes siempre están cubiertas...

19. Vida accidentada la de Villegas (1589-1669). Nace en Matute, pueblecito próximo a Nájera (Rioja). Estudia en Madrid y en Salamanca, y, aunque de familia rica, vive casi siempre apurado por las necesidades de su numerosa prole. Su carácter vanidoso y los continuos pleitos le produjeron muchos disgustos y enemistades. A los setenta años fué procesado por la Inquisición, que le acusaba de excesiva libertad en sus opiniones religiosas; hizo protestación de fe, y, en atención a que era hombre «pío, limosnero y frecuentador de los Sacramentos», se le condenó sólo a que abjurase de levi y a un destierro de cuatro años, fuera de Nájera, Logroño o Madrid. Todavía en 1667, casi octogenario, andaba pleiteando sobre unas tierras.

20. Más conocidas aún y no menos bellas son las dos cantilenas que empiezan: *Yo vi sobre un tomillo...* y *En tanto que el cabello...*

21. El dice, pero no es creíble, que las escribió a los catorce años:

> Mis dulces cantilenas,
> mis suaves *Delicias*,
> a los veinte limadas
> y a los catorce escritas...

22. Vid. este punto, tratado con toda extensión, en DÍEZ ECHARRI: *Teorías métricas del Siglo de Oro*, C. S. I. C., Madrid, 1949, págs. 267-96.

23. Militar y diplomático insigne. Había nacido en León, y, después de servir a la Patria con las armas en la mano, luchando contra los turcos y contra los protestantes, fué nombrado ministro plenipotenciario del Rey Católico en Dinamarca. Volvió a Madrid a los setenta y trece años y murió en 1676.

24. *Historia de las ideas estéticas*, ed. del C. S. I. C., 1940, t. II, pág. 56.

25. LEGUIZAMÓN: *Historia de la literatura hispanoamericana*, I, pág. 230.

26. Como la publicada en 1560 por Francisco Cervantes de Salazar: *Túmulo de la gran ciudad de México a las obsequias de la gran ciudad de México a las obsequias del invictísimo Carlos V*, o las compilaciones de Peralta Barnuevo sobre fiestas y certámenes en el Perú.

27. ARTURO TORRES-RIOSECO: *La gran literatura iberoamericana*, Buenos Aires, 1945, págs. 28-29.

BIBLIOGRAFIA

I. Bibliografía general de los capítulos anteriores, y, además: GUILLERMO DÍAZ-PLAJA: *La poesía clasicista del s. XVII*, «Hist. gen. de las lit. hisp.», III, Barcelona, 1953; *Historia de la poesía lírica española*, Barcelona, Edit. Labor, 2.ª ed., 1948.—MENÉNDEZ PELAYO: *Bibliografía hispano-latina* (Horacio, en t. VI, con apreciaciones sobre esc. literarias), ed. del C. S. I. C., 1951.—PÉREZ DE GUZMÁN Y GALLO: *Las Academias literarias del tiempo de los Austrias*, «Ilustr. Española y Americana», 1880.

II. FRANCISCO LÓPEZ ESTRADA: *Datos para la poesía sevillana*, «Archivo Hispalense», XXII, 1955.—ARGUIJO: *Poesías*, «Bibl. Aut. Esp.», XLII; *Sonetos*, ed. de Colón y Colón, Sevilla, 1841; *Cuentos*, ed. de Paz y Meliá, «Col. Escr. Cast.», CXXI, 1902.—Estudios: J. M. ASENSIO: *Don J. de A. Estudio biográfico*, «Rev. de España», I, Madrid, 1883.—CAYETANO A. DE LA BARRERA: *Noticias biográficas de don J. de A.*, «Rev. de España», III y IV.—JÁUREGUI: *Poesías*, «Bibl. Aut. Esp.», XLII.—*Aminta*, Barcelona, 1906.—*Discurso poético (Madrid, 1624)*, ed. de A. Pérez Gómez, 1957.—Estudios: J. M. ASENSIO: *La patria de J.*, «España Moderna», 1899.—PABLO CABAÑAS: *El mito de Orfeo en la lit. esp.*, Anejo de la «Rev. de Literatura», Madrid, C. S. I. C.—M. GUILLEMOT: *L'Apocalypse de Jáuregui*, «Rev. Hisp.», XLII, 1918.—EUNICE JOINER GATES: *New light on the «Antídoto»...*, «Publ. of Modern Lang. Association of America», XLVI, Baltimore, 1951.—J. JORDÁN DE URRÍES: *Biog. y est. crit. de Jáuregui*, Madrid, 1899.—A. LASSO DE LA VEGA: *Aminta, fábula pastoril (Tasso y Jáuregui)*, «Rev. Contemp.», XCVIII, 1895.—F. LÓPEZ ESTRADA: *Un inmediato comen-*

tario de las Rimas de J., «Arch. Hispalense», XXII, 1955; *Las Rimas de J., comentadas en Madrid el año de su aparición*, «Archivum», IV, 1954.—J. MILLE Y JIMÉNEZ: *J. y Lope*, «Bol. Men. Pelayo», VIII, 1926.—Rioja, *Poesías*, ed. Sedano, «El Parnaso esp.', Madrid, 1770-72; ed. Böhl de Faber, «Floresta», 2, Madrid, 1843; ed. A. de Castro, «Bibl. de Aut. Esp.», XLII; ed. La Barrera, Madrid, «Soc. Biblióf. Esp.», 1867; etc.—Estudios: M. CAÑETE: *Paralela de Garcilaso, Fr. Luis de León y Rioja*, disc. en la Real Acad. Esp.—M. ANTONIO CARO: *La Canción y las ruinas de Itálica*, intr., versión latina y notas, Inst. Caro y Cuervo, Bogotá, 1947.—A. DE CASTRO: *La «Epístola moral» no es de Rioja*, Cádiz, 1875.—J. M. DE COSSÍO: *Cuatro poetas ante las flores (Rioja, Polo de Medina, C. Coronado y Amós de Escalante)*, «Finisterre», núm. 42, 1948.—A. FERNÁNDEZ-GUERRA Y ORBE: *La «Canción a las ruinas de Itálica» no es de Rioja*, «Mem. Real Acad. Esp.», I, 1870.—BLANCA GONZÁLEZ DE ESCANDÓN: *Los temas del «Carpe diem» y la brevedad de la vida en la poesía española*, Barcelona, 1938.—P. HENRÍQUEZ UREÑA: *R. y el sentimiento de las flores*, «Plenitud de España», Buenos Aires, 1940.—S. MONTOTO: *Las capellanías del poeta F. de R.*, «Bol. Real Acad. Esp.», XXXI, 1951.—P. RUBIO LEMUS: *Una obra inédita de F. de R.*, «Bol. Real Acad. Esp.», XXV, 1946.—Caro: *Poesías*, ed. M. Pelayo, «Biblióf. And.», XIV y XV, Sevilla, 1883-84; *Obras en prosa*, «Memorial hist. español», I, 1851; *Varones y Epistolario*, ed. S. Montoto, Sevilla, 1915.—Estudios: A. BAIG BAÑOS: *R. Caro, autor de la «Epístola moral a Fabio»*, Madrid, 1932.—A. GARCÍA BELLIDO: *Rodrigo Caro. Semblanza de un arqueólogo renacentista*, «Arch. Esp. de Arqueol.», XXIV, 1951.—MENÉNDEZ PELAYO: *Vida y escritos de R. C.*, «Est. y disc. de crit. lit.», ed. C. S. I. C., II.—S. MONTOTO: *R. Caro. Estudio biog. y crit.*, Sevilla, 1915.—M. MORALES: *R. Caro. Bosquejo de una biografía íntima*, Sevilla, 1947.—A. SÁNCHEZ Y CASTAÑER: *R. Caro. Estudio biográfico y crítico*, Sevilla, 1914.—L. VIDART: *¿Quién es el autor de la oda «A las ruinas de Itálica»?*, «Revista Universitaria», III, Madrid.—F. WILSON: *Sobre la «Canción a las ruinas de Itálica»*, «Rev. Filol. Esp.», 1936.—*Epístola moral a Fabio*. Texto en todas las antologías.—Estudios: M. ARTIGAS: *Algunas fuentes de la «Epístola moral» apuntadas por M. Pelayo*, «Bol. Bibl. M. Pelayo», VII, 1925.—LUIS CERNUDA: *Tres poetas metafísicos (Manrique, Aldana y el autor de la «Epístola moral»)*, «Insula», núm. 38, 1948.—CLIFTON CERPACK: *Some senecan analogies in the anonymous «Epístola moral a Fabio»*, «Modern Lang. Notes», LXVIII, Baltimore, 1953.—R. FOULCHÉ-DELBOSCH: *Les manuscrits de l'«Epístola moral a Fabio»*, «Rev. Hisp.», VII, 1900.—MENÉNDEZ PELAYO: *Dos opúsculos de Adolfo de Castro*, «Est. y disc. de crítica...», II, 1941.—ARNOLD H. WEIS: *Metáfora e imagen en la «Epístola moral a Fabio»*, «Clavileño», núm. 13, 1952.—Quirós: *Poesías*, ed. y est. de M. Pelayo, «Soc. de Biblióf. And.», Sevilla, 1887, y «Bibl. de Aut. Esp.», XXXII.—Estudios: A. MEJÍAS Y ASENSIO: *Pedro de Quirós*, Sevilla, 1886.—MENÉNDEZ PELAYO: «Est. y disc. de crítica...», II, páginas 197-224.

III. *Flores de poetas ilustres de España* (2 vols.), ed. J. Quirós y M. Marín, Sevilla, 1896.—*Cancionero antequerano, 1627-1628, recogido por Ignacio de Toledo y Godoy*, publicado por Dámaso Alonso y Rafael Ferreres, Madrid, C. S. I. C., Inst. M. de Cervantes, 1950.—F. LÓPEZ ESTRADA: *Nueva luz sobre la poesía antequerana*, «Arch. Hispalense», 1953.—Espinosa: *Obras*, ed. de Rodríguez Marín, Madrid, 1909; *Poesías*, ed. Sedano, «El Parnaso español», Madrid, 1768; *Fábula del Genil*, ed. Rosell, «Bibl. de Aut. Esp.», XXIX; *El perro y la calentura*, ed. marqués de Laurentín, «Bol. Acad. de la Hist.», LXXXIII, 1927.—Estudios: J. MARÍA DE COSSÍO: *Pedro de Jesús*, «Cruz y Raya», núm. 7; *Un ejemplo de vitalidad poética*, «Cruz y Raya», núm. 33.—C. FERNÁNDEZ DE ALARCÓN: *Documentos* (sobre Espinosa), «Bol. Real Acad. Esp.», VII, 1920.—P. HENRÍQUEZ UREÑA: *Notas sobre P. de E.*, «Rev. Filol. Esp.», IV, 1917.—J. MILLE Y JIMÉNEZ: *El Diego de Mendoza de «Las flores de poetas ilustres»*, «Est. in memoriam de A. Bonilla», I, 1927.—AUDREY LUMSDEN: *Transitional poetic style in P. de E.*, «Bull. Hisp. Studies», XXX, Liverpool, 1953.—FERMÍN REQUENA y J. M. DE COSSÍO: *«Fábula del Genil», de P. de E.*, «Iliberis», III, Granada, 1954.—F. RODRÍGUEZ MARÍN: *P. de E.: Est. biog., bibliog. y crítico*, Madrid, 1907.—J. SANZ Y DÍAZ: *Espinosa y el grupo de Loja*, «Quaderni Ibero-Americani», II, Turín, 1951.—J. P. WICKERSHAM CRAWFORD: *The Notes ascribed to Gallardo on the sources of Espinosa's «Flores de poetas ilustres»*, «Modern Lang. Notes», XLIV, 1919.—*Homenaje a Pedro de Espinosa, poeta antequerano (1578-*

1650), Sevilla, Universidad, 1953.—Cristobalina Fernández de Alarcón : *Poesías*, «Bibl. de Aut. Esp.», XXXV y XLII ; referencias de esta poetisa en M. SERRANO SANZ : *Escritoras españolas*, I, Madrid, 1903.

IV. F. BLASI : *La Academia de los Nocturnos*, «Arch. Romanicum», XIII, Génova, 1929.—MARTÍ GRAJALES : *Cancionero de la Academia de los Nocturnos* (4 vols.), Valencia, 1906 ; *Poetas valencianos*, Madrid, 1929.—JOSÉ M. BLECUA : *El soneto «Llevó tras sí los pámpanos octubre»*, «Rev. Filol. Esp.», XXXVIII, 1954.—Para Gaspar de Aguilar, Tárrega y otros poetas valencianos más estimables como dramaturgos, véase el cap. XXXVIII, apart. II ; para Rey Artieda, el cap. XXIV, apart. III.

V. LOS Argensola : *Rimas de L. y B. L. de Argensola*, ed., pról. y notas de J. M. Blecua (2 vols.), Madrid, C. S. I. C., 1950-1951 ; *Poesías*, «Bibl. de Aut. Esp.», XLII ; *Conquista de las Islas Molucas*, ed. M. Mir, «Bibl. de Escrit. Arag.», Zaragoza, 1891.—Estudios : R. FOULCHÉ-DELBOSCH : *Pour une édition des Argensola*, «Rev. Hisp.», XLVIII, 1920.—M. AMADOR : *Los Argensola*, «Rev. Contemporánea», CXXV, 1902.—J. AZNAR MOLINA : *Glorias de España, Los Argensola*, Zaragoza, 1939.—J. M. CASTRO : *Para una valoración diferencial de los Argensola*, «Ensayos y estudios», Madrid, 1921.—JOSEPH G. FUCILLA : *Petrarchism in the poetry of the Argensola*, «Hisp. Review», XX, 1952.—KARL LUDWIG SELIG : *Lastanosa and the brothers Argensola*, «Modern Language Notes», LXX, Baltimore, 1955.—DUQUE DE VILLAHERMOSA : *Vida y estudio de los dos hermanos A.*, disc. de recep. en la Real Acad. Esp., 1884.—Lupercio : *Obras*, «Clásicos Castellanos», introd. y notas de F. A. de Icaza ; *Obras sueltas*, ed. conde de la Viñaza (contiene *Isabela y Alejandra)*, Madrid, «Colec. Escrit. Cast.», 1889.—O. HOWARD GREEN : *Vida y obras de B. L. de Argensola*, C. S. I. C., 1945 ; *B. L. de Argensola, secretario del conde de Lemos*, «Bull. Hisp.», LIII, 1951 ; *Some inedited Verses of B. L. de Argensola*, «Rev. Hisp.»,

LXXII, 1928 ; *B. L. de Argensola y el Reino de Aragón*, «Arch. Filol. Arag.», IV, Zaragoza, 1952.—M. MIR : *Bartolomé L. de Argensola*, Zaragoza, 1891.—Villegas : *Poesías*, «Bibl. de Aut. Esp.», XLII ; *Eróticas*, ed. N. A·onso Cortés, «Clásicos Castellanos», vol. XXI, 1941.—Estudios : V. DE LOS RÍOS : *Memoria de la vida y escritos de don Esteban M. de Villegas*, Madrid, 1774.—A. GARCÍA CALVO : *Unas notas sobre adaptación de metros clásicos por don Esteban de Villegas*, «Bol. Bibl. M. Pelayo», 1950.—E. DÍEZ ECHARRI : *Teorías métricas del Siglo de Oro* (vid. capitulo VIII, sobre el sáfico, el hexámetro y el dístico en Villegas), Madrid, C. S. I. C., 1949.—Esquilache : *Poesías*, «Bibl. de Aut. Esp.», XVI, XXIX, XLII y LXI.—Estudios : B. J. GALLARDO : *Ensayo*, II.—J. GÓMEZ OCERÍN : *Dos poesías inéditas y una carta del Príncipe de Esquilache*, «Rev. Filol. Esp.», V, 1918.—A. GONZÁLEZ PALENCIA : *La primavera en los versos del P. de E.*, «Consigna», núm. 98, 1949.—Liñán de Riaza : *Rimas*, «Bibl. de Escrit. Arag.», I, Zaragoza, 1876.—Estudios: A. LACALLE : *P. Liñán de Riaza. Est. bibliográfico y crítico*, «Rev. Calasancia», XIII, Madrid, 1925.—RICARDO DEL ARCO : *El príncipe de Esquilache*, Inst. Fernando el Católico, Zaragoza.

VI. NAVARRO LLANOS : *El prosaísmo y sus corifeos*, Madrid, 1897.—Rebolledo : *Obras completas* (3 tomos). Amberes, 1660. *Obras*, «Bibl. de Aut. Esp.», XLII.—Estudio : F. DEL RÍO ALONSO : *El Conde de Rebolledo y sus obras*, León, 1927.

VII. F. BARRERA LAOS : *La vida intelectual de la Colonia*, Lima, 1909.—J. MARÍA GUTIÉRREZ : *Estudios biográficos y críticos sobre algunos poetas anteriores al siglo XIX*, Buenos Aires, 1865.—ARMANDO PIROTTO : *La literatura en América*, El Coloniaje, Montevideo, 1837.—MENÉNDEZ PELAYO : *Historia de la poesía hispanoamericana*, ed. del C. S. I. C., Madrid. Consúltese asimismo la bibliografía general que figura al frente de nuestra obra referente a América.

CAPITULO XXXV

EL TEATRO NACIONAL

I. Caracteres generales: a) *Sentimiento religioso.* b) *Sentimiento monárquico.*
c) *Sentimiento del honor.*—II. Ciclos y clasificación: *«Comedias a noticia»*
y *«comedias a fantasía». Las clasificaciones de Menéndez Pelayo y de Pfandl.*
El *«gracioso» en el teatro español. El «auto sacramental».*—III. Géneros
menores: *Bailes, danzas, loas y zarzuelas.* El *«entremés».*—IV. La escena
española: *Locales. Compañías teatrales y cómicos. Representaciones y público.*
Escenario.—Notas.—Bibliografía.

I. CARACTERES GENERALES

Sabido es que con Lope de Vega se crea el teatro nacional. Por valiosa que quiera juzgarse la aportación de los dramaturgos anteriores, entre el más perfecto y hábil de éstos y Lope de Vega media un abismo. Lope aprovecha muchos elementos dispersos del teatro anterior, fundiéndolos en una técnica nueva, bajo el calificativo casi único de *comedia* [1]. «Es imposible—dice Américo Castro—resolver el teatro de Lope por los elementos aportados por la tradición literaria del XVI; en cambio, sus innovaciones, su nueva fórmula dramática fué aplicada por multitud de imitadores durante el XVII.»

Se han achacado al drama nacional múltiples defectos: entre ellos no es el menor su monotonía: reducción de todos los tipos y caracteres al denominador común del español de la época; ausencia de temas representativos de los problemas vitales de la Humanidad, como los ofrece, por ejemplo, el de Shakespeare; sentimiento monárquico rayano en la adoración servil, etc. Para comprender esto hay que tener en cuenta el propósito de Lope. A diferencia del teatro italiano del Renacimiento y del francés de la época de Luis XIV, que son teatros de selección, el drama nacional es eminentemente popular, es para todos; y este popularismo, esta concesión al gusto del pueblo, que expresa el mismo Lope al decir:

> Porque, como las paga el vulgo, es justo
> hablarle en necio para darle gusto,

explica las virtudes y defectos de nuestro drama. Racine no interpreta los sentimientos de sus compatriotas: Lope, sí. Y en esta reproducción más o menos idealizada de la vida de la época, vemos el carácter y el éxito del teatro de Lope y de sus seguidores.

El artista, al imponer su credo estético e ideológico, contribuye a la formación de la conciencia de sus contemporáneos, y, a la vez, la ideología de éstos, la vida social y las costumbres de una época, influyen sobre el artista y sobre la obra de arte, tanto más cuanto sea más estrecha la relación de la obra con el público. Los dramaturgos del XVII tomaban del ambiente el tema para la mayor parte de sus creaciones; reproducían tipos y caracteres conocidos de todos; pero también el caballero y la dama copiaban en su conversación palabras de las comedias y remedaban los gestos y ademanes de los «representantes». La prosa ágil y documentada de Zabaleta puede darnos idea de esta influencia del teatro en la vida y en las costumbres:

Acaba de comer la doncella recogida el día de fiesta: no ha de salir de casa aquella tarde; no ha de coger la calle ni aun por la ventana, y toma un libro para entretenerse. ¡Qué bueno si fuese bueno el libro! Toma uno de *Comedias*. Erró la tarde. Empieza a leer blandamente. Vase encendiendo la comedia, y ella, revestida de aquel afecto, va leyendo y representando. Enamórase de ella y determina tomarla de memoria para lucir en las holguras recias. Llega a un paso tierno en que la dama se despide de su galán porque su padre la casa violentamente con otro, y le dice que a él le lleva en el alma, que nadie le podrá echar de ella. La doncella lo lee con el mismo desasimiento que pudiera si le estuviera sucediendo el caso; y le está pareciendo que si le sucediera, fuera razón hacer lo mismo. Va entrando por un paso de chanza que es puerto para llegar a uno de celos, y se enfría como en un puerto. En los celos toma palabra con que reñirlos cuando los tenga, y desea tenerlos para usar de las palabras. Ve luego una fineza que hace la dama por el galán aventurando su reputación, y parécele cosa de grande alabanza hacer de aquellas finezas. Al cabo aderezan un casamiento todos estos errores y acábase la comedia. La moza queda adoctrinada de amante, de celosa y de fina. Es muy contingente que use con quien la galantee de las enseñanzas; y como allí no hay poeta que los case, se puede quedar con su amor, sus celos y sus finezas y sin marido [2].

El teatro reproducía, idealizándola, la vida de la época, y cuando el espectador cree que el personaje A o B se comporta de forma contraria a lo que exigen el código del honor o las instituciones sociales, es decir, cuando el dramaturgo presenta «casos horrorosos»—digámoslo con las palabras de Bances Candamo—, protesta en forma violenta y la obra es estrepitosamente silbada [3].

Reduciendo a ordenación jerárquica los elementos constitutivos de nuestro teatro, destacaremos tres sentimientos, que pueden considerarse las columnas sobre las que descansa todo el edificio del drama nacional. Estos tres sentimientos son: a) el religioso; b) el monárquico, y c) el del honor.

a) Sentimiento religioso

Uno de los grupos más importantes de la dramaturgia del XVII está formado por el teatro religioso: las llamadas *comedias de santos* son numerosas. El tema bíblico, las tradiciones devotas, las leyendas piadosas o, simplemente, las historias de pura imaginación, son ampliamente tratadas por nuestros dramaturgos.

La crítica negativa que se ha hecho de las *comedias de santos* puede ser justa aplicada a tal o cual obra en concreto, pero no como juicio general. Depende muchas veces, como ya hizo notar Menéndez Pelayo, de la consistencia dramática, de la vida del personaje y de la forma de llevarlo a escena. No hay que olvidar que el teatro es acción y representación, y, por tanto, el personaje de vida meditativa y concentrada, siempre será poco adecuado para protagonista de una comedia. Entre la vida de un San Jerónimo y un San Agustín o un San Pedro de Armengol, siempre tendrán mayor interés dramático las de los dos últimos que la del primero. A priori no se puede despreciar la *comedia de santos*, como no se puede censurar la histórica o la costumbrista [4].

El teatro religioso expresa la fe absoluta, ciega, de nuestros antepasados que parten de la necesidad de la salvación eterna, a cuyo fin lo subordinan todo. No deja de causar cierta extrañeza esta fe ciega que permite alcanzar la bienaventuranza aun a los pecadores más empedernidos, sólo por un momento de contrición. Pero, aparte de que tal idea se conforma con la más estricta ortodoxia católica, la teología de las *comedias de santos* siempre será más humana que la fría desesperación jansenista. De los atributos de Dios, justicia y misericordia, nuestros escritores hacen resaltar este último.

Esta acendrada religiosidad—no siempre bien interpretada por la crítica extranjera—llevará como consecuencia el odio al judío y al protestante, y explicará el rigor con que se castigan ciertas transgresiones del orden natural, penadas como la herejía. *El burlador de Sevilla* y *El condenado por desconfiado* son las dos comedias más significativas para enjuiciar la posición religiosa de nuestros dramaturgos: inutilidad de la fe sin obras y de las obras sin la fe; y errónea creencia de que la bondad del fin puede justificar lo tortuoso de los medios.

Otro aspecto que interesa destacar es el siguiente: puesto que el hombre debe buscar la salvación eterna, nuestros dramaturgos tratan de llegar a ella ya por razón, ya por amor: el eterno dilema entre mente y corazón; la solución de este conflicto entraña—como veremos más adelante—una de las características diferenciales de los dos ciclos, el de Lope y el de Calderón.

b) Sentimiento monárquico

Gran número de los conflictos derivados de este sentimiento están íntimamente relacionados con el del honor. La fidelidad al monarca es absoluta; y esta conciencia de veneración al rey hace posible la abundante bibliografía de nuestros teólogos y juristas sobre la vidriosa cuestión de la licitud o ilicitud del tiranicidio. Si Mariana puede dedicar al rey su tratado *De Rege et Regis institutione,* es porque tanto él como sus contemporáneos están persuadidos de que nunca podrá degenerar en tirano, en cualquiera de sus especies, de fuerza y de naturaleza.

Los conflictos derivados del sentimiento monárquico son múltiples. En primer lugar destaca la reivindicación de la persona y de la autoridad real: el rey se impone no sólo por su autoridad de derecho divino, sino por su persona: vence como hombre y como rey. Alguna vez se le presenta el conflicto entre el amor y el deber. En este aspecto destaca Rojas Zorrilla. Harto significativamente tituló Rojas una de sus comedias, *No hay ser padre siendo rey.* Tales conflictos suelen resolverse por vía indirecta: así, en el *Caín de Cataluña,* Berenguer, hijo del conde de Barcelona, asesina a su hermano Ramón. El viejo conde tiene que ejercer justicia, y si como soberano acata el fallo del tribunal que ha condenado a muerte al fratricida, como padre se siente obligado a salvarle. Le visita en la cárcel y le proporciona una llave para facilitarle la fuga; de esta forma atiende al doble sentimiento, paterno y regio. No importa para el planteamiento de la tesis que un soldado dé muerte al fugitivo; desenlace, por otra parte, en desacuerdo con el hecho histórico.

En el teatro español el vasallo nunca se enfrenta con el rey. Casos esporádicos, como *El amor constante* y *El perfecto caballero,* de Guillén de Castro, o *El príncipe despeñado,* de Lope, no pueden hacer variar el cuadro de conjunto. El vasallo acata la autoridad real, no por temor, sino por convencimiento. La respeta porque ve en ella un representante de Dios. De esta forma, religiosidad y monarquismo se funden en el alma de nuestros antepasados en un sentimiento similar. Lope, en *El Duque de Viseo*, dice por boca del Condestable:

> Los reyes son como nieve,
> que tratados se deshacen:
> para ser mirados nacen,
> nadie a mirarlos se atreve.
> Conservar esta blancura
> conviene a la majestad.
> ....
> ...y esta máxima se crea:
> que cualquiera que el rey sea,
> al fin representa a Dios.

Y el mismo Lope, en otra de sus comedias, *El palacio confuso*, escribe:

> Subir a la majestad
> es dejar de ser humano
> y un amago soberano
> de la infinita deidad.

No ha de extrañar que con tal ideología se considere sagrada e inviolable la persona del rey. Pero esta idea casi divinizadora del monarca se compagina mal con otra, no menos frecuente en nuestros dramaturgos: la colisión entre la ley, lo justo y el capricho del monarca. Los caprichos del rey no sólo se disculpan, sino que se trata de darles justificación. En *La reina Juana de Nápoles*, de Lope, dice el rey, dirigiéndose a su esposa:

> Reina, lo que ordeno es justo,
> que deso sirve el ser rey:
> para hacer del gusto ley
> cuando lo pidiere el gusto.

Si el rey ofende a un vasallo, siempre se buscan paliativos: generalmente se supone que ha sido engañado. Nos hallamos una vez más ante la causa del destierro del Cid, «obra de malos mestureros» o de «enemigos malos». En otros casos, se alude a su condición humana, sujeta, por tanto, a error:

> Soy hombre, pude engañarme.

exclama Alfonso II, el *Casto*, en *Los prados de León*. El dramaturgo siempre tiende a atenuar la responsabilidad del monarca; y cuando la injusticia de éste aparece tan de bulto que no tiene justificación posible, añaden, como atenuante, un remordimiento tardío.

c) Sentimiento del honor

Ya hemos indicado que está ligado íntimamente con el anterior. «Todos los móviles humanos—escribe Menéndez Pidal—debían subordinarse al ho-

nor, mientras el honor sólo cedía ante la persona del rey» [5]. Debemos distinguir dos matices: cuando el ofensor es el rey y cuando es un vasallo.

Al primer caso nuestros dramaturgos suelen darle tres desenlaces:

1.º Muerte de la esposa, aunque sea inocente, para evitar la deshonra. Cuando García del Castañar cree que el ofensor es el rey, no duda en dar muerte a Blanca: no importa que ésta halle la salvación en la fuga. Al enterarse el marido de que el ofensor no es el rey, sino don Mendo, se venga dándole muerte. El rey representa el bien común y, por tanto, tiene que supeditársele todo otro bien particular. En *La locura por la honra*, el agraviado marido, siguiendo las leyes del honor, da muerte a su adúltera esposa y perdona, en nombre de la patria, al ofensor:

> Más vale, aunque caballero
> soy de tan alto valor,
> que yo quede sin honor
> que Francia sin heredero.

2.º Se intenta por todos los medios burlar la pretensión deshonrosa del rey. El mejor ejemplo nos lo ofrece la comedia de Vélez de Guevara, *El diablo está en Cantillana*. Se hace frente al rey fingiendo no conocerle.

3.º Consumación del regicidio. Tal es el caso de *El perfecto caballero*, *El amor constante* y *El príncipe despeñado*, ya citados.

Cuando el ofensor es un vasallo, hay que distinguir la ofensa de noble a noble y la de noble a villano. La de éste al noble no se da nunca.

La venganza del noble está determinada en el título de una de las comedias de Calderón, *A secreto agravio, secreta venganza*. La publicidad de la ofensa exige pública reparación. Cuando la ofensa no ha trascendido, la venganza debe tomarse secretamente.

Si el noble ofende al plebeyo, éste acude al rey en demanda de justicia o se la toma por su mano. El rey condena al ofensor: *Los novios de Hornachuelos*, *La niña de Gómez Arias*, *El mejor alcalde, el rey*, etc. En los casos en que el plebeyo repara personalmente su afrenta, el rey suele sancionar el hecho: *El alcalde de Zalamea*, *Peribáñez*, *Fuente-Ovejuna*, etc.

Los conflictos de honor se solucionan de diferente manera en el teatro que en la novela. Esta, destinada a la lectura privada, puede retardar el desenlace como efecto de la reflexión. Por ello se suele condenar la venganza sangrienta. En cambio, el teatro exigía mayor efectismo y soluciones más rápidas [6].

II. CICLOS Y CLASIFICACION

Es ya tradicional la división de nuestro teatro nacional en dos grandes grupos o ciclos, que reciben su nombre de otros dos dramaturgos representativos de técnicas distintas: Lope de Vega y Calderón de la Barca.

Menéndez Pelayo, al que hay que tener siempre presente en todo estudio de literatura española, señaló repetidamente, y en especial en los prólogos de la edición académica de las obras de Lope, las diferencias de las dos escuelas. Valbuena Prat ha precisado más la cuestión: «La diferencia entre el teatro de Lope—dice—, nacionalismo, extensión, popularidad, acumulación de episodios, desarrollo indefinido, lírica y dramática más bien mezcladas que fundidas, originalidad de invención, formas espontáneas poco trabajadas; y el de Calderón, reducción de la vida a fórmula, reflexión, solidez y construcción técnica, perfeccionamiento de los asuntos del ciclo anterior, compenetración de poesía y escena, acción una, arte logrado; evita confusiones e injusticias.» Aunque estas diferencias, más bien de orden externo, son fundamentales, queremos nosotros señalar otras que pueden ayudarnos a completar la delimitación de ambas técnicas: nos referimos a las ideológicas.

Los mismos contrastes que señala Valbuena entre Lope y Calderón al tratar los conflictos de honor, podrían observarse en lo que afecta al concepto de la mujer, al amor y a las relaciones familiares. En el ciclo de Calderón se observa una tendencia a liberar a la mujer de la sujeción al padre y al marido. No se trata de un proceso gradual; es más bien un constante flujo y reflujo, que hace imposible una sistematización cronológica. En esa tendencia feminista destacamos los dos principios siguientes:

A) Necesidad de una moral única para los dos sexos, otorgando a la mujer la misma libertad que al hombre; sólo así será lógico hacerla responsable de sus actos.

B) Establecida la identidad de derechos y deberes en los dos sexos, el marido deberá responder también de sus propios actos y se hará acreedor, cuando falte, a idénticas sanciones.

La reivindicación de la mujer se centra en tres exigencias básicas:

1.ª El honor de la mujer pertenece a ella misma, antes que al marido o al padre. Ella, por tanto, debe ser quien repare su honor, procurando que la afrenta no quede impune.

2.ª Libertad amorosa: la mujer reclama el derecho a la libre elección de marido, rebelándose contra la imposición paterna, que coarta su libre albedrío.

3.ª Si la mujer tiene los mismos derechos y deberes que el hombre, puede aspirar a los mismos cargos y empleos. Se defiende la reivindicación cultural de la mujer.

Hasta Calderón de la Barca la mujer es simple elemento pasivo; si alguna vez persigue al galán que la abandonó—La moza de cántaro, La villana de Vallecas, Don Gil de las calzas verdes, etc.—, se trata siempre de una soltera. En algunos dramaturgos del ciclo de Calderón nos interesa la conducta de la casada, porque parece que en ellos la mujer empieza a recobrar conciencia de su personalidad. Por no atender muchas veces más que a los caracteres externos se han situado en el ciclo de Lope dramaturgos que, como Cubillo de Aragón, pertenecen plenamente al de Calderón de la Barca [7].

Los dramaturgos más representativos son:

Ciclo de Lope: Tirso de Molina, Mira de Amescua, Vélez de Guevara, Pérez de Montalbán, Guillén de Castro, Ruiz de Alarcón, Gaspar de Aguilar, Jiménez de Enciso, etc.

Ciclo de Calderón: Rojas Zorrilla, Moreto, Cubillo de Aragón, Matos Fragoso, Hoz y Motá, Enríquez Gómez, Diamante, Bances Candamo, Antonio de Coello, Juan Vélez de Guevara, Figueroa, etc.

La cronología de las dos escuelas es de difícil precisión. Hay unos años en que conviven ambas. La década de 1630 a 1640—téngase en cuenta que Lope de Vega murió en 1635—señala el momento de lucha y de separación. La técnica de Lope empieza a perder terreno, mientras avanza en progresión constante el arte de Calderón.

«Comedias a noticia» y «comedias a fantasía»

Múltiples son los intentos de clasificación del teatro del XVII; la cantidad de obras, en contraste con la que ofrece el teatro coetáneo de otras naciones, y su variedad al mismo tiempo, han hecho casi imposible una clasificación exacta.

La mezcla de lo cómico y de lo trágico, no sólo accidentalmente, sino como algo esencial, con la creación del «gracioso», representante del buen sentido frente a las exageraciones del galán, impide, por otra parte, admitir como válida la división de nuestro teatro en «tragedia» y «comedia».

Torres Naharro—como dijimos en otro capítulo—apuntó la clasificación en comedias a noticia y comedias a fantasía, según se basaran más o menos en la realidad; es decir, fuesen de cosa «nota» y vista o de libre invención. Los dramaturgos inmediatamente anteriores a Lope separaron perfectamente la comedia de la tragedia: en estas denominaciones no tenían en cuenta el tema, sino el desenlace, denominando, como se hace en otros países, comedia a las obras de desenlace feliz, y tragedia a las de final desgraciado. Con Lope se inicia la división en «comedia de capa y espada» y «comedia de teatro»; como las primeras incluían las de carácter costumbrista, las que reflejaban la vida de la época, y las segundas agrupaban todas las restantes—mitológicas, históricas, religiosas, legendarias, pastoriles, etc.—, nos encontramos con la misma inexactitud y confusión que en la terminología de Torres Naharro [8].

Las clasificaciones de Menéndez Pelayo y de Pfandl

La variedad temática de nuestro teatro impone una agrupación en múltiples apartados. Menéndez Pelayo ha señalado en el teatro de Lope más de veinte, síntesis perfecta de toda la producción dramática del XVII. Tal vez algunos subgrupos, como el de las «comedias bíblicas» en temas del Antiguo y del Nuevo Testamento, y el de las de «capa y espada», en comedias de costumbres urbanas y comedias de malas costumbres o rufianescas, resulten minuciosos en extremo. Pero en los cuadros de clasificación más amplios encontraremos siempre obras de difícil encaje.

Pfandl restringe con exceso el número de grupos; claro es que atiende a la idea generatriz y no al contenido de la obra. Así, puede encuadrar cómodamente comedias tan dispares como las mitológicas, las pastoriles o de la antigüedad clásica, que exigen sendos apartados en la clasificación de Menéndez Pelayo. El crítico alemán establece cuatro apartados: a) dramas de ideas (sic); b) dramas históricos; c) dramas de fantasía, y d) dramas de sociedad.

El defecto de esta clasificación estriba, a nuestro parecer, en que para unos grupos, b y d, adopta una base temática, y para otros, a y c, atiende no al asunto, sino a la idea, podríamos decir, a la tesis del autor. He aquí cómo lo razona y pretende justificarlo: «En el drama de ideas quiere (el autor) enseñar, entusiasmar, hacer reflexionar, sacudir, conmover; en el histórico, inflamar el sentimiento colectivo nacional y religioso; en el de fantasía, interesar y distraer; en el de sociedad, finalmente, los contemporáneos se verán a sí mismos tal como son o podrían o debieran ser.»

No nos convence tal razonamiento: la misma ideología presenta el Cipriano de *El mágico prodigioso* que cualquier galán de comedias de «capa y espada»; por otra parte, si nos atenemos a este criterio, no cabe duda que deben incluirse en el mismo grupo comedias como *La vida es sueño*, *El condenado por desconfiado*, *Cómo ha de ser el privado* y *Lo que quería ver el marqués de Villena*, de Calderón, Tirso, Quevedo y Rojas Zorrilla, respectivamente, ya que en todas ellas domina una tesis definida, que constituye el nervio

de la obra; no obstante, las cuatro son fundamentalmente distintas, porque lo son las ideas filosófica, teológico-religiosa, política y social que las inspiran.

Claro está que es más fácil encontrar los puntos flacos de una clasificación ajena que articular una propia. Para nosotros, mientras no se presente otra mejor, es completamente aceptable la de Menéndez Pelayo, que figura al frente de la edición académica de las obras dramáticas de Lope, simplificando algunos subgrupos que señalaremos al estudiar los diversos autores.

El «gracioso» en el teatro español

Una de las más interesantes creaciones de nuestros dramaturgos es la figura del gracioso, probablemente la más complicada y de mayor riqueza de matices de nuestra escena. Va desde el simple bufón, del «bobo» de los *pasos* de chiste grueso, al complemento del galán, consejero avispado, atento a la realidad de la vida y representante del buen sentido. Aunque a partir de Lope de Vega el gracioso tiene unos caracteres que permanecerán a través de sus seguidores hasta cierto punto inmutables, el análisis de su evolución nos suministraría también no pocos rasgos para diferenciar la técnica de los dos ciclos: el de Lope y el de Calderón [9]. En este último el gracioso ironiza con frecuencia la técnica consagrada, y tiende a una visión más realista de la vida.

Desde su aparición en el «bobo» de los *pasos* —aunque con caracteres harto distintos—, hasta los últimos graciosos de Calderón, presenta una gama de matices difíciles de reducir a unidad. Los ensayos que se han hecho para determinar el origen de este personaje han sido múltiples. Unos, como Montesinos, lo han buscado en la literatura; otros, creen que Lope lo tomó de la vida, de la sociedad española de la época. Para los primeros el gracioso deriva de los «bobos» de los *pasos* de Rueda, de algún tipo de *ribaldo* de los libros de caballerías, cuyo exponente más humano y admirable es Sancho Panza; y no han faltado los que han acudido a la novela picaresca y a los soldados fanfarrones del teatro latino, tal vez a través de la comedia plautina del Renacimiento.

Para Miguel Herrero el gracioso se forma de tres ingredientes, todos ellos tomados de la realidad histórica de la época de los Austrias y ensamblados en la figura creada por Lope. La literatura de la época, en efecto, nos informa de la existencia de criados confidentes, viviendo en íntima camaradería con su amo. Esta relación amistosa se daba principalmente en los medios estudiantiles, y de ella nos certifican novelas como *El Buscón*, de Quevedo, y *El sagaz Estacio*, de Salas Barbadillo.

Explotada esta mina por Lope, él y sus continuadores acentuaron su carácter cómico y le dotaron de la elasticidad y adaptabilidad exigidas por las situaciones dramáticas más diversas.

El «auto sacramental»: Origen y caracteres

El «auto sacramental» es una modalidad del teatro religioso; y, si no con el carácter que tendrá en Calderón de la Barca en cuanto fusión íntima de poesía y simbolismo, sólo lograda en él plenamente, sí como alegoría, se le pueden señalar antecedentes medievales. Ya hemos dicho en otro lugar que en nuestro *Códice de Autos viejos* se agrupan piezas de dos tipos: de carácter historial—milagros, leyendas devotas, asuntos bíblicos—; y de carácter alegórico—personificación de vicios y virtudes—. Estos dos tipos, que en el teatro francés se llamaban «misterios» y «moralidades», respectivamente, entre nosotros respondían a la denominación común de «autos», hasta que se introdujo la de «farsas» para el segundo. No siempre fué el alegorismo de tipo religioso-moral la característica dominante, ya que obras ajenas a todo tema religioso, como algunas de Sánchez de Badajoz, se denominan también «farsas».

La aplicación del «auto sacramental» al misterio de la Eucaristía tiene antiguo abolengo: en 1263 el pontífice Urbano IV estableció la festividad del Corpus Christi, que desde el primer momento revistió extraordinaria solemnidad; Santo Tomás de Aquino ordenó para ella un magnífico oficio litúrgico y compuso los himnos que se cantaban y se siguen cantando en las procesiones, mientras se paseaba la custodia entre nubes de incienso y lluvias de flores. Se autorizó al pueblo para que levantara altares en las calles, adornara los edificios con colgaduras y sacara figuras representativas, para dar mayor realce a la fiesta. Precedían a la procesión figuras grotescas de cabezudos y gigantes; y los clérigos escenificaban pasajes bíblicos, como «El sacrificio de Isaac», «Sueños y venta de José», etc. Bien pronto debieron de juzgarse estas representaciones como impropias de la festividad y se pensó en escribir otras alusivas al misterio de la Eucaristía; a éstas se les llamó «autos sacramentales», si bien este nombre les fué aplicado más tarde, ya que el primero de que hay noticia, compuesto en 1520 por Hernán López de Yanguas, se titula «farsa sacramental». Consta documentalmente que Lope de Rueda representó en Valladolid «autos sacramentales»; y de 1574 datan las representaciones de autos en su forma definitiva.

Nacido el género como variante del teatro religioso, lo demás—hasta llegar a la forma magistral y definitiva que le imprime Calderón de la Barca—es obra de una evolución en la que se han señalado tres momentos:

1. Simple diálogo de pastores, a los que se presenta el ángel para explicarles el misterio de la fiesta. El simbolismo es rudimentario y sencillo: introducción de alguna figura alegórica, como la Gula, el Trabajo, la Avaricia. Le precede una loa que es recitada por el «bobo».

2. Mayor relieve del elemento musical, aumento del número de personajes y mayor extensión de la obra, que al principio no solía exceder de 500 versos. La loa se amplifica y deja de ser recitada por el «bobo». Este segundo momento corresponde al típico auto de Lope y Valdivielso.

3. El auto se penetra de sustancia teológica y adquiere su máxima extensión. Es el auto típico de Calderón de la Barca, que oscila entre los 1.500 y los 2.000 versos.

En resumen, se puede decir que Calderón es para el «auto sacramental» lo que Lope para la comedia; sólo con una diferencia de carácter: que éste tiene una pléyade de seguidores y aquél no.

En su estructura es obra dramática en un acto, alegórico y relativa al misterio de la Eucaristía. Si alguna vez, y con anterioridad a Calderón, la alusión y apología de tan excelso Sacramento aparece un tanto forzada y como traída por los cabellos, no falta nunca el alegorismo.

En el enorme desarrollo de esta forma dramática durante el siglo XVII entró por mucho el espíritu de la Contrarreforma; el «auto sacramental fué —dice Valbuena Prat, su mejor expositor crítico— una forma de la expresión católica, de la fe viva de nuestro pueblo en el dogma de la Transustanciación, frente a las negaciones o atenuaciones de la Reforma protestante». Y es Calderón, precisamente, espíritu racionalista, máximo exponente de la literatura católica del seiscientos, formado en los jesuítas y de sólida cultura teológico-escolástica, poeta de la Contrarreforma, quien lo lleva a su mayor grado de esplendor.

III. GENEROS MENORES

Al lado del teatro grande—el de la comedia y el auto sacramental—se desarrolla pujante otro género dramático, llamado «menor», en atención no a sus cualidades internas, que algunas veces son del más alto grado, sino a su reducida extensión, ya que suele estar constituído por piezas de duración mínima, que se daban casi siempre como complemento de las largas.

Destacan en este género «menor» las *loas*, los *bailes*, la *zarzuela* y el *entremés*, si bien sólo estos dos últimos alcanzan categoría de género propiamente literario.

Bailes, danzas, loas y zarzuelas

Los *bailes* y *danzas* crecían y se desarrollaban muchas veces a la sombra del teatro, por el estrecho contacto que siempre hay entre poesía y música. Pero pronto se independizan para formar grupo aparte. Los más famosos del período que estudiamos eran la *pavana*, la *gallarda*, la *zambra*, la *capona*, la *danza del cordón* y, sobre todo, la *zarabanda*, sustituída más tarde por la *chacona*. «Baile de endiablado son»—llamó Cervantes a la *zarabanda*—que hacía soliviantarse al austero Padre Mariana, porque era «tan lascivo en las palabras y tan feo en los meneos que basta para pegar fuego aun a las personas muy honestas» [10]. Fué reemplazado pronto por la *chacona*, no menos procaz y licencioso, en cuya interpretación el cuerpo se descoyuntaba—al decir de Salas Barbadillo—«con tanta facilidad de todos sus miembros, que parecía que no se tenía asidos con algunos goznes» [11]. Según Cervantes, uno y otro tuvieron su origen en el mismo infierno [12]. Había, aparte de éstos, un baile especialmente teatral, consistente en una pieza dramática muy breve, en que iban combinadas letra, música y mímica. Como el *entremés*, se solía dar entre jornada y jornada de las comedias. Quevedo tiene varias obritas de este estilo.

Menos importancia tenía la *loa*, reducida de ordinario al llamado «introíto» en el teatro prelopista. Era simplemente el prólogo en que se describía el argumento de la obra o se elogiaba a la persona a quien iba dirigida. Con Calderón se inicia una nueva especie de *loa*, que precede al auto sacramental, de carácter alegórico como éste.

Posterior cronológicamente es la *zarzuela*, así llamada por haberse representado las primeras piezas del género en el Real Sitio de la Zarzuela, cerca de Madrid. Consistía en una obra teatral, en la que alternaban, como en nuestra zarzuela de hoy, escenas habladas y cantadas. Aunque tiene antecedentes en las églogas de Juan del Encina y de Lucas Fernández, que mezclaban canto y recitado, sus caracteres típicos los debe a Calderón. La primera zarzuela, con música de Juan Risco, se titulaba *El jardín de Falerina* y se estrenó a mediados del siglo XVII. Unos años más tarde, en manos de Bances Candamo (1662-1704), adquiriría su máximo apogeo. En el siglo XIX alcanza un reflorecimiento glorioso, por obra de libretis-

tas como Zapata, Ramos Carrión, Ricardo de la Vega y compositores como Barbieri, Chueca, Chapí y Caballero. Ese florecimiento continúa en nuestros días, gracias a Vives, Serrano, Guerrero, Sorozábal y tantos otros, siendo uno de los géneros predilectos del público español.

El «entremés»

Mucha mayor importancia tiene el *entremés*. Se reducía, en la época clásica de nuestro teatro, a una piececita que solía intercalarse en los entreactos de la comedia, para distraer al auditorio [13]. Su finalidad era llenar los intervalos de la acción, cuando ésta amenazaba degenerar en lentitud o monotonía, y alegrar al público entre los episodios, muchas veces demasiado fuertes, de un drama de honor, de celos o de pasión. De aquí su carácter fundamentalmente satírico. A tal objeto buscaba los temas—si se podía llamar tema al cuadrito de cuatro pinceladas desarrollado en diez minutos— en el bajo pueblo y clases inferiores.

> Es una acción entre plebeya gente,
> porque entremés de rey jamás se ha visto,

afirma Lope de Vega en su *Arte nuevo*. Una escena rápida caricaturizada; una situación cómica cogida al vuelo; uno o dos tipos sociales puestos frente a frente; un diálogo chispeante, que terminaba de ordinario con una moraleja. Eso era el *entremés*, que, andando el tiempo, desembocaría en el sainete sabroso de don Ramón de la Cruz, y más adelante, en el siglo XIX, plasmaría en el «género chico». El entremés así concebido tiene su precedente inmediato en los *pasos* de Lope de Rueda, hasta tal punto que, durante algún tiempo, las dos denominaciones—paso y entremés—se usaron indistintamente en nuestro teatro. Pero el entremés de Lope de Rueda, y aun todos los anteriores a Cervantes, es de corte todavía grosero, burdo, con una reiteración de tipos—ciegos, mendigos, golfos, lacayos, etc.—sacados del estrato más ruín y que acusan extremada pobreza imaginativa. Con Cervantes, la cosa cambia. El acertó a darle su carta de naturaleza, y nadie después, ni el mismo Quiñones de Benavente (1589?-1651), el más fecundo de todos los entremesistas, logró superarle. Hasta Cervantes se escribe en prosa preferentemente; luego domina el verso. Género de enorme arraigo popular, su cultivo había de prolongarse durante todo el siglo XVII y parte del siguiente, hasta entroncar, casi sin solución de continuidad, con los sainetes de don Ramón de la Cruz [14].

IV. LA ESCENA ESPAÑOLA

Una breve referencia sobre la escena española —locales, representaciones, compañías, cómicos, etcétera—, sin duda, contribuirá a darnos una vi-

sión más exacta del teatro en aquel brillantísimo período. Aunque extrañas a la esencia del arte dramático, estas noticias terminarán de perfilar su concepto, ayudándonos a encuadrarlo en el lugar que le corresponde.

Locales

No tenían una disposición uniforme. Los había de tres clases: el eclesiástico, propio para representaciones religiosas, sobre todo de autos sacramentales; el de Corte, para representaciones palatinas, que solía ocupar un salón especial en los palacios reales o aristocráticos, así como en los parques y sitios de recreo (Aranjuez, el Pardo, Buen Retiro); y el más interesante, destinado al público urbano.

En los dos primeros se desplegaba extraordinaria pompa; el tercero era más sobrio y rudimentario, como que se sostenía con el importe de las entradas, y muchos espectadores lograban filtrarse sin pagar. Solían estar administrados por cofradías devotas, que los arrendaban a las compañías; en Madrid había dos cofradías de este tipo: la de la Pasión y la de la Soledad.

El local era un patio común, rectangular casi siempre, formado por los muros traseros de las casas de vecindad. Los balcones y ventanas se habilitaban a manera de palcos para espectadores de calidad; en el «patio» —de ahí este nombre, aplicado todavía al recinto de butacas en nuestros teatros— se acomodaba como buenamente podía el pueblo llano, pero sólo los hombres; para las mujeres se reservaba un corredor o galería independiente, llamada «cazuela» o jaula. Hab'a también una serie de asientos o bancos escalonados, en forma de anfiteatro, detrás del patio, donde el público se estacionaba en pie, a lo largo de los muros. Y por la parte superior, sobre las ventanas que servían de palcos y aposentos, corrían las «troneras o desvanes». «Como las representaciones —escribe Cotarelo— se daban de día y con luz natural, estos teatros no tenían más tejado que uno estrecho y voladizo alrededor de las paredes, que resguardaban de la lluvia y el sol a los que ocupaban los bancos, las gradas, los aposentos, cuando eran exteriores, y la cazuela, que era aposento mayor, en el fondo del teatro, destinado a las mujeres, que asistían separadas de los hombres.»

Tales eran, entre otros menos conocidos, el de la calle del Sol (1568), el Corral del Príncipe, el de la Pacheca (1574), el del Puente y el de la Cruz, en Madrid; el Corral de Don Juan y el de Doña Elvira (1579), en Sevilla; el Corral de la Puente de San Esteban (1575), en Valladolid; el Mesón de la Fruta (1576), en Toledo; el Corral de la Olivera o de Vallcubert (1582), en Valencia; el de la calle del Coso (1589), en Zaragoza; el solar de la Cárcel Vieja (1611), en Córdoba, etc.

Compañías teatrales y cómicos

Los primeros que representaron entre nosotros comedias propiamente dichas debieron de ser italianos. Los españoles no actuaron como profesionales hasta 1575. En las comedias de Lope de Vega, escritas en su juventud, queda abundante onomástica de procedencia italiana—Silvana, Florinda, Lidia, Curzio, Lelio, Orazio, Flavio, Fortunio, etc.—, que acusa la presencia de cómicos italianos en España, con un repertorio de obras procedentes de la llamada «commedia dell' arte». Hasta la fecha indicada la verdadera compañía teatral integrada por españoles era desconocida, o, a lo más, se formaba por improvisación, a la manera, p. ej., de la exigua farándula de Lope de Rueda. Pero pronto empiezan a crearse agrupaciones más o menos nutridas; de modo que a últimos del xvi funcionaban ya ocho compañías reconocidas oficialmente, y pocos años más tarde (1615) habían aumentado a doce [15]. Aparte de éstas, existían otras muchas agrupaciones irregulares, en forma de pequeñas farándulas, cuyo género de vida ha sido descrito en el Buscón, de Quevedo, y en el Viaje entretenido, de Agustín de Rojas, con trazos indelebles [16]. El mismo Rojas distingue nada menos que ocho clases de agrupaciones: bululú, ñaque, gangarilla, cambaleo, garnacha, boxiganga, farándula y compañía.

El bululú era un mimo ambulante único que cambiando la voz, representaba en las aldeas una comedia entera.

El ñaque constaba de dos cómicos de la legua, que hacían entremeses, pequeños autos, etc...., también en pueblos y aldeas.

La gangarilla estaba constituída por tres o cuatro actores y un muchachito que hacía papeles de mujer.

El cambaleo formaba ya una pequeña compañía de cinco voces masculinas y un cantante femenino.

La garnacha comprendía seis varones, una mujer y un mancebo o niño. Solía llevar un reparto de cuatro comedias, tres autos y varios entremeses, con el que permanecían en un mismo pueblo hasta una semana.

La boxiganga, con un repertorio más nutrido, se componía de siete varones, dos mujeres y un niño. Disponía para sus viajes de cuatro caballos alquilados.

La farándula llevaba más cómicos y mayor número de obras.

Por último, la compañía estaba integrada por un mínimo de treinta actores, en su mayor parte personas cultas. Llevaba su repertorio propio de hasta cincuenta comedias y actuaban en una misma población hasta meses enteros.

Al frente de cada compañía figuraba un director, representante o «autor», que se encargaba directamente de pedir a los poetas sus obras, ajustaba los derechos y llevaba toda la responsabilidad del grupo. De ordinario, tales representantes eran poco escrupulosos; por 600 u 800 reales, que es lo que venían a pagar por comedia a poetas como Lope de Vega y Vélez de Guevara, se creían con derecho a reformar, añadir o suprimir lo que les viniese en gana. El poeta, por aquella módica cantidad, renunciaba a todos sus derechos, y en el mejor de los casos conservaba únicamente el borrador [17].

Representaciones y público

Las funciones no eran diarias sino cuando el tiempo lo permitía. Téngase en cuenta que sólo la escena estaba bajo techado. En verano solían empezar a las cuatro, y en invierno a las dos, para que terminasen antes de ponerse el sol. Los precios eran relativamente módicos; pero había poca vigilancia. En cada función se daba, como ahora, una sola obra o comedia.

Mucho antes de empezar, la sala estaba ya llena de espectadores; llegado el momento, aparecían los músicos y, al son de arpas, guitarras y otros instrumentos, se cantaban unas seguidillas. Luego empezaba la comedia, y entre acto y acto, para que el público no se alborotase, se ponía un entremés.

Se viene diciendo que este público era levantisco y tumultuoso. La verdad es que la densa multitud que llenaba patio, balcones y *cazuela* era más bien gente culta, capacitada para enjuiciar, muy leída y con ideas muy claras sobre los problemas que iban a ventilarse ante sus ojos: Dios, amor, fidelidad, honor, imperio, etc. Nada menos parecido a la proletaria plebe de hoy. Un público de horizonte mental menos amplio que el nuestro, pero con un criterio más seguro y mejor formado. Había, eso sí, el grupo alborotador. Era el constituído por los que permanecían de pie, en el patio: los temibles «mosqueteros», llamados también la «infantería o gente de bronce»: soldados recién llegados de Flandes o de Italia, estudiantes y pretendientes de paso por Madrid, que manifestaban su aprobación o disgusto con infernal estruendo e iban provistos de carracas, cascabeles, pitos y demás instrumentos discordantes. «Dios nos libre de la furia mosqueteril», dice en el *Pasajero* Suárez de Figueroa; y apenas hay autor de nota que no aluda a ellos con visible temor.

Escenario

Al principio, en los teatros públicos o urbanos, revestía gran simplicidad, en contraste con la pompa desplegada en los de Corte y religiosos. Cerrado el fondo y lateralmente por telones pintados, permanecía abierto a los espectadores durante toda la función, incluso en los entreactos.

A partir de 1620 se da más valor a la decoración. Se introducen bastidores con equipos de avío análogos a los del teatro de Corte. Por cierto que Lope de Vega protesta de la innovación, porque cree que la magia del verso debe suplirlo todo: carpintería, máquinas y cuerdas. El poeta debía fiar en la imaginación del público; de ahí que las indicaciones marginales de las comedias sean tan escuetas. Ya se las arreglará el representante o director para lo demás. «Aquí no hay representación, sino cuchilladas—advierte en una comedia—; y tirar dentro arcabuces, que se pueden fingir con botafuegos, y salga el duque de Parma» [18].

Había otros escenarios más dinámicos, más ricos y mejor adaptados para toda clase de mutaciones: los de Corpus y los del teatro de Corte. Los primeros eran los que servían para las grandes representaciones de los autos sacramentales, en medio de las plazas públicas, en la tarde del Corpus y días sucesivos. Disponían de una tramoya complicadísima, con toda clase de mutaciones y sorpresas. No menos ingeniosos y espectaculares eran los de Corte. Unas veces se improvisaban en palacios y jardines; otras tenían su instalación permanente. Casi siempre seguían un tipo internacional, de acusado carácter barroco, y según los modelos creados para otras Cortes por ingenieros italianos. El Palacio Real de Madrid no sólo disponía de un salón para comedias de este tipo cortesano, construído por Felipe II, sino que, ya en 1607, se había habilitado uno de sus patios en forma de «corral», con su platea para los «mosqueteros» de la villa y con galerías y asientos para los palaciegos, «mientras la familia real ocupaba un balcón que tenía echadas las celosías. El motivo era—nos dice Cabrera en sus *Relaciones*—porque sus majestades deseaban un teatro donde se representaran las comedias como en los corrales del pueblo, por divertirse más de este modo que cuando las representaciones tenían lugar en la sala de comedias.»

Con Felipe IV (1621), la decoración de estos teatros de Corte sufre un profundo cambio. Se confía la dirección de estos festejos al marqués de Heliche, quien hace venir ingenieros y tramoyistas italianos: Cosino Lotti (1626), Pier Francesco Candolfi, a quien los españoles llaman «el hechicero», y otros. En 1630 había en el Buen Retiro hasta cuatro teatros de Corte, con características especiales: uno, de naturaleza, con fondo de árboles y bosques; una sala, cuyas vistas dan al parque; un escenario en medio del estanque; y, finalmente, un suntuosísimo salón de Palacio. En 1649 llega a España el artista Francesco Ricci, acompañado de Baccio del Bianco. El lujo aumenta; las consignaciones para estas fiestas son mayores cada vez. En la escenificación de *El golfo de las Sirenas*, pieza cantable de Calderón de la Barca, se gastaron ¡16.000 ducados! Pero ya todo esto es bien ajeno a la literatura y al arte propiamente dramático. Con mucho menos lujo se había puesto, veinte años antes en La Zarzuela (1629), *La selva del Amor*, y ya su autor, el gran Lope de Vega nos dice, entre halagado y condolido, que «lo menos que en ella hubo fueron mis versos».

NOTAS

1. Es el título predominante. Alguna vez, como en *El castigo sin venganza*, hallamos la denominación. «tragicomedia», seguramente por influjo de *La Celestina*, tan visible en un grupo de comedias de Lope.

2. Vid. JUAN DE ZABALETA: *Día de fiesta*, Colec. «Literatura clásica», pág. 150, ed., pról. y notas de Juan Mallorquí Figuerola, Edit. Molino, Barcelona, 1941.

Muy interesante es la posición del Padre Juan de Mariana, que viene a explicar, calando más hondo que Zabaleta, las causas del éxito de la comedia española. En su *Tratado contra los juegos públicos* nos ofrece un precioso documento de gran interés literario e histórico. Se lamenta de que los hombres concurran a tales representaciones y se entusiasmen con ellas, hasta el extremo de que «es maravilla verles hacer los mismos gestos, gritos y lloros de los representantes». Hasta aquí coincide con Zabaleta. Pero Mariana ahonda más. Nuestros dramaturgos —dice— «han juntado todas las maneras e invenciones para deleitar al pueblo que se pueden pensar, como cualquiera dellas tenga fuerza para suspender los ánimos de los hombres. Porque primeramente se cuentan las historias de acaecimientos extraordinarios y admirables que se rematan en algún fin y suceso más maravilloso...; allende de esto, los versos, numerosos y elegantes, hieren los ánimos y los mueven a lo que quieren, y con su hermosura persuaden más a los oyentes y se pegan con mayor fuerza a la memoria... Represéntanse costumbres de hombres de todas edades, calidad y grado, con palabras, meneos y vestidos al propósito, remedando el rufián, la ramera, el truhán, mozos y viejas... con dichos graciosos para mover la gente a risa. Y en conclusión, lo que es mayor cebo, muchachos muy hermosos, o, lo que es peor y de mayor perjuicio, mujeres mozas de excelente hermosura, salen al teatro y se muestran, las cuales bastan para detener los ojos, no sólo de la muchedumbre deshonesta, sino de los hombres prudentes y modestos».

El éxito y popularidad del teatro creado por Lope de Vega se debe, según el Padre Mariana:

a) A lo maravilloso y novelesco de los sucesos que presenta. La fuerza imaginativa de nuestros dramaturgos parece superarse en cada nueva obra, atentos siempre a despertar el interés del auditorio. Para ello los temas de cualquier época y nación se actualizan y enmarcan en la vida española del siglo XVII.

b) A la armonía del verso, que cautiva el oído; la dama de Zabaleta «determina (una relación de comedia) tomarla de memoria para lucir en las ocasiones recias».

c) A la reproducción de las costumbres y al gracejo de los chistes, no siempre de buena ley. El teatro presenta todos los conflictos que puede ofrecer la vida: maridos celosos, galanes rufianescos, damas desenvueltas, padres quisquillosos y autoritarios, etc.

d) A la belleza y desenvoltura de las actrices. (Pensemos en la serie de amoríos de Lope de Vega con damas de teatro.)

3. Sabemos por el testimonio de Bances Candamo de algunas comedias rechazadas por el público. *Cada cual lo que le toca*, de Rojas Zorrilla, fué estrepitosamente silbada porque el autor se atrevió a presentar en ella a una mujer que, habiendo sido burlada por un galán, se casa con otro antes de reparar su honor mancillado.

4. A este propósito escribe Menéndez Pelayo: «La comedia de santos no puede proscribirse en tesis absoluta: es un género estéticamente tan legítimo como cualquier otro; ha producido maravillas en nuestro teatro, y cabe hasta en el teatro clásico, como el ejemplo de *Polieucto* lo prueba. Lo que hay es que no todos los santos, sino muy pequeño número de ellos, sirven para la escena. Sólo los que han tenido vida dramática exterior pueden ser héroes de drama. La representación de la pura santidad resulta las más veces fría, porque excluye los conflictos de pasión de que el teatro vive y que pertenecen a la esencia misma del drama. Tampoco caben en él los conflictos puramente internos y psicológicos que son materia de análisis para el historiador y para el novelista. Lo que

no se revela por medio de la acción no puede ser materia de un poema activo. La lucha del santo con las tentaciones sólo vale para el teatro cuando las tentativas se exteriorizan y se resuelven en una fórmula humana, sea cualquiera el carácter simbólico que conserve.» (Prólogo de *El cardenal de Belén*, en la edición académica de las obras dramáticas de Lope de Vega.)

5. Vid. *Del honor en el teatro español* (en «De Cervantes a Lope de Vega», Colec. Austral, Espasa-Calpe, número 120, pág. 164).

En términos parecidos se expresó don Antonio Rubió y Lluch en su obra *El sentimiento del honor en el teatro de Calderón*, pág. 263 (Barcelona, Imp. Subirana, 1882); «... El perdón de las injurias no era la virtud que más distinguía el honor mundano. El único sentimiento ante el cual enmudecía todo agravio era el de la lealtad. Pero la lealtad que más importancia tenía, y ante la cual cedía, más bien que se humillaba, siempre el honor, era la que engendraba el principio monárquico, tan arraigado entonces en el pecho de los españoles. Tal lealtad, a la cual llamaríamos mejor fidelidad, puesto que se refería a un superior jerárquico, era la de un esclavo o un servidor, sin embargo de presentarse ciega y absoluta en todas sus manifestaciones.»

6. Américo Castro *(Algunas observaciones acerca del concepto del honor en los siglos XVI y XVII*, «Rev. de Filol. Esp.», año 1916, t. III) señala y razona la distinta solución que se da a los conflictos de honor en la novela y en el teatro. Cervantes, la Zayas y otros novelistas se pronuncian con frecuencia en contra del riguroso código del honor. El perdón de la adúltera es frecuente en la novela, a diferencia de lo que ocurre en el teatro.

7. Pfandl incluye en el ciclo de Lope a Cubillo de Aragón, que, por su técnica, es plenamente calderoniano; y en el de Calderón, a Mira de Amescua, que pertenece al de Lope.

Nada mejor para ver la diferencia de los dos ciclos que el análisis de un mismo tema en dos dramaturgos representativos de ambas escuelas: *Progne y Filomena*, de Guillén de Castro y de Rojas Zorrilla. Guillén de Castro es, en lo ideológico, el dramaturgo que más se aparta de la manera general del ciclo de Lope; Rojas representa una posición análoga en el de Calderón. No hemos de insistir en señalar la dependencia de éste y de aquél. Tampoco nos interesa el desenlace en sí, feliz en el valenciano y trágico en Rojas, sino el proceso, los razonamientos hasta llegar al desenlace. La fuente directa del tema es: para Castro, las *Metamorfosis*, de Ovidio; y para Rojas, la misma obra y la comedia de Castro.

Este ha rehuído presentarnos la acción violenta contra el rey; y en dos ocasiones, modificando la leyenda inicial, nos declara que Filomena no ha sido afrentada por Tereo. En Rojas, por el contrario, la deshonra se realiza y, por tanto, se hace necesaria su reparación mediante la sangre del ofensor. Si el vengador fuera Hipólito, marido de Filomena, nos hallaríamos aún dentro de la ideología del primer ciclo, debiendo salvar el escollo de quien es el ofensor y, por tanto, sobre quien debe recaer el castigo. Pero en el segundo ciclo, la mujer —como hemos dicho— tiene plena conciencia de sus derechos y deberes: está equiparada al hombre en la defensa de su honor. Si el hombre castiga a la mujer cuando comete adulterio, el mismo derecho tiene ésta para castigar a aquél en circunstancias análogas. Progne, esposa de Tereo, ha sido ofendida por éste, que cometió adulterio con la hermana de Progne, Filomena. Esta, por su parte, tiene que vengar la propia deshonra, y en el mismo caso se encuentra Progne. La solución que nos presenta el dramaturgo es perfecta: ambas hermanas sorprenden a Tereo durmiendo y le dan muerte. Para completar la reparación del honor, Filomena encuentra el puñal de su marido; de esta manera Hipólito colaborará también en la venganza.

8. Juan de la Cueva, fuertemente empapado de las doctrinas clasicistas, atiende tanto al tema cuanto al desenlace. Mientras titula «comedia» a *El infamador*, a pesar de su desenlace desgraciado, denomina «tragedia» a *Los siete infantes de Lara*. El concepto clásico de que la tragedia debía tener personajes de alta alcurnia no siempre se cumple en Juan de la Cueva.

9. El gracioso del ciclo calderoniano suele ironizar acerca de los motivos del ciclo anterior. A menudo se ponen en su boca frases irónicas sobre el falso concepto del honor, sobre la valentía de los personajes, paralelismo de acciones entre amos y criados, etc., y consideraciones sobre el propio arte del poeta.

10. Vid. Biblioteca de Autores Españoles, vol. II. página 433.

11. Vid. SALAS BARBADILLO: *Casa del placer honesto.*

12. «Dígame, señor mío—pregunta al barbero por boca de Pancracio, en *La cueva de Salamanca*—, pues los diablos lo saben todo: ¿dónde se inventaron todos estos bailes de las *zarabandas, zapabalo y dello me pesa*, con el famoso del nuevo *escarramán?*»

«¿Adónde?—respóndele el barbero—. En el infierno; allí tuvieron su origen y principio.»

13. Así, entre otros, lo entiende Agustín de Rojas en su *Vieja entretenido:*

> Y entre los pasos de veras,
> mezclados otros de risa,
> que, porque iban entremedias
> de la farsa, les llamaron
> *entremeses* de comedias,
> y todo aquesto iba en prosa,
> más graciosa que discreta.

14. «El nombre *entremés* se debe a Juan de Timoneda», afirma el autor de la reseña correspondientes a este género en el *Diccionario de Literatura española*, publicado por la *Revista de Occidente*. No es exacto: casi dos siglos antes está ya documentada esta palabra. La primera vez que aparece es en 1381, con motivo de unas fiestas catalanas de coronación: se trataba de un plato exquisito servido en la mesa real y acompañado de una *cobla escrita*. En Valencia se venían llamando así, por lo menos desde 1404, ciertas cabalgatas y representaciones figuradas que salían en algunas festividades religiosas de gran solemnidad. En la *Crónica de don Alvaro de Luna*, en la de *Juan II* y en una *Relación de Miguel Lucas* (1461) hay alusiones a «entremeses», designando ya con esta palabra pequeñas representaciones cantadas o recitadas que se daban en ciertas fechas memorables.

Más datos sobre esto en PFANDL: *Historia de la Literatura nacional española*, págs. 135-42, Barcelona, 1933.

15. Los directores de esas doce compañías creadas por Real orden de 8 de abril de 1615 eran: Alonso de Riquelme, Juan Sánchez de Vargas, Tomás Fernández de Cabredo, Pedro de Valdés, Diego López de Alcaraz, Pedro Cebrián, Pedro Llorente, Juan Morales Medrano, Juan Acacio, Antonio Granados, Alonso de Heredia y Andrés de Claramonte.

16. Véase asimismo en *Alonso, mozo de muchos amos*, de Jerónimo de Alcalá. Sus trabajos y estrecheces eran proverbiales. Oigamos a Agustín de Rojas en su *Viaje entretenido:*

> ¿No sabéis de qué me espanto?
> Cómo estos farsantes pueden,
> haciendo tanto como hacen,
> tener la fama que tienen.
> Porque no hay negro en España,
> ni esclavo en Argel se vende,
> que no tenga mejor vida
> que un farsante...

17. «El manuscrito de cada pieza—copiamos de Pfandl—era vendido al jefe de una determinada compañía de comediantes; al ser examinado era mutilado por caprichosas supresiones y desfigurado con notas escénicas subsidiarias; se copiaban después varias escenas para los encargados de los diversos papeles, y desde aquel momento caía sin remedio en manos de la piratería de los libreros y literatos. El autor, que muchas veces trabajaba por encargo y casi siempre de manera improvisada, sólo conservaba el borrador... El librero Miguel de Silos, que hizo imprimir la *Parte VII* de las comedias de Lope de Vega, compró los manuscritos a dos directores de compañías (Baltasar Pinedo y la viuda de Luis de Vargas); y cuando Lope publicó la *Parte IX*, tuvo que pedir prestadas las copias a la biblioteca de su protector el duque de Sessa.» (*Hist. de la Literatura nacional española*, pág. 427.)

18. Vid. LOPE DE VEGA: *Las flores de don Juan*. El público deducía por el texto los parajes, tiempo, día y hasta hora. Así se dice en la misma comedia:

> Argel, Túnez y Bujía
> hacia aquella parte están;
> adelante Mostagán,
> siguiendo de Orán la vía;
> luego, Melilla y Bocmar;
> Fez queda dentro; y enfrente,
> aquel estrecho eminente
> que llaman de Gibraltar.

Con ello, la localización se daba por hecha.

BIBLIOGRAFIA

Repertorios, índices y colecciones de textos: *Manuel de l'hispanisant*, por Fou.ché-Delbosch, I, Nueva York, 1920.—*Theatro Hespañol*, por V. García de la Huerta, 16 vols., Madrid, 1785-1786.—*Colección general de comedias escogidas del teatro antiguo español*, 26 vols. y 7 cuadernos, Madrid, 1826-1334.—*Teatro español anterior a Lope de Vega*, ed. J. N. Böhl de Faber, Hamburgo, 1832.—*Teatro escogido desde el siglo XVII hasta nuestros días*, ed. E. de Ochoa, París, 1838.—*Colección de autos, farsas y coloquios del siglo XVI*, ed. L. Rouanet, 4 vols., Barcelona, 1901.—*Colección de entremeses, etc.*, ed. E. Cotarelo y Mori, «Nueva Bibl. Aut. Esp.», vols. XVII y XVIII, Madrid, 1911.—*Teatro español del siglo XVI*, ed. U. Cronan, «Soc. Biblióf. Madril.», Madrid. 1913.—*Obras dramáticas del siglo XVI*, ed. A. Bonilla San Martín, Madrid. 1914.—*Teatro antiguo español*, Madrid, 1916 y sigs.—*Historia del teatro español* (Antología, estudios), por F. C. Sainz de Robles, 7 vols., Madrid, Aguilar Ed., 1943.—*Catálogo de autos sacramentales, historiales y alegóricos*, por Jenaro Alenda, «Bol. Real Acad. Esp.», X, 1923.—*Catálogo bibliográfico y biográfico del Teatro antiguo español desde sus orígenes hasta mediados del siglo XVIII*, por C. A. de la Barrera, Madrid, 1860.—*Catálogo descriptivo de la gran colección de comedias escogidas (1672-1704)*, «Bol. Real Acad. Esp.», XVIII, 1931.—*Datos inéditos que dan a conocer la cronología de las comedias representadas en el reinado de Felipe IV*, por G. Cruzada Villaamil, «Averiguador», I, 1871.—*La collezione di Comedias nuevas escogidas*, por A. Gasparetti, «Arch. Romanicum», XV, 1931.—*A current bibliography of Foreign Publications Dealing with the Comedia*, por H. J. Parker, «Bull. of the Comediantes», Madison, Wisc., 1955.—*Catálogo de piezas manuscritas de la Bibl. Nacional*, por J. Paz y Meliá, Madrid, 1935.—*About themes, motifs and an Index* (de teatro), por Arnold G. Reichenberger, «Bull. of the Comediantes», VI, Madison, Wisc., 1954.—*Notes on the chronology of the Spanish Drama*, por H. A. Rennert, «Modern Lang. Review», II y III, 1907.

I-II. Estudios generales: R. ALVAREZ ESPINO: *Ensayo histórico-crítico del teatro español*, Cádiz. 1876.—E. ALLISON PEERS: *Spanish Goldel Age poetry and drama*, Liverpool, 1946.—J. BERNAT Y DURÁN: *Hist. del teatro español* (2 vols.), Barcelona, 1924.—A. BONILLA: *Las Bacantes o del origen del teatro*, Madrid, 1921.—LEICESTER BRADNER: *The rise of Secular Drama in the Renaissance*, «Studies in the Renais.», III, Austin, 1956.—M. CAÑETE: *Teatro español del s. XVI*, Madrid, 1885.—J. S. A. DIMAS HINARD: *Discours sur l'histoire du théâtre espagnol* París, 1847.—N. DÍAZ DE ESCOBAR y F. LASSO DE LA VEGA: *Hist. del teatro español* (2 vols.), Barcelona, 1925.—J. EBNER: *Zur Geschichte des Klassischen Dramas in Spanien, etc.*, Passau, 1903.—ALFRED GASSIER: *The Théâtre Espagnol*, París, 1898.—FRANZ GRILLPARZER: *Studien zum Spanischen Theater*, Stuttgart, 1879.—G. M. DE JOVELLANOS: *Los juegos escénicos*, vol. 2 de sus «Obras», Barcelona, 1839.—E. JULIÁ MARTÍNEZ: *La literatura dramática en el s. XVI*, «Hist. gen. lit. hisp.», III, Barcelona, 1953.—G. E. LESSING: *Über das spanische Drama*, «Hamburgische Dramaturgie», Hamburgo, 1767.—G. H. LEWES: *The Spanish Drama*, Londres, 1846.—A. LISTA: *Literatura dramática*, «Lecciones de literatura española», Madrid, 1836.—MENÉNDEZ PELAYO: *Estudios sobre el teatro de Lope de Vega* (con interesantes consideraciones, juicios y noticias sobre el teatro español en general), 6 vols., Madrid, C. S. I. C., 1949.—M. MERY Y COLOM: *Estudios sobre el teatro español en los siglos XVI y XVII*, Sevilla, 1876.—L. FERNÁNDEZ DE MORATÍN: *Orígenes del teatro español*, «Bibl. Aut. Esp.», II.—A. MOREL-FATIO: *La Comedia espagnole du XVIIe siècle*, París, 1885 y 1923; *Le théâtre espagnol*, París, 1900.—MARCOS A. MORIÑIGO: *El teatro como sustituto de la novela en el Siglo de Oro*, «Rev. Universidad Buenos Aires. I. 1957.—M. MUÑOZ: *Hist. del teatro dramático en España*, Madrid, Edit. Tesoro, 1953.—FEDERICO C. SAINZ DE ROBLES: *El teatro español. Historia y antología*, 7 vols., Madrid, Aguilar Ed., 1943.—CONDE DE SCHACK: *Geschichte der dramatischen Literatur und Kunst in Spanien*, 3 tomos, Berlín, 1845.—A. SCHAEFFER: *Geschichte des Spanischen Nationaldramas*, 2 vols., Leipzig, 1890.—AUGUST W. SCHLEGEL: *Über des Spanischee Theater*, 2 volúmenes, Leipzig, 1845.—A. VALBUENA PRAT: *Literatura dramática española*, Barcelona, Edit. Labor, 1930; *Historia del teatro español*, Barcelona, Edit. Noguer, 1956.—J. VELILLA Y RODRÍGUEZ: *El teatro en España*, Sevilla,

1876.—L. Vielcastel : *Essai sur le théâtre espagnol*, 2 vols., París, 1882.

Estudios parciales: J. H. Arjona : *The use of autorhymes in the XVIIth century «Comedia»*, «Hisp. Review», XXI, 1953.—J. Bergamín : *Las raíces poéticas elementales del teatro del s. XVII*, «Bol. Bibl. M. Pelayo», XIII, 1931.—J. J. A. Bertrand : *L. Tieck et le théâtre espagnol*, París, 1914.—Carmen Bravo Villasante : *La mujer vestida de hombre en el teatro esp. de los ss. XVI y XVII*, Madrid, «Rev. Occidente», 1955.—M. A. Buchanan : *Short Stories and Anecdotes in Spanish Plays*, «Modern Lang. Review», IV, 1903.—Américo Castro : *Algunas observaciones acerca del concepto del honor en los ss. XVI y XVII*, «Rev. Filol. Esp.», III, 1916.—A. Cioranescu : *El barroco o el descubrimiento del drama*, Universidad de La Laguna, 1957.—E. Cotarelo Mori : *Bibliografía de controversias sobre licitud del teatro en España*, Madrid, 1904.—H. J. Chaytor : *Dramatik theory in Spain*, Cambridge, 1925.—L. H. Delano : *The sonnet in the Golden Age Drama of Spain*, «Hispania», California, XI, 1928.—N. Díaz de Escobar : *Anales de la escena española correspondientes a los años 1551-1639*, Málaga, 1910-1914, y antes en «Rev. Arch», XXIII y XXVII.—J. García Soriano : *El teatro de Colegio en España*, «Bol. Real Acad. Esp.», XIV, 1927.—J. E. Gillet : *Notes on the language of the rustics in the drama of the XVth. century*, «Hom. a M. Pidal», I, 1925.—S. Griswold Morley : *Strophes in the Spanish Drama before Lope de Vega*, «Hom. a M. Pidal», I, 1925.—E. Hall Templin : *The Carolingian Tradition in the Spanish Drama of the Golden Age, excluding Lope de Vega* (tesis), Leland Stanford University, 1927.—Adalbert Haemel : *Der Cid in Spanischen Drama des 16 u. 17. Jahrhunderts*, Halle, 1910.—Miguel Herrero García : *Génesis de la figura del donaire*, «Rev. Fil. Esp.», XXV, 1941.—José Hierro : *Algunos aspectos del teatro del Siglo de Oro*, «Bolívar», núm. 45, Bogotá, 1955.—J. M. Izquierdo Martínez : *El Derecho en el teatro español*, Sevilla, 1924.—*La poesía lírica en el teatro antiguo*, ed. de M. Catalina, «Col. Escrit. Castellanos», Madrid, 1903-1913.—S. E. Leavitt : *Notes on the gracioso as a dramatic critic*, «Studies in Philology, Royster Momerial Studies», XXVIII, 1931.—Charles David Ley : *El gracioso en el teatro de la Península. Siglos XVI y XVII*, Madrid, «Rev. Occidente», 1954.—Menéndez Pelayo : *Historia de las ideas estéticas* (Polémicas sobre el teatro, II), Madrid, C. S. I. C., 1940; *El drama histórico*, «Est. y disc. de crítica literaria», VII; *Caracteres y géneros del drama castellano*, «Est. y disc. de crítica literaria», III, C. S. I. C., 1942.—R. Menéndez Pidal : *El honor en el teatro español*, «De Cervantes a Lope de Vega», Colec. Austral, núm. 120.—C. J. Metford : *The enemies of the theater in the Golden Age*, «Bull. of Hisp. Studies», XXVIII, Liverpool, 1951.—Leonor de Miranda : *De Lope a Calderón. Ética y estética en el teatro del Siglo de Oro*, «Cuad. de Literatura», 1947.—A. Montiano y Luyando : *Disc. sobre las tragedias españolas*, 2 vols., Madrid, 1750-53.—A. A. Parker : *Reflections on a new definition of «Baroque» drama*, «Bull. of Hispanic Studies», XXX, 1953.—Darnell Roaten y F. Sánchez Escribano : *Wölfflin's principles in Spanish Drama: 1500-1700*, Nueva York, Hisp. Institute, 1952.—M. Romera Navarro : *Las disfrazadas de varón en la comedia*, «Hisp. Review», 1934.—A. del Saz : *Los Reyes Católicos en el teatro*, «Bol. Univ. Madrid», I, 1929.—S. Serrano Poncela : *Amor y apetito en el teatro español*, «Asonante», Puerto Rico, 1953.—J. P. Wickersham Crawford : *The Spanish Pastoral Drama*, Filadelfia, 1915; *The pastor and bobo in the Spanish religious drama of the XVth. century*, «Rom. Review», VII, 1916; *The braggart soldier and the rufian in the Spanish drama of XVIth. century*, «Rom Review», II, 1911; *The Spanish drama before Lope de Vega*, Filadelfia, 1922; *The Devil as a dramatic figure in the Spanish religious drama*, «Rom. Review», I, 1910.

N. Alonso Cortés.—*El teatro en Valladolid*, «Bol. R. Ac. Esp.», IV, 1917; y como libro, Madrid, 1923.—A. Aragonés : *El teatro de Toledo durante los ss. XV y XVII*, Toledo, 1907.—J. Milego : *El teatro en Toledo durante el s. XV y el XVII*, Valencia, 1909.—R. del Arco : *Misterios, autos, etc... en la catedral de Huesca*, «Rev. Arch.», XLI, 1920.—Ismael García Ramila : *Breves notas sobre la historia del teatro burgalés en el transcurso de los ss. XVI y XVII*, «Bol. R. Ac. Historia», CXXVIII, 1951.—Felipe Cortines Murube : *Las comedias en Sevilla. Una defensa del teatro y su contestación*, «Arch. Hispalense», XXIII, 1955.—J. Sánchez Arjona : *Noticias referentes a los anales del teatro en Sevilla*, Sevilla, 1898.—N. Díaz de Escobar : *El teatro en Málaga*, Málaga, 1876.—R. Ramírez de Arellano : *El teatro en Córdoba*, Ciudad Real, 1912.—E. Juliá Martínez : *El teatro en Valencia*, «Bol. R. Ac. Esp.», IV, 1917, y XIII, 1926.—L. Lamarca : *El teatro en Valencia*, Valencia, 1840.—H. Mérimée : *L'art dramatique à Valencia... jusqu'au commencement du XVII siècle*, Toulouse, 1913; *Spectacles et comédiens à Valencia (1580-1630)*, Toulouse, 1913.

III. M. Bataillon : *Essai d'explication de l'Auto sacramental*, «Bull. Hisp.», XLII, 1940.—M. Cañete : *El drama religioso español antes y después de Lope de Vega*, «Mem. R. Acad. Esp.», I, 1870.—E. González Pedroso : *Los autos sacramentales*, «Bibl. Aut. Esp.», LVIII, 1865.—M. Latorre y Badillo : *Representación de los autos sacramentales en el período de su mayor florecimiento*, «Rev. Arch.», 1911.—J. Mariscal de Gante : *Los autos sacramentales desde sus orígenes hasta mediados del s. XVIII*, Madrid, 1911.—Medel del Castillo : *Indice de los autos sacramentales alegóricos y al nacimiento de Nuestro Señor*, «Rev. Hisp.», LXXV, 1929.—G. Reynier : *Le drame réligieux en Espagne*, «Rev. de París», 1900.—Alfonso Reyes : *Los autos sacramentales en España y América*, «Capítulos de lit. esp.», Méjico, 1945.—Expeditus Schmidt : *El auto sacramental y su importancia en el arte escénico de la época*, Madrid, 1930.—Bruce W. Wardropper : *Introd. al teatro religioso*, Madrid, 1953.—E. Cotarelo Mori : *Ensayo histórico sobre la zarzuela... hasta finales del XIX*, Madrid, 1953; *Est. y noticia sobre el entremés. loa, baile, jácara y mojiganga*, «Nueva Bibl. Aut. Esp.», XVII, 1911.—E. A. Meredith : *Introito and Loa in the Spanish Drama of the Golden Century*, Filadelfia, 1928.—Anthony M. Pasquarello : *The «entremés» in sixteenth century*, «The Hisp. American Historical Review», XXXII, Durham, 1952.—Jack Shaffer : *The early Entremés...*, Filadelfia, 1932.—J. E. Varey : *Historia de los títeres en España*, Madrid, «Rev. Occidente», 1957.—Matilde Muñoz : *Historia de la zarzuela española y el género chico*, Madrid, 1946.

IV. E. Cotarelo Mori : *Est. sobre la hist. del arte escénico en España*, 3 vols., Madrid, 1896-1902.—N. Díaz de Escobar : *Comediantes del siglo XVII: Baltasar de Pinedo*, «Bol. R. Ac. Historia», XLII, 1928.—C. López Martínez : *Teatros y comediantes sevillanos del s. XVI*, Sevilla, 1940.—John V. Falconieri : *A History of Italian Comedians in Spain*, «Dissertation Abstracts», XII, Michigan, 1952.—J. Muñoz Morillejo : *Escenografía española*, Madrid, 1923.—Casiano Pellicer : *Tratado hist. sobre el origen y progresos de la comedia y del histrionismo en España*, 2 vols., Madrid, 1804.—C. Pérez Pastor : *Nuevos datos acerca del histrionismo español*, Madrid, 1901.—Hugo A. Rennert : *The Spanish Stage in the time of Lope de Vega*, Nueva York, 1909.—F. Rodríguez Marín : *Nuevas aporaciones para la historia del histrionismo de los ss. XVI y XVII*, «Bol. R. Ac. Esp.», I, 1914.—F. C. Sainz de Robles : *Los antiguos teatros de Madrid*, Madrid, 1952.—N. D. Shergold : *Nuevos documentos sobre los corrales de comedias de Madrid en el s. XVII*, «Rev. Bibl. Arch. Museos», XX, Madrid, 1951.—R. Sepúlveda : *El Corral de la Pacheca*, Madrid, 1888.—J. E. Varey y N. D. Shergold : *Tres dibujos inéditos de los antiguos corrales de Madrid*, «Rev. Bibl., Arch., Museos», Madrid, 1951.

CAPITULO XXXVI

LOPE DE VEGA: A) POESIA Y PROSA

I. El hombre y el escritor: *Datos biográficos. Perfil humano. Semblanza poética. La obra.*—II. Lope, novelista: *«La Arcadia». «Los pastores de Belén». «El peregrino». Narraciones cortas. «La Dorotea». Prosa histórica. Obras crítico-didácticas.*—III. Lope, poeta narrativo: *Poemas didácticos. Poemas descriptivos. Un poema pastoril: «La selva de amor». Un poema burlesco: «La Gatomaquia». Poemas religiosos. Poemas históricos y legendarios. Poemas mitológicos.*—IV. Lope de Vega, poeta lírico: *Lírica religiosa. Lírica profana. Obras varias.*—Notas.—Bibliografía.

I. EL HOMBRE Y EL ESCRITOR

La biografía de Lope de Vega ofrece, además del interés general que despierta la vida de todo grande hombre, el especial de estar ligada a su obra, de tal manera que en ésta se contiene un sinfín de noticias autobiográficas del más alto valor. Gracias a ellas, la crítica ha logrado desentrañar más de un punto oscuro de ese «interesante caso psicológico» que es la vida del Fénix, utilizando el amplio acervo de información que él mismo nos suministra para comprender muchos pasajes de sus obras. Lope se vuelca en éstas por completo; algunas de sus producciones son auténticos retazos de lo vivido por el autor. Sólo conociendo la complejidad de su espíritu, en lucha constante entre la sensualidad y el ascetismo, podemos justipreciar ciertos pasajes de sus epístolas y poemas y no tachar de desvergonzadas, sino de hondamente trágicas, cartas como las dirigidas al duque de Sessa, su protector y confidente. No importa que Lope, recién ordenado sacerdote, siga con sus acostumbrados amoríos y hasta se ate con el amor más trágico de toda su existencia; no podemos dudar de la sinceridad de su arrepentimiento y que la ordenación obedeció, como dirá después, al deseo de «ordenar la desorden mía». En Lope interesa tanto el hombre como el escritor, y ambos se completan magníficamente.

Datos biográficos

Nace en Madrid el 25 de noviembre de 1562. De familia humilde originaria de la montaña de Santander. Su padre era bordador. En la epístola poética *Amarilis* refiere, junto a las circunstancias de su nacimiento, un rasgo de la psicología paterna que pesará constantemente en el carácter de Lope: el padre abandona el hogar; y

> Siguióle hasta Madrid, de celos ciega,
> su amorosa mujer, porque él quería
> una española Helena entonces griega.

> Hicieron amistades, y aquel día
> fué piedra en mi primero fundamento
> la paz de su celosa fantasía.
> En fin, por celos soy. ¡Qué nacimiento!

Junto a este carácter mujeriego, el padre del poeta revela un espíritu religioso que le lleva a escribir versos devotos y a prestar servicio voluntario en el hospital del Buen Suceso. Religiosidad y donjuanismo serán las dos constantes también de la vida de Lope.

De los estudios de éste nos habla su amigo y discípulo Montalbán con más elogio que verdad. Alumno de los Teatinos, según declara el propio autor, estudió en Alcalá y estuvo al servicio del obispo de Avila:

> Crióme don Jerónimo Manrique,
> estudié en Alcalá, bachilleréme,
> y aun estuve de ser clérigo a pique.

Parece indudable que desde sus más tiernos años se familiarizó con la lectura de los poetas clásicos y que tradujo el poema de Claudiano, *De Raptu Proserpinae*; de esta época han de ser algunas de sus primeras comedias, si hemos de dar crédito a lo que él mismo cuenta:

> Y yo las escribí de once y doce años,
> de a cuatro actos y de a cuatro pliegos,
> porque cada acto un pliego contenía.

Montalbán alude también a un intento de fuga del hogar paterno. Para llenar la década que media entre 1578, año de la muerte su padre, y 1588, en que se alista Lope en el *Invencible,* muchos biógrafos suelen echar mano de *La Dorotea.*

Hay, a no dudar, mucho de autobiográfico en esta «acción en prosa», pero aun las noticias que lo son más, pasadas por el tamiz de la ficción poética, pierden su rigor científico. Pelea en la expedición de las Islas Terceras y luego entra de secretario al servicio del marqués de las Navas, don Pedro de Dávila.

El año 1588 es el más agitado de la vida de Lope y sólo tiene paralelo con el que precedió al de su muerte. El poeta cuenta veintiséis años: rotos sus amoríos con Elena de Osorio, hija del empresario de comedias Jerónimo Velázquez, es detenido y acusado de difamación por unos libelos que dirige a aquél y a sus deudos. Detenido en enero, se le condena a cuatro años de destierro de la Corte y dos del Reino, condena que se agrava, por reincidencia de Lope, a ocho años de la Corte y a pena de galeras si es hallado en el Reino en los seis restantes del exilio. La sentencia no llegó a cumplirse porque a los siete años fué indultado a petición de Velázquez [1].

Rotos sus amores con Elena Osorio, Lope rapta en la primavera del mismo año (1588) a doña Isabel de Urbina, hija del rey de armas de Felipe II. Con ella casa por poderes y sin consentimiento de los padres de la dama el 10 de mayo. El 29 del mismo, embarca como voluntario en la *Invencible*. El recuerdo de la esposa le inspira uno de los más bellos romances:

De pechos sobre una torre
que la mar combate y cerca,
mirando las fuertes naves
que se van a Ingalaterra,
las aguas crece Belisa
llorando lágrimas tiernas.

En esta expedición, y a bordo del galeón *San Juan*, escribió su primer poema caballeresco imitado del Ariosto, *La hermosura de Angélica*. Fracasada la empresa naval, se establece con su esposa en Valencia, en cumplimiento de la sentencia de destierro. Aquí compuso sus más bellos romances e influyó grandemente en la formación de una escuela dramática de la que son dignos representantes el canónigo Tárrega, Guillén de Castro y Gaspar de Aguilar. Si Lope influyó en los poetas valencianos haciendo que éstos abandonaran la técnica clasicista impuesta por Virués, no puede dudarse de que el ambiente y el paisaje de la región levantina, tan distinto de la meseta castellana, impresionaron a su vez fuertemente la sensibilidad del poeta. De ello hay abundantes recuerdos en comedias como *Las flores de don Juan*, *La viuda valenciana* y *Los locos de Valencia*, por citar sólo las más conocidas.

Cumplida la sentencia que le alejaba de la Corte, regresó a Castilla, pasando primeramente a Toledo, donde a poco entraba al servicio del duque de Alba. En Alba de Tormes, residencia del duque, gozó de algunos años de paz sólo turbada por la muerte de su esposa en 1595. Un año después es requerido ante los tribunales por amancebamiento con Antonia Trillo. En Alba de Tormes compone varias comedias y, para celebrar la pequeña corte de su protector, la novela pastoril *La Arcadia*.

Contrae nuevas nupcias en 1598 con doña Juana Guardo, hija de un abastecedor de carnes de Madrid, lo cual le valió no pocas sátiras de poetas envidiosos de su renombre. Acompañando al marqués de Sarriá va a Valencia (1599) para asistir a las fiestas reales en honor de Felipe III y de su esposa Margarita de Austria. Un año después, en 1600, comienzan probablemente sus amoríos con Micaela Luján, cómica de singular belleza, de la que tiene, entre otros, dos hijos de cierta tris-

te celebridad, Marcela y Lope Félix. Tras una breve estancia en Sevilla regresa a Toledo y luego a Madrid.

En agosto de 1613, remontada la cima de los cincuenta años, enviuda de su segunda esposa, y al siguiente se ordena sacerdote:

El ánimo dispuse al sacerdocio,
porque este asilo me defienda y guarde.
Dejé las galas que seglar vestía;
ordenéme, Amarilis, que importaba
el ordenarme a la desorden mía.

A pesar de esta ordenación, no puede librarse Lope de sus amoríos y, tras los sostenidos con alguna desconocida, con Jerónima de Burgos y con Lucía Salcedo, comienza su última y más borrascosa pasión con Marta de Nevares, a la que hubo de conocer poco antes de 1616. La correspondencia con el duque de Sessa, con quien había trabado amistad años antes, es el más precioso documento para conocer las intimidades de Lope en esta época.

En 1617 nace su última hija, a la que bautiza con el nombre de Antonia Clara, fruto de sus amores con Marta de Nevares. Las relaciones pecaminosas del poeta se hacen cada vez más ostensibles, excitando la sátira de sus encarnizados enemigos. Entre éstos destaca Góngora, que le zahiere a cada paso y de la manera más despiadada [2].

A finales del 1618 o principios del 19 muere Roque Hernández, marido de doña Marta; y al poco tiempo ésta y Antonia Clara pasan a casa de Lope, donde viven en extraña mezcolanza los hijos legítimos y los naturales [3]. En 1620 solicita el cargo de cronista real, vacante por muerte de Pedro de Valencia, cargo que no obtiene, seguramente como insinúa el profesor Entrambasaguas, «por su vida privada». Dos años después, el 12 de febrero de 1622, su hija Marcela ingresa en el convento de las Trinitarias Descalzas de la calle de Cantarranas, tomando el nombre de sor Marcela de San Félix, como prueba de admiración y afecto a su padre.

Las sombras y la desgracia empiezan a cernerse sobre el hogar de Lope: doña Marta, ciega repentinamente, y en 1628, pierde la razón: así continúa amargando la vejez del poeta hasta que muere (7 de abril de 1632). En 1634 Antonia Clara es raptada por un galán de la Corte, que el señor González de Amezúa ha identificado con don Cristóbal Tenorio, antiguo servidor de Felipe IV. El poeta convierte este episodio en materia artística: con emoción y grandeza nos lo relata en la égloga *Filis*. El mismo año, fatal para Lope, muere otro de sus hijos, Lope Félix, al naufragar en una expedición que se dirigía en busca de perlas a la isla Margarita. Lope conoció el hecho después de la impresión de *La Gatomaquia*, pues al dedicarla a Félix, le llama aún «soldado de la Armada de Su Majestad». Todos estos sinsabores aceleran su muerte, que sobreviene en Madrid el día 27 de agosto de 1635. Así la describe su discípulo y amigo Pérez de Montalbán, en la *Fama póstuma*:

«Oyendo salmos divinos, letanías sagradas, oraciones devotas, avisos católicos, actos de esperanza, profesiones de fe, consuelos suaves, cristianas aclamaciones y llantos amorosos, los ojos en el cielo, la boca en un crucifijo y el alma en Dios, expiró la suya al eco del dulcísimo nombre de Jesús y de María, que a un mismo tiempo repitieron todos.»

El entierro, descrito minuciosamente por Montalbán en la obra citada, constituyó una manifestación de duelo nacional sin precedentes. Enterrado en la iglesia de San Sebastián, la tacañería o la incompetencia del duque de Sessa ha impedido que se hayan podido localizar los restos del Fénix [4].

Hoy día puede visitarse la casa que habitó, escrupulosamente reconstruída a la moda del XVII.

Perfil humano

Ya se ha dicho que el estudio de Lope nos sitúa ante un caso psicológico de excepcional interés. Lope es uno de los temperamentos más complejos y originales del siglo XVII; mucho de su carácter ha de atribuirse a herencia paterna: como su padre, fué mujeriego y, como él, mantuvo incólumes, a través de todas las borrascas de su vida, una fe y una religiosidad a toda prueba. Su poesía sacra y la sinceridad, a veces casi brutal, que revelan sus cartas al duque de Sessa, en algunas de cuyas páginas deja ver el alma hasta en las más vergonzosas desnudeces, así como su constante temor de no haber merecido la absolución por sus pecados, reflejan el hondo conflicto, la tremenda batalla que reñían en su interior la carne con su despiadado tirón hacia el deleite, y el espíritu con sus creencias, no menos arraigadas. En ese tira y afloja de la virtud y el pecado no se puede negar que éste lleva casi siempre la mejor parte. El mismo Lope lo confiesa, y hay cartas sumamente reveladoras: «Yo estoy perdido—dice—, si en mi vida lo estuve, por alma y cuerpo de mujer, y Dios sabe con qué sentimiento mío, porque no sé cómo ha de ser ni durar esto, ni vivir sin gozarlo.» Se siente, pues, náufrago en aquel alborotado mar de sus pasiones; pero no hace nada, o hace muy poco, por salir a flote.

Algunos atribuyen parte de sus defectos al ambiente de la época. Ciertamente, la corte de Felipe III no era una escuela de buenas costumbres; pero si esto explica algunas pequeñas manchas entre tantas como afean su vida, no justifica ni remotamente otras tachas morales, constitutivas en no pocos casos de auténticos delitos. Al ambiente en que vivió se puede achacar, p. ej., su vanidad, alimentada a todas horas por la admiración, rayana en verdadero culto, de sus contemporáneos; sus pretensiones nobiliarias, que tantas burlas le acarrean por parte de los ingenios de su tiempo, en especial de Góngora; sus mismos amores de pasatiempo con actrices y tonadilleras; sus rencillas y enemistades literarias. Pero ¿cómo explicar su conducta contra Jerónimo Velázquez, a sabiendas de que sus afirmaciones eran falsas y del daño que con ellas irrogaba a tercera persona? ¿Cómo

conciliar aquella devoción que se derrite en efusiones casi místicas de amor a Dios con su vida de público amancebamiento, hasta cerca de los setenta años, y de continuo escándalo? Lo de menos es, y ya es bastante, que, vistiendo hábitos sacerdotales, viviese públicamente amancebado un Lope de Vega, el hombre sin duda más popular de su siglo, cuya conducta era observada día tras día por millones de ojos; lo peor es que, al lado de este gran escándalo público, había otro de pernicioso ejemplo en su propio hogar. El caso de su hija Marcela, acogiéndose al convento de las Trinitarias, es altamente revelador.

¿Y su conducta con Elena Osorio, y luego en el proceso por libelos? Léase atentamente *La Dorotea*, y en el alma de don Fernando, de quien el mismo Lope quiso hacer su autorretrato, se descubrirá un gran fondo de basura moral. Sainz de Robles, aludiendo al proceso por libelos, enjuicia así la conducta de Lope: «En su primer amor madrileño, Lope quedó como lo que era, como un premajo. Porque cuando Lope se acerca sumiso como un cachorro a la reja imantada de Elena, mientras ella retoza dentro con el don Bela, cuyos dineros pasarán por el agujero de las manos de Filis a las manos agujereadas del consentido y resentido poeta. Lope no es un amoral; es, sencillamente, un prechulín; porque cuando Lope lanza, semiamparado en el semianónimo, unos libelos difamatorios, que no es lo mismo que calumniosos, contra su amante y los padres de su amante, y cuando atemorizado por las leyes, reniega de ellos casi lloroso, el imberbe Lope no es un rufián; es sencillamente un precharrán. La charranada tiene más ingenio y menos graves consecuencias que la rufianería [5].»

Un espíritu sereno tendría que enjuiciar a Lope con mucha mayor dureza. No hay porque ocultarlo: Lope, como hombre, dejaba mucho que desear; la correspondencia con el duque de Sessa, que ha publicado el señor González de Amezúa, nos da un Lope muy distinto del que estamos acostumbrados a ver a través de una crítica excesivamente benévola. Lo mismo que al tratar de Cervantes afirmábamos su grandeza moral, apenas empañada por esas ligeras sombras que no pueden faltar en niguna vida humana, ahora, ante la gran figura de Lope de Vega, nos creemos obligados a señalar todas estas miserias humanas que le convirtieron más de una vez en pobre juguete de las más bajas pasiones.

Semblanza poética

Pero esto, lejos de rebajar su talla como poeta, casi contribuye a darle nuevo realce. Asombra que un hombre, solicitado por tan contrarias inquietudes, engolfado a la vez en los juegos, los pasatiempos, las disputas, las riñas, los amores y también—¿por qué no decirlo?—los ejercicios de piedad, encontrara aún tiempo para crear su obra. ¡Y qué obra! No la hay más rica en toda la literatura universal, ni más variada, ni más abundante. Allí hay de todo: prosa y verso; teatro y lírica; historia y novela; epopeyas y epístolas. Todo lo exploró; y en algunos géneros con mayor intensidad que ningún otro mortal.

Sus comedias se cuentan por centenares: mil ochocientas le atribuye Montalbán, y mil quinientas declara el propio Lope haber compuesto. Sus poesías líricas, por miles. Con cuánta razón Menéndez Pelayo ha aludido a «aquella vena pródiga e inexhausta que aun en las obras más imperfectas lanza raudales casi divinos; a todo aquel conjunto de cualidades, que parecerían grandes repartidas en veinte poetas, y que por disposición singular de la Providencia se vieron derrochadas en uno solo, el gran poeta de nuestra Península, el hijo pródigo de la Poesía.» «Lo que este hombre —sigue diciendo Menéndez Pelayo—, en fuerza sólo de su prodigioso ingenio, puesto que no le ayudaba poco ni mucho el prestigio moral, rindió, deslumbró y avasalló a sus contemporáneos, escrito está en las Memorias de la época, y con ser mucho, aún nos parece poco para su grandeza.»

En efecto, pocos hombres han disfrutado de mayor popularidad, tanto de los grandes como de los plebeyos. A este propósito escribe el profesor Entrambasaguas: «La fama incomparable de que gozó Lope entre sus contemporáneos hasta su muerte presentó aspectos verdaderamente curiosos, que merecen destacarse. No sólo su nombre hallaba eco en todas partes, sino que pasó a designar lo bueno. Ser _de Lope_ una cosa era calificarla de inmejorable. Así, una pobre mujer que presenciaba su entierro e ignoraba quién era el muerto, vino a acertarlo sin querer, al emplear aquel dicho popular con que se atribuía al poeta todo lo excelente: «Sin duda, este entierro _es de Lope_ —exclamó, según Montalbán—, pues es tan bueno.» Como otros muchos, un escritor italiano, Fabio Franchi, estuvo en Madrid exclusivamente para ver a Lope, y cuando murió el inmortal dramaturgo, le dedicó un librito de _Essequie poetiche_, impreso en la lejana Venecia, donde se reúnen numerosos elogios dedicados al poeta por sus colegas de Italia... El retrato del Fénix —como cuenta Montalbán— figuraba en casi todas las casas de sus compatriotas; todos le tributaron elogios sin tasa... Hubo quien hizo una parodia del Credo, prohibida por la Inquisición, que comenzaba: «Creo en Lope todopoderoso, poeta del cielo y de la tierra...» Enseñábanle en Madrid a los forasteros, como en otras partes un templo, un palacio y un edificio [6].» Tirso, G. de Castro, Pacheco, Vélez de Guevara, Castillo Solórzano, la Zayas, Montalbán, Salas Barbadillo, Francisco de las Cuevas y mil más le consideran no sólo el primer dramaturgo de todos los tiempos, sino el mayor lírico, y aun los mismos gongoristas no se atreven a posponerle al cisne andaluz, sino que le citan al par de él [7].

Bien es verdad que al lado de tanto elogio y de tantos apologistas no faltaron los detractores. Los más de ellos lo eran de su teatro, que suponía una revolución y, sobre todo, una subversión de las leyes de la poética tradicional. En otro capítulo aludiremos a las contiendas que con tal motivo se suscitaron. Otros atacan a Lope simplemente por envidia, por temor de que se alce con el cetro de la lírica de la misma manera que se había alzado ya con el de la comedia: tal es el caso de Góngora, ya citado antes. Góngora no cesa de zaherirle, dirigiendo sus tiros al lado más flaco realmente de su adversario: la conducta privada del poeta y su vanidad desmesurada:

> Por tu vida, Lopillo, que me borres
> las diez y nueve torres del escudo,
> porque aunque todas son de viento, dudo
> que tengas viento para tantas torres.

Y en otro soneto, cuyo segundo verso no acredita la fluidez versificadora del autor del _Polifemo_, le dice tan sañuda como injustamente:

> Patos de la aguachirle castellana,
> que de su rudo origen fácil riega,
> y tal vez dulce inunda nuestra Vega,
> con razón Vega por lo siempre llana.

Decimos injustamente porque de todo se podía censurar a Lope menos de fecundidad.

Lope cometió el error gravísimo de contestar a estos insultos, cuando su prestigio estaba tan por encima de todos, que difícilmente podían alcanzarle los dardos disparados contra él. Hasta a veces da la impresión de querer aplacar con zalemas la furia de aquel gozquecillo —que tal era Góngora para él— que no se hartaba de ladrarle en todos los tonos. He aquí una de las respuestas de Lope:

> Claro cisne del Betis, que sonoro
> y grave ennobleciste el instrumento
> más dulce que ilustró músico acento,
> bañando en ámbar puro el arco de oro.

Otros enemigos, si no tan famosos como Góngora, no menos vengativos, fueron Villegas, Suárez de Figueroa y Torres Rámila. Torres Rámila, lector de Gramática latina en Alcalá, se prestó a secundar los planes de Suárez de Figueroa, maldiciente, envidioso y excéntrico, «monstruosidad moral de aquellas que ni el ingenio redime», al decir de Menéndez Pelayo. Escribió contra Lope la _Spongia_, obra hoy perdida, y de la que se conoce sólo los extractos que de ella hicieron los amigos de Lope en la contestación, _Expostulatio Spongiae_. En la obra de Torres Rámila se critica la poca habilidad de Lope en el poema épico, y el Fénix, en la segunda parte de _La Filomena_, se defiende de los ataques del Tordo (Rámila) personificándose en el Ruiseñor:

Pero los dioses luego decretaron
la sentencia en favor de Filomena,
y a su eterno silencio condenaron
al tordo, que hoy con tal vergüenza suena;
y que si hablare, por piedad mandaron
que sólo sea, del delito en pena,
lo que aprendiere con mortal fatiga,
sin saber lo que dice, aunque lo diga.

La obra de Lope

Cultivó nuestro poeta todos los géneros literarios, aunque no con igual fortuna. Como dramaturgo es, ya lo hemos dicho, el más fecundo de todos los tiempos; como lírico, no tiene igual en su época; como novelista, en cambio, apenas pasa de una discreta medianía. Cultivó, además de los géneros literarios puros —novela, épica y lírica—, aquellos que, dado su fin didáctico, se consideran accesorios: la historia y la ascética, aparte de una serie de ensayos sobre temas de estética y de crítica literaria, que no sabemos por qué motivos suelen pasar inadvertidos en libros como el nuestro.

En este capítulo estudiamos la obra no dramática, que agruparemos en la siguiente forma:

PROSA

Novelas.—Pastoriles: *La Arcadia* (1598), *Pastores de Belén* (1612).

Bizantina: *El peregrino en su patria* (1604).

Cortesanas: *Las fortunas de Diana* (1621), *La desdicha por la honra* (1624), *La prudente venganza* (1624), *Guzmán el Bravo* (1624).

Acción en prosa.—*La Dorotea* (1632).

Prosa histórica.—*Triunfo de la fe en el reino del Japón por los años 1614-1615* (1618).

Ascética.—*Soliloquios* (1626).

Crítica (didáctica e histórica).—*En elogio y alabanza de la poesía, Sobre el honor debido a la poesía, Epístolas a un señor destos reinos en razón de la poesía, Justa poética* (en honor de San Isidro en las fiestas de su beatificación, 1620), *Relación de las fiestas* (en la canonización de San Isidro, 1622).

VERSO

Lírica.—Religiosa: *Soliloquios* (1612), *Rimas sacras* (1614), *Romancero espiritual* (1622), *Triunfos divinos* (1625).

Profana (Eglogas): *A Amarilis* (1633), *A Claudio, A Filis* (1635).

Profana (Epístolas): *A Arguijo, A Rioja, A Matías de Porras, a Francisco de Herrera, A Amarilis. A Gregorio Angulo,* etc.

Varia: *Rimas* (1602 y 1604), *Rimas humanas y divinas* (1634).

Poemas narrativos.—Crítico-didácticos: *Laurel de Apolo* (1630), *Arte nuevo de hacer comedias* (1609), *Isagoge a los estudios de la Compañía, La vega del Parnaso* (1637).

Descriptivos: *Descripción de la Abadía, Descripción de la Tapada, La mañana de San Juan en Madrid, Las fiestas de Denia.*

Burlesco: *La Gatomaquia* (1634).

Pastoril: *La selva sin amor* (1630).

Religioso: *El Isidro* (1599).

Históricos: *La corona trágica* (1627), *La Dragontea* (1598), *La Jerusalén conquistada* (1509).

Caballerescos: *La hermosura de Angélica* (1602).

Mitológicos: *La Filomena* (1621), *La Andrómeda* (1621), *La Circe* (1624).

II. LOPE, NOVELISTA

Dos obras hemos incluído en este grupo: *La Arcadia* y los *Pastores de Belén.* La primera, muestra del género pastoril en su más puro estilo, nos describe la vida de la pequeña corte del duque, en Alba de Tormes. Se ha dicho alguna vez que la novela pastoril es un producto de los tiempos de paz; el cansancio provocado por las guerras hace anhelar una vida idílica, una existencia alejada del peligro y de los avatares de la lucha; y este afán de sosiego cristaliza en determinadas formas literarias, cuyos más inmediatos exponentes son la égloga y la novela pastoril [8].

«La Arcadia»

En *La Arcadia*, bajo una trama de devaneos más o menos bucólicos, se relatan las aventuras amorosas del duque de Alba y de sus amigos. En tal sentido, Lope no hace sino seguir el camino y técnica trazados por todos los cultivadores del

género hasta entonces. El fondo verídico del relato lo pone de manifiesto el mismo Lope en la dedicatoria de la *Primera parte de las rimas* a Juan de Arquijo: «*La Arcadia* es una historia verdadera que yo no puedo adornar con más fábulas que las poéticas.» Rennert ve en ellas, y esto no le acredita ciertamente de zahorí, una obra de clave: el duque Antonio, protagonista de la acción, se oculta bajo el seudónimo de Anfriso; Lope sería el pastor Belardo, nombre que había de usar repetidamente en otras obras para ocultar su propia persona.

En la *Egloga a Claudio* alude nuevamente Lope a las circunstancias de la composición de esta novela:

Sirviendo al generoso duque Albano,
escribí del Arcadia los pastores,
bucólicos amores
ocultos siempre en vano,
cuya zampoña de mis patrios lares
los sauces animó de Manzanares.

Como toda novela pastoril, *La Arcadia* es artificiosa; pero a plena conciencia de su autor, persuadido de antemano de que a nadie podía engañar: «Aquí—nos dice desde el principio—no se describen sino unos rústicos pastores, hablando mal y sintiendo bien, desnudos de artificio y de vestidos.» Interesa hoy más al crítico que al lector en general, ya que representa el punto de partida de Lope como poeta y novelista.

Se ha dicho en otro lugar que la novela pastoril muchas veces se convierte en pretexto para ofrecer una trama cualquiera e intercalar en ella, como en su adecuado marco, un buen número de composiciones líricas. Lope no podía ni quería sustraerse a esta ley. La mayor parte de los versos contenidos en *La Arcadia*, inspirados en amores reales del duque y de sus amigos, pasaron sin duda a la novela después de haber servido de solaz a la pequeña corte de Alba de Tormes.

Dentro siempre del género pastoril, cabe señalar en *La Arcadia* ciertos rasgos característicos de Lope que perdurarán luego en toda su obra: el amor a las flores, a las plantas y a los animales, de los que hace largas enumeraciones con cierto empaque erudito y un afán científico que no trata de disimular.

La Arcadia, aparte la innegable belleza de algunos poemas intercalados, nos resulta hoy fría, amanerada y casi sin interés. El género pastoril estaba, cuando Lope la escribió, en plena decadencia. Que los dos colosos de nuestra literatura —Cervantes y Lope—aprovechasen las facilidades que les brindaba el género para hacer su primera salida en el campo de la prosa no significa sino que hay géneros que, una vez muertos, no pueden resucitar. Ni siquiera injertándoles su savia dos genios como éstos. Más logradas fueron otras dos obras, *Los trabajos de Persiles y Segismunda* y *El peregrino en su patria*, también de Cervantes y de Lope, respectivamente, y tampoco alcanzaron a galvanizar el cadáver de la novela bizantina.

«Los pastores de Belén»

Nos encontramos con esta deliciosa narración ante un nuevo enfoque y una nueva técnica del género. Se trata de la novela pastoril vertida «a lo divino», fenómeno paralelo al que ocurre con el género caballeresco. En éste, el caballero andante, el enamorado a ultranza, se convierte en el luchador de Cristo; cada nueva aventura acerca al caballero andante más y más hacia su ideal; cada empresa nueva lleva al otro, al caballero cristiano, más cerca de Dios.

Los episodios de la novela pastoril que relatan y cantan historias de amor profano se transforman, con *Pastores de Belén*, en historias devotas y en temas bucólicos de devoción popular. La obra responde a una evolución moral en el alma de Lope, a un arrepentimiento, aunque no definitivo, iniciado ya con los *Cuatro soliloquios*.

Está dividida en cinco libros y tiene por asunto las vidas de María y de Jesús desde el nacimiento de la Virgen hasta la llegada a Egipto de la Sagrada Familia. Los relatos bíblicos puestos en boca de rústicos pastores cobran un encanto irresistible con su gracia ingenua y fresco sabor popular; otro tanto sucede con los versos intercalados, traducciones de salmos y paráfrasis horacianas, en los que Lope, olvidado de los metros renacentistas, efunde su alma en cristalino raudal de glosas, villancicos, canciones de cuna y letrillas, que constituyen una de las más valiosas aportaciones de todos los tiempos a la lírica popular. Las más puras emociones infantiles han agitado el alma de Lope al escribir este cuadro. El mismo lo dice en la dedicatoria a su hijo Carlos Félix:

Estas prosas y versos al niño Dios se dirigen bien a vuestros tiernos años; porque si él os concede los que yo os deseo, será bien que cuando halléis Arcadias de pastores humanos sepáis que estos divinos escribieron mis desengaños, y aquéllos, mis ignorancias. Leed estas niñeces, comenzad en este Christus, que él os enseñará mejor cómo habéis de pasar las vuestras. El os guarde.

La obra alcanzó un éxito extraordinario, y Lope se ufana, en carta al duque de Sessa, de que algunos amigos la juzguen «lo más acertado que había salido de su pluma».

Pese al carácter devoto, fué en algunas ediciones severamente expurgada por la Inquisición, que suprimió largos pasajes en prosa, como las historias de la casta Susana, y de David, Amón y Tamar, y preciosas composiciones en verso, traducciones en su mayor parte de los Libros Sagrados.

«El peregrino»

El afán de tentarlo todo llevó a Lope a la composición de *El peregrino en su patria*, novela de aventuras a la manera bizantina, cuyas características hemos señalado en otro capítulo. No anda acorde la crítica en la calificación del *Peregrino*. Ticknor ve aquí no sólo uno de los primeros ejemplos del género en la literatura española, sino una de sus mejores muestras; La Barrera la encuentra «harto cansada y pedantesca». Creemos que la razón está en el justo medio. No pueden negarse al *Peregrino* algunos valores estilísticos; obra cuidada y corregida, de prosa brillante y artística, se resiente, sin embargo, en su construcción y nervatura interna. Los personajes, faltos de humanidad, parecen muñecos que el autor mueve a su antojo; meros juguetes de las circunstancias, con una pasividad, mal disimulada a veces, y complicados en situaciones más propias de la escena que del género narrativo. A nuestro juicio es inferior a la *Selva de aventuras*, de Contreras, y al *Persi-*

les, y no creemos que pueda considerarse ni acierto ni mérito el que el autor no haga peregrinar a Pánfilo por el extranjero, contrariamente a lo que ocurre en las obras de Contreras y de Cervantes, al que se adelanta en doce años.

Dentro de la evolución novelística del Fénix, el *Peregrino* aparece como anillo intermedio entre el idealismo pastoril de *La Arcadia* y el realismo de las cuatro novelas a Marcia Leonarda, menos interesantes de lo que buena parte de la crítica viene diciendo.

Más que por su trama novelesca importa el *Peregrino* por las poesías líricas de toda índole —amorosas, religiosas, satíricas burlescas— que en sus páginas recoge. Entre ellas destaca la égloga *Serrana hermosa que de nieve helada,* de gran valor autobiográfico para seguir los amores de Lope con Camila Lucinda (Micaela Luján), y en la que consigue acentos de profunda emotividad [9]. También son de notar los cuatro autos: *Viaje del alma, Las bodas del alma y del amor divino, La maya* y *El hijo pródigo,* y algunos episodios, entre los que merece subrayarse el cuento de los aparecidos del hospital (libro V), el mejor de cuantos se ha escrito en su género, según la opinión, que nosotros consideramos exagerada, de Jorge Borrow.

Otro motivo de altísimo interés ofrece esta novela: la inclusión de la lista de todas las comedias escritas por Lope hasta entonces.

Narraciones cortas

Inserta en su obra miscelánea *La Filomena, con otras diversas rimas, prosas y versos,* aparece en 1621 *Las fortunas de Diana,* primera novela de una serie de cuatro que dedica a su última amante, Marta de Nevares, bautizada aquí con el poético nombre de Marcia Leonarda.

Con estas novelas incorpora Lope a su extensísima producción un nuevo género, el único que entonces recibía el nombre de novela: la novela de corta extensión, fijada ya por el genio de Cervantes en las *Ejemplares.* Lope vuelve la espalda al tipo idealista de *La Arcadia* y del *Peregrino* para evolucionar hacia una técnica de más intenso realismo. Si hemos de creer al poeta, no fué por voluntad propia, sino a instancias de doña Marta de Nevares, como se decidió a cultivar el nuevo género.

Defecto consustancial de todas ellas es una contextura, más que novelesca, dramática, visible tanto en la exposición como en el desarrollo de la acción, y que recuerda inevitablemente la técnica teatral con sus tres momentos de exposición, nudo y desenlace. No en balde era Lope, ante todo, un autor dramático.

La más endeble de las cuatro es *Las fortunas de Diana,* seguramente la primera en el orden cronológico.

A tres años de distancia (1624) de *Las fortunas de Diana* aparecen insertas en *La Circe, con otras rimas y prosas,* las tres restantes novelas de la serie: *La desdicha por la honra. La prudente venganza* y *Guzmán el Bravo.* Una vez más, el gran poeta se desacredita como narrador en prosa. Pese al juicio laudatorio de Pfandl, el Lope novelista no sólo es muy inferior al Lope lírico y al dramático, sino incluso a buena parte de los cultivadores del género en la Edad de Oro, particularmente en su modalidad específica de novela corta. Abusa de lo teatral y muestra tan poca habilidad en los engarces de la acción como escasa inventiva en los episodios. Por otra parte, las continuas llamadas de atención a «la señora Marcia» para que repase y medite cuanto el autor va diciendo prestan al relato cierta monotonía que lo acerca no pocas veces al género epistolar.

Muy desagradable es tener que juzgar a Lope con esta dureza, pero no encontramos motivo para dulcificar nuestro juicio. Creemos que le basta y casi le sobra con ser el primer dramaturgo español de todos los tiempos y uno de los tres o cuatro mayores que han existido en el mundo, además del primer lírico de su siglo en nuestra patria, sin tener que ir a buscarle méritos en un género donde no los tiene. El mismo lo reconoce, y no creemos que sus palabras estén dictadas por pura modestia:

Prometo a vuesamerced—escribe en la dedicatoria de *La prudente venganza*—que me obliga a escribir en materia que no sé cómo pueda acertar a servirla, que, como cada escritor tiene su genio particular a que se aplica, el mío no debe de ser éste, aunque a muchos se lo parezca.

El interés casi único de estas novelas, que literariamente, lo repetimos, no añaden un átomo de gloria al autor, reside en un puñado de ideas desparramadas acá y allá, y que, sin formar un cuerpo de doctrina, nos manifiestan bien a las claras las <u>teorías de Lope</u> en algunos puntos relacionados <u>con la preceptiva tradicional</u> y <u>con las nuevas corrientes crítico-literarias.</u> Por lo pronto, el fin primordial de la obra literaria, tanto de la novela como del drama, es el <u>deleite</u>:

Yo he pensado que tienen las novelas los mismos preceptos que las comedias, cuyo fin es haber dado su autor contento y gusto al pueblo, aunque se ahogue el arte.

Los más variados motivos entran en la elaboración de estas novelas, pues como nos dice en el prólogo-dedicatoria:

En este género de escritura ha de haber una oficina de cuanto se viniere a la pluma, sin disgusto de los oídos aunque lo sea de los preceptos; porque ya de cosas altas, ya de humildes, ya de episodios y paréntesis, ya de historias, ya de fábulas, ya de represiones y ejemplos, ya de versos y lugares de autores, pienso valerme, para que ni sea tan grave el estilo que canse a los que no saben, ni tan desnudo de algún arte que le remitan al polvo los que entienden.

Pasajes singularmente interesantes son aquellos en que define su actitud frente al problema del honor y al movimiento culterano. Aunque adopta, respecto al primero, la tesis de la reparación oculta, que culminaría en Calderón—*A secreto agravio, secreta venganza*—, en el fondo parece dolerse de esta exigencia impuesta por las costumbres más que por la ley natural. Oigámosle en *La prudente venganza*:

Y he sido de parecer siempre que no se lava bien la mancha de la honra del agraviado con la sangre del que le ofendió, porque lo que fué no puede dejar de ser, y es desatino creer que se quita, porque se mate al ofensor, la ofensa del ofendido; lo que hay en esto es que el agraviado se queda con su agravio y el otro muerto, satisfaciendo los deseos de la venganza, pero no las calidades de la honra, que para ser perfecta no ha de ser ofendida. ¿Quién duda que está ya la objeción a este argumento dando voces?, pues aunque tácita, respondo que no se ha de sufrir ni castigar; pues ¿qué medio se ha de tener?. El que un hombre tiene cuando le ha sucedido otro cualquier género de desdichas: perder la patria, vivir fuera de ella, donde no le conozcan, y ofrecer a Dios aquella pena, acordándose que le pudiera haber sucedido lo mismo si en alguno de los agravios que ha hecho a otros le hubieran castigado; que querer que los que agravió le sufran a él, y él no sufrir a nadie, no está puesto en razón; digo sufrir, dejar de matar violentamente, pues por sólo quitarle a él la honra, que es una vanidad del mundo, quiere él quitarlos a Dios si se les pierde el alma.

Su actitud ante el culteranismo, si no estuviese ya claramente definida en sus versos y en algunos ensayos crítico-literarios, quedaría bien clara en algunos pasajes de estas novelas. Esta actitud—Lope no hace nada por disimularlo—es de franca oposición:

Confieso a vuesa merced—dice—que hallo nueva la lengua de tiempos a esta parte, que no me atrevo a decir aumentada ni enriquecida, y tan embarazado con no saberla...

Y en *La desdicha por la honra*—he aquí un título bien significativo—aludiendo al protagonista Felisardo, que se las daba de poeta, insiste:

Dejemos de disputar si era culto, si puede o no puede sufrir esta gramática nuestra lengua; que ni vuesa merced es de los que madrugan las cuaresmas al sermón discreto, ni yo de los que se rinden en esta materia por parecerlo, juzgando lo que desean entender por entendido, y remitiendo al que lo escribió la inteligencia y la defensa... Yo gusto

de que vuesa merced no oiga cosas que dude, que esto de novelas no es versos cultos, que es necesario solicitar su inteligencia con mucho estudio, y después de haberlo entendido, es lo mismo que se pudiera haber dicho con menos y mejores palabras.

Las cuatro novelas son—ya se ha dicho—muy endebles, lo que no impidió que Pfandl, en un incomprensible exceso de benevolencia, las considerase «tan coloristas, vivas, efectistas y sabrosas en conjunto como las de Castillo Solórzano». La menos mala, *La prudente venganza*, nos ofrece un cuadro bastante animado en torno a una reparación de honor, con detalles más o menos pintorescos, aunque de empleo muy socorrido en la novelística de aquel tiempo: Lisardo, joven sevillano, se enamora de Laura y pretende casarse con ella. Antes de efectuar el matrimonio se ve obligado a ausentarse de Sevilla y pasar a Méjico, a consecuencia de una riña que ocasionó dos muertes (la de Octavio, íntimo amigo de Lisardo, y la de un rico perulero). Laura, engañada por una falsa carta de sus padres, en la que se da cuenta de que Lisardo se ha casado en Méjico, acepta el matrimonio con Marcelo, hombre acomodado y de edad madura. Regresa Lisardo a Sevilla y reanuda sus antiguos amores con Laura. Marcelo se entera por la delación de un criado y planea pacientemente la venganza, que abarcará no sólo a los adúlteros, sino a todos los sabedores de su deshonra. Soborna a un criado, Zulemo, a quien da 300 escudos para que mate a Laura; y apenas realizado el crimen, Marcelo apuñala al criado. Da muerte con un veneno a Fenisa, doncella de Laura, y con dos tiros de pistola al delator Antandro. Durante dos años se convierte en la sombra de Lisardo, al que encuentra bañándose; Marcelo «fué nadando hacia donde él estaba, y le asió tan fuertemente, que con la turbación y el agua perdió el sentido y quedó ahogado».

Esta especie de «Locura por la honra» tiene amplia representación en la literatura de la época; aparte la tesis general que Calderón sintetizó en el título de una de sus comedias, «a secreto agravio, secreta venganza», se repite en la leyenda de los comendadores de Córdoba, dramatizada por el mismo Lope y por Cubillo de Aragón; pasa a la novela en doña María de Zayas, *Estragos que causa el vicio*.

Acción en prosa: «La Dorotea»

Aunque escrita en forma dialogada, no puede considerarse representable. Lope la concibió para la lectura, como tantas obras cortadas según el patrón de *La Celestina*. El autor la llamó «acción en prosa». En realidad participa de una serie de géneros, ya que junto a la acción y a la lucha encontrada de las pasiones, características del género dramático, inserta una serie de composiciones líricas, y no de las menos interesantes del Fénix [10]. Lope tuvo en gran estima esta obra, en la que idealiza cinco años de sus primeros amores con Elena Osorio. De carácter autobiográfico, tiene el nervio y el interés de toda cosa vivida; a esto se une la prosa más tersa y movida que brotó de la pluma de Lope. Ello no impide que su lectura resulte pesada por falta de acción y exceso de diálogo, a lo largo de sus cinco actos interminables.

El sentido de la obra en conjunto, su tema y construcción, los define el propio autor en el prólogo:

Pareceránle vivos los afectos de dos amantes, la codicia y trazas de una tercera, la hipocresía de una madre interesable, la pretensión de un rico, la fuerza del oro, el estilo de los criados; y para el justo ejemplo, la fatiga de todos en la diversidad de sus pensamientos, porque conozcan los que aman con el apetito, y no con la razón, qué fin tiene la vanidad de sus deleites, y la vilísima ocupación de sus engaños... Si algún defecto hubiere en el arte, por ofrecerse precisamente la distancia del tiempo de una ausencia, sea la disculpa la verdad, que más quiso el poeta seguirla que estrecharse a las impertinentes leyes de la fábula; porque el asunto fué historia, y aun pienso que la causa de haberse con tanta propiedad escrito.

El núcleo del asunto es, como se ve, un «amor con apetito», un amor fuera de razón que debe acabar en tragedia. Los caracteres están trazados de mano maestra. Son dos principalmente: Fernando (Lope de Vega), apasionado, inconstante, abúlico, y Filis (Elena Osorio), especie de hetaira culta que «a ninguno pertenece íntegramente y de ninguno es capaz de desembarazarse por completo» [11], obsesionada por la idea de la muerte después de su frustrado intento de suicidio.

El argumento es el siguiente: Dorotea, a instancias de su madre Teodora, decide romper las relaciones amorosas con Fernando y aceptar los galanteos de don Bela, rico indiano. Para olvidar a Dorotea, Fernando finge a Marfisa, antigua enamorada suya, que ha matado a un hombre, y le pide dinero para pasar a Sevilla. Gerarda logra de Dorotea una cita para don Bela, que es herido una noche por el celoso Fernando; éste, satisfecho en su orgullo porque Dorotea ha dejado a don Bela, se inclina de nuevo por el amor de Marfisa. Don Bela es asesinado; al enterarse Dorotea se desmaya, y al acudir Gerarda a socorrerla, se cae en una cueva y muere [12].

Prosa histórica

Está representada por el *Triunfo de la fe en los reinos del Japón por los años 1614 y 1615* [13].

Aunque de fondo histórico, se impone en la forma el genio esencialmente poético del autor. Es digno de tenerse en cuenta—señala Vossler—que el concepto de la verdad histórica que le sirve de base presenta un aspecto bien distinto al de sus poemas épicos nacionales. «No es con todo eso digno de historia—dice Lope—lo que no se puede afirmar por fidedigna probanza.»

En los cuatro *Soliloquios* compuestos en 1612 «toma su vida pasada como tema de reflexión moral y religiosa». Un espíritu más vigoroso y emotivo que el de los *Pastores de Belén*, escrita por el mismo tiempo, inspira a estas páginas honda emotividad.

Obras crítico-didácticas

Destaca en este sentido la *Respuesta a un papel que escribió un señor de estos reinos en razón de la nueva poesía*. Lope proclama ante todo su sinceridad; y después de señalar dos tipos de poesía en Góngora, la llana, popular e inteligible, y la oscura, dice de sus seguidores: «A muchos ha llevado la novedad a este género de poesía y no se han engañado, pues en el estilo antiguo en su vida llegaron a ser poetas, y en el moderno lo son el mismo día; porque con aquellas transposiciones, cuatro preceptos y seis voces latinas o frases enfáticas se hallan levantados adonde ellos mismos no se conocen, ni aun sé si se entienden..., y así, los que imitan a este caballero (Góngora) producen partos monstruosos, que salen de generación, pues piensan que han de llegar a su ingenio por imitar su estilo.»

En una segunda carta al mismo destinatario insiste Lope en análogos conceptos Acompaña a la carta una «Egloga» del príncipe de Esquilache, que considera como obra de alto valor poético, fiel a la inspiración tradicional castellana y sin el más leve asomo de culteranismo.

En el análisis del estilo culterano atiende más —siguiendo el juicio de sus contemporáneos—a los defectos de forma que a los de fondo: «Todo el fundamento de este edificio—dice—es el trasponer, y lo que le hace más duro es el apartar tanto los adjuntos de los sustantivos, donde es imposible el paréntesis, que lo que en todos causa dificultad la sentencia, aquí la lengua.» Para Lope, la poesía debe costar grande trabajo al que la escriba y poco al que la lea.

Aprovecha estas obras para defenderse no tanto de los ataques literarios como de los que se le dirigen a su vida privada [14].

Completan este grupo de obras crítico-didácticas la *Justa poética*, en honor de la beatificación de San Isidro; la *Relación* de las fiestas, el *Elogio y alabanza de la poesía* y la *Epístola* a don Francisco López de Aguilar, comentando un soneto.

III. LOPE, POETA NARRATIVO

La poesía de Lope es un inmenso mundo donde se funden y hasta se confunden los más diversos elementos. Todo cuanto coexiste en la naturaleza humana se convierte en sustancia poética: lo religioso y lo social, lo caballeresco y lo guerrero, lo pastoril, lo mitológico y lo histórico, y todo ello adobado con levadura de su propia vida.

Hemos visto que el Lope novelista recorre los géneros más en boga de la época: pastoril, bizantino, cortesano, etc. Otro tanto se puede decir de sus incursiones por el campo de la épica, y esto de tal forma que, dentro de la agrupación temática de sus poemas, hallan cabida todas las modalidades épicas del Renacimiento y del Barroco. Si particularmente en cada grupo hay quien le aventaje, en conjunto ningún poeta puede presentar—y nos referimos concretamente a la épica—una producción más extensa y variada. Como nadie, supo defender las esencias nacionales, a trueque muchas veces de falsear conscientemente la Historia, y como nadie también, acertó a fundir en feliz maridaje la nota popular con la culta y erudita.

No le bastaba a Lope ser con gran ventaja el primer dramaturgo de su siglo y acaso también el más excelso lírico. Buscaba más y aspiró a emular en el género épico la gloria del Tasso, de Ariosto y de Camoens. Si no lo consiguió, no fué ciertamente por carencia de aptitudes, sino quizá por exceso de impaciencia y precipitación. Estaba produciendo a drama por semana; sus composiciones líricas se contaban—ya lo hemos dicho—por millares, y aún le quedaba tiempo para escribir no uno, sino más de media docena de esos poemas épicos cuya redacción agota la actividad creadora de un genio. No; la vida humana, aunque sea tan fabulosamente pródiga como la de Lope, no da para tanto. Así, sus obras de este género se resienten de la vertiginosa rapidez con que han sido escritas.

Poemas didácticos

En el *Laurel de Apolo* (1630), el poeta, en el cenit de su fama, pasa revista a la literatura de la época. Lo compuso con motivo del homenaje que en 1628 tributó la Academia de Madrid a su amigo Vicente Espinel. La técnica y disposición de la obra, con precedentes remotos en Marciano Capella y Petrarca, y más próximos en Cervantes y en Gil Polo, se reduce a un brillante desfile, con su correspondiente elogio, de los poetas contemporáneos, entre los que figuran como más representativos Espinel, Jáuregui, Paravicino, Arguijo y Hurtado de Mendoza. Dignas de mención son las digresiones sobre métrica a propósito de Castillejo. Los poetas van agrupados por regiones.

Carácter similar tienen *La vega del Parnaso*, poema póstumo, e *Isagoge a los reales estudios de la Compañía de Jesús*, de gran erudición y tono didáctico.

Párrafo aparte merece el *Arte nuevo de hacer comedias* (1609), escrito—según el propio autor—a instancias de la Academia de Madrid. Lo primero que salta a la vista en este tratadito es la contradicción manifiesta, y que Lope no trata de disimular, entre la doctrina que predica y la técnica aplicada por él mismo en la creación de sus comedias. Ello ha dado origen a los más diversos juicios. Ante todo, creemos que no puede calificarse de poema didáctico, como se viene haciendo, ya que el *Arte nuevo* ni enseña ni pretende enseñar nada. Si acaso, todo lo más, debe interpretarse como una justificación o explicación de su «manera dramática» frente a los ataques de que era objeto del lado de los defensores del teatro tradicional. Y, al mismo tiempo, un comentario entre irónico y amargo sobre su propia experiencia: una continua lucha del genio que se debate entre la preceptiva aprendida en las escuelas y el impulso natural que, avivado por el aplauso del pueblo, le lleva por otros caminos.

Si queremos sacar algunas ideas en limpio de aquella retahíla de malos versos que constituyen el *Arte nuevo*, no nos será difícil hacerlo. Por lo pronto, tres conceptos fundamentales lo informan: 1.º Lope conoce al dedillo toda la preceptiva clásica, desde Aristóteles a Castelvetro. 2.º Pese a este conocimiento, no se cree en el caso de poner en práctica sus preceptos. 3.º Al apartarse de las normas tradicionales lo hace por seguir el gusto del público. Este paga; por tanto, su agrado o desagrado es muy digno de tenerse en cuenta [15]. Agreguemos, por nuestra parte, que al dejarse llevar del beneplácito del «vulgo», Lope daba satisfacción cumplida a sus propios gustos y tendencias. El se sentía mucho más cómodo en aquel teatro de su casi exclusiva creación, sin trabas apenas que limitasen el libre vuelo de la fantasía, que no en aquel otro preconizado por las poéticas al uso, con su engorrosa red de «unidades» y leyes dramáticas [16].

Poemas descriptivos

Ofrecen escaso interés. El primero en el orden cronológico, *Las fiestas de Denia*, fué compuesto en 1599, cuando Lope estaba al servicio del marqués de Sarriá, y conmemora los solemnes actos con que el duque de Lerma celebró en aquella ciudad levantina el matrimonio de Felipe III y de su hermana Isabel Clara Eugenia con los archiduques de Austria doña Margarita y Alberto. Al final se inserta un *Romance* alusivo a las bodas, que se cantó en la ciudad.

La *Descripción de la Tapada* es un panegírico en honor del duque de Braganza y de su linaje, que se supone cantado por cuatro ninfas. La misma significación tiene la *Descripción de la Abadía*, respecto al duque de Alba.

De muy distinto carácter, como enraizado en motivos populares, es *La mañana de San Juan*, sobre la romería, ya desaparecida, que los madrileños celebraban en tal fiesta a orillas del Manzanares. De escaso valor literario, interesa bastante como cuadro folklórico y costumbrista, abundante en descripciones, que son—como dice Miguel Artigas—«bien labrados tapices donde pueden admirarse grupos de ninfas, parejas de enamorados, lances de caza, reyertas, enumeraciones de animales, de trajes, escenas llenas de color, de vida, ruido y movimiento de ambiente popular, en un lenguaje precioso, salpicado de sorprendentes metáforas».

Un poema pastoril

Rindiendo culto a la moda renacentista, compuso Lope *La selva sin amor*, égloga pastoril dialogada, por el estilo de la *Aminta* o el *Pastor Fido*. Obra de puras circunstancias, fué escrita para representarse ante el rey en una de aquellas fiestas palaciegas tan frecuentes en los jardines del Buen Retiro [17]. El asunto se reduce a la intervención del Amor, aconsejado por Venus, para que cambie en *selva con amor* el bosque que rodea al Manzanares, que antes era *selva sin amor*. La intervención del dios transforma en ardientes y apasionados los corazones fríos de los pastores que habitaban junto al río madrileño [18].

Un poema burlesco

En las *Rimas humanas y divinas*, que con el seudónimo de Tomé de Burguillos publicó Lope en 1634, se inserta el poema burlesco *La Gatomaquia*. «En el descenso de la curva de la vida—ha escrito Luis Guarner—el Fénix, que sabía ya de todas las glorias humanas y también de sus miserias, ve el mundo y su realismo e idealismo desde otro bien distinto ángulo de visión, y dando suelta al humorista que en él hubo siempre, miró las cosas por su lado caricaturesco. El momento psicológico del poeta era propicio para el género burlesco en la poesía; el ambiente barroco en que se movía la sociedad, perdidos tantos ideales y otros en quiebra, era digno de que sólo en caricatura se le tomase [19].»

En el aspecto literario, es para nosotros el mejor poema—junto con *El Isidro*—que brotó de la pluma del Fénix. Se le suele tachar únicamente de excesiva extensión (unos 2.800 versos).

Argumento: La gata Zapaquilda, pretendida por Marramaquiz, se muestra esquiva porque está enamorada de Micifuz. Son inútiles los esfuerzos del desairado galán para atraerse a la gatita; desesperado, consulta al viejo Garfiñanto, gato hechicero, que le aconseja un procedimiento empleado en las comedias de capa y espada: galantear a la gatita Micilda y de este modo darle celos. Todo resulta en vano. Se preparan las bodas de Zapaquilda y Micifuz, pero la fiesta es interrumpida por la llegada de Marramaquiz, que rapta a la novia y la lleva a una fortaleza. Micifuz los sitia y pretende rendir por hambre. Marramaquiz sale de su escondrijo en busca de alimento y es muerto de un arcabuzazo que le dispara un cazador:

> Cayó para la guerra y los consejos;
> cayó súbitamente
> el gato más discreto y más valiente...
> Pero muerto también, como era justo,
> a las manos de un césar siempre augusto.

Muerto Marramaquiz, sus partidarios se someten a Micifuz, «héroe sin victoria victorioso», que celebra sus bodas con Zapaquilda, y reparte «con mano liberal peces y queso».

La obra—como todas las del género—se desenvuelve conforme a los cánones del poema clásico caballeresco, que imita en sus mínimos detalles: la Fama proclamando la hermosura de Zapaquilda; intervención de un mago o astrólogo; sortilegios y hasta el presagio del destino. Verdadera antítesis de la epopeya, ya que en ésta los personajes son dioses, y en el poema burlesco, irracionales; pero en ambas se parte de lo humano, ya que humanas son las pasiones que mueven a los héroes de esta clase de obras.

Poemas religiosos

Dos son los que nos ha dejado Lope, *La Virgen de la Almudena* y *El Isidro*. El primero, dirigido a la esposa de Felipe IV, doña Isabel de Borbón, refiere las peripecias que había pasado la morenita imagen de Nuestra Señora, enterrada ante la invasión de la morisma, al igual que las de Montserrat, de Guadalupe o de Atocha.

Todo lo que es oropel y bambolla en los poemas mitológicos se transforma en *El Isidro* en sentimiento sincero y en agilidad narrativa. Lope celebra en diez cantos a un santo popular, y popular es también el metro que emplea: la quintilla. Si en lo interno para nada se acuerda de la mitología greco-latina, que el Renacimiento había puesto en circulación, en lo externo también se cree obligado a abandonar el verso extranjero. Ni silvas ni octavas reales como en otros poemas. *El Isidro* viene a ser el *romancero* de la vida y milagros del patrón de Madrid; sólo en algún que otro detalle erudito se echa de ver al poeta culto [20]; y en estas pocas ocasiones la emoción decae. Las escenas campestres son de un vigor, una gracia y colorido incomparables; y en ellas se respira un aire eglógico, en contraste con otras en que se plantean hondos conflictos dramáticos. Así, en el canto VII, cuando el demonio infunde a Isidro sospechas sobre la castidad de su mujer. El poema concluye con la muerte del santo:

> Quedó su rostro divino
> hermoso, resplandeciente;
> que el sol, cuando va a Occidente,
> traspónese en el camino,
> y en otros parece Oriente.

El poeta nos describe al santo en lo físico, pero cuando llega a la parte moral, renuncia ante el temor de fracasar por inhabilidad:

> Pero si os pasáis, pinceles,
> al alma, un ángel Apeles
> pinte de vos lo que sabe.

Poemas históricos y legendarios

Entre estos poemas, cronológicamente ocupa el primer puesto La Dragontea (1598), así llamado por su protagonista, el célebre pirata inglés Francisco Drake (Dragón), de tan infausta memoria para los españoles. Sólo un ardiente patriotismo pudo inspirar a Lope este poema sobre las andanzas y muerte de un audaz aventurero, en cuya vida el halo poético brilla por su ausencia [21]. El autor confiesa en la «Dedicatoria al Príncipe Nuestro Señor» que lo escribió con el doble propósito de celebrar el valor de los españoles y demostrar cómo acaban los enemigos de la Iglesia. Tal finalidad está muy lejos de cumplirse; y, si bien el poema abunda en descripciones maravillosas y en pasajes de alto valor poético, el resultado total es evidentemente pobre. Un suceso contemporáneo no suele ser el más indicado para esta clase de obras. Le falta perspectiva y excluye la intervención de poderes ultraterrenos, recurso obligado en las creaciones del género.

Con La hermosura de Angélica, que sigue a La Dragontea en el orden cronológico (1602), se propuso Lope imitar el Orlando furioso, de Ariosto, como antes lo había hecho Barahona de Soto. Relata las aventuras de Angélica y Medoro, que la rescata del poder de Cerdano. Tampoco aquí consiguió el poeta su propósito: aunque de versificación fácil y armoniosa, la obra se resiente de falta de articulación (parece ser que escribió la primera parte cuando la expedición de la Invencible, y la segunda, unos doce años después). Además, numerosas digresiones, algunas de carácter autobiográfico y siempre extrañas al tema, abultan monstruosamente la obra.

De más empeño y aliento es La Jerusalén conquistada. Ahora es Torcuato Tasso el modelo; de él toma no sólo técnica, metro y asunto, sino casi también el título. Porque su poema se parezca más a la Gerusalemme liberata, hasta le da la misma extensión: veinte cantos. Tasso había cantado en versos inmortales la primera Cruzada y el rescate de los Santos Lugares por Godofredo de Bouillon; Lope escogerá por materia de su poema la tercera Cruzada, a las órdenes de Ricardo Corazón de León, Felipe Augusto y Federico Barbarroja. Pero falseando deliberadamente la historia [22], introduce en el cogollo de la acción a Alfonso VIII de Castilla y a sus caballeros, sobre quienes hace recaer el poeta toda la gloria de la empresa.

El asunto, tomado del libro IV de La gran conquista de Ultramar, se resume en lo siguiente: El sultán Saladino ha vuelto a conquistar Jerusalén, sólo defendida por los templarios y los caballeros de San Juan. Camino de Compostela, un ángel se aparece a Ricardo Corazón de León, excitándole a una nueva cruzada. Alfonso VIII le acompaña. Se apoderan de Chipre, desembarcan en Palestina; pero las disensiones entre los caudillos ponen en peligro el éxito de la empresa. Felipe Augusto vuelve con los suyos a Francia. Quedan en Tierra Santa Ricardo y Alfonso, a quien aquél promete su hija por esposa. El ejército infiel es vencido; pero ante las nuevas que llegan de Europa, los dos soberanos deciden regresar a sus respectivos países, abandonando definitivamente la empresa.

Falta de plan constructivo, embarullada, confusa, La Jerusalén se puede considerar, no obstante sus muchas bellezas aisladas, como un fracaso auténtico. «Yo la he escrito—se justifica Lope—con ánimo de servir a mi patria, tan ofendida siempre de los historiadores extranjeros.» Pero la pobreza de colorido en un escritor de tan rica paleta como Lope, y la escasa consistencia de los caracteres, inducen a pensar que el autor en ningún momento sintió verdadero entusiasmo.

Aún estuvo menos acertado en La corona trágica (1627), sobre la vida, prisión y muerte de la desventurada María Estuardo. Se basa en la Vita Mariae Stuardae Scotiae Reginae, del canónigo escocés Jorge Conn, y dedicada al Papa Urbano VIII. Todas las flores que derrama sobre la Estuardo y todos los insultos con que obsequia a su prima Isabel—nueva Atalía, sangrienta Jezabel, Semíramis britana, Lamia cruel, fingida hiena, furia, tigre, sierpe—no bastan a convencernos de la sinceridad de sus sentimientos; nos suenan a palabras huecas, sin la más ligera emoción. Lope, tan acostumbrado a ver el lado dramático de las cosas, no descubre en la rivalidad de las dos reinas sino una cuestión de derecho y, naturalmente, como buen católico, se coloca al lado de su correligionaria, envolviéndola en un halo de pureza inmaculada, mientras recarga sobre la parte contraria las tintas más sombrías.

Relatos mitológicos

De los poemas de esta clase, *La Circe* (1624) recoge el conocido episodio de la *Odisea,* con el arribo de Ulises a la isla, los amores de Galatea y Polifemo, el descenso al infierno y la profecía de Tiresias, anunciándole todos los eventos hasta el regreso a su patria.

La Filomena (1621) relata en su primera parte la violencia de Tereo sobre su cuñada Filomena, a quien corta la lengua para evitar delaciones, abandonándola luego en medio de la selva, en una cabaña de pastores; así como la venganza que Progne, hermana de Filomena, toma en Tereo y en su hijo. En la segunda parte, de carácter autobiográfico, Lope se presenta transformado en ruiseñor para rebatir los ataques del Tordo (Torres Rámila) [23].

La venganza que toma Perseo de Fineo, al que convierte en piedra por haber requerido de amores a su esposa Andrómeda, forma el tema del breve canto épico *La Andrómeda* (1621) [24].

IV. LOPE DE VEGA, POETA LIRICO

La delimitación de los géneros literarios, difícil en todo escritor clásico, se hace casi imposible cuando se trata del genio multiforme de Lope y, en especial, de su poesía lírica, ya que se halla esparcida con más o menos abundancia por todas sus obras: novela, teatro, poemas épicos o didácticos, etc. Ya hemos indicado que Lope se vuelca por completo en sus libros: sus penas y alegrías, sus odios y amistades, sus triunfos o fracasos en todos los órdenes de la vida, dejaron constancia en ellos. Temperamento vital como ha habido pocos, Lope transforma su vivir en sustancia poética; y basta espigar en cualquiera de sus obras para obtener abundante copia de datos sobre su vida, y, lo que es más importante, sobre su alma. En sus poemas épicos nos sorprenden con frecuencia, ora detalles autobiográficos, ora fragmentos del más subido lirismo; en el teatro gusta de encubrirse bajo el disfraz de cualquier personaje [25], por cuya boca nos revela sus sentimientos, ideas y pasiones; en la novela, finalmente, inserta multitud de poesías líricas, y no de las menos importantes, con alusión a sus conflictos familiares y amorosos, a sus enemigos literarios, a sus gustos e ideas, y ello con tal profusión y riqueza de datos, que nos permite conocerle mejor que a través de cien biografías [26]. Si aceptamos como lírica lo que Vossler conceptúa verdaderamente tal, «toda aquella poesía que nos dice algo humanamente», debemos por fuerza concluir que toda la producción literaria de Lope es lírica, y en el más alto grado. Pero este desparramarse en su obra, esta invasión de lo lírico en los demás géneros, trae consigo una contrapartida: Lope no es lo que ahora se ha dado en llamar un lírico puro; de la misma manera que su épica se llena de rasgos sentimentales, su lírica también en más de una ocasión comporta elementos narrativos [27].

Digamos que al Lope lírico le ha perjudicado en la estimación general su potente, su incomparable genio dramático. No se puede ser así como así el mayor comediógrafo español de todos los tiempos. De aquí que se le haya estudiado preferentemente en su teatro y se le haya preterido en su lírica, sin tener en cuenta que en él es muchas veces lo lírico lo que predomina. Lo ha dicho Rennert y lo ha dicho muy bien: Lope, que como dramático es inmenso, pero discutible, como lírico es insuperable. En el capítulo siguiente tendremos ocasión de insistir sobre este aspecto que aquí sólo dejamos anotado.

Al igual que la mayor parte de los líricos de su tiempo, Lope participa de la doble corriente tradicional y renacentista; sin desdeñar en modo alguno los metros nacionales, adopta los italianos: romances y sonetos, glosas y octavas reales, cantarcillos y silvas se hallan hermanados felizmente en su teatro, en su novela y en su lírica. Como el viejo Horacio, es partidario de verter el vino viejo en odres nuevos. Admite el progreso de la poesía, y en un esbozo de «Cuestión entre los antiguos y los modernos», alaba la finura de aquéllos, sobre todo teniendo en cuenta la época en que escribieron [28]. Si de los italianos admira la elegancia y la majestad del verso, de los antiguos castellanos le hechiza la belleza y concisión del «concepto», en lo que fueron maestros consumados. Por ello se afana en ennoblecer los metros antiguos, y en ellos vuelca bien sus fugaces momentos de intensa vida ascética—*Romancero espiritual* y *Soliloquios,* éstos en redondillas—, o bien devaneos amorosos, en las *Rimas.* Pero también deja los mismos sentimientos, retazos de su vida, en los metros italianos, y ambos tipos de versificación confluyen en las *Rimas sacras,* en las que no sabemos qué admirar más, si al pecador que llora sus desvíos o al místico que se inflama en amor de Dios. Lope, además, es un teorizador. De la misma manera que con el *Arte nuevo de hacer comedias* nos da el canon del teatro, al cual, al menos teóricamente, debe ajustarse el comediógrafo, así también en una serie de pequeños ensayos, ya hemos visto algunos [29], expone su teoría sobre la lírica. En uno y otro caso, el poeta se impone al pensador y, sobrepasando normas circunstanciales, sólo se atiene a los supremos principios indeclinables de la belleza y del arte. Su oposición al culteranismo nace de su propia estética, que aspira a fundir el «concepto» antiguo con las formas nuevas en una

perfecta adecuación de expresión y contenido;
como esta fusión y equilibrio viene a romperse
con el culteranismo, atento preferentemente a lo
formal, Lope, consecuente con su propio credo,
tenía que manifestar su oposición [30].

Expuestos los caracteres generales de su lírica,
vamos a reseñar brevemente lo más destacado de
ella, estableciendo una previa división entre la
de tema religioso y la profana.

Lírica religiosa

Montesinos [31] distingue en ella tres aspectos de
distinta valoración: unas veces se trata de poesía
íntima, nacida de crisis de conciencia, expresión
espontánea de emociones; una especie de petrarquismo a lo divino. Otras, de lírica semipopular,
en torno a misterios candorosamente materiali-
zados, integrada por elementos poéticos diversos,
en los que predominan las «letras» popularizadas.
Por último, cierta lírica basada en una especie de
aberración curiosa que Lope cultivó demasiado y
que constituye algo estéticamente muerto.

En cuanto a la forma métrica, en las composiciones del primero y tercer grupos, hay cierto
equilibrio entre verso largo y corto: sonetos, estancias, romances y redondillas. En el segundo
predomina el corto: romances, endechas, y las
que Lope denomina genéricamente «letras para
cantar».

Destacan en el grupo religioso los *Soliloquios*,
las *Rimas sacras*, el *Romancero espiritual* y los
Triunfos divinos.

Con los *Soliloquios* (1612) da forma tangible
a un proceso ascético-místico que venía inicián-
dose en su alma desde 1609. En este año ingresa
en la Congregación de Esclavos del Santísimo Sacramento. Desgracias familiares van acentuando la
crisis que le lleva al sacerdocio. Fruto de ella son
esos cuatro *Soliloquios* en los que Lope nos muestra su alma al desnudo. De gran sinceridad, interesan más como obra literaria como documento humano: «Es obra importantísima—se lee
en la portada de la primera edición—para cualquier pecador que quisiere apartarse de sus vicios
y comenzar vida nueva.» Piezas hondamente emotivas y escritas en momentos de aguda crisis, adolecen, por eso mismo, de muchas repeticiones. El
poeta se complace en contrastar la bondad y misericordia de Dios con la ingratitud del hombre. No
se olvida de acudir a la Virgen como intermedia-
ria. Algunos pensamientos nos recuerdan la idea
capital del soneto *A Cristo crucificado*:

> Amenazado de vos,
> parece que no os temí,
> y lleno de sangre, sí;
> decid: ¿qué es esto, mi Dios?

Dos años después publica las *Rimas sacras*
(1614). Si en los *Soliloquios* es sólo el hombre, el
pecador arrepentido que implora perdón en un
lenguaje desnudo de toda retórica, aquí es ya el
poeta cultivado, dueño de la palabra y de la técnica del metro, a lo que une, como sacerdote, un
conocimiento profundo de las verdades de la religión.

Obra fundamental en la lírica española, destacan algunos sonetos estimados por la crítica como
los mejores del género, varios romances maravillosos y, para nuestro gusto, también la *Canción
a la muerte de Carlos Félix*.

Son los sonetos:

> Cuando me paro a contemplar mi estado.
> Cuando en mis manos, rey del cielo, os miro.
> Pastor que con tus silbos amorosos.

y de manera especial, el que empieza:

> ¿Qué tengo yo, que mi amistad procuras?
> ¿Qué interés se te sigue, Jesús mío,
> que a mi puerta, cubierto de rocío,
> pasas las noches del invierno escuras?

De las canciones citemos las dedicadas *Al ángel de la guarda*, *A la mudanza* y, sobre todas,
A la muerte de Carlos Félix, en la que no se
sabe qué admirar más, si al católico resignado,
o al hombre dolorido que siente desgarrarse su
corazón al recordar la bondad y candor de su
hijo [32].

La misma orientación ascético-mística tiene el
Romancero espiritual. Muchas de sus composiciones—por ejemplo, los romances de la Pasión—habían aparecido ya en las *Rimas*. En el *Romancero*
vuelve Lope a los metros tradicionales y populares,
con preferencia al romance. Destacan los que
agrupa bajo el epígrafe general de «La redención
del género humano», en los que va siguiendo las
estaciones del Via-Crucis con enfervorizada inspiración [33]. Completan el *Romancero* varias «villanescas» al Santísimo Sacramento y romances de
carácter hagiográfico.

Tras un paréntesis dedicado a la redacción de
los poemas mitológicos y de las novelas a Marcia Leonarda, vuelve al viejo camino y da a la
estampa los *Triunfos divinos*, imitación del Petrarca, pero con carácter religioso. Son cinco cantos en tercetos con unos 1.800 versos [34].

Lírica profana

Analizaremos separadamente las Eglogas, Epístolas y las que denominamos composiciones de
carácter vario.

Eglogas. Entre las églogas destacan tres: *A Amarilis*, *A Filis* y *A Claudio*. Todas de alto valor
autobiográfico, al que se une, en la dedicada *A
Claudio*, un interés crítico literario, ya que en
ella figura la relación de las obras no dramáticas
compuestas por el poeta.

En *Amarilis* nos describe la historia de su último y vehemente amor con doña Marta de Nevares. La cronología de la égloga no coincide exactamente con la realidad; pero los principales avatares de aquella pasión tormentosa se relatan puntualmente, aureolados por una espléndida poesía. Resalta la descripción de la belleza física de Amarilis, su matrimonio por imposición paterna, el inicio de las relaciones con el pastor Elisio (Lope), muerte del marido, locura y ceguera de la hermosa pastora, por venganza de Fabia, antigua amante de Elisio, y muerte prematura de aquélla [35].

En *Filis,* escrita a raíz del rapto de Antonia Clara, se intensifica el dolor del poeta como consecuencia de este lamentable episodio que colmó de amargura el alma de Lope, siendo probablemente la causa de su muerte. Carlos Félix había fallecido; Feliciana, ya casada, vivía lejos; Marcela le había abandonado para ingresar en las Trinitarias; sólo le quedaba Antonia, la hija de sus trágicos y sacrílegos amores con doña Marta de Nevares. Era lo único que alegraba su vejez. Y un día aciago, al volver a casa, encuentra que ha desaparecido raptada por «Tirsi». Las sagaces investigaciones de González de Amezúa han demostrado que bajo este nombre se ocultaba el cortesano don Cristóbal Tenorio y Azofeijo de Villalba. El poeta no culpa a su desventurada hija; culpa a la sirvienta alcahueta.

La égloga *A Claudio,* más bien epístola, interesa por su fondo de autocrítica. Lope en ella se nos revela consciente de su valer: se sabe el creador del teatro nacional y no disimula el orgullo que esto le produce [36].

Epístolas. Género literario de profunda raigambre, es también muy del gusto del Fénix, que lleva a él sus sentimientos personales y sus opiniones literarias, en especial las referentes al culteranismo.

La dedicada a Francisco de Rioja es uno de tantos poemas laudatorios de ingenios poéticos y «de algunos nobles e ínclitos varones»: Olivares, Pastrana, Sessa, Braganza, Espínola, Santa Cruz, etcétera. En las dirigidas a Francisco de la Cueva y a Arguijo arremete una vez más contra sus detractores y censores. La *Epístola al doctor don Gregorio Angulo* ridiculiza el estilo culterano con rasgos que hizo famosos Cadalso en *Los eruditos a la violeta* [37]. Finalmente, las dirigidas *A Amarilis,* poetisa indiana, y a don Francisco de Herrera y Maldonado, aportan no pocos datos biográficos. La primera, hasta la ordenación sacerdotal del Fénix; la segunda, sobre la profesión de Marcela en las Trinitarias.

Obras varias

No podemos ni siquiera aludir a una serie de composiciones incluídas en *La vega del Parnaso,* ni a las que figuran en el *Cancionero general* y en otras recopilaciones de la época [38], así como tampoco a la innumerable cantidad de poesías líricas insertas en sus novelas y obras teatrales. La vena inexhausta del Fénix lo llenaba todo. Pero no hemos de terminar este apartado sin mencionar dos de sus principales colecciones: *Rimas* y *Rimas humanas y divinas del Licenciado Tomé de Burguillos.*

Realmente, hasta 1602 no publicó Lope un libro de poesías líricas. En este año da a conocer *La hermosura de Angélica, con otras diversas Rimas.* Estas comprenden nada menos que doscientos sonetos, entre los que figuran los inspirados por Micaela Luján (Lucinda), correspondientes a épocas distintas. Los hay que coinciden cronológicamente con sus años de destierro. En ellos, y como siempre, destaca sobre su fondo tradicional su personalísimo sello. Petrarquismo y experiencia, tal es la fórmula preferida en estos primeros poemas. Junto a los inspirados por Lucinda, brillan los de tema mitológico y bíblico, sin faltar los de ambiente típicamente renacentista, *carpe diem: Al triunfo de Judith, Venus y Palas* y *Andrómeda* son los mejores. De los dedicados a Lucinda, los que empiezan «Que otras veces amé, negar no puedo», «Lucinda, yo me siento arder y sigo», «Ya no quiero más bien que solo amaros», y, sobre todos, «Daba sustento a un pajarillo un día», y «Suelta mi manso, mayoral extraño».

Dos años después aparece en Sevilla la *Segunda parte* de las *Rimas,* muy acrecida con nuevas composiciones. Aquí figura la «Epístola al contador Gaspar de Barrionuevo», compuesta durante su estancia en la ciudad del Betis (1603), en la que, después de referirse a la polémica promovida contra él por varios ingenios sevillanos y de anunciar la publicación de *El peregrino en su patria,* hace alusión al saqueo de que eran objeto sus obras [39].

Un año antes de morir, y bajo el seudónimo de Tomé de Burguillos, publica las *Rimas humanas y divinas,* especie de miscelánea de carácter mitad épico y mitad lírico. La primera parte está integrada por *La Gatomaquia,* ya aludida en otro apartado; la segunda, por una serie de composiciones religiosas y profanas, compuestas en diferentes épocas y de muy diverso valor. También aquí encontramos el consabido ataque al culteranismo y las inevitables referencias a su propia vida. Mención especial merecen un grupo de sonetos de carácter burlesco, en que se celebra a una Juana, especie de parodia de los Cancioneros amorosos, tan del gusto del Renacimiento.

Entre las composiciones religiosas, son dignas de recuerdo la *Egloga al Nacimiento de Nuestro Señor* y el *Romance a San Hermenegildo.*

Los ataques al culteranismo presentan dos aspectos: alabanza del propio estilo llano, fácil y conciso, y censura del metafórico e inteligible [40].

NOTAS

1. Una vez muerta doña Isabel de Urbina (1595), Lope solicita el perdón de Jerónimo Velázquez para que le sea levantado el destierro. Accede el padre de Elena Osorio. «Alguien ha pensado—escribe Entrambasaguas—que Lope, viudo y libre, era un buen partido ahora, a los o‘os de Velázquez, para Elena, que también había enviudado. Pero, si algo se le insinuó en esta ocasión, falló.» Obtenido el perdón, Lope se trasladó a Madrid con su hijita Teodora, la cual murió al año siguiente.

2. He aquí la siguiente décima, llena de la peor intención:

> Dicho me han por una carta
> que es tu cómica persona
> entre los manteles mona
> y entre las sábanas *Marta*.
> Agudeza tiene harta
> lo que me advierten después:
> que tu nombre, del revés,
> siendo Lope de la haz,
> en haz del mundo y en paz,
> pelo de esta Marta es.

3. Los hijos de Lope, vivos a la sazón, eran: Marcela y Lope Félix, llamado Lopito, habidos de Micaela de Luján; Feliciana, hija legítima de su segunda esposa, doña Juana de Guardo, y Antonia Clara, habida de doña Marta de Nevares.

4. Vid. JOAQUÍN DE ENTRAMBASAGUAS: *Nuevas investigaciones sobre los restos de Lope de Vega*, Madrid, 1928. «Sus restos venerables—escribe el docto profesor—fueron sacados del nicho en que se le enterraron, porque el duque de Sessa se negó sistemáticamente a pagar los derechos parroquiales, y se arrojaron a la fosa común de la bóveda de San Sebastián, donde yacen confundidos, por cierto, con los de su enemigo Juan Ruiz de Alarcón, que también fueron a parar allí. A los efectos se han perdido, como los de tantos españoles gloriosos.»

5. Vid. FEDERICO CARLOS SAINZ DE ROBLES: *El otro Lope de Vega*, Colec. Austral, Espasa-Calpe, 1941.

6. Vid. JOAQUÍN DE ENTRAMBASAGUAS: *Lope de Vega*, Colec. Pro Ecclesia et Patria, Edit. Labor, S. A., Barcelona, 1936, págs. 266-67.

7. Vid. M. ROMERA NAVARRO: *La preceptiva dramática de Lope de Vega y otros ensayos sobre el Fénix*, Ediciones Yunke, Madrid, 1936, págs. 277 y sgs. El ensayo en cuestión *(Lope, el mayor lírico para sus contemporáneos)* fué publicado por primera vez en el t. XXXV, págs. 190-224 del «Bulletin Hispanique».

8. Vid. AGUSTÍN GONZÁLEZ DE AMEZÚA: *Formación y elementos de la novela cortesana* (Discurso leído ante la R. Acad. Española), Madrid, 1929, págs. 19 y 107.

9.
> No suele el ruiseñor en verde selva
> llorar el nido de uno en otro ramo
> de florido arrayán y madreselva
> con más doliente voz que yo te llamo,
> ausente de mis dulces pajarillos,
> por quien en llanto el corazón derramo,
> ni brama, si le quitan sus novillos,
> con más dolor la vaca, atravesando
> los campos de agostados amarillos;
> ni con arrullo más lloroso y blando
> la tórtola se queja, prenda mía,
> que yo me estoy de mi dolor quejando.

10. Entre ellas destaca el romance «A mis soledades voy». Reducida la obra a sus justas proporciones, ha sido adaptada varias veces al teatro; son dignas de mención las adaptaciones escénicas de don Félix Enciso Castrillón (representada en Madrid, 13 de junio de 1804), y la actual de Eduardo Marquina. Con el título de *Elena Osorio* ha escrito recientemente una comedia don Luis Escobar. Aunque no es, precisamente, *La Dorotea*, está basada en ella en sus líneas generales. Esta obra de Escobar, estrenada en el teatro Goya, de Madrid, el 31 de octubre de 1958, literariamente está escrita con gran decoro y asimilación perfecta del original de Lope.

11. Vid. CARLOS VOSSLER: *Lope de Vega y su tiempo*, «Revista de Occidente», pág. 208, Madrid, 1933, trad. de Ramón de la Serna.

12. Se han identificado muchos personajes de la obra. Aparte los protagonistas, Lope y Elena Osorio, Teodora, madre de Elena, es Inés Osorio; César, el astrólogo, es Luis Rosicler, cuñado de Lope; Julio, quizá Vicente Espinel; don Bela es Francisco Perrenot de Granvela. Gerarda; alcahueta y entremetida, es probablemente un personaje de pura invención. Con poco fundamento se ha identificado con Jerónima de Burgos. Tampoco ha podido señalarse el tipo real de Marfisa, primer amor del poeta, según la ficción literaria.

13. Refiere el martirio de los religiosos muertos en defensa de la fe de Cristo en el Japón durante los años 1614 y 1615. Lope se ciñe con escrupulosidad a las cartas y relatos de los misioneros que le encomendaron la obra.

14. «Hay algunos que a las cosas del ingenio responden con sátiras a la honra, valiéndose de la ira donde les falta la ciencia, y quieren más mostrarse ignorantes y desvergonzados, negando lo que escriben, que doctos y nobles en lo que defienden. En las Academias de Italia no se halla libertad ni insolencia, sino represión y deseo de apurar la verdad.» En la *Cuestión sobre el honor debido a la poesía* dice que la poesía es arte: como tal, no debe ser de invectivas contra defectos personales, y en la de tono amoroso el poeta debe procurar que sea limpia, casta y sincera.

15.
> Lo que a mí me daña en esta parte
> es haberlas escrito sin el arte.
> No porque yo ignorase los preceptos,
> gracias a Dios, que ya tirón gramático
> pasé los libros que trataban de esto...

> Y cuando he de escribir una comedia,
> encierro los preceptos con seis llaves;
> saco a Terencio y Plauto de mi estudio,
> para que no me den voces ....,
> y escribo por el arte que inventaron
> los que el vulgar aplauso pretendieron,
> porque, como las paga el vulgo, es justo
> hablarle en necio para darle gusto.

16. Entre burlas y veras, y en medio de consejos que está muy lejos de poner en práctica, Lope nos ofrece una hábil defensa de su propio arte, aunque con una extraña mezcla de timidez y orgullo: ha compuesto cuatrocientas ochenta y tres comedias, todas las cuales, a excepción de seis, «pecaron contra el arte gravemente». Sobre la adecuación de las formas métricas al pensamiento, escribe:

> Las décimas son buenas para quejas;
> el soneto está bien en los que aguardan;
> las relaciones piden los romances,
> aunque en octavas lucen por extremo.
> Son los tercetos para cosas graves,
> y para las de amor las redondillas...

17. Esta pieza fué recitada con acompañamiento musical, por lo que algunos críticos la consideran la primera zarzuela española en el orden cronológico.

18. Así se expresa el Amor, dirigiéndose a Venus:

> Madre, ya estás vengada:
> de hoy más será llamada
> de ninfas y pastores,
> la selva sin amor, selva de amores.

19. Vid. LOPE DE VEGA: *Poemas*, Edit. Bergua, Librería, Madrid, 1935; pról., edic. y notas de Luis Guarner, pág. 307.

20 Intervención de las fuerzas de la Naturaleza; personificación de la Envidia, que sale del Infierno (canto II) para fomentar la discordia de Isidro con su dueño, Iván de Vargas; los ángeles instruyen a Isidro en los misterios de la Religión (cantos III y IV). El poeta erudito se echa de ver en las frecuentes alusiones a personajes mitológicos, bíblicos y de la antigüedad greco-latina: Helena, Deyanira, Circe, Teseo, Orfeo, Juno, Cerbero, Dánao, Pasifae, Isaac, Raquel, Lía, Herodes, Mesalina, Jenofonte, Platón, César, Cincinato, Trajano, etc. Entre los episodios más emotivos destacan las vidas de los pobres (canto VI), a quien socorre y consuela Isidro, y la leyenda de Gracián Ramírez, alcaide de Madrid, y de sus hijas Clara y Lucía (cantos VIII y IX).

21. El argumento es el siguiente: La Religión, acompañada de sus tres hijas, España, Italia e Indias, acude ante el trono divino a quejarse de las piraterías de Drake. La Codicia, personificada en una hermosa mujer, se aparece en sueños a éste y le incita a que ataque las Indias. Con Drake se juntan John y Richard Hawkins. El poema sigue narrando diversas aventuras de estos tres marinos hasta la captura de Richard y la muerte de los otros dos.

El poema se cierra con un canto en acción de gracias al Todopoderoso, entonado por los cuatro personajes alegóricos. El único episodio emotivo y digno de mención es el relato de la muerte de Rodulfo, sobrino de Drake (canto VI).

22. Lope tenía sobre esto sus ideas personales: «Y cuando todo fuera distinto de la verdad, que no debe ningún español creerlo, basta haber dicho Aristóteles *non poetae esse facta ipsa narrare, sed quemadmodum vel geri quiverint, vel verisimile, vel omnino necessarium fuerit.*» Ya hemos dicho en otro lugar que en el canto XIX se relata la leyenda de los amores de Alfonso VIII y la hermosa judía Raquel, asunto que volverá a tratar el mismo Lope en su comedia *Las paces de los reyes y judía de Toledo.*

23. Excusado es decir que se concede la palma al Ruiseñor:

Pero los dioses luego decretaron
la sentencia en favor de Filomena,
y a su eterno silencio condenaron
el tordo, que hoy con tal vergüenza suena;
y que si hablare, por piedad mandaron
que sólo sea, del delito en pena,
lo que aprendiere con mortal fatiga,
sin saber lo que dice, aunque lo diga.

24. Queremos destacar una octava en que Lope expone su criterio sobre la creación poética: se debe a la inspiración y no al estudio:

Despídase de ser jamás poeta
quien no bebiere aquí, por más que el arte
le esfuerce, le envanezca y le prometa
que el natural es la primera parte;
bien es verdad que le ha de estar sujeta
y no pensar que ha de vivir aparte;
que si arte y natural juntos no escriben,
sin ojos andan y sin alma viven.

25. José María de Cossío, en su discurso de entrada a la Real Academia Española, *Lope, personaje de sus comedias,* ha anotado hasta sesenta y tres en las que Lope interviene con papel más o menos destacado.

26. Buena cantidad de estas poesías, tanto de las insertas en novelas como en comedias, fueron recogidas luego en misceláneas y obras de carácter lírico, como las *Rimas, Rimas humanas y divinas, La vega del Parnaso,* etcétera.

27. Muy difícil, por no decir imposible, la separación de la lírica y de la épica. Para nosotros, ninguno de estos géneros poéticos se da con absoluta pureza: la literatura —como ciencia del espíritu— no puede ser producto de laboratorio, y no hay que buscar en ella una lírica químicamente pura, como se busca un bicarbonato. Obras que todos consideramos épicas: la *Eneida,* la *Ilíada, La Araucana,* el *Orlando furioso,* encierran elementos líricos, y en mayor grado quizá que otras estimadas fundamentalmente líricas. Modernamente, Osvaldo Lira, en su obra *La vida en torno,* aborda esta cuestión de los géneros (ensayo «Lirismo y épica», «Revista de Occidente», Madrid, 1949), y con mayor amplitud Benedetto Croce en su *Estética* y en otras obras.

28. En la *Introducción a la Justa poética* en honor de San Isidro escribe: «Cuestión ha sido muchas veces controvertida entre hombres doctos si los antiguos poetas españoles fueron más excelentes que los modernos, porque de las sentencias, conceptos y agudezas arguyen que si alcanzaran este género de versos largos que Garcilaso y Boscán trasladaron de Italia, no fueran menos hábiles en escribirle que los que ahora le ejercitan, pues nacen en edad que le hallan tan cultivado que primero comienzan por el que por el propio. Yo, a lo menos, nunca me atrevería a estar de una ni de otra parte, así por mi insuficiencia como por la dificultad que hallo en este juicio. Cuando vuelvo los ojos a las agudezas de los poetas españoles antiguos considero que en este tiempo fueran aquellos ingenios maravillosos, y en razón de la bárbara lengua que usaban, de acuerdo de lo que dijo Lipsio de nuestro toledano historiador, el arzobispo don Rodrigo..., que había escrito bien, *quantum potuit in tali aevo.*»

29. Para la estética de Lope ofrecen sumo interés sus *Rimas humanas y divinas* (1634), especie de testamento literario, donde ironiza con frecuencia sobre la propia técnica y la poesía de la época. En este aspecto merecen repasarse los dos sonetos «Discúlpase con Lope de Vega de su estilo».

30. ¿Podríamos pensar que la oposición al culteranismo se origina del temor de dejarse seducir por la magia verbal de la poesía de Góngora? De ser así, Lope se guardaría de caer en la tentación.

31. Vid. LOPE DE VEGA: *Poesías líricas,* vol. I, «Clásicos Castellanos», Madrid, 1941; ed., pról. y notas de J. F. Montesinos, págs. xx-xxi.

32. Es admirable la estructura de esta canción, que podemos dividir en seis momentos y en dos partes:

a) El poeta ofrece a Dios su propio corazón en el de su hijo Carlos. Si como hombre se duele de la pérdida de un hijo amado, como cristiano se siente dichoso:

Mas cuanto al alma, ¿qué mayor consuelo
que lo que pierdo yo me gane el cielo?

b) Tras el ofrecimiento viene la resignación; el providencialismo que profesa el poeta le hace conocer que Dios busca siempre el bien de sus criaturas:

Quiera yo lo que vos, pues no es posible
no ser lo que queréis, que no queriendo
saco mi daño a vuestra ofensa junto.

c) Reconoce la justicia de aquella muerte; el amor al hijo le hacía olvidar el debido a Dios. Con la muerte del ser más querido ya no hallará impedimento terreno para amar al Creador:

¡Oh, cómo justo fué que no tuviese
mi alma impedimentos para amaros,
pues ya por culpas propias me detengo!
¡Oh, cómo justo fué que os ofreciese
este cordero yo para obligaros,
sin ser Abel, aunque envidiosos tengo!

Tras esta introducción y exposición—soliloquio con Dios—viene la segunda parte como digno complemento:

a) Recuerdo humano del niño; su bondad natural, la gracia de los juegos infantiles, en los que tan activa parte toma el poeta:

Yo para vos los pajarillos nuevos,
diversos en el canto y los colores,
encerraba, gozoso de alegraros;
yo plantaba los fértiles renuevos
de los árboles verdes...

b) Contraste entre las dos vidas, la terrena y la espiritual. Carlos ha conseguido con su muerte todo cuanto no puede dar aquélla:

Hijo, pues, de mis ojos, en buena hora
vais a vivir con Dios eternamente
y a gozar de la patria soberana.

c) Colofón: el padre pide al nuevo ángel que transforme su pena en gloria:

Yo os di la mejor patria que yo pude
para nacer, y ahora, en vuestra muerte,
entre santos, dichosa sepultura;
resta que vos roguéis a Dios que mude
mi sentimiento en gozo...

33. Tienen especial interés los referentes a «La Oración del huerto», «Ecce-Homo», «A Cristo en la cruz», «La muerte de Cristo», etc. La técnica es en todos los romances la misma: tras la relación del hecho expresado en el título, vienen unas consideraciones ascéticas; así, en el romance «Despedida de Cristo de su Madre Santísima», ante la soledad de los dos, el poeta hace exclamar a su alma:

Llega y dile: «Virgen pura,
¿queréis que yo os acompañe?»
Que si te quedas con ella,
el cielo podrá envidiarte.

34. Los títulos son: 1. Triunfo del pan divino. 2. Triunfo de la ley natural. 3. Triunfo de la ley de gracia. 4. Triunfo de la Religión. 5. Triunfo de la Cruz santísima. Completan la obra una serie de sonetos de diverso asunto y el poema religioso *La Virgen de la Almudena,* ya aludido.

35. El poeta muestra su afán de inmortalizar este amor:

Si como tengo más amor, tuviera
de Petrarca el ingenio, tanto honrara
tu muerte, que con Laura compitiera,
y más, pues más la amé, la eternizara;

mientras viviere la inmortal esfera,
¡oh dulce de mis ojos, prenda cara!,
yo te prometo que tu nombre sea
luz de mi ingenio y de mi pluma idea.

36   Hubiera sido yo de algún provecho
si tuviera Mecenas mi fortuna;
mas fué tan importuna,
que gobernó mi pluma a mi despecho;
tanto, que sale (¡qué mortal porfía!)
a cinco pliegos de mi vida el día.
Mil y quinientas fábulas admira,
que la mayor el número parece;
verdad que desmerece
por parecer mentira,
pues más de ciento en horas veinticuatro
pasaron de las musas al teatro.

37.   No habéis de decir bien de Garcilaso
ni hablar palabra que en romance sea,
sino latinizando a cada paso...,
porque jamás pareceréis poeta
si alguna paradoja o desatino
no les encaramáis cada estafeta...
Diréis a mil preguntas importuno,
en plática de haber algún poeta,
latinos cuatro y español ninguno;
y advertid que el vocablo se entremeta...
Que en la corte no piensan que hay más cien-   [cia
que hablar en jerigonza estos divinos
y andar con la gramática en pendencia.

38. En el *Romancero general* destacan los romances
que empiezan: «Amada pastora mía», «Mil años ha que
no canto», «Hortelano era Belardo», «De pechos sobre una
torre», «Cuándo cesarán tus iras», etc. En estas composiciones Lope poetiza la historia de los amores con Elena
Osorio y su propio matrimonio con doña Isabel (Belisa).
De las poesías insertas en novelas destacan la aludida
«Serrana hermosa»; en cuanto a los sonetos, canciones,
letrillas, etc., insertas en sus obras dramáticas, es punto
menos que imposible hacer una reseña. Su simple enumeración llevaría muchas páginas. Solamente el *Beatus ille*,
de Horacio, tiene en Lope docenas de paráfrasis e imitaciones.

39   Imprimo, al fin, por ver si me aprovecha
para librarme desta gente, hermano,
que goza de mis versos la cosecha...
No se tiene por hombre el que primero
no escribe contra Lope sonetadas,
como quien tira al blanco de terrero.

En la epístola a Juan de Arguijo nos da su concepto
del género:

Las cartas ya sabéis que son centones,
capítulos de cosas diferentes,
donde apenas se engarzan las razones.

40.   También soy yo del ornamento amigo;
sólo en los tropos imposibles paro,
y deste error mis números desligo;
en la sentencia sólida reparo,
porque dejen la pluma y el castigo
oscuro el borrador y el verso claro.

BIBLIOGRAFIA

I. Indices, catálogos, obras no dramáticas: *Bibliografía de Lope de Vega*, por Luis Guarner: I, Obras dramáticas; II, Obras no dramáticas; III, eds. de Obras completas; IV, Antologías poéticas; V, Bibliografía general,
Madrid, 1935.—*Notas sobre la cronología lopesca*, «Rev.
Filol. Esp.», XIX, 1932, por S. Griswold Morley.—*Apuntes
para una bibliografía de las obras no dramáticas atribuidas a L. de V.*, por J. Millé Giménez, «Rev. Hisp.», 1928.—
Obras escogidas, Aguilar Ed., Madrid (tres tomos, el 2.°
con «Poesía y prosa»).—*Eine L. de V. bibliographie*, por
L. Pfandl, «Deutsche Literaturzeitung», núm. 38, 1916.—
Para una bibliografía de L. de V., por J. Gómez Ocerín,
«Rev. Filol. Esp.», I, 1914.—*Obras no dramáticas*, ed. C.
Rosell, «Bibl. Aut. Esp.», XXXVIII, 1956.—*Colec. de obras
sueltas* (prosa y verso), ed. llamada de Sancha, preparada por Cerdá y Rico, 21 vols., Madrid, 1776-1779, con
prólogos e índices. Hay numerosas ediciones parciales, que
harían la lista interminable.—*Ensayo de una bibliografía
de las obras y artículos sobre la vida y escritos de Lope
de Vega*, por J. Simón Díaz y J. de José Prades, Madrid,
1955.

Biografías y estudios generales: J. M. AICARDO: *Lope
de Vega como hombre y como poeta sagrado*, «Razón y
Fe», 1904.—R. DEL ARCO: *Lope de Vega*, «Hist. gen. de las
lit. hisp.», III, Barcelona, 1953.—L. ASTRANA MARÍN: *Vida
azarosa de L. de V.*, (con facsímiles, retratos y láminas),
Barcelona, 2.ª ed., 1941.—JOSÉ BAEZA: *Lope de Vega*,
2.ª ed. Barcelona, Araluce, 1953.—C. A. DE LA BARRERA:
Nueva biografía de L. de V., t. I de la ed. de las «Obras
de Lope» por la Acad. Esp., Madrid, 1890.—MARCEL CARA-
YON: *Lope de Vega*, París, 1929.—MAX V. DEPTA: *Lope de
Vega*, Breslau, 1927.—M. ENK: *Studien über L. de V.*,
Viena, 1839.—J. DE ENTRAMBASAGUAS: *Lope de Vega*, Bar-
celona, Edit. Labor, 1936; *Estudios sobre L. de V.*,
2 tomos, C. S. I. C., 1946.—ANTONIO FLORES: *Lope de
Vega*, Madrid, 1935.—R. GÓMEZ DE LA SER-
NA: *Lope, viviente*, Buenos Aires, Espasa-Calpe, 1954.—
E. GUNTHNER: *Studien zu L. de V.*, Rottweil, 1895.—
J. E. HARTZENBUSCH: *Fray Lope de Vega Carpio*, «Amé-
rica», VI, 1862.—WILHEM HENNINGS: *Studien zu L. de V.*,
Göttingen, 1891.—E. LAFFOND: *Etude sur la vie et les
oeuvres de L. de V.*, París, 1857.—MENÉNDEZ PELAYO: *Adi-
ciones a «Nueva biografía de L. de V.»* de C. A. de la
Barrera, Madrid, 1890.—JOSÉ F. MONTESINOS: *Estudios so-
bre L.*, Méjico, 1951.—A. MOREL-FATIO: *Lope de Vega*,
«The Encyclopaedia Britannica», vol. XXVII, 11.ª ed.,
1911.—HOGO ALBERT RENNERT: *The Life of Lope de Vega*,
Glasgow, 1904; hay una trad. esp. por Américo Castro,
Madrid, 1919.—F. C. SAINZ DE ROBLES: *Lope de Vega*,
«Obras escogidas», ed. Aguilar, Madrid, 1945.—ISMAEL SÁN-
CHEZ ESTEBAN: *Fray Lope de Vega Carpio*, Madrid, s. a.—
GUILLERMO DE TORRE: *Lope de Vega y su mundo*. «Asom.»,
núm. 4, II. 1946.—KARL VOSSLER: *Lope de Vega und sein
Zeitalter*, Munich, 1933; hay una trad. esp. por Gómez de
la Serna, Madrid, 1935.—M. J. WOLFF: *Lope de Vega*,
«Intern. Monatsschrift für Wissenschaft, etc.», 1920.—
FRANCISCO M. ZERTUCHE: *Perfil y entraña de L. de V.*,
«Armas y Letras», XIII, Monterrey, 1956.

Aspectos parciales: N. ALONSO CORTÉS: *Documentos relativos a L. de V.*, «Bol. Real Acad. Esp.», III, 1916; *Sobre el hermano de L. de V., Francisco*, «Misc. vallisoletana», 1912; *Los cuñados de Lope*, «Art. histórico-literarios», Valladolid, 1935; *Doña Isabel de Urbina, primera
mujer de L. de V.*, «Bol. Real Acad. Esp.», XIV, 1917.—
A. CASTRO: *Alusiones a Micaela Luján en las obras de
L. de V.*, «Rev. Filol. Esp.», V, 1918.—J. M. Cossío:
*Algunos datos sobre Lope contenidos en su «Fama pós-
tuma»*, «Bol. Bibl. M. Pelayo», XI, 1929; *La patria
de Micaela Luján*, «Rev. Filol. Esp.», XV, 1928; *Lope,
personaje de sus comedias*, disc. en la Real Acad. Esp.,
Madrid, 1948.—E. COTARELO Y MORI: *Sobre quién fuese
el raptor de la hija de Lope de Vega*, «Rev. Bibl., Arch.
y Museos», año III, 1926; *Ascendencia de L. de V.*, «Bol.
Real Acad. Esp.», II, 1915; *Los amores de Lope y Micaela
Luján*, «Bol. Real Acad. Esp.».—ALDA CROCE: *La «Canción
a la muerte de Carlos Félix», di L. de V.*, «Est. dedicados
a M. Pidal», IV, 1953.—J. DE ENTRAMBASAGUAS: *Nueva
investigación sobre los restos de L. de V.*, «Bol. Acad.
Hist.», XCII, 1928; *Los famosos «Libelos contra unos có-
micos»*, «Bol. Acad. Bellas Artes», 1933; *Un amor de
Lope de Vega desconocido, La Marfisa de «La Dorotea»*.
Madrid, 1935, rectificado luego en la «Rev. Filol. Esp.»;
El Madrid de L. de V., Madrid, C. S. I. C., 1952.—FAURIEL:
Les amours de L. de V., «Rev. des Deux Mondes», 1843.—
A. GONZÁLEZ AMEZÚA: *Unas honras frustradas de L. de V.*,
«Rev. Hisp.», LXXXI, 1933; *Un enigma disfrazado. El
raptor de la hija de L. de V.*, 4 tomos, Madrid, 1935-1943.—
S. GRISWOLD MORLEY: *The pseudonimes and literary dis-
guises of L. de V.*, Berkeley, Univ. of California, XXXIII,
1951.—M. HERRERO GARCÍA: *Sobre la profesión del padre de Lope*, «Rev. Ayunt. Madrid», X, 1933; *La España que recorrió L. de V.*, «Fénix», I, 1935.—LORD RI-
CHARD HOLLAND: *Some account of the Live and Writtings
of L. de V. and Guillén de Castro*, 2 vols., Londres,
1817.—A. HUARTE: *Lope y Tomé Burguillos*, «Rev. Fil.
Esp.», IX, 1922.—F. A. DE ICAZA: *Las cartas de L. de V.*,
«Rev. Occidente», V, 1924; *L. de V. sus amores y sus
odios*, Madrid, s. a.—E. LAFUENTE FERRARI: *Los retratos
de L. de V.*, Madrid, 1935.—J. MILLE Y GIMÉNEZ: *Un
epigrama latino de L. de V.*, «Rev. Hisp.», LI, 1921;
L. de V. y la Armada Invencible, «Rev. Hisp.», LVI, 1922;
La juventud de L. de V., Buenos Aires, 1922; *Don Miguel de Carpio, tío de L. de V.*, Buenos Aires, «Nosotros»,
1923; *Lope de V., alumno de los jesuitas y no de los
teatinos*, «Rev. Hisp.», LXXII, 1928; *L. de V. y la su-*

puesta poetisa Amarilis, «Rev. Ayunt. Madrid», VII, 1930.—CASIMIRO MORCILLO: *L. de V., sacerdote*, Madrid, Eds. Fax.—F. DE ORMAZA: *L. de V. y Elena Osorio*, 1917.—C. PÉREZ PASTOR: *Datos desconocidos para la vida de L. de V.*, «Hom. a M. Pelayo», I, 1901; *Sobre el nacimiento de una hija, Jacinta, de Lope, fruto del matrimonio con doña Juana de Guardo*, «Memorias R. Ac. Esp.», X; *Sobre la hermana mayor de Lope, Isabel*, «Mem. R. Ac. Esp.», X; *Proceso de Lope de Vega por libelos contra unos cómicos*, Madrid, 1901.—G. REYNIER: *Le dernier amour de L. de V.*, «Rev. de Paris», julio, 1897.—ROBERT RICARD: *Sacerdoce et littérature dans l'Espagne du Siècle d'Or. Le cas Lope de Vega*, «Lettres Romanes», Lovaina, 1956.—BLANCA DE LOS RÍOS: *La parroquia de Lope*, «Ilustr. Esp. y Amer.», I, 1899.—F. RODRÍGUEZ MARÍN: *L. de V. y Camila Lucinda*, «Bol. R. Ac. Esp.», I, 1914.—F. C. SÁINZ DE ROBLES: *El «otro» Lope de Vega*, Espasa-Calpe, Colec. Austral, núm. 114.—MARÍA CONCEPCIÓN SALAZAR: *Nuevos documentos sobre L. de V.*, «Rev. Fil. Esp.», XXV, 1941.—JOSÉ SIMÓN DÍAZ: *Una semblanza del raptor de la hija de Lope*, «Rev. de Literatura», IX, 1956.—A. T. VON SHACK: *Sobre el casamiento de L. de V.*, «Hist. de la literatura dramática», vol. II.—MARÍA TIETZE: *Lope de Vega und Amarilis*, disc., Würzburg, 1927.—ELÍAS TORMO: *Sobre los retratos de L. de V.*, «Rev. Crit. Hispanoamericana», núm. 116.—PILAR VÁZQUEZ CUESTA: *Nuevos datos sobre doña Marta de Nevares*, «Rev. Fil. Esp.», XXXI, 1947.

II. Obras en prosa: LUIS GUARNER: *Lope de Vega, prosista*, «Prosa variada», I, Madrid, 1935.—J. P. WICKERSHAM CRAWFORD: *The seven liberal Arts in Lope's Arcadia*, «Modern Lang. Notes», 30, 1915.—*La Dorotea*, ed. de Blecua, Madrid y Puerto Rico, 1955; de Américo Castro, Renacimiento, Madrid, 1913.—Estudios: A. GONZÁLEZ DE AMEZÚA: *En el tercer centenario de La Dorotea*, «Bol. R. Ac. Esp.», XIX, 1932.—FÉLIX MONGE: *«La Dorotea», de Lope de Vega*, tirada aparte de «Vox Romanica», vol. XVI, Berna, 1958.—FRANCISCO M. ZERTUCHE: *«La Dorotea», obra autobiográfica*, «Armas y Letras», Monterrey, XIII, 1956.—*Novelas*, ed. de J. D. Fitz-Gerald, «Romanische Forschungen», vol. XXXIV, 1913-1915.—G. CIROT: *Valeur littéraire des nouvelles de L. de V.*, «Bull. Hisp.», XXVIII, 1926.—Para este apartado deben consultarse asimismo los estudios generales sobre Lope citados anteriormente.

III. Poesía narrativa: LUIS GUARNER: *La épica de Lope de Vega*, pról., ed. y notas críticas a «Fiestas de Denia», «Descripción de La Tapada», «La mañana de San Juan», «La selva sin amor», «Laurel de Apolo», «El Isidro», «La Filomena», «La Circe», «La Andrómeda», «La rosa blanca», «La Gatomaquia», «Poemas» (Madrid, 1935).—*Arte nuevo de hacer comedias*, ed. de A. Morel-Fatio, «Bull. Hisp.», vol. III, 1901.—A. FARINELLI: *Reseña crítica sobre la ed. de «El arte nuevo» de Morel-Fatio*, «Arch. der Neueven Sprachen», CIX.—R. MENÉNDEZ PIDAL: *Lope de Vega. El arte nuevo y la nueva biografía*, «Rev. Fil. Esp.», 1935.—ALBERTO M. OTEIZA: *El «Arte nuevo» de L. de V.*, «Humanidades», 34, La Plata, 1954.—*El Isidro*, ed. de Américo Castro, Madrid, 1918.—TIMOTEO ROJO: *Las fuentes históricas del «Isidro»*, Madrid, 1935.—*La Gatomaquia*, ed. de A. Lista, Madrid, 1840; otra ed. con pról. y notas por Agustín del Campo, Madrid, «Bibl. Clásica Castilla», 1948; otra con introd. y notas de Rodríguez Marín, Madrid, 1935.—*La Dragontea, La hermosura de Angélica, La Jerusalén conquistada* y demás poemas largos, en la ed. de Sancha, Madrid, 1776-1779. *La Jerusalén conquistada. Epopeya trágica*, ed. y est. crítico de J. de Entrambasaguas, 3 vols., Madrid, 1951-1954.—Estudios: RAFAEL LAPESA: *La «Jerusalén» del Tasso y la de Lope*, «Bol. R. Ac. Esp.», XXV, 1946.—LUCIE-LACY: *La «Jerusalén» de Lope de Vega et la «Gerusalemme liberata» du Tasse*, «Rev. des Langues Romanes», XLI, 1898.—FRANK PIERCE: *The literary epic and Lope's «Jerusalén conquistada»*, «Bull. of Hisp. Studies», XXXIII, Liverpool, 1956.—*La Dragontea*, ed. del Museo Naval, con pról. de G. Marañón, 1935.—Estudios: DOROTHY OFFMAN: *Lope de Vega's «La Dragontea». Sources and models*, «Florida State Univ. Studies», 1952.—J. A. RAY: *Drake dans la poésie espagnole*, Paris, 1906.—DIEGO MARTÍN: *Culteranismo en «La Filomena»*, «Rev. Fil. Esp.», XXXIX, 1955.

IV. Poesía lírica: *Poesías de L. de V.*, ed. de J. López Sedano, «Parnaso Español», vols. I, III, IV, VII, VIII y IX, Madrid, 1768-1772; «Bibl. Aut. Esp.», XVI, XXXVI, LII; ed. de Mele, «Bull. Hisp.», III, 1901. *Poesías líricas*, con pról. y notas, «Clásicos Castellanos», preparada por José F. Montesinos, 2 vols., Madrid, 1926-27.—LUIS GUARNER: Pról., ed. y notas a *Rimas sacras, Soliloquios, Rimas, Romancero espiritual, El jardín de Lope de Vega y otras epístolas, Triunfos divinos, Amarilis, Rimas humanas y divinas, Filis, La vega del Parnaso, Poesía lírica*, 2 tomos, Madrid, 1935.—AMADO ALONSO: *Vida y creación en la lírica de Lope de Vega*, «Cruz y Raya», 1936.—DÁMASO ALONSO: *Lope de Vega, símbolo del barroco*, «Poesía española», Madrid, Edit. Gredos, 1952.—A. ALTSCHUL: *Lope de Vega als Lyriker*, «Zeitschrift für Romanische Philologie», 51, 1931.—VITTORIO BORGHINI: *Poesia e letteratura nei poemi di L. de V.*, Génova, 1949.—J. DE ENTRAMBASAGUAS: *Cartas poéticas de L. de V. y Liñán de Riaza*, «Fénix», 2, 1935.—J. G. FUCILLA: *Concerning the Poetry of L. de V.*, «Hispania», California, 15, 1932.—OTTO JOEDER: *Die Formen des Sonetts bei L. de V.*, Halle, 1936.—J. F. MONTESINOS: *Contribución al est. de la lírica de L. de V.*, «Rev. Fil. Esp.», XII, 1924-25.—M. ROMERA NAVARRO: *L. de V., el mayor lírico para sus contemporáneos*, «Bull. Hisp.», XV, 1933.—MARÍA ANTONIA SANZ CUADRADO: *Pról. y notas a «Soliloquios amorosos» de Lope de Vega*, Madrid, «Bibl. Clásica Castilla», 1948.—A. RESTORI: *I sonetti de L. de V.*, «Arch. Romanicum», 11, 1927.—SISTER MARY PAULINA ST. AMOUR: *A Study of the Villancico up to Lope de Vega*, Univers. Católica, Washington, 1940.—MARÍA GOIRI DE MENÉNDEZ PIDAL: *De L. de Vega y del Romancero*, Zaragoza, 1953.

CAPITULO XXXVII

LOPE DE VEGA: B) TEATRO

I. Clasificación de la obra dramática.—II. Autos sacramentales e históricos: *Caracteres. Análisis.*—III. Comedias religiosas: *Bíblicas. De santos. Leyendas y tradiciones devotas.*—IV. Mitológicas, pastoriles e históricas *(de
historia clásica y de historia extranjera).*—V. Crónicas y leyendas dramáticas de España: *De tema visigótico. De tema asturiano-leonés. De tema castellano. «El mejor alcalde, el rey». «La Estrella de Sevilla». «El rey don Pedro,
en Madrid». «El comendador de Ocaña» y «El caballero de Olmedo». «Fuente-
Ovejuna». Historia de Navarra, Aragón y Cataluña.*—VI. Comedias novelescas
y caballerescas.—VII. Otros tipos de comedias: *Costumbristas. Moralizadoras y filosóficas. «El villano en su rincón».*—VIII. Caracteres, estilo y técnica dramática: *El poeta nacional. El intérprete del pueblo.*—Notas.
Bibliografía.

I. CLASIFICACION DE LA OBRA DRAMATICA

La primera dificultad en el estudio del teatro de Lope dimana de su clasificación. Si difícil es ya establecerla con garantías de acierto en otros autores de obra ingente—Calderón, Tirso, Vélez—, júzguese a qué extremos llegará la dificultad cuando se trata de un dramaturgo cuyas comedias se cuentan, ya no por docenas, como en aquéllos, sino por muchos centenares.

Una ordenación cronológica, además de ser siempre confusa, no ofrece posibilidad en el caso de Lope, ya que desconocemos la fecha de la mayor parte de sus comedias y sólo de unas pocas podemos deducirla por alusiones a hechos históricos: las listas de *El Peregrino en su patria* no indican sino que estuvieran escritas antes del 1604 o del 1618, sirviéndonos, en todo caso, únicamente para conocer su autenticidad. Tampoco podemos guiarnos por la publicación de las diversas «partes», ya que en ellas Lope no respetó el orden de composición: *El verdadero amante* y *La pastoral de Jacinto,* insertas en la *XIV* y *XVIII parte*, respectivamente, se sabe que corresponden a su juventud.

El criterio temático, preferido de ordinario y también seguido por nosotros, no ofrece menos inconvenientes. La materia de algunas obras se presta a varios encuadramientos: *El villano en su rincón* tanto es comedia de costumbres rurales como de fondo filosófico; *La discreta enamorada* y *La esclava de su galán* pertenecen al grupo de costumbres urbanas o «alta comedia», que diríamos hoy, y al de comedias de intriga. Otro tanto podría decirse de *Fuente-Ovejuna,* *Peribáñez* y varias más.

No obstante, nosotros hemos seguido este segundo criterio, ajustando nuestra clasificación a la de Menéndez Pelayo, en su magistral estudio sobre el teatro de Lope. Las rectificaciones que se han hecho a don Marcelino son más bien de matiz, de gusto, que de fondo; tal la denominación de «comedias románticas», aplicada por Hennings a un subgrupo de obras de contextura novelesca y trama complicadísima, cuya acción casi siempre sucede fuera de España. También nosotros hemos creído conveniente establecer algún subgrupo dentro de las «costumbristas» y de las «históricas», y ello no por afán de rectificación o corrección en la obra del maestro, sino por simples miras didácticas. El mismo Menéndez Pelayo estaba convencido de que su ordenación, aunque satisfactoria, no era absolutamente perfecta [1].

AUTOS

De nacimiento: *El Nacimiento de Nuestro Señor Jesucristo.*

Sacramentales: *La adúltera perdonada, La siega, La venta de la zarzuela, El heredero del cielo, El pastor lobo y cabaña celestial.*

COMEDIAS

Religiosas.—Antiguo Testamento: *Creación del mundo y primera culpa del hombre. El robo de Dina, Los trabajos de Jacob, La historia de Tobías, La hermosa Esther.*

Nuevo Testamento: *El Nacimiento de Cristo, La madre de lo mejor, El vaso de elección San Pablo.*

De santos: *El cardenal de Belén, El divino africano, El capellán de la Virgen, El serafín humano, Barlán y Josafat, Lo fingido verdadero, El animal profeta y dichoso parricida.*

465

Leyendas devotas: *La buena guarda, La fianza satisfecha.*

Mitológicas.—*El laberinto de Creta, El marido más firme, El Perseo.*

Pastoriles.—*La selva sin amor, Belardo el furioso, La pastoral de Jacinto,*

Históricas.—De historia clásica: *Contra valor no hay desdicha, Roma abrasada, El esclavo de Roma.*

De historia extranjera: *La imperial de Otón, El gran duque de Moscovia, El rey sin reino.*

Crónicas y leyendas de España.—España visigótica: *La comedia de Bamba, El último godo.*

Asturias-León: *Los prados de León, Las famosas asturianas, Las doncellas de Simancas, Las mocedades de Bernardo del Carpio, El casamiento en la muerte, El bastardo Mudarra, Los Tellos de Meneses.*

Castilla (hasta los Trastamara): *Las almenas de Toro, El mejor alcalde, el rey; La desdichada Estefanía, Las paces de los reyes y judía de Toledo, La Estrella de Sevilla, El rey don Pedro, en Madrid; La niña de Plata, El médico de su honra, Audiencias del rey don Pedro.*

Epoca de los Trastamara y Reyes Católicos: *Porfiar hasta morir, Peribáñez y el comendador de Ocaña, Fuente-Ovejuna, El caballero de Olmedo, Los comendadores de Córdoba.*

Epoca de los Austrias: *La serrana de la Vera, El marqués de las Navas.*

Aragón, Navarra y Cataluña: *El testimonio vengado, El príncipe despeñado, La campana de Aragón, El gallardo catalán, La reina doña María, El piadoso Aragonés, El mejor mozo de España.*

Novelescas.—Ciclo carolingio: *Los palacios de Galiana, Los tres diamantes, Las mocedades de Roldán, El marqués de Mantua.*

Oriental: *La doncella Teodor.*

Italianizantes (Boccaccio, Bandello y Cintio): *El halcón de Federico, El castigo sin venganza, La difunta pleiteada, El piadoso veneciano.*

Española: *El remedio en la desdicha.*

Costumbristas.—De enredo: *Los embustes de Celauro, La moza de cántaro, El acero de Madrid, Por el puente, Juana.*

De malas costumbres: *El rufián Castrucho, El anzuelo de Fenisa.*

De costumbres urbanas: *Los melindres de Belisa, La dama boba, La discreta enamorada, El perro del hortelano, La esclava de su galán.*

Moralizadoras: *Sembrar en buena tierra, Quien todo lo quiere..., La prueba de los amigos, Los milagros del desprecio, La villana de Getafe, Las flores de don Juan.*

Filosófica.—*El villano en su rincón.*

II. AUTOS SACRAMENTALES E HISTORICOS: CARACTERES

En Lope no hallamos una fusión perfecta de lo poético y lo alegórico como en Calderón; el auto lopesco atiende más al aspecto histórico. Con frecuencia ni siquiera constituye una apología del misterio de la Eucaristía, cosa rara, por el contrario, en Calderón, verdadero artífice del auto sacramental.

«El auto en manos de Lope—escribe Valbuena Prat—, aunque supone un gran progreso respecto a los antecedentes en riqueza poética, no tiene trabazón suficiente en sus partes. La belleza lírica o sentimental escénica es lo que realza más algunas creaciones perfectas en este aspecto, como *La siega.* Temas de desposorios y celos *a lo divino,* hacen amables estas bellas y subjetivas composiciones del Fénix. Pero no hay el amoldeamiento al simbolismo, ni las figuras abstractas adquieren suficiente relieve.» Hay que avanzar, en efecto, hasta Calderón para encontrarnos con el auto sacramental en toda su plenitud; plenitud que ni siquiera había de alcanzar en los buenos teólogos del ciclo de Lope: Tirso de Molina, José de Valdivielso o Mira de Amescua. Sin embargo, el auto de Lope reviste excepcional interés, en cuanto sirve de modelo a todo un género para lo sucesivo; el mismo Calderón no hubiera alcanzado la meta sin este precedente.

Análisis

Entre los autos de Lope destacan *La adúltera perdonada,* con glosas de letrillas y romances populares, como la de «La bella malmaridada», y la del romancillo de Góngora,

> La más bella niña
> de aqueste lugar.

Este auto, como tantos otros del gran poeta, *La locura por la honra,* por ejemplo, pueden considerarse transformación «a lo divino» de un tema de honor.

El mejor auto de Lope es *La siega,* escenificación de la parábola evangélica del trigo y la cizaña. Aunque resulte hiperbólico el juicio de Tomás Aguiló al comparar algunos pasajes de esta pieza con los mejores de Milton en su *Paraíso perdido,* no puede negarse que es una de las obras maestras del teatro religioso en todos los tiempos. Imposible enumerar todas sus bellezas: entre ellas destacan la relación de la batalla de los ángeles rebeldes, el diálogo entre la Esposa, la Envidia y la Soberbia, y el soneto de la Esposa: «Tiernos enamorados ruiseñores».

Alguno de los autos, como *La venta de la Zarzuela,* tiene más de drama profano que de auto sacramental, y entre las obras profanas podría ser incluído, con sólo suprimirle la alusión final al

Santísimo Sacramento. La Lascivia, disfrazada de serrana, asalta al Hombre que va a Ciudad Real y le entra en su cabaña, donde el Vicio, el Mundo y el Engaño, disfrazados de bandoleros, tratan de perderle. El Hombre echa de menos sus potencias, Memoria, Entendimiento y Voluntad, y al verse en peligro de muerte pide a voces confesión. Le acoge el Pastor Divino que, tras perdonarle, le entrega a la Confesión y a la Penitencia.

El heredero del cielo está tomado del capítulo XXXI del Evangelio de San Mateo: El Labrador celestial pone por guardadores de la viña al Amor divino y al Prójimo, y la arrienda al Sacerdocio y al Pueblo Hebreo, que pronto se entregan a toda clase de disipaciones. El Labrador envía a tres pastores —Isaías, Jeremías y el Bautista— para que recojan el fruto. Los arrendadores les dan muerte. Se presenta, por fin, el Heredero, al que crucifican. A su muerte rásgase el velo del Templo y la voz tonante del Labrador anuncia la maldición sobre Israel y la vocación de los gentiles, con acentos de profética inspiración:

> Derribaré tu templo,
> y no ha de quedar piedra sobre piedra,
> para mayor ejemplo,
> Jerusalén, de ti; que hierba y hiedra
> han de cubrir tus calles,

sin que piedad en los romanos halles.
Mi viña siempre amada
te quitaré, villano Pueblo Hebreo,
y mi iglesia sagrada
daré al Pueblo gentil, pues ya le veo
dejar la Idolatría
para seguir la ley de Gracia mía.

El pastor lobo y cabaña celestial, con la alegoría final de la Eucaristía, dramatiza la parábola del Buen Pastor y la oveja perdida, según el capítulo XV de San Lucas. Verdadera égloga sacra, debe sus mayores bellezas a los elementos líricos que intercala:

> Corderita nueva
> de color de Aurora,
> no sois, vida mía;
> para labradora.
> Por montes viciosos
> pisad clavelinas.
> No son para espinas
> vuestros pies hermosos.
> Pues tenéis celosos
> dos Reyes ahora,
> no sois vos, vida mía,
> para labradora.

De otros autos bastará la simple mención: *El bautismo de Cristo* y el *Nacimiento de Nuestro Señor Jesucristo, Las albricias de Nuestra Señora* y *Los hijos de María del Rosario.*

III. COMEDIAS RELIGIOSAS

Distinguimos tres grupos: de temas bíblicos —subdivididos a su vez en Antiguo Testamento y Nuevo Testamento—, de santos y comedias basadas en tradiciones o leyendas devotas.

Bíblicas

La *Creación del mundo y primera culpa del hombre,* derivada del *Génesis,* puede considerarse como una trilogía formada por el pecado de Adán (1.ª jornada), fratricidio de Caín (2.ª jornada) y muerte de éste herido por la saeta de Lamech (3.ª jornada). La triple acción se enlaza por el vínculo moral y dramático del pecado original. Cubillo de Aragón —de quien hablaremos en otro capítulo— trata el mismo tema en la primera jornada de *Los triunfos de San Miguel. El robo de Dina,* basada asimismo en el *Génesis,* es probable que también forme parte de una trilogía y no constituya un drama aislado. Esto explicaría algunas escenas preliminares: huída de Jacob de la casa de Labán, su lucha con el ángel, reconciliación con Esaú, etc. La obra revela el tacto de Lope en la exposición de asuntos escabrosos. El *Códice de autos viejos* —al que ya hemos aludido en otro lugar— inserta uno anónimo sobre el mismo tema.

Puede considerarse continuación de la anterior *Los trabajos de Jacob o sueños hay que verdad son,* sobre la archiconocida historia de José tan reiteradamente llevada a las tablas en Francia, Italia y España. En ella Lope interpreta con excesiva libertad, tal vez, el relato de la Biblia.

Mayor sujeción al texto sagrado reflejan *Los trabajos de Tobías* y *La hermosa Esther.* De la primera, titulada por el mismo autor «tragicomedia», nos dice que «es traducción fiel de la lengua latina a la castellana..., con la licencia y dilación que la poesía permite». Lope supo infundir aliento dramático a los diversos episodios del «Libro de Tobías».

La hermosa Esther, la más emotiva de las comedias bíblicas de Lope, respira —como acertadamente escribe Menéndez Pelayo— un entusiasmo de la Ley Antigua, una penetración tan honda y perseverante del espíritu hebreo, de su constancia en la persecución y el martirio que maravilla en poeta de tan reconocido abolengo de cristianos viejos y de tan pura y ardiente fe como era la suya. El asunto ha sido tratado repetidas veces; sólo queremos recordar la comedia de Godínez, *Amán y Mardoqueo o la horca para su dueño,* de la que nos ocuparemos en otro capítulo, y el drama del jesuíta expulso, Juan Clímaco Salazar, *Mardoqueo.* Sobre el mismo tema compuso Racine una de sus tragedias más endebles.

Derivada de los Evangelios apócrifos es *La madre de la mejor,* sobre Santa Ana. El *Nacimiento de Cristo* puede considerarse como un auténtico auto del Nacimiento en tres jornadas. Poco interés ofrece el *Vaso de elección San Pablo*, comedia basada en los «Hechos de los Apóstoles», de los que Lope no acertó a sacar todo el partido posible. No deja de ser curioso que un poeta tan respetuoso con los relatos bíblicos intercale en la obra que analizamos un episodio completamente fabuloso: la visión del propio entierro por Saulo, episodio repetido después con otros personajes en obras de Cristóbal de Lozano, Espronceda, Zorrilla, etc.

De santos

Forman un grupo nutrido en nuestro teatro, ya que encuadran bajo una denominación común, tanto las que se refieren a un personaje elevado a los altares, como las que recogen una simple leyenda o tradición devota. Estas últimas tienen casi siempre por protagonista una persona de vida licenciosa que, tocada por la gracia, suele acabar en el retiro, aureolada por la santidad, o marcha en busca de la palma del martirio. La mayor parte de los temas derivan de alguna de las numerosas colecciones hagiográficas o *Flos Sanctorum* tan frecuentes en la Edad Media y todavía en el siglo XVII; y su mayor defecto procede de la falta de unidad, ya que casi todas son un zurcido, mejor o peor hecho, de episodios incongruentes, sin más lazo de unión que la persona del protagonista.

Las «comedias de santos» fueron durante el siglo XVIII, en el período en que se exacerbó la censura condenatoria de nuestro teatro clásico, las que llevaron la peor parte. Los ataques eran de orden estético y moral. En el aspecto estético se las acusaba de escasa teatralidad y monotonía excesiva en los caracteres. En efecto, el tipo de bandolero que se convierte está repetido hasta la saciedad. En el aspecto moral se quería ver en ellas cierta profanación del sentimiento religioso y hasta una lección contraproducente, al tratarse casi siempre de grandes pecadores que terminaban en los altares. No veían aquellos espíritus «ortodoxos», que lograron de Carlos III la prohibición de los autos sacramentales, que la Misericordia y la Justicia son dos atributos divinos, y que el dramaturgo puede poner de relieve el que más se acomode a la lección de ejemplaridad perseguida por la obra, sin que la salvación tras el arrepentimiento—hecho nuclear de casi todas estas comedias—esté en pugna con ningún dogma católico. Menos consistencia tienen aún los reparos de orden estético: «La comedia de santos —escribe Menéndez Pelayo—no puede proscribirse en tesis absoluta..., ha producido maravillas en nuestro teatro. Lo que hay es que no todos los santos, sino un pequeño número de ellos, sirven para la escena: sólo los que han tenido vida dramática exterior pueden ser héroes de dramas. Se puede hacer una comedia de santos con un

bandolero arrepentido, una adúltera penitente, un ermitaño que se condena por desconfiar de la misericordia de Dios, con un sabio que por la posesión de una mujer vende su alma al demonio, pero de ningún modo puede hacerse con un doctor de la Iglesia que nunca tuvo en su vida lances de comedia, como no se tenga por tal la persecución que algunos malos clérigos le movieron en Roma [2].»

El repertorio de Lope es muy abundante en comedias de este tipo. Destacan *El cardenal de Belén*, sobre la vida de San Jerónimo, con numerosos anacronismos e inexactitudes; la trilogía sobre San Isidro [3], salpicada de pasajes de gran belleza lírica; y *El divino africano*, referente a la juventud de San Agustín y su conversión, tal como se cuenta en las *Confesiones*. Lope sabe sacar el mayor partido de la agitada vida del obispo de Hipona, con escenas maravillosas y de extraordinario interés, como los diálogos del santo con la apasionada madre de Adeodato y con Santa Mónica. Algunos de los más inspirados versos de sus *Rimas sacras* se encuentran en esta obra, a la que el autor acertó a llevar, sin duda, su propio conflicto erótico-místico.

Menos interés tiene—aunque se refiere a una tradición ampliamente difundida en nuestra península—*El capellán de la Virgen*, asunto ya tratado por Berceo en el primero de sus *Milagros de Nuestra Señora*, y al que ya nos hemos referido. Es difícil precisar la fuente de donde lo tomó Lope, ya que el tema se halla en todas las colecciones marianas.

Las dos comedias más interesantes del grupo son *Barlán y Josafat* y *Lo fingido verdadero*. El asunto de la primera—que en algunos catálogos figura con el título de *Los dos soldados de Cristo*—proviene de una novela mística atribuida a San Juan Damasceno, que, como ya hemos indicado en otro capítulo, sirvió a don Juan Manuel para su *Libro de los Estados*. Se trata de una cristianización de la leyenda de Buda, tal como se encuentra en el *Lalita Vistara*. Lope no conoció, claro está, los relatos orientales, pero pudo servirse del *Flos Sanctorum*, de Rivadeneira, que no sigue fielmente, sino enriqueciéndolo con nuevos lances para dar mayor relieve a la acción e infundirle más intenso dramatismo. Inserta un conflicto amoroso entre el protagonista y la princesa cautiva Leucipe, tipo femenino delicadamente diseñado. La rapidez con que se suceden los lances —tentación de Leucipe, vacilación de Josafat, renuncia del reino, conversión y muerte de su padre, huída al desierto, etc.—quitan brillantez a la acción principal, que queda como anegada en una selva de aventuras.

Menéndez Pelayo señala la influencia de esta comedia en la concepción de *La vida es sueño*, de Calderón.

Una de las comedias más bellas del autor y de

las más interesantes por su ideología dramática es *Lo fingido verdadero*. Dedicada a Tirso de Molina, se basa en la vida de San Ginés, mártir y representante, tal como la relata en su *Flos* el Padre Rivadeneira. Su mejor elogio lo hizo, sin proponérselo, Sainte-Beuve, al analizar la tragedia de Rotrou, *Saint-Genest*, imitada de Lope. Está demostrado que Rotrou llega a traducir versos enteros de la obra castellana.

Otro interés, aparte del puramente literario, nos ofrece la comedia, en cuanto nos revela un ángulo nuevo en la ideología dramática de Lope: defiende que el representante debe sentir lo que dice; y, al igual que el poeta, nunca podrá producir una obra inspirada si no se identifica en ideas y sentimientos con el ser imaginado. Es el *si vis me flere* horaciano, elevado a tesis antes que Diderot lo hiciera en *La paradoja del comediante*[4]. Fiel a esta concepción, el protagonista, hasta tal punto se identifica con el personaje encarnado por él ante Diocleciano, que se delata a sí mismo, declarándose seguidor de Cristo[5].

El prodigio de Etiopía, derivada del mismo *Flos*, dramatiza la vida de San Moisés anacoreta y obispo. Como antecedente de técnica calderoniana puede considerarse *Los dos locos por el cielo*, tomada del *Flos* de Villegas[6].

Digna de mención por su interés novelesco y trágica poesía es *El animal profeta y dichoso parricida, San Julián*[7], atribuída repetidas veces a Mira de Amescua. En el fondo presenta muchos puntos de contacto con la tragedia de Edipo; cristianización de una leyenda, como en el caso de *Barlán y Josafat*. Del mito griego tiene el fondo fatalista: un ciervo dotado de voz profética anuncia a Julián que dará muerte a sus padres; el terrible oráculo llega a cumplirse, a pesar de los esfuerzos de aquél por evitarlo[8].

Leyendas y tradiciones devotas

En leyendas y tradiciones devotas se basan *El niño inocente de La Guardia*, *La buena guarda* y *La fianza satisfecha*. La primera recoge el proceso del judío Jucé Franco, quemado en Avila (1491); y el martirio del famoso Niño de La Guardia. Obra hondamente emotiva y de delicados toques populares, refleja el odio más vehemente a la raza judía. Bécquer ha tratado un asunto similar en su *Rosa de pasión*: aquí la víctima es una doncella judía, martirizada por su propio padre.

La buena guarda se refiere a la conocida «leyenda de sor Beatriz», de tan amplia difusión en todas las literaturas. Lope acierta plenamente al presentarnos un conflicto entre la sensualidad y el espíritu, sin duda muchas veces experimentado por él mismo. Tema tratado después con gran delicadeza por Vélez de Guevara en el auto *La abadesa del cielo*[9].

Pocas comedias han llegado a nosotros tan estragadas por manos de refundidores y copistas como *La fianza satisfecha*. La grandeza brutal del asunto y la semejanza del protagonista con los de *El Burlador de Sevilla* y *El condenado por desconfiado*, han hecho de ella una de las más discutidas de Lope. Se exageran de tal manera los rasgos de barbarie que —como dice Menéndez Pelayo— «hay que acudir a los héroes de *Tito Andrónico*, *El judío de Malta* o *Tamberlain*, para encontrar una pareja de Leonido. Este personaje, enteramente fisiológico, ebrio de sangre y de lujuria, abunda en el primitivo teatro inglés, pero no en el nuestro. Sólo Lope se atrevió a presentarlo para que nada faltase en su repertorio. Los crímenes de don Juan, Ludovico Enio, Eusebio, Enrico y todos los pecadores que han pasado por nuestra escena, parecen travesuras al lado del rabioso furor y satánicas pasiones de Leonido.»

La obra alcanza toda su grandeza en el desenlace: Leonido muere en la cruz, bendiciendo a los infieles que así le abren las puertas del cielo, y bendecido por su padre, que recobra la vista en el momento de expirar aquél.

Antítesis del tipo de don Juan, ambos protagonistas tienen una frase que constituye el *leitmotiv* de su conducta. El Burlador: «Tan largo me lo fiais»; Leonido: «Que lo pague Dios por mí». En efecto, al final, Dios sale su fiador.

IV. MITOLOGICAS, PASTORILES, E HISTORICAS

La mayor parte de nuestras comedias mitológicas se basan en las *Metamorfosis* de Ovidio, merecidamente llamada la «Biblia de los poetas». Tanto éstas como las pastoriles, responden al afán renacentista de resucitar la antigüedad grecolatina. En lo mitológico predomina un prurito de erudición con frecuencia indigesta; en lo pastoril, el deseo de evadirse hacia una vida mejor; deseo también inspirador de la novela y de la poesía bucólica y al que no sería ajeno el obispo de Mondoñedo, en obras como *Menosprecio de Corte y alabanza de aldea*.

No deja de ser curioso que Lope, espíritu renacentista, que tanto usó y abusó de la mitología y de lo pastoril en sus novelas, lírica y poemas narrativos, llevara tan raras veces esos temas al teatro. Sin duda, con aquella innata penetración para cuanto significaba teatro, se dió cuenta inmediata de su escasa consistencia dramática. Estos tipos eran, eso sí, a propósito para discretos amorosos o para cantos elegíacos, sentados en un ameno prado o junto a una tranquila fuente; pero carecían del dinamismo y el nervio que el teatro requiere; personajes que meditan, sufren y lloran, pero que no actúan. Para que esos personajes mitológicos alcancen categoría dramática es preciso que se muevan a impulso de pasiones humanas, y que sus problemas sean los mismos que puedan agobiarnos a nosotros, tal como sucede en la admirable *Progne y Filomena,* de Rojas Zorrilla.

La escasa consistencia de algunos argumentos queda compensada con la elegancia y primores de la versificación. El mismo Lope reconoce el esmero que puso en estas obras, ya que entre sus cinco mejores comedias no duda en incluir tres mitológicas: *Venus y Adonis, El Perseo* y *El Laberinto de Creta.* Agreguemos por nuestra cuenta una, que no desmerece de las anteriores: *El marido más firme,* historia de los amores de Orfeo y Eurídice, tal como se refiere en el libro IV de las *Geórgicas* de Virgilio.

Orfeo pierde a su esposa la ninfa Eurídice. Desesperado, desciende al Hades y consigue conmover con sus cantos a Proserpina y a Plutón, que acceden a devolvérsela, a condición de que no la mire hasta llegar a la región de la luz. El amor vence y, antes de trasponer el umbral del Hades, Orfeo vuelve la vista hacia su esposa. Se oye un gran trueno y Eurídice es arrebatada nuevamente a los Infiernos. Hasta aquí el relato virgiliano que luego completa Lope con otras fuentes. Desesperado Orfeo, desprecia a las mujeres tracias, que, en venganza, le despedazan en unas fiestas bacanales. Las aguas del Hebro arrastran la cabeza del músico y cantor, cuya lengua fría repite lastimeramente el nombre de Eurídice.

En *El Perseo* se repite el mismo argumento que en el poema épico *Andrómeda; El laberinto de Creta* alude a la conocida leyenda de Dédalo y Pasifae, y los amores de Ariadna con Teseo. Citemos entre las pastoriles *Belardo furioso* y *La pastoral de Jacinto.* En la primera expone una trama igual a la de *La Dorotea,* ya que en ambas Lope nos refiere sus amoríos y rompimiento con Elena Osorio, a la que en la comedia da el nombre de Jacinta. Tal vez el rasgo más interesante es la presentación de Galterio, padre de Belardo, que, como dice Cossío, «tiene la intervención más patética y simpática de todo el conflicto». *La pastoral de Jacinto,* una de las primeras comedias que salieron de la pluma del Fénix, ofrece un rasgo de alto valor psicológico: Lope, bajo el nombre de Belardo, aparece como secretario y confidente amoroso, oficio que desempeñó varias veces en su vida.

En todas las comedias de este tipo se percibe cierto tono de ironía, tal vez porque el autor se dió cuenta desde el principio de la falsedad del género. De trama pobre, interesan—como ya hemos dicho—por los primores de la versificación.

Lope, temperamento lírico como pocos, puede dar rienda suelta a su fantasía en un ambiente apropiado a la idealización de sus aventuras amorosas.

De historia clásica

Fundándose en la relación de Herodoto sobre la infancia y hazañas de Ciro, compone Lope *Contra valor no hay desdicha,* la más lograda de sus comedias basadas en la historia clásica.

Astiages, rey de los medos, informado por horóscopos de que su nieto está predestinado a reinar en su lugar, ordena a su valido Harpago que le dé muerte. Condolido éste del niño, lo entrega a un pastor para que ejecute la sentencia del rey. Mitrídates—que así se llama el pastor—lo cambia por un hijo suyo, que acaba de nacer muerto, y educa como propio al futuro Ciro. Transcurren diez años; en unos juegos infantiles Ciro, elegido rey de los muchachos, manda azotar a uno de ellos, dando órdenes y conduciéndose en todo como verdadero rey. El padre del azotado acude a Astiages, y el rey reconoce en Ciro a su nieto, certificándole de la verdad del hecho Harpago y Mitrídates. En castigo a su desobediencia, Astiages manda degollar al hijo de Harpago y servirlo en un banquete a su padre. Ciro regresa a Persia; Harpago le insta a que se subleve contra Astiages, que al final es depuesto por su nieto. Este, ya en el trono, perdona a su abuelo, al que mantiene siempre cerca de sí.

El contraste entre la grandeza de aspiraciones de un hombre y la humildad de su cuna se repite constantemente en nuestro teatro, así como el recurso del juego o ficción para identificar su personalidad. Ciro, en los juegos infantiles, se siente rey, y como tal ordena y dispone. En presencia de Astiages declara:

> Y yo también en mi aldea
> soy rey de los labradores.

La mayor virtud—y ésta es una hermosa lección que se desprende de la obra—consiste en vencerse a sí mismo. Así lo proclama Ciro al derrotar a su abuelo:

> Porque es tan alta la gloria
> de perdonarte vencido,
> que hasta este punto no ha sido
> verdadera la victoria.

Los caracteres están bien trazados, en especial el de Ciro y el de Astiages, de hipócrita crueldad. Como en tantas obras de Lope, destacan por su belleza algunas escenas de ambiente bucólico.

A diferencia de otras comedias en que sigue puntualmente una crónica sin preocuparse poco ni mucho de la multiplicación de lances ni del engranaje perfecto de los acontecimientos, aquí sintetiza los hechos; prescinde de lo relativo al nacimiento e infancia de Ciro, que nos presenta ya joven. Los sucesos anteriores son conocidos por relaciones de Harpago y de Astiages.

El orden, sobriedad y trabazón lógica de *Contra valor no hay desdicha* se transforma en desatino y prolijidad en *Las grandezas de Alejandro*, basada en la historia de Quinto Curcio.

Sobre referencias de Suetonio y Tácito compuso *Roma abrasada*. Menor consistencia dramática tiene aún, si cabe, *El esclavo de Roma*, sobre la popular leyenda de Androcles y el león, recogida por fray Antonio de Guevara en sus *Epístolas familiares*.

De historia extranjera

Dos piezas de positivo valor debemos señalar en este grupo: *La imperial de Otón* y *El gran duque de Moscovia*.

El asunto de la primera, tomado de la *Historia imperial y cesárea*, de Pedro Mexía, es el siguiente: Va a celebrarse la elección a la corona imperial, que pretenden Alfonso X de Castilla, Rodulfo, hermano del monarca inglés, y Otón, rey de Bohemia. La corona se adjudica a Rodulfo. Otón, inducido por su mujer, la reina Etelfrida, combate al emperador electo; pero al fin se aviene a rendirle vasallaje en secreto. Cuando se arrodilla para hacerlo, Rodulfo, envanecido por el triunfo e incumpliendo la palabra empeñada, hace de manera que todo el ejército sea testigo del humillante acto. La justa ira de Otón se desahoga en versos, que forman una de las más inspiradas escenas del teatro de Lope [10]. Vuelto a su reino, es vituperado por su mujer, que le rechaza por haber preferido el sometimiento a la lucha. Otón mueve a guerra a Rodulfo y muere en el combate. La reina Etelfrida, ante el cadáver del marido, hace su más ferviente apología [11].

Los caracteres antagónicos de Otón y de su esposa están trazados de mano maestra: todo lo que tiene aquél de irresoluto y apocado, lo tiene de enérgica y dominadora la reina. Esta es la verdadera protagonista del drama, al atizar sin descanso en el alma de su marido deseos de venganza y de imperio. El regreso de Otón a su casa, tras la rendición de sus armas y su vasallaje ante Rodulfo, y la negativa de la reina a abrirle las puertas de palacio, como castigo a su cobardía, elevan la obra a un plano trágico del que no desciende ya hasta el final.

Lope se aparta de la narración de Mexía con la introducción del embajador de Alfonso X, don Juan de Toledo, gallardo y fanfarrón, como cuadra a un español de la época de los Austrias. Este personaje, aunque satisfaga al orgullo español con el volcánico amor que despierta en Margarita, decidiéndola a disfrazarse de hombre para seguirle, en definitiva resulta poco simpático.

En *El gran duque de Moscovia* se escenifica una suplantación de personalidad análoga a la de *El pastelero de Madrigal* o a *El encubierto*: la del falso Demetrio, hijo de Iván el Terrible de Rusia. La grandeza de la tragedia y lo misterioso de los episodios atrajeron la fantasía de Lope: Iván toma el nombre de Basilio y no es padre, sino abuelo, de Demetrio, al que persigue sañudamente. Muerto Iván, se apodera del trono Boris. Cristina, madre de Demetrio, le entrega a un caballero alemán, Lamberto, para salvarle de la persecución de aquél. Demetrio se refugia en un convento, de donde huye para burlar las asechanzas de Boris. Desde aquí, Lope sigue más fielmente la historia, aunque discrepa en el desenlace: hace suicidarse a Boris para evitar el castigo de Demetrio y considera a éste como el legítimo sucesor.

Las fuentes, dada la cercanía del hecho—Lope compone esta obra unos diez años después de ocurrir los sucesos que dramatiza—, no pueden ser históricas. Lope debió de conocerlo por relaciones de los jesuitas polacos, o españoles venidos de Polonia. Avala esta suposición la circunstancia de que fueron los jesuitas los que más creyeron en la legitimidad del falso Demetrio [12].

V. CRONICAS Y LEYENDAS DRAMATICAS DE ESPAÑA

Constituyen el grupo más numeroso en la producción dramática de Lope. Menéndez Pelayo, que ha estudiado con más extensión, conocimiento y profundidad que nadie la temática y las fuentes del teatro lopista, llega a la conclusión de que su valor poético se aquilata cuando, sobre un hecho nuclear transmitido por la historia o la tradición, puede fantasear por cuenta propia; mientras que, obligado a seguir puntualmente una crónica o una historia, pierde en virtudes artísticas. Esta afirmación se comprueba considerando el valor desigual de las comedias de este grupo. Junto a piezas de tanto mérito como *Fuente-Ovejuna*, *Peribáñez*, *El casamiento en la muerte*, *El caballero de Olmedo* o *El mejor alcalde, el rey*, encontramos otras casi indignas de figurar a su nombre. Nunca raya a mayor altura que cuando sobre un motivo popular—cantarcillo, refrán, cuento o menuda tradición—deja volar libre la fantasía para reconstruir las costumbres de una idílica vida campesina. La *Crónica General* del Rey Sabio es con frecuencia la fuente de estas obras, aunque rara vez se limita a un solo texto: narraciones, consejas, historias particulares, romances, todo es utilizado en la reconstrucción vastísima de esta historia dramática y poética de nuestro pueblo, desde sus más remotos orígenes hasta los mismos días del poeta. Ante la imposibilidad de una reseña completa, nos limitaremos a breves indicaciones sobre las más destacables.

De tema visigótico

Sobre la España visigoda son dignas de mención *La comedia de Wamba* y *El último godo*. Wamba y don Rodrigo han sido los únicos reyes godos que han tenido versiones en el teatro clásico. Después, el neoclasicismo, y sobre todo el romanticismo, ampliarán el cuadro: Ataúlfo y Recesvinto les seguirán en popularidad.

Cronológicamente, *La comedia de Wamba* debe continuar la de *El capellán de la Virgen*, incluída por sus elementos religiosos entre las de «santos», con la cual enlaza por medio de la relación del milagro de la casulla, puesta en boca de Atanagildo al principio de la obra. Lope se aparta de la Historia al hacer que Wamba muera envenenado por el ambicioso Ervigio. Tiene bellos versos, en especial los de alabanza de la vida campestre puestos en boca del futuro rey. Cubillo de Aragón se sirvió de ella para la tercera jornada de *Los triunfos de San Miguel*, y en el romanticismo, Zorrilla la aprovecha para *El rey loco*, obra de escaso valor literario.

El último godo puede considerarse como una trilogía, que en su primera jornada dramatiza los amores de Rodrigo con la Cava; en la segunda, la venganza y traición del conde Julián, y en la tercera, la restauración por obra de Pelayo. El principal encanto de esta comedia estriba en los romances de sabor trágico y lírico que en ella se insertan.

Asturiano-leonés

A la historia del reino astur-leonés pertenecen, entre otras, *Las doncellas de Simancas*, *Las famosas asturianas*, *El casamiento en la muerte* y *Los Tellos de Meneses*.

Sobre la ignominiosa leyenda del «tributo de las cien doncellas» versan las dos primeras. En *Las doncellas de Simancas*, aparte la competencia amoroso-caballeresca entre Abdala e Iñigo López, la figura del rey Mauregato llena la obra con su siniestra grandeza. Desde su aparición en escena se señala el complejo trágico que le domina; complejo que se agrava por los conflictos de conciencia. El pacto nefando, hecho por el rey, levanta contra él a todos los elementos:

> Hasta el campo, las hierbas y las flores
> conjuran contra mí viles temores.

La ambición de reinar le lleva a pactar con los árabes el infame tributo. Es en vano que pretenda autojustificarse con su mayor derecho al trono; la voz de la conciencia no cesa de acosar al desdichado monarca:

> No hallo parte segura,
> sosiego en vano el alma ya procura;
> en el gusto, en la mesa, hasta en el sueño,
> de un desconsuelo en otro me despeño.

Siete de las doncellas destinadas al tributo se cortan las manos para evitar su deshonra, ya que, según el pacto de las «vírgenes», debían ser dechado de hermosura y «sanidad». Una de ellas, Elvira, increpa valientemente a los moros encargados de recoger el tributo:

> Mancas las siete estamos; vuestros fueros,
> moros, no quebrantéis; pedid que sea
> como deben y suelen ofreceros,
> cabal el feudo, sin que en él se vea
> el estrago mayor, los golpes fieros
> que la una mano en la otra mano emplea,
> porque a no mejorarse nuestra suerte,
> aun quedan manos para darnos muerte.

Las siete heroicas doncellas quedan libres y, además, consiguen la inmunidad para su villa.

En una tradición recogida por el caballero Lope García de Salazar, en el *Libro de las bienandanzas y fortunas* (1471), se basa el tema de *Las famosas asturianas*: Reinando Alfonso II el Casto, los árabes reclaman el tributo concertado por Mauregato. Alfonso, impotente para enfrentarse contra los árabes, encarga a Nuño de la conducción hasta tierra de moros. En el viaje, una de ellas, Sancha, se despoja de sus vestidos hasta quedar enteramente desnuda; pero a la vista de Córdoba vuelve a vestirse. Interrogada por Nuño, que al principio la juzga demente, sobre los motivos de tan extraña conducta, responde que ella no siente vergüenza de mostrarse desnuda ante «mujeres»; pero, en cambio, ante los moros, como muy «hombres» que son, se siente avergonzada. Su alusión a la cobardía de sus compatriotas tiene la virtud de despertar el valor de los cristianos que, en vez de entregar a las doncellas, arremeten contra los árabes. Enterado Alfonso de lo ocurrido, sanciona el hecho y se niega a cumplir el pacto [13].

Sobre la leyenda del héroe de Roncesvalles nos ha dejado *Las mocedades de Bernardo del Carpio* y *El casamiento en la muerte*, obras de valor desigual. Atropellada la primera, llena de vigor la segunda, nos presentan a un Bernardo pendenciero y fanfarrón. Brilla por su grandeza trágica la escena del reconocimiento y legitimación de Bernardo en la segunda. «Si esta escena estuviera en Shakespeare—ha escrito Menéndez y Pelayo—, todo el mundo la sabría de memoria y no hubiera habido palabras con que ensalzarla. Como está en Lope, ni los españoles se acuerdan de ella.»

Por su valor descriptivo de la vida campesina y el trazado de los caracteres, son dignas de mención las dos comedias sobre *Los Tellos de Meneses*. Algún rasgo de tono filosófico nos recuerda a *El villano en su rincón*.

De asunto castellano

La época del condado de Castilla sugiere a Lope *El conde Fernán González* y *El bastardo Mudarra*. Tomadas las dos de la *Crónica General*.

resultan difusas con exceso, ya que, frente al sintetismo de otras comedias, trata aquí de encerrar en el drama todos los episodios de la vida del conde castellano y la tragedia íntegra de los siete Infantes de Lara.

La historia de León y Castilla, desde su constitución en reino unido hasta los Reyes Católicos, se refleja en todo un ciclo dramático, que puede considerarse auténtica crónica poética de cuatro siglos y medio. Sólo cabe mencionar unos pocos títulos.

En *Las almenas de Toro,* dedicada a Guillén de Castro, se da acceso por única vez, dentro del teatro de Lope, al tema del Cid. La obra deriva del romance «En las almenas de Toro, — allí estaba una doncella.» Lope relega a segundo plano la toma de Zamora y aprovecha la enemistad de Bellido Dolfos con don Sancho: aquél, enamorado de doña Elvira, se compromete a entregar la plaza de Toro, siempre que el rey le otorgue la mano de la dama; entrega la plaza, pero el monarca incumple su promesa. Para vengarse huye a Zamora y da muerte a don Sancho.

«El mejor alcalde, el rey»

Viene de la *Crónica General,* según señala el mismo Lope; es uno de tantos dramas en que se hace la apología del poder real, enfrentándolo a una nobleza levantisca y despótica. La técnica de estas obras—*Infanzón de Illescas, Peribáñez, Los novios de Hornachuelos,* etc.—es siempre la misma: el rey se pone al lado del plebeyo para restablecer la justicia atropellada por un noble. Interesa como cuadro de época y reflejo de unas costumbres bárbaras, pero llenas de dinamismo. Lope, con certero instinto poético, sustituye el despojo de una heredad por el rapto de la doncella, lo que da más emoción a la trama, a la vez que hace más odiosa la conducta de don Tello.

Argumento: El villano Sancho, al servicio de don Tello, se va a desposar con la hermosa Elvira; don Tello impide la boda y por la noche rapta a la novia. Sancho acude al rey; éste le entrega una carta ordenando que don Tello le restituya la prometida. El infanzón desacata la orden y maltrata a Sancho, que acude de nuevo al soberano. Este, argumentando que «el mejor alcalde, el rey», va personalmente al palacio de don Tello; inquiere la verdad de los hechos, manda prender a don Tello, le obliga a desposarse con Elvira, en reparación de su honor, y al fin ordena que sea decapitado, para que aquélla pueda casarse con Sancho, llevando en dote la mitad de la hacienda del ofensor. La autoridad real queda salvada; y la justicia reconocida por el mismo culpable.

Obra de caracteres enteros, destacan el de Sancho, prototipo de amantes leales; Elvira, corazón sencillo y apasionado hasta el sacrificio; Nuño, su padre, pundonoroso y digno; Feliciana, fiel y adicta a su hermano, según requiere la organización social de la época; y finalmente, don Tello, orgulloso y consciente de su poder, que sólo acata al monarca; pero sobre todos, resplandeciente de sencilla majestad, el rey.

Notable por los primores de versificación, en especial las décimas de Sancho y Elvira con que se abre la comedia y el romancillo final en que aquélla da cuenta al rey de su deshonra.

«La Estrella de Sevilla» y otras

La desdichada Estefanía, inspirada en la *Historia* de fray Prudencio Sandoval, dramatiza la leyenda trágica de esta hija natural de Alfonso VII, muerta por su celoso esposo y víctima de la traición de una criada. Alcanza momentos de singular belleza y acentos dignos de Shakespeare: tal es aquel en que Fernán Ruiz de Castro descubre a Isabel, causante de su desgracia, oculta tras el lecho de Estefanía [14].

Basándose también en la *Crónica General,* compuso *Las paces de los reyes y judía de Toledo,* que abarca una gran parte del reinado de Alfonso VIII, aunque en sus dos últimos actos se refiere especialmente a la famosa leyenda de los amores del rey con la judía toledana, llevada por primera vez al teatro con el nombre de Raquel. En esta obra, como antes en *La Jerusalén conquistada,* Lope convierte al rey castellano en cruzado y conquistador de Palestina [15].

La Estrella de Sevilla, cuya atribución a Lope ha sido puesta en tela de juicio, es una de las obras más deformadas en manos de copistas y refundidores.

Se sitúa en el reinado de Sancho IV, el *Bravo,* y alude a la resistencia de cierta dama sevillana de singular hermosura, Estrella, a las pretensiones amorosas del rey. Sorprendido éste por Busto Tabera, hermano de la dama, en la alcoba de ella, el monarca, para ocultar su deshonor, encomienda a Sancho Ortiz de las Roelas, prometido de la dama, que dé muerte a Busto. Sancho sacrifica los sentimientos de amor y de amistad ante el cumplimiento de la palabra empeñada con el rey.

Especial predilección mostró Lope por la persona de don Pedro el *Cruel,* al que casi siempre presenta con rasgos de justiciero. Para Lope, don Pedro es el rey juicioso que sabe disculpar los errores y devaneos juveniles de su hermanastro don Enrique, con quien se enfrenta a veces en competencia amorosa. En otras ocasiones, don Pedro es el vencedor de sí mismo: sabe refrenar sus caprichos y pasiones y encarna al monarca que mantiene, frente a una nobleza levantisca y despótica, la razón de los débiles y la autoridad del trono. En el primer aspecto tenemos *La niña de plata, Lo cierto por lo dudoso, El médico de su* honra y *La carbonera*; en el segundo, *Audiencias del rey don Pedro* y *El rey don Pedro en Madrid y el infanzón de Illescas*. Completa el grupo de comedias sobre este reinado, formando todo un ciclo dramático, *Los Ramírez de Arellano*, de carácter genealógico más que histórico. Basada en la *Crónica del canciller Ayala*, tan hostil a la persona de don Pedro, no hace falta decir que su conducta resulta poco loable.

La Niña de Plata presenta algunos rasgos similares a *La Estrella de Sevilla*. Comedia amena y de flúida versificación. Dorotea es uno de los más graciosos y delicados retratos femeninos trazados por la pluma de Lope; su ingenuidad, coquetería y hasta ligereza, lejos de restarle simpatía, la hacen más atractiva. Sabe defender su honor de las asechanzas del infante don Enrique, que acaba proclamando su honestidad.

Destaquemos la conocida composición «Un soneto me manda hacer Violante» y la escena en que se predice la trágica muerte de don Pedro a manos del infante.

El argumento de *Lo cierto por lo dudoso* presenta rasgos análogos con la comedia anterior: El rey don Pedro y su hermano bastardo don Enrique aman a doña Juana, que corresponde al infante, siendo inútiles todos los esfuerzos del rey, quien llega a ofrecerle la corona de Castilla para torcer su voluntad. Convencido don Pedro de lo inútil de sus pretensiones, reacciona con nobleza y favorece los amores de los dos amantes.

En esta comedia, como en otras de su edad avanzada, Lope demuestra el pleno conocimiento de la psicología femenina, en el que, salvo Tirso, ningún dramaturgo de la época le aventaja.

Como la anterior, no tiene más fondo histórico que los nombres de los protagonistas, ya que la rivalidad entre los dos hermanastros no fué ciertamente de tipo amoroso.

En competencia amorosa no con su hermano, sino con el noble caballero don Juan de Velasco, se nos presenta al mismo rey don Pedro en *La carbonera*, comedia amena y bien versificada, pero carente de toda base histórica: Una hermanastra suya, hija de doña Leonor de Guzmán, huyendo de la proscripción que pesa sobre la familia, se ha refugiado en la cueva de un carbonero, del que se hace pasar por hija. Don Pedro, que ignora el parentesco, se enamora de ella; pero la dama le rechaza, fiel al amor de su antiguo galán. Aclarado todo, el rey aprueba las relaciones.

En un plano completamente distinto se nos muestra la figura del mismo monarca en obras como *El rey don Pedro en Madrid y el infanzón de Illescas*. Aquí lo que interesa antes que nada es el mantenimiento de la autoridad real y la reparación de la justicia, conculcada a cada paso por los nobles levantiscos.

«El rey don Pedro en Madrid y el infanzón de Illescas»

Es la mejor del grupo, y había sido atribuída por Hartzenbusch, con escaso fundamento, a Tirso de Molina, atribución sustentada recientemente por Blanca de los Ríos. Cuatro nombres se barajan como posibles autores: Tirso, Calderón, Claramonte y Lope. Descartada la paternidad de Calderón por razones estilísticas y la de Claramonte, adocenado refundidor de obras ajenas, por incapacidad de crear obras de tan recia contextura, quedan Tirso y Lope. Pero, aparte de que la figura de don Pedro no aparece en todo el teatro del fraile mercedario, existen razones que inclinan a atribuírsela a Lope casi con absoluta certeza. El estilo, la técnica, la misma ideología corresponden a su teatro: don Tello se expresa en idéntico tono autoritario que su homónimo de *El mejor alcalde, el rey* o que Lope Meléndez de *Los novios de Hornachuelos*; la aldeana atropellada lleva el mismo nombre—Elvira—en la comedia que en *El mejor alcalde*; como en ésta, la acción se inicia en un ambiente rural y con unas décimas; en fin, el recurso de sombras y aparecidos, tan frecuente en Lope, también se utiliza aquí.

Comedia intensa, de fuertes contrastes, y que refleja a las mil maravillas la descomposición social de una época, se hace notar por la psicología de don Pedro, soberbiamente trazada. En su ánimo chocan con violencia su jerarquía real y su orgullo de hombre; y a veces, como en la escena en que lucha de incógnito con don Tello, se impone su personalidad privada [16].

Lope revela gran intuición artística y especial conocimiento del alma humana en la preparación del castigo de don Tello, haciéndole atravesar una serie de salones del Alcázar sin encontrar a nadie y con la orden terminante de que espere al rey. Cuando llega a presencia de éste, la personalidad del orgulloso infanzón está ya anulada. Proceso que vemos empleado en nuestros días por ciertos regímenes políticos. Moreto lo imitó en *El valiente justiciero y rico-hombre de Alcalá*.

El médico de su honra, inferior a la precedente, quedó totalmente oscurecida por la comedia calderoniana del mismo título.

«El comendador de Ocaña» y «El caballero de Olmedo»

A la época de los Trastamara corresponden *Los novios de Hornachuelos*, perfecta alianza de lo cómico y lo trágico; *Porfiar hasta morir*, sobre la leyenda amorosa del poeta Macías, y dos de las piezas capitales del teatro de Lope y aun de toda la escena española: *Peribáñez y el comendador de Ocaña* y *El caballero de Olmedo*. Cada una de ellas procede de un cantarcillo popular; una vez más, la musa de Lope busca su inspiración en la fresca vena del pueblo [17].

El argumento de la primera se nos da, como en tantas otras, en afortunada sucesión de escenas de ambiente rural y aristocrático: El comendador de Ocaña se enamora de Casilda, esposa del honrado labrador Peribáñez. Ante la honestidad de la villana, para mejor lograr sus deseos, soborna a Inés, prima de Casilda, y nombra a Peribáñez capitán de un grupo de cien aldeanos para que vaya a la guerra. El mismo comendador le ciñe la espada. Peribáñez se ausenta; pero, sospechoso de la traición del comendador (por haber visto en Toledo un retrato de Casilda encargado secretamente por aquél), regresa a su casa y da muerte al comendador cuando intentaba forzar a su esposa. El mismo castigo sufren Inés y Luján, por haber intervenido en la frustrada tentativa de su deshonra. Cuenta lo ocurrido al rey [18], quien no sólo le perdona, sino que le confirma en el nombramiento de capitán.

Peribáñez

Se ha comparado *Peribáñez* con *Del rey abajo, ninguno*, de Rojas Zorrilla. De mérito sobresaliente ambas, el concepto y reparación del honor es distinto. Aquí se trata de un honor villanesco; en la de Rojas, de un honor entre nobles. Blanca y García, aunque se mueven circunstancialmente en medio aldeano, son nobles y hasta descendientes de reyes. Peribáñez y Casilda, dos humildes labriegos. El ofensor en la de Lope es un aristócrata; en la de Rojas, al menos supuestamente, el rey. García, descubierto su error, mata a un rival; Peribáñez, aunque armado capitán por el comendador, mata a un hombre de superior categoría. No importa que el acto de ceñir la espada le invista de cierta fuerza moral; entre ofensor y ofendido hay un abismo. Del mismo modo que al comendador se castiga también a los cómplices; pero su muerte no reviste los caracteres de venganza atroz que vemos en otras comedias de Lope —p. ej., en *Los comendadores de Córdoba*—; no se trata de un caso de «locura por la honra».

Todo contribuye a realzar la excepcional belleza de esta obra: los caracteres de Peribáñez y Casilda, tan delicadamente perfilados; los cuadros de los trabajadores esperando que amanezca; el gesto del labrador vecino, que cede a Peribáñez la casa, para que así entre en la suya y pueda defender a Casilda; el mismo comendador, más fino que el de *Fuente-Ovejuna*, que termina por reconocer la justicia del castigo y la razón que asiste al labrador. *Peribáñez* es una de las piezas del teatro clásico que se sigue representando y entusiasmando al público de nuestros días, como *Fuente-Ovejuna*, como *El castigo sin venganza*, como tantas otras de Lope de Vega.

En *El caballero de Olmedo*, sobre un hecho real ocurrido en el reinado de Carlos V [19], como en *El mejor alcalde, el rey*, ha bastado un simple cambio de circunstancias en la muerte del protagonista para transformar una mera cuestión de honor en la más bella tragedia amorosa, sobre un asunto ya idealizado por la musa popular:

Don Alonso, «caballero de Olmedo», se ha enamorado de doña Inés en la feria de Medina. Obtiene de ella una cita en el jardín de su casa; pero, al acudir, se encuentra con don Rodrigo y don Fernando, enamorados, respectivamente, de Inés y de Leonor, su hermana, logrando ponerlos en fuga. Al día siguiente aquellos solicitan de don Pedro, padre de las damas, sus hijas en matrimonio. Don Pedro accede. Inés trata de evitar el casamiento con Rodrigo, alegando que quiere ser monja. Con ocasión de la llegada del rey don Juan a Medina se organizan grandes festejos. Don Alonso hace prodigios de valor en la corrida de toros y salva de una muerte cierta a su rival, don Rodrigo. Envidioso éste, a la vez que ciego de celos, decide matarle; a tal efecto, le espera acompañado de don Fernando y de varios criados en el camino de Medina a Olmedo. Don Alonso es asesinado, y su criado Tello acude ante el rey en demanda de justicia. Este ordena que los dos culpables sean degollados en cadalso público.

Lope cuidó con todo esmero tanto el color local como los personajes. Varía la época de la acción, que sitúa en el momento crucial de la Edad Media y el Renacimiento, consciente de que es período más apropiado para la idealización de temas amorosos. Intuye el carácter del abúlico Juan II, que, de acuerdo con la Historia, nos da en un solo rasgo [20].

El protagonista, don Alonso, se mueve desde el inicio al fin de la obra entre su amor a Inés y el presentimiento de su tragedia, presentimiento confirmado por una serie de sucesos: aparición de la sombra enmascarada cuando acaba de despedirse de Inés; canto del labrador al emprender su regreso a Olmedo; sueño en que ve cómo un azor destroza a un tierno jilguero, etc. Se debate entre su fe y los agüeros que le amenazan:

No creo en hechicerías,
que todas son vanidades;
quien concierta voluntades
son méritos y porfías.

Todas sus palabras, hasta las dictadas por el amor, están teñidas de melancolía, y al final del acto II tiene ya conciencia de lo que le va a ocurrir:

Yo, midiendo con los sueños
estos avisos del alma,
apenas puedo alentarme;
que con saber que son falsas
todas estas cosas, tengo
tan perdida la esperanza,
que no me aliento a vivir.

Tello y Fabia, al servicio de don Alonso, aunque figuras secundarias, presentan también acusado relieve. Fabia, según la descripción de don Rodrigo, es digna hija de Celestina [21]. Tello, con los rasgos de socarronería y utilitarismo comunes a los criados del teatro clásico, demuestra su temple de ánimo y su fidelidad delatando ante el rey a los poderosos asesinos de su amo. Completan el cuadro: Inés, delicada y firme amante; el violento don Rodrigo, animado sólo por el odio y el sentimiento de inferioridad ante don Alonso que le vence en el doble plano de la generosidad y del amor; don Fernando, espíritu pusilánime, incapaz de reaccionar ante el furor de Rodrigo.

En un estudio de literatura comparada, la obra podría considerarse un anticipo del drama romántico, tanto por la fuerza de las pasiones como por el trágico desenlace. El lenguaje reproduce muchos giros y expresiones del xv; y el aprovechamiento del cantarcillo popular está plenamente logrado.

«Fuente-Ovejuna»

Con ella, el drama rural se eleva a un plano superior hasta alcanzar la categoría de poema épico. Basada en un episodio histórico del reinado de los Reyes Católicos, convierte milagrosamente ese algo fosilizado que suele ser la Historia en una cosa viva, plástica, palpitante; el poeta ha sabido convertir una simple venganza colectiva en un drama grandioso que tiene por protagonista a todo un pueblo, reflejando de paso aquel interesantísimo momento de transformación social en que el feudalismo venía a sucumbir ante la reforma política de los Reyes Católicos. Este complejo carácter es lo que da su mayor grandeza al drama. El grito de todo un pueblo, unido en el tormento y en su devoción a la monarquía, que presienten como un amparo de sus derechos atropellados, marca toda una transformación de la vida e instituciones en la ya agonizante Edad Media. Lope supera aquí, como en tantos casos, a la Historia.

Argumento sobrio: Los excesos del comendador Fernán Gómez, «monstruo ebrio de soberbia y lujuria» (M. Pelayo), provocan la indignación, primero, y luego, la venganza de sus vasallos. El pueblo de Fuente-Ovejuna, enardecido por Laurencia, al escuchar los atropellos de que a ella y a otras mujeres hizo objeto el comendador, irrumpe en su palacio y le descuartiza. Nombrado un juez para investigar el caso, todos los vecinos, puestos al tormento, al ser preguntados «¿Quién mató al comendador?», responden: «Fuente-Ovejuna, señor.» El rey Fernando perdona a los sublevados y toma la villa bajo su patrocinio [22].

Destacan los caracteres de la pareja Frondoso-Laurencia. No se puede señalar un protagonista, ya que, según se ve en la escena del tormento, el protagonista es todo el pueblo. Sin las escenas finales, el drama conservaría mejor su trágica grandeza, pero perdería en ejemplaridad; la sanción real, en efecto, quita a la obra todo aire de motín popular. A pesar de esto—y de que toda la obra es una afirmación de la monarquía en el momento en que ésta se va a afianzar en el pueblo para combatir a la nobleza, cierta crítica de

orientación socializante ha tomado a *Fuente-Ovejuna* como banderín revolucionario.

Al mismo grupo que las anteriores pertenecen *La Serrana de la Vera*, sobre el romance popular dramatizado por Vélez de Guevara [23], y *Los comendadores de Córdoba*, terrible venganza de honor, llevada a cabo por el veinticuatro de Córdoba en su esposa doña Beatriz de Hinestrosa, su amante, hermano, criados, etc., por adulterio. Se encuentra por primera vez en Antón de Montoro, *El marqués de las Navas*, en la que predomina el elemento maravilloso.

Historia de Navarra, Aragón y Cataluña

En la historia de estos antiguos reinos se inspiran: *El testimonio vengado*, sobre la leyenda de los hijos de Sancho el Mayor de Navarra, cuyo primogénito, García, acusa de adulterio a su madre porque se ha negado a dejarle un caballo que el rey tiene en gran estima. Defendida la reina por un hijo natural de su marido, el acusador confiesa la calumnia, y la reina, en reconocimiento, adopta como hijo a su defensor. La leyenda presenta analogías con la de la emperatriz de Alemania y el conde Ramón Berenguer III, que el mismo Lope dramatiza en *El gallardo catalán*. Sobre el mismo asunto: Moreto, *Cómo se vengan los nobles*, y Zorrilla, *El caballo del rey don Sancho*.

También a la historia de Navarra pertenece *El príncipe despeñado*, una de las pocas piezas de nuestro teatro en que se consuma el regicidio; si bien aquí se presenta como hecho casual. Se refiere a la muerte del rey Sancho IV de Navarra en los riscos de Peñalén. Lope se inspiró en la *Crónica* del príncipe de Viana. El tema recuerda en cierto modo al episodio bíblico de Urías: el rey envía a la guerra al noble don Martín; en su ausencia atenta al honor de su esposa, doña Blanca; cuando el marido regresa, aquélla le descubre la afrenta. Aprovechando una cacería, don Martín arroja al rey por los riscos de Peñalén. Matos Fragoso la refundió con escasa fortuna en *La Venganza en el despeño y tirano de Navarra*.

En *La campana de Aragón*, sobre esta famosa leyenda, presenta a Ramiro el *Monje* más en consonancia con la verdad histórica que con el carácter que le atribuyen otros escritores. En el siglo pasado trataron el mismo asunto: García Gutiérrez y Angel Guimerá, en el teatro; Cánovas del Castillo y Fernández y González, en la novela.

Ya hemos aludido al tema de *El gallardo catalán*, lugar común de las literaturas caballerescas europeas, de donde pasó a las crónicas catalanas. Más que histórico, es drama novelesco.

Sobre las prodigiosas circunstancias que rodearon el nacimiento de Jaime el *Conquistador*, versa *La reina doña María*, asunto tratado antes por

Bandello y llevado por Calderón al teatro en *Gustos y disgustos no son más que imaginación*.

«Mezquina adulación palaciega sin freno ni conciencia», llama Menéndez Pelayo a *El piadoso aragonés*, sobre don Juan II de Aragón. Basándose en las *Décadas* latinas de Alfonso de Palencia y en los *Anales* de Zurita, compuso *El mejor mozo de España*, sobre Fernando el Católico.

VI. COMEDIAS NOVELESCAS

Incluímos también en este grupo las llamadas «caballerescas», en especial las del ciclo carolingio, que, aunque derivadas remotamente de viejos cantares de gesta y de romances, provocaron una serie de libros de caballerías.

Los palacios de Galiana pertenece a la juventud del poeta. Recoge la leyenda de Maynete (Carlomagno) que, perseguido por sus hermanos, se refugia en la corte del rey moro Galafre de Toledo, de cuya hija Galiana se enamora. Tema conocido e incorporado desde antiguo a nuestra literatura, es prosificado ya por Alfonso el Sabio en la *Crónica general*.

Carácter muy distinto tienen *Las mocedades de Roldán*, deliciosa comedia, en la que la emoción dramática alterna con un poético ambiente de égloga. Roldán, sobrino de Carlomagno, se educa, como Bernardo del Carpio, lejos de la Corte y desconociendo su noble origen.

La mejor del grupo es, sin duda, *El marqués de Mantua*, basada en los romances de éste y de Valdovinos.

Argumento sencillo que sigue de cerca el romance: Al celebrarse las bodas de Valdovinos y la infanta Sevilla, Carloto se enamora de la dama. Para lograrla, y aconsejado por Ganelón, proyecta la muerte de Valdovinos. A tal efecto, le invita a una cacería, donde es asesinado. El marqués de Mantua, su tío, le encuentra moribundo. Valdovinos, en sus últimos momentos, le cuenta lo ocurrido. Se presenta a la corte de Carlomagno en demanda de justicia y logra que Carloto sea condenado [24].

La leyenda de Angélica y Medoro, derivada de Ariosto, suministra a Lope el tema de *En un pastoral albergue*, con el mismo título que el conocido romance de Góngora. Y sobre la deliciosa novela caballeresca de Pierres de Provenza y la linda Magalona, compone *Los tres diamantes*.

De novelas italianas

La adaptación de novelas italianas al teatro muestra, una vez más, la habilidad de Lope en la idealización de temas moralmente reprobables. Nuestro poeta procura siempre limar lo escabroso, y lo puramente fisiológico queda envuelto en un halo de caballerosidad e idealismo.

El halcón de Federico, basada en el *Decameron* (novela novena de la IV jornada), nos presenta a un caballero que, después de gastar su hacienda galanteando a una dama, Jovena, se retira a una pequeña finca. La dama enviuda, y con un hijo mozo va a vivir cerca de la casa en que mora su antiguo amante, Federico. El joven intima con éste; cae enfermo y ruega a su madre que pida a Federico un halcón que tiene en gran estima. La dama, esperando que con la satisfacción de tal capricho pueda sanar su hijo, visita al caballero. Este la invita a comer; y, cuando le pide el halcón, confiesa que se lo ha servido en la comida, ya que no tenía otra cosa con que obsequiarla. El joven muere; y Jovena, viendo la constancia y amor de Federico, casa con él.

Sobre el mismo asunto, con ligeras variantes: Tirso, *Palabras y plumas*.

El asunto de *La difunta pleiteada* también deriva del *Decameron* (novela cuarta, jornada X). Lope sigue a Boccaccio en el desenlace, pero no en los detalles. Isabel, enamorada de Manfredo, se casa por imposición paterna con Leandro. Momentos después, la desposada se desmaya; y, creyéndola muerta, recibe sepultura bajo las bóvedas de una iglesia. Allí acude Manfredo, dispuesto a enterrarse con su amada. Al tocarla, nota que el cuerpo está aún caliente; se lleva a la dama a su casa, y hace que recobre el sentido. Dispónese la boda; pero Leandro reconoce a la dama, pone pleito y lo gana.

En *Castelvines y Monteses*, dramatiza —tomándola de Bandello— la difundida historia de los amores de Romeo y Julieta, que inmortalizará Shakespeare. Sobre el mismo tema: Rojas Zorrilla, *Los bandos de Verona*.

La más interesante y una de las mejores de Lope es *El castigo sin venganza*, tomada asimismo de Bandello. Dramatiza los amores adúlteros de Federico, hijo natural del duque de Ferrara, con su madrastra Casandra. La pasión está pintada de mano maestra; un fatalismo grandiosamente trágico empuja a los enamorados, anulando a un tiempo su razón y su voluntad. La suave melancolía poética de los Cancioneros trasciende a la bellísima glosa de «En fin, señora, me veo» [25]. La muerte de los amantes preludia la tesis de venganza secreta a ofensas secretas, que Calderón llevará a sus últimas consecuencias. El duque no quiere publicar su deshonra, pero sí vengar el agravio. A tal fin, hace que Federico dé muerte a Casandra, atada y embozada, haciéndola pasar por un conspirador; e inmediatamente llama a sus criados para que den muerte a Federico, como asesino de su esposa.

VII. OTROS TIPOS DE COMEDIAS

A Lope, tan observador de la realidad cotidiana, no podía pasarle inadvertido el interés dramático de los pequeños conflictos familiares. El, tan ávido de abarcarlo todo, ve en la comedia de «capa y espada», a la vez que recurso propicio para entretener—finalidad primordial de su teatro—, cauce indicado en que volcar sus vastas experiencias. ¿Quién más capacitado que él para describir los celos, el fuego y poder de las palabras amorosas, la burla del sagrado del hogar, las tretas ingeniosas de que se sirven damas y galanes para entrevistarse a espaldas de padres autoritarios, de hermanos celosos y de dueñas ridículas? Sólo con recordar cualquier lance de su azarosa vida tenía él materia para una comedia. Su trato con nobles y con rufianes; su asistencia a tertulias literarias y a fiestas populacheras; su vagar continuo por las ciudades españolas y por los ambientes más diversos, unido a una potente fuerza imaginativa y a una facilidad poética única en el mundo, explican la variedad y encanto de esa larga serie de comedias costumbristas, en las que van retratados todos los tipos sociales, especialmente femeninos, desde la mujer tímida y discreta a la varonil y decidida, aunque no por ello menos femenina; desde la buscona, que urde todas las trazas para aligerar la bolsa de los incautos, hasta la enamorada fiel que no duda en «hacerse esclava de su galán»; desde la dama culta y sabihonda que discute cuestiones filosóficas y problemas estéticos, a la boba que causa con su ingenuidad la desesperación de su padre. Tantos tipos y tantas situaciones hacen que la posterior comedia de costumbres sea sólo repetición del paradigma lopesco.

Costumbristas

Prescindiendo del carácter y contextura moral de las comedias costumbristas, las más celebradas son: El acero de Madrid, La moza de cántaro, La discreta enamorada, La dama boba, El perro del hortelano, La esclava de su galán, El Arenal de Sevilla, Santiago el Verde y Los melindres de Belisa.

En El acero de Madrid nos presenta la ingeniosa estratagema de que se vale la pareja de enamorados Lisardo y Belisa para burlar la pesada vigilancia de doña Teodora. Belisa se finge enferma y es visitada por un médico y su criado, que no son otros que Lisardo y su servidor Beltrán. El galeno prescribe tomas de acero (aguas ferruginosas) y largos paseos, que son aprovechados por la pareja; en tanto que Riselo, amigo de Lisardo, galantea a doña Teodora para que deje en libertad a los amantes. Los celos de la prometida de Riselo complican la trama, que termina felizmente.

En La moza de cántaro, una dama de singular belleza, doña María, es pretendida por varios galanes. Uno de éstos, don Diego, abofetea a su padre, y la dama le da muerte al visitarle en la cárcel. Huye a Madrid, donde sirve de «moza de cántaro», en tanto que sus deudos le negocian el perdón. Aquí es galanteada por don Juan, que la prefiere, creyéndola moza de servicio, a una dama de alto linaje.

El elemento lírico está representado por unos cantarcillos alusivos a la situación de la protagonista. Lope, una vez más, aprovecha la ocasión de satirizar el estilo culterano.

La discreta enamorada plantea el matrimonio basado en la diferencia de edad; La esclava de su galán, de gran belleza lírica, presenta un admirable tipo de mujer, Elena, que por su tacto y gracia, al igual que la Fulgencia de Los embustes de Celauro, acaba por captarse al padre de su prometido, a pesar de la avaricia de éste y de la escasa fortuna de la dama. Santiago el Verde y El Arenal de Sevilla, son cuadros coloristas de la vida madrileña y sevillana, llenos de vigor y brillantez: Los melindres de Belisa merece recordarse por el delicioso carácter de la protagonista, y por ser una de las pocas comedias de Lope en que se guardan las famosas unidades dramáticas, en especial las de tiempo y lugar.

Dediquemos atención especial a El perro del hortelano y La dama boba. En la primera, Diana, condesa de Belflor, pretendida por el marqués Ricardo, no se decide a casar con Teodoro, su secretario, del que está enamorada, por la diferencia social que les separa; pero tampoco accede a que se case con una de sus damas, Marcela, de la que él está enamorado. Desacredita a Marcela ante Teodoro, y pide consejo a éste sobre qué debe hacer una dama enamorada de un hombre que no pertenece a su clase. La ficción, que presenta a Teodoro como hijo del conde Ludovico, cautivo en Malta por los turcos, allana el conflicto planteado en el corazón de Diana, que acaba casándose con Teodoro. Este mismo argumento ha servido de base a la popular zarzuela del maestro Guerrero La rosa del azafrán.

La tesis de que el amor hace discretos, sirve de asunto a La dama boba, en que Lope presenta los contrapuestos caracteres de Nise y Finea:

> Nise es mujer tan discreta,
> sabia, gallarda, entendida,
> cuanto Finea encogida,
> boba, indigna e imperfeta.

Para compensar esta desigualdad, un tío de ambas ha mejorado la herencia de Finea. Su prometido, Liseo, temeroso de los disgustos que puede ocasionarle con su necedad, decide romper las relaciones. Nise es agasajada por una serie de galanes, entre los que se distingue Laurencio. Este, enterado de la superior herencia de Finea, declara cínicamente a su criado que prefiere a la boba. Tras varios lances graciosos, el matrimonio de las dos parejas es el feliz desenlace de la obra.

Moralizadoras y filosóficas

Lope se adelanta a Alarcón en la comedia moral, como también se adelantó Tirso de Molina. Pero el tono moralizador difiere en los tres: en el mejicano es insistencia machacona a lo largo de la obra; en Lope y en Tirso—como se pondrá de manifiesto al hablar del fraile mercedario—no hay sermón; la moral se deduce de la acción, del lógico desarrollo de los sucesos, presentándose en el desenlace como algo natural. La sinceridad, el desinterés, la amistad, son los sentimientos que más exalta el poeta. No se trata de una moral elevada, que exija virtudes heroicas; es más bien una ética que podríamos llamar ciudadana o casera; una moral, que se encamina a poner en la picota los vicios más arraigados en la sociedad de la época: maledicencia, interés, fanfarronería, avaricia, ambición, etc., y a enaltecer sus opuestos. La índole de los temas, basados siempre en costumbres contemporáneas, hace más patente la lección moral. Lope, a diferencia de Alarcón, no llega nunca a ensañarse con los personajes, ni a establecer el contraste entre sus cualidades físicas y su conducta moral.

De las comedias de este grupo debemos citar: *Quien todo lo quiere*, *Sembrar en buena tierra*, *Las flores de don Juan*, *La villana de Getafe*, *La prueba de los amigos* y *Los milagros del desprecio*.

En *Quien todo lo quiere* se plantea el problema de elección entre dos pretendientes: uno de oscuro origen, pero rico; otro pobre, aunque noble. La protagonista, Octavia, se decide, naturalmente, por el rico. Pero luego, favorecido por la suerte el desdeñado, renuncia a Octavia, que ve castigada su ambición con el desprecio de todos.

Sembrar en buena tierra, de tema análogo, aunque con trama más complicada, debió de estar influída por *El mercader amante*, de Gaspar de Aguilar, anterior a la de Lope (1616).

Las flores de don Juan y rico y pobre trocados es una exaltación del amor fraterno: el orgulloso mayorazgo don Alonso va disipando su hacienda en el juego y en mujeres, mientras niega a su hermano lo más indispensable para vivir en el rango que su categoría social exige. La suerte trueca la posición de los dos, y mientras el mayorazgo se arruina, el segundón, don Juan, por sus buenas cualidades ha conquistado el afecto de la condesa de la Flor. Don Alonso demanda socorro de su hermano, que se lo presta generosamente, rescatando las joyas empeñadas por aquél.

Destacan las descripciones de la noche de San Juan en Valencia y el soneto del acto III puesto en boca de la condesa de la Flor, uno de los más bellos de Lope:

Casáronme mis ojos, mis oídos,
mi voluntad, mi propio entendimiento,
dando con la razón consentimiento
al consejo de todos mis sentidos...

A la condenación de la falsa amistad consagra Lope su comedia *La prueba de los amigos*. El protagonista, Feliciano, después de malgastar su hacienda regalando a cortesanas y favoreciendo a los amigos, va a parar a la cárcel. Allí se ve abandonado de cuantos se habían beneficiado antes de su amistad, menos de la fiel Leonarda, con quien contrae matrimonio.

De *La villana de Getafe*, una de las más hermosas comedias costumbristas del teatro clásico y excelentemente versificada, se desprende una profunda lección: la codicia tiene siempre su castigo; y el que, dominado por ella, intenta burlar el cumplimiento de una obligación de honor, en definitiva, tendrá que reparar el daño. Así ocurre a don Félix, seductor de la humilde labradora Inés, lo que no le impide pretender en matrimonio a la rica doña Ana. Unos lances bien urdidos, hacen creer a don Félix que Inés ha heredado una cuantiosa herencia, con lo cual le otorga la mano de esposo, tras declarar la deuda de honor que con ella tenía pendiente.

Por su fondo moral, *Los milagros del desprecio* recuerda *El desdén con el desdén*, de Moreto. Aquí es un don Pedro Girón, enamorado de doña Juana de la Cerda, despreciativa de sus numerosos pretendientes, quien, aconsejado por su criado Hernando, logra el amor de la dama.

«El villano en su rincón»

Con *El villano en su rincón*, otra de las buenas comedias de Lope, éste se asoma a la comedia filosófica. Si, como hemos visto, la fuerza de las pasiones, el aire trágico y melancólico que respiran muchos de los personajes, la violenta solución de los conflictos, hacen de Lope el primer y más señalado precursor del romanticismo, *El villano en su rincón* nos lo muestra enamorado de la forma clásica, de sus motivos e ideología. Toda la obra es una continua paráfrasis del épodo horaciano *Beatus ille*, tantas veces glosado en otras comedias; exaltación de la vida retirada, apología del alejamiento «del mundanal ruido» y diatriba contra la vida cortesana. El significativo nombre del protagonista, Juan Labrador, se ofrece como un modelo a la sociedad española de la época de los Austrias, entregada con todas sus fuerzas al hervor cortesano, hasta el extremo de verse obligados los gobernantes a dictar múltiples premáticas para evitar el éxodo de la población rural y provinciana hacia la corte.

Juan Labrador, rico hacendado, que vive en sus posesiones cerca de París, se siente en espíritu cada vez más alejado de la frivolidad de la corte; en cambio, sus hijos, Lisarda y Feliciano, se desviven por figurar y brillar en ella, lamentándose continuamente del voluntario retiro de su padre. Aprovechan cuantas ocasiones les depara la suerte por vestir a lo cortesano y desplazarse a París. Aquí conoce Lisarda al noble Otón y quedan prendados uno de otro. Con ocasión de una cacería, el rey lee el epitafio que Juan Labrador ha mandado poner sobre su futura tumba [26]. Concibe el proyecto de visitarle y, a tal efecto, se finge alcaide de París. La filosofía, dignidad y llaneza de Juan, que no quiere ver al rey, pero está dispuesto a hacer por él los mayores sacrificios, cautivan al soberano, que decide ponerle a prueba. Le pide primero cien mil escudos, que Juan entrega con gran placer; luego, a sus hijos para educarlos en la corte. Accede a la petición real, pero el dolor le reafirma más en su tesis de la vida retirada. Al fin, es llamado a palacio, donde el rey le nombra mayordomo, hace caballero a Feliciano y apadrina la boda de Lisarda y Otón.

Obra de estructura perfecta, impresiona la entereza de Juan Labrador, que no se cansa de agradecer al Cielo las incontables dichas que el campo le depara. Subrayamos por su versificación admirable—aparte los cantarcillos de sabor popular— el soliloquio del protagonista en el acto I y el soneto del rey (acto III):

La vida humana, Sócrates decía,
cuando estaba en negocios ócupada,
que era un arroyo en tempestad airada
que turbio y momentáneo discurría.

Y que la vida del que en paz vivía
era como una fuente sosegada
que sonora, apacible y adornada
de varias flores, sin cesar corría.

¡Oh vida de los hombres diferente,
cuya felicidad estima el bueno
cuando la libertad del alma siente!

Negocios a la vista son veneno:
¡dichoso aquel que vive como fuente,
manso, tranquilo y de turbarse ajeno!

VIII. CARACTERES, ESTILO Y TECNICA DRAMATICA

Lope, ya lo hemos indicado, agrupa bajo el denominador común de «comedia» todos los elementos dispersos del teatro castellano del período anterior [27]. Sin desdeñar la aportación de algunos renacentistas, Gil Vicente, Torres Naharro y Juan del Encina, y de los dramaturgos que le precedieron inmediatamente, Rey y Artieda, Cervantes y Virués, hay que convenir en que es Lope quien da estructura definitiva a un teatro eminentemente nacional; y que, ateniéndose a las normas y directrices por él establecidas, ese teatro perdura hasta nuestros días.

Lope abre los caminos más intrincados, se siente seducido por todos los géneros, que somete a mil formas cambiantes; y, a pesar de ello no pierde en intensidad lo que gana en extensión. En cada grupo de los señalados por Menéndez Pelayo en su teatro—que puede servir de paradigma para toda la dramática española de los siglos XVI y XVII—nos ha dejado varias obras de imposible superación. Se ha dicho que Lope apunta el camino y que sus seguidores llegarán a rebasarle en algunos aspectos [28]. Creemos que se trata de un error de perspectiva. Y, en todo caso, nos atrevemos a afirmar que el teatro de Lope, visto en conjunto, no ha sido superado por nadie. Lo que perjudica al Lope dramaturgo, es el número ingente de sus obras. Y esto por dos razones: primera, al no poder conocerlas todas, se corre el riesgo de juzgarle por un número limitado; segunda, la lectura de algunas obras de escaso mérito, y hasta mediocres, que de todo hay en su inmenso repertorio, contribuye a rebajar su figura, influyendo en una valoración general. Sin embargo, nosotros nos atrevemos a formular una pregunta: si ese Lope que se dispersó en más de mil comedias, se hubiera limitado a escribir una docena, ¿qué obras de suprema perfección nos habría legado? Pues aun así, a pesar de la precipitación vertiginosa con que escribía, aún es posible sacar en ese maremagnum, no ya una docena, sino hasta cuatro y cinco docenas de obras que sufren la comparación con las más depuradas del teatro universal. El crítico más exigente no tendrá otro remedio que inclinarse asombrado ante comedias como El mejor alcalde, el rey, Fuente-Ovejuna, El caballero de Olmedo, Peribáñez, La dama boba, El perro del hortelano, Lo fingido verdadero, La imperial de Otón, El rey don Pedro en Madrid, El casamiento en la muerte, La villana de Getafe, Las famosas asturianas, La encomienda bien guardada, y tantas otras. Se le acusa de no haber sabido crear caracteres; y, en efecto, en esto le superan no sólo muchos dramaturgos extranjeros, sino también algunos de sus seguidores nacionales.

Pero, entiéndase bien, que ello no supone incapacidad creadora; sino que proviene de su concepción del teatro eminentemente popular. Lope escribe para un público sui generis, ávido de lances y de novedades, poco dispuesto al análisis psicológicos y a ese monologuismo de que tanto usó y abusó la tragedia francesa. Pensar y sentir; he aquí dos notas diferenciales entre los teatros clásicos francés y español. Además, ¿qué se entiende por caracteres? Si entendemos por tal una pasión, una virtud, un modo de ser encarnado en un individuo y elevado a la categoría de «prototipo» universal, a la manera de Don Juan o de Hamlet, cierto es que Lope no acertó o no quiso acertar, en la creación de semejantes ejemplares. En cambio, nadie como él ha sabido plasmar en bellos versos el estado social de una época que se debate entre la autoridad y el despotismo; ni unos tipos de infanzones sensuales y autoritarios, sin otra ley que su capricho; ni ese primitivismo un poco salvaje, pero magníficamente gallardo, en que la mujer se apresta a defender su honra o a vengarla cuando con engaños o halagos le ha sido robada. Nadie tampoco ha reproducido con más vigoroso trazo la lucha del alma humana atraída simultáneamente por la sensualidad y el misticismo. Y algo mucho más importante: Lope sabe elevarse, antes que nadie y mejor que nadie, del plano individual al colectivo y presentarnos, en audaz adivinación de la psicología de las masas, a todo un pueblo como protagonista de un suceso y responsable de él en todas sus consecuencias. Ese «unanimismo», que se nos quiere dar como fórmula nueva en ciertas obras de nuestros días, por ejemplo, en las comedias intelectualistas de Jules Romains, había ya plasmado hace más de tres siglos en frutos tan espléndidamente logrados como *Fuente-Ovejuna*. ¿Y la majestad aliada de la comprensión en el espíritu de un monarca? Ahí tenemos ese Pedro el Cruel, algo alejado si se quiere de la verdad histórica, pero como tipo humano difícilmente superable.

El poeta nacional: tradición, monarquía y fe

Luego, la nota nacional. Lope es el poeta nacional por excelencia. Decir Lope de Vega es decir la España del siglo XVII. Toda nuestra historia está en su teatro, que en ese aspecto puede considerarse una verdadera «crónica dramática». Hasta los temas de historia extranjera o los asuntos mitológicos, al pasar por sus manos, se nacionalizan, se hispanizan. En *El laberinto de Creta,* inspirada en las *Metamorfosis* de Ovidio, Fedra y Ariadna aparecen disfrazadas en hábito de hombre, con capa y espada, ni más ni menos que en cualquier comedia costumbrista; en *La imperial de Otón,* éste, enfurecido por la preterición de que es objeto, hace la salvedad de que otra cosa sería tratándose de posponerle a un español, el rey Alfonso X. Su instinto dramático le llevó a un aprovechamiento máximo de las crónicas y romances. Nadie ha sabido sacarles tanto jugo. La senda abierta por Juan de la Cueva en *Los siete infantes de Lara* es aprovechada por Lope desde su primera comedia conocida—*Los hechos de Garcilaso de la Vega y moro Tarfe* [29]—, en la cual se incluían ya varios romances, hasta las últimas que salieron de su pluma. Con una diferencia fundamental: la mayoría de los dramaturgos se limitan a encajar el romance en la obra tal como

lo encuentran; Lope lo reelabora, aprovechando elementos dispersos, que acomoda hábilmente a las distintas situaciones.

Y otros dos caracteres más: monarquismo y religiosidad. No son peculiares suyos, sino más bien comunes a todo nuestro teatro; pero en él se dan con matices especiales. Todo sentimiento debe posponerse ante la fidelidad al monarca, siempre que éste sea justiciero. Claro que en Lope lo es; hasta el mismo Pedro I de Castilla. De aquí que sus reyes acostumbren a defender al plebeyo contra la arbitrariedad del poderoso. Si alguna vez lastiman derechos de algún vasallo, se les disculpa estableciendo la doble personalidad, humana y real, en el monarca: como hombre, puede engañarse; como rey, no. Excepción, ese Sancho IV de *La Estrella de Sevilla,* que parece interpretar la realeza como una satisfacción de sus caprichos: «Divina cosa es reinar.» Pero esto es más bien un rasgo esporádico, un momento fugaz, mejor que un carácter sostenido [30]. En justa correspondencia, el vasallo profesa al rey una lealtad que raya en adoración [31].

En la cuerda religiosa de Lope, tan vibrante como la de todos sus compatriotas de aquel tiempo, destacan dos sentimientos hostiles: protestante y judío. No deja de extrañar que en ocasiones a un católico tan entero—la conducta privada no afecta en absoluto a la integridad de sus creencias—se le escapen ciertos lamentos inspirados, sin duda, por la esterilidad de tantos sacrificios en aras de una causa que parecía perdida [32]. No comprendía, no podía comprender Lope ni nadie en su tiempo, que la finalidad principal de las guerras de religión estaba ya lograda, al haber detenido al protestantismo en los Pirineos y haber salvado para la fe católica no sólo España, sino todas las naciones en que ella había ejercido su hegemonía. En cambio, su aversión al elemento judío no tiene atenuaciones: es más bien odio; y, como todos en su tiempo, ve en el judío sólo al pueblo deicida.

A reforzar la nota religiosa contribuye en cierto modo el soberbio despliegue de elementos maravillosos—apariciones, sueños, agüeros—de que Lope hace alarde en su teatro. Sin creer sinceramente en ellos, los utiliza como un resorte dramático al que sabe sacar partido insospechado: una atmósfera de tragedia envuelve obras como *El caballero de Olmedo, El marqués de las Navas, El rey don Pedro en Madrid, La imperial de Otón, El vaso de elección San Pablo,* etc., en que las «sombras» que cruzan y hasta dialogan con los personajes contribuyen a elevar al máximo la tensión dramática.

Digna también de tenerse en cuenta es la habilidad con que vela lo escabroso de ciertos temas, particularmente los aprovechados de la novela italiana. Lo que en Bandello y Boccaccio se manifiesta como pasión desenfrenada y biologismo brutal, adquiere en Lope una categoría poética que lo idealiza y ennoblece todo; tal ocurre, entre otras comedias, en *El halcón de Federico, El anzuelo de Fenisa* y *La difunta pleiteada*. Hasta en casos de pasión desnuda, como en *El castigo sin venganza*, los personajes se mueven más que por bajos instintos, empujados por un destino fatal, que, anulando la voz de la conciencia, contribuye, si no a justificar, al menos a explicar el delito. Y no es el menor mérito de Lope este aliento superior que comunica a cuanto toca, embelleciéndolo de paso y transformándolo en materia poética; de modo que Menéndez Pelayo, el hombre que más ha calado en el espíritu del poeta, llega a la conclusión de que éste nunca raya a mayor altura que cuando, tomando pie de cualquier anécdota histórica o conservada por la tradición, la manipula y transforma a su sabor, y, en cambio, decae visiblemente cuando se ve obligado a seguir paso a paso una crónica o historia conocida. Y es que Lope se siente ante todo poeta creador [33].

El intérprete del pueblo

Y poeta popular, que escribe para la muchedumbre. En este sentido ocupa un lugar antípoda de Racine o Corneille. Y hasta, en cierto modo también, de Calderón. Por eso se aviene tan mal con el estilo culterano como con el conceptista. Escribe para que le entiendan todos; un lenguaje popular, vulgar, lo que no quiere decir ni mucho menos un lenguaje inculto. Ello explica también su inferioridad en los autos respecto a Calderón. Poco amante de simbolismos, alcanza su mayor altura, dentro del género de los autos, en obras como *La siega* o *La adúltera perdonada*, en las que podía volcar su íntimo sentimiento y celebrar a la esposa con la misma cálida emoción con que cantaría a la «hermosa serrana» Micaela Luján. Este lirismo de Lope—nunca se insistirá bastante en estudiar su teatro en función de la lírica—hace que algunos sonetos y otras composiciones luzcan más separados que en el cuerpo que los contiene, pasando así a cobrar valor de piezas antológicas.

Respecto al estilo, digamos que el término «decadencia» no reza con él. Las caídas, que indudablemente tiene, dependen de un momento psicológico, de poca habilidad en la elección del tema o de ese afán desmesurado de intentarlo todo; nunca de una merma de facultades. Estas se mantienen en vigor hasta el último instante. Una de sus comedias más frescas, más lozanas, *Las bizarrías de Belisa*, está fechada un año antes de su muerte. Del Lope viejo son *La moza de cántaro*, *El castigo sin venganza* y *El mejor alcalde, el rey*, comparables en todos los aspectos con esos otros productos de su edad juvenil e igualmente magistrales que se llaman *Los locos de Valencia* y *El bobo del colegio*.

Digamos, finalmente, que en Lope se da la más feliz fusión de la poesía con la escena. Creía que aquélla, la poesía, es producto de la inspiración, «del natural», no de la técnica y menos aún del arte [34]. Si en algún poema culto proclama la alianza del estudio con «el natural»—el viejo *natura, arte*—, en el teatro, género eminentemente popular, lo rechaza con verdadera insistencia y reiteración. ¿Tuvo conciencia Lope de su innovación dramática? Aunque al principio parece no darse cuenta, alucinado como estaba por una serie de principios academicistas que respetaba sólo en teoría, pronto cambia de actitud. Cuando ve que ha formado escuela, que a su técnica se vienen a sumar los dramaturgos más destacados, incluído el mismo Cervantes, empieza a enorgullecerse de su reforma y no vacila en proclamarse creador de una técnica, de unos principios, hasta de unos tópicos, que están adquiriendo carta de naturaleza en el teatro de su época. La *Epístola a Claudio* es en este aspecto muy elocuente.

NOTAS

1. «Tales son las bases de nuestra clasificación, que de ningún modo presentamos como inmejorable, y que seguramente ha de sufrir más de una modificación antes que acabe de pasar por nuestras manos todo el inmenso repertorio de Lope. Siempre han de quedar algunas obras excéntricas y fuera de clasificación, que irán las últimas.» (*Estudios sobre el teatro de Lope de Vega*, vol. I, pág. 10, Madrid, Victoriano Suárez, 1919.)

2. Vid. MENÉNDEZ PELAYO: *Estudios sobre el teatro de Lope de Vega*, ed. cit., vol. I, págs. 293-94.

3. Las tres obras se titulan *La niñez de San Isidro*, *La juventud de San Isidro* y *San Isidro, labrador de Madrid*.

4. Dedicada a Tirso de Molina, seguramente para desvirtuar los rumores que sobre la enemistad de ambos poetas se habían difundido por la corte. La dedicatoria de Lope no puede ser más cautelosa. Cautela significa alabar a Tirso de excelente poeta dramático en asuntos bíblicos, cuando entre las trescientas comedias por él compuestas apenas hay unas pocas bíblicas. La obra plantea el problema del teatro en el teatro, iniciado por Cervantes en su *Pedro de Urdemalas*, y tantas veces utilizado posteriormente, incluso en nuestros días por Pirandello—*Seis personajes en busca de autor*—y por Jacinto Grau—*El señor de Pigmalión*—. Cáncer, Rosete y Martínez, en colaboración, trataron el mismo tema en *El mejor representante, San Ginés*.

Así se expresa Lope, por boca de Ginés, sobre la fusión del arte del poeta y el representante:

El imitar es ser representante;
pero como el poeta no es posible
que escriba con afecto y con blandura
sentimientos de amor si no los tiene,
y entonces se descubren en sus versos,
cuando el amor le enseña los que escribe;
así el representante, si no siente
las pasiones de amor, es imposible
que pueda, gran señor, representarlas;
una ausencia, unos celos, un agravio,
un desdén riguroso y otras cosas,
que son de amor tiernísimos afectos,
harálos, si los siente, tiernamente,
mas no los sabrá hacer si no los siente.

5. Diocleciano encarga a Ginés que haga el papel de un cristiano; el representante se muestra perplejo, pues no sabe cómo identificarse con él:

¿Cómo haré yo que parezca
que soy el mismo cristiano
cuando al tormento me ofrezca?
¿Con qué acción, qué rostro y mano
en que alabanza merezca?

Oye una voz celestial, punto de partida de su conversión:

> No le imitarás en vano,
> Ginés, que te has de salvar.

Y ya dispuesto a abrazar el martirio, dice a presencia del emperador:

> Yo represente en el mundo
> sus fábulas miserables
> todo el tiempo de mi vida,
> sus vicios y sus maldades;
> yo fui figura gentil
> adorando dioses tales;
> cesó la humana comedia,
> que era toda disparates;
> hice la que veis, divina:
> voy al cielo a que me paguen.

6. Es de las obras más anodinas de Lope. La conversión de la sacerdotisa de Apolo, Domna, tras la lectura de las Epístolas de San Pablo, nos sugiere el paralelo con otras conversiones del teatro de Calderón: Cipriano, en El mágico prodigioso; el Gran Príncipe de Fez, en la comedia de este nombre, y los protagonistas de Las cadenas del demonio y El José de las mujeres.

7. Menéndez Pelayo duda en atribuírsela a Lope de Vega.

8. Menéndez Pelayo estudió los antecedentes y derivaciones de la leyenda: la Gesta Romanorum, Leyenda Aurea, etc. Cabe distinguir en ella tres elementos: el parricidio fatal e involuntario, la sobrenatural intervención del ciervo fatídico y la aparición de Cristo en forma de leproso. En el primer aspecto la leyenda de San Julián tiene estrecho parentesco con la de Judas Iscariote —asesino de sus padres—, asunto popular en España, como la acreditan el David perseguido, de Cristóbal Lozano, y las comedias Vida y muerte de Judas y Judas Iscariote, de Salucio Poyo y Antonio de Zamora, respectivamente. El episodio del leproso se halla en múltiples obras medievales con distintas variantes; el ciervo fatídico se enlaza con una serie de leyendas: la de San Eustaquio, la de San Félix de Valois.

9. Esta leyenda es una de las más difundidas en todas las literaturas, y ha sido estudiada —en sus derivaciones en la nuestra— por don Armando Cotarelo:

10.
> Ya quedamos descubiertos
> entre nuestros campos mudos,
> de un mismo valor desnudos
> y de una infamia cubiertos.
> Tú, la palabra rompida
> que diste a un hombre de honor;
> yo, humilde a vil vencedor
> que infama toda la vida.
> Dame esa mano, que quiero
> besártela, confiado
> que a lo menos has tomado,
> para servirme, dinero.
> Verás que yo cumplo así
> mi palabra como bueno,
> y tú me la rompes, lleno
> de afrentosa gloria, a mí.

11.
> Venció Otón, aunque vencido,
> porque en morir ha cumplido
> con la deuda del honor.
> Si no murió emperador,
> murió a la corona asido.
> Aunque vencedor te hallas,
> no por eso te atropellas;
> las cosas basta intentallas,
> cuando son tan grandes ellas
> que es imposible acaballas.
> Aunque el mundo me disfame,
> de ver que muerto te ame,
> como ya, mi bien, lo estás,
> digo que te quiero más
> mil veces muerto que infame.

12. Menor sujeción a la historia mostró Lope en La reina Juana de Nápoles sobre el asesinato de Andrés de Hungría, esposo de la reina. El mismo tema trataron Rojas, Calderón y Coello en El monstruo de la fortuna, la lavandera de Nápoles, Felipa Catanea. Obra poco afortunada, tiene bellas escenas, como aquella en que los músicos cantan:

> Si te quisiere matar
> algún enemigo fiero,
> madruga y mata primero.

Este madruga, repetido constantemente a modo de estribillo, recuerda el «Macbeth, tú serás rey» de la tragedia shakesperiana. Si en el carácter de la reina Etelfrida nos presenta Lope un tipo similar al de lady Macbeth, sin llegar al asesinato, en este madruga y en el cordón de seda que trenza la propia reina para ahorcar a su esposo se siente ya avanzar el espectro de la tragedia. La sobriedad y concisión del lenguaje contribuyen a aumentar el efectismo, perfectamente logrado.

13.
> Las mujeres non tenemos
> vergüenza de las mujeres;
> quien camina entre vosotros
> muy bien desnudarse puede,
> porque sois como nosotras,
> cobardes, flacas, endebles,
> hembras, mujeres y damas;
> y así, no hay por que deje
> de desnudarme ante nos,
> como a fembras acontece.
> Pero cuando vi a los moros,
> que son homes y homes fuertes,
> vestime, que non es bien
> que las mis carnes me viesen.
> ¿Qué honestidad he perdido
> cuando vengo entre mujeres?

14. Entre los esposos, reconocido por Castro su error, se desarrolla el siguiente diálogo:

> CASTRO.
> ¡Angel del cielo, amada esposa mía,
> este demonio fué la causa desto!

> ESTEFANÍA.
> ¡Maldiga Dios de mi venida el día!
> ¿Cómo que diste crédito tan presto
> a quien te puso en tan notable engaño?...
> ¡Abrázame, y adiós, hijo querido!
> ¡No os puedo ya criar! ¡Mi sangre os queda,
> que de una desdichada habéis nacido!

15. Sobre el mismo asunto: un poema de Luis Alonso de Pereira; el bellísimo de Ulloa; ya comentado; la comedia de Mira de Amescua: La desdichada Raquel, de Juan Bautista Diamante; La judía de Toledo y la tragedia Raquel, de García de la Huerta, única tragedia digna de mención que produjo el neoclasicismo castellano. En nuestros días, el profesor don Lázaro Montero de la Puente nos ha ofrecido, con el título de Doña Fermosa, una nueva visión del tema, basada en una sagaz interpretación de la psicología de la época.

16.
> Confiesa que por mí solo
> ser respetado merezco,
> tanto como el rey por ser
> rey; y confiesa que puedo,
> por mi bizarría, más
> que el rey por su nacimiento;
> y al fin, confiesa que aquí
> entre mis plantas te tengo.

Don Pedro revela su personalidad ante el vencido infanzón, y dice:

> Soy quien aquí, cuerpo a cuerpo,
> como tú lo deseabas,
> te ha dado a entender que puedo
> hacer, hombre, con la espada,
> lo que, rey, con el respeto.

17. Las coplas aludidas son:

> Más precio yo a Peribáñez
> con la su capa pardilla,
> que no a vos, comendador,
> con la vuesa guarnecida.

> Que de noche lo mataron,
> al caballero,
> la gala de Medina,
> la flor de Olmedo.

18.
    Hallé mis puertas rompidas
    y mi mujer destocada,
    como corderilla simple
    que está del lobo en las garras.
    Dió voces, llegué, saqué
    la misma daga y espada
    que ceñí para servirle,
    no para tan triste hazaña;
    paséle el pecho, y entonces
    dejó la cordera blanca,
    porque yo, como pastor,
    supe del lobo quitarla.

19. Según el *Nobiliario genealógico de los reyes y títulos de España*, de Alonso López de Haro, «don Juan de Vivero, caballero del hábito de Santiago..., fué muerto, viniendo de Medina del Campo de unos toros, por Miguel Ruiz, saliéndole al camino vecino de Olmedo sobre unas diferencias que traían, por quien se dijo aquella cantilena que dicen:

    Esta noche le mataron
    al caballero,
    la gala de Medina,
    la flor de Olmedo».

Menéndez Pelayo, en el pról. de la ed. académica de esta obra, cita el manuscrito de don Antonio Prado y Sancho *Novenario de Nuestra Señora de la Soterraña, con siete recuerdos históricos panegíricos y morales*, que nos da la fecha exacta de lo ocurrido, junto con una ligera variante: «Don Juan de Vivero, caballero hidalgo de la villa de Olmedo, pidió unos galgos a Miguel Ruiz de la Fuente, caballero hidalgo de la misma ciudad, el cual no se los quiso dar, motivando esta negativa el deseo de venganza de don Juan, que cierto día se lo encontró en el campo y le golpeó la cara violentamente con una vara... Lo mató el 2 de noviembre de 1521.» El padre Fita apunta que la muerte de don Juan de Vivero pudo ser debida a odios de los comuneros, ya que se había distinguido en su lucha contra ellos.

20. El condestable don Alvaro de Luna se presenta con unos despachos para que los firme el rey. Entre ambos se cruzan las siguientes palabras:

REY.
    No me traigáis al partir
    negocios que despachar.

CONDESTABLE.
    Contienen sólo firmar;
    no has de ocuparte en oir.

21.
    Fabia, que puede trasponer un monte;
    Fabia, que puede detener un río,
    y en los negros ministros de Aqueronte
    tiene, como en vasallos, señorío;
    Fabia, que deste mar, deste horizonte,
    al abrasado clima, al Norte frío
    puede llevar a un hombre por el aire,
    le da liciones. ¿Hay mayor donaire?

22.
    Pues no puede averiguarse
    el suceso por escrito,
    aunque fué grave el delito,
    por fuerza ha de perdonarse.
    Y la villa es bien que quede
    en mí, pues de mí se vale,
    hasta ver si acaso sale
    comendador que la herede.

Desde el comienzo de su obra Lope nos presenta al comendador como tipo antipático, partidario del rey de Portugal y de la Beltraneja, que trata de atraerse al joven maestre de Calatrava.

23. Vid. *Teatro antiguo español*. Textos y estudios: *Luis Vélez de Guevara: La serrana de la Vera*, publicada por R. Menéndez Pidal y María Goyri, Madrid, Centro de Estudios Históricos, 1916.

24. Sobresale la escena en que se despiden Sevilla y Valdovinos, llena de tristes presagios, que recuerdan *El caballero de Olmedo*.

25.
    Pues, señora, yo he llegado,
    perdido a Dios el temor
    y al duque, a tan triste estado,
    que este mi imposible amor
    me tiene desesperado.

    En fin, señora, me veo
    sin mí, sin vos y sin Dios:
    sin Dios, por lo que os deseo;
    sin mí, porque estoy sin vos;
    sin vos, porque no os poseo.

26.
    Yace aquí Juan Labrador,
    que nunca sirvió a señor,
    ni vió la corte ni al rey,
    ni temió ni dió temor,
    ni tuvo necesidad,
    ni estuvo herido ni preso,
    ni en muchos años de edad
    vió en su casa mal suceso,
    envidia ni enfermedad.

27. Alguna vez parece que la denominación de «tragicomedia», probablemente por influjo de *La Celestina o Tragicomedia de Calixto y Melibea*; pero tal clasificación es con frecuencia caprichosa, ya que aun las denominadas tragicomedias son verdaderas tragedias en el sentido tradicional. Califica de «comedias» obras tan eminentemente trágicas como *Fuente-Ovejuna*, *El caballero de Olmedo* (que al final denomina «trágica historia»), y *El mejor alcalde, el rey*.

28. Calderón le ha superado en hondura filosófica, en trabazón dramática y en el acierto de elevar algunos personajes a la categoría de símbolos; Tirso, en la vis cómica y en algunos caracteres. Pero ni Rojas ni Vélez le superan en fuerza trágica, ni Moreto en finura, ni Alarcón en cortesanía y exquisitez, como se viene repitiendo constantemente. En cambio, Lope siempre tendrá una ventaja sobre todos ellos: la de haber abierto el camino, haber hecho «tan trivial la senda», como dirá en la *Epístola a Claudio*:

    Que a todos el asunto facilita,
    porque la copia escrita
    es fuerza que se venda.

29. Son los romances «Cercada está Santa Fe» y «Santa Fe, ¡cuán bien pareces!»

30. Tan esporádico, que, como hemos visto, la presentación del rey como justo y guardador de la honra del vasallo es constante en el teatro de Lope. Y he aquí un argumento más para respaldar la tesis, cada día más difundida, de quienes opinan que *La Estrella de Sevilla* no pertenece a Lope. Las sospechas formuladas por Menéndez Pelayo en 1899 y por Foulché-Delbosc en 1920 («Rev. Hisp.», XLVIII) han sido confirmadas luego por los profesores Morley y Bruerton en su magistral *Cronología*. Antes Aubrey F. G. Bell había querido identificar al autor de la famosa comedia con un don Pedro de Cárdenas y Angulo, poeta que trataba de ocultarse bajo el seudónimo de *Cardenio*, y sobre el cual ha realizado preciosos hallazgos el investigador Homero Serís.

31. Los dramaturgos españoles, en su fidelidad a la monarca, nunca llegan al extremo del servilismo de Molière, que en el final del *Tartufo* escribe: «Vivimos bajo el signo de un monarca enemigo del fraude; de un príncipe cuyos ojos traspasan los corazones, y al que no puede engañar todo el arte de los impostores. Su alma elevada posee un sagaz discernimiento y observa siempre las cosas con una recta mirada; nada hay que tenga a ella un acceso demasiado fácil, y su firme razón no cae nunca en ninguna demasía. Concede a las gentes de bien una gloria inmortal; mas hace brillar tal celo sin ofuscamiento, y el amor hacia los veraces no cierra su corazón a todo el horror que deben producir los falsos. Este (por Tartufo) no era capaz de sorprenderle, ya que a él se le ve defenderse de más hábiles celadas. Penetró prontamente con sus sagaces luces todas las felonías ocultas en ese corazón...»

32. En *Los milagros del desprecio*, el criado Hernando acaba de llegar de Flandes, y dice a su amo, don Pedro Girón:

    Bien mirado, ¿qué me han hecho
    los luteranos a mí?
    Jesucristo los crió,
    y puede, por varios modos,
    si él quiere, acabar con todos
    mucho más fácil que yo.
    Pónele sitio a un lugar,
    y tras de andar a balazos,
    quitando piernas y brazos,
    sin comer ni descansar...,
    pónele fuego a una mina
    que viene a dar a los pies
    del que embiste confiado...

33. A propósito de las comedias de «historia patria», ha escrito Sainz de Robles: «Tanta verdad, tanta vitalidad, tanto colorido pone Lope en sus producciones, *que no nos saben más* a realidad, a humanidad perdurable que los testimonios serios de cualquier crónica, de cualquier relación oficial o documento contemporáneo, de cualquier romancillo coetáneo con el suceso.»

Este afán de realismo le lleva —como ya hemos indicado— en algunas ocasiones a imitar hasta el lenguaje, y asi compone *Las famosas asturianas* en aquella antigua «fabla» que, como dice Menéndez Pelayo, nunca se «fabló». No obstante, al poeta no le mueve más afán que el de *dar realidad* a su creación, como declara en la dedicatoria de la obra a don Juan de Castro y Castilla

«Quise ofrecer a vuestra merced esta historia, que escribí en lenguaje antiguo para dar mayor propiedad a la verdad del suceso, y no con pequeño estudio, por imitarla en su natural idioma.»

34. En *El remedio en la desdicha* nos dice:

> Nadie las ciencias podría
> sin la experiencia saber;
> mas no es posible aprender
> el amor y la poesía:
> el hacer versos y amar
> naturalmente ha de ser.

Y en *Las flores de don Juan y rico y pobres trocados* insiste sobre el mismo tema:

> El juego y la poesía
> se enfadan con la porfía
> porque vienen cuando quieren.
> El que versos quiere hacer
> y buena dicha en ganar,
> no piense que ha de poder,
> con picarse y porfiar,
> ni ganar ni componer.

BIBLIOGRAFIA

I. Colecciones de obras dramáticas, catálogos, clasificación y estudios: *Obras publicadas por la Real Academia Española* (15 vols.), ed. preparada por Menéndez Pelayo, Madrid, 1890-1913; continuada (3 vols. de menor tamaño y con distinto criterio) por E. Cotarelo Mori, Madrid, 1916; índice de la misma en «Nueva Bibl. Aut. Esp.», XXI. *Apéndice bibliográfico* al vol. I de las *Obras de L. de V. publicadas por la Real Acad. Esp.*, Madrid, 1890. Este *Apéndice* es de C. A. de la Barrera; *Catálogo general de las obras dramáticas de L. de Vega*, por el mismo C. A. de la Barrera.—*Notes on the Chronology of Lope's Comedias*, por W. L. Fichter, «Modern Lang. Notes», vol. XXXIX, 1924.—*Bibliography of the Dramatic Works of L. de V. based upon the Cathalogue of J. R. Chorley*, «Rev. Hisp.», XXXIII, 1915.—*Una colección manuscrita y desconocida de comedias de L. de V.*, por A. G. de Amezúa, «Opúsc. histórico-legendarios», Madrid, 1951.—*The Chronology of Lope's Plays*, por M. A. Buchanan, «The Univ. of Toronto Studies», VI, 1922.—*Lope's Peregrino Lists*, por S. Griswold Morley, «Univ. of California Publications in Modern Philology», XIV, 1930.—*Bibliografía de las obras de L. de V. (Partes I-XXV, 1604-1647)*, por A Castro, en su trad. de la *Vida de Lope de Vega*, de Rennert, Madrid, 1919.—*The Chronology of Lope de Vega Comedias*, por S. Griswold Morley y Courtney Brüerton, «Modern Lang. Assoc.», Nueva York, 1940.

Ediciones. En vida de Lope de Vega y a raíz de su muerte se publicaron veinticinco Partes de su teatro: veintidós (I a XXII) revisadas por él mismo, y tres (XXIII, XXIV y XXV), espúreas, formadas por los editores y mezcladas piezas originales de Lope con otras que no le pertenecen. Hay quien cree, y hasta parece seguro, que las editó su yerno don Luis de Usátegui. He aquí su aparición, con nota de año y lugar: Parte I, Valencia, 1604; II, Madrid, 1609; III, Valencia, 1611; IV, Madrid, 1614; V, Madrid, 1615; VI, Madrid, 1615; VII, Madrid, 1617; VIII, Madrid, 1617; IX, Madrid, 1617; X, Madrid, 1618; XI, Madrid, 1618; XII, Madrid, 1619; XIII, Madrid, 1620; XIV, Madrid, 1620; XV, Madrid, 1621; XVI, Madrid, 1621; XVII, Madrid, 1621; XVIII, Madrid, 1623; XIX, Madrid, 1623; XX, Madrid, 1625; XXI, Madrid, 1635; XXII, Madrid, 1635; XXIII, Madrid, 1638; XXIV, Zaragoza, 1638; XXV, Zaragoza, 1638. En la Parte XXV van incluídas comedias de Alarcón, Calderón,

Reyes, etc. Otras ediciones notables, entre las muchas que se han hecho del teatro de Lope de Vega, son: la de «Bibl. Aut. Esp.», 5 vols. (XXIV, XXXIV, XLI, LII y LVIII), ordenados por Hartzenbusch; la monumental en 13 vols. de la Acad. Española, arriba citada; la popular, de la misma Academia, en 3 vols., con introd. de Cotarelo Mori; la de Aguilar (3 grandes vols., de ellos dos dedicados al teatro, con 100 piezas dramáticas), preparada por F. C. Sainz de Robles; la citada en el capítulo anterior, de Cerdá y Rico, con 21 vols. (Madrid, 1776-1779), en su mayor parte dedicados al teatro.—*Comedias inéditas*, «Colec. de libros españoles raros y curiosos», VI, 1873.—*Comedias escogidas*, en los citados vols. de la «Bibl. Aut. Esp.», 1853-1860.—*Teatro escogido*, ed. E. de Ochoa, «Colec. de los mejores aut. españoles», XI, 1838.—*Lope's Parte XXVII extravagante*, por H. C. Heaton, «Rom. Review», XV, 1924.—*Una collezione di Comedie di Lope*, por A. Restori, Livorno, 1891.—*Noticia de algunas comedias y autos de Lope de Vega... existentes en la Bibl. del Duque de Osuna*, «Colec. de documentos inéditos para la Hist. de España», I, 1842.—*Lope de Vega's Docena Parta*, por C. E. Anibal, «Modern Lang. Notes», XLVII, 1932; etcétera, etc.

Estudios. Los más interesantes son los de M. Menéndez Pelayo: *Estudios sobre el teatro de L. de Vega* (6 vols.), ed. C. S. I. C., Madrid, 1949.—Otros más o menos parciales son: A Arauz: *Notas sobre Lope de Vega y Calderón*, 1951.—M. Bataillon: *La nouvelle chronologie de la «comedia» lopesque. De la métrique à l'histoire*, «Bull. Hisp.», vol. XLVIII, 1946.—E. Cotarelo Mori: *Sobre el caudal dramático de Lope de V. y sobre su pérdida y desaparición*, «Bol. Real Acad. Esp.», 1935.—A. Castro: Selec., est. y notas a la ed. del *Teatro de L. de V.*, Colec. «Bibl. del Estudiante», Madrid, 1933.—R. del Arco: *La sociedad española en las obras dramáticas de L. de V.*, Madrid, 1942.—J. R. Arjona: *La introducción del «gracioso» en el teatro de L. de V.*, «Hisp. Review», 1939.—J. Borao: *El amor en el teatro de L. de V.*, tesis doct., Madrid, 1868.—J. Brooks: *Slavery and Slave in the Works of L. de V.*, «Rom. Review», XIX, 1928.—Ciesielska-Borkowska: *Lope de Vega. Teoretik teatru i dramatopisarz*, «Pamietnik Teatralny», 1953.—H. B. Chaytor: *Dramatic Thery in Spain*, Cambridge, 1935.—L. K. Delme: *The relation of Lope's separate Sonnets to those in his Comedias*, 1928.—L. K. Delano: *Analisis of the Sonnets in Lope's Comedias*, «Hispania», California, XII, 1929.—J de Entrambasaguas: *Una guerra literaria del Siglo de Oro. Lope de Vega y los preceptistas aristotélicos*, Madrid, 1932.—J. Fitzmaurice-Kelly: *Lope de Vega and the Spanish Drama*, Glasgow, 1902.—A. Gasparetti: *Due commedie franciscane di L. de V.*, «Colombo», XIV, 1929; *Las novelas de Bandello como fuente del teatro de L. de V.*, Salamanca, 1939.—Adelberg Hamel: *Est. sobre las comedias de L. de V. escritas en su juventud*, Halle, 1925 (*Studien*, etc.).—J. E. Hartzenbusch: Pról. y notas a *Comedias escogidas de L. de V.*, «Bibl. de Aut. Esp.».—M. Herrero García: *La nobleza española y su función política en el teatro de L. de V.*, «Escorial», 1949.—R. J. Michaels: *Las unidades dramáticas en el teatro de L. de V.*, tesis, Univ. de Stanford, 1937.—J. F. Montesinos: *Contribución al est. del teatro de L. de V.*, «Rev. Filol. Esp.», VIII, 1921; *Lope, figura del donaire*, «Cruz y Raya», núms. 23-24, 1935.—J. Oliver Asín: *Más reminiscencias de «La Celestina» en el teatro de L. de V.*, «Rev. Filol. Esp.», XV, 1928.—H. A. Rennert: *The Spanish Stage in the time of L. de V.*, Nueva York, 1909.—M. Romera Navarro: *Ideas de L. de V. sobre el lenguaje dramático*, «Hisp. Review», III, 1935.—H. A. Rennert: *The Staging of Lope's Comedias*, «Rev. Hisp.», XV, 1906.—M. Romera Navarro: *La preceptiva dramática de L. de V.*, Madrid, 1935.—M. A. Rüegg: *Aspectos originales en el arte dramático de L. de V.*, «Clavileño», núm. 33, 1956.—A. Valbuena Prat: *Dos momentos del teatro nacional: De la imaginería sacra de Lope a la teología sistemática de Calderón*, Univ. de Murcia, 1945.—Wolfrang von Wurzbach: *Lope de Vega und seine Komödien*, Leipzig, 1899.—Agustín Albarrán: *La patología en el teatro de Lope de Vega*, «Arch. Hispanoamericano de Historia de la Medicina», IV, 1952.

II. Autos. J. Alenda: *Catálogo de autos sacramentales*, «Bol. Acad Esp.», 1916-23.—A. Castro: *Catálogo de los autos de L. de V., por orden alfabético*, en la trad. cast. de *Vida de L. de V.*, de Rennert, Madrid, 1919.—J. N. Aicardo: *Autos sacramentales de Lope*, «Razón y Fe», 1908-09.—A. Restori: *Degli Autos di L. de V.*, Parma, 1898.—Arturo M. Cayuela: *Los autos sacramentales* de L. de V., reflejo de la cultura religiosa del poeta, «Razón y Fe», CVIII, 1935.

III-VI. Comedias diversas. Algunas ediciones: *La esclava de su galán y Amar sin saber a quien*, ed. A. Kressner, «Bibl. Spanischen Schriftsteller», vols. VIII y XXI, 1901; *La moza de cántaro*, ed. M. Stathers, «New Spanish Series», XI, Nueva York, 1913; *Peribáñez*, ed. A. Bonilla, «Clásicos Lit. Esp.», vol. III, 1916; *Amar sin saber a quién*, ed. M. Buchanan, Nueva York, 1940; *El mejor alcalde, el rey*, «Cambridge Plain Texts», 1924; *El cuerdo loco, La corona merecida y El marqués de las Navas*, ed. «Teatro ant. esp.», vols. IV, V y VI (1922-25); *Ya anda la de Maragatos*, ed. S. Griswold Morey, «Bull. Hisp.», vol. XXVI, 1924; *El castigo del discreto*, ed. W. L. Fichter, Nueva York, 1925; *El castigo sin venganza*, ed. C. F. A. Van Dam, Groningen, 1928; *Fuente-Ovejuna*, ed. A. Castro, Colec. Universal, núms. 5 y 6; *Porfiar hasta morir*, ed. Valbuena Prat, «Las cien mejores obras de la lit. esp.», XCII; *El caballero de Olmedo*, ed. I. Macdonald, Cambridge, 1934; etc., etc.—Estudios: J. M. Blecua: *Notas a «El caballero de Olmedo»*, «Nueva Rev. Filol. Esp.», VIII, 1954.—E. Juliá Martínez: *Observaciones y notas a la edición de «El caballero de O.medo»*, C. S. I. C., 1944.—E. Cotarelo Mori: «*La Estrella de Sevilla» es de L. de V.*, Madrid, 1915, y en «Rev. Ayunt. Madrid», VII, 1930.—J. L. Brooks: «*La Estrella de Sevilla», admirable y famosa tragedia*, «Bull. of Hisp. Studies», XXXII, 1955.—C. E. Aníbal: *The Historical Elements of Lope de Vega's «Fuente-Ovejuna»*, «Modern Lang. Association», XLIX, 1954.—A. Castro: Pról. a la ed. de *Fuente-Ovejuna*, Colec. Universal, núms. 5-6.—G. W. Ribbans: *The meaning and structure of Lope's «Fuente-Ovejuna»*, «Bull. of Hisp. Studies», XXXI, 1954.—L. Spitzer: *A central theme and its structural equivalent in Lope's «Fuente-Ovejuna»*, «Hisp. Review», XXIII, 1955.—A. Castro: *Crítica literaria de «El castigo sin venganza»*, «Rev. Filol. Esp.», III, 1916.—H. A. Rennert: *Über Lope's «El castigo sin venganza»*, «Zeitschrift für Romanische Philologie», XXV, 1901.—W. L. Fichter: «*El castigo del discreto» together with a study of conjugal honor in his* (de Lope) *theater*, Nueva York, 1925.—R. Schevill: *The dramatic art of Lope de Vega, together with «La dama boba»*, Berkeley, 1918.—Joseph G. Fucilla: *Finea in Lope's «La dama boba»*, «B. C.», VII, 1955.—O. H. Green: *The Date of «Peribáñez»*, «Modern Lang. Notes», XLVI, 1931.—Albert Ludwig: *Los Dramas del ciclo carolingio, de Lope (Lope de Vega's Dramen*, etc.), Berlín, 1893.—I. M. Levy: *La leyenda de Bernardo del Carpio en el teatro de L. de V.*, tesis doct., Univ. Madrid, 1932.—J. M. Roca Franquesa: *La leyenda del «Tributo de las cien doncellas»*, «Bol. Inst. Est. Asturianos», Oviedo, 1948.—Lomba y Pedraja: *El rey don Pedro en el teatro*.—G. Gigas: *Etudes sur quelques comedies de L. de V. (El duque de Viseo, El príncipe despeñado, El castigo sin venganza)*, «Rev. Hisp.», XXXIX, 1917.—Gertrud W. Poehl: *La fuente de «El gran duque de Moscovia»*, «Rev. Filol. Esp.», XII, 1932.—J. de Entrambasaguas: *Pedro Vergel, «el mejor mozo de España», a quien Lope dedicó esta comedia*, «Rev. Ayunt. Madrid», XX, 1951. Todas las colecciones de obras dramáticas de Lope citadas en el apartado I de este mismo capítulo llevan estudios más o menos extensos de sus comedias, si bien destacan entre todas los seis tomos dedicados por Menéndez Pelayo al *Teatro de Lope*.

VII. Caracteres, estilo y técnica. Consúltense los estudios reseñados en el mismo apartado I.

Varia. M. Artigas: *Un opúsculo inédito de Lope: el Anti-Jáuregui de Luis de la Carrera*, «Bol. Real Acad. Esp.», XII, 1925.—A. Castro: *Una comedia de Lope, condenada por la Inquisición*, «Rev. Filol. Esp.», IX, 1922.—J. de Entrambasaguas: *Vivir y crear de L. de V.*, Santander, Aldus, 1946.—G. Espino Gutiérrez: *El clasicismo y el romanticismo en la obra de L. de V.*, «Bol. Bibl. M. Pelayo», 1949.—G. García Rey: *Escrituras inéditas de L. de V.*, «Rev. Ayunt. Madrid», V, 1928.—María Goyri de M. Pidal: *De L. de V. y del Romancero*, Zaragoza, 1953.—M. Herrero García: *La fauna en L. de V.*, «Fénix», 1 y 2, 1935.—E. Juliá Martínez: *La alegría de Lope y la tristeza de Cervantes*, «Cuad. de Lit.», 1947.—A. Marasso: *Humanismo de L. de V.*, «Est. Lit. Cast.», 1955.—H. M. Martin: *The «Perseus Myth» in Lope and Calderón...*, «Publ. of Modern Lang. Association», XLVI, 1931.—L. Mille Giménez: *Lope, Góngora y los orígenes del culteranismo*, «Rev. Arch., Bibl. y Museos», 1923; *L. de V., traductor de Claudiano*, Buenos Aires. I. Araújo, 1923.—J. Horace Parker: *L. de V., the «Orfeo» an the «Estilo llano»*, «Rom. Review», XLIV, 1953.—J. Pérez de Montalbán: *Fama póstuma a la vida y muerte de L. de V.*, Madrid, 1636.—F. O. Reeds: *Spanish Usages and Customs in the 17th Century as noted in the works of L. de V.*, «Philological Quarterly», I, 1922.—M. Romera Navarro: *L. de V. y su defensa de la pureza de la lengua y estilo poético*, «Rev. Hisp.», LXXVII, 1929.—F. C. Sainz de Robles: *Jubileo y aleluyas de L. de V.*, Madrid, 1935.—Leontine Salembien: *Vocabulaire de L. de V.*, «Bull. Hisp.», 1932-33.—R. Schevill: *L. de V. and the year 1588*, «Rev. Review», IX, 1941.—E. H. Sirich: *L. de V. and the Praise of the simple Life*, «Rom. Review», VIII, 1917.—Máximo Yurramendi: *L. de V. y la Teología*, Madrid, 1935.—T. Zabaleta: *Discurso crítico... en favor de L. de V. y Calderón*, Madrid, 1750.

Otros aspectos: D. Alonso: *Lope y el «Adone», de Marino*, «Rev. Fil. Esp.», XXXV, 1951.—J. B. Avalle-Arce: *Gutierre de Cetina, Gálvez de Montalvo y de L. de V.*, «Nueva Rev. Fil. Hisp.», V, 1951.—U. Bucchioni: *Torcuato Tasso e L. de V.*, 1910.—C. Eguía Ruiz: *Cerv., Cald., Lope y Gracián*, Madrid, C. S. I. C., 1951.—A. Farinelli: *Grillparzer und L. de V.*, Berlín, 1894.—J. Fradejas Librero: *L. de V. y E. M. Villegas*, «Rev. Literatura», VIII, 1955.—A. Gasparetti: *G. Battista Giraldi e L. de V.*, «Bull. Hisp.», XXXII, 1930.—Pierre Jobit: *De Lope de V. a Jean Anouilt*, «Clavileño», 16.—G. Margoulies: *Scarron et L. de V.*, «Rev. Littér. Comparés», VIII, 1928.—M. Pelayo: *Grillparzer y L. de V.*, «Est. y disc. de crítica...», III.—P. Pidal: *Cervantes y L. de V.*, Colec. Austral, 1952.—J. Mille y Giménez: *Jáuregui y Lope*, «Bol. M. Pelayo», VIII, 1926.—Esteban Pujals: *Shakespeare y Lope de V.*, «Rev. Literatura», I, 1952.—H. R. Romero Flores: *L. de V., Goya y el Manzanares*, «Rev. Ideas Estéticas», XIV, 1956.—A. Farinelli: *L. de V. en Alemania*, Barcelona, 1936.—G. Hainsworth: *Quelques notes pour la fortune de L. de V. en France*, «Bull. Hisp.», XXXIII, 1931.

CAPITULO XXXVIII

LA ESCUELA DE LOPE: A) VALENCIANOS Y MADRILEÑOS

I. VALENCIANOS.—II. GASPAR DE AGUILAR: *Producción dramática. Principales piezas*—III. GUILLÉN DE CASTRO: *Datos biográficos. Clasificación de su teatro. Análisis de algunas comedias: De historia nacional. Mitológicas y de historia clásica. De carácter religioso. De costumbres. Caballerescas y de «tesis».*—IV. OTROS DRAMATURGOS VALENCIANOS: *Tárrega, R. del Turia y Carlos Boyl.*—V. DRAMATURGOS DEL GRUPO MADRILEÑO: *Pérez de Montalbán. Datos biográficos. Clasificación de su teatro. Los autos. Las comedias. Otras obras. Estilo y técnica dramática.*—VI. RUIZ DE ALARCÓN: *Datos biográficos. Perfil moral. Clasificación. Análisis de las principales comedias: Históricas. Religiosas. De magia. Moralizadoras. «La verdad sospechosa». Estilo y técnica dramática.*—NOTAS.—BIBLIOGRAFÍA.

I. VALENCIANOS

Cuando Lope de Vega, a raíz de la desgraciada expedición de la *Invencible,* se traslada a Valencia con su esposa para cumplir la sentencia de exilio por libelos difamatorios contra Elena Osorio y familiares, encuentran en la ciudad del Turia una floreciente escuela dramática, que pronto se deja influir por el inmenso poeta. Rennert, aludiendo a la elección de lugar para el destierro, escribe: «No le hubiera sido posible encontrar sitio con más atractivos; además de ser un centro comercial rico, era, en cuanto a la cultura, célebre en toda la península por sus artistas, poetas y dramaturgos. El florecimiento del teatro en Valencia, unido a las naturales condiciones de la ciudad, influirían en que Lope eligiese aquella residencia. Allí encontró a los poetas dramáticos Francisco Tárrega y Carlos Boyl, y a otros más jóvenes, como Gaspar de Aguilar y Guillén de Castro»[1]. De haberse conservado íntegra la producción dramática de estos ingenios, dispondríamos de un valioso documento que nos ofrecería juntamente las características especiales del teatro prelopista y el proceso de adaptación de éste a la técnica lopesca.

Valencia, país de habla dialectal muy parecida al catalán, a pesar de tener una pujante literatura que culmina en el XV con Ausias March, Roiç de Corella y Jacme Roig, sigue la moda introducida por Boscán y, abandonando la lengua vernácula, adopta decisivamente el castellano. Timoneda, Virués, Rey y Artieda, Tárrega y la generación inmediata anterior a Lope de Vega acusan ya este cambio de dirección.

El teatro valenciano no refleja la influencia del gran genio madrileño hasta 1600 aproximadamente: las primeras comedias de Guillén de Castro deben más a Virués que a Lope. Ello se explica porque durante su primera estancia en tierras levantinas el mismo Lope se hallaba en período de formación. Y es a partir de 1600—un tercio de siglo antes de su muerte—cuando «el monstruo de la Naturaleza» se alza con la *monarquía del teatro* e impone su técnica a toda la escena española. Si quisiéramos señalar algún rasgo diferencial entre la dramática del grupo valenciano y la del resto del teatro nacional, quizá nos fijaríamos en la figura del «gracioso»—verdadera contrafigura del héroe—, que no suele aparecer en la mayor parte de las obras de aquel grupo y en las pocas que se introduce encarna un papel intermedio entre el «bobo» de Lope de Rueda y el auténtico «gracioso» de Lope de Vega y su escuela. Ni siquiera en la onomástica coinciden: aquí es el «lacayo», socarrón, cobarde e incapaz de sacrificarse por el amo a quien sirve. En algunas comedias de Guillén de Castro se le llama truhán o criado[2].

Y otra nota diferencial: la ideología del honor. El tema se presenta ya solo, constituyendo el eje de la obra, en torno al cual giran todos los incidentes, como sucede en *La venganza honrosa,* de Aguilar; ya complicado con otros sentimientos: el amoroso, el filial, el de fidelidad al monarca. Tal lo encontramos en *Las mocedades del Cid* y en la *Sangre leal de los montañeses de Navarra,* de Castro y Tárrega respectivamente. Los principales dramaturgos de la escuela valenciana son Gaspar de Aguilar, Guillén de Castro, Francisco Tárrega, Ricardo del Turia, Carlos Boyl y Miguel Baneyto.

487

II. GASPAR DE AGUILAR

El más importante dramaturgo del grupo valenciano, después de Guillén de Castro, es, sin duda, GASPAR DE AGUILAR (1561-1623)[3]. Las pocas comedias que de él nos quedan, sólo nueve, bastan para presentárnoslo como hábil constructor de intrigas, a la vez que versificador elegante, y diestro en el planteamiento y desarrollo del tema. Fué también lírico de exquisito gusto y sensibilidad, como lo prueban las numerosas composiciones con que concurrió y triunfó en justas y certámenes, celebrados por sus contemporáneos, y la epitalámica *Fábula de Endimión y la Luna,* en honor de sus protectores los duques de Gandía. También tiene un poema sobre la *Expulsión de los moriscos de España,* compuesto a raíz de este suceso histórico (1609).

Producción dramática

Nos interesan aquí más sus obras dramáticas, que podemos clasificar así:

Religiosas: *El gran patriarca San Juan de Ribera, Vida y muerte de San Luis Beltrán, El caballero del Sacramento.*
Historia clásica: *La gitana melancólica, Los montes de Cartago.*
Moralizadoras: *El mercader amante, La nuera humilde, La fuerza del interés.*
Novelesca: *La venganza honrosa.*

Pobres los dramas religiosos, como obras de circunstancia, son, en cambio, francamente notables *Los amantes de Cartago, La venganza honrosa, El mercader amante* y *La gitana melancólica.*
En la primera alcanza gran fuerza trágica al relatar los amores desgraciados de Sofonisba y Masinisa, tan reiteradamente llevados a las tablas desde la *Sofonisba* del Trissino (1516). Aguilar no desentona de éste, ni de Jean de Mairet, que trató el mismo asunto en Francia (1634), superándoles en la expresión de estados psicológicos y en la fina matización de los conflictos sentimentales.
El violento dramatismo de *Los amantes de Cartago,* queda superado en el desenlace de *La venganza honrosa,* donde se nos plantea un conflicto de honor, que recuerda pasajes de algunas novelas de Bandello. Toda la obra respira venganza, la del agraviado Norandino; y es una de sus más bellas escenas aquella en que el viejo duque de Mantua, ante la cabeza ensangrentada de

Porcia, le otorga el perdón volviendo a llamarla su «hija»:

> Que pues pagaste el pecado,
> bien puedes cobrar tu nombre.

La casuística de Aguilar no se parece a la de Calderón; sus casos de honor son siempre claros; la culpabilidad recae sobre un personaje, que desde el principio se nos presenta reprobable, sin paliativos ni disfraces. Porcia, la adúltera esposa, es siempre repugnante. Ni siquiera invoca su pasión; falta al marido porque sí, por eso que en el siglo XIX se venía llamando «mal de siglo»: aburrimiento, cansancio, afán de novedad. De esta obra se podría sacar toda una teoría del honor conyugal[4].

Principales piezas

El mercader amante aborda el tema, tan repetido en nuestro teatro, del amor sincero y el amor por interés. Belisario, rico mercader, somete a prueba la sinceridad de dos doncellas, Lidora y Labinia. Simula que ha perdido sus cuantiosas riquezas y, mientras que la primera le rechaza, Labinia le entrega una cadena de oro para que se remedie. Aguilar, movido del gran éxito de la obra, repitió el mismo argumento en *La fuerza del interés,* muy inferior a la primera. Lope de Vega se debió de inspirar en *El mercader amante* para su *Quien todo lo quiere* (1619). Al menos, las analogías son tan evidentes, que no pueden atribuirse a mera casualidad. Y no sólo en la trama general, casi idéntica en ambos, sino en los paralelismos de sus más destacados personajes: Belisario y don Juan; Astolfo y don Fernando; Lidora y Octavia; Labinia y doña Ana. La comedia de Lope, sin embargo, es superior a la de Aguilar.
La gitana melancólica, aunque se mueve sobre un asunto legendario, enlaza con un hecho histórico: la toma de Jerusalén por Tito. Influyó en *Los desagravios de Cristo,* de Cubillo de Aragón.
En resumen, se puede decir con Martí Grajales que el teatro de Aguilar se caracteriza por los «caracteres bien sostenidos, diálogo natural y sin afectación, dicción castiza, exenta de conceptismo y ampulosidades, descripciones notables por su verdad, pensamientos bellísimos, expresados con esa difícil facilidad que sólo se encuentra en los talentos privilegiados». En cuanto a la versificación, emplea preferentemente el octosílabo, agrupado en quintillas.

III. GUILLEN DE CASTRO

El más fecundo y representativo de los drama-turgos de la escuela valenciana es GUILLÉN DE CASTRO Y BELLVIS. Se distingue por la fidelidad y perfección con que aplica la técnica creada por Lope de Vega. Esto no quiere decir que no sea original; al contrario, su posición respecto a Lope es análoga a la de Rojas respecto a Calderón de la Barca. En ambos se nota el afán de separarse de lo tópico, tanto en la ideología como en los desenlaces; y esta originalidad la llevan al extre-mo de que en algunos conflictos: honor matri-monial, fidelidad al monarca, principios educati-vos, etc., adoptan una actitud avanzada y antitra-dicional, de bizarra independencia. No importa que en algunos pasajes del dramaturgo valenciano haya visto la crítica un reflejo de sus propios conflictos familiares. Es digna de subrayarse la valentía con que resuelve ciertos temas contra el común sentir de sus contemporáneos; y también merece tenerse en cuenta su constante deseo de llevar al teatro los temas más debatidos por los teólogos y juristas de la época, como el de la licitud o ilicitud del tiranicidio, que presenta y resuelve en dos comedias: *El amor constante* y *El perfecto caballero*.

Datos biográficos

Nace en Valencia en 1569. A los veintitrés años ingresa en la Academia de los Nocturnos, toman-do el nombre de *Secreto*. Un año después se le encarga de la vigilancia de la costa de Valencia, para evitar las incursiones de los piratas. En 1595 contrae matrimonio con doña Marquesa de Girón de Rebolledo, de la que enviuda antes de 1600. Por este tiempo concurre a certámenes y justas poéti-cas en su ciudad natal. Hacia 1607 pasa a Italia, y es nombrado gobernador de Segliano por el virrey de Nápoles, conde de Benavente. Para re-sucitar la Academia de los Nocturnos, después de su regreso a Valencia, constituye en 1616 la de «Los Montañeses del Parnaso». Tres años después, o quizá antes, se traslada a Madrid, donde, como tantos otros dramaturgos famosos, concurre a las fiestas poéticas con motivo de la canonización de San Isidro, San Francisco de Borja, San Ignacio de Loyola, Santa Teresa de Jesús y San Francisco Javier. Amigo de Lope de Vega, a cuya hija Mar-cela dedica una *Parte* de sus comedias, vive el resto de su vida en Madrid, donde contrae nuevo matrimonio en 1626. Muere el 28 de julio de 1631.

Clasificación de su teatro

Hemos indicado que es el más fecundo y vigo-roso de los dramaturgos valencianos y, probable-mente, después de Tirso y de Ruiz de Alarcón, el más importante de los seguidores de Lope. Igual que en el caso de Vélez de Guevara y Mira de Amescua, los dos discípulos andaluces del Fénix, la popularidad y el éxito de una comedia, en nuestro caso *Las mocedades del Cid*, ha contri-buído, si no al desconocimiento total, al menos a la injustificada preterición del resto de sus obras.

H. Merimés, en *L'Art dramatique á Valencia*, agrupa la dramática de Guillén de Castro en dos apartados:

a) Comedias inspiradas en episodios contem-poráneos al escritor.

b) Comedias basadas en la Historia.

Y subdivide este segundo grupo en tres seccio-nes: 1.ª, historia profana; 2.ª, historia religiosa, y 3.ª, historia antigua y mitológica. Sin desesti-mar las razones que le asisten, creemos que la clasificación de Merimés peca de excesivamente amplia. Eduardo Juliá, el más profundo conoce-dor del teatro valenciano, la agrupa, atendiendo a los procedimientos y a sus fuentes de inspiración, en cuatro grupos:

a) De iniciación, íntimamente relacionada con la escuela dramática anterior.

b) De inspiración épica, derivada de los ro-mances.

c) De inspiración libre.

d) De utilización de obras diversas, especial-mente cervantinas.

Nosotros, prescindiendo del entremés Cornelio y de la producción lírica, preferimos el siguiente esquema clasificatorio:

TEATRO DE GUILLÉN DE CASTRO

Comedias históricas.—De historia nacional: *Las mocedades del Cid, Las hazañas del Cid, Allá van leyes do quieran reyes, La humildad soberbia.*

De santos: *El renegado arrepentido.*

De la Biblia: *El mejor esposo, Las maravillas de Babilonia.*

De cautiverio: *El cerco de Tremecén.*

Mitológicas.—*Dido y Eneas, Progne y Filome-na, La manzana de la discordia y robo de Helena.*

Novelescas.—Cervantinas: *Don Quijote de la Mancha, La fuerza de la sangre, El curioso imper-tinente.*

Del Ariosto: *El desengaño dichoso.*

Caballerescas.—*El conde Alarcos, El conde Ir-los, El nacimiento de Montesinos, Quien malas mañas ha, tarde o nunca las perderá.*

Costumbristas.—*Pretender con pobreza, La fuer-za de la costumbre, Los mal casados de Valencia, El Narciso en su opinión.*

Comedias de tesis.—*El amor constante, El per-fecto caballero, La justicia en la piedad.*

**Análisis de algunas comedias:
De historia nacional**

De la producción dramática de Castro (que debió de ser abundante, a juzgar por las que se conservan: casi medio centenar) vamos a reseñar las más importantes.

Destacan, entre las mejores de nuestro teatro, las dos sobre el Cid: *Las mocedades del Cid* y *Las hazañas del Cid*. En ambas sigue la tradición; pero en la primera, junto a los datos suministrados por la Historia, destacan rasgos psicológicos de aportación personal. Si el Cid no es en Castro el héroe reposado, el esposo digno y el padre amante del primitivo poema de gesta, se debe a que tampoco el autor ha querido retratarnos un Rodrigo en su madurez, sino en su más verde juventud. Por otra parte, nada más alejado que el Cid de Guillén de ese otro Cid caricaturesco y fanfarrón que nos ofrece el *Cantar de Rodrigo*.

Su argumento es archiconocido: tras la ceremonia en que Rodrigo es armado caballero, el rey don Fernando procede a nombrar ayo para su hijo. La elección recae en Diego Laínez, padre de Rodrigo con evidente disgusto del conde Lozano, que, en la discusión promovida, afrenta a Laínez con una bofetada. Diego pone la venganza en manos de su hijo Rodrigo, único que ha resistido airosamente la prueba. Rodrigo lucha entre el amor y el deber, ya que su amada y prometida Jimena es hija del ofensor de su padre. En la lucha entablada entre el amor y el deber, vence éste, y Rodrigo desafía y mata al padre de su novia. Se expatría, obtiene múltiples victorias en Castilla, Aragón y sobre los reyes moros, y, finalmente, vencida la resistencia de Jimena, contrae con ella matrimonio.

Fuente principal y casi única de *Las mocedades del Cid* es el romancero. De él acierta a tomar Castro no sólo la letra, sino el espíritu: ese hálito caballeresco que envuelve a su personaje y esa indomable energía de que acompaña su acción. En el romance «Afuera, afuera Rodrigo, — el soberbio castellano», se inspira para la pasión amorosa de la infanta Urraca por el héroe de Vivar. No importa que la acción en sus múltiples episodios rebase el cuadro histórico propiamente dicho; interesa a Guillén de Castro ante todo la presentación de un conflicto en el que están en pugna los más altos sentimientos: honor, amor, devoción filial, respeto al monarca, etc. Su técnica de inserción de romances en la trama principal, como subrayando la acción, es un antecedente de la de Lope.

Corneille imitó a Guillén en su *Le Cid*, pero el absurdo respeto a las unidades dramáticas ahogó el desarrollo de procesos psicológicos, alguno tan hondo como el de Jimena y tan admirablemente logrado en la obra del valenciano. Corneille cen-

tra toda su atención en Rodrigo, dejando en planos muy secundarios a Jimena y los otros personajes.

El episodio amoroso de Fernando de Portugal y doña Leonor de Meneses, esposa de Juan Lorenzo de Acuña, queda dramatizado en *Allá van leyes donde quieren reyes*, obra endeble, en la que el protagonista más que un marido ultrajado parece un pelele sin espíritu y sin voluntad. Sobre el mismo asunto Vélez, Coello y Rojas compusieron *También la afrenta es veneno*, muy superior a la de Guillén.

Las hazañas del conde de Ribadeo, Rodrigo de Villandrando, le dan pie para *La humildad soberbia*, basada probablemente en la *Suma de varones*, de Juan Sedeño (Toledo, 1590), que a su vez amplifica el relato de Pulgar en *Los claros varones de Castilla*.

Inferior a las mencionadas es *Pagar en propia moneda*, comedia de intriga, llena de lances descabellados. En ella inicia el autor su inspiración del romancero que culminaría con *Las mocedades*. Algún rasgo recuerda *La esclava de su galán*, de Lope de Vega.

Mitológicas y de historia clásica

Pertenecen a la primera época del autor y encierran gran interés. En *Progne y Filomena* el viejo mito de la violación de Filomena por Tereo, esposo de su hermana Progne, se modifica tomando un desenlace feliz. No deja de causar extrañeza que Guillén, que en dos de sus comedias había preconizado el regicidio, modifique en ésta el mito en evitación de un desenlace trágico. No se ha llevado a cabo la afrenta de Filomena; por tanto, la reparación del honor es innecesaria [5].

Más lograda se nos antoja la comedia de *Dido y Eneas*. El tema, tan popular en el teatro y en el romancero, había sido tratado ya por Cristóbal de Virués. Castro, espíritu impetuoso, sabe sacar todo el partido posible del tipo de mujer apasionada con que el romancero nos presenta a Dido. De las dos versiones del tema, la Dido casta y fiel a la memoria de su difunto esposo Siqueo, y la Dido virgiliana que muere de despecho al verse abandonada por el héroe troyano, Castro elige la segunda, sin duda más emotiva y de mayor fibra dramática. El éxito de *Dido y Eneas* fué grande: en el *Diablo cojuelo* (1641) se alude a ella encomiásticamente como obra que se sigue representando. La fecha de composición que da el señor Juliá creemos que debe retrasarse en unos años.

Menor interés refleja *La manzana de la discordia y robo de Helena*, escrita en colaboración con Mira de Amescua, sobre la crianza de Paris en el monte Ida y el rapto de la bella Helena, que provocó la guerra de Troya.

Obras de carácter religioso

Ni el tema bíblico ni el basado en leyendas devotas son el fuerte de Guillén de Castro. Puede recordarse *Las maravillas de Babilonia*, sobre la historia de Daniel y la Casta Susana, y *El mejor esposo*, obra de circunstancias compuesta seguramente por encargo de alguna cofradía.

Al tipo de comedias de santos pertenece *El renegado arrepentido*, de escaso valor y argumento disparatado.

El tema de moros y cristianos se trata en *El cerco de Tremecén*, sobre la rivalidad amorosa de unos guerreros enamorados de la inconstante Aliarda. Esta se autodefine muy bien en los siguientes versos:

> Conozco mi inclinación,
> que es mi amor furioso y loco;
> pero dúrame muy poco
> y mudo luego a ficción.

Comedias de costumbres

Son el fuerte de Guillén de Castro, y en ellas alcanza una altura envidiable. Sus dotes de observador le hacen especialmente capaz para este género realista, que le permite reproducir con trazos magistrales la vida y la sociedad contemporánea.

La posición del hombre en un ambiente materialista le inspira dos buenas obras: *El pobre honrado* y *Pretender con pobreza*. La solución de un conflicto matrimonial por incompatibilidad de caracteres, con el divorcio, desenlace inusitado en nuestro teatro, es la base de *Los malcasados de Valencia*. Observemos de paso que la obra está escrita íntegramente en redondilla.

Especial mención merecen *La fuerza de la costumbre* y *El Narciso en su opinión*. La primera es, entre las comedias del autor, la que arrastra hasta el final con mayor lógica y fidelidad el carácter de los personajes. Plantea el problema de la educación como medio de contrarrestar los hábitos adquiridos: dos hijos de un capitán se educan simultáneamente, el varón, con la madre en Valencia; la hija, con el padre en Flandes. La consecuencia es una deformación de los caracteres propios; mientras el hijo resulta un tanto afeminado, la dama se cría varonil, pendenciera y maneja la espada mejor que cualquier hombre. La reunión del matrimonio coloca a cada hermano en su ambiente, y la consecuencia inmediata es que cada uno de los hijos recobra su carácter;

el varón se vuelve aguerrido y la dama, olvidando sus antiguas bizarrías, empieza a pensar en el amado. La tesis de que la educación no destruye el carácter queda demostrada plenamente.

El Narciso en su opinión—base de *El lindo don Diego*, de Moreto—nos presenta a un fatuo, enamorado de sí mismo e incapaz de inspirar amor por simpatía. Guillén, a diferencia de Moreto, no saca consecuencia de orden moral; se limita a ridiculizar al personaje y a intercalar de paso algunas diatribas contra el matrimonio.

Caballerescas y de «tesis»

La comedia caballeresca arranca del ciclo carolingio y encuentra su base casi siempre en el romancero o en el *Orlando*, de Ariosto. Al primero fué a buscar Castro inspiración, y de allí sacó *El conde Alarcos*, *El conde Irlos* y *El nacimiento de Montesinos*. *El conde Alarcos* sirvió de base a Lope de Vega y a Mira de Amescua para sus obras sobre el mismo tema.

La influencia de Cervantes se observa en *Don Quijote de la Mancha*, *La fuerza de la sangre* y *El curioso impertinente*. La primera recoge sólo un episodio de la novela cervantina, el de las bodas de Camacho. *La fuerza de la sangre* reproduce la novela ejemplar del mismo título; y en *El curioso impertinente*, superior a las otras dos, se da una variante al desenlace cervantino, presentándonos el triunfo del adulterio y el matrimonio de los dos amantes por voluntad del moribundo marido. El desenlace viene preparado hábilmente, ya que se hace a Lotario antiguo novio de Camila.

Finalmente, en un grupo de comedias que pudiéramos llamar de «tesis», con evidente restricción denominativa, puesto que en realidad casi toda comedia entraña una tesis, sobresalen *El perfecto caballero*, *El amor constante* y *La justicia en la piedad*. La primera, una de las más valientes y mejor conseguidas del autor, digna hermana de *Las mocedades del Cid*, sostiene una vez más la licitud del tiranicidio, ya defendido antes en *El amor constante*. En ambas obras puede verse un reflejo de las polémicas sostenidas por juristas y teólogos en los siglos XVI y XVII sobre este apasionante tema. Pero en cada una con circunstancias distintas: en *El perfecto caballero* se da muerte al que los teólogos llaman «tirano de fuerza», es decir, que ha usurpado el poder; en *El amor constante*, al «tirano de naturaleza», que ostenta el poder legítimamente, aunque le hace degenerar en despotismo [6].

IV. OTROS DRAMATURGOS VALENCIANOS: TARREGA

Merece mencionarse sólo el canónigo Francisco Tárrega (1553-1602)[7], alabado por Cervantes en el *Quijote*, juntamente con Gaspar de Aguilar, como uno de los poetas en cuya obra «no se le halló disparate». Ofrece, como casi todos los del grupo valenciano, la doble faceta de lírico y dramaturgo. Como lírico no sale de una medianía, sin duda por la índole circunstancial de su obra; poesía de tema impuesto, como lo prueba el soneto con estrambote «Al nacimiento de Cristo Redentor nuestro», en el que «están todos los nombres alegóricos de los académicos y el de nuestra Academia». Su mejor composición es el soneto que empieza «Llevó tras sí los pámpanos octubre», que, según dijimos en otro lugar, vino adjudicándose en las *Antologías* a Lupercio Leonardo de Argensola.

La obra dramática conocida de Tárrega, en total diez comedias, puede agruparse de la siguiente manera:

Religiosas: *La fundación de la Orden de Nuestra Señora de la Merced*.

Históricas: *La sangre leal de los montañeses de Navarra, El cerco de Pavía y prisión del rey de Francia, El cerco de Rodas, El esposo fingido*.

Novelescas: *La perseguida Amaltea, La duquesa constante, La enemiga favorable*.

Costumbristas: *El prado de Valencia*.

Acertadamente escribe Juliá que el teatro religioso de Tárrega toma un derrotero inusitado hasta entonces. Se aprovecha la documentación histórica sin prescindir por completo de las tradiciones y leyendas, entre las que adquieren especial interés las de índole amorosa. Puede afirmarse que el tema primordial del teatro de Tárrega es la intriga de amor.

Sin alcanzar la categoría de obra perfecta y con un argumento excesivamente complicado, *La fundación de la Orden de Nuestra Señora de la Merced* presenta detalles de gran fuerza dramática, entre los que destaca la escena en que Lamberto y su hijo Armegol luchan, mostrándose impotentes para vencerse mutuamente. Escena tan lograda como después reproducirá Cubillo de Aragón en su *El rayo de Andalucía* y *Genízaro de España*, al enfrentar en lucha al viejo Gonzalo Busto y a su hijo Mudarra.

En las comedias históricas es donde se funden más elementos novelescos, no obstante la utilización de documentos y hasta crónicas particulares. Sobresalen en este tipo *El cerco de Pavía y prisión del rey de Francia*, por su carácter eminentemente patriótico, nobleza de Carlos V y falsía de Francisco I[8].

Mucho mayor interés desde el punto de vista ideológico ofrece *La sangre leal de los montañeses de Navarra*, compendio de sentencias sobre el honor, amistad, fidelidad al monarca, competencia amorosa, etc. Es, juntamente con *La duquesa constante*, la comedia mejor construída del autor.

Como documento costumbrista de la sociedad valenciana de la época merece destacarse *El prado de Valencia*. En las comedias que llamamos novelescas predomina la intriga, con ciertos rasgos similares a las de Virués.

Teatro más conciso e ideológico que de vuelo lírico, destaca por su tono sentencioso y epigramático. Diríase que la índole especial de los temas obligados en que se ejercitó en las sesiones de la Academia de los Nocturnos cortó a nuestro poeta las alas de la inspiración lírica que tanto brilla en Lope y en algunos de sus seguidores. Frecuentes trasposiciones, empleo de vulgarismos y dialectalismos y cierta tendencia a los juegos de palabras, son las notas características en el estilo de Tárrega[9].

R. del Turia y C. Boyl

Completan el grupo de los dramaturgos valencianos Ricardo del Turia, Carlos Boyl y Lope Miguel Beneyto.

Con el seudónimo de Ricardo del Turia (1578-¿1639?) se encubrió, probablemente, el ilustre jurisconsulto valenciano Pedro Juan Rejaule[10]. Decimos probablemente porque se ha supuesto también que podría tratarse del prócer Luis Ferrer de Cardona, si bien los recientes estudios de Martí Grajales han demostrado lo inconsistente de tal hipótesis.

En el *Norte de la poesía española ilustrado de sol de doce comedias...* (Valencia, 1616) se incluyen cuatro de Ricardo del Turia, seguramente las únicas que compuso: *La burladora burlada, La fe pagada, El triunfante martirio y gloriosa muerte de San Vicente* y *La belígera española*. Todas ellas de escaso valor, siguen la técnica de la escuela valenciana prelopista, prefiriéndola a la impuesta por el Fénix. El gusto por la aventura, la complicación excesiva de los lances, los cambios continuos de lugar para mantener vivo el interés del auditorio, están más en la línea de Virués y del canónigo Tárrega que en la de Lope de Vega. De las comedias citadas, las dos primeras son de intriga; la tercera se reduce a una crónica religiosa, y la última, tomada de un episodio de *La Araucana*, pone de manifiesto la poca habilidad del autor para adaptar al teatro un tema de fuerte inspiración épica. Algunas comparaciones felices y, ciertos rasgos ingeniosos hacen aceptable, a pesar de la mediocridad, *La burladora burlada*; pero su excesivo enredo engendra monotonía, haciendo ingrata la lectura.

Digno de mención es el ya citado *Discurso apologético de las comedias españolas*, en el que defiende las innovaciones dramáticas de Lope de Vega, apoyándose en el gusto del pueblo que quiere ver en dos horas de representación el nacimiento, hazañas y muerte del personaje.

Mayor interés ofrece la única comedia que conocemos de CARLOS BOYL (1577-1617)[11], *El marido asegurado*, de claro abolengo italiano, con algún rasgo que recuerda la novela cervantina *El curioso impertiente*.

El tema es sencillo: El rey Segismundo de Nápoles, antes de contraer matrimonio con Menandra, infanta de Sicilia, quiere asegurarse de su amor y fidelidad, ya que la infanta había estado anteriormente prometida con el duque Norandino. Para ello hace que su privado Manfredo finja ser el rey, y éste pasa por Manfredo. La serie de impertinencias del rey se estrella contra la virtud de Menandra, que, al fin, descubre toda la traza, casándose con Segismundo. Manfredo, en premio de la fidelidad al rey, casa con su hermana Fulgencia.

Comedia graciosa y de asunto interesante, no desmerece en comparación con las mejores de los ingenios de segundo orden. Presenta cierta analogía con la comedia moral de Ruiz de Alarcón; lo que en el mejicano es examen de las cualidades que ha de tener el marido, aquí es análisis de las condiciones morales de la esposa. Para conocer bien a ésta hay que someterla a innumerables pruebas:

> En la esposa se han de hacer
> más pruebas que en la triaca.

Segismundo viene a ser un «curioso impertinente» de signo negativo; el anzuelo para probar la fe de esta nueva Camila no serán los halagos de Lotario, sino los desdenes de Anselmo. El elevado concepto que forma el poeta del honor y de la galantería debida a las damas se expresa rápidamente:

> .... que con mujer,
> aun de burlas ha de haber
> respeto en tratar su fama,
> ....
> que poner una honra en duda
> no es de honrado.

El último poeta digno de mención del grupo valenciano es MIGUEL BENEYTO, nacido entre 1560 y 1565. Sólo se conserva de él una comedia, *El hijo obediente*[12].

Aunque Mesonero Romanos le atribuye escaso mérito, ha de tenerse en cuenta, observa Martí Grajales, el momento en que Beneyto la escribe, época de transición y de lucha, y en que, sin haber triunfado aún la manera dramática de Lope, el viejo teatro de inspiración clasicista amenazaba hundirse barrido por el de inspiración nacional, mucho más vigoroso y dinámico. Juliá ve en Beneyto un dramaturgo de genio, que no pudo manifestarse a causa de su temprana muerte.

V. DRAMATURGOS DEL GRUPO MADRILEÑO: PEREZ DE MONTALBAN

Además de Tirso de Molina, que estudiaremos en otro capítulo, y de algunos dramaturgos de tercer orden, los principales del grupo madrileño son Juan Pérez de Montalbán y Ruiz de Alarcón[13].

En otro lugar y a propósito de la novela cortesana nos hemos ocupado del doctor JUAN PÉREZ DE MONTALBÁN (1602-1638). Allí expusimos el juicio que nos merecía como prosista; ahora tócanos enjuiciarlo como dramaturgo.

Montalbán es el discípulo predilecto de Lope de Vega, a quien imita al extremo de que algunas de sus obras han sido atribuídas por la crítica al Fénix de los Ingenios. Interesa más que por la calidad intrínseca de su obra, inmatura a causa de su temprana muerte, e inferior, desde luego, a la de Vélez de Guevara, Alarcón, Tirso, Mira de Amescua y otros dramaturgos del ciclo de Lope, por los esfuerzos realizados para infundir nueva savia a un teatro que amenazaba anquilosarse en moldes ya gastados. Las burlas y sátiras de que le hicieron objeto sus contemporáneos, lejos de rebajarle a nuestros ojos, contribuyen a hacerle más simpático, y tuvieron buena parte, seguramente, en el exacerbamiento de su sensibilidad, que le llevó a perder la razón al final de su vida. Por la nobleza de sus personajes se acerca al tipo alarconiano, superando al mismo Ruiz de Alarcón en el diseño de las figuras femeninas, que nos ofrece siempre llenas de dignidad y belleza. La entusiasta acogida que tuvieron algunas de sus obras—el *Para todos* alcanzó hasta nueve ediciones en muy pocos años—quizá no corresponda al valor intrínseco de las mismas; pero tampoco son justos quienes nos lo presentan como escritor inepto, adocenado, orgulloso y con pujos nobiliarios, según lo muestra el conocido epigrama atribuído a Quevedo:

> El doctor tú te lo pones,
> el Montalbán no lo tienes;
> conque, quitándote el don,
> vienes a quedar Juan Pérez.

Los enemigos encarnizados de Montalbán no siempre son escritores oscuros y libelistas sin personalidad; Quevedo se ensañó con él frecuentemente y con motivo de haberle sido silbada una comedia, le dirigió la sarcástica *Carta consolatoria*, arremetiendo también contra el *Para todos* en su *Perinola*.

Datos biográficos

Nació en Madrid (1602). Hijo del librero del rey, Alonso Pérez de Montalbán, de ascendencia judía, estudió en Alcalá, donde se graduó de Teología y se ordenó de sacerdote a los veintitrés años. Desempeñó el cargo de notario apostólico de la Inquisición, cuya labor alternó con sus aficiones literarias. Al final de su vida perdió la razón. Falleció en Madrid, el 23 de junio de 1638. Pertenecía a la Congregación de clérigos naturales de Madrid.

Clasificación de su teatro

Prescindiendo de los autos, entre los que destaca el *Polifemo* [14], las comedias de Montalbán pueden clasificarse así.

Comedias religiosas.—De santos: *La gitana de Menfis, Santa María Egipcíaca.*

Leyendas piadosas: *Escanderbech, Las sacratísimas formas de Alcalá.*

Históricas.—Historia nacional: *El segundo Séneca de España* (dos partes), *El señor don Juan de Austria, La puerta Macarena.*

Historia extranjera: *Los templarios, El mariscal de Virón.*

Novelescas.—*La gitanilla, Los amantes de Teruel, Los hijos de la fortuna Teágenes y Cariclea.*

Caballerescas.—*Palmerín de Oliva, Don Florisel de Niquea.*

Costumbristas.—De carácter: *No hay vida como la honra. Como amante y como honrada, La más constante mujer, Como padre y como rey.*

De intriga: *La toquera vizcaína, La doncella de labor.*

Autos sacramentales

Hemos indicado que el único digno de mención es el *Polifemo*, de tema basado en el viejo mito de los amores de Polifemo, Galatea y Acis. Polifemo es el espíritu del mal que ha tenido en su poder a Galatea (por el pecado original y por el pecado racional después del bautismo). La asedia continuamente, pero el Pastor evita su caída y vence en la lucha. Destaca—aunque la simbología es poco afortunada—por los primores de versificación.

Análisis de las comedias

Para nuestro gusto, a excepción de *El segundo Séneca de España*, lo mejor del teatro de Montalbán ha de buscarse en el grupo costumbrista, tanto en las comedias de intriga como en las de ca-

rácter, que mejor sería llamar de tesis o moralizadoras.

Entre las comedias religiosas destacan *La gitana de Menfis* y *Escanderbech*. La primera reproduce la antigua leyenda de la Egipcíaca, tan conocida en los primeros siglos de las literaturas románicas. El modelo próximo fué *La adúltera virtuosa Santa María Egipcíaca*, de Mira de Amescua. La segunda, más interesante por su tono caballeresco, se refiere a la conversión al cristianismo de Jorge Castrioto, conocido por los turcos con el nombre de Iskanderberg.

Tienen carácter histórico *La puerta Macarena*, donde lleva por primera vez al teatro la historia amorosa de doña Blanca de Borbón y don Pedro el Cruel, que servirá de tema, en el romanticismo, al drama de Espronceda *Doña Blanca de Borbón*; y *El segundo Séneca de España*, con el conflicto familiar entre Felipe II y su hijo el príncipe Carlos. Montalbán sigue la *Historia*, de Cabrera de Córdoba, y para nuestro gusto es inferior a la comedia de Jiménez de Enciso *El príncipe don Carlos*. Carácter intermedio entre lo histórico y lo legendario presenta *La monja alférez*, sobre la romántica vida de doña Catalina de Erauso.

De las comedias de historia extranjera, *Los Templarios* se refiere a un episodio de las Cruzadas, y *El mariscal de Virón*, a las luchas entre el duque de Saboya y Enrique IV el Bearnés. La fuente de Montalbán es la *Vida del duque de Birón*, de Mártir Rizo.

Comedias novelescas.—Al hablar del género bizantino hemos expuesto el tema de la de Heliodoro de Emesa, que en la traducción de Fernando de Mena inspiró a Montalbán la comedia titulada *Los hijos de la fortuna, Teágenes y Cariclea*. Cervantes le suministró el tema de *La gitanilla*. La más conocida de este grupo es *Los amantes de Teruel*, tratado en el teatro anteriormente por el valenciano Rey y Artieda y por Tirso de Molina, y cuya más perfecta interpretación correspondería dos siglos más tarde a Hartzenbusch. Cotarelo Mori ha señalado como origen de esta leyenda, cuya autenticidad histórica rebatió ya Isidoro de Antillón, el cuento de Girolamo y Salvestra, inserto en la jornada IV del *Decameron*.

Las comedias caballerescas—*Palmerín de Oliva* y *Don Florisel de Niquea*—derivan de los libros del género del mismo título.

Comedias costumbristas.—Son—como ya hemos indicado—las mejores de Montalbán, y entre ellas destacan *La más constante mujer* y *No hay vida como la honra*. En la primera, Carlos Esforcia, enamorado de Isabel, a quien también ama el duque de Milán, obtiene la mano de aquélla como premio a su constancia y a sus muchos sacrificios; en la segunda, el protagonista, también llamado Carlos, que había matado al conde Astolfo, cuando éste intentaba abusar de su esposa, se presenta espontáneamente a la justicia para recobrar la prima ofrecida por la captura del asesino y entregarla a su mujer, que se encuentra en precaria situación. Desenlace feliz, con el perdón del ofensor.

Menos interés, pero muy dignas también de tener en cuenta, son *Como padre y como rey*, en que aborda con gran delicadeza un tema que en manos de otro escritor podría resultar escabroso; pero aquí se resuelve aclarando desde el comienzo la verdadera personalidad de los supuestos hermanos, Carlos y Violante; y *Como amante y como honrada*, en la que juega con los celos de cuatro personajes: don Lope de Guzmán y doña Leonor, por un lado; y don Juan y doña Ana, hermana de aquélla, por otro. Un malentendido hace suponer a don Lope que su amigo don Juan corteja a su dama, y de ahí parte el enredo, muy bien llevado y ágilmente expuesto. La obra termina felizmente, como todas de su género.

Entre las comedias de intriga destacan *La toquera vizcaína*, que recuerda a *La moza de cántaro*, de Lope, y a *La villana de Vallecas*, de Tirso; y *La doncella de labor*, amena y llena de interés, en que se pintan los enredos urdidos por doña Isabel de Arellano para casarse con su amado don Diego de Vargas.

Un aspecto de Montalbán, que empieza a destacar la crítica moderna, es el de dramaturgo de la persona de Felipe II y sus familiares. En ello no hace sino seguir las huellas de Enciso y de Vélez de Guevara. Ya hemos citado la *Comedia famosa del gran Séneca de España Felipe II*, que tiene una *Segunda parte* referente a la vejez y muerte del gran rey. En ella, así como en *El señor don Juan de Austria*, se nos da pintado con seguros trazos el carácter, no sólo del rey Prudente, sino de sus más famosos cortesanos. A veces Montalbán encuentra la expresión más justa y cargada de sentido:

> Que quien consiente un error,
> tan cerca está de emprendelle,
> que entre admitille y hacelle
> no halla distancia el honor...

dice Felipe II cuando, en nombre de la «libertad de conciencia», se le pide tolerancia con los herejes flamencos [15].

Otras obras

Tiene también Montalbán un poema en cuatro cantos, *El Orfeo en lengua castellan* (1624), que ha sido atribuído a Lope de Vega, si bien éste rechaza la paternidad, diciendo claramente que es obra del hijo de su librero; y la *Vida y purgatorio de San Patricio*, que dió lugar a la comedia del mismo título de Lope y pudo inspirar a Calderón la suya, famosísima, *El purgatorio de San Patricio*. Por último, merece ser citado como biógrafo de Lope y colaborador entusiasta de la *Fama póstuma* escrita a la muerte del Fénix de los Ingenios. Sabido es que le ligaba a éste la más estrecha amistad y que en más de una ocasión colaboraron juntos.

Estilo y técnica dramática

Aunque Montalbán es un dramaturgo de segundo orden, inferior a las seis u ocho grandes figuras del teatro de nuestro Siglo de Oro, reúne dotes muy estimables y hasta en detalles nos parece superior a casi todos ellos. Su versificación es fácil y sencilla, libre del oropel que tanto perjudica a los andaluces Mira de Amescua y Vélez de Guevara, y su lenguaje dista tanto de la exageración e inverosimilitud de Guillén de Castro como de la picardía y desgarro de Tirso. Sometida su obra a constante lima, al igual que en Alarcón y en Moreto, su principal virtud es la carencia de defectos. Teatro sin estridencias, con una acción natural y progresiva que camina lógica hacia el desenlace previsto, agrada principalmente por la ausencia de afectación y recursos forzado. Sobresale en la pintura de caracteres femeninos, tipos de honor sostenido y de virtud constante ante los mayores infortunios; en tal aspecto contrasta con Tirso, que da mayor relieve al impulso de libertad en la mujer. Aun en obras como *La doncella de labor* y *La toquera vizcaína*, de tipos femeninos que se aproximan a los de Tirso, son mayores las diferencias que las semejanzas entre ambos dramaturgos. Discreción, pulcritud y elegancia: he aquí las notas que definen a Montalbán.

VI. JUAN RUIZ DE ALARCON

En Ruiz de Alarcón no sólo saludamos al primer dramaturgo americano en el orden cronológico, sino al mayor que ha producido América en todos los tiempos, y a una de las seis grandes figuras de nuestro teatro del Siglo de Oro. No puede, es cierto, considerársele como auténtico creador de la comedia moral, pero sí como su más eximio representante. El núcleo fundamental de su teatro está constituído por un grupo de obras en las que, de una u otra manera, se flagela al vicio y se enaltece o premia la virtud. Tan perfecto en la técnica como Moreto, le supera en originalidad. Poco fecundo, en comparación con los dramaturgos de la época, se consagra más que a la cantidad a la calidad de su obra, que cuida en sus mínimos detalles con redoblado esmero. Has-

ta el «gracioso» cobra en sus manos nueva idiosincrasia; lejos de ser la contrafigura del amo o
del galán, es, como después en Moreto, su asesor
y su confidente y compañero de andanzas. El
teatro de Alarcón es esencialmente un teatro de
ideas.

Datos biográficos

RUIZ DE ALARCÓN nace en Méjico, probablemente en 1581. En su ciudad natal estudia Artes y
prepara el bachillerato en Cánones. En agosto de
1600 llega por primera vez a España, y se gradúa de bachiller por Salamanca. Seis años más
tarde ejerce la abogacía en Sevilla, aunque sin título, según costumbre de la época. En 1608 vuelve a Méjico, donde permanece hasta el 1615, en
que regresa a España, después de haber opositado
infructuosamente a las cátedras de Instituta, Decreto y Código de la Universidad mejicana. Ya
en Madrid, donde, según deja traslucir en la dedicatoria de la parte primera de sus comedias
(1628), va «a pretender» entrar de lleno en la
vida literaria, empieza para él una época de enemistades y rencillas. Los compañeros de pluma,
basándose en sus defectos físicos, le zahieren con
las más acres censuras. Obtiene la plaza de relator interino del Consejo de Indias (1626), del
que pasa a titular siete años después. Al final
de su vida disfrutó de una posición desahogada,
ya que vivía en la calle de las Urosas, con coche
propio, criados y dinero, según se desprende de
su testamento. Tuvo de doña Angela Cervantes
una hija natural, Lorenza de Alarcón, a la que
nombra heredera universal de todos sus bienes.

Falleció en Madrid, el 4 de agosto de 1639, y
fué enterrado en la iglesia de San Sebastián. Pellicer se limitó a consignar en sus *Avisos históricos*:
«Murió don Juan de Alarcón, poeta famoso, así
por sus comedias como por sus corcovas.»

Perfil moral

La crítica ha adoptado dos posiciones extremas.
Para unos, el autor de *La verdad sospechosa* es
el hombre resentido, hipócrita, que escupe a la
cara de la sociedad la amargura que destila su
corazón; para otros, es el dramaturgo ejemplar,
que hace de su arte escuela de buenas costumbres,
censurando sin piedad la falta de escrúpulos de
sus contemporáneos y el exceso de tolerancia, basado en unas conveniencias sociales poco conformes con los santos principios de la moral. Quizá
Alarcón no fué ni lo uno ni lo otro; o tal vez las
dos cosas. Si fué un resentido, la verdad es que
supo sublimar su complejo de minusvalía frente
a una sociedad que no contaba entre sus virtudes
la de la caridad cristiana.

Se viene reproduciendo en los libros cierto retrato de Alarcón, conservado en la iglesia parroquial de Tasco, donde residía su familia. Es muy
probable que ese retrato—como cree autorizada-
mente Rangel—sea una suplantación del siglo XVIII.

En las semblanzas literarias que de él nos dejaron sus contemporáneos siempre habrá que descartar una buena parte y atribuirla a la malevolencia. «En lo que sátiras y documentos oficiales
concuerdan—dice Alfonso Reyes—es en la corta
estatura de Alarcón. Sus corcovas son ya proverbiales; pero los testigos de informaciones se abs-
tienen, por urbanidad, de aludirlas» [16].

Ciertas coplas burlescas nos le presentan corcovado de pecho y espalda, barbibermejo y comparable, por su aspecto, a un simio. No puede
dudarse de que su desmedrada estatura le impidió
desempeñar determinados cargos públicos. Fernández Guerra conjetura que pudo ser causa de que
no tuviera acceso a las cátedras a que opositó en
Méjico. En una consulta del Consejo de Indias
(1 de julio de 1625) se lee: «Aunque por sus partes era merecedor de que (el Consejo) le propu-
siese a vuestra majestad para una plaza de asiento
de la Audiencia de menores, lo que ha dejado de
hacer por el defecto corporal que tiene, el cual
es grande para la autoridad que ha menester representar en cosa semejante.» Esta deformidad
puede explicar, en parte, cierta actitud de recelo
mental que se observa en algunas de sus comedias;
añádase su oposición a las normas dramáticas vigentes y a las exigencias del público, ante el cual
no estaba dispuesto a claudicar, y tendremos explicadas las sátiras feroces de sus contemporáneos.
Ironiza con frecuencia la rutina de las comedias
de su época; pero no puede ponerse en duda que
alcanzó resonantes éxitos en los teatros de la Corte, según se desprende del proemio de su *Parte
segunda* (1634), éxitos que le harían pagar bien
caros Lope de Vega y sus amigos. Uno de éstos,
el inquieto Mira de Amescua, a pesar de su hábito
sacerdotal, tomó parte activa en el desvergonzado
lance que ocasionó el fracaso de *El Anticristo*.

Se ha dicho repetidas veces que la creación artística es una liberación de potencial psíquico. El
artista descarga en su obra su propia psiquis.
Goethe, atormentado, declara en más de una ocasión que, de no haber escrito *Werther,* habría
terminado suicidándose. El artista, pues, busca un
descargo o desahogo sentimental; aun en la obra
de los escritores que consideramos más objetivos,
menos inclinados a la íntima efusión, es fácil hallar esta liberación psíquica a que aludimos. Sería
una especie de «catarsis» aristotélica, ya no en el
auditorio, sino en el propio autor; una descarga
de contenido pasional, que el poeta, en un momento dado, es incapaz de resistir y efunde al exterior. Ha sido el alemán Max Scheler quien en
su libro *El resentimiento de la moral* ha hecho
una aplicación curiosa de esta teoría. Se puede
hablar de psicología resentida, y como resultado
de ello, de una moral también resentida. ¿Cómo
se manifiesta esto en la obra de Alarcón? La
verdad es que no ofrece caracteres ostensibles de
ese resentimiento; o los ofrece tan atenuados, que,

a no saber que fué deforme y que pudo pesar sobre él este complejo de inferioridad, ni siquiera hablaríamos de resentimiento. Y no se arguya que, de no haber nacido jorobado, su obra no sería lo que es. No negamos que en el teatro de Alarcón se perciba cierta acritud, cierto tono de admonición y disgusto, que se defienda en más de una ocasión una moral acomodaticia; lo que decimos es que el poeta sabe siempre sublimar ese complejo y depurar las pequeñas pasiones con la fuerza magnífica de su arte.

Sin negar que en Alarcón puedan apuntar aquí y allí ciertas notas de resentimiento, creemos poder afirmar que no fué ésa su nota característica ni la clave que explique su técnica y su concepto teatral. Comedias como las suyas podía haberlas escrito otro dramaturgo que ni por su posición social ni por su condiciones físicas o morales tuviera el más liviano motivo de resentimiento. Nadie ha pensado en tachar a la Zayas de resentida, y no obstante, buena parte de las ideas de Alarcón se encuentran en las *Novelas amorosas y ejemplares*. Finalmente, muchas de las normas de moral práctica, un tanto utilitaria, que predica Alarcón en sus comedias eran de dominio popular.

Clasificación

Aunque escasas por su número, las obras de Alarcón no son más fácilmente clasificables que las de cualquier dramaturgo de su época. Razón de ello, la variedad. Valbuena agrupa bajo el epígrafe general de «Comienzos de su dramática» una serie de obras distintas temáticamente y que sin duda corresponden a diversas épocas de su vida literaria: unas se imprimen ya en la *Primera parte*, y otras, *Los empeños de un engaño*, seis años después, en la *Segunda*. Más conveniente parece la clasificación de Ludwig Pfandl, basada en criterios ideológicos, aunque peca de excesiva minuciosidad al dividir los dramas de ideas en cuatro subgrupos. Por nuestra parte establecemos los siguientes:

Comedias históricas.—De historia nacional: *Los pechos privilegiados, La crueldad por el honor, Ganar amigos, El tejedor de Segovia.*

De historia extranjera: *El dueño de las estrellas, La amistad castigada.*

Religiosas.—*Quien mal anda, mal acaba; El Anticristo.*

De magia.—*La cueva de Salamanca.*

De enredo.—*El semejante a sí mismo, La industria y la muerte.*

De cautivos.—*La manganilla de Melilla.*

Moralizadoras.—*La verdad sospechosa, Las paredes oyen, La prueba de las promesas, No hay mal que por bien no venga, El examen de maridos, El desdichado en fingir, Mudarse por mejorarse, Los favores del mundo.*

Lo mejor del teatro de Alarcón hay que buscarlo en la comedia moralizadora. Hasta las agrupadas en el primer apartado, «Comedias de historia nacional», caben en esta denominación. En ellas, lo histórico-legendario queda relegado a segundo plano por la intención ético-docente. Unas veces es el deber filial o el culto a la palabra empeñada lo que da tono a la obra, como en *La crueldad por el honor*; otras, la conciencia del deber cumplido, incluso contra los caprichos del rey, como en *Los pechos privilegiados*. Este mismo carácter dificulta el encuadramiento de algunas piezas. En *Ganar amigos*, incluída entre las históricas, el elemento moralizador se superpone hasta convertirla en una obra de tesis, pudiendo figurar en ese grupo con el mismo derecho que *No hay mal que por bien no venga* o cualquier otra. Insistimos una vez más en que la comedia de Alarcón es escuela de la vida y lección de moral, aunque más de una vez esa moral haya sido tachada de sinuosa y un tanto utilitaria.

Análisis de las principales comedias: De historia nacional

En *Los pechos privilegiados* se plantea el conflicto entre el amor a una mujer y la lealtad al monarca. Triunfa esta última. El hecho que da pie a Alarcón para su obra son los amores de Rodrigo de Villagómez, privado de Alonso V de León y enamorado de doña Leonor, hija del conde Melendo. Rodrigo se niega a secundar los planes del rey, que, prometido con doña Mayor de Castilla, pretende, no obstante, a una hermana de Leonor. En Valmadrigal, donde se refugia Rodrigo, coinciden éste y el rey en un intento de rapto. El monarca está herido, y Rodrigo, anteponiendo su fidelidad a toda otra consideración, le presta ayuda. Alfonso V paga su lealtad con un privilegio otorgado a los Villagómez, uno de cuyos descendientes, don Hernando, consejero de Indias, había favorecido a Alarcón para la obtención de la plaza de relator en dicho Consejo.

Sobre un episodio de suplantación de personalidad compuso *La crueldad por el honor*. Sabido es cuántas veces se han llevado a las tablas argumentos similares: *El pastelero de Madrigal*, de Jerónimo de Cuéllar; *Traidor, inconfeso y mártir*, de Zorrilla; *El encubierto* y *El encubierto de Valencia*, de Jiménez de Enciso y García Gutiérrez, respectivamente; *El granduque de Moscovia*, etc.

Aquí el rey Alfonso I de Aragón, muerto en Palestina, es suplantado por uno de sus nobles, Nuño Aulaga. Quiere éste vengarse por tal medio de un su antiguo rival, Bermudo; pero tras muchas vicisitudes, cae en poder de su enemigo y se descubre la superchería. El interés de la obra se centra en la persona de Sancho, hijo de Aulaga, obligado a luchar entre el amor filial y la ley del honor. Sancho sabe que su padre es un impostor y, por otra parte, está ligado por el juramento de fidelidad a su soberana, Petronila, que declara que Alfonso ha muerto en el sitio de Fraga. El conflicto se resuelve por el lado del honor, y es el propio Sancho quien da muerte a su padre, a petición de éste. Al final de la obra se descubre que Sancho no es hijo de Aulaga, sino de Bermudo. La obra deriva de los *Anales* de Zurita y de la *Historia* del padre Juan de Mariana.

Las más notables prendas morales se ponen de manifiesto en *Ganar amigos*, una de las comedias mejores de Ruiz de Alarcón, admirablemente versificada, cuyo único defecto, aunque bien leve, es la excesiva complicación de la trama. La acción se reduce a exponer las excelencias de hacer favores, de «ganar amigos». El marqués don Fadrique, privado de don Pedro el Cruel, perdona y ampara a don Fernando de Godoy, que ha dado muerte a su hermano en desafío; impide la muerte que el rey quiere dar a don Pedro de Luna porque «quebrantando la clausura — de mi palacio real, — entra a gozar, desleal, — de una dama la hermosura»; gana la amistad de don Diego de Padilla prometiéndole no volver a hablar a su hermana doña Flor. Calumniado luego el mismo marqués por un delito que en realidad ha cometido don Diego, se ve privado del favor real y condenado; pero don Fernando, don Pedro y don Diego se ofrecen a padecer el castigo en su lugar. El rey perdona al antiguo valido.

La locución es siempre la apropiada a la nobleza de los sentimientos. El carácter del marqués es de los mejor logrados, y su grandeza de ánimo, comparable a la de Augusto en la tragedia de Corneille *Cinna*, le hacen uno de los personajes más bellos del teatro de todos los tiempos. Pedro el Cruel se nos presenta con los caracteres simpáticos tradicionales en nuestro teatro del siglo de Oro. Libre del tono galante y amigo de aventuras nocturnas, es el rey magnánimo y justiciero por excelencia.

Los caracteres femeninos están menos conseguidos, achaque frecuente en el teatro de Alarcón. Doña Flor, móvil principal de la intriga, aunque amable y pundonorosa, se deja guiar más por el interés que por el amor.

De verdadero drama romántico, lleno de movimiento, pasión y vida, con el correspondiente atuendo de traiciones y venganzas, podemos clasificar las dos partes de *El tejedor de Segovia*. Es probable que sólo una de ellas, la segunda, pertenezca a Alarcón. Cronológicamente, según todos los indicios, la primera es posterior. El tono romántico de la obra fué señalado por Alberto Lista, que la dividió en seis cuadros, resumen de los episodios culminantes: la traición; la torre de San Martín; el tejedor; el bofetón y la cárcel; los bandoleros, y la venganza.

El argumento se reduce a la venganza que toma un caballero castellano, hijo del alcaide de Madrid, Beltrán Ramírez, de los calumniadores, el marqués don Suero Peláez y su hijo el conde don Julián, causantes de que el rey Alfonso VI haya dado muerte al alcaide. El perdón del rey y la confesión y muerte de los culpables es el desenlace de la obra.

Comedias religiosas, de magia, etc.

Son de escaso valor, ya que de las dos que incluímos en este grupo, una, *Quien mal anda, mal acaba*, no puede considerarse como tal. *El Anticristo*, cuyo estreno resultó un auténtico fracaso, más por las mañas de los amigos de Lope de Vega que por los defectos de la obra, aunque no carece de ellos, es una pieza de pobre invención, pero llena de grandeza trágica, especialmente en la escena entre el Anticristo y su madre [17].

Es también digna de mención la controversia entre Elías y el Anticristo al comienzo del acto segundo. La obra arranca de los evangelios apócrifos y de tradiciones no canónicas de los primeros siglos de la Iglesia.

Quien mal anda, mal acaba dramatiza una de tantas leyendas de pacto diabólico para obtener el amor de una mujer. El señor González Palencia ha publicado un proceso real incoado por la Inquisición contra un morisco. Alarcón debió de basarse en algún relato similar. El protagonista, un morisco llamado Román Ramírez, vende su alma al diablo a cambio de la ciencia de la medicina y del triunfo en sus empresas amorosas.

Comedias de magia. Interesante y bien versificada es *La cueva de Salamanca*, probablemente de la juventud del poeta y quizá compuesta para ser representada en Salamanca. La obra se desenvuelve en un ambiente de amable chanza y camaradería. Al final aparece la justificación de la vida y de la leyenda de don Enrique de Villena [18].

Comedias de historia extranjera. Destacan *La amistad castigada* y *El dueño de las estrellas*. En la primera, Dión de Sicilia castiga la sumisión rastrera de Filipo y premia la fidelidad y hombría de Ricardo. Obra de caracteres borrosos y de moral un tanto acomodaticia, desentona de las mejores del autor. La conducta de Aurora, hija de Dión, corresponde a una mujer casquivana y orgullosa; el único personaje simpático, aunque secundario, es Ricardo, que sabe mantenerse fiel al monarca depuesto y recibe como premio la mano de Aurora.

No es muy superior *El dueño de las estrellas*, sobre la vida novelesca de Licurgo, legislador de Esparta. Licurgo se destierra voluntariamente de Esparta, su patria, después de haber conseguido que los espartanos juren fidelidad a las leyes que él les dió. Un horóscopo le predice grave conflicto con un rey, en el que será forzoso que uno de los dos muera. Se disfraza de villano y se instala en Creta. Enterado el rey de este país de la presencia de Licurgo, le pone al frente del Gobierno. Aquí se enamora de Diana, objeto también del amor del rey. Casado con ella, Licurgo sorprende al rey en su aposento cierta noche, y cuando va a arremeter contra el monarca, éste declara su personalidad. Licurgo ve cumplido el horóscopo, y para demostrar que es «dueño de las estrellas», se da la muerte.

La catástrofe final pone término a este argumento disparatado y destruye todo el buen efecto anterior de la obra [19].

Los enredos y aventuras amorosas de don Juan de Luna, caballero pobre, y Arnesto, rico mercader, pretendientes ambos de doña Blanca, dan tema a *La industria y la suerte*.

Comedias moralizadoras

Es aquí donde hay que buscar el verdadero teatro de Alarcón. La apología de una virtud: desinterés, amistad, fidelidad, justicia, etc.; o la censura de un vicio: ingratitud, mendacidad, murmuración, etc., son sus temas preferidos y los que le han inspirado las mejores páginas. Aunque la más celebrada de sus comedias es *La verdad sospechosa*, en nada desmerecen otras del mismo grupo, como *Los favores del mundo, La prueba de las promesas, Las paredes oyen* y *El examen de maridos*. En *Los favores del mundo*, llena de altísimos pensamientos, un García Ruiz de Alarcón vence y perdona la vida a su enemigo don Juan de Luna al oírle invocar a la Virgen, por lo cual consigue la privanza del príncipe y el amor de la bella Anarda. La trama se complica con la intervención de Julia, prima de la dama. Enamorada también del galán, calumnia a Anarda, a la que acusa de amante del príncipe. Al fin se descubren las maquinaciones de Julia, y la obra termina felizmente, con el matrimonio de los protagonistas.

Sobre un relato de origen oriental inserto en el *Libro de las cuarenta mañanas y las cuarenta noches*, que aprovechó don Juan Manuel en el suyo del *Conde Lucanor* («De lo que acontesció a un deán de Santiago con don Illán, el gran maestro de Toledo»), compuso Alarcón *La prueba de las promesas*. Don Juan, enamorado de Blanca, hija del mágico don Illán de Toledo, pide a éste le enseñe ciencias ocultas a cambio de grandes favores. Mimado por la fortuna y disfrutando de gran poder y riquezas, don Juan incumple su palabra, por lo que el hechicero deshace el conjuro, haciéndole volver a su primitivo estado. Obra de caracteres sostenidos, guarda cierta semejanza con la fantástica comedia del duque de Rivas *El desengaño en un sueño*.

Los peligros de la maledicencia se ponen de manifiesto en *Las paredes oyen*, una de las más interesantes comedias de Alarcón, en la que la crítica ha querido descubrir algunos rasgos autobiográficos. Un don Mendo, apuesto, noble y rico, y un don Juan, pobre y de exigua figura, pretenden a doña Ana, dama principal, que se dispone a casarse con el primero. Desengañada al fin y conocedora de la maledicencia de éste, acaba enamorándose de su constante galán.

Los caracteres están admirablemente trazados. Al encarnarse el autor en el personaje de don Juan, diríase que puso en la obra, además de su experiencia personal, el dolor acumulado por todas las censuras de que había sido objeto. La obra es un grito de rebeldía contra la maledicencia y contra las convenciones sociales, que hacen que atendamos más a los bienes deleznables de la fortuna y a las prendas corporales que a las virtudes del espíritu.

Fusión de comedia de carácter y de enredo es *Mudarse por mejorarse*, de igual manera que *No hay mal que por bien no venga* es una mezcla del tema histórico con el de carácter o moralizador. En la primera, cierto caballero abandona el galanteo de una viuda para enamorar a una sobrina suya; pero ésta, solicitada por un noble, deja al caballero, que vuelve a su antigua pretensión. En *No hay mal que por bien no venga*, una complicada trama amorosa se mezcla con la sublevación del príncipe García de León contra su padre Alfonso III el Magno. Destacan los caracteres de don Juan y don Domingo; noble, digno y valiente el primero; comodón, independiente, pero capaz de acciones heroicas, el segundo.

«La verdad sospechosa»

Ya la hemos señalado como la comedia más celebrada de Ruiz de Alarcón y una de las obras cimeras de nuestro teatro. Llena de gracia suave y no exenta de ironía, desarrolla un asunto entretenido y altamente aleccionador.

Don García, joven de prendas poco comunes, pero deslucidas por el vicio de mentir, abandona sus estudios en Salamanca, por muerte de su hermano primogénito don Gabriel. Llega a la Corte, donde encuentra a dos damas, Jacinta y Lucrecia, enamorándose de la primera, ante la que se finge rico indiano. Don Beltrán, padre del joven, le propone el matrimonio con otra dama de gran belleza y posición, que es la misma Jacinta; pero ignorándolo el joven, intenta salir del apuro diciendo que se ha casado ya secretamente en Salamanca, obligado por un compromiso de honor. Una confusión del criado, que trastrueca los nombres de las dos damas, hace que el padre de don García solicite para su hijo la mano de Lucrecia, cuando en realidad a quien quiere el joven es a Jacinta. Descubiertos todos los enredos, se ve obligado a casarse con aquélla, mientras Jacinta otorga su mano a don Juan, su antiguo pretendiente.

Comparada esta comedia con *Las paredes oyen*, resalta una diferencia capital: don García es un joven simpático y lleno de nobles cualidades; don Mendo, en cambio, perverso, infatuado y maldiciente. Los embustes de aquél no perjudican sino a sí mismo; la maledicencia de don Mendo es siempre en daño de tercero. Por ello, su castigo es adecuado, ya que, cuando fracasa en la empresa, no duda en obtener a doña Ana por la violencia. La crítica ha censurado el excesivo rigor con que se trata a don García, obligándole a casarse con la que no ama, y quiere descubrir en el desenlace una prueba del resentimiento de Alarcón.

Tal juicio supone un error de perspectiva. Dadas las costumbres actuales, sería excesivamente duro obligar al matrimonio contra la voluntad y gusto de los contrayentes; no lo era en los siglos XVI yXVII, en que los hijos, de ordinario, se atenían en tan grave trance a la sola decisión paterna, aun cuando ésta iba casi siempre de acuerdo con el afecto de los hijos.

Con *La verdad sospechosa* abandona el autor el campo trillado de la escena española, atenta más a la intriga que a los caracteres, y crea una nueva modalidad, encaminada al arte docente. De su éxito es testimonio elocuente la imitación de Corneille [20]. El dramaturgo francés toma el asunto y los personajes para su comedia *Le Menteur*; pero del mismo modo que en *Le Cid,* por su respeto a las unidades dramáticas, dejó escapar de las manos buena parte de la grandeza trágica que encontramos en Guillén; así, tampoco en *Le Menteur* supo aprovechar la gran lección que se desprende de la obra alarconiana, por su deseo de darle un desenlace feliz. En Corneille, el embustero termina casándose con la mujer amada.

Estilo y técnica dramática

La obra de Ruiz de Alarcón, sin apartarse de la directriz general impuesta por Lope al teatro del Siglo de Oro, representa una mesurada protesta contra las normas dramáticas del Fénix. Este, siempre dispuesto a concesiones y tolerancias, más de una vez claudicó ante lo convencional por aquello de que

> ... como las paga el vulgo, es justo
> hablarle en necio para darle gusto.

Alarcón, más exigente consigo mismo y consciente de la importancia de su magisterio—ya se ha dicho que concibió el teatro como escuela de buenas costumbres—, rara vez claudica ante los caprichos del público. Y esta exigencia no le viene impuesta tanto por un espíritu de resentimiento —según quieren sugerir algunos—como por cierta finura y aristocratismo innato, del que no podía, por tanto, fácilmente desprenderse. Alarcón se interesa menos por la intriga que por los caracteres; menos por la acción externa que por las íntimas reacciones de sus personajes. Más que a los actos atiende a las razones que los motivan, ya que esas razones son las que ponen mejor a prueba un carácter. Claro es que una sucesión determinada de actos engendra en quien los ejecuta un hábito; y en ese aspecto hay que reconocer que los personajes de Alarcón son siempre consecuentes y lógicos, lo mismo en sus virtudes que en sus vicios. A través de toda la comedia se muestran idénticos, ostentando de este modo una personalidad definida y concreta. Don García, en *La verdad sospechosa,* no se enmienda en su vicio de mentir; ni don Mendo, en *Las paredes oyen,* del suyo de murmurar. Ambos, lo mismo que el don Blas de *No hay mal que por bien no venga,* forman una sola pieza, un carácter sostenido y firme desde las primeras escenas hasta que cae el telón.

En este teatro alarconiano, verdadera «alta comedia», el vuelo lírico de Lope de Vega—tan poco dramático por ello en algunas ocasiones—es sustituído por un tono discreto, amable, de conversación corriente, de cosa vivida. En las descripciones domina la nota de apacibilidad: un jardín o patio, una merienda campestre junto a un río, etc. Y hasta en la sátira de costumbres, el acento es siempre mesurado. Cuando censura el disfraz varonil de la mujer, lo hace tanto en nombre de ciertos principios morales como por sujeción a la ley de la verosimilitud, esa sujeción a la verdad moral y lógica, que Alarcón no puede ni quiere quebrantar.

Alfonso Reyes ha destacado su apego «a las cosas de valor cotidiano» y cierto espíritu burgués que le hace descender a detalles aparentemente nimios, pero que contribuyen eficazmente a descargar de cuando en cuando la alta tensión del drama. También se ha aludido alguna vez a su *mejicanismo,* que explicaría mejor que nada «ese tono discreto y mesurado, de psicologismo caviloso, que le permitió sacar de sí mismo, sin antecedentes calificados ni sucesión inmediata, la comedia de costumbres» [21]. Esta elegancia y mesura espiritual se nos revela, p. ej., en su visión del criado, tan distinta de la de Lope. En Alarcón, el criado no es el gracioso de sal gorda y chocarrera, contrafigura grotesca del galán; que quiere ser cómico y resulta, con frecuencia, impertinente. Es, más bien, el consejero y compañero, de bastante más edad que el amo a quien sirve, y cerca del cual desempeña la doble misión de ayo y de criado [22].

En Alarcón, pues, tenemos un dramaturgo de excepcional valía, único en su clase; influído, como no podía menos de estarlo en algunos aspectos, por el genio avasallador de Lope de Vega, pero original y personalísimo en las cosas sustanciales. Con él, América entra por derecho propio y de la manera más digna en el gran teatro español, llegando a ocupar, como en la lírica con sor Juana Inés de la Cruz, en la mística con la Madre Castillo y en la historia con el Inca Garcilaso, un puesto de honor.

NOTAS

1. Este dato es inexacto. Ni Boyl era de más edad que Aguilar y Castro—había nacido en 1577—, ni pudo, por tanto, relacionarse con Lope de Vega por sus pocos años, pues sólo contaba once cuando el *Fénix* se estableció en Valencia.

2. En la comedia de Tárrega *El prado de Valencia* el personaje que ofrece semejanza con el «gracioso» es el lacayo Guillermo. Lo mismo podemos decir de Bravonel, lacayo de *La burladora burlada*. En otras comedias—*El marido asegurado*, de Boyl, o *La venganza honrosa*, de Aguilar—no encontramos nada que se parezca al clásico «gracioso».

3. Nace en Valencia, en 1561, de familia acomodada, aunque no noble, según se viene repitiendo. Contrajo matrimonio en 1587 con una dama de regular posición, lo que le ocasionó disgustos con su padre, que soñaba para él un enlace ventajoso. Secretario, primero, del conde de Sinarcas y señor de Chelva, y mayordomo, después, de los duques de Gandía, a quienes dedicó la *Fábula de Endimión y la Luna*, que le acarreó la enemistad del magnate y la pérdida del cargo. Murió en 1623, según Mesonero Romanos, de la «pesadumbre» que tuvo al caer en desgracia del duque. Como la mayor parte de los poetas de su época en Valencia, perteneció a la Academia de los Nocturnos, ocultándose bajo el seudónimo de *Sombra*.

4. Podría resumirse en los siguientes postulados:

a) La fidelidad conyugal debe asegurarse por el mutuo amor de los esposos:

> ... la mujer de buen talle
> que no quiere a su marido,
> está cerca de afrentalle.

b) La palabra dada obliga más que la misma fidelidad al monarca:

> Más que un rey manda una fe.

c) El caballero mantendrá siempre la razón y la justicia de sus actos.

d) El deshonor nace del consentimiento más que de la ofensa.

e) El único llamado a realizar la venganza es el ofendido:

> Y ansí sólo yo he de ser
> quien mi mujer matar pueda,
> que el hombre que ha menester
> que otro se la mate, queda
> con agravio y sin mujer.

5.
> .... Tereo en aquella
> tan infelice ocasión,
> probó su mala intención,
> pero no salió con ella.

La obra interesa también por la protesta contra las rigurosas leyes del honor. Así se expresa Teosindo, esposo de Filomena:

> Vuelve a mí los ojos bellos
> sin vergüenza, que en tu abono
> mis agravios te perdono,
> pues que no culpaste en ellos.
> Quédese el mundo en las leyes
> que atropello y que maldigo,
> y esté yo, estando contigo,
> entre cabras y entre bueyes.

Años después Rojas Zorrilla llevó al teatro el mismo tema, solucionando trágicamente el conflicto. Si Rojas vence a Castro en grandeza trágica, conduciendo la acción al más desastrado fin, en cambio es vencido en delicadeza lírica. La obra de Castro plantea un problema interesante: el delito involuntario, ¿debe considerarse como acreedor al castigo o no?

6. De la posición que adopta el dramaturgo pueden dar idea los versos:

> Que a un rey, en siendo tirano,
> pueden quitalle ese nombre.
> ¿Y es razón que muera un rey?
> Si es tirano, poco importa.

Carácter muy distinto nos presenta *La justicia en la piedad* sobre un conflicto muy similar al que dramatizará Rojas en *No hay ser padre siendo rey*. El pueblo se subleva para libertar al príncipe, que ha sido condenado a muerte por el rey, su padre.

7. Valenciano, nació probablemente en Segorbe, entre 1553 y 1555. Estudió en la Universidad de Valencia, donde se graduó de Artes el 5 de julio de 1575, obteniendo después el doctorado en Sagrada Teología. En 1584 Gregorio XIII le nombra canónigo, y desde entonces desempeña los más diversos cargos en representación del cabildo. Contribuye a la fundación de la Academia de los Nocturnos (1591), en la que adoptó el nombre de *Miedo*. Secretario de diversos certámenes, goza de gran predicamento como poeta, y de fama por su honradez, bondad y buenas costumbres. Murió el 7 de febrero de 1602.

8. El poeta, como profetizando el acontecer histórico, hace que entre los dos reyes se desarrolle el siguiente diálogo:

> EMPERADOR.
> Francisco, ya no estás preso;
> si algo injusto te parece,
> Carlos, tu hermano, se ofrece
> a deshacer el exceso.
> Protesto aquí, si algún día
> rompieres esta avenencia,
> que sea de tu conciencia
> la culpa toda y no mía.
> Si sientes desigualdad,
> remediémosla los dos;
> no permitas, rey, por Dios,
> lo pague la cristiandad.

> REY.
> Libre las paces celebro,
> y así quiero que me llame
> caballero ruin, infame,
> si ve el mundo que las quiebro.

9. En la comedia *Fundación de Nuestra Señora de la Merced* leemos:

> Coman cuanto ellos querrán,
> que estas costas de Valencia,
> estas costas pagarán.
> Basta que de ti me sienta,
> y no me mandes sentar.

10. Pedro Juan Rejaule nació en Valencia; fué bautizado el 3 de agosto de 1578. Cervantes le alaba en su *Viaje del Parnaso* y le califica de «grande defensor de la poesía», tal vez aludiendo a su *Discurso apologético de las comedias*. Su muerte ocurrió después de 1638, pues consta que en dicho año seguía desempeñando el cargo de consejero de la Real Audiencia, para el que había sido nombrado en 1629. Concurre a los certámenes organizados en su ciudad natal con motivo de la canonización de San Raimundo (1602) y de la beatificación de San Luis Beltrán (1608), en el cual actuó de relator Gaspar de Aguilar.

11. Nació en Valencia (1577). De familia aristocrática, fué señor de Masamagrell y de los Francos de Farnalls. Asistente de la Academia de los Nocturnos, en la que tomó el nombre de *Recelo*, contribuyó en gran manera a la fundación de la de los Adorantes, de la que fué presidente. En 1614 contrajo matrimonio con doña Jerónima Bonavida; murió, tres años después, asesinado cerca de la catedral de Valencia, víctima de una intriga amorosa.

Siguiendo la moda al uso, escribió un *Romance a un licenciado que deseaba hacer comedias*, que contrasta en belleza y en gracia con el sofístico *Discurso apologético* de Ricardo del Turia, del cual es precedente. Curioso documento y de abundante doctrina, a pesar de su brevedad. Para Boyl

> la comedia es una traza
> que, desde que se comienza
> hasta el fin, todo es amores,
> todo gusto y todo fiestas.

La tragicomedia, en cambio, aunque acabe felizmente, es un tejido que empieza en «mortal desdicha».

Y la tragedia

> .... es todo Marte,
> todo muerte, todo guerras,
> que por eso a las desgracias
> las suelen llamar tragedias.

Muestra especial predilección por los versos de arte menor, en especial redondillas y quintillas, a la vez que «de tercetos y de estanzas — ha de huir el buen poeta». Afirma que la obra teatral debe ser cuidada y que el poeta debe fiar más del estudio que de la fugaz inspiración:

> No le ha de doler borrar
> una y otra escrita escena,
> que quien algunas no borra,
> lejos está de la enmienda.

En este aspecto viene a ser la antítesis de Guillén de Castro, que en *Los mal casados de Valencia* escribe:

> Que los versos tienen esto:
> que si no se logran presto,
> ya no da gusto el lograllos.

Aconseja al dramaturgo que mezcle sentencias y primores «con borra — para henchir vacíos de ella» (de la comedia), pues las sentencias seguidas cansan al auditorio. No son aconsejables largas peroratas ni monólogos:

> Es ocasión para que
> con silbos dentro se vuelva;
> que sólo quien solo sale,
> por no cansar, en tres letras
> su razón ha de decir.

Por último, recomienda que se vaya graduando la intriga, para que el público no prevea el desenlace apenas principiada la obra.

12. Sabemos que ocupó cargos importantes en el gobierno de su ciudad natal, siendo elegido justicia civil en 1596. Murió, en plena juventud, el 19 de octubre de 1599.

13. Incluímos a Alarcón, porque, aunque nacido en Méjico, fué en Madrid donde desarrolló toda su actividad de dramaturgo.

14. Quevedo se ensañó contra esta pieza de Montalbán; lo que más censuró fué la poca habilidad y el confusionismo en la adaptación de un tema mitológico a lo sacro-teológico. A veces no sabemos si Cristo es personificado en Acis o en Ulises.

15. Vid. ANGEL VALBUENA: *Historia de la literatura española*, vol. II, pág. 270, 1.ª ed.

16. Sus contemporáneos le hicieron objeto de las burlas más despiadadas. El regidor Juan Fernández le dedicó la sangrienta copla:

> Tanta de corcova atrás
> y adelante, Alarcón, tienes,
> que saber es por demás
> de dónde te corco-vienes
> o adónde te corco-vas.

Góngora alude a «la que, delante y atrás, — gémina concha le viste». Tirso le llama «Don Cohombro de Alarcón, — un poeta entre dos platos». Salas Barbadillo: «El que tiene para rodar — una bola en cada lado.» No son menores las lindezas que le dirigen Suárez de Figueroa, Vélez de Guevara, don Antonio de Mendoza, Quevedo y otros. «Los apellidos de don Juan—escribe otro coetáneo—crecen como hongos: ayer se llamaba Juan Ruiz; añadiósele el *Alarcón*, y hoy se ajusta el *Mendoza*, que otros leen *Mendacio*. ¡Así creciese de cuerpo!, que es mucha carga para tan pequeña bestezuela. Yo aseguro que tiene las corcovas llenas de apellidos. Y adviértase que la D no es don, sino su medio retrato.»

17.
> Hijo de maldición, ¿ya qué afrentoso
> título habrá que a tu maldad no cuadre?
> ¿no bastó ser parto incestuoso
> del que, siendo tu abuelo, fué tu padre,
> sin que lascivo agora en amoroso
> lazo te unieses a tu misma madre?
> Mas al tribu de Dan, que Dios maldijo,
> y a padre tal correspondió tal hijo.

18.
> ... y porque es justo
> que el noble auditorio sepa
> por qué dicen que engañó
> el gran marqués de Villena
> al demonio con su sombra,
> oíd, la razón es ésta:
> Como el marqués estudió
> esta diabólica ciencia,
> tuvo el infierno esperanza
> de su perdición eterna.

> Mas murió tan santamente,
> que engañó al demonio, y ésa
> es la causa por que dicen
> que con la sombra le deja.
> Dicen que entregó su cuerpo
> a una redoma pequeña,
> porque en su sepulcro breve
> incluyó tanta grandeza.
> Que quiso hacerse inmortal
> dicen, porque su nobleza,
> su saber y cristiandad
> alcanzaron fama eterna.

19. En la lucha entre el honor y la fidelidad al monarca se dan las más variadas soluciones. Busto Tabera, en *La estrella de Sevilla*, lucha contra Sancho IV. Don Lope, en *El diablo está en Cantillana*, de Vélez de Guevara, recurre a una estratagema para burlar al rey. García del Castañar, en *Del rey abajo, ninguno*, de Rojas Zorrilla, no duda en sacrificar a su inocente esposa Blanca. Licurgo, en la obra que nos ocupa, se suicida. Desenlace censurado, pero lógico, ya que la pasión de Licurgo por Diana es completamente ridícula.

20. Declara que tradujo en parte y en parte imitó la obra de Alarcón, y afirma que es de tal mérito, que no conoce nada en nuestra lengua que le complazca más, y que diera dos de sus mejores obras a cambio de que ésta fuera suya.

Goldoni, en el siglo XVIII, se inspiró en *La verdad sospechosa* para la comedia *El mentiroso*, una de sus mejores producciones, aunque se aparta bastante del original español. A pesar de las innegables condiciones del comediógrafo italiano, no supo sacar partido de la bella comedia alarconiana. El fondo moral y la admirable pintura de los caracteres que hace en la obra de Alarcón un dechado de belleza, se transforma en Goldoni en una serie de enredos, en un intrascendente pasatiempo en que un galán pone de manifiesto su habilidad para mentir en materia de amores.

Aunque la obra fué atribuída a Lope de Vega, y así lo creía el propio Corneille cuando la imitó, la paternidad está fuera de duda. El mismo Alarcón nos declara en la «Advertencia al lector» puesta al frente de la *Segunda parte de sus comedias*: «Sabe que las ocho comedias de mi primera parte y las doce desta segunda son tan mías, aunque algunas han sido plumas de otras cornejas, como son *El tejedor de Segovia*, *La verdad sospechosa*, *Examen de maridos* y otras que andan impresas por de otros dueños.»

21. Vid. ALFONSO REYES: Pról. a la ed. de Ruiz de Alarcón en «Clásicos Castellanos» de *La lectura*, volumen XXXVII.

Sobre el americanismo de Alarcón aludido por Henríquez Ureña, merece repasarse el juicio que expuso Menéndez Pelayo en su *Historia de la poesía hispanoamericana*: «Su gloria principal será siempre la de haber sido el clásico de un teatro romántico, sin quebrantar la fórmula de aquel teatro ni amenguar los derechos de la imaginación en aras de una preceptiva estrecha o de un dogmatismo ético; la de haber encontrado, por instinto o por estudio, aquel punto cuasi imperceptible en que la emoción moral llega a ser fuente de emoción estética.»

Sobre el aristotelismo de Alarcón, bueno es recordar el pról. «Del autor al vulgo» (*Parte primera* de sus comedias):

«Contigo hablo, bestia fiera, que con la nobleza no es menester, que ella se dicta más que yo sabría. Allá van esas *comedias*; trátalas como sueles, no como es justo, sino como es gusto, que ellas te miran con desprecio, y sin temor, como las que pasaron ya el peligro de tus silbos, y ahora pueden sólo pasar el de tus rincones. Si te desagradan, me holgaré de saber que son buenas, y si no, me vengaré de saber que no lo son el dinero que te han de costar.»

22. Entre el padre de don García, éste y Tristán se desarrolla el siguiente diálogo en *La verdad sospechosa*:

DON BELTRÁN.
> Sirve desde hoy a García,
> que tú eres diestro en la Corte
> y él bisoño.

TRISTÁN.
> En lo que importe
> yo le serviré de guía.

DON BELTRÁN.
> No es criado el que te doy,
> mas consejero y amigo.

DON GARCÍA
Tendrá ese lugar conmigo.

TRISTÁN.
Vuestro humilde esclavo soy.

Tambien en *Las paredes oyen* el criado Beltrán es el compañero y confidente de don Juan.

BIBLIOGRAFIA

I. B. JOSÉ GALLARDO: *Ensayo de una biblioteca de libros raros y curiosos*, vol. I.—A. GIL Y ZÁRATE: *Estudios críticos sobre los dramáticos posteriores a L. de Vega*, «Bib. Aut. Esp.», vol. XLVII.—E. JULIÁ MARTÍNEZ: *Poetas dramáticos valencianos* (Observaciones preliminares de...), 2 vols., Tip. Rev. Arch., Madrid, 1929; *El teatro en Valencia*, «Bol. R. Acad. Esp.», XIII, 1926.—F. MARTÍ GRAJALES: *Ensayo de un diccionario biográfico y bibliográfico de los poetas que florecieron en el reino de Valencia hasta el año 1700*, Madrid, Tip. de Archivos, 1927.—HENRI MÉRIMÉE: *Spectacles et comédiens a Valencia*, Toulouse, 1913; *L'Art dramatique à Valencia depuis les origines jusqu'au commencement du XVII siècle*, Toulouse, 1913.—F. CARLOS SÁINZ DE ROBLES: *Historia y antología del teatro español*, vol. IV, Madrid, M. Aguilar, 1943.—*Dramáticos de la escuela de Lope*, «Hist. Gen. de las Lit. Hispánicas», vol. III, Barcelona, 1953.—V. XIMENO: *Escritores del reino de Valencia*, Valencia, 1747-1749.

II. F. CARRERES CALATAYUD: *La poesía de Gaspar de Aguilar*, «Anales del Centro de Cult. Valenciana», volumen XII, 1951.—*El color en la poesía de Gaspar de Aguilar*, «E. D. M. P.», III, 1952.—F. MARTÍ GRAJALES: *Fiestas nupciales de... Felipe III*, edic. y própl. por..., Valencia, 1910.—*Poetas valencianos. Rimas inéditas de Gaspar de Aguilar*, Burdeos, 1901.—*Gaspar de Aguilar*, «Cancionero de la Academia de los Nocturnos», parte 2.ª, Valencia, 1906.—E. MELE: *Gaspar de Aguilar: Poesías*, ed. y estudio de..., «Bull. Hispanique», III, Burdeos, 1901.—H. MÉRIMÉE: *Sur la biographie de Gaspar de Aguilar*, «Bull. Hispanique», VIII, 1906.—J. LACOMBA: *Gaspar de Aguilar: Poesías*, selección y pról. de..., Colec. «Flor y Gozo», Valencia, 1941.

III. H. ALPERN: *Guillén de Castro: «La tragedia por los celos»*, ed. y estudio de..., París, 1926; *A note on Guillén de Castro*, «Modern Lang. Notes», vol. XLI, 1926.—BORMANN: *Der Cid im Drama*, «Zeits. für Rom. Philol.», XV, 1893, págs. 5-33.—E. COTARELO MORI: *Sobre el «Quijote» de Avellaneda y acerca de su verdadero autor*, «Bol. R. Acad. Esp.», XXI, 1934.—COURNEY BRUERTON: *The Chronology of the Comedias of Guiillén de Castro*, «Hisp. Rveiew», XII, 1944.—OTIS H. GREEN: *New documents for the bibliography of Guillén de Castro y Bellvís*, «Rev. Hispanique», LXXXI, 1933.—A. HAMEL: *Der Cid im Spanischen Drama*, Halle, 1910.—LORD HOLLAND: *Some account of the Life and Writings of Lope de Vega and Guilhem de Castro*, Londres, 1817.—G. HUSZAR: *Pierre Corneille et le théatre espagnol*, París, 1903.—E. JULIÁ MARTÍNEZ: *Obras de don G. de Castro y Bellvís, Observaciones preliminares y notas de...*, 3 vols., Madrid, Impr. Archivos, 1925-1927.—*La métrica en las producciones de G. de Castro*, «Anales de la Univ. de Madrid», vol. III, fasc. I (Letras), 1934.—S. L. LEAVITT: *Divine Justice in the «Hazañas del Cid»*, «Hispania», California, XII, 1929.—F. MARTÍ GRAJALES: *Bibliografía de G. de Castro*, «Anales del Cen. de Cult. Valenciana», 1931.—F. MARTÍNEZ MARTÍNEZ: *Don Guillén de Castro no pudo ser Alonso Fernández de Avellaneda* (Réplica al folleto de don E. Cotarelo y Mori), Valencia de los Edetanos, 1935.—E. MÉRIMÉE: *Première partie des «Mocedades del Cid»*, estudio preliminar y notas de..., Toulouse, 1890; *Notes sur Guillén de Castro*, «Revue Hispanique», I, 1894.—H. MÉRIMÉE: *Pour la biographie de G. de Castro*, «Rev. des Langues Romanes», IV, 1907; *Guillén de Castro: «El ayo de su hijo»*, ed. y estudio de..., «Bull. Hisp.», VIII, 1906.—R. MONNER SANS: *Don Guillén de Castro. Ensayo de crítica biobibliográfica*, Buenos Aires. 1913.—HUGO A. RENNERT: *«Ingratitud por amor». Edited with an Acount of the Author's life.* Filadelfia, 1899.—J. M.ª ROCA FRANQUESA: *Un dramaturgo de la Edad de Oro: Guillén de Castro*, «R. de Fil. Esp.», Madrid, 1944.—J. RUGGIERI: *«Le Cid» di Corneille et «Las Mocedades del Cid» di G. de Castro*, «Arch. Roma-

nicum», vol. XIV, núm. 1, 1930.—V. SAID ARMESTO: *Don Guillén de Castro: «Las mocedades del Cid»*, ed. y notas de.., «Clás. Castellanos», núm. 15, Madrid, 1913.—SCHAEFFER: *Geschichte des spanischen Nationaldramas*, Leipzig, 1890.—J. D. SEGOLL: *Corneille and the Spanich Drama*, Nueva York, 1902.—M. SERRANO Y SANZ: *G. de Castro: «Comedia del pobre honrado»*, ed. y estudio de..., «Bull. Hispanique», IV, 1902.—E. H. TEMPLIN: *Una nueva fuente de «Quien malas mañas ha»*, «Rev. Fil. Esp.», XVI, Madrid, 1929.—W. BOURLAND: *Estudio a la edición de «Los moriscos de Hornachos», del canónigo F.º Tárrega*, Chicago, 1904.—J. SERRANO CAÑETE: *El canónigo F.º Agustín Tárrega. Estudio bibliográfico*, Valencia, 1889.—H. MÉRIMÉE: *Un romance de Carlos Boyl*, «Bull. Hispanique», VIII, 1906.

V. GEORGE WILLIAM BACON: *The Life and Dramatic works of Doctor Juan Pérez de Montalbán: 1602-1638*, Univ. of Pensilvania, Nueva York, 1912; *The comedia «El segundo Séneca de España»*, «Rom. Review». 1. 1910.—PABLO CABAÑAS: *El mito de Orfeo en la literatura española* Madrid, 1948.—E. COTARELO MORI: *Sobre el origen y desarrollo de la leyenda de «Los amantes de Teruel»*, Madrid, 1907.—J. FITZMAURICE-KELLY: *The Nun Ensing, together with «La monja alférez», a play by Montalbán*, Londres, 1908.—GASTON Y GUIMBAO: *Cancionero de «Los amantes de Teruel»*, 1908.—ADA GODÍNEZ BATLLE: *Labor literaria del doctor J. Pérez de Montalbán*, «Rev. Fac. de Letras y Cien. Univ. La Habana», vol. XXX, núms. 1-2.—JOSÉ M.ª DE HEREDIA: «La Nonne Alférez», París. 1894.—R. MESONERO ROMANOS: *El teatro de Montalbán*, «Sem. Pintoresco Esp.». Madrid, 1852.—W. MULERTT: *Die Patrik legende in Spanische «Flores Sanctorum»*, «Z. f. R. Ph.», 1926.—J. H. PARKER: *Montalbán, fuente de Molière*, «Modern Lang.», 1940.—A. RESTORI: *Il «Para todos»*, «La Bibliografía». XXIX, 1927.—A. G. SOLALINDE: *El purgatorio de San Patricio en España*, «Hom. a M. Pidal», Madrid, 1925.

VI. E. ABRÉU GÓMEZ: *Juan Ruiz de Alarcón*, «Clásicos románticos, modernos», Méjico, 1935; *Los graciosos en el teatro de Ruiz de Alarcón. Estudio estilístico*, «Rev. Inv. Lingüísticas», III, Méjico, 1935; *Ruiz de Alarcón: Bibliografía crítica*, Méjico, 1939; *Juan R. de Alarcón: Teatro completo*, introd. de..., Méjico, 1951.—N. ALCALÁ-ZAMORA: *El Derecho y sus colindantes en el teatro de don Juan R. de Alarcón*, «Bol. Real Acad. Esp.», XXI. 1934.—HANNAN E. DE BERMAN: *Una caricatura de J. Ruiz de Alarcón*, «Nueva Rev. Filol. Hisp.», VIII, Méjico, 1954.—J. BROOKS: «La verdad sospechosa». *The source and purpose*, «Hispania», California, XV, 1932.—J. CASALDUERO: *El gracioso de «El Anticristo»*, «Nueva Rev. Filol. Hisp.», Méjico, 1954.—A. DE CASTRO: *Un enigma literario. El «Quijote» de Avellaneda*, «La España Moderna». Madrid, 1889.—J. M.ª CASTRO Y CALVO: *El resentimiento de la moral en Ruiz de Alarcón*, Zaragoza, 1942.—A. CASTRO LEAL: *Juan R. de Alarcón. Su vida y su obra*, Méjico, 1943; *Juan Ruiz de Alarcón y la moral*, Méjico, 1947.—E. COTARELO MORI: *Sobre «La cueva de Salamanca»*, Revue Hispanique», XXXVIII. París, 1916; *Los padres de J. Ruiz de Alarcón*, «Bol. Real Acad. Esp.», II, 1915.—COURTNEY BRUERTON: *«La culpa busca la pena», comedia de R. de Alarcón*, «Nueva Rev. Filol. Hisp.», VII, Méjico, 1953.—CHARLES PHILARETE: *Etudes sur l'Espagne*, París, 1847 (el estudio sobre Alarcón se publicó, traducido, en «La Ilustración Mexicana», IV, 1855).—SERGE DENIS: *Lexique du théâtre de J. R. de Alarcón. La langue de J. Ruiz de Alarcón. Contribution à l'étude du langage dramatique de la «Comedia» espagnole*, París, 1943.—M. M. DOUGHERTY: *J. Ruiz de Alarcón's treatment of the «Pundonor»*, Indiana University, Master's thesis (inédita), 1926.—LUIS FERNÁNDEZ GUERRA: *Don Juan Ruiz de Alarcón y Mendoza*, Madrid, 1871.—JENARO FERNÁNDEZ MACGREGOR: *La mexicanidad de Alarcón*, Rev. «Letras de México», II, núm. 8, 1939.—E. FOURNIER: *L'Espagne et ses comediens en France au XVIIe siècle*, «Rev. Hispanique», XXV. París, 1911.—J. FRUTOS G. DE LAS CORTINAS: *La génesis de «Las paredes oyen», de R. de Alarcón*, Rev. Filol. Esp.», XXXV, 1951.—A. GASSIER: *The Théâtre espagnol*, París, Ollerdorf, 1898.—A. GONZÁLEZ PALENCIA: *El curandero morisco del s. XVI Román Ramírez* (asunto de la comedia de Alarcón «Quien mal anda, mal acaba»), «Historias y leyendas», págs. 215-83, Madrid, 1942.—JUANA GRANADOS: *J. Ruiz de Alarcón e il suo teatro*, Milán. 1954.—OTIS H. GREEN: *J. Ruiz de Alarcón and the «topos». Homo deformis et parvus*, «B. Hisp. Studies». XXXIII. 1956.—JUAN M.ª GUTIÉRREZ: *Don Juan R. de Alarcón y Mendoza*, «Estudios biog. y crit. sobre algunos poetas sudamericanos anteriores al siglo XIX», Buenos Aires, 1865.—THOMAS EARLE HAMILTON: *The Structure of the Alarconian comedia*. A doctoral thesis, Austin, Texas, 1940.—J. E. DE HARTZENBUSCH: Pról. a la ed. de *Comedias de Alarcón*, Bibl. de Aut. Esp. Rivadeneyra, vol. XX, Madrid.—M. HENRÍQUEZ UREÑA: *El teatro en la América española en la época colonial*, Buenos Aires, 1936.—P. HENRÍQUEZ UREÑA: *Don Juan R. de Alarcón*, Méjico, 1913 (reimpreso en el libro «Seis ensayos en busca de nuestra expresión», Buenos Aires, 1928).—G. HUSZAR: *Pierre Corneille et le théâtre espagnol*, París, 1903.—J. M.ª IZQUIERDO MARTÍNEZ: *El Derecho en el teatro español. Apuntes para una antología de las comedias del Siglo de Oro*, Sevilla, 1924.— J. JIMÉNEZ RUEDA: *J. Ruiz de Alarcón y su tiempo*, Méjico, 1939.—E. JULIÁ MARTÍNEZ: *J. Ruiz de Alarcón: «La verdad sospechosa»*, est. y notas de..., Zaragoza, 1943.— FRAY ANTONIO M.ª LOBATÓN: *«La verdad sospechosa». Una cumbre del siglo XVII*, «Alvernia», núms. 14-15, Méjico, 1953.—J. LÓPEZ TASCÓN: *En torno de algunos grandes dramas lopistas. Relación de los mismos con «El tejedor de Segovia» y con el Doctor Remón*, «La Ciencia tomista», LIII y LIV, Salamanca, 1935.—GUIDO MANCINI: *Il teatro di J. R. de Alarcón*, Roma, 1953.—E. MARTINENCHE: *La «comedia» espagnole en France*, París, 1900.—MIRIAM VIRGINIA MELVINI: *Juan R. de Alarcón. Clasical and Spanich influence*, Michigán, 1942.—V. MOLINIER: *Notice sur le poète espagnol Alarcón*, Toulouse 1872.—R. MONNER SANS: *Don J. Ruiz de Alarcón. El hombre, el dramaturgo, el moralista*, «Rev. Univ. de Buenos Aires», vols. XXX y XXXI.—S. GRISWOLD MORLEY: *Studies in Spanish Dramatic versification of the Siglo de Oro*, Univ. of California, Publ. in Modern Philology, VII, 1918.—C. ORTIGOSA VIEYRA: *Los móviles de la comedia en Lope, Alarcón, Tirso, Moreto, Rojas y Calderón*, Méjico, Univ. Nacional, 1954.—ARTHUR L. OWEN: *«La verdad sospechosa» in the editions of 1630 and 1634*, «Hispania», Univ. of California, VIII, 1925.—ELISA PÉREZ: *Influencia de Plauto y Terencio en el teatro de Ruiz de Alarcón*, «Hispania», California, XI, 1928.—J. A. VAN PRAAG: *La «Comedia» española aux Pays-Bas au XVIIe et au XVIIIe siàcles*, Amsterdam, 1934; *«Don Domingo de don Blas»*, «Rev. Filol. Esp.», XXII, Madrid, 1935.—CLOTILDE EVELIA QUIRANTE: *Personajes de J. Ruiz de Alarcón («galanes», «criados» y «mujeres»)*, Méjico, 1939.—R. GARCÍA: *Teatro de Juan R. de Alarcón, con estudio crítico y apuntes sobre cada comedia*, 2 vols., París, 1884.—N. RANGEL: *Los estudios universitarios de R. de Aalrcón y Noticias biográficas del dramaturgo don Juan R. de Alarcón*, «Bol. Bibl. Nac. de Méjico», vols. X y XI, 1913-1915; *Bibliografía de Juan R. de Alarcón*, Méjico, 1927.—A. REYES: *Capítulos de literatura española* (cinco estudios sobre Alarcón), Méjico, 1939; *Ruiz de Alarcón. Teatro*, pról. de..., Clás. Cast. «La Lectura, 2.ª ed., Madrid, 1918.—F. RODRÍGUEZ MARÍN: *Nuevos datos para la biografía de J. R. de Alarcón*, Madrid, 1912.—MUSSIA SACKHEIM: *Die Lebenphilosophie des Dichters don J. R. de Alarcón*, Berlín, 1936.—J. B. SEGALL: *Corneille and the Spanish drama*, Nueva York, 1902.— DOROTHY SCHONS: *The Mexican background of Alarcón*, «Bull. Hisp.», XLIII, 1941; *Apuntes y documentos nuevos para la biografía de J. R. de Alarcón*, «Bol. R. Acad. Hist.», Madrid, 1929.—JOSEPH H. SILVERMAN: *El gracioso de J. R. de Alarcón y el concepto de la figura del donaire tradicional*, «Hispania», Washington, XXXV, 1952.—VICENZO SPINELLI: *Los tres mentirosos* (sobre los personajes de Alarcón, Corneille y Goldoni), «Clavileño», núm. 24, Madrid, 1953.—TERRACINI: *Un motivo stilistico; l'uso dell iperbole in Alarcón*, «Studi di Lett. Spagnuola», Roma, 1953.—C. VÁZQUEZ ARJONA: *Elementos autobiográficos e ideológicos en el teatro de Alarcón*, «Revue Hispanique», vol. LXXIII, 1928.

CAPITULO XXXIX

LA ESCUELA DE LOPE: B) ANDALUCES

I. MIRA DE AMESCUA : *Datos biográficos. Mira, poeta lírico. Mira, dramaturgo. Análisis de sus autos. Análisis de sus comedias. «El esclavo del demonio». Comedias históricas y costumbristas. Estilo y técnica dramática.*—II. VÉLEZ DE GUEVARA : *Datos biográficos. Vélez, novelista. Clasificación y análisis de su teatro. Los autos. Las comedias. Estilo, versificación y técnica de Vélez de Guevara.*—III. OTROS DRAMATURGOS ANDALUCES : *Jiménez de Enciso. Godínez. Belmonte y Bermúdez. Rodrigo de Herrera. Dramaturgos de tercer orden.* NOTAS.—BIBLIOGRAFÍA.

I. MIRA DE AMESCUA

Los dos dramaturgos más representativos del grupo andaluz en el ciclo de Lope son Mira de Amescua y Vélez de Guevara. Su teatro sintetiza las cualidades de estilo características de la región en que nacieron: tendencia a la ornamentación, nota colorista y lenguaje preferentemente metafórico.

Datos biográficos

Nació ANTONIO MIRA DE AMESCUA en Guadix (Granada), entre 1574 y 1577[1]. Cursó Gramática en su ciudad natal, y a los dieciocho años pasó al Colegio Imperial de Granada, donde siguió Cánones y Leyes. Se ordena de sacerdote, y en 1609 es nombrado capellán de la capilla de los Reyes Católicos en la misma ciudad. Entra al servicio del conde de Lemos, con quien pasa a Nápoles, y es allí uno de los fundadores de la Academia de los Ociosos.

En 1622 permuta su capellanía de Granada por otra de Madrid, aunque consta documentalmente que desde diez años antes no residía en Granada, sino en la Corte, donde solía concurrir a reuniones de poetas, escribía aprobaciones de libros y competía en sus comedias con el Fénix Lope de Vega. Durante este tiempo actuó como capellán del cardenal-infante don Fernando, y en 1631 es nombrado arcediano de Guadix, previa la oportuna dispensa, por ser hijo ilegítimo.

De su carácter impulsivo quedó buena constancia en las actas del Cabildo, como antes había quedado en los corrales de Madrid[2]. Algunos atribuyen este carácter huraño y casi agresivo a la ilegitimidad de su nacimiento; y en su misma obra encontramos no pocos rasgos violentos y reacciones inesplicables según la lógica normal. Murió el 8 de septiembre de 1644.

Mira, poeta lírico

Más destacado por su labor dramática, es también un lírico estimable y de finísima sensibilidad.

Colabora en las *Flores de poetas ilustres*, de Pedro de Espinosa. La composición que le ha dado mayor nombradía, hasta el punto de hacerse imprescindible en todas las antologías, es la titulada *Canción real a una mudanza:*

> Ufano, alegre, altivo, enamorado,
> rompiendo el aire, el pardo jilguerillo
> se sentó en los pimpollos de una haya,
> y con su pico de marfil nevado,
> de su pechuelo blanco y amarillo
> la pluma concertó pajiza y baya...

Esta composición, que no le pertenece de manera indudable, es una lección magnífica de barroquismo, tanto por el vocabulario y la belleza de las imágenes como por el hondo pesimismo que encierra; como el tierno pajarillo es víctima de la saeta del cazador, el amor del poeta se ve destruído por la inconstancia y veleidad de la dama, «breve bien, fácil viento, leve espuma». En algunas piezas dramáticas encontramos bellas muestras líricas, entre las que destacan los dos cantos de Navidad insertos en el auto *Nacimiento de Cristo nuestro bien y Sol a medianoche*[3].

El teatro de Mira de Amescua

Tiene análogas características al de Lope; como éste, presenta frecuentes escenas sin trabazón íntima y, en muchos casos, duplicidad de temas en una misma obra[4]. En tal aspecto no sería ocioso un estudio comparativo de los mismos temas tratados por ambos dramaturgos.

El fuerte de Mira es la comedia de capa y espada, en la que, a una habilidad consumada para la intriga, se une la más armoniosa versificación, sólo que afeada de cierta ampulosidad. No olvidemos la tendencia a la metáfora en toda la poesía andaluza: triunfante el culteranismo en la pri-

mera década del XVII, a nadie puede extrañar que
Mira se incorporase a un movimiento que tan bien
se adaptaba a sus naturales inclinaciones. En el
aspecto estilístico, se sitúa en el punto medio entre
el arte sencillo, emotivo y fuertemente lírico de
Lope de Vega y el recargado, brillante y razonador
de Calderón.

Clasificación

Su producción, sin alcanzar el volumen de Tirso o de Calderón, y mucho menos la abrumadora
cantidad de Lope, es bastante considerable: unas
cien piezas, de las que nos quedan cerca de sesenta. Atendiendo al tema que desarrollan, podemos
agruparlas de la siguiente manera:

AUTOS

Sacramentales y de Nacimiento.—*La mayor soberbia humana de Nabucodonosor, Pedro Telonario, La jura del príncipe, El heredero, Las pruebas
de Cristo, El sol a medianoche.*

COMEDIAS

Religiosas.—Bíblicas: *El arpa de David, Vida y
muerte de San Lázaro, El clavo de Jael.*
De santos: *La adúltera virtuosa Santa María
Egipcíaca.*
Leyendas devotas: *El esclavo del demonio, La
mesonera del cielo, El animal profeta San Julián.*
Históricas.—De historia nacional: *Obligar contra su sangre, La desdichada Raquel, Lo que puede
el oír misa.*
De historia extranjera: *El ejemplo mayor de la
desdicha y capitán Belisario, El conde Alarcos, La
rueda de la Fortuna.*
Mitológicas.—*La manzana de la discordia y robo
de Helena, Hero y Leandro.*
Costumbristas.—*La Fénix de Salamanca; Galán,
valiente y discreto; No hay burlas con las mujeres,
o casarse y vengarse; Lo que puede una sospecha;
La tercera de sí misma.*

Análisis de los autos

El auto en Mira tiene las características de la
época de Lope: trama sencilla y predominio de
lo doctrinal e histórico sobre lo alegórico. Pero
ya señala un avance—como nota Valbuena Prat—
con relación a sus contemporáneos, acaso porque
una mayor seguridad teológica le lleva al empleo
de figuras alegóricas, típicas en su día del auto
calderoniano. También precede Mira a Calderón
en el llamado «auto de circunstancias» (tal *La
jura del príncipe*), basado en algún suceso real,
como enlaces regios, victorias, etc. Mira ofrece
la doble muestra del auto—el sacramental y el de
nacimiento—, representado este último por *El sol
a medianoche*. Los mejores son: *La mayor soberbia humana de Nabucodonosor*, con el humillante y ejemplar castigo del orgulloso rey de Asi-

ria; *El sol a medianoche*, en que la naturaleza
humana, convertida en esclava y detenida por el
pecado [5], recibe el anuncio de su liberación; y el
más logrado, *Pedro Telonario*, en que se da un
equilibrio casi perfecto de los elementos que luego
integrarán el auto calderoniano. Su argumento se
reduce a la lucha que entablan la Caridad y la
Avaricia en torno al rico Pedro Telonario, con el
triunfo final de aquélla. Pedro, que durante su
vida había sido un hombre extremadamente tacaño, termina por convertirse, distribuyendo su
hacienda entre los pobres y vendiéndose a sí mismo por esclavo; Cristo, en pago, le llama al
banquete eucarístico:

> Yo aquesta paga prometo
> al que en la tierra con pobres
> parte lo que le da el cielo.

Análisis de algunas comedias

Las de asunto bíblico ofrecen escaso interés.
Sólo merecen recordarse *El arpa de David* y la
Vida y muerte de San Lázaro. En la primera
se obtienen delicadas notas al pintar el amor del
rey por Micol y algunos rasgos, como la lucha
interna de David para ahogar su pasión por Bet-
sabé, que preludian situaciones análogas de la
mejor obra de Mira, *El esclavo del demonio*. En
la segunda se combinan hábilmente episodios del
Antiguo Testamento—el de Nabal y Abigaíl—con
otros del Nuevo, el del rico Epulón y el pobre
Lázaro [6].

Más interesante el grupo de las comedias de
santos, destacan en él *La adúltera virtuosa Santa
María Egipcíaca*, tema antiquísimo en todas las
literaturas, en que se contraponen las dos vidas,
pecadora y penitente, de la protagonista, con pasajes plenamente logrados; la *Vida y muerte de
la monja de Portugal*, con introducción de personajes alegóricos sobre un suceso contemporáneo:
la superchería de cierta monja alucinada, y *El
santo sin nacer y mártir sin morir*, en que se dramatiza, con evidente abuso de milagrería, la vida
y portentos de San Ramón Nonato. Encontramos
aquí el tipo de mujer metida a bandolero por
ofensas contra su honra, al igual que la *Serrana
de la Vera* y tantas otras.

Al grupo de «comedias de leyendas devotas»
pertenece la obra más sobresaliente del teatro de
Mira, *El esclavo del demonio*. Aparte de ésta—a
la que dedicaremos párrafo aparte—, merecen destacarse: *El animal profeta San Julián* y *La mesonera del cielo*. En la primera aborda un tema
muy repetido después y que servirá a Flaubert
para hilvanar uno de sus más deliciosos cuentos
de carácter hagiográfico: *San Julián el hospitalario* [7]. Con *La mesonera del cielo* lleva al teatro
clásico un tema medieval, desarrollado en escenas
de fuerte oposición y violentos contrastes. Un

ermitaño, Abrahán, viendo en el matrimonio el obstáculo para sus anhelos de vida contemplativa, abandona a su esposa la misma noche de la boda. La esposa le busca, y cuando vuelven a encontrarse se plantea en el corazón del ermitaño la lucha entre el amor humano y el ascetismo, que desemboca en una de las escenas más emotivas y bellas de la obra. El tema se complica con el episodio de otra penitente, sobrina de Abrahán, que, seducida y abandonada por su prometido, después de una vida disoluta, en que llegó a actuar como ramera en un mesón—de aquí el título de la comedia—, es rescatada por Abrahán para el cielo.

«El esclavo del demonio»

Así se titula la más famosa entre las comedias de Mira, que es, juntamente con El condenado por desconfiado, probablemente de Tirso, la mejor obra de nuestro teatro teológico. Recoge la leyenda de fray Gil de Santarén, que para penetrar en los secretos de la magia vende su alma al diablo, mediante la oportuna escritura, recuperada tras su conversión, gracias al auxilio de la Virgen. En sus puntos esenciales es una variante más de la leyenda de Fausto o de Teófilo, tan difundida en la Edad Media.

La fuente directa debió de ser la Historia general de Santo Domingo y de la Orden de Predicadores, de fray Hernando del Castillo. Mira introduce algunos cambios; el principal, la sustitución del motivo de venta del alma al demonio, que en la Historia era el afán de saber, y en la comedia, el amor femenino. Tal vez influyó en ello la leyenda de San Cipriano, aprovechada luego por Calderón en El mágico prodigioso [8].

Diego Meneses, enamorado de Lisarda, se decide a raptarla ante la oposición del padre a dársela, por antiguos resentimientos. Al irse a efectuar el rapto, la aparición de don Gil, varón de fama de santidad, lo impide con piadosas reflexiones; pero cuando don Diego ha desistido de su propósito, don Gil, tentado por la extraordinaria belleza de la joven, se dispone a seducirla, haciéndole creer que lo ha traído don Diego para así vengarse de su padre [9]. Este cree que su hija fué con Meneses, y Meneses supone que marchó con su padre a la aldea. Lisarda y don Gil se hacen bandidos. Caen en su poder Marcelo, padre de Lisarda, y una hermana de ésta, Leonor. Don Gil, ciego de pasión por Leonor, firma con el diablo un documento por el que se hace su esclavo, a cambio de satisfacer sus deseos. Cae también en su poder don Diego, que intenta convertirle con el mismo razonamiento que Gil había empleado para evitar el rapto. Lisarda pretende deshacerse de don Diego, a quien considera causante de todas sus desdichas; pero desiste al no prender la mecha de la escopeta, lo que interpreta aviso del cielo. Perdona a don Gil; regala sus joyas a una muchacha y se hace vender como esclava a su propio padre. Don Gil, despreciando todos los bienes que el de-

monio le ofrece, reclama a Leonor, y cuando el diablo se la trae, ve que sólo es un esqueleto. Arrepentido, rescata el documento, hace penitencia y confiesa que él ha sido el culpable de todo.

Lo primero que sorprende en esta comedia es su dualidad de acción, que la hace algo confusa y excesivamente complicada. Dos protagonistas masculinos: don Gil y don Diego; otros dos femeninos: doña Leonor y Lisarda. Por lo demás, el trazado de los personajes está hecho con rasgos vigorosos. Sobre todo, el carácter de Lisarda está logrado: su vida de bandolera viene preparada por su afición montaraz y su espíritu independiente. Impulsiva, lo mismo para el bien que para el mal, obedece a reacciones primarias. Puede parangonarse con la Julia de La devoción de la Cruz. La misma Leonor no es esa mujer gazmoña, que suele decirse, sino una muchacha respetuosa, digna y obediente. Don Gil es un Fausto a lo español, a lo divino. Como el alemán, busca en la acción, el pecado en este caso, el norte y razón de su existencia.

Dos ideas capitales informan la obra: la tesis de la ciencia y la del libre albedrío. En cuanto a aquélla, obsérvese que la actitud de nuestros dramaturgos suele ser opuesta: en los del ciclo de Lope, la sabiduría humana se considera más bien obstáculo para la salvación; en los del calderoniano, la ciencia no sólo puede llevarnos a la fe, sino que se estima como el mejor camino para llegar a ella. Respecto al libre albedrío, aunque en las primeras escenas de El esclavo del demonio pudiera descubrirse cierta dosis de fatalismo, termina por triunfar la sana doctrina, como era natural en un dramaturgo español del siglo XVII.

Se dan como posibles antecedentes de esta comedia La fianza satisfecha, de Lope de Vega, y Quien mal anda, mal acaba, de Alarcón. Ninguna de las dos creemos que haya influído en El esclavo del demonio. Entre el don Gil de éste y el Leonido de La fianza satisfecha hay un abismo: aquél es de buenos sentimientos y peca por desesperación, al ver que en un momento ha perdido todo lo que ganó en muchos años de penitencia y vida ejemplar; Leonido es simplemente un monstruo grotesco. Tampoco descubrimos coincidencias notables con la comedia de Alarcón: aun suponiendo que preceda cronológicamente a la de Mira, lo que no está probado, el recurso de fingirse médico para llegar al afecto de una dama nada tiene que ver con el de vender su alma al diablo, con el mismo fin. Es una maña repetida en varias comedias, entre ellas El acero de Madrid.

Comedias históricas y costumbristas

De las históricas mencionaremos El ejemplo mayor de la desdicha y capitán Belisario, La rueda *de la fortuna* y *El conde Alarcos.* La primera sobre el famoso general de Justiniano, recoge los celos de la emperatriz Teodosia, que, al verse preterida en el afecto del general por una dama de palacio, intenta asesinarle varias veces, y al no conseguirlo, le calumnia ante el emperador. Este condena a Belisario a los más afrentosos suplicios. Muy bien trazado el carácter de Antonia, prima de la emperatriz y amada de Belisario.

La rueda de la fortuna nos presenta la lucha entre Focas, Mauricio y Heraclio por el imperio de Oriente. Obra desigual, aunque con pasajes de intenso dramatismo, como el final del acto III, en que el emperador Mauricio, moribundo, reconoce a su hijo Heraclio. Ofrece analogías con *La República al revés,* de Tirso. En *El conde Alarcos,* sobre el mismo tema caballeresco ya tratado por Guillén de Castro, se muestra Mira inferior en todos los aspectos al valenciano.

Lo que puede el oír misa, inspirada probablemente en una de Vélez de Guevara, y ya dentro de la historia nacional, repite la célebre leyenda del guerrero que, gracias a su demora en acudir al combate por haber asistido al Santo Sacrificio, se salva de grandes peligros o logra resonantes triunfos. El mismo tema lo convertirá Calderón en auto sacramental. *La desdichada Raquel,* ya aludida al estudiar el teatro de Lope, es la primera comedia en que se da tal nombre a la hermosa judía de Toledo, favorita de Alfonso VIII. Obra muy sencilla, pero lograda.

En el género costumbrista sobresalen: *El palacio confuso,* de asunto análogo al de *Los Menechmos,* de Plauto, con una intriga basada en el parecido de dos personas, asunto tan repetido en todas las literaturas; *Galán, valiente y discreto,* bien versificada y hábilmente conducida, y *La Fé-*

nix de Salamanca, una versión más de la mujer que se disfraza de hombre, como varias otras en Lope de Vega y Tirso. Pero con una diferencia a favor de la de Mira: que aquí la protagonista nunca pierde su femineidad, y la decisión de seguir a su galán no obedece a deseo de reparar algún ultraje, sino a sincero enamoramiento. Es de las comedias más amenas y mejor versificadas del autor, con rasgos similares a *La discreta enamorada,* de Lope. Ingeniosa y de bellísima versificación es *La tercera de sí misma.*

Estilo y técnica dramática

Mira, ya lo hemos indicado, está dentro de la técnica dramática de Lope. No siempre original, sabe aprovechar temas tratados anteriormente y darles un sello tan personal y nuevo, que son los que han de servir luego de fuente a los comediógrafos posteriores [10].

El estilo, aunque peca algunas veces de artificioso e hinchado, suele ser espontáneo y natural. Traza los caracteres con mano firme y resuelve las situaciones con habilidad. Figura entre los primeros cuando se trata de reproducir con fidelidad costumbres de la época, y en este sentido, Mira de Amescua es un buen informador. Abunda en su obra dramática el lirismo, como buen discípulo de Lope de Vega; véanse, p. ej., las quintillas de *El pleito del diablo con el cura de Madridejos.* Robusto y conciso en el verso largo, emplea, como es natural, con preferencia el corto: romance, redondillas, quintillas.

Finalmente, la violenta reacción de algunos personajes refleja en cierto modo el carácter del autor, a que aludimos más arriba.

II. VELEZ DE GUEVARA

Después de Lope de Vega y de Tirso, es, sin duda, el dramaturgo más fecundo del siglo XVII. Pasan, según testimonios fehacientes, de 400 las comedias que compuso, de las cuales sólo unas 80—entre indiscutibles y dudosas—han llegado hasta nosotros. Su simple lectura nos revela un dramaturgo desigual e indisciplinado, que al lado de obras maestras, como *Reinar después de morir, El rey en su imaginación* o *La luna de la sierra,* produce dos esperpentos. Esta desigualdad se explica por la penuria económica que le acompañó a lo largo de su vida, obligándole a escribir sin inspiración muchas veces, y otras, con la sola esperanza de que algún noble pagara sus engendros de carácter genealógico. Fino instinto dramático, sabe aliar como ninguno de nuestros dramaturgos la emoción trágica con la apicarada sátira de costumbres y vicios sociales. El éxito de su novela *El diablo cojuelo* ha contribuido a la

subestimación de su obra dramática; creemos, por nuestra parte, que, sin desestimar el mérito de la novela, la verdadera personalidad literaria de Vélez ha de buscarse en el teatro. Aquí encontramos una docena de obras comparables a las mejores del siglo XVII.

Datos biográficos

Nació en Ecija (1579). Tuvo un hermano llamado Diego, también poeta, que abrazó el estado sacerdotal y llegó a párroco de la iglesia de San Juan Bautista. Estudió en Osuna y se graduó de bachiller en Artes, eximiéndose por pobre de pagar los derechos académicos. Suspende los estudios por causas que ignoramos. Según el testimonio de su hijo Juan, también dramaturgo, a los quince años entraba como paje al servicio del cardenal de Sevilla, don Rodrigo de Castro. En 1598 llega por primera vez a Madrid. Amigo de Lope de

Vega, a quien seguramente conoció en Valencia, le dedica un soneto que figura al frente de las *Rimas*. Contrae matrimonio y enviuda al poco tiempo. Entra al servicio del conde de Saldaña, pero su carácter indisciplinado le ocasiona más de un disgusto; Lope interviene cerca del conde en favor de Vélez. En 1618 enviuda por segunda vez y pasa a servir al marqués de Peñafiel, con el que permanece dos años, sin encontrar alivio a sus continuos apuros económicos. Eterno pretendiente, consigue en 1625 una plaza de ujier de Palacio, cargo más honorífico que remunerativo. Sus esquelas petitorias se hacen proverbiales, y con ellas corre parejas su extremada necesidad. Ni siquiera la saneada fortuna de doña María López de Palacios, con quien casó en cuartas nupcias, pudo sacarle de apuros, por incapacidad del poeta para administrarla bien. «Fué tan pobre—escribe Rodríguez Marín—que bien puede dudarse si en algún tiempo de su vida llegó a tener dos trajes en mediano uso.» Esta indigencia no le abandona hasta la muerte. En su testamento declara «estar muy alcanzado y necesitado de hacienda para poder disponer y dejar las misas que quisiera para su alma.» Murió en Madrid, en noviembre de 1644. Muy celebrado por Lope, Cervantes, Montalbán, Claramonte, Tamayo de Vargas y otros, hoy se le recuerda más por su novela que por su obra dramática.

Vélez, novelista

En Vélez concurre la doble faceta del novelista y del dramaturgo. En el primer aspecto nos ha dejado una sola obra, *El Diablo Cojuelo,* «sátira cortés de la sociedad de su tiempo, felicísima en la mayor parte de sus cuadros y no afeada por la licencia o crudeza tan comunes en las novelas de la época... Sería una narración clásica de primer orden, y aún leíble hoy día, si no la deslustrara el conceptismo y si no se hallara sobreabundante en equívocos y frases convencionales de difícil o imposible comprensión en nuestra era»[11].

No puede calificarse de novela en el sentido estricto de esta palabra, ya que la acción sólo es pretexto para engarzar en ella una serie de cuadros sobre todos los estados y clases sociales, que el Cojuelo describe y analiza con un tono irónico, comparable al de Quevedo, aunque menos desgarrado. El interés de la obra se centra, más que en la sucesión de lances, en las reflexiones que el autor va intercalando en la narración, reflejo de una manera de pensar, de sentir y de ver las cosas en el mundo que le rodeaba.

Dividida la novela en diez capítulos, que el autor llama «trancos», refiere las aventuras del estudiante don Cleofás Leandro Pérez Zambullo, que huyendo de la justicia «por un estupro que no había comido ni bebido», va a parar al desván de un astrólogo, donde, aprisionado en una redoma, se halla el diablo Cojuelo. Don Cleofás le liberta, y el Cojuelo, en pago de tal favor, se decide a mostrarle el espectáculo sugestivo que ofre-

ce la sociedad. Le traslada primeramente a la torre de San Salvador, y allí, a la una de la noche, «levantando a los techos de los edificios, por arte diabólica, lo hojaldrado, se descubrió la carne del pastelón de Madrid como entonces estaba». Van desfilando los más pintorescos tipos: lindos, letrados, brujos, hechiceras, ladrones, etc., hasta la misma doña Tomasa, dama de don Cleofás, auténtica buscona, que «está abriendo la puerta a otro».

No menos abigarrado y gracioso es el espectáculo del Madrid de día: recorren las calles donde se bautizan los *dones,* se compran y venden apellidos nobles, etc.

La visita a la casa de los locos da ocasión a Vélez para ofrecernos tres tipos pintorescos y muy frecuentes en la época: el arbitrista, el enamorado y el gramaticón. En tanto, a instancias del astrólogo, se reúne el infierno en junta, y Satanás delega a Ciellamas para que prenda al Cojuelo. Tras varias aventuras—salida apresurada de una venta a la hora de pagar, discusión con unos extranjeros que menosprecian a España, paso del Cojuelo por Constantinopla para alborotar el serrallo del Gran Turco, etc.—llegan a Sevilla. Aquí concurren al garito de los mendigos y pícaros, uno de los cuales, también de nombre Cojuelo, es confundido por Ciellamas con el auténtico. Doña Tomasa, acompañada de un soldado, llega asimismo a Sevilla, en busca del fugitivo don Cleofás. El soldado con un alguacil prenden al Cojuelo y a don Cleofás; pero logran huir sobornando a los corchetes. Doña Tomasa y el soldado pasan a Indias; el Cojuelo es llevado al infierno, y don Cleofás regresa a Alcalá para proseguir sus estudios.

Es una obra de estilo conceptuoso, denso y en la que cada palabra lleva casi siempre segunda intención. Así, medio adivinando lo que hay tras la corteza exterior, debe leerse. Probablemente le fué sugerida por los *Sueños,* de Quevedo; pero nunca le alcanza Vélez ni en vigor, ni en crudeza, ni en gracia, ni siquiera en el descoco y lo avieso de la intención. De ciertas frases del prólogo, dirigidas a los «mosqueteros», se deduce que le habían silbado más de una comedia, por lo que Vélez estaba dolorido[12].

Para las costumbres literarias de aquel tiempo son de interés las «Premáticas y ordenanzas que se han de guardar en la ingeniosa Academia Sevillana desde hoy en adelante», insertas en el «tranco» décimo.

Clasificación y análisis de su teatro

Aceptamos la división general del teatro de Vélez en autos y comedias. En los autos prefiere, como la mayor parte de los dramaturgos del ciclo de Lope, los de carácter historial, con sus modalidades del Nacimiento, de leyendas o tradiciones piadosas y de asunto mariano.

AUTOS

Historiales: *La abadesa del cielo, El nacimiento de Nuestro Señor.*

Sacramental: *Auto de la Mesa Redonda.*

COMEDIAS

Bíblicas.—*La hermosura de Raquel* (2 partes), *Santa Susana.*

Históricas.—De historia nacional: *Más pesa el rey que la sangre, Reinar después de morir, El águila del agua.*

De historia extranjera: *Cumplir dos obligaciones, El cerco de Roma por el rey Desiderio.*

Legendarias.—*La luna de la Sierra, El diablo está en Cantillana, La niña de Gómez Arias, La serrana de la Vera.*

Filosóficas.—*El rey en su imaginación.*

Los autos

El que más interés ofrece es sin duda *La abadesa del cielo.* Recoge el tema tan repetido en las literaturas occidentales de la llamada «leyenda de Sor Beatriz», por otro nombre «de la monja y el galán». En el auto de Vélez, doña Juana, abadesa de cierto convento de Córdoba, huye con un canónigo, encomendando a la Virgen antes de partir las llaves de la casa y prometiéndole mantener viva la devoción al Rosario. El diablo, introducido entre los menesterosos que acuden al convento, trata de desacreditar a la abadesa; pero la Virgen interviene tomando su figura y desempeñando sus funciones. La aparición de Cristo crucificado, que amonesta a los amantes, les mueve al arrepentimiento. La abadesa vuelve antes que se note su falta, y la misma Virgen, con hábitos monjiles, sale a devolverle las llaves.

Sobre las versiones de este tema en nuestra literatura nos remitimos a lo dicho a propósito de la comedia de Lope de Vega *La buena guarda.* Vélez, al revés que la mayor parte de los dramaturgos al tratar el mismo tema, procura soslayar todo detalle escabroso: los amantes no consuman el sacrilegio; la ausencia de la abadesa sólo dura una noche, y la fuga parece querer justificarse con el ingreso de doña Juana en el convento por coacción paterna:

> Aquí me entraron mis padres
> contra mi gusto; fuí dellos
> compelida a hacer el voto
> que agora romper pretendo.
> Esposo humano procuro,
> y pues con don Andrés puedo
> casarme (que tiene sólo
> grados y corona), quiero
> darle de esposa la mano,
> que aquesto no es adulterio,
> que ha de ser la religión
> advocación de los cielos.

Más sencillo el *Auto del Nacimiento,* se reduce a la presentación de dones al Niño-Dios en el portal de Belén. Vélez ha introducido una nota finamente emotiva en la figura de la pastorcilla muda que sólo puede balbucir algunas letras.

Por último, el *Auto de la Mesa Redonda,* en feliz fusión alegórica de lo caballeresco y lo religioso, alude a la conquista de Jerusalén por Carlomagno (Cristo), ayudado por los Doce Pares (Los Apóstoles).

De versificación fácil y abundante, consigue acentos de gran fuerza dramática en la enumeración de las muestras de dolor con que las criaturas acogen la muerte de Jesús:

> Ya se encuentran unas piedras
> con otras, y de las cumbres,
> que a los aires centellean,
> crinitos monstruos producen.
> Ya de arriba abajo el velo
> del Templo se rompe, y huye
> la luz a rasgar las nemas
> de las urnas y ataúdes.
> No hay centro que no se mueva,
> firmeza que no se turbe,
> mármol que no titubee,
> bronce que no se espeluce,
> viendo muerto al que es Criador
> de todo; en todo se infunde
> un hielo, un asombro, un pasmo,
> que a la nada le reduce.

Comedias

Las bíblicas, que en su contenido responden exactamente al título, deben contarse como las más endebles del autor.

Entre las históricas, las hay basadas en personajes reales o en hechos concretos de la historia patria: batalla de Lepanto, defensa de Tarifa, hazañas de García de Paredes, etc., y las hay que tienen por asunto leyendas y tradiciones, con intervención más o menos destacada de reyes o magnates, y que denominamos legendarias. Un tercer grupo de tema similar está formado por las comedias de historia y leyendas extranjeras.

Entre las primeras destacan *Más pesa el rey que la sangre y blasón de los Guzmanes,* sobre la conocida gesta de Alonso Pérez de Guzmán en la defensa de Tarifa: es de las pocas comedias de nuestro Siglo de Oro en que se presenta la figura de la madre en toda su dignidad, sobreponiendo el honor a la pérdida del hijo. Abunda en escenas de intenso dramatismo, como la del diálogo entre Alonso de Guzmán y su hijo Pedro poco antes de ser sacrificado:

> Amor, amor, perdonadme,
> que entre la sangre y el rey,
> más pesa el rey que la sangre,

dice Guzmán, tratando de justificar la entrega. Y el hijo, tranquilo, responde:

> No ha de haber muerte que espante
> mi pecho, que, con la fe
> que profeso, en este trance,
> morir osaré invencible,

como tierno leonés Marte,
como de mi rey vasallo,
como hijo de tal padre,
como cristiano y Guzmán,
como caballero y mártir.

Mayor renombre ha alcanzado *Reinar después de morir*, sobre la trágica historia de Inés de Castro. «Hay sucesos —escribe Muñoz Cortés— que parecen tener una secreta fuerza de conmoción espiritual. Son muchas veces hechos menudos o importantes, pero de una importancia de ámbito e influencia restringidos, los que después han de alcanzar una perduración memorable en la leyenda y en la creación literaria. Feliz entre ellos la triste historia de Inés de Castro» [13].

El asunto, llevado antes al teatro en dos tragedias de fray Jerónimo Bermúdez, *Nise lastimosa* y *Nise laureada*, es el siguiente: El príncipe don Pedro de Portugal, casado secretamente con doña Inés de Castro, acoge con frialdad a su prometida oficial, la infanta doña Blanca de Navarra. Cuando el rey Alfonso conoce la boda de su hijo, le increpa duramente; pero la belleza y suavidad de Inés le amansan y acaba por perdonarlos. Instigado luego por la infanta y por los nobles Egas Coello y Alvar González, accede a que se dé muerte a doña Inés, siendo inútiles los ruegos de ésta y de los tiernos infantes don Alonso y don Dionís, en una de las escenas más conmovedoras de todo nuestro teatro. El rey muere súbitamente; y cuando don Pedro, noticioso del suceso, cree que podrá proclamar su matrimonio secreto, se entera del asesinato de su amada. Lleno de furor, hace buscar a los traidores Coello y Alvar y manda darles muerte, sacándoles el corazón por la espalda. La infanta doña Blanca, lastimada de la muerte de Inés, desiste del proyectado enlace y regresa a Navarra. Don Pedro ordena desenterrar el cadáver, corona públicamente a doña Inés y hace que sus vasallos desfilen ante ella acatándola como reina.

En el mismo grupo destaca *El hijo del águila*, sobre la niñez y crianza de don Juan de Austria, asunto modernamente tratado por el Padre Coloma en su novela *Jeromín*.

Las mejores piezas de Vélez, a excepción de *Reinar después de morir*, hay que buscarlas en el grupo de las que hemos denominado legendarias. *El diablo está en Cantillana* es una de tantas comedias basadas en la novelesca vida de don Pedro el Cruel. El carácter del rey, enamoradizo, noble y comprensivo, recuerda al que presenta en algunas obras Lope. Sabido es que el Fénix de los Ingenios sentía especial predilección por este monarca.

Argumento muy sencillo: Don Pedro quiere que su privado don Lope Sotelo abandone a doña Esperanza, de quien él está enamorado. Amenazado de muerte si no lo hace, don Lope suplica a su dama que escriba al rey accediendo a sus pretensiones. La dama escribe al rey, pero rechazando su afecto. Don Pedro, en venganza, envía a Sotelo a la campaña de Archidona. Corre por palacio el rumor de que existe un fantasma; y el diálogo entre el rey y Esperanza es interrumpido por la aparición de ese fantasma, que no es otro que don Lope, que se propone hacer fracasar por este medio las pretensiones amorosas del rey. Este lucha con el fantasma y le vence. Una vez más queda a salvo la dignidad y el valor real, aun como hombre. Como rey, perdona a don Lope, accediendo a su casamiento con Esperanza.

La obra se aleja de lo dramático para caer casi constantemente en lo cómico. Destaca el tipo de Esperanza, uno de los más logrados de Vélez, y también el de don Pedro. Lomba de la Pedraja, que ha estudiado la figura de éste dentro de nuestro teatro, señala *El diablo está en Cantillana* entre las comedias que nos dan un don Pedro «mozo mujeriego y calavera, amigo de aventuras nocturnas» [14].

Menos interés ofrece *La niña de Gómez Arias*, obra endeble, sobre todo comparada con la del mismo título de Calderón. Caracteres que no acaban de perfilarse y cierta inconsecuencia, que Calderón evita dándole un desenlace trágico, hacen de esta comedia un producto poco logrado.

Infinitamente mejor es *La serrana de la Vera*, inspirada en romances populares. Gila, seducida y abandonada por el capitán don Lucas de Carvajal, que se ha hospedado en su casa de Gargantalaolla, se lanza a la sierra para iniciar una vida de bandidaje. Cuando el ofensor cae en sus manos y promete reparar la ofensa, ella le asesina. Como el único objetivo de Gila era la venganza de su honor, una vez conseguido esto, se entrega sin resistencia a la Santa Hermandad. La obra debería terminar aquí; pero Vélez añade unas escenas de relleno, que sólo sirven para desvirtuar el intenso dramatismo del conjunto: Gila, antes de morir, increpa duramente a su padre por la mala crianza y la excesiva libertad que le ha dado y por no haber corregido a tiempo su «inclinación gallarda».

La luna de la sierra no es otra que Pascuala, bellísima aldeana de quien están enamorados el maestre de Calatrava y el príncipe don Juan, que quiere al campesino Antón, acude a Isabel la Católica en demanda de ayuda. La reina la entrega a su novio; pero éste, a su vez, la devuelve juntamente con su dote, no porque dude de su honra, sino por evitar la lucha con tan poderosos señores. Isabel toma por su cuenta el arreglo del caso, y la comedia termina

Sin tragedia y sin desgracia
casamiento a la postre.

Las comedias de Vélez inspiradas en la historia extranjera apenas tienen interés. Destaquemos sólo dos: *Cumplir dos obligaciones y duquesa de Sa-*

jonia y *El cerco de Roma por el emperador Desiderio.*

Esta última, de asunto disparatado, nos presenta
juntos a Carlomagno, Roldán, Iñigo Arista, Bernardo del Carpio y Reinaldos, acudiendo en ayuda del Pontífice Adriano, sitiado por Desiderio.
Unico detalle simpático es la satisfacción que el
poeta da al orgullo español.

Más ágil en su desarrollo y mejor construída
La duquesa de Sajonia, se relaciona con la falsa
acusación de adulterio formulada contra la emperatriz de Alemania. Vélez retrotrae el asunto
casi a su mismo tiempo y lo mezcla con detalles
macabros, tomados posiblemente del Romancero:
Don Rodrigo de Mendoza, caballero español, embajador de Felipe II, es socorrido por el conde
Ricardo—de cuya hermana Rosarda se enamora—
al ser atacado por unos franceses. Sorprendido por
una tempestad, llega con su criado al palacio del
duque de Sajonia. En una habitación rigurosamente enlutada se sirve la cena, interrumpida por
la aparición de una dama joven, de gran hermosura, que, junto a un ataúd, bebe agua en una
calavera; es la duquesa Matilde, a quien su esposo
somete a tal martirio, calumniada de adulterio.
Don Rodrigo, enterado de la inocencia de Matilde,
reta al calumniador, que resulta ser su amigo Ricardo, quien había difamado a la duquesa por
haberse negado a satisfacer sus pretensiones amorosas. Vencido Ricardo, confiesa su infamia; es
perdonado, rehabilitada Matilde, y don Rodrigo
se desposa con Rosarda.

Ya hemos aludido a la difusión del tema, repetido con diversas variantes en todas las literaturas
y que en la nuestra aparece inserto en la *Crónica
Sarracina,* de Pedro del Corral, y en las *Guerras
civiles de Granada,* de Pérez de Hita. Protagonista
de una aventura similar se hace al conde de Barcelona Ramón Berenguer III. La anécdota macabra pudo salir, ya lo hemos indicado, de algún
romance popular, como el de *Don Jaime y la
calavera,* anécdota que se halla también en la novela de la Zayas, *Tarde llega el desengaño.*

El rey en su imaginación, aunque localizada en
un país extranjero, es más bien un drama filosófico. Obra amena, bien versificada y de argumento
hábilmente llevado, repite una vez más el tema
del príncipe que vive en un ambiente plebeyo,
pero cuyo noble origen queda al descubierto por
la rectitud de su proceder.

Aquí la acción, enteramente fantástica, se sitúa en Sicilia; y como siempre en esta clase de
obras, la anagnórisis o reconocimiento viene a
darle un desenlace feliz.

La lista de obras similares, en que un príncipe
o un rey ocultan su dignidad, nos ha sido dada
por Gómez Ocerín; pero esa lista es susceptible
de ampliaciones: *Cuando no se aguarda y príncipe
tonto,* de Leiva Ramírez de Arellano; *El amor
constante,* de Guillén de Castro, etc. Parece que

estas leyendas derivan en su mayor parte de los
libros de caballerías.

Estilo, versificación y técnica de Vélez

De los dos tipos de comedias señalados por
Bances Candamo [15], las de «capa y espada» y las
de «fábrica», Vélez prefiere estas últimas. Muchas
adolecen de falta de originalidad; otras pecan de
atropelladas e inconexas; pero el poeta nos compensa siempre por su caudal poético. Como Lope,
sabe aprovechar los motivos y romances populares, que intercala y funde admirablemente con
la acción. Con frecuencia, el punto culminante de
ésta, su clave, es un cantar: así, en *Reinar después de morir,* cuando don Pedro de Portugal,
muerto su padre, cree que está ya libre para proclamar reina a doña Inés:

> ¿Dónde vas el caballero,
> dónde vas, triste de ti...? [16];

Así también aquel que en *La luna de la sierra*
va subrayando la gradación intensiva de los celos de Antón:

> La luna de la sierra
> linda es y morena...
>
> Luna que reluces,
> toda la noche me alumbres...

Valbuena Prat señala el andalucismo de Vélez.
Andaluces son también Enciso, Godínez y Mira
de Amescua; pero la nota colorista local no aparece en éstos con la intensidad reiterativa de Vélez. Las alusiones a monumentos sevillanos—Torre
del Oro, Alcázar, Catedral—son en éste constantes.

En la solución de conflictos de honor coincide
con Rojas; pero es difícil precisar quién copió
a quién, porque desconocemos la antigüedad de
varias de sus obras. Indudablemente, el autor de
La luna de la sierra tuvo presente *Del rey abajo,
ninguno,* o viceversa, porque las coincidencias entre ambas son más que casuales [17].

En cuanto a la mujer, como defensora y vengadora del honor, también coinciden ambos poetas.
Tal vez en Rojas la libertad femenina tenga un
sello más acusado y esté expuesta con un criterio
más amplio y moderno. El estilo de Vélez se mueve entre los dos extremos del popularismo y el
culteranismo. De una parte está el poeta ampuloso, recargado, amante de la metáfora y el libre
juego de palabras, como buen andaluz (sirva de
ejemplo la pintura de doña Inés en la primera
jornada de *Reinar después de morir);* de otra parte, el hombre que, mitad por convencimiento, mitad por instinto, sabe que la vena más rica de
poesía se encuentra en la cantera popular y acude
allí a buscarla.

La versificación, cuidada de ordinario, se desarrolla en un noventa por ciento a base del verso corto, ocupando el primer lugar el romance, seguido de la redondilla; en menor escala entran la quintilla y la décima. La hinchazón hay que buscarla en sus versos largos: octava, silvas y pareados.

III. OTROS DRAMATURGOS ANDALUCES

Inferiores a Mira de Amescua y Vélez de Guevara, completan el grupo de dramaturgos andaluces del ciclo de Lope de Vega otros cuatro de positivo valor, cuyas obras pueden figurar sin desdoro entre las mejores de nuestro teatro: Jiménez de Enciso, Felipe Godínez, Belmonte Bermúdez y Rodrigo de Herrera.

Jiménez de Enciso

Revalorizado por el conde Schack, DIEGO JIMÉNEZ DE ENCISO (1585-1534) [19] cuenta, entre otras, con dos comedias, El príncipe don Carlos y Los Médicis de Florencia, comparables a las más celebradas de aquel siglo.

Su producción dramática, muy breve y casi inasequible, pues el poeta no se cuidó de publicarla, presenta una temática reducida; se puede decir que toda es de carácter histórico, ya religioso, ya profano. Sólo cuatro o cinco comedias de Enciso han llegado a publicarse. Destacan entre ellas:

De santos: Santa Margarita.

De historia nacional: El encubierto, La mayor hazaña de Carlos V, El príncipe don Carlos, Los celos en el caballo.

De historia extranjera: Los Médicis de Florencia.

La más importante, El príncipe don Carlos, es la primera tentativa de llevar a las tablas al infortunado hijo de Felipe II. La prudencia del rey, en continua lucha entre sus deberes de gobernante y su amor paternal, forma vivo contraste con la irreflexión y servilismo del príncipe. De tal contraste, Enciso sabe sacar el mejor provecho. El final, con el reconocimiento de sus errores, por parte del príncipe, gracias a la intercesión de San Diego de Alcalá, hace bajar de tono a la obra. Enciso se inspiró en la Historia de Cabrera, alterando el orden cronológico de algunos sucesos, y en los Dichos y hechos de Felipe II, recogidos por Baltasar de Porreño. El príncipe don Carlos es, con El haz de leña, de Núñez de Arce, y con Felipe el Prudente, de Calvo Aesnsio, la obra dramática que más se acerca a la verdad histórica en lo tocante a Felipe II, cuya personalidad ha sido siempre tan torpemente desfigurada por los enemigos de España [19].

La mayor hazaña de Carlos V se refiere a su abdicación y retiro en el monasterio de Yuste. Los celos en el caballo, con un argumento similar al de la comedia de Rojas Del rey abajo, nin-

guno, aunque basada en personajes históricos, resulta un drama de intriga. El encubierto pertenece por su fondo histórico a la lucha de las Germanías y tiene por protagonista a un aventurero que se hacía pasar por hijo del príncipe don Juan y nieto, por tanto, de los Reyes Católicos. Enciso, que tomó su argumento de las Décadas, de Gaspar de Escolano, trata al impostor con simpatía y le hace morir reconciliado con la Iglesia y perdonado por el emperador [20].

La obra que más fama ha dado a Enciso es Los Médicis de Florencia, sobre las luchas que siguieron en la bella ciudad italiana a la sublevación de los Pazzi. Recoge el lastimoso fin de Lorenzachio, asesino del duque Alejandro, a manos de su primo Cosme, y sobre este fondo histórico va hábilmente entretejida una historia de amor, en que destaca la constancia de sus protagonistas Cosme e Isabel.

Hurtado y González Palencia, después de presentarnos a Enciso como un discípulo de Lope, hábil en el trazado de los caracteres masculinos, afirman que los «femeninos valen poco, acaso porque su complexión enfermiza le retrajo de la vida social». Disentimos del juicio de tan ilustres historiadores. Sin llegar a la actitud gallarda de independencia que encontramos en las mujeres de Tirso, las protagonistas de Enciso también se muestran dignas y a gran altura. Cumplen siempre, por encima de todos sus otros sentimientos, la palabra empeñada; tienen un claro concepto de sus derechos y deberes, y desde luego, se acusan con más relieve que la mayor parte de las damas de nuestro teatro. Díganlo la Violante de El príncipe don Carlos, la Isabel de Los Médicis de Florencia o la doña Inés de Los celos en el caballo. No cabe duda que Rojas Zorrilla tuvo presente esta comedia de Enciso al redactar la suya, Del rey abajo, ninguno, cambiando el testimonio de la afrenta, que en la obra de Enciso es un caballo del rey, y en la de Rojas, una banda.

Godínez

La ascendencia judía inclinó al sevillano FELIPE GODÍNEZ (1588-¿1639?) [21] al cultivo del teatro bíblico, que alterna con el hagiográfico. Fuera de esto, sólo una comedia de capa y espada nos ha dejado digna de mención, Aun de noche alumbra el sol.

Entre las bíblicas destacan: La mejor espigadera, asunto tratado por Tirso en Las espigas de Ruth; Amán y Mardoqueo o la horca para su dueño, sobre el mismo asunto de *La hermosa Ester*, de Lope; *Judit y Holofernes, Las lágrimas de David, El divino Isaac* y *Los trabajos de Job*, de gran patetismo en la pintura de las tribulaciones del paciente Job, aunque inferior en fuerza lírica a las anteriores. De las hagiográficas merecen recordarse *O el fraile ha de ser ladrón o el ladrón ha de ser fraile*, sobre un episodio de la vida de San Francisco de Asís, y *San Mateo de Etiopía*. Compuso también algunos autos: *La Virgen de Guadalupe* y *El provecho para el hombre*.

Mención especial ha de hacerse de la comedia de intriga *Aun de noche alumbra el sol*. Con una trama complicadísima, gira una vez más en torno a la competencia que se establece por el amor de una mujer, de quien está enamorado también el príncipe. Hay en la obra pensamientos bellísimos expresados en versos no menos bellos; p. ej., los puestos en boca de doña Constanza al suplantar a una amiga suya en cierta entrevista nocturna [22]. Aun no siendo esta comedia de tema bíblico, que era el más indicado para un poeta como Godínez, ofrece pasajes y situaciones muy logradas; tanto, que algunas recuerdan situaciones análogas de *La esclava de su galán*, de Lope. Ejemplo, la escena entre don Jaime y doña Constanza, versificada en décimas también para que el parecido sea mayor:

> Don Jaime, vos sois galán,
> y os estimo de manera,
> que a vos sin duda os quisiera
> si no adorara a don Juan;
> todos los gustos están
> contrarios, que él me aborrece,
> al paso que mi amor crece;
> pero a vos os satisfaga
> que quien vuestro amor no paga,
> por lo menos lo agradece.

Con esta fluidez y naturalidad está escrita casi toda la obra.

Belmonte y Bermúdez

Unas veinticinco comedias, la mayor parte inéditas, forman la obra dramática de LUIS BELMONTE Y BERMÚDEZ (1587-¿1650?). Destacan *El diablo predicador, La renegada de Valladolid* (en colaboración con Moreto y Martínez de Meneses), *El gran Jorge Castrioto y Príncipe Escandenberg* y *Los trabajos de Ulises*.

La más famosa es la primera, en la que el protagonista, Luzbel, persigue a los franciscanos hasta el extremo de hacerles pensar en el abandono de su convento, pero se ve obligado a servirles de limosnero y predicador. Al lado de esta trama hay otra de amores entre Feliciano y Octavia. El tipo gracioso, con más sal gorda y chocarrería que auténtica gracia, corre a cargo de fray Antolín. La obra está bien versificada, sobresaliendo en los versos cortos. Al final encontramos en boca del mismo fray Antolín estos significativos versos:

> Mucho es que este fray Forzado
> con tal trabajo no enferme,
> porque ni come ni duerme;
> que es espíritu he pensado,
> porque lo que más me asombra,
> yendo juntos por la calle,
> es cuando vuelvo a miralle,
> que su cuerpo no hace sombra [23].

Gran interés ofrece *La renegada de Valladolid*, romántica historia de una mujer que apostata, para volver luego a la fe cristiana. *El gran Jorge Castrioto*, asunto ya tratado por Montalbán, se refiere a la conversión al cristianismo del héroe húngaro de aquel nombre. Menos interés tiene *Los trabajos de Ulises*, cuyo remoto origen hay que buscar en *La Odisea*.

Rodrigo de Herrera

No era sevillano, sino madrileño, el dramaturgo RODRIGO GÓMEZ DE HERRERA (1592-1657) [24], que debió de sobresalir en el género burlesco, y a quien se atribuyen con sólido fundamento las siguientes comedias: *El voto de Santiago y batalla de Clavijo; La fe no ha menester armas, y venida del inglés a Cádiz; El primer templo de España; Del cielo viene el buen rey; Lo cauteloso de un guante y confusión de un papel*. De todas ellas sólo la penúltima, *Del cielo viene el buen rey*, merece nuestro recuerdo; y no por su valor intrínseco, sino porque en ella Herrera da un paso decisivo hacia la alegoría propia del auto calderoniano, como ha demostrado cumplidamente el señor Valbuena Prat.

La comedia tiene un argumento similar al expuesto por don Juan Manuel en el ejemplo LI de su *Conde Lucanor* («De lo que contesció a un rey cristiano que era muy poderoso et muy soberbio»). Sabido es, porque así lo demostró Menéndez Pelayo, que el cuento no es original de don Juan Manuel, ya que aparece en la *Gesta Romanorum*. Tampoco Herrera es el primero en llevarlo a la escena; existía ya el *Auto del emperador Juvencio*, una de las piezas de nuestro teatro primitivo. Pero Herrera sabe tratar el tema con no escasa originalidad. El rey Federico de Sicilia, despótico y cruel, ha tenido un sueño en que se le increpa por sus desmanes. Pero, lejos de corregirse, se envalentona de manera que Dios decide enviar a la tierra un ángel para que le suplante. El enviado celestial recibe todos los honores, mientras el rey es objeto de las mayores burlas. Federico desafía al ángel; éste le vence, y el rey acaba por arrepentirse y ser repuesto en su trono. Como se ve, Herrera aporta una modalidad al concepto de la autoridad y deberes de un rey. Bergamín coloca esta comedia al lado de *La rueda por la fortuna*, de Mira, y de *La vida es sueño*, de Calderón.

Dramaturgos de tercer orden

El licenciado MEJÍA DE LA CERDA, de quien se ignoran fechas de nacimiento y muerte, compuso una *Tragedia famosa de doña Inés de Castro*, sobre el mismo tema ya analizado en Vélez de Guevara;

aunque denominada «tragedia» por su autor, la obra encaja dentro del marco impuesto por Lope a la «comedia». HURTADO DE VELARDE (¿-1638?), de Guadalajara, llevó al teatro el viejo cantar épico de los infantes de Salas en *La gran tragedia de los siete infantes de Lara*. Obra mediocre y afeada con la «antigua fabla», defecto imputable también a otros—Lope de Vega y Rojas Zorrilla—, alcanza momentos de alto interés dramático, como la escena en que Ruy Velázquez desafía a Mudarra y cree ver los espectros de sus víctimas. Se le atribuyen dos comedias históricas: *Las hijas del Cid, doña Elvira y doña Sol* y *El conde de las manos blancas*, sobre el conocido tema del conde García Fernández. Con el seudónimo de «Un Ingenio de esta Corte» (que utilizaron varios escritores, ya identificados) apareció *El triunfo del Ave-María o la toma de Granada*, típica comedia de moros y cristianos con asunto tomado del Romancero.

Del salmantino JULIÁN DE ARMENDÁRIZ (¿1585?-1614) conservamos una comedia, *Las burlas, veras*, sobre un tema archirrepetido en teatro y novela: la dama vestida de varón, que sirve de paje a su amado, y que acaba casándose con él. Asunto similar al de *Los dos hidalgos de Verona*, de Shakespeare, su fuente ha de buscarse, para la comedia de Armendáriz, en *Los engañados*, de Lope de Rueda, y en un episodio de la *Diana*, de Montemayor, quienes a su vez lo tomaron de una novela de Mateo Bandello.

Un sacerdote murciano, DAMIÁN SALUCIO DEL POYO (¿1550-?), a quien no ha de confundirse con un primo suyo del mismo nombre, muerto en 1614, nos legó varias comedias de tipo histórico y legendario, aderezadas con ciertos matices moralizantes: *La próspera fortuna de Ruy López de Avalos*, *La adversa fortuna de Ruy López de Avalos*, *La vida de Judas*, etc. Lope dedicó a Del Poyo su comedia *Los muertos vivos* (1621), y el murciano le correspondió defendiéndole de los ataques de Francisco Pérez Ferrer.

Una mención merece ANTONIO HURTADO DE MENDOZA (Castro Urdiales, ¿1586? - Zaragoza, 1644), más conocido por sus *Obras poéticas*, editadas recientemente por el profesor don Rafael Benítez Claros [25], quepor sus comedias. De éstas han de recordarse: *Querer por sólo querer*, representada por las damas de la Corte en 1622, con ocasión del cumpleaños de Felipe IV; *Cada loco con su tema*, pieza con frecuentes rasgos propios de la comedia de figurón, y la más notable, *El marido hace mujer y el trato muda costumbre*, imitada por Molière en *La escuela de los maridos*.

Citemos, por último, al madrileño JERÓNIMO DE VILLAIZÁN (1604-1633), amigo de Lope y acusado insistentemente de plagiario, pero excelente versificador (*Ofender con las finezas, A gran daño, gran remedio; Sufrir más por querer más*); a CRISTÓ-BAL DE MONROY (Alcalá de Guadaira, 1612-1649), refundidor de *Fuente-Ovejuna* y autor de piezas originales: *La batalla de Pavía y prisión del rey Francisco, Mudanzas de la fortuna y finezas del amor. Las mocedades del duque de Osuna*, etc.

NOTAS

1. Hijo natural de don Melchor de Amescua y Mira y de doña Beatriz de Torres y Heredia, «joven de buen cuerpo, blanca y fresca». Vélez de Guevara, en el tranco VI de *El diablo cojuelo*, escribe: «No nos olvidemos de Guadix, antigua y celebrada por sus melones, y mucho más por el divino ingenio del doctor Mira de Amescua, hijo suyo y arcediano.»

2. El Cabildo de Guadix quiso en cierta ocasión dar cuenta al obispo de la intemperancia de Mira, para que «dicho señor arcediano quede morigerado y se excuse este Cabildo de las ocasiones en que cada día le pone, como le consta a su señoría».
Una vez abofeteó Mira al maestrescuela, por lo que ambos canónigos fueron recluidos en la iglesia.

3. Compuso también el poema mitológico *Acteón y Diana*, en cincuenta y ocho octavas reales. La *Canción real a una mudanza*, que tanta fama ha dado a Mira de Amescua, se publicó como suya en *Poesías varias de grandes ingenios* (Zaragoza, 1654); también como obra del mismo autor la cita años antes Gracián en su *Agudeza y arte de ingenio*. Sedano, en *El Parnaso*, la atribuye a Bartolomé L. de Argensola; pero Estala vuelve a imprimirla a nombre de Mira. Los señores Hurtado y González Palencia se inclinan asimismo en favor de éste. Pero en el manuscrito hispánico núm. 56 de la Universidad de Harvard se adjudica a don José de Sarabia: «Canción de don José de Sarabia, secretario del duque de Medina-Sidonia», con nombre impuesto de Trevijano». Y bajo este nombre de Trevijano aparece también en varios manuscritos de la Biblioteca Nacional. Vid. J. M. Blecua, «Rev Fil. Esp.», XXVI, 1942

4. Esta duplicidad puede verse en *El esclavo del demonio* y en *La mesonera del cielo*. En la primera se interfiere la aventura amorosa de don Sancho, el príncipe, y doña Leonor, que podría dar lugar a una comedia de enredo, con la leyenda de don Gil y pacto diabólico, forma típica de la comedia de santos.
En *La mesonera del cielo*, el ermitaño, que se aleja del mundo en busca de una vida de perfección, y la dama seducida, pecadora y al fin arrepentida y penitente, ofrecen asimismo dos acciones paralelas y distintas.

5. El Pecado aparece vestido de turco. Es frecuente en Mira este disfraz, que encubre también en *Pedro Talonario* a la Avaricia. Mira lo razona así:

> CARIDAD.
> ¿Como, Avaricia, te vistes
> este traje y esta forma?
>
> AVARICIA.
> Porque es bien que el traje imite
> desta bárbara nación,
> inexorable, invencible
> a la piedad y blandura,
> como yo, que a quien me pide
> jamás rendí mi rudeza.
> Turco soy, que no me rinden
> piedad ni ruegos humanos.

6. La combinación de diversos episodios bíblicos, o bien bíblicos y extraños, en una comedia, no es exclusiva de Mira. Sobre la parábola del hijo pródigo, con elementos de *La Celestina* y de la comedia lupanaria, había compuesto Luis de Miranda en el siglo anterior *La comedia pródiga*. La competencia amorosa entre rico y pobre es tema muy socorrido, así en comedia de asunto bíblico—*Tanto es lo de más como lo de menos*, de Tirso de Molina—como en las de capa y espada y de carácter. Tales temas, sin que falten en el ciclo de Lope, son más frecuentes en el de Calderón. Generalmente, la competencia se establece entre dos hermanos: el mayorazgo, necio, enfatuado, tirano y envidioso; y el segundón, adornado con toda clase de excelentes cualidades. La elección recae, no hace falta decirlo, en el segundón. Ejemplos: *Las flores de don Juan*, de Lope de Vega; *El señor de Noches Buenas*, de Cubillo de Aragón, y tantos

otros. Pero el más representativo, aunque no entre hermanos, nos lo ofrece la comedia de Rojas Zorrilla *Entre bobos anda el juego*; si bien en su desenlace, con el famoso «contigo, pan y cebolla», no puede ocultarse cierta nota de amarga ironía.

7. El tema de la leyenda es, con escasas variantes, el siguiente: Un cazador recibe por falsas confidencias la noticia de su deshonra; regresa precipitadamente a su casa, y creyendo dar muerte a su fiel esposa, que se halla en el lecho acompañada de un hombre, asesina a sus propios padres. Consumado el crimen, llega la esposa y prueba su inocencia, a la vez que se descubre la causa del error. Los ancianos padres habían venido a visitar al matrimonio, y la nuera, no teniendo a mano mejor habitación, los había instalado, para que repararan las fatigas del viaje, en su misma alcoba. El asesino se entrega a una vida de mortificaciones, alcanzando la santidad. Un episodio similar ha sido llevado por Navarro Villoslada a su novela histórica, *Amaya o Los vascos en el siglo VIII*.

8. Otros motivos son: obtención de riquezas, recuperación de la juventud, etc. Mira pudo asimismo aprovechar el *Flos Sanctorum*, de Villegas. Otra aportación de Mira fué la de sustituir la intervención de la Virgen por la de un ángel, fenómeno curioso, dada la tradición mariana de nuestra literatura.

9. La escena en que don Gil seduce a Lisarda presenta cierto parangón con la primera de *El burlador de Sevilla*, de Tirso. Isabela se entrega a don Juan creyendo que es su prometido el duque Octavio, de la misma manera que Lisarda a don Gil tomándole por don Diego:

LISARDA.
Mucho, don Diego, has callado;
ya estamos solos. No estés
cubierto ni recatado.

DON GIL.
Ten paciencia, que no es
don Diego quien te ha gozado.

LISARDA.
¿Quién eres?

DON GIL.
            Quien ha subido
hasta la divina esfera,
pero cual Ícaro he sido,
que voló con fe de cera
y en el infierno he caído.

10. *Caer para levantar*, de Moreto, Cáncer y Matos, es refundición de *El esclavo del demonio*, obra que a su vez influyó en *El mágico prodigioso*, de Calderón. Este imitó *La rueda de la fortuna* en *En esta vida todo es verdad y todo es mentira*. Corneille se basó para su *Heraclius* más bien en Mira que en Calderón. Es posible que Ruiz de Alarcón aprovechara en su *Examen de maridos* algunos rasgos de *Galán, valiente y discreto*; y ciertos detalles de *La fénix de Salamanca*, *El ermitaño galán* y *El galán secreto* pasaron a las comedias de Calderón *La dama duende*, *El mágico prodigioso* y *El escondido y la tapada*.

11. Vid. Enrique Nercasseau, Santiago de Chile, Imp. de San José, 1915. Discurso leído ante la Academia Chilena el 21 de noviembre de 1915. (Cita de la ed. de *El diablo cojuelo*, hecha por Rodríguez Marín, vol. XXXVIII de «Clásicos castellanos de La Lectura», págs. xxi y xxv.)

12. «Este discurso del Diablo cojuelo nace a la luz concebido sin teatro original, fuera de vuestra jurisdicción; que aun del riesgo de la censura le lleno está privilegiado por vuestra naturaleza, pues casi ninguno de vosotros sabe deletrear; que nacistes para número de los demás y para pescados de los estanques de los corrales, esperando, las bocas abiertas, el golpe del concepto por el oído por la manotada del cómico, y no por el ingenio.»

13. Vid. Manuel Muñoz Cortés; VÉLEZ DE GUEVARA: *Reinar después de morir y El diablo está en Cantillana*, prólogo, pág. XI, «Clásicos Castellanos», vol. CXXXII.

14. La frase «El diablo está en Cantillana» ha sido estudiada por Clemencín y por Rodríguez Marín, que trae textos de Correas: «El diablo está en Cantillana urdiendo la tela y tramando la lana. (El rey don Pedro dicen que pretendió allí el amor de una doncella principal desposada, y el esposo venía a verla de noche, hecho fantasma, por miedo del rey; vino a espantarse la gente y hacer este refrán.)» De esta conseja aducida por Correas es probable que tomara Vélez el argumento de su comedia.

15. Vid. *Theatro de theatros de los pasados siglos*. Las de «fábrica» son «aquellas que llevan algún particular intento, y sus personajes son príncipes, reyes, generales, etcétera».

16.
Que la tu querida esposa
muerta es, que yo la vi.
Las señas que ella tenía
bien te las sabré decir:
su garganta es de alabastro
y sus manos de marfil.

17. Así habla el villano Antón en *La luna de la sierra*:

¡Que vive Dios, que después
de Fernando y de su alteza
(que son dueños naturales
de las vidas y honras nuestras),
que intentar deshonra mía
a otro alguno no consienta
en el mundo, aunque la vida
mil veces arriesgue y pierda!

18. De familia riojana establecida en Sevilla a principios del siglo XVI, nació en esta ciudad en 1585. Fué familiar del Santo Oficio y Veinticuatro de su ciudad. Hacia 1618 pasó a la corte, donde trabó amistad con Lope de Vega, que le alaba en *La Jerusalén conquistada*, si es que no se conocieron antes con ocasión de algún viaje del Fénix a Sevilla. Amigo y protegido de Olivares, temperamento bondadoso y espíritu desprendido, consigue un hábito de Santiago para su sobrino y dota magníficamente a su sobrina Ana. Quebrantado de salud, abandona la corte y regresa a su ciudad natal, donde muere hacia 1634.

19. La obra dramática más conocida sobre este tema es *Don Carlos*, del alemán Federico Schiller. Si en el aspecto dramático no puede negársele un alto valor, en el histórico es, dice Cotarelo Mori, «un puro desatino del principio al fin, como obra de quien tuvo por única fuente el despreciable libraco *Don Carlos, novelle historique*, del autor francés César Vichard, más conocido por el abad de Saint-Real». El odio luterano eligió el lamentable fin del príncipe don Carlos, sobre el que acumuló toda clase de fábulas y mentiras, junto con el proceso de Antonio Pérez, para infamar por todos los medios la memoria de Felipe II.

20. Sobre el mismo asunto escribió García Gutiérrez *El encubierto de Valencia*, endeble drama de su juventud. Es curioso que los románticos suelen defender la autenticidad personal de estos impostores. Así, el mismo García Gutiérrez en el drama citado, y Zorrilla en su *Traidor, inconfeso y mártir*, sobre el Gabriel de Espinosa, supuesto rey don Sebastián.

21. Doctor en Teología, obtuvo gran fama como orador, encargándose del sermón fúnebre a la muerte del licenciado Quintana. Colaboró en *La fama póstuma*. Condenado por el Santo Oficio como judaizante, se le obligó a que saliese al tablado con el sambenito y se le impuso, además, un año de prisión y seis de destierro. Se ignora la fecha de su muerte, que debió de ocurrir hacia 1640. Sus primeras comedias datan de 1610-1615, ya que Cervantes, en el *Viaje al Parnaso*, escribe:

Este que tiene como mes de mayo,
florido ingenio, y que comienza agora
a hacer de sus comedias nuevo ensayo,
Godínez es...

22.
O nada o mentira son
los bienes de amor, Inés,
pues, engañada la idea,
no está el gusto en que lo sea,
sino en pensar que lo es.

23. Aluden a la antigua creencia de que el diablo carece de sombra, y asimismo la pierden cuantos establecen con él algún pacto.

24. Nacido en Madrid. Hijo natural del primer marqués de Auñón y de doña Inés Ponce de León. Estudió en el Colegio Imperial de los Jesuitas y fué caballerizo de doña Inés María de Arellano, duquesa de Nájera. Casó dos veces: la primera, con doña Polonia Angulo, y la segunda, con doña María Lobo. Fué celebrado por Cervantes, Montalbán y Lope de Vega.

25. *Obras poéticas de don Antonio Hurtado de Mendoza*, ed. y pról. de Rafael Benítez Claros, 3 vols., R. A. E., Madrid, 1947.

BIBLIOGRAFIA

I. C. E. ANÍBAL: *Amescua. I. «El arpa de David». Introduction and Critical Text. II. Lisardo, his pseudonim*, The Ohio State Univ. Studies, Lancaster, 1925.—*Another note of the «Voces del cielo»*, «Rom. Review», XVIII, 1927.—*Mira de Amescua and «La ventura de la fea»*, Modern Lang. Notes, 1927.—EMILIO COTARELO MORI: *Mira de Amescua y su teatro*, «Bol. Real Acad. Esp.», XVII, 1930.—NARCISO DÍAZ DE ESCOBAR: *Autores dramáticos granadinos del siglo XVII: el doctor Mira de Amescua*, «Rev. Centro Est. Hist. de Granada», I, 1911.—BARTOLOMÉ G. GALLARDO: *Ensayo de una biblioteca española de libros raros y curiosos*, vol. III.—O. H. GREEN: *Mira de Amescua in Italy*, Modern Lang. Notes, vol. 45, 1930.—A. H. KRAPPE: *Notes on the «Voces del cielo» of Mira de Amescua*, «Rom. Review», XVII, 1926.—R. MESONERO ROMANOS: *El teatro de Miradamescua*, «Sem. Pintoresco Español», Madrid, 1852, y *Prólogo* al vol. XLV de la Bibl. Aut. Esp. de Rivadeneyra.—C. PÉREZ PASTOR: *Bibliografía Madrileña*, vol. III. págs. 427-31.—HUGO A. RENNERT: *Mira de Amescua et «La judía de Toledo»*, «Rev. Hisp.», 1900.—F. RODRÍGUEZ MARÍN: *Nuevos datos de algunos escritores españoles de los siglos XVI y XVII*, «Bol. Real Acad. Esp.», V, 1918, paginas 321-32.—A. SÁNCHEZ MOGUEL: *Memoria acerca de «El mágico prodigioso», de Calderón*, Madrid, 1881.—FRUCTUOSO SANZ: *El Dr. Antonio Mira de Amescua, Nuevos datos para su biografía*, «Bol. Real Acad. Esp.», I, 1914.—TORCUATO TÁRRAGO: *El doctor Mira de Amescua*, «Ilustración Esp. y Amer.», Madrid, 1888.—A. VALBUENA PRAT: *Mira de Amescua. Teatro*, ed. y est. de..., 2 vols., «Clásicos Castellanos», Madrid, 1926.—MARGARET WILSON: *«La próspera fortuna de don Alvaro de Luna» and outstanding-work by Mira de Amescua*, «Bull. Hispanic Studies», 1956.

II. AHRENS: *Zur Charasteristik des spanischen Drama im Anfang des XII Jahrhunderts: Vélez de Guevara und Mira de Mescua*, Halle, 1911.—A. APRAIZ: *Doña Inés de Castro en el teatro español*.—L. ASTRANA MARÍN: *Rumbo y tropel de Vélez de Guevara*, «Cervantes y otros ensayos», Madrid, 1944.—A. BONILLA Y SAN MARTÍN: *El Diablo Cojuelo*, ed. y estudio de..., Madrid, 1910.—AL. CIORANESCU: *Estudios de literatura comparada* (V. de Guevara, Calderón, etc.), La Laguna, 1954.—S. CIROT: *A propos du «Diablo Cojuelo», Aperçus de stylistique comparée*, «Bull. Hispanique», XLVI, 1944.—E. COTARELO MORI: *Luis Vélez de Guevara y sus obras dramáticas*, «Bol. R. Ac. Esp.», vols. III y IV, 1916-1917.—COURTNEY BRÜERTON: *«La Ninfa del cielo», «La serrana de la Vera», and related plays*, «Estudios hispánicos», Wellesley, 1952.—J. DE ENTRAMBASAGUAS: *Un olvidado poema de Vélez de Guevara*, «Rev. Bibl. Nacional», II, Madrid, 1941.—*Haz y envés de Luis V. de Guevara*, «Rev. Univ. de Oviedo». 1940.—J. GÓMEZ OCERÍN: *Luis V. de Guevara: «El rey en su imaginación»*, observaciones y notas de..., Madrid, C. Est. Históricos, 1920.—*Un soneto inédito de L. Vélez de Guevara y Un nuevo dato para la biografía de V. de Guevara*, «Rev. Fil. Esp.», vols. III y IV, 1916-1917.—M. THEODOR HEINERMANN: *Ignez de Castro, Die Dramatischen Behandlungen der Sage in den romanischen Literaturen. Ein Beitrag zur vergleichenden Literatur*, 1914 (reseña de J. Fernández Montesinos en «Rev. Filología Española», VII, 1920).—J. M. HILL: *A romance of L. Vélez de Guevara*, «Hispania», California, 1922.—KREISLER: *Der Ignez de Castro-Stoff in romanischen und germa-*

nischen, besonders im deutschen Drama, Teil, 1908.—A. LACALLE: *Luis V. de Guevara: Autos*, pról. y ed. de..., Madrid, 1931.—C. LÓPEZ MARTÍNEZ: *Teatros y comediantes sevillanos*, Sevilla, 1940.—R. MENÉNDEZ PIDAL y M.ª GOYRI: *L. Vélez de Guevara: «La serrana de la Vera»*, observaciones y notas de..., Madrid, C. Est. Históricos, 1916.—R. MESONERO ROMANOS: *Dramáticos contemporáneos de Lope de Vega*, pról. de..., 2 vols., «B. Aut. Esp. de Rivadeneyra», Madrid, 1858.—M. MUÑOZ CORTÉS: *Aspectos estilísticos de Vélez de Guevara en su «Diablo Cojuelo»*, «Rev. Fil. Esp.», XXVII, 1943, págs. 48-76.—*Vélez de Guevara: «Reinar después de morir» y «El diablo está en Cantillana»*, ed. y estudio de..., «Clás. Castellanos», núm. 132, Madrid, 1942.—A. PAZ Y MELIÁ: *Nuevos datos para la vida de Vélez de Guevara*, «Rev. Arch.», Madrid, 1902.—F. PÉREZ GONZÁLEZ: *«El Diablo Cojuelo». Notas y comentarios*, Madrid, 1903.—C. PÉREZ PASTOR: *Bibliografía madrileña*, vol. III, Madrid, 1907.—L. REVUELTA: *Vélez de Guevara: «La luna de la sierra»*, ed. y estudio de..., Zaragoza, 1950.—F. RODRÍGUEZ MARÍN: *«El Diablo Cojuelo»*, prol. y notas de..., Clás. Castellanos, Madrid, 1941.—*Cinco poesías autobiográficas de L. Vélez de Guevara*, Madrid, 1908.—CONDE DE SCHACK: *Historia de la Literatura y Arte dramático en España*, vol. III, págs. 281-307, Madrid, 1886.—A. SCHAEFER: *Estudio en la ed. de V. de Guevara*, Leipzig, 1887.—F. EUGENE SPENCER y RODOLFO SCHEVILL: *The Dramatic Works of L. Vélez de Guevara. Their Plots Sources and Bibliography*, «Univ. of California Press», Berkeley, 1937.—J. P. WICKERSHAM CRAWFORD: *The influence of Seneca's tragedies on Ferreira's Castro and Bermúdez «Nise lastimosa and Nise laureada»*, «Modern Philology», XII, 1914.

III. E. COTARELO MORI: *Don Diego Jiménez de Enciso y su teatro*, «Bol. R. Ac. Esp.», I, 1914.—J. P. W. CRAWFORD: *«El príncipe D. Carlos», de J. de Enciso*, «Modern Lang. Notes», XXII, 1907.—J. HURTADO y A. GONZÁLEZ PALENCIA: *«El príncipe D. Carlos», de J. de Enciso*, ed. y estudio de..., Madrid, Edit. Voluntad, s. a.—E. JULIÁ MARTÍNEZ: *«El Encubierto» y «Juan Latino», de Ximénez de Enciso*, ed. y observaciones preliminares de..., Madrid, Aldus, 1951.—EZIO LEVI: *Yl Principe Carlos nella llegenda e nella poesia*, Roma, 1924; *La llegenda de don Carlos nel teatro spagnuolo del Seicento*, «Rev. di Italia», 1913.—Y. SCHEVILL: *The Comedias of D. Diego X. de Enciso*, «Mod. Lang. Assoc. of Amer.», XVIII, 1903.

N. ALONSO CORTÉS: *«La renegada de Valladolid»*, «Miscelánea vallisoletana», 5.ª serie.—E. COTARELO MORI: *Colección de entremeses, loas, bailes*, pról. de..., «N. Bibl. Aut. Esp.», Madrid, 1911.—J. JOSÉ GALLARDO: *Ensayo de una biblioteca de libros raros y curiosos* (Belmonte y Bermúdez), vol. II, Colecs. 59-69.—E. JULIÁ MARTÍNEZ: *Rectificaciones bibliográficas: «La renegada de Valladolid»*, Madrid, 1930.—WILLIAM A. KINCAID: *Life and works of L. Belmonte Bermúdez*, «Rev. Hispanique», 1928.—L. ROUANET: *Le diable prédicateur de L. Belmonte B.*, París, 1901.

A. DE CASTRO: *Noticias del doctor Felipe Godínez*, «Mem. R. Acad. Esp.», VII.—M. MENÉNDEZ PELAYO: *Antonio Enríquez Gómez*, «H. de los heterodoxos españoles», vol. IV, cap. II, Madrid, 1948.—J. PARCKER: *Lo heroico en el drama español* (Memoria), Boston, 1919.—J. GARCÍA SORIANO: *Damián Salucio del Poyo*, «Bol. R. Acad. Esp.», XIII, 1926.—R. MONTILLA: *Vida y obras de don Francisco de Leyva y R. de Arellano, autor dramático malagueño del siglo XVII*, Málaga, 1947.

CAPITULO XL

TIRSO DE MOLINA

I. EL HOMBRE Y EL ESCRITOR

Entre la escuela dramática de Lope y la de Calderón, como anillo de enlace, se nos presenta Tirso de Molina (¿1584?-1648). Con uno y otro tiene caracteres comunes. Más fecundo que Calderón, aventaja también al mismo Lope en ciertos aspectos: creación de caracteres, fuerza cómica, intención satírica y hondura conceptual. Para Blanca de los Ríos más que un discípulo Tirso es un colaborador de Lope, hasta el punto de que el período de estrecha relación entre los dos dramaturgos (1605-1615) señala el momento más alto de nuestro teatro. Tirso, según la ilustre escritora, estimó, antes que el mismo Lope, y en toda su amplitud e importancia, las reformas dramáticas que por entonces se operaban: las apologías que hace del teatro contemporáneo son más briosas y decididas que las de aquél y, desde luego, anteriores cronológicamente. El papel de Lope habría sido de iniciación en todo y de aportación de materiales en cantidades inmensas; el de Tirso, de ordenación de esos mismos materiales. «Cuando aún no estaba bien consolidada la corteza del enorme cosmos, donde la profusa fronda lírica lo invadía y borraba todo, donde los monstruos y prodigios disputaban aún su dominio a los hombres y la fábula convivía aún con la historia, apareció Tirso como un segundo creador, como el genio de la verdad, de la fuerza y de la armonía. Su misión era podar la virgen selva lujuriante para que brotara en ella la vida con más brío; talar la excesiva ramazón para que los árboles dejaran ver el bosque.»

No quisiéramos rebajar en un ápice la figura magna del gran fraile mercedario. Pero creemos que para enaltecer a un poeta, por mucha admiración que se sienta hacia él, no hace falta menospreciar a otro. Blanca de los Ríos ve en el teatro de Lope un confuso caos y en la introducción de elementos líricos en la escena, un motivo casi de censura. Nosotros vemos las cosas de otro modo. Y, sobre todo, creemos que no conviene desorbitar los juicios, porque nos exponemos, por querer probar demasiado, a no probar nada.

Un problema previo: ¿Tirso, bastardo?

La biografía de Tirso gira, puede decirse, en torno a su supuesta bastardía. Blanca de los Ríos ha trazado no sólo la vida, sino también la ideología del teatro tirsista sobre este supuesto. Y nos presenta al fraile de la Merced como hijo bastardo del duque de Osuna. Fundamenta su tesis en el hallazgo de la partida de bautismo de un tal Gabriel, «hijo de padre incógnito» y de «Gracia Juliana». La partida está fechada en 9 de marzo de 1584. Supuesto esto, Tirso habría sido un resentido: cuando habla de los bastardos, de los desheredados de la fortuna, de las víctimas de la intransigencia social, enfrentándolos a la injusticia de los poderosos; cuando proclama la excelencia y superioridad de la nobleza ganada sobre la obtenida por herencia, y menosprecia a ésta, posponiéndola a la virtud y al talento, ¿lo hace animado de altos ideales de caridad evangélica o simplemente arroja a la cara de la sociedad contemporánea el estigma de su propia bastardía? Para doña Blanca de los Ríos no cabe duda: Tirso, al plantear los casos ajenos, no pretende sino plantear su propio caso. Al hablarnos de los demás nos habla de sí mismo. Lo que en el fondo lleva al «caso Tirso».

La tesis de doña Blanca no puede ser más sugestiva; y claro es, muchos historiadores se han apresurado a hacerla suya. Pero hay que tomarla ya, desde el principio, con reserva. Ante todo, ¿es indispensable la bastardía de Tirso para explicarnos su sangrienta sátira de las costumbres y de la sociedad decadente de los últimos Austrias? ¿Fueron acaso bastardos los Argensola y Francisco de Quevedo? Por otra parte, fray Manuel de Pinedo, hermano en religión de Tirso, ha revisado en los últimos años la famosa tesis, asestándole de paso los más duros golpes. Sus argumentos, sin desdeñar el aspecto documental, se basan principalmente en sólidas razones morales y canónicas:

«Desde el punto de vista documental—el que más nos interesa—nada hay, dentro o fuera de la partida—afirma el Padre Pinedo—que permita establecer la identidad necesaria entre el Gabriel de San Ginés, nacido en 1584 (el de la partida exhumada por doña Blanca) y el de la Merced, nacido en 1583. Reparos de alguna entidad podrían también aducirse, abundando en esta misma idea; pero de momento interesa concentrar la atención toda en un argumento que consideramos más original y trascendente, en orden a esclarecer este aspecto de la vida de Tirso: el argumento canónico, *la mutua exclusión entre la pretendida ilegitimidad y la carencia de dispensa pontificia necesaria de la misma.*»

Fray Gabriel Téllez, en su larga vida conventual (1600-1648), pasó dentro de su Orden por seis estados diversos, cada uno de los cuales exigía dispensa pontificia en cualquier ilegítimo pretendiente: profeso de votos solemnes, colegial, sacerdote, comendador, definidor y maestro. Dicha dispensa estaba ordenada por las constituciones vigentes. En los *Comentarios* del sabio maestro Zumel, se lee: «El pontífice Sixto V decretó que los hijos ilegítimos, espurios o naturales no pueden ni deben ser admitidos al hábito. Si su admisión resultare de gran utilidad y provecho para la Orden, podrá dispensar con ellos el consentimiento unánime de los Definidores en Capítulo Provincial o General. No obstante esto, los así admitidos quedan perpetuamente incapacitados e inhábiles para los grados, honores y dignidades de la Orden, a no ser que dispense con ellos la autoridad pontificia de un modo especial para cada caso.»

En el caso de Tirso no hay ninguna de estas dispensas; cierto es que se han perdido muchos documentos, pero se conserva el informe de su grado de maestro, que consta de tres cédulas:

a) Patente del general fray Dalmacio Sierra (1636).

b) Informe a Su Santidad del cardenal De la Cueva (1637).

c) Breve de Urbano VIII (1637).

Las narrativas son extensas y minuciosas; la ausencia en las mismas de todo indicio de dispensa es argumento de fuerza moral incontrastable contra la ilegitimidad.

Todavía podría aducirse otro argumento, también de índole moral. Sabido es que la sociedad contemporánea no contaba entre sus virtudes más acusadas la de la caridad cristiana y el amor al prójimo. Menos aún entre poetas y literatos. Las sátiras mutuas con que se desgarran la piel nuestros ingenios son, más que violentas, feroces. La bastardía y la sospecha de sangre judía era la primera afrenta que se echaba en cara a los enemigos. ¿Se concibe un Tirso, burlón él, satírico despiadado de manchas y vicios ajenos, que no hubiese encontrado la merecida respuesta? Pero el silencio de los coetáneos en este punto es bien elocuente. La interpretación que a este propósito hace doña Blanca de un pasaje de *La Gitanilla* no puede ser más arbitraria [1].

Datos biográficos

Sobre dos documentos se intenta basar la fecha natalicia de Tirso: la partida de bautismo descubierta por doña Blanca de los Ríos y una Real Cédula de 23 de enero de 1616, expedida como pasaporte a favor de siete frailes mercedarios que a las órdenes de fray Juan Gómez iban a embarcar para la Española. Entre esos siete figura «fray Gabriel Téllez, predicador y letor, de edad de treinta y tres años, frente elevada, barbinegro». Consta por este documento, de indudable autenticidad, que Tirso en 23 de enero de 1616 contaba 33 años de edad, siendo forzoso, por tanto, que hubiese nacido en 1583. Tampoco cabe duda de que nació en Madrid, pues repetidas veces lo declara él mismo. Nada sabemos de su infancia y primeros años; parece probable que tuvo una hermana, ya que en *Los Cigarrales de Toledo*, personificado alegóricamente en «un humilde pastor de Manzanares», gana un premio en cierto torneo, y «lo envía a una hermana suya que tenía en su patria, parecida a él en ingenio y desdicha. En 1600 ingresa en la Orden de la Merced, donde tuvo por maestro a fray Manuel Calderón. Profesa el 21 de enero de 1601, y hasta 1615 prosigue sus estudios en Guadalajara y en Toledo. Sus primeras obras para el teatro deben datarse por esta época (1606-1607) [2].

Todavía joven, pasó breves temporadas en Galicia y en Portugal. La influencia de estas regiones es visible en algunas de sus obras: *La peña de Francia, La gallega Mari-Hernández, La villana de la Sagra, El vergonzoso en palacio*, etc.

A mediados de 1614 pasa a Aragón, probablemente desterrado a causa de sus sátiras contra la nobleza; el ambiente y carácter aragonés trasciende a varias obras: *La dama del Olivar, El celoso prudente, Los amantes de Teruel*. En 1616 pasa a Santo Domingo, para regresar a los dos años. Poco después (1620), lo encontramos en Madrid, donde Lope le dedica *Lo fingido verdadero* [3]. Pertenece a la Academia Poética, publica *Los Cigarrales de Toledo* (1621), y, al año siguiente, concurre al certamen literario de la canonización de San Isidro, en el que no obtiene premio.

En 1625 la Junta de Reformación acuerda amonestarle severamente y hasta sancionarle con destierro de la corte y excomunión *latae sententiae* por el escándalo que provoca un fraile metido a autor de comedias profanas. El acuerdo debió de surtir efectos, por cuanto en 1626 lo hallamos en Salamanca, y deja de escribir para el teatro. Después de aquella fecha sólo tenemos noticia de una comedia, *Las Quinas de Portugal*, cuyo autógrafo está fechado en Madrid (8 de marzo de 1638). Posterior a la muerte de Lope es también *En Madrid y en una casa*; pero no se conserva en su forma original.

En la última etapa de su vida (1632-1648) se entregó por completo a su Orden, en la que ostentó diversos cargos: cronista general, definidor de Castilla y comendador del convento de Soria, donde le sorprendió la muerte (1648). Pero no en el mismo Soria, como se viene diciendo, sino en Almazán. El Padre Manuel Pinedo ha publicado el Libro de Misas del convento de Soria, en una de cuyas inscripciones se lee: «Misas dichas en febrero de 1648, Requiescat in pace.—Lunes, 24. Se hizo en ofrecimiento por el Padre maestro Téllez, que murió en Almazán.» Su óbito debió de ocurrir, por tanto, pocos días antes de esa fecha.

Clasificación de las obras

En Tirso hallamos la triple personalidad del dramaturgo, el novelista y el historiador. En los tres géneros nos dejó obras de mérito bastante para adjudicarle un puesto destacado en la historia de nuestras letras. Aunque la obra histórica ofrece menos interés desde el punto de vista literario, lo tiene muy considerable en cuanto revela aspectos psicológicos de su personalidad humana.

En nuestra clasificación establecemos dos apartados previos, prosa y verso:

II. TIRSO, PROSISTA

Las dos misceláneas, *Cigarrales de Toledo* y *Deleitar aprovechando*, ofrecen carácter bien distinto, debido, sin duda, al acuerdo de la Junta de Reformación, ya antes aludido. La primera, publicada en 1621, interesa tanto por su valor literario como por las noticias suministradas en el prólogo y en los comentarios a las comedias que inserta. En aquella fecha Tirso había compuesto ya trescientas comedias, que «en catorce años han divertido melancolías y honestado ociosidades». Anuncia además la publicación de *Doce novelas*, «ni hurtadas a las toscanas, ni ensartadas unas tras otras como procesión de disciplinantes, sino con su argumento que lo comprenda todo». Estas novelas no llegaron a ver la luz pública, y es gran lástima, a juzgar por la muestra que inserta en los *Cigarrales*.

La trama de esta obra deriva de Boccaccio, que en el *Decameron*, había adelantado el tema, repetido hasta la saciedad por nuestros novelistas del Siglo de Oro: un grupo de amigos para entretener los ocios del veraneo acuerdan reunirse cada día en el cigarral de uno de ellos, el que deberá

PROSA

Misceláneas.—*Los Cigarrales de Toledo, Deleitar aprovechando*.

Historia.—*Historia general de la Orden de la Merced, Genealogía de la Casa de Sástago, Vida de la Santa Madre doña María de Cervellón*.

VERSO (TEATRO)

Autos.—*El colmenero divino, La madrina del cielo, El laberinto de Creta, No le arriendo la ganancia*.

Comedias bíblicas.—*La mejor espigadora, Tanto es lo de más como lo de menos, La mujer que manda en casa, La venganza de Tamar*.

Religiosas.—Hagiográficas: *La ninfa del cielo, La dama del olivar, La Santa Juana* (trilogía), *Los lagos de San Vicente*.

Teológicas: *El burlador de Sevilla y convidado de piedra, El condenado por desconfiado, El mayor desengaño, La elección por la virtud*.

Históricas.—De historia nacional: *La prudencia en la mujer, Las Quinas de Portugal, La trilogía de los Pizarro*.

De historia extranjera: *La república al revés*.

Comedias de carácter.—*El vergonzoso en palacio, Marta la piadosa, El melancólico*.

Moralizadoras.—*Cómo han de ser los amigos, El amor y la amistad, El celoso prudente*.

Novelescas.—*Palabras y plumas; Quien da luego, da dos veces; Los amantes de Teruel*.

De intriga.—*Don Gil de las calzas verdes, Por el sótano y el torno, El amor médico*.

Villanescas.—*La villana de Vallecas, La gallega Mari-Hernández, La villana de la Sagra*.

encargarse de distraerles con alguna narración. Se intercalan comedias, novelas y poesías. Entre las primeras destacan *El vergonzoso en palacio* y *El celoso prudente*; de las segundas merece mención la chispeante historieta *Los tres maridos burlados*, de corte asimismo boccacciano.

En *Deleitar aprovechando*, Tirso nos legó uno de tantos «entretenimientos de Carnaval» muy frecuentes en la época. Aquí se trata de tres matrimonios que acuerdan alejarse del bullicio urbano, propio de las fiestas de Carnestolendas, para distraerse con representaciones sacramentales y relatos de episodios religiosos. Los relatos novelescos son: *El bandolero*, sobre la vida de San Pedro Armengol; *La patrona de las musas*, sobre Santa Tecla, y *Los triunfos de la verdad*, refundición de la novela ebionita de las *Clementinas* o *Recognitiones*. También son tres autos: *El colmenero divino, Los hermanos parecidos* y *No le arriendo la ganancia*.

Destaca sobre el resto de la obra la novela *El bandolero*; su vigor estilístico, su exactitud arqueológica y la precisión en todos los aspectos, hasta en lo que afecta a la indumentaria, hacen de este relato de la conversión de San Pedro Armengol un anticipo de novela histórica concebida con técnica moderna.

De muy distinto tipo es la *Historia general de la Orden de la Merced*. Nombrado cronista a la muerte de fray Alonso Remón, Tirso se entrega por completo a la composición de la Historia de su Orden. Vemos aquí como en un espejo el alma del autor; diríase que hasta el estilo ha cambiado; estamos lejos del barroquismo desenfrenado de los *Cigarrales* y del *Deleitar*; el lenguaje es ya flúido, sereno, grave y, a la vez, de sorprendente sencillez. En estas páginas volcó su alma y su larga experiencia de la vida: expone sus teorías ascéticas y místicas, censura la conducta de reyes y de prelados, fustiga a los validos, enjuicia con serena objetividad la obra de la colonización española en las Indias. Pero sobrenadando entre todo ello, dos ideas capitales: el amor al blanco hábito mercedario y la lucha contra la ociosidad.

III. EL TEATRO DE TIRSO

Tirso—ya lo hemos indicado—fué el único dramaturgo del primer ciclo que pudo hombrearse con Lope de Vega, incluso en fecundidad. Es, sin duda, en este aspecto, el segundo de nuestro teatro. En unos catorce años, según propia declaración, escribió trescientas comedias; pasan de cuatrocientas las que compuso con toda certeza y, con las atribuciones más o menos probables, se acercan al medio millar. Naturalmente, sólo podemos hacer especial mención de unas pocas.

Los autos sacramentales

El auto en manos de Tirso no representa avance alguno con relación al de Lope. *El Colmenero divino,* probablemente su primera pieza dramática, interesa por los ecos que recoge de la musa popular. *La Madrina del cielo,* más que auto es comedia religiosa en un acto; de tema similar al de *El condenado por desconfiado,* los tipos de Dionisio y Doroteo corresponden paralelamente a los de Enrico y Paulo. Dionisio se salva por intercesión de Santo Domingo de Guzmán, por haber guardado, en medio de sus vicios, la devoción al Rosario. Al final, una escena delicada recuerda, aunque en distinto plano, la comedia de Lope *El casamiento en la muerte:* Cristo casa a Marcela y Dionisio, y la Virgen les sirve de Madrina, encargándoles la práctica de la castidad, de la humildad y la devoción al Rosario. *El laberinto de Creta* trata el tema mitológico de Pasifae; la descripción del nacimiento del Minotauro, relatada por Dédalo, es uno de los pasajes más escabrosos del teatro español.

Comedias religiosas

Blanca de los Ríos las agrupa en cuatro apartados: *a)* bíblicas, *b)* hagiográficas, *c)* filosófico-teológicas, y *d)* ejemplares. En rigor este último apartado puede fundirse con el anterior. Así lo hemos hecho nosotros, atendiendo a que la misma idea informa las piezas más significativas incluidas en ellos; por ejemplo, *El condenado por desconfiado* y *El burlador de Sevilla.*

Entre las bíblicas, son dignas de nota *La mejor espigadera,* que trata el tema de Rut y Noemí: en un amable ambiente eglógico se desarrolla la obra, notable por su lirismo esmaltado de canciones populares, que nos recuerdan los mejores momentos de Lope. *Tanto es lo de más como lo de menos* funde las parábolas del Hijo pródigo y del Rico avariento. En algún rasgo de éste se anticipa y como aboceta el tipo de don Juan. *La mujer que manda en casa* escenifica la historia de Jezabel, a la que se achacan todos los crímenes de Acab. Rojas tratará el mismo tema en el auto *La viña de Nabot. La venganza de Tamar* versa sobre el incesto de Amón y el castigo que le infieren sus hermanos. Calderón de la Barca copió una jornada entera en *Los cabellos de Absalón.*

Comedias hagiográficas

Especial interés ofrecen las comedias hagiográficas. En ellas encontramos tipos precursores del de don Juan; así en *La Ninfa del cielo, La dama del Olivar* y *Santa Juana.*

La primera nos ofrece una vez más el episodio de la mujer metida a bandolera para vengar su deshonor. Ninfa, la protagonista, encuentra la muerte precisamente a manos de la esposa de su seductor, el duque de Calabria. Al final se nos da la fuente:

> .... Y aquí
> da fin la Ninfa del cielo,
> cuya prodigiosa vida,
> por caso admirable y nuevo,
> Ludovico Blosio escribe
> en sus Morales Ejemplos.

Es curioso comprobar que ni en Blosio ni en Balarmino, a quien cita Tirso como fuente de *El condenado por desconfiado,* se encuentran rastros manifiestos de tal tema. El carácter de Ninfa, bandolera y penitente, responde a otros anteriores en nuestro teatro, como la Lisarda de *El esclavo del demonio,* o posteriores, como la Julia de *La devoción de la Cruz.* En el drama de Tirso la nueva vida de la protagonista viene por sus pasos contados y está preparada convenientemente por sus aficiones anteriores cinegética y campestre.

La dama del Olivar: la reacción de una joven raptada y deshonrada por don Guillén, comendador de Ocaña, trae a la memoria inmediatamente *Fuente-Ovejuna,* de Lope. Es extraño que la crítica no haya reparado antes en esta similitud, mucho más teniendo en cuenta que las protagonistas de ambas obras llevan el mismo nombre, Laurencia, y que se expresan en casi idénticos términos de desprecio para los hombres, testigos impasibles de su deshonra.

IV. EL GRAN TEATRO TEOLOGICO DE TIRSO

Son las que más fama hanle dado y en las que se revela como el auténtico creador de caracteres universales. Destacan *El burlador de Sevilla* y *Convidado de piedra, El condenado por desconfiado* y *El mayor desengaño.*

«El Burlador de Sevilla»

Es la famosa leyenda de don Juan Tenorio llevada por primera vez al teatro.

Su argumento es harto conocido: Don Juan, fugitivo de Nápoles, donde dejó burlada a la duquesa Isabela, naufraga en las playas de Tarragona. Recibido en la humilde cabaña de una pescadora, Tisbea, abusa de ésta, dándole palabra de matrimonio, y huye a Sevilla. Aquí penetra en casa de doña Ana de Ulloa, hija del comendador don Gonzalo, gracias a una carta de cita dirigida por la propia doña Ana a su prometido el marqués de Mota, carta que don Juan había interceptado. Engaña a doña Ana y, cuando el comendador acude a los gritos de su hija, don Juan, lo mata y logra darse a la fuga. Cae preso el marqués de Mota; don Juan, entre tanto, asiste en Dos Hermanas a una boda celebrada entre campesinos; se encapricha de la desposada, Aminta, a la que seduce, deslumbrándola, así como al padre de la joven, con sus riquezas. Logra su propósito, deja burlada a la pobre campesina, y de nuevo le encontramos en Sevilla. Ahora, en una iglesia se enfrenta con la estatua del comendador, a quien había matado; le insulta, le desafía e invita a cenar. El comendador acude a la cita y, a su vez, le invita a visitar la tumba de Ulloa. Tenorio se presenta; pero, al estrechar la mano de la estatua, siente que se le comunica un fuego infernal. Don Juan grita, pide confesión; pero «ya es tarde»; muere como réprobo: «Que no hay plazo que no llegue, — ni deuda que no se pague.»

El asunto podrá ser más o menos original; el protagonista, más o menos español. Pero una cosa hay cierta: cuando un personaje literario se constituye en símbolo, deja de pertenecer al pueblo que lo engendró para atravesar todas las fronteras. Tal es el caso de don Juan. Nacido en la celda de un fraile mercedario, ha tentado a escritores de las más diversas nacionalidades y de las más opuestas ideologías: españoles, como Zamora, Zorrilla y Jacinto Grau; franceses, como Molière, Rosimond, Mérimée y Dumas; italianos, como Goldoni y Perrucci; ingleses, como Byron y Bernard Shaw; portugueses, como Guerra Junqueiro; escandinavos, alemanes, rusos... Más de setenta versiones se han dado ya de la gran figura de El Burlador. Y otra observación: antes de Tirso existían, naturalmente, «doñeadores» o burladores de mujeres, espíritus libertinos que hacen del ansia de goces sexuales el único norte de su vida; pero recibirán diversos nombres. A partir de Tirso quedarán para siempre bautizados con un apelativo común; serán ya siempre «don Juan»; y su conducta se llamará «donjuanismo»; del mismo modo que, a partir de Fernando de Rojas, la alcahueta y zurcidora de voluntades no se llamará ya Auberé o Trotaconventos, sino «Celestina». Que éste es uno de los poderes mágicos del arte: el resellar a perpetuidad todo un conjunto de tipos humanos.

Gendarme Bevotte, autor de la documentada monografía *La légende de don Juan* [3], ha observado que el mito de éste era desconocido en la antigüedad clásica. Y se ha dado a investigar la causa, que no es otra sino la duplicidad de aspectos que ofrece el personaje: al lado del buscador del amor, frecuente entre los clásicos como en todas las épocas de la historia, tenemos el espíritu escéptico, conculcador de ciertos principos sociales y religiosos. Tales principios no existían, al menos en forma de mandato, en la sociedad greco-latina; fué el cristianismo el que, al aceptar el decálogo mosaico, los estableció con carácter obligatorio, sancionando de paso su incumplimiento con las más graves penas.

Sobre los posibles antecedentes de este drama, que alcanzó en Zorrilla su máxima popularidad, se ha formado toda una literatura. Ante todo, la crítica ha distinguido en el *Don Juan* las dos facetas ya señaladas: el hombre de costumbres libertinas y el espíritu irreligioso. Y ha intentado precisar los antecedentes de una y otra faceta. Estos antecedentes se han buscado tanto en la literatura como en la misma vida. ¿Tuvo don Juan una existencia real? En otras palabras, ¿es don Juan Tenorio un personaje histórico? Durante mucho tiempo se le ha querido identificar con Miguel de Mañara, hermano mayor del hospital de la Caridad de Sevilla. Con decir que Mañara nació entre 1626 y 1628, y que por esas fechas tenía que estar ya escrito el drama de Tirso, queda descartada la hipótesis. No tiene mayor fundamento la que quiere identificarlo con un don Diego Gómez de Almaraz, vecino de Plasencia, a cuya estatua llamaban los muchachos «el convidado de piedra», ya que la hipótesis se basa en un dato equivocado de Barrantes. Se habla de un Mateo Vázquez de Leca, nacido en 1573, cuya vida de disipación y escándalos en Sevilla tiene grandes analogías con la del Burlador. Pero nada hay de cierto. Ultimamente, el doctor Marañón sugirió la hipótesis del famoso conde de Villamediana. En efecto, el audaz y licencioso magnate murió en 1622. Por aquellas fechas Tirso debía de estar escribiendo su drama y no es improbable que, al crear su personaje, tuviese presentes la vida airada y la espantosa muerte de aquél.

En cuanto a su origen étnico, Farinelli quiere ver en don Juan un tipo de la Italia renacentista; pero, sin negar que tipos de esta raza se dan en todas las épocas y pueblos, la crítica en general está conforme en que responde más bien al carácter altivo, osado y un poco fanfarrón del español del XVII.

Más ciertas son sus fuentes literarias: se señalan, entre otras, El infamador, de Juan de la Cueva; La fianza satisfecha y Dineros son calidad, de Lope de Vega; El negro del mejor amo, de Mira de Amescua; El rufián dichoso, de Cervantes, etc. Del carácter donjuanesco de Leucino en El infamador ya se habló en su lugar; Dineros son calidad, con un episodio parecido al de la estatua del comendador, pudo inspirar a Tirso la segunda parte de su drama; en El negro del mejor amo también aparece una estatua animada, la de Federico Sforza; y, en lo tocante a La fianza satisfecha, las similitudes se reducen al proceso religioso y sus consecuencias; pero con un desenlace opuesto: al «tan largo me lo fiáis» de don Juan corresponde aquí el «que lo pague Dios por mí» del repugnante Leonido.

Se ha señalado asimismo como precedente algún romance popular; el que ofrece mayores semejanzas es el descubierto por don Juan Menéndez Pidal en Coruela (León), que empieza:

> Pa misa diba un galán,
> caminito de la iglesia;
> no diba para oír misa
> ni pa estar atento a ella,
> que diba pa ver las damas,
> las que están guapas y frescas...

Castil Blaze quiere ver en el auto El ateísta fulminado un precedente de don Juan, en cuanto espíritu descreído y ateo. Pero esta es una suposición errónea. Don Juan no es ateo; ni Tirso quiso presentarlo como tal. En la España de los Austrias un tipo de esta clase hubiese chocado violentamente con la manera de ser y de pensar de todo el mundo. A don Juan se le puede llamar libertino, cínico, irrespetuoso, sacrílego; todo, menos incrédulo. Lo que le pierde es precisamente su exceso de confianza en Dios. «Tan largo me lo fiáis...» es el principio en que se escuda. El sabe que peca, que hace mal, que ofende a Dios; pero confía en que habrá tiempo de arrepentirse.

Y aquí viene el teólogo. Tirso, campeón de la comicidad en las obras de mero pasatiempo, se convierte con las de tesis en el defensor rígido del dogma. La doctrina católica se lleva en ellas a las últimas consecuencias. En El condenado por desconfiado, Paulo, luego lo veremos, se condena por falta de confianza en la misericordia divina; en El Burlador, don Juan va también al infierno por exceso de confianza. Uno y otro han pecado y han de arrostrar el castigo. Ni fe sin obras, ni obras sin fe; esta es la doctrina católica; Tirso de Molina no iba a separarse de ella. «Es digno de notarse—escriben a este propósito los señores Hurtado y G. Palencia—cómo resolvieron el problema de ultratumba los tres autores (Tirso, Zamora y Zorrilla): Tirso, que era gran teólogo, hizo que don Juan fuera al infierno; Zamora dejó incierto el destino final del Burlador, y esta indeterminación es acertada; Zorrilla termina su drama con la salvación del héroe, redimido por el amor.»

«El condenado por desconfiado»

Digna hermana de la anterior es El condenado por desconfiado, en la que se aborda un tema similar, pero antitéticamente resuelto. Don Juan se condena por excesiva confianza en la misericordia divina; Paulo, en la comedia que comentamos, por lo contrario. Peca, como dice el Demonio en la escena IV de la jornada 1.ª, con pecado de orgullo, pecado de ángel: quiere nada menos que penetrar los insondables arcanos de la Providencia. Al saber vinculado su destino al de Enrico, desconfía de Dios y, lo que es peor, contraviniendo un precepto divino, juzga temerariamente al prójimo.

No se sabe la fecha de composición. Se ha supuesto que debió de ser entre 1624 y 1625, ya que por ese tiempo Tirso reside en Salamanca, donde duraba aún la disputa molinista sobre la predestinación. Por esos años compuso también su otra comedia de fondo teológico, El mayor desengaño.

No hay unanimidad en la atribución a Tirso. Cejador opina que no es suya y el Padre López Tascón la adjudica, aunque con argumentos poco sólidos, a fray Alonso Remón. Frente a ellos está la crítica más severa, representada por Menéndez Pelayo, Menéndez Pidal, Américo Castro, Cotarelo Mori, etc., contestes todos ellos en afirmar que El condenado corresponde indudablemente a Tirso.

El asunto es conocido: El ermitaño Paulo, tras diez años de vida santa en el desierto, empieza a dudar de su destino final y pide a Dios que tenga a bien revelárselo. El demonio, en figura de ángel, le indica que vaya a Nápoles, donde encontrará a Enrico, «hijo del noble Anareto»; que observe su conducta y obre en consecuencia, puesto que a ambos espera idéntico fin. Por la relación que de sus fechorías hace Enrico a un grupo de amigos, Paulo se entera de que es sacrílego, ladrón, seductor y asesino. Desesperado, Paulo cuelga sus hábitos y se hace bandolero. Pero no ha observado que Enrico, en medio de sus crímenes, conserva una virtud, la piedad filial, y que ésta le ha de salvar. Un arcángel en figura de pastor aconseja a Paulo la confianza en Dios y en su misericordia, que aquél vuelve a poner en duda. El mismo Enrico, que ha caído en su poder y a quien Paulo cuenta su historia, le recrimina por su desconfianza. Apresado Enrico y condenado a muerte, es visitado en la cárcel por su padre, a ruegos del cual se confiesa, se arrepiente y se salva. Paulo, por el contrario, abandonado a sus dudas y desesperación, muere y se condena.

La idea generatriz arranca de las polémicas acerca de la predestinación que se venían suscitando hacía varios decenios entre los dominicos, representados por el Padre Domingo Báñez, y los jesuítas, dirigidos por el Padre Luis Molina. Tirso acepta la tesis de este último: todos los seres humanos reciben por igual la gracia suficiente, sin atención a sus méritos; la salvación o condenación eterna dependerá luego de la cooperación que cada uno preste a la gracia. Paulo y Enrico reciben la gracia suficiente; pero el uno desconfía, el otro coopera y se salva.

Literariamente destaca la realidad de los personajes. El relato de Enrico trae a la memoria, por su garbo y su grafismo, la famosa apuesta de don Juan en el drama de Zorrilla. Aunque salpicado de pequeños lunares culteranos, el estilo es brillante y la versificación galana, fácil y numerosa.

Moreto aprovecha muchos rasgos de *El condenado* para su *San Franco de Sena*, y «Jorge Sand», que no duda en parangonar a Tirso con Shakespeare, calca en esta comedia su *Lupo Liverani*. Rosete y Niño imita la obra de Tirso en *Sólo en Dios la confianza*. Aparte adaptaciones y refundiciones, los últimos ecos de *El condenado* se advierten en Hartzenbusch (*El mal apóstol y el buen ladrón*) y, dentro de nuestro mismo siglo, en Marquina (*María la viuda*).

De unos versos de Tirso, al final de su comedia, se deduce que tomó su inspiración en las *Vidas de los Padres del Desierto*, y concretamente en Belarmino [4]. En efecto, Bertini ha logrado identificar la cita en el opúsculo del mismo Roberto Bellarmino, *De arte bene moriendi* (parte segunda, capítulo X). Allí se aduce un ejemplo tomado de la *Escala espiritual*, de San Juan Clímaco, que guarda estrechas analogías con la historia de *El condenado*. Se trata de un venerable monje, con cuarenta años de vida eremítica, a quien el demonio induce a la desesperación recordándole a cada paso sus pecados. A este tema Tirso asocia, para infundir mayor fuerza a la fábula, un nuevo elemento: la figura hondamente dramática de Enrico, a cuyo destino el demonio ha ligado el del ermitaño Paulo. Este segundo elemento también

está tomado de las *Vidas de los Padres*, y concretamente, según Menéndez Pidal, la de San Pafnucio. Por último, la leyenda se relaciona con la del «ermitaño y el carnicero», que con múltiples variantes es aún popular en varias regiones de España [5]. Probablemente todas ellas derivan de una fuente común, la leyenda hindú de «el brahmán y el cazador», que se encuentra en el *Mahabharata*. De esta única fuente debió de pasar a las tres grandes literaturas: árabe, cristiana y judía.

Otra comedia de fondo teológico

Menos conocida, aunque del mismo carácter, es otra comedia de Tirso, *El mayor desengaño*, sobre la conversión de San Bruno y la fundación de la Orden de los cartujos. Algunos pasajes de la obra y su mismo desenlace podrían inducirnos a suponer en Tirso una actitud negativa respecto a la vida activa y a la eficacia del estudio y cultivo de las disciplinas humanas. Sin embargo, no nos atrevemos a sacar esas consecuencias.

La acción se desarrolla en París. Bruno encarna el tipo de estudiante acomodado que alterna los estudios con pasatiempos y aventuras amorosas. Su conversión arranca de la muerte del gran maestro Dión (Diocré), el que, durante sus funerales de *corpore insepulto*, se reincorpora en el féretro por permisión divina y declara que ante el tribunal de la justicia eterna ha sido condenado. La reacción de Bruno es de desprecio hacia todas las grandezas y dignidades humanas. Otro personaje del drama, Roberto, nos declara la verdadera causa de la condena de Dión: es, como en el caso de Paulo, un pecado de orgullo; lo esperaba todo de sus propias fuerzas y nada de la misericordia divina [6].

El mayor desengaño nos plantea otro problema de gran interés, presente en la mayor parte de nuestros dramaturgos: el de la cultura en orden a la salvación eterna. Lope, ya se indicó en su lugar, opta por llegar a Dios por el camino de la ignorancia, mejor aún de la simplicidad; *El saber por no saber* se titula muy significativamente una de sus comedias; prefiere los santos rústicos, de escasa y hasta nula cultura, a los santos doctores. Calderón —ya lo veremos más adelante— defiende la tesis contraria: muestra predilección por personajes paganos que han llegado a la verdad por la vía del conocimiento. Tirso adopta una posición intermedia; no es cierto, como se ha dicho, que presenta la ciencia como impedimento para la salvación; Dión no se condena por excesivamente sabio, sino por demasiado orgulloso [7]. De nuevo aquí su adhesión a la tesis del Padre Molina: necesidad de la gracia eficiente.

Sobre el mismo tema compuso Belmonte y Bermúdez la comedia *Las siete estrellas de Francia, San Bruno*.

Punto intermedio entre las comedias de santos

y las de tema histórico ocupa *La elección por la virtud*, sobre la elección de Sixto V para el solio pontificio. Ofrece un vivo cuadro de intrigas curiales, sobre las que se eleva, contrastando con los que le rodean, por su entereza y piedad, el futuro Pontífice [8].

V. COMEDIAS DE HISTORIA NACIONAL Y EXTRANJERA

Se viene repitiendo con harta frecuencia que el teatro de Tirso es esencialmente satírico, reproducción de las costumbres de una época decadente, y que el genial dramaturgo mercedario carecía de visión y de dotes para crear obras propiamente históricas. Nada menos exacto. En Tirso encontramos algunos dramas de carácter histórico que pueden competir con los mejores de nuestro teatro, incluídos los de Lope de Vega, y uno de ellos, *La prudencia en la mujer*, no cede en méritos a ninguna comedia de su género, si es que no tiene bastantes para superarlas a todas. Con una característica especial que le distingue de los otros dramaturgos: y es, que en Tirso el drama histórico se da en toda su pureza, es decir, sin mezcla de elementos extraños: lances amorosos, conflictos de honor conyugal, duplicidad de acción, etc., tan frecuentes en algunas comedias de Lope, en especial en las del grupo que Menéndez Pelayo llamó «Crónicas y leyendas de historia patria». Por ser históricamente puro, Tirso ni siquiera incorpora a varias de estas obras la figura del «gracioso». Por ello se comprende menos el juicio de Pfandl cuando afirma que «no tiene sentido del drama histórico». Se pregunta uno si el crítico alemán habrá leído *La prudencia en la mujer*.

Destacan en este grupo: *Las Quinas de Portugal*, *La prudencia en la mujer*, la trilogía de los Pizarro y *Los lagos de San Vicente*. En las de historia extranjera, la más notable es *La República al revés*.

Las Quinas de Portugal ofrece la particularidad de ser la última obra dramática escrita por Tirso (1638). Se centra en el episodio de la batalla de Ourique, en la que los portugueses dieron muerte a cinco cadíes moros. Como sátira política y alusión a sucesos contemporáneos—caída del duque de Lerma y muerte de don Rodrigo Calderón—, interesan las dos comedias sobre don Alvaro de Luna, en las que, al decir de Blanca de los Ríos, tuvo por colaborador a Quevedo. Durante su estancia en Trujillo concibió probablemente la trilogía de los Pizarro: *Todo es dar en una cosa*, sobre la juventud de Francisco; *Amazonas de Indias* y *Lealtad contra la envidia*, sobre la vida aventurera de Gonzalo y Hernando, respectivamente [9].

«La prudencia en la mujer»

La mejor obra histórica de Tirso, y tal vez—según acabamos de decir—de nuestro teatro, es *La prudencia en la mujer*, sobre un argumento conocido: Los infantes don Juan y don Enrique, y don Diego de Haro, señor de Vizcaya, se disputan la mano de la reina doña María de Molina, con la esperanza de apoderarse del reino. Casi puede decirse que la obra se reduce al forcejeo de estos cuatro personajes, los tres primeros para obtener el dominio del reino, doña María para deshacer las maquinaciones dando prueba de una prudencia y de unas dotes de mando nada comunes. La obra acaba con la confusión de los traidores, que se ven obligados a refugiarse en el reino de Aragón.

Abunda en episodios llenos de belleza y de vigor: el suicidio del médico judío Ismael, que muere invocando al Mesías; la interrupción del banquete de los nobles conjurados por la presencia de la reina; la noble actitud de Benavides, siempre pronto en salir en defensa y ayuda de su soberana; la lucha planteada en el ánimo del joven rey entre el amor filial y las calumnias puestas en circulación sobre la conducta de su madre. El interés decae en el tercer acto, dando la impresión de algo truncado, inconcluso. Y, en efecto, el mismo Tirso nos anuncia que *La prudencia en la mujer* iba a tener una segunda parte:

> De los dos Caravajales
> con la segunda comedia,
> Tirso, Senado, os convida
> si ha sido a vuestro gusto ésta.

Parece que la tomó de la *Historia* del Padre Juan de Mariana, aunque pertenece al fondo común de nuestras Crónicas, donde Tirso pudo encontrar no sólo la trama general, sino los más relevantes episodios: el suicidio obligado de Ismael, que se nos da en la leyenda de «la condesa traidora», a la que su hijo obliga a tomar la pócima preparada para él; el del banquete de los nobles, situado por la tradición en el reinado de Enrique III el Doliente; las irónicas cuentas presentadas por doña María, que parecen réplica de las famosas del Gran Capitán, etc.

Contra lo que suele ocurrir en las comedias de este tipo, *La prudencia en la mujer* apenas presenta inexactitudes ni anacronismos. La versificación es siempre cuidada; el lenguaje, correcto y adecuado a la calidad de los altos personajes. Las octavas reales con que se abre el drama, y en las que cada uno de los pretendientes a la mano de la reina enumera sus méritos, son de las más limpias, sonoras y garbosas que se han escrito en castellano [10].

Entre las comedias de historia extranjera hemos

citado antes *La República al revés*. Tiene algunos caracteres que parecen esbozo de otros de *La prudencia en la mujer*. Aunque para Vossler es de capital importancia dentro de la dramática de Tirso, para nosotros se resiente de no pocos defectos. El tema, de gran fuerza trágica, se le desmenuza entre las manos. Obra de juventud, seguramente una de las primeras que brotaron de su pluma, refleja la inseguridad del aprendizaje.

Se refiere al reinado de Constantino VI, Porfirogeneto, el que, después de desposeer del trono a la emperatriz Irene, su madre, la destierra y condena a muerte. Consiente el robo y los desmanes, liberta a la gente de mala vida, establece el divorcio, repudia a su esposa legítima para reemplazarla por una concubina y proscribe el culto de los iconos. La adulación, el crimen, las traiciones y el servilismo son las virtudes de esta «república al revés». Sólo en las montañas quedan algunos residuos de dignidad y es allí donde se refugia la reina Irene, protegida por el pastor Tarso. Una sublevación pone fin a la tiranía de

Constantino, reponiendo en el trono a Irene, que empieza a gobernar en nombre de su nieto.

Gracián recuerda esta comedia en *El Criticón*. Para Vossler, la importancia de la obra estriba en que «en ella manifiesta Tirso con claridad asombrosa su postura con respecto a la vida mundanal y nos la refleja como una valerosa renuncia, de tipo positivo y aligerador, sin desprecio ni odio, con el buen talante de quien de ella se despega dándose cuenta de que le ha cabido la mejor suerte».

Ciertos rasgos de crueldad, como el de la reina Irene al condenar a la ceguera a su hijo, son quizá inverosímiles o, al menos, impropios de una madre. Quedan atenuados si se tiene en cuenta que Irene no debe obedecer sólo a los impulsos del amor materno, sino que, en su calidad de reina, tiene que restablecer la justicia y garantizar la paz. Solución intermedia entre la muerte y el perdón en estos conflictos del deber real y el amor paterno.

VI. COMEDIAS DE CARACTER

Encontramos en Tirso, dentro del grupo general, dos tipos de obras perfectamente diferenciadas: aquellas en que lo primordial es el estudio de los caracteres, y aquellas otras en que, aun siendo ese estudio problema importantísimo, queda preterido ante otra finalidad más inmediata: la tesis o intención moralizadora. El catálogo de las obras de Tirso perteneciente a este grupo es extenso; nos limitamos a citar las seis siguientes: *El vergonzoso en palacio*, *Marta la piadosa*, *El celoso prudente*, *El melancólico*, *Cómo han de ser los amigos* y *El amor y la amistad*.

«El vergonzoso en palacio»

Tirso, como Cervantes, conocía muy bien el repertorio paremiológico del pueblo. Amigo de bautizar con refranes o proverbios sus comedias, tomó el título para ésta de uno que ya encontramos en la *Celestina*, según se desprende de aquellos versos del acto III:

> Bien dicen que al vergonzoso
> le trujo el diablo a palacio.

Escrita hacia 1611, fué retocada para su inserción en los *Cigarrales de Toledo*. Fracasada al representarse en Madrid, quizá por ineptitud de algún cómico, constituyó luego uno de los mayores éxitos en la vida teatral de Tirso [11].

La trama es sencilla: El pastor Mireno, cuyos altos pensamientos delatan un noble origen, entra como secretario al servicio de Madalena, hija del duque de Avero. El amor prende pronto en ambos jóvenes; pero el galán no se atreve a declarar-

se, a pesar de las insinuaciones de la dama, cohibido por la diferencia social que los separa. La decisión de Madalena allana el camino y, concertada la boda, se descubre que Mireno es el noble don Dionís, hijo del duque de Coimbra, que, acusado falsamente de traición, había sido encarcelado por su sobrino el rey Alfonso V. Los amores y bodas de Serafina y don Antonio y de Leonela con el duque de Estremoz completan y redondean la acción.

Menéndez Pelayo ha creído ver un precedente de la pareja protagonista, Mireno y doña Madalena, en la novela de Juan Rodríguez del Padrón *El siervo libre de amor*; en ambas obras, la timidez del galán contrasta fuertemente con la desenvoltura y decisión de la dama.

Américo Castro observa acertadamente que «las damitas de *El vergonzoso* tienen como rasgo común proceder libremente en el grave negocio de elegir amante y marido, y se convierten en un nuevo reflejo del tema de la libertad de amar, que desde el Renacimiento viene apareciendo en la literatura moderna». Propulsor de esta corriente en sus líneas generales había sido Erasmo. Es digna de señalarse en esta obra la apología que Tirso hace del teatro de Lope [12].

«Marta la piadosa»

Dentro del mismo género de comedia de carácter destaca *Marta la piadosa*, admirable sátira de la falsa devoción y una de las creaciones más vigorosas de Tirso. Sólo alambicando mucho y queriendo ver más de lo que el poeta escribió realmente puede considerarse esta obra como pareja de las teológicas al estilo de *El condenado por desconfiado* y *El burlador de Sevilla* [13]. En *Marta la piadosa* no se plantea el problema de la hipocresía, ya que la protagonista, a diferencia del Tartufo de Molière, tiene buen cuidado de definir constantemente su posición y los motivos que le mueven a adoptarla. Tirso hace una sátira de la falsa religiosidad de la época, y es esta sátira la que da categoría de comedia de carácter a lo que de otro modo sería una simple comedia de enredo. Don Felipe, doña Inés, el Alférez, Pastrana, y sobre todo el público, saben a qué atenerse respecto a la religiosidad de Marta; su piedad es un postizo temporal para salir adelante en sus empresas de amor, como declara la misma protagonista en la jornada II [14].

La acción se reduce al fingido voto de castidad de Marta, enamorada de don Felipe, matador de su hermano, para evitar un matrimonio con un viejo capitán, que por imposición paterna había de contraer. El galán se introduce en casa de la falsa beata con el nombre de dómine Berrío, como profesor de latín. El matrimonio de los dos jóvenes sirve de feliz desenlace de esta comedia llena de humor y finura. El tipo de doña Marta influyó en la concepción del *Tartufo*, de Molière, y en *La Mojigata*, de Moratín. Tirso supera en gracia a éste, y logra un tipo simpático, lleno de vida, que contrasta con el hosco y malvado personaje del comediógrafo francés.

El elemento histórico aparece en el largo relato (280 versos) que de la conquista de la Mamora hace el alférez.

El melancólico es, por su fondo psicológico, una de las comedias más interesantes de Tirso; su título y carácter nos hace pensar en los héroes molierescos, a los que se acerca en alto grado. La obra es una apología de los bastardos representados en Rogerio, en el que ve Blanca de los Ríos un reflejo del propio autor. La psicología del personaje central y la tesis de la obra se dan resumidas en estos cuatro versos:

> Ambicioso de fama y de grandeza
> no heredada, adquirida
> con noble ingenio y estudiosa vida,
> que ilustra más la personal nobleza.

Esta comedia fué refundida por el propio Tirso en *Esto sí que es negociar*, en la que el protagonista de serio, estudioso y concentrado, se transforma en alegre y enamoradizo, señalando así el paso de la comedia de carácter a la de intriga.

Comedias moralizantes

Modalidad especial dentro de la comedia de carácter ofrece la que hemos llamado moralizadora. Repetidas veces lleva Tirso al teatro ejemplos aleccionadores: *El amor y la amistad*, *Cómo han de ser los amigos*, *Cautela contra cautela*, *Privar contra su gusto*. De primera intención estaría uno tentado a establecer el paralelo entre estas obras y las similares de Ruiz de Alarcón. Pero una diferencia salta inmediatamente a la vista: en el mercedario, la moral surge del fondo mismo de la obra, de la acción y de los caracteres, sin ningún prurito sermoneador; en el mejicano, la moral *se dice*, a veces con las consiguientes reflexiones, diluídas en largas tiradas de versos. Compárese *Cómo han de ser los amigos* y *La verdad sospechosa*.

En *Cómo han de ser los amigos* nos presenta un prototipo de amistad leal y abnegada hasta el extremo de sacrificar por ella el propio amor:

Don Manrique de Lara llega desterrado de Castilla a la corte del conde de Fox, don Gastón. Este está enamorado de Armesinda, hija del duque de Narbona, prometida esposa, por imposición paterna, del duque de Tolosa. Don Manrique combate en un torneo con el de Tolosa; al verle Armesinda se enamora de él, pero el caballero, dando pruebas de leal amistad a don Gastón, rehusa tal amor. Vence en el torneo; el de Fox es encarcelado; se intenta hacer lo mismo con don Manrique, pero lo evita huyendo a Aragón. Aquí el rey le encarga la guerra contra el de Fox, y sólo acepta cuando se entera de que aquél está encarcelado, ya que por este medio piensa libertarle. En tanto, Violante, hermana de Armesinda, enamorada de don Gastón, le liberta. El doble matrimonio, don Manrique—Armesinda y don Gastón—Violante, y la vuelta del primero al favor del rey de Castilla, rematan felizmente la obra.

En *El amor y la amistad* se pone de manifiesto la constancia de estos dos sentimientos en don Bustos y Estela:

Don Guillén de Moncada quiere poner a prueba el amor de Estela. Amigo del conde de Barcelona y sospechoso de que don Bustos de Grao está enamorado de la dama, finge que ha caído en desgracia de su antiguo protector. Los cortesanos que le adulan y las damas que se disputan su amor empiezan a abandonarle: sólo permanecen fieles don Bustos y Estela; el primero, ofreciéndole sus estados; la segunda, manteniéndole constante amor, a pesar de las insinuaciones del conde.

La misma alteza de miras reflejan los personajes de *Privar contra su gusto*.

Citemos, por fin, *El celoso prudente*, alegato de la venganza secreta ante una ofensa también secreta inferida al honor. Tirso aconseja en estos casos de rehabilitación de la honra, ante todo la prudencia. Los soliloquios, frecuentes en esta obra y en otras del autor, suponen un sagaz autoanálisis de los personajes y son el precedente inmediato de los célebres monólogos calderonianos. El carácter de don Sancho de Urrea está muy bien conseguido; el conflicto entre el amor y los celos, felizmente resuelto, ya que, superando sus atroces dudas, se mantiene enamorado y rendido ante las gracias de su esposa.

VII.   COMEDIAS DE INTRIGA Y VILLANESCAS

En ellas hay que buscar el fundamento de aquel juicio de Durán: «Los hombres de Tirso son siempre débiles y juguetes del bello sexo.» Ciertamente, este juicio sería acertado si Tirso hubiese escrito sólo una docena de comedias de intriga amorosa, según el patrón de *Don Gil de las calzas verdes, La villana de Vallecas, El amor médico, Desde Toledo a Madrid, La villana de la Sagra, Por el sótano y el torno* y algunas otras más del mismo corte. Pero ya se ha dicho que tales obras no son sino una parte mínima de su inmenso repertorio. Verdad es que, dentro de la producción de Tirso, estas comedias de intriga suelen ser las más conocidas.

En Tirso, sin embargo, hay múltiples facetas, y tan equivocado sería juzgar su tipología femenina por las magníficas figuras de doña María de Molina, Irene, Diana, Ruth, Elena y Estela como por las protagonistas de las comedias de intriga. En todo su teatro será difícil encontrar un tipo tan desenvuelto como el de la protagonista de *La viuda valenciana*, esa comedia que, por ser de Lope, todos seguimos considerando deliciosa.

«Don Gil de las calzas verdes»

Es una de las obras más entretenidas de Tirso. Su asunto, algo enmarañado, pero lleno de graciosos incidentes, nos presenta a una doña Juana que, disfrazada de varón, va a la Corte en seguimiento de su galán, don Martín, el cual, con el fingido nombre de don Gil de Albornoz, ha acudido a su vez para casarse con doña Inés. Doña Juana, por su parte, utilizando el mismo nombre que su antiguo galán, enamora a doña Inés y hasta logra que su padre la considere el novio formal de la dama. La culpa de todos los enredos recae en don Martín, que acaba casándose con su antigua dama.

Obra de fina sátira y sagaz observación de las costumbres y tipos de la época, ha obtenido en todo tiempo, y hasta en nuestros mismos días, los mayores éxitos [15].

Otras piezas del mismo género

Disfrazada asimismo con atuendo masculino se nos presenta la protagonista de *El amor médico*, escrita hacia 1625. Se refiere a la vida escolar y de aventuras amorosas de doña Feliciana Enríquez de Guzmán, cuya vida novelesca pudo inspirar otras obras teatrales, como *El alcalde mayor*, de Lope, y *Lo que quería ver el marqués de Villena*, de Rojas Zorrilla.

Intermedio entre la comedia de intriga y la de carácter puede considerarse *Por el sótano y el torno*, donde una viuda joven pretende casar a su hermana con un viejo ricachón para que las dote a las dos. La aparición de dos galanes, que desposan con las dos hermanas, deshace toda la intriga de la mayor y aporta a la comedia un desenlace feliz.

Comedias villanescas

Aunque con escenario distinto y personajes de clase inferior, tienen el mismo carácter que las de intriga.

Entre todas las de Tirso ostenta la primacía *La villana de Vallecas*. También desarrolla un asunto un tanto embrollado.

El capitán don Gabriel de Herrera va a Madrid, después de haber seducido, haciéndose pasar por don Pedro de Mendoza, a una dama valenciana, doña Violante. En Arganda coincide con un mejicano, precisamente el auténtico don Pedro de Mendoza, quien también se dirige a la Corte para casarse con su prometida doña Serafina. Una equivocación del criado que trueca las maletas de su amo con las del capitán, suministra a éste joyas, dinero y cartas de presentación para la novia. Don Gabriel se presenta con ellas a Serafina; acude también don Pedro, pero no pudiendo acreditar su personalidad, es tratado de usurpador. En tanto Violante, disfrazada de villana, se presenta en casa de Serafina, y don Juan, hermano de ésta, se enamora de ella. Don Pedro es encarcelado por suponérsele autor de un delito cometido por don Gabriel y causante de la desgracia de Violante. Esta descubre al final el enredo, y la obra termina con la doble boda de Violante con don Gabriel y de Serafina con don Pedro.

Moreto plagió *La villana de Vallecas* en su comedia *La ocasión hace el ladrón*.

Comedias novelescas

Menos importancia tienen las comedias novelescas, aunque una de ellas, *Palabras y plumas*, es de las más emotivas y cuidadas que salieron de la pluma de Tirso. Mencionaremos sólo *Quien da luego, da dos veces*, inspirada en la novela cervantina *La señora Cornelia*; *Los amantes de Teruel*, que, si bien no puede adjudicarse a Tirso de manera indudable, presenta los rasgos característicos de su teatro [16], y *Palabras y plumas*, basada en la novela novena de la quinta jornada del *Decamerón*, sobre el mismo tema que *El halcón de Federico*, de Lope de Vega, aunque superior a ésta en muchos conceptos [17].

VIII. ESTILO, TECNICA DRAMATICA Y CARACTERES

Se viene repitiendo que Tirso sobresale en la pintura de caracteres femeninos: mujeres livianas y desenvueltas, que no se detienen ante nada en su afán de cazar al galán incauto que las pretende. El juicio peyorativo que de Tirso expone Pfandl es inaceptable teniendo en cuenta la totalidad de su teatro [18]. Diríase que el crítico alemán sólo conoce las comedias de intriga y las villanescas. También suele decirse que los tipos masculinos alcanzan poco relieve entre sus manos. Nada menos exacto; bastaría la creación del tipo de Don Juan, universal como Don Quijote, para afirmar que los hombres de Tirso tienen un perfil neto y unas cualidades que resisten bien la comparación con las más acertadas creaciones del gran teatro europeo. Pero hay más, al lado de Don Juan pueden figurar sin desdoro otras creaciones no menos admirables: don Sancho, de *El celoso prudente*; don Iñigo, de *Palabras y plumas*; el duque de Calabria, de *La ninfa del cielo*; Rugero, de *El Melancólico*, y los protagonistas de *La dama del Olivar, Santa Juana,* y hasta el Bruno y el Paulo de *El mayor desengaño* y *El condenado por desconfiado*, respectivamente.

Cierto que algunas mujeres pecan de excesiva audacia y de una ligereza que a veces se confunde con el descoco. Así, las protagonistas de *Don Gil de las calzas verdes, El vergonzoso en palacio* y *La villana de Vallecas*; pero ha de tenerse en cuenta que, aun en estos casos, actúan movidas por un noble empeño: la reparación de su honor. La misma Madalena de *El vergonzoso en palacio*, al acudir al ingenioso recurso del sueño fingido para decidir a Mireno, lo hace pensando que de otro modo le hubiera sido difícil conseguir su propósito, dados los convencionalismos sociales de la época y la diferencia de clase que aparentemente les separaba. No es distinta la conducta que observa Diana, condesa de Belflor, con su secretario Teodoro, en *El perro del hortelano*, de Lope, y, sin embargo, su carácter ha sido calificado de delicioso y exquisitamente femenino.

Junto a estos tipos hallamos otros tan delicados y abnegadamente admirables, como la Diana, en *El celoso prudente*; la Estela, en *El amor y la amistad*, y la Elena, en *La firmeza en la hermosura*. Es aquí, en la pintura de caracteres, donde Tirso no encuentra rival; es aquí donde está su fuerte y su mérito sobresaliente. Al analizar su teatro hemos topado ya con algunos de esos caracteres. Quedan aún otros: el tipo de la *madre*, del que nos da magníficos retratos en las reinas doña María de Molina e Irene; el de *anciano*, sobre el que proyecta la más suave ternura; ejemplos, los de *La elección por la virtud* y *El condenado por desconfiado*. En esta comedia, Enrico,

tipo de rara perversidad, no sólo conserva el más profundo respeto y amor a su padre, sino que, comprometido a dar muerte a Albano, al que no conoce, desiste de su criminal intento por tratarse de un anciano.

Si en la creación de caracteres estriba el genio dramático—como más de una vez se ha dicho—, Tirso es el creador del tipo más universal que ha pisado la escena: el Burlador de Sevilla.

A todo esto ha de agregarse un lenguaje limpio, fácil y espontáneo, como lo exige el movimiento dramático, salpicado de ingeniosas ocurrencias, sin incurrir casi nunca en lo chocarrero, y exento por igual de los dos grandes vicios que minaron la lengua castellana en aquella centuria: culteranismo y conceptismo; vicios—o tal vez mejor, modalidades estilísticas—que sólo en contadas ocasiones alcanzaron al teatro y que nunca llegaron a contaminar seriamente el de Tirso de Molina. *Palabras y plumas*, p. ej., puede lerse hoy íntegramente y de seguido, sin que en aquellas largas tiradas de versos tan garbosos, tan flúidos, tropecemos con un solo ripio. Las octavas en la relación del torneo, como aquellas con que se abre *La prudencia en la mujer*, son de las más armoniosas que conocemos en nuestra lengua. Sin alcanzar el vuelo lírico de Lope, le vence con frecuencia en vis cómica y en concisión y finura satírica.

NOTAS

1. «En *La gitanilla*—escribe doña Blanca de los Ríos—es muy de notar el pasaje relativo a la Peña Milagrosa y al viandante que en su busca llegó al rancho o aduar de los gitanos.» Preguntando Andrés a Preciosa quién es el tal viandante, contesta la gitana: «Has de saber, Andrés, que el que me hizo aquel soneto es el mozo mordido que dejamos en la choza..., que me habló dos o tres veces en Madrid y aun me dió un romance muy bueno..., y en verdad te digo, Andrés, que el mozo es discreto y bien razonado.» La perplejidad de la gitallina Preciosa, que no sabe qué pensar de la llegada de tal personaje al campamento de los gitanos, es aclarada por su enamorado Andrés, que dice: «Ninguna otra cosa sino que la misma fuerza que a mí me ha hecho gitano le ha hecho a él molinero y venir a buscarte.» Preguntado el mozo cómo se llamaba y adónde iba, contestó: «No dijo otra cosa sino que se llamaba Alonso Hurtado y que iba a Nuestra Señora de la Peña de Francia... No le pareció a Andrés muy legítima la explicación, sino muy bastarda.»

De este texto deduce doña Blanca que el tal mozo no puede ser otro que Tirso: traje parecido a hábito, molinero fingido, declaración bastarda (aludiendo a su ilegitimidad). Aquí, sin embargo, como en lo referente a la partida de nacimiento, doña Blanca de los Ríos ha fantaseado no poco. «Esa partida—afirma don Luis Astrana Marín—pertenece a otro sujeto, y la conjetura de ser su padre el viejo duque de Osuna no pasa de fantástica imaginación.» Vid. Astrana Marín: *El misterioso Tirso de Molina y su «Don Juan»*, «Cervantinas y otros ensayos», págs. 177-178.

2. La fecha inicial del teatro de Tirso puede deducirse de lo que nos dice en *Los Cigarrales de Toledo*, publicados en 1621. Declara que en esta fecha ha compuesto ya trescientas comedias que «en catorce años han divertido melancolías y honestado ociosidades».

3. Vid. G. GENDARME DE BEVOTTE: *La légende de Don Juan. Son évolution dans la littérature des origines au romantisme*, Par:s, 1906.

4. JUEZ.

... A Nápoles vamos
a contar este suceso.

PEDRISCO.

Y porque éste es tan arduo
y difícil de creer,
vaya el que fuere curioso
(porque, sin ser escribano,
dé fe de ello) a Be'armino:
y si no más dilatado,
en la *Vida de los Padres*
podrá fácilmente hallarlo.
Y con aquesto da fin
El mayor descon[iado.

5. La leyenda de San Pafnucio, resumida por Menéndez Pidal, es la siguiente: Llevando Pafnucio una vida ange'ical, ruega a Dios que le declare a cuál de los santos es semejante; un ángel le responde que a cierto músico que se ganaba el pan tañendo en las aldeas. El santo le busca y pregunta por su vida y hechos. El ta-ñedor confiesa que es un hombre perverso; únicamente recuerda dos hechos dignos: en cierta ocasión, habiéndose juntado con unos ladrones, libertó a una doncella de las lascivas manos de sus compañeros; en otra dió trescientos sueldos a una mujer que tenía al marido y a tres hijos encarcelados por deudas. El santo reconoce el mérito de estos actos y declara su verdadera personalidad. Este le sigue al yermo y sirve a Dios con salmos y cantos espirituales; después de tres años de vida santa es transportado entre los coros angélicos. Cuando Pafnucio llega a la hora de la muerte, el ángel se le aparece de nuevo y le declara que su puesto en el cielo será entre los profetas, y que no se lo dijo antes porque el orgullo no le perdiera.

6. Dión, en trance de muerte, dice:

No quiero que en este paso,
según su misericordia,
me juzgue Dios, porque aguardo
que por rigor de justicia
me dé el cielo, que han ganado
mis virtudes y paciencia.

Acto de soberbia censurado por otro personaje, remachando una vez más la tesis de Tirso:

Si eso dijo, justamente,
por loco y desatinado,
la justicia le condena,
quien da a la gracia de mano.

7. La renuncia de Bruno se expresa en estos términos:

¿Qué importan letras y estudios,
dignidades, honras, grados,
libros, cátedras, oficios,
si se condenan los sabios?
Dichoso el pobre pastor
que entre el grosero ganado,
ignorante para el mundo,
para los discretos zafio,
es para Dios elocuente.
Decid: ¿qué le aprovecharon
fama y opinión de bueno
a quien para Dios fué malo?
Dión ....
sin dalle ayuda sus letras,
magisterios, honras, cargos,
se condena y por su boca
pronuncia su horrendo fallo.

8. Ofrecen gran interés los pronósticos que, a diferencia de lo que ocurre en otras obras, no son pre'udio de desgracia y tragedia, sino de grandeza: tal la escena en que Marce'o, en nombre del Senado veneciano, entrega una tiara a Pío V para que la ciña en el momento de bendecir el estandarte de la Liga Santa; tropieza y acota Tirso: «da la tiara en manos de Sixto», el futuro príncipe.

9. Con el título de *Santa Cásilda* trata Lope el mismo tema que Tirso en *Los lagos de San Vicente*. El desarrollo de la trama es idéntico en ambas comedias: Casilda oye en sueños una misteriosa voz que le dice que reciba el bautismo; rechaza las pretensiones amorosas

del moro Abenamar, y el viejo cautivo Gonzalo le instruye en la religión cató'ica. Se escenifica el milagro de las flores, y por indicación de un ángel abandona Toledo y pasa a Castilla para ir en busca de los lagos de San Vicente. Las peripecias de la joven, a quien el demonio estorba continuamente el hallazgo, y su bautismo final, sirven de desenlace a la obra.

10. En el Romanticismo aparecen dos obras que tratan el mismo tema; pero en ninguna se nos presenta un carácter tan logrado como el de la reina de Tirso: son *Doña María de Molina*, del marqués de Molíns, y *Don Fernando el Emplazado*, de Bretón de los Herreros. De ambas nos ocuparemos en el lugar correspondiente. Entre los anacronismos o, mejor, inexactitudes históricas de *La prudencia en la mujer*, señalamos la sigu.ente: Doña María, aludiendo a la edad de su hijo cuando quedó viuda, dice:

De solamente tres años
comenzasteis a reinar,
y juntamente probar
trabajos y desengaños.

En rea'idad, al morir Sancho IV, su hijo contaba nueve años de edad.

11. Así lo declara el propio Tirso en el «Prólogo a la representación»:

«Celebrada con general aplauso (años había) no sólo entre todos los teatros de España, pero en los más célebres de Italia y de entrambas Indias, con alabanzas de su autor, pues mereció que uno de los mayores potentados de Castilla honrase sus musas y ennobleciese esta facultad con hacer la persona del *Vergonzoso* él mismo...»

Sobre el fracaso de algunas obras a causa de la poca habilidad de los representantes, escribe en un comentario a la imaginaria representación de *Cómo han de ser los amigos* (Cigarral IV): «Muchas comedias—dijo don Alejo—han corrido con nombre de disparatadas y pestilenciales, que, siendo en sí maravillosas, las han desacreditado los malos representantes, ya por errarlas, ya por no vestirlas, ya por ser despropositados los papeles para las personas que los estudian, las cuales, después que caen en otras manos, o más cuidadosas o más acomodadas, vuelven a restaurar con el logro la fama que perdieron.»

Razón de sobra tenía Tirso, pues algunas de sus comedias, entre ellas la deliciosa de *Don Gil de las calzas verdes*, fracasó en su primera representación por culpa de los cómicos, en este caso Jerónima de Burgos, la famosa «señora Gerarda», amante de Lope de Vega, que encarnó el papel de la bella y atrevida doña Juana teniendo—al decir del propio Tirso—«más carnes que un antruejo, más años que un solar de la montaña y más arrugas que una carga de repollos».

12. «Y habiendo él (Lope de Vega) puesto la comedia en la perfección y sutileza que ahora tiene, basta para hacer escuela de por sí y para que los que nos preciamos de sus discípulos nos tengamos por dichosos de tal maestro y defendamos constantemente su doctrina contra quien con pasión la impugnare. Que si él, en muchas partes de sus escritos, dice que el no guardar el arte antiguo lo hace para conformarse con el gusto de la plebe—que nunca consintió el freno de las leyes y preceptos—, dícelo por su natural modestia y porque no atribuya la malicia ignorante a arrogancia lo que es política perfección... Es justo que a él, como reformador de la comedia nueva, y a ella, como más hermosa y entretenida, los estimemos, lisonjeando al tiempo para que no borre su memoria.»

13. Vid. *Marta la piadosa*, ed. de «Clásicos Ebro».

14. Vi a don Felipe en el Prado
llegar, la color perdida,
por la mudanza de vida
con que a mi padre he engañado;
pero viendo que no osaba
hablarme por el respeto
que en este traje prometo,
le dije que le adoraba
tanto, que por su ocasión
andaba desta manera;
pues si estoy devota, él era
mi imagen de devoción.
Y como a mi hermano ha muerto,
y el temor desto le avisa,
lo que permitió su prisa
le hablé, y quedó de concierto
de venir a hablarme aquí
con un ingenioso enredo.

15. Entre los tipos descritos con gracia y finura destacan los del *Clerigón*, «Lucio, grave y carilleno», que sólo se acuerda de dar gracias a Dios cuando está bien harto; del médico y del abogado galán.

16. La belleza de la tragedia no es suficiente para anular el mal gusto de algunas escenas: la muerte de Marsilla a presencia de su amada doña Isabel, y la reacción de ésta ante su marido. Hoy parece fuera de duda que la base de este tema—tratado antes por Rey y Artieda, y después por Montalbán y Hartzenbusch—deriva de una novela del *Decamerón*.

17. El argumento se reduce a la caballerosidad y galantería de don Iñigo para conquistar el amor de Matilde, princesa de Salerno. Tirso supera hasta lo indecible la narración boccacciana.

18. El juicio de Pfandl es uno de los más duros que se han formulado contra Tirso: «Los hombres son siempre bondadosos, honrados y tontos; las mujeres, astutas y lascivas, calculadoras, sin escrúpulos y sin pudor. A menudo se enamoran dos hermanas del mismo caballero, y la furia de los celos, que suele ser en la comedia privilegio del hombre, ahoga los sentimientos de la sangre. La mujer hace aquí lo que en la comedia suele ser exclusivo del hombre: rinde franco homenaje al amor libre; busca y procura la consumación del matrimonio antes de concertarlo; la constancia y la fidelidad no son consideradas como virtud, sino como prejuicio.» En su afán de censura, llega a términos inconcebibles: «Los cuatro ideales teatrales que prefería el público de todas las clases sociales, tan celebrados por Lope y Calderón, Ruiz de Alarcón y Moreto, Rojas y Amescua (la fe de los padres, la lealtad a la patria y al rey, la caballerosidad y la galantería, son para Tirso un mundo exótico. Incluso el último de los cuatro se transforma en su contrario: en la pesca del hombre en forma sensual, egoísta y celosa.»

No puede darse mayor incomprensión o mayor desconocimiento. En las páginas precedentes ha quedado de manifiesto nuestra posición, bien distinta de la del crítico alemán, que gratuitamente supone al Tirso juvenil «una buena pieza, enamorado y turbulento».

La competencia amorosa entre las hermanas, que tanto censura Pfandl, no reviste nunca en Tirso el tono trágico que trata de presentarnos el crítico alemán: «No llegan estas rivalidades fraternales—escribe Blanca de los Ríos—, como en algunos dramáticos modernos, al crimen o al suicidio; no llegan a ser pasiones trágicas: son escaramuzas caseras, riñas de gatitas celosas y taimadas que guardan las uñitas para tirarse por sorpresa a la enemiga; son celos vecinales, y constituyen uno de los aspectos más humanos y sugestivos del teatro de Tirso.»

BIBLIOGRAFIA

I. R. DEL ARCO GARAY: *Más sobre Tirso y el medio social*, «B. R. Ac. Esp.», XXXIII, 1953.—J. ARTILES RODRÍGUEZ: *La partida bautismal de Tirso de Molina*, «R. Ar. B. y Mus. Ayunt. Madrid», núm. 20. 1928.— G. BOUSSAGOL: *Quelques mots sur Tirso de Molina*, «Bull. Hispanique», XXXI. 1929.—E. COTARELO MORI: *Tirso de Molina: Investigaciones biobibliográficas*, Madrid. 1893.— A. DE GABRIEL Y RAMÍREZ DE CARTAGENA: *Alrededor de Tirso de Molina*, Madrid. 1950.—A. GONZÁLEZ PALENCIA: *Quevedo, Tirso y las comedias ante la Junta de Reformación*, «B. R. Ac. Esp.». XXV. 1946.—MARQUÉS DE SALTILLO: *Tirso de Molina en Soria*, Zaragoza. 1939.—M. OSSORIO Y BERNARD: *El retrato de Tirso*, «Papeles viejos e investigaciones literarias», Madrid, 1890.—E. PARDO CANALIAS: *Tirso de Molina*, «Rev. Id. Estéticas», XV. 1957. Madrid.— M. PEÑEDO REY: *La primera firma de Tirso de Molina, Guadalajara, 1593, y Para las fuentes de la dramática de Tirso de Molina*, «Estudios». IX. 1593.—BLANCA DE LOS RÍOS: *El enigma biográfico de Tirso*, Madrid, 1928.— M. L. Ríos: *Tirso no es bastardo*, «Estudios». 1949.— M. SERRANO Y SANZ: *Nuevos datos biográficos de Tirso de Molina*, «Rev. de España», núm. 149. Madrid, 1894.— L. DE VIEL CASTEL: *Tirso de Molina*, «Revue des Deux Mondes». París, 1 mayo 1840.—C. VOSSLER: *Tirso de Molina*, «Escritores y poetas de España», Colec. Austral, núm. 771. Madrid, 1944.

En el número extraordinario de la revista «Estudios» (Madrid, 1949) se contienen una serie de artículos consagrados a Tirso de Molina.

II. A. MARTÍN GAMERO: *Los «Cigarrales de Toledo»*, Toledo, 1857.—M. MENÉNDEZ PELAYO: *Vida de la Santa Madre de Cervellón, de T. de Molina*, ed. y pról. de..., «Rev. de Archivos», 1908-1909.—V. SAID ARMESTO: *Tirso*

de Molina: «Cigarrales de Toledo», ed. y estudio de..., Madrid. 1913.—C. A. SOONS: *Poetic elements in the plots of Tirso's novels*, «Bull. of Hisp. Studies». Liverpool, XXXII. oct. 1955.—L. C. VIADA Y LLUCH: *«El bandolero, de Tirso de Molina*, ed. y estudio de..., Barcelona. Edit. Ibérica.—M. WILSON: *Some aspects of Tirso Molina's «Cigarrales de Toledo» and «Deleytar aprovechando»*, «Hisp. Review», XXII, 1954.

III. E. COTARELO MORI: *Comedias de Tirso de Molina*, disc. preliminar de..., 2 vols. «N. B. Aut. Esp.». Madrid, 1906.—W. EVERETT HESSE: *Suplemento quinto a la bibliografía general de Tirso de Molina* (incluye una sección sobre la influencia del tema de Don Juan), «Estudios». XI, Madrid. 1955.—R. L. KENNEDY: *On the date of five Plays by Tirso de Molina*, «Hisp. Review». X, 1942.— *Studies of the chronology of Tirso's Theatre*, «Hisp. Review», 1943.—M. MENÉNDEZ PELAYO: *Tirso de Molina*, «Est. y disc. de crít. hist. y lit.». III. Santander. 1941, págs. 47-81.—A. MOREL FATIO: *Etudes sur le théatre de Tirso de Molina*, «Bull. Hispanique». IV. 1900.—P. MUÑOZ PEÑA: *El teatro del maestro Tirso de Molina*, Madrid, 1889.—BLANCA DE LOS RÍOS: *Tirso de Molina: Obras dramáticas completas*, 2 vols., ed. crítica y estudios de... (obra capital de la bibliografía tirsista). Madrid. M. Aguilar. 1946-1952.—GERALD E. WADE: *Tirso de Molina*, «Hispania». Washington, XXXII. feb. 1949.—V. ALONSO ZAMORA: *Acercamiento a Tirso de Molina*, «Presencia de los clásicos», Colec. Austral. núm. 1.061, págs. 33-74. Espasa-Calpe, Buenos Aires. 1951.—A. DEL CAMPO: *Tirso de Molina: La Santa Juana: Trilogía hagiográfica*, ed. y pról. de... Madrid, Edit. Castilla, 1948.—WALTER METTMANN: *Studien zum religiösen Theater Tirso Molina's*, Colonia, 1954.—BLANCA DE LOS RÍOS: *De cómo un auto de Tirso se transmuta en novela de Cervantes*, «Rev. Nac. de Educación» núm. 12. Madrid, dic. 1941.—M. DE MONTOLÍU: *Tirso de Molina: Poesías líricas*, pról. y selec. de..., Barcelona, Montaner y Simón, 1947.

IV. F. AGUSTÍN: *Don Juan en el teatro, en la novela y en la vida*, Madrid. 1929.—A. ARAUZ: *Tirso y Don Juan*, Méjico. 1954.—ROSA ARCINIEGA: *«La Celestina», antelación del «Don Juan»*, «Rev. de Indias», núm. 36. 1939.—CH. V. AUBRUN: *Le «Don Juan», de Tirso de Molina: Essai d'interprétation*, «Bull. Hispanique», LIX, 1957.—J CASALDUERO: *Contribución al estudio del tema de Don Juan en el teatro español*, «Mass. Smith College», Northampton, 1938.—A. CASTRO: *El Don Juan de Tirso y el de Molière como personajes barrocos*, «Hom. a Ernest Martinenche», París, 1939; *Tirso de Molina: «El burlador de Sevilla» y «El vergonzoso en Palacio»*, est. preliminar de..., «Cás. Castellanos», núm. 2. Madrid, 1922.—E. COTARELO MORI: *Ultimos estudios acerca de «El burlador de Sevilla»*, «Rev. de Arch.», Madrid. 1908.—B. CROCE: *Intorno a C. Cignonini e al «Convidado de piedra»*, «Hom. a Rubió y Lluch», Barcelona, 1936.—W. DAVIS: *L'origine de la légende de Don Juan*, Amsterdam. 1915.—G. DELPY: *Réflexions sur «El burlador de Sevilla»*, «Bull. Hispanique». L. 1948.— G. DÍAZ-PLAJA: *Geografía e historia del mito de Don Juan*, Barcelona. Inst. del Teatro. 1944.—R. ESTRADA: *Pedrisco en una obra de Tirso*, «Bol. Univ. de San Carlos», Guatemala. 1951.—A. FARINELLI: *Don Giovanni. Note critiche*, «Giornale Stor. della Letter. Italiana». XXVII. Turín, 1896.—*Cuatro palabras sobre Don Juan*, «Hom. a M. Pelayo». I. Madrid. 1899.—*Don Juan y la literatura donjuanesca del porvenir*, «Ensayos y discursos», vol. II, 1925.—FERRARI: *Don Giovanni nella letteratura e nella vita*, Milán, 1892.—G. GENDARME DE BÉVOTTE: *La légende de Don Juan. Son évolution dans la littérature des origines au romantisme*, París. 1906.—HANS HECKEL: *Das Don Juan Problem in der neueren Dichtung*, Stuttgart, 1915.—A. HAMEL: *Das älteste spanische Don Juan Dráma*, «Rev. Spanien», I, 1919.—HAZAÑAS Y LA RÚA: *Génesis y desarrollo de la leyenda de Don Juan Tenorio*, Sevilla, 1893.—W. KRANSS: *El concepto del Don Juan en la obra de Tirso de Molina*, «Bol. Bibl. M. Pelayo». Santander, 1923.—P. LAÍN ENTRALGO: *Otra vez Don Juan*, «La aventura de leer», Colec. Austral, núm. 1.279. Madrid, 1956.— A. LAUN: *Tirso de Molina und Molière's «Don Juan»*, «Deutsches Museum». 1866.—J. RAMÓN LOMBA DE LA PEDRAJA: *La leyenda y la figura de Don Juan Tenorio en la literatura española*, Murcia, 1921.—ESTHER VAN LOO: *Le vrai Don Juan: Don Miguel de Mañara*, París, 1951.— F. LÓPEZ ESTRADA: *Rebeldía y castigo del avisado Don Juan. Una interpretación del «Burlador»*, Sevilla. 1951.— J. LÓPEZ NÚÑEZ: *«Don Juan Tenorio» en el teatro, la novela y la poesía*, Madrid. 1946.—R. DE MAEZTU: *Don Quijote, Don Juan y la Celestina*, Madrid, 1926.—G. MARAÑÓN: *Don Juan. Ensayos sobre el origen de su leyenda*,

Colec. Austral, núm. 129, Buenos Aires, 1940; *Notas para la biología de Don Juan*, «Rev. Occidente», III, Madrid, 1924.—R. MENÉNDEZ PIDAL: *Sobre los orígenes de «El convidado de piedra»*, «Estudios literarios», Colec. Austral núm. 28.—PAUL MÉRIMÉE: *Trois images de Don Juan: De Tirso a Zamora en passant par Molière*, «Bull. Inst. Français en Espagne», núm. 28, oct. 1948.—R. MIQUEL Y PLANAS: *Influencia del Purgatori de Sant Patrici en la llegenda de Don Juan*, Barcelona, 1914.—J. A. ORIA: *Don Juan en el teatro francés*, «Inst. Nac. del Teatro», IX, Buenos Aires, 1936.—J. M.ª DE OSMA: *Variaciones sobre el tema de Don Juan*, «Hispania», California. XV, 1932.— M. PENNA: *Don Giovanni e il misterio di Tirso*, Turín, 1958.—F. PI Y MARGALL: *Observaciones sobre el carácter de Don Juan Tenorio*, Barcelona, 1884.—A. PORRAS: *«El burlador de Sevilla», invención de la vera vida*, Mod. Lang. 1937.—M. L. RADOFF: *Notes on the Burlador*, Mod. Lang. Notes, XLV, 1930.—O. RANK: *Die Don Juan-Gestalt*, Leipzig, 1924.—B. DE LOS RÍOS: *Los grandes mitos de la Edad Moderna: Don Quijote, Don Juan, Segismundo, Hamlet y Fausto*, Madrid, 1916; *El viaje de Tirso a Santo Domingo y la génesis de «Don Juan»*, Ciudad Trujillo, «Bol. Arch. Gen. de la Nación», abril-junio, 1948.—M. NAVARRO ROMERA: *El burlador de España*, «Nuestro Tiempo», XVI, Madrid, 1916.—V. SAID ARMESTO: *La leyenda de Don Juan. Orígenes poéticos de «El burlador de Sevilla»*, Colec. Austral, núm. 562, Buenos Aires, 1946.—TH. SCHRODER: *Die dramatischen Bearbeitungen der Don Juan-Sage in Spanien, Italien und Frankreich bisauf Molière einschliesslich*, Halle, 1912.—G. SPELLANZON: *Lo scenario italiano «Yl convitato di pietra»*, «Rev. Filol. Esp.», XII, 1925.— VARIOS: *Cinco ensayos sobre Don Juan* (Américo Castro, R. de Maeztu, Pérez de Ayala, José Ingenieros y Gregorio Marañón), Santiago, 1933.

CH. V. AUBRUN: *La comedie doctrinale et ses histoires de brigands. «El condenado por desconfiado»*, «Bull. Hispanique», LIX, 1957.—A. BONET: *La filosofía de la libertad en las controversias teológicas del siglo XVI y primera mitad del XVII*, Barcelona, 1932.—J. CEJADOR: *«El condenado por desconfiado»*, «Rev. Hisp.», LVII, 1923.— A. DURÁN: *Examen de «El condenado por desconfiado»*, Santiago de Chile.—E. GÓMEZ DE BAQUERO («Andrenio»): *«El condenado por desconfiado», «De Gallardo a Unamuno»*, págs. 161-86, Madrid, 1926.—G. HALL GEROULD: *The Hermit and the Saint*, «Modern Lang. Assoc. of Amer.», XX, Baltimore, 1905.—R. M.ª DE HORNEDO: *La tesis escolástico-teológica de «El condenado por desconfiado»*, «Razón y Fe», diciembre 1948; *«El condenado por desconfiado no es una obra molinista»*, «Razón y Fe», CXX, 1940; *«El condenado por desconfiado». Su significación en el teatro de Tirso*, «Razón y Fe», CXX, 1940.—J. LÓPEZ TASCÓN: *«El condenado por desconfiado» y fray Alonso Remón*, «Bol. Bibl. M. Pelayo», 1934, 1935 y 1936.— R. MAJÓ FRAMIS: *Interpretación y paráfrasis de «El condenado por desconfiado», de Tirso de Molina*, «Escorial», núm. 60, 1944.—R. MENÉNDEZ PIDAL: *Sobre los orígenes de «El condenado por desconfiado»*, «Estudios literarios», Colec. Austral, núm. 28.—P. MARTÍN ORTÚZAR: *«El condenado por desconfiado» depende teológicamente de Zumel*.—J. PIJOÁN: *Acerca de las fuentes populares de «El condenado por desconfiado»*, «Hispania», VI. California, 1923.—N. PRADO: *«El condenado por desconfiado». Estudio crítico teológico del drama*, Vergara, 1907.—M. DE LA REVILLA: *«El condenado por desconfiado», ¿es de Tirso de Molina?*, «Obras», 1883.—E. H. TEMPLIN: *The encomienda in «El condenado por desconfiado» and other Spanish Works*, «Hispania», XV, California, 1932.—B. VARELA JACOME: *Antecedentes medievales de «El condenado por desconfiado»*, «Bol. Univ. Santiago de Compostela», 1953-54.—E. W. HESSE: *¿Es «La ninfa del Cielo», atribui-*

da a Tirso, una comedia desatinada?, «Filología Romanza», III, Turín, abril-junio 1956.

V. A. B. BUSHEE: *Bibliography of «La prudencia en la mujer»*, «Hisp. Review», 1933.—LORNA LAVERY STAFFORD: *Historia crítica y dramática de «La prudencia en la mujer»*, «Estudios hispánicos», Wellesley, 1952.—A. MOREL-FATIO: *«La prudence chez la femme», drama historique de Tirso de Molina*, «Etudes sur l'Espagne». 1904.—EDWIN S. MORBY: *Portugal and Galicia in the plays of Tirso de Molina*, «Hispanic Review», IX, 1941.—J. A. TAMAYO RUBIO: *Los manuscritos de «Las Quinas de Portugal»*, «Rev. Bibl. Nac.», III, Madrid, 1942.—A. ZAMORA VICENTE: *Portugal en el teatro de T. de Molina*, «Biblos», XXIV, Coimbra, 1948.—OTIS H. GREEN: *Notes on the Pizarro Trilogy of T. de Molina*, «Hisp. Review», IV, 1936.

VI-VII.—J. B. AVALLE ARCE: *Tirso y el romance de Angélica y Medoro*, «Nueva Rev. Fil. Hisp.», II, 1948.—T. CERRO CORROCHANO: *Una comedia típica: «Celos con celos se curan»*, «Bol. Acad. B. Artes», I, Valladolid, 1930.—J. M.ª COSSÍO: *«La secreta venganza», de Lope, Tirso y Calderón*, «Fénix», núm. 4, Madrid, 1935.—E. COTARELO MORI: *Sobre el origen y desarrollo de la leyenda de los amantes de Teruel*, Madrid, 1907.—R. GUERIN LA JOIE: *La singularidad de los dos errores de la segunda parte de las «Comedias» del Maestro T. de Molina (1635)*, «Bull. Hispanique», LVII, 1955.—E. W. HESSE: *The Mars-Venus Struggle in Tirso's «El Aquiles»*, «B. of Hisp. Studies». XXXV, Liverpool, julio 1956.—HERNANI MONTEIRO: *Algunos pasos da comedia famosa de «El vergonzoso en Palacio»*, «S. G.», 1955.—GERALD E. WADE: *The literary sources of «El castigo del penséque*, Washington, 1953.— J. TABOADA: *Del jardín de Tirso. Glosas y aspectos de «La gallega Mari-Hernández»*, «Rev. de Guimaraes», LVIII, 1948.—MARGARET WILSON: *T. de Molina: «Antona García»*, edit, with introduction and notes by..., Manchester Univ. Press, 1957.—A. CASTRO: *«El vergonzoso en palacio» y «El burlador de Sevilla»*, ed. y pról., «Clásicos Castellanos».

VIII. M. GARCÍA BLANCO: *Algunos elementos populares en el teatro de Tirso de Molina*, «Bol. Real Acad. Esp.», XXIX, 1949.—F. G. HALSTEAD: *The Attitude of Tirso de M. toward Astrologi*, «Hisp. Review», IX, Filadelfia, 1941.—J. J. HERRANZ: *La realidad viviente de los personajes imaginados por Tirso*, Madrid, 1902.—I. L. MAC CLELLAND: *Tirso de Molina, Studies in Dramatic realism*, Inst. of Hispanic Studies, Liverpool, 1948.—S. GRISWOLD MORLEY: *Color symbolism in Tirso de Molina*, «Rom. Review, 1917.—*El uso de las combinaciones métricas en las comedias de Tirso de M.*, «Bull. Hisp.», XVI, 1914.— A. NOUGUE: *Le thème de l'aberration des sens dans le théâtre de T. de Molina. Une somme possible*, «Bull. Hispanique», LVIII, 1956.—A. PEYTON: *Some baroque aspects of T. de Molina*, «Rom. Review», XXXVI, 1945.— G. PLACER LÓPEZ: *Los lacayos de las comedias de T. de Molina*, «Estudios», II, 1946.—J. J. REMOS: *Caracteres en las situaciones en el teatro de Tirso de M.*, «Bol. Acad. Cubana de la Lengua», 1952.—BLANCA DE LOS RÍOS: *Las mujeres de Tirso*, «Del Siglo de Oro. Estudios literarios», Madrid, 1910.—F. SÁNCHEZ CASTRO: *Datos jurídicos acerca de la venganza del honor*, «Rev. Filol. Esp.», IV, Madrid, 1917.—L. SANE: *Las mujeres según Tirso de Molina*, Stanford, 1939.—D. C. STUART: *Honor in the Spanish Drama*, «Rom. Review», 1910.—E. H. TEMPLIN: *The burla il the plays of Tirso de Molina*, «Hisp. Review», VIII, 1940.—S. M. VOLLMER: *The Position of woman in Spain as seen in Spanish Literature*, «Hispania», VIII, California, 1929.—G. E. WADE: *Tirso's self Plagiarism in plot*, «Hisp. Review», IV, 1936.

CAPITULO XLI

CALDERON DE LA BARCA: A) TEATRO PROFANO

I. Vida y persona: *Datos biográficos. Perfil humano.*—II. Teatro: *Clasificación.*—III. Dramas trágicos: *«El mayor monstruo, los celos». Otros dramas de honor.*—IV. Comedias históricas: *«El príncipe constante». «El alcalde de Zalamea». Comedias de historia extranjera.*—V. Comedias costumbristas.—VI. Comedias filosóficas: *«La vida es sueño».*—VII. Otros tipos de comedia calderoniana: *Mitológicas. Caballerescas. Zarzuelas. Entremeses.* VIII. Estilo, técnica y caracteres.—Notas.—Bibliografía.

I. VIDA Y PERSONA

A las diferencias estilísticas y técnicas que presentan los dos ciclos dramáticos de nuestro Siglo de Oro, ya aludidas en los capítulos anteriores, débense añadir las que se originan de las nuevas corrientes literarias y del carácter y educación de sus dos máximos representantes. Aquellas corrientes venían incubándose durante la segunda mitad del siglo XVI, para aflorar pujantes a principios del XVII. De una parte, el barroquismo, que domina todas las manifestaciones del arte, y de otra, el afán de originalidad de los poetas del segundo ciclo, contribuyen a ahondar las diferencias entre las dos escuelas.

El público en la época de los Austrias exige continuas renovaciones; siente ansias de ver en el teatro cosas nuevas. Cada día se hace más difícil el hallazgo de temas inéditos que satisfagan la curiosidad de aquella «bestia fiera», a que aludía Ruiz de Alarcón calificando al público de su tiempo. Se recurre a colaboraciones, raras hasta 1630 entre los dramaturgos de la escuela de Lope, y cada vez más frecuentes entre los seguidores de Calderón. Se aprovechan los temas del ciclo anterior, y forzosamente surge la necesidad de presentarlos con cierta novedad para que sean aceptados por el público.

Góngora y Quevedo, por otra parte, han impuesto su peculiar estilo, y ni siquiera el teatro puede sustraerse a su influjo. A nuestro juicio, los factores que explican las diferencias entre los dos ciclos dramáticos de la Edad de Oro son: sometimiento a las exigencias de la moda y necesidad apremiante de renovación para no perecer. En el primer aspecto, la tendencia barroca lleva a Calderón a exagerar los rasgos de sus personajes, presentándolos, a fuerza de atribuirles pasiones violentas, algo alejados de la realidad—la acumulación de crímenes en Julia, de *La devoción de la Cruz,* o la maldad de Luduvico Enio, de *El Purgatorio de San Patricio,* responden a esta tendencia fundamentalmente barroca.

Calderón vive entre dos fronteras muy significativas: la generación que representa el momento culminante de nuestra literatura y la que encarna el período de declive de los dos últimos Austrias. En este último se consuma la caída vertical de nuestras armas y de nuestras letras. El divorcio entre armas y letras es evidente. Acción y meditación andarán por distintos caminos; los grandes escritores del segundo cuarto del siglo XVII son políticos o religiosos; sólo esporádicamente serán soldados.

Datos biográficos

Calderón de la Barca nace en Madrid, el 17 de enero de 1600, y muere en 25 de mayo de 1681. Compendia, pues, todo el siglo XVII. Al trasladarse la Corte a Valladolid, siguiendo más el interés del Valido que el bien nacional, con ella va la familia del futuro poeta, para regresar nuevamente a Madrid en 1606. Tuvo varios hermanos: uno, don Diego, el primogénito; otro, don José, que sigue la carrera militar y muere, siendo maestre de campo, en la defensa del puente de Camarasa (1645). A los nueve años ingresa en el colegio Imperial de los Jesuítas, donde permanece cinco estudiando gramática latina; cultiva los poetas clásicos, con preferencia Ovidio, cuya huella se dejaría sentir en sus comedias mitológicas. En 1610 muere su madre; tal vez la temprana orfandad influyó en su carácter retraído y un tanto pesimista. Dos años después su abuela materna funda una capellanía esperando que alguno de sus nietos, Pedro o José, se inclinaría al estado sacerdotal. Calderón, tan parco en darnos noticias de su vida, alude a este hecho en un romance:

> Crecí, y mi señora madre,
> religiosamente astuta...,
> dió en que había de ser cura.

Acabados sus estudios en Madrid, pasa a la Universidad de Alcalá (1614), que abandona al año siguiente por muerte repentina de su padre[1]. El consejo de familia acuerda que Pedro siga estudios en Salamanca, en cuya Universidad permanece cuatro años. También hace referencia a esto en la misma composición:

> Bachiller por Salamanca
> también me hice luego, cuya
> bachillería es licencia
> que en mil actos se disculpa.

Sin que se conozcan los motivos, abandona la carrera eclesiástica, y de este período (1618-1620) datan sus primeros versos.

Por este tiempo se le procesa, juntamente con sus hermanos, acusados de la muerte de un Nicolás de Velasco, criado o tal vez familiar del condestable de Castilla, don Bernardino Fernández de Velasco. El proceso se cancela mediante el pago de 600 ducados al padre de la víctima. Concursa (1622) en el certamen organizado con motivo de la canonización de San Isidro, Santa Teresa de Jesús, San Felipe Neri, San Ignacio de Loyola y San Francisco Javier; obtiene el tercer premio, y el primero en una justa celebrada por los jesuitas, el mismo año, por el romance *Penitencia de San Ignacio*.

De 1623 datan sus primeras comedias, *Amor, honor y poder*, *La selva confusa* y una de asunto bíblico, que pudiera ser *Judas Macabeo*. En ellas sigue Calderón la técnica de Lope, si bien algunos rasgos conceptistas, cierta tendencia a la reflexión y sutilezas casuísticas revelan su formación escolástica.

Tras un período de silencio, interrumpido sólo por la representación de la comedia *El sitio de Breda* (1625), cuya exactitud geográfica ha hecho suponer que Calderón intervino en esta campaña, empieza el segundo período de su producción teatral con los llamados «dramas de juventud» [2]. A 1629 corresponde *El príncipe constante*, comedia que nos da en cierto modo la clave del único lance de capa y espada en la vida del poeta: el conocido episodio del asalto a las Trinitarias [3]. Esto no impidió que Calderón siguiera gozando del favor cortesano, y de este mismo año datan sus mejores comedias de costumbres: *La dama duende* y *Casa con dos puertas mala es de guardar*. En 1637, previa información de nobleza, se le inviste el hábito de Santiago. Este mismo año otorga testamento, estando «sano y bueno», según él mismo declara, hecho que Cotarelo Mori atribuye al propósito de hacerse sacerdote o de pasar a Flandes. Concurre al sitio de Fuenterrabía y a la guerra de Cataluña, siendo herido en Cambrils (Tarragona).

Pide la licencia y, tras breve estancia en Madrid, se alista otra vez en el ejército capitaneado por el mismo rey para recuperar la plaza de Lérida. Solicita nueva licencia, que firma el propio Olivares, y obtiene la pensión mensual de 30 escudos, en atención a sus servicios y a los de su hermano don José, muerto en campaña.

En los últimos meses de 1645 entra al servicio del duque de Alba y, a partir de este momento, se abre una etapa de silencio en su biografía.

En 1651 se ordena de sacerdote. Es nombrado capellán de Nuevos Reyes, cargo adscrito a la catedral de Toledo, y contribuye con sus obras a las aparatosas fiestas reales. Censurado, de una parte, por escribir comedias profanas siendo sacerdote; requerido, de otra, por los reyes para que siga componiéndolas, envía una carta al patriarca de las Indias, que pone de manifiesto el carácter del poeta: «Si es bueno—dice—, no se me obste; si es malo, no se me mande.» Redacta su testamento con el propósito de dar una lección de humildad, y muere el 25 de mayo, domingo de la Pascua de Pentecostés [4].

Perfil humano

Se ha dicho con razón que Lope representa el momento creador y juvenil del drama español, y Calderón de la Barca, el de sistematización y madurez. Lope se vuelca por entero en su obra; Calderón apenas alude a ningún episodio de su vida. Lo que de él sabemos es a través de biógrafos y amigos. Un rasgo característico revela el orgullo del poeta: Gaspar Agustín de Lara refiere que Calderón, en la vejez, al recordar «sus niñeces», solía decir que «no sentía tanto los azotes del maestro como que los muchachos le llamasen el Perantón, por llamarse Pedro y haber nacido el día de San Antonio». Y el propio poeta alude con cierto orgullo a la «mediana sangre en que Dios fué servido que naciese».

Calderón es un temperamento hermético, frío, razonador, que construye el edificio de su teatro como una obra arquitectónica. Lope recibe una educación más bien descuidada: no sigue estudios universitarios, es más que nada un genio intuitivo; su obra se ofrece como el producto del ambiente y la efusión de un corazón sumamente sensible; es la vida propia y la de España toda transportada al teatro o a la poesía; la de Calderón es la obra típica de un talento razonador. Esta intimidad y reserva le hace poco apto para la efusión lírica. En el teatro de Lope, el deslinde de los elementos líricos y dramáticos es fácil y neto; en el de Calderón, rara vez consiente una separación; aun en el caso de un poema plenamente logrado, el soneto «A las flores», de *El príncipe constante*, pierde su emotividad—como ha puesto de manifiesto Valbuena—separado del marco en que se inserta.

Dados sus estudios universitarios, podemos suponer que conocía ciencias como la Metafísica, la Historia, Derecho romano, y con mucha profundidad la Teología moral y dogmática. Más de admirar son las ideas que sobre el orden social hay en algunas de sus obras; valiosas y originales muchas, aunque sin formar, claro está, un cuerpo de doctrina.

II. TEATRO: CLASIFICACION

Sólo con fines didácticos se puede establecer una clasificación del teatro calderoniano. Las dificultades que entrañan otros dramaturgos aumentan al enfrentarnos con el autor de *La vida es sueño*, por el carácter fundamentalmente ideológico de sus creaciones. Así se explica la unanimidad de criterio que preside la clasificación de la obra dramática de Rojas Zorrilla, Tirso, Moreto, Guillén de Castro y hasta del mismo Lope de Vega; unanimidad que no se encuentra tratándose de Calderón. ¿Dónde incluir obras como *El mayor monstruo, los celos, El médico de su honra* o *El príncipe constante?* Menéndez Pelayo, prescindiendo de las razones que después le movieron a encuadrar análogas comedias de Lope bajo el epígrafe de «Crónicas y leyendas dramáticas de historia de España», denominó a las dos primeras «dramas trágicos» de celos, y a la última, «comedia de santos». Los señores Hurtado y González Palencia, en cambio, consideran de «historia de España» *El príncipe constante*, y «costumbristas», las otras dos. Valbuena Prat, que agrupa en tres apartados el teatro de Calderón (primera época o estilo, transición y segundo estilo), ateniéndose a un criterio casi puramente cronológico, llama «dramáticas» a *El mayor monstruo, los celos* y *El médico de su honra*, y «de santos» a *El príncipe constante*. Todo ello pone de relieve la dificultad clasificatoria, a que aludíamos al principio. Si la intervención de personajes históricos, la alusión y desarrollo de hechos acaecidos (o que como tales los considera la tradición popular) que afectan a la vida nacional, deben considerarse Historia, históricas habrán de

ser obras como *El mayor monstruo, los celos, El médico de su honra, El alcalde de Zalamea* y hasta la misma *A secreto agravio, secreta venganza*; pero nunca podrá tener tal carácter *Luis Pérez, el gallego*, aunque Hurtado y González Palencia así lo crean. Conjugando lo que creemos aceptable de los críticos aludidos, establecemos la siguiente clasificación:

TEATRO PROFANO (CALDERÓN)

Dramas trágicos.—*El mayor monstruo, los celos; El médico de su honra; A secreto agravio, secreta venganza; El pintor de su deshonra*.

Dramas históricos.—De historia nacional: *Amar después de la muerte, El príncipe constante, La niña de Gómez Arias, El alcalde de Zalamea, El sitio de Breda*.

De historia extranjera: *El cisma de Ingalaterra, La hija del aire, La gran Cenobia*.

Comedias costumbristas.—De capa y espada: *La dama duende; Casa con dos puertas, mala es de guardar; Guárdate del agua mansa*.

Palacianas: *No siempre lo peor es cierto, La banda y la flor*.

Comedias mitológicas.—*Eco y Narciso; Ni amor se libra de amor; La fiera, el rayo y la piedra; El mayor encanto, amor*.

Filosóficas: *La vida es sueño, En esta vida todo es verdad y todo es mentira*.

Caballerescas: *La puente de Mantible, El castillo de Lindabridis*.

Zarzuelas.—*El laurel de Apolo, La púrpura de la rosa*.

Entremeses.—*El dragoncillo, El pésame de la viuda, La casa de los linajes, Casnestolendas*.

III. DRAMAS TRAGICOS

Los cuatro dramas incluídos en este grupo—*El mayor monstruo, los celos, El médico de su honra, A secreto agravio, secreta venganza* y *El pintor de su deshonra*—tienen un móvil común: la pasión de los celos. Sus protagonistas se mueven a impulsos de esta pasión, que, al apoderarse de su alma, lo hace de modo que llega a cambiar por completo su carácter, anulando de paso la voz de la conciencia. Un pensamiento solo, una sola idea fija dirige sus actos: la satisfacción del honor. Pero aun en esto hay grados. Cabe establecer una escala ascendente, que va desde la inexistencia del motivo capaz de provocar los celos hasta la realidad del adulterio, pasando por las etapas del presentimiento y de la simple intención. Los celos del tetrarca Herodes, en *El mayor monstruo, los celos*, son completamente infundados. Se proyec-

tan más allá de la vida. Tanto como él ama a su esposa es amado por ésta; decide matarla para que no pueda ser de otro, si acaso él muere. No tiene que vengar ninguna ofensa, porque ninguna ofensa existe; y él lo sabe perfectamente. En cambio, Juan Roca, en *El pintor de su deshonra*, venga una ofensa real: halla a su esposa en brazos de su amante y da muerte a ambos. En *A secreto agravio, secreta venganza* no se ha producido el adulterio más que en potencia: el propósito de cometerlo en los dos amantes es evidente, y si no llega a realizarse es porque la venganza del marido se adelanta, dándoles muerte. Finalmente, en *El médico de su honra* no hay ofensa ni propósito de ella; pero el protagonista teme que su honor está en entredicho, dada la calidad del pretendiente de su esposa. Los cuatro protagonistas—Herodes, Juan Roca, Lope de Almeida y don Gutierre Solís—sacrifican bárbaramente a sus mujeres—Mariene, Serafina, Leonor y Mencía—en aras del mismo ídolo: el honor. Existe, además, en dos de estos dramas: *A secreto agravio, secreta venganza* y *El pintor de su deshonra*, un paralelismo de acción y de detalles casi absoluto. Sin duda, Calderón intentó presentarnos en ambos la misma tesis y el mismo desenlace.

Es curioso también que Calderón trate de atenuar la culpabilidad de las heroínas haciéndolas indefectiblemente antiguas enamoradas o prometidas de sus amantes de ahora; con lo que su falta, si no queda justificada, tiene al menos una explicación. Detalle que se da en las dos obras citadas [5].

«El mayor monstruo, los celos»

Conocida también con los títulos de *El tetrarca de Jerusalén* y *El mayor monstruo del mundo*, dramatiza la pasión de Herodes por su esposa Mariene; pasión que le induce a darle muerte y a suicidarse después [6]. Los sueños de grandeza del tetrarca, que quiere ser dueño de Roma para poner el imperio a los pies de su esposa, ya que todo lo merece por su belleza, contrastan con los temores de Mariene, a quien un oráculo predijo que moriría a manos del mayor monstruo del mundo [7]. Para disuadirla de su temor, Herodes arroja su puñal al mar; pero hiere a un náufrago, su general Tolomeo, que venía a darle cuenta de la derrota sufrida por los propios generales de Herodes, partidarios de Antonio y Cleopatra, frente a la escuadra de Octaviano. Cae en poder de éste Aristóbolo, hermano de Mariene, y un cofre con el retrato de ésta y documentos comprometedores para Herodes. Octaviano encarcela a Aristóbolo, manda venir a Herodes y se enamora de Mariene por el retrato. Condenado a muerte Herodes, ordena a un servidor que tan pronto como él muera sacrifique a Mariene; por intervención de ésta consigue el indulto, y cuando ciego de ira lanza su puñal contra Octaviano, da muerte a Mariene. Inmediatamente se arroja al mar.

Obra de aliento trágico muy sostenido, aunque afeada por rasgos culteranos y episodios inútiles, no ofrece sino un carácter único, de una pieza: el del tetrarca, alma sombría que sólo se mueve a impulsos de las más elementales reacciones. Tiene escenas logradas, como aquella en que las criadas cantan, mientras desnudan a Mariene, la célebre copla del comendador Escrivá [8]. En sus momentos culminantes ha sido comparada con *Otelo*, de Shakespeare.

Otros dramas de honor

El médico de su honra: Doña Mencía, esposa de don Gutierre de Solís, y pretendida del infante don Enrique, se dispone a escribir a éste para rogarle que desista de sus pretensiones, ya que el amor que profesa a su esposo y el sentimiento de su propia dignidad la obligan a rechazarle. Don Gutierre la sorprende antes de que haya terminado la carta, y sin atender a las explicaciones de la dama, decide curar su honor enfermo. La avisa de que vaya preparándose a morir, y manda un sangrador que le abra las venas. Don Pedro el Cruel, al tener noticia del bárbaro crimen, no sólo perdona al ofuscado marido, sino que le proporciona nueva esposa en doña Leonor, antigua prometida de don Gutierre, autorizándole además a repetir la misma venganza si se llegara a encontrar en análogas circunstancias, cosa que acepta doña Leonor como la más natural del mundo [9].

Ya hemos indicado que *A secreto agravio, secreta venganza*, y *El pintor de su deshonra* tienen muchos rasgos similares. Una breve síntesis de los argumentos acabará de demostrarlo.

En *A secreto agravio*, doña Leonor de Mendoza aparece casada con el noble portugués don Lope de Almeida, después de haber tenido relaciones con un don Luis de Benavides, que fué a luchar a Flandes, donde se suponía que pereció. Pero las noticias de su muerte habían sido equivocadas; y un buen día surge ante Leonor disfrazado de mercader, dándose a conocer por una joya que ella le había entregado en prueba de cariño antes de la partida. El amor renace, a tiempo que el rey don Sebastián proyecta su expedición al Norte de Africa, a la que duda alistarse don Lope. Sorprendidos Leonor y don Luis por el esposo, y convencido éste de que, aunque no se haya consumado el adulterio, de hecho se ha realizado en la intención, planea la venganza. La casualidad le hace coincidir con don Luis en una barca; le apuñala y simula que se ha ahogado. Prende después fuego a su quinta, habiendo matado antes a Leonor, fingiendo que ha perecido entre las llamas.

En *El pintor de su deshonra*, cuyo escenario son Barcelona, Gaeta y Nápoles, doña Serafina, creyendo muerto a su galán, don Alvaro, contrae matrimonio con un primo suyo, Juan Roca, hombre de edad madura. La boda ha sido concertada por los deudos para que no se pierda un importante mayorazgo. Reaparece don Alvaro, que vuelve a galantear a Serafina. Pasa el matrimonio a Barcelona, y el galán les sigue disfrazado de marinero. Rapta a la dama, se la lleva consigo a Nápoles, donde les sorprende el marido y les da muerte. El padre de Serafina y el de don Alvaro aprueban la venganza de Juan Roca [10].

Los dramas de honor plantean un problema ético: la supuesta inmoralidad de estas venganzas, por las que unos maridos celosos no vacilan en sacrificar bárbaramente a sus esposas. Sin duda, las soluciones no corresponden a la moral cristiana, ni menos al espíritu del Evangelio. Pero tan equivocado sería aceptar íntegramente esas soluciones como rechazarlas por inmorales. Los tiempos cambian, y no se puede juzgar el teatro de hace tres siglos con el criterio de hoy. Tampoco ahora se castiga con la muerte aberraciones fisiológicas que los contemporáneos de Calderón consideraban, como a la herejía. dignas del fuego. Entiéndasenos bien: el principio ético, bueno o malo, permanece inmutable; pero la norma de enjuiciamiento es otra. Una cosa podemos afirmar sin temor: y es que si Calderón, formado en la mejor escuela teológica de la época, hubiese supuesto que de sus obras podía deducirse alguna enseñanza inmoral o el menor daño a las costumbres, no las hubiera escrito. Un dramaturgo de su escuela, un poco posterior, nos da la interpretación exacta: Cree que estas obras, lejos de entrañar un mal ejemplo, constituyen la apología de la fidelidad conyugal: «¿Qué pluma, por severa que sea, dirá que podrán las mujeres casadas hallar más a ma-

no en ellas el deseo del adulterio que el horror del castigo, dándole de beber el uno junto al otro?» Este criterio de Bances Candamo era el mismo de Calderón y el de casi todos los españoles en la época de los Austrias; en el terrible castigo del adulterio—aun por simples sospechas—estriba la moralización de un tema que, presentado fríamente y sin sanción alguna, habría resultado inmoral. Los conflictos de honor no se presentan solamente en estos dramas trágicos; los hallamos también en las comedias de capa y espada; sólo que aquí—como pondremos de manifiesto más adelante—el desenlace suele ser feliz, ya que, por tratarse de damas solteras, cabe la solución del matrimonio.

IV. COMEDIAS HISTORICAS

A diferencia de Lope, Calderón no suele aprovechar en sus comedias históricas una anécdota o un cantarcillo popular para revestirlo de poesía y elevarlo a la categoría de drama; carece para ello de la fuerza imaginativa y el poder lírico de su antecesor. Ya hemos indicado que, con harta frecuencia, tiene que recurrir a episodios ajenos al tema para llenar la consagrada dimensión de las tres jornadas, impuesta por el Fénix. Una doble intriga se reparte la atención del espectador en muchas de sus comedias. En cambio, nadie ha sabido presentarnos con tanta vehemencia el poder y el acicate de los celos ni ha sido tan hábil en la construcción de un drama en torno a una idea clave. Nadie o acaso muy pocos como él la arquitectura interna del drama.

Entre las comedias de historia nacional nos limitamos a estudiar: *Amar después de la muerte o la venganza del Tuzaní, El príncipe constante, La niña de Gómez Arias, El sitio de Breda* y *El alcalde de Zalamea.*

Amar después de la muerte: Don Alvaro Tuzaní, enamorado de Clara Malec, acude a la prisión donde está don Juan de Mendoza para vengar la afrenta inferida al padre de su dama, con la que casa para defender el honor de la familia. Se produce la rebelión de las Alpujarras, y para evitar la lucha interna—unos proclaman rey a Fernando Válor (Aben-Humeya), otros prefieren a don Alvaro—, doña Isabel, hermana del Tuzaní, casa con Fernando. Mientras don Alvaro guerrea contra los cristianos, éstos asaltan su casa y dan muerte a su esposa. Para vengarla, se finge soldado cristiano y asiste impasible al reparto de las joyas robadas a Clara. Oye el relato de la muerte de su esposa en boca del asesino; y cuando éste refiere que le partió el corazón con un puñal, don Alvaro, sacando el suyo, se lo clava, diciendo: «¿Fué como ésta la puñalada?» Huye del campo cristiano y se refugia en Berja, donde resiste el acoso de don Juan de Austria. En tanto es asesinado don Fernando Válor; y su viuda, hermana del Tuzaní,

se presenta a don Juan pidiendo clemencia y logra el perdón de don Alvaro.

Drama de pasiones violentas, el carácter del protagonista, dominando sus impulsos en las escenas de mayor intensidad, recuerda el de don Pedro de *El infanzón de Illescas.*

«El príncipe constante»

El príncipe constante pertenece a la historia de Portugal. Mezcla de comedia de santos y drama histórico, tiene por protagonista al infante don Fernando, que hace el sacrificio de su vida en aras de la religión [11].

Los infantes de Portugal, don Fernando y don Enrique, marchan a la conquista de Tánger. La fortuna les favorece al principio; consiguen derrotar a los moros y hacer prisionero a su general Muley, al que don Fernando concede generosamente la libertad sin revelarle su nombre. En una nueva batalla, cae prisionero. Don Enrique regresa a Portugal para tratar del rescate de su hermano. El rey moro pide a cambio la entrega de la ciudad de Ceuta. Cuando los portugueses están dispuestos a la permuta, el propio don Fernando se niega por una consideración puramente religiosa: prefiere morir a que los habitantes de Ceuta caigan en el error mahometano. Cuando los portugueses llegan con la victoria sólo consiguen rescatar su cadáver.

La obra, feliz fusión del sentimiento heroico cristiano y del estoicismo pagano, es de las mejores del autor. Don Fernando, sin dejar de ser santo, conserva todas las altas cualidades del hombre y del patriota. Siente el dolor del cautiverio; pero por encima de toda otra consideración está su fe, a la que sacrifica su libertad y su vida [12]. En su conversación con Muley expone su doctrina de la mutabilidad de los bienes de fortuna, pensamiento senequista, al que Calderón sabe sacar aquí y en otras ocasiones todo su jugo. De larga tradición en nuestra literatura y popularizado a partir del siglo xv por la *Caída de príncipes*, de Boccaccio, halla en esta obra su más bella expresión en el conocido soneto «A las flores», uno de los mejores de la lírica castellana.

«El alcalde de Zalamea»

La obra cumbre del grupo, y a juicio de algunos, la más notable de Calderón, superior a *La vida es sueño*, es *El alcalde de Zalamea*. Sin entrar en disquisiciones estéticas, creemos que no pueden valorarse jerárquicamente, ya que son distintas en ideología y realización. Crespo es un hombre, con sus virtudes y sus defectos: dignidad, justicia y honor, no exentos de cierta cazurrería, se dan en perfecta alianza. Cuando prende a su hijo Juan porque ha intentado dar muerte al raptor de Isabel, habla el representante de la autoridad, a la vez que obra el padre en su deseo de evitar por este medio que su hijo sea víctima de la soldadesca. Segismundo, en cambio, es un símbolo: no este ni aquel hombre, sino el hombre. Por otra parte, las dos obras se mueven en distinto plano: *El alcalde*, en el real; *La vida es sueño*, en el ideal; planos que en el mundo de los autos—como veremos en otro capítulo—representan *El gran mercado del mundo* y *El gran teatro del mundo*. Calderón, tan poco hábil en el trazado de caracteres, hace verdaderos derroche de ellos en esta pieza. No sólo los del alcalde Pedro Crespo y el gotoso general don Lope están plenamente logrados, sino los de todos los personajes, incluso aquellos que pasan fugazmente, como el hidalgo don Mendo y su criado Nuño.

Desde el punto de vista ideológico, sienta Calderón la tesis del honor como patrimonio del alma y, por tanto, común a todos: nobles y plebeyos. El honor popular y villanesco se defiende gallardamente contra todos los privilegios de casta. Contraposición de dos fueros: el civil y el militar. Calderón, soldado en las desgraciadas guerras de Cataluña, conoce el estado de descomposición de aquel mundo castrense, que retrata con sus travesuras y miseria de mano maestra. El poeta se da cuenta de que han caducado los ideales de conquista y patriotismo [13]. La obra presenta el triunfo de la libertad municipal castellana frente a los privilegios de los nobles y de la milicia. Comentando este aspecto, escribe Menéndez Pelayo: «No pensaron ni Calderón ni Lope en hacer la apoteosis del Municipio castellano, pero en sus fábulas adivinaron lo que tal institución fué en su esencia y en su espíritu, mucho mejor que con la prolija lectura de los fueros y cartas pueblas.» Este triunfo del municipio, la justicia cruenta del alcalde, no va contra el soldado del montón, obediente siempre, aun en medio de sus protestas y censuras, sino contra aquellos que, prevaliéndose del uniforme, atentan al honor del villano y sólo tienen una carcajada de desprecio o un signo de extrañeza cuando aquél va a pedirles reparación:

Contraposición, por tanto, de dos mundos, que el poeta sintetiza en unos pocos versos:

> CAPITÁN.
> ¿Qué opinión tiene un villano?
>
> JUAN.
> Aquella misma que vos,
> que no hubiera un capitán
> si no hubiera un labrador.

El efectismo dramático tiene un proceso ascendente a lo largo de la obra con ligeras explosiones, que Calderón sabe cortar hábilmente hasta llegar a la catástrofe final. Los caracteres de don Lope y de Pedro Crespo se complementan admirablemente. El antagonismo, más aparente que real, de la primera entrevista [14] se transfoma en franca y leal compenetración en aquel «haremos migas los dos» de la siguiente.

El argumento es tan conocido como el de *La vida es sueño*: En Zalamea se alojan los soldados de don Lope de Figueroa; un capitán, don Alvaro de Ataide, rapta y viola a la hija del labrador Pedro Crespo. Cuando éste se dispone a vengar la ofensa, es elegido alcalde del pueblo. Pide al capitán que repare el honor ultrajado; y, al negarse aquél, sustancia un proceso, como resultado del cual condena a muerte y ajusticia al capitán. Felipe II llega a Zalamea, de paso a Portugal; enterado de lo ocurrido, sanciona el hecho y nombra a Pedro Crespo alcalde perpetuo de Zalamea.

Por ser excelente en todo esta comedia hasta aparece exenta de la retórica culterana que tanto abunda en el teatro de Calderón; sólo unas pocas escenas—el soliloquio de Isabel al comenzar el acto III y el diálogo en que ésta da cuenta a su padre del deshonor—alcanzan el gusto reinante. Aludir, en cambio, a las bellezas del drama equivaldría a transcribirlo íntegro. Citemos entre los pasajes culminantes, el primer diálogo de Pedro Crespo con don Lope; los consejos de aquél a su hijo cuando se alista como soldado, y sobre todo, la escena en que el viejo alcalde acude al capitán en demanda de la reparación de su honor.

Citemos, finalmente, *La niña de Gómez Arias*, basada en la comedia del mismo título de Vélez de Guevara [15] y *El sitio de Breda*, episodio que inmortalizará Velázquez en su cuadro de *Las lanzas*.

De historia extranjera

Aunque relativamente numerosas, ofrecen escaso interés, si exceptuamos *La cisma de Inglaterra*. Calderón no acertó a ver más que el mundo que le rodeaba, la España de su tiempo, y ésta, idealizada. Por ello, sus comedias históricas—cuando no versan sobre asuntos coetáneos—carecen de color local y están plagadas de errores, anacronismos y falseamientos. Este falseamiento de la Historia, y lo que es quizá más grave, de los sentimientos y del espíritu de una época, no es defecto exclusivo suyo, sino achaque común a los dramaturgos españoles y a muchos extranjeros. Cierto que es absurdo presentarnos a Coriolano con la psicología que le atribuye el poeta; pero ¿acaso los personajes de la tragedia raciniana hablaron y sintieron como les hace hablar y sentir el autor de *Esther*?

Citemos *La gran Cenobia*, sobre las guerras de Aureliano y Decio con la reina de Palmira; *La hija del aire*, que escenifica la historia de Semíramis y Nino, y *La cisma de Inglaterra*, sobre la historia de Enrique VIII.

El rey se dispone a escribir una refutación contra Lutero, cuando en sueños ve la imagen desconocida de Ana Bolena. «Yo tengo de borrar cuanto tú escribes», dice la imagen, verso que compendia todo el drama. Ana Bolena entra al servicio de la reina; Enrique se enamora de ella y, aconsejado por el ambicioso cardenal Bolseo, trata de anular su matrimonio con Catalina, que se retira a un convento. El rey sorprende una entrevista de Ana y su antiguo amante Carlos; celoso, ordena matarla cuando también le llega la noticia de la muerte de la reina Catalina. Con la proclamación de la infanta María por heredera termina la obra.

V. COMEDIAS COSTUMBRISTAS

Dos grupos podemos distinguir en la comedia costumbrista de Calderón. Aunque el tema del amor sea común a todas las obras del género y la serie de trazas y enredos de que se valen damas o galanes para salir airosos de sus empresas, así como la índole de sus personajes sean uniformes, todavía cabe aquí una distinción: unas nos presentan individuos de la clase media; otras discurren entre nobles y grandes señores. Las primeras constituyen el clásico tipo de «capa y espada»; las otras, el de las llamadas «palacianas».

La comedia costumbrista, sin ser estrictamente original de Calderón, se nos ofrece como uno de sus productos más típicos; tan típico, nos atrevemos a decir, como los mismos «dramas trágicos». En ellas, Calderón agota todas las posibilidades y recursos dramáticos, única forma de mantener el interés en obras en que el tema solía pecar de monótono. Calderón, en este género, como en otros, empieza sirviéndose de la técnica de Lope, aunque sin el encanto lírico y la graciosa feminidad de las comedias de éste, y también sin la picardía y desenvoltura de las de Tirso. Pero pronto evoluciona y va a la creación de una comedia propia tanto por la trama como por la calidad de los personajes. Un apologista de su teatro nos dice que «elevó la comedia a ciencia en perfecto silogismo». Y esta transformación se observa, más que en otros tipos, en la costumbrista, donde los personajes razonan ante problemas nimios como pudieran hacerlo Pedro Crespo o Segismundo, el Tuzaní o don Gutierre de Solís, don Lope de Almeida o Juan Roca ante las más trascendentales cuestiones de la vida y del honor. Con una diferencia: éstos se ven obligados a resolver el conflicto de una manera trágica, con la muerte del ofensor o con un autovencimiento; aquéllos no necesitan acudir a la violencia, porque todos sus problemas hallan fácil solución por vía normal.

Hemos indicado su defecto principal: la monotonía. Sobre el invariable tema amoroso gira siempre la trama: amores y celos regidos con harta frecuencia por la casualidad, en mil formas cambiantes, pero conducentes inexorablemente al mismo fin: reconciliación de los amantes y matrimonio final. Los protagonistas son siempre una dama y un galán; a veces, una doble y hasta triple acción complica la intriga, y las parejas que andan al retortero se multiplican; el galán es indefectiblemente caballeroso, leal, amante; la dama, casi siempre huérfana de madre, hermosa, discreta, de regular hacienda, tierna y enamorada; vive bajo la mirada inquisidora de un padre celoso o de un hermano constituido en guardián de su honor. Celos, lances, complicaciones se suceden sin interrupción, hasta que, al fin, aclarado todo, queda a salvo el honor y la feliz pareja ve realizados sus sueños. Rara vez la tensión anuncia un desenlace trágico. El recurso del «paño» deshace a tiempo los malentendidos. Tal es el molde; vaciadas en él, Calderón nos legó abundantes producciones. Destacan entre las de «capa y espada»: *La dama duende, Guárdate del agua mansa* y *Casa con dos puertas, mala es de guardar*; entre las palacianas: *No siempre lo peor es cierto*.

En *La dama duende*, muy parecida a *El escondido y la tapada*, un don Manuel Enríquez, galanteando a una dama viuda, noble y joven, se ve obligado a sacar la espada para librarla de la persecución de un caballero, que no es otro que el propio hermano de la dama. Herido don Manuel, es trasladado a casa de los dos hermanos e instalado en una habitación, que por una puerta secreta comunica con el cuarto de la dama. Esta se vale de la puerta secreta para regalar al caballero y a su criado que, ignorando de dónde vienen los obsequios, da en creer en brujas y duendes. Al fin se aclara todo y el matrimonio de doña Angela y don Manuel remata felizmente la obra.

Guárdate del agua mansa contrapone los caracteres de dos hermanas, una mojigata y otra despreocupada y altiva. Al final de una intriga bien urdida por la primera, terminan casándose cada una con el hombre de sus preferencias. Es interesante el tipo de don Toribio Cuadradillos, una de las primeras muestras del género de «figurón».

Más famosa y mejor aún dentro del género *Casa con dos puertas, mala es de guardar*, se desarrolla sobre una intriga complicadísima, abundante en equívocos, malentendidos, escenas de celos y entrevistas secretas. Todo ello provocado por una «casa con dos puertas», que desorienta a los personajes. Es un ejemplo típico del género costumbrista.

Entre las «palacianas» señalemos *No siempre lo peor es cierto*, que refleja la grandeza de alma de un galán, don Carlos, dispuesto por salvar el honor de su dama, y a pesar de amarla locamente, a que despose con otro [16].

VI. COMEDIAS FILOSOFICAS

Las condiciones de Calderón para el teatro simbólico—aspecto en que insistiremos en el capítulo siguiente—hallaron su tema y campo más apropiado en el género filosófico. Ya hemos indicado que al poeta le interesa más la exposición de una idea que la simple anécdota o la intriga, utilizada con frecuencia como marco de que se vale para la exposición de conceptos más trascendentales. Por eso logra su forma más perfecta en el drama filosófico-teológico, como la logrará en los autos del mismo tipo. La idea abstracta del auto se personifica, se hace concreta, en la comedia. Dos son las obras que incluímos en este grupo: *La vida es sueño* y *En esta vida todo es verdad y todo es mentira*. Esta goza de más celebridad en el extranjero que en la misma España, por haber inspirado el *Heraclio*, de Corneille, obra mediocre en que destacan algunas escenas imitadas de la comedia española.

El tema, que sirvió también a Mira de Amescua para *La rueda de la fortuna*, se refiere a la usurpación de Focas y muerte del emperador Mauricio.

«La vida es sueño»

Tocamos con ella la cima del teatro filosófico de Calderón. Lo que en el auto de este título es simbolización de la Humanidad, aquí es personificación concreta. La obra asciende del plano filosófico al teológico: la perfecta concordancia entre la predestinación y el libre albedrío y la diferencia sustancial que separa a aquélla del fatalismo pagano, caballo de batalla de la polémica religiosa en los siglos XVI y XVII entre católicos y protestantes, eleva este drama a un clima único. Calderón lleva todo ello a las tablas, como antes Tirso de Molina en *El condenado por desconfiado*.

La obra es tan conocida que nos exime de una exposición detallada del argumento: Segismundo, hijo del rey Basilio de Polonia, es encerrado en una cueva, al nacer, para evitar el cumplimiento de un horóscopo, que había presagiado grandes daños caso de que llegara a reinar [17]. Para probar el cumplimiento de ese horóscopo su padre le hace trasladar narcotizado a palacio, donde da muestras de su naturaleza salvaje. El rey ordena que vuelva a su primitivo estado; pero, sacado nuevamente de allí por una sedición popular fomentada por Rosaura, se enfrenta con su padre, a quien vence, y se hace cargo del reino, dando muestras de generosidad, de prudencia y de gobierno.

Hemos dicho que tanto como filosófica *La vida es sueño* puede conceptuarse una obra teológica; teología son las ideas que entran en juego: fatalismo, predestinación y libre albedrío. Calderón —como cabía esperar de su formación agustiniana-tomista—proclama el imperio del libre albedrío. Sobre el influjo de los astros, sobre la inclinación de la persona humana del lado instintivo o del lado racional, está la libertad de elección; por su libre albedrío, Segismundo domina los astros, anula el horóscopo; y aunque vence a su padre, según está predestinado, este vencimiento lleva implícito otro mayor que se opera en el ánimo del príncipe: la victoria sobre sí mismo.

Mucho se ha discutido sobre las fuentes de *La vida es sueño*. Al parecer, se remontan a leyendas sobre la juventud de Buda y a un cuento de *Las mil y una noches* [18]. Pero Calderón, si pudo recoger aquí la idea inicial, luego la transforma, la sublima hasta el punto de pasarla al auto y simbolizar en ella el proceso de la Humanidad en su triple estado de inocencia, caída y gracia o redención.

Se ha censurado a Calderón la brusquedad del tránsito de Segismundo desde la vida salvaje a la plenamente cortesana en el simple intervalo de un sueño. Se ha dicho también que la tesis de esta obra es escéptica y pesimista. Pero el escepticismo, si existe, es fugaz: la razón se impone al momento. Cuando el príncipe se convence de que la vida es, en efecto, un sueño, «una sombra, una ficción», llevado del primer impulso, da rienda suelta a sus instintos. Pero inmediatamente reacciona: del convencimiento de la fragilidad de las cosas salta a la consideración filosófica de lo eterno. Ya se lo advierte Clotaldo, su ayo:

Segismundo, que aun en sueños
no se pierde el hacer bien.

Y él aprende en seguida la lección. Su conducta después de la victoria sobre Basilio lo demuestra plenamente.

No queremos terminar este epígrafe sin aludir a una tesis recientemente formulada por el profesor Vida Nájera [19]. Según él, *La vida es sueño* pudiera considerse como transformación de un mito pagano: Segismundo se identifica con Tifoeo (Encelado); Basilio, con Tártaro; Clorilena, con Rea; Estrella, con Eos o Aurora; Astolfo y Rosaura, con Helios y Astrea, y Clotaldo, con Zeus. ¿Aprovechó Calderón la mitología para su inmortal drama? En todo caso, la hipótesis de Vida Nájera no carece de ingenio.

VII. OTROS TIPOS DE COMEDIA

Incluímos bajo este epígrafe tres tipos de obras —mitológicas, caballerescas y zarzuelas—, que si por su admirable escenografía y por la interpolación de elementos líricos y musicales fueron del agrado de la época, especialmente de la alta sociedad, hoy apenas merecen nuestra atención. Sólo pueden recordarse por la belleza de algunos versos, ahogados casi siempre entre la silogística retórica y la balumba de metáforas culteranas. Juzgar a Calderón por estas obras sería completamente injusto. El teatro interesa cuando los problemas que plantea pueden afectar a todos, prescindiendo de lugar y tiempo. La justicia de Pedro Crespo es tan viva hoy como el día que mandó ahorcar al capitán don Alvaro, porque el hecho que la motiva puede darse ahora como hace cuatro siglos. En cambio, este tipo de comedia artificiosa, de circunstancias, sólo respondía a una época, y dentro de ella, a un grupo reducido: el que vivía a la sombra de palacio.

Mitológicas

Menospreciadas injustamente por el siglo XIX, han sido rehabilitadas por Valbuena Prat, que con excesiva indulgencia las considera «uno de los géneros de nuestra dramática del XVII más próximos a la sensibilidad y gusto actuales». Su fuente son las *Metamorfosis*, de Ovidio, de que Calderón aprovecha las fábulas más interesantes: *Eco y Narciso*, *La estatua de Prometeo*, *La fiera, el rayo y la piedra*, *El mayor encanto, amor*, etc. En todas importa más la idea que el desarrollo. Calderón se atiene a la interpretación poética y moral de la fábula; así podrá transformar estos temas paganos en sacros, constituyendo lo mitológico—como veremos en el capítulo siguiente—un grupo muy nutrido de sus autos sacramentales.

En *Eco y Narciso*, derivada del libro III de las *Metamorfosis*, relata la pasión de la ninfa Eco por Narciso. Muere de amor, y las ninfas, al buscar inútilmente su cadáver, hallan un lirio, por lo que dijeron que Narciso se había convertido en esta flor. El tono moral a que sujeta el poeta la interpretación de las fábulas mitológicas le hace presentar la tragedia de Narciso como un problema de educación.

La fiera, el rayo y la piedra desenvuelve una idea capital: «Al lado de la fuerza y rigor del amor—que es a la vez fiera, rayo y piedra—, la de la fuerza de afecto, capaz de dar vida a una estatua, y la dureza de la ingratitud que convierte la mujer en escultura de mármol» [20]. Mitos de Erifile y Céfiro, Ifis y Anajarte, Pigmalión, Cupido y Anteros.

El mayor encanto, amor y *Ni amor se libra de amor* aluden a las fábulas de Ulises y Circe, y de Psiquis y Cupido, respectivamente.

Caballerescas

Mencionemos *El castillo de Lindabridis*, sobre las aventuras maravillosas que se describen en la novela *El caballero del Febo*, y *La puente de Mantible*, basada en relatos del ciclo carolingio, tratados en la *Historia del emperador Carlomagno y de los doce pares de Francia*, de amplia tradición literaria y popularizada en romances.

Zarzuelas

Aunque el elemento musical desempeña papel importante en las comedias mitológicas, es en las zarzuelas donde Calderón consigue la creación de un género en que escenografía, lirismo y música se funden de tal manera que hacen preludiar el moderno drama lírico. Dos son las más importantes: *El laurel de Apolo* y *La púrpura de la rosa*. Ambas de fondo mitológico. La primera escenifica la fábula amorosa de Apolo y Dafne; la segunda, la historia de Adonis, víctima de los celos de Marte, convertido en jabalí para darle muerte cuando cazaba en el monte. Venus, enamorada de Adonis, transforma su cuerpo en la flor anémona.

Entremeses

Compuso Calderón muchos, pero sin rayar a la altura de Cervantes, Quiñones de Benavente y otros dramaturgos de segundo orden. Merecen recordarse unos pocos por las alusiones costumbristas y por la sátira de tipos y vicios de la época: *Carnestolendas*, en que describe los entretenimientos de las fiestas carnavalescas [21]; *El dragoncillo*, con el mismo tema de Cervantes en *La cueva de Salamanca*; *El pésame de la viuda*, que casa con el primero que solicita su mano; *La casa de los linajes*, con curiosos tipos de la baja sociedad madrileña, etc.

VIII. ESTILO, TECNICA DRAMATICA Y CARACTERES DEL TEATRO CALDERONIANO

Se ha escrito que las formas poéticas con que se reviste la trama teatral revelan al poeta y son resultado de su temperamento y educación. A la luz de este criterio hemos analizado el estilo y la técnica de Ruiz de Alarcón; y vamos a señalar ahora los del autor de *La vida es sueño*.

En Calderón, como en todo genio, hay que tener en cuenta lo personal, proceda del temperamento o de la educación; y, además, el ambiente, lo que debe a la época. Lope se mueve en la línea de lo sentimental y emotivo; Calderón, en la de lo intelectual y abstracto. Pero sobre Calderón pesan, aparte de otros factores, la sutileza conceptista y la ornamentación culterana; culteranismo y conceptismo que sólo podían influir en Lope a costa de los principios estéticos autotrazados. Cuando aparecen las *Soledades* y el *Polifemo*, Lope ha escrito más de 500 comedias; Calderón sólo cuenta diez o doce años. Más claro: Lope está hecho; Calderón se está haciendo. Llega, pues, a tiempo de recoger la herencia de Góngora. Creemos que el estilo del autor de *La vida es sueño* no se puede explicar sólo por su formación escolástica, por su disciplina académica; hay que tener en cuenta otros influjos, y, desde luego, los de Quevedo y Góngora. De éste tomará vocabulario, metáfora atrevida, retoricismo, colorido; en una palabra, elemento pictórico. De aquél, la desrealización de los personajes, recargándolos de tintas negras o idealizándolos hasta el infinito. En la versificación es de notar la frecuente combinación de versos esdrújulos y llanos, obteniendo por este medio insospechada musicalidad. Se ha dicho que sus décimas son las columnas salomónicas que soportan el edificio barroco del teatro; presentan casi siempre una admirable fusión de retórica formal y densidad de pensamiento. No se puede negar que alguna vez la emoción poética queda ahogada en la fronda del verso, excesivamente artificioso y recargado. Es entonces cuando el retórico que hay siempre en Calderón se sobrepone al propio dramaturgo. Valbuena, apurando las precisiones en este sentido, ha señalado el efectismo de los metros largos, en especial los endecasílabos agudos asociados a escenas de horror, odio o tristeza como en las octavas de la Muerte del auto *La cena de Baltasar*. Otro de sus recursos estilísticos consiste en la intensificación a base de repetir nombres genéricos seguidos de sus correspondientes propios: «Un volcán, un Etna hecho...» Análoga significación tienen la cadena de imágenes y metáforas, los juegos de palabras; y, sobre todo, la concreción en una síntesis final de las ideas expuestas a lo largo de un parlamento. Ejemplo, las décimas del primer soliloquio de Segismundo.

Ya hemos aludido al desconocimiento histórico que revelan las obras de Calderón. Otra tacha más grave se formula: el desconocimiento no sólo del pasado, sino también del presente. Calderón, suele decirse, no conocía la sociedad de su tiempo. Creemos, sin embargo, que en este juicio hay un error de perspectiva. Lo que sucede es que el poeta elimina implacablemente de su teatro lo anecdótico para quedarse con lo sustancial. Y ello por su concepto didáctico de la escena, que para él es ante todo escuela de costumbres y de enseñanzas. De ahí que sus conflictos familiares partan siempre de un problema de honor. Calderón se siente el codificador por excelencia de este sentimiento, aun lamentando en el fondo—y aun explícitamente por boca de sus personajes—que las ideas de su época hayan vinculado tal sentimiento no a la conducta de uno mismo, sino a la opinión de los demás.

Y con el sentimiento del honor, otro más natural, más humano, en que apenas ha reparado la crítica. Calderón es el apologista más ferviente del sentimiento de la amistad. Una galería de amigos auténticos, dispuestos a sacrificarlo todo por tan hermoso ideal, aparece en su teatro. Recordemos a Luis Pérez, el gallego protagonista de la comedia del mismo título; el don Félix de *Guárdate del agua mansa*; el don Juan de *A secreto agravio, secreta venganza*, y, para no alargar la lista, el don Carlos de *No siempre lo peor es cierto*.

Rara vez se ha visto una popularidad semejante a la de Calderón entre sus contemporáneos. La de Lope fué más aparatosa; la de Calderón, más profunda. Se puede decir que al morir el Fénix en 1635, estaba ya destronado por sus discípulos. Siguiendo éstos el camino que les había trazado, perfeccionan el género; pero también exageran sus defectos. El mismo Lope se da cuenta en los postreros años de su vida de que va perdiendo terreno. Su poder es cada vez menos avasallador. Algún prólogo y la *Epístola a Claudio* lo atestiguan. La figura de Calderón llena casi por entero el siglo XVII; empieza a escribir para el teatro hacia los 23 años, y no suelta la pluma hasta su muerte, en 1681. En torno suyo se agrupan una serie de grandes figuras: Moreto, Rojas, Cubillo, Juan Vélez de Guevara, etc., que no llegan a sobrevivirle. Los primeros censores de su teatro, apenas muerto, lo son no en nombre de principios estéticos, sino morales: sus dramas de honor son criticados por no estar de acuerdo con la moral cristiana. Sobre el concepto que mereció al siglo XVIII, hablaremos más extensamente en otro lugar; baste recordar aquí la crítica negativa de Luzán y Nicolás F. de Moratín, y las campañas que llevaron a la supresión de los «autos sacramentales». En cambio, Calderón pasa a ser el símbolo y bandera del romanticismo en Alemania y en la misma España. Pasado el hervor romántico, viene la crítica más bien negativa de Menéndez Pelayo, que en la obra *Calderón y su teatro*, llega a tratarle con bastante dureza, si bien hay que decir en honor a la verdad que, andando el tiempo, rectificó hasta considerarle émulo y par de Lope de Vega.

En la actualidad puede señalarse una vuelta a Calderón, por obra especialmente de Valbuena Prat, de la misma manera que los estudios de Artigas y Dámaso Alonso han señalado la vuelta a Góngora.

Para alabar a un poeta no es necesario desprestigiar a otro. Nosotros vemos en Lope y en Calderón dos dramaturgos inmensos, pero distintos. Siempre será cuestión de gusto personal preferir uno u otro. La inclinación hacia Lope o hacia Calderón dependerán, en última instancia, del predominio de la razón sobre el sentimiento o viceversa. Lope es más lírico; Calderón más lógico, más frío, más razonador. Pero ambos señalan la cima del drama español y junto con Shakespeare, la trinidad del drama moderno universal.

NOTAS

1. Muy interesante el testamento del padre de Calderón, como revelador de ciertos hechos y de un carácter, que pudo reflejarse en algún episodio del teatro de don Pedro. Declara que tiene un hijo natural llamado Francisco, al cual, «por su mala conducta, tuve que abandonar y anda perdido por el mundo». Pero le otorga algunos bienes, sin que por parte de sus hermanastros se le exijan pruebas de nacimiento.
2. Vid VALBUENA PRAT: *Calderón, su personalidad, su arte dramático, su estilo y sus obras*, págs. 64-79, Barcelona, Edit. Juventud, 1941.
3. Un cómico hirió—probablemente por cuestiones amorosas—a un hermano de Calderón, y éste, acompañado de la Justicia, penetra en el convento de las Trinitarias, donde se había refugiado el agresor. Lope se lamentó del hecho, y fray Hortensio Paravicino aludió en un sermón a tal atentado. El poeta se burló, por toda respuesta, del estilo afectado y de la pomposa oratoria del predicador.
4. Dispone que la iglesia esté «con los lutos y luces que sin fausto basten a lo decente». Suplica, asimismo, «al capellán mayor y capellanes, como a los señores albaceas.... dispongan mi entierro, llevándome descubierto, por si mereciese satisfacer en parte las públicas vanidades de mi malgastada vida con públicos desengaños de mi muerte».
Tuvo un hijo natural, llamado también Pedro, que debió de nacer poco después de 1647. Mientras Calderón es seglar («sobrino», le reconoce al hacerse sacerdote. Sobre estos amores comenta Valbuena Prat: «¡Quién sabe si en la muerte de la madre de este Pedro, que había de morir también jovencillo, como el Adeodato de San Agustín, estará la clave de la vida austera del sacerdote, que ve sólo humo, polvo, nada y viento en la hermosura y en la pompa del mundo!»
5. Este hecho prueba, sin duda, que el poeta no admite ningún atenuante en la conculcación de los deberes matrimoniales.
6. Aunque Herodes ha dispuesto la muerte de Mariene, se produce casualmente, cuando el tetrarca intenta matar a Octaviano.

7. Halló, en fin, que sería
trofeo injusto yo, ¡qué tiranía!,

de un monstruo, el más cruel, horrible y fuerte
del mundo. Halló también que daría muerte
(¿qué daño no se tema prevenido?)
ese puñal, que agora traes ceñido,
a lo que más en este mundo amares.

8.   Ven, muerte, tan escondida
que no te sienta venir,
porque el placer de morir
no me vuelva a dar la vida.

9. El billete en que don Gutierre avisa a su esposa para que se prepare a morir está concebido en los siguientes términos: «El amor te adora, el honor te aborrece; y así, el uno te mata y el otro te avisa. Dos horas tienes de vida: cristiana eres, salva el alma, que la vida es imposible.»
10 Juan Roca se subleva contra la tirana ley del honor:

Poco del honor sabía
el legislador tirano
que puso en ajena mano
mi opinión, y no en la mía:
¡que a otro mi honor se sujete,
y sea (¡oh injusta ley traidora!)
la afrenta de quien la llora
y no de quien la comete!
¿Mi fama ha de ser, honrosa,
cómplice al mal y no al bien?
¡Mal haya el primero, amén,
que hizo ley tan rigurosa!
¿El honor que nace mío,
esclavo de otro? Eso, no.
¡Y que me condene yo
por el ajeno albedrío!
¿Cómo bárbaro consiente
el mundo este infame rito?
Donde no hay culpa, ¿hay delito,
siendo otro el delincuente
de su malicia afrentosa?
¡Que a mí el castigo me den!
¡Mal haya el primero, amén,
que hizo ley tan rigurosa!

11. La historia dramatizada por Calderón se halla en la antigua *Crónica* de Juan Alvarez y Rui de Pinta.
12. Desde la llegada a tierras africanas pone de manifiesto el infante don Fernando su escepticismo sobre los agüeros y hechicerías, y, a la vez, el carácter eminentemente cristiano de la empresa (esc. VIII del acto I).

13.   ¿Somos gitanos aquí
para andar desta manera?
Una arrollada bandera,
¿nos ha de llevar tras sí?

14.   DON LOPE.
Testarudo es el villano:
tan bien jura como yo.

CRESPO.
Caprichudo es el don Lope;
no haremos migas los dos.

15. A propósito de esta comedia de Calderón ha escrito Menéndez Pelayo: «El interés de esta obra es grande, pero es un interés novelesco y poco dramático. Hay más: en la escena repugnará siempre el carácter de un galán que por dinero entrega o vende su dama a los moros. Tiene la obra este pecado capital, inherente a la tradición misma de que se tomó.»
16. El concepto que del amor tiene Carlos se acerca al platonismo. Destaquemos la diatriba contra la ley del honor—similar a la de Juan Roca—, expuesta por don Pedro, padre de Leonor.
17. Según el horóscopo, el príncipe Segismundo ha de ser:

El hombre más atrevido,
el príncipe más cruel
y el monarca más impío,
por quien su reino vendría
a ser parcial y diviso,
escuela de las traiciones
y academia de los vicios;

18. El que presenta a un mendigo narcotizado que despierta creyendo ser rey y que vuelve después, mediante otro narcótico, a su primitivo estado.

19. Vid. *Las fuentes de «La vida es sueño»*, «Rev. de la Univ. de Oviedo», 1944.

20. Vid. VALBUENA PRAT: *Calderón. Comedias mitológicas: «Eco y Narciso»*, pról. de..., «Bibl. Popular Cervantes», XCVI, C. I. A. P.

21. Entre ellos destacan la representación de comedias y la lectura de novelas. La técnica de la novela cortesana—como hemos indicado en otro lugar—suele reducirse a simular una reunión de personas durante las fiestas de Carnaval, que pasan contándose mutuamente historietas.

BIBLIOGRAFIA

I. N. ALONSO CORTÉS: *Algunos datos relativos a don Pedro C. de la Barca*, «Rev. Filol. Esp.», XII, 1925; *Genealogía de don P. Calderón de la Barca*, «Bol. Real Acad. Esp.», XXXI, 1951.—M. A. BUCHANAN: *Notes on Calderón*, «Modern Lang. Notes», XXII, 1907.—HERMANN BREYMANN: *Die-Calderón Literatur*, Munich, 1905.—A. CANTELLA: *Calderón de la Barca in Italia nel secolo XVII*, Roma, 1923.— E. COTARELO MORI: *Ensayo sobre la vida y obras de don Pedro C. de la Barca*, Madrid, 1924.—MAX LEPTA: *P. Calderón de la Barca*, Leipzig, 1925.—P. CONSTANCIO EGUÍA: *D. Pedro C. de la Barca. Nuevas noticias biográficas*, «Razón y Fe», 1920.—FRAY FELIPE DE LA CÁNDARA: *Descripción, origen y desarrollo de la muy noble y antigua casa de Calderón de la Barca*, Madrid, 1661.—E. JULIÁ MARTÍNEZ: *Una fundación de C. de la Barca*, «Rev. Filol. Esp.», 1942.—*Calderón de la Barca en Toledo*, «Rev. Filol. Esp.», XXV, 1941.—A. LASSO DE LA VEGA: *Calderón de la Barca*, Madrid, 1881.—M. MENÉNDEZ PELAYO: *Calderón y su teatro*, «Est. y disc. de crit. hist. y lit.», III, Santander, 1941.—C. PÉREZ PASTOR: *Documentos para la biografía de don P. Calderón de la Barca*, Madrid, 1905.— F. PICATOSTE: *Biografía de don P. Calderón de la Barca*, Madrid, 1881.—F. SÁNCHEZ DE CASTRO: *Calderón: Estudio crítico*, Madrid, 1881.—A. VALBUENA PRAT: *Calderón: Su personalidad, su arte dramático, su estilo y sus obras*, Barcelona, 1941.—A. VALBUENA BRIONES: *Ensayo sobre la obra de Calderón*, «Crece o Muere», núm. 15, Madrid, 1958.—J. VALERA: *D. Pedro C. de la Barca*, «Obras completas», II, Edit. M. Aguilar., Madrid, 1942.—C. VOSSLER: *P. Calderón de la Barca*, «Escritores y poetas de España», Colec. Austral, núm. 771, Madrid, 1944.—E. ZUDAIRE: *Un escritor anónimo de Calderón de la Barca*, «Hispania», XIII, California, 1953.

II. L. ASTRANA MARÍN: *Los textos primitivos calderonianos. Introducción a las «Obras completas» de Calderón*, Madrid, Aguilar, 1941.—A. DE CASTRO: *Discurso acerca de las costumbres públicas y privadas de los españoles del siglo XVII, fundado en el estudio de las comedias de Calderón*, Madrid, 1881.—AL. CIORANESCU: *Estudios de literatura española comparada* (Vélez de Guevara, Calderón, etc.), La Laguna, 1954.—A. FARINELLI: *Divagaciones bibliográficas calderonianus*, Madrid, 1907.—EVERETT W. HESSE: *The Publications of Calderon's Plays in the Seventeenth Century*, «Phi'ological Quaterly», 1948.—M. DE OSMA: *Estudios sobre Calderón*, «Hispania», II, California, 1928.—BLANCA DE LOS RÍOS: *De Calderón y de su obra*, Madrid, 1914.—F. CARLOS SAINZ DE ROBLES: *Historia y antología del teatro español*, vol. III, Madrid, M. Aguilar, 1943.—M. DE TORO Y GISBERT: *¿Conocemos el texto verdadero de las comedias de Calderón?*, «Bol. R. Acad. Esp.», vo's. V y VI, 1918-1919.—A. VALBUENA BRIONES: *D. Pedro C. de la Barca: Obras completas. II, Comedias*, ed., pról. y notas de..., Madrid, M. Aguilar, 1956.— H. WARREN HILBORN: *A Chronology of the Plays of don P. Calderón de la Barca, by...*, The Univ. of Toronto, 1938.

III. J. M.ª DE COSSÍO: *La «secreta venganza» de Lope, Tirso y Calderón*, «Fénix», núm. 4 (revista publicada con motivo del tercer centenario de la muerte de Lope), Madrid, 1935.—J. ELÍAS DE MOLÍNS: *El sentimiento del honor en el teatro de Calderón*, «Rev. de España», núms. 80, 81 y 82.—A. GONZÁLEZ DE AMEZÚA: *Un dato para las fuentes de «El médico de su honra»*, «Rev. Hisp.», XXI, 1909.—EVERETT W. HESSE: *El arte calderoniano en «El mayor monstruo, los celos»*, «Clavileño», núm. 38, Madrid, 1956.—*Obsesiones en «El mayor monstruo, los celos» de Calderón*, «Estudios», Madrid, 1952.—A. RUBIO Y LLUCH: *El sentimiento del honor en el teatro de Calderón*, Barcelona, 1882.—BRUCE W. WARROPPER: *The Unconscious Mind in Calderon's «El pintor de su deshonra»*, «Hisp. Review», XVIII, Pensilvania, oct. 1950.—E. M. WILSON:

La discreción de don Lope de Almeida, «Clavileño», Madrid, 1951.

IV. A. BALBIN DE UNQUERA: *Dramas históricos de Calderón*, «Rev. Contemporánea», vol. 132, 1906.—A. CORTINA: *El barroco en «La vida es sueño» y «El alcalde de Zalamea»*, (en la ed. de estas obras), «Clás. Castellanos», núm. 138, Madrid, 1955.—G. ESPINO: *Calderón de la Barca: El alcalde de Zalamea*, ed., estudio y notas de..., «Clás. Ebro», Zaragoza, 1949.—U. FLERES: «*El alcalde de Zalamea*», «Lectura», II, 1906.—C. A. JONES: *Honor en «El alca.de de Zalamea»*, «M. L. M», 1955.— S. E. LEAVIT: *Pedro Crespo and the Captain in Calderon's «Alca.de de Zalamea»*, «Hispania», XXXVIII, Baltimore, 1955.—M. MENÉNDEZ PELAYO: «*El alcalde de Zalamea*», «Est. y disc. de crit. hist. y lit.», III, Santander, 1941.—S. MONTERO DÍAZ: *Notas sobre «La hija del aire»*, «Las Cien.ias», núm. 1, Madrid, 1936.—A. PAGÉS-LARRAYA: *El Nuevo Mundo en una obra de Calderón*, «At.», CXXV, 1956.—SCHRAMM: *Corneille's «Heraclius» und Calderons «En esta vida todo es verdad»*, «Rev. H'spanique», LXXII, 1927.—J. R. SCHREK: «*El sitio de Bredá*». *Comedia de D. Pedro C. de la Barca* (ed. crítica, est. y notas de...), Inst. del Hispánicos, La Haya, 1957.—M. SCHÜK: *Die Quelle von Calderons «Cisma de Inglaterra»*, «Shakespeare-Jahrbuch», 1925.—A. VALBUENA PRAT: *Los dos alcaldes de Zalamea* (Conferencia en el Instituto del Teatro), Barcelona, 1955.

V. A. W. ATKINSON: *La comedia de capa y espada*, «Bull. Spanish Studies», 1927.—ANITA LENZ: *La source d'une comedia de Calderón: «Para vencer a amor, querer vencerle»*, «Rev. Hispanique», LIII, 1921.—A. E. SLOMAN: *One of Ca.deron's «minor» characters: Lelio in «Las armas de la hermosura»*, «Atlante», Londres, julio 1953.— S. N. TREVIÑO: *Nuevos datos acerca de la fecha de «Basta callar»*, «Hisp. Review», IV, 1936.—A. VALBUENA BRIONES: *Calderón de la Barca: Comedias de capa y espada: «La dama duende» y «No hay cosa como callar»* (ed. y pról. de...), «Clás. Castellanos», Madrid, 1954.

VI. A. ALTSCHUL: *Zur Beurteilung von Calderons «La vida es sueño»*, «Zcits für Romanische Phil.», LII, Halle, 1932.—M. A. BUCHANAM: *Culteranismo in Calderon's «La vida es sueño»*, «Hom. M. Pidal», I, Madrid, 1925.—*Notes in Calderón: The Vera Tassis edition of «La vida es sueño»*, «Mod. Lang. Notes», XXII, 1907.—*Segismundo s Soliloquy on liberty in «La vida es sueño»*, «Mod. Lang. Assoc. of America», XXIII, 1908.—CARDUCCI: «*La vida es sueño*», «La Esp. Mod.», Madrid, agosto 1906.—T. CARRERAS ARTAU: *La filosofía de la libertad en «La vida es sueño»*, «Est. in memoriam de Bonilla», I, Madrid, 1927.— G. CIROT: *La «loa» de «La vida es sueño»*, «Bull. Hispanique», XLIII, 1941.—R. CHENEVIX TRENCH: *A essay on the life and genius of Calderon, with translations from his «Life is a dream»*, Londres, 1953.—G. Y. DALE: *Agustin de Rojas y «La vida es sueño»*, «Historical Review», II, 1934.—P. N. DUNN: *The Horoscope Motif in «La vida es sueño»*, «Atlante», oct. 1953.—A. FARINELLI: *La vita é un sogno*, Torino, 1916.—LOSADA y DIÉGUEZ: *Simbólica e ideas filosóficas contenidas en «La vida es sueño»*, Santiago, 1910.—A. MONTEVERDI: *Le fonti de «La vida es sueño»*, «Studi di Fi'ologia Moderna», VI, 1913.—P. José DE OLMEDO: *Las fuentes de «La vida es sueño»*, Madrid, 1928.—L. E. PALACIOS: «*La vida es sueño*», «Finisterre», 1948.—A. RETES: *Un tema de «La vida es sueño». El hombre y la Naturaleza en el monólogo de Segismundo*, «Rev. Filol. Esp.», IV, 1917.—*El enigma de Calderón a través de la literatura*, «Rev. América», II, núm. 6, 1945.—BLANCA DE LOS RÍOS: *La vida es sueño y los diez Segismundos de Calderón*, Madrid, 1926.—D. RUBIO: *La fuente de «La vida es sueño»*, «Bol. Inst. Caro y Cuervo». V, Bogotá, 1949.—L. SALAZAR LARRAIN: *Segismundo y el «Hombre natural»*, «Mds.», IX, 1953.—R. SCHEVILL: «*Virtudes vencen señales» and «La vida es sueño»*, «Historical Review», I, 1933.—M. FEDERICO SCIACCA: *Verdad y sueño de «La vida es sueño», de Calderón*, «Clavi'eñon», 1950.—B. THOMAS IRNING: *Hamlet y Segismundo ante la vida*, «U. S. C.», XIX, 1952.—L. PAUL THOMAS: *La genése de la philosophie et le symbolisme dans «La vie est un sogne»*, «Mélanges Wilmotte», París, 1910.—A. VALBUENA PRAT: *El orden barroco en «La vida es sueño»*, «Escorial», Madrid, 1942.—F. VIDA NÁJERA: *Las fuentes de «La vida es sueño»*, «Rev. Univ. Oviedo», 1944.—E. M. WILSON: «*La vida es sueño*» (estudio por...), «Rev. Univ. de Buenos Aires», 1946.

MAX OPPENHEIMER: *The Burla in Calderon's «El astrólogo fingido»*, «Philological Quarteli», XXVII, núm. 3, 1948.

VII. **W. G.** CHAPMAN: *Las comedias mitológicas de Calderón*, «Rev. de Literatura», V, Madrid, 1954.—ENGEL-BERT GUENTHER: *Calderón und seine Werke*, I, Friburgo, 1888.—P. PARIS: *La mythologie de Calderón «Apolo y Climene»*, «El hijo del Sol, Faeton», «Hom. a M. Pidal», I, Madrid.—N. D. SHERGOLD: *The first performance of Calderon's «El mayor encanto, amor»*, «Bull. of Hispanic Studies», Liverpool, XXXV, enero 1958.—K. SCHOLBERG: *Las obras cortas de Calderón*, «Clavileño», núm. 25, Madrid, 1954.—A. VALBUENA PRAT: *La escenografía de una comedia de Calderón: «La fiera, el rayo y la piedra»*, «Arch. Esp. de Arte y Arqueología», núm. 16, Madrid, 1930.

VIII. D. ALONSO: *La correlación en la estructura del teatro calderoniano*, «Seis calas en la expresión literaria española», págs. 113-86, Madrid, 1951.—A. L. CONS-TANDSE: *Le Baroque espagnol et C. de la Barca*, Amsterdam, 1951.—P. CONSTANCIO EGUÍA: *Cervantes, Calderón, Lope y Gracián*, «Anejo Rev. Lit.», Madrid, 1951.—A. FARINELLI: *Wagner y Calderón*, «Nueva Antología», 1934.—F. HUGO: *Der Fremde Calderon*, «Freiburger Universitätsreden», 1955.—F. C. HAYES: *The use of Proverbs as titles and motives in the Siglo de Oro drama: Calderón*, «Hisp. Review», XV, oct. 1947.—P. J. IRIARTE: *Las formas subjetivas kantianas y las formas escénicas calderonianas*, «Razón y Fe», 1935.—H. M. KRESSIN: *Calderón as a champion of Feminism*, New-York University (tesis), 1927.—ELISABETH MEUNNIG: *Calderón und die altere deusche romantik*, Berlin, 1912.—W. MICHELS: *Barock-stil bei Shakespeare und Calderon*, «Revue Hispanique», 1929.—MAX OPPENHEIMER: *The Baroque Impasse in the Calderonian Drama*, «P. M. L. A.», dic. 1950.—A. J. PEREIRA: *Calderón y Shakespeare*, «Rev. Est. Hisp.», Madrid.—P. QUINTÍN PÉREZ: *Lope de Vega y Calderón: Fases de su rehabilitación literaria*, «Razón y Fe». Madrid, 1935.—F. OTIS REED: *The Calderonian Octosyllabic*, «Wisconsin Studies», 1942.—G. C. ROSSI: *Calderón nella critica spagnuola del settecento*, «Fil. Romanza», II. 1955.—H. ULRICI: *Shakespeare's dramatische Kunst und sein Verhältnis zu Calderón und Goethe*, Halle, 1839.—BRUCE W. WARDROPPER: *Poetry and Drama in Calderón's*, «Rom. Review», Columbia Univ., Nueva York, feb. 1958.—J. WILHELM: *La crítica calderoniana en el siglo XIX y XX en Alemania*, «Cuad. Hisp. Amer.», XXVI, 1956.

CAPITULO XLII

CALDERON DE LA BARCA: B) TEATRO RELIGIOSO

I. COMEDIAS: *Clasificación. Bíblicas. De santos. De leyendas.*—II. AUTOS SACRA-
MENTALES: *Características del auto calderoniano. Autos filosóficos y teológicos. Autos del Antiguo Testamento. Autos del Nuevo Testamento. Autos histórico-legendarios. Autos de circunstancias. Autos marianos.*—NOTAS.
BIBLIOGRAFÍA.

I. COMEDIAS RELIGIOSAS

Establecemos, dentro del teatro religioso de Calderón, dos géneros enteramente distintos: comedias y autos. Es en éstos donde el genio dramático del autor de *La vida es sueño* se manifiesta en todo su vigor. En lo simbólico, en esa concepción abstracta del mundo y de los hombres, en ese desfile de personificaciones de los vicios y de las virtudes, de los instintos y hasta de las ideas, está el auténtico Calderón [1]. Pero de esto hablaremos en otro apartado.

Clasificación

Por ahora limitémonos a las comedias religiosas, que clasificamos en cuatro grupos [2]:

Bíblicas: *Los cabellos de Absalón, La sibila de Oriente, Judas Macabeo.*

De circunstancia: *El gran príncipe de Fez, don Baltasar de Loyola.*

De santos: *El mágico prodigioso, Las cadenas del demonio, Los dos amantes del cielo, El José de las mujeres.*

Leyendas devotas: *La devoción de la Cruz; El purgatorio de San Patricio; Origen, pérdida y restauración de la Virgen del Sagrario.*

Las comedias religiosas de Calderón han sido enjuiciadas de bien distinto modo. Para unos—y no es ajeno a este criterio el mismo Menéndez Pelayo—ofrecen escaso mérito. Concretamente, refiriéndose a las de asunto bíblico, llega a decir que «nada pierde el poeta... con dejarlas condenadas al olvido». Ni siquiera *El mágico prodigioso*, uno de los dramas preferidos por el Romanticismo alemán, merece consideración al gran maestro. Todavía va más allá la entusiasta apologista de Calderón, Dorotea Schlegel. Con esa displicencia propia de cierta crítica alemana, cuando no alcanza la razón de algunas cosas, califica a Calderón

y a Cervantes, en lo que se refiere al teatro religioso, de «católicos tontos, necios, blasfemos y de mal gusto». Para Pfandl, en cambio, Calderón «fué quien creó aquellos dramas de mártires que no tienen igual en espíritu combativo, sacrificio y fervor, a veces incluso en el fanatismo de la resignación» [3].

Calderón, teólogo hasta la medula, utiliza el drama religioso no sólo como un recurso apologético, sino también como un medio polémico. Desde las tablas sus personajes, más que dialogar, razonan y demuestran. El mundo para él se divide, bajo el aspecto religioso, en paganos, judíos, católicos y herejes. En el paganismo ve casi siempre una tentativa de acercarse a la verdadera religión; el judaísmo se interpreta en su más pura ortodoxia, como Ley antigua, precedente de la nueva instaurada por Jesucristo; frente a los herejes se mantiene sin vacilación la verdad católica. El puede transigir con los gentiles, con los mismos mahometanos, que pecan por ignorancia; nunca con los reformistas, que profesan el error a sabiendas [4]. Su actitud neta, valiente en este punto, quedó bien reflejada en *La cisma de Inglaterra*.

Dentro de este mundo ideológico dos tipos son preferidos por Calderón para protagonizar las comedias devotas: el criminal no nato, lanzado a una vida de disipación o de maldades por circunstancias imprevistas, en cuyo corazón se mantiene siempre algún rescoldo de fe o de piedad, y que termina por volver indefectiblemente al buen camino, y el filósofo pagano que por insatisfacción de sus creencias se acoge a la religión cristiana, en busca de la verdad. Con frecuencia el cambio se provoca por la lectura de un texto bíblico, de los Santos Padres y hasta de algún autor pagano, como Plinio. Las comedias de este segundo tipo suelen interferirse en su argumento con influencias del *Barlán y Josafat*.

Comedias bíblicas

Acabamos de reproducir el juicio condenatorio que de ellas hizo Menéndez Pelayo. No vamos a intentar nosotros rehabilitarlas; pero sí creemos que nuestro gran crítico las enjuició con excesivo rigor. Sin figurar, ni mucho menos, entre las buenas de Calderón, se pueden entresacar algunas de positivo mérito.

Los cabellos de Absalón es la mejor. La solución, impuesta por el texto bíblico, al conflicto, tan frecuente en nuestro teatro, del gobernante que vacila entre su amor paternal y sus deberes de rey, se presta a curioso paralelo con soluciones análogas o contrapuestas. Por ejemplo, en *El Caín de Cataluña* y *No hay ser padre siendo rey*, de Rojas Zorrilla. Aquí es el amor paternal el que se impone. Aunque basada en *La venganza de Tamar*, de Tirso, de la que llega a copiar una jornada entera, con aquella despreocupación que para tales plagios había entonces, le supera en no pocos aspectos, sobre todo en la finura con que vela ciertas escenas demasiado crudas del fraile mercedario [5].

Muy inferior *La Sibila de Oriente*, reproducción en cuanto al tema de *El árbol del mejor fruto*, abunda en anacronismos, que no pueden compensarse con los evidentes alardes de versificación: como aquellas octavas reales de Candaces ante Salomón, o las décimas de la reina de Saba.

Extraña mezcla de las comedias de capa y espada con las de intriga ofrece *Judas Macabeo*. Un *quid pro quo*, en que se suplantan tres amigos enamorados de la bella Zarés, da ocasión al poeta para lucir su habilidad en la solución de esta clase de enredos. Alguna escena—la del soliloquio de Tolomeo—nos recuerda análoga situación del don Gil en *El esclavo del demonio*.

La única comedia religiosa calificada por nosotros de obra de «circunstancia», *El gran príncipe de Fez, don Baltasar de Loyola*, interesa sobre todo por el proceso psicológico del protagonista, en su conversión al catolicismo. El príncipe de Fez llega a la Iglesia por la lectura de los *Ejercicios* de San Ignacio, con lo que la obra resulta una auténtica apología de la Orden jesuíta.

Comedias de santos

Hay una que sobresale en este grupo: *El mágico prodigioso*. Pertenece al fondo de leyendas medievales basadas en un pacto con el diablo y cuyos máximos exponentes son Teófilo y el doctor Fausto. La crítica alemana la había señalado como antecedente del *Fausto* goethiano; pero la verdad es que, aunque tiene con éste varias concomitancias, se aparta también en muchos puntos fundamentales. Los caracteres son distintos, los pactos se hacen en circunstancias diversas: El protagonista de *El mágico*, Cipriano, es un joven entusiasta, amante del estudio, enamorado de la mujer; el de la obra alemana, Fausto, es un viejo escéptico y desengañado de todo. El primero pacta con el diablo por gozar de Justina; el otro, por recobrar la juventud. Una breve síntesis de su argumento lo aclarará mejor.

El estudiante Cipriano, desilusionado de la filosofía pagana, busca al verdadero Dios. El Diablo, para alejarle del buen camino, hace que surja ante sus ojos la hermosa Justina, de quien aquél se enamora locamente. No consiguiendo ser correspondido, pacta la entrega de su alma al Diablo, a cambio de que éste le instruya en las ciencias mágicas, por cuyo medio cree que llegará a conquistar a su amada. Pero ésta no cede; y cuando Cipriano cree haber llegado al logro de su anhelo y, pensando tener delante a Justina, se precipita a abrazarla, encuentra en su lugar un esqueleto. Se convierte y, junto con Justina, sufre martirio por Cristo.

La obra, aunque subestimada por Menéndez Pelayo [6], encierra auténtico valor. El conflicto en el alma del joven estudiante está hábilmente conducido. Abunda en pasajes líricos de singular belleza: tal la escena de Justina en el acto III, en que la música va subrayando el soliloquio de aquélla, con el insistente estribillo «Amor, amor», cuyo efecto no ha pasado inadvertido a la exquisita sensibilidad de Azorín.

Reconocemos que alguna de las censuras de Menéndez Pelayo están justificadas. La interferencia continua de Floro y Lelio, con sus lances más propios del género de «capa y espada» entorpece la acción, que queda repartida en dos direcciones. Sin duda ello obedece al respeto de Calderón por los moldes fabricados. Si como hizo en el auto sacramental, cuya extensión llegó a duplicar, hubiese también hecho en la comedia, pero con un proceso contrario, logrando romper el molde de las tres jornadas, se habría evitado muchas escenas de relleno, que tan poco favorecen a esta y otras obras.

En el mismo grupo encontramos *El José de las mujeres*, con una trama propia de comedia de enredo. Se refiere a Eugenia, hija del gobernador pagano de Alejandría, que convertida al cristianismo, se retira al desierto. En una persecución es apresada bajo disfraz de hombre y, entregada como esclavo, despierta la pasión de su dueña. De aquí, por la analogía con el episodio bíblico de José y la mujer de Putifar, el título, que ha sido calificado por Menéndez Pelayo de «extravagante».

Las cadenas del demonio se refiere a la evangelización de Armenia, por San Bartolomé. Durante su apostolado exorciza al espíritu maligno que se había apoderado de Irene. Obra en extremo efectista, tiene situaciones parecidas a *La vida es sueño*. *Los dos amantes del cielo*, con rasgos similares a *El mágico prodigioso*, se basa en la vida de Crisanto y Daría, que prefieren el martirio a sus amores terrenos.

Comedias basadas en leyendas devotas

Pertenecen a este grupo dos de las mejores piezas del teatro calderoniano: *El purgatorio de San Patricio* y *La devoción de la Cruz*. Ambas tienen por protagonista un criminal que alcanza el perdón por la misericordia de Dios. *El purgatorio de San Patricio* es la típica comedia de estructura barroca: brillantes imágenes, lenguaje metafórico, multiplicidad de lances, caracteres exagerados, contrastes y antagonismos.

La acción transcurre en Irlanda: Una tempestad destruye la escuadra del rey Egerio, mandada por Filipo. Náufragos, llegan a presencia del rey, Ludovico, prodigio de maldad, y su salvador Patricio, dechado de virtudes. Cada uno narra su vida. El rey condena a esclavitud a Patricio, que, liberado por un ángel, se dedica a la evangelización de Irlanda. Entre tanto Ludovico, colmado de honores, prosigue su vida de crímenes. Una noche, yendo en seguimiento de un embozado, al que da de cuchilladas, descubre que es su propio esqueleto. Se convierte, hace penitencia en el «purgatorio de San Patricio», cueva sobre la que corren extrañas leyendas, y, a su regreso, cuenta los prodigios verdaderamente dantescos que allí ha visto.

Se funda en una antigua leyenda que suponía en las costas de Irlanda cierta cueva de acceso al Purgatorio. Calderón la tomó directamente de un libro de Pérez de Montalbán.

La devoción de la Cruz gira en torno a los crímenes y la pasión incestuosa de un tal Eusebio por su hermana Julia. Se salva, al fin, por su «devoción a la Cruz».

Curcio, noble sienés, intenta sacrificar a su esposa en un bosque porque duda de su honor. Salvada por un prodigio, da a luz dos gemelos. Uno es recogido por el mismo Curcio y llevado a su casa, donde se cría y educa; otro es encontrado por un pastor, que lo adopta por hijo, dándole su propio nombre de Eusebio. Ya mayor éste, se enamora de Julia, su hermana, ignorantes ambos del parentesco. Curcio y Lisardo, hermano de la dama, se oponen a tales relaciones[7], y el joven cruza la espada con Eusebio, que le da muerte. Sabe que Julia ha sido obligada por su padre a recluirse en un convento. Eusebio lo asalta con intención de raptar a su amada, pero huye despavorido al descubrir sobre el pecho de ésta la misma cruz que él siempre lleva en el suyo. Capitán de bandoleros, continúa su vida de crímenes, en tanto que Julia abandona el convento y se une a su partida. Cae víctima de sus perseguidores; en este momento le valdrá su devoción a la Cruz: Dios le da tiempo para que se confiese y muera en gracia. La confesión que no había negado a sus víctimas, le es otorgada a él en la hora de la muerte.

Drama juvenil (¿1623?), tiene toda la pasión y brío del mozo que entonces era Calderón. No se conocen bien las fuentes: posiblemente alguna leyenda piadosa, escrita o más bien oral. En verdad que tampoco hace falta buscarlas; la devoción de la Cruz era uno de los lugares comunes de la predicación y de la ascética en aquella época.

Cierta crítica ha querido descubrir en algún personaje de la obra rasgos familiares: concretamente, el carácter violento y despótico de Curcio se ha interpretado como reflejo psicológico del padre de Calderón.

Situada aun dentro de la técnica dramática de Lope, *La devoción de la Cruz* y lo mismo *El purgatorio de San Patricio*, anterior cronológicamente (1628), nos dicen a las claras que el poeta no ha encontrado aún su propio camino. Las analogías con personajes del ciclo de Lope, en especial de *El prodigio de Etiopía* y *El esclavo del demonio*, saltan a la vista.

Réstanos, por fin, hablar de la comedia *Origen, pérdida y restauración de la Virgen del Sagrario*, la más endeble del grupo, que se reduce a una crónica religiosa, cuya acción sigue lo expresado en el título, y se sitúa en tres épocas distintas: reinado del visigodo Recesvinto; primeros tiempos de la dominación musulmana, y gobierno de Alfonso VI.

El mismo poeta reconoce la endeblez de la obra, y al final pide perdón en nombre de la fe y devoción que le han movido a componerla.

II. AUTOS SACRAMENTALES

Expuestos ya en otro lugar[8] los caracteres y desarrollo del auto sacramental, tócanos estudiarlos en su aplicación al auto calderoniano. Adoptamos para ello la clasificación dada por Angel Valbuena Prat[9], que hasta ahora nos parece la más completa:

Filosófico-teológicos: *El gran teatro del mundo, El gran mercado del mundo, Pleito matrimonial del alma y el cuerpo, La vida es sueño, El veneno y la triaca, El pintor de su deshonra, Lo que va del hombre a Dios.*

Mitológicos: *Los encantos de la culpa, El divino Orfeo, El laberinto del mundo, Andrómeda y Perseo, El divino Jasón.*

Temas del Antiguo Testamento: *La torre de Babilonia, El árbol del mejor fruto, Sueños hay que verdad son, Primero y segundo Isaac, La cena de Baltasar, Las espigas de Ruth, Mística y real Babilonia.*

Temas del Nuevo Testamento: *El tesoro escondido, La siembra del Señor, Llamados y escogidos, El día mayor de los días, A tu prójimo como a ti.*

Histórico-legendarios: *El cubo de la Almudena, La protestación de la fe, Al santo rey don Fernando* (dos partes), *La devoción de la misa, A María el corazón.*

De circunstancia: *Las órdenes militares, No hay instante sin milagro, Los misterios de la misa.*

Mariano: *La hidalga del valle.*

Características del auto calderoniano

El genio concentrado del gran poeta halla su mejor campo en el auto. No importa que éste sea inferior en dimensiones a la comedia; es lo suficientemente extenso para abarcar cuanto de esencial e interesante se le quiera confiar. En todo caso, Calderón se encarga de darle una estructura más amplia. Partiendo del auto de los 1.000 ó 1.500 versos a lo más, los estira, cuando hace falta, hasta los 2.000. Calderón, pues, en este sentido, crea el auto, como Lope había creado también en cierto aspecto la comedia. En Lope el auto peca aún de escasa trabazón y excesivo lirismo; en Calderón, por el contrario, es la comedia la que adolece con frecuencia de cierta premiosidad, obligado, en su respeto a las tres jornadas, a una duplicidad de intriga o a una utilización de materiales de relleno.

Salvadas contadas excepciones, el mejor auto calderoniano es el de carácter filosófico-teológico. Valbuena distingue aquí dos tipos: aquel en que idea y contenido se compenetran para producir el perfecto drama simbólico, que gira casi siempre en torno al misterio de la Redención, y el otro, en que triunfa la teología menuda, reducido a discusiones sobre los sacramentos, preferentemente el de la Eucaristía. El primer tipo, más de acuerdo con el temperamento de Calderón, nos da las mejores obras. En ellos el elemento teológico predomina. La *Idea* eje es unas veces la concepción del mundo como «gran teatro», en que cada hombre representa su papel asignado por el Autor (Dios); otras, como «gran mercado», donde los dos Genios—bueno y malo—pueden adquirir vicios y virtudes. Frecuente es también el conflicto psicológico entre la pasión y el deber; o el conflicto familiar que en la incompatibilidad de caracteres simboliza la eterna lucha del alma y el cuerpo. En los autos del segundo tipo todo gira en torno a un tema circunstancial, no siendo raro el caso en que haya que forzar excesivamente las cosas para conseguir una adecuación exacta entre símbolo y tema.

De sumo interés para una total comprensión del teatro calderoniano sería el estudio de las correspondencias temáticas entre las comedias y autos. En este proceso de adaptación ya señaló Menéndez y Pelayo la natural y lógica precedencia de lo concreto sobre lo abstracto, es decir, de la comedia respecto al auto. El paralelismo del maestro, reducido a dos o tres comedias, ha sido amplicado por Valbuena Prat. En algunos casos la correspondencia es perfecta y alcanza al mismo título: *La vida es sueño* y *El pintor de su deshonra*; en otros casos se traslada al plano alegórico la comedia entera, pero con distinto título: *El mayor encanto, amor* y *La Sibila de Oriente* se truecan en *Los encantos de la culpa* y *El árbol del mejor fruto*; por último, el autor aprovecha sólo parcialmente la comedia: *El divino Jasón* y *El laberinto de Creta,* respecto de la 1.ª y 2.ª jornada de *Los tres mayores prodigios.*

Justo es consignar que, si bien es Calderón el dramaturgo en quien se da la adecuación más perfecta entre poesía y símbolo, ese simbolismo viene ya dado en casi todo el arte del siglo XVII y, puestos a buscarle precedentes, los encontraríamos en la misma génesis del teatro occidental: por ejemplo, en el *Prometeo* de Esquilo, auténtico drama simbólico. En la generación inmediatamente anterior, el alegorismo se señala en obras también extrañas al teatro; así, en el *Guzmán de Alfarache.* Pero es Gracián, ingenio parejo a Calderón en su capacidad de alegorismos, quien nos ofrece en *El Criticón* una obra enteramente simbólica. «Así como Calderón convierte mediante un proceso íntimo de superación, el hombre de la Naturaleza en el hombre civilizado, Gracián desarrolla paralelamente ambas personalidades. Andrenio en el Segismundo de los dos primeros actos; Critilo, el del final de *La vida es sueño*» [10].

El auto calderoniano—ya se ha dicho—gira en último término sobre el misterio de la Redención. Ello no obsta para que, en definitiva, sea siempre una apología, una afirmación constante del libre albedrío. El hombre en su vida terrena está expuesto a cualquier peligro; la Gracia, igual que la Culpa, camina a su lado; sólo por la total independencia de su albedrío se inclinará a una o a la otra. Si la Culpa o Pecado le asedia, también la Gracia le recordará a cada paso el camino a seguir [11].

Autos filosófico-teológicos

Calderón, formado en la férrea disciplina escolástica, concibe la Filosofía como sirvienta de la Teología. La concepción del mundo como un teatro o un mercado y la lucha del hombre con los enemigos de su salvación son la idea capital de estos autos y también de los mitológicos, en los que el tema pagano se alegoriza de una manera similar.

Dos de este grupo revisten especial importancia: *El gran teatro del mundo* y *El gran mercado del mundo*. En ambos se proclama la libertad humana: el libre albedrío no es forzado ni por el mismo Dios, a pesar de su omnipotencia. La idea no es original de nuestro poeta. La concepción del mundo como teatro es antigua: se encuentra en Epicteto y Séneca. Quevedo había traducido en verso el texto del primero, y Calderón sigue puntualmente las ideas del filósofo pagano, divulgadas por nuestro gran satírico [12].

El Autor (Dios) llama a los mortales que han de representar la comedia de la vida y entre todos reparte los papeles. A la objeción de que no podrán representar sin previo ensayo, el Autor contesta que para esto tienen sus preceptos:

> Tendré desde el pobre al rey,
> para enmendar al que errare
> y enseñar al que no sabe,
> con el apunto a mi ley.

El Mundo se encarga de dar a cada uno atributos y medios para desempeñar su papel. La conciencia, a lo largo de la obra, deja oír su voz repetidamente; y, como siempre, la libertad humana queda a salvo:

> Yo bien pudiera enmendar
> los yerros que viendo estoy;
> pero por eso les di
> albedrío superior
> a las pasiones humanas,
> por no quitarles la acción
> de merecer con sus obras.

Hasta terminar la comedia no reciben el premio o el castigo de la representación.

El gran mercado del mundo tiene análoga significación: El Padre de Familias, para evitar que sus dos hijos, el Buen Genio y el Mal Genio, repitan la historia del primer fratricidio, en competencia amorosa por obtener la mano de la bella Gracia, les reparte su herencia y les deja en libertad para que vayan al mercado de la vida. El que logre cautivar a Gracia con los dones adquiridos será su poseedor. Acompañados de la Inocencia y de la Malicia, respectivamente, emprenden el viaje, obteniendo cada cual un don de Gracia, don que pierde el Mal Genio al detenerse en la posada de la Gula y de la Lascivia. Ya en el Mercado, el Buen Genio obtiene las mercancías del Desengaño, la Humildad, la Penitencia y la Fe; el Malo, las de la Lascivia, la Soberbia, la Herejía. Llegan ambos a la presencia del Padre, el Buen Genio es nombrado heredero y alcanza el amor de Gracia; el Mal Genio oye su condenación eterna:

> .... Jamás
> parte tendrás en mi herencia;
> en tormento e impaciencia
> eternamente serás
> aborrecido de Dios.

Con la idea general se entremezclan en esta pieza las parábolas de los talentos y del «hijo pródigo». Es el más realista y ameno de los autos

de Calderón. Entre las dos piezas aludidas y las dos comedias más renombradas, *La vida es sueño* y *El alcalde de Zalamea*, puede establecerse cierto paralelismo. *El gran teatro del mundo* es a *El gran mercado del mundo* lo que *La vida es sueño* es a *El alcalde de Zalamea*; popularismo frente a filosofismo; realismo y democratización, frente a culteranismo. La vida humana desarrollada en un medio artificial, refinado: el teatro; frente a la misma vida transcurriendo en un medio plebeyo: el mercado. Esta democratización alcanza a los personajes: la Lascivia, una moza de mesón, al disfrazarse de gran dama para acudir al mercado, muestra que pertenece a todos los estados sociales; Gracia es una hermosa serrana también de corte popular. Si nos trasladamos al plano aristocrático, vemos que Circe en *Los encantos de la culpa*, encarna ahora una princesa. Teología hecha representación. El poeta quiere adoctrinar a sus oyentes, y en este sentido es digno de notarse que la Culpa, disfrazada de pobre, pide limosna; el Mal Genio no la atiende, y el Bueno, sí. La Culpa se jacta por ello de haber esclavizado, por lo menos momentáneamente, al Buen Genio, pero el poeta se apresura a interpretar el hecho:

CULPA.
    Dad limosna a un pobre ciego.

BUEN GENIO.
    En mí hay caridad, tomad.

CULPA.
    No negaréis, por lo menos,
    que ya no me has dado parte
    del talento.

BUEN GENIO.
             Sí haré, puesto
    que no te la he dado a ti.

CULPA.
    Pues ¿a quién?

BUEN GENIO.
             Al sentimiento
    de verte necesitado;
    que es Dios tan piadoso y recto,
    que aun lo que se da a la Culpa
    del hombre, que va pidiendo
    sin necesidad, lo pone
    a cuenta suya, diciendo
    que es por quien se da y no en quién
    consiste el merecimiento.

El *Pleito matrimonial del Alma y el Cuerpo* eleva al plano teológico este tema de disputas, tan frecuente en la Edad Media, según vimos en otro lugar [13]. A diferencia de las típicas discusiones medievales en que el pleito ocurre muerto ya el hombre, en el auto, derivado probablemente de un pasaje de la Epístola de San Pablo a los gálatas, tiene lugar estando ambos unidos en su vida matrimonial.

El tema y el simbolismo son sencillos: Del matrimonio del Alma y el Cuerpo nace un hijo: la

Vida. Los padres han aportado cada uno lo suyo: el Cuerpo, los sentidos; el Alma, la memoria, entendimiento y voluntad. Pronto empiezan las desavenencias: mientras la una quiere regirse por el Entendimiento, el otro se hace esclavo de los Sentidos. Cada vez que los padres intentan separarse por incompatibilidad de caracteres, la Vida languidece y es rondada por la Muerte, que acaba por separarlos. El Alma, presa momentáneamente por el Pecado, purga en el fuego temporal, subiendo luego al cielo y viendo al Cuerpo que le espera en la tierra hasta el día de la unión definitiva.

Aparte del simbolismo indirecto: la vida sólo puede subsistir mediante la unión del Alma y el Cuerpo, hay el directo: las discusiones de los padres repercuten funestamente en la formación moral de los hijos.

Menor interés tienen *El año santo de Roma,* que presenta al hombre como peregrino de la vida; *La divina Filotea,* exposición de la lucha del alma contra sus enemigos; *Lo que va del hombre a Dios,* que pone de relieve el contraste entre el proceder egoísta del hombre y la nobleza y misericordia de Dios.

La historia teológica de la Humanidad con el proceso de la Creación y caída del hombre, es la idea capital que informa otros autos de este grupo: *La vida es sueño, El veneno y la triaca* y *El pintor de su deshonra.*

El más perfecto, *La vida es sueño,* señala la adecuación perfecta de tema y símbolo, ya admirablemente preparada en la comedia. Segismundo se convierte en el Hombre, que entra en la vida acompañado del Libre Albedrío y del Entendimiento. Los cuatro elementos—aire, fuego, agua y tierra—se le rinden como a señor de la Naturaleza. Acosado por el Príncipe de las Tinieblas, come el fruto del árbol prohibido, y es abandonado por los Elementos, perdiendo el dominio de la Naturaleza. El Poder, la Sabiduría y el Amor acuden en su socorro, y la Sabiduría queda prisionera para libertarle.

En *El veneno y la triaca* la Naturaleza humana se personifica en una Infanta, que pasa sucesivamente por los estados de inocencia, pecado y gracia por la Redención del Hijo de Dios, con la consiguiente penitencia y comunión [14]. La Infanta, servida por el Entendimiento y el Libre Albedrío, se ve abandonada por el primero tan pronto como cae en los brazos de la Culpa. Lucero (el Demonio) es vencido, al fin, por el Peregrino (Cristo).

Un concepto del honor, similar al de la comedia del mismo título, aunque con desenlace opuesto, se desarrolla en *El pintor de su deshonra.* El Pintor ha hecho a su imagen y semejanza a la Naturaleza; ésta, despreciando los consejos del Entendimiento, se rinde al seductor Lucero, y come de la fruta del árbol prohibido. La Ciencia, la

Gracia y la Inocencia interceden en favor suyo, y, tras su arrepentimiento, alcanza el perdón.

Autos mitológicos

Destacan en este grupo *Los encantos de la culpa, Andrómeda y Perseo, El divino Orfeo* y las dos versiones de *Psiquis y Cupido.*

Los encantos de la culpa, uno de los más bellos autos calderonianos, marca, con *El divino Orfeo,* la cima del proceso de conversión en teología cristiana de un mito pagano. Valbuena ha señalado la fuentes próximas y remotas de la obra: éstas, el canto X de la *Odisea* y las *Metamorfosis,* de Ovidio; aquéllas, los poemas *La Circe* y el *Polifemo,* de Lope de Vega y Góngora, respectivamente; los autos *Polifemo* y *La navegación de Ulises,* de Montalbán y de Juan Ruiz de Alceo; y, finalmente, la comedia *Polifemo y Circe,* en la que el propio Calderón colaboró con Mira de Amescua y Montalbán. Ya hemos indicado que trató el mismo asunto en la comedia *El mayor encanto, amor.*

Ulises (el hombre) desembarca en una tierra solitaria. Mientras los Sentidos desean hallar lo que más se aviene a su naturaleza—sedas y holandas para el Tacto; suavísimos olores de India y Sabá para el Olfato; oro y diamantes para la Vista; abundante comida y bebida para el Gusto—, el Entendimiento busca una Tebaida, ya que sin penitencia en esta vida no se puede gozar en la otra. Ulises se deja vencer de los Sentidos; la Penitencia, a la que acude aconsejado por el Entendimiento, le vuelve al estado de gracia, que pierde luego víctima de los encantos de Circe (la Culpa). Durante su ofuscación la Providencia divina no cesa de advertirle el peligro [15].

Entre ambos extremos se debate la vida del hombre, hasta que, reconciliado definitivamente con Dios por la Penitencia y la Eucaristía, logra el perdón de sus culpas.

Sólo por un proceso admirable podemos llegar al desenlace sublime de la fusión de *Psiquis y Cupido* (La Fe y Jesucristo) en el auto de este título.

Calderón llena de sustancia cristiana un mito pagano: la Esposa se entrega al Esposo con tan ciega pasión, que le ama sin verle; cree en él, y le perderá en cuanto sin bastarle esta fe trate de verle. El Esposo exige esa fe ciega:

> De todo este agasajo
> no quiero que me des
> más gracias, Psiquis mía,
> que el no quererme ver
> cara a cara, creyendo
> que en Cuerpo y Alma esté
> detrás de un velo blanco.

La síntesis de la adaptación del mito a la simbología católica se logra plenamente en *El divino Orfeo. El Sacro Parnaso,* en cambio, señala el entronque con los autos de circunstancia. Punto intermedio entre el auto teológico y mitológico es *Andrómeda y Perseo*. En él, como en *El verdadero Dios Pan*, la fábula clásica se une a la historia teológica del hombre: creación, pecado y redención. Andrómeda simboliza a la Naturaleza humana, disputada por dos galanes, Perseo —el que es *per se*—(Cristo) y Fineo (el Demonio). Medusa representa a la vez el pecado y la muerte.

Temas del Antiguo Testamento

Trece son los autos que el profesor Valbuena Prat incluye en este grupo. Entre ellos sobresalen *Sueños hay que verdad son* y *La cena de Baltasar*, a los que dedicaremos párrafo aparte.

De los restantes, deben mencionarse *La torre de Babilonia*, sobre la construcción de la torre de Babel e historia de Noé y sus hijos después del Diluvio; *Primero y segundo Isaac*, sobre el matrimonio de éste con Rebeca; *Las espigas de Ruth*, tema repetido en el teatro de la época, en el que señala Valbuena el acierto de Calderón al unir un asunto mariano con motivos del Antiguo Testamento; *La primer flor del Carmelo*, sobre Nabal y la prudente Abigail, tratado también por Godínez en una de sus mejores comedias; *El árbol del mejor fruto*, escenificación de varios episodios del reinado salomónico; *Mística y real Babilonia*, relativo al cautiverio de Israel y martirio de los tres jóvenes en el horno hasta el restablecimiento de la ley y castigo de Nabucodonosor.

La historia bíblica de José es el asunto de *Sueños hay que verdad son*, en el que se echa de ver la importancia que Calderón concede al elemento musical. El Sueño se apodera del Copero y del Panadero:

> Dormid, dormid, mortales,
> que el grande y el pequeño
> iguales son mientras les dura el sueño.

y en tanto, dos Sombras, aludiendo al misterio de la Transustanciación, trazan la visión de los sueños que llevarán a uno al cadalso y al otro al favor del rey. Con el reconocimiento de José por sus hermanos concluye el auto.

La cena de Baltasar nos lleva a los últimos momentos del cautiverio de Babilonia. Es tal vez el auto de más belleza trágica. «El fin inminente de la grandeza y aparato reales, predicho en las palabras misteriosas grabadas en la sala del banquete, es el pretexto para una obra cumbre en que los arcanos de la vida y la muerte se llevan a la escena y la poesía castellana del desengaño bate sus negras alas sobre el preciosismo del arte del siglo XVII» [16].

El verdadero protagonista es la Muerte. El argumento es sencillo:

El Pensamiento informa a Daniel del matrimonio de Baltasar con la Idolatría; el Profeta se ex-

traña de tal boda, ya que Baltasar estaba desposado con la Vanidad. La coronación de la Idolatría como reina es interrumpida por Daniel, que le increpa y pide justicia de tanto atentado contra el Autor (Dios).

Con la aparición de la Muerte la obra avanza hacia su fatal desenlace. Baltasar da un gran banquete en el que la Muerte actúa de escanciador. Se emplean los vasos sagrados del templo de Jerusalén, cuya profanación simboliza la comunión sacrílega:

> Este vaso del altar
> la vida contiene, es cierto,
> cuando a la vida le sirve
> de bebida y de alimento;
> mas la muerte encierra, como
> la vida; que es argumento
> de la muerte y de la vida,
> y está su licor compuesto
> de néctar y de cicuta,
> de triaca y de veneno.

El ruido de un gran trueno precede a la mano misteriosa que escribe las fatídicas palabras MANE, THECEL, PHARES, sólo interpretadas por Daniel. Baltasar muere doblemente, en su alma y en su cuerpo, para que quede manifiesto el castigo de sacrilegio. La profanación de los vasos sagrados (sacrilegio, símbolo de la comunión en pecado) mata el alma; pero, a la vez, la Muerte, con una espada, atraviesa al cuerpo:

> BALTASAR.
> .... ¡Ay, que me muero!
> ¿El veneno no bastaba
> que bebí?
>
> MUERTE.
>   No, que el veneno
> la muerte ha sido del alma,
> y ésta es la muerte del cuerpo [17].

Temas del Nuevo Testamento

Son dignos de mención, aparte *A tu prójimo como a ti*, el más logrado y emotivo, *El tesoro escondido*, sobre la adoración de los Reyes Magos y la parábola del tesoro; *El primer refugio del hombre y probática piscina*, fusión de múltiples elementos: curación del paralítico de Betsaida, episodios de la moneda del César, de la samaritana, de la mujer adúltera y de los dos ladrones; *La siembra del Señor*, mezcla de las parábolas del Padre de Familia y de los obreros; *Llamados y escogidos*, sobre las bodas de Caná. En *El día mayor de los días* se funden asimismo varias parábolas en torno a un núcleo central: los obreros que, habiendo ido a la heredad a distintas horas del día, reciben el mismo salario.

Destaca en este grupo *A tu prójimo como a ti*, basado en la parábola del compasivo samaritano. De clara simbología, se mueve sobre un argumento sencillo:

El Hombre, caminante de la vida, es asaltado por cuatro bandoleros: Culpa, Mundo, Lascivia y Demonio, que le roban las joyas de las Potencias y los Sentidos. Un Levita (representación de la Ley Natural) y un Sacerdote (representación de la Ley Escrita) lo encuentran malherido en la fragosidad del monte, le dan sólo preceptos, negándose a auxiliarle. A punto de perder la vida, le socorre el compasivo Samaritano (Cristo), que le lleva a la posada de la Iglesia, gobernada por San Pedro, y le da «viáticos auxilios» en los Sacramentos.

Autos histórico-legendarios

Un suceso histórico o una tradición piadosa sirve de base a estos autos, entre los que hay que recordar *La lepra de Constantino*, sobre las guerras de Majencio; *El cubo de la Almudena*, sobre el asedio de Madrid por los moros y hallazgo de la imagen de Nuestra Señora de la Almudena (episodio tratado por Lope de Vega en un poema); *A María el corazón*, leyendas sobre Nuestra Señora de Loreto; *La protestación de la fe*, relativo a la conversión al Catolicismo de la reina Cristina de Suecia y a su viaje a Roma, y, finalmente, los dos más interesantes: *Al santo rey don Fernando* (dos partes) y *La devoción de la misa*.

El primero es la exposición de la virtuosa vida del gran monarca castellano. Entre sus virtudes más excelsas, aparte de la fe y piedad más acendradas, están la caridad y la tolerancia religiosa. Sólo con la Apostasía se muestra irreconciliable.

La tesis de Calderón, al presentar al Hebraísmo pidiendo entrada en el seno de la Iglesia, movido por la virtud y tolerancia del rey, parece querer demostrar que con los enemigos de la fe son más eficaces el ejemplo, el consejo y la comprensión que la violencia[18].

El tema es el siguiente: El Alcorán y el Hebraísmo viven de su trabajo en el reino de Castilla, gobernado por San Fernando; mientras se lamentan de su fatigosa vida, llega la Apostasía, nacida en la ciudad de Albi, de donde ha tenido que salir desterrada por la guerra que le hace el rey Luis (San Luis). Piensa establecerse en Castilla, pero el Alcorán y el Hebraísmo le informan del piadoso rey que la gobierna y le aconsejan que huya. Al fin, el rey ordena quemarla públicamente, mientras se dispone para las campañas de Córdoba y Sevilla.

La segunda parte refiere sucesos posteriores de la vida del rey hasta su muerte ejemplar.

Como digno de mención anotemos el episodio en que el Rústico enzarza en dura pelea al Alcorán y al Hebraísmo, porque aquél defiende a Mahoma como el mayor de los profetas. Destaca el bellísimo soneto sobre la Providencia puesto en boca del rey[19].

Más interés, como adaptación de la comedia de santos al alegorismo del auto, ofrece *La devoción de la misa*, plagada de elementos característicos de las comedias de capa y espada—amor de Pascual por Aminta, su seducción, rapto y matrimonio final[20]—. El tema se basa en la leyenda medieval del caballero a quien la devoción de la misa salva de múltiples peligros[21]. La acción se sitúa en tiempo del conde García Fernández y las campañas de Almanzor. El alegorismo se explica con claridad: La Secta (Mahometismo) se vanagloria de las derrotas que Almanzor inflige a los castellanos; el Angel interpreta el sentido de esta derrota: Dios la permite, como el padre amoroso castiga al hijo más querido[22]. El conde García Fernández emprende la guerra contra Almanzor y le vence, distinguiéndose en la lucha Pascual Vidas. En realidad éste no ha asistido al combate; ha ido a oír misa, y para cubrir su ausencia, un ángel ha tomado su figura. Terminado el combate, Pascual se presenta en el campamento, creyendo que va a ser castigado, pero todos le agasajan. Repara el honor de Aminta casándose con ella.

El elemento cómico corre a cargo del criado Pernil, que juega con su nombre y el manjar prohibido a los mahometanos[23]. Destaca la explicación del sacrificio de la misa puesta en boca de Pascual Vidas.

Autos de circunstancia y marianos

Ofrecen menos interés. Pueden citarse *Las órdenes militares*, pruebas de limpieza de sangre para ingresar en una Orden; el solicitante es Cristo, que demuestra su ascendencia divina avalada por los profetas y santos padres, y su pureza humana, por ser concebido por una Virgen inmaculada; *No hay instante sin milagro*, en que con notas similares a los autos del primer grupo, asistimos a una discusión teológico-filosófica entre católicos y herejes.

Sólo uno, como propiamente mariano, suele citarse, *La hidalga del valle*, aunque la apología de la devoción mariana y de la intercesión de María sea frecuente en los autos. El que nos ocupa se refiere a la Inmaculada Concepción.

Resumimos los caracteres del teatro de Calderón con palabras de Menéndez Pelayo: «Calderón, sin ser en todo rigor de arte el primero de nuestros dramáticos, es el más profundo en las ideas, el de genio más comprensivo y alto, quizá el más grande en lo trágico, y de cierto en lo simbólico. Es, además, el poeta nacional por excelencia, español y católico hasta los tuétanos e idealizador mágico de los sentimientos caballerescos y de los más nobles impulsos de la raza. Si en los caracteres fué débil, quizá debamos atribuirlo a que no acertó a ver más que los lados simpáticos y nobles de la Naturaleza. Lo que pierde en universalidad, lo gana en sabor castizo. Sus defectos son los del ingenio español; su grandeza se confunde con la de España, y no morirá sino con ella. ¡Privilegio singular y para envidiado! Pero aún hay otro más alto: el ser al mismo tiempo poeta admirable de su raza y de su siglo, y poeta y maestro y delicia de la Humanidad en todas las edades, como lo son Shakespeare y Cervantes» [24].

NOTAS

1. Como afirma en *Sueños hay que verdad son*, lo esencial es lo simbólico, y lo accidental el personaje dramático que lo representa de manera sensible:

> Y pues lo caduco no
> puede comprehender lo eterno,
> y es necesario que para
> venir en conocimiento
> suyo haya un medio visible
> que en el corto caudal nuestro
> del concepto imaginado
> pase a práctico concepto...

2. Otras comedias, consideradas de ordinario como religiosas—*El príncipe constante* y *La aurora en Copacavana*—, las hemos estudiado en el grupo de «históricas», porque lo histórico es en ellas el elemento predominante. El mismo Menéndez y Pelayo no estaba muy seguro de que fuese religiosa, cuando afirma que hay «un drama aislado que no puede entrar en ninguna de estas clasificaciones, y es *El príncipe constante*. Vid. *Calderón y su teatro*, «Estudios y discursos de crítica histórica y literaria», ed. del C. S. I. C., 1941, vol. III, pág. 173.

Tampoco hemos querido incluir las escritas en colaboración, como *La Margarita preciosa*, y las que Astrana Marín, en su ed. de Edit. Aguilar, considera como «religiosas»: *Las tres justicias en una* y *El mejor amigo, el muerto*.

3. Antes había dicho que Calderón fué el primero que hizo vivir en la escena con fuerza inusitada aquel sentimiento (católico) y los conflictos que de él derivaban. Vid. *Historia de la literatura nacional española en la Edad de Oro*, Barcelona, 1933, pág. 455.

4. En *El gran príncipe de Fez* (acto I) se dice de Muley, cuando aún se declara creyente del Islam:

> Aunque en religión errada,
> ya es religión por lo menos,
> que de su buen genio da
> indicios, mostrando en eso
> la piedad de su engañado
> corazón, pero dispuesto
> para más perfectos votos...

5. De una parte, Absalón representa al guardián del honor de su hermana Tamar, y, como tal, debe vengar la afrenta que a ésta ha inferido su hermanastro Amón; pero este sentimiento, tan frecuente en el teatro calderoniano, se entremezcla aquí con otro menos noble: el ansia de reinar. Absalón se nos presenta como antipático, y como un vulgar asesinato lo que podía tener justificación como venganza de honor: mata a Amón, más que por reparar una ofensa, para eliminar al legítimo sucesor de su padre, David:

> .... Es heredero heroico
> de David, y si se muere,
> quedo yo más cerca al solio;
> que a quien aspira a reinar,
> cada hermano es un estorbo.

6. «Artísticamente considerado, me parece una profanación comparar *El mágico prodigioso* con el primer *Fausto*. ¿Qué tiene de admirable *El mágico*? Lo que Calderón tomó de la leyenda: el pacto diabólico, la conversión, medio filosófica, de Cipriano, y el martirio de los dos amantes; absolutamente nada más. ¿Y qué tiene de malo? Todo lo que Calderón puso de su cosecha hasta hacer de *El mágico* una comedia de enredo, llena de embrollos y de lances, que sientan bien en *Casa con dos puertas, mala es de guardar*, pero que están fuera de lugar en una comedia teológica.» Digamos, en honor a la verdad, que, andando el tiempo, el maestro rectificó este juicio despectivo.

Por su parte, *Azorín* también ha echado su cuarto de espadas contra esta obra, y, como es natural, también ha rectificado. En *Rivas y Larra: Razón social del Romanticismo en España* (cap. I) escribe: «*El mágico prodigioso* se reduce a un guirigay de confusiones, embrollos y ocurrencias desatinadas.»

7. La oposición de Lisardo al amor de Eusebio y Julia se debe a razones de fortuna; así se lo dice claramente a Eusebio. Curcio, padre de la dama, ha derrochado la hacienda heredada de sus padres:

> Porque un caballero pobre,
> cuando en cosas como éstas
> no puede medir iguales
> la calidad y la hacienda,
> por no deslucir su sangre
> con una hija doncella,
> hace sagrado un convento,
> que es delito la pobreza.

8. Vid. capítulo XXXV.

9. Vid. *Los autos sacramentales de Calderón. Clasificación y análisis* (tesis doctoral), «Revue Hispanique», 1924.

10. Vid. ANGEL VALBUENA: *Calderón de la Barca: Autos sacramentales*, vol. II, págs. XXXIX-XL, pról., ed. y notas de..., Edic. «La Lectura», Madrid, 1927.

11. En voces como «Obrar bien, que Dios es Dios»; «Olvídate de la vida — y acuérdate de la muerte», «Que la muerte sólo es muerte — en cuanto se pierde todo», etcétera.

12.
> No olvides que es comedia nuestra vida,
> y teatro de farsa el mundo todo
> que muda el aparato por instantes,
> y que todos en él somos farsantes.
> Acuérdate que Dios de esta comedia
> de argumento tan grande y tan difuso
> es autor que la hizo y la compuso.
> Al que dió papel breve,
> sólo le tocó hacerle como debe;
> y al que se le dió largo,
> sólo el hacerle bien dejó a su cargo.
> Si te mandó que hicieses
> la persona de un pobre o de un esclavo,
> de un rey o de un tullido,
> haz el papel que Dios te ha repartido;
> pues sólo está a tu cuenta
> hacer con perfección el personaje
> en obras, en acciones, en lenguaje;
> que el repartir los dichos y papeles,
> la representación o mucha o poca,
> sólo al autor de la comedia toca.

13. Vid. capítulo IV.

14.
> El dolor de Penitencia
> es quien más ha de sanarla;
> y tras él viene mejor
> el Bocado que he de darla
> para asegurar la cura.

15. El Entendimiento y la Penitencia le aconsejan alternativamente a porfía:

> Ulises, capitán fuerte,
> si quieres dicha crecida,
> olvídate de la Vida
> y acuérdate de la Muerte.

Junto a esta voz, una música al servicio de la Culpa canta:

> Si quieres gozar florida
> edad, entre dulce suerte,
> olvídate de la Muerte
> y acuérdate de la Vida.

16. Vid. ANGEL VALBUENA: *Calderón de la Barca: Autos sacramentales*, vol. I, pág. 22, ed. y notas de..., Madrid, 1926, Edic. «La Lectura».

17. Y en la escena de la interpretación de las terribles palabras *Mane, Thecel, Phares*, dice Daniel:

> Y si profanar los vasos
> es delito tan inmenso,
> oíd, mortales, oíd,
> que hay vida y hay muerte en ellos,
> pues quien comulga en pecado
> profana el vaso del templo.

18. Así dice el Hebraísmo al rey:

... Tanto, señor,
tus acciones me penetran
el alma, tanto tus voces
dentro del pecho me estrechan
el corazón, y, en fin, tanto
mueven las lágrimas tiernas
asomadas a tus ojos
sobre una verdad tan cierta,
que ha podido abrir los míos,
que no tengo otra respuesta
sino pedir el Bautismo
a voces, y porque sea,
pues fué público mi error,
pública mi penitencia;
por las calles y las plazas
iré diciendo a la hebrea
nación, de quien maestro fuí,
que es verdad que Cristo era
el verdadero Mesías,
que por siglos vive y reina.

Por su parte, el rey, en otro lugar:

Y no quiero que se entienda
que te mueve el interés
de dádivas y promesas;
voluntario has de venir
el día que a la fe vengas,
que no han de decir que puse
a la caridad en venta.

19. ¡Oh Señor!, si a tu suma providencia
tal vez rastreara el hombre los motivos,
y abiertos de tu seno los archivos
leyera un punto el libro de tu ciencia,
¡con cuánta luz hallara su imprudencia
que los decretos más ejecutivos,
que a nuestro ver rigores son esquivos,
son piedades de oculta conveniencia!
No, infausto, pues, te desconsuele el día
que ves, ¡oh España!, en lágrimas bañada,
Hebraísmo, Alcorán y Apostasía.
Si en Fe, Esperanza y Caridad fundada
pendes de otra con quien tu monarquía
es viento, es polvo, es humo, es sombra, es nada.

Este verso final, con su gradación ascendente, nos es conocido por un célebre soneto de Góngora.

20. Así dice Pernil irónicamente a su amo:

Perdona, que pensé que eras
un amo que allá en León,
asturiana patria nuestra,
dió la muerte a cierto hidalgo
celoso de la belleza
de una Aminta, a quien por no
dejar en riesgos que della
resultaron, de la casa,
a pesar de las ofensas
de su padre y de su hermano,
robada se trajo.

21. Pues en tantas cosas malas
sabes que tengo esta buena
de oír las misas que puedo.

22. El padre castiga al hijo
no porque al hijo aborrezca
sino porque le ama, pues
cuando le hiere le enmienda.
....
Y así el darte a ti victorias
y a él desdichas, a ti empresas
y a él ruinas, a ti trofeos
y a él ansias, a ti grandezas
y a él aflicciones, sólo es
argumento de que sea
él el hijo que ama, y tú,
la vara que le escarmienta.

23. Dimos en lo más fragoso
de este monte en una inculta
emboscada de rabiosos
canes blancos, de quien fué
Aminta solo despojo,
que como Pernil debieron
de codiciarme a mí poco.

24. Vid. MENÉNDEZ PELAYO: Calderón. Estudio crítico, «Estudios de crítica histórica y literaria», pág. 351, volumen III, ed. C. S. I. C., Santander, MCMXLI. Este trabajo se publicó por primera vez al frente del tomo XXXVI de la Biblioteca Clásica: «Teatro selecto de Caledrón de la Barca» (1887).

BIBLIOGRAFIA

I. ALBERTO BONET: La filosofía de la libertad en las controversias teológicas del siglo XV y primera mitad del XVI, Barcelona, 1932.—JOSÉ MARÍA DE COSSÍO: Racionalismo del arte dramático en Calderón, «Notas y estudios de crítica literaria», págs. 73-110, Madrid, 1939.—EUGENIO FRUTOS: Bañecismo y molinismo en Calderón, Zaragoza, 1952.—ENGELBERT GUENTHER: Calderón und seine Werke, 2 vols., Friburgo, 1888.—EVERETT W. HESSE: La dialéctica y el casuismo en Calderón, «Estudios», Madrid, 1954.—W. KRAUS: Calderón als religiöser Dichter, «Kunstwart», 1931.—A. PARKER: Calderón, el dramaturgo de la Escolástica, «Rev. Est. Hispánicos», núms. 3-4, Madrid.—M. SEPET: Origines catholiques du théâtre moderne, París, 1901.—L. PAUL THOMAS: Les jeux de scène et l'architecture des Idées dans le théâtre allegorique de Calderón, «Hom. a M. Pidal», II, Madrid, 1925.—A. VALBUENA PRAT: Dos momentos del teatro nacional; De la imaginería sacra de Lope a la teología sistemática de Calerónd, Univ. de Murcia, 1945.—L. E. WEIR: The Ideas embodied in the Religious Drama of Calderón, Lincoln, Nebraska, 1940.—E. M. WILSON: The Four Elements in the Imaginery of Calderón, «The Mod. Lang. Review», January, 1936.

PATRICIO DE LA ESCOSURA: El demonio como figura dramática en el teatro de Calerdón, Madrid, «La Esp. Moderna».—E. GLASER: El patriarca Jacob, amante ejemplar del teatro del Siglo de Oro español, «Bull. Hispanique», LVIII, 1956.—H. C. HEATON: Calderon's and «El mágico prodigioso», «Hisp. Review», Pensilvania, XVII-XIX, 1950-1951.—W. MULERT: Die Patrik legende in Spanische «Flos sanctorum», «Z. f. R. P.», 1926.—OTTO RANK: Das Inzest-Motiv in Dichtung und Sage Grundzüge einer Psychologye de dichterischen Schaffens, Leipzig-Viena, 2.ª ed., 1929.—L. ROUANET: Drames religieux de Calderón, París, 1898.—M. RUDWIN: The Devil in Legend and Literature, Chicago, 1931.—A. SÁNCHEZ MOGUEL: Memoria acerca de «El mágico prodigioso», de Calderón, y sus relaciones con el «Fausto», de Goethe, Madrid, 1881.—A. E. SLOMAN: The Sources of Calderon's «El príncipe constante», Oxford, 1950.—A. G. SOLALINDE: El purgatorio de San Patricio en España, «Hom. a M. Pidal», Madrid, 1925.—L. TAILHADE: «La devoción de la Cruz», de Calderón, «La Esp. Moderna», febrero, 1909.—A. VALBUENA PRAT: Calderón de la Barca. Comedias religiosas..., est. y notas de..., «Clás. Castellanos», núm. 106, Madrid, 1931.—WILSON y ENTWISTLE: Calderon's «Príncipe constante», two appreciations, «Mod. Lang. Review».

II. JENARO ALENDA: Catálogo de Autos sacramentales historiales y alegóricos, «Bol. Real Acad. Esp.», vols. III a X, 1916-1923.—MARCEL BATAILLON: Essai d'explication de l'Auto Sacramental, «Bull. Hispanique», XLII, 1940.—E. GONZÁLEZ PEDROSO: Los Autos sacramentales desde su origen hasta fines del siglo XVII, pról. al vol. LVIII de la Bibl. Aut. Esp. de Rivad., Madrid, 1865.—NICOLÁS GONZÁLEZ RUIZ: Teatro teológico español: Autos sacramentales y comedias, 2 vols., selec., notas e introd. general de..., Bibl. Aut. Cristianos, Madrid, 1946.—M. LATORRE Y BADILLO: Representación de los autos sacramentales en el período de su mayor florecimiento, «Rev. Arch., Bibl. y Museos», Madrid, 1911-1912.—J. MARISCAL DE GANTE: Los autos sacramentales, Madrid, 1911.—M. MENÉNDEZ PELAYO: Los autos como enseñanza teológica popular, «Est. y disc. de crít. ...», vol. III, Santander, 1941.—N. D. SHERGOLD: «Autos sacramentales» in Madrid, 1644, «Hisp. Review», Filadelfia, Univ. of Pennsylvania, XVI, enero, 1958.—A. VALBUENA PRAT: Los autos sacramentales en el ambiente teológico español, «Clavileño», Madrid, 1952.

J. BAEZA: Calderón: Su vida y sus más famosos Autos sacramentales, Barcelona, 1929.—F. DE PAULA CANALEJAS: Discurso sobre los autos sacramentales de Calderón, Madrid, 1871.—GEORGE CIROT: «El gran teatro del mundo», «Bull. Hispanique», XLIII, 1941.—WILLIAM J. ENTWISTLE: La controversia en los Autos de Calderón, Méjico, 1948.—EUGENIO FRUTOS: La voluntad y el libre albedrío en los Autos sacramentales de Calderón, «Rev. Univ». Zaragoza, XXV, enero-marzo, 1948; La filosofía de Calderón en sus

Autos sacramentales, Zaragoza, 1952.—*Calderón de la Barca: Autos sacramentales. Antología*, Madrid.—EUGENIO GONZÁLEZ: *Los autos de Calderón*, «Religión y Cultura», 1936.—P. GROULT: *La loa de «El verdadero Dios Pan», de Calderón*, «L. R.», IX, 1955.—WILLY KASPER: *Calderons Metaphisik in den Autos sacramentales*, «Philosophisches Jahrbuch der Görresgesellschaft», 1917.—STURGIS E. LEAVIT: *Humor in the Autos of Calderón*, «Hispania», California, XXXIX, 1956.—NIKOLAUS MARGRAFF: *Der Mensch und sein Seelenleben nach den Autos sacramentales von D. Pedro C. de la Barca*, Aachen, 1912.—Sister FRANCIS DE SALES MAC-GARRY: *The Allegorical and Metaphorical Language in the Autos sacramentales of Calderón*, Washington, 1937.—M. MENÉNDEZ PELAYO: *Calderón y su teatro* (Autos sacramentales y Dramas religiosos), «Est. y disc. de crít. hist. y lit.», págs. 131-208, vol. III, Santander, 1941.—A. MYRON PEYTON: *A production of Calderon's «El gran teatro del mundo»*, «Bull. Comed.», 1956.—JOSÉ

MARÍA DE OSMA: *«El verdadero Dios Pan»*, ed. y estudio de..., University of Kansas, 1949.—ALEXANDER PARKER: *The Allegorical drama of Calderón. An introduction to the Autos sacramentales*, Oxford-Londres, 1943.—E. DE SOSA GALLEGO: *Los Autos sacramentales...*, Madrid, Publ. del Inst. San Isidro, 1928.—A. VALBUENA PRAT: *Los Autos sacramentales de C. Clasificación y análisis*, «Rev. Hispanique», LXI, Nueva York, 1924; *Una representación de «El gran teatro del mundo». La fuente de este auto*, «Rev. Arch., Bibl. y Museos», V, Madrid, 1928; *Calderón de la Barca: Obras completas, III. Autos sacramentales*, ed., est. y notas de..., Madrid, Aguilar, 1952.—FERDINAND VERHESEN: *Etude sur les Autos sacramentales de Calderón de la Barca et specialment sur «La cura y la enfermedad»*, Centro Docum. Universitarios, 1953.—WALBRG: *«Las Ordenes militares»*, Análisis y texto de..., «Bull. Hispanique», 1903-1904.

Véase más bibliografía de Calderón en capítulo anterior.

CAPITULO XLIII

DRAMATURGOS DEL CICLO DE CALDERON

I. Ciclos dramáticos.—II. Rojas Zorrilla: *Datos biográficos. Clasificación. Análisis de comedias: «Del rey abajo, ninguno». Estilo y técnica dramática. Lo trágico y lo cómico en Rojas.*—III. Agustín Moreto y Cavana: *Datos biográficos. Clasificación de su teatro. Análisis de algunas comedias. Comedias costumbristas. Entremeses. Originalidad de Moreto. Técnica, estilo y versificación.*—IV. Cubillo de Aragón: *Vida y obra. Clasificación de ésta. Análisis de varias piezas.*—V. Otros dramaturgos del ciclo de Calderón: *Matos Fragoso, Hoz y Mota, Coello, Ramírez de Arellano, Juan Vélez de Guevara, Solís, etc. Juan Bautista Diamante.*—VI. El entremés: Quiñones de Benavente: *Datos biográficos. La obra. Análisis de algunas piezas. Juicio crítico. Salas Barbadillo, Castillo Solórzano y otros entremesistas.*—Notas.—Bibliografía.

I. LOS CICLOS DRAMATICOS

Sólo con un exceso de preocupación por la claridad y la síntesis y pecando de arbitrariedad evidente se puede hablar de ciclos con referencia a nuestro teatro clásico. Recuérdese lo que sobre esto llevamos dicho en el capítulo dedicado a los caracteres del teatro español del Siglo de Oro. Ni Tirso de Molina o Vélez de Guevara, por una parte, ni Rojas Zorrilla o Moreto, por otra, pueden ser en justicia considerados, aunque así se viene haciendo, como discípulos respectivamente de Lope de Vega o Calderón. La recia personalidad de cualquiera de ellos rechaza toda tentativa de encuadrarlos en una escuela o grupo[1].

Hay en Tirso como en Rojas demasiadas notas de originalidad y un relieve de individualismo excesivamente acusado para que nos empeñemos en agruparlos gregariamente al ladò de un Villayzán, o de un Hoz y Mota, en una lista general, aunque esa lista vaya encabezada por los nombres inmensos de Calderón o de Lope de Vega.

Si, pues, queremos seguir hablando del «grupo de Calderón» o de la «escuela de Lope», ha de ser advirtiendo de antemano que ello obedece exclusivamente a ese deseo de clarificar y sintetizar que debe ser norma primordial en toda obra de carácter docente, como la nuestra. En un estudio independiente del teatro español muchos de los nombres que aquí aparecen estudiados en conjunto exigirían por derecho propio su capítulo aparte.

II. ROJAS ZORRILLA

Sin contar otros dramaturgos de menor importancia, como Cubillo de Aragón, Coello, Enríquez Gómez, Diamante, Hoz y Mota y Matos Fragoso, los más destacados del ciclo de Calderón son Rojas Zorrilla y Agustín Moreto. De temperamento distinto, el uno brilla por la fuerza trágica de los caracteres y situaciones y por la comicidad de sus tipos; el otro se nos presenta como el genial creador de la comedia fina, de matices delicados, que obligan a considerarlo un interesante precursor del arte versallesco del XVIII. Rojas crea caracteres y temas; Moreto los perfecciona. La mayor parte de sus comedias tienen modelos fáciles de determinar; pero eso no importa; la falta de originalidad será suplida con creces por la perfección técnica: Moreto sabe llevarla hasta un grado difícilmente superable. Rojas es con Tirso de Molina el dramaturgo de la Edad de Oro que mejor encarna el concepto aristotélico de lo cómico y de lo trágico.

Datos biográficos

Don Francisco de Rojas Zorrilla nace en Toledo el 4 de octubre de 1607. Hijo del alférez Francisco Pérez de Rojas y de doña Mariana de Besga y Zorrilla, fué bautizado el 27 del mismo mes en la iglesia de San Salvador[2]. A los tres años se traslada con sus padres a la corte. Nada sabemos de su infancia y muy poco de sus años juveniles: basándose en alusiones de algunas de sus comedias y en el conocimiento pormenorizado que revela de las costumbres estudiantiles, se ha supuesto que estudió en Alcalá de Henares y en Salamanca, aunque no figura en los registros universitarios de esta ciudad.

En 1631 le hallamos de nuevo en Madrid, no sabemos si concluídos o suspensos sus estudios; empieza a gozar merecida fama de poeta y es aplaudido por sus comedias. Colabora con un soneto—solicitado por don José Pellicer y Tovar—en el *Anfiteatro de Felipe el Grande*, y publicado el mismo año[3]. La primera vez que le encontramos citado como dramaturgo es en 1632: en el Indice de los ingenios de Madrid, que figura en el *Para todos*, dice Montalbán: «Don F. de Roxas, poeta florido, acertado y galante, como lo dizen los aplausos de las ingeniosas comedias que tiene escritas.» Desde 1632, o quizá un poco antes, a 1648 nutre Rojas los «corrales» de Madrid y de provincias; período corto y con algún paréntesis, ya en la producción, ya en la representación: el de sus heridas graves y el que se abrió por orden de Felipe IV, en 1644, con motivo del fallecimiento de su esposa Isabel de Borbón, y que no se levantó hasta el año siguiente a la muerte del poeta.

Con el favor del público obtuvo también el de los soberanos ante los cuales representó varias de sus comedias. Con motivo de las fiestas en honor de la duquesa de Chevreuse se organizó un certamen poético; Rojas corrió con el *vejamen*; alguno de los satirizados llevó a mal la burla y le infirió graves cuchilladas, de las que tardó varios meses en reponerse. El 22 de noviembre de 1640 contrajo matrimonio con doña Catalina Yáñez Trillo de Mendoza. Antes había tenido de la cómica María de Escobedo una hija natural, Francisca de Bezón, que, andando el tiempo, fué, a su vez, la famosa comedianta la *Bezona*. Recibió el hábito de Santiago y actuó de escribano en la información de don Francisco de Quevedo. Murió el 23 de enero de 1648[4].

Clasificación de su teatro

Atendiendo al carácter predominante, seguimos en lo posible el esquema clasificatorio arbitrado por Menéndez Pelayo para el teatro de Lope. Agrupamos el teatro de Rojas en dos apartados: a) autos, b) comedias.

AUTOS

Bíblicos: *Los acreedores del hombre, El rico avariento, La vida de Nabot.*

Mitológico: *El robo de Elena.*

COMEDIAS

Bíblica: *Los trabajos de Tobías.*

De santos: *Nuestra Señora de Atocha; Santa Isabel, reina de Portugal; Santa Tais.*

De historia nacional: *El Caín de Cataluña; Del rey abajo, ninguno; El desafío de Carlos V; La más hidalga hermosura.*

De historia clásica: *Los áspides de Cleopatra.*

Mitológica: *Progne y Filomena.*

Novelescas: *El falso profeta Mahoma, Morir pensando matar, Los bandos de Verona, La confusión de Fortuna, Persiles y Segismunda.*

Caballeresca: *Los celos de Rodamonte.*

COMEDIAS DE CAPA Y ESPADA

Trágicas: *Casarse por vengarse, El más impropio verdugo por la más justa venganza, Cada cual lo que le toca, No hay ser padre siendo rey.*

De figurón: *Entre bobos anda el juego.*

Urbanas: *Sin honra no hay amistad, Primero es la honra que el gusto, Don Diego de Noche.*

Cómicas: *Amo y criado. Lo que quería ver el marqués de Villena, Lo que son mujeres, Abre el ojo.*

OBRAS EN COLABORACIÓN

El catalán Serrallonga y bandos de Barcelona; El mejor amigo, el muerto; La Baltasara.

Análisis de comedias: «Del rey abajo, ninguno»

Prescindiendo de las comedias en colaboración, en las que alcanza poco relieve, y que seguramente corresponden a los comienzos de su carrera dramática, y del interés secundario que pueden despertar en nosotros sus autos[5], las obras más interesantes son *García del Castañar, Entre bobos anda el juego, El Caín de Cataluña. Casarse por vengarse, Progne y Filomena, Sin honra no hay amistad, Don Diego de Noche, Cada cual lo que le toca, No hay ser padre siendo rey* y *Morir pensando matar.* Como punto intermedio entre la comedia y el entremés puede considerarse *Lo que son mujeres.* De todas ellas damos a continuación un breve extracto.

La obra que ha dado más fama a Rojas Zorrilla es *Del rey abajo, ninguno,* conocida también con el nombre de *El labrador más honrado, García del Castañar.*

Su asunto es como sigue: El conde de Orgaz anuncia al labrador García del Castañar la visita del rey Alfonso XI en agradecimiento de la esplendidez con que ha contribuido a la campaña de Algeciras. Le advierte también que el rey llevará la «banda roja». Se presentan el rey y don Mendo, éste con la banda que acaba de otorgarle el monarca, y el rey sin ella. Don Mendo se enamora de Blanca, esposa de García, y le declara su pasión, siendo rechazado. Noticioso por el criado Bras de que García ha salido de caza, intenta penetrar en su morada. García le descubre, pero tomándole por el rey, decide dar muerte a su esposa para evitar la deshonra. Blanca huye a la corte; aquí se presenta García; descubre su error y da muerte a don Mendo, justificándose ante el rey con estas palabras:

> Vivía sin envidiar,
> entre el arado y el yugo,
> las cortes, y de tus iras
> encubierto me aseguro;
> hasta que anoche en mi casa
> vi a aqueste huésped perjuro,
> que en Blanca, atrevidamente,
> los ojos lascivos puso;
> y pensando que eras tú,
> ....

le respeté........
Pídeme el honor venganza,
el puñal luciente empuño,
su corazón atravieso.
Mírale muerto, que juzgo
me tuvieras por infame
si a quien deste agravio acuso
le señalara a tus ojos
menos, señor, que difunto.
Aunque sea hijo del sol,
aunque de tus grandes uno,
aunque el primero en tu gracia,
aunque en tu imperio el segundo;
....

pero en tanto que mi cuello
esté en mis hombros robusto,
no he de permitir me agravie,
del rey abajo, ninguno.

Entre bobos anda el juego. Con esta obra crea Rojas la comedia de figurón. Don Lucas, de ruin presencia, avaro, quisquilloso, ha concertado su matrimonio con Isabel, hija de un caballero pobre que quiere asegurar con este enlace una desahogada posición para su hija. Don Lucas, que reside en Toledo, envía a Madrid a un primo suyo, el galán don Pedro, para que recoja a la novia. Una serie de enredos bien trazados son causa de que don Lucas renuncie a la mano de Isabel y acceda a que se case con don Pedro, enamorado de la dama, a la que había salvado la vida en cierta ocasión, sin conocerla.

El Caín de Cataluña alude al hecho histórico del asesinato de Ramón Berenguer II de Barcelona por su hermano Berenguer Ramón II. Rojas falsea la verdad histórica, haciendo que el padre de los dos viva cuando se produce el fratricidio, y que Berenguer Ramón muera al evadirse de la cárcel.

El conflicto está bien llevado y los caracteres trazados con firmeza. En la serie de consejos y discursos del viejo conde a su díscolo hijo (en la obra, Berenguer), puede verse toda una teoría de gobierno:

Aquel que no es obediente
no es mi hijo, y solamente
es mi hijo vuestro hermano.
Si el serlo os hace fiar,
también nacieron los reyes
para obedecer las leyes,
y sabré yo castigar
al que, sin querer templarse,
la ira y la pasión prefiere.
Porque el pecho no cancere
un brazo, suele cortarse.
A este ejemplo os amenazo
que por sanar, vive Dios,
pues sois el peor de los dos,
que me corte yo este brazo.

El mismo conflicto plantea en *No hay ser padre siendo rey*, sólo que aquí el fratricidio es involuntario y, por tanto, se impone en el desenlace el perdón del asesino. Además, la muerte de Alejandro obedece sólo a un móvil amoroso, mientras que la de Ramón, en la comedia anterior, se debe al odio y envidia de su hermano. También

aquí se recurre a soluciones antihistóricas: una sublevación popular en favor del príncipe Rugero impide al padre que vengue en él la muerte de su hijo Alejandro. El rey abdica en Rugero, quedando sólo con la dignidad de padre; de esta manera podrá perdonar al hijo, lo que no podría hacer conservando la dignidad real, toda vez que ésta le impone el deber de cumplir con la justicia.

Casarse por vengarse es una de las comedias de construcción más robusta. Se refiere a una venganza de honor conyugal que se presenta como hecho fortuito: El condestable da muerte a su esposa Blanca, antigua prometida del príncipe—al ocupar éste el trono razones de estado impiden el matrimonio—, tras una serie de razonamientos que constituyen un verdadero código sobre el honor. Por la forma de realizarse el asesinato de Blanca, nos recuerda *A secreto agravio, secreta venganza,* de Calderón, y *El celoso prudente,* de Tirso. Estilo hinchado y un tanto declamatorio, peca de gongorino, sobre todo en los monólogos de Blanca y del príncipe, al comienzo de la obra.

Progne y Filomena trata el conocido tema mitológico de la deshonra de Filomena por su cuñado Tereo. Aunque deriva de la comedia del mismo título de Guillén de Castro, Rojas no sigue igual desenlace. Sabido es que en el valenciano es feliz, ya que no se lleva a cabo la violación de Filomena. Abunda en ideas sobre deberes del rey, fidelidad a éste, libertad de la mujer en la elección matrimonial, igualdad de derechos y deberes de los dos sexos, etc. Las dos hermanas, Progne y Filomena, al dar muerte a Tereo, se sitúan en la línea de la independencia femenina, tan grata a Rojas; además, en este caso la reparación del honor mancillado por las propias ofendidas reviste especial carácter, toda vez que el ofensor es el rey.

Don Diego de Noche es una de las comedias más entretenidas de Rojas por la gracia con que están conducidos los lances, un tanto inverosímiles. Eje de la trama son los enredos y disfraces de que se vale don Juan de Mendoza para asegurarse el amor de su dama, fingiéndose don Juan de Guzmán por el día y don Diego por la noche. Destaca también por la belleza de la versificación, por el hálito caballeresco y por la nobleza y elevación de conceptos. Salas Barbadillo compuso una novela del mismo título, si bien nada tiene que ver con esta comedia.

Cada cual lo que le toca fué estrepitosamente silbada por el público. Bances Candamo, en su *Teatro de teatros,* nos explica el motivo: «Por haberse atrevido a poner en ella un caballero que, casándose, halló violada de otro amor a su esposa.» Doña Isabel, obligada por su padre a contraer matrimonio con don Luis, advierte a éste que «debe desistir», pues

.... no conviene,
ni a mí casarme con vos
ni a vos casaros conmigo.

La razón de esta negativa es la existencia de un galán, don Fernando, que abusó de ella negándose luego a desposarla. Don Fernando, amigo íntimo de don Luis, siente renacer su antigua pasión cuando ve a la dama casada; intenta reanudar sus galanteos, con lo que hace entrar en sospechas al marido, aunque éste ignora quién fuese el ofensor de su honra. Don Fernando penetra en el cuarto de Isabel y ésta le da muerte. Refiere lo sucedido y es, al fin, perdonada por su esposo. Paralela a esta acción principal corre la de los criados—el matrimonio Angela y Beltrán—como contrafiguras de los personajes centrales.

Morir pensando matar se refiere a la historia trágica del lombardo Alboíno y Rosimunda. En el banquete de bodas Alboíno bebe en el cráneo del padre de su mujer Rosimunda, al que ha dado muerte. Esta, para vengarse, se concierta con el duque de Verona, Leoncio, que da muerte al rey lombardo. Tras una serie de lances complicados e inverosímiles, Rosimunda y Leoncio se ven agobiados por los temores y remordimientos. Aquélla, para reanimar a Leoncio, que se ha desvanecido al tropezar con un retrato de Alboíno, le da a beber—por equivocación, creyendo que es agua—el veneno que había preparado para el duque de Lorena. En trance de muerte Leoncio insta a Rosimunda para que beba el resto de veneno, muriendo ambos.

Entre las comedias religiosas son dignas de mención *Nuestra Señora de Atocha*, sobre la conocida leyenda de las hijas de Gracián Ramírez, alcaide de Madrid, y *Santa Isabel, reina de Portugal*, en la que se mezclan episodios de la vida de la esposa de don Dionís con otros tomados de la vida de Santa Casilda.

De estas obras, la más famosa es *García del Castañar*. Su excepcional renombre ha oscurecido el mérito de otras, que no le ceden en valores positivos, dándonos de paso una visión un poco deformada del autor. Esa obsesión del honor, que se atribuye a Rojas Zorrilla, esa «locura por la honra», para decirlo con palabras que sirven de título a una novela de Lope, no es tan frecuente en él como suele creerse. Si es cierto que en algunos casos representa el punto avanzado de la dramaturgia calderoniana, como Guillén de Castro representaba la de Lope, no es menos cierto que en materia de honor Rojas conculca muchas veces el código de su época, ofreciéndonos soluciones inesperadas y altamente originales. El mismo caso de *García del Castañar*, con la muerte del ofensor, dista mucho del desenlace en *El médico de su honra*, aunque haya soluciones calderonianas, como en *Casarse por vengarse*, en que el condestable da muerte secretamente a su esposa, tratando de presentar luego su venganza como caso fortuito.

Pero esto no es lo corriente. Y hay en casi todo el teatro de Rojas un afán de independencia que se manifiesta especialmente en su continua apología de la mujer, preconizando su igualdad de derechos con el hombre y hasta abogando por su emancipación, no con ruptura de los lazos matrimoniales en el caso de la esposa, sino con un decidido propósito de vengar el propio honor y de vivir su vida. Esta discrepancia ideológica con su época le valió más de un disgusto. Sabemos por Bances Candamo que *Cada cual lo que le toca* fué rechazada porque en ella el poder omnímodo del marido queda coartado por el empeño decidido de la mujer en vengar su propia ofensa. Y todavía aparece más claro esto en *Progne y Filomena*: Tereo, esposo de Progne, ha ultrajado a su cuñada Filomena y ambas hermanas conjuntamente lo asesinan mientras duerme, castigando de este modo, la una, el adulterio de su marido, y la otra, su deshonra. Esta igualdad de derechos conyugales se lleva también al orden cultural y amoroso. En tal aspecto, *Lo que quería ver el marqués de Villena* y *Los bandos de Verona* constituyen dos auténticos alegatos contra los convencionalismos sociales de aquel tiempo.

Estilo y técnica dramática

Cotarelo Mori resume así su opinión sobre el estilo de Rojas: «No tiene circunstancias de carácter general. Es levantado en las situaciones graves y corriente en las otras. Pomposo y aún afectado en las descripciones, en las cuales procede por metáforas y comparaciones a veces oscuras e inexactas. En lo cómico es en algunas, aunque pocas ocasiones, trivial y bajo. Posee gran desembarazo y viveza en el diálogo; esta buena cualidad es característica en el poeta. Gracioso y suscinto en los cuentos y paradigmas. Chistoso cuando aspira a serlo, y parco y no amargo en la sátira» [6].

La versificación es poco variada. Fuera de algunas muestras esporádicas de sonetos, tercetos, cantarcillos y octavas reales, se reduce a romances, redondillas, endecasílabos pareados con algunos heptasílabos y décimas.

Otra característica de su estilo es la frecuente alusión a paisajes fluviales. Señalamos esta circunstancia como aquí, enmarcadas en un paisaje de vegas y ríos, donde han de buscarse las escenas más barrocas del poeta. Repásense sus comedias *Lo que quería ver el marqués de Villena*, *Entre bobos anda el juego*, *Casarse por vengarse* y *Cada cual lo que le toca*. En otras comedias, la visión de la dama bañándose en el río se sustituye por el sugestivo escenario de un jardín.

El estilo culterano, rico en metáforas, sirve a Rojas tanto para dar realce a la descripción como para velar ciertas crudezas del relato. Filomena recuerda sus amores a Hipólito (*Progne y Filomena*):

> Viéndote activo en la llama,
> y solícito en la empresa,
> llegando, al verme remisa,
> la noche por medianera,
> al arrullo de tu voz
> como si muy niño fuera,
> dormido quedó mi honor
> y mi esperanza despierta.
> Ni aun flores fueron testigos,
> porque la rosa doncella
> se escondió en verde capullo
> o de prudente o de honesta;
> arrugóse en su botón
> la vergonzosa azucena,
> y a competir nuestros lazos
> se asomó la verde hiedra.

Con frecuencia alude al hablar *culto* y afectado, sin que esto le impida caer en lo mismo que censura. Rojas, pese a sus metáforas complicadas, apóstrofes extensos, retruécanos y antítesis, no comparte las innovaciones de Góngora, al que considera un poeta oscuro. En la comedia *Sin honra no hay amistad* el gracioso Sabañón compara la oscuridad de una noche tormentosa con el estilo del poeta cordobés:

> Acaban de dar las dos
> del reloj de los Basilios.
> Está hecho un Góngora el cielo,
> más oscuro que su libro.

Junto a la sátira del estilo culterano aparece el del conceptista, del «hablar cortado». En *Entre bobos anda el juego*, se dice de uno de los pretendientes de doña Isabel:

> ISABEL.
> Visto es muy mala figura,
> pero escuchado es peor.
>
> ANDREA.
> ¿Habla culto?
>
> ISABEL.
>   Nunca entabla
> lenguaje disparatado;
> antes, por hablar cortado,
> corta todo lo que habla.

Y al lado de la censura, el elogio de la sencillez, formulado ya de manera directa, o ya indirectamente:

> ANDREA.
> Señora, el que es fino amante
> habla castellano viejo;
> el atento y el pulido
> que éste pretende, creerás,
> ser escuchado no más,
> mas no quiere ser querido.
> ¡Ah! Bien haya un amador
> destos que se usan agora,
> que está diciendo que adora
> aunque nunca tenga amor.
> Bien haya un galán, en fin,
> que culto a todo vocablo,
> aunque una mujer sea diablo,
> dice que es un serafín.

Pero, ya se ha dicho, el mismo Rojas no está exento de este vicio. Uno de los trozos de más difícil intelección que hemos encontrado en todo el teatro español pertenece a su comedia *Cada cual lo que le toca*.

Lo trágico y lo cómico en Rojas

Rojas es un admirable creador de caracteres y de argumentos. Tiene de la tragedia el mismo sentido que Aristóteles; para ambos no hay tragedia plena si no surge y se desarrolla entre amigos o familiares. No le importa a Rojas tergiversar los hechos históricos, como ocurre en *El Caín de Cataluña*; todo tiende en él a la presentación de caracteres vitales, ricos, aunque de ordinario sin perfiles heroicos. En algún caso la solución del conflicto, harto difícil, se nos da por un *Deus ex machina*, representado ya en una revolución popular —*No hay ser padre siendo rey*—, ya en el acaso o el fallo de lo previsto —*El Caín de Cataluña*—. Muchos de sus temas reflejan el fondo de una crisis política que se manifiesta en soluciones antihistóricas, como en la citada *No hay ser padre siendo rey*. Aquí se recurre a una sublevación popular para salvar el conflicto entre los deberes del amor paterno y de la justicia real.

Rojas suele centrar el nervio de sus obras en el análisis de una pasión: celos, envidia, amor, ansia de poder, etc. En ese análisis se puede señalar un proceso ascendente: *No hay ser padre siendo rey* acusa fluctuación al lado de *El Caín de Cataluña*: Alejandro es más simpático que Ramón y Rugero que Berenguer. En la primera, el fratricidio se produce por error, puesto que Rugero no odia a Alejandro y a quien pretende dar muerte es a otra persona.

En *Los áspides de Cleopatra* se manejan estos elementos con mayor libertad que en otras obras. Es la tragedia del amor fatal que hace perder la personalidad moral y luego la humana o física. Plantea, como en *No hay ser padre siendo rey*, el problema de la abdicación, que en *Los áspides de Cleopatra* es más bien de índole moral: Marco Antonio y Cleopatra deciden abandonar el trono y vivir como simples particulares.

Ejemplos de efectos trágicos totalmente logrados encontramos, aparte de las obras citadas, en *Del rey abajo, ninguno, Progne y Filomena, Casarse por vengarse, El más impropio verdugo por la más justa venganza* y *Morir pensando matar*. A excepción de la penúltima, todas las demás nos plantean conflictos de honor matrimonial, con interferencia más o menos acusada de otros temas, en especial, del sentimiento de fidelidad al monarca.

Aunque en Rojas sobresale el sentido trágico y en tal aspecto sólo admite comparación con Vélez de Guevara, no es menor su interés como poeta cómico. Creador de lo que se ha denominado «comedia de figurón», apunta ya en sus obras una concepción de lo cómico que en algunos matices sugiere las teorías bergsonianas.

Sabido es que para Aristóteles la comedia no exige una acción cualquiera, sino una acción que se desarrolla entre gentes de condición ínfima con soluciones incruentas y hasta ridículas; algo así como el error producido por el desajuste entre los medios y el fin: «Una máscara fea que, puesta sobre el rostro, se lleva sin dolor del que la lleva.» Lo cómico viene a ser, pues, lo mecánico y superpuesto a la personalidad. Rojas, como ningún otro dramaturgo, cuida esmeradamente los tres tipos de error mecánico, fuente de lo cómico, señalados por Enrique Bergson:

Mecanización de palabras o cómico verbal: chiste o retruécano.

Mecanización de caracteres, representados en contraste con la realidad.

Mecanización de situaciones, a base de antítesis y paralelismos.

El paralelismo de situaciones se repite con frecuencia en Rojas, no sólo con finalidad cómica, sino también en obras serias. Si en *Don Lucas del Cigarral* predomina lo cómico verbal y de caracteres, en *Abre el ojo* y *Amo y criado* se logra plenamente lo cómico de situaciones.

Aspecto interesante de lo cómico ofrecen los cuentecillos que intercala: contra el habla culterana, la incompetencia de los galenos, los enredos de las damas, etc.

En resumen: Rojas es el único dramaturgo en cuya producción puede distinguirse la tragedia de la comedia. Y un dato final y muy significativo: es el dramaturgo que más sugerencias, temas y situaciones ha suministrado a la literatura francesa.

III. AGUSTIN MORETO Y CAVANA

Entre los dramaturgos de segundo orden representa Moreto la nota de mesura y equilibrio. Ya hemos indicado sus rasgos distintivos respecto a Rojas Zorrilla; réstanos aludir a este instinto de perfección que le lleva a plantear los lances meticulosamente para conducirlos hasta un final agradable, sin estridencias, y con cierto tono aristocrático, en contraste con las frecuentes chabacanerías de otros autores. Incluso los graciosos se sienten movidos más a la fina ironía y a la traza ingeniosa, con gotas de filosofía práctica, que a la sal gorda o a la burla chocarrera. Por ello, en la hora del reproche y vilipendio a que fué sometido nuestro teatro de la Edad de Oro, el nombre de Moreto permanece casi incólume; con Ruiz de Alarcón se salvó de la censura general; sus obras están más cerca de nosotros que las de cualquiera de sus contemporáneos.

Datos biográficos

Nació AGUSTÍN MORETO en Madrid y fué bautizado el 9 de abril de 1618 en la iglesia parroquial de San Ginés. Sus padres eran de origen italiano, procedentes del reino de Milán [7]. Estudió en la Universidad de Alcalá, en la que recibió el grado de licenciado el 11 de diciembre de 1639. Tres años después le hallamos como «clérigo de órdenes menores» y luego en posesión de un beneficio simple en Santa María Magdalena, diócesis de Toledo, lo que no le impidió residir habitualmente en la corte. Estuvo al servicio de don Baltasar de Moscoso, arzobispo de Toledo. Perteneció a la Academia Castellana. Murió en Madrid el 26 de octubre de 1669.

Contrasta la sencillez, la modestia y la apacibilidad de la vida de Moreto con la tumultuosa y fuertemente dramática de muchos de nuestros grandes poetas y dramaturgos. Sin embargo, se le han achacado a Moreto ciertas aventuras de capa y espada que conviene rectificar. Se ha creído que fué soldado en Flandes y se han tomado a pie juntillas ciertas palabras de Lesage que le describe como «un lindo». Por este camino del invento y de la imaginación se ha afirmado que Moreto asesinó a Baltasar Elisio de Medinilla, amigo de Lope de Vega. Con decir que Moreto tenía dos años cuando ocurrió el hecho queda completamente desvirtuada la especie. Lesage (Libro VII, cap. XIII de su *Gil Blas de Santillana*) pone en boca de Fabricio las siguientes palabras: «¿Ves a ese caballerete galán que, silbando, se pasea por la sala, sosteniéndose ya sobre un pie y ya sobre otro? Pues es don Agustín Moreto, poeta mozo que muestra gran talento, pero a quien los aduladores y los ignorantes le han llenado los cascos de vanidad.»

Clasificación de su teatro

Como de ordinario, establecemos la división previa entre comedias y piezas menores, autos, bailes y entremeses.

COMEDIAS

RELIGIOSAS.—De santos: *San Franco de Sena o el lego del Carmen, La vida de San Alejo, El más ilustre francés, San Bernardo; La adúltera penitente.*

Bíblica: *La cena del rey Baltasar.*

HISTÓRICAS.—Historia nacional: *Cómo se vengan los nobles, Los jueces de Castilla, El valiente justiciero y ricohombre de Alcalá.*

Extranjera: *Antíoco y Seleuco.*

COSTUMBRISTAS.—*El desdén con el desdén, El lindo don Diego, No puede ser guardar una mujer.*

El caballero, La ocasión hace al ladrón, El parecido en la Corte, La confusión de un jardín.

LEGENDARIAS Y NOVELESCAS.—*Los siete durmientes, El licenciado Vidriera.*

BAILES Y ENTREMESES

Baile de Lucrecia y Tarquino, Baile del conde Claros, Entremés del vestuario, Entremés de los cinco galanes, Entremés de los sacristanes burlados.

Análisis de algunas comedias

Entre las religiosas destaca *San Franco de Sena o el lego del Carmen,* proceso de la conversión de un hombre pendenciero y jugador. Llega a apostar sus ojos, dudando del poder de Dios sobre ellos; tan pronto ha proferido esta blasfemia, los pierde. Arrepentido, entra en un convento, donde hace vida de penitencia. El cuadro de los jugadores de *El estudiante de Salamanca,* de Espronceda, se basa en esta comedia.

En colaboración con Cáncer y Matos Fragoso, compuso *La adúltera penitente.* Teodora, enamorada de Filipo, casa contra su gusto y por imposición paterna, con Natalio, mancebo noble de Alejandría. Una noche el despreciado amante aleja de su casa al marido, y con el auxilio del demonio penetra en la habitación de Teodora, logrando satisfacer sus amorosos deseos. Para evitar la venganza del ultrajado esposo ella, disfrazada de hombre, se refugia en un convento. Aquí le persigue constantemente el demonio; hace que la expulsen por supuestos delitos, con ánimo de empujarla al suicidio; pero Teodora se refugia en una cueva, donde se consagra a la penitencia. Convierte a su antiguo seductor, que se había hecho bandolero, y conociendo por disposición divina su próximo fin, vuelve de nuevo al convento, donde muere asistida por los ángeles y perdonada por su marido.

Menos interés ofrece *Antes morir que pecar o San Casimiro.* También en esta obra juega un papel directo el demonio. Su protagonista es Casimiro, príncipe de Polonia, que, como indica el título, prefiere la muerte a quebrantar su castidad.

Entre las históricas debemos citar: *Cómo se vengan los nobles,* sobre los hijos del rey Sancho el Mayor de Navarra. Deriva de la de Lope *El testimonio vengado,* basada en una leyenda imaginada probablemente para explicar las anomalías ocurridas en la sucesión y herencia de aquel rey. Moreto—dice Menéndez Pelayo—mejoró mucho la traza, «evitando las incongruencias del autor primitivo; introduciendo, como siempre, la luz en medio del desorden. Volvió a versificar enteramente la pieza; pero sus versos son menos poéticos que los de Lope, tienen menos garbo y frescura y la vena épica llega a ellos muy filtrada y muy tenue».

En 1842 Zorrilla remozó este tema en su drama *El caballo del rey don Sancho.*

Los jueces de Castilla cree Menéndez Pelayo que no es más que una refundición de la desaparecida comedia del mismo título, de Lope de Vega.

En el grupo de leyendas nacionales resalta *El valiente justiciero y rico-hombre de Alcalá,* plagio de *El rey don Pedro en Madrid y el infanzón de Illescas,* de Lope, sin la grandeza trágica del creador de nuestro teatro. Su argumento es conocido: el noble don Tello, después de atropellar doncellas y casadas, se burla y desacata la autoridad del rey. Este impone su justicia; pero el hidalgo arguye que el rey domina por su autoridad y realeza, no por su fuerza como hombre. Don Pedro, convenientemente disfrazado, le vence también en este terreno.

La mejor muestra del género histórico-legendario del teatro de Moreto es *Antíoco y Seleuco,* sobre un tema muy repetido en la literatura: Antíoco, hijo del rey Seleuco, se enamora de su madrastra Estratónica. Los médicos descubren esta pasión, y Seleuco accede a que se case con ella.

Comedias costumbristas

A ellas debe Moreto su mayor fama, y en efecto, muy justificada. Dos comedias de este tipo, *El desdén con el desdén* y *El lindo don Diego,* constituyen dos auténticas joyas de nuestro teatro clásico.

El desdén con el desdén. Carlos, conde de Urgel, el príncipe de Bearne y don Gastón, conde de Foix, pretenden en matrimonio a Diana, hija del conde de Barcelona. La dama se muestra tan esquiva, influida por lecturas de los filósofos clásicos y de fábulas mitológicas, que está dispuesta a renunciar al condado antes que contraer matrimonio. Carlos, aconsejado por su criado Polilla, finge indiferencia y se hace pasar por enamorado de Cintia, compañera de Diana. Esta, despechada y celosa, anuncia que va a casarse con el príncipe de Bearne, a la vez que trata de obligar a Cintia a que abandone a Carlos. Por fin, dominando su desdén, contrae matrimonio con él.

Puesta a buscar antecedentes, la crítica no anduvo remisa. Se han citado: *Despreciar lo que se quiere* y *Los desprecios de quien ama,* de Montalbán; *Celos con celos se curan,* de Tirso; *A lo que obliga el desdén,* de Francisco Salado; *Para vencer amor, querer vencerle,* de Calderón; *La dama boba, De cosario a cosario* y *La hermosa fea,* de Lope. En realidad, ninguna de estas obras puede considerarse como inspiradora de la de Moreto. Su verdadero modelo—ya lo indicó Aureliano Fernández-Guerra—hay que buscarlo en la comedia de Lope *La vengadora de las mujeres.* No se trata de una imitación servil; como indica Alonso Cortés, Moreto toma el impulso inicial, dando luego a su obra mayor alcance dramático.

Laura, en la comedia de Lope, y Diana, en la de Moreto, tienen tres pretendientes y acaban casándose con uno de ellos. Laura desdeña a los hombres, porque éstos, a su vez, siempre que hablan o escriben sobre la mujer lo hacen para vituperarla y acusarla de provocar toda clase de males; es una correspondencia a la consabida misoginía de literatos y filósofos; Diana ha hecho propósito de no casarse porque en sus estudios aprendió que

> cuantas ruinas y destrozos,
> tragedias y desconciertos
> han sucedido en el mundo
> entre ilustres y plebeyos,
> todos nacieron de Amor.

De esta comedia tomó Molière su *Princesse d'Elide*, que, a juicio de G. Huszar, no es más que una pálida copia de la obra española, y aunque no tan servilmente, también la imitó Carlos Gozzi en *La principessa filosofa*.

El lindo don Diego. Como a la comedia anterior, también le podemos señalar fuentes: están en la de Guillén de Castro *El Narciso en su opinión*; pero los personajes del valenciano, borrosos, son en Moreto tipos y caracteres admirablemente logrados.

Argumento: Inés y Leonor, hijas de don Tello, están prometidas a sus primos don Diego y don Mendo, necio y presumido el primero, discreto y juicioso el segundo. Inés, enamorada de un don Juan, aborrece a su primo. Mosquito, criado de aquél, se concierta con Beatriz fámula de Inés, al objeto de favorecer las relaciones amorosas de sus amos. Fíngese Beatriz condesa viuda enamorada de don Diego; éste cae en el lazo y desprecia a su prima. Don Tello, convencido de la necedad de su sobrino, autoriza la boda de Inés con don Juan y de Leonor con don Mendo. Cuando don Diego cree que va a casarse con la fingida condesa se descubre el enredo tramado por Mosquito.

Otras comedias costumbristas dignas de nota son: *La fingida Arcadia* y *Trampa adelante*. La primera ofrece cierto fondo trágico, poco frecuente en Moreto: el criminal que muere víctima del veneno preparado por él mismo para otra persona. *Trampa adelante* presenta cierto parecido con la comedia de Lope *El perro del hortelano*. Una alta dama se enamora del caballero pobre que en cierta ocasión le salvó la vida; éste no la corresponde por estar enamorado de otra. El criado del caballero urde una serie de engaños mediante falsas cartas. La dama, al descubrir las trazas del criado, accede a que aquél se case con su primera amante.

Entre las comedias tomadas de novelas o leyendas destacan *El licenciado Vidriera* y *Los siete durmientes*. Esta recuerda algún detalle de la cantiga del monje que pasa trescientos años durmiendo en celestial transporte. *El licenciado Vi-*

driera, tomado de la novela cervantina, aunque libremente interpretada, presenta a un fingido loco que acaba casándose con la duquesa de Urbino.

Los entremeses

Con Cervantes y Quiñones de Benavente, es Moreto el mejor entremesista del siglo XVII, no sólo por el número de piezas, sino por su gracia e interés. Como en la comedia, también aquí destaca en la pintura de caracteres y en la graciosa parodia de los tipos: la dama encopetada de ruin conducta, la mojigata, el gorrón. Uno de sus tipos más frecuentes y pintado con mayor acierto es el del valentón cobarde, de tan amplia tradición en nuestro teatro. En el *Entremés de la noche de San Juan*, denominado también *Entremés de Alcolea*, por el nombre del protagonista, «son incontables los recursos de ingenio a que acude el jaque para disculpar su cobardía en los continuos trances en que le pone su obligación de amparar al caballero burlón que para eso le lleva consigo».

En los bailes, los más conocidos son el de *Lucrecia y Tarquino* y el del *Conde Claros*; el efecto cómico se logra por varios procedimientos: empleo de frases tópicas, muletillas proverbiales, versos de conocidos romances, parodia de escenas de comedias archiconocidas por el público, etc. Así, en el *Baile de Lucrecia y Tarquino* reproduce al final una especie de «casamiento en la muerte».

La originalidad de Moreto

A través de las líneas que preceden se ha podido ver que el don más estimable de Moreto no es precisamente la originalidad. El aprovechamiento de los mismos temas, las imitaciones y los plagios, más o menos a la vista, eran frecuentes en el siglo de Oro; pero el caso de Moreto es de los más significativos. No obstante, gozó de gran popularidad y alto renombre, como lo prueba el título de «Terencio de España», con que Gracián hiperbólicamente le saluda en *El Criticón*[8]. No le tiene en tal elevado concepto el también comediógrafo Jerónimo de Cáncer y Velasco, que en su *Vejamen de la Academia Castellana* escribe: «Y en medio de este peligro reparé que don Agustín Moreto estaba sentado. Y revolviendo unos papeles que, a mi parecer, eran comedias antiquísimas, de quien nadie se acordaba, estaba diciendo entre sí: «Esta no vale nada. De aquí se puede sacar algo, mudándole algo. Este paso puede aprovechar.» Enojéme de verle con aquella flema cuando todos estaban con las armas en las manos y díjele que por qué no iba a pelear como los demás. A lo que respondió: «Yo peleo aquí más que ninguno, porque aquí estoy minando al enemigo.» «Vuesa merced—le repliqué—me parece que está buscando qué tomar de esas comedias.» «Eso mismo—me respondió—me obliga a decir que estoy minando al enemigo, y échelo de ver en esta copla:

Que estoy minando imagina,
cuando tú de mí te quejas,
que en estas comedias viejas
he hallado una brava mina.

Aparte de imitaciones más o menos claras, no puede ponerse en duda la existencia de dos auténticos plagios, en ninguno de los cuales logró superar el modelo: *La ocasión hace al ladrón*, tomada de *La villana de Vallecas*, de Tirso, y *La confusión de un jardín*, para la que se sirvió de la novela de Castillo Solórzano *La confusión de una noche*.

Técnica dramática, estilo y versificación

«Moreto—ha escrito Alonso Cortés—no es un poeta arrebatado y calenturiento; acaso su mayor defecto estribe en ser excesivamente reflexivo; huye, por lo general, de complicar los lances de sus comedias. Planea y desenvuelve los asuntos por sus pasos contados, y sin violentas estridencias llega al desenlace. Con esta técnica dramática corre parejas el diálogo, que siempre se acomoda a las circunstancias de la acción. No busquemos en él las chocarrerías de los graciosos de otros dramaturgos; el gracioso de Moreto—alguna vez verdadero protagonista de la obra, como en el caso de Polilla, en *El desdén con el desdén*—refleja en todas sus palabras un fondo de buen sentido y filosofía vulgar, raro en nuestro teatro. Si bien es cierto que abundan las extravagancias en algunas de sus comedias—*Los siete durmientes, El Eneas de Dios, San Franco de Sena*

y alguna otra—, extravagancias de las que no están exentos ni Lope, ni Calderón, ni Tirso, no lo es menos que por el tono amable y cortesano de sus obras es, juntamente con Alarcón, uno de los poetas que sentimos con mayor aire de modernidad.»

En cuanto al estilo, sabe conservarse equidistante del culteranismo y del conceptismo: busca la perfección sin estridencia y huye de todo alambicamiento metafórico. Si de algo peca es de ser un tanto sentencioso; pero la moralidad—menos machacona que la de Alarcón—brota del mismo fondo del asunto y de la pintura de los caracteres.

En la versificación es fácil y abundante, predominando los metros cortos, romances y redondillas.

Resumiendo las características de Moreto, puede decirse que, si comparado con los geniales dramaturgos de la época, cede en la fuerza creadora y en la originalidad de los temas, en cambio, les aventaja a todos en el conocimiento de la escena y en la habilidad para desenvolver y regular la acción. Es el que antes suele llegar al asunto —aquel *in media res* de que hablaban los clásicos—, dosificando luego con gran acierto el interés y justificando muy bien los acontecimientos. Los temas, aunque conocidos y manoseados antes, adquieren en sus manos novedad; los incidentes, interés; y el conjunto total es de sumo efecto. Se complace en sembrar escollos, que luego salva con admirable facilidad, y va dificultando y dilatando la acción a su antojo, hasta llegar a un desenlace siempre oportuno y verosímil.

A igual distancia de la sencillez de Lope y del desenfado de Tirso, menos levantado que Calderón y menos reflexivo que Ruiz de Alarcón, les gana a todos en la gracia del diálogo. También excede a su propio maestro en la pintura de los afectos y en la variedad de los caracteres.

IV. CUBILLO DE ARAGON

Después de Rojas Zorrilla y de Moreto es ALVARO CUBILLO DE ARAGÓN (1596-1661) el dramaturgo más interesante del ciclo calderoniano. Una delicada sensibilidad, una inclinación al «tono menor», diríamos a lo infantil de trazos finos y elegantes, le acercan en algunos aspectos a Moreto, a la vez que por cierta hinchazón retórica, explicable por el ambiente de su ciudad nativa, Granada, y cierta tendencia a lo ornamental y barroco, puede emparejársele con los poetas andaluces del ciclo de Lope, en especial con Mira de Amescua y Vélez de Guevara. Aunque alcanza momentos de intensa emoción trágica, lo mejor de Cubillo debe buscarse en la comedia ejemplar y moralizadora, apología de la fidelidad amorosa, del desprendimiento, de la constancia conyugal, del respeto a la dama, de la condenación del utilitarismo, dominio de las pasiones, etc.

Vida y obra

Nació en Granada (1596). Desempeñó el cargo de escribano de provincia; hasta 1640 reside en su ciudad natal y en Sevilla; no es seguro que viviera en Córdoba, a pesar de sus frecuentes alusiones a esta ciudad. En 1623 publica el poema alegórico-político *Curia leónica*, y por esas fechas empieza a dedicarse al teatro. Montalbán, en 1632, cita la representación de la comedia en dos partes *El Rayo de Andalucía y Genízaro de España*, sobre el tema del bastardo Mudarra. Hacia 1622 contrae matrimonio con Inés de la Mar, seguramente granadina, de la que tiene numerosa prole, que el poeta sólo a fuerza de peticiones y apuros puede sacar adelante. Desde 1640 le hallamos establecido en la Corte, donde había comprado un cargo de escribano; allí reside el resto de su vida.

En 1654 publica una colección de diez comedias, un poema y varias poesías, con el título de *El enano de las Musas*. Murió en Madrid el 21 de octubre de 1661.

La obra de Cubillo demuestra una vez más la dificultad, a que ya antes aludimos, de encuadrar a los dramaturgos en un ciclo determinado. Cotarelo Mori no duda en incluirle en el de Lope; lo mismo hace Pfandl; Menéndez Pelayo alude repetidas veces a la influencia del Fénix sobre el poeta granadino; pero esto no es razón suficiente, ya que el aprovechamiento de los temas del primer ciclo por los poetas del segundo es constante. Tanto si atendemos a motivos estilísticos como si nos fijamos en razones cronológicas, debemos —con Valbuena Prat—considerar a Cubillo como seguidor de Calderón, aun en las comedias de juventud, teatro de violencia y de pasiones exageradas. Pero ya está dicho que el auténtico Cubillo no se nos da en este tipo de teatro, sino en la nota fina, en el consejo sin sermón, en el tono moral que brota del fondo mismo de la obra.

Clasificación

Siguiendo a Valbuena Prat, y atendiendo simultáneamente al tema y a la cronología, agrupamos la producción dramática de Cubillo así:

PRIMERA ÉPOCA

De santos: *El bandolero de Flandes, Ganar por la mano el juego*.

Caballeresca: *El vencedor de sí mismo*.

Costumbristas: *El amor cómo ha de ser, Añasco el de Talavera*.

SEGUNDA ÉPOCA

Bíblicas: *El justo Lot, El mejor rey del mundo, Los triunfos de San Miguel*.

Mitológica: *La honestidad defendida de Elisa Dido*.

Historia extranjera: *Los desagravios de Cristo*.

Historia nacional: *La mayor venganza de honor, El Rayo de Andalucía y Genízaro de España* (dos partes), *La tragedia del duque de Berganza, El conde de Saldaña, Los hechos de Bernardo del Carpio*.

Costumbristas: *Las muñecas de Marcela, El señor de Noches-Buenas, Perderse por no perderse, La perfecta casada, prudente, sabia y honrada; El invisible príncipe del baúl*.

Análisis de varias piezas

Entre las de las primera época, *Ganar por la mano el juego* y *El bandolero de Flandes* nos presentan el tipo de hombre lanzado fuera de la sociedad y entregado a una vida de crímenes y bandidaje, que termina por convertirse. En aquélla es visible la influencia de *El esclavo del demonio*, de Mira de Amescua, incluso en el tipo de mujer: Lidora atraviesa por situaciones similares a las de Lisarda y, como ella, llega también al máximo sacrificio. La segunda puede relacionarse con *La devoción de la Cruz*; los motivos que impulsan a los dos protagonistas, Paulo y Eusebio, a lanzarse a la vida de bandoleros son semejantes y semejantes también las escenas iniciales: desafío de Eusebio-Lisardo y Cosme-Paulo. La obra interesa también por la posición feminista del autor, que defiende la libertad de la mujer en la elección matrimonial.

Añasco el de Talavera cae dentro del género clásico de comedia de capa y espada. Con su tipo rufianesco y la mujer disfrazada de hombre, achulapada y matona, nos hace pensar en tipos similares del teatro de Tirso. La obra está lejos de la finura de comedias como *El alcalde mayor*, de Lope, o de novelas como *El juez de su causa*, de la Zayas.

El vencedor de sí mismo es una entretenida comedia caballeresca del ciclo carolingio sobre los amores de Rugero y Bradamante; *El amor cómo ha de ser*, tanto por el título como por la tesis, sugiere el paralelo con otras comedias que tratan de adoctrinar presentándonos arquetipos de buenas costumbres: *El amor y el amistad* y *Cómo han de ser los amigos*, de Tirso; *Cómo ha de ser el privado*, de Quevedo, etc.

Citaremos como las mejores de la segunda época: *El Rayo de Andalucía y Genízaro de España, La honestidad defendida de Elisa Dido, reina y fundadora de Cartago, El conde de Saldaña, La tragedia del duque de Berganza, El señor de Noches-Buenas, Las muñecas de Marcela, La perfecta casada, prudente, sabia y honrada* y *Los desagravios de Cristo*.

El rayo de Andalucía, comedia en dos partes, mezcla sucesos ocurridos en épocas distintas: la leyenda de las cien doncellas, con la vida y aventuras del bastardo Mudarra. Uno de los episodios más emotivos es la lucha del viejo Gustios con su hijo Mudarra, sin conocerse.

El conde de Saldaña trata el tema, tan repetido en nuestro teatro, de los amores de este noble con la hermana de Alfonso II el Casto, su prisión y su muerte. Tiene continuación en *Los hechos de Bernardo del Carpio*. El protagonista, igual que Mudarra *En el rayo de Andalucía*, pierde parte de la antigua grandeza épica y se nos presenta un tanto fanfarrón.

La honestidad defendida de Elisa Dido ofrece un desenlace distinto al de las dos versiones habituales del tema: bodas de Dido. Se reduce a una comedia de enredo amoroso, muy inferior a la de Guillén de Castro.

La tragedia del duque de Berganza, una de las mejores del autor, está basada en una conspiración, y alcanza escenas de fuerte emotividad cuando la duquesa se presenta al rey, acompañada de sus hijitos, para implorar clemencia por su esposo.

El señor de Noches-Buenas, con argumento similar a *Las flores de don Juan*, de Lope de Vega, se refiere a la competencia amorosa entre dos hermanos: el mayorazgo, necio y enfatuado, y el segundón, adornado de toda clase de buenas prendas. A favor de éste se resuelve el conflicto.

Las muñecas de Marcela es la comedia que ha dado más renombre a Cubillo y la que revela más dotes de fino psicólogo en su autor. El despertar del amor en el alma de una tierna doncella y su cambio psicológico al pasar de niña a mujer están descritos admirablemente. Otros valores realzan esta comedia: las ideas sobre el honor y la concepción cristiana del perdón de las ofensas.

En *La perfecta casada, prudente, sabia y honrada*, Cubillo retrata el tipo ideal de esposa, amante y sumisa, cuidadora del honor de su marido, al que defiende aun sabiéndole enamorado de otra mujer.

Los desagravios de Cristo, sobre la toma de Jerusalén por Tito, imita la de Gaspar de Aguilar *La gitana melancólica*, de la que llega a copiar versos y juegos de palabras.

V. OTROS DRAMATURGOS DEL CICLO DE CALDERON

Aparte de los tres estudiados, son los más importantes Matos Fragoso, Leyva Ramírez de Arellano, Antonio de Coello, Hoz y Mota, Juan Vélez de Guevara, Enríquez Gómez y Juan Bautista Diamante. De otros, Bances Candamo, Zamora y Cañizares, que representan el XVIII gusto tradicional, aunque decadente y adulterado, nos ocuparemos al estudiar el teatro de este período. Dos líneas a cada uno de ellos, con excepción de Diamante, a quien dedicamos un párrafo más extenso.

Del portugués JUAN DE MATOS FRAGOSO (1608-1689), cuyas comedias son en su mayor parte refundición de temas ajenos, debemos citar *El yerro del entendido*, con una trama hábilmente llevada, que se basa en *El curioso impertinente*, del *Quijote*; *Caer para levantar*, refundición de *El esclavo del demonio*, de Mira de Amescua. Matos tuvo por colaboradores en esta comedia a Moreto y a Cáncer. *El galán de su mujer*, muy entretenida, que nos recuerda las comedias de Rojas *Amo y criado* y *Don Diego de Noche*: Don Juan de Alvarado viene a Madrid para contraer matrimonio con doña Blanca, pero se disfraza de criado de sí mismo, con el propósito de percatarse de la virtud de su prometida, viviendo, con el nombre de Antonio, en casa de don Pedro Hurtado, su futuro suegro. La pasión de doña Clara, que corresponde a don García con el nombre de doña Blanca, hace creer a don Juan que no le conviene el matrimonio concertado y decide regresar a Toledo. Tras una serie de escenas ingeniosas se aclara todo, y la doble boda de don García-doña Clara y don Juan-doña Blanca desenlaza felizmente la comedia. *El marido de su madre*, desarrollada en una atmósfera de incesto en torno a la vida y leyenda de San Gregorio. *El sabio en su retiro y villano en su rincón*, imitada de Lope, como se ve por el simple título, si no merece los elogios que le prodigan los señores Hurtado y Palencia, tampoco es acreedora al juicio despectivo que sobre ella formula el profesor Entrambasaguas; y, en fin, *El traidor contra su sangre*, que dió pie al duque de Rivas para *El moro exposito*.

Ingenio de corto vuelo, entre las manos de Matos Fragoso empieza a deshacerse el formidable andamiaje de nuestro gran teatro.

El madrileño JUAN DE LA HOZ Y MOTA (1622-1714) cultivó con relativa fortuna la comedia religiosa, histórica y novelesca. También nos dejó dos entremeses.

El castigo de la miseria, que se supuso inspirada en *El casamiento engañoso*, de Cervantes, no es sino refundición de una novela del mismo título de la Zayas, con ligeras modificaciones en el desenlace; en *El Abraham castellano y blasón de los Guzmanes* recoge la hazaña de Guzmán el Bueno en Tarifa; *El montañés Juan Pascual, primer asistente de Sevilla*, dió pie a Zorrilla para la primera parte de su *El zapatero y el rey*. Otros títulos—*Josef, salvador de Egipto*; *Morir en la Cruz con Cristo, San Dimas*—indican a las claras su asunto.

Una sola obra, entre las varias que escribió, *Dar la vida por una dama, o el conde de Sex*, mantiene siempre vivo el nombre del madrileño ANTONIO COELLO Y OCHOA. Nació en 1611 y murió en 1682. De familia noble, fué servidor del duque de Alburquerque, al que acompañó probablemente en el sitio de Fuenterrabía. Caballero santiaguista, aparte sus comedias en colaboración con Montalbán, Calderón, Rojas y otros, se ha creído que en la citada obra tuvo por colaborador a Felipe IV. Recoge la tragedia del conde de Essex, Roberto de Evreux, que sacrifica su vida por no delatar a su prometida Blanca, una dama de Isabel de Inglaterra que había conspirado contra su soberana. Está muy hábilmente conducida la acción, y el verso es elegante y flúido. Es la primera vez que aparece en nuestro teatro clásico, por cierto con rasgos muy favorables, la reina Isabel de Inglaterra. Después se llevaría muchas veces, y en nuestro mismo siglo con *La vestal de Occidente*, producción benaventiana. Otras obras de Coello son *El celoso extremeño, Lo dicho antes* y el auto *La cárcel del mundo.*

Del malagueño FRANCISCO LEYVA RAMÍREZ DE ARELLANO (1630-1676) consideramos dignas de mención las comedias de tema histórico *Albania tiranizada* y *Mucio Scévola*; la de enredo *La dama presidenta*, basada en la consabida treta de la mujer que viste traje varonil para vengarse del seductor, y la de figurón *Cuando no se aguarda y príncipe tonto*, con aventuras de tipo bizantino, anagnórisis inesperadas y desenlace inverosímil.

JUAN VÉLEZ DE GUEVARA (1611-1675), hijo del genial dramaturgo Luis Vélez de Guevara, estudiado ya en el ciclo de Lope, aunque carece del talento y fecundidad de su padre, nos dejó algunos entremeses ingeniosos y varias comedias estimables: *El mancebón de los palacios* y *La boba y el vizcaíno.*

Del judío converso segoviano ANTONIO ENRÍQUEZ GÓMEZ (1600-1660?), al que ya nos hemos referido al tratar de la novela picaresca, son dignas de mención las dos comedias *Celos no ofenden al sol* y *A lo que obliga el honor.*

Con el seudónimo de «Un ingenio de esta Corte» se imprimieron a mediados del XVII varias comedias de mérito desigual. Por algún tiempo corrió la especie de que su autor era nada menos que Felipe IV, quien bien solo. o bien en colaboración, distraía sus reales ocios escribiendo piezas para los «corrales» madrileños. De modo que el tal «Ingenio de esta Corte», para algunos comentaristas, no era otro que el rey. La atribución nos parece no sólo falta de fundamento. sino totalmente absurda. «Felipe IV—escribe Astrana Marín, y nosotros suscribimos íntegramente sus palabras—era incapaz de escribir una comedia, y los que le denominan el *rey-poeta* son, sin duda, tan escasos de meollo como aquel monarca... Ningún documento prueba que las musas otorgaran sus favores al nieto de Felipe II.» Entre las comedias suscritas por «Un ingenio de esta Corte» se conserva una muy notable, *El triunfo del Avemaría*, inspirada probablemente en otra de Lope de Vega sobre moros y cristianos.

Otros ingenios de la segunda mitad del XVII que escribieron comedias son: SEBASTIÁN RODRÍGUEZ DE VILLAVICIOSA (1618-?), clérigo, natural de Tordesillas, colaborador de Moreto, Matos Fragoso, etcétera. Dejó una excelente comedia. *La dama corregidor*, que inspiró a Montfleury *La femme juge et partie* y varios entremeses (*Las visitas, La casa de vecindad, El retrato de Juan Rana*), que en finura y gracia mantienen la comparación con los de Cervantes y Quiñones de Benavente.

FRANCISCO DE AVELLANEDA Y LA CUEVA (1622-1675?), sacerdote y colaborador, como el anterior. También cultivó con igual fortuna la comedia y el sainete o entremés. En aquel género nos dejó un buen ejemplo con *El divino calabrés San Francisco de Paula*, en colaboración con Matos Fragoso; y en el ligero: *El hidalgo de Membrilla, La hija del doctor* y *El sargento Conchillos*, logrado tipo de soldado fanfarrón.

JERÓNIMO DE CUÉLLAR (1622-1668?), madrileño, de familia acomodada, caballero santiaguista y ayuda de cámara del rey, llevó por primera vez a las tablas la figura famosa del falso rey don Sebastián en *El pastelero de Madrigal*, precedente del drama de Zorrilla *Traidor, inconfeso y mártir.*

AGUSTÍN DE SALAZAR Y TORRES (1642-1675), natural de Almazán, aparte de su fábula *Eurídice y Orfeo*, escribió buenas comedias, entre las que sobresalen *El encanto de la hermosura* y *El hechizo sin hechizo o segunda Celestina*, y varias de asunto mitológico: *Tetis y Peleo, El amor más desgraciado* y *Céfalo y Pocris.*

PEDRO ROSETE NIÑO hizo con Meneses y con Cáncer la comedia titulada *El mejor representante San Ginés*, sobre el mismo asunto que *Lo fingido verdadero*; y con el mismo Cáncer y Moreto escribió *El rey don Enrique el Enfermo*, sobre el tercero de los Trastamara.

Queda por citar el célebre historiador don ANTONIO DE SOLÍS Y RIVADENEYRA (1610-1686), de quien se trata más por extenso en el capítulo XLV. Solís, a la vez que cronista destacado de la conquista de Méjico, fué aventajado poeta y dramaturgo. En este último aspecto su comedia más afamada es la que lleva por título *Amor y obligación*. escrita a los diecisiete años. Otras comedias suyas son: *Triunfos de amor y fortuna, El alcázar del secreto, El doctor Carlino, Un bobo hace ciento. Las amazonas, La gitanilla de Madrid, Amparar al enemigo, La más dichosa venganza, Las vecinas, El niño caballero, La renegada de Valladolid*, en colaboración con Monteser y Silva; *El pastor Fido*. con Coello y Calderón, y *El amor al uso*, que mereció ser vertida al francés por Corneille. Solís, que pasa por uno de los mejores discípulos de Calderón, con cuya amistad se honraba, dejó de hacer teatro veinte años antes de su muerte, coincidiendo al parecer esta ausencia de las tablas con su ordenación sacerdotal (1667). Por cierto que fué tan tajante la determinación, que ni siquiera quiso dar remate a una comedia que tenía empezada. *Amor es arte de amar*, y hasta se negó a continuar los *Autos* de Calderón, como se le ofreció a la muerte del gran dramaturgo [9].

Juan Bautista Diamante

Muy superior a todos los anteriores es el madrileño de origen griego-siciliano JUAN BAUTISTA DIAMANTE (1625-1687).

El principio de que las obras literarias reflejan el carácter de su autor se comprueba en él claramente. Conserva y extrema los caracteres del teatro anterior: sentimiento religioso; pundonor, ya exagerado por Calderón; españolismo acendrado; espíritu pendenciero, que degenera pronto en bravuconería. Por todo esto, Diamante ha sido incluido siempre entre los dramaturgos del ciclo calderodiano. La crítica moderna nota en él, sin embargo, los principios de la influencia francesa.

La biografía de Diamante explica muchas de sus comedias: fué en su juventud el auténtico *guapo* que tantas veces llevaría él mismo al teatro. En su vida se señalan dos épocas: una, turbulenta, con todo el lujo de asesinatos y robos (se le siguió un proceso criminal por muerte en desafío de un tal Francisco Sánchez y otro proceso por robo a don Pedro de Aponte); y otra, de contrición y conducta edificante. Es en esta segunda época cuando se dedica al teatro religioso.

Sus obras han sido clasificadas en *religiosas* (bíblicas y de santos); *históricas* (nacionales y extranjeras); *de capa y espada,* y *mitológicas.*

Escenificó buen número de vidas de santos y leyendas piadosas: *Santa Juliana,* tomada del *Flos Sanctorum,* de Rivadeneira; *Santa Teresa de Jesús, Santa María Magdalena de Pazzi, La devoción del Rosario, La cruz de Caravaca* y otras.

De la cantera inagotable de la historia patria tomó no pocos temas para su teatro, si bien todos ellos habían sido ya llevados antes a las tablas: *El restaurador de Asturias, El cerco de Zamora, El honrador de su padre,* en que se retoma la vieja historia del Cid, pero no en la versión de Guillén de Castro, sino en la de Corneille; *El gran cardenal de España,* en torno a la figura señera de Cisneros. De historia extranjera es *La reina María Estuardo.*

Autor fecundo y brillante, es considerado, sin embargo, de tercer orden, quizá por no haber sido suficientemente leído. Los defectos que se le achacan—fantasía, falta de verosimilitud, abuso del milagro, apariciones, etc.—son comunes a todos los dramaturgos de la época. El lenguaje, aunque no caiga de lleno en lo culterano, resulta con frecuencia falso y ampuloso.

VI. EL ENTREMES. QUIÑONES DE BENAVENTE

No hemos de insistir aquí sobre el origen y desarrollo de este género dramático menor. Su estudio queda hecho en otro lugar. Pero no está demás subrayar primeramente su importancia dentro de la escena española, y luego, su rápida degeneración en espectáculo un tanto chocarrero. «El entremés, con el fin de fiesta—escribe Astrana Marín—, constituía la salsa de la función. Su brevedad, de un lado, y su gracia, del otro, resultaban el mayor estimulante; y si al buen entremés sucedía luego, entre segunda y tercera jornadas, una buena jácara, ya la comedia podía silbarse tanto como lo fué *El Anticristo,* de don Juan Ruiz de Alarcón, que el público salía satisfecho del espectáculo» [10]. Pero la pobreza, cada vez mayor, de asuntos, así como la excesiva libertad en el lenguaje, esa libertad a que propenden siempre las obras destinadas al gran público, hicieron pronto desviarse al entremés de su línea inicial y orientarse hacia un terreno de plebeyez, cuando no de franca grosería. Hay un abismo entre la contención y elegancia de los entremeses cervantinos y los que lo inundaron la escena durante toda la primera mitad del siglo XVII. Aquéllos eran más comedidos, más originales y también más graciosos.

En los capítulos anteriores y en el dedicado al teatro de Cervantes se aludió ya a las más representativas piezas del género elaboradas por nuestros grandes dramaturgos. Sólo nos resta aquí dar brevísima noticia de otros poetas y prosistas que cultivaron el entremés y dedicar una mención muy especial al que más destacó entre todos ellos: Quiñones de Benavente.

Datos biográficos

Son muy escasas las noticias que tenemos del entremesista don LUIS QUIÑONES DE BENAVENTE (1589?-1651). Se sabe sólo que nació en Toledo; que pertenecía a una familia bien acomodada y que realizó estudios superiores. La lectura de sus obras delata una persona muy culta. El nombre de «licenciado» que le anteponen corrientemente no se debe a que fuera jurisconsulto, sino a que, al igual que Lope de Vega y Calderón, se hizo sacerdote en su edad madura. A esta circunstancia alude sin duda el colector de sus entremeses cuando nos informa que Quiñones no había querido hacer por sí mismo la edición, preocupado por la censura *que imprudentemente le han hecho, de menos modesto en sus escritos y más esparcido en sus papeles.* Un cargo de esta naturaleza subraya acertadamente Cotarelo y Mori, en un seglar no tendría fundamento. La primera mención que tenemos de Quiñones corresponde a 1618 y es la que hace en su entremés *Miser Palomo* don Antonio Hurtado de Mendoza:

> Vaya un baile con tono de Juan López
> o sea por mi amor, el excelente,
> metrópoli de bailes, Benavente.

Y más adelante:

> Vaya una letra, buena y cortesana
> que sea de lo bueno y excelente,
> como Joannes, *me fecit Benavente*.

Por la misma fecha le elogiaban los más famosos dramaturgos: Lope de Vega, Ruiz de Alarcón, Vélez de Guevara y, más que ninguno, Tirso de Molina [11]. Se sabe asimismo que sus entremeses se representaban en fiestas reales y que debió de dejar de componerlos hacia 1645. Por último, se conoce la fecha de su muerte: 25 de agosto de 1651, en la calle del Olmo, en Madrid. Como tantos otros escritores de la época perteneció a la Congregación de Esclavos del Santísimo Sacramento.

La obra

A unas 900 piezas hace ascender Cotarelo la producción teatral de Quiñones de Benavente, entre loas, bailes y entremeses; cifra que no parece exagerada si se tiene en cuenta que ya Tirso, en su comedia *Tanto es lo de más como lo de menos,* le atribuía «al pie de trescientos». Pero la comedia de Tirso debió de escribirse cuando Quiñones era aún mozo—en 1615, según conjetura doña Blanca de los Ríos, o en 1620, según opina Cotarelo—, y aún le quedaban, en el peor de los casos, veinticinco años de intensa labor. El mismo Cotarelo, a quien hay que acudir forzosamente en cuanto se relacione con el entremés y demás géneros menores de nuestro teatro, ha logrado identificar 142 obrillas originales de Quiñones, y es muy probable que muchas de las que circulan por ahí como anónimas le pertenezcan [12].

Hacer una clasificación temática de las mismas, además de imposible o casi imposible, resultaría perfectamente inútil. Basta saber que recoge toda clase de situaciones y ofrece todos los tipos que pululaban en la sociedad española de aquel tiempo, especialmente los que podían dar base para la comicidad: el hidalgo pobre, el murmurador, el afeminado, el valentón, el cobarde, el flemático, el hablador, el gorrón, el avaro; la celestina, la dueña, la marisabidilla, la beata, etc. Y entre los oficios y profesiones encontramos al barbero, al boticario, al alguacil, al estudiante, al letrado, al doctor, al soldado, al alcalde, sin que falten las correspondientes alusiones al francés y al «gabacho», apelativo genérico éste bajo el que se inscribía a otros extranjeros, como los flamencos y alemanes. A través de estos tipos y otros similares, Quiñones hace la crítica de la sociedad española de su tiempo: ridiculiza sus vicios, manías y supersticiones; pone en la picota su vanidad y fanfarronería, y nos informa de las tretas a que recurrían pícaros y ganapanes, cortesanas y busconas para proveerse del cotidiano sustento o apoderarse de las bolsas ajenas. El cuadro en conjunto no puede ser más bizarro y corre parejas en interés y realismo con el de la novela picaresca y cortesana de la misma época. Aunque predominan los de carácter satírico y burlesco, los hay también moralizantes, descriptivos, costumbristas, etc. Sus fuentes son muy variadas: unos son simple aprovechamiento de piezas anteriores, sometidas a nueva elaboración; otros derivan de cuentos, anécdotas y consejas populares, o bien se inspiran en hechos de carácter histórico; pero los más se basan en la observación fiel del propio escritor, hábil siempre en destacar el rasgo característico del personaje observado. El modelo más próximo y conocido es Cervantes. A pesar de ser Quiñones el entremesista más fecundo, no se desdeña de entrar a saco en el predio cervantino y aprovecharse de él en cuanto puede. *El retablo de las maravillas* (imitado también por Ambrosio de Cuenca, en *Los tejedores,* y por Juan Vélez, en *Dios te la depare buena*) inspira a Quiñones su entremés del mismo título; otro tanto ocurre con *La cueva de Salamanca,* y con los atribuídos a Cervantes, *Los habladores* y *El hospital de los podridos,* fuente de los de Quiñones *Los habladores* y *El murmurador. La elección de los alcaldes de Daganzo* está presente en las seis partes de *Los alcaldes encontrados,* de Quiñones de Benavente, quien por cierto en algunos pasajes supera al original.

He aquí los títulos más representativos: *La Maya, El borracho, El mago, La capeadora, El murmurador, Los coches, El convidado, El enfermo, El Gori-gori, El miserable, La honrada, La hechicera, La melindrosa, La muerte, La dueña, El doctor, El tiempo, Turrada, La mariones, El enamoradizo, La visita de la cárcel, La paga del mundo, El amor al uso, Baile de los toros, Los muertos vivos, El mundo al revés, Las calles de Madrid, Las damas del vellón, Don Gaiferos y las busconas de Madrid, Los sacristanes Cosquillas y Talegote, Los dos alcaldes encontrados, El molinero y la molinera, La mojiganga de la muerte, El retablo de las maravillas, Los sacristanes burlados, Los cuatro galanes, El doctor Sanalotodo, El guardainfante, El marido flemático* y *El examen de maridos.*

Análisis de algunas piezas

Los títulos anteriores indican claramente el contenido y carácter de buen número de estas obrillas, llamadas a fijar definitivamente el género a lo largo del XVII, y en las que predomina con mucho la sátira de costumbres. En *El miserable, El talegoniño* y *El talego* se satiriza la sordidez. En el primero, una doña Tilde se lamenta con su amiga doña Graja de la avaricia del marido, Martín de Peralvillo, ante el cual el dómine Cabra resultaría una especie de Alejandro. Como en *El Buscón,* también aquí se desrealizan los personajes en fuerza de exagerarlos:

.... si quiero suspirar lo estorba,
diciendo que aquel aire que se pierde,
queriendo hacer menor la pesadumbre,
será mejor para encender la lumbre.
Que duerma en carnes yo manda y precisa
porque no se me gaste la camisa.

El Peralvillo acuerda con un vecino horadar la pared medianera a fin de que un mismo y solo candil alumbre las dos moradas. Más gracia tiene *El talego-niño*, cuyo protagonista Taracea, debiendo mudar de piso, encarga a su criado Garrote que lleve un talego de monedas en forma que parezca un niño de cuna, a fin de despistar a los ladrones. Dos avispadas busconas le burlan y roban, si bien al cabo recupera su tesoro. Timos de avaros y busconas dan tema a otras piezas, como *Turrada*. En *La capeadora*, el avaro don Arrumaco galantea a doña Gusarapa, que pretende birlarle la bolsa, pero ha de conformarse con la capa y el sombrero. El entremés acaba en baile.

Sátira de costumbres amorosas son, entre otros, *El amor al uso*, *El enamoradizo*, *Don Gaiferos y las busconas de Madrid*, *El marido flemático* y *Los mariones*. Este último, acaso el mejor entre los de su clase, constituye un aguda sátira de ciertos tipos que debieron de abundar en aquella época y que no escasean en la nuestra. El tipo del «marión» o «lindo» suministró abundante materia tanto a comediógrafos como entremesistas. Basta recordar *El Narciso en su opinión* y *El lindo don Diego*, de Guillén de Castro y Moreto, respectivamente. En la pieza que ahora nos ocupa, lo cómico brota de la inversión de papeles. Dos «mariones» hablan, se comportan y reaccionan como auténticas damiselas, mientras dos damas lo hacen como pretendientes y «enamorados». La trama es la de una comedia de capa y espada, sólo que al revés, y la solución—boda de las dos parejas—, la normal en este género de conflictos. Doña Francisca y doña María, galanteadoras de los hermanos «mariones» don Estefanío y don Quiterio, riñen por su amor; una criada las introduce en la habitación de ambos; a los gritos y «resistencia» de aquéllos acude la madre de los galanes, la cual repara el honor de sus hijos accediendo a que casen con las damas.

A simples juegos de palabras y frases hechas, con leves alusiones irónicas al estilo culterano, se reducen entremeses como *Las civilidades* y *Los cuatro galanes*. En aquél un doctor Alfarnaque se compromete a enseñar a todos el lenguaje correcto:

y de vergüenza y lástima que os tengo,
vuestra lengua a enseñaros a hablar vengo.

Pero impotente para atajar los estragos del mal gusto, se ve obligado a desistir de su empresa:

Que de rondón se han entrado
en la castellana lengua
todas las civilidades
que estaban antes en jerga...

Por su contenido moral interesan piececitas como *El tiempo*, *La muerte* y *La paga del mundo*. En esta última, un alcalde, ante una mujer detenida por embustera, sentencia:

Hacedla luego soltar,
que si por eso se prende,
¿quién sin prender quedará?

Interesa subrayar el entremés titulado *El casamiento de la Calle Mayor con el Prado Viejo*, en cuanto antecedente, que no creemos haya sido señalado hasta ahora, del conocido sainete *La Gran Vía*. Las calles madrileñas actúan como personajes, y vestidas alegremente acuden a las bodas de sus compañeros.

A poner en la picota la ignorancia de los médicos van dedicadas piezas como *El doctor* y *El doctor y el enfermo*. Un fondo de comicidad, si bien de muy dudoso gusto, ofrecen los entremeses titulados *Los muertos vivos*, *El Gori-gori*, *El guardainfante*, *El borracho*, *Los sacristanes Cosquillas* y *Talegote*, con alguno más de análogo corte. En *El borracho*, un galán y un soldado, que persiguen a la misma dama, aúnan sus intereses tan pronto como se dan cuenta de que cada cual va por diverso camino: el uno busca el amor; el otro, el dinero del padre:

—¿A quién quieres?
　　　　　—A su hija, que es mi diosa.
—Yo, a su bolsa, que es mucho más hermosa.
—Es como un ángel ésta que yo adoro.
—¡Vive Dios, que es estotra como un oro!

Juicio crítico

El valor de los entremeses de Quiñones como documento social y como presentación de tipos es indiscutible. No lo es tanto su sentido del humor y de la gracia, que para nosotros resulta escasamente refinado y un tanto anacrónico. Por ello creemos que los eruditos han exagerado los elogios en este sentido. También las burlas nos parecen con frecuencia excesivamente groseras, y la comida, reiterativa. Los motivos y situaciones cómicos se aprovechan con tal insistencia que terminan por cansar. En cambio, hay que reconocer, y nosotros lo hacemos de buen grado, las excelencias de lenguaje: precisión, claridad, pureza y exactitud en la adjetivación y en la frase son virtudes inherentes al género, y que en Quiñones de Benavente tienen su más alta expresión. Esas virtudes son las que otorgan a nuestro entremesista un puesto de honor entre las autoridades de la lengua. Como Lope introdujo el nuevo arte de hacer comedias sacándolas de su estado embrionario, caótico y primitivo, así Quiñones, si no echó los cimientos del entremés, mejoró y modificó el viejo *paso* de Lope de Rueda... «No hay—sigue diciendo Astrana Marín—fiesta teatral de entonces, desde 1620 a 1650, en que, para dar relieve al espectáculo, no se ejecute algún entremés de

Quiñones. Ni se reconocería la vida íntima de aquel período del siglo XVII sin esta colección de cuadritos de costumbres populares, rebosantes de picardía y de belleza» [13].

Salas Barbadillo, Castillo Solórzano y otros

ALONSO JERÓNIMO DE SALAS BARBADILLO (1581-1635) insertó entre sus novelas algunos entremeses que se caracterizan, como toda su obra, por un tono sarcástico, a veces excesivo. Las 13 piezas de este género que de él se conservan nos indican ya en sus títulos el desgarro con que han sido escritas: *Doña Ventosa, El tribunal de los majaderos, El padrazo y las hijazas, Las aventureras de la corte*, etc. En esta última, con rasgos que la entroncan a *Las harpías de Madrid*, de Castillo Solórzano, un tal Floro muestra su extrañeza porque su amigo Marcia, rancio vallisoletano, haya pasado a vivir a la Corte en compañía de sus tres hijas mozas. El padre le declara sin ambages que el traslado obedece al deseo de que sus hijas medren en Madrid como «aventureras». No menos descarnada es la piececita que lleva por título *El busca oficios*, por la que desfilan entremeses, aduladores, noticieros, valentones, etc. Salas es un moralista acre y duro como Quevedo, y en su afán de erigirse en censor de las costumbres utiliza cuantos medios expresivos halla a mano.

No puede decirse lo mismo de ALONSO DE CASTILLO SOLÓRZANO (1584-1647), escritor tanto en verso como en prosa mucho más fino, más ágil y gracioso que Salas Barbadillo. También nos dió sus entremeses desperdigados por sus novelas. En *Tiempo de regocijo* se incluye «El casamentero»; en *Las harpías en Madrid* va inserto «El comisario Figuras», y en *La niña de los embustes* encontramos «El barbador» y «La prueba de los doctores». Enemigo del culteranismo, aunque no falten críticos que lo incluyan entre los seguidores de Góngora, muestra Castillo Solórzano, tanto en la novela como en el teatro, cierta moderada inclinación al conceptismo. Su aversión a Góngora queda patente en la novela *El culto graduado* y en el romance «Anarda».

A la nómina de entremesistas cabe agregar: FRANCISCO DE AVILA, madrileño, y cómico probablemente, de quien se conservan dos piezas, *Los invencibles hechos de Don Quijote* y *El Mortero*, impresas ambas en la *Octava parte de las comedias de Lope de Vega*, Barcelona, 1617; GABRIEL DE BARRIONUEVO, que en un entremés titulado *Triunfo de los coches* ridiculizó la obsesión de las damas de su época por poseer un vehículo con que lucirse en los paseos; JULIO DE LA TORRE, que en *El alcalde de Burguillos* nos presenta un tipo de alcalde «bobo», muy repetido en el teatro español; Pedro Morla, Simón Aguado, Fernando de Ludeña, etc.

También se conservan numerosos entremeses anónimos. Probablemente pertenecen en su mayor parte a dramaturgos de nota; pero aunque la crítica se afana por descubrir a sus autores, el hecho es que piezas como *El astrólogo borracho, El testamento de los ladrones, Las viudas, El padre engañado*, etc., y otros entremeses tan conocidos como *El hospital de los podridos, La cárcel de Sevilla*, el *De los romances* siguen figurando como anónimos.

NOTAS

1. Por ello ahora se tiende a sustituir con un criterio acertado el aspecto formal y temático por el cronológico. Y se nos habla, ya no de grupos, sino de períodos. Así lo hace Pfandl al establecer el doble período Lope de Vega y Calderón, adjudicando al primero, sin discriminación de escuelas, hasta veinte dramaturgos, y al segundo, dieciséis. Pero también este procedimiento tiene sus inconvenientes, entre ellos los que siguen de manera necesaria a toda ordenación cronológica.
2. Vid. EMILIO COTARELO MORI: *Don Francisco de Rojas Zorrilla. Noticias biográficas y bibliográficas*, págs. 14 y sgs. Madrid, 1911, Imp. de la «Rev. de Archivos».
3. Copiamos el soneto, de la aludida obra del señor Cotarelo:

Recele de Filipo el otomano
menos ya las victorias que su intento,
que es en Filipo acierto el pensamiento
y aun piensa menos que acertó su mano.

Con el venablo, si fatiga el llano,
ofrece en el amago el escarmiento;
lo visible es en él poco elemento;
despojo es suyo lo que aun no es humano.

Diga, pues, si a su brazo prodigioso
ni el plomo engaña ni el objeto miente
el mundo ser efecto milagroso;

si errara la diadema del Oriente,
que acertar en Felipe es lo forzoso,
y ni aun errar en él es contingente.

4. A propósito de la muerte de Rojas, escribe el señor Cotarelo, comentando la partida de defunción: «Lo seco y lacónico de esta partida, el no haber hecho testamento y la cláusula de haberse enterrado con licencia del vicario, que solía añadirse cuando el difunto era de parroquia distinta a la muerte había sido violenta, pudiera llevarnos a sospechar si la de Rojas Zorrilla hubiera sido de tal clase; pero ningún dato seguro tenemos para afirmarlo. Fué sí, a todas luces, muerte inesperada y acaso súbita, pues no le permitió otorgar su testamento, dejando un hijo menor de edad y siendo, por la legislación a la sazón vigente, nada fácil el cargo de guardador cuando recaía en la viuda, y mucho más viviendo la abuela y tío del menor.» (COTARELO MORI: *Op. cit.*, pág. 87.)
5. «El valor literario que puede corresponder a sus autos no hace variar en punto esencial el juicio que merece su relieve dramático. Con todo, interesan históricamente como suplemento a su labor de comediógrafo y por el problema de su calderonismo. Rojas, que como autor de comedias pertenece absolutamente a la época y estilo de Calderón, no se halla en situación idéntica en lo que se refiere al género sacramental. La forma, el estilo, es imitación de los primeros autos calderonianos; pero Rojas no supo captar el sentido de dar corporeidad a las abstracciones, y de una unidad conceptual completa.» (VALBUENA PRAT: *Literatura dramática española*, pág. 256.) Cultiva casi los mismos grupos que Calderón. En los temas bíblicos destacan *El rico avariento* y *La viña de Nabot*; en los caballerescos, *El caballero del Febo*; en los mitológicos, *El robo de Helena*, y en los filosófico-teológicos, *Los acreedores del hombre*, etc.
6. Vid. EMILIO COTARELO MORI: *Op. cit.*, págs. 119 y siguientes.
7. El profesor Entrambasaguas sugiere que sólo su madre, doña Violante Cavana, era de Italia. Los padres se

dedicaban al comercio de prendería, lo que les produjo pingües ganancias.

8. Vid. *La cueva de la nada* (crisis 8.ª, parte III). Critilo y Andrenio llegan a la cueva: en una especie de escrutinio similar al de la biblioteca de Don Quijote, un monstruo condena un sinfín de obras al olvido:

—Allá van esas novelas frías, sueños de ingenios enfermos; esas comedias silbadas, llenas de impropiedades y faltas de verosimilitud.

Apartó unas y dijo:

—Ésas, no; reservense para inmortales por su mucha propiedad y donoso gracejo.

Miró el título Critilo, creyendo fuesen las de Terencio, y leyó: *Parte primera de Moreto.*

—Este es—le dijo—el Terencio de España.

9. La lista podría aumentarse con los nombres de Fernando de Zárate, Jerónimo de Cáncer y Velasco, Francisco Antonio de Monteser, los hermanos Diego y José Figueroa Córdoba y el jesuíta Valentín de Cespedes, autores todos de comedias más o menos estimables.

10. LUIS ASTRANA MARÍN: *Entremeses,* incluido en su libro «Cervantinas y otros ensayos», Madrid, 1944, páginas 189-90.

11. Tirso, por ejemplo, en la comedia citada, *Tanto es lo de más como lo de menos* (jorn. II. esc. VII), escribe:

—¿Quién fué el poeta?
—La sal
de los gustos, el regalo
de nuestra corte. Es un hombre
mozo, cuerdo, cortesano,
virtuoso y que no ha dicho
mal de poeta...;

y, versos más abajo, afirma:

—¿Qué entremeses habrá escrito?
—Al pie de trescientos.
—¿Tantos?
—Y acaban en baile todos,
si los antiguos a palos.

Y Velez de Guevara, en el prólogo a la edición de doce *entremeses* y del mismo Quiñones (Madrid, 1645). le llama

nuevo Terencio español,
cuyo nombre escribe el sol
sobre el oro de su frente.

12. Vid. *Colección de entremeses, loas, bailes, jácaras y mojigangas desde fines del siglo XVI a mediados del XVIII,* «Nueva Biblioteca de Autores Españoles». Madrid, 1911.

13. ASTRANA MARÍN: *Ob. cit.,* pág. 189.

BIBLIOGRAFIA

I. J. ALVAREZ BAENA: *Hijos ilustres de Madrid,* volumen IV.—J. AMADOR DE LOS RÍOS: *Estudios históricos, políticos y literarios sobre los judios de España,* Madrid, 1848.—L. BALLESTEROS ROBLES: *Diccionario biográfico matritense,* Madrid, 1912.—B. J. GALLARDO: *Ensayo de una biblioteca de libros raros y curiosos,* vol. III.—F. HERRÁN: *Dramáticos de segundo orden,* Madrid, 1888.—J. H. PARKER: *Lo heroico en el drama español* (Memoria), Boston, 1919.—F. C. SAINZ DE ROBLES: *Dramaturgos españoles de la escuela de Calderón,* «Hist. general de las literaturas hispánicas», III, Barcelona, 1953.—*Historia y antologia del teatro español,* vols. III y IV, Madrid, M. Aguilar, 1943.—A. VALBUENA PRAT: *El tono menor y el estilo en la escuela de Calderón,* «Hom. a Rubió y Lluch», Barcelona, 1936.—*El sentido católico en la literatura española* (especialmente el capítulo «El sentido católico del barroco español»), Zaragoza. 1940

II. J. W. BARKER: *Culteranismo y gongorismo en «Garcia del Castañar»* (edited with introduction by...). Cambridge, 1935.—J. A. BARRET: *Some aspects of the Dramatic Technique of F. de Rojas Zorrilla,* 1938.—J. BRAVO CARBONELL: *El toledano Rojas,* Toledo, 1908.—A. CASTRO: *F. de Rojas Zorrilla: «Cada cual lo que le toca» y «La viña de Nabot»* (observaciones y notas de...), Madrid, 1917.—*Obras mal atribuidas a Rojas Zorrilla,* «Rev. Filol. Esp.». III, 1916.—E. COTARELO MORI: *D. Fran-*

cisco de Rojas Zorrilla: Noticias biográficas y bibliográficas, Madrid, 1911.—TH. F. CRANE: *Jean Rotrou's «Saint Genest» and «Wenceslas»,* Boston-Nueva York, 1907.—G. JOSEPH FUCILLA: *Sobre las fuentes de «Del rey abajo, ninguno»,* «N. Rev. Fiol. Hisp.», Méjico, 1951.—R. L. GÓMEZ CARRASCO: *Evocación de Toledo y del poeta F. de Rojas Zorrilla,* «Bol. R. Ac. B. Artes de Toledo», núm. 60. 1946.—KATLEEN GOULDSON: *Three Studies in Golden Age Drama:* ... II. Religión y superstición en las obras de Rojas. III. Rojas y la España del siglo XVII, Liverpool, 1946.—P. M. HASKOVEC: *Belleforest, Zorrilla et Rotrou,* «Rev. d'Hist. Litt. de la France», XVII, 1910.— H. CARRINGTON LANCASTER: *The Ultimate Source of Rotrou's «Wenceslas» and of Rojas Zorrilla's «No hay ser padre...»,* «Modern Philology», XV, Chicago, 1917.—R. RAYMOND MAC CURDY: *A Note on Rojas Zorrilla's, Gracioso Guardainfante, y More on the Gracioso Takes the audience into his confidence. The case of Rojas Zorrilla,* «Bull. of the Comediantes», vos. VI y VIII, 1954.—BÁRBARA MATULKA: *The Feminist theme in the Drama of the Siglo de Oro,* «Romanic Review», XLVI, Nueva York, 1935.—R. MESONERO ROMANOS: *Estudio preliminar a «Comedias escogidas» de Rojas Zorrilla,* «Bibl. Aut. Esp. Rivad.», vol. LIV, Madrid, 1861.—A. MOREL-FATIO: *L'Espagne au XVI et au XVII siècles* (Rojas, págs. 60-3.6), París, 1878.—C. V. ORTIGOSA: *Los móviles de la comedia en Lope, Tirso, Moreto, Rojas y Calderón,* Méjico, 1954.—A. PAZ Y MELIÁ: *Sales españolas* (segunda serie), Madrid, 1902.—L. PERSON: *Histoire du Venceslas de Rotrou, avec des notes critiques et biographiques,* París, 1832-1883.—A. PIDAL Y MON: *Discurso acerca de «Garcia del Castañar»,* Toledo, 1908.—F. RUIZ MORCUENDE: *Francisco de Rojas: «Del rey abajo, ninguno» y «Entre bobos anda el juego»* (ed. y notas de...), «Clás. Cast.», núm. 35, Madrid, 1944.—F. C. SAINZ DE ROBLES: *Historia y antologia del teatro español,* III, M. Aguilar, Madrid, 1943.—F. DEL VALLE ABAD: *Rojas Zorrilla y Rotrou* (cap. IX, págs. 219-40, de la obra «Influencia española en la literatura francesa. Ensayo crítico sobre Juan Rotrou», Avila, 1946).

III. N. ALONSO CORTÉS: *Moreto: «El desdén con el desdén» y «El lindo don Diego»* (ed. y notas de...), «Clás. Cast.», núm. 32, Madrid, 1937.—R. DE BALBIN LUCAS: *Tres piezas menores de Moreto,* «Rev. Bibl. Nacional», III, Madrid, 1942.—*Notas sobre el teatro menor de Moreto,* «Mom. a Krüger», II, 1954.—C. A. DE LA BARRERA: *Apuntes biográficos de Moreto,* Madrid, 1835.—M. COE: *Additional Bibliographical Notes on Moreto,* «Hisp. Review», 1933.—E. COTARELO MORI: *Testamento de una hermana de Moreto,* «Bol. R. Ac. Esp.», I, 1914.—*Bibliografia de Moreto,* «B. R. Ac. Esp.», XIV, 1927.—J. DE ENTRAMBASAGUAS: *Doce documentos inéditos referentes a Moreto y dos poesias suyas desconocidas,* «Rev. Arch. B. y Mus. Ayunt. Madrid», 1930.—W. EVERETT HESSE: *Moreto en el Nuevo Mundo,* «Clavileño», núm. 27, Madrid, 1954.—L. FERNÁNDEZ GUERRA: *Obras escogidas de Moreto* (estudio preliminar de...), Bibl. Aut. Esp. Rivad.». vol. 39.—A. GASSIER: *Le théatre espagnol: San Gil de Portugal: «Caer para levantar»,* de Moreto, Matos y Cáncer, 2.ª ed., París, 1893.—E. JULIÁ MARTÍNEZ: *Agustin Moreto: «El lindo Don Diego»* (ed. y notas de...), Zaragoza, «Clás. Ebro», 1941.—R. LEE KENNEDY: *The dramatic art of Moreto,* Filadelfia, 1932.—*Manuscriptes attributed to Moreto in the Biblioteca Nacional,* «Hisp. Review», 1936.—R. MESONERO ROMANOS: *Teatro de Moreto,* «Sem. Pint. Esp.», Madrid, 1851.—C. ORTIGOSA VIEYRA: *Los móviles de la comedia en Lope, Alarcón, Tirso, Moreto, Rojas y Calderón,* Méjico, Univ. Nacional, 1954.—M. RODRÍGUEZ CODOLA: *Moreto: «El desdén con el desdén»,* «Ilustración Ibérica», 1895.—F. C. SAINZ DE ROBLES: *Historia y antologia del teatro español,* III. M. Aguilar, Madrid, 1943.—L. VIEL CASTEL: *Moreto,* «Bol. Acad. Esp.», XIV, 1927.—J. M.ª VIQUEIRA BARREIRO: *Moreto: «El desdén con el desdén»* (estudio preliminar de...), «Clás. Ebro», Zaragoza, 1945.—BRUCE W. WARDROPER: *Moreto's «El desdén con el desdén». The Comedie secularized,* «Bull. of Hisp. Studies», XXXIV, Liverpool, 1957.—S. A. WOFSY: *A Critical Edition of Nine Farces of Moreto,* Univ. of Wisconsin, 1927.

IV. E. COTARELO MORI: *Dramáticos españoles del siglo XVII: Alvaro Cubillo de Aragón,* «Bol. R. Ac. Esp.», V, 1918.—J. DE ENTRAMBASAGUAS: *Alvaro Cubillo de Aragón,* «Bol. R. Ac. Esp.».—E. GLASER: *Alvaro Cubillo de Aragón's, «Los Desagravios de Cristo»,* «Hisp. Review», Univ. de Pensilvania, XXIV, oct. 1956.—A. VALBUENA PRAT: *Alvaro C. de Aragón: «Las muñecas de Marcela» y «El Señor de Noches Buenas»* (ed. y estudio preliminar de...), «Clás. Olvidados», Madrid, 1928.

V. HEATON: *Matos Fragoso: «El ingrato agradecido»*, Nueva York, 1926.

R. MESONERO ROMANOS: *El teatro de Hoz y Mota*, «Sem. Pint. Esp.», Madrid, 1953.—E. COTARELO MORI: *Dramáticos españoles del siglo XVII: D. Antonio Coello Ochoa*, «Bol. R. Ac. Esp.», V-VI, 1918-19.—E. JULIÁ MARTÍNEZ: *Antonio Coello: «Yerros de naturaleza»* (ed. y estudio de...), Madrid, 1930.

E. COTARELO MORI: *Don J. Bautista Diamante y sus comedias*, «Bol. R. A. Esp.», III, 1916.—A. L. A. FEE: *Etudes sur l'ancien théâtre espagnol: Les trois Cid: Guillén, Corneille et Diamante*, París, 1873.—A. DE LATOUR: *Pierre Corneille et Jean B. Diamante*, París, 1861.— R. MESONERO R.: *Teatro de Diamante*, «Sem. Pint. Esp.», Madrid, 1953.—HUGO A. RENNERT: *Mira de Amescua et «La judía de Toledo»*, «Rev. Hispanique», VIII, 1900.

W. FISCHER y R. RUPPERT: *Antonio Solís: «Amor y obligación»* (ed. y estudio de...), Giessen, 1929.—A. GASPARETTI: *Un ignoto manuscrito palermitano delle «Obras líricas» di D. Antonio Solís*, «Bull. Hispanique», XXXIII, 1931.—J. GOYENECHE: *Vida y poesías de A. Solís y Rivadeneyra*, Madrid, 1692.—E. JULIÁ MARTÍNEZ: *Antonio de Solís: «Amor y obligación»* (ed. y estudio de...), Madrid, 1930.—D. E. MARTELL: *The Dramas of D. Antonio de Solís*, Filadelfia, 1913.—G. MAYÁNS Y SISCAR: *Cartas de Nicolás Antonio y de Antonio de Solís* (ed. de...),

Lión, 1755.—J. H. PARKER: *The Versification of the Comedias of A. de Solís y R.*, «Hispanic Review», 1949.

A. BONILLA y S. MARTÍN: *Vejámenes literarios de Cáncer* (ed. y estudio de...), Madrid, 1909.—J. CATALINA GARCÍA: *León y Marchante*, «Rev. Ay. Madrid», VI, 1929.— E. COTARELO: *Dramáticos españoles del siglo XVII: Los hermanos Figueroa y Córdoba*, «B. R. Ac. Esp.», VI, 1919.—N. DÍAZ DE ESCOVAR: *Francisco de Leyva*, Málaga, 1899.—*Jerónimo de Cáncer y Velasco*, «Rev. Contemporánea», CXXI, 1901.—W. S. JACK: *Bances Candamo and the calderonian Decadents*, «Mod. Lang. Assoc. of Amer.», Baltimore, 1929.—M. MÉNDEZ BEJARANO: *Diccionario de escritores hispalenses*.—RAFAEL MONTILLA: *Vida y obras de don Francisco de Leyva Ramírez de Arellano, autor dramático malagueño del siglo XVII*, Málaga, 1947.

VI. HANNAN E. BERGMAN: *Para la fecha de «Las Civilidades»*, «N. Rev. Filol. Hisp.», X, Méjico, 1956.—E. COTARELO MORI: *Colección de entremeses, bailes, jácaras y mojigangas* (ed. y estudio de...), «N. Bibl. Aut. Españoles», vol. XVIII, Madrid, 1911.—J. M. BLECUA: *L. Quiñones de Benavente: Entremeses* (ed. y estudio de...), «Clás. Ebro», Zaragoza, 1945.—C. ROSELL: *Entremeses de L. Quiñones de Benavente* (ed. y estudio de...), «Libros de antaño», 2 vols., Madrid, 1872.—L. ROUANET: *Intermedes spagnols. Entremeses du XVII siècle*, Charles, 1897.—E. D. TURNER: *Some aspects of the dramatic Art of Quiñones de Benavente*, Carolina, 1939.

CAPITULO XLIV

LA PROSA CONCEPTISTA DEL XVII:
A) QUEVEDO, GRACIAN Y SAAVEDRA FAJARDO

I. Tratadistas de política y moral.—II. Francisco de Quevedo: *Datos biográficos. Personalidad humana. Obras y clasificación. Quevedo, prosista. La «Genealogía de los modorros». Los «Sueños». El «Buscón». Obras ascéticas, filosóficas y políticas. Quevedo, poeta. Poesía amorosa. Poesía satírica y festiva. Poesía seria. El teatro de Quevedo. Estilo y lengua.*—III. Baltasar Gracián: *Datos biográficos. El hombre y el escritor. Tratados políticos: «Oráculo manual» y «Político don Fernando». Tratados literarios: «Agudeza y arte de ingenio». Tratados religiosos: «El comulgatorio». El «Criticón». Idearío, fuentes y estilo.*—IV. Saavedra y Fajardo: *Datos biográficos. Obras y análisis de las mismas. «La república literaria» y «Las Empresas». Ideario y estilo de Saavedra Fajardo.*—Notas.—Bibliografía.

I. TRATADISTAS DE POLITICA Y MORAL

En otro lugar de esta parte (cap. XXXI) hemos aludido a la prosa del xvii. No es ciertamente la misma de la época anterior; pero todavía conserva muchas de sus buenas cualidades y hasta adquiere primores nuevos, mientras empiezan a trabajar en su seno gérmenes de decadencia. Es ésta, sin embargo, una decadencia espléndida, rica de valores y exuberante de vitalidad. Los que la representan se llaman Quevedo, Gracián, Solís o Jerónimo de San José.

Si se buscase para esta prosa un denominador común sería muy difícil hallarlo. Se trata de algo multiforme, con muchos más matices diferenciales que la lírica, fácilmente encuadrable en tres o cuatro apartados: tradicional o popular, culterana, clásica y conceptista. La prosa, en cambio, ofrece tantas facetas casi como escritores de primer orden florecieron en esta época. Llamarla en general *barroca* es distender el significado de ese término desmesuradamente, hasta obligarle a expresar nociones contradictorias. ¿Cómo, p. ej., encasillar en un mismo epígrafe libros como *El Criticón* y la *Historia de la conquista de Méjico*? Cabe, eso sí, establecer grupos con tendencias afines, con una visión análoga de la vida y de los hombres y hasta con modos de expresión íntimamente relacionados. De esos grupos, el formado por Quevedo, Gracián y Saavedra Fajardo es el más representativo.

Los tres encarnan con más fidelidad que nadie ese modo de pensar y de escribir que se viene llamando *conceptismo*. Bien entendido que en cada uno se revela con caracteres propios; es decir, que las semejanzas nunca llegan a anular la personalidad individual. Esas semejanzas se fundan no sólo en el aspecto formal o literario, sino también, y quizá con mayor relieve, en el contenido ideológico y en la manera peculiar de enfocar los problemas: el mismo trasfondo de filosofía estoica, la misma visión pesimista de la vida, el mismo tono moralizador y austero; más agrio en Gracián, más pintoresco en Quevedo, más atenuado por una especie de resignación cristiana en Saavedra y Fajardo. De los tres, es Quevedo el más amplio de visión y el más literario; Gracián, el que más piensa y el más filósofo; Saavedra, que cultiva la literatura en sus ratos de ocio y por mero pasatiempo, el más político y realista. Con otros pocos escritores de nota—Horozco, Covarrubias, Pérez de Herrera, Cepeda—, ellos vienen formando en la historia de la cultura española un capítulo aparte: el de los tratadistas de política y de moral, o, si se quiere mejor, atendiendo a lo puramente literario, el de los grandes prosistas del conceptismo.

II. DON FRANCISCO DE QUEVEDO

Sobresale entre todos los escritores de la época por la amplitud de sus conocimientos. Si alguno merece en aquel tiempo el calificativo de «polígrafo», ése es Quevedo. Su irresistible tendencia hacia la sátira, muchas veces obscena, le ha creado una popularidad increíble entre el vulgo ilustrado, que sólo le conoce por el lado de la chocarrería, atribuyéndole multitud de chistes e historietas que jamás salieron de su pluma. Hoy, la personalidad de Quevedo, sin estar definitivamente estudiada, se va perfilando en toda su magnitud y se nos muestra como una de las más ricas no sólo de España, sino de Europa, en aquellos siglos: espíritu cultivadísimo, humanista consumado, poeta excelso, ingenio inagotable y polifacético, patriota insigne y, lo que vale más aún, hombre de conciencia austera, de convicciones sanas y firmes, incapaz de claudicar ante nada o ante nadie.

Datos biográficos

De viejo linaje montañés—como Lope de Vega, como Calderón—nace don FRANCISCO DE QUEVEDO Y VILLEGAS en Madrid, en 1580. Su padre, Pedro Gómez de Quevedo, era secretario de doña Ana de Austria, cuarta esposa de Felipe II; su madre, doña María de Santibáñez, fué dama de honor de la misma reina. Educado en el colegio Imperial de los Jesuítas de Madrid, pasa luego a Alcalá de Henares, en cuya Universidad estudia (1596-1600) lenguas clásicas, francés, italiano y filosofía, para salir de allí licenciado en Artes. Sigue con la Corte a Valladolid, donde cursa Teología y Santos Padres, empezando ya a revelarse como poeta con sus letrillas y como escritor agudo en sus saladísimas *Cartas del Caballero de la Tenaza* (1604). Un año después se publican las *Flores* de Espinosa, ya aludidas en el capítulo XXXIV, y en ellas figura Quevedo con dieciocho composiciones. Al retornar la Corte a Madrid (1606), vuelve con ella y reside en la capital hasta 1611. Etapa de fecunda actividad literaria: a ella corresponde la redacción de algunos de sus *Sueños*. Antes había empezado ya su vida de ajetreo, que sólo acabaría con la muerte. Un desafío cambia, al parecer, su rumbo. El día de Jueves Santo de 1611, hallándose en la iglesia de San Martín, ve que un caballero abofetea a cierta dama. Quevedo, que no conocía a la una ni al otro, ase al caballero, lo saca del templo, cruza con él su acero y lo despacha al otro mundo. La víctima es un noble portugués, comendador de la Orden de Cristo; y Quevedo no tiene más remedio que ocultarse primero y emigrar después a Sicilia, donde actúa de virrey su amigo y camarada don Pedro Girón, duque de Osuna. La anécdota ha sido desmentida recientemente; pero sigue teniendo visos de verdad [1].

Lo cierto es que en 1613 Quevedo está en Italia como confidente y consejero de Osuna. Toda la política de éste queda en manos del gran escritor, que se constituye en una especie de ministro universal. Intensifica la acción contra el turco, atiza las querellas de los pequeños Estados italianos, en beneficio de España; en la sublevación de Niza contra el duque de Saboya, lleva la parte principal y allí se encuentra Quevedo, logrando escapar casi por milagro. Tres años después (1616) lo encontramos en Madrid, gestionando el virreinato de Nápoles para el duque de Osuna lo que consigue a fuerza de dádivas y habilidad. También en Nápoles le nombra el duque su ministro y hombre de confianza, poniéndole al frente de la hacienda, que Quevedo logra sanear con justas medidas. Emprende su acción disimulada contra Venecia, que, aunque en paz con España, favorecía a nuestro enemigo el de Saboya. Consigue, tras habilísima gestión en Madrid (1617), que dejen al de Osuna las manos libres contra los venecianos; y, en efecto, la armada de éstos es acorralada por nuestros galeones, al mando de don Pedro de Leiva. Pero, descubierta la conjura contra Venecia a tiempo que Quevedo se encontraba en esta ciudad, es buscado acuciosamente y sólo logra ponerse a salvo con un derroche de valor y astucia. El Consejo de los Diez le hace quemar en efigie [2].

Cuando vuelve a Madrid, la Corte ha cambiado. Han caído Lerma y don Rodrigo Calderón. El duque de Osuna le deja partir con escasas muestras de agradecimiento. Quevedo, desengañado, se refugia en la Torre de Juan Abad (1620), en señorío de su propiedad, camino de Madrid a Andalucía, a dos leguas de Sierra Morena. Allí escribe y desde allí presencia la caída, desgracia y prisión de Osuna, a quien defiende con ejemplar nobleza, valentía y fidelidad [3].

Con la llegada al trono de Felipe IV (1621) su suerte empieza a cambiar. Se aproximan para Quevedo días de prueba, en los que tendrá ocasión de demostrar el recio temple de su espíritu. Obtiene de momento el favor del conde-duque de Olivares; incluso hospeda en su casa de Juan Abad a Felipe IV, de viaje para Andalucía (1624); le acompaña a Aragón y llega a recibir el nombramiento de secretario del rey. Pero por su viril defensa del patronato de Santiago (1628) contra los carmelitas, le acarrea el exilio de la Corte por un año. En 1634 casa, por insinuación del duque de Medinaceli, con doña Esperanza de Aragón y la Cabra, señora de Cetina. Tiene con ella disgustos y pleitos y termina por separarse dos años más tarde. Doña Esperanza muere en 1642.

1639. Felipe IV encuentra bajo su servilleta un memorial contra el conde-duque [4]. Se sospecha que es de Quevedo, y confirmada luego la sospecha por delación de un amigo, el valido obtiene del rey la orden de procesamiento y prisión. Apresado en la noche del 7 de diciembre de ese mismo año, es conducido a San Marcos de León, donde permanece cuatro años en un oscuro calabozo. hasta la caída de Olivares (1643).

Libre, vuelve a Madrid; pero por poco tiempo. Su retiro de Juan Abad le llama. Viejo y maltrecho, entonces es cuando debió de escribir aquel soneto tan íntimo, tan elocuente, tan desolador:

> Miré los muros de la Patria mía,
> si un tiempo fuertes, hoy desmoronados...

Es la expresión de toda una vida fracasada, una vida de lucha. de ilusiones, de ideales que se viene a tierra.

> Entré en mi casa; vi que, amancillada,
> de anciana habitación era despojos;
> mi báculo, más corvo y menos fuerte.

> Vencida de la edad sentí mi espada,
> y no hallé cosa en que poner los ojos
> que no fuese recuerdo de la muerte.

Sintiendo cercano su fin, dispone su testamento y ordena sus manuscritos; para estar mejor atendido, es trasladado a Villanueva de los Infantes y aquí entrega su alma a Dios el 8 de septiembre de 1645.

Perteneció a la hermandad de Esclavos del Santísimo Sacramento, y en 1618, como premio a sus relevantes servicios, había recibido solemnemente de manos del duque de Uceda el hábito de Santiago.

La personalidad humana

Existen de Quevedo muchos retratos en grabado, escultura y pintura. Los más conocidos son el de Velázquez, que se conserva en el Instituto de Valencia de Don Juan; el de Pacheco, con frondosa corona de laurel ciñéndole la sien; el de Alonso Cano, que ilustra la primera edición del *Parnaso español*; el de Marcos de Orozco, para preceder a la *Política de Dios*, y uno que está en la Biblioteca Nacional de Madrid. En todos ellos aparece con su cruz de Santiago al pecho y con un continente entre zumbón y severo, que le da una fisonomía especial. Las grandes gafas de concha—que de él recibieron su nombre—contribuyen a aumentar el empaque. Tanto en lo físico como en lo psíquico, él mismo se complace en darnos el diseño [5]. Pero es un diseño de trazos caricaturescos, al que no se puede conceder demasiado crédito. Mejor nos sirve la descripción de Fernández Guerra, que, por haberle estudiado a fondo para la edición de sus obras completas y haber examinado multitud de retratos, llegó a conocerle bien. «Era—dice—de buena estatura; el cabello negro, limpio y algo encrespado; la cabeza ancha y bien repartida; blanco el rostro; larga y espaciosa la frente, con algunas viejas heridas, testimonio de su valor. Tenía las narices grandes y gruesas, y los ojos muy vivos y rasgados, pero tan corto de vista que llevaba anteojos continuamente. Fué abultado de cuerpo, de hombros derribados y robustos, de brazos flacos, pero bien hechos y galanos; cojo y lisiado de entrambos pies, que los tenía torcidos hacia adentro»[6]. Este defecto, aunque ridiculizado por él en más de una ocasión, así como su pronunciada miopía, le ocasionó disgustos y no pocas pendencias; porque Quevedo, que gustaba burlarse de todo el mundo, no sufría fácilmente que se burlaran de él.

Esto en lo físico. En lo espiritual ha sido calificado el «hombre de los contrastes»[7]. Ninguna psiquis más rica, más variada, más interesante que la suya. Ninguna tampoco más contradictoria. Pero la contradicción o antinomia—burla y seriedad al mismo tiempo, risa y dolor—afecta solamente a la superficie de las cosas, o al menos a las cosas más intrascendentes. En el alma de Quevedo hay una serie de principios inviolables, inmunes a toda chanza o comentario frívolo: Dios, la religión, el rey, la patria; Quevedo no sólo los respetaba, sino que estaba dispuesto a sacrificar por ellos su libertad y aun su vida [8]. Y aquí tenemos el primer gran contraste: un hombre que se ríe aparentemente de todo, cuando llega el momento de tomar una cosa en serio, no vacila en salir a su defensa con su espada, con su pluma, con su sangre:

> No he de callar, por más que con el dedo,
> ya tocando la boca o ya la frente,
> silencio avises o amenaces miedo.
>
> ¿No ha de haber un espíritu valiente?
> ¿Siempre se ha de sentir lo que se dice?
> ¿Nunca se ha de decir lo que se siente? [9]

Alma grande la de Quevedo y casi incomprensible. Hecha para la próspera y adversa fortuna; forjada para los más diversos eventos de la vida. Maneja el acero como el mejor espadista; dirige la Hacienda como el mejor ministro; conspira por su patria y prepara revoluciones; viaja en gran señor y se retira a vivir en su hacienda, también como gran señor; persigue y es perseguido; goza de la vida y sufre. Pero sobre todo, escribe.

Quevedo escribe incansablemente. Lo observa todo y de todo toma nota y deja constancia. Es el más moderno de nuestros grandes clásicos; está siempre al día. Un auténtico periodista, cuyas informaciones tienen aún actualidad. Se ha querido reducir una personalidad tan rica a un solo rasgo: el ingenio; y dentro de éste, a una sola nota: el humor. «Pero junto al Quevedo que ríe—escribe Salaverría—está el Quevedo que llora; junto al Quevedo que toma la vida a burla está el Quevedo que se interesa hasta la exaltación, hasta el riesgo de muerte y de ruina por las cuestiones de la patria, la religión, la filosofía...» Escribe las cartas del *Caballero de la Tenaza*, el *Buscón*, los *Sueños*, y a mismo tiempo traduce a Epitecto, comenta a Séneca o a Plutarco, glosa a Job y a Marco Bruto y se cartea en elegante latín con Van der Hammen, Vicente Mariner, Justo Lipsio, Caramuel y Juan Jacobo Chifflet. Alterna con rameras y sirve al rey y a la patria, exponiendo por ellos la vida.

Esta complejidad de funciones y esta amplitud de conocimientos no se concibe sino por la fusión de ciertas disposiciones innatas con una formación sólida y tan amplia como era posible en aquel tiempo. Quevedo es sin duda el hombre más culto de su época. Filósofo y teólogo, escriturario y humanista, historiador y político, novelista y dramaturgo, poeta excepcional y escritor de costumbres, su horizonte mental es superior al de cualquiera de sus coetáneos. Conoce los Santos Padres y los filósofos paganos, los poetas todos de su tiempo y el último libro que acaba de salir en Francia o en Italia. Domina a la perfección el griego, el hebreo, y el latín; habla varios idiomas modernos tan bien como el nativo [10] Y un dato que no debe olvidarse: Quevedo, aunque nacido en Madrid, es oriundo de la Montaña. En su alma se funde felizmente la seriedad, reciedumbre y hondura del hombre cántabro con la vivacidad, ligereza y rapidez perceptiva del madrileño. «Primer escritor caracterizadamente madrileño», le ha llamado Salaverría. Y en efecto, con él se inaugura esa brillante galería de costumbristas a lo Mesonero Romanos, o de humoristas a lo Larra y Benavente, en quienes el ingenio se viene manifestando con inconfundibles matices de sal, gracejo y finura.

Obras y clasificación

Quevedo, atendiendo a la variedad, es el más amplio de nuestros escritores: ensayó todos los géneros literarios y en todos rayó a gran altura. Atendiendo a la cantidad, es el más fecundo, con excepción de Lope de Vega. Como lírico, nadie quizá tiene una producción mayor. Como prosista, y en algunos aspectos—satírico y picaresco—, supera también a todos por el número de sus obras.

Su inmenso repertorio ha sido clasificado primeramente por Fernández Guerra, y luego, con mejor criterio y más copiosa información, por Astrana Marín. Seguimos a éste; pero en aquellos grupos en que los títulos son excesivamente numerosos, sólo anotaremos los más importantes.

PROSA

Obras festivas: Incluye Astrana Marín hasta veintidós títulos, entre los que sobresalen: *Genealogía de los modorros* (1597), *Orígenes y definiciones de la necedad* (1599), *Vida de la Corte y oficios entretenidos de ella* (1599), *Premáticas y aranceles generales* (1600), *El caballero de la Tenaza* (1606), *Premática de las cotorreras* (1609), *Libro de todas las cosas y otras muchas más* (1627).

Novela: *Historia de la vida del Buscón* (1610-25).

Satírico-morales: *El sueño de las calaveras* (1606), *El alguacil alguacilado* (1607), *Las zahurdas de Plutón* (1608), *El mundo por de dentro* (1612), *Visita de los chistes* (1621-22).

Fantasías morales: *El entremetido, la dueña y el soplón* (1627-29-35); *La hora de todos y la fortuna con seso* (1635-45).

Obras políticas: Diecinueve títulos. Los más destacados son: *España defendida* (1609), *Política de Dios y gobierno de Cristo* (1617-26), *Mundo caduco y desvaríos de la edad* (1621-22), *Grandes anales de quince días* (1621-36), *Lince de Italia u zahorí español* (1629), *El chitón de las taravillas* (1630), *Marco Bruto* (1631-44).

Crítico-literarias: *La culta latiniparla* (1626), *Cuento de cuentos* (1626), *Respuesta al P. de Pineda* (inédita), *Aguja de navegar cultos* (1625), *Perinola* (1622), *Prólogos a las ediciones de Francisco de la Torre y Fr. Luis de León* (1629-31).

Filosóficas: *De los remedios de cualquier fortuna* (1633), *Sentencias* (16..?), *Nombre, origen, intento, recomendación y decadencia de la doctrina estoica* (1633-34).

Obras ascéticas: Trece distintos tratados de vario tema. Citamos sólo: *Vida del bienaventurado Tomás de Villanueva* (1620), *La cuna y la sepultura* (1612-30-33), *Virtud militante contra las cuatro pestes del mundo* (1634-36), *La constancia y paciencia del santo Job* (1641), *Providencia de Dios* (1642), *Vida de San Pablo Apóstol* (1643).

Traducciones en prosa: De Baronio y de Urbano VIII *(Cartas)*, de Maquiavelo *(El Rómulo)*, de San Francisco de Sales *(Introducción a la vida devota)*, de Séneca *(Epístolas)*, de Plinio, Epicteto, Focílides, Jeremías, etc.

POESÍA

Poesías originales: *El Parnaso español (las Musas)*, impreso en 1648; *Las tres últimas musas castellanas* (1870). *Varias* (no incluídas en las anteriores recopilaciones). Suman en total cerca de mil cien poemas, repartidos por materias en poesías amorosas, satíricas, burlescas, romances, encomiásticas, morales, sagradas, fúnebres y varias.

Buen número de *loas, diálogos y bailes*.

Once entremeses: *El médico, Pandurico, La ropavejera, El marido fantasma*, etc.

Una comedia: *Cómo ha de ser el privado*.

Una representación española: *Pero Vázquez de Escamilla*.

Traducciones en verso: Marcial, Anacreonte, Salomón, etc. (algunas con comentarios).

Quedan, además, de Quevedo abundantes originales agrupados bajo el epígrafe de «escritos varios»: apostillas, dedicatorias, juicios sobre libros, censuras, apuntes y un nutrido epistolario. Todo ello confirma lo que antes hemos dicho, es a saber, que entre nuestros grandes clásicos es el más fecundo y rico.

Quevedo, prosista

Un análisis completo de tan ingente producción es imposible en obras como la nuestra. Limitémonos a una brevísima referencia de las más notables. Y adelantemos que en todos sus trabajos en prosa, Quevedo se muestra escritor incomparable.

En el Quevedo prosista podemos considerar, a tenor del cuadro expuesto, al escritor festivo y al escritor serio; y dentro de éste, al moralista, al político, al preceptista literario y hasta al autor de tratados de ascética. Que a todos estos aspectos podía atender simultáneamente su talento inagotable.

Obras festivas.—Son las más conocidas y en las que campea plenamente su vena satírica. Pero esta sátira se reviste en él de innumerables matices: unas veces es burla simplemente; otras, desprecio; otras, sarcasmo; otras, insulto soez. En ocasiones parece daga buida y envenenada; y en ocasiones, poderosa maza de titán. Aquí, la intención escondida tras un vocablo o una frase salta a primera vista; y allí hay que mirar y remirar lo escrito hasta encontrarle todas sus intenciones. Porque en Quevedo no cabe hablar de segunda intención, así en singular; tan retorcidamente barroco se nos muestra con frecuencia, que detrás de un segundo sentido encontramos otro, y otro más.

La *Genealogía de los modorros*, primer escrito en prosa que conocemos de Quevedo, compuesto a los diecisiete años, es una graciosa «declaración» sobre la necedad, origen, principio, hijos y descendientes que tuvo. *La vida de Corte y oficios entretenidos*, escrito también en plena juventud, aunque con un gran fondo de experiencia personal, nos ofrece un vistoso desfile de los tipos más destacados del Madrid de la época: lindos, gariteros, bravucones, entretenidos, estadistas ilusos, rufianes, etc. Parecida significación tienen las *Premáticas y aranceles generales*, la *Premática de las cotorreras* y las *Capitulaciones matrimoniales*. En todos estos breves trabajos se adivina ya el genial satírico de los *Sueños* y del *Buscón*, acostumbrado a ver la tumultuosa vida del Madrid de los Austrias con los ojos más penetrantes que la han examinado jamás. Las *Cartas del Caballero de la Tenaza*, escritas ya en 1606 y no publicadas hasta 1625, pero muy conocidas por numerosos manuscritos, recogen una serie de agudísimas recetas «para guardar las moscas y gastar la prosa» en el trato con las mujeres. En número de 25 epístolas, Quevedo alcanza ya en ellas la plenitud de su ingenio.

Los «Sueños»

Más importancia tienen en este orden los *Sueños*, que por su contenido ético suelen ir agrupados bajo el epígrafe común de escritos satíricomorales.

Primera obra de cierta envergadura de Quevedo, conocidos y también en copias manuscritas antes de su publicación, los *Sueños* contribuyeron poderosamente a divulgar su fama. El autor había querido publicarlos en 1610; pero el censor emitió dictamen adverso, por encontrar irreverentes algunas citas de la Sagrada Escritura; aprobada su publicación en 1612, aparecen ese mismo año en Aragón, Cataluña y Valencia; pero en Castilla no vieron la luz hasta 1627. El libro alcanzó inmediatamente la mayor difusión; pero amonestado Quevedo por el Santo Oficio, hubo de dar otra edición expurgada (Madrid, 1631), con algunos títulos cambiados y varios trabajos más.

En su primera edición, los *Sueños* se componían de cinco breves relatos o fantasías escritas a la manera de Luciano, Cicerón y otros autores, con los siguientes títulos: *Sueño de las calaveras, El alguacil alguacilado, Las zahurdas de Plutón, El mundo por de dentro* y *La visita de los chistes*.

Las dos «fantasías morales», *El entremetido, la dueña y el soplón* y *La hora de todos*, se agregaron después. *La casa de los locos de amor*, atribuída mucho tiempo a Quevedo, parece que no le corresponde. El nunca dijo que fuese suya, y ya Nicolás Antonio le niega la paternidad de la obra, que tampoco Astrana Marín, tan meticuloso bibliógrafo de Quevedo, incluye entre sus *Obras completas*.

En el *Sueño de las calaveras*, todos los difuntos —médicos, poetas, sacristanes, escribanos, «damas alcorzadas», etc.—, despertados por la trompeta de un ángel, van desfilando ante el tribunal de Júpiter y exponiendo las razones de su vida y conducta. Curioso tipo el de aquel avariento que «sólo aguardaba a tener todas las cosas para amar a Dios sobre ellas».

Un diablo, arrojado del cuerpo de un alguacil, cuenta al licenciado Calabrés, en *El alguacil alguacilado*, el lugar que ocupan en el infierno las diversas profesiones y los tormentos a que están condenadas. Ello da pie a Quevedo para los más sabrosos comentarios, como el de aquel asentista que «viendo la leña y fuego que allí se gasta, quería hacer estanco de la lumbre».

La visita de Quevedo a los infiernos, donde tiene ocasión de pasar revista a todos los ejemplares humanos que allí se encuentran, sirve de base a *Las zahurdas de Plutón*. En el aposento de Satanás, último que visita el poeta, se encuentran los condenados de categoría.

El mundo por de dentro nos da una visión interior y real de muchas cosas y escenas de la vida que sólo juzgamos por la apariencia. Guiado por el Desengaño, Quevedo presencia un entierro, el llanto de la viuda, la belleza de la dama, etc., descubriendo de paso la multitud de engaños que se esconden «por debajo de la cuerda».

La pequeña acción de *La visita de los chistes* se desarrolla asimismo en el mundo de ultratumba. En una fantasmagórica reproducción de las famosas «danzas» medievales desfilan los enemigos del hombre —Mundo, Demonio y Carne, la Ingratitud, la Maldición, la Discordia y otros alegóricos personajes. El protagonista, como en las obras típicas del género, es la Muerte, ante quien van apareciendo representantes imaginarios de frases célebres: *El rey que rabió, Mateo Perico, Averigüelo Vargas, El Otro, Pero Grullo* y varios más.

Del mismo corte satírico, aunque con mayor fondo moral, es *El entremetido, la dueña y el soplón*.

Por el contrario, en *La hora de todos y la fortuna con seso* domina la intención política. Puede, en ciertos aspectos, considerarse como una serie de cuadros sobre las costumbres, carácter y actuación de los principales Estados europeos, cuyas interioridades tan bien conocía nuestro escritor. Con aquel implacable bisturí que era su pluma, va haciéndoles uno a uno la disección y revelándonos los móviles y ambiciones que alentaban en las altas esferas políticas de Inglaterra, Holanda, Génova, Venecia o el Imperio mahometano.

En resumen, dentro del género lucianesco, los *Sueños* constituyen una obra modelo. Por su movimiento, variedad y gracia son el más feliz retrato, siempre tendente a la caricatura, de las costumbres españolas de la época. Todas las clases sociales, cargos y profesiones, de la más alta a la más baja, está representada en estas páginas con una exactitud y veracidad como no habíamos encontrado anteriormente ni en el mismo Petronio.

«El Buscón»

Única obra satírica de Quevedo que por su extensión y continuidad narrativa merece el nombre de novela. La *Historia de la vida del Buscón llamado don Pablos*, impresa en Zaragoza en 1626, estaba redactada de muchos años atrás. A juzgar por ciertos datos externos y por factores internos, entre 1601 y 1608. Es una de las piezas representativas de la picaresca; cierra soberbiamente la serie inaugurada con *La Celestina* y continuada con tanto éxito por el *Lazarillo*, el *Guzmán* y el *Escudero Marcos de Obregón*. El ciclo de la picaresca, en efecto, no pudo tener mejor principio ni más brillante fin.

Cuenta la vida aventurera del Buscón don Pablos, hijo de un barbero de Segovia y de una «zurcidora de gustos», ladrón él y mujer ella de pésima reputación, al extremo de que «todos los copleros de España hacían coplas sobre ella». Sirve primeramente como criado en Segovia a don Diego Coronel y Zúñiga, con quien pasa luego a la Universidad de Alcalá. Una estupenda carta de su tío el verdugo de Segovia le hace volver a esta ciudad para recoger los dineros que había dejado su padre al morir en la horca. Pablos va a Madrid, frecuenta garitos y malas compañías, hasta dar con sus huesos en la cárcel, de donde sale mediante soborno. Tras una larga serie de aventuras amorosas, fracasos, detenciones y apaleamientos, se decide a ir a Toledo, donde actúa de cómico, llegando a escribir comedias y obteniendo gran éxito en los papeles de *cruel*. Pasa a Sevilla, donde ingresa en la *germanía*, y, por fin, se decide a trasladarse a las Indias con ánimo de probar fortuna.

Tanto en Segovia, como en Alcalá, Madrid y demás poblaciones le suceden las más sabrosas aventuras. La carta del tío contándole la muerte de su padre, que al ir a la horca «subió al asno sin poner pie en el estribo»; las bromas sangrientas de los estudiantes de Alcalá; el retrato del dómine Cabra, en cuya casa se alojan amo y criado durante su permanencia en Segovia; la descripción del hampa en el madrileño barrio de San Luis y tantas y tantas otras páginas del Buscón son pasajes que una vez leídos no se olvidan más [11]. Quevedo promete una segunda parte, que no llegó a escribir.

Por su línea estructural, tipos y episodios, el *Buscón* cae de lleno dentro del género picaresco. Con una diferencia: lo que en el *Lazarillo* y en el mismo *Guzmán* es copia real, aquí se convierte en caricatura. Conceptualmente está penetrado de un estoicismo negro y pesimista. Si alguna vez entra un rayo de alegría en la espesa selva de sus páginas, es una alegría convulsiva y sarcástica. En el *Buscón* se nos da el Quevedo auténtico, el de la sátira despiadada, cruel, inmisericorde. No hay lugar para la emoción y los sentimientos. El cinismo con que don Pablos nos cuenta su vida descubriendo el alma con sus repugnantes lacras, nos deja a veces paralizados. Dijérase que Quevedo, antes de lanzar a la escena sus personajes, los vacía de todo sentimiento humano, para darnos fantoches acostumbrados a moverse sólo a impulsos de los más bajos instintos. Sin embargo, el *Buscón* se nos aparece en todo momento como una copia de la sociedad española de principios del XVII. Muy leído en todos los tiempos, a pesar de la crudeza y hasta del repugnante grafismo de ciertos pasajes, es una de las obras capitales de la literatura castellana. La narración se lleva a un ritmo vertiginoso, sin interpolaciones episódicas ni digresiones morales, tan frecuentes en esta clase de obras. Los episodios vienen seguidos, enracimados unos con otros y sin que se acuse en el autor el menor esfuerzo inventivo. El héroe siempre está en primer plano. Por ello todo el *Buscón don Pablos* puede considerarse como el tipo más puro de la picaresca.

Obras ascéticas, filosóficas y políticas

Menos leídas que las anteriores, constituyen, sin embargo, un amplio sector dentro de la producción de Quevedo y ofrecen aspectos conceptuales y literarios muy notables.

Religión católica, patria y filosofía se fundían continuamente en el alma del escritor, en feliz aleación, formando un sólo sentimiento y dando como producto natural ese nutrido grupo de obras, en cuyas páginas unas veces palpita con más fuerza el fervor religioso, otras el ardor patrio y otras, por último, el ideal filosófico, casi siempre de tendencias morales.

Filosóficamente, Quevedo no tiene un sistema. Ni siquiera se puede considerar un pensador original. Es más bien expositor felicísimo de doctrinas ajenas; y estas doctrinas son siempre las estoicas —Séneca, Epicteto, Boecio— atenuadas y ennoblecidas en parte por su profunda fe católica. En este orden destacan *Las cuatro pestes del mundo*, con disertaciones sobre la envidia, la ingratitud, la soberbia y la avaricia; *La cuna y la sepultura*, imitada de Séneca; las *Sentencias*, inéditas hasta época reciente, que en número de 1.224 recogen todo el pensamiento moral y religioso de Quevedo; y la exposición brillantísima que en el *Nombre origen, intento... de la doctrina estoica* nos hace de esta secta o escuela filosófica.

Tampoco era Quevedo un teólogo; sin embargo, se metió muchas veces, y no sin saber el terreno que pisaba, en los campos de la teología y hasta de la Sagrada Escritura. Sus *Vidas* de San Pablo y de Santo Tomás de Villanueva, sus *Consideraciones sobre el Testamento Nuevo y vida de Cristo*, la *Homilía a la Santísima Trinidad*, el tratado ya aludido, de gran sabor ascético, *La cuna y la sepultura*, los comentarios al libro de Job (*La constancia y paciencia del Santo Job*), y, en fin, su profundo discurso sobre la *Providencia de Dios*, acreditan, aparte sus maravillosas dotes de escritor, un profundo conocimiento de la filosofía, de la teología y del dogma. La huella metafísica del padre Suárez está presente en no pocas páginas.

Como escritor político es, junto con Saavedra Fajardo, el más representativo de su siglo. Su doctrina en tal aspecto se entronca con la escolástica y la patrística, a la vez que se nutre de la más pura savia del Derecho romano. *Política de Dios, gobierno de Cristo y tiranía de Satanás*, junto con el *Marco Bruto*, considerada por el mismo Quevedo la mejor de sus obras [12], definen perfectamente su ideario. Por un lado, la doctrina de la Iglesia: Cristo, dechado y ejemplar de príncipes y gobernantes; por otro, la tradición humanística, que veía en Marco Bruto y en sus virtudes cívicas la encarnación más perfecta del ideal patrio. Aparte de ello, Quevedo se sintió siempre español cien por cien. En *España defendida* y en *Lince de Italia y zahorí español*, así como en la *Carta de Luis XIII*, sale al paso de la maraña de embustes y calumnias contra nuestra patria con una valentía y un fervor ejemplares. Algunos conceptos de la *España defendida* parecen de un escritor de nuestros días. «¡Oh desdichada España! —exclama—, revuelto he mil veces en la memoria tus antigüedades y anales, y no he hallado por qué causa seas digna de tan porfiada persecución.» *Mundo caduco y desvarío de la edad* arroja viva luz sobre las relaciones de Venecia con España, desvirtuando las tendenciosas aseveraciones de Fra Paola Sarpi. Finalmente, los *Grandes anales de quince días*, en un estilo denso, apretado y tan gráfico como no salió quizá ni de la pluma de Tácito, relatando los acontecimientos más relevantes de los primeros años del reinado de Felipe IV. El suplicio de don Rodrigo Calderón, la muerte de Villamediana, la prisión del duque de Osuna, etc., están trazados con un vigor y una viveza inimitables. Por algo nos dice Quevedo en la dedicatoria: «Yo escribo lo que vi, y doy a leer mis ojos, no mis oídos.»

Quevedo, poeta

Un escritor como Quevedo, que había rescatado del olvido las poesías de Francisco de la Torre y editado las de fray Luis de León, parece lógico que antes que nada se preocupara de las suyas. No fué así; antes de morir el inmenso satírico ya sus poemas circulaban por todas partes en innúmeras copias manuscritas, y hasta se sabían de memoria. Pero no vieron la luz, al menos reunidas, hasta unos años después de muerto. Primeramente, la solicitud de su entrañable amigo el humanista don Jusepe Antonio González de Salas rescató del olvido y salvó de su total destrucción buen número de poesías, que publicó en 1648, coleccionadas bajo el título de *Parnaso español, monte en dos cumbres dividido, con las nueve musas castellanas*. La colección de González de Salas sólo contenía las seis primeras *musas*. Las tres restantes fueron agregadas por un sobrino de Quevedo, don Pedro Aldrete Quevedo y Villegas, en la edición de 1670. Ambas colecciones eran incompletas y defectuosas. Aunque figuran en ellas más de mil poesías, sólo recogen una parte de la producción lírica de Quevedo; en cambio, se adjudican a éste varias que se sabe corresponden a Aras Montano, Argensola, Esquilache y otros ingenios. De todos modos, la producción lírica de Quevedo cuantitativamente es superior a la de cualquier poeta nacional, y probablemente extranjero [13]. Desde que aparecen sus primeros poemas insertos en las *Flores*, de Espinosa (1605), hasta la hora de su muerte, durante cuarenta años justos, su musa no dejó de producir versos día tras día.

Lo que sorprende ante todo en la poesía de Quevedo, aparte la cantidad, es la variedad de los temas y su absoluto dominio de todos ellos. Como en la prosa, donde encontrábamos al lado de un tratado ascético un aguafuerte picaresco, también en el verso alternan sin estorbarse los temas más dispares y en la métrica más variada. Una vez más Quevedo es el hombre de los contrastes. Así hallamos en su *Parnaso*, dentro de una infinita gradación de estilos, junto a la despiadada sátira de costumbres, el delicado soneto amoroso y al lado de una *silva* de tono senequista un romance de *germanía* o una letrilla llena de la peor intención. Su dominio de la métrica versificatoria no tiene igual en castellano. Hace del verso lo que quiere; lo estira, lo comprime, lo moldea a su gusto hasta obligarle sin esfuerzo a expresar cuanto desea y como él lo desea. También al verso, y en mayor grado quizá que a la prosa, lleva sus retorcimientos, antítesis, elipsis, neologismos, hipérbaton y toda clase de figuras gramaticales y literarias, con una audacia y una libertad desconocidas hasta entonces. Así brotaron aquellos versos, sobre todo los de carácter burlesco, que no pueden compararse con los de ningún otro en su género. Versos llenos de ingenio, versos únicos, porque dicen cosas distintas y de un modo también distinto.

Atendiendo a la temática, se viene clasificando la obra poética de Quevedo en tres series: amorosa, satírica o festiva y filosófica.

Poesía amorosa.—Oscurecida casi siempre por la festiva y moralista, la poesía amorosa de Quevedo apenas suele merecer la atención de la crítica. Sin embargo, encontramos en ella no pocos ejemplares de una perfección formal acabada y de una hondura de pensamiento sorprendente. Recuérdese, entre los cien o más sonetos de esta serie, los dedicados a Lisi o Lísida y los que llevan por título: *A Aminta, que se cubrió los ojos con la mano; A una dama, que apagó una bujía y la volvió a encender en el humo soplando; A Flora; A Doris; A Laura,* etc. De ordinario, las poesías de este grupo parecen hechas por pasatiempo y sólo para demostrar el ingenio; pero hay algunas en cuyo fondo late una fibra muy sensible y que nos hablan de un amor verdadero con voces de auténtica sinceridad. Así, aquella escalofriante terminación de un soneto maravilloso, alusiva a los huesos:

> Serán ceniza, mas tendrán sentido;
> polvo serán, mas polvo enamorado.

O aquella atrevida y modernísima imagen con que se cierra otro soneto, no menos admirable:

> Luego se adormeció, mustio y doliente,
> el aire adormecido en sombra fría.

Poesía satírica.—Ha sido siempre la preferida por la crítica y el público lector entre la lírica de Quevedo. Y no sin razón; quiérase o no, es el gigante de la sátira, el mayor, desde luego, de nuestra literatura, y, en ciertos aspectos, también de la universal.

Pero conviene distinguir entre sátira y sátira. Hay una seria, adusta, de tono moralizador y casi dogmático, a lo Juvenal; y hay otra ligera, superficial y festiva, sin intenciones ulteriores o con la sola intención de provocar la risa, a lo Marcial o Baltasar de Alcázar. Una y otra cultiva Quevedo con sin igual fortuna y originalidad. No es que no acuse influencias; como en la prosa las había de Luciano o de Petronio, también en el verso las hay de Persio, de Horacio y de Juvenal. Pero estas influencias quedan borradas, casi anuladas por su potente sello personal. Y otra nota que interesa destacar: mientras la sátira de aquéllos y de sus imitadores del Renacimiento es naturalmente pagana, la de Quevedo está traspasada del más puro cristianismo. Esto también le diferencia de Gracián, a cuya mente parece no haber llegado el espíritu de Jesucristo. Pero entiéndase bien: decir cristiano, tratándose de Quevedo, y, sobre todo, de sus sátiras en verso, no significa amor, ni caridad, ni misericordia, según los preceptos evangélicos. Si hay un escritor despiadado, casi inhumano, ese es Quevedo.

No es fácil enumerar sus temas festivos. Quevedo, observador incansable, todo ojos y oídos, no pierde detalle; lo ve todo, y siempre o casi siempre por el lado humorístico. Y para decirlo con una frase inelegante, pero gráfica, «a todo le saca punta». De su sátira no escapa nadie: grandes y pequeños, hombres y mujeres, cómicos, poetas, médicos, magistrados, doctores, frailes, monjas... Hay temas por los que siente especial cariño: el marido engañado y la mujer de vida airada; las dueñas y las viejas. Nunca se han dicho sobre la mujer tantas y tan sabrosas cosas. ¡Qué mundo el de sus romances y jácaras! Pero al lado del Quevedo burlón está el Quevedo censor, el de la sátira seria, que denuncia, con acento vehemente, los vicios y corruptelas de la sociedad; el de la sátira política, por el estilo de la *Epístola al conde-duque;* el de los cien y cien sonetos contra todo y contra todos, encabezados por el dirigido al mismo rey[14]. Para esta sátira seria prefería los metros largos; sonetos, silvas y tercetos en epístolas, a la manera de los Argensola. Cuando no le bastaban los usuales, resucitaba los ya caducados, como en el citado *Memorial a S. M. el Rey Felipe IV,* en pareados dodecasílabos de arte mayor:

> Católica, sacra y real majestad
> que Dios en la tierra os hizo deidad.

Imposible citar ni una mínima parte. Sólo de sonetos tenemos centenares; alguno, como los señalados con los números XI, XX y XXI entre los «satíricos», verdaderamente desvergonzados.

Para la poesía festiva, mucho más copiosa y conocida, acude a los metros tradicionales, sobre todo romances y letrillas. De éstas hay algunas incomparables por su gracia y maligna intención. Recordemos las tituladas: *Con su pan se lo coma, Poderoso caballero, Punto en boca, Milagros de corte son, Sabed vecinas, Yo me soy el rey Palomo, Y no lo digo por mal, La morena que yo adoro, Solamente un dar me agrada,* etc. Entre los romances, también por centenares, los hay tan intencionados y bellísimos como los que empiezan: «Aquí ha llegado una niña»; «Antoñuela, la Pelada»; «Parióme adrede mi madre»; «Padre Adán, no lloréis duelos»; «Mi marido, aunque es chiquito»; «La que hubiera menester»; «A la corte vas, Perico»; «Tomando estaba sudores», y, sobre todos, aquella saladísima carta en que «se sacude un hijo pegadizo»: *Yo el menor padre de todos...*

Las *jácaras* de Quevedo merecen punto aparte. Se trata de una serie de pequeñas composiciones escritas asimismo en romances y cantables. En ellas, con singular donaire, se narra la vida y milagros de pícaros y *coimas:* Escarramán, Lampuga, Villafrán, La Méndez, La Perala, Mari Pizorra y otros héroes del hampa y de la mancebía. La más célebre es la que en forma epistolar dirige Escarramán a la Méndez y contestación de ésta, mil veces imitada, reproducida por Lope en tres comedias, e incluso «vuelta a lo divino» en varias ocasiones.

Poesía seria.—Contrasta con este género jocoso la poesía moral y filosófica de Quevedo, tan austera por su traza y tan honda de concepto. Y aun asombra más el tránsito de un género a otro casi sin solución de continuidad cronológica. Porque estas composiciones, tan profundas y meditadas, llevan la misma fecha que los romances, las jácaras, las letrillas y demás versos de carácter burlesco.

Es esta una poesía de gran contenido filosófico, producto de largas meditaciones, entroncada directamente con ciertos tratados en prosa del autor: *La cuna y la sepultura,* por ejemplo. Si no tuviéramos tales tratados, bastarían esos poemas para darnos, junto con la ideología de Quevedo, la medida de su alma religiosa y meditativa. Porque Quevedo, también queda dicho, era un espíritu profundamente religioso y cristiano, aunque muchas veces en sus obras parece que pretende disimularlo. Los temas de tales composiciones son los comunes a toda la filosofía estoica, tan cara a los escritores barrocos: nacer es un empezar a morir; se nace llorando y se vive después en continua angustia; la fugacidad de la vida es un indicio de la vanidad de las cosas; no hay más realidad que la muerte. A estos temas responden sus 99 sonetos «morales», sus 15 salmos recogidos bajo el título general «Lágrimas de un penitente», sus «poesías religiosas» y algunas de las comprendidas en el grupo de «Varias», como la celebérrima *Al Sueño,* imitación de Estacio; *A una fuente, A un reloj de arena, A las estrellas, La soberbia* y muchas otras.

En Quevedo estos temas alcanzan una dimensión que asusta. Antes que Unamuno acertó a expresar el sentimiento trágico de la vida en forma nunca alcanzada:

> Ayer se fué; mañana no ha llegado;
> hoy se está yendo sin parar un punto;
> soy un Fué y un Será y un Es cansado...

El teatro de Quevedo

Es muy reducido, especialmente si se compara con el de nuestros grandes dramaturgos de su siglo: cinco *diálogos* muy garbosos, casi todos entre galanes y damas; los *bailes,* en metro romanceado, con el inconfundible sello satírico-festivo del autor; seis *loas,* también en romance, de carácter burlesco; diez *entremeses* y dos *comedias.* Dada la asombrosa fecundidad de Quevedo, esto es poco. Sin duda él, que tan bien se conocía, creyó que no era ése su verdadero camino.

Y, sin embargo, no carecía de dotes para el teatro, especialmente para el entremés. Algunos de los suyos—*El médico, La endemoniada fingida, El marido fantasma,* etc.—se pueden comparar ventajosamente por su agilidad y gracia con

los mejores de Quiñones. Menos logradas las dos comedias que nos quedan [15], no añaden una hoja a la corona poética de su autor. *Cómo ha de ser el privado,* paráfrasis versificada de su tratadito del mismo título, es una apología del gobierno de Olivares, al que presenta Quevedo bajo el fácil anagrama de Valisero. Por cierto que es una de las pocas obras de nuestro teatro francamente favorable al valido [16]. Su redacción debe situarse entre el 1628 y 1630, época de la amistad del condeduque con Quevedo. *Bien haya quien a los suyos parece,* más floja que la anterior, se basa en una doble intriga amorosa: la pasión de Enrico por Hipólita, hermana del duque de Ferrara, y la de éste por una hermana de Enrico. La comedia termina en doble matrimonio. Uno de los pasajes más notables es el elogio de la vida retirada, puesto en boca del padre de Enrico, similar, aunque muy inferior en todos los aspectos, al de Lope de Vega en *El villano en su rincón.*

Estilo y lengua

Tras un somero repaso de su vida y su obra, Quevedo se nos muestra como un auténtico genio de las letras castellanas. Si admirable como hombre, no menos admirable como escritor. Pfandl, que al estudiar la literatura de nuestra Edad de Oro tuvo que enfrentarse con tantas figuras de alta talla, afirma ni más ni menos que «Quevedo es la capacidad más universal de su pueblo y casi... de su siglo». Como estilista no tiene rival. No diremos que su estilo sea el mejor, ni siquiera que deba ser aconsejable; pero sí que es el más rico, el más variado, el más original. «Da la impresión—ha dicho Eugenio d'Ors—de que está continuamente recreando la lengua.» El emplea más voces que nadie y a cada voz le da también más significados que nadie. Juega lo mismo con los factores semánticos que con los retóricos y con los puramente fonéticos de un vocablo, hasta exprimirlos y sacarles todo el jugo. Coge las palabras y, maravilloso prestidigitador, las enriquece, las vacía, las llena a su antojo de nuevo contenido, las reforma, las rompe, las compone y las deshace. Trastoca a su placer las categorías gramaticales. Convierte los verbos en sustantivos y los sustantivos en verbos; los nombres propios en comunes, y al contrario; lo adjetiva todo, y con la misma facilidad lo sustantiva todo. Conoce los más secretos resortes de la retórica—paranomasias, retruécanos, inversiones—, los siembra a voleo y siempre caen bien.

Y el mismo juego que con el léxico, con las ideas. Las estrecha, las ensancha, las matiza. También aquí lo conoce todo: sentencias de Santos Padres, y de filósofos paganos; conceptos alquiterados de salón y pensamientos de rufianes. Y luego la hipérbole, ese recurso que nadie ha sabido manejar con tanta intensidad, con tanta soltura y gracia. Como los titanes acumulan cumbres sobre cumbres, él amontona hipérboles sobre hipérboles [17]. Cuando zahiere, no le basta un término ni dos: tiene que agotar el vocabulario, en una gradación casi infinita. Y todavía su intención va más lejos que las palabras:

> Fuése con Satanás culto y pelado,
> miren si Satanás fué desdichado.

No se puede llegar a más: compadecer al demonio porque el pobre Góngora iba a ser su compañero en el infierno. Cuando elogia, también encuentra expresiones inéditas:

> En sus exequias encendió al Vesubio
> Parténope, y Trinacria al Mongibelo;
> el llanto funeral creció en diluvio...

Hay quien llama a esto genio; otros se limitan a llamarle ingenio. Es lo mismo. Resultado son esas obras de carácter serio o de carácter festivo que, producidas hace tres siglos en cantidad ingente, todavía hacen pensar y reír a millones de hombres.

III. BALTASAR GRACIAN

Junto a Quevedo, la inevitable compañía del jesuíta padre BALTASAR GRACIÁN (1601-1658) [18]. Quevedo, ya queda dicho, no fué un pensador; Gracián sí que lo fué, y uno de los más grandes que han existido nunca. Hay quien, por no tener un sistema ideológico articulado, le niega el título de filósofo. Da lo mismo; su huella en el pensamiento universal es de las más hondas y visibles. Ha sido Schopenhauer quien lo proclamó así primeramente, y la posteridad cada vez más le está dando la razón.

No es, sin embargo, esta consideración la que nos mueve a traer aquí su nombre. Si Gracián ocupa un puesto de honor en la historia literaria es porque, junto a un profundo pensador, hay en él un originalísimo artista del lenguaje.

Datos biográficos

Nace en Belmonte (Zaragoza), cerca de Calatayud, en 1601. Sus padres Francisco Gracián y Angela Morales tuvieron otros cinco hijos más, cuatro de los cuales ingresaron en Ordenes religiosas [19]. Probablemente asistía, niño aún, al Colegio de Jesuítas de Calatayud. Pronto es requerido para que vaya a Toledo por su tío el licenciado Antonio Gracián, a cuyo lado se educa. A los dieciocho años ingresa de novicio en la Compañía de Jesús en Tarragona. Vuelve poco después a Aragón y estudia en Calatayud y Zaragoza. En 1635 hace sus votos solemnes. Antes, en 1631, lo encontramos actuando como profesor en Huesca, donde inicia sus relaciones con Lastanosa [20], que tanto había de influir en su vida y que años más adelante se encargaría de publicar El héroe (1637), la obra con que Gracián inicia su carrera de escritor. En 1640 es enviado a Madrid: predica y obtiene desde el púlpito éxitos resonantes; pero conserva de su estancia en la Corte ingrato recuerdo, y dos años más tarde lo encontramos de nuevo en Zaragoza. Es nombrado rector del colegio de Tarragona en 1643, y al siguiente año va a Valencia, donde tiene lugar (1646) el desagradable incidente, origen de su antipatía por la ciudad del Turia [21]. El mismo año, el patriarca de Valencia le escoge por capellán del ejército encargado de liberar Lérida, ocupada por los franceses. Nuestras tropas á las órdenes del marqués de Leganés obtienen una brillante victoria, de la que fué parte principal el mismo padre Gracián [22], demostrando así que no sólo sabía definir el «héroe», sino serlo también cuando se presentaba ocasión. Regresa a Huesca; publica el oráculo manual (1647), la edición retocada de la Agudeza (1648) y la primera parte de El Criticón (1651), con el seudónimo de García de Morales.

Nombrado lector de Sagrada Escritura en el Colegio de Zaragoza, empieza su calvario. Alguien, quizá su viejo amigo el canónigo Salinas, con quien recientemente se había indispuesto, le denuncia a las altas jerarquías de la Orden. El padre provincial recibe carta del general (abril de 1652) en la que se ordena que investigue los hechos denunciados y, caso de ser ciertos, se imponga a Gracián el correctivo pertinente. La orden surte efecto; se le acusaba de haber dado a la imprenta, sin permiso, varios de sus libros; y ahora, según carta a Lastanosa, se le prohibe imprimir nada. Nueva carta del general para que se investigue si cumple a satisfacción en la cátedra de Sagrada Escritura. Como los informes son favorables, Gracián se cree ya absuelto e incumple la prohibición anterior. En 1653 publica nueva edición del Oráculo y la segunda parte de El Criticón; en 1655, El Comulgatorio, única obra suya de contenido religioso, que alcanzó extraordinario éxito. Y todavía la tercera parte de El Criticón. Pero la indisciplina no podía quedar impune. La desobediencia, no sólo en los jesuítas, sino en toda Orden religiosa, es pecado de mayor gravedad. El castigo, por tanto, tenía que venir de modo inexcusable. Lo extraño en el caso de Gracián es que se hiciese tanto esperar. Hasta 1658 el general de la Compañía no aprueba el castigo. Este es francamente severo, pero no desproporcionado a la culpa: destitución de la cátedra, represión pública, ayuno a pan y agua y destierro a Graus. Y una circunstancia que agrava la punición: ni un papel, ni una pluma, ni un libro en poder del padre. Una profunda crisis se apodera de su ánimo; solicita permiso para ingresar en otra Orden, y no se le complace. Pero se sabe que posteriormente obtuvo grandes éxitos con sus sermones. Unos opinan que había vuelto al favor de sus superiores; otros, que continuaba exonerado, cuando le sorprendió la muerte en Tarazona el 6 de diciembre de 1658.

Vida poco dramática la del padre Gracián, se

ha dicho por alguien. Nosotros, por el contrario, descubrimos en ella una tensión espiritual, una lucha, una agonía constante que había de trascender a sus escritos.

El hombre y el escritor

No tenemos retratos de Gracián. El único que puede darnos cierta aproximación fué hecho pocos años después de su muerte. Pertenecía al colegio de la Compañía en Calatayud, y figura en casi todas las ediciones de sus obras. Allí se nos muestra con sus negros hábitos, sentado frente al libro, aprisionando la pluma entre los dedos de su diestra y la siniestra en el aire, con cierto gesto de energía. Labios irónicos, frente vasta, ojos grandes, rostro enjuto. La crítica, en un análisis excesivamente minucioso, quiere descubrir en sus rasgos faciales una mezcla de San Ignacio y Maquiavelo. Sombrío y lúcido a la vez; expresivo y hermético. Alma secreta, de clave, como sus libros.

No podemos dar crédito a la semblanza que de él nos hizo el anónimo autor de la *Crítica de reflección* [23]. Salió de una pluma enemiga, y así resulta de exagerada y monstruosa. Pero, quitando lo que hay en ella de trazo caricaturesco, debemos convenir con casi todos sus biógrafos en que Gracián era hombre de baja estatura, delgado, un poco cargado de espaldas, miope, pálido, de gesto agrio y voz desagradable.

Frente a este perfil físico, sus obras nos dan un espíritu agudo, penetrante, inteligentísimo, portentosamente sagaz, de una perspicacia a la que nada se esconde; de un poder analítico asombroso, capaz de descomponer una idea en mil cambiantes; y, sobre todo, crítico. Por algo a los capítulos de su más célebre libro les llama «crisis», dando a entender que buscaba siempre y en todas las cosas el examen imparcial y el juicio definitivo. No filósofo, pero sí pensador. En su alma no hay lugar para la emoción; todo lo llena la inteligencia. Falto de calor humano, de cordialidad, de ternura, su pluma es escalpelo que rasga la corteza del corazón y lo deja al descubierto tal cual es, porque no se olvide que este escritor austero, misántropo, senequista, ve las cosas siempre envueltas en un pesimismo desolador.

Moralmente, Gracián debió de ser un hombre vulgar; ni el ser beatífico que algunos quieren presentarnos, ni el alma satánica que otros dicen. Sufrió persecución, pero él la buscó deliberadamente. Nada de compararlo con fray Luis de León, con Quevedo o con Cervantes. Es un plano moral distinto. Gracián, sus obras y su misma vida nos lo están diciendo, fué un hombre indisciplinado, descontentadizo, astuto, que aconseja para marchar por la vida el recelo, la desconfianza, casi la mala intención. Cuando elogia la amistad, todo induce a creer que lo hace por egoísmo, por lo que esperaba aún de los amigos más que por lo que de ellos había recibido. Cuando sermonea invitando a la virtud, lo hace de modo frío y da la impresión de que su finalidad inmediata no es tanto la mejora del lector como el propio lucimiento. *Colericus et sanguineus,* lo definió el rector de su colegio cuando tenía veinticuatro años. Y este carácter violento, esta irascibilidad innata, le acarrea primero enemistades, después antipatías y odios y, al fin, la persecución que había de costarle acaso la vida. Julio Cejador, el erudito y desordenado historiador de nuestra literatura, quiere presentarnos un Gracián semimártir y víctima de la intolerancia jesuítica [24]. Pero téngase en cuenta que Cejador, al justificar a Gracián, indirectamente pretende justificarse a sí mismo. El también fué jesuíta y tuvo sus discrepancias con la Orden. Tampoco acierta Azorín cuando, contraponiendo a Cervantes, nos describe un Gracián de vida placentera y segura; escritor fácil «para bienhadados y poderosos». No; Gracián, lo mismo como hombre que como escritor, se nos revela en todo momento un alma batalladora, combativa, más inclinada a la acción que al reposo de la celda.

Análisis de las obras

La obra que conservamos de Gracián es todo en prosa, ya que las *Selvas del año,* atribuídas a él durante tanto tiempo, deben quedar definitivamente eliminadas de su producción después del interesante hallazgo realizado por el profesor don Manuel Blecua. Prescindiendo de algunos «escritos menores», se reducen a los siguientes:

Cuatro tratados políticos: *El héroe* (1637), *El político don Fernando el Católico* (1640), *El discreto* (1646) y el *Oráculo manual* (1647).

Una obra de estética y crítica literaria: *Arte de ingenio* (1642), reeditada seis años más tarde (1648) con múltiples retoques y adiciones.

Una novela filosófica: *El Criticón,* cuyas tres partes vieron la luz en 1651-53 y 1657.

Un tratado religioso: *El comulgatorio* (1655).

Los tratados políticos.—Aunque en la estimación pública han quedado oscurecidos por *El Criticón,* hay quien los considera, si no superiores, al menos equivalentes en méritos a éste [25]. Son obra de madurez, como todas las de Gracián. El ilustre jesuíta no tenía prisa por exponer sus ideas, y, una vez puesto a ello, tampoco sentía apremios de tiempo. Lo espacialmente que va editando sus obras denota una redacción pausada y una meditación previa, trabajosa y profunda.

El héroe es un tratadito corto, pero de mucho contenido. Prosa tensa, nerviosa, a tono con el tema. Es, por decirlo así, la exaltación de «la razón de Estado». Pero una razón de Estado individual. «Emprendo—dice su autor en el prólogo—formar con un libro enano un varón gigante, y con breves períodos, inmortales hechos. Sacar un varón máximo; esto es mi logro en perfección, y ya que no por naturaleza rey, por sus prendas es ventaja.» Más claro: pretende Gracián hacer un hombre superior, dotado de las más altas cualidades o *primores*. Estos *primores*, que él enumera puntualmente, son, entre otros: *gusto relevante, eminencia en lo mejor, excelencia de primero, gracia en el trato, despejo, simpatía* y, sobre todos, *prudencia* para utilizar el favor y disfavor de la fortuna.

En la misma línea de *El héroe* está para Gracián *El discreto*. Casi es sinónimo de prudente; pero sin confundir en modo alguno la discreción con la mediocridad; menos aún con la cobardía. «¡Oh el prudente! ¡Qué tranquilo costea las puntas y los esteros! ¡Qué señor mide los golfos! Ni se paga de sus finezas ni se rinde a sus sequedades, porque no se le haga nueva cualquier mudanza en sus extremos.» Algo del *impavidus vir* horaciano y del *político* de Maquiavelo, pero con cierta moderación cristiana.

El *Oráculo manual y arte de prudencia*, que nos es desconocido en su primera edición de 1647, consta de 300 breves aforismos, comprimidos a modo de recetas, en cada uno de los cuales se contiene una regla de buen vivir. La idea no es nueva; pero en Gracián aparece revestida de gran originalidad y no sólo en el estilo o lenguaje, que ostenta el sello inconfundible de todos sus escritos, sino en la personalísima exposición. Primero enuncia el aforismo y luego lo comenta en diez o doce líneas. Si llevasen en cabeza el consabido enigma gráfico, tendríamos un libro más de *empresa*, a la manera de los de Saavedra y Fajardo, Horozco y Covarrubias, Pérez de Herrera y otros. En el *Oráculo* se han fijado los que quieren convertir a Gracián en un segundo Maquiavelo. Cierto que conocía al escritor florentino y a todos los demás escritores políticos italianos: Juan B. el Benicio, Guicciardini, Malvezzi, Bentivoglio y tantos otros. Cierto también que tanto *El héroe* y *El discreto* como del *Oráculo*, se pueden extraer pasajes que los emparentan con Maquiavelo, en los que se aconseja la simulación, la astucia para triunfar en la vida. Pero la franca condena que hace del autor de *El político* en su *Criticón* bastaría a disuadirnos de todo intento de establecer entre ellos ningún paralelo [26]. Además, era Gracián demasiado personal para admitir yugos ideológicos de cualquier clase que fuesen.

Tampoco nos es conocido *El político don Fernando el Católico* en su primera edición. Disponemos de la segunda, publicada en Huesca por Lastanosa y firmada, como todos sus libros, menos *El comulgatorio* y la primera parte de *El Criticón*, con el seudónimo de «Lorenzo Gracián». El po-

lítico don Fernando, más que una historia de nuestro rey es una apología. El autor, si hemos de creer lo que dice en la dedicatoria el duque de Nocera, disponía de ciertos documentos importantes sobre la persona de su biografiado. Pero no quiso aprovecharlos y prefirió lo más cómodo: hacer un panegírico del admirado rey aragonés en quien veía el supremo modelo de todo príncipe cristiano. Su aragonesismo, exacerbado siempre, le dicta una retahíla de ditirambos, expresados, eso sí, en su peculiar y originalísimo estilo [27].

La «Agudeza y arte de ingenio»

Tampoco nos es conocida esta obra en su primera edición de 1642, sino en la segunda (1648), algo modificada y con un subtítulo muy significativo: «Tratado de los estilos». Tiene en la historia literaria importancia excepcional, ya que puede considerarse a la vez un código del *conceptismo* y una antología de autores españoles y extranjeros, la más rica hasta aquellos días. Menéndez Pelayo la estudia [28] en el primer aspecto y no vacila en llamarla «retórica conceptista». Vista así, es una teoría de la *agudeza*, que para Gracián, ya se dijo en otro lugar, representaba en el *concepto* el alma del discurso. «Tiene cada potencia un rey entre sus actos y otro entre sus objetos; entre los de la mente reina el concepto, triunfa la agudeza. Entendimiento sin agudeza ni conceptos es el sol sin luz, sin rayos.»

Gracián se explana a sus anchas en el complicado análisis de los modos, tropos y figuras, llegando a las más sutiles y asombrosas ramificaciones. Todo ello corroborado con una selva de ejemplos de escritores antiguos y modernos, españoles y de fuera, con predominio de los primeros. Ya él mismo se ocupa de advertir: «Si frecuento los españoles, es porque la agudeza prevalece en ellos.» En la selección de textos muestra un eclecticismo, que nadie podría esperar en un hombre tan aficionado a los retorcimientos y juegos del ingenio, sin excluir al mismo Góngora, por cuyos romances, sonetos y letrillas sentía admiración.

El comulgatorio, única obra que publicó Gracián con su nombre descubierto, y única también de asunto religioso, es una serie de meditaciones para antes y después de la Comunión. No obstante lo conceptuoso del estilo, en sus páginas palpita sincera piedad y hondo sentimiento. La estructura corresponde a la exigencia del hombre de letras que era ante todo Gracián: cincuenta meditaciones, dividida cada una en cuatro puntos, subdivididos a su vez en dos partes: la primera puramente expositiva; la segunda, de contenido ascético, dirigida al alma. Romera Navarro conjetura que *El comulgatorio* puede ser una recopilación de los «trozos selectos de sus piezas de oratoria sagrada». En ese caso tendríamos en Gracián un orador sagrado polarmente opuesto al que nos veníamos figurando hasta aquí: artificioso, barroco, complicado. *El comulgatorio*, por el contrario, nos daría un predicador sincero y lleno de unción, capaz de arrancar lágrimas a sus oyentes, tal como nos lo presenta el vítor de su retrato de Calatayud: «... *deditus missionibus exci-tavit planctus verbo.*»

«El Criticón»

Es el libro que más fama ha dado a Gracián, y está considerado por todos como la síntesis de su pensamiento filosófico. Las tres partes de que consta fueron publicadas separadamente: la primera en Zaragoza (1651) con el anagrama de García de Morlanes; la segunda en Huesca (1653), y la tercera en Madrid (1657); estas dos últimas bajo el seudónimo de Lorenzo Gracián, como todos sus restantes libros, menos *El comulgatorio*. Se le suele llamar «novela filosófica», a pesar de que la acción, fuera de los primeros capítulos, es casi nula. Las tres partes de la obra, subdivididas a su vez en capítulos o «crisis», corresponden respectivamente a «la primavera de la niñez y estío de la juventud, al otoño de la varonil edad y al invierno de la vejez», según los rótulos que el mismo autor les puso. La intención filosófica aparece ya en las palabras «Al lector», primera parte, y en el subepígrafe de la segunda. En ambos lugares Gracián llama a su libro «filosofía cortesana». El simbolismo está representado en sus protagonistas: Andrenio, el hombre salvaje en estado natural, ignorante de su origen y de su fin, y Critilo, el hombre de juicio, que encarna la razón y la experiencia, puestas al servicio de la vida. Esa razón y esa experiencia son las que han de servir de base tanto a la actividad moral como a la actividad artística y creadora. Sobre tan sencillos principios, de medula casi escolástica, se desarrolla la alegoría de esta interesantísima novela, en la que no ha de buscarse tanto la novedad de la acción o lo pintoresco de las situaciones como la profundidad de las ideas y la originalidad de exposición. Critilo y Andrenio forman desde el principio cierta admirable unidad, en ese perpetuo maridaje de la voluntad empujada hacia la acción y del juicio, personificado en Critilo, que la va dirigiendo siempre.

El argumento es simplicísimo: Critilo, que anda por el mundo en busca de su esposa Felisinda, naufraga cerca de la isla de Santa Elena, «en la escala del un mundo al otro», y es salvado por un joven de aspecto salvaje. Pronto advierte Critilo que su salvador vive en estado natural y en plena ignorancia; le enseña a hablar y le da por nombre «Andrenio» (derivación de ἀνήρ, ἀνδρός, genitivo griego = del hombre, humano). Juntos inician su peregrinaje por el mundo, reflejándose en los sucesivos y continuos avatares el irreversible fluir de la vida y de las cosas. Visitan sucesivamente la Fuente de los Engaños, las maravillas de la reina Artemia, que convierte los brutos en hombres, y la Venta del Mundo, con una estancia para cada vicio. Llegan a Madrid, el golfo cortesano, madre de lo bueno y madrastra de lo malo, donde Andrenio queda prendido en los encantos de Falsirena, dando con ello ocasión a Critilo para una violenta invectiva contra las mujeres [29]. La primera edad del hombre, «primavera de la niñez y estío de la juventud», ha terminado.

Empieza la segunda parte, o edad madura, con la visión de la Aduana general de las edades, de donde salen los mozos transformados en varones. Los dos peregrinos, después de abandonar el país de la juventud, ascienden las montañas, en cuya cumbre encuentran la hospitalidad de Salastano —fácil anagrama de Lastanosa—, a cuya amistad rinde Gracián tributo de gratitud; visitan su museo y biblioteca; el palacio del entendimiento, la plaza del populacho y el corral del siglo. Están en Francia, tierra del arte y de la vida práctica. Encuentran la Ninfa de las Bellas Artes y de la Literatura; atraviesan sucesivamente el desierto de Hipocrinda o de la simulación; el Arsenal del Valor, la Corte de Honoria o de la Fama y la Casa de los Locos, donde está representada toda la Humanidad.

Con el paso de los Alpes se inicia la tercera parte. Atraviesan los palacios de la Vejez y de la Embriaguez, y, guiados por el *Acertador* y el *Disfrazador*, se dirigen a Roma. Antes de llegar son introducidos por el *Zahorí* en el alcázar de los aventureros, donde Andrenio se hace invisible, como todos los que allí están, hasta que viene a iluminarlo la luz de la desilusión. Llegan a Roma; asisten a una sesión de la Academia, en que se les revela el paradero de Felisinda o la felicidad. El alegórico viaje se cierra con la visión, desde una de las siete colinas, de la rueda del tiempo, la fragilidad de la vida humana y la visita a la cueva de la Muerte antes de arribar a la isla de la Inmortalidad, a la que se llega sólo por el camino de la virtud y del valor.

El carácter alegórico de la obra salta a la vista. En tal sentido, *El Criticón* nada tiene de original y empareja fácilmente con tantas y tantas producciones similares extranjeras y españolas, desde *El conde Lucanor* hasta los mismos *Sueños*, de Quevedo, pasando por el *Infierno de los enamorados*, el *Laberinto de la Fortuna*, la *Visión delectable*, el *Diálogo de Mercurio y Carón* y hasta, en los días de Gracián, por obras como las de Suárez de Figueroa, Fernández de Ribera y otros. Pero no es aquí donde la crítica busca las fuentes de *El Criticón*; se le ha señalado más bien el *Filósofo Autodidacto*, de Abentofail, las narraciones de Heliodoro, la *Psichomaquia* de Prudencio y hasta las *Soledades* de Góngora, cuya coincidencia inicial es indudable. Respecto a Abentofail, no se sabe como pudo conocer Gracián su *Filósofo Autodidacto*, habiéndose publicado en Europa con posterioridad al *Criticón*. Tal vez el español y el árabe bebieron de una fuente común, según conjetura el profesor García Gómez, y esa fuente pudo ser un cuento popular, que se conserva manuscrito en El Escorial. De todos modos, el mérito de Gracián por este lado es escaso. Tampoco hay novedad en el contenido; todas o casi todas las ideas de *El Criticón* pueden encontrarse sin dificultad en Marco Tulio, Séneca, Luciano, Marcial y otros autores paganos. Añádase a ellos la Biblia y tendremos casi completa la ideología de este libro. Sólo que Gracián ha tenido el gran acierto de recogerlas, articularlas y ofrecerlas en forma de sistema, con una trabazón y orden admirables. Lo que sorprende, pues, en primer lugar, es la arquitectura de la obra tan armoniosa y equilibrada en todas sus partes, hasta darnos la impresión de que en ella no sobra ni falta el menor elemento constructivo. Y luego, el estilo, la forma. Esos «conceptos» casi siempre ajenos y coincidentes con los de la filosofía estoica, al pasar por la mente de Gracián, camino de su pluma, se ennoblecen, transparentan e iluminan hasta parecer originales y nuevos. Es la misma transformación que señalábamos en Quevedo; sólo que allí era una transmutación de palabras y aquí lo es de ideas. Gracián se apodera de un pensamiento y, con una técnica esencialmente ignaciana, sin dejar espacio casi a la imaginación, en una fórmula tajante, lacónica, lo lanza como un revulsivo hacia la vida activa.

De aquí su influjo enorme. Toda una corriente filosófica moderna, de Schopenhauer a nosotros, se viene nutriendo en estas páginas. La visión de la vida humana desde el doble ángulo del instinto natural y de la razón ordenadora, tenía que resultar fecunda en lecciones de vida práctica. En Andrenio y Critilo nos vemos representados todos y cada uno de los hombres, en las diversas épocas de nuestra existencia; y cuando Critilo formula en forma casi axiomática un principio o regla de conducta, ese principio adquiere validez universal.

Se discute si *El Criticón* es verdadera novela; y en verdad que, si le negamos este título, habrá que negárselo también a una multitud de obras de ficción con análogas características, empezando por las de Luciano y Apuleyo. También se investigan sus posibles enlaces con el género picaresco y con los libros de caballería. Indudablemente, Gracián conocía los más típicos ejemplares de uno y otro género. Sentía admiración por Mateo Alemán, Quevedo y el autor de *La pícara Justina*. No creemos, sin embargo, que encaje en ninguno de los dos. Hay en todas las novelas caballerescas una nota de superficialidad que no aparece por ninguna parte en *El Criticón*; y hay en las picarescas un tono festivo, ligero y desenfadado que nada tiene que ver con el tono sentencioso, austero y profundo del padre Gracián.

Ideario, fuentes y estilo

Lo que más sorprende en Gracián es su profundo conocimiento del mundo, de la vida y de los hombres. ¿Dónde pudo aprender este religioso tan austero los secretos del corazón humano? ¿De dónde pudo sacar ese desencanto, ese pesimismo, admirablemente traducidos luego en fórmulas de experiencia práctica? En primer lugar, de la misma vida. Gracián, tan aficionado a la lectura, lo era más a la observación directa. «Más vale estudiar los hombres que los libros», nos dice. Luego, de los hombres, a través de sus escritos, especialmente de Quevedo. También de los amigos: el círculo de Lastanosa fué de singular provecho para él. Allí se intercambiaban impresiones, se matizaban ideas; incluso se sabe que más de un «concepto» nació, se forjó y aquilató en aquella interesantísima tertulia.

Después, de su propia reflexión. Espíritu parco en palabras, era largo en meditaciones. Añádase el confesonario. Gracián, orador que arrebataba desde el púlpito, debió de tener, tuvo que tener por fuerza, gran éxito como director espiritual. En el secreto del confesonario aprendió y enseñó altas lecciones de vida. Allí se le debieron descubrir muchos dolores, muchas falsas apariencias, muchas tragedias. A través de las celosías, sus ojos penetrantes veían las almas al desnudo. Por último, su propia vida, de hombre de talento, postergado, humillado, vencido.

Todos estos factores contribuyeron a fomentar en su espíritu ese sentimiento de disgusto, de náusea ante las cosas y los hombres. Aunque no hubiera vivido en el mismo vórtice del barroco, tan inclinado de por sí al pesimismo, Gracián hubiera sido un pesimista. En esa cadena de filósofos y poetas formada por Spinoza, Leopardi, Schopenhauer, Hartmann y tantos otros, nuestro escritor es el primer anillo. *El Criticón* abunda en textos probatorios: la naturaleza es una madrastra; la vida una muerte paulatina; todo en el mundo es apariencias, infelicidad y dolor [30]. Pero ante esto nada de amilanarse. La reacción de Gracián es de lucha, de combate sin tregua. Sólo el «héroe», que sabe sobreponerse, alcanza en definitiva la victoria.

Durante algún tiempo ha sido considerado Gracián un cultista, confundiendo cultismo y conceptismo. El mismo Borinski, que tanto contribuyó a divulgar sus escritos por Europa [31], incurre en esta equivocación. Y no es de extrañar: ya se dijo antes que el fenómeno cultista y culterano se interfieren con frecuencia hasta alcanzar zonas comunes. Hoy Gracián, sin desconocer sus posibles esporádicos contactos con el lenguaje de los cultos, está considerado como un escritor conceptista. Y no un conceptista cualquiera, sino el arquetipo de esta modalidad. Como Góngora buscaba deliberadamente nuevas fórmulas expresivas, así Gracián busca también nuevas fórmulas conceptuales. Es conciso, difícil y retorcido a sabiendas. Más aún: es el que dió al conceptismo su código estético en el *Arte de Agudeza.* «Por decir un concepto deshonraré una mujer», había escrito Quevedo con su brutal franqueza. Gracián no podía expresarse así; pero lo sentía. «Son los conceptos vida del estilo, espíritu del decir, y tanto tienen de perfección cuanto de sutileza», dice en una parte. Y en otra: «Siempre insisto en que lo conceptuoso es el espíritu del estilo.»

De aquí sus virtudes y sus vicios, en los que no insistimos, porque arriba quedaron señalados. Virtudes: densidad y abundancia de pensamientos, que se suceden ininterrumpidamente, como un rosario de piedras preciosas trabajadas y limadas hasta el último ápice; concisión increíble, que convierte cada frase en un aforismo; fuerza expresiva por la que cada idea se incrusta en el cerebro como clavada a martillo. Y vicios: maraña de equívocos, retruécanos, sutilezas, alegorías, reiteraciones, sinónimos y toda clase de tropos y figuras, que hacen su lectura muchas veces ingrata y hasta difícil. En ello debió de pensar Díaz Plaja cuando llamó a Gracián escritor «inhóspito».

Sus fuentes han sido señaladas con acierto, aunque exagerando, como es natural, la influencia italiana, por Farinelli. A) Escritores clásicos: Platón, Aristóteles, Luciano, Tácito, Plutarco, Séneca, Marcial, etc. B) Escritores italianos del Renacimiento: Castiglione, Maquiavelo, Alciato (sus *Emblemas* eran muy estimados por Gracián), Guic-ciardini, Bentivoglio, Cardano, Campanella, Malvezzi, etc. C) Españoles contemporáneos: Alonso de Ledesma, Quevedo (a quien llama «prodigio de sutilidad»), Antonio Pérez, Saavedra Fajardo, Alonso de Barros, Pedro de Espinosa (*Espejo de cristal fino,* Madrid, 1622), Alemán, Figueroa, Zabaleta, etc. Y, claro es, la Biblia y autores cristianos. Pero no deja de llamar la atención que Gracián, profesor de Sagrada Escritura y con una formación teológica admirable, apenas hace sonar en sus escritos el nombre de Dios; y, cuando lo hace, parece que sale de la pluma de un filósofo pagano. Habla de la otra vida como pudiera hacerlo Sócrates, Platón o Marco Tulio [32].

Su fortuna ha sido varia. Muy leído en vida, las ediciones de sus obras se multiplican increíblemente, no sólo en España, sino en toda Europa —Francia, Italia, Alemania, Inglaterra, etc.—hasta mediados del xviii. Con el triunfo del neoclasicismo, sobreviene el eclipse de Gracián, a quien, como a tantos otros, redescubren los alemanes. C. Thomasius es «el trasplantador de Gracián a la cátedra»; luego, con su gran autoridad, Schopenhauer [33], al hacer suyos muchos pensamientos del filósofo español; y, finalmente, Borinski, con su conocido estudio, contribuyen al redescubrimiento. Durante el siglo actual la figura de Gracián se ha ido agigantando y en torno a ella se acumula ya una imponente masa bibliográfica. De estos estudios el más documental es el de Coster; el más penetrante, el de Farinelli; el más completo, el que sirve de prólogo a la edición de sus *Obras,* por Correa Calderón [34].

IV. SAAVEDRA Y FAJARDO

En la misma línea conceptista de Quevedo y Gracián encontramos otro escritor también de primer orden. Menos fecundo y pintoresco que Quevedo, menos filósofo que Gracián, ostenta, sin embargo, don DIEGO SAAVEDRA Y FAJARDO (1584-1648) la primacía en un género literario muy en boga durante la época que estudiamos, cual es la literatura de «empresas», a la que habremos de referirnos con más detalle en el capítulo siguiente. Añádase a esto el relieve que le confiere la circunstancia de haber sido tal vez el más egregio representante de la política y de la diplomacia españolas en el exterior, durante el reinado de Felipe IV.

Datos biográficos

Nace en Algezares (Murcia), en 1584, de familia acaudalada. Como segundón que era, es encaminado desde niño a la carrera de las letras. No hay datos de su niñez y primeros estudios [35]. Pero en el libro de Matrículas de la Universidad de Salamanca, correspondiente al curso 1604-605, consta que estudiaba el 4 de Cánones. Dos años después se gradúa bachiller. Ignórase si llegó a alcanzar los grados de licenciado y doctor, aunque su paisano Cascales le adjudica este último título. Tampoco se sabe si llegó a ser sacerdote, o sólo clérigo en «menores», como tantos otros en su época.

Acabados sus estudios, su vida se reparte por entero entre el cultivo de las letras y los servicios a su patria en el extranjero. En este aspecto pocos hombres pueden presentar una hoja más brillante. Desde los veintidós años, en que entra al servicio del cardenal Gaspar de Borja, hasta los sesenta y dos, en que pide voluntariamente el retiro para descansar en España, su actividad en el campo de la diplomacia no se interrumpe un solo día. Secretario de cifra del mencionado cardenal; conclavista en la elección de Gregorio XV y tal vez de Urbano VIII; secretario de las embajadas de Nápoles y Roma; embajador en la misma Corte Pontificia; ministro en Alemania (1633), representante de S. M. Católica en la elección del rey de Romanos (1636), en la Dieta de Ratisbona (1639), en el Congreso de Münster (1644), etc. Fué canónigo de Compostela, habiendo logrado en Roma, tras arduas gestiones, el famoso decreto del Patronato del Apóstol; consejero de Indias, caballero del hábito de Santiago. Murió en Madrid, en 1648; y por su expresa voluntad fué enterrado en el convento de Agustinos Recoletos, donde se le habían habilitado a sus expensas unas habitaciones que le servían de retiro.

Obras y análisis de las mismas

Su labor literaria, al menos la que conocemos, empieza en 1612 con composiciones dedicatorias y, aprovechando los breves paréntesis que le dejaban sus servicios al Estado, se prolonga hasta el final de su vida. La *Corona gótica* va fechada en 1646, dos años antes de su muerte.

Se dividen en obras *conservadas, no conservadas* y *atribuídas,* a tenor del siguiente cuadro:

Conservadas: *Introducciones a la política y razón de Estado del Rey Católico don Fernando* (1631), *Corona gótica, castellana y austríaca* (1646); *Idea de un príncipe político cristiano representada en cien empresas* (1640), *República literaria* (publicada primero con el título de *Juicio de artes y ciencias*) (1655), *Locuras de Europa* (no publicada hasta cien años después de su muerte, en 1748), *Apuntamientos para las empresas, Poesías varias, Epistolario* (de 1620 a 1645); el profesor González Palencia ha publicado ciento diecinueve cartas.

No conservadas: Son muchas. Las más importantes eran de carácter histórico. *Suspiros de Francia, Ligas de Francia con holandeses y sueceses, Guerras y movimientos de Italia de cuarenta años a esta parte.*

Atribuídas: Entre otras, un *Alivio de infelices,* opúsculo de filosofía moral, inspirado en Ovidio y en Boecio; y *Población, manufacturas y comercio de España,* citado por el padre Masdeu.

Las *Consideraciones a la política y razón de Estado* constituyen un opúsculo del arte de gobernar, formado —como se dice en el proemio— «de doctrinas y de historias». Saavedra sigue las teorías tradicionales del Derecho y principalmente las de Aristóteles, procurando «ajustarlas —son sus palabras— a los imperios y repúblicas desta edad». Al igual que Gracián, y antes que él, nos propone a Fernando el Católico como el príncipe ejemplar, «en quien se hallan practicados los más prudentes documentos de la verdadera política».

En la *Corona gótica, castellana y austríaca,* sólo corresponde a Fajardo la primera parte, la *Gótica,* y se reduce a una historia de los visigodos en España, de escaso valor crítico y documental, esmaltada por falsedades procedentes de los falsos cronicones, con abundantes disquisiciones teoréticas de carácter político. A fines del XVII Alonso Núñez de Castro, mejor documentado, agregó las otras dos partes, *Corona castellana y austríaca,* con la historia del reino de Castilla y la general española bajo la casa de Austria.

Un análisis de la situación de las diferentes naciones de Europa y de sus intrigas contra el Imperio y contra España, sirve de tema al bello diálogo entre Mercurio y Luciano, que lleva por título *Locuras de Europa.* Debió de ser escrito muy poco antes de su muerte, ya inciadas las tareas del Congreso de Münster. Creemos que la crítica no ha dedicado a esta minúscula obra toda la atención que merece. Tanto por el contenido como por la forma puede figurar dignamente al lado de otros diálogos similares, como los de Alfonso de Valdés.

Las pocas poesías que nos quedan de Saavedra y Fajardo —una égloga, seis sonetos y tres o cuatro piececitas brevísimas—, sin tener un mérito destacado, acreditan en su autor exquisito gusto y unas aptitudes que, cultivadas más intensamente, hubieran podido dar fruto sazonado.

La «República literaria» y las «Empresas políticas»

Son las dos obras que han dado fama a Saavedra y Fajardo, cada una en su estilo. La primera es un libro de crítica y la segunda, ya lo dice el título, de política.

Parte la *República literaria* de una ficción o sueño, durante el cual el autor es transportado al alcázar o recinto de las artes y de las ciencias. Y, en efecto, así se tituló en su primera edición de 1655 [36]. En su recorrido se encuentra con artistas, poetas, sabios, sobre los que formula breves juicios, de ordinario bastante acertados. Es uno de los libros más bellos e igeniosos entre los de su clase, superior en concepto de Menéndez Pelayo a la *Republica Iurisconsultorum* del napolitano Januario, a las *Exequias de la lengua castellana* de Forner y a la misma *Derrota de los pedantes* de Moratín. Doctrinalmente sigue la tradición clásica de Herrera, Medina y otros preceptistas del XVI, representada en su tiempo por Cascales, Robles y Baltasar de Céspedes. Está redactada en un estilo limpio de toda afectación, tanto culterana como conceptista, garboso y de cierta ática elegancia.

De un matiz completamente distinto es la *Idea de un príncipe cristiano representado en cien empresas* o, por nombre más breve, las *Empresas.* Es el libro más leído y más voluminoso de Saavedra y Fajardo. Recoge su experiencia de treinta años, dedicados casi íntegramente a los asuntos del Estado, enriquecida de la más copiosa y variada lectura. Quiere con ellas el autor facilitar una guía y orientación a los príncipes y en general a todo gobernante, oponiendo al renacentista prototipo ideado por Maquiavelo el auténtico príncipe cristiano. «En la trabajosa ociosidad de mis continuos viajes por Alemania y por provincias —escribe en el prólogo «Al lector»— pensé en esas cien empresas, que forman la idea de un príncipe político cristiano, escribiendo en las posadas lo que había discurrido entre mí por el camino, cuando la correspondencia ordinaria de despachos con el rey nuestro señor y con sus ministros, y los demás negocios públicos que estaban a mi cargo, daban algún espacio de tiempo.»

En su estructura externa siguen las empresas en método muy socorrido en la época, que consiste en dibujar al frente de cada capítulo un *emblema* o *empresa,* en que se resume gráficamente la idea desarrollada luego por el autor. Esta literatura, abundantísima en aquel siglo y en el anterior, a la cual haremos referencia más detallada en el próximo capítulo, era muy del gusto de aquellas generaciones y tenía su precedente medieval en el simbolismo de las flores y los animales: lapidarios, bestiarios, etc. Saavedra aprovecha hasta cien motes gráficos de este tipo, que acto seguido va glosando con buena copia de ingenio y erudición. Así consigue darnos un tratado completo de política, que abarca: educación del príncipe, conducta privada y pública; normas para su trato con los súbditos, con los ministros, con los extranjeros; gobierno de su Estado; remedio a los males internos y externos; victorias y tratados.

Sus fuentes principales son la Biblia, Aristóteles, Tácito, Séneca, Alfonso X, el padre Mariana. El lenguaje, celebrado por Mayans como prodigio de propiedad, se nos antoja hoy demasiado duro y seco, aunque no se le pueden negar ciertas buenas cualidades: brío, precisión y fuerza expresiva.

Las *Empresas* alcanzaron enorme divulgación en toda Europa. Traducidas a varias lenguas, las ediciones se sucedían ininterrumpidamente. Sólo en castellano desde 1655 a 1700 se imprimieron once veces.

Ideario y estilo de Saavedra y Fajardo

En su enjuiciamiento general Saavedra se nos presenta como un *humanista* perfecto, que sabe conjugar sus vastos conocimientos clásicos con el resultado de su observación y de sus experiencias. La profesión de diplomático le colocaba en el puesto ideal para seguir al detalle todas las reacciones, todos los estímulos, todas las circunstancias de varia índole que entran en juego en el gobierno de los estados.

Aparentemente, en sus apreciaciones sobre España, nos revela un espíritu demasiado conformista, anuente con la situación. Pero ello no por mediocridad ni por falta de visión verdadera, sino todo lo contrario: porque tiene conciencia de la realidad y, puesto a elegir entre lo mejor inasequible y lo menos bueno asequible, opta por esto último. Funcionario celoso, súbdito fiel, español sin alharacas, sirve a su patria de la mejor manera posible, con sus informes siempre sensatos y con sus escritos llenos de sabiduría y de prudencia.

Tal vez en éstos no haya mucha originalidad.

Las *Empresas,* su obra capital, si en su disposición externa tiene precedentes inmediatos fuera de España, y aquí mismo, entre nosotros, en obras como las de Sebastián de Covarrubias y Hernando de Soto, en su contenido ideológico son una mezcla filosófico-política de principios generales admitidos en la época y derivados directamente de la escolástica y del derecho. Pero aun en ellos introduce Saavedra su punto de vista personal. Y a veces quedamos sorprendidos de encontrarnos con ideas que parecen anticiparse al pensamiento de sus contemporáneos. Un siglo antes que Montesquieu, enaltece la autoridad judicial con las mismas palabras tan celebradas del político francés [37]. Saavedra nos habla, además, sobre la imposibilidad de administrar justicia con la sola ley natural, y la consiguiente necesidad del derecho positivo; sobre la razón de *previa lege;* sobre la independencia judicial, la reserva del derecho de gracia, la obligatoriedad de la ley basada en la razón y no en la fuerza, etc. [38]

El estilo, ya lo hemos indicado, está en la misma línea que el de Gracián y Quevedo: conciso, sentencioso, todo nervio. Pero sería injusto extender esta apreciación a todos sus libros. En su prosa, de ordinario comprimida y enjuta, hay pasajes brillantes, magníficos, en que la frase camina con un andar majestuoso. Si Saavedra prefiere la concisión y dureza es porque cree, y acierta en ello, que así puede encerrar más ideas y remacharlas mejor en el cerebro de sus lectores. El mismo proceso estético de Gracián. Que él conocía todos los resortes del arte literario, aplicándolos cuando quería, nos lo demuestra esa prosa límpida, elegante y suelta de la *República literaria,* uno de los libros más amenos que se escribieron en el siglo XVII.

NOTAS

1. GONZÁLEZ PALENCIA ha publicado documentos probatorios *(Pleitos de Quevedo con la villa de la Torre de Juan Abad,* «Bol. Real Acad. Esp.», 1927) de que en la fecha a que se refiere el suceso estaba Quevedo en Madrid y en Toledo «asistiendo a los Tribunales para seguir un largo pleito con la villa de Juan Abad sobre ciertos bienes, y luego señorío y jurisdicción». El mismo G. Palencia da por auténtica otra anécdota ocurrida por aquellos días: discutiendo en casa del conde de Miranda con el maestro de armas Luis Pacheco de Narváez sobre cierto género de ataque incluido en las *Cien conclusiones* de éste, Quevedo se lo demostró prácticamente, quitándole el sombrero de un botonazo. Desde entonces quedaron enemigos. Pacheco ridiculizó a Quevedo en su *Tribunal de la justa venganza,* y Quevedo a aquél en su *Buscón.*

2. Se sabe que, disfrazado de mendigo, pudo escapar de las manos de dos esbirros que tenían orden de matarle, haciéndoles creer que era italiano, lo que demostró cumplidamente por el acento con que pronunciaba la lengua toscana. Los venecianos publicaron contra Quevedo un libro plagado de falsedades: el *Castigo essemplare de calumniatori,* de Fulvio Valerio.

3. En uno de los más bellos sonetos que existen en nuestra lengua sale al paso de la envidia y de la calumnia, que se cebaron en Osuna, como en todos los grandes personajes, una vez caídos. No nos resistimos a copiarlo; se titula *Memoria inmortal de don Pedro de Girón, duque de Osuna, muerto en la prisión:*

Faltar pudo su Patria al grande Osuna,
pero no a su defensa sus hazañas;
diéronle muerte y cárcel las Españas,
de quien él hizo esclava la fortuna.

Lloraron sus invidias una a una
con las propias naciones las extrañas;
su tumba son de Flandes las campañas,
y su epitafio la sangrienta luna.

En sus exequias encendió al Vesubio
Parténope, y Trinacria al Mongibelo;
el llanto funeral creció en diluvio.

Dióle mejor lugar Marte en su cielo;
la Mosa, el Rin, el Tajo y el Danubio
murmuran con dolor su desconsuelo.

4.   A él pertenecen estos versos:

Católica, sacra, real majestad,
que Dios en la tierra hizo deidad:
un anciano pobre, sencillo y honrado
humilde os invoca y os habla postrado.
....
En cuanto Dios cría, sin lo que se inventa,
de más que ello vale se paga la renta.
A cien reyes juntos nunca ha tributado
España las sumas que a vuestro reinado;
y el pueblo doliente llega a recelar
no le echen gabela sobre el respirar...
Los ricos repiten por mayores modos:
«Ya se acaba todo, pues hurtemos todos.»

5.   Véase, por ejemplo, este que nos da en *Carta a la retora del colegio de las vírgenes:* «Don Francisco de Quevedo y Villegas, hijo de sus obras, padrastro de las ajenas, hombre de bien, nacido para mal, hijo de algo, señor de nada, cofrade de la Carcajada y hermano del Regodeo; mozo dado al mundo, prestado al diablo y encomendado a la carne; que ha tenido y tiene, así en la corte como fuera de ella, muchos cargos de conciencia; que desciende de la casa de los Quevedos, por lo cual es de casa de solar; de calzas atacadas, rasgado de ojos y de vestido, ancho de frente y de conciencia, negro de cabello y de ventura, falto de pie y de ducha, raído de capa y de vergüenza, largo de zancas y de razones, limpio de sangre y de bolsa...»

6.   *Obras completas de D. Francisco de Quevedo y Villegas,* ed. crítica ordenada e ilustrada por A. Fernández-Guerra, con notas y adiciones de Menéndez Pelayo («Biblioteca de Autores Andaluces», Sevilla, 1897-1907).

7.   En tal aspecto lo estudia, entre otros, VALBUENA PRAT: *Historia de la lit. esp.,* I, cap. XXXVI.

8.   Sus cartas a Adam de Parra (vid. en *Obras completas,* ed. de Fernández-Guerra, I, págs. 145 y sgs.) revelan un espíritu indomable. Lo mismo que las dirigidas al inductor de su desgracia, conde-duque; solicita clemencia, pero sin rebajarse, cuidando de mantener siempre intacta su dignidad. «Señor—le escribe en un memorial fechado a diciembre, víspera de la Concepción de nuestra Señora, a las diez y media de la noche—: Fuí traído en el rigor del invierno, sin capa y sin una camisa, de sesenta y un año, a este convento real de San Marcos de León, donde he estado todo este tiempo en rigurosísima prisión, enfermo con tres heridas, que con los fríos y la vecindad de un río que tengo en la cabezera se me han cancerado, y por falta de cirujano, no sin piedad me las han visto cauterizar con mis manos; tan pobre, que de limosna me han abrigado, y entretenido la vida. El horror de mis trabajos ha espantado a todos.»

9.   *Epístola satírica y censoria contra las costumbres presentes de los castellanos, escrita al conde-duque de Olivares* (1624). Astrana Marín (QUEVEDO: *Obras completas,* Edit. Aguilar, 1932, II, pág. 135) la da con muchas variantes y con este título: *Epístola de don Francisco de Quevedo al conde-duque de Sanlúcar.*

10.   Insaciablemente curioso, leía en la cama, en la mesa, en el coche, durante sus viajes, para lo que disponía de una colección de cien libros escogidos de pequeño formato que le cabían en la maleta. Su biblioteca contaba más de 5.000 volúmenes, también seleccionados.

11.   No podemos resistir la tentación de dar un fragmento de la estupenda carta: «Pésame—escribe el tío—de daros nuevas de poco gusto. Vuestro padre murió, ocho días ha, con el mayor valor que ha muerto hombre en el mundo. Dígolo como quien lo guindó. Subió en el asno sin poner pie en el estribo. Veníale el sayo baquero, que parecía haberse hecho para él; y como tenía aquella presencia, nadie le veía con los cristos delante que no le juzgase por ahorcado. Iba con gran desenfado mirando a las ventanas y haciendo cortesías a los que dejaban sus oficios para mirarle. Hízose dos veces los bigotes. Mandábales descansar a los confesores, y íbales alabando lo que decían bueno. Llegó a la ene de palo, puso el un pie en la escalera, no subió a gatas ni despacio, y viendo un escalón hendido, volvióse a la justicia, y dijo que mandase enderezar aquél para otro, que no todos tenían su hígado. No os sabré encarecer cuán bien pareció a todos. Sentóse arriba, tiró las arrugas de la ropa atrás, tomó la soga y púsola en la nuez; y viendo que el teatino le quería predicar, vuelto a él le dijo: «Padre, yo lo doy por predicado; vaya un poco de Creo y acabemos presto, que no querría parecer prolijo.» Hízose así; encomendóme que le pusiese la caperuza de lado y que le limpiase las barbas; yo lo hice así. Cayó sin encoger las piernas ni hacer gesto. Quedó con una gravedad que no había más que pedir...» Los informes que da de su madre, presa en la Inquisición de Toledo, son intranscribibles y de una crudeza que sobrecoge el ánimo.

12.   «Si todo lo que he escrito ha sido defectuoso, esto es lo menos malo. Si algo ha sido razonable, esto es lo mejor.» (Dedicatoria del *Marco Bruto* al duque del Infantado.

13.   Se sabe que Diego Jacinto de Tébar arrojó al fuego muchos originales de Quevedo; pero nos parece, de todos modos, exagerada la afirmación que hace González de Salas en los preliminares de *El Parnaso Español:* «Sumo dolor causa el referirlo: *no fué de veinte partes una la que se salvó de aquellos versos* que conocieron muchos, quedaron en su muerte, y yo traté y tuve innumerables veces en mis manos, por nuestra continua comunicación.» Posiblemente, entre los papeles de Quevedo y confundidos con los propios, habría muchos poemas ajenos.

14.   Es el titulado *Al mal gobierno de Felipe IV (Obras completas,* II, pág. 138).

15.   Tarsia dice que Quevedo compuso *algunas* comedias, de las que dos por lo menos se representaron con éxito en vida del autor. Como no indica título, puede referirse a las dos que nos quedan.

16.   Para nuestros dramaturgos suele ser Olivares el genio malo de Felipe IV. Así aparece en *La Corte del Buen Retiro y Cómo se vengan los nobles,* de Patricio de la Escosura; en el *Don Francisco de Quevedo,* de E. Florentino Sanz; en *Por los pecados del rey,* de Marquina, y en *Son mis amores reales,* de Joaquín Dicenta (hijo).

17.   Recuérdese el conocido soneto *Erase un hombre a una nariz pegado...* Y, como él, otros cien sonetos, letrillas y romances en que las hipérboles se suceden en un *crescendo* ininterrumpido hasta alcanzar proporciones inimaginables.

18.   *Galacián* por *Gracián* se lee en la partida de bautismo; y si hemos de creer a Cejador (*Historia de la lengua y lit. cast.,* t. V, pág. 137), «por allí muchas familias se llaman indistintamente» de las dos maneras.

19.   Felipe Gracián, clérigo menor, asistente de su religión en Roma; fray Pedro, trinitario; fray Raimundo, carmelita descalzo, y Magdalena de la Presentación, también carmelita. Algunos, sin otro indicio, deducen de aquí que la familia Gracián vivía en situación muy modesta.

20.   Don Vicencio Juan de Lastanosa y Baráiz de Vera, prócer aragonés que entonces contaba sólo veintiséis años y que se había constituído en una especie de Mecenas, reuniendo en torno suyo un grupo de cultos amigos. Tenía una magnífica colección de pinturas y esculturas; otra de armas, que Gracián describe en una «crisis» de *El Criticón;* unos magníficos jardines, de los que dice el mismo Lastanosa que en varias cortes los había «más grandes, pero no más hermosos»; un museo de medallas y, sobre todo, una riquísima biblioteca que desde el primer momento puso a disposición del joven jesuíta. A sus reuniones concurrían, aparte de Gracián, el canónigo don Manuel de Salinas, traductor de Marcial; el doctor don F. Antonio Fuser, vicario de la Seo de Barbastro; Orencio Lastanosa, rector de la Universidad de Huesca, y otras damas y caballeros de la más escogida sociedad.

21.   Cierto día, valiéndose de uno de aquellos recursos tan frecuentes en la oratoria barroca, empezó su sermón anunciando, para atraer a su auditorio, que iba a dar lectura a una carta recibida del infierno. Los censores le obligaron a retractarse públicamente.

22. En carta de 24 de noviembre de 1646 describe el desarrollo de la gloriosa jornada, y dice al final: «... confieso a V. R. que yo tuve alguna parte, de modo que ahora todos los soldados y aun señores, cuando me ven, me llaman el Padre de la Victoria. Dióme el Señor su espíritu aquel día para exhortarles y disponerlos y una voz de clarín.»

23. Anónima. Correa Calderón conjetura que pudo ser redactada por varios enemigos de Gracián. Nos hace una descripción de él que rezuma odio y envidia por cada letra: «Es un hombrecillo tan nonada, que aun de ruin jamás se ve harto; tiene la cara de pocos amigos, y a todos la tuerce; mal gesto.»

24. *Historia de la lengua y literatura castellanas*, V. págs. 130-42.

25. Entre otros, Gabriel Juliá Andreu. Vid. Pról. a los *Tratados políticos*, Barcelona, 1941.

26. Llegan Andrenio y Critilo a una plaza, donde un charlatán está embaucando a la embobada multitud; y entre ellos se entabla el siguiente diálogo: «¿Quién piensas tú que es este valiente embustero?», pregunta Andrenio. «Este un falso político llamado el Maquiavelo, que quiere dar a beber sus falsos aforismos a los ignorantes. ¿No ves cómo ellos se los tragan, pareciéndoles muy plausibles y verdaderos? Y, bien examinados, no son otros que una confinada abundancia de vicios y pecados. Razones, no de Estado, sino de establo. Parece que tiene candidez en sus labios, pureza en su lengua, y arroja fuego infernal, que abrasa las costumbres y quema las repúblicas. Aquellas que parecen cintas de seda son las políticas leyes con que ata las manos a la virtud y las suelta al vicio. Este es el papel del libro que publica y el que masca: todo falsedad y apariencia con que tiene embelesados a tantos y tontos. Créeme que aquí todo es engaño; mejor sería desengañarnos presto de él.» (Parte, I, crisis VII.)

27. «Opongo—dice para empezar—un rey a todos los pasados: propongo un rey a todos los venideros: don Fernando el Católico, aquel gran maestro del arte de reinar, el oráculo mayor de la razón de Estado.» Luego, por cualquier parte, nos sale al paso el panegírico: «El verdadero Hércules fué el Católico Fernando: con más hazañas que días, ganaba a reino por año, y adquirió por herencia el de Aragón, por dote el de Castilla, por valor el de Granada, por felicidad la India, por industria a Nápoles, por religión a Navarra y por su gran capacidad a todos.» Y todavía: «Las [empresas] del valor fueron plausibles en Carlos V; las de justicia, urgentes en Felipe II; las de la religión, gloriosas en Felipe III; las del gobierno, heroicas en Felipe IV, el *Grande*; y todas juntas, en Fernando.»

28. *Historia de las ideas estéticas*, t. II, cap. X, páginas 354-58, ed. C. S. I. C., 1940.

29. Mucha desconfianza muestra hacia el hombre, pero mayor aún hacia la mujer. «No hay loco, no hay león, no hay basilisco que llegue al hombre.» El hombre ha deshecho, para Gracián, la armonía del mundo. Y aun peor la mujer. «Más vale la maldad del varón que el bien de la mujer, dijo quien más bien dijo, porque menos mal te hará un hombre que te persiga que una mujer que te siga.» Fácil nos sería acumular textos en este sentido.

30. A veces nos parece estar leyendo a Schopenhauer: «Todo pasa en imagen en esta vida; hasta esta casa del saber, toda es apariencia.» Otras veces advertimos un leve eco de Descartes: «¿Soy o no soy? Pero, pues vivo y advierto, ser tengo.» Lo que domina, sin embargo, es la visión negra del mundo. Este es formalmente malo; por ello una actitud de cautela y de recelo perpetuo es la más indicada. Sabiendo que todo tiene un lado bueno y otro malo, uno de luz y otro de tinieblas, Gracián casi siempre se complace en verlo por el lado negativo. Hay que «jugársela» al mundo. Si es posible, de frente; si no, con astucia. Cuando no puedas vestir la piel del león, «viste la de vulpeja», son sus propias palabras. Y en este sentido Gracián llega a pasar la raya de la moral cristiana, como al aconsejar en su *Oráculo manual* «permitirse algún venial desliz».

31. K. Borinski: *Gracián und die Hofliteratur in Deutschland*, Halle, 1894.

32. Nos parece, con todo, exagerada la afirmación de Farinelli al decir que, «bajo la capa del clérigo, búscase al clérigo en vano». La verdad es que Andrenio llega a conocer a Dios por la sola luz de la razón; que no se alude jamás a la Trinidad, la Encarnación, los Sacramentos y la Gracia; que la moral que se aconseja, tanto en *El criticón* como en los restantes tratados, es una moral puramente humana: si no se es casto, se sea cauto; que la prudencia de Gracián se confunde siempre con la as-

tucia, sin tener que ver apenas nada con la virtud cardinal de este nombre, y, en fin, que la apología que se hace de la virtud suena a discurso retórico más que a otra cosa.

33. Sabidos son los elogios que dedicó el filósofo alemán a nuestro pensador. «He leído todas sus obras—dice Schopenhauer—; su *Criticón* es para mí uno de los libros mejores del mundo.» Y en otra parte: «Mi escritor favorito es este filósofo Gracián.» También Goethe lo tenía en alta estima.

34. Véase Bibliografía al final de este capítulo.

35. No sabemos de dónde pudo sacar Cejador el dato de que «estudió en el Seminario de Murcia». González Palencia, en el extenso y concienzudo prólogo a las *Obras completas* (Madrid, Aguilar, 1946), afirma terminantemente que la primera huella de su vida literaria es la matrícula de Salamanca, a que aludimos en el texto.

36. La portada de esta primera edición reza: *«Juicio de / Artes y Sciencias*. / Su autor / Don Claudio Antonio de Cabrera... Madrid, Julián de Paredes, 1655.» En una segunda edición de 1665 aún figura el autor encubierto; y sólo en la tercera lo encontramos ya con su verdadero nombre.

37. La frase de Montesquieu es que el juez debe ser *bouche qui prononce la parole de la Loi*. Y Saavedra había escrito: «... y porque no pueden darse a entender por sí mismas [las leyes], y sus cuerpos, que reciben el alma y el entendimiento de los jueces, *por cuya boca hablan*.»

38. Véase esto muy bien desarrollado en Francisco Ayala: *El pensamiento vivo de Saavedra y Fajardo*, Buenos Aires, 1941.

BIBLIOGRAFIA

I. Bibliografía general en cap. XXXI, apart. III.

II. Quevedo. *Obras completas,* con introd. de L. Astrana Marín, 2 vols., Madrid, Aguilar Ed., Colec. «Obras Eternas», 1932; ed. Fernández-Guerra y Orbe, con adiciones de M. Pelayo, 3 vols. publ., 1897-1907; *Obras escogidas,* sel., selec. y est. de Germán Arciniegas, Barcelona, Edit. Exito, 1951.—De las *Poesías, Sueños, Buscón*, etc., hay numerosísimas ediciones nacionales y extranjeras.— Estudios: Ignacio Aguilera: *Sobre tres romances atribuidos a Quevedo*, «Bol. Bibl. M. Pelayo», octubre-diciembre, 1945.—E. Alarcos García: *Q. y la parodia idiomática*, «Archivum», Fac. de Letras de Oviedo, 1955; el mismo: *El dinero en las obras de Q.*, lec. inaugural curso 1942-43, Valladolid.—A. Alatorre: *Q., Erasmo y el Doctor Constantino*, «Nueva Rev. Filol. Hisp.», VII, 1953.—Dámaso Alonso: *El desgarrón afectivo en la poesía de Q.*, «Poesía española», Edit. Gredos, 1951.—N. Alonso Cortés: *Q. en el teatro*, Valladolid, 1920.—P. Frank de Andrea: *El «Ars Gubernandi» de Q.*, «Cuad. A.», IV, 1945.—L. Astrana Marín: *La vida turbulenta de Q.*, Madrid, 1945; mismo: *Epistolario completo de Q.*, Madrid, 1946; el mismo: *D. F. de Quevedo y Villegas*, Madrid, 1953; el mismo: *Idearío de D. F. de Q.*, Madrid, 1940; el mismo: *Obras completas de Q.* con abundante doc., notas y est., 2 vols., Madrid, Aguilar Ed., 1932.—J. W. Barker: *Notas sobre la influencia de Q. en la lit. ingl.*, «Bol. Bibl. M. Pelayo», 1945.—A. Berumen: *La soc. esp. según Q. y las Cortes de Castilla*, «Abside», Méjico, 1952.—B. S. Blanchet: *Q., moralista*, «Rev. Contemp.», CIII, 1896.—R. Baumstark: *D. Francisco de Quevedo*, Friburgo, 1871.— J. M. Blecua: *D. F. de Q. Lágrimas de Hieremías castellanas*, «An. de Rev. de Filol. Esp.», Madrid, 1953.— J. L. Borges: *Menoscabo y grandeza de Q.*, «Rev. Occidente», 1924.—René Bouvier: *Q., homme du diable, homme de Dieu*, trad. cast. en Buenos Aires, Losada, 1945.— Clara Campoamor: *Vida y obra de Q.*, Buenos Aires, Edit. Gay Saber, 1945.—A. Carpena Peña: *Nuevas notas sobre Q.*, «Armas y Letras», núm. 7, Monterrey, 1955.— A. Castro: *Escepticismo y contradicción en Q.*, «Humanidades», 1928; el mismo: Pról. al *Buscón*, ed. «Clásicos La Lectura», Madrid, 1927.—Carolina Coronado: *Q. y Lord Byron*, Madrid, 1874.—A. Cotarelo Valledor: *El teatro de Q.*, «Bol. Real Acad. Esp.», XXIV, 1945.—A. de Cossío y Corral: *Genio y figura de don F. de Q.*, «Anales Univ. Sevilla», núm. 2, 1946.—James G. Crosby: *Quevedo's alleged participation in the conspiracy of Venice*, «Hisp. Review», XXIII, 1955.—P. Delacroix: *Q. et Senèque*, «Bull. Hisp.», 1945.—P. N. Dunn: *El individuo y la sociedad en la vida del «Buscón»*, «Bull. Hisp.», LII, 1950.— A. Fernández-Guerra: *Vida de don F. de Quevedo*, «Bibl. Aut. Esp.», XXIII.—J. G. Fucilla: *Some imitations of Quevedo and some poems attribued to him*, «Rom. Re-

Q., «Bol. Real Acad. Esp.», XXV, 1946.—A. González Palencia: Pleitos de Q. con la villa de la Torre de Juan Abad, «Bol. Real Acad. Esp.».XIV, 1927; el mismo: Q., pleitista y enamorado, «Del Lazarillo a Quevedo», Madrid, 1946.—Ottis H. Green: El amor cortés en Q., Zaragoza, «Bibl. del Hispanista», IV, 1955.—J. Juderías: Don F. de Q. y V. La época, el hombre, las doctrinas, Madrid, 1923.—P. Laín Entralgo: La vida del hombre en la poesía de Q., «La aventura de leer», Colec. Austral, número 1.279.—J. Lanza Esteban: Q. y la tradición literaria de la muerte, «Rev. Lit.», IV, 1953.—C. Lascaris Commeno: La mostración de Dios en el pensamiento de Q., «Crisis», II, 1955.—M. Lasso de la Vega: Q., vecino de Madrid, «Bol. Acad. Hist.», CXXVII, 1951.—R. Lida: Cartas de Q., «Cuad. Amer.», LXVII, 1953.—Guido Mancini: Gli «Entremeses» nell'arte di Q., Pisa, Libr. Goliardica, 1955.—R. Martínez Nacarino: Don F. de Q. Ensayo de biografía jurídica, Madrid, 1910.—A. Mas: La caricature de la femme, du mariage et de l'amour dans l'oeuvre de Q., París, Edic. Hispano-Americanas, 1957.—E. Mérimée: Essay sur la vie et les oeuvres de Q., París, Picard, 1886.—M. Muñoz Cortés: Sobre el estilo de Q., «Mediterráneo», núms. 13-15, Valencia, 1946.—Antonio Papell: Quevedo. Su tiempo, su vida, su obra, Barcelona, Edit. Barna, 1947.—Alex. Parker: La agudeza en algunos sonetos de Q., «Est. dedicados a M. Pidal», 1952.—D. Pérez Clotel: «La política de Dios», de Quevedo; su contenido ético-jurídico, Madrid, 1928.—A. Porras: Quevedo, Madrid, 1930.—A. Rodríguez Moñino: Los manuscritos del «Buscón», «Nueva Rev. Filol. Hisp.», VII, 1953.—J. M. Salaverría: Pról. de «Obras satíricas» de Q., «Clás. Castellanos», núm. 56.—B. Sánchez Alonso: Los satíricos latinos y la sátira de Q., «Rev. Filol. Esp.», 1924; el mismo: Poesías inéditas e inciertas de Q., «Rev. Ayunt. Madrid», 1927.—L. Santa Marina: «Vida del Buscón», «Clás. Castellanos».—C. Soler: ¿Quién fué F. de Quevedo?, Barcelona, 1889.—Leo Spitzer: Die Kunst Quevedos in seinen «Buscón», «Arch. Roman.», 1927.—J. A. Tamayo Rubio: El texto de los «Sueños», de Q., «Bol. Bibl. M. Pelayo», IV, 1945.—F. Induráin: El pensamiento de Quevedo, Zaragoza, 1954.

III. Gracián. Obras completas, con extenso est. preliminar de E. Correa Calderón, ed. Aguilar, Colec. «Obras Eternas», Madrid, 1944; El héroe, ed. Coster, Chartres, 1911; El héroe y El discreto, ed. Farinelli, Madrid, 1900; El discreto, El oráculo y El héroe, ed. A. de Castro, «Bibl. Aut. Esp.», LXV; El criticón, ed. Cejador, «Bibl. Renacimiento», 1913-14; Agudeza y arte de ingenio, ed. Ovejero, «Bibl. Filós. Esp.»; Cartas inéditas, ed. M. Campany, 1896; Oráculo manual, ed. crít. y coment. por M. Romera Navarro, Madrid, 1954; El Criticón, ed. monumental por Romera Navarro.—Estudios: R. del Arco: Baltasar Gracián y los escritores conceptistas, «Hist. gen. Lit. hispánicas», III, Barcelona, 1953; el mismo: Siluetas de G., «Estudio», III, 1919; el mismo: Los amigos de Lastanosa, Valladolid, 1916.—P. Miguel Batllori: G. y el Barroco. Roma, 1958; el mismo: La preparación de G., «Rev. Nac. Cultura», núm. 85, Caracas, 1951 el mismo: La vida alternante de B. G. en la Compañía de Jesús, «Arch. Historicum Soc. Iesu», Roma, 1949.—Aubrey F. G. Bell: Baltasar Gracián, «Hisp. Notes and Monographs», Oxford, 1921.—J. M. Blecua: El estilo en «El Criticón», «Arch de Fil. Arag.», Zaragoza, 1945.—Vittorio Borghini: B. G., scrittore morale e teorico del concettismo, Milán, Edit. Ancora, 1947.—Karl Borinski: Baltasar Gracián und die Hofliteratur in Deutschland, Halle, 1894.—V. Boullier: Notes sur l'«Oráculo manual», «Bull. Hisp.», 1911; el mismo: G. y Nietzsche, «Rev. Littér. Comparée», 1926; el mismo: B. G. Pages caractéristiques, París, 1925.—O. Brachfeld: Notes sur la fortune de G. en Hongrie, «Bull. Hisp.», 1931.—E. Buceta: La admiración de G. por el príncipe don Juan Manuel, «Rev. Filol. Esp.», 1924.—C. Clavería: Nota sobre Gracián en Suecia, «Hisp. Review», XIX, 1951.—J. M. de Cossío: G., crítico literario, «Bol. Bibl. M. Pelayo», 1923.—A. Coster: Baltasar Gracián (trad. de R. del Arco), Zaragoza, 1947, publ. en «Rev. Hisp.», 1913.—B. Croce: I trattatisti italiani del concettismo e B. Gracián, Nápoles, 1899.—C. Eguía Ruiz: La formación escolar y religiosa de B. G., «Bol. Real Acad. Esp.», 1931.—A. Farinelli: B. G. Estudio crítico, Madrid, 1900; el mismo: Gracián y la lit. áulica en Alemania, «Divagaciones hispánicas», Barcelona, 1937.—A. Ferrari: Fernando el Católico en B. G., Madrid, Espasa-Calpe, 1945.—A. Ferrer Roda: «El político D. Fernando el Católico», «El discreto», «El héroe», curso monográfico de Za-

ragoza, 1922; el mismo: «El comulgatorio», de B. G., curso monográfico de Zaragoza, 1922.—E. García Gómez: Un asunto árabe, fuente común de Abentofail y B. G., Madrid, 1926.—J. García López: Baltasar Gracián, «Clásicos Labor», 1947.—P. González Casanova: Verdad y agudeza en B., «Cuad. Americanos», LXX, Méjico, 1953.—Adalbert Hamel: A. Schopenhauer y la literatura española (2.ª conf. dedicada a Gracián), curso en la Univ. de Madrid, 1924-25.—A. del Hoyo: ed., est. prelim y notas al Oráculo manual y arte de prudencia, «Clás. Castilla», Madrid, 1948.—Helmut Jansen: Conceptos de B. G., Friburgo 1952.—W. Krauss: Gracians Labenslehre, Francfort, 1947.—M. Lacoste: Les sources de «El oráculo manual»... et quelques aperçus touchant l'«Atento», «Bull. Hisp.», XXXI, 1929.—C. Lascaris Commeno: Introd. y selec. de textos de G., «Rev. I. Est.», XI, 1953.—F. Lázaro Carreter: «Libro verde» en «El criticón», «Hisp. Review», XXI, 1953.—J. López Landa: Gracián y su biógrafo Coster, Calatayud, 1922.—F. Maldonado de Guevara: B. G. como pesimista y político, Salamanca, 1916.—G. Marone: Morale e politica de B. G., Nápoles, 1925.—Menéndez Pelayo: Hist. de las ideas estéticas, II, cap. X, ed. C. S. I. C., 1940.—J. Martínez Ruiz: Baltasar Gracián, «Leyendas españolas», 1912.—Morel-Fatio: Les moralistes espagnols du XVIIe siècle et en particulier. B. G., «Bull. Hisp.», XII, 1910.—H. Montes Brunet: Ideario político de B. G., Univ. Catól. de Sant. de Chile, «Bibl. Jurídica», núm. 4.—E. Moreno Báez: La filosofía de «El Criticón», lec. inaug. de curso en la Univ. de Santiago de Compostela, 1959-1960.—M. Romera Navarro: Est. del autógrafo de «El héroe» graciano, anejo de la «Rev. Filol. Esp.», XXXV, 1946; el mismo: Las alegorías de «El criticón», «Hisp. Review», IX, 1941.—E. Ovejero y Maury: «El criticón», «España Moderna», 1913.—Pareja y Navarro: Las ideas políticas de B. G., Granada, 1908.—J. de Liñán: Vida de B. G., Madrid, 1902.—F. Rahola: Est. crítico sobre B. G. y su «Criticón», Barcelona, 1908.—Edward Sarmiento: Introd. y notas para una ed. de «El político», de G., «A. F. A.», IV, 1952.—F. Schalk: B. G. und das Ende des Siglo de Oro, «R. F.», LV, 1951.—E. Seillière: B. G., grand moraliste oublié, «Communic. R. Ac. Sciences morales et politiques», 1910.—K. Ludwig Selig: Gracián and Alciato's Emblemata, «Comparative Literature», VIII, Oregón, 1956.—G. Sobejano: Nuevos estudios en torno a G., «Clavileño», núm. 26, 1954.—L. Stinglhambert: B. G. et la Compagnie de Jesus, «Hisp. Review», XXII, 1954.—C. Torres: «El Comulgatorio» dentro de la vida de B. G., «Bol. Univ. Santiago de Compostela», 1955.—F. Induráin: Pról. a la ed. de El político Fernando, Inst. Fern. el Católico, Zaragoza.

IV. Saavedra Fajardo. Obras completas, con estudio preliminar de González Palencia, Madrid, Aguilar Edit., Colec. «Obras Eternas», 1946; Obras, «Bibl. Aut. Esp.», XXV; República literaria, ed. Serrano y Sanz, Madrid, 1907; otra ed. de García de Diego, «Clásicos Cast.», 1922; Cartas, «Col. documentos inéditos», LXXXI; Corona gótica, Edit. Aguilar, Colec. «Crisol», 1945.—Estudios: F. Alemán Sainz: Saavedra Fajardo y otras vidas de Murcia, Murcia, Edit. La Verdad, 1949.—M. Baquero Goyanes: El tema del Gran Teatro del Mundo en las «Empresas Políticas» de S. F., «Monteagudo», núm. 1, 1953; Diego de Saavedra Fajardo, «Monteagudo», Murcia, núm. 12, 1956.—E. de Benito: Juicio crítico de las «Empresas políticas», Zaragoza, 1904.—F. Conradi: Saavedra Fajardo, disc. en R. Ac. Historia, 1876.—F. Cortines: Ideas jurídicas de Saavedra Fajardo, Sevilla, 1907.—A. Domínguez Ortiz: Saavedra Fajardo, historiador y político, «Tesis», 4, Barcelona, 1956.—A. González Palencia: Las «Empresas políticas» de don D. S. F., «Del Lazarillo a Quevedo», Madrid, 1946; Estudio preliminar a las «Obras completas», Edit. Aguilar, Madrid, 1946.—O. H. Green: Documentos y datos sobre la estancia de S. F. en Italia, «Bull. Hisp.», XXXIX, 1937.—J. M. Isáñez García: Saavedra Fajardo. Est. sobre su vida y sus obras, Murcia, 1884.—M. Fraga Iribarne: Don D. S. y F. y la diplomacia de su época, Madrid, Gráf. Arges, 1955.—D. Lagmanovich: Apostillas a Saavedra y Fajardo, «Rev. Educ.», 2, La Plata, 1957.—B. de la Llave: Juicio crítico de las «Empresas políticas», Zaragoza, 1904.—F. Maldonado de Guevara: Emblemática y política. La obra de Saavedra y Fajardo, «Cinco salvaciones», 1953.—J. Pastor Dómine: Don Diego Saavedra Fajardo, ante Alfonso el Sabio, Murcia, 1956.—Conde de la Roche y P. Tejera: Saavedra Fajardo. Sus pensamientos, sus poesías, Madrid, 1884.

CAPITULO XLV

LA PROSA DEL XVII: B) HISTORIA, DIDACTICA Y FICCION

I. HISTORIA: *Dos cronistas de Felipe II: Cabrera y A. de Herrera. Antonio de Solís. Moncada y Melo. Fray Jerónimo de San José. Otros historiadores del XVII.*—II. LITERATURA DIDÁCTICA: *Oratoria y emblemas. El P. Paravicino. Otros oradores. La «Empresa» y el «Enigma».*—III. LA PRECEPTIVA LITERARIA: *El «Pinciano». Cascales, González de Salas y otros preceptistas menores. La polémica del teatro.*—IV. LITERATURA DE ENTRETENIMIENTO: *Costumbristas del XVII: Rojas Villandrando, Suárez de Figueroa, Liñán, Zabaleta, etcétera. Cuentistas y epigramáticos. Novelistas rezagados: Lozano y Francisco Santos.*—V. LA PROSA AMERICANA DEL XVII: *Historiadores y costumbristas. El doctor Espinosa Medrano.*—NOTAS.—BIBLIOGRAFÍA.

I. HISTORIA

Imposible seguir la prosa del XVII en su total desarrollo. Ya se ha dicho que, en contraste con la lírica, polarizada en tres o cuatro enunciados, la prosa se divide y subdivide en múltiples direcciones. Y en cada una de éstas no nos sería difícil encontrar una larga lista de autores, cuyo sólo recuento convertiría nuestro libro en un repertorio bibliográfico más.

Pero no es ésa nuestra finalidad. Una relación detallada de tales escritores no conduciría sino a recargar la memoria con una serie de nombres y fechas perfectamente innecesaria. Por ello nos hemos de limitar en este capítulo a la enunciación de los géneros típicos por los que se canalizó aquella prosa, y a la mención, dentro de cada género, de los escritores más representativos. Esos géneros son: la historia, que degenera pronto en monografía minuciosa; la novela, convertida casi siempre en cuadro de costumbres; la didáctica, en su triple aspecto de teoría ético-política, literaria y oratoria.

No debemos hacer sino ligera mención de ese brillante acervo de materia popular, representado por «enigmas» y «acertijos», que si en otras obras de cierto tipo ocupan sendos apartados y pueden contribuir en algún modo a perfilar el cuadro de una historia general de la cultura, en libros como el nuestro, dedicados a la enseñanza, apenas encontrarían sitio adecuado[1]. Y, sin más preámbulos, pasamos a los historiadores.

Juan de Mariana había llevado la historia castellana a su punto culminante. A partir de él todavía se mantiene a digna altura con Cabrera de Córdoba, Solís, Herrera, Moncada, Melo y fray Jerónimo de San José. Los demás historiadores, de indudable valor como fuente informativa, sólo interesan muy escasamente desde el punto de vista literario. Desmenuzado el género en infinita variedad de especies y subespecies—crónicas regionales, hagiográficas, genealógicas, de ciudades—, va desvirtuándose cada vez más y restringiendo paulatinamente su área visual hasta quedar reducido a una modalidad típicamente española de la época, la *monografía*. Al mismo tiempo, la busca minuciosa del detalle va preparando el terreno al criticismo histórico del siglo XVIII. Un escritor en quien se funde el cultivador y el teorizante de la historia es el carmelita descalzo fray Jerónimo de San José.

Dos cronistas de Felipe II: Cabrera y Antonio Herrera

Felipe II tuvo un informador minucioso de su reinado en el madrileño LUIS CABRERA DE CÓRDOBA (1559-1623)[2]. «Severo e incorruptible», le llama Pfandl; en cambio, a Menéndez Pelayo, que le conocía mejor, no le merece tanta estima[3]. Sin duda en su *Historia de Felipe II* (primera parte, 1619) hay una rica cantera de materiales y una ejemplar exactitud de datos. La segunda parte hubo de quedar inédita hasta época reciente (1876), por la negativa del autor a suavizar algunos juicios, referentes a los sucesos de Aragón con motivo de la huída de Antonio Pérez a este reino. Su lenguaje lacónico, sentencioso y enrevesado hace ingrata la lectura de un libro que, por otra parte, ofrece la más abundante cantera de informes sobre las instituciones públicas, monumentos y hasta costumbres de España en tiempos del Rey Prudente. Muy leído en el siglo XVII, inspiró a

Montalbán la primera de sus dos comedias del *Segundo Séneca de España*. Es también autor Cabrera del tratado *De historia, para aprenderla y escribirla* (Madrid, 1611), y de unas *Relaciones de las cosas sucedidas en la Corte de España*, desde 1599 hasta 1614.

Con criterio más amplio que el de Cabrera está concebida la *Historia general del mundo en tiempo de Felipe II*, por ANTONIO DE HERRERA (1549-1625)[4]. El marco, casi puramente monográfico, de Cabrera adquiere aquí dilatadas proporciones, hasta abarcar no sólo el área española, sino todos los acontecimientos de proyección universal del tiempo de Felipe II. Por ello y por la altura con que enfoca los hechos resulta Herrera el historiador del XVII que más se acerca a Mariana. Muy español, su ardiente patriotismo no enturbia jamás la limpia visión de los hechos, haciendo alarde en todo momento de una objetividad y de una independencia de criterio realmente ejemplares. En ocasiones alcanza un clima de grandeza, como en el relato de la muerte de María Stuard y en el de la fracasada expedición de la Armada Invencible, que pueden quedar como ejemplos de narración histórica. Tal vez se le pueda censurar de excesiva minuciosidad; pero el tono general de la obra es el de un escritor que sabe lo que dice y cómo debe decirlo.

«La conquista de México», de Solís

De carácter enteramente distinto es la *Historia de la conquista de Méjico*, por ANTONIO DE SOLÍS Y RIVADENEYRA (1610-1686)[5], sin duda uno de los libros más leídos de toda la literatura española. Solís, que como dramaturgo ocupa un puesto en tercera fila entre los discípulos de Calderón, como historiador ostenta en justicia el primer puesto entre los de su siglo. En posesión de importantes documentos, como cronista mayor de Indias, y con una sólida cultura clásica, pudo dar cima, tras muchos años de incesante retoque y pulimento, a la redacción de esta amenísima historia sobre el descubrimiento y conquista del imperio azteca. El manuscrito autógrafo, que se conserva en la Biblioteca Nacional de Madrid, acusa una labor pacientísima de lima y de información. Así salió de perfecta esta obra, que se lee con todo el interés de una novela. Sus modelos son Quinto Curcio, entre los clásicos, y Mariana, entre los españoles. Las fuentes principales, López de Gómara, Bernal Díaz del Castillo, las relaciones de Hernán Cortés y otros documentos, que él pudo manejar por razones de su cargo de cronista de Indias. Dos cosas llaman desde luego la atención en este libro: la habilísima disposición del relato, amenizada a cada paso con noticias de todo orden —religiosas, políticas, costumbristas, etc.—, sin que por ello la unidad de la narración sufra quebranto,

y la elegancia, pulcritud, sencillez y claridad del lenguaje, que nos hace olvidar que estamos leyendo a un escritor de finales del XVII, para volvernos al estilo majestuoso y robusto del padre Mariana. «Se puede decir —ha escrito Cejador— que el mundo conoce a Cortés y a los conquistadores españoles por este famoso libro de Solís.»

Publicado en 1685, con el largo título de *Historia de la conquista de México, población y progreso de la América septentrional, conocida por el nombre de Nueva España*, comienza con la exploración del río Tabasco por Juan de Grijalva, y termina con la prisión de Guatemoc y la rendición de Méjico. Son de notar los discursos, arengas y razonamientos puestos en boca de los más destacados personajes, según los módulos del más puro clasicismo.

Tiene también Solís, aparte de las comedias, aludidas en su lugar, *Poesías* sagradas y profanas, en las que domina el tono culterano; y unas cartas interesantes para conocer ciertos detalles de su vida y de la sociedad que frecuentaba.

Moncada y Melo, historiadores de Cataluña

Dos escritores, valenciano uno y portugués el otro, nos dan, en la primera mitad del XVII, sendas obras históricas de ambiente catalán, en las que el valor documental corre parejas con el mérito literario. Esos dos escritores son Francisco de Moncada y Francisco Manuel de Melo. La obra de Moncada es exaltación de una gesta pretérita, la expedición de los catalanes a Oriente, acaudillados por Roger de Lauria; la de Melo recoge un suceso de actualidad, el levantamiento del «Corpus de Sangre» en Barcelona, con toda la vibración y colorido de quien cuenta las cosas de visu y no de oídas.

Don FRANCISCO DE MONCADA (1586-1635)[6], conde de Osona y marqués de Aytona, de noble origen aragonés, tan avisado político como excelente militar, alternó toda su vida el cultivo de las letras con el ejercicio de las armas. Fruto de su afición a la literatura son varias obras, entre las que sobresale notoriamente su historia sobre la *Expedición de los catalanes y aragoneses contra turcos y griegos* (1623). Relata la legendaria aventura de aquel puñado de almogávares que, dirigidos por Roger de Flor, Berenguer de Entenza, Berenguer de Rocafort y Ferrán Jiménez de Arenós, se ofrecen al emperador de Constantinopla para luchar contra los turcos. Asesinado cobardemente Roger por orden de Miguel Paleólogo, se hacen fuertes en Gallípoli, vencen a los griegos, que en su afeminamiento se «dejaban matar por la espalda» para que no les afeasen el rostro con heridas; y, poco a poco, tras inauditas proezas, van extinguiéndose en Tesalia, Atenas y Macedonia. Moncada se ha inspirado en Georgio Pachimeres, Nicéforo Gregoras, Ramón Muntaner, Berenguer de Entenza y Zurita. El estilo limpio, sosegado y sentencioso, convierte este libro en modelo de buena prosa castellana. Algunos pasajes, como el del asesinato de Roger de Flor (cap. XVII), alcanzan intenso dramatismo.

El portugués FRANCISCO MANUEL DE MELO (1608-1666) [7], también militar y de noble origen, puede compararse, salvadas las naturales distancias, por la profusión y variedad de sus escritos, con nuestro Quevedo, claro es que sin su incomparable vena satírica. Unos cien títulos integran su abundante producción, mitad en portugués y mitad en castellano. En nuestra lengua tiene *Obras morales* (1664), *Obras métricas* (1665), *Aula poética, Carta de guía de casados, Hospital de las letras* y otras muchas. Pero la que le confiere pleno derecho a figurar entre las autoridades de nuestra lengua es la *Historia de los movimientos, separación y guerra de Cataluña* (1645). Cuenta el inicio y desarrollo de esta lucha durante su primer año. Melo había intervenido en ella con altos cargos, al lado del marqués de los Vélez. Su relato, por tanto, tiene excepcional valor, como referencia de un testigo ocular. Su veracidad, no obstante, ha sido puesta en entredicho, fundándose en pequeñas inexactitudes y en su ferviente adhesión, años más tarde, al separatismo portugués. Pero ha de tenerse en cuenta que Melo redacta su libro sin fuentes escritas, ateniéndose sólo a los datos conservados por su memoria; y el simple hecho de haberlo publicado con el seudónimo de «Clemente Libertino» parece que debe ser suficiente para alejar toda sospecha de partidismo. De todos modos es ésta una discusión que sólo indirectamente nos afecta. En el aspecto literario, único que interesa poner aquí de relieve, la *Historia de los movimientos, separación y guerra de Cataluña,* por su estilo vigoroso, limpio y bien cortado, un poco tirando a la manera de Tácito, resulta uno de los buenos libros castellanos del XVII. Cuadros como el del asesinato del virrey de Cataluña, conde de Santa Coloma, una vez leídos, nunca se olvidan.

El padre J. de San José

Más que como historiador, aunque también lo era excelente, interesa recordar el nombre de fray JERÓNIMO DE SAN JOSÉ (1587-1654) [8] como tratadista de historia. Bajo este título tiene derecho el humilde carmelita descalzo a un puesto relevante, que poco a poco se le va otorgando y que Menéndez Pelayo no le regatea en su *Historia de las ideas estéticas* [9] Discípulo de Bartolomé L. de Argensola, biógrafo de San Juan de la Cruz, poeta estimable, su fama radica casi por entero en el bellísimo tratado que lleva por título *Genio de la Historia* (1651). En él se desarrolla brillantemente toda una teoría sobre las condiciones y dotes del verdadero historiador. Para Jerónimo de San José

la historia es ante todo historia; o, lo que es lo mismo: «narración llana, de casos verdaderos». Abomina del prurito, muy frecuente entre sus contemporáneos, de convertir la narración en un sermonario, con continuas reflexiones morales; exige en el historiador un depurado arte narrativo; no basta disponer de una materia, que sirva de cuerpo al relato, es menester «extender sobre todo este cuerpo así dispuesto una hermosa piel de varia y bien seguida narración; y, últimamente, infundirle un soplo de vida, con la energía de un tan vivo decir, *que parezcan bullir y menearse las cosas de que trata en medio de la pluma y del papel*». La simple lectura de estas líneas revela bien la calidad de la prosa de fray Jerónimo de San José: maciza a la vez y flúida, elegante y armoniosa. A veces nos sorprende con preceptos de osadía insospechada; por ejemplo, cuando aconseja en el arte pasarse alguna que otra vez de la raya señalada por la prudencia y *amar los precipicios*. «Cansado el Ticiano —escribe— del ordinario modo de pintar a lo dulce y sutil, inventó aquel otro modo tan extraño y subido de pintar a golpes de pincel grosero, casi como borrones al descuido, con que alcanzó nueva gloria... y, como quien no se digna de andar por el camino ordinario, hizo senda y entrada por montes y desvíos.»

Antonio Pérez

Dentro de la historiografía de Felipe II nos sale al paso la figura de un escritor más famoso por las peripecias de su vida que por sus obras, con ser éstas famosísimas, y a quien no sabríamos si inscribir entre los historiadores, entre los tratadistas de política o entre los autores de memorias, ya que a los tres géneros pertenece por derecho propio. Aludimos al tristemente célebre ANTONIO PÉREZ (1534-1611). Hijo natural, como es sabido, de Gonzalo Pérez, secretario del emperador Carlos V, después de cursar estudios en Alcalá y Salamanca y de haber viajado con su padre por Europa, vuelve a Madrid, donde entra al servicio del príncipe de Eboli, don Ruy Gómez de Silva, quien lo recomienda a Felipe II. Este deposita en él plena confianza y lo nombra su secretario de Estado. Caído en desgracia con motivo del asesinato de Escobedo, huye a Aragón, y de allí a Francia (1590), y a Inglaterra. En las cortes de París y Londres obtiene, a base de calumnias y delaciones, algunos honores; pero acaba por ser despreciado de todos, y muere en la mayor miseria en 1611.

Para justificar su conducta con Felipe II escribe las *Relaciones* (París, 1598) con el seudónimo de *Rafael Peregrino.* Divulgadas por toda Europa en incontables traducciones, constituyen uno de los libros que más daño han causado a España y a Felipe II. «De ellas y de su restante correspondencia —escribe Pfandl— resalta con terrible claridad la venalidad de su miserable alma: con sus protectores y defensores, baja e hipócrita adulación, para la cual ningún elogio es demasiado grosero, ni ninguna frase exagerada; pérfida ansia de venganza, mezclada con la altanera convicción de hallarse fuera de su alcance, en relación con su rey de otro tiempo; hábil selección en la manera de agrupar y exponer la materia, partiendo del principio que el halagar ciertos instintos en el revelar secretos de Estado y privados de cierta naturaleza es condición indispensable para el éxito; mentira, disimulación, hipocresía, tales son las artes y encantos que manifiesta con el descaro de una mujer perdida.»

Tiene razón Pfandl. Y lo mismo podríamos decir de sus *Cartas*, publicadas en París también en 1598. No obstante, y a pesar de todos los reparos de orden moral que se les pueda poner, ha de reconocerse que desde el punto de vista literario son, tanto las *Cartas* como las *Relaciones*, auténticos modelos de buena prosa castellana. Un estilo enérgico, preciso y ágil que recuerda con frecuencia a Tácito; un lenguaje salpicado de ironía y respaldado por un conocimiento pleno del idioma; una solidez de pensamiento asistida por una cultura tan extensa como profunda otorgan a los escritos de Antonio Pérez un lugar permanente en nuestras letras. Por ello su nombre figura en el *Catálogo de Autoridades* de la lengua. Los únicos defectos que en este sentido cabría señalarle son cierto alarde de erudición y cierta tendencia irresistible a refrendarlo todo con citas y sentencias de los clásicos.

Escribió también Pérez un *Norte de príncipes*, dedicado al duque de Lerma, especie de doctrinal de privados, lleno de sabios consejos que para nada tuvo en cuenta el favorito de Felipe III.

Otros historiadores del XVII

Ninguno de los que vamos a citar tiene la talla de los mencionados. En su mayor parte son simples cronistas, más atentos a la exactitud del dato que a preocupaciones de orden estético.

Como historiadores de reinados podemos aún recordar a: GIL GONZÁLEZ DÁVILA (1578-1658), que nos dejó la crónica del de Felipe III, aparte de varias obras sobre historia eclesiástica de España y de Indias; CÉSPEDES Y MENESES, ya señalado como novelista, que escribió una *Historia de Felipe IV* (1631), y el toledano MATÍAS DE NOVOA (1576?-1652?), que en lenguaje difuso y plan desordenado redactó unas minuciosas *Memorias* sobre la vida íntima de la Corte en los reinados de Felipe III y de Felipe IV.

Entre los de Ordenes religiosas sobresalen: el jesuíta padre LUIS DE GUZMÁN; el dominico fray HERNANDO DEL CASTILLO; el agustino fray JERÓNIMO ROMÁN; el cisterciense fray BERNABÉ DE MONTALBO; el benedictino fray ANTONIO DE YEPES Y

TORRES, y los franciscanos fray FELIPE DE SOSA y fray PEDRO DE SALAZAR. Todos ellos, y otros muchos, nos dejaron en sus crónicas la historia de la respectiva Orden.

En la monografía de ciudades descuellan: DIEGO ORTIZ DE ZÚÑIGA Y DE ALCÁZAR, en la de Sevilla; el preceptista FRANCISCO CASCALES, en la de Murcia, y DIEGO DE COLMENARES, en la de Segovia.

Excelentes historias nobiliarias nos dejaron, entre otros, FRANCISCO RADES Y ANDRADA, sobre las tres Ordenes militares de Santiago, Calatrava y Alcántara; GONZALO ARGOTE DE MOLINA, que publicó *El conde Lucanor*, seguido de un estudio sobre *La nobleza de Andalucía* (1588); JOSÉ DE PELLICER SALAS OSSAU Y TOVAR, sobre genealogía de algunas de las más ilustres casas de Aragón; JUAN LUCAS CORTÉS, autor de la *Biblioteca genealógica hispana*, y LUIS DE SALAZAR Y CASTRO, que consagró sus grandes dotes de investigador al estudio genealógico de multitud de familias nobiliarias (Silva, Lara, Luque, Lerín, Palma, Torrejón, etc.).

Como autores de monografías, casi siempre de valor autobiográfico, y en que se combinan frecuentemente hechos reales con elementos novelescos, merecen citarse: BARTOLOMÉ DE VILLALBA Y ESTAÑA, más conocido por *El Doncel de Jérica*, que nos legó en *El peregrino curioso y grandezas de España* un ameno relato de viajes con multitud de leyendas y curiosidades de todo género; JERÓNIMO DE PASSAMONTE, aventurero aragonés que, tras luchar en Lepanto, Navarino y Túnez, estuvo dieciocho años prisionero de los musulmanes y escribió sobre ello un interesantísimo libro de memorias; JUAN VALLADARES DE VALDELOMAR, también prisionero de los berberiscos, que acabó de ermitaño en Miramar de Mallorca, a quien se debe *El caballero venturoso en sus extrañas aventuras*, y sobre todos, el capitán ALONSO DE CONTRERAS (1582-después de 1641), uno de los personajes más novelescos de su tiempo, criado del príncipe Alberto, soldado en Malta y en Sicilia, capitán en Flandes, corsario en el Mediterráneo, asesino de su esposa por infidelidad, ermitaño en Moncayo, presunto cabecilla de una sublevación morisca en Hornachos, preso por ello y atormentado, investido en Malta del hábito de Santiago, expedicionario en las Antillas y, en fin, protagonista de un cúmulo de aventuras que quedaron estampadas en su *Vida*, con un estilo exento de toda pretensión literaria, pero enormemente movido y pintoresco. Se cree que fué Lope de Vega quien indujo a Contreras a escribir sus memorias; de todos modos, el mismo Lope le agasajó en su casa durante mucho tiempo y le dedicó su comedia *El rey sin reino* en prueba de su estimación.

Por último, las campañas de Flandes tuvieron un excelente cronista en CARLOS COLOMA (1567-1637), alicantino, de la noble familia de los condes de Elda. Coloma, después de haber militado durante su juventud en Portugal al lado del duque de Alba y de haber servido en las galeras de Mesina durante cuatro años, pasó a Flandes, donde se distinguió en muchas batallas, y especialmente en la victoria de Doulens, debida en gran parte a su decisión y pericia. Fué maestre de campo, caballero de Santiago, gobernador de Perpignan y de Mallorca, consejero de la princesa Isabel Clara Eugenia, etc. En las *Guerras de los Países Bajos* (Amberes, 1625) nos dejó una de las mejores crónicas de la época, escrita en correcto estilo y enriquecida con gran cantidad de datos. Viene a ser la continuación de los *Comentarios* de Bernardino de Mendoza. Hizo también Coloma una excelente traducción de Tácito.

II. LITERATURA DIDACTICA: ORATORIA Y «EMBLEMAS»

Estudiada la didáctica de orientación político-social en sus máximos representantes —Quevedo, Gracián y Saavedra Fajardo—, sólo nos resta aquí considerarla en su triple orientación de preceptiva literaria, emblemática y oratoria.

Esta oratoria del XVII ya se entiende que tenía que ser de carácter religioso, porque ni la política ni la académica, de tanto arraigo en los tiempos modernos, habían hecho aún su aparición. Tenía que esperar al advenimiento del régimen parlamentario la primera para encontrar una atmósfera propicia; y en cuanto a la académica, no habían nacido todavía en España las instituciones que le dieron vida, facilitando su normal desarrollo. En la misma Francia, donde esas instituciones venían funcionando de tiempo atrás —la Academia francesa data de 1634—, hubo de retrasarse bastante su aparición. No sucede lo mismo con los otros géneros señalados: el de la preceptiva y el de los «emblemas» y «empresas», de gloriosa tradición desde el inicio del Renacimiento y ya prestigiado en las letras castellanas con nombres ilustres.

No vamos a hacer mención de aquellos grandes oradores del siglo anterior —el beato Juan de Avila, fray Luis de Granada, Malón de Chaide, el padre Guevara, etc.— que llevaron la lengua castellana a un grado de perfección y de elocuencia ya nunca superadas. Antes que oradores, casi todos fueron escritores místicos y ascéticos y, como tales, encontraron en el capítulo correspondiente su lugar adecuado. Nos referimos a esa otra oratoria, muy justamente llamada barroca, en cuanto en ella los caracteres del barroco, al menos los externos, se manifiestan quizá con mayor relieve que en ningún otro género: oratoria de concepto aquilatado y enfática expresión, que exige en el lector moderno un temple de ánimo especial y que persiste pujante hasta la segunda mitad del XVIII.

A juzgar por las opiniones de los contemporáneos, ese género oratorio fué muy del gusto de los predicadores y muy del agrado del público, que, al igual que se solazaba en las plazas con los juegos conceptuales del auto calderoniano, se distraía también en las iglesias con el trompeteo retórico de Paravicino y sus innumerables imitadores. Y hemos escrito *distraía* porque no podemos creer que a nadie pudieran edificar aquellos rebuscados y sutiles razonamientos, expuestos entre una red inextricable de tropos y alegorías, a veces del peor gusto. Lo cierto es que las modas conceptistas y cultistas también penetraron en los templos, y antes tal vez que los mismos poetas, los predicadores empezaron a hacer gala de su ingenio. Ya hemos visto en el capítulo anterior qué entendía por *ingenio* uno de los más célebres oradores de aquel tiempo, Baltasar Gracián, y es de suponer que sus sermones no se alejarían mucho de sus propias normas. No sabemos si era el público el que imponía esta modalidad a los predicadores, o viceversa. Posiblemente, uno y otro, público y orador, no hacían sino dejarse llevar de la corriente del gusto, que se manifestaba con análogos caracteres en la poesía lírica, en la pintura, en la arquitectura, en el teatro. Y esta oratoria monstruosamente barroca, que empieza casi con el siglo, había de saltar al siguiente, informando toda la predicación sagrada hasta 1758, en que el Padre Isla viene a herirla de muerte con su *Fray Gerundio de Campazas,* sátira que desempeña respecto de ella el mismo papel que *Don Quijote* respecto de los libros de caballerías.

Aunque casi todos los oradores de la época están más o menos resabiados por el «vicio» culterano —y aquí sí que empleamos la palabra «vicio» con deliberada intención—, hay un hombre que encarna esta modalidad y que ha pasado a la Historia como el típico representante de la oratoria barroca. Es el padre Paravicino.

El padre Paravicino

Estamos acostumbrados a ver en el trinitario FRAY FÉLIX PARAVICINO Y ARTEAGA (1580-1633) [10] el prototipo del culteranismo llevado al púlpito. Y esta visión no es exacta, o lo es sólo a medias. A la vez que un rabioso culterano, Paravicino es también un conceptista impenitente. Las dos modalidades del barroco se funden en él sin estorbarse, como en Gracián, como en el mismo Quevedo, aunque él no lo quiera. «Juntó lo ingenioso del pensar con lo bizarro del decir», escribe de él Gracián. En tal sentido, su influencia era enorme. Predicador de la Corte de Felipe III y de Felipe IV, habituado al trato con la más distinguida sociedad, habiendo desempeñado los más altos cargos en su Orden, se encontraba en condiciones únicas para imponer su estilo. Hay que reconocerle ingenio, viveza y penetración; menos inclinados estamos, al leer sus sermones, a otorgarle aquella arrebatadora elocuencia de que nos hablan su coetáneos. Amigo íntimo de Góngora, los culteranos le ponen en las nubes. Pero es que también lo celebran Lope de Vega y Quevedo. Greco pinta varias veces su retrato, y a su muerte (1633) disfrutaba en toda España y América de un prestigio inmenso.

Lo que de él conservamos—un centenar aproximadamente de sermones—permite formarnos sólo una idea incompleta. De su obra se deduce que más que orador Paravicino fué un retórico consumado. Se dió cuenta de los gustos del público, orientados a los artificios del ingenio y a la musicalidad de la frase, y procuró por todos los medios satisfacer tales gustos. Hoy, su lectura resulta difícil e ingrata.

Los sermones no vieron la luz hasta después de su muerte: *Oraciones evangélicas o discursos panegíricos y morales* (1638). Los mejores son los dedicados a Santa Teresa, San Francisco Javier y el Niño Perdido; entre las oraciones fúnebres sobresalen las de Felipe III y de la reina Margarita. Tres años después que sus sermones, en 1641, se publican sus *Obras póstumas divinas y humanas.*

Más oradores

El canónigo valenciano MELCHOR FÚSTER (1608-1661?), que en sus *Misceláneas predicables* (Madrid, 1687) hizo gala del más exagerado conceptismo, contribuyendo a la difusión del mal gusto entre los predicadores.

Los padres FRAY CRISTÓBAL DE FONSECA, FRAY BASILIO PONCE DE LEÓN y FRAY JUAN MÁRQUEZ, agustinos todos, y ya aludidos como tratadistas de mística y ascética. El padre Ponce, sobrino y discípulo de fray Luis de León, se convirtió pronto en su más entusiasta apologista, de modo que Menéndez Pelayo opina que son suyas algunas de las poesías falsamente atribuídas al maestro; como orador rayó a gran altura en sus *Domingos de cuaresma* (1605). El padre Márquez, autor del renombrado libro *El gobernador cristiano* (1612), fué excelente poeta y orador; sobre su lápida sepulcral se grabó la inscripción: *Eloquentiae flumen et fulmen.*

El mercedario padre ALONSO REMÓN (¿1565?-1635), cronista general de su Orden y orador brillantísimo, que mereció grandes elogios de Lope de Vega. Compuso la *Vida del caballero de Gracia* y más de doscientas comedias, de las que sólo se conocen siete. Para la crítica tiene especial interés, porque se supone que el padre Remón no es otro que Liñán y Verdugo, seudónimo con que

se publicó el famoso libro costumbrista *Avisos y guía de forasteros,* al que aludiremos más adelante.

La «empresa» y el «enigma»

Con el nombre de «empresa» o «emblema» se viene designando una modalidad literaria que alcanzó extraordinaria boga en la segunda mitad del siglo XVI y primera del XVII, consistente en un grabado con una inscripción al pie, seguido del oportuno comentario, casi siempre en prosa. El autor más significado del género es Saavedra Fajardo, con su *Idea de un príncipe político-cristiano representada en cien empresas,* libro ya analizado en el capítulo precedente.

El «enigma», reducido a su más pura expresión, no es sino un simple acertijo, en que campea la agudeza, bien de sabor popular o bien de fondo erudito. Su más incansable coleccionador, Juan de Timoneda, con *El Patrañuelo,* ya fué estudiado en otro lugar. Hay el enigma corriente, en el que un concepto abstracto se deduce de la descripción de sus cualidades, y el enigma de homónimos, fundado en la similitud fonética y disimilitud significativa de dos o más palabras. Muchos de los versificados por Pérez de Herrera, a quien nos referiremos luego, en sus *Proverbios morales* pertenecen a este grupo. Estudiar esto al detalle nos llevaría demasiado lejos.

La «empresa», con un mayor fondo literario, se inspira, al parecer, en las famosas *divisas* de la caballería medieval. Como éstas, constaba al principio de dos partes: una imagen gráfica y un lema aclaratorio. Luego, al hacerla suya la literatura, se amplía con un comentario en verso o prosa. Un soberbio ejemplo de «empresa» en su primera fase lo tenemos en el escudo de España, con las dos columnas de Hércules, y sobre ellas, la leyenda: *plus ultra.* La imprenta se apodera pronto de este artificio, haciéndolo saltar de los escudos nobiliarios a las portadas de los libros. Así, el impresor de la primera edición del *Quijote* (1605) adopta el puño con el halcón de ojos vendados, y el lema: *Lucem post tenebras spero,* emblema que ya había figurado en el *Romancero general* de Medina (1602), y medio siglo antes (1554), en la *Comedia Florisea,* impresa en la misma villa de Medina. Estos motivos, incrementados con la glosa y aplicados a la exposición de doctrinas morales, según tuvimos ocasión de ver en Saavedra y Fajardo, se cree que empezaron a emplearse en Italia por Andrés Alciato (1492-1552), en sus *Tratatti degli emblemi,* traducidos muy pronto al castellano. En nuestra patria tuvieron gran aceptación, y la lista de escritores del género es muy nutrida. Pero con una diferencia respecto a los italianos: en éstos, al menos en Alciato, predomina el sentido poético; en los españoles se impone la tendencia moralizadora [11].

Citemos, entre los más conocidos, a JUAN DE COVARRUBIAS Y OROZCO, obispo de Guadix, que en su *Arte de propagar ideas por la imagen* señaló las condiciones a que debe ajustarse una «empresa» perfecta: laconismo, intención y algo de misterio: «No sea tan clara que cualquiera la entienda.» El hermano del anterior y eminente lexicógrafo SEBASTIÁN DE COVARRUBIAS Y OROZCO, autor de unos *Emblemas morales* (Madrid, 1610), basados todos ellos en una frase de algún autor clásico, con su pie y el correspondiente comentario en prosa. A Sebastián de Covarrubias se debe, y en él descansa su mayor gloria, el *Tesoro de la lengua castellana o española* (Madrid, 1611), el mejor diccionario del idioma con anterioridad al de *Autoridades* de la Academia. Envejecido, como es natural, en buena parte, sigue siendo utilísimo por sus citas literarias, comentarios, modismos y refranes. En 1673 fué completado con numerosas adiciones por el padre Benito Remigio Noyens, y

reimpreso junto con el *Origen de la lengua castellana*, de Bernaldo de Aldrete.

Otros cultivadores del género son: el médico y marino CRISTÓBAL PÉREZ DE HERRERA, que en sus *Discursos del amparo de los legítimos pobres* (1598) utilizó el «emblema» como vehículo de propaganda de sus ideas de reforma social; el padre FRANCISCO NÚÑEZ DE CEPEDA, que interpretó «a lo divino» a Saavedra Fajardo, en su *Idea del buen pastor representada en empresas sacras* (1682); se refiere esta obra a las cualidades que deben concurrir en un buen prelado, y tiene la particularidad curiosa de que la portada y probablemente también algunas «empresas» fueron dibujadas por Claudio Coello, en un estilo marcadamente barroco. Por último, pueden ser considerados verdaderos «emblemas», aunque no llevan tal título, los *Epigramas y hieroglyphicos* de Alonso de Ledesma, ya estudiado en la lírica barroca, como precursor del conceptismo en el verso.

III. PRECEPTIVA LITERARIA

Ya se entiende que una época tan movida en el orden de las ideas y tan fecunda en el de las realizaciones tenía que venir acompañada de una serie de tratadistas que se encargasen de elevar a la categoría de principios válidos las normas a que se habían de ajustar en su creación nuestros grandes líricos, novelistas y dramaturgos. Teoría y práctica van siempre juntas y se completan mutuamente. A veces, como sucede en Herrera, en Carrillo y Sotomayor, en el mismo Lope de Vega, preceptista y poeta encarnan en una misma persona.

Ya en otro lugar aludimos a la influencia ejercida sobre todo el ámbito cultural español, y de manera especial sobre el literario, por el grupo de los llamados «humanistas». En cada humanista se puede decir que alentaba un preceptista literario. Nebrija, a la cabeza, emplea casi todo el libro II de su *Gramática* en el estudio del verso; Vives, Fox Morcillo, García Matamoros, el Brocense, fray Luis de Granada, entre otros menos significados, escriben bien en latín o bien en castellano, o en ambos idiomas, como Granada, sendas artes retóricas, que disfrutaron de mucha fama en su tiempo. De otros estudios más directamente relacionados con la poesía—las *Anotaciones*, de Herrera; el *Libro de la erudición*, de Carrillo y Sotomayor; los numerosos comentarios a Góngora—ya se habló en su lugar. Ahora sólo nos corresponde traer aquí, entre el sinnúmero de tratadistas literarios, las tres o cuatro figuras más representativas.

**La «tríada»: el Pinciano,
        Cascales y Salas**

Forman, al decir de Menéndez Pelayo, la «luminosa tríada de nuestros preceptistas del buen si-

glo». El más profundo es el Pinciano; el más elegante y literario, Cascales; el más erudito, pero difícil y oscuro, González de Salas.

El DOCTOR ALONSO LÓPEZ PINCIANO (+ después de 1627)[12], que tomó su segundo apellido de su ciudad natal—Pincia, en latín, o Valladolid—, es el único humanista de su tiempo que presenta un sistema literario completo en su *Filosofía antigua poética* (Madrid, 1596). Menéndez Pelayo no se cansa de elogiarle, calificándole de helenista egregio. En efecto, su libro está todo fermentado en levadura aristotélica. No es, sin embargo, el Pinciano hombre acostumbrado a recorrer caminos hechos, más bien gusta de andarse por parajes inexplorados. Sus ideas sobre la esencia y el objeto de la poesía—entendiendo por tal toda creación artística—; sobre la *mimesis* o imitación; sobre lo trágico y lo cómico; sobre los caracteres de la epopeya y la naturaleza del verso castellano, aunque inspiradas en el estagirita, llevan un acusado sello personal. Muy interesante es la epístola séptima—todo el libro está redactado en forma epistolar—, sobre la posibilidad de adaptación de los versos castellanos a la métrica latina, y más aún, su intento de fundamentar toda la teoría literaria sobre sólidos principios metafísicos[13]. El Pinciano, que era tan buen escritor en prosa como mediano poeta, compuso también una epopeya, *El Pelayo*, carente de inspiración.

La *Filosofía antigua* encuentra su mejor complemento en las *Tablas poéticas* (1617), del afamado humanista murciano FRANCISCO DE CASCALES (1564-1642)[14]. Pocos nombres han ejercido mayor influencia en las letras. Retórico de la mejor ley, «logró que su nombre sonara en España como el de un legislador literario, respetado por el mismo Lope de Vega». En la polémica culterana ya se vió su actitud decididamente contraria a Góngora, aunque no de manera ciega. No sabía griego; pero conocía a Aristóteles como pocos. Latinista consumado, vierte a nuestra lengua la *Epístola ad Pisones*, si bien su intento de metodizar las reglas horacianas le lleva a desarticularlas en parte, dándole disposición distinta del original. Escribe sus *Tablas* porque ve «que se han determinado acá pocos a tomar tal empresa, y que los que comienzan a hacer poemas, los hacen guiados de la naturaleza más que del arte». Aspira a establecer la poética sobre principios inmutables: «Lo que una vez es verdadero conviene que lo sea siempre, y la diferencia de los tiempos no lo muda... Una es la forma que atiende el arte en su magisterio. Una razón tuvo siempre la Arquitectura..., *aunque muchas veces se haya mudado el edificio.*» De las cinco *Tablas* o diálogos, las tres primeras estudian la poesía *in genere*; las otras, *in specie*. Como el Pinciano, diserta acertadamente sobre la imitación, la *catarsis* o poder purificador del arte, el objeto de la poesía, etc. Defiende el «maravilloso cristiano» frente a la tendencia general, encarnada mucho después por Boileau y por toda la preceptiva neoclásica del siglo XVIII. Su adoración por Terencio, en cambio, y su defensa del arte «docente» le llevan a establecer a rajatabla la separación de géneros dramáticos, situándolos de golpe frente al teatro nacional. Pero con este lunar y otros, que los tiene, Cascales es un preceptista de primer orden. Si tomó algo de los italianos Minturno y Robortello, puso infinitamente más de su propia cosecha. Por la pureza y elegancia de su lenguaje, por la independencia de criterio, por la agudeza de sus juicios, merece figurar, y de hecho figura, a la cabeza de nuestros tratadistas literarios del XVII.

No se puede decir lo mismo de DON JUSEPE ANTONIO GONZÁLEZ DE SALAS (1588-1654). Su estilo es lóbrego, crespo y difícil. Amigo íntimo de Quevedo—recuérdese que fué el coleccionador y editor de sus versos—, quiso, como él, llevar a su vida y a su obra los más hirientes contrastes. Sólo que del inmortal satírico se le pegaron las excentricidades, no el genio. Reprobaba el hablar confuso, y su lenguaje está lleno de rebuscamientos y oscuridad; publica las poesías de Quevedo como valladar contra el mal gusto culterano, y él mismo incurre en los excesos que censura; de una pureza de costumbres ejemplar, escribe en sus comentarios al *Satyricon*, de Petronio, las mayores obscenidades. Todo ello no obsta para que veamos en González de Salas un humanista consumado y uno de los hombres más eruditos de su tiempo. Traduce, aparte del citado *Satyricon*, la *Geografía*, de Pomponio Mela; la *Historia Natural*, de Plinio, y las *Troyanas*, de Séneca, enriqueciéndolo todo con nutridos y sabrosos comentarios, llenos de noticias y sugerencias originales. Como preceptista, su obra más conocida es la *Nueva idea de la tragedia antigua, o ilustración al libro de la*

«Poética» de *Aristóteles* (Madrid, 1633). En él, después de exponer ampliamente la doctrina aristotélica, Salas la comenta con una libertad de criterio y una flexibilidad que nadie imaginaría en un tratadista del XVII tan apegado a la cultura clásica. Los poetas «no crean haber de estar necesariamente ligados a los antiguos preceptos rigurosos. Libre ha de ser el espíritu para poder alterar el arte, fundándose en leyes de la Naturaleza... Comedias tenemos hoy de los griegos y de los latinos que si se representaran en nuestros teatros... de ninguna manera nos deleitaran». Pueden alterarse las reglas, «según la mudanza de las edades y la diferencia de los gustos, nunca los mismos»[15]. He aquí un preceptista que sólo escribía al dictado de sus propias opiniones.

Preceptistas de segundo orden

Destacan los que escribieron tratados de métrica, aludiendo de paso a la poesía en general y al estilo.

En el siglo XVI, aparte de Nebrija, tenemos: JUAN DEL ENCINA, ya estudiado ampliamente como poeta, autor también de un *Arte de poesía castellana* (1496), según el módulo de los Cancioneros; GONZALO ARGOTE DE MOLINA, que en su *Discurso de la poesía castellana*, inserto en la edición de *El conde Lucanor* (Sevilla, 1575), a vuelta de no pocos errores, apunta ideas estimables sobre el romance y el origen del endecasílabo; MIGUEL SÁNCHEZ DE LIMA, autor con su *Arte poética* (Alcalá, 1580) de la primera métrica española propiamente italianizante; el celebérrimo jesuíta padre DIEGO GARCÍA RENGIFO, el más conocido sin duda de todos nuestros tratadistas métricos[16], por su *Arte poética española* (Salamanca, 1592), en la que se condensa toda la doctrina de los preceptistas italianos, especialmente del Tempo, acrecida con la especial de los metros españoles tradicionales.

Al XVII corresponden: el padre LUIS ALFONSO DE CARVALLO, también jesuíta, con su *Cisne de Apolo* (Medina del Campo, 1602); JUAN DE LA CUEVA, el afamado dramaturgo, que nos dió en su *Exemplar poético* (1606) toda una síntesis de las teorías de Herrera y del italiano Ruscelli; GONZALO CORREAS, cuyo *Arte grande de la lengua castellana* (Salamanca, 1626) lleva un apéndice muy curioso sobre nuestros metros más importantes; y finalmente, el obispo don JUAN DE CARAMUEL, «el más erudito y fecundo de los polígrafos de su siglo», que entre el inmenso acervo de sus obras nos dejó en el *Primus Calamus* (1653-1665), dividido en dos partes—*Metamétrica* y *Rítmica*—, la más rica enciclopedia versificatoria que existe acaso en lengua alguna. La circunstancia de estar redactada en latín resta lectores a esta obra, que si en su primera parte o *Metamétrica* ofrece escaso interés, en cambio, en su segunda lo tiene, y grande, por la serie de noticias y juicios críticos que da sobre escritores de la época[17].

IV. LITERATURA DE ENTRETENIMIENTO

Estudiada la novela propiamente dicha, con sus diversas modalidades, en otro lugar, sólo nos resta ahora hacer breve alusión a algunos escritores que cultivan el género narrativo en aquellas formas, por decirlo así, *menores* y difícilmente clasificables dentro del esquema de géneros tradicional. Ninguno de esos escritores tiene la talla de los ya citados; y sus obras fluctúan entre la novela, la didáctica y el libro de puro pasatiempo.

Unas veces son simples cuadros de costumbres, con intención más o menos satírica, y carácter autobiográfico, como en Rojas Villandrando, Suárez de Figueroa o Liñán y Verdugo; otras veces se mueven entre la crónica costumbrista, como los anteriores, y la colección de cuentos a la manera de Boccaccio; no faltan libros que se reducen a un auténtico anecdotario; finalmente, hay unos pocos autores cuyas creaciones pueden todavía calificarse de novelas. Son los que nosotros designaríamos con el nombre de «novelistas rezagados». Por su técnica narrativa están en la línea de los mejores representantes del género picaresco o bien del cortesano, pero cronológicamente caen un poco desplazados. Y en todo caso, ha de tenerse en cuenta que la novela, la gran novela con su argumento único y su protagonista también único, constituído en eje de la acción, ha desaparecido. Si se insiste en encajar dentro del género ciertas producciones de Cristóbal Lozano o de Francisco Santos, es con la previa aclaración de que en ellas no hay nada que se parezca a un *Guzmán de Alfarache*, ni siquiera a un *Buscón don Pablos*, y la máxima categoría que podemos otorgarles es la de novela corta.

Costumbristas del XVII

Los más caracterizados son: Rojas Villandrando y Suárez de Figueroa; a bastante distancia, Liñán y Verdugo, Zabaleta y Afán de Ribera.

Muy a principios de siglo (1603) publicó en Madrid un *Viaje entretenido* AGUSTÍN DE ROJAS VILLANDRANDO (1572-después de 1618)[18]. Se trata de una narración animadísima, sostenida en forma de diálogo, entre el mismo Rojas y otros tres compañeros de farsa: Ramírez, Solano y Nicolás de los Ríos. Ha de advertirse que el autor había sido cómico durante cierto tiempo, simultaneando, como Lope de Rueda, la doble profesión de autor y actor de comedias. De ahí el enorme interés del *Viaje* para conocer el mundillo teatral de la época, constitución y número de compañías, vida de éstas, autores, etc. El estilo es animado, desenvuelto y gracioso. Todavía, cronológicamente casi dentro del XVI, no le afectan para nada las modas conceptista ni culterana.

Mayor interés documental ofrece otro libro del mismo corte, original del doctor CRISTÓBAL SUÁREZ DE FIGUEROA (1571-1639?), ya aludido extensamente al hablar de la novela pastoril. También allí se consignaron algunos datos de su vida accidentada. Por ahora, sólo importa destacar el positivo mérito de *El Pasajero* (1617), cuadro de costumbres al modo del *Viaje entretenido,* aunque de marco más amplio, ya que la variada profesión de los interlocutores se presta a comentarios más heterogéneos. El diálogo se mantiene entre un militar, un orífice, un maestro en artes y un doctor, que es el propio Figueroa, durante un viaje de Madrid a Barcelona, camino de Italia. La conversación recae sobre mil cosas diversas: teatro, literatura, vida universitaria, mujeres, amor, gobierno, costumbres sociales, etc. Y los comentarios, con frecuencia agrios, se suceden sin interrupción. Abundan las censuras contra prestigios de la época: Cervantes, Lope de Vega, Alarcón, Quevedo, Arguijo... Porque, ya lo dijimos en otro lugar, Suárez de Figueroa tenía un espíritu de eterno resentido, envidioso e impenitente difamador[19]. Con este fondo sombrío contrasta el lenguaje abundante, trabajado, musculoso y enriquecido con todos los recursos léxicos y sintácticos del idioma. Destaca la condenación tajante que en el II «Alivio» hace del estilo culterano.

Figueroa, sin contar *La constante Amarilis,* novela pastoril ya analizada en otro lugar, nos dejó varias obras: *Plaza universal de todas las ciencias y artes* (1615), imitación y en ciertos pasajes traducción de la *Piazze universale,* de Tomás Garzoni; el poema épico *La España defendida* (1612), sobre la gesta de Roncesvalles, y la traducción del *Pastor Fido,* de Guarini.

El licenciado ANTONIO LIÑÁN Y VERDUGO, seudónimo, según todos los indicios, del ya citado predicador mercedario fray ALONSO REMÓN (1565?-1652), publicó, en 1620, *Guía y avisos de foracteros,* mezcla de sátira costumbrista y miscelánea novelesca, con una estructura auténticamente boccacciana. Se compone de una serie de diálogos a través de los cuales vemos desfilar los más curiosos tipos de la picaresca: rufianes, terceras, busconas, etc., con una serie de novelitas intercaladas, de intención moralizadora.

El mismo corte, sólo que en ambiente social más elevado, ofrece la obra más conocida del dramaturgo y costumbrista madrileño JUAN DE ZABALETA (1610-1670?)[20]. Lleva por título *Día de fiesta por la mañana* (1654), y tanto ella como su continuación, *Día de fiesta por la tarde* (1659), acusa en el estilo sentencioso y cortado, aunque siempre transparente, la influencia de Gracián. En *Día de fiesta* se refleja como en un espejo toda la

vida madrileña en su expresión más barroca: juegos, diversiones, visitas, paseos, teatros, fiestas y
galanteos, con un transfondo moralizador, que en
ocasiones lleva a Zabaleta a la condenación de
principios admitidos como legales por sus coetáneos; p. ej., el código del honor, tan respetado
en aquel tiempo. Otras obras de Zabaleta son:
Problemas de filosofía moral (1652)) *Errores celebrados en la antigüedad* (1653) y *Milagros de
los trabajos* (1667). En ellas, el tono didáctico aparece aún más acusado. Fué asimismo Zabaleta comediógrafo estimable de obras originales y en
colaboración. Su mejor comedia, *El ermitaño galán,* es de ambiente costumbrista.

Aunque publicado dentro del XVIII, corresponde
a este mismo género y se encuentra por su espíritu y tendencia dentro de la época que estudiamos
el notabilísimo opúsculo *Virtud y mística a la
moda* (Madrid, 1734), de FULGENCIO AFÁN DE RI-
BERA. Se trata de una sátira más contra la exhibición de falsa piedad e hipócritas costumbres. El
librito está integrado por tres cartas, que dirige
un padre a su hijo, y varios «documentos» que,
si bien de bajo tono literario, entrañan enorme
valor para la historia de la vida española de aquellos tiempos.

Cuentistas y epigramáticos

Poco interesantes en el aspecto literario. Limitémonos a citar: una colección de *Cuentos,* sal-
picados de ocurrentes agudezas, original del poeta
sevillano JUAN DE ARGUIJO, citado ya en otro capítulo como sonetista perfecto; el *Galateo español, destierro de ignorancia, cuaternario de avisos,*
curioso anecdotario original de LUCAS GRACIÁN
DANTISCO; *Diálogos de apacible entretenimiento*
(1605), de GASPAR LUCAS HIDALGO, una de las producciones más groseras escritas en lengua castellana, que rezuma sal gorda por todas sus páginas;
Silva curiosa, del caballero navarro JULIÁN DE ME-
DRANO, editada en París y reimpresa en la misma
ciudad por César Oudin, el mejor maestro de
español que hubo en Francia[21]; las numerosas
colecciones que, entrando a saco en la *Silva,* de
Mexía, y en la *Floresta,* de Santa Cruz, publicó
también en Francia AMBROSIO DE SALAZAR; el
Fabulario del humanista y tipógrafo valenciano
SEBASTIÁN MEY, con su correspondiente pareado
final, resumiendo la moraleja; y las *Flores de dichos y hechos sacados de varios y diversos autores* (1669), del docto palentino MATÍAS DUQUE.
Ninguno de estos libros alcanza la categoría literaria de las famosas colecciones del XVI, ya
estudiadas: de Mal Lara, Rufo, Mexía, Zapata o
Santa Cruz.

Novelistas rezagados:
Lozano

Ya hemos explicado la razón de este epígrafe.
Los más representativos son: Cristóbal Lozano y
Francisco Santos.

CRISTÓBAL LOZANO (1609-1667)[22] es uno de los
escritores más simpáticos del XVII. Aparte de sus
muchas poesías líricas, intercaladas en las obras
en prosa, tiene narraciones de carácter histórico,
religioso y legendario. A las primeras corresponden el *David perseguido* (tres partes, 1652-1661),
David penitente (1656) y *El gran hijo de David
más perseguido* (también en tres partes, 1663-
1673), que recogen la historia del profeta-rey, siguiendo el texto bíblico, pero con toda clase de
digresiones y anécdotas, principalmente tomadas
de la historia de España. Análogas características
ofrece *Reyes nuevos de Toledo* (1667), inspirada,
según el profesor Entrambasaguas, en las tres historias más populares de Toledo a la sazón: la del
conde de Mora, la de Alcocer y la del doctor Pissa.
También tiene presentes las de Jiménez de Rada,
Mariana y Hurtado de Toledo. Intercala muchas
y curiosas leyendas: Cueva de Hércules, amores
de Galiana y Carlomagno, nacimiento de Pelayo,
etcétera. A nuestro objeto interesan más sus novelas, que ocupan un lugar intermedio entre la «cortesana», a lo Zayas, y la «ejemplar», a lo Cervantes. Constituyen tres series: *Persecuciones de
Lucinda* (1636?), *Soledades de la vida y desengaño del mundo* (1658) y *Las Serafinas* (1672). Este
título le fué sugerido por una Serafina, a quien
Lozano amó cuando era estudiante.

La más renombrada y mejor, *Soledades,* compuesta a la manera de Boccaccio, está integrada
por una serie de novelitas cortas narradas en Guadalupe, para entretenimiento, a la vez que aviso,
del lector. De Lozano tomó Espronceda su *Estudiante de Salamanca,* y Zorrilla varias leyendas.

Francisco Santos

El *Buscón* de Quevedo, ya se dijo oportunamente, había cerrado el ciclo de la gran novela picaresca. Pero aunque arrastrando vida lánguida, la
picaresca se resiste a morir y perdura todavía algunas décadas, si bien mixtificada con otros géneros. El representante de esta modalidad híbrida
es FRANCISCO SANTOS († hacia 1700)[23]. «Con él
—ha escrito el profesor Valbuena Prat—llegamos
a uno de los aspectos más curiosos de la disolución del género de la novela picaresca del XVII.»
A Santos, en efecto, le falta la vitalidad, el jugo
y el garbo estilístico de los anteriores novelistas.
En éstos, el pícaro era ante todo pícaro y, accidentalmente, moralista; en Santos es primero moralista, que toma la vida más o menos disipada
como pretexto para endilgarnos un severo sermón.
Tal es el sentido de sus dos obras más conoci-

das *Periquillo, el de las gallineras* (1668) y *Día y noche de Madrid, discursos de lo más notable que en él pasa* (1663). La primera, basada en parte sobre un hecho real, cuenta las andanzas de un pobre pícaro obligado por la necesidad a pasar por diversos estados: mendigo, criado de una gallinera (de aquí su sobrenombre), de unos gallegos, mozo de ciego, etc. Su natural despejo y la experiencia de la vida le convierten en un filósofo y moralista, de conducta casi ejemplar, que va sembrando sentencias, como otro licenciado Vidriera, y avisando a los hombres sobre la vanidad de las cosas. *Periquillo* se desarrolla sobre un fondo sombrío, muy a tono con la época, y que recuerda a Gracián. La misma nota de pesimismo domina en *Día y noche de Madrid.* Tomando como pretexto la llegada a la Corte de un italiano recién salido del cautiverio, nos refiere en dieciocho «Discursos» toda la vida y costumbres de Madrid. Un pobre diablo sin oficio ni beneficio se ofrece como guía del forastero, a quien va enseñando los lugares más pintorescos de la capital—garitos, casas de vicio, gradas del mentidero, hospitales—, con el consiguiente desfile de tipos curiosos de la Corte. El cuadro no puede ser más ingrato y desolador. A juzgar por las descripciones de Santos, en el Madrid de los últimos Austrias todo era vicio, disolución, bajeza y miseria material y moral. La sátira resulta tan fuerte que a la primera ojeada salta la exageración. Ello, aparte del estilo duro y lleno de enrevesados giros e indescifrables alusiones, resta atractivo a la obra.

Otros libros de Santos: *El diablo anda suelto, verdades de la otra vida soñadas en ésta* (1663), de corte análogo a los *Sueños* de Quevedo; *Las tarascas de Madrid y tribunal espantoso* (1664); *Los gigantones de Madrid por defuera* (1666); *La verdad en el potro y el Cid resucitado* (1671); *El rey Gallo y discursos de la Hormiga* (1671), y *La tarasca de parto* (1672). En casi todas domina el elemento costumbrista. Santos, muy estimado durante el siglo XVIII, fué especialmente elogiado por Torres Villarroel.

V. LA POLEMICA DEL TEATRO NACIONAL

Ligada estrechamente con la preceptiva literaria, aludida en un apartado anterior, aparece ante los ojos del historiador y del crítico la llamada «polémica del teatro nacional». Otros debates suscitados a lo largo del siglo de Oro, como el del verso tradicional español frente a las formas métricas italianizantes, o el motivado por la aparición del culteranismo, han sido ya estudiados en los capítulos correspondientes. Tócanos decir unas palabras sobre la discusión entablada en torno al teatro nacional, y más concretamente, en torno a la figura de su máximo representante, Lope de Vega. El barón de Schack, en su *Historia de la literatura y del arte dramático en España* (Francfort, 1854), primeramente, y don Marcelino Menéndez Pelayo, en su *Historia de las ideas estéticas* (Madrid, 1883), luego, nos han dado una puntual relación de esta batalla, en que cruzaron sus armas los más altos ingenios del siglo XVII [24].

Lope de Vega, como se sabe, había logrado crear un teatro lleno de vida, de nervio y de inventiva; un teatro, como dice Menéndez Pelayo, «más extenso que profundo, más nacional que humano, pero riquísimo, espontáneo y brillante sobre toda ponderación». El pueblo a quien iba dirigido no pudo menos de responder en bloque y unánimemente a la llamada. Pronto Lope se convierte en el ídolo de los españoles, y su producción dramática, en la única válida y aceptada por el público. Pero ese teatro, ya lo vimos al hablar de Lope de Vega, estaba construído en gran parte al margen de la preceptiva tradicional, y muchas veces, en no pocos aspectos, enfrente de esa misma preceptiva. Pronto, en el coro de alabanzas con que son recibidos Lope de Vega y los dramaturgos de su escuela, empiezan a sonar algunas voces discordantes. Son de una parte los humanistas, fieles guardianes de la ley, que no pueden ver con buenos ojos aquellas transgresiones continuas de un código que ellos juzgan inalterable y poco menos que dictado por los mismos dioses; y son de otra parte, algunos envidiosos del éxito de Lope, a quien ven colmado de honores y provecho, mientras sus obras pasan inadvertidas, cuando no son furiosamente repudiadas por el público. Pero al lado de estos contradictores no faltan los apologistas del gran dramaturgo, autores, como él, de comedias varios de ellos, preceptistas literarios otros. Todos ellos fundamentan su opinión en sólidas razones. Nacen así dos bandos que durante todo el primer cuarto del XVII riñen una furiosa batalla, precedente remoto de la que siglo y medio más tarde había de repetirse con Nasarre, Montiano, Moratín, García de la Huerta y otros, en torno a este mismo tema.

Impugnadores del teatro español

Entre los adversarios más o menos declarados del teatro nacional, enemigos por tanto de Lope de Vega, destacan Cervantes, Rey de Artieda, Bartolomé Leonardo de Argensola, Esteban Manuel de Villegas, Cristóbal de Mesa, Cristóbal Suárez de Figueroa y el portugués Antonio López de Vega.

Cervantes atacó las comedias de Lope y de sus discípulos en varios pasajes, principalmente en el capítulo XLVIII de la primera parte del *Quijote* y al final de la comedia *Pedro de Urdemalas*. El texto del *Quijote* es de sobra conocido. Por boca del Canónigo, que se las ha arreglado para llevar la conversación desde los libros de caballerías al terreno teatral, Cervantes desahoga todo el mal humor concentrado por el fracaso de sus comedias, disparando una lluvia de flechas sobre Lope de Vega. «Habiendo de ser la comedia, según le parece a Tulio, espejo de la vida humana, ejemplo de las costumbres e imagen de la verdad, las que ahora se representan son espejos de disparates, exemplos de necedades e imágenes de lascivia. Porque, ¿qué mayor disparate puede ser en el sujeto que tratamos que salir un niño en mantillas en la primera escena del primer acto, y en la segunda salir ya hecho hombre barbado? ¿Y qué mayor que pintarnos un viejo valiente y un mozo cobarde, un lacayo retórico, un paje consejero, un rey ganapán y una princesa fregona? ¿Qué diré, pues, de la observancia que guardan en los tiempos en que pueden o podían suceder las acciones que representan, sino que he visto comedia que la primera jornada comenzó en Europa, la segunda en Asia, la tercera se acabó en Africa, y si fuera de cuatro jornadas, la cuarta acabara en América, y así se hubiera hecho en todas las cuatro partes del mundo? Y si es que la imitación es lo principal que ha de tener la comedia, ¿cómo es posible que satisfaga a ningún mediano entendimiento que, fingiendo una acción que pasa en tiempo del rey Pepino y Carlomagno, al mismo que en ella hace la persona principal le atribuyen que fué el emperador Heraclio, que entró con la cruz en Jerusalén, y el que ganó la Casa santa, como Godofredo de Bullón, habiendo infinitos años de lo uno a lo otro; y fundándose la comedia sobre cosa fingida, atribuirle verdades de historia y mezclarle pedazos de cosas sucedidas a diferentes personas y tiempos, y esto no con trazas verosímiles, sino con patentes errores de todo punto censurables?... Todo es en perjuicio de la verdad y en menoscabo de las historias y aun en oprobio de los ingenios españoles; porque los extranjeros, que con mucha puntualidad guardan las leyes de la comedia, nos tienen por bárbaros e ignorantes, viendo los absurdos y disparates de las que hacemos.»

Casi lo mismo, sólo que en verso, viene a decirnos en su *Pedro de Urdemalas*:

> Y verán que no acaba en casamiento,
> cosa común y vista cien mil veces,
> ni que parió la dama esta jornada,
> y en otra tiene el niño ya sus barbas,
> y es valiente y feroz, y mata y hiende,
> y venga de sus padres cierta injuria,
> y al fin viene a ser rey de cierto reino
> que no hay cosmografía que le muestre:
> de estas impertinencias y otras tales
> ofreció la comedia libre y suelta.

Ya se hizo notar en el lugar oportuno (Capítulo XXVIII: *Ideología dramática de Cervantes*) la flagrante contradicción que existe entre la teoría y la práctica dentro del propio teatro cervantino. Lo mismo en la *Numancia*, obra de juventud, que en las *Ocho comedias*, escritas en la madurez, Cervantes no vacila, cuando así le conviene, en conculcar aquellos preceptos de cuyo conocimiento tanto alardea, apoyándose, ni más ni menos, en las mismas razones que alegaban Lope de Vega y sus discípulos:

> Los tiempos mudan las cosas
> y perfeccionan las artes...
>
> *(Rufián dichoso,* jorn. II.)

Análogos motivos que a Cervantes asistían a Rey de Artieda en su enemiga contra Lope. Afiliado a la vieja escuela clasicista, su concepto del teatro había sido desbordado por la revolucionaria producción dramática del *Fénix* y su escuela. No podía ver con buenos ojos que otros triunfasen mientras él pasaba inadvertido, mucho más si esos otros eran precisamente valencianos como él: Tárrega, Aguilar, etc. De ahí la inquina, que se derramó a manera de hiel en una *Epístola al marqués de Cuéllar sobre la comedia,* escrita en los inevitables tercetos y llena de alusiones nada veladas contra Lope y los suyos:

> Como las gotas que en verano llueven,
> con el ardiente sol dando en el suelo,
> se convierten en ranas y se mueven,
> así, al calor del gran señor de Delo,
> se levantan del polvo poetillas
> con tanta habilidad que es un consuelo.
> Y es una de sus grandes maravillas
> el ver que una comedia escriba un triste,
> que ayer sacó Minerva de mantillas.
> ....
>
> Galeras vi una vez ir por el yermo,
> y correr seis caballos por la posta,
> de la isla de Gozzo hasta Palermo;
> poner junto Vizcaya Famagosta,
> y junto de los Alpes Persia y Media,
> y Alemania pintar larga y angosta.
> Como estas cosas representa Heredia,
> a pedimento de un amigo suyo,
> que en seis horas compuso una comedia.

La alusión a Lope no puede estar más clara en el último verso.

Más mesuradamente, como que no era dramaturgo, y por tanto nadie le hacía sombra, el preceptista Francisco de Cascales también censura, en sus *Tablas poéticas* (1616), las infracciones de las unidades de lugar y tiempo; pero a diferencia de otros, no las atribuye a carencia de ingenio ni a desconocimiento de lo legislado sobre la materia, sino a falta de estudio y de cuidado. «¿Tan faltos son de entendimiento los poetas de España que no aciertan a hacer una buena comedia?», pregunta Cascales, y contesta seguidamente: «Faltos de entendimiento, *absit.* Antes en caudal de entendimiento se aventajan a las demás naciones; pero los poetas extranjeros, digo los de algún nombre, estudian el arte poética y saben por ella los preceptos y observaciones que se guardan en la épica, en la trágica, en la cómica, en la lírica y en otras poesías menores.»

Lupercio L. de Argensola, por su parte, se enfrenta al teatro de Lope con tal moderación, que sus observaciones, más que censuras, parecen auténticas alabanzas. Postula las tres unidades, pero sin apretar demasiado el nudo y dejando al poeta cierta libertad:

> ...el lugar, el tiempo, el modo
> guarden su propiedad, porque una parte
> que tuerza de esta ley destruye el todo...,

añora la tragedia clásica, de la que él mismo fué destacado intérprete, y hasta aplaude ciertas innovaciones, como la reducción del número de actos.

Los que atacan a Lope de frente, sin escurrir el bulto y hasta nombrándole con todas sus letras, son Villegas, Mesa y Suárez de Figueroa. El primero, Esteban Manuel de Villegas, incluyó entre sus *Eróticas* una elegía, que no es tal elegía, sino una sátira, por cierto bien insustancial, y en la que intenta burlarse de Lope y su teatro:

> Más vale ver a Ursón hecho Silvano,
> que llama a la mujer animal bello,
> que cuanto fiscaliza Quintiliano.

> Poeta soy también, y estimo el sello
> más que un oidor reciente su garnacha,
> pero por Plauto no daré un cabello.

> Miro que su oración toda se agacha,
> no cual la tuya, ¡oh Lope!, que alza cresta
> hasta tocar del sol la ardiente hacha...

Cristóbal de Mesa, poeta ya citado en otra parte, gran amigo del Tasso e incansable productor de largas epopeyas que nadie leía, también desahogaba en plúmbeos tercetos su odio contra Lope:

> Dichoso entre ellos todos, tú que solo
> has hecho tanta copia de comedias,
> que te dan fama en uno y otro polo.

> Si tu necesidad así remedias,
> contribuya la cómica canalla
> para calzas y sayo, capa y medias...

Mesa se vanagloriaba de escribir solamente para «los que en Italia sienten bien de ello y para los que en España tienen entera noticia de la poética del Philósopho».

En cuanto a Cristóbal Suárez de Figueroa, el contumaz detractor de todos sus contemporáneos, a quien se alude como prosista en este mismo capítulo, casi no hace falta decir que desde el primer momento se había de poner enfrente de Lope, aunque sólo fuera por el dolor que le causaba el triunfo de sus comedias. «Plauto y Terencio—escribe en *El Pasajero*—fueran, si vivieran hoy, la burla de los teatros, el escarnio de la plebe, por haber introducido *quien presume*

saber más cierto género de farsa menos culta que gananciosa... Ahora consta la comedia de cierta miscelánea donde se halla de todo. Graceja el lacayo con el señor, teniendo por donaire la desvergüenza. Piérdese el respeto a la honestidad y rómpense las leyes de buenas costumbres. Como cuestan tan poco estudio, hacen muchos muchas, sobrando siempre ánimo para más a los tímidos. Todo charla, paja todo, sin nervio, sin ciencia ni erudición... Casi todas las comedias que se representan en nuestros teatros son hechas contra razón, contra naturaleza, contra arte.»

Por último, el portugués Antonio López de Vega, en su *Heráclito y Demócrito de nuestro siglo* (Madrid, 1641), interesantísima colección de ensayos filosóficos y literarios menos conocida de lo que merece serlo, incluye varias alusiones al teatro. En lo de las tres unidades todavía transige; pero se muestra muy exigente en la discriminación de géneros. «Hierven nuestras calles en malos poetas. El cómico se confunde con el trágico, y se calza juntos el coturno y el zueco: llora y ríe en una misma ocasión. A un mismo punto es patricio y es plebeyo. Hace sentir y hablar los reyes con los ínfimos del pueblo, y los ínfimos del pueblo tal vez como los reyes... ¡Como si el escribir a rienda suelta el albedrío, sin obligarse a ley alguna, siguiendo sólo por norte el capricho propio, mereciera alabanza y fuera obra de grande ingenio, o como si el mayor artificio no fuera más agradable a todos y o pudiera negar ser más artificioso el proseguir un argumento ingeniosa y apaciblemente, dentro de un mismo género desde el principio al fin, observando sus particulares preceptos, sin deslizarse al distrito ajeno! Siga cada especie de comedia su rumbo particular y no se pase al de las otras ni al de la tragedia, en que hay mayor desproporción... Sea festiva la comedia; triste y perturbada siempre, la tragedia. Esto ¿por qué lo ha de alterar ninguna edad? *No digo que se guarden con superstición las antiguas reglas*, que algo se ha de permitir al gusto diverso del siglo diferente... *No que el caso se finja sucedido en uno o más días*; no que en una misma escena concurran hablando más de cuatro, por más que Horacio lo repugne...» Como se ve, el portugués era de manga bastante ancha.

En general, todos los argumentos que esgrimen los preceptistas citados y otros de menor cuantía pueden reducirse a cuatro o cinco: *a)*, la transgresión de la ley de las unidades va en detrimento de la verosimilitud; *b)*, así hicieron sus comedias griegos y latinos, con gran aplauso de sus contemporáneos y de la posteridad; *c)*, así las siguen haciendo los pueblos más cultos de Europa, como Italia y Francia, y no hay por qué cambiar de rumbo; *d)*, del mismo modo que en la Naturaleza lo híbrido no produce más que monstruos, tampoco en el arte de la mezcla de género, sobre todo de la mezcla de lo trágico y lo cómico, se puede

esperar que salga otra cosa que una creación
monstruosa y deforme.

Apologistas de Lope y su escuela

Frente al grupo anterior, otro bando no menos
numeroso sale en defensa de nuestro teatro. No
son solamente los discípulos de Lope, y a la cabeza de todos el propio jefe, dispuestos a probar
con el ejemplo que sus creaciones eran superiores
a las realizadas hasta entonces de conformidad
con los módulos grecolatinos, sino tratadistas insignes, conocedores a fondo de la preceptiva aristotélica, a la que sabían dar una interpretación
mucho más flexible que la que había tenido anteriormente. Lejos de asustarles el remoquete de
«bárbaros» e «ignorantes» con que les tildaban
los extranjeros y no pocos compatriotas, se ufa-
naban de haber sabido crear todo un teatro nuevo
y acomodado a las exigencias de la época y del
pueblo al que iba dirigido.

Entre ellos encontramos en primer lugar a Juan
de la Cueva, preceptista, dramaturgo y épico, las
tres cosas en una pieza, según tuvimos ocasión de
ver oportunamente. En su *Exemplar poético* (1606),
«especie de manifiesto literario en pro de la escuela de Lope», se defiende en briosos tercetos
de la tacha de corruptor de la escena española
con que le venían señalando los enemigos:

> A mí me culpan de que fuí el primero
> que reyes y deidades di al tablado,
> de las comedias traspasando el fuero;
>
> que el un acto de cinco le he quitado,
> que reducí los actos en jornadas,
> cual vemos que es en nuestro tiempo usado.
>
> Si no te da cansancio y desagradas
> de esto, oye cuál es el fundamento
> de ser las leyes cómicas mudadas.
>
> Y no atribuyas este mudamiento
> a que faltó en España ingenio y sabios
> que prosiguieran el antiguo intento...

La razón de todo es obvia:

> Considera las varias opiniones,
> los tiempos, las costumbres, que nos hacen
> mudar y varíar operaciones.

Antes había proclamado la originalidad y novedades de nuestro teatro:

> Mas la invención, la gracia y traza es pro-
> de la ingeniosa fábula de España,   [pia
> no, cual dicen sus émulos, impropia.
>
> Escenas y actos suple la maraña
> tan intrincada y la soltura della,
> inimitable de ninguna extraña.
>
> .... Como siempre fuesen
> los ingenios creciendo y mejorando
> las artes, y las cosas se extendiesen,

> fueron las de aquel tiempo desechando,
> eligiendo las propias y decentes
> que fuesen más al nuestro conformando.

No fué tan gallarda la actitud de Lope en defensa de su propio teatro. Fluctuando continuamente entre su formación clásica y su gusto, no
siempre sabe a qué carta quedarse. Esta volubilidad ha sido explicada magistralmente por Menéndez Pelayo. «En Lope—escribe el gran crítico—hay dos hombres: el gran poeta español y
popular y el poeta artístico, educado, como todos
sus contemporáneos, con la tradición latina e italiana. Estas dos mitades de su ser se armonizan
cuando pueden, pero generalmente andan discordes y, según las ocasiones, triunfa la una o triunfa la otra. Con su alma de poeta nacional, Lope
tiene conciencia más o menos clara de la grandeza de su obra. Pero al mismo tiempo se acuerda
de que le enseñaron, cuando muchacho, ciertos libros llamados Poéticas, en los cuales, con autoridades mejor o peor entendidas del Estagirista y
del Venusino, se reprobaban la mezcla de lo
trágico y lo cómico y el abandono de las unidades. De aquí la duda que alguna vez asalta a
todo artista de los que tiran por sendas nuevas y
contrarias a la doctrina oficial de su tiempo, aun
siendo grande su arrogancia: «¿Estaré yo equivocado? ¿Serán bárbaros y monstruosos los partos de mi ingenio? Si los doctos los reprueban,
¿puede satisfacerme el aplauso del vulgo?» En tal
aspecto son altamente representativas dos obritas
de Lope: el *Arte nuevo de hacer comedias* y el
prólogo de *El peregrino en su patria*. El *Arte
nuevo* se reduce a una «lamentable palinodia», en
cuyos versos, por cierto de los más pedestres que
brotaron de su pluma, Lope no se cansa de llamar
«bárbaro» e «ignorante» al pueblo que con tanto
fervor aplaudía sus comedias, escudándose en el
mal gusto de sus coetáneos por haberlas compuesto en la forma en que lo hizo. El, Lope, conoce
muy bien los preceptos clásicos, formulados por
hombres eminentes, desde Aristóteles a Robortello
y desde Horacio al Ruscelli o el Minturno; pero,
puesto a escribir, no tiene más remedio que hacerlo como lo exige el vulgo; es decir, llenas de necedades y rudezas y exentas de todo artificio:

> Verdad es que yo he escrito algunas veces,
> siguiendo el arte que conocen pocos;
> mas luego que salir por otra parte
> veo los monstruos de apariencias llenos,
> adonde acude el vulgo y las mujeres,
> que este triste ejercicio canonizan,
> a aquel hábito bárbaro me vuelvo;
> y cuando he de escribir una comedia,
> saco a Terencio y Plauto de mi estudio,
> para que voces no me den, que suele
> dar gritos la verdad en libros mudos.
> Y escribo por el arte que inventaron
> los que el vulgar aplauso pretendieron,
> porque, como las paga el vulgo, es justo
> hablarle en necio para darle gusto.

Antes nos había dicho que él encontró las comedias en España no como las habían imaginado sus primeros inventores, sino «como las trataron muchos bárbaros»; luego insiste en que *cuanto se escribe* en nuestra patria *es contra el arte,* para terminar lamentándose de que él mismo se deja llevar de la corriente, de modo que se expone a que

le llamen ignorante Italia y Francia.

Lo mismo exactamente, sólo que ahora en prosa, viene a decirnos en el citado prólogo de *El peregrino en su patria:* «Y adviertan los extranjeros de camino que las comedias en España no guardan arte, y que yo las proseguí en el estado en que las hallé, sin atreverme a guardar los preceptos, porque, con aquel rigor, de ninguna manera fueran oídas de los españoles.» Bien es verdad que no ha de darse demasiado crédito a estas declaraciones, formuladas más bien con el ánimo de dar alguna satisfacción a los malhumorados preceptistas aristotélicos, y sin que en realidad sean expresión del pensamiento propio. Y así vemos que en otras ocasiones manifiesta lo contrario, como ocurre en el prólogo de la *Dorotea,* donde se llega a calificar de *impertinentes* las reglas de la fábula dramática, o en el de *El castigo sin venganza,* donde se jacta de haber escrito una tragedia al «estilo español» y no conforme a los módulos griegos ni latinos[25].

La defensa del teatro nacional que no supo o no quiso hacer Lope de Vega llevóla a cabo con singular bizarría otro dramaturgo casi tan insigne como él. En *Los cigarrales de Toledo* (Madrid, 1624), Tirso de Molina inserta, al lado de las novelas que componen el ameno libro, tres comedias suyas de las más conocidas. Una de ellas, *El vergonzoso en palacio,* provoca con su representación los más opuestos comentarios. Tirso pone en boca de uno de los espectadores todos los argumentos que solían acumularse por aquellas fechas contra el teatro nacional: infracción de las unidades de lugar y tiempo, mezcla de géneros, alternancia de personajes de distinta clase social, etcétera. A todos ellos responde cumplidamente Tirso, identificado con un don Alejo, ferviente defensor de nuestro teatro. «Si me argüís que a los primeros inventores debemos, los que profesamos sus facultades, guardar sus preceptos..., os respondo que, aunque a los tales se les debe la veneración de haber salido con la dificultad que tienen todas las cosas en sus principios, con todo eso es cierto que, añadiendo perfecciones a su invención (cosa, puesto que fácil, necesaria), es fuerza que, quedándose la sustancia en pie, se muden los accidentes, mejorándolos con la experiencia... Esta diferencia hay de la Naturaleza al Arte, que lo que aquélla desde su creación constituyó, no se puede variar, y así siempre el peral producirá peras, y la encina su grosero fruto, y con todo eso, la diversidad del terruño y la di-

ferente influencia del cielo y clima a que están sujetos, los saca muchas veces de su misma especie, y casi constituye en otras diversas... ¿Qué mucho que la comedia varíe las leyes de sus antepasados, e ingiera industriosamente lo trágico con lo cómico, sacando una mezcla apacible de estos dos encontrados poemas, y que, participando en entrambas, introduzca ya personajes graves como la una, y ya jocosas y ridículas como la otra?» Viene a continuación el más alto elogio del teatro de Lope de Vega que conocemos, hecho por un contemporáneo, más digno de subrayarse si se piensa en que está formulado por otro del mismo oficio. «Si el ser tan excelentes en Grecia Esquilo y Eurípides, como entre los latinos Séneca y Terencio, bastó para establecer las leyes tan defendidas de sus profesores, la excelencia de nuestra española Vega las hace tan conocidas ventajas en entrambas materias..., que la autoridad con que se les adelanta es suficiente para derogar sus estatutos. Y habiendo él puesto la comedia en la perfección y sutileza que ahora tiene, basta para hacer escuela de por sí, y para que los que nos preciamos de sus discípulos nos tengamos por dichosos de tal maestro...»

También la escuela valenciana, como tan ligada a Lope, se creyó en el deber de salir a su defensa. En un *Apologético de las comedias españolas* que, firmado por Ricardo del Turia[26], apareció en Valencia al frente de una colección de piezas teatrales y otras obras escogidas (1616), a vueltas de varios argumentos en que se justifica la mezcla de géneros, tropezamos con párrafos como éstos: «Cuando por los españoles fuera inventado este poema, antes es digno de alabanza que de reprehensión, dando por constante una máxima..., y es que los que escriben es a fin de satisfacer el gusto para quien escriben, aunque echen de ver que no van conforme a las reglas que pide aquella compostura: y haze mal el que piensa que el dejar de seguillas nace de ignorallas... Supuesta esta verdad, pregunto: ¿qué hazaña sea más dificultosa? ¿La de aprender las reglas y leyes que amaron Plauto y Terencio, y, una vez sabidas, regirse siempre por ellas en sus comedias, o la de seguir cada quince días nuevos términos y preceptos? Pues es infalible que la naturaleza española pide en las comedias lo que en los trajes, que son nuevos usos cada día.» No rechaza con menos bizarría las cacareadas unidades: «Llevados de su naturaleza, querrían (los españoles) no sólo ver el nacimiento prodigioso de un príncipe, pero las hazañas que prometió tan estrecho principio hasta ver el fin de sus días, si gozó de la gloria que sus heroycos hechos le prometieron. Y así mismo en aquel breve término de dos horas querrían ver sucesos cómicos, trágicos y tragicómicos (dejando lo que es meramente cómico para los entremeses que se usan agora).» Lo mismo vienen a decirnos Guillén de Castro, en unos versos de su comedia *El curioso impertinente*, y Carlos Boyl Vives, en el romance *A un licenciado que deseaba hacer comedias*, publicado en Valencia el mismo año que el *Apologético* (1616), de Ricardo del Turia.

La mejor apología del teatro español durante todo el siglo XVII es acaso la contenida en una traducción del *Panegírico de Plinio a Trajano* (Madrid, 1622), hecha por el escritor montañés don Francisco de la Barreda. En este libro, sacado de la oscuridad por Menéndez Pelayo, se nos da una serie de discursos políticos y morales; y entre esos discursos figura uno, el noveno, que es una continua exaltación de nuestro teatro comparado con el antiguo y con los extranjeros. Véase cómo defiende la mezcla de lo trágico y lo cómico: «Es la poesía—dice Horacio—como la pintura... Aristóteles concisamente la define, diciendo que es *imitación*. Para ser perfecta una pintura, bástale ser fiel: hay, pues, acciones entre los hombres que mezclan serenidad y borrasca en un mismo punto, en una misma persona... El poema, pues, que retratare esta acción fielmente habrá cumplido con el rigor de la poesía... ¿Por qué no se han de mezclar pasos alegres con los tristes si los mezcla el cielo? Esta comedia, ¿no es retrato de aquellas obras? Pues si es retrato, claro está que se ha de referir a su imagen. Esto merecía agradecimiento en nosotros, que a pura fuerza de razón nos hemos atrevido a los preceptos antiguos y quitado la piedra en que ellos tropezaron.» Con el mismo brío ataca las unidades de lugar y tiempo. Cree Barreda que la imitación servil de los antiguos cercena las alas de la propia inspiración; estima la comedia plautina inferior a la nuestra; y termina con una recomendación tan atrevida como fecunda: «¿Cuál será, pues, el arte de las comedias?... Un precepto solo que los ciñe a todos: saber que todo poema es imitación. Aquel, pues, será perfecto sin más leyes que imitare la acción con puntual propiedad. Esto ha hecho España excelentemente; luego guarda el arte.»

Tales ideas habían terminado por imponerse a lo largo del XVII. Los más insignes tratadistas de la segunda mitad de aquel siglo las defienden; y todavía en 1668 las encontramos expuestas en el *Primus Calamus* del eminente polígrafo Caramuel. Pero no hace falta avanzar tanto. Se puede decir que a la muerte de Lope de Vega (1635) la batalla en pro del teatro nacional estaba ganada. En tal sentido, la *Fama póstuma* (1636), con su letanía interminable de elogios de Lope de Vega, entonados por los más conspicuos poetas e ingenios italianos y españoles, representa el triunfo definitivo de la escuela. Análogo valor ofrecen las *Essequie Poetiche*, centón de poemas dedicados a la memoria de Lope por los más egregios vates de Italia.

La «Expostulatio Spongiae»

Episodio curiosísimo en la polémica que estamos estudiando es el motivado por la publicación de una diatriba contra Lope de Vega, con el título de *Spongia*, y la réplica a la misma, bajo el título de *Expostulatio Spongiae*. El profesor Entrambasaguas ha estudiado minuciosamente todas las incidencias de este episodio, que él califica de «guerra literaria en el Siglo de Oro» [27].

Cierto oscuro maestro de latinidad en la Universidad de Alcalá de Henares publicó en 1617 una virulenta diatriba contra Lope de Vega. Llevaba esta diatriba por título *Spongia*, y aparecía firmada en unos ejemplares por *Petrus Ruitanus Lamira*, y en otros por *Juan Pablo Martín Rizo*. Pronto se averiguó que el tal *Petrus Ruitanus*, etc., no era sino el anagrama exacto de un *domine*, oriundo de Burgos, llamado Pedro de Torres Rámila, profesor de latín a la sazón en las aulas complutenses. No se sabe con certeza en qué términos estaba escrita la *Spongia* ni la calidad de los cargos formulados en la misma contra Lope; pero muy graves debían de ser éstos y muy feroces aquéllos cuando los amigos del *Fénix* se apresuraron a recoger y destruir todos los ejemplares, de suerte que ni uno solo ha llegado hasta nosotros. Tampoco se conocen los motivos de enemistad o resentimiento que pudieron actuar sobre el ánimo de Torres. Hay quien supone, y la suposición parece muy fundada, que el dómine no obraba *motu proprio*. sino instigado por el bilioso Cristóbal Suárez de Figueroa, enemigo acérrimo del genial dramaturgo. Como quiera que sea, la *Spongia* levantó ronchas no sólo en la persona a quien iba dirigida, sino en todos sus amigos y admiradores. Las respuestas no se hicieron esperar. Replicó inmediatamente y antes que nadie el propio interesado en dos *Epístolas* que ha dado a conocer el profesor Entrambasaguas, y en el prólogo del libro *Triunfo de la fe en los reinos del Japón*, lleno de alusiones a Rámila y a Suárez de Figueroa. El mismo año en que se había publicado la *Spongia* (1617) aparece asimismo en Madrid un papel suelto, a modo de desafío: *Petro de Torres Ramilae, Grammaticae in Academia Complutensi Exmagistro, Franciscus Antididascalus, bonam mentem*. Este Francisco Antididascalo no era otro que Francisco López de Aguilar, amigo íntimo de Lope y enemigo declarado de Rámila, a quien reta a singular discusión en la Universidad de Alcalá, dispuesto a demostrarle que no sabe ni gramática ni latín. Pero la réplica más contundente fué la contenida en la *Expostulatio Spongiae*, «libelo monstruoso», al decir de Menéndez Pelayo, aparecido un año después en Madrid (1618), y no en Troyes (Francia), como se quiere hacer creer en el pie de imprenta [28]. Probablemente es obra de varios amigos de Lope, y aun en parte de éste mismo. El *Iulio Columbario*, que figura en el título como autor, es un simple seudónimo, que oculta a varios colaboradores. El más importante de éstos debió de ser el ya citado Francisco López de Aguilar.

Sin embargo, ni el problema del autor, ni las curiosas noticias que entre líneas se nos dan sobre escritores de la época, importan tanto ahora como la doctrina literaria que en la *Exportulatio* se contiene. Tal doctrina viene sintetizada al final, en una brevísima disertación del maestro Alfonso Sánchez, catedrático de hebreo en la misma Universidad de Alcalá. Allí se explica y se demuestra que las artes tienen su fundamento en la naturaleza; que las reglas del arte son alterables; que Lope las ha alterado y, al hacerlo, ha sabido crear un arte nuevo; que Lope, en fin, ha superado a todos los poetas antiguos y modernos [29].

VI. LA PROSA AMERICANA DEL XVII

Como en la lírica, tampoco podemos hablar aún de una prosa típicamente americana, es decir, con caracteres específicos que la distingan de la peninsular. Esa prosa no existe todavía y tardará mucho tiempo en llegar a formarse. Los primeros prosistas americanos, ya lo vimos en los capítulos correspondientes, eran historiadores y cronistas, y no hicieron en todo sino seguir los pasos de los escritores peninsulares. Hasta el Inca Garcilaso, que tan airosamente los encabeza, sin abandonar por entero sus naturales dotes descriptivas, adaptó su espíritu, su pensamiento y su lenguaje a los módulos españoles.

Durante el siglo XVII, la prosa americana sigue el mismo camino. Muchos cronistas de Ordenes religiosas; muchos libros de carácter didáctico para la enseñanza del idioma y de la fe católica a los nativos, pero poco, casi nada, de interés literario. Y ello no por las razones de índole política que suelen aducirse, sino por otras mucho más obvias y fácilmente explicables. Hablar del «expurgo de libros» o de «pesquisas inquisitoriales» a este respecto es gana de perder el tiempo. La misma Inquisición, y con un perfil más agrio, funcionaba en la Península, sin que fuese obstáculo para una floración espléndida de todos los géneros literarios. Si hay pueblos que se hayan beneficiado pronto de la cultura de sus colonizadores, esos pueblos son los hispanoamericanos. La difusión de la cultura peninsular empieza a raíz de la misma conquista. La primera Universidad, la de Santo Domingo, data ya de 1538; y síguenla, en el plazo de un siglo, la de San Marcos de Lima y Méjico (1551), Tucumán (1614), Charcas (1624) y Santa Fe de Bogotá (1627). Paralelamente se ha desarrollado la imprenta, que lanza en Méjico libros antes del 1539, aunque el primero conservado corresponda a esa fecha. A partir de ese momento, las prensas americanas no cesan de funcionar, inundando las ciudades de publicaciones originales y traducidas.

Nada, pues, de sombrías opresiones inquisitoriales. La razón es más sencilla: una cultura no se improvisa; se va formando a lo largo de muchos lustros, y sólo empieza a fructificar en obras literarias cuando se ha logrado crear un clima propicio y hasta un orden político especialmente favorable. Ni Francia ni España la tuvieron propia, a pesar de sus grandes escritores, hasta que se independizaron de Roma; ni Hispanoamérica tenía por qué ser una excepción. Por eso, la literatura americana no empieza a perfilarse con naturaleza propia sino cuando las colonias se desgajan de la metrópoli, constituyéndose en estados autónomos, con su régimen, sus constituciones, su modo de ser y su personalidad. Hasta ese momento la cultura peninsular hacía pesar demasiado su superioridad, anulando toda competencia. Y eso mismo explica que ciertos géneros, como la novela, tengan aún una floración más tardía. La novela refleja una sociedad en todos sus estamentos o clases; pero la sociedad de las cortes virreinales no era sino copia en pequeño de la metropolitana. Al novelista, si alguno había, no le quedaba aquí nada que hacer; se lo daban ya hecho los escritores de Madrid. Hay que esperar a principios del XIX (1816) para ver la aparición de la primera novela típicamente americana con *El periquillo sarniento*, de José Joaquín Fernández de Lizardi. Hasta esa fecha, los hispanoamericanos, tanto nativos como peninsulares allí residentes, nutren su curiosidad y hambre de ficciones con las obras que llegan profusamente de la Península.

Lo que no quiere decir, repetimos, que allí no se escriba. Se escribe y mucho; pero de tan escaso valor estético que, a duras penas y escarbando cuidadosamente, se pueden extraer durante todo el siglo XVII media docena de nombres dignos de figurar en una historia de la literatura, aparte —claro es— de esos tres espléndidos luminares que se llaman Garcilaso de la Vega, el *Inca*; Ruiz de Alarcón y sor Juana Inés de la Cruz. Pero de ésos ya se habló en su lugar.

Principales representantes

Completemos la lista de historiadores del XVII con tres o cuatro más, correspondientes a la época que estudiamos.

LUCAS FERNÁNDEZ DE PIEDRAHITA (1624-1688), arzobispo de Santa Marta y autor de una *Historia general de las conquistas del nuevo reino de Granada* (Amberes, s. a.), escrita hacia 1685; de quien dice Joaquín Acosta que «manejaba el idioma con la misma destreza de los del Siglo de Oro».

JOSÉ DE OVIEDO Y BAÑOS (1659-1738), criollo de

noble origen español, regidor de Caracas, que en su *Historia de la conquista y población de la provincia de Venezuela* acusa fuertes influencias culteranas.

Historiador también, aunque con acentuados caracteres novelescos, es el padre mercedario FRAY JUAN DE BARRENECHEA Y ALBIS, que hacia 1693 escribió la *Restauración de la Imperial y conversión de almas infieles,* libro de fondo histórico, pero salpicado de curiosas anécdotas sobre la vida y costumbres de los indígenas.

El elemento novelesco se manifiesta con más acusado relieve todavía en el delicioso libro *Cautiverio feliz y razón individual de las guerras dilatadas del reino de Chile,* donde se mezclan hábilmente hechos históricos y cuadros costumbristas de innegable valor. Su autor, FRANCISCO NÚÑEZ DE PINEDA, soldado y prisionero del cacique Maulicán, nos cuenta las vicisitudes de su cautiverio en un estilo animado y sabroso, que recuerda el de los buenos prosistas del siglo anterior.

No debe faltar una mención del padre fray GASPAR DE VILLARROEL, natural de Quito (1587) y obispo de Santiago de Chile y de Arequipa, que con su obra *El gobierno eclesiástico pacífico,* enriquecida de abundantes datos prácticos, suministró a Ricardo Palma no pocas anécdotas para las *Tradiciones peruanas.* Análoga significación tiene el jesuíta padre CARLOS DE SIGÜENZA Y GÓNGORA por su libro *Infortunios que Alonso Ramírez padeció en poder de los piratas ingleses,* mitad histórico y mitad ficticio. El padre Góngora (1645-1700), por la amplitud de sus conocimientos y actividades literarias, que van desde la poesía lírica al tratado doctrinal y a la historia, es el más digno precursor en América del gran polígrafo del XVIII Peralta Barnuevo.

El doctor Espinosa Medrano

No queremos cerrar esta lista de prosistas americanos del XVII sin recordar el nombre del más conspicuo de todos, el doctor don JUAN ESPINOSA MEDRANO (1632-1688?), calificado con plena justicia como el primer crítico literario de Hispanoamérica. Aludido de pasada al reseñar la polémica culterana, y también en el capítulo XXXIV, merece aquí más amplia consideración. Suya es la más vibrante y razonada apología que hasta hoy se ha hecho del estilo gongorino, a pesar de que Espinosa, en la práctica, se inclinaba más del lado conceptista. El *Apologético en favor de don Luis de Góngora* (Lima, 1694) es, al decir de Menéndez Pelayo, «la mejor y más ingeniosa poética culterana, tan docta y tan aguda que, a no ser la causa tan pésima y detestable, pudiéramos decir de su defensor, con palabras de Virgilio: *Si Pergama... dextra defendi possent, hac... defensa fuissent».* Espinosa se muestra en esta obra conocedor de los clásicos y, a su vez,

escritor fácil, pulcro y elegante. Fué, además, el primero en señalar las analogías, hoy tan comprobadas, entre el autor de las *Soledades* y los escritores latino-cordobeses: Lucano y Séneca. Por todo ello, la figura del doctor Espinosa se agiganta de día en día y parece llegado el momento, ahora que el problema culterano se está afrontando en toda su extensión, de rehabilitar la memoria de este ingenio criollo, en quien no se sabe qué admirar más: si la penetración de la crítica o la gracia y donaire del estilo.

NOTAS

1. Más amplia información en PFANDL: *Hist. de la lit. esp. en la Edad de Oro,* caps. XVI-XVII.

2. Madrileño (1559-1623). Intervino en los preparativos de la Armada Invencible y figuró en el séquito del duque de Osuna, virrey de Nápoles.

3. Vid. *Hist. de las ideas estéticas,* C. S. I. C., t. II, cap. IX.

4. Nació en Cuéllar (1549). Estuvo al servicio de Vespasiano Gonzaga, y luego ostentó el cargo de cronista de Indias y de Castilla. Murió en 1625. Escribió, aparte de su *Historia general,* unas *Décadas* (Madrid, 1601-1615) sobre los «hechos de los castellanos en las islas y tierra firme del mar Océano», conforme a los cánones del clasicismo más exigente; una *Descripción de las Indias* con los hechos más relevantes del Nuevo Mundo desde su descubrimiento hasta el 1554; una *Historia de Portugal y conquista de las islas Azores* (Madrid, 1591), y la *Historia de María Estuardo* (Madrid, 1589).

5. Alcalaíno. Nace en 1610 y muere en 1686. Estudia en Sa'amanca y se gradúa en ambos Derechos. A los diecisiete años escribe su primera comedia: *Amor y obligación.* Secretario primeramente del conde de Oropesa, virrey de Navarra y de Valencia; después, cronista mayor de Indias. A los cincuenta y siete años se ordenó de sacerdote.

6. Consejero de Estado y de Guerra, embajador en Alemania, mayordomo de la archiduquesa Isabel Clara Eugenia, gobernador de Flandes y de Milán, etc. Había nacido en 1596, y murió en Goch (Países Bajos) en 1635, cuando acababa de obtener dos señalados triunfos de armas. Tiene, además de la obra citada en el texto, un opúsculo sobre el *Santuario de Monserrate,* la *Genealogía de los Moncada* y una *Vida de Boecio.*

7. Nacido en Lisboa (1608), de noble familia, estuvo al servicio de España mientras Portugal dependió de nuestra Corona. Prestó servicios en Madrid, Lisboa y Flandes, donde llegó a maestre de campo. En Cataluña, sirviendo a las órdenes del marqués de los Vélez, le sorprendió la sublevación de Portugal. Recluído en el primer momento como sospechoso, pudo probar su inocencia, y se le nombró, en desagravio, gobernador de Ostende. Luego pasa a Portugal y se adscribe fervorosamente a la causa del duque de Braganza, lo que no impidió que por ciertos amores con una dama casada (1644) fuera desterrado al Brasil. Indultado, pasa a Roma, y luego a su ciudad natal, donde acabó sus días.

8. Carmelita descalzo (1587?-1654), nacido en Mallén, hijo de un consejero de Estado y discípulo predilecto de B. L. de Argensola. Se llamaba en el siglo Jerónimo de Ezquerra y Rosas. Además del *Genio,* escribió la *Vida de San Juan de la Cruz,* la *Historia del Carmen Descalzo* y poesías.

9. Ed. citada, tomo II, cap. IX.

10. Madrileño, oriundo de Italia (1580-1633). Estudió primero en los jesuítas, y luego en Salamanca y Alcalá. Entre otros cargos de su Orden, desempeñó el de provincial.

11. «Como resumen de lo expuesto sobre la *empresa* de carácter literario..., la definiría yo así: la empresa es el arte de simbolizar gráficamente los aforismos y de dar forma penetrante a toda su capacidad alusiva y a su fuerza expresiva, valiéndose del efecto visual y del estímulo de la inteligencia.» (PFANDL: *Ob. cit.,* pág. 601.)

12. Vallisoletano. Fué médico ilustre al servicio de doña María, hermana de Felipe II y viuda del emperador Maximiliano II de Austria. Como médico, tradujo en verso los *Pronósticos* de Hipócrates. Murió después del 1627

13. Cierra su *Filosofía antigua* con estas profundas palabras: «La Theórica de la poesía es una ciencia tan principal, que toca a lo que es sobrenatural, llamada Philosophía Prima o Metaphísica.» Tres siglos y medio después casi toda la ciencia literaria—Croce, Vossler, Ermatinger, Dilthey, etc.—, había de volver a buscar las mismas bases.

14. Murciano, de Fortuna (1564-1642). Desempeñó cátedras de Humanidades en Cartagena y Murcia con extraordinario éxito. Aparte de las *Tablas Poéticas* y de sus *Discursos* históricos sobre aquellas dos ciudades, recogió en sus *Cartas filológicas* su correspondencia con ilustres personajes. En ellas se aluden los más variados temas: Lingüística, Poesía—recuérdese la dedicada al estudio del estilo culterano—, Historia, Moral, etc.

15. Vid. MENÉNDEZ PELAYO: *Hist. ideas estéticas*, edición citada, t. II, págs. 247-52.

16. Conocidos de todos son los versos de Vargos Ponce en su célebre *Proclama*:

Rubia guedeja peinará la rana,
y antes habrá coplero sin Rengifo...

Y la alusión de Moratín en *La derrota de los pedantes*: «¿Qué es la poesía? El arte de hacer coplas. ¿Y cómo se hacen las coplas? Comprando un Rengifo por tres pesetas.»

17. Sobre estos tratadistas y otros de la época, vid. DÍEZ ECHARRI: *Teorías métricas del Siglo de Oro*, C. S. I. C., Madrid, 1949.

18. Madrileño (1572-d. de 1618). Vida sumamente agitada. Soldado en Francia y prisionero luego; corsario contra buques ingleses; viajero por Italia y otros países. En Málaga mata a un hombre; se acoge a sagrado, y al cabo de dos días sale; encuentra a una hermosa mujer, que se enamora de él, le persuade a que vuelva a la iglesia, y luego obtiene su libertad por 300 ducados, únicos bienes que la bella poseía. Rojas luego llega a pedir limosna para sustentarla; redacta sermones a cambio de comida; roba y vive como buenamente puede, algunas veces bordeando la ley. En Sevilla, por no saber de qué vive, se le llama *el caballero del milagro*, y en Granada pone una mercería que le produce buenos ingresos. En 1602 lo encontramos de cómico en Valladolid; trabaja en varias compañías, entre otras en la de Nicolás de los Ríos, la de Angulo y la de Villegas. En 1610 se encuentra en Zamora, y en instancia para que se le confirme el privilegio de hidalguía concedido a su padre, se llama a sí mismo «escribano de su Majestad y del número de Zamora»; el mismo título se adjudica en Paredes de Nava (1618). Estaba casado desde 1603 con Ana de Arceo, y debió de morir en Paredes de Nava.

19. Su mordaz censura no se detenía ni ante la muerte. «Dura en no pocos esta flaqueza..., haciendo prólogos y dedicatorias al punto de expirar», dice aludiendo a Cervantes por su prólogo del *Persiles*. Y eso que el genial novelista le había elogiado en su *Viaje del Parnaso*.

20. Madrileño (¿1610-1670?), tuvo una vida extremadamente dura, luchando siempre con la pobreza, moviendo pleitos por la legitimidad de dos mayorazgos y aguantando las burlas que suscitaba su fealdad. Al final de sus días quedó ciego a consecuencia de un ataque de gota.

21. El caso de Oudin no es único. En Francia abundaban por esta época los maestros de lengua española, que se ganaban la vida con sus lecciones y con la traducción de nuestras obras más conocidas. Los principales libros impresos en París y en Ruán son: *Almoneda general de las más curiosas recopilaciones de los reinos de España* (1612), traducción de Ambrosio de Salazar; las *Clavellinas de recreación* (1614); *Espejo general de la Gramática* (1614), «con historias graciosas y sentencias muy de notar»; los *Secretos de la gramática española* (1632); el *Thesoro de diversa lición* (1636), verdadera enciclopedia, a imitación de la *Silva* del caballero Mexía. No todo eran inocentes ejercicios gramaticales. La rivalidad de armas inspiró unas curiosas colecciones de hechos y dichos atribuídos a los españoles, conocidas por el nombre de «Rodomontades», en que se ponen en ridículo nuestros principales defectos. Las hay en francés y en castellano. Las más conocidas son las *Rodomontades espagnolles*, de Brantome, y las de Nicolás Boudoin.

22. De Hellín (Albacete), estudió en Alcalá y viajó mucho por toda España. Fué párroco de Lagartera (Toledo), y desempeñó diversos cargos eclesiásticos en Valencia, Hellín y Murcia. Como capellán de Reyes Nuevos de Toledo, vivió algún tiempo en la ciudad imperial. Había nacido en 1609, y falleció en 1667.

23. No se sabe cuándo nació, y debió de morir hacia el 1700. Fué soldado de la Guardia Real en tiempos de Felipe IV y de Carlos II.

24. En nuestra exposición seguimos el estudio magnífico de Menéndez Pelayo (t. II de *Historia de las ideas estéticas*).

25. Véase en *Historia de las ideas estéticas* (t. II, ed. C. S. I. C., págs. 263-312) relación de las principales obras de Lope en que se dan expuestas sus teorías literarias.

26. Seudónimo, según unos, de don Luis Ferrer y Cardona, teniente de gobernador de la ciudad de Valencia; y, según otros, del jurisconsulto don Pedro Juan de Rejaule y Toledo.

27. *Lope de Vega y los preceptistas aristotélicos*, Madrid, 1932.

28. El título completo es: *Expostulatio Spongiae, a Petro Turriano Ramila nuper evulgatae. Pro Lupo a Vega Carpio, poetarum Hispaniae principe. Auctore Iulio Columbario B. M. D. L. P. Item. Oneiropaegion et varia illustrium virorum poemata. In laudem eiusdem Lupi a Vega V. C. Tricassibus sumptibus Petri Chevillot. Anno M.D.C.X.V.III. Cum privilegio Regis*. Lope continuó aludiendo a la *Spongia* y a Torres Rámila en los prólogos y dedicatorias de algunas comedias (Partes XI, XII, XIII y XIV), si bien veladamente y sin citar nombres; y más abiertamente en *La Filomena* (1624), donde en bellos versos y en forma alegórica se describe la guerra entre «Filomena» o el Ruiseñor (el mismo Lope) y el Tordo (Torres Rámila), con el triunfo claro de aquél. Aún hay referencias al mismo asunto en varias Epístolas y en el *Diálogo logístico* que figura al frente de la Parte XVI de sus comedias. Del extremo a que llevaron su desprecio hacia Rámila los admiradores de Lope da idea el grabado que llevan las primeras ediciones de *La Dorotea*. En él se representa al pobre *dómine* en figura de escarabajo, muerto al pie de un rosal por no haber podido resistir el perfume de las rosas. Al pie, un dístico reza:

*Audax dum Vegae irrumpit Scarabaeus in hortos,
fragantis periit victus odore rosae.*

29. He aquí los siete enunciados en que resume su tesis el maestro Sánchez: *I. Artes a natura profectas. II. Licere prudenti doctoque in repertis artibus mutare plurima. III. Non debere naturam ubique servare artem aut legem, sed dare. IV. An Lupus novam poematis artem possit condere. V. An Lupus possit nova nomina invenire. VI. In Lupo omnia secundum artem et quod ipse sit ars. VII. Lupum veteres omnes poetas natura superasse.*

BIBLIOGRAFIA

I. B. SÁNCHEZ ALONSO: *La lit. histórica en el s. XVII*, «Hist. Gen. de las Lit. Hispánicas», III, Barcelona, 1953.— S. MONTERO DÍAZ: *La doctrina de la historia en los tratadistas del Siglo de Oro* (est. prelim. al libro de Luis Cabrera «La historia, para aprenderla...», Madrid, 1948).— Antonio de Herrera. A. MOREL-FATIO: *El cronista A. de H. y el archiduque Alberto*, «Rev. Arch.», XII, 1905.— R. D. CARBIA: *Por qué el cronista H. no hizo mención de Toscanelli*, «Investigación y Progreso», VI, 1932.—Antonio Pérez. *Cartas*, ed. de Ochoa, «Bibl. Aut. Esp.», XIII; 1867; *Fragmentos del archivo de A. P.*, ed. de J. M. Guardia, París, 1867; *l'art de gouberner*, ed. de J. M. Guardia, París, 1867; *Fragmentos del archivo de A. P.*, ed. de González Palencia, «Rev. Arch.», XVIII; *Norte de príncipes* (dedicado al duque de Lerma y publicado en 1788); *Documentos relativos a A. P.*, «Colec. documentos inéd. para la historia de España», 1842-1849.—Estudios: S. BERMÚDEZ DE CASTRO: *Antonio Pérez, secretario de Felipe II*, Madrid, 1841.—L. BERTRAND: *Une ténébreuse affaire* (Á. Pérez), París, 1929.—TH. BIRCH: *Memoirs of the Reign of Queen Elizabeth, particularly illustrated from the papers of A. Pérez*, Londres, 1754.—PH. CHARLES: *A. Pérez*, «Rev. de Deux Mondes», mayo 1840.—C. FERNÁNDEZ DURO: *A. P. en Inglaterra y Francia*, «Colec. escr. cast.», LXXXVIII, 1890.—J. FITZMAURICE-KELLY: *A. Pérez*, «Hisp. Notes and Monographs», VI, Oxford, 1922.—A. GONZÁLEZ PALENCIA: *Gonzalo Pérez, secretario de Felipe II*, Madrid, C. S. I. C., 1946.—M. HUME: *El enigma de A. P.*, «España e Inglaterra en el s. XVI», Madrid, 1903.—A. LANG: *Historical Mysteres*, Londres, 1904.—G. MARAÑÓN: *Antonio Pérez*, Espasa-Calpe, Buenos Aires, 1946.—F. A. MIGNET: *A. Pérez et Philippe II*, París, 1845 y 1881.— A. VALLADARES DE SOTOMAYOR: *Vida interior del rey Felipe II*, Madrid, 1788.—J. ZARCO: *A. Pérez*, «Ciudad de Dios», CXXV, 1921.—Antonio Solís. *Cartas*, ed. de Mayáns y Siscar, 1755; *Cartas*, ed. de Ochoa, «Bibl. Aut. Esp.», XIII, 1850; *Historia de la conquista de Méjico*, ed. de C. Rosell, «Bibl. Aut. Esp.», XVIII, 1853.—Estudios: J. M. Cossío: *Un caso de prosa culterana: la «Historia de la conquista de Méjico», de Solís,* «Notas y est. de crit. liter.», Madrid, 1939.—J. Goyeneche: *Vida y poesías de A. de Solís y R.,* Madrid, 1692.—A. Sánchez Moguel: *La «Historia de la conquista de Méjico», por Solís,* «Ilust. Esp. y Amer.», II, 1892.—A. Gasparetti: *Un ignoto manoscritto palermitano delle «Obras líricas» de don A. Solís y R.,* «Bull. Hisp.», XXXIII, 1931. Para Solís, dramaturgo, vid. cap. XL.—Moncada. Ediciones de Foulché-Delbosc, «Rev. Hisp.», XLV, 1919; Cerdá y Rico, Madrid, 1777; «Bibl. Aut. Esp.», XXI; «Clás. Cast.», 1924, etc.—Estudios: S. Gili Gaya: *Semblanza de Francisco de Moncada,* ed. de la *Expedición,* de «Clás. Cast.»; *Sobre la «Vida de Boecio», de Moncada,* «Rev. Fil. Esp.», XIV, 1927.—A. Rubió y Lluch: *Catalunya e Grecia,* Barcelona, 1906.—G. Schlumberger: *Expédition des «Almogávares» en orient de l'an 1302 à l'an 1311,* Paris, 1903.—Melo. *Guerra de Cataluña,* «Bibl. Aut. Esp.», XXI; ed. de J. Octavio Picón, Madrid, 1912. *Cartas,* ed. de E. Prestage, Lisboa, 1911. *Obras autógraphas e inéditas,* Lisboa, 1911.—Estudios: E. Prestage: *Don Francisco Manuel de Melo. Esboço biographico,* Coimbra, Imp. Universidad, 1914.—C. Pujol y Campos: *Melo y la Revolución de Cataluña* (disc. en Ac. Historia), 1886.—A. Ribeiro dos Santos: *Memorias da vida e escritos de Mello,* «Mem. de Lit. Port.», vol. VII.—J. de San José. *Sonetos,* «Rev. Arch.», VI; *Genio de la Historia,* 1651 y 1768.—Estudios: J. Godoy Alcántara: *Jerónimo de San José* (disc. en R. Ac. Historia), 1870.—Menéndez Pelayo: *Hist. ideas estéticas,* II, C. S. I. C., 1940.—Carlos Coloma. *La guerra de los Estados Bajos desde el año 1588 hasta el de 1599,* «Bibl. Aut. Esp.», XXVIII.—A. de Contreras. *Vida y aventuras,* ed. de M. Serrano y Sanz, «Bol. R. Ac. Historia», 1900; como libro, Madrid, 1900.—Estudios: S. Griswold Morley: *The Autobiography of a Spanish Adventurer,* «Rev. Filol. Esp.», IV.

II. B. Croce: *I predicatori italiani del seicento e il gusto spagnuolo,* 1899.—L. Eijo y Garay: *De la oratoria sagrada en España* (disc.), Madrid, 1927.—M. Herrero García: *Sermonario clásico* (con un ensayo sobre la oratoria sagrada). Madrid, Edit. Escelicer, 1942.—F. G. Olmedo: *Decadencia de la oratoria sagrada en el siglo XVII,* «Razón y Fe», vol. XLVI, 1916.—K. Ludwig Selig: *La teoria dell'emblema in Spagna; I testi fondamentali,* «Convivium», XXIII, Turín, 1955.—Paravicino. *Oraciones evangélicas... del Señor y de la Virgen,* Madrid, 1640; *Oraciones evangélicas de Adviento y Cuaresma,* Madrid, 1645.—Estudios: *Fama, exclamación, túmulo y epitafio de aquel gran padre Fr. Hortensio,* Madrid, 1634.—E. Alarcos García: *Los sermones de Paravicino,* «Rev. Filol. Esp.», 1937.—A. Reyes: *Las dolencias de Paravicino,* «Rev. Filol. Esp.», 1918.—G. Placer López: *Fr. Alonso Remón, censor de libros,* «Estudios», VIII, Madrid, 1952.—P. Monasterio: *Est. crítico sobre el P. Márquez,* «Ciudad de Dios», vols. XIV a XVII. Para este mismo P. Márquez, para el P. Fonseca, Ponce de León y otros oradores sagrados, véase el cap. XXV, especialmente en su apartado III.

III. R. del Arco: *La erudición española en el siglo XVII,* Madrid, C. S. I. C., 1950.—F. Bouterwek: *Historia de la poesía y retórica españolas,* Berlin, 1804.—E. Díez Echarri: *Teorías métricas del Siglo de Oro,* anejo de «Rev. Filol. Esp.», núm. XLVII. 1949.—J. de Entrambasaguas: *Lope de Vega y los preceptistas aristotélicos. Una guerra literaria en el Siglo de Oro,* Madrid, 1932.—J. G. Fucilla: *Rhetorical Pattern in Renaissance and Baroque Poetry,* «S. Rev.», III, 1956.—Menéndez Pelayo: *Todo el vol. II de la Historia de las ideas estéticas,* y en especial el cap. X.—Juana de José Prades: *La teoría literaria* (Retóricas. Poéticas, Preceptivas, etc.), Madrid, Inst. Est. Madrileños, 1954.—A. Terry: *The continuity of Renaissance criticism. Poetic theory in Spain between 1535 and 1650,* «Bull. Hisp. Studies», XXXI, Liverpool, 1954.—A. Vilanova: *Preceptistas de los siglos XVI y XVII,* «Hist. gen. lit. hispánicas», III, Barcelona, 1953.—Pinciano. *Filosofía antigua poética* (ed. y est. por M. Muñoz Peña), Valladolid, 1894; otra ed. de A. Carballo Picazo, «Bibl. Ant. Libros Hispánicos», 3 vols., Madrid, 1953.—Estudios: Robert G. Clements: *López Pinciano's «Philosophia antigua poética»,* «Hisp. Review», XXIII, 1955.—Cascales. *Cartas poéticas,* ed. de Sancha, Madrid, 1779; *Cartas filológicas,* «Clás. Cast.», 1930.—Estudios: J. García Soriano: *El humanista Francisco Cascales. Su vida y sus obras,* Madrid, Tip. R. Arch.,

1925.—Cerdá y Rico: *Vida y escritos de González de Salas,* ed. de sus obras, Madrid, 1778.—C. López Martínez: *Algunos documentos para la biografía de Argote de Molina,* Sevilla, 1921.—C. C. Smith: *Fernando de Herrera and Argote de Molina,* «Bull. of Hisp. Studies», XXXIII, 1956. Más bibliografía sobre A. de Molina en cap. XVI.—Sánchez de Lima. *El arte poético,* «Bibl. Ant. Libros Hispánicos», Madrid, C. S. I. C.—Correas. *Arte de la lengua española castellana,* ed. de E. Alarcos García, anejo XLVI de la «Rev. de Filol. Esp.», 1954.—Estudios: E. Alarcos García: *Datos para una biografía de Gonzalo Correas,* «Bol. R. Acad. Esp.», VI, 1919.—Para Rengifo véase Dorothy Clotelle Clarke: *Rengifo's debt to A. da Tempo,* «Renaissance Review», VIII, 1955.

IV. Obras generales para este apartado: Caroline B. Bourland: *The sort Story in Spain in the Seventeenth Century...,* Northamton, 1927.—J. Cejador: *Hist. de la lengua y de la literatura castellanas,* t. IV.—Correa Calderón: *Costumbristas españoles,* Madrid, Aguilar Edit., 1950.—G. Reynier: *Le roman réaliste au XVII siècle,* Paris, 1914.—J. del Val: *La novela española en el siglo XVII,* «Hist, lit. románicas», III, Barcelona, 1953.—A. Valbuena Prat: *La novela picaresca española,* Madrid, Aguilar Edit., 1943.—Agustín de Rojas. *El viaje entretenido,* ed. de A. Bonilla, «Colec. libros picarescos», vols. 3-4, Madrid, 1901; otra ed. de Menéndez Pelayo, «Nueva Bibl. Aut. Esp.», XII, 1915; otra en Colec. «Crisol», Aguilar, Madrid, 1945.—Estudios: N. Alonso Cortés: *A. de Rojas. Nuevos datos biográficos,* «Rev. Castellana», VII, 1923.—G. Cirot: *Valeur littéraire du «Viaje entretenido»,* «Bull. Hispanique», XXV, 1923.—Cristóbal Suárez de Figueroa: *Poesias,* ed. Sedano, «El Parnaso español», Madrid, I y III, 1768-1770; *El pasajero,* ed. R. Selden-Rose, «Soc. Biblióf. Esp.», Madrid, 1914; otra edición Rodríguez Marín, Renacimiento, Madrid, 1914.—Estudios: N. Alonso Cortés: *Miscelánea vallisoletana* (4.ª serie), Valladolid, 1926.—E. Buceta: *Carrillo de Sotomayor y Suárez de Figueroa,* «Rev. Filol. Esp.», VI, 1919.—J. Wickersham Crawford: *The life and works of Suárez de F.,* Filadelfia, 1901 (trad. de A. Cortés, Valladolid, 1911).—J. Dowling: *Un envidioso del s. XVII: Suárez de F.,* «Clavileño», núm. 22, 1953.- H. A. Rennert: *Some documents on the life of Suárez de F.,* «Modern Lang. Notes», VII, 1892.—F. Rodríguez Marín: *Pról. de El pasajero,* ed. cit.—A. Rodríguez Moñino: *Bibliografía inédita de Cristóbal Suárez de F.,* «Rev. Centro Est. Extrem.», III, Badajoz, 1929.—Liñán y Verdugo: *Aviso y guia de forasteros...,* ed. académico señor Sandoval, Madrid, Real Acad. Esp., 1923.—Estudios: J. Van Praag: *La «Guía» de Liñán y Verdugo,* «Bull. Hispanique», XXXVII, 1935.—J. Sarrailh: *Algunos datos acerca de Liñán y Verdugo...,* «Rev. Filol. Esp.», VI y VII, 1919.—P. Julián Zarco: *Sobre Liñán y Verdugo,* «Bol. Real Acad. Esp.», 1929.—Juan de Zabaleta: *El día de fiesta por la mañana* y *El día de fiesta por la tarde,* «Bibl. Clás.», XVII, Madrid, 1885; *Día de fiesta por la tarde,* ed. J. L. Doty, Jena, 1938; *Día de fiesta por la mañana* y *Dia de fiesta por la tarde,* ed. «Clás. Cast.», 1948.—Estudios: Alvarez y Baena: *Hijos ilustres de Madrid,* III.—Azorín: en «A B C», 1 julio 1921.—Barrera: Catálogo...—J. E. Gillet: *A possible new source for Molière's «Tartuffe»,* «Modern Lang. Notes», XLV, 1930.—Rodríguez Chaves: en la ed. de «Bibl. Universal», 1889.—María A. Sáez Cuadrado: Est. y notas en ed. de «Clás. Cast.», 1948.—Lozano: *Antología,* preparada por J. de Entrambasaguas, «Clás. Cast.», 1943.—J. de Entrambasaguas: *El Dr. Cristóbal Lozano,* Madrid, 1937.—Francisco Santos: *Día y noche de Madrid,* ed. Ochoa, «Tesoro de novel. esp.», Paris, 1847; otra ed. en «Bibl. Aut. Esp.», XXXIII, 1854; *Periquillo el de las Gallineras,* «La nov. picaresca en España», por A. Valbuena Prat, Aguilar, Madrid, 1943 y 1946; existe también una ed. (Madrid, 1723) con quince novelas de F. Santos.—Estudios: Alvarez y Baena: *Hijos ilustres de Madrid,* II.—J. Calvert Winter: *Notes on the works of Francisco Santos,* «Hispania», XII, 1929.—John H. Hammond: *Francisco Santos' indebtedness to Gracián,* «Univ. of Texas Press», 1950; el mismo: *Francisco Santos and Zabaleta,* «Modern Lang. Notes», LXVI, Baltimore, 1951.

V. Vid. bibliografía en los capítulos dedicados al teatro en general (XXXV), y a Lope de Vega (XXXVI-XXXVII).

VI. Para bibliografía de este apartado, consúltense las *Historias generales de literatura hispanoamericana.*

DEL NEOCLASICISMO
AL MODERNISMO

CAPITULO XLVI

CARACTERES GENERALES DEL XVIII

I. VALORACIÓN CRÍTICA: *El XVIII, siglo neoclásico. Concepto del neoclasicismo. Límites cronológicos. La influencia francesa y sus causas. Otras influencias. Tendencias principales. Caracteres.*—II. POLÉMICAS SOBRE EL TEATRO NACIONAL: *Supresión de los autos sacramentales.*—III. ACADEMIAS Y DIARIOS: *La Real Española. La de la Historia. La Biblioteca Nacional. Otras Academias oficiales y no oficiales. El «Diario de los Literatos de España».*—NOTAS.—BIBLIOGRAFÍA.

I. VALORACION CRITICA

La consideración del siglo XVIII con valor puramente negativo en todo el ámbito de la cultura, se ha convertido ya en un tópico. Tanto literaria como artísticamente, el XVIII se nos quiere presentar como una época de esterilidad y de retroceso. Esta visión, si acertada en no pocos aspectos, es en otros errónea y manifiestamente injusta. No se puede estudiar, como se viene haciendo, este período de nuestras letras sólo en función del anterior. En la comparación de los dos siglos, el XVII y el XVIII, este último se lleva, sin duda, la peor parte; la novela brilla casi por su ausencia, y la poca que existe ofrece escaso mérito; no cuenta con líricos de altura ni con dramaturgos insignes. Pero sus detractores sistemáticos han olvidado con excesiva frecuencia que, a falta de obras de creación, el siglo XVIII presenta productos y conquistas de otro t ☐ ☐ concienzuda labor investigadora, la pac ☐ ☐ queda de materiales, su clasificación y ☐ base todo ello de futuras exploraciones ☐ donde hay que buscar la verdadera sigr ☐ del XVIII.

Cierto que sus ho ☐ eron en errores de bulto: más de una ☐ virtieron en defensores y hasta pa ☐ doctrinas extrañas, con menoscabo d ☐ mente nacional. Pero no es menos cie ☐ os de nuestros escritores, injustamente preteridos, se adelantaron durante esta época, y en distintos campos de la cultura, a todos sus contemporáneos de los otros pueblos de Europa.

La erudición y la crítica del XVIII constituyen, dentro del cuadro general de nuestra cultura, un fenómeno no sólo explicable, sino hasta lógico y necesario. Tras la ingente actividad creadora de la época anterior, se imponía un desbroce en aquella selva inmensa y sin par en la historia literaria de todos los tiempos. Ese desbroce responde perfectamente al ritmo biológico que preside el desarrollo cultural dentro de la Historia: tras la

creación, la ordenación de lo creado; y tras ésta, su sistematización. Al gran ímpetu creador del siglo de Pericles, suceden en Grecia los escoliastas y eruditos de Pérgamo y Alejandría, gracias a los cuales se ha conservado en gran parte aquella floreciente cultura. En España sucede lo mismo. Creemos, por tanto, que la valoración exacta del XVIII no corresponde ni a los juicios peyorativos formulados por Forner o por el marqués de Valmar, ni a los elogios casi ditirámbicos que ahora se le prodigan, encabezados por la autorizada opinión de Menéndez Pelayo. Siglo de grandes defectos y también de grandes virtudes, aun en el aspecto literario, interesa más que por sus logros, por sus anticipaciones; más que por los ciclos que cierra, por los horizontes que va abriendo. Nombres como los de Forner, Arteaga, Hervás, Feijoo y Jovellanos; obras como el *Diccionario de autoridades,* la mejor publicación aparecida en Europa durante aquella centuria, entre las de su clase, son buena prueba de la ligereza con que se viene tachando a esta época, de estéril y decadente. Estéril, es cierto, si se atiende a obras imaginativas; decadente, si se la compara en ese mismo aspecto con los dos siglos anteriores. En otros órdenes de la cultura, el XVIII cada vez se nos va revelando más como un período de fecundidad inagotable. Esa época eminentemente racionalista, con su espíritu *disecador*—que diría Larra—, prepara el camino de la investigación moderna e inicia los estudios de la Botánica, las Ciencias Naturales, la Estética, la Filología, la Lingüística, la Física, la Paleografía y tantas otras disciplinas, con la misma dignidad con que el Renacimiento, por ejemplo, había desbrozado el camino de las ciencias experimentales [1].

Bien es verdad que todo esto cae un poco a trasmano del objeto de nuestro estudio: lo literario. Pero aun en este aspecto, es decir, atendiendo exclusivamente al cultivo de las bellas letras, creemos que se impone una revisión a fondo del XVIII, con la consiguiente rehabilitación de no pocos de sus valores.

El XVIII, siglo neoclásico

No somos nosotros los llamados a hacer esa revisión ni es éste su lugar más adecuado. Ciñéndonos a nuestro tema, empecemos por decir que el período que estamos estudiando, considerado literariamente, viene llamándose también *Epoca neoclásica*. ¿Justificada la denominación? No del todo, según creemos. De la misma manera que en el XVII descubríamos una ancha vena de poesía extrabarroca, también ahora, en el XVIII, nos será dado señalar dos o tres direcciones, que escapan a toda influencia neoclasicista; es más, que se oponen decididamente a ella. Así, la escuela lírica tradicional representada por Gerardo Lobo, Alvarez de Toledo, Alfonso Verdugo, *Jorge Pitillas* y otros. Así también, el teatro popular encarnado gloriosamente en don Ramón de la Cruz.

Con estas limitaciones, sin embargo, no ha de haber ningún inconveniente en llamar al siglo XVIII «época neoclásica», en cuanto el *neoclasicismo* es su nota más acusada y la que mejor lo distingue de los otros movimientos —barroco y romántico— en que históricamente se halla inscrito.

Concepto de lo neoclásico

¿Qué es el neoclasicismo? También aquí la noción ha saltado de las artes plásticas a la literatura; y, si en aquéllas esa noción aparece clara y bien precisa, no lo es tanto aplicada a lo puramente literario. En general, se puede decir que el neoclasicismo consiste en cierta amanerada elegancia de sabor helenístico, cierta preocupación excesiva por el cultivo de la forma, en un intento loable, aunque exagerado, por acercarse a los grandes modelos de la antigüedad. Aparentemente, es esto mismo lo que perseguía el Renacimiento en sus mejores días. Pero en el fondo, y a poco que se rasque, pronto se echa de ver la diferenciación entre ambos conceptos: mientras el Renacimiento, en sus más puras formas de clasicismo, aspiraba a actualizar la antigüedad, manteniendo al hombre en sus propias pasiones y sentimientos de época, aunque más o menos revestido de forma pagana, el Neoclasicismo intenta sustituir esas mismas pasiones y sentimientos por los de un mundo ya desaparecido.

Más claro: el clasicismo renacentista pretende aplicar los módulos paganos a su propio mundo, sin abdicar de ninguna de sus ideas y sentimientos; es, por tanto, algo vivo, palpitante y actual. El Neoclasicismo se limita a copiar, a reproducir fielmente, sin poner nada de su parte o poniendo los mínimos elementos; es algo arqueológico: un cadáver que se intenta vivificar. El hombre renacentista pinta, talla o escribe con el pensamiento puesto en Grecia o en Roma, pero con los ojos bien abiertos ante la naturaleza circundante; el neoclásico cierra las ventanas del exterior y sólo tiene ojos para esas joyas de un mundo ya pasado que se llaman el «Canon», de Policleto, o el Partenón. Por ello, y sobre todo en literatura, las obras neoclásicas se nos muestran frías, sin calor humano, sin alma.

Límites cronológicos

El primer problema que nos plantea la literatura neoclásica en España se refiere a sus límites. Ya en la Introducción se aludió a la dificultad de encuadrar un período literario dentro de las denominaciones temporales comunmente admitidas: década, siglo, era. En nuestro caso, el encaje del neoclasicismo en el XVIII siempre ha de aparecer un poco convencional, ya que si en lo político hay coincidencia exacta —advenimiento de la casa de Borbón—, en lo literario se observa un rebase tanto inicial como final: la corriente neoclásica, un tanto adulterada con aguas prerrománticas, penetra hasta bien entrado el XIX; y, por otro lado, el barroco se mete por casi todo el XVIII, hasta informar una de sus más típicas modalidades [2].

En términos generales, el neoclasicismo tiene un siglo de duración: 1737 a 1835. Fecha inicial, 1737; es decir, el año en que aparecen la *Poética*, de Luzán; la *Defensa de la lengua española*, de Mayans, y el *Diario de los literatos de España*, tres títulos que, al resumir el espíritu literario de la época, marcan nuevos gustos e inquietudes. Fecha final, 1835: triunfo del romanticismo con el estreno de *Don Alvaro*. Hasta aquella fecha inicial, la literatura del XVIII es típicamente barroca. En el teatro perviven las últimas formas de la escuela calderoniana, representada por Bances Candamo, Zamora y Cañizares; en la novela, Torres de Villarroel refleja las últimas influencias de Quevedo; y en la lírica, los imitadores de Góngora, por una parte, y Gerardo Lobo, Alvarez de Toledo y Gerardo Hervás, por otra, aunque no siempre exentos de gracia y cierto brillo, marcan la postración a que había llegado un género anacrónicamente continuado por escritores que carecían del talento y la vena de sus modelos. Después del *Don Alvaro*, los leves ecos de la poesía anterior quedan materialmente ahogados por el vocerío romántico. Ni el mismo Quintana, que sobrevive muchos años al triunfo de la nueva escuela, se atreve ya a reanudar sus cantos de corte neoclásico [3].

La influencia francesa y sus causas

Con el Neoclasicismo coincide una auténtica invasión de nuevos módulos y orientaciones en la literatura castellana. Las influencias extranjeras empiezan a pesar en forma decidida sobre nuestros escritores. Italia, que pasada la furia del Renacimiento sólo de una manera vaga dejaba sentir su influjo sobre nosotros, pasa a dictarnos su estética y sus gustos. Metastasio, Goldoni, Alfieri disfrutan del más alto prestigio en nuestra patria. Algunos jesuítas expulsos—Hervás y Panduro, Arteaga—redactan en italiano sus obras. Luzán, el gran preceptista del siglo, se inspira en Muratori más aún que en el mismo Boileau. Pero la influencia más acusada es la francesa. Como antes, en el primer Renacimiento, nuestra atención se había canalizado hacia Italia, y de allí tomábamos orientaciones y modelos; ahora se dirige a Francia, que empieza a dictarnos su código estético y a servirnos de pauta, incluso en esferas ajenas por completo a lo puramente literario. Era una corriente inversa, aunque mucho más poderosa, a la que había ido de España hacia Francia en los siglos anteriores. Montoliu ha señalado acertadamente tres interferencias extranjeras en la evolución espontánea de la literatura española: primera, la de la épica francesa en el siglo XII; segunda, la del petrarquismo en nuestra lírica del siglo XVI; tercera, la del seudoclasicismo francés en el siglo XVIII. Esta última más grave, extensa y honda que las anteriores.

Cabe preguntar cuáles fueron las causas de ese *afrancesamiento* que alcanzó no sólo a la literatura, sino a las artes, a las ciencias y aun a todos los órdenes de la vida. Se ha señalado como principal el advenimiento al trono español de la casa de Borbón. Menéndez Pelayo sostiene con abundancia de razones que, de haber seguido la casa de Austria en el trono de España, se habría producido el mismo fenómeno.

Los motivos eran mucho más hondos, y hay que buscarlos en el mismo ciclo vital que explica las épocas de esplendor y de decadencia en toda literatura. La nuestra de la Edad de Oro puede considerarse liquidada con la muerte de Góngora (1627), para la lírica; con la de Quevedo (1645), para la prosa, y con la de Calderón (1681), para el teatro. Los escritores que siguen sus huellas no harán más que exagerar los defectos de estos tres representantes genuinos de una época ya liquidada.

La influencia de la cultura francesa no es un fenómeno privativo de España. Se impuso como realidad común a todos los pueblos cultos de Europa. Y se explica perfectamente: cuando las literaturas española e italiana, hasta entonces las más florecientes, han entrado en su período de agotamiento, la francesa mantiene aún todo su esplendor. Es una prolongación perfectamente explicable, provocada por el retraso en la aparición del Renacimiento. Este empieza a dar en Francia sus mejores frutos algo después que en España y mucho más tarde que en Italia. Los grandes escritores franceses del XVIII son todavía los

sucesores inmediatos del XVII, con los que pueden dignamente parangonarse y a los que superan en algunos aspectos. Sabido es que en el fondo de todo movimiento literario existe el deseo de imitar a un modelo. Y en la época que estudiamos, la única literatura digna de imitación era la francesa [4].

No es, pues, el cambio de dinastía la causa del afrancesamiento general de nuestra literatura. El mismo fenómeno se observa en Alemania, Inglaterra, Italia y en la lejana Rusia [5]. La nueva dinastía contribuye, si se quiere, al triunfo oficial de los innovadores frente a los panegiristas de los modos tradicionales; pero téngase en cuenta que ni siquiera la supresión de los autos sacramentales, por Real cédula de Carlos III, se puede considerar resultado exclusivo de las nuevas tendencias. La representación de tales piezas requería una ideología y unos sentimientos de que carecían los españoles de la época. La verdad es que ningún poeta era ya capaz de reanudar la gloriosa tradición del auto calderoniano [6].

Tampoco es cierto que las relaciones entre España y Francia surjan súbitamente con el acceso a nuestro trono, en 1700, de un príncipe francés. Estas relaciones vienen de atrás, de los siglos XVI y XVII. Claro es que nuestra influencia sobre el país vecino había sido entonces superior a la francesa sobre el nuestro, por la mayor pujanza de nuestra literatura, que había alcanzado ya su madurez.

Relaciones culturales

Ejemplos de mutuas relaciones existen en gran cantidad, como hemos podido ver en los capítulos precedentes; si bien ahora interesa destacar la corriente cultural que viene de la nación vecina.

En el siglo anterior, Lope de Vega asigna a Ronsard un papel análogo al de Boscán y Garcilaso; Quevedo conoce y cita a Montaigne y traduce la *Introducción a la vida devota*, de San Francisco de Sales. Junto a esto, las coincidencias entre ciertos escritores nuestros y otros franceses, especialmente moralistas, son frecuentes: Saavedra Fajardo, Gracián, La Rochefoucauld, La Bruyère, etc. Tales coincidencias deben resolverse a favor de España, caso de no hallar una fuente común anterior a todos ellos.

Conforme avanza el XVII, se hacen más frecuentes las citas y traducciones de obras francesas. Cuando Diamante escribe *El honrador de su padre*, en vez de acudir a la obra de Guillén de Castro, va a inspirarse en *Le Cid*, de Corneille. En 1680, junto a la comedia de Calderón *Hado y divisa*, se representa la de Molière *El burgués gentilhombre*, y se traduce a Bandello a través del francés.

Tales relaciones se intensifican aun antes del triunfo del Neoclasicismo. En los primeros años del XVIII se inician las traducciones y adaptaciones, pero sin técnica definida, pues las corrientes neoclásicas siempre chocan con los gustos y aficiones del público. Cañizares, aunque plagia a los antiguos dramaturgos saqueándolos sin pudor, quiere mostrar «lo que eran las comedias según el gusto francés», y en 1714 da una traducción de la *Ifigenia,* de Racine, en la que introduce grotescamente una pareja de graciosos, que alternan en sus diálogos con Agamenón y Aquiles. Tan desgraciada como ésta es la traducción del *Temístocles,* de Metastasio, convertida en zarzuela por el mismo Cañizares, con el título de *No hay con la patria venganza y Temístocles de Persia.*

La influencia de la literatura francesa culmina con la difusión de su lengua en nuestras posesiones de Ultramar. Menéndez Pelayo señala el hecho sintomático de haberse representado en Lima, antes de 1710, una imitación de la *Rodoguna,* de Corneille, y un entremés calcado en *Las preciosas ridículas,* de Molière.

En todo caso, no puede desconocerse ni subestimarse lo mucho que el siglo XVIII arrastra del anterior. No todo vino de Francia. Numerosas formas de vida y modos de creación estaban ya en germen: la Corte del Buen Retiro, precedente de la de Versalles; la pintura de Martínez Mazo, anticipo del paisaje dieciochesco; Moreto y Cubillo de Aragón, precursores de la ópera bufa. En Marivaux hay muchos elementos de nuestra comedia de intriga amorosa del XVII, a la vez que las andanzas apicaradas de nuestros graciosos llegarán al *Fígaro,* de Beaumarchais, y los elementos más dispares de la novela picaresca y cortesana informarán la obra de Lesage [7].

Hasta en el campo de la crítica—máxima aportación de la centuria dieciochesca—encontramos antecedentes, con la revisión durante el XVII de los «falsos cronicones» y la mayor exactitud en los datos históricos. Pero entre ambos siglos hay una diferencia esencial: en el XVII la creación supera a la crítica; en el XVIII ocurre lo contrario. Este espíritu crítico, que Paul Hazard ha estudiado en *La crisis de la conciencia europea* [8], no se extiende sólo al campo de la literatura, sino que invade todas las esferas culturales: religión, filosofía, arte, historia, política, organización social, etcétera. Lo de menos es que algunas obras de este carácter revistan forma literaria admirable —las *Cartas persas,* de Montesquieu, y las *Cartas marruecas,* de Cadalso—; lo importante es la ideología que revelan, el aspecto crítico, el pasar revista a todas las instituciones sociales de la época; en una palabra, la obsesión revisionista.

Tendencias principales

Aparte ese espíritu de erudición y de tendencia a la crítica, producto de una corriente europea que tiene su origen remoto en la filosofía cartesiana, tres son las principales tendencias que podemos señalar en la literatura del siglo XVIII:

a) *Tradicional.*—Se caracteriza por la continuación de los gustos del siglo anterior en todos los géneros literarios, especialmente en la lírica y en el teatro. Perdura a través del reinado de Felipe V, y algunos de sus representantes forman el grupo de los primeros académicos. Cabe distinguir en ella dos direcciones: una, derivada del barroco; otra, algo más tardía (reinados de Fernando VI y Carlos III), que se mantiene libre de toda contaminación culterano-conceptista, y cuyos máximos exponentes son Nicolás F. de Moratín, en ciertos poemas como *Las naves de Cortés destruídas* y *Fiesta de toros en Madrid,* Ramón de la Cruz y González del Castillo con sus sainetes, y algún otro.

b) *Neoclásica.*—Inspirada en el gusto francés a través, especialmente, de la preceptiva de Boileau. El 1750 señala su apogeo; pero ese triunfo efímero, más que al mérito de sus defensores, se debió a la poca capacidad de los contrarios y a la corrupción del barroco. El tono didáctico y moralizador es característico de esta literatura, que invade de tal forma todas las manifestaciones literarias de la época, que llega incluso a obras tan alejadas de la estética neoclásica como el sainete.

c) *Prerromántica.*—Así llamada por tener las características esenciales que después definirán el movimiento romántico: sentimentalismo, exotismo, individualismo, amor a la libertad, etc. En la ideología prerromántica entra por mucho la filosofía humanitaria, característica del XVIII, con su anhelo de felicidad terrena. Pregona, como medio de conseguirla, un sentimiento de hermandad común a todos los hombres y la vuelta a la Naturaleza, según el consejo de Rousseau. Esta Arcadia dieciochesca, impregnada del filosofismo del Siglo de las Luces y de la ideología de su obra genuina, la Enciclopedia, aunque en los motivos líricos imite al XVI, será en espíritu muy de la época.

Caracteres

Resumido todo lo dicho anteriormente, creemos que pueden señalarse las siguientes notas o caracteres en la literatura de esta época:

a) Predominio de la razón sobre el sentimiento; de lo intelectivo sobre lo imaginativo; de la disciplina sobre la libertad creadora; de la norma sobre la tendencia individualista.

b) Estricta separación de géneros, y, dentro de éstos, de subgéneros y especies: comedia, tragedia, oda, canción, epístola, égloga, etc.

c) Aplicación tajante de las unidades dramáticas, que habían de quedar resumidas en el célebre terceto de Quintana:

Una acción sola presentada sea
en sólo un sitio fijo y señalado,
en sólo un giro de la luz febea.

d) Finalidad ético-docente de todo arte y, en
especial, del arte literario.

e) Influencias extranjeras cada vez más acusadas: primeramente, de Francia; luego y casi simultáneamente, de Italia. A finales de siglo se reflejan las de otros países: de Inglaterra, con Young y Pope; de Suiza, con Salomón Gessner. Young despierta en España la tendencia a lo nocturno, lo misterioso: cipreses, tumbas; Kessner introduce un bucolismo inédito, de extraña sensibilidad, que vendría a darse la mano con el romanticismo.

f) Ausencia casi total de lo poético frente a lo racional y prosaico.

II. POLEMICAS SOBRE EL TEATRO NACIONAL

El XVIII, ya queda dicho, es un siglo eminentemente crítico. Este criticismo y el afán, casi siempre noble, de revisar nuestros valores de la Edad de Oro, llevó a los más conspicuos escritores de la época al enjuiciamiento de las obras literarias del período anterior. Lógicamente, los juicios sobre aquellas obras habían de ser encontrados. Y tenía que plantearse la batalla precisamente en torno al teatro, porque era el eje de toda la preceptiva neoclásica, con su exigencia de las tres «unidades» y el rigorismo de sus leyes. Por otra parte, el afán didáctico-moralizador de la misma preceptiva y su entrega absoluta a la razón, recuérdese el aforismo de su máximo pontífice Nicolás Boileau: *Rien n'est beau que le vrai*, lleva a muchos de los ingenios del siglo a arremeter contra los autos sacramentales, tan distantes de los preceptos de *L'Art poétique* y de sus innumerables seguidores.

Los ataques al teatro nacional empiezan cuando el género está en franca decadencia. La lucha, que se inicia con un criterio comprensivo, centrando los tiros en lo justamente censurable de la comedia del XVII, agriándose poco a poco, lleva a los partidarios de uno y otro bando a las mayores violencias. El primer ataque, comedido aún, parte de Luzán. Blas Nasarre había publicado el teatro de Cervantes, lanzando la peregrina idea de que éste se reduce a una simple parodia del de Lope[9]. Pero es durante el reinado de Carlos III cuando se produce la máxima tensión entre neoclásicos y tradicionalistas, auxiliados aquéllos desde el Gobierno por la protección del conde de Aranda. La dictadura de éste no se limita a lo político, trasciende también a lo literario, con el pretexto de una reforma radical de los teatros[10]. Comisiona a don Bernardo de Iriarte para que busque entre la ingente producción dramática del Siglo de Oro aquellas «comedias arregladas al arte», a que habían aludido Nasarre y Montiano como existentes en nuestro teatro. Tras la lectura de seiscientas obras, Iriarte escoge setenta, que provisionalmente, y en tanto se producía un teatro neoclásico, debían surtir los *corrales* de la Corte. La labor de don Bernardo como adaptador se limitó a encajarlas como buenamente pudo en los módulos franceses, reduciéndolas en lo posible a las «tres unidades». En el informe presentado al conde de Aranda, junto a algunas observaciones atinadas sobre la declamación teatral, arremete contra el teatro popular, en especial contra el sainete; tolera algunas comedias heroicas y de figurón, y termina por afirmar que «toda comedia de magia, de frailes y de diablos, todas aquellas que tienen segunda, tercera, cuarta y milésima parte, deben sepultarse para siempre en el archivo de los idiotas, aunque clamen éstos y los cómicos»[11].

Siguiendo las directrices de don Bernardo y de otros informantes, Aranda habilita los teatros de los Reales Sitios: La Granja, Aranjuez, San Lorenzo, en los que se representaron traducciones de Voltaire, Crébillon, Racine, Molière, Marivaux y otros; y con cómicos de provincias formóse asimismo una especie de compañía oficial bajo la dirección de don José Clavijo.

A pesar de la protección gubernamental, el teatro neoclásico arrastra una vida lánguida, sin que en ningún momento encuentre el menor arraigo en el alma española. El gusto del público está por los sainetes de don Ramón de la Cruz o por las comedias que, con todos los defectos, conservan algo del espíritu y la técnica del XVII. Toda la autoridad del conde de Aranda apenas pudo lograr que la *Hermesinda*, de Nicolás F. de Moratín, llevada a las tablas en 1770, se mantuviera seis días en el cartel. La supresión del teatro de los Reales Sitios, por orden de Floridablanca, viene a truncar las esperanzas de los galoclásicos. «Ante el fracaso —dice Cotarelo—, no quedan más que dos caminos: o acomodar a las costumbres y lengua españolas obras escritas según los nuevos preceptos, o adaptar al gusto del tiempo y formas de la nueva escuela el caudal dramático antiguo»[12].

Supresión de los autos sacramentales

La medida más radical en favor de la nueva escuela fué la Real cédula de 11 de junio de 1765, por la que se prohíbe la representación de los autos sacramentales, género que había salido bastante bien librado de los ataques al teatro del siglo anterior. Tal prohibición no es más que el fallo oficial de una contienda suscitada años atrás.

En 1762 un escritor afrancesado, José Clavijo, mediocre ingenio, traductor de Racine y Destouches y protegido de Aranda, había solicitado la interdicción. Desde su periódico *El Pensador*, venía atacando los autos, basándose en doble motivo: moral y literario. En el aspecto literario, las razones no pueden ser de menos consistencia: «No se sabe la clase de poesía a que corresponden, pues atendida su materia y artificio, en ninguna pueden tener lugar... No pudiendo llamarse poema épico ni lírico, tampoco pueden tener el nombre de poema dramático, faltándoles para todo esto los requisitos que han dictado la razón y el buen gusto, y que han enseñado los maestros del arte» [13]. Más pueriles son sus argumentos de tipo moral: los autos han degradado las ceremonias y asuntos más sagrados, «queriendo trasladar a un lugar inmundo la cátedra y el sacerdocio». Luego, esgrimiendo un argumento sofístico y válido para cualquier tipo de teatro, pregunta: «¿Quién que no tenga ideas muy bajas de su religión podrá sufrir que unas gentes tan profanas representen las personas de la Trinidad Santísima? ¿Que alguna mujer, que algunas veces tendrá pocos créditos de casta, represente a la Purísima Virgen?»

Contra Clavijo se revuelven pronto algunos escritores. Los más significados son Francisco Mariano Nipho, tan fecundo como desordenado, y Cristóbal Romea y Tapia. En su periódico *El Escritor sin Título*, Romea y Tapia intenta demostrar que «los autos son legítima poesía sagrada; que

el sistema alegórico en que se basan tiene altísimos ejemplos en la poesía de los Sagrados Libros y en los primitivos poetas cristianos». Trabada la polémica, acuden en defensa de Clavijo todos los gerifaltes del neoclasicismo, y entre ellos don Nicolás F. de Moratín, «el enemigo de más ingenio y donaire que tuvo la escena española» fuera de Cervantes, al decir de Menéndez Pelayo. Moratín proclama la necesidad de sujetarse a las reglas dramáticas; y en tres folletos, que titula *Desengaños al teatro español*, combate despiadadamente al de nuestra Edad de Oro; y aunque es verdad que los más de sus juicios son erróneos e injustos, hay que reconocer que no pocas veces acierta, como al ridiculizar el retoricismo exagerado de Calderón y los de su escuela [14]. Fué *El Escritor sin Título* el encargado de contestar a Moratín, demostrándole de paso que confundía lastimosamente la verdad con la verosimilitud poética al emplear ambos términos como sinónimos. La Real cédula prohibitiva de los autos sacramentales, ya aludida, vino a poner fin a la contienda. La tragedia clásica quedó como forma del nuevo estilo, y si fracasó rotundamente—como ya hemos indicado—no fué por falta de asistencias de toda índole, sino por el escaso talento de sus cultivadores.

Cuando éstos, en el campo de la comedia especialmente, acertaban a presentar cuadros costumbristas, aun dentro del credo neoclásico, obtenían éxitos rotundos.

III. LAS ACADEMIAS Y LOS DIARIOS

Hemos señalado el año de 1737 como crucial en la estética del Neoclasicismo. Mucho antes, sin embargo, se venía preparando el ambiente por obra de una serie de instituciones culturales, tanto de carácter oficial como privado, imitadas de Francia y pronto aclimatadas en nuestro país. Entre las primeras figuran la Academia de la Lengua, la de la Historia y, en cierto modo, la Biblioteca Nacional; entre las segundas, creadas algo más tarde, la Academia del Buen Gusto, la Tertulia de la Fonda de San Sebastián y otras de menor relieve.

La Real Academia Española de la Lengua

Las academias literarias, aunque no desconocidas en la Edad Media [15], adquieren auge en el Renacimiento y, debido al influjo italiano, se extendieron por la mayor parte de las regiones españolas [16]. «Pero estas academias, ante todo poéticas y a veces festivas o burlescas, no hubieran producido jamás por derivación la Española si un hombre eminente por su ilustre cuna, su categoría social, su influjo político, su riqueza y por sus

graves estudios no hubiese tomado sobre sí la empresa de encaminar la Academia que reunía en su casa por otros senderos, siguiendo las huellas de la italiana de la Crusca, y, sobre todo, de la Academia Francesa de París» [17].

La Academia Española de la Lengua, llamada por antonomasia Española, fué fundada por don Juan Manuel Fernández Pacheco, marqués de Villena [18]. En su casa se venían reuniendo varios escritores y eruditos: Juan de Ferreras, don Gabriel Álvarez de Toledo, don Andrés González Barcia, los jesuítas padres Bartolomé Alcázar y José Casani, etc., y de aquellas reuniones surgió la idea de crear una «Academia en Madrid, como la hay en París» [19].

Contrariamente al concepto de institución fría y dogmática en que se tiene hoy a la Academia, fué en la época de su creación y a través de todo el siglo XVIII el organismo cultural más tolerante y que menos influyó en el efímero triunfo del neoclasicismo. Salvo en cuestiones léxicas, nunca pretendió dogmatizar ni imponer su criterio. Menéndez Pelayo ha resumido el espíritu de esta institución en las siguientes palabras:

«La Academia no pensó en redactar formalmente

una poética, por más que algunos escritores lo afirmaron en son de burla. Demasiado prudente para arrojarse a dar la ley en materias tan opinables, y que deben reservarse siempre a la iniciativa individual, no tuvo otras relaciones con la literatura propiamente dicha que la de haber reimpreso, como textos de lengua, algunos autores clásicos, y la de haber anunciado de cuando en cuando, desde 1777, premios de Oratoria y Poesía. Y ciertamente que ni en una ni en otra cosa dió muestras de intolerancia, puesto que entre los modelos de lengua prefirió a Cervantes, uno de los menos académicos y uno de aquellos en quien las reglas gramaticales sufren más continuas excepciones o infracciones... Y en materia de premios, tampoco dieron prueba de un gusto muy rígido ni muy clásico los que en dos ocasiones sucesivas desairaron a don Leandro Moratín; y en otra anterior, a su padre, y honraron en cambio con sus sufragios a escritores tan excéntricos, geniales y temerarios como Vargas Ponce, Vaca de Guzmán y Forner, es decir, todo lo más próximo a la libertad literaria y lo que más reñía con el tacto y la mesura que creemos inseparable de un tribunal académico. Ni deja de ser significativo el hecho de no haber pertenecido nunca a aquella docta corporación los escritores más *académicos* y más correctos del siglo pasado, tales como don Tomás de Iriarte, Moratín, Gómez Hermosilla, y haberlo sido, en cambio, Alvarez de Toledo, Torrepalma, fray Juan de la Concepción, Porcel, Huerta, Cienfuegos, nombres todos, o de ingenios semiculteranos o de precursores del romantiscismo» [20].

Gracias a este criterio tan amplio pudo llegar a la revolución romántica con el carácter de una institución netamente nacional, y admitir en su seno a los mayores antagonistas de la preceptiva neoclásica. Directores de la alta corporación fueron sucesivamente un escritor ecléctico como Martínez de la Rosa y un romántico furibundo como el duque de Rivas.

La Academia de la Historia

De un grupo de amigos que se reunían en la Real Biblioteca de Madrid surgió la idea de fundar una Academia para la intensificación de los estudios históricos y arqueológicos. Montiano y Luyando, secretario particular de Felipe V, fué el encargado de presentar al rey el proyecto, que el Monarca se apresuró a aceptar y patrocinar. Por Real decreto de 18 de abril de 1738, los individuos de la Academia de la Historia eran igualados en prerrogativas y honores a los de la Lengua.

La búsqueda en los archivos públicos y privados, la visita de los monumentos de Toledo, Salamanca, Mérida y Andalucía, tarea a la que se entregaron con ardor los comisionados, padre Andrés Marcos Burriel, Francisco Pérez Bayer y Velázquez de Velasco, marqués de Valdeflores, proporcionaron a la nueva institución un fondo inicial de unos 14.000 documentos originales, 4.134 inscripciones, 7.000 diplomas y más de 2.000 medallas. La Academia tiene por divisa la figura de un ángel con la llama de la inteligencia en la cabeza y en actitud de escribir, con la leyenda: *Non fugit historiae lumen dum fulget iberis.*

Como la de la Lengua cuenta con valiosísimas publicaciones (aparte del *Boletín*). Entre ellas destacan: la *España sagrada,* del padre Enrique Flórez; el *Memorial histórico español,* las *Siete Partidas,* y las *Colecciones de las Cortes de varios de los antiguos reinos.* El número de académicos es de 24, con un director, un secretario y un censor.

La Biblioteca Nacional

Fué fundada por Felipe V en 1712 con los fondos procedentes de la antigua librería llamada «de la Reina Madre» y otros traídos de Francia por el rey. Desde su creación tuvo el privilegio de contar con un ejemplar de cuantos libros y folletos se imprimiesen en el reino.

La principal preocupación de sus dirigentes fué la extensión de los conocimientos lingüísticos. A tal fin, uno de sus bibliotecarios mayores, don Juan de Santander, propuso a Carlos III que se tuviera en cuenta para ascensos del personal el conocimiento de las lenguas orientales; y en el plan de reforma de los Estatutos, redactado por Jovellanos en 1788, se exigía a los celadores escribientes el dominio de las lenguas clásicas.

A partir del siglo XIX la Nacional ha visto acrecer sus fondos con múltiples donaciones y compra de bibliotecas particulares [21]. Hoy es una de las mejores del mundo, tanto por la cantidad como por la calidad de impresos y manuscritos.

Otras Academias

Entre las academias establecidas en diversas capitales españolas y también con carácter oficial, deben citarse la *Real Academia de Buenas Letras,* de Barcelona, y la *Real de Buenas Letras sevillana.* La primera vino a injertar nueva vida a la de «los Desconfiados», que desde finales del XVII arrastraba una vida lánguida. Se proponía fomentar los diversos aspectos de la cultura catalana: historia, arqueología, literatura. Celebró su primera sesión en 1729; y en 1751, Fernando VI aprobó sus estatutos y le confirió el título de Real [22].

La sevillana fué sancionada por el mismo rey en 1752, y también se le confirió el título de Real. Se compone de 40 miembros (diez preeminentes y treinta numerarios), residentes en Sevilla; veinte preeminentes fuera de Sevilla, y un número de correspondientes que no puede exceder de cien, en España.

Academias no oficiales

Corresponden en su mayoría a la segunda mitad del XVIII. Las más afamadas son la *Academia del Buen Gusto* y la *Tertulia de la Fonda de San Sebastián*. La primera, que Menéndez Pelayo conceptúa «el fenómeno literario más notable del reinado de Fernando VI», se reunió por los años de 1749-1751 en el palacio de doña Josefa de Zúñiga, marquesa de Sarriá y condesa de Lemos. A ella concurrían Luzán, Montiano, Nasarre, José Luis de Velázquez y otros destacados neoclásicos. Con ésta vino a fundirse la *Academia del Trípode*, fundada en Granada por el conde de Torrepalma, y que agrupaba una serie de ingenios más adictos a las formas barrocas que a las corrientes neoclásicas. De la fusión de ambos criterios salió la del *Buen Gusto* con un criterio ecléctico, que va desde los excesos culteranos de Torrepalma o de Porcel al prosaísmo de Montiano, Velázquez y del mismo Luzán, tan buen crítico como desdichado poeta. El mismo criterio se observa en la aportación doctrinal de sus componentes. Al lado de Montiano, que lee allí su primer discurso sobre la tragedia y su soporífera *Virginia,* Porcel, en una especie de vejamen de las obras de sus compañeros, sostiene después de arremeter contra Boileau la doctrina de que «el poeta no debe adoptar otra ley que la de su genio».

Frente al dualismo estético de la *Academia del Buen Gusto,* la *Tertulia de la Fonda de San Sebastián* se constituye en la legisladora de la escuela neoclásica. Surgida de una reunión de amigos para solazarse con asuntos de teatros, de toros, de amores y de versos, derivó pronto a temas graves. Sus más asiduos contertulios fueron Nicolás F. de Moratín, Cadalso, Vicente de los Ríos, Juan Bautista Muñoz, Tomás de Iriarte, Ignacio López de Ayala y los italianos Juan Bautista Conti y Napoli Signorelli.

«Por la simple enumeración de los tertulianos —escribe Menéndez Pelayo—se puede comprender que predominaba entre ellos más bien la corriente latinoitálica que la del clasicismo francés, excepto en la cuestión dramática. Cuando se habla de los restauradores de nuestra poesía en el siglo pasado, se olvida con mucha frecuencia esta distinción esencialísima. En la lírica nada debieron a Francia, ni puede citarse entre ellos uno solo que demuestre especial conocimiento o imitación de las obras de Malherbe, de Juan Bautista Rousseau y demás poetas líricos (por lo general muy medianos) que hasta entonces poseía Francia. Admiraban el teatro de la nación vecina, y recibían las ideas de sus libros en prosa, pero en lo demás se conservaban fieles a la tradición clásica de nuestro siglo XVI, y a ejemplo de los poetas de aquella era, tenían los ojos vueltos a Italia, con cuyos eruditos y artistas solían mantener todavía fraternal correspondencia» [23].

«Diario de los literatos de España»

A las revistas y publicaciones periódicas estuvo reservado papel importantísimo en el campo literario. Especial mención merece el *Diario de los literatos de España,* revista trimestral de la que se publicaron siete volúmenes correspondientes a los años 1737-1742. Con la *Poética* de Luzán constituye el mayor esfuerzo de crítica realizado en la primera mitad del XVIII. Era el *Diario* una revista académica, aunque sin propósito normativo: daba resúmenes de las obras más interesantes en todos los ramos del saber, pero sin formular casi nunca juicio sobre las mismas. En general, dejaba que el lector lo hiciera, basándose en los datos suministrados con su extracto.

Atendía a temas filosóficos y científicos más que a los puramente literarios; pero al abordar éstos, nunca mostraron sus redactores el espíritu intransigente «ni los instintos de reforma a la manera francesa o italiana que Luzán y Montiano preconizaban» [24].

Fundado a imitación del *Journal des Savants* de París, destacó por la objetividad de sus juicios, y nunca—excepción hecha de la polémica sostenida con Mayans—descendió al terreno personal.

NOTAS

1. Unos pocos nombres lo confirman: Feijoo funda la crítica del XVIII, y en sus ensayos adopta la duda metódica, preconizada por Descartes; Gregorio Mayans es el primero en crear—según observa Francisco Rodríguez de Castro—un «arte etimológica»; es también el primer biógrafo serio de Cervantes y publica el *Diálogo de la lengua,* de Juan de Valdés. Entre los jesuitas expulsos destacan relevantes figuras, como el padre Juan Andrés, que realiza la primera tentativa de una Historia general de la literatura; el padre Esteban de Arteaga, digno de parangonarse con los máximos tratadistas de Estética; el padre José Pla, en opinión de Tiraboschi, «el más docto y profundo políglota de su tiempo en Italia»; el padre Antonio Eximeno, llamado por sus contemporáneos el «Newton de la música»; el padre Hervás y Panduro, verdadero fundador de la Lingüística comparada. Contribuyen también al realce cultural de la época Tomás Antonio Sánchez, Cerdá y Rico, Ponz, Campomanes, Jovellanos, el padre Enrique Flórez. Floranes y otros que estudiaremos en su lugar adecuado.

2. En rigor, el espíritu barroco no se perdió a lo largo del XVIII. El favor que el público dispensó a la *Raquel,* de García de la Huerta, y el éxito alcanzado por Ramón de la Cruz en sus sainetes lo demuestran. Pero estas obras de creación no pueden compararse en valor estético con sus similares del XVII. En lo puramente literario, el XVIII señala un paréntesis, un corte en la línea ascendente, o, mejor dicho, una agravación de la decadencia que había empezado a mediados del siglo anterior. Hasta el Neoclasicismo, nuestra literatura va en franco progreso. No importa que el XV no produzca un poeta del temple del Arcipreste de Hita; o que en el XVI no pueda ofrecernos, con ser el siglo de Garcilaso, fray Luis de León y Herrera, un poema tan absolutamente logrado como las *Coplas* de Jorge Manrique; o que en el XVII nada hallemos comparable, en cuanto expresión subjetiva, al *Cántico espiritual,* de Juan de la Cruz. En conjunto, cada siglo que pasa va superando al anterior; y esta superación se rompe en el XVIII. Lo característico de esta época es que, enfrentada con dos movimientos que la encuadran, Barroco y Romanticismo, resulta inferior a ambas. En algunos campos de la cultura representa un avance; en el puramente literario—recuérdese nuestro concepto de lo literario, expuesto ya en el prólogo—es un retroceso.

3. En general, siguiendo el criterio de mayor comodidad, se suele hacer coincidir el inicio del Neoclasicismo con el siglo. Todavía lo hace así Angel del Río en su excelente *Historia de la literatura española* (Nueva York, 1948).

4. Este retraso viene en Francia impuesto por el Renacimiento. Francia es el país europeo que acusa más tardíamente el influjo italiano; la reforma de Boscán y Garcilaso, muertos en 1542 y 1536, respectivamente, se inicia en Francia, hacia 1550, con el *Manifiesto* de Du Bellay y la obra de sus compañeros de La Pléyade. Por otra parte, la hegemonía política francesa se retrasa hasta la decadencia de la Casa de Austria, a raíz de la Guerra de los Treinta Años (1618-1648). La paz de Westfalia (1648) señala esa hegemonía en el orden político; a ella sigue, como la sombra al cuerpo, la hegemonía literaria.

5. Vid. MENÉNDEZ PELAYO: *Historia de las ideas estéticas en España*, vol. III, cap. II, págs. 187 y sgs.

6. Dos siglos antes de que Carlos III decretara la supresión de los «autos sacramentales», el Parlamento de París (17 de noviembre de 1548), prohibía a las Cofradías el *jouer le Mystère de la Passion Notre Sauveur ne autres Mystères sacres*. Esta temprana prohibición de «*un grand mouvement national et religieux*—escribe M. Foulet—, privó a Francia de un teatro religioso durante los siglos XVI y XVII, a la manera del español». Por cierto que los ataques de protestantes y católicos contra los «misterios» se basaban en las mismas razones de orden moral y de orden estético alegadas dos siglos más tarde contra los «autos»: irreverencias introducidas en el texto, chabacanería de los cómicos, etc.

7. Aunque en el capítulo LIII se alude a las influencias españolas en la obra de Lesage, no estará de más anticipar que el presunto autor de *Gil Blas* no sólo aprovecha elementos y temas de la novela picaresca, como se viene diciendo, sino que, entrando a saco en la «cortesana» y en el teatro, toma de éstos los más heterogéneos materiales. Sólo en el *Gil Blas* podemos señalar los siguientes: la historia de Aurora de Guzmán está inspirada en *Todo es enredos, amor y diablos son las mujeres*, de Diego Figueroa y Córdoba; la novelita *El casamiento por venganza* deriva de *Casarse por vengarse*, de Rojas Zorrilla; la narración de don Rafael y Lameta recuerda en muchos pasajes *Los empeños del mentir*, de Antonio Hurtado de Mendoza.

8. Traducción de Julián Marías. En especial las partes tercera y cuarta: «Intentos de reconstrucción» y «Los valores imaginativos sensibles».

9. MENÉNDEZ PELAYO: *Op. cit.*, vol. II, cap. II, páginas 244 y sgs.

10. La muerte de los dos actores de mayor prestigio, María Ladvenant y Nicolás de la Calle, y el deseo de cortar las banderías del público, animó a Aranda a emprender la reforma de los teatros. El público se hallaba dividido en dos bandos, partidario el uno del teatro del Príncipe y el otro del de la Cruz. Para poner fin a la lucha y remediar la pérdida de los dos actores, ordenó la fusión de las compañías que actuaban en ambos coliseos, reuniendo sus fondos en uno común. Vid. EMILIO COTARELO: *Iriarte y su época*, cap. III.

11. Cfr. COTARELO: *Op. cit.*, cap. II. Don Bernardo de Iriarte había nacido el 18 de febrero de 1735. Muy joven aún pasó a Madrid, donde le educó su tío don Juan, al que ayuda, de 1754 a 1756, en la formación del *Diccionario latino-español*, con 6.000 reales de sueldo anual. Bajo la protección del mismo obtuvo la Secretaría de la Legación de Parma, y poco después entraba en la del Despacho de Estado como oficial. Pasó luego como secretario de Embajada a Londres. «Sus primeras obras literarias—escribe Cotarelo Mori—fueron versiones en prosa de algunos poemas latinos de su tío, como los que había leído en la Academia de San Fernando. Aficionado a las bellas artes e inteligente en ellas, empezó desde su juventud a reunir cuadros, formando una galería que después llegó a ser muy nombrada en Europa. Pero ni una ni otra tendencia pudieron contrapesar su vocación decidida a las cosas de gobierno.»

12. Se siguieron ambos procedimientos: el primero, por algunos cultivadores de la comedia costumbrista y moral, en la que corresponde a don Tomás de Iriarte la gloria de haber precedido a Moratín, hijo; el segundo, por los refundidores del teatro antiguo: Solís, Trigueros, Ramírez de Arellano, etc. Su más alto exponente es la *Raquel*, de García de la Huerta.

13. MENÉNDEZ PELAYO: *Op. cit.*, vol. III, cap. II, páginas 278 y sgs.

14. En los *Desengaños* afirma Nicolás F. de Moratín que los dos máximos corruptores del teatro español fueron Lope de Vega y Calderón. Censura el retoricismo y la falsa expresión de los sentimientos en éste, aduciendo como testimonio los conocidos versos del principio de *La vida es sueño*. «Yo quisiera saber—dice—si una mujer que cae despeñada por un monte con un caballo, en vez de quejarse donde le duele y pedir favor, le dice todas aquellas impropias pedanterías, que las entiende el auditorio como el caballo; si algún apasionado de Calderón se apea por las orejas, llame al suyo *hipogrifo violento*, y verá cómo se alivia.»

Esta crítica, hasta cierto punto razonable, queda desvirtuada por ciertas afirmaciones, inconcebibles en un poeta como él. Júzguese por estas palabras de su *Desengaño* segundo: «¿Es posible que hable la Primavera? ¿Ha oído usted en su vida una palabra al Apetito? ¿Sabe usted cómo es el metal de voz de la Rosa?... ¿Juzgará nadie posible que se junten a hablar personajes divinos y humanos de muy distintos siglos y diversas naciones, verbigracia: la Trinidad Suprema, el Demonio, San Pablo, Adán, San Agustín, Jeremías y otros tales, cometiendo horrorosos e insufribles anacronismos?» Don Nicolás olvidaba toda la literatura alegórica, y fué El escritor sin título quien se encargó de recordarle que era achaque común a los poetas «el fingir sentido al que no lo tiene, voces a los brutos y alma a las cosas inanimadas».

15. Aparte las escuelas de traductores de Toledo y Sevilla bajo el reinado de Alfonso X, pueden considerarse como Academias las escuelas poéticas que en el siglo XV florecieron en las Cortes de Juan II de Castilla, de Alfonso V el *Magnánimo*, en Nápoles, y de Leonor de Aragón, condesa de Foix, en Pamplona. Las obras se hallan reunidas en los *Cancioneros* de Baena, de Estúñiga y de Herberay, respectivamente. Y era una Academia más, reflejo de las antiguas trovadorescas provenzales, aquel «Consistorio de la gaya ciencia», que tan orgullosamente presidió Enrique de Villena.

16. Entre las innumerables academias italianas radicadas en Palermo, Venecia, Milán, Génova, Roma, Pavía, Ferrara, Padua, Bolonia, Siena, Parma, Viterbo, Perusa, Ancona, Luca, etc., adquieren especial celebridad la de la *Crusca*, en Florencia, y la de los *Arcades*, en Roma. La primera se estableció con el fin primordial de depurar la lengua: su emblema fué un cernedor. Publicó su *Vocabulario* en 1612. La de los Arcades fué fundada en 1690 por el jurisconsulto Gravina. Dedicó particular atención a los estudios de arqueología, historia y literatura. Publicaba un boletín mensual y tenía miembros correspondientes en muchos países europeos, especialmente en España. Nicolás F. de Moratín, García de la Huerta, Ramón de la Cruz y otros disfrutaron de este título.

De las españolas de los siglos XVI y XVII merecen destacarse de los *Nocturnos*, que reunió a los más insignes escritores valencianos; la de los *Ociosos*, en Zaragoza; la de los *Anhelantes*, en Huesca. De las Academias sevillanas, recordemos las presididas por el marqués de Tarifa y por Juan de Arguijo, y de las de la corte, la *Academia de Madrid*, continuada en la *Mantuana*, a la que concurrieron los más notables escritores.

En nuestra literatura del XVII, en especial novela y teatro, se alude frecuentemente a academias de este tipo. Recordemos que el famoso *Arte nuevo...*, de Lope, fué presentado—según declara el poeta—a la Academia, de Madrid.

17. Vid. EMILIO COTARELO MORI: *La fundación de la Academia Española y su primer director, don Juan Manuel Fernández Pacheco, marqués de Villena*, «Bol. Real Acad. Esp.», vol. I, año 1914.

18. Don Juan Manuel Fernández Pacheco y Zúñiga, octavo marqués de Villena y duque de Escalona, nació el 7 de septiembre de 1650 en Marcilla (Navarra). Huérfano de padre a los tres años, fué educado por su tío paterno, don Juan Francisco Pacheco, obispo de Cuenca, que le procuró sólida cultura, de modo que a los veintiséis años «era saludado por todos como uno de los hombres más instruído de España». Soldado aguerrido, es herido en el sitio de Buda, bajo el mando del emperador Leopoldo (1686). A su regreso a España se le concede el Toisón de Oro y es nombrado general de la caballería de Cataluña. De 1689 a 1694 ocupa sucesivamente los cargos de embajador en Roma y virrey de Navarra, Aragón y Cataluña. A la muerte de Carlos II se declara partidario de Felipe V, que le nombra virrey de Sicilia y luego de Nápoles. Prisionero de los austríacos en Gaeta, estuvo encerrado en el castillo de San Telmo y después en la fortaleza de Baya. Vuelto a España en 1711, rechaza la mitra de Toledo, y en 1713 Felipe V le nombra su mayordomo mayor. Muere en Madrid en 1725.

19. Cfr. *Libro de actas y acuerdos de la Academia Española*, vol. I. Entre los primeros proyectos de la Academia figuraron la publicación de un Diccionario y una

Gramática y la elección del emblema. En marzo de 1714 se presentaron varios; provisionalmente se aprobó el de una abeja volando sobre un campo de flores diversas, con la inscripción «Aprueba y reprueba». En nueva junta (11 de abril) se presentaron veintisiés emblemas, y, por votación secreta, se aligió el que quedó de modo definitivo: un crisol al fuego, con el lema «Limpia, fija y da esplendor», que es el que ostenta en la actualidad.

20. MENÉNDEZ PELAYO: *Op. cit.*, vol. III, pág. 198. A pesar de su eclecticismo, la Academia tuvo muchos contradictores; debemos citar a don Luis de Salazar y Castro, que antes de la creación de aquélla, y resentido porque el marqués de Villena no le eligió miembro de la misma, arremete contra la corporación y sus componentes, en particular contra Gabriel Alvarez de Toledo. La sanción oficial de Felipe V acabó con estas polémicas.

La Academia favoreció el desarrollo de la literatura convocando diversos certámenes, principalmente sobre poesía y elocuencia. En 1780 dirigió una edición del *Quijote*, que imprimió Ibarra en cuatro tomos; poco después publicó la versión del *Fuero Juzgo*, y a partir de la segunda mitad del XIX se ha intensificado las publicaciones y ediciones de clásicos.

En un principio, la Academia se componía de un director, veinticuatro miembros y un secretario. Por decreto de 10 de marzo de 1847 se le dieron nuevos estatutos, y por el de 20 de agosto de 1859 los que tiene en la actualidad. El número de académicos fué elevado de veinticuatro a treinta y seis. Se crearon asimismo veinticuatro plazas de académicos correspondientes, con residencia fuera de Madrid. En 1926 fueron fundadas las Academias regionales, suprimidas en 1930.

La primera sesión se celebró el 6 de julio de 1713, en el palacio de su primer presidente, en la plaza de las Descalzas. Allí también se siguieron celebrando las juntas, hasta que en 1754 Fernando VI le habilitó local en la Real Casa del Tesoro, dependiente del Real Palacio; Carlos IV la instaló en la calle de Valverde (en la actual Academia de Ciencias), y en 1894 pasó al palacio que ocupa actualmente.

El número de sillones, ya se ha dicho, fué al principio de veinticuatro, señalados con las correspondientes letras mayúsculas del alfabeto; al aumentar en 1847 a treinta y seis, se utilizaron las doce primeras letras minúsculas. No tenía más cargos al principio que los de director y secretario; luego se crearon otros: censor, bibliotecario, tesorero, etc. Las recepciones públicas empezaron en 1847, con la lectura por el nuevo académico de un discurso, al que debe contestar un académico antiguo. Se recuerdan como las más importantes las de Campoamor, Castelar, Valera, Menéndez Pelayo, Galdós, Pereda, Menéndez Pidal, Baroja...

Entre sus secretarios perpetuos debemos recordar a Nicasio Gallego, Bretón de los Herreros, Tamayo y Baus, Cotarelo Mori, Casares.

Desde su fundación ha tenido los siguientes directores: don Juan Manuel Fernández Pacheco, don Mercurio Antonio López Pacheco, don Andrés Fernández Pacheco, don Juan López Pacheco, don José de Carvajal y Lancáster, don Fernando de Silva Alvarez de Toledo, don José Bazán de Silva, don Pedro de Silva y Sarmiento, don Ramón Cabrera, don José Miguel de Carvajal Vargas, don José Gabriel Silva y Bazán, don Francisco Martínez de la Rosa, don Angel de Saavedra Ramírez de Baquedano, don Mariano Roca de Togores, don Juan de la Pezuela, don Alejandro Pidal y Mon, don Antonio Maura Montaner, don Miguel Asín Palacios, don José María Pemán y Pemartín y don Ramón Menéndez Pidal, que lo desempeña en la actualidad.

21. La biblioteca gozaba del privilegio de prioridad en cualquier venta de libros. «Los fondos más importantes ingresados hasta 1833 fueron, además de los indicados como base: la librería de Suárez de Guevara, la de medicina del doctor Salcedo y la del conde de Miranda; la librería del cardenal Arquinto, adquirida por su majestad en Roma; la importante del erudito don Andrés González de Barcia; la de don Felipe Vallejo, con su monetario y los manuscritos árabes existentes en la celda de fray Patricio de Latorre, adquiridos por él en Berbería con fondos del Estado, etc.»

22. La obra más importante de esta Academia durante el siglo XVIII es el magnífico tratado de «crítica historial» redactado por su director, el marqués de Lilió.

23. Vid. MENÉNDEZ PELAYO: *Op. cit.*, vol. III, cap. III, pág. 294.

24. Prueba de la ecuanimidad de juicio, más en consonancia con los gustos tradicionales que con el afrancesamiento innovador que se iniciaba, nos lo ofrece uno de los pocos artículos que el *Diario* consagra a cuestiones de amena literatura: una doña Teresa de Guzmán publica esmeradamente *La crueldad por el honor*, de Ruiz de Alarcón. A pesar del tema, tan disconforme con los gustos del XVIII, los diaristas se complacen y extienden en su comentario. Elogian el singular mérito de «este americano, uno de aquellos felices ingenios que dieron leyes a la comedia española, dejando su memoria venerable entre los que respetamos por los primeros maestros del arte». Desde el punto de vista de la crítica literaria, el más sólido artículo del *Diario* es el análisis de la *Poética*, de Luzán, debido a la docta pluma de don Juan de Iriarte.

BIBLIOGRAFIA

I. ALCALÁ GALIANO: *Historia de la literatura española, francesa, inglesa e italiana en el siglo XVIII*, Madrid, 1845.—A. ALONSO: *Castellano, español, idioma nacional. Historia espiritual de tres nombres*, Buenos Aires, Edit. Losada, 2.ª ed., 1943.—L. ARAÚJO COSTA: *El siglo XVIII en España. Su literatura*. «Letras, damas y pinturas», Madrid, 1927.—P. MIGUEL BATLLORI: *La letteratura ispano-italiana del settecento*, «Civiltá Catolica», II, Roma, 1956.—A. CASTRO: *Algunos aspectos del siglo XVIII. Introducción metódica*, «Lengua, enseñanza y literatura», V, Madrid, Suárez, 1924.—J. CEJADOR FRAUCA: *Historia de la lengua y literatura castellana* (14 vols.), vol. VI, Madrid, 1915-22.—G. DESDEVISES DU DÉZERT: *La société espagnole au XVIIIe siècle. Les institutions de l'Espagne au XVIIIe siècle. La richesse et la civilisation espagnoles au XVIIIe siècle*, «Rev. Hisp.», LXIV, 1925; LXX, 1927, y LXXIII, 1928, respectivamente.—F. DÍAZ-PLAJA: *La vida española en el siglo XVIII*, Barcelona. 1946.— A. FARINELLI: *Italia e Spagna* (vol. II), Turín, 1929.—P. HAZARD: *La crisis de la conciencia europea* (trad. de Julián Marías), Madrid, 1941; *El pensamiento europeo en el siglo XVIII* (trad. de Julián Marías), Madrid, 1946.—J. JUDERÍAS: *Españoles y franceses a fines del siglo XVIII*, «La Lectura», núm. 3, 1911.—F. LÁZARO CARRETER: *Las ideas lingüísticas en España durante el siglo XVIII*, anejo XLVIII de la «Rev. Filol. Esp.», Madrid, 1949; *El nuevo proyecto de una lengua universal*, «Arbor», núm. 30, junio, Madrid, 1948.—M. MENÉNDEZ PELAYO: *Historia de las ideas estéticas en España*, III, Madrid, 1940; *Historia de los heterodoxos españoles*, V, Madrid, 1947; *Nuestra literatura en el siglo XVIII, e Italia y España en el siglo XVIII*, «Est. y disc. de crít. hist. y lit.», IV, Madrid, 1942.—E. MÉRIMÉE: *Etude sur la littérature espagnole au XVIIIe siècle*, «Rev. Hispanique», 1894.—ROBERT E. PELLISSIER: *The Neo-Classic Movement in Spain during the XVIII Century*, «Stanford Series», XXX, págs. 3-187, 1918.—J. QUERO MORALES: *El siglo XVIII hispano*, «Rev. Interamer. de Bibliografía», VI, Washington, 1956.— R. ROBERT: *De Campomanes a Jovellanos. Les courants d'idées dans l'Espagne du XVIIIe siècle*, «Les Lettres Romanes», XI, Lovaina, 1957.—J. G. ROBERTSON: *Italian influence in Spain*, Cambridge, 1923.—L. SÁNCHEZ AGESTA: *El pensamiento político del despotismo ilustrado*, Madrid, 1953.—J. SEMPERE Y GUARINOS: *Ensayo de una biblioteca de los mejores escritores del reinado de Carlos III* (6 vols.), Madrid, 1785-89.—J. SERRAILH: *L'Espagne éclairée de la seconde moitié du XVIII siècle*, París, 1954.—L. SORRENTO: *Francia e Spagna nel settecento. Battaglie essorgenti di idee*, Milán, 1938.—E. TODA Y GÜELL: *Bibliografía espanyola d'Italia dels origens de la imprempta fins a l'any 1900*, Castel d'Escornalbou (Tarragona), 1927.—A. TUDISCO: *América en la literatura española del siglo XVIII*, «Anuario de Estudios Atlánticos», XI, Madrid - Las Palmas, 1954.—J. E. DE URIARTE y M. LECINA: *Biblioteca de escritores de la Compañía de Jesús pertenecientes a la antigua asistencia de España*, I, Madrid, 1925.—J. VALERA: *De lo castizo en nuestra cultura del siglo XVIII y en el presente*, «Obras completas», II, M. Aguilar, Madrid, 1942.

II. C. ALBERTO DE LA BARRERA: *Catálogo bibliográfico y biográfico del teatro antiguo español desde sus orígenes hasta mediados del siglo XVIII*, Madrid, 1860.—M. ADA COE: *Catálogo bibliográfico y crítico de las comedias anunciadas en los periódicos de Madrid desde 1661 a 1891*, «Bull. Hispanique», XL, 1938.—E. COTARELO MORI: *Bibliografía de las controversias sobre la licitud del teatro en España*, Madrid, 1904.—J. DE ENTRAMBASAGUAS: *Blair y Munarrariz, mentores estéticos de la crítica lopista*, «Rev. Bibliográfica y Documental», IV, Madrid, 1950.—A. GONZÁLEZ PALENCIA: *Ideas de Campomanes acerca del teatro*, «Entre dos siglos», Madrid,

1943.—M. MENÉNDEZ PELAYO: *Historia de las ideas esté-ticas*, vol. III, caps. I, II y III, Madrid, 1940.—A. MON-TIANO Y LUYANDO: *Discurso sobre las tragedias españo-las*, Madrid, 1750.—*Discurso segundo sobre las tragedias españolas*, Madrid, 1753.—F. M. NIPHO: *La nación es-pañola, defendida de los insultos del Pensador y sus secuaces*, Madrid, 1764.—C. PELLICER: *Tratado histórico sobre el origen y progresos de la comedia y del histrio-nismo en España*, 2 vols., Madrid, 1804.—J. E. VAREY: *Historia de los títeres en España desde sus orígenes hasta mediados del siglo XVIII*, «Rev. de Occidente», Ma-drid 1957.—P. SAINZ RODRÍGUEZ: *Las polémicas sobre la cultura española*, Madrid, 1919.

III. A. ASENJO: *Catálogo de las publicaciones periódi-cas madrileñas existentes en la Hemeroteca Municipal de Madrid*, Madrid, 1933.—E. COTARELO MORI: *Discurso de las obras publicadas por la Real Academia Española*, Madrid, 1928.—*La fundación de la A. Española y su pri-mer director, don Juan Manuel Fernández Pacheco, mar-qués de Villena*, «Bol. R. Acad. Esp.», I, Madrid, 1914.—J. CRUZADO: *La polémica Mayáns-«Diario de los Litera-tos». Algunas ideas gramaticales y una cuestión estética*, «Bol. Bibl. M. Pelayo», año XXI, 1945.—C. EGUÍA RUIZ: *El P. Cassani, cofundador de la Academia Española*, «Bol. R. Acad. Esp.», XXII, 1935.—L. M. ENCISO RECIO: *Nipho y el periodismo español del siglo XVIII*, Vallado-lid, 1956.—J. DE ENTRAMBASAGUAS: *Algunas notas relati-vas a don Francisco M. Nipho*, «Rev. Filología Esp.», XXVIII, 1944.—A. FERRER DEL RÍO: *Reseña histórica de la fundación, progreso y vicisitudes de la R. Acad. Es-pañola*, «Memorias de la R. Acad.», II.—A. GONZÁLEZ PA-LENCIA: *La Fonda de San Sebastián*, «Entre dos siglos», Madrid, 1943.—*Noticias de cuando la Academia no tenía casa*, «Eruditos y libreros del siglo XVIII», Madrid, 1948.—J. EUGENIO HARTZENBUSCH: *Catálogo de periódicos madrileños desde 1661 hasta 1870*, Madrid, 1894.—*Perió-dicos de Madrid: Tabla cronológica*, Madrid, 1876.—MAR-QUÉS DE LAURENCÍN: *Don Agustín de Montiano y Luyan-do, primer director de la R. Acad. de la Historia. Noticias y documentos*, Madrid, 1926.—G. MARAÑÓN: *Nuestro si-glo XVIII y las Academias*, «Vida e Historia», Buenos Aires, 1941.—F. MARIANO NIPHO: *Diario extranjero*, Ma-drid, 1763.—J. DE PAZ: *Historia de la Biblioteca Nacio-nal. Guía histórica de las bibilotecas de España*, «Rev. de Arch.», Madrid, 1922.—«PLÁCIDO VERANIO» (seudónimo de Mayáns): *Conversación sobre el «Diario de los lite-ratos de España»*, Madrid, 1937.

Puede consultarse, además, la bibliografía referente al «Teatro» del siglo XVIII y los tratados generales de Historia de la Literatura.

CAPITULO XLVII

ERUDICION Y CRITICA EN EL SIGLO XVIII

I. El espíritu nuevo.—II. Los padres Feijoo y Sarmiento: *Vida y obras de Feijoo. Datos biográficos. Los escritos. Ideología y orientaciones. Teorías estética y lingüística. Feijoo, escritor universal.—El padre Sarmiento.*—III. Ignacio de Luzán: *La «Poética» y otros escritos.*—IV. Los jesuítas expulsos: *Arteaga. Los padres Juan Andrés y Lampillas. Hervás y Panduro.*—V. Lingüistas y filólogos: *Mayáns, Cerdá, Capmany. Otros eruditos: Nasarre, Antonio Sánchez, Estala, los padres Mohedanos, etc.*—VI. La historiografía: *Ferreras, Burriel, Muñoz, Conde. El padre Masdéu. La «España sagrada», del Padre Flórez, y sus continuadores. Historiadores de segundo orden: Campomanes, Floranes, Martínez Marinas.*—Notas.—Bibliografía.

I. EL ESPIRITU NUEVO

Ya lo dijimos antes: el carácter fundamental del siglo XVIII es el criticismo. Un criticismo que impulsa a los escritores de la época, unas veces hacia zonas inéditas del pensamiento, y otras, hacia regiones ya conocidas, pero que ahora exigen nueva exploración. Este criticismo no se parece en nada, o se parece muy poco, al que existía en la centuria anterior, encarnado especialmente en Gracián. Es una visión nueva—quizá diríamos con más propiedad, una revisión nueva— de los problemas y de las cosas. El movimiento filosófico, que agita a toda Europa, alcanza también a nuestra patria, que no se resigna a quedarse a la zaga y quiere también hacer oír su voz, siquiera esa voz no siempre correspondida a la admitida como artículo de fe en otras latitudes. Feijoo y Jovellanos, de modo especial, representan muy dignamente esta tendencia [1]. Su nota más saliente es la universalidad; ningún tema les es ajeno: Feijoo, por ejemplo, los aborda todos, desde las más hondas disquisiciones teológicas a los últimos hallazgos de la ciencia experimental, pasando por la estética, la historia y hasta el folklore.

Paralelamente a esta manifestación, y producto con ella del espíritu crítico de la época, se revela un incontenible afán revisionista de nuestros valores del pasado: literarios, artísticos, ideológicos y morales. Toda la historia y el pensamiento español queda sometido a nuevo análisis. Una legión de investigadores se lanza briosamente sobre el acervo cultural hispano con los mejores anhelos, que no siempre alcanzan el resultado apetecido. Unas veces, como en el caso del padre Sarmiento, los frutos son estimables; otras, como en los padres Mohedano, el esfuerzo resulta casi estéril. Esa revisión, llevada al campo dramático, tenía que desembocar forzosamente en opiniones contrapuestas, provocando las fuertes polémicas a que hemos aludido por extenso en el capítulo anterior.

Por último, el didacticismo. A los escritores del siglo XVIII les acomete un irresistible anhelo de constituirse en mentores de la sociedad, de una sociedad que, un poco ingenuamente, ellos creen poder llevar a su máxima perfección y felicidad. Ya veremos el trasfondo docente que anima todo el teatro de Iriarte y de Moratín. También veremos que hasta al género lírico pretenden llevar su didacticismo poetas como Quintana, fray Diego González, Jovellanos o Meléndez Valdés. Se teorizaba sobre todo—preceptiva literaria, historia, sociología o lingüística—y de todo se pretendía extraer una lección aprovechable para la vida. También aquí los resultados eran casi nulos, si se comparan con la energía desarrollada. Y es que las obras emprendidas sobrepasaban las fuerzas disponibles. Imaginaban aquellos hombres la ciencia como un reino de fácil conquista, y querían abarcarla toda de un golpe, sin pensar que para llegar a los principios generales que ellos buscaban había que empezar por el estudio de mil y mil cosas particulares. De aquí aquellas abstracciones y generalidades, casi siempre utópicas, aunque bellas, en que abundan obras como las de Hervás y Panduro, Juan Andrés o Lampillas.

II. LOS PADRES FEIJOO Y SARMIENTO

La figura más sobresaliente de aquel siglo, en orden al pensamiento, es, sin duda alguna, el padre Feijoo. Junto con Jovellanos y con Cadalso forma un trío de irresistible atracción, capaz por sí solo de dignificar una época. Español sin titubeos, religioso sin mojigaterías, erudito, pensador, literato, hombre de ejemplar conducta, Feijoo sigue ejerciendo sobre nosotros su influencia y provocando una admiración pareja a la suscitada sobre sus contemporáneos. Su afán de llegar a la verdad, deshaciendo errores y prejuicios, su apetencia de saber, la intuición con que se adelanta a todos los sabios de la época, su misma sencillez y modestia, que le llevan a rechazar prebendas y honores [2], hacen del padre Feijoo un escritor atrayente, cuyas obras se leen todavía con interés y simpatía.

Datos biográficos

Nace fray BENITO JERÓNIMO FEIJOO Y MONTE-NEGRO, en Casdemiro (Orense), el 8 de octubre de 1676 [3]. Hizo sus primeros estudios de filosofía en el Real Colegio de San Esteban de Ribas de Sil, y a los catorce años ingresó en el monasterio benedictino de San Julián de Samos, previa renuncia, «como primogénito de su casa, a la sucesión en un mayorazgo que sus progenitores venían disfrutando». Terminados sus estudios en varios colegios de la Orden y en Salamanca, fué encargado del magisterio de Teología en el monasterio de San Vicente de Oviedo, en cuya Universidad obtuvo los grados de licenciado y doctor. Desempeña—1710 a 1721—la Cátedra de Santo Tomás en la Universidad ovetense y, a continuación, las de Teología y Prima en el mismo centro. «Para reparo de su salud» obtuvo la jubilación en 1739. Su resistencia sistemática a abandonar Oviedo frustró los propósitos de su hermano en religión fray Martín Sarmiento, que pretendía traducir al castellano el Diccionario histórico de Moreri, «no con traducción servil, como hoy se usa, sino con traducción crítica, purgándole de varios errores, fábulas y contradicciones en que abunda» [4]. Murió el 26 de septiembre de 1764. Está enterrado al pie del presbiterio de la iglesia de Santa María Real de la Corte de Oviedo [5].

Los escritos de Feijoo

El ilustre benedictino empieza a escribir tarde [6]. La mayor parte de su vida la emplea en documentarse e ilustrarse. Tenía ya cincuenta años cuando publica su primera obra de cierta extensión; y ello por una circunstancia fortuita. En 1725 el médico Martín Martínez da a luz su Medicina escéptica y cirugía moderna, con un tratado de operaciones quirúrgicas, en que se permite dudar de la eficacia de los métodos enton-ces en boga, especialmente de los escolásticos; otro médico, Bernardo López de Araujo, intenta rebatirle con su Cantinela médico-aristotélica contra escéticos, acusando a Martínez poco menos que de hereje. Entonces es cuando, desde su humilde celda de San Vicente de Oviedo, sale a la palestra el padre Feijoo. Su primer escrito es una defensa ardorosa del doctor Martínez, y se titula Aprobación apologética del escepticismo médico. Dos premisas previas: combatir el escolasticismo no es herejía; la doctrina escolástica, tal como se enseña y practica en nuestras Universidades y demás centros docentes, es un fardo inútil. Sobre estas dos premisas ha de discurrir en gran parte el pensamiento filosófico de Feijoo.

A partir de este momento empieza una labor incansable, que no terminará hasta la muerte. Inicia la publicación de sus obras fundamentales: Teatro crítico universal (1727-1739) y las Cartas eruditas (1742-1760), gigantesca labor reunida en trece volúmenes, con 281 disertaciones o ensayos sobre los temas más diversos [7]. Añádanse los dos tomos de la Ilustración apologética, los dos de la Demostración y uno del Índice y tendremos los dieciocho de las obras completas de Feijoo.

Se ha vacilado mucho sobre la denominación más exacta de estos escritos. Hay quien los considera meros artículos de divulgación; otros los califican de verdaderos tratados doctrinales, y no falta quien quiere ver en ellos simples notas escritas a vuela pluma, a la manera de los trabajos periodísticos de nuestros días, y en el padre Feijoo vislumbra un auténtico periodista. Pero el tono de seriedad con que están redactados y su rigorismo científico eximen a su autor de este calificativo. Muchos de estos trabajos sin duda hoy nos resultan ingenuos y hasta pueriles; mas en la época en que fueron publicados constituyeron una insospechada revelación y hasta casi una revolución. Imaginemos a un humilde fraile en la sociedad española del XVIII, arremetiendo contra todos los fanatismos, empezando por el religioso. Así nos explicaremos en parte la polvareda que levantaron, poniendo a su autor en la cúspide de la popularidad. Nosotros, atendiendo al tono intrascendente y tan alejado de todo dogmatismo, que el mismo autor quiso darles, preferimos con Menéndez Pelayo calificarlos de ensayos. Y eso son en realidad: un precedente muy apreciable del ensayo moderno, a la manera de Unamuno, de Ortega y Gasset, de Marañón. Como en éstos, y como también en aquel agregio iniciador del ensayo que se llamó Miguel de Montaigne, una circunstancia cualquiera—una consulta, una cita, una discusión—le da pie para discurrir sobre las más variadas materias. Feijoo se documenta ampliamente; pero su información, aunque extensa, suele ser indirecta; su criterio casi siempre acusa firmeza y seguridad, teniendo por base a la razón y a la experiencia. Su ortodoxia, puesta en duda por algunos, resplandece tan incólume en sus obras, que suya es la hermosa frase: «Estoy siempre y he estado en que la mejor filosofía es la que está más claramente de acuerdo con la religión.»

Para el mejor estudio se suelen reunir sus escritos en tres grupos:

1. Los que rebaten errores y supersticiones.
2. Los de divulgación científica.
3. Los de contenido filosófico.

Nosotros nos atreveríamos a proponer una clasificación más detallada, en diez apartados: 1, artes varias; 2, astronomía y geografía; 3, economía y política; 4, problemas psicológicos; 5, ciencias físico-matemáticas; 6, biología, medicina y ciencias naturales; 7, literatura, estética y lingüística; 8, historia y crítica histórica; 9, cuestiones morales y de dogma, religión y supersticiones; 10, asuntos de actualidad, especialmente relacionados con la vida nacional [8].

Ideología y orientaciones

El simple enunciado de materias indica hasta qué punto el pensamiento de Feijoo fué completo y disperso. Sería absurdo creer que en todas ellas había de mostrar el mismo acierto. Hay asuntos que trata con asombrosa maestría, y hay otros, es natural, en que se resiente de falta de información. Feijoo suele documentarse en los escritores contemporáneos de la Europa culta; pero su mejor fuente es la experiencia. En este punto sigue la línea directriz de Francisco Bacon, a quien llama más de una vez su maestro.

El espíritu que le movió a publicar su obra aparece manifiesto en ciertas contestaciones a censuras que se le hicieron; una de ellas la de ocuparse en temas baladíes. Feijoo arguye que escribir tratados trascendentales sería llevar agua al mar. Es fundamental en este aspecto el primer artículo de su *Teatro* («Voz del pueblo»), en que discurre sobre el conocido axioma *Vox populi, vox Dei*, error del cual —dice— nacen infinitos; para Feijoo el valor de las opiniones depende de la calidad y no de la cantidad de los opinantes.

Sobre lo mismo insiste en el *Examen de milagros*; como en tantos otros escritos, aquí aboga por la posición intermedia entre la credulidad ciega y la incredulidad excesiva. Ve que de la excesiva credulidad han sacado algunos filósofos razones contra la Iglesia, y cree que únicamente deben admitirse como hechos milagrosos aquellos que hayan sido plenamente comprobados. Le importa siempre poner de manifiesto su sinceridad: «Esto siento, esto publico con libertad cristiana,

digan lo que quieran los indiscretos multiplicadores de milagros... De aquí vienen tantas prácticas supersticiosas, de aquí la veneración de muchas falsas, o, por lo menos, dudosas reliquias... Pero a mí jamás me intimidarán tan insensatas cavilaciones, seguro de mi conciencia en cuanto a esta parte, diré mi sentir siempre que lo pida la oportunidad..., despreciando los vanos clamores de la rudeza popular.» Para Feijoo, lo mismo se peca por carta de más que por carta de menos, es decir, dando explicación natural a un hecho milagroso o calificando de milagro un hecho que puede explicarse por la intervención lógica de la Naturaleza.

Junto a la sinceridad proclama el poder de la experiencia. La observación paciente de los hechos es la base de muchas de sus afirmaciones. En *Desagravio de la profesión literaria* lo dice categóricamente: «El fundamento grande de mi sentir es la experiencia, sobre la cual, si se hubiera hecho la reflexión debida, no hubiera ganado tanta tierra la opinión contraria.» Otra característica fundamental suya es la ecuanimidad en los juicios. Resplandece sobre todo esta virtud en los trabajos históricos; ejemplo, el que dedica a los Templarios.

Uno de los artículos más interesantes es el titulado *Remedios del amor:* con multitud de anécdotas y hechos históricos demuestra que a veces la pérdida de sangre puede curar una violenta pasión amorosa.

Teoría estética y lingüística

Desde nuestro particular punto de vista tienen aún más interés sus ensayos sobre literatura, arte y lenguas. Son los más notables *El no sé qué, Razón del gusto, Paralelo de las lenguas castellana y francesa* y *Desagravio de la profesión literaria*.

El primero, calificado por Menéndez Pelayo de «verdadero manifiesto romántico», constituye un tratadito de Estética, superior a cuanto entonces se conocía, incluídas las lecciones del padre André, que en novedad y atrevimiento se quedan por bajo de nuestro polígrafo. Viene a ser una profesión de libertad artística, sin restricciones ni paliativos, escrita cerca de un cuarto de siglo antes que Diderot «divulgase sus mayores y más felices arrojos» [9]. Feijoo se pronuncia contra el normatismo exagerado, que empequeñece al artista; afirma que el hombre genial intuye las reglas, pero las reglas fecundas, no las que se aprenden en las escuelas. Y alega el testimonio del oído: «Si la música agrada al oído —escribe—, y agrada mucho, es buena y bonísima, y siendo bonísima no puede ser absolutamente contra las reglas del arte, sino contra unas reglas limitadas y mal entendidas» [10]. El mismo espíritu comprensivo revela en el problema del neologismo, el vulgarismo y el cultismo: «En menos de un siglo—dice en *Sobre la introducción de voces nuevas*—se han añadido más de mil voces latinas a la lengua francesa, y otras tantas y muchas más entre latinas y francesas a la castellana. Si tantas adiciones hasta ahora fueron lícitas, ¿por qué no lo serán otras ahora? Pensar que ya la lengua castellana, u otra alguna del mundo, tiene toda la extensión posible o necesaria, sólo cabe en quien ignora que es inmensa la amplitud de ideas, para cuya expresión se requieren infinitas voces. La elección de aquellas que, colocadas en el período, tienen más hermosura y más energía, pide numen especial, lo cual no se adquiere con preceptos o reglas» [11].

El *Paralelo de las lenguas castellana y francesa* constituye un brioso alegato en pro de nuestro idioma. La superioridad de una lengua sobre otra puede reducirse a tres aspectos: propiedad, armonía y copia o abundancia de locuciones. En ninguno de ellos es inferior la nuestra a la francesa. En cuanto a la propiedad, cree Feijoo que todos los idiomas son iguales; no sucede lo mismo en lo tocante al «estilo», que dentro del mismo idioma «admite más y menos, según la habilidad y genio del que habla o escribe». Consiste para él la propiedad del estilo «en usar de las locuciones más naturales y más inmediatamente representativas de los objetos»; único aspecto en que concede cierta superioridad a los franceses; ellos son más naturales; nosotros, más afectados. Y lo explica así: «En los españoles, picados de cultura, dió en reinar de algún tiempo a esta parte una afectación pueril de tropos retóricos, por la mayor parte vulgares; una multitud de epítetos sinónimos, una colocación violenta de voces pomposas que hacen el estilo, no gloriosamente majestuoso, sí asquerosamente entumecido. A que añaden muchos una temeraria introducción de voces, ya latinas, ya francesas, que debieran ser decomisadas como contrabando del idioma o idioma de contrabando en estos reinos.»

Feijoo, escritor universal

Los juicios peyorativos formulados sobre la obra de Feijoo vienen impuestos por un desenfoque de perspectiva histórica. No se puede negar que tiene errores, muchos errores; pero en el análisis de aquella obra, para proceder con justicia, ha de tenerse en cuenta tanto lo que se dice como la época en que se dice. En este sentido casi no parece hiperbólica la afirmación de Morayta de que «buena parte de los escritos de Feijoo apenas si valen hoy el trabajo de leerlos; mas, examinándolos a la par que a su época, merecen conservarse como Alejandro guardaba la *Ilíada* en caja de oro y piedras preciosas».

Un sentido quijotesco le hace oponer la cultura a la ignorancia, sacudiendo la rutina intelectual de sus contemporáneos y rompiendo lanzas en pro de la verdad contra todo linaje de supersticiones. Esta integridad de su mente y de su corazón le acarreó muchos disgustos. Pero los mismos contradictores contribuyeron a aumentar su fama, que era extraordinaria, dentro y fuera de la Península. El mismo confiesa (prólogo al tomo V del *Teatro*) que ve «volar su nombre, no sólo por toda España, sino por casi todas las naciones de Europa». La celda que habitaba en su convento de Oviedo—ha dicho Fermín Canella—era punto de reunión de las personas doctas de la ciudad, quienes acudían para oír la lectura de sus escritos en borrador o para demandar consejo, en asuntos incluso de carácter privado. Desde allí mantenía correspondencia con sus innumerables admiradores y contestaba a sus contradictores, que también eran muchos. Los más peligrosos: Aquenza, Suárez de Ribera, Manuel Ballester, Bonanich, todos ellos médicos; Soto Marne, religioso franciscano; Salvador José Mañer y el famoso Torres Villarroel. El ataque más temible fué el de Mañer en su *Antiteatro crítico*, al que contestó Feijoo en su *Ilustración apologética*, de tono violento y un tanto descomedido, aunque no deja de reconocer algunos de sus errores. Sus principales defensores fueron el citado doctor Martínez y los padres Isla y Sarmiento. En 1750 Fernando VI, que sentía por Feijoo ciega admiración, con un gesto muy de la época, prohibe que impugnen sus obras.

En cuanto al lenguaje, Feijoo es un escritor espontáneo, fácil, sencillo y claro. Dice las cosas con naturalidad y aspira más que a hacer obra de arte, obra de cultura; esto no quiere decir que a veces, y hasta con frecuencia, no nos sorprenda con insuperables aciertos de expresión. El mismo confiesa que nunca quiso perder el tiempo en estudiar retórica; su estilo «tal cual es, bueno o malo, de esta o de aquella especie», no lo buscó, sino que se le vino a las manos. Se le ha tachado, y con razón, de abuso de galicismos. No ha de extrañarnos, si se tiene en cuenta que fueron los escritores franceses las fuentes en que más bebió. «Voltaire español» le han llamado algunos de sus admiradores, sin darse cuenta del abismo ideológico que le separa del francés. Tampoco tenía razón Lista cuando aconsejaba que se le erigiese una estatua para quemar al pie luego sus obras. Esas obras tienen aún bastante aprovechable; y, aunque esto no, cumplieron en su día una gran misión: la de albo-rotar ideas y desentumecer inteligencias. Nadie ha sabido definir a Feijoo mejor que él mismo, cuando se proclamaba «ciudadano libre de la república de las letras» [12].

Un colaborador de Feijoo: fray Martín Sarmiento

Unido al nombre de Feijoo debe ir siempre el de su constante colaborador, amigo y discípulo fray MARTÍN SARMIENTO (1695-1771) [13], benedictino como él y de más vasta erudición, aunque de menos peso en el aspecto cultural. Lo que el autor del *Teatro crítico* debe a Sarmiento, como informador y colaborador suyo, ha sido puesto a las claras por el doctor Marañón al publicar parte de la correspondencia mantenida entre ambos. Sarmiento le suministra bibliografía, le envía datos, le corrige pruebas de imprenta y, cuando surge cualquier dificultad para la aprobación o la censura, recibe potestad plena para «borrar, mudar o añadir todo lo que le parezca conveniente». Era el fraile de Madrid—dice el mismo Marañón—el doble que maquinaba en la sombra el éxito de su otro yo eficaz, el fraile de Oviedo [14].

Escribió mucho, pero casi todo está aún inédito. En vida sólo publicó la *Demostración crítico-apologética en defensa del teatro crítico universal*, en que apoya con nuevos argumentos las tesis de Feijoo, atenuando con habilidad algunos de sus errores. Su obra de más empeño, y de excepcional importancia en el campo literario, *Memorias para la historia de la poesía y poetas españoles*, no apareció hasta el 1775, tres años después de su muerte. No es un tratado metódico, sino una serie de notas y extractos de sus copiosas lecturas, en que, a vuelta de muchos errores disculpables por la época en que fué escrito, encontramos información aprovechable todavía y anticipaciones tan geniales como la de señalar en la poesía gallega el inmediato precedente de la primitiva poesía castellana. Hoy, gracias al hallazgo y estudio de los *Cancioneros*, la tesis de Sarmiento está perfectamente comprobada. En su *Tentativa para una lengua general*—un estudio más que añadir al ingente catálogo dieciochesco sobre tan debatido problema—coloca al idioma universal, tan soñado y acariciado por aquellos días, *inter chimoeras scientiarum*. «A diez leguas—dice—que disten entre sí unos países, aun usando la misma lengua, no concuerdan en la pronunciación, no sólo de una dicción, pero ni de tal y tal letras, ni del acento o tonillo» [15].

Fué el padre Sarmiento trabajador infatigable. Le perdió la multitud de materias a que aplicaba su portentosa actividad. No tiene la gracia, la ligereza y el garbo de su hermano en religión, el padre Feijoo. Sin embargo, ya se ha dicho, éste le debe no poco. También al padre Flórez le suministró abundantes datos para la magna obra de la *España sagrada*.

III.   IGNACIO DE LUZAN

Lo que en Feijoo es afán de vulgarización, en Luzán es magisterio y preceptiva. Feijoo toca todos los problemas culturales; Luzán se limita al campo literario. Aunque coincidan en muchos puntos de estética, se oponen en lo estrictamente preceptivo. Luzán resulta un adaptador de los tratadistas franceses, y más en especial de los italianos, gustando de encerrarse en los estrechos moldes de lo neoclásico. Feijoo, en cambio, es, ya se ha dicho, como el eco del XVII español o el anuncio de la próxima estética libre del romanticismo. Ambos convienen en reconocer la decadencia de la literatura española: difieren en el enjuiciamiento de las causas. Para Luzán estriban en que los escritores, sobre todo los dramaturgos, han hecho caso omiso de las reglas y olvidado el principio general del «arte docente y moralizador». Feijoo atribuye la corrupción y empobrecimiento de nuestras letras a la falta de ingenio en sus cultivadores, lanzados a las mayores extravagancias. Aquél quiere que el genio se someta a las reglas; Feijoo proclama la independencia casi absoluta de toda norma. La estética del benedictino halla sus más profundas raíces en la tradición nacional; la de Luzán es de importación.

Datos biográficos

IGNACIO LUZÁN Y CLARAMUNT (1702-1754) nace en Zaragoza, en el seno de una familia noble y adinerada. Educado en Italia, adonde había ido a los trece años, estudia con Juan Bautista Vico y se doctora en Leyes por la Universidad de Catania. Regresa a España y es nombrado secretario de Embajada en París. Sus estancias en Italia y Francia le permiten ponerse en contacto con la literatura y con las tendencias estéticas de ambos países. Vuelto de nuevo a España, ocupa diversos cargos políticos y culturales: consejero de Hacienda, secretario de la Real Junta de Comercio, superintendente de la Real Casa de la Moneda y tesorero de la Biblioteca Real.

La obra literaria

Nos presenta un caso más de evolución estética tan frecuente en épocas de transición. Hasta la publicación de su *Poética, o reglas de la poesía en general y de sus principales especies* (1737), Luzán fué un poeta mediocre encastillado en las formas de un barroquismo decadente, con inspiraciones de la escuela sevillana. Si el elemento mitológico de sus poemas *Juicio de Paris* y *Hero y Leandro* nos lo presenta como secuaz de Góngora, en el canto épico *La conquista de Orán* es visible la imitación de Herrera [16].

La «Poética»

Se divide en cuatro libros: I, «Origen, progresos y esencia de la poesía»; II, «De su utilidad y deleite»; III, «Poesía dramática»; IV, «Poesía épica». Se imprimió dos veces (Zaragoza, 1737, y Madrid, 1789); esta última, treinta y cinco años después de muerto Luzán. Entre ambas ediciones hay notables diferencias. En la de 1737 se muestra Luzán transigente hasta cierto punto, sin duda porque aún gozaban entre nosotros de prestigio las escuelas anteriores. En la segunda edición, sea porque no se deba por completo a Luzán, ya que contiene muchas enmiendas de su hijo y de su amigo Llaguno y Amísola, sea porque en la fecha de publicación (1789) ya se había afianzado el neoclasicismo, se muestra más intransigente, en especial, con nuestro teatro del Siglo de Oro.

Está inspirada en el *Tratado de la perfecta poesía,* de Muratori; en la *Retórica,* de Lamy, y, en menor escala, en *L'Art Poétique,* de Boileau. Conocía también a Aristóteles y a sus comentadores Gravina y Crescimbeni.

Hay que distinguir tres partes en la *Poética:* doctrinal, crítica y legislativa. La doctrinal no tiene hoy más valor que el puramente histórico, y está contenido en el libro I, «Origen, progresos y esencia de la poesía». Su mayor mérito consiste en haber tratado la materia sobre bases filosóficas, dándole así un carácter más general. Al lado de innegables aciertos, defiende una doctrina tan errónea y harto perniciosa como la de identificar el fin de la poesía con el de la filosofía moral. Las fábulas de Iriarte y Samaniego y la comedia moratiniana son su más lógica secuencia. Que tal doctrina no fuese exclusiva de Luzán, sino característica de la época, no le exime de su tanto de responsabilidad en el intento, casi logrado, de convertir el arte en un auxiliar de la filosofía, la política o la religión.

Convierte Luzán el poema dramático en «escuela provechosísima que enseña a conocer lo que es corte y lo que son cortesanos, y a descifrar las dobleces de la fina política y de ese monstruo que llaman razón de estado»; y quiere hacer de la tragedia ejemplo vivo donde «los príncipes aprendiesen a moderar su ambición, y su ira y otras pasiones, con los ejemplos que allí se representan de príncipes caídos de una suma felicidad a una extrema miseria».

Con estos principios no es de extrañar que considere el teatro clásico español como un drama «sin razón y sin arte». No obstante, esta parte crítica de su libro ofrece todavía cierto interés. La decadencia general de nuestra literatura se debió, según Luzán, a «la ignorancia y transgresión de los preceptos poéticos». Esa literatura se conservó pura y elegante hasta el reinado de Felipe III, «en cuyo tiempo, no sé por qué fatal desgracia, empezó la poesía española a perder y decaer, y aquel sano vigor y aquella grandeza suya, degeneró en una hinchazón enfermiza y un artificio afectado». Tengamos presente la regresión a los poetas del Renacimiento y la resurrección de las antiguas escuelas salmantina y sevillana, en el último tercio del siglo. Luzán culpa de esta afectación principalmente a Góngora y a sus seguidores [17].

En la parte legislativa proclama la más estricta sujeción a las reglas, sin distinguir entre aquellas que tienen vigencia perenne, por estar confirmadas por la realidad artística de todos los tiempos y lugares, y aquellas otras que se pueden dar ya por caducadas, como que afectan sólo a un arte o género determinado.

La *Poética* de Luzán falla por varios lados: por su intento de subordinar el arte a la docencia y a la moral, por su fetichismo de las reglas y, sobre todo, por su ciego acatamiento de las tres «unidades dramáticas», en especial la de tiempo, capaz por sí sola de coartar el vuelo al poeta mejor dotado: «El espacio de tiempo —escribe— que se supone y dice haber durado la acción, sea uno mismo e igual con el espacio de tiempo que dura la representación de la fábula en el teatro... Como, pues, la representación no dura más que tres o cuatro horas, será preciso que el tiempo que se supone durar el hecho no pase ese espacio, y si lo pasa sea poco.» No llegaron a más, ni siquiera a tanto, los más rígidos preceptistas de la escuela francesa, empezando por Boileau. Con tal exigencia no ha de extrañarnos que enjuiciara en los términos aludidos el teatro clásico español para el que no existieron jamás semejantes trabas [18].

Otros escritos

Tiene Luzán, aparte de su *Poética,* algunas obras originales y traducidas. Entre éstas, el *Artajerjes,* de Metastasio; *La razón contra la moda,* de Neville de Chausée, comedia de tipo lacrimoso, y *Las ceremonias de Aurelia.* De invención propia: *La virtud coronada,* que no llegó a representarse.

Escribió también unas *Memorias literarias de París* (Madrid, 1751) y el *Discurso apologético,* firmado con el anagrama de Iñigo de Lanuza, en defensa de su *Poética* contra los ataques de Juan de Iriarte, aparecidos en el *Diario de los literatos.*

Como lírico, Luzán tiene escasa importancia. A veces intenta imitar a Herrera (*A la conquista de Orán*); pero su estilo desmayado y sin nervio le coloca siempre a larga distancia del modelo. Lo mejor es la «fábula épica» *El juicio de Paris,* en octavas reales, bastante movidas.

IV. LOS JESUITAS EXPULSOS

En la historia de la erudición y crítica del XVIII corresponde un puesto eminentísimo al grupo de jesuítas exiliados en virtud de la pragmática de Carlos III (2 de abril de 1767). Entre ellos tropezamos con figuras tan representativas como los padres Juan Andrés, Hervás y Panduro, Arteaga, Lampillas, Masdéu, Isla y tantos otros. No todos son literatos en el sentido estricto de la palabra; pero, aparte de su valiosa contribución a la cultura universal, tienen el mérito de haberse constituído desde el primer momento en heraldos del pensamiento español ante los extranjeros y en vindicadores del genio de la raza, precisamente en una época en que no sólo se ponía en tela de juicio nuestra aportación a la cultura europea, sino que se juzgaba aquélla un factor negativo. No es éste lugar adecuado para enjuiciar aquel proceso; cúmplenos sólo señalar la actitud de unos hombres que, desterrados de su patria, saben dar pruebas de un ferviente españolismo en un ambiente preñado de recelos y hasta de hostilidad. Haremos aquí mención sólo de los más destacados, dejando a Isla para el capítulo correspondiente a la novela [19].

Y baste consignar aquí que más de cuatro mil españoles, iniciados todos, cuál más, cuál menos, en las letras humanas y divinas, y algunos entre ellos reconocidos como lumbreras del saber, habían sido arrojados de su patria en un solo día, sin forma de juicio ni proceso. El efecto que produjo su llegada a Italia sólo se comprende leyendo algunos escritos de entonces, y especialmente la oración pronunciada por el abate Monti en la apertura de curso de la Universidad de Bolonia en 1781: «Apenas habría quedado en Italia vestigio de las buenas letras y de los estudios, ni hubiéramos podido legar a los venideros monumento alguno digno de la inmortalidad, si por un hecho extraordinario no hubiera venido desterrada a Italia... tanta copia de ingenios y de sabiduría.»

Un estético: Arteaga

Dos obras colocan a ESTEBAN DE ARTEAGA (1747-1799 [20]) a la vanguardia de los tratadistas de Estética del XVIII, si es que no le otorgan el primer puesto, como quiere Menéndez Pelayo: las *Rivoluzioni del teatro musicale italiano* (1783) y el tratado de *La belleza ideal* (Madrid, 1789). En la primera ridiculiza no pocos defectos del melodrama italiano de la época y aboga, anticipándose a Wagner, por la creación del drama completo, mediante la fusión de la poesía, la música y la danza. La acritud de sus censuras provocó muchas polémicas; pero hizo también que la fama de Arteaga se extendiese rápidamente por los medios culturales italianos y que hombres como Alfieri, Bettinelli, Signorelli y Albergatti le tributasen grandes elogios.

Mucha más importancia tiene, aunque en su época alcanzó menor difusión, el tratado sobre *La belleza ideal* [21]. Aquí nos encaramos ya con un sistema estético completo, articulado y coherente.

Arteaga señala como fin inmediato del arte la imitación de la Naturaleza. Esta no es sino «el conjunto de seres que forman el universo, ya sean causas, ya efectos, ya sustancias, ya accidentes, ya cuerpos, ya espíritus, ya Criador, ya criaturas.» Por imitación entiende la representación «de los objetos físicos, intelectuales o morales del universo con un determinado instrumento, que en la poesía es el metro; en la música, los sonidos; en la pintura, los colores; en la escultura, el mármol o el bronce, y en el baile, las actitudes y movimientos del cuerpo reducidos a cadencia y medida». Distingue entre imitación y copia una diferencia esencial: la copia es más fiel, pero menos artística (ejemplo de copia sería una fotografía; de imitación, un retrato hecho por Velázquez). Distingue también entre naturaleza imitable y naturaleza bella.

Lo que confiere a este tratado singular interés, aparte su sustancia metafísica, es la serie de anticipaciones verdaderamente geniales con que Arteaga se adelanta a la estética romántica y hasta a la misma naturalista. Cuarenta años antes de escribirse el célebre prólogo de *Cromwell*, de Víctor Hugo, ya Arteaga justifica lo feo como elemento artístico y proclama la superioridad de la crítica y del buen gusto sobre la seca erudición. Pero ninguna idea, a nuestro parecer, tan fecunda como la que expone al final de su obra, donde en cinco largos tratados o «discursos» esboza todo un programa *sobre las artes de imitación*, anticipándose a todos los métodos de la estética sociológico-histórico-determinista preconizada primero por madame Staël y luego por Hipólito Taine. Programa, desde luego, mucho más amplio que el aplicado por éste al estudio de la literatura inglesa y expuesto en su *Filosofía del Arte*, donde no hace, si bien se mira, más que aplicar en la práctica la doctrina teórica de Arteaga. No queremos afirmar con ello que Taine plagiara al ex jesuíta español: nos limitamos simplemente a señalar el hecho de que el método *inventado* por el gran crítico francés andaba ya por el mundo, en las páginas de *La belleza ideal*, hacía tres cuartos de siglo [22].

A otras obras de Arteaga, como las *Osservazioni* que puso a la obra de su amigo Mateo Borsa *(Del gusto presente in letteratura italiana)*, y que levantaron una nube de protestas, o a sus magníficas ediciones de clásicos latinos, no podemos aludir aquí. Pero sí debemos decir dos palabras sobre su disertación *Dell' influenza degli arabi sull' origine della poesia moderna in Europa,* aparecida en Roma (1791), en la que se niega la influencia arábiga en nuestra poesía, defendida por el padre Juan Andrés y por Tiraboschi. Aunque la argumentación de Arteaga es digna de tenerse en cuenta, no lo es el tono de libelo que emplea para una obra de este tipo. Por otra parte, la cuestión de la influencia arábiga en nuestra poesía no está ni mucho menos resuelta. Apuntada por Julián Ribera, en nuestros días ha vuelto a ser puesta en el plano de la actualidad por los estudios de Menéndez Pidal. Los recientes descubrimientos de los señores García Gómez y Cantera han puesto de manifiesto la existencia de influjos arábigo-hebreos en nuestra lírica, incluso anteriores a las primeras manifestaciones de la poesía épica castellana.

Dos apologistas de nuestras letras: Juan Andrés y Lampillas

Los ataques de que venía siendo objeto la cultura española por parte de algunos italianos—Tiraboschi, Bettinelli, Signorelli—tuvieron la virtud de excitar el celo de algunos jesuítas exiliados, que se lanzaron generosamente a la defensa de la patria ofendida. Se distinguieron especialmente los padres Juan Andrés y Lampillas.

El padre JUAN ANDRÉS (1740-1817) [23] escribe a tal fin en italiano una *Carta al comendador Gonzaga* sobre una supuesta causa de la corrupción del gusto italiano en el siglo XVII; pero su obra de mayor volumen es *Origen, progreso y estado actual de toda la literatura,* en siete volúmenes en italiano (1782-1795), primer ensayo de historia literaria universal de que se tiene noticia. Supone un esfuerzo gigantesco, y aunque peca por excesiva amplitud del tema—Juan Andrés aplica el término *literario* a toda manifestación escrita—, en ocasiones logra elevarse sobre la crítica seudoclásica al uso a estimaciones del más alto valor. Ofrecen especial interés los capítulos dedicados a las literaturas griega y latina, en los que establece sugestivos paralelos, así como los que estudian la didáctica, la novela y los géneros menores. Muy agudo y atinado entre sus juicios es el que hace de la *Henriada,* de Voltaire. Como era inevitable, dada la ideología de la época, pesan sobre él con exceso determinados principios: prefiere el artificio y la corrección a la inspiración natural. De aquí que entre Homero y Virgilio se incline por éste. No llegó a comprender ni a Dante, a Shakespeare ni a Lope de Vega y Calderón; la *Jerusalén,* del Tasso, le parecía la epopeya perfecta, y la tragedia francesa, el modelo ideal de las creaciones dramáticas. La obra de Juan Andrés fué traducida al español y publicada en diez volúmenes por su hermano don Carlos Andrés.

Casi coincidiendo con los trabajos del padre Juan Andrés aparecía también en italiano la obra de FRANCISCO JAVIER LAMPILLAS (1731-1810) [24]: *Saggio storico-apologetico della letteratura spagnuola* (Génova, 1778-1781, seis volúmenes), que inmediatamente fué traducida al castellano por doña Josefa Amor de Borbón y publicada en Zaragoza. De acusado tono polémico, está dedicado principalmente a la literatura hispano-latina, que Lampillas estudia y analiza con certero juicio. Las *disertaciones* sobre el drama español, en que el autor hace alarde de su independencia de criterio, y sobre las *unidades dramáticas,* son particularmente notables.

Hervás y Panduro

LORENZO HERVÁS Y PANDURO (1735-1809) [25], otro de los jesuítas exiliados, es una figura que rebasa el marco de lo nacional para adquirir dimensiones universales. Matemático, astrónomo, naturalista, filósofo y, sobre todo, filólogo, llegó a ser uno de los hombres más sabios de su siglo. Sus obras son numerosas; pero entre todas sobresale la enciclopedia titulada *Idea dell'Universo* (21 volúmenes, en 4.º), empezada a publicar en 1778. Sus ocho primeros tomos forman una «Historia de la vida del hombre», al que Hervás va siguiendo desde su nacimiento hasta su muerte, en un minucioso estudio que no se limita a la parte animal, como cabeza y ápice de la escala zoológica, sino que se extiende a todos los aspectos: político, social, religioso, etc. Los tomos 17 a 21, ampliados y mejorados, constituyen el famoso *Catálogo de las lenguas,* obra con que se inicia la filología comparada varios años antes de que apareciese el *Diccionario,* de Pallas, y el *Mitrídates,* de Alelung-Vater.

Para redactarlo, Hervás se sirvió de los ingentes materiales aportados por sus hermanos de religión, jesuítas esparcidos por todos los continentes del globo.

Gracias a su colaboración pudo reunir noticias sobre más de 300 idiomas y compuso por sí mismo las gramáticas y vocabularios de unas cuarenta lenguas.

El *Catálogo* estudia en su tomo I la afinidad y desemejanza de las lenguas; en el II, su origen y mecanismo; en el III, la numeración y cómputo del tiempo entre los orientales; el IV es un vocabulario poliglota, con prolegómenos sobre más de 150 lenguas, y el V, un ensayo práctico, con la inserción del «Padrenuestro» en 300 idiomas. Fué traducido al castellano con el título de *Catálogo de las lenguas de las naciones conocidas, y enumeración, división y clases de éstas, según la diversidad de sus idiomas y dialectos* (Madrid, 1800-1805, 6 volúmenes). Por su estructura y por las importantes adiciones y modificaciones se puede considerar casi como una obra distinta de la anterior. En esta edición castellana el tomo I estudia las lenguas y naciones americanas; el II, las de los mares Pacífico e Indico, así como las del continente asiático; el III, las de las naciones europeas advenedizas; el IV, de las naciones europeas primitivas; el V y VI, las de los celtas y vascos.

V. LINGÜISTAS Y FILOLOGOS: MAYANS, CERDA Y CAPMANY

La investigación típicamente literaria está representada por una larga lista de escritores, mitad lingüistas y mitad filólogos, que, siguiendo las huellas de los grandes humanistas del Renacimiento, contribuyen muy eficazmente con su aportación al prestigio y auge de nuestra cultura.

Mayáns, Cerdá y Capmany

Figura en cabeza de todos ellos el benemérito valenciano don GREGORIO MAYÁNS Y SISCAR (1699-1781). Hombre de extensa y sólida cultura, lo mismo en historia que en jurisprudencia y humanidades, consagra buena parte de su larga vida al estudio y revisión de los mejores autores de la lengua. Después de ejercer algunos cargos de importancia—profesor de la Universidad de Valencia, oficial de la Real Biblioteca, etc.—, se retira a su pueblo natal, Oliva, para entregarse de lleno a la redacción de sus obras y al estudio. El catálogo de sus escritos es muy extenso y variado: Cartas latinas al cardenal Fleury; colaboraciones con el seudónimo de Plácido Veránio en el Diario de los Literatos; el Orador cristiano, en tres diálogos (1733) y Ensayos oratorios, encaminados a la depuración del estilo en la predicación sagrada; una Vida de Cervantes, primera biografía del inmortal escritor, con destino a la edición inglesa del Quijote (1737); la Retórica, con su correspondiente antología, que pasa por el mejor estudio de la prosa durante el siglo XVII; otra Vida de Virgilio, en cinco volúmenes (1778), con abundantes anotaciones sobre sus traductores y comentaristas castellanos; y, sobre todos, el tratado Orígenes de la lengua española (1737), con valiosos estudios filológicos, cuando «la filología romance andaba en mantillas» y con la inserción de varios opúsculos inéditos, entre ellos El diálogo de la lengua, de Juan de Valdés. La historia literaria debe a Mayáns luminosos trabajos sobre Cervantes, Lope de Vega, Calderón, La Celestina, el Cancionero de H. del Castillo, etc.; y la reimpresión de obras de Vives, fray Luis de León, Nebrija y otros varios.

Análoga labor de reimpresión y divulgación de nuestras obras clásicas llevó a cabo otro meritísimo bibliófilo: don FRANCISCO CERDÁ Y RICO (1739-1800). Levantino, como Mayáns, y oficial como él de la Real Biblioteca, erudito y humanista a la vez, Cerdá y Rico se consagró a la oscura labor de editar, anotar y comentar importantísimos textos castellanos y latinos. Entre los primeros sobresalen las ediciones de la Crónica de Moncada y las obras de Cascales, González de Salas, Cervantes de Salazar, etc.; y entre las escritas en latín, las de Vives, Ginés de Sepúlveda, Sánchez de las Brozas, Matamoros y Calvete de la Estrella.

Con los dos anteriores corre parejas por su importancia el ilustre barcelonés don ANTONIO CAPMANY (1742-1813), que, consagrado primero a la vida militar, se pasó a la literatura y a la política, dejándonos en ambas obras muy meritorias. Fué Capmany censor y secretario perpetuo de la Academia de la Historia, y figuró destacadamente en las Cortes de Cádiz. En el aspecto político, su obra más notable son las Memorias históricas sobre la marina, comercio y artes de Barcelona (1779), que aún se consulta con provecho; y en lo literario le granjearon mucho renombre la Filosofía de la elocuencia (1771), tratado teórico de composición, y el Teatro histórico-crítico de la elocuencia española (cinco volúmenes, Madrid, 1780-1794), nutrida antología de prosistas, que viene a confirmar la doctrina del tratado anterior, con un criterio más elástico y comprensivo.

Otros eruditos

En menor escala contribuyeron también al estudio y difusión de nuestra literatura LÓPEZ DE SEDANO, que publicó una colección de poesía española con el título de Parnaso español; don JOSÉ LUIS VELÁZQUEZ DE VELASCO (1722-1772), marqués de Valdeflores, malagueño, académico de la Historia y también de la del Buen Gusto, autor de los Orígenes de la poesía castellana (Málaga, 1754) y editor de las poesías de Francisco de la Torre, que equivocadamente atribuyó a Quevedo; don BLAS ANTONIO NASARRE (1689-1751), a quien hoy se recuerda especialmente por sus disparatadas opiniones sobre el Quijote de Avellaneda, que prefería al de Cervantes; PEDRO ESTALA (entre 1740 y 1820), madrileño, religioso escolapio primeramente y seglar luego, poeta independiente y preceptista ecléctico, cuyos discursos sobre la tragedia y la comedia, puestos al frente de las traducciones del Edipo (1793) y del Pluto (1794), así como los prólogos a la Colección de poetas españoles (seis volúmenes, 1789-98), adquirieron extraordinaria celebridad; y, para no alargar la lista, los padres MOHEDANO (fray Rafael y fray Pedro), franciscanos, autores de una monstruosa His-

toria literaria de España, que en diez tomos (1766-1791) alcanza solamente hasta Lucano.

Una mención especial debe hacerse del medievalista e insigne bibliógrafo don TOMÁS ANTONIO SÁNCHEZ (1723-1802). Bibliotecario de la Real, hoy Nacional, académico de la Española y de la Historia, poeta, polemista y erudito, su mayor mérito consiste en haber sabido vislumbrar, antes que nadie en Europa, el interés y valor de los textos medievales, descubriendo y sacando a luz en su *Colección de poesías castellanas anteriores al siglo XV* joyas de tan alta calidad como el *Cantar de Mio Cid,* el *Poema de Alexandre* y las obras de Berceo y del Arcipreste de Hita.

VI. HISTORIOGRAFIA

La Historia, que en manos de sus últimos cultivadores del XVII se estaba atomizando hasta convertirse en una serie de minúsculas monografías, empieza a adquirir ahora cohesión y a articularse en tratados de carácter general y de amplia visión política, social o religiosa. Por otra parte, aquel germen crítico, que pugnaba por aflorar en las obras de Zurita, de Nicolás Antonio y del marqués de Mondéjar, encuentra ya su terreno más abonado en este período, gracias a la labor investigadora de hombres como Masdeu, Burriel y el padre Flórez. Pierde, es cierto, la literatura histórica del XVIII en calidad estética cuanto gana en precisión y solidez, sobre todo si se la compara con obras coom las del padre Mariana o de Hurtado de Mendoza, tan coherentes, tan armónicas, tan trabajadas y pulidas. No; la historia del XVIII, desde el punto de vista literario, nada ofrece comparable a la del Siglo de Oro; y si en orden a la cultura, por sus métodos, por sus aportaciones y por las fuentes informativas que alumbró merece capítulo aparte, en un libro como el nuestro sólo puede reclamar un lugar muy secundario.

Por ello nos limitaremos aquí a unos pocos autores, con información muy somera de sus obras más destacadas.

Ferreras, Burriel, Muñoz y Conde

El más antiguo de todos es el presbítero don JUAN DE FERRERAS (1652-1735), leonés, de La Bañeza. Alcanzó brillantes cargos: consultor de la Nunciatura, director de la Real Biblioteca, en cuya organización intervino muy activamente, así como en la de la Real Academia de la Lengua, cuyos primeros Estatutos redactó. Se puede decir que inicia la serie de historiadores del XVIII. En el extenso catálogo de sus obras descuella la *Sinopsis histórico-cronológica de España* (17 volúmenes cuya publicación se inicia en 1700), que abarca toda la historia nacional hasta 1589. Obra de clara exposición, adolece de información escasa, no obstante la rica cantera que tuvo a su alcance el autor.

En tal aspecto le aventaja con mucho el padre ANDRÉS MARCOS BURRIEL (1719-62), jesuíta, natural de Buenache de Alarcón (Cuenca). Comisionado para investigar en el archivo de la metropolitana de Toledo, pudo transcribir, ya de propio puño, ya sirviéndose de copistas, más de 2.000 documentos que constituyen la mejor fuente informativa para todo estudio relacionado con la historia medieval española. Escritor incansable, dejó buen número de obras, parte de ellas inéditas. La más notable es la *Noticia de la California y de su conquista espiritual y temporal* (1758, en tres tomos, traducida a varias lenguas). Su correspondencia con eruditos de la época contiene un rico caudal de noticias de toda índole.

La historiografía americana tiene su más benemérito cultivador en don JUAN BAUTISTA MUÑOZ (1745-1802?), valenciano, autor de una *Historia del Nuevo Mundo* (1793), de la que sólo llegó a publicarse el primer tomo, que comprende ocho años de la conquista. Obra escrita por encargo de la Real Academia de la Historia, tiene el mérito de insertar numerosos documentos inéditos hasta entonces.

En la historia árabe se distinguió don JOSÉ ANTONIO CONDE (1765-1820), conquense, académico de la Real Española y de la Historia, amigo de Leandro F. de Moratín y conservador de la Biblioteca de El Escorial. Por razones del cargo pudo utilizar la ingente riqueza de manuscritos árabes custodiados en el Monasterio para redactar su famosa *Historia de la dominación de los árabes en España* (1820), que apareció a raíz de su muerte. Se le censura de excesiva ligereza, ya que la obra abunda en errores, incomprensibles en quien tuvo a mano la más abundante y directa documentación.

El padre Masdéu

El rigorismo crítico del XVIII está encarnado en la figura del jesuíta expulso padre JUAN FRANCISCO MASDÉU (1744-1817) [26]. Su labor literaria—historia, arqueología, gramática, preceptiva, filosofía, jurisprudencia, etc.—es asombrosa. Destaca entre todos sus trabajos la *Historia crítica de España y de la cultura española,* en 20 volúmenes, publicados entre 1783-1805, «monumento insigne de ciencia y paciencia», al decir de Menéndez Pelayo. A pesar de su extensión, sólo alcanza hasta el siglo XI. Quería Masdéu que se conociera mejor a España en el extranjero, y animado de este propósito empieza a publicar su obra en italiano (sólo los dos primeros volúmenes, 1781). Quería también darnos una historia definitivamente seria y verídica en todas sus partes, no admitiendo más hechos que los comprobados documentalmente. Este deseo de veracidad desemboca en un escepticismo histórico, que perjudica al conjunto de la obra y lleva a su autor a la destrucción de nuestras más hermosas leyendas, como la de la aparición de Santiago en Clavijo; y, lo que es peor, a afirmaciones tan temerarias como la no existencia del Cid, cuando la *Historia Ruderici* ya estaba descubierta y hasta aprovechada por el padre Risco en su *Castilla y el más famoso castellano*. A veces su mismo celo patrio le hace sostener tesis peligrosas, como la que proclama a la Iglesia medieval española como la organización ideal, basándose precisamente en su independencia de la curia romana, lo que hizo que la Inquisición incluyese su obra en el Indice

Pero, aun con estas extralimitaciones, la *Historia* de Masdéu supone, por sus métodos y por su copiosa documentación, un avance gigantesco. También escribió Masdéu un *Arte poética* (1801), dialogada, y un *Memorial* (1800) donde se intenta ridiculizar a la Revolución francesa.

La «España Sagrada», del padre Flórez, y sus continuadores

Sin el exagerado rigor de Masdéu, sin su desenfado polémico y con un amor a la verdad tan vehemente como el suyo, otro religioso nos legó en su obra el más preciado monumento acaso de toda la historiografía nacional. La *España Sagrada o Theatro geográfico-histórico de la Iglesia de España*, dirigida y en buena parte redactada por el padre ENRIQUE FLÓREZ (1702-1773) [27], agustino, es, sin duda, el trabajo de investigación de mayor aliento realizado en toda aquella centuria. Para llevarlo a cabo, el padre Flórez empezó por autoformarse, improvisándose geógrafo, escriturario, numismático, paleógrafo, arqueólogo y naturalista. Llevado de su vocación decidida, renuncia a la cátedra de Alcalá y a varios puestos que le ofrecían dentro y fuera de su Orden, y se dedica a recorrer España, realizando minuciosas investigaciones en archivos y bibliotecas para el acopio de los ingentes materiales que integrarían su obra: manuscritos, medallas, monedas, etc.

La *España Sagrada* se empieza a publicar en 1747. Estudia diócesis tras diócesis el desarrollo de la Iglesia en todas sus manifestaciones, y nos da un sinfín de documentos inéditos, entre ellos los textos de los viejos cronicones, tales como el de los *Anales compostelanos* y el de la *Crónica compostelana*. Al morir el padre Flórez, su obra alcanzaba 29 volúmenes, que luego se incrementaron hasta los 51 que actualmente posee. Fueron sus continuadores: el padre fray MANUEL RISCO

(1735-1801), que publicó hasta el 42; los Padres fray ANTOLÍN MERINO (1745-1830) y fray JOSÉ DE LA CANAL, agustinos como el anterior, que la continuaron hasta el 46 inclusive; y el presbítero don PEDRO SAINZ DE BARANDA (1797-1853), que agregó tres tomos más: 47, 48 y 49. Los dos últimos, 50 y 51, son obra de la Academia de la Historia, que ha tomado por su cuenta la continuación de la *España Sagrada*. Para su más fácil manejo existe un minucioso *Indice*, publicado (1918) por González Palencia.

El padre Flórez es autor de otros muchos trabajos en latín y en castellano: una *Teología* en seis volúmenes (1732-1738); una *Clave historial*, reeditada doce veces en medio siglo; las *Memorias de las reinas católicas... de Castilla y León* (1761, dos volúmenes), y las *Medallas de las colonias, municipios y pueblos antiguos de España* (tres volúmenes: 1757-1758 y 1773). Literariamente vale poco: su lenguaje es sencillo; muchas veces, descuidado; con frecuencia, hasta pedestre. El prosaísmo, planta parasitaria que invade todo el campo literario del XVIII, afecta a la historia más que a cualquier otro sector.

Otros historiadores de segundo orden

Casi deben escapar a nuestra consideración varios cultivadores del género histórico, en quienes la afición literaria queda semioscurecida por otras actividades. Son publicistas que destacaron en otros campos del saber, especialmente en el de la jurisprudencia, acertando a simultanear sus graves ocupaciones oficiales con el cultivo de la investigación histórica. En la inacabable lista de escritores de este tipo aludiremos sólo a tres: Campomanes, Floranes y Martínez Marina.

PEDRO RODRÍGUEZ DE CAMPOMANES (1723-1802) [28], asturiano, del Concejo de Tineo, prestigioso estadista, escribió muchos trabajos sobre economía y política. Como historiador—fué presidente de la Real Academia de la Historia—nos dejó unas *Disertaciones* sobre los templarios (1747), una biografía del padre Feijoo y la *Antigüedad marítima de la República de Cartago* (1756).

El jurista don RAFAEL DE FLORANES (1743-1801), señor de Tavaneros y originario del valle de Liébana (Santander) alternó el cultivo de la Jurisprudencia y de la Literatura, especialmente en el ramo de la Historia. No publicó obras propias, pero colaboró activamente en las de Llaguno y Amírola y de Juan Antonio Llorente, enriqueciéndolas con notas y comentarios. Un trabajo suyo, publicado por Menéndez Pelayo en la *Revue Hispanique*, prueba su acertado criterio en el enjuiciamiento de nuestra poesía.

Parecido papel desempeña don FRANCISCO MARTÍNEZ MARINA (1754-1833), asturiano como Campomanes y como él también presidente de la Academia de la Historia. Fué canónigo de San Isidro de Madrid y rector de la Universidad de Alcalá. Aprovechó felizmente las notas inéditas de Floranes y, aparte de otros estudios jurídicos, nos dió en su *Teoría de las Cortes de León y Castilla* una fuente de capital importancia para el conocimiento de las instituciones medievales en aquellos reinos. Aún mayor interés tiene para nosotros su *Ensayo histórico-crítico sobre el origen y progreso de las lenguas, señaladamente el romance castellano* (1805), con una parte dedicada a los arabismos en el español.

NOTAS

1. «Feijoo se documenta para sus ensayos en las *Memoires de Trévoux* o en el *Journal des Savants;* mas el impulso ideológico lo recibe de Francisco Bacón, a quien siempre alude como su maestro. Jovellanos debe tanto o más que a los enciclopedistas franceses—Montesquieu, D'Alambert o Diderot—, a pensadores ingleses, como Locke y Adam Smith.» (ANGEL DEL RÍO: *Historia de la literatura española*, II, pág. 3.)

2. En 1725 rechazó, a pesar de los ruegos de Campomanes y de Sarmiento, el cargo de abad del monasterio de San Martín y uno de los obispados de América que le ofreció Felipe V por medio de su confesor. En 1748 Fernando VI le nombró consejero, «habida cuenta de la general aprobación y aplauso que sus obras habían merecido a la república literaria».

3. Sus padres fueron don Antonio Feijoo Montenegro y Sanjurjo y doña María de Puga Sandoval y Feijoo. En el discurso XIV, núm. 23 de su *Teatro crítico* nos habla de las condiciones poéticas del primero: «Era dotado de una memoria felicísima en aprender, y firme igualmente en retener... Era facilísimo en la poesía. Vile varias veces dictar dos y tres hojas de muy hermosos versos sin que el amanuense suspendiese la pluma ni un instante.»

4. Vid. *Teatro crítico universal*, I, ed. «Clásicos Castellanos», pról., pág. 10. Trabajador infatigable, cuatro años antes de su muerte se lamenta de su poca actividad. En el prólogo al t. V de sus *Cartas eruditas* escribe: «Mi genio es tal, que me avergüenzo de estar enteramente por demás en el mundo, aunque todos los días estoy viendo innumerables ejemplos de una perfecta ociosidad en tantos hombres, que parece habitan la tierra no más que para disfrutarla.»

5. HIC JACET - MAGISTER - F. BENEDICTUS - HIERONIMUS - FEIJOO - OBIIT A DOMINI - MDCCLXIV: AETS. LXXXVIII.

6. De creer a su biógrafo P. Novoa, las primeras composiciones que brotaron de su pluma fueron poesías: «Antes que supiese las calidades de la vida del campo, siendo el asunto el mismo que después extendió en uno de sus más bellos discursos.» A título de curiosidad mencionamos la loa dramática en un acto y en verso *El P. Feijoo*, de Curros Enriquez, representada en el teatro de Orense (3 de junio de 1879). Sobre una trama imaginaria, nos ofrece un P. Feijoo «como lo juzga la crítica—dice—y nos lo presenta la historia».

7. He aquí el enunciado de algunos: *Paradojas matemáticas, Paradojas físicas, Peso del aire, Maravillas de la Naturaleza, El rinoceronte y unicornio, Cometas, Eclipses, Algunos puntos de Teología moral, Persuasión al amor de Dios, Escepticismo filosófico, Razón del gusto, Música de los templos, Desagravio de la profesión literaria, Paralelo de las lenguas castellana y francesa, Glorias de España, Voz del pueblo, Reflexiones sobre la Historia, La política más fina, Paradojas políticas y morales, Valor de la nobleza, Defensa de las mujeres, Las modas, Verdadera y falsa urbanidad, Milagros supuestos, Piedra filosofal, Tradiciones populares, El estudio no da entendimiento, Falibilidad de los adagios...* Así hasta doscientos ochenta y uno.

8. Con el título de *Teatro universal o discursos varios en todo género de materias* lo anunció la *Gaceta de Madrid* el 3 de septiembre de 1726. «El mismo año de la muerte del P. Maestro—escribe Agustín Millares—emprendió don Leonardo Antonio de la Cuesta la confección de un extracto de cada uno de los Discursos del *Teatro*

con otras tantas reflexiones morales, tarea en que le precedió un don Julián Romero y Castro, que en 1760 redujo a compendio el *Teatro crítico universal*.» (Pról. de «Clás. Cast.», pág. 49.)

9. MENÉNDEZ PELAYO: *Historia de las ideas estéticas*, C. S. I. C., vol. III, págs. 106-10.

10. Entresacamos unos párrafos de este delicioso ensayo: «Y este no sé qué, digo yo que es una determinada proporción de las partes en que ellos no habían pensado, y distinta de aquella que tienen por única para el efecto de hacer el rostro grato a los ojos. De suerte que Dios, de mil maneras diferentes y con innumerables diversísimas combinaciones de las partes, puede hacer hermosísimas caras. Pero los hombres, reglando inadvertidamente la inmensa amplitud de las ideas divinas por la estrechez de las suyas, han pensado reducir toda la hermosura a una sola, o cuanto más a un corto número de combinaciones, y en saliendo de allí, todo es para ellos un misterioso no sé qué... Lo propio sucede en la disposición de un edificio. Aquel no sé qué de gracia no es otra cosa que una determinada combinación simétrica, fuera de las comunes reglas. Encuéntrase alguna vez un edificio que en esta o en aquella parte suya desdice de las reglas establecidas por los arquitectos, y, con todo, hace a la vista un efecto admirable, agradando mucho más que otros muchos más conformes a los preceptos del arte. ¿En qué consiste esto? ¿En que ignoraba sus preceptos el artista que lo ideó? Nada menos. Antes bien, en que sabía más y era de más alta idea que los artífices ordinarios. Todo lo hizo según idea, pero según una regla superior que existe en su mente, distinta de aquellas comunes que la escuela enseña. Proporción (y grande), simetría (y ajustadísima) hay en las partes de esa obra; pero no es aquella simetría que regularmente se estudia, sino otra más elevada adonde arribó por su valentía la suprema idea del artífice.» Y en las *Cartas eruditas* encontramos juicios tan arriesgados como éstos: «Puede asegurarse que no llegan a una razonable medianía todos aquellos ingenios que se atan escrupulosamente a las reglas.» «Lo más que yo podré permitir (y lo permitiré con alguna repugnancia) es que el estudio de las reglas sirva para evitar algunos groseros defectos; pero nunca admitiré que pueda producir primores.» «Yo convendría muy bien con los que se atan servilmente a las reglas, como no pretendiesen sujetar a los demás al mismo yugo.» «La falta de talento obliga a esta servidumbre» (sujeción a las reglas).

11. En el mismo artículo afirma que la distinción entre voces plebeyas y cultas es más caprichosa que fundada en motivos racionales: «Ciertos rígidos Aristarcos generalísimamente quieren excluir del estilo serio todas aquellas locuciones o voces que, o por haberlas introducido la gente baja o sólo porque entre ella tienen frecuente uso, han contraído cierta especie de humildad o de sordidez plebeya; y un doctor moderno (Mayáns) pretende ser la más alta perfección del estilo de don Diego Saavedra no hallarse jamás en sus escritos ninguno de los vulgarismos que hacinó Quevedo en el *Cuento de cuentos* ni otros semejantes a aquéllos. Es muy hermoso y culto, ciertamente, el estilo de don Diego; pero no lo es por eso; antes afirmo que aun podría ser más elegante y enérgico aunque se entrometiesen en él algunos de aquellos vulgarismos.»

12. Menéndez Pelayo, en su *Historia de los heterodoxos españoles*, ha vindicado por completo la ortodoxia de Feijoo. Marañón afirma que «fué en su tiempo el más alto representante del espíritu genuino de España», y tras calificarle de San Cristóbal de la cultura, añade: «Como un grande, dulce y socarrón San Cristóbal, supo pasar en alto, sobre el vacío de unos decenios de ignorancia, el tesoro de nuestro genio y de nuestra cultura, mientras los gozquecillos sempiternos le ladraban desde una y otra orilla.» Vicente de la Fuente escribe, a modo de resumen de su vida y obra, las siguientes palabras: «Algunas de sus opiniones políticas son bastante avanzadas; aunque no faltaron envidiosos que pusieran tacha en su fe, sus argumentos fueron tan ridículos que sólo sirvieron para acreditar la ignorancia de sus contrarios. Quién, le acusó de mal católico por citar al canciller Bacón; quién, le calificó de impío por haber probado que no existía el milagro de las flores de San Luis del Monte; pero ni el Santo Oficio, ni el Episcopado, ni las personas imparciales e inteligentes tuvieron que poner mácula en su catolicismo. En lo que no se puede favor a Feijoo es en considerarle como clásico, ni aun siquiera como mediano hablista; su estilo es sencillo y llano; el lenguaje peca de metafórico; no anduvo muy

acertado en su manía de defender galicismos; pero, así y todo, es más soportable que muchos de sus contemporáneos.»

13. Leonés, de Villafranca del Bierzo (1695-1771). Se llamó en el siglo José García Balboa, e ingresó muy joven en la Orden benedictina, donde se aplicó a toda clase de estudios, con preferencia a la Historia Natural, en su rama de Botánica. Mantuvo correspondencia con sabios extranjeros, entre otros con Linneo.

14. G. MARAÑÓN: *Ideas biológicas del P. Feijoo*, capítulo XIV.

15. Para esta cuestión y todo lo relacionado con las corrientes filológicas del XVIII, véase una brillante exposición en F. LÁZARO CARRETER: *Las ideas lingüísticas durante el siglo XVIII*, Madrid, C. S. I. C., 1949.

16. Mencionemos la *Canción* que comienza: «Ya vuelve el triste invierno...», en la que se pone en parangón el peso de las estaciones con la caída de los grandes imperios:

Nace sujeta a sucesiva muerte
cada estación; murió la antigua gloria
de Roma y de la Grecia,
cuyas soberbias ruinas y memoria
tanto la fama lisonjera aprecia;
que al impulso fatal de las edades
mueren también los reinos y ciudades.

17. Observemos que la posición de Menéndez Pelayo frente a Góngora es análoga a la de Luzán: «Fué Góngora—escribe éste—uno de los que más contribuyeron a la propagación y crédito del mal estilo», y sus imitadores «consiguieron aventajarse en sus defectos, sin llegar jamás a igualar sus aciertos». La rehabilitación de Góngora, a nuestro juicio necesaria, pero desorbitada, arranca de la celebración del tercer centenario de su muerte (1927).

18. Quintana extiende a un día la unidad de tiempo. En sus *Reglas del drama* formula así la ley de las tres unidades:

Una acción sola presentada sea
en solo un sitio fijo y señalado
en solo un giro de la luz febea.

19. Menéndez Pelayo los ha estudiado repetidamente: desde el punto de vista religioso, en los *Heterodoxos españoles;* desde el punto de vista literario, en los *Estudios y discursos de crítica,* y bajo el aspecto estético, en la *Historia de las ideas estéticas.* Recientemente el P. Batllori les ha consagrado un valioso y documentadísimo estudio en su tesis doctoral y en *Jesuitas españoles en Italia.* Conocida es la apología que de ellos hizo el sabio santanderino: «En un solo día arrojamos de España al P. Andrés, creador de la historia literaria, el primero que intentó trazar un cuadro fiel y completo de los progresos del espíritu humano; a Hervás y Panduro, padre de la filología comparada y uno de los primeros cultivadores de la etnografía y de la antropología; al P. Serrano, elegantísimo poeta latino; a Lampillas, el apologista de nuestra literatura contra las detracciones de Tiraboschi y Bettinelli; a Nuix, que justificó, contra las declaraciones del abate Raynal, la conquista española de América; a Masdéu, que tanta luz derramó sobre las primeras edades de nuestra historia, siempre que su crítica no se trocó en escepticismo; hombre ciertamente doctísimo, y a cuyo aparato de erudición no iguala ni se acerca ninguno de nuestros historiadores; a Eximeno, filósofo sensualista, matemático no vulgar e ingenioso autor de un nuevo sistema de estética musical; a Garcés, acérrimo purista, enamorado del antiguo vigor y elegancia de la lengua castellana, dique grande contra la incorrección y el galicismo; al P. Arévalo..., al P. Arteaga..., al P. Pla, uno de los más antiguos provenzalistas...; a Colomés y Lasala, cuyas tragedias admiraron a Italia y fueron puestas en rango no inferior a la *Merope,* de Maffei; al P. Isla..., a Montengón... ¿Quién podrá enumerarlos a todos?»

20. Esteban de Arteaga nació el 26 de diciembre de 1747, probablemente en Moraleja de Coca (Segovia). Muy joven (1763) ingresó en la Compañía de Jesús, viendo truncados sus estudios por la orden de destierro. Pasó con otros compañeros de religión a Córcega, y allí abandonó la Compañía, sin que probablemente llegara a ordenarse de sacerdote. Estudió en Bolonia (1773-78), donde publicó su obra *Rivoluzioni del teatro musicale italiano* (1783). Al año siguiente entra de preceptor en casa del marqués Francesco Albergati, con el que se enemista a los pocos meses. Pasa a Venecia, y es admitido en la Academia de Ciencias de Padua, de la que era secretario su amigo Cesarotti. Murió en 1799. La dama griega Isabella Teatochi Albrizzi, que reunía en su palacio veneciano una de aquellas tertulias literarias tan del gusto de la época, a la que asistía Arteaga, nos le describe pequeñito, simpático y decidor, «formado casi de cartílagos más que de músculos y huesos... Más apesadumbrado por no saber todo lo cognoscible, que no satisfecho de su mismo saber». Este carácter nervioso, ágil e inquieto lo puso de manifiesto en ocasión de las varias polémicas que sostuvo con los eruditos italianos, en las que más de una vez se dejó llevar de la violencia y de la intemperancia.

21. El título completo es *Investigaciones filosóficas sobre la belleza ideal considerada como objeto de todas las artes de imitación.*

22. Léanse detenidamente estas líneas: «Después de haber averiguado en los cuatro tratados antecedentes el influjo de las causas intrínsecas, se pasará en el quinto y último a examinar el de las causas extrínsecas. En él se expondrán por extenso las cuestiones sobre la acción del clima en los ingenios y en la manera de representar los objetos; cómo las diversas religiones alteran, perfeccionan o modifican el gusto; hasta qué punto contribuyen para el mismo efecto los diversos sistemas de moral, de legislación y de gobierno, y qué parte tengan las opiniones públicas, las conquistas, el espíritu que reina en la sociedad, el espíritu filosófico, el comercio, el lujo, la aplicación de las mujeres, el trato con ellas, los que se llaman mecenas de la literatura, la moda, con las demás circunstancias accidentales y pasajeras.»

23. Valenciano, de Planes. Estudió en los Jesuitas y en la Universidad de Valencia. A los catorce años ingresó en la Compañía en Tarragona. Siguió los avatares de sus hermanos de religión cuando la orden de extrañamiento dictada por Carlos III. Pasa a Ferrara, donde se dedicó a la enseñanza de la filosofía, y de aquí a Mantua, como preceptor en casa del marqués Bianchi y entregado por completo a sus tareas literarias. El emperador Francisco I de Austria le nombra rector de la Universidad de Pavía. Restablecida la Compañía de Jesús, vuelve el P. Andrés a la Orden, estableciéndose en Nápoles, de cuya biblioteca real es nombrado director por José Bonaparte. En los últimos años de su vida se retiró a Roma. Murió en 1817.

24. Escasas son las noticias que tenemos del catalán Lampillas. Nacido en Mataró (Barcelona), en 1734, enseñó Retórica y Filosofía en Barcelona, y después de la expulsión de su Orden, fué catedrático de Teología en Ferrara. Murió en Sexti, lugar cercano a Génova, en 1810.

25. Natural de Horcajo (Cuenca), nació en 1735. A los catorce años de edad entró en la Compañía de Jesús. Cursó por espacio de siete años Teología y Filosofía en la Universidad de Alcalá, dedicándose más tarde en Madrid al estudio de las Ciencias Exactas. Ordenóse en 1790; profesor de Latín en el colegio de Cáceres, de donde pasó a Madrid, ocupado, entre otros cargos, el de director del Seminario de Nobles. Después del destierro se estableció definitivamente en Roma (1783). En 1798 concedióse a los Jesuitas licencia para volver a España: Hervás llega a Barcelona el 1 de febrero del año siguiente, y allí pasó algunos meses trabajando en el Archivo de la Corona de Aragón. Desterrado nuevamente en 1801, se establece en Roma, donde Pío VII le nombró bibliotecario del Quirinal. Murió en 1809.

26. Nace accidentalmente en Palermo (1744); ingresa en la Compañía de Jesús y se traslada a España, donde le sorprende el decreto de expulsión. Vive en Ferrara y en Roma, y expulsado también de Italia, vuelve a España y fallece en Valencia. Además de su *Historia,* aludida en el texto, es curiosa su *Arte poética fácil,* en diálogo.

27. Natural de Villadiego (Burgos), de ilustre linaje. Ingresa, a los diecisiete años, en los Agustinos de Salamanca; estudia en esta ciudad y en Valladolid, Avila y Alcalá. Primeramente se dedica a la predicación; pasa luego a la enseñanza, y, finalmente, se consagra a su labor investigadora. Tuvo amistad con los más cultos de su época: Mayáns, el P. Sarmiento, Nasarre, Iriarte, etc. Su nombre completo era Enrique Flórez de Setién y Huidobro.

28. Nació en Santa Eulalia de Sorribas (1723-1802). Desempeñó el cargo de fiscal del Consejo de Castilla y después el de gobernador del mismo. Su principal actividad pertenece al terreno de la economía.

BIBLIOGRAFIA

I. Para este apartado, consúltese la bibliografía del capítulo anterior.

II. N. ALONSO CORTÉS: *Datos genealógicos del P. Feijoo*, «Bol. Com. Monumentos de Orense», X, 1932.— J. M.ª ANCHORIZ: *Biografía y juicio de la obra que es cribió el Ylustrísimo y Rdo. Fray Benito Jerónimo Feijoo*, Oviedo, 1857. — J. E. AREAL: *Poesías inéditas del P. Feijoo*, Tuy, 1901.—CONCEPCIÓN ARENAL: *Juicio crítico de las obras de Feijoo*, «Rev. de España», vols. LV, LVI y LVII, Madrid, 1877.—«AZORÍN» (J. Martínez Ruiz): *La inteligencia de Feijoo*, «Los valores literarios», Madrid, 1913.—CAMPOMANES: *Noticia de la vida y obras del P. Feijoo* (introd. al tomo I del «Teatro Crítico Universal», Ibarra, Madrid, 1783.—F. CANELLA: *Un autógrafo del P. Feijoo*, «Ylustración gallega y asturiana», 1880.—M. CASAS FERNÁNDEZ: *Feijoo y la Justicia*, «Bol. R. Acad. Gallega», XXV, La Coruña, 1951.—J. M.ª DE CÓSSIO: *Introducción a la lectura de la obra del P. Feijoo*, «Escorial», núm. 4, Madrid, feb. 1941.—A. COTARELO VALLEDOR: *A mocedade do P. Feixoo*, «Nos», Orense, 1930.—G. DELPY: *L'Espagne et L'Esprit Européen. L'Oeuvre de Feijoo: 1725-1760*, Hachette, París, 1936.—DOMÍNGUEZ FONTELA: *El apellido Feijoo*, «Bol. Com. Monumentos», Orense, 1932.— J. DE ENTRAMBASAGUAS: *Antología de Feijoo* (pról. de...), Colec. «Breviarios del Pensamiento Español», II, Madrid, 1942.—M.ª ANGELES GALINO CARRILLO: *Tres hombres y un problema: Feijoo, Sarmiento y Jovellanos ante la educación moderna*, C. S. I. C., Madrid, 1953.—C. C. GLASCOCK: *Feijóo on Liberty in Literary Art.*, «Hisp. California», XIV, 1931.—V. LAFUENTE: *Preliminares a las «Obras escogidas» del P. Fray Benito J. Feijoo y Montenegro*, «Bibl. de Autores Españoles», Rivadeneira, Madrid.— S. LEIROS: *El P. Feijoo: Sus ideas crítico-filosóficas*, Seminario de Estudios Gallegos, 1935.—J. LÓPEZ MARICHAL: *Feijoo y su papel de desengañador de las Españas*, «Nueva Rev. Filología Hisp.», V, Méjico, 1951.—A. LÓPEZ PELÁEZ: *Sarmiento en defensa de Feijoo*, «Rev. Contemporánea», 1900.—M. MACÍAS: *La ortodoxia de Feijoo*, «Bol. Com. Monumentos de Orense», VII.—G. MARAÑÓN: *Los amigos del P. Feijoo*, «Vida e historia», 2.ª ed., Buenos Aires, 1941; *Las ideas biológicas del P. Feijoo*, Madrid, 1941.— A. MARQUÉS Y ESPEJO: *Diccionario feijoniano*, Madrid, 1902.—M. MENÉNDEZ PELAYO: *La ciencia española*, Madrid, 1876.—J. L. MICÓ BUCHÓN: *Feijoo y la función crítica. Apuntes para un bicentenario*, «Humanitas», V, Comillas, 1953.—A. MILLARES CARLO: *Feijoo y Mayáns*, «Rev. Filol. Española», X, Madrid, 1923; *Feijoo: Teatro crítico universal* (pról. y notas de...), «Clásicos Castellanos», vol. XLVIII, Madrid, 1923.—S. MONTERO DÍAZ: *Las ideas estéticas del P. Feijoo*, Santiago de Compostela, 1932.— *Galicia en el P. Feijoo*, Madrid, 1929.—M. MORAYTA: *El P. Feijoo y sus obras*, Valencia, s. a.—E. PARDO BAZÁN: *Estudio crítico de las obras del P. Feijoo*, Madrid, 1877.— *Feijoo y su siglo*, «De mi tierra», La Coruña, 1888.—R. RICART: *Feijoo et la Chine*, «Les Lettres Romanes», VI, Lovaina, 1952.—P. SALINAS: *Feijoo: Teatro crítico universal*, «Rev. Occidente», Madrid, feb. 1924.—L. SÁNCHEZ AGESTA: *Feijoo y la crisis del pensamiento político español*, «El pensamiento político del despotismo ilustrado», Madrid, 1953.—CH. N. STANBACH: *Fontenelle in the writings of Feijoo.—Feijoo and Mallebranche*, «Hispanic Review», vols. VIII y IX, 1941.

M. DEL ALAMO y FR. J. PÉREZ DE URBEL: *Viaje a Galicia de fray Martín Sarmiento*, C. S. I. C., Madrid, 1950.— E. ALVAREZ JIMÉNEZ: *Biografía del Rdo. P. Fray Martín Sarmiento y noticia de sus mejores obras y manuscritos*, Pontevedra, 1884.—B. SEBASTIÁN CASTELLANOS: *Biografía eclesiástica*, t. XXVI.—J. M.ª CHACÓN: *El P. Sarmiento y «El poema del Cid»*, «Rev. Filol. Esp.», XXI, Madrid, 1934.—M. GESTA LECETA: *Indice de una colección manuscrita de obras del Rdo. P. Fray Martín Sarmiento*, Madrid, Fuentenebro, 1888.—J. G. GUERRA: *Sarmiento: su vida y sus obras.*—A. López PELÁEZ: *Elogio de fray Martín Sarmiento*, (disc. en la Real Acad. Gallega), La Coruña, 1910; *Influencia literaria de Sarmiento*, «Rev. Contemp.», CXV, 1899; *Sarmiento, historiador*, ídem, CVIII, 1897; *Sarmiento y sus contemporáneos*, ídem, CXVIII, 1900; *Los escritos de Sarmiento y el siglo de Feijoo*, «Bibl. Gallega». L, La Coruña, 1902; *El gran gallego fray Martín Sarmiento*, «Bibl. Gallega», La Coruña, 1895.—LÓPEZ DE LA VEGA: *El sabio benedictino fray Martín Sarmiento*, «Rev. Contemp.», 1878.—S. LORENZANA: *El P. Sarmiento y Galicia*, «Papeles de Son Armadans», IV, Madrid-Palma

de Mallorca, 1957.—T. VESTEIRO TORRES: *Galería de gallegos ilustres* (VI apénd.), Lugo, 1879

III. J. CANO: *La «Poética», de Luzán*, Toronto, 1928.— F. FERNÁNDEZ Y GONZÁLEZ: *Historia de la crítica literaria en España desde Luzán hasta nuestros días* (5 vols.), Madrid, 1867.—LUIGI DE FILIPPO: *Ignacio de Luzán; «La Poética». Estudio de...* (2 vols.), Barcelona, 1956.—A. HUARTE: *Sobre la segunda impresión de la «Poética», de Luzán*, «Rev. Bibl. Nacional», IV, fasc. 3.°, Madrid, 1943.—JUAN IGNACIO LUZÁN: *Memorias de la vida de don Ignacio Luzán, escritas por su hijo*, ed. de «La Poética», Madrid, 1789.—J. G. ROBERTSON: *Italian influence in Spain: Ignacio de Luzán*, Cambridge Univ. Press, 1923.—P. SAINZ RODRÍGUEZ: *Estudio sobre la historia de la crítica literaria en España. Don Bartolomé J. Gallardo y la crítica literaria de su tiempo*, «Rev. Hisp.», LI, Nueva York, 1921.—R. DEL ARCO: *La estética poética de Ignacio de Luzán y los poetas líricos*, «Rev. Ideas Estéticas», VI, 1948.

IV. P. MIGUEL BATLLORI: *La letteratura ispano-italiana del settecento*, «Civiltà Catolica», II, Roma, 1956.—CASANOVAS: *Documents per la historia cultural de Catalunya en el segle XVIII*, Barcelona, 1931-1934.—M. CASCÓN: *Los jesuítas en Menéndez Pelayo*, Valladolid, 1940.—V. CIAN: *L'immigrazione dei gesuiti spagnuoli letterati in Italia*, «Mem. della R. Acad. di Torino», 2.ª serie, 1895-96.— P. CONSTANCIO EGUÍA: *Los jesuítas proveedores de bibliotecas. Recuerdos de muchos expolios*, «Razón y Fe», CXXX, 1944.—A. FARINELLI: *Italia e Spagna* (vol. II), Turín, 1929.—L. FRÍAS: *Historia de la Compañía de Jesús en su asistencia moderna de España*, I, Madrid, 1923.—A. GALLERANI: *Jesuitas expulsos de España, literatos en Italia* (trad. del italiano), Salamanca, 1897.—L. LAMALLE y L. POLGAR: *Bibliographia de historia Societatis Jesu*, «Arch. Hist. Soc. Jesu», Roma, 1932.—J. M. MARCH: *I Gesuiti a Ferrara dopo la soppressione della Compagnia di Gesù*, «Civiltà Catolica», 90, I, Roma, 1939.—M. MENÉNDEZ PELAYO: *Noticias literarias de los españoles extrañados del reino en tiempos de Carlos III. Jesuitas españoles en Italia*, «Est. y disc. de crít. hist. y lit.», IV, Madrid, 1942.— P. MÉRIMÉE: *L'influence française en Espagne au XVIIIe siècle*, París, «Belles Lettres», s. a.—P | José EUGENIO DE URIARTE y P. MARIANO LECINA: *Biblioteca de escritores de la Compañía de Jesús pertenecientes a la antigua asistencia de España* (vols. I y II), Madrid, 1925-35.—R. VARGAS UGARTE: *Jesuitas peruanos desterrados a Italia*, Lima, 1934.—P. MIGUEL BATLLORI: *Ideario filosófico y estético de Arteaga*, «Spanische Forschungen der Görresgesellschaft», serie 1.ª, 7, Münster; *Esteban de Arteaga, Itinerario biográfico*, «Analecta Sacra Tarraconensia», 13, 1940; *Esteban de Arteaga. «La belleza ideal»*, pról. y notas de..., «Clás. Cast.», núm. 122, Madrid, 1943; *Ideario estético de Arteaga*, «Rev. Ideas Estética», I, Madrid, 1943; *Juan Andrés y el humanismo*, «Miscelánea Nebrija», I, Madrid, 1945.—A. LO VASCO: *La biblioteche d'Italia nella seconda metà del secolo XVIII: dalle «Cartas familiares» dell'abate Juan Andrés*, Milán, 1949.—M. FEDERICO SCIACCA: *Giovanni Andrés e la filosofia italiana*, «Italia e Spagna». Florencia, 1941.—J. F. YELA UTRILLA: *Juan Andrés, culturalista español*, «Rev. Univ. Oviedo». II, 1940.—A. AMOR RUIBAL: *Los problemas fundamentales de la filología comparada*, II.—A. BALBÍN DE LA UNQUERA: *El P. Hervás y la filología comparada*, «Bol. Círc. Filol. Matrit.», 1885.— P. MIGUEL BATLLORI: *El Archivo lingüístico de Hervás y Panduro en Roma y su reflejo en W. Humboldt*, «Arch. Historicum Soc. Jesu», XX, Roma, 1951.—F. CABALLERO: *Noticias biográficas y bibliográficas del abate don Lorenzo Hervás y Panduro*, Madrid, 1868.—A. GONZÁLEZ PALENCIA: *Nuevas noticias bibliográficas del abate Hervás y Panduro*, «Eruditos y libreros del siglo XVIII». Madrid, 1948; *Dos cartas inéditas de Hervás y Panduro*, «Rev. Filol. Esp.», XXVIII, Madrid, 1944.—F. LÁZARO CARRETER: *El nuevo proyecto de una lengua universal*, «Arbor», número 30, Madrid, 1948.—M. MENÉNDEZ PELAYO: *La ciencia española* (3 vols.), Madrid, 1953-54.—E. DEL PORTILLO: *Lorenzo Hervás: Su vida y sus escritos*, «Razón y Fe». XXV-XXXIII, 1909-12.—F. URIBE: *Lorenzo Hervás y Panduro*, «Armas y Letras», IX, Monterrey, 1952.—C. VIÑAS: *Hervás y Panduro y la Filología comparada*, «Filosofía y Letras», 1917.—J. ZARCO CUEVAS: *Estudios sobre L. Hervás y Panduro. I. Vida y escritos*, Madrid, 1935.

V. M. CERVINO: *Voltaire y Mayans*, «Bol. Soc. Esp. de Excursiones», VII.—V. FORTEZA: *Juicio crítico de las obras de don Antonio de Capmany y de Montpalau*, Barcelona, 1857.—A. GONZÁLEZ PALENCIA: *Correspondencia entre Cerdá y don Fernando de Velasco*, «Bol. Acad. Hist.». Madrid, 1949; *Don Francisco Cerdá y Rico. Su vida y sus obras,*

«Eruditos y libreros del siglo XVIII», Madrid, 1948.— M. GONZÁLEZ VALLS: *Elogio histórico de don Gregorio Mayáns y S.*, Valencia, 1832.—L. GUARNER: *Cómo vivía un erudito en el siglo XVIII: G. Mayáns y S.*, «Rev. de Bibliografía Nacional», VII, Madrid, 1946.—A. DE HOYOS RUIZ: *Notas a la vida y obras de don Gregorio Mayáns y Siscar*, «Rev. Arch., Bibl. y Mus.», LXII, Madrid, 1956.— JOANNE CHRISTOPH (se cree que se trata del mismo Mayans): *Gregorii Maianensi vita, auctore...*, 1756.—E. JULIÁ MARTÍNEZ: *Breve reflexión sobre Mayáns y S.*, Valencia, 1952.—A. MILLARES CARLO: *Feijoo y Mayáns*, «Rev. Filol. Esp.», X, 1923.—A. MOREL-FATIO: *Un érudit espagnol au XVIIIe siècle: D. G. Mayáns y Siscar*, «Bull. Hisp.», VII, 1905.—J. M. SOTELO: *Reflexiones sobre el discurso de la tragedia antigua, que antecede a la traducción de «Edipo, tirano», de Sófocles, de don Pedro Estala*, disc. en la Acad. de Letras Humanas de Sevilla.—J. SUÁREZ DE TOLEDO: *Defensa de la Historia literaria* (de los PP. Mohedano), Madrid, 1783.—J. A. TAMAYO: *Mayans y la «Ortografía», de Bodazar*, «Rev. Filol. Esp.», XXV, 1941.— J. VILLARROYA: *Colección de cartas eruditas por don Gregorio*, «España sagrada», disc. en la Acad. Hist., Madrid, 1914.—1791.

Noticias respectivas de don Blas Nasarre sacadas de su elogio, hecho por Motiano, y del marqués de Villena, fundador de la Academia Española, manuscrito del Instituto Jovellanos, de Gijón.

VI.—P. GUILLERMO ANTOLÍN: *Datos biográficos del Padre Flórez*, «La Ciudad de Dios», LXXI —A. GONZÁLEZ PALENCIA: *Indice de la «España sagrada»*, Madrid, 1918.— F. MÉNDEZ: *Noticias sobre la vida, escritos y viajes del P. E. Flórez*, Madrid, 1860.—P. CONRADO MUIÑOS: *El Padre Flórez, modelo de sabios cristianos*, «La Ciudad de Dios», LXXI.—A. RODRÍGUEZ MOÑINO: *Epistolario del Padre Enrique Flórez con don Patricio Gutiérrez Bravo (1753-1773)*, «Bol. Real Acad. Hist.», Madrid, t. CXXXIV, 1954.—J. M.ª SALVADOR Y BARRERA: *El P. Flórez y su «Historia sagrada»*, disc. en la Acad. Hist., Madrid, 1914.— A. CUSTODIO VEGA: *Catálogo de la biblioteca del Rdo. Maestro E. Flórez*, «Bol. Real Acad. Hist.», CXXVIII a CXXXI, Madrid, 1951-52.

F. ALVAREZ REQUEJO: *El conde de Campomanes. Su obra histórica*, Oviedo, Inst. de Est. Asturianos, 1954.— J. CAVEDA Y NAVA: *Biografía del conde de Campomanes y catálogo de sus obras*, «Rev. de Asturias», núm. 12, Oviedo, 1882.—DESDEVISES DU DEZERT: *Les lettres politicoeconomiques de Campomanes*, «Rev. Hispanique», Paris, 1897.—J. GARCÍA DOMÉNECH: *Elogio de Campomanes*, disc. en la Acad. de San Fernando, Madrid, 1803.—A. GONZÁLEZ ARNAO: *Elogio del conde de Campomanes*, «Bol. Acad. de la Hist.», Madrid, 1804.—M. PEDREGAL Y CANEDO: «Rev. Española», vol. LXXVIII, Madrid, 1882.—R. ROBERT: *De Campomanes a Jovellanos. Les courants d'idées dans l'Espagne du XVIIIe siècle*, «Les Lettres Romanes», XI, Lovaina, 1957.—A. SUÁREZ BÁRCENA: *El conde de Campomanes*, «Rev. de Instr. Pública», Madrid, 1859.

E. GIGAS: *Cartas del P. Burriel*, «Rev. Arch.», XXXII, Madrid, 1914.—B. NASARRE: *Elogio histórico de Ferreras*, Madrid, 1735.—N. PÉREZ («El Setabiense»): *El censor de la historia de España* (sobre Masdeu), Madrid, 1802.— J. REYMONDEZ DEL CAMPO: *Correspondencia del P. Burriel existente en la Biblioteca de Bruselas*, «Bol. Acad. Hist.», LII, 1903.—J. SIMÓN DÍAZ: *Andrés Marcos Burriel* (tesis doctoral), Madrid, 1947.—L. DE SOSA: *Martínez Marina*, Madrid, 1931.—M. DE LA TORRE: *Don Juan Ferreras*, Madrid, 1923.—TORRES AMAT: *Diccionario de escritores catalanes* (Masdéu), Barcelona, 1836.

CAPITULO XLVIII

LA PROSA DEL XVIII:
CADALSO, JOVELLANOS Y FORNER

I. VIDA Y OBRA DE CADALSO: *Datos biográficos. Obra poética. Cadalso, prosista.*—II. GASPAR MELCHOR DE JOVELLANOS: *Datos biográficos. Obra literaria. Producción dramática. Lírica. Obra varia. Significación de Jovellanos.*—III. LA PERSONALIDAD LITERARIA DE FORNER: *Datos biográficos. Forner, polemista. Las «Exequias de la lengua castellana». Ideario de Forner. El poeta.*—NOTAS.
BIBLIOGRAFÍA.

I. CADALSO

Tres escritores, cada uno a su manera y en tres planos distintos, representan otras tantas modalidades de la cultura española en el último tercio del siglo XVIII: Cadalso, Jovellanos y Forner. Cadalso es, ante todo, el espíritu inquieto, que se asoma al exterior para captar las nuevas corrientes ideológicas y transmitirlas a sus compatriotas; es de los tres el menos formado filosófica y humanísticamente. Jovellanos, el más denso y equilibrado, acierta a conjugar felizmente su apego a la tierra y a la tradición con las novísimas orientaciones del pensamiento europeo. Forner, ingenio que no llegó a cuajar—murió a los 41 años de edad—, lleva el espíritu crítico, tan mesurado en Feijoo, a un grado de violencia francamente censurable; pero, aun dentro de ese fuego·polémico, con más humo que luz, cabe distinguir muchos principios aprovechables. Las *Exequias de la lengua castellana* quedarán siempre como obra de positivo mérito. Los tres son dignos eslabones de la cadena de la ilustración a la española, es decir, ortodoxa, que va desde Feijoo al padre Hervás y Panduro.

Cadalso es una de las figuras más atrayentes del XVIII. Espíritu abierto a todos los aires de fuera y, al mismo tiempo, saturado de amor patrio, su leyenda amorosa, teñida de tragedia, y su heroica y temprana muerte en el bloqueo de Gibraltar, contrastan con el de otros escritores de su época, capaces sólo de reaccionar ante el aguijón de polémicas tan lamentables como estériles. Conocedor como pocos en su tiempo de la literatura europea, influye y abre horizontes en muchos de sus contemporáneos, no con el prurito pedantesco del maestro, sino con la amabilidad condescendiente del compañero. Nada más lejos de su intención que la cultura superficial, tan donosamente satirizada en *Los eruditos a la violeta*; el verdadero Cadalso está en las *Cartas marruecas*.

Independiente y sincero a la vez, su franca oposición a los convencionalismos sociales quedó patente en sus ideas sobre la nobleza hereditaria—no obstante ser él caballero santiaguista—y en su proyecto de matrimonio con la actriz María Ignacia Ibáñez, en una época de prejuicios contra las gentes de teatro

Datos biográficos

De familia vizcaína, nace JOSÉ CADALSO Y VÁZQUEZ, en Cádiz, el 8 de octubre de 1741. Huérfano de madre a los dos años, se educa en el Colegio de los Jesuítas de su ciudad natal, del que era rector su tío materno, el padre Mateo Vázquez. El estudio y los viajes (Inglaterra, Francia, Alemania e Italia, cuyos idiomas llegó a dominar a la perfección) le proporcionaron una cultura sólida. Pasa a la Corte, y en 1758 su padre pide una información de nobleza, a fin de que el futuro poeta sea admitido en el Seminario de Nobles, donde ingresa en agosto del mismo año. En 1762 se alista para la campaña de Portugal, «voluntario con caballo y armas propias»; se distingue en diversos hechos de armas y es nombrado edecán del conde de Aranda. Cuatro años después (1766) obtiene el hábito de Santiago. Tras breve destierro de la corte por ciertas sátiras contra unas damas de la alta aristocracia (Benavente, Salvatierra, Osuna, Alcañiz), conoce a María Ignacia Ibáñez, con la que pretende contraer matrimonio y cuya temprana muerte da lugar a uno de los episodios más tormentosos de la vida del poeta. Desterrado a Salamanca [1], adquiere gran celebridad con la publicación de *Los eruditos a la violeta* (1772), y al año siguiente recopila su obra poética bajo el título de *Ocios de mi juventud*, que bien podrían llamarse—dice—*Alivio de mis penas*. Su estancia en la ciudad del Tormes influyó en el desarrollo de la segunda escuela salmantina, especialmente en Meléndez, que reconoce su magisterio [2]. Destinado sucesivamente a Extremadura y Utrera, asiste al bloqueo de Gibraltar, donde

641

muere a consecuencia de una granada, el 28 de febrero de 1782.

La obra poética

Podemos distinguir en ella dos grupos: el más importante, formado por composiciones que giran en torno a Filis (María Ignacia Ibáñez), y el integrado por el resto de su producción, de tema heterogéneo. Ambos están reunidos con el título mencionado de *Ocios de mi juventud* (1773).

En el primer grupo destacan los sonetos *Sobre el poder del tiempo*[3], *A la primavera, después de la muerte de Filis* y *Renunciando al amor y a la poesía lírica*, con el mismo motivo. En este último leemos versos tan bellos como los del terceto final:

> Y tú también de tu ambición desiste,
> y junto a Filis tengan sepultura
> tu flecha inútil y mi lira triste.

Típicamente romántica es *A la muerte de Filis*. El paisaje se transforma: la apacible serenidad del clasicismo sufre radical mutación: pámpanos de Baco y mirtos de Venus se convierten en lúgubres cipreses; en ronca voz del cuervo, el dulce tono del tierno jilguerillo, y hasta el sol y la luna «esparcen negras sombras» y la flauta pastoril resuena como el trueno de Júpiter. Aunque la alusión mitológica es característica del clasicismo, la identificación del paisaje con el estado emocional del poeta, típica aportación romántica, está plenamente lograda en este poemita[4].

Con la muerte de la amada el poeta renuncia a todo: paisajes primaverales, dulzuras del amor, encantos femeninos. Hasta cuando vislumbra las gracias de Cloris, en los sáficos-adónicos de Cupido, «Sobre los peligros de una nueva pasión», la imagen de Filis se le aparece para exigirle una renunciación:

> Lástima causen a tu pecho, ¡oh niño!,
> las voces mías, mis dolientes voces,
> y si conoces el dolor que causas,
> lástima tenme.
>
> La nueva antorcha que encendiste apaga,
> y mi constante corazón respire;
> haz que no tire tu invencible mano
> otra saeta.

Al segundo grupo corresponden algunas notables, como la *Letrilla satírica imitando el estilo de Góngora y Quevedo*, en que mide por el mismo rasero a solteras, viudas y casadas[5]; las sextinas *Sobre ser la poesía un estudio frívolo*; los tercetos *A la Fortuna*, mezcla de poesía moral y filosófica; la *Canción a un patriota retirado a su aldea* y la *Carta de Florinda a su padre el conde Julián, después de su desgracia*. Interesa como expresión de la ideología de Cadalso y la nota prerromántica del lenguaje inter-jeccional, así como por el cromatismo en las descripciones de fiestas y torneos. Se le ha señalado influencia ovidiana de las *Heroidas*, aunque en Cadalso la carta se dirige al padre y no al seductor. El ideario monárquico es aquí tan patente como en las *Cartas marruecas*: Florinda, víctima del rey, se siente cohibida en sus deseos de venganza, por el respeto a la dignidad del monarca:

> Mas sin duda los reyes
> son de tan superior naturaleza,
> que las humanas leyes
> humillan el rigor y fortaleza,
> y sólo puede castigar coronas
> quien maneja los astros y las zonas.
> Ya me falta el aliento
> para la grave empresa meditada;
> un impulso violento
> me detiene la mano levantada,
> y en tan dudoso, oscuro y cruel abismo,
> vuelvo el puñal contra mi pecho mismo.

Cadalso, prosista

Descartada la *Optica del corteijo*, cuya paternidad le niega la mejor crítica[6], quedan como obras en prosa de Cadalso: las *Cartas marruecas*, los *Eruditos a la violeta* y las *Noches lúgubres*[7].

La popularidad de Cadalso en su tiempo descansaba sobre *Los eruditos a la violeta*; hoy se lo estima más por sus *Cartas marruecas* (1793). En ellas el autor hace una crítica minuciosa de España y de los españoles[8]. Las cartas se fingen escritas por tres personajes: Gazel, joven moro llegado a España con una Embajada; Ben Beley, su preceptor, y Nuño, compatriota nuestro, que personifica a Cadalso y toma a su cargo la dirección del primero. En las *Cartas marruecas* alienta el mismo espíritu crítico que en Feijoo, Masdeu y Forner. Se abordan los más variados temas: filosóficos, morales, pedagógicos, históricos, etc., lo que dificulta una ordenación sistemática para su estudio; ofrecen como notas destacables un fervoroso amor a la patria, compatible con cierto dejo pesimista y un criterio imparcial en el enfoque y enjuiciamiento de las cosas. La diferencia de educación, vida y costumbres entre cristianos y mahometanos da pie al autor para sagaces observaciones. No deja de sorprender cierta aparente contradicción entre su espíritu abierto y casi extranjerizante y su apego al tradicionalismo más intransigente. Cadalso, como ese otro gran español de nuestros días que se llama Unamuno, reconoce lo bueno y lo malo de España y de fuera. Lejos de recluirse en su torre de marfil, sale a buscar en lo aprovechable del exterior la corriente vivificadora de lo nuestro decrépito. En general se extiende a las *Cartas* un tono pesimista, que alcanza tanto a España como a los pueblos extranjeros: «La mezcla de las naciones en Europa ha hecho admitir generalmente los vicios de cada una y desterrar las virtudes respectivas.» Lamenta la corrupción reinante en su tiempo, que no pueden disimular todos los convencionalismos sociales y, refiriéndose a la poligamia, sentencia por boca de Gazel: «Entre estos europeos la religión la prohibe y la tolera la costumbre..., pero aún abundan las matronas dignas de respeto» (Carta X).

Mención aparte merece su ideología política. Cadalso busca en las diferencias étnicas la diversidad de caracteres, leyes y costumbres. Basa la grandeza de los pueblos en el patriotismo bien entendido; un patriotismo compatible con la admiración del extranjero en aquello en que éste supere al propio país. La grandeza española, vinculada a la institución monárquica, culmina en los Reyes Católicos; empieza a declinar con Felipe II, y a la muerte de Carlos II «España ya no era sino el esqueleto de un gigante». Causa de esta decadencia y de nuestro atraso técnico fueron las continuas guerras.

Este patriotismo le hace arremeter briosamente contra los detractores de nuestras glorias auténticas: «Los pueblos que tanto vocean la crueldad de los españoles en América—escribe en su Carta XII—son precisamente los mismos que van a las costas de Africa, compran animales racionales de ambos sexos a sus padres... y los venden en público mercado como brutos..., y con el dinero imprimen libros llenos de elegantes invectivas y elocuentes injurias contra Hernán Cortés por lo que hizo.» No menos dura es su arremetida contra el lujo, que empobrece a los pueblos: «El poderoso de este siglo (hablo del acaudalado, cuyo dinero físico es el objeto del lujo), ¿en qué gasta sus rentas? Despiértanle dos ayudas de cámara primorosamente peinados y vestidos; toma café Moca exquisito en taza traída de la China por Londres; pónese una camisa finísima de Holanda, luego una bata de mucho gusto tejida en León de Francia; lee un libro encuadernado en París; viste a la dirección de un sastre y peluquero franceses; sale en un coche que se ha pintado donde el libro se encuadernó; va a comer en vajilla labrada en París o Londres las viandas calientes, y en platos de Sajonia o de China las frutas y dulces; paga a un maestro de música, y otro de baile, ambos extranjeros; asiste a una ópera italiana, bien o mal representada, o a una tragedia francesa, bien o mal traducida, y al tiempo de acostarse puede decir esta oración: 'Doy gracias al cielo de que todas mis operaciones de hoy han sido dirigidas a echar fuera de mi patria cuanto oro y plata ha estado en mi poder'» (Carta XLI).

Otros aspectos destacables de la ideología de Cadalso son: su defensa de la familia y del matrimonio, basado entre personas de análoga condición social; su diatriba de las corridas de toros (Carta LXXII); sus violentos ataques contra los malos traductores y los corruptores del idioma [9];

el panegírico de la poesía (Carta XXXII), y la censura de la nobleza, fundamentada en los pergaminos y no en las obras. Censura que no deja de llamar la atención en quien, como él, pertenecía al hábito de Santiago: «Nobleza hereditaria es la vanidad que yo fundo en que 800 años antes de mi nacimiento muriese uno que se llamó como yo me llamo y fué hombre de provecho, aunque yo sea inútil para todo» (Carta XIII).

En derecho natural, Cadalso, hombre de su siglo, seguía ciegamente las teorías de Rousseau al afirmar la bondad innata del hombre y su perversión por obra de la sociedad (Carta XL).

En términos generales se puede decir que las *Cartas marruecas* constituyen uno de nuestros libros más sugestivos del XVIII, tanto por la altura moral que las informa como por la variedad de sus temas y por la calidad de su estilo, siempre fácil y agradable. Dos ideas fundamentales resaltan en ellas: un sano patriotismo y un propósito moralizador, que le lleva a concebir la vida como milicia y ejemplo para la posteridad.

La fama de Cadalso se cimentaba en los *Eruditos a la violeta* (1772), parodia oportunísima de la superficialidad de muchos, escrita «en obsequio de los que pretenden saber mucho estudiando poco». En unas cuantas lecciones se nos dan recetas para hacer en una semana acopio de los más variados conocimientos: poética, retórica, filosofía, derecho, matemáticas, etc. El éxito de la obra animó al autor a redactar una continuación con el título de *Un buen militar a la violeta* (1790), que apareció póstuma y provocó una nube de protestas. Se censuraba a Cadalso el incidir en el mismo vicio que ataca; a lo que él contesta en el *Suplemento* que, aunque sus conocimientos sean escasos, nunca fingió tenerlos mayores [10]. La verdad es que en cultura superaba a casi todos sus contemporáneos y estaba al tanto del movimiento literario en Europa.

Ateniéndonos sólo a la lección del martes, sobre Retórica y Poética, vemos que conocía a fondo las literaturas clásicas y la nuestra, en cuyo estudio tiene innegables aciertos. Señala, por ejemplo, la lamentación de la madre de Lorenzo Dávalos como el más bello trozo del *Laberinto*, de Juan de Mena; y, en pleno neoclasicismo, proclama los méritos de poetas como fray Luis de León, Garcilaso, Quevedo y Góngora.

Muy inferior en todos los órdenes a las anteriores es el librito titulado *Noches lúgubres* (1790?), que para nosotros apenas tiene ya otro interés que el puramente autobiográfico. Sin embargo, alcanzó en su tiempo enorme difusión por haberse convertido, junto con el *Werther* de Goethe, en el breviario del amor desesperado de los románticos.

Sobre un argumento insignificante, el conocido intento de exhumar el cuerpo de su amada María Ignacia, Cadalso teje un relato muy de la época, interrumpido a cada paso con desahogos pasionales y toda clase de tópicos, preludio del romanticismo. Tediato (Cadalso) aguarda a Lorenzo para que le ayude a levantar la losa del sepulcro; pero la llegada del día les obliga a abandonar la empresa. Concertados para la noche siguiente, mientras Tediato espera a su compañero, oye gritos en demanda de auxilio. Acude y halla a un hombre herido, a quien se apresura a socorrer. En esta situación le sorprende la justicia, que, al verle manchado de sangre, le toma por asesino. Llevado a la cárcel no tarda en ser puesto en libertad al aparecer los verdaderos culpables. Se cita por tercera vez con Lorenzo para dar cima a la empresa, y el relato queda interrumpido cuando se dirigían a la sepultura de la amada.

La paternidad de Cadalso, puesta en duda algún tiempo, está plenamente comprobada después del documentado estudio de Tamayo Rubio [11]. Otra cosa es la autenticidad del relato: parecen ciertos los amores del poeta con la Ibáñez; cierta también y sincera la pasión del uno por el otro y el dolor de Cadalso por la muerte de la actriz; pero los hechos posteriores, ¿se desarrollaron como se cuenta en las Noches lúgubres? Creemos que sobre un fondo real el poeta tejió una narración imaginaria con elementos de su fantasía y recuerdos de las Noches, del inglés Young. Es más: en las Cartas marruecas afirma haber compuesto unas Noches lúgubres «a la muerte de un amigo» [12].

En las primeras ediciones el relato se interrumpe antes de mediar la Noche tercera. Posteriormente un editor desaprensivo terminó esa noche, y hasta agregó una cuarta [13].

II. GASPAR MELCHOR DE JOVELLANOS

Si en casos como el de Martínez de la Rosa se puede definir a un literato como «escritor de transición», esta etiqueta no cuadra a Jovellanos, según se le viene aplicando con harta frecuencia. «Bajo la aparente sencillez de su perfil —escribe Angel del Río—encierran vida y obra un complejo entrecruzamiento de ideas, una serie de contradicciones representativas de la encrucijada que la revolución ideológica del siglo XVIII fué para los españoles cultos y en cierta medida para la humanidad occidental» [14]. Esta complejidad espiritual explica los distintos y hasta opuestos juicios que sobre él se han formulado: retrógado o liberal avanzado; reformador conciente o mozo impulsivo ávido de novedades; hombre de firmes convicciones religiosas o heterodoxo; todo se ha dicho de Jovellanos, sin duda por no haber sido estudiado en el marco histórico de su época. Su rasgo más saliente es el eclecticismo; y a «armonizar todas las corrientes contradictorias que influyen en su pensamiento y formaron su sensibilidad» dirige los máximos esfuerzos.

Imbuído de las ideas enciclopedistas de su siglo y de un humanitarismo roussoniano, procura suavizar los procedimientos judiciales y el régimen penitenciario, a cuya finalidad consagra, aparte de varios tratados, su única obra dramática importante, El delincuente honrado. Podrá discutirse el acierto o error de sus ideas; valorar positivamente o relegar al terreno de los sueños utópicos su ideal de una vida mejor; podrán considerar un fracaso su ansia reformista y su labor político-social quienes calibran el valor espiritual en función del resultado práctico. Pero no pueden ponerse en duda su integridad moral, su defensa apasionada de todo lo justo, su sujeción estricta al deber, que le llevan a romper lazos de íntimos afectos y que le acarrean tantas persecuciones y disgustos. Cabarrús, Campomanes y Godoy son buena prueba de ello.

Datos biográficos

Nace don GASPAR MELCHOR DE JOVELLANOS en Gijón el 5 de enero de 1744. De familia aristocrática [15], estudia las primeras letras y latín en su ciudad natal, y filosofía en Oviedo, de donde pasa, a los 13 años, a Avila para seguir leyes y cánones. Protegido por el prelado don Romualdo Velarde y Cienfuegos, obtiene una beca en el Colegio de San Ildefonso de la Universidad de Alcalá, donde permanece dos años. Aquí se inicia su afición poética: «Trepar osé al Parnaso.» Recibe la primera tonsura y proyecta opositar a la canonjía doctoral de Tuy; pero desiste por consejo de familiares y amigos, orientándose preferentemente hacia la judicatura. En 1767 se le nombra alcalde del Crimen de la Audiencia de Sevilla; por consejo del conde de Aranda es el primer magistrado que deja de usar peluca, y su ejemplo es imitado por muchos. En Sevilla asiste a la tertulia del peruano don Pablo Olavide, por indicación del cual aborda el estudio de idiomas. De la estancia en Sevilla datan la mayor parte de sus obras propiamente literarias [16] y su orientación hacia el nuevo género poético pregonado en la epístola Jovino a sus amigos de Salamanca. En 1778 es nombrado alcalde de Casa y Corte. Frecuenta en Madrid la tertulia de Campomanes, en la que traba íntima amistad con Cabarrús. Al mes escaso de su arribo a la corte, ingresa en la Sociedad Patriótica; y, más tarde, en las Academias de la Historia, San Fernando, Española, Cánones y Derecho, a las que aporta valiosos trabajos. En 1790 se le encarga la visita de los colegios de Calatrava y Alcántara, en Salamanca, y la inspección de las minas carboníferas de Asturias, viaje que interrumpe al tener noticia del proceso de Cabarrús [17]. Regresa de nuevo a Asturias para cumplir la misión encargada, y allí permanece hasta 1798, entregado al fomento cultural (funda el Instituto Asturiano), a las más variadas lecturas y a la composición del minucioso *Diario*, de sumo interés biográfico e ideológico [18]. Libre Cabarrús y amigo de Godoy, Jovellanos es designado (1797) embajador en Rusia, cargo que no llega a desempeñar por su nombramiento de ministro de Gracia y Justicia (noviembre de 1797-agosto de 1798). Consejero de Estado y encargado de nuevas comisiones, es apresado (13 de marzo de 1801) y conducido a Mallorca, primero a la Cartuja de Jesús Nazareno y después al castillo de Bellver [19], de donde sale libre a raíz del motín de Aranjuez. Los afrancesados, en especial sus amigos Meléndez, Cabarrús, Moratín y Llorente, le instan para que acate a Murat y acepte sus comisiones [20]. Jovellanos rechaza todo ofrecimiento, forma parte de la Junta Central y, al disolverse ésta, pasa a Galicia y luego a Gijón. Ante el acoso francés, embarca para Cádiz; un temporal le obliga a refugiarse en el pequeño puerto de Vega, donde muere el 29 de noviembre de 1811. En la Arcadia salmantina se llamó *Jovino*.

La obra de Jovellanos

Presenta doble aspecto: de un lado, la literatura y el arte; de otro, lo que viene denominándose ampliamente didáctica y tratado doctrinal. En el primero, tenemos al poeta y al dramaturgo; al traductor de Milton, al esteta que escribe el *Elogio de las Bellas Artes* o al filólogo que diserta sobre el «Lenguaje y estilo propios de un diccionaro geográfico» o prepara una edición del *Fuero Juzgo latinocastellano*, y aun podríamos considerar al censor de obras nacionales y extranjeras. En el segundo, topamos con el jurista y el político, el arqueólogo y el educador. Ambos aspectos son en el fondo inseparables, por darse yuxtapuestos y hasta fundidos en la mayoría de sus obras. Por ejemplo: en la *Memoria para el arreglo de la policía de los espectáculos y diversiones públicas* se hace una sucinta reseña de nuestro teatro; en *El delincuente honrado* se expone todo un código de administración de justicia y de interpretación legislativa, y en la *Epístola a los amigos de Salamanca*, más que el tono lírico domina el didáctico y suasorio.

Estudiamos la obra de Jovellanos agrupándola en tres apartados: dramática, poética y varia:

TEATRO

Munuza o *Pelayo*, *El delincuente honrado.*

POESÍA

Epístolas: *Jovino a sus amigos de Salamanca*, *Jovino a sus amigos de Sevilla*, *Fabio a Anfriso*.

Poesía patriótica: *Canto guerrero para los asturianos.*

Poesía filosófico-moral: *A Arnesto* (dos sátiras-epístolas), *Oda al Sol.*

Poesía amoroso-pastoril: *Sonetos a Cloris*, letrillas, romances.

VARIA

Informe sobre la ley agraria, *Memoria en defensa de la Junta Central*, *Tratado teórico-práctico de enseñanza*, *Elogios* (de Carlos III, de Ventura Rodríguez, etc.), *Memorias del castillo de Bellver.*

Producción dramática

Aunque no carecía de dotes para el teatro, Jovellanos sólo nos dejó dos obras: *Munuza* (después se llamó *Pelayo*) y *El delincuente honrado.*

La primera, en cinco actos y romance endecasílabo, recoge los amores de Dosinda, hermana de Pelayo, con el caudillo musulmán Munuza, gobernador de la plaza de Gijón. Escrita con imaginación y soltura, los largos parlamentos amenguan el ritmo de la acción dramática. *El delincuente honrado*, comedia en prosa del género «lacrimoso» [21], tan cultivado por aquellas fechas en Francia, pretende, según carta del mismo Jovellanos al traductor francés, «descubrir la dureza de las leyes», sobre todo en lo que afectan a la punición de los delitos del honor [22].

Para explicar su tesis busca un argumento tan sencillo como oportuno: Torcuato ha dado muerte en desafío, para defender su honor, al marqués de Montilla, sujeto vil y vicioso. La viuda de éste, ignorante de las circunstancias en que murió su marido, contrae matrimonio con Torcuato. Las pesquisas del magistrado don Justo de Lara y la delación de un criado de Montilla, dan por resultado la detención y condena a muerte de Anselmo, amigo de Torcuato. Anselmo, por no faltar a su amistad, se declara autor del hecho. Pero Torcuato se presenta espontáneamente al juez, que resulta ser su padre. Conflicto del deber y del afecto, que se resuelve mediante la intervención de Anselmo, el cual obtiene para su amigo el perdón real, limitándose el castigo a destierro de Madrid.

Lo fundamental de esta obra no es la trama, aunque ésta interesa en todo momento, sino los caracteres bien perfilados y, más aún, su contenido ideológico, su tesis reformista, encarnada en un magistrado «ilustrado, virtuoso y humano». Los calificativos son del propio Jovellanos, el cual se propone con *El delincuente* insuflar un espíritu más flexible en el código, que resultaba ya inadecuado para su tiempo. «Los más de nuestros autores—escribe—se han copiado unos a otros, y apenas hay dos que hayan trabajado seriamente en descubrir el espíritu de nuestras leyes.»

Poesía lírica

La producción lírica de *Jovino*, abundante y variada, se polariza en dos direcciones, que corresponden a dos etapas diferentes de su vida. Primero, la poesía juvenil, en que el vate explaya sus ensueños bucólicos y sus ansias amorosas, más o menos platónicas, en multitud de romances, letrillas, anacreónticas e idilios a la manera de Villegas [23]. Algunos sonetos amorosos, correctísimos de forma, corresponden a esta época; sobresalen los dos dedicados *A Cloris*.

Pronto cambia el estro. No le iba a Jovellanos la cuerda sentimental y un tanto «sensiblera» de Batilo y sus adláteres. En Sevilla, alejado ya del ambiente salmantino, deriva hacia el género filosófico-moral, más congruente, según él, con su dedicación a la magistratura. «La poesía amorosa —explica a su hermano Francisco de Paula, al enviarle sus versos— me parece poco digna de un hombre serio, y aunque yo por mis años pudiera resistir todavía este título, no pudiera por mi profesión, que me ha sujetado desde una edad temprana a las más graves y delicadas obligaciones.» La *Epístola de Jovino a sus amigos de Salamanca* (1776) es en este aspecto muy significativa. En ella se invita a Batilo (Meléndez Valdés), Delio (fray Diego González) y Liseno (Padre Rojas) a sustituir el «caramillo pastoril» por instrumentos más graves, aptos para cantar los más elevados asuntos:

> Sean tu objeto los héroes españoles,
> las guerras, las victorias y el sangriento
> furor de Marte...,

aconseja a Meléndez; y al padre González:

> ¡Ea, fecundo Delio! Tú, a quien siempre
> Minerva asiste al lado, sus, asocia
> tu musa a la moral filosofía
> y canta las virtudes inocentes
> que hacen al hombre justo y le conducen
> a eterna bienandanza. Canta luego
> los estragos del vicio...

El empieza por dar ejemplo. Y a esta orientación responden, en efecto, sus mejores composiciones: la *Epístola a sus amigos de Sevilla*, de tono melancólico y alto valor descriptivo [24], en que se inicia felizmente el *tema de la partida*, tan caro luego al romanticismo; la de *Fabio a Anfriso*, estampa sugestiva del monasterio de El Paular, con acertados toques paisajísticos y una acumulación de elementos románticos: noches de insomnio, ruidos nocturnos, voces misteriosas, siluetas fantasmales, etc.; el *Canto guerrero para los asturianos*, fervorosamente patriótico; y, sobre todo, las dos sátiras *A Ernesto*, para nuestro gusto lo mejor de Jovellanos lírico. En ellas, siguiendo de cerca a Juvenal, pretende —y lo logra casi siempre— desenmascarar «al vicio, no al vicioso». La degradación lamentable de la nobleza le inspira, especialmente en la segunda de esas sátiras, los más duros apóstrofes, hasta el extremo de querer casi justificar la revuelta:

> ¿Qué importa? Venga denodada, venga
> la humilde plebe en irrupción, y usurpe
> lustre, nobleza, títulos y honores.
> Sea todo infame behetría; no haya
> clases ni estados. Si la virtud sola
> les puede ser antemural y escudo,
> todo sin ella acabe y se confunda.

Obras varias

En todas ellas, a la vez que demuestra sus extensos conocimientos y rectitud de juicio, Jovellanos se nos presenta como relevante escritor. Muchas, y de alto valor doctrinal, son las que compuso. Destacan: *Informe sobre la ley agraria*, relativa al estado de la agricultura española y a los medios que se deben emplear para hacerla productiva. Con gran profusión de testimonios históricos y legislativos expone las trabas que pesan sobre la agricultura y causas de su atraso, que agrupa en tres series: políticas, morales y geofísicas [25]. Los *Elogios* (De Carlos III, de Ventura Rodríguez, de las Bellas Artes); *Memorias del castillo de Bellver*; *Descripción de la Lonja de Palma*; *Informe sobre la publicación de los monumentos de Granada y Córdoba*; multitud de discursos sobre Legislación, Geografía histórica, Economía; ensayos sobre Educación y Política.

Merece especial mención la *Memoria para el arreglo de la policía de los espectáculos y diversiones públicas y sobre su origen en España*, que, como el título indica, consta de dos partes. Ofrece interés en el doble aspecto histórico y estético. Pasa revista a las fiestas palacianas, torneos, corridas de toros, caza, romerías, teatro profano y sagrado, etc. Asigna al Gobierno como deber primordial la reglamentación de los espectáculos públicos, ya que éstos son necesarios para el público bienestar. Reconoce que determinadas diversiones pueden tolerarse en una época y prohibirse en otra; tales, los torneos, exponente de la vida caballeresca de la Edad Media. Es interesante su opinión sobre las corridas de toros, a las que niega el carácter de «fiesta nacional», por ser desconocidas del 90 por 100 de los españoles. Se pronuncia contra ellas por lo que tienen de primitivo y bárbaro; de espectáculo en que se hacía alarde de destreza y bizarría, han pasado a ser un negocio lucrativo: «Creer que el arrojo y destreza de una docena de hombres criados desde su niñez en este oficio, familiarizados con sus riesgos, y que al cabo perecen o salen estropeados de él, se puede presentar a la misma Europa como argumento de valor y bizarría española, es absurdo.» Lo más destacable para nosotros es su actitud ante el teatro. La crítica se ha fijado solamente en los lugares comunes de la estética neoclásica. A este propósito escribe Angel del Río: «Si en muchos principios, y sobre todo en la parte dispositiva, Jovellanos aplica, a veces con exageración, las doctrinas neoclásicas, que sacrificaban todo el valor estético al culto de los preceptos y a la finalidad didáctica, en materia de gusto era muy superior a la mayoría de sus contemporáneos... Al plantear el problema del popularismo del teatro español y sus relaciones con la moral, más que en un estrecho academicismo se inspiraba, con segura intuición crítica, en un concepto aristocrático del arte que ha perturbado en época reciente a muchos de los que se han acercado con ánimo de comprensión al estudio de nuestra comedia» [26].

Citemos, por último, el *Tratado teórico-práctico de enseñanza,* el más extenso y completo que salió de su pluma de hondo contenido didáctico, y la *Memoria en defensa de la Junta Central,* sobre la creación y vicisitudes de la misma; se funde íntimamente en esta obra el elemento personal con el histórico y político. El tono viril en que está redactada la obra le da un calor humano y una sobriedad elocuente, no igualada en otras del autor.

La significación de Jovellanos

Ya lo dijimos antes: Jovellanos es el español más representativo de su tiempo. Nadie encarna como él ese espíritu del *despotismo ilustrado,* con que tan felizmente se viene definiendo todo un sector de la cultura y hasta de la política europea de la segunda mitad del XVIII. Nadie tampoco recoge mejor todas esas tendencias, a veces aparentemente contradictorias, por donde desagua

el pensamiento de la época y que habían contribuído ya en los años mozos a formar su espíritu y su sensibilidad. En él convergen y alcanzan su más alta expresión el didacticismo del XVIII y aquel criticismo, inaugurado por Feijoo, que si en Forner se reviste de duras aristas, en Jovellanos acaba por templarse en una atmósfera de comprensión. Ecléctico en filosofía, con el más sano de los eclecticismos, estoico a la antigua española en su vida práctica, monárquico en política, católico en religión, no obstante sus coqueteos con el movimiento enciclopedista, liberal y aristócrata a la vez, es, sin duda, Jovellanos el espíritu más interesante de la España de últimos del XVIII y principios del XIX.

Pero, a la vez que un pensador, un político, un patricio y un economista, en Jovellanos hay un literato. Si como poeta no debe ni puede figurar en primera fila—sus mismas sátiras *A Ernesto* adolecen de prosaísmo con excesiva frecuencia—, como prosista ocupa un puesto de honor. En una época de innegable decadencia de la lengua, su prosa, rica de léxico y opulenta de contenido, se mueve con elegancia, dignidad y armonía, poco comunes en los escritores de la época. Pasajes y aun capítulos enteros hay en su *Memoria sobre los espectáculos,* por ejemplo, los referentes a la caza, que no se desdeñaría en firmar el mejor prosista del Siglo de Oro. Toreno nos ha dado la más exacta semblanza de Jovellanos en una frase: «Poseía las virtudes del español del siglo XVI, unidas al pensar moderno del nuestro.»

III. LA PERSONALIDAD LITERARIA DE FORNER

Las interminables polémicas de todo tipo, que hemos tenido ocasión de comentar en los temas precedentes, a ningún escritor del XVIII embebieron tanto como al extremeño Juan Pablo Forner. Ellas le impidieron, al propio tiempo, dedicarse a las nobles actividades a que era llamado por su talento privilegiado y por sus vastos conocimientos filosóficos y humanísticos. Su carácter violento y el afán de resaltar en la vida intelectual de la época le impulsaron a escribir contra la mayoría de sus contemporáneos; y, si bien es cierto que casi siempre llevó la mejor parte, gracias a su agudeza y a su saber, no lo es menos que ese fugaz éxito dialéctico en poco o nada contribuyó a que su nombre pasara a la posteridad como uno de los prosistas más recios y, a la vez, más elegantes de su tiempo. No sería exacto juzgar a Forner sólo por sus polémicas, ya que éstas no nos darían sino la mitad de su carácter; y, aun en esa mitad, el lado peor o negativo. Hay otro Forner de positivo valor: el escritor documentado y vigoroso que defiende a España contra las calumnias extranjeras, aun reconociendo los vicios de su pueblo; es el mismo

que en noble estilo redacta las *Exequias de la lengua castellana,* y con firme criterio filosófico nos da normas sobre el modo de escribir la historia. Su personalidad rica y contradictoria, que se resiste a un primer análisis, ofrece, a poco que en ella se ahonde, inesperadas vetas de justicia, de rectitud y hasta de ternura humanas, que no es justo menospreciar ni preterir en un estudio como el nuestro [27].

Datos biográficos

Nació JUAN PABLO FORNER en Mérida (1756). Se educó bajo la dirección de su tío, don Andrés Piquer, eminente médico y filósofo, que dejó honda huella en su formación, especialmente en el aspecto filosófico [28]. A los 14 años pasa a Salamanca, donde cursa Filosofía y Jurisprudencia, adquiriendo a la vez profundos conocimientos de latín, griego y hebreo. Frecuenta el trato de Iglesias, Estala y Meléndez, que influyen en su inclinación poética. En 1782 gana un premio de la Real Academia con su *Sátira contra los abusos introducidos en la poesía castellana.* Terminados sus estudios, pasa a la corte, y pronto (1784) se le nombra abogado honorario e historiador de la casa de Altamira con 10.000 reales de sueldo.

A partir de este momento empieza la serie de violentas polémicas que le llevarían su mejor tiempo y buena parte de su actividad [29]. En 1790 se le asciende a fiscal del Crimen en la Audiencia de Sevilla; y al año siguiente casa con doña María del Carmen Carassa. Seis años después pasa a fiscal del Consejo Supremo y es elegido presidente de la Academia de Derecho Español, cargo que no llegó a desempeñar por haberle sorprendido la muerte (1797), a la temprana edad de 41 años.

Forner, polemista

Descartada la obra poética de menor interés, todavía nos quedan en Forner dos aspectos dignos de estudio: el polémico y el apologético o de exaltación de nuestras glorias.

En el terreno polémico el fogoso extremeño sostuvo batallas casi ininterrumpidas con los más egregios escritores de su tiempo. Las juiciosas palabras de Moratín, en una célebre carta, dan idea de la extensión que llegó a alcanzar el frente de lucha: «Deja en paz—aconsejaba el ilustre autor de *El sí de las niñas*—a los Iriartes, y a Ayala, y a Trigueros, y a Valladares, y a Moncín, y a Huerta, y a las tres o cuatro docenas de escritores de quienes te has declarado enemigo» [30].

Contra Iriarte, y a raíz de la publicación de las *Fábulas literarias*, endereza los dardos de *El asno erudito*, burlándose de su vanidad, de su lenguaje prosaico y hasta de las inocentes aficiones musicales del fabulista. Iriarte se defiende en forma mesurada, aludiendo de paso a las incorrecciones gramaticales de su contrincante; y ello exaspera de tal manera a Forner, que le mueve a escribir el folleto *Los gramáticos: historia chinesca*. En qué términos estaría redactado, que el juez de imprentas se cree en el deber de recoger el manuscrito [31]. A Trigueros, encargado por el Gobierno de perpetuar en verso la crecida del Guadalquivir (1784), le dirige la *Carta de don Antonio de Varas*, en que, a la vez que al plúmbeo poema *La Riada*, se zahiere a la Academia del modo más brutal. La toma con Ignacio López de Ayala por haberle desaprobado el drama *La cautiva española* y le acusa de aceptar y escribir «dramas bárbaros». En *La corneja sin plumas* arremete contra Vargas Ponce, a quien califica de «literatillo..., miserable plagiario... y menguado zurcidor de cantares». Y, en fin, con el benemérito investigador don Tomás Antonio Sánchez entabla una disputa, en la que, aparte de su agrio carácter, da muestras de una incomprensión totalmente censurable. En este aspecto la labor de Forner fué por entero negativa.

Las «Exequias de la lengua castellana»

En cambio, como apologista de nuestra cultura merece el mejor recuerdo. En dos obras reveló Forner sus amplios conocimientos y su ferviente patriotismo, compatible con el más estricto sentimiento de la justicia: la *Oración apologética* (1786) y las *Exequias de la lengua castellana* (1782).

La *Oración apologética*, redactada por encargo de Floridablanca, pretende contestar a la impertinente pregunta de Massón: «¿Qué se debe a España?» Revela conocimiento a fondo y en detalle de todo nuestro pasado científico y literario; arremete contra la pedantería dominante y sostiene la tesis de que las diatribas contra España proceden, más que del odio, del desconocimiento que de ella existe [32]. Con frecuencia no sólo acierta en sus juicios, sino que éstos adquieren la más alta calidad de expresión junto con un denso contenido. «Las dos páginas referentes a Vives—ha dicho Sainz Rodríguez—, llenas de entusiasmo, son, quizá, el trozo más profundo de crítica dedicado a un filósofo nacional en todo el siglo XVIII.»

Mejores son aún las *Exequias de la lengua castellana*. Por su argumento se reducen a uno de tantos «Viajes al Parnaso», al estilo de *La derrota de los pedantes*, de Moratín, sin la finura de éste, aunque con mayor riqueza doctrinal.

El autor intenta ir al Parnaso, pero antes cree indispensable una recomendación para Apolo. En vano la gestiona de varios escritores, que le aconsejan desistir de su proyecto «porque no había en España uno que pudiese jactarse de merecer la amistad de aquel dios». Al fin, por conducto de Cervantes, recibe una invitación para asistir a las exequias de la lengua castellana, «a la que una multitud de escritorcillos ha dado muerte... después de haberla desflorado perversa y abominablemente». Acompañado de Arcadio (Iglesias de la Casa), asiste a los funerales, que le dan ocasión para descargar unos cuantos mandobles sobre los malos escritores de su tiempo, entre los que apenas respeta a otro que a Mayans, «venerable anciano que fué en su patria el último y solo defensor de ella (la Lengua)». Con un desfile de nuestros más gloriosos literatos y un auto de fe de los malos libros termina la obra.

Por lo dicho se ve que las *Exequias* son una defensa de nuestra literatura del Siglo de Oro, como la *Oración* lo era de nuestra historia. El propósito apologético se manifiesta desde el principio: «Levantemos un monumento a la inmortalidad de la lengua, ya que la ignorancia no ha permitido que ella sea inmortal; y perpetuemos cuanto nos sea dable las excelencias que tuvo en sí, para que la posteridad española cuente entre las grandes hazañas que se atribuyen a este siglo filosófico la de haberla defraudado de la magnificencia de su idioma, del mayor y mejor instrumento que conocía la Europa para expresar pensamientos con majestad, con propiedad, con sencillez, con gala, con donaire y con energía.» Culpa a los imitadores de Francia, precisamente «en aquello en que no debiera ser imitada», de la decadencia de nuestras letras; y él, que en obras anteriores se había mostrado más bien neoclásico, vuelve aquí a exaltar las excelencias de nuestra novela, nuestro teatro y nuestra historia del Siglo de Oro.

El ideario de Forner

Por los párrafos transcritos y por otros que van en nota se verá que el lenguaje de Forner no brilla por su soltura ni por su gracia. Es más bien duro y, aunque abundante, poco flúido y sugestivo. Pero no es aquí, en lo literario, sino en lo ideológico, donde hemos de buscar el mérito de las *Exequias*. En tal aspecto se puede afirmar que ellas contienen toda una preceptiva, dispersa aquí y allí, y que cabría resumir en estos puntos capitales:

1.º Estilo acomodado al temperamento del escritor: «Aquel a quien domine el juicio trabajará inútilmente en querer remedar la travesura, siempre fecunda, de Quevedo, o la elegancia florida de Solís; aquel en quien domine el ingenio, aunque lo solicite, no podrá ceñirse jamás a la severidad lacónica de Mariana o a la naturalidad sencilla de Zurita.»

2.º Imitación indispensable de los grandes modelos; pero no en plan de copia, de plagio, sino con intento de superación: «El que copia es esclavo, el que emula es competidor.»

3.º Crítica ecuánime; más bien con el propósito de corregir que con la mira de censurar.

4.º Importancia decisiva del lenguaje afectivo junto al puramente lógico.

5.º Insuficiencia de las reglas sin la concomitancia del talento natural: «El arte por sí no basta para producir obras excelentes; y al contrario, hacen grandísimo perjuicio a los progresos del buen gusto aquellos entendimientos secos, lánguidos y fríos que no pueden dar de sí más que la observancia de los preceptos.»

6.º Finalidad pedagógico-social del arte. De ahí la importancia del teatro como escuela de buenas costumbres.

7.º Cierta filosofía de la historia, que ve en el acontecer de un pueblo el reflejo de su formación y de su cultura.

8.º Implacable condena de conceptistas y culteranos [33]. Estos en el verso y aquéllos en la prosa han sido nefastos para las letras: «Palabras peregrinas, frases huecas, metáforas desmesuradas, rodeos afectados, traslaciones violentas, balumba de adornos impertinentes, conceptos falsos, ponderaciones gigantescas, fueron las pócimas con que destruyeron la salud (de la lengua) a título de hermosearla.»

Forner, poeta

Se le ha subestimado. Para nuestro gusto no es Forner ni mejor ni peor que otros famosos vates de su época: Jovellanos, fray Diego González y el mismo Iglesias de la Casa. Quizá en algún aspecto sea superior a éstos; p. ej., en los *epigramas*, que los tiene en buen número y llenos de ingenio e intención. Sus *odas* se conforman en todo con el conocido patrón de la escuela salmantina, en la que se había formado; merece leerse *A Damón* (don Pedro Estala). Las *epístolas* y *sátiras*, del corte de las de Jovellanos, aunque de estilo más movido, no alcanzan el tono digno de éstas; con todo, pueden recordarse *A Elisa* y *Contra los vicios introducidos en la poesía castellana*, ya antes aludida. Estimables algunos de sus sonetos, especialmente los de intención satírico-burlesca: *Definición de una niña de moda* y *Definición de un petimetre*.

No podía faltar en quien se había educado en Salamanca, al lado de Meléndez Valdés, las consabidas *anacreónticas* y *letrillas*. Forner escribió bastantes, y todas ellas igualmente blandas, fáciles y sensibleras; rara vez la dulzonería propia del género se sale con algún grano de picardía, como en la titulada *A Lesbia, vieja enamorada*. Tampoco en los *romances*, interminables, grises y monótonos, se descubre nada personal. Repetimos que lo mejor, a nuestro parecer, son los *epigramas*, muchos de los cuales merecen mayor difusión que la alcanzada hasta ahora; junto a ellos cabría citar la silva *Mi venida a Aranjuez*, por las alusiones autobiográficas y autopsicológicas y por el vocabulario que preludia el próximo romanticismo, tanto en la adjetivación como en el empleo de términos: sombra, muerte, triste lecho, pavoroso, espantoso, soledad, hórrida, espanto, amargas, mustias, etc., mezclados todos ellos con otros típicamente dieciochescos.

NOTAS

1. El confinamiento decretado por Aranda fué motivado, a lo que parece, por el intento de Cadalso de exhumar el cadáver de su amada. He aquí cómo describe Tamayo y Rubio este episodio que después idealizaría el poeta en sus *Noches lúgubres:* «El cadáver de María Ignacia había sido sepultado en la capilla de Nuestra Señora de la Novena de la iglesia de San Sebastián, por haber pertenecido a esa Congregación. Cadalso lloró y oró arrodillado sobre el sepulcro. Y se apodera de él un deseo irrefrenable de enlazar otra vez el cuerpo joven de María Ignacia, que no envejecería ya. En el silencio de la noche, en la iglesia solitaria retumban los golpes cautos de la piqueta enamorada. Pero no ya el juez de la ficción, sino el conde de Aranda, protector del poeta, que aún ocupaba el más alto puesto de la nación, interviene. Sus enviados detienen a Cadalso y a su cómplice, impidiendo que pase de intento su locura; Aranda, para procurar el olvido, destierra a Salamanca al enamorado.» (Pról. de la ed. de las *Cartas marruecas*, pág. 22, «Clásicos Castellanos», Espasa-Calpe, Madrid, 1935.)

2. En carta dirigida por Meléndez a don Salvador de Mena (Salamanca, 16 de marzo de 1782), poco tiempo después de la muerte de Cadalso, se reconoce esta influencia: «Sin él —dice— yo no sería hoy nada... El me cogió en el segundo año de mis estudios, me abrió los ojos, me enseñó, me inspiró este noble entusiasmo de la amistad y de lo bueno, me formó el juicio; hizo conmigo todos los oficios que un buen padre con su hijo más querido.» Vid., asimismo, MARQUÉS DE VALMAR: *Historia de la poesía castellana en el siglo XVIII*, «Colec. Rivadeneyra», I, pág. 322. Pedro Salinas ha ampliado el marco de estas influencias, limitadas hasta ahora a la lírica. Señala la huella de las *Noches lúgubres* en la obra perdida de Meléndez *Tristemio, diálogos lúgubres sobre la muerte de su padre*, y la de las *Cartas marruecas* en las *Cartas de Ibraim*, también de Meléndez. En el capítulo L, apartado II, aludimos por extenso a la influencia de Cadalso en la segunda escuela salmantina.

3. Los comienzos de su pasión amorosa se describen en la égloga *Desdenes de Filis*, una de sus composiciones más logradas. A imitación de la primera de Garcilaso, dos pastores —Dalmiro (Cadalso) y Hortelio (García de la Huerta)— cantan alternativamente la belleza y esquivez de Filis, que causa la muerte del primero.

4. Sólo a título de curiosidad mencionamos unos versos que nos dan la filiación de las *Noches lúgubres*, «imitando el estilo y los pensamientos de tristeza de las que compuso en inglés el doctor Young»:

De la muerte de Filis
tres noches he compuesto,
tan tristes, que con nada
comparártelo puedo...;
mas sí, que son tan tristes
como gustosas fueron
las que pasamos juntos
mientras vivió mi dueño...

5.

Que dé la viuda un gemido
por la muerte del marido,
ya lo veo;
pero que ella no se ría
si otro se ofrece en el día,
no lo creo.

Que Cloris me diga a mí:
«Sólo he de quererte a ti»,
ya lo veo;
pero que, si quiere a ciento,
no haga el mismo cumplimiento,
no lo creo...

6. Pertenece a don Manuel Antonio Ramírez, según demostró don FERMÍN CABALLERO en «*La Optica del cortejo» no es obra de don José Cadalso*, «Rev. de España», t. XXX, enero de 1873.

7. Cadalso es también autor de unos *Calendarios satíricos* publicados por Foulché-Delbosc en la «Revue Hispanique», noviembre 1894. Obra en la que hace gala de su «independencia de pensamiento, de su valentía al sobreponerse a no escasas convenciones sociales y de la travesura de su pluma, cualidades que le hicieron correr impresos atribuidos a Quevedo» (Tamayo Rubio). Mencionemos finalmente las cartas dirigidas a Iriarte y a Moratín, de sumo interés para la biografía y para el ideario estético del poeta; fueron publicadas por el mismo Foulché en el citado número de la «Revue Hispanique».

8. En la introducción al motivo y filiación de la obra: «Desde que Miguel de Cervantes compuso su inmortal novela —escribe— se han multiplicado las críticas de las naciones más o menos cultas de Europa en las plumas de autores más o menos imparciales; pero las que han tenido más aceptación entre los hombres de mundo y de letras son las que llevan el nombre de cartas, que suponen escritas en este o en aquel país por viajeros naturales de reinos no sólo distantes, sino opuestos en religión, clima y gobierno.» Las *Cartas marruecas* aparecen por primera vez en el *Correo de Madrid*, que anteriormente se llamó *Correo de los Ciegos de Madrid*. Se inicia la publicación el 14 de febrero de 1789, y la última carta (XC), el 25 de julio del mismo año.

9. «Algunas veces me puse a traducir, cuando muchacho, varios trozos de literatura extranjera, porque así como algunas naciones no tuvieron a menos el traducir nuestras obras en los siglos en que éstas lo merecían, así debemos portarnos con ellas en la actual. El método que seguí fué éste: leía un párrafo del original con todo cuidado; procuraba tomarle el sentido

preciso; lo meditaba mucho en mi mente, y luego me preguntaba yo a mí mismo: «Si yo hubiese de poner en castellano la idea que me ha producido esta especie que he leído, ¿cómo lo haría?» Después recapacitaba si algún autor antiguo español había dicho cosa que se le pareciese. Si se me figuraba que sí, iba a leerlo, y tomaba todo lo que me parecía ser análogo a lo que deseaba. Esta familiaridad con los españoles del siglo XVI y algunos del XVII me sacó de muchos apuros, y sin esta ayuda es formalmente imposible el salir de ellos, a no cometer los vicios de estilo que son tan comunes.» (Carta XLIX.)

10. «Si se entiende por erudito a la violeta un hombre que sabe poco, declaro que me he retratado con vivísimos colores, por más que el amor propio quiera borrar el cuadro; pero si se entiende por erudito a la violeta lo que yo entiendo y sigo que todos entendiesen desde que puse la pluma al papel, a saber: uno que, sabiendo poco, aparenta mucha ciencia, digo que no se me parece la pintura ni en una pincelada. De la calumnia apelo a los que me tratan, y digan si jamás se me ha oído hablar de facultad alguna con ese aparato y ostentación, por más que me incitan a ello los ejemplos de tantos como veo y oigo por ese mundo lucir con cuatro miserables párrafos que repiten, así como un papagayo suele incomodar a toda la vecindad con unas pocas voces humanas mal articuladas.»

Un escritor de la época, don Santos Celis, publicó una continuación-réplica con el título de «Junta que en casa de don Santos Celis tuvieron ciertos eruditos a la violeta; y parecer que sobre dicho papel ha dado el mismo a don Manuel Noriega, habiéndosele éste pedido con las mayores instancias desde Sevilla». Este folleto fué contestado por Vaca de Guzmán, que vindica a Cadalso de los juicios de don Santos Celis.

11. Díaz Plaja se inclina por la no atribución a Cadalso. Valbuena Prat adopta una postura cautelosa. Tamayo Rubio demuestra que la edición de Sastres, considerada por Díaz Plaja la primera, es posterior a la inclusión de las *Noches* en la «Miscelánea erudita de piezas escogidas» (Alcalá, MDCCXCII), y es indudable la existencia de una impresión anterior, por cuanto el colector de Alcalá afirma en la *Prevención* puesta al principio del primer tomo: «No doy al público una obra mía, ni en este primer tomo le presento cosa que no haya visto.» Las *Noches lúgubres* se imprimieron entre 1785 y 1792, según conjetura Tamayo. Vid. *El problema de las «Noches lúgubres»*, «Revista de Bibliografía Nacional», 1943, fasc. 4.º

12. «Si el cielo de Madrid no fuese tan claro y hermoso y se convirtiese en triste, opaco y caliginoso como el de Londres (cuya triste opacidad y caliginosidad depende, según geógrafos físicos, de los vapores del Támesis, del humo del carbón de piedra y otras causas), me atrevería yo a publicar las *Noches lúgubres* que compuse a la muerte de un amigo, por el estilo de las que escribió el doctor Young. La impresión sería en papel negro con letras amarillas...» (Carta LXVII.)

13. El tono declamatorio de la obra cadalsiana queda sustituido en la infeliz continuación por algo espantoso y cómico: Tediato logra rescatar el cadáver de la amada; se encierra con ella en su domicilio y pega fuego a la casa, exclamando: «¡Adiós, Humanidad perversa y engañosa! ¡Adiós!»

14. Vid. JOVELLANOS: *Obras escogidas*, I (ed., introd. y notas de Angel del Río), prol., pág. VIII. En la pág. IX escribe el mencionado crítico: «Un estudio amplio de Jovellanos serviría para entender mejor nuestro siglo XVIII. el menos brillante de la literatura española, pero de trascendencia indudable, porque en él se inicia un giro. desviación radical para algunos, del que nace, buena o mala, la España moderna.»

15. «Mi familia —nos dice él mismo en sus *Memorias familiares*— era contada entre las nobles y distinguidas de la villa de Gijón desde los fines del siglo XV.» Para Jovellanos, aristocracia, más que privilegio, significa responsabilidad moral en todos los órdenes de la vida.

16. Fué también en el hogar de Olavide —según Somoza— donde Jovellanos sintió por primera vez las ternuras amorosas, ya que las Enarda, Galatea y Cloris de sus composiciones juveniles respondían en la realidad a una hermana o a una hija del ilustre peruano. Durante su estancia en Sevilla se sabe que compuso, aparte de poesías amorosas y bucólicas, la *Epístola a sus amigos de Salamanca*, la traducción del primer canto de *El Paraíso perdido* y sus dos obras dramáticas *Munuza* y *El delincuente honrado*.

17. Fué acusado de malversación de fondos en el Banco de San Carlos. En realidad, se trataba de un cambio

de política tendente a desacreditar y perseguir a los hombres más representativos del reinado de Carlos III.

18. Comienza el 20 de agosto de 1790, fecha de su salida de Madrid, y sin más interrupción que su etapa de ministro de Gracia y Justicia, alcanza hasta el 20 de enero de 1801. A su regreso de Mallorca lo reanuda con el título *De vuelta del destierro*.

19. No se conocen con absoluta certeza las causas del destierro y prisión de Jovellanos. Se ha aludido a sus ideas jansenistas. Menéndez Pelayo considera como único pretexto inmediato de su prisión la acusación de ser traductor o por lo menos inspirador de la traducción del *Contrato social*, de Rousseau, impresa en Londres (1799), en la cual se contenía una nota laudatoria para Jovellanos e injuriosa para la Corte; dicha traducción entró el 1800 en España. Véase el aludido pról. de ANGEL DEL RÍO y MENÉNDEZ PELAYO: *Historia de los heterodoxos españoles*, C. S. I. C., vol. V, lib. VI, cap. III., Santander, 1947.

20. La carta que dirige a Cabarrús da idea de la rectitud moral de Jovellanos: «España no lidia—dice—por los Borbones ni por Fernando; lidia por sus propios derechos, derechos originales, sagrados, imprescriptibles, superiores e independientes de toda familia o dinastía. España lidia por su religión, por su Constitución, por sus leyes, sus costumbres, sus usos; en una palabra: por su libertad, que es la hipoteca de tantos y tan sagrados derechos. España juró reconocer a Fernando de Borbón; España le reconoce y reconocerá por su rey mientras respire; pero si la fuerza le detiene, o si la priva de su príncipe, ¿no sabrá buscar otro que la gobierne? Y cuando tema que la ambición o la flaqueza de un rey la exponga a males tamaños como los que ahora sufre, ¿no sabrá vivir sin rey y gobernarse por sí misma?»

21. Se viene repitiendo que el género, muy en boga en la literatura francesa del XVIII, fué introducido en España por Luzán con la traducción de *El prejuicio a la moda*, de Nevilla de la Chausée. En realidad, no es difícil descubrirle antecedentes en alguna comedia de Calderón, como *No siempre lo peor es cierto*, según ya apuntó Eugenio de Ochoa. Los tipos de Carlos y Leonor de la comedia calderoniana y sus vicisitudes hasta el matrimonio constituyen la típica comedia *larmoyante*.

22. En la obra se contraponen dos conceptos jurídicos: el sustentado por don Simón, de aplicación de las leyes a rajatabla, y el de Torcuato y don Justo, de flexibilidad y adaptación de aquéllas a las costumbres y psicología de los pueblos. «Para un pueblo de filósofos—dice—sería buena la legislación que castigase con dureza al que admite un desafío, que entre ellos fuera un delito grande. Pero en un país donde la educación, el clima, las costumbres, el genio nacional y la misma constitución inspiran a la nobleza estos sentimientos fogosos y delicados a que se da el nombre de pundonor; en un país donde el más honrado es el menos sufrido, y el más valiente el que tiene más osadía; en un país, en fin, donde a la cordura se llama cobardía, y a la moderación falta de espíritu, ¿será justa la ley que priva de la vida a un desdichado sólo porque piensa como sus iguales, una ley que sólo podrán cumplir los muy virtuosos o los muy cobardes? Nuestra antigua legislación era en este punto menos bárbara. El genio caballeresco de los antiguos españoles hacía plausibles los duelos, y entonces la legislación los autorizaba; pero hoy pensamos, poco más o menos, como los godos, y, sin embargo, castigamos los duelos con penas capitales.»

23. Sirva de ejemplo la anacreóntica:

> Mientras las roncos silbos
> del Aquilón airado
> llenan a los mortales
> de susto y sobresalto...,

en que el poeta muestra el deseo de pasar dulcemente «las horas fugitivas — y los veloces años» en los brazos de la bella Enarda.

24. El incesante trote de las mulas, el duro mayoral insensible al llanto del poeta, el enojoso sonar de las discordes campanillas, el chasquido del látigo, el ronco y amenazante grito del blasfemo zagal, el confuso tropel de las ruedas sobre el camino pendiente y pedregoso, destrozan a un tiempo el oído y el corazón del autor.

25. Los obstáculos políticos se derivan del exceso de legislación, de la persistencia de los baldíos, que deberían enajenarse en beneficio del pueblo; de los privilegios del Concejo de la Mesta, de la amortización, tanto eclesiástica —clero regular y secular— como civil —mayorazgos—. Los morales se deben al desprecio con que se ha mirado siempre en España la práctica agrícola, pro-

tegiendo, a costa de ella, a la industria y al comercio. Para evitar estos últimos obstáculos propone la instrucción del agricultor. Finalmente, para vencer los originados por la naturaleza del terreno, propone intensificar la construcción de carreteras, puertos, sistemas de riego y una coordinación de la agricultura con la industria y el comercio. El *Informe sobre la ley agraria* fué la obra más leída del autor y la que le dió mayor nombradía hasta mediados del XIX. Aunque Jovellanos declara que las ideas expuestas no son personales, sino de la Corporación en cuyo nombre escribía (Sociedad Económica de Madrid), ello no resta valor a la obra, cuyo mérito, al decir de Angel del Río, «no es tanto la originalidad de ideas como la claridad en el planteamiento de un problema básico para el desarrollo de la nación». Muy combatida desde su aparición por los elementos conservadores, a causa de las ideas que sustenta sobre propiedades del clero, en 1825 fué incluido en el *Indice*.

26. *Jovellanos: Obras escogidas*, I, pág. CXXIX, «Clásicos Castellanos», vol. 110.

27. En carta a Iglesias, con quien se había enemistado, escribe: «Si deseas, como es justo, que te tenga por hombre de buen juicio, no rehusarás renovar nuestra amistad cuando el mismo que erradamente la rompió vuelve a ella. A mí se me hace un poco dificultoso dar satisfacciones; mas hago esto ahora para que veas, sobre el conocimiento que tienes de mí, cuán fácilmente me allego a la verdad siempre que la conozco.»

28. Alonso Zamora ha reproducido la partida de bautismo de Forner (*«Revista de Filología Española»*, 1941, fasc. 1.º) Sus padres fueron don Agustín Francisco Forner y Segarra, natural de Vinaroz, y doña Manuela Piquer y Zaragoza, de Godall. Esta ascendencia mediterránea de nuestro escritor interesa para un análisis de su personalidad. Tal vez nos explicaría lo adusto y retraído de su carácter, su ironía y su sátira violenta, más en consonancia con lo catalán que con lo extremeño. El carácter polemista era en Forner algo consustancial. Su amigo Moratín se lo reprocha: tras aconsejarle que se deje de polémicas contra «unos bichos ponzoñosos, porque, si no pueden con la pluma, te herirán con la lengua», le encarece que se dedique a más graves estudios: «Ocupa el tiempo en tareas que te adquieran estimación y no te susciten persecuciones y desabrimientos. ¿Por qué no traduces a Juvenal, a Horacio, a Plauto o a los tres trágicos griegos? Que todo esto pudieras hacerlo bien, si el diablo no te inclinara hacia otra parte para hacer inútiles tu entendimiento y tus estudios.» (Carta a Forner, París, 11 de mayo de 1787.)

29. En su obra *Los gramáticos: historia chinesca* nos da un interesante autorretrato: «Había acudido a la Corte, con el fin de concluir la carrera de sus estudios, un joven adusto, flaco, alto, cejijunto, de una condición tan insufrible y de un carácter en sumo grado mordaz... Su genio, naturalmente seco y ajeno de toda adulación servil, le llevaba a atropellar por todo inconveniente por el gustazo de ajar la vanidad y bajar el toldo a cualquiera que se complaciese en ajar a todos.»

30. Carta a Forner, París, 11 de mayo de 1787. Moratín le augura grandes sinsabores caso de no desistir de su empeño: «Créeme, no son los otros los que deben ni pueden enmendarse; eres tú; y si no lo haces, y si no desistes de esa manía de atacar a todo el mundo y perseguir a todo fatuo que se te pone por delante, llegará el día en que te arrepientas tarde, y conocerás que te aconsejaba lo mejor tu invariable amigo...»

31. Irritado Forner al enterarse de la prohibición de su folleto, dirigió un memorial a Floridablanca alegando su derecho a publicar la sátira, porque «Iriarte ejercía una perniciosa tiranía en la república de las letras con la que era preciso terminar».

32. «Hombres que apenas han saludado nuestros anales, que jamás han visto uno de nuestros libros, que ignoran el estado de nuestras escuelas, que carecen del conocimiento de nuestro idioma, precisado a hablar de las cosas de España por la coincidencia con los asuntos sobre que escriben, en vez de acudir a tomar en las fuentes la instrucción debida para hablar con acierto. echan mano, por más cómoda, de la ficción, y tejen, a costa de la triste Península, novelas y fábulas tan absurdas como pudieran nuestros antiguos escritores de libros de caballerías... Este es el genio del siglo... Cuatro donaires, seis sentencias pronunciadas como en la trípode, una declaración salpicada de epigramas en prosa, cierto estilo metafísico sembrado de voces alusivas a la filosofía con que quieren ostentarse filósofos los que tal vez no saben de ella sino aquel lenguaje impropio y afectado.»

33. Se dejaban ver los cultos Villamediana, Silveira y

sus comilitones en la tenebrosidad gongorina, pero ufanos del sudor grande que les debió de costar la fatiga de hacerse ridículos entre sus venideros. No iban para honor (a las exequias de la lengua), sino para escarmiento; no para gloria de la difunta, sino para ignominia propia. Comenzó en ellos la hidropesía de nuestra lengua y la destrucción de su robusto temperamento.» En el grupo de los oradores sagrados desfila fray Hortensio Paravicino, mohino y cabizbajo, porque «el testimonio de su conciencia le gritaba haber sido padre de la corrupción», y sus defectos, «aumentados con furiosa monstruosidad en los desatinados émulos de su estilo, produjeron la bárbara y desastrada vanilocuencia que leemos con risa, cuando no con abominación, en el *Florilegio* y los demás monumentos del gerundismo.»

BIBLIOGRAFIA

I. GIULIA ADINOLFI: *Le «Cartas Marruecas» di José Cadalso e la cultura spagnola della seconda metá del settecento*, «Filologia Romanza», III, págs. 30-83, Nápoles, 1956.—M. BAQUERO GOYANES: *Perspectivismo y critica en Cadalso, Larra y M. Romanos*, «Clavileño», núm. 30, págs. 1-12, Madrid, 1954.—P. BARRIERE: *Montesquieu et l'Espagne*, «Bull. Hispanique», XLIX, 1947.—FERMÍN CABALLERO: *La «Optica del cortejo» no es obra de don José Cadalso*, «Rev. de España», XXX, enero, 1873.—J. M.ª DE COSSÍO: *«Los eruditos a la violeta», de Cadalso*, «Bol. Bibl. M. Pelayo», VIII, 1926.—E. COTARELO MORI: *Cartas inéditas de Cadalso*, «La España Moderna», 1895.—E. COTTON: *Cadalso and his foreing sources*, Liverpool Studies, 5.ª serie, 1940.—G. DÍAZ-PLAJA: *Sobre la Primera Noche lúgubre*, «Introducción al estudio del romanticismo español», págs. 247-82, Madrid, 1942.—J. FERNÁNDEZ MONTESINOS: *Cadalso o la noche cerrada*, «Cruz y Raya», núm. 13, Madrid, abril 1934.—R. FOULCHÉ-DELBOSCH: *Obras inéditas de Cadalso: Poesías y cartas*, «Revue Hispanique», 1894.—A. GUNTZEL: *Die «Cartas marruecas» des don José Cadalso*, St. Gallen, 1938.—EDITH F. HELMAN: *A note on an inmediate source of Cadalso's «Noches lúgubres»*, «Hisp. Review», XXV, Pensilvania, 1957.—J. B. HUGHES: *Dimensiones estéticas de las «Cartas marruecas»*, «Nueva Rev. Filol. Hisp.», X, Méjico, 1956.—E. DE LA IGLESIA CARNICERO: *García de la Huerta y el coronel Cadalso*, Madrid, 1889.—E. LUNARDI: *La crisi del settecento. José Cadalso*, Génova, 1948.—J. MARICHAL: *Cadalso: El estilo de un hombre de honor*, «Papeles de Son Armadans», IV, Madrid-P. de Mallorca, 1957.—E. MARENDUZZO: *José de Cadalso e le «Cartas marruecas»*, Nápoles, 1934.—B. MAS Y PRAT: *Las «Noches» de Young*, «Ilustr. Esp. y Amer.», 1886.—W. MULERTT: *Die Stellung der «Marokkanischen Briefe» innerbalb der Aaufklarunsliteratur*, Halle, 1937.—E. ALLISON PEERS: *The influence of Young and Grey in Spain*, «Mod. Lang. Review», XXI, 1926.—A. RAMÍREZ ARAÚJO: *El cervantismo de Cadalso*, «Rom. Review», Nueva York, XLIII, 1952.—K. REDING: *Goldsmith and Cadalso*, «Hisp. Review», II, 1934.—RICARD ROBERT: *A propos d'une nouvelle edition des «Cartas marruecas» de Cadalso*, «Bull. Hispanique», XXXVIII, 1936.—J. A. TAMAYO RUBIO: *«Cartas marruecas» del coronel don Joseph Cadalso. Estudio crítico*, Granada, 1927; *Cadalso: «Cartas marruecas»* (pról., ed. y notas de...), «Clás. Castellanos», vol. 112, Madrid, 1935; *El problema de las «Noches lúgubres»*, «Rev. Bibl. Nacional», Madrid, 1943.—P. VAN TIEGHEM: *La poèsie de nuit et des tombeaux en Europe au XVIII siècle*, París, 1921.—BRUCE W. WARDROPPER: *Cadalso' «Noches lúgubres» and literary tradition*, «Studies in Philology», XLIX, Chapel Hill, 1952.—OLIVER GLENDINNING: *«Ortelio» en la poesía y en la vida de Cadalso*, «Rev. de Literatura», XIV, 1958.

II. M. ARTIGAS: *Los manuscritos de Jovellanos en la biblioteca Menéndez Pelayo*, «Bol. Bibl. M. Pelayo», III, Santander, 1921.—G. DE ARTINANO Y GALDÁCANO: *Jovellanos y su España*, J. Ratés, Madrid, 1913.—F. BAREÑO: *Ideas pedagógicas de Jovellanos*, Gijón, 1910.—P. BARRIERE: *Montesquieu et l'Espagne*, «Bull. Hispanique», 1947.—J. A. BONET: *Asturias en el pensamiento de Jovellanos*, C. S. I. C., Oviedo, 1947.—A. M. CAMACHO PEREA: *Estudio crítico de las doctrinas de Jovellanos en lo referente a las ciencias morales y políticas*, J. Ratés, Madrid, 1913.—F. CANELLA: *Dos estudios sobre la vida de Jovellanos*, Gijón, 1886.—J. E. CASARIEGO: *Jovellanos*

o el equilibrio, Madrid, 1943.—J. GONZÁLEZ CASO: *Una sátira inédita de Jovellanos*, «Archivum», II, Oviedo 1952.—J. A. CEÁN BERMÚDEZ: *Memorias para la vida de don Gaspar M. de Jovellanos*, Fuentenebro, Madrid, 1814.—M. DEFOURNEAUX: *Pablo de Olavide et sa famille. A propos d'une «ode» de Jovellanos*, «Bull. Hispanique», LVI, 1954.—P. J. DELGADO: *Jovellanos, poeta*, «España y América», XXXI, 1911.—G. DEMERSON: *Quatre poémes inédites de Jovellanos*, «Bull. Hispanique», LVIII, 1956.—G. DIEGO: *La poesía de Jovellanos*, «Bol. Bibl. M. Pelayo», XXII, Santander, 1946.—DÍEZ JIMÉNEZ Y MOLLEDA: *Jovellanos en León*, «Bol. R. Ac. Esp.», XII, 1925.—J. GÓMEZ CENTURIÓN: *Jovellanos. Apuntes biográficos inéditos*, «Bol. Ac. Historia», LIX, 1911; *Causas del destierro de Jovellanos*, «Bol. Ac. Hist.», LXIV, 1914.—A. GONZÁLEZ BLANCO: *Ensayo sobre un crítico español del siglo XVIII*, «Nuestro Tiempo», 1917.—E. GONZÁLEZ BLANCO: *Jovellanos. Su vida y su obra*, Madrid, 1911.—F. GONZÁLEZ PRIETO: *Monografía de Jovellanos. Vida y obras*, Gijón, 1911.—J. JUDERÍAS: *D. Gaspar M. de Jovellanos: Su vida, su tiempo, sus obras, su influencia moral*, J. Ratés, Madrid, 1913.—MARTÍNEZ BERNARDO: *Jovellanos*, «España y América», 1911, vols. XXXI-XXXII, y 1912, vols. XXXIV, XXXV y XXXVI.—J. MARTÍNEZ RUIZ («Azorín»): *Un poeta. Jovellanos*, «Clásicos y Modernos», Madrid, 1919.—M. MENÉNDEZ PELAYO: *Jovellanos*, «Est. y disc. de crít. hist. y literaria», vol. IV, C. S. I. C., 1942; consúltense, además, *Hist. ideas estéticas*, III; *Heterodoxos*, V.—E. MÉRIMÉE: *Jovellanos*, «Revue Hispanique», I, 1894.—P. M. FRAILE MIGUÉLEZ: *Fisonomía moral de Jovellanos*, «Ciudad de Dios», vols. LXXXVII, LXXXVIII y LXXXIX, años, 1911-1912.—J. MORÁN BAYO: *Tres agraristas españoles: Jovellanos, F. Caballero, Costa*, Córdoba, 1931.—M. DE LOS SANTOS OLIVER: *Jovellanos*, «Hojas del Sábado», II, Gili, Barcelona, 1918.—P. PEÑALVER SIMÓ: *Modernidad tradicional en el pensamiento de Jovellanos*, Sevilla, 1953.—E. RENDUELES: *Jovellanos y las Ciencias Morales y Políticas*, Madrid, 1913.—R. RICART: *De Campomanes a Jovellanos. Les courants d'idées dans l'Espagne du XVIII siècle*, «Lettres Romanes», XI, Lovaina, 1957.—A. DEL RÍO: *Estudio preliminar a los «Diarios» de Jovellanos*, Oviedo, 1952; *Jovellanos. Vida y personalidad*, «Nueva Democracia», núm. 3, XXXV, Nueva York, 1955; *Jovellanos: Obras escogidas* (introducción y notas de...), «Clás. Castellanos», núm. 110, Madrid, 1935.—J. RUBIO y ORS: *Jovellanos, considerado como poeta y como prosista*, «Rev. Contemporánea», CI, 1896.—L. SÁNCHEZ AGESTA: *Madurez y crisis del siglo. Jovellanos*, «El pensamiento político del despotismo ilustrado», págs. 187-232, Madrid, 1953.—J. SIMÓN DÍAZ y J. M.ª MARTÍNEZ CACHERO: *Bibliografía de Jovellanos: 1902-1950*, «Bol. I. D. E. A.», vol. V, Oviedo, 1951.—J. SOMOZA: *Documentos para escribir la biografía de Jovellanos*, Hijos de Fuentenebro, Madrid, 1911; *Inventario de un jovellanista* (bibliografía muy completa hasta el año 1900), Rivadeneyra, Madrid, 1901; *Amarguras de Jovellanos*, Gijón, 1889.—J. SEREDA BLANES: *Jovellanos en Bellver*, «Bol. del I. D. E. A.», julio 1947, Oviedo.—A. TORRES RIOSECO: *Gaspar M. de Jovellanos, poeta romántico*, «Rev. Est. Hispánicos», abril-junio, 1928.—D. VILLAR y GRANJEL: *Jovellanos y la reforma agraria*, Madrid, 1912.—H. YABEN: *Juicio crítico de las doctrinas de Jovellanos en lo referente a las ciencias morales*, J. Ratés, Madrid, 1913.

III. L. ARAÚJO COSTA: *Las influencias de Huet en Forner*, «Rev. de Literatura», IV, Madrid, 1953.—J. A. BERTRAND: *M. Masson*, «Bull. Hispanique», XXIV, 1922.—A. GONZÁLEZ BLANCO: *Ensayo sobre un crítico español del siglo XVIII*, «Nuestro Tiempo», Madrid, 1917.—N. GONZÁLEZ RUIZ: *Forner: Antología* (estudio de...), Edit. Nacional, Madrid, 1942.—JIMÉNEZ SALAS: *Vida y obra de don Juan Pablo Forner y Segarra*, C. S. I. C., Madrid, 1944.—M. JIMÉNEZ SALAS: *La poesía de Forner*, «Rev. de Estúdios Extremeños», XVII, 1943.—MARY FIDELIA LANGHRIN: *Juan Pablo Forner as a Critic*, «Catholic University», Wáshington, 1943.—P. SAINZ RODRÍGUEZ: *La evolución de las ideas sobre la decadencia española*, Madrid, 1925; *Forner: Exequias de la lengua castellana* (ed. y notas de...), «Clás. Castellanos», núm. 66, Madrid, 1925; *Las polémicas sobre la cultura española*, Madrid, 1919.—J. SIMÓN DÍAZ: *Los últimos trabajos de Forner*, «Rev. Bibliografía Nac.», VII, Madrid, 1946.—L. SORRENTO: *Francia e Spagna nel settecento*, Milán, 1928.—A. ZAMORA VICENTE: *La partida de bautismo de Juan Pablo Forner*, «Rev. Filol. Esp.», XXV, Madrid, 1941.

CAPITULO XLIX

LA POESIA DEL XVIII:
A) TRADICIONALISTAS Y NEOCLASICOS

I. Panorama general: *Principales tendencias. Clasificación.*—II. Grupo tradicional: *Alvarez de Toledo. Gerardo Lobo. Torres Villarroel. Dos poetas de transición: Verdugo y Castilla, Porcel. Otros poetas conceptistas y culteranos.*—III. La corriente neoclásica: *Nicolás F. de Moratín, como lírico. «Jorge Pitillas». Más poetas neoclásicos.*—IV. El apólogo: *Las «Fábulas literarias» de Iriarte. Los apólogos «morales» de Samaniego. Otros fabulistas.*
Notas.—Bibliografía.

I. PANORAMA GENERAL

En manos de Cáncer, de Marchante y de otros vates del mismo jaez, la poesía castellana había descendido durante el último tercio de la centuria anterior al mayor grado de postración. «De la divina poesía se perdieron los moldes», llegó a escribir el doctor Torres Villarroel. Y aunque no suscribimos íntegramente tan implacable condenación ni aceptamos en todas sus partes el sombrío cuadro que de aquélla nos trazó el mejor de sus historiadores y críticos, marqués de Valmar, en los tres tomos que dedicó a su estudio en la Biblioteca de Autores Españoles, hemos de reconocer que la lírica del XVIII no se distingue ni por la originalidad, ni por la inspiración, ni por cualquiera otra de las virtudes que la hicieron tan preciada en los dos siglos precedentes [1].

Una nota de mediocridad desesperante iguala con su rasero a casi todos los poetas de la época. La lectura de los tres gruesos volúmenes que les consagra la citada Biblioteca Rivadeneyra deja en el ánimo la más penosa impresión [2]. Muchos poetas: bastantes, estimables; algunos, discretos; pocos—tres o cuatro—, destacados; pero ni uno solo genial. Ni una voz entera entre tantas voces. Ninguno que alcance ese «do de pecho» indispensable para figurar en cabeza de cartel, como no sea la muy poderosa de Quintana o la grave y bien entonada de Meléndez, ya a últimos de siglo y en un género que, no sabemos por qué, siempre ha sido considerado de segundo orden. Poesía normada, pulida, de alas recortadas, cuyo tono característico, ha dicho acertadamente el profesor Díaz-Plaja, es el de «un entusiasmo limitado por las reglas» [3].

Y esto en sus mejores momentos. De ordinario, ni a tanto llegaba. Y es que, fenómeno inevitable en épocas de decadencia, la poesía del XVIII, sin sustancia propia ni originalidad, quedaba expuesta a las más encontradas influencias.

Principales tendencias

Primeramente—hablamos de prioridad cronológica—esas influencias tenían que venir de los grandes poetas del ciclo anterior. Góngora y Quevedo, cuyo rastro era más reciente, son los modelos imitados; pero con una imitación que afecta más a los defectos que a las virtudes. La fronda metafórica del primero y los juegos de ingenio del segundo trascienden con harta frecuencia al grupo de los llamados *poetas tradicionales:* Alvarez de Toledo, Villarroel, Torrepalma, etc.

Más tardíamente se acusan las influencias de Garcilaso, fray Luis de León y Herrera. Las obras de los dos primeros, reimpresas tras un siglo de eclipse, tienen la virtud de canalizar el gusto hacia los mejores modelos de nuestra lírica. Garcilaso, que no se había editado desde 1622, era reimpreso ahora (1765) por la diligencia de Nicolás de Azara; y fray Luis de León, por Mayáns y Siscar, en 1761. La floración inesperada de las viejas escuelas salmantina y sevillana, que vuelven a rebrotar, ya promediado el siglo, es el fruto inmediato de aquella influencia. Como es lógico, la de fray Luis se deja sentir con más intensidad en los componentes del grupo salmantino, los cuales no se conforman con imitarlo, sino que llegan a veces a copiarlo y hasta parodiarlo, como hizo Iglesias de la Casa con la *Profecía del Tajo* en su trova *El borracho* [4]. Del mismo modo, el influjo de Herrera se hace más palpable en los sevillanos—Lista, Reinoso, Arjona—, aunque no está ausente en poetas tan alejados ideológica y geográficamente del grupo, como el mismo Luzán.

Una tercera corriente, ésta de origen transpirenaico, viene a informar nuestra lírica del XVIII, si bien en menor grado que el teatro y la prosa. Nos referimos a la llamada *poesía neoclásica*, tan patente en los dos Moratines, y que alcanza por igual a muchos ingenios encasillados de ordinario en otros grupos: Jovellanos, Meléndez Valdés, Vaca de Guzmán y al propio jefe de la escuela salmantina, fray Diego González. Una irresistible tendencia hacia lo filosófico y docente caracteriza las producciones de este género, en el que, por su sentido ético-didáctico, suele también inscribirse a los dos grandes fabulistas Iriarte y Samaniego. No falta quien, con evidente exageración, pretende incluir en este apartado todas las corrientes poéticas de la época, calificando de «neoclásica» la poesía en conjunto de aquel siglo, sin ver que el neoclasicismo, de tan escasa importancia en el teatro, no pasa de ser en la lírica una manifestación más entre varias otras, y no acaso la más destacada. Todavía en nuestros días, Félix Ros, en su *Antología* (Madrid, 1940), agrupa bajo el epígrafe de «Neoclásicos» a todos los poetas del XVIII. Y nosotros mismos hemos llamado a toda esta época «Neoclasicismo», en parte por dejarnos llevar de un criterio ya generalmente aceptado y en parte también porque, sobre todo en el teatro y en la prosa, es lo neoclásico el factor más importante y que en cierto modo mejor le define. Pero, en nuestra opinión, ofrece mayor interés y tiene más cultivadores esa otra poesía de tono, inspiración y sentido tradicionalista, ya antes aludida, que enlaza por un lado directamente con Quevedo y que, más o menos deformada, pero siempre conservando su impronta castellana, se perpetúa sin solución de continuidad hasta internarse en plena zona romántica. Es la poesía de Gerardo Lobo, de Moratín (padre) en sus buenos momentos, de Torres Villarroel, de Iglesias de la Casa, de Meléndez

Valdés, cuando no le da por las meditaciones seudofilosóficas inspiradas en Montesquieu o en Marmontel.

Por último, debe señalarse la nota prerromántica, de importación también extranjera. Rousseau, Young y Gessner infunden en nuestros poetas, ya en las postrimerías del siglo, una nueva consideración de la Naturaleza, que les hace ver y sentir las cosas de otro modo. Cienfuegos, el mismo Valdés, en no pocas producciones, Noroña y varios más del grupo sevillano acusan una sensibilidad tan alejada del frío logicismo de Boileau como proclive a los primeros temblores del espíritu romántico. Ya Cienfuegos, en *El túmulo*, nos habla de

> un solitario sepulcro
> sombreado de cipreses...,

y en Meléndez Valdés topamos con versos como éstos:

> ... y con Young silenciosos nos entramos,
> en blanda paz, por estas soledades.

Clasificación

El panorama de la poesía dieciochesca ofrece, por tanto, aspectos muy diversos. Quizá en ningún campo de las letras, ni siquiera en el teatro, aparezca tan claramente aquella triple línea divisoria que suele establecerse con carácter general para toda la literatura del XVIII: tradicional, neoclásica y prerromántica. A ella habrá de ajustarse nuestra referencia, incrementada con sendos apartados que dedicamos a los grandes fabulistas, Iriarte y Samaniego; y a los tres grandes poetas de finales del XVIII y principios del XIX: Meléndez Valdés, Quintana y Juan Nicasio Gallego. Unas líneas sobre los *poemas épicos*, de tan extraordinaria boga en este período, y una breve alusión a la *poesía americana del XVIII* completarán nuestro cuadro.

II. GRUPO TRADICIONAL

Monopoliza casi este grupo la lírica española durante la primera mitad del siglo, en una derivación manifiesta de la fórmula barroca. En unos poetas, como Alvarez de Toledo, el conceptismo quevedesco es bien notorio; en otros, como Porcel, se acusa más la huella culterana. Pero todos vierten su inspiración en moldes conocidos, prefiriendo para lo serio la forma cerrada del soneto, y para lo festivo, la más abierta y libre del romance. Aludiremos sólo a los más destacados.

Alvarez de Toledo

Abre la lista, cronológicamente, don GABRIEL ALVAREZ DE TOLEDO Y PELLICER (1662-1714) [5], a quien el marqués de Valmar considera un poeta

malogrado por el ambiente de la época, pero dotado de auténtica inspiración. Torres Villarroel publicó sus composiciones con el título de *Obras póstumas poéticas* (Madrid, 1744); en ellas predominan los altos temas filosóficos y morales tratados con cierto énfasis. Citemos *A mi pensamiento* y el conocido soneto *La muerte es vida*, construído casi como un silogismo:

> Luego con fácil conclusión se infiere
> que muere el alma cuando el hombre vive,
> que vive el alma cuando el hombre muere.

En el género festivo pueden recordarse las quintillas *A un médico* y *A cinco cazadores*; en el religioso, el romance endecasílabo *Al martirio de San Lorenzo*, y los romances octosílabos *A Cristo crucificado* y *A la soledad de Nuestra Señora.*

Alvarez de Toledo es asimismo autor de un poema burlesco incompleto, dividido en «rebuznos», *La Burromaquia,* que a veces quiere recordar, y lo logra, las animadas descripciones de Villaviciosa en su *Mosquea,* sin llegar nunca a la gracia de ésta. Tiene, eso sí, octavas que aún se dejan leer y que recuerdan, por su barroquismo mitológico, la manera de Góngora:

> El origen de súbitos raudales
> niegan del aire las instables fuentes,
> y dejan los perennes manantiales
> desmentidas al monte sus corrientes;
> del centro fugitivo los cristales
> vuelven al centro en cauces diferentes
> para negar de Temis el quebranto
> aun el consuelo mísero del llanto.

> Nunca de Juno turban el semblante
> tejidas nieblas, fáciles vapores,
> ni en sus campos con urna crepitante
> esparce Acuario líquidos fervores;
> no al Aries los favonios espirante
> dan la fecunda vida de las flores;
> que de Nemea el animal rugiente
> Zodíaco es de Febo permanente.

Alvarez de Toledo se nos presenta, pues, como poeta que pretende ser de transición, pero que está mucho más unido al pasado que al porvenir. A caballo entre dos épocas, su mirada está siempre vuelta hacia atrás.

Gerardo Lobo

Otro poeta a quien perjudicó el mal gusto reinante en su tiempo, dotado aún de mejor estro que el anterior, fué don EUGENIO GERARDO LOBO (1679-1750)[6]. Llamado por sus contemporáneos «el capitán coplero», despertó en vida admiración sin límites, corroborada por las hiperbólicas alabanzas que le tributan hombres como el jesuíta padre Losada o como la poetisa Ana Fuentes. De vena inexhausta, espontánea y fácil casi con exceso, nutrió su colección de poesías *Selva de las musas* (Cádiz, 1717) con materiales de diversa índole, entre los que todavía pueden encontrarse algunas piezas dignas de leerse. Lobo tenía especial aptitud para el género festivo, en el que se muestra ágil, desenfadado y ocurrente; tan ocurrente y desenfadado que se dice haber suscitado el enojo del rey. Hasta corrió la especie de que el remoquete de «capitán coplero» le fué aplicado por el propio monarca, dolido por aquellos versos de Lobo:

> Dos cochinos, al entrar,
> me dieron la enhorabuena,
> que el trato con los franceses
> me hizo entenderles la lengua.

No se olvide que Felipe V era francés. Pero Cueto ha intentado demostrar, a nuestro parecer con suficientes razones, que no existió tal animosidad por parte del rey, el cual se sabe que le col-

mó de honores y le nombró para cargos de responsabilidad.

Sea de ello lo que quiera, lo cierto es que Lobo se defiende mejor en los versos cortos—letrillas, romances, décimas—que en los largos, aunque no todos los de esta clase son detestables, como quería Alcalá Galiano. Entre sus sonetos cabe escoger tres o cuatro de la mejor escuela: *A Marsia, llorando; A una estatua del silencio, A una dama que se mandó retratar y no acertaron los pintores:*

> Cesa, pintor, no tienes que cansarte;
> portento que formó Naturaleza
> no se estrecha a los límites del arte.

Algunas de sus composiciones festivas han quedado como piezas de antología. Por ejemplo, aquellas célebres décimas de las *Instrucciones para ser buen soldado:*

> Será estudio principal
> de un soldado verdadero
> el no quitarse el sombrero
> aunque pase el general;
> desprecie a todo oficial,
> hable con ceño cruel,
> y en metiéndose con él,
> aunque la razón le venza,
> encaje una desvergüenza
> al arcángel San Miguel.

Del mismo corte son: *Al tesorero real, pidiéndole libre alguna cantidad sobre su sueldo, Décimas improvisadas en una tertulia sobre títulos de comedias, Definición del «chichisveo»* y, sobre todo, las saladísimas *Ilusiones de quien va a las Indias a hacer fortuna:*

> Mis caballos, ¡qué arrogantes!,
> comerán en el Pirú,
> en morrales de Tisú,
> celemines de diamantes.
> Y si salieran errantes
> los prevenidos sucesos,
> ¿hay más que honrar con mis huesos
> la hija de un mercader
> y tomarla por mujer
> por setecientos mil pesos?

En ciertos romances, no sólo en el estilo, sino en el tema, Lobo sigue de cerca a Góngora: *Historia de Medoro y Zulima.* Escribió también dos comedias: *El más justo rey de Grecia* y *El tejedor Palomeque;* y varios poemas de tono épico: *Sitio, ataque y rendición de Lérida; Sitio de Campomayor, Rasgo épico de la conquista de Orán.* Pero no es en las soporíferas octavas reales de estos poemas donde ha de buscarse al poeta Gerardo Lobo, como tampoco en las escasas composiciones de tema religioso. Si su nombre merece perdurar en las antologías e historias literarias débese exclusivamente a esa serie de poemitas festivos, en los que, a falta muchas veces de auténtica inspiración, salta una vena de humor y de ingenio irrestañable.

Torres Villarroel

En la misma zona de influencias barrocas, con predominio manifiesto de la vena popular, encontramos al doctor don DIEGO DE TORRES VILLARROEL (1693-1770), rica personalidad de múltiples facetas, que estudiamos más por extenso en otro capítulo[7]. Basta decir aquí que si en la prosa Villarroel sigue a Quevedo, no menos le sigue en las numerosas poesías de toda clase—sonetos, silvas, liras, octavas, romances, villancicos, letrillas, etc.— con que nutrió su producción en verso, publicada en Madrid en 1761. En tal sentido tiene razón el profesor Lázaro Carreter al calificarlo de «poeta rezagado». También Villarroel, como Alvarez de Toledo y como Lobo, y más aún que cualquiera de los dos, se halla inmerso en la poética del barroco, en la peor poética del barroco. Si en la prosa, ya lo acabamos de decir, más que imitador es fiel reflejo de Quevedo, en la poesía ha de agregarse, de cuando en cuando, al magisterio de éste la presencia de Calderón. De Quevedo toma el desenfado, el libre juego de vocablos, los equívocos, las inversiones y otros recursos típicamente barrocos; de Calderón, la suntuosidad recargada y el simbolismo. Véase cómo pinta la *Aparición del apóstol Santiago*:

> Fiando a su diestra todo
> su tren potente al Empíreo,
> desde la gola a la greva
> robustamente guarnido;
> topacio el arnés lustroso,
> diamante el yelmo bruñido,
> y diluvios el estoque
> reverberando fulmíneos...
> en bucéfalo volante
> que cuajó la esfera a armiños;
> fuego el alma, horror la vista,
> rayo el pie, trueno el relincho;
> estrellas por herraduras,
> rienda el sol, jaez los signos,
> Alpe el labio, aliento el Bóreas,
> roca el cuerpo, iris el giro;
> fogoso escaramuzando
> en escarceos y brincos
> por las campiñas del aire
> el rutilante hipogrifo...

Véase también un equívoco digno de Quevedo:

> ¿Cuándo has de desengañarte
> de que astuta Francia intenta
> introducirte los *usos*
> para ponerte las *ruecas*?

O estas conversiones que no vacilaría en firmar el señor de la Torre de Juan Abad:

> A lo que él hizo nobleza,
> ¿quién lo tornó villanía,
> ni qué borrón lobreguece
> plana que Dios *candidiza*?

> Tu lengua tiene una punta
> que pasará por encaje,
> y en el más sabio congreso
> puede *plenipotenciarse*.

Como se ve, no le faltaba desparpajo e ingenio al tal doctor don Diego de Torres, ni anduvo descaminado Porcel cuando en su epístola *Al conde de Torrepalma* lo comparaba con Marcial y Quevedo:

> ¡Quién para ahora tuviera
> la sal de todas las salsas!
> ¡Quién se quevedeizase!
> ¡Quién se villarroelara!

Insistamos en que lo mejor de Villarroel como poeta ha de buscarse en el tono festivo, especialmente cuando se basa en motivos populares, como en el villancico *La gaita zamorana*, donde se intercalan cantares tomados directamente de la boca del pueblo, y en la serie de seguidillas y «pasmarotas», hechas con facilidad y desenfado[8].

Dos poetas de transición

Aunque incorporados al grupo tradicional y con un pesado lastre de poesía barroca, hay varios ingenios que ocupan un punto equidistante entre los citados anteriormente y los que hemos de estudiar como inscritos en la manera neoclásica. Los más notables son Porcel y Torrepalma. Ambos concurrían a la Academia del Buen Gusto, que funcionaba en el palacio de la condesa de Lemos, y allí coincidían con los defensores de la nueva escuela, de los que por fuerza algo se les había de pegar.

Don ALFONSO VERDUGO Y CASTILLA (1706-1767), conde de Torrepalma[9] y asiduo concurrente de la Academia del Buen Gusto, fué conocido en ésta con el seudónimo de *El Difícil*. Los críticos opinan que con ello quería aludir al sentido verdaderamente conceptuoso de sus versos. «Nombre más propio que el de este académico—escribe su entrañable amigo Porcel—no lo ha usado alguno de sus compañeros. Llámase *El Difícil*, y con la misma justa razón se podría llamar *El Duro, El Confuso, El Misterioso* y otros epítetos más propios de imitador de la cueva de Trofonio que de las amenidades del Parnaso»[10]. En efecto: lo poco que de él nos queda—casi toda su producción se ha perdido—es de un gongorismo exacerbado y violento. Unos cuantos romances, algunas décimas, estancias, sonetos y un epitalamio es cuanto resta de su obra lírica. Se conservan asimismo dos poemas, *El juicio final* y *El Deucalión*, a los que habremos de aludir más adelante, y que le acreditan de poeta correcto e inspirado. Otro poema suyo, *La libertad del pueblo de Israel*, debe darse por perdido. En toda esta producción la huella de Góngora es constante. Sobre todo, en las *Estancias leídas en la Real Academia de San Fernando* y en la *Invocación de Himeneo* hay continuas inspiraciones de su viejo paisano cordobés:

> Ya, Mercurio del Júpiter de España;
> ya, nuevo París, no entre la selvosa
> cumbre del Ida, sino en la que erige

el arte vencedor, más laboriosa,
más regular, y no inferior montaña,
las tres antiguas émulas suspiran
el premio de beldad suma a que aspiran...

Amigo de Torrepalma y miembro, como él, de la Academia del Buen Gusto, en la que se hacía llamar *El Aventurero*, fué don ANTONIO PORCEL Y SALABLANCA (1720-¿?) [11] uno de los últimos representantes del culteranismo en el XVIII. El mismo declara haber tomado como modelos a Garcilaso y «al incomparable cordobés don Luis de Góngora». Con tales maestros, pero fija más la mirada en el cordobés que en el toledano, se lanzó a escribir romances, sonetos y otros cien géneros de composiciones tan enfadosas como el *Adonis*, poema soporífero «en cuatro églogas venatorias», de más de mil versos cada una, donde recoge en inacabables silvas y tercetos, tomándola de Ovidio, la conocida fábula mitológica. El estilo se parece tanto al de Góngora, que a trechos cree uno estar leyendo las *Soledades*. Por ejemplo:

Mientras que con el cuerno resonante
el bello cazador el monte altera,
el sátiro, que era
espía vil, con el aviso viene
a la insidiosa gruta de Pirene,
la que ya prevenía en vaso de oro
la confección (de la que no era ajeno,
propio sí; porque el oro más brillante,
y no el barro, esconder suele un veneno)...

Sin embargo, el *Adonis*, junto con otras *Fábulas* de análogo corte (la de *Alfeo y Aretusa*, en octavas reales; la de *Acteón y Diana*, en redondillas), dió tal renombre a su autor, que llegó a ser proclamado «uno de los cinco únicos poetas» del siglo. Porcel, sin duda, esperó mucho de sus poemas; hasta creyó haber introducido un género nuevo, «la fábula piscatoria», de análoga significación a las «fábulas venatorias» de Sannazaro. Digamos, en honor de la verdad, que para leer hoy su mejor poema, el *Adonis*, hacen falta muchos arrestos, y no porque carezca en absoluto de virtudes poéticas—hay notas descriptivas de auténtico valor y cuadros llenos de frescura y colorido—, sino porque hay que atravesar interminables eriales desprovistos del menor brote poético para llegar a esos raros oasis. Porcel publicó una tragedia, *Mérope* (1786), y un *Juicio lunático*, en el que hace la crítica, en forma burlesca, de las obras leídas en la Academia del Buen Gusto. Tradujo del francés *La dame médecin*, de Montfleury, y *Le Lutrin*, de Boileau.

Otros poetas conceptistas y culteranos

Dos poetas que quisieron continuar la línea tradicional sin lograrlo fueron JOSÉ TAFALLA NEGRETE y el MARQUÉS DE LAZÁN. Tafalla, que alcanzó los últimos años de los Austrias y los primeros de la dinastía borbónica, fué llamado por sus contemporáneos el «divino aragonés». Los escasos poemas suyos que nos han llegado en un *Ramillete poético* publicado en 1714 no justifican, ni de lejos, tal sobrenombre. Se trata de composiciones en su mayor parte de carácter religioso, insípidas y carentes de toda inspiración. El marqués de Lazán, también aragonés, «fué—dice Valmar—otro de los ingenios malogrados que por aquellos días rindieron culto a la tradición, aunque viciada, de las letras castellanas». Sin embargo, en su *Métrica historia... sobre el libro del Génesis* (una versión más al estilo de *La creación del mundo*, de Acevedo, o de *La Semaine*, de Saluste), en medio de un diluvio de metáforas hay octavas reales frescas e inspiradas.

Más importancia tienen, sin ser mucha, otros tres poetas famosísimos en su época: el padre Batrón, fray Juan de la Concepción y José Joaquín Benegasi. El padre JOSÉ ANTONIO BUTRÓN (1677-¿?), jesuíta, de Calatayud, es autor de versos satíricos, de odas altisonantes y de una *Harmónica vida de Santa Teresa*, escrita en estilo confuso y estrafalario. En las composiciones de carácter ligero quiere ser gracioso y resulta chabacano. Atacó con más insolencia que *vis* cómica a los altos personajes de la Corte, y aun intentó poner en solfa a los frailes, olvidándose de que él también era religioso. Cuando escoge para sus versos asuntos elevados resulta más aceptable; pero el exceso de metáforas desfigura y afea aun aquellos pasajes que revelan cierta inspiración. Tal ocurre con la *Canción real al caballo del Retiro* (el mismo caballo que había de inspirar un siglo más tarde a Hartzenbusch), la más lograda, sin duda, de sus composiciones. El erudito Francisco Javier Alegre, jesuíta como él, llamó a Butrón «desaforado», y éste es acaso el calificativo que mejor le va.

Un poeta que gozó en la primera mitad del XVIII de incomprensible fama fué el carmelita descalzo fray JUAN DE LA CONCEPCIÓN (1702-1753), hombre de portentosa memoria, ingenio fácil y erudición increíble. Los contemporáneos le colmaron de elogios, llegando a llamarle «monstruo de sabiduría y elocuencia». Desgraciadamente, sus versos, hoy justificadamente olvidados, nos hablan de un poeta afectado y conceptuoso, que intentaba suplir la ausencia de estro con su innegable facilidad versificatoria. Sin duda, fué un gran teólogo y un gran orador, pero poeta deplorable.

Tampoco en la abultada producción en verso de don JOSÉ JOAQUÍN BENEGASI (1707-1770), hijo del entremesista del mismo apellido, encontramos materia poética digna de recuerdo. Era este Benegasi, como su padre, hombre de ingenio vivo y vena felicísima, que quiso imitar en lo jocoso a Quevedo, siguiéndole de cerca en la audacia de expresión, aunque quedase a larga distancia del modelo en gracejo y originalidad. Sus versos, aparecidos juntos con los de su padre (*Obras líricas jocoserias,* Madrid, 1743), ramplones y groseros como eran, hicieron las delicias de sus coetáneos.

Contrastando con el vuelo rastrero de los poetas anteriores, tropezamos, en los poemarios de la época, con dos delicadas poetisas, religiosas ambas, y en quienes parece haber revivido, si bien de una manera tibia, la llama que inspiró a San Juan de la Cruz y a la Mística Doctora. Esas religiosas son sor GREGORIA DE SANTA TERESA (1653-1736) y sor MARÍA DEL CIELO (1658-1753). La primera, sor Gregoria, era sevillana, y se llamaba en el siglo Gregoria Francisca Parra y Queynogue. De extraordinaria hermosura, muy joven aún, a los quince años, renunció a cuantos atractivos le ofrecía el mundo e ingresó en el convento de Teresas de Sevilla, del que fué dos veces priora. Antes había desarrollado intensa actividad en la Orden como maestra de novicias y fundadora de varias casas. Sufrió grandes persecuciones por parte de sus hermanas en religión, llegando a quemar, en evitación de envidias, todos sus versos, inspirados siempre en motivos religiosos. Como Santa Teresa, también sor Gregoria escribió su vida, que terminó en 1693. Muy elogiada en su época y olvidada casi totalmente luego, empieza a ser tomada en consideración, hasta el punto de que algunos la juzgan la más inspirada de nuestras poetisas místicas. Menéndez Pelayo llegó a decir que «cambiaría de buena gana todas las sátiras y epístolas y églogas y odas pindáricas que los preceptistas de aquel tiempo hicieron, por algunos trozos del romance del *Pajarillo,* de sor Gregoria Francisca de Santa Teresa», y a renglón seguido afirma que «era un alma del siglo XVI». Estos juicios no parecen desorbitados si se repasan sus versos, en los que, bajo unas formas llenas de sencillez, late un exaltado sentimiento místico. En sor Gregoria todo—naturaleza, alma, vida—se traduce a lo divino y se transfigura en sustancia poética:

> Celos me da un pajarillo
> que, remontándose al cielo,

> tanto en sí mismo se excede,
> que deja burlado el viento.

Limpia de toda salpicadura culterana, sabe expresar sus ansias espirituales en estrofas ligeras, fáciles y llenas de ingenuidad:

> Jesús amoroso,
> amante divino,
> objeto del alma,
> no desprecies, Señor, mis suspiros.
> Pastor soberano,
> mi dueño, rey mío,
> esposo suave,
> no desprecies, Señor, mis suspiros.
> Vuélveme tu rostro
> lleno de cariño,
> que vivo muriendo;
> no desprecies, Señor, mis suspiros.

Sus redondillas se mueven con el mismo garbo con que se habían movido un siglo antes las de sor Juan Inés de la Cruz. Véase un ejemplo:

> Quiero en el golfo de amar
> anegarme cual barquilla
> que, apartada de la orilla,
> se aventura en alta mar.
> En él me quiero perder;
> que es lisonja de un amante
> rendir la vida constante,
> sacrificando su ser.

La vida de sor Gregoria nos fué relatada por el doctor Torres Villarroel, y entre sus poesías destaca un *Coloquio espiritual* compuesto para ser recitado en el convento el día de la beatificación de San Juan de la Cruz; pero, por celos y envidias de sus compañeras de claustro, no pudo representarse en la fecha señalada.

Menos interés tiene para nosotros la religiosa portuguesa de la Orden franciscana María del Cielo (María do Ceu), en el siglo María de Eça. Fué una poetisa bilingüe, que lo mismo componía versos en su idioma nativo que en castellano. Aparte de sus *Autos alegóricos,* alguno de ellos —*Las lágrimas de Roma*—, muy celebrado en su tiempo, nos dejó en castellano varios poemitas llenos de sabor y de sencillez.

III. LA CORRIENTE NEOCLASICA

En 1737 aparece la *Poética* de Luzán. Con ella adviene un concepto nuevo de la poesía. A la inspiración o *numen* sustituye la norma; a la *vena,* el arte. Empieza a sonar una palabra nueva, el *gusto,* con un sentido también nuevo, de criterio refinado y asesorado por la razón. Funciona una tertulia, que alcanza categoría académica, bajo el expresivo título de El Buen Gusto. A ella concurren los escritores más relevantes de promedios de siglo, casi todos influídos por las doctrinas preconizadas en la *Poética* de Luzán. Son, entre muchos, Nasarre, Montiano, «Jorge Pitillas», Velázquez, Porcel. En esta Academia, que tan importante papel hubo de jugar en la evolución de nuestras letras, se seguían con preferencia las modas de Francia. Otra reunión similar, la Fonda de San Sebastián, se inclinaba más bien del lado italiano, sin hacer ascos a los franceses. Asiduos contertulios de ella eran Moratín padre, Ignacio López de Ayala, José Cadalso, Tomás de Iriarte, Juan B. Muñoz, Vicente de los Ríos, Francisco Cerdá y Rico, Pineda, Ortega, los italianos Signorelli y Conti, con otros muchos poetas y eruditos de la época. Coincidiendo en su nacimiento con la *Poética* de Luzán, empieza a publicarse el *Diario de los Literatos de España,* de vida efímera, pero muy fecunda (1737-1742), el que, no obstante su escepticismo, ya puesto antes de relieve por nosotros, contribuye con sus artículos y críticas a orientar a la opinión, aireando nuestro Parnaso con aires de fuera.

Todos estos factores y otros de menor cuantía tenían que pesar sobre nuestras letras, y hacen que la brújula se oriente en otra dirección. Las fórmulas barrocas, en su doble aspecto culterano y conceptista, están ya gastadas. Todo arte se gasta con el uso, y el barroco no podía ser una excepción. De Francia e Italia vienen nuevas fórmulas, ni peores ni mejores, simplemente distintas, y, desde luego, más en consonancia con las ideas y los tiempos. Empeñarse en perpetuar los modos poéticos del siglo anterior, como lo hacían Gerardo Lobo o Torres Villarroel, no conducía a ninguna parte. El barroco, como ideología y forma de vida, había dado de sí cuanto llevaba dentro. Ahora se empezaba a estilar otra cosa: el racionalismo, implantado por Descartes y llevado a la poética por los buenos, los magníficos preceptistas franceses, estilo Boileau.

Nuestra poesía se hace, por tanto, racionalista, metódica, fríamente reglamentada. Se construye un poema como una casa, según fórmulas previas y con materiales cuidadosamente escogidos de antemano. Se le articula como un raciocinio lógico. La poesía tiene su temática preferida, casi excluyente: la convivencia humana, la filantropía, el culto a la amistad, la vuelta a la naturaleza primigenia. Una bondad innata y un ingenuo deseo de convertir a la poesía en instrumento de mejora social se apodera de sus cultivadores. Jovellanos, Meléndez Valdés, el mismo fray Diego González, llegan a creer que mediante sus versos pueden hacer un poco mejores a los hombres.

Y al lado de esto, un plácido sensualismo de falsa veta anacreóntica. Pero todo ello con moderación. Pocas veces el *est modus in rebus* ha sido aplicado con mayor éxito. Boileau y Muratori han terminado por invadir nuestras poéticas del brazo de Luzán. Una invasión pacífica, que nada tiene que ver en nuestra lírica con aquel ímpetu tumultuoso señalado ya en el teatro. Todo había llegado normalmente y por sus pasos contados. Había que cambiar de dirección, y se escogió el mejor camino, casi el único aceptable. Era la poesía que dominaba en Francia, y Francia daba entonces la pauta. Cuando Carlos III empieza a reinar (1759), el cambio estaba consumado. Pero este cambio no suponía, ni mucho menos, una abdicación de los conceptos tradicionales. Las ideas vienen de fuera; los temas, con frecuencia, también; pero los moldes siguen intactos: décimas, letrillas, octavas, sonetos y tercetos siguen siendo metros preferidos. Acaso cabe señalar un incremento en el uso del endecasílabo libre o blanco, muy indicado, al parecer, para las graves meditaciones filosóficas. Pero

Nicolás Fernández de Moratín, uno de los que acogieron con mayor fervor las nuevas fórmulas, escribe en quintillas su *Fiesta de toros en Madrid*, la más célebre y lograda de sus composiciones.

La moda neoclasicista alcanza a buen número de poetas, a casi todos los de la segunda mitad de siglo: los dos Moratines, Cienfuegos, Trigueros, Jovellanos, Iriarte, Huerta, Meléndez Valdés, etc., y se prolonga hasta el triunfo del romanticismo con Quintana, Nicasio Gallego y Martínez de la Rosa. La mayor parte de ellos, por su relevante personalidad o por su notoriedad en otros géneros, han sido estudiados, o lo serán, en capítulos distintos. Aludamos ahora a unos pocos.

Nicolás F. de Moratín, poeta

En don NICOLÁS FERNÁNDEZ DE MORATÍN (1737-1780) [12], padre de Leandro, nos sorprende un fuerte contraste entre el ideario estético, saturado de doctrina neoclásica, y el sentimiento españolista. El primero es el que informa su teatro (*Hormesinda, Lucrecia, Guzmán el Bueno*), que se estudiará en otra parte. Volcado todo él en moldes franceses, más que entusiasmo acusa auténtico fanatismo por las fórmulas extranjerizantes. Este fanatismo es el que le lleva a renegar del teatro clásico español, contribuyendo, con Clavijo y Fajardo, a la prohibición de los autos sacramentales. Como lírico, en cambio, Moratín se mantiene dentro de la línea tradicional, hasta donde puede hacerlo un poeta de su tiempo. Inflamado en ardor patrio, canta la guerra de Marruecos (*Silva V*), la defensa de la Habana por Velasco (*Egloga a Velasco y González*), o la gesta del conquistador de Méjico, en el poema épico *Las naves de Cortés destruidas*.

Todavía resalta más la nota españolista en sus romances de corte morisco e históricos, algunos de los cuales (*Amor y honor, Abdelcádir, Don Sancho en Zamora, Empresa de micer Jacques borgoñón*) parecen extraídos de la vieja cantera del romancero. Pero donde campea su musa, clásica y castiza a la vez, es en su celebrada *Fiesta de toros en Madrid*, estampa llena de movimiento y color, escrita en unas quintillas como no se habían hecho desde Gil Polo y Lope de Vega. He aquí la presentación que nos hace del caballo de Rodrigo:

> Era el caballo galán,
> el bruto más generoso,
> de más gallardo ademán;
> cabos negros y brioso,
> muy tostado y alazán.
> Larga cola, recogida
> en las piernas descarnadas;
> cabeza pequeña, erguida;
> las narices, dilatadas;
> vista feroz y encendida.
> Nunca en el ancho rodeo
> que da el Betis con tal fruto
> pudo fingir el deseo
> más bella estampa de bruto
> ni más hermoso paseo.

La embestida del toro está descrita con trazos definitivos:

> La cola inquieto menea,
> la diestra oreja mosquea,
> vase retirando atrás
> para que la fuerza sea
> mayor y el ímpetu más.

También en el metro largo, aunque más artificioso, alcanzó momentos de auténtica inspiración. Los sonetos *A Dorisa* y las odas *Al conde de Aranda* y *A Pedro Romero*, si no le acreditan de poeta de alto vuelo, a la manera herreriana, le mantienen, al menos, en un tono de dignidad encomiable. Especialmente la última es una pieza de marmórea serenidad que tiene la virtud de elevar a un simple torero casi al rango de los vencedores olímpicos:

> Tu anciano padre, el gladiador ibero,
> que a Grecia España opone
> con el silvestre lauro coronado,
> por quien la áspera Ronda ya se pone
> sobre Elis, y el ligero
> Asopo el raudo curso ha refrenado,
> cediendo al despeñado
> Guadalecín; tu padre, que el famoso
> nombre y valor en ti ve renovarse,
> no puede serenarse
> hasta que mira al golpe poderoso
> el bruto impetuoso
> muerto a tus pies, sin movimiento y brío,
> con temeraria y asombrosa hazaña,
> que por nativo brío
> solamente no es bárbara en España...

En sus cuarenta anacreónticas imita a Villegas, poeta que influye mucho durante toda la centuria. En los sonetos, al Petrarca. En los epigramas, que los tiene muy ingeniosos y sueltos, no sigue modelo concreto; se han hecho famosos *Reflexión moral, Filena devota* y, sobre todo, *Saber sin estudiar* («Admiróse un portugués...»). Moratín, como se ve, cultiva todos los géneros líricos tradicionales. Y en la Dedicatoria de *El poeta*, revista por él mismo fundada, anunciaba esta multiplicidad de géneros.

«Jorge Pitillas»

Bajo el seudónimo de *Jorge Pitillas* se ocultó un espíritu de indudable vena satírica, ganado también a la nueva escuela. Se llamaba don JOSÉ GERARDO DE HERVÁS (1742-¿ ?) [13]. Poco sabemos de su vida, y de sus poesías sólo una conocemos: la *Sátira primera contra los malos escritores de este siglo*, publicada en el *Diario de los Literatos de España*, posiblemente el mismo año de la muerte de su autor, y escrita en tercetos encadenados. Consta de 301 versos, los suficientes para acreditar a su autor de poeta ingenioso, suelto y mordaz. La reprimenda en forma de carta va dirigida a un supuesto amigo, Lelio, y arremete violentamente contra los autores que estragan con sus obras la literatura castellana. Precede a la

Sátira un breve prólogo en prosa, con el que el autor trata de justificar la dureza de sus censuras; siguen unos tercetos sobre el lamentable estado en que se encuentran las letras patrias; viene a continuación el cuerpo del poema, dedicado a ridiculizar novedades extranjerizantes y vicios literarios, y termina amenazando con sacar a plaza pública los nombres de cuantos mancillan con sus escritos nuestra lengua, si esta censura resultara ineficaz. *Jorge Pitillas* tenía intención, sin duda, de continuar su labor censoria con otras sátiras. Así parecen indicarlo el adjetivo «primera» con que encabeza ésta y las siguientes frases con que se cierra el prólogo indicado: «Si sólo se me reconviniese con futilidades y necias quejas de hazañeros o de interesados que respiran por la herida, corre muy de mi cuenta el no hacerla de ellos, y continuaré mi labor, produciendo a corta distancia de tiempo otras diferentes sátiras del mismo calibre y circunstancias que la presente, en que me ría y nos riamos a costa de escritores chapuceros.» El tono de la *Sátira* es a veces brutalmente expresivo:

> ¿La frente arrugas? ¿Tuerces el hocico?
> ¿Al *nominatim* haces arrumacos?
> Oyeme dos palabras, te suplico.
> Yo no he de llamar a estos bellacos
> palabra alguna que la ley detesta,
> ni diré que son ....
> Sólo diré que su ignorante testa,
> animada de torpe y brutal mente,
> al mundo racional le es muy infesta;
> tontos los llamaré tan solamente...

Con el anagrama de *Don Hugo Herrera de Jaspedós* publicó varias cartas (dos de ellas en el mismo *Diario de los literatos*) rebosantes de ingenio y donaire. En la polémica entre Feijoo y Mañer nuestro poeta se puso del lado del sabio benedictino:

> Conozco que el fingir me aflige y daña,
> y así a lo blanco siempre llamé blanco,
> y a Mañer le llamé siempre alimaña.

Más poetas neoclásicos

Aludidos en otros lugares Moratín hijo, Forner, García de la Huerta y Luzán, y habiendo de tratar en este mismo capítulo por separado de Samaniego e Iriarte, sólo nos resta hacer aquí una breve alusión a otros neoclásicos de segunda fila.

AGUSTÍN DE MONTIANO Y LUYANDO (1697-1764), a pesar de su adhesión a las nuevas fórmulas, proclamada en sus *Discursos sobre las tragedias españolas* (1750-53), tan rabiosamente afrancesados, cultivó en sus *Eglogas* una poesía inspirada en modelos españoles del XVII. Un poeta que supo compaginar en sus versos, *Ocios de mi juventud* (1773), las formas tradicionales del romance y la letrilla con las recién importadas de Francia fué don JOSÉ CADALSO (1741-1782), autor de las *Cartas marruecas* y de *Eruditos a la violeta,* estudiados ya en el capítulo XLVIII. Tiene Cadalso composiciones de corte clásico—églogas, odas, epístolas y hasta algún poema en sáficos adónicos—de excelente factura; pero su fuerte está en las letrillas, imitadas de Góngora y Quevedo. Las que empiezan «De amores me muero...», «Pero a mí ¿qué se me da...?», «Que dé la viuda un gemido...», son piezas dignas de figurar en cualquier antología. También son muy entonadas sus anacreónticas, que nada tienen que envidiar a las de Meléndez Valdés. Véase ésta:

> Si el cielo está sin luces,
> el campo está sin flores,
> los pájaros no cantan,
> los arroyos no corren,
> no saltan los corderos,
> no bailan los pastores,
> los troncos no dan frutos,
> los ecos no responden...
> Es que enfermó mi Filis
> y está suspenso el orbe.

Algo parecido puede decirse de don JOSÉ MARÍA VACA DE GUZMÁN Y MANRIQUE (1744-1803), en cuyas *Obras* (3 vols., 1789) cabe espigar no pocas composiciones, tanto de carácter serio como ligero, escritas con relativo decoro. Tiene, como Cadalso, odas en sáficos, églogas, epístolas, etc. Pero el metro que maneja con más soltura es el romance endecasílabo, tan en boga durante el último ter-

cio del XVIII y primeras décadas del XIX. En este metro compuso el poema *Granada rendida,* que le dió cierta fama al ser premiado por la Academia Española en 1779. Un año antes la misma Corporación le había premiado el canto épico *Las naves de Cortés destruídas,* de indudable mérito, aunque inferior al del poema del mismo título de Moratín padre.

Don CÁNDIDO MARÍA TRIGUEROS (1736-¿1801?), toledano, de Orgaz, derivó hacia temas trascendentales en sus *Poesías filosóficas* (1774) y en su *Viaje al cielo del poeta filósofo* (1778). Los títulos de algunos de sus poemas indican bien a las claras la cuerda que gustaba pulsar: *El hombre, La desesperación y la esperanza, La moderación, La ternura, El odio, El deseo, La falsa libertad, El remordimiento,* etc. Todo amazacotado, plúmbeo, insufrible. Trigueros, a quien ya nos hemos referido como refundidor y adaptador afortunado de obras de nuestro teatro clásico, publicó en 1776 en Sevilla unas *Poesías de Melchor Díaz de Toledo, poeta del siglo XVI, hasta ahora no conocido;* pero pronto se descubrió la superchería, a causa del lenguaje en que estaban escritas, demasiado arcaico. Tiene, sin embargo, Trigueros un pequeño mérito: el de haber llevado la imitación de la poesía francesa, en relación con el metro, a mayor grado que ninguno de sus contemporáneos. Antes que el mismo Iriarte empleó el alejandrino pareado con bastante fortuna [14].

IV. EL APOLOGO

Se viene diciendo que el apólogo o fábula es un género poético inferior, que encuentra su ambiente más propicio en épocas de decadencia. «Es sabido—escribe a este propósito el profesor Entrambasaguas—que las fábulas, especie de sátiras sin vigor, de decir indirecto y solapado, aparecen con intensidad en épocas de resentimientos y de falta de creencias» [15]. Y aunque se podría argüir que el mejor fabulista acaso de todos los tiempos, La Fontaine (1621-1695), vivió en el apogeo político, social y religioso de Francia, hay que admitir como fenómeno general que los buenos cultivadores del apólogo han coincidido casi siempre con épocas de postración literaria, acaso porque la fábula persigue siempre una finalidad didáctica, y esa intención ya es en sí bastante para desvirtuar toda pureza poética.

Sea de ello lo que quiera, España tuvo en el siglo XVIII varios fabulistas notables, y dos de ellos, Iriarte y Samaniego, pueden figurar sin desdoro entre los más aventajados de cualquier época y país. De desigual valor y dotes poéticas bien distintas, uno y otro llegaron a disfrutar y aun disfrutan de inmensa popularidad. Sus apólogos—más ingeniosos y originales los de Iriarte, más gracio-

sos y espontáneos los de Samaniego—fueron aprendidos de memoria por muchas generaciones escolares, y todavía son repetidos por millones de hablantes de nuestra lengua, tanto en la Península como al otro lado del mar.

Las «Fábulas literarias», de Iriarte

En el popularísimo fabulista don TOMÁS DE IRIARTE (1750-1791) [16] descubrimos uno de los ingenios polifacéticos de aquel siglo: comediógrafo, humanista, autor de opúsculos polémicos y poeta. En el primer aspecto su producción será juzgada en el capítulo dedicado al teatro del XVIII. Tanto *El señorito mimado* y *La señorita malcriada,* como la tragedia *Guzmán el Bueno,* caen de lleno dentro del área de influencias neoclásicas. Como humanista demostró conocer y entender bien a los clásicos en sus traducciones de los cuatro primeros libros de la *Eneida,* de la *Epístola ad Pisones* y de varias fábulas de Fedro, todo ello muy correcto y arrimándose en lo posible al original, menos en la *Epístola* horaciana, que le resultó con exceso difusa, al desleír los 476 hexámetros latinos en 1.065 versos castellanos, lo que le valió no pocas censuras de parte de los poetas salmantinos. Manejaba el latín con soltura, como que gusto y afición a los clásicos le venían de casta [17]. En su familia había varios escritores y humanistas, entre los que destaca su tío don Juan de Iriarte, latinista notable, bibliotecario del rey y traductor de la Secretaría de Estado. A su sombra se educó don Tomás, y hasta le sucedió luego en el cargo. De su espíritu polemista nos habla el ingenioso opúsculo *Los literatos en cuaresma* (1773), el largo diálogo «jocoserio» *Donde las dan las toman*, con el que pretende justificar su traducción de la *Epístola* frente a las impugnaciones de López de Sedano, y la *Carta al R. fray Francisco de los Arcos,* capuchino, muy animada y punzante, que tiende a ridiculizar ciertas afirmaciones de las *Conversaciones instructivas.*

La producción poética de Iriarte es copiosa y variada: una docena de epístolas (cuatro de ellas a Cadalso y una a Metastasio), seis poemas, una égloga (premiada por la Real Academia Española en 1780), sonetos, anacreónticas, epigramas, etc. Destacan la epístola II a Cadalso dedicándole su traducción de la *Epístola ad Pisones,* y la VII, con indicaciones curiosas sobre su vida. Por ella, nos enteramos de que vivía bien y que disponía de una soberbia biblioteca. Su casa era un museo, con cuadros de Van Dick, Murillo, Guido Reni, Mengs y el *Greco,* cuyas obras califica de «estrambóticas». Son epístolas en su mayor parte fáciles y prosaicas, pero de lectura agradable. La égloga, en cambio, nos parece blandengue con exceso.

En el tono jocoso tiene sonetos logrados: el II, *A un caballerito de estos tiempos* («Levántome a las diez, como quien soy...»), es muy agudo; también lo es la *Respuesta a un curioso que le preguntó qué gusto hallaba en leer las «Soledades»,* de Góngora:

> Yo, que todo me vuelvo claridades,
> por gustar más de versos virgilianos,
> leo las gongorinas *Soledades.*

El poema *La música,* puesto como modelo de prosaísmo en todas las historias de la literatura y que tantas censuras le ha valido, no es tan malo como dicen los que hablan de él, probablemente sin haberlo leído, ni tan bueno como quisieron hacerlo ver algunos de sus coetáneos. Está por entero dentro de la tónica del XVIII. Pedir cosa distinta es no querer darse cuenta del ambiente de la época. El mismo primer verso («Las maravillas de aquel arte canto...»), tan traído y llevado por la crítica, hasta ser puesto en la picota por Menéndez Pelayo, es perfectamente válido. Las dos sílabas tónicas seguidas, tan censuradas en todo tiempo, lo son sólo en el aspecto gramatical, pero no en el métrico, ya que cualquier oído mediana-

mente educado se da cuenta de que la primera destruye a la otra, o al menos la atenúa en grado sumo. Porque de otra cosa se podrá tachar a Iriarte menos de mal versificador. Probablemente no ha habido en toda la poesía española anterior a Rubén Darío un oído más sensible y refinado que el suyo. Consta el poema de cinco cantos, en silvas: I, Elementos del arte; II, Expresión de los afectos; III, Aplicaciones de la música; IV, Música teatral; V, Música de conciertos y academias, etc. Traducido a varios idiomas y elogiado por Metastasio, alcanzó mucha fama, especialmente en el extranjero.

De Iriarte quedarán siempre como modelo en su género las *Fábulas literarias,* y no por ser mejores ni peores que otras, sino por su índole peculiar. Ya el editor, en la Advertencia puesta al frente de la primera edición (1782), subraya la novedad de «ser todos sus asuntos contrahidos a la literatura». En otras palabras, las fábulas de Iriarte, entre chanzas y veras y respaldadas con historietas de personas y de animales, desarrollan toda una preceptiva poética que en definitiva recoge los mejores principios del pensamiento estético de la época. Cada una contiene en su verso o versos finales una sentencia que en forma de aforismo viene a ser norma práctica para el escritor: conveniencia de armonizar lo útil y lo bello (VIII, XLIX, LIV, LX); necesidad de la crítica (III); estudio de los clásicos (IV); claridad de lenguaje (VI); originalidad (XI); pureza (XLI); observancia de las reglas (VIII); sencillez (XV, XVIII); condenación de fárrago erudito (XLVII), etc. Y aun ofrecen otro mérito mayor: todas las fábulas de Iriarte son originales. Las de Fedro, La Fontaine, Samaniego y otros tienen sus fuentes harto conocidas. Parece ser que Iriarte inventó todas las suyas. Son en total setenta y seis, escritas en los más variados metros. La mayor parte se han hecho popularísimas; algunas entre ellas *(El burro flautista, Los dos conejos, La mona, El naturalista y la lagartija, El gusano de seda y la araña, La abeja y los zánganos),* son insuperables.

La importancia de Iriarte en el aspecto métrico no está aún debidamente aquilatada. Adaptó metros extranjeros, ensayó otros nuevos y resucitó viejos esquemas: alejandrinos (fábula X), octavas de arte mayor (XXXIX), dodecasílabos agudos de arte mayor (XXV), endecasílabos pareados de rima esdrújula (XLII), pareados de once, doce y trece sílabas, «a la francesa»; endecasílabos con acentuación en cuarta y séptima (que se corresponden con los mal llamados «anapestos» y tradicionalmente conocidos por «versos de gaita gallega»); versos de nueve sílabas, sonetillos, etc., aparte de todos los utilizados en nuestra lírica: silvas, liras, romances, endechas... No siempre el éxito le acompaña: sus endecasílabos alternantes con quebrados de seis sílabas (fábula LXVI) tenían que disonar a la fuerza. De ordinario, sin embargo, acierta y logra combinaciones que es lástima no hayan aceptado los poetas posteriores. Nada menos que cuarenta especies de metros encontramos en sus setenta y seis fábulas.

Una faceta interesantísima de Iriarte, muy estimada en su tiempo, casi totalmente desconocida luego, y ahora, en nuestra época, otra vez puesta de relieve, es la de compositor musical. El célebre fabulista, a la vez que dramaturgo, poeta y crítico, fué un músico estimable. Recientemente don José Subirá lo ha estudiado en este particular aspecto [18].

Los apólogos «morales» de Samaniego

Tan popular como Iriarte, y acaso más, fué su coetáneo don FÉLIX MARÍA SAMANIEGO (1745-1801) [19]. Muy amigos, hasta el punto de haber elegido Samaniego al otro por mentor:

> En mis versos, Iriarte,
> no quiero yo más arte
> que tomar a los tuyos por modelo...,

se enemistaron luego. Discutió Samaniego a Iriarte la prioridad en el cultivo del género, y hasta le atacó duramente en un folleto que apareció anónimo: *Observaciones sobre las «Fábulas literarias»*. Fué Samaniego hombre ingenioso, agudísimo, de sátira punzante, un poco volteriano y un mucho nutrido de ideas enciclopedistas. Por ciertos versos satíricos y demasiado libres, el Tribunal de Logroño dictó auto de prisión contra él en 1793; pero evitó la condena recluyéndose algún tiempo en un convento de carmelitas cerca de Bilbao. Parodió en *Guzmán el Bueno* a don Nicolás Fernández de Moratín; en las *Coplas para tocarse al violín* se burló donosamente del poema *La música*, de Iriarte; en *Los huevos moles* intentó poner en solfa *El murciélago alevoso*, de fray Diego González, y en las *Memorias de Cosme Damián* atacó el prólogo de Huerta al *Teatro español*.

A petición del director de la Real Sociedad Vascongada y dedicadas a los alumnos del Seminario Patriótico de la misma, publica entre 1781 y 1784 sus *Fábulas literarias*, a las que pone por lema el conocido *Duplex libelli dos*, del prólogo de Fedro. Este, juntamente con Gay y La Fontaine, son sus modelos preferidos. Pero a La Fontaine lo encuentra demasiado artificioso, y por ello poco apto para la lectura infantil. Samaniego desea ser más sencillo, y lo logra. Sus fábulas, ya lo dice el título de «morales», reflejan la preocupación ético-docente del momento, y por la forma sencilla en que están redactadas, una sencillez casi excesiva, resultan aptas para todos. Repartidas en nueve libros, suman un total de doscientas cincuenta y siete, y con la de *Los gatos escrupulosos*, compuesta en dos formas distintas, alcanzan las doscientas cincuenta y ocho. Ya hemos indicado sus fuentes; pero hay varias originales, que por cierto pueden figurar entre las mejores del género: *El joven filósofo y sus compañeros, El cerdo, el carnero y la cabra*, etc. Otras varias, tomadas de la tradición fabulística, reciben al pasar por sus manos forma tan definitiva, que ya nadie las recuerda sino en esta versión. Tal ocurre con *La cigarra y la hormiga, La lechera, Los gatos escrupulosos, Los dos cazadores, La zorra y el busto, El calvo y la mosca. La lechera*, por ejemplo, que tantas y tan afortunadas variaciones ha tenido en todas las literaturas cultas, en ninguna acaso alcanza mayor perfección:

> Llevaba en la cabeza
> una lechera el cántaro al mercado,
> con aquella presteza,
> aquel aire feliz y aquel agrado
> que va diciendo a todo el que lo advierte:
> «Yo sí que estoy contenta con mi suerte...»

Menos variado que Iriarte en el metro, le supera en viveza, animación y soltura. Fué Quintana quien acertó a juzgarlos con mayor precisión: «Iriarte cuenta bien; pero Samaniego pinta; el uno es ingenioso y discreto; el otro, gracioso y natural.» Y Martínez de la Rosa declaraba en su *Poética española* que Samaniego «había sobresalido lo bastante en el cultivo de la fábula para que se le pudiese citar confiadamente en cualquier país extranjero».

Otros fabulistas

La inmensa popularidad de Iriarte y Samaniego ha oscurecido la fama de otros cultivadores del género, dignos de atención.

JOSÉ AGUSTÍN IBÁÑEZ DE LA RENTERÍA (1750-1826), bilbaíno, fué un imitador de Samaniego. En sus *Fábulas en verso castellano* (1797) quisieron ver algunos contemporáneos cierta intención política que, al parecer, no existió. En cambio, la tuvieron, y muy acusada por cierto, los apólogos de otro fabulista de últimos del XVIII y principios del XIX, el extremeño CRISTÓBAL DE BEÑA. En ellos, no obstante la inspiración ajena—casi todos son imitados de La Fontaine o de Iriarte—, campean, a falta de originalidad, ese gracejo y esa *vis cómica* indispensables a cuantos quieren cultivar este género con un éxito relativo. Grande fué el que obtuvo Beña con alguna de sus fábulas: *La escalera de mano y el farolero, El mochuelo y el topo, Las ratones y el gato, Las abejas y los zánganos, La rana y el sapo, El culebrón y el toro, La piedra de amolar y el cuchillo*. Esta última, es acaso la mejor entre las del autor. La moraleja política aparece bien clara en los versos finales:

Las leyes suelen ser telas de araña
que rompe cuando quiere el poderoso,
mientras sufren los débiles su saña.

(La araña y el moscón.)

Si en esta sociedad en que vivimos,
tantos zánganos hay perjudiciales,
¿por qué con tal estupidez sufrimos
coman sin trabajar nuestros panales?

(Las abejas y los zánganos.)

La ley y su ejecución,
en un estado cualquiera,
cual mazo y escoplo son:
uno sin otro es quimera.

(El escoplo, el mazo y el carpintero.)

Las otras poesías de Beña, coleccionadas en *Lira de la libertad* (Londres, 1831), acusan facilidad e ingenio, pero escaso numen. Según el duque de Rivas, era Beña hombre ilustrado, excelente en el trato y diestro versificador. Su nombre va asociado al *Memorial literario,* del que fué asiduo colaborador en la tercera y última etapa, al lado de Moya Luzuriaga y de José María Carnerero [20].

Análoga significación tiene PABLO DE JÉRICA (1781-¿1831?), alavés, como Samaniego, y el mejor fabulista de la época después de éste y de Iriarte. Sus apólogos, de tendencia moral y política, son sencillos, pegadizos y muy apropiados a toda clase de públicos. Alguno de ellos, como *El ratón dentro del queso,* compite en popularidad con los más conocidos de Samaniego:

Mientras en guerras
se destrozaban
los animales
con justa causa,
un ratoncillo,
¡qué bueno es eso!,
estaba siempre
dentro del queso.
Juntaban gente,
buscaban armas,
formaban tropas,
daban batallas.
Y el ratoncillo,
¡qué bueno es eso!,
siempre metido
dentro del queso...

Jérica escribió asimismo felices epigramas, llenos de causticidad e intención:

A Job el diablo tentó
con tanta solicitud,
que los bienes, la salud
y los hijos le quitó.
Mas no pudiendo vencer
su virtud con inquietarle,
trató de desesperarle...
y le dejó la mujer.

Otros cultivadores más o menos afortunados del género son: el incansable refundidor del teatro clásico don Dionisio Solís, el agudo epigramático extremeño don Francisco Gregorio de Salas, el dramaturgo navarro don Vicente Rodríguez de Arellano y el valenciano don Joaquín Lorenzo Villanueva.

NOTAS

1. Leopoldo Augusto de Cueto, marqués de Valmar: *Historia crítica de la poesía castellana en el siglo XVIII,* 3 vols. Creemos, no obstante lo que se afirma en el texto, que la crítica que se viene haciendo del XVIII español, en general, y de la poesía en particular, es excesivamente dura. «Pecaron los cultos por demasiado poetas...—sentenciaba Former en su *Carta al duque de Montellano*—. Luego cayó la ambición de la fantasía y pecó por vil y ruin, como antes pecaba por encopetada y escabrosa.» Y Pedro Salinas, en el bello estudio preliminar de las *Poesías* de Meléndez Valdés («Clásicos Castellanos», t. LXIV), nos da este resumen desalentador: «El siglo XVIII, en el instante del advenimiento de Meléndez, es un ejemplo de postración y descuido poéticos sin par en nuestras letras. Vive de unos pobres rescoldos de la soberbia hoguera gongorina recogidos por poetas de tercer orden. Vive de las gracias chocarreras y vulgares de unos copleros, remedo desmedrado de la poesía burlesca de Quevedo. Vive, por último, de ciertos fríos intentos de orden puramente intelectual, reacción contra las tendencias anteriores, de dar al lenguaje dignidad literaria, pero tan en atildada y seca forma, que entre ella y las intenciones didácticas se frustra toda esperanza de poesía.»
2. Los tomos LXI, LXIII y LXVII de la Biblioteca de Autores Españoles.
3. *La poesía lírica española,* «Manuales Labor», Barcelona, 1937, pág. 228.
4. GUILLERMO DÍAZ PLAJA *(Ob. cit.,* págs. 231-33) ha detallado algunas de estas influencias.
5. Sevillano, de ilustre origen portugués y nieto por línea materna del famoso escritor, comentarista de Góngora e historiador de Aragón, don José Pellicer de Salas Ossau y Tovar. En su juventud cultivó intensamente las bellas letras; más adelante derivó hacia graves ocupaciones y estudios, llegando a dominar muchas lenguas: latín, griego, árabe, hebreo, caldeo, francés, italiano, alemán. Dejó, aparte de sus poesías, una *Historia de la Iglesia y del mundo.* Contribuyó a la creación de la Real Academia Española de la Lengua, y desempeñó cargos tan importantes como los de secretario del rey, bibliotecario mayor y secretario del Consejo de Castilla. Murió en 1714, cuando llevaba treinta años consagrado a la práctica de todas las virtudes cristianas.
6. Nació Gerardo Lobo en Cuerva (Toledo). Destinado muy joven a la carrera de las armas, ya en la guerra de Sucesión era capitán de coraceros. Tomó parte en las más famosas acciones de su tiempo: cercos de Lérida y Montemayor, conquista de Orán, etc. Pasa a Italia con Felipe V. Se distingue en la guerra contra Austria, y en la batalla del Campo-Santo (1743) recibe cuatro heridas graves cuando ya era brigadier. Por méritos es ascendido a mariscal de campo y caballero de Santiago. Muere en 1750 de una caída de caballo, siendo a la sazón gobernador de Barcelona.
7. En el LIII. Ver allí, apartado II, estudio general y datos biográficos.
8. Llama Torres Villarroel «pasmarotas» a una especie de letrillas satíricas que ofrecen aún en nuestros días cierto interés por sus frecuentes alusiones de carácter político. Como muestra de aprovechamiento de tonadillas populares en el villancico citado en el texto, mencionaremos sólo dos. Una es la conocida:

Arrojóme la portuguesilla
naranjillas de su naranjal;
arrojómelas y arrojéselas
y volvíselas a arrojar...

La otra aún está más divulgada:

Tanto bailé con la gaita gallega,
tanto bailé, que me enamoré de ella;
tanto bailé, tanto bailara,
tanto bailé, que me enamoriscara...

9. Nació en Alcalá la Real, y, siguiendo la tradición familiar, se dedicó primeramente a las letras. Entró luego al servicio de la casa real como mayordomo de semana; desempeñó altos cargos diplomáticos: ministro plenipotenciario en Viena (1755-1760) y embajador en Turín, donde murió en 1767. Fué miembro de las Reales Academias de la Lengua, de la Historia y de Artes Nobles, y presidió algún tiempo la del Buen Gusto. Por línea paterna perteneció a la alta nobleza de Andalucía.
10. Damos, siguiendo al profesor Díaz Plaja, la lista

de los seudónimos más corrientes entre los poetas de la época. *El Justo Desconfiado* (conde de Saldueña), *El Difícil* (conde de Torrepalma), *El Humilde* (Montiano y Luyando), *El Amuso* (Nasarre), *El Aventurero* (Porcel), *El Peregrino* (Luzán), *El Marítimo* (Luis José Velázquez de Velasco), *Flumisbo Thermodonciaco* (Nicolás Fernández de Moratín), *Dalmiro* (Cadalso), *Delio* (fray Diego González), *Liseno* (el padre Rojas), *Jovino* (Jovellanos), *Batilo* (Meléndez Valdés), *Albino* (José María Blanco Crespo), *Anfriso* (Lista), *Ortelio* (García de la Huerta), *Fileno* (Reinoso), *Arcadio* (Iglesias de la Casa), *Aminta* (Forner).

11. Granadino. Se tienen pocas noticias de su vida. Fué sacerdote y canónigo de El Salvador en su ciudad natal; académico de la Española y de la Historia; miembro destacado—con el seudónimo de *El Caballero de los Jabalies*—en la Academia del Trípode. No se sabe en qué año murió.

12. Nace en Madrid, de ascendencia asturiana. Estudia Humanidades en el colegio de jesuitas de Calatayud, y Leyes en la Universidad de Valladolid. Pero desde joven siente mayor inclinación por las bellas letras. Hereda de su padre el cargo de guardajoyas de la reina Isabel de Farnesio, y es uno de los asiduos a la tertulia de la fonda de San Sebastián. Cuando la expulsión de los jesuitas es nombrado su amigo don Ignacio López de Ayala profesor del Colegio Imperial (hoy Instituto de San Isidro), que aquéllos regentaban. Pero, al abandonar la cátedra Ayala por motivos de salud, la obtiene Moratín como sustituto. Muere, todavía joven, en 1780. Perteneció, y de ello se vanagloriaba mucho, a los Arcades de Roma con el sobrenombre de *Flumisbo Thermodonciaco*. Nicolás F. de Moratín es un caso típico y poco frecuente en España de escritor puro, consagrado en cuerpo y alma a las letras, por las que sacrificó su actividad profesional y en parte también su bienestar. La mejor obra de Moratín padre ha escrito Menéndez Pelayo—, fué su hijo don Leandro.

13. Por una carta que Leopoldo A. Cueto atribuye a Juan Martínez de Salafranca, se sabe que era abogado, que conocía bien el francés y que «vestía hábitos largos». Se ignoran las fechas de su nacimiento y de su muerte. La *Sátira contra los malos escritores* vió la luz en la segunda edición del tomo VII del «Diario de los literatos», y está inspirada en el *Discours sur la satyre*, de Boileau, aunque Hervás hace todo lo posible por disimularlo, con la cita al pie de todos los autores latinos (Horacio, Juvenal, Marcial, Persio, Plauto) de los que dice haberla tomado. Leopoldo A. Cueto ha hecho un parangón entre las dos obras, y se ve que la de Hervás es casi un calco, bien que mejorado, de la francesa.

14. Como se ve, por ejemplo, en *El poeta filósofo*:

Si en el rincón de un bosque se hace un bandido fuerte
y roba con que coma, es digno de la muerte;
mas de primera clase los excelsos ladrones
son un objeto digno de mil adoraciones.
Los partidarios fuertes, los dichosos malvados,
del sudor y la sangre del pobre alimentados,
que, con pretexto falso de servir a monarcas,
el bien de las provincias trasladan a sus arcas,
hacen gemir al pueblo, a la equidad oprimen
y como virtud obran la violencia y el crimen...

Si reproducimos estos versos no es por su calidad poética, realmente nula, sino por su acentuación, que reproduce el movimiento rítmico del alejandrino francés, desconocido luego por todo el romanticismo, y sólo vuelto a revelar por los modernistas.

15. *La determinación del romanticismo español*, Barcelona, 1919.

16. Nació en Orotava (Canarias); pero, trasladado muy joven a Madrid, se educó al lado de su tío, el bibliotecario don Juan. Entregado a las letras, frecuentó las más famosas tertulias, entre ellas la de la fonda de San Sebastián, donde intimó con Nicolás Fernández de Moratín y con Cadalso. De ideas un tanto libres, como puede observarse en su poema *La barca de Simón*, fué procesado por el Santo Oficio, tomando como pretexto del proceso la *Carta a fray Francisco de los Arcos*, en la que vierte conceptos poco respetuosos para las órdenes religiosas. Murió relativamente joven, a los cuarenta y un años.

17. Escribió Iriarte en hexámetros latinos cierta *Metrificatio invectivalis* de escasa inspiración. Es curiosa la alusión que en ella hace al padre Isla. Se encarga de que los que *horribilem librum de Fratre Gerundio alabant*, y en nota insiste: *voluit ridere se de praedi-*

catoribus; sed credebat miserabilis auctor quod scribebat inter Anglicos, vel Gallicos, vel Alemanos, qui sufferunt istas jocositates.

18. *El compositor Iriarte (1750-1791) y el cultivo español del melólogo (melodrama)*, 2 vols., Instituto Español de Musicología, Barcelona, 1950.

19. Natural de La Guardia (Alava), de familia hidalga. Fué señor de las Cinco Villas del Valle de Arraya. Viajó por Francia, y residió largas temporadas en Bilbao y Vergara, de cuyo Real Seminario fué director durante algún tiempo. Era Samaniego hombre graciosísimo en su conversación, licencioso y muy amigo de historietas, sobre todo picantes y anticlericales.

20. Fué el *Memorial* una publicación periódica que, con algunas intermitencias, se editaba en Madrid entre 1784 y 1808. En su larga vida llegó a publicar cincuenta y tres tomos, y pasó por tres etapas: primera, de 1784 a 1790, con el humanista Joaquín Ezquerra como principal colaborador; segunda etapa, de 1793 a 1798, bajo la dirección del académico don José Calderón de la Barca, y tercera etapa, de 1800 a 1808, inspirada por Capmany, y con tres redactores principales: Beña, Luzuriaga y Carnerero. La guerra de la Independencia acabó con ella.

BIBLIOGRAFIA

Además de la bibliografía que figura en los capítulos XLVIII, LII y LIII, consúltese la que figura a continuación.

I. R. DE BALBÍN y L. GUARNER: *Poetas modernos. Siglos XVIII y XIX*, selc. y pról. de..., Madrid, 1952.—DOROTHY CLOTELLE CLARKE: *Some observations on castilian versification of the neoclassic period*, «Hisp. Review», XX, 1952.—L. AUGUSTO CUETO (marqués de Valmar): *Bosquejo histórico-crítico de la poesía castellana en el siglo XVIII* (3 vols.), Madrid, 1893 (figura como pról. al frente del vol. LXI de la Bibl. Aut. Esp. de Rivadeneyra).—J. KENNEDY: *Modern poets and poetry of Spain*, Londres, 1852.—A. MILLARES CARLO: *Ensayo de una bibliografía de escritores naturales de las Islas Canarias*, Madrid, 1932.—J. QUERO MORALES: *El siglo XVIII hispano*, «Rev. Interamericana de Bibliografía», VI, Washington, 1956.—FÉLIX ROS: *Neoclásicos y románticos*, pról. y antología, Barcelona, 1941.—F. CARLOS SAINZ DE ROBLES: *Historia y antología de la poesía castellana*, Madrid, M. Aguilar, 1946: *El epigrama español. Estudio y notas*, Madrid, M. Aguilar, 2.ª ed., 1946.—J. SEMPERE y GUARINOS: *Ensayo de una biblioteca española de los mejores escritores del reinado de Carlos III* (6 vols.), Madrid, 1735-89.

II. MARÍA ROSA ALONSO: *Manuel Verdugo y su obra poética*, Madrid, C. S. I. C., 1955.—ALVAREZ DE TOLEDO: *Carta del maestro de niños Luis de Salazar y Castro a don Gabriel Alvarez de Toledo*, Zaragoza, 1713.—A. DEL ARCO: *Don José Antonio Porcel y Salablanca*, «Rev. Alhambra», XXI, núms. 478 a 482, 1918.—V. BARRANTES: *Biografía de Eugenio Gerardo Lobo*, «Sem. Pint. Español», Madrid, 1850.—J. RUBIO: *Algunas aportaciones a la biografía y obras de Eugenio Gerardo Lobo*, «Rev. Filol Esp.», XXXI, Madrid, 1947.

III. *Biografía de don Nicolás F. de Moratín*, «Sem. Pint. Español», Madrid, 1842.—J. M.ª DE COSSÍO: *La «Fiesta de toros en Madrid», «Oda a Pedro Romero»*, «Bol. Bibl. Menéndez Pelayo», VIII, 1926.—A. FERNÁNDEZ-GUERRA: *Lección poética sobre las célebres quintillas de don N. Fernández de Moratín*, «Rev. Hispanoamericana», Madrid, 1882.—LEANDRO F. DE MORATÍN: *Vida de don Nicolás F. de Moratín*, «Bibl. Aut. Esp.», II, Madrid, 1850.—A. GONZÁLEZ PALENCIA: *Don José M.ª Vaca de Guzmán, el primer poeta premiado por la Real Academia Española*, «Entre dos siglos», Madrid, 1943.—E. DE LA IGLESIA CARNICERO: *García de la Huerta y el coronel Cadalso*, Madrid, 1889.—F. LÁZARO: *La transmisión textual del poema de Moratín «Fiesta de toros en Madrid»*, «Clavileño», núm. 21, Madrid, 1953.—J. LÓPEZ DE TORO: *Un poema inédito sobre Hernán Cortés: «Las Cortesíadas»*, «Rev. de Indias», IX, Madrid, 1948.—E. URIARTE: *¿Quién fué Hugo Herrera de Jaspedós?* («Jorge Pitillas»), «Razón y Fe», Madrid, 1901.

IV. A. CIORANESCU: *Sobre Iriarte, La Fontaine y fabulistas en general*, «Estudios de Lit. Esp. y Comparada», La Laguna, 1954; *Fábulas literarias de Iriarte*, introd. de..., Santa Cruz de Tenerife, 1951.—E. COTARELO MORI:

Iriarte y su época, Madrid, 1897.—J. M.ª Martínez Cachero: *Iriarte. Poesías* (amplia reseña con interesantes rectificaciones biográficas), «Archivum», Oviedo, mayo-agosto, 1953.—A. Navarro González: *Temas humanos en la poesía de Iriarte*, «Rev. de Literatura», I, Madrid, 1952; *Tomás de Iriarte. Poesías*, pról. y notas de..., «Clásicos Castellanos», núm. 136, Madrid, 1953.—A. Ruiz Álvarez: *En torno a los Iriarte*, «Rev. Bibliográfica y Documental», V, Madrid, 1951.—J. de Apráiz: *Obras críticas* (sobre Samaniego), Bilbao, 1898; *El centenario de Samaniego*, «Ilustr. Esp. y Americana», 1901.—Fernández Navarrete: *Obras inéditas o poco conocidas del insigne fabulista don Félix M.ª Samaniego*, pról. de..., Vitoria, 1886.—G. Germain: *La Fontaine et les fabulistes espagnols*, «Revue de Litt. Comparée», XII, 1932.—J. Mille Jiménez: *La fábula de la lechera a través de las diversas literaturas*, «Nosotros», Buenos Aires, octubre, 1924.—Varios: *Samaniego*, vol. XXIII de «Bibl. Vasca», Bilbao, 1898.

CAPITULO L

LA POESIA DEL XVIII:
B) SALMANTINOS, SEVILLANOS Y PRERROMANTICOS

I. RESURGIMIENTO DE LAS VIEJAS ESCUELAS.—II. EL GRUPO O ESCUELA DE SALA-
MANCA: *Sus etapas: la «Academia cadálsica». El «Parnaso» y la «Arcadia».
La «Epístola», de Jovellanos. Tendencias renovadoras. Fray Diego González.
El padre Rojas y otros poetas agustinos. Iglesias de la Casa.*—III. EL GRUPO
O ESCUELA DE SEVILLA: *Caracteres. Arjona, Blanco o «White» y Reinoso. Alberto
Lista. Más poetas sevillanos.*—IV. ULTIMOS REPRESENTANTES DEL NEOCLASICISMO
Y PRERROMÁNTICOS: *Tradicionalistas rezagados: Maury, Mora, Arriaza, etc.
Prerrománticos: Somoza, Noroña, Cabanyes y Cienfuegos.*
NOTAS.—BIBLIOGRAFÍA.

I. RESURGIMIENTO DE LAS VIEJAS ESCUELAS

Sólo con manifiesta impropiedad podemos llamar *escuelas* a los dos grupos de poetas que en el último tercio del siglo florecieron en Sevilla y Salamanca. Leopoldo A. Cueto rechaza tal título, que califica de «pomposo», y prefiere el apelativo de *focos,* basándose en que para constituir verdaderas escuelas les faltaba sistema y unidad. Acaso tenga razón. Pero nosotros insistimos en la denominación corriente por estimarla más eficaz desde el punto de vista didáctico y por estar ya admitida por casi todos [1].

De cualquier modo que sea, ha de tenerse en cuenta que tales nuevas escuelas, aunque sientan gravitar sobre sí todo el peso de la respectiva tradición, y nunca pierdan de vista a sus ineludibles modelos—fray Luis de León para la salmantina y Herrera para la sevillana—, aparecen hondamente impregnadas por el espíritu neoclásico, que les comunica temas o inspiración a tenor de los tiempos que corrían. Indudablemente, circunstancias como la ya anotada en el capítulo anterior, de la reimpresión de las obras de fray Luis, de Garcilaso y Herrera, debieron de influir en el sesgo que iba

tomando la poesía a finales del XVIII; pero este influjo, que llevaba a los salmantinos inevitablemente hacia la sobriedad expresiva del cantor de la *vida del campo* y a los sevillanos hacia el culto de la forma, tan acusada en Herrera y sus discípulos, era perfectamente compatible con las tendencias impuestas desde el otro lado de nuestras fronteras. Hay que recalcar bien esto: que tanto los poetas del grupo salmantino como los del sevillano son primero neoclásicos, penetrados más o menos de la ideología y del sentimiento de su siglo; y después, horacianos, garcilasianos, herrerianos o imitadores de fray Luis. Y esto ocurre hasta con aquel que venía pasando por jefe del grupo, el candoroso fray Diego González, el cual pensaba no llegaría a la meta de su carrera poética sin haber alumbrado previamente el ineludible poema didáctico-filosófico *Las edades;* un poema que, para descanso suyo y bien nuestro, hubo de dejar inconcluso. Y otro tanto ocurre con los sevillanos, entre quienes las odas en grande a la Libertad, la Beneficencia, etc., son casi tan frecuentes como los idilios y romances, y de temática más obligada.

II. EL GRUPO O ESCUELA DE SALAMANCA

La vieja ciudad del Tormes, por su tradición humanística, continuada a lo largo del XVII y primera mitad del XVIII, ofrecía un terreno excelentemente abonado para que brotara y fructificase una nueva escuela poética [2]. La tradición iniciada por Juan del Encina y Lucas Fernández, y continuada por fray Luis de León, Sánchez de las Brozas y otros humanistas, es recogida en el XVIII por varios varones meritísimos, encargados de velar para que el fuego sagrado no se apague. Se tienen noticias

de una Academia poética existente en Salamanca a principios de siglo, concretamente en 1716, de la que nos da referencias muy precisas el profesor Real de la Riva en su excelente estudio *La escuela salmantina del siglo XVIII* [3]. A esa Academia, que debe ser considerada un anticipo del grupo poético que estudiamos, pertenecían, entre otros religiosos y universitarios, los padres Luis Briceño y Miguel de Cepeda, con otros seglares, como Francisco de Ataide, Diego Guzmán y Pérez Galiste.

Ya promediado el siglo, otros universitarios, entre los que figuran el catedrático de latín Juan González de Dios, el colegial fray Gaspar Bermejo y el mismo doctor don Diego de Torres Villarroel, continúan la noble labor; y pocos años más tarde, entre 1765 y 1775, los sabios agustinos padres Alba y Zamora recogen la preciada herencia. Por las aulas de ambos catedráticos pasaron hombres como Estala, Forner, Iglesias, Sánchez Barbero y el mismo Meléndez. Cuando en 1771 llega Cadalso a Salamanca encuentra un ambiente muy propicio. Todos ellos habían recibido en la Universidad un buen baño de humanismo; todos conocían el griego y dominaban plenamente el latín, hasta el punto de que escriben versos y se cruzan entre sí cartas escritas en la vieja lengua del Lacio.

Etapas de la misma: la «Academia cadálsica»

Tres fases señala el profesor Real de la Riva en la nueva escuela: la Academia cadálsica, el Parnaso y la Arcadia. Y aun cabría añadir otra cuarta fase: la época de transición.

La Academia se inicia con la llegada de Cadalso a Salamanca, al promediar el año 1771. Venía de Madrid Cadalso apesadumbrado por la reciente pérdida de su amante, la bella cómica María Ignacia Ibáñez. Pero muy pronto sus tristes recuerdos se disipan ante la cordial acogida que le dispensan los salmantinos. Sus excelentes prendas personales y su arrolladora simpatía le atraen inmediatamente la admiración y el afecto de los principales literatos, especialmente de los jóvenes como Iglesias y Meléndez Valdés, quienes se desviven por intimar con un escritor como Cadalso, ya ventajosamente conocido en los medios madrileños, amigo de los más reputados poetas de la Corte y asiduo contertulio de la Fonda de San Sebastián. Su prestigio aumenta al demostrar que conoce varias lenguas extranjeras y que, por su residencia algún tiempo fuera de España, está al corriente de las principales tendencias literarias y culturales de Europa. No tarda en constituirse un pequeño cenáculo literario, del que es Cadalso alma y orientador, y que por eso mismo queda bautizado con el nombre de «Academia cadálsica». Este cenáculo pronto irradia su influjo a los medios universitarios de Salamanca; e inmediatamente afluyen a ella alumnos de las musas: Juan Pablo Forner, recién llegado de su rincón extremeño; el navarro Ramón Cáseda, el valenciano León Arroyal y un tal Carbonell, de quien no se tienen más noticias que las suministradas por la correspondencia cruzada entre los anteriores. Pero el núcleo principal estaba constituído por Iglesias, Meléndez y Cadalso. La jefatura e influjo de éste sobre los demás es indiscutible. «Mi gusto, mi afición, mi talento político, mi tal cual literatura,

todo es suyo. El me cogió en el segundo año de mis estudios, me abrió los ojos, me enseñó, me inspiró este noble entusiasmo de la amistad y de lo bueno, me formó el juicio... Sin él yo no sería nada.» Así se expresa Meléndez Valdés en carta al padre Mena, de 16 de marzo de 1782; e Iglesias, en una de sus églogas, recuerda a Cadalso como «el mejor de nuestros mayorales». En la Academia se platicaba, se discutía sobre arte, filosofía y literatura, se leían obras de clásicos nacionales y extranjeros y se daban a conocer también las propias de cada uno de sus miembros. Los versos recién hechos, los poemas recién compuestos, eran sometidos al juicio de los otros compañeros.

Más tarde, hacia 1774, se incorporan a la Academia los agustinos fray Diego González y fray Juan Fernández de Rojas. Véase, pues, con cuánta inexactitud se viene adjudicando a fray Diego González la paternidad de esta segunda escuela salmantina, honor que en justicia corresponde a Cadalso. Durante esta primera etapa, los salmantinos cultivan preferentemente una poesía bucólica y erótica, de tono agradable, un poco muelle y voluptuosa; una poesía que, sin salirse de la pauta señalada por los grandes modelos, fray Luis y Garcilaso, aparece enriquecida con las recientes aportaciones traídas por Cadalso de Italia y Francia. El erotismo, si bien muy moderado, alcanza al mismo fray Diego, como veremos en el próximo apartado. Los asuntos graves y majestuosos son soslayados por todos estos poetas, que se acogen con cierta delectación a los temas frívolos e intrascendentes, tal como los hallamos en las mejores composiciones de Meléndez durante los primeros años, todas ellas de corte anacreóntico, o en los *Ocios de juventud*, del mismo Cadalso, libro de poemas publicado en Salamanca en 1773, y que puede ser considerado como el modelo de la escuela en esta su primera fase. Lo sensual, pero sin complicaciones, lo subjetivo, y el sentimiento de la Naturaleza expresado con morosa voluptuosidad y reducido a un marco minúsculo, son las notas dominantes.

El «Parnaso salmantino» y la «Arcadia»

Con la partida de Cadalso, obligado a salir de Salamanca en 1774 para incorporarse a sus deberes militares, se inicia la que podemos considerar segunda etapa de la escuela, el «Parnaso». Ahora las reuniones pasan del domicilio de Meléndez o de Iglesias a la celda del padre Diego González, elegido prior del convento de San Agustín en 1775. El grupo está constituído por cinco poetas principales: *Delio* (fray Diego González), *Liseno* (fray Juan F. de Rojas), *Andrenio* (fray Andrés del Corral), *Arcadio* (Iglesias de la Casa) y *Batilo* (Meléndez Valdés). Otros como *Amintas* (Forner) y *Jo-*

vino (Jovellanos), aunque vinculados al grupo, no formaban parte integrante de él. Jovellanos se relacionó con los anteriores por correspondencia y sobre la base de las informaciones que le había suministrado en Sevilla el agustino padre Miras. Si grandes habían sido la autoridad y ascendencia de Cadalso sobre el primer grupo, no lo fueron menores las de fray Diego sobre el segundo. Desde que entra a formar parte del «Parnaso» el ilustre agustino se hace admirar y querer tanto por su carácter afable como por sus muchas virtudes. «Yo no me harto de amarlo cada vez más, ni creo que pueda darse genio más digno de ser amado», escribe Meléndez en carta a Jovellanos.

Pronto el grupo se convierte en auténtica Arcadia. Estamos entre los años 1775 y 1780. Los poetas se enmascaran con nombres de pastores. Recordémoslos una vez más: *Amintas, Batilo, Liseno, Arcadio...* Las composiciones de carácter bucólico y erótico brotan por todas partes agradables, sencillas, empalagosas. Cada poeta tiene su pastora y su caramillo más o menos rústico para cantarla. Hasta el virtuoso fray Diego canta a su Mirta en versos que han llevado a ciertos críticos a poner casi en entredicho su prestigio sacerdotal:

> Estaba Mirta bella
> cierta noche formando en su aposento,
> con gracioso talento,
> una tierna canción, y porque en ella
> satisfacer a Delio meditaba,
> que de su fe dudaba,
> con vehemente expresión le encarecía
> el fuego que en su casto pecho ardía...

Y hasta el retozón y festivo Iglesias se despacha en 1776 con un montón de églogas anacreónticas y letrillas, cortadas todas según el patrón fabricado años atrás por Cadalso. «Pero este bucolismo desbordado de últimos del siglo XVIII, no es como el de Garcilaso o fray Luis, retiro de soledad y de pasión, donde más honda y definitivamente suenan en el alma los momentos infinitos, sino delicioso campo de ensueños juveniles intrascendentes, que llenan de dulce y voluptuoso placer los ánimos» [4].

La «Epístola», de Jovellanos

A remover el ambiente de esta pacífica Arcadia viene la carta escrita por Jovellanos desde Sevilla en 1776. El ilustre polígrafo asturiano, que por aquellas fechas se hallaba en la ciudad del Betis desempeñando el cargo de Oidor de la Audiencia, había sido informado por el padre Miras sobre las actividades de los poetas salmantinos y las excelencias poéticas de algunos de ellos, concretamente, del padre González, de Meléndez Valdés y de Fernández de Rojas. Conocedor de algunas muestras literarias de estos vates, suministradas

por el mismo padre Miras, pronto encuentra Jovellanos que los temas preferidos por los salmantinos no son los más congruentes con la seriedad de tan respetables varones ni con los frutos que cabe esperar de tan preclaros ingenios. Y a distraerlos de tales temas baladíes, estimulándoles para que acometan más altas empresas, viene la famosa epístola de *Jovino a sus amigos de Salamanca*, compuesta en los inevitables endecasílabos blancos, como era de rigor y postulaba el género en aquellas fecha. La carta no tiene desperdicio. Empieza con el correspondiente saludo:

> A vosotros, ¡oh ingenuos peregrinos
> que allá del Tormes en la verde orilla,
> destinados de Apolo, honráis la cuna
> de las hispáneas musas renacientes;
> a ti, ¡oh dulce Batilo!, y a vosotros,
> sabio Delio y Liseno, digna gloria
> y ornamento del pueblo salmantino;
> desde la playa del ecúreo Betis,
> Jovino el gijonense os apetece
> muy colmada salud ....

Y así hasta 304 endecasílabos tiesos, muy bien medidos, muy correctos, muy dieciochescos. Pronto viene el lamentarse el estado de sopor y encantamiento en que viven los amigos:

> ¡Ay Batilo! ¡Ay Liseno! ¡Ay caro Delio!
> ¡Ay, ay!, que os han las magas salmantinas
> con sus jorginerías adormido!
> ¡Ay, que os han infundido el dulce sueño
> de amor, que tarde o nunca se sacude!

Y, como él no se siente con fuerzas para realizar la alta empresa que todo el mundo espera de los poetas españoles, solicita el honor de convertirse al menos en consejero de quienes han de dar cima a esa tarea:

> Y pues que no me es dado que presuma
> alcanzar por mis versos alto nombre,
> dejadme al menos en tan noble intento
> la gloria de guiar, por la ardua senda
> que va a la eterna fama, vuestros pasos.

Al padre González le insta a que escriba un poema didáctico de alto vuelo, por el estilo de los que entonces abundaban tanto en Italia, Francia e Inglaterra:

> ¡Ea, fecundo Delio! Tú, a quien siempre
> Minerva asiste al lado, ¡sus!, asocia
> tu musa a la moral filosofía
> y canta las virtudes inocentes
> que hacen al hombre justo y lo conducen
> a eterna bienandanza ....

Para Meléndez Valdés reserva la trompa heroica:

> Y tú, ardiente Batilo, del Meonio
> cantor émulo insigne, arroja a un lado
> el caramillo pastoril y aplica
> a tus dorados labios la sonante
> trompa para entonar ilustres hechos...

Pero al que asigna una misión más peliaguda es al padre Rojas. Nada menos quiere convertirle

que en el reformador de nuestro teatro, y le encomienda la tarea de sanear, moralizar y ennoblecer la escena española:

> La empresa que a tu pluma reservada
> queda, ¡oh caro Liseno!, ¡ah, cuán difícil
> es de acabar! ¡Cuán ardua! Mas ya es tiempo
> de proscribir los vicios indecentes
> que manchan nuestra escena ....

De momento, la *Epístola* produjo su efecto, si
bien muy relativo. El padre González se aplicó
con todo afán a la redacción de su poema didáctico *Las edades*, según plan que le había enviado
el propio Jovellanos; Meléndez hizo, bajo la inspiración del mismo *Jovino*, *Las bodas de Camacho*; en cuanto al padre Rojas, no sabemos que
llegase a poner la mano en ningún drama por el
estilo que el jurisconsulto gijonés le proponía.
Pronto, sin embargo, el fuego empezó a extinguirse: el poema *Las edades* no pasó de los cuatrocientos versos que integraban una de las cuatro
partes en que iría dividido; la comedia de Meléndez Valdés, como hecha a desgana, fué un fracaso, y el mismo *Batilo* confesaba en carta a su
mentor que «los poemas épicos, filosóficos y morales» no iban bien con su edad, ni con su carácter, ni con el tono que él quería imprimir a su
poesía. Y, en efecto, tanto él como sus compañeros siguen prefiriendo todavía por algún tiempo el
género anacreóntico.

Tendencias renovadoras

La última etapa, que se inicia hacia 1778, señala
juntamente la dispersión del grupo anterior y una
renovación a fondo en la temática, sin que en tal
renovación haya influído de una manera decisiva
la *Epístola* de Jovellanos. Todavía se canta a la
Naturaleza, pero en otro tono. Graves consideraciones filosóficas y morales se introducen en el
cuadro descriptivo, de acuerdo con la poesía de
Gessner, de Young y de los filántropos europeos.
Por otra parte, el grupo se achica: el padre Corral es trasladado a Valladolid; el padre González,
nombrado secretario provincial, se ve obligado a
trasladarse a Madrid por razón de su cargo; el
padre Rojas también abandona Salamanca; Iglesias de la Casa, concluída su carrera, se desplaza
a los pueblos para cumplir en ellos su ministerio
sacerdotal; Forner hacía tiempo que había mar-
chado a Madrid. De la «Academia», del «Parnaso»,
de la «Arcadia», no queda más cabeza visible que
Meléndez Valdés. En torno a él empieza a formarse otro grupo de poetas, que le reconocen por
maestro. Pero los mejores entre ellos, Quintana y
Nicasio Gallego, no tardan en manumitirse y crearse una personalidad propia. Entre tanto, Meléndez
ha cumplido la misión honrosa, y, sin duda, muy
grata para él, de transmitir el mensaje poético a
la promoción que venía pisándole los talones.

Fray Diego González

En el agustino fray DIEGO TADEO GONZÁLEZ
(1733-1794) [5], jefe algún tiempo del grupo salmantino, late una delicada fibra poética que le acerca
a fray Luis de León. La colección de sus *Poesías*
(1796) contiene piezas breves y atildadas, canciones a la manera italiana, composiciones de carácter religioso y también poemas de carácter erótico,
reflejo, según algunos, de los convencionalismos de
la época más que de una auténtica y sentida pasión; expresión, según otros, de un amor humano,
aunque contenido y casi platónico. ¿Quiénes están
en lo cierto? Parece que la inspiración sólo le
acudía, o le acudía más espontáneamente, cuando
abordaba temas eróticos, pues confiesa casi con las
mismas palabras del poeta de Teos:

> Pero aunque a son sagrado
> de la cítara mía
> las cuerdas arreglaba,
> y a veces las mudaba,
> amores solamente respondía... [6]

Destaquemos dentro del grupo amoroso el bello
romance *A la quemadura del dedo de Filis*, la
égloga *Llanto de Delio y profecía del Manzanares*
y las delicadas décimas *A una señora que se que-
jaba de que hubiesen tratado a otra antes que a
ella*, que componen uno de los más bellos poemas
en su clase. Júzguese por esta primera estrofa:

> Si un caminante penara
> de sed y junto al camino
> por acaso peregrino
> una fuentecilla hallara,
> y no siendo la más clara
> el agua bebiera aquí,
> aunque no lejos de allí
> otra mejor agua hubiera,
> ¿extrañara que bebiera?
> Pues esto me pasa a mí.

Las dos composiciones más conocidas de fray
Diego son de carácter satírico: el célebre soneto
A un orador contrahecho y la no menos célebre
invectiva *El murciélago alevoso* [7]. En las traducciones de salmos se acercó a los buenos modelos
de su Orden: fray Luis de León y Malón de Chaide. Y llegó de tal manera a asimilar el estilo del
primero, que en la traducción del *Libro de Job*,
completada por fray Diego, es difícil discernir la
parte que corresponde a uno y a otro. Aconsejado
por Jovellanos, ya queda dicho, cambió de tono y
quiso aplicar su numen a obras de mayor empeño.
Fruto de esta nueva fase son dos odas, como la
dedicada *A las nobles artes*, y el soporífero poema
didáctico *Las edades*, del que sólo escribió la primera parte, *La niñez*, suficiente para demostrarnos
que no era ésa su cuerda poética [8].

El padre Rojas

Discípulo y amigo de fray Diego, biógrafo suyo
y editor de sus poesías—fray Diego había ordena-

do que se quemasen a su muerte—, es el padre
agustino fray JUAN FERNÁNDEZ DE ROJAS (1750-
1819) [9], menos conocido por sus versos que por el
saladísimo libro en prosa *Crotalogía o arte de tocar las castañuelas* (1792), sátira de la filosofía enciclopedista y de la preceptiva literaria al uso, principalmente en lo relativo a las «tres unidades». Se
publicó con el seudónimo de «Francisco Agustín
Florencio»; y para contestar a los ataques de que
fué objeto el mismo padre Rojas lanzó una segunda parte, *Impugnación literaria de la Crotalogía*,
disfrazado con el seudónimo de «Juanito López
Polinario». Como poeta suele pasar inadvertido,
por estar aún inédita casi toda su producción en
verso; pero lo poco que de ella se conoce, por haberlo publicado el padre Conrado Muiños en la
revista *La Ciudad de Dios*, revela un poeta sobrio,
contenido, muy acorde con la tradición agustiniana :

> Mientras dura el amigo
> castigo, nuestros yerros confesamos;
> pero pasa el castigo.
> y el castigo y los yerros olvidamos.
> Si alzas el brazo airado,
> prometemos mil cosas, y al momento
> que has la espada envainado
> quebrantamos palabra y juramento [10].

La presencia de fray Luis no puede estar más
a la vista. No siempre el padre Rojas acierta a
mantenerse en este plano, a la vez sencillo y elevado. Con demasiada frecuencia su lenguaje cae
en lo vulgar.

Tampoco conocemos versos del padre MIGUEL
DE MIRAS (*Mireo*, entre los del grupo), digno de
figurar aquí sólo como lazo de unión, junto con
Jovellanos, entre las dos escuelas, la salmantina y
la sevillana; y apenas tenemos alguna pequeña
muestra de otro vate, también agustino, el padre
ANDRÉS DEL CORRAL (1784-1818), catedrático de la
Universidad de Valladolid, quien abandonó pronto
sus aficiones poéticas para consagrarse de lleno a
la arqueología y a la numismática. Alguna muestra de su numen poético, como la composición
Vecinta a Delio, revela inspiración y soltura.

Iglesias de la Casa

Superior a los anteriores, y todavía leído en sus
poesías ligeras, es don JOSÉ IGLESIAS DE LA CASA
(1748-1791) [11], conocido por *Arcadio* en la onomástica pastoril del grupo. Sus poesías, impresas en
1795 con carácter póstumo y reimpresas en edición
muy aumentada en 1798, comprenden letrillas amorosas y satíricas, endechas, romances, cantilenas,
anacreónticas, epigramas, odas, idilios, églogas, canciones, silvas, apólogos, himnos, elegías, etc. Como
se ve, todo el repertorio en uso entre los poetas
de finales del XVIII. Ni las odas, ni las canciones,
ni las églogas, ni, en general, ninguna de sus composiciones en metro largo merecen el menor co-

mentario. Responden a corrientes de la época y
son con frecuencia imitación o paráfrasis de nuestros clásicos del Siglo de Oro. Dondequiera que
pone uno la vista saltan remembranzas de aquéllos. El himno primero, *A la Resurrección del Señor*, está compuesto pensando en la oda de Herrera *A la victoria de Lepanto*; la *Elegía IV*, en
la de Caro *A las ruinas de Itálica*; la *Elegía I* es
una mezcla de fray Luis de León y de la Biblia.
Los apólogos carecen de la gracia y sencillez indispensables al género; las *trovas*, simples parodias de poetas clásicos, no encierran ni el grado de
humor mínimo para suscitar el interés. Y en cuanto
a sus dos poemas de mayor empeño, *La niñez laureada* y *La Teología*, apenas ofrecen materia elogia-
ble. Desmañadas, correctas, frías, quedan ahí, en el
amplio repertorio lírico de Iglesias, como testimonio fehaciente de que su autor no había nacido
para una poesía entonces considerada de alto vuelo.
Algo más estimables son los romances; entre los
amorosos encontramos dos o tres de verdadero mérito: *La salida de Amarilis al Zurguén, La fina satisfacción* y *El ramo en la mañana de San Juan*:

> La mañana de San Juan,
> cuando a los alegres campos
> a coger verbena y flores
> salen los enamorados...

Y entre los jocosos, que imitan de cerca a Quevedo, debe recordarse el titulado *A Elisa, contra
madama Laura*.

Lo que desmerece Iglesias en el género serio lo
gana con creces en el ligero y festivo. Sus treinta
y cinco letrillas, muy breves todas ellas (de dieciséis o de veinte versos exasílabos), se pueden poner al lado de las mejores de Meléndez; sus anacreónticas sufren comparación con las de Villegas
y en algún aspecto les aventajan. Tiene, además,
una serie de *letrillas con estribillo* realmente graciosas, movidas y llenas de sencillez:

> Si el estilo en mis letras
> mucho se humilla,
> *como vengo del campo,*
> *no es maravilla.*
> Cantar yo cantara
> los campos y flores,
> la niñez y amores
> con que me criara;
> mas si es cosa clara,
> trivial y sencilla,
> *como vengo del campo,*
> *no es maravilla.*

Y es que Iglesias—él mismo se daba de ello perfecta cuenta—había nacido para este género fácil
y exento de complicaciones. Tenía ingenio, *vis cómica*, y gran facilidad versificatoria. Por eso sus
mejores versos están dentro de la línea iniciada por
Anacreonte y continuada entre nosotros por el
Góngora popular, retozón y picaresco. Si a ello
se agrega una buena dosis de Marcial y de Que-

vedo, tendremos el Iglesias auténtico, aquel que se hizo popular a últimos del XVIII y principios del XIX, y que todavía es bien conocido por sus versos satíricos y sus epigramas punzantes, no siempre tan limpios como fuera de desear. Se trata en uno y otro caso, *letrillas satíricas* y *epigramas,* de una sátira llena de humor sano, sin demasiada bilis, y que tiende a provocar la risa más que a levantar túrdigas en la piel [12]. En esos epigramas, y delineados con dos rasgos geniales, vemos aparecer sucesivamente al médico pedantesco, al profesor enfatuado, a la dama sonsacona, al petimetre engreído y a tantos otros tipos de la época, de suerte que ha podido escribir Somoza que «el que quiera conocer a fondo las costumbres españolas del siglo XVIII estudie el teatro de don Ramón de la Cruz, las poesías de Iglesias y los caprichos de Goya».

III. EL GRUPO O ESCUELA DE SEVILLA

La aparición del grupo sevillano fué algo más tardía que la del salmantino. Hay que llegar al año 1793, con la creación de la *Academia de Letras Humanas,* para que se pueda decir que la vieja escuela de Herrera, Mal-Lara y Arguijo ha retoñado. Pero ya mucho antes de aquella fecha, desde mediados de siglo, hay síntomas alentadores, y el terreno se viene preparando convenientemente con la creación de algunos organismos análogos a lo que había de ser después la citada *Academia de Letras.* El día 18 de julio de 1752 Fernando VI expedía en Aranjuez un decreto en virtud del cual se reconocía la existencia de una *Real Academia de Buenas Letras* en Sevilla. Gracias a este decreto quedaba convertido en centro oficial de cultura el simple cenáculo formado por algunos amantes de las letras, que venían reuniéndose en la morada del sabio sacerdote don Luis Guzmán y Ribón. Y aunque al principio estos beneméritos varones dirigían su atención casi exclusivamente a los estudios históricos en la doble rama de arqueología y numismática, pronto la esfera de sus actividades se amplió a otras zonas afines, contribuyendo de este modo a renovar el ambiente literario en la ciudad del Betis. Porque también en ella, como en el resto de España, había cundido el mal gusto; pero siempre se iba manteniendo allí cierto innato sentido humanístico que alejaba a los poetas de los excesos frecuentes en otras partes.

Algo más tarde, entre 1770 y 1776, la tertulia del asistente don Pablo de Olavide se constituye en verdadera academia, todavía sin título, defensora del buen gusto y de la poética tradicional. A ella concurren Trigueros, Vaca de Guzmán y, como enlaces con el grupo salmantino, el padre Miras y Jovellanos. Pronto el pequeño grupo se convierte en *Academia Horaciana* por obra de Matute y del canónigo Arjona, y a la llegada de Forner como fiscal de la Audiencia, la institución recibe nuevo impulso, transformándose en una *Academia de Letras Humanas* (1793), que reagrupa a los mejores ingenios de la época. Se puede decir que con la instauración de esta *Academia de Letras Humanas* coincide el auténtico renacer de la vieja escuela hispalense. Establecida, primero, en la Biblioteca pública de San Acacio, pronto pasa a celebrar sus reuniones en los domicilios particulares de don Francisco Toledano y de don José María Blanco Crespo, que, andando el tiempo, se haría célebre como «Blanco-White». En su época más próspera estuvo instalada en el Colegio Mayor de Santa María de Jesús. Uno de los primeros testimonios que dió de vida y que había de contribuir muy eficazmente a la difusión del buen gusto no sólo en Sevilla, sino en toda la región andaluza, fué la publicación en 1797 de una antología poética en la que se incluían composiciones leídas en la Academia por Blanco, Lista y Reinoso. Por último, el movimiento culmina en la constitución de una especie de pléyade poética formada por Arjona, Blanco, Reinoso, Roldán, Lista, Núñez Díaz y Paula Castro.

Caracteres

Lo que pretendía desde el primer momento el grupo sevillano era una regresión a las puras fuentes de la poesía española, representada singularmente por Herrera. También Garcilaso y Góngora, cada cual desde su peculiar postura, ejercían sugestión sobre el grupo. Quisieron los miembros de éste insuflar en aquella poesía gélida y artificiosa un soplo de calor humano, y, sobre todo, intentaron oponer al prosaísmo invasor la aristocrática elegancia de la antigua poesía andaluza. Muchas veces lo lograron; otras, su excesiva preocupación de la forma les llevó a un lenguaje tan académico, tan artificioso y frío como el de aquellos cuyas fórmulas neoclásicas rechazaban.

Pero esta inquietud por la forma, este espíritu clásico, entendido el clasicismo en su mejor sentido, no era incompatible con otra inquietud también muy noble: la que les llevaba a recoger y amparar todas las innovaciones, precursoras del romanticismo, que iban llegando de fuera. La última promoción de la escuela sevillana desempeña en este sentido un papel muy destacado como puente de tránsito entre las dos riberas neoclásica y romántica. No diremos que hubo entrega total, por parte de los representantes del grupo, al movimiento romántico; pero, a poco que se raspe, se descubrirá una capa de insoslayables simpatías.

Y el más caracterizado de todos, Alberto Lista, si no contribuyó al triunfo de las nuevas fórmulas, tampoco hizo nada por oponerse. Un crítico contemporáneo ha llegado a decir que «pueden asignarse a la escuela sevillana todos los poetas del primer tercio del siglo XIX que llegaron al romanticismo, superando una sólida formación neoclásica» [13].

Una nota que salta a la vista en la mayor parte de estos poetas es el profundo sentido religioso de su obra, sentido que puede explicarse tanto por la influencia de Forner como por su calidad de sacerdotes. Todos los componentes de la «pléyade sevillana» eran clérigos. Y hasta en aquellos que, como el abate Marchena y don José María Blanco apostataron después, el sentimiento religioso informa lo mejor de su producción poética.

Cronológicamente, la Academia prolonga su vida hasta la invasión napoleónica, si bien continuaron algunos de sus miembros manteniendo la actividad literaria hasta mediados casi del XIX. En cuanto a su vinculación con el grupo salmantino, si no estuviera demostrada por la intervención de Miras, Jovellanos y Forner, se echaría de ver en el prurito de adjudicarse nombres pastoriles, a imitación de los poetas del Tormes [14].

Aludimos en los epígrafes siguientes a los miembros más destacados del grupo y también al renegado abate don José Marchena, el cual, aunque no perteneció a la llamada «pléyade», fué uno de los más felices imitadores de Herrera:

Arjona, Blanco y Reinoso

Don MANUEL MARÍA DE ARJONA (1771-1820) [15] fué el jefe y alentador de la escuela sevillana durante cierto tiempo. Inventó nuevas combinaciones estróficas, alguna tan acertada como la que emplea en *La diosa del bosque*, y supo unir a la elegancia propia de los sevillanos la sobriedad clásica de los salmantinos, hacia los que le inclinaba su sólida formación humanística y su permanencia durante algún tiempo en Italia. Fruto de ésta son las *Ruinas de Roma*, largo poema de inspiración plenamente pagana y estilo con exceso declamatorio. En cambio, en la oda *A la memoria* y, sobre todo, en la citada composición, *La diosa del bosque*, se acusan una perfección marmórea y un lenguaje hasta cierto punto contenido. Véanse las primeras estrofas:

> ¡Oh, si bajo estos árboles frondosos
> se mostrase la célica hermosura
> que ví algún día en inmortal dulzura
> este bosque bañar!
>
> Del cielo tu benéfico descenso
> sin duda ha sido, lúcida belleza:
> deja, pues, diosa, que mi grato incienso
> arda sobre tu altar.

> Que no es amor mi tímido alborozo,
> y me acobarda el rígido escarmiento
> que, ¡oh Peritoo!, condenó tu intento,
> y tu intento, Ixïón
>
> Lejos de mí sacrílega osadía:
> bástame que con plácido semblante
> aceptes, diosa, a mis anhelos pía,
> mi ardiente adoración.

Imita a Quintana con escaso éxito en *España, restaurada en Cádiz*. Tiene algunas composiciones estimables de carácter bucólico, cortadas según el patrón de Meléndez Valdés, y otras no menos estimables de carácter religioso: *A la Natividad de Nuestra Señora, Al pueblo hebreo en la Ascensión del Señor*. Pero ni una ni otra iban bien con el estro de Arjona, el cual, aunque sacerdote, tenía un espíritu fundamentalmente pagano. La presencia de Herrera también se descubre con frecuencia en la obra de este egregio vate sevillano: tal ocurre en la altisonante oda *A la decadencia de la gloria de Sevilla*, de grave andadura y tono levantado. Fué Arjona historiador, filólogo y crítico, habiendo dejado trabajos en estas disciplinas.

También intentó acercarse alguna vez a la grandilocuencia de Quintana el famoso sacerdote apóstata don JOSÉ MARÍA BLANCO CRESPO (1775-1841) [16], más conocido por «Blanco-White». Discípulo de Arjona, sigue una trayectoria poética paralela, y, como él, si bien con menor fortuna, ensaya nuevos esquemas polimétricos. En la primera época, antes de su voluntario exilio en Inglaterra y de la consiguiente apostasía, ensayó la oda religiosa y heroica, como se ve en las dedicadas *A la Inmaculada Concepción* y *A Carlos III*. La invasión francesa remueve sus fibras patrióticas y le inspira odas tan llenas de entusiasmo como faltas de estro poético: *A la instalación de la Junta Central de España*. Hizo también Blanco alguna égloga de corte arcádico: *Corila*. Donde sobresale, no obstante, como lírico es en el tono meditativo, reflejo casi siempre de una lucha religiosa interior:

> ¡Qué rápido torrente!
> ¡Qué proceloso mar de agitaciones
> pasa de gente en gente
> dentro de los humanos corazones!...

Fueron en su tiempo muy celebradas *El triunfo de la beneficencia, Una tormenta en alta mar, La voluntariedad y el deseo resignado* y *Los placeres del entusiasmo*. Blanco, que hablaba y escribía el inglés con tanta perfección como el castellano, dejó algunos buenos poemas en aquella lengua, y entre ellos el conocidísimo soneto *Mysterious night*, uno de los más perfectos en dicho idioma, admirablemente traducido luego al nuestro por el poeta colombiano Rafael Pombo [17]. Refugiado en Inglaterra, cambió dos veces de religión y publicó allí *El Español* (1810-1814), revista mensual, en cuyas páginas se atacaba a la Junta Central, de la que por cierto Blanco había sido capellán en su primer período de actuación, y se amparaba el movimiento emancipador de nuestras posesiones americanas. Siempre con el recuerdo de su patria al vivo, publicó en Londres (1822) unas *Letters from Spain* que se hicieron justamente célebres, y en las que historia, geografía, folklore y religión se combinan magníficamente en cuadros llenos de vida y de color. Las *Cartas de España* constituyen, a juicio de Menéndez Pelayo, «una obra tal que no hay elogio digno de ella». Al mismo anhelo de rememorar la patria ausente responde la novela *Luisa de Bustamante o la huérfana española en Inglaterra*, escrita poco antes de morir y en castellano, lengua que había dejado de practicar hacía ya casi treinta años.

Los despiadados ataques de Gallardo, que llegó a llamarle «abate endechero», haciéndole blanco de las más furiosas diatribas, han contribuído a rebajar la figura poética del virtuoso sacerdote don FÉLIX JOSÉ REINOSO (1772-1841) [18]. Si sus anacreónticas, imitadas de Villegas; sus odas, del corte de las de Lista, y sus innumerables silvas, epístolas y elegías, pueden pasar al olvido sin pena ni gloria, no sucede lo mismo con el bello poema *La inocencia perdida* (Madrid, 1904), premiado por la Academia Sevillana en 1799, en competencia con otro de Alberto Lista. Tiene la narración de Reinoso color, sentimiento y frecuentes aciertos descriptivos:

> Mueve el pie terso hacia el nevado río,
> que por cauce de lirios resbalando,
> aquí el jazmín retrata, allá sombrío
> mecido el olmo por el aire blando.
> Alzan las crestas sobre el lecho frío
> de argentados vivientes mudo bando,
> por ver a su señora, y ella en paga
> los lleva a su regazo y los halaga.
> Tal vez se llega quedo a la onda pura,
> por saber lo que guarda el blanco seno;
> y entre guijuelas de oro su figura
> mira temblar, bajo el cristal sereno;
> ya en la frente del toro con blandura
> la palma asienta; ya en el bosque ameno
> párase a oír la alondra, que gozosa
> vuela del árbol y en su mano posa...

Se puede casi afirmar que las doscientas octavas reales de que constan los dos cantos están cortadas de la misma tela. Hay quien ha querido ver en este poema nada menos que «la iniciación de la epopeya característica del romanticismo» por su aprovechamiento de lo maravilloso cristiano frente a la tradición mitológica de los otros poemas del XVIII. Lo indudable es que se propuso imitar a Milton, y que, aun quedando muy lejos del modelo, mantiene un tono medio de bastante altura. Lo mejor son las descripciones. Sus mayores defectos, la sequedad de algunos pasajes y el error de presentar a la serpiente con aspecto terrorífico, en contraste con la seductora apariencia que le había dado Milton. En las composiciones sueltas, con exceso académicas, sobresale la *Epístola a Si-*

rio con un vago ambiente de nostalgia y escenografía nocturna.

Alberto Lista

La jefatura del grupo sevillano, aunque no llegase a ostentarla en la realidad, corresponde por derecho propio a don ALBERTO LISTA Y ARAGÓN (1775-1848) [19], *Anfriso* entre los de la «Pléyade». Poeta, crítico y maestro—discípulos suyos fueron, entre otros, Espronceda, Ochoa, Ferrer del Río, Patricio de la Escosura y Fernández Espino—, la figura de este venerable sacerdote se agiganta conforme uno se acerca más a ella. Andaluz por sangre y tradición, clásico por voluntad decidida, aspira, según su propia fórmula, a «pensar como Rioja y escribir como Calderón». Claro es que el Rioja en quien tenía Lista puestos los ojos era el seudoautor de la *Epístola moral a Fabio* y de la canción *A las ruinas de Itálica*. Pero sus influencias son muy variadas, y están definidas por los autores que traduce o imita: Horacio, Petrarca, Tasso, Metastasio, Delille, Pope... Sus gustos también son diversos, lo que da a su magisterio un sano eclecticismo, que no se asusta ni ante las mayores audacias románticas. El no acepta, claro es, el romanticismo; no podía aceptarlo, dada su formación; pero deja a sus alumnos en libertad de hacerlo, y, clásico por los cuatro costados, mira con interés y hasta con agrado el triunfo de la nueva escuela. De ella terminan por pegársele algunas leves notas, en descripciones paisajísticas y recuerdos autobiográficos. Pero su preocupación máxima es la corrección y pulimento del verso, en que llega a extremos tales, que el padre Blanco García ha podido decir que «en muchas de sus estrofas no se puede quitar, poner ni cambiar una sola palabra». Hasta tal punto está cada una en su sitio.

Lista cultivó todos los géneros poéticos, si no con igual fortuna, al menos con relativa dignidad: el tradicional, en los *Romances*; el filosófico-social, de influencia roussoniana, en *La beneficencia, El triunfo de la tolerancia, La amistad* y *La bondad es natural al hombre*; el patriótico, en la oda *A la victoria de Bailén* y en el *Elogio fúnebre del conde de Floridablanca*; el amoroso, de corte bucólico y anacreóntico, en *El vino y la amistad, El beso* y *Vergel de amor*, y, sobre todo, el de tema religioso: *A la Concepción de Nuetra Señora, El Canto del Esposo, La muerte de Jesús*, etcétera. Aquí es donde da la Lista su nota más alta. Hay momentos en la oda *A la Concepción* en los que se acerca a Herrera; en *El Canto del Esposo* se percibe un eco lejano de San Juan de la Cruz, y en *La muerte de Jesús*, su pieza más conocida y una de las joyas del Parnaso dieciochesco, propende a fray Luis de León. ¿Quién no conoce aquellas estrofas, académicas acaso con exceso, pero sin duda plenamente logradas?

Y ¿eres Tú el que, velando
la excelsa majestad en nube ardiente,
fulminaste en Siná? Y el impío bando,
que eleva contra Ti la osada frente,
¿es el que oyó medroso
de tu rayo el estruendo fragoroso?
Mas ora, abandonado,
¡ay!, pendes sobre el Gólgota, y al cielo
alzas gimiendo el rostro lastimado:
cubre tus bellos ojos mortal velo;
y, su luz extinguida,
en amargo suspiro das la vida...

Otras composiciones casi perfectas en su género son *La mañana* y *Al sueño.* Como notas comunes a toda la lírica de Lista deben señalarse la corrección del estilo, la finura de expresión y la elegancia [20].

En sus traducciones e imitaciones suele andar cerca de los modelos. Compárese a este propósito *El sacrificio de la esposa,* o bien *El Canto del Esposo,* con el epitalamio bíblico de *El cantar de los cantares,* en que están inspirados. Sus versiones horacianas del *Quale ministrum,* del *Sic te, diva* y del *Diffugere nives,* más que versiones, son recreaciones del original latino. Ensayó Lista el teatro en *El enfermo de aprensión,* en una traducción de Chénier, y en el monólogo *Dido,* tomado de la *Eneida.* Su labor crítica, de gran ascendiente entre los contemporáneos, quedó reflejada en un curso del Ateneo sobre *Literatura dramática* y en los *Ensayos literarios.*

Más poetas sevillanos

La lista de ingenios sevillanos de últimos del XVIII y principios del XIX quedaría incompleta sin una mención, aunque sólo sea enunciativa, de otros vates cuya producción, sin duda menos valiosa que la de los anteriormente citados, es, con todo, muy digna de tenerse en cuenta. Entre esos vates figuran don José María Roldán (1771-1828), poeta de tono robusto y enfático, que tiene algunas composiciones sagradas de cierto sabor bíblico, como las dedicadas *A la Resurrección del Señor* y *A la venida del Espíritu Santo;* don Francisco de Paula Núñez y Díaz (1766-1832), llamado con manifiesta exageración «el Píndaro del Cristianismo» por algunas odas—*A la Inmaculada, Las ruinas de Itálica*—, de las que ya nadie se acuerda; su homónimo don Francisco de Paula y Castro (1771-1827), quien «pervirtió, al decir del padre Blanco García, su numen poético con afectadas ternuras amorosas»; don Manuel María Mármol (1776-1849), capellán real, catedrático, orador y poeta, autor de un *Romancero* y de una *Colección de epigramas* que encajan perfectamente dentro de la tónica de su escuela y de su tiempo, y don Tomás José González Carvajal (1753-1834), autor de abundantes sonetos, odas, epístolas y poemas de toda clase, entre los que destacan los de índole religiosa: *Al Espíritu Santo, Al Santísimo Sacramento, A Santiago, A San Fernando,* etc.

Párrafo aparte merece el célebre abate don José Marchena Ruiz de Cueto (1768-1821), conocido en las historias literarias por «el abate Marchena» [21], y más interesante por su accidentada y borrascosa vida que por su labor poética, aunque no deja de tener composiciones, como la oda *A Cristo crucificado,* enteramente logradas. Tradujo algunas comedias de Molière *(El hipócrita, El misántropo, La escuela de las mujeres),* las *Cartas persianas* de Montesquieu y las *Novelas* de Voltaire. También nos dió versiones de Lucrecio y de Ossián. Su dominio del latín era completo, hasta el punto de haber logrado engañar a los más avisados filólogos alemanes con un supuesto fragmento del *Satyricon* de Petronio, redactado por él mismo. Quiso repetir el fraude con unos versos de Catulo; pero el profesor Eischstaedt, de Jena, le desenmascaró. Chateaubriand llegó a llamarle «sabio inmundo y aborto lleno de talento». Como poeta en castellano escribió algún epigrama feliz; apostrofó a la Libertad en retumbantes octavas reales; compuso tal cual elegía *(A Licoris)* en sonetos correctos y limados; en fin: intentó pulsar con escasa fortuna todas las cuerdas de la lira. De su exigua labor poética queda en pie sólo la citada oda *A Cristo crucificado,* en cuyas estrofas parece anticiparse un esbozo de la famosa perorata de Castelar en el Congreso:

No le canto tremendo,
en nube envuelto horrisono-tonante,
severas leyes a Israel dictando;
del Faraón el pecho endureciendo;
sus fuertes en las olas sepultando,
que en los abismos de la mar se hundieron;
porque en brazo pujante,
Tú, Señor, los tocaste, y, al momento,
cual humo que disipa el raudo viento,
no fueron; la mar vino
y los tragó en inmenso remolino,
y Amón y Canaán se estremecieron.
Ni en el postrero día,
acrisolando el orbe con su fuego,
le cantaré, su soplo penetrando
los vastos reinos de la noche fría,
que arrancarse su presa ve bramando...
....

Señor, cantarte quiero
por los humanos en la Cruz clavado...

Las reminiscencias herrerianas, como se ve, saltan por cualquier verso; algunas veces son calcos más que tales reminiscencias: «que en los abismos de la mar se hundieron...», «Cual humo que disipa el raudo viento...», «La mar vino — y los tragó en inmenso remolino,...». Con sólo poner al lado las dos canciones más conocidas de Herrera—*A la victoria de Lepanto* y *A la pérdida del rey don Sebastián*—, tendremos la plantilla sobre la cual ha ido armando su oda el abate Marchena, sin que ello signifique merma de sus méritos intrínsecos, que los tiene y muy positivos.

IV. ULTIMOS REPRESENTANTES DEL NEOCLASICISMO Y PRERROMANTICOS

Agrupamos bajo el primer epígrafe—«últimos representantes del neoclasicismo»—a unos cuantos poetas que alcanzaron en vida el alborear de la nueva era; pero, formados ya en la preceptiva clasicista, no pudieron o no quisieron incorporarse al gran movimiento revolucionario; inscribimos en el segundo epígrafe—«prerrománticos»—aquellos otros de espíritu más permeable que, sin abdicar por entero de su formación y doctrinas fundamentalmente clásicas, no vacilaron en abrir el pecho a las nuevas corrientes. No se puede hablar aquí de deserciones, como no sea en el caso del duque de Rivas, de quien nos ocuparemos por extenso en los capítulos dedicados al teatro romántico. Nada de pasarse, como el autor de *Don Alvaro*, con armas y bagajes al bando contrario. Se trata más bien de unos hombres que tenían conciencia de lo que estaba pasando ante sus ojos, es a saber, que veían a las nuevas generaciones recorriendo otros caminos, y, demasiado tarde para rectificar, porque el tirón de la preceptiva tradicional en que se habían educado era en ellos todavía muy fuerte, se limitaban a tal cual incursión más o menos profunda por el campo romántico. El ejemplo más típico podría ser Martínez de la Rosa. Pero del vacilante autor de *La conjuración de Venecia* se tratará en la parte dedicada al romanticismo español. Por ahora limitamos la cita a tres o cuatro poetas—Somoza, Cienfuegos, Cabanyes—, en cuya lira, junto con el tono dominante del neoclasicismo, a veces del clasicismo auténtico, se deja percibir una vaga vibración romántica.

Tradicionalistas rezagados

Pertenecen a este grupo de recalcitrantes el erudito y bibliófilo don BARTOLOMÉ JOSÉ GALLARDO Y BLANCO (1776-1852), a quien sus graves tareas de investigación no impidieron cultivar la poesía, a veces con innegable acierto, como en la deliciosa letrilla *Blanca flor,* de ingenuo sabor romántico; don JOSÉ MOR DE FUENTES (1762-1848), incansable polígrafo y contumaz productor de versos pedantescos, que le dieron una fama tan extraordinaria como inmerecida; don FRANCISCO JAVIER DE BURGOS (1778-1848), el más completo, aunque no el más fiel, de los traductores de Horacio, quien también hubo de pagar su tributo al neoclasicismo en poesías como *La Constancia, El porvenir, A la razón, La primavera* y una vehemente oda *A fray Luis de León* con motivo de la inauguración de su estatua en la Universidad de Salamanca, y don BERNARDINO PÉREZ DE VELASCO Y PIMENTEL (1783-1851), duque de Frías, el cual en sus

Obras poéticas, publicadas por la Real Academia Española (1857) con prólogo del duque de Rivas, intentó emular a Quintana, lográndolo hasta cierto punto en varias odas, como las tituladas *A Pestalozzi* y *A las nobles artes.* Algunos pasajes de esta última se hicieron famosos:

> Ahora y siempre el argonauta osado,
> que del mar arrostrare los furores,
> al arrojar el áncora pesada
> en las playas antípodas distantes,
> verá la Cruz del Gólgota plantada
> y escuchará la lengua de Cervantes...

Mayor relieve tienen, aunque no llegasen a alcanzar alta categoría estética, tres poetas de la misma época: Maury, Mora y Vargas Ponce. Don JUAN MARÍA MAURY (1872-1845), si no fuera acreedor a nuestro recuerdo por su delicado poemita *La ramilletera ciega,* lo sería por la colección de poesías españolas que con el título de *L'Espagne poétique* publicó en París (1826-1827), admirablemente vertidas al francés [22]. Maury es también autor de varios poemas—*La agresión británica* (1806), *Eloísa y Abelardo* (1810), *El Génesis pagano, Dido, Esvero y Almedora*—, en los que se combina felizmente lo didáctico, lo descriptivo, lo religioso y lo histórico. Todos ellos están compuestos en verso muy sonoro y, más que sonoro, deslumbrante. Sin embargo, lo mejor de Maury ha de buscarse en la lírica. Por ejemplo, en esa oda ditirámbica que se titula *El festín de Alejandro,* versión de Dryden, tan revolucionaria en su métrica como romántica en el fondo [23], o en ese romance, *La timidez,* donde apuntan motivos descriptivos enteramente propios del romanticismo:

> Perdido y desconsolado
> una noche, en que natura
> a meditación convida
> con su pompa taciturna,
> mientras el disco mudable,
> en que ceñirse acostumbra,
> entre celajes de nácar
> esconde la blanca luna...

O, finalmente, en esa joya de la lírica popular, ya citada, y que lleva por título *La ramilletera ciega:*

> Caballeros, aquí vendo rosas,
> frescas son y fragantes a fe;
> oigo mucho alabarlas de hermosas;
> eso, yo, pobre ciega, no sé.

El gaditano don JOSÉ JOAQUÍN DE MORA (1783-1864), que intervino al lado de Alcalá Galiano en la polémica contra Böhl de Faber sobre el teatro de Calderón, nos dejó en sus *Meditaciones poéticas* (1826), tan frías como carentes de ambientación, un testimonio más de la esterilidad consustancial a la preceptiva clasicista. En cambio, las *Leyendas españolas* (Londres, 1840), con sus digresiones humorísticas a la manera del *Don Juan* de Byron, señalan hasta cierto punto la introducción en la literatura española de un nuevo género y caen casi de lleno dentro del área romántica. Como tales leyendas románticas fueron recibidas no sólo en España, sino también en América, donde Mora, gracias a ellas, es señalado como introductor del romanticismo de signo español frente al romanticismo de signo francés, introducido por Echeverría. En el capítulo correspondiente de la literatura americana—*Poesía romántica*—volveremos sobre esto. Poeta estimable en la narración jocoseria y en la fábula, resulta Mora con exceso amanerado en el género lírico; pero, excelente versificador, logra suplir con la técnica lo que le falta de inspiración. Otro gaditano, don JOSÉ VARGAS PONCE (1760-1821), extendió su actividad a todos los ramos de las letras—historia, filología, crítica, etcétera—, sin lograr, por esa misma dispersión, sobresalir en ninguna. Como poeta sólo acertó una vez en la saladísima *Proclama de un solterón*, pieza felizmente zurcida con retazos de Juvenal, Boileau y Quevedo, a los que el ingenio chispeante de nuestro poeta sabe prestar unidad y vida. Compuesta en cuarenta y dos octavas reales, desde la primera hasta la última es una sucesión de donaires y comicidad:

> Frescas viuditas, cándidas doncellas,
> al veneno de amor busco triaca;
> ya más no quiero ser Perico entre ellas;
> a la que guste ofrezco mi casaca.
> Hoy, si hacen migas nuestras dos estrellas,
> mano por mano, juego a toma y daca.
> Niñas, ojo avizor; hoy me remato.
> ¿Cuál es la que echa el cascabel al gato? [24]

Sin relación alguna con los anteriores, pero abrevándose en las mismas corrientes poéticas, nos sale al paso la figura, un tiempo popularísima y hoy poco menos que olvidada, de don JUAN BAUTISTA ARRIAZA Y SUPERVIELA (1770-1837) [25]. «Anacreonte por afición pasajera y Tirteo por influjo feliz de las circunstancias» le llamó el padre Blanco García. Poeta facilísimo e improvisador afortunado, Arriaza cultivó todos los géneros vigentes en su tiempo, sin sobresalir en ninguno, pero cumpliendo siempre de una manera muy discreta. La nota más destacada de sus tres colecciones de versos—*Ensayos poéticos* (1799), *Poesías patrióticas* (1810) y *Poesías líricas* (1829)—es la facilidad, que, en un poeta áulico como él, resultaba del mejor efecto. Pero ni sus elegías pueden compararse con las de Gallego; ni sus odas, aunque las tan buenas como la *Profecía del Pirineo en julio de 1808*, con las de Quintana. En cambio, tenía la más fina percepción del ritmo, como lo demuestra en *Terpsícore o las gracias del baile*, que le hace un precursor de Salvador Rueda, por la melodía y el color. Hubo un tiempo en que no había español medianamente culto que no recitase de memoria alguna de sus canciones, como aquella del *Dos de mayo*:

> Hoy es el día que, con voz tirana,
> «Ya sois esclavos», la ambición gritó;
> y el noble pueblo que lo oyó, indignado;
> «Muertos, sí—dijo—; pero esclavos, no.»

Muchos de los himnos de Arriaza, acompañados de música, se hicieron populares.

Los precursores del Romanticismo

Una deliciosa vibración romántica se percibe ya en las poesías de don JOSÉ SOMOZA (1781-1852) [26], más conocido por sus cuadros costumbristas de gran sabor local, en los que se anticipa a Mesonero Romanos y, en cierto modo, también al mismo Larra. Su prosa en estos cuadros es, a la vez, moderna y muy expresiva; su visión de las cosas y de las almas, mucho más honda que la de sus contemporáneos. Entre esos apuntes merecen citarse los titulados *El árbol de la charanga*, *Una mirada en redondo*, *La duquesa de Alba y fray Basilio*, *La vida de un diputado a Cortes*, *El retrato de Pedro Romero*. En poesía, varios de sus sonetos caen de lleno dentro de la manera romántica:

> La luna, mientras duermes, te acompaña,
> tiende su luz por tu cabello y frente,
> va del semblante al cuello, y lentamente
> cumbres y valles de tu seno baña...

En la misma línea de aproximación al romanticismo están las tituladas *El sepulcro de mi hermano*, *A la cascada de Pesqueruela*, *El beso* y *A una desdeñosa*. Pero acaso la más encajada en el nuevo estilo sea la dedicada *A la laguna de Gredos*, con una estructura métrica que marca un avance decisivo en nuestra poesía [27].

Como una reacción frente al academicismo galo ha de interpretarse la obra de don GASPAR MARÍA DE NAVA ALVAREZ (1760-1815), conde de Noroña [28], no tanto por sus poesías originales, fácilmente inscribibles dentro de la escuela neoclásica, como por la adaptación a nuestra lengua de composiciones orientales. La importancia de las *Poesías asiáticas puestas en verso castellano* (1833), como iniciadoras del gusto por lo exótico, que pronto haría suyo el romanticismo español, no ha sido, en nuestra opinión, suficientemente valorada. Acaso la tendencia oriental, tan acusada en poetas como Zorrilla, Espronceda y, sobre todo, Arolas, tanto como en autores extranjeros, haya de buscarse en las *Poesías asiáticas* de Noroña. Hasta cabría la posibilidad de ir señalando pasajes de las mismas que pudieron estar presentes en el proceso creador del padre Arolas. Noroña no tradujo su libro directamente del árabe ni del persa, sino que se limitó a la adaptación castellana de la versión inglesa de W. Jones, con cuyo *Discurso sobre la poesía de los orientales* encabeza la traducción. En ella se contienen poemas árabes, persas y turcos. Destacan del conjunto treinta y seis bellísimas «gazelas» del poeta persa Hazid. Si lo que pretendía el conde de Noroña era apartar a sus compatriotas de las «gálicas frialdades», según manifiesta en el prólogo, hay que reconocer que las *Poesías asiáticas* venían muy a punto para llenar esa finalidad. En las composiciones originales, de corte neoclásico, sobresalen la *Oda a la paz de 1795, En alabanza de Lesbia* y *Venus junto a Amira dormida.*

Un joven catalán prematuramente robado a la gloria de las letras, MANUEL DE CABANYES (1808-1833) [29], nos dejó en sus *Preludios de mi lira* (1833) unas pocas composiciones que, por encima de su factura rigurosamente clásica, acusan una angustia y un desasosiego interior muy a tono con la sensibilidad de los primeros románticos. No lo era Cabanyes; pero Hugo Foscolo, por un lado, y Thompson, por otro, habían removido en su alma ciertas fibras secretas que no eran precisamente las del sentimiento horaciano en que se había formado. Muerto muy joven, a los veinticinco años, no sabemos adónde habría llegado, dadas sus innegables aptitudes para la más alta lírica. Pero ahí están esos *Preludios de mi lira*, que, aunque combatidos duramente por Hermosilla y Quintana, revelan una contención, una sobriedad, dentro de su interior tumulto romántico, como no se había dado en nuestra poesía desde los tiempos de fray Luis de León. *A Cintia, El cólera morbo* y *La independencia de la poesía* son sus mejores composiciones. Cualquiera de las tres acusa la presencia de un lírico de altura. La última, *Independencia de la poesía*, señala a nuestro gusto la más feliz aclimatación de la forma horaciana en idioma español [30].

Y cerramos la lista y el capítulo con el más típico precursor del romanticismo español: don NICASIO ALVAREZ DE CIENFUEGOS (1764-1809) [31]. Amigo de Meléndez Valdés, su poesía refleja, como la de éste, las dos tendencias más acusadas de la escuela salmantina del XVIII: la bucólico-anacreóntica y la filosófico-sentimental. Sólo que, mientras Meléndez sabe contenerse dentro de unos límites prudenciales, el temperamento apasionado de Cienfuegos le empuja a romper fórmulas, sorprendiendo al lector a cada paso con chispazos de prematura inspiración romántica. Melancolía, desesperación, soledad y misterio juegan ya en su alma un papel análogo al de los cantores de lunas y sepulcros. Muchas veces Cienfuegos no acierta con la expresión exacta, y abusa de interjecciones y otras figuras de lenguaje. Pero con frecuencia da con el tono adecuado, y entonces es cuando uno piensa estar leyendo a poetas posteriores en

casi medio siglo. En este sentido son de notar algunos *romances*, pocos, de su primera época, como *El túmulo*, y bastantes poemas de la segunda: *Al otoño, A la primavera, A un amante al partir su amada, A un amigo en la muerte de su hermano*. Más cerca aún de la línea romántica han de situarse composiciones como *La escuela del sepulcro, La rosa del desierto* y *Paseo solitario en primavera*. Cienfuegos pulsó también la cuerda heroica; pero su voz, como la de tantos otros, fué ahogada por Quintana. Tampoco en sus tragedias (*Idomeneo, Pítaco, Zoraida, La condesa de Castilla*), de corte neoclásico, alcanzó éxito.

NOTAS

1. *Bosquejo histórico crítico de la poesía en el siglo XVIII*, «Biblioteca de Autores Españoles», t. LXI, cap. X. También el autor del artículo correspondiente en el *Diccionario de la literatura española* (ed. «Revista de Occidente», 1949), profesor Alonso Zamora, aconseja «no estudiarlos simplemente como *grupo*, para no incurrir en errores de apreciación». En cambio, casi todos los historiadores y críticos, por razones de claridad sin duda, optan por tratarlos agrupados en «escuelas», porque, como ha escrito Menéndez Pelayo (*Historia de las ideas estéticas en España*, III), «el que no tenga cuenta con las escuelas literarias forzosamente convertirá en un caos la historia de la poesía».

2. Han negado la existencia de la escuela salmantina; el padre Blanco García (*Literatura española del siglo XIX*, I, pág. 14), Angel Salcedo Ruiz (*Literatura española*, III, pág. 161), marqués de Valmar (*Ob. cit.* en la nota anterior). Han afirmado su existencia: Quintana (*Noticia histórica y literaria de Meléndez Valdés*, «Biblioteca Autores Españoles», XIX), Juan Nicasio Gallego (*Examen... de los principales poetas españoles de la última era*, «Biblioteca Autores Españoles». LXVII). Fernández y González (*Historia de la crítica literaria desde Luzán hasta nuestros días*, Madrid, 1867). y Ticknor (*Historia literaria española*, IV, Madrid, 1856).

3. Publicado en el «Boletín de la Biblioteca de Menéndez Pelayo», XXIV, 1948.

4. CÉSAR REAL DE LA RIVA: Estudio citado, «Bol. de la Bibl. de Menéndez Pelayo», XXIV, pág. 358.

5. Natural de Ciudad Rodrigo. Ingresó a los dieciocho años en la Orden de San Agustín. Estudió en Madrid y en Salamanca, y desempeñó cargos de responsabilidad, entre ellos los de visitador general y secretario de la provincia de Castilla. Fué predicador muy elocuente; hombre sencillo, modesto y bondadoso, de vida tan ejemplar, si hemos de creer a su discípulo y compañero el padre Rojas, que «vivió siempre como quien tenía que morir».

6. Sin duda arrepentido de haber compuesto ciertos poemas, poco antes de morir ordenó que destruyesen todos sus versos. Aunque se sabe que los nombres de *Mirta, Melisa, Filis* y otras musas inspiradoras respondían a personas reales, de carne y hueso, parece que jamás se ocultó bajo tales nombres ningún afecto reprobable: antes debieron de basarse en simples lazos de amistad y afecto admirativo. «El maestro González—escribía a este propósito un año después de su muerte su compañero de hábito fray Juan Fernández—no era de aquellos espíritus melancólicos y sombríos que desconocen lo amable de la virtud y lo maravilloso de las obras del Criador, porque se halle empleado en el sexo femenil. Amó cuanto conoció que era amable, porque era bueno, y procuró celebrar con sus versos los dones celestiales que admiró en alguna que otra belleza, pero en unos versos tan puros y castos como su alma. Dos señoras principalmente se advierten en sus poesías: una, llamada con nombre poético *Melisa*, y otra, nombrada *Mirta*, aunque es preciso confesar que esta última es la más celebrada por causa de la famosa *Sátira contra el murciélago*, tantas veces impresa. Entre las dos, se puede decir que partieron el estro de *Delio*, y que sus nombres y sus gracias alternaron en su dorada lira.» Y agrega más adelante: «Ambas viven actualmente, una en Cádiz y otra en Sevilla, y por esta causa no me atre-

vo a publicar sus nombres. Sentiría ofender su modestia, y no sé si la sombra del dulcísimo *Delio* se resentiría de que profanaba la amistad, haciendo patentes los objetos de su amor.» Que éste era de la índole más ideal y pura se deduce de carta del propio padre González a Jovellanos: «No he conceptuado yo la inclinación de nuestro *Mireo* a *Trudina* de otro modo que como usted me la expresa, ni siento de otro modo en la materia, ni quisiera que otro conceptuara de otra manera la inclinación de *Delio* a la hermosísima *Mirta*, a quien, más que la hermosura, le aficionó la natural modestia de su semblante y cierta confrontación de las dos almas.» Hemos extendido esta nota más de lo corriente, porque nos pareció que bien merecía tales aclaraciones la virtud de un religioso tan insigne, puesta por algunos en entredicho.

7. El soneto es el que termina con el conocido

> para orador te faltan más de cien,
> para arador te sobran más de mil.

En cuanto a la invectiva de *El murciélago*, creemos que se ha supervalorado su mérito por la acumulación de sinónimos; en cambio, no suele destacarse suficientemente la viveza descriptiva de algunos pasajes:

> Y, luego, sobrevenga
> el juguetón gatillo bullicioso,
> y, primero, medroso
> al verte, se retire y se contenga;
> y bufe y se espeluce horrorizado,
> y alce el rabo esponjado,
> y el espinazo en arco suba al cielo,
> y con los pies apenas toque el suelo.
> Mas luego, recobrado
> y del primer horror convalecido,
> el pecho al suelo unido,
> traiga el rabo del uno al otro lado;
> y cosido en la tierra, observe atento;
> y cada movimiento
> que en ti llegue a notar su perspicacia
> le provoque al asalto y le dé audacia...
> En fin: sobre ti venga,
> te acometa y ultraje sin recelo...

8. Bastan para demostrarlo los primeros versos:

> Decir en verso grave, numeroso,
> del hombre vegetable, y las razones
> por donde sin sentirlo es conducido,
> en cada edad notando las pasiones
> que son propias, por don raro y precioso
> concede, ¡oh sabia musa!, y al olvido
> entrega el verso blando que a mi lira
> dictaste en vida umbrátil . . . .

9. *Liseno*, en la Arcadia salmantina. Nació el padre Rojas en Colmenar de Oreja. Ingresó en la Orden agustiniana y recibió lecciones de fray Diego González, de quien fué luego gran amigo. Nombrado, a la muerte del padre Risco, por Real Orden (1800), continuador de la *España Sagrada*, aunque colaboró en ella, no llegó a publicar ningún tomo. Se atribuyó a Rojas durante algún tiempo el *Libro de moda* o *Ensayo de la historia de los currutacos*, asignado ya por la crítica moderna a Zamácola, un escritor que solía ocultarse tras el seudónimo de *Don Preciso*.

10. *Versión de la célebre oración de San Agustín «Ante oculos tuos, Domine».*

11. Natural de Salamanca, en cuya Universidad cursó estudios. Durante la juventud cultivó las bellas artes: música, dibujo, escultura y, sobre todo, poesía. A los treinta y cinco años se ordenó sacerdote y regentó sucesivamente varias parroquias en centros rurales: Guijuelo, Larodrigo, Carabias, Santa Marta y Carbajosa de la Sagrada, «iglesias—dice su biógrafo don Manuel Vilar y Macías—que rigió como buen párroco, expendiendo con liberalidad la mayor parte de las rentas en alivio de sus feligreses.» Murió en Salamanca a los cuarenta y tres años. Durante su breve vida hubo de sobrellevar con espíritu resignado continuas penalidades ocasionadas por diversas dolencias. Fué hermano de la venerable Orden Tercera del Carmen. Hasta su ordenación prefirió los temas eróticos y festivos; ya sacerdote, sólo cultivó temas graves.

12. Ni a sí mismo se perdonaba:

> ¿Ves al que esta satirilla
> escribe con tal denuedo,
> que no cede ni a Quevedo
> ni a otro ninguno en Castilla?

> Pues con su vena, letrilla,
> pluma, papel y tintero,
> es un grande majadero.

13. G. Díaz-Plaja: *La poesía lírica española*, «Manuales Labor», pág 281.

14. Para un estudio detallado de esta Academia, vid. Alberto Lista: *De la moderna escuela sevillana en literatura*, «Revista de Madrid», I, 1838; Antonio Alcalá Galiano: *De la escuela literaria formada en Sevilla a fines del siglo próximo pasado*, «Crónica de Ambos Mundos», 1860, y A. Lasso de la Vega: *Historia y juicio crítico de la escuela poética sevillana en los siglos XVIII y XIX*, Madrid, 1876.

15. Natural de Osuna. Dedicado a la carrera eclesiástica, como todos los miembros de la «pléyade» sevillana, pasó la mayor parte de su vida en Sevilla, Córdoba y Madrid. En 1797 era doctoral de la capilla real de San Fernando; en 1801 obtenía por oposición la plaza de canónigo penitenciario de la catedral de Córdoba. Sorprendido en Madrid por la invasión napoleónica, pretendió regresar a Andalucía, y allí, a la entrada de Dupont en Córdoba, cayó en poder de los franceses, quienes intentaron adscribirlo a su servicio. Al igual que varios de sus compañeros, Arjona fluctuó algún tiempo entre los invasores y la causa nacional. Al fin, se decidió por ésta. No obstante, a la terminación de la guerra fué encarcelado, y en 1814 tuvo que publicar un manifiesto justificativo de su actitud. Absuelto y declarada ilegal su prisión, pasó a Córdoba, y finalmente volvió a Madrid, donde murió en 1820.

16. Sevillano, aunque de origen irlandés. Era Blanco hijo del vicecónsul inglés en Sevilla y de madre española. Ordenado sacerdote, según parece por complacer a sus padres, fervientes católicos, llegó a ser canónigo en Cádiz (1801), y luego en Sevilla. Al invadir Andalucía los franceses, Blanco, que antes había colaborado con Quintana en el *Semanario Patriótico*, abandonó España y fué a refugiarse en Inglaterra. Allí empezó a apostatar del catolicismo, haciéndose primeramente anglicano y después unitario. Publicó *El Español* (1810-1814), revista defensora de la independencia americana, y por la que el Gobierno de Canning le asignó doscientas libras anuales de pensión. Intervino activamente en la política inglesa; fué profesor de Oxford y canónigo de San Pablo. Murió, tras honda crisis religiosa, en Liverpool. Como su padre, utilizó indistintamente el apellido en las dos formas, castellana e inglesa: Blanco y White.

17. Damos aquí el texto original inglés, tal como lo corrigió Blanco en sus últimos años, y a continuación la versión de Pombo, para que el lector pueda comparar:

> *Mysterious Night! When our first parent knew*
> *Thee, from report divine, and heard thy name,*
> *Did he not tremble for this lovely frame,*
> *This glorious canopy of light an bue?*

> *Yet,' neath a curtain of translucent dew,*
> *Bathed in the rays of the great setting flame,*
> *Hesperus with the host of heaven, came,*
> *An lo! Creation widened in man's view.*

> *Who could have thought such darkness lay concealed*
> *Within thy beams, o Sun! or who could find,*
> *Whilst fly and leaf and insect stood revealed,*

> *That to such countless orbs thou mad'st us blind!*
> *Why do we then shun death whit anxioux strife?*
> *If light can thus deceive, wherefore not life?*

Versión de Pombo:

> Al ver la noche Adán por vez primera,
> que iba robando y apagando el mundo,
> creyó que, al par del astro moribundo,
> la Creación agonizaba entera.

> Mas luego, al ver lumbrera tras lumbrera
> dulce brotar, y hervir en un segundo
> Universo sin fin, vuelto en profundo
> pasmo de gratitud, ora y espera.

> Un sol velaba mil; fué un nuevo oriente
> su ocaso, y pronto aquella luz dormida
> despertó al mismo Adán pura y fulgente.

> ... ¿Por qué la muerte al ánimo intimida?
> Si así engaña la luz tan dulcemente,
> ¿por qué no ha de engañar también la vida?

Hay otra versión, mucho más floja, de Lista. El inglés Samuel Bond puso el soneto de Blanco en elegantes dísticos latinos. Blanco traducía admirablemente, como lo demostró en varios sonetos de Shakespeare y en el inmortal monólogo de *Hamlet* «To be or not to be...». Véase sobre esto el soberbio estudio de MENÉNDEZ PELAYO *Historia de los heterodoxos españoles*, VI, págs. 173-213, C. S. I. C.

18. Sevillano, como Blanco. Hijo de unos honrados tejedores de seda que gozaban de buena posición. También fué sacerdote y sacerdote ejemplar. Defendió a los afrancesados en un manifiesto político: *Examen de delitos de infidelidad a la patria*. Fué secretario de la Academia sevillana, en la que desempeñó una cátedra, y ostentó cargos de importancia en Cádiz, Valencia y Madrid, adonde se había trasladado en 1825. Murió en la corte en 1841. Modelo de sacerdotes y adornado con toda clase de virtudes cristianas, entre las que destacó su ardiente caridad, demostrada en muchas ocasiones, y particularmente en la epidemia que asoló Sevilla en 1811. A su iniciativa se debió la fundación de los hospitales, en los que fueron asistidos más de setecientos enfermos. Además de poeta, fué crítico, historiador y jurisconsulto: *Discurso sobre las causas del atraso de la elocuencia en España, Discurso sobre la influencia de las bellas artes en la mejora del entendimiento y la rectificación de las pasiones, Discurso sobre el estilo de la pintura sevillana, Ensayo sobre el plan ideológico de una poética, Curso filosófico de literatura, Descripción de la catedral de Toledo, Modelo de ordenanzas municipales,* etc.

19. De Sevilla, como los anteriores. Alternó el trabajo en el humilde taller paterno con el estudio de las Humanidades y Matemáticas, disciplina de la que fué profesor en el colegio de San Telmo. A los quince años daba lecciones para ayudarse en sus estudios; a los veintiún conocía a fondo el latín, el griego, el inglés, el francés y el italiano. Ordenado sacerdote, pronto fué canónigo de Sevilla. Profesó Historia, Humanidades y Matemáticas en el colegio de San Mateo, de Madrid. Dirigió asimismo en Cádiz el colegio de San Felipe Neri. Pronunció en el Ateneo madrileño conferencias sobre literatura dramática, que luego se recogieron en un *Curso* (1853). Había sido también decano de la Facultad de Filosofía y Letras de la Universidad hispalense. Voluble en política, fué en la vida hombre generoso, tolerante y afable.

20. Se viene hablando (DÍAZ-PLAJA: *La poesía lírica española*, pág. 290) de nuevos ensayos métricos en la producción de Lista. Más bien debería decirse nuevos ensayos «estróficos», porque ni este poeta ni ninguno de la escuela sevillana, incluido el mismo Arjona, se lanzó a la creación de metros no usados. Este honor corresponde, dentro de la lírica del XVIII, a Moratín hijo, y con mayor justicia a Tomás de Iriarte, el cual, de haber tenido tanta inspiración como originalidad, habría sido capaz de renovar nuestra métrica. Los sevillanos no lo hicieron, y ya es bastante, sino combinar en forma hasta entonces desconocida metros ya existentes.

21. Personaje de vida borrascosa. Nacido en Utrera (1763), estudió, por imposición de sus padres, Cánones y Leyes en Madrid y en Salamanca. Ordenado ya en menores (parece que no llegó a ordenarse en mayores), ganado por la ideología volteriana, abandonó los hábitos talares, pasándose en plena Revolución a Francia, donde fué protegido por Marat y se afilió al grupo de los girondinos. En 1801 estaba en el Rin como secretario del general Moreau; más tarde, en 1808, vuelto a España, lo fué de Marat. Encarcelado por la Inquisición, el general francés lo liberó a la fuerza, y Marchena fué nombrado archivero mayor del Ministerio del Interior. Después de la derrota de Napoleón, nuevamente emigró a Francia, para regresar definitivamente a Madrid en 1820. Falleció en la Corte, abandonado de todos y en medio de la mayor miseria. Al parecer, poco antes había vuelto al seno de la Iglesia. Durante su estancia en París se dedicaba a dar lecciones de ateísmo, que anunciaba con esta inscripción sobre la puerta de su casa: *Ici l'on enseigne l'athéisme par principes*. De Marchena se cuentan muchas anécdotas. Preso en la Conserjería, insultaba a Robespierre cuando éste se hallaba en plena orgía de sangre. Degollados Danton, Desmoulins y Lacroix por orden del déspota e indultado Marchena, lejos de darle las gracias, escribíale desde la prisión, un billete en estos términos: «Tirano, tú me has olvidado.» Y al día siguiente: «O mátame, o dame de comer, tirano.» Admirado Robespierre de tanta entereza, quiso atraérselo con promesas y dádivas; pero Marchena rechazó indignado toda muestra de protección. «Jamás he visto

un alma más enérgica ni más ardiente», escribía el barón Riouffe en sus *Memorias*. Y don Sebastián de Miñana nos dice: «Era muy pequeñito de estatura, pero de un talento muy grande.» Por su parte, don José de Lira, que lo trató en París, nos lo describe «físicamente chico, casi contrahecho y feo... De conversación animada, pero mordaz en sumo grado... Habría dejado obras tan duraderas como nuestra lengua si su juicio no hubiera estado en razón inversa de su muchísimo talento».

22. Tan bien vertidas, que el *Journal des Débats*, acaso el periódico de mayor crédito en materias literarias de aquel tiempo, pudo escribir: *Si don Juan Maury est espagnol par la naissance, on le prendrait pour un français par le talent avec lequel il écrit le français, soit en prose, soit en verse.*

23. Por cierto que la primera estrofa habría de ser adoptada por Núñez de Arce para varios de sus mejores poemas:

> Era el regio festín que en Persia esclava
> por su conquista daba
> el hijo de Filipo omnipotente;
> en su trono imperial, con asio adorno,
> sus próceres en torno,
> el héroe sobrehumano alza la frente.

24. Difícil señalar entre tantas octavas, todas igualmente ágiles y zumbonas, las mejores. Sirvan cualesquiera:

> Yo busco una mujer, boca de risa,
> guardosa sin afán, franca sin tasa,
> que al honesto festín vaya sin prisa
> y traiga entera su virtud y gasa;
> no sepa si el sultán viste camisa,
> mas sepa repasar la que hay en casa;
> cultiva flores, cuide pollas cluecas,
> despunte agujas y jorobe ruecas.
> ....
> Conozca que sin mí vale la misa,
> que una cosa es marido y otra paje;
> ir pegado a su piel como camisa
> fuera pagar ridículo peaje.
> ¿A quién no causa menosprecio o risa
> esposo con honores de bagaje?
> Unidos, sí, señor; mas sin que sea
> ella mi sombra, yo su guarda-mea.

25. Madrileño. Después de haber pertenecido a la marina de guerra desempeñó altos cargos diplomáticos en Londres, París, etc. Había luchado contra los franceses, y también contra las Cortes liberales. Absolutista integral, Fernando VII le colmó de mercedes. Fué académico de Bellas Artes y de la Española de la Lengua. Tradujo *L'Art poétique*, de Boileau.

26. Natural de Piedrahita, donde poseía un castillo, muy visitado por la duquesa de Alba. Fué amigo de Jovellanos, Meléndez Valdés y Quintana. Después de desempeñar cargos públicos, como el de diputado a Cortes, se retiró a su castillo, donde escribió varias novelas históricas y unos *Recuerdos e impresiones* (1853). Su figura literaria ha sido puesta de relieve por *Azorín*.

27. Sus estrofas son románticas y exactamente iguales a las empleadas por Tassara en su *Himno al Mesías*. Un ejemplo:

> Tendió el ala del polo
> el viento del desierto,
> y el lago, al soplo yerto,
> es hielo inmóvil ya.
> El cardo triste y solo
> en su orilla nacido,
> del Bóreas al silbido,
> sobre él huyendo va.

28. Natural de Castellón de la Plana. Diplomático y antes militar. Fué el vencedor de la batalla del Puente de San Payo contra los franceses, y negoció con éxito la entrada de Inglaterra en la guerra napoleónica, al lado de España.

29. De Villanueva y Geltrú. Había estudiado en la Universidad de Cervera y murió recién terminados sus estudios. Menéndez Pelayo ha sido el mejor apologista de su obra.

30. Júzguese por sus primeras estrofas:

> Como una casta, ruborosa virgen,
> se alza mi musa, y, tímida, las cuerdas
> pulsando de su arpa solitaria,
> suelta la voz del canto.

Lejos, ¡profanas gentes! No su acento
del placer muelle, corruptor del alma,
en ritmo cadencioso hará süave
    la funesta ponzoña.

Lejos, ¡esclavos!, lejos; no sus galas,
cual vuestro honor, trafícanse y se venden;
no sangri-salpicados lechos de oro
    resonarán sus versos.

En pobre independencia, ni las iras
de los verdugos del pensar la espantan,
de sierva a fuer; ni, meretriz impura,
    vil metal la corrompe.

Fiera como los montes de su patria,
galas desecha que maldad cobijan,
las cumbres vaga en desnudez honesta;
    mas ¡guay de quien la ultraje!

Sobre sus cantos, la expresión del alma
vuela sin arte; números sonoros
desdeña y rima acorde; son sus versos,
    cual su espíritu, libres.

31. Madrileño. Amigo de Meléndez Valdés y de Quintana. Redactor de la *Gaceta* y del *Mercurio*. Patriota ejemplar, fué condenado a muerte por Murat; e, indultado luego, fué trasladado a Francia, donde murió en 1809.

BIBLIOGRAFIA

I. Para este apartado consúltense las obras generales citadas en los capítulos anteriores.

II. A. GARCÍA BOIZA: *De la vida salmantina en el siglo XVIII*.—C. REAL DE LA RIVA: *La escuela poética salmantina del siglo XVIII*, «Bol. Bibl. Menéndez Pelayo», oct.-dic., 1948.—W. ATKINSON: *Fray Luis de León in eighteenth century*, «Rev. Hisp.», II, 1923.—J. BUSTILLO OLMOS: *La poesía festiva castellana. Estudio y selección*, Madrid, 1888.—P. CONRADO MUINOS: *Influencia de los agustinos en la poesía castellana*, «La Ciudad de Dios», XVII y XVIII.—FR. E. ESTEBAN: *Poesías inéditas de fray Diego González en el British Museum*, «Ciudad de Dios», XXV.—R. FOULCHÉ-DELBOSC: Introd. y notas de *Poesías inéditas de Iglesias de la Casa*, «Rev. His.», 1895.— C. REAL DE LA RIVA: *Iglesias de la Casa en Salamanca*, Salamanca, 1931.
Bibliografía de Cadalso, Jovellanos y Forner, en el cap. XLVIII.

III. A. ALCALÁ GALIANO: *De la escuela literaria formada en Sevilla a fines del siglo próximo pasado* (s. XVIII), «Crónica de Ambos Mundos», 1860.—A. LISTA: *De la moderna escuela sevillana de literatura*, «Revista de Madrid», 1838.—A. LASSO DE LA VEGA: *Historia y juicio crítico de la escuela poética sevillana en los siglos XVIII y XIX*, Madrid, 1876.—MATUTE Y GAVIRIA: *Hijos ilustres de Sevilla*, 1886.—M. MÉNDEZ BEJARANO: *Historia política de los afrancesados*, 1902.—J. M.ª DE COSSÍO: *Don Alberto Lista, crítico teatral de «El Censor»* y *La poesía de don Alberto Lista*, ambos en «El Romanticismo a la vista», Madrid, 1942; *Poesías inéditas de Lista*, Voluntad, Madrid, 1928.—M. CHAVES: *Don Alberto Rodríguez Lista*, Sevilla, 1912.—J. FERNÁNDEZ ESPINO: *Biografía de Alberto Lista*, «Corona poética» de la Acad. de Buenas Letras, Sevilla, 1849.—HANS JURETSCHKE: *Vida, obra y pensamiento de Alberto Lista*, C. S. I. C., Madrid, 1951.—J. C. J. METFORD: *Alberto Lista and the Romantic Movement in Spain*, «Liverpool Studies», 1.ª serie, 1940.—F. PÉREZ DE ANAYA: *Biografía del señor don Alberto Lista*, 1848.— M. PÉREZ CRESPO: *Observaciones analíticas sobre las poesías de Lista*, «Rev. Ciencias, Literatura y Arte», vol. VI, Sevilla.
M. ARTIGAS: *El soneto «Death and Night»*, «Bull. of

Spanish Studies», Liverpool, 1924.—J. BLANCO WHITE: *The life of the R. Blanco W. written by himself*, Londres, 1845.—J. DE ENTRAMBASAGUAS: *La traducción castellana del famoso soneto de Blanco White*, «Rev. de Literatura», VI, Madrid, 1954.—M. GÓMEZ IMAR: *Dos cartas autógrafas e inéditas de Blanco-White*, Sevilla, 1891.— M. MÉNDEZ BEJARANO: *Vida y obras de don José M.ª Blanco y Crespo* (Blanco-White), Madrid, 1921.—M. MENÉNDEZ PELAYO: *Don José M.ª Blanco* (White), «Hist. heter.», vol. VI, cap. IV, Madrid, 1948.—E. PIÑEYRO: *Blanco-White*, París, 1910.

M. ARTIGAS: *Félix J. Reinoso: Estudio*, «Cruz y Raya», núm. 21, Madrid, 1935.—DÍAZ CÁRDENAS: *Biografía de Félix José Reinoso*, «Galería de Españoles Célebres».— A. MARTÍN BELLA: *Obras de Reinoso* (estudio perliminar de...), Soc. de Bibliófilos Andaluces, Sevilla, 1872.—E. DE B. PALOMO: *Datos biográficos acerca de don F. José Reinoso y noticia acerca de sus obras*.

E. ALARCOS: *El abate José Marchena en Salamanca*, «Hom. a M. Pidal», II, Madrid, 1925.—M. MENÉNDEZ PELAYO: *El abate Marchena*, «Est. y disc...», vol. IV. Madrid, 1942; *El abate Marchena*, «Hist. heter...», vol. V, Madrid, 1947.—A. MOREL FATIO: *Documents sur Marchena. Deux lettres, un interrogatoire*, «Bull. Hispanique», XXI, Burdeos, 1919; *Don José Marchena et la propagande revolutionaire en Espagne en 1792-1793*, «Revue Historique».—R. S. SCHEVILL: *El abate Marchena*, «Rev. Littérature Comparée», XVI y XVII, 1936.

IV. N. ALONSO CORTÉS: *El primer traductor español del falso Ossián y los valisoletanos del sig'o XVIII*, Valladolid, 1919.—P. BARRIERE: *Montesquieu et l'Espagne*, «Bull. Hispanique», XLIX, 1947.—CORNIDE BLASCO: *Los precursores del romanticismo español*, Madrid, 1901.— G. DÍAZ-PLAJA: *Introducción al estudio del romanticismo español*, 2.ª ed., Madrid, 1942.—B. MAS Y PRAT: *Las «Noches» de Young*, «Ylust. Esp. y Amer.», 1888.—P. MÉRIMÉE: *L'influence française en Espagne au XVIII siècle*, París, «Les Belles Lettres». s. a.—E. ALLISON PEERS: *The influence of Young and Grey in Spain*, «Modern Lang. Review». XXI, 1926.—H. TRONCHON: *Romanticisme et prerromantisme*, «Les Belles Lettres», París, 1931.— P. VAN TIEGHEM: *La notion de vrai poésie dans le prérromantisme* y *Les idylles de Gesner et le reve pastoral dans le prerromantisme européen*, ambos en «Rev. Litt. Comp.», 1921 y 1924, respectivamente; *La poésie de la nuit et des tombeaux en Europe au XVIII siècle*, París, 1921; *Le prerromantisme*, «Etudes d'histoire littéraire contemporaine», II, París, 1930.

M. LUIS AMUNÁTEGUI: *Apuntes biográficos de J. Joaquín de Mora*, Santiago de Chile, 1888.—J. R. LOMBA DE LA PEDRAJA: *Obras en prosa y verso de don José Somoza*, Madrid, 1904.—J. DEL TORO: *Un gaditano ilustre. Elogio de don José Vargas Ponce*, Cádiz, 1882.—FITZMAURICE-KELLY: *Noroña's «Poesías asiáticas»*, «Revue Hispanique», XVIII, 1908.—E. JULIÁ MARTÍNEZ: *Gaspar de la Nava, Conde de Noroña. Un escritor castellonense visto por M. Pelayo*, «Bol. Soc. Castellonense de Cultura», Castellón de la Plana, 1957.

I. AGUSTÍ: *Manuel de Cabanyes* (selección y pról. de...), Edit. Yunque, Barcelona, 1940.—V. BALAGUER: *Manuel de Cabanyes*, «Col. de obras», vol. VII.—J. FABRE OLIVER: *Biografía de M. de Cabanyes*, «Prosa menuda», Villanueva y Geltrú, s. a.—C. OYUELA: *Estudios literarios: Cabanyes*, Buenos Aires, 1889.—E. ALLISON PEERS: *Some notes on M. de Cabanyes*, «Mod. Lang. N.», XLVII, 1932.—S. PUIG: *El poeta Cabanyes*, Barce'ona, 1927.— L. RIBER: *El poeta M. de Cabanyes y Ballester*, «Bol. R. Acad. Esp.», XXXIV, 1954.

E. ALARCOS: *Cienfuegos, en Salamanca*, «Bol. R. Acad. Esp.», XVIII, 1931.—J. L. CANO: *Cienfuegos y la amistad*, «Clavileño», núm. 34, Madrid, 1955.—J. GUILLÉN: *Cienfuegos* (¿trabajo inédito?).—J. GÓMEZ HERMOSILLA: *Cienfuegos*, «Juicio crítico de los principales poetas españoles de la última era», vol. II, Valencia, 1840.—E. PIÑEIRO: *Cienfuegos*, «Bull. Hispanique», XI, Burdeos, 1909.—J. SIMÓN DÍAZ: *Nuevos datos acerca de N. Alvarez Cienfuegos*, «Rev. Bibl. Nacional», V, 1944.

CAPITULO LI

LA POESIA EN EL XVIII:
C) MELENDEZ, QUINTANA Y GALLEGO

I. MELÉNDEZ VALDÉS: *Vida y persona. Producción poética. El bucolismo de Valdés. Técnica y lenguaje.*—II. QUINTANA: *Vida y semblanza. Obra literaria: historia, crítica, teatro. Poesía. Las «odas patrias».*—III. JUAN NICASIO GALLEGO: *Datos biográficos y humanos. La obra literaria. Los sonetos. Odas y elegías. Juicio crítico.*—IV. LA ÉPICA EN EL XVIII.—V. LA POESÍA AMERICANA.—NOTAS.—BIBLIOGRAFÍA.

I. MELENDEZ VALDES

El poeta que mejor sintetiza todas las corrientes líricas del siglo XVIII—la tradicional, la neoclásica y hasta la de inspiración prematuramente romántica—, plasmándolas en su obra y elevándolas a superior categoría estética, es don JUAN MELÉNDEZ VALDÉS (1754-1917). Figura cumbre de la lírica dieciochesca, y cuyo solo nombre bastaría para prestigiar la producción poética española de la época, es uno de los pocos vates de su siglo, para algunos críticos el único, que todavía puede leerse con cierto interés y agrado. En casi todos los manuales Meléndez Valdés aparece inscrito dentro de la segunda escuela salmantina, atendiendo a que hizo sus estudios en la noble ciudad del Tormes, a que en su vieja Universidad profesó cátedra de Humanidades y, sobre todo, a que allí asistió con mayor asiduidad que nadie a los círculos de Cadalso y de fray Diego González, dos maestros de quienes, ya queda dicho en el capítulo anterior, hubo de recibir orientación y enseñanzas. Hoy se tiende a desglosarle del grupo, teniendo en cuenta la multiplicidad de influencias que refleja y la diversidad de temas que suministran materia a su numen poético, todo lo cual le da perfecto derecho a un lugar aparte.

Vida y persona

Nace Meléndez Valdés en Ribera del Fresno (Badajoz) en 1754. No se sabe de dónde pudo tomar su segundo apellido, Valdés, que no figura entre los de su madre, suponiéndose que lo tomó de algún pariente, como es frecuente en Extremadura. Hace sus primeros estudios en los Dominicos de Santo Tomás, de Madrid, y pasa luego a Segovia, al lado de su hermano Esteban, secretario de cámara del Obispado. Protegido por el prelado de aquella ciudad, marcha a Salamanca para seguir la carrera de Leyes. Allí conoce a Cadalso, que tanto había de influir en sus primeros pasos literarios, inclinándose, al igual que los otros componentes del grupo, al cultivo de la poesía ligera.

Algunos amores, muchas lecturas, dos o tres conmociones fuertes producidas por una enfermedad que padeció en 1776, ocasionada por el excesivo estudio y por la muerte de su entrañable hermano Esteban y, lo que es peor, primeras muestras de aquella indecisión que había de ser como el sino trágico de su vida, y que con el tiempo le reportaría tantas desgracias. Meléndez vacila un tiempo entre el foro y las letras. Al fin, aunque eventualmente, triunfan éstas: acepta una cátedra en Salamanca, primero de Humanidades y luego de Gramática; cátedras que desempeña desde el año 1778 hasta el 1789. Durante esos años, que él recordaba como los más felices de su vida, hace la licenciatura y el doctorado en Leyes (1782-1783) y contrae matrimonio con una distinguida dama de Salamanca, doña María Andrea de Coca, que había de guardarle, aun después de muerto, un cariño rayano en adoración. Va frecuentemente a Madrid y se da a conocer con tres o cuatro obras, que le granjean extraordinaria reputación: la égloga *Batilo* (nombre que utilizaría ya en la «Arcadia salmantina»), premiada (1781) por la Real Academia Espadola; *La gloria de las artes*, oda leída (1783) en la Academia de San Fernando, y *Las bodas de Camacho*, comedia premiada en un nuevo concurso (1784). Cuando un año más tarde (1785) publica el primer volumen de sus *Poesías* es el autor más celebrado de España.

Y, al cambiar de rumbo, empiezan sus desdichas. En 1789 es nombrado alcalde del crimen en Zaragoza, de donde pasa como oidor a la Chancillería de Valladolid, para terminar en Madrid como fiscal de la Sala de alcaldes de Casa y Corte. Su actuación en la magistratura debió de ser brillantísima. Alguna de sus intervenciones, como el discurso pronunciado en la célebre causa del crimen de Castillo, se considera modelo de oratoria forense. Pero, amigo de Jovellanos, y vinculado en parte a la carrera política de éste, también alcanza a Meléndez la desgracia del amigo. Es desterrado primeramente a Medina del Campo (1798); después, destituído de su cargo de fiscal, se le confina en Zamora (1800); por último logra que le permitan residir en Salamanca. Con el motín de

682

Aranjuez se restituye a su cargo; pero en la crisis nacional de 1808, una vez más su falta de carácter le hace inclinarse al lado de los invasores, llegando a escribir una oda dedicada a José Bonaparte. Enviado a Oviedo con una misión, estuvo a punto de ser fusilado en el parque de San Francisco, habiendo salvado la vida gracias a la intervención de un canónigo de aquel Cabildo. Cuando los franceses se apoderan de nuevo de Madrid, Meléndez, entregado totalmente a los invasores, acepta los cargos de consejero de Estado y presidente de la Junta de Instrucción. Terminada la guerra, se ve obligado a emigrar, como tantos otros, y vive cuatro años en diversas ciudades francesas: Tolosa, Nimes, Montpellier. Falleció en esta ciudad en 1717, con el recuerdo de la patria lejana lacerándole el corazón. Sus restos, rescatados primeramente por Nicasio Gallego del oscuro rincón en que estaban enterrados, fueron trasladados al cementerio de Montpellier, donde, a expensas del duque de Frías, se construyó un monumento para guardarlos; más tarde, en 1886, fueron traídos a España y depositados en el Panteón de Hombres Ilustres del cementerio de San Justo.

Según carta [1] de Cadalso a Iriarte, era Meléndez a los veinte años «mozo algo inclinado a los placeres mundanales, a las hembras, al vino y al campo, y afecto en demasía a estas cosas modernas, acompañado de muy buena presencia... y poco respeto a los prelados». Quintana, que le conoció a fondo, nos lo presenta «de estatura algo más que mediana, blanco y rubio, menudo de facciones, de complexión robusta y saludable...» Existe un soberbio retrato de Goya, hecho en 1797, cuando tenía Meléndez cuarenta y tres años; en él se nos muestra grave de expresión, severo de traje, con el gesto un tanto desdeñoso y altivo. En lo moral, todos los biógrafos están de acuerdo en señalar su timidez y su indecisión como notas destacadas. Aunque afrancesado, se cree que procedió con la mejor buena fe, pensando que aquello que él defendía era lo más conveniente para su patria. Cuenta Quintana que, al salir de tierra española, se arrodilló y la besó, exclamando: «Ya no te volveré a pisar.»

Producción poética

Prescindiendo de sus obras en prosa y de *Las bodas de Camacho*, comedia de escaso interés y que, a pesar del premio otorgado por la Real Academia, no alcanzó éxito en su estreno, se puede decir que toda su labor poética está resumida en la colección de *Poesías*: primera edición, un tomo (1785); segunda edición, muy aumentada, tres tomos (1797); edición definitiva, hecha por Quintana utilizando las notas del mismo Meléndez, cuatro tomos (1820). Todavía el marqués de Valmar había de acrecentarla con algunas composiciones incluídas en el volumen LXIII de la Biblioteca de Autores Españoles, de Rivadeneyra; y, por último,

los señores Foulché-Delbosc y Serrano Sanz han venido a incrementar el haber lírico de Meléndez con nuevas aportaciones: el primero, con la publicación en la *Revue Hispanique* (1894) de *Los besos de amor,* colección de poemitas encantadores y un tanto obscenos; y el señor Serrano Sanz, con la inserción en la misma *Revue Hispanique* (1897) de un buen número de poesías inéditas [2].

Toda esa producción está distribuída por el mismo Meléndez en anacreónticas, letrillas, idilios, romances, elegías, silvas, epístolas y odas de diverso tipo. Esta misma división indica la multiplicidad de géneros que cultiva, todos ellos con dignidad, si bien no con igual fortuna.

Desde la primera ojeada se echa de ver que le atraen preferentemente dos: el bucólico-erótico, de inspiración anacreóntica, que le había sido sugerido por Cadalso, y el filosófico, con cierta predilección por los motivos filantrópicos, provocado en parte por Jovellanos en la ya comentada *Epístola a sus amigos de Salamanca.* Tanto en uno como en otro, Meléndez alcanza una línea tan superior a los poetas de su época que casi se hace acreedor al título de «restaurador de la poesía española», con que le saludaba Jovellanos. Y no porque en su poesía se descubran innovaciones de fondo o forma. Precisamente él acepta toda la temática de su tiempo; y en cuanto al metro, se mantiene fiel a los módulos tradicionales, sin aventurarse a ensayar nuevos paradigmas, de suerte que cuando intenta introducir, no ya metros nuevos, sino simplemente alguna estrofa distinta de las usuales, al punto se advierte su inexperiencia y falta de técnica. Así puede verse en la estructura de la oda IV (*Al amor, confesándose rendido*), o de la XV (*En la elevación de un amigo*). En cambio, dentro de las fórmulas del XVIII se mueve con una gracia y una libertad no vistas hasta entonces. Nadie, ni el mismo Villegas, ha sabido dar al romance heptasílabo tanta fluidez, tanta suavidad y tanto garbo:

> La rosa de Citeres,
> primicia del verano,
> delicia de los dioses,
> adorno de los campos;
> objeto del deseo
> de las bellas, del llanto;
> del alba feliz hija,
> del dulce amor cuidado...
>
> (*Los labios de Dorila.*)

Lo que nos encanta en Meléndez, y sería inútil buscarlo en ninguno de sus coetáneos, es la elegancia, la exquisitez, la musicalidad y, en fin, ese ropaje siempre cuidado en que gusta de envolver ideas y sentimientos. Y esto no sólo en las anacreónticas, lo mejor sin duda de su producción, sino también en géneros tan aparentemente alejados de su temperamento como la oda filosófica. Las tituladas *A la presencia de Dios, La prosperidad aparente de los malos, El invierno no es tiempo de meditación* y *La gloria de las artes*, con su serena y clásica andadura, son en su estilo piezas casi perfectas. Sobre todo en la última, *La gloria de las artes*, logra Meléndez una altura que casi le acerca al Horacio del *Qualem ministrum:*

> Cual el ave de Jove, que, saliendo
> inexperta del nido, en la vacía
> región desplegar osa
> las alas voladoras, no sabiendo
> la fuerza que la guía,
> y ora vaga atrevida, ora medrosa,
> ora más orgullosa
> sobre las altas cimas se levanta,
> tronar siente a sus pies la nube oscura,
> y el rayo abrasador ya no la espanta,
> al cielo remontándose segura.
> Entonce el pecho generoso, herido
> de miedo y alborozo, ufano late;
> riza su cuello el viento,
> que en cambiantes de luz brilla encendido;
> el ojo audaz combate
> derecho al claro sol, le mira atento,
> y en su heroico ardimiento,
> la vista vuelve, a contemplar se para
> la baja tierra, y, con acentos graves
> su triunfo engrandeciendo, se declara
> reina del vago viento y de las aves.
> Yo así, saliendo de mi humilde suelo...

El bucolismo de Meléndez

Hay un tipo de poesía en que este extremeño injerto en salmantino supera a todos los escritores de nuestra lengua: el bucólico-sentimental, mezcla de Anacreonte y Teócrito, con inspiraciones modernas. En él convergen una indudable cultura clásica (no hay sino leer la primera piececita, *A mis lectores*, imitación o paráfrasis, mejor, del Θέλω λέγειν Ἀτρείδας del poeta de Teos)[3] y las corrientes de la época que llevaban disueltos no pocos elementos constitutivos del romanticismo.

Meléndez sabía que ése era su fuerte; como sabía también que su acento, si no del todo nuevo, era distinto al menos del que se había escuchado hasta entonces:

> Dicen que alegre canto
> tan amorosos versos,
> cual nuestros viejos padres
> nunca cantar pudieron...
>
> (Oda II: *De mis versos.*)

De ahí que la mayor y mejor parte de su producción pertenece al género anacreóntico, aunque etiquetado a veces con otros nombres: letrillas, idilios, romances. En este orden no es posible dar títulos, porque habría que citar la casi totalidad. Destacan, no obstante, las dos series de oditas *A Lise* y *La paloma de Filis*, todas igualmente tibias, suaves y retozonas. De las letrillas se han hecho famosas: *A unos lindos ojos, El ricito, El lunarcito, La despedida, La flor de Zurguén.* Entre los romances los hay tan deliciosos como *El árbol caído, La mañana de San Juan, La tarde, Los segadores* y *Rosana en los juegos*, esta última la más

lograda acaso de cuantas composiciones escribió Meléndez:

> Del sol llevaba la lumbre,
> y la alegría del alba
> en sus celestiales ojos
> la hermosísima Rosana...

Todos están impregnados de un vivísimo sentimiento de la Naturaleza y abundan en animadas descripciones de tenue colorido. Las tintas suaves, sin tonalidades estridentes, que tan bien se conjugan con la voz semivelada de Meléndez, prestan singular encanto a estos cuadritos, que unas veces reproducen escenas campestres y otras aspiran a reflejar las agitadas sensaciones de un momento de amor.

La crítica moderna ha subrayado el interés de los dos romances de *Doña Elvira*, antecedente innegable de la leyenda romántica, con su cortejo de presagios, lunas ensangrentadas, truenos y relámpagos. Es lástima que, por haberse perdido el tercer romance, la leyenda nos haya llegado incompleta.

Técnica y lenguaje

Nadie ignora lo mucho que hay de convencional en todo el género bucólico. Lo había ya en la novela pastoril; y lo había mucho antes en Teócrito y en Virgilio y hasta en el mismo Longo. Meléndez Valdés no podía sustraerse a esta ley. Se ha censurado a sus pastores de excesivo refinamiento; pero la misma tacha podría hacerse a los poetas arriba citados, a Garcilaso y a cuantos han cultivado el género. Sabido es que tales pastores no son sino cortesanos más o menos encubiertos. Y, admitido este principio, el artificio de que se vale el poeta para dar suelta a sus ideas y sentimientos es tan válido como cualquier otro. Más consistencia tiene el reproche que se le hace en cuanto al estilo. En efecto, el abuso de diminutivos lo vuelve con frecuencia dulzón y blandengue. Pero, aun con esa blandenguería, Meléndez es el más alto poeta de su siglo.

Se han buscado los ingredientes de esta poesía tan decantada, y casi nos atreveríamos a decir tan pura, si este concepto de «poesía pura» no hubiese sufrido una transformación en nuestros tiempos. Se han podido señalar como los más importantes: *a)* un *sensualismo* suave, de raíz anacreóntica, aclimatado ya en Europa por poetas como el sueco Bellman y trasplantado por Cadalso a nuestra patria; *b)* un *erotismo* de buen tono, reflejo de cierta despreocupación moral de las clases cultas, que, penetrando en España, llega a infiltrarse en espíritus tan alejados de las alegrías mundanas como el del padre Diego González, y que en Meléndez suele aparecer diluido en finísimas venas, para alcanzar unas notas estridentes sólo en los citados poemitas *Besos de amor; c)* un *sentimien-*

to de la Naturaleza mucho más vivo que el conocido hasta entonces, y que predispone al poeta
para captar con todos los sentidos los encantos del
paisaje; d) un vago *anhelo de reversión* a las costumbres primitivas, fomentado principalmente por
Rousseau, y que se complementa lógicamente con
el ansia de evadirse de una sociedad que el poeta
considera alejada de sus fines específicos y prostituída en sus leyes y costumbres; y e) un *fermento filosófico,* que unas veces se traduce en melancolía ante la vanidad de las cosas, y otras, en
un ingenuo filantropismo, muy a tono con las tendencias sociológicas de la Enciclopedia [4].

Con estos elementos, unidos a sus muchas lecturas (Locke, Montesquieu, Marmontel, Rousseau,

Young, Gessner, Thompson, sin olvidar a los clásicos de la antigüedad y a los españoles), otro poeta menos cauto, p. ej., Cienfuegos, habría elaborado una masa explosiva e informe. Meléndez Valdés, que si de algo podía alardear era del sentido
de la moderación y del buen gusto, extrajo de
ellos una poesía finísima y quintaesenciada, que
todavía, aun tratándose de género tan empalagoso
y artificial, se lee con gusto. Tiene esa poesía los
defectos inherentes al género, pero en mínimo grado; y tiene todas las virtudes, pocas o muchas,
que caben en él, pero en grado máximo. Meléndez
nos dió cuanto podía darnos dentro de su época y
con los materiales que tenía a su alcance.

II. QUINTANA

Poeta bien distinto del anterior por su vida y
por sus obras es don MANUEL JOSÉ QUINTANA
(1772-1857). Discípulo primeramente de Meléndez,
amigo después y biógrafo y colector de sus poesías, por último, con dificultad hallaríamos dos
hombres menos parecidos. Lo que en Meléndez es
flexibilidad y dulzura, es en Quintana dureza y
rigidez. Hasta en su actitud frente a la vida difieren radicalmente: las fluctuaciones políticas de
aquél contrastan con la entereza e integridad de
éste, siempre inconmovible en su puesto, pase lo
que pase. Meléndez carecía de carácter, o, lo que
es lo mismo, tenía un carácter blando y versátil.
Quintana era un carácter de una pieza.

Vida y semblanza

Nace Quintana en Madrid el 11 de abril de 1772.
Su padre desempeñaba el cargo de relator del Consejo de Ordenes. Estudia latinidad en Córdoba;
Retórica y Filosofía, en el Seminario conciliar de
Salamanca; Derecho civil y canónico, en la misma Universidad. Allí también asistió como alumno
a las clases de Meléndez. En 1795, ya en Madrid y
ventajosamente conocido como poeta, se recibe de
abogado e inmediatamente se le nombra agente fiscal de la Junta Central de Comercio, cargo que
alterna con el cultivo intenso de las letras: composiciones varias, una biografía de Cervantes para
la edición del *Quijote* (1797) y algunos prólogos
para la *Colección de poetas castellanos,* preparada
por Estala. En 1800 contrae matrimonio con doña
María Antonia Florencia, dama de excepcional belleza, que no le daría hijos y que había de morir
veinte años más tarde, recién salido Quintana de
la ciudadela de Pamplona. Siguen unos años de
intensa actividad: estreno de *El duque de Viseo* y
de *Pelayo;* fundación con Alvarez Guerra del periódico *Variedades de Ciencias, Literatura y Artes,*
en el que colabora asiduamente; redacción de algunas de sus mejores poesías, entre ellas la oda
A los marinos españoles, a raíz del desastre de
Trafalgar (1805); primeros tomos de las *Vidas de*

españoles célebres y de *Poesías selectas castellanas* (1807), etc. Por esta época Quintana es ya un
prestigio nacional.

Llega la fecha memorable de 1808, y nuestro
poeta, nutrido de las ideas enciclopedistas venidas
de allende el Pirineo, no vacila. Como Jovellanos,
como Cienfuegos, como tantos otros, sacrifica su
ideología ante el sentimiento de su patria ultrajada. No fué secretario de la Junta Central, como
se viene diciendo, sino oficial primero de la Secretaría general de la Junta Suprema, y luego, secretario de la Real Cámara y Estampilla del Consejo de Regencia. Desde estos cargos, Quintana
hace tanto con su pluma por la liberación de la
patria como el mejor general con su espada. Inicia
la redacción del *Semanario Patriótico,* y empieza
a disparar sus célebres manifestos y sus no menos
célebres *Poesías patrióticas,* que tendrían la virtud
de levantar en vilo el espíritu de muchos españoles. El título de «Tirteo de la independencia nacional», que el padre Blanco le adjudicó, no le viene
del todo ancho. Jamás ha sonado en España una
voz más entera, más vehemente, con mayor poder
revulsivo. Al entrar los franceses en Madrid (diciembre de 1808) Quintana huye, y por Avila, Salamanca, Badajoz, llega a Sevilla, y más tarde a
Cádiz. Surge la polémica con Capmany, quien en
un folleto anónimo *(Cartas de un buen patriota)*
pretendía mofarse de sus proclamas. Pero el Consejo de Regencia reconoce «el celo acendrado y
ardiente patriotismo, acreditado sin interrupción...
desde el primer momento», de Quintana. Liberada
la nación y trasladadas las Cortes a Madrid, es
nombrado académico de la Real Academia Española de la Lengua.

En la noche del 10 de mayo de 1814, triunfante
ya el absolutismo, el poeta es arrancado del lecho
y conducido a la ciudadela de Pamplona, de la
que no saldría hasta seis años después. Le procesa
la Inquisición; se le obliga a rectificar algunos
conceptos de sus poesías, y, en fin, se le quiere hacer pagar el delito de haber pensado libremente.
Liberado en 1820, se le reintegra en sus cargos y
honores, hasta que en 1823 nuevamente se ve perseguido por los absolutistas y obligado a confinarse en Cabeza de Buey (Badajoz), donde residían

sus familiares maternos. Muerto Fernando VII (1833), ya todo son honores y distinciones para el egregio patricio: prócer del Reino, presidente de la Dirección de Estudios, ministro del Consejo Real, académico de honor de San Fernando, diputado varias veces, senador vitalicio y ayo instructor de la joven reina Isabel. Alejado de la política y de las letras, en pleno triunfo del romanticismo, cuenta con el respeto y la admiración de todos los españoles. Cuando la reina quiere pagarle sus servicios a la patria y surge la idea de coronarle públicamente en el Senado, España entera, sin excepción, se adhiere al homenaje, y cincuenta y siete poetas, la mayor parte de otro credo estético, se encargan de tejerle una corona de alabanzas [5]. Murió Quintana el 11 de marzo de 1857, cuando iba a cumplir los ochenta y cinco años. Al sorprenderle la muerte era reconocido y respetado por todos como un clásico.

Fué Quintana, si hemos de creer a sus biógrafos, hombre de recia complexión, de rostro grave y atractivo. Cazzaniga, que le visitó cuando ya había pasado los sesenta años (1835), se muestra maravillado, porque esperando encontrar un hombre «pálido, magro, cadente, estenuato dai molti e gravi studi, dalle aventure e dagli anni», se enfrenta con una persona en pleno vigor de cuerpo y de espíritu; bronceado, fuerte, «con dos ojos de fuego y una voz enérgica, profunda, sonora; con un aspecto grave e imponente». En cuanto a la integridad de su conducta, el consenso es unánime; ni siquiera el sectarismo político pudo atacarle por ese lado. «Su gran genio—escribía en 1854 Agustín Durán—, su probidad intachable, su amor a las libertades nacionales, su constancia en la lucha de las ideas y, sobre todo, sus virtudes civiles y morales han alcanzado el reconocimiento universal». Tampoco en el campo literario hubo disentimientos, a pesar de haber sobrevivido por lo menos veinte años a su propio credo estético [6].

Obra literaria: historia, crítica, teatro

Ofrece la producción literaria de Quintana el doble aspecto de la prosa y del verso; y, dentro del prosista, ha de distinguirse al historiador y al crítico; dentro del poeta, al lírico y al dramaturgo.

Su labor histórica está representada en los tres tomos de las *Vidas de españoles célebres* (1807, 1830, 1833). Con una prosa brillante, y a la vez densa y trabajada, nos va relatando en ellos Quintana los hechos del Cid, Vasco Núñez de Balboa, Pizarro, don Alvaro de Luna, Bartolomé de las Casas y de otros españoles beneméritos por uno u otro motivo. La biografía del duque de Alba fué publicada con carácter póstumo por un sobrino de Quintana. Incapaz éste de sentir la poesía de la Edad Media, como todos los espíritus neoclásicos, los estudios del Cid y de Guzmán el *Bueno* ado-

lecen de falta de imaginación y de ambiente. En cambio, los trabajos posteriores, especialmente las biografías de don Alvaro de Luna y de Pizarro, ofrecen el mayor interés, tanto por su rigor documental como por su estilo animado e intenso dramatismo. Hay que añadir a su labor histórica las *Vidas* de Cervantes y de Meléndez Valdés y *Diez cartas a lord Holland* (1852), en las que recoge los sucesos políticos de más bulto ocurridos en España durante la segunda etapa constitucional.

Como crítico, Quintana merece dentro de nuestras letras un puesto distinguido. Y ello no tanto por el poema *Reglas del drama*, presentado a los diecinueve años a público certamen de la Real Academia Española (1891), como por sus artículos en la revista *Variedades de Ciencias, Literatura y Artes* (1803-1805). En las *Reglas del drama* se limita a explicar en aceptables tercetos lo que ya Boileau nos había dicho en alejandrinos lapidarios; en los artículos de *Variedades,* en cambio, aborda, casi siempre con criterio muy seguro, importantes aspectos de la preceptiva tradicional: rima, verso suelto, égloga, idilio, sentimiento religioso, etc. Todavía son más de estimar los prólogos y notas que puso a la *Colección de poesías castellanas* y a la *Musa épica,* tan llenas de datos de primera mano, de juicios certeros y de sagaces observaciones. En la primera de estas obras, que con sus cuatro volúmenes (tres de 1807 y uno posterior) constituye la recopilación poética más completa conocida hasta entonces, Quintana, no obstante su ideología clasicista, hace gala de una templanza y de un eclecticismo poco frecuentes entre los críticos de aquel tiempo. Es el primer colector de romances; no de los viejos, sino de sus imitaciones, los eruditos del siglo XVII. Con la *Musa épica* (dos volúmenes, 1833) contribuye a divulgar los mejores poemas narrativos de la Edad de Oro.

Perdidas las tres tragedias—*Roger de Flor,* *El príncipe de Viana* y *Doña Blanca de Borbón*—, sólo nos quedan dos piezas dramáticas de Quintana: *El duque de Viseo* y *Pelayo.* La primera, calcada en *The Castle Spectre,* de Mateo Lewis, resulta tan endeble como la inglesa en que se inspiró. Sombría, sin argumento de verdadero interés, sin consistencia en los caracteres, *El duque de Viseo* no es obra digna de su autor. En cambio, el *Pelayo,* con todos los defectos dimanantes de la especial estética de Quintana, encierra una fuerza, un aliento, que justifican plenamente el éxito obtenido en su estreno (19 de marzo de 1805). Se la ha tachado, y no sin razón, de excesivamente declamatoria; el padre Blanco García alude a la falta de sentimientos religiosos en el protagonista, «sin los cuales—dice—la gran epopeya no tiene sentido». Pero hay algo de intensamente dramático, algo que sobrepasa al simple declamador de circunstancias, en aquellos apóstrofes que hacían levantarse de la silla a los espectadores:

... ¡No hay ya Patria!
¿Y vos me lo decís?... Sin duda el hielo
de vuestra anciana edad, que ya os abate,
inspira esos humildes sentimientos
y os hace hablar cual los cobardes hablan.
¡No hay Patria!... Para aquellos que el sosiego
compran con servidumbre y con oprobio
para los que, en su infame abatimiento,
más vilmente a los árabes se venden
que los que en Guadalete se rindieron...
¡No hay Patria, Veremundo! ¿No la lleva
todo buen español dentro del pecho?

Esta voz no era la de Nicolás F. de Moratín en *Hormesinda* ni estaba inspirada en la *Poética,* de Luzán. Algo había en ella que preludiaba al gran cantor de las libertades patrias, que iba a revelarse sólo tres años más tarde.

Poesías

Lo que mantiene vivo el nombre de este poeta, dándole un puesto de honor en la lírica española, por encima de gustos y de escuelas, es su producción lírica [7], y, dentro de ésta, sus odas de tema patrio y de inspiración filosófica.

Quintana empieza a escribir y a darse a conocer muy pronto. Está, naturalmente, influído por Meléndez Valdés, a quien conoció en Salamanca: bucolismo fácil y dulzón. Poco a poco se va liberando de esta tutela y empieza a caminar por sendero propio. Los grandes temas de la época —libertad, progreso, virtud, un poco entendida a la romana, como sinónimo de civismo; en fin, Enciclopedia pura— le sugestionan. Pero estos temas, del dominio común, encuentran en el alma de Quintana resonancias inéditas. Ni Jovellanos, ni Meléndez, ni Cienfuegos, ni Lista, habían sabido tratarlos con tanta dignidad. Quintana se apodera de ellos y los engrandece, a tono con el estilo y pensamiento de su época. A esta actitud responden las odas *A la expedición española para propagar la vacuna en América, A Meléndez cuando la publicación de sus poesías, A una negrita, A Jovellanos*; y, sobre todo, las dos famosísimas *Al mar* y *A la invención de la imprenta.* Por mucha hojarasca retórica que haya en ellas, y la hay en cantidad asombrosa, siempre será dado sacar de aquellas tiradas de versos altisonantes tal cual pasaje de auténtica inspiración. Quintana toma en serio su oficio de poeta; ve en él casi un sacerdocio, y no deja de ser conmovedora la invitación a los otros vates para que elijan temas de altura y los traten con el mayor decoro. Oigámosle en los primeros versos de la oda *A la invención de la imprenta:*

¿Será que siempre la ambición sangrienta
o del solio el poder, pronuncie sólo
cuando la trompa de la fama alienta
vuestro divino labio, hijos de Apolo?
¿No os da rubor? El don de la alabanza,
la hermosa luz de la brillante gloria,
¿serán tal vez del nombre, a quien daría
eterno oprobio o maldición la Historia?

¡Oh, despertad! El humillante acento
con majestad no usada
suba a las nubes penetrando el viento;
y si queréis que el universo os crea
dignos del lauro en que ceñís la frente,
que vuestro canto enérgico y valiente
digno también del universo sea.

Los versos en que apostrofa de cien maneras a la tiranía en la misma oda *A la imprenta* y en otras composiciones, o aquellos en que invita a las olas (oda *Al mar*) para que aneguen la tierra profanada por tantos crímenes, tienen, en medio de su ingenuidad, cierta espectacular grandeza:

... Ondas feroces,
sed justas una vez: ya que la tierra
muda consiente que la hueste impía
de Marte asolador brame en su seno,
vosotras algún día
vengadla sin piedad: esas crueles,
esas soberbias naos
que, preñadas de escándalo y rencores,
turban vuestro cristal con sus furores,
del cielo y viento contrastar se vean,
y en ciego torbellino
todas a un tiempo devoradas sean,...

No se nos oculta que todo esto nada dice, o dice muy poco, a nuestra sensibilidad moderna; pero téngase en cuenta que Quintana no escribía para nosotros, sino para un público que creía de buena fe en el progreso, la bondad natural del hombre y demás mitos lanzados a la circulación por la filosofía roussoniana. Y hay que reconocer que el tono del poeta no podía ser más congruente con tales temas. Alguien ha dicho, basándose especialmente en el metro que emplea —la silva, salpicada de numerosos endecasílabos sueltos—, que escribía primero sus composiciones en prosa, y luego las pasaba a verso. Puede ser; no es incompatible ese procedimiento con la verdadera inspiración. Otros poetas de más numen lo han puesto en práctica; además, sabida es la fórmula que aconseja a los artistas «concebir en caliente, para realizar en frío».

Las «odas patrias»

La mayor gloria de Quintana estriba en sus *Poesías patrióticas* (Madrid, 1808), así bautizadas por él mismo. Son muy pocas, aun incluyendo entre ellas algunas de asunto histórico-político: *A Guzmán el «Bueno», A Juan de Padilla, A la paz entre España y Francia en 1795, Al combate de Trafalgar, A España después de la revolución de marzo* y *Al armamento de las provincias españolas contra los franceses.* No hubiera escrito Quintana más que estas composiciones y ocuparía con pleno derecho un alto puesto en la lírica de principios del XIX. En ellas hay innumerables defectos de fondo y forma: inexactitudes, juicios erróneos y enormemente injustos, dictados por el fanatismo ideológico; incorrecciones de léxico y de sintaxis; mucha retórica, mucha bambolla [8]. Es lo mismo. Por encima de todo y borrando tales imperfecciones, casi consustanciales al género, pasa por estos poemas un soplo de virilidad, de indignación, de amor a la patria ofendida, de odio al tirano que osa mancillarla, una carga tal de pasión, que todavía tiene la virtud de impresionarnos y de conmovernos:

> Desenterrad la lira de Tirteo;
> y al aire abierto, a la radiante lumbre
> del sol, en la alta cumbre
> del riscoso y pinífero Fuenfría,
> allí volaré yo, y allí cantando
> con voz que atruene en derredor la sierra,
> lanzaré por los campos castellanos
> los ecos de la gloria y de la guerra.
> ¡Guerra!, nombre tremendo, ahora sublime,
> único asilo y sacrosanto escudo
> al ímpetu sañudo
> del fiero Atila que a Occidente oprime.
> ¡Guerra, guerra, españoles!...

El hombre que así animaba a sus compatriotas no estaba destinado a morir en el campo de batalla, como el alemán Körner, a quien suele comparársele; pero sin duda estaba dispuesto a sacrificarse:

> No ha sido en el gran día
> el altar de la patria alzado en vano
> por vuestra mano fuerte.
> ¡Juradlo!, ella os lo manda: «Antes la muerte
> que consentir jamás ningún tirano.»
> Sí, yo lo juro, venerables sombras;
> yo lo juro también, y en este instante
> ya me siento mayor. Dadme una lanza,
> ceñidme el casco fiero y refulgente,
> volemos al combate, a la venganza,
> y el que niegue su pecho a la esperanza
> hunda en el polvo la cobarde frente.
> Tal vez el gran torrente
> de la devastación en su carrera
> me llevará. ¿Qué importa? ¿Por ventura
> no se muere una vez?...

La mayor objeción que suele hacerse a Quintana se refiere a la escasa variedad de temas. Viene diciéndose que en su lira sólo hay dos cuerdas: la patriótica y la de tono progresista y humanitario. No es del todo exacto. Y, aunque lo fuera, no juzgamos desdoro sobresalir en un género determinado. Claro es que tal género, según el concepto moderno, casi no cae dentro de lo poético. Pero no está aún demostrado que el concepto moderno en lo tocante a la poesía sea precisamente el verdadero, o al menos el único valedero. También los neoclásicos, también los románticos y todos los afiliados a una escuela o credo estético creen hallarse en lo cierto. De todos modos es injusto ver en Quintana sólo el cantor de la patria y del progreso. Composiciones como *La danza*, *A Luisa Todi*, *Para un banquete de amigos*, *A la hermosura*, revelan en su autor un espíritu nada ajeno a las solicitaciones de los sentidos, a la vez que muy propenso a cualquier clase de efusiones estéticas. Las veinticuatro composiciones, breves en su mayoría y de circunstancias, insertas por Cañete en las *Obras inéditas* de Quintana, si no añaden nada a su gloria de poeta, nos revelan, en

cambio, facetas insospechadas: el tratamiento de «Carpe diem» con un sentido hondamente hedonista *(La diversión, A Licoris)*, la reacción complaciente ante los encantos femeninos *(A Dafne, en sus días)* y otros sentimientos análogos:

> Verás andar los amores
> como traviesos enjambres,
> ya trepando por sus brazos,
> ya escondiéndose en su talle,
> ya subiendo a su garganta,
> para de allí despeñarse
> a los orbes deliciosos
> de sus senos palpitantes.

Falta por aludir *El Panteón de El Escorial*, composición tremendamente injusta y partidista, en la que se acumula sobre Felipe II todo el cieno amontonado por el odio sectario durante dos siglos de «leyenda negra». El poema es magnífico. Para nuestro gusto, el más trabajado del autor; pero recarga de tal modo las tintas sobre la figura del rey que casi se hace molesta la lectura. He aquí la descripción que nos da del príncipe don Carlos y de su calumniado padre:

> Un alarido agudo, lastimero,
> el silencio rompió que hondo reinaba,
> mientras las urnas lánguida alumbraba
> pálida luz de fósforo ligero.
> Levanta al grito la aterrada frente,
> y en medio de la estancia pavorosa
> un joven se presenta augusto y bello.
> En su lívido cuello
> del nudo atroz que le arrancó la vida
> aún mostraba la huella sanguinosa;
> y una dama a par de él también se vía
> que, a fuer de astro benigno, entre esplen-
> con su hermosura celestial sería   [dores
> del mundo todo adoración y"amores.
> «¿Quién sois?», iba a decir, cuando a otra
> alzarse vi una sombra, cuyo aspecto   [parte
> de odio a un tiempo y horror me estremecía;
> ....
> La aleve hipocresía,
> en sed de sangre y de dominio ardiendo,
> en sus ojos de víbora lucía;
> el rostro enjuto y míseras facciones
> de su carácter vil eran señales,
> y blanca y pobre barba le cubría
> cual yerba ponzoñosa entre arenales.

Pero no es la exactitud histórica lo que interesa ahora; más bien conviene destacar la ambientación, la escenografía, el estilo y el corte todo de este poema casi romántico, producto de un espíritu rabiosamente clásico, o, más propiamente, clasicista.

Después de lo dicho casi no hace falta exponer nuestro juicio sobre Quintana. De los dos polos de la crítica, el positivo y el negativo, nosotros aceptamos más bien el primero. No fué un poeta integral, a la manera de fray Luis de León, de Bécquer o de Garcilaso. Fué un poeta de época; y el que no lo enjuicie así se expone a no entenderle. Recogió las ideas de su tiempo y las cantó en el único estilo en que podía hacerlo y que mejor cuadraba con la índole del tema. Por mucho mérito que se le quiera restar—la crítica moderna casi no le atribuye ninguno—, siempre habrá que reconocer, con Menéndez Pelayo, que en la colección de sus poesías, realizada por el mismo en 1813, «no hay una sola que pueda rechazarse, y hay por lo menos nueve o diez que todo el mundo calificará de obras maestras dentro de su escuela y género».

III. NICASIO GALLEGO

Con el nombre de Quintana se suele emparejar el de otro poeta, también de filiación salmantina, aunque menos fácil, menos robusto, si bien más correcto y pulido en la forma: don JUAN NICASIO GALLEGO (1777-1853). Limado y lamido hasta la saciedad, académico por sus cuatro costados, de una corrección a veces desesperante, que casi no tiene que ver con la horaciana fórmula del *manu versate nocturna, versate diurna,* Gallego es el prototipo del poeta de laboratorio y de la técnica paciente; una técnica que si en ocasiones realza los méritos estilísticos de la obra, las más de las veces contribuye más bien a desvirtuar la inspiración y enfriar el numen.

Datos biográficos y humanos

Nace Juan Nicasio Gallego en Zamora el 14 de diciembre de 1777 en el seno de una familia «de acreditada nobleza», escribe uno de sus biógrafos. Cursadas las primeras letras bajo la dirección de un tal Peláez, pasa a Salamanca con intención de seguir allí los estudios de Filosofía, Derecho civil y eclesiástico, estudios que termina en 1800. Ya en la mocedad, se dedica a la poesía en composiciones de las que sólo se conservan pequeños fragmentos. Doctor y ordenado sacerdote, va a Madrid en 1805; hace oposiciones a una capellanía de honor de su majestad, y poco después es nombrado director eclesiástico de caballeros pajes, un cargo aparentemente oscuro, pero dotado de muy estimables emolumentos. Por entonces empieza a darse a conocer en ligeros poemas que aparecen en periódicos de la época, especialmente en *El Memorial Literario.* A la entrada de los franceses en Madrid, se traslada a Sevilla, y de esta ciudad a Cádiz. Antes había obtenido una prebenda en Murcia y la dignidad de chantre de la catedral de Santo Domingo. En Andalucía desempeña diversos cargos: miembro de la Comisión encargada de redactar los planes, informes y memorias para las Cortes, diputado de éstas, secretario de la Comisión de libertad de imprenta, etc. Pero estas actividades políticas le acarrearían no pocos contratiempos. Restituído Fernando VII a su trono, Gallego sufre prisión durante año y medio; luego se le confina por cuatro años en Jerez, de donde se le traslada por enfermo al monasterio de Luz, cerca de Moguer, y de aquí al convento Loreto, a dos leguas de Sevilla. La revolución de 1820 le devuelve la libertad, y con ella varios de sus cargos; pero en 1824 nuevamente empiezan las persecuciones: se le despoja de la dignidad de arcediano mayor de Valencia, a la que se le había promovido poco antes; se ve obligado a refugiarse en Barcelona, de donde tiene que pasar a Montpellier (Francia), al lado de sus amigos íntimos y protectores los duques de Frías, que en todo tiempo le habían mostrado particular afecto. En 1828, calmada un tanto la reacción absolutista, regresa a España y es repuesto en todos sus cargos, a la vez que se le confieren otros nuevos: conjuez del Excusado, auditor de la Rota, censor de prensa, arcipreste del Pilar de Zaragoza. Murió en Madrid en 9 de enero de 1853, de resultas de una caída que sufrió en la plaza de Oriente, cuando contemplaba las iluminaciones con que se solemnizó el nacimiento de la princesa de Asturias. Perteneció Gallego desde 1814 a la Academia de San Fernando, y desde 1830 a la Española de la Lengua, de la que fué nombrado secretario perpetuo en 1839. Fué también senador del Reino.

Era Gallego de estatura aventajada, más bien grueso, de grave expresión y agradable fisonomía; agudo en el decir y muy consecuente y afectuoso con los amigos. «El señor Gallego—escribía en 1845 uno de sus biógrafos—es el protector nato, el amigo de confianza de todos los jóvenes que aspiran al glorioso timbre de poetas. El los aconseja, los anima, les corrige sus obras, y a todas horas están abiertas sus puertas y su benevolencia para cuantos de buena fe van a reclamar el auxilio de sus luces y la larga práctica de su arte.» Hombre modesto, no solía dar importancia a sus obras; más que indiferencia, era desdén. Y a ello atribuyen algunos la parvedad de su producción literaria, aunque otros estiman, y a nuestro parecer con mayor fundamento, que esa parvedad se debe al deliberado propósito de no escribir sino cuando estaba inspirado, y debió de estarlo muy pocas veces. Más parecido al arcipreste de Hita que a fray Luis de León, Feijoo y otros severos clérigos religiosos, gustaba vestir de paisano y acudir a tertulias donde se hablaba de todo lo humano y divino, sin que ello quiera decir que su conducta dejase de ser en todo momento ejemplar. A sus gestiones se debió el traslado de los restos mortales de Meléndez Valdés desde el rincón de una bodega a la parroquia de Montferrier, y de aquí al cementerio de Montpellier, donde quedaron depositados en un monumento construído a expensas del duque de Frías hasta su traslado al Panteón de Hombres Ilustres, de Madrid, en 1886. Para el citado monumento de Montpellier escribió Gallego un epitafio y unos bellos dísticos en latín.

La obra literaria

Es, ya queda dicho, muy exigua: treinta y siete sonetos, dos epístolas, cuatro elegías, siete odas y quince poemas, breves en su mayor parte, agrupados bajo el epígrafe general de «Varias». Eso es todo lo que da de sí la edición dispuesta por la Real Academia Española al año siguiente de su muerte. En la edición de Autores Españoles (tomo LXVII de Rivadeneyra) se incluyen diez o doce composiciones más, casi todas de circunstancias, y que en nada hacen cambiar el muestrario. Hay otra edición nada recomendable (Filadelfia, 1829), preparada, sin autorización del autor, por el literato cubano don Domingo del Monte. Si a esto poco añadimos una traducción de la tragedia de Arnauld, *Oscar, hijo de Ossian*; otra excelente traducción de la novela histórica de Manzoni *Los novios*, y un poemita original, de carácter semirromántico, *El conde de Saldaña*, tendremos la lista completa de toda la producción de Gallego en medio siglo de dedicación a las letras.

Los sonetos

Lo primero que sorprende en los sonetos de Gallego, como en todos sus poemas, es la corrección, la factura impecable. No hay manera de ponerles reparo. Pero esa factura impecable comporta consigo, ya queda anotado, cierta frialdad, cierta limitación del vuelo poético. No se puede, sin más ni más, frenar en todo momento la fantasía. Aun así, los sonetos de Gallego, todos sin excepción, son bellos y antológicos. Los tiene tan delicados como el que se titula *Los hoyuelos de Lesbia*. Los tiene de corte petrarquista, con reminiscencias de Garcilaso: *A Corina en sus días, A Corina ausente, A Pradina, Al cumpleaños de Pradina*. Los tiene que revelan cierto ligero tumulto erótico que es de suponer no tendría más trascendencia que los platónicos amores de fray Diego a su Mirta. A este tipo pertenece el titulado *A María de la Encarnación Gayoso*, con este remate expresivo:

> ¡Feliz quien goce el mágico tesoro
> de tantas gracias, y contigo viva,
> y escuche de tu labio un *yo te adoro!*

Los tiene, finalmente, de tono heroico: *A Wellington, A San Fernando, A Zaragoza*. Este último y el dedicado *A la duquesa de Frías* recordando la visita que ella le hizo cuando se hallaba en la cárcel, son, para nuestro gusto, los mejores.

Odas y elegías

Lo mismo que de los sonetos cabe decir del resto de las composiciones de Gallego: correc-

tas, académicas, limadas hasta la exageración. Cualquiera de ellas puede servir de ejemplo: *El rizo de Corina*, en impecables sáficos de rima interna; *A Corina ausente*, en liras garcilasianas, expresión de un sentimiento sincero, pero reprimido, ahogado por la técnica; *A Celmira en sus días*, en bellísimos cuartetos, del mismo corte clasicista que la anterior.

Siete composiciones destaca Ventura de la Vega en el exiguo acervo lírico de nuestro vate: *A la influencia del entusiasmo público en las artes* (1808), *A la muerte del duque de Fernandina* (1816), *A la muerte de la reina de España doña Isabel de Braganza* (1819), *Al nacimiento de la infanta doña María Isabel Luisa* (1830), *A la defensa de Buenos Aires* (1807), *A la muerte de la duquesa de Frías* (1830) y *El dos de mayo* (1808). Lo que se diga de una cualquiera de ellas, en alabanza o censura, puede aplicarse a las demás. Las más celebradas, y en nuestra opinión las mejores, son las tres últimas.

La elegía *El dos de mayo* es, sin duda, la mejor de cuantas composiciones se han escrito en España inspiradas en la histórica fecha. Con la de Bernardo López García se reparte la popularidad entre los españoles. Sólo que la del poeta jienense ha logrado esa popularidad preferentemente entre el vulgo poco cultivado, y la de Gallego, entre la gente de cierta formación. Desde el principio al fin mantiene un tono digno y una elevación que roza la línea establecida por Quintana al tratar temas análogos:

> Noche, lóbrega noche, eterno asilo
> del miserable que, esquivando el sueño,
> profundas penas en silencio gime,
> no desdeñes mi voz, letal beleño
> presta a mis sienes, y en tu horror sublime
> empapada mi ardiente fantasía,
> da a mi pincel fatídicos colores
> con que el tremendo día
> trace el fulgor de vengadora tea,
> y el odio irrite de la patria mía,
> y escándalo y terror al orbe sea.

«No hay nada más hermoso en castellano», afirma Ventura de la Vega al comentar esta oda. Y, en efecto, si se atiende a lo correcto del lenguaje y lo levantado de tono, acaso esté en lo cierto.

La heroica defensa del pueblo de Buenos Aires contra los ingleses inspiró a Gallego su oda de este título: *A la defensa de Buenos Aires*, que le ganó desde el primer momento un alto prestigio. Está cortada del mismo paño que la de *El dos de mayo*, o al revés, puesto que fué escrita un año antes. Todo es aquí solemne, reposado, majestuoso:

> Alzase en tanto cual matrona augusta
> de una alta sierra en la fragosa cumbre
> la América del Sur; vese cercada
> de súbito esplendor de viva lumbre
> y en noble ceño y resplandor bañada.
> No ya frívolas plumas,
> sino bruñido yelmo rutilante,

ornan su rostro fiero;
al lado luce ponderoso escudo,
y, en vez del hacha tosca o dardo rudo,
arde en su diestra refulgente acero;
la vista, fija en la ciudad; y entonces
golpe terrible en el broquel sonante
da con el pomo, y al fragor de guerra
con que herido el metal gime y estalla,
retiembla la alta sierra,
y el ronco hervir de los volcanes calla.

Bien claro aparece en este fragmento el esmero con que iba trabajando y puliendo Gallego todos y cada uno de sus versos. Aun se observa esto mejor en la elegía *A la muerte de la duquesa de Frías,* una de las composiciones más repeinadas y bruñidas de la lírica española. En 1830 muere la ilustre dama. Los poetas todos de Madrid tejen una «Corona fúnebre» a su memoria. No podía faltar Gallego, que había recibido tanto de la duquesa como del duque singulares muestras de afecto y protección. Y acude al luto general con esta elegía, reconocida por todos como la mejor de cuantas forman la citada «Corona» [9]. ¿Cómo se prepara nuestro poeta para llorar a la protectora? Merece trasladarse el principio:

Al sonante bramido
del piélago feroz, que el viento ensaña,
lanzando atrás del Turia la corriente;
encima al denegrido
cerco de nubes, que de Sirio empaña
cual velo funeral la roja frente;
cuando el cárabo oscuro
ayes despide entre la breña inculta
y, a tardo paso, soñoliento Arturo
en el mar de Occidente se sepulta;
a los mustios reflejos,
con que en las ondas alteradas tiembla
de moribunda luna el rayo frío,
daré, del mundo y de los hombres lejos,
libre rienda al dolor del pecho mío...

Lo primero que piensa uno es que dolor que necesita para manifestarse tal escenografía, no

parece espontáneo. Sin embargo, lo era; lo que sucede es que, como siempre en Gallego, el artificio domina al sentimiento y a la natural inspiración. Por ello y por la parvedad de su producción, tantas veces subrayada, no comprendemos cómo pudo escribir el padre Blanco García que sus poemas «pueden leerse de seguido y sin cansancio», y menos aún entendemos a Díaz-Plaja cuando nos habla de «la vena auténtica, desbordada, irrestañable, de su creación poética», cuando lo que acusa esta elegía, y al igual las demás odas, es lo contrario: cierta lentitud, por no decir cierta premiosidad, en el proceso creador.

Juicio crítico

La fama de Juan Nicasio Gallego fué grande; su autoridad, omnímoda. «No hay en España persona alguna un tanto aficionada a las letras que no pronuncie con respeto este nombre; no hay poeta ni escritor público, de cualquier género que sea, desde los más humildes hasta los más empinados de nuestra época, que no le consulte sus obras y haga en ellas, sin más examen, cuantas correcciones le indique; no hay discusión literaria que no se termine a su arbitrio; no hay, en fin, quien ose replicar a quien en materias de buen gusto asienta una opinión, añadiendo: *así piensa don Juan Nicasio Gallego.*» La cita es de Ventura de la Vega, y el juicio está formulado en 1843, es decir, diez años antes de morir el poeta. Y, aludiendo a lo exiguo de su obra, representada por unos cuantos sonetos y una docena de composiciones de regular dimensión, agrega: «De qué calidad sean esas composiciones, inútil es decirlo; además, que no hay en España literato que no las sepa de memoria..., y aun juzga que de las siete sobran seis para colocarle en el sitio que ocupa.»

IV. LA EPICA EN EL XVIII

No se puede hablar de verdadera epopeya, a la manera de los grandes modelos de los siglos anteriores: *La Araucana, El Bernardo* o *La Cristiada.* Ahora, en el XVIII, se trata más bien de pequeños poemas épicos en uno, dos, tres cantos; seis cuando más. Esta clase de poemas tiene, en el siglo que estamos estudiando, gran aceptación, si hemos de juzgar por el número de sus cultivadores. Raro es el poeta de los nombrados en los capítulos anteriores que no escribiera uno o dos poemas de este tipo. La nueva misión asignada a la poesía, de constituirse en vehículo de ideas y maestra de toda suerte de disciplinas, hizo que prolifera en progresión creciente, desde la invasión del neoclasicismo hasta la era romántica. Se compusieron poemas sobre todas las materias y en todos los metros. De ordinario los

manuales de literatura los suelen silenciar. En parte hacen bien: la baja calidad de tales obrejas no las hace merecedoras de especial atención. Nosotros, sin embargo, creemos que no tendríamos completo el cuadro de la poesía del XVIII si no les dedicáramos unas líneas.

Hasta ciento setenta y cuatro poemas épicos, si no yerran nuestros cálculos, ha catalogado el marqués de Valmar en el volumen LXVII de la Biblioteca de Autores Españoles. Todos ellos corresponden al siglo XVIII, y todos son de autores conocidos, sin querer, por otra parte, saber nada de otros anónimos y seudónimos, y advirtiendo por adelantado que la lista podía aumentarse con muchos más. Sólo Trigueros figura allí con seis poemas de este tipo; Toreno, Forner, Iglesias y Gallardo nos dejaron cada uno cuatro o cinco, y algún vate merecidamente olvidado, como don Luis José Muñoz de León y Ocaña, sin salirse del campo hagiográfico, alumbró hasta media docena de poemas épicos, todos ellos en romance endecasílabo. La mayor parte de tales producciones revelan una pobreza de inspiración que asusta: «Son—dice el mismo Valmar—abortos infelices de las letras extraviadas.» Pero hay algunos que merecen recordarse, bien que de ellos ya se haya hecho la oportuna mención al hablar de los respectivos autores.

Los mejores son *La Burromaquia* (1744), de Alvarez de Toledo, dividida en «rebuznos» o cantos, y de la que sólo se publicaron ciento veinticuatro octavas, de tono grandilocuente, que recuerda *La Mosquea*, de Villaviciosa [10]; *La Gatomaquia*, de Luzán, llena de rasgos satíricos de los malos predicadores; *El imperio de la estupidez*, traducido por Lista, o más bien arreglado de la *Dunciada*, de Pope, en verso suelto, y *La Quinciada*, del conde de Noroña, en ocho cantos. Todo esto en el género festivo. Sobre temas mitológicos destacan: *El Endimión*, de García de la Huerta, en sesenta octavas reales; el *Juicio de Paris*, del mismo Luzán; *El Adonis*, de Porcel, en cuatro églogas venatorias, y el mejor de todos, *El Deucalión*, del conde de Torrepalma, sobre el conocido mito del rey Fetia y de su esposa Pirra, salvados del diluvio que asoló a Tesalia en una nave, anclada luego sobre la cumbre del Parnaso.

El Deucalión abunda en descripciones llenas de vida y de verdad [11].

Sobre tema didáctico sigue siendo el mejor, a pesar de sus defectos, *La música*, de Iriarte, ya estudiado en su lugar. De los inspirados en la historia nacional merece citarse *Las naves de Cortés destruídas*, de Nicolás F. de Moratín, uno de tantos que recogieron la gesta del conquistador de Méjico, para celebrarla en octavas reales de alto tono. De los de inspiración bíblica es el más aceptable *La inocencia perdida*, de Reinoso, también aludida en el lugar correspondiente.

El estilo de éstos y de los demás poemas análogos va evolucionando con los gustos, así como el metro. Primeramente se resienten del engolamiento culterano que se acusó en lo pomposo de algunos títulos [12]. La octava real y la silva son los metros preferidos. Luego, con la invasión neoclasicista, el estilo se va congelando, y, como en el teatro y la lírica, se va haciendo cada vez más rígido, más cerebral y prosaico. Se aspira antes a decir muchas cosas que a decirlas bellamente. Es la época racionalista y filosófica de Jovellanos, de Meléndez, de los dos Moratines. El romance endecasílabo y el verso libre son ahora los metros más usados. Por último, las preocupaciones formales de la nueva escuela sevillana saltan de la lírica a la épica, y el lenguaje vuelve a adquirir ese decoro que nos sorprende, por ejemplo, en *La inocencia perdida*, de Reinoso. Vuelve, a su vez, la octava real.

V. LA POESIA AMERICANA

Una poesía americana del XVIII propiamente no existe. Los buenos poetas de la primera mitad del siglo, como Peralta Barnuevo, se hallan encajados cómodamente en el barroco culterano, y como tales fueron aludidos en su correspondiente lugar. Y los mejores poetas americanos del neoclasicismo —los hay tan excelentes como Olmedo, Bello, Heredia y Batres Montúfar—pertenecen ya al siglo XIX, al período llamado de «Emancipación», y allí serán detenidamente estudiados.

Hay, sí, muchos poetas que llenan con mayor o menor decoro la segunda mitad del siglo; pero sus voces apenas tienen resonancia, y en todo caso sus nombres no caben en un estudio general como el nuestro. Tales son los mejicanos Juan de Arriola, Francisco José de Soria, Manuel Antonio Valdés, José Manuel Colón y Tomás Cayetano de Ochoa; los cubanos José Surí y Aguila, José de Alba y Monteagudo y Lorenzo Martínez de Avileira; el colombiano, nacido en Cuba, Manuel del Socorro Rodríguez; el ecuatoriano Rafael García Goyena, o los peruanos José Bermúdez de la Torre, conde de Granja, y Mariano Melgar. De cuando en cuando se deja oír tanto en Méjico como en las Antillas y en el Sur el acento de algún barroco

recalcitrante, como el de Miguel de Taracena, en sus *Lágrimas de Aganipe*. Existe también un grupo de jesuítas, más humanistas que poetas, que compusieron en latín excelentes poemas: los padres Diego José Abad (1727-1779), Francisco Javier Alegre (1729-1788), ambos mejicanos, y el padre Rafael Landívar (1731-1793), guatemalteco, autor de un *Rusticatio mexicana*, en la que no cabe mayor inspiración y frescura poética, si se tiene en cuenta la aridez del tema y la desventaja de utilizar una lengua muerta. No lo hubiera hecho mejor Angelo Poliziano. Pero la voz más limpia, la más intensamente lírica que sonó en América a lo largo del siglo XVIII fué la voz de una monja: la madre Castillo.

Sor FRANCISCA JOSEFA DEL CASTILLO Y GUEVARA (1671-1742), más conocida por la «Madre Castillo», había nacido en Tunja, y había leído durante su juventud abundante literatura clásica, que bien se echa de ver luego en sus libros. A los dieciocho años ingresó en el monasterio de Santa Clara, del que llegó a ser tres veces abadesa. Pasó muchos padecimientos físicos a causa de su enfermiza salud y no menos tribulaciones morales, por la mala voluntad de sus hermanas en religión. Murió en olor de santidad en 1742. Varios años más tarde se halló su cuerpo incorrupto. Escribió la madre Castillo varias obras, algunas publicadas mucho después de su muerte: una autobiografía, compuesta por mandato de sus confesores, *Vida de la Venerable Madre Francisca Josefa de la Concepción* (Filadelfia, 1817), unos *Sentimientos espirituales* (Bogotá, 1843), «que vienen a ser un mosaico de textos de las Sagradas Escrituras» (M. Pelayo) y algunos trabajos más que permanecen inéditos, aparte de varias poesías. Su prosa, rica, armoniosa y brillante, puede ponerse al lado de la mejor prosa mística del XVI. Menos profunda que Santa Teresa, es tan castiza, tan delicada y tierna como ella. «Las obras de la madre Castillo —ha escrito monseñor Carrasquilla— asombran tanto más cuanto que no floreció, como Santa Teresa, en edad propicia a las letras, ni en tierras de Castilla, sino a fines del XVII y principios del XVIII, cuando todos los que en Nueva Granada hablaban o escribían estaban dominados del más desaforado gongorismo.» Para Vergara y Vergara la madre Castillo es el escritor más notable de Colombia. Si en su prosa se revela consumada maestra, en su verso alcanza cimas insospechadas. Es la suya una poesía fluida, colorista, barroca, con el mejor barroquismo, llena de imágenes felices:

Al monte de la mirra
he de hacer mi camino,
con tan ligeros pasos
que iguale al cervatillo.
Mas, ¡ay Dios!, que mi Amado
al huerto ha descendido,
y como árbol de mirra
suda el licor más primo.
Del bálsamo es mi Amado
apretado racimo
de las viñas de Engadi:
el amor le ha cogido.
De su cabeza el pelo,
aunque ella es oro fino,
difusamente baja
de penas a un abismo.
El rigor de la noche
le da el color sombrío,
y gotas de su hielo
le llenan de rocío.
¿Quién pudo hacer, ¡ay cielo!,
temer a mi querido,
que huye el aliento y queda
en un mortal deliquio?
Rojas las azucenas
de sus labios divinos,
mirra amarga destilan
en su color marchitos.

Y antes había aludido al habla del Amante, que

miel y leche destila
entre rosas y lirios.

Como se ve, la madre Castillo enlaza muy dignamente la alta poesía femenina representada por sor Juana Inés de la Cruz, en el Siglo de Oro, con la brillantísima poesía también femenina encarnada en nuestros días por Gabriela Mistral, Alfonsina Storni, Juana de Ibarbourou, Dulce María Loynaz, etc.

NOTAS

1. Publicada por Emilio Cotarelo, «La España Moderna», enero, 1895.
2. Aparte de las obras poéticas citadas en el texto, escribió Meléndez: *Discursos forenses*, recogidos y publicados por Quintana (Madrid, 1821); *El magistrado*, poema didáctico; *Tristemio*, diálogos lúgubres en prosa sobre la muerte de su padre; *Pensamientos o reflexiones de un solitario*, inspiradas en *Les reveries*, de Rousseau; *Cartas de Ibraim, Discurso sobre la belleza, Reflexiones sobre el lujo, Reflexiones sobre la Historia, Historia de la Judicatura en España, Ensayo sobre la propiedad, Memoria militar y práctica sobre el ejército de la izquierda*, etc. Todas estas obras, menos los *Discursos forenses*, pueden darse por perdidas. Se sabe que tenía muy adelantada una traducción de la *Eneida*, desaparecida juntamente con los otros escritos al salir de España para el exilio. Vid. Salinas, ed., pról. y notas a *Poesías de M. Valdés*, «Clásicos Castellanos», LXIV. Ultimamente (1954), el erudito investigador don Antonio Rodríguez Moñino ha dado a conocer un volumen de *Poesías inéditas de Juan Meléndez Valdés*, vol. XIV de «Bibl. selecta de Clásicos Españoles».
3. Que empieza así:

No con mi blanda lira
serán en ayes tristes
lloradas las fortunas
de reyes infelices....

Idéntico pensamiento desarrolla en la odita XLIX *(De mi gusto)*; aún lo expone con mayor claridad en la primera de la serie titulada *La paloma de Filis*:

Otros cantan de Marte
las lides o zczobras;
o del alegre Baco
los festines y copas...

4. Véase SALINAS: *Ob. cit.*, págs. 43-57.
5. El solemne acto se celebró en el palacio del Senado el 25 de marzo de 1855. La propia reina doña Isabel II ciñó la corona al poeta. En el álbum o «Corona poética» dedicada a Quintana con tal motivo por los redactores de *La España Musical y Literaria* colaboraron cincuenta y siete poetas, entre ellos Arnao, Manuel del Palacio, García de Quevedo, Pedro A. de Alarcón, López de Ayala, Serra, Hartzenbusch y Bécquer, que entonces sólo tenía diecinueve años, con la composición más extensa de cuantas conocemos del autor de las *Rimas*. Existen otras dos «Coronas poéticas», una referencia sobre el acto, que recoge Joaquín Olmedilla y Puig en «La España Moderna» (diciembre de 1908), y un cuadro de Luis López, existente en el Senado.
6. «Siendo este escritor —decía en 1835 *El Artista*, órgano de los románticos— uno de los pocos sobre cuyos méritos están acordes los hombres de todos los partidos políticos y literarios, inútil será decir que también lo están sobre este punto los jóvenes que componen la Redacción de *El Artista*, con lo que no hacen más que unirse sinceramente al voto universal de todos sus compatriotas.» Vid. Narciso Alonso Cortés, ed., pról. y notas a *Poesías de Quintana*, «Clásicos Castellanos», LXXVIII, 1944.
7. Las cuatro primeras ediciones de las *Poesías* de Quintana corresponden a 1788, 1802, 1813 y 1821. Esta última es la definitiva. También dirigió personalmente la edición de sus *Obras completas* para la Biblioteca de Autores Españoles, de Rivadeneyra, XIX, 1852. Debe advertirse que la primera de 1788 nada tiene que ver con las otras tres, por ser distintas las composiciones.
8. El padre Blanco García *(La literatura española en el siglo XIX*, I, págs. 12-13) hace un recuento de epítetos impropios y manidos, utilizados por Quintana: *lúgubre alarido, bronce tonante, infelice frente, discordia pérfida...* Ha de advertirse, en descargo del poeta, que cuando éste los emplea son nuevos muchos de ellos, o al menos no están gastados. Otro tanto ha de decirse de sus incorrecciones gramaticales. No hay poeta perfecto gramaticalmente. El mismo Juan Nicasio Gallego, tan remirado en cuanto hacía y que al padre Blanco le vuelve loco con su exquisita corrección, no sorprende en los primeros versos de su mejor elegía con construcciones de este tipo: *encima al denegrido — cerco de nubes...* Por lo que hace a su fanatismo ideológico, hay que reconocer que Quintana no tiene excusa. Los juicios injustos saltan por cualquier lado:

... vanamente
discurre mi deseo
por tus fastos sangrientos; vanamente
busco honor y virtud : fué tu destino
dar nacimiento un día
a un odioso tropel de hombres feroces,
colosos para el mal...

Así habla, refiriéndose a España, en su oda *A Padilla*. Y en la dedicada *A la expedición para propagar la vacuna*:

... Ya en estos días
no somos, no, los que a la faz del mundo
las alas de la audacia se vistieron
y por el ponto Atlántico volaron;
aquellos que al silencio en que yacías
sangrienta, encadenada, te arrancaron.

9. Nosotros estaríamos tentados a preferir la que en la misma «Corona» le dedicó Martínez de la Rosa, de la que los primeros y últimos versos son un acierto :

Yo aquí no tengo para ornar su tumba
ni una flor que mandarte, que las flores
no nacen entre el hielo; y, si naciesen,
sólo al tocarlas yo se marchitaran.

Así termina la Epístola enviada al duque de Frías desde París.

10. Por la disposición, no por el lenguaje, que en *La Burromaquia* suele ser de corte culterano.

Ya los corvos relámpagos de acero
son del campo cometas voladores,
donde, guardando a la razón su fuero,
usa el furor geométricos primores;
ya por ardid de su coraje fiero
es el arte auxiliar de sus rencores,
y, oprimiendo el volcán nevado engaño,
modera el odio por lograr el daño.

11. Como ésta, que tomamos al azar :

Sobre la última roca retirada,
amante madre, al tierno infante asida,
la planta de las ondas ya bañada,
lo levanta a los hombros afligida;
del miedo de las olas perturbada,
en el piélago cae desvanecida;
y, aun en la ansia letal agonizando,
va al hijo entre las olas levantando.

12. *Obsequiosa métrica expresión de devoto afecto a nuestro muy Glorioso Padre de la Caridad y Providencia San Cayetano* (1730), titula su poema un don Miguel Artabe y Anguita, dividiéndolo en dos partes : la primera, en romance endecasílabo, y la segunda, en octavas. Aún va más lejos en la originalidad del metro fray José Joaquín Benegasi y Luján, en su *Vida del portentoso negro San Benito de Palermo, descrita en seis cantos jocoserios del reducidísimo metro de seguidillas, con los argumentos en octavas* (Madrid, 1750). Pero el que sobrepasa a todos en la titulación es un don Luis Moncada Fripb de Chirgbefo con su *Sacra Laureada Corona forjada en el elevado mantuano carpetano Monte, invencible émula del Pindo, al canoro impulso de la métrica lira de Apolo, colgada por trofeo del cautivo Redemptor Jesús Nazareno en los dinteles de su nueva Real Capilla..., que ciñe las festivas pompas e ilustres aparatos con que se colocó dicha rediviva imagen en su augusto trono, etc., etc., etc.* (Madrid, 1736). Para que se vea adónde llegaba la extravagancia, recordemos que un don Pedro Alonso de Salamanca, a quien le dió por los poemas didascálicos, nos dejó uno sobre las principales heresiarcas, otro sobre los veinte Concilios generales de la Iglesia y otro sobre el origen de las distintas naciones.

BIBLIOGRAFIA

Además de la bibliografía de los dos capítulos anteriores, consúltese la siguiente :

I. E. ALARCOS : *Meléndez Valdés en la Universidad de Salamanca*, «Bol. Real Acad. Esp.», XIII, 1926.—L. ARAÚJO COSTA : *D. Juan Meléndez Valdés*, «Alcántara», núms. 87-89, Cáceres, 1955.—AZORÍN (J. Martínez Ruiz) : *Meléndez Valdés*, «De Granada a Casteiar», Madrid.—WILLIAM F. COLFORD : *Juan Meléndez Valdés. A Study in the transition from Neo-Classicism to Romanticism in Spanish poetry*, Hispanic Institute, Nueva York, 1942.—J. M.ª DE COSSÍO : *En torno a la poesía de Meléndez Valdés. Un dato para la fortuna de Young en España*, «Bol. Bibl. M. Pelayo», Santander, 1925; *Poesía española: Notas de asedio*, Colec. Austral, núm. 1.138.—G. DEMERSON : *Meléndez Valdés. Quelques documents inédits pour completer sa bibliographie*, «Bull. Hispanique», LV, 1953.—N. DÍAZ PÉREZ : *Diccionario de extremeños ilustres*, vol. II; *Homenaje a la memoria de don Juan Meléndez Valdés*, Madrid, 1900 (colaboran varios escritores).—M. FERNÁNDEZ ALMAGRO : *Meléndez Valdés, clásico y romántico*, «Clavileño», núm. 26, Madrid, 1954.—R. FOULCHÉ-DELBOSCH : *Poesías inéditas de M. Valdés. «Los besos de amor»*, «Rev. Hispanique», I, 1894.—J. GÓMEZ HERMOSILLA : *Juicio crítico de los principales poetas españoles de la última era*, vol. I, Valencia, 1840.—A. GONZÁLEZ PALENCIA : *M. Valdés y la literatura de cordel*, «Entre dos siglos», ed. cit.—E. MÉRIMÉE : *Meléndez Valdés. Etudes sur la littérature espagnole au XVIIIe siècle*, «Rev. Hisp.», I, 1894.—F. DE MUNSURI : *Un togado poeta: M. Valdés*, Madrid, 1929.—MANUEL J. QUINTANA : *Vida de Meléndez Valdés*, vol. XIX Bibl. Aut. Esp. de Rivadeneyra, Madrid, 1867.—RODRÍGUEZ MOÑINO : *D. Juan M. Valdés. Nuevos y curiosos documentos para su biografía*, «Rev. Arch., Bibl. y Museos», Madrid, 1932; *Meléndez Valdés. Poesías inéditas*, introd. bibliográfica de..., Real Acad. Esp., Madrid, 1954.—P. SALINAS : *J. Meléndez Valdés. Poesías*, ed., pról. y notas de..., «Clás. Castellanos», Madrid, 1925; *Los primeros romances de M. Valdés*, «Hom. a M. Pidal», II, Madrid, 1925.—M. SERRANO Y SANZ : *Poesías y cartas inéditas de M. Valdés*, «Bull. Hispanique», 1899.—J. VALERA : *Meléndez Valdés*, «Obras completas», II, M. Aguilar, Madrid, 1942.

II. N. ALONSO CORTÉS : *Poesías juveniles de Quintana*, «Rev. Ayunt. Madrid», X, 1933; *Quintana. Poesías*, ed., pról. y notas de..., «Clás. Castellanos», LXXVIII, Madrid, 1944.—R. BLANCO : *Quintana: Sus ideas pedagógicas, políticas y su significación filosófica*, Madrid, 1910.—M. CAÑETE : *Obras inéditas del Excmo. Sr. D. Manuel J. Quintana*, Madrid, 1872.—A. CAZZANIGA : *Vita et opere de don M. José Quintana*, Milán, 1835.—M. DE LA CRUZ : *Manuel José Quintana*, «Est. literarios», Madrid, 1924.—L. AUGUSTO CUETO (marqués de Valmar) : *Discurso de ingreso en la Real Acad. Española*, Madrid.—E. DÍAZ-JIMÉNEZ MOLLEDA : *Epistolario inédito de Quintana*, «Bol. Real Acad. Esp.», XXIII, 1936.—J. G. FUCILLA : *Una visita de Antonio Cazzaniga a José M. Quintana*, «Quad. Iberi-Americani», II, Turín, 1954.—M. MENÉNDEZ PELAYO (aparte *Ideas estéticas* e *Historia de los heterodoxos*): *Quintana considerado como poeta lírico*, «Est. y disc. de crít. hist. y literaria», IV, 1942.—E. MÉRIMÉE : *Les poésies lyriques de Quintana*, «Bull. Hispanique», IV, 1902.—E. DE OCHOA : *Galería de ingenios contemporáneos: Don Manuel J. Quintana*, «El Artista», II, Madrid.—J. OLMEDILLA PUIG : *La coronación del poeta Quintana*, «La España Moderna», Madrid, diciembre, 1908.—J. PÉREZ DE GUZMÁN : *Las mocedades de don M. José Quintana. Apuntes y datos inéditos para su biografía*, «La España Moderna», Madrid, 1904; *Documentos para la bibliografía de don M. José Quintana*, «Bol. de la Real Acad. Española», Madrid, 1910.—E. PIÑEYRO : *Manuel J. Quintana: Ensayo crítico y biográfico: 1772-1857*, París, 1892.—A. PIRALA : *Quintana como historiador*, disc. Real Acad. Hist., Madrid, 1892.—M. JOSÉ QUINTANA (sobrino del poeta): *Quintana. Obras completas*, pról. de..., Madrid, 1897.—MANUEL J. QUINTANA : *Memoria sobre el proceso y prisión de don... en 1814, escrita por él mismo*, «Obras completas», III, Madrid, 1898.—F. CARLOS SAINZ DE ROBLES : *Manuel J. Quintana. El retrato. La obra*, «El teatro español. Historia y antología», V, Madrid, M. Aguilar, 1943.—A. SÁNCHEZ MOGUEL : *Don Manuel J. Quintana como historiador*, «Rev. de España», CXLI, Madrid, julio-agosto, 1892.

III. A. ARNAO : *Elogio de don Juan Nicasio Gallego*, Madrid, 1876.—F. CEBALLOS : *El P. Juan Nicasio Gallego. En el centenario de su muerte*, «Verdad y Vida», XII, Madrid, 1953.—J. M.ª DE COSSÍO : *El realismo de don J. Nicasio Gallego*, «Bol. Bibl. M. Pelayo», V, Santander, 1923.—F. V. M.: *Galería de ingenios contemporáneos. Don J. Nicasio Gallego*, «El Artista», I, Madrid.—E. GONZÁLEZ NEGRO : *Estudio biográfico de don J. Nicasio Gallego* (tesis doctoral), Zamora, 1901.—M. NÚÑEZ ARENAS : *Miscelánea romántica. Nicasio Gallego*, «Bol. Bibl. M. Pelayo», Santander, 1927.

IV-V. Para la épica del s. XVIII, vid. L. A. CUETO : *Ob. cit.*—Para la poesía americana del XVIII, M. MENÉNDEZ PELAYO : *Historia de la poesía hispanoamericana*, 2 vols.—Para la madre Castillo, MONSEÑOR CARRASQUILLA : *Discurso de recepción en la Academia Colombiana de la Lengua*, y JAVIER ARANGO FERRER : *La literatura de Colombia*.

CAPITULO LII

EL TEATRO EN EL SIGLO XVIII

I. PANORAMA GENERAL.—II. TENDENCIA TRADICIONALISTA: *Bances Candamo. Zamora y su «Don Juan». Cañizares. Otros dramaturgos.*—III. TENDENCIA POPULAR: *Don Ramón de la Cruz. Datos biográficos. Los sainetes. Análisis de algunos. El sainete, documento de época. González del Castillo.*—IV. TENDENCIA NEOCLASICISTA: *Moratín padre y Cadalso. «La Raquel», de García de la Huerta. Más cultivadores de la tragedia neoclásica.*—V. LA COMEDIA: *Iriarte.*—VI. LEANDRO FERNÁNDEZ DE MORATÍN: *La vida. La obra. La comedia moratiniana. Análisis y argumento de las obras. Moratín y Goldoni. Moratín, poeta lírico. Prosa didáctico-crítica de Moratín.*—VII. REFUNDICIONES Y ADAPTACIONES.—NOTAS.—BIBLIOGRAFÍA.

I. PANORAMA GENERAL

La estética propiamente neoclásica, ya queda dicho, empieza a imponerse hacia el 1737. Hasta esa fecha nuestras letras, siempre en franca decadencia, siguen aún la línea del barroco. Zamora y Cañizares, que parecían llamados a infundir nueva savia al teatro, no pasan, lo mismo en sus obras originales que en las refundiciones, de una discreta medianía [1]. No pudieron o no supieron detener la decadencia, tan patente ya en los inmediatos sucesores de Calderón: Hoz y Mota, Solís, Matos Fragoso y otros. Desaparecidos aquellos ingenios, puede afirmarse que el teatro no existe, a no ser que queramos llamar comedias a los engendros lastimosos de Rodríguez de Arellano, Valladares, Zabaleta, Zabala y Moncín, que si para algo sirven es para justificar la acerba crítica de Moratín en su *Comedia nueva.* Quedaba Bances Candamo; pero este dramaturgo, desaparecido en lo mejor de su edad, tanto como al XVIII pertenece a la centuria anterior, como epígono que es, y muy decoroso, del teatro calderoniano. En tal ambiente la reforma no podía hacerse esperar, y si llegó a malograrse no fué tanto por la estrechez de criterio estético en sus máximos defensores—Moratín, Clavijo, Iriarte y Cadalso—como por falta de tacto y de talento en aquellos que, llamándose tradicionalistas, no acertaron a tomar de nuestro gran teatro sino la parte negativa, incapaces, por otra parte, de encauzar los gustos de un público que, dicho sea de paso, no eran ya los de la época de Felipe IV. Creemos que el intento de formar una tragedia nacional no merece las acres censuras que se le han prodigado. Creemos también que el afán de contraponer a ese intento, tan noble como otro cualquiera, una figura representativa de la escena española ha llevado a los historiadores de nuestras letras a supervalorar los méritos de don Ra-

món de la Cruz, méritos indiscutibles, pero siempre muy exagerados, y que en ningún caso le dan derecho al título de «restaurador del teatro nacional», que alegremente le adjudica Cejador viendo en aquellas piececillas, tantas veces insulsas y rezumantes de chabacanería, nada menos que el espíritu del auténtico teatro español, con preferencia a todas las creaciones de Tirso de Molina o de Lope de Vega. Hace falta decirlo: en el fracaso de aquel anhelo, que buscaba un drama acomodado a las características y gustos de la época, tanta responsabilidad incumbe a los tradicionalistas como a los mismos neoclásicos. Unos y otros, con su apasionamiento ciego y su prurito de imponer el propio credo estético, malograron la creación de un teatro que, aunque vaciado al principio en módulos franceses, no hubiese tardado en encontrar probablemente su verdadera conformación española. Añádase que el siglo XVIII no encontró, como el XVII, un Lope de Vega; o un duque de Rivas, como el Romanticismo; ni siquiera un Benavente, como nuestra época, capaz de imponerse a todos con la fuerza de sus creaciones.

Lo cierto es que el siglo XVIII, dígase lo que se quiera, no tiene teatro propio. Vive en casi toda su primera mitad con los peores residuos de la escena calderoniana, y la otra mitad se llena penosamente con refundiciones e imitaciones de la extranjera, a las que sólo la parca vena de Leandro F. de Moratín aporta leves hilillos de originalidad. Pero eso no basta para formar todo un teatro nacional y menos en España, acostumbrada al suyo, tan copioso, tan original, tan auténticamente propio. Como no bastan ni la *Raquel* de Huerta, ni los sainetes de don Ramón de la Cruz, por mucho que se los quiera distender, elevando a la categoría de drama nacional el más ínfimo de sus géneros, para llenar la enorme brecha que se abre con la muerte de Calderón y llega hasta el estreno de *Don Alvaro o la fuerza del sino.* El hueco, pues, existía y había que llenarlo; en otras palabras, la reforma se imponía. Era la misma que experimentó toda la literatura del XVIII, sólo que, al manifestarse en el teatro con más virulencia, frustró las más generosas iniciativas. Allí, como zona más extensa y de interés, por decirlo así, colectivo, se suscitaron las más agrias polémicas, y toda la nación, toda la sociedad culta, público y escritores, se dividió en banderías irreconciliables. En otro lugar lo hemos estudiado por extenso y vimos cómo los atildados y versallescos caballeros del XVIII no siempre hicieron gala de finuras cortesanas y en más de una ocasión hubieron de descender al terreno del insulto y del ataque personal. Y es que desde el primer momento unos y otros erigieron sus credos estéticos en artículos de fe, presentando como antitéticos unos postulados, donde un espíritu imparcial acaso hubiera podido descubrir muchos puntos coincidentes y comunes.

Para mayor claridad agruparemos el teatro de la época en tres grandes apartados: tradicional, popular y neoclásico. Anillos de enlace entre ellos son las refundiciones y adaptaciones de obras dramáticas de la Edad de Oro, conforme a módulos y gustos neoclásicos [2].

II. TENDENCIA TRADICIONALISTA

Aspira esta tendencia a continuar en temas y técnica el gran teatro del siglo XVII; pero sólo en parte consigue su intento, gracias en primer lugar a Bances Candamo, que mantiene con bastante decoro la escena española hasta los primeros años del XVIII. Luego recoge su herencia Antonio de Zamora, y la conserva durante casi todo el primer tercio de la citada centuria, exactamente hasta el 1728, año en que fallece. Viene a sustituirle no sin cierta dignidad José de Cañizares, cuya desaparición coincide con la mitad exacta del siglo: 1750. Conforme se va alejando de Calderón, va perdiendo el teatro más y más en autenticidad y vigor. Es el mismo fenómeno de descenso que, aplicado a la lírica, subrayábamos en el capítulo XLIX, a través de Alvarez de Toledo, Gerardo Lobo, Verdugo y Porcel.

Bances Candamo

En la copiosa producción dramática de don FRANCISCO ANTONIO DE BANCES Y LÓPEZ CANDAMO (1662-1704) [3] tropezamos con todos los géneros vigentes en el teatro del XVIII: entremeses y bailes (*La audiencia de los tres alcaldes, Las visiones, El astrólogo tunante, El flechero rapaz*); autos (*El gran químico del mundo, Las mesas de la Fortuna, El primer duelo del mundo, La mística monarquía,* que algunos atribuyen a Zamora); comedias de historia nacional (*Más vale el hombre que el nombre, El sastre del Campillo o Duelos de amor y de celos, La inclinación española y musulmana nobleza, El español más amante y desgraciado Macías*); de historia clásica (*El esclavo en grillos de oro, Cambises triunfante en Menfis*); de historia extranjera (*Quién es quien premia al amor, La Garretiera de Inglaterra, Sangre, valor y fortuna; El Austria en Jerusalén*); costumbristas (*El duelo contra su dama, Por su rey y por su dama*); filosóficas (*La piedra filosofal*); religiosas (*El venga-dor de los cielos y rapto de Elías, San Bernardo Abad,* en colaboración con Hoz y Mota; *La Virgen de Guadalupe*); mitológicas (*Duelos de ingenio y fortuna*); y algunas zarzuelas (*Cómo se curan los celos y Orlando furioso, El imposible mayor en amor lo vence amor*). Ha de advertirse que la multiplicidad de títulos en una misma comedia hace difícil una clasificación precisa del teatro de Candamo. Así, por ejemplo, *Cambises trunfante en Menfis* lleva otros títulos más: *El triunfo de Tomiris* y *Cuál es afecto mayor, ¿lealtad, sangre o amor?* Y lo mismo ocurre con varias más, conocidas por tres y hasta cuatro títulos distintos.

Entre las piezas religiosas hay que destacar *El rapto de Elías,* con episodios bíblicos (Nabot, Acab, Jezabel) ya utilizados por Tirso de Molina y Rojas Zorrilla; y *San Bernardo Abad,* que recoge las luchas del Papa Inocencio y el Antipapa Anacleto. De historia extranjera nos dejó una excelente comedia en *Quién es quien premia al amor,* en torno a la reina Cristina de Suecia, que abandona el trono en favor de su primo el príncipe Carlos al comprobar que éste proyectaba casarse con ella sólo por ambición de mando. La galantería y la caballerosidad están encarnadas en el noble español don Antonio de Pimentel. Todavía es mejor *El esclavo en grillos de oro,* sobre un episodio de la vida del emperador Trajano. Bien versificada y con un argumento interesante y bien llevado, puede figurar entre las mejores comedias, no sólo de Bances, sino de todo el teatro clásico español. Otro tanto puede decirse de *Por su rey y por su dama,* sobre la toma de Amiens, y que lo mismo puede incluirse en el género de las costumbristas o quizá, dada la trama, entre las de capa y espada. Es toda ella una apología de la nobleza de espíritu y de la sinceridad:

> Digo a todos cuanto siento,
> del general al soldado;
> si por esto no he medrado,
> por esto vivo contento.

> Que aquel que afectado ves,
> es, haciéndose a sí mal,
> verdugo del natural
> y mártir del interés.

Las mejores comedias de Bances han de buscarse entre las de historia nacional: *El sastre del Campillo*, sobre la oposición de León y Castilla, con duelos caballerescos, intrigas amorosas, damas disfrazadas de caballeros, traiciones, etc., todo muy bien dosificado; *El español más amante y desgraciado Macías*, ya llevado a la escena por Lope de Vega en *Porfiar hasta morir*, y, sobre todas, *Más vale el hombre que el nombre*, en la que se reacciona briosamente contra el duelo:

> ¡Ay de España, si no quita
> esta costumbre de España!,

y contra el falso concepto del honor, destacando a cada paso la conducta como el mayor timbre de nobleza.

Sin ser mejor que otras, la obra que más prestigio dió a Bances en su tiempo es *La piedra filosofal*. Está urdida con retazos, o más bien inspiraciones, de *La vida es sueño*, de Calderón de la Barca, y *La prueba de las promesas*, de Ruiz de Alarcón, sólo que concebida al revés: para Segismundo, la vida es un sueño; para el protagonista de *La piedra filosofal*, el sueño es también vida:

> Que entre el soñar y el vivir
> ninguna distancia hallo...

El desenlace, boda de Hispalo con Iberia, de complicado simbolismo y «arreglado» con exceso, desmerece del resto de la obra.

El teatro de Bances se nos revela como una continuación del calderoniano. Conserva en lo posible las virtudes de éste y aspira a convertir la escena en escuela de la mejor hidalguía. Ya en su *Teatro de teatros de los pasados y presente siglos*, obra muy interesante para el conocimiento de la dramática de Bances (publicada parcialmente por la *Revista de Archivos, Bibliotecas y Museos*, Madrid, 1901-1902), defiende su autor la superioridad de la comedia sobre la Historia, en cuanto ésta nos ofrece tipos reales y tales como la vida los ha dado, y aquélla, en cambio, puede presentarnos tipos ejemplares de virtud y de nobleza. Bances ajusta su obra a esta ideología previa; de ahí que cada comedia suya sea un panegírico de las tradicionales virtudes raciales y una censura y hasta sátira de aquellos que el poeta considera vicios de la España de su tiempo.

Acabamos de aludir al *Teatro de teatros de los pasados y presentes siglos*. Es ésta una obra de capital interés para conocer no sólo la ideología dramática de Bances Candamo, sino toda la problemática teatral de su tiempo. Va dividida en dos partes: una, general, en la que se abordan problemas tan importantes como la experiencia y el arte, la naturaleza de la comedia española en sus relaciones con la extranjera, la comedia en función de la Historia y la moralidad en el teatro. Es curioso que Bances Candamo niegue a los teólogos autoridad para dictaminar en la materia. La segunda parte es una refutación del *Discurso teológico contra las comedias*, del jesuíta padre Camargo. En ella se presenta a Calderón como restaurador del teatro español; y se habla largamente de toda clase de espectáculos: comedias «de fábrica»; de capa y espada; bailes lascivos de Cádiz; juegos de Ascoliasmo; danza de las espadas; mimos, archimimos y sátiros; tragedias y comedias; histriones; jugadores de manos, etc. Uno de los enunciados de esta sección viene expresado así: «Examínanse todas las circunstancias de la comedia moderna, y pruébase que conviene en todas con los regocijos que permiten los Santos Padres y Sacros Cánones y *per consecuentiam*, que es acto indiferente.»

Bances Candamo es autor también de un poema épico incompleto, en octavas reales, *El César africano*, sobre la conquista de Túnez por Carlos V; y de una colección de *Obras líricas* (Madrid, 1720), en la que hay poemas notables, como el soneto *Vida de aldea*, o el romance heroico *A la imagen de Santa Magdalena de Pedro de Mena*, rico en pasajes de alto valor descriptivo.

Zamora y su «Don Juan»

Madrileño, según declara en varias de sus obras, ANTONIO DE ZAMORA (¿1662?-1728) [4], a la vez que estimable dramaturgo original, es refundidor habilísimo de comedias ajenas, hasta el punto de que en muchas de ellas se hace difícil discriminar lo que ha tomado de otros y lo que ha puesto de propia cosecha.

Su teatro, ya que el resto de su producción apenas interesa, suele repartirse en comedias religiosas, históricas y de figurón. A las primeras corresponden: *Judas Iscariote, Por oír misa y dar cebada nunca se perdió jornada, El lucero de Madrid y divino labrador San Isidro*; a la historia nacional: *Cada uno es linaje aparte, Quitar de España con honra el feudo de cien doncellas, La defensa de Tarifa y blasón de los Guzmanes* y *Mazariegos y Monsalves*; a la historia extranjera: *La doncella de Orleáns*; a la clásica: *La destrucción de Tebas*, y a la histórico-teológica: *No hay plazo que no se cumpla ni deuda que no se pague y convidado de piedra*. Entre las llamadas «de figurón» merecen citarse *El hechizado por fuerza* y *Don Domingo de don Blas*.

En *Judas Iscariote* consigue una buena comedia religiosa basada en los Evangelios apócrifos. Algunos rasgos de Judas recuerdan a *El Anticristo*, de Ruiz de Alarcón, y hasta se ha buscado cierta similitud con Edipo. *Por oír misa y dar cebada...* trata la conocida leyenda del caballero devoto de la misa, dramatizada antes pór Mira de Amescua y convertida en auto sacramental por Calderón. Sobre la vida de San Isidro labrador, repetida fuente de inspiración de Lope, versa *El lucero de Madrid*.

A excepción de *El hechizado por fuerza*, las mejores comedias de Zamora corresponden al grupo histórico. *Quitar de España con honra el feudo de cien doncellas* es una simple refundición de *Las famosas asturianas* de Lope, pero con algunas innovaciones: la protagonista pierde el carácter ingenuo a la vez que varonil que tiene en Lope para convertirse en un tipo achulado. Zamora ha desvirtuado este carácter como desvirtuó el de don Juan en *No hay plazo que no se cumpla*. *La defensa de Tarifa y blasón de los Guzmanes* recuerda la consabida hazaña de Guzmán el Bueno. *Mazariegos y Monsalves* dramatiza la historia de dos banderías de la ciudad de Zamora con sus correspondientes traiciones y desafíos. Se trata de una comedia que conserva con bastante fidelidad el ideario dramático del siglo anterior. El carácter de doña Leonor está bien observado: constante en medio de los mayores peligros, hace norte de su conducta dos sentimientos: el honor y el amor. Hay escenas fuertemente emotivas, como aquella en que don Enrique, por guardar el decoro de una dama, no duda en atravesarse la mano con su propia daga [5]. *La doncella de Orleáns* alude al martirio de Santa Juana de Arco, tan repetido en el teatro de todos los países. *La destrucción de Tebas* reproduce una vez más la conocida tragedia familiar de Eteocles y Polinice.

Una de las comedias que le ha dado mayor fama es *No hay plazo que no se cumpla ni deuda que no se pague y convidado de piedra*, escenificación de las aventuras del famoso personaje creado por Tirso de Molina, tan fecundo que ha llegado a invadir casi todos los géneros literarios.

Don Juan llega a Nápoles fugitivo de España. En su patria ha dejado

> ... dos o tres muertes
> sin motivo, y otras tantas
> clausuras rotas por sólo
> un quítame allá esas pajas.

Ha seducido, previa palabra de matrimonio, a doña Beatriz de Fresneda. En Nápoles burla a Julia Octavia, fingiéndose su prometido Filiberto Gonzaga. El comendador de Calatrava, don Gonzalo de Ulloa, que tenía proyectado el matrimonio de su hija doña Ana con don Juan, conocedor de su conducta, rompe el compromiso. Sorprendido don Juan en casa de la dama, da muerte al comendador. Doña Ana acude al rey demandando justicia, y lo mismo hace Filiberto, que solicita permiso para desafiar a don Juan. Este es prendido y el rey encarga de su custodia a su propio padre, don Diego. Perseguido por Filiberto y Fabio, se acoge a la iglesia de San Francisco, donde está enterrado el comendador; se acerca a la estatua y le invita a cenar. El comendador acepta el banquete. Tras diversos episodios el «burlador» muere en el convite que le ofrece don Gonzalo [6]. Filiberto casa con doña Ana, y doña Beatriz, protegida por don Diego Tenorio, solicita entrar en un convento.

Mencionemos de las costumbristas *El hechizado por fuerza*, típica comedia de figurón, con los consiguientes enredos, apagones de luz, estrépito de cadenas, etc. La figura del tonto y avaro don Claudio está muy lograda. Zamora consigue en algunas escenas subido tono cómico; así, en la consulta de los doctores, que pudo inspirar otra similar de la conocida zarzuela *El rey que rabió*; y las del hechizamiento del protagonista. También Leonor resulta un carácter simpático: reconoce la simpleza de su prometido, pero no se resigna a perderlo:

> No dudo yo que en mi boca
> es la instancia desairada
> al ver que ruego; mas quiero
> yo, repitiendo la instancia,
> cerrar la boca a la siempre
> mordaz malicia villana,
> de quien al ver que ha tenido
> don Claudio en mi casa entrada,
> discurra que quizá pudo
> averiguar en mi casa
> algún algo que desmienta
> los créditos de mi fama.

El tono irónico es patente en las escenas de amor, honor y celos, que se resuelven de manera bufonesca.

Dentro del mismo género de figurón merecen recordarse *Don Domingo de don Blas*, refundición de la del mismo título del mejicano Ruiz de Alarcón, y *El indiano perseguido*, don Bruno de Calahorra.

Compuso también Zamora bailes, zarzuelas y entremeses; sobresale el titulado *Los gurruminos y las gurruminas*, sátira de los maridos que dejan dominarse por sus esposas.

Adolece el teatro de Zamora de todos los defectos que vienen señalándose al de los continuadores de Calderón: lenguaje ampuloso, caracteres casi siempre falsos, comicidad que degenera en chocarrería y una pintura exagerada de los tipos, que los convierte en simples caricaturas. No obstante, tiene aciertos tanto de expresión como de técnica: su don Juan, aunque achulado y matón, es con su aureola de conquistador un anticipo del Tenorio romántico; y no cabe duda que, al dejar en suspenso el desenlace del drama, dando con ello a su protagonista una posibilidad de salvación eterna, Zamora aportó a la obra de Tirso un nuevo elemento de interés, que luego supo aprovechar Zorrilla.

Cañizares

Superior a Zamora y madrileño como él es el otro calderoniano de la época: JOSÉ DE CAÑIZARES (1676-1750) [7], último eslabón de un ciclo glorioso. Menéndez Pelayo, tan benévolo de ordinario, lo juzgó con inusitada dureza al decir «que debió siempre a la imitación, cuando no al plagio, sus mayores aciertos», y al calificar todas sus obras, con excepción de las farsas, de «hurtos honestos». Descartado lo mucho que hay en su dramática de reelaboración y aprovechamiento de temas anteriores, todavía podemos entresacar un grupo de comedias dignas de estima, tanto por su técnica como por la fuerza de sus caracteres. Sin contar con que su habilidad en la reproducción de tipos y costumbres populares, unida a cierta gracia natural y abigarrado pintoresquismo, nos lo presentan como el precedente inmediato de don Ramón de la Cruz.

Su teatro es más variado que el de Zamora: comedias religiosas, históricas—con su doble temática, nacional y extranjera—, de figurón, novelescas, de tramoya y zarzuelas. Nos limitaremos a una alusión brevísima de las más conocidas.

La viva imagen de Cristo, el santo Niño de la Guardia alude a la crucifixión del famoso infante por los judíos, en tiempo de los Reyes Católicos, episodio ya llevado a las tablas por Lope de Vega. *A cual mejor, confesada y confesor* presenta rasgos de la vida de Santa Teresa y San Juan de la Cruz.

Mejores que estas hagiográficas son las históricas y las de figurón. *Por acrisolar su honor, competidor, hijo y padre* se reduce a una continuación de *La desdichada Estefanía*, de Lope de Vega, con la que enlaza ya en su primera jornada. Obra de brillante versificación y de caracteres sostenidos, destacan las décimas de la jornada III, en que padre e hijo intentan hacerse desistir mutuamente del duelo para que pueda mejor sentenciar el rey, y la escena en que se plantea el conflicto de Hernán de Castro al defender la culpabilidad de su esposa. Menos interés ofrece *Las cuentas del Gran Capitán*, sobre la conocida anécdota del conquistador de Nápoles. Abunda, sin embargo, en rasgos felices, que acusan un conocimiento a fondo de la psicología de la raza:

> Gran nación, a la verdad:
> a llanto mueve y a risa
> ver que, andando sin camisa,
> gasten tanta vanidad.
> Quedar bien en la ocasión
> y no el comer le interesa...

Las alusiones a vicios y costumbres de la época también suelen ser muy certeras; como aquella en que García de Paredes se burla de la Corte y de los cortesanos, tan afeminados y compuestos:

> que apenas, cuando les hablan,
> sabe un hombre si son ellos,
> o si habla con sus hermanas.

La mejor del grupo, y para muchos de toda la producción de Cañizares, es *El picarillo en España, señor de la Gran Canaria*, sobre la conquista de las islas por el francés Bracamont. El hijo de éste, Federico, perdidos el favor real y el señorío de la isla, llega a la corte castellana en hábito de pícaro. Se enamora de doña Leonor, a la que también pretende Juan II. Su ingenio y buenas prendas terminan por granjearle la estimación de los reyes y la privanza de don Alvaro de Luna; y, al fin, descubierta su personalidad, consigue la mano de la dama y recupera el señorío de las Canarias con «reconocimiento de vasallaje».

Entre las de «figurón» recordemos *Abogar por su ofensor y barón de Pinel*, con una entretenida trama y afortunada mezcla de lo serio y lo jocoso; y *El honor da entendimiento y el más bobo sabe más*, en la que el protagonista, don Lorenzo de Maueda, consigue la paz y la felicidad conyugales a fuerza de tacto y cautela. Su confianza en la honorabilidad de la esposa, cuando las apariencias parecían indicar su deshonor, termina por salvarle. Sus soliloquios sobre el honor recuerdan los de Calderón en análogos trances:

> Pues ¿como me he de arrojar
> a maltratarla, a reñirla,
> labrándome yo la ofensa
> que ella quizá no imagina?
> No, señor; maña, cautela,
> invención, marrajería,
> han de inquirir la verdad;
> y si el daño se confirma,
> hay un veneno que calla
> y no un puñal que publica.

La comedia que más justa fama ha dado a Cañizares, perteneciente al mismo tipo «de figurón», es *El dómine Lucas*. Un don Enrique, enamorado de doña Leonor, ve con disgusto que el padre de ésta la quiere casar con su sobrino don Lucas, para que no se pierda un mayorazgo. Leonor está dispuesta a renunciarlo en su hermana Melchora, tan necia como el don Lucas y de la que éste termina por prendarse. La trama se complica con la aparición de Florela, ignorada hermana de don Enrique. La triple boda de Melchora-don Lucas, Leonor-don Enrique, Florela-don Antonio, pone un desenlace feliz [8].

Todavía podemos recordar *La más ilustre fregona*, basada en la novela cervantina; *Pedro de Urdemales*, sobre la comedia también cervantina del mismo título, y *Angélica y Medoro*, zarzuela inspirada en el *Orlando*, de Ariosto. A la zarzuela lleva también sus piezas de tema mitológico: *Acis y Galatea, Telémaco y Calipso, Amor es todo invención* y *La hazaña mayor de Alcides*.

Otros dramaturgos

Con escasa fortuna se sigue cultivando el teatro de gusto tradicional. Pero lo que había sido hasta entonces descenso paulatino se convierte ahora en un desmoronamiento lamentable. Es la época de aquellos engendros informes y extravagantes —como *El gran cerco de Viena*—que tan sabrosos comentarios habían de inspirar al más joven de los Moratines. Por citar a alguien, recordemos a Tomás de Añorbe, con *La virtud vence al destino* (1735); Eusebio de Vela, con *La pérdida de España,* sobre el último de los reyes godos[9]; y, muy especialmente a Francisco Comella (1751-

1812), cuyo nombre ha quedado como prototipo de comediógrafo estrafalario, que aspira a fundir en sus descabelladas obras todas las corrientes de la época: desde un realismo feroz hasta el más fantástico exotismo, y desde la comedia melodramática, en que degeneran las obras «de figurón», hasta el drama sentimentaloide de influencias roussonianas. Citemos sólo de su abundante producción *Federico II en el campo de Torgau* y *La familia indigente,* de tono realista y reflejo de sus propios apuros económicos. Tomando por modelo a R. de la Cruz, compuso los sainetes *El alcalde proyectista* y *El menestral sofocado.*

III. TENDENCIA POPULAR: DON RAMÓN DE LA CRUZ

El sainete, tan importante en la época que estudiamos, viene a ser simple continuación de los *Pasos* de Lope de Rueda y de los entremeses cervantinos que tanto éxito habían tenido en la centuria anterior y que poco más tarde habían encontrado su más acertada expresión en Quiñones de Benavente. Considerado género ínfimo por los neoclásicos, que abogaban por los llamados «géneros superiores», en especial por la tragedia, gozan, no obstante, del favor popular en todos los tiempos. Escritos casi siempre en romance octosílabo, y con menos frecuencia en romance endecasílabo, solían intercalar tonadillas, seguidillas y otras canciones. Durante mucho tiempo no constituyeron por sí solos materia de representación, sino que se daban como complemento de obras más extensas. El público, sin embargo, acudía muchas veces a las representaciones de comedias y tragedias sólo por oír luego estas ligeras piezas, salpicadas de ingenio y picantes tonadillas. Su temática sigue siendo en el xviii la misma del antiguo entremés: presentación de tipos populares, en rápidas pinceladas, sin insistir demasiado en su pintura; crítica ligera de determinadas profesiones u oficios; cuadros de costumbres, apenas esbozados. Su extremada brevedad no permite el desarrollo de un argumento propiamente dicho; apenas se ha insinuado la acción, cuando queda cortada, dejando al espectador, por así decirlo, con la miel en los labios. Son escenas rápidas, inconexas, sin más ligamen que el diálogo. Su mérito principal reside en éste, que debe ser siempre chispeante, ingenioso, capaz él solo de mantener tensa la atención de los espectadores.

El sainete durante el siglo xviii tuvo sólo un cultivador egregio, don Ramón de la Cruz; y, a mucha distancia, un imitador de éste, don Ignacio González del Castillo.

En la producción de don Ramón de la Cruz (1731-1794) cabe señalar dos modalidades, que hasta cierto punto responden a dos épocas. Empieza siguiendo la corriente neoclásica, con obras

originales y traducidas, pero siempre más o menos sujetas a las «unidades» dramáticas. A esta fase corresponden varias versiones y arreglos de autores extranjeros, con preferencia franceses e italianos: *Bayaceto,* de Racine; *Aecio,* de Metastasio; *El severo dictador,* de A. Zeno; *Eugenia,* de Beaumarchais; *Hamlet,* de Shakespeare, pero no directamente, sino a través de Ducis[10] y otras varias. Con esta modalidad alterna ya la composición de obras cortas, sainetes especialmente, menos depurados y movidos que los de la segunda época. En 1757 ofrece su zarzuela *Quien complace a la deidad acierta a sacrificar,* cuyo único interés está en el prólogo, ya que allí el autor parece abominar del género que precisamente le va a dar más fama y provecho, el sainete. No tarda en darse cuenta de que no es la tragedia neoclásica su camino más indicado y se lanza con verdadero furor a la producción de sainetes y loas, que en muchas ocasiones servirían de introducción o de epílogo a sus propias obras serias. Hoy, si Ramón de la Cruz tiene un puesto, y bien merecido, en la historia de las letras castellanas, a ellos únicamente lo debe.

Datos bibliográficos

Nace don Ramón de la Cruz Cano y Olmedilla en Madrid (1731) en el seno de una modesta familia. Fué bautizado el 28 de marzo en la iglesia de San Sebastián. Hizo estudios de jurisprudencia y humanidades, aunque no consta que terminara carrera y, a juzgar por los reproches de sus coetáneos, su formación debió de ser harto superficial. Muy joven contrajo matrimonio con una dama salmantina, de la que tuvo varios hijos. En 1759 entró como oficial tercero en la Secretaría de Penas de Cámara, de la que llegó a ser oficial mayor. Ni su sueldo ni sus cuantiosos ingresos como autor teatral bastaban a cubrir sus necesidades, y se sabe que vivió siempre entre apuros económicos. En 1767 le fué embargada la tercera parte de su sueldo. Protegido por los duques de Alba y Osuna, y especialmente por la condesa de Benavente, murió en la casa de ésta,. en Madrid, el 5 de marzo de 1794. Fué sepultado en la iglesia de San Sebastián, en la capilla del Cristo de la Fe, a cuya Congregación pertenecía. Entre los Arcades de Roma figuraba con el nombre de *Larissio Dianeo*.

Los sainetes

Escribió muchos; en los diez volúmenes de sus obras dramáticas, editadas por él mismo (1786-1791) figuran sólo cuarenta y una piezas del género breve, frente a diecinueve obras mayores. Esta preferencia por el teatro largo se atribuye a su persistente empeño en querer que lo considerasen siempre poeta de alto vuelo; no le bastaba, por lo visto, ser el más fiel intérprete del alma popular dentro de su siglo. Agustín Durán dió a la estampa (1843) ciento veinte sainetes; y Emilio Cotarelo, en los dos tomos de la Nueva Biblioteca de Autores Españoles aumentó considerablemente el número con muchos inéditos. Se calcula que escribió más de cuatrocientos.

El mismo Durán los ha clasificado en:

A) Sainetes con asunto de verdadera comedia, que, naturalmente, no llegan a su desenlace (*La embarazada ridícula, El casero burlado, La presumida burlada, El forastero prudente, La oposición al cortejo*, etc.).

B) Sainetes con asuntos ideales, de tendencia ética y con moraleja al final (*La avaricia castigada, El espejo de los padres*, etc.).

C) Cuadros costumbristas, que constituyen el grupo más nutrido (*El alcalde limosnero, Las castañeras picadas, Las majas del Avapiés, El prado por la tarde, El Rastro por la mañana, Manolo, Los payos en la Corte, El petimetre*, etc.).

Todavía cabe añadir otros grupos: el constituído por parodias de tragedias neoclásicas (de Inés de Castro, en *Inesilla la del Pinto*; de la Zaira, en *Zara*, modalidad apuntada acertadamente por el profesor Castro y Calvo); el de carácter polémico-literario (*La crítica, La feria de los poetas, El pueblo quejoso*); y una colección muy importante formada por los que representan «el teatro en el teatro», reflejo de costumbres y problemas de los cómicos contemporáneos (*El teatro por dentro, El coliseo por de fuera, La comedia de maravillas, El sainete interrumpido*).

Aun en los grupos señalados por Durán la discriminación no siempre es exacta: el *Manolo*, por ejemplo, adscrito a los costumbristas, es, en el fondo, una comedia en embrión, con su moraleja postiza:

¿De qué aprovechan
todos vuestros afanes, jornaleros,
y pasar las semanas con miseria,
si cempués, los domingos o los lunes,
disipáis el jornal en la taberna?

Análisis de algunas piezas

En *La embarazada ridícula*, la protagonista, abusando de su estado, martiriza al marido con absurdos antojos y se apodera de los adornos y dijes de las amigas que van a visitarla.

El matrimonio de Gil Pascual, caballero madrileño, con su criada María Estropajo, da ocasión a Ramón de la Cruz para un animado cuadro costumbrista de tono moralizador en *La presumida burlada*. Orgullosa de su posición la nueva señora, desprecia a sus antiguos compañeros de servicio y el marido la pone en ridículo ante sus propios parientes, a quienes se negaba a reconocer.

El alcalde limosnero presenta a un corregidor, encargado de distribuir una cantidad en obras benéficas. El reparto entre unas muchachas casaderas, un hidalgo pobre y un soldado se presta a escenas divertidas.

La audiencia encantada ofrece rasgos similares a *El retablo de las maravillas* cervantino. Un alcalde, creyendo estar en su dormitorio, se desnuda y entrega su ropa a los gitanos, que al día siguiente se ven obligados a pasar por la casa consistorial.

En *El burlador burlado* una dama castiga a cierto petimetre tenorio, haciéndole creer que le ha envenenado y suscitando con su susto la burla de las muchachas.

Ya hemos indicado que los más logrados son los que reflejan costumbres populares, y entre éstos, el más notable, *Manolo*, «tragedia para reír o sainete para llorar». Parodia con verdadero donaire el tono enfático de las tragedias de la época: Manolo, valentón y granuja, hijo de la tía Chiripa, regresa a la corte después de diez años de presidio en Ceuta. La tía Chiripa, casada con el tío Matute en segundas nupcias, ha proyectado la boda de Manolo con Remilgada, hija del primer matrimonio de Matute; pero la Remilgada está en amores con Mediodiente, a la vez que el Manolo es reclamado por su antigua amante la Poltajera. El tío Matute trata de arreglar las cosas pacíficamente; surge la riña entre los partidarios de Manolo y de Mediodiente, y éste le mata de una puñalada en el corazón.

El estilo enfático de la pieza aparece continuamente:

¡Oh amor! Cuando en dos almas te introduces,
y más cuando son almas como éstas,
¡qué heroicos pensamientos las sugieres,
y con qué heroicidad los desempeñan!

Al mismo grupo corresponde *El fandango de candil*, baile popular en el barrio del Avapiés; *Los bandos del Avapiés*, animado cuadro, lleno de comicidad, sobre las banderías de los populares barrios madrileños Avapies y Barquillo... *El Rastro por la mañana, La pradera de San Isidro*,

El Prado por la tarde, etc., también tienen escenas costumbristas muy animadas.

El sainete, documento de época

Ramón de la Cruz no es un estilista, ni siquiera un literato; menos aún, un poeta y un dramaturgo. Su lenguaje de ordinario resulta desmayado y prosaico; su sal, demasiado gruesa; sus chistes, para nuestra sensibilidad actual, excesivamente burdos e ingenuos. Es simplemente un pintor de costumbres. En este sentido José Somoza ha comparado el teatro de Ramón de la Cruz con las poesías de Iglesias y los «caprichos» de Goya. Con el primero, puede pasar; pero dar a estas piececillas intrascendentes, en que los tipos están meramente presentados, la misma categoría estética que a esos trozos de humanidad que se llaman los «caprichos», tan desgarrados, tan hondos, tan desbordantes de palpitación y de vida, nos parece demasiado. Tipos, todo un mundo de tipos apenas esbozados, eso es lo que nos da el ilustre sainetero y con esto le basta para su pequeña o grande gloria. Tipos de toda clase y condición: majas y majos desgarrados, castañeras de larga lengua y largas manos, chisperos, albañiles, artesanos, peluqueros, modistos, abates, petimetres, hidalgos de poco pelo, alguaciles, escribanos, soplones, mercaderes, músicos, pajes, lacayos... Pero ese mundo tan abigarrado y movido carece de tercera dimensión; «no puede compararse—ha escrito Valbuena—con la poesía de las farsas de Gil Vicente o con la profunda ironía y verdad de caracteres de las obras maestras del teatro corto de Cervantes». Chispeante casi siempre, animado, alegre, su máximo valor reside en ser un documento fidedigno de la época.

Otro sainetero del XVIII

A larga distancia de don Ramón de la Cruz, tanto si se atiende a la cantidad como a la calidad de las obras, encontramos otro sainetero digno de estima en la persona de IGNACIO GONZÁLEZ DEL CASTILLO. Gaditano (1763-1800), fué maestro de lengua castellana de Nicolás Böhl de Faber y vivió siempre en la más extrema pobreza. Cultivó la tragedia en *Numa* y la comedia, en *La madre hipócrita;* pero su gloria principal estriba en los sainetes, que reproducen casi siempre costumbres de su ciudad natal: *El café de Cádiz, El día de toros en Cádiz, El soldado fanfarrón* y otros muchos. El influjo de Ramón de la Cruz se manifiesta en *Los majos envidiosos, El desafío de la Vicenta, La casa de vecindad* y varios más.

IV. TENDENCIA NEOCLASICA

Sujeto a las «unidades» dramáticas y bajo el influjo de la preceptiva francesa, constituye el teatro característico del XVIII. Las dos tendencias anteriormente señaladas, tradicional y popular, vienen arrastradas de la centuria anterior, siquiera una de ellas, la popular, alcanza en el XVIII, con don Ramón de la Cruz, más amplio desarrollo. Pero la orientación nueva y original, al menos dentro de la escena española, y a lo largo de la época que estudiamos, es la neoclásica. Cabe establecer en ella la división de tragedia y comedia. La primera polariza sus temas en tres direcciones: nacional, bíblica y clásica greco-latina; goza de escasa popularidad, y hoy puede decirse que sólo una obra, la *Raquel,* de García de la Huerta, ha logrado salvarse del general naufragio. La comedia es exclusivamente de carácter didáctico y de tema costumbrista; comparte el éxito con el sainete y con el teatro tradicional, logrando perdurar hasta el Romanticismo e influir en más de un aspecto sobre la «alta comedia» de la segunda mitad del XIX.

Moratín, padre, y Cadalso.

Más que por su valor real, que, como se verá, es muy escaso, la *Hormesinda,* de don NICOLÁS FERNÁNDEZ DE MORATÍN (1737-1780), merece párrafo aparte por las polémicas que suscitó, punto de partida en la lucha entre los jerifaltes del neoclasicismo y los defensores del teatro popular. En otro capítulo hemos aludido a Moratín, padre, como lírico. Dos palabras aquí sobre su *Hormesinda.*

El 1770 estaba ya como designado para la gran batalla teatral. Los neoclásicos habían conseguido —basándose en principios morales, estéticos y sociales—la prohibición de los «autos»; y Moratín había publicado ya sus *Desengaños al teatro español* (1762). Por imposición casi del conde de Aranda se representó la *Hormesinda,* que sólo pudo resistir seis días en el cartel, y no logró impedir las comparaciones del público con sainetes como *Los pescadores* y *El buen marido,* de Ramón de la Cruz, que por los mismos días se representaban en Madrid con éxito clamoroso.

La tragedia recoge los supuestos amores de Hormesinda, hermana de Pelayo, y la muerte de Munuza, el caudillo musulmán. Moratín la escribió —declara él mismo—con el propósito de demostrar «que el pueblo español no es tan bárbaro como lo imaginan». Ajustada a las exigencias de la preceptiva neoclásica—sin amor, sin episodios extraños a la acción principal, sin soliloquios, etc.—, no logró convencer sino a unos cuantos incondicionales del autor y de la preceptiva vigente, ya que la obra carece de toda verosimilitud, y la obsesión del respeto a las «unidades» imposibilita el menor cambio psicológico en los personajes. Ello no obstante, hay escenas logradas y versos que aún hoy se leen con gusto: el pasaje en que Hormesinda recuerda los días felices de la Corte de Rodrigo, donde competía en belleza con Florinda, o la relación hecha por Pelayo de la batalla del Guadalete. Aquí Moratín hace gala de todo el nervio, agilidad y colorido que tan alto puesto le había de granjear en sus famosas quintillas de la *Fiesta de toros en Madrid*.

Menos éxito alcanzaron *Lucrecia* y *Guzmán el Bueno*, sobre temas ya manoseados en nuestro teatro. Completa la obra dramática de Moratín *La petimetra*, comedia que no llegó a representarse.

A incrementar las huestes de los neoclásicos vino el coronel don JOSÉ CADALSO (1741-1782), de quien hemos tratado por extenso en el capítulo XLVIII. A instancias de Moratín, Cadalso, autor ya de una comedia, *Las circasianas*, cuya representación impidió el vicario de Madrid, escribió *Sancho García*, sobre el viejo tema épico de «la condesa traidora». Representada en 1771, todos los esfuerzos de la amada del poeta, María Ignacia Ibáñez, y de los cómicos no fueron bastantes para salvarla del naufragio. Los enemigos del neoclasicismo desataron sobre ella las más agrias censuras.

La «Raquel», de García de la Huerta

La principal obra del género es la *Raquel*, de VICENTE GARCÍA DE LA HUERTA (1734-1787) [11]. La crítica, tanto extranjera como nacional, es cada día menos favorable a esta tragedia, que en su tiempo alcanzó éxito definitivo. Se censura su monotonía, pobreza de caracteres e inverosimilitud, defectos achacables a la observancia de las «unidades» dramáticas. En compensación se destacan algunos méritos positivos: nobleza del carácter de ciertos personajes, armonía y robustez en la versificación, acertada expresión de sentimientos.

La acción se sitúa en la sala de Audiencias del Alcázar toledano; Manrique refiere las fiestas en honor de Alfonso VIII para conmemorar el X y VII aniversario, respectivamente, de su regreso de Palestina y del triunfo de las Navas:

> Hoy se cumplen diez años, que triunfante
> le vió volver el Tajo a sus orillas,
> después de haber las del Jordán bañado
> con la persiana sangre y con la egipcia...
> Y hoy también hace siete que, postrado
> el orgullo feroz de la morisma,
> le aclamaron las Navas de Tolosa
> por sus proezas Marte de Castilla.

Hernán García lamenta la conducta del rey, esclavo de los caprichos de la judía Raquel, que dispone a su antojo de la Corte. Provoca García una sublevación popular para pedir el destierro de la hebrea, poniendo de manifiesto los males que

ocasiona su permanencia junto al monarca. Asesorada por Rubén, Raquel vuelve a recobrar su poderío y Alfonso revoca la orden de exilio. Aprovechando una partida de caza del rey, los nobles asaltan el alcázar y obligan a Rubén a que dé muerte a la favorita. El rey la venga, apuñalando al traidor judío, y perdona a los conjurados.

Puede afirmarse que la *Raquel* es la única tragedia del XVIII español que alcanzó un rotundo triunfo, debido sin duda a la sustancia nacional y romántica de que se halla toda impregnada. Sus defectos —ya está dicho— dimanan del respeto de la poética al uso, sobre todo en su ley de las «unidades». La de lugar provoca a lo largo de la obra una extraña mezcolanza de cristianos y judíos que entran y salen atropelladamente, ya que en la misma sala se prepara la conjuración, celebran sus entrevistas Alfonso y Raquel y se consuma el asesinato de la judía; la de tiempo obliga a precipitar los cambios psicológicos de los personajes, que por lo rápido resultan inverosímiles [12]. Menéndez Pelayo la calificó de «comedia heroica, ni más ni menos que las de Calderón, Diamante o Candamo». En ella hallamos, en efecto, aquella retórica expresión de sentimientos, aquella galantería suave y enérgica a la vez en las pasiones, aquel sentido nacional y aquel monarquismo a toda prueba que caracterizan tan diáfanamente nuestro teatro del siglo de Oro. Más que expresión del racionalismo de la época nos parece un eco calderoniano en ciertos pasajes:

> MANRIQUE.
>   ... los leales
> jamás acciones de su rey critican,
> aun cuando el desacierto los disculpe.
> Los reyes dados son por la divina
> mano del Cielo; son sus decisiones
> leyes inviolables, y acredita
> su lealtad el vasallo obedeciendo.
> Quien sus obras censura, quien aspira
> a corregir sus yerros, el derecho
> usurpa de los cielos...
>
> HERNÁN GARCÍA.
>   Cuando se aparta
> de lo que es justo el rey, cuando declina
> del decoro que debe a su persona,
> lealtad será advertirle, no osadía.
> En el excelso trono es donde debe
> resplandecer más tersa la justicia,
> y un rey con sus acciones mayor cuenta
> debe tener; que el vicio que sería
> apenas conocido en las cabañas,
> si en los palacios reina, escandaliza.

Como obra del XVIII, no podía faltar el tono de admonición y ejemplo:

> Escarmiente en su ejemplo la soberbia;
> pues cuando el Cielo quiere castigarla,
> no hay fueros, no hay poder que la defiendan [13].

El estreno de *Raquel* tuvo la virtud de situar a su autor a la cabeza de los mantenedores del teatro tradicional, mejor o peor interpretado, y de los enemigos de la imitación galicista. Pero asimismo le acarreó no pocos disgustos como resultado de una serie de polémicas para las que no estaba preparado. Los coetáneos aluden con frecuencia a su escasa formación intelectual. Huerta intenta defenderse acudiendo al repertorio del Siglo de Oro, que conoce muy superficialmente, y para demostrar su excelencia, empieza en 1785 la publicación de un *Theatro Hespañol* en 16 volúmenes. Si la empresa es laudatoria, el resultado práctico es casi nulo; con decir que prescinde de Lope, Tirso, Alarcón, Mira de Amescua, Guillén de Castro, Montalbán, Vélez de Guevara y otros; que llama a Cervantes «inicuo satírico, denigrador, envidioso y enemigo del mérito ajeno», y que incluye a los peores comediógrafos de la escuela de Calderón, dándonos de éste sólo algunas comedias de capa y espada, nos podemos formar una idea aproximada del mérito de la obra.

El estilo de los prólogos, su ortografía y las ideas disparatadas sobre nuestro teatro provocaron la indignación de no pocos escritores, que convirtieron al pobre Huerta en blanco de sus sátiras. Samaniego, en la *Continuación de las memorias críticas de Cosme Damián,* le da una serie de leales consejos, pero sólo consigue irritarle más [14]. Interviene el mordaz Forner, que firma con el nombre de Tomé Cecial unas *Reflexiones sobre la lección crítica.*

Al lado de estas polémicas, no carentes de seriedad y de cierta doctrina, aparece una serie de sátiras en la que sus autores no se detienen ante los mayores insultos [15].

Las polémicas de Huerta patentizan la existencia de un romanticismo nunca extinguido. «Así se sueldan—escribe Menéndez Pelayo—las dos épocas del arte romántico español, sin que haya verdadero paréntesis en la centuria pasada (siglo XVIII), puesto que la protesta nacional ni un solo día dejó de alzarse, simpática siempre a las muchedumbres.»

El asunto de los amores de Alfonso VIII con una hermosa judía toledana había sido llevado antes al teatro por Lope de Vega y por Mira de Amescua, en *Las paces de los reyes y judía de Toledo* y *La desdichada Raquel,* respectivamente. Algunos años después, Luis de Ulloa y Pereyra, amigo de Olivares, compuso una *Raquel* de escaso mérito literario, pero de aguda intención política. De ésta debió de tomar Huerta el tono ad-

monitorio para la suya. Posteriormente apareció *La judía de Toledo,* de Diamante, barrida de las tablas por el éxito de Huerta.

Como lírico, Huerta apenas merece atención. Sus *Obras poéticas* nos le muestran inclasificable por su indecisión en abrazar ninguna escuela. Su estancia en Salamanca, durante los años juveniles, le pone en contacto con fray Diego González, el jefe de la Arcadia salmantina, y le lleva a cultivar la poesía eglógica y amorosa, para rendir después tributo al barroquismo culterano en una serie de romances, entre los que destaca el que empieza: «Por cabo de cien jinetes—el noble Gutiérrez marcha...» De sus sonetos, es el mejor *A una ausencia voluntaria de Lisi.* Su poema de más aliento es *Endimión,* que parece influído por el estilo altisonante de Balbuena. Se encubrió con el nombre poético de *Hortelio.*

Otros cultivadores de la tragedia neoclásica

Aunque llegaron muy pocas a representarse, se escribieron numerosas obras del género. Por un fenómeno análogo al del Romanticismo, en que la mayor parte de los escritores se sentían tentados a probar sus fuerzas en la novela histórica, así en la segunda mitad del XVIII raro fué el escritor de fama que no cultivase la tragedia. Muchos de ellos—Montiano y Luyando, Jovellanos, Quintana, Vargas Ponce, Cienfuegos, etc.—se estudiaron en otro lugar. Aquí sólo haremos mención de unos pocos que alcanzaron cierto renombre: Rosa Gálvez: *Blanca de Rossi, Ali-Bey, Florinda y Amnón;* Cristóbal María Cortés: *Atahualpa;* Bernardo María Calzada: *Moctezuma;* Comella: *Asdrúbal* y *Viriato.*

En la tragedia bíblica debe citarse la *Jahel,* de López de Sedano, y el *Mardoqueo,* de Juan Clímaco Salazar. La primera, tomada de los capítulos IV y V del *Libro de los Jueces,* amplía el relato bíblico, y dentro de su torpeza de desarrollo y de la monotonía del verso, endecasílabo libre, alcanza cierta grandeza. Así en el soliloquio de Sísara (acto III):

> ¡Oh tú, supremo Baal! ¿Este es el premio
> de mis altos servicios? De mis finas
> adoraciones, ¿es la paga aquésta?

V. LA COMEDIA: IRIARTE

Tiene dos representantes muy destacados, aunque de muy distinto valor: Tomás de Iriarte y Leandro F. de Moratín. Iriarte es más conocido en otros géneros, especialmente en la fábula, y en tal aspecto ha sido estudiado en el capítulo XLIX. Moratín, en cambio, aunque cultivó con fortuna otras modalidades literarias, en ninguna rayó a

tanta altura como en la comedia. Por ello, aquí le dedicamos un amplio apartado.

Inicia el célebre fabulista TOMÁS DE IRIARTE (1750-1791) su labor dramática con la traducción de piezas destinadas a los teatros de los Reales Sitios; pero ya en ellas introduce alguna modificación, quitando y añadiendo lo que parecía oportuno «por la diferencia de nuestras costumbres y lenguaje». Hombre de vasta cultura, como formado en la escuela humanista de su tío don Juan, comprendió bien pronto que la imitación servil perjudicaría a nuestro teatro y buscó temas originales.

En 1770 imprime—con el anagrama de Tirso Imareta—la comedia *Hacer que hacemos*, que no logró ver representada [16]. El fracaso le movió a ser más exigente en la elección de temas. Trece años más tarde (1783) estrenó *El señorito mimado*, acertada sátira contra la deficiente educación de los jóvenes por aquellas calendas. Con un argumento natural y sencillo—un joven, don Mariano, a quien su vida de disipación va creando obstáculos por todas partes, impidiéndole el ventajoso matrimonio que su madre le preparaba—, Iriarte consigue darnos una bella lección. La obra alcanzó gran éxito, atribuído por algunos envidiosos a la excelente labor de los intérpretes. Quien más duramente la atacó fué el irascible Forner.

Animado, no obstante, por el triunfo, Iriarte hace otra salida al campo de la comedia de tesis. Ahora se enfrenta con el problema de la educación de las jóvenes, tan necesitado de reforma como el del elemento masculino. En *La señorita malcriada* nos presenta a Pepita, entregada por su padre, don Gonzalo, hombre superficial, al cuidado de doña Ambrosia, viuda joven y casquivana. Pepita resulta una joven voluble, coqueta y orgullosa, que pospone el amor sincero del honrado don Eugenio a los galanteos de un falso marqués, estafador y tramposo. Descubiertas las fechorías de éste, va a dar con sus huesos en la cárcel; y cuando Pepita se dirige a su antiguo pretendiente, es ya tarde [17].

Elogiado por la crítica, el público, sin embargo, la recibió fríamente. Acerca de su estreno existe un texto en el periódico *La Espigadera* que no deja lugar a dudas: «A pesar de los desvelos de la gente de instrucción, hemos visto cón dolor alborotadas las comedias *El hidalgo tramposo* y *La señorita malcriada*, al paso que han logrado aplauso *El buen hijo, Aragón restaurado, La toma de Milán* y otros monstruos y delirios dictados por la barbarie.»

En Sanlúcar, a donde Iriarte se había trasladado por motivos de salud, compuso su mejor comedia, *El don de gentes*, en la que nos da todo un carácter de mujer: hermosa, discreta, afable e instruída. Un buque que conduce a España a la joven Rosalía naufraga cerca de Cádiz. Cierto marinero la salva; pero pierde el equipaje, con lo que se halla sola en país extraño y sin recursos para llegar a Madrid, al lado de un primo suyo a quien venía recomendada por su difunto padre. El primo se halla ausente de la corte y no ha recibido ninguna de las cartas. La joven se ve obligada a colocarse de doncella en casa de don Alberto. Sus buenas prendas cautivan a todos: a su amo, que la quiere por esposa; al hijo, don Leandro, y hasta al buen mayordomo, Gutiérrez, que la haría de buena gana su mujer. Averiguada la verdadera condición de la joven, contrae matrimonio con don Leandro.

El juguete cómico *Donde menos se piensa, salta la liebre* completa la obra dramática de Iriarte.

Sin rayar a gran altura—la comedia neoclásica prefiere el tono discreto—, cabe a Iriarte la gloria de ser el precursor más calificado de la comedia de Moratín, en quien llega a tiempo de ejercer decisiva influencia.

VI. LEANDRO FERNANDEZ DE MORATIN

La comedia neoclásica alcanza su punto de perfección, ya que no de brillantez, en don LEANDRO FERNÁNDEZ DE MORATÍN (1760-1828). Temperamento apocado, de excelente juicio y amplia cultura, se distingue tanto por la corrección exquisita en todos los géneros que toca como por la falta de nervio, de brío y de color. No hallamos en él aquella contradicción entre teoría y práctica que hemos visto en su padre; su obra es la más serena y exacta aplicación de los principios proclamados por la poética neoclásica.

La vida

De noble familia originaria de Asturias, nació en Madrid, el 10 de marzo de 1760. A los cuatro años sufrió de viruelas, que influyeron tanto en su cuerpo como en su espíritu, pues si afearon su rostro, le tornaron—dice Ruiz Morcuende—«huraño, tímido, caprichoso y desconfiado». Su padre, don Nicolás, quiso que aprendiera un oficio

manual, y desde muy joven alterna el estudio del latín con el aprendizaje de joyero. Aficionado a las letras, a los 19 años obtiene el accésit en un concurso académico por su romance endecasílabo *La toma de Granada por los Reyes Católicos don Fernando y doña Isabel*. En 1780 pierde a su padre, al que siempre había profesado gran veneración. Dos años después, en un nuevo concurso académico, obtiene el segundo premio en su *Sátira contra los vicios introducidos en la poesía castellana*. Recomendado por Jovellanos a Cabarrús, éste le nombra su secretario, llevándoselo a París, donde conoce y trata a Goldoni. En 1789 publica *La derrota de los pedantes* y se ordena de primera tonsura. Protegido por Godoy obtiene una pensión de 600 ducados sobre la mitra de Oviedo. En nuevo viaje a París (1792) le sorprende la Revolución, que le impresiona fuertemente. Viaja luego por Inglaterra, Bélgica, Holanda, Italia y Alemania. A la muerte de Samaniego es nombrado secretario de interpretación de lenguas y miembro de la Junta de Teatros. Afrancesado y partidario de José Bonaparte, obtiene el cargo de bibliotecario mayor, pero se ve perseguido y obligado a emigrar a la terminación de la guerra [18]. Regresa temporalmente a España y muere en París en 1828.

La obra

Aparte el *Epistolario*, puede agruparse en los siguientes apartados:

TEATRO

Original: *El viejo y la niña, El barón, La Mojigata, El café o la comedia nueva, El sí de las niñas.*
Traducciones: *El médico a palos, La escuela de maridos, Hamlet.*

POESÍA

Sátiras, epístolas, sonetos, romances, odas, elegías, etc.

PROSA DIDÁCTICO-CRÍTICA

La derrota de los pedantes, Orígenes del teatro español.

La comedia moratiniana

Si como crítico es Moratín el inflexible Aristarco que se deja extraviar con frecuencia por la rigidez de unas normas, consideradas fuente de toda perfección artística, como dramaturgo es el mejor exponente de todo el teatro del siglo XVIII. Siguiendo la tradición iniciada—y no con escaso mérito—por Iriarte, plasma en una serie de obras, excesivamente reducidas en su variedad temática, las preocupaciones del momento en que vive. Lo cotidiano, con sus pequeñas intrigas y problemas, encuentra allí su más feliz expresión. Superior en el trazado de caracteres a Iriarte, no llega, sin embargo, a esos arquetipos universales que nos legaron un Plauto o un Molière. Sus personajes son humanos: madres ambiciosas, que anteponen un título nobiliario o una posición acomodada al bienestar de sus hijas; moeitas, sobre quienes pesa con exceso su educación anuladora de la personalidad, maestras con frecuencia en todo género de hipocresías; galanes de pocos arrestos, que sólo hallan tiempo para lamentarse; y dominándolo todo, un personaje, encarnación del buen sentido —tan del gusto del XVIII—, personificación del propio autor, que a manera del *Deus ex machina* de la tragedia clásica, acude a facilitar la solución en todos los conflictos.

El teatro original de Moratín—aquí no interesan sus traducciones de Shakespeare y de Molière— peca de monotonía: la sátira literaria y social suministran asunto para todas sus obras. Y si en la primera lo reduce todo a la imitación de los modelos y acatamiento de las reglas, en la segunda se limita al vidrioso problema de la elección matrimonial. Moratín no niega a los padres el derecho y hasta el deber de aconsejar a sus hijos; pero se rebela contra esa educación perniciosa que obliga a los hijos a fingir, a disimular sus sentimientos, y dispara sus dardos, sobre todo, contra la ambición de aquellos padres que no dudan en arrancar «el sí de las niñas» movidos de su propio interés. Modalidad análoga es la de los matrimonios basados en la diferencia de edad de los contrayentes, tema que aborda en *El viejo y la niña, El sí de las niñas* y *El barón*. A la crítica literaria consagra *La comedia nueva, o el café.* Finalmente, la censura de la educación de la juventud basada en un excesivo rigor, origen de hipocresías, le suministra materia para *La Mojigata* [19].

Análisis y argumento de las obras

En *El viejo y la niña,* un tutor avariento ha casado a su pupila Isabel con don Roque, viejo achacoso ya septuagenario, para que no le exija cuentas de su administración. Pronto se pone de manifiesto la incompatibilidad de caracteres. La presencia ocasional, en la casa, de don Juan, compañero de juegos infantiles de Isabel y su enamorado, aviva los celos del viejo, que recurre a mil estúpidas estratagemas para cerciorarse de la fidelidad de su esposa. Esta, siempre digna, rechaza el amor de don Juan, y se separa del viejo marido decidida a buscar la paz en el claustro, no sin antes condenar la injerencia ajena en la elección matrimonial de las jóvenes [20].

En *El barón,* la casquivana doña Mónica quiere casar a su hija Isabel con un fingido barón de Montespino, famélico y truhán, despreciando el amor del simpático Leonardo, de quien está enamorada la dama. Las trapacerías del fingido barón son descubiertas por don Pedro, hermano de Mónica y protector de Isabel y Leonardo.

La Mojigata, ya aludida al tratar de *Marta la piadosa,* de Tirso, ataca un vicio muy corriente en aquel tiempo y en todos: la hipocresía.

Un don Claudio, caballero de Ocaña, lleno de vicios y de taras morales, va a Toledo para desposarse con doña Inés. La convivencia de los prometidos produce efecto contrario al previsto, ya que ambos terminan por conocerse. En tanto doña Clara, prima de Inés, recibe una fuerte herencia, y su padre, deseoso de disfrutarla solo, impulsa a su hija para que profese en un convento. Perico, entrometido criado de don Claudio, le aconseja que haga el amor a Clara. La mojigata se enamora del caballero y urde una serie de enredos hasta lograr el matrimonio. Al final se descubre que la herencia ha recaído en Inés: el legatario, creyendo que Clara iba a ingresar en un convento, se la otorga a la prima; pero ésta cede la mitad a Clara, que pone de manifiesto su concepto del mundo y la razón de su hipocresía: «En el mundo, el que no engaña no medra.»

El sí de las niñas es la mejor comedia de Moratín, escrita—al decir de Menéndez Pidal—en la mejor prosa dramática que vió la luz desde la *Dorotea,* de Lope de Vega. Interesa asimismo como documento histórico de las costumbres e ideario de una época. No puede considerarse comedia de carácter, al estilo de *El avaro* o *Tartufo,* ya que el autor, en vez de darnos prototipos universales y válidos para todas las épocas, se limita a reproducir costumbres coetáneas.

La joven Paquita sale del convento, donde se ha educado, para contraer matrimonio, por consejo de su madre doña Irene, con el viejo don Diego. Enamorada de don Carlos, apuesto militar, sobrino del viejo, le comunica su crítica situación, y cuando los dos jóvenes están dispuestos a sacrificar su amor, don Diego lo descubre y renuncia a la mano de la joven [21].

En *La comedia nueva, o el café,* Moratín nos ha legado la más punzante y acertada sátira del melodrama clásico, estilo de los de Comella y última degeneración del barroquismo calderoniano. No obstante lo hueco de aquellas creaciones, la extravagancia de sus argumentos y el insoportable énfasis de su lenguaje, estos dramas contaban con la aceptación entusiasta del público. Y en *El café* los censura violentamente, a la vez que encuentra motivo para exponernos su credo estético, especialmente en lo que afecta al teatro.

El argumento es sencillo: don Eleuterio prepara la representación de una comedia nueva, *El gran cerco de Viena,* ensalzada hasta las nubes por el pedante don Hermógenes, novio de su hermana doña Mariquita. El estreno es un auténtico fracaso; y entonces don Hermógenes, pasándose al bando contrario, se desata en improperios contra el desdichado drama. Cuando el infeliz Eleuterio ve a su familia sumida en la miseria halla protección en don Pedro, representante del buen sentido, que le proporciona un empleo en su hacienda para que pueda subvenir a sus necesidades [22].

Aunque en su teatro original Moratín pudo mantenerse fiel a las «unidades», no lo consiguió en algunas traducciones, viéndose obligado a sacrificar la de lugar en *El médico a palos,* y todas, en *Hamlet.*

Su rígido criterio estético le impidió por una parte ser más fecundo, y por otra, remontarse a mayor altura, llevado por aquella «manía descontentadiza de pulir y limar cuanto de su pluma salía, contrastándolo mil veces con la lectura ante sus amigos» [23].

Moratín y Goldoni

La influencia del comediógrafo italiano en Moratín, apuntada por Menéndez Pelayo, ha sido revisada últimamente por el profesor Carlos Consiglio. Moratín conoció al italiano en París (abril 1787), y nos le describe como «viejo, amable, respetable, alegre, gracioso y cortés». Para Consiglio, la influencia de Goldoni sobre nuestro dramaturgo es nula o muy escasa. Las afinidades entre ciertas situaciones o personajes en ambos dramaturgos se deben a que están inspiradas en las mismas costumbres de época, base de sus obras. Pero el concepto de la comedia en uno y otro es distinto: Goldoni casi nunca plantea el problema moral ni formula en sus obras la condena de vicios [24]. Su censura, cuando apunta, está suavizada por una sonrisa indulgente. El propósito moralizador de Moratín, en cambio, está patente en todas sus obras. Consiglio explica estas diferencias por el ambiente que respiraron ambos comediógrafos: el uno, Venecia, en medio de una sociedad elegante, alegre y relajada; el otro, Madrid, aspirando a la reforma moral y soñando en el nacimiento de un orden nuevo. Goldoni va del aristocratismo a la plebeyez; Moratín es siempre un hombre del tercer estado, un temperamento burgués.

Moratín, poeta lírico

Ha sido enjuiciado de muy diverso modo: desde aquellos críticos que le juzgan muy inferior a su padre (ejemplo, Díaz-Plaja) hasta aquellos otros que le confieren un puesto de honor en la lírica del XVIII; así lo hace Félix Ros. Nosotros, sin desconocer lo que en Moratín hay de limitación en el vuelo y de freno en la fantasía, seguimos considerándole un excelente poeta. No un lírico de primer orden, menos todavía un lírico genial —el siglo XVIII no tuvo ninguno, como no sea Quintana—, sino un lírico entonado, siempre elegante y digno. El prosaísmo, esa plaga de la poesía del XVIII, rara vez afea sus versos, y si nunca llega a arrancar de su lira esos acentos hondos y estremecedores que acusan la presencia del genio, sabe, en cambio, mantener un tono agradable y exquisito. Quizá su mismo anhelo de contención y de equilibrio le impidió, como en el teatro, escalar más altas cimas. Con Meléndez Valdés y con Quintana, y en puesto no muy inferior a ellos, dignifica nuestra lírica de aquel tiempo.

Nos dejó cerca de un centenar de composiciones: 9 epístolas, 12 odas, 19 sonetos, 5 romances, 17 epigramas y hasta una docena más de piezas agrupadas bajo el epígrafe de *Composiciones diversas,* amén de un poema, *La toma de Granada,* en romance endecasílabo, y 9 traducciones de Horacio.

Como traductor del venusino, sin llegar al vuelo de fray Luis o de Medrano, Moratín está discreto. Y eso que no siempre acertó en la elección del metro. Algo tenía de común nuestro poeta con el gran lírico latino, aunque sólo fuera su innato sentido de la gracia y su afán de retoque y perfeccionamiento formal.

En sus piezas originales hay de todo; varios de sus epigramas suelen figurar con justicia entre los mejores del género. La epístola *A Claudio* (con el subtítulo *El filosofastro*) rezuma gracia y humorismo. Su *Sátira contra los vicios introducidos en la poesía*, en tercetos, como la famosísima de *Jorge Pitillas*, apenas cede a ésta en intención y causticidad. Muy buenas las odas *A la Virgen de Lendinara, A don Gaspar de Jovellanos, A los colegiales de Bolonia* y *A la muerte de don José Antonio Conde*, si bien encontramos excesivos los elogios que se suelen tributar a la primera, que se nos antoja demasiado fría y poco sentida. Mejor que todas ellas es *La despedida a las musas*, para nuestro gusto la más bella de Moratín y una de las piezas más hermosas de toda nuestra lírica.

Moratín es, además, con Iriarte, el mayor innovador de la métrica castellana desde los tiempos de Boscán a los de Rubén Darío; a veces, como en *Los Padres del Limbo*, da—sin duda inconscientemente—en los viejos ritmos populares de «gaita gallega»:

> Huyan los años en rápido vuelo,
> goce la tierra durable consuelo...

Otras veces, como en la citada oda *A Jovellanos*, se acerca al ritmo asclepiadeo de la métrica clásica:

> Id en las alas del raudo céfiro...

Finalmente, en la elegía *A la muerte de Conde* nos da un anticipo de la oda romántica de corte manzoniano, con su acertado juego de heptasílabos graves, esdrújulos y agudos.

Prosa didáctico-crítica

Aparte el *Epistolario*, de sumo interés tanto por sus noticias autobiográficas como por sus juicios críticos alusivos a obras y escritores de la época, merecen destacarse dos trabajos: los *Orígenes del teatro español* y *La derrota de los pedantes*.

La primera demuestra un conocimiento poco común de la dramaturgia del siglo de Oro, a la vez que un sentido crítico firme y bien orientado. A pesar de su formación rigorista y del calor con que defiende la preceptiva neoclásica, Moratín se rebela contra los detractores de Lope, a quien don Nicolás y otros habían considerado el corruptor máximo de nuestro teatro.

En *La derrota de los pedantes* «unas cuantas docenas de docenas de pedantones, copleros ridículos, literatos presumidos, críticos ignorantes», etc., desconocedores de los más elementales preceptos del arte, asaltan el palacio de Apolo para arrojar de él a los buenos escritores. El dios ve interrumpida su siesta, y ante el estrago que los invasores causan en su campo (han herido a Quevedo y a Cervantes), pide, por medio de Mercurio, un parlamentario que le exponga sus quejas y deseos. Embajador ante Apolo es un pedantón de marca mayor que «ha puesto en verso el *Flos Sanctorum* de Villegas y el *Sánchez De Matrimonio*, ha comentado los *Comentarios* de Góngora y ha traducido al castellano los *Prólogos* de Huerta».

Solicita del dios una patente, en la que se exprese que las obras del bando asaltante, «las ya publicadas y las que van a publicar, de las cuales y de sus autores han dicho y dirán los envidiosos críticos tantas perrerías, son elegantes, doctísimas, incomparables, y de aquí arriba lo que pareciese conveniente añadir en su elogio». Rechazada la propuesta, Apolo y sus seguidores se preparan a la lucha: «Se dispuso que Garcilaso de la Vega, por estar herido Cervantes, mandase el ala derecha; la izquierda, don Diego de Mendoza; el centro, don Alonso de Ercilla, y el cuerpo de reserva se encargó al conde de Rebolledo, acompañado de Lope de Vega, Cristóbal de Virués y otros sujetos de acreditado valor y experiencia militar.» Derrotados los pedantes, a unos, tras buena reprimenda, se les manda a sus casas; a los restantes, «que a juicio de los examinadores eran incurables», se les encierra en jaulas de locos.

Aparte de su contenido crítico, como censura del estilo culterano, esta obrita recoge la ideología del autor en sus más relevantes aspectos: decadencia general de nuestra literatura, invadida de poetastros y pedantes; peligro de las banderías; imitación y estudio constante de los modelos, que para Moratín son los del siglo XVI; respeto y acatamiento de las reglas, siempre bajo la vigilancia de la razón, pero con ayuda de la Naturaleza y de la inspiración personal:

«La razón sola os enseñará que no es dado a la más fecunda fantasía hacer nada perfecto, si las reglas, las abominables reglas, no la señalan los debidos límites; y que igualmente yerran los que gradúan el mérito de sus producciones por los defectos que evitan, y la escrupulosa nimiedad en la observancia de los preceptos, cuando falta en ellas la invención, el talento peculiar de cada género y aquel fuego celestial que debe animarlas.»

VII. REFUNDICIONES Y ADAPTACIONES

Han sido señaladas como puntos intermedios o anillos de enlace entre el teatro neoclásico, el popular y el tradicional. Abundan mucho, sobre todo a partir de la segunda mitad del siglo, y sus cultivadores son innumerables. Citaremos sólo a los tres más destacados: Rodríguez de Arellano, Trigueros y Solís.

VICENTE RODRÍGUEZ DE ARELLANO hizo traducciones del italiano y del francés, compuso romances de corte morisco y nos dejó algunas refundiciones aceptables, entre las que sobresale la de la comedia de Lope *Lo cierto por lo dudoso*. Como obra original y propia, la titulada *Fulgencia*, que se representó con éxito en 1801.

Incansable cultivador de todos los géneros —traducciones, adaptaciones, poemas, comedias y poesía lírica— fué CÁNDIDO MARÍA TRIGUEROS (1736-1801). Toledano, natural de Orgaz, que, después de abrazar la carrera eclesiástica, vivió largos años en Sevilla, donde perteneció a la Academia de Buenas Letras. Compuso dos poemas soporíferos: *El poeta filósofo* y *La riada*, satirizado este último por Jovellanos y Forner. Obtuvo el premio de la Real Academia por *Los menestrales*, anticipo poco logrado del teatro social, y consiguió grandes éxitos con sus adaptaciones de comedias del XVII: *La moza de cántaro*, *Los melindres de Belisa* y, de modo especial, *La estrella de Sevilla*, que tituló *Sancho Ortiz de las Roelas*.

Con ella —dice Menéndez Pelayo— «dió y ganó la primera batalla romántica treinta años antes del Romanticismo». Trigueros acertó a comprender mejor que ninguno de su tiempo el espíritu de nuestro teatro clásico. Su estro, de ordinario difuso y de corto vuelo, cobra vigor cuando se inspira en Lope y parece que algo del espíritu del Fénix se transmite a su refundidor. Muchos versos del *Sancho Ortiz* no desmerecen del original; bien es verdad que *La estrella de Sevilla* es, entre las comedias de Lope, la que ha llegado a nosotros más adulterada. A Trigueros, como poeta lírico, hemos aludido en el capítulo XLIX.

Finalmente, el cordobés DIONISIO SOLÍS (1774-1834), apuntador del teatro de la Cruz, se distinguió como traductor de Alfieri (*Orestes* y *Virginia*), Ducis y Voltaire y como refundidor de obras clásicas castellanas: *El mejor alcalde, el rey*, *La villana de Vallecas*, *García del Castañar*, *Marta la piadosa*, *El alcalde de Zalamea* y otras. Compuso, además, las tragedias *Blanca de Borbón*, sobre la desgraciada esposa de don Pedro el Cruel; *Camila*, *Tello de Neyra* y *El hijo de Agamenón*.

La obra de estos y de otros refundidores es digna de elogio: talentos mediocres, la necesidad de ganar el propio sustento los obligó, siguiendo los gustos del público, a tentar todas las reformas dramáticas. Gracias a su labor siguiéronse representando, adaptadas al movimiento escénico de la época, las obras más logradas de nuestro gran teatro, que de este modo pudo pervivir sin soluciones de continuidad hasta el Romanticismo. Este ya, en un feliz redescubrimiento provocado por los primeros románticos alemanes, situará a los dramaturgos españoles del siglo de Oro en el lugar que les corresponde dentro del teatro universal.

NOTAS

1. Hablamos de mediocridad con relación al teatro de la centuria anterior. Tanto Zamora como Cañizares cuentan entre sus obras algunas superiores a cuanto produjo el XVIII, si bien en otras exageraron los defectos heredados.

2. Cabe mencionar otro tipo de teatro de carácter prerromántico, la comedia lacrimosa, introducido por Luzán con su traducción de *La razón contra la moda*, de Neville de la Chaussé. El mejor representante de este género entre nosotros fué Jovellanos con *El delincuente honrado*.

3. Nace Bances Candamo en Sabugo, jurisdicción de Avilés (Asturias), en 1662, de antigua familia de hidalgos, venida a menos. Su madre, viuda y probablemente falta de recursos, lo envía muy aún a Sevilla, al cuidado de un tío canónigo. Cursa allí estudios y recibe muy joven órdenes menores. De su *Teatro de teatros* se desprende que en Sevilla también terminó su carrera, llegando a doctor en Sagrados Cánones. Pasa a Madrid, y a los veintiún años ya lleva fama de poeta. Protegido por Carlos II, se convierte en poeta palatino, y ante la Corte se representan muchas de sus comedias. Herido gravemente por aquellas fechas (1683), según unos por enemistades literarias y según otros por duelo, el propio rey se interesa por él diariamente y le envía sus médicos. Se sabe que en 1691 tuvo un hijo natural, Félix Leandro José; y que, asqueado de los tiquismiquis, envidias y rencillas de literatos y poetas, abandonó la Corte para convertirse en un burócrata. Desempeñó varios cargos: proveedor de la plaza de Ceuta, tesorero en Málaga, visitador general de la Hacienda en Córdoba y Sevilla. Estando en Lezuza desempeñando una de estas comisiones, murió casi repentinamente el 8 de septiembre de 1704. Le enterraron de limosna.

4. Fué oficial de la Secretaría de Nueva España y gentilhombre de cámara. Poeta oficial de la Corte, a partir de 1694, por ausencia de Bances Candamo, permaneció siempre fiel a Carlos II, a cuya muerte compuso una «Fúnebre descripción» y las inscripciones para el catafalco. Durante la guerra de Sucesión sufrió diversas vicisitudes por su fidelidad a los Borbones. Murió en Madrid en 1728.

Aparte la obra dramática y las composiciones mencionadas, escribió los *Jeroglíficos* para el túmulo de la reina doña Mariana de Austria, un romance a la entrada de Felipe V en Madrid y otro, de arte mayor, para el centenario de San Juan de Dios (1691).

5. El voto de don Diego Monsalve al conocer la afrenta inferida a su padre recuerda los de algunos héroes del Romancero:

> Pues por el hábito santo,
> cuyos perfiles guarnecen
> mi pecho, juro de no
> desceñirme los arneses,
> dormir el lecho mullido,
> ni comer pan a manteles,
> hasta que lave en la sangre
> de ese vil traidor aleve
> la afrenta de un viejo padre.

La escena del ultraje de don Francisco rememora otra análoga de *Las mocedades del Cid*.

6. Esta obra, que en algunos aspectos aventaja a la de Tirso, inicia la solución salvadora de don Juan, de la que Zorrilla sabría sacar tanto partido. La escena del macabro banquete está mejor planeada que en Tirso: la música, como voz de la conciencia, advierte al libertino la proximidad de su fin:

> Mortal, advierte que, aunque
> de Dios el castigo tarde,
> no hay plazo que no se cumpla
> ni deuda que no se pague.

Don Gonzalo se muestra más humano que en *El Burlador*. A Zamora no le interesa tanto el aspecto teológico como al fraile de la Merced, por lo que se inclina más a la misericordia que a la justicia. En la conducta del protagonista no ve una transgresión del principio social, sin duda porque el ideario del XVIII no era ya tampoco el mismo del XVII. Por ello, hasta se hace simpática —señala Valbuena— la rebeldía de don Juan frente al Rey. El Comendador se humaniza en la escena del banquete y no atormenta a don Juan con el anuncio de su eterna condenación:

Don Juan.
¡Dios mío, haced, pues la vida
perdí, que el alma se salve!

Don Gonzalo.
¡Dichoso tú si aprovechas
la eternidad de un instante!

Don Juan.
¡Piedad, Señor, si hasta ahora,
huyendo de tus piedades,
mi malicia me ha perdido,
tu clemencia me restaure!

Muchas características del héroe en el drama de Zamora han pasado al de Zorrilla. Por ejemplo, la indiferencia de uno y otro ante la condición social de la mujer burlada:

Y hecho el yerro, ¿qué más tiene
el ser noble que villana?
Además, que yo a ninguna,
en teniendo buena cara
para complacer el gusto,
le averiguo la prosapia.

Aunque la obra no sobresale por los primores de versificación, tiene pasajes verdaderamente inspirados:

¡Nunca vi muerte más viva!
¡Nunca vi piedra más leve!,

exclama don Juan ante la estatua del Comendador, que acude a la cena.

7. Nació el 4 de julio de 1676. Siguió la carrera militar, y en 1711 era capitán de coraceros. Muy joven aún, empezó a escribir para el teatro, siendo una de sus primeras obras *Las cuentas del Gran Capitán*. Desempeñó el cargo de censor de comedias en la Corte. Protegido del duque de Osuna, murió en Madrid (1750).

8. El retrato de don Lucas es caricaturesco:

Es tan necio como vano,
y en el uso de las Letras,
incapaz, pues ha seis años
que estudiando se desvela
y ni aun gramática sabe.

La treta utilizada para cerciorarse de la fidelidad de su prometida—encarga a don Enrique que le haga el amor—coincide con la de Lotario en *El curioso impertinente*.

9. En 1770 la prohibió el vicario de Madrid, «por indecorosa, al rey que en ella se refiere de España, al obispo y a su dignidad y a la misma nación española, pues aunque se hallen en algunos libros y en la Historia noticias de esta pérdida, no es justo renovarlas en el teatro, en el que no deben presentarse obras que manifiesten conspiraciones ni traición alguna a los soberanos, cuyo debido respeto y lealtad debe enseñarse en cumplimiento de lo mandado y justamente prevenido, y más en ocasión en que se solicita reformar el teatro».

10 Es la primera traducción que de la tragedia shakespeariana se hizo en España. Vid. Alfonso Par: *Shakespeare en la literatura española*, vol. I, cap. II.

11. De familia acomodada, nace en Zafra el 9 de marzo de 1734. Estudia en Badajoz, y a los catorce años pasa a Salamanca, donde se forma en la escuela poética de esta ciudad. Establecido en la Corte, es nombrado archivero de la casa de Alba, y después oficial primero de la Biblioteca Real. En 1755 publica el poema *Endimión*, y dos años después contrae matrimonio con la dama salmantina doña Gertrudis Carrera y Larrea. El Gobierno le encarga la composición de las inscripciones latinas y castellanas para conmemorar la entrada de Carlos III en Madrid. En 1760 publica la *Biblioteca militar española*, y lee en la Academia de San Fernando su *Égloga piscatoria*. Acompaña a París al duque de Huéscar, y al regresar a la Corte se ve procesado y confinado en el presidio del Peñón por haber escrito unas coplas satíricas contra Aranda. Un nuevo proceso le condena a siete años, que cumple en el presidio de Orán, de donde no regresa hasta 1777. Vuelto a Madrid, vive pobremente, y libra continuas polémicas. Estrena la *Raquel*, escrita unos años antes; publica sus *Obras poéticas*; traduce la *Zaira*, de Voltaire, y da a luz su voluminoso *Theatro Hespañol*, que da lugar a ruidosas críticas. Muere en Madrid el 12 de marzo de 1787. Perteneció a las Academias Española, de la Historia y de Bellas Artes, entre las nacionales, y a la de los Arcades y de los Fuertes, de Roma, entre las extranjeras.

12. En carta de 16 de enero de 1778 escribía Meléndez Valdés a Jovellanos: «En los caracteres también hay sus faltas. Hernán García... se muda enteramente desde el medio de la tragedia.» En este punto creemos que no anduvo acertado el dulce Batilo; Hernán García «no se muda», ya que en ningún momento pretende dar muerte a Raquel, sino apartarla de Alfonso, ante el que lleva en la primera jornada las quejas de los vasallos. Es lógico, por tanto, que se oponga al asesinato, sin contar con que el honor debido al rey le hace repugnar toda violencia. Más acertado va Meléndez cuando señala la inverosimilitud de que en día de tantas turbaciones el rey se desentienda de todo para salir alegremente de caza.

13. En otro lugar escribe:

¡Válgame Dios, cómo permite el cielo
que los malos se cieguen, cuando intenta
castigar sus delitos y maldades!

14. «De haber seguido el camino que en nombre de la lógica, y como adversario leal, le mostraba Samaniego, y que era en realidad el mismo camino que habían hollado los antiguos apologistas de nuestra escena, se hubieran encontrado frente a frente dos sistemas estéticos, dignos el uno del otro, porque cada uno de ellos contenía un principio igualmente verdadero.» (Menéndez Pelayo.)

15. Sirvan de muestra, entre otras muchas, el soneto de Forner:

A cervelo liviano de chorlito
añade el casco de coplista hambriento,
la lengua de escorpión, duro y violento,
y la frente al estilo del cabrito...

Y el epitafio de Tomás de Iriarte:

De juicio, sí, mas no de ingenio escaso,
aquí, Huerta, el audaz, descanso goza,
deja un puesto vacante en el Parnaso
y una jaula vacía en Zaragoza.

16. Aspira, según propia confesión, a presentar un drama conforme a reglas y dirigido a reprender, «con la decencia característica de la escuela del teatro, un vicio determinado». Muy cuidado en el verso, no acierta, sin embargo, con el carácter del protagonista, que, por exagerado, resulta inverosímil. «Ni atropellado ni fingenegocios—observa Cotarelo y Mori—, es su don Gil, sino más bien un tonto que, ni entonces ni nunca, pudo existir como tipo, no siendo, por tanto, su carácter ni un defecto social, sino un caso de manía particular que, más que bajo la férula de Menandro, caería dentro de las prescripciones de la ciencia de curar.» (*Iriarte y su época*, pág. 78.)

17. Escrita en 1788, no se representó hasta 1791. Aunque se observan escrupulosamente las reglas dramáticas, la acción se desenvuelve con soltura. No faltan pasajes ingeniosos como aquel en que don Eugenio aconseja a Pepita que cambie su género de vida; o aquel otro en que se contraponen la moral aldeana y la de la Corte:

En las aldeas las mozas
recogidas y aplicadas,
las que más bajan los ojos,
son las que más se casan.
Acá va por otra regla:
en no habiendo buena labia,
desparpajo, garabato,
compostura un poco extraña,
no bailando unas boleras,
no cantando una tirana
con su ¡ay!, y no frecuentando
las concurrencias de fama
para darse a conocer,
perdidas, no pasa un alma.

Salvando las distancias, algún rasgo de la protagonista pasa a *Consuelo*, de López de Ayala.

18. En el afrancesamiento de Moratín, como en el de tantos otros escritores de su tiempo, intervienen varios factores: influencia de la cultura francesa; corrupción de la corte de Carlos IV; su mismo carácter tímido y apocado, etc. Alcalá Galiano (*Recuerdos de un anciano*), aludiendo a las banderías literarias del Madrid de los

primeros años del XIX (protegidos y aduladores de Godoy y enemigos o, por lo menos, indiferentes), escribe: «Era el principal de éstos don Leandro F. de Moratín, poeta cómico aventajado, si bien falto de imaginación creadora y de pasión viva o intensa; rico en ingenio y doctrina; clásico en el gusto, esto es, a la latina o a la francesa; nada amante de la libertad política, y muy bien avenido con la autoridad, aun la de entonces, a cuya sombra medraba y también dominaba; en punto a ideas religiosas, laxo por demás, si hemos de tomar por testimonio sus obras, donde se complace en satirizar, no sólo la superstición, sino la devoción, como dejando traslucir lo que oalla; de condición desabrida e imperiosa, aunque burlón; de vanidad no encubierta, y con todo esto, no careciendo de algunas buenas dotes privadas que le granjeaban amigos, aunque buenos, en número escaso.»

El único episodio amoroso de su vida se refiere a Paquita Muñoz, a la que conoce en 1798, y con la que proyecta casarse en 1806; desconocemos las causas que impidieron la realización de tal enlace.

19. A propósito de *El sí de las niñas*, Larra formuló el siguiente juicio del teatro de Moratín: «Moratín ha sido el primer poeta cómico que ha dado un carácter lacrimoso y sentimental a un género en que sus antecesores sólo habían querido presentar la ridiculez. No sabemos si es efecto del carácter de la época en que ha vivido, en que el sentimiento empezaba a apoderarse del teatro, o si es un resultado de profundas y sabias meditaciones. Esta es una diferencia esencial que existe entre él y Molière. Este habla siempre al entendimiento y le convence presentándole el lado risible de las cosas. Moratín escoge ciertos personajes para cebar en ellos el ansia de reír del vulgo; pero parece dar otra importancia, para sus espectadores más delicados, a las situaciones de sus héroes. Convence, por una parte, con el cuadro ridículo al entendimiento; mueve, por otra, al corazón, presentándole al mismo tiempo los resultados del extravío; parece que se complace en poner a la boca del precipicio a su protagonista en *El sí de las niñas* y en *El barón*, o a hundirle en él cruelmente, como en *El viejo y la niña* y *El café*.»

20.   En fin, señor, por vos solo,
        por una pasión tan necia
        y una aborrecida unión
        de vuestra edad tan ajena,
        yo perdí mi libertad
        y él a la muerte se acerca.
        Pero este esfuerzo cruel
        algún galardón espera:
        sí, que tanto sacrificio
        bien merece recompensa.
        Ya está resuelto; apartada
        de vos, en la más estrecha
        clausura vivir intento,
        si es vida lo que me resta.

21. «Ve aquí los frutos de la educación. Esto es lo que se llama criar bien a una niña: Enseñarla a que desmienta y oculte sus pasiones más inocentes con una pérfida disimulación. Las juzgan honestas luego que las ven instruidas en el arte de callar y mentir. Se obstinan en que el temperamento, la edad ni el genio no han de tener influencia alguna en sus inclinaciones, o en que su voluntad ha de torcerse al capricho de quien las gobierna. Todo se las permite menos la sinceridad. Con tal que no digan lo que sienten, con tal que finjan aborrecer lo que más desean, con tal que se presten a pronunciar, cuando se lo manden, un sí perjuro, sacrílego, origen de tantos escándalos, ya están bien criadas, y se llama excelente educación la que inspira en ellas el temor, la astucia y el silencio de un esclavo.» (Acto III, esc. VIII.)

22. Después del fracaso de la obra se dirige a don Eleuterio en los siguientes términos: «¿Qué motivos tiene usted para acertar? ¿Qué ha estudiado usted? ¿Quién le ha enseñado el arte? ¿Qué modelos se ha propuesto usted para la imitación? ¿No ve usted que en todas las facultades hay un método de enseñanza y unas reglas que seguir y observar; que a ellas debe acompañar una aplicación constante y laboriosa, y que sin estas circunstancias, unidas al talento, nunca se formarán grandes profesores, porque nadie sabe sin aprender? Pues ¿por dónde usted, que carece de tales requisitos, presume que habrá podido hacer algo bueno? Qué, ¿no hay más sino meterse a escribir: a salga lo que salga, y en ocho días zurcir un embrollo; ponerlo en malos versos, darle al teatro, y ya soy autor? Qué, ¿no hay más que escribir

comedias? Si han de ser como la de usted o como las demás que se la parecen, poco talento, poco estudio y poco tiempo son necesarios; pero, si han de ser buenas, créame usted, se necesita toda la vida de un hombre, un ingenio muy sobresaliente, un estudio infatigable, observación continua, sensibilidad, juicio exquisito, y todavía no hay seguridad de llegar a la perfección.» (Acto II, esc. VIII.)

23. Vid. F. Ruiz Morcuende: Pról. a la ed. del teatro de Moratín (Clás. Cast. de «La Lectura», vol. LVIII, pág. XL). «No fué estéril—añade—el combatiente esfuerzo de Moratín; si de momento continuaron los desafueros escénicos, su labor, próvidamente beneficiosa, abrió los surcos en que fructificaron las tendencias modernas. Lejos de empequeñecerla, agiganta su figura este gran defecto; Moratín fué un genio dramático, a pesar de las tres unidades.» Tras un paralelo entre los dos teatros—el de Moratín y el de don Ramón de la Cruz—, Cesar Barja nos da el siguiente resumen: «Es el primero (Cruz) el dramaturgo nacional por excelencia; es el segundo el dramaturgo neoclásico por excelencia; entronca el uno con los viejos autores dramáticos castellanos, desde Juan de la Encina hasta más acá de Calderón; entronca el otro con los reformadores del siglo XVIII, con los neoclasicistas, y, con ellos y a través de ellos, con los dramaturgos clásicos franceses del siglo XVII: Molière es su modelo favorito. El drama de don Ramón de la Cruz es el último brote lozano fruto de la vieja cepa castellana antes de finalizar el siglo XVIII. El drama de Moratín es el primero, último y puede decirse que único brote lozano fruto del neoclasicismo español a la francesa.»

24. La admiración de nuestro Moratín por el famoso comediógrafo italiano no le impidió señalar en su teatro algunos defectos: excesivo número de personajes en ciertas comedias; argumentos exóticos; falta de consistencia en los caracteres; vulgaridad del ambiente; inobservancia de las unidades. Después intenta suavizar su juicio atribuyendo esos lunares a la «demasiado abundante vena del poeta».

BIBLIOGRAFIA

I. L. Ballesteros Robles: *Diccionario biográfico matritense*, Madrid, 1912.—C. A. de la Barrera: *Catálogo bibliográfico y biográfico del teatro antiguo español, desde sus orígenes hasta mediados del siglo XVIII*, Madrid, 1860.—Carmen Bravo-Villasante: *La mujer vestida de hombre en el teatro español* (especialmente las págs. 153-79), «Rev. Occidente», Madrid, 1955.—Dorothy Clotelle Clarke: *Some observations on castilian versification of the neoclassic period*, «Hisp. Review», XX, 1952.—M. Ada Coe: *Catálogo bibliográfico y crítico de las comedias anunciadas en los periódicos de Madrid, desde 1661 a 1891*, «Bull. Hispanique», XL, 1938.—E. Cotarelo Mori: *Bibliografía de las controversias sobre la licitud del teatro en España*, Madrid, 1904. *Ensayo histórico sobre la zarzuela, o sea el drama lírico español, desde sus orígenes a fines del siglo XIX*, Madrid, 1934. Isidoro Máiquez *y el teatro de su tiempo*, Madrid, 1902. *Estudios sobre la historia del arte escénico en España: I, María Ladvenat y Quirante, primera dama de los teatros de la Corte*, Madrid, 1896; II, *María del Rosario Fernández*, «La Tirana», Madrid, 1897.—F. Curet: *Teatres particulars a Barcelona en el segle XVIII*, Institut del Teatre, Barcelona, 1935.—L. M. Enciso Recio: *Nipho y el periodismo español del siglo XVIII*, Valladolid, Publ. de la Universidad, 1956.—V. Gómez: *Lo trágico en el arte* (disc. académico), Madrid, 1907.—A. González Palencia: *Ideas de Campomanes acerca del teatro*, «Entre dos siglos», Madrid, 1943.—P. Imbart de la Tour: *Jeanne d'Arc en la literatura española*, «Rev. P. Lit.», LIV, 1916.—P. Laín Entralgo: *La acción catártica de la tragedia*, «La aventura de leer», Colec. Austral, Madrid, 1956.—A. de la Tour: *De la tragedia en España desde sus orígenes hasta nuestros días*, «Le Correspondant», París, 10 junio, 1868.—M. Menéndez Pelayo: Próls. a las *Obras dramáticas de Lope de Vega*, vol. VIII de la ed. académica; *Historia de los heterodoxos españoles*, vol. V, Madrid, 1947; *Historia de las ideas estéticas en España*, vol. III, Madrid, 1940.—A. Millares Carlo: *Ensayo de una bibliografía de escritores naturales de las islas Canarias*, Madrid, 1932.—A. Montiano y Luyando: *Discurso sobre las tragedias españolas* (pról. a la ed. de su tragedia «Ataúlfo»), Madrid, 1753; *Discurso sobre las tragedias españolas* (pról. a su tragedia «Virginia»), Madrid, 1750.

F. Mariano Nipho: *La nación española, defendida de los insultos del Pensador y sus secuaces...*, Madrid, 1764; *Diario extranjero*, Madrid, 1763.—C. Pellicer: *Tratado histórico sobre el origen y progresos de la comedia y del histrionismo en España*, 2 vols., Madrid, 1804.—J. M.ª Roca Franquesa: *La leyenda del «Tributo de las cien doncellas» en la literatura española*, «Bol. del I. D. E. A.», núm. 5, Oviedo, 1948.—F. C. Sainz de Robles: *Tesis y antítesis del teatro español* (conferencia), Madrid, 1946.— A. Valbuena Prat: *El teatro moderno en España*, Zaragoza, 1944.—J. E. Varey: *Historia de los títeres en España desde sus orígenes hasta mediados del siglo XVIII*, «Rev. Occidente», Madrid, 1957.

II. Prólogos al vol. XLIX de la «Biblioteca de Autores Españoles», Rivadeneyra.—J. W. Barlow: *Zorrilla's indebtedness to Zamora*, «Rom. Review», vol. XVIII.— F. Cuervo Arango y G. de Carvajal: *Don F.º Antonio de Bances y López Candamo: Estudio biobibliográfico y crítico*, Madrid, 1916 (contiene amplia bibliografía).— J. Eugenio de Hartzenbusch: *Cañizares*, «Rev. de España, de Indias...», vol. LV, Madrid; *Racine y Cañizares*, «El Correo de Ultramar», vol. III.—W. S. Jack: *Bances Candamo and the Calderonian Decadents*, «Publ. of the Mod. Lang. Ass. of America», Baltimore, 1929.— R. Mesonero Romanos: *El teatro de Bances Candamo*, «Semanario Pintoresco Español», Madrid, 1853-1882.— M. Serrano y Sanz: *Theatro de theatros* (ed. y estudio de...), «Rev. de Archivos», Madrid, 1901.

III A. Berteaux: *A propos de don Ramón de la Cruz*, «Bull. Hispanique», XXXVIII, Burdeos, 1936.—L. Cano: *Obras completas de Ignacio G. del Castillo*, 3 vols. (ed. y pról. de...), Real Acad. Esp., Madrid, 1914.—A. de Castro: *Sainetes de González del Castillo* (ed. y pról. de...), Cádiz, 1845-1846.—E. Cotarelo Mori: *Don Ramón de la Cruz y sus obras. Ensayo biográfico y bibliográfico*, Madrid, 1899; *Colección de entremeses, loas, bailes, jácaras y mojigangas desde fines del XVI hasta mediados del XVIII*, 2 vols., «Nueva Bibl. Aut. Españoles», Madrid, 1911; *Sainetes de don Ramón de la Cruz*, 2 vols. (pról. ordenación y estudio por...), «Nueva Bibl. Aut. Españoles», Madrid, 1915.—A. Durán: *Colección de sainetes* (pról. de...), «Bibl. Aut. Esp. Riv.», Madrid, 1843.—L. de Filippo: *Diez sainetes inéditos de don Ramón de la Cruz*, Escuela Sup. de Arte Dramático, Madrid, 1955.—J. F. Gatti: *Una imitación de Goldoni por Juan Ignacio González del Castillo*, «Rev. de Filología Hispánica», Buenos Aires, año V, núm. 2; *Las fuentes literarias de dos sainetes de don Ramón de la Cruz*, «Filología», I, Buenos Aires, 1949.—N. González Ruiz: *González del Castillo y el teatro popular español del siglo XVIII*, «Bull. Spanish Studies», vols. I y II, 1924.—A. Hamilton: *Ramón de la Cruz's Debt to Molière*, «Hispania», vol. IV, California, 1921; *Ramón de la Cruz, social reformer*, «The Rom. Review», XII, 1921; *A Study of Spanish Manners, 1750-1800, from the Plays of Ramón de la Cruz*, «Illinois Language», vol. XI, núm. 3, 1926.—C. E. Kany: *Cinco sainetes inéditos de don Ramón de la Cruz* (introd., texto y notas de...), «Revue Hispanique», 1924.—Helen S. Nicholson: *An Eighteenth-Century «Entremés de costumbres»*, «Hisp. Review», VII, 1939.—F. Palau Casamitjana: *Ramón de la Cruz un der französische Kultur o influss in Spain des XVIII*, Jarhhunderts, Bonn, 1936.—B. Pérez Galdós: *Ramón de la Cruz y su época*, «Rev. de España» y «Memoranda», Madrid, 1906.—J. Valera: *Don Ramón de la Cruz*, «Obras completas», II, M. Aguilar, Madrid, 1942.

IV-V. N. Alonso Cortés: *García de la Huerta*, «Sumandos biográficos», Valladolid, 1939.—R. Benítez Claros: *Notas a la tragedia neoclásica española*, «Homenaje a Krüger», vol. I, Mendoza, 1952.—E. Cotarelo Mori: *Proceso inquisitorial contra Iriarte*, «Rev. de Archivos», IV, Madrid, 1900; *Iriarte y su época*, Madrid, 1897.—L. Fernández de Moratín: *Vida de don Nicolás F. de Moratín*, «Bibl. Aut. Españoles de Rivad.», II, Madrid, 1850.— J. P. Forner: *Reflexiones sobre la «Lección crítica» de don V. García de la Huerta*, Madrid, 1786.—E. de la Iglesia Carnicero: *García de la Huerta y el coronel Cadalso*, Madrid, 1889.—E. Lambert: *Alphonse de Castille et la juive de Tolède*, «Bull. Hispanique», XXV, 1923.—Marqués de Laurencín: *Don Agustín de Montiano y Luyando*,

primer director de la R. A. de la Historia. Noticias y documentos, Tip. de la Rev. de Arch., Madrid, 1926.— J. Marichal: *Cadalso: El estilo de un «hombre de bien»*, «Papeles de Son Armadams», núm. 12, Palma de Mallorca, marzo, 1957.—R. Menéndez Pidal: *Floresta de leyendas heroicas españolas: Rodrigo, el último godo*, vol. III, «Clás. Cast. La Lectura», núm. 84, Madrid, 1948.—R. Mesonero Romanos: *Noticia biográfica de don V. García de la Huerta*, Madrid, 1869.—R. Miguel y Planas: *Iriarte, bibliófilo*, «C. Bibl.», I, 1925.—A. Navarro González: *Tomás de Iriarte: Poesías* (pról. y notas de...), «Clás. Castellanos», núm. 136, Madrid, 1953.—A. Ruiz Alvarez: *En torno a los Iriarte*, «Rev. Bibliográfica y Documental», V, Madrid, 1951.—A. Sancho: *Notas a las obras poéticas de Huerta*, Madrid, 1878-1879.—E. Segura Covarsi: *La «Raquel» de García de la Huerta*, «Rev. Estudios Extremeños», VII, Badajoz, 1951.

VI. A. Arolas Juani: *Teatro de Moratín*, Manresa, 1897.—A. Alcalá Galiano: *Juicio crítico sobre el célebre poeta cómico D. Leandro F. de Moratín*, «Rev. Peninsular», I, 1855.—«Azorín» (J. Martínez Ruiz): *Moratín*, «Lecturas Españolas».—J. A. Barriga: *Moratín, Ercilla, M. Pelayo y Campoamor*, Santiago de Chile, 1915.—P. Cabañas: *Moratín, anotador de Voltaire*, «Rev. Filol. Esp.», XXVIII, Madrid, 1942.—A. Cánovas del Castillo: *Moratín y sus obras*, «Artes y Letras», Madrid, 1887.—J. Calsaldero: *Forma y sentido de «El sí de las niñas»*, «Nueva Rev. de Filol. Hisp.», XI, 1957.—C. Consiglio: *Moratín y Goldoni*, «Rev. Filol. Esp.», XXVI, Madrid, 1942.—M. Danvila: *Una carta de don Leandro F. de Moratín*, «Bol. R. Acad. Hist.», vol. XXX, Madrid, 1900.— J. de Entrambasaguas: *El lopismo de Moratín*, «Rev. Filol. Esp.», XXV, Madrid, 1941.—P. de la Escosura: *Moratín en su vida íntima*, «Ilustr. Española y Americana», 1877.—R. López Barroso: *Epistolario de L. F. de Moratín* (pról. de...), C. I. A. P., Madrid, s. a.—E. Gómez de Baquero: *Moratín y su teatro*, «Rev. Arch., Bibl. y Mus. del Ayut. de Madrid», 1924.—A. González Palencia: *Una ofuscación de Moratín*, «Rev. Ayunt. de Madrid», 1933.—Edith F. Helman: *The elder Moratín and Goya*, «Hisp. Review», XXIII, Pensilvania, 1955.— M. J. de Larra («Fígaro»): *Críticas de «El sí de las niñas» y «La Mojigata»*, «Artículos completos», M. Aguilar, Madrid, 1944.—E. Lustano: *Un día glorioso: Don Leandro F. de Moratín*, «Ilustr. Esp. y Amer.», vol. LXIX.— E. Maddalena: *Moratín e Goldoni*, 1905.—P. de Madrazo: *Los retratos de Moratín*, «Ilustr. Esp. y Amer.», 1872.— J. Martínez Rubio: *Moratín*, Valencia, 1893.—J. A. Melón: *Desordenadas y mal digeridas apuntaciones* (sobre Moratín), «Obras póstumas», III, Madrid, 1867.—F. Morales de Setién: *Moratín y su teatro*, «Rev. Arch., Bibl. y Mus. del Ayunt. de Madrid», 1924.—Moratín: *Autobiografía*, manuscrito 5.617 de la Bibl. Nac. de Madrid.— M. de los S. Oliver: *Los españoles en la Revolución Francesa*, Madrid, 1914.—J. Ortega y Rubio: *Moratín*, «Rev. Contemporánea», vol. CXXIX.—M. Osorio y Bernard: *«La comedia nueva o El café»*, «Ilustr. Esp. y Amer.», Madrid, 1895; *Un personaje de Moratín*, «Ilustr. Ibérica», 1890.—B. Pérez Galdós: *Moratín y su época*, «Nuestro Tiempo», Madrid, 1923.—J. Pérez de Guzmán: *La primera representación de «El sí de las niñas»*, «La España Moderna», dic. 1902; *Los émulos de Moratín*, «La Esp. Moderna», 1905.—J. de la Revilla: *Juicio crítico de don Leandro F. de Moratín como autor cómico y comparación de su mérito con el del célebre Molière*, Sevilla, 1833.—J. de la Riva: *A propósito de un estudio norteamericano sobre Goldoni y su influencia en España* (se refiere al del profesor Rofers), «Escorial», Madrid, 1943.—P. R. Rofers: *Goldoni in Spain*, Ohio, 1941.— F. Ruiz Morcuende: *Moratín, secretario de la interpretación de lenguas*, «Rev. Arch., Bibl. y Mus.», Madrid, 1933; *Vocabulario de don L. Fernández de Moratín*, Madrid, 1945; *Moratín: «El café» y «El sí de las niñas»* (ed. y estudio de...), «Clás. Castellanos», Madrid, 1924.— A. Agustín del Saz: *Moratín y su época*, «Rev. Arch. Bibl. y Mus. Ayunt. de Madrid», 1928.—Jean Serrailh: *Note sur «Le Café», de Moratín*, «Bull. Hispanique», XXXVI, 1934.—M. Silvela: *Vida de don Leandro F. de Moratín*, «Obras póstumas», vol. I, Madrid, 1867.—J. Toledano: *Centenario: D. Leandro F. de Moratín*, «La Gaceta Literaria», 1 jul. 1928.—F. Vezinet: *Molière, Florian et la littérature espagnole*, París, 1909.

CAPITULO LIII

LA PROSA NARRATIVA EN EL SIGLO XVIII

I. Panorama general.—II. El doctor Torres Vallarroel: *Datos biográficos. La «Vida». Las obras. La producción poética.*—III. El padre Isla: *Biografía. Obra. «Fray Gerundio de Campazas». Juicio crítico.*—IV. El Gil Blas de Santillana». *Aparición y contenido. El problema del autor.*—V. Novela filosófica: *Montengón. Datos biográficos. La producción poética. El «Eusebio». Otras obras. Más novelistas de la época.*—VI. La prosa americana del XVIII.—Notas.—Bibliografía.

I. PANORAMA GENERAL

La vertical decadencia de nuestras letras en el siglo XVIII, que afecta a todos los géneros literarios, tenía que repercutir también en la novela. Es inexacto que el XVIII carezca de novela, como se ha dicho en más de una ocasión. Hay novela; sólo que en nada o en muy pocas cosas se parece a la del siglo anterior y del siguiente. Es un producto característico de la época, reflejo naturalmente de sus ideas y preocupaciones. Ante todo, el tono didáctico, el propósito docente, tantas veces aludido, que domina toda la literatura de la época, trasciende a la novela, aun en aquellas creaciones que, como la *Vida,* de Torres de Villarroel, o el *Mirtilo,* de Montengón, entroncan con la picaresca o con la pastoril del siglo de Oro. Por otra parte, la aspiración a una vida mejor que, provocando lo que Paul Hazard llamó «crisis de la conciencia europea», a finales del XVII, lleva al racionalismo y a la incredulidad, da también al género su tónica especial. El hombre del XVIII no se conforma con ser irreligioso, es antirreligioso: el vacío que se produce en su espíritu la falta de creencias religiosas tiene que llenarlo con creencias de otra índole. Sueña con una nueva Arcadia; acata el imperio de la razón; cree que unas máximas filosóficas o seudo-filosóficas le equilibrarán la pérdida de otras creencias. La educación del hombre, abandonado a sus medios naturales para que se valga sólo de la luz de la razón, tal como se preconiza en el *Emilio,* de Rousseau, informa una de nuestras novelas típicas de la época: el *Eusebio,* de Montengón. Sabido es, además, que la sátira, en gran parte, es una forma de didacticismo, y la sátira de la manía nobiliaria o de la burocracia, del arrivismo o de la chabacanería y retórica hueca introducida en el púlpito, domina en un grupo de novelas que van desde las anodinas imitaciones del *Quijote*[1] hasta la obra de mayor éxito en la época y casi de todas las épocas de nuestra historia: *Fray Gerundio de Campazas.*

En resumen: prescindiendo del carácter didáctico y del tono satírico que domina toda la novela del XVIII, podemos agruparla en los siguientes apartados:

a) picaresca; *b)* satírica; *c)* filosófica y pastoril.

II. EL DOCTOR TORRES VILLARROEL

Una de las figuras más complejas e interesantes del siglo XVIII es la del doctor don Diego de Torres Villarroel (1693-1770). En él la ficción literaria y la picaresca real se dan la mano hasta el punto de no ser posible separar la una de la otra. En Torres, a diferencia de lo que ocurre en la mayoría de sus contemporáneos, es muy superior la realidad vivida a la ficción literaria. Representante típico de una época de la historia nacional, en la que se mezclan credulidad, ignorancia y ansia de saber, la actitud criticista, tan común en los escritores contemporáneos, tiene en Torres especiales características. Acertadamente observa Federico de Onís que el conocimiento de la decadencia de España por parte de Torres es opuesto diametralmente al de otros escritores: «La posición especial de don Diego entre los demás reformadores—fijémonos en el más saliente, el Padre Feijoo—es que en éstos la conciencia de la miseria intelectual de España nace del conocimiento de la cultura extranjera, y en don Diego nace del contacto mismo con las realidades nacionales y es como concreción de algo que vagamente estaba ya incorporado a la vida nacional.» Frente a un Feijoo de vida sedentaria, avizorando desde su celda de Oviedo, constituída en centro cultural, cuanto pasaba en Europa, Torres es un inquieto vagabundo. La gran diversidad de gentes que trata, desde los medios más humildes hasta los más elevados, desde los mesones hasta la Universidad, le hace patente el atraso intelectual de nuestra nación. El mismo, cuando hace examen de conciencia, llega a considerarse forzosamente reflejo de aquel atraso. Sin profundizar en nada, sólo con un ingenio natural, pudo ocupar la cátedra de Matemáticas y Astrología de la Universidad salmantina. He aquí un dato significativo.

Datos biográficos

Su obra principal, que constituye el relato de su vida, es el último eco de la novela picaresca de la centuria anterior. Presenta una característica especial dentro del género, y es que, en Torres, la picaresca es auténtica; las aventuras que relata son sucesos reales. A lo largo de esas páginas podemos seguir con todo detalle el hilo de su vida [2].

Torres nace, en Salamanca, el año 1693, «entre las cortaduras del papel y los rollos del pergamino». Hijo del librero Pedro de Torres, padre de otros diecisiete vástagos, es bautizado en la iglesia de San Isidoro y San Pelayo. Entra en la escuela de un tal Pedro Rico, en la que permanece cinco años, dando pruebas de un carácter inquieto y bullanguero, que le vale el apodo de *Piel de diablo*. Pasa luego al pupilaje de don Juan González de Dios, a cuyo lado estudia Gramática, y al que conserva siempre gran veneración y afecto. A los quince años obtiene una beca en el Colegio Trilingüe, donde deja transcurrir cinco años, perdiendo toda afición a los estudios serios, haciendo mil diabluras y entregado a la lectura de obras de entretenimiento. «Arrimé la Lógica y cogí nuevo horror a las ciencias; de modo que en cinco años no volví a ver libro alguno de los que se rompen en las Universidades. Las novelas, las comedias y los autores romancistas me entretuvieron la ociosidad y el retiro forzado, y éstos me dejaron descuidadamente en la memoria tal cual estilo y expresión castellana, con que me bandeo para darme a entender en las conversaciones, los libros y las correspondencias.»

Abandona la casa paterna y se traslada a Portugal. Aquí convive con un ermitaño en Tras os Montes; se alista como soldado en Oporto; actúa de danzarín y de curandero en Coimbra y como torero en Lisboa. A los veinte años conoce el primer tratado de matemáticas, ciencia a la que había de dedicarse después y que llegó a profesar en la Universidad de Salamanca: «Me deleité con embeleso indecible un tratado de la esfera del padre Clavio, que creo fué la primera noticia que había llegado a mis oídos de que había ciencias matemáticas en el mundo.» Regresa a Salamanca, y a los veintiún años se ordena de subdiácono para gozar de ciertos beneficios (1715), estado en el que permaneció treinta años, ya que hasta 1745 no se ordenó de sacerdote [3].

Acusado por unas sátiras sobre las alternativas universitarias [4], es condenado a seis meses de prisión; cumple dos en la cárcel y los otros cuatro «con mucha alegría, sobrada comodidad, crecido regalo y provechoso entretenimiento en el convento de San Esteban» de los Padres dominicos. Abandona nuevamente Salamanca para pasar a Madrid. Llevado de su inclinación aventurera, se concierta con un clérigo burgalés para «introducir tabaco, azúcar y otros géneros prohibidos»; pero antes de actuar con él es llevado por el capellán de la condesa de Arcos al palacio de ésta para que arroje de la casa los duendes de que estaba invadida [5]. Se dedica a la composición de almanaques; predice en el 1724 la muerte de Luis I, hecho que acaeció realmente como él lo anunciara. Con ello, su fama de astrólogo entre el vulgo aumentó increíblemente, suscitando numerosas polémicas sobre el valor de la astrología judiciaria. Vuelto a Salamanca por mandato del obispo de Sigüenza, presidente del Real Consejo, oposita a la cátedra de Matemáticas de la Universidad, siendo elegido el 29 de noviembre de 1726. Dedicado a la enseñanza vive plácidamente, hasta que en 1732 es condenado a destierro por complicidad en cierto delito con su amigo don Juan de Salazar [6]. Obtiene el perdón tres años después y se reintegra a las tareas docentes. Tras dos enfermedades que le ponen al borde del sepulcro, se ordena sacerdote. En 1750 solicita la jubilación, a lo que se opone la Universidad. A partir de este momento, la vida de Torres ofrece poco interés. Muere en Salamanca, el 19 de junio de 1770, en el palacio de Monterrey.

La «Vida»

La *Vida, ascendencia, nacimiento, crianza y aventuras del doctor don Diego de Torres Villarroel* (1743), de la que están tomadas las noticias anteriores, es, según queda dicho, la obra más famosa y estimada del autor. Valera la ha calificado como «una novela picaresca, sin maldad que mancille la honra del héroe». Cierto desgarro de expresión, que nunca llega al amargo pesimismo de un Quevedo o un Mateo Alemán, hace de la obra un punto intermedio entre la picaresca y la autoconfesión al estilo de Rousseau. Torres se nos muestra como espíritu independiente, sin menospreciar al pobre y sin adular al poderoso. Este espíritu de independencia le da libertad para confesar lisa y llanamente lo que piensa. Para Torres el hombre es artífice de su propia suerte; su mejor ejecutoria, sus propios actos: «Mi afrenta o mi respeto —dice— están colgados de mis obras y de mis palabras; los que se murieron nada me han dejado; a los que viven no les pido nada, y en mi fortuna o en mi desgracia no tienen parte ni culpa los unos ni los otros.» Es natural que rechace toda comparación, incluso con ciertas ficciones literarias, cuyos protagonistas pudieran, a primera vista, parecer sus modelos: «Paso entre los que me conocen y me ignoran, me abominan y me saludan, por un Guzmán de Alfarache, un Gregorio Guadaña y un Lázaro de Tormes; y ni soy éste, ni aquél, ni el otro.» No deja de asomar a su pluma cierto pesimismo, fruto más bien de la experiencia que del estudio, al comentar la malevolencia, el orgullo y la envidia del prójimo [7].

Otras obras

La producción literaria de Torres es múltiple y variada. Los *Pronósticos* que publicaba anualmente [8], firmados por *El Gran Piscator de Salamanca*, son interesantes por las noticias biográficas contenidas en los prólogos. La poesía lírica—de la que nos ocuparemos después—le da un puesto destacado entre los vates españoles del primer tercio del siglo XVIII; tiene asimismo algunas obras científicas o semicientíficas, como *Anatomía de lo visible e invisible, La vida natural y católica,* de escaso interés, y la *Vida de la venerable madre Gregoria de Santa Teresa,* modelo de excelente prosa castellana. Pero lo mejor, después de su *Vida,* son los *Sueños morales,* cuadro costumbrista a la manera de *El Diablo Cojuelo,* que refleja honda influencia quevedesca [9]; y *El ermitaño y Torres,* interesante crítica literaria, en que se hace el examen de la librería del ermitaño. Los máximos elogios se dedican a los costumbristas, en especial a Quevedo, Francisco Santos y Zabaleta; muestra cierta indecisión al enjuiciar el *Quijote* cervantino y el de Avellaneda; alaba la *Agudeza y arte de ingenio* y censura *El Criticón.*

La producción poética

El carácter serio y jocoso a la vez, moral y desgarrado, de gracia elegante y populacherismo que caracteriza la prosa de Torres, se extiende igualmente a su verso. Como en aquélla, también aquí es Quevedo su principal modelo y confidente [10]. La poesía de Torres hay que situarla—y así lo hemos hecho en otro lugar—, como el teatro de Cañizares y de Zamora, en la corriente tradicional, que persiste hasta la primera mitad del XVIII; junto a sonetos, octavas reales y silvas, aparecen versos cortos: villancicos, romances y romancillos, seguidillas y letrillas. En ambas formas la sátira del afrancesamiento, tanto costumbrista como de léxico, ocupa preferente lugar [11].

Podría clasificarse esa poesía en: *satírico moral,* integrada principalmente por una serie de sonetos contra el utilitarismo dominante y la inestabilidad de los honores y bienes de fortuna *(Ciencia de los cortesanos de este mundo, La casa de un gran señor, Modo de pretender,* etc.); *autobiográfica,* análoga en cuanto al tono a la *Vida* (sonetos, *Vida bribona,* contraste de su pobre existencia con la del gran señor [12], *A Filis,* dándole cuenta de los «ejercicios que tiene en la aldea en tiempo de su destierro», en el que no falta algún rasgo de la bucólica galante de la época:

> Por ti vivo y padezco tal bajeza,
> y en ella hallara mi seguro gozo
> si yo olvidar pudiera tu belleza;

religiosa, de tono y metro ligero (villancico *Al Nacimiento de Jesús,* que puede servir de muestra de la decadencia a que llegó un género de tan sencilla emotividad desde su origen, y *Gozos y deprecaciones a María Santísima,* reflejo de una fe popular y aldeana, sin complicaciones) [13].

III. EL PADRE ISLA

El jesuíta padre JOSÉ FRANCISCO DE ISLA (1703-1781) pertenece al grupo de reformadores que, como Feijoo, Jovellanos, Cadalso y Forner, consagraron la totalidad de su obra o buena parte de ella al perfeccionamiento espiritual y material de sus compatriotas. No importa que se valieran de métodos distintos: desde el ensayo al tratado doctrinal; desde la amena forma novelística a la elevada especulación filosófico-estética; desde el consejo noble a la sátira ágil y violenta. La finalidad es siempre la misma: Feijoo, al intentar deshacer los errores vulgares; Luzán, al formular en su *Poética* las reglas de la literatura neoclásica; Arteaga, al investigar sobre «la belleza ideal»; Jovellanos, al propugnar nuevas fuentes de riqueza en su *Informe sobre la ley agraria;* Cadalso, al censurar las costumbres, religión, cultura e instituciones en sus *Cartas marruecas;* Forner, en fin, al lamentar en sus *Exequias...* el triste estado a que había llegado nuestra lengua, no hacen más que seguir idénticas directrices y obedecer a un mismo móvil: señalar un atraso y proponer el conveniente remedio. En los capítulos anteriores vimos a qué extremos de extravagancia habían llegado el teatro y la lírica; el barroquismo en manos de escritores adocenados degenera en metáfora ininteligible, en retruécano vacío, en hueca palabrería. Estos defectos, que intenta corregir Luzán, no son exclusivos de la poesía o del drama; habían trascendido también a la oratoria. Si los imitadores de Góngora y Calderón desbarran sin sentido hasta justificar innumerables sátiras y reprimendas tan duras como las de Moratín en *La comedia nueva* y la *Derrota de los pedantes,* no les van a la zaga los del gran amigo del poeta de las *Soledades,* fray Félix Hortensio de Paravicino. El lenguaje declamatorio sale de los libros para adueñarse del púlpito, donde la extravagancia resalta si cabe aún más, al percibirse el contraste entre lo plebeyo del estilo y lo sublime de la materia a que se aplica. Los simples títulos de algunos sermonarios [14] reflejan me-

jor que nada el estado de postración a que había
llegado la oratoria religiosa. A sacarla de él, en
lo que cabe, viene el padre Isla con su famoso
Fray Gerundio.

Biografía

Nace el padre JOSÉ FRANCISCO DE ISLA Y ROJO
en Vidanes (León), el 1703, con ocasión de ir su
madre a un santuario cerca de Valderas. De familia acomodada—su padre estaba el servicio de
los condes de Altamira—, pronto destaca por su
talento e ingenio. A los doce años se bachilleró en
Leyes, y a los dieciséis entraba en los Jesuítas de
Villagarcía de Campos. A los diecinueve traduce,
sin saber francés y valiéndose de diccionario, la
Historia de Teodosio, de Flechier. Estudia Teología en Salamanca, donde escribe, por consejo del
padre Losada, *La juventud triunfante.* Actúa luego
como profesor en Segovia, Santiago y Pamplona.
Por entonces traduce el *Compendio de la historia
de España,* del padre Duchesne; empieza la versión del *Año cristiano,* de Croiset, y publica el
Día grande de Navarra (1746). Al mismo tiempo
ha destacado como orador elocuente en Valladolid y Zaragoza. El marqués de la Ensenada le
propone para confesor de la reina doña Bárbara
de Braganza, cargo que Isla rechaza humildemente por considerarse indigno de él. Con otro jesuíta,
el padre Petisco, contribuye eficazmente a restaurar los estudios de Humanidades. A los cincuenta
años, achacoso ya, se retira a Villagarcía, y luego
a Pontevedra, donde le sorprende la orden de expulsión de los jesuítas (1767). Aunque enfermo, prefiere correr la suerte de sus hermanos en religión;
embarca en la Coruña, y tras una estancia de catorce meses en Córcega, pasa a Bolonia. De allí
también le destierra la curia eclesiástica (1773) por
la defensa que hace de la Compañía poco antes
de su extinción. Muerto el cardenal Malvezzi, autor
de la sentencia, regresa a Bolonia (1775), donde los
condes de Tedeschi le acogen en su palacio, aten-
diéndole con todo regalo hasta su muerte, en 1781.

Obra

El padre Isla fué un escritor incansable. Aparte las obras ya citadas, tradujo durante su estancia en Córcega y en los Estados Pontificios las
Cartas, de José Antonio Constantini (ocho tomos),
el *Gil Blas,* de Lesage, y el *Arte de encomendarse
a Dios,* del padre Bellati, sin contar otras varias
que se han perdido.

Entre sus escritos originales merecen citarse:
La juventud triunfante (1727), de escaso valor literario tanto en su prosa como en los versos intercalados, escrita en colaboración con el padre
Losada, para celebrar la canonización de San Luis
Gonzaga y San Estanislao de Kotska: las *Cartas
de Juan de la Encina,* 1732, graciosa réplica al
*Método racional y gobierno quirúrgico para curar
los sabañones,* preconizado por el doctor Carmona; el *Triunfo del amor y de la lealtad o Día
grande de Navarra* (1746), fina ironía de las pom-

posas relaciones alusivas a tales fiestas [15]; los *Sermones,* reunidos en seis volúmenes (1792), modelo de excelente oratoria sagrada, aunque no
siempre exenta de los vicios que el autor tanto había de censurar, y las *Cartas familiares* (1786-1789),
también en seis tomos, acabada expresión del género epistolar, en las que no se sabe qué admirar más, si la gracia espontánea, el estilo suelto
o el tono entre irónico y serio con que están redactadas. Las *Cartas* del padre Isla—reunidas por
su hermana—ocupan un puesto preferente en nuestra literatura, quizá a continuación de las de Santa
Teresa. Pero su obra más original, la que mantiene el nombre del padre Isla en la primera fila
de los escritores de su siglo, es el *Fray Gerundio
de Campazas.*

«Fray Gerundio de Campazas»

La *Historia del famoso predicador fray Gerundio
de Campazas* aparece en dos veces: 1758 y 1770.
La primera parte se publica con el nombre de
Francisco Lobón de Salazar, cura de Villagarcía de
Campos, amigo del padre Isla, que no repara en
apadrinar con su nombre y apellidos a la criatura.
Del acierto con que el autor supo poner el dedo
en la llaga tenemos dos pruebas: una, su éxito
de venta: a los tres días de aparecer estaba agotada la edición; otra, la polvareda que levanta:
un diluvio de folletos en pro o en contra de la
famosa obra obligó al Santo Oficio a prohibir
(1760) toda polémica sobre *Fray Gerundio,* orde-
nándose de paso la recogida de cuantos comentarios se habían ya publicado. La segunda parte,
aparecida cuando ya el padre Isla se hallaba en el
destierro, también mereció la desaprobación del
Santo Oficio, por haberse publicado sin la debida
licencia eclesiástica.

¿Qué es el *Fray Gerundio?* Una obra miscelánea, formada por dos elementos, no sólo dispares,
sino casi antagónicos; al menos que se repelen
mutuamente: el padre Isla aspira a darnos a la
vez una narración novelesca de carácter satírico y
un tratado de oratoria sagrada. Dos cosas difíciles
de lograr, y que el autor de *Fray Gerundio* ciertamente no logra. «Es de notar—escriben Hurtado
y González Palencia—que el padre Isla, que censura la falta de orden y de método en los malos
predicadores, no supo evitarla en su obra, que hubiera ganado mucho siendo más breve, ya que la
acción de la novela es escasa. Además de pecar
contra esto y contra la proporción, hay ausencia de
gusto, pues frecuentemente el arte del escritor es
basto, a lo cual se prestan algunos rasgos del carácter de los personajes, particularmente de fray
Blas y fray Gerundio...» Isla, para dar mayor
viveza a la narración, pone en boca del protagonista todas las extravagancias, disparates, chistes
más o menos irreverentes, anécdotas y chascarri-

llos que circulaban sobre los predicadores de la época.

La parte didáctica domina con mucho a la novelesca. Está representada por una serie de disertaciones, encajadas a veces un poco a la fuerza y a lo largo de todo el libro, sobre aquellas materias que Isla considera indispensables para la formación de un orador perfecto: desde la gramática o la etimología hasta las matemáticas o la jurisprudencia. Para Isla no hay disciplina ajena a un buen orador: retórica, geografía, historia, sistemas filosóficos, teología, música, medicina, etc. Hasta de la poesía necesita, según testimonios de Cicerón [16].

Todo se toca, todo queda aludido y corroborado con innumerables citas de autores clásicos y modernos, que acreditan la vasta cultura del jesuíta. Para ello se vale de dos procedimientos: la sátira de la mala oratoria, mediante la transcripción de sermones, o fragmentos de sermones predicados por fray Blas o fray Gerundio; y la exposición de la recta doctrina, por boca del provincial, del magistral o de fray Prudencio. La sátira a la que era tan propenso el padre Isla, iniciada de ordinario en el chiste grueso, degenera fácilmente en chocarrería. Así es como el autor, unas veces en serio y las más en broma, va ridiculizando muchos vicios y errores: la manía de los prólogos laudatorios, las «aprobaciones» llenas de pedantesca erudición, los «encomios» hechos casi siempre por los propios autores. A la vez se señalan los modelos dignos de imitar, que para Isla son: San Francisco de Sales, Bourdaloue, Fléchier y Lafiteau, entre los franceses; Santo Tomás de Villanueva, fray Luis de Granada, el padre Vieyra, Vela y Salvador Osorio, entre los españoles [17]. La llegada del petimetre don Carlos, cursi afrancesado (libro IV), da pie al autor para señalar una larga lista de galicismos morfológicos y sintácticos, satirizando de paso a los traductores adocenados, «traducidores (trucidadores) de su propia lengua y corruptores de la ajena [18].

Menos importante la parte novelesca, se limita a narrar la «vida, ascendencia, nacimiento, crianza y aventuras de fray Gerundio». Del matrimonio de Antón Zotes y Catalina Rebollo nace Gerundio. Tales muestras da el niño de su precocidad que, al cumplir los dos años, un lego le predice su destino de «estupendo predicador», pues «aún no sabía leer ni escribir y ya sabía predicar». En la escuela el maestro de Villaornate le enseña, junto con las primeras letras, una ortografía estrafalaria [19]; y luego, por espacio de cinco años, cuatro meses, veinte días, tres horas y siete minutos, aprende la gramática con un dómine que, en lo tocante a métodos pedagógicos, allá se iba a la zaga con el maestro de Villaornate. Un lego «rollizo, despejado y mañoso» le informa de la vida conventual, con «más imprudencia que verdad», y solicitado el ingreso en una Orden, se le admite,

al ver que el muchacho, en medio de todo, es vivo y despejado y que sus muchos disparates son residuo de la pésima enseñanza recibida en la escuela. Hace el noviciado, estudia Artes y, dirigido por fray Blas, grotesco predicador, inicia su carrera oratoria en el refectorio del convento, excitando con sus extravagancias la hilaridad de los religiosos. El padre provincial le ordena que se calle. Inútiles todos los consejos del mismo provincial, del magistral de León, de fray Prudencio y de otras personas sensatas; fray Gerundio se lanza por la senda del disparate y logra superar a su propio y admirado maestro, el inconmensurable fray Blas [20]. En un sermón, después de hablar largamente de Baco y de Júpiter, hace un juego de palabras con Pascual Cordero, mayordomo de una Cofradía, y el cordero pascual, lo que da ocasión a un capitán para comentar socarronamente que «fray Gerundio y otros predicadores semejantes pueden acometer en sus mismas trincheras a la melancolía». En otro, proclama a Adán y Eva los primeros sastres por las hojas con que cubrieron su desnudez, al ser expulsados del Paraíso. Hace en cierta ocasión el panegírico de un escribano falsario recién fallecido, y elogia su rapidez en la escritura, sus elegantes rasgos y hasta la gallardía de su rúbrica, «que se podía presentar al mismo rey», aprovechando la coyuntura para aludir a «los rasgos cadmeos» (las letras), al «cándido lino triturado» (el papel) y al «atro licor de la verrugosa agalla» (la tinta). Con estas y otras pruebas de su ingenio fray Blas comprende que su discípulo ha llegado a la cima de la elocuencia.

La novela termina inesperada y bruscamente cuando fray Gerundio se halla preparando los sermones de Semana Santa y le faltaba «por lo menos la mitad para llegar al término de su espaciosa carrera». El mismo Isla plantea al final, sin resolverla, la doble hipótesis de si es su libro historia o novela.

Juicio crítico

El mayor defecto de *Fray Gerundio* es la falta de unidad: una serie de aventuras yuxtapuestas, casi sin ninguna mutua relación, pero que facilitan el propósito docente del autor. Ya éste advirtió esa falta, puesto que al principio del libro III observa que su obra puede cortarse en cualquier punto, sin menoscabo de su interés [21].

¿Se propuso Isla imitar a Cervantes y dar al traste, mediante el ridículo, con el género oratorio de su tiempo, como aquél lo había hecho con el género caballeresco? Indudablemente. Pero no conviene extremar las analogías entre *Fray Gerundio* y *Don Quijote*. Isla ataca un vicio dominante todavía cuando escribe su obra; el vicio ridiculizado por Cervantes estaba ya muerto al componerse *Don Quijote*. En Cervantes la sátira es lo accidental, lo sustancial es la acción; en Isla pasa ésta a segundo o ínfimo lugar. Cervantes crea un carácter; Isla nos da un tipo: el contraste entre la razón y la demencia hace del héroe manchego un ser genial; fray Gerundio no pasa de ser un estúpido, un *zote*, que abunda en todos los tiempos y latitudes, como en un gracioso juego de palabras dice el autor al principio de su obra [22].

En resumen: Cervantes es ante todo novelista, creador; la moral de su obra, si alguna contiene, brota espontánea del fondo de los hechos narrados; Isla es un pedagogo más, muy enquiciado —eso sí—dentro de su siglo, que nos quiere soltar su lección y aprovecha cualquier oportunidad para ello. Que se haya servido de la sátira no quiere decir sino que Isla aprovechó uno de los recursos más eficaces en todas las literaturas y en todos los tiempos. Pero esa sátira tampoco tiene que ver con la de Cervantes, tan fina, tan sonriente, tan humana.

Con esto no se quiere restar méritos al *Fray Gerundio*. Si lo que Isla pretendía era poner en cuarentena a los malos predicadores, hay que reconocerle el éxito total [23]. La increíble rapidez con que se vendió toda la primera edición, las protestas que suscitó en algunas Ordenes religiosas, la intervención del Santo Oficio, indican que había dado en el clavo. El mismo Isla, tal vez asustado por el escándalo de su obra, o tal vez—como apunta un tanto maliciosamente Valbuena—llevado de una humildad cautelosa, muy propia de su Orden, insistía luego en que «había sido mal religioso» por dedicarse a esa literatura de pasatiempo, cuidando mucho de advertir que sus superiores no sólo nunca habían aprobado sus faltas y descuidos, pero ni siquiera se los habían disimulado.

En cuanto al estilo, se puede decir que viene hasta cierto punto impuesto por la índole de la obra: se propone excitar la hilaridad y, naturalmente, agota toda la sal y donaire que no en escasa cantidad había recibido del cielo. Pero es un donaire más espontáneo que culto. Incurre con frecuencia en las mismas redundancias y acumulaciones que censura. Acude especialmente a los giros populares y hasta lugareños, que reproduce bien, como quien los aprendió en su propio ambiente y no de oídas. Algunos cuentecillos intercalados tienen verdadera gracia: el de la viuda que consulta al párroco si debía o no casarse con su criado. Asimismo abunda en descripciones detallistas y magistralmente hechas que preludian la técnica de la novela naturalista: la de la casa de Antón Zotes; la del atuendo del vicario de las monjas de Jacarilla, etc.

IV. EL «GIL BLAS DE SANTILLANA»

Hablar del padre Isla y no referirse a la conocida novela *Gil Blas de Santillana* sería omisión imperdonable. La cuestión del *Gil Blas*, aunque dada como resuelta por toda la crítica francesa y por casi toda la española, dista mucho de una solución plenamente satisfactoria. Los argumentos que se aducen en pro de la tesis francesa, si convincentes en el orden psicológico, no lo son en manera alguna desde el punto de vista documental. Hay muchas razones de peso que abonan la paternidad de Lesage; pero ninguna de ellas es definitiva. Veamos qué es la famosa novela y el estado de la cuestión.

Aparición y contenido

En 1715 aparecen en francés los seis primeros libros de la *Historia de Gil Blas de Santillana*, escritos por Alano Renato Lesage (1668-1747), en forma de relato completo; posteriormente se publican otros tres libros (1724), y todavía, once años más tarde (1735), aparece una tercera parte, hasta completar los doce de que consta actualmente.

La obra obtiene desde el primer momento un gran éxito en toda Francia. Su autor [24], uno de los mejores novelistas de la época, se había especializado en temas españoles, sobre todo de la picaresca, traduciendo y refundiendo con gran habilidad las obras más conocidas del género y adaptándolas al gusto moderno. Así es como había traducido y arreglado el *Guzmán de Alfarache*, suprimiendo las moralidades; el *Estebanillo González*, el *Quijote* de Avellaneda y *El Diablo Cojuelo*, de Vélez de Guevara [25], en el que interpoló pasajes de *Día y noche de Madrid*, de Francisco Santos. Además había publicado *El Bachiller de Salamanca o Memorias de don Querubín de la Ronda*, que confesó haber tomado de un manuscrito español. No ha de extrañar, con tales conocimientos de nuestra literatura, que el *Gil Blas* resultase una obra modelo. Reúne, en efecto, las mejores características del género: narración animada, multiplicación de aventuras, estilo simple, claro y pintoresco.

Gil Blas nos ofrece un cuadro vivo, no sólo de la sociedad española, a la que se refiere directamente, sino de toda la sociedad europea a principios del XVII, época en que está encuadrada la narración. Lesage toma a su protagonista, cuando acaba de cumplir diecisiete años y se dispone a trasladarse a Salamanca para iniciar estudios, le hace pasar por toda suerte de vicisitudes y condiciones, desde prisionero de unos ladrones, lacayo y médico, hasta secretario de un arzobispo, favorito del duque de Lerma y confidente del de Olivares. A la caída de éste, Gil Blas le acompaña en su destierro y luego se retira a una posesión de su propiedad en Liria, donde contrae matrimonio.

El relato, sin más unidad que la persona del protagonista, se desarrolla en forma libérrima, salpicado continuamente de anécdotas, historietas picantes, alusiones políticas a personajes españoles y franceses, aventuras cortesanas, episodios amorosos, intrigas de corte, etc. Todo ello hace que *Gil Blas*, dentro de su contextura fundamentalmente picaresca, partícipe también de las condiciones requeridas por la novela cortesana y la de aventuras.

El problema del autor

Veamos ahora la cuestión de la originalidad. En 1787-1788 el *Gil Blas* aparece traducido al castellano con este título significativo: *Aventuras de Gil Blas de Santillana, robadas a España y adoptadas en Francia por Lesage, restituídas a su patria y a su lengua por un español celoso que no sufre se burlen de su nación.* El «español celoso» no era otro que el padre Isla, encubierto bajo el anagrama de Joaquín Federico Issalps. Se sabe que Isla había traducido el libro de Lesage para socorrer con el producto de su venta a un compatriota en desgracia, Lorenzo Casaus, que así se lo tenía rogado. ¿En qué se basó el ilustre jesuíta para hacer aquella afirmación tan categórica? Posiblemente en cierta nota de Voltaire [26] en la que se acusa a Lesage de haberse limitado

a plagiar el *Marcos de Obregón*, de Espinel. El hecho es que la duda quedaba en el aire, dando origen a larga discusión. En ella no pudo intervenir el padre Isla, porque al publicarse su traducción ya había muerto. Los argumentos en que apoyaba su tesis eran, de todos' modos, tan débiles que, como observó luego Llorente, más bien perjudicaron la causa defendida. Por ello no le fué difícil al conde de Neufchateau pulverizarlos, devolviendo (1818) la paternidad a Lesage. Pero cuatro años después, don Juan Antonio Llorente vuelve a la carga y publica en francés (París, 1822) unas *Observaciones críticas sobre el romance Gil Blas de Santillana*, en las que con una argumentación concienzuda aspira a demostrar que Lesage había desmembrado su novela del manuscrito castellano inédito titulado *El Bachiller de Salamanca*, debido a la pluma del historiador Solís. Replicó el conde; le contestó Llorente;· intervinieron a favor de la tesis francesa Walter Scott, Ast y Franceson, y a favor de la española, el diplomático norteamericano Everett [27]. Por último, Adolfo de Castro da la solución provisional, soslayando el verdadero núcleo del problema, y limitándose a señalar (edición de 1852) las influencias españolas en *Gil Blas*, aunque atribuyendo su originalidad a Lesage [28]. Con ello el problema de la génesis de la obra queda al margen; pero no resuelto, digan lo que quieran todos los historiadores de la literatura francesa y casi todos los de la española [29].

V. NOVELA FILOSOFICA: MONTENGON

Aunque cultivó otros tipos de novela—pastoril, arqueológica y social—es en la filosófica en la que más destacó don PEDRO MONTENGÓN Y PARET (1745-1824). Del renombre adquirido por Montengón a últimos del XVIII y principios del XIX casi no podemos hoy darnos cuenta, porque no hay nadie capaz de leer la menor de sus novelas; pero vaya por delante la afirmación de que es el más fecundo de nuestros novelistas de aquel siglo y que su *Eusebio* fué, después del *Fray Gerundio*, la novela de mayor éxito editorial de la época. Denunciada también a la Inquisición, luego de haberse vendido muchos miles de ejemplares, el autor fué obligado a modificarla en no pocos pasajes.

Datos biográficos

PEDRO MONTENGÓN nació en Alicante, el 17 de julio de 1745. A los catorce años ingresa en la Compañía de Jesús. Estudia Humanidades en Valencia y es encargado de la cátedra de Gramática del colegio de Onteniente. Aquí le sorprende la orden de expulsión (1767), que acepta voluntaria-

mente, aunque no era profeso, y pasa a Italia con los otros compañeros. Vive en Ferrara, Génova y Nápoles; pero a los dos años se seculariza; contrae matrimonio con Teresa Gayeta, de la que tiene una hija, y con ésta y su esposa regresa a España hacia 1798. Se establece en Madrid (1800), y al año siguiente se ve obligado a volver al destierro. Reside nuevamente en Italia y muere en Nápoles, el 14 de noviembre de 1824.

La producción poética

Empieza por un volumen de *Odas* en seis libros publicadas bajo el seudónimo de Filopatro, que acusan la influencia horaciana, dentro de la temática de su época: filosofismo y confianza en el progreso (*Al patriotismo, Al trabajo, A la navegación*, etc.); el obligado elogio de personajes coetáneos (*A Carlos III, A Aranda, A Campomanes, A Mayáns*); el motivo histórico nacional o americano (*Al duque de Alba, A Pelayo, A Alonso de Guzmán en la defensa de Tarifa, A la victoria de Otumba, A Colón*). Completa la colección una serie de imitaciones bíblicas.

El lenguaje de estas composiciones es sencillo y llano, sin brillantez. El Padre Muguruza—su biógrafo más documentado—lo compara a «una vasta llanura sin accidentes notables, sin grandes depresiones, pero también sin alturas de consideración; todo lo alto y lo bajo, lo grande y lo pequeño, lo fuerte y lo débil, produce el mismo sonido al hacer vibrar la lira del poeta».

Refleja influencias de Meléndez y Quintana, sin llegar a la fina sensibilidad de Batilo ni al estro viril del cantor de la imprenta.

El «Eusebio»

En 1874, el editor Sancha solicita permiso para imprimir el *Eusebio,* novela escrita a imitación del *Emilio,* de Rousseau, por parecerle—dice—«la obra de excelente filosofía moral y que puede servir de modelo a la instrucción de la juventud».

Su argumento, difuso, aparece cortado continuamente por disertaciones seudofilosóficas. De un naufragio en la costa septentrional de América se han salvado sólo dos personas, ambas españolas: un hombre adulto y un niño. Cierto matrimonio cuáquero los recoge; adoptan al niño, que lleva por nombre Eusebio, le educan en sus usos y costumbres; y en el aspecto religioso, aunque suponen que es católico, deciden dejarle en libertad, para que, al llegar a la adolescencia y por el simple discurrir de la razón, opte por la creencia que estime más acertada. Un maestro, que se hace llamar Hardyl, se encarga de enseñarle la filosofía estoica. Próximo a morir este Hardyl, resulta tío de Eusebio, declara que apostató del catolicismo para seguir la filosofía pagana, reconoce su error y vuelve al seno de la Iglesia. Eusebio sigue su ejemplo, y ya en lo sucesivo se conduce como perfecto católico.

El *Eusebio,* ya queda dicho, fué denunciado a la Inquisición; y a pesar del habilísimo prólogo que encabeza la edición de 1786 [30], el autor tuvo que rectificar en puntos fundamentales, terminando por reconocer que «todo lo que sea proponer la moral sin los auxilios de la religión es privarle de sus más sólidos fundamentos».

Otras obras de Montengón

En 1788 publica *Antenor,* imitación de la *Eneida,* sobre los orígenes de Venecia. Probablemente se inspiró en los *Incas,* de Marmontel, y tiene el mismo defecto que las demás obras del autor: excesiva acumulación de episodios y de lances que, al no ser coherentes, entorpecen el relato.

Publica sucesivamente *Eudoxia, hija de Belisario* (1793), para demostrar con el ejemplo la necesidad del estudio de la filosofía entre las damas aristocráticas; el mismo año aparece el *Rodrigo,* novela histórica que él llama «romance épico», en que se hace de Florinda una amazona al estilo de las heroínas del Ariosto; y el *Mirtilo, o los pastores trashumantes* (1795), considerada la mejor obra de Montengón. Siguiendo la técnica tradicional del género pastoril, mezcla prosa y verso, con ciertos toques de novela cortesana. La acción se reduce a que Mirtilo, joven de buena posición, desengañado del mundo, abandona el ambiente ciudadano para buscar la soledad. Hay las imprescindibles loas del campo en boca del pastor Silvano, y las también indispensables censuras de la vida cortesana. De los poemas intercalados es el mejor el que dedica a la Edad de Oro.

La actividad literaria de Montengón se completa con las traducciones de cuatro tragedias de Sófocles, con los títulos de *Agamenón, Egisto y Clitemnestra, Edipo* y *Emón y Antígona,* y los poemas osiánicos *Fingal* y *Temora,* basándose en la versión de Cesarotti. También escribió cuatro comedias en prosa, inéditas aún: *Matilde, El impostor, Los ociosos* y *El avaro enamorado.*

En el estilo quiere imitar Montengón, sin lograrlo, aquella fluidez, riqueza y transparencia de los grandes modelos del género pastoril en el siglo XVI: Jorge de Montemayor, Gil Polo, Cervantes, etc. Pero queda siempre a inmensa distancia; la prosa armónica y bien trabada de aquéllos se le convierte en una masa fofa, sin nervio que la sustente [31]. Por otra parte, las infinitas digresiones que entorpecen la acción, ya de por sí escasa y carente de interés, y la abundancia de galicismos e italianismos que afean continuamente su lenguaje, hacen ingrata la lectura de unas obras que en su día alcanzaron enorme difusión, pero que hoy no tienen para nosotros el menor atractivo.

Más novelistas de la época

Menor interés ofrecen aún algunas narraciones de carácter vario, aparecidas a fines del XVIII, y que, olvidadas muy justamente, debieron de hacer las delicias de sus coetáneos. Por ejemplo: las *Aventuras de Juan Luis* (Madrid, 1781), novela de Diego Rejón y Lucas (1735?-1796), en la que se intenta en vano resucitar el género picaresco y que, a pesar del subtítulo de «historia divertida» con que gratuitamente la calificó su autor, no rebasa la línea de la más discreta medianía; o *El Valdemaro* (1792), del religioso franciscano fray Vicente Martínez Colomer (1763-1820), más plúmbea y mediocre todavía que la anterior; o bien *Los enredos de un lugar* (1778-1781), de don Fernando Gutiérrez de Vargas, y en la que bajo un título ya de por sí bastante significativo se nos ofrece una sátira aceptable de la vida aldeana, a la vez que una censura discreta de ciertos procedimientos judiciales.

Infinitamente mejor que las citadas es *El cariño perfecto o Alfonso y Serafina* (Madrid, 1797), de don JOSÉ MOR DE FUENTES (1762-1848), al que no obstante su larga vida dentro del XIX, hay que incluir por su temática, por el estilo y hasta por la fecha de publicación de sus mejores obras en la centuria anterior. Fué Mor de Fuentes hombre de vida aventurera y borrascosa, dramaturgo, poeta y narrador [32]. Dejó en verso unas *Poesías varias* (Madrid, 1796), incursas todas ellas en el más ortodoxo neoclasicismo. Como Torres Villarroel, también este aragonés indisciplinado y un tanto anárquico nos contó los avatares de su existencia en un *Bosquejillo de la vida y escritos de don José Mor de Fuentes, delineado por él mismo* (Barcelona, 1836), escrito con bizarría y donaire. Cultivó asimismo el teatro, dentro de la línea moralizadora de Moratín e Iriarte: *La fonda de París, La mujer varonil, El egoísta o el mal patriota*, etc. Pero la obra que le hace acreedor a nuestro recuerdo es la novela antes citada, *El cariño perfecto o Alfonso y Serafina* (Madrid, 1797), que a partir de la tercera edición se viene titulando simplemente *Serafina*. La crítica o bien la silencia o bien la despacha con un juicio breve y despectivo. Menéndez Pelayo, después de llamar a su autor «extravagante escritor aragonés», califica la obra de «mala imitación del *Werther*»; y Angel de Río no ve en ella más que una «imitación incolora de *Julia o la nueva Eloísa*». Disentimos de tan ilustres críticos. Cierto es que Mor de Fuentes conoció o pudo conocer tanto la obra de Goethe como la de Rousseau; pero entre éstas y la suya hay tales diferencias que el sambenito de «pura imitación» debe quedar descartado. Ni el escenario, totalmente fantástico en las dos novelas extranjeras, ni los personajes tienen nada que ver con la española. El escenario de *Werther* y de *Eloísa* ha sido creado por sus propios autores; el de *Serafina* está en Zaragoza, Valencia, Daroca, Monzón y otras ciudades españolas. Los héroes de Goethe y de Rousseau son de un egocentrismo feroz, víctimas de una pasión ilícita y de un sino fatal. Los de Mor de Fuentes, Alfonso y Serafina, son dos buenos burgueses, que se aman sin más contratiempos que los normales en cualquier noviazgo, riñas ocasionales, ligeros conatos de celos, que acercan más que separan, y que terminan en matrimonio. Mientras Werther y Saint-Preux viven por y para su amor exclusivamente, Alfonso tiene tiempo de discutir, meditar y abordar problemas que en sus cartas nada tienen que ver con Serafina. «Alfonso—ha escrito un comentarista moderno [33]—no es más que un joven burgués, satisfecho de sí mismo y de la vida, a la que sólo aplica ligeras censuras.» El estilo de *Serafina,* que ha merecido grandes elogios de *Azorín,* resulta casi siempre declamatorio y con frecuencia sensiblero. La novela, sin embargo, alcanzó envidiable éxito, habiendo sido reimpresa muchas veces (1798, 1802, 1807, etc.), incluso en ediciones fraudulentas.

VI. LA PROSA AMERICANA DEL XVIII

Aludidos en el capítulo XLV los más relevantes prosistas americanos del período barroco, y habiendo de estudiar en el LVII por extenso los del período neoclásico, réstanos sólo hacer aquí brevísima mención de unos cuantos escritores que cultivaron la prosa, con más o menos fortuna, durante el siglo XVIII. Ya se entiende que no nos referimos a los autores de infinitas obras de carácter religioso, que hicieron sudar las prensas de aquel Continente a lo largo de toda esa centuria: *Catecismos, Sermonarios, Psalmodias, Doctrinas cristianas*, etc.; ni a las de tantas *Crónicas* de Ordenes—jesuítas, agustinos, dominicos, franciscanos—, ajenas, al igual que los tratados anteriores, a toda inquietud literaria. Hablamos, naturalmente, de aquellos escritores, muy pocos, cuyas obras tienen algún valor en el área del lenguaje.

El padre PEDRO LOZANO (1697-1756), madrileño, afincado desde muy joven en las orillas del Plata, dejó tanto en las *Historias de la Compañía de Jesús en la provincia del Paraguay* (Madrid, 1755) y de la *Conquista del Paraguay, Río de la Plata y Tucumán* (Buenos Aires, 1874), como en la *Descripción corográfica del Gran Chaco y Gualamba* (Cordoba, 1773), un inmenso repertorio de noticias, que ha sido muy bien aprovechado por los historiadores que le siguen. Entre éstos figura el padre JOSÉ GUEVARA (1719-1806), también jesuíta, quien en un estilo conceptista, pero lleno de nervio y animación, acertó a resumir la obra de Lozano, resultándole un compendio tan interesante como ameno. La historia de Cuba tuvo durante esta época un cronista puntual en Pedro Agustín Morell de Santa Cruz (1697-1768); la de Puerto Rico, en fray Iñigo Abbad y Lasierra (1745-1806); la de Chile, en Felipe Gómez de Vidaurre; y así, la de casi todos aquellos territorios de Ultramar.

Pero los dos prosistas americanos de más relieve en este siglo son don Pedro Peralta Barnuevo y don Pablo de Olavide, si es que a éste, por haber pasado la mayor parte de su vida en España y haber publicado aquí sus libros, no habría de incluírsele entre los escritores peninsulares.

Don PEDRO PERALTA Y BARNUEVO (1663-1743), ya aludido como poeta culterano en el capítulo XXXIV, fué lo que se llama un polígrafo en el más amplio sentido. Ingeniero, cosmógrafo, orador, catedrático de matemáticas, poeta, se pasó su larga vida escribiendo de todo lo mucho que sabía y también de lo muchísimo que ignoraba. Sus poemas largos se cuentan casi por docenas: *Lima fundada o conquista del Perú* (1732), *Lima triunfante* (1708), *El templo de la fama vindica-do* (1720), *Júbilos de Lima y fiestas reales* (1723), *El cielo en el Parnaso* (1736), etc.; todos ellos soporíferos, pedestres y cuajados de rasgos del peor gusto. Sus obras en prosa se hacen ascender a cuarenta y ocho, muchas de ellas de larga extensión. Versan sobre astronomía, náutica, geografía, historia, religión, etc. Llevan títulos pomposos e interminables: *Historia de España vindicada, en que se hace su más exacta descripción, la de sus excelentes y antiguas riquezas: se prueba su población, lengua y reyes verdaderos primitivos, su conquista y gobierno por los carthagineses y romanos: se describe la verdadera Cantabria; se fijan las más ciertas épocas o raíces del nacimiento y muerte de Nuestro Salvador: se defiende irrefragablemente la venida del Apóstol Santiago...*, y así hasta catorce líneas de rotulación. O bien: *Regulación del tiempo en treinta y cinco efemérides.* Casi no hace falta decir que si en sus pronósticos, los hacía año tras año, no rebasa la línea de Torres Villarroel, en sus obras históricas está todavía en la época de los falsos cronicones, a pesar de que reacciona vigorosamente contra las fábulas de éstos. «En vísperas de la *España sagrada*—dice Menéndez Pelayo—, su historia era ya un producto anacrónico.» Con una erudición tan vasta como indigesta, con un criterio científico e histórico de los más extravagantes y con un estilo afeado por todos los vicios de la decadencia literaria, las obras de este «monstruo de erudición» —así le llamó el mismo Menéndez Pelayo—si algún día suscitaron los elogios del padre Feijoo y de otros coetáneos ilustres, hoy no ofrecen ya el menor interés.

Tampoco le ofrecen las de don PABLO ANTONIO JOSÉ DE OLAVIDE Y JÁUREGUI (1725-1802), ya citado en el capítulo L como propulsor y en cierto grado mecenas de la escuela poética sevillana de últimos del XVIII. Si traemos aquí su nombre, a pesar de haber vivido casi siempre en España, es porque en Lima nació y allí se educó y desempeñó importantes cargos, entre ellos el de oidor de la Real Audiencia y auditor general del Virreinato del Perú [34]. Fué Olavide traductor poco afortunado de comedias y tragedias francesas—la *Zelmira*, de Du Belloy; la *Hipermenestra*, de Lamierre; la *Zaira*, de Voltaire, etc.—, que hacía representar en su propia casa de Madrid, donde tenía instalado un teatro para aficionados; fué poeta mediocre en la versión de los *Salmos*, en los que se le escapa la pompa y colorido de la lírica hebrea, y no mucho mejor en los *Poemas cristianos* (Madrid, 1799), colección de veinticuatro composiciones escritas casi enteramente en pareados endecasílabos, que ni el fervor religioso ni la auténtica contrición del poeta logran caldear; y es, sobre todo, el autor de *El Evangelio en triunfo o historia de un filósofo desengañado* (Valencia, 1798), obra en cuatro volúmenes, que obtuvo éxito inmenso en su día y

que en sólo un año alcanzó tres ediciones. El *Evangelio*, que quiere ser a la vez la retractación brillante de un incrédulo y la apología de la religión católica, adolece en el fondo de escasa cultura religiosa. Su autor estaba más familiarizado con las ideas de los enciclopedistas franceses que con las doctrinas de la Iglesia. Literariamente, aunque se lee con agrado, vale poco y, como es de suponer en quien estaba tan familiarizado con los libros y costumbres de Francia, abunda en galicismos y se resiente del estilo declamatorio tan frecuente en la época. Interesa, no obstante, por la mezcla de sentimiento religioso cristiano y de imaginación, que lo constituye en precedente indudable del *Genio del cristianismo*, de Chateaubriand.

NOTAS

1. En otro capítulo mencionamos la mediocre novela del padre Eximeno *Don Lazarillo Viscardi*. Sólo a guisa de curiosidad anotamos algunas imitaciones de la inmortal obra cervantina: *Vida y empresas literarias de Don Quijote de la Manchuela* (1789), sátira de los sistemas pedagógicos, debida a don Donato Arenzana; contra la manía nobiliaria compuso don Jacinto M.ª Delgado sus *Adiciones a la Historia del Ingenioso Hidalgo Don Quijote de la Mancha* (1786); la imitación más notable de la época es la *Historia de don Pelayo, Infanzón de la Vega* (1792-1793), de Ribero Larrea, sátira de la hidalgomanía, como la de Delgado, y en la que el autor, como hace notar Cotarelo, consigue crear un tipo altamente humano, ridículo y a la vez simpático. (Vid. HURTADO-GONZÁLEZ PALENCIA: *Hist. de la lit. española*, Madrid, 1943, página 482.)

2. Este autobiografismo, patente no sólo en la obra que estudiamos, sino en todas las del autor, si bien es útil para trazar su biografía y, sobre todo, para comprender ciertos rasgos psicológicos de Torres, resta al relato «aquella objetividad profunda que hace que la obra de Íeros de Torres, cuyo nombre era popular, además, por arte se sostenga sobre sí misma. Sin embargo, la personalidad de Torres fué tan extraña y original, que se comprende bien el interés que por ella sintieron sus contemporáneos: aquel desnudarse constantemente ante el público, aquella sinceridad rayana en el cinismo, los ataques ingenuos a todo convencionalismo inútil y a toda hipocresía y afectación, las formas ingeniosas que envolvían todo esto y el noble espíritu que se vislumbraba a su través, daban vida e interés actual a los papeles volan-su misteriosa profesión de astrólogo, por su vida pícara y extravagante y hasta por la rareza de su fisonomía» (Onís). El título completo es *Vida, ascendencia, nacimiento, crianza y aventuras del doctor don Diego de Torres Villarroel, catedrático de Prima de Matemáticas en la Universidad de Salamanca, escrita por él mismo.* La obra va divivida en seis «trozos», correspondientes a las diversas épocas de su vida. Los «trozos» de mayor interés son los cuatro primeros, que podríamos denominar «décadas», ya que cada uno comprende los sucesos de diez años. Se compuso entre 1742 y 1758. Los cuatro primeros «trozos» vieron la luz en 1743; el quinto es de 1752, y el último, de 1758. ¿Motivos que le movieron a escribir su *Vida*? «El primero nace de un temor prudente, fundado en el hambre y el atrevimiento de los escritores agonizantes y desharrapados que se gastan por la permisión de Dios en este siglo. Escriben de cuanto entra, pasa y sale en este mundo y el otro, sin reservar asunto ni persona; y temo que, por la codicia de ganar cuatro ochavos, salga algún tonto levantando nuevas maldiciones y embustes a mi sangre, a mi flema y a mi cólera. El segundo motivo que me provoca... es para que de ellos coja noticias ciertas y asunto verdadero el orador que ha de predicar mis honras a los doctores del reverente Claustro de mi Universidad.»

3. Al iniciar el «trozo» tercero se expresa así: «En él he descansado, porque después de recibido paré más a mi consideración sobre las obligaciones en que me metía, los votos y pureza que había de guardar y los cargos de que había de ser responsable delante de Dios; y, atribu-

lado y afligido me resolví a no recargarme (hasta tener más seguridad y satisfacción de mis talentos) con más oficios que los que abracé con poco examen de mis fuerzas y ninguna reflexión sobre las duraciones de su observancia. Hasta ahora no he sentido en mi alma aquella mansedumbre, devoción, arrebatamiento y candidez que yo imagino que es indispensable en un sacerdote.»

4. «Pretensión de las diversas escuelas teológicas vinculadas en los diferentes órdenes religiosos para que hubiera diferentes cátedras privativas de cada una de ellas. La división principal, cuyos orígenes hay que buscar en el siglo XVI, era entre jesuitas y dominicos.»

5. La aventura terminó con el cambio de domicilio por parte de la condesa y sus servidores. Torres no aclara la causa real de tales ruidos. Lo único que se sabe es que, «duende, o fantasma, o nada»—son palabras del propio Torres-, ellos sirvieron para que a su cuenta luciera Eugenio Gerardo Lobo su «agudeza y gracia» y nuestro flamante astrólogo se instalase por una temporada en el palacio de la condesa.

6. Torres se exculpa. Según él, su amigo don Juan de Salazar, «provocado de las injurias de un clérigo...», se dejó coger de las insolencias de la cólera y, abochornado de sus azufres, tiró de la espada y abrió con ella en los cascos del provocante un par de roturas de mediana magnitud». Don Juan es condenado a seis años de presidio en el Peñón, y Torres, «extrañado sin término de los dominios de España». Huyen ambos de la Justicia; pasan a Bayona, luego a Portugal, hasta que, a ruegos de sus familiares, es perdonado Torres, que regresa a Salamanca.

7. «Desde muy niño conocí que de las gentes no se puede pretender ni esperar más justicia ni más misericordia que la que no le haga falta a su amor propio... Al que me alaba no le agradezco, porque si me alaba es porque le conviene a su modestia o hipocresía, y a ellas puede pedir las gracias que yo no debo darle.» Algún rasgo de su abuelo materno, Jacinto de Torres, puede explicar el carácter aventurero e inquieto de nuestro escritor: «Crióse—dice su nieto, aludiendo a él—como hijo de viuda, libre, regalado, vicioso e impertinente. La libertad de la crianza y la violencia de su genio lo echaron de su casa; y, después de muchas correrías y estaciones, paró en Flandes. Sirvió al rey poco, porque a los dos años de asiento de su plaza, que fué de soldado raso, le envaró el movimiento de una pierna un carbunco que le salió en una corva. Cojo, inválido y sin sueldo se hallaba en Flandes; y, acosado de la necesidad, discurrió en elegir un oficio para ganar la vida. Aprendió el de tapicero.»

8. Aparte de pronosticar la muerte de Luis I, que señala el inicio de la popularidad de Torres, le hizo famosísimo el de la Revolución francesa (Almanaque de 1756):

Cuando los mil contarás,
con los trescientos doblados,
y cincuenta duplicados,
con los nueve dieces más,
entonces, tú lo verás,
mísera Francia, te espera
tu calamidad postrera
con tu rey y tu delfín,
y tendrá entonces su fin
tu mayor gloria primera.

9. Los Sueños morales, «Visiones y visitas de Torres con don Francisco de Quevedo por Madrid», incluye: «La barca de Aqueronte», «Residencia infernal de Plutón», «Correo del otro mundo y cartas respondidas a los muertos», «Sacudimiento de mentecatos», «Historia de historias» (a imitación del Cuento de cuentos, de Quevedo) y «El soplo de la justicia». En «La barca de Aqueronte», el propio diablo se encarga de hacernos un retrato de Torres: «Perdulario y bribón entre las gentes, el panderillo de las fiestas, la gaita gallega de los concursos y el fandango de los convites... Su vida ha repartido entre danzas, toros, caminos, coplas, chocarrerías, juicios astrológicos disparatados y otros desconciertos considerables, sin cuidar del exacto cumplimiento de sus obligaciones, sin atención a su empleo, sin estudio de la moral cristiana ni temor de esta infernal chancillería.»

10. Véase el soneto Habla don Francisco de Quevedo en las sátiras a los cornudos:

¡Ay señor don Francisco, si usted viera
el mundo cómo está desde aquel día!...

11. El juicio que de la poesía de Torres formula Valera se nos antoja benévolo con exceso: «Sus versos líricos son graciosos, amenísimos y discretos. Sus romances, sus seguidillas y sus pasmarotas, que así llama él a sus letrillas satíricas, están llenas de donaire, de gracia y de naturalidad.»

2. El se cubre de seda que no abriga,
yo resisto con lana a la inclemencia;
él, por comer, se asusta y se fatiga.
Yo soy feliz si halago a mi conciencia,
pues lleno a todas horas la barriga,
fiado de que hay Dios y hay Providencia.

13. Vid. más sobre Torres de Villarroel, como poeta, en el capítu o XLIX, apartado II.

14. Trompeta evangélica, alfanje apostólico y martillo de pecadores; Florilegio sacro, que en el celestial, ameno, frondoso Parnaso de la Iglesia riega la Aganipe Sagrada, etcétera.

15. Isla no había presenciado las fiestas que describe; pero, instado por la Diputación de aquel viejo reino, «empeñada—escribe él—en que he de referir lo que no vi y abultar lo que no se divisó», de tal manera exageró las cosas que los navarros, gente muy recelosa, lo tomaron a burla.

16. «No hablo de aquella poesía que facilita el modo de hacer versos, esto es, de hablar o de escribir en determinado número y medida, que esto es cosa muy accidental a la poesía verdadera; hablo del alma, de la sustancia, del espíritu de la misma poesía, que consiste en la elevación de los pensamientos, en lo figurado de las expresiones, en la intención, idea y novedad de los discursos; porque sin esto, ¿cómo se pueden pintar con viveza los caracteres? ¿Cómo se pueden mover y remover con eficacia los afectos? ¿Cómo se pueden proponer las verdades más triviales con novedad y con agrado?»

17. «Santo Tomás de Villanueva, en la naturalidad, en la suavidad y en la eficacia... Fray Luis de Granada..., en el nervio, en la solidez y en aquella especie de elocuencia vigorosa que, a guisa de un torrente impetuoso, todo lo arrastra tras sí... La novedad de los asuntos, la ingeniosidad de las pruebas, la delicadeza de los pensamientos, la oportunidad de los lugares, la viveza de la expresión, la rapidez de la elocuencia, que reinan en los más de los sermones del padre Antonio Vieyra, quizá le merecieron el epíteto que le dan muchos de monstruo de los ingenios y príncipe de nuestros oradores.»

18. La glosa en verso sobre «Nuestras españolas a la francesa» viene a ser una sátira al estilo de La culta-latiniparla.

19. El relato de la educación del protagonista permite al autor extenderse extensamente sobre los métodos etimológicos y ortográficos del maestro de Villaornate. Para éste, el tamaño de las letras debía llevar implícito en el valor del nombre representado, toda vez que en las cuestiones ortográficas había desacuerdo entre los tratadistas que había consultado: mientras unos abogaban por la ortografía etimológica, defendían otros la fonética, y unos terceros estimaban que debía seguirse la costumbre. «¿Qué cosa más impertinente—argumentaba el tal maestro—que, hablando de una pierna de vaca, escribirla con una p tan pequeña como si se hablara de una pierna de hormiga, y tratando de un monte, usar una m tan ruin como si se tratara de un mosquito?... Si se habla de un hombre en quien todas las cosas fueron grandes, como si dijéramos un San Agustín, ponderando su talento, su genio, su comprensión. ¿hemos de escribir y pintar en el papel estas agigantadas prendas con unas letricas tan menudas y tan invisibles como si habláramos, por comparanza, de las del autor del Poema épico de la vida de San Antón, y otros de la misma calaña?»

20. Siempre empezaba sus sermones «con algún refrán, o con algún chiste, o con alguna frase de bodegón, o con alguna cláusula enfática o partida, que a primera vista pareciese una blasfemia, una impiedad o un desacato; hasta que después de tener suspenso al auditorio por un rato, acababa la cláusula, o salía con una explicación que venía a quedar en una grandísima friolera». Predicando un día del misterio de la Trinidad, dió principio a su sermón con este período: «Niego que Dios sea uno en esencia y trino en persona», y paróse un poco. Los oyentes, claro está, comenzaron a mirarse los unos a los otros, o como escandalizados o como suspensos, esperando en qué había de parar aquella blasfemia herética. Y cuando a nuestro predicador le pareció que ya los tenía cogidos, prosigue con la insulsez de añadir: «Así lo dice el evionista, el marcionista, el arriano, el maniqueo y el sociniano; pero no lo pruebo contra ellos con la Escritura, con los Concilios y con los Padres.» En otro sermón de la Encarnación comenzó de esta manera: «A la salud de ustedes, caballeros»; y como todo el auditorio se riese a carcajada tendida, porque lo dijo con chulada, él prosiguió

diciendo: «No hay que reírse; porque a la salud de ustedes, de la mía y la de todos bajó del cielo Jesucristo y encarnó en las entrañas de María. Es artículo de fe.»

21. «Si mis lectores se cansaran antes, eso no debe ser de mi cuenta. ¿Quítoles yo, por ventura, que cierren el libro cuando les diere la gana y se echen a dormir hasta que despierten, con lo cual no sólo dividirán, sino que podrán hacer jigote los capítulos y los libros siempre y cuando les pareciere puesto en razón?»

22. «Este tal rico de Campazas se llamaba Antón Zotes, familia arraigada en Campos, pero extendida por todo el mundo y tan fecundamente propagada, que no se hallará en todo el reino provincia, ciudad, aldea, ni aun alquería, donde no hiervan los Zotes como garbanzos en olla de potaje.»

23. «Ni el *Orador cristiano*, de Mayáns, ni los clamores de Feijoo, ni las pastorales de muchos prelados hubiesen sido de todo punto eficaces para acabar con aquella lepra..., si no hubiera venido en su auxilio el cauterio de la sátira, algo mazorral y frailuna, pero por eso mismo acomodada a los vicios que se proponía desterrar.» Menéndez Pelayo: *Historia de las ideas estéticas*, III, capítulo II, pág. 271.

24. A. Renato Lesage (o Le Sage, como escriben otros) había nacido en Sarzeau (1668), hijo de un notario. Huérfano, es protegido por el abad de Lyonne, que le enseña el castellano y lo envía pensionado a París, donde cursa Derecho. Se casa en 1694 y se dedica a vivir de la pluma, escribiendo para ello incansablemente. Es el primer francés que hace de la literatura una profesión. Ello le obliga a publicar sin tregua obras de toda clase, especialmente del género satírico. Por la retirada de su comedia *Turcaret*, en la que ridiculiza la avaricia de los hombres de negocios, le llegaron a ofrecer, aunque inútilmente, cien mil francos. Queda sordo, y en 1743 se retira a Boulogne-sur-Mer, donde tenía un hijo canónigo. Muere en 1747.

25. Que en francés lleva por título *Le Diable boiteux*; es, después de *Gil Blas*, la obra más lograda de Lesage.

26. Intercalada en la edición del *Siècle de Louis XIV*, de 1775; en la primera edición, de 1751, no figura la nota. Lesage no había desperdiciado ocasión de zaherir a Voltaire, y éste ahora le devolvía la pelota.

27. En la *North American Review* (octubre 1827), Llorente se proponía demostrar: a) que las dos novelas de Lesage *Gil Blas de Santillana* y *Don Querubín de la Ronda* fueron en su primitiva composición un relato único, titulado *Aventuras del bachiller de Salamanca*; b) que el desglose del manuscrito en dos narraciones fué hecho por Lesage, introduciendo no pocas variantes para mejor ocultar su identidad; c) que el autor del manuscrito español fué el historiador y comediógrafo don Antonio de Solís. Según esta hipótesis, Solís habría compuesto su libro en 1655, y no se decidió a publicarlo porque los principales personajes—entre ellos don Juan de Austria, bastardo de Felipe IV—vivían aún y eran citados por su nombre. El manuscrito, adquirido por el marqués de Lion, que vino a España para negociar el matrimonio de María Teresa con Luis XIV, pasó a uno de sus hijos, que lo puso en manos de Lesage.

28. La principal influencia es la del *Marcos de Obregón*, de donde tomó Lesage el prólogo, el episodio de la posada de Peñaflor, la aventura del arriero de Cacabelos, la de la sortija de Camila, la historia del barbero y la respuesta de don Matías. Otras obras españolas que Lesage tuvo presente son las novelas de Castillo Solórzano, el *Estebanillo González* y diversas comedias de Rojas Zorrilla, Antonio Hurtado de Mendoza y Diego de Figueroa. (Vid. Hurtado-González Palencia: *Historia de la literatura española*, págs. 770 y 771). Los críticos franceses, que no pueden negar todas estas inspiraciones, procuran paliarlas restándoles importancia. Cuanto hay de malo en *Gil Blas* se debe a los modelos españoles; cuanto hay de estimable procede de fuentes francesas. «Si *Gil Blas* —escribe Lanson: *Histoire de la littérature française*— est devenu une des pièces de ce qu'on peut appeler la littérature universelle, et si *Marcos de Obregón* et toutes les autres romans picaresques, sont restés purement espagnols, c'est par ce que Lesage a mis dans son oeuvre de français et d'humain. La meilleure partie de son livre lui appartient et propre. On a peine à imaginer la bizarrerie extravagante des aventures que les romans picaresques des espagnols nous offrent, la grossièreté répugnante des moeurs, l'âcre goût de terroir de la satire et de la plaisanterie. C'est de la que viennent dans *Gil Blas* toutes ces insipides histoires de voleurs, ces friponneries longuement machinées et minutieusement narrées, en fin, tant d'ennuyeux chapitres qu'on feuillette avec dégoût. Mais partout où l'on aime à s'arrêter, partout où l'on trouve une fine satire des sottises humaines, de chaudes peintures des moeurs du temps, soyez sûr que les sources de *Gil Blas* doivent se chercher dans la littérature française.» A nuestro juicio, muy prolijo tendría que ser el análisis que hiciera Lanson para demostrar tantas afirmaciones gratuitas como hace en las palabras transcritas.

29. «L'ouvrage, quoi qu'en ait dit Voltaire, est en lui-même tout à fait original», escribe Des Granjes *(Histoire de la littér. franç.)*; y el citado Lanson, después de preguntarse si Lesage ha copiado o no un original español, sentencia: «La question est résolue aujourd'hui, de telle façon qu'il n'y a pas à y revenir. L'original espagnol, qu'on prétend disparu, n'a jamais existé.» Cuando él lo dice, sus razones tendrá; pero sería muy de agradecer que nos las revelase.

30. «El *Eusebio* está escrito para ser útil a todos. El impío, el libertino, el disoluto, no se mueven por objetos de que hacen burla, ni se dejan convencer de razones que desprecian; y aquellos mismos que desde el trono de su altanera filosofía querrán tal vez dignarse de poner los ojos en el *Eusebio*, lejos de aprovecharse de su lectura, le volverían con desdén el rostro, después de haberle arrojado de sus manos, si en vez de la doctrina del filósofo gentil Epicteto vieran la de Kempis o la de otro católico semejante. Tal es la extravagancia de la mente y la depravación del corazón humano. Deja, pues, que estos tales vean la virtud moral desnuda y sin los adornos de la cristiana, para que, reconociéndola después ataviada con ellos, puedan tributarle mejor sus sinceras admiraciones.»

31. Menéndez Pidal *(Floresta de leyendas heroicas españolas,* III) nos ofrece una muestra del estilo del *Rodrigo* que no es mejor ni peor que el de otras obras de Montengón: «Yerta y aterecida de la confusión y vergüenza, quisiera zambullirse en las aguas y entregarlas juntamente con su vida su honestidad intacta, anegándose en ellas antes que quedar violada por el monarca. Mas fué vana la tentativa de sumergirse en ellas para esconder a lo menos su desnudez, vedándoselo aquellas cohechadas ninfas que, arrebatando con ella, la sacaron del estanque, sin que sus fervorosos ruegos y sollozos ni su esforzada porfía merecieses ser atendidos de ellas ni mucho menos de quien, ardiendo en la voraz llama de la pasión, irritada de las desnudas gracias y hermosura sin par, la llevó en sus brazos al ara allí dispuesta con ingenioso artificio.»

32. Natural de Monzón (Huesca), de familia acomodada. Estudia en Zaragoza y en Toulouse. Ingeniero de la Armada, pronto (1800) deja el servicio para dedicarse a recorrer mundo. Reside temporalmente en París, en Barcelona, en Zaragoza. Pleitea por intereses con su hermano mayor, y el pleito se zanja mediante una pensión que le señala aquél. Enfermo y en la más absoluta miseria, vuelve a Monzón. Allí fallece (1848) en casa de un sastre compañero de infancia, donde se hallaba recogido.

33. Ildefonso-Manuel Gil: *La Serafina* (ed., pról. y notas de...), Zaragoza, 1959.

34. Nace Olavide en Lima en 1725; recibe esmerada educación, y da muestras de un ingenio precoz: a los diecisiete años se doctora en Cánones; a los veinte se le nombra oidor de la Real Audiencia de Lima. El terremoto de 1746 le saca de su vida tranquila y lo coloca en el primer plano de la actualidad al ser acusado de malversación de los fondos puestos en su mano para reparar los efectos de aquel desastre. Es llamado a la Península para rendir cuentas; contrae matrimonio con una viuda riquísima, y en Madrid su casa se convierte en el centro de reunión de todos los adictos a las ideas enciclopedistas. El *salón* de los Olavide es el más sonado de Madrid. Nombrado asistente de Sevilla e intendente de los cuatro reinos de Andalucía, despliega una gran actividad, sobre todo en el campo de la instrucción. Interviene en la repoblación de Sierra Morena, donde funda hasta trece poblaciones, «la mayor parte de las cuales subsisten para gloria imperecedera de su nombre». Pero, muy comprometido por sus ideas avanzadas en materias de religión y de enseñanza, a la caída de su protector Aranda es procesado (1778) por el Santo Oficio, degradado, exonerado de sus cargos, confiscados sus bienes e inhabilitados sus descendientes hasta la quinta generación. Recluído en Sahagún, logra evadirse; huye a París, donde es recibido en triunfo por los enciclopedistas; se le llama en verso «mártir de la intransigencia»; se le compara con Galileo. La Convención le nombra ciudadano adoptivo de la República; pero el Terror lo encarcela (1794). Las persecuciones e infortunios provocan una crisis en su espíritu; abjura de sus errores, vuelve

a España (1798). rechaza las ventajosas ofertas que le hacen Godoy y Urquijo y, tras unos años de vida ejemplar, muere cristianamente en Baeza en 1802.

BIBLIOGRAFIA

I. ALCALÁ-GALIANO: *Historia de la literatura española, francesa, inglesa e italiana en el siglo XVIII*, Madrid, 1845.—REGINALD F. BROWN: *La novela española: 1700-1850*, Madrid, Dir. Gen. de Arch y Bibl., 1953.—C. M. MONTGOMERY: *Early Costumbrista Writers in Spain: 1700-1830*, Univ. of Pennsylvania, 1931.—M. MENÉNDEZ PELAYO: *Jesuitas españoles en Italia y Noticias literarias de los españoles extrañados del reino en tiempos de Carlos III*, «Est. y disc. de crit. hist. y lit.», IV. 1942, págs. 25-106.—D. MORNET: *Le sentiment de la Nature en France, de J. J. Rousseau a Bernardin de Saint Pierre*.—Consúltese asimismo la bibliografía general de los capítulos XLVI, XLVII y XLVIII.

II. «AZORÍN» (J. Martínez Ruiz): *Don Diego de Torres Villarroel*, «Clásicos y Modernos».—F. DE LAS BARRAS Y DE ARAGÓN: *Don Diego de Torres Villarroel, iniciador del renacimiento de los estudios científicos en nuestras Universidades*, «Anales Asociación Española para el Progreso de las Ciencias», vol. XVI. Madrid. 1951.—J. ENTRAMBASAGUAS: *Un memorial autobiográfico de don Diego de Torres Villarroel*, «Bol. R. Acad. Española», XVIII, 1931.—A. GARCÍA BOIZA: *Don Diego de Torres Villarroel. Ensayo biográfico*, Salamanca, 1949 (otra en Edit. Nacional. Madrid. 1949); *Nuevos datos de Torres Villarroel*, Salamanca. 1918.—M. GUTIÉRREZ: *Torres Villarroel*, «Rev. Contemporánea». Madrid, nov. 1885.—M. HERRERO: *Nueva interpretación de novela picaresca*, «Rev. Filol. Española». XXIV. 1937.—R. MONNER Y SANS: *El siglo XVIII. Introducción al estudio de la vida y obras de Torres y Villarroel*, Buenos Aires. 1915.—F. DE ONÍS: *Torres Villarroel. Vida* (ed. y pról. de...), «Clásicos Castellanos», núm. 7. Madrid, 1912.—A. PÉRFZ GOYENA: *Estudios recientes sobre el doctor Torres Villarroel*, «Razón y Fe», XXXV. 1913.—RUSSELL P. SEBOLD: *Torres Villarroel y las vanidades del mundo*, «Archivum», VII, Oviedo, enero-diciembre 1957.

III-IV. N. ALONSO CORTÉS: *El supuesto autor del «Fray Gerundio»*, «Ilustración Esp. y Americana», I, 1910; *Datos genealógicos del P. Isla*, «Bol. R. Acad. Esp.», XXIII, Madrid, 1936; *El P. Isla*, «Sumandos biográficos», Valladolid, 1939.—A. BAUMGARTNER: *Des spanische Humorist, P. Joseph Franz de Isla, S. J.*, «Stimmen aus Maria Leach», LXVIII, 1905.—A. BELLO: *Ensayo sobre Gil Blas de Santillana*, 1841.—J. M. BLECUA: *Décimas contra el P. Isla*, «Castilla», Valladolid, 1940.—R. S. BOGGS: *Folklore elements's in «Fray Gerundio»*, «Hisp. Review», IV, 1936.—J. PRAVO: *El P. José F. Isla y su obra. Estudio crítico-literario*, «Rev. Católica de Santiago», XXXII, Santiago de Chile. 1917.—M. BRAVO GUARIDA: *Genealogía del P. Isla*, «Archivos Leoneses», III. núm. 5, León, 1949.—F. BRUNETIÈRE: *La question de «Gil Blas»*, «Histoire et Littérature». París. 1891.—A. DE CASTRO: *Aventuras de Gil Blas de Santillana, trad. del P. Isla. Notas críticas por...*, Madrid, 1852; *Discusión sobre los plagios que cometió M. de Lesage al escribir su novela intitulada «Gil Blas de Santillana».*—P. LUIS COLOMA: *La oratoria sagrada española del siglo XVIII* (disc. de ingreso en la R. Ac. Esp.). Madrid, 1908.—U. COSMO: *Giuseppe Baretti e José F. de Isla*, «Giornale storico della letteratura italiana», XLV. 1905.—F. CORDASCO: *Llorente and the originality of the Gil Blas*, «Philological Quartely», Yowa, XXVI, 1947.—C. EGUÍA RUIZ: *La predilecta hermana del P. Isla y sus cartas inéditas*, «Humanitas», VII, Comillas. 1955: *El estilo humanistico del autor de «Fray Gerundio»*, «Humanitas», III, Comillas, 1951; *Postrimerías y muerte del P. Isla en Bolonia. Su testamento ológrafo*, «Razón y Fe», Madrid, 1932 y 1933; *El autor de «Fray Gerundio», expulsado de España*, «Hispania», XXXVII, Madrid, 1948; *El P. Isla en Córcega*, «Hispania», XXXIII, 1948.—L. FERNÁNDEZ: *La biblioteca particular del P. Isla*, «Humanitas», IV, Comillas, 1952; *Cartas inéditas del P. Isla. Introducción y edición por el P.*, Edit. Razón y Fe, Madrid, 1957.—A. FERRER DEL Río: *La oratoria sagrada española del siglo XVIII* (disc. en la R. Acad. Española, Madrid, 1853.—G. FIGUEROA: *Americanismos del P. Isla*, «Bolívar», I. Bogotá, 1952.—CH. F. FRANCISON: *Essai sur l'originalité de Gil Blas*, Leipzig, 1857.—P. BERNARD GAUDEAU: *Les precheurs burlesques en Espagne au XVIIIe siècle: étude sur le P. Isla*, Reteaux-Bray. París. 1891; *Le P. Isla et son «Fray Gerundio»*, París. 1891.—S. GILI GAYA: *Contribución a la bibliografía del P. Isla*, «Rev. Filol. Esp.», X, Madrid, 1923.—R. GONZÁLEZ MERCHANT: *Gerundianismo* (disc. en la Acad. Sevillana de Buenas Letras), Sevilla, 1907.—FDITH F. HELMAN: *P. Isla and Goya*, «Hispania». XXXVIII, Wáshington. 1955—J. JUDERÍAS: *Los orígenes de «Gil Blas»*, «La Lectura». 1916.—A. DE LAGARDA: *Donostiarras del siglo XVIII. vistos desde el púlpito del P. Isla*, «Bol. Real Sociedad Vascongada de Amigos del País», XI. San Sebastián. 1955.—E. LIDFORSS: *Sobre el «Fray Gerundio de Campazas»*, «Rev. Europea». XIII.—J. A. LLORENTE: *Observaciones críticas sobre el romance de «Gil Blas de Santillana»*, Madrid, 1822.—M. MILÁ Y FONTANALS: *Originalidad del «Gil Blas»*, «Obras completas». Barcelona. 1893.—G. REYNIER: *Los bachilleres de Salamanca*, «Rev. de París». 1 feb. 1899.—J. IGNACIO DE SALAS: *Compendio histórico de la vida, carácter moral y literario del célebre P. Josef F. de Isla*, Madrid. 1803.—R. M. VELASCO: *El centenario del P. Isla*, «Razón y Fe», V, enero-abril 1903.

V. E. ALARCOS LLORACH: *Dos notas sobre Montengón*, «Castilla». Univ. de Valladolid. 1941; *El senequismo de Montengón*, «Castilla». I, Valladolid, 1940-41.—E. BANNAN: *Dos novelas pedagógicas de Montengón y sus relaciones con Rousseau* (tesis doctoral), Madrid. 1932.—E. CATENA: *Pedro Montengón. Su vida y su obra* (tesis doctoral). Madrid. 1947.—A. GONZÁLEZ PALENCIA: *Pedro Montengón y su novela «El Eusebio»*, «Entre dos siglos», págs. 135-86. Madrid, 1943.—G. LAVERDE RUIZ: *Apuntes acerca de la vida y poesias de don Pedro Montengón*, «Ensayos críticos...», Lugo. 1868.—M. MUGURUZA: *Apuntes biográficos de don Pedro Montengón* (estudio cit. por González Palencia).

M. ALVAR: *Bosquejillo de la vida y escritos de don José Mor de Fuentes, delineado por él mismo* (pról., ed. y notas de...), Univ. de Granada, 1952.

VI. Aparte de las obras generales de Leguizamón, L. A. Sánchez. A. Torres-Ricseco y Prampolini. pued consu'tarse: GUILLERMO DEL RÍO: *Monumentos literarios del Perú*, Lima. 1812.—JUAN MARÍA GUTIÉRREZ: *Pedro de Peralta y Barnuevo*, «Rev. del Plata», VIII-X —LUIS ALBERTO SÁNCHEZ: *La literatura peruana*, Lima. 1928-1929.—MENÉNDEZ PELAYO: *Historia de la poesia hispano-americana*, II (Peralta y Barnuevo, págs. 134-50; Olavide, págs. 149-63).—J. A. LAVALLE: *P. de Olavide*, Lima, 1885.—DIDROT: *Don Pablo de Olavide. Précis historique*.—VICENTE CASTAÑEDA: *Relación del auto de fe contra don Pablo de Olavide*, Madrid, 1916.

CAPITULO LIV

LA LITERATURA AMERICANA: GENERALIDADES

I. Literatura americana a principios del XIX: *Panorama cultural.*—II. Factores de formación: *Política e indigenismo. Publicaciones periódicas y sociedades literarias.*—III. Cronología y períodos.—IV. Conceptos fundamentales.—Notas.—Bibliografía.

I. LITERATURA AMERICANA A PRINCIPIOS DEL XIX

Para casi todos los historiadores y críticos, la literatura propiamente americana en lengua española arranca de la época de la independencia. Toda la producción anterior suele agruparse en un amplio capítulo o en una serie de capítulos, bajo el epígrafe un poco impreciso de «Literatura colonial». Y aunque es muy discutible tal procedimiento, porque ni la autonomía política coincide en absoluto con la literaria ni faltaron antes de aquel suceso tentativas, aquí y allí, de una poesía o de una novela independientes, ha de reconocerse que, como método de exposición, es el más acertado, especialmente en obras como la nuestra, que deben moverse siempre sobre el carril de ideas muy generales. En este sentido cabe afirmar que el momento de la emancipación política, si no supone una emancipación cultural en términos absolutos, señala al menos el inicio de ella, bien entendido que ésta sólo había de alcanzar su culminación mucho más tarde, y nunca en forma definitiva. La huella espiritual es en los pueblos mucho más honda y persistente que el simple dominio u ocupación, y extinguida aquélla, perdura largo tiempo, en ocasiones para no desaparecer nunca.

Nosotros mismos hemos aceptado implícitamente ese criterio general, al tratar hasta ahora la literatura americana como un apéndice de la española y al otorgarle, en cambio, de aquí en adelante idéntica atención que a la peninsular, con sus capítulos correspondientes por épocas y géneros. Ello significa que a partir de este momento le reconocemos personalidad propia, con los mismos derechos e idéntico rango que a la nuestra.

Sería, con todo, un error pensar que la emancipación de los viejos virreinatos para constituirse en nacionalidades autónomas supone una disgregación espiritual lo bastante profunda para dar lugar a dos literaturas autónomas. Lejos de eso, ambas corrientes, la de la antigua metrópoli y la de los nacientes estados, siguen un curso paralelo, influyéndose a todas horas, sin que se dé un solo instante en que aparezcan no ya disgregadas, pero ni siquiera extrañas entre sí. «Los acontecimientos presentan un carácter espontáneo de desarrollo, y no el de un hiato en la evolución», afirma un conocido historiador de las letras hispanoamericanas [1]. Lo más que ha de reconocerse a esa literatura, desde este momento, es la introducción de algunos elementos nuevos, por la puesta en juego de determinados factores también nuevos, especialmente de índole política y social. Esos elementos serían los que, dentro del ancho cuadro de la cultura hispánica, vendrían a dar a las literaturas del Nuevo Continente sus particulares perfiles.

Panorama cultural

Un cuadro muy sugestivo de la cultura americana durante el siglo XVIII, y aun durante todo el largo período colonial, nos ha sido trazado por Henríquez Ureña, en una obra que pronto se hará clásica para esta clase de estudios [2]. De él se deducen dos corolarios: primero, que la preocupación de España por el progreso espiritual de sus dominios americanos, iniciada a raíz de la conquista, se mantuvo en todo momento viva y avizorante, constituyendo durante tres siglos uno de los postulados básicos de su política exterior; segundo, que ese progreso espiritual siguió, como es lógico, una línea paralela al desarrollo de la cultura, con sus alzas y bajas, dentro de la Península [3]. Consecuencia: la literatura hispanoamericana, en todos sus espectos, tenía que ser una simple proyección, más o menos rezagada, de la peninsular.

A finales del XVIII, este cuadro cambia, preparando el clima de las guerras de independencia americana. La Revolución francesa, la proclamación de un gran Estado en el norte del Continente, que serviría de acicate y de ejemplo a todos los demás; la lectura de autores franceses e ingleses, con la consiguiente invasión de nuevas ideas, y sobre todo, la gran contienda que España tuvo que sostener poco más tarde contra Napoleón, favorecen el tránsito, al crear en muchos espíritus una vaga conciencia y anhelo de libertad. Hombres con pensamiento nuevo y con ideales nuevos surgen en el norte, el centro y el sur del inmenso Continente. Todavía no saben bien lo que quieren ni adónde van. Tal es el caso de un Francisco Miranda (1750-1816), hombre fabuloso y desconcertante, que, enviado por Carlos III para ayudar a Estados Unidos en su lucha contra los ingleses, rompe todos los lazos que le unen a España y acaricia desmesurados sueños políticos: un utópico Estado panamericano—la Gran Colombia—, desde las fuentes del Mississippi a la Tierra de Fuego, con un monarca constitucional elegido entre los descendientes de los incas, un Senado de «caciques» y las viejas instituciones indias puestas al día y adaptadas a la vida moderna.

Los que mueven al principio los resortes de la emancipación son hombres de letras en su mayoría: Mariano Moreno (1778-1811) y Bernardo de Monteagudo (1787-1825), en la Argentina; Miguel Hidalgo, *El cura de Dolores* (1753-1811), en Méjico; Camilo Henríquez, *El fraile de la Buena Muerte* (1769-1845), en Chile; el mismo Bolívar (1783-1830), en Centroamérica.

Trasladados a lo literario, estos afanes se canalizan de momento en dos direcciones fundamentales: la poesía heroica, suscitada por la lucha liberadora, en el verso, y el costumbrismo, en la prosa. Aquélla tiene su máximo exponente en la oda *A la victoria de Junín,* de J. J. de Olmedo, y en las mil composiciones escritas a su imagen y semejanza; el costumbrismo se inicia, o al menos adquiere carta de naturaleza, con el *Periquillo Sarniento* (1816), del mejicano Fernández de Lizardi, que habría de tener durante el primer tercio del siglo incontables imitaciones. Pero el primer grito de independencia literaria, la primera llamada a una autonomía intelectual del mundo hispanoamericano, la encontramos en la *Alocución a la Poesía,* publicada por Andrés Bello, en Londres, el año 1823. En ella, a vueltas de no pocos conceptos heredados del mundo clásico, se invita a la musa a que, abandonando la vieja Europa—«región de luz y de miseria»—, se traslade a la «grande escena» del mundo colombiano, donde encontrará temas inéditos y nuevos motivos inspiradores. La *Alocución a la Poesía,* primera de las dos «Silvas americanas», de Bello [4], se convierte así, aun dentro de sus moldes perfectamente tradicionales, en un programa poético dirigido a los nacientes pueblos de Hispanoamérica.

II. FACTORES DE FORMACION

Naturalmente, una vez lograda la independencia política, los primeros pasos o tentativas se habían de encaminar hacia la creación de una literatura autóctona. Es la aspiración de todos los pueblos al adquirir conciencia de nacionalidad. Los americanos, durante el siglo XIX, sólo la logran a medias. Y si es cierto que antes se habían dado casos de evidente americanismo—más que en la técnica, en el tema—, como en el drama incaico *Ollantay,* de época y autor muy discutidos, o en *Siripo* (1789?), del argentino Lavardén, no lo es menos, e insistimos en ello una vez más, que las literaturas no se improvisan, y que no en vano han actuado sobre América tres siglos de soberanía—rehuyamos el término «coloniaje»—y de dominación españolas.

No entra en nuestro propósito hacer referencia, ni siquiera de pasada, a los acontecimientos externos que prepararon primero y provocaron después la total independencia de las naciones hispanoamericanas [5]. Tampoco podemos aludir a los escritores que con sus obras, más o menos revolucionarias ideológicamente, contribuyeron al éxito de la emancipación [6]. Casi todas ellas, de innegable contenido doctrinal, caen al margen de la literatura estéticamente considerada.

Catalogados tradicionalmente como epígonos del enciclopedismo francés, cada vía va viéndose con mayor claridad que, sin desconocer las corrientes culturales galas, casi siempre bebían en fuentes españolas. Los grandes estadistas e ideólogos de la época de Carlos III y de Carlos IV—Aranda, Floridablanca, Jovellanos, Campomanes—siguen nutriendo con su obra la mente de los más conspicuos pensadores americanos de la época. Cuando Mariano Moreno edita el *Contrato social,* de Rousseau, no lo traduce directamente, sino que, al parecer, se limita a reimprimir en América la edición española de Jovellanos. Doctrinalmente avanzados, se ha venido creyendo que aquellos hombres pensaban a la francesa, aunque escribiesen a la española; hoy casi se puede afirmar que pensaban y escribían en español. Sus modelos en poesía eran Quintana, Cienfuegos y Nicasio Gallego; en prosa ligera, Bretón de los Herreros, Mesonero Romanos, y luego Estébanez Calderón y Larra; en la prosa seria, Jovellanos y Feijoo.

Política e indigenismo

Dos factores jugaron una importancia excepcional en la formación de la literatura americana durante su primer período: la *política* y el *indigenismo.* La política suministra el ochenta por ciento, por lo menos, de los poetas y prosistas; sin duda alguna, los mejores. Hasta tal punto andan mezclados por mucho tiempo en la historia de Hispanoamérica ambos conceptos, política y literatura, que de algún país ha podido decirse que «el mejor escritor es también el mejor caudillo» [7]. Piénsese en hombres como Simón Bolívar y José de San Martín: uno y otro acreditaron excelentes dotes literarias y no escasa cultura en su interesantísima correspondencia. Y todo un género, tal vez el más floreciente, el de la poesía en ese primer período, está inspirado en los grandes acontecimientos políticos que dan lugar a la formación de los nuevos estados. «Los estudiantes de 1800—escribe L. Alberto Sánchez—serán los jefes insurreccionales de 1820 y, muchas veces, los dirigentes políticos de 1830.»

Educados a la española, y algunos de ellos en la misma España, sienten despertarse en su espíritu, a la vez que el entusiasmo por la nueva patria, reflejado en tantos y tantos poemas heroicos según el patrón de los de Olmedo, un vivo anhelo de *indigenismo*, de admiración por la tierra natal, que se traduce pronto en lo que se viene llamando el «virgilianismo americano», o en otras palabras, la tendencia, una vez lograda la libertad política, a celebrar las bellezas, el paisaje, las producciones y hasta los viejos mitos, ya casi olvidados, de cada país. La primera vez que habla América con voz personal y propia lo hace en un poema de este tipo: la *Silva a la agricultura de la zona tórrida*, de Bello.

Luego, el escritor, el poeta, no se siente satisfecho; se da cuenta de que no es sólo miembro de un continente libre, sino también de una nacionalidad dentro de ese mismo continente: Argentina, Perú, Méjico, Colombia, etc.; y empiezan a nacer, dentro de la literatura general hispanoamericana, las literaturas nacionales; mejor aún, las regionales y hasta locales. Este fraccionamiento se debe al principio a un hecho político: las naciones, durante algunas décadas, no son aún unidades homogéneas, sino entidades variables, de límites imprecisos y naturaleza flúida.

Encargados de llevar la voz en este movimiento indigenista son los criollos, descendientes directos de españoles, e incluso españoles algunos de ellos, ganados súbitamente a la causa de la independencia. Son ellos los que van a buscar las esencias más puras de las nuevas nacionalidades en el substrato indiano, soterrado y casi desaparecido tras varios siglos de soberanía española. Tan españoles por su sangre como Bolívar, no se resignan a considerarse, según él, «una especie intermedia entre los legítimos dueños del país y los usurpadores españoles» [8]; recaban para el indio aborigen todos los derechos, y cuando se sienten narradores o poetas, se ponen decididamente de su parte, enfrente de los invasores. Sirvan de ejemplo, entre otros muchos, *El nuevo Caupolicán, o el nuevo patriota de Caracas*, del español José Manuel Sán-

chez; *Tupac-Amaru*, atribuído al argentino Morante; *Cora, o la virgen del Sol*, del chileno Salvador Fuentes, y *Guatimozín*, del colombiano José Fernández Madrid.

Lo que en estos poemas y otros similares pueda haber de convencional y de afán de novedad salta a la vista. En cambio, el auténtico amor al terruño, el apego natural a las tradiciones y modo de ser del suelo nativo inspira otra clase de poemas que, andando el tiempo, ha de alcanzar suprema jerarquía estética dentro de las letras americanas, como la expresión más pura del alma racial: el *género gauchesco*.

Publicaciones periódicas y sociedades literarias

A favorecer y consolidar los triunfos de la nueva literatura coadyuvan otros factores, dignos de tenerse en cuenta en todo estudio de cultura moderna: la prensa y las sociedades literarias.

Aquélla tiene su expresión en múltiples órganos de opinión que empiezan a publicarse en las principales ciudades de las Repúblicas nacientes, coincidiendo casi siempre con las primeras manifestaciones del movimiento secesionista. Tales son *La Gaceta de Buenos Aires, La Crónica Argentina, El Independiente, El Observatorio Americano* y el *Museo Americano*, en Argentina; *El Pampero, La Aurora* y *El Ciudadano*, en Uruguay; *La Aurora de Chile, El Monitor Americano* y el *Semanario Republicano*, en Chile; *El Peruano, El Depositario* y *El Nuevo Depositario*, en Perú; *El Diario Político* y *El Patriota*, en Colombia; *El Patriota Venezolano* y *El Semanario de Caracas*, en Venezuela; *El Verdadero Ilustrador Americano, El Aristarco, El Amigo de la Patria, El Diario de Méjico, El Pensador Mejicano* y *El Noticiosa General*, entre tantos otros, en Méjico. En estas y otras publicaciones análogas se puede estudiar, siguiéndola al hilo de cada día, la historia interna de los diversos estados americanos en la época de su emancipación; pero rara vez tropezamos en sus páginas con trabajos de positivo valor estético.

Las sociedades literarias alcanzan por la misma época pujante desarrollo. A imitación de las que funcionaban en España por aquellas fechas, con su carácter mitad cultural, mitad político, existían varias en Buenos Aires, Caracas, Méjico y Bogotá. Las más importantes para nuestro objeto son la de *El Buen Gusto*, fundada en Buenos Aires por iniciativa del director de teatro Pueyrredon, de mucho relieve en la poesía dramática argentina, y la *Academia Literaria* de Juan y Javier Ustáriz, en Venezuela. En esta última dió Bello a conocer sus primeros poemas. Agréguese a todo ello la propaganda y el ambiente de novedad creado por los «salones literarios». Presididos, como en París o en Madrid, por damas de alto rango y fina sensibilidad, pronto quedaron convertidos en focos de cultura y de orientación tanto política como cultural. Merecen recordarse el de Joaquina Izquierdo y el de María Sánchez de Thompson, ambos en Buenos Aires. Entre sus contertulianos figuró lo más granado de las letras, de la política y de la milicia.

III. CRONOLOGIA Y PERIODOS

Cronológicamente, el cuadro sinóptico de la literatura hispanoamericana corresponde con bastante fidelidad al que suele establecerse para la española, a la que unas veces va siguiendo de cerca, y otras, tal en el caso de la lírica modernista, se anticipa.

De acuerdo con esto se pueden señalar cuatro grandes períodos:

1.º Literatura de la época de la emancipación.

2.º Literatura romántica y postromántica.

3.º Modernismo.

4.º Epoca contemporánea.

Buena parte de la literatura en el primer período responde en su contenido al proceso político experimentado por las nuevas nacionalidades: entusiasmo ante la lucha emancipadora, exaltación de elementos raciales, culto de la tradición y fervorosa apología, que a veces se convierte en ditirambo, de las bellezas indígenas recién descubiertas. En la expresión sigue fiel a los módulos clasicistas o neoclasicistas, todavía vigentes en la antigua metrópoli. Casi todos los escritores—más los poetas—de ese período han recibido una formación clásica, a tono con la que se daba en Madrid y que luego, por extensión, pasaba a las capitales de los virreinatos. La base de esta formación era eminentemente latina; sus autores predilectos, Horacio, Virgilio y Ovidio. Añádase entre los preceptistas a Boileau, a Muratori y a Luzán; más tarde, a Lista. Obsérvese a este propósito que la principal sociedad literaria de México se denominaba la *Arcadia Mejicana*, y que todos sus miembros se disfrazaban con seudónimos tomados del mundo clásico: Ochoa y Acuña se llamaba *Anfriso*.

Durante el segundo período todavía sigue pesando la influencia española. Como siempre, es la poesía la que más cerca está de la literatura peninsular. Zorrilla, Espronceda y Rivas, durante el romanticismo; Campoamor y Núñez de Arce, en el período postromántico, y Bécquer, finalmente, son los modelos preferidos. Pero ya esta inclinación por lo español ha de sufrir la competencia de la literatura francesa, muy conocida y admirada por los americanos en todo tiempo. Las huellas de Lamartine, Víctor Hugo, Musset y demás románticos franceses aparecen a cada paso. Incluso se habla de dos romanticismo distintos, o mejor, de dos focos románticos independientes: el de Buenos Aires, que se proyecta hacia Francia, y el de Centroamérica y Bolivia, que se propaga al Perú, Venezuela, Colombia y hasta Méjico, de clara ascendencia española.

Con el *modernismo*, por primera vez en la historia de la literatura hispánica, América se pone en la vanguardia. Acaso las primeras manifestaciones modernistas fueron simultáneas en un lado y otro del Atlántico; pero nadie puede negar que el triunfo de la escuela fué americano, y que fué un poeta de aquel Continente el que desde el primer momento se constituyó en jefe supremo de la misma. Rubén Darío, hijo de una pequeña república centroamericana, ya no viene a España en plan de discípulo, sino de maestro; no imita, se le imita. Su voz es la más autorizada del Parnaso español desde hacía varios siglos. Su proyección poética no tiene par en la lírica del habla castellana moderna.

A partir de Rubén Darío, y ya durante toda la época contemporánea, la literatura americana parece haber tenido conciencia de su mayoría de edad, y sin romper sus relaciones con la peninsular ni renegar de sus tradicionales esencias, ha sabido crearse vida propia, con una lírica, una novela y hasta un teatro autónomo. Las producciones de esa lírica o de esa novela no se apartan, claro es, en lo formal de las producciones de género análogo aparecidas por tal época en España, como que todas tienen por instrumento expresivo la misma lengua; pero en lo temático ofrecen unos caracteres tan distintos que se puede muy bien hablar de dos literaturas diferentes. Por otra parte, la calidad excepcional de algunas obras confiere ya tal rango a esa literatura hispanoamericana que en una obra como la nuestra merece, ni más ni menos, la misma consideración que la peninsular. En algunos aspectos—teatro, ensayo—, ésta se manifiesta superior; en otros—novela, lírica—se mueven en el mismo plano.

IV. CONCEPTOS FUNDAMENTALES

¿Se pueden señalar de antemano unas características comunes a la literatura americana de cualquier época y región? Se ha intentado hacerlo, no sabríamos decir si con verdadera fortuna [9]. Las notas más destacadas serían: a) *sentimiento de libertad*; b) *conciencia de nacionalidad*; c) *telurismo*; d) *megalopolitismo*, y e) *yuxtaposición racial*. Ha de observarse que más que de notas específicas y definitorias se trata de una serie de preconceptos, sin cuya consideración previa muchas zonas de esa literatura quedarían en penumbra.

El *sentimiento de libertad,* tras la triple centuria de dominación española, se traduce en multitud de obras en verso y prosa que inundan aquellos países, sobre todo en las primeras épocas. El romanticismo viene a exacerbar más y más ese sentimiento, haciendo concebir para un futuro próximo esperanzas de un bienestar desorbitado y utópico. Luego, la realidad, al no responder con hechos a los sueños acariciados, engendra cierto desencanto, que inevitablemente tendrá que repercutir en la producción literaria. Hay, pues, una fase de utopismo, coincidente con el fervor separatista y con la fiebre romántica; otra segunda fase de positivismo, de 1870 a 1900, aproximadamente, en que los sueños color de rosa se desvanecen al contacto de la realidad: problemas sociales, choque de la cultura latina con la sajona, predominio de ésta, debilidad económica, etc.; y una tercera fase de retorno al ideal, a la esencia pura de lo latino, de lo europeo, de lo hispano —el «arielismo»—, en que las puertas del espíritu se abren de nuevo a las mejores esperanzas. Todo ello queda reflejado, como es natural, en la literatura.

Al mismo tiempo que la conciencia de unidad continental surge en cada país la *conciencia de unidad nacional.* Cada Estado vive su vida, más o menos independiente, o al menos aspira a vivirla. Cada nueva república tiene, bajo el denominador común de lo hispanolatino, sus caracteres propios, su modo de ser y de vivir. No piensa ni siente lo mismo el mejicano, sometido a la constante amenaza de absorción de sus poderosos vecinos de Norteamérica, que el uruguayo, abierto en todo instante a las corrientes europeas. Ello crea condiciones y climas distintos, que dan como resultados distintas modalidades literarias.

Entendemos aquí por *telurismo* las especiales relaciones del hombre con la tierra que habita; relaciones que, apenas hace falta subrayarlo, no son ni pueden ser las mismas en América que en Europa. Y menos aún, en la América hispana. En Europa, superpoblada, el hombre se impone a la tierra y la domina; en América, desde Méjico a Patagonia, con pequeñas excepciones, el suelo semidespoblado se impone al hombre y le hace su esclavo. Nace de ahí una diferente manera de conducirse; una existencia más libre, más rudimentaria, de naturaleza casi primigenia. El campo es un elemento más, y un elemento de primer orden, con el que tienen que contar el narrador y el lírico. Toda la novelística de carácter geórgico, tan abundante a partir del romanticismo, y toda la poesía virgiliana, inaugurada brillantemente por Andrés Bello, tiene así explicación. Sabanas y pampas, ríos y cordilleras, llanuras de mies que se pierden en el horizonte y rebaños de incontables cabezas se introducen en el relato o en el poema como otros tantos personajes, con derecho a que se les atienda y considere. Y frente a este fenómeno, el *megalopolitismo* y la *yuxtaposición racial.* Frente al campo deshabitado, las grandes concentraciones urbanas de Buenos Aires, Méjico, Montevideo o Santiago. Un mundo distinto y una distinta manera de pensar y de ver las cosas. Se puede hablar de una «literatura» del Plata, refiriéndose a Buenos Aires, y de una «literatura» de Méjico, que no son precisamente las que mejor caracterizan y definen los dos países extremos de la América hispana. En determinadas épocas y géneros, la literatura urbana, más cultivada y en contacto más directo con la corriente de fuera, domina a la otra. Pero a veces el campo irrumpe en la ciudad, y su voz es casi la única que se oye. Esto ocurre, por ejemplo, con la poesía gauchesca de fin de siglo, en Argentina, y con la novela actual en Venezuela.

Agreguemos como nueva fuente de inspiración, y de diversificación al mismo tiempo, las *yuxtaposiciones raciales.* En la América hispana, la base de población era indudablemente el indio. Pero éste, mientras en Méjico o en algunos puntos de los Andes sigue ostentando una representación efectiva, en la mayor parte de los otros países ha desaparecido o está en trance de desaparecer. Sobre la raza indígena han llovido varias invasiones, en forma más o menos pacífica: la española, que en buena parte mezcló su sangre con la población aborigen; la latina, representada especialmente en el sur por los italianos; la sajona, la eslava y, finalmente, la asiática oriental. No olvidemos el elemento negro, tan importante en ciertas naciones, como Cuba, que ha dado origen a todo un género de poesía, la llamada «afrocubana». Piénsese asimismo en ciudades como Buenos Aires, verdadera encrucijada de razas y de idiomas. En todo ello, la literatura ha encontrado nuevos motivos de inspiración.

NOTAS

1. Leguizamón: *Historia de la literatura hispanoamericana,* I, cap. VII. pág. 323.
2. *Las corrientes literarias en la América hispánica,* «Biblioteca Americana». Méjico, 1949, págs. 46-97.
3. «Por raro que parezca. uno de los principios que en los tiempos de la Colonia guiaban a aquella sociedad, después de la religión, era la cultura intelectual y artística... Prácticamente. aun cuando no de modo nominal, los estudios estaban al alcance de todas las aspiraciones... España dió a sus colonias una orientación cultural tan completa como la que ella misma poseía.» (H. Ureña: *Ob. cit.,* págs. 45-46.)
4. Más propiamente titulada *Fragmentos de un poema sobre América,* fué dada a conocer en la «Biblioteca Americana», revista que publicaron en Londres durante 1823 Bello y el colombiano García del Río. La otra «silva» es la célebre composición *La agricultura en la zona tórrida,* aparecida en el «Repertorio Americano» (1826-27), publicación que sustituyó a la «Biblioteca».
5. Esquemáticamente. para el mejor encuadre de autores y obras, nos limitamos a enumerar unas cuantas fechas:

1806: Buenos Aires sacude la ocupación inglesa.

1809: En el Alto Perú estalla una sublevación que es reprimida con severidad.

1810: Buenos Aires se proclama independiente. En Méjico el cura Hidalgo promueve una revuelta (Grito de Dolores).

1811: Nuevas revueltas, que son sofocadas por los españoles en Méjico y Perú. Venezuela y Paraguay proclaman su independencia.

1812: En España las Cortes promulgan una Constitución de contenido liberal. En Venezuela, Ecuador y Chile el ejército español derrota a las tropas nacionales.

1814: Es abolida por Fernando VII en España la Constitución de las Cortes de Cádiz. Nuevas derrotas en Venezuela y en Perú de los nacionales ante las tropas españolas.

1815: Siguen dueños de la situación los españoles en el Alto Perú, donde es derrotado el ejército argentino; en Nueva Granada y en Méjico, donde acaudillaba la sublevación el cura Morelos.

1816: Se proclaman independientes las *Provincias Unidas de La Plata*.

1817: Derrota de las fuerzas españolas en Chacabuco. San Martín entra en Santiago, y Chile proclama su independencia

1819: Triunfa Bolívar en Boyacá; entra en Bogotá, y se proclama el Estado de la *Gran Colombia*.

1820: Sublevación de Riego en España, con la consiguiente debilitación de los ejércitos españoles. Las fuerzas destinadas a luchar en América son obligadas a permanecer en la Península. Fernando VII restablece la Constitución de Cádiz. San Martín entra en Lima.

1821: La victoria de Carabobo, obtenida sobre las fuerzas españolas, libera a Venezuela. Bolívar entra en Caracas. Perú se proclama independiente. En Méjico Iturbide se corona emperador.

1822: Victoria de Pichincha, que abre a Bolívar el camino de Quito. Liberación del Ecuador.

1823: Lima cae de nuevo en poder de los españoles.

1824: Las grandes batallas de Junín y de Ayacucho señalan la derrota definitiva de los españoles.

1826: Capitula en Callao (Perú) el ejército español.

1830: Muerte de Bolívar y disolución de la *Gran Colombia*, que queda dividida en tres estados autónomos: Venezuela, Nueva Granada (luego Colombia) y Ecuador.

6. Son, entre otros menos importantes: Francisco de Miranda, Simón Rodríguez, José Sanz, Antonio Nariño, Francisco Antonio Zea, Camilo Torres, Francisco José de Caldas, José Mejía y Lequerica, Mariano Moreno, Juan Crisóstomo Lafinur, Manuel Fernández de Agüero, Diego Alcorta, Dámaso Larrañaga y Manuel Belgrano. Miranda, enciclopedista furibundo, trabajó incansablemente por la independencia de Venezuela; Simón Rodríguez fué maestro de Bolívar; Nariño y Zea, colombianos, estuvieron desterrados en España, y, vueltos a su país, llegaron a desempeñar la presidencia y vicepresidencia de la nación; Torres, también colombiano, ha sido llamado, por su elocuencia, «el Mirabeau de la revolución granadina»; Mejía y Lequerica representó a su país en las Cortes de Cádiz; Mariano Moreno editó a Rousseau, y tuvo una destacada actuación como secretario de la Primera Junta

Gubernativa en el Río de la Plata. Más detalles en Leguizamón: *Ob. cit.*, I, págs. 328-32.

7. Vid. Leguizamón: *Ob. cit.*, I, pág. 336.

8. Bolívar: *Carta de Jamaica*.

9. Entre otros, por R. Bazin: *Histoire de la Littérature Americaine de langue espagnole*, París, 1953; cf. páginas 5-20. Nuestra exposición se ajusta a la de éste.

BIBLIOGRAFIA

Aparte de las Historias generales de literatura hispanoamericana que figuran al frente de nuestro libro, pueden consultarse:

P. Aguado Bleye: *Manual de historia de América*, Bilbao, 1929. 3.ª ed.—J. Araújo Ferrer: *Encuesta sobre el nacimiento de la literatura hispanoamericana*, «Revista de Indias», núm. 36, Bogotá. 1941.—G. Arciniegas: *Este pueblo de América*, «Fondo de Cultura Económica», Méjico, 1945.—C. Bayle: *España y la educación popular en América*, Madrid, 1941; *España en Indias*, 3.ª ed., Madrid, 1942.—V. Balaunde: *Hispanic American Culture*, Houston, Texas, 1923.—Conde de Keyserling: *América hispana*, Nueva York, 1931.—E. Díez-Canedo: *Letras de América*, Méjico, 1944.—J. M. Estrada: *La vida intelectual en la América española*, Buenos Aires, 1917.—Waldo Frank: *América hispana*, Nueva York, 1931.—J. Gaos: *El pensamiento hispanoamericano*, «Jornadas», núm. 12, ed. de El Colegio de Méjico.—F. García Calderón: *La creación de un continente*, París, 1912.—P. Henríquez Ureña: *Historia de la cultura en la América hispánica*, Méjico, 1947; *Las corrientes literarias en la América hispana*, trad. de Joaquín Díez-Canedo, «Fondo de Cultura Económica», Méjico-Buenos Aires, 1949.—C. Ibarguren: *Las sociedades literarias y la revolución argentina*, Buenos Aires, 1937.—*La civilización hispanoamericana del siglo XVIII* (monografías del Departamento de Historia del Instituto Nacional de Profesorado Secundario), Buenos Aires, 1926.—C. R. Melo: *La vida intelectual de la América española*, Córdoba, 1928.—G. A. Otero: *La vida social del coloniaje*, La Paz (Bolivia), 1942.—R. Pattee: *Introducción a la civilización hispanoamericana*, Boston, 1945.—M. Picón Salas: *De la conquista a la independencia: tres siglos de historia colonial*, «Fondo de Cultura Económica», 1944.—V. G. Quesada: *El desenvolvimiento social hispanoamericano*, 1917; *La vida intelectual en la América española durante los siglos XVI, XVII y XVIII*, 2.ª ed., Buenos Aires, 1917.—L. A. Sánchez: *Vida y pasión de la cultura en América*, Santiago de Chile, 1935; *Civilización o cultura*, La Plata, 1926; *¿Existe América latina?*, «Fondo de Cultura Económica», Méjico, 1945.—J. B. Terán: *El nacimiento de la América española*, Buenos Aires, 1931.—L. G. Urbina: *La literatura americana durante la guerra de la independencia*, Madrid, 1917.—G. Valencia Rodas: *El proceso de la cultura americana. Sociología especial de América*, Medellín. 1942.—E. J. Varona: *Ojeada sobre el movimiento intelectual de América*, La Habana. 1878.—Nina Lee Weisinger: *A Guide to Studies in Latin American Literature*, Nueva York, 1940.—A. Zum Felde: *El problema de la cultura americana*, Buenos Aires, 1943.

CAPITULO LV

LA POESIA AMERICANA NEOCLASICA Y DEL PERIODO DE EMANCIPACION:
A) LOS GRANDES POETAS

I. PERSPECTIVA GENERAL.—II. OLMEDO, CANTOR DE LA INDEPENDENCIA: *Vida y persona. La obra poética. La oda «La victoria de Junín». La oda «A Flores» y otros poemas.*—III. BELLO, EL POLÍGRAFO Y EDUCADOR: *La vida y el hombre. Producción literaria. El filósofo y el jurista. El filólogo, el gramático y el crítico. Bello, poeta. Las «Silvas americanas».*—IV. UN GRAN LÍRICO CUBANO: *Heredia. Biografía y carácter. Obra literaria. Las poesías. Las odas «Al Niágara» y «Al Teocalli».*—NOTAS.—BIBLIOGRAFÍA.

I. PERSPECTIVA GENERAL

Sin desdeñar otros géneros literarios, dos son los preferidos durante este período: la lírica y el costumbrismo.

El costumbrismo se atiene en todo a patrones españoles. La novela picaresca, en el pasado, y los artículos de Mesonero Romanos, Larra y Estébanez Calderón, en el presente, siguen suministrando los modelos. Pero de esto trataremos por extenso en otro capítulo.

Ateniéndonos en éste a la lírica, insistamos en que hasta el advenimiento del romanticismo sigue fiel en lo formal a los módulos clasicistas, con una sumisión casi ciega a cuanto se legisla desde España en materia poética por boca de Luzán, de Lista o de Martínez de la Rosa. En tal aspecto apenas cabe señalar diferencias apreciables entre un poema de Cienfuegos o de Quintana y otro de Heredia o de Olmedo. La misma voz, el mismo tono, el mismo compás y hasta la misma métrica, que casi siempre se reduce a la silva en el verso mayor y a la décima y el romance en el corto.

En cuanto al contenido, cuatro son los temas predominantes en toda la poesía que se escribe en América durante el primer tercio del XIX: la exaltación de las victorias nacionales y de la lucha por la independencia, que cuaja en una larga serie de poemas u odas de carácter heroico, casi siempre de escaso valor; el elogio de la tierra americana en su flora, en su fauna y hasta en su orografía, que provoca la llamada «poesía geór-

gica o virgiliana»; la expresión íntima y personal de sentimientos, con un lirismo que se acerca en ciertos aspectos a la manera romántica, aunque se explica mejor como una repercusión del acento, entre sentimental y filosófico, de Cienfuegos; y la tendencia, nunca desmentida por los poetas americanos, hacia lo satírico y humorista, que en las postrimerías del siglo XVIII había tenido ya un calificado intérprete en el presbítero mejicano don Anastasio de Ochoa y Acuña, comparado por sus compatriotas nada menos que con Góngora y Quevedo, cuando la verdad es que apenas pasa de un estimable imitador de Iglesias. Con cada una de estas direcciones puede formarse un apartado, en el que cabe inscribir nombres tan representativos como los de Olmedo, Bello, Heredia, Batres y Montúfar. Si a estos cuatro nombres señeros agregamos los de Felipe Pardo, Iturrondo, Lafinur y Cruz Varela, tendremos lo más escogido y casi lo único digno de recuerdo entre esa espesa selva de poetas que pululan en América durante la etapa inmediatamente anterior al movimiento romántico.

Todavía se puede agregar un nuevo apartado, constituído por aquellos poetas que, ajenos total o parcialmente a cualquiera de las tendencias apuntadas, prefieren seguir su camino propio. Este camino suele ser el de la tradición dieciochesca, más o menos remozada y «americanizada» por Bello y Heredia.

II. OLMEDO, CANTOR DE LA INDEPENDENCIA

La dura lucha por la independencia, primeramente, y las grandes victorias de algunos caudillos, como Bolívar, Sucre y San Martín, después, por fuerza habían de inspirar a las musas tanto de las orillas del Plata como del Orinoco. Son innumerables los cantos e himnos que brotan en

Chile, en Argentina, en Perú o en Méjico al calor de las batallas. Con los poetas que los escribieron se podría hacer una antología muy nutrida: los argentinos López y Planes, Luca, Prego de Oliver y fray Cayetano Rodríguez; el chileno Vera y Pintado; el colombiano Salazar; los mejicanos Quintana Roo, Sánchez de Tagle, Francisco Ortega y tantos otros. La mayor parte de aquellos himnos, tan celebrados y leídos en su día, juntamente con el nombre de sus autores, pasado ya el delirio de la victoria, cayeron en el olvido. Y así están mejor, dada su ínfima calidad. Hay, sin embargo, unos pocos vates que merecen todavía citación. Y uno solo entre ellos que, gracias a un par de poesías del género, ocupa uno de los primeros puestos en la lírica americana de todos los tiempos. Este se llama JOSÉ JOAQUÍN DE OLMEDO (1780-1847).

Vida y persona

Nace JOSÉ JOAQUÍN DE OLMEDO en Guayaquil, en 1780, de padre malagueño y madre americana. Cursa Humanidades en Quito, y Filosofía y Derecho en la Universidad de Lima, donde se doctora en 1805. Desempeña en aquella Universidad cátedra de Derecho romano; pero pronto pasa a su ciudad natal para ejercer la abogacía. En 1810 embarca para España, como secretario de su pariente y protector don José Silva, obispo de Huamanga, que había sido nombrado miembro de la Junta Central de Sevilla. Disuelta ésta antes de llegar Olmedo a España, es elegido ese mismo año diputado por Guayaquil ante las Cortes de Cádiz. Interviene en éstas activamente, y es designado, en marzo de 1813, miembro y secretario de la Diputación Permanente. que debía durar hasta las próximas Cortes. Pero a la vuelta de Fernando VII se ve obligado a regresar a Guayaquil. Contrae matrimonio, y durante tres años se dedica a sus ocupaciones privadas. En 1820, proclamada la independencia de Guayaquil, es designado miembro de su Junta de Gobierno. 1823: forma parte del Congreso Constituyente del Perú y de la Diputación peruana que fué a impetrar el auxilio de Bolívar, con quien Olmedo había estado hasta entonces en desacuerdo y de quien se convierte en fervoroso admirador. 1825: es enviado a Londres por Bolívar en calidad de ministro plenipotenciario, y allí cultiva la amistad de Bello. 1828: regreso a Guayaquil, donde desempeña altos cargos, entre ellos la vicepresidencia de la República y el gobierno de Guayas. 1845: candidato a la presidencia, es derrotado por V. Ramón Roca. 1847: fallece cristianamente en su ciudad nativa, a los sesenta y siete años.

Olmedo es el ejemplo típico, tan prodigado por aquellas fechas, del criollo ganado a la causa americana. Es también una de las primeras ediciones, repetidas innumerables veces a lo largo del XIX y en nuestros mismos días, del literato que reparte su actividad entre la poesía y la política. Esta dedicación a los negocios públicos en quien

había nacido para las letras le impide consagrarse a éstas con la asiduidad que hubiera sido de desear y que él mismo tantas veces anheló. De aquí lo exiguo de su producción. Pocos poetas de renombre han dado a luz con tanta parsimonia. Añádase que Olmedo necesitaba, para crear, especiales circunstancias, capaces de caldear su estro, ya de por sí un poco gélido, y que estas circunstancias no se daban todos los días. Téngase, además, en cuenta que está plenamente encajado dentro de las normas neoclásicas más exigentes, lo que le obliga al continuo retoque de su producción. Su oda más conocida, *A la victoria de Junín,* le llevó, según confesión propia, cinco meses de trabajo. Como la composición consta de 906 versos en su redacción definitiva, corresponden seis a cada día. No trabajaba con más lentitud Malherbe. El nos habla de la «extremada facilidad» con que versificaba en su juventud, pero es lo cierto que esa facilidad no aparece por ninguna parte.

La obra poética

Corresponde exactamente a su formación humanística, con reminiscencias continuas de Homero, Píndaro, Horacio, Virgilio y Ovidio. Olmedo no la disimula y los llama sus maestros. De los españoles prefiere a Quintana y Meléndez[1], aunque también acusa la influencia de Gallego, Martínez de la Rosa y otros neoclásicos. Sabía latín, francés e inglés, y de cada una de estas lenguas dejó muy buenas traducciones: alguna oda de Horacio; parte del *Anti-Lucrecio,* de Polignac; tres cantos del *Ensayo sobre el hombre,* de Pope, que son lo mejor que salió de su pluma.

Su producción original, ya está dicho, es exigua. Hasta fecha muy reciente, la diligencia de sus biógrafos y escoliastas apenas había logrado reunir dos docenas de composiciones. En 1947, la colección de sus poesías apareció aumentada considerablemente, con 55 composiciones más: 17 que andaban diseminadas en revistas y periódicos y 38, inéditas hasta ahora, que se han sacado de sus manuscritos y borradores, gracias a la diligencia del padre Aurelio Espinosa Pólit y a la solicitud del señor Pino de Icaza, bisnieto del poeta[2]. Las nuevas aportaciones son de un valor casi nulo y, según lo reconoce el mismo padre Espinosa—nada parco en sus elogios a Olmedo—, «no modifican el juicio que se ha venido formando del poeta ecuatoriano a lo largo de un siglo». Olmedo sigue siendo el cantor de Junín y de Miñarica. Nada más. Ni sus silvas de corte neoclásico (*Oda en la muerte del hermano del marqués de Cevallos*); ni sus *anacreónticas y romances,* en que se ve la huella de Meléndez Valdés, y que acaso corresponden a su etapa de estudiante, debiendo por ello ser consideradas como simples tanteos (*Contra el vino, Filis a Damón,*

Arroyo cristalino, Mi retrato); ni sus piezas *eróticas,* de evidente fondo autobiográfico (*Para templar el calor, A Nise*); ni sus *loas* al virrey, a los gobernantes y a España, que delatan un origen de puro compromiso, aumentan en un ápice la estimación que se venía teniendo de Olmedo gracias a las citadas odas *A Junín* y *A la Miñarica.* Todo lo demás es mediocre, y más que mediocre, deleznable [3]. De todas las piezas sacadas a luz ahora sólo una merece mención por su frescura, sencillez y encanto: la *Canción indiana;* pero esta piececita primorosa, ya lo advirtió Gutiérrez, está inspirada—calcada, diríamos nosotros—en un conocido pasaje de la *Atala,* de Chateaubriand.

No sale mejor parada la producción antes conocida. Con un exceso de buena voluntad se vienen señalando como más estimables cinco o seis composiciones: *Elegía en la muerte de la princesa María Antonia* (1807), *El árbol* (1808), *Silva a un amigo en el nacimiento de su primogénito* (1817), *A un nido, Epitalamio.* Pero insistamos en lo dicho: Olmedo es ante todo, y casi solamente, el autor de las odas *La victoria de Junín* (1824) y *Al general Flores, vencedor de Miñarica* (1835). No hubiera escrito más que estas dos composiciones y seguiría siendo poeta de primera fila y merecedor del sobrenombre de *Píndaro americano,* con que sus compatriotas le bautizaron.

La oda «La victoria de Junín»

Más conocida por *Canto de Junín* (1825), es un poema de carácter mixto: lírico y épico. Lírico en cuanto exalta los grandes triunfos de Junín y de Ayacucho y a los héroes que los lograron; épico porque, saliéndose de los cánones tradicionales del género, se extiende en descripciones y relatos propios más bien de la epopeya.

Consta la oda de 906 versos, según la tercera y definitiva edición. En la primera eran poco más de 800, y en la segunda, 909. Se trata de una oda de ancho resuello. Con decir que la inspiración apenas decae un momento está hecho su mejor elogio. Las odas similares de Quintana y Gallego son mucho más breves: alrededor de los 200 versos. Ya queda dicho que en su gestación y composición invirtió Olmedo cerca de medio año, y siguiendo un procedimiento muy en boga por aquellos días, fué redactada primeramente en prosa. Lo mismo hicieron Quintana, Schiller y hasta el gran Goethe con algunos de sus mejores poemas. Procedimiento reñido al parecer con el arrebato lírico; pero que, por lo visto, puede dar excelentes resultados, confirmando una vez más el conocido axioma de «concebir en caliente y elaborar en frío».

En su estructura, la oda *La victoria de Junín* se ajusta a un esquema meticulosamente planeado:

a) anuncio de la gran victoria de Bolívar; *b)* invocación del poeta; *c)* batalla, con la enumeración de los patriotas y una alusión restrospectiva a la guerra de Troya; *d)* canto de la victoria o epinicio propiamente dicho; *e)* aparición del inca Huayna-Capac, que recuerda los ultrajes inferidos al pueblo indio por los españoles y presagia la victoria de Ayacucho; *f)* canto de las Vírgenes del Sol y anuncio de futuras prosperidades; *g)* el poeta, después de haberse elevado al mundo de la fantasía y del ensueño, desciende a la realidad. Es, por tanto, del principio al fin un poema diestramente articulado. Como la batalla de Junín, ganada por Bolívar, no daba materia bastante para la gran oda que Olmedo quería escribir, acude a un recurso hábil, si bien muy censurado por la crítica: la exaltación de una segunda victoria, la de Ayacucho. Para soldar ambas partes se introduce la sombra del inca Huayna-Capac. Pero como Bolívar no fué el héroe auténtico de Ayacucho, sino Sucre, el poeta se las arregla para salvar la unidad haciendo «pasar el rayo de la guerra» del uno al otro y dando a entender que si Bolívar no venció en Ayacucho, animó al menos a los triunfadores con su espíritu. De este modo se puede decir que el poema gira enteramente en torno al Libertador.

Desde su aparición se han venido poniendo a la oda de Olmedo muchos reparos. Fué el mismo Bolívar, tan exaltado en ella, el primero en formularlos y su más severo censor. La introducción de Huayna-Capac ha sido considerada peyorativamente como un simple «deus ex machina». En efecto, las circunstancias que le rodean y el lenguaje que emplea no responden a la grandeza del asunto. «Lo que parece naturalísimo y es legítimo recurso poético tratándose de épocas remotas, en que lo divino andaba mezclado con lo humano, resulta chillona discordancia aplicado a una prosaica guerra moderna y escrito ocho días después del suceso para que lo leyese el mismo capitán vencedor.» Tiene razón Menéndez Pelayo; pero nadie, ni él mismo, puede negar que las bellezas de ejecución suelen suplir con creces cualquier anacronismo de esta clase. Más fuerza tiene el reparo de que los vencedores de Junín y de Ayacucho no fueran en la realidad los indios, cuya defensa hace Huayna-Capac, sino precisamente los hijos de aquellos españoles contra quienes el inca fulmina tan terribles improperios [4].

Se acusa a Olmedo asimismo de énfasis, retoricismo y abuso de la hipérbole. Digamos con Bazin [5] que si en este género de poesía se prescinde de cierto desbordamiento verbal, que lo acerca por un lado a la epopeya y por otro a la oratoria, le habremos quitado uno de sus mejores recursos.

En lo tocante a su originalidad, la oda de Olmedo ha sido sometida a un análisis implacable. Se le han encontrado huellas de Horacio (principia inspirándose en el *carmen* 5, L. III: *Caelo tonantem...,* para terminar imitando el 3 del mismo libro: *Quo, musa, tendis...*?); de Homero, de

Píndaro, de Virgilio, de Herrera, de Caro. La sombra de Quintana flota constantemente sobre el poema. De Gallego encontramos versos enteros. Ello no obsta para que el tono dominante sea personal, y hasta en aquellos pasajes en que el poeta camina más pegado a sus modelos se acusa el sello de esa personalidad. Si nos parece exagerada la afirmación de Bazín de que a lo largo de todo el poema ni el vuelo de la elocuencia decae ni el calor del sentimiento se enfría, reconocemos, en cambio, de buen grado, que la oda *La victoria de Junín* es en conjunto una pieza de primer orden, con momentos de inspiración realmente pindárica. Eso es: Olmedo, aun debiendo tanto a Quintana, recuerda más bien a Píndaro. El creyó haber legado en esta oda la gran composición «de una vida», y no se equivocó. Algún que otro neologismo y cultismo *(sanguinoso, cruelecen, reflectan)* y tal cual irregularidad constructiva *(dentro del corazón por Patria juran)* no logran empeñar la grandeza del conjunto.

La oda «A Flores» y otros poemas

Una de tantas acciones guerreras como se sucedieron en América a raíz de la emancipación, y en que se ventilaban problemas de carácter puramente interno, tiene la virtud de despertar diez años más tarde la musa de Olmedo, inspirándole otro canto digno de emparejar con el de Junín: *Al general Flores, vencedor de Miñarica* (1835). El mismo ímpetu, el mismo pindárico aliento e idéntico despliegue de motivos clásicos, sólo que dentro de un cuadro más reducido. Se discute mucho si Olmedo hizo o no bien en escoger para un canto heroico tan parva materia como el triunfo de Flores, uno de tantos generales que destacaron en América al calor de las luchas civiles. «Para hacer buenos versos—ha escrito a este propósito Menéndez y Pelayo— [6] siempre es ocasión oportuna, y a los poetas hay que pedirles más cuenta de los versos que de los asuntos.» Los del *Canto de Miñarica* son, dentro de su género, excelentes:

> Cual águila inexperta que impelida
> del regio instinto de su estirpe clara,
> emprende el veloz vuelo
> en atrevido ensayo,
> y elevándose ufana, envanecida,
> sobre las nubes que atormenta el rayo,
> no en el peligro de su ardor repara
> y a su ambicioso anhelo
> estrecha viene la mitad del cielo.
> Mas de improviso deslumbrada, ciega,
> sin saber dónde va, pierde el aliento,

> y a la merced del viento
> ya su destino y su salud entrega;
> o, por su solo peso descendiendo,
> se encuentra por acaso
> en medio de la selva conocida,
> y allí, la luz huyendo, se guarece,
> y de fatiga y de pavor vencida,
> renunciando al imperio desfallece...

El hombre que para empezar toma este tono y acierta a mantenerlo a lo largo del poema es que se siente realmente inspirado. No importa que en este y otros felices pasajes imite a Horacio, a Meléndez o a Quintana. La imitación está hecha con espíritu libre y renovador.

Las dos piececitas de su juventud, *Elegía a la muerte de la princesa María Antonia de Borbón* y *El árbol*, merecen recordarse no sólo por el contraste que delatan entre el fervor monárquico inicial del poeta y su ulterior aversión a España, sino principalmente porque preludian en ciertas imágenes y giros y hasta en el movimiento de la cláusula al inspirado cantor de Ayacucho. Menor interés ofrecen el soneto *A un niño* y *Epitalamio*, de bajo tono la primera, y algo más sostenida la otra.

En resumen: Olmedo acusa los defectos propios del género que cultivó: énfasis, prosaísmo frecuente, disfrazado en vano de retórica, y abuso de adjetivación parasitaria. Sus virtudes son las mismas que califican de siempre a los maestros de esta clase de oda: elocución selecta, hábil disposición del material poético, solemne andadura del verso y una cuarta cualidad, que rara vez aparece en sus modelos, amor y sentimiento de la Naturaleza, tales como hallaremos luego en casi todos los poetas americanos. El mismo Olmedo, en uno de sus momentos de inspiración, nos dió la síntesis de su temática, reducida casi exclusivamente a lo heroico:

> Así mi musa un día
> sintió la tierra huir bajo su planta
> y osó escalar los cielos, no teniendo
> más genio que amor patrio y osadía.
> En la región etérea se declara
> grande sacerdotisa de los Incas;
> abre el templo del sol: flores, ofrendas
> esparce sobre el ara;
> ciñe la estola espléndida y la tiara;
> inquieta, atormentada
> de un dios que dentro el pecho no le cabe,
> profiere en alta voz lo que no sabe,
> por ciega inspiración. Tiemblan los reyes
> escuchando el oráculo tremendo;
> revelaciones, leyes
> dicta al pueblo; describe las batallas;
> de la patria predice la victoria
> y la aplaude en seráficos cantares;
> de los Incas deifica la memoria.
> Y a sus manes sagrados,
> si tumba les faltó, levanta altares.

III. BELLO, EL POLIGRAFO Y EDUCADOR

Sólo por razones de método, en cuanto máximo exponente de una de las formas poéticas que mayor boga alcanzaron durante el período de la emancipación, traemos a este capítulo la figura del gran venezolano don ANDRÉS BELLO (1781-1865). Auténtico prestigio de las letras hispanoamericanas y su más egregio representante en la pasada centuria, Bello podría ocupar con idéntico derecho un puesto de excepción en los capítulos dedicados a la prosa o a la crítica del XIX. Porque en él concurren con parejos méritos seis u ocho cualidades que le convierten en verdadero polígrafo: el poeta, el filólogo, el crítico, el educador, el filósofo y hasta el jurista. En todas estas actividades destacó, y en todas ellas dejó obras meritísimas.

La vida y el hombre

Nace en Caracas (29 de noviembre de 1781). Niño aún, lee intensamente a nuestros clásicos, especialmente a Calderón y Cervantes. Estudia latinidad y filosofía en el convento de la Merced, en el Seminario de Santa Rosa y en la Universidad caraqueña. Graduado ya, se dedica a la enseñanza privada, contando entre sus discípulos a Bolívar. Conoce a Humboldt, a quien acompaña en varias excursiones y de cuyo trato saca no poco provecho en el orden cultural. Concurre a la tertulia literaria de Ustáriz, y por recomendación suya obtiene un empleo de oficial de secretaría en la Capitanía de Venezuela. Así le sorprenden los sucesos de 1808 y 1810. Al principio no demuestra fevor por la independencia americana; pero pronto cambia. La imputación de haber revelado al gobernador Emparán las tramas de los insurgentes, imputación que amargó siempre su vida, es enteramente calumniosa. En 1810 era enviado a Londres, junto con Bolívar y López Méndez, como comisionado de la Junta de Caracas. Basta ese hecho para deshacer el infundio y demostrar que los revolucionarios tenían depositada en Bello toda confianza. En Londres permaneció hasta 1829, larga estancia, durante la cual pasó no pocas estrecheces, aunque de ellas sacó abundantes frutos. Perdido el empleo oficial, hubo de dedicarse a la enseñanza privada. Completó su educación; cultivó la amistad de doctos varones ingleses y españoles, como lord Holland, James Mill, Blanco (White), Gallardo, etc.; visitó las bibliotecas, en las que encontró copiosos materiales, que le permitieron hacer valiosas investigaciones sobre nuestra literatura medieval. En 1823 publicó, asociado con el colombiano García del Río, la revista titulada *Biblioteca americana*, y en 1825, con el mismo del Río y con los españoles Mendívil y Salvá, el *Repertorio americano*. En ambas publicaciones dejó Bello sus mejores poesías y muchos trabajos de gran novedad y erudición. En 1829 abandona su cargo de secretario de la Legación de Colombia,

que venía ejerciendo en Londres, y se decide a aceptar la oficialía mayor del Ministerio de Relaciones Exteriores, que le había sido ofrecida por el Gobierno de Chile. Con ello empieza una nueva y fructífera etapa en la vida de Bello.

Chile se convierte en su patria adoptiva. Aprovechando la paz que allí reina, mientras los países limítrofes se deshacen en luchas intestinas, Bello desarrolla desde la cátedra, la prensa y el despacho ministerial una labor educadora que no tiene par en ningún otro pueblo de América. Bello es ante todo el gran educador de Chile. En su propia casa, primero; en el colegio de Santiago, después; en la Universidad de la que fué fundador y primer rector, por último, Bello enseña, orienta y dirige espiritualmente a la nación. Su discurso inaugural de la Universidad es todo un programa científico. Su *Código civil chileno* (promulgado en 1855) es la gran obra legislativa de aquella nación. Gracias a él Bello solventó todas sus deudas, que no eran pocas, con la patria adoptiva. Y aún le quedó tiempo para dedicarse a la filosofía, a la literatura, a la lingüística. Sus ideas moderadas y su amor a la tradición, incluída la tradición española, provocaron los ataques de los emigrados argentinos, dando lugar a una famosa polémica, a que aludiremos en su lugar. Sin embargo, el crédito de su sabiduría y rectitud terminó por imponerse, y una aureola de respeto y de amor por parte de todos los americanos le rodeó hasta su muerte, ocurrida el 15 de octubre de 1865. Antes, como un tributo a su espíritu de justicia, le habían nombrado árbitro en el pleito suscitado entre Ecuador y Estados Unidos (1864), y también en el de Colombia con Perú (1865). Durante toda su vida había proclamado sus principios católicos, tradicionales y, sin mengua de su fervoroso americanismo, fundamentalmente españoles.

Bello es la gran figura hispanoamericana de su tiempo. Nadie ofrece tantas facetas espirituales y, dentro de esa variedad anímica, una solidez más compacta. Flexible y abierto a todos los aires renovadores, tanto en la cultura como en la política, es un tradicionalista convencido. Y ello sin abdicar de su fervor por toda clase de avances. Muy de su tiempo, se siente siempre ligado al pretérito, sin que en ningún momento se pueda decir que es un reaccionario. Amante como el que más de la independencia americana, no reniega de su origen español, y al estudio de la literatura, de la historia y de la lengua castellanas consagra sus mayores afanes. Liberal y avanzado en política, sabe compaginar toda clase de progresos con sus principios religiosos. En este sentido, Bello es a la vez progresista y conservador.

Se nos ofrece como un magnífico producto, en cuya granazón intervienen varios factores: una inquietud espiritual nunca del todo satisfecha; una pasión por la verdad y por la justicia; una férrea voluntad, encaminada siempre hacia el bien, todo ello favorecido por una serie de circunstancias que contribuyen al pleno desarrollo de esas actitudes: primero, su educación clásica en la Caracas natal, al lado de doctos maestros; luego, su estancia en Inglaterra, donde su amor innato a la disciplina, a la lógica y a la tradición encuentran ancho cauce; por último, su residencia en Chile, República de perfil aristocrático, donde el dictador Portoles imponía el orden no sin cierta dureza; pero junto con el orden imponía también la paz, tan necesaria a todo pueblo en su período de formación. Bello, en este ambiente, puede llevar a feliz término su alta misión social y extender su influencia beneficiosa «no solamente a la región de Venezuela, que le dió cuna, y a la República de Chile, que le dió hospitalidad y le confió la redacción de sus leyes y la educación de su pueblo, sino a toda la América española, de la cual fué el principal educador»[7].

Producción literaria

La edición oficial de las *Obras completas* de Bello (1872)[8] comprende quince volúmenes, distribuídos en esta forma: *Filosofía del entendimiento* (I); *Estudios sobre el poema del Cid* (II); *Poesías* (III); *Gramática castellana* (IV); *Opúsculos gramaticales* (V); *Opúsculos críticos y literarios* (VI-VII-VIII); *Opúsculos jurídicos* (IX); *Derecho internacional* (X); *Proyectos y estudios para el Código civil* (XI-XII-XIII); *Opúsculos científicos* (XIV); *Miscelánea* (XV). La simple enunciación de estas materias justifica el sobrenombre de «polígrafo» que venimos dando al gran escritor venezolano. Entre los *Opúsculos científicos* merece citarse un tratado de «Cosmografía», y en la *Miscelánea,* sus impresiones y referencias de viajes.

El filósofo y el jurista

Bello nos dejó en su *Filosofía del entendimiento* «la obra sin duda más importante que en su género posee la literatura americana». José Gaos, que ha estudiado concienzudamente en su origen y evolución el pensamiento de Bello, nos dice que la *Filosofía del entendimiento* «desarrolla un verdadero sistema psicológico-lógico», y que ese sistema, con los múltiples puntos de vista particulares aportados por el autor, confiere a la obra «un lugar... desde luego excepcional en la historia del pensamiento de lengua española e incluso no ínfimo en la universal de la filosofía»[9]. Va dividida en dos partes: filosofía general y lógica. En la primera se estudian todos los fenómenos sensoriales de la percepción tanto interna como externa y el proceso formativo de las ideas, a la luz sobre todo de la escuela escocesa; también se dedican sendos capítulos a la memoria, al recuerdo y a la atención. En la segunda se explica el proceso cognoscitivo en sus diversas fases, pasando por el juicio y sus varias especies. El libro se cierra con un capítulo muy interesante sobre las «causas del error». El mismo autor advierte que la Metafísica, o ciencia de las primeras verdades, que en parte es la Ontología, no forma secciones especiales en su libro. Lo justifica «por la conexión estrecha que aquellas materias tienen con la Psicología mental y la Lógica», ya que el análisis de nuestros actos intelectuales nos da el fundamento y la expresión de todas esas nociones; y la teoría del juicio y del raciocinio nos lleva naturalmente al conocimiento de los principios o verdades primeras. De ese modo queda la Metafísica como diluída en la Psicología y en la Lógica. Ante los problemas del ser y del conocer, Bello se nos muestra unas veces afín a Hume y otras a Berkeley, con evidentes conexiones en la escuela escocesa. «Positivista mitigado», le llama Menéndez Pelayo; pero a pesar de su innegable inclinación a Stuart Mill y a Hamilton, disiente de ellos en puntos y cuestiones esenciales. Por ejemplo, su doctrina sobre la noción de causa, aparentemente idéntica a la de Stuart Mill en su *Lógica,* adquiere en la exposición de Bello el carácter de realidad necesaria referida a la causa primera, libre e inteligente, al paso que en Stuart Mill sólo se acepta como posible. En el análisis de los procesos humanos, Bello se revela siempre un psicólogo agudo y penetrante, capaz como pocos de observar y describir todos los fenómenos de la sensibilidad y de la intelección.

Su doctrina jurídica nos quedó en dos obras importantes: *Principios de Derecho internacional* (1832) y *Código civil chileno* (1855). Basados los *Principios* en la obra de Vattel, recogen, sistematizándola con gran claridad y método toda la doctrina esparcida en las colecciones de jurisprudencia mercantil y en repertorios diplomáticos; y si es verdad que rara vez se eleva a las nociones abstractas de esta ciencia, acierta, en cambio, a ofrecer en un manual compendioso, y con una exposición sencilla y elegante, los principios fundamentales de orden positivo por los que se rigen entre sí los pueblos cultos. Más importancia tiene el *Código civil chileno,* promulgado el 14 de diciembre de 1855. Con decir que es el primero de América, salvo el de la Luisiana, que el elemento histórico juega en él un papel muy importante y que todavía tiene vigencia en muchas de sus partes, está hecha su alabanza.

El filólogo, el gramático y el crítico

Los trabajos filológicos de Bello son abundantes y notables. Asombra que en una época en que esta disciplina se hallaba aún en pañales, por así decirlo, y con los escasos medios de que Bello pudo disponer, llegase a tan positivos resultados. Bello, más por su asombrosa intuición que por el empleo de documentos comprobatorios, sólo encontrados mucho más tarde, llegó a deducciones acertadas y casi increíbles para su tiempo. En los *Opúsculos literarios y críticos* anticipa hipótesis que luego había de confirmar la filología moderna. En 1827 deshace ya errores referentes al Romancero, y que habían de persistir aún en las obras de Durán, Ticknor y Amador de los Ríos. Demuestra antes que nadie que el asonante no es peculiar de la versificación española, ya que su rastro puede seguirse en la poesía latino-eclesiástica, por lo menos desde el siglo VI hasta el XI, respaldándolo con muchos ejemplos. Señala la manifiesta influencia de la epopeya medieval francesa en la nuestra. Antes que Gastón Paris y Dozy determina la época de composición de la *Crónica de Turpin* y su posible autor. Niega la antigüedad de los romances sueltos, y considera los más antiguos como fragmentos de las viejas gestas. Basándose en un minucioso análisis de la *Crónica rimada,* establece la teoría, hoy admitida por casi todos, de la transformación de los cantares de gesta en romances. Sin otros materiales que la deficiente edición de Sánchez, llevado sólo de su sagacidad crítica, se decide a acometer una empresa tan ardua como la restauración del *Poema del Cid.* Durante cuarenta años, 1827 a 1865, trabajó incansablemente en esta obra, y el celo y honradez con que llevó a cabo su trabajo fueron tales que, a pesar de no haber podido utilizar ni siquiera la imperfectísima reproducción paleográfica de Huber, el estudio de Bello sobre el venerable cantar de gesta resultaba el mejor en muchos aspectos, todavía a finales del XIX, antes que Menéndez Pidal publicara sus estudios magistrales sobre el mismo texto.

En lingüística cabe citar el *Análisis de los tiempos de la conjugación* (1841), la *Gramática de la lengua castellana* (1847) y los *Principios de ortología y métrica* (1835). El *Análisis de los tiempos,* escrito en los años mozos, aunque publicado mucho más tarde, peca sin duda de excesivo ingenio y sutileza; pero su lectura se puede aconsejar como modelo de análisis y penetrante estudio de las relaciones entre la idea y las formas verbales en que ésta puede y debe expresarse. En cambio, la *Gramática* conserva el más alto valor. Es de todos nuestros manuales el mejor, el que ha merecido más amplios comentarios y más impresiones ha tenido. Pero se equivocaría el que quisiera ver en esta obra de Bello un estudio filológico a la moderna. Escrito en un período de transición, la Gramática de Bello apenas rebasa en su parte teórica la doctrina lingüística vigente a finales del XVIII y principios del XIX; en tal aspecto aparece encardinada con los sistemas de Condillac, de Destutt-Tracy y de nuestro Salvá. Nada de cuanto representaba por aquellas fechas la lingüística histórico-comparativa, tan brillantemente inaugurada por Bopp, Pott, Grimm, Federico Diez y Schleiger se reflejaba en el libro de Bello. Ni podía reflejarse, puesto que tales investigaciones no habían penetrado aún en España, cuanto menos en América. Pero si en el orden teórico la *Gramática* de Bello aparece quizá un poco retrasada, en cambio en la práctica cumplió una altísima misión. Su autor no persiguió al redactarla una finalidad erudita, sino un objetivo práctico inmediato. Nada menos que imponer la unidad idiomática en todo el continente americano de habla española, evitando la fragmentación de la lengua, cuando todas las circunstancias parecían confabularse en favor de esa fragmentación, y atajar la avalancha de la barbarie neológica, sin menoscabo de los legítimos derechos de un bien entendido regionalismo. ¿Cómo realizó Bello tan noble propósito? «Fué—escribe el más egregio de nuestros críticos—aún más que legislador por todos acatado; fué el salvador de la integridad del castellano en América, y, al mismo tiempo, enseñó, y no poco, a los españoles peninsulares, perteneciendo al glorioso y escaso número de aquellos escritores y preceptistas casi forasteros, como Capmany, Puigblanch, etc., de quienes pudiéramos decir, como Lope de Vega de los hermanos Argensola, *que vinieron de Aragón* (o de Cataluña o de cualquier otra parte) *a reformar en Castilla la lengua castellana».* Bello, en este orden, es acaso la máxima autoridad del idioma castellano.

Análoga significación tienen los *Opúsculos gramaticales,* entre los que merece breve mención el dedicado a la métrica. Bello examina en él con novedad y extraordinario tino todos los problemas referentes a la versificación—sinalefa, hiato, pausa y cesura, rima, acento, etc.—, poniendo al día una disciplina que en su tiempo apenas había acertado a desprenderse de las fórmulas un poco pueriles en las que quisieron encerrarla tratadistas como Rengifo, el padre Carvallo o Caramuel. En la *Métrica* de Bello el estudio del verso castellano adquiere categoría de ciencia; y si alguno de sus principios están ya superados, otros, en cambio, los más, siguen vigentes. Su análisis sobre la función del acento en el verso y su adaptación de la terminología clásica a la nuestra, así como su teoría sobre la cantidad, han pasado como axiomáticas a los mejores tratadistas modernos: Vicuña Cifuentes, Emilio Huidobro o Navarro Tomás.

Bello, poeta

Es ésta la faceta que más nos interesa ahora, aunque quizá no sea la más acusada en su personalidad. Su producción en verso no es muy abundante, pero sí variada. Se mueve entre dos polos opuestos, el neoclasicismo vigente en su juventud y el romanticismo, cuyo triunfo y declive tuvo ocasión de presenciar a lo largo de su dilatada vida. Pero, aun apuntando en tal o cual poema de Bello ligeros brotes románticos, sus personales preferencias iban hacia lo clásico, tanto en la teoría como en la práctica; un clasicismo moderado, comprensivo, tolerante, nada hermético y al que pudiéramos señalar la misma fuente en que bebían por aquellos años hombres como Nicasio Gallego o Martínez de la Rosa.

Cronológicamente, se han señalado en la poesía de Bello tres etapas, a las que corresponden otros tantos grupos de composiciones: *a)* formación en Caracas; *b)* estancia en Londres, y *c)* magisterio en Chile. La primera época es de tanteos, como en todos los poetas. Algo exagerada nos parece la afirmación de Menéndez Pelayo cuando extiende a todas las composiciones de este grupo el calificativo de «ensayos», *que el mismo Bello seguramente no rubiera publicado nunca.* Entre esas piezas de la juventud figuran varias realmente inspiradas: la odita *Al Anauco,* de corte horaciano y cuyos deliciosos heptasílabos elogió el mismo Menéndez Pelayo; *La nave,* también de inspiración horaciana y con reminiscencias de la célebre «barquilla» de Lope, aunque sin la admirable contención de éste; una bella *Egloga,* que sigue de cerca a la II de Virgilio *(Formosum pastor Corydon...),* y el soneto *A la victoria de Bailén,* que el gran crítico considera «no más que mediano» y a nosotros, en cambio, nos parece sencillamente magistral [10]. A la segunda época corresponden sus poesías más logradas, entre ellas las dos *Silvas americanas,* a que aludiremos en seguida. Y en la tercera época, ya de plena madurez, han de inscribirse sus cánticos patrióticos, algunas fábulas, varias religiosas y unas pocas de carácter festivo. Los cantos patrióticos no pasan, en general, de correctos, y sirven sólo para demostrar la incapacidad de Bello en el manejo de la trompa heroica. Al igual que todos los poetas españoles y americanos de aquel tiempo, Bello se empeñó en emular a Quintana, y hay que reconocer que fracasó en el intento. Cabe citar en este género de oda grande la que dedicó en 1841 al *Dieciocho de septiembre,* escrita con cierta elevación de tono y con la impecable corrección característica de todas las suyas. Tampoco raya muy alto en las de tema religioso, si bien algunas —*Miserere, A la Virgen de las Mercedes*— nos descubren rincones inéditos del alma del poeta. Dejó asimismo algunas fábulas, varias sátiras y epístolas, entre las que debe recordarse la dirigida *A Olmedo,* en tercetos de corte clásico que recuerdan a los grandes maestros del género, Quevedo o los hermanos Argensola. Una leyenda o cuento de carácter festivo, a la manera de Mora, en la que Bello se proponía trazarnos un amplio cuadro de la vida y costumbres de la época colonial, no pasó del quinto canto. De todas formas, *El proscripto,* que así se titula la inacabada narración, aunque escrito en fáciles y bellas octavas reales y con tal cual chispazo de ingenio, no

sobrepasa la línea de lo correcto; y en ningún caso sufre comparación con otras obras del género, incluso americanas; por ejemplo, con *Las falsas apariencias,* de Batres y Montúfar.

Mención aparte merecen las traducciones e imitaciones. Bello las tiene excelentes. Vertió al castellano el *Rudens,* de Plauto; el *Sardanápalo* y el *Marino Faliero,* de Byron; un fragmento de los *Nibelungen;* varias *Orientales,* de Víctor Hugo, y el *Orlando enamorado,* de Boyardo. Los catorce cantos que nos dejó de este poema, según la refundición de Berni, están considerados como la mejor traducción de poema largo italiano que tenemos en nuestra literatura. Bello no se limita a una versión literal de Boyardo, sino que en un alarde de ingenio y originalidad se aventura a poner de su propia cosecha al principio de cada canto una introducción joco-seria, a la manera de Ariosto. Más feliz es aún en sus imitaciones, especialmente en las de Víctor Hugo. Bello se apodera de los temas del gran romántico francés y, al trasladarlos a nuestra lengua, puede decirse que los recrea y elabora totalmente. *La oración por todos,* según el sentido general de la crítica, supera con mucho al texto francés y es estimada por algunos como la mejor poesía del autor. Otro tanto cabe afirmar de *Moisés en el Nilo,* «bella en francés —escribe Caro—; más bella, intachable, en la versión castellana». *La oración por todos* certifica la extraordinaria aptitud de Bello para asimilar cualquier forma o estilo, aun los más opuestos a su educación y temperamento. Mucho más romántica de fondo y de forma de lo que pudiera pensarse a primera vista, a cada paso tropezamos con motivos propios de la nueva escuela y hasta en el metro —la octava italiana de rima aguda en cuarto y octavo versos— acusa su filiación romántica:

> Ve a rezar, hija mía. Ya es la hora
> de la conciencia y del pensar profundo.
> Cesó el trabajo afanador y al mundo
> la sombra va a colgar su pabellón.
> Sacude el polvo el árbol del camino
> al soplo de la noche, y en el suelto
> manto de la sutil neblina envuelto
> se ve temblar el viejo torreón [11].

Las «Silvas americanas»

Hemos aludido a ellas varias veces. Más que por su cualidad intrínseca requieren un comentario por su significación, en cuanto encierran el primer llamamiento dirigido a los americanos para que ensayasen una poesía autónoma. Están constituidas por dos composiciones de desigual valor, la *Alocución a la poesía* y la *Silva a la agricultura en la zona tórrida,* publicadas en Londres en 1823 y 1827, respectivamente. Ambas obedecen al mismo plan: la exaltación de los valores americanos, tanto telúricos como étnicos, frente a los tradicionales valores del Viejo Mundo. En este sentido entrañan el mayor interés y estaban destinadas a tener amplia resonancia en todos los países del habla española, desde Méjico a la Argentina. Por primera vez en ellas América tiene conciencia de su personalidad y aspira a expresarse con voz propia; por primera vez se contrapone el paisaje, los ríos, los montes, las grandes llanuras de aquel Continente al paisaje europeo, y se invita a los poetas y escritores a que abandonen «la culta Europa» —región de luz y de miseria—para volver sus ojos al espléndido escenario que les brinda el mundo descubierto por Colón:

> Divina poesía,
> tú de la soledad habitadora,
> a consultar tus cantos enseñada
> con el silencio de la selva umbría;
> tú a quien la verde gruta fué morada
> y el eco de los montes compañía:
> tiempo es que dejes ya la culta Europa,
> que tu nativa rustiquez desama,
> y dirijas el vuelo adonde te abre
> el mundo de Colón su gran escena...
> También propicio allí respeta el cielo
> la siempre verde rama
> con que al valor coronas,
> y céfiro revuela entre las rosas
> y fúlgidas estrellas
> tachonan la carroza de la noche;
> y el rey del cielo, entre cortinas bellas
> de nacaradas nubes, se levanta;
> y la avecilla en no aprendidos tonos
> con dulce pico endechas de amor canta.

Agrega luego, dirigiéndose a la musa:

> ... deja los alcázares de Europa,
> y sobre el vasto Atlántico tendiendo
> las vagarosas alas, a otro cielo,
> a otro mundo, a otras gentes te encamina,
> do viste aún su primitivo traje
> la tierra, al hombre sometida apenas
> y las riquezas de los climas todos,
> América, del Sol joven esposa,
> del antiguo Oceano hija postrera,
> en su seno feraz cría y esmera.

Lástima que la Alocución a la poesía, a que pertenecen estos pasajes y en la que se formula tan sugestivo programa, nos llegase sólo en forma fragmentaria, y aun ésta de mérito muy relativo. Al lado de versos absolutamente logrados hay muchos triviales, prosaicos, de ingrata lectura. Parece que el propósito inicial de Bello era escribir un poema en grande, de carácter geórgico, al estilo de Virgilio; propósito del que hubo de desistir ante las muchas dificultades de la empresa. El mismo subtítulo, Fragmentos de un poema sobre América, con que se conoce también la Alocución, parece indicarlo así. Más aún: Bello alimentó la ilusión de convertirse andando el tiempo en una especie de Virgilio americano. Bien claro lo dice en aquellos versos de la Alocución:

> Tiempo vendrá, cuando de ti inspirado
> algún Marón americano, ¡oh Diosa,!
> también las mieses, los rebaños cante,
> el rico suelo al hombre avasallado,
> y las dádivas mil con que la zona
> de Febo amada, al labrador corona...

¿Hasta qué punto realizó en su Silva a la agricultura de la zona tórrida tales aspiraciones? Si la Alocución, aun reconocida su importancia programática, en cuanto obra literaria es un poema parcialmente frustrado, en cambio la Silva a la agricultura es algo definitivo y perfecto, dentro de esa perfección relativa que puede alcanzar la poesía didáctica, o mejor dicho, la poesía científica, puesto que en definitiva y según la oportuna calificación de Miguel A. Caro, Bello no es en sus dos Silvas sino un «poeta científico». Y dentro de este género, acaso el más difícil y sin duda el menos brillante de todo el arte literario, ha de reconocerse que la Agricultura en la zona tórrida ocupa un puesto primerísimo en nuestro Parnaso, al lado de poemas tan notables como la Grandeza mejicana, de Balbuena, o La Pintura, de Pablo de Céspedes. No tiene, es cierto, la amplia concepción de las Geórgicas virgilianas, a las que pretende seguir y sigue de hecho muy de cerca. Pero sí ha heredado Bello del latino el arte descriptivo de las bellezas naturales y la habilidad para incorporar lo histórico a lo geográfico, el elemento humano a los elementos del paisaje. Y aunque no posee el pincel barroco de Balbuena ni la gallardía colorista de Céspedes, supera al primero en emoción poética e iguala al segundo en lo certero de los epítetos y adjetivaciones. Toda la flora americana se agita y vive en esta Silva, en que vemos las plantas y cultivos desfilar, no como una procesión de cosas muertas o estáticas, sino como algo que pulsa con poderoso dinamismo, enmarcando al hombre, anegándolo a veces por completo y reclamando su atención... He aquí una entre las muchas enumeraciones:

> Para tus hijos la procera palma
> su vario feudo cría,
> y el ananás sazona su ambrosía:
> su blanco pan la yuca,
> sus rubias pomas la patata educa,
> y el algodón despliega al aura leve
> las rosas de oro y el vellón de nieve.
> Tendida para ti la fresca parcha
> en enramadas de verdor lozano,
> cuelga de sus sarmientos trepadores
> nectáreos globos y franjadas flores;
> y para ti el maíz, jefe altanero
> de la espigada tribu, hincha su grano;
> y para ti el banano
> desmaya al peso de su dulce carga;
> el banano, primero
> de cuantos concedió bellos presentes
> providencia a las gentes
> del Ecuador feliz con mano larga.
> No ya de humanas artes obligado,
> el premio rinde opimo:
> no es a la podadera, no al arado,
> deudor de su racimo:
> escasa industria bástale, cual puede
> hurtar a sus fatigas mano esclava;
> crece veloz, y cuando exhausto acaba,
> adulta prole en torno le sucede.

Así, con esta limpieza y sencilla elegancia está escrita toda la Silva. La llamada al hombre de la ciudad para que, olvidando sus fáciles placeres, luchas civiles y discordias, venga al campo a disfrutar de los sencillos goces que éste le brinda, es reiterativa y constante:

> ¡Oh los que afortunados poseedores
> habéis nacido de la tierra hermosa
> en que reseña hacer de sus favores,
> como para ganaros y atraeros
> quiso Naturaleza bondadosa!
> Romped el duro encanto
> que os tiene entre murallas prisioneros.
> ....
>
> Id a gozar la suerte campesina;
> la regalada paz, que ni rencores
> al labrador ni envidias acíbaran;
> la cama que mullida le preparan
> el contento, el trabajo, el aire puro;
> y el sabor de los fáciles manjares
> que dispenciosa gula no le aceda;
> y el asilo seguro
> de sus patrios hogares
> que a la salud y al regocijo hospeda.

No importa que la *Silva a la agricultura* ofrezca a cada paso reminiscencias y hasta inspiraciones de poetas anteriores. Menéndez Pelayo las ha subrayado puntualmente: Virgilio, Horacio, Delille, Maury, Arriaza, etc.

Ello no le resta originalidad ni mérito. Bello se nos revela aquí como lo que era: un poeta más bien de vuelo recortado, pero lleno de decoro, de elegancia y dignidad, que conocía muy bien sus aptitudes y sabía aplicarlas a la materia más en consonancia con ellas. «Hay en su poesía—escribe Caro, y ningún juicio puede tener para nosotros más valor que el de este insigne semicompatriota suyo—cierto aspecto de serena majestad, solemne y suave melancolía; y ostenta, él más que nadie, pureza y corrección sin sequedad, decoro sin afectación, ornato sin exceso, elegancia y propiedad juntas, nitidez de expresión, ritmo exquisito: las más altas y preciadas dotes de elocución y estilo.» También en poesía, como en tantas otras disciplinas, sin pasar de lo que llamamos un ingenio de segundo orden, Bello fué para los americanos un gran maestro.

IV. UN GRAN LIRICO CUBANO: HEREDIA

Coetáneo de Olmedo y de Bello, digno por todos los conceptos de figurar a su lado, es el cubano don JOSÉ MARÍA DE HEREDIA (1803-1839), a quien una temprana muerte y una existencia por demás azarosa impidieron consumar la obra que de su privilegiado talento cabía esperar. Heredia es acaso el poeta americano más conocido, más leído y más comentado en Europa, con anterioridad a Rubén Darío; es también el que mejor crítica ha tenido, tanto en España como fuera de ella. Entre sus apologistas figuraron hombres como Lista, Quintana y Villemain. Es Heredia asimismo el primero y más fiel intérprete de aquella poesía íntima y personal, que tanto se acerca a la manera romántica y que en el caso concreto del poeta cubano ha querido explicarse como el fruto de sus continuas lecturas de ciertos autores franceses e ingleses: Chateaubriand, Byron, etc. Heredia, como Bello, siente la Naturaleza e infunde a sus versos ese sentimiento, poetizándolo y sublimándolo, con menos corrección sin duda que el autor de las *Silvas americanas*, pero con más fuerza, con más pasión; en una palabra, con más intensas vibraciones.

Biografía y carácter

Nace HEREDIA en Santiago de Cuba, el día 31 de diciembre de 1803; muere en Toluca (Méjico), el 12 de mayo de 1839. Hijo del magistrado don José Francisco de Heredia y Mieses y de doña Mercedes de Heredia y Campuzano [12]. Cuídanse de su educación, en primer lugar, sus padres, y luego, su tío don Francisco Javier Caro, comisario regio, y el canónigo don Tomás Correa. Heredia da muestras de un talento excepcional y precoz: a los ocho años traducía latín y francés; a los diez componía muy buenos versos. Su madre le imbuyó sanos principios religiosos; su padre le orientó continuamente hacia el estudio de la historia, la filosofía y, sobre todo, de los clásicos [13].

He aquí unas cuantas fechas, 1812: pasa a Caracas, en cuya Universidad cursa Humanidades y Filosofía. 1817: regresa a Cuba y se gradúa en la Habana de bachiller en Leyes. 1819: se traslada con su familia a Méjico, donde al poco tiempo pierde a su padre. En los años siguientes vuelve a la isla natal, y establecido en Matanzas, practica la abogacía en el bufete de su tío don Ignacio, a la vez que colabora en varios periódicos y revistas, dándose a conocer en todo Cuba. 1823: se recibe en Puerto Príncipe como abogado, previas las pruebas correspondientes, y establece su consulta en Matanzas. Pero iniciados intentos de sublevación contra España, Heredia, que ha tomado parte activa en ellas, se ve obligado a huir en un buque rumbo a Boston. Condenado a destierro, permanece dos años en Estados Unidos, en un continuo choque con las costumbres, la psicología y, sobre todo, la lengua de aquel país, que Heredia no puede ni quiere asimilar por completo. Las privaciones y la nostalgia de Cuba empiezan a minar seriamente su organismo. 1825: se dirige a Méjico, con cartas para el presidente Vitoria, quien le invita á trasladarse a la capital. Allí encuentra «alivio a sus males, consuelo a sus penas, un clima semejante al de su patria y una hospitalidad generosa». 1829-30: vuelve a conspirar contra España, formando parte del grupo Aguila Negra, con asiento en Méjico. El Gobierno de Cuba le sentencia a pena de muerte y confiscación de bienes.

Durante su residencia en Méjico desempeñó varios cargos: juez del distrito de Veracruz, juez de Primera Instancia en Cuernavaca, fiscal de la Audiencia, diputado, profesor de literatura e historia, presidente de la Junta de Instrucción Pública, rector del Instituto Literario, etc. Intervino en revueltas intestinas, poniéndose del lado del general Santa Ana; pero llegado éste al Poder, se separa con motivo de los atentados de 1834. Desilusionado de la política, pide permiso al capitán general de Cuba para volver a su tierra natal, y otorgado aquél, regresa nuevamente a Méjico, tras breve estancia al lado de su madre. Pero las cosas han cambiado en Méjico, y los últimos años del poeta están llenos de sinsabores. Se le posterga en sus cargos; las pagas acordadas se le abonan tarde y mal; las dolencias, que siempre habían minado su organismo, se recrudecen hasta el punto de que tiene que abstenerse de escribir por prescripción facultativa. El 2 de mayo de 1839 dicta su última carta. Va dirigida a su madre, y en ella presagia como muy inminente su muerte, para la cual dice haberse preparado «con una confesión general». Diez días después—12 de mayo de 1839— fallece cristianamente en Toluca.

Heredia se nos presenta como un espíritu generoso, inclinado siempre a la defensa de las nobles causas, o de aquellas que él juzgaba como tales. En este sentido no cabe dudar de su honradez, y con tal criterio ha de juzgarse su intervención en las conspiraciones contra España. Carácter apasionado, ardiente y un tanto indómito, hizo del culto a su tierra natal, por cuya independencia luchó sin éxito, del culto a su familia y del culto a la mujer, representado en el amor entrañable a su esposa, el triple motor de su vida. Hay que confesar que ninguno de esos tres afectos le inspiró obras de positivo mérito: ni su poesía amatoria ni sus odas políticas rebasan la línea de lo mediocre. En cambio, el contacto directo con la Naturaleza suscitó en su espíritu resonancias líricas que todavía encuentran eco en los amantes de la poesía. Había nacido Heredia muy bien dotado para el cultivo de las letras; y no sólo de la lírica, sino también del teatro, de la crítica y hasta de la filosofía y de la historia. «Con más o menos fortuna—lo confiesa él mismo—he sido abogado, soldado, viajero, profesor de lenguas, diplomático, magistrado, historiador y poeta, a los veinticinco años.» Ya se entiende que en este continuo éxodo de un campo a otro y de una a otra disciplina, y no habiendo vivido más que treinta y cinco años, es muy difícil que Heredia alcanzara la apetecida perfección.

Físicamente, Heredia fué de mediana estatura, complexión delicada, delgado del cuerpo; de agradables modales y de una fisonomía muy atractiva.

Obra literaria

Es muy copiosa, sobre todo si se atiende a su corta vida y a las estrecheces, que no le permitieron entregarse a las letras por entero. Hombre de amplia cultura, se indigna contra los que sólo le juzgaban capaz de escribir versos. «Trabajo—declara por el año 1826—en una obra gigantesca, que llevo a la mitad a fuerza de constancia. Es un ensayo filosófico sobre historia universal, desde los primeros tiempos hasta los actuales.» El ambicioso proyecto no llegó a cuajar, quedando reducido a una refundición, muy bien hecha por cierto, de la obra de Tytler, bajo el título: *Lecciones de Historia universal*. Pero sirve al menos para delatar la flexibilidad de sus aptitudes y la amplitud de sus conocimientos.

Aparte de sus poesías, desarrolló una intensa labor como crítico, como orador, como periodista y como dramaturgo.

Para el teatro escribía ya, en 1819, o sea a los quince años, un drama en prosa, que se representó en Matanzas con el título de *Eduardo IV* o *El usurpador*. Después arregló o tradujo varias tragedias en verso: *Atreo*, imitada del francés, y también representada en Matanzas (1822); *Sila*, traducción de Jouy, estrenada en Méjico (1825); *Abufar*, inspirada en Ducis; *El fanatismo*, traducida de Voltaire; *Cayo Graco*, de Chénier; *Tiberio*, del mismo, estrenada en Méjico (1827) con gran aplauso; etc.

Más estimable aún es su labor como crítico, si bien estimamos exagerada la afirmación de Amado Alonso al decirnos que «Heredia es el primer crítico de nuestra lengua en el siglo XIX hasta la aparición de Menéndez Pelayo». Antes de Menéndez Pelayo, y dentro de esa centuria, habían hecho crítica Lista y Quintana, Larra y Cañete, Valera y la Pardo Bazán, entre otros. Creemos sinceramente que con ninguno de ellos se puede comparar Heredia en tal aspecto. Y no por falta de formación y de cultura, tan sólidas en él como en cualquiera de los citados, sino porque la crítica exige cierto poso y madurez, a que no pudo llegar el poeta cubano por las razones apuntadas. De todos modos, reseñas como las que nos hace de Byron y de T. Campbell, o ensayos como el que dedica a *El placer que nos causan las tragedias*, o bien la serie aparecida en *La miscelánea* acerca de la novela, particularmente de la novela histórica, revelan un gusto depurado, una cultura muy extensa y una actitud muy sana ante los grandes problemas estéticos.

En el periodismo, su labor fué continua. Escribió en *La Moda*, de la Habana; en el *Iris*, de Méjico; en *La Miscelánea*, de Toluca; en *El Conservador*, de esta misma ciudad, etc., reseñas de teatro, de libros, impresiones de viaje y otras colaboraciones. Heredia era un excelente periodista, con el sentido moderno de esta profesión. Cuando le sorprende la muerte en 1839, su única retribución es la que percibe como redactor del *Diario de Gobierno*, de Méjico. Todos sus trabajos periodísticos se distinguen por la claridad, soltura y viveza de lenguaje. Ejemplo: las *Cartas* desde Boston y Filadelfia, en las que con trazo suelto nos describe las dos grandes ciudades estadounidenses en el período inicial de su desarrollo; o la redactada frente al Niágara, que en nada desmerece por la potencia descriptiva de la famosa oda del mismo título.

Las poesías

La fama de Heredia está vinculada sobre todo a su producción poética. La primera edición de sus poesías data de 1825 (Nueva York), y ya se ha dicho que inmediatamente fueron conocidas en Europa y elogiadas por la más alta crítica. La colección completa abarca cerca de ciento treinta piezas, en cinco series: *Amatorias, Filosóficas y morales, Varias, Patrióticas* y *Traducciones e imitaciones.* Las primeras, *Amatorias,* condenadas por Menéndez Pelayo con un juicio demasiado severo, ni son tan deleznables como él dice ni tan perfectas como quieren hacernos creer los ciegos admiradores de Heredia. Si se tiene en cuenta que algunas datan de 1819, fecha en que su autor no había cumplido aún los dieciséis años, y que en todas ellas se acusa ya, junto a un temperamento lírico de primer orden, un dominio absoluto del verso, tendremos adelantado mucho camino en la formulación de nuestro fallo, que en definitiva debe serles favorable. Asombra, por ejemplo, la soltura con que en *Prenda de fidelidad,* firmada en 1819, se maneja ya la estrofa sáfica; la perfección de sonetos como *A mi querida, Mi gusto, La desconfianza,* etc., escritos casi por las mismas fechas; y el garbo con que se mueve el endecasílabo libre en composiciones como *La inconstancia* y *La misantropía* (1821).

Menos interés tienen, a nuestro parecer, las rotuladas *Patrióticas,* que se limitan a seguir, sin apartarse un milímetro del modelo, las huellas de Quintana. Nada más fácil, si hubiese espacio para ello y su valor no fuese tan mezquino, que ir señalando párrafo a párrafo y hasta casi verso a verso la oda quintanesca que le sirvió de patrón. En tal sentido no cabe sino rechazar de plano juicios como el de Enrique Piñeyro, que califica a Heredia de «Tirteo cubano..., poeta civil, lleno de arranque, de movimiento y de energía.» Citemos, por citar algo, las tituladas *España libre, El Dos de Mayo, Proyecto, Oda, A Bolívar, A los mejicanos en 1829* y *Las sombras.*

Las mejores piezas, las que han dado fama a Heredia y conservan aún fresco su nombre en todas las antologías, han de buscarse en el grupo de *Filosóficas* y en el de *Varias.* Allí encontramos composiciones como *A la Estrella de Venus, Atenas y Palmira, Al Océano, Himno al Sol, Desengaños* y *La muerte del toro,* en las que, al lado de sentimientos nuevos—o que parecían nuevos—campea la nota externa más acusada en toda la producción herediana: el asombroso poder descriptivo. Esos sentimientos, que Heredia es el primero tal

vez en infundir a nuestra lírica, y que dentro del coro neoclásico dan a su voz un matiz tan personal e inconfundible, son la melancolía y la nostalgia. Nostalgia de su familia, de su esposa, de su tierra natal. Melancolía de no ser lo que quisiera y pudiera tal vez haber sido. Porque, en definitiva, Heredia fué, como dice muy bien Anderson Imbert, «un desarraigado. Nada podía contentarlo, porque llevaba el descontento en el alma [14]. Esta sensacion de fracaso humano se traduce a sus versos; a los mejores, al menos, de sus versos. Por ella Heredia ha sido considerado en el fondo un romántico, aun hallándose por su técnica y hasta por los temas tan metido dentro de los cánones clasicistas. Posiblemente, de haber vivido más tiempo, habría pasado al campo romántico, y no de una manera tibia y vacilante, como lo hicieron Bello o Martínez de la Rosa, sino con todas las armas, como el duque de Rivas. En cuanto a sus dotes descriptivas, he aquí un ejemplo:

> Suena el clarín, y del sangriento drama
> se abre el acto final, cuando a la arena
> desciende el matador, y al fiero bruto
> osado llama y su furor provoca.
> El, arrojando espuma por la boca,
> con la vista devórale, y el suelo
> hiere con duro pie; su ardiente cola
> azota los ijares, y bramando
> se precipita... El matador, sereno,
> ágil, se esquiva, y el agudo estoque
> le esconde hasta la cruz dentro del seno.
>
> *(Muerte del toro.)*

Las odas «Al Niágara» y «Al Teocalli»

Si la gloria poética de Bello está respaldada por las dos *Silvas americanas,* y la de Olmedo por los dos cantos de *Junín* y de *Miñarica,* la de Heredia también se cimenta perennemente en dos poemas consagratorios: *El Niágara* y *En el Teocalli de Cholula.* Escritos ambos no ya en la juventud, sino más bien en la adolescencia, cualquiera basta para conferir a Heredia el primer puesto acaso de la lírica cubana. *En el Teocalli* fué redactado a los dieciocho años; *El Niágara,* a los veintiuno. Si aquél llama la atención por su hondura filosófica y lo entonado del lenguaje, éste arrebata al lector con el ímpetu de su inspiración. Puesto a elegir entre los dos, no sabría uno con cuál quedarse. En general, la preferencia del público se inclina por *El Niágara,* sin duda porque llena más los ojos y el oído. Pero, después de leer el concienzudo análisis que Menéndez Pelayo nos ha hecho del *Teocalli,* casi se siente uno tentado a otorgarle la primacía no sólo entre todos los poemas de Heredia, sino entre toda la producción lírica americana anterior al modernismo.

En el Teocalli de Cholula, es una grave meditación sugerida por la vista de la gran pirámide azteca. El poeta sube a lo alto y, envuelto en el crepúsculo vespertino, evoca ante el grandioso espectáculo de los montes y los valles, ahora llenos de vida y progreso, un pasado de supersticiones y de barbarie. El escenario al que nos asoma el poeta es en verdad impresionante:

> Era la tarde: su ligera brisa
> las alas en silencio ya plegaba,
> y entre la hierba y árboles dormía,
> mientras al ancho sol su disco hundía
> detrás de Iztaccihual. La nieve eterna,
> cual disuelta en mar de oro, semejaba
> temblar en torno de él; un arco inmenso
> que del empíreo en el cenit finaba
> como espléndido pórtico del cielo,
> de luz vestido y centelleante gloria,
> de sus últimos rayos recibía
> los colores riquísimos. Su brillo
> desfalleciendo fué: la blanca luna
> y de Venus la estrella solitaria
> en el cielo desierto se veían.
> ¡Crepúsculo feliz! Hora más bella
> que la alma noche o el brillante día.
> ¡Cuánto es dulce tu paz al alma mía!

No es menos bella la evocación de los sacrificios:

> En tal contemplación embebecido,
> sorprendióme el sopor. Un largo sueño
> de glorias engolfada y perdidas
> en la profunda noche de los tiempos
> descendió sobre mí. La agreste pompa
> de los reyes aztecas desplegóse
> a mis ojos atónitos. Veía
> entre la muchedumbre silenciosa
> de emplumados caudillos levantarse
> el déspota salvaje en rico trono,
> de oro, perlas y plumas recamado;
> y al son de caracoles belicosos
> ir lentamente caminando al templo
> la vasta procesión. do le aguardaban
> sacerdotes horribles, salpicados
> con sangre humana rostros y vestidos.
> Con profundo estupor el pueblo esclavo
> las bajas frente en el polvo hundía
> y ni mirar a su señor osaba...

Abundan las descripciones afortunadas; y por todas partes encontramos, junto a la expresión más feliz del sentimiento íntimo del poeta, consideraciones de alto nivel filosófico y moral:

> Todo perece
> por ley universal. Aun este mundo
> tan bello y tan brillante que habitamos
> es el cadáver pálido y deforme
> de otro mundo que fué...

El Niágara, la otra gran oda de Heredia, es, a lo largo de sus ciento cuarenta versos, una pieza magistral. La inspiración del autor no sufre del principio al fin el menor eclipse:

> Dadme la lira, dádmela, que siento
> en mi alma estremecida y agitada
> arder la inspiración. ¡Oh, cuánto tiempo
> en tinieblas pasó, sin que mi frente
> brillase con su luz!... Niágara undoso,
> sólo tu faz sublime ya podría
> tornarme el don divino que ensañada
> me robó del dolor la mano impía.

Heredia, en efecto, ante la inmensa catarata siente que le nacen alas y echa a volar. Unas veces su voz recuerda a Quintana ante el mar:

> ¿Qué voz humana describir podría
> de la sirte rugiente
> la aterradora faz? El alma mía
> en vagos pensamientos se confunde
> al contemplar la férvida corriente,
> que en vano quiere la turbada vista
> en su vuelo seguir al borde oscuro
> del precipicio altísimo; mil olas,
> cual pensamiento rápidas pasando,
> chocan y se enfurecen,
> y otras mil y otras mil ya las alcanzan
> y entre espuma y fragor desaparecen.

Otras veces tiene la grave entonación de Herrera:

> Abrió el Señor su mano omnipotente,
> cubrió tu faz de nubes agitadas,
> dió su voz a tus aguas despeñadas
> y ornó con su arco tu terrible fuente.

Se le han señalado diversas influencias. Es igual; con ellas o sin ellas la originalidad de Heredia tanto en *El Niágara* como *En el Teocalli* está fuera de dudas. Es una voz la suya demasiado personal e inconfundible. Menéndez Pelayo nos ha hablado, en relación con *El Niágara*, del arte soberano, de la divina condensación lírica con que acierta a congregar, en tan breve espacio, un cuadro descriptivo en que nada falta ni nada sobra de cuanto puede tener expresión y alma en el estupendo fenómeno que se nos pone delante de los ojos[15]. Es cierto que aquí también, aunque en menor grado que en otras composiciones suyas, se advierten los defectos que ya de antiguo se le vienen reprochando y que Lista se anticipó a señalar en 1826: galicismos, neologismos inadmisibles, alguna que otra construcción incorrecta, expresiones frecuentemente prosaicas y excesiva dureza en algunos versos. Frente a estos lunares, el mismo Lista enumera una serie de virtudes poéticas, entre las que sobresale la hondura de sentimientos. Bello, desde Londres, también estampó en el *Repertorio americano* un juicio sumamente laudatorio, elogiando sobre todo la sensibilidad, imaginación y potencia descriptiva de Heredia. Para Quintana era éste no sólo un gran poeta, sino «la honra del suelo americano». La reputación de Heredia sigue ahora tan sólida como en los días en que aparecieron sus versos, sin que el cambio de gustos y de escuelas le haya afectado para nada.

Entre las traducciones, casi siempre muy acertadas, las tiene Heredia de Arnault, Millevoye, Campbell, Parny, Delavigne, Goethe, Lamartine, el falso Ossian, Byron y Foscolo. De *Los sepulcros*, de este último, nos dejó una versión excelente.

NOTAS

1. La influencia de Meléndez Valdés es grande. Olmedo lo reconoce, llamándole reiteradamente «maestro», y le expresa su gratitud en el *Discurso sobre los epitalamios* con las mismas palabras dirigidas por Horacio a su musa:

> *Quod spiro et placeo, si placeo, tuum est.*

También la sombra de Caro aparece de cuando en cuando:

> Después que en fácil juego el fugaz viento
> borró las mentirosas inscripciones,
> y bajo los escombros, confundido
> entre las sombras del eterno olvido,
> ¡oh de ambición y de miseria ejemplo!,
> el sacerdote yace, el dios y el templo...

Y la de Herrera, no señalada hasta ahora:

> ¿Son éstos los garzones delicados
> entre sedas y aromas arrullados?
> ¿Los hijos del placer son estos fieros...

2. José Joaquín Olmedo: *Poesías completas*, «Biblioteca Americana» del Fondo de Cultura Económica, Méjico-Buenos Aires. 1947. Amplia introducción de Aurelio Espinosa Pólit, S. I.

3. Véase un ejemplo:

> ¡Cuán alegre la nueva
> de este tan alto honor sonó al oído
> de la gente peruana!
> El jefe esclarecido
> dió la muestra más clara de su celo,
> de su amor al bien público y su gozo.
> De la ciudad los cuerpos, a su ejemplo,
> todos se alborozaron,
> y este establecimiento ventajoso
> en magníficas fiestas celebraron...

¿Escogida de propósito? Nada de eso. La composición que sigue, titulada *Matemáticas*, lleva este principio:

> Las bellas matemáticas prescriben
> el límite más alto adonde pueden
> ir la luz y verdad de las ideas,
> y los conocimientos
> que el hombre tener puede por sí solo...

4. He aquí unos ejemplos: «el fiero español», «el odiado pendón de España». «los duros opresores». «las vandálicas huestes», «la hidra española», «la infanda Iberia». El único que se salva es el padre Las Casas, «de otra patria digno». Los demás españoles

> ... fueron estúpidos, viciosos,
> feroces y, por fin, supersticiosos;

su régimen colonial se resume en

> ... tres centurias
> de maldición, de sangre y servidumbre,
> y el imperio regido por las Furias.

5. *Histoire de la littérature américaine en langue espagnole*, pág. 23.

6. *Hist. de la poesía hispanoamericana*, ed. C. S. I. C., pág. 54.

7. Menéndez Pelayo: ob. cit., pág. 353.

8. Fué en el año 1872 cuando el Congreso aprobó la publicación oficial de las *Obras completas* de Bello, que no empezaron a publicarse hasta 1881. Existe una nueva edición, iniciada en 1931.

9. Introducción a la *Filosofía del entendimiento*, ed. del Fondo de Cultura Económica, Méjico-Buenos Aires, 1948.

10. Véanse tres brevísimos fragmentos de estas composiciones:

> Para ti sola guardo la abundosa
> copia de frutos que en mi huerto crecen;
> para ti sola el verde suelo pinto
> con el clavel, la viola y el jacinto.
>
> (Egloga.)

> De flámulas de seda
> la presumida pompa
> no arredra los insultos
> de tempestad sonora.
> ¿Qué valen contra el Euro,
> tirano de las ondas,
> las barras y leones
> de tu dorada popa?
>
> (Al Anauco.)

> El león despertó; temblad, traidores;
> la vejez que creísteis fué descanso;
> las juveniles fuerzas guarda enteras.
> Perseguid, alevosos cazadores,
> a la tímida liebre, al ciervo manso.
> ¡No insultéis al monarca de las fieras!
>
> (A la victoria de Bailén.)

11. Algunos versos los firmaría Espronceda o, tal vez, Patricio de la Escosura. Como éstos:

> No le son conocidos..., ni lo sean
> a ti jamás..., los frívolos azares
> de la vana fortuna, los pesares
> sañudos que anticipa la vejez;
> de oculto oprobio el torcedor. la espina
> que punza a la conciencia delincuente,
> la honda fiebre del alma, que la frente
> tiñe con enfermiza palidez.

> Ruega por el orgulloso
> que ufano se pavonea,
> y en su dorada librea
> funda insensata altivez.
> Y por el mendigo humilde
> que sufre el ceño mezquino
> de los que beben el vino
> porque le dejen la hez.
> Por el que de torpes vicios
> sumido en profundo cieno,
> hace aullar el canto obsceno
> de nocturna bacanal.
> Y por la velada virgen
> que en su solitario lecho,
> con la mano hiriendo el pecho,
> reza el himno sepulcral.

12. El famoso sonetista francés del mismo nombre, autor de *Les Trophées*, era primo carnal, nacido como él en Cuba, aunque naturalizado en Francia. Ambos poetas, el cubano y el francés, descendientes del adelantado don Pedro, fundador de Cartagena de Indias. Los padres de nuestro poeta, naturales de Santo Domingo, se trasladaron a Cuba al pasar momentáneamente aquella isla al dominio de Francia.

13. Es de alusión obligada entre los biógrafos de Heredia una carta dirigida por su padre y reveladora de las intenciones de éste: «A José María, que estudie todos los días su lección de Lógica y lea el capítulo del *Evangelio*, las *Cartas de los apóstoles* y los *Salmos*, como lo acostumbraba hacer conmigo todas las tardes; que repase la doctrina una vez a la semana, y el *Arte poético*, de Horacio, que le hice escribir, y de Virgilio, un pedazo todos los días, y los tiempos y reglas del Arte, para ponerlo a estudiar Derecho.» Este severo magistrado que fué don José Francisco de Heredia nos dejó unas interesantes *Memorias sobre las revoluciones de Venezuela*, publicadas en París (1895) por el erudito investigador y crítico cubano don Enrique Piñeyro.

14. *Historia de la literatura hispanoamericana*, «Breviarios del Fondo de Cultura Económica». Méjico. 1954.

15. *Historia de la poesía hispanoamericana*, I, pág. 231, ed. C. S. I. C.

BIBLIOGRAFIA

I y II Miguel Luis y G. Víctor Amunátegui: *Juicio crítico de algunos poetas hispanoamericanos*. Santiago de Chile. 1861 (Olmedo: págs. 17-39).—C. Ballén: *Datos y noticias acerca de Olmedo*, pról. a la ed. de sus «Poesías», Garnier. París. 1896.—M. Cañete: *Escritores españoles e hispanoamericanos. El duque de Rivas. El Dr. Don José Joaquín de Olmedo*, «Rev. Hispano-Americana». 1882, reimpreso en Madrid, 1884 (Olmedo: págs. 149-380).—Pedro Carbó: *Americanos ilustres. José Joaquín de Olmedo*, «Rev. Latinoamericana». I. 561-75.—M. N. Corpancho: *Poesías inéditas de Olmedo*, Lima, 1861.—A. Espinosa Pólit, S. I.: *Poesías completas de José Joaquín de Olmedo*, pról. págs. VII-LXVIII. «Fondo de Cultura Económica». Méjico-Buenos Aires. 1947.—P. Herrera: *Apuntes biográficos de don José Joaquín de Olmedo*. Quito. 1887.—C. Hispano: *Los cantores de Bolívar*, Bogotá. 1930 (Olmedo, págs. 19-43).—M. Menéndez Pelayo: *Historia de la poesía hispano-americana*, C. S. I. C., Madrid-Santander, 1947 (Olmedo, II, págs. 30-55).—J. L. Mera: *Carta* al señor Manuel Cañete sobre D. José Joaquín de Olmedo, «Revista de la Escuela de Literatura», t. II, págs. 113-64, Quito.—J. J. DE MORA: La Victoria de Junín. Canto a Bolívar, «Correo literario y político de Londres», t. I, 1826.—V. M. RENDÓN: Olmedo, homme d'état et poète américain, chantre de Bolívar, Librería Nilsson, París.— J. M. TORRES CAICEDO: Ensayos biográficos y de crítica literaria, 1.ª serie, París (Olmedo, I, págs. 112-53).— P. F. VASCONES: Olmedo y sus obras, imprenta Gutenberg, Guayaquil, 1928.—R. VÉLEZ MERINO: La oda de Olmedo al general Flores. Análisis y crítica, Quito, 1932, 2.ª ed.—P. CABAÑAS: En el primer centenario de la muerte de José J. de Olmedo, «Cuadernos de Lit.», II, 1947.— LUIS ALBERTO SÁNCHEZ: José Joaquín de Olmedo, «Escritores representativos de América», I, Madrid, 1957.

III. M. L. AMUNÁTEGUI: Don Andrés Bello, Santiago de Chile, 1882.—G. ARCINIEGAS: El pensamiento vivo de Andrés Bello, «Biblioteca del Pensamiento Vivo», Buenos Aires, 1946.—M. CAÑETE: Discurso en la Real Academia en la conmemoración del nacimiento de Andrés Bello.— M. A. CARO: Prefacio a las Poesías de Andrés Bello, 1881; Catálogo en el «Homenaje del Repertorio Colombiano» a la memoria de Andrés Bello en su centenario, Bogotá, 1881.—J. GAOS: Introducción a la filosofía del entendimiento de A. B., «Fondo de Cultura Económica», Méjico-Buenos Aires, 1943.—J. V. LASTARRIA: Recuerdos literarios, Santiago de Chile, 1878.—P. LIRA URQUIETA: Andrés Bello, «Fondo de Cultura Económica», Colec. Tierra Firme, Méjico, 1948.—G. MÉNDEZ PANCARTE: Pról. a Bello, Serie «El pensamiento de América», VIII, Méjico, 1943.—M. MENÉNDEZ PELAYO: Historia de la poesía hispanoamericana, ed. cit., I, págs. 253-86, y II, págs. 284-91.—E. ORREGO VICUÑA: Don Andrés Bello, Santiago de Chile, 1835.—EDUARDO CREMA: Andrés Bello a través del romanticismo, Caracas, 1956.—PEDRO GRASSES: A. Bello. El primer humanista de América, Tridente, Buenos Aires,

1956.—CLAUDIO ROSALES: Cien años de señorío de la gramática de Andrés Bello, «Bol. Inst. Filol. Univ. Chile», IV, 1946.—LUIS ALBERTO SÁNCHEZ: Andrés Bello, «Escritores representativos de América», I, Madrid, 1957.

IV. A. L. AUGIER: Reencuentro y afirmación del poeta Heredia, «Poesías Completas del Municipio de la Habana», 1940.—J. M. CHACÓN Y CALVO: Estudios heredianos, La Habana, 1939; Nueva vida de Heredia, Santander, 1930; El horacianismo en la poesía de Heredia, «Anales de la Academia Nacional de Artes y Letras», t. XXI, La Habana, 1940.—J. AUGUSTO ESCOTO: Ensayo de una biblioteca herediana, «Cuba y América», 1904.— R. ESTENGER: Esquema de Heredia, «Colección de Libros Cubanos», vol. II, La Habana, 1939.—E. GAY GALBO: Heredia. Apuntes para un estudio de su vida y de su obra, «Poesías Completas del Municipio», La Habana, 1940.— F. GONZÁLEZ DEL VALLE: Cronología herediana, La Habana, 1938.—MAX HENRÍQUEZ UREÑA: Heredia, «Cuba Contemporánea», t. XXXIV, La Habana, 1924.—MARÍA LACOSTE DE ARUFE: Biografía de José María Heredia, «Colección de Libros Cubanos», vol. XII, La Habana, 1939.— J. MARTÍ: Heredia, «Obras completas», t. XII, La Habana, 1938.—M. MENÉNDEZ PELAYO: Historia de la poesía hispanoamericana, ed. cit., I, págs. 225-44.—A. MITJÁNS: Luaces y Heredia, «Revista Cubana», t. VII, 1888.—E. PIÑEYRO: José María Heredia, París, 1908.—E. ROIG: Introducción a las Poesías completas, Municipio de la Habana, 1940.—M. SANGUILY: José María Heredia, Discursos, t. I, La Habana, 1918.—FR. C. DE UTRERA: Heredia, Ciudad Trujillo, 1939.—J. J. REMOS: Historia de la literatura cubana, t. I, cap. XII, págs. 231-72.—E. J. ZEROLO: Pról. a las Poesías de Heredia, París, 1892.— M. G. GARÓFALO MFSA: Vida de José María Heredia en México, Méjico, 1945.—J. MAÑACH: Heredia y el romanticismo, 1957.—M P. GONZÁLEZ: José María Heredia, primogénito del romanticismo hispano, «Fondo Cultura Económica», Méjico, 1955.

CAPITULO LVI

LA POESIA AMERICANA NEOCLASICA Y DEL PERIODO DE EMANCIPACION:
B) TENDENCIAS DIVERSAS

I. LA TENDENCIA SATÍRICA: *Batres Montúfar. Acuña de Figueroa. Felipe Pardo. Otros poetas satíricos.*—II. TENDENCIA NEOCLÁSICA: ÚLTIMOS REPRESENTANTES: *En Méjico. En Centroamérica y las Antillas.*—III. EN AMÉRICA DEL SUR: *Colombia. Perú y Chile. En las orillas del Plata. Juan Cruz Varela.* NOTAS.—BIBLIOGRAFÍA.

I. LA TENDENCIA SATIRICA

Un género tan enraizado en toda nuestra tradición literaria, como el llamado festivo, alcanza por estas fechas en América singular estimación. También allí, como en España, tenía su abolengo, no tan rancio, pero sí al menos de la mejor fibra, esta modalidad poética que parece consustancial a cualquier época de las letras, y muy especialmente a los llamados períodos de transición. Recuérdense, sin salirnos de aquel continente, los nombres de Juan del Valle y Caviedes, fray Francisco del Castillo y Esteban de Terralla, peruanos todos tres y muy próximos los dos últimos al período que estudiamos. Ahora el género cobra nueva vida; y se manifiesta frondoso en todo el amplio territorio de habla hispánica, desde Méjico a la Argentina, pasando por el Caribe. Los cultivadores de esta poesía, bien en el tipo de sátira desgarrada o bien en el de burla inofensiva, son muy numerosos; y a ellos se aludirá de pasada en su lugar correspondiente. Pero hay tres, Batres Montúfar, Acuña de Figueroa y Felipe Pardo, que exigen párrafo aparte.

Batres Montúfar

Nacido salvadoreño, pero naturalizado en Guatemala, don JOSÉ BATRES Y MONTÚFAR (1809-1844)[1] es una auténtica gloria de este país. Ni por sus versos líricos, de carácter intimista y ya dentro de la línea romántica, que son escasos, aunque francamente buenos, ni por su poesía descriptiva, hubiera sobrenadado su nombre fuera de los repertorios regionales. Lo que le abre la puerta de la gran historia de nuestra literatura, y ello con todo honor, es la breve colección de sus *Tradiciones de Guatemala*. Están formadas por tres cuentos, sólo tres, que son de lo mejor que tenemos en castellano dentro del género humorístico: *Las falsas apariencias, Don Pablo* y *El reloj,* este

último incompleto. En punto a bondad, la crítica no sabe por cuál decidirse. Escritos en octavas reales al modo de las novelas de Casti, a quien confiesa imitar, la narración fluye llena de ingenio, de gracia y de picardía, sin las procacidades de su modelo. En *El reloj* es donde más de cerca sigue al autor de *Gli animali parlanti*. Parece que Batres se dedicó a este género aconsejado por Dionisio Alcalá Galiano, excelente poeta y prosista, hijo de don Antonio. Don Dionisio andaba por los años de 1843-44 por Guatemala y, al morir Batres, le dedicó desde la *Gaceta Oficial* grandes elogios. Indudablemente los merecía nuestro poeta.

Sus dotes narrativas son excepcionales; y es una pena que teniendo, como se ve por sus versos y se deduce de su propio testimonio, una portentosa facilidad para este género, tan en boga por aquellos días, sólo nos legase tan exiguas muestras[2]. También es de lamentar que no cultivara más intensamente la lírica. Composiciones como *Yo pienso en ti* revelan un temperamento poético de la más fina sensibilidad. Dígase otro tanto de su poesía descriptiva. La que nos dejó sobre San Juan de Nicaragua podría ir firmada por el mejor Zorrilla, y hasta preludia a veces el tono de los primeros modernistas:

> Sin templos, sin fuentes, sin arcos, sin muros,
> ni granjas, ni apriscos, ni huellas humanas,
> por esos desiertos callados, oscuros,
> ni cúpulas brillan, ni suenan campanas...[3]

Volviendo a las *Tradiciones,* insistamos en que Batres hace alarde de cuantas buenas cualidades se exigen para este tipo de narración versificada: ironía suave, desenfado, gracia y una serie inagotable de recursos para mantener la atención del lector.

Lo de menos es en estos relatos el fondo

del asunto, que aquí se reduce a historietas picantes de los últimos tiempos de la colonia, historietas que lo mismo que en Guatemala podían localizarse en cualquier otro país: una esposa infiel que aprovecha la ausencia del marido para exornarle la frente, en *Las falsas apariencias*; o una tímida doncella seducida por un galán, en *Don Pablo*. Lo destacable, lo que merece ser subrayado, es el tono general de la narración, tan ingenioso, tan lleno de malicia; pero de una malica sana, si se nos permite la frase, más cerca de la jocunda alegría del Arcipreste de Hita en el episodio, por ejemplo, de Pitas Payas, que de la corrosiva de un Bartrina. Oigámosle:

> Al entrar en mi casa cierto día
> vi a mi mujer en brazos de un extraño,
> o se me figuró que la veía;
> mas ella es incapaz de mal tamaño;
> y así, luego pensé que aquél sería,
> como son otros muchos, un engaño
> de los ojos turbados, y al instante
> me puse entrambas manos por delante.

> Y así que me los hube restregado
> por cinco o seis minutos de seguida,
> vi a mi mujer sentada en el estrado,
> sola y en su labor entretenida.
> ¿Qué tal? Si yo me hubiera gobernado
> por la vista falaz y fementida,
> ¿en qué viene a parar mi matrimonio,
> mi casa y mi mujer? En el demonio 4.

Aparte de Casti, se han buscado a Batres otras influencias probables: el *Don Juan*, de Byron; las *Leyendas españolas*, de José Joaquín de Mora, especialmente las de tono festivo (*Don Opas, Don Policarpo*, etc.). Tampoco pudo ser ajeno el Espronceda de *El diablo mundo*. Y nosotros aún aventuraríamos un rastro más: el de Vargas Ponce, en la *Proclama de un solterón*. Nada de ello resta mérito a Batres, cuyas *Tradiciones* se leen todavía con renovado placer.

Acuña de Figueroa

Contrasta con la parva producción de Batres la balumba poética del uruguayo FRANCISCO ACUÑA DE FIGUEROA (1790-1862) 5. Su larga vida le permitió cultivar los géneros más diversos. Nada menos que ocho volúmenes alcanzan sus *Obras*, y de ellos cuatro van dedicados íntegramente al verso. Su vena, por lo visto, era irrestañable; todo lo que pasaba ante sus ojos lo convertía Acuña en renglones cortos, ya que no en materia poética: himnos patrióticos, odas sagradas, sátiras, letrillas, etc. 6. Escribió una crónica rimada, *Diario poético*, de no menos de mil páginas, sobre el sitio de Montevideo (1812-14). Tradujo con bastante dignidad al castellano *Los animales parlantes*, de Casti. En las *Toraidas* nos dejó animadas revistas sobre las corridas de toros, metrificadas en diversidad de estrofas, preferentemente en octavas reales. Dentro del género épico-burlesco compuso *La Malambrunada*, remedo de tantos y tan-

tos poemas fabricados en el molde de la *Batracomaquia*, y que en España había alcanzado réplicas tan afortunadas como *La Gatomaquia* y *La Mosquea*. Pero no son Lope ni Villaviciosa los modelos directos de Acuña, sino más bien Boileau, con su *Lutrin*. En su contenido, *La Malambrunada* se reduce a la lucha entre viejas y doncellas, despechadas aquéllas porque las jóvenes les arrebatan el amor de los hombres. Malambruna, ayudada por el demonio, capitanea al bando de las viejas; Violante, ayudada por Venus, el de las jóvenes. Triunfan éstas; las viejas caen en un pantano y quedan convertidas en ranas. Zum Felde señala el doble plano en que se desarrolla el poema: lo viejo y lo nuevo, lo bueno y lo malo, el vicio y la inocencia, la fealdad y la hermosura. Y hasta lo clásico y lo romántico, con referencias concretas a esta última dualidad.

Acuña de Figueroa perdió mucho tiempo en escribir anagramas, acrósticos, composiciones en forma de cruz, de vasos, de copas y otras extravagancias métricas que nada tienen que ver con la auténtica poesía. Su verso, en todo caso, lo mismo en estas naderías que en las obras antes citadas, entraña cierto valor de documento histórico, en cuanto refleja las costumbres de Montevideo en la primera mitad del xix y en cuanto supone una reacción contra las dulzonerías y lobregueces que por entonces inundaban las dos riberas de El Plata.

En este aspecto, y en todos, la obra más relevante de Acuña se cifra en las *Letrillas* y en el *Mosaico*. Por las primeras ha sido comparado con Bretón de los Herreros; la misma musa retozona, el mismo tono festivo e idéntica facilidad versificatoria. En cuanto al *Mosaico*, integrado por 1.150 epigramas, recuerda a Marcial, y se le puede aplicar—ya lo advirtió Menéndez Pelayo—el mismo juicio que formuló sobre los suyos propios el inmortal bilbilitano: *Sunt bona, sunt quaedam mediocria, sunt mala plura*. Por la intención cáustica y el ingenio se aproxima al genial escritor latino. Con una diferencia: que en ningún caso los de Acuña ofenden al decoro del lector.

Y otra cualidad encomiable: la pureza de la lengua. Acuña de Figueroa había recibido en el colegio de San Carlos de Buenos Aires una formación profundamente clásica; sus modelos, aparte de los buenos escritores latinos, habían sido Iriarte, Cadalso, fray Diego González, Meléndez Valdés, Arriaza y otros poetas de finales del xviii. Todos, como se sabe, ingenios de vuelo corto; pero depurados maestros del idioma. De ellos aprendió Acuña la corrección formal y el respeto a la lengua. Y ese respeto había de liberarle luego, durante el triunfo romántico, de ciertos excesos. Por ello Acuña, que más de una vez se dejó llevar de las nuevas corrientes, en el fondo fué siempre fiel al neoclasicismo en que lo habían educado durante su estancia en Buenos Aires.

Felipe Pardo

Un discípulo de Lista, por quien el gran maestro demostró siempre singular estimación, vino a encarnar en el Perú esta tendencia satírico-festiva, llevándola a un alto rango literario. FELIPE PARDO Y ALIAGA (1806-1868)[7] es el poeta más representativo de su país en la época que estudiamos.

Fruto tardío, aunque legítimo, de las escuelas clasicistas españolas de fines del XVIII, su poesía es tan correcta como la de Bello, aunque mucho más variada de matices. Como Acuña de Figueroa cultiva Pardo distintos géneros, y siempre lo hace con decoro. Su oda *A Olmedo* y sus octavas de *El Perú* delatan no sólo un consumado versificador—lo que apenas hace falta subrayar tratándose de un discípulo de Lista—, sino un poeta de cierta jerarquía. La primera tiene arrebato lírico, y en la segunda abundan los aciertos descriptivos. En el poema sólo iniciado *Isidora*, modelo de buena narración costumbrista, Pardo empareja dignamente con Batres Montúfar. En *La lámpara* nos ofrece un buen ensayo de corte romántico, con variedad de metros. Pero, aun con tales virtudes, Pardo en esas obras no rebasa mucho la línea del escritor de segunda fila. Ponerle, como hizo Patricio de la Escosura[8], al lado de Espronceda y de Ventura de la Vega, por el solo hecho de haber sido los tres condiscípulos en las clases de Lista, nos parece desorbitado. Ni su estro tiene el ímpetu esproncediano, ni sus comedias, que las hizo muy aceptables, de corte moralizador, se pueden comparar con piezas como *La muerte de César* y *El hombre de mundo*.

El fuerte de Pardo es la sátira, en su doble modalidad epigramática y censoria. Para ello encontró terreno bien abonado sin salirse de su país. El Perú ha sido siempre fértil en producciones satíricas, ya que sus habitantes parecen haber nacido con una insoslayable propensión a ver las cosas por el lado cómico y, aún mejor, por el lado grotesco. Citemos de nuevo al padre Castillo y a Torralla, precursores inmediatos de Pardo, y no olvidemos la fina sátira, chorreante del más sano humor, de Ricardo Palma. Pardo heredó el látigo de aquéllos y lo hizo restallar sin lástima ni contemplaciones. Instituciones sociales y políticas, costumbres, clases, razas, hasta el mismo Estado, son objeto de rechifla y de burla despiadada. Su pluma es implacable; la expresión, aunque correcta y hasta castiza, se hace en ocasiones brutal. No se puede hablar con más desprecio del Pueblo con mayúscula:

> Zar de tres tintas, indio, blanco y negro,
> que rige el continente americano
> y que se llama Pueblo Soberano.

Y en otra parte:

> Haz al pueblo el mejor de los regalos:
> dale cultura y libertad a palos.

No trata con mayor respeto a los gobernantes:

> Que el Gobierno de intriga o fuerza emana,
> y hace después cuanto le da la gana.

Ni a las llamadas «fuerzas del orden»,

> ... que enseñan, sable en mano,
> a votar con acierto al ciudadano.

Ni siquiera ante los representantes de la raza aborigen, tan exaltada en odas y poemas por los mismos días, se detiene:

> .... el indio rudo
> que, proclamado libre, vive abyecto,
> los puntapiés sufriendo humilde y mudo,
> con que le favorece el subprefecto.
> ¡Oh escarnecida libertad! ¡Tu escudo
> es para el indio de pasmoso efecto!
> ¿Trotar a pie le mandan? Calla y trota.
> ¿Votar? Recibe su papel y vota.

¿Qué más? Ni siquiera ante el nacimiento de las nuevas nacionalidades hispánicas pone sordina a su musa vengativa:

> ... con sólo publicar por bando
> artículos estériles y huecos,
> sin más preparación y ceremonia,
> a República asciende una colonia.

Hemos escrito «musa vengativa». Vengativa ¿de quién o de qué? Cabe hablar, y así lo hace Bazin[9], del «caso Pardo». En efecto, se dan en este escritor circunstancias especiales. Educado en España y ya con cierta reputación de poeta dentro de la Península, Pardo se decide (1827) por el regreso a su país. Sin duda, al tomar tal determinación abriga propósitos más o menos concretos: tal vez erigirse en jefe político del naciente Estado; tal vez constituirse en educador del pueblo que le vió nacer. Llegado al Perú, el choque con la realidad debió de ser violento. Su educación a la europea, y mejor aún, a la inglesa, no podía acomodarse al estado de confusión que en todos los órdenes suele acompañar al nacimiento de un país y a su estructuración como nacionalidad autónoma. No vió Pardo o no quiso ver que el salto de un pueblo de la categoría de colonia a país libre es demasiado grande para que pueda realizarse sin abusos y sin el paso previo por una etapa de situaciones anormales. Soñaba para el Perú, recién nacido, una situación constitucional estable y definida, tanto casi como lo estaba en Inglaterra, sin darse cuenta de que ni siquiera en Europa muchos viejos estados la habían podido lograr aún. Al encontrarse con los mismos vicios del período colonial, muchos de ellos acrecidos, se desata en invectivas contra la sociedad y aun contra su misma patria. No dudamos que casi todas las lacras y abusos que señala sean reales; pero aun siéndolo, debió a veces refrenar su cólera, pensando en que un Estado perfecto no se improvisa. Pardo fustigó a sus compatriotas; y éstos no se mordieron la lengua, aplicándole calificativos como «godo», «chapetón» y otros análogos con los que solían zaherir a los recalcitrantes empeñados en mantener el espíritu colonial.

No es, sin embargo, en este aspecto como nosotros debemos enjuiciar a Felipe Pardo. Nos interesa ahora el poeta; y en tal sentido hemos de reconocer en él un satírico de altura, digno de codearse con los mejores de aquel continente.

Como autor dramático es, después de Gorostiza, el más notable representante de la comedia americana en el siglo XIX. Dejó tres obras: *Frutos de la educación, Don Leocadio o el aniversario de Ayacucho* y *Una huérfana en Chorrillos.* Volveremos sobre ellas en el capítulo dedicado al teatro americano en este período.

Otros poetas satíricos

Con más o menos fortuna cultivan la sátira otros muchos ingenios, entre los que sólo queremos mencionar a los cuatro más relevantes.

ANTONIO JOSÉ DE IRISARRI (1786-1868), guatemalteco como Batres, tuvo también, como éste, gran conocimiento de la vida y de los hombres, desenfado, genio cáustico y dominio casi pleno del idioma. En sus *Poesías satíricas o burlescas* (Nueva York, 1867) hay, sin embargo, más ingenio que imaginación, más verdad que belleza. Las dos sátiras *El Bochinche* y *El Siglo de Oro* son las más logradas. Hombre de vasta cultura, publicó unas *Cuestiones filológicas* e innumerables folletos políticos.

MANUEL ASCENSIO SEGURA (1805-1871), peruano como Pardo, «heredó de él—escribe Menéndez Pelayo—la vena satírica, aunque no su aticismo ni su cultura, ni su delicado gusto». Fué Segura periodista incansable, articulista de costumbres, poeta festivo y autor dramático. Su repertorio teatral, a que aludiremos oportunamente, está integrado por trece piezas, alguna de ellas muy aceptable. Es autor también de *La pelimuertada,* poema satírico en variedad de metros y en veinticuatro cantos, que hoy nadie lee.

Contemporáneo de Pardo y encarnizado enemigo suyo fué JOSÉ JOAQUÍN LARRIVA (1780-1832), clérigo de costumbres nada edificantes, versátil, chistoso y fácil improvisador. Había celebrado la llegada del virrey Pezuela y pronunciado en 1819 la oración fúnebre por los prisioneros realistas fu-

silados en Punta de San Luis, y ello no le impide pronunciar cinco años más tarde (1824) la de los patriotas caídos en Junín. Suya .es aquella ingeniosa décima, cuyos cuatro últimos versos se han hecho populares:

> Cuando de España las trabas
> en Ayacucho rompimos,
> otra cosa más no hicimos
> que cambiar mocos por babas.
> Nuestras provincias esclavas
> quedarán de otra nación.
> Mudamos de condición;
> pero sólo fué pasando
> del poder de don Fernando
> al poder de don Simón.

No hace falta subrayar que este Simón es Bolívar. Es autor Larriva de un poema burlesco extenso, *La Angulada,* lleno de alusiones a personas y sucesos particulares de aquel tiempo, y que carece para nosotros de todo interés.

Por los mismos días que Larriva en Perú sobresale en Méjico don ANASTASIO MARÍA DE OCHOA Y ACUÑA (1783-1833), sacerdote también, aunque de vida más ejemplar. Consumado humanista, tradujo, entre otros, a Ovidio, Racine, Alfieri y Boileau. Con el seudónimo de *Antinio* perteneció a la Arcadia mejicana, lo que vale tanto como decir que poéticamente está vinculado a las tendencias neoclasicistas del XVIII. Sus versos festivos, firmados con el anagrama de *Anastasio de Achoro,* le dieron amplia notoriedad en su país, como que en ellos se revela un feliz pintor de tipos y costumbres mejicanas.

Al argentino fray CAYETANO RODRÍGUEZ (1761-1823), ilustre religioso franciscano, que llegó a ser provincial en su Orden, se le viene dando mayor importancia como hombre público y educador que como poeta. Maestro de Mariano Moreno, diputado en la Asamblea y en el Congreso de Tucumán, fué designado para competir con López Planes en la redacción del himno nacional argentino. Se dice que al oír la lectura del himno de Planes, fray Cayetano rompió el suyo. Hizo muchas poesías de carácter patriótico, en las que brilla escasa inspiración. Mejor se las arregla con el género festivo, en el que dejó composiciones tan logradas como *Consejo a la madre España* y *A una moza muy hablativa.* Su largo poema *Vida de doña María San Diego Ojeda,* intento de épica cristiana, fracasó rotundamente.

II. TENDENCIA NEOCLASICA: ULTIMOS REPRESENTANTES

Como en España, también en América los últimos años del XVIII y el primer tercio del XIX ofrecen un aluvión de poetas, en general mediocres y más o menos afines a los módulos clasicistas vigentes todavía, si bien ya en trance de periclitar.

Ofrecer la lista de todos ellos, además de vano

intento, puesto que su número es infinito, resultaría superfluo y hasta antididáctico en una obra como la nuestra. Las colecciones poéticas de la época [10], que abundan, así como los repertorios de los distintos países, se han ocupado de reseñar puntualmente sus nombres. De ellos entresacamos los más representativos.

En Méjico

Ofrece este país en los últimos años del virreinato un grupo de poetas ilustres. Méjico había sido durante la época colonial, sin duda, la parte más cultivada del Nuevo Mundo, la que iba a la vanguardia en todos los órdenes del saber.

La poesía a finales del xviii y principios del xix está dignamente representada por ANDRÉS QUINTANA ROO (1787-1851), hombre de gran probidad y entereza, autor de la primera declaración de independencia en su patria y poeta de la cuerda de su homónimo Manuel J. Quintana, no tan inspirado como correcto, según vemos en la más celebrada de sus odas, *Al 16 de septiembre de 1821*; por FRANCISCO MANUEL SÁNCHEZ DE TAGLE (1782-1847), más variado y fecundo que Roo, imitador de Meléndez tanto en la poesía ligera (eróticas y anacreónticas) como en la oda seria y filosófica: ejemplo, *A la luna,* de grave entonación; y por FRANCISCO ORTEGA (1793-1849), autor de estimables composiciones políticas y religiosas. Si en las primeras—por ejemplo, en la oda titulada *Aniversario de Tampico*—se acredita como lírico inspirado, en las religiosas sigue muy de cerca el vuelo de los mejores maestros del género en la escuela sevillana: Roldán, Lista o Reinoso. Véase una muestra del poemita *La venida del Espíritu Santo:*

> No hay lengua que no entienda y aperciba
> su voz que el orbe llena,
> su voz que siempre asciende en llama viva.
> Por los desiertos de la Libia ardiente,
> por los pueblos flecheros,
> de Septentrión al Sur, de Ocaso a Oriente,
> de Jehová mensajeros
> corren, vuelan, enseñan, iluminan;
> el sacerdote, el mago, el ignorante,
> el filósofo, el príncipe arrogante,
> oyen, aprenden, arden, vaticinan.

Si a estos agregamos los nombres de Alpuche y Castillo Lanzas, el cuadro de la poesía mejicana en este período quedará diseñado en sus líneas fundamentales. WENCESLAO ALPUCHE (1804-1841) cultivó con preferencia la oda política: *Hidalgo, Grito de Dolores, La independencia, El suplicio de Morelos*; y JOAQUÍN MARÍA DEL CASTILLO Y LANZAS (Jalapa, 1781-1878) demostró en sus poesías (*Ocios juveniles*, Filadelfia, 1835) más corrección y esmero que soplo inspirador. La mejor de todas, *A la victoria de Taumalipas,* kilométrica y pesada, «tiene—al decir de Menéndez Pelayo—mucho de Gaceta en verso, y en sus mejores momento no pasa de imitación harto servil del *Canto a la victoria de Junín,* de Olmedo».

¿Cabría acrecer la lista anterior con el nombre del gran comediógrafo MANUEL EDUARDO DE GOROSTIZA? Mejicano de nacimiento (Veracruz, 1789-Tucubaya, 1851), es, por su producción, más bien español, y su lugar, como dramaturgo, debe reservarse para los capítulos dedicados al teatro. En todo caso quede aquí constancia de su actividad lírica, que derivó por cauces enteramente clasicistas, sin que en ningún momento, aunque presenció el triunfo definitivo del Romanticismo, se sintiera tentado a servirse de los nuevos patrones.

En Centroamérica y en las Antillas

Fuera de Batres y de Irisarri ya aludidos, apenas encontramos en Centroamérica por estas fechas otros nombres subrayables que los de Juan y Manuel Diéguez, guatemaltecos, y el del hondureño padre Reyes. Llamábase este docto y piadoso varón fray JOSÉ TRINIDAD REYES (Tegucigalpa, 1797-1855); había estudiado latinidad en su ciudad natal, y en 1822 recibió las sagradas órdenes, siendo novicio del convento de los Recoletos de León (Nicaragua). «Fué—escribe Menéndez Pelaño—modelo de virtudes sacerdotales, predicador fervoroso y elocuente, principal educador de la juventud de su país, cuya cultura le debe más servicios que a nadie». De fácil vena, cultivó los más diversos géneros. Si sus himnos patrióticos son detestables y carentes de inspiración, en cambio, acertó plenamente en sus *Pastorelas,* sencillas piezas dramáticas en las que el padre Reyes se revela un heredero directo de la mejor tradición peninsular. Ajustados a la música, compuesta por el mismo padre Reyes, algunos de sus villancicos podrían ir firmados por Lope o por Valdivielso [11]. Los hermanos JUAN (Guatemala, 1813-1865) y MANUEL DIÉGUEZ (Id., 1821-1861), aunque formados con un espíritu clasicista, deben ser catalogados entre los poetas de transición. Sobre todo Juan, que en *El Cisne,* elegía a la muerte de Andrés Chénier, es clásico por los cuatro costados, se inclina más adelante a la imitación de Víctor Hugo y de los grandes románticos españoles, y en *La Garza* tiene multitud de versos que recuerdan la melancólica manera de Enrique Gil y Carrasco.

Cuba, que, según hemos visto, había dado con Heredia un lírico de primer orden, se prestigia por esta época con media docena por lo menos de poetas ilustres. El coronel don MANUEL DE ZEQUEIRA Y ARANGO (Habana, 1760-1846) cultivó preferentemente la oda heroica de corte quintanesco y la filosófico-moral; en ambas se revela poeta inspirado; y si en lo heroico nos dejó piezas de tan robusta entonación como *El Dos de Mayo* y el *Primer sitio de Zaragoza,* en el género horaciano escribió poemas tan deliciosos como el dedicado *A la piña,* del que ha podido decirse que «Apolo lo inspiró y lo embellecieron las Gracias». Zequeira fué un ferviente patriota, cuyo entusiasmo por España se sintió avivado especialmente con las épicas gestas de la guerra contra Napoleón. Amigo de Zequeira y poeta como él, aunque de gustos distintos, fué don MANUEL JUSTO DE RUBALCAVA (Santiago de Cuba, 1769-1805), que prefirió orientar su inspiración hacia el género bucólico y descriptivo. La elegía *A la noche*, el poemita *La muerte de Judas* y, sobre todo, algún que otro soneto—*A Nise bordando un ramillete*—son sus composiciones más destacables. Tanto Zequeira como Rubalcava preceden a Heredia en algunos años. En cambio, eran rigurosamente coetáneos suyos IGNACIO VALDÉS MACHUCHA, afortunado imitador de Meléndez Valdés y de Arriaza (*Ocios poéticos*, 1819), MANUEL GONZÁLEZ DEL VALLE, más conocido por sus estudios filosóficos y por su *Diccionario de las musas* (1827) que por sus versos; JOSÉ POLICARPO VALDÉS, que ocultaba su nombre bajo el seudónimo de *Polidoro*; FRANCISCO ITURRONDO, traductor del falso Ossián y émulo de las *Silvas*, de Bello, en la que él llamó *Rasgos descriptivos de la naturaleza cubana*; DOMINGO DEL MONTE, consumado humanista y bibliógrafo, cuya casa de Matanzas era en los años de 1830 a 1840 una especie de academia o centro de reunión de los hombres más conspicuos de la isla; y varios más que, sin ser poetas «de oficio», digámoslo así, consagraron sus mejores ocios al cultivo de la poesía. Los dos últimos —Iturrondo y Del Monte—no eran cubanos de nacimiento (Iturrondo había nacido en Cádiz y Del Monte en Maracaibo); pero por su larga permanencia en aquella isla y por la índole de su obra suelen ser incluídos en los repertorios cubanos. Todos ellos encajan plenamente dentro de la escuela neoclásica.

En la misma escuela pueden inscribirse los dominicanos JOSÉ NÚÑEZ DE CÁCERES, de quien se recuerda una tan fría como correcta *Canción* para celebrar la victoria de Palo Hincado, obtenida contra los franceses (noviembre de 1808), y FRANCISCO MUÑOZ DEL MONTE, amigo y panegirista de Heredia, que pasó casi toda su vida fuera de la isla natal de Santo Domingo. De Muñoz del Monte suelen citarse con elogio tres o cuatro poesías: *A la condesa de Cuba en la muerte de su padre, El verano en la Habana, Mi cumpleaños*. Oriundo de Santo Domingo, aunque nacido puertorriqueño, era, asimismo, don NARCISO DE FOXÁ Y LECANDA (San Juan de P. R., 1822-París, 1883), quien, a pesar de haber presenciado el advenimiento y el triunfo de nuevas doctrinas estéticas, se mantuvo fiel al neoclasicismo. Del fárrago de sus *Ensayos poéticos* (Madrid, 1849) cabe extraer como dignos de nota el romance morisco *Aliatar y Zaida*, un canto épico al *Descubrimiento de América* y, de manera especial, el poema en verso suelto sobre la naturaleza de Cuba, en el que más que imitar a Bello se puede decir que le copia y parafrasea, si bien con mucha fortuna.

III. EN AMERICA DEL SUR

Ni Ecuador ni Venezuela presentan a principios del XIX otros poetas dignos de nota que Olmedo y Bello, respectivamente. Bien es verdad que con ellos les basta. Bolivia, si no la cuna de José Joaquín de Mora, lo fué del más famoso de sus libros, ya que en La Paz debió de redactar una parte muy considerable de las *Leyendas españolas*, obra de capital importancia en toda la poesía hispanoamericana de este período. Mora, en peregrinación constante por las repúblicas del Sur, residió en Bolivia tres años (1834-1837), protegido por el presidente Santa Cruz, y allí dejó algunos discípulos, como el doctor Ramallo, cuya producción poética corresponde más bien a tendencias posteriores. Sobre ello volveremos en el capítulo dedicado a la poesía romántica en los países rioplatenses.

Colombia

En Colombia pulula en los inicios del XIX una turba de poetas de escasa talla, precursores de la brillante floración que ofrecería el país pocos lustros más tarde. José M. Salazar, J. M. Montalvo, A. Manrique, el doctor García Tejada y F. J. Caro son los más importantes. JOSÉ MARÍA DE SALAZAR (Rionegro, 1785-París, 1828) es autor del primitivo himno colombiano, de una desmayada traducción de la *Poética*, de Boileau, en romance endecasílabo, y de algunos poemas de asunto patrio (*La campaña de Boyacá, La Colombiada*), tan correctos como prosaicos. A JOSÉ MIGUEL MONTALVO se debe, entre otras cosas, una de las primeras e infelices tentativas, *El zagal de Bogotá*, encaminadas a la creación de un teatro colombiano autónomo. El clérigo insurgente JOSÉ ANGEL MANRIQUE derivó más bien hacia lo jocoso, y cuenta en su haber varios poemas burlescos—*La Tocaimada, La Tunjanada*—, por el estilo de los ya aludidos de Acuña y Ascensio Segura. El nombre del doctor don JUAN MANUEL GARCÍA TEJADA suele ir unido «a cierto poemita en alto grado ofensivo a la pulcritud del olfato», muy conocido por toda clase de lectores, tanto en España como en América; pero que sabía emplear también su vena en asunto serio y con evidente decoro nos lo demuestran algunos bellísimos sonetos que se le atribuyen. El mejor de todos es el que dirige *A Jesús crucificado*. Del mismo tono festivo, pero con mayor limpieza y comedimiento, era la musa de FRANCISCO JAVIER CARO, nombre que no debe faltar en ningún repertorio literario de Hispanoamérica, como tronco de una de las más ilustres dinastías de las letras en aquel continente. Francisco Javier Caro era abuelo del brillante poeta José Eusebio, y bisabuelo del egregio humanista

Miguel Antonio. La familia Caro vino a emparentar con la de otro poeta clasicista, el doctor don MIGUEL DE TOBAR, insigne jurisconsulto que entre los años 1814-1818 componía estimables odas horacianas, o más bien, odas ajustadas a los cánones de la segunda escuela salmantina, tan brillantemente representada por Meléndez y fray Diego González. Horaciano también de espíritu era el presbítero de Popayán, doctor don MARIANO DEL CAMPO LARRAONDO Y VALENCIA, que en una carta sobre el arte de traducir enseñarnos cómo debíamos hacerlo, aunque él en la práctica no supo aplicar sus propios preceptos.

Dos poetas colombianos—Fernández Madrid y Vargas Tejada—cierran dignamente en su país el ciclo clasicista. El doctor don JOSÉ FERNÁNDEZ MADRID (1789-1830), médico de Cartagena primeramente y luego hombre público que desempeñó los más relevantes cargos, incluída la presidencia de la República, intentó emular la gloria de Olmedo en una serie de odas altisonantes, retóricas y barateras, construídas a base de tópicos y de feroces diatribas contra España. «Nadie abusó tanto—nos dice Menéndez Pelayo—como él de los *tres siglos de vil servidumbre*, de la *ferocidad castellana, nunca saciada de sangre y de venganza*, de la *eterna ignominia del déspota ibero*, del *férreo cetro del León quebrantado por la libertad*. Relegó a España a vivir en el *rincón tenebroso incierto entre el Africa y la Europa*; y para sus soldados, ante los cuales había huído y se había humillado en 1816, nunca tuvo más blandas calificaciones que las de *bandidos, prófugos, salteadores infames de caminos, ciervos, tigres* y otras lindezas tales». Toda esa bambolla, que momentáneamente deslumbró a sus compatriotas en una lamentable confusión del énfasis con la auténtica grandeza, ha sido ya juzgada como se merece por los críticos americanos. Pero si en la oda pindárica no acierta, en cambio, se le oye con gusto en la poesía ligera y festiva, a imitación de Arriaza, el poeta español más conocido sin duda por aquellos años en América. Realmente el doctor Madrid había nacido para este género, como lo demuestra en *Mi bañadera* y en *La hamaca*, dos composiciones de ritmo fácil y agradable; o en la serie de diez anacreónticas tituladas *Rosas*. Menos éxito tuvo en sus intentos de aclimatación de la tragedia clásica, si bien por sus dos piezas, *Guatemozín* y *Atala*, adaptación ésta de la novela de Chateaubriand, le corresponde la primacía del género en su patria.

Análogos ensayos dramáticos y por los mismos días realizaba el malogrado bogotano LUIS VARGAS TEJADA (1802-1829), autor de cinco tragedias y una comedia, a las que aludiremos en su lugar. Como lírico apenas podemos juzgarlo, ya que una vida llena de sobresaltos y cortada por una muerte prematura le impidió llegar a su granazón. Sus *Poesías*, publicadas con las de J. Eusebio Caro en 1855, nos revelan un alma delicada y extremadamente

sensible. Con evidente exageración se le ha llamado «el Chénier colombiano».

Perú y Chile

La lista de los buenos poetas del Perú en esta época no queda agotada con los nombres de Felipe Pardo, Ascensio Segura y José Joaquín Larriva. Aunque de inferior jerarquía literaria, a ellos deben unirse los de fray Francisco del Castillo, fray Mateo Chuecas, José M. Valdés y José María Pando. Fray FRANCISCO DEL CASTILLO, llamado el *Ciego de la Merced*, pertenece enteramente al XVIII. Era un improvisador asombroso. Ricardo Palma recogió y publicó algunas de sus picantes improvisaciones, no atreviéndose a dar a luz pública otras, por lo desvergonzado de su expresión. El franciscano fray MATEO CHUECAS Y ESPINOSA, que empezó haciendo versos satíricos y escandalosos al estilo de Larriva, terminó componiendo poesía ascética no carente de méritos, a juzgar por una glosa que transcribe el citado Palma en sus *Tradiciones peruanas*. De más fuste son el médico don JOSÉ MANUEL VALDÉS, autor de una paráfrasis de los ciento cincuenta *Salmos* (Lima, 1833), notable por la pureza de lengua y la dulzura de estilo, y el diplomático don JOSÉ MARÍA PANDO (1787-1840), que, aparte de sus estudios de derecho, política y moral, escribió versos más elegantes que inspirados. A la misma generación pertenece don JOSÉ PARDO Y ALIAGA, hermano de Felipe, y muy inferior a él en todos los órdenes. Su poesía más celebrada es la que dedica *A la independencia de América*.

Chile tuvo en los albores de su emancipación dos poetas, más famosos y recordados por su relevante papel en las agitaciones políticas del país que por su obra literaria: fray Camilo Henríquez y el profesor Vera y Pintado. Fray CAMILO HENRÍQUEZ (Valdivia, 1769-1825), llamado el *Fraile de la buena muerte*, fué un religioso apóstata, que durante su educación en Lima había leído con fruición cuanta literatura caía en sus manos, y no era poca, procedente de los enciclopedistas franceses y de la escuela de Rousseau. En consecuencia colgó pronto los hábitos de la Congregación de Agonizantes, a la que pertenecía, y se consagró con alma y vida a la propaganda de las ideas más avanzadas. Fanático republicano, escribe (1810) la primera proclama en favor de la independencia, que circuló manuscrita con gran profusión; celebra desde el púlpito de la catedral de Santiago (1811) la apertura del primer Congreso chileno; publica el primer diario, *La Aurora de Chile*, seguido de *El Monitor Araucano* y del *Semanario Republicano*; y redacta en buena parte (1812) la primera constitución de su país. Restablecido el gobierno español, tras la victoria de Rancagua, emigra a Buenos Aires, abandona definitivamente sus hábitos sacerdotales, se hace médico e interviene activamente en la política y las letras. Nuevamente, bajo el mandato de O'Higgins, vuelve a Chile, donde termina por hacerse impopular a causa de sus ideas antirreligiosas, hasta que, en una situación oscura, le visita la muerte, en 1825. Como poeta, Henríquez no pasa de mediocre. Sus himnos patrióticos se reducen a proclamas rimadas; sus letrillas satíricas carecen de toda chispa y espontaneidad; las composiciones de mayor aliento en elogio de las ciencias o las artes chorrean prosaísmo por todos sus poros. Como que había tomado por modelos a Iriarte, Trigueros y demás vates alicortos del XVIII. Unos pretendidos *pentámetros*, que escribió intentando imitar la métrica latina, son simples alejandrinos pareados a la francesa:

> Los talentos de Chile yo te vi que aplaudías;
> pero su sueño y ocio sempiterno sentías.
> Nuestra juventud hábil, graciosa y bien dispuesta,
> conserva aun tristemente en inacción funesta
> el ánimo sublime...

He aquí lo que daba de sí esta musa chabacana. Sólo una vez levantó el vuelo: en la traducción del himno nacional de los Estados Unidos: *Hail, great Republic of the world*; pero, naturalmente, el arranque inspirador no es suyo [12]. El padre Henríquez ensayó también el drama en varias piezas, desprovistas absolutamente de interés.

Tan volteriano en ideas como el padre Henríquez, tan fervoroso poeta patriótico y tan malo casi como él, fué don BERNARDO VERA Y PINTADO (1780-1827), chileno sólo por adopción, ya que había nacido en Santa Fe (Argentina) y estudiado en la Universidad de Tucumán, antes de pasar a Santiago de Chile. De carácter más alegre que fray Camilo, destacó pronto Vera como feliz improvisador, pudiendo en este aspecto considerársele un Arriaza en pequeño de las tertulias chilenas. El y el padre Henríquez habían llegado a ser el «número obligado» y el plato fuerte de todos los festejos y banquetes públicos. «Cubiertos siempre con el gorro frigio, se sentaban a la cabecera de la mesa y cantaban, alternativamente, como dos rapsodas, a cual más ronco y destemplado» [13]. Vera se ensayó primero en la poesía festiva y amorosa; pero pronto derivó hacia un género más grave: el himno patrio y la oda heroica. Ni en uno ni en otra pasó de lo discreto. Su mayor gloria consiste en haber sido el autor del primer Himno Nacional Chileno, que vino cantándose en las grandes solemnidades hasta ser sustituído, en 1847, por el de Eusebio Lillo. El de Vera databa de 1819.

¿Deberemos incluir aquí los nombres de Salvador Sanfuentes y Torres, de Hermógenes Irisarri, hijo del ya aludido escritor guatemalteco don Antonio José y de los dos hijos de Bello, Carlos y Francisco, colaboradores todos del *Semanario de Santiago*, periódico que encarnaba las doctrinas literarias del autor de las *Silvas americanas* en la polémica entablada con los emigrados argentinos?

Clasicistas recalcitrantes todos ellos, aunque más o menos propincuos a las modas románticas, en su lugar oportuno tendrán la correspondiente mención.

Por ahora, y antes de cerrar este apartado, queremos señalar tres hechos destacables en la cultura de Chile durante el período de consolidación nacional: la estancia de Mora en aquella República, el magisterio de Bello y la intervención en la vida pública de los exilados argentinos. Estos tres acontecimientos, ocurridos casi simultáneamente, provocan y hasta cierto punto determinan el ulterior desarrollo de las letras en ese país, a lo largo del XIX.

El gaditano José Joaquín de Mora llega a Chile en 1828, procedente de Buenos Aires e invitado por el Gobierno «para emplearse en objetos de utilidad pública». Numerosos libros y artículos suyos, editados en Londres, han invadido América, dándole a conocer ventajosamente, y su actuación en la Argentina le ha granjeado extraordinario renombre. Todavía habrá de peregrinar por Perú, Bolivia y otros países de habla hispánica, envuelto en un halo de auténtico prestigio. Sus *Leyendas españolas* serán uno de los libros de influencia más decisiva en las nacientes letras de aquellos Estados. Cuando Mora se afinca en Santiago, las letras atraviesan un mal momento, y la cultura chilena, en general, evidencia un retrato respecto de otras repúblicas americanas. Mora consigue darles impulso mediante la promulgación de leyes protectoras, como la de Imprenta; con la fundación de prestigiosas revistas, como *El Mercurio Chileno*; y sobre todo, con la creación del *Liceo de Chile*, magnífico establecimiento educacional, al que dota de estatutos y planes de estudio realmente avanzados. Posteriores discrepancias con Bello y la animadversión del presidente Ovalle, su enemigo político, le obligan a expatriarse (1831) de aquel país, cuya nacionalidad había adoptado, después de renegar de su origen español. La siembra, sin embargo, estaba hecha y no tardaría en cosecharse los frutos.

Más honda huella dejó Bello, según hemos podido ver anteriormente. Llamado, como queda dicho, por el Gobierno chileno, al igual que Mora y para análoga misión, si no formó poetas y literatos, preparó el terreno convenientemente para un gran desarrollo cultural. Y esto no sólo en el orden de la filosofía y del derecho, sino también en la lengua. Gracias a Bello, «aquella jerigonza de negros» que, según cierto crítico del mismo Chile [14], era el idioma castellano por aquellas latitudes, se convirtió en un instrumento apto de expresión, como lo han demostrado los muchos y excelentes escritores que de allí han salido en época posterior. Pero de esto ya se habló por extenso al estudiar la figura del gran polígrafo. Baste subrayar aquí que la influencia de Bello fué tan extensa y profunda que, al decir de Lastarria, más que de magisterio propiamente dicho, hay que hablar «casi de una dominación» [15].

Contra ella empiezan a manifestarse, hacia 1842, algunos escritores nativos, como el mismo Lastarria, a quienes se unen en la batalla varios ilustres argentinos proscritos de su patria y obligados a emigrar a otros países por la tiranía de Rosas [16]. Chile fué para la mayor parte de ellos la patria provisional. Querían éstos, frente al espíritu conservador de Bello y sus discípulos, partidarios de la evolución lenta y dirigida, imponer al progreso un ritmo acelerado, que en el fondo suponía una auténtica revolución. Especialmente en materia lingüística sostenían doctrinas francamente innovadoras y hasta anárquicas. La polémica, que será estudiada en su lugar, nace y se desarrolla en forma virulenta. Bello no interviene de manera directa; pero es el alma invisible de toda ella. Para él son los ataques de los unos y los aplausos de los otros; y hay que reconocer que su moderación termina por imponerse en forma casi decisiva, para bien de las letras en aquella República.

En las orillas del Plata

Tampoco en los estados rioplatenses había nada que indicase el desarrollo ulterior de las letras. La Argentina habíase integrado, con Uruguay, Paraguay y Bolivia, para formar, desde 1778, el nuevo virreinato de Buenos Aires. Y aunque no faltaban en tan vasto territorio, a principios del XIX, ingenios esclarecidos, ninguno de ellos alcanzaba la talla de un Bello o un Heredia, y sobre todo, ninguno presagiaba el preeminente lugar que tanto la Argentina como Uruguay estaban destinadas a ocupar en las letras hispanoamericanas. En buena parte de aquellas provincias, la expulsión de los jesuítas (1767) produjo un profundo colapso cultural, del que tardaron en recobrarse varios decenios.

Uruguay, fuera del mencionado epigramático Francisco Acuña de Figueroa, a duras penas puede ofrecer los nombres de tres o cuatro poetas de última fila: BERNARDO P. BERRO, autor de una oda *A la Providencia* y de una larga *Epístola a Doricio*, loables por la pureza de dicción y la facilidad versificatoria; CARLOS G. VILLADEMOROS, de quien las antologías de la época recogen algunos versos; y la llamada *Safo oriental*, PETRONA ROSENDE DE LA SIERRA, todos ellos muy pegados al estilo de los poetas finiseculares del XVIII.

La Argentina, que con la *Oda al Paraná*, de Lavardén, había dado una sostenida nota lírica en la generación anterior, tenía por estas calendas muchos vates, aunque ninguno de primer orden. Menéndez Pelayo ha podido decir que «antes de 1824 se habían hecho en Buenos Aires muchos versos, pero no había aparecido un verdadero poeta». El primer argentino digno de este nombre fué Juan Cruz Varela, que en aquella fecha imprimió su tragedia *Argía* y antes se había dado a conocer en composiciones muy estimables, hechas sobre todo a la manera de Cienfuegos. De él hablaremos en párrafo aparte, no sin antes mencionar la media docena de ingenios que a la sazón mantenían encendido en la orilla del Plata el fuego de la poesía. Eran éstos: Prego de Oliver, fray Cayetano Rodríguez, Esteban de Luca, Crisóstomo Lafinur, Vicente López Planes y Juan Antonio Miralla.

JOSÉ PREGO DE OLIVER, español de nacimiento era un poeta elegante, aunque mediano, que cultivó el género erótico y la oda en grande y obtuvo justa nombradía con sus cuatro *Cantos a las acciones de guerra con los ingleses en la provincia del Río de la Plata en los años 1806 y 1807*. Recuerdan a la vez el estilo de Arriaza y el de Nicasio Gallego. VICENTE LÓPEZ PLANES (1785-1856), que empezó haciendo interminables romances heroicos de corte dieciochesco, pasó luego a la oda patriótica y a la horaciana, en las que dejó algunas piezas dignas de recuerdo: *La victoria de Suipacha, En la victoria de Maipo, A la muerte del general Belgrano, A las delicias del labrador*. Su mayor timbre de gloria consiste en haber sido autor del Himno Nacional Argentino. Las analogías que Menéndez Pelayo descubre entre este himno y el compuesto por Jovellanos para Asturias en 1811 parecen puras coincidencias casuales. La obra poética de JUAN CRISÓSTOMO LAFINUR (1797-1824) se polariza en dos temas: patriótico y erótico. Al primero pertenecen las elegías *A la muerte del general Belgrano*, la oda *A la libertad de Lima* y un *Himno* compuesto para las fiestas cívicas de 1822; al segundo, *Las flores, Ella en el baño, Los ojos, Brindis, La amistad* y *Las violetas*. Lafinur era un espíritu inquieto; en sus veintisiete años de vida fué sochantre de la catedral de Córdoba, militar, periodista, músico, profesor de filosofía, etc. Era un clásico con alma romántica, y en el romanticismo hubiera varado, de haber vivido más tiempo. Heroica fué asimismo la musa que inspiraba al mayor de artillería ESTEBAN DE LUCA Y PATRÓN (1786-1824), quien, después de haber servido a su patria en las filas del ejército de la reconquista, tuvo una dramática muerte al encallar en el Banco Inglés la nave que le traía del Brasil, donde acababa de desempeñar una misión diplomática. Luca, en algunas odas —*A la libertad de Lima, A la batalla de Chacabuco, Al triunfo de lord Cochrane en el Callao, A Montevideo rendido, Al pueblo de Buenos Aires*, etc.—, logra momentos de noble entonación, que desgraciadamente no acierta a mantener; y así, al lado de arranques briosos, hay caídas lamentables. Como Lafinur, fué un poeta sin cuajar.

Cerremos esta lista, fácilmente alargable con otros nombres, mencionando sólo el de JOSÉ ANTONIO MIRALLA (1789-1825), natural de Córdoba de Tucumán, estudiante de medicina en Lima, comerciante en la Habana, conspirador contra España en Colombia, Méjico y Estados Unidos. La producción original de Miralla es parva, pero no exenta de inspiración y de belleza. Fué, en cambio, un excelente traductor, como lo prueban su versión de las *Cartas de Jacobo Ortiz*, de Foscolo, y de la elegía de T. Gray *En el cementerio de una aldea*, la mejor, sin duda, entre las varias que de la famosa composición tenemos en castellano [17]

Cruz Varela

Ponemos fin a este capítulo con una breve referencia al poeta lírico y dramático JUAN CRUZ VARELA (1794-1839) [18], sin duda la máxima figura del parnaso argentino antes del Romanticismo. Se había formado en la Universidad de Córdoba, de la que salió bañado en cultura clásica. Se ensaya, estudiante aún, con un poema en quintillas, imitación del *Lutrin*, de Boileau, y con anacreónticas a la manera de Meléndez Valdés. No debe sorprendernos; es lo que entonces dominaba en los medios literarios. Pero Dios no le llamaba por el camino de la sátira ni por el de la poesía amorosa, aunque en el poema erótico-mitológico *Elvira*, compuesto en su mocedad, nos sorprende con estrofas enteramente logradas. Su modelo preferido era entonces Cienfuegos, cuya influencia se manifiesta en una elegía a la muerte de su padre. Traduce durante sus años de colegial el libro I de los *Tristes*, de Ovidio, y más tarde, en el destierro (1829-1836), algunos libros de la *Eneida*, revelándose en ambas versiones aventajado latinista. De la misma *Eneida* (libro IV) saca el tema para su tragedia *Dido* (1823), a la que sigue, un año más tarde, la *Argía* (1824), sobre un episodio del ciclo clásico tebano. No es de este lugar el análisis de tales obras, que en todo caso jalonan un camino en el teatro del Plata, entre el *Siripo*, de Lavardén, y *La revolución de Tupac-Amaru*, de Lafinur. Sobre ellas volveremos oportunamente.

En la lírica, Varela saltó de la imitación de Cienfuegos y de Arriaza a la del Quintana de la *Invención de la imprenta* y de la oda *A la vacuna*; es decir, de los temas políticos y patrióticos a los filosófico-sociales. En el primer género compuso odas interminables, con más facilidad y maestría que numen poético; en el segundo hizo, calcándolas en Quintana y a veces siguiéndole el vuelo muy de cerca, odas: *A la libertad*, *A la erección de la Universidad*, *Al establecimiento de la sociedad filarmónica*, *A los trabajos hidráulicos ordenados por el Gobierno*, etc. Varela era por esta época una especie de poeta oficial del régimen filantrópico encarnado por Rivadavia, cuyas utopías sociales se había propuesto divulgar en cantos altisonantes. Ya se saben los riesgos de este género de poesía: retoricismo fácil, hinchazón, uso y abuso de tópicos, palabrería vacua. De ninguno de tales defectos estuvo exento Varela; pero en ocasiones sabe hacérselos perdonar a cambio de la sinceridad, la nobleza y hasta el fervor íntimo que sus versos revelan.

Dos de estas piezas líricas merecen todavía consideración: el *Triunfo de Ituzaingó* y *El 25 de mayo de 1838*. El primero, larguísimo canto en que se celebra la victoria obtenida por argentinos y uruguayos contra las fuerzas brasileñas, mereció el unánime elogio de los más ilustres críticos de la época, sin exceptuar a Bello y a Mora. Para Bello, *El triunfo de Ituzaingó* destaca notablemente «entre la multitud de obras poéticas publicadas en América durante los últimos años»; Mora descubre en su autor «uno de los pocos americanos que cultivan con éxito el lenguaje de las musas», poniendo de relieve al propio tiempo «la expresión grandiosa, el movimiento lírico y la elegancia del poema». Nosotros, que reconocemos en él evidentes aciertos, no podemos menos de señalar su engolamiento casi constante, sus hipérboles ingenuas, cuando no ridículas, y otros abusos, que le colocan muy por debajo de la oda *A la victoria de Junin*, de Olmedo, pieza que sin duda se propuso Varela imitar. Mejor juicio nos merece *El 25 de mayo de 1838 en Buenos Aires*, valiente invectiva contra el tirano Rosas, escrita en verso directo y desnudo, sin aditamentos clasicistas apenas, en que alternan por partes iguales la melancolía, la nostalgia del destierro y una ejemplar dignidad humana.

NOTAS

1. Sus paisanos le suelen llamar familiarmente *Pepe Batres*. Había nacido en San Salvador en 1809, pero su familia procedía de Guatemala, y aquí vivió desde niño, sirviendo a esta República en diversos cargos. Fué oficial de Artillería, pero en 1836 lo encontramos empleado como ingeniero en la gran obra del canal de Nicaragua, donde pasó muchas calamidades, arruinó su salud y perdió un hermano. De regreso a Guatemala, ascendió a capitán de Artillería y actuó en política como diputado por San Marcos. Disgustos familiares y la enfermedad crónica que trajo del canal le llevaron a una muerte prematura, cuando sólo contaba treinta y cinco años. Sus poesías fueron recogidas a raíz de su muerte e impresas un año más tarde en Guatemala. Han tenido varias ediciones, de ellas dos, por lo menos, en París.

2. «Esa clase de cuentos—escribía a su hermana en 1843—me divierte mucho, y podría componer millones, porque al estarlos haciendo es mucho lo que tengo que suprimir de lo que me viene a la cabeza; pero por no hay honra ni provecho en semejante ocupación.» De *El reloj* publicó una continuación don Salvador Barrutia (1881).

3. En *Yo pienso en ti* tropezamos con versos como éstos:

En mi lóbrega y yerta fantasía
brilla tu imagen apacible y pura,
como el rayo de luz que el sol envía
a través de una bóveda sombría
al roto mármol de una sepultura.

Sin lucha, sin afán y sin lamento,
sin agitarse en ciego frenesí,
sin proferir un solo, un leve acento,
las largas horas de la noche cuento,
¡y pienso en ti!

4. En las comparaciones, Batres es muy afortunado. Habla de un Tenorio, y dice:

Así como la abeja codiciosa
las más hermosas flores se destina,

ya chupa en un jamín, ya en una rosa,
ya se aplica a la dulce clavellina,
ya blandamente sobre el nardo posa,
ya al fresco lirio alegre se encamina,
tal don Pablo, en las flores que cogía,
no digo abeja, enjambre parecía.

Y la sorpresa del marido burlado, que en la oscuridad
de la noche, al ir a besar la delicada boca de su mujer,
da con un hirsuto bigote, le inspira estos versos:

Cuando una jovencilla por el prado
vaga cortando y recogiendo flores,
puesta la mente, ajena de cuidado,
en el dichoso fin de sus amores;
si al cortar un pimpollo delicado
de varios y bellísimos colores
toca un áspid oculto la doncella,
se asusta el áspid y se asusta ella.
Pero más se asustó don Juan del Puente
y el dueño del bigote malhadado,
que en el supuesto de que estaba ausente
en su lugar habíase acostado.
¡Cómo se quedaría el delincuente
al sentir aquel beso tan bien dado,
y el bueno de don Juan, por vida mía,
pensad un poco cuál se quedaría!

Son conocidísimos aquellos versos, que debió de imitar
de Casti, quien a su vez pudo tomarlos de Marot o de
cualquier otro:

Era chico de cuerpo, de ojo vivo,
de carácter tal cual; algo liviano,
un poco tonto, un poco vengativo,
un poco sinvergüenza, un poco vano,
un poco falso, adulador completo;
por lo demás, bellísimo sujeto.

5. Nació en Montevideo en septiembre de 1790 y murió en octubre de 1862. Hijo del tesorero de la Real Hacienda de aquella ciudad, recibió su formación en Buenos Aires y desempeñó muchos años el cargo de director de la Biblioteca Nacional del Uruguay.

6. Es Acuña autor del *Himno Nacional* uruguayo, sancionado como tal por el Gobierno de aquella República en 1833.

7. Nació en Lima en 1806. Su padre, regente de la Audiencia de Cuzco, vino a la Península en 1821. Pardo cursó estudios en el Colegio de San Mateo, regentado por Lista, y luego en casa de éste. Regresó al Perú en 1828 y empezó por dedicarse a la abogacía. Tomó pronto parte en política como redactor del *Mercurio* y de *El Conciliador*. Estuvo en Chile con una misión diplomática. Desde 1835 a 1840 permaneció allí conspirando contra el dictador del Perú y Bolivia, general Santa Cruz. Vuelto a Lima, nuevos trastornos le obligaron a nuevas expatriaciones, terminando por quebrantarse su salud. Quedó ciego y paralítico en lo mejor de su vida. Antes había sido magistrado del Supremo y dos veces ministro de Relaciones Exteriores. Murió en diciembre de 1868. Al año siguiente se publicaron en París sus *Poesías y escritos en prosa* (1869).

8. *Tres poetas contemporáneos: Pardo, Vega y Espronceda*, discurso inaugural de la Real Academia Española (1870).

9. *Histoire de la littérature américaine en langue espagnole*, París, 1953, págs. 44-52.

10. Entre ellas destacan como más notables: *Lira argentina* (Buenos Aires, 1824), *Colección de poesías patrióticas* (Buenos Aires, ¿1826?), *América poética* (Valparaíso, 1846). *El Parnaso oriental o Guirnalda poética de la República uruguaya* (Montevideo, 1835-37), *Galería poética centro-americana*, *La lira granadina*, etc.

11. Véase este ejemplo:

Nació en Belén un Niño
tan admirable,
que sin ir a las aulas
todo lo sabe.
. . . .
Aunque yace tan pobre,
su grande ciencia
sabe formar metales
y hermosas perlas.

12. A pesar de todo, no se le puede negar dignidad y entonación. Hela aquí:

¡Salve, gloria del mundo, República naciente;
vuela a ser el Imperio más grande de Occidente!
¡Oh patria de hombres libres, suelo de libertad!
Que tus hijos entonen de vides a la sombra,
y entre risueñas fuentes, sobre florida alfombra.
¡Oh patria de los libres, suelo de libertad!
Que canten tus hijuelos con balbucientes labios,
y enseñen a los pueblos en la vejez sus sabios.
¡Oh patria de hombres libres, suelo de libertad!
Tus ángeles custodios te cubran con sus alas,
y unidas las naciones en fe y amistad pura,
salúdente con lágrimas, lágrimas de ternura.
¡Oh patria de hombres libres, suelo de libertad!

13. MENÉNDEZ PELAYO: *Ob. cit.*, pág. 276.

14. MIGUEL LUIS AMUNÁTEGUI: *Don José Joaquín de Mora*, Santiago de Chile, 1888, pág. 156.

15. J. V. LASTARRIA: *Recuerdos literarios*, Santiago de Chile, 1885, 2.ª ed., pág. 69.

16. El más ilustre de todos, don Domingo Faustino Sarmiento, acaudillaría las huestes contra Bello.

17. Menéndez Pelayo, a quien hay que acudir siempre en cuanto se relaciona con la poesía americana anterior al Modernismo, ha hecho un minucioso análisis de esta pieza, comparándola primeramente con el original inglés y luego con las cinco versiones más conocidas que tenemos en castellano: las de Pérez del Camino, José Vicente Alonso, José Fernández Guerra, Enrique Vedia e Ignacio Gómez. Probablemente la más literaria es la de Vedia; pero Miralla tuvo sobre éste la virtud de verter al castellano el original inglés en el mismo número de versos que en aquella lengua tiene, sin que por ello perdiera nada en expresión y belleza.

18. Nació en Buenos Aires (24 de noviembre de 1794), de donde pasó a estudiar a Córdoba de Tucumán. Allí se graduó (1816) de bachiller en Cánones y Teología. Vuelto a Buenos Aires, se identifica con el régimen de Rivadavia, de quien recibe continuas pruebas de amistad y de aprecio. Pero, al caer su protector, se ve obligado a emigrar a Montevideo, donde termina sus días (23 de enero de 1839).

BIBLIOGRAFIA

Para los poetas aludidos en este capítulo consúltense las *Historias de la Literatura* que figuran al frente de nuestro libro, correspondientes a cada país; y, además, para Batres Montúfar, vid. M. MENÉNDEZ PELAYO: *Historia de la poesía hispano-americana*, I, 187-97; F. CRUZ: *Biografías de literatos nacionales*, publ. de la Acad. Guatemalteca (Batres Montúfar: págs. 153-261).—Para Felipe Pardo Aliaga, vid. M. MENÉNDEZ PELAYO: *Ob. cit.*, II, 176 y sgs.; P. DE LA ESCOSURA: *Tres poetas contemporáneos: Pardo, Vega y Espronceda*, disc. en la Real Acad. Española, 1870; RIVA AGÜERO: *Carácter de la literatura del Perú independiente*, Lima, 1905.—Para Acuña y Figueroa. vid. ROGER D. BASSAGODA: *La obra de Acuña de Figueroa y la literatura de su época*, Montevideo, 1942.—Para los poetas mejicanos: MENÉNDEZ PELAYO: *Ob. cit.*, *passim.*—Para los cubanos: JUAN J. REMOS: *Historia de la literatura cubana*, vol. I.—Para el padre Reyes: J. ROSA: *Biografía de José Trinidad Reyes*, Tegucigalpa, 1895.—Pueden consultarse asimismo: C. MARTÍNEZ SILVA: *Don José Fernández Madrid*, Bogotá, 1889.—J. CAICEDO ROJAS: *Noticia biográfica de Luis Vargas Tejada*, «Anuario Acad. Colombiana», 1874.—M. LATORRE: *La literatura en Chile*, Buenos Aires, 1941.—M. LUIS AMUNÁTEGUI: *La alborada poética en Chile después del 18 de septiembre de 1810*, Santiago de Chile, 1892; el mismo: *Don José Joaquín de Mora*, Santiago de Chile, 1888.—A. GIMÉNEZ PASTOR: *Los poetas de la Revolución*, Buenos Aires, 1917.—F. ROBERTO GIUSTI: *Juan Cruz Varela y la generación poética de la Revolución*, «Bol. Acad. Arg. de Letras», núm. 25.—J. M.ª GUTIÉRREZ: *Estudio sobre las obras y persona del literato y publicista argentino don Juan de la Cruz Varela*, 1871, reimpreso en 1918.

CAPITULO LVII

LA NOVELA HISPANOAMERICANA:
APARICION Y PRIMERAS MANIFESTACIONES

I. ANTECEDENTES: *El problema cronológico. El problema metodológico.*—II. LA PROTONOVELA: *«El lazarillo de ciegos y caminantes». La producción novelística de Lizardi: «Periquillo Sarniento», «Don Catrin de la Fachenda», «La Quijotita y su prima», etc. El «Jicoténcal» y otras creaciones del género.* NOTAS.—BIBLIOGRAFÍA.

I. ANTECEDENTES

La literatura americana, apenas hace falta insistir en ello, no puede considerarse tal, con personalidad y relieve propios, hasta que el pueblo o pueblos que la engendran alcanzan su independencia política. A partir de ese momento, que en buena parte coincide con el fenómeno romántico, todos los géneros logran inusitado desarrollo; e Hispanoamérica presenta, especialmente en la lírica, una nutrida lista de autores dignos de atención. Literatura joven, adolece, sin embargo, de algunos defectos, propios unos de toda cultura incipiente, derivados otros del especial proceso histórico que han atravesado las repúblicas de origen hispano: revolución e independencia, luchas civiles, dictaduras, etc. Esto, antes o después, en todas ellas y casi sin excepción. Tales circunstancias han dado origen a una literatura que si momentáneamente pudo emocionar y arrastrar, más por lo que prometía que por lo que llevaba en sí, ahora, a ciento veinticinco años de distancia, se nos ofrece enriquecida con muy pocos quilates estéticos. Ya se entiende que nos referimos exclusivamente a la literatura del período inicial, la producida precisamente en la época de la emancipación, la anterior al Romanticismo. Pasado el momento ocasional que la inspiró, apenas interesa ya sino como un simple testimonio de época. De ese período de efervescencia y luchas políticas, sólo unas pocas composiciones, que supieron llegar al corazón removiendo fibras siempre sensibles y hablando de sentimientos eternos—libertad, independencia, igualdad social, odio a toda tiranía—, han logrado sobrevivir. Las demás desaparecieron en el inevitable naufragio del tiempo. Todo lo digno de recuerdo perteneciente al género lírico quedó ya anotado en capítulos anteriores. ¿Y el género narrativo?

Al hablar de narración nos referimos, claro es, ante todo, a la novela. Y un problema se nos plantea, desde luego, en la novelística americana.

Su tardía aparición. Mientras otros géneros, la historia, la poesía, llevan a principios del XIX—es decir, al iniciarse la independencia—, muchos años de vigencia, la novela casi no ha dado señales de vida. Otro problema es de índole metodológica: la novela hispanoamericana aparece con retraso; pero una vez nacida, adquiere extraordinaria vitalidad. Cultiva todos los tipos conocidos dentro del género y se manifiesta pujante y simultánea en el Norte y en el Sur, en el continente y en las islas, en el Atlántico y en el Pacífico. ¿Cómo hacer su exposición? ¿Aplicando un criterio cronológico, un criterio nacionalista o por estados, un criterio específico; es decir, conforme a la tradicional división de la novela en sus más caracterizados tipos?

El problema cronológico

Se viene considerando el *Periquillo Sarniento*, de Fernández Lizardi, como punto de partida de la novela americana. Según eso, esta novelística vendría a tener unos ciento cuarenta años de vida, ya que el *Periquillo Sarniento* data de 1816. No faltan autores que descubren rastros novelísticos en obras anteriores. Luis Alberto Sánchez remonta el origen de la novela casi en medio siglo y señala como precedentes inmediatos del *Periquillo* dos obras, por lo menos, de la segunda mitad del siglo XVIII: el *Lazarillo de ciegos y caminantes* (1773) y el *Siripo* (1789). Bien es verdad que el mismo Sánchez reconoce que hasta el segundo tercio del siglo XIX y «hasta bastantes años después de conseguir la independencia política», las naciones hispanoamericanas no tienen novela auténtica y propia; todo lo más que pueden ofrecer son algunos remedos europeos, en general de escasa calidad. Si lo que se busca es tal o cual elemento novelesco, entonces habría que retroceder hasta los mismos años de la conquista. Elementos de esta clase los encontramos en la *Crónica*, de Bernal Díaz del Castillo; en la *Relación del descubrimiento y conquista del Perú*, de Pedro Pizarro; en los *Comentarios reales*, del Inca Garcilaso de la Vega; en *Los Sirgueros de la Virgen*, de Francisco Bramón; en el *Gobierno eclesiástico*, de Gaspar de Villarroel; en *El cautiverio feliz*, de Francisco Pineda y Bascuñán, y en otras muchas crónicas, relaciones, etc., que llenan casi los dos primeros siglos del período colonial [1].

Pero aquí no se trata de eso. Se habla de la novela propiamente dicha; de la narración, imaginaria o histórica, compuesta por y para simple pasatiempo. Y en este sentido, las primeras obras que nos salen al paso son las tres citadas más arriba: el *Lazarillo de ciegos y caminantes*, el *Siripo* y el *Periquillo Sarniento*. ¿Causas de tan tardía aparición? Se han apuntado varias. Para unos fué la legislación que prohibía la entrada en América de esta clase de obras el principal motivo de la esterilidad del género durante el largo período de la Colonia; para otros, esa esterilidad se debe a la demora en la concesión de licencias para la publicación de libros en los territorios virreinales. Ambas suposiciones se nos antojan faltas de fundamento y hasta pueriles. Las prohibiciones nunca fueron tan rigurosas que impidieran la importación de obras imaginativas, tanto por conductos oficiales como clandestinos o de contrabando. Por documentos fidedignos sabemos que las novelas peninsulares de todo tipo—caballeresca, picaresca, pastoril, cortesana—circulaban por América con gran profusión. A veces, la importación de libros, no todos, por cierto, devotos, alcanzaban cifras de varios millares [2]. Tampoco la demora en las licencias de publicación nos explica este fenómeno: esas licencias se retrasaban el tiempo normal, dados los trámites reglamentarios y la distancia entre los virreinatos y la metrópoli. No había ninguna razón para que se negase a un escritor de Méjico o de Chile lo que se otorgaba a uno de Valencia o de Sevilla. Cuando un poeta o un historiador de aquellas tierras solicitaba autorización para editar un libro, se le concedía normalmente. Si no hubo concesiones de publicación de novelas es simplemente porque nadie las escribió; al menos, nadie las solicitó.

La razón es más sencilla, y no faltan críticos americanos que han acertado a señalarla [3]. La novela es y ha sido siempre un producto de madurez. Un poeta lírico puede surgir solitario y de improviso, porque para crear su obra no necesita salir del área de su propia personalidad. Le basta sentir, amar u odiar y decirlo en versos más o menos inspirados. Un historiador, y hasta un épico, en una sociedad primitiva y elemental, se entiende, reducen su labor a transmitir más o menos literariamente lo que han visto. Un novelista no puede realizar su labor como tal sin un mínimo de condiciones sociales, sin un medio humano apto para el cultivo del género. Supone la novela, por lo pronto, un Estado con vida propia; porque si ese Estado depende de otro y su vida se acompasa a la de éste, las producciones novelísticas que inspire serán análogas a las del Estado rector, ya que la vida del uno es sólo reflejo de la vida del otro. Durante el período colonial, la novela española satisfacía plenamente todas las exigencias, tanto en la Península como en los virreinatos, por no ser éstos, social y políticamente, sino una prolongación de aquélla. Cuando América anheló y empezó a buscar una novela propia es cuando se sintió con vida propia también. Entonces, con los primeros románticos, aparece la novela de ambiente y sello americano: *Amalia*, de Mármol; el *Facundo*, de Sarmiento, y tantas otras. No importa tanto su calidad estética como su valor representativo. Son ya narraciones, al igual que *El matadero*, de Echeverría, enraizadas en la psicología y en el ambiente social de los nuevos estados. Todo lo anterior, incluídos el *Lazarillo de ciegos y caminantes* y el *Periquillo Sarniento*, brotó en América como pudo brotar perfectamente en España. En líneas generales sigue fiel a la técnica y hasta a la temática predominante hasta entonces en la Península.

El problema metodológico

Son conceptos éstos tan claros que ya nadie los pone en duda. Más difícil de resolver es la cuestión del método aplicable a su estudio. ¿Cómo podemos clasificar primero y agrupar después la novela hispanoamericana, tan variada y tan múltiple, para que su exposición resulte clara y didáctica, a tenor del propósito inicial de nuestro libro? Esta dificultad, que en mayor o menor grado se nos ofrece en cada uno de los géneros literarios, se hace más patente en el análisis de la novela, tanto por su extensión, que abarca veinte naciones, como por su variedad. Téngase en cuenta que la novela nunca presenta una línea tan definida y uniforme como la lírica o el teatro.

La clasificación y estudio por períodos literarios, si tratándose de un solo país resulta ya dificultosa, mucho más lo es cuando hay que reducir a bloque común las aportaciones de gran número de países, que, aunque unidos por estrechos vínculos espirituales y por una misma lengua, se manifiestan, al menos en este género literario, con fundamentales divergencias. No es ni puede ser la misma la novela mejicana que la argentina, o la peruana que la de Cuba y Venezuela. Su estudio por naciones ofrecería, es cierto, algunas ventajas: un señalamiento más preciso de la línea ideológica que la preside y una puntualización mejor de los elementos autóctonos; pero entrañaría graves inconvenientes. Por lo pronto perderíamos la concepción como un todo armónico de las diversas literaturas emanadas de una misma lengua, y nos obligaría a repetir análogos conceptos al estudiar los mismos movimientos en cada uno de los países, porque sabido es que en todo movimiento literario se funden dos corrientes: la de imitación exterior, con el consiguiente aprovechamiento de modelos, y la que nace del fondo autóctono de cada país. Algunos historiadores han tratado la novela americana agrupándola por temas. Así, entre otros, Torres Rioseco y el ya aludido Luis Alberto Sánchez [4]. El primero la clasifica en novela gauchesca, urbana, artística, de la tierra, de la ciudad, foránea, etc.; el segundo nos habla de novela sentimental, de aventuras, policíaca, autobiográfica, política, social, naturalista, proletaria, con otros tipos y subtipos similares. Ambos procedimientos parecen poco prácticos, ya que obligan a la mención de un mismo autor en diversos apartados, con todo el fraccionamiento de la personalidad literaria que esto supone. ¿En qué grupo incluiríamos a novelistas tan representativos como Rómulo Gallegos, Gálvez, Ocantos, Reyles, Azuela, Larreta, Barrios, Hugo Wast, Güiraldes y tantos otros cuya obra se extiende a una temática tan dispar? Si hasta el Realismo cualquier intento de clasificación ofrece cierta facilidad, no ocurre lo mismo a partir del último tercio del siglo pasado, en que escuelas, modas y técnicas se suceden con rapidez asombrosa, dando lugar a la coexistencia y hasta yuxtaposición de muchas de ellas.

Menos puede satisfacer aún, aunque está muy de moda, el método generacional. Aplicado con la amplitud con que lo hacen algunos historiadores, apenas se diferencia de la natural y obligada ordenación cronológica; y en todo caso, nos llevaría a una superposición de escuelas, tales como Romanticismo y Realismo. Está comprobado que una moda, un nuevo género literario, hasta todo un movimiento, sin desconocer que en buena parte depende de influencias exteriores y de un estado espiritual interno y colectivo, sólo se impone y triunfa por la recia personalidad que irradia un escritor genial: Lope de Vega y Shakespeare crean el teatro nacional español e inglés, respectivamente; Cervantes, la novela moderna; Zola, la novela de tipo naturalista. Esos escritores geniales son, más que producto de una escuela o tendencia, los creadores de la misma. Forman a otros en torno suyo, y nada importa que dentro de la escuela por ellos formada pueda surgir un discípulo que aventaje al maestro.

Por todo ello, y sin pensar que hayamos dado con el método perfecto, aplicaremos a la novela los mismos procedimientos que venimos aplicando a los otros géneros. La estudiaremos, por tanto, con arreglo a estos principios:

1.º Atendiendo a los períodos literarios universalmente admitidos: Romanticismo, Realismo, Naturalismo, etc.

2.º Agrupando las producciones de cada período en bloques de relativa unidad geográfica.

3.º Centrando ese mismo período en sus figuras más representativas, a las que se estudia con relativa extensión.

Sin más preámbulos vayan en este capítulo unas breves referencias sobre las primeras creaciones del género.

II. LA PROTONOVELA

Prescindimos aquí del *Siripo*, de Lavardén, obra que pertenece al teatro, a pesar de la abundancia de elementos novelescos que contiene. Como pieza escénica ha sido siempre considerada, y como tal fué estrenada en 1789. A ella aludiremos en la parte dedicada al teatro.

«El lazarillo de ciegos y caminantes»

Anterior al *Siripo*, en varios años, es el *Lazarillo de ciegos y caminantes,* impreso en Gijón, en 1773. Aquí sí que nos hallamos ante un relato de corte novelístico. Y no porque la acción y peripecias que lo integran sean producto de la imaginación del autor, ya que más bien todo induce a creer que reproducen hechos reales, sino por el modo de narrarlas y por la construcción general del libro. Constituye éste para el historiador una fuente de valor inapreciable, por la ingente cantidad de datos que suministra sobre la vida y costumbres de la época en buena parte de la América española. Aprovecha el autor un largo viaje, desde Montevideo a Lima, pasando por Buenos Aires, con un recorrido de 946 leguas, para darnos una vivísima descripción de cuantos lugares, gentes, ciudades y países van desfilando ante sus ojos. Y en todo instante acredita un temperamento tan sagaz como observador y minucioso. Por el modo desenfadado de expresarse está en la línea de los buenos maestros de la picaresca.

Poco se sabe del autor. Según la portada, se llamaba don CALIXTO BUSTAMANTE CARLOS INCA, más conocido por el seudónimo de *Concolorcorvo*, bajo el cual intentó sin duda ocultar su verdadero nombre. Es probable que el apellido Bustamante fuese tan falso como el pie de imprenta, que reza: «En Gijón, año de 1773», pues consta haberse impreso clandestinamente en Lima, con esa misma fecha [5]. En la portada se dice también que fué «sacado de las Memorias que hizo don Alonso Carrió de la Vandera», comisionado por la Corte para el arreglo de Correos y Estafetas desde Montevideo [6]. Hay quien supone que este Carrió de la Vandera, y no otro, fué su verdadero autor. El se da por natural de Cuzco y «descendiente de sangre real tan recta como la del arco iris». El sobrenombre de *Concolorcorvo* lo justifica por tener el color de ala de cuervo. Sea de ello lo que fuere, se trata de un libro amenísimo, en cuya lectura no decae el interés ni un solo momento, y escrito con todo el desgarro con que lo habrían hecho un Quevedo o un Torres Villarroel. «Yo soy indio neto—nos dice ya en el prólogo—, salvo las trampas de mi madre, de que no salgo por fiador. Dos primas mías, coyas, conservan la virginidad, a su pesar, en un convento de Cuzco, en donde las mantiene el rey nuestro señor. Yo me hallo en ánimo de pretender la plaza de perrero de la catedral de Cuzco para gozar inmunidad eclesiástica, y para lo que me servirá de mucho mérito el haber escrito este itinerario.» Y en el mismo prólogo declara que formó su obra «con ayuda de vecinos, que a ratos ociosos me soplaban a la oreja, y cierto fraile de San Juan de Dios, que me encajó la introducción y los latines». No hace falta más para descubrir el tono de la obra.

Pero aun compuesto en ese estilo, mitad jocoso, mitad serio e informativo, el *Lazarillo de ciegos* es un valiosísimo documento de época, que ofrece el triple interés descriptivo, didáctico y crítico. Las descripciones se refieren tanto a la Naturaleza como al elemento humano, tanto al arte y costumbres como a la vida: viajes, juegos, diversiones, ferias, comercio, agricultura, minería, cuestiones idiomáticas, prácticas religiosas, supersticiones, casamientos y costumbres de los indios, etc. En lo didáctico pone al servicio del lector su propia experiencia, que no es pequeña, y su consejo, casi siempre acertado. En cuanto crítico censura vicios y señala defectos subsanables. De esta actitud crítica nace en gran parte el tono patriótico que informa el libro, y que se convierte en polémica cuando se trata de exculpar a los españoles de las acusaciones que constituyen la base de la «leyenda negra», o cuando se alude a la obra civilizadora de España en Indias. Los capítulos XVI y XVII de la segunda parte compensan las diatribas que a la sazón dirigían a España otros americanos. No falta quien por tal motivo supone que el autor debió de haber nacido en España [7].

La producción novelística de Fernández Lizardi

El *Lazarillo de ciegos y caminantes*, aun abundando en elementos novelescos, no rebasa literariamente la categoría del clásico libro de viajes. Hay que llegar al *Periquillo Sarniento* (1816), del mejicano JOSÉ JOAQUÍN FERNÁNDEZ DE LIZARDI (1776-1827) [8], para dar con una novela auténtica, escrita en función de tal novela, y en cuyas páginas se cumplen todos los requisitos del género. La mayor parte de los historiadores de la literatura hispanoamericana así la considera, y sin

duda están en lo cierto. El *Periquillo Sarniento* es. ni más ni menos, la primera muestra del género en Hispanoamérica.

Fué una circunstancia casual la que llevó a Lizardi, que hasta entonces sólo había cultivado la prosa y verso en su tipo populachero, al campo de la novela. Dedicado al periodismo, había defendido con ardor, en numerosas composiciones y artículos, la libertad de pensamiento a tenor del ideario de la Enciclopedia. Pero triunfante la reacción absolutista en España y restaurada la Inquisición, algunos de sus artículos fueron condenados por la censura. Entonces resolvió cultivar la novela, y en tres volúmenes sucesivos apareció, en 1816, el *Periquillo Sarniento* [9]. El cuarto volumen, prohibido de momento, no vió la luz hasta 1830, con carácter póstumo. Se puede decir que, a partir de aquella fecha, la literatura americana cuenta con una obra característica en su género. No una novela perfecta, mucho menos genial; pero sí típica y altamente representativa. Con muchos rasgos de la picaresca—autobiografismo, realismo descriptivo, tránsito del protagonista por diversos estados y al servicio de varios amos, preferencia por ambientes sórdidos, intención moralizadora, propósito didáctico—, el *Periquillo Sarniento* nos presenta un cuadro muy animado de la sociedad mejicana en los finales del XVIII y principios del XIX. Y ello con un estilo natural, ágil y llano, si bien descuidado con exceso y no siempre exento de rasgos de mal gusto. Como algunos pícaros de nuestro siglo de Oro, también Periquillo quiere que su vida sirva al lector de ejemplo y de escarmiento. Sus continuas andanzas por los más distintos medios sociales dan ocasión al autor para pasar revista al mundo de la época, abordando de paso cuestiones de toda clase: políticas, morales, religiosas, educativas, etc. Periquillo ha sido víctima de la opuesta actitud de sus padres ante la vida. Ya en la escuela ha tenido que sufrir las burlas de sus compañeros. Muerto su padre y en posesión de la herencia, desiste de su inicial propósito de hacerse fraile y dilapida su salud y fortuna en el juego y las mujeres. En la cárcel, a donde le lleva su disipación, conoce al licenciado Chanfainas y al bondadoso don Antonio, que le nombra su heredero. Puesto en libertad, ejerce la medicina entre los indios. Contrae matrimonio y se hace sacristán; pero viudo al poco tiempo, se dedica a navegar. Naufraga, traba amistad con un mandarín chino; regresa a Méjico, donde contrae nuevo matrimonio. El ejercicio de la penitencia hace que muchos le tengan por santo; pero el autor se apresura a declararnos que el arrepentimiento es fingido, por no ir acompañado de «dolor de corazón». He aquí la clásica novela picaresca a la española.

Para serlo en todas sus partes, ni siquiera le falta el consabido sermoneo. Lizardi se nos presenta ante todo como un reformista, sin hacer

nada por disimularlo. Prescindiendo de las digresiones morales al modo del *Guzmán de Alfarache,* este propósito se descubre en la contextura
general de la obra tanto como en la disposición
de los episodios. Arranca ya de dos conceptos o
tipos de educación contradictorios, representados
por el padre y la madre del protagonista. Ello nos
explica la conducta de éste. Lizardi no es un pesimista frío, mucho menos un crítico negativo. Si
señala defectos, sugiere al lado la manera de ata-
jarlos. Nutrido en la filosofía racionalista del XVIII,
se limita a reproducir la realidad tal como se ofrece ante sus ojos; pero piensa que esta realidad es
susceptible de mejora, y que tal mejora sólo puede lograrse mediante la educación y la instrucción.
Hace, pues, pasar a Periquillo, en su infancia, por
tres escuelas, que encarnan tres sistemas pedagógicos distintos, e inmediatamente nos expone el suyo,
el que Lizardi considera mejor.

Menos importante en el aspecto histórico que
el *Periquillo,* pero más lograda en el literario, es
otra novela de Lizardi, *Don Catrín de la Fachenda,*
sátira de un tipo harto frecuente en todas las sociedades y épocas: el caballero de industria que
apela a cualquier medio para vivir con holganza.
Lizardi ha dado aquí un largo paso. Narra con
mayor soltura, construye con mano más firme
y sabe eslabonar los episodios con tal habilidad
que el lector pasa de uno al otro casi sin sentirlo.
No tiene el abigarramiento colorista del *Periquillo;* pero es más equilibrado, de proporciones más
armónicas, aunque presidido siempre por el mismo espíritu didáctico y moralizante. Se trata de
un joven de buena familia mejicana que, orgulloso de su progenie, desprecia el trabajo honrado
y va cayendo, a través de diversas profesiones y
oficios, a cual más indigno—sirviente de un prostíbulo, tahur, estafador—, hasta llegar a las mayores bajezas. Una suave ironía, que recuerda a
Cervantes, matiza los pasajes más crudos de la
narración.

De menos quilates literarios es *La Quijotita y
su prima,* título que corresponde al apodo puesto
por un grupo de amigos a la protagonista, doña
Pomposita, en gracia a su carácter altivo y soñador. Lizardi justifica la composición de esta
novela mediante una carta, que supone escrita por
una señora, y en la que se le insinúa que, habiendo tratado de los hombres en el *Periquillo,* parece
justo que se ocupe de las mujeres en una segunda
obra. *La Quijotita,* con rasgos que rememoran
La señorita malcriada, de Iriarte, es simplemente
una sátira de la educación que reciben las jóvenes
de su época. Lizardi toma aquí muy en serio su
papel de admonitor. Habla del matrimonio y establece cuatro tipos de varones: de buen corazón
y mala cabeza; de buena cabeza y mal corazón;
de buen corazón y buena cabeza, y de mala cabeza y mal corazón. Es la más endeble de sus
novelas, si es que puede darse este nombre a una

obra en que la abundancia de consejos, casi siempre pedantescos y pueriles, sobre toda clase de materias ahoga casi la narración. Fenelón y Rousseau son sus modelos más próximos.

Basándose en las *Noches lúgubres,* de Cadalso,
escribió Lizardi sus *Noches tristes y día alegre*
(1818), uno de los productos augurales del romanticismo americano, como la obra del coronel español lo fué del peninsular. Lo que debe a nuestro
escritor el mejicano lo sabemos por su propio testimonio: «Desde que leí las *Noches lúgubres,* del
coronel don José Cadalso, me propuse escribir
otras *Tristes,* a su imitación; y en efecto, las escribí y las presenté aprobadas con las licencias
necesarias... Yo no digo que he imitado su estilo,
sino que quise imitarlo... El católico que esté penetrado de estos religiosos sentimientos tiene mucha ventaja para sobrellevar los trabajos y miserias
de esta vida sobre el impío y el incrédulo ateísta.»
En el fondo se reduce a una apología de la resignación cristiana, para lo que el autor se vale
de una exigua trama novelesca: las tribulaciones
de un buen hombre, Teófilo, acusado injustamente de triple asesinato y perseguido sin tregua por
la adversidad. Un vago sentimiento deísta se diluye por toda la obra; sentimiento perceptible, sobre todo, en la insistencia de la partícula «teo»
para la onomástica de los personajes: Teófilo, Teodoro, Dorotea. Contra el ateísmo, el perjurio, el
interés del dinero, la hipocresía, falsa amistad, etc.,
Lizardi arremete a cada momento.

Completan la producción literaria del *Pensador
mejicano*—así gustaba llamarse Lizardi—una nutrida serie de folletos y artículos: *Alacena de
frioleras, Ratos entretenidos, El conductor eléctrico,* etc.; numerosísimas poesías, en su mayor
parte de carácter festivo y satírico; unas *Fábulas,*
que gozaron de amplia difusión en su tiempo, y
algunas piezas teatrales en la línea sentimental y
filantrópica de la época, como *El negro sensible*
y *La noche más venturosa.* En el *Auto mariano,*
sobre la aparición de la Virgen de Guadalupe, nos
ofrece una muestra de teatro religioso.

Un juicio definitivo de Lizardi como escritor
sólo puede formularse inscribiéndole previamente
en su tiempo y teniendo en cuenta las circunstancias de su vida. Lizardi es un espíritu liberal,
nutrido a los pechos de la Enciclopedia, y esto
explica su actitud como defensor acérrimo de la
razón y de la libertad. De aquí nace también su
nota libelista y su afán reformador, un poco ingenuo. Produce su obra en época de gran efervescencia: régimen liberal, Cortes de Cádiz, absolutismo fernandino, en la Península; lucha
emancipadora, en su propio país. Es un caso de
adecuación exacta entre la vida y la obra. Como
Cervantes, con quien se ha comparado, salvando
la natural distancia, Lizardi, recoge de la vida,
mucho más que de los libros, los materiales de
su obra. Lo que no quiere decir que relegase los

libros a ínfimo plano; precisamente se sabe que era un lector asiduo. Otras analogías tiene con el manco genial: hijo también de médico; autodidacta, casi, como aquél; sabe de las amarguras de la vida y hasta de los suplicios de la cárcel. Pero las analogías apenas pasan de ahí. Ni por el fondo ni por el estilo pueden parearse. Más que en la línea del autor del *Quijote* está en la del autor del *Guzmán*, por el prurito moralizador, que en Lizardi constituye una obsesión. Y más aún por su acerba crítica, en la de Larra, aunque sin la mordacidad de éste. Tampoco tiene el estilo limpio, acerado y siempre correcto del costumbrista español. El de Lizardi, abundante y fácil, adolece, con excesiva frecuencia, de falta de retoque. Consecuencia sin duda de su oficio de periodista. Porque antes que nada Lizardi era un periodista. El mismo se adelantó a señalar sus defectos: «Me avergüenzo de ver impresos errores que no advertí al tiempo de escribirlos. La facilidad con que escribo no prueba acierto.» Sólo en *Noches tristes y día alegre* se advierte una preocupación academicista, como si quisiera demostrarnos que, aunque descuidado de ordinario, también sabía escribir correctamente.

«Jicoténcal» y otras creaciones del género

Todavía, antes de pasar a la novela romántica en Hispanoamérica, que relegamos para otro capítulo, encontramos dos o tres producciones dignas de mención. Y es la primera un relato que, con el título de *Jicoténcal*, apareció en Filadelfia, en 1826. Se desconoce el nombre del autor. Se le ha supuesto mejicano, sin otras razones que su animosidad hacia Hernán Cortés. Pero la misma o parecida aversión demuestra hacia Moctezuma. Imbuído del ideario liberal y antiesclavista, que pronto ha de informar multitud de obras americanas de todo género, ve en Cortés y en Moctezuma dos déspotas de actuación igualmente reprobable. En cambio, considera a Tlascala como una República casi ideal.

Los dos Jicoténcal, el viejo y el joven, encarnan la libertad y el heroísmo. Pero sería inútil buscar en esta obra el sentimiento nacional, entendido a la moderna; a lo sumo, encontraríamos un vago filantropismo, muy en consonancia con las ideas del autor, perfectamente encajado en el siglo XVIII. Lo que da cierta categoría a *Jicoténcal* y la hace acreedora a nuestro recuerdo es su antigüedad cronológica. Dentro de la novela histórico-romántica ostenta, en opinión de la mayoría de los críticos, una primacía al parecer indiscutible. Incluso precede en dos años a la primera narración de este género de autor español conocido [10]. Pero sus méritos literarios son escasos: paisaje convencional, falta de ambientación, ausencia de perspectiva histórica y una manera de pensar y de expresarse en los personajes que recuerda más a un racionalista de la ilustración que a un indígena de los tiempos de la conquista. Poco o nada de Walter Scott; mucho de Marmontel, de madame de Genlis, de madame Cottin. En esta novela, como acertadamente ha dicho Anderson Imbert, «no se cuenta, se predica» [11].

Mayor interés psicológico, aunque no literario, ofrecen las *Cartas americanas, políticas y morales* (dos volúmenes, Filadelfia, 1825), del fecundísimo y extravagante publicista MANUEL LORENZO DE VIDAURRE (1773-1841). Imitan las *Confesiones*, de Rousseau, y no sólo en los aspectos sentimental e ideológico, sino también en el cinismo y despreocupación. Júzguese por estas palabras del preámbulo: «Yo tengo la gloria de haber inspirado a los cuarenta y un años de mi edad una pasión violenta a la joven más hermosa de mi país. Aún la tengo mayor de haberla dirigido por el camino de la virtud. Este esfuerzo, casi contrario a las leyes de la Naturaleza, me acercó a los bordes del sepulcro.» Sacrificio inútil, puesto que a renglón seguido nos enteramos de que Vidaurre no vaciló en macular la honestidad de tan hermosa joven, convirtiéndola en madre ilegal. Más celebridad le dieron otros escritos, y entre ellos el *Vidaurre contra Vidaurre*, duramente combatido por el famoso padre fray Vicente Solana y prohibido por la curia eclesiástica de Lima, a causa de sus muchas proposiciones censurables. Vidaurre llevó la representación de su patria, Perú, en el Congreso de Panamá, en 1826.

En la línea autobiográfica y costumbrista de Lizardi debemos mencionar todavía al guatemalteco don ANTONIO JOSÉ DE IRISARRI (1786-1868), ya aludido antes como poeta satírico de cierta nota. Espíritu inquieto, de vida azarosa, Menéndez Pelayo le califica como «uno de los hombres de más entendimiento, de más vasta cultura, de más energía política y de más fuego en la polémica que América ha producido» [12]. Prosista de nervio, compuso dos obras, mezcla de novela y autobiografía: *El cristiano errante* y la *Historia del perínclito don Epaminondas del Cauca*. La primera (Bogotá, 1847) relata su vida hasta 1811, en que llega a Valparaíso. Anuncia una segunda parte, que no se publicó. En lo estilístico refleja la influencia de Quevedo, y en lo ideológico debe situarse en la línea de nuestros grandes satíricos del XVIII: Forner, Iriarte, Jorge Pitillas, Moratín hijo. Libre de la obsesión moralista de Lizardi, también le supera en pureza de estilo, ya que Irisarri es autor de unas *Cuestiones filológicas*, que demuestran preocupación por el idioma. La *Historia del perínclito Epaminondas del Cauca* (1863), a pesar de su tardía aparición, pertenece también con pleno derecho a la época que estudiamos. Tiene por fondo la guerra de la independencia en Nueva Granada y refleja, con ingenio y sarcasmo, tanto el caciquismo criollo como la politiquería mestiza, tomando por modelo, según advierte la crítica, al maestro de Bolívar, don Simón Rodríguez.

NOTAS

1. «La novela francesa—escribe Luis Alberto Sánchez—, como la británica, la alemana, la italiana y la rusa, poseen ya su estilo inconfundiblemente. Si la novela americana estuviera en la misma condición, es decir, si tuviera ya su estilo propio, su manera típica, podría hablarse con propiedad de la novela (o novelística) americana. Mas si las muchas novelas escritas por americanos, en América o fuera de ella, lejos de lucir acento particular compiten en parecerse más o menos a la italiana, rusa, tudesca, británica, española o gala, pues entonces tales obras no pasan de ser sino novelas escritas por americanos, lo cual no es igual que escribir novelas americanas, y muchísimo menos la novela americana. Confieso, sí, que en los últimos veinticinco años los novelistas americanos han comenzado a ponerse a tono con su realidad y, por consiguiente, a encontrar una expresión cada vez más precisa y mejor adaptada a su sujeto... Puede asegurarse que la novela americana apareció embrionariamente mezclada a la crónica en el siglo XVII; se perfila como descripción, rama de la geografía y como relato de la sociología, en el siglo XVIII; se perfecciona técnicamente en el siglo XIX, y halla su personalidad, su rumbo, sólo en el XX. Las excepciones no hacen clima; apenas lo anuncian.» (*Proceso y contenido de la novela hispano-americana*, capítulo II, págs. 50 y 53, Edit. Gredos, Madrid, 1953.)

2. En 22 de febrero de 1583, el librero limeño Julio Jiménez de Río solicitaba de su amigo Francisco de la Hoz, a la sazón en España, el envío de 2.230 libros, repartidos en ciento treinta y cinco títulos: *La Celestina, Lazarillo de Tormes, Amadís de Gaula, Belianis de Grecia, El caballero del Febo*; los poemas épicos de Ercilla, Ariosto, Boyardo; las poesías de Garcilaso, etc. Piénsese en la difusión que tuvieron en América las novelas de Cervantes —el *Quijote* llegó a las Indias el mismo año de su publicación, según ha demostrado Rodríguez Marín—, el *Guzmán de Alfarache*, las obras de Lope de Vega, etc.

3. Por ejemplo, Julio A. de Leguizamón, en su varias veces citada *Historia de la literatura hispano-americana*, vol. II, pág. 96.

4. El primero, en *La gran literatura hispano-americana*, Buenos Aires, 1945, y en *La novela en la América hispana*, Berkeley, 1939; el segundo, en su obra citada: *Proceso y contenido de la novela hispano-americana*.

5. No es improbable que se tratara de una sola edición, consignándose en algunos ejemplares una ciudad peninsular para evitar la posible intromisión de la censura.

6. El título completo es así: *El Lazarillo de ciegos y caminantes, desde Buenos Aires hasta Lima, con sus itinerarios según la más puntual observación, con algunas noticias útiles a los nuevos comerciantes que tratan en mulas; y otras históricas. Sacado de las Memorias que compuso don Alonso Carrió de la Vandera en este dilatado viaje, y comisión que tuvo por la Corte para el arreglo de Correos y Estafetas, situación y ajuste de Postas, desde Montevideo. Por don Calixto Bustamante Carlos Inca, alias Concolorcorvo, natural de Cuzco, que acompañó al referido Comisionado en dicho viaje y escribió sus extractos. Con Licencia. En Gijón, en la imprenta de Rovada. Año de 1773.*

7. Véase por el siguiente diálogo: «No pase usted adelante, señor inca, me dijo el visitador, porque ésta es una materia que ya no tiene remedio. Me parece que usted, con sus principios, pretende probar que la conquista de los españoles fué justa y legítima, y acaso la más bien fundada de cuantas se han hecho en el mundo. Así lo siento, le dije, por sus resultas en ambos imperios, porque si los españoles, siguiendo el sistema de las demás naciones del mundo, hubieran ocupado los principales puertos y puestos de estos dos grandes imperios con buenas guarniciones, y tuvieran unos grandes almacenes surtidos de bagatelas, con algunos instrumentos de hierro para trabajar cómodamente las minas y los campos, y al mismo tiempo hubieran respetado algunos buenos operarios para que les enseñasen su uso, y dejasen a los incas, caciques y señores, pueblos en su libertad y ejerciendo abominables pecados, lograría la monarquía de España sacar de las Indias más considerables intereses. Mis ante-

pasados estarían más gustosos, y los envidiosos extranjeros no tendrían tantos motivos para vituperar a los conquistadores y pobladores antiguos y modernos.» «Los españoles reconocieron la inhumanidad de los indios, y desde entonces dió principio la desconfianza que tuvieron de ellos y los trataron como a unos hombres que era preciso contenerlos con alguna especie de rigor y atemorizarlos con algún castigo, aun en faltas leves, para no ser confundidos y arruinados de la multitud. A los piadosos eclesiásticos que destinó el gran Carlos I, rey de España, les pareció que este trato era inhumano, y por lo mismo escribieron a la Corte con *plumas ensangrentadas*, de cuyo contenido se aprovecharon los extranjeros para llenar sus historias de dicterios contra los españoles y primeros conquistadores...» (Cap. XVI: «Defensa del conquistador.— Inhumanidad de los indios».)

8. Nace en Méjico, según Iguíniz, el 15 de noviembre de 1776. Pero los historiadores no están de acuerdo en la fecha. Luis G. Obregón da el 1774; Pimentel, el 71; Leguizamón, el 78. La de Iguíniz parece corresponder no al nacimiento, sino al día en que fué bautizado. Su padre, médico de profesión, deseoso de mejorar, se traslada a Tepotzotlán, donde el futuro novelista aprende primeras letras. Nuevamente en Méjico, cursa Gramática y Latinidad al lado de un don Manuel Enríquez. Ingresa en el colegio de San Ildefonso, donde estudia Filosofía, y luego, Teología en la Universidad. La muerte del padre le obliga a suspender los estudios para ganarse la vida como escribiente. Actúa de juez interino en Tasco y en Acapulco. Hacia 1811 se da a conocer por sus «Letrillas». Interviene en política, simpatizando con Morelos. Decretada la libertad de imprenta por las Cortes de Cádiz, publica *El Pensador Mexicano*, periódico de tendencia satírica y anticlerical, lo que le ocasiona no pocos disgustos, enemistades y persecuciones. En 1816 da a la estampa el *Periquillo Sarniento*. Restablecida la censura, se le encarcela, y luego, en 1822, es calificado de herético y excomulgado por su folleto *Defensa de los francmasones*. Absuelto, previa rectificación, se le destierra por motivos políticos. Muere, víctima de la tuberculosis, el 21 de junio de 1827.

9. El verdadero nombre del protagonista era Pedro Sarmiento. He aquí cómo explica él mismo la transmutación: «Tenía, cuando fuí a la escuela, una chupita verde y calzón amarillo. Estos colores y el llamarme mis maestro algunas veces por cariño Pedrillo facilitaron a mis amigos mi mal nombre, que fué Periquillo; pero me faltaba un adjetivo que me distinguiera de otro Perico que había entre nosotros, y este adjetivo o apellido no tardé en lograrlo. Contraje una enfermedad de sarna, y apenas lo advirtieron, cuando, acordándose de mi legítimo apellido, me encajaron el retumbante título de Sarniento, y heme aquí ya conocido, no sólo en la escuela ni de muchacho, sino ya hombre y en todas partes, por Periquillo Sarniento.»

10. Si consideramos *Jicoténcal* como novela romántica, precedió, en efecto, en dos años a la primera muestra del género en la Península—*Ramiro, conde de Lucena* (1828), de Rafael de Húmara—, y en cuatro a *Los bandos de Castilla*, de López Soler, cuyo prólogo constituye el primer manifiesto de la novela romántica española. Creemos, no obstante, que la novela americana que nos ocupa no puede situarse, ni por el estilo ni por la ideología, en la línea romántica, sino en la liberal, filantrópica y, hasta si se quiere, internacionalista del siglo XVIII, de la que entre nosotros nos ofreció amplias muestras Pedro de Montengón en *Eudoxia, hija de Belisario* (1793) y *Rodrigo*, que el autor domina «romance épico». Textos como los siguientes son harto significativos: «Este generoso y valiente americano (Jicoténcal) proyectaba una venganza noble y digna de un alma republicana, y, cual otro Bruto, juró la muerte del tirano». No hay sentimiento nacional; a Hernán Cortés se le infama, no por ser español, sino por tiranizar a los indios: «Si ese extranjero (Hernán Cortés), cuyas prendas me admiraron, se hubiera puesto de parte de la justicia y de la equidad; si nos hubiera dado ejemplo de moderación, de sabiduría y de virtud, ¿qué importa de la parte que nos viniera el bien, como los pueblos fueran felices?»

11. Vid. *Notas sobre la novela histórica en el siglo XIX*, «Estudios sobre escritores de América», páginas 27-30, Edit. Raigal, Buenos Aires, 1954. En el mencionado estudio Anderson Imbert se inclina por la naturaleza española del autor de *Jicoténcal*.

12. *Historia de la poesía hispanoamericana*, vol. I, pág. 196.

BIBLIOGRAFIA

I. F. GAMBOA: *La novela mexicana* (conferencia), Méjico. 1914.—L. GONZÁLEZ OBREGÓN: *Noticias sobre los novelistas mexicanos del siglo XIX*, Méjico, 1889.—A. HENESTROSA: *Cuatro siglos de literatura mexicana*, Méjico, 1946.—F. MONTERDE: *Cultura mejicana: Aspectos literarios*, Méjico, 1946.—JOAQUINA NAVARRO: *La novela realista mexicana*, Méjico, 1953.—A. QUIROZ: *Situación de la literatura mexicana*, Méjico, 1934.—J. LLOYD READ: *The Mexican Historical Novel: 1826-1910*, Hispanic Institute, Nueva York, 1939.—H. SILLER: *Escritores mexicanos: semblanzas literarias*, Saltillo, Méjico, 1937.—A. TORRES RIOSECO: *Bibliografía de la novela mexicana*, Harvard University, 1933.—L. G. URBINA: *La literatura mejicana durante la guerra de Independencia*, Madrid, 1917.—GRACIA MARÍA VARGAS: *El cuento y la novela corta en México en algunos escritores del siglo XIX*, Méjico, 1937.—E. R. MOORE: *La primera novela histórica mexicana: «La caida de Fernando»*, «Rev. de Liter. Mexicana», I, 1940.—A. YÁÑEZ: *«Los sirgueros de la Virgen» y «La portentosa vida de la muerte»* (pról. y selección), Biblioteca Escolar Universitaria, núm. 45, Méjico, 1944.

II. B. S. BOSE WALTER: *«El Lazarillo de ciegos y caminantes» y su problema histórico*, La Plata, 1941.—

M. LEGUIZAMÓN: *Notas bibliográficas y biográficas a la edición de «El Lazarillo de ciegos y caminantes»*, Junta de Historia y Numismática de Buenos Aires, 1908.—F. F. MONJARDÍN: *Quién fué el autor del «Lazarillo de ciegos y caminantes»*, Instituto de Investigaciones Históricas, Fac. Filosofía y Letras, Buenos Aires, 1928.—L. GONZÁLEZ OBREGÓN: *Novelistas mexicanos: Don José Joaquín Fernández de Lizardi*, Ediciones Botas, Méjico, 1938.—F. MONTERDE: *Fernández de Lizardi, novelista*, «Cultura Mexicana», Méjico, 1946.—J. DE J. NÚÑEZ Y DOMÍNGUEZ: *«El pensador mexicano», feminista*, «Los poetas de México», Paris-Méjico, 1918; *La poesía en «Periquillo Sarniento»*, «Los poetas jóvenes de México», Paris-Méjico. 1918.—A. REYES: *El «Periquillo Sarniento» y la crítica mexicana*, «Simpatías y diferencias», 3.ª serie, Madrid, 1922.—L. A. SÁNCHEZ: *José J. F. de Lizardi*, «Escritores representativos de América», vol. I, Edit. Gredos, Madrid, 1957.—JEFFERSON REA SPELL: *Fernández de Lizardi: The Mexican Feijóo*, «Rom. Review», vol. XVII, 1926; *The Life and Works of José J. Fernández de Lizardi*, Filadelfia, 1931; *Fernández de Lizardi: A bibliography*, «Hispanic American Review», vol. VII, 1927; *Don Catrín de la Fachenda*, Edit. Cultura, Méjico, 1944.—A. YÁÑEZ: *José F. de Lizardi* (estudio preliminar), Universidad Nacional de Méjico, 1940.

R. DONOSO: *Escritos polémicos de Irisarri*, Santiago de Chile, 1934; *Antonio José de Irisarri*. Santiago de Chile, 1950.

CAPITULO LVIII

EL TEATRO HISPANOAMERICANO ANTERIOR AL ROMANTICISMO

I. Primeras manifestaciones: *Discriminaciones previas. Cambio de influencias. El «Siripo», de Lavardén. «El amor de la estanciera».*—II. Período de la Independencia: *La «Sociedad del Buen Gusto». La «Camila», de Henríquez, y otras piezas neoclásicas. Dramaturgos colombianos y peruanos.*—III. El teatro mejicano: *Gorostiza. Vida y obra. Análisis de algunas comedias. Juicio crítico.*—Notas.—Bibliografía.

I.   PRIMERAS MANIFESTACIONES

Los orígenes del teatro hispanoamericano han de buscarse, como los del español, como los del europeo de la Edad Media, en la liturgia cristiana. Las primeras representaciones de que hay noticia en América tuvieron por escenario los templos o el atrio de las iglesias. Ni más ni menos que en España o en Francia. Julio Callet-Bois recuerda una farsa de la Asunción, representada el día del Corpus y hacia el año 1543 [1]. Medio siglo más tarde, exactamente en 1588, los estudiantes de Santo Domingo «hacían» en la catedral una comedia religiosa del canónigo don Cristóbal de Llerena. Y también, al igual que entre nosotros, las autoridades eclesiásticas tuvieron que intervenir muy pronto, para cortar abusos y evitar chocarrerías. Las fiestas creadas para edificación de los fieles se habían paganizado [2].

Es difícil precisar la existencia de un teatro precolombino. Si llegó a existir, como quieren algunos, hay que reconocer que, por ahora, de él no quedan vestigios. La que se considera como primera muestra de un teatro autóctono americano, el *Siripo*, de Lavardén, es de tema colonial y amoldada por su concepción y técnica al teatro europeo. El teatro americano, hasta principios del XIX, es de clara influencia española y obra, en su mayor parte, de misioneros o sacerdotes que nada o muy poco deben al elemento indígena. Los dramaturgos más importantes del Nuevo Mundo, sean del siglo XVII, como Alarcón y Agustín de Salazar (nacido éste en España), sean del XIX todavía, como Gorostiza o Ventura de la Vega, se suelen incluir, con mayor o menor fundamento, en la literatura española, porque fué en España donde desarrollaron por completo su actividad y fueron españoles los temas que trataron. Otro camino cabría seguir con sor Juana Inés de la Cruz y Gertrudis Gómez de Avellaneda. Aquélla nace y vive en Méjico; ésta, aunque pasa a Es-

paña muy joven y en España cosecha sus mejores laureles, se puede decir que mira a dos mundos. La temática americana no está ausente de su obra. Esta consideración nos mueve a incluirlos en esta parte de nuestra literatura [3].

Discriminaciones previas

Siempre será, de todos modos, asunto vidrioso el determinar estéticamente la nacionalidad de un escritor, cuando se trata de literaturas tan fundidas entre sí por razones de lengua y hasta de procesos formativos como son la española y las hispanoamericanas. En términos generales, y sin querer con ello lastimar el legítimo orgullo de ningún pueblo, creemos que la verdadera literatura americana empieza en la época de la emancipación. Ya en otro lugar se han expuesto las razones. Todo lo anterior es simple balbuceo u obra de imitación. El desarrollo de toda literatura requiere conciencia de nacionalidad; y esa conciencia no -despierta en Hispanoamérica sino al calor de la Enciclopedia, primeramente, y luego al eco de las batallas reñidas por su independencia. No sirven para zanjar esta cuestión casos como el de Polonia o Italia, que, sojuzgadas en determinada época, siguen produciendo una literatura de fuerte espíritu nacional. Tratábase de pueblos de gran tradición literaria, lo que no ocurría, por cierto, en la Hispanoamérica del período colonial. No entra en nuestro propósito al expresarnos así rebajar ni en un ápice la aportación literaria de las Repúblicas americanas; antes por el contrario—y así esperamos ponerlo de manifiesto a lo largo de nuestra *Historia*—, somos los primeros en proclamar la supremacía de la lírica modernista de un Rubén Darío, la densa formación humanística de hombres como Bello, Cuervo o Caro, el espíritu avizorante de un Rodó o el interés de ciertos representantes de la novela realista, dignos de codearse con los buenos escritores europeos.

El caso de Gorostiza requiere consideración especial. Pero es un escritor americano el que nos lo va a dar resuelto. «Gorostiza—dice Leguizamón—fué llevado a España a los cuatro años de edad, para volver a Méjico a los treinta y cinco. Si bien comienza a partir de entonces la vida pública de Gorostiza, su carrera literaria había, en cambio, concluído. Sus obras fueron escritas y representadas en España, donde, entre Moratín y Bretón, conserva la tradición de la comedia clásica. Nada en ellas trasluce su nacimiento, ni hay razón estilística que recuerde el origen mejicano, como en el caso de don Juan Ruiz de Alarcón. Gorostiza sólo hizo representar en Méjico traducciones o arreglos. El mismo romance morisco incluído por Menéndez Pelayo en su *Antología* corresponde a la mocedad española de Gorostiza. El dictado de *Bretón nacional*, que le asigna Roa, no le corresponde por las razones expuestas»[4].

En cuanto a Ventura de la Vega, tampoco estimamos que sea mucho mayor su americanismo, o argentinismo, disintiendo en ello fundamentalmente de la tesis mantenida por don José Oria en su *Discurso de recepción en la Academia Argentina de Letras*. Trasladado a España a los once años, ya no volvió al suelo natal. No juzgamos condición suficiente para incluirle entre los escritores de aquel país el simple hecho de que él se declarara «americano español», que celebrara el éxito del estreno de *Atar Gull*, de Mansilla, y que visitara una vez, en su destierro de Londres, a don Juan Manuel Rosas, cuyo retrato tenía en el despacho.

Cambio de influencias

En el siglo XVIII, el teatro americano, siempre de clara estirpe española, se deja influir por el francés. Ello no debe extrañar, ya que el clasicismo galo domina toda la literatura europea; y los mismos españoles, cuando tratan de resucitar la vieja preceptiva clásica, se apoyan en Boileau más que en Aristóteles u Horacio.

Antes de este cambio apenas si se pueden extraer de la fronda literaria americana, ya espesa en otros géneros, cuatro o cinco nombres, más dignos de atención por lo que representan que por su estricto valer. El canónigo dominicano CRISTÓBAL DE LLERENA (n. 1540), a quien se considera autor de numerosas comedias, pero del que sólo ha llegado a nosotros un entremés representado el día del Corpus de 1588. En él se alude a la triste situación de la ciudad a causa de los saqueos de los piratas ingleses, ocurridos dos años antes, y se fustiga la imprevisión de los gobernantes con tal crudeza que, como consecuencia del escándalo producido por la obrita, «el autor

fué preso y los alguaciles excomulgados». JUAN PÉREZ RAMÍREZ, mejicano y autor de la comedia *Desposorio espiritual de la Iglesia Mejicana y el Pastor Pedro*, que se representó en 1574. El conde de la Granja, don LUIS ANTONIO DE OVIEDO Y HERRERA ORDÓÑEZ (1636-1717), y don JERÓRIMO MONFORTE Y VERA, autores, respectivamente, de las comedias de corte calderoniano *De un yerro, un gran acierto* y *El amor duende*, esta última estrenada en el Callao, en 1792. Y MANUEL ZUMAYA, maestro de capilla en la Iglesia Metropolitana de Méjico, que nos dejó algunas piezas inspiradas en el gusto neoclásico francés o en el drama musical italiano; al primero pertenece *El Rodrigo* (1708), y a la manera italiana *La Parténope* (1711).

El «Siripo», de Lavardén

Con esto podemos pasar sin reparo a la que algunos consideran la primera muestra del teatro americano, el *Siripo*, de MANUEL JOSÉ DE LAVARDÉN (1754-1801?)[5]. Muestra un poco desvanecida, como dice Ricardo Rojas, «bajo la sombra de un sugerente misterio» y harto exigua, por añadidura, puesto que de los cinco actos que probablemente integraban la obra sólo nos queda un fragmento del segundo. Poca cosa, como se ve, para que sirva de base a todo un teatro independiente.

Lavardén, que en su *Oda al majestuoso río Paraná* había dado a la Argentina la mejor composición poética del siglo XVIII, quiso anticiparse, ofreciendo al teatro americano el primer drama basado en un asunto colonial. El *Siripo* se estrenó en la noche de Carnaval del año 1789, en el Teatro de la Ranchería o Casa de Comedias. Se basa probablemente en la tragedia *Lucía Miranda* (Bolonia, 1784), del jesuíta Manuel Lassala. Dramatiza un episodio de la conquista, que se supone ocurrido hacia el 1532, si bien algunos críticos lo tienen por fabuloso. El hecho se recoge por primera vez en la *Historia, o Argentina manuscrita* (1612), de Ruy Díaz de Guzmán, y es reproducido por los cronistas posteriores sin modificaciones esenciales. Helo aquí a grandes rasgos:

Al reembarcar para España, en 1532, Sebastián Caboto, deja la guarnición de Sancti Spiritus al mando del capitán Nuño de Lara. Este mantiene relaciones amistosas con los indios vecinos hasta que sobreviene el asalto del fuerte por el cacique Mangoré. Enamorado éste de Lucía Miranda, esposa de Sebastián Hurtado, uno de los defensores del fuerte, proyecta el rapto de la española, asociando previamente a la empresa a su hermano Siripo. Para el asalto del fuerte aprovecha la ausencia de Hurtado, que ha salido al frente de varios hombres en busca de comida. Se da el asalto; el fuerte es destruído; Mangoré muere en la empresa y es nombrado cacique su hermano Siripo. Este siente por Lucía la misma pasión que

Mangoré. Se casa con ella repudiando a la india Yara. Al regresar Hurtado al fuerte, sospecha que su esposa está cautiva y sale en su busca. Apresado por los indios y conducido a presencia del cacique, es condenado a muerte. Intercede Lucía cerca de Siripo, y éste le levanta la pena a condición de que no vuelvan a verse. Pero quebrantada la orden de Siripo y descubiertos por la celosa Yara, se cumple la fatal condena: Hurtado es asaeteado, y Lucía quemada en la hoguera.

Sea o no verídico el hecho, hay que reconocerle cierta belleza y fuerza pasional [6]. El choque de dos civilizaciones y de dos formas de vida suministraba elementos sobrados para un drama intenso, de haber sido bien aprovechados por el autor. Lavardén no acertó a sacarles jugo. Ni en el Siripo ni en ninguno de los varios dramas anteriores y posteriores, inspirados en el mismo tema, se llegó nunca a un producto logrado. Antes de Lavardén se conocen las versiones escénicas del inglés sir Thomas Moore, *Mangora, King of the Timbussians or the faithful Couple* (1718), y la citada del padre Lassala, *Lucía Miranda* (1784); después, las versiones del mismo tema se multiplican: *Siripo y Yara, o el Campo de la Matanza* (1832), simple refundición de Lavardén; *El charrúa* (Montevideo, 1853), drama histórico en cinco actos y en verso, del sargento mayor don Pedro P. Bermúdez; *Lucía de Miranda* (1864), de Miguel Ortega, y también en cinco mortales actos, de verso amazacotado, acción lenta y prosaísmo aterrador [7].

Sobre el de Lavardén no queremos formular juicio propio. Valgan los dos opuestos, de Menéndez Pelayo y de Juan María Gutiérrez. Aquél califica de «lánguido y prosaico» el fragmento conservado del *Siripo*; Gutiérrez, por su parte, escribe: «Sin más que la precedente muestra sería arriesgado discurrir acerca del mérito de los caracteres y de la consecuencia en la conducta de los personajes, que es una de las primeras cualidades del drama. Sin embargo, puede asegurarse que si a este respecto no se trasluce creación alguna en el *Siripo*, hay originalidad, y hasta atrevimiento acertado, si se quiere, en el asunto tratado en los términos en que lo ha hecho nuestro autor.» En cuanto al atrevimiento, no tenemos por qué discutir; en la *originalidad*, ya sabemos a qué atenernos después de la puntualísima relación de fuentes que hicieron primero Menéndez Pelayo y luego Martiniano Leguizamón [8].

«El amor de la estanciera»

Si en lo trágico pueden abrigarse dudas respecto al *Siripo* como punto inicial de un teatro autónomo, en un género más humilde, como es el costumbrista, no existe discusión. La primera pieza de este tipo es *El amor de la estanciera*, especie de sainete o de «pasillo», de autor anónimo, en el que Ricardo Rojas descubre las «raíces oscuras y seculares del género gauchesco que después floreció». La fecha de su composición se remonta a tres o cuatro años después del *Siripo*, entre 1792 y 1793. Ciertos rasgos estilísticos —alusiones mitológicas, versos del teatro español, vocablos tomados de la comedia dieciochesca— inducen a creer que su autor debió de ser persona erudita, a la que el mismo Ricardo Rojas identifica con el grave doctor Maziel.

Todos los elogios prodigados a manos llenas sobre el *Siripo* se han convertido en censuras al tratarse de *El amor de la estanciera*. Y, sin embargo, en esta piececilla están ya como en embrión cuantos elementos habían de intervenir luego en la *payada*: octosílabo tradicional, habla campesina, ambiente pampeano, diálogo dramático, etc. Los contendedores de la poesía gauchesca están representados por el astuto criollo Juancho y el acaramelado portugués Marcos Figueira, que se disputan el amor de la campesina Chepa. Sus padres, Cancho y Pancha, muestran respectivamente su preferencia por el criollo y el portugués. Pero al final todos se unen amigablemente contra el fanfarrón Marcos. El rasgo fundamental consiste en poner frente a frente al nativo y al emigrante peninsular:

> Mujer, aquestos de España
> son todos medio bellacos;
> más vale un paisano nuestro,
> aunque tenga cuatro trapos.

II. EL PERIODO DE LA INDEPENDENCIA

Un nuevo cambio sobreviene poco tiempo después, a principios del XIX. La escena, que antes se había convertido en escuela de moralidad, pasa a ser ahora tribuna política. Es una consecuencia de la Revolución francesa, que no afecta sólo al teatro, sino igualmente a los otros géneros. Desde el escenario se hace propaganda en fogosos discursos tribunicios. «¿Será justo —pregunta Camilo Henríquez, el alborotado fraile chileno, con quien ya hemos tropezado en otro capítulo y a quien habremos de encontrar también en éste—, será justo que el teatro, que debe ser un órgano de la política, enseñe máximas prácticas contrarias a los liberales principios proclamados por el Directorio, por el Congreso, por la Municipalidad?» Y un crítico de la época, al reseñar el estreno de *Julio César*, «lección de eterno rencor contra la tiranía», augura con fruición que los espectadores llegarán a emular «con virtuosa envidia a los Brutos y a los Casios, mientras detestan la tiranía de los César y de los Marco Antonio». ¿Y qué otro espíritu animaba en nuestra escena obras como *La viuda de Padilla*, de Martínez de la Rosa, o *Lanuza*, del duque de Rivas? Lo que en los americanos era espíritu de libertad contra la dominación española, en los españoles era grito de protesta contra el absolutismo fernandino.

La «Sociedad del Buen Gusto»

Nada representa mejor este cambio que la *Sociedad del Buen Gusto* de Teatro, fundada en Buenos Aires en 1817, con el elevado propósito de creación de un teatro autónomo, si bien lo efímero de su vida impidió que se recogiesen los frutos esperados. Y nada nos puede dar mejor idea de los derroteros por donde aspiraba a caminar el teatro que las palabras del coronel Juan Ramón Rojas, encargado de redactar el reglamento para la *Sociedad*. Se lamenta Rojas de que «circulando en manos de todos las obras teatrales de Voltaire, Boissi, Crebillon, Maffei, Piron, Corneille, Molière, Racine, Shakespeare, Kotzebue, etcétera, que han excedido a la gloria de los Sófocles y Eurípides de Grecia y de los Plutarcos y Terencios de Roma, no se recogen los frutos ópimos de su lectura por ir detrás de los absurdos góticos de los Calderones, Montalbanes y Lope de Vegas». El amasijo de autores no puede ser más extraño; pero la intención está clara.

El primer estreno de la *Sociedad del Buen Gusto* fué (30 agosto 1817) *Cornelia Bororquia*, atribuída al actor LUIS AMBROSIO MORANTE. La obra se reduce a un libelo contra la Inquisición, personificada en un fraile pervertido y sensual; y en ella se plantea la lucha entre el poder civil y el religioso, con la derrota de éste.

La *Sociedad del Buen Gusto* murió al cabo de dos años de menguada existencia, consumida por disensiones internas. Estas alcanzaron su máxima virulencia con ocasión del veto puesto por los censores a *Camila o la patriota del Sur,* absurda tragedia del inquieto fray Camilo.

Mencionemos alguna obra más: *El Detall de la acción de Maypú* y *La libertad civil* (1816), atribuída a Esteban de Luca, ya citado; *La lealtad más acendrada y Buenos Aires vengada,* esbozo de teatro alegórico; *La batalla de Pazco por el general San Martín,* en que un alcalde abjura de sus errores políticos ante la magnánima conducta del ilustre guerrero. Ninguna de las cuatro merecen los honores del comentario.

Mayor consistencia dramática ofrecen *Tupac Amaru*, también atribuída al actor Morante, y con un fondo tan sugestivo como la sublevación del inca de aquel nombre contra el dominio español; y *Molina*, original de MANUEL BELGRANO, sobrino que fué del célebre general del mismo nombre. El *Tupac Amaru* merece subrayarse por el dominio que revela de la técnica dramática y por lo ajustado de los caracteres, si bien su valor lite-

rario es ínfimo. *Molina* (1823) es digna atención en cuanto señala un anticipo del drama romántico. Véase como prueba su argumento.

Molina, noble español, ha seducido a Cora, virgen consagrada al Sol, en Perú. El pontífice, enamorado asimismo de la joven, trata de liberarla del suplicio a que se hizo acreedora por relaciones ilícitas, siempre que acceda a satisfacer su torpe deseo. Una feliz casualidad pone al descubierto las maquinaciones del pontífice, precisamente cuando el noble inca Ataliba acaba de plantearse el dilema de eliminar al español, acatando las leyes del reino, o perdonarle la vida en prueba de gratitud por el auxilio que le había prestado en la rebelión de Huéscar. Descubierta la perfidia del pontífice, éste se suicida, y los amantes se reúnen felizmente.

Concebida a la manera neoclásica, sólo en su estructura externa, los cinco actos preceptuados por Horacio, responde a las exigencias de la escuela. En lo demás es romántica: cambio continuo de escenario; intervención de lo inesperado; episodios novelescos a cada paso y otros recursos análogos. Anticipos románticos son también el triunfo del sentimiento sobre los convencionalismos humanos, el sentido de la naturaleza y un vago filosofismo roussoniano que ambienta toda la obra, haciendo de ella una «tragedia con desenlace feliz».

La «Camila», de Henríquez, y otras piezas

Con fray CAMILO HENRÍQUEZ (1769-1825) ya hemos topado en el capítulo LVI, dedicado a la lírica del período de la emancipación. Allí quedó también trazada a grandes rasgos su silueta moral. Es aquel fraile apóstata que en compañía del doctor Vera Pintado se había convertido en el plato fuerte de todos los festines con su gorro frigio y sus soflamas emancipadoras. También quedó allí juzgado definitivamente como vulgar poetastro, aunque excelente traductor del himno nacional de Estados Unidos. Dos palabras aquí sobre el dramaturgo. Rechazada su tragedia *La Camila o La patriota de Sudamérica* por los censores de la *Sociedad del Buen Gusto del Teatro,* por lo que el fraile se enemistó con los fundadores de la misma, se impone preguntar si el veredicto fué o no justo. La contestación no ofrece dudas; aquel dramón «sentimental en cuatro actos» revela en su autor un desconocimiento absoluto de la escena, una impericia no menor en el empleo de los recursos usuales en esta clase de obras, una ignorancia total de eso que llamamos psicología humana y, porque nada falte, acusa también un odio ciego a los españoles y a cuanto España significa. Sólo a título de curiosidad nos decidimos a resumir en unas líneas su argumento:

Camila y sus padres, huyendo de la *despótica dominación* española, se refugian entre los indios, buscando en la Naturaleza—no olvidemos la filiación roussoniana del autor—la paz que no han podido hallar entre los opresores españoles. En una revuelta desaparece el marido de Camila, y llevados ella y sus padres a presencia del cacique, éste impone a Camila su matrimonio con un ministro de la corte. Pero nada de fuerza mayor: por este lado no hay peligro, puesto que el cacique está al corriente de las ideas de libertad y filantropismo vigentes en todo país civilizado, como que recibió su educación nada menos que en Estados Unidos. Y así, el tal ministro no es otro que el mismo Diego, marido de Camila. Todo ha sido una broma del cacique, en su propósito de hacer más agradable el desenlace.

Con fray Camilo debe ir emparejado siempre, lo mismo que hicimos en la lírica, el doctor Vera Pintado, autor de una loa introductoria del *Guillermo Tell*; y don JUAN EGAÑA, profesor de Retórica y Poética en el Instituto de Santiago de Chile, que tradujo libremente la *Cenobia*, de Metastasio en el melodrama *Al amor vence el deber,* y compuso por su cuenta varias comedias y sainetes: *La porfía contra el desdén, El amor no halla imposibles, Polifronte o el amor ostensible, El marido y su sombra,* etc. Las dos primeras son comedias; las otras dos, sainetes.

De muy distinta calidad son las tragedias *Dido* (1823) y *Argía* (1824) del excelente poeta argentino JUAN CRUZ VARELA (1794-1839). En Cruz Varela reconocíamos en otro capítulo la máxima figura del Parnaso argentino anterior al romanticismo. No hay por qué volver sobre su producción lírica, que quedó enjuiciada allí con suficiente claridad. Hablemos ahora de su teatro. Tanto *Dido* como *Argía,* sin ser piezas perfectas, representan un considerable avance sobre todas las citadas hasta aquí, y nos obligan a saludar en su autor al primer dramaturgo del Plata de auténtico valor literario. *Dido,* inspirada en el libro IV de la *Eneida,* plantea con bastante habilidad el conflicto entre la pasión y el deber. Sujeta a las tres unidades, se desarrolla, no obstante, en los tres actos clásicos del teatro nacional español y abunda en pasajes muy bien versificados [9]. Menor consistencia dramática presenta *Argía,* basada en las dos tragedias de Alfieri, *Polinice* y *Antígona.* Por querer elevar a sus personajes a la categoría de símbolos, el autor termina vaciándolos de humanidad. Ni el tirano Creón ni Argía parecen personas de carne y hueso, sino meras abstracciones del despotismo y de la libertad. Por cierto que el autor no disimula su propósito. «Mi tragedia—dice en el prólogo—está llena de pasajes en que abiertamente se dice que las crueldades y atentados de Creón son los que cometen, o cometerán, sin escrúpulo todos los reyes, siempre que lo creyeran necesario al logro de su venganza, o a los intereses de su ambición. En una palabra, contra todos los monarcas absolutos he disparado muchos tiros; y he tenido el mayor empeño en que fueran fuertes.» Consecuencias: acción lánguida; diálogo vulgar y empedrado de lugares comunes, y una solución que no viene impuesta por el juego lógico de las pasiones, sino por movimientos sentimentales más o menos definidos. Insistamos en que en una y otra lo mejor es el verso, hondamente remansado en *Dido*; conciso, duro e hiriente a veces en *Argía.* Pero siempre noble y digno del coturno a que iba destinado.

Dramaturgos colombianos y peruanos

Colombia reconoce por fundadores de su teatro a JOSÉ FERNÁNDEZ MADRID (1789-1830) y a LUIS VARGAS TEJADA (1802-1829). Tanto el uno como el otro nos son ya conocidos como líricos. El nombre de Fernández Madrid como dramaturgo está vinculado al drama *Guatemocín,* episodio de la conquista de Méjico que no tardaría en aprovechar Gertrudis Gómez de Avellaneda, y a una escenificación no del todo mal realizada de la *Atala* de Chateaubriand. En cuanto a Vargas Tejada, ese lírico malogrado en quien sus compatriotas han querido ver un «Chénier colombiano», consignemos que nos dejó en *Las convulsiones* una comedia o largo entremés, lleno de *vis* y de gracia espontánea, que anunciaba un cómico de pura cepa. Pero Voltaire, Alfieri o sus imitadores españoles, que por aquellas fechas monopolizaban casi el teatro, lo ganaron a su causa, y el pobre Tejada se empeñó en escribir tragedias de corte neoclásico, llenas de parrafadas en pro de la libertad y de apóstrofes contra la tiranía. Breve y accidentada su vida, aún le dió tiempo para dejarnos, aparte de su producción lírica, tres tragedias: *Sagamuxi, Doraminta* y *Aquimín,* más dos monólogos trágicos, *Catón en Útica* y *La muerte de Pausanias.* Se conocen los títulos de otras dos: *Sacresazipa* y *Witikindo,* así como un cuadro en verso, *El Parnaso transferido.* Ninguna de estas piezas resiste el menor análisis. Sólo *Las convulsiones,* inspirada en *El acero de Madrid,* de Lope de Vega, acredita a Vargas Tejada como autor dramático de calidad.

El mismo bajo nivel alcanzan *El sacrificio de Idomeneo* y *El soliloquio de Eneas,* otras dos tragedias de corte neoclásico, originales del mediocre poeta JOSÉ MARÍA SALAZAR (1785-1828), digno de recordación únicamente como autor del himno nacional colombiano.

Perú encontró dos buenos representantes del neoclasicismo en Felipe Pardo y en Ascensio Segura. Los dos han sido enjuiciados ya como líricos, dentro del género festivo y satírico que constituía su cuerda fuerte. En el teatro, sin desdeñar la tragedia, prefieren lo cómico; y en esta zona cosechan excelentes frutos. FELIPE PARDO Y ALIA-

GA (1806-1868) había compuesto en su juventud una tragedia, *Clitemnestra,* traducción o imitación de la de Soumet. Pero pronto se volvió a la comedia, concebida como reproducción de las costumbres y tipos de la sociedad limeña. *Frutos de la educación, Don Leocadio o el aniversario de Ayacucho* y *Una huérfana en Chorrillos* constituyen su haber como escritor de teatro. La menos original, inspirada fundamentalmente en un *vaudeville* francés y con visibles huellas de Bretón, es *Don Leocadio,* por otra parte muy bien versificada. Las otras dos, *Frutos de la educación* y *Una huérfana en Chorrillos,* están dentro de la línea moralizante del teatro de la época y pueden compararse por el tema con *El señorito mimado* y *La señorita mal criada,* de Tomás de Iriarte, si bien Pardo aventaja al español en gracia y movimiento. Fiel observante de las unidades dramáticas, hasta reducir la de tiempo a menos de las veinticuatro horas (el «sólo un curso de la luz febea», que prescribía Quintana), Pardo como comediógrafo no vale menos que Martínez de la Rosa y el duque de Rivas, y allá se las anda a veces con el mismo Moratín. Con una producción muy inferior a la de Gorostiza, le aventaja en cuanto las comedias de aquél son siempre reproducción de costumbres españolas, mientras las del peruano «están pensadas y escritas para un auditorio limeño, con tipos y escenas propias del país». En este sentido, Pardo es uno de los más notables representantes del teatro cómico americano, como lo era ya en la lírica por sus sátiras y epigramas, y lo sería en la prosa por sus cuadros costumbristas, reunidos en 1840 con el título de *El espejo de mi tierra.*

Poeta festivo como Pardo, fiel observador como él de la sociedad limeña, aunque de espíritu menos cultivado, MANUEL ASCENSIO SEGURA (1805-1871) se presenta a los ojos del historiador con un repertorio si menos escogido mucho más prolífico. Por su facilidad, abundancia y desenfado ha sido comparado con Bretón de los Herreros, y también con Ramón de la Cruz. La verdad es que tiene más analogías con Narciso Serra. Su sátira es más cruda que la de aquellos autores; su chiste, más plebeyo. El estilo de Pardo siempre, aun en sus más mordaces epigramas, es digno; el de Segura, especialmente en las comedias, desciende con frecuencia a lo vulgar. La lista de sus obras es larga: *El sargento Canuto,* farsa popular; *El resignado* y *Un juguete,* comedias de costumbres políticas; *La moza mala, La saya y el manto, Lances de Amancaes, La espía, El santo de Panchita, Nadie me la pega, El Cachaparí, Las tres viudas, Costumbres de un remitido* y *Ña Catita.* Todas están versificadas con facilidad, casi con excesiva facilidad, que degenera a veces en prosa rimada; pero todas abundan asimismo en situaciones graciosas y saladas ocurrencias, reflejo del más puro criollismo. *Ña Catita* es, sin duda, la mejor, como que resulta una auténtica comedia de carácter, parecida en más de un rasgo a *La mojigata,* de Moratín.

III. EL TEATRO MEJICANO: GOROSTIZA

Aludidos en otra parte los *Coloquios espirituales* de Fernán González de Eslava, y estudiada también la vigorosa personalidad de sor Juana Inés de la Cruz, nada digno de mención nos sale al paso en el teatro mejicano hasta llegar a la relevante figura de MANUEL EDUARDO DE GOROSTIZA (1789-1851), uno de los buenos comediógrafos de la lengua durante el siglo XIX. Los historiadores de la literatura española suelen incluirlo en ésta, basándose en las razones antes apuntadas por nosotros. Pero, habiendo en nuestro libro una parte dedicada a las letras americanas, no hay por qué eliminar de ellas a Gorostiza, ni aun después de sopesados los motivos alegados por Leguizamón y expuestos al principio de este mismo capítulo. Idénticas razones nos mueven a estudiar a la Avellaneda dentro de la literatura americana.

Vida y obra

Nace GOROSTIZA en Veracruz, el 13 de octubre de 1789. Hijo de padres españoles, se traslada a la Península cuando sólo cuenta cuatro años. Capitán de Granaderos en la guerra de la Independencia española. Toma parte muy activa en las luchas políticas entre liberales y fernandinos, haciéndose notar por sus intervenciones en las sociedades patrióticas del café de Lorencini, de la Fontana de Oro y de la Cruz de Malta y destacando en la primera línea del liberalismo más exaltado. En 1824 regresa a Méjico, constituído ya en nación independiente. Desempeña allí diversos cargos políticos y militares: ministro plenipotenciario en Londres, ministro de Hacienda, ministro de Asuntos Exteriores, etc. En la guerra contra los *yankis* (1847), aunque ya sexagenario, se portó como bravo militar. Gorostiza muere en Tucubaya, el día 23 de octubre de 1851.

Su obra no es muy abundante, ni siquiera en el terreno dramático. En tal aspecto se parece más a Moratín que a Bretón de los Herreros. Como poeta lírico no merecería la menor atención de los críticos, ya que aun sabiéndose que escribió muchos versos en su juventud, sólo se le recuerda por un lindo romance morisco, algunos sonetos políticos y una oda en liras *A la expedición de Ultramar,* cuyo espíritu contrasta violentamente con las ideas defendidas luego por el autor [10].

Su repertorio teatral, no muy copioso, según queda dicho, se divide en comedias originales, imitadas y refundidas. Entre las primeras debemos citar: *Indulgencia para todos* (1818), *Las costumbres de antaño* (1819), *Tal para cual o las mujeres y los hombres* (1820), *Don Dieguito* (1820), *El amigo íntimo*, *Don Bonifacio, El amante jorobado* y *Contigo pan y cebolla* (1833). Entre las imitadas: *El jugador*, de una del mismo título de Regnard: *El cocinero y el secretario*, de *Le secrétaire et le cuisinier*, de Scribe y Mélesville; *La casa en venta*, basada en una opereta de Alejandro Duval, que ya había tenido antes varias versiones en castellano; *La madrina*, inspirada en *La marraine*, de Scribe, Lockroy y Chabot; *Estela o el padre y la hija*, también inspirada en Scribe, y *Un enlace aristocrático*, versión de *Le mariage enfantin*, de Scribe y Delavigne. Entre las refundiciones, por último, deben recordarse *Bien vengas mal si vienes solo*, de Calderón, que Gorostiza tituló *También hay secretos en mujer*, y *Lo que son las mujeres*, de Rojas Zorrilla, a la que el refundidor puso una muy curiosa advertencia. Las más notables son, a nuestro entender, *Contigo pan y cebolla*, *El jugador* e *Indulgencia para todos*.

Análisis de algunas comedias

Contigo pan y cebolla, que recuerda el artículo de Larra *Casarse pronto y mal*, es una ingeniosa sátira del sentimentalismo romántico y de la novela idealista que tanto influyó en el triunfo de ese movimiento literario.

Matilde, joven de dieciocho años e hija única de un acaudalado viudo, don Pedro de Lara, ama apasionadamente a Eduardo Contreras, joven como ella, de muy brillantes prendas y también único heredero de un tío ricachón. Matilde, imbuida de la novelería de la época, ha llegado a persuadirse de que el amor ideal sólo puede alcanzarse en la indigencia, y al conocer la posición económica de su prometido, se niega al deseado enlace. El galán, conocedor de las aficiones de Matilde y de la causa de su negativa, se las ingenia, de acuerdo con su futuro suegro, para reducir a la joven. Se finge rechazado por don Pedro y desheredado por su tío al no acceder al matrimonio que éste le tenía preparado. Acude a casa de Matilde para decirle adiós, antes de emprender un largo viaje en busca de mejor fortuna. Pero la sensible o sensiblera joven no puede permitir que por su causa sea Eduardo desgraciado y le da la palabra de casamiento. Es entonces don Pedro el que finge oponerse; pero los dos amantes se deciden a afrontar cuantos impedimentos les salgan al paso. Don Eduardo rapta a Matilde, siempre con la anuencia de don Pedro. Ya casados, viven en una mísera buhardilla, donde Matilde tiene que soportar las impertinencias de una antigua compañera de colegio. Finalmente acude don Pedro a visitarlos; Matilde reconoce su error, y todo se arregla satisfactoriamente.

Obra muy movida, llena de escenas graciosas, con un solo carácter magistralmente trazado, el de Eduardo, en torno al cual los demás son simples comparsas.

El jugador, imitada de Regnard, pone de manifiesto las funestas consecuencias del juego.

Un don Manuel de Goyeneche, enamorado de su pupila doña Luisa, se decide, no obstante el amor que siente por ella, a casarla con su sobrino don Carlos, de quien la dama parece prendada. La conducta de Carlos, esclavo del juego, va enfriando el amor de doña Luisa y convence a don Manuel de lo estéril de su sacrificio. Las continuas promesas de enmienda del galán no terminan de verse cumplidas. Víctima de su pasión, llega a empeñar un retrato esmaltado de brillantes, regalo de doña Luisa, retrato que don Manuel rescata de manos del usurero. Al fin, la dama rechaza definitivamente a Carlos y otorga su mano a don Manuel, que ve así premiados su desinterés y bondad.

Indulgencia para todos, con su trama un tanto pueril, desarrolla un nobilísimo pensamiento, que la convierte en una hermosa lección de tolerancia y comprensión humanas. Como germen de la obra, Alberto Lista apuntó el cuento de Voltaire, *Memnon o la cordura humana*; pero las semejanzas son demasiado vagas para que pueda atribuírsele con certeza tal origen. Como quiera que sea, *Indulgencia para todos* resulta una comedia casi perfecta dentro de su clase.

Don Severo de Mendoza, hombre tan íntegro como intolerante, acude a un pueblecito de Navarra para contraer matrimonio con doña Tomasa, hija de don Fermín de Peralta y hermana de don Carlos, compañeros de estudio de don Severo. Conocedor de las indudables buenas prendas de éste, don Carlos se propone corregirle de sus otros defectos, especialmente del de la intransigencia, para lo cual le induce con habilidad a la comisión de varios actos reprobables: se bate en duelo, pierde en el juego una cantidad de dinero que se le había confiado, etc. De esta forma le obliga a reconocer sus debilidades, no sin que el propio autor censure previamente los procedimientos poco honorables empleados por Carlos y su familia para conseguir sus fines. La moraleja es clara:

> Y pues por distintos modos
> todos, don Fermín, erramos,
> bueno será que pidamos
> indulgencia para todos.

Juicio crítico

Sin ser un comediógrafo de primera fila, Gorostiza viene a llenar con cierta dignidad un período de nuestra comedia: el comprendido entre Moratín y Bretón de los Herreros. Basta para convencerse de ello considerar que toda su obra se desarrolla entre los años 1818 y 1832, cuando Moratín había terminado y Bretón acababa de estrenar una de sus piezas más famosas, *Marcela* (1831) En este sentido puede decirse que Gorostiza es un continuador del primero y precursor del segundo. Pero ello no le resta fisonomía propia, si bien su perfil no es tan acusado como el de cualquiera de los dos.

No pueden negarse a Gorostiza unas cuantas buenas cualidades, que le capacitan para un teatro digno, como es el que nos dejó: habilidad constructiva, gracejo natural, fina observación de la vida, facilidad versificatoria. Los momentos cómicos, nada forzados, brotan con naturalidad y lógica en su sitio pertinente, y siempre se nos dan como resultado de la acción; el engarce de las situaciones está hecho con tal maestría que apenas se perciben las suturas entre las varias secuencias. Lástima que estas cualidades se vean más de una vez afeadas por un excesivo recargo de las tintas con que presenta a ciertos personajes, convertidos de este modo en auténticas caricaturas, y por la abundancia de chocarrerías que en nada ayudan a la buena marcha de la obra.

Ya Larra había censurado tales defectos en *Contigo pan y cebolla*, y su juicio puede hacerse extensivo al resto de las obras. «Rasgos hemos visto en su linda comedia—escribe Fígaro—que Molière no repugnaría, escenas enteras que honrarían a Moratín... El lenguaje es castizo y puro; el diálogo, bien sostenido y chispeando gracias, si bien no quisiéramos que lo desluciesen algunas demasiado chocarreras, como la de los malhadados *fetos* por efectos, la de la cebolla que repite, etc.»

Dentro de la línea general del teatro de la época todavía cabe distinguir en la obra de Gorostiza dos grupos: la comedia de sátira costumbrista, en la que el propósito didáctico se diluye en lo anecdótico, o al menos queda subordinado a éste; y la abiertamente didáctica, en que al autor señala un vicio y todos los lances de la obra tienden deliberadamente a poner de manifiesto las fatales consecuencias que aquel vicio puede acarrear.

Si al nombre de Gorostiza añadimos los del sacerdote don ANASTASIO DE OCHOA Y ACUÑA (1783-1833), consumado humanista como lo demostró en la traducción de las *Heroidas*, de Ovidio, y del ardiente republicano FRANCISCO ORTEGA (1793-1849), tendremos la síntesis de cuanto dió de sí el teatro mejicano de este período. Ochoa y Acuña, autor de dos comedias y de una tragedia originales, se distinguió más como traductor de Racine, Alfieri y Beaumarchais; Ortega dió a las tablas una loa, *Méjico libre*, y tradujo la *Rosmunda*, de Alfieri. Ninguna de las obras originales de estos dos autores merece nuestro comentario.

NOTAS

1. *Revista de Filología Hispánica*, Buenos Aires, año IV, núm. 1.

2. La Audiencia de Méjico estableció en 1574 que ninguna obra se representase en la catedral sin previa autorización del oidor; y en 1585 el III Concilio mejicano prohibía toda clase de representaciones, bailes y cantos profanos en el interior de las iglesias. Análogas medidas tomaba la autoridad eclesiástica de Santo Domingo en 1610. Todo ello acabó con la Real Cédula de Felipe IV (1660), por la que se prohibía terminantemente cualquier representación en el interior de los templos.

3. «El teatro virreinal podría clasificarse en cuatro grupos: el *universitario*—para celebración de algún graduado—, basado en el aparato escénico de la ceremonia claustral, llena de latines y lujo medieval; el *catequista*, de los jesuitas, para edificación evangélica, y en estas mismas misiones; el *litúrgico*, que, en determinadas festividades católicas, adquiría contornos de festejo pantéista; y, finalmente, el *cortesano*, con algunas representaciones aisladas.» (ARTURO BERENGUER CARISOMO: Las ideas estéticas del teatro argentino, pág. 7.) El teatro, en sus comienzos, no disponía de locales hechos *ad hoc*; no obstante, pronto empezaron a construirse. En Lima, el actor Francisco de Morales edificó a fines del XVI el Corral de Santo Domingo; asimismo se cita una Casa de Comedias, de don Francisco de León, en Méjico, en la que se daban representaciones en 1597. Al principio, estas representaciones contribuían con lo recaudado al mantenimiento de hospitales, casas de recogidas, de expósitos y obras análogas.

4. JULIO A. LEGUIZAMÓN: *Historia de la literatura hispanoamericana*, I, pág. 432.

5. Tenemos escasos datos de su vida. Durante mucho tiempo se le confundió con su padre. Se sabe que fué doctor en Leyes, colaboró en El Telégrafo Mercantil y destacó por sus ideas liberales. Aparte de su Oda al Paraná, en otro lugar aludida, compuso alguna sátira.

6. Paul Groussac escribe: «No solamente no existieron los personajes puestos en escena ni la trama vulgar en que se resuelven, sino que la sorpresa y destrucción del fuerte ocurrió a mediados de 1529, estando Caboto en el Puerto de San Salvador.» Ignoramos en qué razones apoya Groussac tan tajante afirmación; la diferencia de fechas que él establece respecto de la que nos da el autor de la *Historia argentina*, quien escribía con relativa proximidad al suceso, no es suficiente. Por cierto que ya estamos acostumbrados a estos juicios definitivos de Groussac, juicios que en más de una ocasión le valieron agrias reprimendas.

7. Aparte las obras mencionadas en el texto, aprovechan el mismo tema: Magariños Cervantes, en el poema *Mangora* (1864); Eduarda García de Mansilla, en la novela *Lucía Miranda* (Buenos Aires, 1882); Alejandro R. Cánepa, en la novela histórica del mismo título (1918); Bayón Herrera escenifica en tres actos un *Siripo*, que sirve de libreto para la ópera de Felipe Boero (1937); y, por último, Hugo Wast, en una novela también rotulada *Lucía Miranda*.

8. MENÉNDEZ PELAYO: *Ob. cit.*, II, pág. 327; JUAN M.ª GUTIÉRREZ: *Estudios biográficos*, pág. 89; MARTINIANO LEGUIZAMÓN: *La leyenda de Lucía Miranda*, «Rev. Universidad Nac. de Córdoba», t. VI, 1919. Todavía no place citar la opinión de un ilustre argentino contemporáneo, que enjuicia el problema con absoluta objetividad. Se trata del profesor Berenguer Carisomo. «Un deseo profundo —escribe—de buscarnos en arte alcurnia preclara y aneja ha ido forjando este mito patriótico tan henchido de buena voluntad, mito que, como todos, trascendió de su propia frontera y se infiltró en la realidad para borrar la incierta línea que separa a ésta de la fantasía. En nuestra carátula, Lavardén, con su frac dieciochesco de seda negra, su peluca empolvada de menudos cañones y su chorrera de pulcro encaje marfil, es, como un Tespis colonial que hemos dignificado, dándole singular categoría en ese virreinato de Vértiz, tan preñado de actitudes revolucionarias.» (*Ob. cit.*, págs. 111 y 112.)

9. Véase cómo la reina da cuenta a su hermana de la pasión provocada por el héroe troyano:

Me miró, me incendió: y el labio suyo,
trémulo hablando del infausto fuego
que devoró su patria, más volcanes
prendió con sus palabras aquí dentro
que en el silencio de traidora noche,
allá en su Troya, los rencores griegos.

Y más adelante, en la misma escena II :

> ... mientras su labio
> pendiente me tenía, yo en los besos
> me gozaba de Ascanio, y en el hijo
> encontraba a su padre mi deseo.

10. Vayan como prueba estas estrofas :

> ¿Quién, pues, osado intenta
> romper el feudo y mancillar la gloria?
> ¿Quién el suelo ensangrienta?
> ¿Quién busca la victoria?
> ¿Quién oscurece la inmortal memoria?

> ¿Del Inca soberano
> acaso el descendiente? ¿Es el biznieto
> del gran Caupolicano?
> ¿El popayán inquieto?
> ¿O el necio esclavo al ídolo sujeto?

> Mas, ¡ay!, no, no son éstos
> los que a su madre patria han provocado ;
> son los bastardos restos
> de Pizarro esforzado,
> los hijos de Valdivia y Alvarado.

> Ellos son los que agitan
> la rebelde bandera ; ellos son hora
> los que venganza gritan,
> y guerra asoladora,
> y libertad, y libertad traidora.
> ....

> Ellos los que proclaman
> deberes y justicia en su razones,
> cuando en su auxilio llaman
> a los Drakes ladrones
> que de su seno arrojan las naciones.

> Y ellos quienes las manos
> en sangre fratricida se tiñeron
> de mil muertos hermanos ;
> porque españoles fueron,
> y por ser españoles perecieron.

BIBLIOGRAFIA

General.

J. J. ARROM : *Raíces indígenas del teatro americano.* Memoria del XXIX Cong. Intern. Amerocanista, Nueva York.—CH. C. AYER : *Foreing drama on the English and American stage (Italian Spanish),* «Univ. of Colorado Studies», año X, 1913.—LUIS A. CARALT : *The Theater in Latin America,* «Miami», núm. 5, 1948.—C. BAYLE : *Notas del teatro religioso en la América colonial,* «Razón y Fe». Madrid, mayo, 1947.—A. GAMBOA GARIBALDI : *Historia del teatro y de la literatura dramática,* «Eiciclopedia Yucatenense», vol. V, 1946.—P. HENRÍQUEZ UREÑA : *Teatro hispano indígena,* «La Nación», Buenos Aires, 22-XI-1936 ; el mismo : *El teatro de la América española en la época colonial,* Buenos Aires, 1936 ; el mismo : *Datos sobre el teatro en la América latina,* Monterrey-Río de Janiero, junio-agosto, 1930.—A. HORNOBLOW : *A History of the Theatre in America* (2 vols.), Filadelfia, 1919.—K. JONES WILLIS : *El drama en las Américas,* Guayaquil, 1946.—M. MENÉNDEZ PELAYO : *Historia de la poesía hispano-americana* (2 vols.). Santander, Aldus, MCMXLVIII.—J. TORRES REVELLO : *Orígenes del teatro en Hispanoamérica,* Inst. Nac. de Estudios del Teatro, núm. 8, Buenos Aires, 1937.—J. L. TRENTI ROCAMORA : *El teatro en la América colonial,* 1947 ; el mismo : *El repertorio de la dramática colonial hispano-americana,* Buenos Aires, 1950.

Nacional.

M. ABASCAL BRUNET : *Apuntes para la historia del teatro en Chile,* Santiago de Chile, 1941.—E. ABRÉU GÓMEZ : *El teatro regional de Yucatán,* «Nuestro Méjico», Méjico, 1932.—V. AGÜEROS : *Escritores mejicanos contemporáneos,* Méjico, 1880.—M. LUIS AMUNÁTEGUI : *Las primeras representaciones dramáticas sen Chile,* Santiago de Chile, 1888.— G. ARBOLEDA : *El teatro en Colombia.*—J. J. ARROM : *Historia de la literatura dramática cubana,* Yale, Univ. Press, vol. XXIII, 1944.—C. BARRERA : *Lo nacional en nuestro teatro,* Méjico, 1929.—R. OSCAR BELTRÁN : *Los orígenes del teatro argentino,* «Cuad. de Cult. Teatral», núm. 10, Buenos Aires, 1940.—A. BERENGUER CARISOMO : *Las ideas estéticas del teatro argentino,* «Bibl. Teatral», II, Buenos Aires, 1947 ; el mismo : *Crítica dramática,* Edit. Tor, Buenos Aires, 1934.—E. BERISSO : *Notas para la historia del teatro argentino,* Buenos Aires, 1938.—A. BIANCHI : *Teatro nacional,* Buenos Aires, 1920 ; el mismo : *Veinticinco años de teatro nacional,* Buenos Aires, 1927.—BOLETÍN DE ESTUDIOS DEL TEATRO (desde enero de 1943), Inst. Nac. de Estudios del Teatro, Buenos Aires.—F. BORGES PÉREZ : *Historia del teatro en Costa Rica,* San José de Costa Rica, 1942.—MARIANO G. BOSCH : *Teatro antiguo de Buenos Aires,* Imp. «El Comercio», Buenos Aires, 1904 ; el mismo : *Historia de los orígenes del teatro nacional y la época de Pablo Podestá,* Edit. J. L. Rosso, Buenos Aires, 1929 ; el mismo : *Historia del teatro en Buenos,* Buenos Aires, 1910.—A. CAPDEVILA : *Noticias sobre el teatro argentino en los años gloriosos de Trinidad Guevara,* Buenos Aires, 1930.—RAUL H. CASTAGNINO : *Esquema de la literatura dramática argentina,* Buenos Aires, 1950.—D. CORVALÁN : *Continuación de la historia del teatro en Buenos Aires,* Buenos Aires, 1913.—CUADERNOS DE CULTURA TEATRAL, Inst. Nac. de Estudios del Teatro, Buenos Aires.—J. J. CHURRIÓN : *El teatro en Caracas,* Caracas, 1924.—M. DÁVALOS : *Monografía del teatro,* Méjico, 1918.—J. ALBERTO DIBARBOUFE : *Proceso del teatro uruguayo,* Montevideo, 1940.—J. PABLO ECHAGÜE : *Al margen de la escena,* Imp. Coni, Buenos Aires, 1922 ; el mismo : *Puntos de vista : Crónicas de bibliografía y teatro,* Barcelona, 1905 ; el mismo : *Teatro argentino,* Edit. América, Madrid, 1917.—J. AGUSTÍN GARCÍA : *Sobre el teatro nacional y otros artículos y fragmentos,* Agenc. Gen. de Librería, Buenos Aires, 1921.—E. GARCÍA VELLOSO : *Los primeros dramas en los circos criollos,* «Cuad. de Cult. Teatral», núm. 2, Buenos Aires, 1936.— FRANCES GILLMOR : *Spanish Texts of three Dance Dramas from Mexican Villages,* IV, Arizona, 1942 ; el mismo : *The Dance Dramas of Mexican Villages,* V, Arizona, 1942.— M. DE JESÚS GIOCO : *Raíz y trayectoria del teatro en la literatura dominicana,* «Anales de la Univ. de Santo Domingo», Ciudad Trujillo, 1945.—R. GIUSTI : *Nuestra drama rural,* «Cuad. de Cult. Teatral», núm. 7, 1958.—F. J. GÓMEZ FLÓREZ : *La poesía dramática en Méjico,* «Nuestra Revista», V, Buenos Aires.—J. GONZÁLEZ CASTILLO : *El sainete, medio de expresión teatral argentino,* Inst. de Estudios del Teatro, cuad. V, Buenos Aires, 1937.—J. HARVEY LEROY : *Nuevos datos para el teatro mejicano de la primera mitad del XVII,* «Rev. de Filol. Hisp.», año IV, núm. 2.—R. HERNÁNDEZ : *Los primeros teatros de Valparaíso y el desarrollo general de nuestros espectáculos públicos,* Valparaíso, 1928.—F. DE A. ICAZA : *El teatro en Méjico,* Madrid, «El Sol», febrero, 1928.—J. JIMÉNEZ RUEDA : *Documentos para la historia del teatro en la Nueva España,* «Bol. Arch. Gen. de la Nación», vol. XV, Méjico, 1944.—M. LATORRE : *Anotaciones sobre el teatro chileno en el siglo XIX,* «Atenea», vol. XCV, Concepción (Chile), septiembre-octubre, 1949.—G. LOHMANN VILLENA : *El arte dramático en Lima durante el virreinato,* Madrid, C. S. I. C., 1945.—A. MARÍA Y CAMPOS : *Breve historia del teatro en Chile,* Méjico, 1940.—M. MONCLOA COVARRUBIAS : *Diccionario teatral del Perú,* Lima, 1905 ; el mismo : *El teatro en Lima,* Lima, 1909.—F. MONTERDE : *Bibliografía del teatro en Méjico,* Méjico, 1934.—A. MONZÓN : *Ciento veintinueve piezas teatrales enviadas desde Montevideo a Buenos Aires en 1816,* Buenos Aires, Acad. Lit. del Plata, 1940.—E. MORALES : *Historia del teatro argentino,* Buenos Aires, 1944.— L. F. MOROLLÓN ARAQUE : *El teatro en Colombia,* Bogotá, 1914.—I. MOYA : *Los orígenes del teatro y de la novela argentinos,* Buenos Aires, 1925.—J. NIGGLI : *Mexican Folk Plays,* Univ. of North Carolina Press, 1938.—E. OLAVARRÍA FERRARI : *Reseña histórica del teatro de Méjico,* Méjico, 1895.—L. ORDAZ : *El hombre de campo en nuestro teatro,* «Cuad. de Arte Dramático», núms. 24 y 25, Buenos Aires, 1953 ; el mismo : *El teatro en el Río de la Plata,* 2.ª ed.. Edic. Leviatán, Buenos Aires, 1957.—J. V. ORTEGA RICAURTE : *Historia crítica del teatro en Bogotá,* Edit. Colombia, Bogotá, 1927 ; el mismo : *El teatro en Colombia,* Bogotá, 1935.—N. PEÑA : *Teatro dramático nacional,* Santiago de Chile, 1923.—L. PERAZA : *El indio y el negro en nuestro teatro,* «El Farol», Caracas, 1946.—J. J. PODESTÁ : *Medio siglo de farándula. Memorias de...,* Córdoba (Rep. Argentina), 1930.—J. POTENZE : *Breve historia crítica del teatro argentino,* «Cuad. Hispanoamericanos», núm. 13, enero-febrero, 1950.—E. RIVAROLA : *El teatro nacional, su carácter y sus obras,* «Rev. Univ. de La Plata», t. III.—ROJAS Y GARCIDUEÑAS : *El teatro de Nueva España en el siglo XVI,* Méjico, Imp. Luis Alvarez, 1935.—V. ROSSI : *El teatro nacional rioplatense,* Buenos Aires, 1910.—J. C. SABAT PEBET : *Sobre los orígenes teatrales montevideanos,*

«Bol. Est. del Teatro», año II, diciembre, 1945.—ANTONIA SANZ: *El teatro en Puerto Rico.*—A. SALAS: *La literatura dramática en Bolivia*, «Bolivia en el primer aniversario de su independencia», 1925.—V. A. SALAVERRI: *Del picadero al proscenio*, Montevideo, 1913.—G. SÁNCHEZ GALARRAGA: *El arte teatral en Cuba*, «Cuba Contemporánea», X, La Habana, 1916.—C. VEGA: *Los bailes ciollos en el teatro nacional*, «Cuad. de Cult. Teatral», núm. 6, Buenos Aires, 1937.

J. CAICEDO ROJAS: *Noticias biográficas de Luis Vargas Tejada*, «Anuario de la Acad. Colombiana», 1874.—A. COLMO: *Un antecedente del «Siripo» de Lavardén*, «Nosotros», Buenos Aires, t. XXIV.—A. CORTI: *«Argia». Contribución al estudio histórico del teatro argentino*, «Rev. de la Univ.», año XV, t. XXXVIII, Buenos Aires, 1918.—R. DELGADO: *Don Manuel E. de Gorostiza*, «Conversaciones literarias», Jalapa, 1953.—P. DE LA ESCOSURA: *Tres poetas contemporáneos: Pardo, Vega y Espronceda* (disc. académico), 1870.—J. M. FURT: *Nota a*

«Lucía Miranda», de Ortega, Instituto de Lit. Argentina, t. IV, núm. 5.—R. F. GIUSTI: *Juan Cruz Varela y la generación poética de la revolución*, «Bol. Acad. Argentina de Letras», núm. 25.—JULIA GRIFFONE: *La muerte de Lavardén*, «Bol. Instituto Cultura Latinoamericana», número 9.—J. M.ª GUTIÉRREZ: *Estudio sobre las obras y la persona del literato y publicista argentino Juan Cruz Varela*, Buenos Aires, 1871.—ANA M.ª LÓPEZ DE MEDINA: *Justo S. López de Gómara*, Instituto de Lit. Argentina, Buenos Aires, 1938.—C. MARTÍNEZ SILVA: *Biografía de don José Fernández Madrid*, Bogotá, 1889.—M. MENÉNDEZ PELAYO: *Manuel Eduardo de Gorostiza*, «Historia de la poesía hispanoamericana», vol. I, ed. cit.—J. M.ª ROA BÁRCENA: *Datos para la biografía de don Manuel E. de Gorostiza*, «Memoria de la Acad. Mejicana», vol. I, Méjico, 1876.—L. ALBERTO SÁNCHEZ: *Manuel José de Lavardén*, «Escritores representativos de América», vol. I, Edit. Gredos, Madrid, 1957.—S. SANFUENTES: *Dramas inéditos*, Santiago de Chile, 1963.

CAPITULO LIX

EL ROMANTICISMO EN ESPAÑA: GENERALIDADES

I. ORÍGENES DEL ROMANTICISMO: *El Romanticismo, concepto integral de la vida.
El término «romántico». Límites cronológicos.*—II. ELEMENTOS INTEGRANTES
DEL ROMANTICISMO: a) *Fermento español.* b) *Doctrinarismo histórico alemán.*
c) *Principios filosóficos de la Revolución y sentimentalismo. Caracteres
generales.*—III. EL ROMANTICISMO EN ESPAÑA: *Fases del mismo. Vías de
penetración. Factores del triunfo. La polémica de Böhl de Faber. Las publicaciones. El grupo de «exiliados». Cenáculos y revistas.*—NOTAS.
BIBLIOGRAFÍA.

I. LOS ORÍGENES DEL ROMANTICISMO

El origen de ese vasto movimiento ideológico, iniciado en Europa a finales del siglo XVIII, y que en lo literario impera durante la primera mitad del XIX, hay que buscarlo en tres factores distintos: primero, en el individualismo de tipo racionalista, que arranca de Descartes e informa la filosofía dieciochesca; segundo, en la libertad preconizada por la Enciclopedia, y tercero, en el sentimentalismo y defensa de la pasión, que tiene en Rousseau su máximo exponente. Cada uno de estos factores engendrará a su vez otros varios, que explicarán la complejidad del movimiento romántico.

El Romanticismo supone un cambio ideológico fundamental en todos los órdenes de la cultura. En principio aparece como una reacción europea contra el imperialismo napoleónico [1], reacción que cristaliza en el Congreso de Viena (1815). La formación de una serie de gobiernos absolutistas, que ven en el liberalismo el máximo peligro de su estabilidad, da a la primera etapa romántica un carácter conservador, tradicional y cristiano. Napoleón viene a encarnar el espíritu unificador francés bajo la enseña imperial: no en vano se hizo coronar emperador por el Papa, y sueña con el ideal renacentista, clásico por esencia, de un imperialismo árbitro de monarquías adictas. Si en lo político la unificación viene representada por el Imperio, en lo cultural su equivalente es la Academia como entidad normativa. Contra este centralismo político-cultural, que venía imperando en Europa desde Luis XIV, se alza el sentimiento nacionalista y regionalista [2]. Pero de la misma manera que los regímenes surgidos del Congreso de Viena habían impreso cierto tono conservador a las ideas, la Revolución de 1830 señala un nuevo rumbo: el triunfo del liberalismo político, al que sigue inmediatamente el literario, en todos los países de Europa [3]. Estos vaivenes políticos, este paso del absolutismo al liberalismo, no es más que la reproducción de la lucha planteada en el siglo anterior entre el racionalismo de la Enciclopedia y el sentimentalismo roussoniano.

Con estos antecedentes, nos resulta fácil de comprender la tesis de Tubino:

«Dos bandos—dice—partían ya la arena del Romanticismo en creyente, aristocrático, arcaico y restaurador; y descreído, democrático, radical en las innovaciones y osado en los sentimientos. Ateniéndose Walter Scott a la tradición de la escuela germánica de los Schlegel, abrazóse al primero; Víctor Hugo, olvidando su actitud de 1818 a 1828, o sea sus *Odas y baladas*, que embelleció el espíritu religioso y caballeresco, declarábase por el segundo, escandalizando a los públicos con las inauditas libertades artísticas del *Hernani* y de *Nuestra Señora*; quería el uno oponer recio valladar a las disolventes máximas del liberalismo nivelador, ofreciendo el cuadro de los esplendores feudales; asimilaba el otro el Romanticismo a la política revolucionaria, presentándolo como un *Noventa y tres* del pensamiento» [4].

Habiendo surgido, pues, el Romanticismo de dos idearios tan antagónicos, no es de extrañar que haya cierta contradicción en sus teorizantes y críticos; hasta aquellos que proclaman la libertad en todos los órdenes—punto central de la estética romántica—se muestran partidarios, como el más rígido neoclásico, del arte docente [5].

El Romanticismo, concepción integral de la vida

Si en los efectos o resultados prácticos—supresión de las unidades dramáticas, mezcla de lo cómico y lo trágico, polimetría un poco anárquica, incorporación de lo feo como elemento artístico, etcétera—representa el Romanticismo una escuela bastante uniforme, en sus elementos integrantes ofrece gran diversidad, según los distintos países y épocas. De esta diversidad resultan las definiciones parciales que de él se han dado [6]. Y es que el Romanticismo no debe interpretarse única y exclusivamente como movimiento literario o artístico, sino como una concepción íntegra de la vida: «El concepto nuevo y fundamental del Romanticismo—dice Federico Sciacca—es, precisamente, el concepto de Vida, que no tiene sólo un significado psicológico o práctico, sino metafísico. Precisamente en este cómo concebir la Vida es donde divergen las distintas formas del Romanticismo: son tantas las concepciones de la Vida, cuantas las posiciones románticas» [7]. Hay el romanticismo de Víctor Hugo y el de Chateaubriand; el de Schiller y el de los Schlegel; el de Walter Scott y el de Byron; el de Espronceda y el de Zorrilla; el de Manzoni y el de Hugo Foscolo; el de Puschkin y el de Adam Mikievitch, etc.

Precisa, pues, definir el Romanticismo teniendo en cuenta los distintos caracteres tanto de los autores como de sus obras. Y cualquier definición que de él demos, deberá abarcar toda esa época histórica y bien determinada, cuyo nombre mismo ha pasado a ser una designación de nuestra literatura. Podemos hacernos del Romanticismo la idea que queramos; pero si intentamos ofrecer una definición válida para el español, habrá de convenir tanto a la típica poesía esproncediana como al sentimiento intimista de Bécquer; al drama inicial de García Gutiérrez como a las leyendas de Zorrilla; al vago pesimismo de Pastor Díaz como al romance descriptivo y pintoresco del duque de Rivas; a la novela histórica de Gil y Carrasco como a la antisocial y humanitaria de la Avellaneda; al liberalismo de Alcalá Galiano como al catolicismo de Balmes y de Donoso Cortés. Reduciendo a esquema todas estas tendencias, agrupando sus ideas, tendríamos la definición completa de nuestro Romanticismo. Por no haber tenido en cuenta su gran diversidad de elementos y las formas distintas y hasta opuestas que presenta, se han dado una serie de definiciones del fenómeno romántico, no equivocadas, pero sí demasiado restringidas.

Se ha dicho que es el despertar de la conciencia religiosa frente al ateísmo y al utilitarismo del siglo XVIII. Exacto; pero esta noción conviene sólo a unos románticos: Manzoni, Walter Scott, Schlegel. Junto a este tipo de romanticismo hay otro ateo, liberal, derivado de la Enciclopedia. Se le ha definido también como el resurgir de la conciencia patriótica frente a la opresión extranjera: Alemania contra Napoleón; Italia contra Austria [8], definición que, como la anterior, no abarca la totalidad del problema. No falta tampoco el concepto negativo: el romanticismo es

la tuberculosis de la literatura, el arsénico de la vida, etc.

Un fenómeno se observa: el Romanticismo nace bajo un signo determinado, cristiano, que va cambiando conforme se afianza; y aunque en líneas generales puede decirse que nace católico en todas las naciones de Europa, se le ve evolucionar hacia un liberalismo más o menos exacerbado [9]. Entre nosotros empieza por ser una restauración de los ideales cristianos y del espíritu caballeresco medieval, para constituirse pronto en bandera de oposición al régimen absolutista de Fernando VII.

El término «romántico».

En 1659, el inglés Enrique More aplicó el adjetivo *romantik* a toda invención que mostrara la libertad imaginativa de los romances. Siete años después, Pepys escribe: «Ha acaecido un suceso extraordinario, uno de los más *románticos* de que he oído hablar en mi vida» [10]. Este sentido de lo romántico como sinónimo de lo extraordinario, de lo que está fuera de lo normal, en oposición al equilibrio clásico, se repite un siglo después en Borwell, cuando describe *the romantik aspect* de la isla de Córcega. Frente a los recortados y *clásicos* jardines de Versalles se alza la naturaleza libre, la *romántica* vegetación corsa. La palabra se traduce al francés, primero por *romanesque*, y después por *romantique*, término usado ya por Rousseau en sus *Reveries du promeneur solitaire*, a propósito del lago de Ginebra. En España esta forma definitiva tardó en imponerse: en 1805 se emplea la de *romancista*; durante las polémicas de 1814-1818 alternan las voces *romanesco* y *romancesco*, *románico* y *romántico*, que termina por dominar [11].

Límites cronológicos

Una vez más destaquemos la imposibilidad de encerrar las ideas en el estrecho límite de una fecha. Los movimientos espirituales, sean del orden que fueren, necesitan un período más o menos largo de fermentación antes de aflorar y producir cambios visibles en relación con lo anterior. Al hablar de los límites del neoclasicismo señalábamos los años 1737 y 1835 como puntos inicial y final respectivamente. Pero estas fechas no representan más que la aparición de dos obras capitales: la *Poética*, de Luzán, y el *Don Alvaro o la fuerza del sino*, del duque de Rivas; es decir, la eclosión externa de idearios ya preparados muchos años antes. Los preceptistas y poetas del XVIII entroncan con los del XVI; los románticos, sin desdeñar la aportación de nuevos elementos, buscan su inspiración en la Edad Media y en el teatro nacional creado por Lope de Vega. No hay inconveniente, por nuestra parte, en aceptar como fecha inicial del romanticismo la de 1835; pero es forzoso señalar una etapa de preparación, de polémicas y de intentos más o menos afortunados, y otra de transición, en que los escritores, sin la rigidez característica de la literatura neoclásica, no se deciden aún a romper abiertamente con ella, limitándose a tímidos ensayos precursores del cambio.

Menos fácil es aún precisar la fecha final del movimiento romántico [12]. Todos convienen en que su duración es efímera, y que ya en manos de sus iniciadores y principales gerifaltes—Rivas, García Gutiérrez, Hartzenbusch y Zorrilla—, se inicia su transformación. Seguirá el gusto por lo histórico, pero ya serán los problemas cotidianos, la observación de la realidad circundante lo que predomine. Mas claro, el realismo, tendencia que se inicia hacia 1850, termina por ahogarle. Alrededor de esa fecha don Juan Valera lo da por liquidado: «El Romanticismo no ha de considerarse hoy día como secta militante, sino como cosa pasada y perteneciente a la Historia. El Romanticismo ha sido

una revolución, y sólo los efectos de ella podían ser estables. Entre nosotros vino a libertar a los poetas del yugo ridículo de los preceptistas franceses y a separarlos de la imitación superficial y malentendida de los clásicos, y lo consiguió. Las demás ideas y principios del Romanticismo fueron exageraciones revolucionarias, que pasaron con la revolución, y de las cuales, aun durante la revolución misma, se salvaron los hombres de buen gusto» [13].

En resumen: el Romanticismo es un movimiento efímero; veinte años escasos de duración. Y ello no sólo en España, sino en toda Europa. Surgido de causas político-sociales y sumamente fructífero en la historia de las letras, hasta él los movimientos literarios tienen sus líneas cronológicas más o menos definidas; a partir de él se hace casi imposible precisar fronteras; realismo, simbolismo, naturalismo, modernismo, dadaísmo, creacionismo, ultraísmo, futurismo, etc., se suceden con tal rapidez, interfiriéndose incluso con frecuencia, que imposibilitan toda ordenación sistemática.

II. ELEMENTOS INTEGRANTES

Tres son los principales: a) el factor español; b) el doctrinarismo histórico alemán, y c) el ideario dieciochesco, plasmado en los principios filosóficos de la Revolución francesa y en el sentimentalismo roussoniano.

a) El fermento español

Designamos con este nombre una serie de caracteres y temas que persisten a lo largo de nuestra literatura. Incorporados al acervo común de la europea, vuelven a su punto de origen bastante modificados.

Desde antiguo se vino designando con el nombre de «romance» la lengua derivada del latín; esta palabra pasó a designar entre nosotros un género especial de poesía popular, y en Francia ciertas narraciones amorosas. En ambos géneros predominaba el idealismo, los sentimientos caballerescos y el espíritu de independencia. Los pueblos que más se distinguieron en este tipo de obras fueron Francia, Inglaterra y España, si bien en la primera se pierde la tradición al llegar el Renacimiento.

No deja de ser curioso que este elemento español, representado por los romances, apenas influye, al menos directamente, en nuestro romanticismo. Es decir, no es él quien lo despierta; sino que, puesto de moda por los teorizantes alemanes, se reincorpora, levemente modificado, a nuestras letras, tras el paréntesis más o menos efectivo del XVIII.

De la aportación española al Romanticismo europeo debemos destacar principalmente el gusto

por lo histórico-caballeresco, representado en el Romancero, y el orientalismo, de vieja expresión en los romances fronterizos y moriscos, y en las novelas del mismo tipo, en especial en la de Ginés Pérez de Hita: *Guerras civiles de Granada* [14].

En esa reincorporación de la historia a la temática del Romanticismo, en su triple aspecto de novela, teatro y leyenda, con la consiguiente actualización de lo medieval, no podía faltar un género de tanta raigambre en el espíritu español como el Romancero. Cuando Moratín, en el siglo anterior, escribe sobre un asunto nacional su *Fiesta de toros en Madrid*, emplea la quintilla; Nicasio Gallego, en cambio, escribe en romance *El conde de Saldaña*, y el «dulce Batilo» abandona el romancillo para acogerse al octosílabo en *Doña Elvira*. Se viene atribuyendo a *Azorín* el descubrimiento del tono romántico en el aludido romance, comparándolo con otro de Zorrilla; sin embargo, justo es advertir que ya Menéndez Pelayo se le había adelantado, señalándolo como precedente inmediato de los del duque de Rivas [15]. Pero a la cabeza de los restauradores del popular metro debe figurar siempre el duque de Rivas. El Clasicismo se opone al Romancero por ser género nacional y popular; el Romanticismo lo rehabilita por eso mismo.

La incorporación del elemento oriental no corresponde tan íntegramente a España. Viene a ser en cierto aspecto una secuela del tema sentimental y caballeresco desarrollado en las novelas de madame Cottin; pero no cabe duda que en su más remoto origen también es español. Del Romancero morisco y de la novela histórica de Ginés

Pérez de Hita derivan, en último término, la inacabable serie de moros galantes y de moras tan hermosas como desventuradas que poblarán la literatura europea. No en vano se ha dicho que nosotros exportamos materia prima para importar productos manufacturados [16]. Y este fenómeno no se da sólo con el Romanticismo: cuando Diamante escribe *El honrador de su padre,* en vez de basarse en la obra de Guillén de Castro, sigue *Le Cid,* de Corneille, tomada a su vez del dramaturgo valenciano. La invasión del tema morisco en todos los géneros—novela, teatro y poesía—es tan grande, que apenas hay romántico que no se sienta alcanzado por ella; y, aunque el orientalismo contaba con un precedente tan digno de nota como las *Poesías asiáticas,* del conde de Noroña, la oriental de nuestros románticos reconoce la paternidad inmediata de Víctor Hugo.

b) Doctrinarismo histórico alemán

Las teorías de los hermanos Schlegel, difundidas en Francia por madame Staël, despertaron el gusto por la historia nacional y enseñaron a concebir la literatura no como cuerpo independiente, sino dentro del amplio cuadro de la historia de la cultura. La literatura, y aun el arte en general, se estudiará a partir de madame Staël en sus relaciones con la religión, la sociedad, las costumbres, el clima, etc., de cada pueblo. Se buscan los orígenes literarios y, en oposición al ideal mitológico, se proclama lo maravilloso cristiano. Se ve en las primitivas obras literarias el alma de un pueblo, lo cual explica el éxito de las supercherías ossiánicas de Mecpherson, y se hace a ese pueblo creador colectivo y anónimo de las grandes epopeyas. Entre estas grandes epopeyas está la de nuestro Romancero. El doctrinarismo alemán se encarga de difundirlo, engendrando de ese modo una primera etapa cristiana en todo el romanticismo europeo. En esta doctrina se puede decir que están contenidos ya en embrión todos los elementos integrantes del romanticismo alemán: simbolismo, panteísmo, subjetivismo, identificación del amor con el sentimiento religioso, optimismo sentimental, anhelo de infinito, renacida pasión por el Oriente y por los paisajes del Mediodía, exaltación idealista de la Edad Media, cospolitismo espiritual con una idea de la Humanidad profundamente religiosa, nacionalismo, culto a Shakespeare y a Calderón, sentimiento religioso y místico de la Naturaleza y hasta un profundo sentido musical de la vida [17].

Cierto afán de evadirse de lo cotidiano, de huir de la realidad, que en el espacio produce el exotismo y en el tiempo la vuelta a lo medieval, provoca también en el choque violento del individuo con la sociedad. El romántico se forma un ideal de vida que no cabe en el marco estrecho de lo real, que pugna con lo cotidiano. Y esta pugna da por resultado, tanto en las obras como en la vida, la rebeldía social (pirata, corsario, proscrito, bandolero), o el suicidio (Werther, Larra, Jacobo Ortiz).

¿Cuáles de todos estos elementos pasan al romanticismo español? Todos, en mayor o menor escala. Hasta los más opuestos a nuestra especial psicología, el panteísmo y un vago anhelo de infinito, pueden rastrearse en las obras de Arolas, Pastor Díaz y Rosalía de Castro

c) Principios filosóficos de la Revolución y sentimentalismo

Sabido es que el programa teórico de la enciclopedia halla su realización práctica en la revolución del 93. Víctor Hugo ha definido el Romanticismo como «el liberalismo en literatura»; y Larra, entre nosotros, coincide con el poeta francés al proclamar como norma estética la libertad [18]. Sólo que en la interpretación de esta libertad variarán unos románticos de otros. Mientras para unos se limita al orden estético, rompiendo todas las trabas academicistas, para otros invade los órdenes social y moral; y se empieza a cantar el amor libre, se blasfema de la santidad del hogar, se alardea de despreciar todo orden social, haciéndose en consecuencia la apología del corsario, del pirata y del proscrito.

Los principios de igualdad, libertad y fraternidad, proclamados por la Revolución francesa, hallan su plena expresión literaria en toda Europa. Estos sentimientos, ya aislados, ya fundidos, nos llevarán a la independencia ideológica en todos los órdenes de la vida: a la exaltación del héroe en lucha contra la sociedad. El concepto de la *igualdad* impulsa al atropellado a tomarse la justicia por su mano y a ponerse al margen de la ley; y ese mismo concepto explica la vindicación de tipos como el mendigo, el verdugo, la ramera, a los que se considera víctimas de la injusticia social. Pensemos en la exaltación de la «cortesana», que alcanza su máximo exponente en *La dama de las camelias,* de Dumas hijo.

La *fraternidad* de todos los humanos origina una serie de producciones antiesclavistas, cuyos primeros ecos hay que buscarlos en la literatura dieciochesca [19], aunque su triunfo más resonante, si bien algo retardado, es *La cabaña del tío Tom,* de la novelista norteamericana Harriet Beecher-Stowe. Dentro del Romanticismo cristalizan estas tendencias en novelas como *Bug-Jargal* y *Sab,* de Víctor Hugo y de la Avellaneda, respectivamente.

Rousseau propugna la vuelta al primitivo estado natural; sabido es que para el autor del *Emilio* la sociedad pervierte al hombre; pero gran parte del ideario roussoniano no es sino el último eslabón de una larga cadena, cuyo arranque podría buscarse en la antigua literatura faraónica [20]. El tema del hombre salvaje tiene dos manifestaciones literarias: una, sin mayor trascendencia ideológica: elogio de la vida primitiva, lejos de la civilización (*Atala, René, Pablo y Virginia,* etc.); otra, de carácter político: exposición de la vida salvaje o de pueblos exóticos, como pretexto para revisar las instituciones sociales en los países civilizados: esta revisión adopta con frecuencia la forma epistolar, y así surgen las *Cartas marruecas, Cartas persas, Cartas chinas* [21].

Caracteres generales

De lo dicho se deducen los rasgos que caracterizan el Romanticismo y lo definen como un movimiento literario distinto de los anteriores. Esos rasgos generales, más o menos acentuados luego, serán aplicables igualmente al romanticismo español. Pueden resumirse en los siguientes:

1. Frente al imperio de la *razón* proclamado por Boileau y los neoclásicos, se impone el imperio de la *imaginación*. El sentimiento sustituye a la inteligencia, a la lógica. El corazón humano, con su infinita variedad de emociones, pasa a primer plano.

2. La poesía se hace personal; más que personal, *individual*. El individuo se sitúa en el puesto más destacado de la creación. El «yo», al recobrar su valor, centra toda la atención del artista. Pero éste, cuando canta sus impresiones personales, se cree intérprete de la colectividad.

3. Al dejarse llevar de su propia inspiración, ya no tiene el artista que acatar normas *a priori*. La preceptiva tradicional pierde su valor. El *artista se convierte en único juez* de sus creaciones.

4. Se han roto las trabas que constreñían la inspiración. Ya no hay reglas; el genio es libérrimo y el único que puede dictarlas. *Libertad,* por tanto, de temas, *libertad* de lenguaje, *libertad* de exposición.

5. La imitación clásica, admitida como dogma hasta entonces, queda desechada; *se abandona la*

mitología; se sustituye el «maravilloso pagano» por lo sobrenatural cristiano. Cada época tiene su arte, su religión su filosofía y hasta su moral. Grecia y Roma, admirables ciertamente, no tienen ya por qué seguir informando la vida.

6. *El artista irá a buscar temas y motivos donde le plazca:* primero, en su propia alma; luego, en la naturaleza circundante; después, en las costumbres, en la historia, interpretada fantástica, libérrima, anacrónicamente.

7. El vacío que dejan las literaturas clásicas se llena con el estudio de *otras literaturas,* especialmente de la española y de los pueblos del Norte.

8. *Queda abolida la discriminación de géneros,* que en otro tiempo pudo tener razón de ser. La poesía puede escoger libremente en cada siglo sus formas y métodos: mezcla de lo cómico y lo trágico, lo bello y lo feo, el verso y la prosa, el estilo noble y el plebeyo o vulgar. La novela puede tocar todos los temas: social, histórico, filosófico.

9. *Compenetración entre el artista y el paisaje,* que no es ya algo ajeno a su alma, sino algo que gravita sobre ella, que la envuelve. De ahí el valor que cobran ciertos motivos agrestes, tristes o salvajes: la luna, el sepulcro, la noche.

10. *Validez de todos los lenguajes y formas estilísticas,* con especial predilección por las populares. Con ello la gramática se ensancha y de maestra del hablar queda convertida en depósito de viejos y nuevos modos lingüísticos. *Guerre à la rhétorique et paix à la syntaxe,* había de gritar Víctor Hugo.

En el fondo, todas estas notas pueden resumirse en una: *arte individual y desligado de reglas frente al arte reglado,* predominante hasta entonces. Este es el secreto de todos los grandes éxitos y fracasos de la literatura romántica: cuando el artista sabía frenar su imaginación dentro de límites razonables, era el éxito; cuando, en un abuso de libertad, la dejaba desmandarse, era el fracaso.

III. EL ROMANTICISMO EN ESPAÑA

Entre nosotros estas doctrinas encuentran terreno abonado. Si bien se mira, el Romanticismo no hacía sino desarrollar y actualizar una preceptiva ya defendida y puesta en práctica por nuestros mejores dramaturgos del gran siglo. Sólo que, al venir reselladas con un marchamo extranjero, parecían nuevas. La mezcla de lo cómico y lo trágico, la polimetría dentro de un mismo drama, el predominio de los factores imaginativos sobre los puramente lógicos y, sobre todo, el repudio deliberado de las normas clásicas, especialmente de las relativas a las «tres unidades», eran ya para los españoles lección sabida y casi olvidada. Por ello, cuando los románticos alemanes quieren pre-

sentar tipos de individualismo exacerbado, van a buscarlos en el teatro de Calderón. Saben que éste, lo mismo que Shakespeare, es, en el fondo, un romántico. Y el Eusebio de *La devoción de la Cruz,* el Ludovico de *El purgatorio de San Patricio,* los protagonistas de *Luis Pérez el gallego* o *De un castigo tres venganzas,* se convierten en personajes populares. Por ello también el Romanticismo encuentra aquí menos oposición que en otras partes; nuestras polémicas en torno al nuevo movimiento nunca revisten la importancia que tuvo, por ejemplo, en Francia la «batalla de *Hernani*». Quizá no haya pueblo de espíritu más romántico que el español. Todo lo que signifique individualismo, libertad, fuga de lo real y positivo hacia el mundo de los sueños, encaja fácilmente en su psicología. El movimiento romántico, en definitiva, no hacía sino reanudar una tradición nunca rota por completo, si bien un poco debilitada por la avalancha neoclásica. He aquí, pues, con cuánta verdad ha podido decir Menéndez Pidal que «el Romanticismo había vuelto a España». Pero aunque encontró aquí expedita la vía, hay que reconocer que el impulso inicial vino de fuera. Fué Alemania primeramente, luego Inglaterra y por último Francia, con mayores solicitaciones, quienes nos señalaron el camino; o mejor dicho, nos hicieron volver a él. De este modo, al revertir a España la vieja doctrina de la libertad artística —que eso es el Romanticismo en fin de cuentas— volvía enriquecida con nuevos matices: una sensibilidad mayor, una valoración del paisaje inédita hasta entonces, una visión más penetrante de la Historia, un concepto de la vida incorporada íntimamente a la Naturaleza, que a veces desemboca en creaciones francamente panteístas.

Fases de nuestro romanticismo

Cabe preguntar cómo el Romanticismo pudo introducirse en España, rompiendo la costra del neoclasicismo semioficial y vigente; y cómo pudo luego imponerse hasta dominar en plan casi despótico nuestras letras durante un período tan breve como fecundo. Y a ello se responde explicando primero las fases o etapas que hubo de recorrer hasta su triunfo definitivo; los caminos por donde entró y las circunstancias que favorecieron o retardaron —que de todo hubo— ese triunfo.

De ordinario se distinguen cuatro fases: una de *preparación*; otra de *transición*; la tercera, de *triunfo,* y una final, de *nacionalización,* en que los elementos integrantes del romanticismo europeo son reabsorbidos por el espíritu español, hasta quedar casi anulados.

A la primera etapa corresponden aquellas influencias, ya señaladas reiteradamente en nuestro estudio sobre la literatura del siglo XVIII, portadoras de nuevos estilos, nueva sensibilidad y nuevas formas: Young, Gessner, Rousseau, el falso Ossián, etc. Los autores que acusan en España tales influencias también quedaron estudiados: Cadalso, Meléndez, en alguna parte de su producción; el mismo Quintana, Cienfuegos y, sobre todos, los que en la renacida «escuela sevillana» aparecían bautizados con el sobrenombre de *precursores.* Cronológicamente esta etapa corresponde más bien al siglo XVIII.

En la segunda, de transición, deben ser encuadrados ciertos escritores —poetas y dramaturgos en su mayor parte—, que, formados en la preceptiva neoclásica, fueron derivando más o menos decididamente hacia la nueva escuela: el caso más típico es Martínez de la Rosa; pero junto a él pueden figurar otros nombres célebres, como el de Larra y aún el del mismo duque de Rivas.

Este insigne dramaturgo es el que hace triunfar plenamente el romanticismo español con el estreno de *Don Alvaro* (1835). A partir de esa fecha se puede decir que el movimiento está consolidado; se abre una fase de inusitada actividad creadora: son los mejores días de Espronceda, Zorrilla, García Gutiérrez, Arolas, Hartzenbuch, Pastor Díaz, la Avellaneda. Y estamos en el cuarto decenio del siglo.

La última fase, sin discriminación cronológica con la anterior, está representada por una intensificación de los temas hispanos: el viejo Romancero se actualiza; se exhuman las más bellas tradiciones de nuestra historia; un soplo de religiosidad barre los últimos brotes del escepticismo byroniano, que había llegado a germinar en ciertas creaciones de Espronceda, y, superada la fase imitativa, todo indica que se ha encontrado ya la fibra más sensible del alma nacional. Nuestro romanticismo, europeo hasta entonces, ha pasado a ser español: *Romances históricos,* del duque de Rivas; *Leyendas,* de Zorrilla; novelas inspiradas en la historia patria, etc.

Vías de penetración

Si ahora intentáramos seguir el movimiento romántico desde su inicio en el extranjero hasta que se aposenta en España, veríamos que tal como llegó hasta nosotros, ese movimiento nace en Alemania e Inglaterra; pasa a Francia, gracias sobre todo a los libros de madame Staël; triunfa allí, tras ásperas batallas, con el estreno de *Hernani* (1830); y luego, como tantas otras corrientes ideológicas, invade nuestra península. Pero antes de esa fecha, antes de su confirmación oficial en París, ya había hecho acto de presencia entre nosotros. Es aproximadamente entre 1805-1810 cuando empiezan a difundirse en España las nuevas teorías; pero no procedentes de Francia, sino de Alemania, en virtud de la campaña iniciada en Cádiz por Böhl de Faber. Los comentarios que éste hace sobre Schlegel, tan íntimamente ligado a nuestra poesía, despiertan la curiosidad de muchos españoles, a la vez que les revelan un mundo desconocido. Ello no obsta para que el romanticismo español, aunque de inspiración inicialmente germánica, sea entre nosotros fundamentalmente francés, porque si sus promotores miraban a Alemania, los que lo hicieron triunfar —Rivas y Martínez de la Rosa— venían de París.

Suelen señalarse dos vías de penetración: Andalucía y Levante. Incluso se suele decir —así, entre otros, Díaz Plaja— que cada una de esas vías desemboca en una de las dos vertientes antes señaladas: el romanticismo levantino, en la tradicionalista, arcaizante, aristocrática, creyente; el romanticismo andaluz, en la democrática, descreída y revolucionaria [22]. A poco que se profundice se verá que esto no es exacto: ni todo lo andaluz es liberal, ni todo lo levantino es tradicionalista y cristiano. Precisamente, lo vamos a ver en seguida, el primer chispazo romántico, que salta en Andalucía para prender luego en Cataluña, es de tipo histórico cristiano, procede de la obra de Schlegel comentada por Böhl de Faber [23]. Y éste es el que domina toda la primera etapa. En ella no descubrimos sino un tipo de romanticismo, el histórico, defendido por Böhl; y enfrente, unos contradictores (Mora y Alcalá Galiano) clasicistas, aunque liberales. El romanticismo descreído, revolucionario, viene después, con la repatriación de los emigrados políticos, de Francia e Inglaterra. Pero este fenómeno no debe extrañarnos: lo mismo sucedió en Francia. Allí también el primer romanticismo fué cristiano. Llevaba el sello de Chateaubriand [24].

Factores del triunfo: La polémica de Böhl de Faber

Veamos cómo logró imponerse la nueva escuela. A principios del XIX se publicaba en Madrid una revista—*Variedades de Ciencias, Literatura y Arte*—en la que su director, don Tomás García Suelto, había hecho varias veces la apología de nuestro antiguo teatro, destacando el gusto del público, «que prefería los defectos ingeniosos de Tirso y Lope, mezclados con muchas bellezas, a las monstruosas tragicomedias modernas». En la misma revista (12 de julio, 1805) aparecieron unas *Reflexiones sobre la poesía,* en las que el articulista anónimo, después de extractar algunas ideas de Schiller, proclamaba a Shakespeare «el intérprete de la mayor parte de las afecciones», y aludía con mucho interés a los *romancistas* alemanes. El autor del artículo resultó ser un comerciante alemán, residente en Cádiz, cónsul de aquella nación, llamado don NICOLÁS BÖHL DE FABER (1770-1836), padre de la famosa novelista *Fernán Caballero* [25].

La guerra de la Independencia interrumpió la siembra de la nueva doctrina; pero el 16 de septiembre de 1814 Böhl de Faber vuelve a la carga. Publica en *El Mercurio Gaditano* sus «Reflexiones de Schlegel sobre el teatro», haciendo de paso la apología de la literatura española, sobre todo en sus dos aspectos del drama nacional y del Romancero. La respuesta no se hizo esperar: en nombre de la preceptiva neoclásica y de sus inmutables leyes le contestan don José Joaquín de Mora, ya aludido como poeta, y don Antonio Alcalá Galiano. La polémica se inicia, cobra cuerpo; después—como sucede casi siempre—se va agriando, hasta degenerar en la ofensa personal. Mora y Alcalá Galiano, a los que se sumaron luego Hermosilla y Lista, acusaban a Böhl de reac-

cionario; éste tildaba a sus contrincantes de liberaloides y afrancesados. Según Pitollet, Böhl sólo pudo utilizar la prensa hasta junio de 1818, en que por influencia de Mora todos los periódicos le cerraron las puertas; pero él siguió defendiendo sus puntos de vista en una serie de folletos publicados con el título de *Pasatiempos* [26]. En 1820 dió por terminada la discusión al ser elegido académico honorario de la Española, con lo que recibía la mayor satisfacción pública que podía anhelar. Todavía el benemérito alemán tuvo otra satisfacción no menor: la de presenciar el triunfo de sus ideas antes de su muerte, ocurrida en 1836 [27].

Otros factores: Publicaciones y el grupo de «exiliados»

El triunfo de Böhl de Faber no hubiera sido posible a no mediar una serie de circunstancias y factores que interesa recordar. Por lo pronto, los textos de la antigua literatura castellana, al ser puestos otra vez en circulación, vinieron a reforzar los argumentos teóricos. Entre 1822 y 1825 el mismo Böhl publica la *Floresta de rimas castellanas;* siete años después (1832), el *Teatro anterior a Lope de Vega.* Entre tanto, Agustín Durán (1828-1832) nos ofrece, en su *Romancero general,* la más rica colección del género publicada hasta entonces. Poco antes (1828), con su *Discurso sobre la influencia de la crítica moderna en la decadencia del teatro antiguo español,* aporta la más decisiva defensa al punto de vista romántico [28].

Unase a esto la corriente catalana. En 8 de octubre de 1823 aparece en Barcelona *El Europeo,* revista que ya no se anda con vacilaciones, sino que desde el primer momento se constituye deliberadamente en «órgano de la escuela romántico-espiritualista». En su fundación han intervenido dos españoles y tres extranjeros: Carlos Aribau, Ramón López Soler, el inglés C. E. Cook y los italianos Luis Monteggia y Florencio Galli. *El Europeo,* entregado en cuerpo y alma a la nueva doctrina, recoge cuanto de relacionado con ella encuentra de más interesante en los países extranjeros: novelas de Grossi y de W. Scott; poesías de Uhland y el falso Ossián; estudios de Schlegel; dramas de Schiller, etc. Uno de sus fundadores, López Soler, hace, al frente de su novela *Los bandos de Castilla,* una profesión de fe artística que es un auténtico manifiesto.

El mismo año de la desaparición de *El Europeo,* huyendo del terror de Fernando VII, sale de España un grupo de escritores, en su mayor parte jóvenes, que irán a beber en Londres y en París los ideales románticos y que, cuando regresen, ya saturados de ellos, contribuirán a difundirlos por la península. Es el grupo importantísimo, y no todavía suficientemente estudiado, de los «emigrados».

Uno de ellos, Trueba y Cossío, escribe en inglés.

la primera novela histórica, *The Blanck Prince* (1829); otro, Martínez de la Rosa, estrena en París (1830) su *Aben Humeya,* drama ambientado en la nueva escuela; otro, tercero, el duque de Rivas, volverá del exilio trayendo en su cartera una obra plenamente romántica, *El moro expósito.* Cuando se publique, un año después del regreso, llevará al frente un prólogo de Alcalá Galiano, el viejo contradictor de Böhl de Faber, convertido ya a las nuevas doctrinas.

Cenáculos y revistas

Pero al regresar a España los exiliados se encuentran con un fenómeno curioso: ha nacido una nueva generación. Y esa generación, aunque de lejos, ha podido seguir el mismo movimiento revolucionario en las ideas y en la vida, que ellos —los repatriados—habían presenciado de cerca. Es un grupo de jóvenes animosos, torturados por un anhelo de novedades nunca del todo satisfecho, ávidos de escuchar de labios autorizados lo que en política, en filosofía, en arte sobre todo, «se lleva» en Europa. Están al tanto de las grandes batallas reñidas en torno al teatro francés; han leído a madame Staël y a madame Genlis, a Bernardino de Saint-Pierre y a Chateaubriand, a D'Alincourt y a Ducange, a lord Byron y a Víctor Hugo; han saciado por medio de traducciones su creciente hambre de novedades románticas... A imitación de los cenáculos parisinos, se han empezado a crear numerosas tertulias; su concurrencia no puede ser más heterogénea: militares y nobles, conspiradores y futuros ministros, aunque siempre con un gran predominio de hombres de letras. Alguna de estas tertulias—*El Parnasillo, El Ateneo*—estará llamada a desempeñar un papel decisivo en la propagación de las nuevas doctrinas. Allí se discute todo; allí son recibidos con enorme júbilo los repatriados, que pronto convierten cada cenáculo en excelente tribuna para predicar el evangelio estético del Romanticismo [29].

Simultáneamente, y siguiendo el ejemplo de *El Europeo,* los periódicos y revistas continúan la campaña divulgadora. *El Correo Nacional* se adelanta a publicar un artículo de Donoso Cortés sobre «El Clasicismo y el Romanticismo»; José María Carnerero brinda las páginas de sus publicaciones *Cartas Españolas* y *Revista Española* (1831-1836) para la discusión de los problemas románticos; y en *El Siglo* (12 de enero de 1834), un articulista anónimo, acaso Espronceda, se permitía ya tratar en plan irónico y como cosa pasada de moda la cuestión de las «tres unidades». Cuando en enero de 1835 aparece *El Artista,* órgano el más caracterizado del movimiento romántico, la batalla estaba ganada. El estreno de *Don Alvaro,* unos meses después, no hará más que remachar el triunfo. «Hemos hecho—escribía *El Artista*—una guerra de buena ley a *Favonio,* a

Mavorte Insano, a *Ciprina,* al *ronco retumbar del raudo rayo* y a las zagalas que tienen la mala costumbre de *triscar,* y a todas las plagas, en fin, del clasicismo. Pero esto hicimos mientras vivió este malandante mancebo con peluquín; ahora ya murió. *Requiescat in pace*» [30].

La batalla, sin embargo, no fué sangrienta. Hubo, eso sí, un pequeño grupo de satíricos que se dedicó a poner en ridículo la nueva moda; pero su sátira, que casi nunca reviste excesiva acrimonia, se refiere más bien a los abusos que a la doctrina. En estos comentarios irónicos se distinguieron, entre otros, Eugenio de Tapia, Santos López Pelegrín y Mesonero Romanos [31]. Que, pasados los primeros ataques violentos de la época de Mora y Böhl de Faber, se había llegado a una especie de concordia entre los dos bandos nos lo demuestra el famosísimo y divulgado cuadro de Esquivel: allí está Zorrilla, muy joven aún, leyendo un poema ante una concurrencia de cerca de medio centenar de literatos de la época. En esa concurrencia, al lado de románticos furibundos, y en primera fila, como correspondía a su prestigio casi venerable, figuran hombres tan apegados a las tradiciones clásicas como Quintana, Lista y Nicasio Gallego [32].

NOTAS

1. Valera ha señalado las diferencias entre el ideario germinador del romanticismo alemán y el español: «El romanticismo que veinte años ha apareció o, si se quiere, resucitó entre nosotros, había aparecido en Alemania durante las guerras contra Napoleón, no sólo como secta literaria, sino como doctrina filosófica y patriótica, que sacaba la Edad Media de su sepulcro y que armaba a sus guerreros católicos contra el pagano emperador de Francia. Nosotros, que no teníamos necesidad de evocar espectros para luchar con Napoleón, y que conservábamos vivas en el alma las ideas patrióticas, conservamos asimismo, en medio de aquel levantamiento contra los franceses, un respeto ciego por sus preceptos literarios y hasta un amor decidido y un anhelo particular de seguir en todo sus ideas filosóficas. Así es que Quintana, el gran poeta lírico, es el poeta más pagano que ha habido en España, y aunque por el sentimiento es sublime, las ideas que populariza son las más vulgares de la filosofía francesa del siglo pasado (el XVIII).» (Art. *Del romanticismo en España y de Espronceda,* 1854.)

2. El resurgimiento de las diversas literaturas regionales a partir de la segunda mitad del siglo pasado (napolitana, provenzal, catalana, gallega) no es más que el resultado de la corriente disgregadora, opuesta al rígido criterio unificador del clasicismo.

3. Dos años después de esta revolución María Cristina otorgaba una amplia amnistía a los desterrados políticos, alguno de los cuales, Espronceda, había luchado en las barricadas parisinas.

4. *Historia del renacimiento literario contemporáneo en Cataluña, Baleares y Valencia,* págs. 151-52, Madrid, 1880.

5. Larra, considerado uno de los corifeos del romanticismo, no se atreve a romper con el ideario neoclásico; como buen hijo de la Enciclopedia, guarda muchas de las ideas dieciochescas. Su romanticismo está más en la vida que en la doctrina, más en la práctica que en la teoría. «En nuestros juicios críticos—escribe en su artículo *Literatura*—preguntaremos a un libro: ¿Nos enseñas algo? ¿Nos eres la expresión del progreso humano? ¿Nos eres útil? Pues eres bueno.» Tras esta concepción del arte docente, añade: «No reconocemos magisterio literario en ningún país, menos en ningún hombre; menos en ninguna época, porque el gusto es relativo; no reconocemos una escuela exclusivamente buena,

porque no hay ninguna absolutamente mala. Ni se crea que asignamos al que quiera seguirnos una tarea más fácil; no. Le instamos al estudio, al conocimiento del hombre; no le bastará, como al clásico, abrir a Horacio y a Boileau y despreciar a Lope o a Shakespeare; no le será suficiente, como al romántico, colocarse en las banderas de Víctor Hugo y encerrar las reglas con Molière y con Moratín; no, porque en nuestra librería campeará el Ariosto al lado de Virgilio, Racine al lado de Calderón, Molière al lado de Lope; a la par, en una palabra, Shakespeare, Schiller, Goethe, Byron, Víctor Hugo, Corneille, Voltaire, Chateaubriand y Lamartine.» Más adelante, al estudiar la obra de Larra, tendremos ocasión de exponer su ideario estético; adelantemos aquí que clásicos y románticos pueden aportar numerosos textos para incorporarlos a sus respectivas escuelas.

La misma posición dualista observa Espronceda en los conocidos versos de *El diablo mundo* cuando declara amar «el puñal de Catón», «la adusta frente del noble Bruto», «la constancia fiera y arrojo de Scévola valiente» y a la vez:

> El valor y la fe del caballero,
> del trovador el arpa y los cantares,
> del gótico castillo el altanero
> antiguo torreón...

6. El romanticismo ha sido, consecutivamente, reivindicación del sentimiento, del impulso, del instinto, de la voluntad del individuo contra la razón, la ley y la regla; pero ha sido también exaltación de la razón, de la ley y de la disciplina; ha sido historicismo y antihistoricismo, individualismo y socialismo, culto al pasado y futurismo. Mas el romanticismo, aunque considerado en este su dividirse en formas antitéticas, presenta un punto unitario y precisamente una concepción de la vida experimentada y vivida como potencia y energía, actividad en movimiento que se desdobla en formas infinitas y distintas, sin agotarse nunca en ninguna de ellas, sin otro fin que el de ser ella misma elevada al máximo grado.» (FEDERICO SCIACCA: *La filosofía hoy*, pág. 16.) Para evitar la repetición de conceptos y, a la vez, para dar una visión más completa y clara del movimiento romántico, aquí sólo señalamos las directrices generales, dejando para temas sucesivos la caracterización de cada uno de los géneros: teatro, novela, lírica, etc.

7. Vid. FEDERICO SCIACCA: *Ob. cit.*, pág. 16.

8. Piénsese en la novela de Hugo Fóscolo *Ultimas cartas de Jacobo Ortiz*. El suicidio del protagonista ya no obedece—como en el caso de *Werther*—únicamente a un conflicto amoroso; viene a sumarse a éste la tragedia del patriota que ve esclavizada a su patria por el imperialismo austriaco.

9. «¿Quién ignora—escribe López Soler—la notable mudanza que ocasiona la aparición del cristianismo en la sociedad humana?... He aquí el origen del romanticismo. El esplendoroso aparato de las Cruzadas, las virtudes y el pundonor de los caballeros, en unión de sus galantes y maravillosas aventuras, dieron vasto campo a las descripciones en la parte humana para explicarnos los poemas; pero para su parte metafísica y sublime se recurrió a la religión, tomando de ella un colorido lúgubre y sentimental.» (*El Europeo*, año 1823, págs. 209-10.) A estas causas añade Luis Monteggia otras no menos importantes: «La invasión del Mediodía de Europa efectuada por los habitantes del Norte, llevando consigo las lúgubres ideas de los climas septentrionales y el gusto por las melancólicas canciones de los Bardos y de los Druidas... Posteriormente las costumbres caballerescas que trajeron los moros acabaron de despertar en los ánimos de los valientes los interesantes impulsos del sentimiento con que obsequiaban a las damas, poniendo en los escudos por emblema del honor: Dios, la patria y el amor.» (*El Europeo*, 25 de octubre de 1823.)

10. Vid. DE MAAR: *A History of Modern English Romanticism*, «Oxford University Press», 1924, I, pág. 1.

11. En 1799 García de Arrieta, al traducir una cita de Marmontel, emplea la v z «romancesco», que más tarde prohijó Böhl de Faber como propia del castellano, rechazando, en su afán purista, la de «romántico». (Vid. ALFONSO PAR: *Shakespeare en la literatura española*, vol. I, pág. 144 y sigs.)

12. Sainte-Beuve daba por concluido el romanticismo francés en 1848. Y ya el P. Blanco señalaba idéntica fecha terminal para el español, «porque en aquella fecha y en los años inmediatamente posteriores es cuando se comienzan a notar ráfagas de inspiración nueva y vislumbres de un arte distinto del hasta entonces generalizado.» (*La literatura española en el siglo XIX*, II pág. 7, Madrid, 1891.)

13. *Del romanticismo en España y de Espronceda*. El mismo crítico señala el carácter eminentemente español de nuestro romanticismo: «La secta de los románticos, que vino de Francia, como vienen todas las modas, se amoldó perfectamente a nuestras inclinaciones y carácter, y se hizo tan española como si hubiera nacido en España, porque, si la palabra romanticismo quiere decir algo, no hay país más romántico que el nuestro. Con todo, el romanticismo tuvo al principio mucho de ridículo, de pueril y de exagerado, y, a pesar de los grandes poetas que siguieron la nueva secta, hicieron de ella los clásicos mil burlas merecidas. Pero de la misma contienda nació poco a poco una filosofía del arte, más perfecta y comprensiva; las distinciones desaparecieron, y se llegó a entender que de lo bello y de lo feo, de lo ingenioso y de lo rudo es de lo que se debe ocupar el crítico para admirarse de lo que naturalmente es hermoso y desechar y condenar lo que, por moda o convención, suele, en un momento dado, parecer bello al vulgo.»

14. El título de la primera parte, única de verdadero interés a nuestro objeto, es *Historia de los bandos de los Zegríes y Abencerrajes*.., «agora nuevamente sacada de un libro arábigo, cuyo autor de vista fué un moro llamado Aben Hamín, natural de Granada», Zaragoza, 1595.

15. «Hay mucha variedad de tonos en Meléndez. Los dos romances de *Doña Elvira*, por ejemplo, constituyen una verdadera leyenda romántica que no parecería mal entre las del duque de Rivas.» (*Historia de las ideas estéticas*, C. S. I. C., III, pág. 396, nota.)

16. No hemos de insistir en este tema, que ha sido expuesto magistralmente por Menéndez Pelayo en sus *Orígenes de la novela*. Si de las *Guerras civiles de Granada* y del Romancero morisco derivan la serie de moros caballerosos que invadieron Europa, de los *Comentarios reales* del inca Garcilaso arranca—dice el eminente crítico—«aquella ilusión filantrópica que en el siglo XVIII dictaba a Voltaire su *Alzira* y a Marmontel su fastidiosísima novela de *Los Incas*, y que en el canto triunfal de Olmedo en honra de Bolívar evocaba tan inoportunamente, en medio del campo de Junín, la sombra de Huayna Capac para felicitar a los descendientes de los que ahorcaron a Atahualpa».

17. Vid. ARTURO FARINELLI: *Il Romanticismo in Germania*. Para la historia del romanticismo catalán y su influjo en España puede consultarse MANUEL DE MONTOLÍU: *Manual d'historia crítica de la literatura catalana moderna*, 1.ª parte, Barcelona, Editorial Pedagógica, MCMXXII.

18. «Libertad en literatura, como en las artes, como en la industria, como en el comercio, como en la conciencia. He aquí la divisa de la época; he aquí la nuestra.» (LARRA: *Literatura. Rápida ojeada sobre la historia e índole de la nuestra. Su estado actual. Su porvenir. Profesión de fe*, artículo publicado en *El Español*, 18 de enero de 1836.)

19. Recuérdese la oda de Meléndez Valdés *A Dios*.

20. El episodio, tan traído y llevado, del *villano del Danubio*, del obispo de Mondoñedo, fray Antonio de Guevara, tiene un antecedente remoto en el cuento egipcio *Las quejas del felah*.

21. Sería interesante relacionar esta temática con la novela pastoril; el género pastoril es, hasta cierto punto, un alegato contra la sociedad; el espíritu de independencia aleja a los pastores y les hace vivir una vida solitaria, atentos sólo a sus problemas amorosos y desentendidos del mundo circundante. Hay, sin embargo, una diferencia esencial: en la novela pastoril no se hace crítica de la civilización; se prescinde de ella; se la considera aparte. Pero, al llegar el XVIII, sin duda por influjo de la nueva ideología, la mejor obra del género, *El Mirtilo*, de Montengón—a la que nos hemos referido—, funde los dos temas: pastoril y antisocial.

22. «Estas vías de penetración son las vías típicas de ingreso de los fenómenos culturales europeos en España desde que el camino de Santiago dejó de tener vigencia cultural... Lo interesante, empero, es considerar cómo las nuevas escuelas inician su marcha sobre Madrid y la resistencia que la meseta—más conservadora—opone.» (DÍAZ-PLAJA: *Introducción al estudio del romanticismo español*, pág. 45.)

23. «Es muy plausible sospechar que Próspero Bofarull, en los cinco años que residió en Cádiz (1809-1914), antes de ser nombrado archivero de la Corona de Aragón en Barcelona, tuvo ocasión de intimar con Böhl, y que después su casamiento con una gaditana fué nuevo ali-

ciente para estar bien enterado del movimiento literario de la ciudad andaluza y comunicar a sus compañeros catalanes la labor del erudito alemán.» Vid. ALFONSO PAR: *Shakespeare en la literatura española*, parte I, pág. 204. La mejor tradición crítica española (Menéndez Pelayo, Rubió y Lluch, Montoliu, etc.), viene señalando al grupo catalán de *El Europeo* como introductor del romanticismo en España; la paciente búsqueda en los periódicos del primer cuarto de la centuria pasada tal vez nos suministrara pruebas suficientes para rectificar esta tesis y poner de manifiesto que el romanticismo catalán se inició, bajo la influencia de Böhl, por intermedio de Bofarull. Menéndez Pelayo, en su estudio sobre Trueba y Cossío, afirma que «los primeros atisbos de lo que después se llamó romanticismo se encuentran en *El Europeo*, revista que en 1822 publicaban Aribau, autor más tarde de la admirable *Oda a la Patria*, y López Soler, futuro imitador (y algo más) de Walter Scott».

24. El romanticismo oficial triunfó en Francia en 1830 con el estreno de *Hernani*, y el que cinco años más tarde había de triunfar aquí con el *Don Alvaro* era ya un romanticismo evolucionado. Desde 1813 las teorías alemanas fueron difundidas en francés por Schlegel, madame Stäel y Sismondi. A la lucha de los románticos con los clasicistas hay que añadir en Francia la que sostuvieron las diversas escuelas románticas entre sí. A diferencia de lo que ocurría en España, los románticos franceses no tenían una base próxima en que apoyarse, como lo prueba el hecho de que Sainte-Beuve quiera entroncarlos con Ronsard y Hardy. El clasicismo era en la nación vecina algo nacional, algo enraizado en la psicología y el pensamiento; era la literatura oficial comúnmente aceptada, a diferencia de lo que ocurría en España y en otros países, donde llevaba el sello de lo impuesto, y, al menos entre nosotros, suscitaba la oposición del más importante sector. Por eso mismo también, mientras en Alemania y en España el romanticismo entró sin polémicas violentas, en Francia tuvo que sostener una tenaz lucha. Así ha podido hablarse de la «batalla de *Hernani*»; así ha parecido el romanticismo francés el típico, el revolucionario, el romanticismo por antonomasia. Un amplio comentario del romanticismo francés puede verse en la obra de René Bray *Chronologie du romantisme*, París, Boivin, 1932. Queda por consignar que en Francia, hasta 1827, el romanticismo fué de tipo tradicional y católico; son los azares políticos los que dan el triunfo al romanticismo liberal y antimonárquico. El mismo Victor Hugo, en el elogio fúnebre de Byron, ponía en parangón la escuela de Chateaubriand, «religiosa para adorar», con la del poeta inglés, «religiosa para maldecir, y en 1825 compuso una oda a la consagración de Carlos X.

25. El aludido artículo iba firmado con las iniciales A. P. P., residente en Chiclana. Alfonso Par lo atribuye a Böhl de Faber, por cuanto años después expuso idénticas ideas en su polémica con Mora, y el mismo Alcalá Galiano se hace eco de ellas en un artículo del año 1838.

26. Son de valor inapreciable para conocer la aportación de Böhl a la historia del movimiento romántico entre nosotros. Los publicó con el seudónimo *El Alcalde de Daganzos*, y sus títulos respectivos son: «Pasatiempo crítico, en que se ventilan los méritos de Calderón y el talento de su detractor»; «Segunda parte del Pasatiempo crítico, que trata de lo mismo por el propio» (ambos aparecieron en 1818), y «Tercera parte del Pasatiempo crítico, en defensa de Calderón y del teatro antiguo español» (1819). Cada uno de los stres folletos consta de doce artículos y un apéndice. En 1820, ya con su propio nombre, los reunió en un libro titulado *Vindicaciones de Calderón y el teatro antiguo español contra los afrancesados en literatura*. En estos folletos examina las cuestiones literarias más debatidas en su tiempo, y afirma que «nada de lo que se ha versificado en España en el siglo pasado (XVIII), a imitación de los franceses, merece pasar a la posteridad». Para Böhl la ilustración requiere «un conocimiento universal de historias y literaturas..., una crítica que guarde el justo medio entre la credulidad antigua y el escepticismo moderno..., una filosofía que sepa apreciar lo peculiar de las naciones e individuos y sepa entender... su admirable variedad en oposición a la monotonía que predican los profesores de la filantropía y los campeones de las reglas eternas e infalibles del gusto. Se pronuncia contra el teatro convertido en cátedra de moral, lo que no le impide reconocer el gran valor del auto calderoniano. En este aspecto se adelanta a la crítica moderna al proclamar que los autos calderonianos no son inferiores a las comedias, ya que «la verdadera poesía es el prototipo de un mundo del

todo espiritual..., y su aplicación a las ideas religiosas el más digno recreo de un alma inmortal». Los recientes estudios de Valbuena Prat, Parker y otros coinciden en todo con el juicio de Böhl. Estas polémicas han sido estudiadas por C. PITOLLET: *La querelle calderonienne*, París, 1909.

27. Dos años después, 1838, Alcalá Galiano rinde a Böhl el más sincero tributo: «Quedó triunfante el clasicismo en la práctica corriente de nuestra tierra (a pesar de la defensa de nuestra comedia antigua en 1813 por Juan Nicolás Böhl de Faber), hasta que los románticos en Francia llegaron a ver representados sus dramas en el teatro francés... Este caballero alemán, de vastos conocimientos, había sido el campeón de nuestra literatura, como quien más ama y entiende los libros españoles. Abogaba entonces, 1818, por las reglas francesas el escritor de este artículo, lleno de preocupaciones que hoy ha abjurado, a no ser que ahora yerre y entonces acertase.» (*Revista de Madrid*, 1838, vol. I, págs. 42 y sigs.)

28. Durán, haciéndose eco de las doctrinas de madame Stäel, afirma que «el gusto de las naciones en materia de teatro procede de la diferencia de sus necesidades morales y de su modo de ver, sentir, juzgar y existir». Este *Discurso* debe considerarse, con mayor razón que el prólogo de Alcalá Galiano a *El moro expósito*, del duque de Rivas, como el primer manifiesto del romanticismo español. Mientras Alcalá Galiano no acaba de desprenderse de los ataderos neoclásicos, Durán vindica el carácter eminentemente nacional de nuestro teatro del Siglo de Oro.

29. *El Parnasillo* estaba situado al lado del teatro del Príncipe, en el lugar que ocupa hoy la contaduría del Español. Asistían a él Grimaldi, Estébanez Calderón, Gil y Zárate, Escosura, Espronceda, Larra, Ventura de la Vega, Roca de Togores, Cheste, Ros de Olano, García Gutiérrez, Hartzenbusch, Mesonero Romanos, etc. *El Ateneo* estaba en la calle de la Montera, y tenía por contertulios al duque de Rivas, la Avellaneda, Antonio M.ª Segovia, Alcalá Galiano, Olózaga, Rodríguez Rubí, la Coronado, Fernández y González, etc. *El Liceo*, fundado algo más tarde (1837) en el palacio de los duques de Villahermosa, terminó por absorber a los dos grupos. De todas las tertulias la más famosa fué *El Parnasillo*. De él nos han quedado sugestivas evocaciones, destacando entre todas la de Mesonero Romanos en sus *Memorias de un setentón*.

30. Vid. F. C. SAINZ DE ROBLES: *Historia y antología de la poesía castellana*, Edit. Aguilar, págs. 158-59.

31. El desorden característico de los románticos frente a la serenidad de los neoclásicos inspira a Eugenio de Tapia la sátira de los elementos típicos del romanticismo y de la aparatosidad escenográfica:

> Ven, romántica musa; ya de Horacio
> renuncié a la doctrina; volar quiero,
> libre cual tú, por el inmenso espacio
> de la región sombría, lastimero,
> cantando brujas, duendes, quemadores
> armados con la Cruz... Inquisidores
> ....
>
> Hubo decoraciones muy exóticas:
> noche de tempestad, truenos, relámpagos,
> convento, panteón, ruinas, cárceles,
> guerreros, brujas, campesinos, cuáqueros.

Santos López Pelegrín, por su parte, ironiza cierta prosa poética que dió en llamarse *fragmentarismo*, poniendo al margen de una de sus críticas taurinas este comentario: «Entre nosotros los románticos la palabrilla fragmento es el *refugium peccatorum* y el universal comodín con que salimos del paso en cualquier apuro. Se le ocurre a un romántico hacer una composición sin saber a quién, ni por qué, ni para qué. La hace, y después de hecha se encuentra con que aquello es un tejido de desatinos incomprensibles. ¿Y qué hace entonces? Coge y va y pone *Fragmento*, y con sólo esto y añadir en cualquier parte de la composición un centenar de puntos suspensivos, media docena de admiraciones y unos cuantos números romanos, cate usted a Periquito hecho fraile, y a mi hombre tenido y reputado por un genio superior y un consumado poeta.»

32. El sugestivo lienzo se exhibe en el Museo de Arte Moderno de Madrid.

BIBLIOGRAFIA

N. B. Adams: *Notes on Spanish Plays at the Beginning of the Romantic Period*, «The Romanic Review», vol. XVII, 1926.—«Azorín» (José Martínez Ruiz): *Rivas y Larra. Razón social del romanticismo en España*, Caro Raggio, Madrid, 1916.—Irving Babbitt: *Rousseau and Romanticism*, Houghton Mifflin, Boston.—H. Becher: *Nota histórica sobre el origen de la palabra romántico*, «Bol. Bibl. Men. Pelayo», enero-marzo 1931.—Dr. Becher: *Die Kunstanschuung der spanischen Romantik und Deutschland*, Münster.—A. Beguín: *Los románticos y el inconsciente*, «Rev. Nacional de Cultura», Caracas, 1940.— F. Beltrán y D. Amat: *Del origen y doctrinas de la escuela romántica y de la participación que tuvieron en el adelantamiento de las Bellas Artes en Barcelona los señores don Pablo y don Manuel Milá y Fontanals y don Claudio Lorenzale*, 2.ª ed., Barcelona, 1908.—J. J. A. Bertrand: *Le romantisme allemand et la poésie romane*, París, 1924.—J. Bertaut: *L'Epoque romantique*, Tallandier, París, 1948.—L. A. Bisson: *Rousseau and the Romantic Experience*, «Modern Language Review», Cambridge, 1942.—J. Borao: *El romanticismo*, «Rev. Esp. de Ambos Mundos», Madrid, 1854.—R. Bray: *Chronologie du Romantisme: 1804-1830*, «Rev. des Cours et Conférences», París, VII, 1932.—E. Brinckmeier: *Die Nationalliteratur der Spanier seit dem Anfange des neunzehaten Jahrhunderts*, Göttingen, 1850.—F. Brunetiere: *Clásicos y románticos*, «El carácter esencial de la literatura francesa», Colec. Austral, Buenos Aires, 1947.—E. Buceta: *El entusiasmo por España de algunos románticos ingleses*, «Rev. de Filol. Esp.», vol. X, Madrid, 1923.—P. Caba: *El hombre romántico* (Interpretaciones), Madrid, 1952.— J. Camón Aznar: *Teoría del romanticismo*, «Rev. de Occidente», vol. XXIX, 1930.—E. Caro: *El pesimismo en el siglo XIX*.—M. Casella: *Agli albori del romanticismo...*, «Rev. delle Biblioteche e degli Archivi», vol. XXIX, 1918.—A. Castro: *Les grands romantiques espagnols*, Renaissance du Livre, París, 1922.—Elena Catena: *Ossián en España*, «Cuad. de Liter.», vol. IV, Madrid, 1948.— C. Centi: *Il romanticismo*, Sonsogno, Milán, 1939.— G. Citanna: *Il romanticismo e la critica letteraria*, 1931.—J. M.ª de Cossío: *El romanticismo a la vista*, Espasa-Calpe, Madrid, 1942.—Courtney F. Tarr: *Romanticism in Spain and Spanish Romanticism. A Critical survey*, Inst. of Hispanic Studies, Liverpool, 1939.—B. Croce: *Le definizioni del Romanticismo*, «Crítica», IV cuad., Bari. — Marqués de Custine: *L'Espagne sous Ferdinand VII*, París, 1838.—J. Deleito Piñuela: *El sentimiento de tristeza en la literatura contemporánea*, Edit. Minerva, Barcelona, 1923.—E. Deschanel: *Le Romantisme des classiques*, Colmann-Lévy, París, 1883.—J. Díaz Fernández: *El nuevo romanticismo*, Madrid, 1930.— G. Díaz-Plaja: *Introducción al estudio del romanticismo español*, Espasa-Calpe, Madrid, 1936.—J. Donoso Cortés: *El clasicismo y el romanticismo*, «El Correo Nacional», Madrid, 1838.—J. Dornhof: *Johann Nikolaus Böhl von Faber, ein Vorkämpfer der Romantik in Spanien*, Hamburgo, 1925.—J. M. Echenique Gandarillas: *La verdad histórica y el romanticismo*, R. d. E., 1930.—J. de Entrambasaguas: *Determinación del romanticismo español y otros ensayos*, Madrid, 1940.—*Artículo sobre el romanticismo*, «El Europeo» (periódico), 25 octubre 1823.— L. Guarner: *El Europeo* (Índices y extractos), C. S. I. C., Madrid, 1954.—A. Farinelli: *Il Romanticismo nel mondo latino*, Bocca, Turín, 1927.—M. Fernández Almagro: *Granada en la literatura romántica española*, Madrid, Real Acad. Esp.—Gray W. Forbes: *Walter Scott's in Spain*, «The Sir Walter Scott Quaterly», 1927.— E. Friedell: *Romantik und Liberalismus. Imperialismus und Impresionismus*, Beck, München, 1931.—Alice Galimberti: *A conclusione d'un centenario: Il processo al romanticismo*, 1930.—E. Gandía: *Orígenes del romanticismo y otros ensayos*, Edit. Atalaya, Buenos Aires, 1946.— J. García Mercadal: *Historia del romanticismo en España*, Edit. Labor, Barcelona, 1943.—U. González Serrano: *La literatura del día* (Romanticismo y realismo), Barcelona, 1903.—H. Heiss: *Die Romantik in den romanischen Literatures*, Freiburg, 1930.—E. von Jan: *Beziehungen zwischen Spanien und Deutschland zur Zeit der Romantik*, 1943.—H. Jeschke: *Spanien, Portugal, Lateinamerika* (Die «Spanischen» Literaturen von der Romantik bis zur Gegenwart), «Manual de las literaturas de Walzel», 2 vols. Potsdam, 1935 y 1936.—E. Juliá Martínez: *La influencia de Italia en el romanticismo español*, «Anuario cultural italo-español», núm. 1, 1942; *Shakespeare en España*, Madrid, 1918.—H. Juretschke:

romanticismo liberal en Cataluña, «Rev. de Literatura», Madrid, 1954; *Origen doctrinal y génesis del romanticismo español*, Madrid, 1954.—A. Latour: *Nouvelles études sur l'Espagne*, París, 1858; *Etudes litteraires sur l'Espagne contemporaine*, París, 1864.—G. le Gentil: *Les Revues littéraires de l'Espagne pendant la première moitié du XIX siècle. Aperçu bibliographique*, París, 1909.— Levy-Bruhl: *Les prémiers romantiques allemands*, «Revue des Deux Mondes», septiembre, 1890.—E. Levi: *Le Romantisme aprés 1830*, «Revue de Litt. Comparée», X, 1930.—P. López Clarós: *Meditaciones sobre el romanticismo*, «Guardia Nacional», Barcelona, 1838.—R. López Soler: *Análisis de la cuestión entre románticos y clasicistas*, «El Europeo», 1923.—A. O. Levejoy: *Schiller and the genesis of Romanticism*, «Modern Language Notes», Baltimore, 1920.—F. L. Lucas: *The Decline and Fall of Romantic Ideal*, «Univ. Press», Cambridge, 1948.—V. Lloréns Castillo: *Liberales y románticos. Una emigración española en Inglaterra: 1823-1834*, Colegio de México, Méjico, 1954; *Una publicación romántica olvidada*, «Nueva Rev. de Filol.», Méjico, 1953.— Ivi L. Mac Clelland: *Origins of the romantic movement in Spain*, Inst. of Hispanic Studies, Liverpool, XII, 1937.—L. Maigron: *Le romantisme et les moeurs*.—E. Martinenche: *Histoire de l'influence espagnole sur la littérature française. L'Espagne et le romantisme française*, Hachette, París, 1922.— M. Méndez Bejarano: *Historia política de los afrancesados*, Madrid, 1912; *La literatura española en el siglo XIX*, Madrid, 1921.—M. Menéndez Pelayo: *Historia de las ideas estéticas en España*, vols. IV y V, Aldus. Santander, 1940.—R. Mesonero Romanos: *Memorias de un setentón*, 2 vols., Madrid, 1882; *El romanticismo y los románticos y Costumbres literarias*, «Escenas matritenses», Madrid.—P. Moreau: *Le classicisme des romantiques*, Plon, París, 1932.—A. Morel-Fatio: *L'Hispanisme dans Victor Hugo*, «Homenaje a M. Pidal», vol. I.— G. Muoni: *Note per una Poetica storica del Romanticismo*, Milán, 1906.—M. Núñez Arenas: *Notas acerca de Chateaubriand en España*, «Rev. de Filol. Esp.», vol. XII, 1925.—M. K. Nurmi: *The romantic movement: A selective and critical bibliography for the year 1956*, «Philological Quartely», vol. XXXVI, Univ. of Iowa, 1957.— J. Ortega y Gasset: *Para un nuevo Museo romántico*, «El espectador», vol. VI, «Rev. de Occidente», Madrid.— E. Ospina: *El romanticismo*, Madrid, 1927.—R. Palmieri: *Alle soglie del Romanticismo spagnuolo*, «La Cultura», Florencia-Roma-Ginebra, 1922.—A. Par: *Representaciones shakesperianas en España: Epoca galoclásica. Epoca romántica*, San Felíu de Guixols, 1936; *Shakespeare en la literatura española*, 2 vols. Madrid-Barcelona, 1935.— Emilia Pardo Bazán: *La literatura francesa moderna. El romanticismo*, Comp. Ibero-Amer. de Publicaciones, Madrid, s. f.—Adelaide Parker y E. Allison Peers: *The vogue of Victor Hugo in Spain*, «Modern Language Review», vol. XXVII, Cambridge, 1932.—E. Allison Peers: *Historia del movimiento romántico español*, 2 vols., Edit. Gredos, Madrid, 1954; *The term «Romanticism» in Spain*, «Revue Hispanique», vol. LXXXI, 1933; *Periodical contributions of Seville to Romanticism*, «Bull. Hispanique», Burdeos, 1922; *The Vogue of A. Dumas pere in Spain*, «Homenaje a Rubió y Lluch»; *La influencia de Chateaubriand en España*, «Rev. Filol. Esp.», vol. XI, 1924; *Studies in the influence of Sir Walter Scott in Spain*, Nueva York-París, 1926; *The influence of Manzoni in Spain*, «A Miscellany of Studies in Romance Languages and Literatures», Cambridge, 1932.—E. Allison Peers y Philip H. Churchman: *A survey of the influence of sir Walter Scott in Spain*, «Revue Hispanique», vol. XXV, Nueva York-París, 1922.—L. Pfandl: *Robert Southey und Spanien*, «Rev. Hisp.», 1913.—E. Piñeyro: *El romanticismo en España*, Garnier, París, ¿1904?—C. Pitollet: *La querelle caldéronienne de J. N. Böhl von Faber et J. Joaquín de Mora*, Alcan, París, 1909; *Quelques reliques de Böhl de Faber*, «Rev. Arch., Bibl. y Mus.», Madrid, 1913; *Victor Hugo en Madrid en 1811-1813*, «Nuestro Tiempo», 1923.—M. Pueyo: *Lo que hoy se llama Romanticismo*, «Sem. Pintoresco Español», Madrid, 1839.— J. Raymond Derby: *The romantic mouvement: selective and critical bibliography for the year 195.*, «Philological Quarterly», Iowa», 1952.—L. Reynaud: *Le romantisme: Ses origines anglo-germaniques*, Armand Colin, París, 1926.—A. Ribeiro: *O Romantismo e a natureza humana*, Oporto, 1936.—A. Rivero de la Cuesta: *El clasicismo y el romanticismo*, «Rev. de España», t. 88.—A. Rumeau: *Le théâtre à Madrid à la veille du romantisme*, «Hommage à E. Martinenche», París.—A. Salazar: *El siglo romántico*, Madrid, 1935.—J. Serrailh: *L'emigration et le romantisme espagnol*, «Revue de Littér. Comparée»,

X, París, 1930; *Enquêtes romantiques*, France-Espagne, París, 1933.—G. SCHWARZ: *August Wilhelm Schlegels Verhältnis zur spanischen und portugiesischen Literatur*. Halle, 11914.—E. SEILLIÈRE: *Le Romantisme*, París, 1925.— J. R. SPELL: *Rousseau in the Spanish World before 1833*, Austin (Estados Unidos), Tejas, 1938.—F. C. TARR: *Romanticism in Spain and Spanish Romanticism. A critical Survey*, Institute of Hispanc Studies, Liverpool, 1939.— H. TIEMANN: *Das spanische Schrifttum in Deutschland von der Renaissance bis zur Romantik*, Ibero-Amerikan Institut, Hamburgo, 1936.—J. A. THOMPSON: *Alexandre Dumas Pere and Spanish Romantic Drama*, Louisiana State, Univ. Press, 1938.—H. TRONCHON: *Romantisme et Pré-romantisme*, Las Belles-Lettres, Estrasburgo, 1930.— F. M. TUBINO: *Historia del renacimiento literario contemporáneo en Cataluña, Baleares y Valencia*, Madrid, 1880.—J. VALERA ALCALÁ-GALIANO: *Del Romanticismo en España y de Espronceda*, «Obras completas», II, M. Aguilar, Madrid, 1942.—P. VAN TIEGHEM: *La poésie de la nuit et des tombeaux en Europe au XVIIIe siècle*, París, 1921; *Le mouvement romantique. Anglaterre, Allemande, Italie, France*, Libr. Vuibert, París, 1940; *Le Pré-romantisme*, F. Rieder, París, 1924; *Le Romantisme dans la Littérature Européenne*, Albin Michel, París, 1948.—R. VINCI-QUERRA: *Romanticismo: Discusioni attuali*, Bari-Laterza, 1931.—M. L. WAGNER: *Die Romantik im lateinischen Amerika Internationale Mometsschrift für Wissenschaft, Kunst und Technik*, Leipzig-Berlín, 1920.—R. WELLEK: *The Concept of «Romanticism» in Literari History. I. The Term «Romantic» and its Derivatives. II. The Unity of European Romanticism*, «Comparative Literature», vol. I. Univ. of Oregon, 1949.

CAPITULO LX

EL TEATRO ROMANTICO EN ESPAÑA: A) TRANSICION Y TRIUNFO

I. Caracteres del teatro romántico: *Convencionalismos y contrastes. El drama romántico y el del Siglo de Oro.*—II. Martínez de la Rosa: *Datos biográficos. Obra poética. Obra dramática. Obra crítico-didáctica.*—III. El duque de Rivas: *Datos biográficos. Clasificación de su obra literaria. Rivas, prosista. Rivas, poeta. Obra dramática. El «Don Alvaro». «El desengaño en un sueño». Rivas, épico-legendario. Un poema extenso: «El moro expósito». Las leyendas y los romances. Rivas, lírico.*—IV. La comedia moratiniana en la época romántica: *José Mor de Fuentes, Javier de Burgos, María Rosa Gálvez y Flores Arenas.*—V. Bretón de los Herreros: *Datos biográficos. La obra literaria: lírica y teatro.* a) *Comedias costumbristas.* b) *Refundiciones y traducciones.* c) *Drama romántico.*—Notas.—Bibliografía.

I. CARACTERES

Con el triunfo del Romanticismo, la distinción clara entre «tragedia» y «comedia», mantenida por la preceptiva neoclásica, desaparece o se debilita. Surge con preferencia la denominación de «drama», que abarca desde tragedias, como *Don Alvaro, Los amantes de Teruel* o *El Trovador,* hasta lo que puede considerarse «alta comedia» o lo que en el XVII se llamó «comedia de capa y espada», con desenlace feliz, como *Honoria* [1]. Se sigue empleando la denominación de «comedia»; pero ésta tampoco representa, como en el XVIII, exclusivamente las obras de desenlace feliz, sino que, siguiendo a nuestros dramaturgos del XVII, abarca tipos distintos y que van desde la simple exposición costumbrista con su tonillo didáctico o satírico, como *Marcela o ¿cuál de los tres?,* hasta la pieza de final trágico, como *El crisol de la lealtad,* del duque de Rivas, basada en *La crueldad por el honor,* de Ruiz de Alarcón.

El tema más socorrido del drama romántico es el histórico. No importa que la historia se falsee; que la reconstrucción arqueológica de las épocas sea pura ilusión. El dramaturgo quiere mostrar sus estados de ánimo, sus pasiones y sus luchas. Ahora bien: estas pasiones, ¿le agitan realmente, o son sólo imaginarias? En esto estriba —para nosotros—la falsedad del drama romántico. A diferencia de lo que ocurrió en el XVII, tanto en nuestro teatro nacional creado por Lope como en la tragedia francesa, en que los personajes hablan, sienten y se mueven como los españoles de los reinados de Felipe III y Felipe IV o los franceses de la Corte de Luis XIV, los héroes del Romanticismo son sólo «imaginativos puros», como ha dicho Ixart [2].

Convencionalismos y contrastes

Son asimismo y en su mayor parte convencionales: héroes misteriosos que desconocen su alcurnia, a quienes una serie de circunstancias empuja hacia una vida aventurera; impostores que suplantan la personalidad de un príncipe; moros y cristianos; frailes y soldados; bandoleros y gitanos, hidalgos y escuderos, jueces y reos, verdugos y víctimas; mujeres amantes, tiernas y apasionadas que juran fidelidad hasta la muerte. Y dominándolo todo, la proclamación de unos derechos sin más límites que la propia pasión. A estos héroes frenéticos y violentos corresponden unas acciones similares, llevadas a cabo por medios de la misma naturaleza: venganzas terribles, asaltos de conventos, pasiones adúlteras o incestuosas, suicidios por amor, venenos, puñales, lóbregos calabozos, hogueras y cadalsos, y, como síntesis, el contraste que les hace pasar del todo a la nada, de la felicidad extrema a la más tétrica desesperación. Contrastes de conjuraciones y dúos amorosos, de rebeldía y arrepentimiento, entre las tumbas de un cementerio; contraste entre lo físico y lo moral en un mismo personaje; contraste entre el noble y el plebeyo, entre el caballero y el bandido; contraste, en fin, entre la prosa y el verso, lo cómico y lo trágico, lo elevado y subjetivo, lo populachero y lo realista. Basta pensar en algunos títulos: *La conjuración de Venecia,* de Martínez de la Rosa, como transición; *Don Alvaro o la fuerza del sino,* del duque de Rivas; *Los amantes de Teruel* y *Doña Mencía o una boda en la Inquisición,* de Hartzenbusch; *El Trovador, Ven-*

ganza catalana, *Un duelo a muerte* y *El encubierto de Valencia,* de García Gutiérrez; *El excomulgado, La calentura, El zapatero y el rey, Traidor, inconfeso y mártir* y *El eco del torrente,* de Zorrilla; *La venganza de un pechero,* de Calvo Asensio; *También los muertos se vengan,* de Patricio de la Escosura.

Este *sino* que pesa de manera inexorable sobre el héroe romántico, le presta un rasgo similar a la tragedia clásica, y lleva a ambas modalidades dramáticas a la titulación de sus producciones con nombres propios u otros que les presentan con los mismos caracteres de individualización: *Macías, Simón Bocanegra, Juan Lorenzo. Don Juan Tenorio, Sancho García,* etc.

El tono general del teatro romántico, al menos en su primera época, es trágico, lo cual no excluye la inserción de elementos cómicos y de personajes de la ínfima clase social, como se ve en *Don Alvaro, El Trovador* y *Don Juan Tenorio.*

A partir de 1845, pasada una década aproximadamente desde su triunfo, el Romanticismo evoluciona, perdiendo en parte la violencia de los caracteres y la extremosidad de los lances, para dar lugar a un teatro más reposado y meditado, más realista. Sin abandonar el tema histórico, no desdeñará el planteamiento de problemas morales de aplicación social; es un teatro que desembocará en la llamada «alta comedia», para exacerbarse nuevamente en el último tercio del siglo y dar lugar a un neorromanticismo desenfrenado, cuyo máximo exponente fué Echegaray.

Otra innovación del teatro romántico, fiel a la divisa de «libertad», es la mezcla de la prosa y el verso. También desaparecerá tras este primer período; y hasta puede decirse que sólo afecta a las primeras obras representadas. Pasado el momento inicial de hervor, se escribe en prosa o en verso, pero ya no se mezclan ambas formas.

Asimismo, en su estructura, podemos señalar un cambio gradual: frente a la anarquía de los primeros dramas—cuatro, cinco y hasta siete actos, como *Don Juan Tenorio*—, se observa una evolución hacia la uniformidad, tres o cuatro actos. Y lo mismo ha de decirse, aunque en menor grado, de los subtítulos que al principio del movimiento van encabezando cada uno de los actos [3].

Este teatro que, no puede ponerse en duda,

ofrece pasajes y escenas de lo mejor que se ha escrito en castellano, junto a desmayos y prosaísmos incomprensibles, se resiente, sin embargo, de un gran defecto: de verdad humana. Parece que el dramaturgo se propone ante todo asombrar y aterrorizar. A tal fin amontona tragedia sobre tragedia, encuadrándolas en tiradas de versos del más subido lirismo, populares aún hoy día, después de más de un siglo; pero carentes de verdad.

En el drama romántico—ha dicho César Barja—«no se busca la convicción racional o emotiva que resulta del desarrollo natural de las ideas, pasiones o sentimientos; no se ahonda en el alma de los personajes para descubrir en ella el móvil de la acción; no se justifica la tremenda tragedia que quiere ponerse en evidencia. Los dramaturgos huyen de lo común, en lo cual pueden tener razón; pero se equivocan creyendo que lo extraordinario puede resultar de una simple arquitectura exterior y de un simple efecto escénico. Y esto es lo que en realidad ocurre en la mayor parte de esos dramas. La tragedia no está en la verdad de los sentimientos, sino sólo en el juego teatral, en la ampulosidad y lirismo del lenguaje, en el frenesí de las acciones y de los gestos» [4].

El drama romántico y el del Siglo de Oro

Ofrecen analogías y contrastes. Se parecen en el efectismo de las situaciones, en el fuerte lirismo de muchas escenas y en la variedad de metros y estrofas. En cambio, el romántico queda muy por lo bajo en cuanto al genio creador, a los recursos de la intriga y a la fuerza de los caracteres, a pesar de que en esto último no destacaron nuestros grandes dramaturgos. Los galanes del teatro del XVII, se llamaran Tito o Domiciano, Pedro el Cruel o Fernán González, Orfeo o el Tetrarca de Jerusalén, hablan—ya lo hemos dicho en otro lugar—como los galanes de la época. La pasión de don Alvaro o de Manrique, por el contrario, es sólo suya; y por no enraizarse en el sentir común tuvo este teatro tan poca pervivencia y fué sustituído rápidamente por otras formas más en consonancia con el sentir y pensar general, a las que se adaptaron bien pronto los que habían sido corifeos del Romanticismo.

II. MARTINEZ DE LA ROSA

Por la época histórica en que vivió ocupa Martínez de la Rosa un lugar relevante, tanto en nuestra historia política como literaria. Una serie de circunstancias diversas le dieron un relieve que no habría alcanzado en una época más reposada. Naturaleza débil y un tanto afeminada, apta a todas las influencias, pero siempre atenta a guardar en todo el justo medio, se hace eco de las

más diversas corrientes de la época [5]. Clásico a la francesa por temperamento y por educación, aunque conocía perfectamente el griego y el latín; escribe poesía amorosa y anacreóntica, comedia moratiniana, tragedias sujetas a las unidades y tratados de preceptiva que nada tienen que envidiar—en cuanto a rigorismo—a los de Boileau y Luzán. A la vez asiste a la proclamación de la nueva estética; y unos versos teñidos de vaga melancolía y un drama con todos los elementos del Romanticismo le darán derecho a figurar entre los escritores de transición. Pareja a esta evolución práctica irá la teórica, cuya línea, de lo clásico a lo romántico, pueden señalar tres obras: *Arte poética, Advertencia,* puesta al frente de la edición de sus *Poesías* (1833), y *Apuntes sobre el drama histórico.* Así y todo, no podemos decir que Martínez de la Rosa sea un romántico ni que incurriera en los extremos de otros poetas—el duque de Rivas, por ejemplo—, procedentes, como él, del campo neoclásico.

Carácter tímido, nada dado a lo extremoso, supo mantenerse en política y en literatura equidistante de los extremos, lo que le valió el mote de *Rosita la pastelera,* con que le obsequiaron sus enemigos políticos. Aunque evolucionase lentamente hacia un conservadurismo político y un liberalismo literario, la aludida *Advertencia* sintetiza perfectamente su carácter [6].

Datos biográficos

Este equilibrio ideológico, considerado fundamental, trasciende a su biografía. Menéndez Pelayo lo recuerda al refutar la teoría del «medio ambiente» de Taine [7]. FRANCISCO MARTÍNEZ DE LA ROSA sigue los avatares de la vida española de la primera mitad del siglo XIX. Nace en Granada, el 10 de marzo de 1787; de familia acomodada. A los 12 años ingresa en la Universidad. El futuro hombre de Estado es a la sazón «pequeño, blanco y de pelo castaño»; cobra fama de «niño prodigio». Dos años después obtiene el título de bachiller y maestro de artes; en 1804 se licencia y doctora en Derecho civil; al año siguiente toma posesión de la cátedra de Filosofía Moral, y pasa por haber sido introductor de la filosofía de Condillac en Granada. Alterna las tareas docentes con la composición de poesías festivas, religiosas y amorosas, cuando sobreviene la invasión napoleónica. Forma parte de la Junta de Defensa de Granada, que le envía a Gibraltar para negociar la ayuda inglesa. Compone y estrena algunas obras: una tragedia, *La viuda de Padilla* [8]; una comedia, *Lo que puede un empleo.* Se le dispensa la edad para tomar parte en las Constituyentes. Restaurado el absolutismo (1814), es desterrado al Peñón de la Gomera, de donde sale en 1820 al sobrevenir la sublevación de Riego y el establecimiento del régimen liberal. Elegido diputado, preside el gabinete de 1822; pero la reacción del año siguiente le pone en fuga y vive desterrado por espacio de ocho años, preferentemente en París; estancia de gran interés para su evolución estética y política. Regresa a España en 1831 y se instala en Granada. A la muerte de Fernando VII (1833), se convierte en figura principal de la vida política. En 1834 María Cristina, la reina gobernadora, le encarga de formar Gobierno; promulga el Estatuto Real, creando dos cámaras: Estamento de Próceres y de Procuradores; decreta una amplia amnistía, y su liberalismo va mitigándose de tal manera,

que pasa a la jefatura del partido moderado. Firma la Cuádruple Alianza (con Portugal, Inglaterra y Francia); prepara el Concordato con la Santa Sede (1851), y ocupa sucesivamente los cargos de embajador en París (dos veces, 1844 y 1847) y en Roma (1848); ministro de Estado (1845 y 1849); presidente del Consejo de Estado (1858) y dos veces presidente del Congreso (1851 y 1860), cargo en el que le sorprende la muerte en 1862.

Obra poética

Debe la principal fama a su labor dramática, en especial a *La conjuración de Venecia,* que representa en la historia de nuestro teatro el primer paso importante hacia el Romanticismo, triunfante un año después con *Don Alvaro,* del duque de Rivas. Pero también su producción poética y didáctica—ya de carácter estético-crítico, ya histórico—es digna de tenerse en cuenta.

Como poeta lírico, cabe situarlo en la corriente dieciochesca, si bien algunas poesías, como la famosa *Epístola* al duque de Frías por la muerte de su esposa, están salpicadas de rasgos y hasta de un léxico romántico:

> Desde las tristes márgenes del Sena [9].

Desde muy joven se aficionó a las musas, como se ve en la *Advertencia* que precede a la edición de sus *Poesías* (1833). En 1804 una epidemia de fiebre amarilla le da ocasión de lucir su ingenio en una serie de epigramas, coleccionados bajo el título de *El cementerio de Momo:* «No anuncian ciertamente en el autor un émulo de Marcial, pero que, en la sosegada e insípida vida literaria de una ciudad de provincia a fin del siglo dieciocho debieron parecer una maravilla, sobre todo comparados con las insulsas sátiras del canónigo Amato Benedicto» [10].

En 1805 alcanza éxito con unas odas compuestas en la festividad del Corpus en su ciudad natal. A esta primera etapa de su vida corresponde una serie de composiciones ligeras, en las que el poeta sigue la moda de la época:

> Bebamos, muchachas;
> ninguna descanse,
> y el vaso precioso
> su giro no pare.

Junto a esta nota blanda y sensual la heroica del cantor de la defensa de Zaragoza y de *La victoria de Salamanca,* con una adjetivación ya netamente romántica [11].

Destaquemos entre las composiciones más logradas el soneto *Mis penas,* las bellas endechas de *La niña descolorida* y *La espigadera,* en la que un paisaje eminentemente realista se mezcla con la gruta neoclásica «de musgo cubierta».

Citemos, finalmente, como representativas de una nueva sensibilidad, las composiciones *El nido, El jilguero,* y una de las más famosas, *El recuerdo de la patria*, en que se revela hábil en el manejo de la estrofa manriqueña.

Obra dramática

Puede agruparse en dos apartados: *a)* neoclásico, y *b)* clásico-romántico o de transición. Al primero corresponden tragedias a la manera de Alfieri, como *La viuda de Padilla* y *Moraima*, o de imitación clásica, *Edipo;* y comedias moralizadoras, según el esquema moratiniano: *La niña en casa y la madre en la máscara, Lo que puede un empleo* y *Los celos infundados.* En el segundo se encuentran las obras más logradas del autor: *Aben-Humeya, La conjuración de Venecia* y *El español de Venecia o la cabeza encantada,* feliz imitación de nuestra comedia del XVII, en especial de Tirso de Molina.

La viuda de Padilla escenifica el conocido episodio de la defensa de Toledo por doña María de Pacheco, viuda del famoso jefe comunero ajusticiado a raíz de la batalla de Villalar. Las circunstancias políticas que atravesaba España cuando se compuso (1812) explican el carácter tribunicio de la obra: «Cinco actos de lamentos por la libertad perdida y de disputas entre los que quieren entregarse y los que se oponen a la rendición es todo lo que acertó a sacar el poeta de un asunto tan rico» [12]. Carece de color local y humano; sabemos que la acción se desarrolla en el alcázar toledano porque nos lo dice el poeta; los mismos versos de doña María pueden ponerse en boca de Catón, de Bruto y hasta del mismo Demóstenes, al pronunciarse contra la tiranía macedónica [13].

La historia se falsea, incluso—lo que es peor—en el sentido moral; porque monstruosidad es, y ya lo señaló Menéndez Pelayo, el desenlace con el suicidio de la protagonista, incomprensible en la España del siglo XVI. No son los personajes los que hablan, es el autor, que va discurriendo por boca de cada uno de ellos. El propio Martínez de la Rosa se da cuenta de todos estos defectos y hace recaer parte de la culpa en Alfieri, a quien se propuso imitar.

Menos interés ofrece *Moraima*, sobre las luchas civiles de los moros granadinos en los últimos años de la Reconquista. Su principal modelo fué la obra de Ginés Pérez de Hita, de la que no supo extraer la brillantez caballeresca ni la viril entonación de afectos y pasiones.

La más importante del grupo es el *Edipo*, con bellísimos versos, y al decir de Menéndez Pelayo, «de todas las imitaciones modernas, la menos infiel a la letra, ya que no al espíritu de Sófocles, la más descargada de accesorios extraños, la más sencilla, y, por tanto, la mejor».

El teatro que persigue una finalidad pedagógica o moral, bien reproduciendo costumbres o bien planteando problemas más o menos graves de ín-dole doméstica y social, iniciado en el siglo XVIII por Tomás de Iriarte y llevado a la máxima perfección por Leandro F. de Moratín, halla feliz expresión en Martínez de la Rosa. El descuido en la educación de los hijos y los celos, basados en la diferencia de edad de los esposos, le dan tema para dos comedias entretenidas, aunque inferiores a las de Moratín.

En *Los celos infundados o el marido en la chimenea,* don Anselmo, hombre ya entrado en años, casado con doña Francisca, joven y hermosa, se siente atormentado por los celos, que alimenta con sus chismes el criado Juan. Don Eugenio, hermano de la dama, y su primo don Carlos, llegado recientemente de la Habana, se proponen curar de sus celos al marido, que cae en mil ridiculeces, hasta el extremo de esconderse en la chimenea para sorprender a su esposa, no logrando con ello sino excitar la hilaridad al salir tiznado de hollín. Nuevas peripecias—nada a propósito para mostrar la tesis que pretende el autor—amenazan convertir la obra en tragedia, que evita la oportuna confesión de don Carlos, al declarar que todo ha sido una farsa y que el supuesto galanteador de doña Francisca no es otro que su propio hermano, don Eugenio.

Ya Larra señaló, con la agudeza crítica que le caracterizaba, la falsedad de los caracteres y situaciones, así como la de los medios empleados para llegar a la tesis propuesta [14]. En la obra hallamos claras reminiscencias de *El viejo y la niña,* de Moratín.

Con *La niña en casa y la madre en la máscara* se propone el autor «convencer a las madres locas, a las viejas verdes, del riesgo a que exponen a sus hijas cuando descuidan su educación por el torbellino del mundo, de que no basta a hacerlas prescindir ni su edad ni su responsabilidad doméstica y social» Bien versificada, demuestra que la creación de caracteres no es el fuerte del autor. Ni Teodoro, el galán calavera que pretende a la vez a la madre y a la hija, ni éstas, ni don Luis, personaje completamente innecesario para la tesis, salen de la mediocridad. El brusco cambio de la niña, al descubrir las intenciones torcidas de su galán Teodoro, adolece de falsedad.

Mejores son los dos dramas en que inicia la transición al Romanticismo: *Aben-Humeya* y *La conjuración de Venecia.* El primero, compuesto durante el destierro, se estrenó en francés, el 19 de julio de 1830, en el teatro de la Porte St. Martin. La obra tuvo mediano éxito; y aun éste debido más que a su mérito real, a la proverbial galantería francesa, que en esta ocasión la brindó a un extranjero desterrado y a los elementos accesorios —música, magnificencia de decorado, etc.—. Duramente criticada por Larra, escenifica la sublevación de los moriscos de las Alpujarras en el reinado de Felipe II, y el asesinato de su rey Aben-

Humeya (Fernando Válor) por los sublevados a las órdenes de Aben-Abó y Aben-Farax [15].

La obra que ha dado a Martínez de la Rosa más justa fama es *La conjuración de Venecia,* sobre la que tuvo lugar en aquella ciudad el año 1310. Se basa en la *Historia de Venecia,* del conde Daru y la *Crónica,* de Andrés Dandolo.

El argumento es sencillo: Varios nobles venecianos se reúnen en el palacio del embajador de Génova y conspiran para derrocar el Tribunal de los Diez, que preside Pedro Morosini. Rugiero, uno de los principales conjurados, huérfano, está casado en secreto con Laura, sobrina del presidente del Tribunal. En una entrevista en el panteón de los Morosini, refiere a su esposa detalles de la conjura, y a poco es detenido por los esbirros de Pedro. Laura declara a su padre el matrimonio secreto, y éste se presenta a su hermano para lograr la libertad de Rugiero, pero el presidente se muestra implacable. Durante las fiestas carnavalescas estalla la rebelión al grito de ¡Venecia y libertad!; los conjurados, faltos de las fuerzas que acaudillaba Rugiero, son derrotados y apresados. Por la declaración de éste ante el Tribunal descubre Pedro Morosini que se trata de su propio hijo, pero ni esto puede salvarle de la fatal sentencia. Laura pierde la razón [16].

La conjuración de Venecia, aunque adolece de los defectos inherentes a todo el teatro del autor—falta de nervio y excesivo sentimentalismo—, alcanzó un gran éxito. Escrita en prosa, no faltan detalles plenamente logrados ni pasajes de típico sabor romántico: entrevistas nocturnas, escenas sepulcrales, personajes de origen desconocido [17].

Obras crítico-didácticas

Hemos aludido a la *Advertencia* que figura al frente de sus *Poesías.* Dos palabras ahora acerca de los *Apuntes sobre el drama histórico,* que nos presenta a un Martínez de la Rosa, mucho más cerca del Romanticismo y menos rigorista que en la *Poética.* No abandona aún el propósito didác-

tico, frecuente en todas las obras del autor [18], y hasta señala ciertas preferencias por la estética clasicista; pero ya se apoya en madame Staël para afirmar que «la literatura de una nación es el reflejo de la sociedad». Amplía considerablemente la unidad de tiempo, y cree que la condición principal de una obra dramática es la de excitar «vivo interés» y desplegar «mil bellezas», condiciones que la harán permanente, «aunque la acción dure algunos días, en vez del angustioso plazo de veinticuatro horas». Sobre unidad de lugar opina que éste puede variar en los distintos actos [19]. En cuanto a la acción muestra un criterio ecléctico y sensato: la reduce a una disposición de «sucesos, de manera que cada uno esté en el lugar más oportuno, sin dañarse los unos a los otros, y antes bien, prestándose mutua ayuda»; también debe «abarcar de tal suerte todos los materiales, que pueda reunirlos como en un haz y atarlos con un fuerte nudo». Menos comprensivo se muestra al enjuiciar nuestro teatro del Siglo de Oro, a cuyos representantes considera hombres «con más genio que cordura, y más talento que instrucción», despreocupados por completo del color local que debe tener toda obra dramática: «Italianos, tudescos, húngaros y franceses, todos se asemejan en nuestro antiguo teatro, descubriendo a las claras modelos y resabios de Castilla.»

Citemos, finalmente, el tratado de política, *La revolución actual en España* (Granada, 1813; Madrid, 1814), que nada añade a su gloria de escritor y que eliminó justamente de la edición completa de sus obras; el *Bosquejo histórico de la Guerra de las Comunidades,* que sirve de introducción a la tragedia *La viuda de Padilla;* la biografía de *Hernán Pérez del Pulgar, el de las hazañas;* y el tratadito pedagógico en prosa y verso, *Libro de los niños.*

Siguiendo la moda de la época, tentó sus fuerzas en la novela histórica a la manera de Walter Scott, con *Doña Isabel de Solís, reina de Granada,* una de las más frías y lánguidas imitaciones del autor de *Ivanhoe.*

III. EL DUQUE DE RIVAS

Las circunstancias difíciles que atravesó España durante la primera mitad del siglo pasado, influyen decisivamente en la vida y avatares de sus más representativos hombres de letras. No puede prescindirse de estas circunstancias cuando se trate de enjuiciar la vida de nuestros escritores románticos de la primera generación. Incluso el triunfo de aquel movimiento entre nosotros se debe en buena parte al absolutismo de Fernando VII, que llevó al destierro a escritores como Martínez de la Rosa, Alcalá Galiano, el duque de Rivas y tantos otros, para quienes la estancia en el extranjero motivó su conversión a la nueva estética. Es

indudable que sin el absolutismo fernandino también se habría producido el cambio; probable también que se habría producido antes; pero es lo cierto que, dado su triunfo, éste habría sobrevenido por obra de otros escritores, porque aquellos que en realidad lo provocaron—Mora, Alcalá Galiano, Martínez de la Rosa, el duque de Rivas—antes de salir de España eran acérrimos defensores del gusto neoclásico.

En la azarosa vida de don ANGEL DE SAAVEDRA, DUQUE DE RIVAS, contrastan sus ideas políticas con las literarias. Mientras permanece fiel a la estética neoclásica y compone tragedias sujetas al frío preceptismo de las «unidades», es en política liberal acérrimo, lucha contra el régimen absolutista de Fernando VII y es condenado a muerte. Al regresar del destierro evoluciona lentamente hacia un conservadurismo político que no le impide en literatura constituirse de lleno en portavoz de la nueva escuela romántica, que hace triunfar con su drama *Don Alvaro o la fuerza del sino.*

La vida del duque se nos aparece como la del hombre mimado eterno de la fortuna; nacido segundón, hereda el ducado por muerte sin sucesión legítima de su hermano primogénito, Juan Remigio.

Datos biográficos

Nace en Córdoba [20], en marzo de 1791. Segundón de una familia nobilísima, a los seis años se le impone la Cruz de Caballero de Malta, poco después la bandolera de Guardia de Corps supernumerario, y a los ocho, el hábito de Santiago. Tiene por maestro al abate Totins [21], francés fugitivo del Terror; y se ejercita en el arte de la pintura con otro fugitivo francés, el escultor Vendignier. Ante el peligro de la fiebre amarilla, que asola Andalucía (1800), la familia pasa a residir a Madrid. Huérfano de padre a los 11 años, ingresa en el Seminario de Nobles, donde ejercita sus aficiones poéticas y pictóricas. Terminados sus estudios, en 1806 pasa a Guardia de Corps. Al sobrevenir el 2 de mayo va con su hermano a Zaragoza, para unirse luego al ejército de Castilla. Es herido gravemente en la batalla de Ontígola, hecho que recuerda en su romance «Con once heridas mortales»; tras breve estancia en el hospital de Baza, va a reponerse a Córdoba. Ante el asedio de esta ciudad por los franceses, se dirige a Cádiz, donde el general Castaños, vencedor de Bailén, le nombra capitán de caballería ligera. Aquí conoce a los principales poetas de su tiempo: Quintana, Martínez de la Rosa, Arriaza, Nicasio Gallego, el conde de Noroña, y compone (1812) *El paso honroso.* Desempeña misiones delicadas y se le otorga el nombramiento de primer ayudante de Estado Mayor.

Vencida la invasión napoleónica obtiene el retiro con el grado de teniente coronel; luego, tras la reacción absolutista de 1814, «el de coronel efectivo de caballería con el sueldo correspondiente». De 1814 a 1820 despliega gran actividad literaria [22]. Al triunfar el movimiento de Riego se alista en la causa liberal, empujado más que por sus ideas por la repugnancia que a su leal corazón y ánimo generoso inspiraba la bajeza fernandina. Obtiene licencia por seis años y es comisionado para visitar los establecimientos militares extranjeros y estudiar su organización. Estuvo en París, donde traba amistad con lord Holland, Destut de Tracy y el pintor Horacio Vernet. Diputado por Cádiz en 1822, la entrada de los «Cien mil hijos de San Luis», que restablecen el absolutismo, le hace abandonar España. Se le condena a muerte y confiscación de bienes. Llega a Gibraltar; contrae matrimonio con doña Encarnación de Cueto y Ortega, hermana del marqués de Valmar; pasa a Londres, luego a Italia y de aquí a Malta, estancia sumamente fructífera para su evolución literaria. En marzo de 1830 llega a París al tiempo de asistir al brillante triunfo del Romanticismo. La amnistía dictada por la reina gobernadora a la muerte de Fernando VII le repatría con otros emigrados (enero, 1834). El 12 de mayo del mismo año muere su hermano don Juan Remigio, y hereda todos los títulos por no haber dejado el difunto hijos legítimos. Este mismo año imprime en dos tomos *El moro expósito, Florinda,* cinco romances y algunas poesías. Con la reforma política de Martínez de la Rosa entra en el Estamento de Próceres. Al inaugurarse el Parlamento (1834) es elegido segundo secretario, pero inmediatamente pasa a primero por muerte del titular don Diego Clamencín. Combate a Martínez de la Rosa; y en 1836 es nombrado ministro de la Gobernación con el gabinete Istúriz. Obligado a expatriarse de nuevo, pasa a Portugal, de donde regresa en agosto del año siguiente. Elegido senador por Cádiz, apoya la restitución de los bienes confiscados a las órdenes religiosas. Alejado temporalmente de la política (1843) con el gobierno Espartero, tres años después es nombrado alcalde de Madrid. Ministro plenipotenciario en Nápoles, donde permanece seis años (1844-1850) [23]. Desde este momento caen los más diversos honores sobre el duque: ministro de Estado, presidente del Consejo, embajador en París, caballero de la Legión de Honor, presidente del Consejo de Estado, caballero del Toisón de Oro, Gran Cruz de Carlos III y, juntamente con estas distinciones políticas, las culturales: académico de la Española, de la Historia, de San Fernando, presidente del Ateneo y, finalmente, presidente de la Real Academia, en 1862, a la muerte de Martínez de la Rosa. Fallece en Madrid, el 22 de junio de 1865.

Clasificación de la obra literaria

Hemos indicado la doble corriente que converge en la obra del duque: de una parte, la del escritor neoclásico, aferrado a las unidades en la dramática y a la poesía de tono sentimental y bucólico a la manera de los poetas de la escuela sevillana, rindiendo culto, a la vez, a la patriótica musa de Quintana; de otra, el poeta romántico, el proscrito que siente la nostalgia continua de la patria, el incomparable autor de los *Romances,* el imitador de nuestra comedia del XVII y el que —como ya hemos dicho—hace triunfar la nueva escuela con dos obras capitales: *El moro expósito* y *Don Alvaro.* Junto al poeta, hallamos también al impecable prosista histórico, satírico y estéticocrítico. Establecemos, según eso, la siguiente clasificación:

PROSA

Historia: *Sublevación de Nápoles capitaneada por Masaniello, Breve reseña de la historia del Reino de las Dos Sicilias.*

Prosa varia: *Discurso de recepción en la Real Academia Española, Discurso de recepción en la*

Real Academia de la Historia, Los españoles pintados por sí mismos.

TEATRO

Teatro neoclásico: *Ataúlfo* (1814), *Aliatar* (1814), *Doña Blanca* (1815), *El duque de Aquitania* (1817), *Malek Adel* (1818), *Arias Gonzalo* (1827), *Lanuza* (1822).

Teatro romántico: *El parador de Bailén, Don Alvaro o la fuerza del sino, El crisol de la lealtad, Solaces de un prisionero, La morisca de Alajuar, El desengaño en un sueño.*

Comedia: *Tanto vales cuanto tienes* (moratiniana).

Poemas: *El paso honroso, Florinda, El moro expósito.*

Narrativa

Leyendas: *Maldonado, El aniversario, La azucena milagrosa.*

Romances históricos: *El alcázar de Sevilla, Don Alvaro de Luna, Un castellano leal, Un embajador español, El fratricidio, La buenaventura, El solemne desengaño, La muerte de un caballero, El conde de Villamediana, La victoria de Pavía, Una antigualla de Sevilla.*

Romances novelescos: *El cuento de un veterano, La vuelta deseada, El sombrero.*

Lírica

El faro de Malta, El desterrado, El sueño del proscrito, A la victoria de Bailén, Napoleón destronado, A Olimpia.

Rivas, prosista

La producción en prosa del duque de Rivas se reduce a dos trabajos históricos, unos artículos de costumbres, publicados con el título de *Los españoles pintados por sí mismos*, unos cuantos discursos políticos y académicos y algunos prólogos a obras de diversos escritores, como el de *La familia de Alvareda*, de Fernán Caballero.

Históricas son la *Sublevación de Nápoles capitaneada por Masanielo* y *Breve reseña de la historia del reino de las Dos Sicilias*. La primera pertenece a aquel género de historia de sucesos particulares que tanta fama dió a escritores como Hurtado de Mendoza, Melo y Moncada. Fué compuesta durante su embajada en Nápoles y fechada en 1847. Pudo el Duque manejar documentos y relaciones coetáneas al hecho, de las que hace amplia mención en el prólogo; pero Rivas no se limita a ser simple narrador de la rebelión, sino que desciende al análisis de las causas que la provocaron y a la descripción de sus consecuencias.

También durante su residencia en Nápoles compuso la *Historia del reino de las Dos Sicilias*, con puntual referencia de los pueblos que formaron esos estados, desde sus orígenes hasta el reinado de Fernando II, ante cuya Corte Rivas representa a España. El duque lo juzga con benevolencia no exenta de habilidad política.

Entre los cuadros de costumbres mencionemos *El ventero* y *El hospedador de provincia*, «planta indígena de nuestro suelo y que se conserva inalterable» en el «trastorno general que no ha dejado títere con cabeza».

De los discursos es digno de recuerdo el pronunciado en su ingreso en la Real Academia Española (29 de octubre de 1834). Aparte de los lugares comunes de elogio a la reina gobernadora por la amnistía política y de la alusión a la vida de desterrado del propio autor, interesa destacar dos ideas fundamentales: profesión de fe romántica y adhesión al casticismo en el lenguaje [24].

Citemos finalmente los artículos descriptivos *Viaje al Vesubio, Los Hércules* y *Viaje a las ruinas de Pesto*.

Rivas, poeta

En su producción poética debemos distinguir el dramaturgo, el épico-legendario y el lírico. Si buscáramos una nota común a estas tres modalidades, la hallaríamos en el tono descriptivo y colorista que se extiende a la producción total de Rivas. No en vano había sido pintor. La tendencia a la «presentación del cuadro» es constante tanto en sus romances históricos como en sus leyendas y poemas, sin olvidar al teatro, género ya de por sí presentativo. Romanticismo aristocrático, igualmente alejado del revolucionarismo de Espronceda que del verbalismo de Zorrilla.

Obra dramática

Cabe distinguir dos épocas, que responden a las dos escuelas literarias, neoclasicismo y romanticismo. Hasta la composición del *Don Alvaro*, el duque puede considerarse afecto al clasicismo: escribe tragedias sujetas a las unidades, siguiendo ya a Montiano y Luyando, ya a Racine o Alfieri; y comedias bajo el magisterio de Moratín. Citemos entre las tragedias *Malek Adel, Lanuza* y *Arias Gonzalo*. En la primera, adaptación de la conocida novela de madame Cottin, no obstante lo romántico de la acción—el amor de Malek por la princesa Matilde, sobre un fondo de cruzada—, Rivas no consigue vencer la frialdad neoclásica. Más interés ofrece *Lanuza*, aunque sólo sea desde el punto de vista político. Como *La viuda de Padilla*, de Martínez de la Rosa, a la que ya nos hemos referido. es un alegato en pro de la libertad, encarnada en el justicia mayor de Aragón. Y al igual que en las obras de su clase—*Pelayo*, de Quintana; *Munuza*, de Jovellanos; *Catón*, de Trueba y Cossío, etc.—, domina el tono tribunicio [25].

Cinco años después (1827), durante su destierro en Malta, compone *Arias Gonzalo*, su última tragedia. Rivas aprovecha un viejo tema nacional, el cerco de Zamora, y apoyado en la Crónica General y el Romancero, empieza a soltar tímidamente las trabas neoclásicas, si bien queda muy por debajo de *Las mocedades del Cid*, de Guillén de Castro.

A 1828 corresponde su comedia de corte moratiniano *Tanto vales cuanto tienes*, en la que Bussagnol ha descubierto reminiscencias de *El viejo y la niña*, *El barón* y *La mojigata*, a la vez que de una pieza cómica de José Carnerero, *Lo que es mudar de vestido y oros son triunfos*, estrenada en octubre del mismo año. Trátase de una coincidencia casual, ya que es difícil suponer que Rivas —a la sazón en el destierro—conociera la obra de Carnerero. Citemos, por fin, *El parador de Bailén*, comedia mediocre, que el autor excluyó de la colección de sus obras.

Aunque las obras mencionadas alcanzaron cierto éxito de representación, no habrían sido suficientes a sacar el teatro de Rivas del mismo olvido en que yacen las tragedias de Martínez de la Rosa, Cienfuegos, Jovellanos, Cadalso y tantos neoclásicos. La fama como dramaturgo le llegó con el estreno de *Don Alvaro*.

El «Don Alvaro o la fuerza del sino»

El domingo 22 de marzo de 1835 se estrenó en el teatro del Príncipe *Don Alvaro*, obra que, si en principio no agradó a los espectadores, en definitiva fué un triunfo rotundo [26]. Con ella la bandera romántica quedaba enarbolada en el lugar más visible del arte, el teatro, y se abrían de par en par las puertas a todo un género nuevo. Los caracteres del drama de Rivas pasarán al teatro de la década 1835-1845.

Cuando se habla del teatro romántico español surge siempre, comprobado o no, el problema de la influencia francesa. La mayor parte de nuestros escritores—Alcalá Galiano, Salvá, Trueba, Martínez de la Rosa, Rivas, etc.—viven durante el absolutismo fernandino en Francia; asisten al triunfo del Romanticismo en aquel país, y al regresar ellos, que salieron neoclásicos, vuelven furiosamente románticos. Ya hemos hablado de las supuestas influencias reflejadas en *La conjuración de Venecia*. Con *Don Alvaro*, A. Peers y Boussagnol han agotado las hipótesis genealógicas del simpático y caballeroso indiano [27]. Algunos rasgos similares hay entre el drama del duque y la novela de Merimée *Les âmes du purgatoire*; pero explicables—a nuestro juicio—por el aprovechamiento de una fuente común, más que por mutuos influjos.

El segundo título de la obra, *la fuerza del sino*, indica bien a las claras la intención del autor:

la fatalidad, el sino, se erige en verdadero protagonista; don Alvaro no es más que un juguete en manos de las circunstancias. Su mejor intención, sus propósitos más firmes se ven truncados siempre por la fatalidad, que le persigue desde su nacimiento. Típico drama romántico, prescinde de todas las «unidades», y la única concesión que se hace a la preceptiva tradicional es la de conservar los cinco actos aconsejados por Horacio. En lo demás puede decirse que se conculcan todas las reglas: escenas de ambiente popular y hasta populachero y mansiones aristocráticas, mezcla de lo trágico y lo cómico, de la prosa con el verso, fusión de lo lírico y lo dramático, etc. Tras el éxito pasajero, la obra se retiró de los carteles, y así estuvo hasta que, en 1875, la repuso Rafael Calvo, en medio de clamorosas ovaciones. «Todavía hoy—escribe Fermín de Iruña—, cuando el desventurado don Alvaro sale a escena, cautiva y arrebata a las multitudes. Y ello ocurre porque, por encima de modas pasajeras y a pesar de efímeros *ismos*, el verdadero arte, romántico o clásico, antiguo o moderno, de vena trágica o de musa cómica, llama siempre a lo más noble de la sensibilidad humana» [28].

Don Alvaro, personaje de origen desconocido, al que unos suponen hijo bastardo de un grande de España y de una reina mora, y otros príncipe inca, llega a Sevilla y se enamora de doña Leonor, hija del marqués de Calatrava. La oposición de éste es causa de que don Alvaro proyecte raptar a la novia. Al intentarlo es sorprendido por el marqués; don Alvaro rinde su pistola en señal de acatamiento, pero ésta se dispara, hiriendo mortalmente al marqués, que muere maldiciendo a su hija. Don Alvaro, persuadido de que Leonor ha muerto, se alista en los tercios de Italia; salva la vida a don Carlos, hijo mayor del marqués, que con nombre supuesto sirve en el tercio; al reconocerse ambos se desafían y don Alvaro mata a don Carlos. En tanto, doña Leonor se ha retirado a la vida eremítica, cerca de un convento donde don Alvaro se resuelve a hacer penitencia. Aquí le persigue el segundo hijo del marqués, don Alfonso, que ha logrado descubrir el secreto del nacimiento de don Alvaro (hijo de un virrey y de una noble peruana, que se sublevó contra España intentando restablecer el antiguo imperio de los Incas). Le desafía y muere a manos de don Alvaro; éste pide socorro para el moribundo don Alfonso; acude la penitente Leonor, a la que su hermano, creyéndola unida maritalmente al odiado rival, mata de una puñalada. Muere acto seguido don Alfonso, y don Alvaro, aterrado ante tanta desgracia, se precipita por un abismo, exclamando: «¡Infierno, abre tu boca y trágame!», a la vez que el padre guardián y los frailes murmuran: «¡Misericordia, Señor, misericordia!»

Los elementos primordiales de la obra son: el cuento del indiano, que el duque oyó siendo niño a una de las criadas de su casa, y dos tradiciones localizadas en la finca de los Angeles, la de la mujer penitente y la del Salto del diablo. Algunos episodios recuerdan la comedia de Belmonte y Bermúdez *El diablo predicador*.

Obra típicamente romántica—ya lo hemos dicho—, influyó en algún detalle en el teatro posterior; piénsese en la escena de don Juan ante el comendador don Gonzalo, en parangón con la de don Alvaro, en circunstancias similares, ante el marqués de Calatrava.

«El desengaño en un sueño»

Obra preferida por Rivas al mismo *Don Alvaro*, no llegó a representarse. Creemos que ello fué debido a su aparatosa escenografía, difícilmente realizable. Su éxito, de haber llegado a las tablas, es muy problemático. Tiene fragmentos de alta inspiración; pero, en general, adolece de excesivo lirismo. Relacionado con *La tempestad*, de Shakespeare, presenta también muchos rasgos similares a *La vida es sueño*, a la vez que algunos detalles hacen pensar en *Hamlet* y en *Macbeth*. La intervención de los cuatro genios, de la Opulencia, del Poder, del Amor y del Mal, da a la pieza cierto aire musical, propio de la ópera o de la zarzuela.

Lisardo, que vive en un islote con su padre el mago Marcolán, ansía conocer el mundo y abandonar a su padre. Este, valiéndose de sus artes, le traslada a un hermoso vergel, donde conoce a la bella Zora, de la que queda prendado. El Genio del Mal, que le hizo desear la beldad, ahora le incita a la obtención de la riqueza; la logra, y de nuevo le inspira el temor de perderla. Para evitarlo le espolea con el ansia del poder. Es nombrado generalísimo de la monarquía y, vencedor en las luchas, se ve agasajado de los reyes. Pero siempre se siente insatisfecho:

> Lisardo, en el mundo hay más.
> Tú de rodillas estás
> delante de este dosel,
> y un hombre sentado en él
> que no es, cual tú, vencedor.
> ¿Lo sufrirá tu valor?

Se enamora de la reina, que le insta a que asesine al rey. Lucha entre su ambición de reinar y el amor puro de Zora; pero la voz del Genio del Mal le hace abandonar a ésta. Consuma el regicidio e inmediatamente se ve asaltado por los remordimientos. Lamenta su ingratitud con Zora; teme ser asesinado como él asesinó. Una bruja le entrega un anillo que le hace invisible y por cuyo medio se entera de lo que piensan sus vasallos: los caballeros censuran a la reina por haber dado la mano a un aventurero sospechoso del asesinato del rey. Proyecta la soberana deshacerse de él por medio del veneno y otorgar su mano a Arbolán. Se celebra el banquete; al servirle la reina la copa, Lisardo la obliga a beber primero; rehusa aquélla, aparece Arbolán, que le acusa del asesinato del rey y, cuando los soldados van a prenderle, se salva gracias al anillo que le hace in-

visible. Vuelve a su primitivo estado y lamenta la muerte de Zora, víctima de su desvío. Se hace capitán de bandoleros; lucha con Arbolán, que le vence y aprisiona; condenado a muerte, se le aparecen los espectros acusadores de Zora y del rey. Cuando, desesperado, se iba a entregar a la muerte, Marcolán deshace el conjuro y Lisardo despierta de su sueño; renuncia al mundo y al deseo de abandonar a su padre [29].

Otras obras del duque de Rivas son: *El crisol de la lealtad*, refundición de la comedia de Ruiz de Alarcón *La crueldad por el honor*; *La morisca de Alajuar*, que pone una vez más de manifiesto la afición del duque por el colorismo andaluz y por los temas árabes; y *Solaces de un prisionero*, auténtica comedia de capa y espada, sobre la prisión de Francisco I en la torre de los Lujanes, cuyo carácter declara el propio autor en la nota que antecede a la obra [30].

Rivas, épico-legendario

Muy joven aún, después de componer algunas poesías, en los agitados tiempos de las Cortes de Cádiz, se inicia Rivas en el campo del poema épico con *El paso honroso* (4 cantos y 243 octavas reales), asunto mitad histórico, mitad caballeresco, sobre la defensa del puente del Orbigo (entre León y Astorga) por el caballero Suero de Quiñones. La fuente directa es el *Libro del paso honroso*, de Juan de Pineda (Salamanca, 1588). Cañete la calificó de «miniatura de epopeya caballeresca»; y aunque Valera afirme que «es un poema romántico; todo lo romántico que, sin ser patibulario, pesimista y satánico, puede ser un poema», su corte es más bien neoclásico [31].

Diez años más tarde empezó, durante el destierro en Londres, *Florinda* (5 cantos en octavas reales), en el que ya se inicia el paso al romanticismo [32]. El tema, como el título indica, es la historia de los amores de Rodrigo y Florinda, con la venganza del conde don Julián y el desastre del Guadalete. El poeta, poco de acuerdo con la verdad histórica, presenta a los personajes, excepto a don Oppas, con rasgos simpáticos. Interesa este poema porque en él ya se perfilan las peculiaridades estilísticas del duque: brillantez descriptiva, lirismo, imágenes pictóricas, etc. (tales la descripción de la batalla del Guadalete y la visión de Rodrigo al final del poema). La técnica del contraste está bien conseguida: presencia de Florinda, agitada por los más contradictorios sentimientos, en el idilio de los pastores Lauso y Alcina. Las pasiones más diversas—amores, odios, celos, desesperación, venganza—están bellamente expresadas por el poeta, que recurre en alguna ocasión a la técnica elusiva para alcanzar mayor emotividad [33]. Se ha censurado a Rivas que atendiera más a los amores de Rodrigo y la *Cava* que a la suerte del imperio godo.

Un poema extenso: «El moro expósito»

Es la mejor obra que la poesía erudita ha hecho en torno a la famosa leyenda de los Infantes de Lara. En realidad, el poema se concreta más bien al «bastardo Mudarra», héroe legendario llevado repetidas veces a las tablas. En enlace con la leyenda de los Infantes se realiza en el canto III: después de presentado Mudarra como campeón de las fiestas que se celebran en Córdoba con motivo de las bodas del hijo de Almanzor y la bella Habida, Zaide refiere al expósito la trágica historia de los siete Infantes de Lara.

Es probable que el estudio de la literatura del siglo de Oro durante su estancia en Malta, por consejo de sir John Freeré, le animara a escribir un poema extenso; pero el amor que profesó siempre a su tierra natal, Córdoba, no sería tampoco pequeño aliciente para que eligiera como tema el de esta terrorífica leyenda, que tan bien se prestaba a la descripción fastuosa—tan en consonancia con la habilidad de Rivas—de la Córdoba árabe. Además, apunta Boussagnol, «Rivas sabe que su excelente amigo el duque de Frías es heredero de los Lara, y ello es una razón más para que se interese por el asunto».

El desenlace se ha juzgado un tanto apresurado y poco verosímil: ruptura de Kerima y Mudarra cuando van a celebrar sus bodas, por descubrir aquélla en el galán al matador de su padre. A esto podríamos argüir que el duque no se propone hacer una novela psicológica, lo que le exime por tanto de seguir al detalle el proceso evolutivo del alma de la mora.

Al frente del poema figura un prólogo de Alcalá Galiano que se ha considerado como el manifiesto del romanticismo español. En otro lugar hemos dicho algo sobre esta cuestión. Más que un manifiesto romántico parece que el autor pretende darnos su opinión sobre la nueva escuela, una opinión que conserva cierto tono ecléctico. No se atreve a proclamar abiertamente las excelencias de la nueva estética. Y así ocurre que el prólogo de El moro expósito, comparado con el del Cromwell victorhuguesco, pierde en afán polemista lo que gana en serenidad crítica. Sobre clasicismo y romanticismo dice concretamente: «Cuál sea el verdadero carácter distintivo de estas dos sectas no es fácil de averiguar», y no resulta menos difícil señalar «los lindes entre los cuales deben estar encerradas». Enjuicia el teatro español del siglo de Oro sin declararle clásico ni romántico, ya que si se atiende a su inobservancia de las «unidades» puede y debe considerarse romántico; pero si se considera que está todo escrito en verso, con una versificación más artificiosa y complicada que los pareados franceses, que se prodigan las alusiones mitológicas y que el lenguaje—excepción hecha del puesto en boca de los «graciosos»—es siempre correcto y elevado, «descubriremos en la poesía dramática española no poca semejanza con la poesía francesa, tenida por el modelo más perfecto de la poesía clásica».

Las leyendas y los romances

La composición de las leyendas de Rivas puede decirse que fué casual. En justa correspondencia a la amistad de Zorrilla, que le había dedicado La azucena silvestre, Rivas le dedica, en 1847, La azucena milagrosa. Si el Rivas de los romances influyó en el Zorrilla de las leyendas, es indudable que éstas influyeron a su vez en las del duque; de Zorrilla tomó Rivas la gran variedad métrica que caracteriza esta primera leyenda, La azucena milagrosa. También en ésta, como en la de aquél, hay un asesinato, con la correspondiente expiación, sólo que aquí el marido falsamente engañado es el asesino de su inocente esposa.

Esta leyenda se ha relacionado con la de Genoveva de Brabante. Presenta de común con ella el tema de la mujer falsamente acusada de adulterio, tan corriente en todas las literaturas.

Sobre el apellido del almirante de Aragón Pérez de Aldana compone una mediocre leyenda, Maldonado (Madrid, 1852):

> Y aunque el de Aldana acatado
> en toda la tierra ha sido,
> desde hoy será el apellido
> de mi estirpe, Maldonado.

De alto interés y fuerza emotiva es El aniversario (Madrid, 1854), sobre las banderías que perturban la ciudad de Badajoz.

Anualmente Badajoz celebra su liberación del poder mahometano por obra de Alfonso VII; un año, la enemistad de dos bandos, que habían sido momentáneamente amigados por la intervención de Sancho IV, altera de tal manera la ciudad, que sus habitantes se olvidan de la celebración del aniversario. Aunque nadie acude a la iglesia, el sacerdote se reviste para celebrar; empieza la misa y, después de la Epístola, al volverse para decir Dominus vobiscum, ve que las estatuas de los antiguos caballeros, defensores de la plaza, abandonan sus sepulcros para asistir al santo sacrificio.

La primera edición completa de los romances data de 1841, aunque algunos son anteriores a esta fecha. Tres son de carácter novelesco: La vuelta deseada y El sombrero obedecen a variantes del tema del destierro; el Cuento de un veterano es un auténtico relato terrorífico de cierto hecho que el duque debió de conocer durante su estancia en Italia. Los restantes ofrecen carácter histórico.

Las cualidades estilísticas, ya señaladas en Rivas, en ninguna de sus obras brillan tanto como en esta serie de cuadritos plásticos, en los que nos presenta sucesivamente leyendas y tradiciones sobre el fondo de unos personajes históricos conocidos del lector. La nota distintiva es la suntuosidad de las descripciones: bailes, torneos, fiestas palaciegas, y el fuerte españolismo que anima a todos ellos. Si en algunos casos la verdad histórica deja mucho que desear, está sustituída ventajosamente y siempre por la verdad poética; si el hecho no ocurrió tal y como lo describe el poeta, no cabe duda que, de haber ocurrido así, sería mucho más bello.

Romances históricos son: *Una antigualla de Sevilla*, sobre una conocida leyenda del reinado de Pedro el Cruel; *El Alcázar de Sevilla*, sobre el asesinato del maestre de Santiago don Fadrique; *El fratricidio*, sobre la tragedia de Montiel. Destaquemos en el segundo la idealización de la figura de doña María de Padilla. La preferencia de Rivas por los temas del rey don Pedro es explicable, por brindarle descripciones de la ciudad de Sevilla, tan cara al poeta. *Don Alvaro de Luna* versa sobre la muerte del condestable; *Recuerdos de un grande hombre*, sobre Cristóbal Colón, en una especie de boceto dramático por el movimiento de los personajes y por la variedad de escenarios; *Un embajador*, sobre el prócer español que orgullosamente rompe un tratado entre Carlos I y el rey Francisco I, al negarse el francés a aceptar algunas cláusulas que le eran desfavorables; *La buenaventura*, sobre un lance amoroso del futuro conquistador de Méjico; *La muerte de un caballero*, relativo al famoso Bayardo; *Amor, honor y valor*, sobre don Alonso de Córdoba, que contrae matrimonio poco antes de entrar en combate; *Un castellano leal*, sin duda el más popular, relativo a la conocida anécdota del conde de Benavente, que incendia su palacio de Toledo tras haber alojado en él, por orden de Carlos V, al condestable de Borbón; el noble español no quiere permanecer en un sitio infectado por la traición. Destaca la descripción del emperador, inspirada en el retrato de Tiziano [34]. En *El solemne desengaño* asistimos a las exequias de la emperatriz Isabel y conversión del marqués de Lombay, Francisco de Borja; *Una noche de Madrid en 1578* se refiere a la muerte de Escobedo y supuesto amor de Felipe II por la princesa de Eboli; *El conde de Villamediana*, sobre la vida legendaria del famoso poeta don Juan de

Tassis Peralta; y *Bailén*, sobre este episodio de la guerra de la Independencia.

Los romances del duque de Rivas ofrecen un conjunto de buenas cualidades, que fueron resumidas por Gil y Carrasco en un artículo publicado en *El Pensamiento*: «Argumentos hábilmente conducidos, caracteres marcados, vivas y ricas descripciones, afectos verdaderos y vehementes, rasgos atrevidos y grandes, entonación poética, locución castiza y exquisitos conocimientos históricos adornan y enriquecen esos romances... Hermanos carnales de los lienzos sublimes de Velázquez y Zurbarán, atentos a la impresión general antes que a detalles embarazosos, no por eso dejan de recorrer los diversos tonos del sentimiento con pinceladas llenas de atrevimiento y con hermosos golpes de claroscuro.»

Rivas, lírico

Su obra, en este aspecto, como en todos, ofrece dos zonas diferenciadas: *clásica* y *romántica*. A la primera, muy influída por diversos autores, corresponden sus *Poesías*, publicadas en la mocedad (1814). En ellas destacan *A la victoria de Bailén, Napoleón destronado* y *España triunfante*.

El tránsito al romanticismo se acusa en *El desterrado* y *El sueño del proscrito*, de indudable inspiración ossiánica.

El faro de Malta, la más celebrada de sus composiciones líricas, señalada casi siempre por la crítica como pieza romántica, nada tiene de tal. Clásica por los cuatro costados, horaciana pura, responde hasta en su estructura métrica a una tradición que viene entre nosotros, por lo menos, desde Francisco de la Torre. Está escrita en la famosa estrofa que éste inventó y no en sáficos, como se viene diciendo. Sobria en medio de su aparente barroquismo, tiene estrofas de impecable corte, y bajo su frialdad marmórea corre una fuerte vena de sentimiento y de calor humanos:

> Jamás te olvidaré, jamás... Tan sólo
> trocara tu esplendor, sin olvidarlo,
> rey de la noche, y de tu excelsa cumbre
> la benéfica llama,
> por la llama, y los fúlgidos destellos
> que lanza, reflejando al sol naciente,
> el arcángel dorado que corona
> de Córdoba la torre.

IV. LA COMEDIA MORATINIANA

Ni los ensayos de Tomás de Iriarte (*El señorito mimado*, *La señorita malcriada* y *Hacer que hacemos*), al que Moratín considera como fundador de la moderna comedia de costumbres, ni los indudables aciertos del autor de *El sí de las niñas* lograron crear escuela hasta que vino a recoger «el cetro de la monarquía cómica», Bretón de los Herreros. Entre éste y aquéllos, sólo una serie

de escritores adocenados y alguna obra más o menos afortunada, que no consiguió desterrar el gusto del público por la ópera italiana ni detener la avalancha de infames traducciones, en especial de los franceses Duval, Destouches, Regnaud y Desforges.

Además de los escritores mencionados al estudiar el teatro del siglo XVIII, citemos a JOSÉ MOR

DE FUENTES (1762-1848), buen humanista, traductor de algunas odas de Horacio y de la *Historia de la decadencia y ruina del Imperio romano*, de Gibbon. Como novelista y poeta ya le hemos estudiado en el capítulo LIII. Del carácter anodino de sus comedias *La fonda de París* y *El calavera* pueden dar idea los ramplones versos en que resume toda la idea moral de esta última:

> Bien se ve que la virtud
> halla al fin su recompensa:
> y quien se aparta del orden,
> por más que esté siempre alerta,
> da al través en los escollos
> que de continuo le cercan.

Son piezas aceptables dentro del género: *El gusto del día*, de Andrés Miñano; *Mentira contra mentira*, de Enciso Castrillón, en la que se aborda una vez más el tema de la rivalidad amorosa de tío y sobrino, como en *El sí de las niñas*, y *Los tres iguales*, del doctor humanista JAVIER DE BURGOS (1778-1848), uno de los mejores traductores de Horacio; y *La familia indigente*, de LUCIANO

FRANCISCO COMELLA (1751-1812), ya aludido en el capítulo LII [35].

Aparte Martínez de la Rosa, ya estudiado, y Gorostiza, incluído en el capítulo correspondiente del teatro hispanoamericano, los principales cultivadores de la comedia moratiniana son MARÍA ROSA GÁLVEZ y FLORES ARENAS. La primera, autora de tragedias estimables, nos ha dejado tres piezas no exentas de gracia y fina ironía: *Un loco hace ciento, El egoísta* y *Los figurones literarios*, imitación de *La comedia nueva*, con personajes tan significativos como el erudito don Panuncio, víctima de desaprensivos aduladores; el anticuario don Epitafio, el poetastro don Esdrújulo y el galicista barón de la Ventolera, del que se hace un acabado retrato. Como en la aludida comedia de Moratín, se satirizan toda clase de extravíos literarios [36].

Tres son también las comedias dignas de nota que nos ha dejado el gaditano FRANCISCO FLORES ARENAS (1801-1877): *Coquetismo y presunción, Pagarse del exterior* y *Hacer cuentas sin la huéspeda*, de clara influencia bretoniana, aunque de mayor complejidad dramática.

V. BRETON DE LOS HERREROS

Paralela a la prosa costumbrista—aunque con superior valor estético—puede considerarse la comedia de Bretón de los Herreros, el más original, fecundo y castizo de nuestros poetas del siglo XIX, incluyendo al mismo Zorrilla. Bretón viene a continuar la técnica de Leandro F. de Moratín en la comedia costumbrista y moralizadora. Con una diferencia esencial: mientras que a Moratín le interesa destacar el propósito moralizador, hasta convertirse en un esclavo del arte docente, Bretón se da maña para disimularlo, prefiriendo trazar caracteres, aunque carezcan con frecuencia de profundidad y de análisis psicológico. Se ha comparado este teatro de Bretón con los sainetes de Ramón de la Cruz; hay, no obstante, una diferencia esencial: el madrileño pinta preferentemente las clases bajas; el riojano prefiere la media, a la que presenta más por el lado cómico que vicioso. Sus personajes rara vez parecen malvados; son ridículos y cursis.

Datos biográficos

MANUEL BRETÓN DE LOS HERREROS nació en Quel (Logroño) el 18 de diciembre de 1796. Huérfano desde temprana edad, sentó plaza de voluntario en la milicia, donde sirvió por espacio de diez años, hasta 1822. Cronista y crítico teatral de varios periódicos; poeta festivo y satírico; académico de la Española en 1837. Ocupa diversos cargos administrativos: director de la Imprenta Nacional y redactor jefe de la *Gaceta*. Asistente

asiduo del Parnasillo, su carácter, un tanto mordaz, le ocasionó disgustos y enemistades, siendo la más famosa la de Larra, satirizado por el poeta en su comedia *Me voy de Madrid* [37]. Murió en Madrid el 8 de noviembre de 1873.

La obra literaria: lírica y teatro

Como poeta nos ha dejado una serie de composiciones breves: anacreónticas y letrillas, en que se percibe la influencia de Meléndez, y otras de tono humorístico y satírico, entre las que destacan *Lo que quieren todos, La niña enferma, El brasero, Los lamentos de un poeta*, en esdrújulos; el soneto *A la pereza*; las letrillas *Pecados necios y gustos depravados* y *Paciencia*. Una de las mejores es la *Epístola a Ventura de la Vega*, sátira de las costumbres del XIX, en tercetos limpios y movidos. En 1856 publica el poema extenso *La desvergüenza*.

La principal gloria de Bretón estriba en su obra dramática, en la que dió muestras de extraordinaria fecundidad: cerca de doscientas obras, incluídas las traducciones y adaptaciones. Prescindiendo de aquéllas, la producción original puede dividirse en tres apartados: *a)*, comedia costumbrista: moratiniana y bretoniana; *b)*, refundiciones del teatro clásico español, y *c)*, dramas románticos.

a) Comedia costumbrista

En 1817 escribe su primera obra original, *A la vejez, viruelas,* no estrenada hasta 1824. Sigue la técnica moratiniana, que informará otras comedias de esta primera época, como *Los dos sobrinos*—en la que el marqués de Molíns vislumbró algunos rasgos autobiográficos—, *Achaques a los vicios, A Madrid me vuelvo* y alguna otra. En estas piezas sólo se distingue del modelo por la vivacidad del diálogo y de la acción. La segunda época empieza en 1831, con el estreno de *Marcela, o ¿cuál de los tres?,* que señala un nuevo y definitivo rumbo en su producción; va en adelante, su comedia, más que moratiniana, será bretoniana. Cuatro años después del estreno lo reconocía así Eugenio de Ochoa en *El Artista:* «Este poeta ha sabido formarse un género aparte, un género suyo que ni se parece al de los antiguos, ni al de Moratín ni al de nadie; este género debe llamarse, y se llama, en efecto, entre los inteligentes en la literatura, el género de Bretón.» Caracteres del género son la pintura de las costumbres de la época, en especial de la clase media, presentándolas en lo que tienen de ridículo y cómico; es decir, en lo accidental más que en lo sustancial, en lo externo más que en lo interno, lo cual hace que sus personajes nunca sean odiosos, como algunos de Moratín; no se llega al fondo amargo de *El viejo y la niña.* Bretón no busca crear arquetipos válidos para todos los tiempos y latitudes; se limita a observar a la sociedad que le rodea, y de ella saca los rasgos más característicos: sus ambiciones y pequeñas miserias, sus apuros y trapacerías, las intrigas domésticas, la versatilidad de las mujeres, la tiranía de la moda, el deseo desmedido de figurar ya en lo social, ya en lo intelectual, etc. Y todo ello en una galería de tipos que van del aldeano socarrón al cortesano vacuo y fachendoso, de la beata a la coquetuela caprichosilla o juiciosa, de la vieja ridícula y cursi a la tímida enamorada, del charlatán pedante o de la «culta» que esmalta su conversación de vocablos latinos al paleto taciturno y desconfiado.

La frecuencia en reproducir idénticos tipos—ya señalada por Larra y otros—le valió la acusación de monotonía; se le achacó también la inconsistencia de la trama argumental [38]. De todo ello se defendió el poeta en el prólogo de sus *Comedias:* «Insisto en que he sido tan variado como el que más en mis escritos teatrales, y esto a pesar de ser tantos y del corto espacio que de unos a otros ha mediado, lo cual me ha impedido, al bosquejar el plan de cada comedia, revisar con nimia escrupulosidad las anteriores para esquivar toda reminiscencia de ellas. Así he reproducido, p. ej., no sé cuántas veces, el carácter de coqueta, no pocas de farsante, o de amor, o de virtud, o de nobleza, o de patriotismo, y muchos más el de vieja ridícu-la; pero ni todas mis coquetas lo son de la misma manera y en iguales circunstancias, ni todos mis buscavidas están vaciados en el mismo modelo, ni tengo en mi estudio aparatos litográficos que estampen hasta lo infinito la primera señora cuyas extravagancias me chocaron.»

Entre las comedias típicamente bretonianas destacan *Marcela, Muérete y verás, El pelo de la dehesa,* con su continuación *Don Frutos en Belchite, Dios los cría y ellos se juntan,* y otras de mayor consistencia argumental y estudio de caracteres, como *La escuela del matrimonio, ¿Quién es ella?, Ella es él, La batelera de Pasajes, Me voy de Madrid* y *La redacción de un periódico.*

En *Marcela, o ¿cuál de los tres?,* galería de tipos de la clase media, una viuda joven y agraciada rechaza a tres pretendientes: don Martín, el hablador; Agapito, joven pisaverde, y Amadeo, melancólico, pesimista [39]. El éxito alcanzado le animó a repetir el tema en *Un tercero en discordia,* bien que con distinto desenlace: Luciana es pretendida por tres amadores: un desconfiado y celoso en grado sumo; un presuntuoso, que toma todos los desaires como pruebas inequívocas de cariño, y un tercer amante, sencillo, que sabe esperar, y representa el justo medio. Como es lógico, éste triunfa al final y se casa con la joven.

Muérete y verás, velada sátira de ciertos abusos románticos [40], es una de las comedias mejor trazadas por el autor: Un apuesto militar, Pablo, enamorado de Jacinta, parte en persecución de los facciosos (carlistas); la dama se muestra inconsolable, pero al llegar noticias de la muerte del galán, acepta el amor de Matías, mientras su hermana Isabel, enamorada en secreto de Pablo, le afea su conducta. Pablo, que sólo ha sido gravemente herido y albergado por unos caritativos pastores, regresa con la esperanza de casarse con Jacinta; se entera por el barbero de que se celebran sus funerales, ya que se le ha dado por muerto, y enterado del amor constante de Isabel prepara una jugarreta. Cuando el notario presenta el acta de matrimonio entre Jacinta y Matías, aparece cubierto con un sudario y precedido de truenos y de relámpagos. Tras proclamar la constancia de Isabel, desposa con ella.

Sátira del romanticismo se hace también en *El poeta y la beneficiada,* que en algún aspecto recuerda *La comedia nueva,* de Moratín.

Al contraste del positivismo cortesano con la psicología ruda, pero sincera, de la aldea consagra *El pelo de la dehesa,* cuya acción se desenlaza en una segunda parte, *Don Frutos en Belchite,* con el matrimonio del aragonés y la aristocrática Elisa.

De comedias típicamente feministas podíamos calificar *¿Quién es ella?,* en la que nos presenta una mujer verdadera ama de la casa y que vale mucho más que el marido; *Ella es él* y *Dios los cría y ellos se juntan,* donde se pone de mani fiesto la necesidad de que los cónyuges sean iguales en edad, educación y medios económicos como clave de la felicidad. *La escuela del matrimonio* presenta mayor complicación que la anterior, aunque insiste sobre el mismo asunto: tres parejas desiguales, una por la edad, otra por la posición social y la tercera por la educación, se ven al borde del precipicio, al verse perseguidas cada una de las esposas por un seductor de oficio. Las buenas prendas de Luisa evitan la catástrofe y ponen en ridículo a los seductores [41].

En *A Madrid me vuelvo* se funden dos ideas que el autor expone en otras obras: combate la creencia general de ser la vida aldeana un trasunto del paraíso y la imposición paterna en la elección matrimonial de las jóvenes.

Citemos, finalmente, *La redacción de un periódico*, sátira del periodismo venal, que podíamos calificar de «comedia de circunstancias»; y *La batelera de Pasajes*, de trágico desenlace, que justifica la denominación de «drama» impuesta por el autor.

b) Refundiciones y traducciones

Señalemos entre las refundiciones: *Los Tellos de Meneses*, de Lope de Vega; *Con quien vengo, vengo*, de Calderón de la Barca, y *Las paredes oyen*, de Ruiz de Alarcón.

Y anotemos entre las traducciones: *Ifigenia en Táuride*, de Guimond de la Touche; *Inés de Castro*, de De la Motte-Houdart; *Dido*, de Lefranc de Pompignan; *Andrómaca* y *Mitrídates*, de Racine; *Mérope*, de Voltaire; *María Estuardo*, de P. A. Lebrun; y varias de Scribe: *El confidente, La hermanita o lección indiscreta, Valeria o la cieguecita de Olbruk*, etc. También vertió al castellano *Los hijos de Eduardo*, de Casimiro Delavigne, drama semirromántico, que resultó en la traducción bastante mejor que en su original.

c) Drama romántico

No contento con haber creado o al menos caracterizado un género de comedias, Bretón se lanza al drama romántico, empresa en que fracasó rotundamente.

Mientras comedias como *Marcela, Muérete y verás* y *La escuela del matrimonio* se leen con interés y gusto todavía, no hay quien resista una lectura de *Elena*, anterior en un año al *Don Alvaro*, del duque de Rivas.

Dentro del género histórico compuso *Don Fernando el Emplazado*, sobre la tragedia de los hermanos Carvajales, y *Vellido Dolfos*, sobre el matador de don Sancho en el cerco de Zamora. Que el temperamento del poeta, al que se consideraba como genuino representante de la comedia satírico-costumbrista, no era adecuado a la exposición de intrigas sangrientas y dramas pasionales, no escapó a Salas y Quiroga al hacer la reseña de *Don Fernando el Emplazado* en el semanario *No me olvides* [42].

NOTAS

1. Su mismo autor, Hartzenbusch, nos advierte del carácter de la obra: «Este drama va dividido en dos partes, no porque el autor crea que comprende dos acciones, sino porque abraza dos épocas y corresponde en cierto modo a dos generos. Los tres primeros actos pertenecen algo más a la comedia que al drama; en los dos últimos casi todo es drama y nada es comedia.»

2. *El arte escénico en España*, vol. I, pág. 24.

3. Los títulos de los cinco actos de *El trovador* son: I. El duelo; II. El convento; III. La gitana; IV. La revelación; V. El suplicio. Los de *Don Juan Tenorio*: 1. Libertinaje y escándalo; 2. Destreza; 3. Profanación; 4. El diablo a las puertas del cielo; 5. La sombra de doña Inés; 6. La estatua de don Gonzalo; 7. Misericordia de Dios y apoteosis del amor. Dividido en dos partes, la primera comprende los cuatro primeros actos, y la segunda, los tres restantes.

4. *Libros y autores modernos*, pág. 95.

5. «Fué destino constante de Martínez de la Rosa, así en política como en literatura, ser heraldo de revoluciones y asustarse luego de ellas... Sin haber sido romántico, abrir las puertas al romanticismo, y triunfar el primero en las tablas, en nombre de la nueva escuela.» (MENÉNDEZ PELAYO: *Don Francisco Martínez de la Rosa*, «Est. y discursos de crít. hist. y liter.», IV, pág. 175, C. S. I. C., Santander, MCMXLII.)

6. «Como todo partido extremo me ha parecido siempre intolerante, poco conforme a la razón y contrario al bien mismo que se propone, tal vez de esta causa provenga que me siento poco inclinado a alistarme a las banderas de los *clásicos* o de los *románticos* (ya que es preciso apellidarlos con el nombre que han tomado por señal y divisa); y que tengo como cosa asentada que unos y otros llevan razón cuando censuran las exorbitancias y demasías del partido contrario, y cabalmente incurren en el mismo defecto así que tratan de ensalzar su propio sistema. No tiene duda, a mi entender, que las obras de imaginación, así como las de Bellas Artes, están sujetas a algunas reglas fijas e invariables, fundadas en los principios de la sana razón y hasta puede decirse que en la misma naturaleza del hombre... A fuerza de mofarse de la supersticiosa observancia de las reglas se sacudirá todo freno.»

7. «Si hay ingenio alguno que patentemente y con el ejemplo demuestre lo falso de la teoría de los *medios*, cuando se la extrema y saca de su quicio, es, sin duda, Martínez de la Rosa. Hijo era de Granada, y amantísimo de ella, y, con todo, fuera necedad buscar en sus obras el más leve reflejo de las cualidades que hemos dado en tener por características de la fantasía meridional y de la poesía andaluza. Cualquier extranjero imaginaría, al oir mentar a un poeta granadino, que iba a encontrar en sus obras brillanteces de color y lozanías de imaginación, todo género de misteriosos efectos de la transparencia y limpidez del aire, de la recóndita virtud inspiradora de la luz y de las pompas geniales de la primavera. ¡Y cuánto se engañaría, sin embargo! Porque así la fantasía plástica como la ideal y soñadora están, por igual, ausentes de los versos de Martínez de la Rosa, ingenio todo timidez, buen sentido y mesura, de quien, a no saberlo, nadie, de fijo, sospecharía que nació bajo las torres de la Alhambra y que apacentó por primera vez sus ojos con el espectáculo de aquel terreno paraíso de la vega, para atalayar el cual levantaron los genios en la colina frontera aquel irregular y hechizado alcázar, rico de caprichosas hermosuras.» (MENÉNDEZ PELAYO: *Op. cit.*, pág. 263.)

8. En la *Advertencia* que figura al frente de la obra dice: «Representóse por primera vez en el mes de julio del año 1812, y en días tan aciagos, que ni aun pudo salir a la luz en el teatro de Cádiz, por el grave riesgo que en él ofrecían las bombas arrojadas por el enemigo, que había estado a punto de causar, muy poco tiempo antes, la ruina de aquel edificio, lleno cabalmente de gran número de personas, por cuyo motivo se construyó, como por ensalmo, en el paraje más apartado del fuego enemigo, un teatro interino labrado de madera, y en él fué en que se representó al principio esta tragedia.» Se imprimió en Madrid, 1814.

9. A Valera no se le escapó la inexactitud de los ver-

sos: «Llamar tristes a las márgenes del Sena, decir que allí no hay flores, porque las flores no nacen entre el hielo, y porque, si nacieran, se marchitarían al tocarlas el poeta, todo es gran falsedad objetivamente considerado; pero el poeta es sincero y verídico, porque expresa y se conoce que expresa lo que sentía... La tristeza y el hielo no estaban en París, sino en su corazón.»

10.   Algunos no están exentos de gracia:

Yace aquí un mal matrimonio,
dos cuñadas, suegra y yerno;
no falta sino el demonio
para estar junto el infierno.

11.   El *Canto a la defensa de Zaragoza*, presentado al certamen que convocó la Junta Central, y del que fueron jueces Jovellanos y Quintana, debe situarse en la poesía quintanesca, si bien con menos fuego y vigor que las del maestro.

12.   MENÉNDEZ PELAYO: *Op. cit.*, pág. 273.

13.   Este aire tribunicio no es achacable exclusivamente a Martínez de la Rosa, sino común a las tragedias de la época. «El teatro a fines del siglo pasado—escribe Menéndez Pelayo—(s. XVIII) iba tomando, más o menos inocentemente, más o menos a las claras, cierto carácter de tribuna y de periodismo de oposición... A cada paso resonaban aquellas máximas huecas de libertad política abstracta.» (Vid. *Historia de los heterodoxos españoles.*)

14.   «Un celoso que duda de la virtud de su mujer y que, escondido, la oye quedar triunfante, se tranquiliza; pero si se le descubre que el seductor era hermano de su mujer y que ésta lo sabía, el hombre dará por nula esta prueba y querrá justamente recurrir a otra...»

15.   En el prólogo, además de declarar las fuentes, *Guerra de Granada*, de Hurtado de Mendoza, y la *Historia de la rebelión y castigo de los moriscos*, de Luis de Mármol, señala el carácter de la obra: «... bosquejar el cuadro con la mayor exactitud posible, sin buscar, no obstante, la fidelidad escrupulosa que se exige en una crónica; pero procurando grabar en la obra, cual si fuese una medalla, el sello de la época y de la nación.» El propio autor reconoce las circunstancias especiales que contribuyeron al éxito: «Mi calidad de extranjero ha desarmado la severidad de la crítica...; la riqueza de las decoraciones y de los trajes, la propiedad con que se ha presentado a escena, el celo de los actores, el encanto de la música...» Son muy bellos el villancico «Zagales, pastores» y el himno de los cristianos, con que se abre el segundo acto, con algunos acentos dignos de Herrera. Larra dijo de ella: «No es un drama hecho, sino una exposición de un drama por hacer.»

16.   Aunque sean perceptibles ciertas influencias de los románticos franceses y de Shakespeare, no compartimos la tesis de Jean Serrailh, que reduce la aportación del autor «al estilo y un tono sentimental, a veces llorón y prosaico, así como un esfuerzo, algo pueril, en escoger detalles muy crueles». De que en *Hernani* salgan unos conjurados y en *Elisabeth de France*, de A. Soumet, un juez del Tribunal de la Inquisición tan terrible como Pedro Morosini, no puede deducirse que el dramaturgo español aprovechara estos detalles para su obra. Según esta tesis de Serrailh, todas las obras serían un miserable plagio. Es curioso que, citando a *Fuenteovejuna*, recurra a obras francesas para explicar el episodio del Tribunal en *La conjuración de Venecia*.

17.   Cabe preguntarnos por el retrato moral de Martínez de la Rosa. Motejado y censurado por los liberales y demagogos, disconformes con su evolución política; tratado de tibio por sus propios correligionarios, pocas líneas sintetizan mejor su historia moral que las palabras con que Menéndez Pelayo cierra su estudio del poeta: «Pocos le igualaron en buenas intenciones y en rectitud personal; privadamente era honrado, dulce, caritativo, benéfico; habiéndose consumado durante su mando algunos de los crímenes más horrendos que afrentan la historia de España (verbigracia: la matanza de los frailes en 1834), el resultó inculpable a los ojos de los hombres y a los de su propia conciencia... En el Quirinal resistió heroicamente la invasión de la demagogia italiana, y en Gaeta fué el consolador de Pío IX, y, finalmente, a pesar de sus antecedentes revolucionarios y a pesar de haber nacido en un siglo enciclopedista, murió como cristiano, siendo su muerte un duelo nacional y dejando uno de los nombres más intactos y respetables de la España moderna.» (*Op. cit.*, pág. 288.)

18.   «Ha contribuido a alentarme en mi propósito—escribir dramas históricos—el pesar con que miro la decadencia y abandono en que yace el teatro español y el an-

helo de contribuir, en cuanto mis cortas fuerzas alcancen, a estimular el ánimo de los jóvenes, procurando encaminar sus pasos.»

19.   «Poco reparo debe haber en mudar el lugar de la escena, antes que incurrir en faltas de verosimilitud que perjudiquen a la ilusión dramática mucho más que una o dos mudanzas de decoración... Muy menguado concepto tendrá de su arte el poeta que sacrifique una situación hermosísima, o que incurra en un absurdo manifiesto, por no mudar una que otra vez el lugar de la escena; pero el que haga peregrinar a sus personajes sin tino ni mesura, corre riesgo de recordar frecuentemente a los espectadores lo que con tanto afán debe procurarse que olviden.»

20.   Se ha venido vinculando de tiempo atrás un especial estilo literario a la ciudad de Córdoba. En el primer siglo, Lucano representó cierto cultismo, causa, según algunos críticos, de la decadencia de la literatura latina; en el XV viene a continuar esta tendencia Juan de Mena; en el XVII, Góngora; en el XIX, el duque de Rivas. Características de este estilo serían cierta brillantez colorista, tendencia a la metáfora y a la ornamentación retórica.

21.   Con Totins aprendió las primeras letras y se inició en el francés, en geografía y en historia. Se puso de moda entre la aristocracia española tomar como preceptores de sus hijos a los fugitivos franceses de la época del Terror; digna compensación por la conducta seguida por los franceses e italianos con los jesuitas expulsos por el decreto de Carlos III en el siglo anterior, y por el que seguirán después con el absolutismo fernandino.

22.   De 1814 es la segunda edición de *El paso honroso*. A esta primera época corresponden numerosas poesías (*Oda a España triunfante*, *Epístola a Vargas Ponce*, *El tiempo*, la serie de poesías *A Olimpia*, sonetos, letrillas, romances) y las tragedias, a excepción de *Arias Gónzalo* y *Lanuza*.

23.   En la *Correspondencia* de Valera pueden verse abundantes y curiosas noticias sobre esta época de la embajada del duque en la Corte napolitana. Consúltese, además, MANUEL AZAÑA: *Valera en Italia*, Madrid, 1929.

24.   «De lo que sí me jacto, señores, es de haber mirado siempre con horror la plaga bárbara de modismos peregrinos, de frases advenedizas y de palabras exóticas con que afearon y corrompieron nuestra hermosa lengua castellana la turba de traductores famélicos que apareció en nuestro suelo desde que el trastorno político y la mudanza de dinastía, ocurridos el siglo último, nos hicieron de mal grado ver, oír y pensar y hablar a la francesa... Pero los elementos que más levantarán el habla española en esta nueva y feliz época de libertad serán, indudablemente, *el teatro, la sociedad y la tribuna pública*. En el teatro, cayendo al par de las preocupaciones políticas las literarias, y animados nuestros poetas con el ejemplo de los más insignes de que hoy blasona la Europa culta, veremos revivir los ingenios de Lope, de Calderón, de Alarcón y de Solís. Y con el cultivo de la comedia española, cual ellos la concibieron y fundaron, renacerán aquellas frases discretas y corteses, aquella conversación amena y picante, aquella expresión feliz de los humanos afectos y un buen gusto y cultura universales. Quedando en el olvido (que ya es tiempo) los fríos y acompasados diálogos franceses, las ya caducas frases de la Corte de Versalles y el giro de conversación cortado, violento y opuesto totalmente a nuestro modo de ver y de sentir.»

25.   Júzguese por estas palabras, puestas en boca de Lanuza:

... aunque se acerque ufano
de Filipo el ejército, no importa;
compuesto, Lara, está sólo de esclavos,
y temblarán al ver estas murallas
defendidas por hombres. A esperarlos
se halla resuelta Zaragoza.

26.   Un cronista anónimo escribió a raíz del estreno: «Al caer el telón no podemos ni queremos ocultar que fueron más los desaprobadores que los aprobadores..., pues estaban los jueces inciertos y divididos.»

27.   Vid. las obras de Peers y de Boussagnol que citamos en la bibliografía.

28.   Vid. FERMÍN DE IRUÑA: Pról. a la ed. de *Duque de Rivas: Obras completas*, M. Aguilar, Madrid, 1945, página XCII.

29.   La aparición del espectro del rey, cuando Lisardo está condenado a muerte, pudo tomarse de *Hamlet*; la voz constante del Genio del Mal, diciendo al protagonista: «Lisardo, en el mundo hay *más*», recuerda el «Macbeth, tú serás rey» shakespeariano. Los versos de Lisardo

al comienzo de la obra reflejan influencia de *La vida es sueño;* incluso la identidad estrófica, décimas, da mayor semejanza a ambas escenas.

30. «No fué mi intención al emprenderla hacer un *drama histórico* ni una *comedia de costumbres*, ni me propuse pintar una pasión, ni retratar un carácter. Tampoco pretendí cumplir con la *alta misión del poeta*, dando lecciones al mundo y mejorando la sociedad. Nada de esto. Mi intento fué sólo el de ocupar mi imaginación y. el de proporcionar a mis lectores u oyentes un par de horas de honesta diversión y entretenimiento, con lances verosimiles mejor o peor enlazados, con un diálogo claro y agradable y con los versos más sonoros y flúidos que le es dado producir a mi pobre musa.»

31. Al comenzar la acción se invoca a Dios, pero no al Dios de los cristianos, sino al

> Dios de Amatunte, numen poderoso,
> que en la diestra enojada del Tonante
> logras helar el rayo riguroso
> que dió castigo a Encéfalo arrogante.

La amada no tiene nombre romántico, sino neoclásico, Leslia. Esto no obstante, el sentimiento de la naturaleza está bien logrado.

32. Peers ha señalado dos rasgos típicamente románticos: el horror y el misterio. Las fuentes se han dado con tal profusión y minuciosidad, que, si creemos a ciertos críticos, apenas queda nada al numen de Rivas. En las notas puestas al final, Rivas cita las siguientes: *Crónica general* de Alfonso el Sabio; un romance antiguo; la *Historia de la dominación de los árabes en España*, de Conde; la *Historia de España*, de Mariana; las *Guerras civiles de Granada*, de Ginés Pérez de Hita; la *Historia verdadera del rey don Rodrigo*, de Abentarique; el *Pelayo*, de Quintana, y *La profecía del Tajo*, de fray Luis de León. Pueden señalarse otras influencias no mencionadas por el duque: *Carta de Florinda a su padre el conde Julián*, de Cadalso; la *Florinda*, de Rosa Gálvez; el *Rodrigo*, de Montengón, y el *Sardanápalo*, de Byron.

33. La emoción que Rodrigo probó, cuando
> tornó a la vida en brazos de su dama,
> .... pintarla excede
> al poder que a mi labio se concede.

34. He aquí unos versos de esta minuciosa descripción:

> De brocados de oro y blanco
> viste tabardo tudesco,
> de rubias martas orlado
> y desabrochado y suelto,
> dejando ver un justillo
> de rosa jalde, cubierto
> con primorosos bordados
> y costosos sobrepuestos;
> y la excelsa y noble insignia
> del Toisón de Oro pendiendo
> de una preciosa cadena
> en la mitad de su pecho.
> Un birrete de velludo
> con un blanco airón, sujeto
> por un joyel de diamantes
> y un antiguo camafeo,
> descubre por ambos lados,
> tanta majestad cubriendo,
> rubio, cual barba y bigote,
> bien atusado el cabello.
> Apoyada en la cadera
> la potente diestra ha puesto,
> que aprieta dos guantes de ámbar
> y un primoroso moquero.
> Y con la siniestra halaga
> de un mastín muy corpulento,
> blanco y las orejas rubias,
> el ancho y carnoso cuello.

35. Sabido es que Comella trató de impedir que se representara *La comedia nueva*, de Moratín, por juzgarse retratado en el poeta famélico don Eleuterio Crispín.

36. Alberto, representante del buen sentido, arremete contra los malos traductores:

> Por vos y otros ignorantes
> de vuestra clase se encuentra
> nuestro teatro apestado
> de traducciones modernas,
> la mayor parte muy malas,
> pues, para desgracia nuestra,
> no se eligen comúnmente
> las bellezas extranjeras.

37. El poeta era tuerto, a consecuencia quizá de un lance amoroso ocurrido hacia 1820, que Valera comenta así: «Cruda venganza acaso de celoso rival, con ocasión de los favores de alguna mujer liviana, por quien es de suponer, considerada la índole de nuestro poeta, que fué, más que seductor, seducido.» El propio Bretón alude a su lesión:

> Dejóme el Sumo Poder,
> por gracia particular,
> lo que había menester:
> dos ojos para llorar
> y uno solo para ver.

38. «Sin duda arguye mérito la circunstancia de entretener a los espectadores con una acción poco animada, supliendo con las sales cómicas lo que falta de interés y de intriga; preferiríamos nosotros más complicación, porque de este modo profundizaría más sus asuntos el señor Bretón de los Herreros.» (Ferrer del Río.) No puede absolverse fácilmente a Bretón de la frecuencia con que presenta tipos y hasta temas similares (el de la niña con varios pretendientes se da en *Marcela*, *Un tercero en discordia*, *Un novio a pedir de boca*, *A Madrid me vuelvo*, *La casa de huéspedes* y *Todo es farsa en este mundo)*, ni de algún rasgo de chabacanería, no siempre apropiado a la índole de los personajes.

39. En los tres pretendientes de *Marcela*, un «poeta misántropo y calenturiento», un «militar atolondrado y hablador» y un «paseante bobalicón, aficionado al amor y a los caramelos», se quiso ver retratados al conde de Cheste, a Patricio de la Escosura y a Clemencín. En Méjico la imitó Fernando Calderón en *A ninguna de las tres*.

40. Puede observarse en los títulos que figuran al frente de cada uno de los actos: 1. La despedida; 2. La muerte; 3. El entierro, y 4. La resurrección; y en la aparatosidad escenográfica con que «resucita» Pablo. La versión de 1837 abunda en dicterios contra los carlistas, que con buen sentido suprimió luego.

41. El pensamiento moral de la obra, coincidente con el entremés cervantino *El juez de los divorcios*, es:

> Que cuando sufre un consorcio
> de achaques de desamor,
> mal remedio es el divorcio,
> y el escándalo, peor.

42. Censura la disposición de la obra, el abuso de máximas y el final, poco comprensible. Aconseja a Bretón que abandone el género romántico.

BIBLIOGRAFIA

I. Consúltese la bibliografía del capítulo anterior y la del primer epígrafe del siguiente, además de la que reseñamos a continuación:

N. Alonso Cortés: *Sobre el drama romántico*, «Castilla», Univ. de Valladolid, 1940-41, I, fasc. 1.º—A. Castro: *Les grands romantiques espagnols*, La Renaissance du Livre, París, 1922.—T. A. Gabbert: *Notes on the popularity of the dramas of V. Hugo in Spain during the years 1835-1845*, «Hisp. Review», 1936.—A. de Latour: *Etudes littéraires sur l'Espagne contemporaine*, París, 1864; *Nouvelles études sur l'Espagne*, París, 1858.—J. Martínez Villergas: *Juicio crítico de los poetas españoles contemporáneos*, París, 1854.—M. Osorio y Bernard: *Ensayo de un catálogo de periodistas españoles del siglo XIX*, J. Palacios, Madrid, 1903.—M. Ovilo Otero: *Manual de biografía y bibliografía de los escritores españoles del siglo XIX*, París, 1859.—Barón de Parla Verdades: *Madrid al daguerrotipo: Colección de cuadros políticos, morales, literarios y filosóficos sacados del natural*, Madrid, 1849.— E. Allison Peers y A. Parker: *The influence of Victor Hugo on Spanish Drama*, «Modern Language Review», 1933.—F. C. Sainz de Robles: *El teatro español: Historia y antología*, VI, M. Aguilar, Madrid, 1943.—F. Strowski: *El teatro español y el teatro francés*, «Revista Quincenal», París, 1919.—J. Zorrilla y Moral: *Recuerdos del tiempo viejo*, 3 vols., Gutenberg, Madrid, 1882.

II. N. Alonso Cortés: *Martínez de la Rosa: Retazo biográfico*, «Viejo y Nuevo», Madrid, 1916.—R. Avrett: *A brief examination into the Historical Background of Martínez de la Rosa's «La Conjuración de Venecia»*, «The Romanic Review», vol. XXI, 1930.—F. Fernández y González: *Elogio fúnebre del doctor don Francisco Martínez de la Rosa*, Univ. de Granada, 1862.—L. González Bravo: *Discurso de ingreso en la Real Acad. Española.*—M. J. de Larra «Fígaro»: Críticas literarias de las siguientes obras: *Poesías; Hernán Pérez del Pulgar, el de las hazañas: Bosquejo histórico,* y de las piezas teatrales: *Los celos infundados o el marido en la chimenea; La conjuración de Venecia; Aben-Humeya y La niña en casa y la madre en la máscara,* «Artículos completos», M. Aguilar, Madrid, 1944.—E. Levi: *Vite romantique: «Rosetta la Pasticcera»,* «Nuova Antologia», CLXXIV, 1930.—M. Menéndez Pelayo: *Don Francisco Martínez de la Rosa,* «Est. y disc. de crít. hist. y literaria», IV, Aldus, Santander, 1942.—T. Rodríguez Rubí: *Martínez de la Rosa* (disc. en la R. Acad. Española), Madrid, 1862.—J. Serrailh: *Un homme d'Etat espagnol: Martínez de la Rosa,* Burdeos-París, 1930; *Obras dramáticas de Martínez de la Rosa* (pról. de...), Espasa-Calpe, Madrid, 1933.—J. F. Shearer: *The Poética and Apéndices of Martínez de la Rosa: Their Génesis, Sources and Significance for Spanish Literary History and Criticism,* Princenton, 1941.—L. de Sosa: *Don Francisco Martínez de la Rosa, político y poeta,* Espasa-Calpe, Madrid, 1930

III. J. A. de los Ríos: *Elogio del excelentísimo señor duque de Rivas,* Madrid, 1886; *El duque de Rivas considerado como dramaturgo.*—E. Esther Bordato: *Mérimée y el duque de Rivas,* «Humanidades», Univ. Nacional del Plata, XXI, 1930.—G. Boussagol: *Angel de Saavedra, duc de Rivas. Rectification et compléments,* «Bull. Hispanique», XXX, 1928; *Angel de Saavedra, duc de Rivas. Essai de bibliographie critique,* «Bulletin Hispanique», XXIX, 1927; *Angel de Saavedra, duc de Rivas. Sa vie, son oeuvre poetique,* Privat, Toulouse, 1927.—M. Cañete: *Escritores españoles e hispanoamericanos: El duque de Rivas,* Madrid, 1884.—V. Cerny: *Quelques remarques sur les sentiments religieux chez Rivas et Espronceda,* «Bull. Hispanique», XXXVI, 1934.—L. A. Cueto: *Discurso necrológico del duque de Rivas,* «Memorias de la Acad. Esp.», Madrid, 1870; *Examen del «Don Alvaro»,* «El Artista», III, 1835.—A. Farinelli: *El sueño maestro de la vida en dos dramas de Grillparzer y del duque de Rivas,* «Divagaciones hispánicas», I.—F. Funes: «*Don Alvaro o la fuerza del sino*», «Estudios críticos», Madrid, 1899.—T. A. Gabbert: *The Dramas of Dumas pere in Spain,* Univ. of California, 1935.—F. González Morón: *El duque de Rivas considerado como poeta dramático,* «Rev. de España y del Extranjero», IX, Madrid, 1844.—N. González Ruiz: *El duque de Rivas o la fuerza del sino,* Madrid, 1943.—N. Liñán y Heredia: *Los duques de Rivas, Angel y Enrique, como poetas,* «La España Moderna», 1905.—J. Martínez Ruiz («Azorín»): *Rivas y Larra: Razón social del Romanticismo en España,* Madrid, 1916; *El duque de Rivas,* «Clásicos y Modernos», Madrid.—Ch. Mazade: *Poètes modernes de l'Espagne: Le duc de Rivas,* «Revue des Deux Mondes», XIII.—R. Menéndez Pidal: *La leyenda de los infantes de Lara,* Madrid, 1896.—J. Moreno Barranco: *Apuntes biográficos del duque de Rivas,* Córdoba, 1892.—E. de Ochoa: *Don Angel de Saavedra,* «El Artista», I.—N. Pastor Díaz: *Vida del duque de Rivas* (pról. a «Obras completas», I, Madrid, 1894); *Galería de españoles célebres contemporáneos: Duque de Rivas,* II, Madrid, 1841-46.—E. Allison Peers: *Some observations on «El desengaño en un sueño»,* «Homenaje a M. Pidal», I, Madrid, 1925; *The reception of «Don Alvaro»,* «Hispanic Review», 1934; *Rivas and Romanticism in Spain,* «Univ. Press», Liverpool, 1923; *Angel de Saavedra, duc de Rivas: A critical Study,* «Revue Hispanique», LVIII, 1923.—C. Rivas Cherif: *Romances del duque de Rivas* (ed. y estudio de...), 2 vols., Espasa-Calpe, Madrid.—E. Ruiz de la Serna («Fermín de Iruña»): *Obras completas de Angel de Saavedra, duque de Rivas* (estudio preliminar de...), M. Aguilar, Madrid, 1945.—E. de Saavedra (Duque de Rivas): *Reseña biográfica del duque de Rivas,* «Obras completas de don Angel de Saavedra», II, Madrid, 1894.—A. K. Shields: *Slidell Mackenzie and the return of Rivas to Madrid,* «Hispanic Revue», 1939.—G. Tejado: *Escritores contemporáneos: El duque de Rivas,* «El Siglo Pintoresco», I, Madrid, 1845.—J. Valera: *Don Angel de Saavedra, duque de Rivas,* «Obras completas», II, M. Aguilar, Madrid, 1942.

IV y V. N. Alonso Cortés: *Bretón de los Herreros. Teatro* (pról. y notas de...), Espasa-Calpe, Madrid, 1925.—J. M.ª Asensio: *El teatro de don Manuel Bretón de los Herreros,* «La España Moderna», enero 1897.—C. Bretón y Orozco: *Apuntes sobre la vida de don Manuel Bretón de los Herreros* (al frente de las «Obras» del poeta, Madrid, 1883).—J. Borao: *Bretón de los Herreros,* «Ilustr. Esp. y Amer.», 25 febrero y 5 marzo 1871.—M. Cañete: *El obispo de Mallorca y don Manuel Bretón de los Herreros,* «Ilustr. Esp. y Amer.», 1 diciembre 1873; *Don Manuel Bretón de los Herreros,* «Ilustr. Esp. y Amer.» 15 noviembre 1874.—M. J. de Larra («Fígaro»): *Crítica de las comedias Un tercero en discordia y La redacción de un periódico,* «Artículos completos», M. Aguilar, Madrid, 1944.—G. le Gentil: *Le poete Manuel Bretón de los Herreros et la societé espagnole del 1830-1860,* París, 1909.—Marqués de Molíns (Mariano Roca de Togores): *Bretón de los Herreros. Recuerdos de su vida y de sus obras,* Madrid, 1883.—C. Rosell: *Don Manuel Bretón de los Herreros,* «Ilustr. Esp. y Amer.», 16 noviembre 1873.—F. Sancho Gil: *Elogio de don Manuel Bretón de los Herreros,* Zaragoza, 1886.—B. de Tannenberg: *L'Espagne littéraire,* París, 1903.—J. M.ª Villergas: *Juicio crítico de los poetas españoles contemporáneos: Bretón de los Herreros,* Madrid, 1854.—E. Zamora Caballero: *Bretón de los Herreros,* «La Velada», 3 junio 1893.

CAPITULO LXI

EL TEATRO ROMANTICO EN ESPAÑA:
B) NACIONALIZACION

I. Nacionalización del drama romántico.—II. García Gutiérrez: *Datos biográficos. Clasificación y análisis de su obra. Obra dramática. Dramas históricos. Teatro legendario. «El trovador». Teatro realista-social. Estilo, caracteres y técnica dramática.*—III. Hartzenbusch: *Datos biográficos. Obra lírica. Teatro. Dramas históricos. «Los amantes de Teruel». Dramas simbólicos. Otras comedias. Novela, cuento y erudición.*—IV. Dramaturgos de segundo orden: *Gil y Zárate. Escosura. Calvo Asensio. Antonio Hurtado.*—V. Otros representantes del teatro romántico: *José María Díaz, Ariza, M. A. Príncipe, García de Quevedo, Ochoa. etc.*—Notas.—Bibliografía.

I. NACIONALIZACION DEL DRAMA ROMANTICO

Ya se ha dicho que en el teatro romántico español se pueden distinguir varias etapas. A una primera fase inicial de libertad, de exaltación, de influencia extranjera, visible especialmente en el primer lustro y caracterizada por el falseamiento moral y sistemático de los caracteres en aras de un efectismo populachero, sigue un período de nacionalización, por lo regular más contenido y equilibrado dramáticamente [1]. Predomina el tema histórico, y sin prescindir por completo de la exaltación pasional y del grito estridente, los sentimientos se «cristianizan». Este espíritu lleva a la revaloración de figuras históricas y legendarias, como el Cid, don Pedro el Cruel, el último rey godo, don Juan Tenorio, etc. Los mismos gerifaltes del primer momento romántico, García Gutiérrez, Hartzenbusch, Gil y Zárate, evolucionan hacia un teatro realista o hacia el drama simbólico espiritualista. Se atiende más a la verdad moral y a la histórica, aunque ésta nunca había sido muy respetada por nuestros dramaturgos. Y son los mismos románticos los que inician una nueva concepción de la tragedia clásica. Factores todos ellos que sirven para modificar la estructura del drama romántico inicial.

Estudiados Martínez de la Rosa y el duque de Rivas, los dramaturgos más representativos—excepción hecha de la Avellaneda, de la que nos ocuparemos en la parte dedicada a la literatura hispanoamericana—son García Gutiérrez, Hartzenbusch y Zorrilla. Junto a ellos pulula una serie de autores de segundo orden, de los que haremos breve mención: Gil y Zárate, Patricio de la Escosura, Antonio Hurtado, Calvo Asensio, H. García de Quevedo, José María Díaz, Juan Ariza, etc. A Zorrilla, por su especial significación dentro del Romanticismo, le dedicaremos capítulo aparte.

II. GARCIA GUTIERREZ (1813-1884)

El triunfo del Romanticismo en la escena, iniciado con el estreno de *Don Alvaro,* vino a afianzarse plenamente, poco tiempo después, con el de *El trovador,* que si no le supera en intensidad dramática, le excede en belleza lírica y en la presentación de caracteres extremos, tan del gusto del Romanticismo.

Datos biográficos

Antonio García Gutiérrez nació en Chiclana (Cádiz), el 5 de julio de 1813. De familia de artesanos, empieza la carrera de Medicina, que abandona en segundo año, para pasar a Madrid (1833).

En la corte trata inútilmente de hacer representar sus primeras obras y colabora en la *Revista española* y en *La Abeja.* Falto de recursos—Grimaldi le ha rechazado *El trovador*—, se alista como voluntario (1835) en las milicias formadas por Mendizábal para combatir el carlismo. El voto de Espronceda hizo que Guzmán eligiera para su beneficio *El trovador* (1 de marzo de 1836), alcanzando tal éxito que desde entonces perdura la costumbre de llamar al autor a saludar al público desde la escena. Mendizábal, asistente al estreno, le otorga la licencia absoluta, y el poeta puede entregarse por completo a la literatura. En 1844 pasa a América; reside en Cuba y en Mérida de Yucatán por espacio de cinco años. Regresa a

España en 1849, y en 1854 es nombrado comisario interventor de la Hacienda de España en Londres, cargo que renuncia tres años después. Comendador de la Orden de Carlos III (1856), académico de la Española (11 de mayo de 1862), cónsul en Bayona y Génova, director del Museo Arqueológico Nacional, jefe de la Biblioteca Nacional y del Cuerpo de Archiveros (1872-1884), murió en Madrid (26 de agosto de 1884).

Clasificación y análisis de su obra

García Gutiérrez es esencialmente poeta dramático a pesar del predominio de elementos líricos en su teatro. No deja de ser paradójica en este sentido la escasa consistencia de su obra lírica. Caso análogo al de Calderón, su lírica vale sólo en función de la obra dramática y rara vez como fragmento separado; la fuerza emotiva de *El trovador, Venganza catalana, Simón Bocanegra,* etc.—nos referimos exclusivamente a lo lírico—, jamás se alcanza en sus composiciones sueltas. Por ninguna de sus dos libros *Poesías* (1840) y *Luz y tinieblas* (1842) merece ni siquiera un puesto secundario en la literatura del Romanticismo [2].

Obra dramática

Está integrada por dos grandes apartados: el drama histórico, más o menos fundido con elementos pasionales hasta el extremo de que la intriga o la fantasía del autor ahoga por completo lo histórico, y el drama realista, de costumbres de la época y de problemas de índole social, que alguna vez, como en el caso de *Juan Lorenzo,* se funden admirablemente con lo histórico. Según el mayor o menor predominio del elemento histórico, establecemos en los dramas del primer grupo otros dos apartados: *a)* históricos, y *b)* legendarios.

a) Históricos: *El caballero leal, El rey monje, El encubierto de Valencia, El bastardo, El primer rey de Castilla, Las bodas de doña Sancha, Zaida, Simón Bocanegra, Venganza catalana, Juan Lorenzo, Doña Urraca de Castilla.*

b) Legendarios: *El trovador, El paje, El tesorero del rey.*

Realistas-sociales: *Magdalena, Una criolla, Sendas opuestas, Un grano de arena, Eclipse parcial.*

Dramas históricos

A este grupo pertenecen los mejores del autor. Mencionemos *Las bodas de doña Sancha,* en que se dramatiza el asesinato del último conde de Castilla por los Velas, cuando iba a León a contraer matrimonio con doña Sancha. Sobre el mismo asunto había compuesto Lope de Vega *El primer rey de Castilla.*

El bastardo trata la conocida historia de la reina Elvira de Navarra, esposa de Sancho el *Mayor,* acusada de adulterio por su primogénito García y defendida por un hijo natural del marido, Ramiro, al que la reina prohija en reconocimiento. Asunto muy repetido en el teatro: Lope, en *El testimonio vengado;* Moreto, en *Cómo se vengan los nobles,* y Zorrilla, en *El caballo del rey don Sancho.*

Las desavenencias conyugales entre Alfonso I, el *Batallador,* y doña Urraca le inspiran *Doña Urraca de Castilla,* obra a la que se ha concedido menos estimación de la que merece.

Sobre el rey García I de Navarra y su muerte en la batalla de Atapuerca, versa *El caballero leal,* que en cierto aspecto puede considerarse continuación de *El bastardo.*

A los románticos amores de Alfonso VI de Castilla con la hija del rey moro de Sevilla, Benamet, dedica *Zaida,* tema archirrepetido en nuestra literatura.

En *El rey monje* desarrolla la leyenda de este rey aragonés. Menéndez Pelayo ha estudiado la diversa posición que ante Ramiro I adoptan García Gutiérrez y Angel Guimerá [3].

En *El encubierto de Valencia* nos presenta un caso de suplantación de personalidad real que García Gutiérrez, como Zorrilla en *Traidor, inconfeso y mártir,* resuelve presentando al ajusticiado no como suplantador, sino como auténtica persona real. Aquí se trata de un nieto de los Reyes Católicos, hijo del príncipe don Juan.

Las tres obras más interesantes del grupo son *Simón Bocanegra* (1843), *Venganza catalana* (1864) y *Juan Lorenzo* (1865). La primera, no obstante su alto valor, peca de multiplicidad de acciones, hasta el extremo de que con los elementos que baraja podrían formarse dos o tres dramas. En ninguna otra consiguió García Gutiérrez tan admirables efectos, gracias a la técnica del contraste. Maravillosamente logrado es el prólogo: mientras Simón Bocanegra se ve aclamado como dux de Venecia, siente la tortura de su crimen y la profanación de la bella Mariana Fiesco; en presencia de su cadáver oye los gritos de la multitud que le aclama. Análogo contraste se nos da en el desenlace. Aquí, Simón, por amor a su hija Susana, perdona a sus enemigos y muere envenenado por el traidor Albiani cuando parecía haber encontrado la felicidad.

Venganza catalana y *Juan Lorenzo* representan la culminación dramática de García Gutiérrez. Ambas históricas, con mayor veracidad en los hechos que las de su primera época, y hasta en la psicología de los personajes, aunque en este aspecto dejen que desear. *Venganca catalana* alcanzó éxito asombroso. La complicación del asunto y la duplicidad de acción, como en *El trovador* y *Simón Bocanegra,* se repite una vez más. Sobre el fondo histórico de la expedición de catalanes y aragoneses a Oriente en 1304 al mando del italiano-aragonés Roger de Flor, se teje una trama movida e interesante: amor de Roger y María, odio de Gircón, pasión de Alejo por María y de Inés por Roger, episodio de Margarita (similar al de Mariana, de *Simón Bocanegra*). Se viene señalando la exaltación patriótica como uno de los factores del éxito de este drama. El autor, olvidando la constitución política de los reinos peninsulares a principios del siglo XIV, concibe la expedición como una empresa nacional. Aunque se aluda a la campaña aragonesa, el sentido del poeta queda claro, y es significativo que las mayores concesiones patrióticas se ponen en boca de la princesa María [4].

En *Juan Lorenzo* vuelve a tratar el tema de las germanías valencianas que le sirvió de asunto en *El encubierto de Valencia*; pero ahora más en su aspecto social que histórico. Es la obra más contenida y mesurada en el arranque lírico, a la vez que la más fiel a los datos de la historia. En este sentido podríamos decir que es la menos característica de su estilo o manera. Obtuvo escaso éxito, al que no fué ajena su censura prohibitiva dictada por Narciso Serra y contra la cual protestó el autor. Se vió en la obra un tono demagógico. Hasta qué punto pensó García Gutiérrez en las circunstancias políticas que atravesaba España a la sazón es difícil de determinar. Para nosotros se propuso simplemente ofrecer una obra de arte, por cierto que a costa de su natural inclinación. Temperamento efusivo y lírico por excelencia, aquí cortó por completo las alas de la fantasía, y sólo unos rasgos de lirismo podemos encontrar en algunos diálogos de Juan Lorenzo y su enamorada Bernarda. En cuanto a doctrinarismo político, si alguna tesis se deduce de la obra es, precisamente, poner de relieve el peligro de la demagogia: cuando las turbas pierden el freno de la disciplina, arrastran al mismo que las movió [5].

Teatro legendario

García Gutiérrez, que había dado al teatro algunas adaptaciones—*El vampiro*, de Scribe—y compuesto algunas obras originales—*Una noche de baile, Peor es hurgallo,* la tragedia *Selim, hijo de Bayaceto,* y *Fingal,* que denominó «fantasía dramática»—, no conseguía salir del anonimato hasta que el estreno de *El trovador* le encaramó en el primer plano del arte dramático. Ascenso fulminante, como el de Zorrilla, con quien tantos puntos tuvo de semejanza. Lo más conocido de su obra dramática pertenece al género histórico, sea como tema concreto del drama, sea sólo como fondo o ambiente. Aun en el primer caso no busquemos una reproducción fiel de los caracteres ni de la psicología de los personajes. Lo histórico rara vez es para él fundamental; es a lo

sumo elemento predominante; con él se funden en distintas dosis, y hasta llegan a ahogarle, lo pasional, la intriga y, principalmente, lo poético. En algunos dramas puede hablarse de dos acciones o, cuando menos, de dualidad de afectos: así en *El trovador* y *Venganza catalana*. La doble acción de la primera la hizo notar ya Larra a raíz del estreno: la trama amorosa del triángulo doña Leonor-don Nuño de Artal-Manrique, y la venganza de la gitana Azucena.

«El trovador»

Sobre el fondo de una competencia amorosa entre el trovador Manrique y el poderoso conde de Artal por la mano de doña Leonor de Sesé, se teje un episodio histórico de los primeros años del XV: la lucha emprendida por el conde de Urgel para ocupar el trono de Cataluña y Aragón, perdido a raíz del Compromiso de Caspe, que lo ha adjudicado a Fernando de Antequera.

El argumento es complicado, hasta el extremo de que parece concebido más para novela que para teatro:

El trovador Manrique, partidario del conde de Urgel, que pasa por hijo de la gitana Azucena, es amante de doña Leonor de Sesé, a la que pretende también en matrimonio don Nuño, conde de Artal y enemigo de Urgel, como partidario que es de Fernando de Antequera. Don Nuño es nombrado justicia mayor de Aragón, dirigiendo la lucha contra los partidarios del de Urgel. Doña Leonor, creyendo que Manrique ha muerto en Velilla, protesta en el convento de Jerusalén; pero al ir a pronunciar los votos y descubrir entre los asistentes a su adorado Manrique, se desmaya. Azucena relata a Manrique cómo ha robado, en venganza, a un hijo del conde de Artal; la ambición brota en el alma del trovador, que ansía pertenecer a una familia ilustre, aunque deteste a la de Artal. Convence a Leonor para que abandone el convento. En tanto, los soldados de don Nuño prenden a Azucena, en la que se reconoce a la robadora del niño. Don Nuño pone sitio al castillo en que se han refugiado Manrique y doña Leonor; aquél cae prisionero cuando intenta libertar a la gitana; y doña Leonor, que acude a verle en la prisión, se envenena. El conde obliga a Azucena a presenciar el suplicio de Manrique, siendo inútiles sus súplicas para que se retrase la ejecución. Cuando ésta se ha verificado, la gitana declara que el trovador es el niño robado y, por tanto, hermano del conde.

A pesar del tiempo transcurrido desde el estreno de *El trovador,* sigue siendo la crítica que hizo de él Larra una de las más certeras. Señala el carácter novelesco de la obra, la ausencia de protagonista definido, lo inmotivado de algunas entradas y salidas, la maestría de los efectos teatrales y el encanto y dulzura de la versificación, que encuentra, no obstante, recargada de lirismo.

El padre Blanco opina que García Gutiérrez superó en atrevimiento al mismo autor de *Don Alvaro,* y encuentra en Azucena un tipo casi satánico y repulsivo, a imitación de «aquella musa sombría que engendran allende los Pirineos las producciones escénicas de Alejandro Dumas» [6].

Si comparamos los tipos de gitana que aparecen en ambas obras, *El trovador* y *Don Alvaro,* vemos que la del Duque interviene en una escena cómica y la del gaditano en una altamente trágica, pero ello no nos da derecho a calificarla de «repulsiva y casi satánica». Aparte de ser humano el sentimiento de venganza—la madre de Azucena había sido quemada por el viejo conde padre de don Nuño—, existe el amor de la gitana por Manrique; y en ningún momento del drama se le puede suponer deseo de venganza, a no ser a raíz del rapto; llega a quererle como a hijo; y, al final, está dispuesta a declarar su personalidad para salvarle. Si no lo hace es por temor de que Manrique la abandone o la desprecie, lo cual es una prueba más de su afecto, egoísta si se quiere, pero humano.

El paje, con la idea central del hijo enamorado de la madre e ignorando su parentesco, recuerda el drama de Dumas *La torre de Nesle,* que se repite en *El doncel romántico,* de Fernández Ardavín.

El tesorero del rey, cuya acción se sitúa en el reinado de don Pedro el *Cruel,* tiende a vindicar la figura del médico Pedrosa, a quien la voz popular hacía envenenador de doña Leonor de Guzmán, favorita de Alfonso XI. Destaca, aparte la complicación de los lances que da al drama carácter folletinesco, el monólogo en que el judío Samuel, tesorero del rey, expone sus impresiones sobre el tránsito de la muerte a la vida, al volver en sí de un poderoso narcótico.

Teatro realista-social

De las numerosas obras que pueden incluirse en este apartado, sólo queremos mencionar *El grano de arena,* en la que el poeta nos presenta símbolos más bien que personajes de carne y hueso: Gaspar, usurero escéptico y egoísta; Isi-

doro, vicioso y perverso; Marta, joven de singular belleza y virtud; Diego, su esposo, caballeroso y caritativo. Tesis que se desprende del título: cuando la copa de la misericordia divina está ya llena, el «grano de arena» de cualquier falta la hace desbordar.

Estilo, caracteres y técnica dramática

«El don precioso de García Gutiérrez, el que desde su primer drama aparece en todo su esplendor..., es la versificación, constantemente fácil, dulcísima, melodiosa. Unido ese don a la melancolía natural de su carácter, a la tristeza instintiva de su poesía, creóse así, naturalmente, el más conmovedor, el más penetrante y más patético de los poetas dramáticos modernos de España» [7]. Mostró especial predilección por los temas levantinos y por los personajes de origen desconocido, a los que erige siempre en protagonistas del drama. La amplitud temática con que concibe sus obras es causa de que con frecuencia queden sólo esbozadas. Aunque el teatro de García Gutiérrez se suele basar en la historia, no es ésta su principal elemento; elementos más importantes son la fuerza pasional, la complicación de la intriga, que con frecuencia da al drama carácter novelesco; la duplicidad de acción y, sobre todo, el elemento lírico, tanto en la expresión de afectos como en la versificación. Aun en momentos de intenso dramatismo, los personajes de García Gutiérrez son líricos; y la belleza de expresión constituye uno de sus mayores encantos. Este lirismo temperamental explica la importancia que el autor concede a la música: «No existe acaso otro drama—escribe Piñeiro a propósito de *El trovador*—en que se conceda tanta parte a la música». De aquí que la ópera se apresurase a beneficiarse de él haciendo de la figura de Manrique una de sus piezas más logradas. Ya Larra había sacado a escena la figura de un trovador, y Macías puede considerarse un precedente de Manrique; pero el verso de *Fígaro* es siempre duro en contraste con el blando y melodioso de García Gutiérrez.

III. HARTZENBUSCH (1806-1880)

En Hartzenbusch convergen un erudito, un novelista, un narrador, un lírico y un dramaturgo. En ninguno de los cinco aspectos raya a mucha altura; sólo como autor dramático logró sobresalir algo más, hasta figurar sin desdoro al lado de los primates del teatro romántico en la primera mitad del xix. Aureliano Fernández Guerra sintetiza el «principio vital» que vivifica la obra de Hartzenbusch con el título de una comedia de Pérez de Montalbán, «cumplir con su obli-

gación». «Esta idea civilizadora y santa—añade—, anima las composiciones de don Juan Eugenio, siendo los personajes de sus poemas antes propensos a cumplir deberes que a reclamar derechos. Por el deber de salvar el honor de una madre, ahoga Isabel de Segura el amor purísimo que había consagrado a Marsilla; impónese un destierro de cuatro años el Cid, por imaginar que el deber se lo manda; invocando interesadamente el nombre del deber, doña Mencía halla dispuesta a su hermana para los mayores sacrificios; en aras del deber ofrece Heriberta su vida por la de todo un pueblo; y ¿qué más? Por el deber de librar a un hijo de muerte inevitable, ríndese al hierro homicida la madre de Pelayo»[8].

Datos biográficos

Hijo de un ebanista alemán llegado a la corte unos veinte años antes (1787), JUAN EUGENIO DE HARTZENBUSCH MARTÍNEZ CALLEJA nació en Madrid, en 6 de septiembre de 1806[9]. Trabajó en el taller de su padre; de los doce a los quince años estudió en el colegio de los Jesuítas, adquiriendo sólida preparación humanística. En 1838 obtiene una plaza de taquígrafo temporero del *Diario de Sesiones* del Congreso. Elegido académico de la Española en 1847, nombrado director de la Escuela Normal en 1854, de la Biblioteca Nacional en 1862. Falleció en Madrid, el 2 de agosto de 1880.

Obra lírica

La obra de Hartzenbusch abarca: poesía, teatro, novela y cuento y trabajos de crítica y erudición.

Poesía y fábulas.—Muy por bajo del dramaturgo y hasta del prosista, el Hartzenbusch poeta sólo en las fábulas logra concisión, fina sátira y hasta hondura moral[10]. En cambio, en los otros géneros rara vez la nota intimista logra conmovernos; únicamente en las de fondo más o menos autobiográfico alcanza una discreta medianía[11].

Poesía la suya de carácter vario, con frecuencia ocasional—si bien se ha calificado de ocasional toda poesía—, alterna lo lírico con lo narrativo. En el primer aspecto destacan *Al busto de mi esposa*, *La despedida* y las religiosas *Al Salvador en la Cruz* y *A Nuestra Señora*. Dignas de recuerdo son asimismo *La vuelta del emigrado* y *La muerte*; la primera (endecasílabos libres) con ciertas alusiones familiares (sabido es que el padre de Hartzenbusch fué perseguido por sus ideas liberales); *La muerte*, de hondo sentido filosófico.

De carácter narrativo son *El alcalde Ronquillo*, en la que asistimos al suplicio del obispo de Zamora, Acuña, por mano del mismo alcalde al negarse los verdugos a poner las manos en un prelado; *Isabel y Gonzalo*, leyenda de amor desventurado, de la que se hace protagonista a una hija natural de Enrique de Trastamara. Tiene asimismo composiciones de carácter patriótico *(Al Dos de Mayo)*; humorísticas *(A Juan, su pícara memoria)*, imitaciones en «antigua fabla», que dejan entrever más al erudito que al poeta; y traducciones de Schiller *(La campana y La infanticida)*, de Metastasio *(La vida)* y de Manzoni *(El Cinco de Mayo*, la celebérrima oda sobre la muerte de Napoleón).

Teatro

La extensa obra dramática de Hartzenbusch, omitiendo el gran número de traducciones, adaptaciones y refundiciones del teatro nacional y extranjero[12], puede inscribirse en estos epígrafes:

Simbólico-filosóficas: *Doña Mencía* (1838), *Primero yo* (1842), *Honoria* (1843).

Bíblicas: *El mal apóstol y el buen ladrón* (1860).

Histórico-legendarias: *Las hijas de Gracián Ramírez* (1831), *El infante don Fernando el de Antequera, Los amantes de Teruel* (1837), *Alfonso el Casto* (1841), *La jura de Santa Gadea* (1845), *La madre de Pelayo* (1846), *La ley de raza* (1852), *Vida por honra* (1858).

De carácter: *La visionaria* (1840), *La coja y el encogido* (1843), *Juan de las Viñas* (1844).

De magia: *La redoma encantada* (1839), *Los polvos de la madre Celestina* (1841), *Las Batuecas* (1843).

Anecdóticas: *El bachiller Mendarias* (1842), *La archiduquesita* (1854).

Dramas históricos

Una vez más hemos de repetir que no es la sujeción a la verdad histórica el fuerte de los dramaturgos románticos. Con frecuencia lo histórico es sólo el motivo sobre el que dejan vagar su fantasía. Los personajes reales de estos dramas rara vez son más que pretextos para engarzar discursos tan distantes de la verdad como de la verosimilitud psicológica. Salvo alguna esporádica excepción—el marqués de Molíns, por ejemplo—, sólo se atiende al efectismo.

En *Las hijas de Gracián Ramírez*, estrenada con escaso éxito (1831), dramatiza la leyenda de la defensa de Madrid atacado por los árabes, que había dado tema a Rojas Zorrilla para su *Nuestra Señora de Atocha*. Como la comedia del poeta toledano, la de Hartzenbusch está escrita en «antigua fabla» y no sale de una discreta mediocridad.

Tema repetido es también el de *Alfonso el Casto*, sobre los amores del conde de Saldaña con doña Jimena, hermana del rey. La oposición de Alfonso a estos amores débese a la pasión que inconscientemente siente por su hermana. Está desarrollada con ternura y emoción.

El infante don Fernando de Antequera, sobre el gobierno de éste como regente de Castilla en la minoría de Juan II, no llegó a representarse. En torno al conocido episodio del Cid y Alfonso VI se desarrolla *La jura de Santa Gadea*; la reina Alberta, viuda de Sancho el Fuerte, aparece como protectora de los amores del Cid y Jimena, y Alfonso opuesto al enlace. Complica la trama la calumnia de Gonzalo, aspirante a la mano de Jimena, el cual acusa al Cid de haber armado el brazo del traidor Vellido Dolfos. El Cid, insistiendo en el reto, responde lacónicamente:

Mañana, a las nueve, el duelo;
mañana, a las diez, la jura.

En *La madre de Pelayo* dramatiza las mocedades del futuro restaurador de España; se funden tradiciones nacionales con motivos tomados de la mitología griega y otros de invención personal, inspirados en el drama romántico francés [13]. Abandonado por sus padres, Pelayo sirve en el ejército de Witiza y es acusado de parricida por su propia madre, la cual, al reconocer su error, le salva a costa de su propia vida.

Una de las obras más logradas para nuestro gusto es *La ley de raza*. Superadas las exageraciones y la morbosidad de mal gusto que afean los primeros dramas de Hartzenbusch, se nos ofrece aquí un drama equilibrado y muy digno de atención, tanto por la trascendencia histórica del tema como por la pintura de los caracteres. A la trama amorosa de Recesvinto y Heriberta se une el problema de la lucha de dos civilizaciones, dos concepciones políticas, sociales y culturales distintas: la visigoda y la hispano-romana. A los amores de los protagonistas se opone la ley que separa a vencedores y vencidos:

La ley que hasta aquí rigió
dice: «Quien godo nació,
con goda, según su clase,
con vándala o sueva case,
mas con española, no.»

Con la abolición de la injusta ley y el matrimonio de Recesvinto y Heriberta termina el drama.

En *Vida por honra* se lleva una vez más al teatro la vida aventurera y anecdótica del conde de Villamediana. Contraria al conde, pone de manifiesto los males que ocasiona la calumnia.

«Los amantes de Teruel»

El drama que dió a Hartzenbusch merecida y amplia fama es *Los amantes de Teruel*, estrenado en enero de 1837. Del interés que sentía el autor por el tema son buena prueba las varias refundiciones que hizo de la obra y el testimonio de su hijo [14]. En la leyenda, ya conocida, sobre cuya veracidad no queremos entrar aquí, Hartzenbusch introdujo algunas modificaciones que mejoran en mucho las obras de sus predecesores Rey de Artieda, Tirso de Molina y Montalbán.

El argumento, harto sabido, se reduce a lo siguiente: En Teruel viven dos familias nobles, cuyos hijos, Diego Marsilla e Isabel de Segura, se aman desde la infancia. El galán solicita la mano de la dama; pero es rechazado por pobre, y pide un plazo para hacerse merecedor de ella. Concedido el plazo, tras diversas aventuras—intervención en las batallas de las Navas de Tolosa y de Muret, donde cae prisionero; fuga y estancia en Siria, donde hereda cuantiosas riquezas; regreso a España; cautiverio de los piratas moros, que

le llevan a Valencia, etc.—, llega a Teruel cuando se acaban de celebrar los esponsales de Isabel y don Rodrigo de Azagra. El dolor causa la muerte a los dos enamorados [15].

Sometida la obra a tres refundiciones, apenas subsisten en la última otros puntos de contacto con la primera que la identidad de autor y del hecho que le sirve de base. El carácter de Azagra se ha dulcificado; ya no pretende a Isabel sólo por orgullo, está tan enamorado de ella como pueda estarlo el mismo Marsilla. El recurso de hacer que Isabel se entere de la falta de su madre por la conversación que ésta sostiene con Azagra, hace más atrayente la persona de aquélla, que de otra forma quedaría muy rebajada. La lucha que se plantea en el alma de don Pedro entre el amor paternal y el cumplimiento de la palabra dada contribuye a realzar el tono caballeresco de todo el drama. Su móvil principal es el sentimiento amoroso; la misma venganza de la reina mora Zulima es una faceta más de ese sentimiento. Los caracteres están bien dibujados, especialmente el de los dos amantes y el de doña Margarita, madre de Isabel, víctima de la imposición paterna que la arrastra a una larga vida de sacrificio.

Dramas simbólico-religiosos

Casi sería mejor hablar de obras de «tesis», porque si bien se desarrollan en un clima histórico, lo que predomina en ellas es el elemento conceptual. Pertenecen a la primera época de Hartzenbusch, período de efervescencia político-religiosa que explica la virulencia de ciertas ideas como una concesión más al público.

Doña Mencía, calificada por el padre Blanco de «fantasía delirante» y basada en un supuesto caso de intransigencia religiosa, sintetiza todos los ataques de los enemigos de la España católica y tradicional, a la vez que se desata en furiosas diatribas contra la Inquisición [16].

Con *Primero yo* pretende Hartzenbusch poner en la picota la hipocresía y la ambición, intento logrado sólo a medias, ya que por dar más fuerza a las situaciones cae con frecuencia en lo tremendista y chocarrero. A vueltas de una filosofía trasnochada se reduce a señalar los males del egoísmo que encarna en Luciano, el cual sintetiza toda su actuación en estos dos versos:

Lo que al hombre le convenga,
aquello sólo es lo justo.

Honoria es una combinación de dos obras, una de carácter cómico y otra de fondo dramático. Se reduce a uno de tantos melodramas puestos de moda por el romanticismo francés y basado en la contraposición de caracteres: Honoria, toda dulzura, y Desideria, toda ambición y orgullo. Como siempre, triunfa la virtud. El desenlace se repite en *El bachiller Mendarias*.

Otras comedias

Las tiene Hartzenbusch de *carácter: La visionaria,* en prosa, que entre otras cosas demuestra la ductilidad del autor, aplicable por igual al drama escalofriante que a la comedia de juguete; *bíblicas: El mal apóstol y el buen ladrón,* en torno a Judas y a Dimas, con rasgos que recuerdan por su simbolismo teológico a *El condenado por desconfiado* y una premiosidad en el manejo del verso, que le resta brillantez; *anecdóticas: El bachiller Mendarias,* de argumento muy confuso y de personajes desdibujados; ni la natural honradez de Mendarias ni la ambición y orgullo de don Juan tienen fuerza de atracción suficiente para compensar la aridez y monotonía de algunas escenas; y, finalmente, *de magia.* A este último grupo pertenecen *Los polvos de la madre Celestina,* con la tesis de que el dinero todo lo allana; y *La redoma encantada,* con el famoso y estrafalario Enrique de Villena por protagonista.

Novela, cuento y erudición

Cultivó asimismo Hartzenbusch la novela, de la que nos dejó una muestra en *La reina sin nombre,* sobre los amores de Recesvinto y Floriana y la conjuración del duque Froila, enamorado de la española. De sus cuentos, escritos casi siempre con propósito moralizador, mencionemos *La novia de oro,* sobre los perniciosos efectos del lujo en la mujer; *La hermosura por castigo* e *Historai de dos bofetones.* En aquél, Pulqueria, hija del emperador Teodosio, de singular hermosura, pero ciega, recobra la vista a cambio de no ver lo que más quiere: la contemplación de su propia hermosura. En *Historia de dos bofetones* se aspira a demostrar cómo un mismo correctivo puede llevar a consecuencias distintas y hasta contrarias: una bofetada hace de Gabriela esposa ejemplar; el mismo castigo precipita a Dolores en el vicio. Citemos, además, *Mariquita la Pelona* y *Palos de Moguer,* sobre el origen supuesto del nombre de esta ciudad.

Los trabajos de investigación y crítica de Hartzenbusch, aunque meritísimos en algunos aspectos, no siempre fueron acertados; recuérdense sus 1.633 notas al *Quijote.* Asiduo colaborador de la Biblioteca Rivadeneyra, edita concienzudamente a Calderón, Ruiz de Alarcón, Lope de Vega y Tirso de Molina; escribe la biografía de Dionisio Solís y publica las *Obras póstumas,* de Moratín. Citemos, finalmente, buenos artículos de costumbres, como *Un entreacto, Un viaje en galera* y *El mercader de la calle Mayor.*

IV. DRAMATURGOS DE SEGUNDO ORDEN

Al lado de las grandes figuras del teatro romántico cabe mencionar una serie de dramaturgos menores que, imitando la técnica de los maestros, señalan el inicio de nuevas formas.

Gil y Zárate

Mencionemos en primer lugar a ANTONIO GIL Y ZÁRATE (1796-1861) [17]. Como Martínez de la Rosa, el duque de Rivas y tantos otros escritores de la época, parte del neoclasicismo para llegar al Romanticismo. Su ortodoxia clásica «transpira por los acompasados romances de sus comedias y tragedias» [18]. Inicia su labor dramática con piezas cómico-morales, compitiendo por algún tiempo con Bretón de los Herreros: *La cómico-manía,* estrenada en 1816, a la que siguen *El entrometido* y *Un año después de la boda.* En 1835, en plena efervescencia romántica, estrena *Blanca de Borbón,* sobre la desventurada esposa de don Pedro el Cruel, dentro de los moldes de la tragedia neoclásica, alcanzando gran éxito, lo que no le impide pasarse a la nueva escuela dos años después con *Carlos II el Hechizado,* «el más audaz y desconcertante drama que abortó entre nosotros el Romanticismo» [19]. Su enorme triunfo ha de buscarse más en las circunstancias políticas que en las literarias. Desde este momento se consagra preferentemente al teatro histórico, que alterna con comedias costumbristas y con traducciones, en especial de Scribe. Entre las históricas podemos mencionar *Don Alvaro de Luna, El Gran Capitán, Guillermo Tell, Massaniello* y *Guzmán el Bueno.* Y entre las comedias, *Un amigo en el candelero* y *Matilde.* En el drama, *Rosmunda* bordea lo lacrimoso, sin que carezca de escenas emotivas.

Guzmán el Bueno, la obra más lograda de Gil y Zárate, es muy superior a la tragedia del mismo título de Nicolás F. de Moratín. Muy bien vista la psicología de los personajes, alcanza escenas de intenso dramatismo al presentar el conflicto de Guzmán entre el amor y el deber. Las figuras más definidas son don Pedro, hijo de Guzmán, y su enamorada doña Sol, hija del infante don Juan. La joven dama, a la que repugna la maldad de su padre, propone a Guzmán que le amenace con darle muerte a ella misma si el infante no desiste en su propósito de sacrificar a don Pedro:

> Vea mi padre que en el alto muro
> amenaza a mi vida igual suplicio,
> y sepa que al cumplir su horrible fallo
> le es preciso pagar hijo con hijo.
>
> (Acto IV, esc. última.)

Escosura

En la novela y en el drama destacó a la vez
PATRICIO DE LA ESCOSURA (1807-1878) [20]. Como novelista lo estudiaremos en el lugar correspondiente. Tócanos aquí enjuiciarlo como dramaturgo. A
la vida legendaria del conde de Villamediana dedica dos obras, *La Corte del Buen Retiro*, representada en 1837, y *También los muertos se vengan* (1845), en la que la sombra del asesinado
conde preside la acción, ya impulsando a la venganza a los enemigos de Olivares, ya actuando de
voz acusadora, de conciencia del rey y del conde-
duque. Sumamente embrollada, auténtica comedia
de intriga, el anacronismo salta a cada paso; la
acción se sitúa en 1643 y en ella interviene Góngora, que había muerto dieciséis años antes. El
carácter mejor logrado es el de Olivares, víctima
de su propia ambición de mando [21]. Más odioso
que el propio Olivares resulta su sobrino, don Luis
de Haro, que en su afán de sustituirle en la privanza no duda en traicionar a todos. Otras obras
de Escosura son: *Bárbara Blomberg*, a la que el
poeta intenta reivindicar presentándola como víctima de la opinión, ya que sólo es confidente de
la verdadera culpable; *Las mocedades de Hernán
Cortés, La aurora de Colón, Don Jaime el Conquistador* y *Roger de Flor*, concebida a la manera
de tragedia clásica, sobre la expedición de catalanes y aragoneses a Oriente, que García Gutiérrez escenifica en *Venganza catalana*.

Paralela a la actividad del dramaturgo corre la
del poeta. En este aspecto alcanzó popularidad su
leyenda *El busto vestido de negro capuz*, sobre
un episodio de la guerra de las comunidades, ya
aludida en otro lugar.

Calvo Asensio

Mayor importancia que en una historia de la
literatura ocuparía en la de las ideas políticas
del XIX el vallisoletano PEDRO CALVO Y ASENSIO
(1821-1863) [22]. Entre sus obras dramáticas destacan
La acción de Villalar, La cuna no da nobleza y,
sobre todo, *Felipe el Prudente*, favorable al rey,
detalle digno de tenerse en cuenta en un político
liberal.

Con gusto haríamos un análisis detenido de
esta obra de Calvo Asensio si el espacio lo con-
sintiera, ya que, apartándose de la corriente antiespañola que representa en el teatro el *Don Carlos*, de Schiller, y en la poesía *El panteón del
Escorial*, de Quintana, inicia la reivindicación del
rey, que después seguirá Núñez de Arce en *El
haz de leña* (1872). Es erróneo citar al poeta de
los *Gritos del combate* como iniciador en el teatro del XIX de la tendencia favorable al Rey Prudente. La acción del drama de Calvo se sitúa en
el año 1559; y se siguen con bastante rigor cronológico los hechos hasta la muerte del príncipe

don Carlos. La culpabilidad de la tragedia que se
desarrolla se hace recaer en los consejeros del rey,
en especial el cardenal Espinosa y Ruy Gómez,
y en el bufón Velasquillo. Ante la muerte del príncipe, el rey siente la preocupación de la posteridad:

> Dios, que mira mi conciencia,
> sabe cómo procedí;
> mas ¿cómo pruebo yo aquí
> mi dolor y mi inocencia?

En colaboración con Juan de la Rosa compuso
Fernán González (dos partes) y *La venganza de
un pechero*. Se muestra hábil en el engarce de los
episodios y en la presentación de los caracteres, y
poco afortunado en la versificación, generalmente
premiosa y recargada de ripios.

A. Hurtado

Relativo interés ofrece la obra conjunta del extremeño ANTONIO HURTADO (1824-1878) [23], en la
que hay que distinguir al poeta narrativo, al dramaturgo y al novelista. En el primer aspecto, especialmente en su grupo de «leyendas» a la manera de Zorrilla, está para nosotros lo mejor de
su producción. Colaborador frecuente de Núñez
de Arce, podemos clasificar su obra—prescindiendo
de la novela que estudiamos en otro capítulo—en
lírico-narrativa y dramática:

Lírico-narrativa: *Cantos populares a la Santísima Virgen de la Montaña, Romancero de Hernán Cortés, Romancero de la princesa, Madrid
dramático*.

Dramática: *El laurel de la Zubia* (con Núñez
de Arce), *Herir en la sombra* (con Núñez de Arce),
La jota aragonesa (con Núñez de Arce), *Sueños y
realidades, La voz del corazón*.

Dos palabras sobre algunas de estas obras. En
El laurel de la zubia (1865) se sitúa la acción en
1507 con el anacronismo de hacer aparecer a la
reina Isabel la Católica como *deus ex machina*
para resolver los conflictos; *Herir en la sombra*
(1866), se refiere a Antonio Pérez y al asesinato
de Escobedo; *La jota aragonesa* (1866), sobre un
episodio del sitio de Zaragoza unido a una ligera
trama de amor; *Sueños y realidades*, sobre el
matrimonio de Isabel la Católica; *La voz del corazón* (1867) escenifica un episodio de la guerra
de la Independencia, con rasgos que recuerdan la
comedia de los Machado *El hombre que murió en
la guerra*. Entre las piezas más emotivas destaca
En la sombra, tema repetido en la literatura, y
por el mismo autor en una de las leyendas del
Madrid dramático; el asunto es análogo al de la
leyenda de Zorrilla *El caballero de la buena memoria*, y ha sido aprovechado modernamente por
Marquina en uno de los episodios de *María la
viuda*.

Cultivó también la comedia: *En el cuarto de

mi mujer, *La nieta del zapatero*, de tono sentimental; *Las gradas de San Felipe*, asunto que repite en el *Madrid dramático*.

En el *Madrid dramático* Hurtado nos ofrece una serie de leyendas que se corresponden con muchos de los romances históricos del duque de Rivas. Citemos *Los dos Pérez*, venganza de honor; se presenta con rasgos simpáticos y humanos a Felipe II; *Un lance de Quevedo*, sobre el supuesto desafío del gran satírico el día de Jueves Santo y en defensa de una dama; *La ejecución de un valido*, relativa a don Rodrigo Calderón; *Las gradas de San Felipe*, en defensa de Moreto; *La muerte de Villamediana*, *Un drama oculto de Lope*, *El acero de Madrid*, etc.

Carácter legendario tiene también el *Romancero de la princesa* (1852), dedicado a Isabel II con motivo del atentado del cura Merino, y el de *Hernán Cortés*, formado por 29 romances sobre la vida y hazañas del conquistador de Méjico.

V. OTROS REPRESENTANTES DEL TEATRO ROMANTICO: HISTORIA Y FOLLETIN

Características de la extensa producción de José María Díaz (1800-1888), colaborador de Zorrilla en el *Traidor, inconfeso y mártir*, son la fuerza imaginativa y la predilección por las escenas fuertes, que le califican de aventajado precursor de Echegaray. Suicidios, duelos, asesinatos, son sus platos favoritos, tales como nos los ofrece en *Elvira Albornoz*, *Baltasar Gozza*, *Gabriela de Bergy*, basado en la leyenda trágica del trovador provenzal Guillermo de Cabestany; *Juan Sin Tierra*, *Andrés Chénier*, y tantas otras. Cultivó la tragedia de corte clásico con sus ingredientes románticos a imitación de Voltaire y de Alfieri —*Julio César, Catilina*—; y tradujo obras del francés y del italiano, entre ellas *La dama de las camelias* con el título de *Redención*.

Aunque posteriores a 1850 en su mayor parte, no desmienten su filiación romántica las numerosas obras del novelista y dramaturgo Juan Ariza (Motril, 1816-La Habana, 1876), inspiradas casi siempre en la historia de España: *Remismunda* [24], sobre los amores de Ataulfo y Gala Placidia; *Don Alonso de Ercilla*, *El primer Girón*, *Antonio de Leiva*, *Pedro Navaro*, *Don Juan de Austria* y *Dos cetros*, esta última en torno al apasionante reinado de Pedro el Cruel.

También prefiere los temas históricos el poeta aragonés Miguel Agustín Príncipe (1811-1866), citado como lírico en otro lugar. Príncipe persigue con su teatro nada menos que la rehabilitación de personajes vilipendiados en nuestra historia: *El conde don Julián* y *Mauregato o el feudo de las cien doncellas* son sus mejores obras. En colaboración con García Gutiérrez y Gil Zárate escribió *La Baltasara*, sobre la célebre comedianta de este nombre. Como escritor satírico se distinguió en la *Historia trágico-cómica-política de la España del siglo XIX*, *con observaciones tremendas sobre las vidas, hechos y milagros de nuestros hombres y animales públicos, escritas entre agridulce y jocoserio*.

Nacido en Coro (Venezuela), Heriberto García de Quevedo (1819-1871) merece, como Ventura de la Vega, figurar entre los dramaturgos españoles por formación y adopción. Como lírico alcanzó renombre y llegó a colaborar con Zorrilla en tres poemas: *María*, *Un cuento de amores* e *Ira de Dios*. Compuso poemas filosóficos (*La segunda vida, Delirium, El proscrito*); abusó de la nota tremendista en composiciones como *La pobre madre*; tradujo a Byron y a Manzoni, y en el teatro se inclinó por temas y autores extranjeros: *Patria y amor en porfía*, imitación de Octavio Feuillet; *Isabel de Médicis*, basada en una novela de Guerrazzi. De lo más logrado que brotó de su pluma citemos los sonetos *Los brutos* y *Al sepulcro de don Alvaro de Luna* [25]. En el capítulo correspondiente del romanticismo hispanoamericano insistiremos sobre este poeta.

El madrileño Ramón Navarrete Fernández (1818-1897) muestra preferencia por los conflictos psicológicos en obras como *Odio y amor, Reinar contra su gusto, La pena del Talión, La escuela de los amigos* y *Don Rodrigo Calderón o la caída de un ministro*, notable por ser una de las primeras en que se llevó a las tablas la figura del desgraciado valido.

Eugenio Ochoa (1815-1872), meritísimo editor y crítico, tiene mayor importancia como traductor de Dumas y de Víctor Hugo [26] que como autor original. *Incertidumbre y amor* y *Un día del año 1823* no rebasan la línea de lo mediocre.

Tampoco se distingue por su originalidad ni por su fuerza creadora Joaquín Francisco Pacheco, que en dramas como *Los infantes de Lara* y *Bernardo del Carpio* intentó, aunque sin éxito, remozar los lauros obtenidos con los mismos temas por Lope, Cubillo de Aragón y, más recientemente, por el duque de Rivas en *El moro expósito*. Ese éxito acompañó, en cambio, al granadino José Castro y Orozco por su drama seudohistórico *Fray Luis de León o el siglo y el claustro*. Con un argumento tan sencillo como unos supuestos amores del autor de *Los nombres de Cristo* con una hermana de Hurtado de Mendoza, amores contrariados por la distancia social de los pretendientes, Castro y Orozco construye una obra sencilla y agradable de leer. Quizá «la ausencia de horrores trágicos y violentas situaciones», a que alude el padre Blanco, y de que tan hastiados debían de estar los espectadores de aquel tiempo, contribuyera al mayor éxito de la obra.

Un triunfo similar acompañó al drama *Doña Blanca de Navarra*, de IGNACIO GARCÍA ONTIVEROS, favorable, como la novela del mismo título de Navarro Villoslada, a la princesa.

También a Cataluña y Aragón alcanza la fiebre del teatro histórico. Sobre asuntos de aquellos reinos escriben JAIME TÍO: *El castellano de Mora, Alfonso el liberal* y *El espejo de las venganzas;* ANTONIO BOFARULL, insigne historiador: *Pedro el Católico, Roger de Flor* y *El Consejo de los Ciento;* VÍCTOR BALAGUER: *Wifredo el Velloso* y *Juan de Padilla;* y el valenciano PEDRO SABATER: *Don Enrique el bastardo, conde de Trastamara.* En Zaragoza este teatro está representado por JOSÉ MARÍA HUICI, autor de obras como *Juan de Lanuza, Doña Brianda de Luna* y *Don Pedro el Cruel.*

El drama folletinesco

Las falsedades y truculencias en que fué cayendo la novela histórica hasta convertirse en folletinesca, con el consiguiente falseamiento de los hechos, da paso a las más descabelladas fantasías, acompañadas de la diatriba feroz contra las instituciones tradicionales, en nombre casi siempre de la libertad. Esta tendencia a la targiversación de la verdad pasa al teatro y encarna en las obras de algunos autores, como Romero Larrañaga y los hermanos Asquerino.

GREGORIO ROMERO LARRAÑAGA (1814-1872) adquirió más renombre como lírico y poeta legendario que como dramaturgo [27]. La composición que lleva por título *El de la cruz colorada* fué aprendida de memoria durante largos años por todos los amantes de la poesía. Hoy está olvidada casi con justicia, si bien hay que reconocer en ella cierto colorido, cierto garbo y una musicalidad pegadiza muy del gusto de los lectores en aquellos tiempos. Sus *Poesías* (1841) van reflejando todo el proceso del romanticismo español desde el lúgubre tono de «tumba y hachero» hasta que logra independizarse y volver a los cauces y temas tradicionales. Las leyendas, publicadas con el título de *Historias caballerescas de España* (1845), acusan una influencia muy directa de Zorrilla. En el teatro, hecho con todos los tópicos del Romanticismo, sin que escaseen los maridos canallas junto a los amantes adornados de toda clase de virtudes, fracasó en obras como *Garcilaso de la Vega* y *Misterios de honra y venganza,* esta última basada en la vida del pintor Alonso Cano. Larrañaga se había propuesto presentar el tipo del *genio* inadaptado, algo parecido a lo que había hecho Alfredo de Vigny en su *Chatterton,* claro es que con mucho menos talento. El atribuía el fracaso a los actores, en especial a Julián Romea,

que había interpretado su personaje con escaso entusiasmo.

Triunfó, en cambio, con *Felipe el Hermoso* y *Juan Bravo el Comunero,* hechas en colaboración con Eusebio Asquerino; y volvió a renovar sus triunfos en *El gabán del rey,* sobre la conocida anécdota de Enrique III. De ella se hicieron famosos aquellos versos:

> Más justos habían de ser
> y más humanas sus leyes,
> si tuvieran que vender
> como este rey otros reyes
> su gabán para comer.

En las tres, al igual que en *La Cruz de la Torre Blanca,* en colaboración con Manuel Diana, el tono demagógico es constante.

Acabamos de citar a los hermanos Asquerino, en quienes el tono declamatorio, preludio de Echegaray, ya señalado en José María Díaz, se acentúa constantemente. El mayor, EUSEBIO ASQUERINO (1822-1892), acudió a la historia de España para sus dramas: *Doña Urraca, Blasco Jimeno, La princesa de los Ursinos* y otros dos asuntos tan traídos y llevados en la leyenda y el teatro como la historia de la hermosa Raquel, que él tituló con bien poca originalidad *La judía de Toledo,* y *Obrar cual noble aun con celos,* sobre la madre de Pelayo, tema ya tratado por otros románticos, entre ellos Zorrilla y Hartzenbusch. A falta de precisión en los caracteres y de ambientación histórico-geográfica, nos regala con largas tiradas declamatorias. Se acerca a la alta comedia en *Un verdadero hombre de bien.*

EDUARDO ASQUERINO (1826-1892) es principalmente lírico en sus dos libros *Ensayos poéticos* y *Ecos del corazón* (1849 y 1853). Pero también hizo escarceos por el campo de la historia patria y de la extranjera. De ellos salieron algunos dramas, tarados con idénticos defectos que los de su hermano. Recordemos *Por amar perder un trono,* sobre Beltrán de la Cueva; *Gloria del arte,* relativo a Farinelli; *Gustavo Wasa* y *Sancho el Bravo.* Hizo refundiciones del teatro del siglo XVII: *Lorenzo me llamo* y *Carbonero de Toledo,* de Matos Fragoso; *Entre bobos anda el juego,* de Rojas Zorrilla; etc.

NOTAS

1. «El primer período o período francés del romanticismo español se extiende de 1835 a 1838, aproximadamente. Es la hora del feudalismo o medievalismo fantástico y sombrío. Hay un género que en este período se cultiva con una inusitada profusión: el cuento histórico en verso. En el medievalismo de 1835 al 38 podemos considerar tres vertientes: una hacia lo oriental—canción del harén, del desierto, oriental—, otra hacia lo feudal europeo, y otra, finalmente, hacia lo urbano deteriorado, glorioso y antiguo—cantos a Toledo, Alcalá, etc.—» (JOSÉ LUIS VARELA: *Vida y obra literaria de Gregorio Romero Larrañaga,* página 213.)

2. En *Luz y tinieblas* predominan las composiciones de carácter legendario: *Zulima, Los siete condes de Lara, El conde de Saldaña, Elvira,* «muy floja y destartalada»; *El*

maestre de Alcántara, etc. Entre las composiciones insertas en *Poesías* citemos *Fingal*, fantasía dramática en cinco actos, y el cuento pasional *Las dos rivales*. De carácter festivo y satírico son los poemitas *Un baile en casa de Abrantes* (1834) y *El duende de Valladolid*, Mérida de Yucatán, 1846.

3. *Estudios sobre el teatro de Lope de Vega*, ed. ordenada y anotada por A. Bonilla y San Martín, vol. IV, págs. 50-63, Madrid, 1923.

4.
Yo no soy desde este día
griega, ¡no!, soy española.
(Acto II.)

Campo es la Grecia fecundo
en laureles para España.
(Acto IV, esc. XIII.)

¡Anuncia el fin de la Grecia!
¡Anuncia el rencor de España!
(Acto III, esc. XIV.)

5. Juan Lorenzo acaba de morir; las turbas se han lanzado a la calle, y ante las súplicas de la marquesa a Sorolla para que las domine, éste exclama:

... ¡Mi poderío!
¡Sarcasmo! Yo no los guío;
soy arrastrado por ellos,
y me llevan a un abismo.
Sé que su víctima soy,
y voy, sin embargo, voy
ayudándoles yo mismo.

Se ha achacado al poeta la poca consistencia dramática de los personajes; en efecto, un espíritu moderado como el del protagonista no es el más adecuado para dirigir una rebelión popular de tipo social; el drama que se desarrolla es interior, y por ello más vigoroso, más noble, aunque menos efectista.

6. *La literatura española en el siglo XIX*, vol. I, página 221. De Dumas tradujo García Gutiérrez los dramas *Don Juan de Marana*, *Calícula* y *Margarita de Borgoña*.

7. ENRIQUE PIÑEYRO: *El romanticismo en España*, página 102, París, s. a.

8. Colección de Escritores Castellanos: *Obras de Juan Eugenio de Hartzenbusch*, pról., págs. 14-15, Madrid, 1877, vol. I.

9. Muchos datos autobiográficos se contienen en un cuaderno autógrafo que legó Hartzenbusch a la Biblioteca Nacional. En las últimas hojas se transcriben unas «Noticias copiadas de una apuntación hecha por mi padre S. H. y hallada entre sus papeles.» Consta que nació el futuro dramaturgo a las siete y veinte minutos de la tarde y que fué bautizado a las once y media de la mañana del día siguiente, 7 de septiembre. En la sesión necrológica que le dedicó la Real Academia, Tamayo y Baus, tras alabar la concisión de su estilo, añadía: «... tan memorioso, que era índice vivo de todos nuestros clásicos; tan ingenioso, que no tuvo contrario mayor que la excesiva sutileza.»

10. Constan de tres libros: el primero contiene las fábulas escritas hasta el año 1848; el segundo, las publicadas en el 1861, y el último, las posteriores a esa fecha. Sobresalen más por el carácter moralizador que por su valor poético. Mencionemos *El águila y el caracol*, *El escritor y el ladrón*, *La anciana indevota*, *El sastre y el avaro*, *El dedo índice de la mano izquierda*, etc.

11. Sin duda, el mismo autor, hombre de buen juicio y no exento de modestia, se da cuenta de la calidad de su acento poético y compone *La medianía de ingenio*, en la que leemos:

Sí, con postizas alas es en vano
querer alzar hasta el Olimpo el vuelo.
....
Abandone la cítara sin pena
quien la pulsó de inspiración desnudo.

12. Completan la producción dramática de Hartzenbusch: la zarzuela *Heliodora o el amor constante*; las loas *La alcaldía de Zamarramala*, *Derechos póstumos* y *La hija de Cervantes*; las refundiciones de nuestro teatro clásico: *La esclava de su galán* y *Sancho Ortiz de las Roelas (La Estrella de Sevilla)*, de Lope; *Desde Toledo a Madrid*, de Tirso; *El médico de su honra*, *Guárdate del agua mansa* y *Los empeños de un acaso*, de Calderón; *Amo y criado*, de Rojas; *La confusión de un jardín*, de

Moreto; *Dar la vida por su dama*, de Coello. Traducciones del teatro extranjero: *Mérope*, de Alfieri; *Angela* (con el título de *Ernesto*), de Dumas; *El barbero de Sevilla*, de Beaumarchais, y otras de Voltaire, Molière, Picard, sin contar las escritas en colaboración. Intentó crear un teatro infantil, como años después Benavente; a tal propósito responden las dos piezas *El niño desobediente* y *La independencia filial*.

13. P. FRANCISCO BLANCO: *La literatura española en el siglo XIX*, vol. I, págs. 243-44.

14. En la *Bibliografía de Hartzenbusch* (pág. 383), publicada por su hijo Eugenio, se lee: «Los amantes de Teruel. Narración histórica de los acontecimientos del último día de su vida. Es el principio de una novela que intentó escribir mi padre antes de su obra dramática *Los amantes de Teruel*.» El interés que desde tiempo despertaba esta leyenda en Hartzenbusch lo pone de manifiesto el hecho de que hacia 1834 pergeñó la misma novela, en prosa, que abandonó porque el plan y lo que llevaba escrito a la sazón coincidían con el *Macías*, de Larra.

15. «Dos amantes—escribe a este propósito César Barja—que sin más ni más caen muertos porque sí, casi en un mismo lugar y en un mismo momento, víctimas sólo del dolor de su amor, es demasiado, no ya sólo para los tiempos en que vivimos, sino probablemente para todos... Y claro que el amor mata, como matan las pasiones y los sentimientos todos. Pero eso, que de por sí es tan real y tan de acontecimiento corriente, trasladado a la convención del escenario, no es ni acaso puede ser dramático. También aquí lo sublime toca en lo ridículo, la tragedia en la farsa, el amor en la tontería.» *(Libros y autores modernos*, págs. 114-15.) En cambio, *Figaro*, a raíz del estreno (19 de enero de 1837), pocas semanas antes de su suicidio, escribía: «Si oyese decir [el autor] que el final de su obra es inverosímil, que el amor no mata a nadie, puede responder que es un hecho consignado en la Historia, que los cadáveres se conservan en Teruel y la posibilidad de los corazones sensibles; que las penas y las pasiones han llenado más cementerios que los médicos y los necios; que el amor mata (aunque no mata a todo el mundo), como matan la ambición y la envidia... Las teorías, las doctrinas, los sistemas se explican; los sentimientos se sienten.» Pocos días después el mismo que esto escribía, por amor también, se pegaba un tiro.

16. Véase la escena VI del acto II y algunas muestras como éstas:

En España es herejía
tener sentido común.

La Inquisición es la afrenta
del claro nombre español.

Poder que al abrigo crece
del altar y del dosel,
a los dos se finge fiel
y a los dos desobedece.

Queriendo a la fe servir,
su moral desacredita;
queriendo vengarla, irrita
en lugar de convertir.

17. Nació en El Escorial. Estudió en Francia y en Madrid, dedicando especial atención a las ciencias físicas y exactas. Miliciano (1823), empleado en el Ministerio de la Gobernación, profesor de lengua francesa y de literatura, periodista distinguido, subsecretario de diversos Ministerios, director de Instrucción Pública y académico de la Española y de San Fernando. Murió en Madrid.

18. P. BLANCO GARCÍA: *La literatura española en el siglo XIX*, vol. I, págs. 248-49.

19. No puede darse mayor falsificación de la verdad histórica y de la verdad moral; la España de Carlos II está vista a través del ideario de la Revolución francesa.

20. Nació en Madrid. Pasa con su familia a Lisboa y de aquí a Valladolid, donde realiza sus primeros estudios en el colegio dominico de San Gregorio y los de Filosofía en la Universidad. En Madrid es discípulo de Alberto Lista, viéndose obligado a emigrar a Francia (1824) por pertenecer a la Sociedad de los Numantinos. Después de visitar Londres regresa a España; ingresa en la Academia de Artillería; promovido oficial en 1829, es desterrado en 1834, pero al año siguiente regresa a la corte nombrado ayudante del general don Luis Fernández de Córdova, a cuyo lado pelea contra los carlistas. Abandona la carrera militar y se dedica al periodismo y a la política: redactor de *El Eco*, secretario de los gobiernos de Burgos y Valladolid, gobernador de Guadalajara; emigrado a Fran-

cia por enemistad con Espartero; afiliado al partido moderado; ministro de la Gobernación con Narváez; diputado; representante diplomático en Berlín; comisario regio en Filipinas. Puede decirse que su intervención en la política española es constante, a excepción del corto período republicano. Académico de la Española en 1847. Murió en Madrid.

21. Señalemos el monólogo de Felipe IV—acto III, escena VIII—y la alucinación de Olivares, que se dirige a la sombra de Villamediana en los siguientes términos:

¿Tú me aconsejas retiro,
a mí, que el poder de Dios,
al par que venero, envidio?
Los tesoros te los cedo
sin que me cueste un suspiro;
penitencias nada importan,
que son ocultos martirios.
Pero ¡el poder! No, fantasma,
déjate de tal delirio.
La maldición del Señor,
me dices, si no lo abdico.
¿No hay medio? Pues guerra a muerte.
¿Lo entiendes, conde? Maldito
podré bajar al sepulcro,
mas he de bajar ministro.

(Acto IV, esc. II.)

22. Nació en Là Mota del Marqués y murió en Madrid. Doctor en Farmacia y en Derecho, se distinguió como orador fogoso y hábil, interviniendo activamente en la política del segundo tercio del XIX. En unión de Luis del Cerro y de Juan de la Rosa González publicó el famoso diario La Iberia, que se convirtió en órgano del partido progresista.

23. Nació en Cáceres, donde cursa los primeros estudios. En 1841 estrena el drama La fortuna de ser loco; y al siguiente, La conquista de Cáceres. Pasa a Madrid (1845); entra en la Redacción de El Español, donde publica en folletín su novela Cosas del mundo. En 1852 estrena El anillo del rey, y colabora con López de Ayala en la comedia El curioso impertinente, escenificación del conocido episodio cervantino. Colabora en La Epoca. Gobernador civil de Albacete (1859) y sucesivamente de Jaén, Valladolid, Cádiz, Valencia y Barcelona; ministro del Tribunal de Cuentas; varias veces diputado. Fué tan desgraciado en su vida íntima y familiar como afortunado en la pública. En la Ilustración Española y Americana leemos: «Dos veces viudo, vió dos veces destruida su familia con la pérdida de sus hijos; aquellas desgracias influyeron en la preocupación moral que se apoderó de su antes lúcido entendimiento, inclinándole a los errores del espiritismo. Antes de morir estaba muerto.» A esta obsesión o desequilibrio mental responde su drama El vals de Venzanos, rechazado por el público, en que el poeta se propuso—según su propia confesión—«ensanchar los horizontes del arte dramático, así como Edgar Poe ensanchó los de la novela». Murió en Madrid el año 1878.

24. En la obra se respetan rigurosamente las «unidades»; la acción empieza a las cinco de la tarde y termina a las doce de la noche del día 3 de septiembre del 415. Se contraponen dos civilizaciones: Ataúlfo representa la romana; Sigerico, la goda. Una especie de fatalismo preside la tragedia y envuelve a todos los personajes.

25. Diplomático, viajero incansable por Europa y Asia, monárquico acérrimo, en defensa de cuyo principio sostuvo en 1855 un duelo con Pedro Antonio de Alarcón, en el cual tuvo la caballerosidad de disparar al aire. Murió en París—6 de junio de 1871—a consecuencia de un balazo al pasar por una barricada en los días de la Commune. En esta capital se imprimieron (1863) sus Obras poéticas y literarias.

26. «Las brillanteces líricas de Hernani casi resultan mejoradas con la forma métrica que les presta el intérprete, habilísimo en esta parte y en el manejo del diálogo, cuanto incapaz de imaginar situaciones originales.» (P Blanco: La literatura española en el siglo XIX, vol. I, pág. 255.)

27. Nació en Madrid. Estudió en el Colegio Imperial de los jesuitas y Leyes en la Universidad de Alcalá. Asiste al Parnasillo y, ya abogado, desempeña diversos cargos, entre ellos el de directivo de la sección de Literatura del Liceo. Dirige (1839) el periódico La Mariposa. Oficial de la Biblioteca Nacional y archivero de la Universitaria de Barcelona por espacio de cinco años (1863-1868); se reintegra a Madrid, donde muere. Durante su estancia en Barcelona fué nombrado miembro correspondiente de la Academia de Buenas Letras de esta capital.

BIBLIOGRAFIA

I. L. Alfonso: Autores dramáticos contemporáneos, Madrid, 1881.—N. Alonso Cortés: Anotaciones literarias, Valladolid, 1922.—A. Berge: L'esprit de la littérature moderne, París, Perrin, 1930.—E. Blasco: Mis contemporáneos. Semblanzas varias, Madrid, 1886.—A. Cánovas del Castillo: Prólogo general de «Autores dramáticos contemporáneos y joyas del teatro español del siglo XIX» (2 volúmenes), Madrid, 1881-1886.—D. Coello Quesada: Consideraciones generales sobre el teatro y el influjo en él ejercido por el romanticismo, «Sem. Pint. Español», II, Madrid, 1840.—E. Cotarelo Mori: Historia de la zarzuela, o sea del drama lírico, en España desde su origen a fines del siglo XIX, Madrid, 1934.—L. Augusto Cueto: Sentido moral del teatro, disc. de recepción en la Real Acad. Española, Madrid, 1868.—N. Díaz de Escobar y F. de Paula Lasso de la Vega: Historia del teatro español: Comediantes, escritores..., Barcelona, 1942.—A. Ferrer del Río: Galería de la literatura española, Madrid, 1846 (trata de los siguientes escritores: Quintana, Nicasio Gallego, Martínez de la Rosa, duque de Rivas, Bretón de los Herreros, Mesonero Romanos, Hartzenbusch, Larra, Esponceda, García Gutiérrez, Zorrilla).—L. García Martín: Manual de teatros y espectáculos públicos, Madrid, 1858.—B. Gerald: The Literature of the Spanish People, Cambridge, University Press, 1951.—G. Guillaume-Reicher: Théophile Gautier et l'Espagne, París, Hachette, s. f.—J. Ixart: El arte escénico en España, 2 vols., Barcelona, Imp. «La Vanguardia», 1894-1896.—M. Menéndez Pelayo y M. Mir: Discursos leídos ante la Real Acad. Española, Madrid, 1886.—E. de Ochoa: Apuntes para una biblioteca de autores españoles contemporáneos, t. I, París, Baudry, 1840.—E. Allison Peers: The Vogue of Victor Hugo in Spain, «Modern Language Review», 1932.—M. de la Revilla: Obras, Madrid, 1883; Tendencia docente de la literatura contemporánea.—J. A. Thompson: Alexandre D'umas pere and Spanish Romantic Drama, «Louisiana State University Press», 1938.—N. Pastor Díaz y F. de Cárdenas: Galería de españoles célebres contemporáneos, 9 tomos, Madrid, 1841-1846.—J. Valera: La poesía lírica y épica en la España del siglo XIX, «Obras completas», II, M. Aguilar, Madrid, 1942.

II. E. Abreu Gómez y P. Patrick Rogers: Adiciones a la bibliografía de García Gutiérrez, «Hisp. Review», III, Filadelfia, 1934.—B. Adams Nicholson: The Romantic Dramas of García Gutiérrez, Hispanic Institute, Nueva York, 1922.—A. Bonilla y San Martín: Advertencia a la edición de «El trovador», de García Gutiérrez, Madrid, 1916.—J. Castillo: Crónica de las obras de García Gutiérrez, «Historiadores de Yucatán», de Gustavo Martínez de Alomía.—J. del Castillo Soriano: García Gutiérrez, «Rev. Contemporánea», Madrid, 1880.—J. de Entrambasaguas: Poesía de A. García Gutiérrez (selección y pról. de...), R. Acad. Española, Aldus, Madrid, 1947.—Fernández Bremón: Crónica sobre García Gutiérrez, «Ilustr. Esp. y Amer.», Madrid, 30 agosto 1884.—M. J. de Larra («Fígaro»): Crítica de «El Trovador», «Artículos completos», M. Aguilar, Madrid, 1944.—N. G. Lamb: Characteritation in some early Dramas of García Gutiérrez, Liverpool Studies, 1.ª serie, 1940.—J. M. Lomba de la Pedraja: «Venganza catalana» y «Juan Lorenzo» (pról. de...), «Clás. Castellanos», LXV, Madrid, 1925.—E. F. Marqués: «El Trovador» (pról. de...), Madrid, C. I. A. P., s. f.—E. Ochoa: Galería de ingenios contemporáneos: Don Antonio García Gutiérrez, «El Artista», III, Madrid, 1836.—A. Palacio Valdés: «El grano de arena», de García Gutiérrez, «La literatura en 1881» («Obras completas», II, 2.ª ed., M. Aguilar, Madrid, 1948).—C. A. Regensburger: Don «Trovador» de García Gutiérrez de aie Quelle von Verdis oper «Yl Trovatore», Berlín, 1911.—C. Rosell: Don Antonio García Gutiérrez, «Autores dramáticos contemporáneos», I, Madrid, 1881.—A. Sánchez Pérez: El fracaso de «Juan Lorenzo», drama de don A. García Gutiérrez, «La España Moderna», CLVII, enero 1902.

III. E. Castelar: Don Juan Eugenio de Hartzenbusch, «Retratos históricos», Madrid, 1884.—E. Cotarelo Mori: Sobre el origen y desarrollo de la leyenda de «Los Amantes de Teruel», 2.ª ed., Madrid, 1907.—M. Ellis Butterfield: Two dramatic versions of «Los amantes de Teruel», Oklahoma Theses, 1931.—A. Fernández Guerra: Biografía y juicio crítico de Hartzenbusch, «Obras de Hartzenbusch», Colec. de Escritores Castellanos, Madrid, 1887.—A. Gil Albacete: Hartzenbusch: «Los Amantes de

Teruel» y *«La jura de Santa Gadea»* (introducción y notas de...), Espasa-Calpe, Madrid, 1947.—E. HARTZENBUSCH: *Bibliografía de Hartzenbusch. Biografía de Juan E. Hartzenbusch,* Sec. de Rivadeneyra, Madrid, 1900.—M. J. DE LARRA («Fígaro»): *Crítica de «Los Amantes de Teruel»,* «Artículos completos», M. Aguilar, Madrid, 1944.—E. DE OCHOA: Estudio preliminar a *Obras escogidas de Hartzenbusch,* Baudry, París, 1850.—A. SYLVAIN CORBIERE: *Juan Eugenio de Hartzenbusch and the French Theatre,* Univ. of Pennsylvania, 1927.—M. TAMAYO Y BAUS: *Actas de la Real Academia Española,* en la sesión de 4 de diciembre de 1881, Madrid.

IV. N. ALONSO CORTÉS: *Calvo Asensio,* «Miscelánea vallisoletana», 3.ª serie, Valladolid, 1921.—ASENSIO Y TOLEDO: *Joaquín Francisco Pacheco. Sus obras artísticas y literarias,* Sevilla, 1876.—L. BALLESTEROS ROBLES: *Diccionario biográfico madrileño,* Madrid, 1912.—R. F. BROWN: *Patricio de la Escosura as a dramatist,* Liverpool Studies, 1940.—L. A. CUETO (Marqués de Valmar): *Don Antonio Gil y Zárate,* «Autores dramáticos contemporáneos», II. ed. cit.—IRA CHART: *Antonio Hurtado: Symbol of Transition Movement in Spanish Literature,* Harward Theses, 1945.—A. GONZÁLEZ PALENCIA: *«Madrid dramático»,* de A. Hurtado (pról. de...), Edit. Saeta, Madrid, 1942.— P. HURTADO: *Ayuntamiento y familias cacereñas,* Cáceres, 1915 (en las págs. 440-50 estudia a Hurtado).—LUSTANO: *Patricio de la Escosura,* «Ilustr. Esp. y Amer.», II, 1899.—M. MENÉNDEZ PELAYO: *El marqués de Valmar,* «Est. y disc. de crít. hist. y lit.», IV, Aldus, Santander, 1942; *Don Gaspar Núñez de Arce y El marqués de Molins.*— M. NÚÑEZ ARENAS: *Miscelánea romántica (García de Villalta),* «Bol. Bibl. M. Pelayo», IV, Santander, 1927.— A. QUINTAVALLE: *W. Goethe e García de Quevedo,* «N. Ant.», CCCXLIII, 1929.—MARQUÉS DE MOLÍNS: Pról. a *Poesías de D. Gregorio Romero Larrañaga,* Madrid, 1841.— A. SÁNCHEZ PÉREZ: *Asquerino,* «Ilustr. Ibérica», Madrid, 1891.—J. L. VARELA: *Romero Larrañaga: Su vida y obra literaria,* Anejos de «Cuad. de Literatura», núm. 2, C. S. I. C., Madrid, 1948.

CAPITULO LXII

EL TEATRO ROMANTICO EN ESPAÑA:
C) ZORRILLA

I. EL HOMBRE Y EL POETA: *La vida. La persona. La obra. La poesía lírica.*—II. LAS LEYENDAS: *Análisis de algunas. «Margarita la tornera», «A buen juez, mejor testigo» y «El capitán Montoya». «Granada» y otras leyendas.*—III. LA PRODUCCIÓN DRAMÁTICA: *Clasificación. Breve noticia de algunos dramas. «Traidor, inconfeso y mártir». «Don Juan Tenorio».*—IV. JUICIO CRÍTICO.—NOTAS.—BIBLIOGRAFÍA.

I. EL HOMBRE Y EL POETA

«Zorrilla apareció en la poesía española cuando tenía que aparecer. El Romanticismo, que había sentado ya sus reales en España, necesitaba un poeta abierto a la solicitación del espíritu nacional. Ese poeta fué Zorrilla» [1]. Hasta ese momento el Romanticismo no tiene entre nosotros trayectoria ni ideario definidos. Pendulea entre lo español o autóctono, que parece anunciarse con *El moro expósito* y los *Romances,* de Rivas, y lo extranjero, encarnado principalmente en Espronceda. A veces, como en *El estudiante de Salamanca,* la tradición española se funde con influencias exteriores, especialmente de Byron; a veces también, como en Escosura, nuestra historia se falsea con lúgubres y terroríficos relatos. En todo caso, la indecisión es la nota característica del romanticismo español anterior a Zorrilla. Las mismas circunstancias que acompañan su aparición en la escena literaria—sepelio de Larra—le dan cierta aureola de poeta predestinado. Lo fué, en efecto. Fué el poeta más representativo de aquel movimiento, cuyo crítico más sagaz—Mariano José de Larra—acababa de morir. La función de Zorrilla dentro del Romanticismo es análoga a la de Lope de Vega en el teatro nacional. Como Lope, recoge Zorrilla múltiples elementos dispersos, los articula en un conjunto armónico y los revitaliza al encardinarlos en la tradición. Como Lope, se mueve asimismo Zorrilla a impulso de dos grandes ideales: patria y fe religiosa.

La vida

Nace JOSÉ ZORRILLA Y MORAL en Valladolid, el 21 de febrero de 1817. Hijo de un relator de la Chancillería—«hombre chapado a la antigua, intemperante, absolutista y poco amigo de versos y fantasías»—, la vida del poeta queda supeditada a la del severo relator, y la de éste a los avatares políticos. Fué su padre alcalde de Casa y Corte, gobernador de Burgos y superintendente general de Policía. Ello le permitió educar al futuro poeta en el Seminario de Nobles de Madrid, de donde pasó a cursar Leyes en Toledo (1833), y luego a Valladolid. La muerte de Fernando VII y el advenimiento de los liberales repercutió en la vida del padre de Zorrilla, obligado a confinarse en Lerma. Allí el poeta conoció a su primer amor [2]. En busca de gloria y de aventuras, abandona sus estudios y huye de la casa paterna, dirigiéndose a Madrid. Pasa varios meses de privaciones; pero el 15 de febrero de 1837, justamente cuando iba a cumplir los veinte años, se da a conocer con la lectura de unos versos ante el cadáver de Larra [3]. Empieza su carrera de éxitos: amistad con las más relevantes personalidades de la política y de las letras; colaboraciones en los principales periódicos—*El Porvenir, El Español,* etc.—; publicación de obras, que toda España y América lee con avidez: *Poesías* (1837), *Cantos del trovador* (1840-1841), *El zapatero y el rey* (1841), *Vigilias de estío* (1841), *Don Juan Tenorio* (1844). A los veintisiete años, Zorrilla es el poeta más conocido y leído de España y América. Antes (1839) había casado con doña Matilde Florentina O'Reylly, viuda que casi le duplicaba la edad; este matrimonio le ocasionó serios disgustos familiares.

1843: se le otorga, a la vez que a Bretón de los Herreros y a Hartzenbusch, la cruz de Carlos III. 1845: se traslada a Francia, de donde regresa al año siguiente por la muerte de su madre. 1848: fallece su padre, y el poeta va de nuevo a Francia, donde reside hasta su salida para Méjico. 1855: marcha a Méjico, y allí, después de muchas vicisitudes, obtiene la confianza y la protección del emperador Maximiliano, que le encarga la creación de un teatro nacional. El encargo no se lleva a efecto por la trágica muerte del emperador. 1866: regreso a España, en misión encomendada por Maximiliano; es recibido en su patria con los máximos honores. La muerte del emperador (1867) trastrueca los planes del poeta.

Viudo de su primera mujer, se dirige a Barcelona, donde contrae matrimonio con doña Juana Pacheco, la fiel esposa que le acompañaría hasta los últimos momentos. Sobreviene una larga etapa de estrecheces, que el poeta remedia malamente con lecturas públicas, con pequeñas ayudas oficiales —disfrutó de una pensión de las Cortes—, con colaboraciones, etc. Sus últimos años transcurren entre Valladolid—fué cronista oficial de esta ciudad—, Barcelona y Madrid. En esta última población fijó definitivamente su residencia, en 1886. Un año antes había leído su discurso de ingreso en la Real Academia Española de la Lengua, de la que había sido elegido miembro en 1848, en sucesión de don Alberto Lista. Zorrilla es el único académico que hizo su discurso de recepción en verso. El último gran acto público de Zorrilla fué su solemne coronación en Granada (21 de junio de 1889) como poeta nacional [4]. Murió en Madrid, el 23 de enero de 1893. Su muerte constituyó un duelo para su patria.

El hombre

Zorrilla es el ser que vivió sólo para la poesía. Desde que se reveló como vate excepcional en el sepelio de Larra no tuvo ni quiso tener otra ocupación. Escribió versos, muchos versos; acaso después de Lope ha sido el español que más versos ha compuesto. Como poeta que era, sin otro oficio, vivió casi siempre en las nubes. Conquistó fama y populardiad; pero la suerte no le fué propicia. En sus *Recuerdos del tiempo viejo*, pintorescas memorias autobiográficas publicadas en «Los lunes de *El Imparcial*» y que han de admitirse con grandes reservas, se lamenta continuamente de su mala fortuna. Había enriquecido a muchas compañías de teatro y él casi se moría de hambre; los editores hacían con sus obras pingües negocios, y él estaba en la miseria; las salas de espectáculos se llenaban al solo anuncio de sus dramas y él apenas percibía un céntimo. En su juventud había escrito:

No me importa vivir como mendigo
por morir como Pindaro y Homero.

Sus deseos se cumplieron plenamente. Era un hombre desplazado de su tiempo, que vivía y soñaba con otras épocas. Acaso así fuera más feliz. Cuando tuvo dinero—el patrimonio paterno o el que ganó con sus obras—, lo malgastó sin miramientos; cuando no lo tuvo, pasó privaciones. La patria, a la que él consagró sus mejores cantos y su mejor afecto, no siempre le trató como merecía. En su juventud tuvo ligeros devaneos con el escepticismo en boga; pronto rectificó. Fué un gran español y un buen católico. De estos dos ideales—patria y fe—se consideró siempre el mejor intérprete. «Con su melena larga, su tez pálida y su orgulloso desaliño» representó como nadie al romanticismo español en su más pura expresión y llenó toda una época. Era un recitador consumado; en sus labios los versos se convertían en música. Tuvo infinitos amigos y admiradores; ningún enemigo. Murió pobre y humilde. Su único orgullo, el de creerse cantor de las tradiciones patrias, estaba totalmente justificado.

La obra

Imponente en cantidad y muy estimable en calidad. Se reparte en los tres géneros fundamentales: lírica, narrativa y teatro. Cada uno de estos tres géneros tiene en Zorrilla un hito que señala su apogeo: *Poesías* (1837), con prólogo de Pastor Díaz, colección acrecida en sucesivas ediciones; *Cantos del trovador* (1840-1841); *Don Juan Tenorio* (1844).

Advirtamos que en pocos escritores aparece tan arbitraria como en Zorrilla la división de la poesía en géneros puros. En toda la obra del poeta vallisoletano los tres géneros clásicos—narración, drama y lirismo—se confunden, y si en ciertos poemas encontramos descripciones paisajísticas que los acercan al género narrativo, hay dramas—sirva de ejemplo el mismo *Don Juan Tenorio*—que abundan en pasajes del más alto lirismo. Zorrilla era un poeta de cuerpo entero; y, como todos los que lo son de verdad, se siente al margen de las clasificaciones al uso.

La poesía lírica

Como lírico Zorrilla ha sido discutido y enjuiciado en forma contradictoria. Desde *Clarín*, que lo considera, «ante todo, poeta lírico... mas a condición de dar a la palabra un sentido lato que pueda comprender el elemento épico, pero muy musical, de las leyendas y en general de la vena descriptiva y narrativa», hasta Valera, que le llama «trovador anacrónico y rezagado», hay opiniones para todos los gustos. Los contemporáneos vieron en Zorrilla un poeta absoluto, sin pararse a distinguir en la naturaleza de su vena: narrativa, lírica o dramática. La posteridad, en cambio, se ha creído en el deber de formular no pocos distingos y, si le reconoce excepcionales dotes de dramaturgo y narrador, le niega las más elementales condiciones de lírico. Ya el padre Blanco García, tan metido aún en lo romántico, se permitió hacerle algunos reparos en este sentido [5]; la reacción antirromántica acentuó los ataques, adoptando ante el Zorrilla lírico una actitud francamente negativa. La razón—nos dice Díaz-Plaja—no es otra que «la de ser Zorrilla, tanto para sus contemporáneos como para sus sucesores, la personificación misma, no ya del estilo romántico—cosa que cabría poner en duda—, sino también de un culto a lo tradicional español que las nuevas promociones sustituyen por una actitud de europeización absolutamente opuesta» [6].

¿Qué podemos decir nosotros? Si por lirismo

se entiende intimidad, efusión sensimental, cierta anímica disposición del poeta para transfundir al verso las más tenues vibraciones de su espíritu, hay que reconocer que Zorrilla raras veces es poeta lírico. Pero al lado de esa lírica, que podemos llamar intimista, hay otra, de menos calidad estética si se quiere, que habla más a los sentidos que al corazón; poesía hecha de sonoridades y de luz, regalo de los ojos y del oído, que también es capaz de expresar hondos sentimientos humanos y que, por serlo, puede, asimismo, encerrar grandes bellezas. Es una lírica más externa, más epidérmica, que cala menos en el alma. Es la lírica de buen número de románticos españoles y, entre ellos, de Zorrilla.

Basta repasar cualquiera de sus numerosas colecciones de versos—*Poesías, Album de un loco, La flor de los recuerdos*—para cerciorarse de ello. Por todas partes descubrimos, entre infinitas piezas que acusan precipitación y descuido, verdaderas joyas poéticas en que se ve la mano del artífice que sabe sembrar sus versos de sonoridades y aciertos expresivos. Pocas composiciones tenemos en castellano tan armoniosas y tan opulentamente llenas de belleza sensorial como *Las nubes*, fragmento lírico intercalado en la leyenda *Las píldoras de Salomón*:

> ¿Qué brazo las impele? ¿Qué espíritu las guía?
> ¿Quién habla dentro de ellas con tan gigante voz
> cuando retumba el trueno y cuando va bravía
> rugiendo por su vientre la tempestad veloz?
> Acaso en medio de ellas a visitar los mundos
> el Hacedor Supremo del Universo va,
> y envuelto en sus vapores, sus senos más profundos
> estudia y sus cimientos, por si caducan ya.
> Acaso de su carro tras la crujiente rueda
> con impotente saña caminará Luzbel,
> y porque allí cegarle su resplandor no pueda
> agolpará esas nubes entre su gloria y él...

Al lado de *Las nubes* merecen figurar *El reloj, La tarde de otoño, Vigilia, Misterio, Gloria y orgullo, A la luna, El amor y el agua, Las hojas secas, Toledo, La imagen del arroyo, La Virgen al pie de la Cruz*, y sobre todo, algunas de sus «Orientales»—*Corriendo van por la vega* y *Dueña de la negra toca*, la mejor—, que rivalizan con las de Arolas y las superan en concisión y elegancia; y las incomparables octavas de la introducción a los *Cantos del trovador*:

> ¿Qué se hicieron las auras deliciosas
> que henchidas de perfume se perdían
> entre los lirios y las frescas rosas
> que el huerto ameno en derredor ceñían?
> Las brisas del otoño revoltosas
> en rápido tropel las impelían,
> y ahogaron la estación de los amores
> entre las hojas de sus yertas flores.

II. LAS LEYENDAS

Zorrilla es, en ello estamos todos de acuerdo, nuestro primer poeta épico-narrativo. Sus *Leyendas*, aunque de valor muy desigual, le hacen acreedor a este título. El mismo lo creía así y lo proclamaba a los cuatro vientos, no sin cierta satisfacción:

> Yo soy el trovador que vaga errante:
> si son de vuestro parque estos linderos,
> no me dejéis pasar, mandad que cante.
> Que yo sé de los bravos caballeros
> la dama ingrata y la cautiva amante,
> la cita oculta y los combates fieros
> con que a cabo llevaron sus empresas
> por hermosas esclavas y princesas.
> Venid a mí; yo canto los amores;
> yo soy el trovador de los festines;
> yo ciño el arpa con vistosas flores,
> guirnalda que recojo en mil jardines;
> yo tengo el tulipán de cien colores
> que adoran de Estambul en los confines,
> y el lirio azul, incógnito y campestre,
> que nace y muere en el peñón silvestre.

Valbuena Prat compara al Zorrilla de las leyendas con el Galdós de las grandes novelas, poniendo de relieve que «interesa más por los personajes, su simpatía, sus pasiones y contrastes, que por la cuidada elaboración literaria» [7]. En las *Leyendas* se sintetizan, en efecto, todas las buenas y malas cualidades de Zorrilla: facilidad casi excesiva, fluencia métrica, rotundidad de la estrofa, riqueza de vocabulario, colorismo, musicalidad, por una parte; y por otra, digresiones fastidiosas, precipitación, frecuentes prosaísmos y cierta manía filosófica de corte casero, poco compatible con el vuelo poético.

Zorrilla se siente cantor auténtico del pueblo; y a éste acude en demanda de temas o primeras materias para devolvérselas convertidas en sustancia poética. Sólo que el afán de popularismo le lleva con frecuencia a la inserción de juicios y consideraciones que, además de entorpecer el relato, le quitan gracia y poesía. Providencialista convencido, ve la mano de Dios siempre tendida hacia el pecador que se arrepiente o dispuesta a fulminar al réprobo. Rara es la leyenda en que un *deus ex machina* no interviene para dar la conveniente solución. Este *deus ex machina* es unas veces Cristo Crucificado (*A buen juez, mejor testigo, El desafío del diablo, Un testigo de bronce*); otras veces, la Virgen (*Margarita la tornera*); la visión del propio entierro (*El capitán Montoya*); o se manifiesta en forma de prodigio supranatural (*La Pasionaria, Recuerdos de Valladolid, Apuntaciones para un sermón sobre los novísimos, El talismán, Para verdades, el tiempo, y para justicias, Dios*). Porque la fe religiosa y la patria son, ya queda dicho, las dos columnas sobre las que se asienta todo el mundo poético de Zorrilla. Intérprete consciente del pueblo español, empieza por darse cuenta de que ˜estos sentimientos están en él siempre en carne viva.

En las *Leyendas* Zorrilla ha acertado a fundir magistralmente los tres géneros fundamentales. Sin duda prevalece el narrativo; pero también el dramático se manifiesta a cada paso en la disposición del argumento, con una técnica casi teatral, y en los frecuentes diálogos, llenos de viveza y dinamismo. Las descripciones paisajísticas, tan del gusto romántico, adquieren brillante matiz pictórico; y hay una feliz adecuación del ambiente al estado psicológico de los personajes: el paisaje dinámico de furiosas tormentas, reflejo de la tensión pasional de los héroes, alterna con panoramas de bonanza, que sincronizan admirablemente con la resignación de otros espíritus.

Análisis de algunas «leyendas»

Si hemos de creer a Zorrilla, fué un hecho fortuito el que inspiró la composición de las *Leyendas* [8]. Estas aparecieron en varias colecciones: *Cantos del trovador* (1840-41), *Vigilias de estío* (1842), *Recuerdos y fantasías* (1844), etc. Todas ellas corresponden a la primera época de gran capacidad creadora, junto con el poema religioso *María* (1850) y el poema oriental *Granada* (1852). A una época posterior, ya de franco declive, pertenecen *Los ecos de las montañas* (1868), *La leyenda del Cid* (1882) y otras de menos valor.

Zorrilla mismo clasificó sus leyendas en tres tipos: *tradicional, fantástico* e *histórico;* pero, teniendo en cuenta que el elemento histórico en las de este grupo es casi nulo—se reduce a meros nombres de personajes y al enmarque de la acción en época determinada, siendo lo demás pura tradición—, creemos que todas ellas pueden encajarse fácilmente en los otros dos: tradicionales y fantásticas.

Cronológicamente, la primera o una de las primeras leyendas que Zorrilla debió de escribir fué *Para verdades, el tiempo, y para justicias, Dios,* sobre una tradición relacionada con la calle de la Cabeza, en Madrid. Se trata de dos amigos, Juan Ruiz y Pedro Medina, enamorados de la misma dama, cuyo amor se juegan a los dados. Gana Medina; casa con ella; pero es asesinado la misma noche de bodas. Ruiz sigue haciendo la corte a la dama hasta el punto de convencerla de que le acepte por marido; pero el día de la boda compra una cabeza de carnero, que lleva oculta bajo su capa, y al destaparla—requerido por la ronda de alguaciles—resulta la cabeza de Medina, a quien él había asesinado. Es de las más famosas leyendas de Zorrilla, aunque también de las más endebles.

Tampoco ofrece especial mérito *Príncipe y rey,* otra de las más antiguas, sobre un episodio amoroso de Enrique IV, al que se nos presenta, en contraposición al concepto vulgar, liviano y mujeriego. La cabeza cercenada de doña Clara da a este relato un tono macabro excesivo.

Mejores son: *Las dos rosas,* que recoge, una vez más, la tradición medieval del caballero que desposa con el demonio, disfrazado de hermosa mujer (tema de *La dama de pie de cabra,* de Herculano, y de *La corza blanca,* de Bécquer). *El escultor y el duque,* sobre una conocida anécdota de Pedro Torrigiano con el duque de Arcos. *El caballero de la buena memoria,* sobre una acción hábilmente enlazada con la batalla de Villalar:˚ Doña Elvira de Montadas, fanatizada por la viuda de Padilla, y prometida de don Pedro de Guzmán, intenta atraer al bando de las Comunidades al caballero realista don Juan de Zamora, hijo de una ilustre viuda. Don Pedro mata en desafío a su rival y se refugia en la propia casa de la madre de la víctima; la vista de un crucifijo impide a la noble viuda delatar al matador. En tanto, don Félix, hermano de don Pedro, pretende a doña Ana de Alvarado, prometida por sus padres a un caballero milanés; es asesinado por éste, y cuando don Pedro va a˚ vengar la muerte de su hermano, perdona al asesino porque se ha acogido al amparo del crucificado; recuerda que una imagen similar fué causa de que le perdonara él la madre de don Juan en circunstancias análogas. Desde entonces se le llamó *El caballero de la buena memoria. Los borceguíes de don Enrique II,* alusiva a la muerte del hermanastro de Pedro el *Cruel* por la venganza del rey de Granada, amigo y aliado del monarca castellano, quien le obsequia con unos borceguíes envenenados, que le producen la muerte. *El desafío del diablo,* inspirada en un hecho real acaecido en Segovia (la acción se sitúa en Córdoba): un mozo mata al hermano de su prometida, doña Beatriz, por haberla obligado con engaños a meterse monja, y luego se retira a la vida penitente. *El talismán,* con una trama análoga a la de *Para verdades, el tiempo, y para justicias, Dios,* sólo que aquí es un tutor el que degüella a su pupila. *La azucena silvestre,* sobre la conocida tradición montserratina de la hija del conde Wifredo el *Velloso* y el monje Garín. *Apuntaciones para un sermón de los novísimos,* sobre el alcalde Ronquillo, cuyo cadáver se llevaron los diablos. *Las píldoras de Salomón,* sobre el judío errante, hermosa leyenda en que aparece intercalado el fragmento lírico de *Las nubes,* ya antes aludido. *La Pasionaria,* escrita a instancias de su esposa, y única leyenda de Zorrilla que revela influencias de Hoffmann. *La princesa doña ·Luz,* basada en la fabulosa historia de don Pelayo y los amores de su padre Favila (asunto muy repetido, que encontramos en la *Crónica de don Rodrigo,* de Pedro del Corral, y en *Los reyes nuevos de Toledo,* de Cristóbal de Lozano, y había de aprovechar Hartzenbusch en *La madre de Pelayo).* Citemos. finalmente: *El testigo de bronce, Historia de tres Ave-marías, Dos hombres generosos, Recuerdos de Valladolid*, la sentimental y delicada *Un cuento de amores*, escrita en colaboración con el poeta venezolano Heriberto García de Quevedo; *Honra y vida que se pierden no se cobran, mas se vengan* [9], etc.

No aludimos aquí a *El montero de Espinosa, Justicias del rey don Pedro* e *Historia de un español y dos francesas*, por tratarse de temas repetidos en los dramas *Sancho García, El zapatero y el rey* (1.ª parte) y *El eco del torrente*, a los que haremos referencia más adelante.

«Margarita la tornera», «A buen juez, mejor testigo» y «El capitán Montoya»

Son sin duda las más celebradas de Zorrilla. No entramos ahora en su calidad artística; las tres han merecido particular preferencia del público.

A buen juez, mejor testigo, por otro título *Leyenda del Cristo de la Vega*, recoge la conocida tradición del caballero que, al partir para Flandes, empeña su palabra de casamiento con doña Inés de Vargas, poniendo por testigo al Cristo de la Vega. Como luego se desdice, van con el juez y el escribano a tomar declaración a la imagen que, extendiendo el brazo, da testimonio a favor de la joven. Aparte de bellísimas descripciones y de las movidas quintillas en que se relata la ausencia del galán, comparables a las de Nicolás F. de Moratín en la *Fiesta de toros*, ofrece esta leyenda pasajes de intenso dramatismo, que culmina en la toma de declaración al crucifijo.

Con ella corre pareja *Margarita la tornera*, sobre el consabido tema de «la monja y el galán» (conocido en la literatura universal con el nombre de *Leyenda de sor Beatriz*), de tan conocida y amplia tradición en nuestras letras [10]. Zorrilla dice que tomó esta idea de «un libro del Padre Nieremberg», en que solía leer su madre; pero ocurre que en ninguna obra del docto jesuíta encontramos nada que se parezca ni remotamente a este relato. El autor la prefirió a todas sus otras narraciones, y sin duda por este motivo, no satisfecho con la primera versión, más extensa que cualquiera otra de sus leyendas, le añadió una segunda parte, *Fin de la historia de don Juan y Sirena la bailarina*, muy inferior en candor y emotividad a la primera. Menéndez Pelayo hizo de *Margarita la tornera* una crítica despiadada: Don Juan de Alarcón es «un tenorio muy en pequeño»; Margarita, que en Lope —*La guarda cuidadosa*— es sincera, en Zorrilla resulta «mema» de nacimiento, a pesar de su poético nombre. Unicamente se salva la leyenda por «la maravillosa es-

pontaneidad de la dicción poética, la opulenta y generosa vena de su autor unida a los prestigios propios del argumento, que, contado de cualquier modo, siempre deleita». Nosotros, sin desconocer la excesiva facilidad con que Margarita cede a las solicitaciones del galán y la ligereza con que proceden los dos amantes, que en nada se parece a la ciega pasión de Clara y Félix, en el drama de Lope, queremos dejar bien sentado que en la leyenda de Zorrilla hay muchos pasajes de superior belleza: las octavillas del canto III, con el retrato de Margarita [11]; la presentación de su hermano don Gonzalo; el retorno al convento; el diálogo con la Virgen, que la ha sustituído en la ausencia, y esa introducción cuyas octavas reales [12] tienen la misma gracia y fluidez que las que sirven de prólogo a los *Cantos del trovador* [13].

El capitán Montoya, íntimamente enlazada con la leyenda del Tenorio, se inspira en la tradición del estudiante Lisardo, espectador de su propio entierro. Lope de Vega había de ser el primero en incorporarla al teatro, *El vaso de elección San Pablo*. En la versión de Zorrilla, el protagonista, capitán Montoya, salva la vida al noble don Fadrique de Toledo, quien, en reconocimiento de su generosa acción, le otorga la mano de su hija. La misma noche de los esponsales, el capitán se dirige a un convento con ánimo de raptar a doña Inés de Alvarado, sacrilegio que evita por la contemplación de su propio entierro. Arrepentido, abandona el mundo, sin revelar a nadie los motivos de esa determinación. Pasan diez años, y enfermo, en peligro de muerte, don Fadrique, es visitado por un padre capuchino, fray Diego de Simancas, que no es otro que el antiguo capitán Montoya. Este le revela el secreto de su vida. La obrita abunda en momentos emotivos, afeados por la chocarrera intervención del criado Ginés.

«Granada» y otras leyendas o poemas

Dos obras considerables, dentro de la producción torrencial de Zorrilla, son los poemas *Granada* y *María*. Este señala el ápice religioso de nuestro poeta, del mismo modo que *Granada* marca la culminación de su sentido orientalista. *María* (1849), escrita en colaboración con Heriberto García de Quevedo, acusa en cada página la mano de Zorrilla, que alardea en él de todas las pompas y fastuosidades a que nos tiene acostumbrados. Escrito todavía en la juventud, por ninguna parte se resiente de aquel reblandecimiento que alcanzaría a ciertas obras de sus últimos años: la *Leyenda del Cid* o la de *Don Juan Tenorio*. Consta de una bella introducción en octavas reales y doce libros, con variedad de metros: octavas, quintetos, octavillas heptasílabas, silvas, etc. Los cuatro primeros narran la vida de la Virgen desde su Natividad a los Desposorios; los otros ocho la continúan en sus momentos culminantes hasta la Asunción. Se cierra con una *Corona poética mariana*.

Mayor interés ofrece *Alhamar el Nazarita*, más conocido por el *Poema de Granada*. Desde la introducción, como casi todas, en octavas reales, hasta el epílogo, y a través de sus cinco libros —*De los sueños*, *De las perlas*, *De los alcázares*, *De los espíritus* y *De las nieves*—, es un alarde continuo de galas y de opulencias poéticas. Contra su costumbre, Zorrilla se documentó escrupulosamente para escribirlo. Hasta llegó a estudiar el árabe con ese fin. Se le vienen señalando antecedentes: la tragedia *Morayma*, de Martínez de la Rosa; *Doña Isabel de Solís*, del mismo escritor; etc. Pero lo que debe Zorrilla a influencias extrañas es muy poco, comparado con lo que él puso de su cosecha. Los moros de aquellas obras eran convencionales; los de Zorrilla son auténticos. Y en cuanto al valor literario no cabe comparación. Para algunos es el poema *Granada* lo mejor de nuestro poeta. La descripción de la ciudad, al principio de la obra, recuerda a Pedro de Espinosa en la *Fábula del Genil*, sin la contención de éste, aunque con mayor despliegue de motivos sensoriales:

> Allí anidan al par todas las aves
> y se abren a la par todas las flores,
> con la rápida alondra águilas graves,
> con la murta el clavel de cien colores;
> se respiran allí cuantos las naves
> de Oriente traen balsámicos olores,
> y allí da el cielo deliciosas frutas
> y encierran minas las silvestres grutas.

Esto es bello; pero se puede aplicar a cualquier ciudad meridional. No así lo que viene luego:

> Vense del cerro aquel gigantes cimas
> que eternas cubren seculares nieves,
> donde por grietas mil sus hondas simas
> ríos destilan en arroyos leves;
> y allí cosechas para dar opimas,
> refréscanse al pasar las auras leves,
> que bajan luego a fecundar la vega
> de las fuentes al par con que se riega.

> Vese también por el siniestro lado
> el valle del Genil, cuyos raudales
> bañan la verde amenidad de un prado
> cubierto de avellanas y nopales.
> Gózase allí de un aire perfumado
> con el subido olor de los frutales,
> del cantueso, tomillo y mejorana,
> que el aura mueve al revolar liviana.

Al lado de *Granada*, escrito, como *María*, en plena juventud (1848), casi ni se deben recordar otros poemas extensos, que sólo sirven para comprobar el cansancio y agotamiento de una de las musas más prolíficas que ha tenido España. Así lo podemos ver en la *Leyenda del Cid* (1882) y en la *Leyenda de don Juan Tenorio*, publicada después de la muerte del autor, compuestas ambas casi por compromiso, respondiendo al encargo de una casa editorial de Barcelona. Da pena ver al Zorrilla viejo debatirse con un asunto que le viene ancho, en aquellas interminables tiradas de octosílabos (cada poema excede de los siete mil versos), vacíos de calor y sin un destello apenas de inspiración. Sólo en la dedicatoria de la *Leyenda del Cid* volvemos a encontrarnos, de cuando en cuando, con el Zorrilla auténtico, el de los *Cantos del trovador*.

III. LA PRODUCCION DRAMATICA

Coloca a Zorrilla a la misma altura que la narrativa, tanto que, para no pocos críticos, nuestro autor es, antes que nada, un gran dramaturgo. La realidad es que en Zorrilla ambos géneros se complementan: desde el drama bíblico a la tragedia enraizada en la historia clásica, y desde la pérdida de España hasta el final de su reconquista, y aun antes, en el reinado de Wamba, como después, bajo los Austrias, leyenda y teatro forman en Zorrilla un solo bloque, con personajes reales o imaginarios revividos por su estro creador. Una de sus notas más acusadas es, como en Lope de Vega, la reivindicación de ciertas figuras históricas —don Rodrigo, don Pedro, don Sebastián—, o legendarias —don Juan Tenorio—. Zorrilla asigna a la historia su tradicional función de magisterio, y por ello busca en los personajes, antes que vicios, virtudes que puedan servir de ejemplo. En este sentido, sus dramas y leyendas son parcialísimas, en cuanto sólo aprovechan aquello que

puede enaltecer a los protagonistas, dejando en penumbra cuanto pueda empequeñecerlos.

Es muy curiosa la actitud de Zorrilla ante el teatro y su concepto del género; uno y otro se nos dan en el prólogo de *Cada cual con su razón* (1839), drama mediocre, como escrito a los veintidós años. Por lo pronto, allí nos confiesa que él no se considera nacido para el teatro. No tiene de éste una idea clara; por una parte, *Cada cual con su razón* observa las «tres unidades dramáticas» con el mismo cuidado con que lo haría el más fiel discípulo de Moratín; por otra, cae en exageraciones, tanto de fondo como de forma, descaradamente románticas: origen misterioso del protagonista, disfraces, duelos, desesperación, amores «insanos e inmensos», etc. Una cosa es cierta: Zorrilla fijó para muchos años el drama típicamente romántico, al acabar con la mezcla de verso y prosa y al reducir el desbarajuste de las primeras obras del género a los tres actos tradicionales, si bien en *Don Juan Tenorio* no vaciló en conculcar sus propias normas. Y dato curiosísimo: como autor dramático no quiere ser encasillado en ninguna escuela; él no es, al menos no se considera, *clásico* ni *romántico* [14].

Clasificación

Prescindimos de ensayos juveniles de escaso valor: *Vivir loco y morir más,* escrito a los diecinueve años, mediocre y lleno de ripios; *Ganar perdiendo,* imitación de nuestro teatro del XVII, en el que no presenta a un joven disoluto, esbozo del Tenorio, que, después de perder la hacienda en un garito, apuesta a su dama; en algunos detalles recuerda *La noche de San Juan,* de Lope; *Juan Dandolo,* en colaboración con García Gutiérrez, nos traslada a la Italia del Renacimiento; *Cada cual con su razón,* ya mencionado. Prescindimos asimismo de varias zarzuelas: *Amor y arte* (1862); *Don Juan Tenorio* (1877), adaptada a este género; así como de unas cuantas tragedias: *La copa de marfil,* sobre la leyenda de Rosmunda; *Sofronia, Pilatos,* etc.

La restante producción dramática de Zorrilla, toda ella basada en la historia o en tradiciones patrias, puede agruparse por épocas, en la siguiente forma:

Epoca visigoda: *El rey loco* (1847), *El puñal del godo* (1843), *La calentura* (1847).

Condado castellano: *El eco del torrente* (1842), *Sancho García* (1849).

Reinos de Navarra y Aragón: *El caballo del rey don Sancho* (1843), *El excomulgado* (1848), *Lealtad de una mujer y aventuras de una noche* (1840), *Entre clérigos o diablos o El Encapuchado* (1870).

Reinado de Pedro el Cruel: *El zapatero y el rey,* primera parte (1840), *El zapatero y el rey,* segunda parte (1842), *El molino de Guadalajara* (1843).

Epoca de los Austrias: *Don Juan Tenorio* (1844), *Traidor, inconfeso y mártir* (1849), *El alcalde Ronquillo* (1845), *La reina y los favoritos* (1847).

Breve noticia de algunos dramas

El rey loco tiene por figura principal a Wamba y «pertenece —escribe Menéndez Pelayo— al romanticismo convencional de la escuela francesa: fingida locura del rey; enigmático destino de Rodesinda; amores de Ervigio...; escena final, en que el supuesto loco arroja su corona al pueblo»; carece de color histórico y de verosimilitud moral. Se salva sólo la versificación, tan colorista y armoniosa (especialmente los endecasílabos), como toda la de Zorrilla. Probablemente no

conoció la comedia de Lope de Vega sobre el mismo tema.

Infinitamente mejor es *El puñal del godo,* en el que Zorrilla, con sólo cuatro personajes, y los cuatro masculinos, consigue uno de sus dramas más logrados [15].

Don Rodrigo, huyendo del Guadalete, se ha refugiado en la cabaña del monje Romano, donde vive bajo la obsesión de que ha de morir víctima de su propio puñal:

> ¿Ves el puñal que cuelga en mi cintura?
> Con él me ha de matar, es mi destino;
> Theudia, no hay tierra para mí segura;
> ese hombre ha de bajar por mi camino.

Theudia le anima y trata de inducirle a que parta para Asturias a unirse con las huestes de don Pelayo. La llegada del conde don Julián nos lleva al punto culminante, de gran tensión dramática. Mutuas increpaciones; don Julián se abalanza para apoderarse del puñal, lo que impide Theudia, dando muerte al traidor conde. Rodrigo parte para la lucha:

> Yo vuelvo al campo, a la pelea dura,
> y aunque muera sin huestes y sin trono,
> siempre ha de ser, para quien muera honrado,
> tumba de rey la fosa del soldado.

La calentura, segunda parte de *El puñal del godo,* es muy inferior en todos los conceptos. Vuelven a reunirse Theudia, Romano y don Rodrigo e interviene Florinda, que recrimina al rey por su villana acción.

De muy intenso dramatismo son *El eco del torrente* y *Sancho García,* dos obras inspiradas en el viejo condado castellano. Ambas tienen sus réplicas en otras dos leyendas del propio Zorrilla: *Historia de un español y dos francesas* y *El montero de Espinosa.* La primera reproduce una vez más la consabida tradición de «la condesa traidora». El argumento está tan divulgado que nos releva de toda exposición. Baste decir que la leyenda se salva, como siempre, por los primores del verso y por el lirismo de algunos pasajes, entre ellos, la escena del conde castellano con Blanca, la hija del seductor Lotario. El drama ofrece mayor complicación, y es una de las mejores obras de Zorrilla y de las más injustamente olvidadas.

Idéntico sabor de gesta tiene *Sancho García* (puede considerarse continuación del anterior). Con el mismo tema que *El montero de Espinosa,* recoge la antigua tradición referente a la madre del conde castellano. El tema de la leyenda es como sigue:

Por informes de su paje Sancho Montero se entera el conde de que su madre, la condesa, mantiene relaciones con un moro llamado Muza, al que recibe de noche en su aposento. El moro convence a la condesa de que el único medio de continuar en sus relaciones es la muerte del hijo, Sancho García. En efecto, un día la condesa en-

trega a su dama Estrella un pequeño pomo de
veneno con la orden de que lo mezcle en la bebida del conde, diciéndole que es un medicamento
que le curará. Estrella, en el secreto de todo, se
lo comunica a su novio, Sancho Montero, quien,
a su vez, informa al conde. Este obliga durante la
comida a que su madre beba el veneno preparado para él. Poco después, un hombre embozado
cae muerto a manos de otro en la puerta de palacio. El muerto es Muza; el matador, Sancho Montero, que no puede consentir que siga viviendo
quien pueda vanagloriarse de haber tenido amores
vergonzosos con una condesa castellana. El conde,
en premio a su fidelidad, le nombra montero mayor, y de él descienden los «Montero de Espinosa».

En *Sancho García* cambia el desenlace: el conde ordena que su madre quede encerrada de por
vida en el monasterio de Oña—que acaba de
construir—divulgando el rumor de que le ha dado
muerte. Con ello se salva el mal efecto de un
parricidio. También altera el nombre de la protagonista, Blanca, que ya había adjudicado a la
hija de Lotario en *El eco del torrente*.

En el ciclo de Pedro I encontramos uno de
los mejores dramas de Zorrilla, *El zapatero y el
rey*, cuya primera parte es considerada por algunos como la más afortunada creación del autor.
Coincide, en cuanto al tema, con la leyenda *Justicias del rey don Pedro*.

En ésta, el clérigo Juan de Colmenares asesina
al padre del zapatero Blas Pérez y compra con
oro a la justicia, que lo condena a no asistir al
coro durante un año, «mas cobre su renta». Blas
se toma la venganza apuñalando a Colmenares en
una procesión presidida por el mismo rey. Relata
la ofensa ante éste, que sentencia a su favor, en-
tregándole de paso una bolsa de oro y eximién-
dole de trabajar durante un año.

En el drama hay ligeras modificaciones: se
hace a Colmenares conspirador contra el rey, y
es éste quien incita al zapatero para que se tome
la justicia por su mano. El propósito vindicativo
de Zorrilla es manifiesto [16]: tanto como un rey
autoritario, es don Pedro un soberano justiciero
y demócrata. Su protección se extiende por igual
a todos, pobres y ricos, débiles y poderosos. Incluso se le adorna de cierta sinceridad, como al
dirigirse a Teresa hermana del zapatero:

> Ama a Pedro desde lejos,
> no se lo digas jamás.
> Puedes marido elegir,
> que al cabo es mucho mejor
> morir pobre y con honor
> que dama del rey vivir.

La segunda parte, para algunos mejor que la
primera, se cierra con la tragedia de Montiel y
la terrible venganza de Blas Pérez.

Blas Pérez, hijo del zapatero y capitán de don
Pedro, está prometido a una joven desconocida,
que tiene cautiva en su poder, y resulta hija de
Enrique de Trastamara. Se presenta al campamento de éste, reclamando al rey; al enterarse de la
trágica muerte de don Pedro, jura vengarse en la
hija del bastardo, siendo inútiles cuantas promesas le hace don Enrique para que desista de su
propósito; el capitán sacrifica su amor a la fidelidad al monarca. A una señal de Blas rueda la
cabeza de la inocente Inés:

> Cuando a su sepulcro helado
> baje a pedir un asilo,
> «dormid—le diré—tranquilo,
> don Pedro, ya estáis vengado».

La figura del capitán, que todo lo sacrifica
—honores, posición, amor—por el rey, es tan impresionante como simpática. Zorrilla no debió de
conocer la obra de Lope sobre el mismo tema,
Audiencias del rey don Pedro; en cambio, es indudable que tuvo presente la de Hoz y Mota,
El montañés Juan Pascual.

La historia de Navarra y Aragón inspiró a Zorrilla *El caballo del rey don Sancho*, en torno
a la conocida tradición de los hijos de Sancho el
Mayor de Navarra, calumniadores de su madre,
que es defendida y rehabilitada por un hijo natural del rey, don Ramiro, el que, en prueba de
gratitud, es legitimado. El argumento había sido
ya aprovechado por Lope, en *El testimonio vengado*, y por Moreto, en *Cómo se vengan los nobles*. El mismo año que la obra de Zorrilla se
representó en Cádiz, con éxito, un *García el
calumniador*, original del joven Sebastián Herrera
y Espinosa, más tarde obispo de aquella ciudad.
N. Alonso Cortés opina que orrilla no conoció
la obra de Lope ni la de Moreto; Menéndez Pelayo sostiene lo contrario. Como quiera que sea,
El caballo del rey don Sancho señala uno de
los buenos momentos del autor, con chispazos de
inspiración geniales, con un estilo vigoroso, un
verso fluido y el cuadro final, del palenque, que
acusa una soberbia ejecución.

Poco añaden a la gloria del Zorrilla dramaturgo *Lealtad de una mujer y aventuras de una noche*, sobre la enemistad de Juan II de Aragón y
su hijo el príncipe de Viana; o *El excomulgado*,
que centra su trama en los amores de Jaime el
Conquistador con doña Teresa Gil de Vidaurre,
si bien interesa la recia figura del obispo de Gerona, aunque se sale del marco de la época para
dársenos más bien como un político del Renacimiento. El reconocimiento por parte del rey de
los hijos habidos de doña Teresa pone fin a la
obra.

En cambio, bajo el reinado de la Casa de Austria encontró Zorrilla inspiración para sus dos
mejores obras: *Traidor, inconfeso y mártir*, para
nuestro gusto la más perfecta que salió de su
pluma, y *Don Juan Tenorio*, la más famosa y lozana.

«Traidor, inconfeso y mártir» y «Don Juan Tenorio»

Señala *Traidor, inconfeso y mártir* el ápice de la técnica dramática de Zorrilla, como el *Tenorio* el clímax de su facultad creadora. La primera es una nueva versión de la leyenda del rey don Sebastián de Portugal, desaparecido en la batalla de Alcazarquivir y suplantado, como se sabe, por varios impostores.

A una posada de Valladolid llegan Gabriel de Espinosa y Aurora, supuesta hija suya. El alcalde Rodrigo de Santillana manda encarcelarlos, dando ocasión a que su hijo, don César, se enamore de Aurora. Espinosa se hace pasar por pastelero de Madrigal; pero al despojarle de su espada se observa que ésta lleva grabadas las armas de Portugal. Tras varias peripecias, se pide al rey que condene al impostor; y en efecto, llega sentencia, condenando a Espinosa y absolviendo a la bella Aurora. Cumplida la sentencia, se averigua por unos papeles de Espinosa que éste era realmente el rey don Sebastián, y Aurora, una hija natural del propio don Rodrigo de Santillana, que había deshonrado a la madre, abandonándola después. La joven termina maldiciendo a su padre.

Sobre este mismo tema se desarrollan *El pastelero de Madrigal*, de Jerónimo de Cuéllar, y las novelas *Ni rey ni Roque*, de Patricio de la Escosura, y *El pastelero de Madrigal*, de Fernández y González. Zorrilla debió de inspirarse en la *Historia de España* de Alcalá Galiano. Introduce la trama amorosa de Aurora y presenta al pastelero como auténtico rey, y no como impostor, según se venía haciendo. La obra está construida con tan escasos materiales como suma habilidad. Unos pocos personajes masculinos, muy bien caracterizados; una sola figura femenina, la de Aurora, de exquisita sensibilidad, y un mayor cuidado del estilo que en sus otros dramas han bastado al autor para darnos esta auténtica joya del teatro romántico. El mismo Zorrilla, tan severo con su teatro, veía en *Traidor, inconfeso y mártir* «su única obra dramática pensada, coordinada y hecha según las reglas del arte».

Don Juan Tenorio se estrenó en 1844; tenía su autor entonces veintisiete años. Desde aquella fecha hasta nuestros días, pasado más de un siglo, el drama de Zorrilla, sin perder el vigor y frescura con que nació, ha ido ganando estimación a los ojos del público. Hágansele cuantas objeciones se quiera; búsquensele defectos, que los tiene, y siempre nos quedará una de esas obras de arte que son un pleno acierto, bastante por sí solo para labrar la fama de un autor. Su protagonista, no hace falta decirlo, es el famoso burlador. Docenas de autores, poetas, novelistas, músicos, le han elegido como figura central de sus creaciones dentro y fuera de España. Pero nadie, ni el mismo Tirso de Molina, su creador; ni Mo-

lière, ni Byron, acertó a darle la gallardía, el ímpetu y la apostura de Zorrilla. El Tenorio de éste es una criatura teatral de una pieza. Teatral, decimos, pues no queremos ni podemos entrar aquí en otra clase de disquisiciones psicoanalíticas a que ha sido sometido por la ciencia más reciente nuestro famoso personaje. Don Juan es una figura de teatro incomparable, y con eso basta. Ya en manos de Tirso lo era; y en las de Zorrilla adquiere una vitalidad tal que no es de extrañar que arrastre a todo un pueblo, que se siente en no pocos aspectos por él caracterizado.

A *Don Juan Tenorio* se le han hecho muchas objeciones. Las más acertadas censuras partieron del mismo Zorrilla, que no quería oír hablar de su drama, escrito, según él mismo afirmaba, en pocos días, sin plan ni preparación. Reconocía los defectos señalados por críticos como Revilla y Pi y Margall, defectos que, según él, debían corregirse. Acaso la animosidad de Zorrilla tuviese un origen muy explicable, desde el punto de vista humano: había enajenado la propiedad del *Tenorio* por un puñado de pesetas, y evaporadas éstas, veía cómo empresarios y editores se enriquecían mientras él andaba abocado a la miseria.

El mayor reproche que se le hace es la falta de unidad: los cuatro primeros actos pasan en una noche; los tres restantes, en otra, cuatro años más tarde. Además, el carácter del protagonista, del que no se sabe si es creyente o escéptico. Con doña Inés y don Gonzalo parece lo primero; con Avellaneda y Centellas, lo segundo. Alonso Cortés, el mejor y más documentado biógrafo de Zorrilla, encuentra poco noble la conducta de don Juan, al deshacerse del comendador con un pistoletazo [17]. *Clarín* sostiene que la segunda parte no corresponde en calidad y belleza a la primera.

Con todos estos reparos hay que reconocer en *Don Juan Tenorio* aciertos definitivos: la escena famosa del sofá, llena de lirismo, que un aluvión de parodias torpes no ha podido empañar; las quintillas del reto entre don Juan y don Luis, tan ágiles, tan desenfadadas, tan armoniosas; la misma introducción de un antagonista, Mejía, que en gallardía apenas cede al Tenorio; el acto IV, en que culmina la acción; toda la arquitectura de la primera parte, tan bien trabada en sus elementos y tan hábilmente conducida, de modo que el interés siempre va en aumento. Y luego, los personajes: don Juan, figura de mujeriego universal, sin perder por ello su corte español, bien definido; doña Inés, muy bien encajada dentro de un ambiente místico, sentimental y piadosa a la vez, sin caer en gazmoñerías; Brígida, típica alcahueta, por cuyas venas corre sangre de la vieja Celestina; don Gonzalo y don Diego, siempre celosos de su honor; Avellaneda y Centellas; todos, en fin, tipos trazados con firme línea, de reacciones hondamente humanas, de hablar sentencioso, cada una de cuyas frases se ha convertido en un proverbio popular.

Entre los muchos antecedentes del *Tenorio* se han señalado como más directos: *El burlador de Sevilla y convidado de piedra*, de Tirso de Molina; *No hay plazo que no se cumpla ni deuda que no se pague*, de Antonio de Zamora; *Les âmes du Purgatoire*, de Próspero Mérimée; *Don Juan de Marana*, de Alejandro Dumas; *La cène chez le comendateur*, de Blaze de Bury, etc.

IV. JUICIO CRITICO

Una valoración definitiva de Zorrilla sólo puede hacerse conjugando el criterio de sus contemporáneos con el nuestro: aquél, sin duda, excesivamente favorable; el nuestro, subestimativo, quizá en demasía. Desde luego llevan razón los que le reprochan excesivo verbalismo y un predominio manifiesto de los factores sensoriales, que se traduce a cada paso en fáciles tiradas de versos, encaminados al simple halago de los ojos y del oído, sin otro efecto ulterior. Música y color son las dos notas que definen fundamentalmente la producción de Zorrilla, en especial la de carácter lírico y legendario. El propio poeta lo reconoce así, empezando por considerarlo un defecto [18]. Pero ese mismo reproche alcanza, en mayor o menor grado, a buen número de románticos, sin excluir a los extranjeros como Lamartine, Víctor Hugo, Byron, etc.

Al advenir otros gustos y otros estilos, forzosamente aquellos factores, considerados siempre de segundo o tercer orden, tenían que caer en menosprecio, y la fama de Zorrilla había de resentirse notoriamente. El autor del *Tenorio* y de los *Cantos del trovador* se convirtió durante algún tiempo en el prototipo del versificador fácil, superficial, populachero y carente casi de calidades poéticas. Pero un examen de su obra, más reflexivo y más hondo, acometido con plena objetividad, nos vuelve a dar la medida de esta gran figura del XIX, reponiéndola en el plano que en justicia le corresponde. Hoy se le puede discutir en tal o cual aspecto, pero su grandeza de conjunto es reconocida por todos. Zorrilla queda, en último caso, como el más genuino representante del romanticismo español en una de sus dos ramas, la tradicional o católica. Con sus *leyendas* acertó a despertar en el alma de los españoles los ecos más puros de la tradición, precisamente cuando esa misma alma parecía cerrada desde hacía mucho tiempo a las solicitaciones de la Historia. Con sus dramas reanudó el gran teatro de Lope, que vale tanto como decir el teatro nacional, al que infundió nueva savia, realizando de paso un verdadero milagro: el de apoderarse de una criatura, la de don Juan, que andaba por el mundo hacía ya dos siglos; una criatura sobre la que habían puesto sus manos multitud de altísimos poetas, y dárnosla remozada, rejuvenecida, como si fuera invención propia. Que todo eso representa el *Don Juan Tenorio*: la reintegración a sus patrios lares de un hijo pródigo que había ido dejando por los caminos del arte jirones de su personalidad. Cómo recibió el pueblo español a este compatriota suyo está a la vista de todos. Ningún personaje ha calado más hondo en el espíritu nacional. «El día en que, anunciándose *Don Juan Tenorio*, estén vacíos los teatros—escribe un crítico ilustre—, España habrá llegado a su completa civilización; pero no será España.»

NOTAS

1. N. ALONSO CORTÉS: *Zorrilla: Poesías* (ed. y notas de...), «Clásicos Castellanos», LXIII, pág. VII.

2. En Arroyo de Muñó (1833); su prima Gumis (Gumersinda).

3. El propio Zorrilla nos ha referido la escena: «Así, el más triste de los que íbamos en aquel entierro, marchaba yo en él, envuelto en un *surtout* de Jacinto Salas, llevando bajo él un pantalón de Fernando de la Vera, un chaleco de abrigo de su primo Pepe Mateos, una gran corbata de un fachendoso primo mío y un sombrero y unas botas de no recuerdo quiénes, llevando únicamente propios conmigo mis negros pensamientos, mis negras pesadumbres y mi negra y larguísima cabellera... El silencio era absoluto; el público, el más a propósito y el mejor preparado; la escena, solemne, y la ocasión, sin par. Tenía yo entonces una voz juvenil, fresca y argentinamente timbrada, y una manera nunca oída de recitar, y rompí a leer...; pero, según iba leyendo aquellos mis tan mal hilvanados versos, iba leyendo en los semblantes de los que absortos me rodeaban el asombro que mi aparición y mi voz les causaba. Imagínéme que Dios me deparaba aquel extraño escenario, aquel auditorio tan unísono con mi palabra y aquella ocasión tan propicia y excepcional para que antes del año realizase yo mis dos irrealizables delirios: creí ya imposible que mi padre y mi amada no oyesen la voz de la fama, cuyas alas veía yo levantarse desde aquel cementerio, y vi el porvenir luminoso y el cielo abierto..., y se me embargó la voz y se arrasaron mis ojos en lágrimas..., y Roca de Togores, junto a quien me hallaba, concluyó de leer mis versos, y mientras él leía.—¡ay de mí!, perdónenme el muerto y los vivos que de aquel auditorio queden—yo ya no los veía; mientras mi pañuelo cubría mis ojos, mi espíritu había ido a llamar a las puertas de una casa de Lerma donde ya no estaban mis perseguidos padres, y a los cristales de una blanca alquería escondida entre verdes olmos en donde ya no estaba tampoco la que ya me había vendido.»

4. El acto, organizado por iniciativa de la Sociedad El Liceo, tuvo caracteres de acontecimiento nacional. En nombre de la reina regente impuso al poeta la corona el primogénito del duque de Rivas.

5. Vid. *La literatura española en el siglo XIX*, II.

6. Vid. *Historia de la poesía lírica española*, Edit. Labor, 2.ª ed., pág. 322.

7. Vid. *Historia de la literatura española*, 2.ª ed., II, págs. 619-22.

8. «Cuenta Zorrilla—*Obras*, Barcelona, 1884, pág. 8— que por este tiempo solía comer con Olózaga los jueves. Un día le propuso don Salustiano escribir un romancero con las hazañas de los bandidos célebres del siglo XIX que sustituyera a las detestables coplas de los ciegos, y que seguramente le produciría pingües ganancias. Zorrilla, pensando que esto era rebajar su musa, rechazó la proposición; pero concibió la idea de escribir un legendario histórico y religioso. La primera de las leyendas que con este motivo compuso fué *A buen juez, mejor testigo*. Ya tenía escritas, sin embargo, *Para verdades, el tiempo, y para justicias, Dios*, y *Príncipe y rey*, que proba-

blemente hicieron a Olózaga descubrir las admirables facultades narrativas de su amigo y concebir aquella idea.» (Vid. N. Alonso Cortés: *Zorrilla: Su vida y sus obras*, págs. 209-10.)

9. Aunque poco conocida, es de las de mayor fuerza dramática, y nos presenta una figura de refinada crueldad: Ruy Pérez mata a su esposa Margarita, seducida por Mendo Abarca. Fuerza a la esposa de éste, y luego sirve como capellán en el palacio de don Mendo; procura insistentemente introducir en el ánimo del caballero la duda sobre la honorabilidad de su esposa, y consigue que éste oiga la confesión de la dama, que declara cómo fué forzada en otro tiempo. Cuando don Mendo da muerte a su esposa, el falso capellán se da a conocer; así ha vengado su antigua afrenta.

Zorrilla se vale de dos resortes muy socorridos en literatura: *a)* Suplantación del marido por otro individuo que venga así su deshonra. *b)* Ardid de sorprender la confesión de un penitente. Si para este caso tenía un buen maestro en Boccaccio, para el primero la fuente más conocida es el romance del *Molinero de Arcos*, que dará tema a Pedro Antonio de Alarcón para *El sombrero de tres picos*.

10. Vid. A. Cotarelo Valledor: *Una cantiga célebre*.

11.

Aun no cuenta Margarita
diecisiete primaveras,
y aun virgen a las primeras
impresiones del amor,
nunca la dicha supuso
fuera de su propia estancia,
tratada desde la infancia
con cauteloso rigor.
Siempre encerrada y oculta,
cuando en el mundo vivía,
sólo del mundo veía
la calle tras un cancel,
y no alcanzó, de su casa
fuera del triste recinto,
el mágico laberinto
que se extendía tras él

12. Vaya la primera como ejemplo:

¡Espíritu sublime y misterioso
que del aire en los senos escondido
templas su voz, prestándole armonioso
eco gigante o soñoliento ruido!
¡Arcángel cuyo canto melodioso
el orbe arrulla entre sus pies tendido!
¡Inspira tú palabras a mi acento,
gratas como la música del viento!

13. El 24 de febrero de 1909 se estrenó en el teatro Real, de Madrid, la ópera *Margarita la Tornera*, con música de Chapí y adaptación de Fernández Shaw.

14. «El autor de *Cada cual con su razón* no se ha tenido jamás por poeta dramático. Pero indignado al ver nuestra escena nacional invadida por los monstruosos abortos de la elegante corte de Francia, ha buscado en Calderón, en Lope y en Tirso de Molina recursos y personajes que en nada recuerdan a Hernani y Lucrecia Borja. Y por si de estas sus creencias literarias le antojara a sus amigos o a sus detractores señalarle como partidario de escuela alguna, les aconseja que no se cansen en volver a sacar a plaza la ya mohosa cuestión de *clasicismo* y *romanticismo*. Los clásicos verán si en esta comedia están tenidas en cuenta las clásicas exigencias. La acción dura veinticuatro horas; cada personaje no tiene más que un objeto, al que camina sin episodios ni detenciones, y la escena pasa en casa del marqués de Vélez. Los señores románticos perdonarán que no haya en ella verdugos, esqueletos, anatemas ni asesinatos. Pero aún puede remediarse. Tómese cualquiera la molestia de corregir la escena final, y con que al marqués dé a su hija un verdadero veneno, con que él apure después el soberano licor que en el vaso quede, con que el rey dé una buena estocada a don Pedro y la dueña se tire por el balcón, no restará más que hacer sino avisar a la parroquia de San Sebastián y pagar a los curas los responsos y a los sepultureros su viaje al cementerio de la puerta de Fuencarral.» (Pról. de *Cada cual con su razón*.)

15. Curiosa la génesis de *El puñal del godo*. Si hemos de creer lo que el mismo Zorrilla nos cuenta en *Recuerdos del tiempo viejo*, el drama surgió como resultado de una apuesta. El poeta se había comprometido a escribir en brevísimo plazo una obra con sólo personajes masculinos. Había que escoger precisamente una de las tres

partes o pasajes que indicara la *Historia* del P. Mariana, abierta por tres sitios al azar. La primera vez lo fué por el capítulo dedicado a la desaparición del rey don Rodrigo. Zorrilla no quiso que continuara la busca, porque en aquel capítulo había encontrado ya su drama.

16. Inserta en el *Diario de Avisos* la siguiente nota: «El autor se ha propuesto en este drama presentar al público, tal como fué en realidad, un personaje histórico calumniado tenazmente por unos y defendido a ciegas por otros; en ambos casos se han puesto elegantes escritores y respetables poetas antiguos y modernos, sin que por esto pretenda rivalizar con ellos el autor de la obra que hoy anunciamos.» Leopoldo A. Cueto, al reseñar la obra de Zorrilla, alabó la gran cordura que dió muestras el autor «al no juzgar las acciones del siglo XIV según los principios del nuestro».

17. Vid. *Zorrilla: Su vida y sus obras*, pág. 345.

18. Nadie mayor detractor de Zorrilla que el propio Zorrilla. Y no sólo por su exacerbada crítica del *Tenorio*, ya proverbial, sino por juicios severísimos que se extienden a toda su obra. En los *Recuerdos del tiempo viejo* alude al «arte de hablar mucho sin decir nada, que es —aclara—en lo que consiste mi poesía lírica generalmente»; en el discurso de ingreso en la Real Academia se llama a sí mismo «divagador y descriptor difuso, productor tan sin plan como sin ciencia», y en carta al ministro Cristino Martos, agradeciéndole una distinción honorífica, encontramos esta terminante confesión: «Mis obras, excelentísimo señor, son muy numerosas, pero son las más incorrectas de las producidas por los poetas de nuestro siglo. Me complace y me duele hallarme en esta ocasión de declararlo espontáneamente.» Continúa atribuyendo el éxito a la época en que aparecieron, a sus alardes religiosos y españolistas, a los asuntos novelescos, que cultiva con preferencia, y a la fortuna, que desde la juventud venía acompañando a su «ignara osadía».

BIBLIOGRAFIA

M. Ada Coe: *A Bibliographical Note on Zorrilla*, «Hispanic Revue», 1941.—L. Alas («Clarín»): *El teatro de Zorrilla*, «Palique», Madrid, 1894.—E. Alcalá Galiano: *Necrología del poeta Zorrilla*, Madrid, 1903.—N. Alonso Cortés: *Zorrilla, su vida y sus obras*, 2.ª ed. Lib. Santarén, Valladolid, 1943; *El Cid y Zorrilla*, «Rev. Filol. Esp.», oct.-dic. 1941; *Zorrilla y Clarín*. *Zorrilla y Velarde*. *El padre de Zorrilla en la Audiencia vallisoletana*, «Amigos de Zorrilla» (colec. de artículos dedicados al poeta), Imp. Castellana, Valladolid, 1933.—J. Calcaño: *Canto triunfal, homenaje a Zorrilla*, Caracas, 1893.—J. M.ª de Cossío: *El tema de «Margarita la Tornera» en la tradición popular*, «Amigos de Zorrilla», ed. cit.; *Sobre las fuentes de la leyenda de Zorrilla «A buen juez, mejor testigo»*, «Rev. Filol. Esp.», 1931.—E. Cotarelo Mori: *Zorrilla, académico*, «Bol. R. Acad. Esp.», 1917; *Centenario del nacimiento de Zorrilla*, «Bol. Real Acad. Esp.», IV, 1917.—A. Cotarelo Valledor: *Una cantiga célebre del Rey Sabio*, Imp. Antonio Marzo, Madrid, 1904.—E. Díez Canedo: *Sobre Zorrilla*, «Sala de Retratos», San José de Costa Rica, 1920.—C. Eguía Ruiz: *Un poeta patriótico: Don José Zorrilla, al correr de un centenario*, «Razón y Fe», XLIX, 1917.—J. de Entrambasaguas: *La leyenda de Rosamunda*, «Amigos de Zorrilla»; *La viuda de Zorrilla*, «Clavileño», Madrid, 1951.—L. Fernández: *Zorrilla y el Real Seminario de Nobles*, Edic. Fax, Madrid.—I. Fernández Flórez: *Zorrilla*, «La España Moderna», nov. 1891.—G. Fernández Shaw: *Las andanzas de Zorrilla*, «La Epoca», 22 feb. 1917.—A. Ferrer del Río: *Galería de la literatura española*, Madrid, 1846.—R. de Giusette: *La légende de la sacristine*, París, 1927.—G. Gustavino Gallent: *La leyenda de la cabeza*, «Rev. Filol. Esp.», ene.-mar. 1942.—Fanny Hale Gardiner: *A Spanish Poet-Laureate: José Zorrilla*, «Poet-Lore», II, New-Series, 1898.—D. Ibáñez: *Zorrilla, poeta lírico*. *Zorrilla, poeta épico*, «La Ciudad de Dios», Madrid, 1920 y 1922.—E. Juliá Martínez: *Toledo visto por Zorrilla*, «Amigos de Zorrilla».—A. Lista: *Poesías de don José Zorrilla*, «Ensayos literarios y críticos», II, Sevilla, 1844.—J. R. Lomba y Pedraja: *El rey don Pedro en el teatro*, «Homenaje a Menéndez Pelayo».—M. Martín Fernández («Blas Doctor»): *Estudio crítico biográfico de Zorrilla*, Valladolid, 1889.—C. Moreno García: *Zorrilla*, «Rev. Contemporánea», LXXXIX, 1893.—I. Ovejas: *Biografía de don José Zorrilla*, «Obras completas», París, 1864.—Emilia Pardo Bazán: *Zorrilla*, «La Lectura», Madrid, 1909.—N. Pastor Díaz: Pról. a las *Obras completas* de Zorrilla, Baudry, París, 1864.—E. Allison Peers: *Zorrilla y Víctor*

Hugo, «Amigos de Zorrilla».—M. DE LA PINTA LLORENTE: *Treinta y tres cartas inéditas de Zorrilla al poeta Emilio Ferrari*, Madrid, 1934.—E. RAMÍREZ ÁNGEL: *Biografía anecdótica de Zorrilla*, «Mundo Latino», Madrid, 1917.— E. RAMÍREZ ÁNGEL: *El poeta Zorrilla, visionario*, «Por esos mundos», agosto, 1915.—M. DE LA REVILLA: *Críticas* (2.ª serie), Burgos, 1885; *Obras*, Madrid, 1883.—G. RIVERA: *José Zorrilla en América*, Cambridge, 1932.—C. DE RODA: *«Margarita la Tornera»*, «La Lectura», I, 1909.— F. RODRÍGUEZ MARÍN: *Zorrilla en la Academia*, «Bol. del

Centro Art. y Literario de Granada», 1917; *Zorrilla, comentador póstumo de sus biógrafos*, Madrid, 1934.— M. SANCHO: *Crónica de la coronación de Zorrilla*, Granada, 1889.—F. DE B. SAN ROMÁN: *Zorrilla en la Universidad de Toledo*, «Amigos de Zorrilla».—J. SERRAILH: *Notas sobre «Sancho García» y «Sofronia»*, «Amigos de Zorrilla».—B. DE TANNENBERG: *La poésie castellane contemporaine*, Paris, 1889.—A. DE VALBUENA: *José Zorrilla. Estudio crítico-biográfico*, Madrid, 1889.—D. VELAO: *Los apuros de Zorrilla*, «Rev. Castellana», feb. 1917.

CAPITULO LXIII

LA POESIA ROMANTICA EN ESPAÑA

I. Lírica romántica: *Temática y estilo. Versificación.*—II. Espronceda: *La vida. El hombre. Espronceda, prosista. Espronceda, poeta. El «Pelayo». «El estudiante de Salamanca». «El diablo mundo». El «Canto a Teresa». La originalidad de Espronceda.*—III. Otros líricos menores: *El padre Arolas. Más figuras: Pastor Díaz, Gil y Carrasco. Escosura, Romero de Larrañaga, Piferrer, etc. Doña Carolina Coronado.*—Notas.—Bibliografía.

I. LIRICA ROMANTICA

No hace falta aclarar que con el término «poesía romántica» queremos aludir concretamente a la lírica. La dramática va estudiada en otros capítulos; y en cuanto a la narrativa o legendaria, de tan excepcional importancia en este período, de tal modo suele fundirse con los otros géneros en sus más destacados cultivadores, que no es posible, ni aun aconsejable, tratarla por separado. El duque de Rivas es dramaturgo, lírico y narrador, todo en una pieza. Y otro tanto puede decirse de Zorrilla y Hartzenbusch.

Varios fenómenos, que interesa consignar aquí, nos salen al paso en el estudio de esta poesía. El primero se refiere a su duración: ya se dijo que el movimiento propiamente romántico apenas dura tres o cuatro lustros, lo que ha hecho que se le compare con una violenta llamarada que, tras brillar unos segundos, se apaga sin dejar rastro. De ordinario se le da por terminado el 1850. Pues bien: la lírica es una excepción. Aun extinguido el fogonazo romántico, persiste en sus efectos largo tiempo. Bécquer, encasillado siempre en el período posromántico, es en el fondo tan romántico como Espronceda. Dígase otro tanto de Tassara, Rosalía de Castro, Velarde, Balart y tantos otros. El mismo Campoamor ¿no nos resulta un perfecto romántico en composiciones como *Lo que hace el tiempo* y *El tren expreso?* [1]. Incluso en autores más próximos a nosotros—Rubén Darío, Juan Ramón Jiménez—se ha intentado hallar un trasfondo romántico, no difícil de descubrir a poco que se raspe.

Otro segundo fenómeno: la lírica romántica no tiene en España poetas de excepcional relieve, como en Francia, Inglaterra o Italia. Zorrilla y el duque de Rivas son antes que nada dramaturgos. Sólo Espronceda resiste la comparación con los grandes líricos europeos de su tiempo. Luego, para encontrar otro poeta de talla mundial, hay que saltar hasta Bécquer; pero el incompa-rable autor de las *Rimas*—ya queda dicho—, aunque romántico en el fondo, escapa al concepto vulgar del romanticismo y a los límites cronológicos que a éste se suelen asignar. En torno a Espronceda encontramos, sí, un verdadero enjambre de poetas; todos ellos de escasa voz y vuelo limitado. Ni Pastor Díaz, ni Gil y Carrasco, ni el mismo Arolas, rebasan la categoría de lo que hemos dado en llamar «poetas de segundo orden».

El tercer fenómeno afecta ya al fondo de esa poesía. Se viene diciendo que de las dos direcciones fundamentales del romanticismo, la tradicional y la revolucionaria, la que se orienta hacia la restauración de los viejos valores y la que, haciendo de ellos tabla rasa, alardea de un espíritu escéptico y antisocial, nuestra lírica romántica prefiere la segunda. Los que tal afirman piensan sobre todo en Espronceda; pero, a poco que se analice, se verá que ambas tendencias coexisten, al igual que en otros países.

Y una observación más: paralela a la lírica romántica, aunque ajena totalmente a ella, fluye una levísima vena de poesía tradicional española, con especiales manifestaciones en el género satírico y representantes tan notables como Bretón de los Herreros, Príncipe y Martínez Villergas. No aludir a ellos, aunque sea de pasada, equivaldría a dejar incompleto el cuadro de la lírica durante este período.

Temática y estilo

La temática de esta poesía es la común a todo el romanticismo: insatisfacción del espíritu; libertad, que fácilmente degenera en anarquía; angustia de vivir; ansia de placeres con el hastío consiguiente; rebeldía social, etc. Todo ello como reflejo de una actitud más que de una ideología razonada y sistemática; todo ello también exa-

gerado, abultado a veces tan monstruosamente
que a la primera ojeada se adivina la falta de
sinceridad. Junto a estos temas comunes, la poesía legendaria busca los suyos en el campo de
la imaginación y de la historia: retorno a lo
medieval caballeresco, religioso o costumbrista;
invasión, un poco atropellada, de lo pintoresco;
preferencia por los motivos orientales. Menos
subjetiva que la de otros países, nuestra poesía
romántica rara vez acierta con la cuerda psicoló-
gico-metafísica; y cuando da con ella, como Espronceda en contadas ocasiones, tampoco tiene
la profunda resonancia de un Leopardi, un Shelley o un Novalis.

Donde nuestros poetas románticos cosechan sus
mejores triunfos es en el estilo. Aquel lenguaje
frío, reglado y como sujeto a fórmulas, de los
neoclásicos se convierte, al pasar por sus manos,
en un lenguaje, un poco arbitrario y anárquico
si se quiere, pero relampagueante, desbordado y
enormemente expresivo. Los epítetos se prodigan;
los adjetivos se siembran a voleo, y da la casualidad de que casi siempre caen bien. La contención, el freno, la sobriedad desaparecen: se
piehsa todo lo que se quiere y se dice todo lo
que se piensa y siente. No hay selección de ideas,
como no la hay tampoco de vocablos. Y, sin
embargo, con esta falta de método, con este desorden inicial estético, sin más ley que su arbitrariedad, estos poetas producen piezas tan logradas como el *Canto a Teresa* o la *Canción del
pirata,* de Espronceda; el *Sé más feliz que yo,*
de Arolas, y algunas orientales de Zorrilla, en
las que el clásico más exigente no encontraría reparos que poner. Esta misma arbitrariedad y deliberado abandono ha inducido a muchos a creer
que los poetas románticos eran poco menos que
iletrados. Hora es ya de ir deshaciendo tal equívoco. Fuera de Zorrilla, que se resiente de una
formación defectuosa inicial, los demás líricos de
este período, los más caracterizados, fueron personas de relevante cultura: Pastor Díaz llegó a
rector de la Universidad de Madrid; Gil y Carrasco, después de cursar humanidades en los Agustinos, hizo la carrera de Leyes y desempeñó a
los veintinueve años misiones diplomáticas; Tassara, por el mismo camino, fué nombrado embajador de España en Washington. Escosura, además de sus estudios militares, había recibido
sólida formación humanística, al lado de Lista;
Hartzenbusch, aparte de lírico y dramaturgo, era
un erudito y crítico sagaz, según se ve en sus
prólogo a las obras de Tirso, Lope y Calderón, de
la Biblioteca de Autores Españoles, y en sus valiosas notas al *Quijote;* Arolas dominaba igualmente lenguas clásicas, modernas e historia; y

hasta Espronceda, que es a quien suele apuntarse
con más frecuencia al tachar a los románticos de
indoctos, demuestra en sus obras conocimientos no
corrientes de latín y de otras disciplinas literarias [2].

La versificación

A la vez que la revolución del lenguaje, los poetas románticos llevan a cabo otra revolución no
menos importante: la del verso. No es que los
viejos esquemas métricos desaparezcan; más bien
se remozan, se enriquecen con mil combinaciones
estróficas nuevas y gran variedad de ritmos inéditos o desusados. Por ello, más que de una revolución ha de hablarse de una renovación y ensanchamiento. Porque los románticos no prescin-
den de los viejos moldes; tan cierto es ello, que
las mejores creaciones de esa poesía—el *Canto a
Teresa,* las más estimadas leyendas de Zorrilla—
están troqueladas en metros tradicionales. Sólo
que éstos ya no bastaban; y los románticos se
lanzan a ensayar tipos nuevos: unas veces van
a buscarlos en los antiguos *Cancioneros,* como
el metro de pie quebrado y el pausado dodecasílabo, que en la lírica romántica se adelgaza y
adquiere flexibilidad insólita, hasta parecer un
verso nuevo; otras veces los toman de la poesía extranjera, como el alejandrino [3], el decasílabo
de ritmo anapéstico, inspirado probablemente en
los italianos, y el heptasílabo con finales oxítonas
y proparoxítonas, tan distinto del empleado hasta
entonces en nuestra métrica; finalmente, y en no
pocas ocasiones, su ansia de novedades les inspira
formas tanto estróficas como rítmicas de gran
originalidad, llegando en la asimilación del movimiento métrico con el de las personas y cosas
a logros insospechados. Recuérdese la carrera de
Alhamar en Zorrilla (poema *Granada),* con su intensificada gradación desde los lentos alejandrinos a los versos de tres, dos y hasta una sílaba,
y el proceso similar de Espronceda en la última
parte del *Estudiante de Salamanca* [4].

El que desaparece de momento es el verso libre.
El poeta romántico nada quiere saber de él. Nuestros líricos de este período son más bien extra-
vertidos, hombres de música externa; aman el
color y cuanto contribuye a dar mayor realce a
su verso. De ahí que, lejos de renunciar a la
rima, la prodigan con abundancia, casi con exceso, hasta convertir sus poemas con harta frecuencia en una musiquilla fácil, empalagosa y
monótona. Zorrilla, en *La siesta,* no contento con
las consonantes usuales, simultanea la rima final
con la *rima in mezzo,* en un alarde un poco pueril de fastuosidad y de dominio técnico [5].

II. ESPRONCEDA

Descontados el duque de Rivas y Zorrilla, por las razones antes dichas, la lírica romántica española da un poeta de altura y digno de codearse con los mejores del mundo en su tiempo: don JOSÉ DE ESPRONCEDA Y DELGADO. No incurriremos en la hiperbólica afirmación de Cascales Muñoz, que lo considera el mejor que ha tenido nunca España; ni siquiera lo estimamos el mejor de su siglo, honor que, en nuestra opinión, corresponde a Bécquer; pero sí nos atrevemos a decir que Espronceda, poeta por los cuatro costados, a pesar de todas sus imperfecciones—que las tiene, y muy acusadas—, resiste muy bien la comparación con los mejores de la época—Hugo, Manzoni, Byron o Schiller—, superándolos todavía en algunos aspectos.

La vida

Un accidente puramente casual hizo que Espronceda naciese en Almendralejo (Badajoz) el 25 de marzo de 1808. Iban sus padres camino de la capital desde Villafranca, y al llegar al sitio denominado los Pajares de la Vega, su madre, que estaba encinta, hubo de mandar que hiciese alto la carretela, y allí, en una cabaña de pastores, vino al mundo el futuro y genial poeta [6]. Su padre era teniente de caballería, casado en segundas nupcias con aquella joven dama, a la que aventajaba en veinticinco años. De ella hubo otros dos vástagos—María del Carmen y Juan—, muertos en la infancia, lo que ha inducido a algunos a creer que nuestro poeta era hijo único. Fruto del matrimonio de un padre viejo y una madre joven, en situación económica desahogada, único objeto de todos los cariños por muerte de sus hermanos, no hace falta decir que Espronceda pasa la clásica infancia del niño mimado y consentido. Todos sus biógrafos están acordes en afirmar que, entre el carácter abúlico del padre y el genio un tanto irascible de la madre, Espronceda se las arregló para hacer siempre su santa voluntad. El año 1820 encontramos a la pequeñísima familia en Madrid. Por esas mismas fechas solicita una plaza de cadete en la Academia de Artillería, y, una vez obtenida, renuncia a ella, porque ha pensado cambiar de profesión. Ingresa entonces en el colegio que en la calle de San Mateo regentaba don Juan M. Calleja, y del que eran profesores Lista y Hermosilla. De este colegio pasa (1823) al fundado por Lista en la calle de Valverde [7]. Patricio de la Escosura nos ha dejado curiosas referencias sobre esta etapa de la vida de Espronceda, sus actividades y gustos [8]. Lee sus primeras poesías en la Academia del Mirto; se afilia en la sociedad secreta Los Numantinos, y cuando aún no le apuntaba el bozo empieza a conspirar [9]. El 7 de noviembre de 1823 es ahorcado Riego en la plaza de la Cebada, de Madrid. Espronceda, Escosura y de-

más jovenzuelos de la terrible sociedad presencian la ejecución y se juramentan por escrito a no darse tregua hasta vengar a aquella víctima del absolutismo. El documento es descubierto, y Espronceda, presidente de la Sociedad, condenado a cinco años de prisión en un convento de Guadalajara. A las pocas semanas salía indultado, trayendo en su bolsillo parte del poema El Pelayo.

Sigue cursando estudios hasta el año 1826, en que «sin dar cuenta a nadie» y «llevado sólo de su instinto de ver mundo», no huyendo de la policía, como han dado en afirmar algunos biógrafos, se va a Gibraltar y embarca allí en una balandra sarda, rumbo a Lisboa. A su llegada, sólo tenía un duro; paga tres pesetas en la Inspección de Sanidad y arroja al Tajo las otros dos, «porque no quería entrar en tan gran capital con tan poco dinero» [10]. Allí probablemente conoce, entre los emigrados españoles, al coronel don Epifanio Mancha, de cuya hija Teresa se enamora locamente [11]. De Portugal pasa el coronel a Inglaterra, y allá se va el poeta «en pos de la amada». Estamos a fines del 1827. Un año dura la estancia de Espronceda en Londres, y a juzgar por los datos que tenemos, vive con holgura gracias a las cuantiosas remesas de fondos que le envía su padre, y entabla excelentes relaciones sociales. Pero no se compagina esta vida sedentaria con su carácter: en 1828 pasa a Holanda, y de Holanda a París, donde le encontramos combatiendo en las barricadas durante la revolución de julio, que echó del trono a los Borbones. Poco después se enrola en la columna de emigrados que, dirigida por el célebre Chapalangarra, don Joaquín de Pablo, atraviesa el Pirineo navarro con ánimo de liberar a España de la presión absolutista. La intención falla, y, vencido y muerto su jefe, Espronceda logró huir, consolándose luego con entonar una oda a la heroica muerte de don Joaquín de Pablo [12].

Y aquí viene el episodio más cacareado en su vida: el rapto de Teresa. Esta vivía en Londres en medio de estrecheces, que la obligaban a dedicarse a la costura para poder subsistir. Un rico comerciante, don Gregorio del Amo, la toma por esposa, sacándola de su pobreza. Se traslada con ella a París, por razones de negocios, y coinciden con Espronceda en el mismo hotel. Lo demás es sabido: el poeta y Teresa reanudan sus relaciones, deja ella al marido y se viene a España con su amante, a quien se le acaban de abrir las puertas de la patria por una célebre amnistía (1833). Este es el relato al parecer más verídico. ¿Hubo, pues, rapto? Según documentos fehacientes, más bien se trata de simple abandono del hogar por parte de Teresa. Pero la aventura tiene su desenlace a tono con las ideas y costumbres de la época. La pareja vive feliz en la calle de la Cruz; luego, sin saberse por qué, ella le abandona. Espronceda la busca y recobra en Valladolid; nueva reconciliación, para dejarle al poco tiempo, y ya definitivamente, con una niña de cuatro años, Blanca, fruto de aquellos turbulentos amores. No se sabe más de ella sino que, minada su naturaleza por la tisis, fallecía poco después en Madrid. Un día Espronceda, al pasar por la calle de Santa Isabel, ve su cadáver a través de la reja de un piso bajo. Y entonces brota de su corazón el poema más hermoso y sincero de todo nuestro romanticismo: el *Canto a Teresa*.

Entre tanto, el poeta se dedica a la política, al periodismo y a la redacción de sus obras. Recién regresado a España, se había inscrito en el Cuerpo de Milicianos Nacionales. Colabora en las principales revistas y forma parte en la redacción de *El Siglo*. Cuando el cólera morbo se ensaña en Madrid, Espronceda se distingue por su heroísmo en la asistencia de los apestados. En 1834 se le encarcela por ciertos artículos contra el Ministerio Martínez de la Rosa; ese mismo año publica la novela histórica *Sancho Saldaña*, por la que le abona el editor Delgado 6.000 reales, y estrena la comedia *Ni el tío ni el sobrino*, escrita en colaboración con Ros de Olano. Dos años después aparece su folleto *El Ministerio Mendizábal*, y en 1838 vuelve al teatro con el drama en prosa, también en colaboración, *Amor venga sus agravios*. Posteriormente escribe la tragedia *Doña Blanca de Borbón*, que no llegó a estrenarse [13].

Al ocurrir el pronunciamiento del 1 de septiembre de 1840, acude desde Carratraca, donde estaba tomando baños, a ocupar su puesto en la Milicia Madrileña, de cuya compañía de Cazadores del octavo batallón era primer teniente; el segundo teniente era González Bravo, y capitán, el conde de las Navas. Ese mismo año aparecen sus *Poesías*, que le dan popularidad inmensa, lo que no fué óbice para que vendiera la propiedad en 6.000 reales al mismo editor Delgado. Casi a la vez empieza la publicación por entregas de *El diablo mundo*. A partir de este momento, su vida cambia: el fervor revolucionario va cediendo, y cada vez deriva más hacia una existencia burguesa, con el consiguiente disfrute de sinecuras y empleos. Se le nombra secretario de la Legación de los Países Bajos (1841), cargo del que toma posesión y percibe sueldo, pero que no llega a desempeñar, porque al mismo tiempo tiene que representar a Almería en el Congreso como diputado progresista; destaca en la tribuna de las Cortes; entabla relaciones formales con una honesta dama, doña Bernarda de Beruete [14], y ya estaba a punto de casarse con ella, realizando así su anhelo de un hogar, cuando le sobreviene la muerte por una afección vulgar de *tabardillo* (1842). Tenía al morir treinta y cuatro años.

El hombre

Vida borrascosa la de Espronceda, turbulenta, dinámica. ¿Cómo era este hombre en el fondo? ¿Qué nos queda de él una vez despojado de su gesticulante actuación, de todo el atuendo anecdótico, que envuelve y desfigura su personalidad? Para algunos, poco más que un *calavera*, un atolondrado, sin orden ni concierto; para otros, un *enfant terrible*: escéptico, amoral, pendenciero, vicioso; algunos biógrafos, como Cascales Muñoz, en su deseo de rehabilitarle, tratan de presentarnos un ser casi beatífico, dotado de las más altas virtudes y víctima de ineludibles circunstancias. Nosotros más bien lo vemos como un producto típico de su tiempo: escéptico, sí, pero sin llegar a razonar su escepticismo; revolucionario por moda, casi por pasatiempo; ansioso siempre de novedades y con un firme empeño de destacar su personalidad. No se le pueden negar ciertas cualidades: decisión, audacia, generosidad para el bien y para el mal, pasión y, sobre todo, ese entregarse en cuerpo y alma a cualquier empresa, digna o censurable. En una época en que todos jugaban a la revolución, él también jugó; cuando el ser descreído era de buen tono, él hizo alarde de serlo; derrochó su vida, y es de suponer que también su dinero, y rubricó su paso por el mundo con unos cuantos rasgos de esos que bastan para definir e inmortalizar a un hombre.

De su apariencia física nos quedan varios retratos: el de Mercar, que nos da un Espronceda enlevitado de negro; pañuelo también negro, que le envuelve el cuello; rostro joven, casi infantil, sin barba ni perilla; cejas finas; mentón voluntarioso; ojos llenos de luz, de serenidad y de fuerza; nariz correctísima; boca perfecta, de labios apretadamente sensuales, y un cabello abundante, negro, sedoso, que, abierto en su mitad por la raya, le cae por las sienes, hasta taparle las orejas. Toda una estampa romántica. Más conocidos son los de Arroyo y Esquival. Aquí Espronceda, ya de más edad, ostenta bigote, la clásica perilla unida a la barba y un cabello más crespo y estudiadamente descuidado. Pero en todos ellos la misma mirada inteligente y decidida, el mismo mentón, los mismos labios apretados, signos indubitables de su voluntad, su dinamismo y su audacia. Anécdotas como las que nos han contado Escosura, Zorrilla y otros amigos suyos no hacen más que confirmar estos rasgos generales [15].

Espronceda, prosista

En la producción total de Espronceda hemos de distinguir la prosa y el verso. Concretándonos ahora a la primera, digamos que el Espronceda prosista no tiene ni remotamente la importancia que el poeta. Sin embargo, algunos trabajos breves, especialmente artículos periodísticos, nos revelan un escritor suelto, de pluma ágil y con una aptitud especial para la sátira, que hacen pensar inmediatamente en su contemporáneo Larra. En este aspecto, lo mejor que escribió, para nuestro gusto, es su breve articulito de *Gibraltar a Lisboa*, especie de reportaje histórico en que con mucho desenfado e ingenio nos narra las peripecias de su primer viaje por mar, rumbo a Portugal. Domenchina quiere sorprender en él ciertos «rasgos, diríanse rasguños, de la pluma de Heine». Pero nosotros le encontramos una filiación más castiza y directa: Quevedo. Cierto desgarro en la expresión y ciertos comentarios irónicos, pero de una ironía brutal, sobre determinados hechos nos hacen recordar involuntariamente *Los sueños* y *El Buscón*. Algo parecido puede decirse de su folleto político *El Ministerio Mendizábal* (1836).

En cambio, su novela histórica *Sancho Saldaña o El castellano de Cuéllar* (1834) no pasa de ser una imitación pálida de Walter Scott. Al publicarse la segunda edición (1870), un refundidor anónimo la amplió monstruosamente, sin advertir de ello a los lectores.

Espronceda, poeta

Espronceda empieza a escribir muy joven, casi en la niñez. A pesar de ello, de haberse dedicado a la poesía durante veinte o más años, su producción poética no es muy copiosa: un poema narrativo, inacabado, *El Pelayo*; una serie de *poesías sueltas*, que no llegan al medio centenar; los poemas más extensos, *El estudiante de Salamanca* y *El diablo mundo*, y los dramas en verso ya citados.

Sus primeros versos, como era forzoso, ofrecen factura neoclásica. No en balde había estudiado con Lista; y, además, no había otra poesía que imitar. A esta primera fase corresponde *El Pelayo*, que estudiaremos más adelante, y algunas composiciones—*Serenata, A una dama burlada, El pescador*—, que la crítica no puede tomar en cuenta, a no ser para considerarlas como lo que fueron en realidad: primeros ensayos de un gran poeta. Todos los artistas, por muy geniales que sean, empezaron así. Pero aun en estos ensayos se acusa ya una soltura, un nervio y un brío a que no nos tenían acostumbrados los neoclásicos. Ahí está ese *Himno al Sol*, que, a pesar de su énfasis y de su egocentrismo, a pesar de su tono intemperante, tiene una innegable grandeza y una majestad casi herreriana. Es imitación de Ossian; pero una imitación que—como *Oscar y Malvina*, también inspirada en el falso bardo—supera a su modelo.

Pronto Espronceda se deshace de las trabas neoclásicas y encuentra su camino; éste es, por la forma y el fondo de sus versos, plenamente romántico. Canta el amor, el placer, el hastío, la melancolía, la libertad, la patria, la revolución social, la duda, la muerte, como desenlace postrero. Todo ello en un estilo tumultuoso y directo, sin rebuscamientos ni afeites; porque Espronceda no es de los que depuran la frase, sino de los que la lanzan tal como sale del corazón, sin pasar apenas por el cerebro. Lo cual no es obstáculo para que esa frase resulte casi siempre la más exacta y expresiva. Hasta los epítetos y sintag-

mas menos significativos, al insertarse en sus versos, cobran increíble vigor y resultan originales: «relámpagos sombríos», «melancólica luz», «espantosa expiación», «horribles muecas»...

No es posible hacer recuento de cada uno de sus poemas. Baste decir que hay en esa producción diez o doce de obligada memoria en todo estudio sobre el romanticismo: el citado *Himno al Sol*, de arrebatado fervor lírico; *La noche*, impregnada toda de suave melancolía; *A Jarifa en una orgía*, insuperable expresión de hastío y del desengaño; *A la Patria*, de contenido acento semiclásico, llena de dignidad y de tristeza; *A una rosa*, soneto en que, sin salirse del tono romántico, acierta a fundir con la gracia de Garcilaso la finura expresiva de Góngora; *La canción del pirata*, uno de esos logros definitivos de la lírica española, en que el ansia de libertad se manifiesta con un garbo incomparable y en la que no sabe uno si admirar más la valentía de la expresión o la impecable factura del verso; el *Canto del cosaco*, del mismo corte que la anterior, aunque menos cuidada en la forma, con una cabalgata alucinante de endecasílabos que reproducen maravillosamente el loco tropel de los invasores ante una Europa decadente; *La despedida del patriota griego*, teñida de sentimentalismo y de nostalgias.

Junto a éstas, un grupo de composiciones de tema social o, más propiamente, antisocial: *El verdugo, El mendigo, El reo de muerte*, etc. Todas ellas representan el grito de esos seres desgraciados y resentidos contra una sociedad de la que se consideran víctimas inocentes. En éstas, lo mismo que en las anteriores, Espronceda abunda en locuciones vulgares, descuidos de construcción gramatical, adjetivaciones manidas y estridencias de tono. Pero estos defectos quedan compensados ampliamente por el soplo de auténtica inspiración que las penetra, inflamándolas y transfigurando cada uno de sus versos. En cuanto a la métrica, Espronceda agota todas las formas puestas en circulación por el romanticismo; y casi siempre con acierto [16].

«El Pelayo»

Es un poema épico sobre el iniciador de la Reconquista. Su verdadero título—al menos el que lleva en todas las ediciones—es *Ensayo épico. Fragmentos de un poema titulado «El Pelayo»*. Porque, en efecto, se trata de una obra inconclusa: seis fragmentos de irregular extensión, con un total de 120 octavas reales. De éstas, unas pocas corresponden a Lista.

Espronceda lo escribió, en su mayor parte, durante su reclusión en el convento de franciscanos de Guadalajara. Recuérdese que entonces nuestro poeta tenía quince años, y ello nos moverá a examinarlo con ojos indulgentes. «¿Cómo se

lee hoy *El Pelayo?*—pregunta Domenchina en el
prólogo, insufriblemente engolado, a las *Obras
poéticas completas.* Y responde—: Con premiosidad heroica. La lectura de *El Pelayo* presupone
un indiscutible coraje de lector. Y supone una difícil prueba de su probidad. A Menéndez Pelayo
le plugo la destreza clasicista de que hace temerarios alardes el épico incipiente.» A Menéndez
Pelayo y a todo el que examine el poema con espíritu comprensivo y exento de prejuicios esteticistas. En *El Pelayo* hay pasajes, muchos pasajes—la procesión, la batalla del Guadalete, el
sombrío cuadro del hambre—de levantado acento
e indiscutible belleza.

El Pelayo, no hace falta decirlo, se mueve en
lo fundamental dentro de líneas clásicas; pero
por dondequiera que se abra saltan chispazos que
preludian la hoguera romántica [17].

«El estudiante»

El estudiante de Salamanca es, sin duda, la obra
más perfecta y redondeada de Espronceda. Recoge
la leyenda del joven libertino que, después de
burlar a su prometida doña Elvira y de matar
en duelo al hermano de ésta, don Diego de Pastrana, presencia su propio entierro y muere en
una iglesia, adonde el fantasma de aquélla le
conduce. El asunto había sido tratado ya por Cristóbal Lozano *(Soledades de la vida y desengaños
del mundo)* y por Céspedes y Meneses. Poco después lo volvería a recoger Zorrilla en su *Capitán
Montoya.* Pero nadie supo infundirle la vida, el
colorido, la poesía, en una palabra, que le dió
Espronceda. Allí desplegó la musa de éste todas
las galas del lenguaje, en una inagotable variedad
de ritmos y de metros, maravillosamente adaptados a cada situación. Las figuras del protagonista,
de doña Elvira y de don Diego, están trazadas
con unos cuantos rasgos definitivos. Pasajes como
la presentación de don Félix de Montemar—uno
de los retratos personales mejor hechos en la
literatura española—, la carta de amor de su
novia, con el presentimiento de su muerte; el
cuadro de jugadores, inspirado en una escena de
Moreto; la entrada de don Diego, dispuesto al
desafío [18], y aquella ronda espectral, frenética, entre las tinieblas de la noche, tras el fantasma de
doña Elvira, son páginas que, una vez leídas, no
se olvidan ya. ¿Quién no recuerda la descripción
que nos hace de don Félix?

> Segundo Don Juan Tenorio,
> alma fiera e insolente,
> irreligioso y valiente,
> altanero y reñidor:
> siempre el insulto en los ojos,
> en los labios la ironía,
> nada teme y todo fía
> de su espada y su valor.
> ....

> En Salamanca famoso
> por su vida y buen talante,
> al atrevido estudiante
> le señalan entre mil;
> fuero le da su osadía,
> le disculpa su riqueza,
> su generosa nobleza,
> su hermosura varonil.

> Que su arrogancia y sus vicios,
> caballeresca apostura,
> agilidad y bravura
> ninguno alcanza a igualar:
> que hasta en sus crímenes mismos,
> en su impiedad y altiveza,
> pone un sello de grandeza
> don Félix de Montemar.

Hay quien cree que en *El estudiante* Espronceda
se retrató a sí mismo. Quizá la afirmación sea
exagerada; pero no hay duda de que la mayor parte de las cualidades que atribuye a Montemar le
convienen también a él. Es muy expresivo el lema,
tomado del *Quijote,* con que encabeza la primera
parte: «Sus fueros, sus bríos; sus premáticas, su
voluntad.»

«El diablo mundo»

Frente a *El estudiante,* obra conclusa y perfecta, *El diablo mundo* se ofrece como algo enorme,
difuso y casi ultratelúrico. Un gran intento que
no llegó a cuajar. Tal vez la especial naturaleza
del tema; o bien la mezcla de tantos elementos
líricos, novelescos, dramáticos y hasta filosóficos;
la prematura muerte del poeta, que le impidió
terminar y perfilar su obra; o quizá todos estos
factores juntos dieron por resultado un producto
negativo. Y si es verdad que *El diablo mundo,*
como los otros poemas de Espronceda, más aún
que ellos, ofrece partes de incomparable belleza,
considerado en su conjunto, ya lo dijo Valera, es
«el infeliz resultado de una arrogante locura».

El diablo mundo aspira a desarrollar un tema
de dimensiones universales: nada menos que la
epopeya de la humanidad [19]. Ese mismo tema había tentado a Goethe en el *Fausto;* y por aquellos días sugestionaba al Vigny de los *Poemas*
(1822), al Lamartine de *Jocelyn* (1836) y al Víctor
Hugo de la *Leyenda de los siglos.* Entre nosotros
tenía que ser Espronceda quien intentase darle
vida. Sólo él tenía aliento para tanto. Pero, si no
le fallaron las fuerzas, se equivocó en la concepción central de la obra. Goethe encarnó su *Fausto* en un viejo rejuvenecido, cargado de sabiduría
y experiencia; Voltaire imaginó para su *Ingenuo*
un muchachote selvático e ignorante, en pugna
con los convencionalismos vigentes; Espronceda,
demasiado ambicioso, quiere fundir en su Adán
estos dos símbolos contradictorios de la humanidad y, naturalmente, fracasa.

Consta el poema de seis cantos completos y unos
fragmentos del séptimo, escritos por Espronceda

pocos días antes de morir, con un total de 6.020 versos, según los cómputos de Moreno Villa. El poeta lo iba publicando por cantos separados, a medida que lo redactaba. El canto II, ajeno por completo al resto de la obra, se refiere a su amada Teresa. En lo demás hay partes líricas, dialogadas y narrativas de muy desigual valor; con una trama o acción que aglutina todos esos elementos dándoles cierta unidad. El protagonista Adán, viejo que recupera la juventud por medios sobrenaturales, aparece de pronto desnudo en una casa de Madrid. Se le encarcela por escándalo; conoce en la cárcel al tío Lucas, héroe del hampa y digno heredero de Monipodio; se enamora de la hija de aquél, la *Salada*, y entre hija y padre se dan maña para adoctrinarle en los más útiles secretos de la vida y de los hombres. Luego, lo encontramos en una casa aristocrática, enfrentándose con unos bandidos en defensa de una dama; y, por fin, consolando a una anciana por la muerte de su hija.

Como se ve, el poema no está terminado. Don Miguel de los Santos Alvarez, amigo de Espronceda, escribió una continuación; otra, más extensas, hizo don Maximino Carrillo de Albornoz, y otra, inédita, don Pedro A. de Alarcón.

Partes destacables: «La introducción», que Valera equiparaba a la del *Fausto*; el *Canto de la Muerte* y el de la *Inmortalidad*, incluídos en todas las antologías; los consejos del tío Lucas (canto III); las octavas sobre el amor, con que termina el cuadro de la taberna y, sobre todo, las dedicadas a Teresa, de que pasamos a ocuparnos.

El «Canto a Teresa»

Inserto en el poema anterior, del que forma el canto II, es la mejor creación lírica no sólo de Espronceda, sino del romanticismo español. «El grito romántico más agudo y sostenido de cuantos se oyeron en la península», ha escrito Moreno Villa. Sentimiento, pasión, esperanza, desengaño, hastío, nostalgia y odio, todo mezclado, sin llegar a confundirse, se nos da en estas cuarenta y cuatro octavas, que si, en el aspecto formal—sonoridad, música y dulzura—no tienen otras pariguales que las de la introducción de los *Cantos del trovador*, de Zorrilla, en su contenido poético son superiores a cuanto se había hecho desde hacía doscientos años. Jamás el amor humano, en sus encontrados efectos, había tenido más alta expresión en nuestra lengua. Espronceda debió de escribirlas de una alentada [20]. En las horas que pasó pegado a la reja de la habitación, donde yacía el cadáver de su amada, debió de irlas rumiando y luego, en seguida, sin dejarlas enfriar, las hubo de trasladar al papel. Es un poema concebido y escrito en caliente. Así todo el proceso de aquella turbulenta pasión, que llenó buena parte de su vida, removiendo las fibras más so-

terradas de su alma, quedó transfigurada en alta poesía.

Primero, la inocente alegría de la vida:

> Gorjeaban los dulces ruiseñores,
> el sol iluminaba mi alegría,
> el aura susurraba entre las flores,
> el bosque mansamente respondía,
> las fuentes murmuraban sus amores...

Junto a este júbilo de alba, el ímpetu de la juventud, anhelante de gloria y de heroísmos:

> Yo amaba todo: un noble sentimiento
> exaltaba mi ánimo, y sentía
> en mi pecho un secreto movimiento,
> de grandes hechos generoso guía...

y los primeros ensueños de amor, localizados en la mujer ideal:

> ¡Una mujer! Deslízase en el cielo
> allá en la noche desprendida estrella;
> si aroma el aire recogió en el suelo,
> es el aroma que le presta ella.
> Blanca es la nube que en callado vuelo
> cruza la esfera y que su planta huella,
> y en la tarde la mar olas la ofrece
> de plata y de zafir en que se mece...

Luego, el deslumbramiento ante Teresa; todos aquellos sueños convertidos en realidad:

> Aun parece, Teresa, que te veo
> aérea como dorada mariposa,
> ensueño delicioso del deseo,
> sobre tallo gentil temprana rosa,
> del amor venturoso devaneo,
> angélica, purísima, dichosa...

y, casi sin tiempo para darse cuenta, la desilusión, el hastío:

> ¿Cómo caíste despeñado al suelo,
> astro de la mañana luminoso?
> Angel de luz, ¿quien te arrojó del cielo...
> ....
> ....¿... Quién, impío,
> ¡ay!, agostó la flor de tu pureza?
> Tú fuiste un tiempo cristalino río,
> manantial de purísima limpieza;
> después, torrente de color sombrío
> rompiendo entre peñascos y maleza...

y, tras la evocación de los últimos instantes de la amada, roída de remordimientos, llamando inútilmente a los hijos abandonados, volviendo sus ojos a Dios, que parece no querer oírla, la presencia eterna, obsesionante en el alma del poeta:

> Un recuerdo de amor que nunca muere
> y está en mi corazón; un lastimero
> tierno quejido que en el alma hiere,
> eco suave de su amor primero...

Pero Espronceda no es hombre que se deje amilanar por los zarpazos de la vida. Su reacción es tan inesperada como genial; y el poema se cierra con los dos conocidos versos:

> Truéquese en risa mi dolor profundo...;
> que haya un cadáver más, ¡qué importa al mundo!

Espronceda, poeta original

De propósito hemos rehuído en nuestros comentarios anteriores toda alusión a las posibles influencias extranjeras sobre la poesía esproncediana. Tantas se le han buscado que hubo momento en que el cantor de Teresa estuvo a punto de convertirse en simple repetidor o plagiario de lo que otros habían dicho. Con Espronceda se ha hecho una disección tal, que ningún poeta del mundo, por muy original que sea, la podría resistir. Sus mejores poesías líricas eran calcos de otras ya existentes: el *Himno al Sol* se inspiraba en Ossian y tenía «enjundia byroniana» [21]; el *Canto del cosaco* y el del *Pirata* acusaban la huella del mismo Byron y de Béranger; en otras—*El verdugo, El mendigo, El reo de muerte*—estaba presente Víctor Hugo. De los poemas, los mejores trozos eran también ajenos: especialmente *El diablo mundo* venía a ser poco más que una réplica de algún poema de Byron.

¿Qué hay de cierto en ello? Fué el mismo Espronceda, sin quererlo, quien hizo nacer la leyenda de su byronismo. Sabida es la anécdota del conde de Toreno que, preguntado si había leído a Espronceda, contestó: «No, pero he leído a lord Byron», añadiendo que le gustaban más los *originales*. Espronceda acusó el golpe de la peor manera, aludiendo en *El diablo mundo*

> Al necio audaz de corazón de cieno,
> a quien llaman el conde de Toreno,

con lo que logró atraer la atención de la crítica sobre un punto que de otro modo hubiera quedado un poco en penumbra. Después, todos recogen la leyenda: Gil Carrasco, su amigo íntimo; su otro amigo, no menos íntimo, Escosura; Antonio Ferrer del Río, su primer biógrafo; Cánovas del Castillo, en su estudio sobre *El Solitario y su tiempo*; el padre Blanco García, en la *Literatura española en el siglo XIX*, y, en general, todos los que le estudian en el pasado siglo. Pero ninguno se toma la molestia de señalar lo que en efecto debe Espronceda al romántico inglés. El único que ya en 1883 salió en defensa de la originalidad de nuestro vate fué Menéndez Pelayo, afirmando de una manera tajante que apenas si «pueden señalarse en las obras de Espronceda dos docenas de versos más o menos próximos a los del lord inglés» y que ambos se parecen entre sí «como se parecen todos los poetas que han sentido los estragos de la enfermedad moral del siglo, de la enfermedad de *Werther* y *René* [22].

La crítica moderna plantea de nuevo la cuestión. Fitzmaurice-Kelly escribe en 1898: «Si Toreno quiso dar a entender que Espronceda tomó a Byron por modelo, dijo una verdad llana»; su amigo, el hispanista Martin Hume, va más allá: «Espronceda copió a Byron casi servilmente»; Philip Churchman, en fin, de la Universidad de Harvard, publica (1909) su trabajo de más de 200 páginas *Byron and Espronceda*, en que con amplia documentación aspira a demostrar que Espronceda es un servil imitador del lord británico. En la acera de enfrente tenemos a Valera, que por primera vez trazó un paralelo entre los dos poetas, señalando sus analogías y divergencias; Cortón, que no ve entre ambos más puntos de semejanza que los que suelen existir entre dos poetas contemporáneos; Cascales Muñoz, que rebate uno por uno los argumentos de Churchman; César Barja, que después de adherirse a la tesis imitacionista termina por decir que la relación de Espronceda con Byron «no es más ni mayor que la que se da entre el noventa por ciento de los poetas románticos»; y, por último, en nuestros mismos días, Esteban Pujals, autor del estudio más concienzudo y meticuloso que hasta ahora se ha hecho sobre este problema [23]. Pujals, después de un análisis apuradísimo de las obras y hasta de la vida de los dos poetas, sin negar los posibles puntos de contacto y hasta cierta influencia por parte del inglés—no se olvide que nuestro poeta estuvo en Londres en la época más crítica de su vida—, termina por afirmar taxativamente la originalidad e independencia literaria de éste. «De dudarse todavía de ella—concluye—cabría dudar asimismo de la de Byron; y, llevadas las cosas a extremos de intransigente incomprensión, podría intentarse vulnerar la originalidad del inglés porque no titubea en aprovechar las leyendas y tradiciones de todos los países que visita, y toma de España a Don Juan, el héroe de su máximo poema, adornándolo con el españolísimo aparato escenográfico de conquistador con que lo presenta al mundo. Puestos en un plan de absurda obstinación, ni Cervantes ni Shakespeare conseguirían salvarse» [24].

Espronceda, pues, es nuestro gran poeta; poeta original e inspirado. Tal vez otros le superen en ciertos aspectos: el duque de Rivas, en perfección y técnica; Arolas, en atildamiento; Zorrilla, en armonía y fluencia. Pero hay una cosa en que él supera a todos: el estilo. Un estilo enormemente expresivo, lleno de fuerza, de vigor, de nervio, en que hasta los epítetos más vulgares se cargan de contenido poético.

III. OTROS LIRICOS MENORES

Menores porque, al lado de Espronceda, todos los que vamos a citar resultan pequeños. Algunos, sin embargo, en su tiempo y todavía en el nuestro, gozaron de merecida fama. El más destacado es Arolas; síguenle en importancia Gil y Carrasco, Pastor Díaz, Piferrer, Escosura y Romero Larrañaga.

El padre Arolas

El escolapio padre JUAN DE AROLAS (1805-1849), hombre de vida atormentada y agónica, nos dejó una copiosa colección de poesías, con evidente acento personal dentro del romanticismo [25]. De ordinario se suelen dividir en *narrativas, religiosas, amorosas, orientales* y *festivas*. En todas ellas cabe distinguir el sello de un auténtico poeta, más estimable por sus valores externos—fluidez versificatoria, cromatismo, armonía—que por su contenido emocional. Aunque catalán de nacimiento, Arolas era valenciano por adopción; y ello explica su trayectoria poética. Cogido en plena adolescencia por el torbellino romántico, que se produce en la ciudad levantina por obra y gracia de Cabrerizo, el editor y divulgador de los más afamados autores europeos de la nueva escuela, Arolas abre su alma de par en par a todas las sugestiones que le vienen tanto del extranjerc como de la misma España: Byron, Chateaubriand, Víctor Hugo, Lamartine, Rivas y Zorrilla, que, aunque más joven, había empezado a versificar casi en los umbrales de la niñez. De todos ellos recibe Arolas el color, la música y, sobre todo, lo exótico, tanto medieval como oriental. Por otra parte, su misma vida le empuja hacia un mundo lejano y fantástico, en que esconder y olvidar las realidades presentes. Religioso por profesión, atado al claustro con el indisoluble lazo de sus votos, pero con un alma extremadamente sensible a las solicitaciones del amor y con los sentidos siempre abiertos al halago de la carne, creyente por convicción y erótico por temperamento, Arolas se ve casi impelido a crearse un mundo de odaliscas, sultanas, esclavos y piratas. Es un refugio para sus sueños y un desahogo para su espíritu, solicitado por dos fuerzas contrarias: su religiosidad indudablemente sincera y los tirones de su sensualismo desmandado. La antinomia se resuelve, por fin, en la demencia que nubló su espíritu en la postrera fase de su vida, tan breve como desordenada [26]. Entre tanto, ese mundo, enteramente convencional y poblado de seres imaginarios, es la única válvula de escape a sus ansias de vivir y de gozar. En *La sílfide del Acueducto* (1837), una de sus mejores leyendas, parece que quiso reflejar este conflicto entre el amor profano y la conciencia religiosa, inclinándose decididamente del lado de aquél. Después, arrepentido, si hemos de creer al padre Torres, deseaba «poder recoger todos los ejemplares de *La sílfide* para quemarlos» [27].

Arolas escribió muchos poemas. Tenía una facilidad extraordinaria, casi excesiva, para la versificación [28]. Esto quizá perjudicó a la calidad de su obra, que se resiente de falta de cuidado. Sus mejores poemas son los que él mismo llamó *orientales*, inspirados especialmente en Víctor Hugo, pero con una acusada nota personal. Además de Hugo, suelen señalársele influencias de Byron, de los romances moriscos y de la traducción francesa de *Kalidasa*. «No conocía—dicen Hurtado y Palencia—las *Poesías asiáticas* del conde Noroña»; ignoramos el fundamento de esta afirmación y más bien opinamos lo contrario. Al menos hemos encontrado en Arolas una serie de coincidencias tales con ciertos poemas de la versión de Noroña que nos resistimos a creer sean producto de la casualidad. Entre sus orientales de tipo narrativo son dignas de conocerse: *Granada, La muerte de Alí, La sultana, Constantinopla, El harén, La yegua del árabe, Sacuntala* y *La odalisca*; entre las breves, de inspiración más sostenida, destacan: *Zaide, Amor y muerte, El árabe, Fakma* y *Acmet*.

De las religiosas, que abarcan casi la mitad de su obra, inspiradas principalmente en la Biblia y en Lamartine, merecen citarse: *Himno a la Divinidad, Himno de la mañana, La Creación, Sombras y luz* y el *Himno universal*.

En las eróticas sobresalen: las *Cartas amatorias*, imitación lejana de los clásicos latinos y más directamente de las *Heroicas* de Santibáñez; *La cita, Plegaria, El encanto* y, la más delicada de todas, *A una bella*, que lleva por estribillo: «Sé más feliz que yo»:

> Sobre pupila azul, con sueño leve,
> tu párpado cayendo amortecido,
> se parece a la pura y blanca nieve
> que sobre las violetas reposó;
> yo el sueño del placer nunca he dormido:
> Sé más feliz que yo.
>
> Se parece tu voz en la plegaria
> al canto del zorzal de indiano suelo,
> que sobre la pagoda solitaria
> los himnos de la tarde suspiró;
> yo sólo esta oración dirijo al cielo:
> Sé más feliz que yo.
> ....

En las leyendas—de las que la más conocida y extensa, aunque no la mejor, es *La sílfide del Acueducto*—nc tiene ni el vigor descriptivo del autor de *Margarita la tornera*, ni su poder evocador, ni su acierto en la pintura de caracteres. Tampoco el género festivo iba bien a la musa soñadora y excesivamente imaginativa de Arolas; tiene algunas narraciones y diálogos de tono satírico, entre las que destaca *La maestra y las novicias.*

En resumen: Arolas es un poeta fácil, imaginativo y pictórico. Su poesía, que llena casi siempre los ojos y el oído, rara vez pasa de la epidermis para adentrarse en el corazón. Cada poema suyo es un tapiz multicolor donde la falsa pedrería recubre por completo los escasos hilillos de oro que de trecho en trecho lo avaloran.

Más figuras

Otras figuras de menor relieve son: NICOMEDES PASTOR DÍAZ (1811-1863), escritor y político, que desempeñó altos cargos, entre ellos el de ministro y rector de la Universidad de Madrid. Cultivó la poesía, la novela, la oratoria y las ciencias morales. Como lírico se hace notar por cierta nota de melancolía y de tristeza muy a tono con su espíritu celta. «Pastor Díaz—escribe D. Plaja—es el poeta de las visiones alucinantes, de los desgarradores misterios de la soledad y de la negrura.» A veces esta negrura roza los linderos de lo lúgubre y macabro. Tiene todo el patetismo de Espronceda, pero sin su brío creador. Sus mejores composiciones, insertas en el libro *Poesías* (1840) son *A la luna, La mariposa negra, Al Eresma* y *Amor sin objeto.* Pastor Díaz gusta de metros originales, especialmente de la octava de pie quebrado, de tanta aceptación entre los románticos, a partir de Arjona. Es autor de la interesante novela *De Villahermosa a la China* (1858) y de una sugestiva *Galería de españoles célebres contemporáneos* (1841-1864), en nueve volúmenes.

ENRIQUE GIL Y CARRASCO (1815-1846), leonés, de Villafranca del Bierzo, a quien se aludirá con más detenimiento en el capítulo dedicado a la novela romántica, como autor de una de las mejores creaciones del género: *El señor de Bembibre,* en cuanto lírico, pertenece, como Díaz Pastor, a la escuela del Norte. Tiene la melancolía, la vaguedad y la dulzura de los poetas del grupo. Sus mejores composiciones son *Una gota de rocío,* la *Elegía a la muerte de Espronceda* y *La violeta,* uno de los más delicados brotes de nuestro romanticismo.

PATRICIO DE LA ESCOSURA (1807-1878), de Madrid, el gran amigo de Espronceda, discípulo como él de Lista y también como él miembro de Los Numantinos, aludido en otro lugar por sus novelas y dramas de carácter histórico, hizo poesías sueltas, de las que llevó mucha fama en su tiempo *El bulto vestido de negro capuz* (1835).

Novelista y dramaturgo como el anterior fué asimismo GREGORIO ROMERO DE LARRAÑAGA (1815-1872), autor de unas *Poesías* (1841) muy leídas en su época, entre las que alternan los motivos líricos y legendarios, a imitación de Zorrilla. La más conocida es la que lleva por título *El de la cruz colorada* una de las composiciones más garbosas y simpáticas de aquel tiempo.

Un lírico que en nada se parece a los anteriores es el barcelonés don PABLO PIFERRER (1818-1848). Arqueólogo, crítico musical e iniciador con Parcerisa de los *Recuerdos y bellezas de España,* que continuó Quadrado. Piferrer merece un puesto mucho más destacado del que suele otorgársele en la lírica castellana del XIX. Clásico en la forma, hace latir sus poesías con hondas vibraciones románticas. Sólo nos dejó siete composiciones en el minúsculo volumen publicado en Barcelona en 1851; pero en tan reducido número pueden escogerse tres o cuatro de primera calidad: *La cascada y la campana, Retorno de la feria,* y esa deliciosa *Canción de la primavera,* en que se funden felizmente motivos clásicos con aires y ritmos populares. Menéndez Pelayo la juzgó digna de figurar entre *Las cien mejores* de la lírica castellana.

Todavía cabría citar entre los líricos románticos a don MARIANO ROCA DE TOGORES (1812-1889), marqués de Molina, aludido como autor dramático en otro lugar, y que en sus *Romances* de carácter histórico se nos revela romántico, como antes se nos había revelado clásico en algunas odas y epístolas; a don SALVADOR BERMÚDEZ DE CASTRO (1814-1883), duque de Ripalda, que en sus *Ensayos poéticos* (1840), de fondo escéptico y pesimista, logró aclimatar la estrofa llamada *bermudina,* de gran aceptación en el siglo XIX y que no es otra cosa que una octava, con el cuarto y octavo verso en agudo; y a FERNANDO VELARDE (1821-1880), poeta santanderino, de vena desbordada y fulgurante inspiración, que ejerció en el romanticismo americano un influjo casi comparable al de Zorrilla y Espronceda. De él volveremos a ocuparnos en el capítulo correspondiente. Por Hispanoamérica anduvo también en su adolescencia otro romántico exaltado, JACINTO SALAS Y QUIROGA (1813-1849), coruñés, que destacó mucho en Madrid, como director y fundador de varias publicaciones, entre ellas el periódico *No me olvides,* de capital importancia para la historia de nuestro romanticismo. En *Poesías* (1834) y *Mis consuelos* se revela romántico nebuloso y plañidero. Escribió también un drama, *Claudina,* un libro de *Viajes* y dos obras históricas: *Historia de Francia* e *Historia de Inglaterra.*

Carolina Coronado

Casi no debiéramos incluir aquí, sino entre los líricos postrománticos, a una poetisa de gran temperamento y exquisita sensibilidad, que en su tiempo alcanzó muchos honores y laureles, y cuya vida se ha prolongado hasta bien entrado nuestro siglo: la extremeña doña CAROLINA CORONADO (1823-1911). Pero, teniendo en cuenta la fecha de aparición de sus mejores versos *(Poesías,* 1852) y la tónica que los informa, nos resolvemos a tratarla aquí [29].

Carolina Coronado—al revés de su contemporánea doña Gertrudis Gómez de Avellaneda, de estilo e ímpetu hasta cierto punto varonil [30]—quiso, ante todo, ser *poetisa*; es decir, llevar a sus versos la delicadeza, la ternura y el sentimiento, lleno de pudores y renunciaciones, de un alma femenina. Y lo logró cumplidamente. Alguna de sus composiciones—*La rosa blanca, A un poeta del porvenir, La palma, A una niña ahogada*—denuncian auténtica inspiración y un profundo sentimiento de la naturaleza. Pero entre todas sobresale *El amor de los amores,* remembranza lejana del salomónico *Cantar de los cantares,* en que la pasión humana en todas sus manifestaciones—deseo, tristeza, nostalgia, anhelo—alcanza su más sincera expresión, hasta elevarse con frecuencia a un clima de verdadero misticismo:

> A la gruta te llaman mis amores;
> mira que ya se va la primavera
> y se marchitan las lozanas flores
> que traje para ti de la ribera...

A veces su acento tiene matices de la más pura inocencia:

> ¿Cómo te llamaré para que entiendas
> que me dirijo a ti, dulce amor mío,
> cuando lleguen al mundo las ofrendas
> que desde oculta soledad te envío?
>
> A ti, sin nombre para mí en la tierra,
> ¿cómo te llamaré con aquel nombre
> tan claro que no pueda ningún hombre
> confundirlo al cruzar por esta sierra?

A menudo le nubla el espíritu un velo de temor.

> Y ¿por qué de mi vida has de esconderte?
> ¿Por qué no has de venir si yo te llamo?
> ¡Porque quiero mirarte, quiero verte
> y tengo que decirte que te amo!

De cuando en cuando surge tímidamente la queja:

> Como lirio del sol descolorido
> ya de tanto llorar tengo el semblante,
> y cuando venga mi gallardo amante
> se pondrá al contemplarlo entristecido...

Y, de cuando en cuando también, como en el soneto «¡Oh, cuál te adoro!», la pasión estalla incontenible, ardiente, arrolladora:

> Tú eres el tiempo que mis horas guía,
> tú eres la idea que mi mente asiste,
> porque en ti se concentra cuanto existe:
> mi pasión, mi esperanza, mi poesía.
> ....
> Tiemblo a tu voz y tiemblo si me miras,
> y quisiera exhalar mi último aliento
> abrasada en el aire que respiras.

Carolina Coronado mereció grandes elogios de Castelar, Valera, Espronceda y Donoso Cortés, estos dos últimos paisanos suyos. Hartzenbusch prologó sus poesías. En la novela y el teatro no tuvo éxito [31].

NOTAS

1. «La carta de *El tren expreso,* de Campoamor, es fiel resonancia de la de Espronceda.» (MORENO VILLA: Prólogo a las *Poesías y El estudiante de Salamanca,* «Clásicos Castellanos», XLVII, pág. XXVI.)

2. Los partes trimestrales, a que ya se refirió Escosura y que nos han sido suministrados por Cascales (*Espronceda: su época, su vida y sus obras,* págs. 309-12), demuestran que el colegio de San Mateo, en que se educó Espronceda, era el mejor centro docente de aquel tiempo. (Vid. E. PUJALS: *Espronceda y Lord Byron,* C. S. I. C., 1951, págs. 53-58.) Existe la certificación expedida por Lista, a intancias del mismo Espronceda, sobre los estudios realizados en el citado centro. Dice así: «El presbítero don Alberto Lista, regente de estudios que fué de la casa sita en la calle de San Mateo, de esta corte: Certifico, y en caso necesario juro, que don José Espronceda, alumno que fué de dicha casa, ha estudiado en ella, ya con otros profesores, ya bajo mi dirección particular, con aplicación y aprovechamiento, los siguientes ramos de enseñanza: 1. Dos cursos de Matemáticas, en los cuales dió los ramos de aritmética, álgebra, geometría, trigonometría plana, aplicación del álgebra a la geometría, a la geodesia, análisis de las curvas y de las tres dimensiones, secciones cónicas y álgebra trascendental. 2. Los idiomas latino, francés, inglés y rociones de lengua griega, en muchos de ellos premiado en los certámenes, tanto particulares como públicos, que se celebraban en dicha casa de educación. Y para que conste donde convenga, a solicitud del interesado, doy la presente.—Madrid, 24 de febrero de 1826.—*Alberto Lista.*»

3. Para nosotros es indudable que el alejandrino nada tiene que ver en su modalidad romántica con el viejo metro del «mester de clerecía». Nuestros poetas del XIX lo tomaron sencillamente de Francia, como habían hecho también los del siglo XIII y del XIV. Si lo hubieran tomado de Berceo, del Arcipreste de Hita o de Ayala, no habría resultado tan insufriblemente monótono, con su único ritmo yámbico, o de acentuación exclusiva en pares. Hubiera pasado en toda su variedad, es decir, alternando el ritmo yámbico y el anapesto, como se nos da en aquellos viejos poetas.

4. «Solamente admitiendo de una manera convencional la terminología vulgar, y así lo hacemos aquí, se puede hablar de versos de cuatro, tres, dos y una sílaba. Demasiado sabemos, no obstante lo que digan en contrario las preceptivas corrientes, que en castellano no hay unidades métricas inferiores a cinco sílabas.» (Vid. DÍEZ ECHARRI: *Teorías métricas del Siglo de Oro,* C. S. I. C., 1949, páginas 128-40.)

5. Véanse sus primeros versos:

> Son las tres de la tarde; julio; Castilla.
> El sol no alumbra, que arde; ciega, no brilla.
> La luz es una llama que abrasa el cielo;
> ni una brisa una rama mueve en el suelo.
> Desde el hombre a la mosca todo se enerva;
> la culebra se enrosca bajo la yerba;
> la perdiz por la siembra suelta no corre,
> y el cigüeño a la hembra deja en la torre.
> ....
> Sólo yo velo y gozo fresco y sereno,
> sólo yo de alborozo me siento lleno,
> porque mi Rosa,
> reclinada en mi seno,
> duerme y reposa.

6. Don Juan de Espronceda, padre del poeta, había nacido en Los Barrios (Campo de Gibraltar); pero era de ascendencia Navarra: de Tafalla. La madre, doña María del Carmen Delgado y Lara, vió la luz en Pinos del Valle (arzobispado de Granada).

7. «A Pepe Valls—escribe Escosura—le debí la fortuna de conocer al futuro autor de *El diablo mundo,* que no era entonces más que un muchacho listo y travieso, terror de la vecindad entera y calentura poética de su madre, señora tan honrada y hacendosa como de irritable condición y áspero genio... El padre dejaba al hijo hacer cuanto se le antojaba, dentro de tan amplios límites como el decoro y la probidad le consentían; y la madre desvelábase en atesorar para él, proporcionándole medios de buena, de excelente enseñanza, sin perdonar al efecto sacrificio de ningún género... Espronceda era entonces lo que Dios le había hecho y lo que a un muchacho de diez a once años correspondía: de su persona gentil, simpática, ágil, de entendimiento claro, de temperamento sanguíneo y a la violencia propenso; de ánimo audaz hasta

frisar en lo temerario, y de carácter petulante, alegre, y más inclinado a los ejercicios del cuerpo que al sedentario del estudio.» Aquí mismo nos refiere Escosura su primer contacto con el poeta. Citado por Valls en el patio de la casa de aquél para hacer la presentación, Espronceda los ve desde su balcón del tercer piso y, para ahorrar tiempo, se descuelga por el canalón como un acróbata, desechando en su impaciencia el fácil camino de la escalera.

8. «Se recuerda con gusto—estamos copiando de Moreno Villa—el esbozo que hace don Patricio de la Escosura a propósito de Lista y de la casa y habitación donde... recibían las lecciones. Estaba el colegio en un edificio de humilde apariencia, de dos balcones por piso a la fachada, un portal de la época, ni claro ni limpio, y una escalera empinada y oscura. Les abría la puerta una moza burda y zahareña, que se sorprendía oyéndoles hablar de senos y cosenos con un señor tan respetable como don Alberto. La sala donde éste los recibía era pequeña, esterada de esparto blanco en invierno; en verano presentaba el desnudo rojo de sus ladrillos. Adosadas a las paredes había unas sillas oscuras de Vitoria, y en el centro, una mesa de camilla con sus faldas verdes y su tapete de hule negro. Invariablemente hallaban todos los días a don Alberto leyendo junto a la mesa, muy pegado al libro, porque era cegato, a más de singularmente feo. Usaba larga y ancha levita negra y un gorro también negro y con borla en lo más alto. Nunca se apercibía de la entrada de los chicos a causa de su abstracción, y cuando los notaba, como no los divisaba, decía solamente: "Beso a usted la mano".»

9. Los principales socios y fundadores de Los Numantinos fueron Espronceda, Ortiz Amor, Escosura, Núñez de Arenas, Ventura de la Vega, Barrera y Tejero.

10. *De Gibraltar a Lisboa. Viaje histórico.* Fué escrito por el mismo Espronceda y publicado en *El Pensamiento* (1841).

11. Cascales Muñoz, el más concienzudo biógrafo de Espronceda, desmiente el idilio de éste y Teresa en Portugal.

12. Es de lo más flojo que conocemos de Espronceda; se compone de un romance y un «Coro de vírgenes», en que se leen estrofas como ésta:

Danos, noche, tu lúgubre manto,
nuestras frentes enlute el ciprés;
el robusto cayó; su sepulcro
del inicuo mancharon los pies.

13. La publicó en 1870, con un prólogo probablemente de Escosura, su hija Blanca.

14. Antes de enamorarse honestamente de la señorita Beruete sostuvo relaciones íntimas con la esposa de un general, doña Carmen Osorio, mujer tan hermosa como casquivana, a quien Espronceda dedicó sus poesías en el bellísimo soneto «Marchitas ya las juveniles flores...» Bernarda Beruete guardó con toda fidelidad la memoria del poeta, permaneciendo soltera hasta su muerte, ya en edad avanzada. «Vestal de su propio recuerdo—escribe Cortón—, no quiso nunca ser infiel a su malogrado amor... Vistió siempre de luto, y mientras vivió, nunca faltaron frescas flores en el sepulcro de Espronceda.»

15. En *Recuerdos del tiempo viejo*, Madrid, 1882, capítulos VI y VII.

16. Se han venido atribuyendo a Espronceda dos composiciones indignas de su nombre, *Desesperación* y *Arrepentimiento*, sin más base para tal atribución que el venir incluídas desde antiguo en algunas ediciones de sus obras. No hay por qué molestarse en exonerar al cantor de Teresa de semejante desafuero. Porque eso son, en definitiva, esas composiciones : dos flagrantes desafueros contra la poesía y el buen gusto. Pedestres, chabacanas e incorrectas métricamente, no son, no pueden ser de Espronceda. El crítico menos sagaz lo advierte en seguida. Según M. García Soriano, *Arrepentimiento* figura en alguna revista de mediados del XIX a nombre de don Juan Rico Amat, poeta mediocre, contemporáneo de Espronceda. El mismo Amat o algún editor desaprensivo incorporó a las obras de aquél esas dos detestables piezas, no sabemos con qué finalidad.

17. Como esta octava, que podía muy bien pertenecer a *El estudiante de Salamanca*:

Y luego oyó rumor de cien cadenas,
crujir los huesos, rechinar los dientes,
y abismos contempló de eternas penas,
inmensurables, lóbregos, ardientes;
oyó voces de horror y espanto llenas,
batieron palmas las precitas gentes,
y oyó también por mofa en su agonía
bárbaras carcajadas de alegría...

18. Hela aquí:

Pálido el rostro, cejijunto el ceño
y torva la mirada, aunque afligida,
y en ella un firme y decidido empeño
de dar la muerte o de perder la vida,
un hombre entró, embozado hasta los ojos,
sobre las juntas cejas, el sombrero;
vibrale al rostro el corazón enojos,
el paso firme, el ánimo altanero.
....

Junto a don Félix llega..., y, desatento,
no habla a ninguno, ni aun la frente inclina.
Y, en pie delante de él, y el ojo atento,
con iracundo rostro le examina.
Miró también don Félix al sombrío
huésped, que en él los ojos enclavó,
y con sarcasmo desdeñoso y frío,
fijos en él los suyos, sonrió.

19. Así lo declara el autor. Canto I:

Nada menos te ofrezco que un poema
con lances raros y revuelto asunto,
de nuestro mundo y sociedad emblema,
que hemos de recorrer punto por punto.
Si logro yo desenvolver mi tema,
fiel traslado ha de ser, cierto trasunto
de la vida del hombre y la quimera
tras de que va la Humanidad entera.

20. El P. Miguel Mir, primeramente, y después Cascales, han defendido la tesis de que el magnífico *Canto* se escribió en dos momentos separados por largo intervalo de tiempo. «La primera parte—sugiere Cascales—debió de estar escrita algunos años antes de 1840, quizá en el mismo de la separación, bajo la impresión de la reciente desventura.» Pujals *(ob. cit.*, pág. 187, nota) cree poder establecerse el corte concretamente en la octava 25 («Y llegaron en fin... ¡Oh! Quién impío...»). Hasta ese punto, el sentimiento que predomina es el de melancolía, dulzura y suavidad; a partir de él, todo es despecho, amargura y hasta sarcasmo.» Nosotros, sin embargo, no terminamos de descubrir sino un proceso único, con dos fases lógicamente trabadas entre sí.

21. J. J. DOMENCHINA : *Obras poéticas completas de Espronceda,* resumen biográfico, pág. 84.

22. *Estudios y discursos de crítica histórica y literaria,* VII, C. S. I. C., 1942, págs. 274-76. La semblanza que hace don Marcelino en esas tres páginas es definitiva.

23. ESTEBAN PUJALS : *Espronceda y Lord Byron,* 1951. C. S. I. C.

24. PUJALS : *Ob. cit.,* págs. 485-86. Aparte de la bibliografía que va al final de este capítulo, consúltese : E. Gil y Carrasco, *Semanario Pintoresco* (12 julio 1840); A. Ferrer del Río, biografía de Espronceda, en *Galería de la literatura española* (1846); Patricio de la Escosura, cinco artículos sobre Espronceda publicados en la *Ilustración Española y Americana* (1876) y el Discurso leído en la Real Academia Española (1870), que figura al frente de las *Obras poéticas y escritos en prosa de Espronceda* (Madrid, 1884); A. Cánovas del Castillo, *El solitario y su tiempo,* vol. I, pág. 116 (Madrid, 1883); J. Zorrilla, *Recuerdos del tiempo viejo,* vol. I, pág. 48 (Madrid, 1882); Barcia, *Diccionario etimológico,* vol. II (Madrid, 1881); Fitzmaurice-Kelly, *A History of Spanish Literature* (Londres, 1898); Martin Hume, *Spanish Influence on English Literature* (Londres, 1905); J. Valera, Continuación de la *Historia de España* de M. Lafuente, t. VI, 1, XIII, cap. II; E. Piñeyro, Estudio sobre Espronceda, en *El romanticismo en España* (París, 1904), y *Un imitador español de Byron,* en «Poetas famosos del siglo XIX» (Madrid, 1883); Cortón, *Espronceda* (Madrid, 1906); Philip Churchman, *Byron and Espronceda,* en «Revue Hispanique», XX, 1909; J. Moreno Villa, Prólogo a las *Poesías* de Espronceda, en «Clásicos Castellanos», XLVII y L. César Barja. *Libros y autores modernos* (Madrid, 1924; G. Brereton, *Quelques précisions sur les sources d'Espronceda* (París, 1933); E. Allison Peers, *A History of the Romantic Movement in Spain* (Cambridge, Univ. Press, 1940); A. Cortés, *Espronceda* (Valladolid, 1942).

25. Nace en Barcelona, en 1805, hijo de un comerciante acaudalado. Hace en Reus sus primeros estudios, y en 1814 las especulaciones mercantiles de su padre le llevan a Valencia, donde entra como alumno en las Escuelas Pías. En 1819 pasa de novicio a Peralta de la Sal; allí se entrega con increíble afán al estudio, especialmente de los clásicos, hasta el punto de que sus superiores le tie-

nen que esconder los libros en más de una ocasión. Compone entonces ya sus *Cartas amatorias*, inspiradas en los líricos latinos y, más directamente, en las dos *Heroidas* de Santibáñez. Hecha la profesión (1821), es trasladado a Zaragoza, para estudiar filosofía, y luego a Valencia, para cursar estudios teológicos. En el Colegio Andresiano de la ciudad del Turia profesa sintaxis y latinidad hasta el 1842. Durante este tiempo se relaciona con los ingenios más destacados de Valencia, colabora en periódicos y revistas y escribe incansablemente versos, que le dan no pequeña fama. En 1844, la locura, que ya le rondaba de cerca desde años atrás, le acometió de improviso, y en completa demencia pasó la última etapa de su vida (1844-1849).

26. «Su demencia, en un principio tranquila—estamos copiando de Lomba y Pedraja—, se hizo después violenta, y hubo que encerrarle en una celda estrecha, en que vino a terminar su vida. Desbarraba con amores y con grandezas. Ora se creía en el Asia, revolcándose entre esmeraldas y topacios y respirando la esencia de aromáticos pebeteros..., ora contaba las hazañas de Polonia y las esperanzas de Abd-el-Kader. Desgarraba la ropa que le vestían...» *(El P. Arolas: su vida y sus versos*, pág. 38.)

27. P. HERMENEGILDO TORRES: *Arolas* («Revista Calasancia», XIII, pág. 19).

28. Escribía versos de encargo con increíble rapidez. De ellos sacaba no pocas ganancias. Sobre su facilidad para improvisar se cuenta la anécdota de aquel párroco que le dió cinco duros para que hiciese unos poemas con destino a un festival. Arolas se puso a escribir sobre la marcha; llenó en pocos minutos tres pliegos de barba, y como el cura le dijese que ya era bastante, el poeta replicó: «O faltan dos pliegos o sobran dos duros.»

29. Natural de Almendralejo, como Espronceda, que le dedicó, muy joven aún ella («Dicen que tienes trece primaveras»), una de sus poesías. A los veinte años era ya conocida y alabada en España y América. Casada con un diplomático norteamericano; de extraordinaria belleza y simpatía, viajó mucho, y luego convirtió su casa de Madrid en uno de los más elegantes centros de reunión de la sociedad intelectual. Viuda ya, se retiró a su palacio de Mitra (Portugal), donde pasó una larga vejez, rodeada del respeto y admiración de todos.

30. Conocida es la frase de Bretón de los Herreros, relativa a la Avellaneda: «Es mucho hombre este mujer.»

31. Obras dramáticas: *Alfonso IV de León, Petrarca* y *El divino Figueroa*; novelas: *La luz del Tajo, Paquita, La enclaustrada, Jarilla* y *La Sigea*, sobre la famosa poetisa y humanista española del siglo XVI.

BIBLIOGRAFIA

I. Obras generales: N. ALONSO CORTÉS: *Las cien mejores poesías del siglo XIX*, selec. y pról. de..., Afrodisio Aguado, Madrid, 1956.—Padre F. BLANCO GARCÍA: *La literatura española en el siglo XIX*, 3 vols., 2.ª ed., 1899.—G. DÍAZ-PLAJA: *La poesía lírica española*, manuales «Labor», 2.ª ed., págs. 290-340, 1948.—J. GÓMEZ HERMOSILLA: *Juicio crítico de los principales poetas de la última era*, Valencia, 1842.—A. GONZÁLEZ PALENCIA: *Las mejores poesías románticas del siglo XIX*, selec. y pról. de..., Madrid, 1930.—E. PIÑEYRO: *Poetas famosos del siglo XIX*, Madrid, 1883.—F. C. SAINZ DE ROBLES: *Historia y antología de la poesía castellana* («Romanticismo», págs. 155-82 y 829-1.022), Edit. Aguilar, Colec. «Obras Eternas», Madrid, 1946.—H. SERIS: *The Second Golden Age of Spain Literature* (esta 2.ª Edad de Oro se refiere al s. XIX), Miami, «Hispanic Amer. Studies», núm. 1, 1939.—J. VALERA: *Del romanticismo en España y en Espronceda*, «Obras completas», II, Edit. Aguilar, Madrid, 1942; el mismo: *La poesía lírica y épica en la España del siglo XIX*; el mismo: *Florilegio de poesías castellanas del siglo XIX* (5 volúmenes), Madrid, 1905.

II. N. ALONSO CORTÉS: *Espronceda*, Valladolid, 1942; el mismo: *Los continuadores de «El diablo mundo»*, «Anotaciones Literarias», 1921.—E. ALLISON PEERS: *Light-Imagery in «El estudiante de Salamanca»*, «Hisp. Review», 1941.—L. BANAL: *Il pessimismo di Espronceda*, «Rev. Crítica», IV, núm. 4, 1918.—A. BONILLA Y SAN MARTÍN: *El pensamiento de Espronceda*, «Esp. Moderna», CCXXXIV, 1908.—J. CAMPOS: Pról. a la ed. de *Obras completas* (Biblioteca de Aut. Españoles), Madrid, 1954.—E. CAPDEVILA: *Enfoque argentino de Espronceda*, «Nosotros», Buenos Aires, 1942.—J. CASALDUERO: *Forma y visión de «El diablo mundo», de Espronceda*, «Insula», Madrid, 1951.—J. CASCA-LES MUÑOZ: *Don José de Espronceda: su época, su vida y sus obras*, Madrid, 1914; el mismo: *La verdad sobre la vida y las obras de Espronceda*, pról. a las «Obras poéticas de E.», Madrid, 1924.—H. CASTILLO: *Filosofía y arte de Espronceda*, «Hispania», Washington, 1951.—A. CORTÓN: *Espronceda*, «Bibl. de Aut. Célebres», Madrid, 1906.—J. DE LAS CUEVAS: *Genio e ingenio de don José de Espronceda*, Sevilla, 1943.—PHILIP H. CURCHMAN: *Some Espronceda's Miscellany*, «Revue Hispanique», 1922; el mismo: *An Espronceda's Bibliography*, «Revue Hispanique», 1907; el mismo: *Byron and Espronceda*, «Revue Hispanique», 1909.—J. J. DOMENCHINA: Pról. a las *Obras poéticas de Espronceda*, Edit. Aguilar, Madrid, 1946.—J. A. DREPS: *Was José de Espronceda an innovator in metrics?*, «Philological Quarterly», XVIII, 1939.—J. ENTRAMBASAGUAS: *Homenaje a Espronceda en el primer centenario de su muerte*, «Rev. Centro Est. Extremeños», Badajoz, 1942.—P. DE LA ESCOSURA: Disc. de ingreso en la Real Acad. Esp. sobre Espronceda, Madrid, 1870.—R. FOULCHÉ-DELBOSCH: *Quelques réminiscences dans Espronceda*, «Revue Hispanique», XXI, 1909.—F. GARCÍA LORCA: *Espronceda y el paraíso*, «The Romanic Review», Nueva York, 1952.—G. GUASP: *Espronceda*, Madrid, 1929.—A. HAMEL: *Der Humor bei José de Espronceda*, «Zeitschrift für Romanische Philologie», Halle, 1921.—A. LENZ: *Contribution à l'étude d'Espronceda*, «Revue Hispanique», 1922.—A. LÓPEZ ARGÜELLO: *Zorrilla y «El diablo mundo»*, «Hom. a Miguel Artigas», I.—J. LÓPEZ NÚÑEZ: *José de Espronceda*, 1919.—J. LÓPEZ PRUDENCIO: *Espronceda. Observaciones*, «Rev. de Est. Extremeños», Badajoz, 1942.—V. LLORENS: *El original inglés de una poesía de Espronceda*, «Nueva Rev. de Filol. Hisp.», Méjico, 1951.—A. MARICHALAR: *Espronceda, además lírico*, «Rev. de Occidente», Madrid, 1936.—PILADE MAZZEI: *La poesia di Espronceda*, «Nuova Italia», editrice, Florencia, 1935.—E. PUJALS: *Espronceda y Lord Byron*, anexos de la «Rev. de Liter.», C. S. I. C., Madrid, 1951.—J. ROMANO: *Espronceda (El torbellino romántico)*, Edit. Nacional, Madrid, 1949.—E. RODRÍGUEZ SOLÍS: *Espronceda. Su época, su vida y sus obras*, Madrid, 1883.—E. SEGURA COVARSI: *Espronceda y el Tasso*, «Rev. Literaria», 1953.—WALTER T. PATTISON: *On Espronceda's Personality*, Public. of the Modern Language Assot. of America, Nueva York, 1946.

III. J. R. LOMBA Y PEDRAJA: *El Padre Arolas. Su vida y sus versos*. Estudio crítico, Sucesores de Rivadeneyra, Madrid, 1898.—E. LLUCH ARNAL: *En torno a unas leyendas: Porta-Coeli, el P. Arolas y don Vicente Boix*, «Anales del Centro de Cult. Valenciana», Valencia, 1952.—J. H. MUNDI: *Some Aspects of the Poetry of Juan Arolas*, «Liverpool Stud.», 1940.—E. CHAO ESPINA: *Pastor Díaz dentro del Romanticismo*, anexo XLVI de la «Rev. de Filol. Esp.», Madrid, 1949.—J. DEL VALLE MORE: *Pastor Díaz. Su vida y su obra*. Habana, 1911.—N. ALONSO CORTÉS: *Un centenario (Enrique Gil y Carrasco)*, «Rev. Castellana», Valladolid, 1915.—J. CAMPOS: Pról. a las *Obras completas de Enrique Gil y Carrasco*, ed. Atlas (Bibl. de Aut. Españoles), Madrid, 1954.—J. M. GOY: *Enrique Gil. Su vida y sus escritos*, Astorga, 1924.—R. GULLÓN: *Cisne sin lago. Vida y obra de E. Gil y Carrasco*, «Insula», Madrid, 1951.—J. R. LOMBA Y PEDRAJA: *Enrique Gil y Carrasco. Su vida y obra literaria*, tesis doctoral, «Rev. Filol. Esp.», 1915.—D. GEORGE SAMUELS: *Enrique Gil y Carrasco. A Study in Spanish Romanticism*, Hispanic Institute, Nueva York, 1939.—LUSTONO: *Patricio de la Escosura*, «Ilustr. Esp. y Americana», 1899.—A. INIESTA ONIEGA: *Patricio de la Escosura. El hombre de las transformaciones*, «Rev. Literaria», IX, 1956.—N. ALONSO CORTÉS: *Un romántico (Romero Larrañaga)*, «Anotaciones Liter.», Valladolid, 1922.—J. LUIS VARELA: *Romero Larrañaga: su vida y obra literaria*, anexos de «Cuad. de Literatura», C. S. I. C., Madrid, 1948.—*Romero Larrañaga: crítica de sus poesías*, «Semanario Pintoresco», 1841.—«AZORÍN»: *Piferrer y los clásicos*, Barcelona, 1913.—M. MENÉNDEZ PELAYO: *Estudios y discursos de crítica...*, sobre Piferrer, vol. V, 162, y VII, 280, ed. C. S. I. C.—J. RUBIÓ Y ORS: *Piferrer considerado desde el punto de vista de su invención artística*.—J. SARDÁ: *Necrología de Piferrer*, «Ilustr. Catalana», Barcelona, 1884.—J. CASCALES MUÑOZ: *Biografía de Carolina Coronado*, «España Moderna», 1911.—E. CASTELAR: *Doña Carolina Coronado*, «La América», V, 1869.—N. DÍAZ Y PÉREZ: *En honor de una extremeña (Carolina Coronado)*, «Rev. Contemporánea», II, 1890.—P. GÓMEZ DE LA SERNA: *Mi tía Carolina Coronado*, Buenos Aires, 1944.—M. MUÑOZ DE SAN PEDRO: *Carolina Coronado. Notas y papeles inéditos*, «Indice de Artes y Letras», Madrid, 1953.—E. ALARCOS LLORACH: *Un romántico olvidado: Jacinto de Salas y Quiroga*, «Castilla», Valladolid, 1946.—ADOLFO DE SANDOVAL: *Carolina Coronado y su época*, Zaragoza, 1944.

CAPITULO LXIV

LA PROSA ROMANTICA EN ESPAÑA: NOVELA HISTORICA Y FOLLETIN

I. LA NOVELA ROMÁNTICA.—II. NOVELA HISTÓRICA: *Primeros imitadores de Walter Scott: López Soler, Trueba y Cossío, Cosca y Bayo, Espronceda, Escosura. Enrique Gil y Carrasco. Francisco Navarro Villoslada. Segunda época de la novela histórica.*—III. NOVELA ROMÁNTICO-FILOSÓFICA: *«Las ruinas de mi convento», de Patxot. «De Villahermosa a la China», de Pastor Díaz.*—IV: NOVELA FOLLETINESCA: *Fernández y González. Otros «folletinistas»: Antonio Flores, Ayguals de Izco, Pérez Escrich, Ortega y Frías, Tárrago Mateos, Nombela, Parreño.*—NOTAS.—BIBLIOGRAFÍA.

I. LA NOVELA ROMANTICA

El Romanticismo provoca en España un resurgimiento de la novela, si bien en menor escala que el de otros géneros: poesía y teatro. Mientras éstos alardean desde su principio de cierta independencia y originalidad, la novela romántica suele reducirse a simple remedo de ingleses y franceses[1]. La verdad es que, en el género novelístico, España no produjo durante el Romanticismo un Walter Scott, un Manzoni, un Víctor Hugo, ni siquiera un Merimée o un Alejandro Dumas.

En la novela romántica española cabe distinguir dos direcciones: la *histórica,* a la manera de W. Scott, y la *social,* a la manera de Jorge Sand. Degeneración de ambos tipos es la llamada «novela por entregas», en que lo histórico se convierte en una serie de aventuras descabelladas, y lo social pasa a socialistoide, con el consiguiente halago de bajas pasiones y un sentimentalismo del peor gusto. Se imita a Sué, a Soulié y a otros; y son sus más conspicuos cultivadores Pérez Escrich, Ayguals de Izco, Fernández y González, Ortega y Frías, Tárrago Mateos, etc.

Cabe señalar otro tercer tipo de novela romántica, con escasa representación en España, ya que apenas ofrece otras muestras que *Las ruinas de mi convento,* de Fernando de Patxot, y *De Villahermosa a la China,* de Nicomedes Pastor Díaz. Puede en cierto modo considerarse género de transición, ya que si el análisis psicológico refleja por un lado la herencia del XVIII, bajo el influjo de Goethe, Sénancourt y Hugo Foscolo—*Werther, Oberman* y *Las últimas cartas de Jacobo Ortiz*—, por otra parte preludia, dada la contemporaneidad de los sucesos que la inspiran, el realismo costumbrista iniciado, al promediar el siglo XIX, por Fernán Caballero.

II. NOVELA HISTORICA

Es un género que apenas ha tenido cultivadores en España antes del Romanticismo. El teatro iniciado por Lope de Vega y gloriosamente continuado por otros dramaturgos supo hallar en las crónicas y leyendas de la historia patria un venero inagotable de temas, que llegaron a constituir el grupo tal vez más nutrido de nuestra comedia del Siglo de Oro. No ocurrió lo mismo en la novela. Fiel al modelo cervantino, busca preferentemente su inspiración en el costumbrismo, en las mil facetas del problema amoroso o en las complicadas aventuras de damas y galanes. La novela histórica del Siglo de Oro, de no incluir en el género algunas obras de falsa geografía y de empresas caballerescas o libros de edificación y entretenimiento, como el *Reloj de príncipes,* de fray Antonio de Guevara, se reduce a la de tema morisco, de tanta influencia en Europa, y ya estudiada en otro lugar. Pero este tipo de novela para nada influye en el romanticismo español, que toma por modelos casi exclusivos del género, primero a Walter Scott, y luego a Víctor Hugo y otros franceses de menos fuste. Ya afirmaba Estébanez Calderón que los novelistas españoles de su tiempo eran simples remedadores del escritor escocés; y Larra, sin duda el más original de ellos, sólo ve la Edad Media a través de los ojos del mismo Walter Scott, cuyo *Ivanhoe* le suministra la técnica y el patrón para *El doncel de don Enrique «el Doliente».*

Inútil, huelga decirlo, buscar en nuestros novelistas románticos nada que se parezca a una reconstrucción arqueológica; inútil asimismo pedirles ambientación y clima. Todo lo que saben darnos son unos cuantos cuadros coloristas, y algunos caracteres agitados por la pasión.

Se puede distinguir en la novela histórica dos épocas:

De imitación clara de W. Scott: con López Soler, Trueba y Cossío, Gil Carrasco, Espronceda, Martínez de la Rosa, Larra, Estébanez Calderón y Patricio de la Escosura, como máximos representantes.

De nacionalización: con cierta tendencia, no siempre definida, a declararse independiente. Está representada por Cánovas del Castillo, Amós de Escalante, Navarro Villoslada, Leandro Herrero, Eguílaz y otros. Patxot y Pastor Díaz encarnan la tendencia de actualización temática, ya antes aludida.

Primeros imitadores de Walter Scott

En el epígrafe correspondiente a los costumbristas, capítulo siguiente, se alude a Larra y a Estébanez Calderón como autores de novelas históricas. En su lugar se aludió a otros, como Martínez de la Rosa, autor de una *Doña Isabel de Solís, reina de Granada* (1837), pálida y desvaída narración de ambiente morisco.

La primacía del género corresponde al barcelonés RAMÓN LÓPEZ SOLER (1806-1836)[2], figura de excepcional importancia en los comienzos del Romanticismo, como director e impulsor que fué de uno de los órganos de difusión más decisivos de la nueva escuela: *El Europeo.* Soler publica, en 1830, *Los bandos de Castilla,* con notorias influencias de *Ivanhoe.* En su prólogo, que tiene carácter de manifiesto, se anuncia como finalidad de la novela la de «dar a conocer el estilo de Walter Scott y manifestar que la historia de España ofrece pasajes tan bellos y propios para despertar la atención de los lectores como los de Escocia e Inglaterra»; se nos habla de la necesidad de fundir la verdad histórica con la verdad moral y se aboga por un lenguaje acomodado al género, justificando los anacronismos en gracia a la amenidad y exactitud del relato. Al fin, el autor discurre sobre los conceptos de lo Clásico y lo Romántico. Por cierto que ya se asignan como notas específicas de este último la soledad, la noche y la rumia de «recónditos pesares». *Los bandos de Castilla,* que tiene por fondo la agitada Corte de Juan II durante la privanza de don Alvaro de Luna, abunda en lances caballerescos, hábilmente combinados con escenas de amor y odio, y está redactada en un estilo rápido, que con frecuencia abusa del lirismo. El éxito alcanzado empujó a Soler por el camino emprendido; sólo que

de la influencia de Walter Scott pasó a la de Víctor Hugo, cuya conocidísima *Nuestra Señora de París* imitó en *La catedral de Sevilla,* publicada con el seudónimo de *Gregorio Pérez de Miranda.* Con el mismo seudónimo escribió *Kar-Osmán, Jaime «el Barbudo»* y *El primogénito de Alburquerque.*

Por los mismos años, el santanderino TELESFORO DE TRUEBA Y COSSÍO (1799-1835)[3] popularizaba en Inglaterra, adonde había emigrado en 1823, la mayor parte de nuestro Romancero con su célebre *The romance of history of Spain* (1827?). La obra de Trueba y Cossío, que tuvo enorme aceptación, fué traducida al francés por C. A. Defaucaufret, con el título de *L'Espagne romantique* (1832); y al castellano, con el mismo título (1840), por Andrés T. Mangláez. Pero Trueba y Cossío había escrito ésta en inglés, lo mismo que sus otras novelas, muy estimadas por Walter Scott. Y así, en 1831, se traduce al castellano su *Gómez Arias, o los moriscos de las Alpujarras;* y hasta 1845, diez años después de muerto Trueba, no se traduce *El castellano, o el príncipe Negro en España,* que ya con anterioridad había sido vertida al francés. Las leyendas más logradas son *Los siete infantes de Lara, La judía de Toledo, Los hermanos Carvajales, El asistente de Sevilla* y *Aben-Humeya,* temas todos ellos archirrepetidos en nuestra historia literaria y que nos relevan de todo comentario. Trueba había partido del campo clásico para terminar en el romanticismo; en su repertorio teatral encontramos comedias de corte moratiniano (*Dos caballeros de industria, Casarse con cincuenta mil duros, El seductor moralista,* etcétera) junto a dramas plenamente románticos (*Elvira*). También imitó a Walter Scott en el poemita *La renegada,* sobre doña Isabel de Solís.

El mismo año que *Los bandos de Castilla* aparecía el relato histórico *Grecia, o la doncella de Misolonghi* (1830), de ESTANISLAO DE COSCA Y BAYO, obra cuya endeblez argumental se compensa con el cuidado del lenguaje. A esta novela siguieron otras del mismo autor: *La conquista de Valencia por el Cid, Los expatriados, o Zulema y Gazul, Juana y Enrique, reyes de Castilla.* Cosca era ante todo historiador; lo fué de Fernando VII; de ahí sus exploraciones al campo de la novela. En el género costumbrista escribió *Aventuras de un elegante, o las costumbres de hogaño* (Valencia, 1832).

Ya se hizo mención en otro lugar de *Sancho Saldaña, o el castellano de Cuéllar,* pecado venial que hay que perdonar a Espronceda en gracia a los versos inmortales que nos dejó. El autor de *El diablo mundo* no se conformaba con ser un altísimo poeta y quiso—siguiendo una moda de la época—con su *Sancho Saldaña* explorar el campo de la novela histórica, como había de explorar el del drama con *Blanca de Borbón.* La experiencia resultó fallida. Por cualquier lado que se tome, la obra acusa desaliño, torpeza e inhabilidad en el manejo de los materiales disponibles. Más que una novela es una serie de retazos y de apuntes que no aciertan a ensamblarse e hilvanarse entre sí. Temperamento apasionado, Espronceda no sabe o no quiere detenerse en una labor de ordenación, de selección y de acomodamiento de las piezas. *Sancho Saldaña*, además, está escrita con desgana, que se acusa en el estilo poco movido y en el abuso evidente de lo folletinesco. El autor no ha logrado sacar partido del conflicto de Leonor de Iscar, obligada a escoger entre la muerte de su hermano y el matrimonio con el odiado Sancho. Era ésta una de esas situaciones dramáticas que en manos de un escritor hábil siempre se traducen en logros definitivos. Aun con estos defectos, *Sancho Saldaña* tiene cosas destacables; ejemplo, el carácter del protagonista, prototipo del héroe romántico [4].

Siguiendo el camino abierto por Walter Scott, al igual que los anteriores, PATRICIO DE LA ESCOSURA (1807-1878), ya estudiado como poeta y dramaturgo en otro lugar, publica, en 1832, *El conde de Candespina*, evocación del turbulento reinado de doña Urraca de Castilla y de la minoría de Alfonso VII. Lo inverosímil y complicado de los lances, el hacinamiento de episodios, el desorden de la narración, las digresiones superfluas y el abuso de lo maravilloso dan carácter a la obra, que queda por ello definida como uno de los peores engendros del romanticismo histórico. En 1836 apareció *Ni rey ni Roque*, sobre el «pastelero de Madrigal» o supuesto don Sebastián, tema predilecto de los románticos. Escosura, que no escatima lo folletinesco y anacrónico, aprovecha la ocasión para insertar unas cuantas diatribas antiinquisitoriales y alardear de paso de un vago filantropismo muy siglo XVIII. Ambas notas, la fobia contra ciertas instituciones y la filantropía, aparecen aún más marcadas en *El patriarca del valle*, imitación de *El judío errante*, de Eugenio Sue. Con esta novela, cuyo ideario ha de explicarse como un residuo de la filosofía dieciochesca más que como un anticipo del socialismo moderno, Escosura parece querer acercarse a los problemas de su tiempo, en un intento de renovación de la España tradicional. Al mismo anhelo renovador responde su *Estudio sobre las costumbres españolas*. Pero todavía había de volver su mirada al pasado con *La conjuración de Méjico, o los hijos de Hernán Cortés*, farragosa novela que aspira a reconstruir la vida y costumbres de aquel país en los primeros tiempos del coloniaje.

«El señor de Bembibre», de Gil y Carrasco

Enjuiciada en otros capítulos la obra lírica y crítica de ENRIQUE GIL Y CARRASCO (1815-1846) [5], sólo nos resta aludir aquí a *El señor de Bembi-* *bre* (1844), considerada como la mejor novela histórica de nuestra literatura, a no ser que otorguemos este honor a alguna producción de Navarro Villoslada. El sentimentalismo y la melancolía características del autor trascienden a la novela, prestándole singulares encantos. Merece subrayarse el sentimiento del paisaje, que siempre marcha acorde con el estado psicológico de las personas y con el curso de la acción. Sírvele de escenario la región del Bierzo, de la que se nos dan brillantes descripciones, y de tema fundamental la disolución de los templarios en España.

Doña Beatriz, enamorada de don Alvaro, es obligada a contraer matrimonio con el despótico conde de Lemus. Entra aquél en la Orden del Temple; pero las fuerzas de Lemus ponen sitio al castillo de Monforte, donde se halla don Alvaro. Los dos rivales llegan a encontrarse cara a cara, y cuando don Alvaro va a dar muerte al conde, se le adelanta el comendador de la Orden, Saldaña, quien da buena cuenta del poderoso noble, arrojándole de lo alto de la muralla. Viuda doña Beatriz, vuelve a proyectar su enlace con don Alvaro, que con tal fin consigue la dispensa pontificia de sus votos. Se celebra la boda; pero poco después muere doña Beatriz.

Ofrece *El señor de Bembibre* cierta analogía con *The bride of Lammermoor*, de Walter Scott, tema popularizado por aquellos días por la ópera de Donizetti. El elemento histórico deriva de la obra de Michelet sobre los templarios, de Mariana, de Campomanes y de Salazar y Castro. Es de elogiar el estilo, siempre sencillo y natural; así como la calidad de las descripciones [6], que convierten a Gil y Carrasco en un precursor de la novela regionalista. Su leyenda *El lago de Carucedo* es inferior a la novela; también lo son sus artículos de costumbres y sus notas personales recogidas en el *Diario de viaje*, que acreditan, no obstante, un espíritu fino y observador.

Navarro Villoslada

Al lado de Gil y Carrasco, y para muchos antes que él, debe figurar entre los cultivadores de la novela histórica española don FRANCISCO NAVARRO VILLOSLADA (1818-1895) [7].

Tres son las novelas que mantienen fresca su memoria: *Doña Blanca de Navarra* (1847), *Doña Urraca de Castilla* (1849) y *Amaya, o los vascos en el siglo VIII* (1877). Cualquiera de las tres le da derecho a una mención honorífica en toda historia de la literatura. Porque en cualquiera de ellas se revela un sentido arqueológico, una técnica constructiva y una frescura de invención a las que suelen ser extraños los otros cultivadores del género.

Doña Urraca de Castilla reproduce con gran fidelidad el agitado reinado de aquella soberana.

El subtítulo, *Memorias de tres canónigos*, referido a la *Crónica compostelana*, de Munio, Hugo y Giraldo, indica a las claras las fuentes directas en que el autor solía beber. «Allí—ha escrito el padre Blanco—se ve la Edad Media tal como fué, sin velos ni reticencias, con su carácter idealista y aventurero, con sus luchas sangrientas entre raza y raza, entre instituciones e instituciones, sus grandezas, crímenes y desigualdades.» [8]. En *Doña Urraca*, como en las otras novelas de Navarro Villoslada, se respira un clima de época y se viven escenas que tuvieron realidad.

Doña Blanca de Navarra es para nuestro gusto la novela histórica más lograda que tenemos en castellano, sin exceptuar a *El señor de Bembibre*. Las desventuras de la simpática princesa navarra, hija de Juan II de Aragón, dan pie a Navarro Villoslada para hilvanar una serie de incomparables cuadros, llenos de dinamismo, de color y de gracia. La envidia que por la princesa siente su hermana doña Leonor y la lucha de Jimeno (personaje de origen desconocido que resulta ser hijo natural de Alfonso V, *el Magnánimo*) por liberarla de los ardides de ésta constituyen el eje del tema. Unase la descripción del bandidaje en la Ribera de Navarra, encarnado en las recias figuras de Sancho de Rota y Sancho de Erviti, con sus respectivas cuadrillas; la rivalidad de los bandos beamontés y agramontés, y, sobre todo, la incomparable personalidad del astuto conde de Lerín, cuya sola presentación bastaría para prestigiar a un novelista. La segunda parte, subtitulada *Quince días de reinado*, relativa a doña Leonor, condesa de Foix, interesa menos. El espectro del remordimiento, que atormenta a la reina por haber envenenado a su hermana, le sirve de tema principal.

Muy distinta es *Amaya, o los vascos en el siglo VIII*. Cuando apareció (1877), se le hizo el vacío; en parte porque se había impuesto ya el gusto por otra clase de novelas: Galdós, Alarcón y Valera estaban en plena producción; en parte por la ideología de su autor: Navarro Villoslada era ultracatólico y tradicionalista, las dos peores credenciales con que podía presentarse ante el público. Los espíritus ecuánimes, sin embargo, vieron en *Amaya* desde el primer instante lo que realmente era: una auténtica epopeya en prosa. En *Amaya* se combinan felizmente ficción e historia, poesía y realidad. El momento que sirve de arranque a la acción, el derrumbe de la monarquía visigoda ante el empuje de los árabes, y las circunstancias que envuelven ese momento dan a la obra un carácter de alto simbolismo. La lucha continuada de los vascones contra los godos encuentra su fin; las dos razas, viejas enemigas, se funden a la sombra de la Cruz; y esa fusión está simbolizada en la bellísima Amaya, por cuyas venas corre mezclada la sangre del noble godo Ra-

nimiro y de la vasca Lorea. Amagoya, con su perfil siniestro, invocando a los viejos dioses del solar vasco en las noches de plenilunio, representa al paganismo en derrota. El judío Eudón, el santo obispo Marciano, el alocado Teodosio de Goñi, parricida inconsciente que redime su delito con una vida de penitencia; García Jiménez, el esposo de Amaya, destinado a fundar uno de los tronos de la reconquista; casi todos los personajes de la novela, en fin, están trazados con pulso firme y acierto singular. Navarro Villoslada, conocedor de los lugares y sucesos que narra, nos hace asistir en *Amaya* a uno de los dramas culminantes de la historia nacional [9].

La segunda época de la novela histórica

Al promediar el siglo, nuestros novelistas históricos luchan por liberarse de la tutela de Walter Scott y tienden hacia una mayor independencia. Ello coincide con un predominio menor de la imaginación y una mayor objetividad y estudio de los temas. Empieza a imponerse—pasada la efervescencia romántica—el sentido de lo arqueológico; se evitan con todo cuidado los anacronismos e inexactitudes; y se apoya la acción, al menos en lo más fundamental, sobre testimonios y documentos. La novela histórica se hace de este modo, valga la paradoja, «más histórica». La falsificación o arbitraria interpretación de los hechos queda reservada para la novela folletinesca o «por entregas», de mucha boga por aquellos años.

A este criterio responden obras como *La dama del Conde-Duque*, de DIEGO LUQUE DE BEAS, sobre los platónicos amores del pintor Herrera; *La campana de Huesca* (1852), del insigne historiador y político don ANTONIO CÁNOVAS DEL CASTILLO (1828-1897) [10]; *Ave Maris Stella*, del santanderino AMÓS DE ESCALANTE (1831-1902), leyenda montañesa del siglo XVII; *Los hidalgos de Monforte, El último Roade* y *El lago de Limia*, de BENITO VICETTO PÉREZ, llamado por algunos el *Walter Scott gallego*; *La guzla del cedro, La espada del muerto* y otras, del catalán VÍCTOR BALAGUER (1824-1901), más conocido por sus leyendas y su obra dramática; *Las hijas del Cid* y *El milano y los halcones*, de ANTONIO DE TRUEBA; *La espada de San Fernando*, de LUIS DE EGUÍLAZ (1830-1874), aludido como autor teatral; *El monje del monasterio de Yuste*, de LEANDRO HERRERO, etc.

Entre todas ellas cabe seleccionar como las mejores y que aún se leen con agrado: *La espada de San Fernando, El monje del monasterio de Yuste* y *La campana de Huesca*; pero ninguna, ni esta última, a pesar de la categoría de su autor y de lo fielmente que refleja la época, el reinado de Ramiro, *el Monje*, rebasa la línea de lo discreto.

III. NOVELA ROMANTICO-PSICOLOGICA

En pleno auge de la novela histórica, que constituye dentro del género la nota más acusada del Romanticismo, aparecen dos obras que en su temática se separan de la línea directriz y que ni siquiera encajan en aquellas otras formas de novela social y novela folletinesca, señaladas también como características del Romanticismo. Esas dos obras son: *Las ruinas de mi convento*, de FERNANDO DE PATXOT (Mahón, 1812; Barcelona, 1859), y *De Villahermosa a la China*, de NICOMEDES PASTOR DÍAZ (1811-1863), el lírico romántico ya estudiado en otro capítulo.

En ambas novelas es de notar el abandono del tema histórico para sustituirlo con la visión del presente; y en ambas también coincide el carácter de los protagonistas, independientes, egocéntricos, huraños, en una palabra, románticos, lo que nos hace incluirlas en este lugar. Pero se trata de un romanticismo melancólico y resignado, que nunca llega a lo trágico y que, en vez de resolverse con la muerte violenta o el suicidio—como sería lo normal dentro de la escuela—, deriva hacia el propio sacrificio y hacia el misticismo, modalidad, por otra parte, muy en consonancia con la tradición española. Tampoco—y esto las aleja de ciertas tendencias románticas—nos hallamos aquí ante una «redención por el amor», ya tomemos éste en sentido puramente humano, como en *La dama de las camelias*, o ya le demos un sentido sobrenatural, como en *Don Juan Tenorio*. Es simplemente el hastío, esa típica enfermedad romántica, lo que mueve a estos personajes a despreciar lo humano para entregarse a lo espiritual y divino.

Las ruinas de mi convento, de Patxot, tiene por fondo la matanza de frailes de 1835. Publicada anónima en su primera edición (1851), se le agregó en la segunda (1856) una nueva parte, con el título de *Las delicias del claustro y mis últimos momentos en su seno*. En realidad, sólo la primera se estructura como tal novela. Tras unos capítulos tan almibarados como insustanciales sobre los amores de Adela y Manuel, se nos dice cómo éste, presunto suicida, es salvado por la intervención de un fraile e ingresa en la Orden franciscana. El carácter ultracatólico de la obra favoreció su difusión en ciertos sectores y dictó al padre Blanco un juicio excesivamente laudatorio. No negamos al autor dotes narrativas y descriptivas; la matanza de los religiosos, las escenas orgiásticas que la siguen, el asesinato del Padre José, son cuadros llenos de viveza y colorido. En la segunda parte, sor Adela, hermana del protagonista, se limita a contarnos su vida en el convento [11].

«De Villahermosa a la China», de Pastor Díaz

De más quilates literarios que la anterior. Ya se dijo que Nicomedes Pastor Díaz es uno de los poetas que mejor encarnaron la melancolía, la ternura y el tenue sentimentalismo característicos del movimiento romántico. Por si en su obra lírica no acertamos a verlo, en esta novela se comprueba fácilmente. El subtítulo, *Coloquios de la vida íntima*, demuestra con claridad el fondo psicológico que le sirve de base. El autor arranca, en efecto, de la mejor tradición psicológica del siglo XVIII; pero en vez de encaminar a su héroe hacia el lado pesimista y desesperanzador, le lleva por el camino del autovencimiento, de la sublimación de los propios afectos. La escasa acción y el excesivo análisis hacen de esta novela un poema casi más lírico que narrativo. Lo que interesa al autor sobre todo es el proceso espiritual del protagonista, que le lleva a saltar de una vida mundana, inspiradora de violentas pasiones, hasta la renunciación de lo humano, para recibir las Ordenes sagradas y convertirse luego en un misionero. Es significativo ya el nombre: Javier. Ello nos llevaría, y ha llevado a algunos, a establecer analogías con su homónimo San Francisco, el gran apóstol de las Indias. Creemos que no hay paridad entre este personaje histórico y el héroe creado por Pastor Díaz. Todo induce a pensar, dado el ferviente catolicismo del autor, que se propuso hacer una novela de tesis, mediante la contraposición de dos sistemas de vida: la activista y la meditativa. Primero se nos da un Javier seductor, disipador y mujeriego—«calumniador, infame y monstruo», le llaman sus víctimas del sexo femenino—; y luego un Javier entregado a la más alta misión de apostolado. No podemos adecuar al gran apóstol navarro, sobre todo en su primera fase, con este producto de la novelística del XIX.

Se han querido descubrir en el Javier de Pastor Díaz ciertas huellas de Werther, de Rolla, de René, de Obermann y otros héroes románticos. En nuestra opinión no hace falta acudir a literaturas extrañas para encontrarle precedentes. Los tiene en la nuestra; acaso en esa persistente dirección que halló ya una de sus más altas expresiones en novelas del siglo XVII, como *El español Gerardo*, de Céspedes y Meneses [12].

El argumento se adapta perfectamente a la tesis: En un baile de máscaras, en Madrid y en el palacio de los duques de Villahermosa, se encuentran Javier y Sofía, que han acudido con el propósito de que sea aquélla su «última noche del mundo». De sus mutuas confidencias resulta un perdido enamoramiento de Sofía por Javier, que a su vez, está enamorado de Irene, a cuyo novio había dado muerte en desafío. Javier es apostrofado por las máscaras con los más duros dicterios, a través de los cuales se transparenta la conducta libertina del galán. Sofía es amada por su primo Enrique. El ansia de superación moral allana el conflicto, toda vez que Javier se ordena de sacerdote, une en matrimonio a Sofía y Enrique y parte para las misiones de Oriente, donde muere.

La novela consta de cuatro partes; en la última se introduce una nueva acción: la historia de Pablo el Triste, protegido de Javier.

IV. LA NOVELA FOLLETINESCA

La constante imitación de las modas francesas impone a partir del 1850 un género de novelas representado en la vecina República por Alejandro Dumas (padre), Eugenio Sue, Federico Soulié y otros. Se llama entre nosotros a esta novela «folletinesca», porque solía publicarse en forma de folletín en periódicos y revistas; y también se la llama «novela por entregas», porque solía distribuirse, periódicamente, en forma de cuadernos. Tuvo enorme aceptación en ciertos sectores y todavía la tiene; sólo que la «novela por entregas» actual se ha colocado totalmente al margen de lo que se entiende por literatura, mientras la del siglo pasado no pocas veces alcanzó calidades estéticas, si bien de ínfimo grado. Algunos cultivadores del género eran excelentes literatos y hasta poetas; el afán inmoderado de lucro y el halago del éxito inmediato, nunca más fácil que en esta clase de producciones, les hicieron extraviarse.

La nota más saliente de la «novela folletinesca» es el interés; al interés se subordina todo: historia, verosimilitud, ideología y hasta la misma lógica. Obligado el autor a mantener tensa la atención de los lectores durante semanas y hasta meses, no le queda otro camino que inventar como pueda lances descabellados, aventuras insospechadas y desenlaces insólitos, de acuerdo siempre con la ingenua mentalidad de los lectores a los que se destina. El fatalismo y la casualidad son otros dos resortes que actúan constantemente sobre los protagonistas de esta clase de novelas.

Cultivada al principio con cierta dignidad, pronto degenera la novela folletinesca en diatriba antisocial, o, lo que es peor, en un sentimentalismo cursilón de la más baja especie. En ocasiones se llega a la abierta apología del amor libre; y lo que en El doncel de don Enrique «el Doliente» era el grito sincero de un corazón apasionado, se convierte aquí en doctrina, a la que se quiere dar alcance general.

Los cultivadores de este género se cuentan por docenas. Limitamos nuestra cita a los más conocidos.

Fernández y González

Sin duda, el principal de todos es MANUEL FERNÁNDEZ Y GONZÁLEZ (1821-1888) [13], citado en otros capítulos como poeta y dramaturgo. Recordemos que su poesía, colorista, se adapta a la manera de Zorrilla y que nos dejó excelentes obras teatrales. Como novelista fué víctima de su propia fecundidad. Dotado de una fantasía poderosa, de una imaginación siempre fresca, de una inventiva inagotable y de una asombrosa facilidad para escribir, sacrificó las buenas cualidades de que, sin duda, estaba dotado en aras de una malentendida popularidad. De ese rival digno de Walter Scott, que anunciaban algunas de sus obras—Men Rodríguez de Sanabria, El cocinero de su majestad, El condestable don Alvaro de Luna—, se convirtió en un simple «fabricante de novelas». Durante treinta años produjo sin cesar, abasteciendo de folletines a los periódicos más importantes de la Corte. A trescientas se hace ascender sus novelas, con una totalidad de quinientos volúmenes. En ellos se pasa revista a toda la historia real, fantástica y legendaria de España, deformándola caprichosamente casi siempre; pero acertando también a veces con el verdadero espíritu de la época, en una especie de intuición realmente admirable. Cuentan quienes le conocieron que, siendo como era hombre de escasa cultura, había llegado a penetrar de tal manera en el ambiente del pasado que, al oírle hablar y referir ciertas anécdotas del reinado de Pedro I, de Juan II o de la Corte de los Austrias, parecía por la viveza y el verismo con que lo contaba un testigo presencial. Y aún le quedó tiempo para escribir alguna novela de la Italia del Renacimiento y bastantes de género costumbrista. Citaremos las más conocidas.

De género histórico: Men Rodríguez de Sanabria, apología de la lealtad del protagonista, que expone continuamente su vida en servicio del rey don Pedro; El bastardo de Castilla, continuación de la anterior, con las luchas del fratricida don Enrique y la tragedia de Montiel; Obispo, casado y rey, sobre Ramiro II de Aragón, al que dedicará también La campana de Huesca; Las cuatro barras de sangre, sobre Wifredo el Velloso, y el origen de la independencia del condado de Cataluña; La jura de Santa Gadea, sobre el Cid y Alfonso VI; Don Ramiro de Aragón, sobre los hijos de Sancho el Mayor, de Navarra, tema ya explotado por Lope, Moreto y Zorrilla; algunos rasgos—defensa de la bellísima judía Salomé—nos hacen pensar en Ivanhoe. A leyendas del reinado de Pedro I de Castilla dedicó, además de las citadas, *La piel de la justicia* y *La cabeza del rey don Pedro*; la independencia del condado castellano por Fernán González sirve de tema a *Doña Sancha de Navarra*; y la leyenda relativa al nacimiento de Jaime I, el Conquistador, se trata en *La candela de San Jaime*. La simple mención del título nos indica el contenido de *El tributo de las cien doncellas*, *Los siete infantes de Lara*, *Lucrecia Borgia*, *Los hermanos Plantagenet*, *Doña María de Molina*, *Enrique IV*, «*el Impotente*», etc.

Inspiradas en la historia más cercana tiene, entre otras muchas: *Doña Isabel la Católica*, *El alcalde Ronquillo* (reinado de Carlos I), *Martín Gil, o los Monfíes de las Alpujarras* y *El pastelero de Madrigal* (reinado de Felipe II), *El marqués de Siete Iglesias* (Felipe III), *El cocinero de su majestad*, *El conde-duque de Olivares* y *Amores y estocadas*, relativa a la aventurera vida de Quevedo (Felipe IV), *La princesa de los Ursinos* (Felipe V), *El motín de Esquilache* (Carlos III), etc.

En la novela costumbrista, los caballeros medievales son sustituídos por burgueses o «señoritos» que atropellan el pudor de «cándidas doncellas»; los castillos, por casas de vecindad o tugurios y por serranías habitadas por bandoleros generosos —*Diego Corrientes*, *Los siete niños de Ecija*—, y las diatribas anti-inquisitoriales por soflamas redentoristas de una sociedad—en la mente del autor—tan noble como desvalida. De todos modos, falseamiento de la realidad igual que en el género histórico. Mencionemos *Los desheredados*, *Magdalena*, *Los hijos perdidos*, *Los hambrientos*, *La maldición de Dios*, *María*, *La esclava de su deber*, *La buena madre*, etc.

Dejó Fernández y González una novela, *Historia de un hombre contada por su esqueleto*, que le define en cierto modo. Allí se acumulan crímenes, incestos, violaciones, adulterios, venganzas y todos cuantos episodios alucinantes puede inventar una imaginación desatada que aspira a sobrexcitar el sistema nervioso de los lectores; y todo para terminar diciéndonos que había sido producto de una toma de morfina.

Otros «folletinistas»

ANTONIO FLORES (1821-1866), traductor de Sue, imitó la novela de éste *Los misterios de París* en *Fe, Esperanza y Caridad*, donde aspira a presentarnos en un «totum revolutum» el panorama de la sociedad contemporánea, en medio de las mayores truculencias. Se trata de una sociedad que no ha existido nunca, como no sea en la imaginación de este levantino, que se nos muestra mucho más acertado en sus cuadros de costumbres, reunidos en libro con el título de *Ayer, hoy y mañana*. El fondo amargo y trágico de *Los misterios de París* se suaviza en la imitación de Flores con la introducción de los figurones Trifón y

Crispina, en cuya creación hace el autor gala de su vena satírica [14].

Más estrafalario, si cabe, nos resulta WENCESLAO AYGUALS DE IZCO (1801-1873) [15], que alternó la colaboración en revistas festivas con la publicación de novelas escalofriantes, en cuyas páginas inevitablemente los desheredados de la fortuna aparecen como seres angelicales y toda persona pudiente es en el fondo un espíritu perverso. Su preocupación por la temática proletaria le hace desentenderse de los valores estéticos. En su producción copiosa—cuyos títulos son de por sí harto significativos—destacan: *Los verdugos de la Humanidad*, *Pobres y ricos, o la bruja de Madrid*, *El palacio de los crímenes*, *La escuela del pueblo*, *La marquesa de Bella-Flor, o el niño de la Inclusa* y, sobre todas, *María, o la hija de un jornalero*, traducida a varios idiomas, entre ellos al francés por Eugenio Sue, que le dedicó grandes elogios [16]. *María, o la hija de un jornalero*, ha quedado como ejemplar arquetípico de esta clase de novelerías.

Un nombre que no debe pasar por alto en la novela folletinesca es el del valenciano ENRIQUE PÉREZ ESCRICH (1829-1897) [17], cuya popularidad corrió pareja con la de Fernández y González. No hay duda de que Pérez Escrich acertó como nadie a pulsar las fibras más sensibles de un amplio sector de lectores tan ingenuos como poco exigentes. Su propósito moralizador se diluye en discursos hueros, en los que se confunde casi siempre la moral evangélica con un trasnochado filantropismo. Empezó escribiendo dramas, que luego redujo a novelas. Sobresalen entre éstas: *El cura de aldea*, *El frac azul*, *La caridad cristiana*, *Los hijos de la fe*, *La mujer adúltera*, *La esposa mártir*, *Las obras de misericordia*, *El mártir del Gólgota*, etc., todas correspondientes a su primera época. Luego, atraído por los éxitos de Galdós en el campo de la novela realista, quiso probar fortuna en la nueva modalidad—*Sor Clemencia*—; pero el público no respondió como en la época primera.

El discípulo más aventajado de Fernández y González fué sin duda el granadino RAMÓN ORTEGA Y FRÍAS (1825-1883), quien, siguiendo el ejemplo de su maestro, entró por la historia de España como por terreno conquistado, interpretándola a su modo y dándonos de sus hechos y personajes algunas versiones sorprendentes. Ortega y Frías tenía dos odios, que no intenta disimular: Felipe II y la Inquisición; el odio contra ésta lo había bebido en la *Historia* de José Llorente; otra de sus preocupaciones es la veracidad de los relatos, que subtitula con frecuencia *Memorias*. Entre sus obras más leídas merecen señalarse: *El diablo en palacio*, sobre el príncipe don Carlos; *La sombra de Felipe II*, *Una venganza de Felipe II*, *El Padre Ginés*, *El peluquero del rey*, *El tribunal de la sangre*, *Guzmán «el Bueno»*, *La condesa de Rocanegra*, *La casa de Tócame-*

Roque, El capitán Relámpago y su continuación, *El secreto de la morisca*, etc. Las más famosas, *El diablo en palacio* y *El tribunal de la sangre*, todavía encuentran editores. Probó Ortega y Frías la novela psicológica con escasa fortuna. En este orden cabe citar *La víctimas del amor*, que lleva el significativo subtítulo *Estudio del corazón humano*; mezcla de folletín y psicologismo es *Abelardo y Eloísa*. De todas sus novelas, la más lograda es, para nuestro gusto, *El testamento de un conspirador*, de la que se hace protagonista a una hija natural de Felipe IV.

Cerramos esta lista con los nombres de TORCUATO TARRAGO MATEOS (1822-1889) [18], granadino y periodista católico, que antes de los treinta años había popularizado su nombre con varias novelas: *El ermitaño de Montserrate, Los celos de una reina, Sancho «el Bravo», Carlos II, «el Hechizado», El Gran Capitán, Bodas reales* y, la más lograda, *Lisardo el estudiante*, con evidente influencia de Céspedes y Meneses y de Cristóbal

Lozano; JULIO NOMBELA (1836-1919) [19], ameno escritor costumbrista, biógrafo de Bécquer, que no se desdeñó de cultivar la «novela por entregas» en un lenguaje mucho más correcto del que cabía esperar, dado el carácter del género; *La mujer muerta en vida, El hijo natural, El coche del diablo, La pasión de una reina, La villana de Alcalá, El vil metal* y *La mujer de los siete maridos*, son sus títulos más nombrados; FLORENCIO LUIS PARREÑO obtuvo lisonjero éxito con *La Inquisición y el rey, El héroe y el César* y *El príncipe de Italia*.

Lo fácil del género atrajo asimismo la atención de varias escritoras, alguna famosa por otros conceptos: María del Pilar Sinués, de moralismo dulzón que cae con frecuencia en lo sensiblero —*La gitana, La dama elegante, Un nido de palomas, El lazo de flores, Hija, esposa y madre*, etc.—; Angela Grassi—*Las riquezas del alma*—; Enriqueta Lozano y las ilustres poetisas Carolina Coronado y Rosalía de Castro.

V. JUICIO CRITICO

Se suele afirmar que la novela romántica constituyó en España un auténtico fracaso. Al hacer esta afirmación se piensa, sobre todo, en la novela histórica, que es el típico producto del Romanticismo en este género literario. En apoyo de aquel aserto se aducen varias razones, y, como más importante, la escasa inclinación del espíritu español hacia los estudios históricos, solicitado siempre por la observación inmediata antes que por otros motivos. Se respalda la tesis con la magnífica floración de la novela realista y de la picaresca. Es un hecho cierto que ni en nuestro apogeo literario la novela histórica alcanzó grados de madurez y de calidad; porque no vamos a pensar ahora en la «novela morisca», que sólo con grandes salvedades podría incluirse dentro de aquel género. Para nosotros, el éxito relativo—no podemos aceptar el fracaso absoluto de un género que dejó obras como *El señor de Bembibre, El doncel de don Enrique «el Doliente», Amaya, Doña Blanca de Navarra, La espada de San Fernando* y *Men Rodríguez de Sanabria*—se debe, antes que a cualquier otra causa, a la inhabilidad de nuestros escritores para la elección de temas. Mientras *Ivanhoe, Ben-Hur, Fabiola, Los últimos días de Pompeya*, y más modernamente *Quo Vadis?*, abordan temas de interés universal, como son las Cruzadas o los primeros tiempos del cristianismo, nuestras mejores novelas históricas consumen lo mejor de sus páginas en el relato de los amores de Alvaro Yáñez y Beatriz de Osorio, en la descripción de las lozanías de doña Urraca o en el trasunto de los soliloquios de Macías.

Alegar en contra de nuestros novelistas románticos su falta de visión arqueológica, sus frecuen-

tes anacronismos y el falseamiento casi constante de la Historia, apenas tiene sentido; idéntica inculpación puede hacerse a la mayor parte de los extranjeros. Sólo en tiempos muy cercanos a nosotros—*Fabiola* y *Quo Vadis?*—quedaron subsanados tales defectos, gracias ante todo a los avances de la arqueología y de otras disciplinas afines. Téngase en cuenta que en el mismo pecado—y aun en mayor escala—incurrieron nuestros grandes dramaturgos del Siglo de Oro al trasladar a la escena asuntos de historia clásica y extranjera, y casi siempre en los de la misma historia nacional; pero ello no es obstáculo para que sus obras sean consideradas perfectas en su género, ya que la meticulosidad histórica en una obra de pura creación estética nunca puede ser el factor esencial de juicio.

NOTAS

1.   Las novelas extranjeras de mayor éxito fueron *Atala*, de Chateaubriand, y *Pablo y Virginia*, de Saint-Pierre; junto a ellas, las del caballero Florián. En 1826 ya corría la tercera edición de su *Gonzalo de Córdoba o La conquista de Granada*. Los editores, Cabrerizo, en Valencia, y Bergnés de las Casas, en Barcelona, contribuyeron a la difusión de la novela extranjera entre nosotros.

2.   Nació en Barcelona y murió en Madrid. Estudió la carrera de Derecho en la Universidad de Cervera y bien pronto se dió a conocer como periodista por sus colaboraciones en *El Constitucional* y *El Europeo*. Trasladado a Madrid, colaboró en la *Revista Española* y dirigió *El Vapor*, periódico netamente romántico.

3.   Vid. el magistral estudio que le dedicó Menéndez Pelayo en la serie de «Estudios críticos sobre escritores montañeses». Ofrece este ensayo la singular circunstancia de ser el primer libro que dió a la estampa el gran polígrafo, en 1876. Antes había publicado numerosos trabajos, pero no reunidos aún en forma de libro.

4.   Está presentado con el mismo arrojo, valentía, belleza varonil, despreocupación y fuerza pasional que otros héroes esproncedianos, por ejemplo, don Félix de Monte-

mar, «el estudiante de Salamanca». Lo que le distingue de éste y de otros personajes románticos—Macías, Alvaro Yáñez—es esa nota que no tarda en caracterizar a los más típicos ejemplares de la escuela: el hastío. He aquí cómo lo retrata Espronceda: «Rodeado de crímenes, lleno de hastío, ansioso de algo que nunca pudo encontrar, desasosegado en el sosiego, agitado de tristes imaginaciones y, finalmente, cargado de penosos remordimientos que sin cesar le seguían y atormentaban en todas partes, llegó, en fin, a hartarse de la ponzoña que en copa de oro le presentaba la máscara del deleite. Fastidiado de los placeres, se entregó a toda clase de vicios, para sepultar en el delirio del juego o en la embriaguez el tormento que le hostigaba. Pero ni la ganancia le alegraba ni la pérdida le entristecía, mientras el vino, lejos de borrar de su fantasía las imágenes de su tristeza, poniéndole en el estado de inercia absoluta a que reduce este vicio generalmente, o comunicándole el júbilo con que trastorna y alienta el ánimo más caído, le entregaba más profundamente a todo el horror de sus pensamientos.»

5. Leonés, de Villafranca del Bierzo. Amigo entrañable de Espronceda, quien lo llevó al Parnasillo y al Ateneo, donde leyó algunos poemas. Protegido por González Bravo, fué enviado como secretario de Embajada a Berlín, donde falleció víctima de la tuberculosis, a los treinta y un años.

6. La muerte de doña Beatriz va enmarcada en la siguiente descripción: «A medida que el sol iba subiendo, las ligeras nubes que había sembradas por el cielo se disiparon y, por último, se quedó el firmamento tan azul y puro que, como en el Ensueño, de Byron,

Dios solo se veía en medio de él.

»El lago estaba terso y unido como un espejo, y sus riberas, silenciosas y solas; los pájaros del jardín habían callado también; pero sus flores, con el seno desabrochado a los ardientes rayos del sol, inundaban el aire de aromas que llegaban hasta el lecho de doña Beatriz» (capítulo XXXVIII). Alguna vez emplea la técnica del contraste: un paisaje agradable, placentero, sirve de marco a la agitación y dolor de los personajes; tal el que se describe en la entrevista del don Alvaro y doña Beatriz en el capítulo II; el propio novelista nos lo hace observar: «Nadie pudiera creer, en verdad, que en semejante teatro iba a representarse una escena tan dolorosa.»

Se ha dicho por alguien que El señor de Bembibre no es verdadera novela histórica, porque la Orden de los Templarios nunca gozó en España de los privilegios y de la importancia que tuvo en otras naciones, por ejemplo, en Francia, donde llegó a constituir una seria oposición al poder real; el autor podía haber escogido para la trama amorosa de los protagonistas otro marco cualquiera. Si esto constituye un fallo en la novela de Gil y Carrasco, muy pocas se salvarían de la misma censura. No tienen, a nuestro juicio, mayor soporte histórico algunas novelas de Walter Scott.

7. Nació y murió en Viana (Navarra). Estudió Filosofía y Teología en la Universidad de Santiago, y Leyes, en Madrid. Periodista distinguido, colabora en El Español, La Gaceta, La España y Semanario Pintoresco. Empleado del Ministerio de la Gobernación, dimite su cargo al fundar El Pensamiento Español, periódico ultracatólico. Afiliado al partido carlista, fué diputado, senador y secretario particular del pretendiente don Carlos. Se distinguió como polemista y como poeta inspirado: Luchana y Oda a la Virgen del Perpetuo Socorro. Cejador le enjuicia así: «Hay algo homérico en él, siéntese un frescor y un aire de otros tiempos que nos mete en ellos de pies a cabeza... El espíritu español de raza sopla por allí. Vemos campear sin veladuras el alma española en su propia naturaleza como campea en el Romancero.»

8. Historia de la literatura española en el siglo XIX, vol. II, pág. 270.

9. De pura quimera romántica podemos calificar El auto de fe (1837), de Eugenio de Ochoa: gritos horripilantes, damas enamoradas hasta más allá del sepulcro, bandidos generosos, castillos encantados, asesinatos a granel, y todo ello en un lenguaje y estilo melodramáticos y alejados de la más elemental verdad histórica, constituyen el tema de esta novela. La obra versa sobre la muerte del príncipe don Carlos, hijo de Felipe II, y no deja de ser curioso que, mientras se ataca a la Inquisición en el texto, se insertan en las notas las más violentas diatribas contra los protestantes.

Tarea inacabable sería la mención de la novela histórica o seudohistórica del romanticismo; citemos, aparte las estudiadas: Mano roja (1838), de Rubió y Ors; El huérfano de Almoguer (1840), sobre la época de Juan II

y don Alvaro de Luna, de José Augusto de Ochoa; El templario y la villana (1840), de Cortada; Juan de Padilla y La viuda de Padilla, de Vicente Barrantes; El Dos de mayo y Don Juan de Austria, de Ariza; La perla del Turia, Isabel I y La reina loca de amor, de Francisco L. de Orellana; El encubierto de Valencia, de Vicente Boix, etcétera.

10. El autor no sabe sacar partido de la lucha entre el feudalismo y el poder real, tema que se esboza y se esfuma inmediatamente; la figura del rey es harto vulgar y resulta empequeñecida para que pueda emocionarnos, no así la de Aznar, el almogáver catalán-aragonés, verdadero protagonista de la obra.

11. En una tercera parte, «el héroe original prosigue su historia desde su lecho de muerte; pero el interés que la narración pueda tener no radica en el argumento, sino en las descripciones de anacoretas religiosos desde comienzos de la Edad Media hasta el siglo XIX». (Vid. E. ALLISON PEERS: Historia del movimiento romántico español, II, pág. 312.)

12. No es improbable que Pastor Díaz se propusiera hacer la apología de la tesis providencialista, ya que sólo recurriendo a la Providencia puede establecerse cierta relación y hasta correlación entre el Javier seductor y mujeriego y el misionero de China. Javier es—a pesar de sus conquistas amorosas, a pesar de matar en duelo al amante de Irene—más bien un personaje pasivo, y por eso decimos que sólo recurriendo a la Providencia, a «la mano de Dios», como dice Irene, puede convertirse en el activísimo misionero de China.

13. Nació en Sevilla; estudió derecho en la Universidad de Granada. Poeta y dramaturgo, obtuvo su principal éxito—como hemos dicho—en la novela, aunque en aquellos géneros hizo labor más estimable. Espíritu amable, derrochador, bohemio empedernido, ganó fácilmente sumas fabulosas, que dilapidó aún con mayor facilidad, viniendo a morir pobre y abandonado en Madrid. Su vida es rica en anécdotas y derroche de ingenio. Se cuenta que dictaba a la vez a varios amanuenses, entre los cuales figuraron Tomás Luceño y Blasco Ibáñez. Como poeta, su oda heroica La batalla de Lepanto y la oriental que empieza: «En el harén de Abdalá...», son piezas antológicas. En el teatro domina todos los géneros, desde el drama (Cid Rodrigo de Vivar) a la comedia de enredo, como Aventuras imperiales, en la que muestra su aptitud para adentrarse en el espíritu del Siglo de Oro. Otros títulos de su teatro son: Luchar contra el sino, Un duelo a tiempo, El bastardo y el rey, El Tasso, Entre el cielo y la tierra, Nerón, Viriato, La muerte de Cisneros, Dudas de la conciencia, Padre y rey, La infanta Oriana, Susana, etcétera.

14. El profesor don Rafael Benítez Claros ha estudiado detalladamente la vida de este literato de la primera mitad del XIX, presentándolo a la vez como un novelista del género folletinesco y un consumado pintor de costumbres. Vid. Antonio Flores, Santiago de Compostela, Secretariado de Publicaciones de la Universidad, 1956.

15. Nació en Vinaroz y murió en Madrid. Diputado a Cortes por los partidos liberales, alcalde de su ciudad natal, deportado a Baleares, tentó sus fuerzas en diversos géneros: la tragedia—El primer crimen de Nerón—, la comedia—Amor duende—, el drama—Los negros—y hasta el poema seudofilosófico—El derecho y la fuerza—. De su espíritu chistoso y humorístico pueden dar fe las revistas El Dómine Lucas, La Risa, El Fandango y La Guindilla.

16. Los personajes de esta novela vivent, parlent, agissent dans leur milieu avec une realité saisissante; c'est l'admirable procédé de W. Scott appliqué a des figures contemporaines. Muy escaso conocimiento debía tener Sué de nuestra vida y costumbres.

17. Nació en Valencia y murió en Madrid. A pesar de ganar ingentes cantidades de dinero, en los últimos años de su vida, arruinado y enfermo, pudo mantenerse con el cargo de director del Asilo de las Mercedes. Como dramaturgo nos ha dejado: Sueños de amor y de ambición, Las garras del diablo, Herencia de lágrimas, La hija de Fermín Gil, La corte del rey poeta, Amor y resignación, El ángel malo, Alumbra a tu víctima y otras.

18. Como periodista dirigió La Verdad y colaboró en La Ilustración Española y La Ilustración Católica. Nació en Granada (1822) y murió en Madrid (1889).

19. Nació y murió en Madrid. Empleado en el Ministerio de Hacienda; actor varios años, periodista los más de su vida, dirigió numerosos periódicos y revistas, entre ellos La Novela, La Semana, La Gaceta Universal, La Ultima Moda. Redactor de La Epoca, La Ilustración Española y Americana, La Correspondencia de España,

etcétera. Como dato curioso podemos consignar que durante la segunda guerra carlista fué secretario del célebre caudillo Ramón Cabrera. En 1912 apareció *Impresiones y recuerdos*, de gran importancia para la historia política y literaria de su tiempo. De sus *Memorias* ha dicho *Azorín* que son «el complemento obligado de las comedias de Bretón de los Herreros y de los cuadros de Mesonero Romanos. De mucha inventiva, estilo fácil, rico vocabulario, expresión muy natural y gran maestria del *oficio*».

BIBLIOGRAFIA

I. M. Aub: *La prosa española del siglo XIX: I. Neoclasicos y liberales* (pról., selección y notas de...), Robredo, Méjico, 1952.—M. Baquero Goyanes: *El cuento español en el siglo XIX*, «Rev. Filol. Esp.», anejo L, Madrid, 1949.—J. Benjamín y Pareja: *Caracteres y tendencias de la novela contemporánea*, Sevilla, 1888.—R. F. Brown: *The Romantic novel in Catalonia*, «Rev. Hispánica», XIII, 1945; *La novela española: 1700-1850*, Dir. Gen. de Arch. y Bibl., Madrid, 1956; *La novela realista dentro del Romanticismo*, «Primeras Jornadas de Lengua y Lit. Hisp.», I, F. Fil. Letr., Salamanca, 1956.—A. Curcio Altamar: *La novela histórico-romántica*, «Bolívar», Bogotá, 1952.— J. Fernández Montesinos: *Introducción a una historia de la novela en España en el siglo XIX*, Castalia, Valencia, 1955.—E. Gómez de Baquero («Andrenio»): *El renacimiento de la novela en el siglo XIX*, Edit. Mundo Latino, Madrid, 1924.—A. González Blanco: *Historia de la novela en España desde el Romanticismo a nuestros días*, Jorro, Madrid, 1909.—L. Monguió: *Crematistica de los novelistas españoles del siglo XIX*, «Rev. Hispánica Moderna», Puerto Rico, 1951.—A. Palacio Valdés: *Los novelistas españoles*, «Obr. comp.», II, 2.ª ed., M. Aguilar, Madrid, 1948.—H. E. Sherman: *The Spanish novel of «ideas», critical opinion: 1836-1880*, «Mod. Language Ass. of America», 1940-41.—G. de la Torre: *Realidad y neorrealismo novelesco*, «Insula», núm. 96, Madrid, 15 diciembre 1953.—G. Zellers: *La novela histórica en España: 1828-1850*, «Hispanic Institute», Nueva York, 1938.

II-III. V. Balaguer: *Las obras en prosa de Enrique Gil*, «Discursos académicos y memorias literarias», VIII. Madrid, 1885.—J. M.ª Goy: *Enrique Gil*, Astorga, 1924.—

R. Gullón: *Cisne sin lago: Vida y obra de Enrique Gil y Carrasco*, Edit. Insula. Madrid, 1951.—J. R. Lomba y Pedraja: *Enrique Gil y Carrasco. Su vida y su obra literaria*, «Rev. Filol. Esp.», II, Madrid, 1915.—A. G. Orallo: *Gil y Carrasco, seminarista de Astorga*, «El Pensamiento Astorgano», 9 feb. 1946.—D. G. Samuels: *Enrique Gil y Carrasco*, Hispanic Institute, Nueva York, 1939.—E. Segura Covarsí: *León y Extremadura: E. Gil y Carrasco*, «Rev. Estudios Extremeños», núm. 3, Badajoz, 1946.— B. Varela Jácome: *Paisaje del Bierzo en «El señor de Bembibre»*, «Bol. Univ. Santiago de Compostela», enero-diciembre 1949.—J. L. Varela: *Semblanza isabelina de Enrique Gil*, «Cuad. de Literatura», VI, Madrid, 1949.— A. Campión: *Estudio crítico de Amaya*, «Bol. Com. Mon.», Pamplona, 1902.—J. N. Goy: *Obras completas de F. Navarro Villoslada, Semblanza preliminar*, Ediciones Fax. Madrid, 1947.—A. Palacio Valdés: *Don Francisco Navarro Villoslada. Semblanzas literarias*, «Obras completas», Aguilar, 1948.—José Simón Díaz: *Vida y obras de Navarro Villoslada*, «Rev. Bibl. Nacional», VII, Madrid, 1946.—R. F. Brown: *Patricio de la Escosura as a dramatist*, «Liverpool Studies», 1940.—A. Iniesta Onega: *Patricio de la Escosura, el hombre de las transformaciones*, «Rev. de Literatura», Madrid, 1956.—M. Fernández Almagro: *Cánovas, su vida y su política*, «Rev. Derecho Privado», Madrid, 1951.—L. García Arias: *Antologia de Cánovas del Castillo*, Edit. Nac., Madrid, 1944.—Pérez de Guzmán: *Cánovas, juzgado por sus libros*, «La España Moderna», 1907.—M. G. Revilla: *Cánovas y las letras*, Méjico, 1898.—M. Menéndez Pelayo: *Don Amós de Escalante y Don Telesforo Trueba y Cossio*, «Est. y disc. de crit. lit.», VI.—A. González Palencia: *Trueba y Cossio*, pról. a «España romántica», Edit. Saeta, Madrid, 1942.

Más bibliografía sobre algunos de estos autores, en capítulo anterior.

IV. B. María Araque: *Biografía de don W. Ayguals de Izco*, Madrid, 1881.—R. Benítez Claros: *Antonio Flores. Una visión costumbrista del siglo XIX*, Univ. Santiago de Compostela, 1955.—M. Osete: *Antonio Flores*, «Ilustr. Ibérica», 1898.—A. Sánchez Moguel: *Discurso* (sobre M. Fernández y González), Madrid, 1888.—A. Sánchez Pérez: *Fernández y González*, «Ilustr. Ibérica», 1888.—A. Palacio Valdés: *Don Manuel Fernández y González y Don Enrique Pérez Escrich*, «Semblanzas literarias» («Obras completas» de Palacio Valdés, II, Aguilar, 1948).

CAPITULO LXV

LA PROSA ROMANTICA EN ESPAÑA:
B) COSTUMBRISTAS Y NOVELA DE TRANSICION

I. El cuadro costumbrista: *Sebastián Miñano y Estébanez Calderón. Mesonero Romanos. Otros costumbristas.*—II. Mariano José de Larra: *Vida y perfil. Obra literaria. Concepto de la sátira. Artículos:* a) *de costumbres;* b) *de crítica literaria;* c) *políticos;* d) *de carácter vario. Novela, drama y poesía. Juicio crítico.*—III. «Fernán Caballero»: *Biografía y obra. Los cuentos. Las novelas. Valoración. Antonio de Trueba.*—Notas.
Bibliografía.

I. EL CUADRO COSTUMBRISTA

Paralelo a la novela romántica, en su doble modalidad, histórica y psicológico-social, y en ocasiones anticipándosele cronológicamente, se desarrolla el cuadro de costumbres. Tiende a describir la vida y la sociedad contemporánea en sus más variados aspectos: costumbres y aspiraciones, virtudes y vicios, sentimientos e ideología. El estilo llano, descuidado con frecuencia, se ve entorpecido no pocas veces por un prurito arcaizante, que viene a servir de contrapeso al arrebato declamatorio de los románticos. Por otra parte, la observación atenta de la realidad y la descripción de tipos, costumbres y escenarios distintos, según lo exige el género, hacen de los escritores costumbristas el más calificado antecedente de la novela realista de finales de siglo.

Mucho se ha fantaseado sobre el origen del costumbrismo en nuestra literatura. Desde luego, la observación y pintura de las realidades circundantes se viene dando en todos los países. En el nuestro tiene antecedentes próximos y remotos. Recuérdense los cuadros acabados del entremés y de la picaresca. Pero en éstos la observación está reteñida de humor y de sátira y se centra exclusivamente en ciertos sectores de la sociedad; mientras el costumbrismo a que ahora nos referimos no excluye clase alguna social y puede ser satíricohumorista o simplemente informativa. Su entronque remoto habría de buscarse en obras como *El día de fiesta por la mañana y por la tarde,* de Zabaleta, o en la *Guía de forasteros que vienen a la Corte,* de Liñán y Verdugo, más conocidas sin duda en el extranjero que en la misma España; pero que no por ello dejaron de influir en costumbristas eruditos, como Estébanez Calderón y Mesonero Romanos. Su fuente próxima puede ser el francés Jouy y, en menor escala, el inglés Addison.

La moda de componer «cuadros de costumbres» se extendió tanto como la de hacer novelas históricas; y puede afirmarse que a mediados de siglo apenas había escritor de nota que no tentara sus fuerzas en el género. En 1843 aparecía en Madrid la obra titulada *Los españoles pintados por sí mismos,* en que colaboraron con cuadros diversos el duque de Rivas, Bretón de los Herreros, García Gutiérrez, Hartzenbusch, Zorrilla, Vicente de la Fuente, Navarro Villoslada, García Tassara, etc. Como obra de conjunto se resiente de la múltiple paternidad, y según suele ocurrir en esta clase de publicaciones, al lado de trabajos logrados los hay de escaso y hasta nulo valor. Su máximo interés radica en la serie de imitaciones a que dió lugar: *Las españolas pintadas por sí mismas, Los valencianos pintados por sí mismos, Los cubanos pintados por sí mismos,* etc. Ya se entiende que no vamos a tratar aquí de estos costumbristas ocasionales; aludiremos más bien a unos cuantos escritores que alcanzaron categoría literaria y fama dentro del género.

Sebastián Miñano y Estébanez Calderón

Y uno de los primeros fué el ya citado en otro lugar don Sebastián Miñano (1779-1845) [1], clérigo de ideas avanzadas, que desde 1820, y coincidiendo con el trienio liberal, publicaba unas *Cartas del pobrecito holgazán,* en las que satirizaba las costumbres españolas de la época. Son la primera muestra del género costumbrista en el pasado siglo, y por el tono en que iban escritas alcanzaron enorme difusión. Escribió, además, Miñano *Cartas del madrileño* y *Cartas de don Justo Balanza,* publicadas todas ellas en el periódico satírico *El Censor.* Su crítica es negativa y demoledora.

Superior por todos conceptos a Miñano, aunque no alcance el destacado puesto que en las letras le asigna su sobrino Cánovas del Castillo, fué SERAFÍN ESTÉBANEZ CALDERÓN (1799-1867)[2], que se hizo famoso por sus escritos bajo el seudónimo de El Solitario. Se distinguió como erudito, bibliófilo, arabista—fué maestro de Simonet—, novelista histórico y poeta. Sus versos son casi siempre de carácter satírico, aunque su mejor poema es una elegía a la muerte de la duquesa de Frías. Pero su mayor notoriedad la debe a las Escenas andaluzas (1847), animados cuadritos llenos de ingenio y de viveza, si bien desfigurados por un lenguaje arcaizante y castizo con exceso que hace difícil su lectura en no pocos pasajes. Son los más notables: Pulpete y Balbeja, Los filósofos en el figón, El «Roque» y el «Bronquis» y Manolito Gázquez el «Sevillano», por los tipos y caracteres; Un baile en Triana, La rifa andaluza, La feria de Mairena y otros, por el pintoresquismo y colorido.

El costumbrismo de Estébanez sigue una línea intermedia entre el tono dulzón de Mesonero Romanos y la amarga sátira de Larra. En sus cuadros no se oculta ningún propósito moralizante ni didáctico; no aspira a enseñar; se da por satisfecho con entretener, reproduciendo a nuestros ojos la realidad ligeramente idealizada. Sus personajes son auténticos «ternes legítimos», hampones alegres, mozas descocadas y traviesas, etc. Todo ello con una simpatía no exenta de ternura y compasión, sin que la realidad se convierta en materia de estudio o análisis, sino simplemente en objeto de curiosidad y recreación estética. Sus personajes y tipos pertenecen—salvadas las distancias—a la misma familia que Rinconete y Cortadillo.

Mesonero Romanos

Distinto carácter y estilo nos ofrece DON RAMÓN DE MESONERO ROMANOS (1803-1882)[3], que hizo popular el seudónimo de El Curioso Parlante y se pasó la vida entregado al conocimiento de Madrid, su villa natal, y al cuidado de su modernización y embellecimiento. Fruto de esos estudios es el Manual de Madrid: Descripción de la Corte y de la villa (1831), que obtuvo extraordinario éxito y viene a ser el escenario en que luego se moverán los personajes de sus artículos costumbristas. Antes ya había dado a luz Mis ratos perdidos o bosquejo de Madrid en 1820 y 1821, serie de doce artículos en los que hace repaso de las tertulias literarias, bailes, corridas de toros, fiestas navideñas y otros espectáculos y reuniones de la capital. Pero la obra que más fama le ha dado es el Panorama matritense, cuadros de costumbres de la capital observados y descritos por «El Curioso Parlante», iniciada en 1832 y no terminada hasta treinta años después, en 1862. Se trata de

una serie de artículos costumbristas repartidos en tres volúmenes o series: Panorama matritense (1832-1835), Escenas matritenses (1836-1842) y Tipos y caracteres (1843-1862). Muy leídos en todo tiempo y elogiados por Larra, estos artículos o cuadros son el más exacto documento para adentrarse en la vida y costumbres madrileñas de la primera mitad del XIX. Se publicaron principalmente en las dos revistas Cartas Españolas y Semanario Pintoresco, y nos dan mejor que cualquier libro todo el panorama de la villa y corte en aquellas décadas tan interesantes para el literato como para el historiador. Los artículos más notables son: El retrato, La calle de Toledo, Las ferias, La capa vieja y el baile del candil, La procesión del Corpus, El duelo se despide en la iglesia, La almoneda, El coche simón (1.ª serie); El día de toros, Requiebros del Avapiés, De tejas arriba (2.ª serie); El religioso, El consejero de Castilla, El lechuguino, etc. (3.ª serie, de Tipos y caracteres). Tienen alto interés para conocer las tendencias culturales de la época algunos artículos de sátira literaria: Las sillas del Prado, Las traducciones, Costumbres literarias y, sobre todos, El romanticismo y los románticos, donosa información de aquel movimiento, escrita a las veces en forma paródica y que todavía se lee con gusto. Digno remate de las Escenas matritenses son las Memorias de un setentón natural y vecino de Madrid (1882), libro estimadísimo entre los de su clase, lleno de valor histórico y humano, salpicado de notas pintorescas y rico en toda clase de anécdotas, que recoge lo más relevante de la vida madrileña entre 1808 y 1850. Capítulos sobresalientes son: El 19 de marzo, El Dos de Mayo (1808), Los aliados en Madrid, El período constitucional, El cólera morbo, etc. Otros, de matiz puramente literario—El parnasillo, El Ateneo, El Liceo, El Romanticismo—, se han hecho imprescindibles en todo estudio de la época.

Mesonero Romanos es un observador atento y anotador puntual de cuanto observa; pero tiene unas lentes que todo lo dulcifican, borrando aristas y atenuando los tonos demasiado crudos. Por eso sus cuadros resultan, a la larga, sin perder su inmenso valor informativo, un poco empalagosos y dulzones. Su sátira huye de la nota acre, intencionada y personal. Es exacto, pero monótono. Como fuente de información no tiene precio; con todo, la lectura de sus artículos termina por cansar. Memorias de un setentón se titula—ya lo hemos dicho—uno de sus libros más famosos; y eso fué durante toda su vida Mesonero, hasta cuando escribía las Escenas matritenses, allá en su juventud: un espíritu maduro; más que maduro, provecto; y por eso mismo, un poco simple, benévolo y comprensivo.

Escribió también «El Curioso Parlante»: Recuerdos de un viaje por Francia y Bélgica en 1840 y 1841 y El antiguo Madrid, paseos histórico-

anecdóticos por las calles y plazas de esta villa, obra un poco desvaída la primera; libro el segundo de indudable interés arqueológico e histórico. Como erudito nos dejó en la *Rápida ojeada sobre la historia del teatro español* y en las notas a varios volúmenes de la Biblioteca de Autores Españoles valiosas contribuciones al estudio de nuestra literatura; como poeta no pasó de simple versificador; y, aun en este aspecto, mediocre; y como refundidor de comedias clásicas adaptó entre otras: *Amar por señas, Ventura te dé Dios, hijo; La dama del olivar, La viuda valenciana, El marido hace mujer y el trato muda costumbre,* etc. También es autor de la comedia de corte moratiniano *La señora de protección y escuela de pretendientes.*

Otros costumbristas

José Somoza (1781-1852), ya citado anteriormente, autor de cuadritos graciosos: *El risco de la Pesqueruela* y *La vida de un diputado a Cortes.*

Modesto Lafuente (1806-1866), más conocido como historiador, que popularizó su seudónimo de *Fray Gerundio;* muy hábil en la sátira política; de sus mordaces *Capilladas* dice el padre Blanco que «fueron de más efecto en la opinión que los discursos de veinte diputados en el Parlamento». Santos López Pelegrín (1801-1846) y Antonio María Segovia (1808-1874), conocidos por los seudónimos de *Abenámar* y *El Estudiante,* respectivamente. Pelegrín cultivó el cuadro costumbrista, empleando un lenguaje satírico y poco culto; Antonio María Segovia, en sus artículos de costumbres, manifestó verdadera obsesión gramatical, persiguiendo con pueril ahinco barbarismos, solecismos y otros vicios del lenguaje. Antonio Neyra de Mosquera es autor de unas *Ferias de Madrid,* serie de sátiras político-literarias que quieren copiar la causticidad de Larra, aunque quedan muy lejos del modelo. También dejaron cuadros costumbristas Rivas, Bretón, Gil y Zárate, Rubí y otros muchos.

II. MARIANO JOSE DE LARRA

Larra, más conocido por el seudónimo de Fígaro, es acaso la figura más representativa del romanticismo español. Aun no siendo romántico por su obra más que a medias, parece ser él quien mejor define este movimiento. A esta consideración no ha sido ajeno su suicidio, que terminó con una vida llamada a las más fecundas realizaciones, antes de cumplir los veintiocho años. Larra, sin embargo, como literato, y a pesar de que proclama continuamente la máxima libertad artística, se presenta equidistante entre el clasicismo y el romanticismo. Pero en este caso todo lo domina su vida, que fué realmente romántica, si bien de un romanticismo práctico. «En la apreciación que merecen los hombres—ha escrito Almagro San Martín—dentro de un lapso de tiempo, hay alzas y bajas correspondientes al diverso cariz que sus vidas y trabajos presentan, según la luz proyectada sobre ellos por las ideas de cada período»[4]. Hay escritores sobre los cuales la crítica es unánime; hay otros, en cambio, que por su especial actitud ideológica son enjuiciados de las más diversas y hasta opuestas maneras. Así lo fué Clarín; así también Larra.

Vida y perfil

Nace Mariano José de Larra en Madrid (24 de marzo de 1809). Hijo de un médico afrancesado, pronto su familia tiene que trasladarse a Francia (1813). Se educa en un colegio de Burdeos; la amnistía del 1818 permite a los Larra regresar a España, y el futuro escritor sigue sus estudios en el Real Colegio de Escolapios de San Antonio Abad, de Madrid. Circunstancias políticas obligan a sus padres a trasladarse a Valladolid; y de esta capital, a Corella (Navarra). Estancias breves en Valladolid (1823) y en Madrid, con estudios en el Colegio Imperial de los Jesuítas. El triunfo del absolutismo empuja a su padre por tercera vez fuera de la corte, y otra vez en Valladolid, sigue la carrera de Leyes, según unos; la de Medicina, según Mesonero Romanos en las *Memorias de un setentón.* Continuó estudios universitarios en Valencia.

Por esta época (1825) se observa un cambio radical en el carácter de Larra; sus biógrafos hablan de procesos amorosos; otros, de necesidades económicas. Abandona los estudios y, decidido a dedicarse a las letras, hace sus primeras salidas como periodista con *El Duende Satírico del Día* (1828), publicación que suspende a los dieciocho meses. Contrae matrimonio a los veinte años (agosto de 1829) con Pepita Wettoret; pero su infelicidad en la vida conyugal le impulsa pronto a buscar el amor al margen del hogar. Abandona un empleo para dedicarse más de lleno a la literatura. En 1832 vuelve al periodismo con *El Pobrecito Hablador,* del que sólo se publican catorce números, aunque en ellos aparecen los mejores artículos de Fígaro. Ejerce la crítica teatral con gran decoro, alcanza extraordinario renombre y asiste a varias tertulias literarias. En 1834 escribe el drama *Macías.* En 1835, sale al extranjero en compañía de su amigo el conde de Campo Alange, con estancias en París y Londres. Firma un contrato por colaboraciones periodísticas en *El Redactor General* y *El Mundo* por un sueldo anual de 40.000 reales, cantidad elevadísima para aquella época. Regresa a la corte, y siendo ministro de la Gobernación el duque de Rivas, es elegido diputado por Avila, cargo que sólo llega a ostentar nueve días y que no le sirve sino para perder su prestigio de hombre ecuánime. Al finalizar el 1836, la crisis de pesimismo que ya venía trabajando en su espíritu se acrecienta; fracasos políticos y amorosos parecen contribuir a ello. A esta etapa de su vida se deben artículos como «Día de Difuntos de 1836» y «La Nochebuena de 1836». La muerte de su íntimo amigo el conde de Campo Alange le afecta profundamente. El 13 de febrero de 1837, tras una escena borrascosa con su amante Dolores Armijo, que había decidido romper con él, Larra, frente a un espejo, se suicida de un pistoletazo.

La llamada «generación del 98» ha ensalzado a Larra hiperbólicamente, hasta convertir su nombre en una bandera ideológica. Quiso ver en él su precursor más caracterizado: análogos afanes renovadores, el mismo exacerbado individualismo, idéntica actitud de descontento y de crítica frente a la España de su tiempo. Y al juzgarle, cortándole un traje más ajustado al mismo 98 que a la época en que Larra vivió, supervaloró con exceso la personalidad humana de quien fué tan indiscutible en cuanto escritor como discutible en cuanto hombre.

Sabido es que el entierro de *Fígaro* constituyó una manifestación de duelo sólo comparable a la de Lope de Vega dos siglos antes. Pero este duelo no obedecía sólo a razones de tipo literario, ni siquiera eran éstas las de mayor peso; «se trataba—nos lo ha dicho un testigo excepcional— del primer suicida a quien la revolución abría las puertas del campo santo, y queríase dar a la ceremonia fúnebre la mayor pompa mundana que fuera capaz de prestarle el elemento laico, como primera protesta contra las viejas preocupaciones que venía a derrocar la revolución» [5]. Ello no impide que el acto tuviese una conmemoración simbólica muchos años después, cuando un grupito de jóvenes de ademanes y atuendos extraños se dirigía en Madrid, calle de Atocha abajo, para rendir también su tributo al suicida [6].

No tratamos de discutir a Larra lo que en justicia le corresponde: como escritor vemos en él nada menos que el primer periodista de su tiempo y una sensibilidad de las más finas del xix español; pero distinguimos en Larra dos personalidades: de una parte, el hombre racionalista del xix, que lo quiere explicar todo por la razón; de otra, el espíritu apasionado, sensual y orgulloso, que aspira a erigir en ley su capricho. No fué sólo el abandono de Dolores Armijo lo que le impulsó al suicidio; influyeron en éste otros factores: su *resbalón* político, que tuvo todos los caracteres de un tremendo fracaso; su propia manera de ser, su natural pesimismo, su inadaptación al medio: en parte, por culpa del mismo medio; en mucha parte, por culpa de Larra que no sabía o no quería acomodarse a él. Pocos hombres han recibido antes de los treinta años las consideraciones que a él le brindó la sociedad: fama, dinero, honores y el regalo de un acta de diputado

gubernamental, que no serviría sino para poner de manifiesto la inconsistencia de sus principios. La negativa de una mujer casada a seguir prodigándole sus favores fué la causa inmediata del disparo; la remota y principal fueron el despecho, la hipocondría y un pesimismo que no tenía razón de ser [7].

Cuando se popularicen sus cartas se seguirá admirando como hasta aquí al gran literato; pero el hombre en su talla moral habrá bajado mucho. Al menos se habrá deshecho el mito o, mejor dicho, el espejismo de un Larra víctima de la España oscurantista e inquisitorial.

Obra literaria

Larra es esencialmente periodista, y en este género hay que buscar lo mejor de su producción. Pero hizo también crítica, poesía, novela y teatro. Sus artículos costumbristas destacan por la agudeza y el tono de modernidad con que se adelanta a muchos problemas de aquel tiempo. Difícil se hace una clasificación, en primer lugar, porque en ellos se interfieren consideraciones de la más variada índole: social, política, estética, etcétera. La nota más común de todos ellos es la sátira. He aquí el cuadro que hemos establecido, con un criterio exclusivamente temático:

ARTÍCULOS

a) De costumbres: *Casarse pronto y mal, El castellano viejo, En este país, Corridas de toros, ¿Quién es el público y dónde se encuentra?, Entre qué gente estamos, El álbum, Vuelva usted mañana, La fonda nueva, Varios caracteres, La Nochebuena de 1836,* y *Cartas de Andrés Niporesas.*

b) De crítica literaria: *Yo quiero ser cómico, De las traducciones, Mi nombre y mis propósitos, De la sátira y de los satíricos, La satiricomanía, Literatura, Manía de citas y de epígrafes, Teatros, Críticas dramáticas* («El trovador», «Los amantes de Teruel», «Aben-Humeya», «La conjuración de Venecia», «Hernani», «Anthony», «Teresa», etc.).

c) Políticos: *La junta de Castello-Branco, Dos liberales, Las circunstancias, Nadie pase sin hablar al portero, La planta nueva o el faccioso, Cartas de un liberal de acá, El hombre-globo, Dios nos asista* y *Día de Difuntos de 1836.*

d) Carácter vario: *Exequias del conde de Campo Alange, Un reo de muerte* y *Los barateros.*

Lírica: *Recuerdos* y *Letrilla anacreóntica a Filis.*

Novela y drama: *El doncel de don Enrique el Doliente, Macías, El conde Fernán González, Un desafío* y *No más mostrador.*

Concepto de la sátira

Antes de entrar en el análisis de su obra, digamos dos palabras sobre el concepto que Larra tenía de la sátira y del escritor que la cultiva. Larra declara una vez y otra que en su tarea de es-

critor le anima una doble intención, ética y docente. El amor al bien y el deseo de «contribuir
en lo poco que pueda a la ilustración de nuestro
país», mueve su pluma y le hace posponer otros
intereses, entre ellos «la sed de una gloria..., tan
difícil de conseguir». De esa finalidad ético-docente
surge el tono satírico, ya que este género requiere
el «ser siempre moral». «Los vicios, pues, las ridiculeces, las preocupaciones locales, hijas de la
complicación de necesidades nuevas que se cruzan
en una sociedad, por culta que sea, son de la jurisdicción del satírico y reclaman imperiosamente su
férula benéfica... El inconveniente de la sátira no
es su inutilidad, sino la dificultad que le es inherente para manejarla, dirigirla y no hacer de ella
un arma alevosa que, en lugar de campear por la
virtud, emponzoñe más y más sus tiros delicados» [8]. Contradice la idea general que aspira a
presentarnos al satírico como un ser envidioso y
malhumorado, incapaz para las grandes creaciones
artísticas: un resentido moral, en una palabra. Al
contrario, Larra exige de él perspicacia, sensibilidad, profundo conocimiento de la sociedad y una
preparación nada común. Quien cultive la sátira
«ha de ser profundo por carácter y por estudio,
no ha de detenerse jamás en su superficie, sino
desentrañar las causas y los resortes más recónditos del corazón humano». Junto a estas cualidades
ha de tener independencia y ecuanimidad. Para
Larra el satírico es el pensador «que conoce profundamente la sociedad que le rodea y se entriste-
ce ante sus defectos y miserias: sólo en momentos
de tristeza—escribe—nos es dado aspirar a divertir a los demás». («De la sátira y de los satíricos»,
en El Español, 2-III-1836.)

Sobre estos principios básicos ejerció él la crítica. Se le tacha de no presentar sino el aspecto negativo de España, cierto; pero hay que reconocer
que siempre le animó en sus censuras un evidente
afán de superación. Señala casi siempre el remedio junto al mal y se indigna contra toda crítica
que no responde a una finalidad constructiva. En
este sentido recrimina duramente a los españoles
que, desconociendo lo extranjero, lo alaban, y des-
prestigian lo nacional; y a los extranjeros que, sin
conocer lo español, se toman la libertad de enjuiciarlo y denigrarlo.

a) Artículos de costumbres

El atraso crónico de la España de su tiempo,
la ineducación de sus coetáneos, la vulgaridad del
trato, la hipocresía, la vagancia, etc., suministran
a Larra otros tantos temas sobre los que discurre
su espíritu, lleno de penetración y de humor.

La familiaridad, que cuando carece de ciertas
elementales normas de finura llamamos «campe-
chanería», es censurada en El castellano viejo;
la monomanía de grandezas, en Empeños y desem-
peños; el prurito de cosechar firmas y dedicato-

rias, en El álbum, y el afán de vivir con un boato
superior a las disponibilidades, cayendo por ello
en las redes de la usura, en Varios caracteres.

Al concepto de España y de los españoles en
general dedica, entre otros: En este país, donde se
subrayan algunos aspectos de nuestra nación superiores a los de otros pueblos, a la vez que reacciona contra aquella displicente muletilla: «¿Qué
quiere usted?... En este país»; Entre qué gente
estamos, sobre esos extranjeros que, tras una visita tan superficial como llena de prejuicios, se
consideran capacitados para juzgarnos; Quién es
el público y dónde se encuentra, sobre la ignorancia, inconsciencia y veleidad de la masa y los particulares fines de los que a ella se dirigen («Cada
cual entiende por público lo que interesa a su profesión»); Vuelva usted mañana, agudísima sátira
de la burocracia española y de la pereza nacional.

Dos artículos hay en este grupo que nos interesa
destacar: La Nochebuena de 1836 y Casarse
pronto y mal. De indudable carácter autobiográfico, en ambos se nos pone al desnudo el alma
lacerada de Fígaro, con su pesimismo, su amargura, su orgullo, su hastío y, no hay por qué ocultarlo, su crueldad. «Delirio filosófico» se subtitula el primero, y en él se nos muestra el alma de
Larra tal como se encontraba cincuenta días antes
del suicidio. Artículo admirable por lo sincero y
desgarrador. Pocas veces los autores de esas confidencias que llamamos «Confesiones», con excepción de San Agustín y acaso de Rousseau, nos han
enseñado tan a lo fondo su propia alma. Fígaro
pone en boca de su criado toda la amargura y
tremenda desilusión de una vida vaciada de sentido.
El contraste entre la alegría general de la Nochebuena y su tedio interior; entre el criado ebrio,
pero feliz, y el mismo Larra, lleno de gloria, pero
inmensamente desdichado, presta singulares relieves a este cuadrito, que basta para eternizar la memoria de un escritor: «Escucha, tú vienes triste,
como de costumbre...», le dice el criado; y ante
aquellos rincones que el lenguaje brutal del fámulo
le va desvelando en su propia alma, Fígaro siente
espanto y desprecio de sí mismo: «Una lágrima
preñada de horror y desesperación surcaba mi mejilla, ajada ya por el dolor.» Casarse pronto y mal
reproduce la tragedia conyugal del gran escritor,
iluminada por un tenue rayo de esperanza religiosa. Se supone que el protagonista asesina a su esposa antes de suicidarse y escribe a su madre una
carta para recomendarle a los hijos que van a quedar huérfanos: «Si no les podéis dar otra cosa
mejor, no les quitéis una religión consoladora.
Que aprendan a domar sus pasiones y a respetar a
aquellos a quien lo deben todo.»

Otros de la serie: El mundo todo es máscaras,
en que Larra, como el protagonista de El diablo
cojuelo, tras un baile de disfraces, descubre a través de los tejados madrileños el interior de cada
morada, con su falsedad y miserias; el descubri-

miento de la miseria social le lleva a la consideración de que «todo el año es Carnaval»; *La diligencia,* contra este medio de locomoción; *La educación de entonces; El duelo,* contra el concepto equivocado del honor.

b) De crítica literaria

Ofrecen especial interés para penetrar en la teoría estética de Larra. *De las traducciones* arremete contra los traductores adocenados y señala las condiciones que debe reunir quien se dedique a esta ocupación [9]; *Yo quiero ser cómico* pone de manifiesto la incultura y desfachatez de ciertos actores de aquel tiempo; *Manía de citas y de epígrafes* ridiculiza este abuso, tan corriente en aquellos como en todos los tiempos; *Una primera representación,* sobre las inquietudes del autor novel que Larra debía de conocer por experiencia; *La polémica literaria,* finísima sátira contra los que gustan de discutirlo todo, sin más argumentos que la difamación y el insulto; *Don Timoteo o el literato* vapulea al escritor pedante que llega a alcanzar falso prestigio; *Don Cándido Buenafé o el camino de la gloria,* consejos irónicos para alcanzar provecho y renombre en poco tiempo y con escaso esfuerzo: «Si quiere honra, debe producir poco o nada, ausentarse de los círculos literarios algunos años y hablar siempre de lo que va a hacer; si quiere provecho, lo conseguirá fácilmente adulando a todo el mundo.» *Vindicación,* en que se exculpa de la acusación de plagio que se le hizo por su comedia *No más mostrador.*

Particular importancia tiene en este sentido el titulado *Mi nombre y mis propósitos,* la reseña crítica que hizo del drama de Martínez de la Rosa, *Aben-Humeya,* y sobre todo *Literatura.* «Por haber dado en la gracia de ser ingenuo y decir a todo trance mi sentir—afirma en el primero—, me llaman por todas partes mordaz y satírico; todo porque no quiero imitar al vulgo de las gentes que, o no dicen lo que piensan, o piensan demasiado lo que dicen.» En la reseña aludida, tras definir los conceptos de tragedia y de comedia, nos viene a dar una prueba más de su eclecticismo en materia literaria: «En cuanto a las disputas de las escuelas y pandillas, como las vemos estribar, más que en el fondo, en las formas, nos será permitido reírnos de ellas, en atención a que creemos que las formas son variables hasta el infinito, porque siempre habrán de seguir la indicación del espíritu de la época. El poeta escribe para ser entendido; y mal pudiera serlo el que no se sujetase al lenguaje, al modo que tienen de revestir sus ideas aquellos que han de aplaudirlo o censurarlo.» Citas que confirman el espíritu clasicista de Larra, las hallamos por docenas, pero es en el artículo *Literatura,* publicado el 18 de enero de 1836, donde aparece más clara la ideología estética de *Fígaro.* A pesar de afirmar varias veces la relación de la literatura

con las instituciones sociales y políticas—siguiendo la doctrina de madame Staël—, y de presenciar el triunfo del Romanticismo, no busquemos mayores concesiones a la nueva escuela que las contenidas en este artículo [10]. Aferrado a la preceptiva neoclásica, da patente muestra de incomprensión de nuestro teatro nacional; al enjuiciar las *Escenas matritenses,* de Mesonero Romanos, escribe: «Nuestro teatro, tan pródigo en fábulas estériles, encontró a veces en Calderón mismo, en Lope y, sobre todo, en Alarcón, Tirso, Moreto y los que los siguieron, escritores excelentes de costumbres.» Apoyándose en el historicismo de madame Staël y de Sainte-Beuve, que luego erigiría en sistema determinista Hipólito Taine, afirma que la literatura es expresión de la sociedad que la produce, por lo que no debe imponerse a un país lo que sea característico de otro, ni a una época lo de otra. «Reconociendo este principio, la francesa (literatura), que no es intérprete de nuestras creencias ni de nuestras costumbres, sólo nos puede ser perjudicial, dado caso de que con violencia incomprensible nos haya de ser impuesta por una fracción poco nacional y menos pensadora» [11].

c) Artículos políticos

Es la intención política una de las facetas más acusadas en la obra de *Fígaro.* Escriba de literatura, de costumbres o de cualquier otra materia, siempre moja su pluma en lo político, haciendo alarde al mismo tiempo de su independencia y sinceridad. Una supuesta alusión de Bretón de los Herreros en la comedia *La redacción de un periódico* le da base para proclamar una vez más ese espíritu independiente: «Entre los periodistas... hay hombres que ni reconocen miedo ni precio, hombres que no admiten ni admiran nunca destinos del Gobierno ni promesas de partidos, hombres, en fin, que tienen harto orgullo, fundado o no, para escribir otra cosa que lo que sienten.»

Los artículos políticos arrojan un *Fígaro* liberal ferviente, lo que no le impide hacer blanco de sus sátiras a los mismos correligionarios cuando dan motivo para ello. Pero sus más crudos ataques van contra el carlismo y el pretendiente. A esta intención responden: *Nadie pase sin hablar al portero o los viajeros en Vitoria, La planta nueva o el faccioso, El hombre menguado o el carlista en la proclamación, La Junta de Castello-Branco,* etc.

En *El hombre-globo* se alude al arrivista; hecho de gas flota con todos los regímenes y escala las más altas posiciones.

El más amargo de cuantos brotaron de la pluma de *Fígaro* es *Día de Difuntos de 1836.* Madrid se ofrece ante el alma atormentada del autor como un «vasto cementerio» donde «cada casa es el nicho de una familia; cada calle, el sepulcro de un acontecimiento; cada corazón, la urna cineraria de una esperanza o de un deseo». Se hace tabla rasa de todos los valores, incluso de los sentimientos del mismo escritor: «Quise refugiarme en mi propio corazón, lleno no ha mucho de vida, de ilusiones, de deseos. ¡Santo cielo! También otro cementerio. Mi corazón no es más que otro sepulcro. ¿Qué dice? Leamos. ¿Quién ha muerto? ¡Espantoso letrero! ¡Aquí yace la esperanza!»

d) De carácter vario

Sólo haremos mención de tres: *Los barateros, Exequias del conde de Campo Alange* y *Un reo de muerte*.

Los barateros nos da el ideario antisocial y demoledor de Larra; las *Exequias* son un canto a la amistad de Campo Alange, muerto en la guerra carlista, en enero de 1837. El escritor lamenta tanto como la muerte del amigo la injusticia de la sociedad y la orfandad de su corazón: «Liberal —nos dice—, no era vocinglero; literato, no era pedante»; pero lo más significativo del artículo —aparte la posición ambigua que entre fe y ateísmo adopta el autor— es el prurito que muestra de pasar por liberal e independiente: «En una o en otra forma de gobierno, la libertad seguía siendo nuestra causa.» *Un reo de muerte* le inspira uno de los más violentos ataques contra la justicia social: «El que sólo había robado a la sociedad iba a ser muerto por ella; la sociedad también da ciento por uno: si había hecho mal matando a otro, la sociedad iba a hacer bien matándole a él. Un mal se remedia con dos.» Y, de paso, el disparo contra la religión: «El desgraciado es trasladado a la capilla, en donde la religión se apodera de él como de una presa ya segura.»

Novela, drama y poesía

Por ninguno de estos títulos—poeta, dramaturgo o novelista—Larra hubiera pasado a la posteridad. Todo lo más habría merecido una breve mención por su novela histórica *El doncel de don Enrique el Doliente* (1834). Dejamos a Menéndez Pelayo el comentario: «Es novela muy endeble si se la considera como cuadro histórico. Ni los estudios ni las inclinaciones de Larra le hacían apto para la reconstrucción de lo pasado, y el que buscara en su obra colorido arqueológico, se llevaría solemne chasco. Apenas conocía la Edad Media más que por las novelas de Walter Scott y por algunos romances y retazos de crónicas que leyó superficialmente antes de ponerse a su tarea. Pero lo que distingue a *El doncel* de otras frías y cansadas rapsodias seudo-caballerescas que por aquel tiempo pulularon es—aparte de la pulcritud y singular esmero del estilo, que es más castizo que en el resto de sus obras—la llama de la pasión culpable y misteriosa que por todo el libro serpea, y que en realidad le inspiró. Bajo el trasparente disfraz del siglo xv hay una novela íntima, demasiado

histórica para desgracia de su autor. No brotó de pura imaginación literaria, como tantas otras de su género, sino que se realizó íntegramente en la vida, con fatal y trágico desenlace, no muy diverso del que había imaginado el poeta. Caracteres hay dos, el de Macías y el de su amada, débilmente bosquejados uno y otro, y tan forasteros en la Castilla del siglo xv como podían serlo Werther y Carlota, Jacobo Ortiz y Teresa. Su erotismo refinado, mezcla de impulsos sensuales y de sofismas éticos, viene en línea recta de Juan Jacobo Rousseau» [12].

El mismo juicio cabría extender a *Macías*, segundo drama romántico español en el aspecto cronológico y en el que Larra vuelve a identificarse con el protagonista. No busquemos tampoco aquí ni verdad histórica ni estudio de caracteres; no hay más que el grito de una pasión desenfrenada y el anatema contra unos principios sociales que le impiden manifestarse en toda su violencia. En el prólogo se niega la filiación del drama a cualquier escuela: «¿Qué es, pues, *Macías*? ¿Qué se propuso el autor? Macías es un hombre que ama y nada más. Su nombre, su lamentable vida, pertenecen al historiador; sus pasiones, al poeta. Pintar a Macías como imaginé que fué o pudo ser, desarrollar los sentimientos que experimentaría en el frenesí de su loca pasión, y retratar a un hombre, ese fué el objeto de mi drama. Quien busque en él el sello de una escuela, quien le invente un nombre para clasificarlo, se equivocará.» Su argumento quedó esbozado en el capítulo correspondiente, al relatar la leyenda amorosa del trovador Macías y su proyección en nuestras letras. Añadamos que Larra modifica el desenlace legendario haciendo que Elvira se suicide ante el cadáver de su adorador [13].

Compuso también Larra el drama en verso *El conde Fernán González y la exención de Castilla*, sobre el viejo tema de la independencia de este condado (leyenda del azor y del caballo); tradujo el *Don Juan de Austria*, de Casimiro Delavigne, y *El arte de conspirar*, de Eugenio Scribe; aprovechó dos comedias francesas para la suya *No más mostrador*, y escribió un drama en prosa, *Un desafío*; un melodrama, *Roberto Dillón*, y las comedias *¡Tu amor o la muerte!*, *Partir a tiempo* y *Felipe*.

Su producción en verso se mueve entre un mesurado romanticismo y la tendencia anacreóntica, sensual y amanerada del siglo xviii. Es de notar su *Letrilla anacreóntica* (1829), en cuya disposición estrófica ha querido ver cierta crítica un precedente de la popularísima *Canción del pirata*, de Espronceda [14].

Juicio crítico

Hoy, extinguida casi la alharaca de los «noventaiochistas» en torno a la gran figura de Larra, podemos formular un juicio objetivo y desapasionado.

Como hombre, ya hemos visto que fué un amargado, un resentido, quizá por causas ajenas a su propia voluntad. Fáltanos enjuiciarle como escritor.

Larra vive entre dos revoluciones, una política y otra literaria, producto ambas de un mismo fenómeno. Se ha educado en las disciplinas neoclásicas, y al analizar en su primer artículo el melodrama de Ducange *Treinta años o la vida de un jugador,* lo hace manteniéndose fiel a los cánones de la vieja escuela. No comprende todavía Larra, no lo entendió nunca íntegramente, aunque lo llevase a la práctica de la manera más definitiva, el romanticismo literario. Partidario de los géneros puros, aplica los preceptos horacianos con todas sus consecuencias. La mayor concesión que hace años más tarde a la nueva escuela es situarla en un plano de igualdad con el clasicismo. Luego, a juzgar por su profesión de fe formulada en su aludido artículo *Literatura,* se nos revela perfectamente ecléctico. Pero todavía la crítica de *El Tro-*

vador, de García Gutiérrez, está hecha conforme a una pauta clasicista. Su incomprensión de nuestro teatro nacional corre parejas con su reserva ante las innovaciones románticas. Y, sin embargo, con todas estas limitaciones, Larra es un escritor de primer orden. «El único gran escritor castizo de su tiempo», ha dicho *Azorín,* reproduciendo casi textualmente palabras de *Clarín* y de Menéndez Pelayo. Como satírico y polemista no tiene igual entre los escritores de su siglo. Su ingenio es inagotable; su léxico, copioso; su estilo es de ayer, de hoy y de todos los tiempos: tajante, incisivo, mordaz, y siempre a tono con el asunto. A Larra se le lee ahora, se le leerá siempre, con la misma fruición y el mismo interés con que le leyeron sus contemporáneos. Sus artículos son un modelo de observación, de agudeza y de buena prosa castellana; y para que resulten tan vivos hoy como el día en que los escribió, muchos de los vicios y defectos nacionales censurados por su ágil pluma siguen perdurando en nuestro carácter.

III. «FERNAN CABALLERO»

Inicia con gran decoro la novela realista moderna, que a tan alto rango habían de llevar, entre otros, Pérez Galdós, Pereda, la Pardo Bazán, Palacio Valdés, Alarcón y Valera. Esta circunstancia explica los elogios que le tributó la crítica de su tiempo y el éxito alcanzado por sus obras, éxito indudablemente superior al que hubiesen merecido juzgadas sólo por su mérito intrínseco.

Hoy la fama de *Fernán Caballero* ha decrecido bastante, porque el público hace tiempo que empezó a desentenderse de ciertos relatos de horizonte limitado y acusada intención moralizadora. Pero todavía, dada su innovación en la novela española, el nombre de *Fernán Caballero* ocupa un hueco muy apreciable en la historia de nuestra literatura.

Biografía y obra

«Fernán Caballero», seudónimo de CECILIA BÖHL DE FABER, fué hija del famoso hispanista alemán don Juan Nicolás y de la dama gaditana doña Francisca Larrea. Había nacido en Morges (Suiza), el 25 de diciembre de 1796, yendo sus padres de paso para Alemania. Se educó en este país, donde residió desde los seis a los dieciocho años. El primer suceso histórico que se graba en su mente es el desastre de Trafalgar, cuyo emocionante relato llevaría a *Una madre.* Casó tres veces: la primera, a los veinte años, con el capitán de granaderos Antonio Planells, matrimonio desgraciado, ya que quedó viuda a los dos años del casamiento; luego, con el marqués de Arco Hermoso, con quien se estableció en Sevilla; por fin, viuda nuevamente y heredera de cuantiosa fortuna, con don Antonio Arrom de Ayala, mucho más joven que ella. Tampoco fué feliz, ya que Arrom se suicidó en 1859.

A partir de esta fecha vivió muy modestamente en una casa del Alcázar de Sevilla, hasta la Revolución del 68. Fué muy considerada por los duques de Montpensier y por Isabel II. Murió en abril de 1877. Como dato curioso debe anotarse que el Gobierno belga le concedió la Cruz de la Orden de Leopoldo, concesión que hubo de quedar sin efecto al enterarse aquel Gobierno de que «Fernán Caballero» era una mujer.

Su producción literaria se manifiesta en tres géneros: poesía, cuento y novela. Las poesías, de tipo popular, y los cuentos fueron recogidos en *Cuadros de costumbres populares andaluzas* (1852); las novelas tienen por título: *La Gaviota, La familia de Alvareda, Clemencia, Un servilón y un liberalito o dos almas de Dios, Un verano en Bornos, Lágrimas* y *Elia.*

Los cuentos

Dentro de su variada temática van desde la más poética espiritualidad hasta lo más chocarrero. Siente la escritora especial predilección por el relato breve de tipo moral, aspirando con ello a poner de manifiesto las tradicionales costumbres, con sus vicios y virtudes, de nuestros antepasados. El cuento de *Fernán Caballero* inaugura, por decirlo así, el costumbrismo español, entendido de una manera folklórica.

Imposible citarlos todos. Vayan sólo los que juzgamos más interesantes. Basados en las que *Fernán Caballero* llama «culpas feas», tenemos: *Sola,* contra los peligros de la mala educación: la hija ilegítima de una dama aristocrática crece en un ambiente equívoco hasta llegar a las mayores degradaciones; *Callar en vida y perdonar en muerte,* con el sacrificio de una esposa ejemplar que, enterada del asesinato perpetrado por el marido en su madre política, mantiene el secreto hasta sus últimos momentos y, ya en el lecho de agonía, le otorga su perdón; *Justa y Rufina,* sobre el trueque de dos niñas de opuesta condición social; *El vendedor de tagarninas,* con la historia del huerfanito que ayuda a vivir a su madre, hasta que cierto día muere de frío; *Una madre,* con recuerdos de la batalla de Trafalgar, etc.

Más fantásticos, y con intervención de lo sobrenatural y maravilloso, tiene: *La suegra del diablo,* remotamente parecido a uno de Maquiavelo, *El archidiablo de Belfegor; Doña Fortuna y don Dinero, Los caballeros del pez, La oreja de Lucifer* y *Juan Holgado y la muerte,* que guarda analogías con *El amigo de la muerte,* de Alarcón. Juan, que ha dado su merienda a la muerte, sin conocerla, se hace médico por consejo de ella y alcanza fama y muchas riquezas [15].

Como intermedio entre el cuento y la novela podemos considerar *Simón Verde,* encaminado a poner de manifiesto la resignación heroica del protagonista perseguido constantemente por la codicia de un alcalde.

Las novelas

La primera y la mejor de cuantas escribió es *La Gaviota* (1849). He aquí resumido el argumento:

El cirujano alemán Fritz Stein es recogido gravemente enfermo en Villamar por los guardianes de un convento. Conoce y cura a la hija de un humilde pescador, Marisalada, por otro nombre la *Gaviota,* llamada así por su facilidad en imitar el canto de los pájaros. Arisca y huraña, Stein la educa, se enamora de ella y se casa. El duque de Almansa, amigo de Stein, presenta el matrimonio en Sevilla, donde Marisalada se enamora del torero Pepe Vera. Pasan a Madrid, y allí ía joven triunfa por su voz, llegando a ser la cantante de moda. El viejo pescador enferma entre tanto; Momo, un zafio de Villamar, acude a Madrid en busca de la *Gavita,* a quien halla en el teatro interpretando *Otelo.* Cree que la muerte en escena es real y anuncia en el pueblo que ha sido asesinada. Stein descubre los amores adúlteros de su mujer y sale para América, donde muere al poco tiempo. Pepe Vera sufre una cogida mortal en la plaza; y Marisalada pierde la voz por una enfermedad. Termina volviendo al pueblo y casándose con el barbero.

La novelista parece haber intentado desarrollar el concepto paulino-agustiniano de la perversión natural del hombre, cuyos malos instintos deben superarse por la educación. Marisalada, la *Gaviota,* es el símbolo de esta doctrina: se la encumbra para hacerla caer luego de su pedestal. No hace falta subrayar el fondo moralizador de toda la novela, más acusado al final. Ello no obsta para que aquí y allí nos sorprendan escenas de tono subido, que la autora procura justificar con la aleccionadora moraleja que del relato se desprende. Con ser *La Gaviota* la primera novela de *Fernán Caballero,* es indudablemente la más lograda y la que mayor fama le dió.

Le sigue en interés *La familia de Alvareda* (1856), relato de un crimen: Perico, uno de los mejores mozos del pueblo, llega por celos de su esposa al asesinato de su mejor amigo, crimen que paga con la horca. *Clemencia* (1852) interesa como documento autobiográfico en parte del primer matrimono de la autora; *Un verano en Bornos* (1858) recuerda en algún pasaje a *Pepita Jiménez,* de Valera; *Lágrimas,* con una mezcla de sentimentalismo dulzón y de moralidad a ultranza, nos ofrece la historia de una huérfana, víctima del materialismo reinante, y *Elia,* en la misma línea de resignación y de virtud un poco ñoña, es una pusilánime criatura que por no luchar termina acogiéndose a la tranquilidad del claustro.

Ideológicamente, todas estas novelas se resuelven en una apología de la virtud, entendiendo por tal el cumplimiento del Decálogo, y una condenación del vicio en cualquiera de sus formas, incluído el progreso material, cuando se desarrolla en menoscabo del espíritu. Resignación y caridad son dos factores que entran siempre en juego en estas novelas.

Valoración

Con *Fernán Caballero* podemos decir que empieza la novela española moderna. Lo que teníamos antes eran imitaciones románticas, de tipo histórico o social, y pequeños cuadros costumbristas cuya objetividad quedaba medio diluída en la sátira y el humor de que iban siempre cargados. Con *La Gaviota,* con *La familia de Alvareda* y *Clemencia,* se abre el paso a esa novela de la segunda mitad del XIX, hecha a base de caracteres, de costumbres y ambientes propios y actuales, sin tener que recurrir a reconstrucciones del pretérito o a exóticos escenarios. *Fernán Caballero* se inspira en la realidad. «No aspiramos—escribe en el prólogo de *La familia de Alvareda*—a causar efecto, sino a pintar las cosas del pueblo tales cuales son; no hemos querido separarnos un ápice de la naturalidad y de la verdad.» Y lo mismo repite en la «Carta a mi lector de las Batuecas», que figura al frente de *Clemencia.* A esta naturalidad lo sacrifica todo, incluso, si hace falta, las bellezas de lenguaje. A esta naturalidad y al intento moralizador, que nunca disimuló la ilustre escritora. Quiere, y así lo dice, que cada obra suya, novela o cuento, sea una lección edificante. Y porque no le basta la que se deduce de la misma acción, todavía intercala en el cuerpo de la obra frecuentes digresiones moralizadoras, que sólo sirven de ordinario para entorpecer la marcha del relato.

También el cuento de *Fernán Caballero* entraña un propósito moralizante. Si se sobrecarga de contenido popular y se arrea con toda clase de elementos folklóricos es sólo para hacerle cumplir mejor aquella finalidad. Aspira *Fernán Caballero* con sus cuentos a contraponer las virtudes pasadas más características de los españoles con los que ella considera, y probablemente son, grandes vicios de la época. Esta obsesión didáctica no le impedía ser encantadoramente sencilla, natural y espontánea. Si es cierto que la narración se hace a veces demasiado dulzona—«arroz con leche», la definió Valera—, y si no es menos cierto que el estilo peca con frecuencia de desmañado y poco castizo, no se le puede negar, en cambio, una frescura de inspiración, una sensibilidad y un poder observador realmente asombrosos. Ese poder le permite conservar en su retina cuanto han visto sus ojos, para trasladarlo luego al cuento o a la novela en animadas descripciones y diálogos, que siempre son reflejo exacto de la realidad. *Fernán Caballero* no fué una estilista, mucho menos una purista; pero fué una escritora que gustó mucho en su tiempo y que todavía se deja leer. Crítico tan exigente como Benedetto Croce ha hecho de ella los mayores elogios. En cierta ocasión nos habla de su solidez mental, su simplicidad de corazón y la viveza de su fantasía; otras veces se refiere a la magia con que describe y sabe animar cuanto toca, y, finalmente, afirma que «de su corazón brotaba una fuente de poesía capaz de mantenerse viva y fresca aun en medio de su férviente apostolado». Alusión esta última a su manía moralizante [16].

Discípulos de *Fernán Caballero* fueron, entre otros, el padre Coloma, a quien estudiaremos en otro capítulo, y el vasco ANTONIO DE TRUEBA (1821-1889), autor de *Cuentos de color de rosa* (1859), sobre costumbres campesinas vascas; *Cuentos campesinos* (1860), costumbres de Castilla; *Cuentos populares*, *Cuentos del hogar*, *Cuentos de vivos y muertos*, etc. Pintor idílico, se diferencia de *Fernán Caballero* en que considera el mundo como un auténtico paraíso; no quiere ver más que el lado bueno y agradable de la vida.

NOTAS

1. Era natural de Becerril de Campos (Palencia). Fué familiar del cardenal Lorenzana y ayo del cardenal Luis de Borbón, nieto de Carlos III. Vida la suya muy agitada, hubo de pasar a Francia en 1814, y fué objeto de duros ataques como «afrancesado». Perteneció a la Academia de la Historia.

2. Malagueño. Estudió Derecho en Granada, y pasó luego a Madrid, donde desempeñó cargos importantes: ministro, consejero de Estado, senador, auditor, etc. Fué académico de la Historia, y riñó contra Gallardo una de las muchas polémicas en que se hizo famoso este gran bibliófilo.

3. Madrileño. De familia bien acomodada. Estuvo varios años al frente de los negocios de su padre, y luego se dedicó (1833-1835) a viajar por el extranjero, especialmente por Francia e Inglaterra. En 1836 fundó el *Se-*

manario Pintoresco, una de las revistas más difundidas en aquella época. Fué cronista de Madrid y académico de la Real Española de la Lengua. Tuvo la habilidad de estar siempre apartado de la política, disfrutando de un saneado patrimonio, en ésa *aurea mediocritas* tan recomendada por Horacio.

4. Pról. a la ed. de *Artículos completos de Larra*. Edit. Aguilar, Madrid, 1944.

5. Vid. ZORRILLA: *Recuerdos del tiempo viejo*.

6. «En la tarde del 13 de febrero de 1901 un grupo de jóvenes se dirigía por la calle de Alcalá... en dirección a Atocha. Vestían estos mozos trajes de luto; iban cubiertos con sombreros de copa; llevaban en las manos ramitos de violetas. El sombrero de algunos de estos jóvenes era de ala plana, recta; una larga melena bajaba casi hasta los hombros; el cuello iba rodeado con triple vuelta de una negra corbata.» Quien nos hace el relato es *Azorín*, jefe del estrambótico cortejo.

7. «Vivo, no correspondía a la amistad de nadie—escribió en 1846 Ferrer del Río—. Larra, con su índole viciosa, su obstinado escepticismo y sin saborear nunca la inefable satisfacción que resulta de las buenas acciones, no cabía en el mundo. A este campo de desolación y tristeza le conducía su instinto aciago, su condición áspera y exigente.» No es muy distinto, aunque más benévolo, el juicio que formula Mesonero Romanos en sus *Memorias de un setentón*, al hablar de la mordacidad de Larra, «que tan pocas simpatías le acarreaba». Y Almagro San Martín, en el pról. citado, escribe: «Larra se muestra ya por entonces (1825), no sólo como un alma trasminada del sentido romántico de la época, sino, aún más, como un temperamento fisiológico anormal, mezcla de histerismo e idiosincrasia hepática. Las veleidades de su carácter, que salta del regocijo al pesar, del optimismo al pesimismo más negro; su libidinosidad sin freno, su mal humor creciente, las ojerizas que toma a ciertas personas por livianos motivos, hasta su estilo mordaz y bilioso, tanto en privado, cuando hablaba, como en público, cuando escribía, que se manifiestan pródigamente en toda su vida, pueden explicarse claramente por un hígado enfermo y un sistema nervioso tan débil como irritable.»

8. *La satírico-manía*, «Revista Española», 15 marzo 1833.

9. «Varias cosas se necesitan para traducir del francés al castellano una comedia: primera, saber lo que son comedias; segunda, conocer el teatro y el público francés; tercera, conocer el teatro y el público español; cuarta, saber leer el francés; quinta, saber escribir el castellano.»

10. «No hemos olvidado que la literatura es la expresión, el termómetro verdadero del estado de la civilización de un pueblo... La literatura no puede buscar, por consiguiente, sino verdades. Y no se nos diga que la tendencia del siglo y el espíritu de él, analizador y positivo, lleva en sí mismo la muerte de la literatura; no. Porque las pasiones en el hombre siempre serán verdades, porque la imaginación misma, ¿qué es sino una verdad más hermosa?... Libertad en literatura como en las artes, como en la industria, como en el comercio, como en la conciencia. He aquí la divisa de la época, he aquí la nuestra, he aquí la medida con que mediremos. En nuestros juicios críticos preguntaremos a un libro: ¿Nos enseñas algo? ¿Nos eres la expresión del progreso humano? ¿Nos eres útil? Pues eres bueno. No reconocemos magisterio literario en ningún país, menos en ningún hombre, menos en ninguna época, porque el gusto es relativo; no reconocemos una escuela exclusivamente buena, porque no hay ninguna absolutamente mala. Ni se crea que asignamos al que quiera seguirnos una tarea más fácil; no. Le instamos al estudio, al conocimiento del hombre; no le bastará, como al clásico, abrir a Horacio y a Boileau y despreciar a Lope o a Shakespeare; no le será suficiente, como al romántico, colocarse en las banderas de Víctor Hugo y encerrar las reglas con Molière o con Moratín; no, porque en nuestra librería campeará el Ariosto al lado de Virgilio, Racine al lado de Calderón, Molière al lado de Lope; a la par, en una palabra, Shakespeare, Schiller, Goethe, Byron, Víctor Hugo y Corneille, Voltaire, Chateaubriand y Lamartine. Rehusamos, pues, lo que se llama en el día literatura entre nosotros; no queremos esa literatura reducida las galas del decir, al son de la rima, a entonar sonetos y odas de circunstancias que concede todo a la expresión y nada a la idea, sino una literatura hija de la experiencia y de la historia y faro, por tanto, del porvenir: estudiosa, analizadora, filosófica, profunda, pensándolo todo, diciéndolo todo en prosa, en verso, al alcance de la multitud ignorante aún; apostólica y de

propaganda; enseñando verdades a aquellos a quienes interesa saberlas, mostrando al hombre, no como debe ser, sino como es, para conocerle; literatùra, en fin, expresión toda de la ciencia de la época, del progreso intelectual del siglo.»

11. Crítica de *Anthony*, artículo II. «El Español», 25 junio 1836.

12. Pról. a la comedia de Lope *Porfiar hasta morir*, «Estudios sobre el teatro de Lope de Vega». Madrid, Librería General de Victoriano Suárez, V, págs. 65-66.

13. Como la mayor parte de los dramas románticos de reconstrucción arqueológica, la obra abunda en anacronismos. Comenzando la acción de *Macías* en el 1406, se habla de los premios y honores que ha alcanzado el protagonista en los juegos florales de Zaragoza presididos por don Enrique de Villena, y se dan como cosa ya pasada; por otra parte, don Enrique, para evitar las fatales consecuencias de la pasión de Macías, dice que le mandará con la famosa embajada — que el Gran Tamerlán de Persia — presto envía al rey de España —; embajada que, como es sabido, tuvo lugar en 1403. No son menores los anacronismos de tipo moral: presenta a don Enrique de Villena como prototipo de marido despótico y cruel; las palabras que Macías dirige a Elvira en la escena IV del acto III resultan falsas e inverosímiles puestas en boca de un castellano del siglo xv.

14. Mucho se ha discutido el origen de la composición esproncediana en su aspecto métrico. Según el señor Gamallo Fierros, la crítica ha perdido mucho tiempo buscando la fuente fuera de casa, sin darse cuenta de que el antecedente inmediato estaba entre nosotros. Se ha pensado en formas derivadas de Byron: *El corsario*; en otra de Vigny: *La Fragata*, y hasta en alguno de sus poemas filosóficos. En 1829 Larra publica su *Letrilla anacreóntica*, cuyas dos primeras estrofas dicen así:

> Venga, Filis
> bullicioso,
> el sabroso
> de Jerez;
> del buen mosto
> de la uva
> la honda cuba
> vaciaré.
>
> Que unas veces en mi vaso
> y en tus labios otras beba,
> ya del rancio de Peralta,
> ya la dulce miel hiblea.

Si se prescinde de las dos octavillas iniciales: «Con diez cañones por banda...», las únicas novedades en la *Canción del pirata* eran la estrofa

> Veinte presas
> hemos hecho
> a despecho
> del inglés,
> y han rendido
> sus pendones
> cien naciones
> a mis pies,

y el estribillo octosílabo asonantado en agudo: «Que es mi barco mi tesoro...» Pero ambas son formas métricas y estróficas que encontramos en la aludida anacreóntica de Larra, fuente indudable, para el señor Gamallo, de las de Espronceda.

15. A pesar del carácter fantástico de muchos de sus relatos, Fernán Caballero insiste en afirmar que copia la realidad: «En éste, como en los más de nuestros cuadros, el argumento es cosa sencilla y poco complicada, por lo que carece de ese movimiento, de esas intrigas, de esas pasiones que son, en particular en Francia, la esencia de la novela. Por eso hemos tenido cuidado de no denominar a estas composiciones novelas, sino cuadros, para que todo aquel a quien no agrade el estudio de costumbres, del carácter, de las ideas y del modo de expresar las de nuestro pueblo, no las lea.» (Pról. de *Vulgaridad y nobleza: Cuadros de costumbres populares*.)

16. *Scritti di Storia Letteraria e Politica*, XVIII, «Fernán Caballero», págs. 201-19, Bari, 1946.

BIBLIOGRAFIA

I. I. AGUILERA SANTIAGO: *Don Sebastián de Miñano*, «Bol. Bibl. M. Pelayo», Santander, 1930-33.—M. AZAÑA: *Silueta de Estébanez Calderón. Estébanez Calderón y Valera*. «Valera en Italia», Madrid, 1929.—A. BALBIN DE UNQUERA: *Mesonero Romanos y los escritores costumbristas*, «Rev. de España», CXI, 1886.—H. C. BERKOWITZ: *Ramón M. Romanos. A Study of his Costumbrista Essays* (tesis doctoral manuscrita), Cornell University, 1925; *The memory element in Mesoneros Memorias*, «Romanic Review», XXI, 1930; *Mesonero's Indebtedness to Jouy*, Publ. of the Modern Lang. Association of Amer., XLV, 1930.—A. CÁNOVAS DEL CASTILLO: *«El Solitario» y su tiempo*, Madrid, 1883.—F. CARRERAS CANDI: *Folklore y costumbres de España*, Martín, Barcelona, 1931.—E. CORREA CALDERÓN: *Estudio preliminar a «Costumbristas españoles: Siglos XVI al XX»*, 112 págs., M. Aguilar, Madrid, 1950; *Análisis del cuadro de costumbres*, «Rev. Ideas Estéticas», núm. 25, Madrid, 1949; *El escritor costumbrista: El costumbrismo en los novelistas del realismo*, «Rev. Arch., Bibl. y Mus.», número 56, Madrid, 1948.—E. COTARELO MORI: *Elogio biográfico de don Ramón Mesonero Romanos*, «Bol. R. Acad. Esp.», XII, 1925.—L. A. CUETO: *Crítica histórica y literaria: «Memorias de un setentón»*, «Rev. Contemporánea», XXVIII, Madrid, 1880.—A. FERRER DEL RÍO: *Don Modesto Lafuente*, Madrid, 1867.—R. FOULCHÉ-DELBOSCH: *Le modèle inavoué de «Panorama matritense» de M. Romanos*, «Revue Hispanique», XLVIII, 1920.—A. GONZÁLEZ PALENCIA: *Una oda inédita de Estébanez Calderón*, «Estudios...» de Bonilla.—W. S. HENDRIX: *Notes on Collections of Types, a Form of «Costumbrismo»*, «Hisp. Review», I, julio 1933.—M. J. DE LARRA («Fígaro»): *«Panorama matritense»* (dos artículos), «Artículos completos», M. Aguilar, Madrid, 1944.—J. R. LOMBA DE LA PEDRAJA: *Costumbristas españoles de la primera mitad del siglo XIX*, Oviedo, 1933.—S. LÓPEZ ARROYO: *Album en honor y recuerdo de don Ramón M. Romanos*, 140 págs., P. Montoya, Madrid, 1889.—O. DE MEDEIROS: *Mesonero Romanos. Antología. Pról. y notas de...*, Edit. Nacional, Madrid, 1944.—R. MITJANA: *Acerca de «El Solitario» y la música andaluza*, «Discantes y Contrapuntos», Sempere, Valencia, s. f.—C. M. MONTGOMERY: *Early Costumbrista Writers in Spain, 1750-1830*, Univ. of Pennsylvania, Filadelfia, 1931.—F. MORERE: *D. Ramón de M. Romanos. Scènes de la vie de Madrid. Avec une notice biographique et littéraire et des notes*, Garnier, París, 1896.—E. OCHOA: *Panorama matritense*, «El Artista», II.—J. OLMEDILLA PUIG: *Bosquejo biográfico del popular escritor de costumbres don Ramón M. Romanos*, Hernández, Madrid, 1889.—C. PITOLLET: *Mesonero Romanos, costumbrista*, «La Esp. Moderna», oct. 1903.—M. E. PORTER: *Eugenio de Tapia: A forerunner of Mesonero Romano*, «Hisp. Review», VII, 1940.—F. C. SAINZ DE ROBLES: *Mesonero Romano: «Escenas matritenses». «Tipos y caracteres»* (estudio preliminar de...), M. Aguilar, Madrid, 1945, 124 páginas.—MARGARITA UCELAY DA CAL: *«Los españoles pintados por sí mismos». Estudio de un género costumbrista*, Fondo de Cult. Econ., Méjico, 1951.—J. VALERA ALCALÁ GALIANO: *Las escenas andaluzas de «El Solitario»*, «Obras completas», II, M. Aguilar, Madrid, 1942.

II. N. B. ADAMS: *A note on Larra «El Doncel»*, «Hisp. Revue», 1941.—M. DE ALMAGRO SAN MARTÍN: *Mariano José de Larra tal como realmente fué; su tiempo y su obra*, «Artículos completos» de Mariano J. de Larra, M. Aguilar, Madrid, 1944.—«AZORÍN» (José Martínez Ruiz): *Rivas y Larra. Razón social del romanticismo en España*, Madrid, 1916.—M. BAQUERO GOYANES: *Perspectivismo y crítica en Cadalso, Larra y M. Romanos*, «Clavileño», núm. 30, 1954.—R. BAUTISTA MORENO: *Larra*, Espasa-Calpe, Madrid, 1950.—«COLOMBINE» (Carmen de Burgos): *Fígaro. Revelaciones. «Ella» descubierta. Epistolario inédito*, Madrid, 1919.—E. COTARELO MORI: *Post-Fígaro. Artículos no coleccionados* (pról. de...), 2 vols., Madrid, 1918-19.—F. COURTNEY TARR: *Larra's «Duende Satírico del Día»*, «Modern Philology», XXVI, 1928-29; *Larra: Nuevos datos críticos y literarios: 1829-1833*, «Revue Hispanique», LXXVII, 1929.—M. CHAVES: *Don Mariano J. de Larra («Fígaro»): Su tiempo, su vida, sus obras*, Sevilla, 1898.—A. ESPINA: *Larra*, «Rev. Occidente», Madrid, dic. 1923.—A. FARINELLI: *Larra*, «Divagaciones hispánicas», I.—V. GARCÍA CALDERÓN: *Larra, écrivain française*, «Rev. Hispanique», LXXVII, 1928.—J. G. ACUÑA: *Larra y Ganivet*, «Nuestro Tiempo», nov. 1908.—C. GONZÁLEZ RUANO: *Larra visto por...*, 2.ª ed., Madrid, 1924.—W. S. HENDRIX: *Notes on Jouy's Influence on Larra*, «Romanic Review», XI, 1920; *An Early Nineteenth Century Essayist*, «The Texas Review», IV, oct. 1918, jul. 1919.—E. H. HESPELT: *The translated Dramas of M. José de Larra and their French Originals*, «Hispania», California, marzo 1932.—E. VON JAN: *Romanischen Forschungen*, Erlangen, 1942.—J. KENNETH LESLIE: *Fígaro en Lisboa, an un published article by M. José de Larra*, «Modern Language Notes», Baltimore, 1953. — F. M. Kercheville: *Larra and Liberal Thoght in Spain*, «Hispania», California, mayo 1931.— A. Larrubiera: *Don Mariano José de Larra («Fígaro»)*, «Ilustr. Esp. y Amer.», 30 marzo 1909.—J. R. Lomba y Pedraja: *Mariano José de Larra («Fígaro»). Cuatro estudios que le abordan o le bordean: I. Costumbristas españoles. II. Larra, escritor político. III. Larra, crítico literario. IV. Teatro romántico*, Tip. de Archivos, Madrid, 1936; *Mariano José de Larra*, «La Lectura», Madrid, 1919.—Elizabeth Macguire: *A Study of the Writings of don Mariano J. de Larra*, Univ. of California, VII, número 2, sep. 1918.—C. de Mazade: *Un humoriste espagnol: Larra*, «Revue des Deux Mondes», XXI, 1848.— J. Nombela y Campos: *Larra («Fígaro»)*, Madrid, 1909.— J. H. Nunemaker: *Nota on the «Ultimos amores de Larra»*, «Romanic Review», XXIII, 1932.—C. Pitollet: *Encore Larra...*, «Les Langues Meridionales», núm. 89, XXXI, París, 1936.—J. S. Pons: *Larra y Lope de Vega*, «Bulletin Hispanique», Burdeos, 1940.—A. Rumeau: *Larra poète. Fragments inedits*, «Bulletin Hispanique», Burdeos, 1951; *Mariano J. de Larra et le Baron Taylor...*, «Revue de Littérature Comparée», París, 1936.—J. Worth Banner: *Concerning a charge of plagiarism by M. José de Larra*, «Studies in Philology», Chapel Hill, 1951.

III. J. M.ª Asensio: *Fernán Caballero y la novela contemporánea*, «Obras completas» de F. C., vol. I, Edit. Ribadeneyra, Madrid, 1893.—A. N. Aultman: *Life and Customs of Andalusia as Reflected in the Novels of the Nineteenth Century*, Oklahoma Theses, 1948.—Conde de Banneau-Avenant: *Fernán Caballero: Sa vie et ses oeuvres*, París, 1899.—D. Canalejas: *Cecilia Böhl de Faber*, «Ilust. Esp. y Amer.», 8 jul. 1916.—L. Coloma (S. I.): *Recuerdos de «Fernán Caballero»*, Bilbao, 1912.—B. Croce: *Nota sulla poesia... «Fernán Caballero»*, «La Critica», XX, 1922.—J. de las Cuevas: *Tula y Fernán en Sevilla*

a través de unas cartas inéditas, «Archivo Hispalense», XX, Sevilla, 1954.—J. A. Doerig: *Contribución al estudio del folklorismo en «Fernán Caballero»*, S. Aguirre (impresor), Madrid, 1934.—Marqués de Figueroa: *«Fernán Caballero» y la novela de su tiempo*, Madrid, 1886.— E. H. Hespelt: *The genesis of the «Familia de Alvareda»*, «Hispanic Review», 1943; *Washington Irving's. Notes on «Fernán Caballero»*, «Modern Lang. Assoc. of Amer.», Baltimore, 1934.—A. Morel Fatio: *«Fernán Caballero» d'après sa correspondance avec Antoine de Latour*, «Bulletin Hispanique», III, 1901.—S. Montoto: *Cartas inéditas de «Fernán Caballero»*, «Bol. de la R. Acad. Esp.», XXXV, XXXVI, XXXVII y XXXVIII, 1955-1958.— Orle: *Noticias biográficas de la eminente literata doña Cecilia B. de Faber y Larrea, conocida bajo el seudónimo de «Fernán Caballero»*, Sevilla, 1910.—A. Palacio Valdés: *Novelistas españoles: «Fernán Caballero»*, «Obras completas de P. V.», II, págs. 1.202 y sgs., M. Aguilar, Madrid, 1948.—C. Pitollet: *Les premiers essais littéraires de «Fernán Caballero»*, «Bull. Hispanique», IX, 1907.— Ch. B. Qualia: *La Gaviota one hundred years after*, «Hispania», Washington, 1951.—Blanca de los Ríos: *«Fernán Caballero»*, Madrid, 1915; *Doña Frasquita de Larrea*, Madrid, 1916.—J. Romano: *«Fernán Caballero». La alondra y la tormenta*, Edit. Nacional, Madrid, 1950.— G. Tyler Northup: *A present for «Fernán Caballero»*, «Hisp. Review», Pensilvania, 1953.—F. J. Wolf: *Contribuciones a la poesia popular a base de las obras de «Fernán Caballero» (Beiträge zur spanischen Volkspoesie aus den Werken «Fernán Caballero»)*, Viena, 1859.—R. Becerro de Bengoa: *Trueba. Estudio biográfico*, Madrid, Imp. «La España Moderna», s. a.—A. González Blanco: *Antonio de Trueba: su vida y sus obras*, Bilbao, 1914.— A. de Latour: *Etudes littéraires sur l'Espagne contemporaine*, París, 1864 (Trueba, pág. 36-155).—P. Alfonso M.ª de Escudero: Est. preliminar a *Cuentos y cantares de Trueba*, Aguilar, Madrid, 1959.

CAPITULO LXVI

EL ROMANTICISMO EN AMERICA:
A) POESIA RIOPLATENSE Y CHILENA

I. La nueva época: *Factores del romanticismo americano. Religión, historia y naturaleza. Los dos romanticismos. Cronología. Caracteres fundamentales.*
II. La poesía de los «proscritos»: *Echeverría, primera voz romántica. Mármol, gran poeta del destierro. Gutiérrez, Idarte y otros exiliados.*—
III. Uruguay y Chile: *Aparición y triunfo del Romanticismo. La polémica Bello-Sarmiento. Románticos uruguayos. Románticos chilenos.*—Notas.
Bibliografía.

I. LA NUEVA EPOCA

Hemos podido ver en los capítulos dedicados al período de la Emancipación cómo la literatura americana sólo en muy pequeña parte se podía considerar autónoma. Los más de los poetas, dramaturgos y prosistas, aun los de alta talla, apenas habían hecho otra cosa que imitar a los españoles. Hasta cuando intentaban denigrar a la nación descubridora y civilizadora lo hacían valiéndose de fórmulas ya empleadas por Arriaza, Quintana y Nicasio Gallego.

En el período que se ofrece ahora a nuestra consideración la América hispana da un paso más por el camino de la independencia ideológica y literaria; independencia que, casi huelga decirlo, nunca había de ser absoluta. Ese paso es en unas naciones más decisivo que en otras. Argentina, Uruguay y Chile se lanzan a una carrera desbocada, mientras los estados que habían formado los virreinatos del Perú y de Nueva Granada, así como los de Centroamérica y de Méjico, se mueven con ritmo más lento. Los nexos con la Península son también en aquéllos menos firmes que en éstos; los contactos, aunque en ningún momento se interrumpan totalmente, menos íntimos; la actitud, menos conciliadora.

Estamos hablando de ese largo período que corre aproximadamente entre los años 1830 y 1870. Por haber sido en ese lapso de tiempo el Romanticismo la nota más acusada de las letras, le llamamos Epoca Romántica; sin que ello signifique que en esos ocho lustros no hayan aflorado otras tendencias al margen de lo romántico. Pero, aun reconocido este hecho, todos habremos de convenir en que el denominador común de la cultura americana en esos cuarenta años se llama Romanticismo.

Factores del romanticismo americano

Y ocurren las primeras preguntas: ¿cómo se manifiesta el romanticismo en Hispanoamérica? ¿Tiene sus caracteres propios, o se limitó a la asimilación de los principios que configuran y determinan el romanticismo general europeo?

De ordinario se viene diciendo que el alma americana es naturalmente propensa a lo romántico; que los americanos, en particular los de origen latino, nacen con «temperamento romántico». En tal caso la nueva escuela literaria no habría hecho, según algunos críticos, sino despertar primero y estimular después aquellas innatas tendencias, hasta ahora latentes, y que ahora por primera vez pudieron encontrar su adecuada expresión. Pero, sin desconocer esta realidad, esos mismos críticos opinan que el romanticismo americano no difiere del europeo sino en matices accidentales. En el fondo es el mismo fenómeno de carácter general e histórico, sin que se puedan descubrir entre ambos notas genéricas diferenciales. Uno es, con él ser el mismo, el romanticismo en Francia y otro en Inglaterra; uno en Italia y otro en España. Se trata de aspectos diversos de un proceso único. Los mismos principios generales son, por tanto, válidos para todos. Esos principios—sentido religioso, con signo afirmativo o negativo; retorno a la naturaleza; atención al pasado histórico; rehabilitación de lo popular; intimismo desenfrenado, con la consiguiente divinización del *yo*; etc.—quedaron explicados en su lugar. No hay por qué volver sobre ellos. También son aplicables al romanticismo americano los aspectos formales del europeo, especialmente del español: libertad métrica, introducción de nuevos géneros, disolución y mezcla de otros, etc.

¿Quiere esto decir que el romanticismo en América no tiene su perfil propio, o que haya de confundírsele con el de aquellos países—Francia, España—a quienes evidentemente imita? Lejos de ello podemos señalar unas cuantas notas o, mejor dicho, aspectos que contribuyen a dar a este gran movimiento en los países de habla hispánica su específica naturaleza.

Por lo pronto, las circunstancias que acompañan su aparición: nace el romanticismo en América, al menos en los principales Estados, a raíz de su liberación política. Esto habrá de dar el tono a buena parte de la poesía y hasta de la prosa románticas de los primeros años. Los cantos tan abundantes de los «proscritos» argentinos acusan una exacerbación tanto del sentimiento de la patria como del odio hacia quienes se cree que puedan atentar de algún modo contra su integridad. No les basta la liberación política, quieren también la liberación intelectual; no se sienten satisfechos con la creación de un Estado suyo, aspiran con ahinco a la creación simultánea de una literatura autónoma. Desde el primer momento lo proclaman sin rebozos. «Es preciso—afirmaba Echevarría, verdadero padre del romanticismo argentino—que (nuestra cultura) aparezca revestida de un carácter propio y original.» Así en las notas a *Los consuelos* (1835). La advertencia iba dirigida sobre todo a España. «Una faz del movimiento de emancipación del clasicismo—explica el mismo Echevarría—es el completo divorcio de todo lo colonial, o lo que es lo mismo, de todo lo español.» Claro es que en este ascenso hacia la emancipación del espíritu los románticos americanos quedaron a mitad o menos de jornada. «Con la excepción muy brillante de algún colombiano y de algún argentino —escribe Menéndez Pelayo—, cayeron en una imitación más servil y más estéril que lo había sido la de los llamados *clásicos*. Habían cambiado los modelos: no eran ya Horacio ni Quintana, pero eran Byron, Víctor Hugo, Espronceda, Zorrilla, y aun Tassara y Bermúdez de Castro, con la desventaja en los imitadores románticos de ser mucho menos cuidadosos de la pureza de dicción y del buen orden y concierto en las ideas que los *clásicos*, como gente que tomaba por inspiración el desorden, por bizarría la incorrección gramatical, por muy profundas las cosas a medio decir, y por rasgos de *genios* desbordados las más incoherentes extravagancias» [1].

Viene a confirmar aquí nuestro gran crítico dos de las notas—éstas negativas—características del movimiento romántico en América: el desorden y la falta de corrección. En los poetas y prosistas de la etapa anterior—Bello y Olmedo, Pardo y Acuña, Batres e Irisarri—tuvimos ocasión de subrayar casi siempre la perfección estilística y el cuidado de la lengua. En los románticos americanos insistiremos

a cada paso en lo contrario. En la vieja escuela la incorrección y descuido eran excepciones; ahora, la excepción estará del lado opuesto.

En general, se puede decir que el romántico americano tiende a exagerar las notas con que se había presentado el romanticismo en Europa. Así, ya está dicho, el sentimiento de libertad nacional se exacerba hasta límites insospechados; así, el culto del *yo*, con la consiguiente revaloración de lo subjetivo, llega a un *extremo de hipertrofia*. La frase no es nuestra; es de un historiador americano: Julio A. Leguizamón. En el orden temático sucede lo mismo: cuando juegan con los motivos propios de cierto romanticismo, ya muy manoseados en Europa—tumbas, hachas, lunas, espectros, etcétera—, superan todo lo que en ese orden habían hecho un Bermúdez de Castro o un Patricio de la Escosura. Hay que reconocer que no es ésta la cuerda preferida por los románticos americanos. Y otro tanto ocurre con los poetas en el metro: las libertades que se toman con el verso son mayores que en España. Algunas veces esas libertades desembocarían en el hallazgo feliz de nuevos ritmos; las más, van en desdoro del poema.

Religión, historia y naturaleza

El elemento religioso, tan importante en algunos sectores de romanticismo europeo, casi se puede afirmar que en el americano brilla por su ausencia. Hay excepciones, pero muy pocas y que apenas merecen atención. El romanticismo en Hispanoamérica es en sus máximos representantes extraño a la religión; cuando no, antirreligioso o francamente ateo.

El retorno al pasado histórico y a la naturaleza, de tan relevante papel en los romanticismos occidentales, ofrece en América peculiares matices. La Historia no podía presentar a los ojos de los americanos el mismo sugestivo cuadro que la suya a los europeos. El pasado histórico anterior a la conquista les era desconocido; además, ningún vínculo de sangre o de cultura, como no sea muy débil, les liga a las viejas razas, ya en su mayor parte desaparecidas. Centran, pues, su mirada en los tiempos de la Colonia; y aún más cerca, en los de la lucha por la emancipación. De ahí surge un nuevo género: el *indianismo*, con su doble proyección literaria en forma de leyenda, del que son el más alto exponente las *Tradiciones peruanas*, de Ricardo Palma; o en forma de novela, tanto en prosa como en verso, y con temas tan preferidos como el de la lucha y fusión entre el elemento indígena y el conquistador, dejando casi siempre para aquél la mejor parte. En algún país, como la Argentina, tal visión, en vez de proyectarse sobre el pretérito, parece más bien orientarse al porvenir, al explotar con carácter legendario temas actuales, como episodios de la lucha contra Rosas o escenas de la Pampa.

El sentimiento difuso de la Naturaleza con mayúscula, diluído en todos los romanticismos europeos, a partir de los «lakistas» y de Rousseau, reviste en el americano una forma más concreta. El romántico europeo ama y canta la naturaleza en general; el americano admira y exalta «su» naturaleza, su paisaje. Piénsese en Colombia, en Uruguay o Argentina. Cada escritor, según pertenezca a un país u otro, inscribe su obra en marco distinto: pampa, río, campo cultivado. Sin duda, esa literatura naturista o paisajista deriva en buena parte de aquella honda vena de «poesía geórgica» desatada por Bello y sus discípulos a partir de las *Silvas americanas*; pero, aun siendo la misma, es muy distinta, en cuanto supone un contacto más directo con lo telúrico. Bello escribía sus *Silvas* en Londres y desde la biblioteca; · los novelistas y poetas románticos lo hacen al aire, frente al río, al volcán o a la llanada que les son familiares.

El Romanticismo, en fin, aprovecha y lleva a brillante desarrollo uno de los géneros que hemos visto surgir en la etapa anterior: el *costumbrista*. Sólo que lo hace con un criterio más amplio, convirtiendo el simple artículo de costumbres en poema o novela. Además, incorpora al género una extensa temática, integrada especialmente por los materiales que suministra el factor social.

Los dos romanticismos

Tres hombres desempeñan en la génesis y ulterior evolución del romanticismo americano un decisivo papel: Echeverría, Mora y Velarde.

Esteban Echeverría (1805-1851), cuya personalidad estudiaremos más adelante, después de una juventud disipada en Buenos Aires, parte para París en 1825, con intención de dedicarse al estudio de las matemáticas, la física, la química y otras ciencias. Pero a la vez que a estas disciplinas se aficiona a las letras, en especial a la poesía vigente a la sazón; y cuando cinco años más tarde, en 1830, regresa a su tierra natal, es ya un fervoroso discípulo de Chateaubriand, Lamartine y Víctor Hugo. Su voz es la primera que suena en las orillas del Plata con acento hondamente romántico. Echeverría se erige pronto en jefe de una juventud que comulga con los principios de la nueva escuela, y es él quien imprime al romanticismo argentino su marchamo marcadamente francés. De la Argentina esta tendencia saltará al Uruguay y a Chile; y por esta razón los tres países formarán dentro del complejo romántico un bloque homogéneo con características especiales.

Pocos años más tarde aparecen por los Estados del Pacífico y de Centroamérica dos poetas españoles, portadores, como Echeverría, de «la buena nueva». Son éstos José Joaquín de Mora y Fernando Velarde. Del primero ya hicimos mención

en otro capítulo. Baste agregar aquí que, obligado a salir de la Argentina a la caída de Rivadavia (1826), se refugia en Chile, de donde pasa a Bolivia y, por último, al Perú. La influencia de su obra poética en los primeros románticos de esos países fué inmensa; sus *Leyendas españolas* sirvieron de modelo a multitud de poemas escritos conforme a esta pauta inicial. Mora fué en este sentido el introductor del romanticismo de signo español en América, frente al de signo francés importado por Echeverría. A consolidar el triunfo de Mora viene Fernando Velarde. Mora representa la técnica depurada; es un maestro consumado del verso, aunque de escaso aliento poético. Velarde, en cambio, es un poeta pródigamente dotado. Sus asombrosas aptitudes naturales corren parejas con su desorden y mal gusto. Su poesía es grandilocuente, torrencial, deslumbradora: un Zorrilla sin la contención de éste. Pero encajaba muy bien en la psicología americana; de ahí que cuando en una odisea en sentido inverso a la de Mora, va saltando por distintos países—Cuba, Perú, Ecuador, Bolivia, Guatemala—, se convierte en el ídolo de las nuevas generaciones poéticas. Sus dos colecciones de versos, *Melodías románticas* y *Cánticos del Nuevo Mundo,* breviario donde aprendan a cantar los jóvenes poetas, están llamadas a suscitar mil ecos en los más apartados rincones del Nuevo Mundo.

De aquí nacen dos direcciones: la francesa, a la que luego habían de incorporarse no pocos elementos del romanticismo peninsular; y la española, con manifiesta preferencia por Zorrilla y tal cual rastro de Byron a través de la técnica narrativa de Mora. A la primera están vinculados los países de la Pampa y Chile, según queda dicho; a la segunda, Perú, Bolivia, las Antillas y Centroamérica. Todavía quedan algunos Estados a los que el romanticismo toca sólo de modo tangencial: Venezuela y Colombia, por ejemplo, donde sin desechar del todo la nueva doctrina se mantiene siempre vivo cierto espíritu de clasicismo aristocrático; o Méjico, preferentemente inclinado a los motivos y modos populares.

Casi es innecesario aclarar que esas dos direcciones no se excluyen totalmente: aunque en Argentina y Uruguay predomina el signo francés, junto con el gusto por Lamartine y Víctor Hugo, los escritores de esos países mostraron marcada afición a Byron y a Espronceda. Según Ernesto Morales, era el autor de *El diablo mundo* el poeta preferido en los salones del Plata; y Paul Groussac llega a decir que la generación siguiente a la de Echeverría había aprendido de memoria los versos de Espronceda «casi con exclusión de todos los demás» [2].

Cronología

De ordinario se da como fecha inicial del romanticismo americano el regreso de Echeverría a Buenos Aires en 1830, tras sus cuatro años de permanencia en París. En 1831 publica sus primeras poesías de franco signo romántico; en 1832, la leyenda *Elvira,* y cuando en 1837 aparecen sus *Rimas* se puede decir que el movimiento romántico está ya en marcha. Los argentinos emigrados lo llevan al Uruguay y a Chile.

Antes de esas fechas algunos brotes presagiaban ya la inminente cosecha. Clima y terreno estaban preparados. En 1821 Esteban de Luca recibe como premio en un certamen los poemas de Ossian; Pedro de Angelis y Joaquín de Mora dan a conocer en 1827 a Chateaubriand; y Juan Bautista Alberdi, en carta dirigida a Cané, recuerda la impresión que le produjo la lectura en clase por este último de la *Julia,* de Rousseau, hasta el punto de hacerle derramar copiosas lágrimas. Esto sucedía en una mañana de la primavera de 1829.

En Centroamérica y Perú, ya lo hemos visto, se introduce por lo menos una década más tarde.

Cejador y Frauca había sostenido que la primacía romántica en América corresponde a Méjico. Nada menos que al 1820, fecha de la insurrección de aquel país, retrotrae la aparición del romanticismo mejicano el ilustre historiador. Sin embargo, no se descubren manifestaciones literarias típicamente románticas en aquel país hasta veinte años más tarde, con el estreno de *Muñoz, visitador de Méjico* (1838), drama escrito por Rodríguez Calván conforme a los cánones de la nueva escuela. Las notas románticas que quieren descubrirse en las poesías de Fernando Calderón son tan vagas como las que hemos señalado en Heredia, Cruz Varela u otros vates del neoclasicismo.

Caracteres fundamentales

Resumamos lo dicho hasta aquí en unos pocos principios básicos:

a) El romanticismo hispanoamericano, sin carecer de fisonomía propia, es una modalidad más del europeo en su doble forma de romanticismo tradicional o cristiano y romanticismo revoluciorio.

b) Se apoya en los mismos principios y acepta la misma técnica, si bien exagerando ciertos aspectos: lo nacional, en cuanto al tema; la libertad poética, en el verso.

c) Aunque toma de España una de sus derivaciones, lo religioso, de tanta importancia en nuestra patria, sólo excepcionalmente aparece allí. Carece también de perspectiva histórica, que sustituye de ordinario por el pasado inmediato o por el presente.

d) Hasta el Romanticismo, la literatura americana, en especial la poesía, miró casi exclusivamente a España. El Romanticismo mira a Francia e Inglaterra, a la vez que a la vieja metrópoli. Sin duda se ha exagerado la influencia de franceses e ingleses en los primeros románticos americanos; pero el cambio de orientación es un hecho innegable.

e) Aparece en el Sur antes que en el Centro o Norte. Con ello Argentina toma la delantera del progreso durante bastante tiempo.

f) Hay una ruptura con lo anterior, mayor que en España. Aquí coexisten sin repugnancia lo clásico y lo romántico, incluso en la misma persona. En América la libertad es llevada al máximo, lo que da por fruto una poesía poco perfecta, descuidada de estilo y despreocupada de tema [3].

g) Hay un exceso de poesía doméstica o casera, en detrimento de los amplios temas universales. Ella con la del «exilio» suministra materia prima al ochenta por ciento de los románticos.

h) Como siempre en las letras americanas, domina lo descriptivo. «La descripción de la Naturaleza, que comenzó con los neoclásicos, fué ahora para nuestros románticos un deber que había de cumplirse religiosamente. Era un dogma que nuestros paisajes sobrepasaban a todos los demás en belleza» [4].

II. LA POESIA DE LOS «PROSCRITOS»

En 1837 se funda en Buenos Aires el Salón Literario, centro de reunión de jóvenes intelectuales, que aspiran a incorporarse, son ellos mismos quienes lo dicen, «al movimiento de los escritores modernos, que siguen la marcha del espíritu humano». El sentimiento del grupo es ya romántico y agitado por hondas rebeldías, aunque todavía no se hayan enfrentado abiertamente contra el tirano Rosas, que por aquellos días usurpa el poder. El fundador del salón es Marco Sastre, librero ilustrado, en torno al cual se forma el pequeño cenáculo, constituído de primera intención por Vicente Fidel López, Juan María Gutiérrez, Juan Bautista Alberdi, Pedro de Angelis y Esteban Echeverría, por no citar sino los más destacados. Pron-

to el salón languidece y es sustituído ventajosamente por la Asociación de Mayo, fundada (1838?) por Echeverría a imitación de la «Joven Italia» de Mazzini. Aquí los asociados iniciales son más numerosos: treinta y tantos. Tienen su programa; saben lo que buscan; hacen circular consignas como «acción directa», «lucha contra la tiranía» y otras parecidas. Son simple y llanamente unos conspiradores, y, sin entrar ahora en la justicia o injusticia de su causa, se ve desde el primer momento que les espera la misma disyuntiva que a todos aquellos que conspiran y no logran hacer triunfar sus ideales: el sacrificio inútil o la proscripción. Los de la Asociación de Mayo, con el más sano criterio, eligen esta última. Durante breve tiempo aún confiaban en llevar a la práctica sus proyectos; pronto se convencen de lo contrario: la atmósfera se les hace irrespirable y los componentes de la Asociación se ven obligados a abandonar el suelo patrio. Van al Uruguay, a Bolivia y a Chile. Fundan allí periódicos, y por sus páginas, unas veces en prosa detonante y otras en verso también inflamado, van dejando lo más entrañable de su alma. Esos periódicos se titulan *El Iniciador, La Revista del Plata, El Talismán*... Hay uno, todo en verso, rotulado *El Tirteo*. Su nombre no puede ser más significativo. La lucha contra la tiranía, el sentimiento de la patria ausente, siempre en carne viva, la nostalgia, son las notas más acusadas.

Montevideo fué, acaso por más próxima, la ciudad preferida. Allí afincaron, entre otros, Echeverría, Mármol, Mitre, Cané, José María Castillo, Carlos Tejedor, Luis L. Domínguez y F Frías. El arribo de grupo tan nutrido contribuyó a remover el ambiente de la pequeña ciudad, dándole animación y tono. Hubo actos públicos con recitales, en los que se daban a conocer los «exiliados». a la vez que en las columnas de la prensa. El mas famoso de tales actos fué el llamado Certamen de Mayo (1841), del que Juan Bautista Alberdi, otro de los «proscritos» y testigo presencial, nos ha dejado puntualísima relación. El jefe de Policía había abierto un concurso poético para conmemorar el aniversario del pronunciamiento de la revolución ante los balcones del Cabildo de Buenos Aires. La lectura pública de los trabajos premiados en un teatro de la capital, el día 25 de dicho mes, en medio de los más frenéticos aplausos, dió por así decirlo la consagración oficial a varios poetas del grupo. El galardonado con el primer premio era Juan María Gutiérrez; y con dos accésit, José Mármol y Luis L. Domínguez.

Echeverría, primera voz romántica

El más destacado, aunque no el más genial, de los poetas «proscritos» es ESTEBAN ECHEVERRÍA (1805-1851) [5]. En 1825, ya queda dicho, Echeverría parte para Francia. Durante su estancia en París se aplica por igual y con indudable entusiasmo a las ciencias y a las letras, a la filosofía y a la poesía. Por aquellos años (1825-1830) aparecen libros importantes de Hugo, Vigny, Lamartine, Dumas y Musset. Todos los lee, los devora, el joven argentino. También lee en su lengua original a Shakespeare y a Byron; y bien traducidos, a Goethe y a Schiller. No es, pues, cuando regresa al Plata, un indocumentado. Tiene en filosofía sus doctrinas: las ya olvidadas de Lamennais, Lerminier y Leroux, entonces en todo su apogeo; y tiene en literatura su ideal: el romántico. Aquel joven un tanto licencioso y siempre rebelde a los principios racionalistas, que le querían imponer sus maestros desde el Colegio de Ciencias Morales de Buenos Aires, vuelve a su tierra convertido de pies a cabeza en un revolucionario. Y, como buen revolucionario, aspira a divulgar sus doctrinas con la teoría y con el ejemplo. De su actividad política, como uno de los organizadores de la Asociación de Mayo, ya se hizo mención. Agreguemos que resumió su ideario en una especie de «Código» o «Declaración de principios», escrito al iniciar sus tareas la Asociación y publicado más tarde (1846) en Montevideo con el título de *Dogma socialista*. Echeverría se declara enemigo igualmente de toda solución unitaria o federal y, en su anhelo de derrocar a Rosas, postula, si hace falta, una intervención extranjera.

Pero esto tiene para nosotros interés muy secundario. Interesa más su trayectoria poética. Está jalonada por tres libros importantes: *Elvira o la novia del Plata* (1832), *Consuelos* (1834) y *Rimas* (1837). Parece que antes de publicar su primer libro de verso, debió de escribir numerosas composiciones; «me encerré en mí mismo—nos dice—y de ahí nacieron infinitas producciones, de las cuales no publiqué sino una mínima parte con el título de *Los Consuelos*» [6].

Elvira o la novia del Plata se publica en Buenos Aires el mismo año (1832) en que aparecía en París *El moro expósito*, del duque de Rivas, sin que haya entre los dos otros vínculos que esta pura coincidencia. Por lo demás, el poema del duque señala una fecha clave en la poesía española, mientras el de Echeverría apenas tiene vigor suficiente para iniciar en forma de simple balbuceo el romanticismo del Plata, en su aspecto más vulgar: espectros, brujas, etc. Aunque la acción se inscribe en el Plata, carece de color local, y tanto Elvira, la protagonista, como su amante Lisardo, son pura fantasía sin consistencia real. A pesar de ello, este primer libro de Echeverría incluye ya dos elementos consustanciales al Romanticismo: uno que afecta al fondo, la nota pesimista; otro que se refiere a la forma, la diversidad de metros. En cuanto al mérito literario, rara vez el autor logra elevarse a un clima de altura. Júzguese de sus cualidades, tanto positivas como negativas, por estas dos estrofas:

> Creció acaso arbusto tierno,
> a orillas de un manso río,
> y su ramaje sombrío
> muy ufano se extendió;
> mas en el sañudo invierno
> subió el río cual torrente,
> y en su túmida corriente
> el tierno arbusto llevó.

> Reflejando nieve y grana,
> nació garrida y pomposa
> en el desierto una rosa,
> gala del prado y amor;
> mas lanzó con furia insana
> su soplo inflamado el viento,
> y se llevó en un momento
> su vana pompa y frescor.

Esto, ciertamente no es poesía, o es poesía de pocos quilates; pero contiene indudable sustancia romántica y, sobre todo, señala un camino.

Este camino quedó totalmente abierto con *Los Consuelos* (1834), primera colección de versos americanos y una de las primeras de lengua castellana en que domina la nota romántica. No importa que todavía las huellas clásicas aparezcan aquí y allá, como en la *Profecía del Plata*, evidente remedo de la de fray Luis de León; ello indica solamente que el Echeverría de *Los Consuelos* es más romántico de fondo que de forma. Tampoco importa la calidad de estas composiciones, casi siempre de bajo nivel poético. Lo fundamental es que Echeverría descubrió a sus compatriotas, y en general a los hispanoamericanos, una nueva cuerda: la del propio corazón. Las composiciones de *Los Consuelos*, cualquiera que sea su valor literario, son sinceras; reflejan algo sentido, vivido por el poeta; los ayes que en ellas exhala Echeverría han sido arrancados por su propio dolor. Y esto es lo que le da un enorme valor humano. Y a esto ha de atribuírsele la admiración con que fueron recibidas. Sin contar con que hay entre ellas tres o cuatro realmente inspiradas: *El poeta enfermo*, *Mi destino*, *Crepúsculo en el mar*.

A confirmar el éxito de *Los Consuelos* vinieron, tres años después, las *Rimas* (1837), lo mejor sin duda de Echeverría y lo más digno de sobrevivir. Citemos de esta colección el himno *Al dolor*, la delicada canción que lleva por título *La Diamela* y la leyenda o poema *La cautiva*, que ocupa las tres cuartas partes del libro. Las *Rimas* van precedidas de una Advertencia, en que el autor hace una curiosa profesión de fe artística e invita a los poetas americanos para que dirijan su atención a la Pampa o al «desierto», como fuente de inagotables inspiraciones. «El desierto—escribe—es nuestro más pingüe patrimonio, y debemos poner nuestro conato en sacar de su seno no sólo la riqueza para nuestro engrandecimiento y bienestar, sino también poesía para nuestro deleite moral y fomento de nuestra literatura nacional.» Que todo ello no es un sueño, sino feliz realidad, lo demuestra él mismo en *La cautiva*. Porque eso es en definitiva el poema: la primera vibrante exaltación de la gran llamada; el primer canto pampero, al que habían de seguir tantos otros, en verso o en prosa, en forma de leyenda o en forma de novela. Con *La cautiva*, Echeverría encardina la poesía en el suelo patrio, la nacionaliza, la localiza, rebasando con creces aquel su propósito inicial de pintar en su poema «algunos rasgos de la fisonomía poética del desierto». Más que unos rasgos o un esbozo, es un espléndido cuadro; el campo argentino, la pampa inmensa, se apodera del poema y lo penetra por todas partes. Para el «desierto» son las primeras estrofas y las últimas:

> Era la tarde y la hora
> en que el sol la cresta dora
> de los Andes. El desierto,
> inconmensurable, abierto
> y misterioso a sus pies
> se extiende ....

Así al principio, y al final:

> De la más vasta agonía
> salvar quisiste a tu amante,
> y le viste delirante
> en el desierto morir.

Lo de menos es la fábula que sirve de soporte a la acción. Lo importante es que, con *La cautiva*, Echeverría ha hecho saltar un chorro de poesía fresca, y que en él irán a abrevar los mejores poetas argentinos durante muchos años, durante siglos acaso.

Después de *Rimas*, el sol poético de Echeverría se empieza a eclipsar. El mismo se lamentaba de tener más admiradores que discípulos y más reputación que verdadera gloria. Confinado en una de sus haciendas campestres, ocultándose de la persecución, sin fuerzas a causa de su quebrantada salud para alistarse en el ejército liberador de Lasalle, como era su deseo, termina por expatriarse, buscando asilo primero en la colonia del Sacramento y luego en Montevideo. Allí continúa escribiendo verso; pero ya la poesía no le brota del corazón, sino del cerebro, y de un cerebro perdido en las nebulosidades de la metafísica social. *Avellaneda*, *La guitarra* y *El ángel caído*, de proporciones monstruosas: quinientas páginas en cuarto mayor. Fuera de la descripción de Tucumán, con que se abre *Avellaneda*, todo lo demás es farragoso e inaguantable. «El político mató miserablemente al poeta, que, aspirando al lauro épico, sólo consiguió poner en renglones desiguales e incorrectos la prosa de los periódicos.»

¿Poeta inspirado Echeverría? Para sus contemporáneos y aun para todo el siglo XIX lo fué. Todavía Rafael Obligado alude a la

> ... mágica armonía
> en que todos los himnos se juntaron
> y súbito estallaron
> en la lira inmortal de Echeverría [7];

y Juan María Gutiérrez, sin duda el mejor crítico de su país, afirma que «el canto del *Desierto* pertenece a esas creaciones que vivirán eternamente y serán por siempre hermosas, como lo son la naturaleza y la verdad». Pero, pasada la efervescencia romántica y muy lejos ya de las circunstancias que favorecieron el éxito de esa poesía, los aplausos van perdiendo calor, y una crítica más depurada va dejando las cosas en su sitio. Ya se nos habla, por boca de Giménez Pastor, del «verso de Echeverría..., desgarbado y pobre, con pocas excepciones»; ya Anderson Imbert escribe lisa y llanamente: «No tenía vocación ni genio para la poesía»; o ya Leguizamón, con un criterio más moderado, concluye que en lo poético «Echeverría alcanza una significación específica, bien que no una categoría altísima». Todos vienen a dar la razón a Menéndez Pelayo, quien hace más de medio siglo había estampado su juicio definitivo: «Aun en sus mejores momentos, Echeverría es un artista negligente y amanerado, que piensa con alteza, pero que no tiene bastante aliento para infundir vida inmortal en sus creaciones.» Pudiera pensarse que su pobreza poética y sus negligencias de metro y lengua son deliberadas, como una reacción contra las escuelas clasicistas. El mismo alude a su deseo de «llamar las cosas por su nombre» [8]. Pero no: tenemos un testimonio escrito, en que el propio poeta nos habla de los tremendos «esfuerzos», gracias a los cuales había llegado a dominar el verso. ¿Qué otra cosa quiere decir esto sino que no se sentía asistido por dotes naturales? Quédale de todas maneras a Echeverría la no pequeña gloria de haber sido el iniciador y propulsor de un gran movimiento. Y todavía otro timbre de honor en el campo de las letras: con su alucinante relato *El matadero* abrió a la prosa narrativa argentina un camino tan firme como el que había abierto al sentimiento poético con sus obras en verso. *El matadero*, basado en un episodio de las luchas civiles, es un aguafuerte de trazo nervioso, patético e hiriente. La escena del niño con la cabeza cercenada por el lazo y despidiendo del cuerpo dos surtidores de sangre es de las que, una vez leídas, quedan para siempre en el recuerdo.

Mármol, el gran poeta del destierro

La voz de Echeverría encontró amplio eco en ambas riberas del Plata. Sobre todo en el grupo de exiliados, el nuevo evangelio romántico predicado por el autor de *Los Consuelos* tuvo inmediatamente muchos y fervorosos prosélitos. Ninguno de ellos alcanzó, sin embargo, la talla de JOSÉ MÁRMOL (1815?-1871) [9], máximo intérprete sin duda del romanticismo argentino en la primera generación, como Olegario Andrade había de serlo de la segunda. Mármol lleva el romanticismo, y no un romanticismo cualquiera, sino aquel en que mejor se funde la triple corriente francesa, inglesa y española, tanto a la novela como a la lírica y al teatro. No nos interesa por ahora su relato en prosa, *Amalia*, que estudiaremos en el capítulo dedicado a la prosa romántica; tampoco nos importan sus dos dramas, *El poeta* y *El cruzado*, cuyo análisis se reserva asimismo para el lugar oportuno. Vayamos al lírico.

Mármol, antes que novelista o dramaturgo, es un gran lírico. Entendámonos: un gran lírico en el sentido en que este calificativo se puede aplicar a hombres como Zorrilla o Víctor Hugo, a hombres que han hecho de la orquestación verbal

y de las opulencias coloristas el principal instrumento de su expresión poética.

Mármol empieza a escribir verso pronto. Ya en los muros de la cárcel, donde estuvo recluído antes de cumplir los veintidós años, dejó grabada alguna estrofa que delata un espíritu turbulento e indisciplinado [10]. Luego, en el famoso certamen poético de Montevideo (1841), había obtenido un accésit, al lado de Luis L. Domínguez, que alcanzó otro accésit, y de J. M. Gutiérrez, galardonado con el primer premio. Pero a nadie se le ocultó que el mejor de los tres, y aun el más inspirado de cuantos se presentaron a concurso, era José Mármol. Durante su estancia en Montevideo sigue escribiendo verso, y lo mismo hace en Río de Janeiro (1843-45), hasta que en 1852 regresa a su patria. Entonces cuelga la lira, y ya no vuelve a descolgarla sino en muy raras ocasiones.

De su actividad poética nos han quedado dos libros: *Cantos del peregrino* (1847) y *Armonías* (1851). Sobre un poema perdido, *El divino infierno*, sólo se tienen vagas noticias. Los *Cantos del peregrino*, de alto valor autobiográfico, están sin duda inicialmente inspirados en el *Childe-Harold's Pilgrimage*, de Byron; inicialmente, decimos, porque, aun respondiendo en su estructura y arranque al célebre poema inglés, pronto se advierte la presencia de dos grandes vates españoles de aquella hora: Zorrilla y Espronceda. En su edición definitiva consta el libro de doce cantos, sin más unidad entre sí que la que les confiere *El peregrino* Carlos, nombre con que se disfraza el poeta, auténtico protagonista de este relato sin acción. Los *Cantos del peregrino*, en efecto, están constituídos por una serie de poemas de asunto vario y muy distinta calidad, que Mármol debió de componer en su mayor parte durante un viaje marítimo (1844) desde Río de Janeiro con dirección a Chile, viaje en que, a causa de las tormentas, no pudo llegar más que al cabo de Hornos. En cada canto se pueden distinguir dos partes: el prólogo, en que el poeta habla por sí; y el canto propiamente dicho, en que el poeta confía a Carlos la expresión de sus ideas y sentimientos. Pero en ambos casos es el mismo Mármol quien lleva la voz cantante. Sus fuentes de inspiración también son dos: la Naturaleza y el propio corazón del bardo. Y subrayando cada canto, como un *leitmotiv* que el poeta no logra desechar de su espíritu, la nostalgia de la patria ausente. El programa se nos da va en estos pareados que encabezan el libro:

> Hijo de la desgracia, el *Peregrino*
> ha confiado a los mares su destino;
> y al compás de las ondas y los vientos
> el eco de sus tristes pensamientos
> vibrará por el mar. El su grandeza
> cantará entusiasmado, la belleza
> de la espléndida bóveda estrellada,
> con el alma ante Dios arrodillada;
> y cantará también sobre los mares
> la libertad, su amor y sus pesares.

El programa se cumple al pie de la letra. Con exaltados himnos: *A América* (canto I), *Al Trópico* (canto III), *A la noche* (canto IV), *Al crepúsculo* (canto V), *A las nubes, A las estrellas, A Buenos Aires, Al Brasil, Al Plata*, etc., alternan poemas como *Desencanto, Oración, Súplica, A María*, en los que la mirada del poeta revierte al interior y su voz se hace íntima y hasta confidencial. Sin embargo, la nota dominante en todo el libro es la *naturista*. Pocos habrán cantado a la Naturaleza en general, y nadie a la naturaleza americana, con el fervor con que lo hizo Mármol:

> Los Andes, cuya frente se junta con el cielo,
> mientras sus plantas de oro dentro del mundo están;
> su cóndor, que se duerme sobre el eterno hielo,
> mientras chispea y brama la fragua del volcán.
> Las mantas del desierto sin fin, sin horizontes,
> donde discurre el potro sin freno ni señor;
> los vientos sin estorbo, los ríos y los montes
> inmensos, solitarios, sin hielo ni calor.
> Las vírgenes llanuras, el oro y los diamantes
> bullendo en el arena de arroyos de cristal;
> los perfumados bosques, y por doquier gigantes
> con sienes de esmeralda y entrañas de metal...

Vamos a quitar de aquí mucha hojarasca retórica; vamos a poner como un veinte por ciento tomado por las buenas de Zorrilla. Todavía nos queda un grueso filón de poesía descriptiva, que acredita a un alto vate, dueño de inspiración fácil, torrencial y desahogada. Otras veces, la deuda a Zorrilla es aún mayor; por ejemplo, en estos alejandrinos, calcados casi literalmente en uno de los más célebres poemas del vate español:

> Prestadme, tempestades, vuestro rugir violento,
> cuando revienta el trueno, bramando el aquilón;
> cascadas y torrentes, prestadme vuestro acento...

Sería injusto, sin embargo, negar a Mármol originalidad. La tiene casi siempre, porque él es ante todo un gran poeta, dotado de numen poderoso, que canta sólo porque siente, y suele sentir muy hondo. Un gran poeta Mármol, a pesar de su ciega devoción por Byron, que le lleva a seguir su rastro demasiadas veces y con excesiva fidelidad; a pesar de su afectado desprecio por las reglas del arte [11]. Véase este breve fragmento (canto XI de *El peregrino*) en elogio de la mujer brasileña:

> Mujeres de tez morena
> y ojos de negra pupila,
> que con azul aureola
> cual negro diamante brilla;
> y cuando mira parece
> que la mirada suspira,
> diciendo que está en el alma
> la tentación escondida...
> En palabra y movimiento
> perezosas y aburridas,
> teniendo miel en el labio
> y en las posturas malicia,
> como si a mengua tuvieran
> emplear palabrería
> mujeres que a su albedrío
> con los ojos magnetizan.

Su otra colección de versos, *Armonías*, confirma a Mármol como poeta pródigo, exuberante, dotado de extraordinaria imaginación. Aquí están algunas de las composiciones que le han dado más celebridad. Aludimos a sus poemas imprecatorios contra el tirano Rosas, estallantes de desprecio, de odio, de indignación. Los sentimientos, con frecuencia feroces y hasta monstruosos, no siempre están expresados correctamente; pero lo que hay en aquellos versos de vulgar o de mal gusto queda con creces compensado por la sinceridad que los inspira:

> ¡Sí, Rosas, te maldigo! Jamás dentro mis venas
> la hiel de la venganza mis horas agitó;
> como hombre, te perdono mi cárcel y cadenas;
> pero como argentino, las de mi patria, ¡no!

Ingenuidad se llama esto. Para nuestro gusto hay composiciones mucho mejores: *Adiós, El 25 de mayo de 1841, Una tarde en el Dacá, La noche* y, sobre todas, *Cristóbal Colón*, la más inspirada del autor:

> El destino del mundo está dormido
> al pie del Ande, sin soñar su suerte;
> falta una voz bendita que a su oído
> hable mágico acento y le despierte.
> Un hombre, que a esta tímida belleza
> le quite el azahar de sus cabellos,
> y ponga una diadema en su cabeza,
> y el manto azul sobre sus hombros bellos.

¿No hay mucho aquí de Tassara? Ciertamente; aunque falta saber si cuando Mármol escribía su canto al descubridor los poemas del sevillano eran ya conocidos en América, ya que, aunque escritos mucho antes, no fueron publicados en volumen hasta 1872. En cambio, en otras composiciones, *El canto del poeta*, por ejemplo, la huella esproncediana está bien clara. Insistimos en que Mármol, con todo lo que tenga prestado de otros, que no es poco, con todo su desaliño, con «las infinitas escorias que afean muchas de sus composiciones», con sus transgresiones de la gramática, demasiado frecuentes—«su ignorancia era enciclopédica», dirá de él con evidente exageración Groussac—, sigue siendo aún en nuestros días un alto poeta, inspirado, robusto, y, desde luego, el mejor de su generación.

Gutiérrez, Indarte y otros exiliados

En el nutrido grupo de los «proscritos» es muy difícil encontrar uno solo que no fatigara a las musas con más o menos fortuna. Los hay, como Florencio Varela, que todavía persisten fieles a la preceptiva neoclásica; y los hay, como Cantilo, con un espíritu revolucionario en el fondo y en la forma. Con Echeverría y Mármol queda despachado en lo fundamental el romanticismo argentino de primera hora. Hay con todo unos cuantos nombres que, si bien a respetable distancia, merecen también figurar en este apartado.

JUAN MARÍA GUTIÉRREZ (1809-1878), aunque galardonado con el máximo lauro en el certamen de Montevideo, es sobre todo un crítico y erudito, y a su labor, muy meritoria en este sentido, se aludirá oportunamente. Como poeta cantó las glorias de su patria en himnos ditirámbicos, de los que puede darnos una idea el titulado *La bandera de Mayo*. A él corresponden los conocidos versos:

Al cielo arrebataron nuestros gigantes padres
el blanco y el celeste de nuestro pabellón...,

que, ciertamente, no le acreditan como rival de Píndaro. En cambio, cuando baja el tono y se dedica a buscar motivos inspiradores en los paisajes y figuras del suelo natal, casi siempre acierta. *La flor del aire, El árbol de la llanura, A un guajo de aguapey, Mi caballo, Endecha del gaucho, Los amores del payador* son poemitas simpáticos y que todavía se dejan leer con deleite. Además, constituyen las primeras muestras de un género destinado a tener amplio desarrollo: el gauchesco.

A ese mismo género corresponden las *Armonías de la Pampa*, de BARTOLOMÉ MITRE (1821-1906), con poemas como *El caballo del gaucho, El ombú en medio de la Pampa* o la elegía a *Santos Vega*, que son típicos productos argentinos. Mitre soñó siempre con ser poeta, y aunque no carecía de aptitudes, ocupaciones de orden político le impidieron realizar cumplidamente su deseo. Aun así nos dejó en *Rimas* (1854) no pocas muestras de efusión lírica, unas veces en forma de himnos patrios, y otras en la forma, mucho más modesta, de cantos a la amistad, al deber, etc. Ya de edad avanzada, tradujo la *Divina Comedia*. Pero su título prevalente es el de historiador.

JOSÉ RIVERA INDARTE (1814-1845) fué hombre de extraordinaria valía, a quien circunstancias de la vida pusieron en situaciones antagónicas. Juzgado por unos como un vulgar delincuente y elogiado por otros como espíritu probo y de buena fe, lo cierto es que Indarte pasó algún tiempo cantando a Rosas en himnos que rezuman el más bajo servilismo, y que luego cambió su primitivo fervor en fobia desenfrenada. Sospechoso de connivencia con los exiliados en Montevideo, se le expulsa del país, y entonces inicia sus ataques, en los que rivaliza con los mayores enemigos del usurpador [12]. Aun en sus mejores poemas—*Una noche en el cementerio viejo, A la memoria del poeta Juan Cruz Valera, Adiós a mi patria, El pájaro*—, Indarte se revela escasamente inspirado, correcto, frío, queriendo suplir sus deficiencias naturales a fuerza de retórica.

Retórico también y esproncediano declarado, sin el estro poderoso del autor del *Diablo mundo*, fué CLAUDIO MAMERTO CUENCA (1812-1852), a quien sólo razones cronológicas y de comunión en los mismos ideales nos deciden a incluir en el grupo de los «proscritos». Cuenca no salió del suelo patrio, donde actuó como cirujano militar; pero su permanencia en la Argentina no ha de interpretarse como adhesión a Rosas. Precisamente al caer herido de muerte en la batalla de Monte Caseros se le encontraron en el bolsillo unos versos contra el usurpador. Su poesía, recogida en libro bajo el título *Delirios del corazón*, refleja el romanticismo en su aspecto más desatinado. Escribió Cuenca dos dramas, *Don Tadeo* y *Muza*, de los que se hará mención en su lugar.

Otro de los premiados en Montevideo, ya queda dicho, fué LUIS L. DOMÍNGUEZ (1819-1898), más conocido como historiador. Una sola composición, *El ombú*, ha bastado para darle cierta notoriedad, manteniendo fresco su nombre en todas las antologías. La verdad es que el árbol de la Pampa encontró en Domínguez un cantor inspirado:

Cada comarca en el mundo
tiene un rasgo prominente:
el Brasil, su sol ardiente;
minas de Plata, el Perú;
Montevideo, su cerro;
Buenos Aires, patria hermosa,
tiene su pampa grandiosa,
la pampa tiene el ombú...

Esto es bello y está escrito, además, con gracia y soltura. *A Mayo* y *Retrato de Valera* son otros poemas dignos de recuerdo.

El doctor FLORENCIO VARELA (1807-1848), hermano de Juan Cruz, también anduvo desterrado por Uruguay y Brasil. Tanto en su traducción de Horacio como en sus odas originales—*A Bernardino Rivadavia, A la libertad de Grecia, A la victoria de Ituzaingó*, al inevitable *25 de mayo*—se nos muestra discípulo aprovechado de Quintana. Escribió sáficos correctos, epístolas en tercetos, todo ello clasicísimo, reglado, ni más ni menos que su hermano, aunque en tono más discreto. Florencio Varela murió, cobardemente asesinado una noche, en Montevideo.

Más fresca debió de sonar por aquellos días la voz del malogrado FLORENCIO VALCARCE (1818-1839), que a los diecinueve años sorprendía a sus amigos con poemas como *La partida* y *Las hijas del Plata*, donde, en medio de inexperiencias y trivialidades propias de la juventud, alienta un espíritu decididamente romántico. Esto no le impedía volver sus ojos de cuando en cuando a la vieja escuela, según nos lo dicen unos sáficos compuestos por la misma fecha (1837): *A la muerte de José C. Casco*. Víctima de enfermedad hereditaria, desapareció antes de llegar a su madurez poética. Gutiérrez coleccionó y publicó sus poesías en 1869.

El mismo Gutiérrez salvó del olvido, al incluirle en su famosa antología *América poética*, el nombre de JOSÉ MARÍA CANTILO (1816-1872). Profesor de Farmacia y alejado en principio de toda actividad literaria, sus concomitancias con el grupo de exiliados le llevaron luego a cultivar con ardor las bellas letras, especialmente la poesía. Cantilo es un romántico del peor cuño, un «tremendista» de aquélla hora. Júzguesele por estos versos de un largo poema *Al general Paz:*

Allí están de cráneos horrendos montones,
que son todavía funesto padrón,
que son los blasones
que ostenta ese monstruo, su oprobio y baldón...

De su producción en verso apenas se salvan dos o tres composiciones de metro popular y forma sencilla: *La violeta, La niña María.*

III. URUGUAY Y CHILE:
APARICION Y TRIUNFO DEL ROMANTICISMO

El Romanticismo es en Uruguay una planta de importación. La llevan los proscriptos argentinos a través del Plata. En 1838, el uruguayo ANDRÉS LAMAS (1820-1891), en colaboración con el emigrado Cané, funda *El Iniciador,* periódico orientado hacia la propagación y defensa del credo romántico. Desde su primer número se expone allí un programa revolucionario. «Dos cadenas—escribe—nos ligaban a España: una material, visible, ominosa; otra, no menos ominosa, no menos pesada, pero invisible, incorpórea... Aquélla supimos y pudimos hacerla pedazos con el vigor de nuestros brazos; ésta es preciso que desaparezca también si nuestra personalidad ha de ser una realidad; aquélla fué la misión gloriosa de nuestros padres; ésta es la nuestra.» Como se ve, la misma aspiración de los argentinos, proclamada ya por Echeverría en sus notas a *Los Consuelos* (1834). A renglón seguido, *El Iniciador* añade: «Hay que conquistar la independencia inteligente de la nación, su independencia civil, literaria, artística, industrial, porque las leyes, la sociedad, la literatura, las artes y la industria deben llevar, como nuestra bandera, los colores nacionales, y como ella, ser el testimonio de nuestra independencia y nacionalidad.» Ya hemos visto cómo cumplieron de momento su ambicioso programa los románticos rioplatenses: emancipándose de una tutela para caer en otra más intolerable; saliendo no del todo de la esfera de influencias españolas para caer en las francesas. Bien es verdad, y hay que decirlo en su honor, que entonces las letras en Francia tenían un sentido más universal que en la vieja metrópoli.

Pero el Romanticismo no arraiga en Uruguay con la facilidad que en otros países. El nuevo ideario encuentra no pocas resistencias; y no sólo entre los nativos, sino entre los mismos exiliados. Muchos de aquellos hombres que habían consumado o habían contribuído a consumar la revolución política se resistían a cooperar en la tan suspirada revolución espiritual. Recuérdese que los hermanos Varela, Juan Cruz y Florencio, seguían cantando a compás de Quintana o de Cienfuegos. El mismo Lamas, cofundador de *El Iniciador,* aunque abierto a las nuevas corrientes, nunca se decidió a salir de los reductos clasicistas. Hacia 1840 se desarrolla en Montevideo una movida lu-

cha entre clásicos y románticos. Si no revistió la virulencia que en otras partes, se debe sólo al hecho de que los contendientes de uno y otro bando se hallaban en el fondo unidos por un sentimiento superior a todas sus discrepancias estéticas e ideológicas: el odio a la tiranía, encarnada entonces en Rosas. Hay, sin embargo, datos muy significativos: los *viejos,* léase clasicistas, llegan a pedir al Gobierno de la Defensa medidas represivas contra los jóvenes; y éstos, por su parte, se vengan llamando a los otros «vejestorios» y «tortugas». La batalla alcanza su máxima crudeza en 1841; pero el certamen poético de 25 de mayo de ese año, tantas veces aludido, en el que resultaron premiados Gutiérrez, Domínguez y Mármol, dió a los románticos el triunfo definitivo. A partir de esa fecha, hasta finales casi de siglo, las letras uruguayas se desarrollan bajo el signo romántico. Todavía en 1888, Zorrilla de San Martín daba a luz su *Tabaré,* el más valioso producto sin duda alguna del romanticismo uruguayo [13].

La polémica Bello-Sarmiento

En Chile, la batalla revistió un cariz más grave. El romanticismo chileno, aunque se desenvuelve dentro de la órbita hispanoinglesa, representada por Mora, debe su triunfo a los emigrados argentinos, ni más ni menos que el uruguayo; y por este solo motivo lo incluímos aquí. La intemperante actitud de los expatriados platenses, que a todo trance querían imponer su credo estético, encuentra un muro de contención en Bello y sus discípulos, educados en un ambiente más disciplinado. Aquéllos, y de manera muy especial Domingo Faustino Sarmiento (1811-1888), que pasaba por su jefe, eran partidarios del salto brusco y definitivo hacia nuevas formas de pensamiento y expresión, arrinconando para siempre los moldes tradicionales; Bello y su grupo defienden, por el contrario, un proceso evolutivo en el que se dé cabida a las nuevas conquistas del espíritu, trátese de la filosofía o del arte, pero sin abdicar de ninguno de los valores del pasado. La lucha se hace muy enconada, sobre todo por parte de Sarmiento, quien llega a pedir el ostracismo del eminente polígrafo, sin alegar otra razón que la de «haber profundizado (Bello), más allá de lo que nuestra naciente literatura exige, los arcanos del idioma». En otras palabras: Bello se empeñaba en enseñar a los chilenos y aun a todos los sudamericanos el uso correcto de aquella lengua en la que el propio Sarmiento se expresaba, si bien dando continuos tropezones con la sintaxis y con el léxico [14].

Por los mismos días, otro enemigo de España, aunque no argentino, como Sarmiento, sino chileno, don Juan Miguel Infante, llamaba a Bello en letras de molde «miserable aventurero»; y ello por el gravísimo delito de querer incluir en los programas de enseñanza superior la Gramática Latina y el Derecho Romano, «estudios propios tan sólo—según Infante—para crear generaciones de esclavos y de *godos* contumaces». Naturalmente, Bello contestó de la única forma en que puede hacerlo un hombre digno: encogiéndose de hombros y continuando cada vez con mayores bríos en su magnífica labor. «Enfrente de adversarios que en política y en educación querían retrogradar a los tiempos de Caupolicán, y en literatura no concebían la independencia del genio más que como la de un jinete de las pampas, mantuvo los derechos imprescriptibles de la razón y del gusto, y ni siquiera pudo ser tachado de clasicismo intolerante, puesto que en 1841 había dado a luz una poesía enteramente romántica, *El incendio de la Compañía,* muy elogiada por el mismo Sarmiento, y se preparaba a enriquecer nuestra lengua con las bellísimas imitaciones de Víctor Hugo, que fueron apareciendo en el *Museo de ambas Américas...* [15].

Al mismo tiempo que esta batalla se desarrollaba otra por distinto flanco. El erudito y cuentista don José Victoriano de Lastarria (1817-1888) había venido defendiendo desde las páginas de *El Semanario* la buena nueva romántica de que se hacían portadores los exiliados argentinos. Lastarria había sido discípulo de Mora primeramente y luego de Bello; por eso en el fondo seguía afecto al neoclasicismo; pero su odio a España le arrojó en brazos de Sarmiento y de los suyos. Aun así, durante algún tiempo su profesión de fe romántica no es todo lo ferviente que de un neófito como él cabía esperar. En 1842 funda una Sociedad Literaria, compuesta en su mayor parte de jóvenes estudiantes, y en el discurso inaugural se proclama ya decidido romántico. Los conceptos vertidos en esta pieza, que Lastarria consideraba un monumento de gloria, coinciden en todo con los que ya hemos leído en las notas de Echeverría a *Los Consuelos* y en el artículo de presentación de *El Iniciador* en Montevideo. «Hay una literatura que nos legó la España con su religión divina, con sus pesadas e indigestas leyes, con sus funestas y antisociales preocupaciones. Pero esa literatura no debe ser la nuestra, porque al cortar las cadenas enmohecidas que nos ligaron a la Península, comenzó a tomar otro tinte muy diverso nuestra nacionalidad...» Y tras unos párrafos enfáticamente vacíos, en que habla de *la* España

«dominada por la ignorancia y sufriendo el poderoso yugo de lo absoluto en política y religión», aboga por una literatura de todo punto contraria a la que dictan el gusto y los principios vigentes hasta entonces en la Península. «Fuerza es que seamos originales—termina diciendo—; tenemos dentro de nuestra sociedad todos los elementos necesarios para serlo, para convertir nuestra literatura en la expresión auténtica de nuestra nacionalidad.» Pero cosa extraña: este hombre tan radicalmente revolucionario en apariencia intenta salvar entre los escombros precisamente aquello que por encima de todo da carácter y forma a una literatura. Lastarria, contra la opinión de Sarmiento y otros ciegos iconoclastas, cree que la lengua es intocable. «¡Ah, no! ¡Este fué uno de los pocos dones preciosos que nos hicieron los conquistadores sin pensarlo!» ¿Influencia de Bello? De todas formas, la oración inaugural de la Sociedad Literaria tuvo para Chile el mismo valor que para Uruguay el certamen poético de mayo de 1841: la consagración pública del Romanticismo.

Anticipemos una observación: El Romanticismo, que en Argentina y otros países hispánicos dió poetas de indudable relieve, apenas tuvo en Chile cultivadores de nota. Y no sólo al período romántico afecta este fenómeno. Antes, durante todo el siglo XVIII, y después, hasta finales del XIX, la esterilidad de Chile para la poesía es un hecho real y constatado por todos los críticos, empezando por los propios chilenos. Hay que llegar casi a nuestros días para tropezar con unos cuantos poetas de auténtica valía: Gabriela Mistral, Huidobro, Neruda. Menéndez Pelayo quiso explicar ese vacío por el carácter del pueblo chileno, que «como el de sus progenitores, vascongados en gran parte, es positivo, práctico, sesudo, poco inclinado a idealidades». Mariano Latorre, por su parte, alega una doble causa: la docencia de Bello, que actuaría, según él, a modo de dogal, impidiendo toda evasión al campo imaginativo; y el predominio y continuidad de los temas épicos coloniales. Realmente ha sido Chile el país donde, por influencia sin duda de *La Araucana,* han perdurado por más tiempo los temas de la conquista. El hecho innegable es que Chile hasta principios del siglo actual ha dado muy buenos historiógrafos, gramáticos, hasta filólogos; pero en la poesía a duras penas ofrece media docena de nombres, todos ellos de segunda o tercera fila.

Románticos uruguayos

Sólo tres figuras de cierto relieve presenta el romanticismo uruguayo de esta primera hora: Berro, Juan Carlos Gómez y Margariños Cervantes.

ADOLFO BERRO (1819-1841) está considerado por la crítica uruguaya y extranjera como una promesa que no llegó a cuajar. Veintidós años de vida dan de sí muy poco margen para que aquel indudable numen poético que en él alentaba llegase a su sazón. Se educó en el neoclasicismo, al lado de Florencio Varela, en cuyo despacho trabajó. Pero pronto deriva hacia zonas románticas, no sin sentir de cuando en cuando el tirón de la vieja escuela; por ejemplo, en los sáficos *A una estrella*. Residuos neoclasicistas se ven también en la estructura de la mayor parte de sus endecasílabos, casi siempre acentuados en cuarta y octava, con la correspondiente cesura en quinta. El fondo, sin embargo, es romántico, de un romanticismo claramente esproncediano. Bajo la influencia del cantor de Teresa están compuestos sus mejores poemas: *El azahar, El esclavo, A la muerte, La virgen bañándose*. La temática de Berro es variada: de fondo social (*La cárcel, El expósito, El mendigo, La ramera*); amoroso (*La virgen bañándose, Recuerda*); sentimental (*El moribundo, A la muerte, Dolor*); religioso (*Ecos de la voz del Señor*); indigenista, patriótico, etc. Se trata siempre de una poesía tan fresca como ingenua; poesía de juventud, con lamentables caídas de expresión, pero que delata un buen poeta, un auténtico poeta frustrado. Inspirándose en un episodio de Barco Centenera, compuso Berro el romance histórico *Yandabuyú y Liropeya*, su obra de más aliento, y uno de los jalones que señalan el camino hasta llegar al *Tabaré*, de Zorrilla de San Martín.

Más cuajado se nos muestra JUAN CARLOS GÓMEZ (1820-1884), acaso el poeta de más cuerpo en el romanticismo uruguayo antes de llegar al autor de *Tabaré*. A Gómez debemos un engolado canto *A la libertad*, en alejandrinos, «atestados de lugares comunes y de ripios y cascote de la peor especie». Cuando baja el tono y aborda temas de menor empeño, como en *El cedro y la palma*, suele acertar con una vena de poesía de buena calidad. Gómez encarna perfectamente al romántico de los primeros momentos, desmelenado, melancólico y con la mirada en no se sabe qué imposibles ideales. «Yo soy una idea que avanza triunfal al Capitolio de la Libertad», escribe en cierta ocasión. Y esto le define. No menos exactamente le retrata su aparición en la vida pública. Como nuestro Zorrilla, que se había dado a conocer en el sepelio de Larra, también Gómez quiso revelarse con la lectura de unos versos elegíacos en la tumba de su entrañable amigo Berro. Canta luego en trenos lacrimosos a cierta Beatriz inasequible, a quien sabe casada con un «clasicista», don Carlos Villadernoros; y, en fin, en su vida y en su obra, Juan Carlos Gómez se nos da como un poeta asido tercamente al ciprés simbólico de un romanticismo ya trasnochado, sin ceder una pulgada de su espíritu al «repugnante realismo», que venía anegando todo en los últimos años de su vida. Expatriado en Chile, donde dirige *El Mercurio*, de Valparaíso, pasa luego a la Argentina, y allí se consagra con ardor al periodismo y a la defensa y propaganda de unos ideales tan

nobles como utópicos. Sus *Poesías selectas* aparecieron en Montevideo, en 1906.

ALEJANDRO MARGARIÑOS CERVANTES (1825-1893) es más acreedor al recuerdo de sus compatriotas por el magisterio que por la obra poética. Muy atinada nos parece la frase de Montero Bustamante: «Hay que juzgarle más como una influencia que como una entidad.» Escribió mucho, prosa y verso. *Horas de melancolía, Brisas del Plata, Palmas y ombúes* son sus principales colecciones poéticas. Menéndez Pelayo se preguntaba a fines del XIX qué podría salvar la posteridad «de tan voluminosa colección de versos». A casi un siglo de distancia de su aparición, nosotros ya podemos contestar: muy poco; casi nada. Trató temas vulgares y en tono vulgar las más de las veces; quiso también cantar grandes y pequeños sucesos de su patria, y le faltaba aliento; acometió la poesía filosófico-moral, y apenas supo salir de la esfera de lo pedestre. Y eso que dominaba la versificación y tenía buen oído para el ritmo. Por lo visto, eso no es suficiente. Su adjetivación es tan frondosa como gastada y de relleno; sus metáforas parecen de guardarropía; su estilo, sin carecer de soltura, naturalidad y corrección, resulta poco noble, poco poético. Hay unas cuantas composiciones que pueden pasar, y de hecho vienen pasando, a las antologías. Pero, en general, Margariños Cervantes revela escaso numen. Lo que le salva del olvido es su americanismo literario, aquel predicar continuamente, y en buena parte respaldar con el ejemplo, la formación de una literatura autónoma, que fuese «la expresión de la naturaleza y de la sociedad americanas», con una incorporación definitiva del paisaje. El mismo, continuando la feliz innovación de Bello, quiso llevar a los versos una rica onomástica de la fauna y la flora indígenas, a la vez que numerosos nombres de ríos y lugares patrios. «De este modo—escribe un crítico moderno— Margariños Cervantes se convierte, entre los escritores de su generación, en el eficaz propagador del americanismo literario, mereciendo figurar su nombre junto a Bello y Heredia primeramente, Echeverría y Sarmiento más tarde, quienes seguramente con mayor valor poético, pero no ciertamente con mayor entusiasmo y constancia, se dieron a la tarea de crear una literatura que fuese la expresión y el eco de la sociedad americana en cuyo seno tenía nacimiento [16].» Su leyenda en verso *Celiar*, sobre unos trágicos amores de finales del XVIII, es floja; pero tiene sabor local. Mayor interés ofrece la novela *Caramurú* (1848), a la que aludiremos en otro lugar, y que, expurgada de lo mucho que tiene de folletinesco, merece todavía nuestra atención en cuanto reproduce con bastante fidelidad la vida y costumbres de principios del XIX. Margariños Cervantes, rico, simpático, favorecido por la vida, saltando de la política a la cátedra, y viceversa, de Montevideo a Madrid y de Madrid a París, supo crearse una gran reputación de escritor, que en verdad no corresponde al mérito de su obra. Llamarle «tarasca forjada con papel ditirámbico», como lo hace el crítico español Cansinos Assens, o «el más acabado ejemplo de estéril fecundidad», según la expresión de Oyuela y Zum Felde, nos parece rebajarle en demasía. En otro país menos pródigo en buenos poetas que el Uruguay, Margariños Cervantes ocuparía un buen lugar; en la constelación poética uruguaya no pasa de estrella de tercera o cuarta magnitud. Acaso el juicio más acertado siga siendo aún el de Menéndez Pelayo: «Hay cierta insipidez en su estilo, y más riqueza aparente que real en sus obras.» El mismo gran crítico español señala sus fuentes: las leyendas de Zorrilla; Echeverría con su *Cautiva*; los poetas brasileños fray Benito de Santa Rita Durão, José Basilio de Gama y Domingo Gonsalves Magalhaes [17].

Románticos chilenos

En la primera promoción romántica sólo encontramos tres vates dignos de recuerdo: Lillo, G. Blest Gana y Matta. Otros coetáneos suyos —Rodríguez Velasco, Garriga, E. de la Barra—, tanto por la índole de su obra como por la fecha de aparición de la misma, deben ser encuadrados en la promoción siguiente.

EUSEBIO LILLO (1826-1910) vive en la memoria de sus compatriotas, entre otras razones, por haber sido el autor del himno nacional chileno, que sustituyó en 1847 al de Vera Pintado. Hombre de azarosa vida, abandona Lillo sus estudios para dedicarse a la política, en la que cosechó contratiempos y hondas satisfacciones. Se batió en las calles de Santiago; estuvo exiliado; vuelto a su patria, desempeñó altos cargos diplomáticos y administrativos, y hasta pudo satisfacer su amor al arte con la reunión de una de las pinacotecas particulares más ricas de su país. Como poeta se reveló, en 1844, con una composición *A la muerte de don José Manuel Infante*. Después publicó bastante verso. Merecen aún leerse *El junco, Delirio de la fiebre, Rosa y Carlos, Deseos, Las flores, La violeta, Plegaria*, el poema *Recuerdos del proscrito*, la leyenda *Loco de amor*, la delicada fabulita *El poeta y el vulgo* y, sobre todo, *Al Imperial*, sin duda su mejor composición. En ella se transparentan las virtudes y defectos de Lillo como poeta: escaso numen, vuelo a ras de tierra y un estilo desnervado y poco expresivo. Se aspira a compensar tales deficiencias con un alarde de técnica y de corrección. Pero inútilmente. La adjetivación es gastada; las metáforas, manidas; los temas—flores y Naturaleza—, sin la menor originalidad. Cuando en *La violeta*, una de sus más alabadas composiciones, quiere emular a Gil y Carrasco, se ve cuánto le falta para llegar al verdadero clima poético. Y eso que Lillo hace derroches de ternura; pero no acierta a dar con esa

veta de vaga melancolía que baña todos y cada uno de los versos del romántico español. Lo que no se puede negar al poeta chileno es facilidad versificatoria y espontaneidad:

> Flor humilde que, envuelta entre la bruma
> del invierno glacial, alzas la frente,
> y en cuyo débil seno se perfuma
> el bullicioso juguetón ambiente,
> ¿por qué, dime, te ostenta la pradera
> tan sólo del invierno en los rigores,
> y huyes de la risueña primavera,
> madre gentil de las hermosas flores?

Lillo prefiere para sus poemas el endecasílabo en el tipo estrófico del serventesio. En esto no hace sino continuar la línea de los grandes románticos españoles: Espronceda, Zorrilla, Arolas, etc.

La voz de GUILLERMO MATTA (1829-1899), hombre de acción, como Lillo, periodista y diplomático, tiene unas veces resonancias de Víctor Hugo y otras de Espronceda. Es uno de los mayores poetas chilenos del XIX, lo que no quiere decir que sea un poeta de primer orden. Hizo su aparición en las letras con dos leyendas: *Un cuento endemoniado* y *La mujer misteriosa* (1853). En sus poemas, recogidos en dos libros, *Poesías* y *Nuevas poesías*, predomina bien el tema filosófico a lo Hugo, con los grandes tópicos de su tiempo: libertad, progreso, razón; bien el sentimental. Muy influído por el cantor de Teresa, con frecuencia la imitación es casi calco. Así en *Una madre*, donde encontramos versos como éstos:

> ¡Una madre, una madre! Es la primera
> blanca estrella de amor que pura brilla
> junto a la cama, y en la azul esfera
> do vaga incierta la niñez sencilla,
> ....
> Una madre es la luz, es la existencia,
> es el único amor que no concluye,
> que dentro el corazón como una esencia
> que purifica, esparramando fluye...

Reseñemos como sus títulos más celebrados: *En las montañas, Canto del poeta, Grito de guerra, Himno de guerra de la América, A España*.

Si Matta se orienta hacia Espronceda, GUILLERMO BLEST GANA (1829-1904), hermano del novelista Alberto, lo hace inclinándose a Zorrilla. Pero no se estanca en una imitación cerrada del bardo español, sino que, poco a poco, va evolucionando desde un romanticismo enfermizo y estéril hasta el más sano clasicismo. Cultivó el teatro y la novela; ni en uno ni en otro género alcanzó éxito. En cambio, lo obtuvo, y muy halagüeño, en la lírica. Sus dos colecciones de versos juveniles, *Poesías líricas* y *Armonías*, revelan hondo sentimiento y finura espiritual. Blest Gana, al herir nuestra cuerda afectiva, llega con frecuencia a conmovernos. Tiene sonetos—*Si a veces silencioso y pensativo, Llegué temblando, y al caer de hinojos, Al llegar a la página postrera*—absolutamente logrados. Otras composiciones—*El primer beso,*

Adiós, Blanca, El ruiseñor—confirman su bien lograda fama de poeta. *El primer beso* no debe faltar
en ninguna antología poética de la América española:

> Recuerdos de aquella edad
> de inocencia y de candor,
> no turbéis la soledad
> de mis noches de dolor:
> ¡pasad, pasad,
> recuerdos de aquella edad!

Otros poetas chilenos de la época—Jacinto Chacón, Rosario Orrego de Uribe, Hermógenes de
Irisarri, etc.—, si en una historia particular del
país tienen derecho a mención especial, en una
obra de carácter general como la nuestra no pueden hallar cabida.

NOTAS

1. *Historia de la poesía hispanoamericana*, I, pág. 118.
2. Cf. LEGUIZAMÓN: *Historia de la literatura hispanoamericana*, I, pág. 470.
3. «Nuestros poetas creyeron simplemente que se habían emancipado de la imitación de los modelos...; y estaban convencidos, como Ion después de su diálogo con
Sócrates, de que su único guía era la inspiración. Esto,
desgraciadamente, condujo a la pérdida de dos excelentes hábitos de nuestros neoclásicos: el apego a los usos
normales del idioma y el conocimiento de todo lo que
razonablemente debía conocerse acerca del tema por tratar. El descuido se hizo moda y el poeta se sintió con libertad para permitirse cualquier «licencia poética» que se
le viniera en gana: podría alterar las palabras para aco-
modarlas a las necesidades del acento o de la rima, y
no se metería a investigar si la gacela era un animal con
alas o si Leónidas había muerto en las Termópilas o en
Platea. La anarquía era tan frecuente en la literatura
como en la vida pública... Se dejaba que la inspiración lo
santificase todo. Muchos de nuestros innumerables poetas
procedían como si pensaran, lo mismo que Rimbaud en
años posteriores, que su desorganización mental era sagrada *(J'ai fini par trouver sacré le désordre de mon esprit).* ¿Cómo podría dejar de ser perfecto cualquier verso
de un verdadero poeta? Hubo excepciones, naturalmente...» (PEDRO HENRÍQUEZ UREÑA: *Las corrientes literarias
de la América hispánica*, págs. 130-31.)
4. HENRÍQUEZ UREÑA: *Ob. cit.*, pág. 133.
5. Nace en el barrio del Alto o San Telmo, de Buenos
Aires. Su padre, don José Domingo Echeverría, era vizcaíno; su madre, doña María Espinosa, porteña. Huérfano
en temprana edad, recibe una educación algo descuidada.
Frecuenta cafetines y pulperías, adquiriendo pronto fama
de jugador y libertino. Entre sus aventuras juveniles se
cita, no hay certeza de ello, un duelo por amor, seguido
de la muerte del marido agraviado. El mismo poeta confiesa que hasta los dieciocho años «casi todo fueron amoríos, devaneos y pasiones de la sangre». Tocaba muy bien
la guitarra. Asistía al Colegio de la Unión del Sur, del
que tuvo que salir para emplearse como dependiente en
una casa de Aduanas. En 1825 embarca rumbo a Francia
y desembarca pocos meses después (febrero de 1826) en el
Havre. Vienen luego los cuatro años de París. Regresa a
su patria (1830); y entre 1832 y 1837 publica los tres libros que le dan celebridad: *Elvira, Los Consuelos, Rimas.*
Víctima de una afección cardíaca, se dirige a Mercedes,
del Uruguay. Pronto regresa a Buenos Aires; pero, disuelta la Asociación de Mayo, de la que Echeverría era
alma y casi fundador, se retira a la estancia de un hermano suyo, donde se dedica a las labores del campo y a
las musas. El fracaso de Lavalle, con el consiguiente triunfo de Rosas, le obliga a emigrar (1840) a la Colonia del
Sacramento; al año siguiente pasa a Montevideo, donde
arrastra una vida triste y difícil hasta su muerte, el 19
de febrero de 1851.
6. Antes, recién llegado de París, había publicado *Regreso* y *Celebridad de mayo*, primeros poemas dados por
él a la imprenta.
7. En la misma composición nos presenta a la musa
de Echeverría despertando antes que nadie a la llamada
de la pampa:

> ¡Era que oyó el gemido
> de un pecho desgarrado,
> un grito por tres siglos repetido
> y de nadie escuchado!
> ¡Era que de su lira generosa
> cayó en la cuerda viva,
> como gota de lluvia luminosa,
> la lágrima infeliz de la cautiva!

8. Vid. GIMÉNEZ PASTOR: *Historia de la literatura argentina*, I, pág. 171; ANDERSON IMBERT: *Historia de la
literatura americana*, pág. 115; JULIO A. LEGUIZAMÓN:
Ob. cit., I, pág. 483; MENÉNDEZ PELAYO: *Ob. cit.*, I, página 377.
9. Nace en Buenos Aires, en fecha no averiguada aún
con certeza. Menéndez Pelayo da el 1818; Anderson, el
1817; Leguizamón, en forma interrogativa, el 1815. Cursa
en el Colegio de Ciencias Morales estudios de Derecho.
En 1839 es encarcelado, pero pronto se le pone en libertad.
El levantamiento de los hacendados del Sur, la invasión
de Lavalle y la conspiración del coronel Mora enrarecen
la atmósfera, y Mármol, con otros cuarenta y cinco fugitivos, emigra a Montevideo; pasa luego a Río de Janeiro.
A la caída de Rosas vuelve a la Argentina. En 1852 se le
nombraba encargado de Negocios ante los Gobiernos de
Chile y Bolivia, misión que no pudo atender. Fué senador,
diputado en el Congreso Nacional y director de la Biblioteca Pública de Buenos Aires hasta su muerte, ocurrida
en 1871. Aparte de los trabajos literarios aludidos en el
texto, dejó algunas obritas de carácter histórico y político sin importancia.
10. Parece que sólo estuvo encarcelado siete días. La
estrofa escrita en la pared rezaba así:

> Muestra a mis ojos espantosa muerte,
> mis miembros todos en cadena pon.
> ¡Bárbaro!, nunca matarás el alma,
> ni pondrás grillos a mi mente, no.

11. En cierto pasaje había escrito:

> De las reglas del arte no me asusto,
> porque el arte soy yo. Tengo bastante.

12. A. Saldías *(Historia de la Confederación Argentina*, IV, págs. 33-35) llega a decir que fué arrojado primeramente de la Universidad y luego del país, por estafa.
En cambio, Gutiérrez y Mitre lo defienden. De todos modos parece inexplicable que el hombre que escribió en
1834 el *Himno federal* y un año después el *Himno de los
restauradores*, ejemplos inigualados de servilismo y adulación, pudiera poco después componer ese panfleto en
mal verso que se titula *Al tirano Rosas.* De su calidad
literaria puede juzgarse por estas dos estrofas:

> Conjunto horrible de malvado y loco,
> vil asesino, usurpador, tirano:
> todo baldón a definirte es poco,
> y la lengua fatigas y la mano.
> ¿Hay corazón que al tuyo no aborrezca?
> ¿Hay alma que la tuya no maldiga?
> ¿Hay pecho que tu sangre no apetezca?
> ¿Hay mano que no sea tu enemiga?

13. Vid. ZUM FELDE: *Proceso intelectual del Uruguay
y crítica de su literatura*, Buenos Aires, 1941.
14. Anotemos en honor de Sarmiento que en los últimos
años de su vida, y aludiendo a esta polémica en coloquio
confidencial con C. Oyuela, llegó a confesar: «Bello tenía
razón y sabía infinitamente más que todos nosotros.» (*Andrés Bello, Sarmiento y la generación de 1842*, artículo
de Oyuela en «La Nación», de Buenos Aires, 6-XII-1942.)
15. MENÉNDEZ PELAYO: *Historia de la poesía hispanoamericana*, II, cap. XI, pág. 291.
16. JOSÉ MARÍA DEL REY: *Ensayos sobre poesía*, pág. 168.
«Publicaciones del Instituto Uruguayo de Cultura Hispánica», Montevideo, 1956.
17. *Ob. cit.*, II, pág. 412.

BIBLIOGRAFIA

Aparte de las *Historias de literatura hispanoamericana*
que figuran en la Bibliografía general, al frente de
nuestro libro, pueden consultarse las obras siguientes:

I. Estudios generales y antologías: A. GHIRALDO: *Antología americana* (t. IV, «La lira romántica»), Madrid,

1923.—M. MENÉNDEZ PELAYO: *Historia de la poesía hispanoamericana*, 2 vols. (XXVII y XXVIII de la ed. nacional publicada por el C. S. I. C.), Santander, 1948.—A. MITJANS: *Caracteres de la lírica hispanoamericana*, La Habana, 1887.—E. DE GANDÍA: *Fuentes de romanticismo*, «Universidad», núm. 10, Santa Fe (Argentina).—V. GARCÍA CALDERÓN: *Del romanticismo al modernismo: prosistas y poetas*, París, 1910.—E. OSPINA: *El romanticismo*, Madrid, 1927.—J. M.ª GUTIÉRREZ: *Estudios biográficos y críticos sobre algunos poetas sudamericanos anteriores al siglo XX*, 1865.—A. MELIÁN LAFINUR: *El romanticismo literario*, Buenos Aires, 1954.—M. L. AMUNÁTEGUI: *Don José Joaquín de Mora*, Santiago de Chile, 1888.—L. ZEA: *Dos etapas del pensamiento hispanoamericano. Del romanticismo al positivismo*, Méjico, 1949.

II. J. DE LA CRUZ PUIG: *Antología de poetas argentinos* (10 vols.), Buenos Aires, 1910.—J. LEÓN PAGANO: *El Parnaso argentino*, Barcelona, 1904.—E. LÓPEZ BARREDA: *Nuestro Parnaso*, Buenos Aires, 1913.—R. ROJAS: *Historia de la literatura argentina* (4 vols.) («Romanticismo» en el III), Buenos Aires, 1917.—E. GARCÍA VELLOSO: *Historia de la literatura argentina*, Buenos Aires, 1914.—A. GIMÉNEZ PASTOR: *Historia de la literatura argentina* (2 vols.), manuales «Labor».—R. ALBERTO ARRIETA: *Sobre el salón de 1837*, «La Prensa», Buenos Aires, julio, 1937.—A. FARINELLI: *Byron e il byronismo nella Argentina*, Roma, 1928.—A. GIMÉNEZ PASTOR: *El romanticismo bajo la tiranía*, Buenos Aires, 1922.—E. MORALES: *Espronceda y los poetas argentinos*, «La Prensa», Buenos Aires, mayo, 1942.—E. ECHEVERRÍA: *Obras completas*, con indicaciones bibliográficas, Buenos Aires, 1870-74.—R. ALBERTO ARRIETA: *Contribución al estudio de Esteban Echeverría*, «Bol. Acad. Argent. de Letras», núm. 35; *El París literario de Esteban Echeverría*, «Logos» (rev. Fac. Filos. y Letras), núm. 1, Buenos Aires.—A. CHANETON: *Introducción a la vida contradictoria de Esteban Echeverría*, «La Nación», Buenos Aires, mayo, 1940.—J. M. FURT: *Echeverría*, Buenos Aires, 1938.—M. GARCÍA MÉROU: *Ensayo sobre Echeverría*, Buenos Aires, 1894.—J. M.ª GUTIÉRREZ: *Noticia sobre la vida de Esteban Echeverría*, «Rev. del Río de la Plata», t. I.—LIDIA LAMARQUE: *Echeverría, el poeta*, Buenos Aires, 1951.—CARLOS M. URIÉN: *Echeverría*, Buenos Aires, 1905.—J. DOMINGO CORTÉS: *Obras poéticas y dramáticas de José Mármol*, 1882.—R. MONTERO BUSTAMANTE: *Mármol, poeta de su tiempo*, «Ensayos».—M. MENÉNDEZ PELAYO: *Historia de la poesía hispanoamericana* («Mármol», t. II, págs. 385 y sgs.).—A. MARGARIÑOS CERVANTES: *Juan María Gutiérrez*, «Biblioteca Americana», t. V.—J. ENRIQUE RODÓ: *Juan M. Gutiérrez y su época*, «El mirador de Próspero», Barcelona, 1928.—MARÍA SCHWEISTEIN DE REIDEL: *Juan María Gutiérrez*, La Plata, 1940.—C. M.ª URIÉN: *Apuntes para la vida y obra del Dr. Juan María Gutiérrez*, Buenos Aires, 1909.—B. VICUÑA MACKENNA: *Juan María Gutiérrez*, Santiago de Chile, 1878.—A. ZINNY: *Juan María Gutiérrez. Su vida y sus escritos*, Buenos Aires, 1878.—MIRA CADWALADER HOLE: *Bartolomé Mitre: A poet in Action*, «Hispanic Institut», Nueva York, 1947.—R. ALBERTO ARRIETA: *Florencio Varela. Su vida y obras*, Buenos Aires, 1939.

III. M. LATORRE: *La literatura de Chile*, Buenos Aires, 1941.—C. ROXLO: *Historia crítica de la literatura uruguaya*, Montevideo, 1912.—A. ZUM FELDE: *Proceso intelectual del Uruguay y crítica de su literatura*, 2.ª ed., Montevideo, 1941.—J. M.ª DEL REY: *La poesía de Adolfo Berro*, «Ensayos sobre poesía», págs. 173-90, Publ. del Inst. Uruguayo de Cult. Hispánica, Montevideo, 1956; *La poesía de Magariños Cervantes* (ob. cit., págs. 153-72).—F. SANTANA: *El romanticismo en la poesía chilena del siglo XIX*, «Atenea», núm. 167, Concepción (Chile), 1939.—N. PINILLA: *La generación chilena del 1842*.—A. OREGO LUCO: *El movimiento literario de 1842*, «Atenea», núm. 100, Concepción (Chile), 1933.—A. FUENZALIDA Y GRANDÓN: *Lastarria y su tiempo*, Santiago de Chile, 1893.—D. AMUNÁTEGUI SOLAR: *Bosquejo histórico de la literatura chilena*, Santiago, 1915.—S. LILLO: *La literatura chilena*. Santiago, 1930.—R. POLANCO CASANOVA: *Ojeada crítica sobre la poesía de Chile (1840-1912)*, Santiago, 1913.—R. SILVA CASTRO: *Antología de poetas chilenos del siglo XIX*, «Bibl. de Escrit. de Chile», XIV, Santiago, 1937.—A. DONOSO: *Parnaso chileno*, Barcelona, 1910.

CAPITULO LXVII

EL ROMANTICISMO EN AMERICA:
B) POESIA DEL PACIFICO, ANTILLAS Y MEJICO

I. Perú, Bolivia y Ecuador: *Románticos peruanos. Románticos bolivianos. Románticos ecuatorianos.*—II. Venezuela: *Ros de Olano y García de Quevedo. Maitín y Abigáil Lozano. Otros poetas de Venezuela.*—III. Colombia: *«El Oasis» y «El Mosaico». Ortiz, Arboleda, Gutiérrez González. José Eugenio Caro. Rafael Pombo. Otros románticos colombianos.*—IV. Las Antillas: *Algunos poetas dominicanos y puertorriqueños. Los cubanos. Milanés. «Plácido». Más románticos cubanos. Mendive y Luaces. Juan Clemente Zenea, Zambrana.*—V. Méjico: *Fernando Calderón, Rodríguez Galván, Manuel Acuña y M. María Flores.*—Notas.—Bibliografía.

I. PERU, BOLIVIA Y ECUADOR

En el Perú, el Romanticismo se inicia con la llamada «Generación del 48». Ricardo Palma, que fué uno de sus miembros más destacados, nos ha dejado de ella puntualísima y animada descripción [1]. «De 1848 a 1860—escribe el insigne autor de las *Tradiciones peruanas*—se desarrolló en el Perú pasión febril por la literatura. Al largo período de revoluciones y motines, consecuencia lógica de lo prematuro de nuestra independencia, había sucedido una era de paz, orden y garantías. Fundábanse planteles de educación: la Escuela de Medicina adquiría prestigio, impulsada por el ilustre decano don Cayetano Heredia; y el Convictorio de San Carlos, bajo la sabia dirección de don Bartolomé Herrera, reconquistaba su antiguo esplendor. Por entonces llegaba de España don Sebastián Lorente, era nombrado rector del Colegio de Guadalupe, y ante un crecido concurso daba lecciones orales de historia y de literatura. Lorente era innovador, de gran talento, y la victoria fué suya en la lucha con los rutinarios. La nueva generación le seguía y escuchaba como a un apóstol.»

Con Lorente, y aun antes que él, había penetrado en Lima el gusto por la nueva literatura romántica, de la que había sido portador, ya queda dicho, el poeta español Fernando Velarde. La juventud peruana no tarda en entregarse en cuerpo y alma al Romanticismo; pero no se trata ya de un romanticismo de savia francesa o sajona, al modo del rioplatense, sino de un romanticismo netamente español. Si Lamartine, Hugo y Byron inspiraron a los poetas argentinos y uruguayos de la primera hora—ya queda también dicho cuánto debe Mármol a Zorrilla—, en Perú son españoles —el mismo Zorrilla, Espronceda, Arolas, Enrique

Gil, Bermúdez de Castro—quienes dan la pauta. Y sobre todos ellos, Velarde, que en 1848 exactamente publicaba en Lima una colección de poemas con el título de *Flores del desierto*. Inspirada por aquéllos primeramente y liberada de su tutela después, surge una muchedumbre de poetas signados en su mayor parte con el sello de la nueva escuela. Algunos, como Althaus, y en menos grado Salaverry, todavía escuchan la sirena clásica en medio del barullo romántico; los más, sin embargo, se incorporan a las nuevas corrientes; y no falta quien, como Benjamín Cisneros, después de atravesar el campo romántico, llega a las mismas laderas del modernismo. Limitamos nuestra referencia a los más importantes.

Manuel Nicolás Corpancho (1830-1863), que se había dado a conocer muy joven como excelente versificador con su drama *El poeta cruzado* (1848), tenía madera de buen lírico. Su muerte, ocurrida a los treinta y tres años, en el incendio del vapor *Méjico*, al regreso de una misión oficial, frustró en flor una vida en la que cabía fundar muchas esperanzas. Aparte de dos dramas, *El poeta cruzado* y *El templario*, a los que aludiremos en su lugar, y de un *Ensayo sobre la poesía lírica en América*, dejó dos colecciones de versos —*Brisas del mar* (1853) y *Ensayos poéticos* (1854)— muy influídas por Zorrilla.

Más personal y de acento más definido fué Clemente Althaus (1835-1881). Aunque Palma lo incluye en la lista de los «bohemios» y lo fué sin duda en algunos aspectos, su espíritu era fundamentalmente clasicista. Sus versos, recogidos en *Obras poéticas* (Lima, 1872), acusan huellas de Quintana, fray Luis de León y hasta del Petrarca. Ni Zorrilla, ni Espronceda, ni siquiera los románticos franceses, han producido mella en el alma de este escritor atildado, correcto y frío. El único romántico que parece haber encontrado algún eco en ese corazón, más por lo que tiene de clásico que por lo que pudiera tener de romántico, es Leopardi, cuyo *Ultimo canto di Saffo* imita y hasta copia Althaus en su poema del mismo título. Esta composición, *Demócrito y Heráclito, A mi madre, Al Petrarca, Platonismo,* recogen lo más inspirado de su musa [2]. Althaus es autor de un drama de corte clásico, *Antíoco.* Ricardo Palma, en la *Bohemia limeña,* nos lo presenta como hombre pulcro, excesivamente atildado y respirando siempre la atmósfera de un mundo irreal. Murió loco en París.

También murió loco y en la mayor miseria, hasta el punto de haber sido enterrado de limosna, MANUEL ADOLFO GARCÍA (1828-1883), cuya obra dispersa al principio por diarios y revistas fué recogida principalmente en *Composiciones poéticas* (El Havre, 1872). Tradujo a Víctor Hugo, y en sus poesías originales imitó sobre todo a Zorrilla y Arolas. Se han hecho famosas sus quintillas *A Bolívar,* comparables por su efectismo a las décimas de Bernardo López García *Al dos de mayo.* Su mejor poema, de muy elegante factura, es el titulado *Mis recuerdos.*

Sobre CARLOS AUGUSTO SALAVERRY (1831-1890), autor de numerosas piezas dramáticas, en número superior a veinte, y algunas de ellas de tanto éxito como *Atahualpa,* volveremos más adelante. Aquí nos interesa como poeta romántico. Su obra lírica, recogida en *Albores y destellos* (1851), quedó incrementada luego con *Diamantes y perlas* y las *Cartas a un ángel* (El Havre, 1871). Sus sonetos, algunos excelentes, delatan una decidida formación clásica: *Lectora, Ilusiones, Fragilidad, Justicia póstuma, Celos, A la esperanza* y otros. Pero en buena parte de sus poemas—*Horas de amor, Treinta y uno de diciembre, Acuérdate de mí,* sin duda el mejor de todos—se le ve entregado íntegramente al Romanticismo. El mismo, en el poema dedicado a *Felipe Pardo,* nos habla de su «alma desolada» y se nos presenta

cantando las grandezas de la nada
y el esplendor sombrío de la muerte.

Poeta triste este Salaverry, de una tristeza «que oscila—dice García Calderón—entre las radicales negaciones de Espronceda y la resignación mitigada de Bécquer» [3]. Sus grandes temas fueron el amor y la muerte. Su nota más acusada, la fluidez versificatoria. En 1883, rindiendo culto a una tendencia muy en boga por aquel tiempo, publicó un poema filosófico, *Misterios de la tumba.*

Al igual que Salaverry, tentó el género dramático otro poeta de la época, acaso el más popular de los peruanos en este período, con excepción de Ricardo Palma. Aludimos a PEDRO PAZ SOLDÁN

Y UNANUÉ (1839-1895), más conocido por el seudónimo de *Juan de Arona* [4]. Figura paradójica y la más extravagante de la literatura peruana, le llama un crítico de nuestros días. Su poesía lírica, con esa invencible tendencia a la sátira que caracteriza a los peruanos, unas veces se humaniza hasta adquirir el tono de melancolía propio de los románticos, y otras veces, las más, hecha sarcasmo y risotada satánica, estalla en maldiciones casi inconcebibles. Más que de una misantropía, en el sentido que se da corrientemente a esta palabra, hay que hablar aquí de odio:

Ante mis ojos todo está negro;
y, triste presa de mi rencor,
si alguien padece, cuánto me alegro,
si alguien se ríe me ahoga el dolor.

Hay sin duda en esto mucha teatralería; pero también hay un gran fondo de sinceridad, que se comprueba por sus violentísimos ataques desde las páginas de *El Chispazo,* un periódico donde Unanué volcaba en coplas, que se hicieron famosas, su aversión a todo y a todos. La nota sentimental aparece en los «ensayos poéticos», coleccionados con el título de *Ruinas* (Lima, 1863); entre ellos hay alguno, como *Los recuerdos,* de clara tonalidad romántica. Su mordacidad y negro humorismo se derrama, en cambio, en *La Pinzonada* (1867) y en las aludidas coplas de *El Chispazo.* Soldán y Unanué acreditó su formación clásica en elegantes traducciones de Lucrecio, Virgilio y Ovidio (*Poesía latina,* Lima, 1867). Parte de su actividad derivó hacia la filología, la historia, etc.: *Diccionario de peruanismos, Páginas diplomáticas del Perú, Geografía del Perú.*

Aumentan la lista de los románticos peruanos: JOSÉ ARNOLDO MÁRQUEZ (1830-1903), traductor de Shakespeare y autor de unas *Poesías* (1853) y de unas *Notas perdidas* (1862), muy estimadas en su día; y LUIS BENJAMÍN CISNEROS (1837-1904), que, después de rendir culto al romanticismo más acendrado en poemas y novelas juveniles (*Julia, Edgardo,* etc.), fué a varar en las playas modernistas (*Los jazmines*). De Constantino Carrasco, Ricardo Rosell, Manuel Castillo y otros coetáneos no hacemos mención porque, aunque inscritos cronológicamente dentro del Romanticismo, pertenecen por su producción a otras tendencias. Tampoco queremos aludir aquí a RICARDO PALMA (1833-1919), aun siendo la figura más relevante del Romanticismo en su país. Palma, antes que nada, es prosista y narrador; uno de los más grandes narradores que ha producido Hispanoamérica, y en este y otros aspectos se le enjuiciará oportunamente. Anticipemos que su poesía no es tan mala como él mismo solía decir, ni tan buena como quieren hacerla sus admiradores. Supo llevar a sus versos satíricos la misma fina ironía que a su prosa; y alguna de sus *Orientales* merece figurar, y figura de hecho en todas las antologías. Recuérdese la que empieza:

> Pues tienes, nazarena,
> caftanes de tisú
> y chales Cachemira
> brinda a tu juventud;
> pues Tiro te da púrpuras,
> y aromas Stambul,
> y la Golconda perlas,
> que esconde el mar azul...

Románticos bolivianos

El romanticismo boliviano apenas ofrece interes ni fisonomía propia. Se limita casi siempre a una imitación más o menos servil de los modelos españoles y franceses, con escasa originalidad. Ni siquiera aparece ésta en los temas, calcados las más de las veces en los peninsulares, cuando no en los de otras literaturas sudamericanas. «Reflejo de reflejos, eco de ecos», se ha dicho por alguien.

Díez de Medina se pregunta si habrá nadie capaz de leer hoy todos los versos de un solo poeta romántico de su país, y contesta negativamente. «La lírica romántica—escribe—, vista de conjunto, padece de pobreza y monotonía. Cortés, Tovar, Calvo, son sensibleros, pesimistas, carecen de elegancia formal. Reyes Ortiz, los Ramallo, Loza, son igualmente plañideros, tristones, flacos de expresión. Néstor Galindo, gran romántico él mismo, sobresale no por su vena poética, que no escapa a una honrosa medianía, sino por su muerte ejemplar en las barricadas contra el tirano Melgarejo. Zalles y Blanco no pasan de discretos poetas satíricos. María Josefa Mujía, la poetisa ciega, fué un alma delicada, de inspiración fácil y sencilla. Sólo ella y Bustamante sobrepasan el bajo nivel artístico de sus contemporáneos» [5].

Casi se puede decir que en esta sucinta lista dada por el crítico boliviano están incluidos todos los poetas románticos de su país dignos de algún recuerdo. Insistamos en que ninguno de ellos es de alta jerarquía, y completemos la referencia con algunos datos.

RICARDO JOSÉ BUSTAMANTE (1821-1884), aunque por circunstancias políticas vió transcurrir la mayor parte de su vida en el extranjero—Argentina, Brasil, Francia—, es con todo la figura más representativa del romanticismo boliviano. Su obra —narraciones en prosa, teatro, lírica—no fué coleccionada en vida ni creemos que lo haya sido después de muerto. Pero Gutiérrez, Palma y Cortés ya se encargaron de incluir en sus repertorios antológicos [6] lo mejor de esa producción lírica, que se distingue, al decir de Miguel Acaro, por «la delicadeza de sus sentimientos, por su inspiración feliz y por la galanura de su estilo». Menéndez Pelayo le consideraba en su tiempo «el principal hombre de letras que ha producido Bolivia». Destacan en su producción una «inevitable» oda A Bolívar, Plegaria, Bendición paternal a mi hija Angélica,

Despedida del árabe a la judía después de la conquista de Granada, Grito de desesperación y Preludio al Mamoré, de gran valor descriptivo esta última. Para nuestro gusto, la más lograda es la Despedida del árabe (canción), a la que pertenecen estas dos estrofas:

> ¡Regresa a tus hogares, bella hija de Israel!
> Te traje de tu tribu para encantar mi vida,
> mas ya perdió sus galas mi tierra prometida:
> no dan sus huertos fruto, ni dan sus bosques miel...
> ¡Regresa a tus hogares, bella hija de Israel!
> ....
> Ve, anuncia a los desiertos el triunfo de la Cruz;
> ve y diles que el cristiano rompió la Media-luna;
> que el hijo del Profeta, tal mengua en su fortuna,
> se esconde en los sepulcros, huyendo de la luz....
> Ve, anuncia a los desiertos el triunfo de la Cruz.

Bustamante había pensado escribir un poema titulado Los amores de un ángel. Su tema era la regeneración del mundo por medio de la mujer. Había compuesto ya los tres primeros cantos, que desaparecieron en el saqueo de la Paz, durante la revolución de marzo de 1849.

NÉSTOR GALINDO (1830-1865) es el poeta boliviano más discutido y más opuestamente juzgado. Menéndez Pelayo, haciendo suyo el dictamen de los hermanos Amunátegui, lo califica de «vate sentimental y fúnebre incorrecto en la lengua y en la rima»; Gustavo Adolfo Otero, aun reconociendo que sus versos no le han inmortalizado como poeta, formula un juicio mucho más benévolo [7]. Más que las poesías coleccionadas en Lágrimas (Cochabamba, 1855), «título muy apropiado—subraya Menéndez Pelayo—, porque el libro es una inundación de ellas», lo que le dió celebridad, rodeándole de un alto prestigio romántico, es su inmolación frente al tiranuelo Melgarejo. Una violenta pasión amorosa contraída durante su estancia en el puerto de Tacna y la nostalgia del exilio fueron sus musas inspiradoras. Citemos como su composición más lograda el poema inconcluso El proscrito.

Del doctor don MARIANO RAMALLO (1817-?) se recuerdan unas pocas composiciones de tono romántico, incluídas por Cortés y por Palma en sus antologías: Una impresión al pie de Illimani, A mi hija Natalia, El epitalamio de los Bardos, etc.; LUIS ZALLES (1832-1896), aunque romántico, prefirió en sus Poesías el género festivo; MARÍA JOSEFA MUJÍA alcanzó celebridad por sus poemas sencillos, llenos de resignación—estaba ciega—, de intimidad y de ternura. Se ha hecho famoso el que lleva por título El árbol de la esperanza. MANUEL JOSÉ CORTÉS (1811-1865) sobresalió más por sus trabajos de historiador y de estadista que por su obra poética; y FÉLIX REYES ORTIZ, precursor del teatro boliviano, al igual que Lens, Pol, Aguirre, Terrazas, etc., encaja mejor en otros apartados, aunque circunstancialmente cultivara también la poesía. De otros ingenios—Mercedes Belzú de Dorado, Manuel José Tovar, Daniel Calvo, Adela Zamudio, Tomás O'Connor D'Arlach, Santiago Vaca Guzmán— la posteridad se ha olvidado ya, y nosotros no tenemos por qué resucitarlos.

Románticos ecuatorianos

Extinguida la voz de Olmedo con la oda *A Flores* (1835), ningún poeta de relieve deja oír la suya en los años siguientes. «Hay un largo paréntesis—escribe Menéndez Pelayo—entre la deslumbradora aparición de Olmedo, hijo del régimen colonial, y los frutos mucho más modestos de la nueva generación literaria, que luchando con dificultades indecibles, nacidas de los trastornos políticos y del abandono casi total de los buenos estudios, fué levantando poco a poco la cabeza hacia la segunda mitad de nuestro siglo y empezó a dar muestra de sí en la *Lira ecuatoriana*, que en 1866 compiló el doctor don Vicente Emilio Molestina» [8]. Entre los poetas representados en esa antología, y en las otras varias que fueron apareciendo durante la segunda mitad del XIX, apenas sobresalen los nombres de Dolores Veintimilla, J. León Mera, Julio Zaldumbide y García Moreno como dignos de especial mención. Otros muchos—Francisco Javier Salazar, Rafael Carvajal, Vicente Piedrahita, Miguel Riofrío, Miguel Angel Corral, Angel Caamaño de Vivero, Joaquín Velasco, José Bernardo Daste—, que en un estudio consagrado al Ecuador reclamarían cita más detallada, en el nuestro no pueden encontrar cabida.

DOLORES VEINTIMILLA DE GALINDO (1821-1857) fué un temperamento radicalmente romántico. Por la hondura de su acento y la sinceridad con que acertó a expresar su amor y sus desventuras fué llamada la «Safo ecuatoriana». También se parece a la gran poetisa de Lesbos en su determinación final: por causas no aclaradas, que algunos suponen reveses domésticos, más bien que contrariedades amorosas, puso fin a sus penas suicidándose en plena juventud. Para realizar el fatal designio se cuenta que vistió sus mejores galas y antes dió al fuego sus composiciones poéticas. Pero todavía sobrevivieron algunas—*Quejas, A mis enemigos, Sufrimientos, La noche y mi dolor,* etc.—, que encierran un lirismo traspasado de emoción.

De JUAN LEÓN MERA (1832-1894), el mejor prosista narrativo, sin duda, que ha producido El Ecuador, se recordarán durante mucho tiempo los estudios críticos (*Cantares del pueblo ecuatoriano, Ojeadas sobre la poesía ecuatoriana*), y sobre todo quedará siempre como una de las más bellas muestras de la novelística americana la interesante narración *Cumandá*. De ella nos ocuparemos por extenso más adelante. Por ahora baste decir que si Mera en la prosa demostró sentir como el que más la belleza del mundo y de las almas, no acer-

tó, en cambio, a expresar en verso esos sentimientos. Ni las *Melodías indígenas,* ni la *Leyenda de la virgen del Sol,* aunque no carentes de virtudes poéticas, son bastante para otorgar a Mera un puesto ni siquiera de segunda fila en el parnaso ecuatoriano. Pueden leerse aún con cierto deleite la oda *A la unión iberoamericana,* por su entonado aliento, y las deliciosas estrofas *El Yaraví*.

El puesto de honor entre los poetas ecuatorianos de la época corresponde, sin duda, a JULIO ZALDUMBIDE (1833-1887), la voz romántica más autorizada del país. Y eso que Zaldumbide, en el fondo, era un clásico, como que a sus lecturas de ingleses, italianos y franceses había precedido un amplio baño de literatura latina y castellana representada en nuestros mejores escritores del Siglo de Oro. No pudo, sin embargo, sustraerse al contagio del romanticismo, que cultivó en una forma digna y muy templada. Gusta Zaldumbide de llevar al verso la meditación filosófica, que nos da envuelta en cierta atmósfera de suave melancolía; y aunque ha pasado del escepticismo a la duda y de ésta a la fe, dejándonos de cada uno de tales estados fiel testimonio poético, nunca su musa se descompone en gestos inelegantes ni prorrumpe en gritos histéricos, tan caros a los vates de su tiempo. Esta actitud meditativa le inspiró muy bellas composiciones: *La mañana, El mediodía, La tarde, La noche, Flota en los aires...* El acento en todas ellas es grave, contenido, casi leopardino:

> Flota en los aires de la tarde el velo,
> y al paso con que cunden
> las atezadas sombras del crepúsculo,
> en mi alma se difunden
> dolorosos y oscuros pensamientos.
> Contempla, Laura, en el tendido cielo
> esas nubes que vuelan,
> arrebatadas de invisibles vientos.
> ¿Adónde van?... Mi triste fantasía,
> suelta vagando, por doquiera mira
> misterios que al placer no se revelan;
> parece que suspira
> en torno nuestro el aura voladora;
> parece que al oído
> nos dice cosas tales,
> que sin saber nuestra alma su sentido,
> al escucharlas, se estremece y llora.

La exigua producción poética de don GABRIEL GARCÍA MORENO (1821-1875), asesinado en la plaza de Quito en cumplimiento de su deber, no nos permite sino una mención ligerísima de este egregio gobernante. Tanto sus traducciones de los Salmos, como la *Epístola a Fabio* y otras composiciones de carácter satírico nos dan un espíritu nutrido con las más puras savias del clasicismo, al que no quiso renunciar García Moreno ni en medio del más desaforado oleaje romántico.

Otros poetas—Antonio Toledo, Luis Cordero, Numa Pompilio Llona, Remigio Crespo Toral— pertenecen a la segunda fase del romanticismo, en la cual serán estudiados.

II. VENEZUELA

De las Repúblicas americanas fué, sin duda, Venezuela la que acogió con mayor entusiasmo la buena nueva poética, tal como se predicaba desde la Península. Mientras la Argentina y el Uruguay mostraban preferencia por los franceses, sin desdeñar a los españoles, y el Perú, Bolivia y otros países procedían a la inversa, imitando a los españoles, con cierto indisimulado interés por franceses, ingleses y alemanes, en Venezuela la voz de los románticos peninsulares encuentra amplia acogida, y los mejores vates del país tienen a gala seguir de cerca las huellas de Espronceda, Zorrilla y demás dioses mayores de nuestro parnaso.

«De todos los poetas del romanticismo español —ha escrito un eminente crítico—, el predilecto de los americanos fué Zorrilla, que por muchos aspectos era el que menos convenía para maestro de la poesía de un Mundo Nuevo. Pero como no podían imitarle en lo épico, donde está su verdadera grandeza, le imitaban en lo lírico, donde Zorrilla es no sólo desaliñado, sino muchas veces incoherente, y casi siempre exterior y superficial, disimulando con el lujo asiático de la versificación la penuria de ideas y emociones. Concretado el zorrillismo americano a la reproducción de esta parte más endeble de la obra del maestro, hubo de exagerar naturalmente los vicios de su estilo...» [9]. Tales conceptos enunciados por Menéndez Pelayo con carácter general, si bien a propósito de un poeta de Venezuela, Abigáil Lozano, pueden sin riesgo aplicarse a todos los románticos de este país. Lo que distingue a los poetas venezolanos, al menos a los más representativos, es la falta de toda contención y medida. Hablamos, claro es, de los románticos; porque venezolano fué Bello, modelo de distinción, sobriedad y sentido de los límites. En cuanto a los románticos, se diría que no han captado de sus maestros sino lo espectacular y sensorial, escapándoseles precisamente aquello que el romanticismo llevaba en sí de más sustancial y poético. Agreguemos, para completar el cuadro, que allá, al promediar el siglo, precisamente de 1840 a 1850, Caracas está convertida en centro cultural en plena ebullición: se publica mucho, se lee y escribe también mucho. Al calor de esta inquietud literaria, los poetas surgen en gran número. Pero del primer romanticismo puede decirse que sólo cuatro merecen nuestra atención. Esos poetas son Ros de Olano, García de Quevedo, Abigáil Lozano y José A. Maitín.

Sólo con muchas reservas se puede incluir aquí a Ros de Olano y García de Quevedo, que no tienen más de americanos que el haber nacido en aquel continente, siendo por su ascendencia, por su vida y por su obra auténticamente españoles.

Pero como en algún sitio hay que aludir a ellos, hemos creído conveniente hacerlo en este lugar, aplicándoles el mismo trato que a varios más que se encuentran en análogas circunstancias. Por ejemplo, la Avellaneda; sin que ello implique ni remotamente intención de parangonar méritos y méritos. La literatura del país a que se adscriba la ilustre poetisa siempre ganará realce con su nombre; en cambio, la inclusión o exclusión de vates como Ros de Olano y García de Quevedo dejará inalterable el baremo poético de una nación.

Ros de Olano y García de Quevedo

ANTONIO ROS DE OLANO (1802-1887), «caraqueño por casualidad de nacimiento», vino a España a los once años y aquí se aplicó simultáneamente y con igual fervor al ejercicio de las armas y de las letras. Como militar interviene en gloriosas acciones, habiendo culminado su carrera en la guerra de Africa (1859-1860), donde mandó uno de los cuerpos de ejército, mereciendo por su brillante actuación el título de Marqués de Guad-el-Gelú. Como poeta, aunque trabajó toda su vida incansablemente, no mereció tan preciados lauros. Y eso que Ros de Olano, según el tesón que puso en sus escritos, debió de llegar a creer que había nacido para el manejo de la pluma tanto o más que para el empleo de la espada. Escribió ensayos de novela: *El diablo las carga* y *El doctor Lañuela*, «especie de logrifo filosófico», no descifrado aún por nadie; cuentos: *Historia verdadera o cuerpo estrambótico, que da lo mismo, de maese Cornelio Tácito* y *Origen del apellido de los Palominos de Pancorbo*, del mismo estilo enigmático que las novelas; una mala comedia: *Ni el tío ni el sobrino*, en colaboración con Espronceda, cuyo gran poema *El diablo mundo* también prologó; y bastantes versos coleccionados en un tomo, *Poesías* (1886). Pedro Antonio de Alarcón, que había militado a sus órdenes en la campaña de Africa, escribe en el prólogo puesto a esas *Poesías*: «Todavía no se sabe si el autor quiere o no quiere que el lector las entienda. Lo que nosotros tenemos averiguado es que desprecia al que no las entiende, y que se enoja con los que se dan por entendidos». Palabras que definen a la vez un carácter y un estilo. Este, que por ahora nos interesa, se nos revela así en la prosa como en el verso de lo más retorcido, tenebroso y enmarañado que produjo el romanticismo por esas latitudes. «Extraña fusión de Hoffmann y Quevedo», se ha dicho por alguien. No obstante, como Ros de Olano era antes que nada un espíritu selecto y no del todo carente de inspiración, todavía pueden extraerse de su obra poética unas pocas composiciones dignas de recuerdo: los sonetos *Caracas, La idea, El dolor*; las descripciones romanceadas del *Lenguaje de las estaciones*; algunos fragmentos del poema burlesco *La Gallomagia,* etc.

Mayor fama de poeta disfrutó otro «venezolano de circunstancias», JOSÉ HERIBERTO GARCÍA DE QUEVEDO (1819-1871), nacido en Coro y llegado a la Península en la más tierna edad. Era García de Quevedo todo un carácter: noble, desinteresado, defensor voluntario de causas justas, caballeresco y bizarro, aunque con exceso pagado de sí mismo y un tanto picado de megalomanía. Su noble gesto en duelo con Alarcón habla bien alto de la calidad de su espíritu [10]. Pero a tales virtudes humanas no correspondían análogas virtudes literarias. Hombre de extensa cultura, conocedor de lenguas y muy preocupado de problemas sociales y filosóficos, se entregó al cultivo de un género de poesía, sin duda el más difícil y el que requiere mayores arrestos: el poema ideológico a la manera del *Fausto.* En 1849 se había dado a conocer por sus *Odas a Italia,* en las que hay pasajes inspirados y felices imitaciones de Manzoni. A él debemos la más antigua traducción castellana de *El 5 de mayo,* aunque no sea de las más afortunadas. Su colaboración con Zorrilla en tres poemas—*María, Ira de Dios* y *Un cuento de amores*—aumentó justificadamente su fama, ya que supo seguir muy de cerca el vuelo del poeta español, hasta el punto de que la parte de García de Quevedo casi nunca desmerece de la realizada por su genial colaborador. Bien es verdad que esos poemas no son precisamente lo más inspirado de Zorrilla. En estas obras, así como en numerosas composiciones sueltas—*A la libertad, A Caracas, La Ascensión*—; se nos muestra un vate lozano, pomposo, casi exuberante, muy encajado en la manera de Zorrilla. En cambio, en sus poemas filosóficos—*Delírium, La segunda vida, El proscripto*—quedó muy por lo bajo de su propósito. Quería darnos en ellos una especie de trasunto de la vida humana mediante la acumulación de episodios históricos y de fábulas más o menos imaginarias, con variedad de metros y de géneros—lírica, drama, narración—, y lo que salió de sus manos fué una caótica mezcolanza, capaz de indigestar al paladar mejor dispuesto. Fueron poemas de los que no se puede decir que gozasen de breve vida, porque nacían ya muertos. Otro tanto aconteció con sus obras dramáticas —*Nobleza contra nobleza. Un paje y un caballero, Don Bernardo del Carpio, Isabel de Médicis,* etcétera, etcétera—, con sus novelas, con sus leyendas, hoy sólo recordadas en los repertorios bibliográficos.

Maitín y Abigáil Lozano

La figura más destacada del romanticismo venezolano es, sin duda, la de JOSÉ ANTONIO MAITÍN (1804-1874). Quizá le supere algún otro, por ejemplo, Abigáil Lozano, en inspiración; pero es Maitín el más correcto, personal y logrado de todos. Empieza imitando a Zorrilla en *La máscara* y *El sereno,* dos leyendas que pasaron sin pena ni gloria. En *Ecos de Choroní* acierta a encontrar una vena de inspiración fresca en la vida apacible y modesta del valle de ese nombre, vida que canta en tono sencillo, sin descender nunca a lo plebeyo o vulgar. De pronto una desgracia doméstica, la muerte de su esposa, pone al descubierto la fibra más sensible de su alma, inspirándole, como a nuestro Balart, la más emotiva de sus composiciones, el *Canto fúnebre,* que no es tal canto en realidad, sino una serie de breves poemas en torno al infausto suceso. Se trata de un sentimiento hondo, íntimo, transmitido al exterior sin exageraciones y al mismo tiempo sin sordina, tal como se va manifestando en el alma:

> Llegaron, ¡oh dolor!, las tristes horas
> de un pesar para mí desconocido;
> ilusiones de paz encantadora,
> contentos del hogar, os he perdido.
> Perdí el único ser que más amaba,
> la compañera tierna de mi vida,
> cuya mano de esposa me alargaba
> cargada de cariño y beneficios,
> en cuyo corazón sólo encontraba
> amor, abnegación y sacrificios.
> ....
> ¡Te fuiste sin saber que te sentía!
> ¡Te fuiste sin saber que te lloraba!
> No pude darte esta última alegría,
> y tú, ni este consuelo
> le pudiste dejar al que te amaba.
> Si yo quedaba aquí, ¿por qué partiste?
> ¿Por qué ese amargo cáliz de infortunio
> hacerme saborear con tal exceso?
> ¿Por qué morir del modo que moriste?
> ¿Por qué no recibir mi último beso?
> ¿Por qué dejarme en soledad tan triste?
> ¡Mi Dios, mi Dios, mi Dios! ¿Cómo fué eso?

Contrasta con este acento tan mesurado y sentido la voz tumultuosa de ABIGÁIL LOZANO (1821-1866), «uno de los más huecos y desatinados poetas que en ninguna parte puedan encontrarse». Es la auténtica caricatura de Zorrilla. En pocos vates será dado encontrar tanta hinchazón, tanta hipérbole, tal diluvio de imágenes disparatadas y, lo que es aún peor, tantas transgresiones del léxico y del sentido común. Júzguese por estas estrofas de uno de sus poemas a Bolívar:

> Pasó mi edad de niño, mas luego me hice hombre;
> vi en un salón suntuoso la forma de un varón:
> ávida la pupila buscó a sus pies un nombre,
> y, sorprendida, el alma deletreó: *Simón.*
> «¡El es!...», aletargados mis labios pronunciaron.
> «¡El es!...», en sus contornos el eco remedó;
> trémulas mis rodillas de hinojos se postraron.
> «¡El es!...», convulso el labio de nuevo repitió.

Tú *fuistes* ese hombre, magnético dibujo,
colgado por adorno sin voz en la pared;
tú fuiste el rayo ardiente que el Avila produjo,
que atosigó *de Iberia la sanguinaria sed.*
....

Washington y otros héroes atletas que lidiaron
son átomos tan sólo que giran junto a ti...

Pues este hombre, que escribía tales disparates, en su afán de hinchar los carrillos para hacernos oír una trompeta no inventada para sus pulmones, este hombre no carecía enteramente de inspiración. Su obsesión por emular a Zorrilla, y a veces también a Espronceda y a Tassara, le perdió. Cuando se olvidaba de los modelos y dejaba hablar a su musa, con frecuencia le salían versos de elegante traza:

Acaso un dios marino visita en la alta noche
tu alcázar incrustado de concha y caracol,
y tiran los delfines su misterioso coche,
que se hunde entre las aguas al asomarse el sol.

En sus *Obras completas* (París, 1865) no es difícil encontrar, ya que no composiciones enteras, al menos pasajes muy numerosos que acreditan dotes poéticas poco comunes. En este sentido tal vez su poema más logrado sea el que lleva por título *A la noche.*

La lista de esta primera promoción romántica venezolana se completa con los nombres de FRANCISCO GUAICAIPURO PARDO (1829-1882), que prefirió para su verso *(Obras poéticas,* Caracas, 1883) el tono heroico, sin descuidar del todo los temas de asunto personal e íntimo; JUAN VICENTE CAMACHO (1829-1872), sobrino nieto de Bolívar por línea materna, dado más bien a la poesía festiva y humorística, pero de un humor en que se mezclan por partes iguales la risa y las lágrimas; JOSÉ RAMÓN YEPES (1822-1881), cantor en sus *Poesías* (Maracaibo, 1882) de la tierra y de los paisajes nativos; Rafael Arvelo, Domingo R. Hernández, Elías Calixto Pompa, Jesús María Sistiaga, etc. Otros poetas de más fuste, como Coll, Bonalde y Calcaño, pertenecen a la generación siguiente, ya que su obra entraña casi siempre un sentido de reacción frente al romanticismo de la primera hora.

III.   COLOMBIA

En pocos países de América, acaso en ninguno, el Romanticismo arraigó con mayor fuerza que en Colombia. Y acaso tampoco en ninguno llegó a dar tan sazonados frutos. Junto con la Argentina, es Colombia la nación que durante el período romántico se prestigia con más altos valores; y este florecimiento se prolonga hasta fines del XIX, es decir, hasta el triunfo del modernismo. Pero con una diferencia de los colombianos respecto de los rioplatenses y aun del resto de los románticos de Sudamérica: que, sin cederles en inspiración, suelen ser mucho menos tumultuosos, menos desmelenados, aventajando a todos asimismo en corrección de estilo y pureza de lenguaje. Es el romanticismo colombiano, si se nos permite la paradoja, un romanticismo fundamentalmente clásico. ¿Influencias de Bello? Uno estaría tentado a explicarlo mediante esta sencillísima solución, si no pensara, por otra parte, que el influjo del gran polígrafo también alcanzó, y de manera primordial, a Santiago y a Caracas; no obstante, el fenómeno romántico presenta allí otros perfiles.

Distintos factores debieron de entrar en juego en el romanticismo colombiano. Tal vez el más decisivo sea la formación humanística de sus hombres representativos. Compárase a Echeverría, a Mármol y a Sarmiento, por no citar sino a los primates, con Ortiz, Arboleda, Caro o Pombo. El fondo clásico de éstos, en contraste con la escasa o nula cultura humanística de aquéllos, es evidente. Añádase la enorme influencia de ciertas publicaciones y círculos literarios, destinados a tener amplia repercusión en todo el país: *El Oasis, El Mosaico, El Repertorio, El Papel Periódico Ilustra-* do, etc. Particularmente, los dos primeros contribuyeron a dar al romanticismo colombiano en la primera época su especial fisonomía. Y esto no sólo en la poesía, sino también en la novela, el teatro, la historia y demás géneros.

El Oasis fué una revista literaria publicada en Medellín entre 1868 y 1869. No obstante su breve vida, tuvo extraordinaria importancia, ya que en sus dos volúmenes colaboraron los más brillantes escritores, de prosa y verso, que honraban por aquellas fechas la región antioqueña: Isidoro Isaza, director de la revista; Juan Clímaco Arbeláez, Camilo Antonio Echevarri, Gregorio Gutiérrez González, Epifanio Mejía, Agripina Montes del Valle, Manuel Uribe Angel, etc. Los cuatro últimos —Gutiérrez, Mejía, Montes del Valle y Uribe—forman en la plana mayor del romanticismo colombiano.

Más interés ofrece aún *El Mosaico.* Se aplica este nombre a una publicación que vió la luz con breves interrupciones en Bogotá en 1858 y duró hasta el 1872, y también a una especie de cenáculo o tertulia literaria formada en torno a esa publicación. La lista de contertulios y colaboradores es muy nutrida, y en ella están incluídos algunos de los más notables poetas, novelistas e historiadores de las letras colombianas en la pasada centuria: José Joaquín Borda, José Caicedo Rojas, Salvador Camacho Roldán, Ricardo Carrasquilla, Eugenio Díaz, Diego Fallón, José Manuel Groot, José David Guarín, Jorge Isaacs, Juan Francisco Ortiz, Felipe Pérez, Manuel Pombo, Juan de Dios Restrepo, José María Samper, Mario Valenzuela, José María Vergara y Vergara, etcétera[11]. Con todos ellos hemos de volver a encontrarnos. *El Mosaico,* como periódico literario, era uno de los mejores que hasta ahora han visto la luz en América hispana y el mejor, sin duda, que se ha publicado en Bogotá; como sociedad o círculo de cultura, desarrolló eficacísima labor. «No tenía presidente—escribe monseñor Carrasquilla—, ni secretario, ni mucho menos tesorero; carecía de estatutos, de reglamento, de local de sesiones y de día fijo en que reunirse. Cualquiera tarde uno de los individuos que lo componían mandaba avisar a los demás que había mosaico en su casa. Iban los que podían o querían; discurrían de cuanto es materia de conversación, menos lo que ofende el decoro y la urbanidad más exquisita; leían lo que tenían escrito, y censuraban o aplaudían con la más absoluta libertad; tomaban chocolate mejor o peor, acompañado de lo que en Bogotá llamamos *arandelas,* y en paz el alma y contento el espíritu, se retiraban antes de media noche a sus casas.»

Dentro del romanticismo colombiano, tan fecundo especialmente en poesía, suelen señalarse por lo menos dos promociones. Aludiremos aquí solamente a la primera, y de ésta no citaremos sino los autores más significados.

Ortiz, Arboleda y Gutiérrez González

A caballo entre el clasicismo y el romanticismo, con inevitable tendencia a las formas clásicas en las que había sido educado, se nos muestra JOSÉ JOAQUÍN ORTIZ (1814-1892). No importa que presenciase la aparición y el proceso todo de la nueva escuela para que sólo de rechazo le alcanzaran algunas pequeñas salpicaduras. Estas proceden casi siempre de Chateaubriand, cuya melancolía asimila Ortiz con bastante fidelidad. En el fondo estamos ante un espíritu romántico, que siente en romántico la patria, la naturaleza y la muerte, sus tres grandes y casi únicos temas. Pero en la forma procuraba mantenerse clásico y hasta, a veces, clasicista. Dos colecciones, *Horas de descanso* (1834) y *Poesías* (1880), distanciadas cronológicamente casi medio siglo, recogen su labor en verso. Esa distancia, sin embargo, apenas les afecta ya que en todos los poemas, de la clase que sean, campean los mismos defectos y virtudes: verbosidad, fronda inútil, retórica, de un lado; alteza de pensamiento, fantasía poderosa, entusiasmo ardiente, del otro. Patria y naturaleza le inspiraron poemas como *La bandera colombiana, Los colonos,* hondamente sentidos; la muerte le sugirió otros, como *Los sepulcros de una aldea,* de intensa emoción. Agreguemos a esos títulos *La golondrina, La última luz, Al Tequendama, Boyacá, La monja desterrada,* y tendremos la lista de sus mejores composiciones. Escribió asimismo artículos polémicos, calificados por monseñor Carrasquilla de «odas en prosa»; una tragedia clásica, *Tulma;*

un juguete cómico, *El hijo pródigo,* y tres novelas: *María Dolores, El oidor de Santafé* y *Huérfanos de madre.*

La fama de JULIO ARBOLEDA (1817-1862) descansa sobre un único poema, el *Gonzalo de Oyón,* sin que ello quiera decir que no escribiese otros dignos de recuerdo. En el *Gonzalo* se recoge en forma de leyenda un episodio de la conquista: la rivalidad entre dos hermanos, Gonzalo y Alvaro, que personifican respectivamente el espíritu caballeresco, cristiano y español de muchos héroes de aquella magna aventura, y el espíritu indisciplinado, anárquico y cruel de otros. Arboleda dejó su poema sin acabar y sin corregir; pero los fragmentos que de él nos quedan, recogidos y ordenados en catorce cantos por Miguel Antonio Caro, son más que suficientes para formarse una idea de lo que había de ser la obra en su conjunto. A lo largo de esos fragmentos se nos muestra un poeta de fibra épica, con excepcionales dotes descriptivas, como lo comprueban algunos pasajes dedicados a su tierra natal del Popayán. El resto de sus poesías viene a confirmar esta primera impresión. Giran todas ellas en torno a dos temas, el amor y la política. Aquél le inspira piezas tan conmovedoras como *Nunca te hablé* y *Me ausento;* la política, en la que siempre militó del lado del orden, le arranca gritos execradores contra todo lo que huele a tiranía o desenfreno: *Escenas democráticas, Al Congreso de Nueva Granada, Estoy en la cárcel,* etc. Dejó Arboleda escasa obra. Con una formación sólida y una amplia cultura, adquirida en Inglaterra e Italia, parecía destinado a ocupar un puesto de privilegio en las letras americanas. Pero la política le atrajo desde muy joven, absorbiéndole en su vórtice y frustrando acaso una altísima vocación. En 1840 se incorpora ya a la vida pública, batallando por sus ideales como soldado, como periodista y como tribuno. En 1851, después de sufrir prisión, degradación y la pérdida de su hacienda, emigra al Perú, de donde regresa para empuñar las armas. En las campañas de Santa Marta y del Cauca, él, que ya gozaba de alto prestigio político en todo el país, se revela consumado estratega. Elegido para la presidencia de la República, una bala alevosa disparada en paisaje solitario truncó en flor aquella vida noble en la que todas las personas de orden tenían puestas las mejores esperanzas. Parece como si tuviese presentido este trágico final:

> ¡Y ved! No me acechéis en los caminos
> con ocultos y viles asesinos.
> ¡La bala que de frente me señala
> mata tan bien como cualquiera bala!

Así había escrito años antes. «Julio Arboleda, *Don Julio,* como le llamaban a secas en toda la región del Cauca, tierra volcánica y engendradora de tempestades políticas, fué el tipo más caballeresco y aristocrático que en los sangrientos anales de la democracia americana puede encontrarse.» Esto dice Menéndez Pelayo. Como poeta romántico, está más cerca de la musicalidad alemana que de la plasticidad y colorismo españoles. Sus poesías, coleccionadas por Miguel Antonio Caro, fueron publicadas en Nueva York (1883).

En nada o muy poco se asemeja al anterior otro poeta de los más relevantes del romanticismo colombiano, GREGORIO GUTIÉRREZ GONZÁLEZ (1826-1872). En su producción poética—las actividades políticas y profesionales aquí no vienen a cuento, por no haber trascendido a su obra—se distinguen dos modos o estilos totalmente distintos: el de franca inspiración romántica, que cuaja en poemas de tierna afectividad: *A Julia, Auras, ¿Por qué no canto?* y otras composiciones que se hicieron muy populares en Colombia; y el tipo de descriptivo, trasunto de escenas y paisajes de su nativa región. A este segundo modo pertenece la *Memoria sobre el cultivo del maíz en Antioquia,* que no es tal «memoria» o exposición científica, como parece sugerir el título, sino un poema didáctico-descriptivo de mucha belleza y originalidad. Sin arredrarse ante lo prosaico del asunto, el cultivo del maíz desde la tala del bosque hasta la recolección, pasando por las faenas de la siembra y laboreo, Gutiérrez González se las arregla para animar su poema con frecuentes cuadros llenos de gracia fresca, de vigor descriptivo y de imágenes inesperadas, que hablan a todos los sentidos. Así vemos a la cuadrilla de peones con su patrón al frente escoger el terreno adecuado; talar los árboles, quemar el suelo; sembrar y regar la semilla; recolectarla, molerla y cocerla. Es una bucólica sin precedentes. Se equivocaría no obstante quien cayera en la tentación de compararla con otros poemas similares: *Las Geórgicas,* de Virgilio; las *Silvas,* de Bello; el *Observatorio rústico,* de Salas. No; tanto Virgilio como Bello, y en mayor grado Salas, hicieron una poesía hasta cierto punto de gabinete. Gutiérrez escribe frente al campo, recibiendo en pleno rostro el aire de la sierra y los rayos del sol; trasladando la escena directamente de la vida real al papel. He aquí cómo nos pinta a una mujer morena, ruda y salvaje:

> Pero vedla, cascando mazamorra
> o moliendo en su trono, que es la piedra;
> a su vaivén cachumbos y mejillas,
> arandelas y senos, todo tiembla.

Su mayor mérito consiste en haber sabido transformar en materia poética un tema apoético por su misma naturaleza; su mayor defecto, en el abuso de términos tomados del habla provincial, o más bien local, que hacen casi ininteligibles muchos pasajes. Como escribe para el pueblo, se cree autorizado a empedrar el poema de términos populares. El mismo lo anuncia:

> No estarán subrayadas las palabras
> poco españolas, que en mi escrito empleo;
> pues como sólo para Antioquia escribo
> yo no escribo español, sino antioqueño.

Lo cierto es que tanto abusa de indigenismos y dialectismos, que la lectura del poema, no obstante sus innegables bellezas, se hace con frecuencia fatigoso y difícil. Menos mal que para obviar esta dificultad sus comentaristas, Manuel Uribe Angel y Emiliano Isaza, lo han enriquecido con un centenar de notas aclaratorias.

José Eusebio Caro

Coetáneo de los anteriores, si bien de vida mucho más breve y agitada, fué JOSÉ EUSEBIO CARO (1817-1853) [12], a quien una constante intervención en la política y en las tareas de gobierno no le impidió realizar una labor poética tan considerable por su volumen como estimable por sus valores intrínsecos. Para Menéndez Pelayo es Caro nada menos que «el más lírico de todos los colombianos». Aclaremos que cuando formuló tal juicio el maestro de la crítica española no habían dado aún señales de vida poetas como Asunción Silva y Guillermo Valencia; o si las habían dado, eran todavía casi desconocidos entre nosotros. De todos modos, que en 1892, en pleno triunfo de Rafael Pombo, se pudiera emitir tal dictamen revela a las claras la estimación en que eran tenidos sus versos. Caro volcó en ellos toda su alma y aun su vida. Carácter inflexible, corazón agitado por violentas y nobles pasiones, inteligencia poderosa y lúcida, supo llevar a su obra, prosa o verso, lo mejor de esas cualidades. Son poemas los suyos hechos con las tres potencias del alma, memoria, entendimiento y voluntad. Por ellos circula sangre caliente, mezclada con ideas puestas también al rojo vivo en la fragua de un gran corazón. Porque este poeta, sustancialmente vital, no supo ni quiso utilizar la poesía sino como vehículo de la inteligencia.

Había militado—éste es el término, *militar,* tratándose de un hombre que todo lo concebía como acto de servicio—, había militado primeramente en la escuela utilitarista de Bentham y Destutt de Tracy. Pronto, sin embargo, encuentra aquellas teorías demasiado gélidas y vacías de espiritualidad. La lectura de Balmes, Bonald y otros apologistas católicos reaviva su fe; y a la defensa de ésta y de los más altos ideales, tanto en lo social como en lo político, se entrega con ardor de neófito recién ganado para la causa. Por ella lucha en el campo, a tiro limpio; él mismo se retrata durante las campañas *hambriento, enfermo, medio desnudo* y *descalzo;* por ella riñe batallas en el Parlamento y en la Prensa; por ella, cuando no tiene otro instrumento a mano, coge la lira. Poesías las de Caro en su mayor parte sobrecargadas de intención, de concepto, de vivencias humanas. Y ello hasta en aquellas piezas de carácter amatorio, que por su especial naturaleza parecen tan alejadas de toda finalidad práctica. «No hay verso de Caro sin idea; y a veces las ideas se acumulan en tan pequeño espacio que el molde poético resulta estrecho para contenerlas, y entonces, por uno u otro lado, acaba por romperse.» Así Menéndez Pelayo. Otro gran poeta compatriota suyo, Ramón Pombo, después de presentarlo «serio, elevado, independiente, fiero», define su personalidad lírica con estos dos versos:

> El siempre piensa y dice. Tosco o bello,
> cada verso de Caro es una idea.

Este prurito de cantar pensando, o al revés, muy respetable, desde luego, da a su estilo con excesiva frecuencia cierta aspereza y sequedad. No siempre la idea se resigna a un revestimiento poético. A veces se escapa de la finísima red que constituye el verso; y cuando entra en ella a regañadientes suele acabar por deteriorarla. ¿Se escandalizarán los colombianos si decimos que en más de una ocasión, además de *tosco*—el calificativo es de Menéndez Pelayo—, encontramos a Caro prosaico y hasta vulgar? Se ha querido por algunos atribuir aquella tosquedad, dureza o como se la quiera llamar, a un noble intento, por parte del poeta, de introducir nuevos metros o ritmos. Sabido es que Caro figura en la nutrida legión de vates empeñados en aclimatar entre nosotros los metros clásicos. Intentó sin éxito, o con éxito muy relativo, hacer exámetros en castellano, siguiendo en ello, antes que a los poetas grecolatinos, a los ingleses con quienes había llegado a familiarizarse. También se afanó por recargar el endecasílabo de pies yámbicos o acentos en pares, con lo que si de una parte le dió unidad, de otra le restó flexibilidad y ligereza. Asimismo, cultivó un octosílabo de acentuación constante en tercera sílaba, o de ritmo anapesto:

> Lejos, ¡ay!, del sacro techo
> que mecer mi cuna vió,
> yo, infeliz proscripto, arrastro
> mi miseria y mi dolor.
> Reclinado en la alta popa
> del bajel, que huye veloz,
> nuestros montes irse miro
> alumbrados por el sol...

Por último, en poemas como *Los juegos de niños* y *¡Estar contigo!* ensayó, antes que ningún poeta modernista, el eneasílabo de corte francés; y hay quien cree que en ellos se inspiró Rubén Darío para su famosísima *Canción de otoño en primavera*: «Juventud, divino tesoro...»

Caro dividió su producción poética en siete partes; y así se nos da en alguna edición, por ejemplo, en la de Madrid, 1885 (*Colección de Escritores Castellanos*). Con todo, y aun hecha por el propio autor, la discriminación entre parte y parte no aparece muy clara. En cambio, sí se pueden precisar con toda nitidez tres etapas o maneras distintas. Una primera fase de imitación española, puesta la mirada en los máximos poetas de principios del XIX: Quintana, Gallego, Lista, Reinoso, Martínez de la Rosa, etc. Versificación rotunda, amplio período que se vuelca en el cauce libre de la silva, del verso suelto o del romance endecasílabo. Tal lo encontramos en el poema incompleto *Lara o los bucaneros* y en composiciones como *Mi juventud, Desesperación*, etc. Una fase intermedia de adaptaciones clásicas, ya aludida, con su noble empeño de hacerse con el ritmo del exámetro, que unas veces nos da solo (*En alta mar, La bendición nupcial*) y otras veces combinado con el endecasílabo (*La gloria y la poesía, ¡Eterno adiós!*). La tercera y última manera, ya mitigado el rigor clasicista, es la más espontánea, inspirada y personal; y a ella corresponden sus mejores composiciones, al menos en nuestro concepto: *Despedida de la patria, El bautismo*, etc. Advirtamos que cronológicamente esta repartición no es del todo exacta: al lado de poemas tan románticos como *El pobre*, de corte esproncediano, si bien con una solución optimista; como *Un año nuevo, El amigo*, nos salen al paso otros de factura tan clásica como *En el cumpleaños* y *En boca del último Inca*, en liras y sáficos, respectivamente, lo que no impide a este último ser una de las más bellas composiciones con que cuenta el parnaso americano. Para nuestro gusto, la poesía más lograda de Caro es la que lleva por título *La libertad y el socialismo*, inspirada por los actos de violencia que dieron como resultado la elevación del general López a la más alta magistratura del país. Nuestra predilección no se basa en motivos estéticos; más bien se trata de un poema prosaico, por la índole de su asunto; pero es, creemos, la que mejor retrata el carácter del autor. Vayan para ejemplo dos estrofas:

> La esposa del romano Colatino,
> al verse impura, prefirió morir.
> ¡Los hombres del Congreso granadino
> besáronle la mano al asesino,
> a trueque de vivir!

Y más adelante:

> ¡Del orden inversión abominable:
> por guardia de la hacienda el más ladrón;
> por juez de la inocencia el más culpable;
> por paz la esclavitud, por ley el sable;
> la fuerza por razón!

Poco poético, se dirá. Y, en efecto, la noción de poesía que ahora se impone apenas alcanza a esto. Pero no siempre ha sido así; ni siquiera en Caro es eso todo. Hay composiciones—*La sonrisa de la mujer, Una lágrima de felicidad*—llenas de ternura y de emoción humanas.

Rafael Pombo

Con José Eusebio Caro forma digna pareja otro poeta de voz tan entonada como la suya, aunque con muchos más registros. Acaso a él habría que otorgar esa primacía lírica que Menéndez Pelayo adjudicaba a Caro, y no sólo referida a Colombia, sino a todos los países americanos de habla hispánica. Como que antes de Rubén Darío no conocemos otro poeta más fecundo, más polifónico, de acento tan variado y de personalidad tan definida. Nos referimos a RAFAEL POMBO (1833-1912) [13], que durante sesenta años de intensa dedicación a las letras no cesó de inundar su país y aun el continente americano con una catarata de poemas de toda clase.

Nada menos que cuatro grandes volúmenes abarcan sus poesías recogidas por Gómez Restrepo [14]; y con decir que en ellos no se contiene sino una parte de la producción poética de Pombo queda suficientemente subrayada su fecundidad. Allí hay de todo: poesía original y traducciones; lírica amorosa, política, elegíaca, descriptiva y filosófica; fábulas y cuentos; aletazos de águila y caídas lamentables; composiciones cinceladas con esmero parnasiano y poemas desmañados, prosaicos, escritos a vuela pluma; cantos impregnados de religioso fervor, junto a estrofas en las que cada verso constituye casi una blasfemia. Digamos en descargo de sus sinceras convicciones que esto sucede muy pocas veces y que inmediatamente se arrepintió el poeta de tales intemperancias. Es Pombo poeta espontáneo, original, atrevido y de indudable inspiración. Y es hombre sano e íntegro, que puso siempre su lira y hasta su vida al servicio de las más nobles causas. En *La copa de vino*, escrita en la adolescencia para defender el honor de una dama, se proclamaba ya

> absoluto señor de lo que siento,
> pero absoluto esclavo del deber.

Grandes señores, en efecto, estos poetas que se llamaban Ortiz, Arboleda, Caro, Pombo. Volviendo a éste, resaltemos su fidelidad al romanticismo. Es un romántico por los cuatro costados. Hasta escribiendo fábulas, estilo Hartzenbusch, o componiendo poemas ideológicos, a la manera de Campoamor, se le ve la oreja romántica. ¿Qué más? Traduce a Horacio—nada menos que cincuenta y una odas del inmortal venusino trasladó a nuestra lengua—, y lo traduce con un regusto romántico indisimulable. Vivió setenta y nueve años, longevidad que contrasta con la efímera existencia de sus compañeros de promoción: Ortiz, Arboleda, Caro; tuvo tiempo de conocer varias escuelas; asistió al orto, cenit y ocaso del romanticismo; vió aparecer en España y triunfar por América a Bécquer, a Campoamor, a Selgas y a Núñez de Arce; se enteró de la revolución modernista. Pero todo ello le afectó muy superficialmente; en el fondo, su poesía seguía siendo romántica; su espíritu, también. La muerte le sorprendió casi octogenario, cantando y sintiendo las mismas cosas que en su juventud. Y esto en 1912: cuando el proceso modernista estaba ya a punto de cerrar su ciclo.

Tres etapas, a cuál más fecunda, cabe señalar

en su obra: una de adolescencia, no por breve menos productiva (1851-1854); otra segunda de plenitud, que corresponde a su estancia en Estados Unidos (1854-1861); y otra, que se prolonga hasta su muerte, de persistencia en temas anteriores, con incorporación de nuevos modos y motivos: apólogos, cuentos, traducciones, himnos patrios y poesías devotas, etc. En la primera, entre rasgos reveladores de un gran temperamento, se manifiesta el romántico fervoroso, lector apasionado de Zorrilla, traductor de Byron, aunque sin el fondo misantrópico de éste. *La copa de vino*, *Vaguedad*, *Monotonía*, son, entre centenares de composiciones análogas, testimonios fehacientes de su manera de sentir y de pensar. Leemos en *Monotonía*:

> En todas partes como el viento,
> en incansable agitación
> volando en pos del pensamiento,
> sin dejar nunca paz ni aliento
> a este mi huésped descontento,
> impertinente corazón.
> Con todo el mundo por camino,
> con el antojo por destino,
> y éter excelso por maná,
> en transportado torbellino
> siempre buscando el más allá...

En los Estados Unidos este corcel, un poco o mucho desbocado, se embrida; al contacto de poetas como Longfellow y Bryant, a quienes conoce personalmente, el vuelo de su imaginación se recorta, y su voz se asordina, ganando en gravedad lo que puede perder en estridencia. Pertenecen a esta época sus mejores poemas, entre ellos esa soberbia meditación *En el Niágara*, que es para nuestro gusto lo mejor que salió de su pluma. En la última etapa, larga etapa de medio siglo, asistimos a la repetición y paráfrasis de lo anterior, con pocas novedades y predilección por determinados metros. Los sonetos se centuplican; casi siempre flojos, porque su vena abundante a duras penas sabe constreñirse, adaptándose a los catorce versos de la estrofa. Con frecuencia el pensamiento no le cabe en un solo soneto y lo diluye en seis o siete seguidos, como en los dedicados a *Francisco José de Caldas*. A veces, sin embargo, acierta; y entonces los resultados son definitivos. Léanse esos dos sonetos de su vejez que llevan por título *¡Mañana!* y *De noche* (1890), verdadero canto de cisne, llenos de un optimismo tan confortante y de una fe tan sólida, que ellos solos bastarían para absolver a su autor de todas sus posibles veleidades ideológicas. He aquí los dos tercetos del segundo:

> Dios lo hizo así. Las quejas, el reproche
> son ceguedad. ¡Feliz el que consulta
> oráculos más altos que su duelo!
>
> Es la vejez viajera de la noche,
> y al paso que la tierra se le oculta,
> ábrese amigo a su mirada el cielo.

Tres son también los temas dominantes en ese inmenso acervo poético; los mismos señalados para otros compatriotas suyos: política, que de ordinario se involucra con la patria, amor y naturaleza. Acaso Pombo soñó alguna vez en ser un poeta nacional, un cantor civil, mezcla de Víctor Hugo y de Quintana. Y aunque demostró en docenas de composiciones no carecer enteramente de dotes para ello, hay que reconocer que no era ese su destino. En otros países de América, y aun en Colombia mismo, había ingenios mejor dotados que él para ese tipo de poesía. Su fuerte era el tema amoroso; «Pombo es, ante todo, el poeta del amor», ha dicho Gómez Restrepo [15]. La cuerda erótica vibra en sus dedos con mil y mil acentos distintos, desde el afecto ideal a la mujer soñada, reducido casi a la pura contemplación platónica, hasta el orgasmo sexual. Entre *La copa de vino*, uno de sus primeros poemas, y el soneto *Abisag*, escrito en edad senil, hay todo un repertorio inagotable de composiciones inspiradas por el culto amoroso a la mujer: *El seis de octubre, ¡Siempre! Angelina, Las americanas en Broadway*, etc., etc. Hasta llegó a escribir una serie de poemas—*Mi amor*—firmados con un seudónimo femenino, *Edda*, que, muy divulgados en Colombia y otros países, fueron atribuídos a una nueva Safo colombiana. El propio Pombo se encargó de descubrir la superchería, escribiendo con ese mismo título de *Edda* una de sus mejores composiciones.

Junto al amor, el sentimiento de la naturaleza. Sus ojos la habían admirado primeramente al pie del Puracé y del Tolima y luego en los escenarios maravillosos de Norteamérica. Admiraba la Naturaleza como hombre, como creyente y como artista; y ante ella todo, incluso las mayores creaciones humanas, le parecían pequeñas:

> Deja tu lira, poeta;
> deja, pintor, tu paleta,
> y tu cincel, escultor;
> Naturaleza es mejor
> que el signo que la interpreta.

Así en la poesía titulada *El valle. En el Niágara* demuestra tal vez mejor que ningún otro poema su capacidad emocional y sus portentosas dotes descriptivas. La comparación con el de Heredia es inevitable. Pues bien: de esa comparación el poema de Pombo sale revalorado. Todo hay allí. Imágenes osadas:

> ... divino anfiteatro,
> do entre un misterio de borrasca y nieblas
> luchan, cual en eterna pesadilla,
> monstruos de roca y amazonas de agua.

Visiones desconcertantes:

> ...El cielo mismo
> tiende a tus pies esos divanes de ángeles,
> nácar del firmamento, y oponiendo
> a un puente mil, al arte de los hombres
> el del Señor...

Comparaciones insólitas:

> ... monstruo de gracia,
> blanco, fascinador, enorme, augusto,
> sultán de los torrentes...

Y pensamientos tan bellos como elevados:

> En ti parece que comienza el mundo,
> soltándose de manos del Eterno
> para emprender su curso sempiterno
> por el éter profundo.

En otros poemas naturaleza y sentimiento amoroso se interfieren. Ejemplos: *Preludio de primavera*, llena de un goce dionisíaco ante la llegada de la nueva estación; *Decíamos ayer*, toda rezumante de melancolía del pasado y de la fruición y júbilo del presente:

> ¡La tarde! La hora del perfecto aroma,
> la hora de fe, de intimidad perfecta,
> cuando Dios, sobre el sol que se desploma
> el infinito incógnito proyecta;

o esa *Noche de diciembre*, donde amor humano y divino se funde en versos como éstos:

> ¡Danza inmortal de almas y de estrellas!
> ¡Banquete de inmortales!

A veces su inquietud se anticipa a una poesía casi actual, posterior al modernismo; y creemos estar leyendo a Unamuno. Como cuando dice:

> Señor, déjame hablar; dame palabras...
>
> *(Invocación.)*

> ... Tromba que sedienta
> de verdad y de amor ibas rasando
> el ancho mar que a todos amedrenta,
> al fin te asiste dél; y tu violenta
> ansia de Dios, estás en Dios saciando.
>
> *(A José E. Caro.)*

Pombo había dado su do de pecho en un poema compuesto en la juventud, muy leído y muy comentado en toda América, y reputado como una de las cinco o seis piezas definitivas del romanticismo en aquel continente: *La hora de tinieblas*. Son sesenta y una décimas chorreantes de pesimismo y escritas en un momento, pasajero sin duda, de desencanto y obnubilación religiosa. Casi todos los grandes poetas han pasado por trances similares. Pombo más tarde se arrepintió de haberlo escrito; pero ahí está, con sus angustiosas interrogantes sin respuesta, con sus inútiles aldabonazos ante las puertas del misterio siempre cerradas con siete llaves: misterio de la vida, misterio de la muerte, misterio del más allá. Pombo encabeza su interrogatorio con el «Dios mío, Dios mío, ¿por qué me has abandonado?», de Cristo en la Cruz, y con aquel versículo no menos patético del Salmo LXXVI: «¿Por qué, si puede Dios, no satisface el hambre cruel que nos devora?» La actitud del poeta es análoga a la de Segismundo en su soliloquio: «Apurar, cielos pretendo...» Pero las conclusiones, mucho más graves; y el calado del bisturí de la razón en la llaga viva.del escepticismo y de la duda, mucho más hondo:

> ¡Oh, qué misterio espantoso
> es este de la existencia!
> ¡Revélame algo, conciencia;
> háblame, Dios poderoso!
> Hay un secreto horroroso
> en el ser de nuestro ser:
> ¿por qué vine yo a nacer?
> ¿Quién a padecer me obliga?
> ¿Quién dió esa ley enemiga
> de ser para padecer?
> Si en la nada estaba yo,
> ¿por qué salí de la nada
> a execrar la hora menguada
> en que mi vida empezó?
> Y una vez que se cumplió
> ese prodigio funesto,
> ¿por qué el mismo que lo ha impuesto
> de él no me viene a librar?
> ¿Por qué tengo que cargar
> un bien contra el cual protesto?

Así al principio, y el final, tras un loco empeño de descifrar lo indescifrable:

> Pobres hombres, revolcaos
> soñando felicidad.
> Yo, entre tanta oscuridad,
> rebelde contra mi muerte,
> ansío deber a la muerte
> o la nada o la verdad.

Dejó Pombo muchas y muy excelentes traducciones: inglesas (Shakespeare, Byron, Longfellow, Bryant, Tennyson, etc.); francesas (Corneille, Racine, Lamartine, Hugo, Musset, Deschamps, etc.); alemanas (Uhland, Schiller, Goethe); italianas, portuguesas, latinas y de varios salmos; 215 fábulas en verso y medio centenar de cuentos también en verso, que se hicieron muy populares. De la primera edición que de ellos publicó la Casa Appleton de Nueva York se llegaron a vender más de 70.000 docenas. Por último, anotemos innumerables trabajos en prosa de crítica, historia, religión y política: *Noticia de las poesías de Gutiérrez González, La batalla de Ayacucho, El cultivo del gusto en el arte*, etc.

Otros románticos colombianos

Si unimos a los anteriores los nombres de Epifanio Mejía y de Agripina Montes, habremos dado la lista de las figuras más representativas del romanticismo colombiano, al menos en su primera etapa.

EPIFANIO MEJÍA (1838-?) enlaza por una parte con la técnica descriptiva y realista de Gutiérrez González, a quien sigue muy de cerca y hasta deja atrás no pocas veces en poemas como *El canto del antioqueño* y *La muerte del novillo*, lleno de plástica belleza, y por otra, en composiciones como *El canto del cisne, Anita, Quiere amanecer*, sigue vinculado a la sensibilidad romántica. Mejía enloqueció, joven aún, cuando preparaba su libro de versos *Crepúsculos y auroras*.

En AGRIPINA MONTES DEL VALLE (1844-1915) vieron sus contemporáneos una de las más inspiradas poetisas de América. Se distingue por el colorido del estilo, por la riqueza verbal y por la feliz fusión de fuerza expresiva y sentimiento. Algunas de sus composiciones—*A Cristo Sacramentado, La tierra de los pijaos, El trabajo, Al Tequendama*—han merecido altos elogios, no sólo de los críticos del país, sino de personas extranjeras tan autorizadas como don Juan Valera.

IV. LAS ANTILLAS

La poesía romántica antillana está reducida a Cuba. Ni Santo Domingo, que ve transcurrir buena parte de este período bajo dominación extranjera (1822-1844), con la consiguiente esterilidad para las bellas letras, ni Puerto Rico pueden exhibir un solo poeta de altura. Con buena voluntad y escarbando en los repertorios bibliográficos, todavía cabe confeccionar una nutrida lista de versificadores—el nombre de poetas les viene ancho—, que cuando no otra misión, cumplen al menos la muy noble de mantener el fuego sagrado, en una época en que las circunstancias por las que atraviesan esos dos países no son nada favorables para el cultivo de las musas. En esa lista deberían figurar JOSÉ JOAQUÍN PÉREZ (1845-1900), poeta indianista que en sus poesías supo evocar con singular acierto a la vieja raza quisqueyana; SALOMÉ UREÑA DE HENRÍQUEZ (1850-1897), exaltadora del progreso en himnos de robusta entonación, que recuerdan a Gallego y a Quintana; y GASTÓN FER-NANDO DELIGNE (1861-1913), que cultiva también, como los anteriores, el tema indianista y la poesía filosófica. Esto en Santo Domingo. Y en Puerto Rico cabría citar a JOSÉ GAUTIER BENÍTEZ (1848-1880), en cuyas *Poesías* (Puerto Rico, 1880) domina la nota triste y melancólica; LOLA RODRÍGUEZ DE TÍO (1847-1925), que revela extremada delicadeza en toda su producción (*Mis cantares, Claros y nieblas, Mi libro de Cuba*); y el fecundo cuanto extravagante ALEJANDRO TAPIA Y RIVERA (1827-1882), de quien nos ocuparemos en otro lugar. Fué este Tapia un plumífero incansable, no falto de ingenio. Escribió novelas, dramas, tratados de estética, prosa y verso. Como poeta, aparte de alguna composición de carácter ligero (*La hoja de yagrumo, La ninfa de Guamaní*), su obra más célebre es *La Sataniada*, «graciosa epopeya dedicada al Príncipe de las Tinieblas», conforme al subtítulo del propio autor, juzgada por Menéndez Pelayo como «uno de los abortos más singulares de la manía épico-simbólica que tantos desastres produjo después de la aparición de la segunda parte del *Fausto*».

Contrasta con esta penuria la riqueza poética de Cuba. El Romanticismo había entrado en la isla relativamente pronto. Espronceda, Zorrilla, García Gutiérrez, entre los poetas, y Larra, entre los prosistas, fueron conocidos, leídos e imitados casi al mismo tiempo que en España. Con ellos alternaban los románticos ingleses—Walter Scott y lord Byron—; los franceses—Hugo, Dumas, Musset—; los italianos y alemanes. Se puede decir que en líneas generales el romanticismo cubano sigue el mismo proceso que el peninsular. Allí aparece la figura más destacada de todo el romanticismo en Hispanoamérica, doña Gertrudis Gómez de Avellaneda, que si en algún género concreto puede ceder ante alguien, en conjunto supera a todos, y hasta en algunos aspectos, en la dramática, por ejemplo, no ha tenido rival en la literatura del Nuevo Continente. Junto a la Avellaneda, cuyo estudio reservamos para otro capítulo, figuran muy dignamente hasta media docena de poetas de relevantes méritos, y una multitud de vates de inferior jerarquía, que sin llegar a la altura de aquéllos, contribuyen a dar a las letras cubanas de este período un prestigio muy merecido.

Milanés

Pasa JOSÉ JACINTO MILANÉS (1814-1863) [16] por el iniciador del romanticismo en Cuba. Si no tal iniciador, es el primero al menos que, aun educado en la escuela neoclásica, se hace oír con una voz netamente romántica. «Tierno y apasionado, melancólico y soñador, moralizador a ratos y a veces erótico inflamado; develador de pasiones y de vehemencias palpitantes en el alma de personajes escénicos; costumbrista, narrador ameno, traductor admirable», todo esto fué Milanés en opinión de un crítico compatriota suyo [17]. Hay quien prefiere inscribirlo en la época anterior, como lo hace Leguizamón; los más lo consideran romántico, porque al Romanticismo corresponden dos de sus notas más características: el retorno a la temática y a la técnica del teatro del Siglo de Oro y el grito de rebeldía social, a la manera esproncediana.

Hay en el Milanés lírico—el dramaturgo será considerado en otro lugar—dos etapas distintas: la del poeta ingenuo, lleno de frescura, suavidad y melancolía, que siente la Naturaleza y la admira, que vibra a impulsos del amor humano y que sabe luego expresar ese amor y ese sentimiento sin afectación ni teatralería; y la del poeta viciado por las peores lecturas, que da en imitar de Zorrilla y de Espronceda lo menos estimable; el despilfarro inútil del primero y la poesía de acres perfiles sociales del segundo. A la primera etapa corresponden poemas tan encantadores como *La fuga de la tórtola*, *La guajirita del Yamurí* y, sobre todo, *La madrugada*, que parece conservar aún el rocío con que salió de las manos del autor:

Si en un ramo miro a solas
dos aves cantar querellas,
si relucir dos estrellas,
si rodar dos mansas olas,
si dos nubes enlazarse
y por el éter perderse,
si dos sendas una hacerse,
si dos montes contemplarse,
me paro, y con ansiedad
recuerdo que a nadie adoro,
miro tanto enlace y lloro
mi continua soledad.

Este es el Milanés de cuyos versos dijo Zenea que «se deslizan como el agua que apenas hace ruido; como las perlas desprendidas del hilo en que estaban ensartadas, y que caen sobre un plato de oro». El otro, el Milanés autor de *El expósito*, *La cárcel*, *El hijo del rico*, *El ebrio*, *El bandolero*, *A una madre impura*, etc.; es el poeta cuya vena se enturbió y empezó a desvariar antes que su razón fuese alcanzada por la locura. Sabido es que Milanés, que había sufrido una dolencia mental en 1843, tuvo una recaída nueve años más tarde, poco después de regresar del viaje a los Estados Unidos y Europa (1852), y hubo de vivir recluído en su casa hasta la muerte, ocurrida en 1863. No se conocen las causas de su locura, si bien se cree con bastante fundamento que fueron unos amores contrariados. Sea lo que fuere, desde su recaída no produjo nada digno de mención.

Sería, con todo, injusto no ver en Milanés más que los dos aspectos señalados. Su personalidad tiene múltiples facetas: dramaturgo, periodista, crítico, etc. Y aun dentro de la lírica, espigó en los más diversos campos: poesía costumbrista (*El colegio y la casa*, *El hombre de bien*, *La mujer de talento*); poesía erótica, con un erotismo nada materializado (*De codos en el puente*, *A Lola*, *Una desconocida*, *Cita nocturna*, *Las horas del amor*); poesía festiva (*El corsé*, *El viudo*, *La niña insustancial*); de motivos cubanos (*El sinsonte y el tocoloro*, *La caza y la sorpresa*, *Adiós al tiple*); legendaria, con claras reminiscencias de Zorrilla (*La promesa del bandido*, *Vengar el honor sin sangre*, *Rodolfo y Clotilde*, *El negro alzado*); descriptivas (*El alba y la tarde*, *La madrugada*, *Orillas del mar*, *La pesca nocturna*, *Invierno en Cuba*, y el inevitable soneto al *Niágara*, obligado tributo, al parecer, de todo poeta hispanoamericano que visitaba los Estados Unidos); patriótica, religiosa, etc. Como se ve, la lira de «el vate de Yamurí» tenía muchas cuerdas y daba de sí muchos tonos. Pero hay uno que domina con machacona insistencia: el tono moralizante. Milanés creía de buena fe en la función ética del arte. Pensaba que la poesía, a la vez y aun antes que deleitar, debe encerrar una enseñanza de orden práctico. De ahí la obsesión por dar a todos sus versos un contenido ético.

Hasta a los poemas de amor, léase *El beso*, llevó su afán de moralista, haciéndoles ganar en la consideración ética lo que pierden en el concepto literario. «Predicador de cuaresma» le llama por tal motivo un crítico cubano [18]. Ni que decir tiene que toda esta poesía didáctica, en el caso de Milanés, debe rechazarse de plano. Le quedan, eso sí, hasta una docena de poemitas, casi todos correspondientes a su primera etapa, dignos de figurar en cualquiera antología. Ellos, juntamente con alguno de sus dramas—*El conde Alarcos*, en primer lugar—mantienen aún viva la memoria de Milanés y la mantendrán durante largo tiempo.

«Plácido», el poeta de color

Una serie de circunstancias, adversas en su mayor parte, coinciden en GABRIEL DE LA CONCEPCIÓN VALDÉS (1809-1844) [19], más conocido por el seudónimo de *Plácido*, para aureolar su figura elevándola casi a la categoría del genio. Hijo de un mulato y de una bailarina española, expósito en la Beneficencia, sin más formación que la que él mismo pudo procurarse robando al trabajo horas para la lectura, obligado a ganarse a la vida como peinetero desde la más tierna edad, *Plácido* se nos ofrece en una primera visión como el genio inculto que triunfa por derecho natural y contra todas las trabas y obstáculos que le opone la sociedad. Desde muy joven y hasta su muerte produce versos y más versos, improvisando unas veces; escribiéndolos de encargo otras, a tanto la estrofa; aprovechando cualquier ocasión de orden político, religioso, etc., para dar salida a una vena sobrecargada de inspiración poética. Sus mismas desgracias, el color de su piel, su trágico final, sacrificando la vida ante el pelotón de ejecuciones en aras de la que él juzgó noble causa, contribuyen a la idealización de su figura, dándole un relieve literario muy por encima del que corresponde a la realidad. «No es de admirar—escribe Menéndez Pelayo—que al juzgar al poeta, y esto no sólo en América, donde su apoteosis servía para otros fines, sino en España, donde el noble instinto de la raza se puso desde el primer momento de parte del poeta sacrificado, la balanza de la crítica se haya torcido siempre del lado de la indulgencia, hasta tocar los límites del ditirambo. Un poeta espontáneo, ignorante de todas las cosas divinas y humanas, y por añadidura negro, o a lo menos pardo, era un hallazgo inestimable para los que de buen grado cifrarían su ideal artístico en un *genio* que no supiese leer ni escribir, aunque sólo en esto se pareciese al divino Homero. La idea, pues, tan absurda como frecuente en España, de la incompatibilidad entre el *genio* de la poesía y la meditación o el estudio, ha servido admirablemente a la fama de *Plácido*, no menos que su muerte trágica, muy propia también para confirmar otra vulgaridad harto corriente, sobre todo en los tiempos románticos, cual es la del lazo estrechísimo y fatal entre el genio y la desdicha» [20].

Plácido, pues, no era un genio. Tampoco era un poeta vulgar. Era un espíritu dotado de excepcionales aptitudes naturales para la poesía: buen oído, buena retina para captar colores, fluencia verbal, un corazón capaz de sentir y conmoverse, capacidad asimilativa y una extraordinaria facilidad versificatoria. Eso era todo, o casi todo; pero eso no basta. Todas estas cualidades naturales, abandonadas a sí mismas, rara vez plasman en obra perfecta si no son dirigidas por el arte. *Plácido* había leído mucho; desde luego, más de lo que podría esperarse en quien como él no había pisado las aulas, no ya de una Facultad, ni siquiera de un centro de enseñanza media. Pero había leído atropelladamente. Sus mecenas, que los tuvo tan buenos como González de Valle, Machuca y acaso Del Monte, pudieron darle libros; lo que no pudieron darle—porque eso no se da, se conquista a lo largo de una penosa disciplina académica—es el sentido del gusto y de la contención y el talento discernidor entre lo bueno o selecto y lo vulgar. *Plácido* se lanzó, como habría hecho cualquiera en su lugar, por el camino más fácil: el de la poesía externa, pegadiza; populachera, cuando toca temas cotidianos; retórica y falsa, cuando aborda otros de más altura.

Al igual que tantos poetas americanos de su tiempo, escribió mucho: poesía amorosa, que casi siempre se reviste de un erotismo excesivamente sensual (*A Mirta, A Nise, A Doris, A mi amada, Adiós, ¡Tristes memorias!, A una ingrata*); letrillas, bien de sabor popular y tan deliciosas como las cuatro «flores» (*La flor de café, La flor de la caña, La flor de la cera, La flor de la piña*), o bien regocijadas y picarescas, como *¡Digo!, Así va el mundo, tía Pepa, Dios nos asista, Con su pan se lo coma*; epigramas, en los que no siempre la agudeza se mantiene dentro de los límites prescritos por el decoro; anacreónticas (*Declaración de amor, Despedida a Selmira*); hasta medio centenar de sonetos, entre los cuales hay cinco o seis francamente buenos; leyendas de inspiración zorrillesca (*El hijo de la maldición, El bardo cautivo*); odas patrias, en que el sentimiento de la libertad parece querer manifestarse con mejor intención que estro; y unos cuantos romances, dos de los cuales por lo menos pueden figurar junto a los más recomendables que se hicieron en todo el siglo XIX: *Cora* y *Jicotencal*. Este último especialmente está cortado conforme a los patrones más exigentes del género:

> Dispersas van por el campo
> las tropas de Moctezuma,
> lamentando de sus dioses
> el poco favor y ayuda.
> Mientras, ceñida la frente
> de azules y blancas plumas,
> sobre un palanquín de oro
> que finas perlas dibujan,
> tan brillantes que la vista,

heridas de sol, deslumbran,
entra glorioso en Tlascala
el joven que de ellas triunfa.
Himnos le dan de victoria
y de aromas le perfuman
guerreros que le rodean
y el pueblo que le circunda ;
a que contestan alegres
trescientas vírgenes puras:
«Baldón y afrenta al vencido,
loor y gloria al que triunfa.»

Escribió *Plácido* pocos días antes de morir, y según algunos ya en capilla para la ejecución, cuatro composiciones que se han hecho muy célebres, más que por su calidad poética, por las circunstancias en que fueron compuestas: dos sonetos, *La fatalidad* y *Despedida a mi madre,* y dos odas, *Adiós a mi lira* y *Plegaria a Dios.* Está muy divulgada y hasta admitida por casi todos la especie de que mientras se dirigía al suplicio iba recitando los versos de *Plegaria:*

Dios de inmensa verdad, Dios poderoso,
a vos acudo en mi dolor vehemente... 21

Estos versos y los que siguen han sido aprendidos de memoria se puede decir que por todo el pueblo cubano; y no son los que menos han contribuído a mantener fresca la memoria de este desdichado vate, que no fué ni tan genial como dicen sus apologistas ni tan vulgar y ramplón como no lo presentan sus detractores [22]. *Plácido* se revela en su producción como un ingenio excelentemente dotado para la poesía, pero a quien la vida no dió ocasión propicia para desarrollarse convenientemente.

Más románticos cubanos

Al calor del Romanticismo los poetas proliferan en Cuba con una facilidad y abundancia asombrosas. Ya se entiende que la mayor parte de los vates que por tales fechas fatigaban a las musas en aquellas latitudes han de ser tan mediocres que no merecen el menor recuerdo. Pero hay tres por lo menos que pueden codearse con Milanés y con *Plácido,* superándoles incluso en algunos aspectos. Forman esa trin.dad Rafael M. Mendive, Joaquín L. Luaces y Juan Clemente Zenea. Y hay unos pocos que, sin llegar a la altura de éstos, reclaman también una breve mención.

RAMÓN VÉLEZ HERRERA (1809-1886) abandonó el bufete por la poesía, que cultivó profusamente en sus más variadas formas: descriptiva *(La ermita de Monserrate);* popular *(Romances cubanos);* legendaria *(Elvira de Oquendo);* o en el tipo de oda más o menos altisonante *(A Franklyn, A la fe).* Sus producciones, numerosas según queda dicho, son más correctas que inspiradas. También se recomienda por su atildamiento y buen gusto JOSÉ POLICARPO VALDÉS (1807-1852), uno de los pocos poetas cubanos que merecieron figurar en las *Rimas americanas.* Su elegía *A una rosa.blanca,* muy

celebrada por los críticos del país, nos parece fría y académica con exceso. Otro tanto se puede decir de MIGUEL DE CÁRDENAS (1808-1890), en cuyas dos colecciones—*Flores cubanas dedicadas a las habaneras* (1842) y *Poesías* (1854), abunda más lo mediocre que lo positivamente valioso. Con buena voluntad aún cabe extraer algún poema de cierto mérito, como los rotulados *La melancolía, El ruiseñor,* etc. Pero la musa de Cárdenas, al igual que la de tantos contemporáneos suyos, se lanzó pronto hacia la oda grande, para la cual no tenía alientos. Más moderado en sus aspiraciones poéticas, JOSÉ LUIS ALFONSO Y GARCÍA DE MEDINA, marqués de Montelo (1810-1881), prefirió para los *Cantos de un peregrino* (París, 1863) formas estróficas ligeras—octavillas, romances, coplas de pie quebrado—y temas de la vida vulgar, acreditándose en todo momento como vate de extremada corrección y finura, ya que *no* de elevado estro. A RAMÓN DE PALMA (1812-1860) se le recuerda por la emoción y suave melancolía que supo llevar a sus poemas; emoción que más de una vez se convierte en plañido lacrimógeno. Palma, como varios de los poetas que acabamos de citar, se había dado a conocer en la *Corona fúnebre* consagrada al obispo Espada, colección de alto valor antológico, ya que recoge las primicias de muchos poetas de aquella temprana promoción romántica. José Victoriano Betancourt (1813-1875), Angel Turla (1813-1837), Francisco de Paula Orgaz (1815-1873), Anacleto Bermúdez (1806-1852), José Gonzalo Roldán (1822-1856), Francisco J. Blanchié (1822-1847), Felipe López de Briñas (1822-1877) y Narciso Foxá (1822-1883), entre otros, son ingenios de ínfima categoría, muy indicados para llenar los repertorios antológicos de una época determinada o un capítulo de transición en la literatura de un país; pero en una historia general apenas deben tenerse en cuenta.

Rafael María de Mendive y J. Lorenzo Luaces

No podemos decir lo mismo de Luaces, Mendive y Zenea. Los tres, junto con la delicada poetisa doña Luisa Pérez de Zambrana, mantienen el buen gusto en medio de la depravación y de los excesos a que en Cuba, lo mismo que en otras partes, sin excluir la Península, se iba entregando el Romanticismo, por obra y gracia de una turbamulta de poetas tan faltos de dirección como de numen. No fueron extraños a tal estado de cosas los bardos de *El laúd del desterrado* (1858), esa recopilación en que volcaron su amor a Cuba y su nostalgia del país natal unos cuantos exiliados en los Estados Unidos. Si es verdad que entre tales desterrados hay alguno de la talla de Heredia, no lo es menos que la mayor parte se distingue por su falta de gusto y de inspiración, sin que pueda suplir tal vacío el entusiasmo realmente loable con que cantan a la patria ausente e irredenta [23].

RAFAEL MARÍA DE MENDIVE (1821-1886) es uno de los primeros que intentan poner dique con el ejemplo a la avalancha de un romanticismo, cuyas aguas empezaban a salirse de cauce. Docto en latinidad, filosofía y derecho, que había cursado en el Seminario de San Carlos y en la Universidad de la Habana, su ciudad natal, conocedor al mismo tiempo de idiomas modernos, empieza a destacar como poeta en publicaciones del interior de la Isla. Pasa luego a la capital, viaja por Europa, reside algún tiempo en Madrid y, ya de regreso (1852), afinca en la Habana, donde su casa se convierte en centro de reunión de lo más escogido de las letras. Algo semejante a lo que había sido la de Domingo del Monte, treinta años atrás. Mendive es un poeta delicado, tierno, que busca la inspiración ante todo en la Naturaleza. Esto no quiere decir que su poesía sea descriptiva, ni mucho menos colorista al modo de la de Zorrilla; más bien se trata de algo muy íntimo, hondo y subjetivo. La Naturaleza le sirve, pero sólo, o antes que nada, como estímulo. De ella recibe la primera sugerencia; lo demás lo pone él. Así se nos revela en la deliciosa composición A un arroyo, y en las no menos deliciosas La gota de rocío, La música de las palmas, Bajo los lirios azules, El beso de la noche, La oración de la tarde, Desde el campo, Yamurí, por no citar sino unas pocas. Todas ellas compuestas en distinto metro, pero con igual fondo de ternura. Y otro tanto ha de decirse de aquellas a las que suministran tema los más íntimos sentimientos: el amor paterno (A Paulina); el afecto conyugal (A Micaela); la fe religiosa (Invocación); el dolor, etc. En cambio, ni la oda patriótica ni la filosófica le van, aun cuando el amor a la tierra natal, cuya situación deplora, no deja de inspirarle a veces acentos conmovedores: El pueblo, Los dormidos, A Italia. Mendive recaba también un puesto en la literatura como traductor de las Melodías irlandesas, de Thomas Moore. Hizo asimismo algunos ensayos dramáticos, entre ellos un libreto de ópera, Gulnara.

Muy poco se parece al anterior JOAQUÍN LORENZO LUACES (1826-1867), a quien Aurelio Mitjans, su biógrafo, pone casi a la altura de Heredia, y del cual Menéndez Pelayo formuló un juicio extremadamente elogioso, que luego rectificó o atenuó con aquella sinceridad que caracterizaba al gran maestro de la crítica española. Cultivó Luaces la poesía en sus más variadas formas y temas. Dejó unas Anacreónticas llenas de gracia y exquisitez, ni tan buenas como quiere Remos, ni tan malas como nos dice González del Valle; unos romances del mejor estilo, que le acercan a los grandes cultivadores del género: El secreto, Provocación, Respuesta, El castigo, etc.; y unos sonetos de corte clásico e impecable: La salida del cafetal, La pesca, Bruto, primer cónsul, y sobre todos, el ro-

tulado La muerte de la bacante [24]. Pero a todos estos tipos de poesía prefirió la oda grande, bien de carácter social (La concordia, Invitación al trabajo, La luz); bien de carácter moralizador (Rosa, la hija del artesano, La madre infame, La flor en el cieno, La joven mendiga); bien de fondo filosófico (La vida, La muerte); o religioso (Los mártires); o heroico (Oración de Matatías, Canto de Caled, El último día de Babilonia, Canto del cosaco, La caída de Misolonghi). De todos sus poemas han sido estos últimos los más elogiados. Y hay que reconocer que no le falta aliento para el epinicio y la elegía de alto tono; aunque de ordinario se hace notar más por la pompa y rotundidad del período rítmico que por la auténtica inspiración. Muy influído por Quintana, y más acaso por Tassara, adolece de los defectos propios del género: hinchazón y fronda inútil. «Poeta vigoroso, pero incompleto—escribe Piñeyro—; de inspiración elevada, pero monótona, sin matices; de colorido brillante, pero sin claroscuro.» Y Menéndez Pelayo juzga sus odas «frías, forzadas, artificiales, concebidas de un modo puramente intelectual» [25]. De todos modos, como Luaces era poeta, y buen poeta, todavía cabe extraer de su producción unos cuantos poemas dignos de perdurar en la más exigente antología. Y esto aunque sólo sea por lo depurado del gusto y la corrección impecable del estilo. Luaces, ya lo destaca Remos y lo había hecho observar antes Menéndez Pelayo, se vale del simbolismo para expresar sus sentimientos patrióticos. Evoca la actitud y situación de otros pueblos para de este modo aludir a los anhelos liberadores de su patria, difícilmente expresables en forma directa, dadas las circunstancias en que el poeta vivía. Este sentido se suele dar a sus odas más conocidas: El último día de Babilonia, A Varsovia, La oración de Matatías, La caída de Misolonghi. Pasa esta última por la mejor de sus composiciones; sin embargo, nosotros vemos en ella, tanto atendiendo a la expresión como a la estructura métrica, una imitación demasiado directa del Canto del cosaco, de Espronceda; lo que no quiere decir, ni mucho menos, que carezca de méritos personales [26]. Luaces cultivó con fortuna el drama: El mendigo rojo, Aristodemo, etc. En colaboración con Fornaris seleccionó y publicó (1861) la antología Cuba poética.

Juan Clemente Zenea y Luisa P. de Zembrana

La dulzura, suavidad y melancolía que echamos de menos en Luaces, impregnan toda la obra, o por lo menos lo mejor de la obra, de otro poeta cubano, al que un destino trágico impidió desarrollar plenamente sus innegables aptitudes. Aludimos a JUAN CLEMENTE ZENEA (1832-1871), malogrado como Plácido en lo mejor de su carrera. No vamos a entrar aquí en las vicisitudes políticas que jalonaron su vida y le llevaron al final lastimoso que todo el mundo lamentó en su día[27]. Tampoco queremos tener en cuenta, aun no siendo del todo ajeno a la índole de nuestro estudio, el fondo de muchos de sus poemas políticos, ferozmente ofensivos para España. Eran aquellos unos momentos de honda agitación y todo se explica, ya que no pueda justificarse, ni de uno ni de otro bando. Había nacido Zenea en el seno de una familia en la que abundaban los hombres de letras; Fornaris, el famoso creador del «siboneyismo», era hermano de su madre. Había estudiado primeramente en Bayamo, su pueblo natal, y luego en la Habana, diversas disciplinas, llegando a alcanzar una cultura tan desordenada como amplia. Su revelación como poeta fué prematura: en *La Prensa de la Habana*, apenas cumplidos los diecisiete años. A partir de este momento despliega intensa actividad, alternando sus tareas literarias con la acción política, bien en su tierra natal o bien en Méjico y los Estados Unidos, adonde se desterró dos veces voluntariamente, por no ser «un esclavo en el feudo de España». Sus versos, no muy abundantes, aunque sí de cuidada factura, se distinguen por la emoción. Es Zenea uno de los grandes elegíacos que tenemos en castellano. Aunque escribió odas patrióticas y diatribas contra España, nunca está tan inspirado como al cantar en acentos naturales, sentidos y conmovedores, su propio dolor. Parece como si una nube de tristeza, presagio de su fatal destino, envolviese toda su vida, extendiéndose también sobre su canto. El poema *En días de esclavitud*, que ha suscitado tantos elogios entre los críticos de su país, se nos antoja prosaico en la expresión y pobre en el concepto. Véanse unos versos:

> ¿Por qué dejamos la mansión querida
> donde vimos la luz? ¿Por qué la suerte
> cambia estos campos de esplendor y vida
> por otros, ¡ay!, de oscuridad y muerte?
> Porque buscamos libertad y vemos
> la fe perdida y la existencia ajada,
> y ya no más sobrellevar podemos
> la esclavitud de nuestra tierra amada...

Tiene, en cambio, un romance, *Fidelia*, que basta él solo para labrar la gloria de un poeta. Las reminiscencias de *Souvenir*, de Musset, que en él se vienen señalando, apenas le restan ápice en su innegable belleza:

> Tomamos, ¡ay!, por testigos
> de esta entrevista suprema
> unas aguas que se agotan
> y unas plantas que se secan,
> nubes que pasan fugaces,
> aves que rápidas vuelan,
> la música de las hojas
> y el perfume de las selvas.

Cuando Zenea pulsa esta cuerda de la felicidad pasada, del infortunio presente o del futuro incierto, y la pulsa muchas veces, sus logros son definitivos. De la colección de sus versos, publicada con carácter póstumo por Piñeyro (*Poesías completas de Zenea*, Nueva York, 1872), se puede sacar hasta una docena o docena y media de composiciones hondamente sentidas e inspiradas: *Duerme en paz, Celos, Tristeza, Por la tarde, Ausencia, La sombra, Armonías, A Rosalba, La flor de agua*, etc. Durante el tiempo que estuvo preso en la Cabaña, antes de su ejecución, escribió dieciséis poesías, que publicó el mismo Piñeyro con el título de *Diario de un mártir*, y que fueron incorporadas a su obra completa. Alienta en todas ellas—*Infelicia, Gracias, Al despertar, No me olvides, El 15 de enero, Hasta el cielo*, etc.—la misma trascendida emoción que en las anteriores, incrementada si cabe por el infortunio presente. Aparte de Musset, influyeron en Zenea otros poetas: Lamartine, Heine, Grossi, Millevoye... Colaboró en muchos periódicos, y en la *Revista Habanera* de Piñeyro publicó una serie de juicios críticos sobre diversos poetas cubanos: *Mis contemporáneos*.

Menos importante que los anteriores, aunque en la misma línea de un romanticismo atenuado, encontramos la simpática figura de doña LUISA PÉREZ DE ZAMBRANA (1835-1922), mujer tan admirada por su talento como por su belleza. Cantó temas filosóficos (*La caridad, El sabio en su patria, Meditación, La conciencia*); temas religiosos (*Cristo, El Angel de la Guarda*); entonó himnos al arte y al talento creador (*La música, A Cervantes, A G. G. de Avellaneda*); exaltó las bellezas naturales (*Al campo, Al sol, Al salir la luna*), y todo ello supo expresarlo con tanto sentimiento como decoro estético. Sin embargo, como en el caso de Zenea, su vena estaba más honda, y de ningún lugar extrajo una poesía tan pura, tan estremecedora y fresca como de los hontanares de su propia alma. La pérdida de su esposo y de sus tres hijos en breve espacio de tiempo la sumió en una tremenda crisis, de la que sólo acertó a liberarse asiéndose a la doble tabla de la fe y del recuerdo. Poemas como *Dolor supremo, La vuelta al bosque, Mi casita blanca, Martirio*, nos hacen recordar, por su destacada pureza y su infinita ternura, otros análogos de Rosalía de Castro, y nos obligan a pensar en que sólo pueden haber salido del corazón de una mujer:

> Hoy contemplo en las nieblas de la noche
> errátil, intangible, fugitivo,
> pasar como el reflejo de una estrella
> tu perfil dolorido.
> Y caigo sobre el musgo sollozando:
> «¡Hijo de mis entrañas, hijo mío!»
> Y ante tu sombra, que se aleja suave,
> trémula me arrodillo.

V. MEJICO

País de arraigadas tradiciones clásicas, Méjico no se incorpora a la corriente romántica con aquel ímpetu que cabía esperar, ni siquiera con el brío creador de que había hecho gala en épocas anteriores y que había de renovarse poco después, al advenimiento del modernismo. Su contribución a la poesía romántica, sin ser nula ni mucho menos, no puede compararse con la de otros pueblos de nuestra misma lengua y sangre: Argentina, Colombia, Cuba, Venezuela.

Se han intentado explicaciones de este hecho. La tesis de Menéndez Pelayo, rebatida luego por Francisco A. de Icaza, de que el Romanticismo no encontró en el Nuevo Continente base histórica ni arqueológica para su pleno desarrollo, como la había encontrado en Europa, sólo explica un aspecto del problema [28]. Sin contar con que la misma falta de base, o mayor aún, se observa en otros países de Hispanoamérica, donde el Romanticismo dió copiosos frutos. Referido el problema a Méjico, acaso la solución haya de buscarse por otro lado: precisamente en esa tradición clásica a que se acaba de aludir, que viene informando desde su origen toda la literatura de aquel país, en evidente contraste con otras manifestaciones artísticas del mismo, tradición clásica que termina por imponerse en todas las épocas y tendencias, dando a la poesía, al teatro y, en general, a las letras mejicanas, un sello de distinción y sobriedad, que desde el primer instante las distingue en el conjunto de las literaturas hispánicas. Así se explica que en Méjico por esta época coexistan sin estorbarse dos corrientes: la tradicional o conservadora, con poetas como Pesado, Carpio, G. Prieto y algunos de los aludidos anteriormente (Cap. LVI); y la renovadora, la propiamente romántica, con figuras también de cierto relieve, aunque ninguna de ellas ofrezca la talla de un Mármol, un Zorrilla de San Martín, un Pombo o un Luaces. No ha de creerse, sin embargo, que entre ambas corrientes existe la menor oposición. Los que navegan en una y otra se llevan bien, y a veces nadan en las dos. La Academia de San Juan de Letrán, fundada en 1836 y representante de las tradiciones clásicas, y el semanario El Renacimiento, que aspira a recoger las nuevas tendencias, agrupan por igual e indistintamente a clásicos y románticos.

De éstos, pasados por alto Justo Sierra e Ignacio Manuel Altamirano, cuya producción poética es escasa, y reservados también para otro capítulo poetas como Peza, Carpio, Pesado, etc., que, aunque inmersos en el Romanticismo, no fueron afectados por él o lo fueron en ínfimo grado, sólo nos queda mencionar particularmente cuatro o cinco vates en quienes la nueva escuela se manifiesta claramente, si bien en ninguno de ellos la poesía romántica alcanza plenos valores. Esos vates son Fernando Calderón, Ignacio R. Galván, Manuel Acuña y Manuel María Flores.

Más dramaturgo que lírico, FERNANDO CALDERÓN (1809-1845) ocupa un elevado puesto en la escena de su país por algunas comedias y dramas —A ninguna de las tres, El torneo, Ana Bolena, Hermán o la vuelta del cruzado— que estudiaremos en su lugar. Mucho más bajo queda el lírico. Sus composiciones, pocas y de corto mérito, acusan primeramente la influencia de Cienfuegos, luego la de Lamartine, para terminar bajo la órbita de Espronceda, cuya canción de El pirata intenta Calderón seguir de cerca en El soldado de la libertad, aunque en realidad queda a muchas millas de distancia. Esta composición y El sueño del tirano nos dan la medida del talento poético del autor. Con ellas, especialmente con la segunda, Calderón se coloca en la zona más sombría del Romanticismo, el de Escosura, el del mismo Espronceda en sus peores momentos. Júzguese:

> Lago inmenso de sangre descubre
> a sus plantas furioso bramando,
> y cabezas hirvientes nadando,
> que se asoman y vuelven a hundir;
> y se avanzan, se juntan, se apiñan,
> y sus cóncavos ojos abriendo,
> brilla en ellos relámpago horrendo,
> de infernal, espantoso lucir.

Añádanse a estos dos poemas La rosa marchita y la Vuelta del desterrado y tendremos las cuatro composiciones menos deleznables de Calderón. Tampoco en las traducciones de algunos poemas lamartinianos tuvo fortuna.

Mejor lírico es IGNACIO RODRÍGUEZ GALVÁN (1816-1842), que cultivó asimismo la novela y el teatro. Sus «tremebundos dramas», así los califica Menéndez Pelayo, tendrán oportuna alusión en el debido lugar. Aquí nos interesa su lírica, producto de una musa sombría, apasionada, casi demencial. El Romanticismo es la medula no sólo de la obra, sino también de la vida de Galván, el cual todo lo ve a través de un prisma negro, sin que la menor nota de alegría o de esperanza proyecte un tenue rayo sobre sus poemas. Ejemplo, esa canción truculenta que lleva por título El buitre, en la que el Romanticismo se manifiesta en formas epilépticas:

> Cuando encima de toda la tierra
> mar inmenso de sangre mirara,
> satisfecho en sus ondas nadara,
> de este mundo infeliz dueño ya.
> Y en la sangre mis alas tendiendo,
> entre sangre tuviera reposo;
> si yo buitre naciera espantoso
> mi venganza sería inmortal.

No es de extrañar esta ferocidad inaudita del pobre Galván, a quien la vida había tratado con demasiada crueldad. En lucha constante contra la miseria, víctima de unos amores infelices, todo contribuyó a comunicar a sus versos ese amargor, ese pesimismo y esa animadversión, que muchas veces se transforma en odio contra todo y contra todos, por el gravísimo delito de gozar de una felicidad que a él le está vedada. A este sentimiento responden obras como *El Tenebrario, Eva ante el cadáver de Adán, Mane, Thecel, Phares, El privado del virrey*, llenas de tremendas imprecaciones y también, todo ha de decirse, de versos magníficos. Porque Galván, con todos sus defectos, era un auténtico poeta, que de haber vivido más tiempo, el suficiente para remansar sus ideas y pasiones, habría, sin duda, encontrado la vena de honda poesía que circulaba por su alma. El vómito negro se lo llevó a los veintiséis años, sin darle tiempo a una entera floración. Lo que habría podido dar de sí Galván nos lo revela esa *Profecía de Guatimoc*, que señala el momento más feliz de su inspiración y constituye una de las páginas poéticas más bellas que se han escrito en castellano durante todo el siglo XIX. Bajo una envoltura formal enteramente clásica—verso blanco y silva casi todo el poema, que es bastante extenso—circula un grueso raudal de inspiración romántica, como se ve desde la frase de San Juan Crisóstomo que le sirve de lema («no más que un sueño de la noche que se disipó con la aurora») hasta los últimos versos:

> ¡Venid, sueños, venid, y ornad mi frente
> de beleño mortal! Soñar deseo.
> Levantad a los muertos de sus tumbas:
> quiero verlos, sentir, estremecerme...
> Las sensaciones mi alimento fueron,
> sensaciones de horror y de tristeza.
> Sueño sea mi paso por el mundo,
> hasta que nuevo sueño dulce y grato
> me presente de Dios la faz sublime.

Con Galván forma digna pareja otro poeta tan desdichado como él, MANUEL ACUÑA (1849-1873), muerto asimismo en plena juventud. La distancia cronológica que los separa explica perfectamente las diferencias fundamentales de su producción poética. Rodríguez Galván se deja llevar por la corriente romántica, sin intentar oponerle resistencia; Acuña, nadando a brazo partido entre dos aguas, entre la poesía racionalista, tipo Campoamor, con gotas de Heine, y la poesía romántica, tipo Espronceda, quiere satisfacer a la vez al corazón y al cerebro. A las exigencias de la razón paga tributo con el poema titulado *Ante un cadáver,* sin duda lo mejor que salió de su pluma; a las exigencias del sentimiento romántico sacrificó su propia vida, disparándose un tiro, como Larra, al verse rechazado por la mujer a quien amaba. Antes, pocos días antes, esa misma mujer le había inspirado su célebre *Nocturno a Rosario.* Esta composición y la anteriormente citada definen plenamente la personalidad poética de Galván. *Ante un cadáver* es el producto de un espíritu materialista y ateo, que siente, sin embargo, la embriaguez de la Naturaleza y sabe cantar sus misterios en versos dignos de Lucrecio:

> Tú, sin aliento ya, dentro de poco,
> volverás a la tierra y a su seno,
> que es de la vida universal el foco.
> Y allí a la vida en apariencia ajeno,
> el poder de la lluvia y del verano
> fecundará de gérmenes tu cieno.
> Y, al ascender de la raíz al grano,
> irás del vegetal a ser testigo
> en el laboratorio soberano.
> Tal vez para volver, cambiado en trigo,
> al triste hogar donde la triste esposa
> sin encontrar un pan sueña contigo.

El *Nocturno,* menos inspirado, se deja leer por su honda tristeza y sentimiento. Todavía del volumen de sus poesías (París, 1885) se pueden extraer otras —*Entonces y hoy, Lágrimas, Adiós*—muy recomendables. Acuña dió a las tablas un drama, *El pasado,* y fundó una sociedad literaria, «Netzahualcoyotl». No hace falta subrayar su antiespañolismo rabioso; tampoco hace falta decir que, suicidado a los 24 años, fué literariamente «una potencia que no llegó a traducirse en acto».

El erotismo, un erotismo desenfrenado, es la nota dominante en las *Pasionarias,* colección de poemas de MANUEL MARÍA FLORES (1840-1885). Pocas veces en castellano, acaso nunca, la voluptuosidad y la lascivia han encontrado expresión semejante. Para leer algo parecido hay que saltar a otras literaturas, ya que la musa castellana en general suele ser conceptualmente casta. Las porquerías de Quevedo, por ejemplo, si ofenden al buen gusto, en nada atentan contra la castidad. «Dígase lo que se quiera de la influencia del clima y del temperamento—escribe a este propósito Menéndez Pelayo—, la poesía española, aun en los países tropicales a donde ha sido trasplantada, conserva su castidad nativa y rara vez se abate a tan vil tarea como la expresión del deleite sensual por el deleite mismo; expresión que las más veces no es signo de vigoroso temperamento, sino de precoz impotencia, lujuria de la cabeza más que de los sentidos. Y todavía si algún poeta americano ha pecado en esto, no son los de lengua castellana, sino los de lengua portuguesa» [29]. A continuación cita nuestro gran crítico los nombres de Alvarez de Azevedo, Casimiro de Abreu, Junqueira Freire, Fagundes Varela, con los cuales se emparenta mejor que con los de habla castellana Manuel María Flores. Había leído y traducido el autor de *Pasionarias* a Víctor Hugo, a Byron, a Heine y, sobre todo, a Musset. Y de los cuatro, especialmente del último, tomó lo que tienen de sensual, de voluptuoso, escapándosele, en cambio, lo que tienen de espiritualidad. En Musset, por ejemplo, vió las horas de orgía, pero no el dolor que sigue a esas horas, dolor que tras-

ciende *A las noches* y las penetra de sustancia inmortal. No sucede esto con la poesía de Flores.
Construída con materiales blandos, con besos, caricias y crepitaciones carnales, sin trascender jamás de lo meramente sensorial, halaga unos momentos al lector, pero pronto fatiga por su misma
vulgaridad. Si algo se salva de ella son unas cuantas descripciones, en las que la naturaleza americana se nos ofrece con un lujo de colores digno
de Zorrilla. En este sentido han sido muy celebradas las que llevan por título *Eva* y *Bajo las palmeras*. En honor a la verdad ha de decirse que
Flores es un poeta brillantísimo, correcto y de
buen gusto.

En los Estados de América Central apenas se
puede señalar, en el largo espacio que va desde la
muerte de Batres Montúfar a la aparición de Rubén Darío, cuatro o cinco nombres de ínfima jerarquía estética: el guatemalteco JUAN DIÉGUEZ
OLAVERRI (1813-1866), que vacila aún entre el clasicismo de su primera hora y el romanticismo de
su madurez, con evidente inclinación a la manera
poética de Víctor Hugo; CARMEN P. DE SILVA
(1840-1890?) y ALBERTO MENCOS (1863-1922), ambos también guatemaltecos y cultivadores de una
poesía de vario tono, en la que predomina un sentimentalismo romántico, ya algo trasnochado; FE-
DERICO ESCOBAR (1861-1912), panameño, de raza
negra, que en verso sencillo, exento de toda pretensión artística, canta temas de la vida vulgar. Docenas de poetas abarrotan con sus nombres y sus
producciones las antologías de los países de Centroamérica en este período. Pero ni uno sólo merece pasar a la posteridad.

NOTAS

1. *La bohemia limeña de 1848 a 1860: Confidencias literarias*, estudio que figura al frente de las *Poesías* de
Ricardo Palma, ed. 1887. (Cf. MENÉNDEZ PELAYO: *Historia
de la poesía hispanoamericana*, II, págs. 182-84.)
2. He aquí el soneto *Al Petrarca*:

> ¡Bendita sea la feliz tibieza
> con que, celosa de su pura fama,
> pagó tu amor la aviñonesa dama,
> que igualó su virtud con su belleza!
>
> ¡Benditos el rigor y la esquiveza
> que acrisolaron tu amorosa llama
> y te valieron la gloriosa rama
> que hoy enguirnalda tu feliz cabeza!
>
> Así Apolo, que a Dafne perseguía,
> cuando a abrazarla llega, sus congojas
> siente de un árbol la corteza fría.
>
> Mas en sus venas la deidad doliente
> halla las verdes premiadoras hojas
> digna corona de su altiva frente.

3. *Del romanticismo al modernismo*, pág. 106, París,
1910.
4. Usó otros muchos seudónimos: *Jenaro Vanda, Evandro, Jana, Pipus, Iván Rodeanof, Críspulo Mor-Diente,
Sagitario Mayor*, etc. Su popular periódico *El Chispazo*
llevaba por lema este dístico:

> Garrotazo y tente tieso
> hasta no dejarles hueso.

5. FERNANDO DÍEZ DE MEDINA: *Literatura boliviana*,
pág. 210, Madrid, 1954.
6. GUTIÉRREZ: *América poética*; R. PALMA: *La lira americana*; CORTÉS: *Parnaso boliviano*.
7. Menéndez Pelayo, para respaldar su juicio, cita estos versos, que ahorran todo comentario:

> Cansados ya los palpitantes miembros,
> muerta del alma la ilusión dichosa,
> *sus alas de cristal, de oro y de rosa*
> despliega la esperanza cual gacela.

El subrayado es de don Marcelino. (*Historia de la poesía hispanoamericana*, II, pág. 213.)
8. *Ob. cit.*, II, pág. 56.
9. M. PELAYO: *Ob. cit.*, I, pág. 402.
10. Sabido es, y al hablar del novelista español volveremos sobre esto con más detalle, que, enfrentados García de Quevedo y Alarcón en el campo del honor, el primero disparó al aire su pistola porque sus convicciones
religiosas le impedían matar a un semejante. La actitud
de Quevedo provocó en Alarcón una intensa crisis, a la
que muchos atribuyen su decidida vuelta a la Iglesia tras
unos años de alejamiento.
11. Véase en JOSÉ J. ORTEGA: *Historia de la literatura
colombiana*, págs. 212-13 y 279-82, más referencias sobre
El Oasis y *El Mosaico*, con la lista completa de colaboradores de éste.
12. Nació en Ocaña (Nueva Granada) el 5 de marzo de
1817. Huérfano muy joven (1830), hubo de conocer pronto
la pobreza y el trabajo. Cursó filosofía y jurisprudencia
en la Universidad de San Bartolomé, adscribiéndose al
principio a las teorías materialistas de Destutt de Tracy,
que luego abandonó e impugnó (1840) en un célebre opúsculo. En ese mismo año se incorpora a la política, tomando
parte activa en las campañas civiles de 1841 y 1842. Redacta *El Granadino*, cuya publicación suspende para tomar las armas. Diputado en el Congreso de 1845, director
del Crédito Nacional y ministro de Hacienda poco después. Su valiente actitud en 1849 frente a la turba que
había asaltado el Congreso y elevado a la Presidencia al
general J. Hilario López, le obligó a emigrar a Estados
Unidos. Allí permaneció hasta 1853. Murió de fiebre amarilla en el puerto de Santa Marta pocos días después de
regresar. En su juventud tuvo amores, contrariados al
principio, con la que llamó *Delina*, inspiradora de algunas de sus mejores poesías. Hijo suyo fué el eminente
humanista Miguel Antonio Caro.
13. Vió la luz en Bogotá el 7 de noviembre de 1833.
Murió el 5 de mayo de 1912. Hijo de familia ilustre, fueron sus padres don Lino de Pombo y O'Donnell, emparentado con la ilustre rama irlandesa de los O'Donnell, de
tanta prosapia en España, y doña Ana Rebolledo. Criado
en un medio aristocrático, pronto, a los diez años, se inicia en el verso. Sigue estudios de ingeniero en la Academia Militar; pero, después de luchar en 1854 contra la
tiranía y en defensa del Gobierno legítimo, ingresa en la
carrera diplomática. Es destinado a Nueva York como secretario de Legación. Vuelto a Colombia (1861), aún desempeña algunos cargos, entre ellos el de secretario de la
Cámara de Representantes. Fué asimismo secretario de
la Academia Colombiana y miembro correspondiente de la
Española. El 20 de agosto de 1905 mereció ser coronado
públicamente en el teatro Colón, de Bogotá.
14. *Poesías de Rafael Pombo*, edición oficial bajo la dirección de Antonio Gómez Restrepo, Bogotá, 1916-17. Cuatro volúmenes en 4.° mayor: dos de poesías líricas originales, uno de cuentos, fábulas y verdades, y uno de traducciones.
15. *Ob. cit.* en nota anterior: «Estudio preliminar»,
pág. XI.
16. Nace en Matanzas, en agosto de 1814, de familia
no muy bien acomodada. Primeros estudios en la escuela
pública, que regentaba el notable latinista don Francisco
Guerra Betancourt. Este dirige los primeros pasos del futuro poeta. La falta de recursos le impide seguir estudios
superiores. Un tío suyo le coloca en una casa de comercio, y asiste a la escuela de Guerra, donde adquiere conocimientos de latín, francés, inglés e italiano. Lée mucho. En 1832 se traslada a la Habana. Conoce a Del Monte
y otros literatos, que, informados de sus aptitudes para
las letras y deseando ayudarle, gestionan para él un cargo de secretario de cierta Compañía ferroviaria. En 1843,
primeros síntomas de demencia. En 1848 emprende un
viaje por Estados Unidos y Europa, con la ayuda económica de sus amigos y admiradores; en 1854, ya en Cuba
de nuevo, se recrudece su mal y queda recluido en casa
hasta su muerte, en noviembre de 1863.

17. JUAN J. REMOS Y RUBIO: *Historia de la literatura cubana*, II, pág. 46, La Habana, 1945.

18. MARTÍN GONZÁLEZ DEL VALLE: *La poesía lírica en Cuba*, pág 97, ed. Oviedo, 1888.

19. Hijo de la bailarina burgalesa Concepción Vázquez y del pardo peluquero Diego Ferrer Matoso, nació «Plácido» en La Habana el 18 de marzo de 1809. Depositado en el torno de la Casa de Maternidad, fué reclamado por su padre, que lo tuvo consigo hasta los diez años, en que embarcó para Méjico, donde murió. Se hizo entonces cargo del niño la abuela materna. Educación deficientísima. A duras penas aprendió a leer y a escribir. Trabaja primeramente de peinetero; después, de tipógrafo. Y es en este oficio donde conoce a Valdés Machuca, Vélez Herrera, González del Valle y otros escritores, que al ver el despejo natural del joven le prestan su ayuda. Alterna el culto a las musas con su profesión de tipógrafo. Publica en *La Aurora de Matanzas*, y es llamado a colaborar en la *Aureola poética* que los vates cubanos dirigieron a Martínez de la Rosa. *Siempreviva*, el poema con que colaboró «Plácido», es el mejor de cuantos forman la corona y le dió mucho renombre. En Matanzas imprime en 1838 su primer tomo de *Poesías*, y cuatro años más tarde publica *El veguero*, con letrillas y epigramas. Como ni la poesía ni la imprenta le dan para vivir, vuelve a su oficio de fabricante de *caireles*. Va a la Trinidad; pero como empieza a tomar parte en conspiraciones, la vida se le hace cada vez más difícil. Es detenido y puesto en libertad. Sospechoso de figurar en otra conjura, nuevamente se le encarcela y, sustanciado el correspondiente proceso, es condenado a muerte. La sentencia se cumplió el 28 de junio de 1844, siendo ejecutado «Plácido» a la vez que otros diez compañeros más. Se dice, y al parecer es verdad, que en el proceso hubo no pocas anormalidades. Lo cierto es que «Plácido» murió protestando de su inocencia. También es verdad que cinco días antes de morir, cediendo a la coacción o al temor, firmó de su puño y letra una indigna delación contra varias personas honorables de la isla; lo que, si no le libró de la pena capital, arrojó sobre su nombre un baldón indeleble. El seudónimo de «Plácido» está tomado, según unos, de una novela de madame de Genlis; según otros, era el nombre de un pariente cercano.

20. *Ob. cit.*, I, pág. 253.

21. La autenticidad de estas composiciones, sobre todo de *Plegaria*, ha sido puesta en tela de juicio por algunos críticos cubanos. Concretamente, Manuel Sanguily la niega y Enrique Piñeyro abriga serias dudas. El primero se basa en el testimonio del escribano Zembrana, el cual actuó en el proceso y aseguraba al mismo Sanguily que los versos recitados por «Plácido», camino del suplicio, no eran los de *Plegaria*, sino el soneto *Fatalidad*; Piñeyro juzga poco verosímil que en las veinticuatro horas de capilla hubiese tenido tiempo el pobre poeta para recibir a varias personas, redactar una larga memoria testamentaria, escribir a su mujer, prepararse a bien morir, de todo lo cual se tiene constancia, y encima componer esos poemas. Menéndez Pelayo arguye que nada indica que forzosamente los hiciese en capilla; pudo muy bien escribirlos cuando, ya en prisión, abrigaba el temor de una condena a muerte. Hoy, después de los documentos publicados por J. M. Salinero, A. A. de Orihuela, Tomás A. de Cervantes, Vidal Morales y otros, parece comprobada la autenticidad. «A mi juicio—sentencia Menéndez Pelayo—, la *Plegaria* es auténtica, y no puede ser más que de «Plácido». Está en su estilo y conviene perfectamente a su situación.» (*Ob. cit.*, I, pág. 256.) Más referencias sobre esto: JUAN J. REMOS: *Historia de la literatura cubana*, II, págs. 18-20.

22. Entre ellos Juan Francisco Manzano, quien lo juzga «el mejor de los poetas negros y el peor de los poetas blancos». (Vid. MARTÍN GONZÁLEZ DEL VALLE: *La poesía lírica en Cuba*, págs. 73-88.)

23. Apareció *El laúd del desterrado* en Nueva York en 1858, editado en la imprenta del periódico *La Revolución*. Sus colaboradores, aparte de Heredia y Zenea, son de escaso relieve: Leopoldo Turla, Miguel Teurbe Tolón, Pedro A. Castellón, Pedro Santacilia, José A. Quintero. (Vid. referencia de ellos en LEMOS Y RUBIO: *Historia de la literatura cubana*, II, págs. 250-76.)

24. He aquí su primer cuarteto:

> Erígone, en desorden la melena,
> de Venus presa, con ardor salvaje,
> oculta apenas en el griego traje
> los globos de marfil y de azucena...

25. *Ob. cit.*, I, pág. 270, nota.

26. Y acaso también tuvo presente Luaces algún himno de Arriaza. Compárese este final:

> Halle siempre el muslín, cual en sus muros,
> al griego muerto, pero esclavo, no.

(LUACES.)

> Y el noble pueblo, que lo oyó humillado:
> «Muertos, sí—dijo—; pero esclavos, no.»

(ARRIAGA.)

27. Con la publicación de la oda *El 16 de agosto* y la de un periódico clandestino, Zenea se había hecho sospecto a las autoridades españolas. Obligado a emigrar a Estados Unidos, se afilia a La Estrella Solitaria, organización que defendía la anexión de Cuba a Norteamérica. Por sus escritos y manejos, Zenea fué condenado a muerte en rebeldía (diciembre de 1853). Acogido a la amnistía del gobernador don Juan de la Pezuela, regresa a la Habana y allí reside once años, dedicado al periodismo y a la enseñanza. No se sabe si por motivos políticos o por mejorar de fortuna, se expatria nuevamente a Estados Unidos, donde se entrega a especulaciones mercantiles, que terminan en la más completa ruina. Pasa a Méjico y toma parte en la fracasada expedición de Goicuria; interviene más tarde cerca de Céspedes en una comisión formada para llegar a una avenencia. La comisión fracasa y Zenea se hace sospechoso de traidor ante los insurrectos. Apresado al intentar reembarcarse para Estados Unidos, es juzgado, tras siete meses de prisión, por un Consejo de guerra y condenado a la pena capital, que le fué aplicada el 25 de agosto de 1871.

28. Vid. MENÉNDEZ PELAYO: *Ob. cit.*, I, págs. 118-20, y FRANCISCO A. DE ICAZA: *Crónica de ayer y de hoy*, publicada en *El Universal*, 27-IX-924.

29. MENÉNDEZ PELAYO: *Ob. cit.*, I, pág. 157.

BIBLIOGRAFIA

I. V. GARCÍA CALDERÓN: *Parnaso peruano*, Barcelona, 1914.—L. ALBERTO SÁNCHEZ: *La literatura peruana* (3 vols.), 1928 y 1929.—M. MENÉNDEZ PELAYO: *Historia de la poesía hispanoamericana* («Románticos peruanos», II, 182-95), Edic. Nacional, vol. 28.—R. PALMA: *La bohemia de mi tiempo*, Lima, 1899.—L. F. BLANCO MEAÑO: *Parnaso boliviano*, Barcelona, 1919.—M. ASCARRUNZ: *Hombres célebres de Bolivia*, La Paz, 1920.—J. F. BEDREGAL: *Estudio sintético de la literatura boliviana*, 1915.—E. FINOT: *Historia de la literatura boliviana*, Méjico, 1943.—M. MENÉNDEZ PELAYO: *Ob. cit.* («Románticos bolivianos», II, 207-17).—D. AMUNÁTEGUI SOLAR: *Mora en Bolivia*, «Anales Univ. de Chile», febrero, 1897.—G. RENÉ MORENO: *Biografía de don Néstor Galindo*, «Rev. de Buenos Aires», XVII, 1868.—J. LEÓN MERA: *Antología ecuatoriana* (2 vols.), Quito, 1892.—A. ARIAS: *Panorama de la literatura ecuatoriana*, Quito, 1936.—J. LEÓN MERA: *Ojeada histórico-crítica sobre la poesía ecuatoriana*, 2.ª ed., Barcelona, 1893.—ISAAC J. BARRERA: *Literatura ecuatoriana*, Quito, 1926.—M. MENÉNDEZ PELAYO: *Ob. cit.* («Románticos ecuatorianos», II, 56-61).—L. CORDERO: *Memorias de la Academia Ecuatoriana* (referencias a Zaldumbide), I, Quito, 1889.—M. GÁLVEZ: *Vida de don Gabriel García Moreno*, Buenos Aires, 1942.—P. FERMÍN CEBALLOS: *Biografías de ecuatorianos ilustres.*—Véanse también los estudios generales citados en la bibliografía del capítulo anterior.

II. J. A. CALCAÑO: *Parnaso venezolano*, Caracas, 1908.—J. GÜEL Y MERCADER: *Literatura venezolana*, 2 vols., Caracas, 1883.—G. PICÓN FEBRES: *La literatura venezolana en el siglo XIX*, Caracas, 1906.—M. MENÉNDEZ PELAYO: *Ob. cit.* («Románticos venezolanos», I, 393-408).—A. QUINTANILLA: *W. Goethe e García de Quevedo*, «N. Ant.», CCCXLIII, 1929.—P. ANTONIO DE ALARCÓN: Pról. a las *Poesías* de don Antonio Ros de Olano, «Colec. de Escritores Castellanos», Madrid, 1886.

III. J. M.ª VERGARA Y VERGARA: *Parnaso colombiano*, 3 vols.—DIÓGENES A. ARRIETA: *Colombianos contemporáneos*, Caracas, 1883.—J. ARANGO FERRER: *La literatura de Colombia*, Fac. de Filol. y Letras, Buenos Aires, 1940.—N. BAYONA POSADA: *Panorama de la literatura colombiana*, Bogotá, 1942.—J. J. ORTEGA: *Historia de la literatura colombiana*, Bogotá, 1935.—M. MENÉNDEZ PELAYO: *Ob. cit.* («Románticos colombianos», I, 447-79).—R. MAYA: *Aspectos del romanticismo en Colombia*, «Rev. Iberoamericana», VIII, núm. 16.—A. Rubió y Lluch: *J. J. Ortiz*, «La Defensa Católica», Bogotá, agosto, 1892.—M. Antonio Caro: Est. prel. a las *Poesías* de Julio Arboleda, Nueva York, 1883.—L. Alberto Sánchez: *Escritores representativos de América* (Julio Arboleda, vol. I, págs. 270-80), Madrid, Edit. Gredos, 1957.—S. Camacho Roldán: Introd. a las *Poesías* de Gutiérrez González, Bogotá, 1926.—A. Gómez Restrepo: Pról. a la ed. oficial de las *Poesías completas* de R. Pombo, Bogotá, 1916-17.

IV. O. Bazil: *Parnaso dominicano*, Barcelona, 1917.— P. Henríquez Ureña: *Literatura dominicana*, «Revue Hisp.», XL.—Abogail Mejía de Fernández: *Historia de la literatura dominicana*, 5.ª ed., 1943.—E. Torres Rivera: *Parnaso portorriqueño*, Barcelona, 1920.—A. López Prieto: *El Parnaso cubano*, La Habana, 1881.—A. del Valle: *Parnaso cubano*, Barcelona, 1907.—J. Remos y Rubio: *Historia de la literatura cubana*, 3 vols. («Romanticismo», II), La Habana, 1945.—M. Menéndez Pelayo: *Ob. cit.* («Románticos cubanos», I, págs. 249-86).—M. Vitier: *El romanticismo*, «Apuntaciones literarias», La Habana, 1935.— A. Iraizoz: *La poesía civil en Cuba*, «Lecturas Cubanas», La Habana, 1939.—J. J. Remos Rubio: *La reacción de buen gusto en el romanticismo cubano*, La Habana, 1937.— A. Zayas: *La poesía patriótica en Cuba hasta 1868*, «Obras completas», II, La Habana, 1942.—J. Augusto Escoto: Pról. a las *Obras completas* de J. Jacinto Milanés, La Habana, 1920.—D. Figarola Caneda: *Plácido y Milanés*, «Plácido, poeta cubano», La Habana, 1922.— A. Mitjáns: *José Jacinto Milanés*, «Estudios Literarios», La Habana, 1887.—A. Sánchez Bustamante: *José Jacinto Milanés*, «Discursos», IV, La Habana, 1922.—D. Figarola Caneda: *Plácido, poeta cubano*, La Habana, 1922.—Ben Frederic Carruthers: *The Life, Work and Death of Plácido* (tesis doctoral), Urbana, Illinois, 1941.—M. García Garafalo: *Plácido, poeta y mártir*, Méjico, 1938.— F. González del Valle: *¿Es de Plácido la «Plegaria a Dios»?* (discurso), La Habana, 1923.—E. M. de Hostos: *Plácido*, «Obras completas», IX, La Habana, 1939.—P. Laso de los Vélez: *Plácido*, «Colec. de los Mejores Autores Americanos», Barcelona, 1874.—M. Cañete: Pról. a las *Poesías* de Mendive, La Habana, 1883.—F. Lizaso: *Rafael María Medive*, «Los maestros de la cultura cubana», Ateneo de La Habana, 1940.—J. Martí: *Rafael María Mendive*, «Obras completas», XIII, La Habana, 1938.— R. Montoro: *Rafael María Mendive*, «Obras», III, La Habana, 1930.—A. Sánchez de Bustamante: *Joaquín Lorenzo Luaces*, «Discursos», I, La Habana, 1920.—J. M. Carbonell: *Juan C. Zenea, poeta y mártir*, La Habana, 1929.—R. M. Merchán: *Las poesías de Juan C. Zenea*, Madrid, 1917; *Estudio sobre la vida de Zenea*, 1881.—E. Piñeyro: *Vida y escritos de Juan Clemente Zenea*, París, 1901.—J. M.ª Chacón y Calvo: *Luisa Pérez de Zambrana*, «Cuadernos de Cultura», La Habana, 1907.—J. Elías Entralgo: *Luisa Pérez de Zambrana*, La Habana, 1921.— E. de los S. Fuentes Betancourt: *Luisa Pérez de Zambrana*, Santiago de Cuba, 1879.—E. J. Varona: Pról. a las *Poesías* de Luisa Pérez de Zambrana, La Habana. 1922.

V. J. M. Roa Bárcena: *Antología de poetas mexicanos* (publicaciones de la Academia Mexicana), 1892-94).— R. Domínguez: *Los poetas mexicanos*, Méjico, 1888.— F. Pimentel: *Biografía y crítica de los principales poetas mexicanos*, Méjico, 1868.—C. González Peña: *Historia de la literatura mexicana*, 2.ª ed., Méjico, 1940.—J. Jiménez Rueda: *Letras mexicanas en el siglo XIX*, «Fondo de Cultura Económica», Méjico, 1944; *Historia de la literatura mexicana*, Méjico, 1942.—F. Pimentel: *Historia crítica de la literatura en México*, 1883.—M. Menéndez Pelayo: *Ob. cit.* («Románticos mejicanos», I, págs. 118-62).—P. Avila: *The Introduction of Romanticism in México*, XII, Stanford, 1937.—L. Villegas García: *Algunos caracteres de la poesía romántica mejicana*, Méjico.— J. J. de Pesado: Pról. a las *Poesías* de don Fernando Calderón, 1849.—I. M.ª Altamirano: Pról. a *Pasionarias* de Manuel M. Flores, París, 1892.—B. Jarnés: *Manuel Acuña, poeta de su siglo*, Méjico.

CAPITULO LXVIII

LA PROSA ROMANTICA EN AMERICA:
A) PAISES DEL SUR

I. ANTECEDENTES: *Principales tendencias de la prosa en este período. La novela histórica.*—II. NOVELISTAS RIOPLATENSES: *«Amalia», de Mármol. «El matadero», de Echeverría. «Facundo», de Sarmiento. Más novelas y novelistas. Lastarria, Bilbao y otros chilenos. Magariños Cervantes y otros narradores uruguayos.*—III. BOLIVIA, ECUADOR Y PERÚ: *Los «costumbristas» bolivianos. «Cumandá», del ecuatoriano León Mera. Varios narradores peruanos.*—IV. RICARDO PALMA: *Vida y persona. Producción literaria. El poeta, el crítico, el filólogo y el historiador. Las «Tradiciones peruanas». Clasificación y contenido.*—V. COLOMBIA Y VENEZUELA: *Escritores de costumbres. Novelistas históricos. «María», de Jorge Isaacs. Prosistas venezolanos.*—NOTAS.
BIBLIOGRAFÍA.

I. ANTECEDENTES

El Romanticismo—ya quedó subrayado en otro lugar—coincide en Hispanoamérica con la independencia política. Si insistimos aquí en ello es porque tal circunstancia nos explica hasta cierto punto la vida y la obra de la mayor parte de los escritores de aquel tiempo, particularmente de los novelistas. Inmerso en la efervescencia política, el escritor americano es un combatiente más, un activista que toma parte directa en la lucha; desempeña cargos directivos, y en no pocas ocasiones accede a las más altas magistraturas [1]. Todo esto trasciende, ya lo vimos en otros capítulos, a la poesía, y aún se refleja con más acusados relieves en la novela.

A partir del Romanticismo la novela adquiere en América extraordinario auge. En el aspecto formal y técnico sigue imitando a la europea; pero en su contenido empieza ya a independizarse, buscando temas y motivos inspiradores de carácter autóctono, tanto en el pretérito, poco desvelado todavía, como en un acontecer próximo, que, hay que reconocerlo, suministra a la novelística americana de aquella hora los más ricos materiales. Piénsese en *Amalia*, de Mármol, y en *María*, de Isaacs. En ambas la técnica es europea: la de Walter Scott, en la primera; la de Chateaubriand y Lamartine, en la segunda; sólo que aplicadas a asuntos netamente americanos. Algo semejante ocurre con *El matadero*, de Echeverría: sin salirse de la técnica realista, se desarrolla un episodio de historia actual. A no ser que se prefiera ver ya en esta obrita la manifestación temprana de un incipiente naturalismo. Consignemos, por último,

que son Méjico y Argentina los países donde la novela romántica alcanza mayor desarrollo, si bien es en Colombia donde dió su producto más valioso, con *María*, de Jorge Isaacs.

Principales tendencias

Suelen señalarse cuatro: *a)* la costumbrista, en que se incluye tanto la novela propiamente dicha como el cuadro de corta extensión y de tono casi siempre satírico; *b)* la histórica; *c)* la sentimental, y *d)* la político-social. Sería un error pensar que cada uno de estos grupos representa un tipo puro. El costumbrismo aparece de modo más o menos ocasional, y de ordinario se manifiesta fuertemente unido con lo histórico. Por otra parte, lo político-social, que degenera pronto en demagogia con todos los tópicos inherentes a la misma, se enmarca cómodamente en un ambiente costumbrista y se va cargando sin notarlo de un sentimentalismo dulzón, ñoño, melodramático, que termina por quitar todo su nervio a las creaciones del género. Lo histórico se refugia fácilmente en lo truculento, cuando no desemboca, dada la ideología de la mayor parte de los escritores de este tiempo, en un campo bien abonado para la clerofobia y la anarquía. Nunca, dicho sea de paso, fué lo «histórico» el fuerte de la llamada «novela histórica», que se creyó en todos los países y en todas las épocas autorizada para deformar y falsear a su capricho los datos del pasado. Pero en Hispanoamérica este falseamiento alcanzó, si cabe, mayor gravedad; y el dominio español empezó a verse, desde los albores mismos de la Emancipación, como el símbolo de toda violencia y atropello. La Inquisición y Felipe II, de un lado, y los conquistadores y gobernantes españoles, del otro, fueron el blanco de todas las diatribas por parte de los escritores americanos. Ni debe extrañarnos este hecho cuando no pocos novelistas españoles—Ortega y Frías, Fernández y González, Tárrago, Parreño—no vacilaron en llevar a sus obras las mismas inexactitudes e incongruencias.

En América se produce por estas fechas un tipo de novela digno de estudio. Aludimos a la llamada novela *indianista* o *indigenista* [2], con una primera etapa en la que el indio aborigen se idealiza hasta convertirse en un personaje artificioso, síntesis de toda caballerosidad y galantería. Es un fenómeno parecido al señalado en la literatura castellana durante los siglos XVI y XVII. También entonces el moro había sido idealizado, y esta idealización es la que luego pasaría a nuestro romanticismo. En una segunda etapa la novela indianista llegaría a convertirse en diatriba político-social, y de este modo terminarían por converger en ella las cuatro tendencias de la novela romántica arriba señaladas. Todavía cabe destacar otro hecho importante: en pleno Romanticismo, y coincidiendo con análogas tendencias ya vigentes en ciertos países de Europa, hace su aparición triunfal la novela realista. Alberto Blest Gana publica en 1862 el *Martín Rivas*, una de sus mejores creaciones, ya encajada claramente dentro del realismo.

La novela histórica

De los cuatro tipos enunciados, el más importante, sin duda, es el de la novela histórica. Hasta tal punto que si tratáramos de buscar una nota discriminatoria entre Romanticismo y Realismo, aplicada a la literatura hispanoamericana, acaso en ninguna zona la hallaríamos tan clara como en esta de la novela histórica.

Pero lo histórico en el concepto romántico tiene un valor peculiar y muy relativo. Por lo pronto, los románticos desdeñan lo contemporáneo. Esclavos de su fantasía buscan campo libre en la evocación del pasado remoto, sin preocuparse nada, o preocupándose en grado mínimo, de la veracidad y de la exactitud. Tampoco la moral parece inquietarles. Este principio, aplicable a toda la novelística europea de tipo histórico, sólo en parte afecta a la americana. Las mejores novelas del género en el nuevo continente se inspiran en hechos inmediatos. Las hay, y en gran cantidad, basadas en la historia más o menos remota; pero—tal vez con la sola excepción del *Enriquillo*, de Galván—las más logradas son casi coetáneas del suceso en ellas relatado.

Hay más aún. La historia contemporánea, aprovechada por los románticos como materia novelesca, suele ser tratada por ellos con una concepción enteramente realista o, mejor todavía, con un sentido costumbrista. No ha de extrañarnos, ya que así concibió también y realizó su ingente obra Pérez Galdós. Pero esto nos lleva en la práctica a una clara discriminación: mientras en ciertos productos novelísticos habremos de atender ante todo al fondo histórico, en otros deberemos enjuiciar antes que nada su valor en cuanto cuadros de costumbres. Un ejemplo: *Amalia*, del argentino Mármol, y *El Zarco*, del mejicano Ignacio M. Altamirano. Ambas se basan en sucesos reales, de trascendencia nacional; sucesos ocurridos ante la mirada del autor; captados, cogidos por éste de la misma vida y trasladados aún «en caliente» a las páginas de la novela. No obstante, *Amalia* puede y debe calificarse de «histórica», mientras *El Zarco* ha de incluirse en el género «costumbrista». La razón es clara: Mármol atiende principalmente al estado general del país, al panorama en que se desarrollan los sucesos, a una visión colectiva; Altamirano prefiere mostrarnos aspectos íntimos de la vida. *Amalia* interesa como reflejo de una etapa histórica en la vida argentina, un período de opresión que afectó a todo un pueblo; *El Zarco* atrae y cautiva por el conflicto sentimental que en sus páginas se plantea, por la psicología, tan hábilmente descrita, de la doble pareja de enamorados. Lo que puedan representar en la vida de una nación las fechorías de los «plateados» sólo importa en último lugar.

II. NOVELISTAS RIOPLATENSES

Hechas estas observaciones, pasamos al estudio de la novela romántica en cada país. Y empecemos por la Argentina.

Los novelistas argentinos de este período, salvo contadas excepciones, pueden incluirse bajo el denominador común de «unitarios». Enemigos del régimen dictatorial de Rosas y perseguidos por él, esta mera circunstancia confiere a su obra, prescindiendo ahora de su valor estético, un carácter especial de diatriba política, que en no pocos casos degenera en panfleto. El *leitmotiv* de esta generación es el odio al tirano. Pero este «odio al tirano», que en la España de 1835, a la vuelta de los desterrados fernandinos, se reducía a simple tópico romántico, en la Argentina de Rosas era sangrante y trágica realidad. Sólo la huída del país pudo salvar a muchos escritores argentinos de las cárceles rosistas. Esto da a las novelas de Mármol y Echeverría, y a las piezas dramáticas de Echagüe y de Alberdi, una pasión de que carecen la novela y el teatro románticos en otros países de Hispanoamérica. Ya hemos visto que el mismo tono de violencia agitaba la poesía lírica de los «proscriptos».

«Amalia», de Mármol

No es la primera novela romántica cronológicamente considerada; pero sí la que alcanzó mayor popularidad.

De JOSÉ MÁRMOL (1817-1871) como lírico se habló ya en otro lugar [3]. Del Mármol dramaturgo nos ocuparemos en el capítulo correspondiente. Digamos aquí dos palabras del novelista, género en que nos ha dejado una sola obra: *Amalia*. Llena de imperfecciones gramaticales y de léxico —galicismos, solecismos, etc.—, obtuvo un éxito asombroso, tanto por la pasión que pone su autor en el relato de los hechos como por las circunstancias de su aparición. Las dos primeras ediciones corresponden a 1851 y 1855. Auténtica crónica de la tiranía de Rosas, apenas puede llamarse novela histórica, ya que los sucesos en ella narrados sólo distan una década de la fecha en que se entregan a la curiosidad del lector. No obstante, Mármol sabe darles perspectiva y ambientación hasta hacer de *Amalia* un tipo intermedio entre lo histórico y lo político, y en todo caso, una excelente novela por encima de todas sus negligencias de estilo [4].

La acción transcurre en el plazo de cinco meses: exactamente, entre el 4 de mayo de 1840, en que un grupo de «unitarios» es sorprendido al intentar evadirse y pasar a Montevideo, y el 5 de octubre del mismo año, en que la «mazorca» de Rosas descubre y asesina a Eduardo Belgrano, único superviviente de los fugitivos. Entre estas dos sangrientas escenas fluye la acción, apoyada en una trama débil, sin que por ello decaiga el interés del extenso relato, ya que el autor ha sabido sembrar aquí y allí cuadros sombríos y suficientemente alucinantes para mantener en todo momento en vilo la atención de los lectores. *Amalia*, no se puede negar, rezuma por todas sus páginas ese lacrimoso sentimentalismo característico de la época. Sin duda, Mármol, al redactarla, tuvo presentes a Walter Scott y a Chateaubriand. Pero ello apenas le resta mérito, porque el lector, antes que la construcción novelesca, descubre en ella el documento de época. Y en este aspecto, *Amalia* encierra un valor innegable. Hechos y personajes son reales; y Mármol nos los presenta sin disfraz, en toda su autenticidad, con sus nombres y apellidos; todo lo cual da a la obra una impronta realista pocas veces alcanzada por ningún escritor. Como contrapartida de carácter negativo está la psicología de los personajes, arbitraria y enteramente falsa. Mármol no sabe de términos medios; sus criaturas tienen que ser ángeles o demonios.

Véase la trama: Eduardo Belgrano y cuatro amigos más, traicionados por un mazorquero que se había comprometido a facilitarles la fuga hasta Montevideo, se ven sorprendidos por la ronda de facinerosos que acaudilla el comandante Cuitiño. Todos caen degollados, menos el joven Eduardo, que, auxiliado por su amigo Daniel Bello, logra escapar gravemente herido. Para librarle de la persecución de Rosas, el mismo Bello le esconde en casa de su prima Amalia, viuda joven y hermosa. Enamoramiento de los dos jóvenes; búsquedas inútiles por parte de Rosas, quien confía a su cuñada María Josefa Ezcurra la busca y captura del fugitivo. Le identificará por una cicatriz enorme que lleva en el muslo. Por confidencias de unos sirvientes negros, Josefa empieza a sospechar de Amalia; se decide a visitarla, y al despedirse, apoya su mano en el muslo de Eduardo, comprobando la cicatriz. El joven, en constante peligro, huye de casa en casa. Contrae matrimonio con Amalia, y cuando se dispone a pasar a Montevideo, es asesinado por la policía de Rosas, juntamente con su fiel criado Pedro.

La trama, bien se descubre en el anterior resumen, es aquí lo accesorio. Lo fundamental es la intención; la violencia apasionada con que se ataca a un régimen y a la persona que lo encarna, poniendo al descubierto sus lacras y abusos. Que éste era el propósito de Mármol nos lo demuestra el hecho de que, una vez caído don Juan Manuel, tras la batalla de Caseros (1852), el novelista enmudece. Suprimido el motivo, se acabó también la inspiración. El partidismo del autor, si por una parte imprime a la obra aliento renovado, por otra le perjudica, ya que su obsesión por comprobar cuanto escribe le lleva a insertar copias de documentos oficiales, más propios de una crónica que de una novela. Mármol nos adentra en los secretos de una época de tiranía en la que los menos asesinan impunemente a los más, aprovechando la desunión que reina entre éstos [5]. Nos hallamos, pues, ante una novela doctrinaria. Más que de una obra de arte se trata de un alegato, un mensaje que la generación de los proscritos lanza a la posteridad para justificar su conducta y su odio al tirano. Los proscritos escriben, en efecto, para las gentes futuras más que para sus contemporáneos. De ahí su atención a lo documental, a la aportación de pruebas con miras al definitivo fallo de la Historia. Es así, en parte, como hay que enjuiciar esta novela de Mármol.

El éxito de *Amalia* movió a multitud de escritores a tratar temas históricos basados en una realidad inmediata. Ello dará a sus creaciones un matiz especial que las distingue de las europeas de su tipo. Al decrecer el elemento histórico, se agrandará y pasará a primer plano el elemento realista. Gran parte de la novela «indianista» es resultado de esta concepción, visible aún en obras como *Caramurú*, del uruguayo Magariños Cervantes, tan falsa por otro lado y tan recargada de tópicos románticos. En lo que toca a *Amalia*, el realismo está patente. Pocos tipos encontramos en la novelística americana tan magistralmente pintados como el de don Juan Manuel Rosas, doña Encarnación Ezcurra o el de la discutida Manuelita Rosas Ezcurra. El mazorquero Cuitiño es una figura de cuerpo entero. Las fugas por las barrancas del lujoso barrio de Belgrano están recogidas con una fidelidad difícilmente superable. Otro tanto cabe decir de la vida de los exiliados en Montevideo, de los excesos de la gente de Rosas, del amor desesperado de la protagonista y de Eduardo.

«El matadero», de Echeverría

De tono distinto, si bien referido a la misma época rosista, es El matadero. De él hicimos mención al estudiar la obra poética de ESTEBAN ECHEVERRÍA (1805-1851), en el capítulo dedicado a la lírica romántica. Completemos aquí la referencia con un breve análisis.

Si Mármol inicia con Amalia el género histórico-político, Echeverría nos ofrece en El matadero un anticipo de novela, o cuento extenso, realista y hasta naturalista, con todas las condiciones requeridas por el género, sin desdeñar lo feo y repugnante, como fiel reproducción de la realidad. Escenas de dolor, de sangre y de martirio se nos presentan en ininterrumpida serie y en toda su crudeza. Y esto, treinta años antes que Zola sorprendiese al mundo con sus creaciones de este tipo. Con lo que no tratamos, ni mucho menos, de insinuar que el novelista argentino hubiese podido influir en el patriarca de Medan y su escuela. Lo consignamos sólo como un dato más, comprobatorio de que las modas o movimientos literarios, aunque influídos por corrientes externas, llevan en su entraña siempre un fondo autóctono, que terminaría por aflorar aun sin aquellas influencias.

Escrito en 1840, año en que se sitúa la acción de Amalia, consta El matadero de dos partes: una, en que se describe con técnica casi fotográfica el funcionamiento de un matadero, sin soslayar los aspectos más repulsivos; y otra, en que se traza el panorama de la capital argentina bajo el desaforado imperio de la mazorca rosista. Doquiera dominando el tono rojo: casas, puertas, ventanas, paredes y hasta las corbatas masculinas y las moñas de las mujeres, pintadas de ese color. Rojas también las aceras con la sangre de los infelices «unitarios», degollados por la mazorca. El título de la obra cobra así un doble sentido: el literal, alusivo al lugar en que se sacrifican a las reses; y el simbólico, aplicable a todo el ámbito bonaerense, convertido en matadero por los sicarios de Rosas.

Echeverría no se propuso probablemente escribir una novela: por ello el título de novelista, basado en este solo relato, quizá le venga ancho. Sin embargo, acredita excelentes condiciones para el género, en el que hubiera obtenido indudables

éxitos, de haber continuado cultivándolo. En El matadero hay un estilista de primer orden; hay una acción hábilmente conducida y narrada; hay, sobre todo, un acierto absoluto en el paralelismo de las escenas alucinantes que cierran las dos partes de la obra. En la primera, uno de los toros dispuestos para el sacrificio logra romper las amarras y lanzarse a la fuga. En la calle cornea a un niño, después de seccionarle la cabeza. El cadáver queda desangrándose en medio de la calzada y entre las chocarrerías de matarifes y mazorqueros. En la segunda, apenas apagada la bulla, aparece un joven unitario, que trata de huir a todo el galope de su caballo. El jefe de los mazorqueros, Matasiete, le persigue: le da alcance, le derriba y, ayudado por sus compinches, le ata de pies y manos, martirizándole bárbaramente. El infeliz logra romper las ligaduras; pero muere desangrado, al intentar la fuga, en presencia de sus verdugos.

«Facundo», de Sarmiento

¿Hasta qué punto puede calificarse de novela la obra más afamada de aquel polígrafo insigne, tan celebrado por unos como escarnecido por otros y que se llamó DOMINGO FAUSTINO SARMIENTO (1811-1888)? Mezcla de historia, biografía, ensayo sociológico, con no pocos elementos novelísticos, el Facundo puede ser desglosado sin esfuerzo del abundante catálogo de las obras de Sarmiento, para su análisis en este lugar, aunque sólo sea porque, al igual que Amalia y El matadero, es un inestimable documento histórico y humano de la época rosista. Todo ello sin perjuicio de volver sobre la rica y compleja figura de su autor en el capítulo consagrado a los ideólogos y ensayistas del xix.

Limitada ahora nuestra atención a Facundo, empecemos por distinguir en él cuatro ingredientes que, lejos de excluirse, se amalgaman íntimamente:

a) Una biografía del caudillo gaucho Facundo Quiroga, que da su nombre al relato.

b) Una historia de las guerras civiles argentinas y de las causas que las provocaron.

c) Un estudio de las costumbres y de la vida del país, centrado en sus tipos más representativos: el rastreador, el baqueano, el gaucho malo, el gaucho cantor, etc.

d) Un ensayo sociológico, geográfico y político, que da pie al autor para formular toda una interpretación filosófica de la historia.

El título completo: Civilización y barbarie: Vida de Juan Facundo Quiroga (1845), es ya suficientemente expresivo y nos revela el alcance que el autor quiso dar a su novela o ensayo. Para su exposición parte Sarmiento de un hecho concreto: la especial estructura de la nación argentina, estructura que constituye el secreto de todo su devenir histórico. El suelo argentino, la propia geofísica del país, es la que provoca la aparición y el triunfo del *caudillaje gaucho*. Campo o pampa y ciudad se oponen constante y fatalmente. Aquél representa la barbarie; ésta, la civilización; aquél, las rémoras de un pasado más o menos glorioso, pero ya periclitado e infecundo; ésta, el progreso necesario para la vida de los pueblos. Cuando la ciudad empieza a surgir, en un intento de incorporarse a las vanguardias de la cultura, la pampa que la rodea, que la ciñe por todas sus partes, se pone también en marcha, la inunda como un mar y vuelca sobre ella sus olas de barbarie. Son los gauchos, los caudillos pamperos, Facundo Quiroga o Juan Manuel Rosas, que aparecen en el horizonte argentino como una manifestación bravía y ciega de la Naturaleza. Historia y geografía se confunden así, hasta el punto de que aquélla está determinada ineludiblemente por ésta:

«El mal que aqueja a la República Argentina es la extensión: el desierto la rodea por todas partes, se le insinúa en las entrañas; la soledad, el despoblado, sin habitación humana, son por lo general los límites incuestionables entre unas y otras provincias... Al Sur y al Norte acéchanla los salvajes, que aguardan las noches de luna para caer, cual enjambre de hienas, sobre los ganados que pacen en los campos y las indefensas poblaciones... Si no es la proximidad del salvaje lo que inquieta al hombre del campo, es el temor de un tigre que le acecha, de una víbora que puede pisar; esta inseguridad de las vidas, que es habitual y permanente en las campañas, imprime, a mi parecer, en el carácter argentino cierta resignación estoica para la muerte violenta» (Cap. I, parte I).

Ante este cuadro sombrío, toda esperanza de vida espiritual queda truncada: sólo barbarie frente al programa civilizador que defiende Sarmiento. La vida es puramente instintiva; única ley, la fuerza bruta. Oigámosle:

«El progreso moral, la cultura de la inteligencia, descuidada en la tribu árabe o tártara, es aquí no sólo descuidada, sino imposible. ¿Dónde colocar la escuela para que asistan a recibir lecciones los niños diseminados a diez leguas de distancia en todas direcciones? Así, pues, la civilización es del todo irrealizable, la barbarie es normal, y gracias si las costumbres domésticas conservan un corto depósito de moral. La religión sufre las consecuencias de la disolución de la sociedad; el curato es nominal; el púlpito no tiene auditorio; el sacerdote huye de la capilla solitaria o se desmoraliza en la inacción y en la soledad; los vicios, el simoniaquismo, la barbarie normal penetran en su celda y convierten su superioridad moral en elementos de fortuna y de ambición, porque al fin concluye por hacerse caudillo de partido» (Cap. I, parte I).

En medio de este panorama desolador, sólo Buenos Aires se alza con una vida organizada y comparable a la de las grandes ciudades europeas. No obstante, nada ha hecho la capital en beneficio de las provincias del interior. Y esta inhibición es para Sarmiento la principal causa de la guerra civil.

«Ella sola, en la vasta extensión argentina, está en contacto con las naciones europeas; ella sola explota las ventajas del comercio extranjero; ella sola tiene el poder y las rentas. En vano le han pedido las provincias que les deje pasar un poco de civilización, de industria y de población europea; una política estúpida y colonial se hizo sorda a estos clamores. Pero las provincias se vengaron mandándole a Rosas, mucho y demasiado de la barbarie que a ellas les sobraba» (Cap. I, parte I).

Pasemos por alto lo del «enjambre de hienas» y otras libertades de estilo; sabido es, y sobre ello tendremos ocasión de insistir al estudiarle en el conjunto de su obra, que Sarmiento no se distinguió precisamente por la corrección y pureza del idioma. Reconozcamos, sin embargo, en esta primera parte del *Facundo* un esquema interpretativo de la nacionalidad argentina, tan sugestivo como simplista. Sin duda hay en ello mucho de realidad. Sin duda hay también, como en todas las grandes generalizaciones, bastante de imaginario. Pero la exposición está hecha con tal calor y brillantez, que a nadie debe asombrar que el pueblo argentino la aceptase desde el primer momento como una de las más acertadas interpretaciones de su psicología nacional.

En la segunda parte se nos da, trazada con los rasgos más certeros, la biografía de Facundo Quiroga, el *Tigre de los Llanos*. Estatura baja, cuerpo fornido, ancha espalda, cuello corto, testa bien formada, cubierta de pelo espesísimo, negro y ensortijado; cara un tanto ovalada, barba espesa, crespa y negra; tez morena y una cabeza que revelaba «la organización privilegiada de los hombres nacidos para mandar». Así el retrato hecho por Sarmiento. Hijo de un sanjuanino de humilde condición avecindado en los Llanos de la Rioja, Quiroga da desde los primeros años pruebas inequívocas de sus salvajes instintos. Sombrío y rudo, sus notas más acusadas serán un ansia inextinguible de dominio y una loca pasión por el juego. Niño aún, atropella al maestro, abofetea a su padre, incendia el hogar y asesina al juez y hasta al funcionario que acababa de libertarle. Se impone por el terror; y ya caudillo, su vida es una interminable lista de crímenes y atropellos. Llega a dominar varias provincias; y hay un momento en que sólo dos figuras se perfilan en el horizonte argentino: Quiroga y Rosas. Pero éste, más astuto, aunque no menos sanguinario, se las arregla para desembarazarse de Facundo, haciéndole asesinar en Barranca-Yaco. Con la muerte de Facundo queda sólo la tiranía de Rosas.

Y la tercera parte está consagrada a la exposición de las atrocidades del régimen rosista. Sarmiento centra en él todos sus ataques. Pero Facundo y Rosas no son sino dos encarnaciones de la tiranía, y lo que busca y anhela Sarmiento es la superación de la realidad histórica que los ha hecho posibles. Este anhelo sólo llegará a realizarse mediante la educación nacional y la inmigración europea. De la fusión de ambas habrá de nacer el progreso técnico, económico y cultural del pueblo argentino. Facundo es, ya queda dicho, una fuerza ciega, un producto natural. Sarmiento lo acepta así, y por ello, aun reconociendo y condenando sus brutalidades, simpatiza con él. Simpatiza instintivamente, con todo lo que tiene el gaucho de arrojo, de violencia y de tenacidad. Si abomina de su conducta, es en nombre de principios políticos. Por lo demás, no aspira a exterminar al gaucho, sino a educarle. En cierta ocasión Sarmiento llegó a decir: «Facundo y yo somos afines.» Y era verdad. La misma pasión y violencia que el gaucho llevó a todos sus actos, ponía en sus escritos Sarmiento. Y esa pasión, ese fuego que caldea las páginas todas de *Facundo,* es lo que da a esta obra, por encima de su estilo descuidado y con frecuencia pedestre, por encima de sus lecciones de historia, más propias de un maestro de escuela que de un auténtico expositor, un valor permanente dentro del romanticismo americano.

Más novelas y novelistas

Con las tres obras citadas queda virtualmente agotado lo más representativo de la novelística argentina de este período. Completemos, no obstante, el cuadro con unos cuantos nombres de menor categoría.

JUAN BAUTISTA ALBERDI (1810-1884), más notable como político, orador y articulista, debe su fama principalmente a *Las bases,* que tanta influencia ejercieron en la Constitución argentina de 1853. Hombre frío y razonador, observó ante el Romanticismo una actitud simplemente comprensiva, nunca entusiasta. Costumbrista célebre y admirador de Larra, escribió con el seudónimo de *Figarillo* artículos que valen más como documentos políticos que como creaciones literarias. En lo imaginativo nos dejó una *Peregrinación de Luz del Día,* a duras penas clasificable como novela, y en la que, bajo un alegorismo poco afortunado, intenta describir la vida política rioplatense de su tiempo. Luz del Día (la Verdad) huye de los horrores de la Europa del 70 y se refugia en América, en busca de las viejas virtudes. Pero allí encuentra los eternos vicios humanos: la hipocresía, encarnada en Tartufo; la picardía, en Gil Blas; el cinismo, en Fígaro; la incontinencia, en Don Juan, etc. Es obra difícilmente digerible para un paladar moderno [6].

Mayor aprecio merece, aunque sólo sea por su cuidada expresión, *Un capitán de patricios,* novela publicada por JUAN MARÍA GUTIÉRREZ (1809-1878 en 1874, aunque escrita unos treinta años antes. Se trata de unos amores idílicos interrumpidos por la guerra de la independencia. En lo psicológico, el protagonista es un remedo del Rafael lamartiniano. Tiene algunos rasgos de sano realismo. Pero el tono tribunicio de la época y un sentimentalismo blandengue afean continuamente la narración. Sirva de ejemplo aquel fino pañuelo de Cambray que el protagonista saca de su bolsillo para enjugar el sudor, empleado realmente «en recoger las lágrimas que, sin poderlo remediar, derramaba copiosamente», al oír un romance recitado por su amada. Gutiérrez, ya hemos tenido ocasión de advertirlo, es más poeta que novelista, y mejor crítico aún que poeta. Acaso el mejor crítico americano de su tiempo. A este aspecto se aludirá en el capítulo dedicado al ensayo en Hispanoamérica.

En la misma línea cabe citar *La novia del hereje, o la Inquisición en Lima,* de VICENTE FIDEL LÓPEZ (1815-1903), más estimable por sus trabajos sobre filosofía de la historia que por sus obras narrativas. *La novia del hereje,* publicada en folletín en 1846, no fué dada en volumen hasta ocho años después. Relata los amores del luterano Henderson, lugarteniente de Drake, con la bella limeña María Pérez. Sobre un fondo histórico, la expedición inglesa contra Lima, se desarrolla un amplio cuadro novelesco, en que los personajes más destacados son—aparte la pareja de enamorados—el santo arzobispo Toribio y el capitán Sarmiento de Gamboa. El defecto capital es el amontonamiento de lances, en buena parte inverosímiles. Con la liberación de presos, víctimas de la Inquisición de Lima, por los piratas ingleses, concluye esta novela, bien arropada en toda clase de tópicos románticos: incendios, muertes violentas, traiciones, amores imposibles, entrevistas nocturnas, subterráneos y puñales. El mismo López nos legó en *La loca de la Guardia,* calificada por su autor de «cuento histórico», una auténtica novela de la época del Libertador, con una idea central muy emotiva, aunque disuelta en una serie de episodios más o menos fantásticos. Su novela epistolar *La gran semana de 1810* interesa aún en cuanto reflejo del estado cultural de Buenos Aires en el primer tercio del XIX.

Anotemos aún: *Amalia y Amelia, Un lego de San Francisco, La Chapanay* y *Elvira o El temple de alma de una sanjuanina,* de PEDRO ECHAGÜE, uno de los primeros proscritos que llevó a las tablas la figura de Rosas; *Esther, La familia Scooner* (1858), *Noche de bodas. El Traviato, En el tren, La semanera,* etc., de MIGUEL CANÉ (1812-1863), escritor inmerecidamente preterido y eclipsado por la fama de su hijo, quien, justo es reconocerlo, supo evocarlo cordialmente en las páginas preliminares de *Juvenilia; Botón de rosa y*

Soledad, doble testimonio de la fina sensibilidad romántica del ilustre general, político e historiador don BARTOLOMÉ MITRE (1821-1906), uno de los hombres más preclaros de su generación[7]; y *El pozo de Yocci, La Quena* y *El tesoro de los incas,* de la infatigable escritora JUANA MANUELA GORRITI (1818-1892), una de las personalidades más interesantes que ha producido Hispanoamérica[8].

No menos de un centenar de creaciones novelescas registran los historiadores de la literatura argentina entre 1850 y 1880. Muchas de ellas siguen el impulso inicial de *Amalia;* otras llevan distinto rumbo. Entre las primeras pueden citarse una *Camila O'Gorman,* de Filiberto Pellissot; un *Prisionero de los Santos Lugares,* de F. Barberá; o *Los mártires de Buenos Aires,* de M. N. N. Luego, este tipo de novelas degenera en folletín; por ejemplo, en otra *Camila O'Gorman,* de Julio Llanos; en *La campana de San Telmo,* de Victorino José Cabral; y en las narraciones de Eduardo Gutiérrez sobre la mazorca y sus siniestras hazañas. Otros novelistas, siguiendo el gusto por lo histórico, buscan su fuente de inspiración en las crónicas y leyendas del pasado colonial: Santiago Estrada *(La flor de las tumbas* y *Un hogar en la Pampa),* y Héctor Varela, que en 1870, recién terminada la guerra con el Paraguay, dió a la estampa, con el título de *Elisa Lynch,* un relato biográfico-novelesco sobre la amante del dictador Francisco Solano López.

Mención especial merecen ROSA GUERRA y EDUARDA MANSILLA DE GARCÍA. La primera, muerta en 1894, debe recordarse más como educadora y periodista. Entre sus novelas destacan *Julia, o la educación,* con evidentes recuerdos roussonianos; *La camelia* y *Lucía Miranda,* relativa a la conocida leyenda de la conquista, tan repetida en la literatura americana; escrita antes de 1858, el tono y los personajes—idealización del indio, al que se presenta como prototipo de caballerosidad— están en la línea del más exaltado romanticismo. Análogos caracteres tiene la *Lucía Miranda* de Eduarda Mansilla (1838-1892), enriquecida con felices observaciones paisajísticas; romanticismo y realismo se funden en otras novelas de la misma escritora: *El médico de San Luis* y *Pablo, où la vie dans les pampes,* de ambiente gauchesco e impresa en París.

Lastarria, Bilbao y otros chilenos

Escaso interés ofrece la novela chilena de este período, si exceptuamos la de un autor casi genial: Alberto Blest Gana. Pero Blest Gana, aunque iniciado en la novela romántica y muy influído por ella lógicamente, señala una línea de transición al realismo, y en tal sentido está considerado en su país como el creador de la novela moderna.

Los demás nombres son más bien materia de bibliografía que de historia literaria. Sólo dos, Victorino Lastarria y Manuel Bilbao, logran sobresalir un poco en esta rasante de auténticas medianías. Esos nombres son el de SALVADOR SANFUENTES (1817-1860), cultivador afortunado de cuadros costumbristas; GUILLERMO BLEST GANA (1829-1904), hermano de Alberto, mejor poeta que novelista, ya en otro lugar aludido como lírico; JOSÉ JOAQUÍN VALLEJO (1809-1858), que popularizó en su país el seudónimo de *Jotabeche.* Espíritu refinado, con una dosis no pequeña de humorismo, supo captar las costumbres de su tierra en varias series de cuadros, artículos y narraciones breves, rezumantes de ingenio: *El provinciano* y *El provinciano en Santiago.* Intervino en las polémicas con Sarmiento, durante la estancia de éste en Chile, poniendo de manifiesto su sólida formación clásica y su talento, siempre propenso a la ironía.

Mención aparte merecen JOSÉ VICTORINO LASTARRIA (1818-1888) y MANUEL BILBAO (1827-1895). Lastarria trata de liberar la novela chilena de los moldes españoles, valiéndose para ello de una intensificación del elemento costumbrista criollo. Autor de unos *Recuerdos literarios,* de alto valor autobiográfico, es considerado el creador del cuento en su país; y en este género hay que reconocerle aciertos como *Don Guillermo, Rosa* y otras narraciones ligeras, escritas con tanto ingenio como soltura. Discípulo al principio del español José Joaquín de Mora, se dió a conocer en 1843 con el relato histórico *El mendigo,* al que siguió, en 1848, otra de sus mejores narraciones, *El alférez Alonso Díaz de Guzmán.* A la intervención de Lastarria en las controversias literarias de su país se aludió ya en el capítulo LXVI.

Manuel Bilbao cosechó sus mejores triunfos en la novela histórica. Una de sus producciones del género, *El inquisidor mayor, o historia de unos amores* (1852), le dió extraordinario renombre. Escrita bajo el signo de Dumas padre, se da en ella rienda suelta a la fantasía y al furor anticlerical, ingrediente indispensable en toda novela folletinesca y seudohistórica de la época, que aspirase a tener lectores. La fábula se basa en el proceso inquisitorial seguido contra el francés Francisco Moyen. En *El pirata de Guayas* (1863), otra de sus narraciones más leídas, se aprovechan sin el menor sentido crítico documentos coetáneos de los sucesos aludidos.

Fuera del marco cronológico del Romanticismo encontramos una serie de novelas que, aunque sólo sea por su carácter falsamente histórico, deben figurar aquí. LIBORIO BRIEBA (1841-1897) nos ha dejado una serie de *Episodios Nacionales* sobre la guerra de Emancipación. Aunque el título sugiere el inevitable recuerdo de Galdós, la influencia más acusada es de Dumas. De la ramplonería dominante en todos ellos apenas se salvan *Los Talaveras* (1871) y *El capitán San Bruno, o el escarmiento de los Talaveras* (1875). Más agradable de leer, aunque no de mayores quilates, es la serie de obras que, bajo la inspiración de Sue, Dumas y Zola, compuso RAMÓN PACHECO (1845-1888). Fué Pacheco el primero en tomar la guerra chilena por materia de sus novelas: *La chilena mártir, o los revolucionarios del litoral* (1883), *La generala Buendía* (1885), *Los héroes del Pacífico* (1887) y algunas más. Carente de buen gusto y sin sentido de la mesura, sólo el patriotismo que las anima merece nuestro elogio. Inspirado en Sue compuso *El subterráneo de los jesuítas, El puñal y la sotana, La monja endemoniada* y otras intemperancias similares, en que la truculencia corre parejas con la fobia religiosa más desenfrenada. De mucho éxito en su día, hoy yacen en justificado olvido. Mezcla de crónica y de novela son *Recuerdos de la campaña* y *Bajo la tienda,* de DANIEL RIQUELME; *La campaña de Tarapacá* y *La campaña de Lima,* del eminente historiador BENJAMÍN VICUÑA MACKENNA (1831-1886), y otras sobre la guerra del Pacífico. Contrasta el tono mesurado de estas narraciones con la violencia que caracterizaría setenta años después los relatos de la guerra del Chaco.

Magariños Cervantes y otros novelistas uruguayos

En otro lugar señalábamos la pobreza de la poesía romántica uruguaya, comparada, por ejemplo, con la argentina. No es más rica la novela de este período. Ni MARCOS SASTRE (1809-1897), uruguayo de nacimiento, aunque argentino por su obra y por su vida; ni CARLOS MARÍA RAMÍREZ (1848-1898), ni DANIEL MUÑOZ, más conocido por el seudónimo de *Sansón Carrasco,* lograron rebasar la línea de lo mediocre. A Sastre, más interesante como bibliófilo y educador, se debe *El tempo argentino,* un modelo de pintura descriptiva sobre la agreste comarca de las islas del Paraná; Ramírez no acertó a llevar a sus novelas, *Los amores de Marta* y *Los palmares,* aquel nervio y agilidad que le habían hecho famoso en la oratoria y en el periodismo; y Muñoz en su *Cristina* no supo salir del área de la llamada «novela lacrimosa».

Mejor que ellos, sin pasar de segunda fila, es ALEJANDRO MAGARIÑOS CERVANTES (1825-1893), a quien se aludió por extenso en el capítulo de la poesía romántica. Lírico mediocre, no merece mejor calificativo como novelista. La obra que le dió fama, *Caramurú* (1848), está amasada con todos los ingredientes típicos del peor romanticismo: truculencia, caracteres falsos, inverosimilitud y hasta ausencia de aquello que parece consustancial a esta clase de narraciones: colorido local. Porque ha de advertirse que *Caramurú* inicia la tendencia colonialista uruguaya. Para comprobarlo nada mejor que un esquemático extracto de su argumento: La acción se supone en 1825, durante la revolución emancipadora. Caramurú rapta a una doncella, la virginal Lía, a la que lleva consigo en sus andanzas de prófugo, asesino y aventurero de la peor ralea. Enterado de que la joven es hija de un abogado de Montevideo, antiguo protector del gaucho, domina su pasión y la reintegra al hogar paterno. El padre, vencido por este generoso rasgo de Caramurú, se la entrega por esposa. Pero un joven conde brasileño pretende también a la joven, y Caramurú, para dirimir la contienda, ha de batirse con él. El conde perece en la batalla de Ituzaingó, entre brasileños y argentinos. Al final se descubre que Lía y el noble eran hermanos. Zum Felde, sin más, califica esta obra de «disparatada». Sin embargo, al enjuiciarla ha de atenderse al momento en que fué escrita: inicio de cierta autonomía intelectual en que la truculencia—escribe Luis Alberto Sánchez—era una forma de oponerse a la larga dominación española «y un grito de protesta contra el adocenamiento colonial» [9].

III. BOLIVIA, ECUADOR Y PERU

Los mismos historiadores bolivianos, con Díez de Medina a la cabeza, están acordes en que la novela romántica en su país en ningún caso llegó a cuajar en una sola obra de valor [10]. Muchos autores y títulos; pero ni uno solo digno de otra mención que la puramente enunciativa. Falta en todos ellos la técnica de la construcción, que en términos generales se reduce a unas cuantas recetas, mal aprendidas y peor asimiladas, de los novelistas europeos.

Abre la serie SEBASTIÁN DELANGE, con *Los misterios de Sucre* (1861), evidente remedo de Eugenio Sue; y la continúan MANUEL MARÍA CABALLERO (1819-1866), con *La isla,* ingenua historia de unos amores enmarcados en el paisaje maravilloso del lago Poopó; y FÉLIX REYES ORTIZ, con *El Templa y la Zafra,* relato de amor y celos, inspirado en el asesinato de Beatriz la *Zafra.* De más fuste, sin salirse de lo discreto, son SANTIAGO VACA GUZMÁN (1846-1896), y MARIANO RICARDO TARRAZAS (1833?-1878). Vaca Guzmán, escritor correcto y de innegable poder imaginativo, imita unas veces a Dumas y a Jorge Sand, y otras veces al Lamartine de *Jocelyn,* en obras donde lo sensiblero se da la mano con un doctrinarismo social, que ahoga no pocas veces el interés del relato: *Ayes del corazón* (1867), *Sin esperanza* (1891), *Días amargos* (1886), análisis acertado del proceso psicológico del suicidio, y *Su excelencia y su ilustrísima* (1889). Tarrazas, periodista violento y panfletario, logra su mayor expresividad en *Misterios del corazón* (1869), con rasgos que recuerdan nuestra novela sentimental del xv, particularmente el *Siervo libre de amor*, de Juan Rodríguez de la Cámara. Frase cuidada, imaginación desbordante, ensamblaje hábil de los episodios y no pocos aciertos de orden psicológico contribuyen a hacer de *Misterios del corazón* una típica muestra del romanticismo boliviano, merecedora del elogio, a pesar de su tono folletinesco[11]. Menos lograda que la anterior, *Recuerdos de una prisión* ofrece un agudo análisis de ciertos estados pasionales, que desembocan en adulterio y muerte. Por la veracidad y exactitud de observación merece asimismo recuerdo *El sitio de París*, crónica del asedio de la capital por el ejército prusiano. Tarrazas fué testigo presencial del cerco[12].

Los «costumbristas» bolivianos

Lo que los bolivianos de este período no alcanzan en la novela propiamente dicha, casi lo logran en el relato breve. Dentro aún de la línea romántica, o acaso mejor, en esa zona de tránsito del romanticismo al realismo, encontramos unos pocos escritores altamente representativos. Son los *tradicionistas* y *costumbristas*. Con ellos se inicia la reacción en temas y estilo contra el romanticismo de tipo galo. Los *tradicionistas* inician la reacción; los *costumbristas* la consuman. Unos y otros vuelven a los modelos españoles: Larra, Estébanez Calderón, Mesonero Romanos, etc. Los *tradicionistas*, bebiendo en las crónicas del período colonial, aspiran a reproducir el pasado, lo que realizan con amenidad, decoro estilístico y un propósito deliberado de dar a conocer los rasgos fundamentales de la vida nacional. Los *costumbristas* se sienten más atraídos por lo actual y, atentos sobre todo a lo pintoresco, se desentienden hasta cierto punto del estilo, buscando en todo los perfiles satíricos y humorísticos. Citemos de los primeros sólo dos nombres: MODESTO OMISTE y JULIO LUCAS JAIME. Omiste llama la atención por su escrupulosidad informativa, de que son prueba fehaciente los dos tomos de sus *Obras escogidas*. Lucas Jaimes, más conocido por el seudónimo de *Brocha Gorda*, es el máximo representante del grupo. De sólida formación humanística y muy influído por nuestros clásicos del siglo XVII, en especial por los barrocos, dejó entre sus obras una *Villa imperial de Potosí*, conjunto de leyendas y tradiciones que pueden ponerse sin desdoro al lado de las *Tradiciones peruanas* de Palma. Su novela *Delia* y su obra dramática son muy inferiores.

Entre los costumbristas encontramos varios de más relieve aún. Y eso que prescindimos aquí de Nataniel Aguirre, Alcides Arguedas, Armando Chirveches y Jaime Mendoza, a quienes se aludirá en el capítulo dedicado a la novela realista. A pesar de ello, con César Valdés y dos mujeres, Lindaura Anzoátegui y Adela Zamudio, Bolivia tiene bastante para cubrir discretamente este período.

JULIO CÉSAR VALDÉS, pedagogo insigne, es también el más fino costumbrista del país. «Espíritu afín a Larra y a Pereda, cáustico como el uno, penetrante y zumbón como el otro», dice un crítico boliviano. No conviene desorbitar las cosas. Agudo observador, Valdés tiene bastante con haber sabido calar más hondamente acaso que ningún otro en los males de su país, describiéndolos con innegable ingenio y apuntando el oportuno remedio: la instrucción. Sus dos obritas, *El brujo* y *La revolución,* suponen en este sentido una valiosa aportación a la cultura boliviana[13]. Sociólogo y artista, sabe equilibrar ambas cualidades, diluyendo la doctrina en la corriente del relato, que de esta forma se sigue sin fatiga para el lector. Otras obritas de Valdés—*Mi noviciado, Picadillo, La Chabelita,* etc.—, así como las crónicas, artículos y cuentos reunidos bajo el título de *Croquis,* atestiguan la gracia, vivacidad e ironía de este escritor, que sabe llevar a sus cuadros costumbristas, además de todo eso, tal cual nota de simpática melancolía. En este sentimiento de conmiseración y amor estriba para nosotros la principal diferencia entre Valdés y Arguedas, ya que el autor de *Raza de bronce,* sin falsificar el cuadro que tiene ante los ojos, tiende a destacar más las líneas negras y los tonos sombríos. LINDAURA ANZOÁTEGUI DE CAMPERO (1846-1898), poetisa de finos matices, inicia en su país el costumbrismo propiamente dicho y desempeña en Bolivia un papel análogo al de Fernán Caballero entre nosotros. Con cierto retraso naturalmente. Cultiva el relato histórico, el psicológico y la sátira costumbrista. Como notas sobresalientes de toda su producción se suelen señalar el sentimiento del paisaje, la sobriedad—muy encomiable en una época en que domina el gusto por lo barroco—y una delicadeza hondamente femenina, que no excluye en absoluto las situaciones dramáticas. Al género costumbrista pertenece la serie de cuadros agrupada bajo el título *Cómo se vive en mi tierra* (1892), y varias comedias. Sus dotes psicológicas se reflejan en dos novelitas: *Una mujer nerviosa* y *Luis.* No obstante, la obra que le dió más fama corresponde al género histórico, *Huallparrimachi* (1894), basada en un trágico episodio de la Independencia. ADELA ZAMUDIO (1854-1928) fué, al decir de un crítico de su país, «la primera mujer que irrumpió como ardiente luchadora en la polémica y la educación. Inconforme, inquieta, agitadora de conciencias, defendió la enseñanza laica, combatió el clericalismo, fundó la primera escuela fiscal de mujeres»[14]. Sus *Novelas cortas* y sus *Cuentos* —limitémonos a subrayar uno, *De lo nuestro*—, de asombrosa sencillez, revelan tanto una gran capacidad descriptiva como un hondo conocimiento del corazón humano. Compararle, como hace la crítica de su nación, con Emilia Pardo Bazán nos parece excesivo. Mejor tal vez—dada la tendencia sociológica de su obra—, con otra escritora gallega, doña Concepción Arenal.

«Cumandá», de León Mera

Si reservamos para el capítulo dedicado al ensayo americano la referencia de Juan Montalvo, uno de los más conspicuos escritores de su tiempo y el más relevante acaso de su país, sólo nos queda mencionar aquí a JUAN LEÓN MERA MARTÍNEZ (1832-1894), como representante de la novela romántica ecuatoriana [15]. En su copiosa producción, que se extiende a varios géneros—poesía, didáctica, crítica, historia, etc.—, sobresale la parte narrativa; y en ésta, su novela Cumandá, muy celebrada en su tiempo y todavía considerada como una de las más calificadas muestras del indigenismo romántico.

En el análisis de la obra conjunta de Mera han de tenerse en cuenta dos factores: el autodidactismo y la confesionalidad religiosa. Mera, por circunstancias de la vida, no pudo concurrir a Universidad, Colegio ni siquiera escuela primaria alguna. Cuanto sabía, que no era poco, lo debió únicamente a su personal esfuerzo. Leyó mucho y atropelladamente: románticos y clásicos españoles, mezclados con tal cual extranjero. En religión fué católico sin reservas ni atenuantes; actitud que contrasta con la de tantos escritores hispanoamericanos de su época, adscritos a una doctrina librepensadora tan laxa que casi siempre anduvo rozando las zonas de la incredulidad. Políticamente, Mera, que desempeñó altas funciones de Estado, fué conservador: «Yo soy católico—nos dice—, no porque mis padres tuvieron la dicha de serlo, sino por el profundo convencimiento que tengo de la verdad y bondad del catolicismo. En cuanto a mis principios políticos, he aceptado los conservadores después del más duro examen, de haber visto que son los que más armonizan con los católicos... Y no porque soy católico y conservador... dejo de ser fervoroso republicano, amante y defensor de toda libertad pública bien entendida». Su posición está bien clara. Réstanos añadir que tanto con su pluma como con su conducta supo hacer siempre honor a ella.

Escribió mucho. De su obra poética, recogida en Poesías (1858), Poesías devotas (1866) y Melodías indígenas (1887), todavía cabe recordar El héroe mártir, en honor de García Moreno, y, sobre todo, la leyenda de tema indígena La virgen del sol. Ha de advertirse que la mayor parte de sus poemas son composiciones «de circunstancias», con todo el lastre retórico que tales piececillas suelen llevar consigo; y La virgen del Sol, la mejor sin duda de sus Melodías, carece de ambientación. Ya Rubió

y Lluch advirtió en carta a Mera que todo el indigenismo de la leyenda se reducía a detalles accesorios. En lo fundamental costaría trabajo distinguirla de otras análogas engendradas en Europa y con tema europeo. El magisterio fué afán constante de Mera; y en este sentido ha de considerársele con Augusto Arias como «uno de los más eficaces fomentadores de la educación pública» en su país. A esta actividad responden una serie de tratados —Catecismo de geografía del Ecuador, Catecismo explicado de la Constitución, La escuela doméstica, etc.—que ejercieron en su tiempo saludable influencia. Para Mera la escuela fundamental y nuclear de un pueblo es el hogar, la familia; y del carácter y estructura de ésta depende el futuro de la nación. Su labor de apologista, crítico e historiador se derramó en múltiples escritos: Carta a don Manuel Cañete sobre Olmedo (1887); Cartas a don Juan Valera (1889-1890); Polémica con Moltalvo [16]; Biografía de sor Juana Inés de la Cruz (1873); Poetas y cantares del pueblo ecuatoriano, obra de interés folklórico, que le llevó años de asiduo trabajo; Ojeada histórico-crítica sobre la poesía ecuatoriana, ampliamente comentada por Valera, etc.

La vocación de Mera como escritor está en la novela. Con el título de Novelitas ecuatorianas aparecieron en Madrid (1909) varios relatos, que ya se habían publicado sueltos en América mucho antes. Algunos delatan un novelista «pura sangre». Citemos sólo dos: Por qué soy cristiano y Entre dos tías y un tío. La crítica ha querido encontrar al primero cierto parecido con El capitán Veneno, de Alarcón. En nuestra opinión, la semejanza empieza y acaba en la profesión de los protagonistas: militares ambos y de la misma graduación. En lo demás—ambiente, desarrollo de la acción, psicología—no encontramos similitud. Entre dos tías y un tío, con una trama sencilla y hábilmente conducida, sería un típico cuadro costumbrista al modo de las comedias de Bretón de los Herreros, sin su desenlace tan trágico como inesperado. El carácter de los enamorados, Antonio y Juanita, es algo, y aún mucho, desvaído. En cambio, las figuras de las dos tías, Tecla y Marta, y la del borrachín tío Bonifacio, están trazadas con pulso firme y decidido.

Cumandá o un drama entre salvajes (1879) es, ya queda dicho, la novela que dió a Mera mayor renombre. Oscila entre el realismo triunfante en Europa por las fechas de su aparición y el romanticismo, ya por esas mismas fechas en franco declive. De ahí que haya sido incluída según los diversos críticos en una u otra tendencia. Para Anderson Imbert es francamente romántica, de un romanticismo ñoño, que en vano aspira a defenderse de los cambios de gusto; una narración que rezuma por todas sus páginas un sentimentalismo «convencional e hinchado» [17]. Para sus contemporáneos, y todavía en parte para nosotros,

Cumandá conserva cierta frescura virginal y cierto encanto inédito, como copia fiel de unas costumbres y de una naturaleza desconocida en el mundo civilizado. No todo es falso, como quiere Imbert. Hay mucho, sobre todo en ambiente y paisaje, tomado de la realidad. Empezando por el argumento, que al parecer corresponde a un suceso histórico, cuya referencia debió de escuchar Mera de labios de míster Richard Spruce. Helo aquí muy resumido:

En 1790 hay una sublevación de los indios de Guamote y Columbe. Matan a cuantos españoles hallan a mano, y entre ellos a los miembros de la familia del rico hacendado don José Domingo de Orozco. Sólo se salvan, por hallarse ausentes, éste y su hijo Carlos, niño de diez años. Abrumado por la desgracia, Orozco ingresa en la Orden de Santo Domingo, y dieciocho años después se le destina a la misión de Andoas, adonde va en compañía de su hijo. Carlos conoce allí a la india Cumandá, se enamora de ella, y surge entre los dos jóvenes una honesta pasión. Varias veces la india salva a su amado, constantemente perseguido por las gentes de la tribu. Su terrible jefe, Yahuarmaqui, elige a Cumandá por esposa y ordena matar a Carlos; pero éste se salva por intervención de un guerrero aliado de Yahuarmaqui. Cumandá huye de la tribu y se refugia al lado del padre Orozco. Recibe éste un mensaje por el que se solicita la devolución de la hermosa india a cambio de Carlos, a quien tienen prisionero. Muere Yahuarmaqui y se condena a Cumandá a la última pena, para que su espíritu vaya a unirse al difunto. La india se reintegra a la tribu, con la esperanza de salvar a Carlos; el padre Orozco acude también; pero sólo logra liberar al joven, ya que, ocupado en la conversión del indio Tongana, llega a la tribu cuando Cumandá, entregada voluntariamente al sacrificio, es ya cadáver. Por Tongana se entera Orozco de que Cumandá era hija suya, salvada de la matanza por su nodriza, esposa del mismo Tongana. Este, y no los indios sublevados, había sido el verdadero causante de la desgracia de Orozco. Al servicio de don José Domingo, había aprovechado la revuelta para vengar en la familia, incendiando la hacienda, los malos tratos recibidos de su señor. Carlos muere de pesar, dos meses más tarde. Y el padre Domingo vuelve a su convento de Quito para continuar su vida de penitencia.

La novela, apenas hace falta advertirlo, está en la línea de *Atala* y de *Los Natchez*. Con una diferencia a favor de Mera respecto de Chateaubriand: que es más auténtica. Mera conoce escenarios, costumbres, fiestas, supersticiones y hasta la lengua de los indios. Lo que en los relatos americanos de Chateaubriand hay de ficción, de invento personal, de fantasía, lo sabemos hace mucho tiempo, exactamente desde que el erudito Bédier probó en 1903, de modo irrefutable, que el gran romántico francés sólo llegó a conocer por referencias los indios y lugares que describe [18]. Hay que reconocer que tampoco en *Cumandá* es todo

real; ya Valera demostró en su día la inconsistencia del carácter de la protagonista y su inverosimilitud en algunos aspectos [19]. Aun con estos lunares, el libro de Mera tiene suficientes virtudes literarias y humanas para subsistir. Y otro mérito no señalado antes: la objetividad. Mera no es un panegirista de los españoles ni un detractor; tampoco se deshace en cantos ingenuos a la felicidad de las razas en estado primitivo y no contaminado por la civilización. En unos y otros, indios y colonizadores, descubre virtudes y defectos. Y, llegado el caso, los señala sin insistir demasiado ni cargar la mano con exceso.

Varios narradores peruanos

Exceptuando a Ricardo Palma, a quien por su alta jerarquía literaria dedicamos a continuación análisis más extenso, sólo nos quedan en el Perú de la época que venimos estudiando unos pocos escritores, costumbristas en su mayor parte, y todos ellos, en cuanto prosistas, de segundo o tercer orden. Algunos ya nos son conocidos como poetas y volveremos a encontrarlos en el teatro. FELIPE PARDO Y ALIAGA (1806-1868) une a sus timbres de buen poeta y no tan buen dramaturgo cierta innata aptitud para el cuadro de costumbres, del que nos dejó muestras tan logradas como *El niño Goyito* y *El paseo de Amancaes*, pinturas de un tipo gomoso y de una fiesta limeña, respectivamente. Una nota distingue al Pardo poeta del costumbrista: el tono. Lo cáustico del primero se convierte ahora en agridulce admonición. Ridiculiza a los personajes, pero sin saña. El estilo, como en toda la obra de Pardo, es vivo y lleno de sabrosos modismos. También MANUEL ASCENSIO SEGURA (1805-1871) nos es ya conocido y todavía lo hemos de encontrar en el teatro, por ser uno de los contadísimos dramaturgos de su tiempo digno de memoria. Como costumbrista, nos ofrece un tipo cómico muy a tono con el género: el del entremetido, especie de pícaro de menor cuantía. El mismo Segura se autorretrata con las tijeras en ristre y «dispuesto a cortarle un vestido al más pintado..., no con el objeto de agraviar a nadie, sino con el de corregir ciertos abusos». Olisquea en todas partes, en la calle y en las reuniones sociales, y de todo nos deja exacta noticia. Su lenguaje es movido, animadísimo y lleno de modismos populares, excesivos modismos, como que está tomado del natural. «Como me ha dado Dios—nos dice—este pícaro genio tan entremetido y oletón, en todo quiero meterme y de todo quiero entender, aunque conozco positivamente que en nada debía meterme, porque maldita la cosa que yo entiendo». Los artículos de Segura resultan por tanto excelentes documentales, que vienen a completar la galería de tipos y situaciones de su teatro. Advirtamos que tanto Pardo como Segura nadan entre dos aguas; entre el neoclasicismo, al que pertenecen íntegramente por su verso, y el romanticismo, a cuyo lado costumbrista parecen querer inclinarse en la prosa.

Menos mérito tiene NARCISO ARESTEGUI (1824-1869), que a los veintidós años compuso un farragoso relato, más interesante por su ideología que por sus cualidades literarias, publicado dos años más tarde (1848) con el título de *El padre Horán: Escenas de la vida cuzqueña.* El subtítulo «Escenas», tan frecuente en novelas de la época, indica a las claras un deliberado propósito de proceder con arreglo a la técnica realista. *El padre Horán* se basa en un hecho real, que Palma ha de aprovechar para una de sus «Tradiciones», y, años después, dará tema a Clorinda Matto de Turner para su novela *Aves sin nido* (1889): la historia de un religioso que da muerte a una de sus penitentes. Con muchos defectos originados en la inexperiencia del autor, y haciendo abstracción de lo ingrato de su argumento, interesa sólo en cuanto reflejo

de un ideario socializante que, recién importado de Europa, empezaba a tomar carta de naturaleza en la América hispana, gracias, entre otras obras de divulgación, al *Dogma socialista,* de Echeverría (1846). LUIS BENJAMÍN CISNEROS (1837-1904), con cierto retraso respecto de los anteriores, rinde culto al romanticismo con dos novelas impresas en París (1861 y 1864) e inspiradas en Chateaubriand y, más directamente, en Musset: *Julia, o escenas de la vida de Lima* y *Edgardo, historia de un joven de mi generación.* Nos hallamos en esta última ante una nueva *Confession d'un enfant du siècle* limeño: el joven y patriota militar Edgardo, seguidor del general Salaverry, héroe del país. En las dos novelas citadas, al igual que en otro tercer relato, *Amor de niño,* domina un sentimentalismo blandengue, a flor de piel; pero no obstante su evidente fondo autobiográfico, sería muy difícil incluirlas en la novelística de tipo psicológico, tal como actualmente la entendemos.

IV. RICARDO PALMA

La figura más representativa de este período, no sólo en el Perú, sino acaso en toda la América española, es la de RICARDO PALMA (1833-1919). Sus *Tradiciones peruanas* le otorgan un puesto de honor entre los grandes narradores del siglo XIX. Traducidas a casi todas las lenguas cultas—francés, inglés, portugués, alemán, italiano, etc.—, el nombre de su autor es conocido y admirado tanto en los países de habla castellana como en las naciones en que dominan esos otros idiomas. La gloria de Ricardo Palma desborda los límites geográficos de su tierra natal para convertirse en uno de los más sólidos prestigios hispanoamericanos.

Vida y persona

Nace Palma en Lima el 7 de febrero de 1833. Cursa estudios en la Universidad de San Marcos de Rimac. Sirve luego, durante siete años, en el cuerpo jurídico de la Armada. Sus primeras producciones literarias fueron obras teatrales; después se dedica al periodismo y a la política. Su colaboración en el diario limeño *El Diablo* y el fracaso de la conspiración de 1860 le obligan a expatriarse a Chile. En Valparaíso redacta la *Revista Sud-América.* Vuelto al Perú, se le designa cónsul de Pará. Viaja por Europa: Inglaterra, Francia, Italia. Publica sus primeras obras históricas, los *Anales de la Inquisición en Lima* (1863), y sus primeros libros de poemas. Interviene de nuevo en política, como secretario particular del coronel Baltá; pero ejecutado éste, se consagra definitivamente a las letras. Contrae matrimonio en 1876. Terminada la guerra del Pacífico, se le encarga de restaurar la Biblioteca Nacional de Lima, de la que es nombrado director en 1883. A partir de este momento, la literatura, la historia y la lingüística se reparten toda su actividad. En 1892 vino a Es-

paña como representante del Perú en las fiestas del IV centenario del descubrimiento. Todavía vivió muchos años, rodeado de la admiración y afecto de sus compatriotas. Murió el 6 de octubre de 1919. Había sido director de la Academia Peruana y correspondiente de la Real Española de la Lengua.

Palma, como escritor, está definitivamente juzgado por la crítica y el juicio no puede ser más favorable: una de las mayores y más indiscutibles glorias de Hispanoamérica. Como hombre, en cambio, ha merecido juicios diversos y hasta contradictorios. Ciertas apostillas de tono escéptico, o al menos poco respetuoso para la religión, con las que gustaba de esmaltar sus *Tradiciones,* y numerosos pasajes de los *Anales* han dado pie para que algunos le consideren un espíritu volteriano. Su polémica con el padre Cappa contribuyó, por otra parte, a reforzar esta opinión. El padre Cappa, de la Compañía de Jesús, había vertido conceptos poco favorables sobre algunas de las figuras más prestigiosas de la Independencia peruana. Palma le refutó. Sin duda llevaba razón; pero lo hizo en términos tan violentos que la réplica levantó al pueblo y a los organismos oficiales contra los jesuitas. Creemos que no están en lo cierto ni los que le llaman volteriano ni los que aspiran a absolverle de cualquier ofensa contra las creencias religiosas. En sus escritos hay pasajes, bastantes pasajes, irreverentes [20]. ¿Son esos pasajes producto del humor o de una auténtica incredulidad? Difícil responder. En todo caso nosotros nos inclinamos a ver en Palma un hombre de su época, liberal, despreocupado en lo que atañe al dogma y con una incoercible propensión a tomarlo todo por el lado humorístico. Para Torres

Rioseco se mueve Palma entre la ironía comprensiva de Anatole France y el fuerte modo de Quevedo y de Rabelais. Pero observemos que entre el genial satírico español y el autor de *Pantagruel* hay una diferencia fundamental: Quevedo nunca rozó el dogma como Rabelais. Y también en las *Tradiciones* encontramos frases que si no son claramente heréticas, lo parecen al menos.

Producción literaria

Copiosa y variada. Las primeras obras datan de 1851 y son los dramas titulados *La hermana del verdugo, La muerte y la libertad* y *Rodil.* Su propio autor las calificó de «tonterías escénicas». Trabaja después asiduamente en el periodismo. En 1861 redacta en Valparaíso la *Revista de Sud América.* En 1863 publica los *Anales de la Inquisición en Lima:* 1865, primer tomo de poemas, con el título de *Armonías;* siguen *Pasionarias* (1870), *Verbos y gerundios* (1877), etc. Traduce a Heine y a Víctor Hugo. Da a luz unos *Cantarcillos,* inspirados en Trueba, a quien admira; de ellos saldrán más tarde algunas de sus *Tradiciones.* En 1886 colecciona en un volumen, dividido en siete partes, toda su obra en verso: *Juvenilia, Armonías, Cantarcillos, Pasionarias, Traducciones, Verbos y gerundios* y *Nieblas.* El volumen va precedido de un valioso estudio histórico-crítico sobre «La bohemia limeña de 1848 a 1860». Todavía en 1911 volvería a publicar, coleccionadas, sus *Poesías completas.*

Las *Tradiciones peruanas* hacen su primera aparición en 1872 y fueron aumentando en series sucesivas hasta 1918. He aquí el orden y los títulos de las once series: primera serie, 1872; segunda, 1874; tercera, 1875; cuarta, quinta y sexta series, entre 1883 y 1887; séptima serie, con el título de *Ropa vieja,* 1889; octava, *Ropa apolillada,* 1891; novena, *Mis últimas tradiciones peruanas.* 1906; décima, *Apéndice a mis últimas tradiciones,* 1910; undécima y última, *Las mejores tradiciones peruanas,* 1918. Existe, además, un manuscrito con *Tradiciones en salsa verde* (1901), inéditas y «difícilmente editables por su pornografía», advierte Anderson Imbert.

Los últimos años de su vida estuvieron casi íntegramente dedicados a la historia y a la filología, sus dos aficiones preferentes. En su correspondencia se trasluce a cada paso su amor decidido a tales estudios. Fruto de sus escarceos por el campo de la historia fueron, entre otros trabajos, *Monteagudo y Sánchez Carrión* (1873), *El demonio de los Andes* (1911), *Apuntes para la historia de la Biblioteca de Lima* (1912), aparte de los célebres *Anales de la Inquisición,* ya antes citados. Sus exploraciones por la filología dieron como resultado las *Papeletas lexicográficas* (1905), *Cachivaches* y *Neologismos y americanismos.* Por último, en *Re-*cuerdos de España* nos dejó un vivo testimonio de sus andanzas por Madrid y otras capitales de la Península.

El poeta, el crítico, el filólogo y el historiador

Casi huelga aludir a su producción teatral. El propio Palma, ya queda dicho, llamó a sus tres dramas «tres monstruosidades», calificándolos también de «tonterías escénicas». Sin embargo, *Rodil,* escrito por su autor a los dieciocho años, alcanzó al estrenarse un éxito rotundo.

No le merecieron mejor concepto sus versos. En la dedicatoria a su esposa de uno de los volúmenes poéticos, *Verbos y gerundios* (1877), escribe: «En 1870 formé el propósito de no publicar más tomos de versos. Te has empeñado en hacérmelo quebrantar; y a fin de que compartas con tu esposo la expiación de tan gordo pecado, te dedico el libro.» Lo que hay en estas frases de falsa modestia salta a la vista con sólo pensar que Palma siguió publicando líneas cortas casi hasta el fin de su vida. En realidad, no era poeta. Entendámonos: no era poeta en verso; en prosa lo fué hasta donde cabe que lo sea un espíritu que toma como materia de creación el pasado y el presente de un pueblo en sus manifestaciones más populares. Sus composiciones en verso nos dan un romántico rezagado, que sigue no del todo airosamente las huellas de Víctor Hugo, de Musset, del Zorrilla de las *Orientales.* Ni con el bagaje sólo de sus dramas ni con el más considerable de sus versos Palma habría pasado a la posteridad.

Tampoco sus trabajos críticos, en general muy breves—*Ollantay, Coplas del natural, El nuevo libro del general Mitre*—, merecen detenido estudio. Es una crítica del momento, impresionista, en la que brillan más el ingenio y la agudeza dialéctica que la razón. La frente de Unamuno se desarrugó más de una vez ante esas críticas tan chispeantes. Pero no se busque en ellas consistencia ni valoración efectiva de obras o autores. No la hay.

En cambio, Palma tuvo excelentes dotes para la historia; una historia, hay que advertirlo, entendida a su manera. Le gustaba bucear en los fondos de bibliotecas y archivos para extraer de ellos la pequeña anécdota, el suceso aparentemente vulgar, el episodio revelador, todas esas minúsculas realidades que no hacen la «gran historia», pero que contribuyen tanto como los más destacados acontecimientos a dar su perfil a una época, a un régimen o a una situación. El reinado de Luis XIV nos es mejor conocido por las *Memorias* de Sain Simon que por las referencias oficiales. La vida del Perú virreinal en todos sus aspectos se nos revela mejor en esos apuntes de Palma, desprovistos de todo atuendo científico, que en las puntuales referencias de los cronistas de oficio. Díganlo esos *Anales de la Inquisición en Lima*, y díganlo, sobre todo, esas *Tradiciones*, que recogen de modo inigualable el espíritu y la vida de un pueblo en sus más típicas manifestaciones y a lo largo de casi cuatro siglos.

La vocación filológica de Palma y sus preocupaciones de lingüística están fuera de duda. No sólo por sus trabajos de esta índole—*Cachivaches, Neologismos y americanismos, Papeletas lexicográficas*—, sino por el constante afán de incorporar a su obra voces nuevas y giros tomados del habla del pueblo. Con un sentido plenamente humboldtiano estimaba la lengua como algo vivo, no un *érgon*, sino una *enérgeia*; y en tal sentido abogó insistentemente cerca de la Academia Española, de la que fué correspondiente en su país, por una mayor flexibilidad del idioma, mediante la admisión de nuevos vocablos. No era, sin embargo, el vocabulario para Palma la parte principal de una lengua; el espíritu, la esencia de ésta, reside en la sintaxis: «Nunca critico—escribe—el uso de neologismos, porque siempre tuve el Diccionario por cartabón demasiado estrecho. Si para expresar un pensamiento necesito crear un vocablo, no me ando en chupaderitas ni con escrúpulos; lo estampo, y santas pascuas. Para mí el alma de la lengua está en su sintaxis y no en su vocabulario, y tengo por acción meritoria y de grande loa la que realizan los que con nuevas voces, siempre que no sean arbitrariamente formadas, contribuyen al enriquecimiento de aquél.»

Las «Tradiciones peruanas»

Es la gran obra de Palma: grande por su extensión, por su contenido y por sus valores, tanto históricos como literarios. Ya hemos visto cómo las fué elaborando y publicando, hasta alcanzar las once series de que ahora constan, a lo largo de casi medio siglo, desde 1872 a 1918.

¿Y qué son las *Tradiciones*? Difícil, casi imposible, explicarlo en pocas palabras. Ni son un anecdotario, ni una historia, ni un estudio folklórico, ni un conjunto de cuadros costumbristas, ni producto de la imaginación ni de la realidad. No son nada de eso, y son todo eso. Una galería casi inacabable de artículos, cuentos, leyendas, cuadros de costumbres, anécdotas, historietas, casi siempre basadas en un hecho real, sin orden apenas entre sí y sin otra unidad aparente que la de ser todas ellas trasunto de la vida peruana, desde el período incaico hasta nuestros días.

La variedad y riqueza de la colección es imponderable: nosotros hemos contado cerca de quinientos títulos. Ya se entiende, dado este número, que las *Tradiciones* son en su mayor parte de breve extensión: las hay de tres, de dos y hasta de una sola página. Las hay más extensas. Pero en conjunto resumen toda la vida de un pueblo; y no

sólo y precisamente en lo que tiene de proyección externa, sino en lo que puede encerrar de más íntimo y representativo. Conquistadores y virreyes, altas dignidades eclesiásticas y civiles, frailes y laicos, nobles y plebeyos, damas de alta alcurnia y mujeres del arroyo, dignos caballeros y truhanes, soldados y mercaderes, profesores y menestrales, todos los mil tipos representativos de los diferentes estamentos de una sociedad desfilan por estas páginas, resucitados y nuevamente dotados de vida por la magia del autor. Es esta de las *Tradiciones* una «historia rediviva». Ya nos lo ha dicho el mismo Palma: «En el fondo, la Tradición no es más que una de las formas que puede revestir la Historia, pero sin los escollos de ésta. Cumple a la Historia narrar los hechos secamente, sin recurrir a las galas de la fantasía, y apreciarlos, desde el punto de vista filosófico-social, con la imparcialidad de juicio y elevación de propósitos que tanto realza a los historiadores modernos... La historia que desfigura, que omite o que aprecia sólo los hechos que convienen o como convienen, la historia que se ajusta al espíritu de escuela o de bandería, no merece el nombre de tal. Menos estrechos y peligrosos son los límites de la tradición. A ella, sobre una pequeña base de verdad, le es lícito edificar un castillo. El tradicionalista tiene que ser poeta y soñador. El historiador es el hombre del raciocinio y de las prosaicas realidades.»

Puesto a elegir entre una y otra forma de tratar la historia, Palma se decide por la primera. Prefiere ser poeta antes que historiador; o, mejor, prefiere hacer historia, pero revistiéndola de galas poéticas. Para ello nadie mejor dotado que él. Que no lograse componer buenos versos no quiere decir que no fuera un temperamento poético de primer orden. Palma conoce la historia del Perú desde la Conquista, y aun antes de la Conquista, hasta su mismo tiempo, quizá mejor que nadie. Y la conoce no sólo en su devenir externo, sino en esas interioridades que suelen sustraerse a la mirada del historiador de oficio. Asistido por este conocimiento y por esas dotes de poeta, Palma coge entre sus manos un hecho cualquiera, casi siempre de escasa o nula importancia; manipula con él, lo revitaliza, lo adorna y nos lo entrega convertido en un trozo de vida. Es así como asistimos a batallas, saraos, fiestas, funciones religiosas, escenas de hogar, en fin, a todos esos pequeños actos que constituyen el ser mismo de una colectividad. Y todo ello lo hace nuestro escritor de una manera natural, espontánea, como quien ha nacido para eso, para narrar sin dar excesiva trascendencia a lo que narra; en un estilo que es un prodigio de naturalidad, salpimentado con notas de buen humor, lleno de alegría, de luz, sorprendiéndonos a cada paso con expresiones tan castizas como originales.

Clasificación y contenido

Imposible llevar una ordenación a ese acervo de materias tan dispares que constituye las *Tradiciones*. Una clasificación temática comprendería tantos apartados como aspectos puede ofrecer la vida de un pueblo, y resultaría inaplicable en la práctica. El mismo Palma las fué publicando sin método alguno y conforme iban saliendo de su pluma, mezcladas las de asunto profano con las religiosas, las del período de la Conquista con las del Virreinato y la Independencia. La única clasificación aceptable tal vez sea la cronológica, según la establece Edith Palma en su reciente edición de Aguilar (Madrid, 1952):

a) Tradiciones del Perú incaico, hasta 1533.

b) Tradiciones del Perú virreinal, 1534-1824.

c) Tradiciones del Perú independiente, 1825-1830.

d) Tradiciones del Perú constitucional, desde 1831.

e) Otras tradiciones sin precisión histórica.

No menos difícil sería una selección antológica. Para nuestro gusto las mejores son las de fondo dramático: «Al pie de la letra», «Por beber en copa de oro», «Orgullo de cacique», en la que un indio prefiere envenenarse a formular una declaración que le dejaría en ridículo; «La bofetada póstuma», sobre un heroico episodio del capitán don Luis Perdomo de Peralta en lucha contra Gonzalo Pizarro; «El que pagó el pato», con la muerte del escribano Sancho de Cuéllar por Tito Atauchí, constituído en vengador de Atahualpa; «Un drama íntimo», en que el marqués de Santa Rosa da muerte al seductor de su hija; «Mujer y tigre», «Justos y pecadores», «La gatita de Mari-Ramos», etcétera. Muy emotivas son «Amor de madre», «La muerte en un beso», «Hermosa entre las hermosas» y «El Cristo de la Agonía». En la primera, una mujer, para salvar de la horca a su marido, reo de asesinato, se declara adúltera; prefiere difamarse a que la sociedad considere a sus vástagos hijos de un ajusticiado. «La muerte en un beso» cuenta la venganza de la bella Oderay que, separada de su amante, el indio Toparca, por don García de Paredes, finge acceder a las pretensiones de éste, se unta los labios de veneno, con lo cual, al corresponderle con un beso, le mata. «Hermosa

entre las hermosas» recoge la muerte de la princesa india Imasumac, muerta de un tiro por su amante don Juan de Maldonado, cuando estaba a punto de ser devorada por un tigre; de esta manera el galán le evita una muerte horrible. En «El Cristo de la Agonía», un pintor, Miguel de Santiago, atraviesa con una lanza al mancebo que le servía de modelo, para dar mayor verismo a la escena.

Entre las humorísticas, con tendencia a lo picaresco y comentarios un tanto irreverentes, escogeríamos: «Los gobiernos del Perú», «El capitán Zapata», «La camisa de Margarita», «La endemoniada», «El divorcio de la condesita», «La pantorrilla del comandante», «El obispo Chicheñó», «Los tres motivos del oidor». Por último, de fondo típicamente legendario, tenemos, entre muchas más: «Haz bien sin mirar a quién», con un asunto parecido al de la leyenda de Zorrilla *El caballero de la buena memoria*, «Consolación», contraste de un alma nobilísima en un cuerpo deforme; «El padre Oroz», asesino y penitente, que coincide con *El padre Horán*, del cuzqueño Narciso Aréstegui; «Una aventura del virrey-poeta», sobre el príncipe de Esquilache; «El caballero de la Virgen», con un reto de Manrique de Lara en defensa de la Inmaculada Concepción. Junto a éstas, deberíamos mencionar algunas sobre curiosidades históricas, costumbristas y culturales, como las fiestas de toros, de gallos, explicación de refranes, y las tituladas «Los versos de cabo roto», sobre el poeta Alvarez de Soria, y «El *Quijote* en América».

En todas ellas, lo mismo en las religiosas que en las profanas, en las dramáticas que en las picarescas, en las de fondo histórico que en las legendarias, brillan las mismas notas de amenidad, gracia narrativa y fino humor que ya han quedado subrayadas como características de este gran escritor peruano. Agreguemos que Ricardo Palma, iniciador de todo un género, el llamado «tradición», tuvo en América muchos continuadores: los chilenos Enrique del Solar y Miguel Luis Amunátegui, el uruguayo Francisco Escardó, los mejicanos Valle Arizpe, Vicente Riva Palacio, Luis González Obregón y Juan de Dios Peza; los peruanos José Antonio Lavalle, José Gálvez, Genaro Herrera y Clorinda Matto de Turner; el boliviano Julio L. Jaimes y otros muchos.

V. COLOMBIA Y VENEZUELA

La literatura colombiana del siglo XIX se desenvuelve bajo distintas influencias. En lo que afecta a la novela, estas influencias pueden precisarse con bastante claridad: un primer influjo francés, que se acentúa durante el período de la Emancipación y se extiende hasta la tercera década del siglo. Con Larra, Mesonero Romanos y Estébanez Calderón vuelve a pesar la influencia española, especialmente

en el género costumbrista, sin eliminar del todo las tendencias galas. Viene luego la presencia de nuestros novelistas históricos, en particular de los cultivadores del folletín, quienes, junto con Walter Scott, Víctor Hugo y Dumas, dan la pauta a la novela histórica. Esta se reviste de cierta originalidad al tratar temas indianistas o indigenistas. Siguiendo las huellas de Fernán Caballero y de

Pereda se inicia la corriente realista, que unas veces deriva hacia el cuadro de costumbres y otras se convierte en auténtica novela regional. Cabe señalar a todas estas direcciones una nota común, que diferencia la novela colombiana de la del resto de los países de América, y es su tendencia moralizante. Nombres como los de Soledad Acosta, José María Vergara, Lorenzo Marroquín y Tomás Carrasquilla, sin contar otros de menor categoría, pueden servir de ejemplo.

No siempre, como acontece en otras literaturas, es fácil deslindar géneros y autores. Ello obliga a inevitables repeticiones. En Colombia, sin embargo, y durante este período, hay dos grupos bien definidos: los costumbristas, incluídos bajo esta etiqueta tanto los autores de artículos como los autores de relatos breves, y los novelistas propiamente dichos. Y hay un escritor dentro del género novela indiscutiblemente representativo: Jorge Isaacs. A esta clasificación previa ajustaremos nuestra breve referencia.

Escritores de costumbres

Son muy numerosos y están muy influídos por los españoles. Limitamos nuestra mención a los más importantes.

Doña JOSEFA ACEVEDO DE GÓMEZ (1803-1861), hija del tribuno don José de Acevedo, alternó el teatro y la lírica con la prosa narrativa. Feminista ardiente, luchó por la emancipación de la mujer bajo un signo cristiano y hogareño. A este propósito odebedecen los Ensayos sobre los deberes de los casados y un Tratado de economía doméstica. Más interés tienen para nosotros sus Cuadros de la vida privada de algunos granadinos y Mis recuerdos de Tucubay, notables por la viveza de las descripciones y la sencillez del estilo. El apologista católico JOSÉ JOAQUÍN DE ORTIZ (1814-1892), a quien ya conocemos por su obra poética, cultivó también la novela, moviéndose alternativamente entre el romanticismo histórico de W. Scott y el sentimental y seudocostumbrista de Chateaubriand: María Dolores, El oídor de Santa Fe, Huérfanas de madre son tres narraciones típicas del género. Mayor interés ofrece la obra de JOSÉ CAICEDO ROJAS (1816-1898) santafereño, a quien sus compatriotas llamaron «el Mesonero Romanos de Colombia». Buen articulista de costumbres, como lo demostró en sus Apuntes de ranchería, puso, no obstante, lo más inspirado de su vena en una larga serie de novelas y leyendas históricas: Mis aguinaldos, Don Alvaro, La espada de los Monsalves, El maestro de baile, Juana y la bruja, etc. JOSÉ MANUEL GROOT (1800-1878), otro apologista católico como Ortiz, tendió a imitar las Escenas montañesas de Pereda, en cuadros rebosantes de gracia y casticismo: La tienda de don Antuco, Nos fuimos a Ubaque, La barbería, etc. Un hombre de escasa cultura, pero ventajosamente suplida por su fino

espíritu de observación, fué EUGENIO DÍAZ (1804-1865), cuyas novelas Manuela, El rejo de enlazar, El aguinaldo, poco logradas en la trama, son dechado del género por su fuerza descriptiva. De Díaz es la frase: «Los cuadros de costumbres no se inventan, se copian». Así lo hizo él en las narraciones citadas y en otras muchas: Una ronda de don Ventura Ahumada, Bruna la carbonera, Un preceptor de escuela, El valle de Tenza, Los pescadores del Funza, etc.

Del tunjano JOSÉ JOAQUÍN BORDA (1835-1878, cultivador de casi todos los géneros literarios y uno de los fundadores de El Mosaico, debemos citar aquí la novela Koralia y los Cuadros de costumbres de autores colombianos; de JOSÉ MARÍA CORDOVEZ MOURE (Popayán, 1835-1918), aparte los sugestivos artículos costumbristas, las Reminiscencias de Santa Fe y Bogotá, en ocho volúmenes, comparables, guardada la distancia oportuna, a las Tradiciones, de Palma; de CAMILO ANTONIO ECHEVERRI (Medellín, 1827-1897), las Cartas en el hospital, de intención filosófica y moralizadora; y del bogotano LUIS SEGUNDO SILVESTRE (1838-1887), los cuadros y narraciones largas inspiradas en la guerra de la Independencia. Una de éstas, Tránsito, mereció elogios de Valera en las Cartas americanas. Entre sus cuadros citemos El alojado y Un par de pichones.

Cuadros, novelas o artículos de costumbres escribieron RICARDO CARRASQUILLA (Quibdó, 1827-1886), poeta satírico de fácil vena, cualidades perceptibles también en sus cuadros Lo que va de ayer a hoy, Yo y el diablo, Un jurado y Destino irrevocable; JOSÉ DAVID GUARÍN (Quetame, 1830-1890), que se distinguió en la novela corta: La primera lágrima, La misa en la montaña, La docena de pañuelos, etc.; MANUEL URIBE ANGEL (Envigado, 1822-1904), notable por sus retratos de personajes; JOSÉ MARÍA SAMPER (1828-1888), de gran fuerza colorista; JUAN DE DIOS RESTREPO (1827-1897), llamado por su temperamento mordaz y espíritu crítico «el Larra colombiano»; MANUEL POMBO (Popayán, 1827-1898), hermano del gran poeta Rafael; JOSÉ MARÍA ANGEL GAITÁN (1819-1851), de escasa producción, aunque muy estimada por su hábil técnica y depurado estilo, especialmente en la novela El doctor Temis; FRANCISCO DE PAULA CARRASQUILLA, de ingenio festivo y fácil chiste en Retratos instantáneos y Tipos de Bogotá; Máximo Lorenzana, Ignacio Neira Acevedo, Luciano Rivera Garrido, etcétera, etc. La lista podría aumentarse indefinidamente; pero no vale la pena resucitar nombres condenados ya al olvido. Acaso el único que debería exhumarse fuera el del bogotano JUAN FRANCISCO ORTIZ, poeta, crítico y narrador de cierta valía. En sus novelas, que caen más bien dentro del realismo, la tesis suele estar planteada y resuelta con mucha valentía. La más notable, Carolina la bella, es un alegato contra el duelo.

Dentro de esta tónica general moralizadora que señalamos en la literatura colombiana de este período, debe hacerse una excepción en la persona de BERNARDINO TORRES TORRENTE, que bordea la impiedad y la herejía en alguna de sus novelas, como *Sombras y misterios*.

Novelistas históricos

Durante cierto tiempo predomina en la novela colombiana la tendencia a lo histórico. No hace falta advertir que seguimos entendiendo lo histórico aplicado a la novela tal como lo entendieron sus mismos cultivadores románticos, es decir, como un género literario en que la imaginación campa a sus anchas y lo propiamente histórico brilla por su ausencia, reducido casi siempre a unos nombres y unas fechas más o menos precisas. Muchos de los autores citados en el párrafo anterior cultivaron también, junto con la costumbrista, este tipo de novela. Agreguemos a ellos sólo tres más: Felipe Pérez, Soledad Acosta y Eustaquio Palacios.

FELIPE PÉREZ (Sotaquirá, 1836-1891), ilustre polígrafo y cultivador de todos los géneros casi sin excepción, sobresalió especialmente en la novela histórica. Con una característica que le honra: el respeto a la verdad. En sus obras, rara cualidad, domina lo histórico sobre lo novelesco; y este segundo elemento sólo se emplea en cuanto puede contribuir a dar animación y calor a unos hechos que de otro modo resultarían con exceso fríos y poco atrayentes. Así está concebida la tetralogía sobre la conquista del Perú: *Huayna-Capac, Atahualpa, Los Pizarros* y *Gilma* (1856-1858). Así también, aunque con una tendencia más declarada hacia Dumas que hacia Walter Scott, están redactadas *Carlota Corday, Estela, Imina, Los gigantes* (1875). Esta última, sobre los orígenes de la Independencia de Venezuela y Colombia, es un ataque muy duro a la dominación española en América. Porque al decir que Felipe Pérez suele ser respetuoso con la Historia, no queremos afirmar que su interpretación de la misma sea la más exacta.

En doña SOLEDAD ACOSTA DE SAMPER (1833-1903) hemos de saludar a una de las más fecundas novelistas colombianas. Se la suele comparar con *Fernán Caballero*. De ésta tiene, en efecto, la sencillez y la intención moralizadora; tiene también el prurito de las reflexiones morales, la contraposición de tipos, bien repartidos en buenos y malos; y en lo formal, la naturalidad, gracia y encanto del estilo. Cultivó por igual el relato histórico y el costumbrista, la novela larga y el cuento breve. Al género histórico pertenecen *Las dos reinas de Chipre, El hidalgo conquistador, La familia del tío Andrés, Los piratas en Cartagena, Los hidalgos de Zamora, José Antonio Galán* y *Juan Francisco Berbeo, Vasco Núñez de Balboa, El tirano Aguirre* y varias narraciones más, agrupadas en su mayor parte en la serie de «Episodios novelescos de la historia patria». Son de tipo costumbrista *Constancia, Laura, Historia de dos familias, Historia de dos mujeres, Buen corazón quebranta fortuna*, etcétera. De los cuentos merece especial mención *Luz y sombra*, historia de una mujer tan bella como coqueta, cuya egolatría la lleva a la más espantosa soledad. Las palabras finales de ese relato no relevan de todo comentario respecto al ideario de la autora: «Este episodio... me ha probado una vez más cuán indispensable es para la mujer una educación esmerada y una instrucción sana, que adorne su mente, dulcifique sus desengaños y la haga desdeñar las vanidades de la vida... La lección se comprende solamente con referir los hechos, harto verdaderos, para bochorno de lo que afrancesadamente solemos llamar sociedad de buen tono.» No se dirá que la novelista colombiana intentase engañar a nadie.

Una sola novela, *El Alférez Real,* bastó a EUSTAQUIO PALACIOS (Roldanillo, 1830-1898) para alcanzar notoriedad en todo el país. Pero hoy, a casi ochenta años de distancia de su publicación—*El Alférez Real* vió la luz en 1879—, por muy buena voluntad que pongamos en su lectura, no acertamos a descubrir en ella aquel conjunto de virtudes literarias que echaron de ver sus contemporáneos. «Es—dice Antonio Gómez Restrepo—una obra sana e interesante, que nos ilustra sobre la vida colonial en una de las principales regiones del país y nos presenta ejemplos de nobleza, de hidalguía, de generosidad y de puros afectos.» Cualidades todas, como se ve, un poco al margen de la consideración estética, y que en todo caso no logran compensarnos de la sensiblería derramada a manos llenas por todas sus páginas. Sin contar con la impericia del autor en la conducción de la fábula, llevada con tal falta de habilidad que los lectores adivinan el desenlace mucho antes de presentarse. Lo único que hoy podría salvarla del olvido es su estilo, realmente sencillo, espontáneo y correcto.

«María», de Isaacs

Es sin duda la mejor novela de todo el romanticismo americano. Habrá otras más estimables en ciertos aspectos; en conjunto, ninguna la supera ni por su significación ni por sus valores literarios. *María* sintetiza de una parte las principales corrientes de la novelística americana de este período, y anuncia de otra parte, con su realismo atemperado, el triunfo de la nueva escuela. Aquellas corrientes son: el sentimentalismo, al modo de la *Graziella*, de Lamartine; el descripcionismo, a la manera de la *Amalia*, de Mármol, y el indigenismo, inspirado en la *Atala*, de Chateaubriand. *María* es más auténtica que todas ellas; especialmente, es mucho más auténtica que *Atala*. Su exotismo, «depurado de tribus salvajes y de truculencias bárbaras», no nos hace olvidar nunca la vida civilizada. Por ello y por otros méritos, a los que luego aludiremos, está considerada por la crítica más dispar como un producto casi perfecto en su género. Su autor, JORGE ISAACS (1837-1895), nacido en el valle de Cali [21], la publicó cuando tenía treinta años (1867), y desde entonces ha sido uno de los libros más leídos tanto en América como en Europa y traducido a casi todas las lenguas cultas. Sólo en España tenía ya a principios de siglo una docena de ediciones.

No vamos a entrar en la polémica, por otra parte puramente bizantina, de si *María* es novela romántica o realista. Participa de las dos tendencias o escuelas. Es, como tantos otros, un producto que se sustrae a una tipificación estricta. También *Madame Bovary,* una de las muestras más notables del realismo, contiene un insoslayable fondo romántico. Como que el realismo es más bien una simple manera de concebir el arte; y el Romanticismo se reduce, ante todo, a una actitud frente a la vida, a una situación especial del espíritu; y ambas cosas, actitud y concepción artística, pueden armonizarse y se armonizan de hecho. *María* tiene del Romanticismo el tema, y la manera de tratarlo y hasta la atmósfera espiritual en que se nos da envuelto; es, en cambio, real, aunque probablemente un tanto idealizada, la visión que el autor nos ofrece del valle de Cauca, el ambiente patriarcal en que se enmarca el idilio de Efraín y de la protagonista; y es también real y vivida, a pesar de las muchas influencias literarias perceptibles, la pasión de los dos jóvenes truncada por la muerte prematura de aquélla. Véase para mayor comprobación su simplicísimo argumento:

Efraín, tras seis años de ausencia, pasados en un colegio de Bogotá, regresa al hogar paterno, en el valle de Cauca. Aquí se ve gratamente sorprendido por su prima María, quien en esos seis años se ha convertido en una bellísima adolescente. El amor hace presa en los dos jóvenes, los cuales, en un ambiente idílico, empiezan a vivir su pasión amorosa. Sólo una sombra turba su felicidad: María ha heredado de su difunta madre una enfermedad, y cualquier impresión demasiado fuerte puede repercutir en su organismo con fatales consecuencias. Para evitarlo, y a la vez separar a los dos jóvenes, el padre de Efraín, sabedor de lo que pasa, decide que su hijo vaya a Europa con el fin de terminar los estudios de Medicina. El viaje, suspendido temporalmente por reveses de fortuna, se realiza al fin; y Efraín parte para Londres. Durante un año, la asidua correspondencia sirve de lenitivo a la enamorada pareja. Luego, las cartas se van espaciando. Un amigo comunica a Efraín que María está gravemente enferma y que reclama su presencia. El joven emprende el regreso a Colombia; pero al llegar a Cali se entera de que su amada está ya enterrada. Se reintegra a la hacienda; acude a la tumba de María; al recuerdo de su antigua felicidad, se reaviva su dolor. Al fin decide abandonar su casa y perderse en la inmensidad, en busca de lo desconocido.

¿Relato autobiográfico? Si no en su totalidad, creemos que lo es en su mayor parte. La forma confidencial, siempre en primera persona, con que se narran los sucesos; el calor, la hondura, el sincero dolor que respiran muchas de sus páginas, nos hablan de una pasión que tuvo su proceso real, aunque el autor, consecuente con el gusto romántico, quiso darle un desenlace distinto [22]. A mayor abundamiento están los nombres de los personajes; una onomástica hebrea: Efraín, Esther (luego de su bautismo, María), tío Salomón, Rebeca, Sara, etc. No olvidemos que Jorge Isaacs era hebreo por línea paterna. Y está el paisaje, más bíblico que virgiliano, sin dejar de ser nativo. A esa ascendencia judaica hay quien atribuye la asombrosa fusión de realismo y misticismo que informa toda la obra y que señala una nota diferencial entre Isaacs y los restantes miembros de *El Mosaico.*

Como quiera que sea, autobiográfico o no, lo que interesa ante todo en este relato es la naturalidad y elegancia del estilo; las descripciones del paisaje, verdaderamente encantadoras; el trazado de los caracteres y la reproducción exacta de la vida campestre. Se había de suprimir al argumento todo su interés, y todavía leeríamos con gusto la novela por las calidades indicadas. Hay en ella una nitidez, un equilibrio y una elegancia que sería inútil buscar en las restantes obras de su clase. Sin prisa y sin gesticulaciones, con admirable serenidad, el autor ha ido trasladando al papel toda la historia de un proceso amoroso, con sus horas dulces y amargas, convertidas ya en recuerdo. «Era yo un niño aún cuando me alejaron de la casa paterna para que diera principio a mis estudios en el colegio de ..., establecido en Bogotá hacía pocos años y famoso en toda la República por aquel tiempo.» Así, con esta morosidad, deleitándose en el fluir del pensamiento y del verbo, regodeándose en el raudal de sus propias memorias, está escrito todo el libro. Su autor, ni siquiera se cuida de reservarnos la sorpresa final de un desenlace imprevisto. Desde el principio sabemos que María va a morir, y en el capítulo XVI Efraín nuevamente nos lo anuncia. Sin embargo, continuamos la lectura con creciente interés, porque ya no nos importa tanto el *qué,* sino el *cómo;* y la resolución de Efraín, una vez que se cumpla lo irremediable. Y aquí otro acierto: la fuga del protagonista, su abandono a lo desconocido. Esta solución, frecuente en tantas novelas americanas y no siempre válida, es la más indicada para aquellas obras en las que, como podría ocurrir en *María,* un final demasiado feliz o una sobrecarga de lo trágico rompería el equilibrio mantenido a lo largo de todo el relato. Aún cabría elogiar otras virtudes: la pureza, castidad mejor, de los sentimientos amorosos; la feliz amalgama de lo real y lo imaginario, sin que en ningún momento se obstruyan entre sí; la serie de escenas de la vida partiarcal, copiadas casi fotográficamente, etc. Ya se sabe que Isaacs tuvo ante los ojos, mientras componía su novela, muchos modelos. «En *María* —ha escrito poéticamente Anderson Imbert—se oye el rumor de una abejita cargada con el polen de muchas flores» [23]. Esas flores se llaman *Pablo y Virginia, Atala, Los Natchez, Graziella, Rafael,* etcétera. Lo que Isaacs extrajo de tales huertos se sabe perfectamente, porque salta a la vista del lector menos documentado [24]. Pero al lado de esta cosecha ajena, esa «abejita» de que habla Anderson Imbert puso no poca sustancia de su propia entraña. Y es precisamente tal sustancia la que hace de *María,* decantado ya su mérito por casi un siglo de existencia, una novela clásica, aun dentro del Romanticismo; un breviario del amor casto y melancólico, al estilo de los que escribieron en su día Bernardino de Saint-Pierre, Chateaubriand y Lamartine. Al igual que Graziella lloraba las desventuras de Pablo y Virginia, y al igual que María y Efraín se conmovían con las desgracias de Atala, pocos años después, otra protagonista y enamorada, Lucía, de *Zogoibi,* veía en la pareja de Isaacs el modelo ideal de toda constancia y de toda ternura [25]. El eminente crítico Groussac calificó a *María* como «el poema de América».

Al lado de ella la obra en verso de Isaacs apenas merece mención. Nos quedan unas cien composiciones, muy influídas por los románticos franceses e ingleses: Byron, Shelley, Víctor Hugo, Lamartine, Musset. Buena parte de ellas aparecieron incluídas en su primer libro de versos, *Poesías,* publicado en 1864 por el grupo *El Mosaico.* Aunque acogidas favorablemente por la crítica, son de escaso valor. Destacan por su tono idealista *Río Moro* y *La oración;* por su viveza descriptiva, *El cabo Muñoz, La reina del campamento, La casa paterna* y *La vuelta del recluta.* Completa su obra poética el canto en honor de Antioquía, *La tierra de Córdoba,* y el poema *Saulo,* enjuiciado de distinta manera por la crítica [26]. Se sabe que hacia 1893, dos años antes de morir muy quebrantado ya de salud, se dedicaba con ahinco a la redacción de dos novelas históricas, que tenían por fondo el valle de Cauca: *Fania* y *Camilo o alma negra.* Isaacs tenía puesta en ellas mucha ilusión. Hasta llegó a escribir que valían más que *María.* Pero, a juzgar por los capítulos de *Camilo* que han visto la luz, quedaban a bastante distancia de aquélla.

Prosistas venezolanos

De corta talla casi todos. El mismo Angarina Arvelo reconoce que las producciones venezolanas de este período deben aceptarse «como pasatiempo literario, regodeo intelectual de espíritus preparados para el arte de bien escribir, sin la vocación novelística que presta inconfundible fondo de originalidad». Vayan los nombres más destacados.

En la transición de lo neoclásico a lo romántico encontramos a FERMÍN TORO (1807-1865), poeta ya aludido en su lugar. De formación clásica, la asidua lectura de Chateaubriand le fué aproximando al Romanticismo, en cuyos brazos terminó por caer. Del autor del *Genio del Cristianismo* heredó el gusto por el pasado y la inclinación al misterio y a las ruinas, circunstancias que le llevaron al cultivo de la novela histórica. En ella nos dejó *La viuda de Corinto,* sobre la lucha entre turcos y cristianos; *Sibila de los Andes,* de tema americano, y otra tercera titulada *Los mártires,* cuya filiación no hace falta subrayar. En *Costumbres de Barullópolis* abordó como casi todos los escritores de su época el tema de costumbres, a la manera de Eugenio de Tapia y Mesonero Romanos. En esta modalidad hay que destacar el cuadrito titulado *Un romántico,* donde las manifestaciones sociales y literarias de la nueva escuela dan pie para graciosos comentarios [27].

Aunque cubano de elección, era venezolano de nacimiento JOSÉ ANTONIO ECHEVERRÍA (1815-1885), que cultivó la historia con un concepto severo y sobrio de lo que ésta debe ser. Así la encontramos en varios de sus trabajos: *Primeros historiadores de Cuba, Las cenizas de Colón, La catedral de La Habana,* etc. Ninguna de estas obras, sin embargo, le granjeó la popularidad, que debe exclusivamente a su novela histórica *Antonelli,* sobre un tema tomado de la vida colonial en tiempo de Felipe II; más concretamente, sobre el ingeniero de aquel nombre, constructor de la fortaleza de El Morro.

En la vertiente folletinesca del romanticismo, allí donde la calidad literaria suele estar en razón inversa del éxito y la popularidad, debemos situar la obra de EDUARDO BLANCO (1838?-1910), autor de novelas como *Historia de un cuadro, Una noche en Ferrara, Zárate* y otras análogas en las que historia y fantasía se mezclan más o menos arbitrariamente, y de unos *Cuentos fantásticos,* en los que también la imaginación campa a sus anchas. De más alta calidad es su *Venezuela heroica* (1883). que mereció férvidos elogios de José Martí. Blanco había sido edecán del general Paz, el héroe llanero, y obtuvo de boca del propio general el auténtico relato de los hechos que darían materia para la obra. La misma tendencia folletinesca sigue TOMÁS MICHELENA, sin salirse en ningún momento de la senda abierta por Dumas, Sue y Fernández y González. A esa familia de los Calcaño, que, al decir de Picón-Salas, ha sido en la historia cultural de Venezuela «más que una familia, un círculo y una escuela», pertenece JULIO CALCAÑO (1840-1918), erudito y novelista. En el primer aspecto se le deben trabajos como *El castellano en Venezuela, Tres poetas del pesimismo* y otros que le acreditan de excelente crítico e investigador; en el segundo, narraciones como *La danza de los muertos, La leyenda del monje, El escultor Mar-*

liani, Tristán Cataletto y *Blanca de Torrestella,* que le sitúan en la zona del folletinismo delirante tan caro a Dumas y sus discípulos. Calcaño también, como el novelista francés, sentía debilidad por los temas de la Italia renacentista.

Completan el cuadro de la prosa romántica venezolana tres o cuatro nombres más: ARÍSTIDES ROJAS (1826-1894), profundo conocedor del folklore de su país y de lenguas indígenas, y cuyas *Leyendas históricas de Venezuela,* interesante evocación de la vida colonial en Caracas, resisten sin mengua la comparación con las *Tradiciones,* de Palma; JOSÉ MARÍA MANRIQUE (1846-1907), que en *Los dos avaros* supo reflejar acertadamente la época de la Independencia y de las guerras civiles de su país; JOSÉ RAMÓN YEPES (1822-1881), a quien atrajo más bien el tema indianista, en novelas como *Anaida,* sobre la rivalidad amorosa de dos guerreros de distinta tribu, e *Iguaraya,* de tema análogo y trágico desenlace; en ambas refleja influencia de Chateaubriand. A Yepes lírico se aludió en el capítulo anterior.

NOTAS

1. En los años que median entre 1825 y 1875 alcanzaron la presidencia de la República en sus respectivos países: Vicente López y Planas, Bartolomé Mitre, Domingo Faustino Sarmiento y Nicolás Avellaneda, en la Argentina; el doctor Francia, en el Paraguay; Bernardo Prudencio Berro, en Uruguay; Mariano Ospina y Santiago Pérez, en Colombia; Adolfo Ballivián, en Bolivia; Juan José Flores, Vicente Rocafuerte, José Joaquín de Olmedo y Gabriel García Moreno, en Ecuador.
2. «Incluimos en esta denominación (novela indianista) toda la novela en que los indios y sus tradiciones están presentados con simpatía. Esta simpatía tiene gradaciones que van desde una mera emoción exotista hasta un exaltado sentimiento de reivindicación social, pasando por matices religiosos, patrióticos, sólo pintorescos y sentimentales.» (CONCHA MELÉNDEZ: *La novela indianista en Hispanoamérica,* pág. 9, Viuda de Hernando, Madrid, 1934.) Por su parte, AIDA COMETTA MANZONI, en *El indio en la poesía de la América española* (Buenos Aires, 1939), ha precisado más la distinción de ambos vocablos, distinción que recoge LUIS ALBERTO SÁNCHEZ en su *Proceso y contenido de la novela Hispanoamericana,* pág. 545: «La novela india de mera emoción exotista será la que llamemos *indianismo,* y la de un sentimiento de reivindicación social, *indigenismo.»*
3. Datos biográficos en capítulo LXVI: *La poesía romántica en Hispanoamérica. A) Rioplatenses y chilenos.*
4. El propio autor salió al paso de posibles objeciones: «La mayor parte de los personajes históricos de esta novela existen aún, y ocupan la misma posición política y social que en la época en que ocurrieron los sucesos que van a leerse. Pero el autor, por una ficción calculada, supone que escribe su obra con algunas generaciones de por medio entre él y aquéllos. Y es ésta la razón por que el lector no hallará nunca en presente los tiempos empleados al hablar de Rosas, de su familia, de sus ministros, etc. El autor ha creído que tal sistema convenía tanto a la claridad mayor de la narración cuanto al porvenir de la obra, destinada a ser leída, como todo lo que se escriba, bueno o malo, relativo a la época dramática de la dictadura argentina, por las generaciones venideras, con quienes entonces se armonizará perfectamente el sistema, aquí adoptado, de describir en forma retrospectiva personajes que viven en la actualidad.» *(Explicación* puesta al frente del libro, Montevideo, 1851.) Reintegrado Mármol a Buenos Aires, tras la caída de Rosas, pudo disponer de buen número de documentos oficiales, que aprovechó para la segunda edición (1855).
5. «Un espíritu de indolencia orgánica de raza viene a completar la obra de nuestra desorganización moral, y los hombres nos juntamos, nos hablamos, nos conve-

nimos hoy, y mañana nos separamos, nos hacemos traición o, cuando menos, nos olvidamos de volver a juntarnos.» *(Amalia,* Segunda parte, cap. VIII.)
6. PABLO ROJAS PAZ nos ofrece en *Alberdi, el ciudadano de la soledad* (Buenos Aires, 1941) una interesante biografía novelada de este autor.
7. Mitre es el primer poeta argentino que lleva a la literatura la vida aventurera del *payador* Santos Vega. Cierta crítica ha visto en *Soledad* un antecedente de *María,* de Isaacs.
8. Fué doña Manuela dama de excelentes prendas, ardiente feminista, «sin la áspera condición de las mujeres frustradas», muy preocupada del ennoblecimiento de su sexo. Después de disfrutar de alta posición social, fué maltratada por la adversidad y el dolor, que ella supo soportar con ejemplar entereza, buscando inspiración y refugio en las tradiciones y leyendas. «A los trece años—escribe LEGUIZAMÓN: *Historia de la literatura hispanoamericana,* II, pág. 101)—se desterró con su padre a Sucre. Allí, muerto aquél, se educa con su tío Juan Ignacio Gorriti. En Bolivia casó con Belzú, caudillo popular y presidente de la República después. Pero, ofendida por sus infidelidades, pasó a Lima con sus hijas. Abrió escuela para subsistir. Sólo regresará a Bolivia al tener noticia del asesinato de su esposo. El Gobierno argentino le concedió una pensión por los servicios del padre—el general Juan Ignacio Gorriti—, y Juana Manuela regresa, anciana ya, a Buenos Aires, donde con sereno estoicismo vió llegar la muerte. En Bolivia, Perú y Buenos Aires su salón literario fué el punto de reunión de las inteligencias brillantes.»
9. *Proceso y contenido de la novela hispanoamericana,* pág. 140.
10. *Literatura boliviana,* pág. 211, Madrid, 1954.
11. La acción se sitúa en la Lima virreinal. La virreina Teresa se enamora apasionadamente de Ismael Venegas; las entrevistas de ambos se rodean del máximo misterio y secreto, a fin de que el galán no descubra la alta alcurnia de la dama, ya que ella se propone, a la vez que prevenir la murmuración y los consiguientes riesgos para su honor, ser amada por sí misma, sin que el galán pueda envanecerse de tales favores. Pese a todas estas precauciones, Teresa sospecha que el galán ha logrado descubrir su identidad, y le manda encerrar en una prisión. Aquí permanece el desgraciado Venegas por espacio de veinte años, al cabo de los cuales es hallado por un fiel amigo. Se refugia en el claustro, y, en cumplimiento de los deberes de su ministerio, es requerido por una moribunda, en la que descubre a su antigua amante; el rencor y el amor hacen de nuevo presa en su alma, pero ambos sentimientos son dominados por la caridad y el perdón.
12. Vid. *Historia de la novela boliviana,* La Paz, 1938.
13. *El brujo,* agudo análisis psicológico del indio, concluye con estas significativas palabras: «Sólo el maestro de escuela estrangulará al brujo.» *La revolución* es un cuadro satírico y punzante de caudillajes y montoneras, mal endémico del país y de toda la América española.
14. FERNANDO DÍEZ DE MEDINA: *Ob. cit.,* pág. 238.
15. Nace Juan León Mera en Ambato el 28 de junio de 1832. Abandonado el hogar por su padre, se cría al lado de la madre y de la abuela, en un ambiente campesino. Aficionado a la lectura, él mismo se da cierta ilustración que le permite intervenir pronto en la vida pública. Teniente de milicias, en 1859; tesorero provincial de Ambato, al año siguiente; luego, en sucesivas etapas, secretario del Consejo del Gobierno triunviral, gobernador de Tungurahua, diputado, presidente del Senado y del Congreso, ministro, etc. Fué fundador y alma del partido católico republicano. Perteneció, como correspondiente, a la Real Academia Española de la Lengua, cuya filial ecuatoriana debe a Mera su creación; a las de Bellas Letras de Barcelona y Sevilla y a casi todas las agrupaciones culturales de su país. Había casado en 1862. Muere en 1894.
16. Mera había salido en defensa de su tío y maestro el doctor don Nicolás Martínez; Montalvo le contestó en una serie de panfletos: *Marcelino y medio, El masonismo negro, El buho de Ambato, Bailar sobre las ruinas, El peregrino de la Meca,* etc. Los intentos de conciliación bajo el gobierno dictatorial de Veintemilla (1876-1882) no dieron resultado.
17. *Historia de la literatura hispanoamericana,* página 158.
18. *Chateaubriand en Amérique* (Vérité et fiction), «Etudes critiques», París, 1903.
19. «La heroína de *Cumandá*—escribe nuestro insigne crítico—apenas es posible, a no intervenir un milagro; y de milagros no se habla... Difícil de creer es que Cu-

mandá, viviendo entre salvajes feroces, viciosos, grose-rísimos, móral y materialmente sucios y expuestos a las inclemencias de las estaciones, conserve su pureza vir-ginal y sea un primor de bonita, sin tocador, sin higiene y sin artes cosméticas e indumentarias. Cloe, en las *Pastorales* de Longo, no vive al cabo entre gente tan brutal, y toda su hermosura resulta, además, estética-mente verosímil, ya que Pan y las Ninfas la protegen y cuidan de ella. Cloe es un ser milagroso, y, para los que creían en Pan y en las Ninfas, en perfecto acuerdo con la verdad. Pero como Cumandá no tiene santo ni santa, dios ni diosa, ni hada que tan bella y pura la haga y la conserve, es menester confesar que resulta dificul-toso de creer que lo sea.» *(Cartas americanas.)*

20. Júzguese sólo por los dos que transcribimos, to-mados al azar. En *Una vida por una honra* escribe: «Sólo una mina conocemos que haya producido más plata que todas las de Potosí. Esa mina se llama Purgatorio. Desde que la Iglesia inventó o descubrió el Purgatorio, fabricó también un arcón sin fondo y que nunca ha de llenarse, para echar en él las limosnas de los fieles por misas, indulgencias, responsos y demás golosinas de que tanto se pagan las ánimas benditas», y en *La faltriquera del diablo:* «Murió devotamente y edificando a todos con su contrición. La prueba es que legó la mitad de su ha-cienda a los conventos, lo que en esos tiempos bastaba para que a un cristiano le abriese San Pedro, de par en par, las puertas del cielo.»

21. Nace Isaacs en Cali (Cauca) el 10 de abril de 1837. Hijo de un judío converso, Jorge Enrique Isaacs, y de Manuela Ferrer, de ascendencia española. Primeros es-tudios en su ciudad natal y en Popayán; estudios secun-darios en Bogotá, donde empieza también los superiores de Medicina, interrumpidos, al parecer, por motivos de índole económica. Regresa a Cali; participa en la revo-lución de Tejada (1856) y empieza a intervenir activa-mente en política, primero como conservador y luego como liberal. Dirige algunos meses el semanario *La Re-pública*, fundado por una facción del partido conserva-dor; antes había sido miembro muy destacado de *El Mo-saico*, la famosa Sociedad cultural de tanta influencia en las letras colombianas. Reveses económicos le obligaron a duros trabajos, con los que no logró mejorar su situa-ción. Fué Isaacs orador elocuentísimo, de palabra fácil, fogosa e incisiva. Desempeñó muchos cargos públicos: diputado en diversas legislaturas; presidente de la Cá-mara, de la que antes había sido secretario; cónsul en Chile; superintendente general de Instrucción Pública, etcétera. Actuó como jefe de la revolución que derribó al presidente de Antioquia, doctor Restrepo. Había ca-sado, muy joven aún, con Felisa González Umaña, «una muchachita —dice él— de catorce años, fresca como los claveles del Paraíso». Murió Isaacs el 17 de abril de 1895 en Ibagué. Aparte de su obra literaria aludida en el texto, dejó un *Estudio sobre las tribus indígenas del de-partamento del Magdalena* y *La revolución radical en An-tioquia*.

22. La lectura de los caps. VI, VII, VIII y IX confir-ma esta suposición. Bayona Posada insinúa que María pudiera ser hermanastra de Jorge, «pocos años menor que éste, y a quien su genitor hizo figurar, por razones fácilmente explicables, como hija de un hermano muerto». Más tarde, al descubrir la pasión de los dos jóvenes, habría ordenado el viaje del muchacho a Europa, y su regreso una vez casada María. Con este matrimonio la joven habría muerto simbólicamente para el enamorado.

23. *Estudios sobre escritores de América: Isaacs y su romántica María*, pág. 91, Edit. Raigal, Buenos Aires, 1954.

24. Entre la obra de Saint-Pierre y la de Isaacs hay no pocas analogías: el marco social, en ambas, primi-tivo e idílico; las circunstancias de separación simila-res: Virginia ha de ir a Europa para educarse y here-dar a una tía; Efraín, para continuar estudios y mejorar la posición económica; el retrato físico de María parece calcado en el de Virginia; el cortejo fúnebre de ambas protagonistas, el culto a las flores, los sueños agoreros, etcétera, son otros tantos rasgos comunes a las dos nove-las. No son menores los que ofrece con *Graziella:* el título de una y otra, reducido al nombre escueto de la prota-gonista; la historia del amor infortunado, la separación de los amantes, la entrega de la trenza de pelo y, sobre todo, la coincidencia del mismo estado emotivo por la lectura de una obra sentimental: en *Graziella*, por la lectura de las páginas de Saint-Pierre; en *María*, por la lectura de Chateaubriand. Pero es éste el que más acusa su presencia en Isaacs. *Atala* es para Efraín y María no sólo libro de lectura, sino espejo de su propio proceso pasional y hasta de su porvenir. La desgracia de Atala es un vaticinio de la desgracia de María. El *genio del cristianismo* contribuye a depurar en ella no sólo el sentimiento religioso, sino también el estético. Hay una diferencia: el escritor francés crea para su Atala un escenario fantástico, mientras Isaacs se limita a reproducir uno real; pero aun en esto Isaacs no sabe o no quiere prescindir de su modelo, e introduce una historia ajena al tema central —amores de Nay y Sinar—, con la escenografía de un Africa tan convencional como la América de *Atala*.

25. «Parecíanle ahora tan velados y distantes todos esos momentos, y aun aquellos en que uno y otro empe-zaron a descubrirse mutuamente su amor, como en los poemas románticos, como en esa novela que ella tomara del cuarto de su tía Pepita, como en esa fragante y des-garradora historia de María y Efraín que le hiciera derramar tantas lágrimas.» (ENRIQUE LARRETA: *Zogoibi*, cap. VII.)

26. Mientras Gómez Restrepo lo califica de «obra os-cura e incoherente», Arango Ferrer lo pone al lado de la *Memoria al cultivo del maíz*, de Gutiérrez González, y de *La hora de las tinieblas*, de Pombo, dos poemas que señalan la cima del romanticismo colombiano. Nosotros nos adherimos a la opinión de Restrepo.

27. En este cuadrito nos presenta a un loco que a medianoche recita versos horripilantes y exclama: «¡Yo soy un romántico!» El autor anota graciosamente: «Que-déme suspenso; nunca había oído aquel nombre... Desde entonces tiemblo al oír nombrar a un romántico.»

BIBLIOGRAFIA

I. Obras generales.—A. ALONSO: *Ensayo sobre la nove-la histórica*, Instituto de Filología, Buenos Aires, 1942.— E. ANDERSEN IMBERT: *Notas sobre la novela histórica en el siglo XIX*, «Estudios sobre escritores de América», Edit. Raigal, Buenos Aires, 1954.—V. GARCÍA CALDERÓN: *Del romanticismo al modernismo*, París, 1910.—P. GRASES: *De la novela en América*, Caracas, 1949.—P. HENRÍQUEZ UREÑA: *Apuntaciones sobre la novela en América*, Bue-nos Aires, 1927.—F. MASSIANI: *Sobre la novela en este lado del Atlántico*, «Revista del Caribe», núm. 4, Caracas, 1941.—CONCHA MELÉNDEZ: *La novela indigenista en Hispa-noamérica: 1832-1889*, Universidad de Puerto Rico, 1934.— F. MONTERDE: *Novelistas hispanoamericanos*, Méjico, 1943.— J. LLOYD READ: *The Mexican Historical Novel: 1826-1910*, Hispanic Institute, Nueva York, 1939.—L. A. SÁNCHEZ: *Proceso y contenido de la novela hispanoamericana*, Edit. Gredos, Madrid, 1953; *América, novela sin novelistas*, Edit. Ercilla, Santiago de Chile, 1940.—A. DEL SAZ: *Resu-men de historia de la novela hispanoamericana*, Barcelo-na, 1949.—A. TORRES RIOSECO: *La novela en la América hispana*, California, 1939; *Grandes novelistas de la Amé-rica hispana*, Los Angeles, 1941.—E. CARILLA: *El Roman-ticismo en la América hispánica*, Edit. Gredos, Ma-drid, 1958.

II. Novelistas rioplatenses: A. A. COELLO: *Algo sobre la novela en América del Sur*, Quito, 1937.—O. CERRUTO: *Panorama de la novela chilena*, «Nosotros», núm. 21, 1937.— R. CORTÁZAR: *La novela en Colombia*, Bogotá, 1908.— F. DONOSO: *La novela típica chilena y sus dificultades*, «Revista Cat.», XXXI, Santiago de Chile, 1931.—R. MON-TERO BUSTAMANTE: *Mármol; poeta de su tiempo*, «Ensa-yos».—STUART CUTHBERTSON: *The poetry of José Mármol*, «Univers. of Colorado Series», 1935.—L. A. SÁNCHEZ: *Es-teban Echeverría*, «Escritores representativos de Améri-ca», I, págs. 221-32, Edit. Gredos, Madrid, 1957.—E. AN-DERSON IMBERT: *El historicismo de Sarmiento*, «Estudios sobre escritores de América», págs. 56-80, Edit. Raigal, Buenos Aires, 1954.—A. DONOSO: *Sarmiento en el destie-rro*, Buenos Aires, 1927.—M. GÁLVEZ: *Vida de Sarmiento*, Emecé Editores, Buenos Aires, 1945.—J. GUILLERMO GUE-RRA: *Sarmiento, su vida y sus obras*, Santiago de Chile, 1901.—R. ORGAZ: *Sarmiento y el naturalismo histórico. «Facundo» a la luz de la filosofía del romanticismo*, Córdoba (Argentina), 1940.—L. ALBERTO SÁNCHEZ: *Domin-go Faustino Sarmiento*, «Escritores representativos de América», I, págs. 253-69, Edit. Gredos, Madrid, 1957.— M. GARCÍA MEROU: *Juan Bautista Alberdi*, Buenos Aires, 1890.—M. A. PELLIZA: *Alberdi: su vida y sus escritos*, Buenos Aires, 1874.—P. ROJAS PAZ: *Alberdi, el ciudadano de la soledad*, Buenos Aires, 1941.—A. GIMÉNEZ PASTOR: *Mitre, hombre de letras* (disc. en la F. de Filosofía y Le-tras de Buenos Aires), 1921.—R. A. ORGAZ: *Vicente Fidel López y la filosofía de la historia*, Córdoba (Argenti-na), 1938.

III. ARMANDO DONOSO: *Recuerdos de medio siglo: Don José Victorino Lastarria*, Imp. Universitaria, Santiago de Chile.—A. GUZMÁN: *Adela Zamudio: biografía de una mujer ilustre*, Edit. Juventud, La Paz, 1955.—A. ANDRADE COELLO: *Juan León Mera, considerado como crítico*, «El Magisterio Ecuatoriano», núms. 41-42, Quito, 1920.— A. ARIAS: *Juan León Mera: «Cumandá»* (pról. de...), «Clásicos Ecuatorianos», Quito, 1948; *Juan León Mera, precursor del americanismo literario*, «Rev. de América», núm. 49, págs. 78-96, 1949.—C. ARROYO: *«Cumandá», una gran novela*, «Rev. de América», núm. 50, Quito, 1932.— I. J. BARRERA: *Juan León Mera y el americanismo literario*, «Rev. de América», núm. 50, Quito, 1932.—R. CRESPO TORAL: *León Mera, maestro de cultura*, «Memorias de la Academia Ecuatoriana», núm. 13, Quito, 1933.— A. M. ESCUDERO: *«Cumandá o un drama entre salvajes»* (pról. de...), Colec. Austral, vol. 1.035, Buenos Aires, 1951.—D. GUEVARA: *Juan León Mera o el hombre de las cimas*, Quito, 1944.—L. A. SÁNCHEZ: *Juan Montalvo. Juan León Mera*, «Escritores representativos de América», I, Edit. Gredos, Madrid, 1957.—J. VALERA: *La poesía y la novela en el Ecuador* (Juan León Mera), «Obras completas», I, 2.ª ed., Aguilar, Madrid, 1942.—B. J. BARRERA: *El paisaje en la novela ecuatoriana*, «Rev. de América», Bogotá, 1945.—B. CARRIÓN: *El nuevo relato ecuatoriano; crítica y antología*, 2 vols., Casa Cultura Ecuatoriana, Quito, 1952.—E. C. DE LA CASA: *La novela antioqueña*, Hispanic Institute, Nueva York, 1952.

IV. G. FELIÚ CRUZ: *En torno a don Ricardo Palma*. 2 vols., Santiago de Chile, 1933.—*El Mercurio Peruano* (número necrológico dedicado a don Ricardo Palma, Lima, 1919).—EDITH PALMA: Ed. y pról. de las *Tradiciones peruanas completas*, Edit. Aguilar, Madrid, 1952.— R. PALMA: *La bohemia de mi tiempo*, Lima, 1899.—R. PORRAS: *De la autobiografía a la biografía de Palma*, «Letras Peruanas», núm. 10, Lima, 1954.—L. ALBERTO SÁNCHEZ: *Don Ricardo Palma*, Torres Aguirre, Lima, 1927; *Ricardo Palma*, «Escritores representativos de América», I, Edit. Gredos, Madrid, 1957.—J. VALERA: *Tradiciones peruanas*, «Obras completas», Aguilar, Madrid.—VARIOS (Víctor Andrés Balaúnde, Clemente Palma, Raúl Porras Barrenechea, José de la Riva Agüero, etc.): *Ricardo Palma: 1833-1933*, Sociedad de Amigos de Palma, Lima. 1933.—R. BAZIN: *Les trois crises de Ricardo Palma*, «Bull. Hisp.», LVI, 1954.

V. E. ANDERSON IMBERT: Ed. y pról. de *María*, de Jorge Isaacs, Méjico, 1951.—M. CARVAJAL: *Vida y pasión de Jorge Isaacs*, Edit. Ercilla, Santiago de Chile, 1937.— ANDERSON IMBERT: *Isaacs y su romántica «María»*, «Estudios sobre escritores de América», Edit. Raigal, Buenos Aires, 1954.—A. REYES: *Cartas de Jorge Isaacs*, «Simpatías y diferencias», 4.ª serie, Madrid, 1923.—L. A. SÁNCHEZ: *Jorge Isaacs*, «Escritores representativos de América», II, Edit. Gredos, Madrid, 1957.—L. C. VELASCO MADRIÑÁN: *Jorge Isaacs, el caballero de las lágrimas*, Cali, 1942.—J. WARSHAW: *Jorge Isaacs library: light on two «María» problems*, «Romanic Review», XXXII, Nueva York, 1941.—A. ANGARITA ARVELO: *Historia crítica de la novela en Venezuela*, Leipzig-Berlín, 1938.

CAPITULO LXIX

LA PROSA ROMANTICA EN AMERICA:
B) MEJICO, CENTRO Y ANTILLAS

I. La novela romántica en Méjico: *Un novelista de transición: Manuel Payno. Orozco Berra, Díaz Covarrubias y Florencio M. Castillo. Más representantes del género. Ignacio M. Altamirano. La novela histórica: Mateos, Justo Sierra, Riva Palacio, Ancona. Otros novelistas mejicanos.*—II. Guatemala, Puerto Rico y Santo Domingo: *Milla Vidaurre. Tapia y Rivera, y Hostos. El «Enriquillo», de Galván.*—III. La prosa narrativa en Cuba: *«Francisco», de Suárez Romero. Cirilo Villaverde. Escritores costumbristas cubanos de la época.*—Notas.—Bibliografía.

I. LA NOVELA ROMANTICA EN MEJICO

Contrasta la producción novelística mejicana del período romántico, abundante y en general estimable, con la penuria en otros géne_os; concretamente, en la lírica. No es que falten poetas, y buenos poetas, en este período; pero los mejores —Carpio, Pesado, Peza—no son románticos. En cambio, la novela ofrece una floración espléndida, más digna de atención por la cantidad que por la calidad, si bien ésta, ya queda dicho, tampoco puede subestimarse. Pero la verdad es que, pese al crecido número de obras, el romanticismo mejicano en balde intentaría presentar una novela tan perfecta como *María*, de Isaacs; una crónica tan amena como las *Tradiciones peruanas*, de Palma; un documento político como el *Enriquillo*, de Galván. Cuenta, en cambio, con una docena de escritores suficientemente valiosos para otorgar a esa producción un lugar destacado en la novelística americana del xix. No en vano había nacido en Méjico con el *Periquillo Sarniento* el género novelesco, y aunque Fernández de Lizardi no tuvo de momento imitadores, de estirpe lizardiana son el tono irónico y ligeramente pesimista, la observación detallada de la vida y esa inclinación al moralismo casero que se advierte en la mayor parte de los novelistas románticos de su país.

En el capítulo anterior quedó agrupada toda la novelística americana en cuatro apartados: histórica, político-social, sentimental y costumbrista. Allí mismo se observó lo fácil que era reducir esos cuatro grupos a dos: costumbrista e histórico. Todo ello es aplicable a la novela mejicana de este período. De una parte nos encontramos con la novela costumbrista, no en su forma pura, sino veteada por rasgos más o menos sentimentales y con una evidente tendencia al tono moralizante; se exaltan virtudes poco frecuentes en la sociedad: resignación, constancia, fidelidad, olvido y hasta

perdón de injurias; cuando no, se cae, del lado opuesto, en un socialismo barato, donde los ricos aparecen fatalmente recargados de las más negras tintas, y los pobres, dotados de las más altas cualidades. De otra parte, nos sale al paso la novela histórica, que busca preferentemente sus temas en las guerras civiles y en los anales de la Inquisición. En ambos tipos, más que a los buenos modelos peninsulares y europeos, se imita a los folletinistas; con especiales caracteres respecto de Méjico. Aun siendo el costumbrismo y el realismo formas literarias similares, la novela costumbrista aprovecha la cantera popular para sacar de ella tipos y situaciones, al igual que la realista, sólo que idealizándolos y exagerándolos, especialmente por el lado cómico, con irrefrenable propensión hacia la sátira; y, aun subsistiendo como regla general la circunstancia de que la novela histórica americana busca su inspiración en el pasado colonial, en lo que atañe a Méjico prefiere casi siempre el pasado inmediato, cuando no la misma época del autor. Esta coetaneidad o cuasi coetaneidad introduce en la novela histórica mejicana rasgos específicos: por lo pronto, mayor exactitud en la reproducción de hechos, mayor fidelidad en la descripción de vida y costumbres y un interés mucho mayor en los tipos humanos, como que están extraídos de un medio social muy parecido al nuestro.

En cuanto a los cultivadores de uno u otro género, no hace falta advertir que el deslinde resulta casi siempre muy difícil, ya que un mismo novelista suele simultanear los dos tipos de narración. Por ello habremos de atender al que cultiva con preferencia [1]. De acuerdo con tal criterio, incluímos entre los costumbristas a Orozco Berra, Díaz Covarrubias, Florencio M. del Castillo, Pedro Costera, José Rivera Río, José María Ramírez, Ignacio M. Altamirano y otros de menos fuste; y entre los históricos, a Justo Sierra, Juan A. Mateos, V. Riva Palacio, Eligio Ancona, Mariano Meléndez, Irineo Paz, etc. Y antes de aludir a éstos, dos palabras sobre un autor que escapa a todo encuadramiento: Manuel Payno.

Un novelista de transición: Manuel Payno

Es MANUEL PAYNO (1816-1894) el clásico escritor de transición [2]. Literato de múltiples facetas —orador, político, sociólogo, historiador, economista—, es, sin embargo, la novela su género predilecto. Entre 1845 y 1846 publica *Entretenimientos de amor* y *El fistol del diablo*, interesante ésta como inventario de costumbres y giros idiomáticos del país. Siguen la serie de relatos que integran *Tardes nubladas*, *El hombre de la situación* (1861), y la más célebre de sus obras, *Los bandidos de Río Frío* (1889-1891). Aquélla, injustamente preterida, satiriza el arribismo político con mucho donaire y sal, no pocas veces excesivamente gruesa; el protagonista, don Fulgencio, cuya fama de docto y de hombre elocuente se debe a su obstinado silencio, es un tipo frecuente en cualquier situación política y se nos da aquí trazado de mano maestra; *Los bandidos de Río Frío*, escrita durante la estancia de Payno en España como cónsul de su país y publicada con el seudónimo de *Un Ingenio de la Corte*, forma dos gruesos volúmenes de más de 2.000 páginas, a lo largo de las cuales se hacinan episodios de los más variados tipos. En medio de cuadros costumbristas y de intenso verismo, domina lo truculento. «Lástima —escribe Mariano Azuela— que sus excelentes dotes de observador no penetren en lo íntimo de sus personajes. Si como técnico, como letrado y por algunos otros aspectos supera a Fernández Lizardi y a Inclán, como psicólogo se queda muy por bajo de ellos» [3]. Es, en definitiva, Payno un escritor fácil y ameno, de estilo más ágil que cuidado. Dejó en las *Memorias e impresiones de un viaje a Inglaterra y Escocia* (1853) una serie de excelentes crónicas, y escribió por indicación de su amigo Riva Palacio un compendio de *Historia de Méjico*, que tuvo extraordinaria difusión. Otras obras suyas (*La convención española*, *Memoria sobre el Magüey*, etc.) caen al margen de nuestro estudio.

Orozco Berra, Díaz Covarrubias y Florencio M. Castillo

Son tres autores que representan con bastante fidelidad la novelística mejicana de orientación costumbrista-sentimental. FERNANDO OROZCO BERRA (1822-1851) no tuvo tiempo en su breve vida de llevar a pleno desarrollo sus indudables aptitudes. Después de estudiar la carrera de Medicina, de ejercer la crítica teatral en varios periódicos —*El*

Siglo XIX, El Monitor Universal— y de haber escrito él mismo varias comedias —*La amistad, Tres patriotas* y *Tres aspirantes*— que delatan fina sensibilidad y aguda intención satírica, Orozco Berra sorprendió al público, muy poco antes de morir, con la mejor de sus obras, *La guerra de los treinta años* (1850), una novela de tono desesperanzado, amargo y pesimista, como cuadra a un buen romántico, pero rica en caracteres y con un autoanálisis del proceso amoroso, suficiente por sí solo para mantener vigilante la atención de los lectores. Refiere la historia personal del autor a través de varias aventuras femeninas: Agustina, ubérrima otoñal, inspiradora de una pasión de adolescencia; Luisa, amor de juventud, con predominio de la carne sobre el espíritu; Angela, antítesis de la anterior; doña Luz, vieja y rica, símbolo de seniles concupiscencias, y Lola, amor indefinido, síntesis de pasión y sentimiento, de conveniencia y fatalismo. Viene a ser la novela una crónica de experiencia amorosa, con un desenlace pesimista: «Treinta años, y ¿qué he gozado? Treinta años de guerra con las mujeres, y ¿qué triunfo he alcanzado? Para gozar en el mundo se necesita endurecer el corazón en el crimen y cerrar los ojos a la justicia y al pudor. El placer más inocente y puro ha de comprarse con dinero o con lágrimas; para encontrar el dinero es preciso arrastrarse por el suelo como las víboras.» De estilo desigual e incorrecto, monótona y a ratos melodramática, ha sido juzgada por Altamirano como «la historia de un corazón enfermo y de todos los corazones apasionados y no comprendidos». Otros la han querido comparar con *Bajo los tilos*, de Alfonso Karr. En verdad que *La guerra de los treinta años* está escrita con esa soltura, llena de desahogo, con que hacía sus novelas el famoso escritor francés, pero queda muy por bajo de él en cuanto a gracia picaresca, de la que está ajeno el novelista mejicano.

Más interesante, aunque también de vida efímera como la de Orozco Berra, es la personalidad literaria de JUAN DÍAZ COVARRUBIAS (1837-1859). Estudia Medicina como aquél; pero suspende los estudios para empuñar las armas en defensa del partido liberal al iniciarse la guerra de la Reforma. Hecho prisionero, es condenado a muerte, sentencia que se cumple en abril de 1859. Esos veintidós años escasos dan de sí una obra que, sin llegar a la madurez, revela un temperamento profundamente romántico. Obra copiosa para la escasa edad del autor, y que se proyecta en el doble aspecto del artículo costumbrista y de la narración propiamente dicha, en forma de cuento o de novela. Al primer grupo corresponden las *Impresiones y sentimientos*, apuntes rápidos de la vida mejicana; al segundo, *Sensitiva, El diablo en Méjico, La clase media* y *Gil Gómez, el Insurgente. Sensitiva*, con un tema que rezuma sentimentalismo de la peor especie —el joven infiel que vuelve a la amada moribunda a tiempo de reconciliarse con ella—, ocupa un lugar intermedio entre la novela y el cuento. El mismo tono sentimentaloide, agravado por un argumento melodramático, domina *La clase media*: un joven rico y falto de escrúpulos seduce a Amparo, y ésta, abandonada y madre de una niña, profesa en un convento. *El diablo en Méjico*, jugando con un tema de enredo—doble matrimonio de dos hermanos, por conveniencia—, aspira a demostrar la tesis de que todo en el mundo se mueve por el interés. Por último, *Gil Gómez, el Insurgente*, aparecida en 1859, está entramada con episodios de la guerra de Independencia. Pero, aun teniendo un fondo histórico y siendo también históricos algunos de sus personajes, la novela interesa antes que nada por sus animados cuadros costumbristas y por el proceso sentimental de los protagonistas, Gil y Fernando. Junto a éstos cabe destacar la figura de Regina, la hermosa aventurera, y de Clemencia, novia de Fernando, la cual muere sin alcanzar la felicidad soñada. En todas sus páginas Díaz Covarrubias estampa su propia personalidad; y esto es lo que confiere a la obra de tan inmaturo joven un alto valor humano. Escritor nato, alma sensible, de una sensibilidad aguzada por el dolor, lo que la falta de reflexión y de experiencia queda compensado por una corriente de emoción y de ternura que le hace, a pesar de sus defectos, altamente simpático. Sus contemporáneos lo tuvieron en mucha estima. Altamirano nos dice que «había en él una bondad inmensa, una noble abundancia de corazón y un alto deseo de ser útil a la humanidad que sufre». Escribió un tomo de versos, *Páginas del corazón*, de poco valor.

El representante típico del romanticismo blandengue, de tendencia moralizadora, con la indefectible apología de las virtudes caseras, es FLORENCIO M. DEL CASTILLO (1828-1863). También estudió Medicina como los anteriores—al parecer la ciencia de Esculapio y las bellas letras andaban en esta época muy hermanadas en Méjico—y también murió de corta edad. Todavía le dió tiempo, sin embargo, para dedicarse a la literatura y a la política, interviniendo en las luchas civiles y desempeñando cargos burocráticos y políticos como los de regidor del Ayuntamiento de Méjico y diputado del Congreso Federal. Sus narraciones pertenecen a este tipo de novelas de «buenos y malos», en las que siempre triunfan aquéllos y obtienen la felicidad a fuerza de esperanza y de resignación cristiana. *Hermana de los ángeles, Dolores ocultos, Corona de azucenas, Hasta el cielo, Amor y desgracia u horas de tristeza, Expiación*, etc., son obras que se mueven en el mismo terreno en que se movían las narraciones de nuestro Pérez Escrich. Si la mera enunciación de los títulos no fuese ya de por sí suficientemente reveladora, bastaría un esquema de sus argumentos para calibrar la técnica e ideología de su autor. El cual, no obstante su profesión de fe liberal, hace en todas

ellas alarde de los más hondos sentimientos católicos. Vaya una sola muestra: En *Corona de azucenas* nos enfrenta con Soledad, huérfana de padres, que ingresa en un convento, donde toma los hábitos y hace su profesión. Allí se enamora de su confesor, el padre Rafael, hombre maduro, nada atrayente por sus prendas físicas, aunque sí por su talento y bondad inagotable. El confesor también se enamora de la penitente, entablándose en el alma de una y de otro una violenta lucha entre la pasión y el deber. Triunfa éste, tanto en la religiosa como en su director espiritual. Pero Soledad ha quedado tan extenuada por la lucha que enferma y muere santamente. Al morir, lega al padre Rafael una «corona de azucenas» que había ido tejiendo durante su enfermedad. El padre Rafael parte para las misiones. Del mismo corte son las otras novelas. Subrayemos *Hasta el cielo*, que anticipa escenas similares a varias de *El nido ajeno*, de Benavente, de la misma manera que la anterior nos sugiere en el fondo el recuerdo de *Doña Luz*, de Valera, publicada años después. En todas sus obras Castillo sigue esa línea artificiosa del romanticismo sentimental, que tantos y tan efímeros frutos dió en Europa y en América. Dentro de esta línea tal vez cabría hacer una excepción con *Dolores ocultos*. Es la más realista de las novelas de Castillo; plantea la amargura con que viven las clases humildes, y el autor se anticipa a las preocupaciones sociales de los novelistas finiseculares. Resulta pueril la forma con la que pretende redimir la sociedad: excitar la compasión y caridad de los ricos. Altamirano, con evidente exageración, lo juzgaba capaz de crear la novela social de Méjico. En verdad que la sociología de Castillo es demasiado pueril y simplista: los pobres, los humildes, siempre convertidos en símbolo de la honradez y de la fidelidad; los ricos, en símbolo de lo contrario. Lo único que le salva es cierta habilidad constructiva y alguna que otra pintura muy exacta de las clases sociales.

Más representantes del género

Tan celebrado en su tiempo como preterido hoy es PEDRO COSTERA (Méjico, 1838-Tucubaya, 1906). Espíritu aventurero, buscador de tesoros, soldado en la guerra de Independencia (alcanza el grado de comandante), debe su principal fama a la novela *Carmen*, imitación de *María*, de Isaacs. Nosotros preferimos sus relatos sobre la vida de los mineros, *Las minas y los mineros*, llenos de acertadas observaciones, como asunto que tan directamente conocía. Cultivó la poesía, que recoge con el título de *Ensueños y armonías*, de clara influencia de Bécquer y de Lamartine.

Dentro de la tendencia social representada por Florencio M. del Castillo, debemos citar a JOSÉ RIVERA RÍO. Una diferencia esencial les separa:

mientras Castillo busca en la resignación, en la renuncia y en el perdón de las ofensas la solución de los conflictos que plantea, Rivera resuelve la intriga de su novela debatiéndose entre la fatalidad y la duda. Los simples títulos de sus novelas más populares pueden dar idea de su afición a lo espeluznante y truculento: *Fatalidad y providencia* (1861), *Mártires y verdugos* (1861), *Esqueletos sociales* (1870), *Los misterios de San Cosme* (1851), *Los dramas de Nueva York* (1869), *Los tres aventureros* (1861), *Pobres y ricos de Méjico* (1884), etcétera.

Interminable se haría la simple mención de los novelistas que rinden culto al cuadro costumbrista o a la novela sentimental. Citemos a José María Ramírez (1834-1892), cuyas novelas se distinguen por el tono amargo y sarcástico: *Celeste, Ellos y nosotros* (1864) *Gabriela* (1862), *Avelina* (1864), *Mi frac* (1868), *Una rosa y un harapo* (1868), etcétera[4]; Jesús Echániz (*La envenenadora* y *Paladín extranjero*); Juan de Dios Peza, ilustre poeta, autor de *Memorias, reliquias y retratos*, interesante como anecdotario literario-costumbrista; Emilio Ramírez Aparicio (1831-1867), que obtuvo éxito lisonjero con *Agustín o la cura de almas*; Manuel Balbontín (1824-1894), ilustre militar que alterna lo sentimental y costumbrista con lo truculento en *Memorias de un muerto, Inés, Cuentos de colores* y *Tulitas la Pelona*.

Ignacio Manuel Altamirano

Muy superior a todos ellos es Ignacio Manuel Altamirano (1834-1893)[5]. Aun relegada a segundo plano su producción periodística y oratoria, notable más que nada por la viveza del estilo, y pasada por alto la poética—un volumen de versos, *Rimas,* en cuyas páginas abundan bellezas descriptivas de primer orden—, nos queda el gran pedagogo y el novelista de pura raza. Como educador del pueblo mejicano en momentos críticos, ha de ponerse de relieve su ecuanimidad y su honradez insobornable. Hombre de espíritu liberal en el mejor sentido del vocablo, conocedor como pocos de la historia del país, su actuación pública se distinguió siempre por lo certera y ponderada, no habiendo sido Altamirano de los que menos contribuyeron al período de estabilidad política que disfrutó Méjico tras la ejecución del emperador Maximiliano. El, con su espíritu de concordia, actuó también de aglutinante entre los escritores de las más opuestas tendencias e ideologías, lo que le permitió convertirse en una especie de orientador de la cultura. En torno a *Renacimiento,* el semanario fundado por él mismo, se agrupan literatos de varia procedencia y se ensayan los más diversos géneros. Antiguos enemigos deponen sus rencillas y se unen a él para dotar al país de una literatura de sello nacional.

Pero la gloria máxima de Altamirano está en la novela; y no en cualquier clase de novela, sino en la grande, con argumento, episodios y literatura. Había ensayado con regular fortuna en *La Navidad en las montañas* (1871) el cuadro costumbrista. No era esto lo suyo. Tenía fibra para mayores empeños, y lo demostró en dos obras llamadas a tener extraordinaria difusión, a la vez que otorgaban a su autor uno de los primeros puestos en la novela hispanoamericana: *Clemencia* —relato incluído en *Cuentos de invierno* (1869)—, y *El Zarco* (1887-1889). *Clemencia* es una historia de amor y refleja, al parecer, el drama íntimo del propio novelista. Argumento sencillo y típicamente romántico, con una solución más romántica todavía: el amigo que, por no parecer desdeal a los ojos de una mujer, se sacrifica por el esposo de ésta, declarándose reo de muerte. Altamirano juega bien con los contrastes, tanto en lo físico como en lo moral: Isabel, rubia; Clemencia, morena; Enrique, cínico y astuto; Fernando, un cúmulo de perfecciones. Y luego, el telón de fondo: la guerra civil que el autor reproduce con pinceladas certeras, como quien la ha vivido y ha participado directamente en sus episodios más notables[6].

De más envergadura es *El Zarco*, escrita entre 1887 y 1889, aunque no publicada hasta 1900, siete años después de la muerte del autor. Estos veinte años que separan la redacción de las dos novelas, *Clemencia* y *El Zarco,* delatan un evidente progreso tanto en la técnica como en el estilo. Altamirano, sin perder expresividad, intensifica el efecto a fuerza de sobriedad y concisión. Nada de divagaciones inútiles. Cosas, acciones y pensamientos, dichos de manera directa; descripciones de trazo firme; comentarios, cuando los hay, muy en su punto. Y un argumento que va rectilíneo, sin zig-zag, al desenlace:

Nicolás, hombre sencillo y bueno a carta cabal, que trabaja como herrero en la hacienda de Atlihuayán, pretende a Manuelita. La madre de ésta, doña Antonia, apoya esas pretensiones; pero la joven le desprecia, enamorada como está del *Zarco*, jefe de una partida de *plateados*. Doña Antonia, atemorizada por los bandoleros, decide trasladarse a Méjico; pero en vísperas de realizarse el proyectado viaje, Manuelita es raptada, a instancia propia, por el *Zarco,* que la conduce a su guarida. Allí, la joven ve derrumbarse sus ilusiones ante una realidad muy distinta de lo soñado. La fuga de Manuela ocasiona la muerte de su madre, asistida en los últimos momentos por Pilar y el fiel Nicolás. Este, que había intentado inútilmente batir a los *plateados*, se compromete en noviazgo con Pilar. Entre tanto, la actuación de los bandidos, a quienes son incapaces de reducir las fuerzas gubernamentales, provoca un alzamiento capitaneado por Martín Sánchez Chagollán. Acude Martín al presidente Juárez en solicitud de plenos poderes contra los facinerosos; se entera por una delación de que éstos van a atacar el cortejo nupcial de Nicolás y Pilar; cae sobre ellos, aprisiona a los cabecillas y los hace ahorcar. El *Zarco* es colgado al pie del árbol en que cantaba el tecolote durante las citas nocturnas con Manuela. Esta, muerto su amante, fallece de pesar.

«Episodio de la vida mejicana de 1861 a 1863», se subtitula *El Zarco*. Ello indica el realismo de la acción. Real es el fondo de la obra; real la actuación de las partidas de bandoleros, y reales sus principales personajes: El Zarco, Salomé Plasencia, Juan Linares, Martín Sánchez Chagollán, Benito Juárez. Sin embargo, la novela no puede calificarse de histórica. Al autor no le interesa la reconstrucción de una época más o menos inmediata; intenta más bien reflejar un estado de opinión, una forma de vida, un ambiente provocado por la presencia de las bandas de forajidos. La trama novelesca es el pretexto para sobre ella ir trazando un cuadro político y social. Estamos, pues, ante una novela realista; pero con perfiles especiales. El autor que la escribió ha militado antes en el Romanticismo, del que no ha podido o querido desprenderse por entero. De ahí los motivos románticos que por todas partes salpican la narración. Tampoco ha sabido desprenderse de cierto tono tribunicio, en su calidad de excelente orador parlamentario. Los problemas a veces se enjuician desde un ángulo de *líder* propagandista: «El vengador de su familia se había convertido en vengador social. Era el representante del pueblo honrado y desamparado», nos dice hablando de Martín Sánchez Chagollán. Y cuando el presidente Juárez otorga a éste plenos poderes, anota: «Era la ley de la salud pública armando a la honradez con el rayo de la muerte.»

Caracteres bien trazados: El Zarco, sanguinario, traidor, cobarde y enfatuado, representante de una tipología humana, por desgracia muy frecuente en Méjico, sobre todo en la época aludida por el autor; el antagonista, Nicolás, hermano de raza del novelista e indio como él, generoso, fuerte, con no pocos rasgos autobiográficos [7]; doña Antonia, muy en su papel de madre, y, sobre todos, Manuelita, ligera más que perversa e irreflexiva más que mal intencionada. Su proceso psicológico está desarrollado con gran tino. La caracterización brota del curso mismo de los hechos, antes que de la previa información del novelista. Su fantasía y la lectura de ciertos libros [8] llevan a Manuelita a despreciar al indio y a preferir al Zarco, una vez idealizado en sus sueños. Luego, al primer choque con la realidad todo se derrumba:

«Ella suponía que aun entre los ladrones, la mujer del jefe debía ser un objeto sagrado, algo como la mujer de un general entre los soldados. Lejos de eso, se la trataba como una mujerzuela, como la presa de un asalto, y venía a aumentar el número de las desdichadas criaturas que componían aquella especie de harén nauseabundo, que se alojaba, como una tribu de gitanos, en la vieja capilla.» (Cap. XXI, *La orgía*.)

La revisión de sus ideas y sentimientos se impone. De esa revisión sale Nicolás ennoblecido y su rival vilipendiado. Había, por tanto, dos caminos, dos modos de vivir: uno, digno, honesto, en un hogar feliz, rodeada del respeto de las gentes; otro, vituperable, lleno de zozobra, entre proscriptos de la sociedad y facinerosos, cuyo final ineludible era el patíbulo. Ella había escogido el segundo:

«Nicolás, el herrero rudo, el indio atezado, con las manos negras y gruesas y ganando la vida con su honradísimo trabajo, le parecía ahora hermoso, lleno de grandeza, amable, en comparación con aquellos holgazanes, carcomidos de vicios, cubiertos de plata, que habían arrancado por medio del asesinato y el robo... ¡Qué bella y qué dulce hubiera sido la existencia en la casa de aquel obrero!... ¡Qué noches tan gratas después de las fatigas del día, pasadas en suaves conversaciones y en un reposo no turbado por ningún recuerdo amargo! Y luego, la cena sabrosa y bien aderezada, en la mesa pobre, pero limpia; las caricias de los hijos; los consejos de la anciana madre; los proyectos para el futuro; las esperanzas que arraigan en la economía, en la actividad y en la virtud...; todo un mundo de felicidad y de luz... ¡Todo desvanecido! ¡Todo ya imposible!» (Capítulo XXI, *La orgía*.)

Parece que aquí debería cerrarse el proceso. Pero nuevos sentimientos asaltan el alma de la joven: la conciencia de su fracaso, la imposibilidad de regenerarse, el odio, los celos. La sola idea de que Pilar y Nicolás pudieran amarse y ser felices la traía en vilo: «Otra vez esta pareja que no se apartaba de su imaginación. Ahora, qué grandes y qué nobles le parecían los dos jóvenes. Pero qué desgracia que no se le aparecieran así sino para causarle el horroroso tormento de los celos, y la indecible vergüenza de considerarse como un monstruo de ingratitud y de bajeza en comparación de ellos.» Esos celos y el despecho de mujer fracasada son ya su savia vital hasta el desenlace. Cuando, a punto de ser ejecutado el Zarco, parece que va a imponerse la razón, que le aconseja ir en busca de Nicolás y de Pilar en súplica de piedad, una vez más y definitivamente se hace oír la voz del despecho: «Pilar, tú quieres casarte con el indio herrero; pero yo soy la que tengo la corona de rosas... Yo no quiero casarme; yo quiero ser la querida del Zarco, un ladrón.» Excelente novela; y, además, muy correctamente escrita a pesar de que el autor no dió al manuscrito el retoque definitivo.

La novela histórica: Mateos, Justo Sierra, Riva Palacio, Ancona, etc.

Los autores aludidos hasta aquí, sin desdeñar el elemento histórico, atienden ante todo a lo costumbrista. Los que vienen a continuación aspiran más bien a dejar en sus obras una crónica, tomada unas veces del pasado, copiada otras veces directamente de sucesos contemporáneos.

Fecundo dramaturgo, con unas cincuenta obras teatrales—algunas de ellas en colaboración con su amigo Riva Palacio—, y no menos prolífico novelista, JUAN ANTONIO MATEOS (1831-1913) inicia sus actividades narrativas con la referencia de hechos contemporáneos en forma novelada: *El cerro de las campanas* (1868), con escenas en las que él mismo intervino o de las que fué testigo; *El sol de Mayo* (1868), sobre la guerra de intervención; *Sacerdote y caudillo* (1869), sobre el cura Hidalgo; su continuación, *Los insurgentes*, sobre el cura Morelos e Itúrbide; *Memorias de un guerrillero de la Reforma* (1897); *Su majestad caída o la revolución mejicana* (1887), sobre Porfirio Díaz. En todas ellas se hermana el poder evocativo de sucesos actuales con el sentimentalismo más ingenuo. Luego, Mateos derivó hacia el folletín, al modo de Eugenio Sue y de nuestro Fernández y González: *Los dramas de Méjico* (1887), *La baja marea* (1899), *El vendedor de periódicos* (1899), *Las olas muertas* (1899), *Sor Angélica*, subtitulada «Memorias de una Hermana de la Caridad» (1875), *Sangre de los niños* (1901), *Sepulcros blanqueados* (1902), etc. El subtítulo de «Memorias», dado a muchas de estas narraciones, revela el prurito del autor de aparecer antes que como inventor de los hechos, como cronista. Mateos, que intervino también en política, cultivó asimismo la poesía y el teatro [9]. El nombre de JUSTO SIERRA O'REILLY (1814-1861), que sugiere inmediatamente el de su hijo y eminente polígrafo Justo Sierra (1848-1912), merece aquí destacarse, aunque sólo sea como iniciador de la novela histórica en Méjico. En efecto, *La hija del judío*, *El filibustero*, *Doña Felipa de Sanabria* y *El secreto del ajusticiado* son obras inspiradas en hechos pretéritos, y vieron la luz entre 1840 y 1850. La primera, sin duda la mejor, está basada en los anales inquisitoriales de la provincia de Yucatán; la acción se sitúa en el siglo XVII, y se centra en los amores de María Alvarez Monreal, y Luis Zubiaur; la Inquisición, deseosa de apoderarse de la cuantiosa fortuna de Felipe Alvarez Yucatán, personaje de origen portugués, le procesa injustamente por judaizante y trata de obligar a María a que profese en un convento, a lo que se oponen los jesuítas, protectores de los dos jóvenes, que al fin salen victoriosos. Tiene también Sierra una buena novela de carácter ético-sentimental: *Un año en el hospital de San Lázaro*, con interesante trama en torno al proceso psicológico de un joven de vida licenciosa que, habiendo contraído la lepra, se interna en el hospital y busca consuelo a sus males en la religión y el estudio; aquí se ve entorpecido en sus buenos propósitos por la aparición de dos meretrices que actúan de enfermeras; al fin, ayudado por un médico, el joven abandona el hospital y pasa al extranjero [10]. Sierra es un escritor poco imaginativo, seco; narra los hechos fríamente, en un estilo de crónica más que de novela.

Totalmente distinto se nos presenta VICENTE RIVA PALACIO (1832-1896), hijo de ilustre político y nieto de un héroe de la Independencia mejicana, el general Guerrero. Sus actividades militares, políticas y diplomáticas, no le impidieron dedicarse al estudio y bucear en los archivos hasta dar con los temas que nutrirían luego sus cuentos y novelas. Ya en 1868 había obtenido un éxito asombroso con *Calvario y Tabor*, mitad reportaje, mitad novela. En sus páginas, animadas con bellísimas descripciones de la costa Sur y de Michoacán, se relatan las vicisitudes de un puñado de soldados, puestos bajo su mando durante la lucha civil. El éxito le animó a continuar escribiendo novelas: *Monja, casada, virgen y mártir*; *Martín Garatuza, Los piratas del golfo, Los dos emparedados, Memorias de un impostor*, etc., inspiradas todas en un pasado más o menos próximo. También busca en el período colonial la temática para sus relatos breves. Ejemplo: *La vuelta de los muertos*, reconstrucción de la vida de Hernán Cortés, y *Los cuentos del general*, colección de tradiciones mejicanas, publicada con carácter póstumo, «mejor construídas que las peruanas de Palma», según Anderson Imbert; pero, claro está, sin el sabor y el humorismo que el gran escritor limeño supo dar a las suyas. Entre estos relatos breves señalemos *El buen ejemplo, Las mulas de su excelencia* y *La burra perdida*. El primero tiene por protagonista al maestro rural don Lucas Fórcida, que ha puesto todo su cariño en la educación de un loro; un día el animal desaparece. Algún tiempo después, paseando el maestro por un bosque, halla una bandada de loros que cantan ba, be, bi, bo, bu, etc.; tras ellos, majestuosamente, va el loro aleccionado por don Lucas, que dice al maestro: «Don Lucas, ya tengo escuela»; el novelista anota irónicamente: «Desde esa época, los loros de aquella comarca, adelantándose a su siglo, han visto disiparse las sombras del oscurantismo y la ignorancia»; *La burra perdida* es un ameno relato costumbrista-sentimental. L. Alberto Sánchez califica a Riva Palacio de folletinista al modo de Dumas y de Fernández y González; juicio acertado si sólo tenemos en cuenta algunas de sus novelas, y no los relatos breves y *Los ceros*, aguda visión de la política de la época, a la que la nota satírica no resta valor [11].

Husmeando el rastro del pasado, otro compatriota suyo, ELIGIO ANCONA (1836-1893), también encontró abundantes materiales para sus novelas de evocación histórica, notables por la singular fobia antiespañola que las anima. *La cruz y la espada* (1866), *Los mártires de Anahuac* (1870), *El conde de Pañalva* (1879), *La mestiza, Memorias de un alférez*, etc., están cortadas del mismo paño que había utilizado para las suyas Riva Palacio. Las dos primeras tienen por tema la conquista de Yucatán y de Méjico [12].

Otros novelistas mejicanos

Los hay por esta época en gran abundancia. Todos ellos de escaso relieve, y hoy ya casi olvidados. Vayan unos pocos nombres.

En la novela seudohistórica tenemos a MARIANO MELÉNDEZ MUÑOZ, que rinde culto al más desenfrenado romanticismo en narraciones como *El misterioso*, sobre la muerte del príncipe don Carlos, hijo de Felipe II. Ninguna consideración detiene al autor: incestos, parricidios, asesinatos, falsedades, están a la orden del día. Obras como *El tribunal de la sangre* o *El diablo en Palacio*, son, ante esta que comentamos, un dechado de ponderación y veracidad.

Los temas anteriores a la conquista atraen la atención de EULOGIO PALMA Y PALMA, que, en *La hija de Tutul-Xiu*, aspiró a darnos una pintoresca evocación de la cultura y costumbres mayas; de CRECENCIO CARRILLO Y ANCONA, que en la *Historia de Welina* nos dejó una hábil pintura de la con-

quista del Yucatán, y de J. R. HERNÁNDEZ, que en su *Azcaxóchitl o la flecha de oro* se remonta a la descripción de la vida azteca del siglo XIV. Temas coloniales inspiran con más o menos fortuna a IRINEO PAZ (1836-1924), en obras como *Amor y suplicio, Doña Marina* y otras, y a NATAL DEL POMAR (1813-1886), en *Méjico hace trescientos años*. La novela de tema clásico está representada por el conde de la Cortina en *Euclea o la griega de Trieste*.

Finalmente, hacia la novela de costumbres se inclinan LUIS G. INCLÁN (1816-1875) y JOSÉ T. CUELLAR (1830-1894). Inclán, que alcanzó renombre con el relato *Astucia o el jefe de los Hermanos de la Hoja*, quiso darnos un documento histórico y lo que nos dió en realidad fué un cuadro ambiental del Méjico invadido por tropas extranjeras, luchando esforzadamente por arrojarlas de su suelo; y Cuéllar, poeta y autor dramático también, nos dejó en *El pecado del siglo* y en la serie de tomos de *La linterna mágica* una descripción animada de la sociedad de su tiempo, con tipos un tanto caricaturescos, pero muy bien logrados, de modo que esa obra constituye uno de los documentos más valiosos sobre las costumbres mejicanas del pasado siglo.

II. GUATEMALA, PUERTO RICO Y SANTO DOMINGO

Son los tres países de Centroamérica y las Antillas que tienen algo que ofrecer en la novela del XIX. Y, junto a ellos, Cuba, a la que dedicaremos párrafo aparte.

Aludido ya en su lugar José Antonio de Irisarri, el único novelista guatemalteco digno de mención en esta época es JOSÉ MILLA VIDAURRE (1822-1882), más conocido algún tiempo por el seudónimo de *Salomé Jil*. Estamos ante un típico representante de la novela histórica. Milla somete la realidad al vuelo de su fantasía, de modo que, aun siendo un hecho real la base del relato, luego, por la serie de episodios inventados en que el hecho se diluye, queda casi convertido en algo imaginario. Añadamos que, como discípulo y compatriota de Batres Montúfar, todo lo enfoca con una lente humorística; y, como buen romántico, hace alarde continuamente de su animosidad contra el Santo Oficio. De otra manera, ni sería ni podría llamarse romántico. Ya en su primera obra, la leyenda en verso *Don Bonifacio* (1862), sobre un suceso acaecido en Guatemala en 1631, descubrimos esas notas. Sus restantes obras se ajustan al mismo patrón: *La hija del Adelantado* (1866), relativa al fruto de los amores de don Pedro de Alvarado y de una princesa tlaxcalteca, con exceso de intriga y garbosas descripciones, entre las que destaca la erupción volcánica de 1541; *Memorias de un abogado*, de gran interés documental sobre la vida universitaria del siglo XVIII; *Los Nazarenos*, en

torno a la rivalidad de dos familias, los Padilla y los Carranza, y cuya acción se sitúa en la segunda mitad del siglo XVII.

Mención aparte merece *El Visitador* (1867), una de las novelas más representativas del romanticismo americano por su tono melodramático. Se puede decir que no le falta uno solo de los ingredientes del género: el expósito, que luego resulta hijo del célebre corsario inglés Francisco Drake; el bueno y el malo, representados respectivamente por Andrés, protector del expósito, y por Basilio; una especie de conde de Montecristo de vía estrecha, en la persona de Juan de Ibarra, etc. Lo que salva a esta novela, al igual que a *La hija del Adelantado* y, en general, a toda la producción de Milla, es su belleza descriptiva. Cuadros como las fiestas en honor del rey, en *El Visitador*, o como la erupción del volcán, en *La hija del Adelantado*, nos compensan hasta cierto punto de todos los anacronismos y aventuras descabelladas. Es autor Milla asimismo de unos extensos *Cuadros de costumbres* (1871) y de una documentada *Historia de la América Central* (1879).

Tapia y Rivera, y Hostos

Pocos nombres podemos incluir en la novelística puertorriqueña. Los dos más ilustres, el de don Alejandro Tapia y Rivera y el de Eugenio María de Hostos, en cualquier lugar encajarían mejor que aquí. Antes de darse a conocer éstos, había aparecido una colección de producciones en prosa y en verso, en la que se insertan varios relatos novelescos de una ñoña sensiblería y de un melodramatismo subido. Aludimos al *Aguinaldo puertorriqueño* (1843). Difícil resulta extraer de allí algo que merezca citarse. Acaso lo más notable sea *Pedro Duchateau*, de Martín J. Travieso, compuesto a la manera folletinesca de Xavier de Montepin. Otros títulos, *El astrólogo y el judío, La infanticida*, son tan elocuentes que nos relevan de todo comentario.

ALEJANDRO DE TAPIA Y RIVERA (1827-1882), ya citado como poeta, es el más fecundo y variado de los escritores puertorriqueños en la pasada centuria. Su producción novelística, que es la que ahora nos compete, se distribuye en dos grupos: relatos breves o «leyendas» y relatos extensos. Al primero pertenecen *La palma del cacique*, de tipo indigenista; *La antigua Sirena*, leyenda veneciana; *Un alma en pena*, cuento fantástico. Narraciones largas son: *Póstumo el Transmigrado: Historia de un hombre que resucitó en el cuerpo de su enemigo* (Madrid, 1872) y *Póstumo envirginado o historia de un hombre que se trasladó al cuerpo de una mujer* (1882). Los títulos indican claramente que más que de dos novelas se trata de una sola en dos partes. También indican los títulos la extravagancia del argumento, que se ha querido relacionar con la novela de Teófilo Gautier, *Avatar*, y con la de Fernández y González, *Historia de un hombre contada por su esqueleto*. A uno y otro novelista superaba Tapia, si no en fuerza imaginativa, sí, al menos, en audacia y originalidad. De su ingenio disparatado nos había dado ya pruebas en ese «diabólico poema o más bien estupenda pesadilla» que lleva por título *La Sataniada* (Madrid, 1878), donde, al decir de Menéndez Pelayo, «todo está ahogado y oscurecido por la insensatez del plan, por la incoherencia de los episodios, por un pedantesco fárrago de nombres propios y de teorías a medio mascar, y por el más fangoso torrente de declamaciones de sectario contra todo lo humano y lo divino. *La Sataniada* es un confuso centón de todo género de herejías, pero están expuestas de un modo tan estrambótico, que no es de temer que hagan muchos prosélitos. Lo que puede dudarse es que saque sana la cabeza del que se aventure a penetrar en semejante aquelarre» [13]. Tal estimación de nuestro gran crítico podría inducir a formar de Tapia un juicio equivocado. Pero ha de advertirse que Menéndez Pelayo habla sólo de *La Sataniada*; hasta tal punto, que él mismo se apresura a declarar que «con todos sus defectos y aberraciones de gusto, Tapia y Rivera, no sólo por el número y relativo valor de sus obras, sino por la eficacia constante que su ejemplo en su vida literaria laboriosísima..., mantuvo el fuego sagrado de la literatura en Puerto Rico». Entre esas obras calificadas como de «valor

relativo» por Menéndez Pelayo se pueden incluir *La leyenda de los veinte años* (1872) y *Cofresí* (1876), sobre las aventuras del pirata de este nombre, ejecutado en marzo de 1825. Aun dominando en ambas lo folletinesco, se dejan leer por sus notas sentimentales.

Un propósito deliberadamente didáctico y un afán de convertirse en una especie de rector ideológico del pueblo, impidió a EUGENIO MARÍA DE HOSTOS (1839-1903) desempeñar en la novela y en la lírica el papel al que parecía estar destinado. ¿Es novelista Hostos? En *Moral social* (1888) insertó tres capítulos contra la literatura de creación, que él, como Platón, despreciaba en nombre de la sana razón y de la ética. Hay quien cree que esa actitud respondía a una convicción sincera; hay quien sugiere que pudo obedecer a la conciencia de su fracaso. El hecho es que Hostos, que ya había escrito en su adolescencia composiciones líricas de escaso valor, quiso también tentar el género narrativo. En 1863 publica *La peregrinación de Bayoán*, novela simbólica de la que no debió de quedar muy satisfecho, puesto que ya no repitió el experimento. Dejó, es verdad, otras dos inéditas, *La novela de la vida* y *La tela de araña*, que, si hemos de creer a quienes las han leído, nada añaden a su gloria de escritor. Esta se basa más bien en su copiosísima producción doctrinal y pedagógica, a que aludiremos en su lugar. En tal aspecto ocupa un puesto muy destacado al lado de Bello, Sarmiento, Montalvo, Varona, Martí y otros educadores de las repúblicas hispanoamericanas. Limitando por ahora nuestro juicio crítico a *La peregrinación de Bayoán*, advirtamos que se trata de un relato simbólico y político, semejante a *Luz del día*, de Alberdi. El carácter de la obra queda definido por el propio autor que la calificó de «grito sofocado de independencia». Y, en efecto, así la interpretaron las autoridades españolas de la isla, al ordenar su retirada tan pronto como apareció. Obra juvenil —Hostos contaba veinticuatro años cuando la escribió—, abunda en fraseología huera y disquisiciones seudofilosóficas. Hostos declara su filiación romántica, llamándose discípulo de Goethe, Foscolo, Byron y Espronceda; y, si bien es verdad que su novela abunda en situaciones, temas y procedimientos marcadamente románticos, no lo es menos que en el fondo no se sale de la línea trazada ya por el filosofismo dieciochesco, de tan honda huella en los ideólogos americanos de la época [14]. Completan el cuadro de la novela puertorriqueña FRANCISCO MARIANO QUIÑONES (1830-1908), que cultiva el tema exótico en sus dos novelas, *Nadir-Shah* y *La Magofonía*, ambas de asunto persa; y MANUEL CORCHADO, estimable poeta, que nos dejó en *Historia de Ultratumba* (1872) un testimonio de sus ideas espiritistas, muy afines a las que hemos tenido ocasión de vislumbrar en Tapia y Rivera.

El «Enriquillo», de Galván

La República Dominicana sólo cuenta en rigor, durante este período, con un novelista notable, MANUEL DE JESÚS GALVÁN (1834-1910) [15], autor de *Enriquillo*, una de las narraciones más logradas del romanticismo americano. Hay otro compatriota suyo, Francisco Gregorio Bellini (1844-1898), que también cultivó el relato, pero queda a inmensa distancia de Galván.

Para enjuiciar acertadamente *Enriquillo* hay que tener en cuenta el ángulo de visión en que se sitúa su autor y el concepto de «novela histórica» dominante en la época. El siglo XIX, el gran siglo de la Historia, como algunos quieren llamarle, enseñó a los novelistas el arte de mirar y comprender el pasado. Pero los novelistas aplicaron ese arte de dos maneras: unos, tomando la Historia sólo como base del relato y sumergiendo a éste en el raudal de su imaginación; es decir, supeditando la Historia a la fantasía; otros, tal es el caso de Walter Scott y sus discípulos, sin cortar por completo las alas de la imaginación, procuraron que ésta marchara siempre sometida a la verdad histórica. En el primer caso tenemos la novela seudohistórica, de la que tantas muestras hemos visto en España y América; en el segundo, la «historia novelada». A este tipo pertenece *Enriquillo*, de Galván. Este, por razones políticas y de formación, a que luego aludiremos, no debía ni quería fantasear. Puesto a escoger un tema de la colonización española, como él lo hace, tenía que someterse a los datos que suministraba la Historia. Y ello con toda exactitud, con toda objetividad, sin escamoteos ni deformaciones. Porque, hora es de decirlo, Galván, antes que una obra de recreación, quiso escribir una obra histórica. Y ello con toda la trascendencia que el concepto de Historia comporta en la época moderna: exposición de hechos y enjuiciamiento de los mismos desde un ángulo político-social. De aquí que *Enriquillo* sea casi siempre pura crónica; de aquí que a esa crónica siga, como la sombra al cuerpo, la interpretación y comentario oportuno. Junto a la fábula y episodios arrancados de las crónicas, Galván explica las leyes que rigieron todo un sistema social, las causas de la lucha, las razones de unos y de otros—indios y españoles—y las consecuencias que de ahí dimanaron. Se trata ni más ni menos que del enjuiciamiento de todo un régimen de conquista y de colonización, visto a través de un episodio parcial. Pero Galván le da la categoría general y, en virtud de una perspectiva histórica de que el cronista o cronistas carecían, se lanza a una interpretación casi filosófica de la Historia en uno de sus momentos culminantes. He aquí, aparte de sus méritos literarios, lo que confiere a *Enriquillo* una importancia de primer orden.

¿Cómo cumple el novelista su cometido? Con una honradez absoluta. Para ello le ha bastado atenerse a los hechos tales como están reflejados en documentos históricos, sin concesiones o con muy pocas concesiones a la fantasía. Galván llega a transcribir páginas enteras del padre Las Casas; y tan orgulloso está de su método, que no es raro encontrar notas como ésta: «Toda esta narración es literalmente histórica. Nada alteramos en los precedentes discursos y réplicas del texto de Las Casas»; o esta otra: «Extracto fiel y textual, sin poner nosotros una palabra ni un concepto nuevo, del capítulo CXXV de la *Historia de Indias* de Las Casas [16].»

Después de lo dicho, casi huelga señalar las fuentes. En primer lugar, la *Historia* citada de Las Casas, que abarca, como es sabido, desde Colón a 1520; luego, documentos del Archivo de Indias; por último, las obras de los cronistas inmediatos a la conquista: Fernández de Oviedo, Juan de Castellanos, Antonio de Herrera, etc. También aprovecha la biografía del padre Las Casas compuesta por Manuel José Quintana.

Con tal acopio de documentación ya se entiende que la parte imaginativa está reducida al mínimo y que la trama argumental, simplicísima, es en la obra lo de menos. Hela aquí:

El cacique Enriquillo trata de mantenerse fiel a los españoles, en pago de las muchas atenciones que de ellos ha recibido. Hasta se aviene a sufrir vejaciones, tales como la servidumbre bajo el poder de un hijo de su antiguo protector. Pero su paciencia tiene un límite: el despótico y lujurioso Valenzuela atenta contra el honor de Mencía, esposa del cacique, quien con este motivo se lanza a la rebelión. El desenlace no puede ser más esperanzador para la raza india: triunfo de Enriquillo, arrepentimiento de Valenzuela y castigo del malvado Mojica, de quien nos hace Galván «el mejor estudio de perversidad de todo el romanticismo hispanoamericano», a juicio de Anderson Imbert [17]

Visto así en síntesis el argumento, estaría uno tentado a creer que se trata de una obra indigenista más, con la correspondiente diatriba antiespañola; un nuevo capítulo que agregar a la «leyenda negra». Y nada de eso; el autor renuncia a todo éxito populachero para ofrecernos un testimonio de absoluta objetividad. Múltiples razones explican este hecho: primera, la fidelidad política de Galván a España, a la que sirve en cargos diplomáticos y burocráticos; segunda, las diversas vicisitudes por las que pasa su patria a lo largo del XIX [18], que casi hacen añorar como época feliz el período llamado colonial; tercera, el servicio de la verdad. Cierto que en la conquista y colonización de América hubo abusos y errores por parte de los españoles; pero no menos cierto que muchos de tales abusos son inevitables en cualquier empresa de esa naturaleza y que, en todo caso, quedaron en América bien compensados con la magna obra civilizadora realizada allí por España. Galván no la desconoce; y, sin negar ni pretender atenuar los grandes vicios de algunos conquistadores y gobernantes, procura, ya que no justificarlos, por lo menos explicarlos. El es un hombre político, un hombre de gobierno, que ha intervenido en las luchas de su tiempo y que se siente en cierto modo «comprometido»; y aspira ante todo a ofrecernos, junto con una obra artística, una lección de Historia y de buen gobierno.

En cuanto al calificativo de «leyenda» dado a su obra por el propio Galván, reconozcamos con Martí que no le va. Ni el corte ni el estilo sugieren ese tono romántico que el término «leyenda» parece llevar consigo. La prosa de Galván, lo han hecho notar todos los críticos, más que romántica, es neoclásica; más que a la de Bécquer, se parece a la de Quintana o Jovellanos. Tiene toda la andadura grave del XVIII; nada de la etereidad de nuestros grandes narradores legendarios. Y es que Galván, ya lo advirtió Henríquez Ureña, «había crecido intelectualmente entre las ruinas de

la cultura clásica y escolástica que tuvo asiento en las extintas universidades coloniales de Santo Domingo». Pero no en vano *Enriquillo* nació a la vida en una atmósfera romántica. Esa atmósfera tenía que pesar forzosamente en su redacción y estructura. Y así vemos que en un estilo un tanto retórico, de período amplio, con escasa presencia de voces indígenas y regionalismos, en un léxico que pudiéramos llamar de «buen gusto», como es por lo general el de Galván, se deslizan subrepticiamente no pocos términos románticos: «lúgubre», «aciago», «implacable»; sintagmas como «infernal alegría», «voz con silbos de serpiente», etc. Y no sólo eso: recursos introducidos también por el Romanticismo: apariciones, embozados, contrastes morales y físicos... Característicos del ideario romántico son asimismo el espíritu de lucha que anima al protagonista, su constante *leitmotiv* de libertad o muerte y la urdimbre en que se desarrolla el proceso amoroso que sirve de nudo a la acción.

III.   LA PROSA NARRATIVA EN CUBA

«No ha tenido la novela cultivadores tan numerosos y eminentes en Cuba como la lírica y la oratoria; algunas excepciones, como la Avellaneda, y más aún Villaverde, no pueden establecer una regla general. El cubano, más que imaginativo, es exaltado y vehemente, y por eso aquellos géneros han sido preferidos a la novela, que, si nacida de la fantasía, es reposada y minuciosa. La novela romántica inglesa, principalmente la de Walter Scott, influyó mucho en los escasos cultivadores que produjo la literatura narrativa entre nosotros.» Con tales palabras inicia los capítulos dedicados a la novela y artículos costumbristas el eminente historiador de la literatura de aquel país Juan J. Remos [19]. A continuación cita la novela histórica *Antonelli*, de JOSÉ ANTONIO ECHEVERRÍA (1815-1885), basada en las andanzas por América del italiano Juan Bautista Antonelli, y aludida ya por nosotros en el capítulo anterior.

Agreguemos a los nombres de Villaverde y de la Avellaneda el de Anselmo Suárez Romero y tendremos los máximos representantes de la novelística cubana en el siglo XIX. Otros narradores hay que, aun moviéndose en plano inferior, contribuyen a dar a la prosa narrativa cubana, singularmente a la costumbrista, un lugar destacado en el panorama literario de Hispanoamérica. Porque ha de advertirse que, si bien la novela histórica apenas tuvo cultores, el costumbrismo, tanto en su forma de narración larga como en la más breve del cuento y del artículo periodístico, los tuvo y de muy reconocida solvencia. Los nombres de Palma, Pichardo, Betancourt, J. Z. González del Valle, Piña y Costales, por no

citar sino los más conocidos, dan fe de ello. Y es que Cuba, al igual que los otros países americanos, y por las razones ya en otro lugar apuntadas, entre ellas la carencia de verdadera historia, a duras penas podía suministrar base para un relato de este tipo; en cambio, los elementos y motivos costumbristas salen al paso del observador por todas partes. El escritor no tiene más que mirarlos y trasladarlos a la obra, tales como surgen ante sus ojos. Y así lo hace, sólo que con unas características peculiares que distinguen el costumbrismo cubano del de los otros países. «En Cuba, el costumbrismo—escribe Luis Alberto Sánchez—es amplio, liberal, hasta picaresco; pero sin la picardía, es decir, sin la malicia no licenciosa propia de Méjico. El elemento sexual y el impulso revolucionario predominan en la isla. La larla dominación hispánica se revela en el lenguaje. Balas y rumba, cañaveral y manigua y ciudad en crecimiento: he aquí los ingredientes de su costumbrismo [20].» Así se explica que sus novelas más representativas, el *Francisco,* de Suárez Romero, y *Cecilia Valdés,* de Villaverde, reflejo bastante exacto ambas de las costumbres cubanas, aborden la más vasta gama de temas sociales y raciales. Añádase el elemento sexual. La novelística cubana aparece cruzada por tumultuosas y violentísimas pasiones, de esas que nacen en las raíces mismas del instinto animal: la lujuria, la codicia. Una y otra encuentran acaso explicación en las condiciones sociales y telúricas de la Isla: la codicia, en la prolongación de la esclavitud; la lujuria, en el clima del trópico, que obliga a un modo de vida especial.

«Francisco», de Suárez Romero

En 1880 se publica en Nueva York la novela *Francisco*, debida a la pluma de ANSELMO SUÁREZ ROMERO (1818-1878) [21]. La obra había sido publicada antes en forma fragmentaria y parece que estaba escrita desde 1839. Téngase presente este dato en la apreciación de la misma. Su autor, que había cursado estudios en el Seminario de San Carlos y en la Universidad de la Habana, para vegetar luego, dedicado a la enseñanza, en colegios de escasa monta, redactó su obra con una evidente intención social: la abolición de la esclavitud. Pero resulta que cuando apareció *Francisco*, el proceso liberador de esclavos se hallaba ya tocando a su fin. De aquí que el propósito inicial sólo se cumple en mínimo grado. Hay quien dice que la novela se escribió «por indicación de experto mecenas y para solaz de un filántropo extranjero» [22]. El resultado es el mismo. La defensa llegaba tarde. Y eso que, hay que reconocerlo, *Francisco* «es la primera novela abolicionista que se produjo en Cuba, motivo por el cual circuló primero manuscrita», según afirma J. J. Remos. Y aun conviene agregar que es un grito de libertad de razas anterior al de Beecher-Stowe, en *La cabaña del tío Tom*. Pero, pese a esta primacía cronológica del tema en la novela cubana—había que tener en cuenta asimismo *Sab*, de la Avellaneda—, Suárez Romero, en su *Francisco*, quedó bastante lejos de la meta propuesta. Y es que el indio, no sólo en Cuba, sino en el resto de América, y dígase otro tanto del negro, rara vez supo inspirar otra cosa que narraciones lánguidas y de un sentimentalismo blandengue. Como que sus autores, exceptuando Altamirano, eran todos de raza blanca. Véase el argumento de *Francisco*:

Dos esclavos, Dorotea y Francisco, se aman apasionadamente, y ante la prohibición por parte de sus señores de que contraigan matrimonio, se unen a escondidas, dando esta unión por fruto una niña. Ricardo, el señorito, hijo del ama, se enamora de la negra Dorotea y excita a su madre para que impida el matrimonio. Al fin, la madre accede; pero los destina al servicio de Ricardo, quien hace objeto a Francisco de las mayores vejaciones. Dorotea, en su deseo de evitar los malos tratos inferidos a su esposo, no vacila en satisfacer los deseos del señor, creyendo que de este modo se mostrará más humano. Todo inútil: las crueldades siguen; Francisco, al enterarse de su deshonra, se ahorca; y la pobre negra, incapaz de sobrevivir a tan rudo golpe, ve extinguirse su vida en el mayor infortunio.

La trama argumental, como se ve, no carece de interés y originalidad, y hasta se presta para la composición de una buena novela. Suárez Romero no acertó a hacerla, o acertó sólo a medias. Y no es que *Francisco* carezca absolutamente de méritos. Los tiene, y algunos muy estimables. Las costumbres cubanas están recogidas con fidelidad y gusto; abunda en cuadros de brillante colorido; p. ej., el baile de los negros al son de los tambores; presenta tipos, como el del cómitre, muy logrados y reales. Pero, en general, el relato naufraga en un mar de brillanteces coloristas y de sentimentalismos delicuescentes. Alguien ha dicho que Romero sólo supo sacar un «idilio de Arcadia convencional donde había elementos para un cuadro de Goya» [23]. Además de *Francisco*, escribió Romero cuadros costumbristas; entre ellos sobresalen los titulados *El guardiero*, *Debajo de las cañas bravas*, *Palmares* y, sobre todo, *Carlota Valdés*. La prosa de Romero, aun en medio de su realismo, es fundamentalmente romántica.

Cirilo Villaverde

La novela costumbrista, que en opinión de Remos se adelanta en Cuba a las producciones del mismo género en España, aunque de escritores españoles reciba inspiración, tiene un alto representante en CIRILO VILLAVERDE (1812-1894) [24]. Reparte éste su actividad entre la política—fué uno de los que más se distinguieron en la lucha por la independencia cubana—, la enseñanza y las letras. Su producción novelística es abundante. Hacia 1837 inserta en la *Miscelánea de útil y agradable recreo* cuatro novelas cortas: *La peña blanca*, con un tema de incesto, en que un padre, enamorado de su propia hija, mata por celos al marido de ésta; *El ave muerta*, de tema similar, con el amor entre dos hermanos, ignorantes de que lo son; *La cueva de Taganana*, sobre la pasión precoz de un jovenzuelo, que asesina por celos a su rival y luego se suicida; y *El perjurio*, la mejor de todas, en cuyas páginas, llenas de bellísimas descripciones, se desarrolla también un drama de celos.

Un año más tarde (1836) publicó *El espetón de oro*, espeluznante relato de la venganza de un marido que, en la misma noche de bodas, torturado por los celos, asesina a su esposa valiéndose de un largo alfiler de oro (de ahí el título); y *Engañar con la verdad*, cuento de tema muy manido. Siguen *Excursión a Vuelta de Abajo* (1838), *La cruz negra* (1839), *Teresa* (1839), *El penitente* (1841), *La peineta calada* (1842), *El guajiro* (1842), *El ciego y el perro*, *La joven de la flecha de oro*, *El misionero del Caroní*, *Dos amores* y *Cecilia Valdés*. En *La peineta* se evoca la vida del desdichado «Plácido», que, ya se dijo en su lugar, era de oficio peinetero; *El penitente*, con una trama complicada, en la que entra toda clase de ingredientes románticos, revive con brillante colorismo y detalle la vida de la Habana a finales del XVIII; nada se escatima allí: fugas, amores ocultos, apariciones, calabozos, hijos naturales al cuidado de esclavas, puñales homicidas, incendios, etcétera; *El guajiro* nos retrata al campesino cubano, «repentista galante como un trovador, gran jinete y gran jugador, gallardo tenorio, · que se bate como un paladín y que, a veces, a consecuencia de trágica aventura amorosa, tiene que refugiarse en el bosque, en lucha abierta con las leyes» [25]; tipo, en una palabra, muy parecido al gaucho idealizado por la literatura argentina; *Dos amores*, bella novela romántica que encuadra dentro de un fuerte ambiente de época—la Habana de 1836—una acción de intenso. dramatismo: la lucha de un amor puro y noble frente a un torpe apetito, encarnada en dos hombres que quieren a la misma mujer.

A todas ellas gana en interés y belleza *Cecilia Valdés*. Está considerada como la mejor novela cubana y una de las obras maestras de la literatura de aquel país. «Nunca creí que un cubano pudiera escribir cosa tan buena», dijo después de leerla nuestro Pérez Galdós. Fué publicada, con el título de *Cecilia Valdés, o la Loma del Angel*, en dos partes y épocas: la primera, en la Habana, el año 1839; la segunda, en Nueva York, 1882. El subtítulo *La Loma del Angel* responde al barrio de este nombre en la capital cubana, principal escenario de la acción. Esta es simplicísima:

Cecilia, gallarda joven, fruto de las relaciones ilícitas entre la mulata, Charo, y el acaudalado español don Cándido Gamboa, llama la atención de todo el barrio del Angel por su espléndida belleza. Nadie conoce su origen, por haber sido llevada, recién nacida, desde el regazo de su madre al torno de la Casa-Cuna; pero ya fuera del benéfico establecimiento, y en libertad por las calles, va levantando en todas partes pasiones tumultuosas. Por su belleza y color la llaman *La virgencita de bronce*. Uno de sus enamorados es el sastre y músico mulato José Dolores Pimienta; otro, el joven Leonardo Gamboa, hijo de don Cándido. Este procura a todo trance impedir las relaciones. Pero el joven se las ingenia para atraer a Cecilia y hacerla suya. Esta, ignorante, como Leonardo, de los lazos de sangre que los unen y enamorada de él locamente, no opone resistencia. Don Cándido denuncia el caso al alcalde, quien ordena la reclusión de Cecilia en una casa de Recogidas. Pronto es extraída de allí por su amante. Nueva luna de miel y nuevos apasionados transportes. Pero el amor de Leonardo, más curioso que sincero, empieza a enfriarse. Sobreviene el desvío. Cecilia, herida en lo más íntimo de sus sentimientos, al enterarse de la boda de su amado con una antigua novia, Isabel, acude a José Dolores Pimienta y le promete ser suya si mata a Leonardo. El mulato se dirige a la iglesia del Angel, donde había de efectuarse la boda, y clava su cuchillo en el pecho de Leonardo, que cae muerto a los pies de su prometida. Cecilia, internada en el Hospital de Paula como cómplice, aún es reconocida por su madre antes de morir. Isabel ingresa en un convento.

Lo menos es aquí el argumento, con estar muy bien llevado. Lo que interesa más es el desarrollo de la obra, en cuanto cuadro histórico-costumbrista. Toda la Habana de principios del siglo XIX

se encuentra reflejada en estas páginas. Sin desdeñar el planteamiento de un candente problema étnico-social, Villaverde se ocupa ante todo de presentarnos un amplio panorama de tipos, costumbres y vida en general. Y lo hace con una técnica que supera en mucho la de otros costumbristas de su tiempo. Sus descripciones son de un detallismo, de una exactitud y de una firmeza sorprendentes. Sus personajes están tomados de la vida; tan de la vida, que algunos de ellos tuvieron existencia real. Como Galván en su *Enriquillo*, también Villaverde en *Cecilia Valdés* respalda su narración con notas como ésta: «La narración que sigue la tomamos casi al pie de la letra de un semanario que se publicaba en la Habana en 1830 [26].» Pero Galván novelaba hechos acaecidos hacía trescientos años; mientras Villaverde nos habla de sucesos coetáneos. Todo ello es más digno de tenerse en cuenta si se atiende al momento en que fué escrita la obra. Asistimos en *Cecilia Valdés* a un notable caso de técnica realista, llevada a cabo en unas fechas en que, si se exceptúa a Balzac—tan recargado por otra parte de elementos románticos—, nada se escribía que mereciese en justicia figurar bajo la etiqueta estética del realismo, como no fuesen esos bocetos costumbristas en los que se atendía más a la nota satírica que a la transcripción fiel y objetiva de la vida. Claro es que para ello Villaverde hubo de renegar hasta cierto punto de su primitivo credo estético, que bajo la influencia de Ramón de Palma se había iniciado—ya se ha visto en otras novelas—dentro del más delirante romanticismo.

Estilo transparente, castizo y, no obstante el detallismo descriptivo, casi siempre sobrio; diálogo animado; una acción cuyo interés no decae en momento alguno, y un trazado suelto y firme de caracteres: Cándido Gamboa, «celebridad de campanario, aristócrata de la víspera, negrero impenitente»; Leonardito, su hijo, espejo de toda una juventud indolente, enervada por la opulencia, pródiga, viciada ya en el hogar, liberal en teoría, aunque con soberbias punibles de esclavófilo; Cecilia, caprichosa, bellísima, sensual y apasionada; don Liborio, ladino capataz en cuya alma se funden astucia, servilismo y crueldad; Isabel, arquetipo de la doncella honesta; y doña Rosa, ejemplar de madre complaciente con exceso ante las debilidades y caprichos de su vástago. Un defecto cabría señalar: la acumulación de episodios ajenos a la acción. Aun así ha de reconocerse con Rafael Esténger que *Cecilia Valdés* es la mejor, la única gran novela del siglo XIX en Cuba [27].

Escritores costumbristas

Con Suárez Romero y Cirilo Villaverde queda agotada la representación novelística cubana en el pasado siglo. Aún podría agregárseles la Avellaneda; pero esta gran figura desborda los límites de un género determinado para llenarlos todos —teatro, lírica, narración, prosa didáctica, epistolar, etc.—con el máximo decoro. Por ello estudiamos su obra en conjunto y en otro lugar. Aquí no nos queda sino una sucinta mención de una serie de escritores, costumbristas en su mayor parte, que contribuyeron a vigorizar y animar el género en la hermosa isla antillana.

RAMÓN DE LA PALMA (1812-1860) hizo novelas cortas de carácter indigenista—*Matanzas y Yamurí, El ermitaño del Niágara*—, que se distinguen por su sencillez constructiva y por sus bellas descripciones; en los cuadros de época—*El cólera en la Habana*—abusa del patetismo; tiene también *Cuentos cubanos*, entre ellos varios de fondo fantástico: *El vals de los finados, Un día de sur,* etc. JOSÉ RAMÓN DE BETANCOURT (1823-1890), el «novelista de Camagüey», logró en *Una feria de Caridad en 183...* un brillantísimo cuadro evocador de la villa cubana entre los años 1835-1845; hizo también verso, pero es mejor su prosa, que se distingue por lo movida y elegante. RAMÓN MEZA Y SUÁREZ INCLÁN (1861-1911), sobre el patrón de la *María,* de Isaacs, construye su primera novela, *Flores y calabazas;* pero su narración más conocida, *Carmela,* se ajusta a otro modelo, a *Cecilia Valdés,* de Villaverde. De éste ha tomado el espíritu observador y detallista, junto con cierta intención satírica, que se manifiesta más claramente aún en *Mi tío el empleado* y en *Don Anacleto el tendero.* La técnica de Meza está dentro del realismo dominante en la época. *Mi tío el empleado* apareció, en Barcelona, en 1897, y este dato basta para clasificarla en su lugar exacto. En la línea sentimental romántica han de colocarse las narraciones de JOSÉ ZACARÍAS GONZÁLEZ DEL VALLE (1820-1851), *Carmen y Adela, Luisa, Amar y morir, Amor y desamor,* de pobre inventiva y correcto lenguaje; fué más afortunado en el cuento: *Una nube en el cielo, Parte de una conversación,* etc. De FÉLIX M. TANCO (1797-1871), colombiano de nacimiento y cubano de adopción, merece citarse la novelita de costumbres *Petrona y Rosalía* (1825), sombrío cuadro de celos sobre un tema que anuncia en cierto modo el de *Cecilia Valdés.* De RAMÓN PIÑA (1819-1861) se recuerda la *Historia de un bribón dichoso,* un poco gris y falta de dinamismo, deficiencia que suple con un buen estudio psicológico de cierto tipo de hombre desahogado, muy corriente en la sociedad. Por último, de ESTEBAN PICHARDO (1799-1879), *El fatalista,* de acción movida y con una pintura exacta de costumbres arcaicas.

Artículos costumbristas, no ya narraciones en forma novelada, escribieron en Cuba por esta época José María de Cárdenas y Rodríguez (1812-1882); José Victorino Betancourt (1813-1875), más celebrado como poeta; Manuel Costales y Govantes (1815-1866), y GASPAR BETANCOURT CIS-

NEROS (1803-1866), que hizo famoso el seudónimo de *El Lugareño,* autor de unas *Escenas cotidianas,* sobre costumbres regionales de Camagüey, escritas en tono claro, sencillo, desenfadado y con sus gotas de cáustica ironía. Ni más ni menos como lo hacían por aquella época en España Mariano José de Larra, Mesonero Romanos, *Fray Gerundio* y Estébanez Calderón, que eran los modelos más directos de los costumbristas cubanos. Otros prosistas, como Gelaber, Valerio, Borrero Echeverría, Nicolás Heredia y Malpica, pertenecen cronológicamente a época posterior. Otro tanto sucede con Martí, autor de algún ensayo novelístico (*Lucía Jerez,* 1885), de poca monta en el conjunto de su obra literaria, que será estudiada en su lugar.

Cerramos esta rápida visión de la novela romántica cubana con la síntesis que sobre ella escribió Manuel de la Cruz: «La novela en Cuba es clásica, más por la forma que por la índole, en Echeverría y Piña; es local, pictórica, lírica y artificiosa en Suárez Romero; universal y romántica, en la Avellaneda; intuitiva, reformadora, genial, nacional, en Villaverde, que tiene por imitadores, discípulos o continuadores a Betancourt, Meza, Ezponda, Malpica y Calcagno. Villaverde, mejor que sus precursores y sucesores, encarna el género en sus principales partes; él lo sustenta, exalta y emancipa con su genialidad; él crea la novela de costumbres cubana y, a la vez, antes que ningún otro en España, se produce como naturalista independiente. El estudio de toda la obra de Villaverde es la historia del género en Cuba [28].»

NOTAS

1. Esta dificultad queda patente con sólo pensar en obras como *El Zarco,* de Altamirano, o *Gil Gómez, el insurgente,* de Díaz Covarrubias. Por basarse en episodios históricos—*El Zarco,* en la lucha contra los *plateados; Gil Gómez,* en la guerra de independencia mejicana—, parece que debieran ser incluídas en el grupo de la novela histórica; pero si se tiene en cuenta que lo primordial para los dos autores no es el hecho en sí, sino el ambiente, las costumbres y la psicología de los personajes, inmediatamente se decide su inclusión en el otro grupo.

2. Nace en Mejico. Interviene con varia fortuna en las luchas políticas de su tiempo; funda con Guillermo Prieto y Ramón Araiza la Aduana Marítima de Matamoros. En 1840 ocupa la Secretaría del general Mariano Arista; y a partir de esta fecha alterna los más diversos cargos diplomáticos y administrativos con la persecución y el destierro: teniente coronel, jefe de la sección de Guerra, administrador general de la Renta del Tabaco, secretario de la Legación de Méjico en América del Sur, secretario de Hacienda, embajador en Inglaterra, cónsul en Santander y Barcelona, etc. Muere en San Angel el año 1894.

3. Vid. J. F. ARIAS CAMPOAMOR: *Novelistas de Méjico: Esquema de la historia de la novela mejicana de Lizardi al 1950,* pág. 35, Madrid, Edic. Cultura Hispánica, 1952; obra de la que nosotros sacamos la cita.

4. Abogado ilustre, simultanea el periodismo con la política. Al decir de un contemporáneo, «había en su carácter algo de extraño, con tendencia al ensimismamiento, como si dentro de su espíritu latiese una tenaz preocupación que le aislase de sus compañeros y amigos, como si padeciese un complejo de inferioridad física—era corcovado, pálido y de temperamento sumamente nervioso—, o como una sed de ternura que no se atreviera a expresar por temor de no ser comprendido».

5. Nace en Tixtla (12 de diciembre de 1834). Familia

humilde y raza india. Hace hasta los catorce años vida semisalvaje. Inicia estudios y, amparado en una ley que protege a los indios mejor dotados, ingresa en el Instituto de Toluca (1849). Cursa allí brillantemente estudios superiores, teniendo por maestro de Literatura al famoso Ignacio Ramírez, el *Nigromante*. Da clases particulares y escribe sus primeros ensayos. Se traslada a Méjico para reanudar estudios, inscribiéndose en el Colegio de Letrán. La revolución de 1854 le obliga a suspenderlos; pero, terminada la lucha, reingresa y se gradúa en Derecho. Aliado de Juárez, combate en la guerra de Reforma; en 1861 es elegido diputado. Nuevamente toma las armas para oponerse a la intervención francesa. Alcanza el grado de coronel y la presidencia de la Suprema Corte de Justicia. Restablecida la República, tras el efímero reinado de Maximiliano, se entrega a las letras y a la enseñanza, tareas que alterna con representaciones diplomáticas: Barcelona, Paris, etc. Funda la revista *Renacimiento* y restablece el Liceo Hidalgo. Visita Italia. Enferma y muere en San Remo (13 de febrero de 1893).

6. El argumento es sencillo: Enrique Flórez y Fernando del Valle galantean a Isabel, prima de Fernando, y a su amiga Clemencia, respectivamente; ambas prefieren a Enrique, y Fernando soporta resignado los desprecios de Clemencia, que acaba entregándose a aquél. Enrique traiciona a sus correligionarios, los liberales; las sospechas recaen sobre Fernando; pero, descubierta la verdad, Enrique es condenado a muerte. Fernando, para evitar que Clemencia sospeche de él que por celos hubiese delatado a Enrique, le sustituye voluntariamente en la condena. Al fin Clemencia descubre la verdad; comprende la grandeza de Fernando, y enloquece de desesperación.

7. Altamirano acumula sobre Nicolás virtudes y perfecciones, como quien al hacer el retrato del indio hace el suyo propio en buena parte: «Joven trigueño, con el tipo indígena bien marcado, pero de cuerpo alto y esbelto, de formas hercúleas, bien proporcionado, y cuya fisonomía inteligente y benévola predisponía desde luego a su favor. Los ojos negros y dulces, su nariz aguileña, su boca grande, provista de una dentadura blanca y brillante, sus labios gruesos que sombreaba apenas una barba naciente y escasa, daban a su aspecto algo de melancólico, pero de fuerte y varonil al mismo tiempo. Se conocía que era un indio, pero no un indio abyecto y servil, sino un hombre culto embellecido por el trabajo y que tenía la conciencia de su fuerza y de su valer.»

8. «La joven que ama, por ignorante que sea, aunque se la suponga salvaje, es siempre algo poetisa. Atala es verosímil; Virginia lo es mucho más. Los amantes de los antiguos poemas bárbaros son enteramente reales. ¡Qué mucho que Manuela, que había recibido alguna educación y que había vivido en una población culta, y que aun había leído algunos libros romancescos, de esos que penetran hasta en las aldeas y en los campos, se hubiera forjado un ideal extraordinario, revistiendo a su amante bandido con los arreos de una imaginación extraviada!»

9. Nace en Méjico; estudia en el colegio de San Gregorio y en Toluca, donde es discípulo del célebre Ignacio Ramírez. Cursa Jurisprudencia y abandona las aulas, para sentar plaza de soldado, a raíz de la revolución de Ayutla. Combate después en la guerra de Reforma. Bajo el imperio de Maximiliano desempeña el cargo de regidor en el Ayuntamiento de Méjico; pero luego, consecuente con sus ideas liberales, se subleva contra el emperador, lo que le ocasiona la deportación al castillo de San Juan de Ulúa. Una vez libre, se incorpora al ejército de la República, triunfante el cual desempeña diversos cargos políticos: diputado y secretario de la Suprema Corte de Justicia.

10. Publicada por primera vez en e. *Registro yucateco*, en 1845-1846, bajo el seudónimo de «José Turrisa», se concibió como episodio de un relato extenso: en efecto, al final de la obra se halla la siguiente nota del propio autor: «Hace algún tiempo que estoy ocupado en bosquejar una extensa novela que, bajo el título de *Los filibusteros del siglo diecinueve*, pienso publicar en mejor ocasión. *Un año en el hospital de San Lázaro* no es más que un episodio de esta novela, y por lo mismo es aquí en donde realmente debe terminar. Sin embargo, aunque sea destruyendo el interés de la novela principal, diré que Antonio quedó enteramente curado de su dolencia, se halló en la toma desgraciada de Missolonghi, en la Grecia, y a principios del año 1837 vivía aún en la ciudad de Esmirna.» *Los filibusteros* no llegó nunca a concluirse.

11. Abogado, periodista y político famoso; soldado en la lucha contra la intervención francesa y contra Maximiliano, desempeña importantes cargos políticos y diplomáticos: diputado, secretario y ministro de Fomento; gobernador de los Estados de Méjico y Michoacán; presidente de la Suprema Corte de Justicia, ministro plenipotenciario de España, etc., donde muere (Madrid, 22 de noviembre de 1896).

12. Queremos destacar *La mestiza* (1891); en ella abandona el autor sus procedimientos habituales, gusto por los temas históricos, para ofrecernos un relato psicológico: la mestiza Dolores rechaza el amor de Esteban, de la misma condición social, para rendirse al joven Pablo Moncada. Este la abandona cuando va a ser madre de un niño: Rafael. Madre e hijo son recogidos por Esteban; en tanto, pasados los años, Pablo, ya viudo, instituye heredero universal a Rafael.

13. *Historia de la poesía hispanoamericana*, I, cap. V, pág. 341.

14. La novela, en rigor, como ya hemos indicado, no es más que un pretexto para engarzar ideas filosóficopolíticas sobre la independencia de los pueblos en general, y sobre Puerto Rico en particular; júzguese por el siguiente fragmento: «Entre tanto que yo sueño con la fraternidad de los pueblos de la América española, pregunto por mi patria, y no la encuentro, porque no es patria el lugar donde nacemos, si nos quitan el derecho de servirla, si entregan su felicidad a los que la desdeñan, si nos niegan la posesión de lo que es nuestro.» Veamos el argumento: Bayoán (personificación del propio Hostos), peregrino enamorado de la libertad de América, llega a Puerto Rico, y en casa de Guaronex conoce a la bella Marién, de la que se enamora; no obstante, el amor a la patria puede más en el joven, y, deseando consagrarse por completo a ella, renuncia al amor de Marién. Esta languidece de nostalgia; para remediar su mal, realiza un viaje por Europa, acompañada de Bayoán y de Guaronex. El ambiente europeo, lejos de aliviar su mal, le hace, a causa de su frivolidad, más insoportable la vida. Muere, y Bayoán puede consagrarse por completo a sus sueños de patriota.

15. Nace en Santo Domingo, el 13 de enero de 1834, hallándose su patria bajo el dominio de Haití. En 1844, niño aún, asiste a la liberación. Diez años más tarde (1854) funda con otros escritores la Sociedad de Amantes de las Letras y el periódico *El Oasis*. Entra en política y apoya la candidatura del general Santana, de quien se le nombra secretario particular en 1858. Desempeña misiones diplomáticas en Dinamarca. Ante las luchas del país, apoya la anexión de la isla a España; pero, derrotados los españoles, se ve obligado a emigrar a Puerto Rico. Al servicio de la metrópoli desempeña cargos políticos y diplomáticos. Regresa a Santo Domingo en 1874; es elegido convencional; desempeña varios ministerios (Relaciones Exteriores y Justicia), embajador (Estados Unidos) y altos cargos (presidente de la Suprema Corte de Justicia). En 1903 se retira a la vida privada. Muere en Puerto Rico el 13 de diciembre de 1910.

16. *Enriquillo, leyenda histórica dominicana*, págs. 335 y 432, ed. Buenos Aires, 1944.

17. *Historia de la literatura hispanoamericana*, página 166; véase del mismo ANDERSON IMBERT: *El telar de una novela histórica*: «Enriquillo», de Galván, Edit. Raigal, Buenos Aires, 1954.

18. En 1697 España reconoce la ocupación francesa de la zona noroeste de la isla. Un siglo más tarde, la colonia española es cedida al dominio francés, que se prolonga hasta la invasión napoleónica de España, en que los dominicanos luchan contra sus dominadores y logran su reincorporación a España (1809-1821). Un año más tarde (1822), la vecina Haití invade la colonia y queda ocupada hasta el 1844, en que logra la independencia. Pero la paz no llega; se lucha contra Haití, surgen guerras civiles y empieza a retoñar el movimiento indigenista, y bajo este signo y las naturales influencias románticas compone su novela Galván.

19. JUAN J. REMOS: *Historia de la literatura cubana*, vol. II, pág. 165.

20. *Proceso y contenido de la novela hispanoamericana*, pág. 263.

21. Nace Suárez Romero en la Habana el 21 de abril de 1818. Cursa estudios en el Seminario de San Carlos y se gradúa en Leyes en la Universidad. Venida a menos su familia, tiene que recluirse en el ingenio de Surinam (Güines), donde permanece once años entregado a la lectura, al estudio y al cultivo de las letras. En Güines primeramente y luego en la capital actúo como profesor de diversos colegios: el de Santa Teresa, el Cubano, etc. Obtenido al fin el título de abogado, ejerce como tal, dedicándose sobre todo a los asuntos de su familia. Colaboró en los periódicos más importantes de su tiempo. Murió en la Habana el 7 de enero de 1878.

22. *Literatura cubana*, vol. III de las «Obras» de Manuel de la Cruz, pág. 58, Madrid, 1924.

23. MANUEL DE LA CRUZ: *Ob. cit.*, pág. 58.

24. Nace en San Diego de Núñez (Pinar del Río) el 28 de octubre de 1812. Hijo de un médico que tenía otros nueve retoños, estudia las primeras letras con el sacristán del pueblo. A los once años pasa a la Habana, al cuidado de una hermana de su padre. Estudios de latín con el abuelo materno; de filosofía, en el Seminario de San Carlos. Graduado en Leyes, empieza a ejercer en varios bufetes; pero pronto toma aversión a las tareas jurídicas. Actúa de profesor en varios centros; redacta libros de texto. Amigo de Narciso López, conspira, por lo que es encarcelado y condenado a muerte. En abril de 1849 logra evadirse y pasa a Nueva York. En los Estados Unidos simultanea la docencia y el periodismo con una activísima propaganda revolucionaria. Indu'to en 1858. Regreso a Cuba, donde edita en unión de Calcagno, la revista *La Habana*, y tras una permanencia de varios años en la isla, nuevo exilio voluntario a Norteamérica. Murió en Nueva York el 20 de octubre de 1894. Con Narciso López fué Villaverde quien ideó la bandera que había de ser, andando el tiempo, la enseña nacional cubana.

25. Vid. MANUEL DE LA CRUZ: *Ob. cit.*, pág. 62.

26. *Cecilia Valdés*, parte I, cap. III.

27. *Caracteres constantes en las letras cubanas*, pág. 41, La Habana, 1954.

28. MANUEL DE LA CRUZ: *Ob. cit.*, pág. 66.

BIBLIOGRAFIA

I. J. F. ARIAS CAMPOAMOR: *Novelistas de Méjico. Esquema de la historia de la novela mejicana (de Lizardi a 1950)*, Edit. Cultura Hispánica, Madrid, 1952.—F. MONTERDE: *Manuel Payno y sus narraciones*, «Cultura mejicana».—J. R. SPELL: *The Literary Works of Manuel Payno*, «Hispania», XII, 1929.—A. VILLASEÑOR VILLASEÑOR: *Apuntes biográficos de Manuel Payno*, «Obras», «Biblioteca de Aut. Mejicanos», núm. 36.—I. M. ALTAMIRANO: *Fernando Orozco Berra, Datos biográficos*, «El Renacimiento», I, Méjico, 1869.—CLEMENTINA DÍAZ DE OVANDO: *Dos novelistas veracruzanos*, «Anales del Inst. de Investigaciones Estéticas», V, núm. 20, 1952.—A. VILLASEÑOR VILLASEÑOR: *Biografía de Florencio M. del Castillo*, «Biblioteca de Aut. Mejicanos», XLIV.—E. CHÁVEZ: *Altamirano inédito y su novela inconclusa* «Atenea», Méjico, 1935.—L. GONZÁLEZ OBREGÓN: *Biografía de Altamirano*, 1893.—C. GONZÁLEZ PEÑA: *Altamirano, novelista*, «Claridad en la lejanía», págs. 165-85, Méjico, 1947; ¿Cuándo nació Altamirano? y El natalicio de Altamirano, «El Universla», octubre, 1934; *Historia de* «El Zarco», «Claridad», Méjico.—M. GONZÁLEZ RAMÍREZ: *Altamirano*, Méjico, 1936.—S. ORTIZ VIDALES: *Los bandidos en la literatura mejicana*, Edit. Tehutle, Méjico, 1949.—L. ALBERTO SÁNCHEZ: *Ignacio Altamirano*, «Escrit. representativos de América», II, Edit. Gredos, Madrid.—VARIOS: *Homenaje a Ignacio M. Altamirano*, Imp. Universitaria, Méjico, 1935.—ERMILO ABRÉU GÓMEZ: *Sierra O'Reilly y la novela*, «Clásicos rom, y modernos», Méjico, 1934.—A. FERNÁNDEZ MERINO: *Vicente Riva Palacio*, «Poetas americanos», Méjico-Barcelona, 1886.—F. SOSA: *Biografías de mexicanos distinguidos*, Méjico, 1884.—C. GONZÁLEZ PEÑA: *Luis G. Inclán en la novela mexicana*, «Claridad», ed. cit.—S. Novo: Pról. a *Astucia*, de Inclán (Edit. Porrúa, Méjico, 1946).—J. DE J. NÚÑEZ Y DOMÍNGUEZ: *El novelista Inclán*, «Los poetas jóvenes de América».—J. VALERA: *Novela parisiense mejicana*, «Obras completas», I, 2.ª ed., Aguilar, Madrid, 1942.

II. A. S. PEDREIRA: *Hostos, ciudadano de América*, Espasa-Calpe, Madrid, 1932.—L. A. SÁNCHEZ: *Eugenio M.ª de Hostos*, «Escritores representativos de América», II, Edit. Gredos, Madrid, 1957.—E. ANDERSON IMBETT: *El telar de una novela histórica:* «Enriquillo», de Galván, «Estudios sobre escritores de América», Buenos Aires, 1954.—M. F. CESTERO: «Enriquillo», de Manuel de J. Galván, «Cuba Contemporánea», XIII, abril 1917.—F. HENRÍQUEZ CARVAJAL: *Manuel de J. Galván*, «Clío», fasc. I, Ciudad Trujillo, 1934.—P. HENRÍQUEZ UREÑA: «Enriquillo», «La Nación», Buenos Aires, enero 1935.—M. DE J. PEÑA REINOSO: *Estudio crítico de* «Enriquillo», Santo Domingo, 1897.

III. M. CABRERA S.: Ed., pról. y notas a *Francisco, el ingenio y las delicias del campo*, Ministerio de Educación, La Habana, 1947.—M. DE LA CRUZ: *«Dos amores», novela de Cirilo Villaverde*, «Obras», III, Biblioteca Calleja, Madrid, 1924; *«Cecilia Valdés», de Cirilo Villaverde*. «Obras», Madrid, 1924.—Para otros narradores cubanos, vid. abundante bibliografía en J. REMOS RUBIO: *Historia de la literatura cubana*, III.

CAPÍTULO LXX

EL TEATRO ROMÁNTICO EN AMÉRICA

I. CARACTERES GENERALES: *Principales tipos.*—II. TEATRO ARGENTINO (1838-1870): *El teatro del exilio: Echagüe. Otros dramaturgos exiliados.*—III. EL TEATRO ROMÁNTICO EN CHILE Y OTROS PAÍSES DEL SUR: *Uruguay, Colombia, Bolivia, Ecuador y Perú.*—IV. CENTROAMÉRICA Y ANTILLAS.—V. MÉJICO.—VI. GERTRUDIS GÓMEZ DE AVELLANEDA: *Vida y semblanza. Producción literaria. Lírica Novela. Teatro. Epistolario. Juicio crítico.*—NOTAS.—BIBLIOGRAFÍA.

I. CARACTERES GENERALES

Debemos extender al teatro las mismas notas asignadas a los otros géneros durante la época romántica. Esto significa que, al igual que la lírica y la prosa narrativa, el drama americano de este período se sigue principalmente nutriendo con los temas y la técnica del europeo. En la dramática neoclásica, ya se vió en el capítulo LVIII, dominaban las directrices impuestas por el viejo continente, con tal cual brote de alusiones esporádicas, casi siempre de carácter político, provocadas por alguno de los tiranuelos que le salieron a Hispanoamérica a raíz de la emancipación, ni más ni menos que ocurría por las mismas fechas en la Italia de Alfieri, en la Alemania de Schiller y en la España de Martínez de la Rosa. Ahora, en la época que estudiamos, siguen viniendo de fuera las inspiraciones, sin que alguna que otra nota de marcado sabor americano baste para dar al teatro de los nuevos países un sello claramente nacional. Y no siempre por falta de elementos indígenas, que surgen en estos años y cada vez con mayor profusión, sino por ausencia de una expresión coherente y capaz de aglutinar esos elementos.

Pero aunque América no logre en este período constituir un teatro propio, ha de reconocerse que da en este sentido un paso considerable. Por lo pronto, al liberarse de influencias neoclásicas para aceptar las fórmulas románticas, mucho más libres e inclinadas siempre a la valoración de lo nacional e inmediato, los escritores de Hispanoamérica vuelven sus ojos hacia el ambiente que los rodea; y es así como del fondo del Romanticismo brota llena de fuerza la corriente costumbrista, que, después de convivir algún tiempo con aquél, acabará por desterrarlo, para dar paso al estudio y análisis de la realidad circundante. Surge de este modo en América un teatro que, si de una parte mira al pasado colonial y trata de hacerlo revivir, casi siempre con escasa fortuna, de otra parte lleva su atención a los tipos populares, indios y gauchos, que invaden la escena con inusitado alborozo. No importa que de momento esos tipos sean hasta cierto punto convencionales, como inspirados en tópicos muy en boga entonces por Europa: idealización del salvaje, antinomia del hombre rústico y el urbano, apología del estado primitivo, etc. Interesa, en cambio, subrayar cómo estos tipos, después de haber tomado carta de naturaleza en la literatura americana, terminan por incorporarse a ella, constituyendo la materia prima de uno de sus géneros más florecientes.

Principales tipos

Persiste durante algún tiempo, como en España, el drama neoclásico, que termina por desaparecer ante el drama romántico, ya puro o ya mezclado con tendencias realistas. Dentro del teatro romántico propiamente dicho cabe señalar dos corrientes: una, íntimamente ligada a Europa, que busca sus temas en la resurrección de lo exótico y de lo caballeresco medieval; y otra, que aspira a encontrar inspiración y temática en la vida, hechos y costumbres del propio Continente. Es aquí donde ha de ponerse el inicio del teatro americano.

Como por otra parte, y también quedó dicho, el Romanticismo coincide en América con el despertar de la conciencia nacional, ocurre un hecho curioso; y es que a la libertad literaria pudo unirse, allí con más razón que en otros sitios, la libertad política, la cual no era sólo, como en la metrópoli, el paso del absolutismo al liberalismo, sino el paso de un coloniaje a una independencia. De ahí que la literatura se tiña con los más subidos tintes de la polémica y de la diatriba. Y esto no sólo en la poesía, según pudimos verlo en capítulos anteriores, sino también en la novela y en el teatro. No se hace sólo obra de arte; se hace a la vez obra política y social. El libro y la escena se convierten en tribuna de propaganda.

Este factor político no puede soslayarse al estudiar el teatro americano. El cual, y vaya por delante esta observación en descarga de posibles omisiones, se nos ofrece a lo largo del siglo XIX, y particularmente en el período romántico, como una copiosa selva de autores y de obras. Los nombres surgen por docenas; los títulos se arraciman en torno a un autor o a un tema. Esta abundancia no significa ni mucho menos vitalidad. La verdad es que de ese cúmulo de obras y de autores difícilmente puede extraerse media docena de nombres merecedores de mención. Ninguno acaso digno de un estudio detenido. El teatro americano, y no sólo el romántico, sino todo el que se desarrolla desde la emancipación a nuestros días, carece de las figuras señeras que prestigian otros géneros. Las tres o cuatro que podrían situarlo en un plano de altura, aunque siempre muy inferior al de la lírica o la novela—la Avellaneda, Gorostiza, Ventura de la Vega—, sólo con muchas salvedades pueden ser incluídas en la literatura hispanoamericana. Nuestra opinión a este propósito ya quedó expuesta en otro lugar, y no hay por qué volver sobre ello. Aun así, y enriquecida la lista con esos tres nombres, el panorama general no cambiaría. Letanías interminables de nombres y de títulos; rara vez una obra que merecidamente solicite nuestra atención.

Ya se entiende que nosotros no podemos ni debemos citarlas todas. Limitamos nuestra referencia a las más representativas de cada país, empezando por la Argentina, y estudiándola con mayor detenimiento, porque su teatro era en la época romántica, y sigue siendo todavía, el más fecundo y original.

II. EL TEATRO ARGENTINO (1838-1870)

El eminente profesor Berenguer Carisomo nos ha facilitado un cuadro bastante completo del teatro argentino de la época, dividiéndolo en cuatro grupos:

a) Teatro de *tema rosista,* con la exaltación del ideal revolucionario de Mayo como subtema. Muy fecundo y de gran intensidad dramática.

b) De *tema exótico,* oriental o medieval, inspirado casi siempre en modelos europeos.

c) De tema *moral y sentimental,* con múltiples facetas que luego pasarán a la *alta comedia:* problemas amorosos, sociales, político-religiosos, etcétera.

d) De *tema satírico* y derivaciones humorístico-festivas [1].

Perfecta la clasificación de Berenguer Carisomo, y muy práctica para una obra extensa sobre el teatro argentino, resulta excesivamente minuciosa para un manual como el nuestro.

El más interesante de estos grupos es el primero, por haber coincidido la tiranía de Rosas con el triunfo romántico en los países rioplatenses y haber sido el mismo Rosas figura capital de la historia argentina. Es también el grupo más homogéneo, aunque no el primero en manifestarse con matices románticos. Antes que los exiliados lanzasen en Montevideo o Valparaíso sus dramas adaptados a la nueva escuela, ésta había hecho su aparición en la escena de Buenos Aires, más o menos veladamente, sobre todo en traducciones y refundiciones. En 1838 se inauguraba en la capital argentina el Teatro de la Victoria, cuyo cartel se nutrió con obras, en general mediocres, de Nicasio Biedma—*Hernando, o el doncel de Bañares, Todo por la patria, Si algo valgo, el público lo dirá*—, Vicente Fidel López, Francisco Seguí, Pedro Lacasa, Claudio Mamerto Cuenca y Alberto Larroque. Sólo estos dos últimos destacan un poco entre tantas medianías.

En las obras de CLAUDIO MAMERTO CUENCA, médico de Rosas, y aludido ya como poeta en el capítulo LXVI, tropezamos con dos piezas teatrales merecedoras de recuerdo: *Muza* y *Don Tadeo.* La primera nos retrotrae a la invasión de España por los musulmanes; y valiéndose de una doble trama amorosa: las relaciones de la cristiana Jimena con el caudillo Muza y de la viuda de Rodrigo, Egilona, con Abdelazís, aprovechando de paso el inevitable episodio de la traición de los judíos, nos ofrece un cuadro bastante animado de la época. Está construída a la vista de la *Hormesinda,* de Nicolás Fernádez de Moratín, y del *Pelayo,* de Quintana. Sus caracteres son desvaídos; sus personajes, faltos de calor humano; pero la salva la versificación, que en algunos pasajes es suelta y agradable [2]. *Don Tadeo* está dentro de la línea satírico-costumbrista de Leandro F. de Moratín y de Bretón de los Herreros. Más aún inspirada, casi podría decirse calcada en *El sí de las niñas;* el asunto no puede ser más parecido: don Tadeo y doña Rufina pretenden casar a su sobrinita Clara con el maduro jurista don Leonardo. La doncella ama a un apuesto don Luis, ayudada en sus aspiraciones por su hermano don Fermín. Se impone el buen sentido, y es el propio don Leonardo quien facilita la boda de los dos jóvenes, renunciando aquél a sus proyectos. No sabemos cómo sería *Don Tadeo* en su representación escénica. La lectura resulta fatigosa, aunque no falten escenas logradas y los caracteres estén mejor observados que en el drama *Muza.*

ALBERTO LARROQUE (m. 1881) estrenó, en 1841, el drama de tema exótico *Juan de Borgoña, o un traidor a la patria,* que revela más cultura que dominio de la técnica teatral. Posteriormente ofreció la comedia *Un marido de quince años, o el artículo sexto,* cuya acción se desarrolla bajo la privanza del cardenal Richelieu, con mucho colorido y no carente de interés [3].

El teatro del exilio: Echagüe

Cultivado este teatro por autores argentinos fuera de su patria, huelga decir que la figura de Rosas suministra el mayor acopio de elementos. Sus autores son los mismos mencionados en la lírica y en la novela: Mármol, Alberdi, Acha, Echagüe, Mitre, etc.

Poeta, soldado y dramaturgo, PEDRO ECHAGÜE (1821-1889) no disfruta de la fama a que es acreedor por su vida y por su obra[4]. Ricardo Rojas atribuye este injustificado olvido a su actuación «lejos de los grandes centros de la actividad argentina y en el destierro». Viajero infatigable y espíritu observador, algunas de sus obras, como *Mártires argentinos* y *Apuntes de un proscripto*, ofrecen dentro de su carácter fundamentalmente autobiográfico, hondo valor histórico. Pero aquí nos interesa más como dramaturgo. Echagüe lleva antes que nadie a las tablas la figura de Rosas en el drama de este título, compuesto en 1851 y estrenado en Buenos Aires diecinueve años después. Aunque ajustada técnicamente al drama romántico español, la obra de Echagüe representa una de las primeras manifestaciones del teatro nacional argentino. Como tal ha de estudiarse este *Rosas*, en el que sería inútil buscar ecuanimidad ideológica ni estudio de caracteres. Téngase en cuenta que, al igual que *Amalia*, de Mármol, *Rosas* está escrito en plena efervescencia política. El falseamiento moral e histórico es evidente, y la figura del protagonista no pasa de una burda caricatura. Rosas aparece como un hombre libidinoso, empeñado en abusar de una pobre doncella a la que tiene secuestrada y bajo la vigilancia de la alcahueta criolla Josefa; la joven logra burlar la vigilancia, en tanto que el tirano es increpado por una antigua amante, Inés, que acude a él en favor de los hijos comunes y con propósito de matarle. La llegada providencial de los hijos impide la muerte de Rosas, que se apresta a la huída. La entrada del ejército vencedor en Caseros pone fin a la obra.

Hemos aludido a la falsedad moral de este drama; sabido es que no fué la libídine defecto de este general, quien, en contraste con otros grandes vicios, supo mantenerse siempre dentro de una loable austeridad pública y privada.

Ni *Primero es la patria*, piececilla patriótica de escaso valor; ni *Padre hermano y tío padre*, comedia que pudo resultar picante y divertida y degeneró en dramón descolorido, merecen el menor comentario. Puede, en cambio, aludirse a *Amor y virtud* (1868), la obra más lograda de Echagüe y también la más representativa, ya que señala la transición del drama romántico a la *alta comedia*, si es que no representa, como quieren algunos, el último eco del teatro moratiniano. *Amor y virtud*, con un argumento tal vez excesivamente sentimental, delata en su autor dotes de fina observación psicológica, a la vez que una aptitud especial para retratar las costumbres de la clase media.

Otros dramaturgos exiliados

Con los ingredientes románticos más al uso —aparatosidad, mezcla de prosa y verso, fugas, reconocimientos, conjuraciones, etc.—, BARTOLOMÉ MITRE (1821-1906), el futuro historiador, se adelanta a componer un drama, *Las cuatro épocas*, en el que aspira a llevar a la escena una síntesis de la historia argentina durante los tres lustros que van de la guerra con Brasil hasta la dictadura de Rosas. No falta la consabida pareja de enamorados, víctimas de cruel persecución. La pareja está constituída por Delfina y Eduardo, encarnación este último del autor. Responde *Las cuatro épocas* al concepto muy generalizado entre los románticos argentinos del teatro como tribuna de propaganda político-social.

JUAN BAUTISTA ALBERDI (1810-1884), ya aludido como poeta y escritor narrativo, tentó también el teatro en dos obras: *La Revolución de mayo* y *El gigante Amapolas*. Ninguna de los dos rebasa esa línea de discreción que hemos señalado al teatro hispanoamericano en general, si bien la segunda, ya que no teatralmente, es por su fondo ideológico una de las más destacadas del teatro argentino. *La Revolución de mayo* (1839) está zurcida con los tópicos de amor a la libertad y odio a la tiranía, tan en boga por aquellos días, y chorrea por todos sus poros una seudofilosofía de marcado sabor roussoniano. *El gigante Amapolas*, fechada en Valparaíso (1842), alcanza con su virulenta sátira tanto como a Rosas a los jefes unitarios que pretendían derrocarle. He aquí su asunto: Los ejércitos de los jefes Mosquito, Guitarra y Mentirola se disponen a combatir contra las fuerzas del gigante Amapolas, representado por un enorme muñeco que permanece quieto en escena. Llegados al lugar de la lucha, desertan los dos primeros con sus fuerzas, y luego Mentirola, que toma por mal presagio la inmovilidad del gigante, también termina por retirarse sin entablar batalla. El ejército de Amapolas celebra el triunfo obtenido gracias «al delicado tino, sublime tacto, profunda ciencia y prodigioso valor del gigante». No puede negarse a Alberdi cierta habilidad caricaturesca en la pintura de algunos tipos, que por su transmutación de lo real en lo extravagante y desorbitado recuerdan, aunque de muy lejos, los *Esperpentos*, de Valle-Inclán.

En la lírica y en la novela hemos asignado también a JOSÉ MÁRMOL (1817-1871) un lugar preponderante. No es tan alto el que ocupa en el teatro. Sus dos piezas, *El cruzado* y *El poeta*, representadas ambas en 1842, caen de lleno dentro del área romántica, en su zona más trillada y menos estimable. *El cruzado* paga una vez más tributo al tema medieval, con su argumento tejido en torno a la segunda Cruzada. No falta la consabida pareja de amantes desgraciados: Alfredo, el caballero cristiano, y Celina, la bella sarracena; ni el clásico traidor, encarnado aquí en el maestre de los Templarios, Eduardo de Barres; ni las revelaciones inesperadas; ni el puñal, ni el veneno, que se encarga de administrarse Celina, después de apuñalar a su amante. Todo esto envuelto en tiradas de versos, que delatan a la legua el influjo de Zorrilla, aunque sin la técnica y el arte del modelo. Hay escenas efectistas, como aquella en que la reina Eleonora hace subir a Alfredo las gradas del trono; pero en general peca de aparatosidad y verbalismo. Más que de movimiento dramático, debemos hablar de «acción recitada».

Asesorado por la crítica, Mármol abandona el tema histórico para volver los ojos a la realidad contemporánea y americana. A este intento de incorporar a la escena temas indígenas corresponde *El poeta*. Pero el propósito sólo se logra a medias, ya que el argumento carece de originalidad, y la trama—suicidio de los dos amantes por la oposición de los padres de la novia a todo intento de matrimonio—es tan europea como americana [5].

III. EL TEATRO ROMANTICO EN CHILE Y OTROS PAISES DEL SUR

Ni el Uruguay ni el Paraguay ofrecen en este período un solo nombre de autor dramático digno de recuerdo. Acaso, con un exceso de buena voluntad, se pueda exhumar el nombre de FRANCISCO JAVIER ACHA (1828-1888), uruguayo, que estrenó en Montevideo (1845) *Una víctima de Rosas*, engendro ramplón, producido a los diecisiete años, con toda la inexperiencia y la audacia con que suelen hacerse las cosas en esa edad. Bien es verdad que, a juzgar por otro drama, *La cárcel y la penitenciaría*, escrito dieciséis años más tarde, poco cabía esperar de la musa de su autor.

La dramaturgia chilena del período romántico, de escasa calidad, como la de los países limítrofes, está representada por Minville, Sanfuentes, Caldera, Torres Arce y Fernández Montalva. Hay otros muchos autores de obras de teatro [6], pero éstos son los más destacados. RAFAEL MINVIELLE (1800-1887), aunque nacido en España, pasó casi toda su vida en América, y en Chile escribió la mayor parte de sus obras. Se distingue como adaptador de piezas extranjeras: *Antony*, de Dumas; *Hernani*, de Víctor Hugo, etc. También tiene dramas originales: *Ernesto* (1842), *Yo me voy de California* (1848) y *La Estrella roja*. SALVADOR SANFUENTES Y TORRES (1817-1860), discípulo predilecto de Andrés Bello y afortunado imitador de Mora, señala la transición del teatro neoclásico al romántico. *Caupolicán I, Caupolicán III, Carolina, o una venganza, El castillo de Mazini, El mal pagador, Cora, o la Virgen del Sol* y *Juana de Nápoles* son sus obras originales. Tradujo también varias tragedias de Racine: *Ifigenia* y *Británico*, y *Le cocú imaginaire*, de Molière [7]. DANIEL CALDERA (1852-1896) se inicia con un drama precoz y ambicioso, *Arbaces, o el último Ramsés*; y llega a conseguir un triunfo señalado con *El tribunal del honor*, en el que, siguiendo la línea calderoniana, se plantea un conflicto que, por su desarrollo y desenlace, recuerda *El médico de su honra*. VÍCTOR TORRES ARCE (1846-1883), poeta y novelista, director de varios periódicos, entre ellos *La Lectura*, bordea el teatro de tesis en tres obras: *El sacrificio inútil, El falso honor* y *Los dos amores*. Por último, la línea melodramática del Romanticismo tiene en Chile un buen representante en RICARDO FERNÁNDEZ MONTALVA (1866-1899): *Una mujer de mundo* y *La mendiga*. Y el sainete alcanza su mejor expresión en RAMÓN VIAL (1833-1896) y JUAN RAFAEL ALLENDE (1850-1909). Recordemos a título informativo *Una votación popular* y *Choche Bachicha*, del primero; y *¿Qué dirán?, La generala Buendía, Las mujeres de la India, De la taberna al cadalso, Los entierros, Víctima de la propia lengua, Moro viejo, ¡Para quién pelé la pava!*, etc., del segundo. Con mucho menor éxito cultivó Allende el teatro histórico-popular en *El cabo Ponce, El general Daza* y *La comedia en Lima*.

Colombia

No es menos rico en obras, aunque de la misma mediocre calidad, el teatro romántico de Colombia. Los propios historiadores de la literatura del país lo reconocen [8]. Puestos a citar nombres, señalaríamos los de J. J. Ortiz, Caicedo Rojas, Lázaro M. Pérez y Santiago Pérez, como más representativos; y dejaríamos para estudios de mayor empeño los de Martín Guerra, Leopoldo Arias Vargas, Manuel Lleras, Carlos Posada, Manuel María Madiedo, Medardo Rivas, Angel Cuervo, Angel María Galán, Carlos Saenz Echevarría, José María Samper, Carlos Albán, etc.

JOSÉ JOAQUÍN ORTIZ (1814-1892), más estimable como lírico, escribió una tragedia, *Sulma*, condenando los sacrificios humanos del templo de Sugamuxi, y una comedia, *El hijo pródigo*, de manifiesto propósito moralizador. Tendencia similar siguió el infatigable polígrafo JOSÉ CAICEDO ROJAS (1816-1898), célebre costumbrista de quien nos hemos ocupado en el capítulo anterior, y que mereció ser llamado el *Mesonero Romanos de Colombia*, y que llevó a la escena la figura de Miguel de Cervantes en el drama de este mismo título. LÁZARO MARÍA PÉREZ (1824-1892), militar y poeta distinguido, consagró a la escena su mayor actividad, ya como autor, ya como director del teatro de Bogotá, en el que dió a conocer buen número de obras nacionales y extranjeras. A pesar de su ardiente vocación escénica, no consiguió dejarnos piezas de mérito. *El gondolero de Venecia, Elvira, El corsario negro, Teresa, La cordelera, El sitio de Cartagena,* sus dramas más conocidos, ni por el el estilo, ni por la trama, ni por la versificación merecen una lectura. Caen todas dentro del romanticismo más desenfrenado [9]. Por el mismo patrón están cortados los dramas de su homónimo SANTIAGO PÉREZ (1830-1900), político ilustre y escritor precoz, que publica a los veinte años un tomo de poesía lírica y dos piezas dramáticas: *Jacobo Molay* y *El castillo de Berkeley.* Obras influídas por Dumas y encaminadas a provocar la máxima tensión de los espectadores, nada se escatima en ellas de cuanto contribuye a formar eso que se ha venido llamando *romanticismo de tumba y hachero:* raptos, asesinatos, envenenamientos, suicidios, situaciones escabrosas, todo lo encontramos aquí con profusión y en su más rica salsa [10].

Bolivia

Bolivia, cuya escuela romántica ha sido calificada por Díaz de Medina de «borrosa, trivial e imitativa» [11], aduce tres o cuatro nombres de dramaturgos, que tampoco logran salir de lo mediocre. FÉLIX REYES ORTIZ (1828-1884), ya aludido como novelista, cultivó el teatro breve en *Chismografía* y *¡Qué progreso de muchachos!,* piececillas que aún se hacen notar por su diálogo ágil y su fresca inventiva; escribió dos obras históricas, *Los Lanza* y *Odio y amor,* hasta cierto punto estimables; y en *Plan de una representación* (1857) se anticipa a la técnica pirandelliana al sacar a los actores discutiendo y comentando las incidencias de la obra. BENJAMÍN LENZ (1836-1878) también quiso echar su cuarto a espadas en la lucha contra Rosas; a este propósito obedece *El guante negro,* drama de tan escaso valor como otros suyos de tema americanista y extranjero: *Amor, celos y venganza, Borrascas del corazón, La mejicana,* etc. El polígrafo JOSÉ ROSENDO GUTIÉRREZ llevó a la escena sus aficiones de historiador en *Itúrbide,* obra de verso inspirado y caracteres bien vistos, pero afeada con frecuencia por el abuso de lo melodramático. NATANIEL AGUIRRE (1842-1888), distinguido novelista y narrador

de tradiciones, adquirió fama también como dramaturgo con *Visionarios y mártires* y *Represalia de héroes,* dos dramas en que se nota ya la influencia de Echegaray, correctamente versificados y con una trama bien llevada. Su mayor defecto es el recargo de la nota sentimental. Entre las obras de tema indígena citemos *Atahualpa,* de José Pol; *Atahualpa y Pizarro* y *Huáscar y Atahualpa,* de JOSÉ DAVID BERRIOS. Al tema histórico foráneo dedica su atención JOSÉ MARIANO DURÁN CANELLAS en dos piezas: *Warnes y Aguilera, o la batalla del Pari* y *La cabeza de Warnes.* Menor importancia tienen José Bustamante, Manuel María Gómez, Luis Pablo Rosquellas y otros.

Ecuador y Perú

Nada digno de mención ofrece el teatro ecuatoriano del período romántico, si exceptuamos la figura de JUAN DE MONTALVO, que estudiaremos en el capítulo dedicado al Ensayo. Perú, en cambio, donde la tradición de Pardo estaba aún viva, pudo tener un buen autor de teatro en MANUEL NICOLÁS CORPANCHO (1830-1863), si una muerte horrible y prematura—a bordo de un buque que se incendió en alta mar—no hubiese malogrado todas las esperanzas puestas en él. Cultivó el tema exótico en *El poeta cruzado* (1848) y *El templario,* dignos de recuerdo por la bella versificación. Recordemos que Corpancho fué, además, excelente lírico, dentro de la escuela de Zorrilla. CLEMENTE ALTHAUS (1835-1881), lírico también, aunque alcanzado de lleno por el Romanticismo—al decir de Ricardo Palma fué el más perfecto de los poetas peruanos—, nos dejó en *Antíoco* una tragedia de corte neoclásico sobre la rivalidad amorosa de aquel rey con su padre Seleuco. Su obra poética refleja el influjo de Petrarca, fray Luis de León y los latinos Catulo, Horacio y Ovidio. Al igual que los anteriores, CARLOS AUGUSTO SALAVERRY (1831-1890) alternó el teatro con la lírica y llegó a ser dramaturgo celebrado en su tiempo por obras como *Atahualpa* (1860), *El amor y el oro* (1861), *Arturo* (1851), *Abel, o el pescador americano* (1857), *El bello ideal* (1857) y *El pueblo y el tirano,* notables todas por su excelente versificación. Agreguemos el nombre de CONSTANTINO CARRASCO (1841-1877), traductor de poetas latinos y europeos, que puso en verso castellano el drama quichúa *Ollantay,* y nos ha dejado un inspirado poemita descriptivo, en silvas, titulado *El árbol de la quina.*

IV. CENTROAMERICA Y LAS ANTILLAS

Venezuela exhibe como sus mejores dramaturgos románticos a Maitín, los Calcaño, Eloy Escobar y Martín de la Guardia, aunque todos ellos deban destacarse más en la lírica que en el teatro;

y en este sentido fueron aludidos en su lugar oportuno. JOSÉ ANTONIO MAITÍN (1804-1874), el máximo representante de la escuela romántica venezolana, cultiva primeramente la tragedia de corte neoclásico, si bien hacia 1840 la lectura de Zorrilla le hizo cambiar de rumbo y adscribirse al romanticismo de signo peninsular [12]. EDUARDO CALCAÑO (1841-1904) y LUIS CAMILO CALCAÑO (1829-1859), además de poetas, fueron dramaturgos discretos; el primero, periodista ágil y notable político—diputado, senador, ministro plenipotenciario en España y de Hacienda, Interior y Relaciones Exteriores—, nos ha dejado *En pos de la gloria* y *Policarpa Salavarrieta*; Luis Camilo, junto a algunas obras originales, hizo una lograda traducción de la tragedia de Silvio Pellico, *Francesca de Rímini*. HERACLIO MARTÍN DE LA GUARDIA parte del drama romántico y evoluciona hacia el teatro social y realista de la época posterior, trayectoria en que le acompañarían Aníbal Dominici, Félix Soublette, José María Manrique, Eduardo Blanco y otros varios. Hacia el teatro histórico derivan Juan José Breca, Celestino Martínez, Pedro Arismendi y DOMINGO RAMÓN HERNÁNDEZ, que obtuvo buen éxito con *Poncio Pilatos en Viena*, del mismo modo que lo obtuvo también CAROLINA FREYRE DE JAIMES con su *Blanca de Silos*.

Entre los cultivadores del teatro romántico en Santo Domingo figura FRANCISCO JAVIER DE FOXÁ (1816-1865). Su comedia de corte bretoniano *Ellos son* y los dramas de tipo histórico *Don Pedro el Cruel*, *El templario* y *Enrique VIII* alcanzaron triunfos tan ruidosos como efímeros. JAVIER ANGULO GURIDI (1816-1884), asimismo dominicano, prefirió el teatro de tema vernacular en comedias como *Cachorros y Manigüeros*, *Los apuros de un destierro* y *Don Junífero*. En *Iguaniona* cultiva el drama indigenista, dentro de una línea clásica española: Iguaniona, enamorada de un conquistador, lucha entre el amor y el deber, resolviendo su conflicto por medio del suicidio. Esta corriente indianista es continuada por Gastón Fernando Deligne y Manuel de Jesús Rodríguez Montaña, entre otros. Merecen un recuerdo ALEJANDRO PIÑA (1821-1879), gran propulsor del arte dramático en su país, y FÉLIX MARÍA DEL MONTE (1819-1899), lírico destacado, autor de varias piezas dramáticas y de la zarzuela *Ozama*.

En Puerto Rico, al lado de unos cuantos dramaturgos de escasa talla, como Carmen Hernández de Arango (1832-1877), Salvador Brau (1837-1912), intelectual puro, autor entre otros del drama psicológico *Los horrores del triunfo* (1887); Eleuterio Derke: *Ernesto Lefebre, o el triunfo del talento*; Bibiana Benítez (1783-1875), que alcanzó éxito resonante con *La Cruz del Morro* (1862), y Manuel Corchano, con *María Antonieta*, nos sale al paso la figura un tanto extravagante, pero no exenta de cierta grandeza, de ALEJANDRO TAPIA Y RIVERA (1827-1882). Fué Tapia escritor muy fecundo y el más notable entre los literatos portorriqueños del XIX, como hemos tenido ocasión de ver en anteriores capítulos. Cultivó todos los géne-

ros, incluídos la crítica y la estética. En su abundante producción domina lo mediocre; pero siempre se pueden sacar de ella páginas de relativo valor. Conocedor de las principales literaturas europeas, en especial de la francesa y la alemana, sin olvidar naturalmente la española, pudo publicar, en 1881, unas *Conferencias sobre Estética*, que delatan su filiación hegeliana; y tres años antes, 1878, una *Sataniada*, poema monstruoso, de carácter filosófico, en que aspiraba a emular simultáneamente la gloria de Homero, Dante y Goethe. Menéndez Pelayo nos ha dejado un estudio definitivo sobre este nebuloso poema y sobre el resto de la obra literaria de Tapia. El cual, caso raro entre los poetas hispanoamericanos, vale más como dramaturgo que como lírico, sin que ello quiera decir que sea un autor dramático logrado. Su teatro, casi todo de fondo histórico, a cambio de tal o cual conato de poesía, nada ofrece que pueda estimarse perfecto. «En el duelo cuerpo a cuerpo con la realidad histórica, el poeta resulta vencido y, a pesar de sus loables esfuerzos, rara vez llega a caracterizar con vigor a sus héroes (por lo mismo que se empeña en tomarlos de frente), ni a hacerlos moverse y pisar las tablas con libertad y gallardía. O cae en la biografía dramática, o en el *biodrama*, como él decía, o asciende a las regiones de la abstracción metafísica, perdiendo de vista el campo de batalla de la vida humana [13].» En todas sus obras abundan con exceso los discursos y razonamientos, a veces en un lenguaje abstruso. *Bernardo de Palissy*, *La cuarterona*, *Camoens*, *Vasco Núñez de Balboa* y *Roberto d'Evreux* son sus dramas principales. El último, con el mismo tema que *El conde de Sex, o dar la vida por su dama*, de Coello, carece del interés romántico y de los primores de versificación de ésta. En *La parte del león*, Tapia parece señalar una desviación hacia la *alta comedia*.

También el teatro romántico de Cuba cuenta entre sus más notables representantes a los poetas líricos. Ramón Vélez y Herrera, poeta de corte quintanesco en la oda *A Franklin, inventor del pararrayos*, e imitador de Zorrilla en la leyenda *Elvira de Oquendo, o los amores de una guajira*, nos ha dejado una comedia de fina observación costumbrista, *Los dos novios en los baños de San Diego*; Juan Francisco Manzano, de raza etíópica, esclavo por espacio de más de cuarenta años, de una tragedia en cinco actos, *Zafira*; Juan Miguel Losada ha cultivado el tema incaico en *La sacerdotisa del sol*; Ramón de Palma (1812-1860), en *La prueba, o la vuelta del cruzado*, prefiere acudir a la historia medieval; Joaquín Lorenzo Luances (1826-1867), en *Aristodemo* ensayó la tragedia de corte clásico. Nos ha dejado también dramas y comedias, *Arturo de Osberg* y *El mendigo rojo*, Rafael María de Mendive, autor de la ópera *Gulnara*. Pero el más destacado dramaturgo cubano de la época, después de la

Avellaneda, a quien se estudiará por extenso más adelante, es el notable lírico JOSÉ JACINTO MILANÉS (1816-1863). Del *Romancero* acertó a extraer Milanés una buena comedia, *El conde Alarcos* (1838); llevó a las tablas con dignidad la figura de Cervantes, en *A buen hambre no hay pan duro;* imitando a Lope de Vega, nos dió en *Por la puente y por el río* una movida evocación del Madrid de los Austrias; y recogió en *El mirór cubano* una serie de cuadros costumbristas bien logrados. Acaso su comedia más lograda sea *Un poeta en la Corte,* en tres actos y en verso, sobre la pasión que siente el duque de Miranda por Inés, una hermosísima doncella a quien tiene recogida en su palacio, y que prefiere a Pedrarias, uno de los criados del magnate.

V.   MEJICO

Ni Guatemala ni otra alguna de las repúblicas centroamericanas ofrecen en el período romántico un dramaturgo digno de mención. El hondureño fray José Trinidad de los Reyes, ya aludido en su lugar, tanto por su obra como por su vida, pertenece a la época anterior. Méjico, en cambio, exhibe una larga lista de autores románticos que consagraron al teatro parte de su actividad. Y, como siempre, los mejores son a la vez poetas líricos. De esa lista sacamos los nombres de Fernando Calderón, Rodríguez Galván, Rosas Moreno y Alfredo Chavero. A Peón y Contreras, acaso el dramaturgo más representativo de esta época en Méjico, aludiremos en otro capítulo, por considerar su obra como puente de transición entre el teatro romántico y el realista. Otros autores de comedia o drama—Fernando Orozco y Berra, José T. Cuéllar, Juan Antonio Mateos, etc—, quedan relegados al capítulo de la novela, ya que en este género descollaron especialmente.

FERNANDO CALDERÓN (1809-1845) es, ya lo vimos en otro lugar, un buen poeta lírico que empezó imitando a Cienfuegos y terminó siguiendo las huellas de Espronceda. Pero sobresalió más en el teatro. Aparte de un feliz remedo de Bretón en la comedia *A ninguna de las tres,* tiene varios dramas románticos que le acreditan como excelente versificador y hábil construtor de piezas teatrales: *El torneo* (1839), *Ana Bolena* (1842) y *Hernán o la vuelta del cruzado.* En ellos Fernando Calderón sabe graduar bien el interés, buscando siempre las situaciones más atrayentes, y aunque pague tributo a los convencionalismos de la época, demuestra ser un autor de positivo mérito. «Si no construyó un teatro con elementos nacionales... —escribe Leguizamón—, consiguió en cambio condensar la materia dramática del romanticismo en obras de indudable atracción y lograda fuerza poética» [14]. Algunos dramas juveniles—*Reinaldo y Elvira, Zadig, Virginia, Armandina, Hersilla,* etc.—, representados con éxito entre 1826 y 1829, fueron excluídos por el propio autor del conjunto de su obra.

Mejor lírico que dramaturgo, a duras penas podemos encajar en este capítulo el nombre de IGNACIO RODRÍGUEZ GALVÁN (1816-1842). Sus piezas teatrales—*Muñoz, visitador de Méjico* (1838), *El privado del virrey* (1841) y *La capilla*—han sido calificadas por Menéndez Pelayo de «tremebundos melodramas» [15]. También está en la lírica la gloria principal de JOSÉ ROSAS MORENO (1838-83), afortunado imitador de Bécquer y de Selgas y ágil poeta didáctico en su colección de *Fábulas,* «pequeños cuadros brillantes de ligereza, de gracia y de colorido poético». Nos dejó una buena comedia, *Sor Juana Inés de la Cruz,* y un drama de tema indigenista, que no ha llegado a nosotros, *Netzahualcóyotl, el bardo de Acolhuacán.* En la tradición indígena y en la historia nacional fué a beber su inspiración asimismo ALFREDO CHAVERO (1841-1906) para la tragedia *Quetzalcoalt* y los dramas *Xóchtl, La hermana de los Avilas* y *Los amores de Alarcón.*

El desdichado poeta romántico MANUEL ACUÑA (1849-1873), ya estudiado en el captíulo LXVII, intentó en su drama *El pasado* la dignificación de la mujer de vida airada, ni más ni menos que se había hecho en Francia con *Marione Delorme* o con *La dama de las camelias.* La obra de Acuña, con abundancia de tópicos románticos y con toda la inexperiencia de los pocos años, adolece de los mismos defectos que su poema *La ramera.* También compuso algunos dramas el novelista VICENTE RIVA PALACIO (1832-1896), ya aludido como autor de narraciones. *Borrascas de un sobretodo* y *La politicomanía* son juguetes cómicos dialogados con soltura y no exentos de gracia en sus tipos y situaciones; *La hija del cantero,* con un argumento que recuerda a trechos *La bola de nieve,* de Tamayo y Baus, se puede poner en la línea de intersección de la comedia sentimental de tono romántico y el drama realista; por último, *Odio hereditario* (1861), con una acción similar en no pocos aspectos a la de *Romeo y Julieta,* se reduce lisa y llanamente a un dramón romántico, con el consiguiente suicidio de los protagonistas. Todas estas piezas están escritas en verso, y en ellas colaboró otro novelista también citado en el capítulo anterior: JUAN ANTONIO MATEOS (1831-1913).

Finalmente, JUAN DE DIOS PEZA (1852-1910), el popular poeta mejicano, acaso el más leído de su país durante cierto tiempo, quiso también ensayar su aptitud para la escena en obras de verso fácil, sonoro y de tan discutible calidad como todos los suyos: *Los últimos instantes de Cristóbal Colón, La ciencia del hogar* y *Un epílogo de amor.* Cantor del hogar y de los niños, sus acentos más tiernos hay que buscarlos en algunos volúmenes de prosa y verso: *Flores del alma, Recuerdos y esperanzas, Monólogos y cantos a la patria,* etc.

VI. GERTRUDIS GOMEZ DE AVELLANEDA

Cerramos este capítulo del teatro romántico en Hispanoamérica con un nombre tan prestigioso como representativo: el de GERTRUDIS GÓMEZ DE AVELLANEDA. Acaso no haya en todo el Romanticismo americano una figura tan eminente. No entraremos en la discusión de si la Avellaneda debe ser incluída en la literatura española o en la propiamente americana. En cualquiera de las dos encaja perfectamente. Aunque nacida en Cuba, fué en España donde vivió la mayor parte de su vida, donde escribió sus obras y donde obtuvo todos sus triunfos como poetisa y como dramaturga, dicen los españoles. Por su nacimiento, por su ascendencia materna y por el culto amoroso que guardó siempre a su tierra natal, es americana, y como tal debe estudiarse, alegan sus compatriotas. Y todos llevan razón. Lo innegable es que la Avellaneda, americana por nacimiento y española por adopción, constituye una auténtica gloria de las letras hispánicas. Pocas mujeres han sido tan elogiadas en vida; sin embargo, esos elogios aún fueron inferiores a sus méritos. Hoy, valorada más justamente, la Avellaneda se nos revela como la más grande escritora de nuestra lengua desde el Siglo de Oro. Habrá habido quien la supere en un género determinado: la Pardo Bazán, en la novela; Rosalía de Castro, Gabriela Mistral, acaso la Storni, en la lírica. Pero en conjunto, la Avellaneda es la figura femenina más completa; cultivó a la vez y con increíble fortuna el teatro y la lírica, la novela y la prosa epistolar. «Es —escribe Cotarelo y Mori— no solamente la primera poetisa de España, sino una de las más grandes, acaso la más, entre las que han sobresalido en todo el mundo en los géneros lírico y dramático. Modernamente la han dado a conocer algunos eruditos como escritora de cartas, y tampoco en este género cede la palma a ninguna otra» [16].

Vida y semblanza

Nace GERTRUDIS GÓMEZ DE AVELLANEDA Y ARTEAGA, en Puerto Príncipe (Cuba), el 23 de marzo de 1814. Su padre era español, su madre cubana. A los nueve años pierde al padre, y la madre casa en segundas nupcias con don Isidoro de Escalada, militar de alta graduación, como el primer marido. Por su *Autobiografía* sabemos que componía versos desde muy niña y que era muy celebrada por su ingenio y belleza, así como muy mimada por los familiares y amigos. Aficionada al teatro y admiradora de los grandes poetas de la época, en especial de Quintana, «divertíase en representar tragedias con sus amigas, en las cuales siempre se reservaba papeles de hombre, que ejecutaba con grande energía». Lee pronto a los románticos franceses e ingleses: Chateaubriand, Víctor Hugo, Lamartine, Jorge Sand, lord Byron, Walter Scott. Las novelas de Jorge Sand, particularmente *Indiana* y *Valentina,* influyen en su vocación por el género, como antes la lectura de Heredia había decidido su vocación lírica. En 1836 abandona Cuba, rumbo a Europa. Breve estancia en Burdeos, y más prolongada en la Coruña, donde entabla relaciones con el hijo del comandante de la plaza, general Ricafort, relaciones que la bella cubana rompe en vísperas de casarse [17]. Sale para Andalucía y, después de recalar breve tiempo en Constantina, junto a unos parientes de su padre, se establece en Sevilla (1838). Primeras colaboraciones en *El Cisne,* con las que se da a conocer. Lluvia de pretendientes a su mano. Inicio de amores borrascosos con Cepeda, el hombre que más honda huella ha de dejar en su vida. A fines de 1840 se traslada a Madrid, donde por influencia de don Alberto Lista, a quien había conocido en Cádiz, se le abren las puertas de cenáculos y tertulias literarias. Pronto traba amistad con los mejores escritores de la época: Espronceda, Zorrilla, Quintana, Pastor Díaz, Bretón de los Herreros, Hartzenbusch, el duque de Frías, Nicasio Gallego. Este prologa, en 1841, con encendidos elogios, su primer libro de versos. Frecuenta los mejores salones, en los que se hace admirar por su belleza y talento. Lee poesías en el Liceo. En 1844 comienzan sus amores con Tassara, amores trágicos que habrían de inspirarle una correspondencia violenta y apasionada como pocas veces ha brotado de una pluma de mujer. Fruto de ellos sería una niña, muerta pocos meses después de nacer [18]. En 1846, ya famosa en toda España, contrae matrimonio con don Pedro Sabater, gobernador de Madrid, del que queda viuda a los tres meses, en Burdeos. Breve estancia en el convento de Loreto, entregada a ejercicios de piedad; y otra vez a Madrid, para triunfar en la sociedad y en el teatro y para reanudar las relaciones con Cepeda. Este, casado ya y consejero de Agricultura, se esfuma para *Tula* —así gustaba ella llamarse y que la llamaran—, hacia marzo de 1854, no sin provocar con su innoble conducta en el alma de la poetisa una reacción llena de dignidad y de desprecio hacia el hombre que nunca supo corresponder a su leal afecto. 1855: contrae segundo matrimonio con el coronel don Domingo Verdugo, hombre tan importante que se hace apadrinar en su boda por los mismos reyes. Unos meses de calma y felicidad, durante los cuales *Tula* publica más libros de versos, y estrena su más célebre drama, *Baltasar.* Pero con motivo de un incidente provocado en la representación de esta obra, su esposo es herido gravemente. La reina, que se preocupa de Verdugo, le nombra gobernador de Cuba, y allí, en la isla natal, se instala nuestra poetisa, al lado del marido en plan de convalecencia. Cinco años de sosiego, de plácido trabajo, entre las constantes pruebas de afecto de sus compatriotàs; y en 1864, el regreso definitivo a España. Un año antes había fallecido su esposo. Mucho antes, al morir su amigo y protector Nicasio Gallego (1853), intentó *Tula* sucederle en la Real Academia; pero la misma vacante había sido solicitada por don Luis José Sartorius, conde de San Luis, quien, al conocer los deseos de la Avellaneda, retiró caballerosamente su candidatura. Ello dió lugar a la elección de Ferrer del Río, fiel la Academia a sus Estatutos, que prohibían la admisión de mujeres en la docta Corporación. Reintegrada a la Península, reside en Sevilla, donde lleva una vida ejemplar. Escribe poesía religiosa y el libro *Semana Santa*, considerado por muchos como «el mejor libro de devoción que han producido la piedad y la musa castellanas». Sus últimos años los pasa en Madrid, donde muere cristianamente el día 1 de febrero de 1873.

Desde que Bretón de los Herreros pronunció, referida a la Avellaneda, la célebre frase «Es mucho hombre esta mujer», no pocos críticos han querido ver en la egregia poetisa cubana una especie de virago, carente de femineidad. Pero Bretón, al incluirla en el sexo opuesto, no pensó ni remotamente en estas cosas. Se refería sólo a su obra literaria; y, dentro de ésta, de manera muy especial, a su producción dramática, construída toda ella con una solidez y un pulso realmente varonil. Por lo demás, Bretón sabía muy bien, como sabemos nosotros después de leer las poesías líricas y el epistolario de la Avellaneda, que pocas almas tan hondamente femeninas, tan llenas de ternura y de simpatía como la suya han pasado por el mundo de las letras. En tal sentido la Avellaneda es una precursora, muy insigne por cierto, de ese plantel de poetisas en que la América hispana ha florecido prodigiosamente en nuestros días. Una precursora de Delmira Agustini, de Alfonsina Storni, de Juana de Ibarbourou, de Vaz Ferreira. Apasionada, sensual, trémulamente emotiva como ellas, más aún quizá que ellas. Con una diferencia: mientras la Storni o la Agustini resuelven en la muerte su violenta pasión, la Avellaneda, que ama y sufre como ellas, busca en la fe un refugio contra las mayores borrascas.

Porque la Avellaneda fué siempre profundamente creyente, y profundamente sincera. Si en una carta se autodefine «la *franca india*, la semisalvaje que no sabrá jamás ser coqueta, ni aun ser cauta», y en otra se considera «una criatura que, a pesar suyo, consulta más a sus instintos que a su razón», por dondequiera que se abra su epistolario encontramos, en cambio, testimonios fehacientes de su religiosidad a toda prueba, de su dignidad insobornable y de la delicadeza de su alma. «Tú me dices que sea virtuosa—escribe a Cepeda—; que tú no serás jamás un enemigo de la virtud; que la mía, si la alcanzase, aumentará tu cariño. Amigo mío, yo no soy virtuosa, no; soy una débil criatura que ha cometido muchas faltas, que se reconoce muy frágil; pero amo la virtud, la busco, la pido, la deseo. Preferiría morir cien veces a perder este noble instinto que me lleva al bien.» Y en carta a Tassara: «Yo no soy como usted, ateo; yo creo en Dios y en la vida eterna.» Ama locamente a Cepeda; pero sin abdicar un momento de su dignidad. «Tú me conoces bastante—le dice—para no esperar de mí cosas degradantes y viles.» Casada dos veces, y antes de ir al altar, se cree obligada a informar a su futuro esposo de la índole de sus anteriores relaciones. He aquí cómo la Avellaneda, a un siglo de distancia, aparte de la admiración que suscita con su obra, se gana nuestra simpatía con su persona.

La producción literaria

La obra literaria de la Avellaneda, abundante, se canaliza en cuatro direcciones:

Lírica: *Poesías* (1.ª edición, 1841; nueva edición, muy aumentada, 1851).

Novela: *Sab, Dos mujeres, Espatolino, Guatimocín, La bella Toda, Dolores, La montaña maldita, El ama blanca, La balada del helecho, La dama de Amboto, Una anécdota de la vida de Cortés, La baronesa de Joux, La flor del ángel,* etcétera. (Algunas de estas narraciones son más propiamente leyendas que novelas.)

Teatro: *Leoncia* (1840); *Alfonso Munio,* titulado después *Munio Alfonso* (1844); *El príncipe de Viana* (1844); *Egilona* (1845); *Saúl* (1849); *Recaredo* (1850); *Baltasar* (1858). Y en diferentes tiempos: *Errores del corazón, La hija de las flores, La verdad vence apariencias, Oráculos de Talía* o *Los duendes de Palacio, La hija del rey René,* etc. Tiene también algunas traducciones y adaptaciones: *La aventurera,* de Augier; *Catilina,* de Dumas y Maquet, etc.

Varia: Algunas biografías, como *Isabel la Católica, Aspasia, Sofonisba, Santa Teresa, Victoria Colonna;* artículos publicados en la prensa cubana bajo el título general de *La mujer;* un *Devocionario nuevo y completísimo en prosa y verso* (Sevilla, 1867); y un copioso Epistolario, en el que sobresalen las *Cartas* dirigidas a don Ignacio de Cepeda.

Lírica

Es, sin duda, el género en que más sobresalió la Avellaneda. No importa que el teatro le diera más renombre. Lo que ha de quedar siempre de la gran escritora han de ser unas cuantas composiciones líricas, de obligada inclusión en toda antología.

Su primer libro de versos aparece en Madrid (1841), prologado por Nicasio Gallego. En él ya se descubren aquellas cualidades que caracterizarán luego toda su producción literaria, cualidades que el prologuista no se olvida de reseñar puntualmente: gravedad y elevación de pensamiento; abundancia y osadía en las imágenes; versificación armoniosa, robusta y sostenida. Pero al mismo tiempo Gallego descubre en esos cantos algo de *varonil* y *robusto*, hasta el punto, dice, «que cuesta trabajo persuadirse que no son obra de un escritor del otro sexo». No estamos conformes con este juicio del cantor de *El Dos de Mayo*. Los sentimientos de la Avellaneda, ya queda dicho e insistimos una vez más en ello, son hondamente femeninos. Habla siempre la mujer. Sus acentos de orgullo, de desesperación, de amor, revestidos casi siempre de cierta violencia, están dentro de la línea encabezada ya por Safo y continuada por tantas otras mujeres desde entonces hasta ahora. Su lírica brota del corazón antes que de la cabeza. Es más: el temperamento impulsivo, vehemente, apasionado de su autora hace de esta poesía un modelo en su género, en la lírica femenina queremos decir; a no ser que entendamos sólo por femenino la delicadeza ñoña y enclenque. Nota característica de estas poesías, ya destacada también por Gallego, es cierto tono pesimista y desesperanzador. Desilusión, cansancio, deseo de morir, se descubren en varios poemitas amorosos, como *A él*, *Ylusión*, y en otros simplemente descriptivos, como *Al mar*. Gallego atribuye esta nota a la circunstancia de haber sido escritos tales poemas de noche, fatigada ya la autora por el ajetreo de la jornada diurna.

No nos convence tal explicación. Preferimos pensar que son un producto natural de la época en que fueron escritos. Año 1841, pleno romanticismo. Ese tono de melancolía y desesperanza *vestía* mucho. Creemos más: que en ocasiones, ni siquiera es sincero. ¿Cómo se entiende que la Avellaneda, ya en 1841, precisamente cuando la vida le sonreía por todas partes, escribiese un soneto como el titulado *Mi mal*, con estos dos tercetos por remate:

> Mas de decir mi malestar profundo
> no halla mi voz, mi pensamiento medio,
> y al indagar su origen me confundo.
> Pero es un mal terrible, sin remedio,
> que hace odiosa la vida, odioso el mundo,
> que seca el corazón... ¡En fin, es tedio!

Un tedio, ya se entiende, plenamente romántico y plenamente literario.

Nuevamente editó sus poesías en 1851. Contiene esta edición todas las de la anterior, con excepción de cuatro, y otras nuevas, hasta alcanzar el número de noventa y nueve. Hay aquí de todo: composiciones amorosas, de circunstancias, de tono heroico, religioso, estético y algunas traducciones. En la edición de 1841 dominan las de tema profano; entre las agregadas después, las de tema religio-

so [19]. La crisis sufrida por la Avellaneda a raíz de la muerte de su primer marido provocó en su alma una exacerbación del sentimiento religioso, que vino a plasmar en una serie de poemas llenos de unción y fervor. En este aspecto sobresalen algunas imitaciones de los Salmos y la poesía dedicada a *La Cruz*, una de las más inspiradas de la autora. Citemos también las tituladas *Grandeza de Dios*, *Las Siete Palabras*, *María al pie de la Cruz*, *Al Nacimiento del Mesías*, *Soledad del alma*, *A la Resurrección del Señor*, *A la Ascensión*, *Al Santo Espíritu*, *Al nombre de Jesús*. Y entre las profanas: *A Polonia*, *A él*, *La vuelta a la patria*, *Napoleón*, *A la muerte de Heredia*, «astro eclipsado en su primer mañana»; *El genio poético* [20], y, sobre todas, *Amor y orgullo*. A ella pertenecen estas estrofas:

> ¿Por qué callar el nombre que te inflama,
> si aun el silencio tiene voz, que aclama
> ese nombre que quiero?...
> Nombre que un alma lleva por despojo,
> nombre que me excita con placer enojo,
> y con ira ternura;
> nombre más dulce que el primer cariño
> de joven madre al inocente niño,
> copia de su hermosura.
> Y más amargo que el adiós postrero
> que al suelo damos, donde el sol primero
> alumbró nuestra vida.
> Nombre que halaga, y halagando mata;
> nombre que hiere, como sierpe ingrata,
> al pecho que le anida...
> No, no lo envíes, corazón, al labio...
> ¡Guarda tu mengua con silencio sabio!
> ¡Guarda, guarda tu mengua!
> ¡Callad también vosotras, aura fuente,
> trémulas hojas, tórtola doliente,
> como calla mi lengua!

Tres son las venas inspiradoras de la Avellaneda, según Menéndez Pelayo: el amor divino, el amor humano y el entusiasmo por el arte de la poesía que ella profesaba. De cómo sabía cantar el amor dan testimonio los versos que anteceden. En ellos se ve reflejada la pasión amorosa, no en una cualquiera de sus frases, sino en todas las formas—esperanza, dolor, tristeza, hastío, júbilo—de que puede revestirse. «Sus versos—ha escrito Valera—son la historia psicológica, íntima y honda de esta pasión de su pecho. Hasta el mismo desaliento, la desesperación byroniana, el hastío que a veces la inspiran, nacen de esta pasión mal pagada, de esa sed inextinguible que no halla donde extinguirse en la tierra; de este afán de adoración y de afecto que no descubre objeto adecuado y digno a quien adorar y querer.» Y antes había afirmado el mismo Valera que no sólo ostenta la Avellaneda la primacía «sobre cuantas personas de su sexo han pulsado la lira castellana, así en este como en los pasados siglos», sino que la poetisa cubana no tiene rival ni aun fuera de España, si no retrocedemos a la Grecia de Safo y Corina y a la Italia renacentista de Victoria Colonna [21].

Novela

En la novela, nuestra autora no raya a tanta altura. Es ésta la parte más endeble de su producción, y delata influencias extrañas, particularmente de la novelística gala. He aquí un breve análisis de sus producciones más interesantes:

Sab (1841), dedicada a don Alberto Lista, acusa menos que otras la influencia francesa. Cuenta la vida de un esclavo mulato que se enamora de la hija de su amo y por ella se sacrifica, renunciando en su favor a una fortuna que en justicia le pertenece. Hecho esto, se retira a la choza de una vieja esclava, a la que considera su madre. Se la ha querido comparar a *La cabaña del tío Tom.* La verdad es que *Sab* no tiene el carácter abolicionista del relato norteamericano. Literariamente hay que considerarla como un simple ensayo, con excelentes descripciones y una ambientación bien lograda.

Al año siguiente (1842) publicó la Avellaneda *Dos mujeres.* Aquí ya se ve clara la influencia francesa, y de modo especial la de *Jorge Sand.* No es, como quieren algunos, una apología del amor libre; pero se le parece mucho. Su carácter es más bien negativo: diatriba contra el matrimonio. La autora declara que aspira a un alejamiento simultáneo de la novela históricodescriptiva de Walter Scott y de la *dramática* de Víctor Hugo. «Se ha limitado—confiesa—a bosquejar caracteres verosímiles y pasiones naturales.» Por lo demás, nada de planteamiento de problemas previos, de índole moral, social o política. Pero esta confesión se contradice con el argumento de *Dos mujeres,* del que se deduce sin esfuerzo una tesis preconcebida. Véase: Carlos y Luisa pasan los primeros meses de matrimonio en perfecta armonía. El marido se traslada a Madrid para hacerse cargo de una herencia, y allí conoce a Catalina, de la que se enamora. Proyectan fugarse a Londres; pero, al enterarse Luisa de sus proyectos, se decide a renunciar a su amor, en favor de Catalina. Esta, sin embargo, no acepta la renuncia; reconoce su culpa y, con objeto de facilitar el retorno de Carlos al hogar, se suicida, dando al hecho apariencias de suceso fortuito. De esta forma evita el remordimiento de la feliz pareja. La apología del amor como fuerza suprema y avasalladora, capaz de anular todo otro sentimiento, está bien clara. Hay en esta novela de la Avellaneda no pocas notas personales y hasta autobiográficas.

Espatolino (1844) responde a una tendencia muy encajada dentro de lo romántico: la exaltación del bandido y la protesta contra la sociedad, a la que se hace responsable de todas las injusticias. En este caso la novela reproduce un hecho real: la ejecución en Roma de un famoso bandolero, Spatolino, a principios del XIX. El protagonista rapta a la sobrina de un agente italiano, al servicio de la Policía francesa; contrae matrimonio con la raptada y por su consejo se decide a cambiar de vida. Pero, apresado por el tío de su esposa, es condenado a muerte con otros compañeros. A diferencia de lo que suele ocurrir en este tipo de novelas, la Avellaneda procura documentarse concienzudamente.

Al género propiamente histórico pertenece *Guatimocín* (1846), crónica novelesca en que se recogen episodios de la conquista de Méjico. Aunque adolece de falseamiento en la psicología de los personajes, en especial de los aztecas, a los que presenta en un grado increíble de refinamiento y cortesanía, se deja leer gratamente por sus bellas descripciones.

La velada del helecho o el donativo del diablo (1849) es un relato legendario más que una novela. Y así, «leyenda fundada sobre una tradición suiza», la subtitula su autora. Relata las aventuras de un joven paje, que luego resulta ser un noble desposeído injustamente de sus bienes. Sobre el mismo tema compuso luego el drama titulado *El donativo del diablo.*

En hechos reales, según confesión de la autora, está asimismo basada *Dolores* (1851). Doña Beatriz de Avellaneda no duda en sacrificar a su hija antes que consentir el matrimonio de ésta con un sobrino de don Alvaro de Luna. Para lograr su propósito narcotiza a la hija y la retiene encerrada durante seis años en el castillo de Castrogeriz, haciéndola pasar por muerta. El galán entra en religión, y la dama, tras impetrar el perdón del cielo para su madre, también se retira a un convento.

Teatro

Ofrece mayor interés que la novela, y en su tiempo logró éxitos resonantes. De la abundante producción dramática de la Avellaneda se pueden desglosar todavía media docena de obras altamente representativas y que colocan a su autora en un primer plano, al lado de los más afortunados cultivadores del género. Por lo pronto, la Avellaneda abrigó el intento, realizado hasta cierto punto en algunas de sus obras, de fundir la tragedia clásica con el drama romántico, dándonos un tipo de composición teatral de alta calidad y tan apartado de la fría reglamentación neoclásica como de las desbocadas fantasmagorías románticas. Tampoco aquí podemos aludir sino a los más importantes de sus dramas.

Leoncia (1840), primer triunfo escénico de la autora, está escrito bajo la impresión del momento: ruptura violenta de sus relaciones con Cepeda. Se puede decir que la escritora trasplanta a las tablas su propio conflicto amoroso. Las quejas de la protagonista, abandonada por Carlos, reproducen al aire libre las que la misma Avellaneda acababa de estampar confidencialmente en sus cartas. Un soplo de fatalidad mueve y agita a todos los personajes de la obra: Leoncia, enamorada del hijo de su seductor; éste, a su vez, pretendido por Elena, hija de Leoncia. Al final todo se aclara y los dos jóvenes, Carlos y Elena, resultan hermanos. Con razón ha dicho Cotarelo que el drama «trae a la memoria las trágicas figuras de Fedra y Yocasta». Obra de escasos valores literarios y con exceso melodramática, *Leoncia* se salva por la fuerza expresiva de los sentimientos.

Alfonso Munio, estrenado cuatro años más tarde (1844), puede calificarse de leyenda genealógica, llevada a las tablas con gran aparato versificatorio y un sentido trágico muy hondo. La autora le llamó primero «tragedia»; luego modificó este título por el de «drama trágico». Ahora ha elegido como soporte de su obra un tema medieval; porque «la Edad Media—lo dice ella misma—, desdeñada por la mayoría de los autores clásicodramáticos, podía suministrar argumentos y caracteres no menos dignos de la tragedia que los rebuscados todavía en las historias de los antiguos griegos y romanos».

La acción se sitúa en el alcázar de Alfonso VII, en Toledo, donde se cría la princesa navarra doña Blanca, prometida del infante don Sancho, sucesor del trono castellano. La princesa no ama al príncipe y sólo piensa en regresar a su tierra. En cambio, Sancho ama y es amado por Fronilde, hija de Alfonso Munio. Regresa éste de su victoriosa campaña contra los moros, y la reina le comunica su deseo de casar a Fronilde con el conde Pedro Gutiérrez. La joven se resigna a sacrificarse; pero el príncipe, acosado por los celos, le recrimina duramente. El diálogo de los enamorados es oído por Blanca, quien acude al arzobispo para comunicarle su decisión de renunciar al proyectado enlace. El prelado se aconseja de Munio, el cual, ignorante de que la dama pretendida por Sancho es su propia hija, propone se la destierre a un lugar donde no pueda verse y más con el príncipe. Una tarde en que sorprende a los enamorados, Munio da muerte a Fronilde, mientras don Sancho huye. Aquí debería terminar lógicamente el drama. Pero la autora quiso terminarlo con un cuarto acto, carente casi de interés. Se reduce a poner de manifiesto la cólera de don Sancho y la reunión de un concilio para determinar el castigo que procedía imponer a Munio. Por consejo del arzobispo se decide a luchar contra los moros mientras viva.

Drama de estructura clásica, en cuanto respeta las unidades de acción y lugar, utiliza sólo verso mayor, exhibe exclusivamente personajes de alto rango y desemboca en un desenlace cruento. Pero, al mismo tiempo, penetrado de un fuerte sentido romántico, si se atiende a la escenografía y al efectismo de ciertas escenas, especialmente la de la tempestad en el acto tercero, y al momento culminante de la obra, aquel en que Munio da muerte a su hija. Se aparta también de la tragedia clásica en el apéndice innecesario de la expiación. De haberse mantenido fielmente el espíritu tradicional, el desenlace hubiera sido la venganza de don Sancho o el suicidio de Munio, una vez perpetrado el parricidio. Ya advirtió el padre Blanco García que en toda la obra dramática de la Avellaneda, desde *Alfonso Munio* a *Recaredo*, pasando por *Egilona*, *Saúl* y *El príncipe de Viana*, domina un halo de espiritualidad cristiana sobre el fondo fatalista de la tragedia clásica. Por la fusión de lo clásico y lo romántico medieval recuerda a la *Raquel*, de García de la Huerta. También parece haber influído en esta obra el *Pelayo*, de Quintana.

En 1844, o sea el mismo año que *Alfonso Munio*, da a concer la Avellaneda su *Príncipe de Viana*. Está basada en el breve estudio biográfico de Quintana acerca del infortunado príncipe. «El rey (Juan II) tenía ya apagado todo el cariño hacia su hijo; la reina aborrecía personalmente al príncipe; el interés de su hijo lo aconsejaba su pérdida, y su corazón ardiente y fervoroso no desdeñaba medió alguno de conseguirlo.» Al desarrollo de este breve texto de Quintana se reduce toda la obra. Aunque el biógrafo opina que no puede afirmarse el envenenamiento del príncipe por la reina, la Avellaneda lo da por probado para revestir su obra de mayor dramatismo. Culmina éste en el acto IV, cuando la reina, creyéndose sola y en un acceso de delirio, empieza a relatar su crimen. De orden suya el príncipe ha sido envenenado por el canciller don Pedro de Peralta, padre de Isabel. Esta es amada por el de Viana. El rey, enterado de ello, arroja de palacio a su esposa y manda prender a Peralta. Con la confesión del crimen por parte de la reina, la maldición de Isabel y la muerte del príncipe termina el drama. La clave del conflicto está en la pasión maternal, tan avasalladora en este caso que no retrocede ni ante el crimen:

> Todo por mi Fernando; por mi hijo,
> que es mi orgullo, mi gloria... Nada, nada
> pretendo para mí, que el nombre sólo
> de madre suya a coronarme basta
> de la dicha mayor. ¡Oh Isabel, nunca
> este fuego implacable que me inflama
> comprenderá tu entendimiento! ¡Frías
> son todas las pasiones comparadas
> con la pasión de madre, y en mi seno
> ella se extiende inmensa, solitaria!.
> Ella dirige mis impulsos todos;
> ella las fuerzas de mi ser dilata;
> ella es mi vida, mi poder, mi brío;
> por ella puedo ser heroica y santa;
> y por ella también del mayor crimen
> con el negro borrón me ornara ufana.
> Ni deber ni virtud ni honor comprendo
> si a mi ciega ambición ofrece trabas,
> y poco me espantara si la tierra,
> de sus eternos ejes desquiciada,
> se desplomase en míseras ruinas,
> si en ellas trono mi Fernando hallara.

(Acto II, esc. VII.)

La cita es larga, pero conveniente, ya que, aun en medio de cierto huero retoricismo, acusa el nervio dramático de la autora.

Un éxito enorme fué para la Avellaneda *Saúl*, drama representado en 1849, aunque escrito tres años antes. No se trata aquí exactamente de un Saúl histórico, tal como nos lo presenta el texto sagrado, sino amañado por la autora un poco a su capricho. El Saúl histórico, ya lo advirtió Cotarelo, «tiene poco de dramático a la moderna, aunque quizá lo tenga de trágico al modo fatalista griego». Para lo primero le falta una circunstancia esencialísima en la dramaturgia moderna; la libertad, que lleva consigo un principio de responsabilidad moral. Por eso la Avellaneda lo desfigura hasta hacer de él un símbolo. Saúl encarna la protesta del elemento civil y guerrero israelita contra el poder sacerdotal; el libre albedrío, llevado al límite extremo; la independencia del espíritu frente a toda coacción, de cualquier tipo que sea. Para la Avellaneda el «espíritu maligno» que se apoderó de Saúl no es otro que el orgullo. Tan pronto sube al trono rechaza toda autoridad por encima de la suya. Maldecido por Samuel y enterado de que su sucesor es el joven David, se revuelve contra éste y cuantos le protegen. El odio a David y a los sacerdotes le inspiran las más tremendas imprecaciones:

> ¡Oh vil raza de Aarón! : Desaparece.
> Harto tiempo tus pérfidos amaños
> paciente toleré. Locura ha sido
> pensar amedrentarme con presagios,
> para postrar mi coronada frente
> ante el Dios de furor que habéis creado.
>
> (Acto III, esc. XIV.)

Aquí reside la explicación de todo. Ese *Dios de furor*, que se presenta al pueblo de Israel, es una creación de los levitas y no responde en modo alguno al Dios verdadero. Saúl no se rebela contra éste, sino contra aquél, contra el fabricado en el Templo. De este modo la Avellaneda, sin proponérselo, o, al menos sin darse cuenta exacta de la grandeza de su héroe, ha conseguido ofrecernos todo un símbolo. El que este símbolo encarne un sentimiento de rebeldía hasta cierto punto anacrónico no desvirtúa la grandeza de la obra ni el acierto en el trazo psicológico de su protagonista. Nada más lejos del Saúl bíblico que este otro Saúl creado por la Avellaneda y lanzado a la vida con toda la arrogancia y la pasión de los seres de carne y hueso. Es todo un carácter. Mientras el Saúl bíblico, abandonado por Jehová, se despeña de error en error y de torpeza en torpeza, este otro, en trance de muerte, deshecho su ejército por los filisteos, sabe dar testimonio de su grandeza:

> ¡Que el cielo y el abismo juntamente
> vengan a disputarse mis cenizas!
> ¡El formidable brazo que me postra
> deshecho me hallará, no de rodillas!

Después de unas cuantas piezas de menor interés—*Egilona, Flavio Recaredo, La verdad vence apariencias, Errores del corazón, La hija de las flores, Simpatía y antipatía*, etc.—, la Avellaneda obtiene su máximo triunfo en 1858 con el estreno de *Baltasar*. Lo tenía escrito hacía dos años, y es para nuestro gusto y para la crítica en general el mejor drama de su autora. Al menos lo es desde el punto de vista psicológico. No falta quien lo compara con el *Sardanápalo*, de Byron, sin que el drama de la poetisa cubana tenga que ceder en nada ante el del romántico inglés. Y apresurémonos a decir que el texto bíblico muy pocos materiales pudo suministrar a nuestra autora. El mismo Calderón, cuando se decidió a escenificar el tema en el célebre auto sacramental *La cena de Baltasar*, apenas pudo aprovechar más que el episodio de la profecía de Daniel. La Avellaneda tuvo, por tanto, que inventárselo todo. Dentro del ideario romántico, *Baltasar* es un portento de intuición psicológica. Si en *El príncipe de Viana* hemos señalado el amor materno como clave de la tragedia, y en *Saúl* el orgullo, aquí nos encontramos con el hastío, un elemento por cierto de acreditada sustancia romántica. Baltasar, el rey caldeo, está irremediablemente hastiado. Y lo está porque la vida no puede ofrecerle ya atractivo alguno, porque carece de esperanza, porque todo lo posee. Y esta plena satisfacción de sus deseos, que aparentemente debe ser motivo de felicidad, constituye para él una fuente de hastío. Bien claro se lo dice a su ministro:

> BALT.
> Dame, no importa a qué precio,
> alguna grande pasión
> que llene un gran corazón
> que sólo abriga desprecio.
> Enciende en él un deseo
> de amor... o de odio o venganza;
> pero dame una esperanza,
> de toda mi fuerza empleo.
> Dame un poder que rendir,
> crímenes que cometer
> venturas que merecer
> o tormentos que sufrir.
> Dame un placer o un pesar
> digno de esta alma infinita
> que su ambición no limita
> a sólo ver y gozar...
> Dame, en fin, cual lo soñó
> mi mente en su afán profundo,
> algo... más grande que el mundo,
> algo... más alto que yo.

> NER.
> Un imposible deseas.
> No es dable, gran rey, que exista
> ni fuerza que te resista
> ni dicha que no poseas...
> ....

> BALT.
> ¡Oh Neregel! Si es verdad
> que el agradarme es tu intento,
> hazme olvidar un momento
> mi inmensa felicidad.
>
> (Acto II, esc. IV.)

Momentáneamente su vida se ilumina con una esperanza: el amor de la judía Elda, a la que supone hermana de Rubén. Por ese amor él lo sacrificaría todo:

> Gracias te doy, mujer, pues ya no veo
> siempre en torno de mí muda obediencia...
> Ya ningún precio me parece escaso
> al bien que aguarda de tu amor el mío.
> ¡Oh, tásalo tú misma; ten audacia;
> lo que quieras demanda, y lo prometo!

Pero al enterarse de que Rubén no es hermano, sino esposo de Elda, otra vez cae en su habitual abatimiento. Ahora más desolador y expresado en forma más violenta, pues que ve cerrados todos los portillos que pueden dar paso a la ilusión de vivir. Ni lealtad, ni nobleza, ni verdad existen en el mundo:

> ¡No son hermanos! ¡Mentían!
> ¡Y yo encontrar pechos nobles
> pensé iluso...! ¡La verdad
> yo quise hallar en los hombres!

Todavía, ante la resistencia de la hebrea, saltará del desaliento al deseo de venganza. De este modo *Baltasar*, con su proceso psicológico tan hábilmente escalonado, se nos ofrece como una insuperable lección de buen teatro.

Otras piezas de menor mérito son: *Egilona*, que la autora eliminó de la edición de sus *Obras*. Drama confuso, por interferirse dos acciones, basado en la pasión del caudillo moro Abdelazís hacia la esposa del último rey visigodo, Egilona. Abdelazís muere asesinado por cuestiones religiosas cuando pensaba liberar a los regios prisioneros, don Rodrigo y su mujer: ésta, tras increpar a los asesinos, se suicida ante el cadáver del caudillo mahometano.

Flavio Recaredo, inspirado en la historia del padre Mariana, recoge las luchas entre arrianos y católicos, a las que pone fin el matrimonio de Recaredo con la princesa sueva Bada.

La hija de las flores (1852), uno de los mayores triunfos de la Avellaneda. En ella abandona el tema histórico y el metro largo, generalmente endecasílabo, utilizado hasta entonces, para sustituirlo por el corto: romances, redondillas, etc. Se acerca al tipo tradicional del teatro costumbrista y urbano, con algún que otro toque melodramático: Inés, dama noble seducida por el conde de Mondragón, da a luz una niña, Flora, que separada de su madre, se confía a unos jardineros. Dieciséis años más tarde se proyecta la boda de Inés con Carlos, sobrino del conde. El joven ve a Flora y se enamora de ella. Inés acude al conde, le da cuenta de su antigua desgracia y, una vez aclarado todo, Carlos casa con Flora.

La verdad vence apariencias, sugerida por la tragedia de Byron, *Werner o la herencia*. Pero con un parecido tan remoto que sólo acertamos a darnos cuenta de él porque la propia autora nos lo ha dicho. Es un melodrama que tiene por fondo la Castilla de Pedro el *Cruel* durante sus luchas con don Enrique de Trastamara.

Epistolario

Ni los artículos periodísticos ni las biografías de la Avellaneda ofrecen materia de comentario. En cambio, lo sugieren, y muy encomiástico, sus cartas. En ellas se revela un espíritu dotado especialmente para el género epistolar. Acaso desde el Siglo de Oro nadie había cultivado este género con tal dominio y maestría. Léase íntegra la que dirige a Tassara, al presentir la muerte de su hija Brenhilde, carta ya aludida en una nota; o las que escribe a la reina, en súplica de justicia por la cobarde agresión a su marido; o las dirigidas a Valera, a Cañete, al conde de San Luis y a otros, por diversos motivos. Pero, sobre todo, léase su correspondencia con Cepeda. Debemos al incumplimiento de una promesa por parte de éste todo un epistolario de inapreciable valor literario y humano. La Avellaneda había confiado su drama íntimo a un documento tan secreto como son las cartas particulares, y, creyendo que nunca se darían a la publicidad, había volcado en ellas sus celos, sus ilusiones, su orgullo y su desesperanza, todo el proceso, en fin, de una pasión tan violenta como mal correspondida. Cepeda, en vez de darlas al fuego como había prometido, cometió la indelicadeza de entregárselas a su esposa, la que, ya en estado de viudedad, hubo de darlas a la imprenta (Huelva, 1907). Alegrémonos de ello, ya que con la publicación de esa especie de diario íntimo nada pierde la autora en su crédito como mujer y gana mucho en la estimación literaria. Pocas páginas más bellas se han escrito en su género. Vaya un ejemplo entre ciento. Acaba de anunciarle Cepeda que se marcha a París; este viaje tiene todas las apariencias de una ruptura definitiva. La Avellaneda contesta con una extensa carta. He aquí un fragmento:

«Tú te has decidido a irte ahora, sabiendo que poco más tarde hubiéramos podido hacer juntos el mismo viaje, sabiendo que ahora más que nunca me había de lastimar tu ausencia. Sea esta resolución tuya indiferencia y desamor absoluto; sea, como dijiste, que *me huyes por demasiado amor*, yo tendría que ser un ser degradado y privado de todo sentimiento si no viese en tu resolución el golpe que rompe para siempre toda clase de vínculos entre nosotros. Si tú te vas porque te soy indiferente, yo no debo, no puedo ni quiero molestarte con mi cariño ni con ningún recuerdo de los pesares que sufro. Si realmente me huyes, mi orgullo, al par de mi corazón, gritan ofendidos y me mandan morir antes que continuar relaciones de ninguna especie con el hombre que huye de mi amor como de cosa que puede perjudicarle.

Yo no soy ni monja ni casada, tú tampoco eres esclavo de ningún juramento que te haga un cri-

men del amor; por consiguiente, amando y siendo
amada, yo no concibo que nadie pueda huir, a
menos que el objeto que ama (no) sea tan indigno
que a toda costa quiera salvarse de sus redes.
Y bien, Cepeda, *Tula* tiene, tú lo sabes, un alma
demasiado noble, demasiado altiva; tiene un corazón demasiado apasionado y lleno de delicadeza
para dejar lazo alguno al hombre que quiere rom-
perlos. Si tú quieres huir, ¿puedes reconvenirle de
que yo te deje el campo libre como necesitas?
¿Es que crees que, al huirme tú, debo yo perse-
guirte? ¿Es que exiges que, cuando tú huyes, yo
quede preparando los lazos para volver a asirte,
si la casualidad puede darme ocasión? No, tú me
conoces bastante para no pedirme ni esperar de
mí cosas degradantes y viles.» Y luego de decirle
cuál habría sido su proceder en igualdad de circunstancias, agrega: «Esto hubiera yo hecho, porque yo tengo corazón. Tú haz lo que quieras, lo
que has resuelto; pero olvida para siempre a una
mujer que sería digna de lo que haces si fuese
capaz de sufrirlo pacientemente. Tú rompes todos nuestros lazos antiguos y nuevos; ¡todos!
Tu amante ultrajada no puede ser tu amiga.»

Juicio crítico

No insistiremos en el valor de la Avellaneda
como lírica. Según Valera, entre las cultivadoras
del género no tiene rival. No lo tenía, claro es,
cuando el autor de *Pepita Jiménez* formulaba su
juicio. Después han surgido, y precisamente en
tierra americana, otras poetisas que sin duda la
superan en hondura lírica, ya que no en inspiración y estro.

En cuanto a su teatro, ya quedó indicada la
nota más relevante: fusión del drama romántico
con la tragedia clásica. Añadamos también la habilidad técnica y la corrección formal: la hondura psicológica y el dominio del verso. En este aspecto, y a juicio de Menéndez Pelayo, puede compararse con Hartzenbusch. Se había formado la
Avellaneda con la lectura de Alfieri y de Quintana, a los que toma por modelos; sentía, por otra
parte, el tirón del romanticismo francés y español, cuyas innovaciones le entusiasmaban. Así nace
aquel intento, ya aludido, de fusionar ambas escuelas, tomando lo mejor de cada una. Y esto lo realiza la Avellaneda antes de que Tamayo compu-
siese su *Virginia* y Ventura de la Vega *La muerte
de César*. Conocedora de todos los resortes dramáticos y psicológicos, nos da figuras humanas tan
acabadas como las de Alfonso Munio, Recaredo,
Saúl y Baltasar. En este sentido aventaja a todos
nuestros románticos en quienes el proceso de las
reacciones psicológicas suele brillar por su ausencia. También los supera en la exactitud histórica. La Avellaneda toma un personaje, lo encuadra en su época y ambiente y, como sucede
con Saúl y Baltasar, lo eleva a insospechada altura, uniendo a su conflicto personal el problema
de todo un pueblo. De esta manera ese personaje
asciende a la categoría de símbolo. Por estas razo-

nes creemos que merece una revalorización como
dramaturga, ya que como lírica nunca su prestigio
ha sufrido mengua. Sin duda en ocasiones se deja
llevar de un lirismo poco compatible con la severidad de la escena; pero es ese un defecto achacable a todos nuestros dramaturgos románticos.

NOTAS

1. *Las ideas estéticas en el teatro argentino*, Instituto
Nacional de Estudios de Teatro, Buenos Aires, 1947.
2. Júzguese por los siguientes versos, que interesan no
sólo por su valor heroico, sino como reveladores del
cambio de posición con respecto a España:

> ¿Queréis que entregue a la saña
> de esos bárbaros infieles
> mi hermoso reino de España?
> ¿Qué se hicieron mis broqueles,
> mis lanzas y caballeros?
> ¿Qué es de mi guardia jinete,
> de mis nobles y pecheros?
>
> (Acto I.)

3 Larroque ocupó, después de la batalla de Caseros,
el rectorado del Colegio Nacional del Uruguay, y posteriormente fué designado vocal del Consejo Nacional de
Educación.
4. Hijo de un militar asesinado por los sicarios de
Rosas, Echagüe nace en Buenos Aires en 1821. Inicia estudios de Medicina, que tiene que interrumpir por la
persecución rosista. A fines del 39 emigra al Uruguay
Ferviente unitario, colabora en los periódicos antirrosis-
tas: *El Comercio del Plata* y *Muera Rosas*. Ingresa en
el Ejército de Liberación, donde obtiene el grado de capitán. A la muerte del general Lavalle emigra a Bolivia. Después de la batalla de Caseros, que acaba con
el gobierno de Rosas, vuelve a Buenos Aires, donde reanuda su actividad periodística y literaria. Muere en
San Juan en julio de 1889. Sus obras, en dos volúmenes
—I, *Teatro*; II, *Memorias y tradiciones*—, han sido publicadas por «Cultura Argentina», Buenos Aires, 1922.
5. Puede aumentarse la lista de dramaturgos argentinos de la época con varios nombres más: Lucio V. Mansilla (*Atar-Gull, o una venganza africana*), melodrama
con los consabidos amores contrariados), Juana Manso
de Noronia (*La Revolución de Mayo*), Bernabé Demaría
(*La América libre*), José Borrás (*La codicia rompe el
saco*), Luis F. Varela (*Amor filial*, *El ciego* y *Capital por
capital*), Matilde Cuyás (*Contra soberbia, humildad*, drama moralizante), Godofredo Daireaux, Prieto Valdés y
otros. Todos ellos obtienen lisonjeros éxitos después de
la caída de Rosas.
6. Citemos a Carlos Bello, hijo del famoso humanista
y polígrafo don Andrés, autor de dos piezas: *Los amores
del poeta*, drama juvenil de exaltado lirismo y lleno de
inexperiencia, e *Inés de Mantua*, en el que lleva a las
tablas al discutido César Borgia; José Antonio Torres
Arce, que en *La independencia de Chile* pone en escena
la accidentada vida de Manuel Rodríguez, héroe de la
revolución, tema que repite Carlos Walker Martínez en
Manuel Rodríguez, de inspirado aliento patriótico. Menor
interés ofrecen Eusebio Lillo (1826-1910), Guillermo Blest
Gana, Pedro Urzúa, Daniel Barros Grez, Manuel de Santiago Concha, J. Francisco Ureta, etc., cultivadores del
teatro histórico y de la comedia costumbrista.
7. Intervino activamente en la vida política, desempeñando los Ministerios de Justicia, Instrucción Pública,
Culto y Estado; fué profesor y decano de la Facultad de
Humanidades de Santiago.
8. «Llevó (la dramática colombiana) una existencia
precaria en tragedias seudoclásicas y melodramas románticos hasta mediados del siglo, en que encontró la escuela costumbrista para nacionalizarse en temas de crítica social. Continuó, en sainetes escritos en prosa o en
dramones históricos de gran aparato, su viaje por la segunda mitad del xix, y franqueó los umbrales del actual
en la más completa orfandad. El teatro llegó entre nosotros a la decrepitud, sin haber conocido la madurez.»
(ARANGO FERRER: *La literatura de Colombia*, pág. 65, Publicaciones de la Facultad de Filosofía y Letras de Buenos Aires, 1940.
9. Mayor estimación merece como poeta, género en el

que logra inspiradas composiciones: *La limosna, La mascarilla de Napoleón* y *Amarguras del alma.*

10. Otros cultivadores ocasionales del teatro son: Francisco de Paula Cortés *(Los sobrinos de Tadeo, La perla de Madrid, El diputado Callejas,* etc.); Martín Guerra *(Un calavera y Cuatro balazos);* Leopoldo Arias Vargas, Manuel María Madiedo, Carlos Posada, José M.ª Samper, Angel María Galán, Angel Cuervo, Lorenzo M.ª Lleras, Medardo Rivas, etc., todos ellos más notables en otros géneros literarios.

11. *Literatura boliviana,* pág. 207, Aguilar, Madrid, 1954.

12. Nace en Puerto Cabello (1804-1874); a causa de la guerra de emancipación emigra a Cuba, donde traba amistad con el escritor colombiano José Fernández Madrid; entra al servicio de Colombia, y desempeña cargos diplomáticos en Londres. En 1834 se reintegra a su patria.

13. MENÉNDEZ PELAYO: *Historia de la poesia hispanoamericana,* I, pág. 339.

14. *Historia de la literatura hispanoamericana,* II, páginas 187-88.

15. Nace en Tizayuca y muere en La Habana. Temperamento pesimista por naturaleza, prorrumpe en amargos dicterios contra la anarquia y violencia reinantes en su pais. He aqui una muestra de su drama *El privado del virrey:*

Se hundirá esta colonia, de aventureros presa,
donde más el dinero que las virtudes pesa,
donde por un empleo trueca un hombre su honor,
donde su voto vende un torpe magistrado,
y la honra de una virgen se compra en un estrado,
y es casa de comercio el templo del Señor.
Se hundirá esta colonia, de crimenes al peso,
cual ebrio a quien derriba de vinos el exceso,
y a los padres los hijos furiosos lanzarán;
y tras la tirania vendrá el libertinaje;
el déspota es el mismo, si, con diverso traje;
donde un señor habia, diez mil se encontrarán...

16. *La Avellaneda y sus obras: Ensayo biográfico y critico,* pág. 5, Tipografia de Archivos, Madrid, 1930.

17. Antes, recién saiida de la niñez, se le prepara un matrimonio de conveniencia con un pariente del padrastro, rico y solterón; pero ella, enamorada ya de un tal Loynaz, huye del domicilio paterno cuando todo estaba dispuesto para la boda, y se refugia al lado de su abuelo padrastral.

18. Patética la carta que con este motivo escribió a Tassara. «Aún vuelvo a escribir a usted—le dice—, y, lo que es más, estoy resuelta, si usted desatiende mi carta, a buscarle por todas partes y a decir a gritos, dondequiera que lo encuentre, lo que voy a manifestarle por escrito. Mi Brenhilde, mi hija, se está muriendo.» A continuación le suplica que, puesto que tambien es hija suya, no la deje morir sin bendecirla. Ella, la madre, está dispuesta a todo, incluso a arrojarse a los pies de Tassara «para suplicarle dé una primera y última mirada a su poore hija». Luego, temiendo que él no acceda, reacciona violentamente y cierra el escrito con esta amenaza: «¡Por Dios, venga usted, que yo espero y Brenhilde se muere! Nadie verá a usted, lo juro. Pero, si no vienes, te buscaré, te arrojaré tu hija moribunda o muerta en medio de tus queridas del Circo a la hora en que te presentes alli... Tassara, te espero.—*Tula.*» Esperó en vano; Tassara no acudió.

19. Aún dió otra tercera edición de las *Poesias* en el tomo I de sus *Obras literarias* (Madrid, 1869). Suprimió seis composiciones de la anterior edición y agregó cuarenta y dos, la mayor parte de las que llaman «de circunstancias».

20. Dedicada a Nicasio Gallego, del que se proclama discipula:

Bien que de lejos tus pisadas sigo,
llevando al ara mis humildes flores,
y al escuchar los ecos de tu fama
siento que activa emulación me inflama.

21. Vid. MENÉNDEZ PELAYO: *Historia de la poesia hispanoamericana,* I, págs. 260-68.

BIBLIOGRAFIA

I. Obras generales de literatura americana y estudios particulares de cada pais.

II. A. BERENGUER CARISOMO: *Las ideas estéticas en el teatro argentino,* Buenos Aires, 1947.—M. V. BOSCH: *Historia de los origenes del teatro nacional argentino,* Buenos Aires, 1929.—A. CORTI: *Contribución al estudio histórico del teatro argentino,* Buenos Aires, 1918.—E. MORALES: *Historia del teatro argentino,* Buenos Aires, 1944.—I. MOYA: *Los origenes del teatro y de la novela argentina,* Buenos Aires, 1925.—V. ROSSI: *Teatro nacional rioplatense,* Córdoba (Argentina), 1910.—R. H. CASTAGNINO: *José Zorrilla en el repertorio de los teatros porteños de la época de Rosas,* «Bol. Est. de Teatro», Buenos Aires, 1944; *El teatro durante la época de Rosas,* «Bol. Est. Teatro», Buenos Aires, 1944.—A. GIMÉNEZ PASTOR: *Sobre el teatro histórico,* «Nosotros», XIV, Buenos Aires, 1920.—P. ECHAGÜE: *Sarmiento, critico teatral,* Inst. de Literatura Argentina.—Bibliografia particular de Alberdi, Mitre, Cuenca, Mármol, etc., en los caps. LXVI y LXVIII.

III-IV-V. Bibliografia para estos apartados en los capitulos LXVII y LXIX. Consúltese además: J. VALERA: *El teatro en Chile,* «Obras completas», I, Edit. Aguilar, Madrid, 1942.—A. GONZÁLEZ CURQUEJO: *Breve ojeada sobre el teatro cubano a través de un siglo (1820-1920),* «Rev. Trimestral Cubana», 1923.—J. L. MARTÍNEZ: Pról. de *Poesía, teatro...,* de M. Acuña, Edit. Porrúa, Méjico, 1949.

VI. D. M. ARAMBURU Y MACHADO: *La Avellaneda: Su personalidad literaria,* Madrid, 1898.—GERTRUDIS GÓMEZ DE AVELLANEDA: *Apuntes biográficos,* «La Ilustración», Madrid, 1850.—MERCEDES BALLESTEROS GAIBROIS: *Vida de la Avellaneda,* Edic. Cultura Hispánica, Madrid, 1949.—EMILIA BERNAL: *Gertrudis Gómez de Avellaneda: Su vida y su obra,* «Cuba Contemporánea», XXXVII, año XIII, La Habana.—E. COTARELO MORI: *La Avellaneda y sus obras: Ensayo biográfico y critico,* Tip. de Archivos, Madrid, 1930.—L. CRUZ DE LA FUENTE: *La Avellaneda: Autobiografía y cartas,* Huelva, 1907.—D. FIGAROLA: *Gertrudis Gómez de Avellaneda,* Madrid, 1929.—A. LÓPEZ ARGÜELLO: *La Avellaneda y sus versos,* Santander, 1898.—A. MARTÍNEZ BELLO: *Dos musas cubanas: Gertrudis G. de Avellaneda. Luisa Pérez de Zambrana,* E. Fernández y Comp., La Habana, 1954.—N. PASTOR DÍAZ: *Biografia de la Avellaneda* (pról. a sus *Poesías*), Madrid, 1850).—V. PIÑERA: *Gertrudis Gómez de Avellaneda: Revisión de su poesia,* Univ. La Habana, XVII, 1952.—RODRÍGUEZ GARCÍA: *De la Avellaneda,* La Habana, 1915.—J. VALERA: *Observaciones sobre el drama titulado «Baltasar»,* de la Sra. G. Gómez de Avellaneda, «Obras completas», II, Aguilar, Madrid, 1942.—E. B. WILLIAMS: *The Life and dramatic works of Gertrudis Gómez de Avellaneda,* XI, Pensilvania, 1924.—J. DE LAS CUEVAS: *Tula y Fernán en Sevilla,* «Arch. Hispalense», XX, 1954.—EDITH L. KELLY: *Opiniones sobre la versificación en la lirica de la Avellaneda,* «H. R.», VI, 1938.—E. BLANCHET: *La Avellaneda como poetisa lirica,* «Rev. Facultad de Letras», Habana, marzo de 1914.—J. M. CHACÓN Y CALVO: *Gertrudis Gómez de Avellaneda. Las influencias castellanas,* Habana, 1920.—R. MARQUINA: *Gertrudis Gómez de Avellaneda,* Habana, 1939.—A. MITJÁNS: *La Avellaneda,* «Est. Literarios», Habana, 1887.—J. NAVARRO RIERA: *G. G. de Avellaneda,* «Cuad. de Cultura», Habana, 1936.—E. PIÑEYRO: *Gertrudis Gómez de Avellaneda,* «Bosquejos, Retratos, Recuerdos», París, 1912.—S. SALAZAR: *Milanés, Luaces y la Avellaneda, como poetas dramáticos,* Habana, 1936.—A. SÁNCHEZ DE BUSTAMANTE: *G. G. de Avellaneda* («Discursos», t. II), Habana, 1915.—E. J. VARONA: *La Avellaneda* («Discursos»), Habana, 1918.

CAPITULO LXXI

LA POESIA POSTROMANTICA:
A) CAMPOAMOR, NUÑEZ DE ARCE Y GRUPOS AFINES

I. CUADRO GENERAL

El carácter homogéneo de la poesía romántica desaparece al promediar el siglo XIX. Durante el triunfo de aquella escuela se puede decir que no se oía más voz que la suya. Hacia 1850, sin que en esto se puedan dar precisiones exactas, el panorama cambia: la lírica por un lado se enriquece con brotes nuevos y, por otro, los viejos estilos se remozan. La cuerda romántica sigue sonando, pero como una de tantas y cada vez más apagada. Nos enfrentamos a lo largo de este período, que abarca casi toda la segunda mitad del siglo XIX, con una situación heterogénea y confusa. Muchos grupos distintos, cada uno con su voz personal y con su propio credo estético. Si durante el apogeo romántico—1830 a 1850—no había apenas otra poesía que la del grupo dominante, con excepción de tal cual nota de sabor popular y tono satírico—Bretón de los Herreros, Príncipe, Villergas...—. ahora las tendencias se multiplican y entrecruzan, dificultando en grado sumo todo intento de sistematización.

No menos difícil resulta encontrar a esa poesía un apelativo común, con capacidad significativa suficiente para abarcar todas las tendencias. Llamarle filosófica, social o naturalista sería limitar la denominación a unas cuantas zonas, dejando al margen autores tan representativos como Rosalía de Castro o Gustavo Adolfo Bécquer. Ello nos ha inducido a titularla simplemente «postromántica», con el riesgo que entraña toda sustitución de un criterio temático por una discriminación cronológica.

Notas distintivas

Y, hecha esta salvedad, cabe ya señalar sus notas más salientes. Por lo pronto, consignemos su menor vinculación a las tendencias dominantes en la lírica europea. Ya al hablar del Romanticismo señalábamos su paulatino alejamiento de los temas y modos extranjeros, en un intento de «españolización» que culminaba en las leyendas de Zorrilla. En la época que estudiamos el desvío se intensifica; y, si hay poetas como Bécquer en quienes se acusan huellas de líricos de fuera, esas huellas nunca son muy profundas y, en todo caso, los demás poetas de primera fila—Campoamor, Núñez de Arce, Tassara—cantan con su voz propia, mejor o peor, que eso no importa ahora, sin querer darse por enterados del movimiento poético del otro lado del Pirineo. En este aspecto, nuestra lírica va un poco a la zaga de la novela, que se apresura a incorporarse al movimiento naturalista de Zola y sus adláteres. La misma influencia de los *parnasianos*—Teodoro de Banville o Leconte de Lisle—y *simbolistas* nos llega muy retrasada, ya en las postrimerías del siglo. En cambio, se acusa una mayor aproximación, nunca demasiado íntima, hacia italianos y alemanes. Mientras la novela, según se acaba de decir, y también el teatro, reflejan el neoclasicismo de Rostand y Latour de Saint-Ibars o las tendencias filosóficas de E. Augier, Dumas hijo y Victoriano Sardou, la lírica se mantiene extraña a toda solicitación del exterior [1].

Otra nota, fácilmente destacable: lo narrativo empieza a ceder ante lo propiamente lírico; los largos poemas de tipo legendario, género preferido por la poesía romántica, se achican en sus proporciones externas, para ganar en contenido ideológico. A este cambio corresponde otro más hondo: la poesía se hace más personal, más sentida, también más íntima. Lo cual no contradice la tesis, admitida por todos, de que el Romanticismo había vuelto por los fueros del sentimiento frente a la tiranía de la razón. Ya se advirtió oportunamente que a la lírica romántica española no llegó, o sólo llegó en contadas ocasiones, el intimismo trascendental y de raíz metafísica, tan acusado en los románticos de otros países.

Y una tercera nota. Dentro de la multiplicidad de estilos y tendencias no es difícil descubrir un denominador común. Este es de orden negativo, en cuanto todas ellas representan una reacción contra el Romanticismo, ya en trance de liquidación. Si las formas artísticas, de cualquier tipo y valor que sean, acaban siempre por agotarse—hoy se puede estructurar toda una teoría evolutiva del arte, basada en el «cansáncio de la formas»—, ninguna agotó sus fórmulas con más rapidez que la romántica. Las nuevas manifestaciones poéticas, aun conservando, como era forzoso, múltiples elementos de la escuela anterior, buscan deliberadamente otros caminos; aun la que más se le aproxima, dentro de ellas, hasta el punto de ser considerada como una persistencia romántica—la de Bécquer—, introduce tales modificaciones de fondo, que bien puede calificarse como un «neorromanticismo».

Principales tendencias

Creemos que podrían resumirse en las siguientes:

a) Una poesía de tipo colorista y descriptivo, con especial tendencia a los temas de la Naturaleza y del paisaje. Tiene sus cultivadores más destacados en Narciso Campillo, Antonio Grilo y, con cierta técnica más moderna, en Salvador Rueda.

b) Otra tendencia que se manifiesta en composiciones de factura sencilla, espontánea, casi desnuda. Recuerda en cierto modo la poesía bucólica de Meléndez Valdés y de su escuela; pero más modernizada y exenta de toda bambolla mitológica; sin «Cloris» ni «zagales», aunque con el mismo sentimiento empalagoso y dulzón y con un fondo de experiencia barata, que quiere a las veces revestirse de honda filosofía. Selgas y Arnao encarnan bien esta tendencia.

c) Una tercera corriente de poesía, entre humorística y sentimental, con gotas amargas de escepticismo y tendencia invencible hacia lo prosaico y vulgar, tanto en la expresión como en los temas. La emotividad cede aquí casi siempre ante el raciocinio, que opone un dique de lógica a las oleadas cada vez menos fuertes del movimiento romántico. Es la poesía de Bartrina, de Manuel del Palacio, de Eusebio Blasco y, sobre todos, de Ramón de Campoamor.

d) Paralela a ella, escéptica también y de tintes sombríos, corre otra vena de poesía que, por llamarla de alguna manera, viene designándose con el nombre de «social». Núñez de Arce es su principal intérprete; y más que por su contenido se distingue esta escuela por sus valores formales.

Cierto fácil retoricismo unido a la evidente penuria de sustancia poética es su nota negativa más acusada, y su factor más positivo, la trabajada perfección del verso.

e) Una poesía de inspiración popular, plasmada preferentemente en la forma volandera y sencilla de «cantares», de la que son los más típicos representantes Antonio de Trueba, Augusto Ferrán, Melchor de Palau y, con una modalidad muy personal, Ventura Ruiz Aguilera.

f) La manifestación poética más estimable de la época, de signo opuesto a la precedente. Poesía escueta, limpia, sin oropeles retóricos ni metáforas buscadas; con las raíces bien metidas en el más sano romanticismo; profundamente subjetiva y sentimental; la emoción, sin pasar casi por los alambiques del pensamiento, se manifiesta de una forma directa: Balart, W. Querol, Rosalía de Castro, Bécquer.

Todavía podrían señalarse otras direcciones de menos importancia: el resurgimiento del apólogo, con Hartzenbusch, Pravia, Gutiérrez de Alba, Campoamor, etc.; la tercera o cuarta eflorescencia de la escuela sevillana, siempre inclinada a la contención, dentro de los excesos verbalistas de la poesía andaluza, con Rodríguez Zapata, el ya citado Campillo, Reina y otros; y, por último, esa tenue vena de fuente «clasicista», en el mejor sentido de este término, que nunca, aun en los momentos de máxima decadencia poética, deja de correr, y que en la época que estudiamos está dignamente representada por Valera, Menéndez Pelayo y Milá y Fontanals.

Todas estas tendencias, en último término, pueden refundirse en dos: la que atiende primordialmente y casi de modo exclusivo a la expresión sincera del sentimiento (Bécquer), y la que, relegando esta atención a segundo plano, se preocupa más de la forma: Núñez de Arce, Tassara. Huelga advertir que los grupos enumerados no forman compartimientos estancos. Muchos de los poetas incluídos en determinada tendencia pueden con justo título figurar en otras. Ejemplos: Campoamor o Miguel Agustín Príncipe, «infeliz y osado merodeador de todos los géneros literarios», según la calificación del padre Blanco García.

Valoraciones

La crítica moderna ha formulado sobre toda esa poesía, con exclusión de la representada por Bécquer, un juicio condenatorio y por demás severo. Ni Núñez de Arce, ni Campoamor, ni Ferrari ofrecen para ella positivo mérito. ¿Razones? Sus obras no encajan en nuestro concepto del arte y de lo bello; no dicen nada, o dicen muy poco, a nuestra sensibilidad.

Pero, ya lo advertimos al tratar de Quintana, no está aún demostrado que el criterio estético vigente en la actualidad sea el mejor y, mucho menos, el único aceptable. Todavía nos parece más erróneo el intento de convertir la «sensibilidad» de un momento dado en única base del juicio crítico, como si la historia del arte no nos dijese que aquella cambia continuamente y que, en la estimación de la obra literaria, hay que partir de principios permanentes y mucho más generales. Nosotros, sin entrar en el fondo de la cuestión, que nos llevaría a un terreno polémico, extraño a la naturaleza de este libro, y reconociendo lo mucho que en toda esa poesía hay de puramente externo y declamatorio, creemos que no puede ser condenada en bloque. Vemos en poetas como Campoamor, Tassara y Núñez de Arce fieles intérpretes de una sociedad. Si el alma de esa sociedad se movía por estímulos materialistas antes que por los altos valores del espíritu, la culpa no fué

de ellos. Tanto Núñez de Arce como Campoamor, y en menor grado otros, se limitaban a poner su voz a tono con el mundo social del que se creían intérpretes. Que en ese sentido acertaron plenamente lo demuestra la inmensa repercusión y unánime aceptación de su obra. Y, por mucha parte que en este éxito se asigne a factores extraños al arte, siempre nos quedará una serie de valores positivos que constituyen a esos poetas en auténticos representantes de la lírica en un momento dado. Es en este sentido como nosotros los vamos a estudiar, reservándonos por ahora el juicio definitivo acerca de su obra.

Nuestro análisis se ajustará al cuadro esquemático que acabamos de trazar, sin que el orden de exposición presuponga prelación cronológica, ya que todas las escuelas citadas se interfieren y florecen casi simultáneamente.

II. POESIA DESCRIPTIVA

Atiende sobre todo, ya queda dicho, a los elementos externos y sensoriales: colorido, luz, armonía verbal. Cultivada preferentemente por poetas andaluces—Amador de los Ríos, Rodríguez Zapata, Juan J. Bueno y otros muchos que forman nutrida legión—, sólo merecen especial recuerdo Manuel Fernández y González, Narciso Campillo, Antonio F. Grilo y Manuel Reina.

Escritor fecundo y popularísimo, MANUEL FERNÁNDEZ Y GONZÁLEZ (1821-1888), que había de alcanzar fulgurante éxito con sus novelas seudohistóricas, ya estudiadas en otro capítulo, y con dramas tan celebrados como El Cid Rodrigo de Vivar [2], hizo gala en sus Poesías varias (Madrid, 1857) de la misma fantasía meridional y del mismo luminoso colorido que en el resto de su producción. La Oriental («De eunucos acompañado»), que rivaliza con las mejores de Zorrilla, y la Elegía a Carlos Latorre, son sus mejores poemas.

Imitador asimismo de Zorrilla, aunque con múltiples influencias románticas y hasta clásicas—Lamartine, Víctor Hugo, Herrera, fray Luis de León, Virgilio—, NARCISO CAMPILLO (1835-1900) nos legó en sus Poesías (Sevilla, 1858) y Nuevas poesías (Cádiz, 1867) abundantes testimonios de una vena fácil, exuberante y variada. Campillo era un poeta ecléctico, amigo de Bécquer y colaborador de Valera en una colección de cuentos andaluces, escritos con singular gracejo. El gran crítico Clarín se ensañó en él, tomándolo por blanco de una de sus más acerbas campañas.

Mayor popularidad tuvo en su tiempo el poeta cordobés ANTONIO FERNÁNDEZ GRILO (1845-1906), llamado «el Castelar de la poesía» por la vacua

sonoridad de sus versos. Colecciones como Hojas de laurel y Ultimas flores hicieron las delicias de nuestros antepasados, a últimos del XIX. Hoy sus versos nos parecen demasiado ñoños, especialmente los de circunstancias, escritos para hojas de álbum o dedicatorias. Ya Revilla pudo decir de ellos que «duermen el sueño del olvido bajo una capa de polvos de arroz». No obstante, se releen aún con cierto agrado El invierno, La chimenea campesina y, la más conocida producción del autor, Las ermitas de Córdoba, en ágiles seguidillas. De tono más elevado son El Dos de Mayo, La monja, Al mar y El siglo XIX, una de tantas loas al progreso, inevitables en la época. Grilo destacó también como periodista y fué académico de la Española.

El mejor poeta del grupo, hecha por ahora omisión de Salvador Rueda, a quien estudiaremos en otro lugar, es, sin duda alguna, MANUEL REINA (1856-1905). También andaluz, de Puente Genil, su obra poética marca la máxima aproximación a la técnica del modernismo. Por ello se le puede considerar un auténtico impresionista, en cuanto valora mejor que ninguno de su tiempo los factores pictóricos del lenguaje. Influído por Musset, algunas de cuyas obras tradujo, Reina demuestra a la vez una sensibilidad poco frecuente. Un crítico tan penetrante como Valbuena lo ha calificado de «premodernista» y hasta «prejuanramoniano», calificación que no nos parece excesiva si se refiere sólo a la primera época de Juan Ramón. Cromos y acuarelas, Andantes y allegros, Su vida inquieta son los libros que más le caracterizan y pueden considerarse como un preludio del estilo peculiar de Salvador Rueda.

III. LA TENDENCIA ANTIRROMANTICA

Está representada fundamentalmente por dos ingenios murcianos de relevante notoriedad en su época: Arnao y Selgas. .

ANTONIO ARNAO (1828-1889), poeta fecundísimo en quien algunos quisieron ver un Metastasio redivivo por sus libretos para zarzuela (Don Rodrigo, Las naves de Cortés, La muerte de Garcilaso), fatigó incansablemente a las musas en sus colecciones de poemas líricos: Himnos y quejas, Melancolías, Gotas de rocío, Soñar despierto, La voz del creyente, etc. Si sus libretos son aspiraciones de ópera, carecen de todo interés y caen por falta de nervio, sus composiciones líricas no ofrecen mayor consistencia. Esmero, corrección y pureza de léxico es cuanto la benévola mirada de Menéndez Pelayo pudo, tras larga búsqueda, encontrar en la copiosa producción de Arnao[3].

En cambio, su amigo y paisano JOSÉ SELGAS Y CARRASCO (1822-1882)[4] alcanzó en vida una notoriedad que todavía no se ha extinguido. Llamado «el poeta de las flores», por haberlas cantado mil veces y en tanta variedad de tonos como el mismo Rioja, sus cualidades más notables son cierto espiritualismo vago y característico de la poesía del Norte, unido a una musicalidad y frescura meridionales. La delicadeza y las sencillez inherentes a toda la producción lírica de Selgas nos la hacen todavía más simpática y, si es cierto que con frecuencia peca de sensiblero, no se le puede negar facilidad, ingenio y hasta una especie de hondura filosófica que, en este sentido, le acerca a Campoamor, sin las pretensiones éticas de éste. Algunas composiciones de Selgas—La modestia, El sauce y el ciprés, La cuna vacía, etc.—encuentran aún acomodo en todas las antologías. Sus dos mejores libros son El estío y La primavera, cuyos tercetos introductorios recogen, no sólo en el movimiento rítmico, sino también en su aspecto conceptual, el eco directo de la Epístola moral a Fabio[5]. Selgas escribió también novelas populacheras a lo Xavier de Montepin: La manzana de oro, El Angel de la Guarda, etc., de escaso interés; y cultivó con singular fortuna la sátira social y política, desde las páginas de El padre Cobos, alcanzando en ella tanto aplauso quizá como en la poesía. Sus Fisonomías contemporáneas, Delicias del nuevo paraíso, Hojas sueltas y tantas y tantas colecciones de artículos escritos a vuela pluma nos revelan un humorista suelto, de estilo desenfadado, que sabe ver y enjuiciar las cosas con una mirada benévola y un espíritu libre de acritudes y de hieles.

IV. CAMPOAMOR Y SU GRUPO

Las especiales corrientes ideológicas de la segunda mitad del XIX, tan cargadas de sustancia positivista, encontraron su cauce adecuado en una poesía de tono moralizador y lenguaje fácil, transparente y directo. Se le ha llamado filosófica, porque aspira casi siempre a desenvolver en forma versificada bien los principios en que se apoya el pensamiento burgués de la época o bien las normas de vida dictadas por la experiencia. Sus géneros preferidos son la fábula, el pequeño poema con su anécdota que le sirve de núcleo y, a la vez, de ejemplo; y la breve composición sentenciosa, que con frecuencia adopta el tipo de cantar. Sus cultivadores rara vez persiguen una finalidad estética; atienden más al contenido que a la expresión; de aquí que ésta sea casi siempre descuidada, llana y hasta deliberadamente vulgar. Quieren decir cosas y que esas cosas lleguen al mayor número posible de lectores. Un innegable ingenio, junto con cierto tono de displicente ironía, da mayor interés a esas producciones que alcanzaron extraordinaria boga en su tiempo y que todavía en el nuestro encuentran no pocos admiradores.

El poeta que mejor representa estas tendencias es don RAMÓN DE CAMPOAMOR (1817-1901). Que la admiración por él despertada entre sus contemporáneos se haya convertido en desvío por parte de la crítica moderna no debe impedirnos estudiarlo aquí con aquella atención que exige quien, como él, encarnó de la manera más fiel toda una época de nuestra poesía.

Biografía y carácter

Nace RAMÓN DE CAMPOAMOR Y CAMPOSORIO en Navia (Asturias), el año 1817. Huérfano muy joven, estudia latín en Santa María del Puerto y filosofía en Santiago. Parece que aspiró a ser jesuíta, y hasta llegó a ingresar en la casa de formación que la Compañía tenía en Torrejón de Ardoz. Sus aspiraciones religiosas no llegaron a cuajar, y a los veinte años lo encontramos en Madrid cursando medicina. Pronto abandona tales estudios por la literatura y la política, que absorbería ya toda su existencia. Hacia 1837 empieza a publicar versos, que edita el Liceo Artístico de Madrid tres años más tarde. El mismo Campoamor había de decirnos con su simpática franqueza, mucho tiempo después, que no veía en ellos mérito alguno ni «la razón de por qué aquella Sociedad literaria tuvo la benevolencia de publicarlos»[6]. Redactor de El Español y otros periódicos, se enrola en el Partido Moderado, que tan bien cuadraba con sus naturales inclinaciones y del que había de extraer no escaso provecho. Es nombrado primeramente auxiliar del Consejo Real; luego, gobernador de Castellón y de Alicante. En esta última ciudad casó con doña Guillermina O'Gormán, dama irlandesa de arraigadas virtudes y saneada hacienda. También fué gobernador de Valencia, donde demostró una entereza insospechada en él, con motivo de la sublevación militar de 1854. Allí tuvo también un duelo con Topete, en que éste llevó la peor parte. No fué afortunado ni en sus polémicas de prensa ni en sus intervenciones parlamentarias, que, por otra parte, no afectaron a fondo su reputación. Hombre ponderado, de sólido prestigio, con poderosos valedores, su larga vida se desenvuelve extraña a toda inquietud económica, disfrutando ininterrumpidamente de cargos y sinecuras: diputado «por Romero Robledo», como él mismo decía con gracejo; oficial primero de Hacienda, director general de Beneficencia y Sanidad, consejero de Estado, académico de la Española, senador, etc. Admirado y, aún más que admirado, querido en toda España y América, Campoamor disfrutó de una envidiable longevidad. Quisieron coronarlo públicamente; él se opuso con firmeza. «Quizá—sugiere maliciosamente Félix Ros—por temor a una emoción fuerte» [7]. Campoamor se trataba bien: «Quiero ver lo que puede dar de sí un hombre bien cuidado», solía decir en sus últimos años. Aquella naturaleza mimada por la suerte se acabó el 12 de febrero de 1901. No dió de sí más de ochenta y tres años, meticulosamente vividos y administrados.

Campoamor es un producto típico de su tiempo; como Quintana o Espronceda lo fueron de los suyos respectivos. Buen burgués, aspiró a pasar la vida lo mejor posible. Desde el primer momento se da cuenta de que no podrá encontrar solución adecuada a los grandes problemas del espíritu; se encoge de hombros, los achica y los resuelve mediante unas cuantas fórmulas de filosofía barata. La duda y el escepticismo, que en un romántico provocan reacciones violentas, a veces fatales, en Campoamor no pasan de la epidermis y se desvirtúan en frases de humorismo inocuo. A veces parece que cree en algo; pero con mucha más frecuencia sus versos nos dan un hombre, egoísta, frío y escéptico, aunque lleno, es cierto, de comprensión y de bondad. Léanse los tercetos de la *Sátira contra el género humano* («Buenas cosas mal dispuestas») y se verá que para él *amor, virtud, fe, gloria, honor, conciencia...*, son sólo «sonoros ecos de proscritas voces» [8]. Toda su moral, toda su filosofía, toda su alma, está volcada en su obra [9]. Y lo que en ésta se descubre sin género de duda es un hombre bueno por comodidad, conservador por egoísmo y creyente por inercia. Le iba mejor siendo así. Su misma sinceridad le reportaba provecho; «yo no me expreso, dijo en cierta ocasión; me vacío en mis versos». Y en cuanto a su fe religiosa, tan debatida, baste recordar la contestación a quienes se admiraban de verle a diario en misa, acompañando a su esposa: «Vale más oír al cura en misa que a mi mujer en casa.»

Con esta y otras frases por el estilo se confeccionó una ética a la medida, que luego acertó a reducir a máximas versificadas. Y estas máximas, divulgadas extraordinariamente, fueron asimiladas y aprendidas con avidez por sus contemporáneos, entre otras razones, porque están dichas con bastante ingenio y, sobre todo, porque se adecuaban maravillosamente a la moral al uso.

Obra literaria

Es abundante y abarca el cuádruple aspecto filosófico, periodístico, crítico-preceptivo y poético.

Campoamor siempre se consideró un poco filósofo, entendiendo por tal no el hombre que elabora un sistema, sino que se ocupa de discurrir más o menos profundamente sobre los problemas de la materia y del espíritu. A este sentimiento responden varios de sus estudios, tales como *El personalismo, Lo absoluto, La filosofía de las leyes*, etc., en que, a falta de ideas originales, hace gala de un ingenio y de una agudeza sorprendentes. Las mismas cualidades avaloran sus artículos de periódico y sus controversias, en las que no siempre llevó la mejor parte. Modelo de buena prosa y de humor finísimo fué su contestación a los que le acusaban de plagiario, en especial de Víctor Hugo [10].

Su teoría estética, importantísima para el estudio y enjuiciamiento de la obra, está desarrollada en varios escritos, entre los que sobresalen la *Poética* y *Metafísica y poesía*, a que aludiremos más adelante.

Como dramaturgo, Campoamor no alcanzó éxito. Recordemos *Guerra a la guerra* y *El palacio de la verdad*, especie de *doloras* dramatizadas; *Química conyugal, El honor, Cuerdos y locos*, que quieren ser comedias; *Dies irae* y *Así se escribe la Historia*, auténticos dramas. En todos ellos, el autor acusa inexperiencia y un desconocimiento de la técnica teatral casi absoluto. En su deseo, que más bien constituye una obsesión, de hacer *arte docente*, Campoamor lucha por llevar a las tablas sus propias ideas y sentimientos; y cuando no habla por boca de sus personajes, se pierde en divagaciones y lirismos que hacen aún más lenta la acción, ya de por sí poco dinámica. Parecen obras escritas más para la lectura que para la representación.

En cambio, como poeta obtuvo un triunfo en toda regla. No entremos ahora en la discusión de si ese triunfo fué o no merecido; digamos sólo que ningún poeta desde el Romanticismo a hoy ha tenido mayor número de lectores ni suscitado tantos elogios. Su producción poética, que anda rondando los cincuenta mil versos, está contenida en los siguientes títulos: *Ternezas y flores* (1840); *Ayes del alma* (1842); *Fábulas* (1842); *Doloras*

(1846); *Colón* (1853); *El drama universal* (1853); *Pequeños poemas* (1872-74); *Humoradas* (1886-88), y *El licenciado Torralba* (1886). Agréguense más de un centenar de brevísimas composiciones, casi todas en forma de redondilla, reunidas bajo el título de *Cantares*.

En la obra poética de Campoamor cabe señalar una línea ascendente, que va desde sus primeros versos, escritos casi en la adolescencia, con evidentes influjos románticos, hasta el personalísimo estilo de las *Humoradas*. *Ternezas y flores* y *Ayes del alma*, así como sus numerosos sonetos y madrigales están plenamente, por el fondo y por la forma, dentro del área de influencias de Zorrilla. Pronto en las *Fábulas*, que las tiene tan logradas como *De gustos no hay nada escrito* o *A un gran mal, otro mayor*, Campoamor empieza a independizarse en busca de temas y modos propios[11]. Las *Doloras*, *Los pequeños poemas* y las *Humoradas* son ya géneros auténticamente originales. Se los ha querido entroncar con determinadas composiciones de Víctor Hugo y de Heine; la verdad es que, sin negar accidentales analogías, en lo fundamental y con toda su posible carga de virtudes y defectos, la paternidad de tales géneros corresponde por entero a Campoamor. El los introduce y con él viven y mueren.

«Doloras», «Humoradas» y «Pequeños poemas»

Las *Doloras* son composiciones, en general de corta extensión, escritas en gran variedad de metros. Pero lo que caracteriza a la *dolora* y la constituye en género distinto de todo lo conocido hasta entonces no es la forma, sino el contenido. Casi siempre éste encierra una lección de orden práctico, basada en la observación personal de algún hecho cotidiano. El mismo Campoamor nos la define como «una composición poética en la cual se debe hallar unida la ligereza con el sentimiento y la concisión con la importancia filosófica»[12], y aunque se trata de un maridaje, como se ve, bastante difícil, nuestro poeta se las ingenia para ofrecernos una serie de cuadritos—doscientos veintitrés, exactamente—llenos de intención, de vida, de humor. No todas las *doloras*, naturalmente, tienen el mismo mérito. Hay algunas que se han hecho famosas, y no por cierto las mejores: *Quién supiera escribir*, *El gaitero de Gijón*, etc. Nosotros preferimos las tituladas *Sufrir es vivir*, *Todo está en el corazón*, *Contrastes*, *Las dos grandezas* y *Los grandes hombres*.

De «rasgo intencionado» calificó el propio autor la *Humorada*. Agrega que para ser buena debe reunir la triple cualidad de «precisa, escultural y corta». Las de Campoamor se ajustan, en efecto, dentro de lo fundamental a tales exigencias. Sin duda es difícil formular en dos o tres versos —casi todas las *humoradas* adoptan el tipo de

pareados o de cuartetos—una profunda máxima extraída del fondo de la experiencia, llenándola a la vez de poesía. Campoamor con frecuencia acertó, y varias de estas breves composiciones, rezumantes de humor y de agudeza, han quedado en la memoria de todos, viniendo a enriquecer a manera de proverbios nuestro ya rico repertorio paremiológico[13]. Es lo más que se puede decir en su honor. Demasiadas veces también, ello era inevitable, descienden al plano de lo vulgar, convertidas en simples *aleluyas*. Se puede decir que la *humorada* de Campoamor es la misma *dolora* concisa, reducida a píldora, despojada de la anécdota que a aquélla sirve de base.

Cuando esta anécdota adquiere cierta extensión, hasta convertirse en auténtico cuadro narrativo, que da pie al poeta para intercalar sus propias ideas y convicciones, tenemos el *Pequeño poema*[14]. Campoamor nos dejó nada menos que treinta y una composiciones de este género, de muy variado tema y desigual longitud. Casi todos los *pequeños poemas* están redactados en el mismo metro, la silva, que el autor de *El tren expreso* manejaba con especial soltura, digan lo que quieran algunos críticos de nuestros días. Son, a nuestro parecer, lo más valioso del autor, porque en ellos, dada su relativa amplitud, pudo campar a sus anchas y derramarse más libremente aquella innegable vena de ingenio y de ironía, que en las *humoradas* y *doloras* sólo podía apuntar de un modo velado. La crítica descubrió desde el principio en los *pequeños poemas* una gran semejanza, casi identidad, con las *doloras*; lo que éstas nos daban en forma comprimida, aquéllos nos ofrecían desarrollado convenientemente en torno a una fábula histórica c ficticia. Alguien[15] quiso ver en ellos el intento de llevar al arte todo lo trivial, lo minúsculo de la vida, lo que carece de importancia, para demostrar que sí la tiene. Porque Campoamor, y ésta es otra de sus notas más acusadas, se complace en el contraste; gusta de invertir el volumen de las cosas; a través de su especial lente, lo sublime se hace ridículo, y lo ridículo se sublima. De aquí su complacencia en mezclar continuamente lo cómico y lo trágico, la risa y las lágrimas, el aspecto riente de la vida y el lado serio, todo ello bañado, reteñido de un humorismo muy *sui generis* y salpicado—no podía ser de otro modo, tratándose de Campoamor—de *sabias* reflexiones filosóficas. Los *pequeños poemas*, lo mismo que las *doloras*, tuvieron por parte del público una aceptación tan universal y sin precedentes, que nosotros sólo podemos explicarla rebasando ese estrecho criterio estético que consiste en juzgar a los hombres y las obras de otro tiempo con el módulo del nuestro. La mayor parte de esos poemas se han hundido, como es de rigor; pero otros han sobrenadado y todavía se publican y se leen. Mencionemos entre estos últimos *Las tres rosas*, *La gloria de los Austrias*, *Por dónde viene la muerte*, *Cómo rezan las solteras* y, de manera particular, *El tren expreso*, con la conocidísima anécdota del poeta que, viniendo de París, tropieza con una mujer enferma, de la que se enamora locamente, y con la que queda citado en el mismo lugar para un año más tarde. La carta que aquélla le escribe, en trance de muerte, respondiendo a la cita, es uno de los pasajes más conocidos de toda la literatura castellana [16].

Poemas largos y cantares

La subestimación en que se tiene los tres ensayos épicos de Campoamor—*Colón, El drama universal* y *El licenciado Torralba*—es para un crítico tan avisado como Díaz Plaja manifiestamente injusta [17]. Si en conjunto no son obras logradas, en cambio abundan en detalles descriptivos de la más alta calidad. Era muy difícil, casi imposible, por el camino de alegorías y simbolismos que había escogido Campoamor, llegar a un resultado positivo. La *Divina Comedia* o el *Fausto* no se repiten todos los días. *Colón* recoge en dieciséis cantos en octavas reales la gesta del descubrimiento, empequeñecida a cada paso con rasgos de ironía no siempre atinados y amenazada con retazos de la historia de España y del universo. En *El licenciado Torralba*, mezcla de narración y de doctrinas filosóficas, basada en los procesos inquisitoriales de Cuenca, el personaje histórico de aquel nombre, que quiere encarnar la inteligencia, va pasando por diversos estados y poniendo su ilusión en el espíritu, en la materia, el infierno, la muerte. Como contraste, el sentimiento está simbolizado en la mujer, que se enamora, sucesivamente, de un ángel, un hombre, el diablo... Con *El drama universal*, una vez más, la musa española se lanza a la construcción de un poema de gran aliento, sobre los eternos problemas de la vida; y como en el caso de *El Diablo Mundo*, también ahora fracasa. Aspiraba Campoamor nada menos, según sus propias palabras, que a «abarcar en un síntesis general todas las pasiones humanas y todas las realidades de la vida». A tal fin simboliza en varios personajes los distintos afectos: en Honorio, el amor sensual; en Soledad, el amor ideal; en Jesús el *Mago*, el amor divino, etc. El producto total viene expresado en una gran confusión y oscuridad. Hay, no obstante, episodios dignos de nota: la confesión de la seducida Florinda ante su padre don Julián; el paso de César por el Rubicón, tras el vuelo del buho; la alegoría de la Pereza, encarnada en el indiano Pancho; la de la Ira, en la trágica leyenda, ya aprovechada por Lope de Vega, *La desdichada Estefanía*; y otros varios.

Finalmente, con los *Cantares*, Campoamor acierta. Los tiene *amorosos, epigramáticos* y *filosófico-morales*, en número que se acerca al centenar y medio. En todos, casi sin excepción, brillan aque-

llas notas de ironía, ingenio, buen humor e intención aguda, que se vienen reconociendo como consustanciales a la musa del autor. Muchos se han hecho célebres:

> Perdí media vida mía
> por cierto placer fatal,
> y la otra media daría
> por otro placer igual.

> Te pintaré en un cantar
> la rueda de mi existencia:
> pecar, hacer penitencia
> y luego vuelta a empezar.

> Por más contento que esté,
> una pena en mí se esconde,
> que la siento no sé dónde
> y nace no sé de qué.

La «Poética» de Campoamor

Como tuvo su ética, confeccionada de acuerdo con sus gustos y aspiraciones, también Campoamor tuvo su estética para uso particular. Los principios de esa estética, a la que su obra se adecua del modo más perfecto, se encuentran diseminados en varios libros y artículos, especialmente en *La metafísica y la poesía* y en la *Poética* (Madrid, 1883). Lo primero que sorprende en esta preceptiva campoamoriana es la rigidez doctrinal, en evidente contraste con aquella flexibilidad y tolerancia que informa sus normas morales. Campoamor, en este aspecto, sale pequeños a los más austeros preceptistas clásicos, sin excluir a Boileau. «La Poesía—nos dice—es la representación rítmica de un pensamiento por medio de una imagen, y expresado en un lenguaje que no se puede decir en prosa, ni con más naturalidad ni con menos palabras.» No se puede dar una definición más precisa de su propia obra poética: lo conceptual, el pensamiento, puesto en la misma base de la creación artística y desplazado, o al menos relegado a ínfimo plano, todo lo que no sea expresión natural y corriente. Para Campoamor no puede «haber mala poesía cuando en ella hay ritmo, rima, conceptos e imágenes». Sólo el ritmo debe separar el lenguaje del verso del propio de la prosa. No admite «el arte por el arte», principio al que contrapone el de «el arte por la idea» y el de que vaya expresada en lenguaje común. El mismo confiesa que aspiró a revolucionar el fondo y la forma de la poesía: aquél, con las *Doloras*; ésta, con los *Pequeños poemas*. Si lo logró o no, es muy discutible; lo que nadie puede negar es que llevó a la práctica del modo más fiel sus propias teorías. «Campoamor—afirma Vicente Gaos, refiriéndose a su *Poética*—piensa de un modo independiente y original, muy raro en España, en su época y fuera de ella. Habla de la poesía como quien la conoce por dentro. Nos ofrece una filosofía del fenómeno poético, pero, sobre todo, un estupendo análisis técnico de sus procedimientos y métodos. Es, a la vez, obra de pensador y de poeta.»

El poeta de la «mesocracia»

La formulación de un juicio definitivo sobre la poesía de Campoamor no es nada fácil. Depende del criterio con que se la examine: si nos atenemos a las exigencias del «arte puro y deshumanizado», con que la juzga la crítica moderna, habremos de rechazarla de plano. Si, superando esa visión, nos ponemos en la época y circunstancias que le dieron vida, ya nos parecerá menos mala y hasta en gran parte digna de estudio. La crítica desde hace un cuarto de siglo se ha mostrado con el autor de las *Doloras* no ya indiferente y adversa, sino despiadada. Se le ha negado todo: inspiración, originalidad, hasta ingenio. Se le ha tachado de *premioso*, lo cual es una manifiesta injusticia, porque Campoamor, si alguna aptitud tenía, era la de versificar con soltura y agilidad. Lo que no quiere decir que en sus versos no haya ripios, muchos ripios; también los hay en Zorrilla, y nadie le negará aquella cualidad. Para uno de sus biógrafos, la obra de Campoamor no sólo no es poesía, sino que es la auténtica y verdadera *antipoesía*; para otro crítico «la decantada *filosofía* de sus poemas es de lo más ramplón y superficial, a la altura de cualquier portera o dependiente de perfumería; y la llamada *poesía* es sólo prosa salpicada, entre versos malos y aleluyescos, de toques ingeniosos o algún atisbo de verdadera belleza» [18]. Los más benévolos han encontrado un término para calificar esa obra: la llaman, no sin cierto dejo despectivo, «poesía mesocrática», aludiendo a que parece condimentada para paladares poco finos. Pero entre esos paladares figuran los de Valera, *Clarín* y otros gustadores exquisitos.

A pesar de todo, una regresión a Campoamor, de signo favorable, empieza a operarse en nuestros mismos días. Ya es Luis Cernuda, poeta antípoda por su técnica y sus temas del autor de las *Doloras*, quien, después de subrayar la deuda que nuestra poesía tiene con Campoamor «por haber desnudado el lenguaje de todo oropel viejo, de toda fraseología falsa que lo ataba», lo señala como un antecedente nada menos que de Bécquer, analizando de paso los puntos de contacto del pensamiento poético de Campoamor con el de Worsworth, que también había planteado en su país idéntico problema de renovación. Ya es el eminente crítico don Melchor Fernández Almagro quien afirma que «cuando un poeta logra que sus versos prendan en el corazón y en el oído de sus lectores coetáneos y que esa preferencia se transmita a la generación siguiente, el fenómeno merece atento estudio». No basta a explicarlo el gusto antojadizo de las gentes. «Alguna vibración del espíritu de su tiempo, en éste o aquel período y

fase—sigue diciendo—, ha sido captada por el poeta cuyos versos se aprenden muchos lectores de memoria e incluso se hacen proverbiales: poesía *documental* que puede adquirir, por razones de psicología social, nueva vigencia.» Y ya es, en fin, un hombre de formación tan poco sospechosa de «decimononismo» como Vicente Gaos quien postula desde las páginas de *Indice* (núm. 80, mayo 1955) una revisión de la obra campoamoriana, basándose en que la generación actual se está nutriendo aún de los juicios formulados por los hombres del 98, por quienes «la época realista fué radicalmente negada e incomprendida». Y aunque se resiste a exonerar a Campoamor del cargo de pedestrismo de que todo el mundo le acusa, no vacila en absolverle, alegando que «fué víctima del *contratiempo* histórico de pertenecer a la época realista, en el mismo sentido en que Ortega ha hablado del contratiempo que impidió a Dilthey elaborar una metafísica».

Nosotros creemos que en Campoamor no ha de verse ni el genio comparable a Dante, de que nos hablaron sus contemporáneos, ni el poetastro carente de toda virtud literaria que se obstina en presentarnos la crítica moderna. Es original, es ameno, conoce como pocos el corazón del hombre, y mejor aún el de la mujer; versifica con gracia, con facilidad; envuelve su pensamiento en una tenue atmósfera de ironía; piensa cosas bellas y las dice bellamente... ¿Que eso no basta para hacer un buen poeta? Con menos lo son otros, y nadie los discute. En todo caso, puestos a espigar en su obra, no sería difícil encontrar fragmentos de elevada poesía, y hay que reconocer con Díaz Plaja que «Campoamor inaugura una manera personalísima de versificar, sin precedentes visibles ni seguidores afortunados».

Bartrina y M. del Palacio

El grupo de Campoamor es exiguo. Ese aislamiento, ese constituirse desde el principio en creador, jefe y casi único cultivador de un género, hace el grupo aún más reducido. Posiblemente, extremando las cosas, Campoamor no tuvo más discípulo que Bartrina. Ni Eusebio Blasco, en cuya producción la parte lírica apenas tiene peso; ni Manuel del Palacio, polifacético ingenio, fácilmente inscribible en diversas escuelas, son auténticos discípulos del poeta de Navia. Mucho menos puede serlo el diplomático SALVADOR BERMÚDEZ DE CASTRO (1814-1883), duque de Ripalda, pues aunque coincide con Campoamor en la nota de escepticismo que informa los *Ensayos poéticos* (1840), no pudo en modo alguno sufrir su influjo, por razones cronológicas. Los *Ensayos* llevaban más de un lustro rodando por el mundo cuando aparecieron las *Doloras*. A ellos nos hemos referido en el capítulo LXIII, dedicado a la *Lírica romántica*.

Bartrina, sí. JOAQUÍN MARÍA BARTRINA (1850-1880) [19] es un poeta tan prosaico como Campoamor o mucho más que él; y, desde luego, de un escepticismo más frío y de una filosofía infinitamente más falsa y rastrera. Desde el primer momento quiere convertir a su musa en portavoz del progreso; pero sólo a medias lo logra. La suave ironía de Campoamor se convierte en sarcasmo; la sonrisa se hace carcajada. Sus principales composiciones, reunidas en un volumen con el título de *Algo* (1874) [20], revelan un espíritu volteriano, materialista y ateo. No obstante, hay que reconocerle aciertos de expresión. Sus mayores defectos son el prosaísmo y las frecuentes incorrecciones gramaticales. Téngase presente que Bartrina era catalán y nunca llegó a dominar por completo la lengua castellana.

La nota irónica, con cierto fondo de filosofía casera, es una de las más acusadas en la extensa producción de MANUEL DEL PALACIO (1831-1906) [21], y ello únicamente nos mueve a incluirle en el grupo de Campoamor. Pero lo mismo podía ser incluido entre los discípulos de Zorrilla, por las leyendas que forman sus *Veladas de otoño* (1884); o entre los cultivadores de la sátira política, a la manera de *Zeda*, por las mordaces caricaturas de sus *Cabezas y calabazas*; o, en fin, ser emparejado con los poetas sentimentales, tipo Balart, por sus excelentes sonetos amorosos. Lo mejor de su obra, muy abundante [22], son los *Cien sonetos políticos, filosóficos, biográficos, amorosos, tristes y alegres* (1870), las *Melodías íntimas* (1884) y las *Chispas* (1894), colección de versos publicados en *El Imparcial*. Picante y burlón como Campoamor, sus epigramas rivalizan en intención y agudeza con los de éste; siente, al igual que él, la comezón filosófica y no disimula su anhelo de parecer en todo momento intensamente humano, aspirando a reflejar en sus versos las grandezas y debilidades de nuestra pobre naturaleza. En tal sentido acertó plenamente Alonso Cortés al calificar a Palacio como el poeta *más hombre* del siglo XIX.

No debemos terminar este epígrafe sin aludir al prestigioso crítico MANUEL DE REVILLA, cuya colección de versos *Dudas y tristezas* (Madrid, 1875) prologó el mismo Campoamor, dándole de paso el espaldarazo de discípulo. Revilla, excelente crítico y poeta menos que mediano, sólo se parece al modelo en la pretensión de llevar a sus poemas un contenido de filosofía, siempre superficial, pero no en la finura y el humorismo.

V. NUÑEZ DE ARCE Y SU «ESCUELA»

Mucho más compacto y homogéneo es el grupo que preside Núñez de Arce. Y eso que en él encontramos poetas tan dispares como García Tassara y Ventura Ruiz Aguilera. Pero hay algo que los unifica y les da cohesión: la doble preocupación de los temas político-sociales y del cuidado de la forma. En tal sentido suelen ser considerados precursores del modernismo y hasta pudiera descubrírseles cierta concomitancia con la escuela parnasiana francesa, si bien es muy dudoso que los poetas de esa escuela influyeran en los nuestros. La duda, la revolución social, la lucha de clases, el progreso humano, temas todos que en Campoamor suscitan un gesto de elegante escepticismo, ahora son tratados en serio y de frente. A juzgar por sus versos, estos hombres vivían en un infierno de preocupaciones y torturas espirituales, con un Hamlet metido dentro del cuerpo. La verdad es que a cada uno se le puede aplicar, con tanta o más razón que a Campoamor el ya citado verso: «Le va en la vida bien, y habla mal de ella.» Por tal motivo, en lo que tienen de gesticulantes, estos poetas recuerdan a los románticos; y alguno de ellos—Tassara—lo es también en el fondo. Pero los románticos sentían más que pensaban, y escribían en caliente; mientras éstos piensan más que sienten y, a pesar de los prodigios que hacen para ocultarlo, se ve que escriben en frío.

El jefe del grupo es GASPAR NÚÑEZ DE ARCE (1834-1903), poeta que, con Campoamor, se reparte las preferencias del público hispanoamericano en el último tercio del XIX.

Vida y persona de Núñez de Arce

Tanto o más que la de Campoamor, la vida de Núñez de Arce se desenvuelve, pese a sus pujos de revolucionario y progresista, bajo un signo burgués. Gaspar Núñez de Arce nace en Valladolid, en 1834. Pasa, niño aún, con su familia a Toledo, ciudad donde cursa sus primeros estudios y que tan honda huella había de dejar en su espíritu y en su obra. A los diecisiete años—no a los quince, como se viene diciendo, tomándolo del padre Blanco—hace representar en el mismo Toledo su primera obra teatral, *Amor y orgullo*, con la que empieza su cosecha de éxitos. Ese mismo año (1851), sin comunicar a nadie su decisión, abandona casa y familia y se dirige a Madrid con tres pesetas en el bolsillo, decidido a probar fortuna. Inmediatamente, y, gracias a su carácter entero y arriesgado, encuentra colocación como redactor de *El Observador*, uno de los grandes diarios de aquel tiempo [23]. Pasa luego a *La Iberia*, donde sus artículos políticos atacando al Gobierno le conducen a la cárcel, a la vez que le granjean enorme popularidad. Esta llega a lo sumo cuando, al estallar la guerra de Africa (1859-60), es enviado, como cronista, al lado del general O'Donnell. En 1865 se presenta diputado por Valladolid; y, a partir de la crisis del 68, su vida se desliza

sin obstáculos en medio de la consideración social y del disfrute de altos cargos: gobernador
de Barcelona, director del Ministerio de Ultramar,
secretario de la Presidencia... De ideas avanzadas
y fiel a la trayectoria del partido progresista en
que militaba, reconoce la legalidad proclamada en
Sagunto, y en 1883 acepta la cartera de Ultramar.
Fué presidente del Ateneo, académico de la Española, senador del Reino, etc. Empleó con frecuencia el seudónimo *El Bachiller Honduras*. Murió en 1903 y fué enterrado en el Panteón de
Hombres Ilustres.

Núñez de Arce es sin duda el poeta español,
entre los modernos, que mayor fortuna logró en
vida con sus versos. El número de ediciones de
sus obras, atendida la escasa difusión que tales
libros suelen tener en España, es realmente fabuloso [24]. Vivió muy bien; disfrutó de un prestigio
sólo comparable al de Zorrilla y Campoamor; lo
que no le impedía lanzar sus tremendos anatemas
contra la sociedad que tan excelente acogida le
dispensaba. Se puede decir que desde su llegada
a Madrid, todavía adolescente, la fortuna no dejó
de sonreírle. Contribuyó en gran parte a sus éxitos
el carácter: hombre entero, de intachable conducta
pública y privada, de gran austeridad en sus cargos, amante sobre todo de la justicia, del respeto
y del orden. Avanzado en ideas, nunca dobló la
rodilla ante la demagogia ni ante el libertinaje.
Un perfecto liberal, a tono siempre con su época [25].
También contribuyó el haber encontrado para sus
versos un comentarista de la talla de Menéndez
Pelayo.

Obra literaria

Literariamente tiene Núñez de Arce la doble significación de dramaturgo y poeta. Su labor periodística y oratoria, como producto de las circunstancias, apenas cuenta ya para nosotros. En cuanto dramaturgo, su producción se resume en trece
títulos de comedias, escritas unas en colaboración
con el poeta extremeño Antonio Hurtado—*El
laurel de Zubia, Herir en la sombra, La jota aragonesa*, etc.—, y otras totalmente suyas, como
*Deudas de honra, Quien debe, paga, Justicia pro-
videncial* y *El haz de leña*.

Como poeta dejó obras propiamente líricas y
narrativas. *Gritos del combate* (1875), *Versos perdidos* (1886) y *Poemas cortos* (1895) resumen lo
mejor de su lírica; *Raimundo Lulio, La selva oscura, La última lamentación de lord Byron, El
idilio, La pesca, El vértigo, La visión de fray
Martín* y *Maruja* son sus mejores poemas narrativos.

«El haz de leña» y otros
dramas

Aunque el más reciente biógrafo de Núñez de
Arce, la señorita Romo Arregui, le niega el título

de dramaturgo [26], la crítica viene reconociéndole
excelentes cualidades para el teatro. Dos clases de
obras escribió con destino a las tablas: la comedia de costumbres, que él llamó «de realismo urbano y moralizador», al modo de Ayala y Tamayo,
y el drama histórico, con intención asimismo docente y su mayor o menor dosis de filosofía.

Pasando por alto, por no ser exclusivamente suyas, comedias tan conseguidas como *Herir en la
sombra* (1866), sobre la enemistad de Felipe II
y su secretario Antonio Pérez, o *La jota aragonesa* (también de 1866), valiente estampa de la
actitud del pueblo zaragozano en la guerra de la
Independencia, queremos mencionar sólo *El haz
de leña* (1872), cuya paternidad corresponde por
entero a Núñez de Arce y fué uno de los mayores
éxitos dramáticos del siglo XIX. El drama, bien
construído y versificado, tiene por tema la prisión
y muerte del príncipe don Carlos, tan traído y
llevado en la escena nacional y extranjera. Contra
lo que pudiera esperarse, dadas las ideas progresistas del autor, Felipe II no aparece aquí como
el déspota sanguinario o el padre sin entrañas, que
estábamos acostumbrados a ver en Alfieri, Schiller
y Antoine de la Fosse. Tampoco se hace su apología; simplemente, Núñez de Arce se limita a respetar el testimonio de la Historia y nos ofrece
un Felipe II, íntegro e inflexible como rey, solí-
cito, comprensivo y humano como padre [27].

Los poemas narrativos:
«El vértigo», «Idilio»,
«La pesca», etc.

El propio autor nos dió la mejor explicación sobre ellos. «Los poemas de cortas dimensiones que
he publicado sólo son... tentativas en que ejercito
mis fuerzas y ensayo mi aptitud para los varios
géneros de la poesía contemporánea. En *La última lamentación de lord Byron* he procurado pro-
barme en el tono épico, tal como creo yo que
debe ser en nuestra época; en el *Idilio* he intentado penetrar en el seno de esa poesía íntima,
familiar, patética, que se desarrolla al calor del
hogar y en la dulce serenidad de la Naturaleza;
en *La selva oscura* he pretendido velar mi pensamiento, sin hacerle incomprensible, en los misterios
de la alegoría y del simbolismo; y en *La visión
de fray Martín* he deseado, bajo forma serena y
grave, unir lo fantástico y sobrenatural a lo real
y trascendente.» Poco más abajo, refiriéndose a
El vértigo, advierte que aspiró a conciliar «el carácter legendario y la forma popular, para lo cual
le he escrito en el metro del pueblo» [28]. En efecto,
los otros poemas están en metro largo (tercetos,
verso libre, octavas, estrofas a base de endecasílabos y heptasílabos, etc.), mientras *El vértigo*
va en décimas.

De acuerdo con estas líneas directrices, *La última lamentación de lord Byron* (1879) recoge en

setenta y seis octavas reales el soliloquio del poeta inglés cuando, rechazado por la alta sociedad británica, navega desde Italia rumbo a Grecia, dispuesto a sacrificar su vida por una alta causa: la liberación del pueblo helénico.

El *Raimundo Lulio* (1875), en tercetos, reproduce la leyenda del beato mallorquín, cuando penetra con su caballo en la iglesia, siguiendo los pasos de una bella dama. Como en todos estos poemas los personajes tienen carácter simbólico: Raimundo Lulio personifica la razón, y su dama, la ciencia.

En *La selva oscura* (1879) se pretende imitar a Dante; también es simbólico y está escrito en tercetos. En el poeta florentino se personifica el amor humano, y en Beatriz, «la constante aspiración del hombre a lo infinito, que le estimula a las más altas empresas y le consuela en las horas del infortunio con la luminosa estela de un ideal».

Las torturas de la duda y los caminos por los que puede despeñarse el alma sacudida por ella inspiraron a Núñez de Arce *La visión de fray Martín* (1880), con Lutero por protagonista. Tiene pasajes de vivo colorido.

Sobre una ficción tan simple y manida como la niña abandonada y andrajosa que se ve recogida por unos aristócratas, a quienes el cielo no ha dado hijos, construyó Núñez de Arce su *Maruja*. No obstante la pobreza de su fábula, es de las obras más perfectas del autor y abunda en bellos cuadros descriptivos.

Unas cuantas escenas de mar dan ocasión al poeta para hilvanar en *La pesca* (1884) una serie de cuadros animados y llenos de sugestión: jóvenes enamorados, viejos marineros, la simpática figura del cura... Pobre y premiosa en el diálogo, se hace notar, como *Maruja* (1886), por la riqueza descriptiva. El cuadro de la tempestad está lleno de plasticidad y de vida.

El vértigo (1879) es sin duda el poema más leído de Núñez de Arce. Las soberbias décimas en que está escrito («columnas de Hércules de la versificación», que diría con cierta ampulosidad el padre Blanco García) fueron aprendidas de memoria por dos o tres generaciones literarias. La silueta del castillo roquero, sacudido por las olas y el viento; la figura en una pieza de Juan de Tabares; la escena del fratricidio, al pie del desnudo esqueleto del árbol, en la mañana escarchada, son pasajes que, una vez leídos, no se borran de la imaginación. Habrá en estas décimas tan redondeadas, tan llenas, mucho de vacío y declamatorio; pero es lo cierto que también hay en ellas una fuerza pictórica extraordinaria y aciertos expresivos de primer orden.

Finalmente, *Sursum corda!* (1900), último poema publicado por Núñez de Arce es un himno de optimismo y de fe ante los desastres de la patria. El poema se cierra con estos versos que no desmerecen de los mejores del autor:

> ¡No más indecisión! La excelsa lumbre
> de la verdad indícame el camino.
> ¡Lejos de mí la torpe servidumbre!
> Ya no vacila el pobre peregrino.
> ¡En marcha, en marcha, pues! La fe que siento,
> de mí encendido corazón desborda.
> ¿No me darán, hasta ganar la cumbre,
> alas la ciencia, la esperanza aliento,
> y el triunfo Dios?... ¡Arriba! *Sursum corda!*

Los «Gritos del combate»

Bajo un título tan expresivo, Núñez de Arce reunió lo más personal y característico de su obra lírica. Poesía cívica, de resonancia social, de tono grandilocuente. La mayor parte de las cuarenta composiciones que integran los *Gritos* debió de escribirse en los tormentosos días que precedieron o que siguieron a la revolución del 68. Así son estos versos de duros, restallantes y sombríos [29]. Excitado por los abusos y excesos de aquellos años, «acaso los más perturbados y revueltos de nuestra siempre revuelta y perturbada historia», Núñez de Arce añora el látigo de Quevedo y, como buenamente puede, empieza a flagelar a la sociedad de su época, «tan exhausta de caracteres viriles como de virtudes cívicas». Para él, tan enamorado hasta entonces del progreso social, la «revolución» no había sido *más que una locura*. Desengañado y un poco asqueado de lo que el mundo le ofrece, vuelve los ojos a los altos ejemplos de otros días, haciendo caer sus anatemas sobre una filosofía que desemboca en la duda o en el frío escepticismo y una libertad que casi siempre se convierte en libertinaje. Hay en su acento, no cabe duda, mucho de engolado y teatral; pero hay asimismo un fondo insoslayable de sinceridad:

> No esperes en revuelta sacudida
> alcanzar el remedio por tu mano,
> ¡oh sociedad rebelde y corrompida!
> Perseguirás la libertad en vano;
> que cuando un pueblo la virtud olvida,
> lleva en sus propios vicios su tirano.

A pesar de que buen número de estas composiciones están olvidadas en justicia, siempre habrá que recordar con elogio media docena, que definen toda una doctrina poética y una época: *A Castelar, La duda, En el monasterio de Piedra, Las arpas mudas, Miserere* y, sobre todas, *Tristezas* y *Estrofas*. Quien no haya leído y analizado atentamente estas dos últimas composiciones, no conoce a Núñez de Arce ni llegará a darse cuenta del grado de musicalidad y armonía que alcanza nuestro idioma manejado por una mano hábil.

Menos importancia tienen los *Poemas cortos* (1895), colección de treinta y cinco sonetos, seguidos de una paráfrasis versificada del monólogo de Hamlet. Una vez más la filosofía en forma de duda es la musa inspiradora de Núñez de Arce, y, como siempre, es en la factura irreprochable del verso donde más destaca.

Núñez de Arce, poeta de su época

Es así como lo calificaron sus contemporáneos, entre ellos Menéndez Pelayo; y es así como hay que enjuiciarlo. Pedir otra cosa al autor de *Tristezas* es incomprensión manifiesta. El mismo escribió en su *Discurso en el Ateneo:* «El fragor de las revoluciones despertó a las musas de su letargo, y como los intereses que se debatían eran tan trascendentales, les fué imposible permanecer inactivas en medio de un sacudimiento que nada respetaba... Nada hubo desde entonces vedado a su inspiración: lloró con los vencidos, animó a los vencedores, dudó con los que dudaban, creyó con los que creían, cantó las catástrofes y los triunfos en que había intervenido y penetró en los más ocultos repliegues de la conciencia para sorprender sus secretos y vacilaciones.»

Cómo llenó Núñez de Arce este temario, tan metido en la misma entraña de lo social como alejado de lo puramente poético, está a la vista. Porque se creía una especie de sacerdote o hierofante de aquella seudofilosofía sociológica, admiraba a Quintana y estaba convencido con toda su buena fe de que la poesía auténtica había abandonado la tierra y sólo era posible una poesía *cívica,* de resonancias multitudinarias, como la suya:

> La virgen poesía,
> huyendo de los hombres,
> se pierde en las profundas
> tinieblas de la noche.
> Las arpas enmudecen,
> y el eco no responde
> sino a los broncos gritos
> de cien revoluciones... [30].

Lo que menos podía imaginar Núñez de Arce es que, mientras él escribía estos versos, un Gustavo, Adolfo Bécquer, con unas cuantas *rimas* que el mismo Arce calificó de «suspirillos germánicos», se metía de lleno en la más alta región de lo poético. Pero el autor de *El vértigo* nunca quiso saber nada de esa poesía tan intrascendente en la apariencia, aunque tan humana, tan esencial, tan íntima en la realidad. Para él no había otra que la *grande,* la que es reflejo «de las ideas y pasiones, dolores y alegrías de la sociedad en que se vive», como se dice en el prefacio de los *Gritos del combate.* «Poesía nervuda, épica y escultural», la llama el padre Blanco. «Poesía plástica y doctrinal», escribe por su parte Alonso Cortés; en la que, sin duda, mucho «suena a hueco», como quiere la profesora Romo Arregui; pero que todavía conserva no poco valor. Un crítico tan exigente y tan poco devoto de Núñez de Arce y de su escuela, como Valbuena Prat, acaba por reconocer en él «verdaderas condiciones de lírico»; y en ningún caso se puede negar que fué un estupendo altavoz de temas sociales.

Más poetas político-sociales: Tassara, Velarde, etc.

Por la ausencia de contenidos sentimentales y por la tendencia político-social que se advierte en la mayor parte de sus obras, creemos conveniente traer aquí el nombre de GABRIEL GARCÍA TASSARA (1817-1875) [31], a pesar de que puede considerársele precursor más que discípulo de Núñez de Arce (sus *Poesías* aparecen en 1873) y de que suele venir incorporado a los románticos, al lado de Carolina Coronado, la buena amiga a quien dedicó uno de sus mejores poemas. Tassara está injustamente olvidado. Poeta tan robusto y cuidado en la forma como Núñez de Arce, le supera en inspiración y variedad temática. «En su alma —escribe Valera—había tonos, acentos e inspiraciones, no para uno, sino para quince poetas de primera magnitud.» Y, aunque la afirmación nos resulte exagerada, quien lea las *Poesías* de Tassara habrá de reconocerle especial aptitud para ciertos temas: Dios, la Naturaleza, la Historia. La revolución del 48 había encendido su numen, que se desahoga en valientes apóstrofes y conminadoras amenazas, de carácter seudoprofético. Se le ha vinculado ideológica y literariamente a Donoso Cortés. Y, en efecto, lo que éste persigue con su flamante oratoria, Tassara lo persigue con su verso. También se ha dicho de él que es clásico en el fondo y romántico en la forma. Sin embargo, aun en la expresión recuerda a Quintana y, más lejos, a Horacio. *A la guerra de Oriente, A la traslación de los restos de Napoleón, A Laura, Leyendo a Horacio, A Dante* y el *Himno al Mesías* son sus mejores composiciones [32].

Estrechamente vinculado a la tendencia filosóficosocial se nos aparece ya EMILIO PÉREZ FERRARI (1850-1907) [33]. Aunque ensayó el teatro en obras como *Quien a hierro mata,* su fuerte es la lírica, en la que se revela imitador y hasta heredero directo de su paisano Núñez de Arce. *Dos cetros y dos almas,* sobre el matrimonio de los Reyes Católicos, está todavía en la línea de los romances históricos a lo Duque de Rivas; pero ya el *Pedro Abelardo,* su mejor poema, se conforma en todo al patrón de *Raimundo Lulio.* Tiene algunas composiciones líricas estimables: *Las tierras llanas,* en octosílabos dobles, que anuncian el modernismo por su impresión del paisaje castellano y por su ritmo métrico; *Consummatum, En el arroyo* y, sobre todas, *La muerte de Hipatia* (no de *Hispania,* como se viene diciendo en algunos manuales), en cincelados alejandrinos [34]. Fiel a su escuela, Ferrari se hace notar por el colorido y el esmero en la forma.

Aunque gaditano, también aparece influído por Núñez de Arce, un poeta, muy célebre en su tiempo, JOSÉ VELARDE (1849-1892) [35]. Núñez de Arce y Campoamor lo elogiaron [36]; y, a imitación del primero, escribió el poema *Fray Juan,* sobre la vida azarosa del padre Arolas. *Alegría* también se inspira en el poeta de Valladolid y quiere ser una réplica de *Maruja* y de *La pesca*. Velarde había de llevar a la exageración la finalidad docente de su modelo, y, como buen andaluz, cargaría con exceso la mano en la parte descriptiva. En colaboración con Cavestany compuso el drama histórico *Pedro el Bastardo*.

En cambio, la nota políticosocial, tan destacada en los anteriores, es sólo una de tantas en la lira del vate salmantino VENTURA RUIZ AGUILERA (1820-1881) [37]. Al lado de sus *Ecos nacionales* (1849) que lo emparentan anticipadamente con el autor de *El vértigo*, tiene otro libro de *Elegías* (1862), que le acercan al grupo de los líricos emocionales, a la manera de Balart; y otro de *Cantares*, que hacen pensar en Trueba, Paláu, etc. Ruiz Aguilera fué poeta muy fecundo (tiene, aparte de los libros citados, otros muchos: *La Arcadia moderna, Armonías, Sátiras, Las estaciones del año...*); disfrutó de amplia fama; se tradujeron sus obras a varios idiomas y gustaron mucho en el extranjero.

NOTAS

1. Sin embargo, el P. Blanco García *(La literatura española en el siglo XIX*, II, cap. I) nos habla de las coincidencias de esta lírica «con las modificaciones lentamente verificadas en las esferas políticas, social y religiosa». La verdad es que tales coincidencias, en lo que afecta a la lírica, sólo se descubren en una mínima parte.

2. La soltura de su versificación aparece manifiesta en cualquiera de las escenas tan célebre drama. Oigamos al protagonista justificarse ante el rey:

> Obedeceros ley fué,
> y como ley la cumplí;
> por un año obedecí,
> por otro me desterré.
> Pero miento; a mi pesar,
> siempre estuve en vuestra tierra,
> porque os gané en buena guerra
> la que he llegado a pisar.
> Por necesidad batallo,
> y una vez puesto en mi silla,
> se va ensanchando Castilla
> delante de mi caballo...

3. Vid. prólogo de *Soñar despierto*, poesías varias, póstumas, Madrid, 1891.

4. Nació en Murcia en 1822 y murió en 1882. Siguió primeramente estudios eclesiásticos en el Seminario Conciliar, del que hubo de salir para atender a necesidades familiares. Pasa pronto a Madrid, protegido por el conde de San Luis y por don Cándido Nocedal; colabora en la prensa moderada y funda el famoso semanario *El Padre Cobos*. González Bravo lo lleva al Parlamento, y Fernández Guerra, a la Real Academia Española. Fué siempre de ideas conservadoras y arraigadamente católicas, como su amigo y protector Arnao.

5. Léanse, por ejemplo, éstos:

> ¿Es, por ventura, el sabio más dichoso,
> y el que la suerte a las riquezas lanza
> cuenta muchos instantes de reposo?
> ....

> La bulliciosa juventud convida
> a festines de amor, y nos ofrece
> la copa del placer apetecida.

> El alma se dilata y se estremece,
> palpa la realidad, rásgase el velo,
> y toda la ilusión desaparece.

> Entonces llega el matador recelo,
> entonces llega la inquietud sombría,
> y llegan el dolor y el desconsuelo...

6. «Advertencia» puesta por el mismo Campoamor, treinta años después, en la edición de *Ternezas y flores* y *Ayes del alma*.

7. FÉLIX ROS: *Campoamor. Poesías*, «Clásicos Castellanos», XL, pág. 9.

8. Los textos comprobatorios del escepticismo de Campoamor se pueden sacar por docenas. Pero al lado de ellos, y también por docenas, pueden aducirse otros que parecen mostrar su fe, su esperanza en el más allá, su creencia en la eficacia de la virtud: *El mayor castigo, La dicha es muerte, No hay dicha en la tierra...* Posiblemente su visión pesimista del mundo obedecía a cierta actitud o «pose» original y estudiada más que a un auténtico sentimiento. Cuando, en *Los buenos y los sabios*, dice de Pedro: «... le va en la vida bien y habla mal de ella», ¿no parece que da testimonio de su propia experiencia?

9. Numerosos pasajes de sus versos son pura autobiografía. Repásense, por ejemplo, todo el párrafo IV *(Carta primera)* de *Los amores de una santa* y el comienzo (canto I) de *Don Juan.* Aquél termina con versos tan expresivos como éstos:

> Y por eso, ya incrédulo o cansado,
> ....
> voy sorteando a la Iglesia y al Gobierno,
> poniendo con cuidado
> un pie en lo temporal y otro en lo eterno.

Y en el fragmento aludido de *Don Juan* leemos:

> ... este hombre, libertino a sangre fría,
> que jamás se mató por sus pasiones,
> soporta con más pena cada día
> el miedo que le dan las sensaciones;
> y, ansiando bienes y esquivando males,
> se parapeta sólo en su egoísmo
> y se hace el más feliz de los mortales,
> perdiendo por lo mismo
> de condenarse por amor las ganas...

10. Sobre la polémica en torno a la originalidad de Campoamor, véase Félix Ros (*ob. cit.*, págs. 13-15, nota). Empezó por acusarle de plagiario Joaquín Vázquez Muñoz, desde las columnas de *El Globo*, y, después, José Nakens. En defensa del poeta salieron su fraternal amigo José Fernández Bremón, con mucho calor; y luego, más fríamente, Valera. Por fin se creyó en el caso de terciar en la disputa el mismo Campoamor con *La originalidad y el plagio*, en que se vierten juicios muy desfavorables sobre la poesía de Víctor Hugo.

11. La razón nos la da el propio Campoamor en *El personalismo*: «Tuve que refugiarme en la región del pensamiento—escribe—, pues otro gran poeta, el señor Zorrilla, ocupaba a la sazón hasta el último recodo del atributo de la extensión.» La verdad es otra y otras las razones: el romanticismo iba de capa caída y, en todo caso, no armonizaba con su espíritu frío, racionalista y burgués.

12. Como si Campoamor no supiese lo que decía, otros muchos se han lanzado a rectificarle la plana, en un intento de definir la *Dolora* mejor que el poeta que le dió ser. Entre ellos destaca Laverde, que nos la describe como «composición didáctica-simbólica en verso, en la que armonizan el corte gracioso y ligero del epigrama y el melancólico sentimiento de la endecha, la exposición rápida y concisa de la balada y la intención moral o filosófica del apólogo». Campoamor nunca quiso revelar los motivos que tuvo para bautizarlas con tal nombre: «De la elaboración interna de mis propias impresiones—escribe en un documento exhumado por Rivas Cherif (Prólogo a *Poesías de Campoamor*, «La Lectura», XL)—nacieron estas composiciones, que por una razón que tengo derecho a reservar, porque no es literaria ni política, publiqué con el nombre de *Doloras*.»

13. Las tiene de toda clase: amorosas, filosóficas, morales, satíricas, etc. Véanse algunas como muestra:

> Todo en amor es triste;
> mas triste, y todo, es lo mejor que existe.

> Cuál todas, tú pretendes, como Elena,
> ser amada por bella y no por buena.

> Te vi una sola vez, pero mi mente
> te estará contemplando eternamente.

Es tu historia, en mi vida entremezclada,
una sombra en la sombra condensada.

Te morías por él, pero es lo cierto
que pasó tiempo y tiempo y no te has muerto.

Le eres fiel, mas ya cuenta cierta historia
que entre él y tú se acuesta otra memoria.

Con tal que yo lo crea,
¿qué importa que lo cierto no lo sea?

Las niñas más juiciosas y más puras,
al llegar la ocasión, hacen locuras.

En guerra y en amor es lo primero
el dinero, el dinero y el dinero.

14. También nos dió Campoamor su definición: «¿Qué es humorada? Un rasgo intencionado. ¿Y dolora? Una humorada convertida en drama. ¿Y pequeño poema? Una dolora amplificada.»

15. *Clarín* en uno de sus célebres *Solos*.

16. En sus cuartetos, o más propiamente serventesios, reaparece una vez más el trasfondo romántico de Campoamor:

Ya me siento morir... El cielo os guarde.
Cuidad, siempre que nazca o muera el día,
de mirar al lucero de la tarde,
esa estrella que siempre ha sido mía.

Pues yo desde ella os estaré mirando;
y como el bien con la virtud se labra,
para verme mejor, yo haré rezando
que Dios de par en par el cielo os abra.

Nunca olvidéis a este infeliz amante
que os cita, cuando os deja, para el cielo.
Si es verdad que me amasteis un instante,
llorad, porque eso sirve de consuelo...

17. *La poesía lírica española*, pág. 344.

18. Valbuena Prat *(Historia de la literatura española*, II, págs. 678-79), que es con Félix Ros el que ha formulado más duros juicios sobre nuestro poeta. Del interés suscitado por éste nos darán idea, aparte del crecido número de ediciones de sus obras (las *Doloras* iban en 1882 por la 16 edición), los comentaristas, tanto extranjeros como españoles, que centraron en ellas su atención: Cesáreo y Patuzzi, en Italia; L. Quesnal, A. de Traverret y Boris de Tannenberg, en Francia; Laverde Ruiz, Revilla, Verdes Montenegro, *Clarín*, Paláu, el padre Restituto del Valle y otros varios, en España. Esto en vida; después se han ocupado de Campoamor afamados críticos, como puede verse en nuestra bibliografía, a final de capítulo.

19. Nace en Reus; estudia en los Escolapios y se dedica a negocios al lado de su padre; fué director de escena, periodista, etc. Hombre de alguna cultura, le faltó en todo orden y método. Murió en Barcelona en 1880.

20. El libro tuvo en pocos años cuatro ediciones. En 1881, muerto ya Bartrina, aparecieron sus *Obras en prosa y verso...*, escogidas y coleccionadas por J. Sardá. Bartrina versificaba con soltura. Dice en *Todo lo sé*:

Sé que el rubor que enciende las facciones
es la sangre arterial;
que las lágrimas son las secreciones
del saco lagrimal;
que la virtud, que al bien al hombre inclina,
y el vicio, sólo son
partículas de albúmina y fibrina
en corta proporción...

El padre Blanco García (*ob. cit.*, II, pág. 349), después de señalar como notas distintivas de Bartrina el materialismo, el ateísmo y la misantropía, lo juzga así: «Su aversión a Dios se manifiesta de soslayo en forma de duda o de burlón y grosero cinismo, con base pseudocientífica, pero en la realidad muy poco desemejante de la blasfemia tabernaria. Pasman e indignan los alardes de impiedad con visos de presunta omnisciencia en que prorrumpe el autor sólo porque había leído y mal digerido cuatro nociones de Fisiología y las obras de Carlos Darwin.»

21. Nace en Lérida (1831). Pasa luego a Soria, Valladolid y La Coruña, donde hace sus primeros estudios. A los quince años va a Madrid y es protegido por Eulogio Florentino Sanz. Poco después lo encontramos en Granada,

donde perteneció a la famosa «Cuerda». Vuelto a Madrid, se dedica a la política y al periodismo. Funda con Luis Rivera el *Gil Blas* (1864), una de las publicaciones satíricas de mayor éxito en España. Estuvo desterrado en Puerto Rico; pero, ya en la Península, ocupó diversos cargos oficiales: secretario de la Legación de España en Florencia, jefe del Archivo y Biblioteca del Ministerio de Estado, etc. También fué académico de la Española. Con *Clarín* mantuvo una de las más célebres polémicas. Sabido es que el gran crítico ovetense había dicho que en España sólo había entonces «dos poetas y medio». Los dos poetas eran Campoamor y Núñez de Arce; el «medio» era Palacio. Murió en 1906.

22. Podrían formarse con sus versos no menos de veinte nutridos volúmenes. Esta pasmosa fecundidad no le impidió ser correctísimo casi siempre en la forma, hasta el punto de haber sido calificado por el crítico francés Boris de Tannenberg como «parnasiano». Manejó con especial fortuna el soneto, y los tiene muy buenos: *Mi lira, Vox clamantis, Stella matutina, Hasta el fin, Al despertar, Poesía y prosa, El néctar de los dioses* y éste, que lleva por título *Amor oculto*, el más conocido del autor:

Ya de mi amor la confesión sincera
oyeron las calladas celosías,
y fué testigo de las ansias mías
la luna, de los tristes compañera.

Tu nombre dice el ave placentera,
a quien visito yo todos los días,
y alegran mis soñadas alegrías
el valle, el monte, la comarca entera.

Sólo tú mi secreto no conoces,
por más que el alma con latido ardiente,
sin yo quererlo, te lo diga a voces;

y acaso has de ignorarlo eternamente,
como las ondas de la mar veloces
la ofrenda ignoran que les da la fuente.

23. La forma en que entró de redactor es muy curiosa y define un carácter. Llegado a Madrid, Núñez de Arce se hospeda en una posada de la Cava Baja, y, luego de asearse, se echa a la calle, dispuesto a resolver su vida. Compra un número de *El Observador*, y con él en la mano se encamina a la Redacción del diario. Tras ímproba lucha con los conserjes y el secretario, logra llegar a presencia del director, al que expone sus pretensiones.

—Además de versos, ¿qué sabe usted hacer?—le pregunta aquél.

—Yo sé hacer de todo—contesta el joven sin vacilar.

Al director le cae en gracia la decisión del muchacho y lo presenta a los redactores como probable compañero.

—Puesto que usted es tan decidido—le dice el redactor-jefe, no sin cierto dejo de incredulidad—, hágame un suelto de veinte o treinta líneas. Es lo único que falta para cerrar el periódico y lo iba a hacer yo. ¡Conque, ánimo! ¡Vaya usted al toro!

—¡Pues al toro, por los cuernos!—exclama el muchacho.

Y, sin perder un momento redacta el suelto que se le pide sobre un espinoso tema político. En aquel mismo instante el futuro poeta quedaba confirmado como redactor del diario.

24. «Prescindiendo de las ediciones de Madrid—escribe el mismo Núñez de Arce en la «Advertencia» que antepone al poema *Maruja* (1886)—, cuyo número asciende hasta ahora a ciento tres..., sólo las publicaciones en cuatro Estados de América, desde enero de 1879... hasta 1885, es decir, en el transcurso de seis años, han alcanzado la extraordinaria cifra que pueden ver mis lectores en el incompleto catálogo siguiente.» Y anota ochenta y tres ediciones en Estados Unidos, Méjico, Colombia y Chile. Hay que reconocer que buena parte de este éxito, sobre todo en los poemas narrativos, se debe a la lectura pública de los mismos, hecha por actores como Calvo, en los mejores teatros de la corte. De todos modos, no puede menos de sorprendernos que obras como *Idilio* tuviesen ya en 1904 treinta y siete ediciones; y *El vértigo* andaba rondando las cincuenta.

25. Un mes antes de morir, la revista *Blanco y Negro* publicó unas «declaraciones íntimas» de Núñez de Arce que arrojan mucha luz sobre su carácter. Allí se dice que la cualidad que prefiere en el hombre es el amor a la justicia; su mayor defecto, la vehemencia; sus poetas favoritos, Dante, Byron y Quintana; sus prosistas predilectos, Granada, Quevedo y Saavedra Fajardo; el vicio que más detesta, la hipocresía; los héroes que más admira, cuantos luchan por un imposible; y, en fin, su máxima as-

piración, morir en paz y en gracia de Dios. (Vid. José DEL CASTILLO Y SORIANO: *Núñez de Arce*, 2.ª ed., Madrid, 1907.)

26.   JOSEFINA ROMO ARREGUI: *Vida, poesía y estilo de don Gaspar Núñez de Arce*, Madrid, 1946, C. S. I. C., anejo XXXIV, de la «Rev. de Filol. Española», pág. 136.

27.   Pérez de Montalbán *(Segundo Séneca de España)* y Jiménez de Enciso *(El príncipe don Carlos)* trataron el mismo tema, según advertimos oportunamente, y en forma favorable a Felipe II. Pero desde que el abad de Saint-Real, en sus dos dramas, *La conjuración de Venecia* y *El príncipe don Carlos*, desfiguró la verdad histórica, presentándonos a Felipe II como un tirano, fanático y asesino, la mayor parte de los autores—Otway, Campistron, Antoine de la Fosse, Alfieri, Schiller, por no citar sino los más conocidos—siguen su ejemplo y acumulan sobre el monarca español toda clase de calumnias.

28.   Prólogo-dedicatoria de *El vértigo* (1.ª ed., 1879).

29.   En su oda *A la Patria* pregunta:

¿Soy el poeta acaso
de las alegres horas,
que calla en el ocaso
y canta en las auroras?
¿No estalla, cuando lloras,
mi ardiente indignación?

30.   *Las arpas mudas*, en los *Gritos del combate*.

31.   Sevillano; de familia noble. Estudió Filosofía y Humanidades muy a fondo en el Colegio de Santo Tomás; luego, en Madrid, Derecho. Se orientó hacia la carrera diplomática, llegando a ministro plenipotenciario de España en Washington. Amigo de los más destacados poetas románticos, colabora en periódicos madrileños *(El Correo Español* y *Semanario Pintoresco)*; traduce a Virgilio y a Shakespeare, y en toda su obra aparece su sólida formación clásica. Murió en Avila el año 1875.

32.   En *Día de otoño* ensaya una estancia de trece versos (ABABbCDDCEFEF), que no tuvo éxito. En cambio, han tenido muchos imitadores sus octavillas heptasilábicas del *Himno al Mesías*. He aquí una muestra, que lo es asimismo del estilo engolado de Tassara:

¿Quién dijo, Dios clemente,
que Tú no volverías,
y a horribles gemonías
y a eterna expiación
condena a esta doliente
raza del ser humano,
que espera de tu mano
su nueva salvación?

Sí, Tú vendrás. Vencidos
serán con nuevo ejemplo
los que del santo templo
apartan a tu grey.
Vendrás, y, confundidos,
caerán con los ateos
los nuevos fariseos
de la caduca ley.

¿Quién sabe si ahora mismo,
entre alaridos tantos,
de tus profetas santos
la voz no suena ya?
Ven, saca del abismo
a un pueblo moribundo;
Luzbel ha vuelto al mundo.
¿Y Dios no volverá?

Ya vimos en el capítulo L, nota 27, que esta misma estrofa había sido empleada por un prerromántico, José Somoza, muchos años antes.

33.   Vallisoletano, como Núñez de Arce y Zorrilla. Cursó la carrera de Letras y la de Derecho. Muy joven, destaca por sus lecturas en el Ateneo, especialmente con la del poema filosófico *Pedro Abelardo*. Académico de la Española, su discurso de ingreso versó sobre el «modernismo» en la poesía; y, al igual que Núñez de Arce, no llegó a penetrar en la verdadera esencia de la nueva escuela. Fué archivero y secretario de la Asociación de Escritores y Artistas.

34.   Júzguese por esta muestra:

¡Oh Grecia, Musa eterna, sibila de la Historia,
cuyos cabellos cuerdas de nuestra lira son!,
¿quién puede tu recuerdo borrar de la memoria,
ni al culto de tu nombre cerrar el corazón?

....

Entre tus puras manos la línea que ondulante
sus ricas inflexiones doquiera desplegó,
fué verbo del granito, fué ritmo palpitante
del himno que a los cielos la piedra levantó.

En cada huella tuya trazada sobre el barro
el molde de una Venus dejastes al pasar;
las chispas que encendieron las ruedas de tu carro,
constelación de estrellas subieron a formar.

No sólo la huella de Núñez de Arce, sino también la de Zorrilla, es bien notoria en el ritmo de estos versos, especialmente en los dos últimos. Ferrari escribe demasiado convencionalmente y muchos de sus versos pueden aplicarse tanto a Grecia como al Ecuador o a Indochina:

Tú diste a todo un alma. En ti su imperio ejercen
la fiera de los bosques y el águila veloz;
las ramas, como brazos, lascivas se retuercen,
el eco habla en las grutas del viento con la voz.

35.   Natural de Conil (Cádiz). Estudia Medicina, y pronto se hace notar en la famosa «Cacharrería» del Ateneo por su cultura, desparpajo y fácil oratoria. Colaboró en varios periódicos, principalmente en *La Ilustración Española y Americana*. Fué protegido por el rey Alfonso XII.

36.   *Clarín*, por el contrario, le atacó con dureza en sus *Paliques*.

37.   Figuró mucho en política, afiliado al partido progresista, y desempeñó cargos públicos, entre ellos el de director del Museo Arqueológico Nacional.

BIBLIOGRAFIA

I.   N. ALONSO CORTÉS: *Jornadas*, Valladolid, 1920.—C. BARJA: *Libros y autores modernos*, Nueva York, 1924.—P. FRANCISCO BLANCO GARCÍA: *Literatura española del siglo XIX*, II, Madrid, 1893.—B. DE TANENBERG: *L'Espagne littéraire; portraits d'hier et d'aujourd'hui*, París, 1913.—A. BRAVO Y CANO: *Semblanzas de algunos poetas del siglo XIX*, Sevilla, 1902.—J. CEJADOR: *Historia de la lengua y literatura española*, XI.—E. DÍEZ-ECHARRI: *La poesía española vista por Menéndez Pelayo*, págs. 228 y sgs., Edit. Nacional, 1956.—J. FERNÁNDEZ ESPINO: *Estudios de literatura y de crítica*, Sevilla, 1862.—U. GONZÁLEZ SERRANO: *Estudios críticos*.—P. LANGLE: *La lírica moderna en España (Núñez de Arce, Campoamor, Bécquer)*, Almería, 1883.—EMILIA PARDO BAZÁN: *Retratos y apuntes literarios*, «Obras completas», XXXII.—*Poetas modernos (siglos XVIII y XIX)* (selec. y pról. de Rafael de Balbín Lucas y Luis Guarner), C. S. I. C., 1952.—M. DE LA REVILLA: *Críticas, 1884-1885*.—F. C. SAINZ DE ROBLES: *Historia y antología de la poesía castellana*, págs. 115-82 y 829-1022, Edit. Aguilar, Madrid, 1946.—L. SÁNCHEZ y J. CASCALES: *Antología de la «Cuerda granadina»*, Méjico, 1928.—A. SÁNCHEZ MOGUEL: *Disc. en honor del poeta don Manuel Fernández y González*, Madrid, 1888.—A. SÁNCHEZ PÉREZ: *Fernández y González*, «Ilustración Ibérica», 1888.—P. RESTITUTO DEL VALLE RUIZ: *Estudios literarios*, Madrid, 1903.

II-III.   Para Grilo: M. REVILLA: *Críticas*, II.—Para Arnao: A. CAÑETE: *Don Antonio Arnao, lírico*, «Ilust. Esp. y Amer.», 1874.—J. M. ESPERANZA Y SOLÁ: *Don Antonio Arnao*, «Ilust. Católica», 1889.—C. M. PERIER: *Poesías del señor Arnao*, «Defensa de la Sociedad», XII.—Para Selgas: E. DÍEZ DE REVENGA: *Estudios sobre Selgas*, 1915.—E. ARANDA MUÑOZ: *La poesía de Selgas*, «Monteagudo», Murcia, 1953.—M. SANS: *Don José Selgas*, Buenos Aires, 1916.—*Selgas y su obra*, «Anales de la Univ. de Murcia», 1954.—Varios: *Libro del centenario de Selgas*, Murcia, Tip. «El Tiempo», 1923.

IV.   ALVEAR: *La leyenda del Licenciado Torralba y el nuevo poema de Campoamor*, «Ilust. Esp. y Amer.», II, 1887.—E. BULLÓN: *Campoamor, filósofo*, «Ilust. Esp. y Amer.», I, 1902.—F. DE PAULA CANALEJAS: *Sobre el personalismo de Campoamor*, «Rev. Esp. de Ambos Mundos», III.—J. DUBÓN: Pról. a las *Obras poéticas completas* de R. de Campoamor, Colec. «Joya», Edit. Aguilar, Madrid.—J. V. FILLOL: *Juicio crítico de «Colón»*, poema por don R. de C.*, sin l. ni a.—V. GAOS: *La poética de Campoamor*, Edit. Gredos, Madrid, 1955.—A. GONZÁLEZ BLANCO: *Campoamor. Biografía y estudio crítico*, Madrid, 1912.—P. HENRÍQUEZ UREÑA: *Campoamor*, «Rev. Hisp.», XLI, 1917.—R. HILTON: *Campoamor, Spain and the Worl-*

Toronto, 1940.—J. ORTEGA Y MJNILLA: *Campoamor* (disc. en la R. A. E.), Madrid, 1902.—H. PESSEUX-RICHARD: *Humoradas. Doloras et Petits Poèmes de don R. de C.*, «Rev. Hisp.», I.—C. RIVAS CHERIF: Introd., ed. y notas a las *Poesías* de R. de C. (pról. de Félix Ros), Espasa-Calpe, Madrid, 1912.—M. ROMERA-NAVARRO: *Campoamor (1817-1901)*, «Rev. Estudio», IV, 1917.—F. ROS: Pról. a las *Poesías* de R. de C., «Clásicos Castellanos», Espasa-Calpe, Madrid.—J. ROMANO: *Campoamor*, Edit. Nacional, Madrid, 1948.—A. SÁNCHEZ MOGUEL: *Campoamor en las literaturas extranjeras*, «Rev. Contemp.», XXVII, 1880.—A. SÁNCHEZ PÉREZ: *Campoamor*, Madrid, 1889.—P. RESTITUTO DEL VALLE RUIZ: *Al señor don Ramón de Campoamor. Carta literaria*, «Ciudad de Dios», XXII; *Un poeta filósofo: Campoamor*, «Le Correspondant», CXL.—BARTHE: *Las obras de Bartrina*, «Ilust. Esp. y Amer.», 1883.—J. ROCA Y ROCA: *Memoria biográfica de J. M. Bartrina y d'Aizemus*, Barcelona, 1916.—J. OCTAVIO PICÓN: Ed. de *Obras escogidas de M.* del Palacio, Madrid, 1916.—M. DE SANDOVAL: *Manuel del Palacio*, «Bol. Acad. Esp.», XVIII, 1931.—A. CÁNOVAS: Pról. a las *Obras completas* de M. Revilla, con disc. prel. de U. González Serrano, Madrid, 1883.—A. PALACIO VALDÉS: *M. de la Revilla, poeta contemporáneo*, «Rev. Europea», XIV, págs. 434-633.—H. RODRÍGUEZ DE LA PEÑA: *Campoamor*, Edit. Nacional, Madrid, 1947.

V. Núñez de Arce y su escuela: CASTELLANOS: *Núñez de Arce*, «Ilustr. Esp. y Amer.», 1877.—J. DEL CASTILLO Y SORIANO: *Núñez de Arce. Apuntes para su biografía*, Madrid,

1904.—L. LANDE: *Un poeta lírico español: Don Gaspar Núñez de Arce*, «Rev. Deux Mondes», mayo, 1880.—C. DE LOLLIS: *Don Gaspar Núñez de Arce*, «Nueva Ant.», 1898.—MENÉNDEZ PELAYO: *Est. y disc. de crít. lit.*, IV, págs. 331-60.—J. PÉREZ DE GUZMÁN: *Conciencia religiosa de Núñez de Arce*, «Ilustr. Esp. y Amer.», junio, 1903.—JOSEFINA ROMO ARREGUI: *Vida, poesía y estilo de don Gaspar Núñez de Arce*, anejos de la «Rev. de Filol. Esp.», XXXIV, Madrid, 1946.—M. SIERRA: *Algo sobre Núñez de Arce*, «La Lectura», III, 1903.—J. VALERA: *Elogio de Núñez de Arce*, «Obras».—M. MÉNDEZ BEJARANO: *Tassara. Nueva biografía crítica*, Madrid, 1928.—E. GULLÓN: *Tassara, duque de Europa*, «Bol. Bibl. M. Pelayo», 1946.—BLANCA DE LOS RÍOS: *Ferrari* (semb.), «Raza Esp.», 1921.—C. L. DE CUENCA: *Emilio Ferrari*, Madrid, 1907.—CONDE DE LAS NAVAS: Art. sobre Ferrari, «Cultura Esp.», XVI.—F. DÍEZ DE TEJADA: *Emilio Ferrari*, «Rev. Contemp.», LII.—J. M.ª MARTÍNEZ CACHERO: *Unas cuartillas inéditas del poeta Ferrari*, «Bol. del Inst. de Est. Asturianos», VI, 1952; *El antimodernismo del poeta Emilio Ferrari*, «Archivum», Oviedo, 1954.—*Biografía del poeta Emilio Ferrari*, separata de «Archivum», Oviedo, 1959.—JACKSON VEYÁN: *A la muerte del poeta Velarde*, Madrid, 1892.—E. SELLÉS: *En la muerte del poeta Velarde*, «Ilustr. Ibér.», 1893.—GINER DE LOS RÍOS: *Ruiz Aguilera*, «Bol. Inst. Libre Enseñanza», 1922.—J. M.ª MARTÍNEZ CACHERO: *El poeta Ventura Ruiz de Aguilera y Asturias*, «Rev. Univ. Oviedo», mayo-agosto, 1948.—A. PALACIO VALDÉS: *Ruiz Aguilera*, «Rev. Europea», XIV.

CAPITULO LXXII

LA POESIA POSTROMANTICA:
B) BECQUER Y OTROS POETAS DE SU TIEMPO

I. Los prebecquerianos: *Larrea, Eulogio F. Sanz y Ferrán.*—II. Gustavo Adolfo Bécquer: *Biografía y perfil humano. Producción literaria. Cartas y leyendas. Las «Rimas». Originalidad de las «Rimas». Bécquer, lírico de primer orden.*—III. Otros poetas: *Rosalía de Castro. Llorente, Querol y Balart. La tendencia clásica: Valera, Menéndez Pelayo y Milá Fontanals. Un romántico rezagado: B. López García.*—Notas.—Bibliografía.

I. LOS PREBECQUERIANOS

La figura de Bécquer podría llenar cumplidamente y por sí sola un capítulo de nuestro libro. Nosotros, sin embargo, preferimos estudiarla juntamente con las de otros poetas más o menos afines a su especial estilo y sensibilidad. Porque el aislamiento de Bécquer es menos absoluto de lo que a primera vista parece. Como todos los artistas, y por muy individual que sea, Bécquer está ligado a su tiempo y tiene en él, si no una justificación, por lo menos una ambientación suficiente. Aquella doble paradoja, a que alude Angel del Río [1], la de la aparición del más puro romántico precisamente cuando el romanticismo se daba ya por liquidado y la de un lírico tan íntimo, tan confidencial, cuando lo que dominaba era lo aparatoso y externo, casi deja de ser tal paradoja si se examinan las cosas con cierto detenimiento. Por lo pronto, Bécquer encontró no diremos una escuela formada, pero sí un clima, un ambiente propicio a la germinación de su obra admirable. Un poco antes, su vena, tan tenue y cristalina, se hubiera perdido en el torrente desbordado de Zorrilla; un poco después, las orquestales resonancias de Rubén y de los modernistas hubieran ahogado aquella voz tan pura de las *Rimas*.

Surge, pues, Bécquer a su debido tiempo. Y triunfa cuando debía triunfar. Los que acusan a su generación de no haberle entendido pecan en cierto modo de injustos. La muerte sorprendió al gran lírico preparando la edición de sus composiciones, que hasta entonces sólo parcialmente y en las hojas volanderas de algún periódico habían visto la luz [2]. La verdad es que, con las inevitables excepciones de poetas como Núñez de Arce y Campoamor, situados en puntos antípodas del meridiano poético, todos los demás, críticos y público, se apresuraron a ver en Bécquer un poeta de primer orden [3]. Contra quienes reaccionó ese mismo público y tronó la crítica fué contra sus malos imitadores. Hay que reconocer también que una valoración exacta de nuestro mayor lírico moderno sólo ha llegado a hacerse en días recientes, al proclamarse los nuevos credos estéticos, con una concepción de la poesía tan estrechamente ligada, a través y aun por encima del modernismo, a la obra del poeta sevillano. De cualquier modo, ya no se puede hablar de Bécquer como de un fenómeno *aislado*; y siempre al iniciar su estudio, habrá de aludirse al grupo de precursores, cuidando mucho de advertir que, si la siembra corresponde a ellos, la espléndida cosecha es obra exclusiva del genial poeta.

Larrea, E. F. Sanz, Ferrán y Dacarrete

Entre esos precursores destacan Larrea, Sanz, Ferrán y Dacarrete. Todos ellos habían publicado antes que Bécquer poesías que por su fondo o forma, a veces por las dos cosas, se parecen a las de aquél.

De José María Larrea se conserva una composición titulada *El espectro y la materia,* que había aparecido en *El Semanario Pintoresco Español* ya en 1853 y que, sin duda, fué imitada por Bécquer en su rima V [4]. Los endecasílabos de Larrea, todavía consonantes y de auténtico corte esproncediano, se asonantan en Bécquer, se adelgazan, perdiendo la frondosa adjetivación del modelo, hasta quedar convertidos en unos heptasílabos alados, flúidos y ligeros. La forma, pues, ha cambiado; pero el fondo, la idea, persiste.

Mayor importancia tiene a nuestro objeto Eulogio Florentino Sanz (1825-1881). En un libro más amplio que el nuestro, este insigne dramaturgo [5] merecería detenido comentario, aunque sólo fuera por su *Don Francisco de Quevedo,* una de las piezas teatrales que mayor éxito tuvo durante el siglo XIX. Aquí sólo podemos referirnos a sus vinculaciones con Bécquer; y éstas datan de 1857, en que aparecieron en *El Museo Universal* [6] varias *Canciones* de E. Heine, traducidas por Eulogio F. Sanz. Nombrado éste secretario de nuestra legación en Berlín, había aprovechado su estancia en Alemania para estudiar a fondo la literatura de aquel país. Las *Canciones* de Heine, muy bien traducidas, debieron de ser un deslumbramiento poético para muchos espíritus, hastiados ya de los productos de nuestro romanticismo, tan distinto del alemán. La musa de Bécquer, que entonces estaba en plena gestación, devoró, sin duda, esas *Canciones,* tan encajadas en su especial psicología, y de tal suerte hubo de asimilarlas que la huella de Heine aparece absolutamente clara en tres o cuatro de sus *Rimas* y en forma ya más difusa en casi toda su obra poética [7]. Hay más: Florentino Sanz, poeta no mediano—«le había bebido el aliento a su modelo alemán», escribe el padre Blanco García—, compuso por su cuenta algunos poemas, que no pudieron ser desconocidos por nuestro gran lírico. Muy significativo es que uno de ellos lleve por título *El color de tus ojos,* tema tan obsesionante luego en Bécquer; y en cuanto a las discutidas estrofas *Tú y yo,* una de las buenas composiciones de Florentino Sanz, basta echarles la vista encima para descubrir su analogía con otras de Bécquer [8]. Pero acaso la mayor importancia de Sanz como precursor de Bécquer radica en el hecho de haberle facilitado los módulos métricos más apropiados a su personal estilo e inspiración. En las traducciones de Sanz y en sus mismos versos originales se encuentran ya, en efecto, varios de los esquemas métricos que luego aprovecharía la musa becqueriana. Una comparación de esta clase entre los dos poetas arrojaría resultados definitivos.

Tampoco se puede omitir entre los precursores de Bécquer a su íntimo amigo AUGUSTO FERRÁN (1830-1880). La amistad que liga a los dos poetas es tan estrecha que en 1861, cuando Bécquer apenas era conocido por sus versos, Ferrán publica su libro de cantares, *La Soledad,* con un prólogo del poeta sevillano. Un prólogo muy significativo, por cierto, al cual hemos de aludir más adelante, ya que resume con meridiana claridad toda la teoría poética del autor de las *Rimas.* En el libro de Ferrán descubría Bécquer «un grito para cada dolor, una sonrisa para cada esperanza, una lágrima para cada desengaño, un suspiro para cada recuerdo». Cualquiera, al leer ese prólogo, pensaría que Bécquer nos está hablando de sus propios versos. Y, en efecto, hay muchos cantares en *La Soledad* que podrían llevar la firma de Gustavo Adolfo Bécquer, como que han nacido de un alma gemela y en un ambiente casi idéntico. Sólo que algunos años antes acaso que los del mismo Bécquer.

Los mundos que me rodean
son los que menos me extrañan;
el que me tiene asombrado
es el mundo de mi alma...

Así canta Ferrán. Luego habremos de ver cómo ese mundo del alma es el mismo en que vive y en que centra su atención también Bécquer.

ÁNGEL MARÍA DACARRETE, discípulo de Lista, y a quien Bécquer conoció en Sevilla, es, al decir de José Pedro Díaz, «el más importante precursor de Bécquer», si se atiende a la fusión que en su poesía se descubre del elemento alemán y el español, de la balada y el cantar, del «lied» y la «soleá», tan patente luego en las *Rimas* del gran poeta sevillano. Colaboró asiduamente en *La América,* revista de Madrid, que empezó a publicarse en 1857 y en la que también escribían E. Asquerino, Castelar, la Avellaneda, Carolina Coronado, Selgas, Barrantes, Trueba, Eulogio F. Sanz, Ruiz Aguilera, Campoamor y los chilenos Guillermo Mata y Guillermo Blest Gana, aparte de otros ingenios menos conocidos, entre ellos el íntimo amigo de Bécquer Luis García Luna. *La América,* cuya publicación se prolongó bastantes años, concedía singular atención a la poesía inglesa, y mayor aún a la alemana, insertando frecuentes imitaciones y traducciones de Goethe, Schiller y, sobre todo de Heine. Uno de los más afortunados imitadores de éste fué Dacarrete. Sólo en el número del 8 de agosto de 1858 se insertan hasta ocho poemas suyos, todos los cuales, tanto por el tema y la manera de tratarlo como por el lenguaje y hasta la estructura métrica, delatan evidente parentesco con la poesía posterior del autor de las *Rimas.* Abunda en Dacarrete la estrofa que luego se llamó *becqueriana,* compuesta de tres endecasílabos seguidos de un heptasílabo, que con frecuencia se sustituye por un pentasílabo. En *Ensueño,* una composición publicada en *La América* en 1858, aunque se sabe que estaba escrita un año antes, leemos:

¡No sé decir por qué!... ¡Ya tanto hacía
que no soñaba en ti sino despierto!...
No sé decir por qué la última noche
te vi entre sueños.
....

Inmóviles los dos y silenciosos,
apoyada la mano sobre el seno,
sonreímos... ¡Yo estaba al despertarme
en lágrimas deshecho!

Las semejanzas de estos versos con alguna *Rima* de Bécquer son tan evidentes que no hace falta señalarlas. Lo mismo se podría decir de otras composiciones de Dacarrete: *Vigilia, A..., Dime, ¿por qué?, El amanecer.* Escribió asimismo *Cantares,* cuyos contactos con ciertas *Rimas* becquerianas son casi seguros.

II. GUSTAVO ADOLFO BECQUER

Probablemente no ha sonado en toda la lírica castellana, desde sus tiempos más remotos, una voz más pura, más cristalina, más íntima y confidencial que la de GUSTAVO ADOLFO BÉCQUER (1836-1870). Nótese que no hablamos de sublimidad, ni de armonía, ni siquiera de hondura. Quédese esto para otros poetas, también de primerísima fila: fray Luis de León, Garcilaso, Góngora. Hablamos de pureza poética, de desnudez, de transparencia, y, al mismo tiempo, de profundo temblor humano. La voz de Bécquer, tan sencilla y directa, nos llega toda cargada de efusión, transida de los más hondos sentimientos del alma: amor, esperanza, celos, angustia. Como Musset, y mucho más que Musset, por el dolor Bécquer asciende a la cima del arte más depurado y se convierte, sin más ni más, en el primer lírico de su siglo.

Biografía y perfil humano

Unas fechas y datos escuetos resumen la breve vida de Bécquer, exteriormente vulgar e interiormente intensa y agónica. Nace en Sevilla, en 1836. Su verdadero nombre era Gustavo Adolfo Domínguez Bastida. El apellido Bécquer, con que se dió a conocer desde el primer momento y que había de hacer célebre, era el segundo de su padre, don José Domínguez Bécquer, estimable pintor sevillano. Los antepasados habían venido de Flandes [9], a últimos del XVI o principios del XVII; al menos, por esa época se instalaba en Sevilla un Miguel Adam Becker (sin españolizar aún, naturalmente, su apellido), remoto ascendiente del poeta. La familia de éste se halla constituída por el matrimonio y ocho hijos, todos varones [10]. En 1841, cuando Gustavo tenía cinco años, pierde a su padre; y cuatro años después, a su madre, doña Joaquina Bastida de Vargas. Un tío lo recoge, junto con su hermano Valeriano; y ya el poeta empieza a dar muestras de extremada sensibilidad y carácter retraído. A los diez años inicia estudios de náutica en el Colegio de San Telmo; pero, clausurado el centro, pasa Gustavo al lado de su madrina, doña Manuela Monahay, dama bien acomodada y que dispone de una nutrida biblioteca, donde el ahijado consume sus mejores horas. Alterna la lectura con las clases de dibujo y pintura, al lado de su tío don Joaquín Domínguez. Persuadido éste de que Gustavo nunca llegaría a triunfar con los pinceles, le orienta hacia el estudio de las humanidades. 1854: Bécquer tiene dieciocho años; sueña con la gloria y, desoyendo los consejos de su madrina, va a Madrid. Etapa difícil; vida dura; trabajo agobiador y sin resultados positivos. 1855: su nombre, totalmente desconocido, aparece ya en la *Corona de oro*, dedicada a Quintana por los redactores de *La España musical y literaria*. 1857: Obtiene un modesto empleo en la dirección de los Bienes Nacionales; «tres mil reales de sueldo y

categoría de escribiente fuera de plantilla». Sorprendido por su jefe dibujando, pierde la colocación. Ese mismo año se revela su enfermedad, que ya no le abandona durante toda su vida y que le llevará prematuramente al sepulcro: hemoptisis. 1858: Conoce a Julia Espín, hija de un profesor del Conservatorio de Música y organista de la capilla de Palacio; mujer bellísima, pero de cierto relieve social, demasiado alto para Bécquer. Se enamora de ella locamente; no se atreve a declararse, aunque la convierte en musa inspiradora de algunas de sus mejores *Rimas*; cuando apadrina a la hija de su hermano Valeriano, le impone el nombre de Julia. 1860: entabla relaciones con Casta Esteban Navarro, hija del médico que le asistía, y al año siguiente (19 de marzo de 1861) contrae matrimonio con ella en la parroquia de San Sebastián, de Madrid.

En 1862 nace su primer hijo, Gregorio Gustavo Adolfo, en Noviercas (Soria), donde la familia de Casta posee una finca y Bécquer se encuentra descansando; en 1863 su enfermedad se agudiza; pero repuesto pronto, se traslada a Sevilla. Valeriano, su hermano, pinta por entonces el cuadro, hoy en el Museo de Cádiz: «Gustavo A. Bécquer y su familia»; en 1864 los dos hermanos, Valeriano y Gustavo, viven y trabajan juntos; pero al punto surgen disensiones entre Casta y su cuñado, que terminarían con la separación del matrimonio. González Bravo, protector de Gustavo, le nombra «censor de novelas», con un buen sueldo (24.000 reales), que disfruta con alguna interrupción hasta 1868. Antes, le han nacido otros dos hijos, Jorge y Emilio. Surge en 1868 la desavenencia del matrimonio, que termina separándose por imposición de Valeriano. Se cree, no obstante, que los esposos seguían escribiéndose. En los dos últimos años pasa en Toledo una temporada y dirige *La Ilustración de Madrid*, fundada por Eduardo Gasset. En septiembre de 1870 muere Valeriano. Los acontecimientos se precipitan: Casta retorna al hogar; pero por poco tiempo. El 22 de diciembre muere Gustavo. Tenía sólo treinta y cuatro años. Sus restos, junto con los de su inseparable hermano, reposan en Sevilla, adonde fueron llevados en 1913.

Con Valeriano había realizado numerosas excursiones por varias comarcas de España: Toledo, Avila, Soria... En el monasterio de Veruela residió una temporada y desde allí escribió sus célebres *Cartas*. Tuvo numerosos amigos; los más allegados: Campillo, Ferrán, Nombela y Rodríguez Correa.

Contrasta esta vida de Bécquer con la de otros grandes poetas de su siglo: Zorrilla, Núñez de Arce, Campoamor. Todos ellos asisten a su propia apoteosis; algunos hasta tienen tiempo de ver el eclipse de su gloria. Existencias largas y ruidosas, frente a la oscura, retraída y casi anónima de Bécquer. El mismo Espronceda, muerto como él en plena juventud, saborea las mieles de un triunfo fácil y definitivo. Para Bécquer la vida sólo ha tenido sinsabores y estrechez. Hasta su hermano Valeriano, el espíritu más allegado a él, le precede unos meses en la muerte. No ha de extrañar que sus biógrafos nos lo retraten tímido, retraído, soñador, refugiado en su mundo interno, ante la hostilidad de los de fuera. Los infortunios le hacen aún más sombrío y alejado de la realidad. Su amigo Nombela nos lo describe serio, sufrido, amante y bondadoso; enemigo de bromas, aunque sabiendo soportarlas. «Nunca le vi reír—anota—; sonreír, siempre, hasta cuando sufría. Tampoco le vi llorar: lloraba hacia dentro.» Con esta triste sonrisa y con ese llanto interno están elaborados sus mejores versos.

En lo físico, moreno hasta la exageración; con enormes ojos negros, cargados de expresión y de vida. Cuerpo débil, minado por la tuberculosis, a la que no pudo resistir más de treinta y cuatro años. Muere cuando preparaba, ilusionado, la edición de sus obras. Al sorprenderle la muerte, sólo había publicado quince *rimas* de las setenta y nueve que conocemos.

Producción literaria

Las «Obras completas» de Bécquer abarcan prosa y verso. En prosa nos dejó: veinte *Leyendas*; diez *Cartas literarias*; una *Carta literaria a una mujer*; cinco *Estudios o impresiones sobre templos de Toledo* (San Juan de los Reyes, Santa Leocadia, el Cristo de la Luz, Santa María la Blanca y Nuestra Señora del Tránsito).

Y en verso: un librito de las *Rimas,* que en su primera edición comprende 76 composiciones, en su mayor parte breves (muchas de doce versos, de ocho y hasta de cuatro); y que, a partir de la cuarta, viene acrecida con tres más, hasta alcanzar las setenta y nueve de que actualmente consta.

Figuran, además, entre sus obras algunos trozos poéticos de la adolescencia, flojos y con reminiscencias clásicas: *A Lenona, en su partida;* *A la muerte de Lista,* en sáficos horrendos, etc., y otros trabajos en prosa: *Ensayos literarios,* de poco valor; artículos sobre *Tradiciones y costumbres españolas, Crónicas periodísticas, Pensamientos* y un *Testamento literario,* que más que su teoría poética recoge sus planes para el futuro.

Lo que merece hoy leerse del gran poeta son las *Cartas,* las *Leyendas* y las *Rimas.*

Cartas y leyendas

Digamos, ante todo, que Bécquer es siempre un altísimo poeta. En él apenas cabe establecer la distinción tan clara en otros del escritor en prosa y en verso. Sabe, lo mismo en éste que en aquélla, envolver su pensamiento en esa sutil atmósfera que constituye el arte. Y aunque para nosotros el mejor Bécquer, el más logrado, es el de las *Rimas,*

no tendríamos inconveniente en suscribir la opinión de los que prefieren las *Leyendas.*

Las *Cartas,* escritas desde el monasterio de Veruela, en 1864, y publicadas en *El Contemporáneo* bajo el significativo epígrafe «Desde mi celda», recogen impresiones de momento, consejas e historietas que Bécquer debió de ir acumulando en sus excursiones y paseos por aquella región, enclavada en los límites de Soria, Aragón y Navarra. Están redactadas con la naturalidad, soltura y garbo característicos del poeta. Como siempre, Bécquer prefiere los temas de misterio, que él sabe envolver en un halo de indescriptible poesía; y se detiene con morosa delectación en los motivos arqueológicos, a los que se sentía inclinado por tradición familiar.

Mucho más importantes son sus *Leyendas.* Las tiene de los más variados temas y ambientes. Unas son de tipo exótico, como *La creación,* extraño cuento que se desarrolla en la India, entre selvas de árboles gigantescos y ondas puras de ríos sagrados; como *El caudillo de las manos rojas,* largo relato en seis cantos, son fantásticos escenarios de alcázares maravillosos, templos espléndidos, batallas singulares y pasiones que se prolongan más allá de la muerte. En *El Miserere,* el poeta nos traslada en una narración de gran valor arqueológico al monasterio de Fitero, y nos enfrenta con la espectral aparición de unos monjes, que bajo la bóveda del templo entonan el salmó de arrepentimiento del Rey Profeta; en *El rayo de luna,* en una atmósfera medieval, nos presenta al protagonista Manrique, corriendo alocado tras el fantasma de una mujer encantadora, que al fin resulta ser una ilusión, la del «rayo de luna», que se filtraba entre las ramas de la arboleda, dando a las sombras apariencias femeninas; en *Los ojos verdes,* una de sus más bellas narraciones, simboliza en la misteriosa doncella con las pupilas de aquel color, la fatal atracción de la mujer sobre el hombre. Fernando, su protagonista, también corre impulsado por cierta fuerza irresistible hacia un amor que sabe de antemano imposible.

Rosa de pasión tiene por escenario el Toledo medieval, con las luchas implacables de hebreos y cristianos; *La cueva de la mora,* refiere el sacrificio de una morisca que encuentra la muerte al intentar aplacar la sed de un prisionero cristiano; *El beso* alude a un fantástico episodio ocurrido en Toledo durante la guerra de la Independencia: un capitán se enamora de la bellísima estatua yacente de cierta dama, y, al ir a profanarla con sus labios, cae herido de muerte; *Maese Pérez el organista,* por último, es acaso la más conocida de las leyendas becquerianas. Recoge la tradición del músico ciego que solía tocar maravillosamente la Misa del Gallo en el sevillano convento de Santa Inés. Muere maese Pérez, y sustituído por otro organista en el mismo convento, el órgano emite admirables melodías; pero ese mismo músico en otros templos apenas acierta a tocar. Es el espíritu del viejo organista que acude desde el otro mundo para animar las teclas del órgano de Santa Inés.

Lo que interesa y sorprende en estas *Leyendas* no es tanto la acción, siempre desde luego sugestiva, como el ambiente. Ese mundo tan extraño a que nos hace asomarnos Bécquer, esa atmósfera de irrealidad que nos hace respirar. Dentro de ese mundo los personajes no viven; flotan más bien, aparecen y desaparecen; se encienden y apagan, brillan y se disipan casi sin dejar rastro. Las *Leyendas*, de Bécquer, parecen escritas entre sueños, en un proceso psíquico de estados crepusculares: tal es la imprecisión, la vaguedad de caras, de líneas y contornos. Ni siquiera cuando localiza la acción, casi siempre insignificante, en un lugar conocido, llega a precisiones exactas. No hay referencias más concretas en cuanto al tiempo: «Hace muchos años», se limita a decir; y con eso basta. «Yo no sé si esto es una historia que parece cuento o un cuento que parece historia—escribe en *El rayo de luna*—: lo que puedo decir es que en el fondo hay una verdad, una verdad muy triste, de la que acaso yo seré uno de los últimos en aprovecharme, dadas mis condiciones de imaginación.» Así, con esta vaguedad, con estos elementos tan imprecisos, construye Bécquer sus narraciones, que, sin embargo, encantan, sugestionan y asombran al lector. Porque, dispersa entre los nimios incidentes del relato, hay una ola tal de poesía de la mejor calidad, que cada una de estas breves leyendas vale por un poema acabado. Como siempre, en Bécquer lo lírico predomina sobre lo estrictamente narrativo; y en cuanto al estilo, se nos ofrece arreado con las mejores galas de la lengua: abundancia, suavidad, armonía y exquisita gracia.

Las «Rimas»

Mucho más valen las *Rimas*. Hay quien prefiere las *Leyendas*. Nosotros creemos que el verdadero Bécquer, el inmortal e incomparable, está en las *Rimas*. Son, sin duda, el producto más depurado de nuestra lírica moderna; y, al decir moderna, abarcamos nada menos que el período de tiempo comprendido desde Góngora hasta nuestros días. Sensitivas, no sentimentales ni cursis; desnudas, temblorosas, en ellas Bécquer «se define poeta de lo inefable y huidizo, de la luz y de la hoja movida por el viento». Entre aquellas dos clases de poesía, a que alude en el prólogo a *La Soledad*, de Ferrán, la «magnífica, sonora», hecha de orquestaciones y de galas, y la «natural, breve, seca, que brota del alma como una chispa eléctrica, que hiere el sentimiento con una palabra», Bécquer escoge la segunda. Lo mismo había de hacer Antonio Machado, para obtener resultados

análogos; lo mismo también Juan Ramón Jiménez, aunque llegase a ella por otros caminos.

Se ignora la fecha en que Bécquer escribió las diversas *Rimas*. Cuando murió, ya queda dicho, sólo había publicado trece, según unos; quince, según otros. En junio de 1868, «temiendo que muy pronto tendría que hacer la maleta para el gran viaje», pergeña un manuscrito (Biblioteca Nacional de Madrid, ms. número 1326), en el que pensaba transcribir todos sus «proyectos, ideas y planes», que luego se realizarían o no, «según soplase el viento». En ese manuscrito figuran las setenta y nueve rimas que hoy se dan por auténticas. En unas ediciones vienen encabezadas por los delicados versos *A Elisa*; en otras, por aquel estallido de inspiración que empieza: «Yo sé un himno gigante y extraño...» Cualquiera de los dos es digno principio de la colección, que no abarca en total más de cincuenta páginas. Dice la dedicatoria a Elisa:

> Para que los leas con tus ojos grises
> para que los cantes con tu clara voz,
> para que llenen de emoción tu pecho
> hice mis versos yo.

Y dice la otra:

> Yo sé un himno gigante y extraño,
> que anuncia en la noche del alma una aurora,
> y estas páginas son de ese himno
> cadencias, que el aire dilata en las sombras.

> Yo quisiera escribirlo, del hombre
> domando el rebelde, mezquino idioma,
> con palabras que fuesen a un tiempo
> suspiros y risas, colores y notas.

En cuanto al proceso de creación, el mismo Bécquer lo expuso con toda claridad: «Por los tenebrosos rincones de mi cerebro, acurrucados y desnudos, duermen los extravagantes hijos de mi fantasía, esperando en silencio que el arte los vista de la palabra.» «Son—agrega—creaciones sin número, a las cuales ni mi actividad ni todos los años que me restan de vida serían suficientes a dar forma... Conmigo van, destinados a morir conmigo, sin que de ellos quede otro rastro que el que deja un sueño de medianoche, que a la mañana no puede recordarse. En algunas ocasiones, y ante esta idea terrible, se subleva en ellos el instinto de la vida, y agitándose en terrible, aunque silencioso tumulto, buscan en tropel por dónde salir a la luz de las tinieblas en que viven». Esos «hijos de la fantasía» que, hurtándose al sino fatal de millones de compañeros, han salido a la luz, en un desesperado afán de supervivencia, son las *Rimas*. Bécquer las ha engendrado, ya nos lo ha dicho, con «suspiros y risas, colores y notas». Quédole por decir con dolor y sangre; con mucha sangre, de esa que el corazón deja salir, sin que se vea desde fuera.

Se han buscado acuciosamente los motivos inspiradores de estos poemitas, tan pequeños y tan grandes. Y esos motivos no pueden hallarse sino en la vida del poeta, tejida, como sus versos, de sonrisas y de lágrimas. Dos mujeres se señalan concretamente en esa vida: Julia Espín y Casta Esteban; la novia ideal e imposible, junto a la esposa real. Dos pasiones antagónicas, que se traducirán en momentos de alegría, de esperanza, de desconsuelo, de hastío y hasta de odio. Y cada uno de esos momentos cuajaría en una *rima*. Las sombras de Julia y Teresa pasan, desde el principio al fin del minúsculo libro, unas veces en forma lejana, desvaída, casi de incógnito; otras, en forma concreta y de rasgos inconfundibles. Hay sobre todo una *rima* en que la alusión a esos dos amores no puede ser más precisa. Bécquer la escribió con mezcla de sangre y hiel; en el manuscrito aludido aparece tachada por dos gruesos trazos. Pero es suya, indudablemente suya:

> Una mujer me ha envenenado el alma,
> otra mujer me ha envenenado el cuerpo;
> ninguna de las dos vino a buscarme,
> yo de ninguna de las dos me quejo.

> Como el mundo es redondo, el mundo rueda;
> si mañana, rodando, este veneno
> envenena a su vez, ¿por qué acusarme?
> ¿Puedo dar más de lo que a mí me dieron?

Los temas de las *Rimas*, si puede llamarse tema a ese súbito desahogo del alma que es cada uno de estos poemitas, son tan variados como los sentimientos que se albergan en el corazón del hombre. Porque Bécquer todo—amor y odio, esperanza y desesperación, alegría y tristeza, goce reposado y celos, optimismo y hastío—se trasmuta en arte. Midas admirable, de cada recuerdo, de cada ilusión, saca un puñado de oro. La primera mirada de amor queda para siempre fijada en cuatro versos:

> Hoy la tierra y los cielos me sonríen;
> hoy llega al fondo de mi alma el sol;
> hoy la he visto..., la he visto y me ha mi-
> ¡Hoy creo en Dios!   [rado.:

La poesía, identificada en su más alto grado con la belleza femenina, sólo necesita para definirse otros cuatro:

> «¿Qué es poesía?», dices, mientras clavas
> en mi pupila tu pupila azul.
> ¡Qué es poesía! ¡Y tú me lo preguntas?
> Poesía... eres tú.

Todo un drama de amor, que se sabe de pronto traicionado, queda resumido en tres estrofas:

> Cuando me lo contaron, sentí el frío
> de una hoja de acero en las entrañas...

Toda una tragedia, surgida de la incompatibilidad de caracteres, en otros doce versos, escuetos, limpios, diamantinos:

> Tú eras el huracán, y yo, la alta
> torre que desafía su poder;
> tenías que estrellarte o que abatirme;
> ¡No pudo ser!

El amor es la gran musa inspiradora de Bécquer, la que le dicta los mejores acentos. Unas veces éstos son de fervorosa efusión: «Volverán las oscuras golondrinas...»; otras, de orgullo, con gotas diluídas de amargo humorismo: «Asomaba a sus ojos una lágrima...», «Nuestra pasión fué un trágico sainete...» «Es cuestión de palabras, y, no obstante...», «No me admira tu olvido. Aunque de un día...». Con frecuencia el orgullo se transforma en despecho: «Me ha herido recatándose en las sombras...», «Yo me he asomado a las profundas simas...» «Alguna vez la encuentro por el mundo...», «Entre el discorde estruendo de la orgía...». Pero donde Bécquer alcanza cimas insospechadas es cantando su dolor; dolor resignado, como en las que empiezan: «Hoy, como ayer; mañana, como hoy...», «Cuando volvemos las fugaces horas...», dolor que se traduce en honda melancolaí: «Antes que tú me moriré: escondido...», «Los suspiros son aire y van al aire...», que estalla, incontenible, en sollozos y gritos de desesperación:

> Olas gigantes que os rompéis bramando
> en las playas desiertas y remotas,
> envuelto entre las sábanas de espuma,
> llevadme con vosotras.
> ....
> Llevadme, por piedad, a donde el vértigo
> con la razón me arranque la memoria...
> ¡Por piedad!... Tengo miedo de quedarme
> con mi dolor a solas.

Nunca en castellano el deseo de evasión, de fuga de los seres que nos rodean, se había expresado con un lenguaje tan desnudo, tan sincero, tan exento de artificios.

Hay unas cuantas rimas que nos hablan de ese mundo irreal, ultratelúrico, tantas veces aludido por nosotros, y en el que flotaba casi de continuo el espíritu de Bécquer:

> No dormía; vagaba en ese limbo
> en que cambian de forma los objetos;
> misteriosos espacios que separan
> la vigilia del sueño...

En la misma línea de intersección de planos reales e imaginarios están las que principian: «Espíritu sin nombre...» y «Será verdad que cuando toca el sueño...». Otra serie de ellas alude al proceso de la creación poética:

> Sacudimiento extraño
> que agita las ideas,
> como huracán que empuja
> las olas en tropel...

Son muy conocidas e interesantes las que se refieren directamente a la eternidad de la poesía:

> No digáis que, agotado su tesoro,
> de asuntos falta, enmudeció la lira...

> Espíritu sin nombre
> indefinida esencia,
> yo vivo con la vida
> sin formas de la idea...

Del salón en el ángulo oscuro,
de su dueño tal vez olvidada,
silenciosa y cubierta de polvo,
veíase el arpa.

Por último, algunas parecen reflejar anécdotas reales de la vida del poeta: «En la clave del arco mal seguro...», «Entre el discorde estruendo de la orgía...», y la conocidísima «Cerraron sus ojos,—que aún tenía abiertos...», que, por cierto, no es de las mejores.

Originalidad de las «Rimas»

Tan pronto como se conocieron las *Rimas,* surgió el problema de sus fuentes. Numerosos escritores lo han tratado, en un aspecto total o parcial; entre ellos destacan el padre Blanco García, con un acierto que ha venido a reconocer la crítica más moderna; W. S. Hendrix, R. M. Merchán, J. M. Cossío, E. Díez-Canedo, F. Scheneider, L. F. Vivanco, Gamallo Fierros, Olmsted y Balbín Lucas. El último, y en forma muy lúcida, el profesor Dámaso Alonso [11]. Distingue este agudo crítico entre los comentaristas de Bécquer tres grupos: los admiradores ciegos, que niegan toda influencia extraña en la obra de nuestro lírico, por creer que cualquier antecedente o analogía que pudiera señalársele menoscabaría la pureza de su gloria; los *eruditos,* que confunden casi siempre la imitación con el plagio, y los que, como Hendrix, por haber dado con un modelo, más o menos auténtico, tratan de invalidar todo lo dicho antes, «con el deseo, claro está, de que el hallazgo propio brille más resplandeciente».

Las conclusiones a que llega el sabio profesor, y que nosotros hacemos nuestras, pueden resumirse así: en Bécquer, como en todo artista, como en todo poeta por muy genial que sea, se descubren huellas de otros; por lo pronto, la de Heine, a través de las traducciones de E. Florentino Sanz, que aparece difusa en toda su obra poética y manifiesta en tres o cuatro *rimas*; la de Byron, probada y declarada por el mismo poeta, en la XIII: «Tu pupila es azul...»; la muy tenue de Musset, en la VII: «Del salón en un ángulo oscuro...»; la de Larrea, en la V: «Yo soy el fleco de oro...», y la muy improbable de Grün, en la IV: «No digáis que agotado su tesoro...».

Pero esto nada prueba; lo que interesa realmente es ver cómo ha sabido Bécquer aprovechar los elementos, casi siempre mezquinos, que encontró a mano. Y en tal sentido hay que decir que nuestro lírico supo convertir en sustancia propia la idea inicial ajena, transfigurándola y elevándola a muchos codos sobre sus modelos. Y algo todavía más significativo: que las *Rimas* señaladas como de inspiración ajena no son las mejores: el Bécquer más auténtico y personal está en otras: en la I, XI, XVII, XXIII, XXIV, XXVI, XXX,

XXXI, XXXV, XXXVI, y en toda las comprendidas entre la XXXVII y la LIII. La paternidad absoluta de éstas nadie se la puede discutir.

Bécquer, lírico de primer orden

¿Qué puesto asignaríamos al autor de las *Rimas* entre los poetas del XIX? Desde luego, y sin vacilaciones de ningún género, el primero. Es el que legó una obra de mayor contenido poético y humano, a la vez; una obra más sustancial y permanente. Tan deleznable como parece a primera vista, y, sin embargo, no sólo resiste a la acción del tiempo, sino que se va decantando más y más con los años. Millones y millones de lenguas repitiendo, día tras día, las seis divinas estrofas de la rima LIII no han podido empañar en nada su pureza prístina:

Volverán las oscuras golondrinas
en tu balcón sus nidos a colgar,
y otra vez con el ala a sus cristales
jugando llamarán...

Se suelen señalar como los medios de que se valió Bécquer para llegar a esa suprema depuración, entre otros, los siguientes: a) *sencillez,* que le lleva a prescindir de toda retórica y ornato superfluo, tanto de la estruendosa sonoridad de la época romántica como de la más elaborada de las escuelas posteriores: Núñez de Arce, Tassara, etcétera; b) *naturalidad,* por la que las cosas se expresan en forma directa, sin rodeos: hasta Bécquer los poetas declamaban, con Bécquer empiezan a hablar; c) *autenticidad:* cuanto él nos dice está antes sentido y vivido; d) *contención,* por la que los sentimientos aparecen semivelados y rehogados en una suave penumbra; rara vez la faz del poeta se descompone en gestos dramáticos, tan frecuentes entre los románticos del período anterior [12]. Añádase un misterioso fluído de que parece estar impregnada toda esa poesía; una vaga música, a lo Chopin, que se dijera va acompañando por lo bajo el ritmo de sus versos; y una especie de flotación entre dos mundos en que se mueve siempre el poeta, el mundo real percibido por los sentidos y ese otro de la fantasía apenas entrevisto en sueños y al que Bécquer había de aludir tantas veces [13]. Añádase asimismo cierta transparencia luminosa y cierta irradiación estelar, que hace que las almas y los seres anden como flotando en un océano de luz. Y tendremos, en parte, explicado el prodigio.

Sólo en parte. Porque con Bécquer, todo hay que decirlo, los análisis críticos al uso fallan por entero. El que quisiera aplicar a esta poesía los métodos hoy en boga, basados en correlatos bimembres y trimembres, en antítesis y adjetivaciones, en frecuencia de vocales o de grupos consonánticos, fracasaría rotundamente. A veces nos sorprende con una riqueza de color, de imágenes, de epítetos inagotables; pero otras, y esto con mayor frecuencia, asombra la pobreza de materiales con que construye sus poemas [14]. *Rimas* hay sin una sola palabra de esas que se consideran poéticas, sin un solo adjetivo, sin una sola frase que no sea vulgar y corriente. El resultado total, sin embargo, no puede ser más feliz:

> Cuando me lo contaron sentí el frío
> de una hoja de acero en las entrañas.
> Me apoyé contra el muro, y un instante
> la conciencia perdí de dónde estaba.
> Cayó sobre mi espíritu la noche;
> en ira y en piedad se anegó el alma...
> ¡Y entonces comprendí por qué se llora,
> y entonces comprendí por qué se mata!
> Pasó la nube de dolor..., con pena
> logré balbucear unas palabras...
> ¿Quién me dió la noticia? Un fiel amigo...
> Me hacía un gran favor... Le di las gracias.

En ocasiones esa sobriedad expresiva llega a lo esquemático, a lo puramente enunciativo:

> Hermosa, tú; yo, altivo; acostumbrados
> una a arrollar, el otro a no ceder;
> la senda estrecha, inevitable el choque...
> ¡No pudo ser!

Se viene hablando de la incorrección métrica de Bécquer, de sus defectos de expresión; se ha aludido por algunos a su inexperiencia de escritor. Hemos de confesar que no acertamos a entenderlo. Examinados con la mayor atención sus versos, no encontramos por parte alguna esos fallos de que se le acusa. Si se quiere decir que no se ajustan a los esquemas métricos tradicionales, habremos de convenir en que es verdad. Pero de ahí a tacharlos de incorrectos hay una distancia inmensa. Bécquer versifica bien; sus versos suenan maravillosamente. No están pulidos, cincelados, como los de otros poetas de su tiempo; pero eso no importa, ni hace falta... Precisamente una de las grandes virtudes de este lírico excelso radica en haber sabido encontrar para su poesía, tan alada, tan etérea, unas formas métricas también etéreas y aladas; en haber sabido acomodar maravillosamente a cada clase de metro un contenido.

III. OTROS POETAS

Casi no deberíamos aludir a ellos, ya que ninguno merece salir del anonimato a que los ha condenado la posteridad. Son legión. El padre Blanco García aludió ya a la «turba de copleros», que casi llegaron a justificar el despectivo juicio de Núñez de Arce y que hubieran sido capaces de hacernos aborrecible el nombre de su modelo, si las *Rimas* no tuviesen en sí, y por encima de gustos y de épocas, sustancia poética bastante para resistir toda clase de profanaciones. Cuando apareció el libro de Bécquer, docenas y hasta centenares de vates en España y América se dedicaron a imitarle; y, como sucede de ordinario, sólo tomaron del maestro lo más endeble y externo, que es, por lo mismo, lo más fácil de copiar. Ni uno solo de ellos, repetimos, merece nuestro recuerdo.

Rosalía de Castro

La voz que por su hondura y por su tono, siempre emotivo y sentimental, más se aproxima a la de Bécquer es la de una poetisa gallega, ROSALÍA DE CASTRO (1837-1885) [15], en quien sus paisanos ven representada el alma misma de la raza. El haber escrito lo mejor de su obra en idioma nativo le resta interés en una historia dedicada exclusivamente a las creaciones en lengua castellana. No obstante, aun reúne méritos suficientes para figurar entre los primeros líricos castellanos del XIX. Su libro *En las orillas del Sar* está considerado por Azorín como «el volumen de más delicados y soñadores versos» [16] escrito en España durante la pasada centuria.

Abarcan las *Obras completas* de Rosalía de Castro producciones en prosa y verso. De las en prosa, no del todo cuajadas, merecen citarse la novela *Ruinas* y dos «cuentos extraños»: *El caballero de las botas azules* y *El primer loco*. Mucho más importante su labor poética, se halla resumida en los *Cantares gallegos* (Vigo, 1863), las *Follas novas* (Madrid, 1880) y un centenar de composiciones castellanas, en su mayor parte muy breves, reunidas bajo el título *En las orillas del Sar* (Madrid, 1884).

A su primera colección de versos, *La flor* (Madrid, 1857), es preferible no aludir. Aunque ya apunten en ellos las notas de suavidad y melancolía características de la autora, hay aún en aquellas páginas mucho lastre del peor romanticismo [17].

En cambio, los *Cantares gallegos*, las *Follas novas* y *En las orillas del Sar*, revelan un temperamento poético en algunos aspectos inigualable.

Nadie ha sabido expresar con más fidelidad ni mayor hondura el sentimiento del alma gallega. Los montes envueltos en bruma, los valles, las bajas rías, el cementerio, el pequeño templo de la aldea, le inspiran acentos conmovedores. Nunca la nostalgia—«la morriña»—había sido cantada con tan velada voz:

> Airiños, airiños, aires,
> airiños da miña terra;
> airiños, airiños, aires,
> airiños, levaime a ela...

La tierra natal es para Rosalía una obsesión y un dulce martirio:

> Sin ela vivir non podo...

La casita, el huerto, las campanas que llaman a
misa; todo, convertido en poesía, pasa luego a
sus versos:

> As laradas d'as casiñas
> por quen vivo suspirando...

> —————

> Campanas de Bastabales,
> cando vòs oyo tocar
> mórrome de soldades.

En las orillas del Sar, que por estar en castellano nos interesa más directamente, sin llegar al
intenso lirismo de las *Follas* y de los *Cantares*,
también merece un puesto de honor en la poesía
del xix. Es éste—escribe uno de sus biógrafos [18]—
un «libro de evocación, de recuerdos y de desilusiones». Aquí se canta, en un tono pocas veces
igualado, el dolor de los emigrantes, los desengaños
amorosos, la pérdida de las esperanzas, que hacen
amable y hasta casi deseable la muerte. Como Bécquer, también Rosalía encuentra su mejor inspiración en la serie de infortunios que acompañaron
casi ininterrumpidamente su vida. A veces una
gota de frío escepticismo parece manar de su corazón, que sufre con todo lo que sufre y agoniza
con todo lo que en la Naturaleza y en el hombre
se va poco a poco marchitando:

> ¡Qué horrible sufrimiento! ¡Tú tan sólo
> los puedes comprender, Dios mío!
> ¿Es verdad que lo ves? Señor, entonces,
> piadoso, compasivo,
> vuelve a mis ojos la celeste venda
> de la fe bienhechora que he perdido.

Esta pérdida es fugaz, transitoria. La calma vuelve
pronto a su espíritu:

> Tan sólo dudas y temores siento,
> divino Cristo, si de Ti me aparto;
> mas cuando hasta la Cruz vuelvo los ojos,
> me resigno a seguir en mi calvario.

Se vienen, a nuestro parecer, exagerando las analogías entre Bécquer y Rosalía de Castro. Aunque
ambos nos dan en sus versos lo más íntimo del
alma, evidentemente Bécquer es más concentrado,
más hondo y, al mismo tiempo, más intemporal
e impersonal. Por lo pronto, no hay en él ese
aprovechamiento de lo popular que encontramos
a cada paso en Rosalía:

> Has de cantar,
> meniña gaitera,
> has de cantar,
> que me morro de pena.
> Canta, meniña,
> na veira da fonte;
> canta, dareiche
> boliños do pote...

Para Rosalía, Galicia—su valle, su monte, su aldea, su ría—lo es todo. Bécquer, superando cualquier localismo, nos da una poesía de tema y
ambientación universal. Y otra cosa: Bécquer diluye en sus poemas mucha hiel, mucho humorismo

amargo; Rosalía es triste, pero con una tristeza
suave, simpática. La musa de la poetisa gallega se
llama *melancolía*; la de Bécquer puede tener muchos nombres, y uno de los que mejor le van es
el de *desesperación*. En fin, lo mismo en sus poesías gallegas que en las castellanas, donde su voz
se hace más arrulladora y simpática, es en los
temas que se refieren a la familia, al hogar. Dice
así, cantando a un hijito muerto:

> Era apacible el día
> y templado el ambiente;
> y llovía, llovía
> callada y mansamente.
> Mientras silenciosa
> lloraba yo y gemía,
> mi niño, tierna rosa,
> durmiendo se moría...

La verdad es que entre este lirismo confidencial,
íntimo, casi hogareño, y el de Bécquer, aun reconociendo en los dos calidades poéticas de primer
grado, hay cierta distancia.

Llorente, W. Querol y F. Balart

Al lado de Bécquer, y sin otras razones que las
puramente cronológicas, suelen figurar tres poetas
que disfrutaron en su tiempo de cierta popularidad: Teodoro Llorente, Vicente W. Querol y Federico Balart. La influencia en ellos del autor de
las *Rimas* es nula o casi nula; en cambio, en la
obra de los tres se descubre cierta emoción humana, que los acerca a la lírica moderna, a la vez
que la tendencia retórica los emparenta con Núñez
de Arce y hasta, en cierto modo, con Quintana.

El valenciano TEODORO LLORENTE (1826-1911),
afortunado traductor de Goethe, de Byron y de
Víctor Hugo, cultivó con aplauso la poesía, tanto
en su lengua vernácula *(Llibret de versos y Nou
llibret de versos)* como en castellano. Sus temas
preferidos eran la religión, la patria, el hogar y los
afectos familiares.

Idénticos temas y también en ambas lenguas
—valenciana y castellana—, ocuparon la musa de
VICENTE WENCESLAO QUEROL (1836-1889), uno de
los iniciadores de los Juegos Florales en Valencia
y en España. Su libro de *Rimas* (1877) le granjeó
la estimación de una minoría selecta que admiraba, sobre todo, la pulcritud y esmero de la forma. Su mejor composición, y una de las más notables de su tiempo, es la titulada *En la Nochebuena*.

FEDERICO BALART (1831-1905), murciano, era conocido y estimado como uno de los mejores críticos literarios de su siglo [19] cuando, ya en edad
madura, se dió a conocer como inspirado poeta
con su libro *Dolores* (1889), dedicado a la memoria de su esposa. Se trata de un ramillete de
poesías, de forma sencilla y fácil expresión, en
que es de admirar ante todo la hondura y sinceridad del sentimiento. *Dolores* alcanzó difusión

extraordinaria y bien merecida; es cierto que, llevado de su facilidad, el autor con frecuencia se arrastra hacia lo prosaico; pero también lo es que hay en el libro composiciones muy inspiradas y de singular encanto. Destacan las que llevan por título *Al lector, Resignación, Humildad, A media noche, El sauce y el ciprés, Las campanas* y *Restitución,* la más bella de todas. El estar escritos los mejores poemas de *Dolores* en pareados dodecasílabos ha hecho decir a cierto historiador y crítico que todo el libro va en ese metro. Tampoco es cierto que se trate de «un inspirado poema», según leemos en cierto *Diccionario.* Son más de treinta composiciones de muy variado metro y asunto [20]. Tiene Balart otra colección de poesías de menor mérito, titulada *Horizontes* (1897).

La tendencia clásica: Valera, M. Pelayo y Milá

Al hablar de «clasicismo» en la poesía de este período no nos referimos, claro está, a esa turbamulta de versificadores recalcitrantes que seguían escribiendo sus versos conformes a pautas arrinconadas hacía mucho tiempo. Eran ingenios, más o menos notables en otras actividades literarias, que creían buenamente poder hacer poesía a golpes de erudición y estudio. Ni el conde de Guenduláin, ni el de Cheste, ni Bartolomé José Gallardo, ni Joaquín J. Corvino, ni Aparisi Guijarro, ni Emilio García Olloquin, ni el mismo Lavarde Ruiz, tan celebrado por Menéndez Pelayo como poeta de altura, dejaron en verso nada que merezca perdurar. Beneméritos en otros sectores de las letras, allí tienen su puesto y allí se hará de ellos correspondiente mención.

Sólo hay tres escritores, de relevante figura en otros géneros, que por el camino de la erudición llegaron a crear incidentalmente una exigua obra poética de relativo mérito: el novelista y crítico don Juan Valera y el polígrafo don Marcelino Menéndez Pelayo y el maestro de éste y egregio historiador de las letras, don Manuel Milá y Fontanals. Pero los tres llegaron, las pocas veces que llegaron, a los aledaños de la poesía clásica, por el único y mejor camino: el estudio directo de los grandes modelos de la antigüedad. Aun así, repetimos, lo aprovechable de su obra poética es muy poco.

El novelista JUAN VALERA (1824-1905), al que estudiaremos en otro lugar, da la impresión cuando escribe verso de que lo hace por juego y pasatiempo. Sus *Poesías* (Madrid, 1858) han ido al papel directas desde el cerebro, sin pasar para nada por el corazón. Asombra que en medio del torbellino romántico se pudiera escribir estas composiciones tan frías, tan insinceras, tan faltas de todo calor humano. *La divinidad de Cristo,* por ejemplo, es una disertación de cátedra, expuesta en versos impecables y con una lógica contundente; los sáficos *A Delia,* que se nos dan como «imitación de Lamartine», marmóreos, trabajados hasta la exageración, carecen del menor soplo de vida. Valera es mucho mejor cuando canta con voz ajena. Sus traducciones del *Pervigilium Veneris,* de algunas baladas de Uhland, de Heine, de Goethe y de varios poetas americanos de aquel tiempo, son casi perfectas.

No ha de extrañarnos que don MARCELINO MENÉNDEZ PELAYO (1856-1912), familiarizado desde sus más tiernos años con clásicos griegos y latinos, se enamorase de lo mejor de aquella incomparable poesía y procurara imitarla en la medida de sus fuerzas [21]. A este deseo responde su colección de versos titulada *Odas, epístolas y tragedias* (Madrid, 1883), escritos cuando tenía veinte años, aunque publicadas algún tiempo después. Revueltas con magistrales traducciones de griegos y latinos, se nos dan algunas composiciones de propia cosecha; y, si no podemos suscribir totalmente las alabanzas que de ellas hace el autor del prólogo, don Juan Valera, en cambio no vacilamos en otorgar al maestro de la crítica española un crédito muy amplio como poeta. *La epístola a Horacio, La galerna del·Sábado Santo* y la oda consagrada *A la memoria del poeta Cabanyes,* entre otras, tienen pasajes de verdadera inspiración. El mayor defecto radica en la interferencia casi continua del erudito en la zona del poeta. Algunos trozos de la *Epístola a Horacio* parecen un capítulo de mitología.

También en don MANUEL MILÁ Y FONTANALS (1818-1884), aunque en menor grado que en el anterior, el erudito se superpone a veces al poeta, con serlo Milá de cuerpo entero y casi siempre muy inspirado. Tiene excelentes composiciones en su lengua vernácula, el catalán: *La font de Na Melior, Arnaldo de Beseya, La Complanta d'en Guillem* y *La Cansó del pros Bernat,* tan lograda esta última que ha merecido ser calificada por Menéndez Pelayo de «cantar de gesta en miniatura». Tiene también en castellano buenos poemas, aunque inferiores a los catalanes: *Mi cumpleaños, A Matilde Díez, Oriental, El trovador del Panadés,* etcétera. Pero donde brilla Milá como poeta insuperable es en la traducción de obras extranjeras. Sus versiones de *El rey de Tule,* de Goethe,; de algunos fragmentos del Dante y del soneto «Tanto gentile e tanto onesta pare», de Cacciaguida, son inigualables; y la bellísima del *Sic te, diva,* modelo de concisión y de sabor clásico, no tiene rival entre las muchas que en castellano se han hecho de la célebre oda horaciana, y acaso tampoco la tenga en ninguna otra lengua:

> Así la diosa ciprida,
> así las dos hermanas, constelación espléndida,
> y el padre Eolo guíente;
> los vientos domeñados, suelto tan sólo el céfiro,
> nave que cual depósito
> nos debes a Virgilio ....

La verdad es que aquí la musa de Milá vuela por las mismas latitudes que la musa de su paisano Cabanyes, y no muy lejos de Carducci.

Románticos rezagados

Así, «romántico rezagado», llama un crítico moderno al famoso poeta jienense BERNARDO LÓPEZ GARCÍA (1838-1870) [22]. Ineludible una mención, aunque somera, de este lírico tan mediocre como afortunado, que logró la máxima celebridad con una sola composición: la «elegía heroica»—así la llamó él—¡Dos de mayo!

Hay en las décimas altisonantes de esta composición muchos ripios, muchas incorrecciones gramaticales, que ya se encargó de señalar el padre Blanco García, mucha retórica huera. Pero hay también evidentes aciertos de expresión y aun sentimiento auténtico de amor a la patria, que casi hace olvidar aquellos defectos:

> Y no llegó a percibir,
> ebrio de orgullo y poder,
> que no puede esclavo ser
> pueblo que sabe morir.

Tiene López García en la colección de sus versos, publicada en 1867, varias composiciones—Polonia, El Mediterráneo, el soneto La fe—aceptables y, desde luego, superiores literariamente al Dos de mayo. Pero la inevitable tendencia del autor a lo declamatorio les resta no poco mérito [23].

Bajo el mismo epígrafe de «romántico rezagado» puede ser inscrito el poeta cartagenero JOSÉ MARTÍNEZ MONROY (1837-1861), quien con su composición El genio, publicada en La Crónica cuando sólo contaba veintiún años, hizo concebir al público las mayores esperanzas. Otros poemas—La victoria de Tetuán, El telégrafo eléctrico, El arte, Lo que dice mi madre, etc.—vinieron a confirmarle como vate de inspiración arrebatada. Pero su muerte, acaecida cuando sólo contaba veinticuatro años, le impidió llegar a la madurez. Sus Poesías (Madrid, 1864) merecieron ser prologadas por Castelar y comentadas ampliamente por Hartzenbusch.

Otro romántico que no llegó a cuajar enteramente, y no por falta de tiempo, fué don ENRIQUE RAMÍREZ DE SAAVEDRA Y CUETO (1828-1914), marqués de Auñón, de Andía y de Villasinda y cuarto duque de Rivas. Se afanó por seguir la senda poética de su padre, el egregio autor de El moro expósito, pero quedó muy retrasado respecto al progenitor. Escribió leyendas: La hija de Alimenón, El capitán Morgán; relatos novelescos: El sueño de la vida, Morir sin Dios; y un libro de versos líricos (Sentir y soñar, Madrid, 1856), cuyas mejores composiciones son las que llevan por título Humo y ceniza, Dos ángeles, Murillo, El canto de la sirena, El beso y A un árbol. A esta última pertenecen los siguientes versos, que retratan a su autor de cuerpo entero:

> Cuando la muerte mi destino amanse,
> árbol, ¿quién sabe si caerás también,
> si el féretro serás en que descanse
> mi helado pecho, mi marchita sien?

De más altura fué VÍCTOR BALAGUER (1824-1901), el incansable escritor y promotor en buena parte del renacimiento literario catalán, quien llevó a su obra, tanto narrativa como lírica, un fuerte aliento romántico. El haber redactado su mejor poesía en catalán (Esperansas y recorts, Llibre del amor, La noya blanca, Albadas, Ma caseta blanca, Llibre de la fe, Llibre de la patria) nos impide detenernos en este fecundísimo poeta y prosista que cultivó con gran éxito los más importantes géneros: leyenda, tragedia, lírica, historia.

Otro erudito y polígrafo, éste de Badajoz, don VICENTE BARRANTES Y MORENO (1829-1898), quiso también impregnar sus Baladas españolas (Madrid, 1853 y 1865) de sustancia romántica. Hay entre ellas algunas muy logradas y que todavía se dejan leer: La golondrina, Santa Isabel y Murillo, Cancio del mes de mayo, Flor transplantada, Esposa sin desposar. Menos afortunado estuvo en Días sin sol, poesías filosóficas en las que aspira a emular a Campoamor. En cambio, el madrileño EDUARDO BUSTILLO (1836-1900), sin abdicar por entero del credo romántico, tomó por modelo a Selgas, y en Las cuatro estaciones (1877) revela el mismo hondo sentimiento de la Naturaleza y la misma armonía y facilidad versificatoria que señalábamos en el poeta lorquino.

El poeta sevillano don JOSÉ LAMARQUE DE NOVOA (1828-1907) empieza en sus Poesías (Sevilla, 1867) imitando a Quintana en odas altisonantes, para las que demostró no faltarle aliento: Al mar, A la Virgen de Monserrat, etc. Pronto se cansa de la trompa heroica y deriva por otros caminos. En las baladas y leyendas (El señor feudal, El hijo espurio), así como en sus colecciones de poemas líricos (Desde mi retiro, Remembranzas), se nos muestra romántico impenitente y émulo no despreciable de Zorrilla. Y eso que el primero de esos libros apareció en 1900, y Remembranzas, en 1903, es decir, en pleno triunfo del modernismo. También cultivó con éxito la leyenda de corte romántico el fecundísimo dramaturgo cacereño don ANTONIO HURTADO Y VALHONDO (1825-1878), ya citado como autor teatral. Sus leyendas y romances no son inferiores, a juicio de un crítico como Araújo y Costa, a las del duque de Rivas y Zorrilla; y, según el padre Blanco García, El Madrid dramático (1870), colección de cuadros costumbristas del XVII, en que están reunidas sus mejores narraciones, «rivaliza con las mejores producciones legendarias de nuestra literatura, sin descontar los Cantos del trovador ni los Romances históricos, del duque de Rivas». Las mejores son las tituladas Los padres de la Merced, Un drama oculto de Lope, Un lance de Quevedo, La maya,

En la sombra, La ejecución de un valido, Los dos Pérez y *Las gradas de San Felipe.* Tiene Hurtado asimismo un *Romancero de Hernán Cortés,* en el que se acredita de poeta fácil, galano y colorista.

Don MANUEL CAÑETE (1822-1891) es otro erudito que se empeñó en ser poeta sin aptitudes para ello. Sus *Poesías* (1859) revelan un estro premioso, duro y que rara vez capta la onda estremecedora del lirismo. Sólo en un romance endecasílabo, *La paz de Cuba,* y en una balada, *El árbol seco,* se muestra relativamente inspirado.

Por el contrario, hay un poeta, semiolvidado en los manuales y hasta en las obras de alguna extensión, que demostró serlo de veras, aunque, desgraciadamente, no llegó a su plenitud. Aludimos a don LUIS ANTONIO ROMÁN MARTÍNEZ Y GÜERTERO, más conocido por el seudónimo de «Larmig», con que firmó sus pocos poemas publicados. Fué en las páginas de *La Ilustración Española y Americana* donde aparecieron unos *Cantos* religiosos inspiradísimos, que desde el primer momento llamaron la atención del público culto. No tardaron en ser coleccionados bajo el título de *Las mujeres del Evangelio* en un libro que vió la luz en 1873 y que hubo de reimprimirse al año siguiente. Una vena purísima, juntamente con un hondo fervor y un sentimiento de dolorosa resignación, latía en el fondo de aquellos poemas, algunos de los cuales, como el canto *A María* y *La Samaritana,* alcanzaban la más alta cima de la inspiración. Poesía la de «Larmig» que «no parece escrita, según el juicio de Salvador Rueda, sino nacida como un organismo cualquiera, el de una flor, el de un pájaro».

Cerramos esta nómina, fácilmente alargable, con el nombre de FRANCISCO ZEA (1825-1857), poeta de «fantasía calenturienta y volcánica», pero de formación deficientísima. Ambas cosas se reflejan en sus composiciones *(Obras en verso y prosa,* Madrid, 1858), coleccionadas por sus amigos con carácter póstumo y editadas con un prólogo de Castro y Serrano y unas *Palabras* de Eulogio F. Sanz. En ellas alternan chispazos de inspiración con pasajes del peor gusto; odas a la manera de fray Luis, escritas en la consabida lira garcilasiana *(A las campanas, El miércoles de ceniza, A Laura);* idilios en tercetos, con una frondosa mitología ya trasnochada *(Tirsis a Anfrisò),* y poemas de corte moderno y casi totalmente logrados. Todo ello, eso sí, acusando en su autor un temperamento poético tan original como indisciplinado:

> Cuando suelto la rienda a mi caballo
> y alas le pido al viento,
> salta la lumbre y bajo el férreo callo
> retiembla el pavimento.
> He roto ya una lanza en la muralla;
> con sangre el campo humea;
> ante el solemne horror de la batalla,
> mi espada centellea.

No sabemos por qué, al leer estos versos, nos acordamos de otro poeta que allá en la Argentina, unos años más tarde, cantaba con la misma voz y casi con los mismos términos. Aludimos a Olegario Víctor Andrade, de quien no nos atreveríamos a sugerir que imitase al poeta español, ni aun siquiera que le conociese, porque harto sabemos todos las coincidencias que suelen darse en esa zona de las letras que se llama la poesía.

NOTAS

1. *Historia de la literatura española,* II, pág. 100, Nueva York, 1948.

2. En vida del poeta sólo aparecieron impresas quince Rimas, de las setenta y seis, de que constan las primeras ediciones, y setenta y nueve que se le reconocen como auténticas.

3. Es de justicia consignar que el tan denigrado padre Blanco García, en su *Literatura española del siglo XIX,* tomo II, le dedica un capítulo casi íntegro, haciéndole objeto de las mayores alabanzas.

4. Dice Larrea:

> Yo soy del sol la lumbre centelleante,
> la tibia luz de la lejana estrella,
> la luna que con rayo vacilante
> pálida alumbra, misteriosa y bella.

Y dice Bécquer:

> Yo soy el fleco de oro
> de la lejana estrella,
> yo soy de la alta luna
> la luz tibia y serena.

El aligeramiento de la idea en manos de Bécquer es manifiesto.

5. Nace en Arévalo (Avila) en 1825. Huérfano de tierna edad, queda confiado a la tutela de un pariente duro, que contribuye con su trato a agriar más aún el carácter, ya de por sí hosco, del poeta. Estudia Leyes en Valladolid y pasa a Madrid, con intención de dedicarse al periodismo; pero allí le espera una bohemia denigrante. Llevado a *El Español* por Andrés Borrego, como corrector de estilo, pronto empieza a destacar en el mundo de las letras. En 1848 estrena *Don Francisco de Quevedo,* con éxito casi apoteótico. Es un drama sombrío, de amargo humorismo y fondo filosófico pesimista, pero bien versificado, de hábil intriga y, sobre todo, representativo de las primeras reacciones contra los excesos declamatorios del romanticismo. La revolución del 54, a la que había contribuído con un soneto famoso, que circuló manuscrito, le lleva a elevados puestos, entre ellos a la Secretaría de la Legación española en Berlín. Todavía se le llegó a nombrar para un cargo diplomático en Brasil, pero renunció. Florentino Sanz vivió los últimos veinte años retraído y amargado, por creer que se le postergaba injustamente. Murió en 1881.

6. Número 9, correspondiente al 15 de mayo. Llevaban esta nota aclaratoria: «El poeta prusiano, el primero sin duda entre los líricos alemanes que se ha hecho popular en Europa..., acaba de morir en París, el año 1856. Fué don Eulogio Florentino Sanz, agente diplomático de España en Alemania, el traductor de sus poesías.» En el mismo *Museo Universal* apareció diez años más tarde otra traducción de Heine por el poeta salmantino don Mariano Gil. La difusión del gran lírico germano en nuestra patria era extraordinaria por aquellas fechas. El padre Blanco García cita otras cuatro versiones más.

7. Una de las que más debieron de influir es la 2, cuyo parecido hasta métricamente con algunas *Rimas* es innegable. Júzguese por este fragmento:

> ¿Por qué, dime, bien mío, las rosas
> tan pálidas yacen?
> ¿Por qué están en su césped tan muertas
> las violas azules..., lo sabes?

¿Por qué, dime, tan flébil gorjea
la alondra en el aire?
¿Por qué exhalan balsámicas hierbas
olor de cadáver?
....
¿Por qué yazgo tan triste y enfermo
yo propio..., lo sabes?
¿Por qué, aliento vital de mi alma,
por qué me dejaste?

8. Dice así esta delicada composición de Florentino Sanz, que basta para acreditarle de finísimo poeta:

Si entre despierta y dormida,
lánguida en tu dormitorio,
percibieras tu nombre en las auras,
soy yo, que te nombro.

Si de amor dulces quimeras
llaman de tu almohada en torno,
y responde a tu voz un suspiro,
soy yo, que· respondo.

Si en sueños tu frente orea
tibio de un cabello el soplo,
que ni turba siquiera tu sueño,
soy yo, que te toco.

Mas un otro soñando
(líbreme Dios) un sollozo
rompe acaso tu pérfido sueño,
soy yo..., que me ahogo.

9. Esta ascendencia flamenca explica para algunos el fondo intimista y melancólico de la poesía becqueriana. «¿Cómo—preguntaba ya el padre Blanco García—un poeta sevillano, un amante de los prodigios pictóricos y esculturales, se apartó tanto de la forma exterior, para abrazarse con la idea pura, desconocido en las márgenes del Darro y del Guadalquivir?» Y, junto a la hipótesis de las influencias Heine-Byron-Musset, apunta sus antecedentes étnicos.

10. Eran éstos, aparte Gustavo Adolfo y Valeriano: Estanislao, Ricardo, Alfredo, Eduardo, Jorge y José.

11. D. Alonso: Poetas españoles contemporáneos, «Originalidad de Bécquer», págs. 11-49. Más bibliografía sobre este problema: W. S. Hendrix: Las rimas de Bécquer y la influencia de Byron, «Bol. Acad. de la Hist.», XCVIII, 1931; E. Díez Canedo, en «Ilustr. Española y Amer.» (8-5-1914); J. M.ª De Cossío: Bécquer y Grün, «Bol. de la Bibl. de M. Pelayo», XXVI, 1950; R. de Balbín Lucas, en «Rev. de Filol. Esp.», XXVI, 1942; R. M. Merchán: Estudios críticos, Madrid, s. a.; L. F. Vivanco: Música celestial de G. A. Bécquer, «Cruz y Raya», 1934; Gamallo Fierros, en «Estafeta Liter.» (25-8-1944), y Un Bécquer que no es Bécquer, anterior a Bécquer, en Páginas abandonadas de Bécquer, Madrid, 1948; Everett Ward Olmsted: Legens, Tales and Poems, Boston, 1907. Y todavía con relativa validez, el aludido capítulo que a Bécquer dedica el Padre Blanco García en el volumen II de su Literatura. Compuestas ya estas páginas, llega a nuestras manos el libro de José Pedro Díaz Gustavo Adolfo Bécquer. Vida y poesía (Edit. Gredos, Madrid, 1958), que casi agota el tema.

12. Encontramos demasiado categórica la afirmación de Azorín al decir que en la poesía de Bécquer no hay «ni gritos ni imprecaciones: sólo algún mudo sollozo».

13. Por ejemplo, en la rima LXIII («Como enjambre de abejas irritadas...»); y más concretamente en la LXXI, donde nos habla de

... ese limbo
en que cambian de forma los objetos,
misteriosos espacios que separan
de la vigilia el sueño.

Y más adelante establece con cierta claridad la divisoria de ambos planos:

De la luz que entra al alma por los ojos
los párpados velaban el reflejo;
mas otra luz el mundo de visiones
alumbraba por dentro.

Todavía en la LXXV, después de aludir al «mundo silencioso de la idea», insiste vagamente:

Yo no sé si ese mundo de visiones
vive fuera o va dentro de nosotros;
pero sí que conozco a muchas gentes
a quienes no conozco.

14. «Poesías que parecen hechas de nada», dice Azorín con definitivo acierto (Al margen de los clásicos. Bécquer, Buenos Aires, 1942).

15. Nace en Santiago de Compostela, en una fría noche de 1837. Hija ilegítima de padre desconocido. Se educa al lado de su madre, y a los once años empieza a dar muestra de su exquisita inspiración. Estudia dibujo, música y lenguas, especialmente francés; lee mucho, aunque desordenadamente, y manifiesta cierta especial aptitud para el teatro, que luego no cultivaría. A los veinte años (1856) va a Madrid; se relaciona con gente de letras y contrae matrimonio con el historiador Manuel Martínez Murguía. Vive en la capital y en Simancas; acompaña a su esposo por diversas regiones. Al fin, vuelve definitivamente a su añorada Galicia, donde, entregada al hogar, a los hijos y a las letras, pasa los últimos años entre el afecto y la devoción de sus paisanos. Murió en Iria Flavia, cerca de Padrón, a orillas del Sar, el río amado que cantó tan sentidamente, en 1885. El traslado de sus restos a Santiago, seis años después, constituyó un acontecimiento casi nacional.

16. «Azorín»: Clásicos modernos.

17. «A cada palabra, a cada giro, a cada verso, recordamos al ilustre autor de El estudiante de Salamanca», escribía el crítico de La Iberia (que no era otro que su futuro marido, M. Murguía) en la reseña que le dedicó recién publicado el libro: 12 de mayo de 1857.

18. V. García Martí: Pról. a las «Obras completas», Aguilar, Madrid, 1947, 2.ª ed., pág. CLXV.

19. Clarín afirmaba que en las críticas respectivas Valera prodigaba elogios; Valbuena («Miguel de Escalada»), censuras, y Balart, consejos.

20. Desde luego, el metro que más emplea Balart, y en el que se revela maestro insuperable, es el dodecasílabo en dos hemistiquios de siete y cinco sílabas:

Estas pobres canciones, que te consagro,
en mi mente han nacido por un milagro.
Desnudas de las galas que presta el arte,
mi voluntad en ellas no tiene parte:
yo no sé resistirlas ni suscitarlas;
yo ni aun sé comprenderlas al formularlas;
y es en mí su lamento, sentido y grave,
natural como el trino que lanza el ave.
Santas inspiraciones que tú me envías,
puedo decir, esposa, que no son mías:
pensamiento y palabra de ti recibo;
tú en silencio las dictas; yo las escribo.

21. De cómo había llegado a asimilar el ritmo clásico dan idea fragmentos como éstos:

Cícladas islas, islas de la Grecia,
que el mar Egeo con sus ondas baña,
donde surgiera la materna Delos,
cuna de Apolo...

(Himno a Grecia, imit. de Byron.)

Ella tu esposa fué, casta y desnuda,
y brotó de su seno, fecundada
por tu abrazo viril, la forma indócil
luchando por la vida.

(A Cabanyes.)

Vengan dáctilos, yambos y pirriquios
caldeados en tu fragua creadora;
que se entrelacen en vistoso juego
y dancen como ninfas desceñidas,
que con rítmico pie baten la tierra.

(Epístola a Horacio.)

Puso Dios en mis cántabras montañas
auras de libertad, tocas de nieve
y la vena del hierro en sus entrañas;
tejió del roble de la adusta sierra,
y no de frágil mirto, su corona...

(La galerna del Sábado Santo.)

22. Nace en Jaén. Periodista, durante su juventud, en Madrid; vuelve a Jaén, donde contrae matrimonio en 1864, y se dedica con ardor a la propaganda de ideas revolucionarias para Andalucía. Muere en 1870.

23. Un cuadro completo de la lírica durante este período con destino a una historia más amplia que la nuestra debería abarcar otras muchas tendencias y grupos:

a) Una serie de románticos rezagados, como el santanderino Evaristo Silió, el murciano José Martínez Monroy, el sevillano José Lamarque Novoa, el catalán Víctor

BALAGUER, tan conocido por sus leyendas en prosa; el cacereño ANTONIO HURTADO Y VALHONDO, colaborador de Núñez de Arce en el teatro; el crítico sevillano MANUEL CAÑETE, el erudito VICENTE BARRANTES; FRANCISCO ZEA, autor de composiciones de tono grandilocuente; etc.

b) Un grupo de poetas que prefieren los temas populares; en forma de *cantar*, entre los que sobresale ANTONIO TRUEBA, el ameno cuentista, autor de dos colecciones de poemas de este tipo: *El libro de los cantares* y *El libro de las montañas*.

c) Otro grupo que prefiere la sátira, casi siempre de carácter social o político: el ya citado FERNÁNDEZ Y GONZÁLEZ, con sus felices improvisaciones; JOSÉ GONZÁLEZ DE TEJEDA, «Quevedo en miniatura» (Padre Blanco García); MANUEL DEL PALACIO, también ya aludido; etc.

d) Un reflorecimiento de la poesía didáctica, en especial de la fábula, con HARTZENBUSCH, FERNÁNDEZ BAEZA, el BARÓN DE ARDILLA, CARLOS PRAVIA, José María GUTIÉRREZ DE ALBA, CAMPOAMOR y MIGUEL AGUSTÍN PRÍNCIPE, «infeliz y osado merodeador de todos los géneros literarios, pero que en éste nos dejó muestras no indignas de Iriarte, Samaniego y aun del mismo La Fontaine».

BIBLIOGRAFIA

Obras generales: las reseñadas en el capítulo anterior.

I. G. ADOLFO BÉCQUER: Prefacio a «La soledad», de Ferrán, 1861.—N. ALONSO CORTÉS: *Quevedo en el teatro y otras cosas* (estudia a E. Florentino Sanz, págs. 5-43), Valladolid, 1930.—E. CARRERE: *De la vida de un poeta* (Eulogio Florentino Sanz), «Ilustr. Esp. y Amer.», LXXXV, 1908.—F. ZARDA ROLDÁN: *Biografía de Eulogio Florentino Sanz*, Avila, 1910.—J. M. DÍAZ TABOADA: *Eulogio F. Sanz, poeta de transición*, «Rev. de Literatura», XIII, Madrid, 1958.

II. D. ALONSO: *Poetas españoles contemporáneos*, páginas 7-49, Edit. Gredos, Madrid, 1952.—MARÍA ROSA ALONSO: *Gustavo Adolfo Bécquer*, «Cuad. de la Fac. de Filosofía y Letras de Madrid», 1936.—S. y J. ALVAREZ QUINTERO: *Bécquer*, «Obras completas», Aguilar, Madrid.—R. DE BALBÍN LUCAS: *El tema de España en la obra de Bécquer*, lección inaugural de curso en la Univ. de Oviedo, 1944; *Notas sobre el estrofismo becqueriano*, «Rev. de Literatura», VII, 1955.—V. BARRERO AMADOR: *Gustavo Adolfo Bécquer*, «Rev. de España», t. 141, págs. 187-385.—JULIA BÉCQUER: *La verdad sobre los hermanos Bécquer*, «Rev. del Ayunt. de Madrid», IX, 1932.—C. BLANCO VILLEGAS: *El ideario sentimental de Bécquer*, Madrid, 1941.—J. CASALDUERO: *Las Rimas de Bécquer*, «Cruz y Raya», noviembre, 1935.—L. CERNUDA: *Bécquer y el romanticismo español*, «Cruz y Raya», mayo, 1935.—C. CONSIGLIO: *Gustavo Adolfo Bécquer, poeta*, Lib. Scientifica Editrice, Nápoles, 1951.—J. PEDRO DÍAZ: *Gustavo Adolfo Bécquer. Vida y poesía*, «La Galatea», Montevideo, 1953.—M. A. DOMÍNGUEZ: *Bécquer y el amor*, Buenos Aires, 1942.—D. GAMALLO Y FIERROS: *«Obras completas de G. A. B.»*, ordenadas por..., Edit. Aguilar, Colec. «Joya», Madrid.—J. FRUTOS GÓMEZ DE LAS CORTINAS: *La formación literaria de Bécquer*, «Rev. Bibliog. y Documental», IV, 1950.—J. GUILLÉN: *La poética de Bécquer*, «Rev. Hisp. Moderna», VII, 1942.—W. S. HENDRIX: *Las Rimas de Bécquer y la influencia de Byron*, «Bol. Acad. de la Hist.», XCVIII, Madrid, 1931.—A. HERNÁNDEZ: *Bécquer y Heine*, Madrid, 1946.—F. IGLESIAS FIGUEROA: *Páginas deconocidas de Bécquer*, Madrid, 1923.—B. JARNÉS: *Doble agonía de Bécquer. Biografía*, Madrid, 1936.—EDMUND L. KING: *Gustavo Adolfo Bécquer, From Painter to Poet*, Edic. Porrúa, Méjico, 1953.—J. LóPEZ NÚÑEZ: *Bécquer. Biografía anecdótica*, Madrid, 1915.—MARROQUÍN Y AGUIRRE: *Bécquer, el poeta del amor y del dolor*, Madrid, 1927.—J. M.ª MARTÍNEZ CACHERO: «*Donde habite el olvido*» *(Notas para una fortuna póstuma de G. A. B.)*, «Cuad. de Literatura», núm. 2, 1947.—J. M. McCLELLAN: *Gustavo Adolfo Bécquer*, «Liverpool Studies», 1940.—H. MEDINAVEITIA: *Discursos literarios. Heine y Bécquer*, Vitoria, 1899.—P. MAZZEI: *Due anime dolenti: Bécquer e Rosalia*, Milán, 1926.—E. W. OLSTED: *Tales and Poems of G. A. B.* (con un estudio del poeta), Boston, 1907.—A. RAMÍREZ ARAÚJO: *Bécquer y la reconstrucción del pasado*, «Hispania», XXXIX, Washington, 1956.—F. SCHENEIDER: *Gustavo Adolfo Bécquer. Leben und Schaffen*, Roma-Leipzig, 1914; *Tabla cronológica de las obras de G. A. B.*, «Rev. Filol. Esp.», XVI, 1929.—J. A. TAMAYO: ed. del *Teatro de G. A. B.*, C. S. I. C., Madrid, 1949; *Obra completa de Gustavo Adolfo Bécquer*, Edit. Afrodisio Aguado, Madrid, 1949.—D. GAMALLO FIERROS: *G. A. Bécquer. Páginas abandonadas*, Edit. Valera, Madrid, 1948.—ILDEFONSO M. GIL: *Los temas de las «Rimas» de Bécquer*, Univ. Zaragoza, XVII, 1940.—J. F. GÓMEZ DE LAS CORTINAS: *La formación literaria de Bécquer*, «Rev. Bibliográfica y Documental», IV, 1950.—E. L. DEL PALACIO: *Pasión y gloria de G. A. Bécquer*, Madrid, 1947.—E. PARDO CANALÍS: *Hacia una estética becqueriana*, «Rev. Ideas Estéticas», IX, Madrid, 1951.—J. M.ª DEL REY: *Bécquer o la poesía*, «Ensayos sobre la poesía», Montevideo, 1956.—J. A. TAMAYO: *Una obra cervantina de Bécquer*, «Anal. Cervantinos», I, 1951.

III. Rosalía de Castro. CORTINA ARABENA: *Rosalía de Castro y Murguía*, Buenos Aires, 1930.—F. BOUZA BREY: *La joven Rosalía en Compostela*, «Cuad. Est. Gallegos», fasc. XXXI, Santiago de Compostela, 1955.—A. COUCEIRO FREIJOMIL: *Diccionario biobibliográfico de escritores gallegos*, I A-E (Rosalía de Castro), Santiago de Compostela, 1951.—A. GONZÁLEZ BESADA: *Rosalía de Castro. Notas biográficas*, Madrid, 1916.—V. GARCÍA MARTÍ: Pról. a las «Obras completas de R. de C.», Edit. Aguilar, Colec. Joya, Madrid, 1944.—A. MURIAS SANTAELLA: *Rosalía de Castro. Su vida y su obra*, Buenos Aires, 1942.—J. S. PROL BLAS: *Estudio biográfico-crítico de las obras de R. de C.*, 1917.—TIRRELL (Sister Mary Pierre): *La mística de la saudade. Estudio de la poesía de Rosalía de Castro*, Madrid, 1951.—V. VALES FAILDE: *Rosalía de Castro*, Madrid, 1906.—J. GUZMÁN: *Teodoro Llorente*, «La Lectura», I, 1911.—A. MASRIERA: *Teodoro Llorente*, Barcelona, 1905.—M. MENÉNDEZ PELAYO: Preámbulo al «Nou Llibret de versos», de T. Llorente, Valencia, 1902.—J. NAVARRO REVERTER: *Teodoro Llorente. Su vida y sus obras*, Barcelona, s. a.—D. PERES: *El poeta de Valencia (Teodoro Llorente)*, «La Lectura», II, 1911.—J. SÁNCHEZ SIVERA: *Bibliografía de Teodoro Llorente*, Valencia.—P. ANTONIO DE ALARCÓN: Pról. a «Poesías» de Querol.—T. LLORENTE: Prefacio a las «Rimas» de Querol, Madrid, 1891.—M. GARCÍA BLANCO: *El poeta valenciano V. W. Querol y Unamuno*, Rev. Valenc. de Filología», 1941.—J. M. ALVAREZ DE SOTOMAYOR: *Federico Balart*, «Rev. Cultural de Chile», XLVI, 1924.—J. BARCELÓ JIMÉNEZ: *Vida y obra de Federico Balart*, pról. de Angel Valbuena Prat, Murcia, 1956.—M. DE PALAU: «*Dolores*», por Federico Balart, «Ilust. Ibérica», 1894.—A. SÁNCHEZ PÉREZ: *Balart*, «Ilust. Ibérica», 1894.—P. MAZZEI: *La lírica di don Juan Valera*, «Bull. Hisp.», XXVII, 1925.—J. M.ª ROCA FRANQUESA: *La personalidad poética de don Juan Valera*, «Rev. Univ. de Oviedo», 1947.—J. VALERA: Introd. a las *Poesías* de Menéndez Pelayo, «Obras completas», LXI y LXII, Edit. Nacional, 1955.—F. DE CÁCERES: *El poeta Menéndez Pelayo*, «Unidad», Santander, 30 nov. 1955.—E. ALCÁZAR ANGUITA: *Bernardo López García. Ensayo de revisión crítica*, Guadalajara, 1955.—A. CRUZ RUEDA: *Examen crítico de Bernardo López García*, Jaén, 1909.

CAPITULO LXXIII

LA POESIA POSTROMANTICA EN AMERICA

I. La generación argentina del Ochenta: *Andrade. Guido Spano. Rafael Obligado. «Almafuerte». Oyuela. Ricardo Gutiérrez y otros.*—II. El segundo romanticismo uruguayo: *Poetas principales.*—III. Zorrilla de San Martín: *Vida y persona. Obra literaria. «Notas de un himno» y «La leyenda patria». El «Tabaré».*—IV. Pervivencias románticas y clasicistas: *De la Argentina hasta el Ecuador. Colombia y Venezuela. Las Antillas: Cuba. Méjico.*—V. Poesía gauchesca: *Caracteres. Período inicial y primeras manifestaciones. Hidalgo, Ascasubi y Del Campo. El «Martín Fierro», de Hernández.*
NOTAS.—BIBLIOGRAFÍA.

I. LA GENERACION ARGENTINA DEL OCHENTA

En el último tercio del XIX se abre en la poesía de Hispanoamérica un período de transición. No tiene límites cronológicos fijos, como no los tiene ninguno de esos períodos, que suelen extenderse entre dos épocas o escuelas determinadas. En el caso que nos ocupa, entre el romanticismo, que ya hacia el 60 había dado lo mejor de sí, y el modernismo, que antes del 90 se impondría triunfante. Tampoco ofrece notas específicas, porque precisamente tales períodos se caracterizan por su fluidez, por su proteico semblante, que en cada lugar y momento cambia de fisonomía. Son simples puentes que sirven de tránsito de una época a otra. A veces se prescinde de tales puentes, y entonces hay una verdadera revolución estética. Tal es el caso del romanticismo: un poeta que se acostó neoclásico, valga el ejemplo del duque de Rivas, se levanta romántico. Casi siempre las cosas vienen por sus pasos contados; entonces hay una evolución. Así fué el período que nos ocupa. Período jánico, en cuanto mira de un lado al romanticismo en declive, y de otro, al modernismo que avanza; período, a la vez, heterogéneo, en que cada poeta canta a su modo y, aun coincidiendo a veces en tono y compás varios de ellos, no es posible señalar una nota dominante. En el romanticismo, sí; en el neoclasicismo, también. Entonces las voces discordantes eran excepción. Ahora hay muchas voces; muchas escuelas o, mejor, tendencias.

Imposible registrarlas todas. Hay algunas—la Generación Argentina del Ochenta; el grupo de románticos rezagados en Chile, en Colombia, en Cuba, en otros países; las pervivencias clasicistas, que en toda época afloran y que en estos períodos de confusión suelen retoñar con mayor brío; la pujante manifestación del género «gauchesco»—que se imponen por sí mismas y, aun dentro de la heterogeneidad señalada, mantienen cierto sello de unidad. Hay también ciertas figuras señeras, que escapan al concepto del grupo. En tal caso está, con referencia a la época que estudiamos, José Zorrilla de San Martín. A esas tendencias y esas figuras limitamos nuestra atención en el presente capítulo. Y empezamos por la Generación Argentina del Ochenta.

El romanticismo argentino tiene un florecimiento espléndido, aunque tardío, ya bien entrada la segunda mitad del XIX. Por constituir un grupo hasta cierto punto homogéneo cronológicamente, se le suele llamar la «segunda generación romántica», debiendo advertirse que en ella se suele inscribir, aunque sólo sea por razones de coetaneidad, espíritus tan clásicos o clasicistas como el de Calixto Oyuela. Porque su aparición en escena coincide con un hecho importantísimo en la vida del país, la federalización de Buenos Aires, con la que aquél alcanza su organización definitiva, se conoce también con el nombre de «generación del ochenta».

Los generacionistas del 80 se sienten muy clavados en la realidad y tienen una visión bastante exacta de las cosas. Por una parte sienten que algo se les va, algo va dejando de ser, anegado por el aluvión extranjerizante que avanza sobre la Argentina en el último tercio de la pasada centuria; por otra, presagian el alborear de algo grandioso que viene a sustituir, acaso con ventaja, a lo que empieza a desaparecer. Lo que se va es simplemente la vida patriarcal, con su carga de historia, de costumbres y hasta de literatura; lo que se augura como sustitutivo es un ambiente de bienestar material, de cosmopolitismo, de europeización. En menos palabras: se va la tradición y llega el progreso.

Esto es lo que inspira a los poetas más destacados del grupo; a unos, como Rafael Obligado, para lamentarlo; a otros, como Andrade, para darle la bienvenida con encendidos ditirambos. A los poetas se unen novelistas, historiadores, críticos y tratadistas de diversos géneros. Todos ellos, aun distanciados por la edad [1] y más aún por particulares ideologías, se integran en un grupo que define con cierta claridad toda una época de las letras argentinas. Esos poetas son, para no citar sino los más destacados, Andrade, Guido Spano, Rafael Obligado, *Almafuerte,* Oyuela; esos escultores de la historia, la crítica o la novela, se llaman Cambaceres, Julián Martel, L. V. López, Cané, Mansilla, Mitre.

Empeñados en un afán común o actuando cada cual por su lado, esos poetas y prosistas, que en su mayor parte andaban por entonces rondando los veinte y treinta años, publican periódicos de corta vida, dan conferencias, organizan veladas, crean un círculo científico-literario en el que se discuten problemas del momento, en especial los que atañen a las letras, revitalizan una Academia Argentina ya existente; en fin, utilizan todos esos medios que suelen emplear las promociones jóvenes cuando quieren dar señales de vida porque traen, o piensan traer, algo nuevo que decir. En poesía, único aspecto que ahora nos interesa, tienen sus ídolos: Víctor Hugo, Musset. Todavía parnasianos y simbolistas franceses no han hecho su aparición en las orillas del Plata; pero ya se acercan. Algún poeta del grupo los conoce; ha leído sus libros y hasta en algún caso está más cerca de Leconte de Lisle y de Moréas que de Hugo. Hablamos, por ejemplo, de Antonino Lamberti, colaborador más tarde de Rubén en un soneto famoso. La nota que domina es, sin embargo, romántica; un romanticismo optimista, confiado, de cara al porvenir, que se anuncia sonriente; una visión eufórica de la vida, que contrasta con la visión tercamente sombría del primer romanticismo. El animador, y cronista luego, del grupo fué MARTÍN MÉROU (1862-1905), quien, a falta de buenos poemas, nos dejó puntual información *(Confidencias literarias, Recuerdos literarios, Libros y autores)* sobre muchos de sus componentes. También hizo novela. La primera voz nueva, en la que se anunciaba una poesía distinta de la oída hasta entonces, fué CARLOS ENCINA, que en 1877 asombraba a los jóvenes argentinos con un *Canto al arte*, otro *A Colón* y otro a *La lucha por la idea*, portadores los tres de auras renovadoras. La voz de Encina se apagó pronto, y otras de más volumen se dejaron oír en el ámbito nacional.

Andrade

Muerto Echeverría y enmudecida la voz de Mármol, hay en la poesía argentina una larga etapa de silencio, que apenas logra alterar la musa de unos cuantos poetas de ínfima calidad. Se diría que «la nueva y gloriosa nación», auspiciada en el himno de López y Planes, estaba tomando alientos antes de lanzarse a la gran aventura que convirtió a la Argentina en uno de los pueblos más prósperos del universo. Ya en franca ruta hacia el progreso, la gran nación del Plata no tarda en alumbrar al poeta que se haría eco de las recientes inquietudes y conquistas, el vate que encarnaría en sus cantos la conciencia nacional. Este poeta era OLEGARIO VÍCTOR ANDRADE (1839-1882) [2]. Aparece en Buenos Aires hacia el 1876, tras una larga experiencia de escritor provinciano. Poco conocido aún en la capital, le bastan dos o tres poemas para consagrarse el verbo de su tiempo y de su país. Apenas hubo persona que no aprendiese en la Argentina de memoria aquella introducción de *El nido de cóndores:*

> En la negra tiniebla se destaca,
> como un brazo extendido hacia el vacío,
> para imponer silencio a sus rumores,
>   un peñasco sombrío.
> Blanca venda de nieve le circunda,
>   de nieve que gotea,
> como la negra sangre de una herida
>   abierta en la pelea.

La magna gesta del Libertador San Martín, entrevista por la pupila vigilante del pájaro andino, era recogida por el vate y ofrendada a su pueblo en estrofas grandilocuentes:

> Una mañana, ¡inolvidable día!,
> ya iba a soltar el vuelo soberano
> para surcar la inmensidad vacía
>   y descender al llano
> a celebrar con ansia convulsiva
> su sangriento festín de carne viva,
> cuando sintió un rumor nunca escuchado
> en las hondas gargantas de Occidente:
> el rumor del torrente desatado,
>   ¡la cólera rugiente
> del volcán, que en horrible paroxismo
> se revuelca en el fondo del abismo!
> Choque de armas y cánticos de guerra
> resonaron después. Relincho agudo
> lanzó el corcel de la argentina tierra
>   desde el peñasco mudo,
> y sonaron los bélicos clarines
> ¡del Ande gigantesco en los confines!

El poeta que aquí se anuncia, desmesurado, estentóreo y rotundo, queda definido para siempre en otros poemas similares: *Prometeo, A Víctor Hugo, San Martín, La Atlántida.* En todos ellos el mismo énfasis, la misma voz ahuecada, las mismas hipérboles. ¿Poesía de buena ley? No nos atreveríamos a negarlo. Cada materia pide su acento; y si a los grandes temas de la patria, del progreso, de la ciencia y de la humanidad les quitamos ese atuendo rozagante, si los despojamos de metáforas y orquestaciones, mucho es de temer que se queden convertidos en pura entelequia. Ya se sabe que hay otro modo de cantar a la patria, más hondo, más sobrio, más conmovedor. Pero Andrade buscaba a la muchedumbre, y a ésta sólo se llega por el camino del aturdimiento. Se la aturde con músicas de gran orquesta o con color.

Cuando el 12 de octubre de 1881 lee en público ante una multitud enfervorizada su poema *La Atlántida*, premiado poco antes en unos Juegos Florales organizados por el Centro Gallego de Buenos Aires, Andrade tiene conciencia de que se ha convertido por gracia de la poesía en el intérprete de todo un pueblo:

> ¡De pie para cantarla, que es la patria,
>   la patria bendecida,
> siempre en pos de sublimes ideales,
> el pueblo joven que arrulló en la cuna
> el rumor de los himnos inmortales,
> y que hoy llama al festín de su opulencia
>   a cuantos rinden culto
> a la sagrada libertad, hermana
> del arte, del progreso, de la ciencia...!

Lo que hay aquí de oratorio, de rima fácil, de efectismo deslumbrador, no se puede ocultar. Pero también hay algo de profético y de trasunto de la realidad. Andrade es un producto de las circunstancias. Asiste al despertar de un pueblo que, animado de nobles aspiraciones, se encamina con paso decidido hacia el mañana; y quiere convertirse en su maestro e intérprete. Para lo primero le falta una sólida base de cultura; para lo segundo, equilibrio y reposo. Ya lo observó Valera: «No bastan las imágenes de que reviste y adorna el poeta su pensamiento, ni el fuego de la pasión con que le presta calor y vida; son indispensables, además, el esmero, la reflexión y el arte más exquisito.» Pocos hombres más alejados de estas tres exigencias que Andrade. Puesto a cantar se dejó arrastrar por lo torrencial, lo titánico. Puesto a imitar, eligió por modelo a Víctor Hugo, pero al Hugo de la *Leyenda de los siglos,* a quien se acerca más de una vez:

> Sobre negros corceles de granito,
> a cuyo paso ensordeció la tierra,
> hollando montes, revolviendo mares,
> al viento el rojo pabellón de guerra
> teñido con la luz de cien volcanes,
> fueron en horas de soberbia loca
> a escalar el Olimpo los Titanes.
> Ya tocaban la cumbre inaccesible,
> dispersando nublados y aquilones;
> ya heridos de pavor los astros mismos,
> en confusión horrible,
> como yertas pavesas descendían
> de abismos en abismos;
> y el tiempo, que dormía
> en los senos de báratro profundo,
> se despertó creyendo que llegaba
> la hora final del mundo.

Así de huguesco es casi siempre: fragoroso, alucinante y fantástico; más épico que lírico. Todos coinciden en que tenía el gusto sin educar. «Poeta efectista —dice Menéndez Pelayo—, que escribió para ser leído en voz alta y resonante y para ser aplaudido a cañonazos.» Poeta imaginativo, decimos nosotros, que deslumbró a sus contemporáneos, sin acertar a concluir una obra perfecta. El arrebató al público, y el público le arrebató a él. Arrastrado por el tobogán del éxito fácil, no pudo

o no quiso aventurarse en otras zonas poéticas, para las cuales acaso no le faltaban alientos. Cuando se recoge a un tono menor, de emoción íntima, no lo hace mal. En su colección de *Obras poéticas*, publicadas después de su muerte a expensas del Estado (1887), hay poemitas de este tipo —*La vuelta al hogar, El consejo maternal*— que delatan, junto al poeta apocalíptico, el poeta intimista y recogido. Pero éste no llegó a cuajar; quedó desde el primer momento anulado por aquél.

Guido Spano

Otro poeta se hallaba en su plenitud por aquellas fechas en el firmamento argentino: CARLOS GUIDO SPANO (1827-1918)[3]. Había publicado ya unas *Hojas al viento* (1871), que recogían la producción en verso de la primera mitad exacta de su larga vida. En ellas se acusaba un temperamento reposado, sereno, dotado de una voz amablemente grata. Pero su experiencia poética era muy amplia: como que va desde los primeros románticos (pudo oír a Mármol cuando joven) hasta los últraístas, pasando por Andrade, Oyuela, Rubén y Lugones. Poco quiso aprovechar de ninguno de éstos; prefirió anclar en un romanticismo mitigado, un romanticismo «clásico», valga la paradoja, en fuerza de ser fino, sobrio y libre de gestos. No en balde había traducido, o retraducido, la *Antología griega*.

Dos volúmenes en verso, distanciados por un cuarto de siglo, recogen su no copiosa producción: las ya citadas *Hojas al viento* (1871) y *Ecos lejanos* (1899). En ambas es Guido Spano el poeta refinado y aristocrático, que escribe sin apresuramientos, por el gusto de escribir. Sólo que en el primer volumen resulta más sencillo y sentido; en el segundo, sin olvidar su elegancia y aticismo casi congénitos, más sonante, más «poeta de ocasión». Se trata siempre de una poesía amable, con dejos de suave escepticismo, cuidadosamente elaborada, tan elaborada que muchas veces pierde en espontaneidad lo que gana en perfección.

Tres grupos de composiciones se pueden señalar en su producción: *a)* de corte clásico y muy trabajadas (*Amira, Mirta en el baño, Marmórea, Corina, Bajorrelieve*, etc.); *b)* de temas íntimos (*Al pasar, La estrella de la tarde, At home, A mi hija María del Pilar*, etc.); *c)* de tema cívico o social (*América, Méjico, Víctor Hugo, ¡Adelante!, La Independencia, A la República francesa*). No hace falta advertir que las mejores para nuestro gusto, por salidas de lo más hondo, son las del segundo grupo. Las del primero, a fuerza de lima, resultan un poco frías. Las heroicas o cívicas, engoladas, aunque no tanto como las de Andrade. Guido Spano empieza un poema (*A un amigo helenista*) confesando su incapacidad para la expresión de sentimientos amorosos:

> ¡No conoce el amor mi casta musa!

No hay tal incapacidad. Las pocas veces en que lo intenta, ejemplo, la bellísima *A...*, pronto da con la fibra de un lirismo emocionado y finamente sensitivo. La mejor, sin duda, de sus composiciones, aprendida por muchos contemporáneos de memoria, es *Nenia*, honda elegía sobre la desaparición de un pueblo tras los horrores de la lucha:

> ¡Llora, llora, urutaú!
> En idioma guaraní
> una joven paraguaya
> tiernas endechas ensaya,
> cantando en el arpa así
> en idioma guaraní.
> ¡Llora, llora, urutaú,
> en las ramas del yatay!
> Ya no existe el Paraguay,
> donde nací como tú.
> ¡Llora, llora, urutaú!
> En el dulce Lambaré
> feliz era en mi cabaña;
> vino la guerra y su saña
> no ha dejado nada en pie
> en el dulce Lambaré.
> ....

No era éste su acento más frecuente. Insistimos en que la nota que le distingue entre los miembros de su promoción es la elegancia, el aticismo, que le lleva a cincelar sus versos con una técnica propia ya de la escuela parnasiana. A veces preludia a Darío:

> El flamenco nadando en la laguna,
> entre el verde juncal, no es más gallardo;
> espira un vago resplandor de luna,
> tiene una fresca palidez de nardo.

A veces se acerca a Lugones:

> Parece que un espíritu celeste,
> siguiéndola invisible, la perfuma,
> y que su blanca y ondulante veste,
> por el aire agitada, hiciese espuma.

R. Obligado

«Poeta de la patria» y «poeta nacional por excelencia» fué llamado en su día otro vate de la misma promoción, cuyo nombre no es fácil que se esfume en la historia de las letras argentinas; como que a él se debe una de las más bellas leyendas con que cuenta aquel país, la de *Santos Vega*. Nos referimos a RAFAEL OBLIGADO (1851-1920) [4]. Poeta de la patria, no por los cantos de tono heroico con que en ocasiones la celebró a manera de Andrade, aunque siempre con voz más mesurada, sino por aquellos otros en que supo recoger lo más sustancial e íntimo de sus tradiciones. Es Rafael Obligado el poeta, bardo más bien, que canta «la sombra del hogar», lo nativo, lo telúrico, la naturaleza argentina, en una palabra. Andando los años, otro poeta, Fernández Moreno, cantaría la gran ciudad; Obligado, hombre inmerso en la urbe donde desempeña su papel de patricio antiguo, con sus salones abiertos a todo

espíritu amante de la cultura, prefiere los temas del inmenso campo argentino: el pampero, ese viento que le hace sentirse «más argentino cuando le azota la frente»; el camalotè, arrastrado por las aguas; el ceibo, el ombú, el rancho; todo, en fin, lo que constituye la solera de un pueblo. Porque celebró en versos memorables al Paraná, el río de las grandes tradiciones argentinas, se le ha llamado también «el cantor del Paraná» [5]. El mismo se nos retrata en pleno campo, cara al sol y el aire, olvidado casi de que existe la ciudad:

> Empuñaba yo el látigo y las riendas,
> y con resuelto paso varonil
> del tremolar por las angostas sendas
> iba haciendo mi látigo crujir.

Y él se limitó también la zona de sus inspiraciones:

> Las fronteras de la patria
> son los muros de mi musa.

Dentro, sin embargo, de esta temática aparentemente estrecha, supo encuadrar poemas de muy distinta índole. Tres series de composiciones se vienen señalando en su producción: legendarias (*La Salamanca, El Yaguarón, El Cacuí, La luz mala y La mula Anima*); históricas, o mejor, inspiradas en acciones gloriosas (*La retirada de Moquegua, El negro Falucho, Ayohuma*, etc.), y poesías de carácter íntimo (*A la sombra del sauzal, El hogar paterno, El nido de Boyeros, La flor del Saíbo, El camalote, El camalote errante*, etc.). Es en estas últimas donde Obligado se muestra más poeta. La nostalgia de un mundo que se va, anegado por las olas de un progreso en que no todo es felicidad y risas, le inspira acentos conmovedores:

> La pampa de mis cantos ya no existe;
> con el salvaje se extinguió el desierto;
> la majestad de la llanura triste
> bajo el cuchillo del arado ha muerto.
> ....
> Han manchado las hélices groseras
> el azul de las aguas cristalinas.

No se resigna el poeta a ver la desaparición de todo esto sin dejar constancia de su dolor:

> ¡Salud!... La patria de un glorioso abismo
> surge y pide a sus bardos nuevo canto...;
> pero yo en lo más hondo de mí mismo
> siento la honrada ingenuidad del llanto.

Acaso sea en este orden *El camalote errante* su mejor poesía:

> ¡Oh, si en tus tallos pensamiento hubiera
> y un corazón profundo como el mío!...
> ¡Cuánta tristeza en ti, hierba viajera,
> hierba amada del río!...
> ¡Cuánta tristeza en ti bajo el ardiente
> sol de mi tierra, que en tus hojas brilla,
> mientras vas a merced de la corriente
> como leda barquilla!...

La mejor, *El camalote errante*; la más conocida, como que al salir a luz muchos argentinos la

aprendieron de memoria, la leyenda *Santos Vega*.
Pertenece al género gauchesco; pero a un gauchesco culto, sin dialectismos criollos, en un lenguaje
pulido, lleno de imágenes sugestivas y envuelto
en un halo de romántico misterio. Recoge una tradición muy divulgada en el país, según la cual el
famoso payador Santos Vega había sido vencido
por el Diablo y desde entonces andaba errante
por el campo. El tema había sido aprovechado ya
por Mitre y por Ascasubi, en la poesía; y por
Eduardo Gutiérrez, en la novela. Lo retoma Obligado y lo reviste de un simbolismo nuevo: Santos
Vega es el símbolo de la tradición criolla, del
alma pampera que agoniza; Juan sin Ropa, el
vencedor del payador, lo es del progreso, de la industria, que viene a desplazar la tradición, ocupando su puesto. Obligado publicó primeramente
su poema (París, 1885) en tres partes: *El alma
del payador*, *La prenda del payador* y *La muerte
del payador*; en 1887 le agregó una nueva parte
o canto: *El himno del payador*, con lo que alcanzó las cuatro de que ahora consta, desarrolladas
en 55 décimas fáciles, atrayentes y rodadas; tan
fáciles que desde los primeros versos con que se
abre la leyenda:

> Cuando la tarde se inclina
> sollozando al Occidente...,

hasta aquellos otros con que se cierra:

> Y si cantando murió
> aquel que vivió cantando,
> fué, decía suspirando,
> porque el diablo le venció,

el lector apenas necesita detenerse para tomar
aliento. La musa de Obligado fué poco fecunda:
un tomo de *Poesías* (1885).

«Almafuerte», Oyuela, Gutiérrez, etc.

Basta agregar a los tres nombres anteriores los
de *Almafuerte*, Calixto Oyuela y Ricardo Gutiérrez para tener a la vista lo más granado de la
«generación argentina del ochenta».

PEDRO BONIFACIO PALACIOS (1854-1917), más conocido por el seudónimo de *Almafuerte*, cultivó
una poesía apostrófica, tonitruante y socialistoide. No se parece a ninguno de los «grandes» de
su época y país: ni el impulso optimista de Andrade, ni el aticismo de Guido Spano, ni la finura y efusividad de Obligado. También como los
dos últimos conoce el triunfo del modernismo, a
cuya influencia permanece inmune. Se había hecho
él una poesía personal, muy a tono con su carácter «misántropo, misógino y prepotentemente
autoritario»; y quiso perseverar tercamente fiel
a ella. Había sido maestro de escuela; había estudiado arbitrariamente; se había recluído en una
vida de «orgulloso aislamiento y sistemática pobreza» [6]; tenía extremados afectos y odios incon-

cebibles. Aborrecía la sociedad, la religión, la mujer, el orden, tal como lo encontraba estatuído.
Era o se proclamaba cristiano; pero de un cristianismo paradójico, mezcla de Tolstoy y Marx:

> Jesús de Galilea,
> para mí no eres Dios;
> eres sólo una idea
> de la que marcho en pos.

Se sentía un poco redentor y un mucho vindica-
dor de los humildes, de los pobres, de los desheredados. Lo malo es que bajo esta capa de pobreza y humildad social se escondía, se esconde
siempre, mucha basura. Así resultó que, al constituirse *Almafuerte* en el vocero de todo eso, pros-
tituyó su numen. ¿Cantor de la Democracia con
mayúscula, de la Humanidad con mayúscula? Más
bien, como lo llamaron sus coetáneos, «cantor de
la chusma». Y a él no le desagradaba el remoquete; a otro cualquiera le hubiese asustado; pero
Almafuerte era hombre de redaños. Hasta se vanagloriaba de ellos:

> Yo siento por el dolor
> de la chusma miserable
> la suprema, la inefable
> maternidad del amor.

Y en otra parte:

> Tan sólo la «sobra humana»
> tiene sobre mí derechos.

Así salieron sus poemas (2 vols., *Obras completas*, en «Grandes Escritores Argentinos», Buenos
Aires, 1928): llenos de palabrería vacua, de imágenes de relumbrón. Léase *El misionero*, su composición más celebrada; léanse *Trémolo*, *Gimió
cien veces*, *Jesús*, *En el abismo*, *Milongas clásicas*, *Confiteor Deo*, *Vasallaje*, *Cristianas*, *Olímpi-
cas*, *Apóstrofes*, *Vade retro!*, *Dios te salve*, y
tantas otras cortadas del mismo paño. Títulos rimbombantes; verso engolado, y un inmoderado
afán de deslumbrar al lector con audacias de pensamiento y de dicción. *Almafuerte* no se detiene
ante nada: lo mismo le da un exabrupto que una
blasfemia. De la turba soez, a la que suele celebrar en sus versos, se le ha pegado la chabacanería; y así han salido de plebeyos y adocenados.
Creyó que acumulando epítetos sin ton ni son
aumentaría su valor, como si una mujer fuese más
bella cuantos más aderezos se ponga. No tiene sentido de la contención; siembra los adjetivos a
voleo. Lo esencial es para él llenar los ojos y el
oído:

> Cuando se haga en ti la sombra;
> cuando apagues las estrellas;
> cuando abismes en el fango, más hediondo, más
>   infecto, más macabro—más de muerte,
> más de bestia, más de cárcel—,
> tu divina majestad...

Fué una pena, porque *Almafuerte*, sin alcanzar
aquella categoría de genio que le adjudicaron gra-

ciosamente algunos de sus compatriotas, tenía inspiración y dotes naturales. No supo o no quiso autodisciplinarse, y eso le perdió. Las 28 décimas del poema *En el abismo* revelan estro poético; las redondillas del poemita *A tus pies* son delicadas y deliciosas. Lástima que no perseverase en este camino. Prefirió su papel de cantor apocalíptico. Oyó alabanzas desmesuradas, increíbles; y perdió la cabeza. «Muerto Nietzsche, muerto Ibsen, muerto Hugo, no hay en toda la tierra genio más grande que éste», llegó a decir José San Martín. Casi de la misma opinión eran Barroetaveña y Antonio Herrero. Incluso en polémica enconada entre Cejador y Carrere, se le quiso comparar con Rubén Darío. Pero todavía en pleno éxito, C. Octavio Bunge y Calixto Oyuela discutieron sin ambages su mérito, negándole casi todo valor. Hoy la crítica se ha colocado del lado de éstos.

Antítesis de *Almafuerte,* tanto teórica como prácticamente, es CALIXTO OYUELA (1857-1935), que defendió en justa poética contra Obligado las esencias más puras del clasicismo. En unos *Estudios literarios* de alto valor, en una *Antología de poesía americana,* no menos valiosa, y en sus dos libros de verso, *Cantos* y *Nuevos cantos,* Oyuela abogó por la tradición clásica en su más neta forma y, dentro de sus limitadas facultades poéticas, la llevó a la práctica en poemas que se escapan de los moldes vigentes entonces por las orillas del Plata, y que más bien nos hacen pensar en patrones utilizados por las mismas fechas en Méjico y Colombia. Que un poeta de Veracruz, de Puebla o de Bogotá imitase a fray Luis de León a últimos del XIX a nadie debía extrañar; que lo hiciese un argentino era para llamar la atención. Porque ha de advertirse que el clasicismo de Oyuela no es de otros poetas de su tiempo, el de Guido Spano, por ejemplo, reducido al esmero de la forma. Es un clasicismo de hondas raíces, como que toma por modelos a los grandes líricos del Siglo de Oro, y sobre todos, al cantor de la *Noche serena.* Con decir que la estrofa preferida por Oyuela es la lira ya está dicho todo. Clasicismo que no se circunscribe al simple remedo de unas formas métricas siempre antiguas y siempre nuevas, sino que procura rellenar esas formas de contenido actual. Lo que hizo en su día fray Luis, claro es que en un plano muy inferior.

A todos los anteriores se adelanta RICARDO GU-

TIÉRREZ (1836-1896), con un primer poema, *La fibra salvaje* (1860), que le da extraordinaria nombradía. En él se funden pervivencias del sentimentalismo romántico con cierta nueva inquietud social, trasladada a un verso lleno de sinceridad y de lirismo, aunque en verdad demasiado abundante. Gutiérrez era médico, especializado en enfermedades infantiles, a cuyo remedio se consagró con auténtico fervor. Sin duda para evadirse de ese mundo de angustias y dolores se refugió intermitentemente en la poesía. En *Lázaro* aborda con fortuna el tema gauchesco. En *El libro de los cantos* y *El libro de las lágrimas* (*Poesías escogidas,* 1878), anticipándose en una década a los compañeros del grupo, termina por abrir las puertas a un modo de poetizar ya pasado de moda, en cuanto insistía en la temática y lenguaje del romanticismo; pero nuevo hasta cierto punto, en cuanto aspiraba a enriquecer ese mismo romanticismo con resonancias líricas del día. Las más celebradas de sus composiciones son *El Angelus,* transida de sincera emoción religiosa, y *El misionero,* también muy emotiva.

Con el nombre de Gutiérrez suele ir enlazado el de GERVASIO MÉNDEZ (1848-1897), quien después de servir a su patria como soldado valeroso, quedó paralítico, y así, en absoluta inacción, pasó más de la mitad de su vida. Este infortunio físico llevó a sus versos un tinte de amargura que sólo se suaviza por tal cual destello de resignación cristiana. *A Dios, Desencanto, ¡Jamás!, Sueño* y *¡No me olvides!* son sus mejores poemas. Se han querido descubrir en él reminiscencias de Heine; nosotros lo encontramos más vinculado a Bécquer.

Completan el panorama poético argentino de la época: ANTONINO LAMBERTI (1845-1926), uruguayo de nacimiento, aunque naturalizado en Argentina, amigo íntimo de Rubén Darío, con quien colaboró en el soneto que empieza: «Antonino Lamberti, el peristilo...»; MATÍAS BEHETY (1849-1885), autor de poesías románticas del más exacerbado patetismo —*A María. Las dos almas*—, que reflejan un espíritu pesimista y bohemio; JOAQUÍN CASTELLANOS (1860-1932), romántico recalcitrante, de corte ampuloso, según se advierte en *El temulento,* composición muy popular en su día y hoy totalmente olvidada, y ALBERTO NAVARRO VIOLA (1858-1885), que en sus *Versos* (1882) se muestra discípulo aplicado de los grandes románticos franceses.

II. EL SEGUNDO ROMANTICISMO URUGUAYO

Hacia el 1880, coincidiendo en buena parte con el apogeo de la poesía argentina señalado en el epígrafe anterior, aparece también en el Uruguay un grupo de escritores que da tono a las letras de este país y las representa con cierta dignidad en las dos últimas décadas del XIX, hasta el adve-

nimiento y triunfo del modernismo. Porque estos escritores persisten en temas y modos románticos, ya periclitados en Europa, se les llama la «segunda generación romántica uruguaya»; y porque los más de ellos se han formado en el hogar intelectual del Ateneo, convertido por aquella época en cuartel de promociones cívicas y tribuna de libertades políticas, se les suele también conocer como «generación del Ateneo». Sus componentes, jóvenes a la sazón casi todos, «representan la minoría consciente del país; son idealista y generosos, sienten como un *pathos* romántico, están llenos de exaltación y de oratoria, necesitan de grandes palabras y raptos líricos, y por eso rechazan el naturalismo literario y el positivismo científico, que ya han penetrado en el país y que estiman pesimistas y desalentadores» [7]. Más brevemente: son progresistas en política y reaccionarios en literatura. En este aspecto, queremos decir en el puramente literario, conviven con los viejos y hasta con los de la acera de enfrente.

Como los románticos de la promoción anterior, irrumpen tumultuosamente en la vida pública, y a la vez que literatura hacen política. Pronuncian discursos, escriben artículos, se sienten rectores del país. Una cosa les distingue de sus predecesores: románticos como ellos, han sustituido sus ídolos. Ya no son Byron, Lamartine y Hugo, sino éste y Musset. Agréguese que esta «generación del Ateneo», cuya culminación ha de señalarse hacia el año 90, da de sí más expositores en prosa—pedagogos, historiadores, críticos, etc.—que poetas. Carlos María Ramírez, Prudencio Vázquez Vega, Juan Carlos Blanco, son sus escritores más notables. Sus poetas serán aludidos luego.

Frente al Ateneo, de gran influencia en la vida política del país, estaba el Club Católico, no menos influyente. A primera vista podría pensarse que ambas instituciones estarían separadas por abismos insalvables. Nada de eso; si es cierto que política e ideológicamente ocupaban zonas antagónicas, no lo es menos que en poesía, y en general en el campo de las letras, tenían muchas coincidencias. Eran todos románticos, y todos, al menos los más representativos, enemigos del naturalismo triunfante por aquellas épocas en Europa, y que en América, y concretamente en Uruguay, intentaba introducir su cabeza. Los mayores ataques a Zola no partían, como podría suponerse, de los socios del Club Católico, sino del Ateneo; concretamente, de los citados Vázquez Vega y Juan Carlos Blanco. El primero escribe en defensa del idealismo literario una *Crítica de la moral evolucionista*, y el segundo, en su libro *La novela experimental*, da la réplica a la obra del mismo título de Zola. Más aún: los del Ateneo no vacilan en testimoniar su admiración, o cuando menos su respeto, hacia la gran figura del grupo católico, el poeta Zorrilla de San Martín. El único que se atreve a lacerarle con su pluma venenosa es Melián Lafinur, y no directamente, sino oculto bajo el seudónimo de *John Mac Kana*, en un librejo rotulado *Rimas en broma sobre la leyenda real y el tabaricidio del padre San Martín*. Y es que en el fondo había algo de envidia, ya que

mientras del Ateneo salían docenas de escritores, pero todos de segunda y tercera fila, el Club Católico se vanagloriaba con las dos máximas figuras de las letras uruguayas en el último tercio del pasado siglo, Eduardo Acevedo Díaz y Juan Zorrilla San Martín, introductores respectivamente de la novela y del poema de auténtico ambiente nativo.

Poetas principales

Él único poeta de gran talla de este segundo romanticismo uruguayo es Zorrilla San Martín; pero el trayecto hasta llegar a él está jalonado por unos cuantos nombres que requieren sumarísima mención. Entre los precursores de la «generación del Ateneo» están: Heraclio Fajardo, discípulo de Carlos Gómez—ya citado en otra parte como uno de los típicos representantes del anterior romanticismo uruguayo—, gesticulante y enlutado como él, y también como él tétrico—bebía vinagre para conservar su palidez—, que dramatizó en *Camila O'Gorman* un cruento episodio de la tiranía rosista; Ramón de Santiago (n. 1833), que alcanzó efímero éxito con *La loca de Baqueló*, una balada de tema nativista que «hizo gemir... a todas las guitarras del país, desde los suburbios hasta las pulperías más remotas». No le falta inspiración, pero pertenece al género ínfimo del romanticismo, en su aspecto más popular o populachero; Fermín Ferreira Artigas (1837-1872), impenitente bohemio que arrastró por cafetines y tabernas su breve vida desdichada, lanzando de cuando en cuando algún chispazo de poesía, como en el breve poema *La rosa*. Otras voces de menos volumen aún sonaban en el Parnaso uruguayo por aquellas fechas: las de Enrique de Arrascaeta, Francisco X. de Acha, Melchor Pacheco y Obes, Laurindo Lapuente, etc. Ninguno de ellos merece nuestro comentario.

Ya coetáneos de Zorrilla de San Martín encontramos a Washington P. Bermúdez (1845-1913), autor de un drama, *Artigas*, semblanzas políticas y poemas de carácter satírico, que le dieron en su día cierta celebridad; Victoriano E. Montes (1855-1917), que, aunque residente en la Argentina, había nacido en Montevideo, y se reveló poeta sencillo e inspirado en composiciones populares, como *La tejedora de Nandutí* y *El tambor de San Martín*, de tono patriótico a la manera de Béranger; Luis Melián Lafinur (1850-1938), hombre ofuscado por grandes prejuicios, aunque de fino sentido crítico y dotado de no vulgares dotes para la poesía; José J. del Busto (1860-1904), famoso orador del Ateneo y su vate más representativo, que alternó en su poesía la oda de tono pindárico con el acento intimista de Bécquer; Joaquín Sienra Garranza (n. 1843), buen orador, como Del Busto; pero poeta menos inspirado.

III. ZORRILLA DE SAN MARTIN

Entre todas estas figuras carentes de relieve fuera del marco estríctamente nacional, sobresale por su personalidad propia y muy acusada JUAN ZORRILLA DE SAN MARTÍN (1855-1931), que si no es el primer poeta romántico de Hispanoamérica, puede ponerse en paridad de rango con los dos o tres primeros.

Vida y persona

Nació en Montevideo, el 28 de diciembre de 1885. Estudios en su ciudad natal, en los Jesuítas de Santa Fe (Argentina) y en Santiago de Chile. Regresa a Montevideo (1878) con el título de abogado. Forma hogar; interviene en política; trabaja activamente en el periodismo y obtiene por concurso en 1880 la cátedra de literatura de la Universidad. El año anterior había empezado a trabajar en *Tabaré*, que no terminaría hasta 1886, en Buenos Aires, donde se hallaba desterrado. Se reintegra a su patria (1887); es elegido diputado; desempeña cargos diplomáticos en España, Portugal y Francia. Después en París, Roma, etc. Vuelto a Montevideo, explica una cátedra de Historia del Arte y cultiva asiduamente las letras. Antes, en 1892, había representado a su país en las fiestas conmemorativas del IV Centenario del descubrimiento de América, celebrado en España. Fué padre de muchos hijos. Falleció en Montevideo el 4 de noviembre de 1931.

Vida la suya de hermosa ejemplaridad, por la constante dedicación a unos principios políticos y religiosos, que le ocasionaron no pocos contratiempos: de arraigadas creencias, se enfrentó con el Ateneo desde la tribuna del Club Católico; y con la política imperante, desde las páginas del diario *El Bien Público*. Sus ataques al Gobierno del general Santos le valieron el destierro. Por cierto que en el exilio terminó *Tabaré*. Y obra la suya también ejemplar, en cuanto es toda ella un tributo de devoción a su patria, cuyo espíritu de independencia, compatible con su fidelidad a la estirpe hispánica, ha sabido Zorrilla de San Martín interpretar como pocos. Su amor a España, de quien se sentía nieto, y su amor al Uruguay, de quien era hijo, le inspiraron los mejores cantos; amor que, lejos de enfriarse, aumenta y se sutiliza en la persecución. «Si ellos llegaran a advertir que esta página íntima está fechada en el destierro, recuérdales, pues tú lo sabes, que no debe culparse de ello a la patria, y enséñales a preferir siempre el sufrimiento, que tú has sobrellevado conmigo, al abandono de su misión moral sobre la tierra.» Así se expresa en la «Dedicatoria» de *Tabaré* a su esposa y con alusión a los hijos. Y esta frase, como tantas otras que podrían espigarse en su obra, da la medida moral del poeta.

Obra literaria

Dejó Zorrilla de San Martín producción literaria bastante copiosa: 16 tomos comprende la colección de sus *Obras completas* (Montevideo, 1930). En ellas hay conferencias, discursos, informaciones de viaje en forma epistolar, filosofía, historia, crítica y aquel género que mejor le define: poesía.

Zorrilla de San Martín era un orador brillante, dentro naturalmente del retoricismo que dominaba en la oratoria de finales del XIX. *El mensaje de América,* pronunciado en la Rábida (España) con motivo de las fiestas del Centenario del Descubrimiento, es la mejor acaso de sus piezas. De sus andanzas por Europa dejó un libro formado con las cartas dirigidas a su esposa, *Resonancias del camino;* sus páginas están sembradas de agudos comentarios. Las meditaciones sobre temas fundamentales de religión, arte, filosofía, etc., quedaron expresadas en forma sistemática en varios volúmenes: *El sermón de la paz, Huerto cerrado* y *El libro de Ruth*. Se advierte en todos ellos unidad de criterio y una inquebrantable firmeza de convicciones. Su labor histórica se halla representada en *Detalles de historia rioplatense* y en los volúmenes titulados *La epopeya de Artigas,* que relatan la vida y gesta de este héroe nacional y tienen, al decir de Menéndez Pelayo, el valor de una verdadera epopeya en prosa. Su producción poética requiere párrafo aparte.

«Notas de un himno» y «La leyenda patria»

La obra en verso de Zorrilla de San Martín está condensada en tres libros: *Notas de un himno, La leyenda patria* y *Tabaré*. Ha de advertirse que *La leyenda patria* más que un libro es un poema extenso de tono heroico, poco más de 400 versos, a la manera de la oda *A la victoria de Junín,* de Olmedo.

Notas de un himno apareció en Chile y fué dado a conocer por los jóvenes católicos, compañeros y amigos de Zorrilla. Incluyeron en él las composiciones publicadas por éste en el peródico *La Estrella*. Se advierten ya aquí las notas esenciales que habían de definir más tarde la poesía de su autor: exuberante fantasía, delicadeza de sentimientos, finura de expresión, vivo colorido, un lenguaje culto y siempre correcto y una tenue vaguedad, como de neblina, que lo envuelve todo en cierto aire de misterio. La presencia de Bécquer, tan acusada luego en *Tabaré,* se descubre desde el primer instante. También se descubre aquella facilidad imagínística con que había de asombrarnos a cada paso en el mismo poema:

> Parece en miniatura
> una lunar revolución de estrellas,

nos dice de una onda rota contra los cantiles. Dominan en *Notas de un himno* los temas de la patria, del amor y de la fe. La patria ausente le inspira versos emocionantes; pero son aún más bellos y conmovedores los que le inspira el recuerdo de su madre, definitivamente alejada por la muerte:

> Llegaré aún cubierto
> del polvo del camino,
> y te hallaré al final de mi jornada
> sentada sobre el borde del abismo.
> Por fin entre tus brazos
> descansaré tranquilo,
> y verteré en tu seno, madre mía,
> el llanto que en el mundo no he vertido.

Así, en *Madre mía* y en *No era un sueño:*

> No digáis que soñé. Era mi madre,
> tuvo que ser.
> No me robéis la dicha de mi vida,
> no me robéis mi fe.

Y el mismo tono en los versos a la novia, también lejana:

> Reza, niña, al Señor; yo también rezo.
> Ambos somos cristianos desde niños.
> ¡Cuánto gozo al pensar que en Dios se encuentran
> mi fe y tu fe, tu corazón y el mío!

Anotemos de paso el corte becqueriano de toda esta poesía. Anotemos también lo que en ella hay de nostalgia, de misterio y de fe esperanzadora:

> Todo vive: las lágrimas del mundo
> son el himno del cielo,
> y al concluir el festín de los dichosos,
> ese himno se alzará: todos lo oiremos.

La leyenda patria ocupa cronológicamente un lugar intermedio entre *Notas de un himno,* obra de juventud, y *Tabaré,* obra de madurez. Fué escrita circunstancialmente, con ocasión de unos juegos florales [8]. Se sabe que el autor la compuso de una alentada, por así decirlo: una semana tardó en redactar los 413 versos de que justamente consta el poema. Si se tiene en cuenta que se trata de una oda de corte heroico, al modo de Quintana u Olmedo, se verá hasta qué punto ello constituye una «marca» difícilmente superable. Piénsese en los cinco meses que necesitó Olmedo para escribir la suya *A la victoria de Junín,* poco más que el doble de larga, y establézcase la proporción. Bien es verdad que Zorrilla de San Martín no necesitó recurrir a Martes, Belonas, Joves ni otras zarandajas mitológicas para construir su poema. Paseó la mirada por el panorama histórico de su patria, breve en años, pero extenso en hechos gloriosos; dejó hablar a su corazón, y eso le bastó. No nos gusta establecer comparaciones; sin embargo, entre Olmedo y San Martín no vacilaríamos en dar a éste la preferencia: es más espontáneo, más abundante, más humano. Olmedo, y lo mismo

Quintana, Gallego y cuantos han cultivado este tipo de odas, cantan un poco alejados, desde su Olimpo. San Martín lo hace metiéndose de lleno en el tumulto. Por eso le encontramos un fondo de humanidad que está ausente de los otros. Por eso, y porque trabaja en caliente; la excesiva lima da a los versos de Gallego, de Martínez de la Rosa y del propio Olmedo, junto con una perfección casi absoluta, una frialdad marmórea. Los de San Martín ora restallan como látigos, ora crepitan como ascuas. No es de admirar que el público uruguayo, al escucharlos, en un solemne acto público, estallase en vítores delirantes. Allí se canta de verdad a la patria:

> Es la voz de la Patria... Pide gloria...
> Yo obedezco esa voz. A su llamada
> siento en el alma abiertos
> los sepulcros que pueblan mi memoria,
> y, en el sudario envueltos de la historia,
> levantarse sus muertos.

Después de este introito digno de Quintana, la alusión a la nefanda ocupación extranjera:

> ¡Lustro de maldición, lustro sombrío!
> Noche de esclavitud, de amargas horas,
> sin perfumes, sin cantos, sin auroras,
> vaga en la noche del paterno río.
> ....
> ¡Y un pueblo alienta allí! ¡Y entre esa noche
> vive en esclavitud un pueblo... y vive!
> ....
> teniendo aun sangre que verter, y alienta
> esa vida engendrada por la muerte,
> que sus memorias en baldón convierte,
> ¡y de su mismo oprobio se alimenta!

Luego, la llamada a la lucha:

> ¡Oh, no, no puede ser! ¡Pueblo, despierta!
> ¡Arranca el porvenir de tu pasado!

Y, tras la conmemoración de las jornadas radiantes de Florida, Agraciada, Sarandí e Ituzaingó y un emocionado recuerdo, acaso lo más inspirado del poema, a los «Treinta y tres» héroes del arenal, el clarinazo que anuncia el alba de una vida nueva:

> ¡Paso al pueblo novel! ¡Sonó su hora!
> Que quien sabe morir, sabe ser libre.

Epinicio triunfal y lección de historia a la vez, *La leyenda patria* es uno de los poemas más bellos en su género.

«Tabaré»

Empezó a escribirlo Zorrilla de San Martín en 1879; pero no lo terminó hasta el 1886, en el destierro de Buenos Aires. La Dedicatoria a su esposa doña Elvira Blanco lleva la fecha del 19 de agosto de aquel año. Y en verdad que esa Dedicatoria es una de las páginas más dignas que puede escribir la pluma de un poeta.

Tabaré va repartido en tres libros, de dos cantos el primero, seis el segundo y otros seis el tercero. El verso es casi siempre asonantado; y se prefiere la estrofa cuaternaria, con alternancia de endecasílabos y heptasílabos, tal como la vemos frecuentemente en Bécquer. Esta preferencia da al poema una gran flexibilidad y holgura de movimiento, liberándolo del peso y rigidez de la rima consonante y de otras formas estróficas mucho más exigentes. Poetiza una bella leyenda en torno a la invasión de los españoles en suelo uruguayo y la desaparición misteriosa de la raza aborigen, sobre la que parece pesar un destino fatal. Tabaré, el protagonista, sería el símbolo de la raza extinta. He aquí, muy resumido, su argumento:

En un desembarco de españoles en territorio charrúa, los indios de este nombre les oponen resistencia, obligándoles a volver a sus naves. Queda, sin embargo, tendida en la playa una mujer blanca, Magdalena.

> Parece flor de sangre;
> sonrisa de un dolor; es la primera
> gota de llanto que entre sangre tanta
> derramó España en nuestra tierra.
> Pálida como un lirio
> entre los muertos queda...

Caracé, el cacique indio, la hace su esposa. Nace un mestizo de ojos azules, Tabaré, al que su madre bautiza con las aguas del río Uruguay. Pocos años después muere la madre. Los españoles vuelven y construyen en las márgenes del río San Salvador un fortín o villorio. El capitán don Gonzalo de Orgaz hace frecuentes incursiones por el país, y al retorno de una de éstas trae consigo varios indios charrúas, entre ellos Tabaré. Encuentro con Blanca, hermana del capitán; la belleza de la doncella española le hace recordar a su madre, Magdalena. Simpatía mutua, que en Tabaré es más bien admiración y amor. Doña Luz, esposa del capitán y cuñada por tanto de Blanca, se apercibe del peligro y sugiere a su marido que deje en libertad a Tabaré. Así lo hace don Gonzalo. Yamandú, cacique indio que sucedió a Caracé, ataca el villorio. Se apodera de Blanca y la lleva consigo a la selva, como precioso botín; pero Tabaré, que ronda, oye los gritos de la amada pidiendo socorro, acude a salvarla, mata al cacique y, cargándola en sus hombros, llega con ella hasta el fortín. Don Gonzalo, creyéndole raptor de su hermana, lo atraviesa con la espada.

> El indio oyó su nombre
> al derrumbarse en el instante eterno;
> Blanca desde la tierra lo llamaba,
> lo llamaba por fin, pero de lejos.
> Ya Tabaré a los hombres
> ese postrer ensueño
> no contará jamás... Está callado,
> callado para siempre, como el tiempo.
> Como su raza,
> como el desierto,
> como tumba que el muerto ha abandonado:
> ¡Boca sin lengua, eternidad sin cielo!

¿Leyenda, novela en verso, epopeya, poema lírico o narrativo? *Tabaré* es todo eso y nada de eso. «Tiene ciertamente —ha escrito un crítico uruguayo— la vaguedad, le melancolía, el misterio de una leyenda becqueriana; el trágico y doloroso final de una novela romántica; las aterradoras visiones nocturnas de algún cuadro dantesco; la grandeza elemental, bárbara y primitiva de algunas epopeyas. Pero no es, sin embargo, ni todas esas cosas en conjunto ni tampoco cada una separada. Es algo simplemente distinto.» Algo distinto —agregamos nosotros— y muy difícil de clasificar. Y es que, ya lo dice el mismo crítico, «no son las obras literarias las que deben ajustarse a las clasificaciones, sino éstas a las obras literarias» [9]. En todo caso, poco importa el problema del género, siempre que se parte de este principio: que en cualquiera que se inscriba *Tabaré*, siempre será de todos modos un poema de valor excepcional. Tampoco interesa en mayor grado el problema de fuentes e influencias. Su propio autor no vaciló en indicarlas, remontándose nada menos que a Dante y Shakespeare; y aun más allá, hasta Esquilo y Homero. Homéricas son, en efecto, la presentación de los indios y las descripciones de batallas; y esquileo es el soplo furiosamente trágico que agita todos los cantos del poema, especialmente los dedicados a la raza charrúa, condenada no se sabe por qué oculto designio a ineludible destrucción. El poeta nos invita a presenciar su agonía:

> Seguidme juntos a escuchar las notas
> de una elegía que en la patria nuestra
> el bosque entona cuando queda solo
> y todo duerme entre sus ramas quietas.

Hay un predominio manifiesto de elementos líricos. Lo narrativo sólo surge de tarde en tarde; y siempre envuelto en la corriente lírica, que es intensa y de incontenible fuerza. Y hay un lamento, como un *ritornello* elegíaco, que se va repitiendo intermitentemente, seis, siete, acaso más veces, a lo largo del poema:

> ¡Cayó la flor al río!
> Los temblorosos círculos concéntricos
> balancearon los verdes camalotes,
> y en el silencio del juncal murieron...

> ¡Cayó la flor al río,
> y en el oscuro légamo
> derramó su perfume entre las algas!
> ¡Se ha marchitado, ha muerto!

> Cayó la flor al río.
> Se ha marchitado, ha muerto;
> ha brotado en las grietas del sepulcro
> un lirio amarillento.

El poeta sabe lo implacable del Destino, que en este caso se llama Providencia; lo respeta; y en la lucha entre las dos razas, la aborigen y la invasora, se pone del lado de ésta, como que lleva sangre española en sus venas y reza a Dios en la misma lengua. Pero no se resigna a ver desaparecer a todo un pueblo sin entonarle un treno de despedida:

¡Héroes sin redención y sin historia,
    sin tumbas y sin lágrimas!
¡Estirpe lentamente sumergida
en la infinita soledad arcana!
¡Lumbre espirante que apagó la aurora,
sombra desnuda muerta entre las zarzas!
    Ni las manchas siquiera
de vuestra sangre nuestra tierra guarda.

. . . . , ...

¡Héroes sin redención y sin historia,
    sin tumbas y sin lágrimas!
Indómitos luchasteis... ¿Qué habéis sido?
¿Héroes o tigres? ¿Pensamiento o rabia?

Pocas veces se ha puesto en un poema tanto corazón; por eso *Tabaré* es eminentemente sub-jetivo y eminentemente lírico. Las influencias se-ñaladas, a las que hay que agregar las de Goethe, Schiller, Ossian y la más acusada de todas, la de Bécquer, no disminuyen en un ápice su tono personal. Zorrilla de San Martín, al escribir *Tabaré*, habrá podido tener más o menos ante los ojos tal o cual modelo; pero la sustancia del poe-ma se la ha sacado de su propia alma. Así son de originales y nuevas las descripciones, no apren-didas en poemas clásicos; así son de bellas, fres-cas y audaces las imágenes, todas ellas de cuño propio [10]. Por eso *Tabaré* es una obra poética capaz de prestigiar no sólo a su autor, sino a todo un pueblo.

IV. PERVIVENCIAS ROMANTICAS Y CLASICISTAS

Al igual que en Argentina con algunos miem-bros de la «Generación del 80» y en Uruguay con los grupos del Ateneo y del Club Católico, tam-bién en otros países de América el Romanticismo se prolonga, resistiéndose a desaparecer, no obs-tante apuntar en el horizonte otras tendencias. En ocasiones pervive hasta bien entrado nuestro si-glo. Pero fuera de las obras y autores citados en capítulos anteriores, puede afirmarse que nada pro-duce de verdadera calidad estética.

Con estos románticos rezagados conviven, sin es-torbarse mutuamente, algunos poetas clasicistas, quienes, bien por su formación humanística, que les inclina hacia esta clase de poesía, bien porque no conocen o no quieren conocer otra, se empeñan en perpetuar formas que en su día tuvieron justi-ficada prelación, pero que ya en los tiempos mo-dernos no tienen razón de ser, si no van animadas y remozadas por un espíritu nuevo. Estos poetas, que suelen aparecer periódicamente en todos los países cultos, se corresponden en lo que afecta al período que estamos estudiando con aquel gru-po «academicista» que registramos oportunamente en la literatura española del XIX: Menéndez Pe-layo, Valera, Milá y Fontanals, etc. Como estos maestros españoles, también los clasicistas america-nos del XIX suelen ser más correctos que inspi-rados, y abundan más en aquellos países de habla hispánica que mejor venían conservando las esen-cias de la tradición literaria y humanística de nuestro Siglo de Oro: Méjico y Colombia.

Añádase a los dos anteriores un pequeño grupo formado por aquellos poetas más cercanos a las nuevas formas impuestas por el modernismo en la década 1885-1895, y que, sin ser propiamente modernistas, ya barruntan y hasta ensayan modos muy próximos al modernismo. Casi todos conocen a fondo la poesía francesa de la época, especial-mente la simbolista y parnasiana, e imitan con preferencia esta última. Por ello los llamamos «parnasianos». Vayan a continuación y un poco desordenadamente—el deslinde de escuelas en esta época es casi imposible—algunos nombres, sin otro propósito que el de rellenar con ellos esa laguna que se extiende entre el ocaso de la vieja escuela y el orto de la nueva.

De la Argentina al Ecuador

En las orillas del Plata persisten en cantar a la manera romántica LUIS PIÑEYRO DEL CAMPO, uruguayo educado en Chile, que anima su verso, cortado según viejos patrones, con originales no-tas nativistas: *El canto de la calandria* y *El último gaucho*. RAFAEL FRAGUEIRO (1864-1914), también uruguayo, refleja en su obra, incoherente y apre-surada, claras influencias de Bécquer. VÍCTOR ARREGUINE se muestra, como el anterior, en sus *Rimas* becqueriano de pura cepa; y SANTIAGO MA-CIEL se manifiesta nativista en *Flor de trébol* y romántico recalcitrante en *Auras primaverales*. DIE-GO FERNÁNDEZ ESPIRO persiste asimismo en temas y modos de la vieja escuela, hasta el punto de que Leguizamón ha podido llamarle «el último romántico argentino». De más fama que cual-quiera de ellos fué CARLOS ROXLO (1861-1926), quien, a pesar de haber visto y estudiado otras ten-dencias, se mantuvo adscrito al romanticismo es-pañol del peor cuño. Roxlo es autor de una *His-toria de la literatura uruguaya*, en siete volúmenes, tan farragosa como hinchada.

En Chile: JOSÉ ANTONIO SOFFIA (1843-1886), re-pentista feliz, poeta sentimental a veces y descrip-tivo en ocasiones, que tradujo a Vigny y a Hugo, de quien se le pegó la elevada entonación y bri-llantez pictórica: *Poesías líricas* (1875), *Hojas de otoño* (1878), *Poesías y poemas* (1879). A pesar de lo que debe a sus modelos, Soffia es uno de los vates chilenos más inspirados. PABLO GARRIGA (1853-1893), que en odas como *A la ciencia*, *Al progreso*, *Al poeta* refleja la tendencia filosófica de la época, parece vislumbrar en otras composiciones la próxima renovación modernista. EDUARDO DE LA BARRA (1839-1900), espíritu de plural actividad literaria—crítica, teoría versificatoria, historia, filología—, deriva hacia la nota entre sentimental e irónica de Bécquer. Cúpole el honor de prologar *Azul*, de Rubén Darío. RICARDO FERNÁNDEZ MONTALVA (1866-1899) es autor de unos *Nocturnos* de forma y contenido románticos.

Ni en Bolivia ni en Perú hay nada por esta época que merezca destacarse; si bien en este último país andaba ya por esas fechas escribiendo sus poemas uno de los vates que más contribuyeron al triunfo modernista. Hablamos de González Prada, cuya obra en verso no vería la luz hasta principios del XX. Citados en otro capítulo los primates del romanticismo peruano—Althaus, Corpancho, Salaverry, Soldán Unanué, etc.—, sólo queda aquí una simple cita onomástica de MANUEL ATANASIO FUENTES (1820-1887), traductor de Horacio; CONSTANTINO CARRASCO (1841-1877), traductor asimismo de poetas clásicos y modernos, y también del drama indígena *Ollantay*; RICARDO ROSELL (1841-1909), que cultivó, como el anterior, temas indígenas en *Hima Sumac* y *Catalina Tupac-Rosa*, y temas filosóficos en otras composiciones: *Meditación en el cementerio*. Con Rosell puede decirse que se cierra el romanticismo peruano.

El Ecuador presenta en esta segunda fase romántica dos poetas de cierta altura: NUMA POMPILIO LLONA (1832-1907) y REMIGIO CRESPO TORAL (1860-1939). Llona refleja en su copiosa producción lírica (*Obras poéticas*, tres vols., 1880-1882; *Cantos y poemas*, 1883; *La estela de una vida*, 1893; *Los caballeros del Apocalipsis*; *Cien sonetos*; *Cien sonetos nuevos*; *Interrogaciones*, etc.) las más variadas influencias: Hugo, Leopardi, Schopenhauer, etc., y en menor grado, Núñez de Arce. De este parece haber aprendido la perfección estrófica y exigencia formal, que combina con un fondo ideológico largamente meditado. *Odisea del alma*, *Ilusiones perdidas*, *A unos cabellos rubios* (tríptico de sonetos) son poemas excelentes. Toral por su parte es un poeta a quien historiadores y críticos se empeñan en inscribir en el área del último romanticismo, cuando está fuera de duda, al menos para nosotros, que su obra es casi íntegramente modernista. Poemas como *Plegaria*, *Bodas de plata*, *La muerte del ciervo* son ciertamente románticos; en cambio otros—*¡Acuérdate de mí!*, *Corceles y cóndores*, *Liras nuevas*—caen de lleno por su fondo y forma dentro de la órbita del modernismo. El último podía ir firmado por Rubén o por Santos Chicano. Toral es un poeta insuficientemente valorado, aunque no falta quien lo considera «el más completo tal vez de los poetas ecuatorianos». Su producción está contenida en *América y España* (1888), *Mi poema* (1908), *España y América* (1909).

Venezuela y Colombia

En Venezuela se observa por estas fechas una reacción contra los excesos románticos de la época anterior, de modo que no sabría uno dónde incluir nombres como los de Gutiérrez Coll, Pérez Bonalde, J. A. Calcaño y Sánchez Pesquera, si en una lista de románticos moderados o en otra de también moderados clasicistas. ANTONIO PÉREZ BONALDE (1846-1892) anda vacilando entre Bécquer, a quien, más que imitar, calca, y la oda de corte tradicional. En *Ayer y hoy*, *Enfermo*, *Luz reflejada*, *Tus ojos*, *Pensando en ti*, *La ocasión* y *Rayos y sombras* es becqueriano; en *Primavera*, *Vuelta a la patria*, *A Lesbia* y *La hermosa* es clásico. En todas ellas tiende a lo nórdico, lo nebuloso; téngase en cuenta que Bonalde había traducido a Heine y a Poe. Sus mejores versos, muy logrados, están contenidos en *Estrofas* (1877) y *Ritmos* (1880). No fué Pérez Bonalde un precursor, como algunos quieren, sino más bien un rezagado. JACINTO GUTIÉRREZ COLL (1830-1903), que había tenido ocasión de conocer en Francia a los parnasianos, tampoco sabe desprenderse de una formación clásica y del ambiente romántico respirado en su juventud. Una y otro se dejan sentir sobre sus poemas, que si por la forma métrica responden en no pocas ocasiones a maneras clásicas (hacía liras y cultivaba con preferencia el soneto), por su contenido son más bien románticos. Obsérvese este *Nocturno*, cuyo comienzo podría engañar a cualquiera:

> Noche, lóbrega noche, en tus tinieblas
> la imagen fiel de mi dolor existe.

Tal principio no debe desorientarnos, ni siquiera interponiéndose la sombra de Nicasio Gallego. Sin salir de esta primera estrofa nos damos cuenta de que el que allí llora sus cuitas es un espíritu romántico:

> Envuelto en el sudario de estas nieblas,
> ¿has visto nunca un corazón más triste?
> Pálida exhalación en el distante
> luctuoso espacio tembladora brilla.
> ¿Qué copia esa fugaz lágrima errante,
> sino el llanto que cruza la mejilla?

Más definida aparece la nota clásica en JOSÉ ANTONIO CALCAÑO (1827-1994), cuya larga residencia en Europa y perfecto conocimiento de los románticos ingleses, alemanes e italianos, sin contar naturalmente a los franceses y españoles, fué afinando más y más su sensibilidad, hasta llevarle al cultivo de una poesía tan elegante como sencilla y espontánea. Calcaño construye sus versos con escasos materiales; y hasta en aquellas composiciones, como *El ciprés* y *En la orilla del mar*, de más acusada inspiración romántica, se nota de cuando en cuando el frenazo de su formación clasicista.

Colombia aumenta la lista de sus grandes románticos, ya estudiados en otro lugar—Ortiz, Arboleda, Gutiérrez González, J. E. Caro, Pombo, etcétera—, con media docena de autores de segunda fila y con un enjambre de versificadores de menos mérito. No podemos ni siquiera dar la relación nominal escueta de todos. Los más antiguos pertenecen a *El Mosaico*, la famosa revista ya aludida en otros capítulos; los más modernos, a *La Lira Nueva*, valiosa colección en cuyas páginas se incluyen numerosas composiciones de poetas jóvenes de la época. Fué recopilada y publicada en 1886 por José María Rivas Groot, uno de los mejores vates de aquella promoción. Todos los colaboradores de *La Lira Nueva* se inspiraban en Bécquer, Núñez de Arce y, casi huelga decirlo, en el máximo patriarca de la época, Víctor Hugo.

He aquí los más importantes: ISMAEL ENRIQUE ARCINIEGAS (1865-1938), traductor de Hugo, Coppée, Heredia, Ada Negri, etc. En su obra original se muestra melódico y brillante. Maneja con maestría, aparte de los tradicionales castellanos, algunos metros clásicos, entre ellos la estrofa sáfica *Mi musa*, *En Colonia*, *A solas*, *Tropical*, *Inmortalidad*, *La balada del poeta*, *Elegía a Rivera* y *Canciones* son sus poemas más notables. JULIO FLÓREZ (1869-1923), romántico en el más amplio sentido de la palabra, tumultuoso, orquestal y de amplia capacidad descriptiva, renueva los temas del Romanticismo insuflándoles un tono personal de pesimismo y desesperación. *Horas, Cardos y lirios, Manojos de zarzas, Cesta de lotos, Fronda lírica, Gotas de ajenjo* resumen lo mejor de su obra. Aunque alguno de estos títulos—*Gotas de ajenjo, Cesta de lotos*—sugiere una modalidad poética próxima al modernismo, Flórez se encuentra más cerca de Espronceda que de Darío. JOSÉ MARÍA RIVAS GROOT (1864-1923), nieto del historiador J. M. Groot e hijo del costumbrista Medaro Rivas, fué crítico, novelista, historiador y poeta. En este último aspecto hay que afiliarle por lo acicalado de la estrofa a Núñez de Arce, y por la brillantez de la forma a Víctor Hugo. DIEGO URIBE (1867-1927), poeta de voz suave y serena, encerró en dos libros, *Hielos* y *Margarita*, su inspiración remansada, transparente y simpática. *Margarita*, como *Dolores*, de nuestro Balart, se compone de una serie de elegías a la esposa perdida; «este libro es un dolor cristalizado», llegó a decir de él Guillermo Valencia. En *Hielos* se canta con hondo acento, penetrado de espíritu cristiano, a los pobres, los desgraciados, los humildes. JOAQUÍN GONZÁLEZ CAMARGO (1865-1886), arrebatado por la muerte a los veintiún años, es acaso de todos los poetas colombianos el más influído por Bécquer. Como éste, se hace notar por su vaguedad, delicadeza y misterio. El juicio de Valera, equiparándole a Bécquer y Heine por su poemita *Viaje de la luz*, no debe alterar nuestro juicio. Camargo, en cualquier caso, y más aún en el poema citado, no pasa de la categoría de imitador.

Otros poetas de *La Lira Nueva*, como Enrique W. Fernández, Adolfo y Ernesto León Gómez, Roberto Mac Donald, Federico Rivas Frade, Carlos Arturo Torre, etc., no caben en un manual como el nuestro.

En cambio, exige una somera mención *El Repertorio Colombiano*, sin duda la mejor revista de su género de cuantas vieron la luz en Hispanoamérica durante la época que venimos estudiando. Apareció su primer número en julio de 1878 y, dirigida por el doctor Carlos Martínez Silva, continuó publicándose con regularidad hasta el 1886, en que el doctor Silva hubo de dejar la dirección para ejercer otros cargos. Con esa fecha se puso al frente de ella don Enrique Restrepo García, quien la dirigió otros dos años. Suspendida su publicación en 1888, reapareció nueve años más tarde, dirigida otra vez por su fundador Martínez Silva. El último número salió en octubre de 1899. No se trata, como en *La Lira Nueva*, de una colección exclusivamente poética; ni siquiera, como en *El Mosaico*, de un grupo formado principalmente por poetas. Los colaboradores de *El Repertorio* son antes que nada filólogos, historiadores, gramáticos, críticos, etc., y sus nombres tendrán más adecuada mención en otro lugar; pero no faltan en las páginas de la revista nombres de poetas, si bien en su mayor parte son de segundo y tercer orden. Poeta, lo que se dice poeta de altura, sólo hay uno en *El Repertorio*: Rafael Pombo, de quien se habló ya largamente en anterior capítulo.

Aparte de Pombo, encontramos en *El Repertorio* los nombres de ENRIQUE ALVAREZ BONILLA (1848-1913), incansable traductor de clásicos y románticos (Tasso, Milton, Racine, Byron) y autor de poesías originales de corte clásico y notables sobre todo por las descripciones; monseñor RAFAEL MARÍA CARRASQUILLA (1857-1930), en cuyos versos pesa más lo conceptual que lo lírico y emotivo; RUPERTO SÁNCHEZ GÓMEZ (1837-1910), padre del eminente crítico Gómez Restrepo, más retórico que poeta, como que todavía no ha salido de la orbita de influencias de Bello y de Quintana; y el ilustre humanista MIGUEL ANTONIO CARO (1843-1909). Caro es sin duda el literato más completo de Colombia, como Bello lo es de Chile y Venezuela, y Hostos de Puerto Rico. Sólo que esto no significa que sea poeta de primer orden. Escribió mucho verso: tres volúmenes, en que hay de todo; de ahí su difícil clasificación. El simple título de cada tomo indica a las claras la multiplicidad de aspectos genéricos cultivados por el gran polígrafo: 1.º, *Sonetos y cantilenas*; 2.º, *Horas de amor, Elegías, Cantos a la Naturaleza*; 3.º, *Musa militante, Sátiras, Lira cristiana*. Como cabe esperar de un espíritu tan hondamente clásico, es elegante, correctísimo, rico en medios expresivos; pero de limitada inspiración. De su canto *Al silencio* se ha dicho por alguien que contiene más pensamientos que palabras; lo que, lejos de constituir un elogio, parece una censura; y de su oda *Al liberador* se ha escrito que parece fundida en bronce. Todo ello es verdad; pero a sus versos les falta el soplo divino de la poesía.

Todavía en una obra que no fuese, como ésta, un simple compendio merecerían párrafo aparte aquellos versificadores, no los llamaremos poetas, empeñados en mantener a ultranza el fuego sagrado del clasicismo: monseñor Calderón, obispo de Santa Marta; Espinola del Rendón; los jesuítas padres Teódulo Vargas y Mario Valenzuela; J. M. Vergara y Vergara; Manuel Pombo, etc., o aquellos otros que, como Joaquín Pablo Posada, José Caicedo Rojas y Ricardo Carrasquilla, continúan la tradición festiva, a la manera de nuestro Bretón. Su comentario escapa a los límites de nuestro libro.

Las Antillas: Cuba

Algo análogo debemos decir de una turbamulta de vates que llenan el parnaso cubano en el largo período que va desde que se extingue la voz de los grandes poetas—*Plácido*, Mendive, Milanés, Zenea—hasta que Casal y Martí advienen portadores de un acento nuevo. De alguno de ellos se hizo mención en otro capítulo. Aludamos aquí muy brevemente a otros pocos. Y empecemos por decir que casi todos están incluídos en dos colecciones publicadas en diferentes fecha y latitud: *Los poetas de la guerra* y *Arpas amigas*. La primera fué recopilada por Martí y publicada en Nueva York en 1893. Recoge las composiciones que «los poetas mambises compusieron en las horas de tregua durante la guerra del 68, composiciones inspiradas en los anhelos de la patria irredenta, en los que vibra el sentimiento con fuertes tonalidades, y el alma ahíta de fe desborda sus ansias de ver a Cuba libre»[11]. En su mayor parte son de escasa calidad poética, y casi todos giran en torno al tema patrio. *Arpas amigas,* la otra colección, apareció en la Habana en 1879; y en sus páginas figuran poemas de E. J. Varona, F. y A. Sellén, E. Borrero Echevarría; D. V. Tejera, J. V. Zequeira y Luis V. Betancourt.

Dos palabras sobre ellos: ENRIQUE JOSÉ VARONA (1849-1933), de sólida formación clásica, que no desmiente en sus *Odas anacreónticas,* acusa luego influencias de Campoamor y Núñez de Arce, para terminar imitando a Tagore en *Poemitas en prosa;* ESTEBAN BORRERO ECHEVERRÍA (1849-1906) cultivó con chispa el género festivo y no fué extraño al serio, que lo hacía de corte preferentemente becqueriano; LUIS VICTORIANO BETANCOURT (1843-1885) prefirió la poesía sentimental, de la que son muestras sus dos composiciones *La limosna espiritual* y *Oración infantil;* FRANCISCO SELLÉN (1838-1907) cantó a la naturaleza y a la patria en verso depurado, que a veces alcanza alta tensión lírica; sus *Poesías* (Nueva York, 1890) merecieron elogios de críticos eminentes, entre ellos de Martí; su hermano ANTONIO SELLÉN (1839-1889) se distinguió como traductor de poetas nórdicos—alemanes, daneses y suecos—, pero en los poemas originales revela menos temperamento lírico que su hermano; VICENTE TEJERA (1848-1903), el más notable colaborador de *Arpas amigas,* escribió composiciones de vario tono y llenas siempre de lírico fervor: sentimentales (*En la sombra, Armonía, Elisa, ¡No!*); humorísticas al modo de Bécquer y de Heine (*Un ramo de violetas*); descriptivas (*En la hamaca*); cívicas (*La estrella solitaria, Esperando, La invasión*). La poesía de Tejera llena con dignidad cinco lustros de la vida cubana (1868-1895). JOSÉ VARELA ZEQUEIRA (1859-1940), al que una larga vida permitió conocer nuevos modos, sólo escribió verso en su juventud; después derivó a la prosa y al ejercicio de su cátedra de Anatomía en la Universidad de la Habana. Los poemas de Varela incluídos en *Arpas amigas* delatan una musa optimista, sana, enemiga de misterios y melancolías, que se complace en recibir de cara el soplo de la realidad.

Entre «los poetas de la guerra», que son numerosos, ninguno merece cita especial, como no sea JOSÉ JOAQUÍN PALMA (1844-1911), aludido por Rubén elogiosamente en *Los Raros.* Hay en Palma dos acentos: el íntimo, sentimental, lleno de emoción humana (*Tinieblas del alma*); y el cívico, inspirado por la patria ausente (oda *A Cuba, a Bayamo, 10 de octubre de 1873*). Tampoco nos es posible ocuparnos de ese coro de poetisas que alegran el parnaso cubano por la misma época. La más representativa, Luisa Pérez de Zambrana, tuvo ya su mención. Otras—Aurora Castillo, Mercedes Matamoros, Nieves Xenes, etc.—no caben aquí.

Méjico

Ni Puerto Rico ni Santo Domingo ofrecen por esta época poetas dignos de estudio. Tampoco en las repúblicas centroamericanas hallamos nombres de importancia, como si pasasen por un largo período de gestación antes de alumbrar al genio de la poesía castellana en aquel continente, al gran Rubén Darío.

Méjico, en cambio, puede exhibir unos pocos nombres de poetas, más bien académicos o cultos, que vienen a darse la mano con los primeros modernistas, con Díaz Mirón, Gutiérrez Nájera y F. A. de Icaza. Si pasamos por alto a Riva Palacio y Altamirano, más novelistas que líricos, y a Justo Sierra, cuya profusa obra de historiador, pedagogo y político casi anula su producción poética, y si tenemos en cuenta que los pocos románticos de algún relieve—Calderón, Galván, Flores, Acuña—fueron ya estudiados en lugar más indicado, nos quedarán como únicos exponentes de la poesía mejicana en este período tres o cuatro ingenios de segunda fila.

Y es el primero JOSÉ JOAQUÍN PESADO (1801-1860), poeta muy discutido en su tiempo y hoy apenas recordado por nadie. Para algunos de sus correligionarios, empeñados en ver en él, antes que al poeta, al ardiente controversista católico, Pesado era un genio; para otros críticos, constituídos en implacables censores ya no de cada uno de sus poemas, sino de cada uno de sus versos, fué un simple plagiario; había saqueado sin escrúpulos a los más excelsos poetas, antiguos y modernos, empezando por los Libros Sagrados. Menéndez Pelayo y Anderson Imbert, con más objetividad, nos dan su talla verdadera. El primero, sin desconocer sus dotes de versificador terso y puro, le relega al rango de «poeta estimable de segundo orden»; Imbert, que le incluye, no sin acierto, entre los neoclásicos de la generación anterior, le califica de «poeta mediocre, que nunca se levantó a gran altura». La verdad es que tradujo mucho y bien; que imitó aún más, y que de los autores traducidos e imitados se le pegaron bastantes versos, que fueron a parar sin cambio casi sensible a sus poemas originales. ¿Plagio? Más bien se trata de esos «honestos hurtos», que por proceder de predios por todos conocidos no entrañan propósito de engaño ni mucho menos de mala intención. Menéndez Pelayo en un magistral análisis ha dilucidado la cuestión, cancelando de una vez para siempre esta disputa y dejando bien claro qué es lo que hay en los versos de Pesado de procedencia ajena y qué es lo que él puso de propia cosecha. Aun atribuída una buena parte de sus aciertos a sus modelos, todavía queda mucho de mérito auténtico que subrayar en sus composiciones originales: la elegía *Al ángel de la guarda de Elisa,* «digna de cualquier poeta español del Siglo de Oro»; *A mi amada en la misa de alba,* muy celebrada y popular en algún tiempo; algunos sonetos; muchos poemas de asunto sagrado, en los que da nuestro poeta su nota más alta, siguiendo muy de cerca el tono bíblico; y, sobre todo, la serie de romances descriptivos, que tienen por fondo paisajes de Arizaba y Córdoba, con escenas de campo y aldea, procesiones, lidias, peleas de gallos, etc. Junto a esta colección debe figurar la titulada *Los aztecas,* «en que su autor intentó la creación de una poesía indígena, traduciendo y glosando (al decir suyo) cantares de más o menos sospechosa autenticidad, entre los cuales están las famosas poesías de Netzahualcoyotl y otras anónimas». Más que traducción, es una interpretación muy feliz y muy libre de la poesía azteca. Pesado no conocía las lenguas indígenas y se sirvió de fragmentos ya traducidos en las viejas crónicas y de otros que interpretó para él un indio amigo suyo [12]. De todos modos, ya que no una poesía propiamente indígena, Pesado

acertó a escribir, a base de tales fragmentos, «magnífica poesía», entreverada con influencias clásicas y con los libros sapienciales. Y desde luego, si algo ha de mantener su nombre en la historia de las letras, han de ser estos poemas.

Junto a Pesado debe figurar, y de hecho viene figurando siempre, MANUEL CARPIO (1791-1860), poeta sensorial, descriptivo y pintoresco, a quien por esto mismo pudiera incluirse entre los románticos, si el fondo de sus poemas no delatase un espíritu formado en los gustos y modos de la escuela anterior. Carpio empezó a escribir verso tardíamente, al rondar los cuarenta años, y esto le impidió llevar a sus poemas aquel mínimo de pulimento y de sobriedad, sin el cual no hay obra artística perfecta. Tiene, es verdad, bellas descripciones y alguna oda, como *El turco,* muy estimable. Pero donde se muestra más inspirado es en las composiciones de asunto bíblico, en las que casi se codea con Pesado.

Un poeta, en quien se reflejan simultáneamente influencias clásicas y románticas, alcanzó a finales de siglo en América y España amplia popularidad. Aludimos a JUAN DE DIOS PEZA (1852-1910), cantor de honestos placeres y domésticas satisfacciones. Su poesía, apta para llegar a una masa de lectores poco exigentes, se distingue por lo sencilla, lo espontánea y aleccionadora. Un contenido moral, de una moralidad sujeta siempre al Decálogo, le da nuevos valores. Y si a éstos correspondiesen los méritos artísticos, Juan de Dios Peza sería uno de los más grandes poetas americanos. Por desgracia no hay tal. Los poemas de Peza se dejan leer, se degustan con cierto deleite, pero nunca llegan al fondo del alma para remover sus más íntimas fibras. Demasiado fácil de factura esta poesía, demasiado vulgar de contenido. Peza escribió mucho; no menos de siete volúmenes alcanzan sus *Poesías completas* (París, 1891-1901): *El arpa del amor; Hogar y patria; Flores del alma y versos festivos; Leyendas históricas, tradicionales y fantásticas; Recuerdos y esperanzas; Cantos del hogar; De la gaveta íntima.* Muchos han sido traducidos a varios idiomas, incluso al japonés. Los más elogiados son los *Cantos del hogar.*

Otros vates mejicanos de la época son GUILLERMO PRIETO (1818-1897), de gran influencia en las dos generaciones románticas de su país; en *Musa callejera* y *El Romancero* acertó a recoger, dentro de una línea tradicional y castiza, tipos populares y escenas de la lucha por la independencia; JOSÉ MARÍA ESTEVA (1818-1904), que pulsa la lira de acento regional en *Poesías, Tipos veracruzanos y composiciones varias, El fandango,* etc.; e ISABEL PRIETO DE LANDÁZURI (1833-1876), traductora de románticos franceses y autora ella misma de composiciones que se distinguen por su dulzura y delicadeza.

V. POESIA GAUCHESCA

A principios del XIX, o acaso unas décadas antes, aparece en las llanuras rioplatenses un género popular, que por haber servido de expresión a los llamados «gauchos» viene designándose con el nombre de «poesía gauchesca». Se manifiesta primeramente en forma oral, para pasar pronto a la forma escrita y culminar durante la segunda mitad del siglo en obras más o menos cultas, pero siempre redactadas con una intención estética. Tal poesía, que responde en sus orígenes a la tradición de los romances y canciones importados por los conquistadores, es, sin embargo, original. De esa tradición sólo hereda la forma métrica y un caudal léxico rico en arcaísmos. En lo demás—ambiente, contenido y modos expresivos—tiene sello propio. Todo lo que sea buscarle otros entronques con la popular castellana—los que, por ejemplo, se establecen con los *Diálogos de Hidalgo* y las *Coplas de Mingo-Revulgo*—son ganas de sacar las cosas de quicio. La poesía gauchesca sólo puede entenderse en función del sujeto humano que le dió concreción artística, al servirse de ella para expresar sus ideas y sentimientos; y ese sujeto humano no es otro que el gaucho [13]. Esto significa que para penetrar en el fondo de esa poesía se impone como postulado previo un conocimiento del gaucho, de sus condiciones de vida, de su perfil espiritual y físico. ¿Quién es el gaucho y cómo vive o vivía?

Está comprobado que el gaucho es un tipo humano, habitante de las llanuras del Plata desde fecha antigua. Concolorcorvo nos describe la fisonomía y costumbres de los gauchos en el *Lazarillo de ciegos y caminantes,* ya aludido en otro lugar. Y esto en 1773. Poco después, 1779, el virrey Vértiz dicta una providencia por la que se les obliga a trabajar, por considerarlos vagabundos. Rómulo Muñiz opina que su aparición debe situarse en Uruguay, mientras que Martiniano Leguizamón les adjudica una existencia antiquísima en Argentina, como resultado de la mezcla de criollos y mestizos venidos de la Asunción para poblar Santa Fe y Buenos Aires. Hay quien los hace mestizos de india y español, o bien, descendientes de campesinos andaluces o extremeños. La fonética parece abonar esta opinión. Pero sea de ello lo que fuere, lo cierto es que el gaucho se adapta pronto a las circunstancias del país en que vive. Pocas veces se habrá visto una adecuación tan exacta entre el hombre y el medio ambiente, en primer lugar; y entre estos dos factores y el producto artístico, después. En otras palabras: el gaucho se adecua al medio vital, y la poesía, al gaucho. «Si en una obra artística o literaria—escribe el profesor Moreno Báez—es posible llegar a percibir el influjo del medio ambiente y de las circunstancias, de la tierra en que

se produjo y de las condiciones sociales que precedieron o acompañaron su aparición, en pocas será ese sello tan vigoroso como en el conjunto de composiciones que conocemos con el nombre genérico de gauchescas. Poesía eminentemente nacional, típica en cuanto trata de reflejar al gaucho con sus creencias y sentimientos, con sus costumbres, con su lenguaje, tradicional en cuanto es el resultado de una evolución que se había iniciado mucho tiempo antes, está pegada a la tierra y a sus habitantes de una manera como pocas veces puede encontrarse dentro de lo moderno [14].»

Vive el gaucho, ya queda dicho, en las extensas llanuras de Uruguay, de Paraguay, de Argentina, sobre todo. Es seminómada o, como alguien ha escrito, «sedentario a caballo». Su ocupación habitual es el cuidado de las reses, las grandes vacadas que pastan en la campiña. Excelente jinete, galopa incansable hasta desjarretar a un toro en la carrera. Su industria se reduce a la obtención de cueros y grasas; sus ejercicios preferidos, la doma de potros salvajes y el canto en la pulpería, a compás de su guitarra. El contacto directo con la Naturaleza le ha hecho duro y sufridor. Duerme donde le sorprende la noche; ama el campo y odia la ciudad. Es cristiano, pero con un cristianismo estoico, casi fatalista. Habla español, pero un español sentencioso, paremiológico, matizado de arcaísmos e indigenismos. Es sobrio; apenas bebe, sino cuando la música y los versos le incitan a ello. Es por naturaleza cantor y poeta; gústale al llegar a una pulpería, detenerse, coger la guitarra, que en ninguno de tales sitios falta, y romper por «cielitos», «vidalitas» o «tristes», entreteniendo con su canto a la concurrencia.

Su retrato nos ha sido trazado por Bunge: «Era fuerte y hermoso por su complexión física; cetrino de piel, tostado por la intemperie; mediano y poco erguido de estatura; enjuto de rostro como un místico; recio y sarmentoso de músculos, por los continuos y rudos ejercicios, agudo en la mirada de sus ojos negros, habituados a sondar las perspectivas del desierto. Su temperamento se había hecho nerviosobilioso por la alimentación carnívora y el género de vida. Si sobre su corcel era como un centauro, a pie, por la misma costumbre de vivir desde niño cabalgando a través de inconmensurables distancias, resulta de figura un tanto deslucida, ligeramente agobiado de espaldas y combado de piernas. Por sus facciones correctas, sus sedosos cabellos y barba y, sobre todo, por la gracia emoliente de sus mujeres, recordaba al árabe trasplantado a las orillas del «Betis». Vestía poncho de vicuña, chiripá negra y calzoncillo desflecado» [15].

Esta semblanza se completa con una serie de cualidades morales, que constituyen al gaucho en un grupo étnico aparte. La propiedad para él no existe, o existe sólo circunscrita a la casa-habitación y al ganado doméstico; tampoco respeta leyes o códigos escritos. Se toma la justicia por su mano y repara la ofensa en duelo singular con el ofensor. Trabaja hasta donde lo exigen sus necesidades; desprecia la autoridad, aunque no por principio, sino por estar convencido de que los hombres que la encarnan, cuando no enemigos, son para él por lo menos poco complacientes. Tales defectos, si así pueden llamarse, quedan compensados con innegables virtudes: el gaucho es caballeroso, hospitalario, magnánimo, casi dilapidador de lo suyo, y por ello exige en los demás idéntico desinterés; incapaz de una traición, ataca siempre de frente y dando a su adversario las mismas ventajas que él quiere para sí. Es, sobre todo, cortés: a una onza de oro prefiere un cigarrillo ofrecido con afecto, según la observación hecha por Andrews.

Pero ocurre que en el último tercio del XIX la llanura argentina se transforma. La vida pastoril se convierte en agraria; rápidos medios de transporte, instrumentos perfeccionados de trabajo y, en consecuencia de ello, una riqueza nueva en perspectiva, atraen a las masas de inmigrantes, bajo cuya acción la economía del campo sufre un cambio radical. La administración del Estado, al mismo tiempo, extiende sus tentáculos: derecho, propiedad, justicia son ya palabras de hondo contenido. Es entonces cuando el gaucho nota que se enrarece el ambiente; y empieza a desaparecer, unas veces subsumido en el torrente inmigratorio; otras veces diluído en la gran urbe, para convertirse en ese tipo híbrido que se llama «compadrito»; otras, las más, arrinconado en sabe Dios qué escondrijos del inmenso territorio. Antes, sin embargo, de hacer mutis, el gaucho ha creado una poesía, de la que después se han hecho intérpretes algunos hombres cultos, elevándola de paso al rango casi de «literatura nacional». Tal poesía, cuyo estado primario no nos es dado conocer, tiene en el proceso ya bastante avanzado en que nosotros lo encontramos una serie de notas muy definidas. En lo formal se ajusta a moldes tradicionales: verso octosílabo; combinaciones estróficas corrientes, como son décimas, redondillas, quintillas, romances, etc.; rima adaptada a la pronunciación vulgar americana y no a la española. En cuanto al contenido, trata de reflejar, y lo consigue con relativa exactitud, la vida y costumbres del gaucho, tal como queda esbozada en los párrafos anteriores.

Período inicial y primeras manifestaciones

Tres etapas se vienen señalando en la poesía gauchesca: *a)* una espontánea, anónima y oral, con aprovechamiento del baile y de la música, desarrollada en verso rudimentario y con gran copia de elementos folklóricos; *b)* otra de apogeo, en que se pasa del recitado o rapsodia oral al poema escrito; *c)* otra tercera, en que la poesía culta se apodera del gaucho para convertirle en actor e inspirador de obras pertenecientes a diversos géneros: novela, teatro, narración, etc. En este último caso, el poeta culto intenta reproducir la vida, costumbres y psicología del gaucho, bien valiéndose de la propia habla de éste, que no es otra cosa que el español arcaico fuertemente salpicado de voces y giros indígenas, bien sirviéndose del lenguaje urbano. Ejemplos de lo primero son las obras de Hidalgo, Ascasubi y Hernández, auténtica poesía gauchesca; de lo segundo, el *Santos Vega,* de Obligado, poesía culta, a la que sirve de núcleo una leyenda gaucha.

De la primera etapa, oral y anónima, no tenemos documentos, siendo por tanto difícil determinar la naturaleza de tal poesía. Se sabe, eso sí, que entre los gauchos abunda el tipo rapsoda o payador, que iba de pulpería en pulpería recitando sus cantos, casi siempre improvisados. «Cada pulpería—escribe Sarmiento en el *Facundo*—tiene su guitarra para poner en manos del cantor, a quien el grupo de caballos estacionados a la puerta anuncia a lo lejos dónde se necesita el concurso de la gaya ciencia.» Con frecuencia se juntan en una misma pulpería dos payadores, y entonces surge el torneo poético, en que cada uno se esmera por vencer a su contrario. A esta contienda, llamada «payada de contrapunto», se alude en el *Martín Fierro:*

> Encontrándose dos juntos,
> es deber de los cantores
> el cantar de contrapunto.

Es el payador un auténtico juglar, y su arte se ha comparado no sin razón con el «mester de yoglaría» de nuestra poesía medieval. Se tiene por arquetipo de estos rapsodas o payadores a Santos Vega, cuya existencia, no comprobada con documentos fehacientes, ha dado origen a una de las más bellas leyendas americanas. El recitado o canto, puesto que casi siempre el verso iba asociado a la música, se subraya con la vihuela, por lo que el payador, a la vez que gran facilidad de improvisación, debía tener suma agilidad en los dedos para acompañarse del instrumento. Su canto recibía varios nombres—*vidalita, cielito, triste*—, según el tema y la estructura métrica. La *vidalita* y el *cielito* eran expresiones que el cantor aplicaba a su amada, intercalándolas periódicamente, después del primero y tercer verso: «cielito, cielo que sí». Los *tristes*, evolución probable del canto quichua, deben su nombre al fondo melancólico del recitado. Parece demostrado que en principio la poesía gauchesca era eminentemente lírica y, al igual que ocurre en tantas otras literaturas, fué derivando hacia lo narrativo y lo épico.

Ya en la segunda etapa, superada la fase de la

simple expresión oral, los primeros documentos escritos de poesía gauchesca que tenemos son el romance *Canta un guaso en estilo campestre los triunfos del Exmo. Sr. D. Pedro de Cevallos* y la pieza dramática *El amor de la estanciera*. El primero, atribuído al canónigo Maziel, quien debió de escribirlo hacia el 1777, carece de valor literario. Sobre *El amor de la estanciera,* como obra teatral, ya se habló en el lugar correspondiente.

Entrado el siglo XIX, el género gauchesco sale del anominato y pasa a manos cultas y conocidas. El primer poeta de quien se sabe que adoptó las formas literarias y el habla de los payadores fué JUAN GUALBERTO GODOY (1793-1864), en un poema titulado *Corro,* hoy desgraciadamente perdido. Sobre su mérito artístico nada se puede conjeturar, y únicamente sabemos que se desarrollaba en forma de diálogo entre el coronel Francisco Corro y un viejo.

Hidalgo, Ascasubi y Del Campo

A principios del XIX la poesía gauchesca cae bajo el dominio de los poetas cultos, en la forma antes dicha. Su período de máxima floración va desde el 1820 hasta 1875, poco más o menos, y sus intérpretes más representativos son Hidalgo, Ascasubi, Del Campo y José Hernández.

BARTOLOMÉ HIDALGO (1778-1823?) [16], uruguayo naturalizado en Argentina, tuvo ocasión de conocer directamente a los gauchos en su vida y costumbres; había oído cantar a los payadores, y fué uno de los primeros que se preocuparon de recoger la poesía de éstos por escrito, aderezándola con el vocabulario, giros y modismos gauchescos. En este sentido sus *Diálogos patrióticos* y *Cielitos* (1820-22) tienen una significación muy definida y un claro valor en la historia del género que estamos estudiando. En el primero de los *Diálogos,* los paisanos Chano, capataz de las Islas del Tordillo, y Ramón Contreras, del pago de la Guardia del Monte, platican sobre las disensiones entre «federales» y «unitarios»; en el segundo, comentan los rumores de una expedición española para recuperar las colonias; en el tercero y último, rememoran las fiestas conmemorativas del 25 de mayo en Buenos Aires. Los *Cielitos* están inspirados en los ideales que alimentaron la lucha contra la metrópoli, desde 1811 a 1816. Sin excesivo alarde literario, tanto los *Diálogos* como los *Cielitos* se distinguen por su espontaneidad y frescura.

El camino abierto por Hidalgo es continuado por HILARIO ASCASUBI (1807-1875) [17], hombre de ciudad, aunque nacido en plena campiña, y acaso por esto mismo muy aficionado a la vida campestre. También se servía del lenguaje rústico, más concretamente del gauchesco, para sus trabajos periodísticos, escritos en verso y casi siempre con una clara intención satírica. Con los seudónimos de

Paulino Lucero y *Aniceto el Gallo,* personificación de los dos últimos y más representativos payadores, escribe sus «medias cañas», «cielitos», etc., a los que lleva sus propios sentimientos basados en el amor a la libertad y el odio a la servidumbre, personificada ésta en el tirano Rosas. Sólo que en vez de expresarlo directamente y en lenguaje culto, lo hace sirviéndose de los dos seudónimos indicados y de una expresión típicamente gauchesca. Los trovos recogidos bajo el título general de *Paulino Lucero* revisten un tono sombrío y abundan en descripciones descarnadas. Ese tono pasa a ser festivo en los firmados por *Aniceto el Gallo.* En ambos imita Ascasubi un género periodístico de neto corte gauchesco, que tenía sus precedentes en el padre Castañeda y en Luis Pérez, partidario de Rosas. Muy populares los versos de Ascasubi, fueron cantados en los campamentos y vivaques para animar el espíritu de la lucha y se distinguen sobre todo por su intenso dramatismo. Aún estuvo más afortunado nuestro poeta en *Santos Vega, o Los mellizos de la Flor,* obra comenzada en 1851, suspendida largo tiempo y no terminada hasta el 1872. La acción, que se remonta a los últimos años de la Colonia, se desliza por manifiesto anacronismo en un escenario campestre más propio de la época en que escribía Ascasubi, a mediados del XIX, que del impuesto por la cronología. Esto significa que la ambientación está idealizada. Pero ello no resta mérito al poema. Aquí Santos Vega, a quien ya conocemos por la leyenda de Obligado, antes que sujeto de acción se nos presenta como simple narrador. Su figura es, por tanto, secundaria. Los personajes que centran la atención del lector y en torno a los cuales gira la trama son dos mellizos, Luis y Jacinto, raptados por los indios, y a quienes la vida lanza por caminos opuestos: Luis hacia el mal, del cual es una especie de encarnación; Jacinto, hacia el bien. Hay en este *Santos Vega* escenas—la amanecida, el baile, el avance de los indios—perfectamente logradas; hay costumbres bien descritas y tipos dotados de vida. La construcción es defectuosa; pero el conjunto se salva gracias al sabor gauchesco que penetra el poema por todas sus partes.

El seudónimo de *Aniceto el Gallo,* usado por Ascasubi inspiró a ESTANISLAO DEL CAMPO (1834-1880) [18] el suyo de *Anastasio el Pollo,* con que solía firmar sus gacetillas gauchescas, de indisimulable corte ascasubiano. No fueron éstas, sin embargo, las que le dieron fama. Tampoco fueron sus poesías de asunto serio y factura literaria. Si Del Campo ha pasado a las páginas de la Historia es gracias a una pura casualidad. El 24 de agosto de 1866 se representaba en el Colón, de Buenos Aires, el *Fausto* de Gounod. Del Campo asiste a la representación y cae en la ocurrencia de poner en lenguaje gauchesco varias escenas y situaciones. Le oye el poeta Ricardo Gutiérrez y le anima a componer una obra en ese estilo. Pocos días después, Gutiérrez recibía, dedicado, el original de un *Fausto* criollo, que salió a luz ese mismo año. Y ésta es la obra a la que Del Campo debe su celebridad. Se desarrolla en forma de diálogo entre Anastasio el Pollo y su aparcero Laguna. Anastasio ha ido a la capital, ha entrado por casualidad en el teatro, ha asistido a la representación de *Fausto,* que él toma por acontecimiento real, sucedido ante sus propios ojos. Ahora se lo cuenta todo a Laguna. Lo de menos aquí es el asunto, extraño, como se ve, al género gauchesco. Lo que vale son las reacciones de los dos personajes, su recreación e interpretación del drama, sus comentarios, expuestos siempre en un lenguaje y con un vocabulario típicamente gaucho, y la serie de ideas y sentimientos que al calor de la narración van surgiendo en su alma y aflorando a sus labios. Vale también ese tenue hilo de emoción que, ligado ya a los primeros versos, va hilvanándolos todos, dando al relato unidad y coherencia. Si el tema no es gauchesco, lo son el estilo, las imágenes, las comparaciones y, en fin, el alma de los personajes.

El «Martín Fierro», de Hernández

La poesía gauchesca alcanza su culminación con el poema *Martín Fierro,* de JOSÉ HERNÁNDEZ (1834-1886) [19]. Antes había logrado manifestaciones más o menos estimables, pero en modo alguno perfectas; después, ya nada digno de recuerdo dará de sí. Con Hernández obtiene su expresión literaria definitiva. El *Martín Fierro* clausura un ciclo con la misma dignidad casi con que el *Quijote,* salvadas las naturales distancias, cierra el suyo caballeresco. Como la novela inmortal de Cervantes, el poema de Hernández, al propio tiempo que consagra para siempre un género, viene a cubrirlo como losa sepulcral.

Hasta Hernández se puede decir que lo gaucho sólo había servido bien para reforzar en forma satírica un ideario político, como en Hidalgo y Ascasubi, o bien para remedar o parodiar, como en Del Campo, un motivo culto. Hernández quiso demostrar que lo gaucho puede ser por sí mismo, sin otro aditamento ni otra intención, base de una creación artística de sentido trascendental. Y lo logra. Claro es que nadie tan bien preparado como él para realizarlo: conocía al gaucho en su vida, costumbres, lenguaje y psicología; simpatizaba con él y hasta cabe suponer que en esa lucha sorda del hombre de la pampa, aferrado a su vida tradicional y un poco salvaje, contra el hombre de la ciudad, portador del progreso, se ponía de parte de aquél. No importa que luego el propio poeta inclinase la cabeza ante lo irremediable. Y lo irremediable era la desaparición del gaucho. Con él se iba toda una forma de vida, que Hernández se

propuso perpetuar en forma poética antes que la extinción total se consumase.

Todo esto lo sabemos por el mismo poeta gracias a la carta a don José Zoilo Miguens, que acompañó la primera edición de su poema. «Me he esforzado—escribe Hernández—, sin presumir haberlo conseguido, en presentar un tipo que personificara el carácter de nuestros gauchos, concentrando el modo de ser, de sentir, de pensar y de expresarse que les es peculiar, dotándolo con todos los juegos de la imaginación llena de imágenes y de colorido, con todos los arranques de su altivez, inmoderados hasta el crimen, y con todos los impulsos y arrebatos, hijos de una naturaleza que la educación no ha pulido y suavizado... Quizá la empresa habría sido para mí más fácil, y de mayor éxito, si sólo me hubiera propuesto hacer reír a costa de su ignorancia, como se halla autorizado por el uso en este género de composiciones; pero mi objeto ha sido dibujar a grandes rasgos, aunque fielmente, sus costumbres, sus trabajos, sus hábitos de vida, su índole, sus vicios y sus virtudes; ese conjunto que constituye el cuadro de su fisonomía moral y los accidentes de su existencia llena de peligros, de inquietudes, de inseguridad, de aventuras y de agitaciones constantes.» Más brevemente: Hernández se propuso—y una vez más nos servimos de sus propias palabras—presentar «ese tipo original de las pampas, tan poco conocido por lo mismo que es difícil estudiarlo, tan erróneamente juzgado muchas veces y que, al paso que avanzan las conquistas de la civilización, va perdiéndose casi por completo». Para ello se vale de un procedimiento diametralmente opuesto al empleado por sus inmediatos antecesores: en vez de hacer que el gaucho vaya a la ciudad, el propio poeta se va a la pampa, para sorprenderle en su mismo ambiente. «Martín Fierro—aclara Hernández—no va a la ciudad a referir a sus compañeros lo que ha visto y admirado en un 25 de mayo u otra función semejante...» La alusión a Del Campo no puede ser más clara.

Hasta qué punto logró Hernández su propósito inicial nos lo dice el éxito que acompañó a *Martín Fierro* desde su aparición y el aplauso con que fué fué recibido entonces y ha sido confirmado luego por la crítica nacional y extranjera. Tanto la primera como la segunda parte, publicadas con un intervalo de siete años, 1872 y 1879, respectivamente, alcanzaron una difusión sin precedentes en Argentina. Los ejemplares del poema se vendían por millares. Se llegó a crear el tipo de lector en torno al cual se congregaba el público de uno y de otro sexo para escuchar las incidencias del relato. Este se basa en una sencilla trama argumental, expuesta por el propio protagonista que da título al poema. He aquí esa trama:

El gaucho Martín Fierro comienza contando su historia para mitigar la pena; y la narra en forma versificada porque a él le sale el canto de manera espontánea:

> Mas, si me pongo a cantar,
> no tengo cuando acabar,
> y me envejezco cantando.
> Las coplas me van brotando
> como agua del manantial.

Martín Fierro es llevado contra su voluntad a la frontera. La leva de paisanos afecta a los gauchos y, naturalmente, también a Martín. Se le destina a una fortaleza, donde sufre toda suerte de privaciones y ultrajes; piensa en desertar y lo hace de noche, volviéndose a su pago, que encuentra destruído. Jura vengarse y ser en adelante «más malo que una fiera». Bebe, pelea, mata, se hace gaucho matrero; la Policía le persigue en el pajonal donde se oculta; pero él la espera, facón en mano, y en lucha desigual se defiende contra la partida de tal modo que logra primero la admiración y luego la ayuda del sargento Cruz. Los soldados huyen; Fierro y Cruz, identificados en la desdicha, deciden sustraerse a la justicia pasando lo frontera e internándose entre los indios del desierto. Aquí termina la primera parte.

En la segunda relata Martín su llegada con Cruz hasta una toldería, a tiempo que los indios preparan una invasión. Los toman por espías, los guardan como rehenes, separados uno del otro durante dos años; pero sobreviene una epidemia, que el cantor describe con crudo realismo; Cruz se contagia y muere. Fierro ve a un indio y, tras un duelo impresionante, lo mata y tiene que huir. Atraviesa el desierto llevando consigo a la cautiva; se entera por un amigo de que las autoridades le han indultado y se reúne al cabo de diez años con dos de sus hijos. Manifestaciones de alegría, relato mutuo de peripecias: uno de sus hijos ha sufrido prisión acusado de falso homicidio; otro ha escuchado de labios del viejo Vizcacha, resumida en sabios consejos, toda la filosofía amarga del gaucho. Advienen dos nuevos personajes: Picardía, hijo de Cruz, que relata sus propias desdichas, y un moreno, hermano de aquel a quien matara Fierro en un baile. Reta a Martín con ánimo de venganza, pero se logra evitar el duelo. Fierro se separa de sus hijos, no sin darles antes una serie de consejos, antítesis de los del viejo Vizcacha.

Lo que distingue al *Martín Fierro* de otros poemas del género (por ejemplo, del *Santos Vega* de Obligado), es tanto el punto de partida como el propósito final. Obligado se nos ofrece como un poeta culto, que nunca pierde su condición de tal; escribe desde la ciudad y para la ciudad. Hernández, en cambio, escribe con miras al campo; sólo se acuerda de que es culto al estructurar su poema. Los demás elementos de que se sirve —estilo, léxico, imágenes, ideas, sentimientos— pertenecen a la raza gauchesca. Por eso cumple un doble propósito: deleitar a los lectores cultos y satisfacer a los gauchos. «Con las mismas palabras —escribe Anderson Imbert— ofrece dos mensajes distintos. Ante los cultos, reclama justicia para el gaucho; ante los gauchos, procura

darles lecciones morales que mejoren su condición... Al mimetizarse con los gauchos a fin de mejorarlos moralmente, Hernández logró algo genial: la identificación emocional, imaginativa, con el mundo del gaucho [20].»

Martín Fierro, ya queda dicho, se publicó en dos partes: la primera, la *Ida*, en 1872; la segunda, la *Vuelta*, en 1879. Es un caso más, como el *Quijote* o el *Roman de la Rose*, en que la segunda es mejor que la primera, o al menos no desmerece. ¿Qué pudo mover a Hernández a darle esa continuación? Un cambio operado en su espíritu. No se olvide que ese lustro y medio transcurrido entre la redacción de ambas partes fué decisivo para la vida argentina. La estructura política y social de la gran nación sufre un cambio radical: ya no gobierna Sarmiento, sino Avellaneda. Hernández presencia la galopada emprendida por su patria rumbo a un futuro próspero; es ante todo argentino; y aunque sienta profunda simpatía por el gaucho, sabe que éste tiene que enrolarse en la falange que avanza, o resignarse a morir. Por eso el tema central de la primera parte, ha observado Tiscornia con acierto, es la *persecución*: Fierro, símbolo de toda su raza, se enfrenta con los poderes públicos, al creer que éstos coartan su libertad; el tema de la segunda parte es la *asimilación* a la vida regular y democrática, previo un doloroso renunciamiento a cuanto hasta entonces había constituído su razón de ser.

Consta el poema de siete mil doscientos diez versos octosílabos, repartidos en estrofas de diverso tipo, aunque con manifiesto predominio de sextinas, que no son tales sextinas, sino más bien quintillas precedidas de un verso suelto, en esta forma:

> Aquí me pongo a cantar
> al compás de la vihuela;
> que el hombre que lo desvela
> una pena extraordinaria,
> como la ave solitaria
> con el cantar se consuela.

Hay también, aunque en mucho menos número, pasajes de redondillas, seguidillas y romances. La rima aconsonantada admite muchas licencias: concordancia de singular y plural; de tercera persona de singular con tercera de plural; de asonante con consonante, etc.: *arriman* con *encina*, *mayor* con *sol*, *alcanzan* con *mudanzas*, *prendido* con *divertidos*, *perros* con *yerro*, etc. En general, el poeta sigue la fonética popular americana y no vacila en tomarse toda clase de libertades. Está escrito en una lengua rústica, mezcla del español arcaico y de voces indígenas americanas. Las principales particularidades en cuanto a vocalismo, consonantismo y acentuación se pueden resumir así: a) en concurrencia de dos vocales formando diptongo, el acento se corre a la más abierta: *cáir, máistro, óido, réir, incréible*; b) tendencia a dislocar el acento natural en los verbos: *seás, gólpea*; c) unión de formas pronominales —*me, nos, te, le, la, los*, etc., a infinitivo, gerundio e imperativo: *manejensé, hagamoslé, diciendolés*, con un solo acento en vez de los dos que le da la prosodia corriente; d), arcaísmos ya desplazados del habla culta, como *naide, mesmo, cuasi, truje*; e) intercambio vocálico de *e* en *i, o* en *u* y viceversa: *siguro, licción, menistro, umbligos, sepoltura*; f) seseo y yoísmo constantes: *cosiar, juersa, güeya, buya (cocear, fuerza, bulla, huella)*; g) sustitución de *f* por *j: junción, jusil, dijunto*, o de *h* por *j: juir, jedionda)*; h) omisión de consonantes, según la pronunciación rústica: *osequiar, oservar, direción, dotor, inorancia, ecetuar*; i) confusión de prefijos: *reclarar* por *declarar, exposición* por *oposición, resertor* por *desertor*; j) omisión de la *a* preposicional ante verbo que empieza por esta letra: «lo empecé *aventajar*», «lo *levanté aquel hijo del diserto*».

El *Martín Fierro* ha merecido los mayores elogios de la crítica nacional y extranjera. Para Unamuno es «la expresión del alma argentina y la española en sus rasgos permanentes»; para Menéndez Pelayo, eleva lo popular a la categoría de épico, si bien el pensamiento de reforma social es más visible de lo que convendría a la manifestación estética; para Lugones, «personifica la vida heroica de la raza y sus pensamientos más genuinos..., y su poesía constituye una obra de vida integral»; para Salaverría se puede comparar por lo espontáneo y popular con los romances castellanos de la primera época; Calixto Oyuela lo considera un poema semipopular y semiculto, y la más admirable interpretación del alma gauchesca realizada por un poeta culto; Karl Wossler reconoce una clara conciencia artística en el *Martín Fierro*, «cuyo denso sentido está entre líneas, en sugestiva oposición con la exuberancia desparramada en la forma»; por último, Eleuterio F. Tiscornia, de cuya completísima edición [21] nos hemos servido para esta referencia, descubre en el poema de Hernández un carácter fundamental de historicidad y «el resultado de un lento proceso de reflexión».

NOTAS

1. Los hay como Guido Spano, que en 1880 han cumplido los cincuenta y tres años; los hay como Andrade, de cuarenta, y los hay que apenas han rebasado la veintena: Calixto Oyuela.

2. Nace en 1839. Hasta hace poco se creyó que su cuna había sido Gualeguaychú (provincia de Entre Ríos). Recientes investigaciones parecen demostrar que en la ciudad de Alcorete (Brasil). Esta circunstancia, puramente fortuita, en el caso de Andrade no afecta a su nacionalidad, que es del todo argentina. Inteligencia precoz. Alumno del Colegio Nacional del Uruguay, donde cursó el Bachillerato, sin llegar a terminarlo. Pronto, para atender las necesidades de su vida, se dedica al periodismo. Pasa veinticinco años colaborando en la prensa de Gualegaychú, Uruguay, Santa Fe, Paraná y Concordia. Estudia mucho y desordenadamente, escribe también mucho. Se traslada a Buenos Aires. *El nido de cóndores* le da inusitada fama; la lectura en público de *La Atlántida*

lo convierte en el poeta más popular de la Argentina. Desempeña algunos cargos públicos, entre ellos el de administrador de la Aduana de Concordia. Tiene que dejarlo bajo inculpación de fraude. La justicia demostró que no había tal. Vida oscura primeramente; de apoteosis, luego; siempre en lucha con la pobreza. Como nuestro Zorrilla, como tantos otros. Murió recién atravesado el ecuador de los cuarenta. Sus últimas palabras al amigo que le acompaña en la agonía son: «Julio: Te recomiendo a mis hijos... Quedan en la pobreza.»

3. Nace en Buenos Aires el 19 de enero de 1827. Hijo de un general de la guerra de la Independencia. Juventud en Río de Janeiro, donde su padre desempeña el cargo de ministro plenipotenciario. Tras diez años en el Brasil, pasa a Francia. Larga estadía en París, con intervención en clubs y asambleas. Regreso al Brasil al lado de los suyos. Sale del país en virtud de orden del Gobierno brasileño. Nuevo viaje a Europa, ahora rumbo a Inglaterra. Admira la psicología y costumbres de los ingleses, pero no le atraen. París otra vez. Por fin se reintegra a su patria, contrae matrimonio y es nombrado subsecretario de Relaciones Exteriores. Va a Montevideo; de aquí a Río, con un negocio en que fracasa; pierde esposa y padres, y termina por recluirse en sus libros. Aún desempeñó varios cargos, hasta que definitivamente se retira a la vida privada. Murió nonagenario en 1918.

4. Nace en Buenos Aires el 2 de enero de 1851. Muere septuagenario en Mendoza el 8 de marzo de 1920. Hijo de Luis Obligado y Saavedra y de María Ortiz Urién, ambos de franca ascendencia española. Repartió su larga vida entre la capital, donde solía pasar los inviernos, y su señorial residencia de la Vuelta del Obligado, en Ramallo, orillas del Paraná. Su casa de Buenos Aires estuvo abierta todos los sábados durante treinta años a las figuras de mayor prestigio en las Letras. Fué por algún tiempo el alma de la Academia Argentina y uno de los fundadores de la Facultad de Filosofía y Letras, a la que perteneció como vicedecano. La Universidad de Buenos Aires le honró con el título de doctor *honoris causa*, y la Academia Española de la Lengua con el de miembro correspondiente.

5. Lo confirma él mismo:

> Ese río es mi río, y de las islas
> que caudaloso aprisionando estrecha,
> yo sé muchos secretos que él me dice,
> porque soy su poeta.

6. La frase es de GIMÉNEZ PASTOR: *Historia de la literatura argentina*, pág. 338.

7. RAFAEL CANSINOS ASSÉNS: *Letras americanas*, página 275, Colec. «Crisol», núm. 205.

8. Era en mayo de 1879. Se iba a inaugurar el monumento a la independencia del Uruguay, a cuyo objeto se convocó un certamen poético. Por indicación de sus amigos, Zorrilla San Martín presentó un poema. Pero, por su extensión, doble de la que establecían las bases, máxima de doscientos versos, debía quedar fuera de concurso. Los premios debían adjudicarse a otros poetas. Autorizado, sin embargo, Zorrilla para leer su poema en el acto público celebrado con tal motivo, fué tal el entusiasmo del público al oírlo, que hasta los mismos vates laureados le ofrecieron allí mismo sus medallas como al verdadero triunfador.

9. JOSÉ MARÍA DEL REY: *Ensayos sobre poesía. La poesía de Zorrilla de San Martín*, pág. 237, Montevideo, 1956.

10. Veamos algunas cogidas al azar:

> ... cuando del sueño frío
> sintió en los huesos la corriente helada.

> ... el sueño negro
> anda en tus venas derramando frío.

> ... vientos de tempestad vienen de lejos,
> aullando como perros fugitivos.

> ... son los perros que roen a las lunas
> y apagan las estrellas.

> ... ramas de sauce negro, sus cabellos
> sobre el rostro y los hombros se despeinan.

> En pos de *Yamandú* corre la tribu;
> su negra silueta
> se ve a lo lejos trasmontar la loma
> como oscuro rebaño de culebras.

11. Vid JUAN REMOS: *Historia de la literatura cubana*, II, cap. XXVIII.

12. Véase MENÉNDEZ PELAYO: *Historia de la poesía hispanoamericana*, I, págs. 128-41.

13. Etimología dudosa. Groussac deriva *gaucho* de *gauducho*, y esta voz, de *gauderio*, palabra documentada en escritos de 1773-74. Los gauderios, en efecto, habitaban la banda oriental del Plata, por lo que el docto investigador argentino supone que los gauchos son en su origen uruguayos. La hipótesis cae por su base al no estar comprobada la existencia del término *gauducho*. Otros derivan *gaucho* del quichúa *huajcho*, con metátesis de las vocales del diptongo. *Huajcho*, en quichúa, significa *huérfano*. Vid. LEGIZAMÓN: *Ob. cit.*, I, páginas 554-55. Por otra parte, Diego de Alvear, en su *Diario* (1783-1791), asimila, en cuanto a su significación, las dos voces, *gaucho* y *gauderio*: «Una milicia constituída sobre el pie de montura, lazo y bolas de los *gauchos* o *gauderios* (así llamaban a los hombres de campo), por la ligereza de estas armas...»

14. ENRIQUE MORENO BÁEZ: *La poesía gauchesca argentina*, «Estudios Americanos», abril, 1953.

15. LEGUIZAMÓN: *Ob. cit.*, I, págs. 551-64.

16. Nació en Montevideo en hogar humilde. Fué en su juventud peluquero, hasta que se enroló en las milicias durante las luchas de independencia. El Gobierno de Buenos Aires le nombró comisario de guerra del ejército del Uruguay. En 1814 desempeñaba el cargo de tesorero en la Aduana de Buenos Aires.

17. Nació, durante un viaje de su madre, en el camino de Córdoba a Buenos Aires. Fué grumete, impresor y luego militar. Luchó en Ituzaingó. Enrolado en el bando unitario, sufre prisión, de la que se evade en 1834. Emigra a Montevideo. Pone una panadería, cuyas ganancias invierte en la lucha contra Rosas. Vencido éste, se retira de coronel. Ataca la política del general Urquiza; pero, una vez lograda la unidad, viene a Europa con una comisión oficial. Durante su estancia en París publica (1872) sus obras en 3 tomos.

18. De noble ascendencia, ocupó diversos empleos, y tuvo una intensa actividad política. Sus *Poesías* fueron publicadas en Buenos Aires en 1870.

19. Vida accidentada. Nace en la Chacra de Puyrredón, provincia de Buenos Aires, el 10 de noviembre de 1834. Sin otros estudios oficiales que los de la escuela primaria, que hubo de abandonar por enfermedad, se retira al campo en busca de salud, y allí se ejercita en duras faenas. Su formación literaria, bastante extensa, fué obra personal. A los diecinueve años se enrola en el ejército; luego se residencia en Buenos Aires; pasa a Paraná. Intensa actividad en el comercio; luego, en periodismo y política, con desempeño de cargos importantes. Casa en 1863; escribe la *Vida del Chacho* con motivo del asesinato del caudillo riojano de tal nombre. Actúa militarmente en Cepeda y Pavón; pero, derrotadas las fuerzas, pasa a Corrientes, y de aquí a Buenos Aires (1869). Intensa labor periodística en defensa de los gauchos y en contra de Sarmiento. Nuevamente toma las armas al lado del general sublevado López Jordán; tras la derrota de Ñaembé, tiene que huir al Brasil. Vuelta al año siguiente (1871) y trabajo reposado de dos lustros: primera parte del *Martín* (1872); nueva edición de la *Vida del Chacho* (1875); segunda parte del *Martín* (1879); *Instrucción del estanciero* (1881). Fué diputado y senador; colaboró en la fundación de La Plata como capital de la provincia. Murió de un ataque al corazón el 21 de octubre de 1884.

20. *Historia de la literatura hispanoamericana*, página 143.

21. *Martín Fierro* (nueva ed. notablemente aumentada; estudio, notas y vocabulario de Eleuterio F. Tiscornia), 6.ª ed., Buenos Aires.

BIBLIOGRAFIA

Obras generales: Los señalados en los capítulos LXVI y LXVII, y además: R. CANSINOS ASSÉNS: *Letras americanas*, Edit. Aguilar, Colec. «Crisol», Madrid, 1947.—M. GARCÍA MÉROU: *Confidencias literarias*, Buenos Aires, 1893; *Recuerdos literarios*, 1915.—E. PIÑEYRO: *Biografías americanas*, 1906.—J. VALERA: *Cartas americanas*, Madrid, 1889.

I. J. CRUZ PUIG: *Antología* (con estudios y biografías de los poetas de la época), 10 vols., Buenos Aires, 1910.—A. GIMÉNEZ PASTOR: *Una época bonaerense: el Ochenta*, Buenos Aires, 1935.—BLAS F. A. BURCIO: *La obra poética*

de Olegario Andrade, Buenos Aires, 1930.—P. GROUSSAC: *Andrade*, ed. oficial de las obras del poeta.—M. MENÉNDEZ PELAYO: *Historia de la poesía hispanoamericana* (*Andrade*, cap. II, págs. 388-92), Edit. Nacional, XXVIII.—A. SERÓ MANTERO: *Olegario Andrade*, Buenos Aires, 1943.—E. F. TISCORNIA: Est. prel. de la reedición de las *Obras poéticas* de Andrade, Acad. Argentina de Letras, Buenos Aires, 1943.—A. VÁZQUEZ CEY: *La poesía de Olegario Andrade y su época*, «Humanidades», Univ. de La Plata, XV.—E. QUESADA: *La personalidad de Guido Spano*, Buenos Aires, 1948.—DR. GONZÁLEZ: *Rafael Obligado*, «Diario de Sesiones», Buenos Aires, 1916.—C. ALBERTO LEUMANN: *Santos Vega*, «La Prensa», Buenos Aires, diciembre, 1943.—E. C. ROBERTACCIO: *Santos Vega, numen de nuestro Romancero*, «La Nación», Buenos Aires, enero, 1943.—L. LEHMANN-NISCHE: *Santos Vega*, Buenos Aires, 1917.—MARÍA ANTONIA OYUELA: *El Santos Vega de Obligado*, Buenos Aires, 1937.—E. QUESADA: *Rafael Obligado. El poeta, el hombre*, Buenos Aires, 1920.—J. L. BORGES: *Teoría de «Almafuerte»*, «La Nación», Buenos Aires, febrero, 1942.—G. CAUFONT: *Le poète argentin «Almafuerte»*, «La Nouvelle Revue», 1917.—A. J. MAZA: *«Almafuerte»*, Rosario (Argentina), 1917.—A. MENDIOROZ: *«Almafuerte»*, La Plata, 1918.—L. J. ROSSO: Nota prel. a las *Poesías* de «Almafuerte», Buenos Aires, 1928.

II-III. J. J. CASAL: *La poesía uruguaya desde su origen hasta 1940*, ed. «Claridad», Montevideo, 1940.—M. FALCAO ESPALDER: *Antología de poetas uruguayos (1807-1921)*, Montevideo, 1922.—A. ZUM FELDE: *Proceso intelectual del Uruguay y crítica de su literatura*, Montevideo, 1930.—ARIOSTO D. GONZÁLEZ: *Las evocaciones históricas en la poesía uruguaya*, Montevideo, 1953.—AIDA MANZONI COMETTA: *El indio en la poesía de América española*, Buenos Aires, 1939.—ROGER B. BASSAGODA: *La poesía amatoria de don Juan Zorrilla de San Martín*, «Rev. Nac.», año 14, t. LII.—SARAH BOLLO: *La poesía de Juan Zorrilla de San Martín*, «Rev. Nac.», año 14, t. L.—J. M.ª DELGADO: *Juan Zorrilla de San Martín*, «Rev. Nac.», año 14, t. XLIX, 1951.—J. M.ª DEL REY: *La poesía de Zorrilla de San Martín*, «Ensayos sobre poesía», (págs. 227-98), Public. del Inst. Uruguayo de Cultura Hispánica, Montevideo, 1956.—L. ALBERTO SÁNCHEZ: *Juan Zorrilla de San Martín*, «Escrit. representativos de Amér.», II, Edit. Gredos, Madrid, 1957.—A. E. XALAMBRI: *Bibliografía fragmentaria y sintética del Dr. Juan Zorrilla de San Martín*, Montevideo, 1956.—J. VALERA: *Tabaré*, «Obras completas» V, Edit. Aguilar, Madrid, 1948.

IV. Pervivencias románticas y clasicistas: Vid. para los diferentes países la Bibliografía de los capítulos LV, LVI, LXVI y LXVII.

V. L. AYESTARÁN: *La primitiva poesía gauchesca en el Uruguay*, Montevideo.—C. BERNALDO DE QUIRÓS: *Dimensión y legitimidad de lo gauchesco*, «La Nación», Buenos Aires, mayo, 1943.—J. A. CARRIZO: *La poesía tradicional argentina*, «Cuad. Hispanoamericanos», núm. 62.—J. M. FURT: *Arte gauchesco*, Buenos Aires, 1924.—S. J. GARCÍA: *Panorama de la poesía gauchesca y nativista del Uruguay*, Montevideo, 1941.—E. LAROCQUE TINKER: *Los jinetes de las Américas y la literatura por ellos inspirada*, «Cuad. Hispanoamericanos», núm. 37.—M. LEGUIZAMÓN: *La cuna del gaucho*, Buenos Aires, 1935.—A. D. LUSSICH: *Los tres gauchos orientales*, Buenos Aires, 1872; con pról. del doctor Mario Falcao Espalder, Montevideo, 1937.—E. MARTÍNEZ ESTRADA: *Radiografía de la pampa*, Buenos Aires, 1933.—M. MENÉNDEZ PELAYO: *Ob. cit.* («Poesía gauchesca», II, 384-404).—A. MONTARCE LASTRA: *El fondo español de lo gauchesco*, «Cuad. Hispanoamericanos», núm. 4.—E. MORENO BÁEZ: *Poesía gauchesca argentina*, «Estudios americanos» (págs. 381-94), abril, 1953.—R. MUÑIZ: *El gaucho*, Buenos Aires, 1934.—L. C. PINTO: *El gaucho y sus detractores*, «El Ateneo», Buenos Aires, 1943.—R. ROJAS: *Historia de la literatura argentina* (*Los gauchescos*, t. I), Buenos Aires, 1924.—J. L. BORGES y A. BIOY CASARES: Pról. a *Poesía gauchesca* (2 vols.), Fondo de Cultura Económica, Méjico-Buenos Aires, 1955.—M. FALCAO ESPALDER: *El poeta uruguayo Bartolomé Hidalgo*, «Panorama de la poesía gauchesca», Montevideo, 1941.—N. FUSCO SANSONE: *Vida y obras de Bartolomé Hidalgo*, Montevideo, 1944.—E. F. TISCORNIA: *Poetas gauchescos. Hidalgo, Ascásubi, Del Campo*, Buenos Aires, 1940.—M. MÚJICA LAÍNEZ: *Vida de «Anastasio el Pollo» (Hilario Ascásubi)*, Emecé Edits., Buenos Aires, 1948.—A. P. MANTERO: Pról. a «*Fausto*» *y otros poemas de Estanislao del Campo*, «Grandes Escrit. Argentinos», Buenos Aires, 1929.

«Martín Fierro». J. CARLOS MAUBE: *Itinerario bibliográfico y hemerográfico del «Martín Fierro», de Hernández*,

Buenos Aires, 1943.—C. O. Bunge: *Martín Fierro*, introd. a la ed. de «La Cultura Argentina», Buenos Aires.— A. Delmar: *Martín Fierro, como canto del hombre*, La Plata.—A. Gerchunoff: *Martín Fierro, como tipo humano*, «La Nación», Buenos Aires, noviembre, 1934.— E. Herrero: Selec., pról. y notas a *Prosas de José Hernández*, Buenos Aires, 1944.—H. A. Holmes: *Martín Fierro. An Epic of the Argentine*, Hispanic Institut, Nueva York, 1923.—C. A. Leumann: *El poeta creador. Cómo hizo Hernández «La vuelta de Martín Fierro»*, Edit. Sudamericana, Buenos Aires, 1945; ed. crítica de *Martín Fierro*, Buenos Aires, 1945.—E. Martínez Estrada: *Génesis del «Martín Fierro»*, «La Nación», Buenos Aires, julio, 1942;

Muerte y transfiguración de Martín Fierro, Fondo de Cultura Económica, Méjico-Buenos Aires, 1949.—R. Rojas: *Otros versos de Martín Fierro*, Buenos Aires, 1937.—J. M.ª Salaverría: *El poema de la pampa, «Martín Fierro», y el criollismo*, Biblioteca Calleja, Madrid.—L. A. Sánchez: *José Hernández*, «Escrit. representativos de América» (II, págs. 7-21), Edit. Gredos, Madrid, 1957.—E. F. Tiscornia: *La lengua de Martín Fierro*, Buenos Aires, 1930; *«Martín Fierro», comentado y anotado*, Buenos Aires, 1925; *La vida de Hernández y la elaboración del «Martín Fierro»*, Buenos Aires, 1939.—M. de Unamuno: *El gaucho Martín Fierro*, «Rev. Española», Salamanca, 1894, y en «Obras completas» de Unamuno.

CAPITULO LXXIV

EL TEATRO POSTROMANTICO:
A) TRANSICION Y «ALTA COMEDIA»

I. LA LITERATURA EN LA SEGUNDA MITAD DEL SIGLO XIX: *«Crisis de la conciencia europea». Aparición del realismo. Notas más destacadas. La transición en el teatro. La «alta comedia». Corrientes dramáticas de la época.*—II. VENTURA DE LA VEGA: *Datos biográficos. Producción dramática. El poeta lírico. Juicio crítico.*—III. LÓPEZ DE AYALA: *Biografía y carácter. La obra lírica. El teatro de Ayala en su doble modalidad: histórica y realista.*—IV. TAMAYO Y BAUS: *Biografía. Labor teatral. Comedias románticas, clásicas e históricas. Costumbristas y de tesis. «Un drama nuevo». Técnica y estilo.*—V. OTROS REPRESENTANTES: *El marqués de Molins. Rodríguez Rubí y Zapata. Eguilaz, Serra y Eulogio F. Sanz. Camprodón y Palóu. Larra (hijo), Retés y otros de menor importancia.*—NOTAS.—BIBLIOGRAFÍA.

I. LA LITERATURA EN LA SEGUNDA MITAD DEL XIX

Al promediar el siglo XIX el romanticismo ha producido ya lo más representativo del género [1]. Sus portaestandartes de antaño evolucionan hacia las nuevas modalidades del realismo de la misma manera que algunos de la generación anterior, partiendo del campo neoclásico, habían evolucionado hacia formas románticas. Ha de observarse, sin embargo, que aunque liquidado oficialmente, el romanticismo sigue dando ciertas pruebas de vitalidad en varios aspectos: por ejemplo, en el drama histórico. Partícipes de las nuevas tendencias, como Eguilaz, Zapata, Retés y otros, no vacilan en cultivarle todavía con relativa fortuna. Pervivencia romántica es también cierto tipo de tragedia, que podríamos denominar clásico-romántica, y que alcanza muy alto nivel en obras como *La muerte de César,* de Ventura de la Vega, y *Virginia,* de Tamayo y Baus.

La «crisis de la conciencia europea»

Pero el cambio en el orden literario sobreviene fatalmente. Y está ligado con nexos muy íntimos a circunstancias de orden político y social, por ese paralelismo, tantas veces señalado en el curso de nuestro estudio, de lo social con lo estético. Una revolución había sido la causa inmediata del romanticismo; y otra había de serlo de su liquidación y del nacimiento de la nueva estética realista.

El panorama político y cultural de España al declinar la primera mitad del XIX había cambiado, a tenor del brusco cambio operado en casi toda Europa, particularmente en Francia después de la revolución del 48. Por aquellos años se produce una crisis en el pensamiento europeo; siguiendo a Paul Hazard podríamos hablar de «crisis de la conciencia europea». En el siglo XVIII también se había provocado otra análoga; pero había repercutido sólo o principalmente en lo religioso; la de ahora era más bien de tipo social.

La crisis postromántica gira en torno a una idea: la ciencia. Si en el siglo XVIII la razón lo explicaba todo, ahora se asignaba tal misión a la ciencia, pero entendiendo por tal sólo aquella rama que se orienta a lo material, a lo experimental; en una palabra: a lo que se viene llamando *lo positivo.* Surge un desarrollo inusitado de la industria, que trae consigo el crecimiento de la ciudad con perjuicio del campo. Aumentan los medios de comunicación y de transporte para cubrir las nuevas necesidades industriales. Se atraviesa una época similar a la del Renacimiento, salvadas, naturalmente, las distancias y divergencias [2]. Los problemas, hasta entonces de orden político y religioso, se complican con un factor nuevo, que ocupa pronto el primer puesto: lo social. El elemento obrero se agrupa en espesos núcleos urbanos, ofreciendo el terreno mejor abonado para las nuevas teorías socialistas de Carlos Marx y de sus apóstoles [3]. En otro orden, el fetichismo por lo científico lleva al artista, al literato, a un estudio más a fondo de la naturaleza humana y social, arrancando al estro poético de las zonas nebulosas de la fantasía y frenando de paso el alocado vuelo de la libertad. Se echa de menos el buen sentido, la verdad, tanto en el teatro como en la novela y en el poema, y se exige a la obra de arte más intención, más trascendencia y, sobre todo, mayor veracidad [4].

1009

Aparición del realismo

Consecuencias: el hombre empieza a preocuparse de los problemas diarios y de la realidad circundante. Ya no gusta de reflejar las costumbres y la vida de épocas pasadas, casi siempre vistas a través de un prisma falso y carentes de valor real. Aspira a que la literatura, como todo el arte, sea *un trozo de vida, una reproducción de la realidad.*

Esta reproducción ofrecerá distintas facetas, no tanto en los diversos autores como en las diversas naciones o literaturas. En España, a diferencia de lo que ocurre en Francia, adoptará desde el principio una insoslayable actitud moralizadora. Nuestros dramaturgos se nutren de casos «tomados de la vida corriente»; pero procurando sacar siempre de ellos una tesis. Con frecuencia, hasta les vemos sacrificar la verdad dramática, la realidad misma y la psicología de los personajes, al propósito moral. Su deseo, una vez más y al igual que en el siglo XVIII, es convertir el teatro en «escuela de buenas costumbres». La novela hallará feliz campo de experimentación en el tema regional, más o menos entroncado con lo psicológico; pero desde su primera etapa—como puede verse en *Fernán Caballero*—ya se preocupa de lo ético-docente tanto o más que de lo estético.

Notas más destacadas

Las ha señalado Paul Van Tieghem:

a) Mayor curiosidad por los aspectos exteriores de la vida.

b) Acentuación mayor de las diferencias entre los hombres y grupos sociales.

c) Observación atenta del detalle concreto, lo que se viene llamando *el color local,* sea material o humano; y

d) Atención al hombre en particular. La época clásica estudiaba al hombre en general; la moderna estudia a los diferentes hombres, a la Humanidad múltiple y diversa, no sólo en sí misma, «sino en el medio que la circunda y que, por una parte, la determina y aun la crea» [5].

El hombre, adscrito al medio ambiente, será la norma de la nueva escuela; de acuerdo en ello con las teorías historicistas de Sainte-Beuve y, mejor aún, con las deterministas de Hipólito Taine. A la hora de recordar pervivencias y anticipaciones románticas no estará de más insistir en que ya Víctor Hugo en su prólogo de *Cromwell* había señalado la «localización exacta» como uno de los elementos básicos de la realidad [6]. Pero conviene distinguir bien: la «localización» que pregonaban los románticos no era la misma que perseguían los realistas; aquéllos, en su afanosa evasión del mundo circundante, se contentaban con una «localización» retrospectiva y exótica, casi siempre falseada; el realismo busca la exactitud local en

el presente. Ambas técnicas, sin embargo, han coincidido felizmente en obras como *Salambó,* de Flaubert; *Nuestra Señora de París* y *Los Miserables,* del mismo Víctor Hugo.

Como el barroco, en que esta denominación saltó de las artes plásticas a la literatura, también en el *realismo* el término, que al principio se empleó para designar determinada modalidad pictórica, se extiende al arte y a la vida en general [7]. El realismo viene a significar el equilibrio y la perfección técnica frente a la exaltación romántica. No hay sino comparar a cualquier novelista, dramaturgo o poeta romántico con sus correspondientes realistas: a Gil Carrasco con la Pardo Bazán; a Zorrilla con Ayala; a Espronceda con Campoamor. Las características del realismo afectan al fondo y a la forma: en el fondo, tesis moral, asistida por un tema o problema arrancado del ambiente sociológico de la época; en la forma, pérdida gradual de lo poético con predominio de lo conceptual. El verso se hace ramplón; el lenguaje se aplebeya, muy a tono frecuentemente con el asunto al que sirve de envoltura.

La transición en el teatro

El paso del romanticismo al realismo en el teatro parte de los mismos románticos: Zorrilla, Hartzenbusch, García Gutiérrez, Ventura de la Vega y otros. En 1845 estrena Zorrilla su *Traidor, inconfeso y mártir,* y ese mismo año Ventura de la Vega, *El hombre de mundo.* El primero, todavía dentro de un clima romántico, se opone en cierto modo a la alegre improvisación y atropello propios de la escuela; el segundo ya se nos presenta como un drama de época, un drama que puede ocurrir en la realidad y en el momento mismo en que se está representando. Poco después (1852) Hartzenbusch, con *La ley de raza,* nos ofrece un drama desnudo de toda complicación y con una rigidez argumental más propia de un clásico que de un romántico, como él era; y el mismo Hartzenbusch nos sorprende unos años después con una comedia típicamente costumbrista, *Un sí y un no,* a la manera de Bretón de los Herreros; si es que no queremos ver en ella, saltando por encima del romanticismo, un eco tardío de Leandro Fernández de Moratín. La importancia del factor social, si bien encajado en un fondo histórico— las «Germanías» de Valencia—, suministra el tema de *Juan Lorenzo,* uno de los mejores dramas de García Gutiérrez. El citado Ventura de la Vega trata de *hacer real* la tragedia de tipo clásico y, a propósito de *La muerte de César* escribe a Julián Romea: «Observa y verás que en mi tragedia las gentes comen, duermen, se emborrachan, se dicen pullas.» No alegaba otras razones Cervantes para proclamar la superioridad de *Tirante el Blanco* sobre los otros quiméricos libros de caballerías.

La «alta comedia»

Sin embargo, la fórmula realista, aunque aplicada por estos dramaturgos, no triunfa hasta unos años más tarde. Y es en la «alta comedia», ya iniciada por Ventura de la Vega y que tantos rasgos comunes tiene con la comedia urbana del XVII, donde alcanza su plenitud, gracias sobre todo a dos insignes escritores: Adelardo López de Ayala y Manuel Tamayo y Baus. En las obras de uno y otro encontramos las mismas notas calificativas del género: enfoque moral del tema, desarrollado casi siempre entre gentes de acomodada posición; caballeros recios que imponen los imperativos del deber a los gritos de la pasión; caballerosidad digna, aunque con cierta flexibilidad y tolerancia, y un temple varonil que no excluye la ternura y el más delicado sentimiento humano. En menos palabras: dignidad tanto en la acción como en el lenguaje, y una moral que nada tiene que ver con la moral de sermón al uso y que, por apoyarse en los más sólidos principios de la dignidad humana, en choque muchas veces con el instinto, podríamos llamar «moral dramática».

Este realismo, como antes el romanticismo, no es exclusivo de España. Afecta a toda la literatura europea, y, al igual que en el movimiento anterior, también ahora los españoles pagamos tributo a Francia. Nuestro realismo viene del otro lado del Pirineo. Pero, aunque su génesis esté fuera, pronto supo independizarse yendo a buscar sus modelos, que encontró en seguida, en la mejor tradición literaria de nuestra patria [8].

Corrientes dramáticas de la época

La «alta comedia», si señala la tendencia más acusada de este período, no agota ni con mucho la dramática de la segunda mitad del XIX. Hay dentro de ese teatro varias modalidades más, que podemos resumir en el siguiente esquema:

a) Pervivencias románticas: drama de tema histórico, en verso, cultivado en algunas ocasiones por Ayala y Tamayo.

b) Tragedia clásico-romántica: se libera en buena parte del ergástulo de las «unidades» y emplea el verso heroico. Ya hemos aludido a algunos de sus representantes.

c) Teatro de tesis: preferencia por la prosa; tono moralizador; temas de ambiente burgués. Teatro realista, en una palabra.

d) Teatro neorromántico: vuelta a lo pasional exacerbado; tremendos conflictos de conciencia, abultados por el autor arbitrariamente, con soluciones trágicas; retorno al verso vacío y altisonante. Es el teatro de Echegaray y de su escuela.

e) Tendencias varias: simbolismo, socialismo, ruralismo... Señalan la decadencia del influjo francés, sustituído por el nórdico (Ibsen, Hauptmann, Sudermann, Strinberg). Llega a España por vía de Francia, nación más abierta siempre a las corrientes europeas y en la que escuelas y estilos se suceden con mayor rapidez, mientras entre nosotros se van demorando, hasta dar lugar a una coexistencia de dos y aun de tres tendencias distintas [9].

f) Teatro menor: sainete, zarzuela, «bufos», «género chico», etc.

II. VENTURA DE LA VEGA

Iniciador de la llamada «alta comedia» fué VENTURA DE LA VEGA (1807-1865). Liberal en su juventud; formado en el colegio de San Mateo, que regentaban Lista y Hermosilla; colega y amigo de los corifeos románticos, pero evolucionando constantemente hacia nuevos modos, se nos aparece como el más moderado de todos ellos. Ventura de la Vega está considerado como el iniciador del drama «realista» y, en sentir de Cejador, señala más que una oposición al romanticismo, la evolución y término de éste.

Datos biográficos

Buenaventura José María de Vega y Cárdenas, más conocido por VENTURA DE LA VEGA [10], nace en Buenos Aires en 1807. Aunque argentino de nacimiento, siempre ha sido considerado español, porque toda su vida transcurrió en España [11]. Hijo de don Diego de Vega, contador mayor de la Real Hacienda, y de una aristocrática dama argentina, queda huérfano de padre a los cinco años, y su madre, para darle educación esmerada, lo

envía a la Península bajo el cuidado de un tío suyo. Asiste en Madrid al colegio de la calle de San Mateo, y, al ser clausurado éste por orden de Calomarde, continúa recibiendo lecciones en casa de don Alberto Lista. Es uno de los fundadores de la Academia del Mirto, que preside el mismo Lista. Tiene por condiscípulos en esta época a Espronceda, Roca de Togores, Pezuela, Ochoa y otros ingenios con quienes le uniría siempre entrañable amistad. Forma parte de la sociedad secreta Los Numantinos, lo que le ocasiona un arresto de tres meses, que cumple en el convento de los Trinitarios. Se abre camino en el mundo literario con traducciones y arreglos de piezas del teatro francés. Obtiene pronto un empleo como auxiliar del ministerio de la Gobernación, con 12.000 reales de sueldo. En 1836 se le nombra secretario del Conservatorio, y allí conoce a la famosa cantante doña Manuela de Lema, con la que contrae matrimonio, y que había de influir notablemente en el cambio de sus ideas, según testimonio de Valera [12]. Profesor de literatura luego de Isabel II y más tarde su secretario particular. Agregado a la Embajada Española de París y, sucesivamente, director del Teatro Español, del Conservatorio y subsecretario de Estado. Fué también desde 1842 académico de la Española y Gran Cruz de Isabel la Católica. Murió el 28 de noviembre de 1865. Hijo suyo fué Ricardo de la Vega, autor de numerosas obras del llamado «género chico», entre ellas de la famosísima *La verbena de la Paloma*.

Producción dramática

Aunque Ventura de la Vega cultivó la lírica con notable fortuna, su fuerte estriba en el teatro.

Empieza con traducciones y adaptaciones del francés. En el trienio 1840-43 incorpora a nuestra escena gran parte del teatro de Eugenio Scribe, dándose tal maña en su labor que más que de traducciones ha de hablarse de reelaboraciones [13]. Escribe también libretos de zarzuela, alguno tan conocido como el de *Jugar con fuego*. Menos fama alcanzaron *El marqués de Caravaca* y *La cisterna encantada*. Compone una feliz imitación de los autos sacramentales: *La tumba salvada*; y una *Crítica de El sí de las niñas*, comedia de escaso valor, aunque digna de recuerdo por las ideas que defiende. Estas son favorables totalmente a Moratín, cuyo teatro admira y procura imitar, si bien acomodándolo a su época, en *El hombre de mundo* [14].

El hombre de mundo, juntamente con *Don Fernando de Antequera* y *La muerte de César*, son los tres dramas, pertenecientes a tres maneras distintas, que otorgan a Ventura de la Vega un puesto avanzado en nuestro teatro del XIX. De menos valor e interés, *Don Fernando de Antequera*, que, aunque fechada después de *El hombre de mundo*, supone en su autor un retroceso hacia el drama romántico, si bien con mayor sentido arqueológico y con caracteres mejor observados que los que solían ofrecernos los cultivadores del género.

Pieza que fluctúa entre el drama romántico y la tragedia clásica es *La muerte de César* [15], lo mejor, con *Virginia*, de Tamayo y Baus, de nuestro teatro clasicista del XIX y la más perfecta del autor, a juicio de Valera.

Argumento sencillo: César perdona a los pompeyanos, desoyendo las instancias de Antonio para que tome venganza. Ante una denuncia contra Bruto, César revela a Antonio que aquél es hijo suyo y de Servilia, hermana de Catón y educada en la misma feroz escuela de intransigencia y estoicismo que éste. Bruto, que desconoce su origen, pide a César que renuncie a la dictadura, y al no acceder, sobreviene la conjura, epilogada con la muerte del dictador al pie de la estatua de Pompeyo.

Caracteres firmemente trazados: César, siempre magnánimo, aspira a la grandeza de Roma antes que al medro personal; quiere hacer de su cargo una herencia, movido ante todo por su amor a Bruto, en quien reconoce altas virtudes; Cicerón, un poco enfatuado de sus dotes oratorias, pusilá-

nime, indeciso y juguete de las circunstancias, tal como nos le muestran las más recientes investigaciones históricas; Bruto, sacrificándolo todo, incluso su admiración por César, a lo que juzga un imperativo del deber, y definiéndose a sí mismo como el matador del tirano, «sin saber si le admira o si le ama» [16]; y Servilia, matrona romana hecha de una pieza, conocedora del secreto de Bruto y dispuesta a morir con él. Los futuros rivales, Octavio y Marco Antonio, están sintetizados en una sola frase cada uno: «Roma es nuestra», dice Octavio; «Roma es mía», exclama Antonio. El verso es noble y exento de retórica, todo lo exento que cabe suponer en la fecha, todavía de triunfo romántico, en que la proyectó y empezó a escribirla.

Con *El hombre de mundo* (1845) alcanza Ventura de la Vega su mayor éxito y uno de los triunfos mayores de la época. Caracteres sostenidos; reacciones humanas y siempre lógicas; cierta dosis de sátira sin llegar a esas intensificaciones rayanas en la caricatura que se observan en ciertas piezas de Bretón de los Herreros y aun del mismo Moratín; y una versificación siempre cuidada. *El hombre de mundo* preludia la «alta comedia» y es el paso obligado para llegar desde Bretón a López de Ayala o a Tamayo y Baus. Desenlace feliz y propósito moralizador, como en las mejores piezas del género. La moraleja viene dada en los últimos versos:

> Pon en olvido profundo
> esa experiencia fatal:
> que no basta pensar mal
> para ser «hombre de mundo».

El poeta lírico

Aunque la gloria principal de Ventura de la Vega está en su obra dramática, no puede pasarse por alto su labor como lírico. Escribió desde su más tierna edad muchas composiciones, la mayor parte de circunstancias o de encargo, para álbumes, para fiestas, en conmemoración de efemérides gloriosas, de homenaje, etc. A la reina Cristina, por ejemplo, dedicó innumerables odas en todos los momentos de su regencia. Muchos de esos poemas fueron de puro compromiso. Porque Ventura de la Vega, como Arriaza, a quien se puede decir que sucedió en el cargo de poeta áulico, no dejó de celebrar ni un acontecimiento memorable de su tiempo. Y siempre lo hizo con tanta dignidad y corrección como falta de entusiasmo y de fuego poético. Fuera de *La agitación*, por la que pasa una ráfaga de ardiente inspiración romántica, y de la oda titulada *A los amigos*, llena de hervor revolucionario, muy poco compatible, por cierto, con su carácter, todo lo que produjo en esta etapa de poeta oficial es tan elegante como frío.

Lo mejor hay que buscarlo en algunos poemitas de su juventud. Ejemplo: *Orillas del Pusa*, en coplas de pie quebrado, movidas, fáciles y graciosas. Todavía es mejor en sus imitaciones y paráfrasis de la Biblia. Asombra que a los dieciocho años—están fechadas las mejores en 1825 y 1826— hubiera podido llegar a tan pleno dominio de metro y de tema. La *Imitación de los salmos*, en la estrofa alirada de cuatro versos que inmortalizó fray Luis de León, tiene sobriedad, elegancia y sabor hebraicos:

> ¡Oh mar! ¿Por qué tus aguas dividiste
>   y a Faraón tragaste?
> ¿Por qué, humilde Jordán, retrocediste?
>   Monte, ¿por qué saltaste?

No menos acertada es la de *El canto de la Esposa*, con estrofas que recuerdan a San Juan de la Cruz:

> ¿Conocéis, por ventura,
> castas doncellas, a mi Esposo ausente?
>   Gallarda es su figura,
>   como el cedro eminente.
> y bruñido marfil su tersa frente.
>   Conoceréis quién sea
> si al verlo os encendéis en fuego vivo;
>   doncellas de Judea,
>   traedme al fugitivo,
> que amor y esposa y lecho le apercibo.

No fué tan feliz en su traducción del libro I de la *Eneida*, considerada por algunos como «lo que de poesía latina se ha traducido mejor en verso castellano desde que hay en España literatura», y por otros, como «la mejor que de Virgilio existe en lengua alguna». El juicio es evidentemente hiperbólico y dictado más por la amistad que por un análisis a fondo de la obra. No se pueden negar a Ventura de la Vega excepcionales dotes de traductor, como lo demostró en las numerosas piezas del teatro francés que adaptó, mejorándolas con frecuencia, a nuestra lengua; pero no es Virgilio precisamente el poeta más indicado para su estro. En la versión que de él nos dió sobra corrección y academicismo, y falta el vigor, la frescura y la concisión del original.

Juicio crítico

Lo que queda de Ventura de la Vega, y que merece todavía leerse, son esos pocos poemas líricos que acabamos de citar y su tres dramas originales: *Fernando de Antequera*, *La muerte de César* y *El hombre de mundo*. Fué una lástima que, absorbido casi totalmente por su faena de traductor, bajo la implacable exigencia del pan de cada día, no pudiera conceder mayor espacio y atención a su labor personal. Aun así, con un repertorio tan exiguo, Ventura de la Vega es uno de los buenos dramaturgos de su siglo, y en muchos aspectos superior a cualquiera de aquellos a quienes hizo la honra de traducir. Su valor estriba más que en cualidades positivas en ausencia de defectos. Composición lúcida e ingeniosa, conocimiento a fondo de la sociedad, observación aguda de caracteres, expresión contenida de los sentimientos, que siempre se manifiestan como en sordina; diálogo lleno de urbana elegancia y una lección de elevada moral son las notas que califican a *El hombre de mundo*. Y en *La muerte de César*, estimada por el autor como la mejor de sus obras y escrita con mayor cuidado que ninguna, debe admirarse la sencillez del planteamiento, la noble entonación clásica, compatible siempre con la correcta familiaridad del drama moderno, y un diálogo trasparente y movido, cuya marcha sin estorbos facilita aún más el empleo del endecasílabo asonantado. Para Menéndez Pelayo vale más que el mismo *Edipo* de Martínez de la Rosa; y eso que éste tenía indudablemente una formación humanística mucho más sólida. «Ventura de la Vega—escribe el mismo Menéndez Pelayo—ha pasado ya a la categoría de los clásicos modernos; y aunque puede haber diversos pareceres sobre el mérito relativo de tal o cual obra suya, y sobre la preferencia que a una o a otra debe asignarse, el sufragio de la crítica puede decirse unánime en tenerle por el más correcto, atildado y pulcro, por el más académico, en suma, de todos los artistas literarios de la generación a que perteneció [17].»

III. LOPEZ DE AYALA

El camino felizmente iniciado por Ventura de la Vega es continuado con paso firme por ADELARDO LÓPEZ DE AYALA (1828-1879), hasta desembocar en la «alta comedia», o, si se quiere mejor, en la comedia de salón y de sociedad, que no es lo mismo que comedia social [18]. Matizado, puesto más al día y sustituído el verso por la prosa, este mismo teatro, u otro muy análogo, habría de retoñar medio siglo más tarde en Benavente, tras el aturdido y fugaz éxito de Echegaray.

Biografía y carácter

Nace Adelardo López de Ayala en Guadalcanal (Sevilla) el 1 de mayo de 1828. Pasa la adolescencia en Sevilla y Badajoz; y en la primera de estas ciudades estudia Derecho. En 1849 se traslada a Madrid y, asesorado por Cañete, corrige su drama *Un hombre de Estado*, que estrena dos años después (1851). Traba pronto amistad con altas personalidades de la política y de las letras: Cánovas, Martos, Bretón de los Herreros, García Gutiérrez, etc. Obtiene un empleo en Gobernación, y en 1856 entra de redactor en el famoso periódico satírico *El Padre Cobos*. Diputado sucesivamente por varios distritos extremeños, y luego por Madrid, es nombrado ministro de Ultramar, cargo que desempeña varias veces, y últimamente presidente del Congreso. Fué también académico de la Lengua. Muere en 1879.

Octavio Picón nos ha dejado el siguiente retrato de Ayala: «A su poderosa inteligencia correspondía un cuerpo hermosamente varonil. En su rostro ovalado brillaban ojos negros, grandes, expresivos; contrastaban con la blancura de tez, la melena negra, el recio bigote y la gruesa perilla. Era de regular estatura, andar lento y aspecto pensativo; había en sus movimientos algo de indolencia, como si el cerebro absorbiese toda la energía de su ser; era su lenguaje pausado y grave, como si las palabras saliesen de su boca esclavas de su intención y del alcance que las quería dar el pensamiento. Sabía expresar con dulzura lo que concebía con vigor, y siendo él serio al par que afable, poseía el secreto de atraerse la voluntad.»

La obra lírica

Como en Ventura de la Vega, estudiado en el apartado anterior, también en López de Ayala existe junto al dramaturgo un apreciable poeta lírico. Lírico, es cierto, de tono menor; pero dentro de esa limitación, muy digno de tenerse en cuenta. Y lo mismo que en Ventura de la Vega, en Ayala muchas de las composiciones lo son de «circunstancias» y, como tales, destinadas a un olvido inmediato.

Pero pasadas por alto esas producciones, todavía podemos encontrar en su repertorio lírico hasta una docena de poesías logradas y que merecen figurar, como de hecho vienen figurando en todas las antologías. Mencionemos: algunos finísimos sonetos de carácter amatorio (*La cita, A un pie*); el conocidísimo que lleva por título *Plegaria*; la *Epístola a Arrieta,* en graves octavas que recuerdan tanto por el fondo como por la sobriedad de la forma los tercetos de la *Epístola moral a Fabio*; y otra *Epístola*, dirigida a Zapata, digna hermana de la anterior [19].

Fué también Ayala orador estimable y crítico de fina intuición, como lo reveló en su *Discurso* sobre el teatro calderoniano.

El teatro de Ayala en su doble modalidad: histórica y realista

Si prescindimos aquí de algunos libretos de zarzuela—*Guerra a muerte, El conde de Castralia, Los Comuneros, La Estrella de Madrid*—, nos quedarán en la producción dramática de Ayala dos series de obras bien definidas. Corresponden a dos etapas de su vida: primera, obras de carácter histórico: *Un hombre de Estado, Los dos Guzmanes* y *Rioja*; segunda, obras inspiradas en la realidad actual: *El tejado de vidrio, El tanto por ciento, El nuevo don Juan* y *Consuelo*. Estas son las que definen y encarnan realmente la «alta comedia». Agreguemos *Los dos curiosos impertinentes*, derivada de la novela episódica del *Quijote*. Todas ellas, las de la primera y las de la segunda época, responden a una intención moral.

Un hombre de Estado (1851), sobre la vida, fortuna y trágico fin de don Rodrigo Calderón, el poderoso valido de Felipe III, es una acertada fusión de drama romántico y de comedia filosófico-moral; y aspira a demostrar que la felicidad no ha de buscarse en el aplauso ni en el acopio de bienes materiales, sino en el vencimiento de las propias pasiones y, son palabras del mismo Ayala, en el equilibrio entre «los deseos y los medios de satisfacerlos». El carácter de don Rodrigo, que sacrifica el puro amor de Matilde a los impulsos de su ambición, está certeramente trazado: no es un perverso; es sólo un ambicioso, que al fin abre sus ojos ante el ramalazo de la adversidad. Se ha querido ver en la estructura lógica de este personaje una huella del *Traidor, inconfeso y mártir,* de Zorrilla; pero aun los mismos que apuntan esta coincidencia reconocen que el tema y el desenlace de ambas obras son distintos. El diálogo del protagonista con el duque de Lerma es de gran belleza y patetismo.

Si *Un hombre de Estado* encierra una bellísima lección, la de la caducidad de las glorias de este mundo, tan machaconamente predicada por nuestros poetas del barroco [20], *Rioja*, estrenada tres años más tarde (1854), nos enseña otra lección no menos bella: la del culto de la amistad y de la gratitud. Su protagonista es el famoso poeta sevillano Francisco de Rioja, tal como podía verle un hombre de mediados del XIX, cuando aún era tenido por autor de la *Epístola moral*. Desengañado de la vida, perdidas «las esperanzas cortesanas», el inefable cantor de las flores se recluye en sí mismo para dedicarse a la meditación y al estudio. Con una contextura más endeble que *Un hombre de Estado* y menor complicación en la trama, *Rioja* debe estimarse, sin embargo, por la nobleza de sus ideas y los primores de su versificación.

Los dos Guzmanes (1851), coetánea de *Un hombre de Estado,* aunque con menos argumento, revela la misma habilidad técnica y la misma dignidad de lenguaje que las restantes producciones de Ayala; por lo demás, es una clara imitación de teatro de «capa y espada» del XVII.

Mayor consideración merecen los cuatro dramas de la segunda época, según el consenso general de la crítica, que sólo compartimos en lo referente a *El tanto por ciento, El tejado de vidrio* y *Consuelo*, pero no en cuanto a *El nuevo don Juan,* inferior en nervio dramático y altura moral a *Rioja* y a *Un hombre de Estado,* aunque las aventaje en el dominio de los resortes escénicos.

La más floja de las cuatro es *El nuevo don Juan* (1863). Se reduce a una sátira del tenorio moderno, empeñado en la conquista de una honesta dama casada. Termina con el ridículo del burlador, que por esta vez resulta burlado, y el triunfo consiguiente de la fidelidad conyugal. Ha de reconocerse que en las manos de Ayala la legendaria figura del conquistador de oficio resulta bastante empequeñecida. *El nuevo don Juan* fué acogido por el público con bastante frialdad.

En cambio, *El tanto por ciento* (1861), dos años antes, había constituído un triunfo. Lo merecía porque es una obra de altura. Aspira Ayala con ella a combatir la «ley del interés» como suprema norma de vida. El despiadado «tanto por ciento» agrupa a unos cuantos personajes de carácter distinto y aun opuesto, sin otro nexo común que sus personales egoísmos. Un mismo afán de lucro impulsa al usurero Roberto, a los criados Sabino y Ramona y al matrimonio Petra y Gaspar. De que no se consume el matrimonio de Pablo con la condesa Isabel depende el «negocio», lo que ellos juzgan «su negocio». A tal fin no vacilan en calumniar a la dama, divulgando su deshonra para que Pablo desista de sus pretensiones matrimoniales. Al final resplandece la verdad, con la consiguiente moraleja:

> Ese afán de enriquecer
> el cuerpo a costa del alma,
> es universal veneno
> de la conciencia del hombre,
> que nos tapa, con el nombre
> de negocio, tanto cieno.

Todavía alcanza Ayala mayor perfección en *El tejado de vidrio* (1856). La técnica, tan cuidada siempre por Ayala, es aquí casi perfecta; la graduación del interés, hábilmente dosificada; la observación de la sociedad con las reacciones y contrarreacciones de los personajes, meticulosa. Aspira a demostrar cómo los malos consejos se vuelven muchas veces contra quien los da. El conde de Laurel, seductor de oficio y de una frescura que raya en cinismo, casado en secreto con la hermosa Julia, quiere convertirse en mentor de Carlos para hacer de él otro tenorio, a su imagen y semejanza. Las tornas se vuelven, porque Carlos, enamorado de Julia, se dispone a fugarse con ella a París, después de haberle clavado en el alma el aguijón de los celos por la innoble conducta del conde. Al fin se aclara todo, y el de Laurel, después de hacer público su matrimonio, se arrepiente de su conducta anterior.

Tras un largo silencio de quince años, Ayala nos ofrece en *Consuelo* (1878) su mejor pieza dramática y una de las más logradas del teatro español. Plan largamente meditado, del que dan idea los numerosos apuntes que nos dejó el autor; escenas sabiamente combinadas; un desfile de personajes que van encarnando los más destacados vicios y virtudes de la sociedad de la época: Ricardo, el egoísmo; Fernando, la virtud, demasiado inflexible y rectilínea; Fulgencio, la tolerancia de la clase media y acomodaticia; Consuelo, la volubilidad y el deseo de grandezas; Antonia, su madre, la debilidad claudicante frente a los caprichos de la hija. Hasta los criados responden a ejemplares de carne y hueso suministrados por el ambiente social. Y todo ello envuelto en un clima de elegancia y de suavidad, sin estridencias de fondo ni de forma.

Argumento simplicísimo: Consuelo abandona el amor puro y noble de Fernando, carente de una sólida posición económica, para contraer matrimonio con Ricardo, capaz de satisfacer sus caprichos y su afán de lujo. Pronto reconoce su error al enterarse de que Ricardo le es infiel. Intenta atraerle por medio de los celos, sirviéndose para ello de su antiguo adorador; pero sólo consigue el abandono del uno y el desprecio del otro. En tanto, el sufrimiento ha ido minando la existencia de la madre de Consuelo, quien, como dice Fernando, seguirá viviendo

> cercada de ostentación,
> alma muerta, vida loca,
> con la sonrisa en la boca
> y el hielo en el corazón.

Las comedias de Ayala, especialmente las del segundo grupo, representan un considerable avance sobre el teatro de la época y preludian el de nuestro siglo. Son, dicho en otros términos, el puente obligado entre el drama romántico y el actual. Como Bretón de los Herreros, Ayala refleja la sociedad de la época; y como Benavente después, lo hace moviéndose siempre en un medio burgués. De este medio toma sus argumentos y personajes; de él también sus problemas, que casi nunca son los más hondos problemas humanos, sino esos otros más generalizados y a flor de piel, tan frecuentes en la clase media, muy bien conocida y estudiada por nuestro autor [21]. Por su finura espiritual, por su cuidado de la forma, su tacto y su ironía suave, ha sido comparado con Ruiz de Alarcón, pero un Ruiz de Alarcón con toda la carga ideológica y moral del siglo XIX. Su diálogo, lleno de sutiles intenciones, le aproxima a ciertos autores de comedias de sociedad en nuestra época.

IV. TAMAYO Y BAUS

Toda la crítica de la época, aun la de tendencia más dispar, desde Cañete a *Clarín*, desde Cueto a Ixart, desde Revilla al padre Blanco, considera a Manuel Tamayo y Baus (1829-1898) el dramaturgo más perfecto del siglo pasado. Obsérvese que decimos el más perfecto y no el más inspirado, ni siquiera el más original, aunque tal vez también lo sea. Después, en nuestros días, su figura ha quedado un tanto rebajada en la estimación de algunos críticos, especialmente en la de César Barja, para quien el teatro de Tamayo, en particular el llamado «de tesis», es «falso en el trazado del plan y en la delineación lógica de los caracteres y de una aterradora trivialidad». Pero por mucho mérito que queramos quitarle a ese teatro, siempre le quedará mérito bastante para conferir a su autor uno de los más altos puestos en la historia literaria del XIX.

Biografía

Nace Tamayo y Baus en Madrid el 15 de septiembre de 1829. Hijo de actores—sus padres fueron dos comediantes notables: José Tamayo y Joaquina Baus—, pasa la infancia entre bastidores, lo que contribuye a desarrollar su instinto dramático a la vez que le da un conocimiento absoluto de los recursos escénicos. Este conocimiento es perceptible en todas sus obras, contribuyendo a hacer no pocas de ellas excesivamente «teatrales». Obtiene un modesto empleo en la Biblioteca de San Isidro, del que se le priva al estallar la Revolución del 68. Diez años antes (1858) había ingresado en la Academia de la Lengua. Muy joven aún había contraído matrimonio con María Amalia Máiquez, sobrina del gran trágico Isidoro Máiquez. Fué nombrado sucesivamente secretario perpetuo de la Academia Española, director de la Biblioteca Nacional y jefe superior del Cuerpo de Archiveros y Bibliotecarios. Murió en Madrid, en 1898, cuando llevaba alejado del teatro cerca de treinta años, dolido por la fría acogida dispensada a su obra *Los hombres de bien* (1870). La muerte le sorprendió, entregado de lleno a sus tareas académicas, el 20 de junio de 1898. En su partida de defunción se lee esta curiosísima nota: «Era natural de Madrid, de sesenta y ocho años de edad, casado con doña Amalia Máiquez. *Se ignora el nombre de sus padres.*»

Labor teatral

Partiendo del Romanticismo, al que en mayor o menor escala permanece fiel toda su vida, Tamayo ensaya casi todos los géneros vigentes en su época: la comedia costumbrista y de tesis *(La bola de nieve, Lo positivo, Lances de honor)*; la tragedia clásica, remozada conforme a los gustos modernos *(Virginia)*; el drama histórico, fuertemente enraizado en la tradición nacional y con sus ribetes románticos *(La Rica-hembra* y *Locura de amor)*; el juguete de apariencia intrascendente, aunque con su fondo de moralidad *(Huyendo del perejil)*; la sátira social *(No hay mal que por bien no venga, Del dicho al hecho, Los hombres de bien)*; el melodrama *(Hija y madre)*. Y porque nada faltase, un anticipo del drama moderno en su forma tal vez más original: *Un drama nuevo,* pieza singular del teatro español, difícilmente encuadrable en cualquiera de los género al uso, y cuyo remoto antecedente hay que buscar en *Pedro de Urdemalas,* de Cervantes, y en *Lo fingido verdadero,* de Lope de Vega.

Reducida a esquema, toda esta producción, menos *Un drama nuevo,* puede resumirse en dos grupos: obras escritas sin otra finalidad que la puramente estética y obras de intención moralizadora. Cronológicamente, aquéllas son anteriores a éstas. Se puede decir en términos generales que de 1850 y 1860 predomina en Tamayo el teatro artístico; de 1860 a 1870, el de tesis.

En la imposibilidad de reseñar todas las comedias de Tamayo, limitamos nuestro comentario a las más importantes, agrupadas en esta forma:

Románticas: *Juana de Arco* (1847), *El cinco de agosto* (1848), *Angela* (1852).

Clásico-romántica: *Virginia* (1853).

Históricas: *La Rica-hembra* (1854), *Locura de amor* (1855).

Costumbristas y de tesis: *Hija y madre* (1855), *La bola de nieve* (1856), *Lo positivo* (1862), *Lances de honor* (1863), *Del dicho al hecho* (1863), *Los hombres de bien* (1870).

Juguetes: *Una apuesta* (1851), *Huyendo del perejil* (1853), *Más vale maña que fuerza* (1866).

Comedias románticas, clásicas e históricas

Corresponden, como se ve por la anterior cronología, a la primera época; empieza Tamayo con refundiciones e imitaciones. Todavía un niño, a los doce años, hace representar en la compañía que dirigen sus padres una refundición de *Genoveva de Brabante,* que sólo merece el recuerdo de la temprana edad de su autor. Poco después estrena *Juana de Arco,* inspirada en *La doncella de Orleáns,* de Schiller, con largas efusiones líricas alternando con pasajes más propios de la epopeya que del teatro. La inexperiencia juvenil es manifiesta; pero ya se acusan aquí las mejores cualidades de Tamayo para el drama. También se inspira en Schiller *Angela* (versión muy libre de *Intriga y amor,* del genial romántico alemán). Interesa en un estudio global del teatro de Tamayo, porque en ella el autor ya intenta fundir con la violencia pasional romántica la intención moralizante de la alta comedia. Lo que se llamó *romanticismo de tumba y hachero*, tan manifiesto en esta primera etapa de Tamayo, culmina en *El cinco de agosto*, drama cuya acción se remonta al siglo XI, con gran lujo de verdugos, espectros, puñales, venenos y ejecuciones, todo ello puesto al servicio de un conflicto entre el honor y el deber. Excesiva palabrería es la nota dominante de este teatro, todavía encajado en la peor manera romántica. Agréguese a las obras mencionadas *El juramento*, basadas en la novela de Paul Feval *Los caballeros del Firmamento*, y escrito en colaboración con Cañete y Fernández Guerra, cuya acción se desarrolla en el reinado de Alfonso VI de Portugal [22].

Con *Virginia* (1853), Tamayo se adentra en otro camino, el de la tragedia clásica: pero una tragedia concebida sin la tiesura dieciochesca, susceptible más bien del fuego pasional y del sentimentalismo propios del ideario romántico. «Mi *Virginia*—había escrito Tamayo a su amigo el crítico Cañete—no es la obra trazada por la madurez de los años, que todo lo medita y analiza con fría calma... Mi *Virginia* es hija de la ardorosa juventud, que siente más que reflexiona y se deja arrebatar en ímpetu irresistible para caer a veces, como Icaro, despeñada.» Esto significa que *Virginia* no es una obra perfecta, aunque abunde en auténticos aciertos. Hay en ella demasiadas concesiones a lo pintoresco y efectista. El tema es clásico—la ofensa inferida por Apio Claudio a la noble doncella romana—y archirrepetido en las literaturas cultas [23], pero la realización es romántica. Tamayo había leído sin duda otras obras sobre el mismo tema, entre ellas las de Alfieri y Latour; y hay que reconocer que, a pesar de los lunares anotados, supo aventajar a sus modelos. El estilo tiene siempre nobleza y empaque, como corresponde al género de alto coturno.

De la historia clásica salta Tamayo a la nacional. Dos dramas nos dejó en tal aspecto: *La Rica-hembra* y *Locura de amor*. El primero, escrito en colaboración con Aureliano Fernández Guerra, tiene por personaje central a doña Juana de Mendoza, huérfana y viuda a la vez, por haber perdido padre y esposo en la batalla de Aljubarrota. Solicitada por varios nobles pretendientes, a quienes rechaza, se aviene por último a dar la mano al almirante don Alfonso Enríquez, de quien había recibido una bofetada:

> A ser tu esposa me allano,
> pues nadie dirá, atrevido,
> que quien no fué mi marido
> puso en mi rostro la mano.

Mujer discreta, prudente y enérgica, que sabe sofocar su propia pasión por el secretario Vivaldo para atraerse al marido, el carácter de doña Juana resulta algo exagerado y con exceso varonil, sobrenadando este perfil un poco hombruno por

encima de los toques femeninos, que no faltan en la obra. La lección moral está contenida en aquellos versos:

> ... ansíe
> triunfales palmas el bravo,
> imperios el ambicioso,
> renombre inmortal el sabio;
> guardar cumple a la mujer
> su honor y su fama intactos.

Locura de amor, que escenifica la pasión de la reina doña Juana por Felipe el *Hermoso*, es lo mejor que hizo Tamayo, si exceptuamos *Un drama nuevo*. La dedicó a su esposa y parece que quiso poner en él todo el entrañable amor que por ella sentía. Es un drama escrito con el corazón más que con el cerebro. «La gran poética —había de decir el mismo Tamayo años más tarde—es la del corazón.» A esa poética se ajusta *Locura de amor*, escrita en prosa para que los gritos de la pasión no encuentren el menor obstáculo al trasfundirse hacia fuera. El doble carácter de mujer y de reina, de esposa y soberana, está manejado con insuperable habilidad, y tan pronto se nos presenta indómita y orgullosa como suplicante y vencida por su inextinguible pasión. Una doble tragedia se desarrolla en la obra: la íntima de la mujer que ve perder el amor de su esposo y la de la reina que observa cómo sufre su pueblo por el gobierno de los flamencos, ayudados—y esto hace más patética la situación—por un reducido sector de la nobleza española; contra el rey y sus aduladores interesados se alza la noble arrogancia del capitán don Alvar, enamorado de su reina y señora. Hondamente emotiva la escena final, en que la reina recobra el amor de su esposo, que expira pronunciando palabras dignas de que se le perdone la conducta pasada. Al lado de doña Juana y don Felipe, caracteres valientemente trazados, destacan personajes secundarios: el mencionado capitán don Alvar, acérrimo defensor de la soberana; la mora Aldara, roída por un deseo de venganza y vencida por la grandeza de la reina; don Manuel, el marqués de Villena, etcétera. Tamayo cuidó este drama en sus menores detalles; y así resultó de acabado, a pesar de ciertos golpes efectistas en los finales de acto. También *Locura de amor* está concebida en clásico, pero escrita en romántico [24].

Costumbristas y de tesis

Pasando por alto *Madre e hija*, melodrama de una hija que abandona a sus padres y recibe, andando el tiempo, idéntico trato, nos queda del género costumbrista *La bola de nieve*, sobre los celos y las últimas consecuencias a que pueden arrastrarnos. Es obra en verso, escrita sin el prurito moralizante de otras producciones de Tamayo; y a pesar del tono jocoso que se le quiere imprimir con la presencia de los criados Pedro y Juana, aquejados de idéntica pasión celosa que sus amos, se percibe en toda ella un aire trágico, que culmina en el desafío de Luis y Fernando, si bien al final queda suavizado con el reconocimiento de su error por parte de Luis y Clara.

En las de tesis, tenemos en primer lugar *Lo positivo* y *Lances de honor*. La primera, inspirada en *Le duc Job*, de León Laya, tiende a condenar el afán de lucro que corroe a la sociedad de aquel tiempo y de todos los tiempos. Con sólo cuatro personajes, Tamayo ha sabido componer una comedia muy movida y amena. Don Pablo ha inculcado en el alma de sus hijos la máxima de que *lo positivo* es el dinero; el marqués y su sobrino sostienen que lo positivo es el amor noble y la virtud. Conocida la ideología de Tamayo, ya se sabe quién va a triunfar. El proceso amoroso de Cecilia, hasta abjurar de sus ideas demasiado materialistas, está muy bien llevado; pero la carta que recibe de su amiga Luisa, y que la decide al paso final, es un recurso con exceso infantil. Por ella se entera Cecilia de la felicidad de su amiga, casada con un hombre honrado y trabajador, aunque pobre; y de la infelicidad de su otra amiga, Elena, abandonada por su marido. La victoria de los buenos sobre los malos está bien justificada, como en cualquier novela rosa de nuestros días.

En *Lances de honor*, Tamayo nos dejó la más violenta diatriba que jamás se ha escrito contra el duelo. Y eso que, sin salirse del teatro español, las hay muy despiadadas. Boris de Tannemberg la ha calificado como la «pieza de tesis más fuerte que ha producido en todo ese siglo España». Sorprende, ante todo, en este drama, la sobriedad de materiales empleados. Ni un solo episodio secundario o de relleno viene a entorpecer o demorar la acción. Para que resalte más la moraleja, Tamayo ha rehuído todo elemento decorativo; en la solución del conflicto por el duelo de los hijos y en el paso fugaz de la joven que recuerda la muerte de su padre, también en duelo, hay emoción, grandeza y total acierto. La discrepancia ideológica de los duelistas viene hábilmente preparada desde el principio de la obra; no así la «conversión» de Villena, excesivamente teatral y poco lógica.

Del dicho al hecho y *No hay mal que por bien no venga* son piezas arregladas de otras dos francesas, *La pierre de touche* y *Le feu au couvent*, respectivamente. Aquélla contrapone dos caracteres, el de Tomás y Leandro; modesto, caritativo y leal, el primero; egoísta, hipócrita y orgulloso, el otro. Su tesis es la condena de la ingratitud. *No hay mal que por bien no venga* nos presenta a Luisa, candorosa doncella que con su virtud conduce a su padre a buen camino y convierte a un amigo escéptico, que termina casándose con ella. Mejor lección no se puede pedir. Ha de hacerse observar que cuando se trata de adaptación en Tamayo, el término debe entenderse con gran-

des salvedades. Nuestro autor se limita al aprovechamiento de tal cual idea ajena; en lo fundamental recrea la obra.

La última comedia que estrenó Tamayo fué *Los hombres de bien* (1870), desaforada sátira contra la sociedad, que no vacila en acoger en su seno a ciertos entes indeseables. Aquí el predicador se pasó de la raya, y tanto exageró la nota en su afán de moralizar, que los personajes se convierten en puras abstracciones. Ni don Lorenzo, ni el conde de Boltaña, ni el cursi de Juanito Esquivel, ni Adelaida, ni el mismo Damián, que aspira a encarnar la integridad y el honor, son criaturas de carne y hueso. La tesis es doble y hasta triple: junto al descuido de los padres en la educación de los hijos, se condena la falta de convicciones religiosas, fuente de todo mal, y la lectura de obras peligrosas para la fe y las buenas costumbres. No rechazamos que el comediógrafo o el dramaturgo lleve al teatro su personal ideología, sobre todo cuando es tan sana como la de Tamayo; pero admitimos difícilmente que esa ideología se sobreponga en todo momento a lo que debe ser arte y arte copiado de la realidad. Cuando en la escena V del acto I vemos a Adelaida leer la *Vida de Jesús*, de Renán, no tenemos que suponer que ya, y sólo por ese hecho, va a ser fácil materia de seducción. Tamayo, tan contenido siempre, exageró la nota moralizante; y el público, molesto por tan insistente prédica, rechazó de plano la obra. Fué una pena, porque privó al teatro español de las aportaciones de un autor de primerísima fila, precisamente cuando más cabía esperar de él. Tenía entonces cuarenta años y aún había de vivir hasta los setenta.

«Un drama nuevo» (1867)

Es la obra maestra de Tamayo, y sin duda la más perfecta de la dramaturgia española del siglo XIX. El mismo *Clarín*, tan parco en sus elogios, en especial a los de la acera de enfrente, lo reconoce así. Tamayo utiliza con suma habilidad el viejo recurso de fundir realidad y ficción, introduciendo «el teatro en el teatro», como ya lo habían hecho Cervantes y Lope de Vega, y en nuestros días Pirandello, Jacinto Grau y otros. Para que todo sea más perfecto, hasta resulta explicable, ya que no justificada, la violenta pasión de Edmundo y Alicia; y para que el drama sea más grandioso, introduce la figura inmortal de Shakespeare, que, si no logra evitar la catástrofe, contribuye a vengar la infamia. Algo del genial espíritu del autor de *Macbeth* parece haberse transfundido a Tamayo en esta obra. Pocas veces tropezamos con acentos tan conmovedores como los de Edmundo y Alicia arrojados a los pies del gran trágico, para que les libre de su propia pasión. Caracteres todos de carne y hueso, sacudidos por pasiones profundamente humanas —celos, amor, envidia y odio—, e impotentes para vencerlas, ofrecen en su conjunto esa sobrecogedora grandeza, producto de la fatalidad, que constituye la nota más saliente de la tragedia griega.

He aquí el argumento: Yorick, actor cómico de la compañía que dirige Shakespeare, quiere probar sus fuerzas en papeles serios y solicita del director que se le asigne el de protagonista en una pieza próxima a estrenarse. Se trata de *Un drama nuevo*; Yorick hará el papel de conde Octavio, marido ultrajado por su hijo adoptivo Manfredo, que se entiende con Beatriz, esposa de aquél. Shakespeare accede, suscitando la envidia del cínico y resentido Walton, encargado hasta entonces de esa clase de papeles. Lo que en el drama se presenta como pura ficción ocurre asimismo en la realidad; porque Yorick, casado con la joven y bella Alicia, tiene también un hijo adoptivo, Edmundo. Este y Alicia se aman apasionadamente. Shakespeare, enterado de todo, confía arreglarlo y hasta exige el silencio de Walton. Pero éste, loco de envidia porque se siente preterido, aprovecha un momento de la representación para entregar a Yorick una carta de Edmundo dirigida a Alicia y en la que se delata su deshonra. Ciego de ira, Yorick continúa la representación, y cuando llega el momento de fingir que venga su ofensa en Edmundo (el Manfredo del drama que están haciendo), lo mata en realidad. El público, sugestionado por la perfección de la fábula, aplaude con frenesí. Y es entonces cuando aparece Shakespeare para anunciar que se suspende la representación, porque «Yorick—explica—, ofuscada su razón por el entusiasmo, ha herido realmente al actor que encarnaba a Manfredo» y Walton ha muerto en la calle de una estocada. «Tenía en la diestra un acero. Su enemigo ha debido matarle riñendo cara a cara con él. Rogad por los muertos. ¡Ay!, rogad también por los matadores.»

Se supone que la idea fundamental procede de *Kean, o desorden y genio*, de Dumas padre. Pero recuérdese lo que decimos más arriba respecto a la originalidad de Tamayo, aun en aquellas obras que parecen de inspiración ajena.

Técnica y estilo

Al enjuiciar la obra de Tamayo y Baus han de tenerse en cuenta varios prenotandos. Primero, Tamayo nace en el seno de una familia de actores; conoce por tanto lo más representativo del teatro español de la época y del extranjero, en buena parte. Segundo, adviene a la escena en el preciso momento en que el Romanticismo se bate ya en retirada, arrinconado por una temática enraizada en problemas cotidianos y conflictos de todo tipo: religiosos, políticos, sociales y morales. Tercero, es católico militante y, a machamartillo, de los que sienten la obligación de propagar su fe y su doctrina donde sea y como sea; cuarto, ve

en la criatura dramática más que un ente de ficción, «un trasunto de la criatura viviente». Sólo así nos explicaremos obras como *Lances de honor* y *Los hombres de bien*, en las que la obsesión moralizadora le lleva a ofrecernos unos personajes rígidos, de bondad y maldad absolutas, y por ello tanto menos humanos cuanto más pretenden serlo. Como su amigo Pedro Antonio de Alarcón, también Tamayo es más artista cuando no hace púlpito de la escena.

Los mayores reproches que cabe hacerle son el desmedido celo moralizador, particularmente en las obras de tesis, y el abuso de ciertos resortes escénicos, que le hizo caer algunas veces en lo efectista y falsamente «teatral». Sus virtudes son muchas: novedad de temas; aun en aquellos, como *Virginia* y *Locura de amor*, ya conocidos de todos, imprime un sello de originalidad; irreprochable técnica constructiva; pulso firme para llevar la acción y los personajes adonde le conviene; estudio a fondo del corazón y del espíritu humanos. Y un lenguaje limpio de hojarasca, de corte clásico, aunque con frecuencia oculte ideas y sentimientos románticos: sobrio, cortado, tajante muchas veces, como los gritos de la pasión que intenta reflejar.

No ha de pasarse por alto el culto de Tamayo a la mujer. En cualquiera de sus obras, los personajes femeninos son siempre los de más netos perfiles, los de trazo más cuidado. Amorosas, tiernas, honestas, abnegadas, a veces hasta el heroísmo, con la sola excepción de Adelaida en *Los hombres de bien*, las mujeres del teatro de Tamayo constituyen una brillante galería que honra a su sexo. Algo parecido a lo que ocurrirá en nuestros días con el teatro de Benavente. Su credo estético se resume en dos palabras: *verdad* y *virtud*. Como Ayala, no rompe abiertamente con el Romanticismo, pero señala una transición y, mejor aún, una reacción. A diferencia de los románticos, éstos —Ayala y Tamayo—buscan más que el interés de lo extraño la emoción de lo verdadero, que si no es tan intensa, es más eficaz y duradera. «No se trata ya—ha dicho César Barja—de escribir dramas a destajo, en unas cuantas horas, impulsado por algo que no se sabe bien si es inspiración u osadía, genio o impotencia, y a salga lo que salga. No; trátase de pensar mucho y mucho tiempo lo que se va a escribir y cómo va a escribirse. Trátase de hacer obras de acabada maestría, obras de arte, perfectamente ajustadas en todas sus partes, sin exageraciones y sin sorpresas, sin descuidos; obras, en fin, calculadas, pesadas, medidas. Así, si gran parte del drama romántico produce la impresión de algo irreflexivo, forzosamente espontáneo, el drama de Tamayo y Baus y el de Ayala produce la impresión de algo muy serio y muy estudiado. Tanto el uno como el otro son dos arquitectos del arte, dos constructores de obras de teatro [25].»

V. OTROS REPRESENTANTES

Al lado de López de Ayala y de Tamayo se mueve por esta época una espesa turba de dramaturgos, encargados de abastecer los teatros de Madrid y de provincias. Su nota más saliente es la mediocridad. Unas veces sus obras significan un retroceso romántico en la forma más desaforada; otras veces se caracterizan por su afán moralizador, a la manera de Tamayo, pero sin las virtudes de éste; y lo más frecuente en ellas es la sustitución de la violenta pasión romántica por un sentimentalismo empalagoso, tal como se ve en ciertas comedias de Eguílaz—Verdades amargas—; de Camprodón—Flor de un día—; de Mariano de Larra—La oración de la tarde—, o de Pérez Escrich —El cura de aldea—. La obsesión realista mal entendida lleva a algunos escritores, como Eguílaz, a emplear la «antigua fabla».

Son, en su mayor parte, autores de segunda y hasta de tercera fila. Pero, aun dentro de su papel de segundones, algunos de ellos cumplieron con dignidad su oficio y obtuvieron en la escena éxitos merecidos.

El marqués de Molíns

Un dramaturgo de difícil encasillamiento en las denominaciones al uso es el marqués de Molíns, don MARIANO ROCA DE TOGORES (1812-1889) [26]. Unos quieren encuadrarlo en el grupo romántico, y no sin razón, si se tiene en cuenta que antes que el duque de Rivas estrenase su Don Alvaro y García Gutiérrez diera a la escena El trovador, ya tenía él compuesto El duque de Alba, drama romántico que allá por el año de 1831 daba a conocer en lectura pública a los asiduos contertulios de El Parnasillo. No sabemos qué modificaciones pudo introducir en esta obra para llevarla a las tablas quince años más tarde con el título de La espada de un caballero (1845); pero sí estamos enterados, porque él mismo nos lo ha dicho, que con ese drama se proponía nada más y nada menos que introducir en España el teatro dominante por aquellas fechas al otro lado del Pirineo, es decir, lisa y llanamente, el teatro romántico de Víctor Hugo. De cualquier manera, la cuestión no deja de tener interés para un estudio a fondo de los orígenes del teatro romántico en España. Otros prefieren encasillar a Molíns entre los poetas neoclásicos, por la inevitable tendencia que se observa en toda su obra hacia lo correcto, lo académico, tendencia paralela a la evasión de cuanto significa superfluidad o exceso. Y no faltan quienes, atendiendo a su innata propensión al discurseo moral, lo consideran poeta de transición, en la misma línea de eclecticismo en que suele situarse a Ventura de la Vega. Aristocrático por la sangre, la educación y el gusto, su norma estética es el equilibrio, o si se quiere, la mediocridad, entendida en el más alto sentido: aquel término medio entre los extremos, en el que reside la virtud. Esta moderación, observada en política, le dió muchas satisfacciones y honores; y observada en las letras, le granjeó la amistad y el respeto de los mejores ingenios de su tiempo.

Cultivó Molíns todos los géneros en boga por aquellos años: en La manchega nos dió un buen ejemplar de novela breve, dentro de la prosa costumbrista; en sus numerosos discursos académicos y políticos rayó a estimable altura; y en algunos estudios críticos y de erudición—La sepultura de Cervantes, Vida de Bretón de los Herreros, Crónica de Enrique VIII de Inglaterra—se reveló hombre de amplia cultura y sólido juicio. Como era inevitable, tratándose de un amigo, colega y protector de los más egregios vates de su tiempo, escribió y publicó sus correspondientes Obras poéticas (Madrid, 1857), en las que hay composiciones de todos los temas y para todos los gustos: religiosas, morales, patrióticas, didácticas, descriptivas, costumbristas y hasta satíricas, a pesar de no ser éste el tono que mejor le iba. Aunque les alcanzan, como es natural, algunas salpicaduras románticas, predomina en ellas el acento clásico. No en vano había pasado el marqués por las aulas de don Alberto Lista, cuando todavía las puertas del colegio de San Mateo no se habían abierto a las corrientes románticas. Así, la oda A la reina doña María Cristina y la Epístola al conde de Luna podrían ir firmadas por un poeta de la «pléyade» sevillana. Pero al lado de éstos y otros análogos tiene Molíns una serie de poemas, Fantasías, desordenados de plan y efectistas, lo que vale tanto como calificarlos de románticos. Sin embargo, aun en éstos la oreja clasicista asoma por todas partes. El Corpus de la Salpetrière y Ensueños, ambos ungidos de emoción, son los mejores de la serie.

También pertenecen al romanticismo, un romanticismo siempre moderado, los Romances y las Leyendas. En ellos Molíns se propuso emular a Zorrilla y al duque de Rivas; pero si les supera en exactitud histórica, queda muy por lo bajo en imaginación y colorido. A pesar de todo, tiene algunos muy logrados: El cerco de Orihuela, Ambas a dos, El nacimiento de Enrique IV (de Borbón), La toma del hábito de Calatrava. El prurito de exactitud a que se acaba de aludir redunda casi siempre en menoscabo del relato, al interrumpirse la marcha de éste con digresiones y detalles nimios. En la línea del costumbrismo deben citarse Recuerdos de Salamanca y La cabalgata, de esmerada ejecución y muy pintorescos.

Aparte de alguna pieza de escasa importancia, como *El casamiento con la mano izquierda* y la adaptación de Octavio Feuillet *El muerto al hoyo*, dos obras mantienen viva la memoria del marqués de Molíns: *El duque de Alba* y *Doña María de Molina*. La primera, ya queda dicho, compuesta en 1831 o quizá en 1830, fué estrenada quince años después con el título de *La espada de un caballero*, y obtuvo escaso éxito. En cambio, la representación en 1837 de *Doña María de Molina* constituyó un triunfo resonante, pese a estar recientes los estrenos del *Don Alvaro*, *El trovador* y *Los amantes de Teruel*, y pese también al ineludible parangón con su antecedente temático, *La prudencia en la mujer*, de Tirso de Molina. Al leerla hoy, pasado más de un siglo, no encontramos exageradas las alabanzas que le dedicaron hombres como Martínez de la Rosa, Nicasio Gallego y Donoso Cortés, primeramente, y Menéndez Pelayo más tarde. *María de Molina* es un drama romántico, escrito para un público de 1837, por un espíritu clásico. De ahí sus virtudes y defectos. Aquéllas residen en la variedad y riqueza de los lances, en el interés de las situaciones, en la contenida nobleza de la pasión, en la elegancia del lenguaje y en la gallardía de los razonamientos [27]. De los defectos, el principal sin duda es el anacronismo que supone ver a la protagonista y a otros personajes con ojos de español del siglo XIX. Se parece demasiado aquella reina a la reina gobernadora de España por aquellas fechas, y el mercader segoviano se expresa casi como un procurador de las Cortes Constituyentes. Es el mismo fallo que señalábamos en el *Edipo* de Martínez de la Rosa. Pero si se atiende a la fecha del estreno y al ambiente entonces dominante, no nos será difícil absolver al autor de este pecado casi inevitable.

Rodríguez Rubí y Zapata

Dramaturgo de transición, como el marqués de Molíns, fué asimismo don TOMÁS RODRÍGUEZ Y DÍAZ RUBÍ (1817-1890), que durante treinta años gozó del favor del público casi tanto como Bretón de los Herreros, Ayala o Tamayo, para caer luego en un olvido tan absoluto como inmerecido [28]. Llegado a Madrid de su provincia andaluza hacia 1840, pronto empezó a darse a conocer con obras como *Del mal el menos*, *Toros y cañas* y otras primicias de su ingenio, que lograron éxito extraordinario. En su abundante producción, que rebasa el centenar de títulos, cabe distinguir varias modalidades: la histórica, interpretada la historia a la manera de los románticos moderados; la costumbrista-moralizadora, en que se funde la técnica de Bretón de los Herreros con las aportaciones de la «alta comedia»; y la neorromántica, como un anticipo del teatro de Echegaray. Al primer grupo corresponden, entre otras, *El Fénix de los*

Ingenios, *La Corte de Carlos II*, *Alberoni o la astucia contra el poder*, *Dos validos y castillos en el aire*, *La rueda de la fortuna* y, sobre todas, *Isabel la Católica*, con escenas bien logradas y un desenlace apoteósico que revelan en Rubí un dramaturgo tan inspirado como hábil. Entre las costumbristas, de menos comicidad que las de Bretón, pero más psicológicas y mejor construídas, debemos citar *De potencia a potencia*, *La escala de la vida*, *El arte de hacer fortuna Fiarse del porvenir* y, de manera especial, *El gran filón* (1874), con un argumento fuerte y complicado, en el que se pone de relieve la falta de escrúpulos y el arrivismo de cierto sector de la sociedad, cuyos procedimientos preludian los de algún personaje de *Los intereses creados*, de Benavente. De las neorrománticas son las más destacadas *Honra y provecho* y *Borrascas del corazón* (1847). Esta última es acaso la que señala mejor el talento dramático de Rubí, con escenas muy poéticas y caracteres dotados de gran altura moral. Cultivó también la lírica (*Poesías andaluzas*, 1840), si bien con menos fortuna que el teatro; la crítica literaria y la novela, de la que dejó una muestra sólo discreta en *El hermano de la mar*.

En 1868 llega a Madrid un joven de veintitrés años, dispuesto a conquistar la fama como poeta, sin más patrimonio ni otras armas para el triunfo que su inspiración, el manuscrito de algunas obras y «veinticuatro reales en el bolsillo». Este joven se llama MARCOS ZAPATA (1845-1914), y viene de Zaragoza, donde ha pasado la adolescencia y parte de la juventud estudiando Derecho a trancas y barrancas, primeramente, y colaborando luego en algunos periódicos locales [29]. Sus primeros pasos en la Corte son de lucha y privaciones: supo de los días sin comer y de las noches sin techo que lo cobijase. Pero en 1872, después de muchos tumbos, logra estrenar en el teatro de la Alhambra el drama histórico *La capilla de Lanuza*, que alcanza un triunfo resonante. Y aunque al triunfo no va aparejado el cambio de su situación económica, que sigue tan precaria como antes y como después, Zapata se convierte de la noche a la mañana en uno de los dramaturgos más famosos de su siglo [30]. Sigue el estreno de más obras, que confirman su bien ganado prestigio: *El castillo de Simancas* (1873), *La corona de abrojos* (1875), *El solitario de Yuste* (1877), *La piedad de una reina* (1887), *Un caudillo de la Cruz* y algunas más, no muchas, ya que Zapata, aunque dotado de auténtica inspiración, trabajaba muy lentamente. Suya es la frase célebre: «Hay años en que no se le ocurre a uno nada.» Escribió también varios libretos de zarzuela, definitivos en su género: *El anillo de hierro* (1878), *Camoens* (1879), *El reloj de Lucerna* (1884), *Covadonga*, *La campana milagrosa*, y un libro de versos (*Poesías*, 1902), prologado por Ramón y Cajal, y en el que hay composiciones de toda clase: serias, satíricas, amorosas, descriptivas, dramáticas y legendarias, según la especificación que hizo de ellas el propio Zapata. Sin llegar a lo genial, en todas campea un estro fácil, fluido y espontáneo, tan alejado del negro pesimismo de los románticos de primera hora como de la gravedad simulada de Núñez de Arce, Bartrina y Campoamor[31]. El fuerte de Zapata es el teatro, y su mejor drama, hasta el punto de resumirse en él las características de toda su producción, es *La capilla de Lanuza*. Recógense en esta obra los últimos momentos y la muerte en el cadalso del justicia mayor de Aragón, don Juan de Lanuza, entramando este trágico episodio con una peripecia amorosa entre el mismo Lanuza e Isabel. A la escena en que ésta se despide de su amante, próximo a subir al cadalso, pertenece la redondilla que se hizo famosa en toda España y que aún muchos saben de memoria:

> ¡Oh sombra de Pedro Aznar!
> Cuando peligran los fueros...,
> ¡a morir los caballeros,
> y las damas, a rezar!

La obra, plagada de latiguillos y ditirambos de relumbrón, con largas peroratas en cuyo recitado obtuvo éxitos inolvidables el gran actor Vico, sabe elevarse con frecuencia a momentos de honda pasión, expresados con singular brío y galanura. Otro tanto cabe decir de *El castillo de Simancas*, apología de las Comunidades, en la que se mezcla la inexperiencia del dramaturgo principiante con los arrebatos de un lírico incapaz de frenar el vuelo de su numen. La acción comienza después de la batalla de Villalar, y el principal interés estriba en los esfuerzos del conde de Benavente para salvar del cadalso a Maldonado, de quien está enamorada una hija del mismo conde. Hay falsedad en la psicología y en el ideario de los personajes; pero, al lado de esto, hay pasajes brillantísimos, como aquella relación que hace Maldonado de la batalla de Villalar (escena 4.ª del acto III) en unas quintillas que, al decir de un contemporáneo de Zapata, «aprendieron de memoria la mitad de los españoles». Esta fácil popularidad perjudicó a Zapata, quien se dejó llevar de su desbordada fantasía, sin tomarse el trabajo de disciplinarla y someterla a sus más justos límites. De ahí que apenas quepa señalar el menor progreso en su labor, desde las primeras a las últimas obras. Entre éstas figura *La piedad de una reina*, cuya prohibición por el Gobierno contribuyó a prestigiarla extraordinariamente, habiendo constituído luego su estreno un acontecimiento político, como años más tarde el de *Electra*, de Pérez Galdós.

Eguílaz, Narciso Serra y E. Florentino Sanz

Tanto como el que más contribuyó a convertir la escena en púlpito el andaluz LUIS DE EGUÍLAZ

(1830-1874)[32]. El éxito, tan clamoroso como efímero, de *Verdades amargas* (1853) le señaló un camino fácil y en el que había de cosechar no pocos triunfos. Personajes menos humanos aún que los de Tamayo, verdaderas encarnaciones del bien y del mal absolutos: don Félix, el hombre justo y conocedor de todas las miserias; su hija Margarita, un ángel de candor; Carlos, la hipocresía personificada; Luis, el egoísmo hecho hombre. Del mismo paño están cortadas las restantes obras de Eguílaz: *Mentiras dulces, Los soldados de plomo, Quiero y no puedo* y la más conocida y lograda, *La cruz del matrimonio* (1861). Se contraponen aquí con cierta habilidad dos caracteres femeninos: Mercedes, toda docilidad y dulzura; y Enriqueta, veleidosa y casquivana. El triunfo, naturalmente, es de aquélla. La inevitable lección moral se resume en estos versos finales:

> Que la mujer... hasta al hombre
> más parecido al demonio
> trueca en todo lo contrario
> si llegar sabe al Calvario
> con la cruz del matrimonio.

Hablar de la falsedad de tales personajes es insistir innecesariamente en conceptos ya expresados. La conducta de muchos de ellos, particularmente la de Mercedes en *La cruz del matrimonio*, más que a la bondad se inclina a la tontería; en alguna ocasión, en fuerza de querer aparecer generosa y comprensiva, se nos muestra casi cómplice de los deslices de su marido.

Cultivó también Eguílaz con fortuna el drama histórico: *La vaquera de la Finojosa, Alarcón, Las querellas del rey Sabio, El caballero del Milagro*, etcétera, y la zarzuela: *El salto del pasiego. El vergonzoso en palacio* y *El molinero de Subiza*. Rindió tributo a la novela histórica tan del gusto de la época en *La espada de San Fernando*, ágil narración sobre la conquista de Sevilla que aún se lee con agrado, *El milagro, El talismán del Diablo*.

De ingenio malogrado se puede calificar al madrileño NARCISO SERRA (1830-1877)[33]. A los dieciocho años publicó una colección de *Poesías* de tono festivo, que le dan justificado renombre. Aún es mejor su teatro, en que Fernández Bremón ha señalado cuatro direcciones: la de nuestros dramáticos antiguos, que le inspira obras como *La calle de la Montera*; la de orientación romántica, que se refleja en *El reloj de San Plácido* y en *Con el diablo a cuchilladas*; la realista o costumbrista, que se nos muestra en *El amor y la Gaceta, A la puerta del cuartel*; y la cómico-sentimental, con un humorismo que recuerda el de ciertos escritores franceses, como Alfonso Karr y Mery. De esta última dirección nos dejó pruebas en *El último mono* y en *Nadie se muere hasta que Dios quiere*. Lo más original del teatro de Serra se encuentra en los dos últimos grupos. Sus obras más logradas son *El último mono*, sátira de los falsos apóstoles de la democracia; y *Don Tomás*, sobre el viejo tema de *El desdén con el desdén*, que luego inspiraría a Pedro Antonio de Alarcón *El capitán Veneno*. Altamente emotiva es *El loco de la guardilla*, contraste de las miserias del cuerpo y las concepciones del espíritu, encarnado en la figura egregia de Cervantes. Tiene una segunda parte, *El bien tardío*, y se cree inspirada en *La locura contagiosa*, de Hartzenbusch.

EULOGIO FLORENTINO SANZ (1825-1881), ya aludido como lírico en otro lugar[34], nos dejó en *Don Francisco de Quevedo* (1848) un drama de acusado relieve e indudable originalidad. El falseamiento de la historia y el falseamiento todavía mayor de la psicología de algunos personajes, aunque restan mérito al conjunto, no privan a la obra de otros innegables valores. Nada más opuesto que el Quevedo chistoso, festivo y procaz, tal como el vulgo le concibe, y este otro que nos ofrece Eulogio F. Sanz. Las quintillas del acto III, puestas en boca del protagonista, nos dan la medida de este Quevedo amargado y misántropo, casi descreído, que más que un caballero español del XVII parece un filósofo de la Enciclopedia[35]. Sin embargo, esas mismas quintillas, como en general casi toda la obra, tienen calor, brío y, lo que vale más, cierta emoción dramática. Eso fué lo que dió el triunfo a la obra. El momento culminante está al final: vencedores Quevedo y la infanta Margarita de los turbios manejos de Olivares, que tramaba la muerte de aquélla, caen en la cuenta de su mutuo e imposible amor:

QUEVEDO.
A ser nacimos quizás
siempre amantes...

INFANTA.   ...Siempre buenos.
¡Ay! Venturosos, jamás.

QUEVEDO.
¿Por qué yo no nací más?

INFANTA.
¿Por qué yo no nací menos?

Otras obras de Sanz: *Achaques de la vejez* y *La escarcela y el puñal*, que dejó sin concluir.

Otros autores que llevaron a sus obras la figura de Quevedo, todos ellos con menos fortuna que Eulogio F. Sanz, han sido: Patricio de la Escosura, en *La Corte del Buen Retiro* y *También los muertos se vengan*; Bretón de los Herreros, en *¿Quién es ella?*; Luis de Eguílaz, en *Una broma de Quevedo*; Narciso Serra, en *La boda de Quevedo*, y Francisco Botella y Andrés, en *Una noche y una aurora*.

Camprodón y Palóu

Lo que significa para el drama histórico *Don Francisco de Quevedo* viene a ser para el sentimental y costumbrista *Flor de un día* (1851), de FRANCISCO CAMPRODÓN (1816-1870)[36]. Un lenguaje plebeyo, lleno de ripios y barbarismos, no le impidió alcanzar enorme popularidad, anticipando justamente en un siglo éxitos análogos de autores que todos conocemos en nuestros días. Desorbitadamente romántico y aparatoso, supo excitar las fibras de cierto público ingenuo, incapaz de establecer diferencias entre la ternura y la sensiblería, con un sentimentalismo lacrimoso que raya generalmente en la zona de lo cursi, cuando no roza la frontera de lo enfermizo. La continuación de *Flor de un día* nos la dió en *Espinas en flor*. Mayor mérito tiene Camprodón como autor de libretos de zarzuela, entre los que destaca el celebérrimo de *Marina*.

Aunque hoy está olvidado, merece un breve recuerdo JUAN PALÓU Y COLL (1828-1906), poeta mallorquín, autor de dos obras dramáticas entonadas, *La campana de la Almudayna* y *La espada y el laúd*. La primera, cuya acción se remonta a la época de Pedro IV, el *Ceremonioso*, ofrece alguna analogía con el célebre episodio de Guzmán, el *Bueno*. También aquí, sobre la isla de Mallorca ensangrentada por guerras civiles, se eleva la figura digna del gobernador Centellas, obligado a escoger entre los dos encontrados afectos de la fidelidad al monarca o el amor filial. *La espada y el laúd* tiene por protagonista al noble poeta Ausías March.

Larra (hijo), Retés y otros de menor importancia

LUIS MARIANO DE LARRA WETTORET (1830-1901), hijo del malogrado *Fígaro*, mostró especial inclinación al género festivo, lo que no le impidió cultivar a la vez el drama histórico y el costumbrista. Amable melancolía y tendencia didáctica, a la que subordina en más de una ocasión la verdad moral de los personajes, son sus cualidades más destacables. La obra más popular de Larra, *La oración de la tarde*, sobre el perdón de las injurias, ofrece evidente analogía con *El cura de aldea*, de Pérez Escrich. Las dos fueron estrenadas el mismo año (1858), lo que dió lugar a una ruidosa polémica de plagio, que un jurado nombrado al efecto resolvió favorablemente para ambos escritores. Más obras teatrales de Larra: *La bolsa y el bolsillo*, *Una nube de verano*, *El caballero de Gracia*, *Lanuza*, *El amor y el interés*, *La viuda de López*, *Bienaventurados los que piensan*, *En palacio y en la calle*, *Bienaventurados los que lloran*, etc. Escribió asimismo novelas: *La gota de tinta*, *Tres noches de amor y celos*, *¡Si yo fuera rico!*, y numerosos libretos de zarzuela, a los que pusieron música maestros tan celebrados como Arrieta, Gaztambide, Caballero y Barbieri: *Las campanas de Carrión*, *Las hijas de Eva*, *Chorizos y polacos*, *El barberillo de Lavapiés*...

La colaboración de FRANCISCO LUIS DE RETÉS (1822-1901) y de FRANCISCO PÉREZ ECHEVARRÍA

(1842-1884) dió por fruto una serie de dramas históricos, protagonizados en su mayor parte por figuras femeninas: *La Beltraneja, Doña María Coronel, La Fornarina,* etc. También llevaron su mutua labor al drama rural, de ambiente catalán, en *L'hereu* (El mayorazgo), con la rivalidad de dos hermanos, rico el uno en bienes de fortuna, y el otro, en el amor de la mujer a la que ambos idolatran. Retés 'escribió por su cuenta, entre otras comedias, *El tundidor de Mallorca, El rey mártir* (San Hermenegildo), *Doña Inés de Castro,* sobre la conocida leyenda dramatizada por Vélez de Guevara en *Reinar después de morir,* y *Doble corona,* sobre Bermudo, el *Diácono.* Pérez Echevarría, por su parte, dejó medio centenar de comedias de diverso género, entre las que alcanzaron éxitos resonantes *Las quintas,* sobre el servicio militar, en que se reveló como actor incomparable el gran Antonio Vico; y *Lo que vale el talento,* estrenada por otro actor no menos notable, Emilio Mario, quien solía celebrar con ella su beneficio todas las temporadas.

Escasa importancia tienen Suárez Bravo, Coello y Nocedal. CEFERINO SUÁREZ BRAVO (1824-1896) cargó las tintas del peor romanticismo en obras como *Enrique III, Amante y caballero* y *Los dos compadres,* esta última sobre la privanza y caída de don Alvaro de Luna. Como novelista nos ha dejado *Guerra sin cuartel,* premiada por la Real Academia; sin que pueda calificarse de obra maestra, no merece, ni mucho menos, los dicterios con que la saludó *Clarín.*

CARLOS COELLO (1850-1888) nos dió en *Roque Guinart, La monja alférez* y *La mujer propia* tres piezas aceptables. *La mujer propia,* con tesis opuesta a la de *El gran galeoto,* trata de demostrar que la mujer ha de aspirar a ser honrada, aunque no lo parezca. RAMÓN NOCEDAL (1848?-1907), hijo del famoso polemista don Cándido, escribió con el seudónimo de *Un ingenio de esta Corte* algunos dramas que tuvieron éxito en su tiempo. *El juez de su causa* y *La Carmañola* son los más conocidos.

NOTAS

1. Ya Sainte Beuve daba por liquidado el romanticismo francés en 1848. Y, respecto al español, el P. Blanco García había escrito: «En aquella fecha (1848) y en los años inmediatamente posteriores es cuando se comienzan a notar ráfagas de inspiración nueva, vislumbres de un arte distinto del hasta entonces generalizado, tendencias simultáneas en los autores y en el público a cambiar estilos y gustos y a adoptar una orientación, lo bien definida al principio, y que viene a coincidir con las modificaciones lentamente verificadas en las esferas política, social y religiosa.» (*Historia de la literatura española en el siglo XIX,* II, pág. 7.)
2. «En lo económico, una técnica diabólica reemplaza todos los valores conocidos: a la luz temblorosa del quinqué, que iluminó las noches enfebrecidas del romanticismo, sustituye la luz industrial e insípida del gas; a la vieja diligencia de vidrios lodosos y cascabeleo de postillones, el ferrocarril trepidante, sucio, mecánico; desaparece el sonrosado billete que despachaba la estafeta aventurera para ser reemplazado por el telégrafo puntual e indiferente, y ya los hombres no escriben poemas estremecidos ni dramas catastróficos, sino

tratados grises de Economía política; de la industria casera, todavía vislumbre de la remota organización medieval, donde cada trazo iba acompañado del sentimiento creador del artesano, se pasará a la fábrica gregaria y al obrero como número de una organización anónima.» (ARTURO BERENGUER CARISOMO y JORGE BOGLIANO: *Medio siglo de literatura americana,* pág. 13, Ediciones Cultura Hispánica, Madrid, 1952.
3. En 1868 aparece el primer tomo de *El capital.*
4. Vid. JOSÉ IXART: *El arte escénico en España,* I, pág. 37.
5. PAUL VAN TIEGHEM: *Compendio de la historia literaria de Europa* (cap. XV. La época moderna).
6. *On commence a comprendre de nos jours que la localité exacte est un des premiers éléments de la realité.* (Pról. de *Cromwell.*)
7. La primera vez que la crítica empleó el término «realista» al calificar la pintura de Gustavo Courbet, le dió un sentido peyorativo. Quiso ver en el arte de Courbet la reproducción de la realidad en su aspecto más vulgar y repugnante, y ello le llevó al empleo de ese término con inexactitud manifiesta, toda vez que la palabra «realismo» siempre ha designado la copia o trasunto de la realidad en general. Para la exageración y rebajamiento de esa realidad existe otra palabra: «naturalismo». Courbet, considerado jefe indiscutible de la pintura realista, aceptó la denominación siempre que con ella se quisiera abarcar todos los aspectos de la vida y no uno solamente.
8. «El realismo—leemos en Federico Lolié—casi a la vez se extendió en toda Europa; violento y patológico en Francia; muy local y conservando el perfume del terruño, en España; mezclado de aspiraciones elevadas en las descripciones de los grandes escritores ingleses, americanos, eslavos y escandinavos.» Mientras el realismo francés derivó bien pronto hacia el naturalismo, y el escandinavo hacia un simbolismo de tipo vago, sólo el español supo buscar sus raíces en la propia tradición del siglo XVII.
9. Tal es el caso de Echegaray, en quien convergen las más variadas tendencias: románticas, simbolistas, sociales y hasta seudomísticas, a la manera de Tolstoi.
10. «Supo soplarse de sí—escribe Sainz de Robles—, como un excelente prestímano, aquellas partículas de su nombre que no le parecían eufónicas para formar un claro nombre literario.» (*El teatro español: historia y antología,* Edit. Aguilar, VII, pág. 259.)
11. Siempre se preció del doble título americano-español, fundiendo en uno solo dos grandes amores: el de la patria nativa y el de la patria de sus progenitores:

La madre España en su seno
me dió acogida amorosa:
suyo fuí; mas siempre yo
recordé con noble orgullo
que *allá* mi cuna, al arrullo
de las auras, se meció.
....

Hoy, que a coyunda tirana
suceden fraternos lazos,
y España tiende los brazos
a la América, su hermana:
bañado en júbilo santo,
yo, americano-español,
a la clara luz del sol
la unión venturosa canto.»

(*Versos de un álbum,* 1857.)

12. «Vega—escribe Valera—amó mucho a su mujer, la cual influyó en su espíritu. De volteriano que era en su mocedad, vino a hacerse devoto en su edad madura, y hasta parece que, a poco de la muerte de su mujer en 1854, Vega sintió viva inclinación a retirarse a un convento.» (*Florilegio de poesías castellanas del siglo XIX,* V, pág. 100.)
13. Su labor de traductor y adaptador de piezas extranjeras empezó muy pronto en 1824, y durante muchos años le ocupó lo mejor de su vida. Más de sesenta títulos de comedias anota MENÉNDEZ PELAYO (*Historia de la poesía hispanoamericana,* II, pág. 360) de vertidas simplemente o adaptadas al español. Buena parte de las mismas pertenecen a Scribe y A. Duval. También las hay de V. Hugo, Bouchardy, Ducange y Delavigne. Colaboró, asimismo, con Bretón de los Herreros (*El plan de un drama o la conspiración*), y con Ariza y Rubí (*Un clavo saca otro clavo*). Dejó, además, un drama póstumo: *Los dos camaradas,* que se supone el primero de una trilogía sobre Cervantes.

14. En una nota del autor, al final de la comedia, se contiene el ideario estético de Ventura de la Vega, que puede resumirse en esos tres puntos: *a)* Escasa simpatía por el romanticismo, no obstante la íntima amistad que le ligaba a sus más destacados valores. *b)* Acatamiento de los principios supremos del arte y desvío de modas literarias que no se ajusten a tales principios. *c)* Supremacía en el teatro de la comedia moralizadora, base, en el fondo, de la «alta comedia». De aquí su admiración casi ciega, más aún, su devoción por Moratín. «*El sí de las niñas*—sentencia—es, a mi juicio, entre cuantas obras dramáticas conozco, antiguas y modernas, la que más se acerca a la perfección.»

15. Leída en la tertulia que distinguidos literatos formaban en casa del marqués de Molíns en la Nochebuena del año 1862, aunque proyectada y escrito el primer acto muchos años antes.

16. Júzguese el tono de la obra por estos versos, puestos en boca de Bruto:

¡Fama eterna este día! Y de mi nombre,
¿cuál la fama será? Con el de Casio
envuelto irá y el de esos miserables
que aborrecen al hombre y no al tirano.
«Bruto—dirán—, el matador de César»,
sin saber que le admiro, que le amo.
¡Y voy a darle muerte! ¡Qué desprecio
a los que son mis cómplices! Y un lazo
fatal me une a ellos. ¡Que estén siempre
mi corazón y mi deber luchando!
Así encendida la civil contienda,
volé resuelto de Pompeyo al campo,
de Pompeyo asesino de mi padre,
y el acero esgrimí contra el humano
vencedor de Farsalia... ¿Por qué, ¡oh cielo!,
por qué en tal confusión truecas los hados,
que la causa del mal a un héroe fías
y la del bien a tan indignas manos?
¡Oh costosa virtud! Ya llegó el día;
el momento llegó... Puñal sagrado,
ven, escóndete aquí; contigo llevo,
en la dudosa empresa a que me lanzo,
si vencedor, la libertad de Roma;
si vencido, la mía...

Destaquemos, rompiendo el ritmo del endecasílabo asonantado en que está escrita la obra, el *Himno a Luperco*, que consta de cinco estrofas sáficas.

17. *Historia de la poesía hispanoamericana*, II, página 358.

18. Los principios que definen el género están consignados en los prólogos que Ayala y Tamayo pusieron, respectivamente, a sus dramas *Un hombre de Estado* y *Angela*. «He procurado—dice el primero—, en este mi primer ensayo, y procuraré lo mismo en cuanto salga de mi pobre pluma, desarrollar un pensamiento moral, profundo y consolador.» Y Tamayo, por su parte, agrega: «Juzgo necesario, para que el drama ofrezca interés, hacer el retrato moral del hombre con todas sus deformidades, si las tiene, y emplearlo como instrumento de la Providencia para realizar ejemplos de provechosa enseñanza. En el estado en que la sociedad se encuentra, es preciso llamarla al camino de la regeneración, despertando en ella el germen de los sentimientos generosos... El teatro puede coadyuvar a esta laudabilísima empresa con medios no despreciables, y el conato de los autores dramáticos debe encaminarse a tan altos fines.»

19. Se ha hecho famosa una décima titulada *La pluma*:

¡Pluma: cuando considero
los agravios y mercedes,
el mal y bien que tu puedes
causar en el mundo entero;
que un rasgo tuyo severo
puede matar a un tirano,
y que otro, torpe o liviano,
manchar puede un alma pura,
me estremezco de pavura
al alargarte la mano!

20. El autovencimiento, es decir, el dominio de las propias pasiones, es el paso definitivo para la práctica de la virtud; el alma, al limpiarse de los afectos terrenales, no sólo alcanza la bienaventuranza, sino incluso la paz de este mundo:

Sabed que dentro del alma
la mayor grandeza existe,
y la ventura consiste
en saber gozar de calma.

Viviendo en paz, sin violencia
nuestro fin llegar se advierte,
y ver en calma la muerte
hace feliz la existencia.

Todo lo recobra don Rodrigo Calderón en la hora de la muerte: la admiración de sus enemigos, el amor de Matilde o, mejor, el conocimiento de su amor sincero, y, lo que es más importante, la conciencia de la propia grandeza espiritual:

Jamás, ministro, me sentí tan grande
como ahora, pobre y miserable reo.
El alma, ya del polvo desprendida,
en sentirse a sí misma se recrea.

21. «Ayala—escribe Ixart—observa la sociedad que le rodea, enclavija sus planes sin dejar nada al acaso, y mucho menos a incidentes inverosímiles, traídos con violencia; vive largo tiempo con sus personajes antes de plantarlos en escena; quiere darse cuenta de todos sus actos y sus palabras..., que su movimiento resulte estrictamente de la natural y lógica conducta de cada uno de ellos.»

Consciente de la función moralizadora del teatro y de que él era uno de los llamados a cumplirla, nos dice en la citada *Epístola a Emilio Arrieta*:

Me dotaron los cielos de profundo
amor al bien, y de valor bastante
para exponer al embriagado mundo
del vicio vil el sórdido semblante.

Si para el autor de la *Epístola moral a Fabio* el peligro está en el mundo, en la ambición cortesana, y busca refugio en la soledad y en el dominio de las propias pasiones y deseos, para Ayala el mayor peligro está en el mismo hombre, en la tendencia pesimista y en la lucha que en su corazón libran el ansia de placer desmedido, la concupiscencia de los sentidos y la conciencia del deber:

Inquieto, vacilante, confundido
con la múltiple forma de deseo,
impávido una vez, otra corrido
del vergonzoso estado en que me veo,
al mismo Dios contemplo arrepentido
de darme un alma que tan mal empleo;
la hacienda que he perdido no era mía,
y el deshonor los tuétanos me enfría.

22. Un crítico de la época escribió que con *El cinco de agosto* se propuso hacer Tamayo «un drama alemán, metafísico en sus aspiraciones, cristiano, grande y filosófico en el fondo», nada de lo cual logró, a nuestro juicio.

23. Ha sido estudiado por el MARQUÉS DE VALMAR en *La leyenda romana de Virginia en la literatura dramática*, «Estudios de historia y de crítica literaria», Madrid, 1900.

24. Un crítico de la época, tras estudiar *Locura de amor* como síntesis de escuelas y tendencias dramáticas, concluye: «Es fruto de todas las literaturas: tiene la concisión y sencillez del teatro griego, la incisiva expresión de afectos del teatro inglés, el idealismo de la pasión y la profundidad de pensamiento del teatro alemán, el arte de interesar, el artificio y destreza para combinar y desarrollar la fábula del teatro francés, y la ternura, galantería, estilo, brillantez y boato del teatro español.»

25. *Libros y autores modernos*, pág. 221.

26. Nace el marqués de Molíns en Albacete el 17 de agosto de 1812. Estudia en Madrid bajo la dirección de Hermosilla, Garriga y aquel maestro de toda una generación de románticos que se llamó don Alberto Lista. A los diecisiete años desempeñaba una cátedra de Matemáticas en Alicante, y en 1837, antes de cumplir los veinticinco, estrenaba su drama *Doña María de Molina*, que le abrió, muy joven aún, las puertas de la Real Academia Española Luego se le abrieron las de la Historia, Bellas Artes y Ciencias Morales. Su carrera política empieza el mismo año 1837, y fué más brillante aún que la literaria: diputado, ministro de Marina y Gobernación bajo la presidencia de Narváez; ministro otras tres veces: 1853, 1855 y 1879; plenipotenciario en Londres, embajador en París y en el Vaticano, etc. Interviene activamente en la restauración de la monarquía borbónica. En su juventud fundó el Liceo Artístico de Madrid, del que fué director; también lo fué de la Real Academia de la Lengua. Sus recepciones en el palacio de Villahermosa fueron uno de los máximos ornamentos

del Madrid de mediados de siglo, y a las veladas que organizó en su residencia particular entre 1851 y 1862 acudía lo más granado de las letras y de las artes. Fué amigo de todos los literatos y poetas y mecenas de muchos. Respetado y querido de todos, murió en Lequeitio el 4 de septiembre de 1859.

27. Correctísimo en su lenguaje y tan alejado de todo término prosaico, que, para evitar la palabra ajo, no vacila en emplear toda una perífrasis:

Con la cáustica semilla
cuyo hedor y nombre viles
a la gente cortesana
escandaliza y aflige,
y cuyo gusto y vigor
ama el pueblo...

28. Nace Rubí en Málaga en 1817. Recibe primera educación en Granada y Jaén; pero, huérfano muy niño, es recogido por el entonces conde de Teba, don Cipriano de Guzmán, padre de Eugenia de Montijo. A los dieciocho años pasa a Madrid, donde se entrega por entero a las letras, empezando por versos románticos y algunos dramas que no logra ver representados. Intima con Campoamor y otros literatos de fama. Poco después estrena, empezando por comedias de costumbres, y ya durante treinta y cinco años su aportación a la escena no se interrumpe. Como político militó en el partido moderado, que le premió con diversos cargos: diputado a Cortes, director general de Sanidad, Beneficencia, Telégrafos y Establecimientos penales; ministro de Ultramar, intendente de Hacienda en Cuba, director del teatro Español, etcétera. Perteneció desde 1860 a la Academia de la Lengua. Murió, en apacible retiro, en 1890.

29. Nació Zapata en el pueblecito de Ainzón (Zaragoza) en 1845. Estudia en los Escolapios, y Derecho en la Universidad, por cierto con escasa aplicación, porque sus aficiones le inclinaban hacia la literatura. Casi niño aún, ya colabora en periódicos zaragozanos. En 1868 se traslada a Madrid, y, tras cuatro meses de hambre y privaciones de todo género, entra de redactor en el periódico La Discusión, que abandona pronto, porque, a pesar de ser su mejor colaborador, no le pagan un céntimo. Pasa a El Orden y a Gente Vieja, donde tampoco saca partido. En 1890, famoso, pero tan necesitado como siempre, emigra a la Argentina, donde permanece hasta 1898. Vuelto a la Península, colabora en algunas revistas, y al fin obtiene un importante cargo en la Casa de la Moneda y Timbre, que le permite vivir con cierto desahogo. Murió en 1914.

30. A pesar de que sus obras fueron una saneada fuente de ingresos, Zapata no pudo disfrutar de ellos, porque, apremiado por la necesidad, solía vender sus derechos a un editor desaprensivo. Como su íntimo amigo Manuel del Palacio le reprochase este proceder con motivo de La capilla de Lanuza, él le contestó improvisando esta quintilla:

Oye, pedazo de tal:
cuando no se tiene un real,
desde Homero hasta Zorrilla
no digo yo una «capilla»,
se vende una catedral.

Y, aludiendo a sus años de penuria, escribía en Retrato de un caballero:

La dentadura de arriba
pieza por pieza ha caído,
y hoy tiene que manejarse
con la mitad del molino.
Mas a esto dice él con sorna:
«¡Se halla tan malo el oficio,
que no temo la herramienta,
sino la escasez del trigo!»

31. Además de fácil, era Zapata muy gracioso y ocurrente. En cierta ocasión, después de haber acompañado los restos de Fernández y González a la sepultura, discurrían varios amigos sobre el epitafio que debería ponerse para que la posteridad tuviese una idea del gran novelista, y Zapata improvisó la siguiente redondilla:

En esta fosa cristiana
reposa el mayor portento
de inspiración, de talento
y de vanidad humana

32. De Sanlúcar de Barrameda. Exclaustrado. Estudió Derecho en Madrid, y fué protegido por Eugenio de Ochoa. A los catorce años estrenaba en Jerez de la Frontera su comedia en un acto Por dinero baila el perro.

33. Se llamaba Narciso Sáenz Díaz Serra. A los siete años demostró sus dotes para la poesía recitando versos en el Liceo. Tuvo una juventud disipada y bohemia; fracasó en su intento de ingresar en el Colegio General Militar; dirigió alguna compañía de cómicos. Por su participación en el movimiento de Vicálvaro se le hizo alférez de Caballería, cargo que renunció para entrar como oficial en el Ministerio de la Gobernación. En 1864 se le nombra censor de teatros, empleo que pierde en la revolución del 68. Pasó paralítico sus últimos años.

34. Véanse datos biográficos de E. Florentino Sanz en cap. LXXII.

35. Júzguese por las siguientes quintillas:

... Es fuerte apuro
que me hayan de perseguir
necios siempre, y de seguro
con este infame conjuro:
«Quevedo, hacednos reír.»

Y es, por Dios, contraste horrendo,
y aun viceversa nefando;
y hasta sarcasmo estupendo,
que ellos escuchan riendo
lo que yo digo rabiando.

Tal vez, por que se desvíen,
suelto un chiste insulso y frío...,
mas de gusto se deslíen;
y tanto a veces se ríen,
que al fin yo también me río.

Risas hay, por Lucifer...,
risas preñadas de horror...:
¡que en nuestro mezquino ser,
como su llanto el placer,
tiene su risa el dolor!

¡Necios! Los que abrís las bocas,
abrid los ojos... Quizás
veréis que mis risas locas
son de lástima no pocas,
y de tedio las demás.

¡No! Con su chata razón
no comprenden, cosa es clara,
que mis chistes gotas son
de la hiel del corazón
que les escupo en la cara.

Y jamás librarme puedo
de ese infernal retintín,
que ya me produce miedo:
«Divertidnos vos, Quevedo»,
y hablo y los divierto al fin.

(Acto III, esc. VII.)

36. Era natural de Vich (Barcelona), y murió en la Habana. Había estudiado en Cervera, donde tuvo por compañero a Jaime Balmes. Intervino en política, siendo varias veces diputado.

BIBLIOGRAFIA

I. F. G. Aubrey Bell: Contemporary Spanish Literature, Nueva York, 1925.—U. González Serrano: La literatura del día, Barcelona, 1903.—J. Ixart: El arte escénico en España, 2 vols., Barcelona, 1894-1896.—H. Levin: What is Realism?, «Comparative Literature», año III, Oregón, 1951.—A. L. Owen: Psychological aspects of Spanish Realism, «Hispania», California, febrero, 1931.—A. Palacio Valdés: Nuevo viaje al Parnaso, «Obr. comp.», II, 2.ª ed., M. Aguilar, Madrid, 1948.—A. Par: Shakespeare en la literatura española: Realismo y Escuelas modernas, II, Madrid-Barcelona, 1935.—H. Peyre: Les Générations littéraires, Boivin, París, 1948.—M. de la Revilla: Críticas (1.ª serie), Burgos, 1884; Obras, Madrid, 1883.—F. C. Sainz de Robles: El teatro español del siglo XIX: Ciclo realista, «El teatro español: Historia y antología», VII, Aguilar, Madrid, 1943.—B. de Tannenberg: L'Espagne littéraire, portraits d'hier et d'aujourd'hui, París, 1903.—G. de la Torre: Problemática de la literatura, Edit. Losada, Buenos Aires, 1951.—Ch. A. Turrell: Contemporary Spanish Dramatists, Boston, 1919.—J. Valera Alcalá Galiano: Qué ha sido, qué es y qué debe ser el arte en el siglo XIX, «Obr. compl.», II, M. Aguilar, Madrid, 1942.

II. J. CEJADOR FRAUCA: *Fe de bautismo de Ventura de la Vega*, «Rev. Crít. Hispanoamericana», 1916.—CONDE DE CHESTE: *Elogio fúnebre de Ventura de la Vega* (23 de febrero de 1866), «Mem. de la Real Acad. Esp.», II, Madrid, 1870.—P. DE LA ESCOSURA: *Discurso* (acerca de Ventura de la Vega), «Discursos académicos», Madrid, 1870.—J. GÜELL Y RENTE: *Estudio sobre los Césares de Shakespeare, Alfieri y Voltaire, y juicio crítico sobre «La muerte de César»*, de Ventura de la Vega, Madrid, 1866.—J. KENNETH LESLIE: *Ventura de la Vega and the Spanish Theatre 1820-1865*, Princeton University, 1940.—M. JOSÉ DE LARRA *(Fígaro):* Críticas de las comedias de V. de la Vega *Don Quijote de la Mancha, en Sierra Morena y Hacerse amar con peluca*, «Artículos completos», M. Aguilar, Madrid, 1944.—M. MENÉNDEZ PELAYO: *Historia de la poesía hispanoamericana*, II, págs. 357-69, Aldus, Santander, 1948.—J. MONTANER: *El estreno de «La muerte de César», de Ventura de la Vega*, Madrid, 1954.—J. MONTERO ALONSO: *Ventura de la Vega: su vida y su tiempo*, Edit. Nacional, Madrid, 1951.—J. H. MUNDY y E. ALLISON PEERS: *Ventura de la Vega and the «justo medio», in Drame*, Liverpool Studies, 1940.—J. VALERA ALCALÁ-GALIANO: *Estudio biográfico-crítico de Ventura de la Vega*, «Obras completas», II, M. Aguilar, Madrid, 1942; *«La muerte de César»*, «Obras completas», II, M. Aguilar, Madrid, 1942.—PILAR LOZANO GUIRAO: *Epistolario de don Ventura de la Vega*, «Rev. de Literatura», XIV, Madrid, 1958; *El archivo epistolar de don Ventura de la Vega*, «Rev. de Literatura», XIII, 1958.

III. L. ALAS («Clarín»): *Consuelo*, «Solos», Madrid, 1882.—L. DE OTEYZA: *Ayala*, Espasa-Calpe, Madrid, 1932.—C. OYUELA: *«El tanto por ciento»*, «Estudios y artículos literarios», Buenos Aires, 1889.—J. A. PAZ: *Ayala*, «Rev. Europea», XI.—J. O. PICÓN: *Ayala: Estudio biográfico y crítico*, «Autores dramáticos contemporáneos», II, Madrid, 1886.—J. M.ª RUANO Y CORBO: *Estudio analítico de la poesía dramática en el drama «Consuelo», de Ayala*, Madrid, 1901.—C. SOLSONA Y BASELGA: *Ayala: Estudio político*, Madrid, 1891.—J. VALERA ALCALÁ-GALIANO: *«El tanto por ciento»*, «Obras completas», II, M. Aguilar, Madrid, 1942.—M. TAMAYO: Pról. a las *Obras de López de Ayala*, «Clásicos Castellanos», Madrid, 1881.—J. RINANO: *«Consuelo». Ensayo crítico sobre la obra de L. de Ayala*, Madrid, s. a.

IV. L. ALAS («Clarín»): *Tamayo*, «Solos», Madrid, 1882.—M. CAÑETE: *Crítica literaria: La Ricahembra*, «Rev. Española de Ambos Mundos», II, 1854.—E. COTARELO MORI: *Don Manuel Tamayo y Baus*, «Estudios de Hist. literaria de España», I, Madrid, 1901.—L. G. CROCKER: *Techniques of ambiguity in «Un drama nuevo»*, «Hispania», Baltimore, XXXIX, núm. 4, 1956.—L. A. DE CUETO: *La leyenda romana de Virginia en la literatura dramática*, «Estudios de hist. y de crítica literaria», Madrid, 1900; *«Virginia», por don Manuel Tamayo y Baus*, «Rev. de Ambos Mundos», I,—R. ESQUER TORRES: *Valoración técnica del tea-*

tro de Tamayo y Baus, «Rev. de Literatura», VII, Madrid, 1955.—I. FERNÁNDEZ FLÓREZ: *Tamayo y Baus*, «Autores dramáticos contemporáneos», ed. cit., II,—C. OYUELA: *Estudio sobre «Un drama nuevo»*, Buenos Aires, 1891; *Manuel Tamayo y Baus y «Locura de amor»*, «Estudios literarios», Buenos Aires, 1915.—J. PIDAL Y MON: *Discurso en elogio de Tamayo*, Madrid, 1889.—N. SISCARS SALVADÓ: *Tamayo: Estudio crítico-biográfico*, Tip. Católica, Barcelona, 1906.—B. DE TANNENBERG: *Un dramaturgo español: Manuel Tamayo y Baus*, París, 1898.—J. VALERA: *«La bola de nieve»*, «Obras completas», II, M. Aguilar, Madrid, 1942.—NEALE H. TAYLER: *Las fuentes del teatro de Tamayo y Baus. Originalidad e influencias*, Madrid, 1959.—TAMAYO Y BAUS: *Obras completas*, Edit. Fax, Madrid.—M. DE LA REVILLA: *Manuel Tamayo y Baus*, «Bocetos literarios», Madrid, 1887.

V. MARQUÉS DE MOLÍNS: *Obras completas*, 8 vols. Madrid, 1881; *Opúsculos crítico-literarios*, con pról. del duque de Rivas, Madrid, 1882; *Discursos académicos*, con pról. de don F. Sánchez Juárez, Madrid, 1890.—A. GALLEGO: *El marqués de Molíns, su vida y sus obras*, Albacete, 1912.—MENÉNDEZ PELAYO: *El marqués de Molíns*, «Est. y disc. de crítica lit.», págs. 289-300.—J. VALERA: *Florilegio de poesías castellanas del s. XIX* (estudio y notas), Madrid, 1904.—A. FERRER DEL RÍO: *Biografía de T. Rodríguez Rubí*, «El Laberinto», pág. 1, 1844.—J. OCTAVIO PICÓN: *Autores dram. cont.*, II, pág. 65.—A. M. FABIÉ: *Tomás R. Rubí* (disc. en la Acad. Esp.), 1891.—W. F. SMITH: *Contributions of Rodríguez Rubí to development of the alta comedia*, «Hisp. Review», X, 1942.—Para Zapata, consúltense las obras generales del padre Blanco García, Cejador, Sainz de Robles, etc.

N. ALONSO CORTÉS: *Narciso Serra*, Valladolid, 1936; *Quevedo en el teatro y otras cosas*, Imp. Colegio de Santiago, Valladolid, 1930.—J. DEL CASTILLO SORIANO: *Núñez de Arce: Apuntes para su biografía*, Madrid, 1904.—A. M. FABIÉ: *Tomás Rodríguez Rubí*. (disc. académico), Madrid, 1891.—J. FERNÁNDEZ BREMÓN: *Narciso Serra*, «Autores dramáticos contemporáneos», I.—F. HERRÁN: *Eulogio Florentino Sanz y su drama «Don Francisco de Quevedo»*, «Rev. de España», LXXXII.—E. GÓMEZ DE BAQUERO («Andrenio»): *Crónica literaria: Núñez de Arce*, «La España Moderna», julio, 1903; *Núñez de Arce*, «Letras e Ideas», Barcelona, 1905.—C. OYUELA: *«El haz de leña»*, «Estudios y artículos literarios», Buenos Aires, 1889.—EMILIA PARDO BAZÁN: *Núñez de Arce*, «Retratos y apuntes literarios», «Obras completas», XXXII.—J. O. PICÓN: *Tomás Rodríguez Rubí*, «Autores dramát. contemporáneos», II, Madrid.—JOSEFINA ROMO ARREGUI: *Vida, poesía y estilo de don Gaspar Núñez de Arce*, anejo XXXIV de la «Rev. Filol. Esp.», Madrid, 1946.—W. F. SMITH: *Contributions of Rodríguez Rubí to the development of the Alta Comedia*, «Hisp. Rev.», X, 1942.—F. ZARZA Y ROLDÁN: *Don Eulogio Florentino Sanz. Biografía*. Avila, 1910.

CAPITULO LXXV

EL TEATRO POSTROMANTICO:
B) TENDENCIAS VARIAS

I. José Echegaray: *Datos biográficos. La obra literaria:* a) *Tendencia neo-romântica.* b) *Comedias de tesis.* c) *Comedias simbolistas.* d) *Comedias costumbristas. Juicio crítico.*—II. Contemporáneos de Echegaray: *Sellés y Leopoldo Cano. Enrique Gaspar. Joaquín Dicenta. Feliu y Codina, autor de «La Dolores». Otros dramaturgos.*—III. La zarzuela y otros géneros menores: *Los «bufos». El «género chico». El sainete tradicional: Vital Aza.*
Notas.—Bibliografía.

I. JOSE ECHEGARAY

Ni los intentos, más o menos esporádicos, para reanudar la comedia histórica por obra y gracia de dramaturgos mediocres, ni las imitaciones de Ayala y Tamayo, añaden nada nuevo al teatro español de los años inmediatamente anteriores a la revolución de septiembre. El hecho culminante del teatro postseptembrino es la aparición de Echegaray, con su tendencia neorromántica, que corta en flor todas las esperanzas depositadas en los continuadores de la «alta comedia». Con obras de un romanticismo trasnochado y detonante—*En el puño de la espada, La esposa del vengador, En el seno de la muerte,* etc.—, estrenadas con inconcebible aplauso en el quinquenio 1874-1879, alternan en Echegaray otras de índole psicológica, en torno a conflictos morales, no por falsos y absurdos menos atractivos para un público que parecía haber olvidado todos los límites de la contención y de la templanza. Eran dramas en que la filosofía positivista de la época, casi siempre con un fondo amargo de pesimismo, se disfrazaba de un lenguaje tan vacío como declamatorio. Y todavía quedaba espacio en el teatro de Echegaray para otras dos clases de comedias: la de corte satírico, sin el efectismo siniestro de sus dramas, al estilo de *Un crítico incipiente;* y una especie de drama semisimbolista, inspirado en autores nórdicos, del que son buen ejemplo *El hijo de don Juan* y *El loco Dios.* A Echegaray se le podrán discutir y hasta negar muchas cualidades de auténtico dramaturgo, pero no la capacidad de asimilarse las tendencias más opuestas.

Datos biográficos

Nace don José Echegaray y Eizaguirre en Madrid en 19 de abril de 1832. Estudia primeramente en Murcia; después regresa a la corte para seguir la carrera de ingeniero de Caminos, en cuya Escuela ingresa con el número uno. Nombrado profesor de Cálculo diferencial en la misma Escuela, regenta esta cátedra hasta la Revolución del 68, fecha en que inicia su actuación en la política. Alterna ésta con los estudios económicos, en los que se inclina a la tendencia librecambista, oponiéndose en conferencias y artículos al proteccionismo de Pi y Margall. En 1868 se le nombra director general de Obras Públicas, y luego, sucesivamente, ministro de Fomento y tres veces de Hacienda. Emigrado en París (1873), forma con Salmerón y Cristino Martos el partido Republicano Progresista. En 1874 estrena *El libro talonario,* con lo que inicia su labor teatral. En 1896 se le recibe de miembro en la Real Academia Española de la Lengua, como sucesor de Mesonero Romanos; antes había ingresado en la de Ciencias. Fué también presidente de Instrucción Pública, director del Timbre, y a él se debe, durante su gestión como ministro de Hacienda, la creación del Banco de España. En 1905 fué agraciado con el premio Nobel de Literatura, altísima distinción que compartió con el poeta lemosín Federico Mistral [1]. Murió Echegaray en Madrid, 1916.

La obra

Nos referimos a la literaria, ya que, aparte de ésta, escribió muchos trabajos de vulgarización científica, de lo mejor que tenemos en castellano sobre la materia. La producción dramática de Echegaray, abundante y diversa, puede resumirse en estas cuatro modalidades:

a) Drama neorromántico: *El libro talonario* (1874), *En el puño de la espada* (1875), *En el seno de la muerte* (1879), *La muerte en los labios* (1880), *El gladiador de Rávena* (1876), *En el pilar y en la cruz* (1878).

b) Teatro de tesis: *El gran galeoto* (1881), *Conflicto entre dos deberes* (1882), *De mala raza* (1886), *Lo sublime en lo vulgar* (1888), *Mar sin orillas* (1879), *Mancha que limpia* (1895).

c) Teatro simbolista: *O locura o santidad*

(1877), *El hijo de don Juan* (1892), *El loco Dios* (1900).

d) Satírico-costumbrista: *Piensa mal y acertarás* (1884), *Un crítico incipiente* (1891), *Siempre en ridículo* (1890), *Sic vos non vobis* (1891), *Mariana* (1892).

a) Tendencia neo-romántica

Es casi siempre de tema histórico; una historia caprichosamente falseada e interpretada según la personal ideología del autor.

Se da a conocer Echegaray, según queda dicho, con *El libro talonario* (1874), que firmó con el anagrama de *Jorge Hayaseca*. Obra endeble; sabemos que la acción corresponde al reinado de Felipe II porque nos lo dice el autor. Costumbres, lenguaje y reacciones de los personajes acusan el más desenfrenado romanticismo, con el marido desnaturalizado, la madre amante, el criado fiel y pagado de la nobleza de sus amos y el hijo bravucón. No resiste un análisis serio. Tampoco lo resiste *La esposa del vengador,* drama en que todo resulta ilógico y fríamente calculado: ilógico el protagonista don Carlos, enamorado locamente de Aurora, a cuyo padre ha dado muerte; ilógica ésta al no reconocer a don Carlos bajo un nuevo disfraz; ilógica la conducta de Fernando, rival de Carlos en el amor de aquélla. El límite de lo absurdo nos lo da la peregrinación de Fernando hasta al Ganges, en busca de un filtro mágico que tiene la virtud de dilatar las pupilas de la dama para que pueda reconocer en su nuevo galán al matador de su padre. Toda la obra está construida sobre golpes de efecto, que culminan en el desenlace casi grotesco: don Carlos se atraviesa el pecho con una daga, y Aurora, que casa con él *in artículo mortis,* pronuncia aquellos versos inefables:

> ¡El ha sido... y es mi amor!
> ¡El ha vengado a mi padre:
> ya soy ante Dios, ¡oh madre!,
> la esposa del vengador!

Del mismo paño está cortado el drama *En el puño de la espada,* sobre la enemistad de dos nobles familias, los Orgaz y los Moncada, nacida de la deshonra de doña Violante, esposa de un Moncada, por un Orgaz. Del adulterio nace Fernando, al que los Moncada tienen por hijo, y que se suicida tras un intento de duelo con su propio padre. Por fortuna, llega doña Violante a tiempo de impedirlo:

> ¡Detén el hierro homicida!
> ¡Para el brazo!... ¡Caiga inerte!
> ¡Tú no puedes dar la muerte
> a quien te ha dado la vida!

El título se debe a un billete comprometedor de doña Violante, guardado «en el puño de la espada».

A este grupo pertenecen también *En el seno de la muerte,* «drama de una inspiración gigante, aunque descarriada y sombría» (padre Blanco); *El gladiador de Rávena,* tragedia inspirada en otra de Federico Halm; *Un milagro en Egipto,* basado en la novela de Ebers, *Uarda,* y varios en que se intenta atacar el fanatismo religioso: *En el pilar y en la cruz,* sobre las luchas de los protestantes españoles; *La muerte en los labios,* sobre el suplicio de Servet en Ginebra, a manos de los calvinistas, etc.

b) Comedias de tesis

Deben incluirse en este grupo las mejores de Echegaray y las que más fama le han dado. No se le puede negar a su autor en estas obras fuerza imaginativa y cierta grandeza en el planteamiento de los conflictos. Luego, llevado sin duda de su obsesión por tensar y conducir a su límite máximo el interés del auditorio, se pierde, y no acierta a ser consecuente en los caracteres. Falsos de toda falsedad son éstos, incluso en las obras más logradas: *El gran galeoto* y *Lo sublime en lo vulgar.* Tampoco los problemas son tales sino en la mente de sus personajes, y la solución que se les da rara vez responde a la lógica. Echegaray carece del sentido tan estimable en todo, y mucho más en el arte, del «justo medio». Sus personajes son siempre santos o demonios. Añádase que, para hacerlos sin duda más interesantes, suelen moverse en el mundo de lo patológico, arrastrados por verdaderos desenfrenos pasionales. Esta aparatosidad, este ahogarse en un vaso de agua seres dotados por otra parte de facultades portentosas, informan todo su teatro, pero de manera especial sus comedias de tesis. *El gran galeoto,* obra que todavía se representa con aplauso a los ochenta años de su estreno, tiende a demostrar cómo el mundo, con sus indiscreciones, reticencias y malicia, puede servir muchas veces de medianero y hasta precipitar ciertas censurables explosiones de amor. En el prólogo, en prosa, Echegaray expone hábilmente su concepto de lo que debe de ser el teatro [2], y justifica la tesis de la obra.

Su argumento en síntesis es: Ernesto, joven huérfano, vive protegido por el acaudalado don Julián y su bella esposa Teodora. Pronto la maledicencia se ensaña en el feliz hogar. Severo, hermano de don Julián, su esposa Mercedes y su hijo Pepito se encargan de ir transmitiéndoles puntualmente los comentarios de la sociedad en que viven, y en la que se dan por evidentes las relaciones íntimas entre Teodora y Ernesto. Al principio, don Julián rechaza indignado tales murmuraciones; pero los celos no tardan en prender en su espíritu. Ernesto, que ha proyectado abandonar al matrimonio y marchar a América, oye en un café al vizconde de Nebreda cuando está difamando a sus protectores; le abofetea y queda concertado el duelo. Para evitarlo, Teodora visita a Ernesto; pero don Julián, conocedor de lo que pasa, se adelanta y se bate con Nebreda, resultando gravemente herido. Es llevado a casa de Ernesto, donde descubre la presencia de Teodora. Trasladado a su propia casa, abofetea a Ernesto y muere. Severo intenta arrojar a Teodora de casa de su propio hermano; y es entonces cuando Ernesto, erigiéndose en defensor suyo, la recoge y se la lleva. No ha sido una condenable pasión, sino la sociedad, quien se ha empeñado en arrojarla en sus brazos.

Lo sublime en lo vulgar es otra de las buenas comedias del autor: pensamiento elevado, asunto de relativa originalidad, acción conducida con destreza, personajes mejor estudiados que otras veces y un diálogo suelto que se desarrolla por el cauce de una rica versificación. En cambio, *Mar sin orillas,* no obstante el desmesurado elogio de *Clarín,* nos parece estrambótica, folletinesca y mal pergeñada. *Siempre en ridículo* (1890), con una tesis pesimista, que la virtud y la honradez son las peores prendas para triunfar en la vida, adolece de los mismos defectos que casi todo el teatro de Echegaray: falta de lógica y efectismos inmoderados. Al mismo grupo han de adscribirse: *La realidad y el delirio,* con pasajes geniales al lado de caídas incomprensibles, e *Iris de paz,* delicioso cuadrito de la vida hogareña.

Una línea intermedia entre este grupo y el que hemos denominado simbolista, viene formada por *Cómo empieza y cómo acaba* (1876) y *Lo que no puede decirse* (1877). En la primera, Magdalena mata involuntariamente a su marido, cuando lo que intentaba es dar la muerte a su amante Enrique; *Lo que no puede decirse,* con un conflicto muy humano y caracteres bien vistos, acusa una vez más la impericia de Echegaray para dar otras soluciones que no sean el asesinato o el suicidio. Diríase que Echegaray empieza por concebir un desenlace aparatoso y funesto, al que luego subordina toda la trama de la obra, aun a riesgo de forzar a cada paso las soluciones más lógicas. La última del grupo, *Mancha que limpia,* es una de las pocas que han perdurado en los carteles hasta casi nuestros días.

c) Comedias simbolistas

Dos son las que le dieron renombre: *O locura o santidad* y *El hijo de don Juan.* La primera descansa, como tantas otras de Echegaray, sobre graves problemas de conciencia, que no son tales problemas; conflictos terribles que no existen más que en la mente de los personajes y que en la vida real se resolverían de la manera más sencilla: supuestos falsos, que no se dan en la realidad o, si se dan, encuentran un desenlace lógico y justo en la legislación de cualquier país.

El protagonista, don Lorenzo, estudioso, filósofo que goza fama de «sabio» entre sus conocidos, se nos presenta como marido y padre modelo y disfrutando de una posición aventajada. Cuando ce-

diendo en su orgullo accede al matrimonio de su hija, se entera por una antigua sirvienta, en realidad su madre, de que está gozando de unos bienes que no le corresponden; la clave estriba en una carta escrita poco antes de morir, por la que cree su madre: «Tu padre era rico, muy rico..., yo era muy pobre; no tuvimos hijos. Sabía mi esposo que una enfermedad incurable minaba rápidamente su existencia... Loco de amor quiso asegurarme toda su fortuna... Buscamos un niño... Juana conoce este secreto.» Juana ha accedido a hacer pasar a su propio hijo—que no es otro que Lorenzo—por hijo del matrimonio millonario. Desde este momento se le plantea a Lorenzo el terrible conflicto de renunciar a todo, devolviendo una herencia que ilegítimamente posee, o envilecerse en lo que cree un robo. Cuando se decide por lo primero y pretende basarse en la carta que le entrega Juana, ésta la ha quemado. Insiste en renunciar, acto que unos interpretan como locura y otros como santidad.

Como se ve, todo el conflicto se basa en arena movediza: nada más fácil, puesto que se trata de un matrimonio sin hijos, que haberlo adoptado como tal. Pero al autor no le interesaba este desenlace; desde el comienzo de la obra nos viene presentando al protagonista excesivamente entregado a la meditación y con amagos de demencia; ya lo dice el médico: «Mientras el cerebro se agita en sublimes espasmos, la locura acecha». Y, naturalmente, los golpes finales de acto tenían que resultar así más emocionantes y efectistas.

El hijo de don Juan deriva, y así nos lo declara el propio autor, de *Espectros,* de Ibsen. Descartado el tema central del drama noruego, con su oposición entre el deber y la libertad, que apenas ha pasado al español, en lo demás hay evidentes coincidencias. Don Juan, hombre crapuloso, tiene un hijo, escritor de talento, que, al igual que el Oswaldo ibseniano, se vuelve loco. Al enterarse por el médico de que su dolencia es incurable, desiste de su proyectada boda y, también como Oswaldo, muere clamando por el sol. Sin embargo, lo que en Ibsen es desarrollo lógico, en Echegaray se desmenuza en un *quid pro quo:* el médico cuenta a Lázaro, que así se llama el protagonista, su propia tragedia personal, sin conocerle. La escena final, que en Ibsen está sabiamente preparada, en Echegaray sobreviene sin que nadie la espere.

d) Comedias costumbristas

Tanto como costumbristas, son satíricas, y, alguna vez, de carácter psicológico. Prescindiendo de *Siempre en ridículo,* analizada en el grupo de las de tesis, concretamos nuestro breve comentario a las tres más importantes.

Un crítico incipiente, subtitulada «Capricho cómico sobre crítica dramática», ofrece indudable interés por cuanto nos da a conocer el concepto del autor sobre el arte dramático. La idea de constituir el mundillo teatral, con sus rencillas y discusiones, en tema de una comedia, no es original de Echegaray; sin retroceder mucho la encontramos en *El café o la comedia nueva,* de Leandro F. de Moratín, y en *El poeta y la beneficiada,* de Bretón de los Herreros. Como en estas dos comedias, también en *Un crítico incipiente* los diversos personajes van encarnando los tipos más representativos del mundo de la farándula: don Antonio, dramaturgo famoso, sin duda el propio Echegaray; Gertrudis, esposa del dramaturgo; Pepe y Luisa, sus hijos; aquél, crítico primerizo, y ésta, sentimental e ingenua; Enrique, novio de Luisa y autor de «teatro por horas»; Peláez, Barroso y Telesforo, críticos también e intérpretes de distintas tendencias. El choque de éstas viene provocado por el estreno de *El conde Ulrico,* drama de don Antonio, quien, ocultándose bajo el anonimato, pretende ridiculizar el estilo y técnica de su gran émulo en las tablas, don Pablo. La controversia se encona; y la obra termina con el perdón, comprensivo para todos, por parte del autor. Hay en *Un crítico incipiente* aciertos y falsedades: acertada la crítica que se nos hace del *género chico;* falsa en su mayor parte la pintura del hogar del protagonista. El estreno de un drama, *El conde Ulrico,* suministrando tema para la discusión, recuerda demasiado el mismo recurso ya utilizado por Moratín en *El café.* Sólo que *El gran cerco de Viena,* ocasión de la sátira moratiniana, responde a un tipo de teatro existente en la realidad a últimos del XVIII, mientras que *El conde Ulrico* no parodia para ridiculizarlo a ningún género teatral del tiempo en que se supone escrito, como no sea al del mismo Echegaray.

Sic vos non vobis, estrenada el mismo año que la anterior (1891), es una bella comedia que nadie atribuiría a Echegaray, a no verla firmada por él. Sobre un argumento sencillo—el señor ya entrado en años y rico, que protege a una muchacha, la educa y la refina para casarse con ella; y luego renuncia a su amor porque la sabe enamorada de otro—, Echegaray ha logrado hilvanar una serie de escenas emotivas y de gran finura psicológica. Una de las más logradas es aquella en que se refleja la lucha de Pacorra, vacilante entre su pasión por Juan y su gratitud por don Marcelo. Preferimos esta escena a toda la altisonancia de dramones como *La esposa del vengador* y *En el puño de la espada.*

No nos merece, en cambio, el mismo juicio *Mariana,* drama de costumbres, preferido a *La Dolores,* de Feliú y Codina, en uno de los concursos de la Academia Española. No obstante este premio y no obstante asimismo la excelente opinión que *Mariana* le merece a Valbuena Prat [3], a nosotros nos sigue pareciendo una comedia lánguida, anodina y bastante absurda. Se trata, al menos así lo vemos nosotros, de un engendro mixto del ya muerto romanticismo y de la nueva modalidad psicológica llevada al teatro por Bec-

que, Hervieu y sus imitadores. Mantener cuatro actos con las veleidades de una mujer, de quien a los cinco minutos ya lo sabíamos todo, sólo puede hacerse, como lo hace Echegaray, amontonando casualidades y violentando el curso lógico de las cosas [4].

Juicio crítico

Hecho el análisis del teatro de Echegaray, se impone una pregunta: ¿Cómo se explica su triunfo? Ni por sus calidades literarias, ni por su técnica, ni por su tono tendente a lo melodramático, ni por los problemas que plantea, ajenos casi siempre a las inquietudes de la época, ese teatro es acreedor al enorme éxito obtenido entre sus contemporáneos. Sin embargo, el teatro de Echegaray triunfó, y triunfó en toda regla.

Varias razones nos podrán explicar acaso, ya que no justificar, ese triunfo. Echegaray, ante todo, llega a tiempo; retórico y verbalista, aparece en escena cuando la antorcha de Ayala y Tamayo acaba de extinguirse. Es una época de franca decadencia. Cree de buena fe que es el llamado a revolucionar o renovar el teatro, de la misma manera que había contribuído a revolucionar la política. Echegaray carece de verdadera formación estética. Tiene en cambio un certero sentido de los gustos y reacciones del público. Como no escribe para los estetas y críticos, sino para la espesa masa anónima, acierta a pulsar en ésta las fibras que más fácilmente responden a toda excitación. De aquí ese retoricismo, esa tópica que siempre encuentra eco en un público tan propicio a las frases hechas como ingenuo. De aquí el efectismo teatral, esos finales de acto tan espectaculares y, no hay que negarlo, tan hábilmente preparados. El espectador, pendiente de aquella catarata verborreica y de aquella sucesión de situaciones, todo lo ilógicas que se quiera, pero siempre inesperadas, no tiene tiempo de reaccionar. Deslumbrado por un verso brillante, aunque facilón y ripioso, metido en un clima de pasiones tensas, no se ocupa de analizar lo que allí pueda haber de ilógico, de arbitrario, de falto de naturalidad. Así se entiende que alguna obra de Echegaray, *El gran galeoto,* haya podido resistir en nuestros días y en un teatro madrileño una temporada entera.

Añádase que Echegaray cuidaba mucho el actor. Tuvo siempre el acierto de escribir sus dramas pensando en determinados cómicos, a cuyas personales aptitudes iban condicionados. Antonio Vico, Rafael y Ricardo Calvo, Elena Boldún, en la primera época; el matrimonio Guerrero-Mendoza, después, fueron factores decisivos en el éxito de muchas de sus obras.

No todo en Echegaray, sin embargo, es negativo. Por ejemplo, hay que reconocerle habilidad constructiva; cada pieza es en su género una fábrica perfecta. No importa que la base sea falsa; la disposición de los materiales que la integran, la arquitectura, suele ser un milagro de equilibrio. Ingeniero en la realidad, Echegaray también quiso serlo en el teatro. Por algo ha sido comparado con Calderón y calificado de supercalderoniano o, mejor aún, de seudocalderoniano. Otro factor encomiable: el ímpetu dramático que, aunque engendrado en situaciones falsas, es capaz de arre-

batar a cualquier público poco preparado para discernir entre lo auténtico y lo ficticio.

En resumen: a más de medio siglo de distancia, el balance de ese teatro es negativo en su mayor parte, sin dejar por ello de reconocr en su autor tres o cuatro cualidades encomiables: habilidad técnica, potencia dramática, ímpetu elocutivo, hasta cuando se pierde—con harta frecuencia—en la región de lo efectista y de lo retórico.

II. CONTEMPORANEOS DE ECHEGARAY

Los fáciles triunfos obtenidos por el autor de *El gran galeoto* suscitaron la imitación de unos cuantos dramaturgos, cuyos nombres llenan el panorama teatral de la época hasta la aparición de Benavente. Suelen ser integrados en la impropiamente llamada «escuela de Echegaray»; impropiamente, decimos, porque no siempre siguen el ejemplo del maestro. Unas vces se ajustan, es cierto, a su manera sentenciosa, que exageran en más de una ocasión; otras, tienden a un naturalismo muy en boga por aquellos días en el extranjero, basándose para desarrollarlo en temas preferentemente de índole social. Recordamos sólo los más importantes.

Sellés y Leopoldo Cano

El granadino EUGENIO SELLÉS (1844-1926) [5] empieza, como Echegaray, por el género histórico: *La torre de Talavera* (1877), su primer éxito, sobre el turbulento reinado de Enrique de Trastamara; *Maldades que son justicias,* que corresponde a la época de Felipe III, y *El celoso de su imagen,* que tiene por fondo la Guerra de la Independencia y la batalla de Bailén, con una feliz fusión de lo histórico y lo novelesco. No tarda Sellés en derivar hacia el teatro de tesis, donde alcanza sus mayores éxitos con dramas como *El nudo gordiano* (1878), *La vida pública* (1885) y *Las vengadoras* (1892). En todas tres se muestra excelente versificador, pero sentencioso en demasía. *El nudo gordiano* plantea el problema del divorcio y del adulterio, que resuelve asesinando a la infiel. Es interesante la defensa que al principio hace de su propia técnica, inclinada al naturalismo [6]. También en *La vida pública* vuelve sobre lo mismo, declarándose igualmente alejado del romanticismo extremo y del seudorrealismo francés, que santifica, o poco menos, a las mujeres públicas arruinadas por el amor. *Las vengadoras,* donde sustenta nuevamente esta tesis, son las amantes a quienes no mueven otros estímulos que el interés o el instinto. La verdad es que en la comedia el único personaje simpático es el de la *vengadora,* mientras que el de la esposa fiel y preterida se hace casi repulsivo.

Escribió también Sellés *La mujer de Loth;*

Cleopatra, tragedia imitada de Shakespeare; *Icara,* la fábula de Icaro adaptada al presente; etc. Sellés, en algún aspecto (la versificación) es muy superior a Echegaray. Su larga vida le permitió asistir al derrumbe de su teatro, barrido en el gusto del público por corrientes más modernas. Con todo, justo es consignar que algo de ese teatro—el sermoneo laico—ha pasado a no pocas obras de Benavente.

También sintió muy de cerca el influjo de Echegaray, aunque moralmente representa otras tendencias, el vallisoletano LEOPOLDO CANO Y MASAS [7] (1844-1936). Al igual que aquél y que Sellés, aborda el drama histórico, para saltar pronto al ideológico y moralizador. A la primera manera corresponde *El más sagrado deber* (1877), sobre los sucesos del Dos de Mayo; a la segunda, *La moderna idolatría, El código del honor, Trata de blancos.* Drama simbolista es *La mariposa,* que tiende a demostrar cómo la felicidad es inasequible al hombre; y una obra muy discutida, porque se creyó ver en ella una diatriba de la tendencia de Echegaray, fué *Los laureles de un poeta.* Otras piezas de Cano son *La opinión pública,* «horrenda tragedia, íntima y fatalista, a estilo griego» (Cotarelo), *Gloria, Mater Dolorosa.* Pero la obra que más fama le dió es *La Pasionaria* (1883), melodramática historia de amor, seducción y abandono, con el atropello de la virtud, triunfo temporal de la hipocresía y definitivo desquite del bien, encarnado en una mujer seducida que da muerte al seductor. Los caracteres exagerados rayan en caricaturas; sólo se salva el de Marcial, que presenta analogías con el Damián de *Los hombres de bien.*

El realismo de Enrique Gaspar

El valenciano ENRIQUE GASPAR [8] (1842-1902) es uno de los pocos dramaturgos de la época que está pidiendo una revisión; de ella, sin duda, habría de salir su personalidad valorada muy por lo alto. Suele incluírsele entre los discípulos de Echegaray, cuando lo mismo podría serlo entre los de Ayala o Bretón de los Herreros. Gaspar es un realista convencido, y por ello postula como primera exigencia, para dar más verosimilitud al drama, su composición en prosa: «No hagamos versos…, archivemos los tropos…, enterremos las descripciones y los parlamentos, que en toda obra dramática moderna sólo constituyen el talento de la medianía», escribió en un prólogo famoso. Por la misma razón invita al planteamiento de los problemas y su solución, tales como se dan en la realidad, en la que no siempre triunfa la virtud. Hábil expositor de conflictos psicológicos, huye de estridencias y soluciones extremas a lo Echegaray. Sus *casos* se fundan en la razón y no en sentimentalismos vagos y enfermizos. Sin llegar a ciertos cuadros demasiado fuertes del naturalismo francés, Gaspar sabe llevar a la escena un reflejo de la realidad. Intuye los personajes y, una vez intuídos y trasladados al drama, los deja que se muevan sin violentarlos, llevados sólo por la fuerza de las circunstancias. Es por todo esto Gaspar el más objetivo de los dramaturgos de la época y, al mismo tiempo, el más original.

Sus primeras obras —*Corregir al que yerra, El onceno no estorbar, Candidito, El piano parlante, Cuestión de forma, El jugador de manos*— participan de cierto bretonismo fundido con tópicos románticos; y en ellas el poeta casi anula al pensador. En las siguientes aparece de cuerpo entero el escritor realista que aspira, sin animadversión ni propósitos trascendentales, a darnos un retrato de la sociedad en que se mueve. A esta intención responden: *La levita*, sobre la importancia social de esta prenda; *El estómago*, en que se demuestra que la necesidad del sustento diario obliga a cometer acciones que de otro modo no se harían; *La lengua*, contra el vicio de la maledicencia; *Las circunstancias*, con la tesis determinista de que el hombre actúa más bien por influencia del medio que por principios morales; *La gran comedia*, sobre lo fingido de muchos actos de la vida.

Tiene Gaspar dos obras que interesa considerar, a nuestro juicio: *Las personas decentes* y *Huelga de hijos*. La primera, con una tesis análoga a la de *Los hombres de bien*, de Tamayo, nos presenta el cuadro de la relajación y de la cobardía sociales, atendiendo a lo externo y aparente antes que a los valores espirituales del hombre. La tendencia igualitaria «ha echado un puente entre el hombre de bien y el bribón, para que todos puedan circular por él confundidos, mediante un derecho de portazgo de camisa limpia».

La tesis se respalda con un argumento muy simple: Ramón, rico joven provinciano, va a Madrid a completar su educación. Frecuenta la casa de sus primos, el banquero don Antonio y Carmen, viuda joven y guapa. Observa la conducta interesada de éstos al aceptar la protección del influyente don Juan Bermúdez, diputado que apoya en el Congreso un proyecto de ferrocarril, destinado a revalorizar unas fincas de Carmen. Esta finge quererle, llevada del interés; en el fondo está enamorada de otro diputado más joven, a quien da palabra de casamiento. Ramón, por su parte, se enamora de una hija de don Juan. Cuando busca una persona «decente» en quien depositar su confianza, encuentra que todos son unos bribones, incluído don Juan, autor de un antiguo robo. Todos están comprometidos y obligados a cubrir las apariencias. El mismo Ramón claudica de sus principios morales y casa con la hija de don Juan.

Mayor interés ofrece *Huelga de hijos*. La tendencia que ya señalábamos en Echegaray a liberarse de las normas al uso en la solución de los conflictos encuentra aquí su culminación. Henny y Salvador, pareja de enamorados, averiguan que sus respectivos padres viven maritalmente; y, rebelándose contra toda clase de prejuicios, arguyen que ellos no deben cargar con las consecuencias de la falta de sus padres, puesto que no son causantes de la misma; acaban, pues, casándose. El espíritu de rebeldía encarna en Henny, especie de heroína ibseniana, educada en el extranjero. Esto le resta femineidad y le da un perfil poco en consonancia con el de las jóvenes casaderas de la época en España. Quizá es éste el mayor defecto de la obra, que en lo demás está bien construída y es en ciertos aspectos un anticipo del teatro benaventino.

Joaquín Dicenta

La tendencia socializante de nuestro teatro tuvo a finales del XIX un afortunado intérprete en el aragonés JOAQUÍN DICENTA BENEDICTO (1863-1917)[9]. Cultivó diversos géneros: periodismo, poesía, narraciones de viaje, novela y cuento. Pero fué en el teatro donde cosechó los mayores triunfos; y, dentro del teatro, en el drama social, que representa lo más granado de su producción. Tiene asimismo dramas románticos: *El suicidio de Werther* (1887), *Honra y vida* (1888), *La mejor ley* (1889), *La conversión de Mañara* y piezas musicales (zarzuelas y sainetes): *El duque de Gandía* (1894), *Curro Vargas* (1898), *La cortijera* (1899), *Raimundo Lulio, Juan Francisco, Entre rosas*, casi todo ello en verso. De los dramas sociales, ya en prosa, cabe destacar: *Juan José* (1895), *El señor feudal* (1896), *Daniel* (1906), *El lobo* (1914) y *Aurora*. Todavía, al margen de esta división tripartita —piezas musicales, drama romántico y drama social— pueden señalarse varias obras de carácter educativo, o si se quiere mejor, de intención psicológica: *Los irresponsables* (1892), *Luciano* (1894), *Sobrevivirse, Amor de artistas, Confesión*.

De los anteriores títulos y fechas se deduce con toda claridad que Dicenta parte del drama romántico para recalar pronto en el social[10]. Es aquí donde ha de buscarse la peculiar personalidad de este escritor, y es aquí donde nos vamos a detener en una brevísima apostilla a sus tres o cuatro obras más representativas. *Juan José* es la primera, no sólo cronológicamente, sino también por su mayor éxito y significación. Fué estrenada en 1895, y hasta época reciente se ha representado infinitas veces, convertida en una especie de manifiesto socialista llevado a las tablas. Hasta se llegó a proponerla, a raíz de la muerte de su autor, como obra de representación semiobligada en determinada fecha, concretamente el 1 de mayo, ni más ni menos que se ha venido haciendo con *Don Juan Tenorio* a principios de noviembre. *Juan José*, sin embargo, no es un drama enteramente social; no es, mejor dicho, el más *social* entre los dramas de su autor. He aquí el argumento:

El obrero Juan José vive amancebado con Rosa, joven de su misma clase, más inclinada al lujo que a las privaciones inherentes a su estado social. Si convive con él es atraída sólo por su «hombría», ya que le ha visto varias veces enfrentarse valientemente con algunos «señoritos». Uno de éstos, Paco, galantea a la joven. Juan José es condenado a ocho años de cárcel por un intento de robo; soporta pacientemente su reclusión con la sola esperanza, una vez cumplida la condena, de unirse nuevamente con Rosa, vivir como hombre de bien y ser feliz a su lado. Pero una carta de su amigo Andrés le informa de que Rosa le es infiel con Paco. Juan José se fuga, sorprende a los amantes, los mata y espera tranquilo la llegada de la justicia.

Como se ve, más que un drama social, *Juan José* es un drama de honor o, mejor aún, de celos, ya que Rosa ni siquiera ha cometido adulterio, puesto que ninguno de los dos era casado. Tampoco el motivo del asesinato radica en algún problema social. Si éste surge a lo largo de la obra es incidentalmente, como algo secundario y ajeno a la trama. Es el de Juan José un socialismo simplista, un socialismo que se conforma con un pedazo de pan, un socialismo resignado e incapaz de enfrentarse con el auténtico problema socialista, que es la lucha de clases. Un burgués enamorado de Rosa probablemente hubiese reaccionado igual que Juan José, asesinando a su rival, en ciego ataque de celos. Nada, pues, de reivindicaciones de tipo proletario; crimen pasional simplemente. Si con este motivo, y al socaire del argumento, el autor quiere largarnos su prédica socialistoide, está en su perfecto derecho. Pero *Juan José*, insistamos en ello, sigue siendo, ante todo, un drama de celos. Hasta los personajes se expresan como quien está ya *de vuelta* de ciertos métodos violentos y considera la igualdad de clases pura utopía. «También me he echao a la calle yo—dice Ignacio, uno de los compañeros—, y he andao a tiro limpio en las barricás, y hasta renqueo de un balazo que me atizaron en esta pierna... Pues oye, albañil era y albañil soy; diez reales ganaba y diez reales gano; los que me metieron en el ajo van en coche y yo a pie; ellos sacaron de las barricás una excelencia y yo un mote. A ellos les llaman el excelentísimo señor don Fulano de Tal y a mí Ignacio el *Cojo*.» Y como, a pesar de todo, insiste en que estaría dispuesto por vengarse de quienes le explotan a tirarse otra vez a la calle y hasta «perdería con gusto las dos piernas», otro de los compañeros, Andrés, le interrumpe: «Como no las pierdas hasta entonces, irás al cementerio andando.» No obstante, Dicenta es el autor por excelencia de *Juan José*, como lo es Zorrilla de *Don Juan Tenorio*, Cano de *La Pasionaria* y Marquina de *En Flandes se ha puesto el sol*.

Al año siguiente (1896) se estrena *El señor feudal*, drama de carácter netamente socialista. Sobre un argumento tan manido como la muchacha campesina seducida por el *señorito* y vengada por su hermano, se perfilan unos cuantos tipos, que pueden considerarse hasta cierto punto nuevos en nuestro teatro: el administrador, que se enriquece a costa de su señor y niega a los demás los derechos que antaño reclamaba para sí; el aristócrata marqués de Atienza, que antes que *rico* sabe ser *señor*, frente al tío Roque, que no sabe ser *señor* y sólo acierta a presumir de *rico*; el luchador y autodidacta, que aspira a dignificarse y subir por su propio esfuerzo. Jaime, que así se llama este último personaje, representa todo un ideario renovador: la consideración de la esposa como compañera, con los mismos problemas y preocupaciones que el marido; la apología del trabajo personal como un timbre más de nobleza; el orgullo de la propia dignidad. Nos hallamos ante el drama social, concebido a la manera de *El honor*, de Sudermann, o de *Los tejedores*, de Hauptmann, sólo que dentro de la especial problemática española. Todavía el socialismo, en su típica manifestación de lucha de clases, aparece más claro en *Daniel* (1906). Aquí el protagonista es un doctrinario, que lleva a la práctica sus principios. Mata a sangre fría, de una manera consciente, para dar satisfacción a su dignidad ultrajada y, a la vez, por un imperativo de justicia social. *El lobo* (1914), cuya acción se desarrolla en un presidio, se reduce a una moderada crítica del régimen penitenciario. Abunda en tópicos y efectos melodramáticos, por lo que señala un evidente descenso en la producción del autor. Dicenta mismo se había dado cuenta de que el tipo de drama por él encarnado estaba agonizando para dejar paso a obras de otra índole. «La vida don Anselmo—escribe en una de sus novelas, *¡Quién fuera tú!*—se deslizó como una comedia plácida, de escenas vulgares..., algo parecido a lo que llaman ahora *comedia de matices*». La alusión al teatro de Benavente no puede ser más clara.

Dentro de la línea psicológica, sólo queremos aludir a *Sobrevivirse* y *Confesión*. La primera, con cierto fondo autobiográfico, aspira a reflejar la tragedia del artista que pierde el favor del público por aparición de nuevas tendencias o gustos. El artista transige, cede, va doblegándose, hasta que no puede más y acaba por suicidarse. La segunda, *Confesión*, ha adquirido recientemente particular interés y popularidad, al ser señalada por algunos como precedente directo de *La muralla*, de Joaquín Calvo Sotelo. Buena parte de la crítica ha querido ver en esta famosa comedia, uno de los mayores éxitos del teatro español contemporáneo, un simple plagio del drama de Dicenta. La acusación llegó a plasmar en forma de querella formulada por una hija de Dicenta ante el correspondiente Juzgado, el que se apresuró a emitir su fallo favorable a Calvo Sotelo, reconociendo la originalidad de *La muralla*. La verdad es que las innegables analogías de argumento y situación entre las dos obras pueden perfectamente atribuirse a meras coincidencias, muy frecuentes en el teatro de todas las épocas; y puestos a buscar precedentes a *La muralla*, no sería difícil hallarlos, al margen de *Confesión*. Por ejemplo: *O locura o santidad*, de Echegaray; *Era un santo*, del padre Coloma, etc. El hombre enriquecido a costa de la miseria del prójimo, y cuya fortuna se basa por tanto en un hecho delictivo, abunda en todas las latitudes; y el problema de condenación o devolución que tal estado de cosas plantea a un espíritu cristiano debe de ser harto conocido para muchos confesores.

Como novelista, Dicenta se mueve en la misma línea sociológica de sus más características obras dramáticas. Casi todas sus narraciones, más bien breves, fueron apareciendo en colecciones de la época, tales como *El cuento semanal*, *Los contemporáneos*, *La novela corta*, etc.; y se distingue por su crudeza y brusquedad; brusquedad y crudeza que afecta no sólo al lenguaje, sino también a las situaciones. Basándose en ello, Federico Sáinz de Robles ha podido señalar a Dicenta como un precursor del *tremendismo* o *tremebundismo* actual, tendencia novelística que nuestro autor empezó a cultivar con fortuna hace bastantes años, sin dárselas por ello de innovador ni adoptar actitudes extravagantes[11]. Sus novelas más logradas son: *Galerna* (1911), *Los bárbaros* (1912), *Encarnación* (1913), *De la vida que pasa* (1914) y *Mi Venus* (1915). Entre sus reportajes y crónicas merece citarse la serie titulada *Tinta negra*.

Joaquín Dicenta merecerá una mención en la historia literaria como introductor del *pueblo* en el teatro. Entiéndase bien: introductor del *pueblo* con una función muy distinta de la que le habían asignado nuestros dramaturgos del Siglo de Oro. Los personajes de Dicenta, llámense Daniel, Jaime, *el Lobo* o Juan José —éste en menor grado—, se rebelan contra unos usos, unas instituciones y un estado vigente, porque tienen conciencia del papel que desempeñan dentro de la sociedad, papel fundamentalísimo al que la misma sociedad no responde, al menos así lo creen ellos, en la forma justa y debida. Y en esa conciencia radica la diversificación de este *pueblo* y del que interviene en el teatro del XVII. Cuando Peribáñez mata al comendador de Ocaña o cuando asesina al

suyo el pueblo irritado de Fuenteovejuna, no lo hacen en nombre de principios sociales ni guiados por un afán reivindicador, sino pura y simplemente en defensa de su honra, conscientes de que cometen un crimen y deben responder de él, como lo hacen, ante la autoridad real. En otras palabras, obran como en circunstancias análogas obraría un noble. Admiten la vejación social; pero no las ofensas al honor. Daniel, por el contrario, provoca la tragedia llevado de un principio de vindicación tanto social como personal; y, al eliminar a ciertos *seres*, eleva al plano general de *lucha de clases* una cuestión particular.

Felíu y Codina, autor de «La Dolores»

Una aportación estimable al teatro de últimos de siglo fué la del barcelonés JOSÉ FELÍU Y CODINA (1847-1897)[12], que en cierto modo supo elevar el sainete rural y costumbrista al rango de verdadera tragedia. En *Un libro viejo*, por ejemplo, asistimos a una nueva concepción del efecto dramático: un marido ultrajado que conoce su deshonra y no se venga. La tragedia incruenta se manifiesta más que en el choque violento de las pasiones en la quietud sobria de aquel hogar, donde todo se finge y se calla. Otras obras que le acreditan de buen dramaturgo son *Miel de la Alcarria*, *La real moza*, *Boca de fraile* y *María del Carmen*.

Pero la que más gloria le ha dado y por la que todavía se le recuerda es *La Dolores*. Se trata de un drama recio, vigoroso, de ambiente rural y al que *Clarín*, con su crítica, más cargada de bilis que de ordinario, no logró despojar de su auténtica grandeza[13]. El escenario en que se desarrolla la acción —una posada de Calatayud— es el más a propósito para un desfile de tipos teatrales. Toma pie el argumento de aquella conocida copla:

> Si vas a Calatayud
> pregunta por la Dolores,
> que es una chica muy guapa
> y amiga de hacer favores.

Esta *guapa chica*, seducida por un valentón de pueblo, que luego se dedica a perseguirla y denigrarla, es asediada por multitud de pretendientes: Rojas, sargento andaluz, especie de *miles gloriosus* o soldado fanfarrón; Patricio, ricacho del lugar; Lázaro, seminarista sinceramente enamorado de la moza. Tras una cita en que éste se entera de la deshonra de Dolores y de la villanía del seductor, le sale al paso y le tiende de una puñalada. Dolores quiere hacerse responsable del asesinato; pero Lázaro recaba para sí toda la responsabilidad:

> Aquí estoy. Yo daré cuenta
> de esa sangre que vertí.

Es, pues, *La Dolores* un drama auténticamente popular; y así fué recibido por el público. Popular por su argumento, por sus situaciones, por sus personajes. Se lucha cara a cara; nada de sables; a cuchillada limpia. Todo discurre clara, aunque violentamente, como en la misma naturaleza. Lázaro es el amante sincero, que quiere vengar la ofensa inferida al objeto de su amor; Melchor, el barbero que abusó de la chica, es el clásico «guapo» de pueblo, para quien la seducción carece de interés si no va acompañada del alarde y difusión entre las gentes; y Dolores, que ha visto morir a su padre abrumado por el deshonor, es el carácter entero, obstinado y bravío, capaz de inspirar hondos amores, a la vez que de alimentar grandes odios.

Otros dramaturgos

El gaditano PEDRO NOVO Y COLSON (1846-1931) alterna el drama histórico—*Vasco Núñez de Balboa*—con la comedia moralizante: *La manta del caballo, Hombre de corazón, Altezas del honor,* etcétera. Su obra de mayor éxito fué *La bofetada,* en que se abordan hondos problemas humanos, sin acudir a efectismos. Cultivó también el sainete-comedia.

JOSÉ SÁNCHEZ ARJONA, andaluz como el anterior, merece una mención porque acaso nadie explica como él la evolución de nuestra escena desde el romanticismo hasta el teatro dialogístico de Galdós. *Venganza cumplida*—el conflicto de un joven que llega a descubrir que la adorada de su corazón es su propia hermana—es buen ejemplo de lo que decimos: Fernando, joven noble y pundonoroso, desafía a un conde que había deshonrado a su madre; fruto de este accidente ha sido Laura, enamorada del joven y que, por tanto, viene a ser su hermana. Es clara imitación de *En el puño de la espada,* de Echegaray, hasta en el nombre de la joven pareja, Laura y Fernando.

La lista de dramaturgos de la época puede ampliarse con varios nombres: JOSÉ FERNÁNDEZ BREMÓN (1839-1910), autor de ingeniosos cuentos muy celebrados en su día y de dramas sentimentales: *Pasión de viejo, Lo que no ve la justicia, La Cruz Roja;* MARIANO CATALINA (1842-1913), poeta lírico y dramático, que busca inspiración para sus dramas, siempre mediocres, bien en la historia (*El Tasso, Massaniello*), bien en conflictos de la vida corriente (*No hay buen fin por mal camino, Luchas de amor, Alicia*); JUAN JOSÉ HERRANZ, quien, al igual que el anterior, cultiva a la vez el drama histórico (*La Virgen de la Lorena,* sobre Juana de Arco) y la comedia moralizante (*Las tres cruces, El alma y el cuerpo*); EMILIO FERRARI (1850-1907), citado ya como lírico, que dejó una obra aceptable en *La justicia del acaso,* y VALENTÍN GÓMEZ (1843-1907), temperamento ecléctico en quien se combina la temática de Ayala con la elegancia formal de Calderón. Obras suyas muy difundidas en otro tiempo fueron: *Un alma de hielo, El celoso de sí mismo, La flor del espino,* inspirada en un episodio de la guerra de Sucesión, y *El soldado de San Marcial,* melodrama basado en una causa histórica de la guerra de la Independencia. A pesar de ser literariamente inferior a las anteriores, *El soldado de San Marcial* obtuvo mayor éxito que ninguna.

III. LA ZARZUELA Y OTROS GENEROS MENORES

Se viene definiendo la zarzuela como obra escénica intermedia entre la ópera y el drama. En ella alternan canto y declamación; y constituye en nuestro país un género teatral similar a la ópera cómica francesa, a la opereta italiana, al *singspiel* alemán y al *musical play* inglés.

Ya aludimos en su lugar al nacimiento y desarrollo de la zarzuela en el siglo XVII. Tras un éxito efímero en esa centuria y durante el primer tercio del XVIII, decae la zarzuela, pasando a la consideración de género ínfimo y populachero. En parte fué la ópera italiana la que contribuyó a desplazarla de nuestros escenarios, hasta el punto de que ni siquiera las de don Ramón de la Cruz tuvieron el éxito que cabía esperar; al menos no alcanzaron ni de lejos la aceptación de sus sainetes.

La zarzuela, tal como ahora la entendemos, no logra interesar al gran público hasta mediados del XIX. En 1847 se constituye en Madrid La España Musical, entidad artística presidida por el maestro don Hilarión Eslava e integrada por ilustres músicos, como Arrieta, Gaztambide, Saldoni, Barbieri y Martín, que señala el primer paso decisivo para la restauración del género. Años más tarde, en 1856, se inaugura el teatro de la Zarzuela en Madrid, y se repite el mismo fenómeno ya ocurrido en el siglo XVII: los mejores dramaturgos de la época se apresuran a escribir libretos, ni más ni menos que lo hicieron en su tiempo Lope de Vega, Calderón o Bances Candamo, nutriendo por espacio de veinte años los principales teatros de la corte y de provincias. Entre ellos figuran Ventura de la Vega, López de Ayala, Tamayo, Zorrilla, Eguilaz, García Gutiérrez, Luis Mariano de Larra y otros muchos. Sus solos nombres eran la mejor garantía de éxito en las obras del género. En lo temático éste se nutre, al igual que el gran teatro de la época, de dos fuentes importantes: la historia y el costumbrismo. No falta en casi todas las obras del género la consabida pareja cómica, encarnada generalmente en los criados, herederos más o menos directos de los «graciosos» del drama clásico.

Tres autores, aparte de los citados en otros géneros, destacan por este tiempo en la zarzuela: Antonio Arnao (1828-1889), el lírico murciano ya aludido en otro lugar, autor de *Don Rodrigo, La muerte de Garcilaso, Guzmán el Bueno* y *Las naves de Cortés*, todas ellas citadas anteriormente; Marcos Zapata (1845-1914), ya también citado como dramaturgo, que alcanzó envidiable popularidad con varios libretos de zarzuela: *Camoens, El reloj de Lucerna* y, sobre todos, *El anillo de hierro*, y Mariano Capdepón, autor de una serie de dramas líricos de excelente factura: *Raquel, Escipión, Roger de Flor, Mitrídates, El comunero, Una venganza*, en los que, como dice el padre Blanco, «demostró en la práctica las excelencias rítmicas y melódicas de nuestra lengua».

Los «bufos»

Pronto surge un nuevo género teatral en competencia con la zarzuela: *los bufos*, importados de París en 1865 por el empresario Francisco Arderius.

El *bufo*, que presenta ciertas analogías con las modernas «revistas», se caracterizaba por la música retozona, el chiste picante y la exigua indumentaria de las actrices y coristas. El mismo año de su creación se estrena la primera obra del género, *El joven Telémaco*, pieza en dos actos, de Eusebio Blasco (música del maestro Rogel), que alcanzó éxito asombroso, particularmente en el «coro de las suripantas». El género decae pronto, vencido por el sainete musical, de corta extensión, y su mismo introductor tuvo que dedicarse a otra clase de representaciones. No es difícil, sin embargo, descubrir su rastro en algunas zarzuelitas de color subido y de chiste basado en lo equívoco de la frase, que han alcanzado mucha boga en las primeras décadas de nuestro siglo: *Las corsarias, La Corte de Faraón* y otras.

El «género chico»

Mayor enemigo de la zarzuela fué el llamado «género chico», que, nacido por los días de la Revolución del 68, perduró con gran aplauso hasta bien entrado el siglo XX. Debe su origen al intento de remedar los cafés-conciertos y teatros «por horas», en un justificado anhelo de abaratar precios, poniendo de este modo el teatro al alcance de las mismas clases sociales que prestaban su calor a aquellos otros espectáculos.

El «género chico» viene a continuar en cierto modo la vena popular de don Ramón de la Cruz. Sus temas, como en el famoso sainetero del siglo XVIII, están tomados generalmente de la vida de las clases media y baja, y se desarrollan sobre una gran variedad de tipos: chulapas y flamencos, señoritos vagos y despreocupados, modistillas pizpiretas, mozas bravías y de rompe y rasga, menes-

trales honrados y quisquillosos, sesudos filósofos de barrio y viejos verdes, etc. Todo, generalmente, dentro de un tono alegre y humorístico, que desemboca en un desenlace feliz, ya que la tragedia iniciada a veces, siempre se resuelve en una pirueta cómica. La difusión del género chico fué enorme; hasta seis teatros hubo en Madrid simultáneamente consagrados al género: Comedia, Apolo, Princesa, Eslava, Lara y Novedades. El Apolo mereció llamarse la «catedral del género chico», y el Novedades «una especie de Colegiata» [14]. En provincias la afición del público no era menor. Como cultivadores destacan Ricardo de la Vega, Javier de Burgos, Tomás Luceño y José López Silva.

Hijo del ilustre Ventura de la Vega, Ricardo de la Vega y Oreiro (1839-1910) [15] es el máximo exponente del madrileñísimo y el más popular de nuestros sainetistas del «género chico». Cejador y Benot le consideran superior al mismo don Ramón de la Cruz. En efecto, no se puede negar que Ricardo de la Vega supo llevar al sainete toda esa vis madrileña que después heredaría Arniches, en una serie de caracteres, a diferencia de lo que había hecho Ramón de la Cruz, que sólo alcanzó a darnos tipos: el pisaverde, el abate, la marisabidilla. Abre Ricardo de la Vega el sainete lírico con *La canción de la Lola* (1880); sigue, tres años después, *De Getafe al Paraíso o la familia del tío Maroma*, feliz contraposición entre la vida de ciudad y la de aldea, y alcanza la cima del género en *El señor Luis el Tumbón o el despacho de huevos frescos, Pepa la Frescachona o el colegial desenvuelto, El año pasado por agua, Al fin se casa la Nieves*; pero, sobre todas, en *La verbena de la Paloma o el boticario y las chulapas*, estrenada en Apolo el 17 de febrero de 1894, con tal éxito, que hoy se le calculan más de veinte mil representaciones [16].

Comparte la popularidad con el anterior el gaditano Javier de Burgos (1842-1902), autor de setenta sainetes, con afortunados tipos de Cádiz y Madrid: *Las cursis burladas, Cádiz a vista de pájaro, Boda, tragedia y guateque, Los valientes, El mundo comedia es o el baile de Luis Alonso* y *La boda de Luis Alonso*, son sus obras más afamadas [17].

No menos popular fué Tomás Luceño (1844-1931), feliz adaptador de comedias del Siglo de Oro, y que en el «género chico» nos dejó obras tan celebradas en su época como *Cuadros al fresco, Juicio de exenciones, Ultramarinos, El arte por las nubes, La niña del estanquero* [18].

No debe olvidarse como afortunados cultivadores del mismo «género chico» a José López Silva (1860-1925), colaborador de Ricardo de la Vega y de José Jackson, que alcanzó la mayor popularidad con los libretos de *El barquillero* y de *La Revoltosa*; al sevillano Felipe Pérez González (1846-1910), afortunado autor, entre otros libretos, del de *La Gran Vía*, con música de Chueca y Valverde, una de las obras del «género chico» más conocidas en España y menos dignas de serlo por lo chabacano de la letra; a MIGUEL ECHEGARAY (1848-1927), hermano del gran dramaturgo José, que en *El dúo de la Africana*, en *Gigantes y cabezudos*, en *La viejecita* y en tantos otros libretos hizo alarde de su vena retozona, inspirada y fresca.

El sainete tradicional: Vital Aza

El verdadero sainete, de tipo tradicional y sin partes cantables, lazo de unión entre Ramón de la Cruz y Arniches, está representado a últimos del XIX por el médico asturiano VITAL AZA (1851-1912), que pronto abandonó su profesión para dedicarse a la literatura. De vena más fácil y, desde luego, mucho más inspirada que cualquiera de los anteriores, Vital Aza no logró tanta aceptación como ellos, sin duda por carecer sus obras del elemento musical. Ello no obsta para que ocupe un puesto de honor en el sainete del XIX. Aza ha sabido reflejar como nadie en su teatro ciertos minúsculos conflictos de la clase media, especialmente de la vida estudiantil, de la que son magnífico exponente las tituladas *Ciencias exactas*, *¡Basta de matemáticas!* y *Aprobados y suspensos*.

Esta última piececita, estrenada en 1875, es una felicísima estampa, que todavía se representa y a tantos años de distancia conserva aún toda su frescura inicial. Por sus escenas desfilan tipos conocidos del ambiente universitario: el bedel siempre gruñón, el estirado catedrático don José, el calavera Paco y el gomoso Arturito, junto a don Cosme, padre de nueve hijas, que se decide a hacerse médico a los cincuenta y siete años.

Colaborador de Vital Aza en no pocas obras (*Zaragüeta*, *El señor gobernador*, *La almoneda del tercero*, *La primera cura*, *La viuda del zurrador*, parodia de *La esposa del vengador*, de Echegaray), fué MIGUEL RAMOS CARRIÓN (1845-1915), que escribió por cuenta propia zarzuelas tan aplaudidas como *La tempestad*, *La bruja* y *Los sobrinos del capitán Grant*, y el sainete lírico *Agua, azucarillos y aguardiente*, piezas todas que a muchos años de distancia se mantienen frescas en los carteles. La afamada zarzuela *El rey que rabió*, música de Chapí, fué escrita también en colaboración con Vital Aza.

NOTAS

1. En el diploma de concesión del Nobel (10 de diciembre de 1904) se hacía constar que se otorgaba tan alta distinción a nuestro dramaturgo «por su obra genial y copiosa, en la que ha revivido de una manera independiente y original las grandes tradiciones del teatro español». El importe del premio ascendía a 135.000 pesetas (más de 2.900.000, al cambio actual); y tanto esta cantidad como el diploma fué entregado al ministro de Es-

paña en Suecia, señor Pastor y Bedoya, por no haberse decidido Echegaray, ya achacoso, a desplazarse hasta Estocolmo. Tres meses después, el 18 de marzo de 1905, en un solemnísimo acto celebrado en el Senado, el propio rey don Alfonso XIII imponía al dramaturgo la medalla y entregaba el diploma. Al día siguiente, Echegaray era objeto de un homenaje, al que se asoció todo Madrid y aun toda España. Toda, no: un grupito de jóvenes, miembros de la llamada luego «generación del 98», dió la nota discordante. En un manifiesto firmado por *Azorín*, Valle-Inclán y Manuel Bueno, entre otros, se aludía a «la España oficial, con sus políticos vanos, su aristocracia acéfala, sus periódicos estacionarios, su plebe ignara y morbosamente romántica», capaces de aclamar y festejar a un hombre que nada tenía de común con ellos.

2. Todavía nos lo explica mejor, descubriendo de paso su técnica teatral, en aquel soneto célebre:

> Escojo una pasión, tomo una idea,
> un problema, un carácter..., y lo infundo,
> cual densa dinamita, en lo profundo
> de un personaje que mi mente crea.
>
> La trama al personaje le rodea
> de unos cuantos muñecos, que en el mundo
> o se revuelcan en el cieno inmundo,
> o se calientan a la luz febea.
>
> La mecha enciendo. El fuego se propaga;
> el cartucho revienta sin remedio,
> y el actor principal es quien lo paga.
>
> Aunque a veces también en este asedio
> que pongo al arte y que al instinto halaga,
> me coge la explosión de medio a medio.

3. «Es a la vez un prodigio de habilidad constructiva y de exposición.» (*Historia de la literatura española*, II, 662.)

4. El argumento de *Mariana* se reduce en síntesis a lo siguiente: Mariana, joven de singular hermosura y de mayor coquetería, está dispuesta a contraer matrimonio con Daniel, joven romántico y apasionado. El proyectado enlace se rompe al descubrir Mariana que el galán es hijo de don Félix de Alvarado, seductor de la propia madre de la joven. Mariana otorga su mano a un don Pablo, militar que, según se rumorea, ha sido «médico de su honra». Después de la boda, temiendo Mariana que renazca en ella su antigua pasión por Daniel, pide a su marido que en cuanto la vea en peligro de mancillar la dignidad conyugal, no dude en darle muerte, hecho que ocurre en ocasión de que la joven ha citado a su antiguo adorador.

5. Abogado ilustre, se da a conocer como periodista en *El Globo*, de Castelar, con unos artículos reunidos bajo el título *La política de capa y espada*. *Azorín* señala este libro como «primer jalón» en las relaciones de la cultura europea y la tradición española. Marqués de Gerona, vizconde de Castro y Orozco, académico de la Real Española de la Lengua, en la que sucedió a don Aureliano Fernández Guerra. El discurso de ingreso versó sobre «El periodismo en España», y es una amena y documentada historia del género.

6. En opinión de Sellés, se sirve igualmente a la moral presentando los estragos del vicio que las ventajas de la virtud:

> Puesto que no hallan salud
> nuestras lacerias sociales
> ni en los puros ideales
> ni en ejemplos de virtud,
> es meritorio servicio
> movernos a la honradez
> por la torpe desnudez
> que hace aborrecible el vicio.
> Quien mirando al cielo eterno,
> a la honradez no se ajusta,
> nunca aprende. Se le asusta
> enseñándole el infierno.
> Plan heroico o plan suave,
> si curan, ambos son buenos:
> unos propinan venenos,
> y otros recetan jarabe.
>
> *(Acto I, esc. I.)*

Encargado por la Real Academia de contestar al discurso de ingreso de Palacio Valdés, se refirió al cambio de gusto en el teatro, a la vez que defendió su propia técnica dramática: «Hacen sus dramas sin acción, cuando drama significa precisamente *acción*; sin interés, ellos dicen que deliberadamente; otros piensan que por no saber dárselo; sin pasiones, sin caracteres, sin movimiento. Allí no hay más que ambiente, medio, marco, pero no cuadro; palabras y palabras sin sonido de sentimiento, sin ritmo de corazón. En el drama lo de menos es el drama.»

7. Nació el 13 de noviembre de 1844. Ingresó en la Academia Militar con el número 1. Profesor luego de la misma, dejó el cargo al estallar la segunda guerra carlista, para pasar a las órdenes de Martínez Campos. Ocupa altos cargos militares: director de la Escuela Superior de Guerra, fiscal del Supremo de Guerra y Marina, etc. Desde 1910 era académico de la Real Española. Murió en 1936 a la avanzada edad de noventa y dos años. En su discurso de ingreso en la Academia aborda dos cuestiones: una, antigua, las reglas artísticas; otra, muy discutida por aquellos días, el empleo del verso en la obra dramática. «En 1932, atendiendo a los achaques del interesado, ya que reunía, con exceso, la antigüedad y méritos que para ello se exigen, declaró la Academia considerarlo como presente en todas sus juntas, públicas y privadas, con el goce de las dietas y emolumentos. Ocupaba el quinto lugar del escalafón que anualmente se ordena para señalar la categoría académica en cuanto a las asistencias para el percibo de haberes de cada cual y mérito para el desempeño de los cargos y honores dentro y fuera de esta casa.» (EMILIO COTARELO: *Necrologías: Leopoldo Cano y Masas*, «Bol. Real Acad. Española», 1934.)

8. Intimo amigo del célebre actor Mario. Siguió la carrera diplomática y desempeñó cargos en Marsella, Atenas, Hong-Kong, etc. Daniel Poyán Díaz ha escrito recientemente estas palabras, que suscribimos por completo: «Sin exagerar un ápice, se puede decir que no hay otro autor por todos los años de la segunda mitad del pasado siglo que nos sirva de más claro antecedente, de más adecuada explicación para comprender la evolución de nuestra escena desde el romanticismo hasta el teatro dialogístico de Galdós, el drama social de Dicenta y Linares Rivas o la perfección del diálogo benaventino.»

9. Nacido en Calatayud, y fué bautizado en Vitoria: 3 de febrero de 1863. Primeras letras en el Colegio de Escolapios de Getafe, y bachillerato en Alicante. Huérfano de padre, se traslada a Madrid e ingresa en la Academia Militar, de la que es expulsado por su carácter indisciplinado y anárquico, que presagiaba al futuro autor de *Juan José*. Entregado de lleno a la bohemia, cultiva en varios periódicos, casi siempre de ideas avanzadas, la poesía y la crónica. En 1887 se da a conocer al gran público con el drama en cuatro actos y en verso *El suicidio de Werther*. Siguen unos cuantos estrenos poco afortunados, y para subvenir a las necesidades más apremiantes acepta la dirección de un periódico en San Sebastián; pero el cargo se aviene mal con su carácter, y pronto lo abandona para volver a Madrid (1892) e ingresar en la Redacción de *El Resumen*. A partir de este momento su actividad literaria es muy intensa: zarzuelas, comedias, crónicas, cuentos, novelas se suceden rápidamente. Enferma y, como antaño su progenitor, se traslada a Alicante en busca de mejor clima. Muere en la ciudad levantina en febrero de 1917.

10. Su primer drama fué *El suicidio de Werther*, cuyo estreno en 1887 se debió a la decidida protección de Tamayo y Baus. La madre de Dicenta había acudido al autor de *Un drama nuevo*, y como la obra del novel encajaba bien dentro de la línea romántica que siempre había seguido Tamayo, éste la patrocinó desde el primer momento. «Fortuna fué para Dicenta—escribe a este propósito Andrés González Blanco—que su primer drama no fuese *Juan José*, *Aurora* o *Daniel*, porque entonces, al presentárselo a don Manuel Tamayo, le hubiera repelido con indignación o al menos con excusas: católico practicante y convencido, retardatario en sus ideas sociales, mal hubiera comprendido el iluminismo sansimacrático que fulgura en este tríptico dramático. Pero fué *El suicidio de Werther*, un drama romántico donde no se apuntaba aún la preocupación social insistente después en los dramas de Dicenta; y este detalle nos dió acaso un dramaturgo.» (A. GONZÁLEZ BLANCO: *Joaquín Dicenta. Antología crítica de sus obras*, pág. 3, Colec. «La Novela Corta», Madrid, 1921.)

11. *La novela española en el siglo XX*, págs. 68-69, ed. Pegaso, Madrid, 1957.

12. Periodista distinguido, fundó *La Pubilla* y *Lo Nunci*, y colaboró en *La Democracia* y *La Iberia*.

13. Emilio. Periodista, sin duda, de su admiración por Galdós y por Echegaray, el ilustre crítico de los *Paliques* se ensañó con *La Dolores* haciendo de ella (artículo de *El Imparcial*, 9 de abril de 1893) una disección implacable. Sabido es que *La Dolores* concurrió con *Realidad* y *Mariana*, de aquéllos, al certamen «Cortina», de la Real

Academia Española, y que fué postergada. El mismo *Clarín*, después de conocer el fallo, lamentó el tono violento que había empleado en el juicio de la obra de Feliú y Codina. Continuaciones suyas son las comedias dramáticas *Lo que fué de la Dolores* y *La hija de la Dolores*, de Fernández Ardavín, y la ópera *La Dolores*.

14. Juzgamos interesantes las palabras de Cejador a propósito del «género chico»: «Los autores enseñaron chulaperías a los chulos, enseñaron a las chulaponas a taconear, a contonearse, a terciarse el mantón más y mejor de lo que de unas y de otros ellos mismos lo habían aprendido. Estas mutuas corrientes entre el público retratado en el teatro y el teatro que retrata al público, de mutua imitación e influjo, hicieron al género chico el género dramático más popular y más característico que jamás se vió en España.

La música, mayormente, contribuyó a despertar más y más el gusto de estos espectáculos, y volvió a renacer el espíritu de aquel del siglo XVII, cuando autores y público se compenetraban y entendían, dándose una nueva época de florecimiento teatral extraordinario. Los aires populares en que los músicos aprendían y se inspiraban volvían al público, que gusta oírlos en las tablas en boca de los personajes. Todo ello prueba lo popular que en España es el teatro y los cantares y lo popular del género chico; por consiguiente, el alto valor estético de las piececillas de un género al parecer baladí, a pesar de los disparates con que las aderezaban autores realmente ignaros y nada leídos, pero que, a vueltas de su crasa ignorancia y de los despropósitos que estrujaban de su acartonado caletre, habían dado con la veta del arte popular cuanto a varios de los elementos musicales y cómicos, que eran los que daban valer hasta a no pocos esperpentos teatrales. El espíritu de tales piezas muestra, mejor que todas las filosofías de nuestros escritores, cuál es el espíritu del pueblo español. Cansados estamos de oírles proclamar lo de la tristeza española, lo de la parda y seca meseta castellana que la engendra, lo de la falta de sensibilidad de la raza. Todo ello es patarata de fracasados, de extranjerizados escritores que no conocen el alma española ni por el forro. Prueba al canto. Muchos de los asuntos del género chico serían fuentes de dolor y luto para el arte de fuera de España: el hambre, los cesantes, los apuros caseros, la canallería política, el caciquismo..., y, sin embargo, los autores del género chico convierten todas esas fuentes amargas en chorros de alegría y buen humor merced a la broma e ironía con que las consideran, por observar que por ese lado las toma el pueblo. ¿No es ello filosofía popular y levantadísimo arte? ¿No es lo más refinado del arte sacar placer del pesar, alegría del dolor, dulzura de mieles del acíbarado cáliz de muchas flores? ¿No es ése el más alto timbre de gloria de Cervantes y de todo gran artista? El pueblo español se lo ha enseñado así a sus poco leídos, pero populares escritores del género chico.»

15. Estudió el Bachillerato, pero no llegó a terminar ninguna carrera. Desde 1869 hasta su muerte fué empleado del Estado, primero en Fomento y luego en Instrucción Pública. De 1859 data el estreno de su primera obra, la zarzuela *Frasquito*, que por su escaso éxito le hizo retirarse del teatro hasta 1870, en que reapareció con otra zarzuela, *El paciente Job*.

16. Para IXART *(El arte escénico en España*, II, páginas 116-17) Ricardo de la Vega fué el primero de nuestros saineteros de la segunda mitad del siglo pasado, y la pieza *Pepa la frescachona*, muy parecida a *La verbena de la Paloma*: «No hay ninguna comedia contemporánea tan divertida, tan viva, tan admirable, de artística verdad y tan española de raíz, como el sainete *Pepa la frescachona*.»

17. Periodista distinguido, colaboró en *El Contemporáneo* y dirigió *La Palma*. Más culto que Vega, aunque inferior a él en dotes de observación y gracejo. Para nuestro gusto, su obra más lograda es *Los valientes*, con la archiconocida moraleja de que el matonismo se achica siempre ante el empuje de una pasión honrada o la audacia del desesperado. El tema abunda en nuestro teatro; modernamente lo aprovechó Arniches en *Es mi hombre*.

18. Jacinto Octavio Picón ha definido la temática y caracteres del teatro de Luceño con las siguientes palabras: «Gente que madruga y trasnocha, en *Cuadros al fresco*; miedosos y pillos que quieren librarse de quintas, en *Juicio de exenciones*; tenderos de poco pelo y parroquianos de menos dinero, en *Ultramarinos*; fanáticos por la lotería y los toros, en *¡Hoy sale, hoy!* y *La fiesta nacional*; aduladores y lamerones políticos, en *El ilustre enfermo*; cómicos de café, en *El teatro moderno*

y *A perro chico;* tramposos y cursis, en *Carranza y compañía;* apasionados de la flamenquería y la juerga, en *Los lunes de «El Imparcial»* («Teatro escogido» de Tomás Luceño, Madrid, 1894).

BIBLIOGRAFIA

L. ALAS («Clarín»): *Solos,* Madrid, 1882.—F. BLANCO GARCÍA: *Autores dramát. contemporáneos,* Madrid, 1881.— E. BLASCO: *Las costumbres en el teatro,* «La España del siglo XIX» (conferencias en el Ateneo), III, Madrid, 1886-1887.—M. BUENO: *Teatro español contemporáneo,* Madrid, 1909.—L. CANO Y MASAS: *El preceptismo y la poesía en el teatro* (disc. en la R. Acad. de la Lengua), Madrid, 1910.—S. ESTRADA: *Colección de artículos de teatro,* Barcelona, 1889.—J. FRANCOS RODRÍGUEZ: *El teatro en España,* Madrid, 1908.—V. GARCÍA VALERO: *Crónicas retrospectivas de teatro,* Madrid, 1910.—A. GONZÁLEZ BLANCO: *Los dramaturgos españoles contemporáneos,* Madrid, 1917.—H. GREGERSEN: *Ibsen and Spain. A study in comparative drama,* «Harvard Univ. Press», Cambridge, 1936.—P. HELLMUTH: *Die spanische Literatur der Gegenwart seit 1870* (La literatura española desde 1870), Wiesbaden, 1926.—J. DE LACE: *Balance teatral de 1899-1900. Balance teatral de 1900-1901,* Madrid, 1900 y 1901.— J. R. LEAL: *Teatro nuevo,* Madrid, 1880.—H. LYONET: *Le théâtre en Espagne,* P. Ollendorff, París, 1897.—M. MARTÍNEZ ESPADA: *Teatro contemporáneo,* Madrid, 1900.— R. MIRANDA SANDOVAL: *El teatro español contemporáneo,* Málaga, 1886.—A. PALACIO VALDÉS: *Nuevo viaje al Parnaso,* «Obras completas», II, 2.ª ed., M. Aguilar, Madrid, 1948.—B. PÉREZ GALDÓS: *Nuestro teatro,* Madrid, 1923.— E. PÉREZ GONZÁLEZ: *Teatralerías,* Madrid, 1904.—J. V. PÉREZ MARTÍNEZ: *Anales del teatro y de la música, con un estudio sobre el realismo,* por José Echegaray, Madrid, 1884.—J. O. PICÓN: *Del teatro.*—L. RUIZ CONTRERAS: *Medio siglo de teatro infructuoso,* Madrid, 1931.—E. SACO: *El teatro por dentro. Estudios del natural,* Madrid, 1879.— M. UNAMUNO: *La regeneración del teatro español* (ensayos), Aguilar, Madrid, 1942. Véase más bibliografía sobre el teatro de esta época en el capítulo anterior.

I-II. L. ALAS («Clarín»): *«Mar sin orillas», de Echegaray,* «Solos», Madrid, 1882; *Echegaray,* «Paliques», Madrid, 1893.—L. ALFONSO: *Echegaray,* «Autores dram. contemporáneos», II, Madrid.—R. ALTAMIRA: *José Echegaray,* «Arte y realidad», Barcelona, 1921.—L. ANTÓN DEL OLMET Y GARCÍA CARRAFA: *Los grandes españoles: Echegaray,* Madrid, 1912.—M. BUENO: *José Echegaray,* «Teatro español contemporáneo», Madrid, 1909.—H. COURZOG: *Un théâtre d'idées en Espagne. Le théâtre de José Echegaray. Etude analitique,* París, 1912.—E. DÍEZ CANEDO: *Echegaray y el teatro español,* «España», Madrid, 21 sep. 1916.— C. EGUÍA RUIZ: *Echegaray,* «Razón y Fe», 1917.—J. D. FITZ GERALD: *Obituary: José Echegaray,* «Rom. Review», VIII, 1917.—A. GALLEGO BURÍN: *Echegaray. Su obra dramática* (conferencia), Granada, 1917.—I. GOLDBERG: *José Echegaray,* «The Drama of Transition», Cincinnati, 1922.— M. S. GRISWOLD: *José Echegaray,* «The Univ. of California Chronicle», oct. 1925.—FANNY HALE GARDINER: *Echegaray: Spanish Staresman, Dramatist, Poet,* «Poet-Lore», IV, New-Series, 1900.—F. HERRANZ: *Echegaray: Su tiempo y su teatro,* Madrid, 1880.—J. LEÓN PAGANO: *Al través de la España literaria* (II, Echegaray, Dicenta), Barcelona, s. f.—H. LYNCH: *José Echegaray,* «The Contemporary Review», LXIV, 1893.—A. MARRAND: *Don José Echegaray,* «La Quinzaine», LXIII, 1905.—G. MARTÍNEZ SIERRA: *José Echegaray,* «Motivos», Madrid, 1920.—E. MÉRIMÉE: *Echegaray et son œuvre dramatique,* «Bull. Hispanique», XVIII, 1916.—S. MORET: *Discurso sobre José Echegaray,* Ateneo de Madrid. 1905.—C. OYUELA: *«El Gran Galeoto»,* «Estudios y artículos literarios», Buenos Aires,

1889.—A. PALACIO VALDÉS: *«El gran Galeoto», de J. Echegaray,* «La literatura en 1881» («Obras completas», II, Edit. M. Aguilar, Madrid, 1948).—P. PATRICK ROGERS: *Why El Gran Galeoto?,* «Hispania», VI, California, 1923.— F. PI Y ARSUAGA: *Echegaray, Sellés y Cano,* Madrid, 1894.—M. DE LA REVILLA: *Críticas,* 1.ª serie (Echegaray), Burgos, 1884.—F. C. SAINZ DE ROBLES: *José Echegaray. El retrato, la obra,* «Teatro español. Historia y antología», VII, M. Aguilar, Madrid, 1943.—F. SANTANDER: *Echegaray y su teatro,* «Rev. Castellana», 1917.—B. DE TANNEMBERG: *José Echegaray,* «La Renais. latine», IV, 2.—CH. A. TURRELL: *Contemporary Spanish Dramatists,* introd., Boston, 1919.—S. VALENTÍ CAMP: *José Echegaray,* rev. «Estudio», XVI, Barcelona, 1916.—F. VEZINET: *Les maitres du roman espagnol contemporain* (Echegaray), París, 1907.—E. WALLACE: *The Spanish Drama of To-day,* «The Atlantic Monthly», CII, 1908.—S. ZARANTE: *Echegaray,* «Rev. Contemporánea», Cartagena, s. f.— E. MÉRIMÉE: *Echegaray et son oeuvre dramatique,* 1946.— A. LÁZARO ROS: *José Echegaray. Teatro escogido,* prólogo de..., Bibl. Premios Nobel, Aguilar, Madrid, 1955.—A. MARTÍNEZ OLMEDILLA: *José Echegaray,* Madrid, 1949.—A. MARVAUD: *Don José Echegaray,* «La Quinzaine», LXIII, 1905, págs. 145-64.—L. ALAS («CLARÍN»): *«El nudo gordiano» de Sellés,* «Solos», ed. cit.—J. ALSINA: *Un autor olvidado: Enrique Gaspar,* «Blanco y Negro», Madrid, 23 jun. 1925.— R. ALVAREZ ESPINO: *Ensayo de crítica sobre el drama de Sellés «El nudo gordiano»,* Cádiz, 1878.—M. BUENO: *Joaquín Dicenta,* «Teatro español contemp.», Madrid, 1909.— F. y X. CABELLO: *La escena española: Enrique Gaspar,* «Gente Conocida», 31 jul. 1902.—E. CANALS: *Enrique Gaspar,* «Nuestro Tiempo», Madrid, sep. 1902.—S. CANALS: *Porst mortem. Enrique Gaspar,* «Ilustr. Esp. y Amer.», 15 sep. 1902.—R. CANSINOS ASSÉNS: *Joaquín Dicenta,* «La Nueva Literatura», IV, Madrid, 1927.—J. CARABIAS: *La moral del drama «Juan José»,* Sucesores de Aldana, s. l. y f.—A. CIDÓN: *Enrique Gaspar,* «La Correspondencia de Valencia», 17 sep. 1902.—E. DÍEZ CANEDO: *Joaquín Dicenta,* «Conversaciones literarias», Madrid, s. f.—A. GONZÁLEZ BLANCO: *Joaquín Dicenta,* ed. «La Novela Corta», Madrid, s. f.—H. B. HALL: *Dicenta and the drama of social criticism,* «Hispanic Review», XX, 1925.—G. R. HERNÁNDEZ: *The dramatic works of Enrique Gaspar* (tesis doctoral), Univ. of Carolina North, 1944.—L. KIRSCHENBAUM: *Enrique Gaspar and the Social Drama in Spain,* Berkeley, «Univ. of California Press», 1944.—R. MENÉNDEZ PIDAL: *Enrique Gaspar,* «Bol. R. Acad. Esp.», XIII, Madrid, 1926.—J. NAVARRO REVERTER: *Intimidades de Enrique Gaspar,* «Gente Vieja», 20 sep. 1902; *Apuntes para un estudio sobre la influencia de Enrique Gaspar en el teatro español,* «Gente Vieja», 30 sep. 1902.—A. PALACIO VALDÉS: *«El código del honor», de Leopoldo Cano,* «La literatura en 1881», ed. cit.—M. DE PALÁU: *«Juan José»,* «Rev. Contemporánea», vol. C, Madrid, 1895.—EMILIA PARDO BAZÁN: *Un ibseniano español,* «Nuevo teatro crítico», XXX, nov. 1893.—D. POYÁN DÍAZ: *Enrique Gaspar: Medio siglo de teatro español,* 2 vols., Edit. Gredos, Madrid, 1957.—R. ROJAS: *«Juan José»,* «Alma española», Sempere, Valencia, s. f.—M. UGARTE: *Joaquín Dicenta,* «Visiones de España», Sempere, Valencia, s. f.

III. L. ALAS («Clarín»): *Ramos Carrión. Vital Aza,* «Paliques», ed. cit.—N. ALONSO CORTÉS: *Vital Aza,* Cuesta, Valladolid, 1949; *López Silva* (género chico), *«Quevedo en el teatro y otras cosas»,* Imp. Colegio Santiago, Valladolid, 1930.—F. C. SAINZ DE ROBLES: *Nota prel. de Comedias escogidas* de Vital Aza, Colec. «Crisol», Edit. M. Aguilar, Madrid, 1951; *El teatro español del siglo XIX: La zarzuela española y el «género chico»,* «El teatro español. Historia y antología», VII, M. Aguilar, Madrid, 1943.—J. DELEITO PIÑUELA: *Origen y apogeo del «género chico»,* «Rev. de Occidente», Madrid, 1949.—M. LARRUBIERA: *Ricardo de la Vega,* 1910.—M. ZURITA: *El género chico,* Madrid, 1920.

CAPITULO LXXVI

EL TEATRO POSTROMANTICO EN AMERICA

I. Generalidades: *Aspectos positivos y negativos. Influencias extranjeras.*—
II. Dramaturgia rioplatense: *«Solané», de Fernández. Otros dramaturgos de
transición. Martín Coronado. Nicolás Granada. Ezequiel Soria. «Juan Moreira» y otras obras del teatro gauchesco. La comedia costumbrista: Laferrère.*—III. Florencio Sánchez y su escuela: *Vida y persona. Producción
teatral. Dramas y comedias. Sainetes. Juicio crítico. Otto M. Cione. Ernesto
Herrera.*—IV. Otras manifestaciones del teatro rioplatense de la época:
*Comedias de enredo y «alta comedia». El sainete. El teatro poético. Para-
guay y Chile.*—V. El teatro postromántico en otros países: *Bolivia. Ecuador y Perú. Colombia, Venezuela y Cuba.*—VI. Méjico: *Peón y Contreras.
José Joaquín Gamboa. Otros autores.*—Notas.—Bibliografía.

I. GENERALIDADES

En capítulos anteriores quedó esbozada la trayectoria del teatro hispanoamericano desde la
Emancipación hasta finales del Romanticismo. Tócanos ahora dar una sucinta referencia de ese
mismo teatro en la época siguiente.

Habíamos señalado como fenómeno digno de
nota la profusa floración de obras dramáticas en
el período romántico. Y subrayábamos el hecho,
también significativo, de que rara vez entre esas
obras se encuentra una de verdadera calidad artística. Algo parecido cabe afirmar de todo el
teatro hispanoamericano hasta nuestros días. «Carece en América el género dramático de formas
adultas y posibilidades artísticas fecundas», ha escrito Jorge Bogliano[1]. Y, aunque la afirmación
nos parece demasiado tajante, hay que reconocer
que en el fondo se ajusta a la verdad. En términos
generales el teatro de Hispanoamérica es pobre,
tanto en su línea argumental como en su problemática, tanto en el planteamiento como en la expresión. No ya un Ibsen, un Sudermann, un Pirandello o un Benavente; ni siquiera un Galdós
o un Echegaray aparecen en aquellas latitudes.
Convengamos en que, no obstante esa penuria de
obras maestras, el teatro americano postromántico
supone un considerable avance respecto del anterior. El romanticismo había preparado, y perdónese esta expresión biológica, la mayoría de edad de
los pueblos de habla hispánica, que empiezan a
entrar con paso más o menos firme en el consorcio de las naciones cultas. Bien es verdad que este
ingreso se realiza más por la puerta de la lírica
y de la novela que por la del teatro. Este siempre
ha caminado en América con retraso respecto de
los otros géneros. El juicio de Echagüe sobre el
teatro argentino, al que considera un «teatro en

formación» en vez de un «teatro formado», puede
extenderse a toda la dramaturgia hispanoamericana.

Aspectos positivos y negativos

¿Razones de ese retraso? Las ha expuesto con
suficiente claridad Berenguer Carisomo. «Supone
siempre el teatro—escribe el crítico argentino—una
etapa superada de organización social, en la que
todos sus elementos integrantes—autores, intérpretes, público y crítica—ofrezcan señales de madurez intelectual y, sobre todo, muestren una coherencia de sentimientos humanos y estéticos que
permita a los autores operar con rigor sobre la
colectividad que tienen obligación de conmover,
adoctrinar o divertir. El bloque de los públicos
americanos, en general, tiene grietas profundas,
tanto en su estructura étnica, todavía en plena ebullición formativa, cuanto en sus capas sociales, aun
no diferenciadas ni estabilizadas, como en lo que
respecta a su unidad política, sujeta, lo hemos
visto, a periódicas y violentas revisiones, para concluir con una economía escasamente evolucionada
y harto sujeta, todavía, a formas de pastoreo agrí-
cola-ganadero»[2]. Un teatro nacional exige, según
eso, un pueblo ya formado étnica, política y socialmente. De lo contrario, ese teatro no podrá salir
de la fase inicial de remedo o copia, más o menos
servil, aunque siempre copia, del teatro de otros
pueblos ya estructurados.

Añádase el auge del cine. Si en pueblos de
arraigada tradición dramática, como España o
Francia, la competencia del cine ha hecho tamba-
learse un teatro que parecía ya definitivamente

1041

consolidado, piénsese cuáles tendrán que ser sus efectos ante un teatro sorprendido en vías de formación. Y aun queda otro motivo: la falta de actores. Un teatro no se consolida e impone al gran público—y todo lo que no sea ganar al público de la calle, en un género como éste, es perder el tiempo—hasta que encuentra un elenco de intérpretes adecuados. Por diversas causas América no los ha tenido. Pero sobre esto volveremos más adelante.

Con todo, y aun reconocida esa mediocridad, esa falta de concreción del teatro hispanoamericano, en cualquiera de sus épocas y hasta el momento actual, debe consignarse un hecho innegable: con el realismo da un paso adelante y se sitúa en zonas muy propicias para su pleno desarrollo. Si éste no llega, ha de atribuirse a los motivos arriba indicados y a otros factores que escapan probablemente a la mirada de la crítica. El realismo lucha por crear en América un auténtico teatro, como había luchado ya el romanticismo; aunque ahora los resultados son más positivos. Por lo pronto ofrece algunas formas dramáticas propias, y no inspiradas en el teatro europeo: el género gauchesco, la comedia costumbrista, el sainete con tipos y ambientación plenamente indígenas. El romanticismo había suministrado una tipología que se podría llamar internacional: Hernani, Macías, Lucrecia Borgia, Carlos Moor, etc.; había creado «clichés» históricos, psicológicos y hasta fisonómicos universales y válidos para todos los países. El realismo, más localista, atento al autoanálisis y a la observación de cuanto le rodea, sin renegar de ciertos principios uniformes, aspira a crearse su problemática en cada país, a reflejar las propias costumbres, a una literatura, en fin, más original. Insistamos en que es la novela el género en que mejor plasman estas intenciones. Pero también al teatro alcanzaron algunas. Si en la lírica y novela se obtuvieron mejores logros, acaso se deba a que en esos dos géneros basta el escritor, mientras el teatro requiere la representación, el actor, como complemento indispensable. La primera dificultad que tuvo que vencer la dramaturgia americana fué la creación de una escuela de actores autóctonos, capacitados para dar vida a las obras. «El principal problema del teatro americano ha sido problema de actores—escribe Juan Pablo Echagüe—. Una simple ojeada a los archivos y bibliotecas es suficiente para conocer la gran cantidad de obras dramáticas que no se representaron por falta de actores nativos, y la principal gloria del teatro gauchesco estriba en haber creado, precisamente, ese cuerpo de actores»[3]. He aquí un detalle que no debe pasarse por alto al hablar de la pobreza de la dramaturgia hispanoamericana.

Influencias extranjeras

Señalar las influencias del teatro americano equivale a reseñar sus principales direcciones. Podemos resumirlas en la forma que sigue:

a) *Españolas:* Galdós, Dicenta, Echegaray, Benavente, los Quintero y también el «teatro poético» de Marquina y Villaespesa. De todos estos autores peninsulares encontramos huellas en el teatro que estudiamos. De Dicenta y Galdós se imita sobre todo el teatro «de tesis»; de Benavente, el tono suasorio y la finura estilística; de los Quintero, el colorismo costumbrista. García Lorca se relaciona más bien con el teatro actual.

b) *Nórdicas:* especialmente influye Ibsen, de quien se toma la libertad espiritual en su violenta reacción contra los convencionalismos sociales.

c) *Alemanas:* temas que giran en torno a la lucha de clases, tal como se desarrolla en *Los tejedores,* de Hauptmann, o *El honor,* de Sudermann.

d) *Francesas:* afloran en los dramas de tesis con sus conflictos morales, jurídicos, religiosos, etcétera. Hervieux, Berstein, Brieux, son los autores predilectos.

e) *Italianas:* Giacosa, Rovetta, Nicodemi y D'Annunzzio inspiran el crudo realismo y la violencia pasional que caracteriza a buena parte de su producción. Más tarde, Pirandello, con su original técnica de *Seis personajes en busca de autor.*

Para su estudio en forma sistemática seguimos el método ya aplicado al analizar el teatro romántico. Y teniendo en cuenta la acusada preponderancia del teatro argentino sobre los otros, dedicaremos a éste una atención especial, con varios apartados, reservando otro para el de Méjico y demás estados hispanoamericanos.

II. DRAMATURGIA RIOPLATENSE

En pleno triunfo del teatro romántico descubríamos la persistencia de ciertos tipos dramáticos ya periclitados: la tragedia neoclásica, la comedia moratiniana. Lo mismo ocurre ahora: dentro del campo realista y naturalista veremos correr durante largo tiempo una vena romántica. Piénsese que idéntico fenómeno se daba en España con el teatro de Echegaray, cuyo reflejo en América es bien notorio, según tendremos ocasión de comprobar. Recuérdese asimismo que el teatro americano sigue todavía en su mayor parte los pasos del europeo, y que en éste la coetaneidad de las más diversas formas es casi constante y hasta se nos ofrece con frecuencia en un mismo dramaturgo.

El país que mejor asimiló todas las corrientes europeas, aportando de paso elementos autóctonos, fué, sin duda, Argentina; y luego, a bastante distancia, Méjico. Acaso esto se debe a que fué la gran República del Plata la primera que tuvo un centro urbano tan considerable como Buenos Aires, capaz por su enorme densidad demográfica no sólo de recoger las tendencias de fuera, sino también de imponer y consagrar sus propios valores. Al revés de la lírica que sólo pide intimidad, el teatro para triunfar necesita grandes núcleos, multitudes que se renueven en la sala día tras día, hasta hacer popular una obra y difundir en amplios sectores el nombre de su autor. Estas circunstancias, a la vez que la oportunidad de encontrar intérpretes adecuados para ciertas obras, en ningún país de Hispanoamérica se dieron como en Argentina; únase a esto la gran transformación social y el auge económico que alcanzó en las últimas décadas del siglo pasado, fenómeno al que hemos aludido en otro capítulo. Al lado de Argentina debe figurar Uruguay. En las dos Repúblicas del Plata florece un teatro muy similar y que hasta a veces se interfiere mutuamente. Autores uruguayos triunfan y viven en Buenos Aires y viceversa, autores argentinos en Montevideo.

«Solané», de Fernández

En 1872 el entrerriano FRANCISCO FERNÁNDEZ (?-1922), compone una tragedia en cuatro actos, *Solané*, cuyo subtítulo, «drama psicosociológico» es harto significativo. Recuérdese una coincidencia: en ese mismo año aparecía el *Martín Fierro*, máximo poema gauchesco. *Solané*, sin llegar ni de lejos a la categoría del poema, desempeña un papel importante en las letras argentinas, en cuanto es la primera muestra o intento de un teatro gauchesco. No importa que en la poesía y en la novela el género gaucho hubiera tenido ya antecedentes muy estimables. En la escena no había hecho aún su aparición. Y éste es el mayor, casi el único mérito de *Solané*, que literariamente considerado es obra mediocre. Al autor se le escapan los personajes, que aparecen desdibujados y a veces actuando en forma contradictoria e inconsecuente. Ni el menor rastro de eso que suele llamarse análisis psicológico se descubre en el drama, no obstante el subtítulo que lleva. El protagonista, que da nombre a la obra, es un vulgar politiquero; las virtudes que le atribuye el autor sólo se ven en las palabras, nunca en los actos; el diálogo es huero; el argumento falto de originalidad y con antecedentes inmediatos, tanto en la prosa como en el verso de aquel país. Véase:

Jerónimo Solané, ex alumno de Medicina, goza de mucho prestigio entre el paisanaje, al que en su afán redentorista se propone liberar de los que él considera tres cánceres sociales: la toga, el capital y la clerecía. Hasta aquí tenemos el planteamiento de un simple drama social. Luego, la trama se complica. Solané ha tenido relaciones amorosas con Genoveva, hija de Vidarte, caudillo de Bue-

nos Aires. Las relaciones han quedado truncadas por el carácter revolucionario del pretendiente. Genoveva había tenido en matrimonio anterior una niña, Lelia, que Solané se lleva raptada. Los soldados de Vidarte van a rescatarla, pero Genoveva se interpone. Apresado, al fin, y condenado por crímenes de los que es inocente, muere anunciando que un hijo habido con su amante Micaela, una víctima, según él, de la corrupción ciudadana, será «símbolo promisor de días más claros y felices».

El drama, está bien claro, maneja todos los tópicos propios del género y los combina y abulta a gusto del autor. Parece que el personaje central existió realmente, pero no en las circunstancias y con los rasgos que le atribuye Fernández. Otras obras de éste son: *El borracho*, representada en Madrid; *Monteagudo*, de carácter histórico; dos piezas alegóricas, *El soldado de Mayo* y *El genio de América*, y un drama caballeresco de ambiente veneciano, *Clorinda*.

Otro dramaturgo de transición: Martín Coronado

Mayor significación tiene, como puente de paso entre el romanticismo y el realismo, el teatro de MARTÍN CORONADO (1850-1919). Y eso que, bien mirada, tal posición le perjudica. Coronado asiste al declive de una escuela y al nacimiento de otra; y, al inscribirse sucesivamente en las dos, como ocurre siempre en tales casos, no termina por incorporarse plenamente a ninguna. Al romanticismo llega tarde, cuando este movimiento se encuentra ya en franca disolución, y al realismo no logra darle alcance por la demora que ponen a su talento creador las viejas fórmulas. Se da a conocer con una serie de piezas—*La rosa blanca* (1877), *Luz de luna y luz de incendio* (1878), *Cortar por lo más delgado* (1893), *Salvador* (1885), *Un soñador* (1896), *Justicia de antaño* (1897)—en las que dentro de un romanticismo desenfrenado apuntan brotes humanitaristas y hasta de índole sociológica, de acuerdo con lo que entonces dominaba en el teatro europeo. Su gran triunfo fué en 1902 con *La piedra de escándalo*, drama rural, de ambiente criollo, escrito todavía con muchos resabios románticos. La fecha de su estreno no debe inducirnos a engaño, pues consta que había sido compuesto de tiempo atrás, exactamente en 1889. Y aunque ignorásemos tal dato, una simple lectura de la obra nos lo revelaría. Personajes, sentimientos, reacciones, son del más trasnochado romanticismo. Lo «criollo» es accidental y puede suprimirse sin que por ello la estructura de la pieza varíe en nada. «Aquellas figuras que visten poncho y chiripá—dice Berenguer Carisomo—piensan, actúan y se comportan como si llevasen la levita española de fines de siglo.» Las demás obras de Coronado tampoco desmienten su filiación. *La rosa blanca*, dentro del corte romántico, preludia con su respeto por la ciencia el ya naciente naturalismo; *Luz de luna y luz de incendio*—que después tituló *Bajo la tiranía*—, encuadrada en la época de Rosas, se reduce a un melodrama de celos en el que dos mujeres de temperamento contrario se disputan el amor de un hombre, al que terminan las dos por perder; *Un soñador* recoge en vigorosos trazos la tragedia de un maestro rural, y *Justicia de antaño*, tal vez la mejor versificada del autor, es el típico drama de honor a la manera española.

A partir de *La piedra de escándalo*, Coronado trató de dar mayor *argentinidad* a su teatro, propósito que sólo consigue a medias. Por ejemplo: el conflicto de *Culpas ajenas*, aun desarrollado entre tipos indígenas y en ambiente argentino, es totalmente echegarayesco. *El sargento Palma* evoca una vez más la época de Rosas, sin aportar nada nuevo. Es, sin embargo, el drama más equilibrado, más sobrio y mejor construído del autor. En *Sebastián* se nos plantea la lucha por la tierra entre un nativo y un advenedizo. Es el mismo problema que vamos a ver desarrollado por Payró en *Sobre las ruinas* y por Florencio Sánchez en *La Gringa*, si bien ahora con menos vigor.

Coronado, a quien se ha llamado el «Gil Vicente argentino», representa un noble y constante empeño por dignificar el teatro del país. Que no lo lograra del todo se debe a las encontradas influencias estéticas por las que en su larga vida atravesó. Pero siempre será digna de encomio la sinceridad con que enjuicia su propia obra, cuyos defectos fué él mismo el primero en señalar y reconocer.

Nicolás Granada y E. Soria

Al lado de Martín Coronado debe figurar NICOLÁS GRANADA (1840-1915), que también hubo de luchar contra dos corrientes contrapuestas: la del romanticismo decadente y la del realismo-naturalismo en pleno triunfo. De una parte nos ofrece Granada obras como *Atahualpa*, sobre la prisión, proceso y muerte del caudillo inca, con chispazos todavía románticos, si bien con la técnica propia ya del realismo; o comedias satírico-morales, a la manera de Bretón de los Herreros; por otra, aborda de frente el drama de tesis, el psicológico y hasta el de sabor local. En este segundo deben inscribirse *¡Al campo!* y *La Gaviota*, de 1900 y 1903, respectivamente.

En la primera, *¡Al campo!*, se contraponen los viejos conceptos de agro y ciudad. Frente al apego del criollo don Indalecio al medio rural, se alza la pasión por la ciudad de su esposa, doña Fortunata, y de su hija Gilberta. Triunfan éstas; pero la simplicidad de doña Fortunata, explotada por dos pillos en la urbe, está a punto de dar al traste con la paz del hogar. Se impone el buen sentido del marido, que descubre a tiempo el engaño; la familia regresa al campo, y Gilberta, olvidando antiguas veleidades, se enamora de Gabriel. Un lenguaje pintoresco y un ambiente realista, acertadamente llevados a la escena, son sus notas más acusadas.

La Gaviota—observemos la identidad de título con la famosa novela de nuestra *Fernán Caballero*—plantea un tema sugestivo y muy fecundo para el análisis psicológico. Pero Granada no acierta a explotarlo, y se le deshace entre las manos. Pudiendo haber sacado un hondo drama, sólo supo extraer una comedia mediocre, con algún trazo costumbrista de innegable acierto. Eduardo aparece como novio oficial de Teresa, joven aristocrática y víctima de una enfermedad incurable. Pero en el fondo de quien está enamorado es de Rosario, la *Gaviota*, a la que también ama el pescador Martiniano. Hasta aquí el planteamiento de un conflicto, que pronto deriva hacia un desenlace tan original como anodino. Teresa parte para Europa, en busca de salud; Rosario se mete en un convento; el pescador se refugia en las islas, y Eduardo queda solo sin saber qué hacer. Demasiado humo para tan poco fuego.

Y es que Granada, hombre de pluma fácil y carácter bondadoso, rehuye por temperamento los desenlaces trágicos. Su teatro, amable, entretenido y suavemente irónico, cae más bien dentro de la comedia costumbrista; y, aun clasificado en este género, carece de la hondura necesaria para convertirse en producto teatral de auténtica calidad estética. Otras obras suyas: *Lluvia de hijos*, juguete cómico escrito en colaboración con Lucio V. Mansilla; *La partida de ajedrez, La bolsa verde, Juca Tigre, El trofeo, El minué federal, El amigo mejor, Sonia, Las abejas*, etc. Granada fué un escritor fecundo, sobre todo en el género teatral. Hizo una adaptación gauchesca del *Cyrano de Bergerac*, escribió unas *Cartas gauchas*, poesías, etcétera.

En este noble empeño de dotar a la Argentina de un teatro nacional encontramos al catamarqueño EZEQUIEL SORIA (1873-1936). Tanto o más que el comediógrafo interesa en Soria el director artístico. Fué el creador de la zarzuela criolla, género que él estimaba muy apropiado para determinados sectores del público argentino, entre otras razones por su capacidad asimilativa del color local. Anotemos entre sus obras cuatro o cinco títulos: *Justicia criolla*, «pintura cabal de un conventillo porteño con su población heterogénea». *Ley suprema*, de ambiente campesino; *Política casera*, en la que contrapone dos modos de vida: la que se basa en la honradez, representada por Patricio Fierro, y la del arribista, encarnada en don Luciano; *Cristián*, sombrío drama de adulterio.

«Juan Moreira» y otras obras del teatro gauchesco

No tiene, ya está dicho, el género gauchesco en la escena el interés de la novela ni de la poesía. Algunas piezas han quedado ya señaladas entre la producción de los autores estudiados hasta aquí. Vayan para mayor información unas cuantas más, no sin advertir nuevamente que ninguna de ellas constituye un hito literario en las letras de Hispanoamérica.

El mimodrama *Juan Moreira* merece recordarse porque señala con *Solané* el inicio del teatro gauchesco. Después proliferó en incontables imitaciones. Ese es su mérito, y nada más que ése, ya que su valor literario es casi nulo. No queremos entrar en la discusión de si fué o no también la pieza que inauguró el verdadero teatro nacional argentino. En torno a este asunto se han reñido grandes polémicas, que Berenguer Carisomo ha cancelado con su acostumbrada ecuanimidad. «Reduciendo al máximo una disputa que ha hecho correr más tinta de la necesaria—escribe—, podría decirse que si, en efecto, mucho antes hubo tentativas de un teatro nativo, éstas quedaron aisladas y sin conectarse a la gran masa del público; el *Moreira* no fué, en consecuencia, pieza inicial ni primeriza, pero tuvo, sí, la virtud de volcar la atención del auditorio hacia los temas vernáculos y hacer posible la implantación de una dramática con temas de la tierra»[4].

La obra se reduce a una escenificación de la novela folletinesca del mismo título publicada por EDUARDO GUTIÉRREZ (1853-1890) en *La Patria Argentina*. Del Gutiérrez novelista, incansable fabricante de truculentos folletones, ya se habló en su lugar. Completemos ahora la referencia del *Juan Moreira* anotando que allá por el año de 1884 un circo de Buenos Aires, dirigido por Podestá, pidió autorización a Gutiérrez para adaptar la novela al teatro, y que ésta, al ser representada, obtuvo un éxito tan rotundo como previsto. Ni podía ser de otro modo, ya que la obra es una continua exaltación de las virtudes gauchas, en una serie de situaciones altamente dramáticas y en un lenguaje de extremada crudeza. Moreira acude al alcalde en demanda del pago de una deuda empeñada bajo palabra de honor. Como el deudor niega tal préstamo, Moreira reacciona en forma tan violenta y ofensiva que la autoridad se cree en el deber de sancionarle, condenándole al «cepo». Este atropello por parte de la autoridad excita más y más su deseo de venganza. Lanzado al camino de la ilegalidad, da muerte a su deudor, acumula delito tras delito y en un encuentro con la soldadesca muere asesinado por el sargento Chirino. Sus últimas palabras: «¡Ah cobarde, cobarde!... A hombres como yo no se les hiere por la espalda. ¡No podés negar que sos justicia!», quieren simbolizar el espíritu libertario

del gaucho. Para Anderson Imbert *Juan Moreira* es sólo «la crónica de un matón real que allá por el año 1870 había puesto su cuchillo al servicio de los caudillos políticos, pero que, gracias a Gutiérrez, se convirtió en un héroe, encarnación del coraje y de la protesta contra los abusos de la Policía»[5].

El éxito de la obra anima a los escritores profesionales a tentar el teatro gauchesco. El tipo inicial se depura; partiendo del gaucho errante y pendenciero, no tarda en llegarse al gaucho sedentario, en piezas paralelas del drama y de la comedia rurales ya ensayadas con cierta fortuna por algunos autores. A este tipo pertenece *Calandria*, de MARTINIANO LEGUIZAMÓN (1858-1935), en que se evoca la vida real del gaucho Servando Cardoso, si bien con un desenlace incruento. En un período en que los argentinos viven con los ojos puestos en Europa, especialmente en París, cuando otros géneros, como la novela, se llenan de abúlicos «trasplantados», Leguizamón, erudito e historiador muy estimable, aconseja la vuelta al terruño, síntesis de las esencias nacionales. En 1902 ENRIQUE GARCÍA VELLOSO (1880-1938), de quien nos ocupamos en otro lugar, señala con su drama *Jesús Nazareno* cierta desviación del género. Los pujos redentoristas del héroe tienen mucho de la teatralería echagarayesca. Pero acaso el representante más característico sea OROSMAN MORATORIO (1852-1898), uruguayo, que aspira a llenar los temas gauchescos de contenido social en obras como *Juan Soldado, Pollera y chiripá, La flor del Pago, Patria y amor*, etc. El instinto ancestral de libertad en lucha contra el despotismo palpita en *Pasión y muerte de Silverio Leguizamón*, drama de BERNARDO CANAL Y FEIJOO. Obra de aliento épico, en la que el protagonista, digno de emparejar con Martín Fierro, se declara en rebeldía al sentirse vejado por los gobernantes de la metrópoli. Merecerían estudio especial las reacciones de este personaje, que no corresponden a su natural psicología, sino a la que el vulgo le atribuye, empujándole a la acción. También aquí un acto arbitrario, la expropiación de la hacienda de Silverio en virtud de una cédula real, coloca al héroe al margen de la ley.

Aún cabría señalar otras desviaciones del teatro gauchesco: su conversión de escenario abierto en pleno campo al recinto mucho más íntimo del hogar; o, lo que es casi igual, el tránsito de la acción dramática con desenlaces fuertes, a la comedia costumbrista, que suele desembocar en un final más plácido. Martín Coronado es quien acusa mejor esta evolución. Y todavía tenemos, sin salirnos del género gauchesco, la obra de tesis, con su conflicto religioso para mayor novedad. *El gaucho judío*, de CARLOS SCHAEFER GALLO, es en este aspecto una pieza muy significativa. Representa un alegato en favor de la raza hebrea, a la que se supone víctima de toda clase de tropelías por parte de la sociedad. Por su planteamiento hace pensar en *Gloria*, de Galdós. Sólo que el novelista español es mucho más ecuánime y más objetivo. Schaefer no se contenta con amañar la trama a su gusto, de modo que la razón esté del lado que le conviene, sino que habla en todo momento por boca del protagonista, incapaz de disimular de qué parte están sus preferencias. No es que el autor, puesto a escribir un drama, y sobre todo un drama de tesis como el que ahora nos ocupa, haya de guardarse en el bolsillo sus ideas y simpatías. No se trata de eso; se quiere simplemente que esas ideas fluyan de un modo natural, empujadas por el curso de la acción, y que ésta se acomode en lo posible a la realidad. En *El gaucho judío* el autor tiene que forzar con frecuencia el normal desarrollo de los hechos, toma partido en el conflicto, y se le oye expresarse en un lenguaje que más de una vez suena a propaganda panfletaria. A pesar de todo, el interés se mantiene a lo largo de la obra; el estilo casi siempre es rápido y nervioso; los caracteres están sobriamente trazados; y, en fin, la emoción dramática, muy hábilmente dosificada. *El gaucho judío* es obra que honra a su autor.

En Uruguay, aparte del citado Moratorio, encontramos dos o tres notables cultivadores del teatro gauchesco: ELÍAS REGULES (1860-1929) escenifica con éxito (1890) el poema de Hernández *Martín Fierro*; ABDON ARÓZTEGUI, enamorado del vigoroso realismo de *Juan Moreira*, lo imita con acierto en su *Julián Jiménez*, una de las piezas de mayor éxito de Sudamérica, con más de un millar de representaciones; VÍCTOR PÉREZ PETIT (n. 1871) paga también su tributo a lo «gaucho» en *Las tribulaciones de un criollo*. Petit, cuya aportación más valiosa corresponde al campo de la crítica, es autor asimismo de *Claro de luna*, drama amable, con un argumento tan sugestivo como la evocación de la felicidad pasada, en un matrimonio próximo a deshacer los lazos conyugales. Las notas del *Claro de luna*, tocado al piano por una hija, despiertan esa evocación y evitan la ruptura. A pesar de lo recargado del diálogo y de no pocas escenas de relleno, la obra satisface. Otra pieza de Pérez Petit, *¡Cobarde!*, es de carácter psicológico.

La comedia costumbrista de Laferrère

Mayor atención merece el rioplatense GREGORIO LAFERRÈRE (1867-1913). Hombre de múltiples fa-

cetas y fina sensibilidad, con una formación muy europea, ágil conversador, político, jefe de partido y un tanto escéptico, llega a la escena de manera casual en 1904 con el estreno de *¡Jettatore!*, inspirado probablemente en el cuento del mismo título de Teófilo Gautier. Se satiriza en esta comedia la influencia nociva, y muy extendida en ciertos sectores, que algunos sujetos ejercen sobre sus semejantes. El infeliz don Lucas atrae una serie de desgracias sobre cuantos le rodean, amigos, familiares y simples conocidos. Al final se descubre que esta «mala sombra» no es sino el ardid de que se vale un galán avispado para alejar al *jettatore* de una novia bonita. Es la pieza que más renombre dió a Laferrère, pero no la mejor. Esta primacía corresponde en justicia a *Locos de verano*, estrenada al año siguiente. Se nos presenta en ella una familia de maniáticos, cuya locura se contagia a los sirvientes de la casa. Junto a una turba de seres neuróticos y descentrados sólo hay dos normales, Lucía y Enrique, representantes del equilibrio y del esfuerzo creador.

En 1907 Laferrère abandona la comedia satírica para enfrentarse con el drama. *Bajo la garra*, estrenado en esa fecha, se parece en el planteamiento y hasta en el desenlace a *El gran galeoto*, de Echegaray. Como en éste se pretende mostrar al espectador los funestos efectos de la calumnia. Con un tema muy trillado, el drama interesa todavía por su fina penetración psicológica. En *Las de Barranco* (1908) se desarrolla con acierto la tragedia de la familia que, venida a menos, lucha por mantener su antigua posición, sin reparar en medios, por indignos y vergonzosos que sean. Todos los tipos están tomados de la realidad. *Los invisibles* (1911), en fin, constituye una acertada rechifla del espiritismo. El crédulo don Ramón, víctima de un pseudo «vidente» y de una avispada «medium», está a punto de provocar con su funesta manía evocadora la ruina de los suyos. La súbita llegada de un cuñado ausente, al que los espíritus habían dado por muerto, le vuelve a la realidad, dejando al descubierto a los embaucadores.

Completan la producción dramática de Laferrère varias piezas menores: *Los dos derechos, El tío, Por teléfono, Los caramelos, El miedo*, etc. Por todas ellas circula una vena cómica muy sutil y espontánea. En *Dios los cría...*, ingenioso entremés de corte pirandelliano, saca a plaza a todos los personajes de sus comedias [6].

III. FLORENCIO SANCHEZ Y SU ESCUELA

En el uruguayo Florencio Sánchez tiene acaso Hispanoamérica su mejor dramaturgo, con excepción de la Avellaneda. Hemos visto apuntar en algunos autores de finales del XIX brotes natura-

listas, más o menos pujantes. Con Sánchez el naturalismo entra de lleno en el teatro rioplatense, ataviado ya con todos sus atributos característicos: lenguaje más o menos retórico, visión directa de la vida, predilección por ciertas zonas de la sociedad, precisamente aquellas que ofrecen ángulos menos gratos; personajes humildes, y mejor que humildes, sórdidos, abúlicos y hasta tarados física y moralmente; tesis preconcebida. No todo el teatro de Sánchez es eso, como no era eso tampoco todo el teatro y la novela naturalista en Europa; pero en este sector de su producción ha de buscarse lo más representativo.

Vida y persona

Nace FLORENCIO SÁNCHEZ en Montevideo, en 1875. Estudia en su ciudad natal y en Minas. Aquí colabora en *La Voz del Pueblo*. Empleado algún tiempo en la Oficina Antropométrica de La Plata, pasa pronto a la capital, donde interviene en la vida política. Más tarde ingresa en el Centro Internacional de Estudios Sociales y evoluciona hacia el anarquismo. Reside temporalmente en Rosario y en Buenos Aires y escribe en varios periódicos: *La República, El País, El Sol*. Encargado por el Uruguay de una misión oficial en Europa, visita Francia e Italia (1909). Muere al año siguiente en Milán, víctima de la tuberculosis.

Florencio Sánchez fué un espíritu inquieto y de escasa cultura. Autodidacta e inconstante, no tiene sobre la sociedad ni sobre la vida ideas fijas, por lo que desecha hoy lo que ayer predicó y acepta como verdad incontrovertible lo que antes había juzgado una necedad. Su nota más destacada en la vida y en la obra es el pesimismo. Pesimismo de que hace partícipes a todas las criaturas de su teatro. Enfermo por naturaleza y por temperamento, la vida para él ofrece escasos atractivos. Los personajes de sus comedias, en su mayor parte tarados, suelen moverse a impulsos del instinto, como arrastrados por un determinismo ciego. Este «Marlowe rioplatense»—así ha sido bautizado por algún biógrafo—revela, no obstante su escasa capacidad expositiva, un poderoso genio intuitivo.

Producción teatral

Está representada por 21 obras, repartidas en cuatro grupos:

1. Dramas: *La Gringa, Barranca abajo, Los muertos*.
2. Comedias: *M'hijo el dotor, La pobre gente, En familia, El pasado, Nuestros hijos, Los derechos de la salud, Un buen negocio*.
3. Sainetes: *La gente honesta, La tigra, Moneda falsa, Marta Gruni, El desalojo, Los curdas, Cédulas de San Juan, Mano santa*.
4. Zarzuelas: *El conventillo, El cacique Pichelo, Canillita*.

Dramas y comedias

La Gringa, con una tesis similar a la desarrollada por Payró en *Sobre las ruinas*, es la historia amorosa de dos jóvenes, hija ella de un gringo y

él de un gaucho. Los personajes, o son caricaturescos, como el gaucho Cantalicio, o borrosos y faltos de relieve, como Próspero. El simbolismo con que se cierra la obra es ñoño y pueril: Cantalicio, arquetipo de barbarie, es atropellado por un automóvil, signo de progreso. Mejor hubiera sido por un aeroplano, apostilla ingeniosamente Echagüe. *Barranca abajo* (1905) está más lograda, en cuanto supone un estudio a fondo del carácter criollo. Es la tragedia íntima de un paisano, Zoilo, víctima de la abulia, del desencanto y de la mala suerte. Tanto como el pleito perdido le abate la inconsciencia de su familia. Se le ve derrumbarse poco a poco hasta desembocar en el suicidio. Sus últimas palabras resumen la tesis del drama: «¡Se deshace más fácilmente el nido de un hombre que el nido de un pájaro!» Peor construído está el tercer drama, *Los muertos*, en que se nos ofrece un cuadro de vida tan confuso como desabrido. Lisardo, incapaz de regenerarse, pierde por este motivo el amor de Amelia, que se une a otro, por cierto tan degenerado como aquél. Sólo el amor de su hijo provoca alguna reacción de dignidad, como el matar al amante de su esposa, en defensa de ese mismo amor. No busquemos aquí ni argumento coherente ni proceso lógico. *Los muertos* se reduce a una serie de hechos, mejor o peor engarzados, en forma de estampas. Pertenece, como *Barranca abajo*, al año 1905.

No sabemos por qué las obras citadas en el párrafo anterior van encasilladas como dramas y las que vienen ahora como comedias. En unas y otras lo dramático es fundamental. Con todo, nos ajustamos a la clasificación corriente. *M'hijo el dotor* (1903), primer gran éxito de Sánchez, contrapone el medio urbano al campesino, la incultura a la instrucción. Julio, el «dotor», vuelve al campo atraído por Jesusa, a quien había seducido, y también por el hijo de ambos, que logra transformar en amor lo que en principio era simple capricho. *En familia* (1905) es la pintura de la pobreza vergonzante, que recurre a mil expedientes amorales para sostener, aunque sólo sea en apariencia, el antiguo rango social. Con cierta semejanza con *El honor*, de Sudermann, plantea el mismo tema que tres años después tratará—como ya hemos visto—Laferrère en *Las de Barranco*. Florencio Sánchez, menos ágil, menos culto, y, sobre todo, incapaz de comprender cuanto no sea amargura y pesimismo trágico, no sabe elevarse al profundo sentido social que anima la obra del autor de *¡Jettatore!* *La pobre gente*, muy influída por el drama social de Dicenta, recoge un tema parecido: el padre alcohólico y haragán, incapaz de mantener a su familia con el mínimo decoro, conduce a una de sus hijas, Zulma, al camino de la mala vida.

Hasta aquí Sánchez ha puesto en juego factores de herencia patológica; ahora van a intervenir factores morales. En *El pasado* (1906), reproducción temática de la comedia benaventiana *La ley de los hijos,* una mujer provoca con su adulterio el suicidio del esposo. El hijo de ambos pretende a una joven, que resulta hija del que fué amante de su madre. Rechazado en sus pretensiones, descubre la causa, y estalla el antagonismo entre madre e hijo. *Nuestros hijos* proclama la honorabilidad de la mujer caída, en razón de su destino. El protagonista defiende a su hija, seducida, complaciéndose en su próxima maternidad, y rechaza la reparación de la deshonra por la vía del matrimonio. Esta teoría de amor libre que apunta en *Nuestros hijos* es llevada a las últimas consecuencias en *Los derechos de la salud,* pieza de extremada audacia, tanto en el contenido como en la expresión. Más bien que «los derechos de la salud» debería haberse titulado «los derechos del instinto», porque éste es el único que habla por boca de sus principales personajes. La tesis es ingrata en extremo; en ella se une a lo antisocial lo antimoral. Un hombre pleno de vigor, casado con una esposa enferma, puede en nombre de las fuerzas conservadoras del instinto—«los derechos de la salud»—mantener otro amor, al margen de su esposa. Todos los esfuerzos del autor para legitimar tal tesis resultan inútiles. Nos quiere convencer de la dignidad, de la bondad y de la razón de los protagonistas a fuerza de retórica. Los hechos desmienten a cada paso su vana palabrería. Roberto, hablando de sus derechos, resulta egoísta y brutal; Renata, la cuñada que espera impaciente la desaparición de su propia hermana para sustituirla, se hace profundamente odiosa. *Los derechos de la salud,* con todo su andamiaje aparentemente bien montado, es una comedia de construcción endeble, de estilo declamatorio y de un filosofismo hueco y pedantesco.

Sainetes

Para algunos críticos, y nosotros somos de esa opinión, F. Sánchez es mejor sainetero que dramaturgo. En este orden nos ha dejado cuadritos llenos de vida, diseñados con cuatro rasgos de gran firmeza y colorido. Sus condiciones de aguafuertista habían quedado ya patentes en algunos dramas y comedias: *Los muertos* y *La Gringa.* Ahora esas condiciones pueden desarrollarse en su propio campo: unos pocos trazos definidos y claros, un ángulo de la vida captado con fiel retina, una situación amarga o risueña, dura o simpática, y no hacía falta más. Nada de tesis *a priori* ni de discursos pseudofilosóficos, que son el punto débil de sus anteriores obras. Nos dejó ocho sainetes; interesa subrayar como los más logrados *El desalojo* y *Moneda falsa.*

El desalojo es la estampa agria de un «conventillo»: una mujer desahuciada se ve en la necesidad de recluir a su prole en un asilo, a cambio de una recompensa. El padre, ex combatiente del Paraguay, desvergonzado y truhán, acude al olor-

cillo del dinero, insultando de paso a un «gringo» que le afea la explotación de que hace objeto a su hija. En *Moneda falsa* asistimos a los intentos de regeneración de un ladrón profesional. Los engranajes de su vida pasada se lo impiden. Detenido por falsificación de dinero, en la que no ha intervenido, es visitado en la cárcel por su amante, que le revela el nombre del verdadero culpable. Piececita desarticulada, merece, sin embargo, anotarse por la vívida observación de ciertos bajos fondos sociales.

Juicio crítico

Florencio Sánchez inicia su labor dramática hacia 1900. Está en boga por Europa, y empieza a tener sus proyecciones en América, un teatro redentorista, con exaltación del proletariado y apologías desorbitadas de la voluntad. Añádanse los vendavales de sensualidad desatados por D'Annunzzio; la omnímoda libertad de los sexos, proclamada por Ibsen; los conflictos de carácter moral y las tesis sociológicas que aportan a la escena Hauptmann, Bracco y Rovetta. Todos ellos, con Sudermann, servirán de modelo al escritor uruguayo. Tampoco faltarán algunos españoles: Dicenta, Benavente, acaso Galdós. El naturalismo había sido archipródigo en la presentación de casos patológicos; a este sector se desplaza Sánchez y en él se mueve como en su propia casa. Hábil dibujante de tipos, sabe presentarlos con cuatro rasgos característicos, sin acudir a largas descripciones. Pocos tan afortunados como él en la captación del detalle, de la nota personal; pocos tan felices en el arte de mover a sus personajes y de darles vida en un diálogo, vulgar y hasta populachero si se quiere, pero siempre vigoroso y preciso. Todo, sin embargo, tiene su límite. Consciente de que su fuerte no es la construcción total, sino el detalle, imbuído con exceso de la técnica naturalista del retrato, Sánchez abusa de su arte, de modo que alguna de sus obras queda reducida a eso: una serie de escenas sueltas, una multiplicación de episodios que rompen aquí y allí el hilo de la acción. Cuando ésta no se rompe, por lo menos languidece y se pierde. Todo ello, junto con sus pujos de filosofismo pedestre, su exceso de retórica y su concepción amarga de la vida, resta valor a las obras de este dramaturgo, nacido, sin duda, para mayores empeños.

Sus dramas, carentes de simpatía humana, destilan odio contra la sociedad y sus instituciones. Los personajes suelen ser degenerados, perversos o, en el mejor de los casos, amorales. Falta también en este teatro verdadera intriga, la que aspira inútilmente a compensarse con la violencia de las situaciones. No debemos, a pesar de ello, extremar nuestra censura ni juzgar con la estética de hoy un teatro nacido bajo otro signo. Sánchez pertenece a una época ya pasada ciertamente, pero que tuvo una vigencia real[7]. A esa época responde fielmente su obra. Aceptemos, en definitiva, al Sánchez colorista, observador, pintor de tipos y costumbres, mientras recusamos al psicólogo, al sociólogo y al filósofo, que casi siempre nos resulta falso y declamador.

Otto M. Cione y Ernesto Herrera

La obra de Sánchez sirve de estímulo a otros autores, que aspiran, como él, a la realización de un teatro naturalista, en mayor o menor grado. Lo social y lo pintoresco suelen darse la mano en este teatro, que va de lo trágico a lo risueño, en un desfile heterogéneo de tipos, entre los que sobresalen el inmigrante oportunista carente de todo arraigo en el país y el criollo ya fuertemente sedimentado. Cione y Herrera, ambos uruguayos, son, ya que no discípulos directos de Sánchez, sus imitadores más afines.

OTTO MIGUEL CIONE (1875), paraguayo de nacimiento, si bien afincado en Uruguay, cultivó indistintamente el género narrativo y el dramático, con evidente preferencia por el primero. *Maula, Caraguatá, Chola se casa* y *Lauracha* son cuadritos estimables, llenos de realismo, en especial *Lauracha*, vivo reflejo de la vida en una estancia. Como dramaturgo, nos dejó en *El Arlequín, El Gringo* y *El corazón de la selva* tres piezas dignas de recordación. En menor escala situamos *Paja Brava, Partenza, La rosa de Jericó* y *Gallo ciego*.

El Arlequín (1906), estrechamente emparentado con *Espectros*, de Ibsen, su modelo, lleva a la escena un caso de degeneración hereditaria. Marcelo es recluído por su familia en un sanatorio. Dos manías le atenazan: la de creer que su dolencia procede de un muñeco disfrazado de arlequín, al que confunde con su padre, ebrio casi siempre; y la de confiar que a fuerza de paciencia logrará un día orquestar a las flores. La estancia en el sanatorio le va volviendo la razón. Su familia decide reintegrarlo al hogar un día de Carnaval, con ocasión de hallarse su padre ebrio y disfrazado de arlequín. Marcelo, en un nuevo ataque de locura, se lanza sobre el borracho y lo arroja por la ventana.

En *El Gringo* cabe señalar la doble influencia de *La loca de la casa*, de Galdós, y de *Felipe Derblay*, de Jorge Onhet. Argumento sencillo, si bien no exento de dramatismo. Nicolotti, gringo enriquecido, pero de humilde origen, toscas formas y mediana educación, casa con una joven aristócrata, que ha buscado en el matrimonio el remedio para atajar la ruina de sus familiares. Inmediatamente sobreviene el conflicto: vejado por los suegros, traicionado por su mujer, que cae en brazos de su antiguo novio, Nicolotti piensa en la venganza. Descubierto el adulterio se suicida ante la casa donde se entrevistan los dos amantes.

Mezcla de la más huera retórica con un asunto melodramático, *El corazón de la selva* enfrenta a un padre con su hijo natural, disputándose el amor de la misma mujer. La muerte violenta de los tres —el padre en duelo con el hijo, y éste y su amante suicidados— suministra un desenlace de un efectismo ingenuo y facilón.

ERNESTO HERRERA (1886-1917), uruguayo como Sánchez, y también como él autodidacta, bohemio y de escasa cultura, acreditó el seudónimo de *Ginesillo de Pasamonte* al pie de excelentes relatos. Intuitivo extraordinario, dejó un libro de narraciones digno de recuerdo, *Su majestad el hambre. Cuentos brutales* (1910). Fué, asimismo, estimable poeta; pero su mérito mayor reside en unas cuantas piezas teatrales, notables por el vigor dramático y lo veraz de la observación. Aparte de algún boceto (*De mala ley, El comisario*) y del melodrama *El estanque*, sobre el incesto, con caídas e inexperiencias propias de todo principiante, tiene tres piezas de relativo mérito: *El pan nuestro, La moral de Misia Paca* y *El león ciego*.

Con *El león ciego* (1911) dió Herrera su obra más vigorosa y de mayor aliento. Resume uno de los momentos más interesantes de la vida política uruguaya, el de la guerra civil criolla. Gumersindo, viejo caudillo rural, que ha gastado su vida y energías en la continua lucha de «blancos y colorados», viejo, ciego y abandonado por sus propios correligionarios, se ve en la necesidad de regresar a su hogar. El dolor de ver partir a sus hijos hacia una guerra, de la que ya no volverán, le hace prorrumpir en estériles amenazas que recuerdan las de don Rodrigo, «el abuelo», de Galdós, salvadas las naturales distancias de ambiente y formación. Un fugaz momento de alegría le invade al ver renacer en su nieto Machito «la raza de leones que ha engendrado». El diálogo realista y crudo con exceso cae más de una vez en censurable vulgaridad.

En *La moral de Misia Paca* (1912, en su versión definitiva), plantea una tesis que pudo ser fecunda, a la que, sin embargo, no supo Herrera sacarle jugo. Es el drama de las malcasadas en la burguesía criolla. Alicia, hija de Misia Paca, contrae matrimonio de conveniencia con Legrand, viejo y enfermo, previa ruptura de relaciones con su antiguo novio. Aparentemente ha cedido a la imposición materna; pero en realidad no hace sino seguir su propio impulso. Carmen, sobrina de Misia Paca, por su parte, también casa por despecho con un hombre a quien no quiere, al ver a su prometido Alfredo enredado en fáciles amoríos. Consecuencia: infelicidad matrimonial de las dos parejas, salvadas por la hábil y autoritaria intervención de Misia Paca, que impide la fuga de Alicia. El desconocimiento del ambiente de la clase social en que se mueve la acción es motivo de evidentes fallos: falsa la psicología, falso el lenguaje y falsos en gran parte los personajes, que casi siempre nos parecen entes de ficción antes que seres tomados de la vida real.

Para algunos, no para nosotros, la mejor pieza

de Herrera es *El pan nuestro* (1913?), sobre el desmoronamiento de una familia de la clase media madrileña. Con tipos que recuerdan *La losa de los sueños,* de Benavente, y con un argumento muy similar al de *En familia,* de Sánchez, Herrera logró una obra muy entonada. Sencillez de recursos, naturalidad en el diálogo y hondos valores humanos, especialmente en la figura de Concha, la protagonista, son sus notas más destacadas.

De Roberto J. Payró, más novelista que dramaturgo, aunque ocupa un lugar muy destacado en el teatro argentino con obras como *Marcos Severí* y *Canción trágica,* trataremos en otro lugar; precisamente en el estudio de la novela rioplatense.

IV. OTRAS MANIFESTACIONES DEL TEATRO RIOPLATENSE

Debemos incluir en este apartado un nutridísimo repertorio de obras, que van de la comedia psicológica y el drama de tesis hasta el juguete intrascendente, cuya única finalidad es la distracción momentánea, rozando para ello unas veces el sainete y cayendo otras en la zona del franco *vaudeville.* En otro aspecto, se desenvuelven en un ambiente más o menos alejado de la realidad: desde el drama social, con su descarnado trasunto de la vida y tan metido todo él en la vorágine de la lucha de clases, hasta ese género de evasión que por llamarlo de alguna manera solemos calificarlo con el pretencioso título de «teatro poético». El cuadro es ni más ni menos que reflejo de los teatros de España, Francia e Italia, en los que piezas de Echegaray y Marquina alternaban con las de Dicenta; piezas de D'Annunzzio con las de Rovetta; dramas como el *Cyrano de Bergerac* con *Felipe Derblay* o con el teatro de Bataille y Curel, por ejemplo.

Comedia de enredo y «alta comedia»

La comedia de análisis, especialmente femenino, tiene por estas fechas su mejor exponente en la obra de César Iglesias Paz (?-1922). Su tipología femenina, con raras excepciones, es un ejemplo de altas virtudes. Cada pieza sirve al autor para exaltar una virtud o combatir un vicio: la frivolidad en *La dama de coeur;* la vanidad en *La enemiga;* el sacrificio en *Más que la ciencia;* la firmeza de carácter en *La mujer fuerte.* Si a estos títulos sumamos *El complot del silencio* (1917), *El velo nupcial* (1919), *Una deuda de dolor* y *La conquista,* habremos recordado lo mejor de su repertorio. Añadamos que *La conquista* (1912), al igual que *Rosas de otoño,* de Benavente, plantea el problema de la esposa que, una vez casada, cree tener seguro al marido; pero que luego, ante su paulatino alejamiento, ha de reemprender su conquista, mediante un derroche de habilidades y de afecto. La absurda educación que reciben ciertas jóvenes de la clase media es censurada en *El complot del silencio;* y *La dama de coeur* refleja las funestas consecuencias a que puede llevar la pasión del juego. No hace falta advertir que las obras de Iglesias Paz pertenecen al teatro de tesis. Su mérito mayor es el haber depurado la escena rioplatense de las estridencias y exageraciones del naturalismo, eliminando casos clínicos y ambientes sórdidos, y sustituyendo la ley de los instintos primarios por pasiones humanas, siempre subordinadas a la libertad. A él se debe en gran parte el salto de los personajes desde la taberna barriobajera al salón, y el desarrollo de la trama entre interlocutores que se lavan, se bañan y se peinan. El diálogo se ennoblece y adquiere un tono de dignidad en estas comedias, presididas por las buenas maneras; la intriga se desarrolla lógicamente, y los desenlaces, resueltos hasta entonces por el suicidio, el duelo de facón o el asesinato, encuentran siempre su solución natural e incruenta. Casi nunca falta el personaje, modelo de mesura y de virtud, que contribuye a mantener el equilibrio estético de la obra. Iglesias Paz sienta como definitivos algunos principios apuntados ya por Laferrère y por Payró.

No sabríamos bien dónde encuadrar la obra teatral de Enrique García Velloso (1880-1938). Si de una parte parece encajar en la comedia ligera, de otra debiera incluirse en el «teatro poético» y hasta en el género vaudevillesco. Inicia García Velloso su labor a los dieciséis años, con una zarzuela; cultiva luego el teatro gauchesco con *Jesús Nazareno;* acrece por último su repertorio con multitud de títulos: *Fruta picada, El perfecto amor, El chiripá rojo, La cadena, El secreto de Polichinela, Una bala perdida, Fuego fatuo, Las termas de Colo-Colo, Mamá Culepina, La victoria de Samotracia, Marta Zibelina, Los amores de la virreina, El tango en París.* Algunas, los títulos lo delatan, son simples vaudevilles; otras entran de lleno en la comedia psicológica; unas pocas encajan en el «teatro poético». Citemos entre las más notables *Fuego fatuo,* de cierta hondura psicológica, con el contraste bien logrado entre un grupo de fracasados y un tipo emprendedor; *Marta Zibelina,* amena comedia de tono sentimental, en la que un joven de buena familia se enamora de cierta cortesana, ganado por su finura y discreción, y termina huyendo con ella; *El zapato de cristal,* de trama bien llevada, y que anda continuamente fluctuando entre lo cómico y lo dramático. Un padre se sacrifica para salvar el honor de su hija casada, declarándose autor de un robo que no ha cometido. *El tango en París,* bajo su aparente frivolidad, encierra una hermosa lección.

Un grupo de jóvenes argentinos va a París, dispuesto a conquistar la gran ciudad sin otras armas que su maestría en el baile del tango. Disolutos e inútiles, se ven obligados a regresar a su país con el dinero que les suministra un buen amigo. De otro tipo es *Mamá Culepina*, obra de acción muy movida, en cuyo desarrollo abundan las escenas emotivas, sin que en momento alguno decaiga el interés. Refleja con exactitud la vida de un campamento de soldados en lucha contra los indios. Al teatro poético corresponden *La victoria de Samotracia* y *Los amores de la virreina*. En la primera, el autor ha querido encerrar un simbolismo, que si en su punto inicial aparece claro, luego en el desarrollo se complica con exceso: la estatua famosa representaría el triunfo en el arte de un joven abúlico y desordenado, un «sin cabeza», que ha vinculado a una reproducción de aquélla su destino. Al romperse por un descuido, cree el protagonista que también su porvenir ha sido roto. En *Los amores de la virreina* se nos ofrece un sugestivo y animado cuadro de la historia política argentina en los últimos años del siglo XVIII, todo ello amenizado con una trama amorosa. Aparte de la fidelidad de los personajes —históricos en su mayoría y coincidentes con su vida real—, se hace notar la destreza del autor en el movimiento de los mismos, destreza más encomiable si se tiene en cuenta que el número de ellos pasa de veinticinco.

Una de las figuras más notables de la dramaturgia en este período es la del uruguayo VICENTE MARTÍNEZ CUITIÑO (1887). Su afán innovador, así como su prurito de espigar en todos los campos, le lleva a un continuo cambio de dirección, y ello hace casi imposible el encuadre de su teatro dentro de una línea o temática definidas. Sus primeras obras—*El único gesto* (1908), *Mate dulce* (1911), *El malón blanco* (1912) y *La fuerza ciega* (1917)— le definen como un dramaturgo de la escuela realista; con *La humilde quimera*, *La fiesta del hombre* y *Cuervos rubios* salta al terreno costumbrista, con predominio de lo sentimental en la primera y tendencia al ambiente aristocrático en las otras dos. Rinde culto al teatro poemático de orientación social en *Café con leche*, *La rosa de hierro* y *Proa*; y en *Horizonte*, ya mucho más tardía (1934), se incorpora a las últimas corrientes de la dramaturgia europea, en un curioso caso de metempsicosis: una joven vidente campesina, que en sucesivos trances alucinatorios presagia el desarrollo de la acción, anticipando con ello al público el curso del drama, sin que éste pierda por ello su inicial interés. Otra pieza encajada en la época es *El espectador, o la cuarta realidad* (1928), «conferencia humorística en forma teatral», en la que, dentro de una técnica pirandelliana, se incorporan al teatro, para mayor éxito, múltiples factores: autor, director escenógrafo y hasta público. En el fondo es una sátira del teatro argentino de la época, teatro orientado antes a la taquilla que a la fruición estética del espectador. No faltó, no podía faltar, en un teatro tan copioso como el de Martínez Cuitiño la presencia de Freud, con sus teorías psicoanalíticas, bien perceptibles en obras como *El lago escondido*. Sólo porque se vea su fecundidad y variación registremos otros varios títulos: *El ideal*, *El derrumbe*, *Los tiranos*, *El caudillo*, *El Bambolla*, *Rayito de sol*, *Las madres*, *No matarás*, *El segundo amor*, *Nuevo Mundo*, *La emigrada*, *La mala siembra*, *Noche del alma*, *Los Colombini*, etc. Destaquemos de tan larga enumeración *La mala siembra* y *La humilde quimera*. Aquélla, muy hábilmente construída, se nos quiere ofrecer como una tragedia moderna, en la que la fatalidad jugará un papel preponderante. La verdad es que aquí no hay otra imposición fatal que la de los instintos y pasiones que impulsan a los personajes: una joven seducida casa con el hijo del seductor; y cuando el marido, enterado de la ofensa por su propia esposa, busca la reparación matando a su padre, ella se interpone. Víctima de una crisis moral, el marido se suicida. *La humilde quimera* es un feliz ensayo de psicología femenina: una empleada de Banco, Consuelo, roba para salvar a su prometido, en quien tiene puesta toda la ilusión; descubierto el delito, aunque rehabilitada en su honor por haberse demostrado que fué víctima de un engaño, ve desvanecerse su «humilde quimera». Tanto en éstas como en casi todas las comedias de Martínez Cuitiño debe resaltarse la viveza del diálogo, la habilidad constructiva y cierta penetración en el alma de los personajes, de ordinario lógicos y equilibrados.

En inferior escala deben anotarse los nombres de JOSÉ GONZÁLEZ CASTILLO (1885-1937), político y declamatorio, en obras como *La mala reputación*, *Del fango*, *La zarza ardiente*, *Los invertidos*, *La santa madre* y *La mujer de Ulises*, alegato en favor del divorcio, con rasgos que le acercan a Linares Rivas; EMILIO BERISSO (1878-1922), con el mismo lastre retórico que el anterior, como puede verse en la más celebrada de sus obras, *Con las alas rotas*, melodrama vacío, al que no bastan para darle calidad los recursos pirandellianos de que el autor hace alarde; CLAUDIO MARTÍNEZ PAIVA (1890), que al lado de su labor periodística y narrativa—*Cuentos de pulpería*—desarrolló fecunda actividad escénica: *La isla de Don Quijote*, *Caucho negro*, *La ley oculta*, *Toda una vida*, *Santos y bandidos*, *El cacique blanco*, *Los penitentes*, *El gaucho Casco*, *La lanza rota*, etc.

El sainete

Se trata casi siempre de obrillas que, sin salirse de las líneas ya consagradas en este género y dentro de su costumbrismo típico, han sido escritas con el propósito deliberado de excitar la hilaridad del auditorio, bien mediante la presentación de personajes caricaturescos, bien sembrando a voleo chistes de gusto más o menos dudoso. No faltan piezas de honda emotividad y cuadros que revelan aguda observación. De entre sus numerosos cultivadores pueden extraerse media docena de nombres: Carlos M. Pacheco, A. Novión, A. Discépolo, Alberto B. Vacarezza, Rafael J. de Rosa y Demetrio Castagnola. Sólo los tres primeros se hacen acreedores a mención especial.

ALBERTO NOVIÓN (1881-1937), natural de Bayona, después de alcanzar un resonante triunfo con *Doña Rosario* (1905), delicioso cuadro rural salpicado de chistes de buena ley, se consagra a un teatro populachero, sólo aceptable por su pintoresquismo y su ironía de observación. De su repertorio preferimos por la traza dispositiva y el contenido social una obra de ambiente gauchesco: *La tapera*. La lucha del gaucho con la civilización invasora, que va deformando su carácter e imposibilitando su tradicional forma de vida, sugiere a Novión un drama de amplio trazado, en el que los detalles accesorios, lejos de entorpecer la acción, contribuyen eficazmente a la unidad del conjunto.

Dentro del sainete costumbrista, con tendencia a lo dramático y notas de amargo pesimismo, según el precedente de Florencio Sánchez, encontramos al uruguayo CARLOS M. PACHECO (Montevideo, 1881-1924). Periodista en *El País* y *La Razón*, escribió más de setenta obras, entre las que destacan *Los disfrazados, El diablo en el conventillo, De hombre a hombre, Los equilibristas, Tangos, tongos y tungos, Ropa vieja, Rapaciño, La primera cana*, etc. La última, bien construída, aunque de diálogo excesivamente alambicado, recuerda en ciertos detalles *La dama de las camelias*, de Dumas hijo. El proceso de un joven libertino que, al descubrir su primera cana, cambia de carácter y de vida, abandonando a su amante y reintegrándose a la paz hogareña, está perfectamente estudiado. La conducta del protagonista contrasta con la de dos amigos que, aun reconociendo la inutilidad de sus vidas, son incapaces de regenerarse.

El nombre de ARMANDO DISCÉPOLO (n. 1887) está vinculado a un subtipo del sainete, el que en otro lugar designábamos con el título de «tragedia grotesca». Como el español Arniches, ha sido el que con más fortuna la ha cultivado; ello obliga a establecer inevitables conexiones entre Discépolo y el gran sainetero español. Mencionemos únicamente, como piezas originales, *Mateo* y *Mustafá*, interesantes ambas por su colorismo y agudeza. En colaboración con Rafael J. de Rosa compuso *El conservatorio La Armonía* y *El chueco Pintos*. La primera es una sátira de los profesionales de la música, con tipos tan bien vistos como el napolitano San Francesco o el francés Lafont, defensor del «arte puro» el uno, y perfumista de profesión el otro, aunque los dos igualmente ineptos para

el arte que pretenden enseñar; la segunda es la parodia de un «caudillo» pueblerino, aspirante a jefe de la Policía, y que al fracasar en sus pretensiones trama una sedición contra el Gobierno, para acabar con sus huesos en la cárcel. Otro lisonjero éxito de la colaboración entre Discépolo y de Rosa fué *El movimiento continuo* [8].

Teatro poético

Suscribimos bajo este epígrafe, a sabiendas de lo ambigua que es su denominación, tanto las obras en verso, de ordinario sobre temas históricos o legendarios, como las escritas en prosa, siempre que en ellas el elemento lírico supere de alguna forma al dramático. Esto naturalmente no significa que identifiquemos los términos «poético» y «poesía», ya que en muchas de esas obras, aun las compuestas en verso, la poesía brilla por su ausencia. Ni más ni menos que ocurría por las mismas fechas en la escena española. Al igual que en el apartado anterior, sólo aludiremos a media docena de autores.

En DAVID PEÑA (1865-1928) encontramos uno de los más fecundos cultivadores del drama histórico. Abogado insigne, periodista y político notable, sacrificó su porvenir al teatro. Señala el paso del neorromanticismo de Echegaray, cuya influencia es bien perceptible en sus primeras obras, al modernismo de Marquina o de Villaespesa, de los que aprende el tono lírico y declamatorio, no siempre conveniente al teatro. Su temática es variada: comedia política, con discursos tribunicios y desfiles populares: *Próspera* (1903); drama romántico en verso: *Don Félix de Montemar*; de tesis religiosa: *La madre del cardenal* (1923); biografías escenificadas: *Shakespeare* y *Oscar Wilde*; comedia irónica: *¡Cómo está la sociedad!*, cuya redacción se remonta a 1883, cuando el autor contaba dieciocho años. El núcleo más importante de sus comedias es el consagrado a la historia argentina de la primera mitad del siglo XIX, en especial a la época de Rosas. La galería se inicia en 1906, con el estreno de *Facundo*, rehabilitación de este famoso caudillo riojano; y se ve continuada con *Dorrego* y *Alvear*. Se sabe que hacia 1921 proyectaba un drama sobre el dictador argentino, en colaboración con Benavente, drama que no llegó a escribirse; también se tiene noticia de otro drama que vendría a completar el «ciclo de Rosas» con el título de su vencedor, *Urquiza*. Hizo asimismo Peña una buena escenificación de la novela de Reyles *El embrujo de Sevilla*. Acaso su obra más representativa, sin ser la de mayor mérito, sea *Liniers*, síntesis de aquel período histórico que culminó en la «Revolución de Mayo». Dividida en cuatro actos, cada uno lleva un subtítulo, a la manera romántica: *Por el rey, Prisioneros, Por la Patria* y *Cruz Alta*. Se trata, más que de un drama auténtico, de una crónica rimada, escenificada. David Peña respeta los hechos, pero ello no basta para engendrar una obra dramática. *Liniers*, que ofrece cierta aparente unidad externa, carece en el fondo de esa íntima trabazón sin la que toda obra dramática se convierte en una simple sucesión de estampas. El proceso psicológico de los personajes no se ve claro; los caracteres se presentan desvaídos; y aun el más logrado, el de Mariano Moreno, en medio de su incontenible verborrea, no sigue una línea definida. Con frecuencia vemos en él un iluminado, con eclipses de su sana razón. Un mérito no se puede regatear a Peña: el intento de ilustrar al auditorio y de dignificar la escena mediante el recuerdo de acciones nobles y valiéndose de un lenguaje depurado. La acción de la obra abarca desde que el virrey Liniers intenta sofocar la rebelión que ha estallado en Buenos Aires, y cae en poder de los sublevados, hasta su ejecución.

Político y orador insigne, BELISARIO ROLDÁN (1873-1922) se empeñó en llevar al teatro el verbo grandilocuente del foro. Fracasado en la política, salta con ardor a las tablas, y en 1915 estrena *Los contagios*, drama de crítica social, al que siguen *El señor diputado*, *Míster Frank* y *Mauricio Norton*. En los cuatro alterna lo satírico con lo dramático. Pronto, sólo un año después (1916), toma nuevos rumbos. Ahora le atrae el drama sentimental: *El rosal de las ruinas*, *El señor corregidor*, *El puñal de los troveros*. La palabrería envuelta en verso tan fácil como brillante es la nota que mejor le define. Roldán es ante todo, ya queda dicho, un orador, y oratorio tiene que ser su teatro: el discurso anulando la acción. No obstante, ocupa un lugar destacado en la escena argentina, a la que dió veintinueve obras en siete años de esforzada labor. El drama romántico en verso encontró en él un entusiasta continuador. Roldán suele aplicar a su teatro un procedimiento manido, pero de infalibles efectos: el método de contrastes. De un lado, los buenos, los conscientes del deber; del otro, los malos, los amorales. En *Los contagios*, tal vez su mejor pieza, la aplicación de este método se descubre a primera vista. Se trata de una sátira violenta contra el materialismo, representado por la ostentación y el afán de lucro inmoderado:

Magallanes, acaudalado especulador, se ve arruinado a causa de unas operaciones desafortunadas. Aconsejado por un amigo decide vender sus bienes y renunciar a la vida ostentosa que lleva; presionado por su mujer y por su hijo, desiste de su resolución y acude al doctor Cagliari. Don Javier, padre de Magallanes, y Maruja, hija del matrimonio, se oponen a todo contubernio. Un adorador de la esposa, el millonario Monterreal, facilita la cantidad necesaria a cambio de la consecución de su amor. Cuando Magallanes está decidido a afrontar la situación con dignidad, descubre el adulterio de su esposa, e incapaz de soportar la vergüenza se suicida.

El drama ofrece semejanza con el de Giacosa *Come le foglie*.

La temprana muerte impidió a JOSÉ DE MATURANA (1884-1917) escalar un alto puesto en la literatura de su país, convirtiéndose desde luego en su más puro poeta rural. Escritor de varias facetas, cultiva el ensayo y la crítica en obras como *El balcón de la vida*. En su teatro, aparte de *¡Qué calor!*, uno de los frutos más granados de la sainetería criolla, cabe señalar dos direcciones: la poemática, de filiación modernista, representada por *Canción de primavera*, *Canción de invierno*, *El campo alegre*, *La flor silvestre*, *La flor de trigo* y *La vuelta de Sócrates*; y la social, en que el moralista, empeñado en convertir la escena en púlpito o tribuna, asoma continuamente la oreja. En este segundo aspecto, la obra que más nos interesa es *A mediodía*, animada de altas preocupaciones y de los más nobles sentimientos, si bien adolece de excesiva rimbombancia. Esto se traduce en un resultado inmediato: *A mediodía*, con un tema similar al de *La ley de los hijos*, de Benavente—el joven que se erige en defensor de su madre adúltera, movido por el arrepentimiento de ella—, es un drama más estimable por el propósito que por sus logros.

La vasta, meritoria y desigual obra del franco-argentino PAUL GROUSSAC (1848-1929) tendrá su obligada referencia en otros capítulos. Pero como este excelente crítico y narrador hizo también sus excursiones por el teatro, no queremos pasar aquí por alto su nombre. La turbulenta época de Rosas le inspira el drama *La divisa punzó* (1923), una de las más logradas interpretaciones psicológicas del dictador. Con sostenido interés y eficacia dramática, Groussac se las arregla para interpolar en la historia de la sedición y fusilamiento del joven coronel Maza un episodio sentimental, encarnado en Manuelita, la hija de Rosas. En *El escollo* y *Las dos patrias* aborda el drama de tesis; y en esta última, de rasgos similares al *Marcos Severí*, de Payró, defiende el «ius soli» sobre el «ius sanguinis». Por cierto que Groussac estaba muy interesado en el fondo del problema. Recuérdese que era francés de nacimiento.

El teatro filosófico, de apuradas exigencias estilísticas y noble elevación de ideas, encontró un buen intérprete en JOSÉ LEÓN PAGANO (1875). *Los astros*, *Nirvana*, *El halcón*, *Almas que luchan*, *Cartas de amor*, *El sobrino de Malbrán*, *La ofrenda*, *El rescate*, *Lassalle*, sobre el socialista alemán de este nombre, son títulos que definen las tendencias de su autor. Este se caracteriza por la densidad de ideas y la pureza, dignidad, diríamos mejor, del lenguaje, que en ocasiones resulta con exceso académico. Sírvanos de ejemplo *Los astros*. Pagano ha querido meter aquí demasiadas cosas: la fuerza moral del genio, superador de todas las dificultades; el conflicto entre la razón y la fe; la exaltación del amor paterno, etc. Todo ello aderezado con dos o tres problemas de amor. Naturalmente, tantas cosas no caben en un drama. La multiplidad de intenciones entorpecen la marcha rectilínea de la acción principal. Por otra parte, el diálogo—ya lo señaló en su día Echagüe—es algo platónico; y aunque esto no vaya en menoscabo de la obra como producto estético, forzosamente reduce su interés y ritmo dramático. Los personajes, casi sin excepción, abusan del discurseo. Hay más intelectualismo que emoción, más palabrería que auténticas pasiones; obra, en fin, excesivamente cerebral. Vaya, a título de prueba, una breve noticia:

El sabio geólogo y paleontólogo Jorge Savelli se ve obligado a dirigir una librería para subvenir a sus necesidades en tanto prosigue sus investigaciones sobre el hombre cuaternario. Savelli se une libremente a Magdalena, y de esta unión nace Isabelita. Sus estudios le llevan, además, a enemistarse con un hermano sacerdote. Un día su amante le abandona, llevándose a la hija, para evitar que se eduque en un ambiente contrario a la religión. Este contratiempo abate momentáneamente a Savelli, el cual pronto reacciona y, firme en su propósito, lo sacrifica todo a la continuación de sus estudios e investigaciones. Pasan veinte años; traba amistad con una joven riquísima, Maruja, que luego resulta ser su propia hija Isabelita. La madre había contraído matrimonio con un caballero acaudalado que, después de prohijar a Isabelita, le había legado su fortuna. La obra termina con el anuncio del éxito de Savelli como investigador.

Igualmente cerebral, aunque de mayor contenido dramático y menos folletinesca, es Nirvana. Algunas escenas, como la final, en que Luciana da cuenta a Carlos del proceso seguido hasta recuperar su amor, acreditan un fuerte temperamento dramático.

La obra del catamarqueño JULIO SÁNCHEZ GARDEL (1879-1937) se reparte entre el sainete sentimental y el drama de hondo arraigo telúrico. Al primer grupo corresponden cuadros bellísimos, como Después de misa, Los mirasoles y Noche de luna; pero lo más granado de la producción de Sánchez Gardel ha de buscarse entre las piezas del segundo: El Zonda, La montaña de las brujas, Las campañas, La llegada del batallón y El príncipe heredero. Ya en 1904, con el estreno de su primera obra, Almas grandes, había revelado excepcionales dotes de observador; y tras el lisonjero éxito obtenido con el cuadrito lugareño Después de misa, se adelanta al primer plano de la actualidad con Los mirasoles (1911), sainete de corte quinteriano, lleno de gracia, armonía y color, cuyo escenario recuerda El patio, de los dos hermanos andaluces. Por Los mirasoles desfilan unos cuantos tipos arrancados de la realidad e incorporados a un episodio sentimental: el amor que un joven forastero despierta en una linda mocita, amor tejido de esperanzas, ilusiones, inquietudes y dudas, todo ello hábilmente dosificado.

Con La montaña de las brujas (1913) y El Zonda (1915), sus obras de mayor empeño, Sánchez Gardel incorpora a su teatro dos dramas intensos, agrios, cuyos duros perfiles apenas se suavizan un poco gracias al simbolismo que trasciende de una y otra pieza [9].

Paraguay y Chile

Escasa la dramaturgia de Paraguay y Chile en este período, la inscribimos bajo el mismo epígrafe general de la rioplatense.

En Paraguay, el teatro, de tan hondo arraigo durante el período colonial, cae a partir del Romanticismo en absoluta decadencia. Las raquíticas muestras que ofrece son obra de escritores destacables en otros géneros. En realidad no puede hablarse aquí de dramaturgos profesionales. ELOY FARIÑA NÚÑEZ (1885-1929), poeta y prosista insigne, es una de las más firmes glorias de las letras paraguayas en general. Como lírico está vinculado al modernismo, a pesar de su formación clásica, iniciada en el Seminario de Paraná, que parece debiera inclinarle al neoclasicismo, y que le ha granjeado el sobrenombre de Guaraní de alma helénica. Como dramaturgo cultiva géneros dispares: la tragedia, en Cocoteros y Entre naranjos; el drama, en El soñador y El santo; la comedia, en La ciudad silenciosa. Fariña tuvo un buen continuador en Facundo Recalde.

No es mucho más lo que da de sí el teatro chileno por las mismas fechas. Reducido exclusivamente a un pequeño foco en Santiago, puede decirse que se nutre casi todo de dramas argentinos. También aquí hay que acudir a nombres prestigiosos en otros géneros, si no queremos pasarlo por alto: EDUARDO BARRIOS (n. 1884), el excelente novelista ya aludido en otro lugar, tentó sus fuerzas en el teatro y nos dejó dos buenas dramas realistas, Facetas y La jornada; VÍCTOR DOMINGO SILVA (n. 1882), otro buen novelista de aquel país, lleva a sus dramas y comedias—El derrotero, Los cuervos, Nuestras víctimas, Como la ráfaga, El pago de una deuda—los mismos afanes redentores que habían informado su producción narrativa; MANUEL MAGALLANES MOURE (1878-1924), más conocido como poeta, crítico y pintor, ensayó el teatro poemático de tono sentimental en La batalla; AURELIO DÍAZ MEZA, autor de dramas—Bajo la selva, Ricacahuín, En la Araucania—; comedias—Con su destino—, y alguna que otra opereta—Damas de moda—. La lista podría alargarse sin dificultad, con los nombres de Alejandro Flores, Rafael Frontaura, Gustavo Campaña, Gandarillas, Carlos Cariola. Pero ello no haría variar en un grado el barómetro cualificativo del teatro chileno. Por estas fechas se manifiesta y llega a adquirir cierto desarrollo otro género teatral de tipo folklórico, denominado «teatro de huasos», al que aludiremos en el capítulo siguiente.

V. EL TEATRO POSTROMANTICO EN OTROS PAISES

A larga distancia del teatro rioplatense se desenvuelve el de las otras naciones de Hispanoamérica. Puede afirmarse que, con excepción de los mejicanos Peón y Contreras y Gamboa, durante el período a que se contrae el presente capítulo no se ha revelado en ninguna de ellas un solo dramaturgo de auténtica valía. Más aún: en algunos países de Centroamérica, que marchan en la vanguardia de la novela y de la lírica, no ha destacado un solo autor dramático bueno, mediano ni malo. Repásese lo que advertimos antes sobre la necesidad de espesos núcleos urbanos para que un teatro florezca, y tendremos explicada en parte la causa.

Bolivia

Empezamos por Bolivia, aunque sólo sea por razones geográficas. Bolivia, que tuvo un grupo de dramaturgos aceptables en la etapa romántica, apenas puede exhibir en lo que va de siglo dos o tres comediógrafos dignos de recuerdo, junto a una turbamulta de autores adocenados. Crítico tan poco sospechoso como Díez de Medina ha podido decir que en su país no hay «un solo dramaturgo de producción rica y variada, un dramaturgo que domine la técnica del género» [10].

Constructores de dramas, de comedias o de sainetes, muchos; auténticos dramaturgos, ninguno.

Acaso la figura más representativa de las letras bolivianas en este período sea la del polígrafo ANTONIO DÍAZ VILLAMIL, novelista, historiador, crítico, ensayista y dramaturgo, todo en una pieza. Su mejor producción, sin embargo, es la de carácter didáctico, y está resumida en los cuatro tomos de La Paz en su cuarto centenario. Como narrador se le estudió ya por su novela La niña de sus ojos; como dramaturgo interesa dentro del género costumbrista, La rosita; dentro del drama propiamente dicho, La voz de Quena, La hoguera, El nieto de Tupac-Katari; y dentro del género cómico, El vals del recuerdo, Cuando vuelva mi hijo y El traje del señor diputado. Ninguna de estas piezas merece nuestro comentario. Tampoco lo merece en cuanto dramaturgo el gran poeta modernista RICARDO JAIMES FREYRE (1868-1933), largamente aludido en otro lugar. Sólo nos compete presentarle aquí como autor de dos piezas dramáticas, La hija de Jephté y Los conquistadores, publicadas a larga distancia una de otra, 1889 y 1928. No sabemos si llegaron a representarse.

Durante buena parte de este período, la producción teatral de Bolivia se reduce a monólogos y piezas breves de circunstancias. Con el realismo se manifiestan intentos de liberación cultural respecto a Europa: una ruptura de amarras para volver al cultivo de lo indígena y vernacular. El criollismo culmina en el período 1880-1910. Pero todavía Galdós, Pereda y Fernán Caballero son los más imitados en la novela, acaso por su decidido carácter costumbrista; y todavía en el teatro, el drama neorromántico, ya en su modalidad histórico-caballeresca, ya en el planteamiento de tesis, tiene mucha aceptación. Vale esto tanto como decir que Echegaray pesa en los dramaturgos bolivianos, al lado de otros autores europeos y sin excluir, desde luego, la temática criolla.

Si buscamos unos cuantos nombres con que rellenar el vacío escénico durante esta etapa que llamaríamos de transición, toparemos con los de JULIO LUCAS JAIMES, que cultivó el drama en Morir por la patria, y la comedia satírica en Un hombre de apuros; JOSÉ DAVID BERRIOS, que se orientó hacia el género histórico en Huáscar y Atahualpa, Calama y Alonso de Ibáñez, tres piezas en las que lo desvaído de los caracteres corre parejas con la pobreza de la versificación; JOSÉ POL, autor de otro Atahualpa, mejor construído que el de Berrios, aunque con demasiadas reminiscencias de Víctor Hugo y de Echegaray; HERMÓGENES JOFRE, que a lo largo de los cuatro actos de Los mártires, sobre un episodio histórico localizado en Haití, logró sostener la tensión dramática, sin que el interés decaiga un solo momento; JOSÉ MARIANO DURÁN CANELAS, que en La batalla del Pari y en La cabeza de Warnes dramatiza motivos de la independencia en el oriente; y RICARDO MUJÍA, poeta de vena fluente en el drama lírico Bolívar en Junín. Sobre todos ellos resalta MARIO FLORES, el más fecundo de los dramaturgos bolivianos, si bien obtuvo en Argentina sus mejores triunfos. Dotado de indiscutible talento escénico y de gran capacidad asimiladora, se aplica a las más diversas formas. Empieza por el género cómico, de sal gruesa, rayana en lo bufonesco, para derivar sucesivamente hacia la comedia costumbrista, la alta comedia y el drama de tesis. Fray Milonga y El padre Liborio representan la primera etapa; la segunda está respaldada por numerosas piezas de muy distinto valor: Cruz Diablo, Santa Ludovica, La agonía de don Juan, en verso; ¡A París, muchachos!, Una noche en Viena, Boite Russe, La fuente de oro y, la mejor de todas, Veneno para ratones. Díaz de Molina ve en ella «la obra más perfecta surgida en el teatro boliviano» [11].

Ecuador y Perú

En La literatura de Ecuador, obra meritísima de Isaac J. Barrera, no encontramos una sola referencia al teatro de este país. Aludidas en otro capítulo las menguadas y esporádicas experiencias del período romántico, todas ellas calcadas en el teatro europeo, nada nos queda que añadir ahora. Los nombres de Víctor M. Rendón, Nicolás Augusto González y Alfredo Baquerizo Moreno, si algo representan en otros géneros, especialmente el de Baquerizo, en el teatro apenas significan nada. Modernamente, escritores como Raúl Andrade, Julio Escudero y Jorge Icaza, ya acreditados en otras zonas de las letras, han hecho alguna incursión por los campos del teatro, sin aportar nada nuevo.

No es mucho más sugestivo el panorama de la dramaturgia peruana. Durante varias décadas de la segunda mitad del siglo XIX no da señales de vida. Con el movimiento *colónida* se inicia un esperanzador resurgimiento, que no acaba de cuajar. Citemos, sin embargo, a LEÓNIDAS YEROVI (1881-1917), cultivador por igual de la comedia costumbrista—*La gente loca*—, de la zarzuela y del drama; a JULIO BAUDOIN, seudónimo de *Julio de la Paz*, autor de un drama musical nativista, *El cóndor que pasa*, y en colaboración con José Carlos Mariátegui, de la leyenda escenificada *Las tapadas*; a ANGELA RAMOS, que nos ofrece una estimable muestra del género costumbrista en su comedia *Por un marido*; y en lugar más destacado, a LADISLAO F. MEZA, espíritu bohemio y rebelde impenitente, cuya temprana muerte segó antes de llegar a sazón uno de los valores dramáticos más firmes de Hispanoamérica. Obras como *La ciudad misteriosa* y *El tablado de los miserables* así lo acreditan. Ni José Chioino, ni Ismael Silva Vidal, ni Felipe Rotalde o Leónidas Rivera tienen por sus producciones la menor importancia dentro del teatro americano [12].

Colombia, Venezuela y Cuba

Tras un relativo esplendor durante el Romanticismo, el teatro colombiano cae verticalmente en el último tercio del siglo pasado, para surgir de nuevo en la primera década del actual. La fundación de la Sociedad de Autores en 1911, la creación de la Compañía Dramática Nacional y el llamado Grupo escénico de Medellín contribuyen de modo notable a ese resurgimiento. Una vez más nos vemos en la disyuntiva de exhibir una lista interminable de escritores colombianos dedicados al teatro, o de limitar nuestra referencia a unos pocos, los más representativos. Naturalmente, optamos por lo segundo, no sin advertir que la mayor parte de los escritores a que aludimos a continuación se significaron más como poetas líricos, críticos o novelistas que como dramaturgos. Sus nombres inevitablemente nos han salido ya al paso, o nos saldrán, en otros capítulos. FEDERICO RIVAS FRADE (1858-1922) fué poeta, periodista, diplomático y hombre de negocios. Su paso por diversas profesiones y zonas sociales le dió amplio conocimiento del mundo y de la psicología humana, conocimiento que supo llevar a sus sainetes: *El solterón* y *Temperamento*, y a sus dramas: *Más allá, Los vencidos, Entre la tierra y el cielo*. En colaboración con Edmundo Cervantes compuso la zarzuela *Las pelucas*.

También como el anterior, MAXIMILIANO GRILLO (n. en Manizales, 1886) fué diplomático y escritor de múltiples facetas; como dramaturgo merecen recordarse *Vida nueva* y, sobre todo, *Raza vencida* (1909), sobre el fin de los chibchas, que constituyó uno de los mayores éxitos del teatro colombiano. El lírico de hondo acento becqueriano que fué ADOLFO LEÓN GÓMEZ (1857-1927) no se resignó a pasar por un poeta estimable y un buen narrador de cuentos—*El carrousel, El viaje de los príncipes*—; quiso explorar también las zonas del teatro. Y en este género compuso, aparte del libro titulado *Juguetes escénicos*, los dramas *El soldado, Corazón de mujer* y *Sin nombre*. En todos ellos alienta el mismo espíritu de sublimación cristiana que había informado su poesía. De JOSÉ MARÍA RIVAS GROOT (1864-1923), bogotano, más conocido como novelista y como crítico, debe recordarse un buen drama, *Lo irremediable*, hecho en colaboración con Lorenzo Marroquín. A CARLOS ARTURO TORRES (1867-1911), poeta minoritario, de hondo sentido filosófico, se le recuerda por su drama *Lope de Aguirre*, muy influído de Echegaray. ALFREDO GÓMEZ JAIME (n. 1878), de Tunja, que ocupa asimismo un puesto muy destacado en la lírica colombiana del modernismo, ensayó el teatro en los dramas *El explorador del infinito* y *Estirpe*. El bogotano DANIEL SAMPER ORTEGA (n. 1895), novelista e historiador, ha contribuído eficazmente al resurgir del teatro colombiano con piezas tan interesantes como *El culto de los recuerdos* y *El escollo*. De esta última dijo Benavente que era la «obra de un excelente autor dramático». En un estudio más detallado que el nuestro deberían figurar al lado de los anteriores Pedro Gómez Corena, Ricardo Acevedo Villarino, Emilio Antonio Escobar, Arturo Acevedo, Germán Reyes, Eduardo Riaño, Jacinto Albarracín, Pedro Vergara, Eduardo Toro Pereira, José Miguel Rosales, Ramón Rosales, Máximo Lorenzana y algunos más que han escrito para la escena.

En Venezuela, ya quedó indicado, los últimos dramaturgos románticos se apresuran a evolucionar hacia un teatro realista, de tesis y carácter social, que a últimos del XIX da paso al género humorístico. Tiene éste por su máximo representante, siempre sin rebasar la línea de lo mediocre, a MANUEL MARÍA FERNÁNDEZ, que alcanzó algún renombre con la pieza *El que despabila, pierde*. Igual camino siguen FRANCISCO DE SALAS PÉREZ, en *Jugar con dos cartas*, y FELIPE ESTÉVEZ, en *Para un celoso, un prudente*. La zarzuela encontró dos buenos cultivadores en Francisco Tosca García y Domingo Alas.

En la segunda década del siglo actual se observa un resurgimiento por obra y gracia de escritores que, como el gran novelista Rómulo Gallegos, Enrique Soublette, Salustio González Rincones, Ildemaro Urdaneta, Simón Barceló, Angel Fuenmayor y otros, sólo se dedican al teatro en forma esporádica. De este grupo fué el mejor Teófilo Leal Berra, muy celebrado por su drama *Caín*. La floración, más apreciable en cantidad que en calidad, culminó en 1939, con la meritoria labor realizada por la Sociedad de Amigos del Teatro.

El sainete, con tendencia al astracán chocarrero y pretensiones de asimilar la «vis» cómica de Arniches y de Muñoz Seca, se nutrió con las obras de Carlos Ruiz Chapellín, Rafael Otazo y Rafael Guinand. Es éste quien lo trató con más soltura en *El pobre pastor* y *El rompimiento*, dos piezas

de acción hilarante, afeadas por alguna que otra grosería. Otazo triunfó con *El rapto*, y Ruiz Chapellín, con *Un gallero como pocos*.

Pocos nombres, y todos de escasa talla, registra la dramaturgia antillana, reducida exclusivamente a Cuba. En el género cómico se distinguió José María Cárdenas—*Un tío sordo*, pieza muy elogiada por la crítica—; en la alta comedia, Nápoles Fajardo—*Consecuencias de una falta*—; Carrillo O'Farril—*Magdalena*—y Tejera—*La muerte de Plácido*—; en el drama lírico, Aniceto Valdivia—*La ley suprema*—. «La poesía dramática en Cuba—escribe Manuel de la Cruz—ha sido labor de un grupo de escogidos. Lo que ha prevalecido es el género cómico, por lo común degenerado en grotesca caricatura de costumbres. Los que pudieron haber cultivado con fortuna el género dramático optaron por géneros más complejos y amplios [13].»

VI. EN MEJICO: PEON Y CONTRERAS

Casi respira uno al dejar atrás esta turbamulta de dramaturgos insignificantes para enfrentarse con dos figuras de cierto relieve: Peón y Contreras y Gamboa. José Peón y Contreras (1843-1907) [14] no es en verdad un dramaturgo genial. Si se le compara con los altos valores dramáticos de la Europa finisecular, habrá que relegarle a un segundo plano; pero puesto al lado de los autores atrás mencionados, casi resulta un gigante. Su actividad literaria se canalizó por los más variados géneros: novela, poesía lírica, poesía narrativa, teatro, etc., y en todos ellos cosechó excelentes frutos. Fué, sin embargo, el teatro su campo predilecto.

Dos direcciones bien definidas han de señalarse en su producción dramática: la romántica, sobre fondo histórico y con una marcada tendencia, tanto en la expresión de los sentimientos como en la conducción de la trama, hacia las maneras de Echegaray; y la que se viene llamando «alta comedia», en que, sin abandonar del todo los lances complicados y la exaltación pasional, se atiende antes que nada al planteamiento de conflictos morales, sociales y religiosos propios de la época. A la primera corresponden *La hija del rey, Gil González de Avila, Esperanza, Por el joyel del sombrero, ¡Hasta el cielo!, En el umbral de la dicha, Juan de Villalpando, Un amor de Hernán Cortés*, etc., dramas inspirados casi siempre en la historia del Méjico colonial. A la segunda, *Soledad, Gabriela, Luchas de honra y amor, El sacrificio de la vida*. Una breve noticia sobre alguna de estas piezas contribuirá a darnos un perfil más exacto del Peón y Contreras dramaturgo.

La hija del rey (1876) nos traslada al Méjico virreinal y tiene por protagonista una supuesta hija

de Felipe II. Un don Gaspar de Mendoza se enamora de ella sin saber que también le hace la corte su propio hijo. Este es muerto por un rival cuando preparaba ya la fuga con la dama. Angelina acaba perdiendo la razón en una escena final parecida a la de *Locura de amor*, de Tamayo y Baus. También *Gil Gómez de Avila* se desarrolla en Méjico, en la época de Carlos V. Gil ha dado muerte a un hijo del oidor; pero enamorado de Violante, hermana del muerto, tropieza con el odio del oidor, que le acusa de dirigir una sublevación contra el virrey. Condenado a muerte Gil y ya en las gradas del cadalso, Violante confiesa a su padre el amor por el reo, de quien va a tener un hijo. El indulto llega tarde.

La acción de *Esperanza* (1876) se desarrolla en el palacio del virrey, padre de la protagonista. Don Nuño, enamorado de la dama, pretende dar muerte a un galán que la ronda, ignorando que es su propio hijo. Ferrando, criado de éste, le sustituye en la cárcel y muere en su lugar. El galán ve realizado su amor con Esperanza, casándose con ella. *¡Hasta el cielo!* repite por milésima vez el conflicto de dos enamorados que no pueden contraer matrimonio porque resultan hermanos. La dama entra en un convento. *En el umbral de la dicha* es un drama más de celos, con rasgos similares al de Echegaray *En el puño de la espada*. *Por el joyel del sombrero* (1878) tiene una trama bastante complicada: Mencía, hija del noble Gonzalo de Carbajal, es amada por Iñigo; pero está enamorada a su vez de don Juan de Benavides, que no puede corresponderle por estar ordenado en menores. Don Gonzalo siente gran afecto por Iñigo, hijo de un escudero que le había salvado la vida en cierta ocasión. Sorprende a un hombre en su casa, y aunque el intruso es Benavides, Iñigo se autoacusa. El primer impulso de Carbajal es dar muerte al presunto ofensor; sin embargo, recuerda la noble acción de su padre, perdona a Iñigo y le hace casarse con su hija. Una nueva entrevista de la dama con don Juan es salvada por

Iñigo. Este muere asesinado por Benavides, que acaba de obtener la dispensa de sus votos. Pero la dama permanece fiel a la memoria del marido.

Enteramente echegarayesca es *Soledad* (1892). Doña Ana, madre de Soledad, se opone tenazmente a las relaciones de ésta con Gonzalo. Motivos: Gonzalo es hijo suyo y de un doctor, habido ocultamente antes de contraer matrimonio. Al enterarse don Pedro, esposo de doña Ana, desafía al doctor y le da muerte. Del mismo paño está cortada *Gabriela*, estrenada dos años antes (1890). El argumento es poco verosímil, y su desenlace, de mal gusto. Un marido que se cree deshonrado por un acto de impostura del que aparece acusado un antiguo novio de su esposa. Para vengarse lleva a ésta a una casa de mala nota y la abandona en brazos de su antiguo novio.

En *Luchas de honra y amor* (1876), Peón y Contreras aborda de frente el drama de tesis. En ausencia de su prometido Luis, Teresa, que vive con su tía doña Juana, es visitada por don Francisco, que la protege y regala. Aunque las visitas se hacen con la mayor discreción, la maledicencia se ceba en la joven, quien con ocasión de una fiesta de sociedad sufre no pocos desaires. Para atajar murmuraciones, don Francisco propone abandonar la ciudad; pero Luis, enterado de las visitas de su tío, sospecha que la salida obedece a móviles inconfesables. Increpa a don Francisco, y éste acaba por confesar que Teresa es hija suya y de doña Juana, con la que no se decidió a contraer matrimonio por prejuicios sociales. *El sacrificio de la vida* es una de las comedias más finas y sentimentales que brotaron de la pluma del autor: Margarita, enamorada de Enrique, hijo adoptivo del conde Hernando, casa con éste porque ha sabido que su propio padre y el galán han muerto en la guerra. Regresa el galán, y la más abnegada virtud hace presa en todos los personajes. Hernando se retira a un convento de franciscanos; el dolor que le producirá la separación de Margarita le llevará pronto al sepulcro; para entonces, lega todos sus bienes a la dama, que podrá contraer matrimonio con Enrique.

Con lo dicho basta para caracterizar sin género de dudas el teatro de Peón y Contreras. Como el argentino Coronado, Contreras se debate entre dos corrientes: la del Romanticismo agonizante, al que aporta las exaltaciones y la violencia de conflictos, características del drama de Echegaray; y la del drama social y de tesis, en plena vigencia por aquellos días, tanto en España como en el resto de Europa.

J. J. Gamboa

Junto al nombre de Peón y Contreras debe figurar el de JOSÉ JOAQUÍN GAMBOA (1878-1931), que inicia su obra dramática en 1899, con *Soledad*, drama de tendencia social, y la cierra el mismo año de su muerte con *El Caballero, la Muerte y el Diablo*, de carácter filosófico-fantástico, que pasa por su obra maestra. Entre ambas fechas escribe una serie de obras de las más variadas tendencias, predominando la psicológica y costumbrista. Citemos las más importantes: *Via Crucis, El diablo tiene frío, El día del juicio, Los Revillagigedo, El mismo caso, ¡Si la juventud supiera!, Entre hermanos, Un día vendrá, Teresa (La carne), La muerte, Alucinaciones o ella*, etc. Dos palabras sobre las más significativas.

Entre hermanos (1923) tiene por fondo la revolución mejicana. El matrimonio formado por Pilar y Ramón siente la nostalgia de carecer de hijos. Las hordas revolucionarias asaltan el pueblo en que viven y Gerardo, antiguo enamorado de Pilar, la fuerza. Nace un niño, pero Ramón, aunque sabe que su esposa es inocente, se considera deshonrado. Pilar se suicida. En *Alucinaciones o ella* (1930), un pintor, para olvidar a la mujer que ama y que le ha traicionado, abandona Méjico y pasa a Cuernavaca. Una tarde cree verla, pero luego descubre que se trata sólo de una alucinación o confusión, ya que ella ha sido asesinada; el pintor pierde la razón.

Un simbolismo que se nos antoja no logrado plenamente, informa *El caballero, la Muerte y el Diablo* (1931): el Caballero desprecia a la Muerte, de quien es amado y acechado continuamente; también desprecia al Diablo, que quiere hacerle suyo. El Caballero decide temer a la Muerte, y ésta se lo lleva, dejando burlado al Diablo. *El Diablo tieen frío* funde lo social con lo psicológico: un joven, Ricardo, abandona el hogar para entregarse a la vida crapulosa; después de unos años de ausencia, envilecido, intenta suicidarse, y, al fracasar, regresa junto a su madre. *El mismo caso* representa un intento de renovación y de llevar al teatro mejicano las últimas tendencias del teatro europeo. Estrenada en 1929, puede considerarse como tres comedias; se plantean tres casos de adulterio en otras tantas parejas, y el autor los resuelve como comedia, como drama y como farsa. Finalmente, *Los Revillagigedo* nos ofrece una comedia dramática de sátira social. Eugenia, última descendiente de una aristocrática familia, se ve obligada a contraer matrimonio con un advenedizo, para así salvar la bancarrota y el prestigio social de los suyos. Sorprendida por su esposo en una entrevista con un primo de ella al que ama, decide perdonarla por temor de que el escándalo le perjudique en sus negocios y en su carrera política. Eugenia renuncia a convivir con su marido, pero, aconsejada por su familia, se reintegra al hogar, suicidándose poco después.

Otros autores

Pocos nombres bastan para completar el cuadro del teatro mejicano en este período. Citemos a MARCELINO DAVALOS (1871-1923), que deriva desde el principio hacia la escuela naturalista con *Guadalupe* (1903), sobre la transmisión de taras hereditarias por abuso del alcohol; y en el mismo tipo han de inscribirse sus restantes obras: *Así pasan* (1908), *Lo viejo, Indisoluble, Aguilas*, etcétera. VÍCTOR MANUEL DÍAZ BARROSO (1890-1936) se esforzó por ensayar nuevas formas, reca-

lando por fin en un teatro de experiencias psicoanalíticas, a lo Freud: *Las pasiones mandan, El
y su cuerpo, Véncete a tí mismo*, etc. ANTONIO
MEDIZ BOLIO (n. 1884), fino poeta lírico, tiende
como dramaturgo a los temas vernaculares: *La
flecha del sol*. El poeta semimodernista, aludido en otro lugar, MANUEL JOSÉ OTHON (1858-1906)
también se asomó al teatro en una obra muy estimable, dentro de la línea dramática de Peón y
Contreras: *El último capítulo*. No sabemos si
se debe cerrar éste con el nombre de JOSÉ F. DE
ELIZONDO, que obtuvo éxitos sin precedentes con
piezas zarzueleras escritas en un tono demasiado
superficial: *La vendedora de besos, Chin-Chun-
Chan*, etc. Alguna de ellas alcanzó las diez mil
representaciones. Tampoco vamos a aludir a ciertos intentos de un teatro vernacular, con la figura
eje de *Chucho el Roto*, similar a la del Juan Moreira rioplatense. Tales intentos no lograron cuajar
en resultado positivo.

Cerramos este capítulo con el nombre de AL-
FREDO CHAVERO (1841-1906), en cuyo teatro hay
que distinguir dos modalidades: la histórico-legen-
daria, generalmente en verso muy pedestre, y la
costumbrista, carente casi siempre de localización.
Al primer tipo pertenece *Quetzalcoatl*, más legendaria que histórica, cuya acción se supone en el
reino de Tollán, hoy Tula, en la segunda mitad
del siglo XII; al tipo costumbrista corresponde, entre otras comedias, *Bienaventurados los que esperan*, con una ingenua trama desarrollada en Madrid a finales del XIX.

NOTAS

1. *Medio siglo de literatura americana*, pág. 237, Ediciones Cultura Hispánica, Madrid, 1952.

2. *Las ideas estéticas en el teatro argentino*, II, páginas 232-33, Instituto Nacional de Estudios de Teatro,
Buenos Aires, 1947.

3. Tomamos la cita de *Le Théâtre argentin*, págs. 1-2,
Editions Excelsior, París, 1927.

4. *Medio siglo de literatura americana*, ed. cit., páginas 240-41.

5. *Historia de la literatura hispanoamericana*, pág. 184,
Fondo de Cultura Económica, Méjico, 1954.

6. JUAN PABLO ECHAGÜE ha enjuiciado en los siguientes términos la producción de Laferrère: «Su obra no
es vasta; pero ha quedado incorporada de manera indisoluble a nuestro patrimonio espiritual. No podría escribirse la historia de nuestro teatro sin dársele en ella
lugar de preferencia. Es trasunto de ciertos aspectos de
nuestra propia conciencia colectiva, y por eso perdu-
rará... Su obra quedará incorporada a nuestro patrimonio espiritual como vívido documento de la evolución social argentina.» (*Escritores de la Argentina*, págs. 104 y
108; Emecé, Editores; Buenos Aires, 1945.)

7. «Volcó sus entusiasmos —escribe Dora Corti— en la
nueva estética de maestros y discípulos del movimiento
naturalista, que hicieron triunfar en París las escenas
de vanguardia y el repertorio del Teatro Libre.» (*Florencio Sánchez*, Instituto de Literatura Argentina, Buenos
Aires, 1937.) El teatro de tesis social tiene buenos representantes en Alberto Ghiraldo (*Alma gaucha y La Cruz*);
Pedro Benjamín Aquino —1887-1935— (*El tiranuelo, La brecha, El ídolo roto, La emboscada y Una mujer desconocida*); F. Defilippis Novoa (*El alma de un hombre honrado*); Alfredo Duhau, etc.

8. Imposible, además de superfluo, mencionar los nombres de cuantos en la escena rioplatense han ensayado
sus fuerzas por esta época con obras de más o menos

fuste, aunque siempre de mediocre calidad. Vayan unos
pocos títulos: *Da Capo*, de Demetrio Castagnola, se reduce a un folletón sobre el manoseado tema de los novios
que en trance de contraer matrimonio descubren que son
hermanos; *La picada*, de Mariano G. Bosch, aunque ágil
de movimiento, abunda con exceso en sales gruesas; *Sota
en puerta*, de Libonati, se mueve en el área de los melodramas extravagantes; *Gotas de rocío*, de Enrique Quei-
rolo, fuertemente realista, acusa un predominio del discurso sobre la acción; *Sensitiva*, de Agustín Fontanelle,
acusa delicadeza y sentimiento, del mismo modo que *De
buena ley*, de Rosario P. de Godoy, delata cierto fondo
picaresco, y *Jaque mate*, de Alcibíades Biffi, se hace notar por su sencillez y pureza de lenguaje. Enrique Guas-
tavino siente inclinación hacia los temas y personajes
irreales, con manifiesta finalidad crítica: *El señor Pierrot
y su dinero* y *La novia perdida*; José Antonio Saldías, en
colaboración con Raúl Casariego, alcanzó popularidad con
El distinguido ciudadano; por último, Pedro E. Pico buceó
el alma femenina en piezas como *La solterona, Pueblerina, La novia de los forasteros* y *Las rayas de una cruz*.

9. En un plano de exacerbadas exaltaciones románticas
cabría citar el drama *A través de la vida*, de MARTÍN
GOICOECHEA MENÉNDEZ, escritor más interesante por su
vida que por su obra. «Soldado, caballerizo, peón de estancia, empleado, cargador de muebles, viajero y poeta,
deja el pintoresco recuerdo de una compleja psicopatía,
con caracteres de irresponsabilidad e inadaptación social
Fabulador impenitente, aventurero y bohemio paradojal,
no deja de ofrecer, sin embargo, brillantes destellos de
inteligencia.» Así nos lo describe Julio A. Leguizamón en
su *Historia de la literatura hispanoamericana*, II, pág. 528.
Esta idiosincrasia, en perpetuo desequilibrio, se echa de
ver en el desenlace truculento de su obra dramática.
Como poeta nos dejó un libro: *Poemas helénicos*.

No reconocemos suficiente categoría para figurar en el
texto, si bien no carecen de relativo mérito, a otros dramaturgos, como JULIO CASTELLANOS, que escenificó la conocida novela de Mármol *Amalia* y logró en *Carta blanca*
una comedia simpática y movida; P. G. MORANTE, autor
de *Ambrosio Pardal*, «alta comedia» en que la nobleza del
propósito no puede hacer olvidar la lentitud y exceso del
diálogo; los uruguayos FRANCISCO IMHOF, cultivador de un
teatro de corte benaventino, cuya muestra más típica
es *Cantos rodados*; Justino Zavala Muñiz, Alberto Lasplaces, Carlos Princivalle, Eduardo Dieste, etc. Una excepción debemos hacer con el también uruguayo Alberto
Zum Felde y los argentinos Ricardo Rojas y Roberto Levillier, tres nombres que prestigian la historiografía y la
crítica sudamericana. Los tres se internaron por las zonas
del teatro. De Rojas tenemos un *Ollantay*, inspirado en
la célebre leyenda incaica; *Elelín*, drama de la conquista; *La casa colonial*, sobre un episodio de la Independencia, y *La Salamanca*, de asunto folklórico. Levillier nos
dejó en *Estampas virreinales* cierta especie de crónicas
dramáticas del mayor interés. Y Zum Felde es autor de
unos «misterios» o «mitos», así los subtitula él —*El caudillo* (1918), *Aula magna o La sibila y el filósofo* (1935)
y *Alción* (1935)—, que sólo con grandes reservas pueden
calificarse de piezas teatrales.

10. *Literatura boliviana*, pág. 243, Edit. Aguilar, Madrid, 1954.

11. Junto a Flores habría que citar a Enrique Baldi-
vieso, que cultiva el teatro de tesis de influencia ibseniana en *Lo que traemos al mundo* y *El derecho de matar*.

12. Lo mismo cabe decir de otros muchos que, sin
carecer por entero de méritos, no lograron superar la
línea de lo discreto. Unos nombres: Néstor Lizarazu,
Fabián Vaca Chávez, Zacarías Monje Ortiz, Nicolás Ortiz
Pacheco, Alberto Saavedra Pérez, Gregorio Reynolds, dis-
cutido adaptador del *Edipo*, de Sófocles; José Gallardo
Calderón, Saturnino Rodrigo, Alberto Saavedra Nogales,
Víctor Ruiz, etc.

13. *Literatura cubana*, pág. 58, Edit. Calleja, Madrid,
1924.

14. Nace en Mérida, capital del Estado de Yucatán, en
enero de 1843. De familia acomodada, es dedicado a los
estudios y pronto da muestras de su precoz inteligencia:
a los diecinueve años obtiene el grado de Doctor en Medicina; uno antes había publicado la leyenda *La cruz del
pardón*, de corte zorrillesco. Siguen tres piezas teatrales
—*María la loca, El castigo de Dios* y *El conde de Santisteban*—, representadas en su ciudad natal. Pasa a Méjico
y obtiene por oposición una plaza de médico en el Hospital de Jesús. Poco después es nombrado director de la
Vacuna, y en 1867 alcanza ya el cargo de director del
Hospital de Dementes de San Hipólito. Interviene activamente en política y desempeña varios cargos. Muere en
1907. Como novelista dejó *Taide, Borracho y Veleidosa*

A la vida y hechos del Descubridor dedicó sus *Trovas colombinas* (1881). En la poesía narrativa destacan sus *Romances dramáticos* (1880), germen de buen número de sus posteriores piezas teatrales. De su producción lírica hay que recordar la *Oda a Hernán Cortés*, *Poesías* (1868) y *Ecos* (1883).

BIBLIOGRAFIA

A. BERENGUER CARISOMO: *Martín Coronado: Su tiempo y su obra*, «Cuad. de Cult. Teatral», núm. 15, Buenos Aires, 1940.—C. BONET: *El teatro de Ernesto Herrera*, Inst. de Lit. Argentina, t. I, núm. 7, Buenos Aires, 1925.—J. CANTER: *Bibliografía de Martiniano Leguizamón*, «Bol. Inst. Investigaciones Hist.», vol. XXVI, año XX, Buenos Aires, 1941.—AIDA COMETTA: *David Peña*, «Noticias para la historia del teatro nacional», Inst. de Lit. Argentina, Buenos Aires, 1937.—A. R. CORTÁZAR: *Nicolás Granada*, «Noticias para la historia del teatro nacional», Buenos Aires, 1937.—DORA CORTI: *Florencio Sánchez*, Inst. de Lit. Argentina, t. I, núm. 9, Buenos Aires, 1937; *Abdón Aroztegui: Teatro gauchesco*, Inst. de Lit. Argentina, Buenos Aires, 1938.—N. CUENCA: *Un dramaturgo argentino ya casi olvidado: Francisco Fernández*, «El Hogar», Buenos Aires.—J. P. ECHAGÜE: *Una época del teatro argentino: 1904-1918*, Edit. América Unida, 2.ª ed., Buenos Aires, 1926; *Un teatro en formación: Payró; Enrique García Velloso: El hombre y su obra*, Inst. Nac. de Estudios de Teatro, cuad. 9, Buenos Aires, 1940.—S. EICHELBAUM: *Florencio Sánche*, «Bol. Est. de Teatro», núm. 11, Buenos Aires; *Ernesto Herrera*, «Cuad. de Cult. Teatral», ciclo de 1936, núm. 4.—EICHETO DE BADANO: *Emilio Berisso: Notas para la historia del teatro argentino*, Buenos Aires, 1938.—M. GÁLVEZ: *Amigos y maestros de mi juventud* (contien sendos capítulos consagrados a Roberto Payró, David Peña, Florencio Sánchez y Enrique García Velloso), Guillermo Kraft, Buenos Aires, MCMXLIV.—F. GARCÍA ESTEBAN: *Vida de Florencio Sánchez*.—E. GARCÍA VELLOSO: *Nicolás Granada*, «Memorias de un hombre de teatro», Buenos Aires, 1942; *José Podestá y «Juan Moreira»*, «Memorias de un hombre de teatro», Buenos Aires, 1942.—A. GIMÉNEZ PASTOR: *Nicolás Granada: El hombre y su obra*, Inst. Nac. de Est. de Teatro, Buenos Aires, 1940.—R. GIUSTI: *Florencio Sánchez. Su vida y su obra*, Buenos Aires, 1920.—R. GONZÁLEZ PACHECO: *Un proletario: Florencio Sánchez*,—JULIA GRIFONE: *Martiniano Leguizamón. Su égloga «Calandria»*, Inst. de Lit. Argentina, Buenos Aires, 1940.—B. HERNÁNDEZ GWGNNE: *Francisco Fernández: Datos biográficos*, Dolores (Rep. Argentina), 1923.—E. HERRERA: *El teatro uruguayo de Ernesto Herrera*, Montevideo, 1917; *El teatro de Florencio Sánchez*, «Rev. «Pegaso», año IV, núm. XXVI, agosto de 1920.—J. IMBERT: *Florencio Sánchez. Obra y creación*.—W. KNAPP JONES: *El tema de «La gringa» en el drama rioplatense*, «Bol. de Est. de Teatro», núm. 3, octubre, Buenos Aires, 1943.—V. MARTÍNEZ CUITIÑO: *Florencio Sánchez. Teatro completo*, Pról. de..., «El Ateneo», Buenos Aires, 1951; *Elogio de Sánchez Gardel*, «La Nación», Buenos Aires, 17 agosto 1941.—J. M.ª MONNER SANS: *Obras escogidas de Gregorio Laferrère*, Pról. de..., Angel Estrada y C.ª, Buenos Aires, 1943; *Obras escogidas de Florencio Sánchez*, Selec., pról. y apénd. ilustrativo de..., Buenos Aires, 1946.—I. MOYA: *Ezequiel Soria, zarzuelista criollo*, Inst. de Lit. Argentina, vol. I, núm. 13, Buenos Aires, 1938; *El costumbrismo en el teatro de Julio Sánchez Gardel*, Inst. de Lit. Argentina, t. I, núm. 12, Buenos Aires, 1938.—D. PANIZZA: *Martiniano Leguizamón*, Montiel (Rep. Argentina), 1938.—O. RAMÍREZ: *Sobre la obra de Florencio Sánchez*, «La Nación», Buenos Aires, 30 agosto 1924.—RUTH RICHARDSON: *Florencio Sánchez and the Argentine Theatre*, Hispanic Institute, Nueva York, 1933.—N. ROJAS: *El verdadero Juan Moreira*, «Bol. de Est. de Teatro», núm. 2, Buenos Aires, julio de 1943.—R. ROJAS: *Un dramático olvidado: Don Francisco Fernández y sus obras dramáticas*, Inst. de Lit. Argentina, Buenos Aires, 1923.—V. A. SALAVERRY: *Teatro uruguayo de Florencio Sánchez*, Est. preliminar de..., 3 vols., Edit. Cervantes, Barcelona, 1919.—A. VACCAREZZA: *Recordemos a Pacheco*, «Bol. Ofic. de Argentores», núm. 28, Buenos Aires, octubre de 1940.—A. VÁZQUEZ CEY: *Florencio Sánchez y el teatro argentino*.—J. DE VEDIA: *Florencio Sánchez*, «Nosotros», año IV, núm. 28, mayo de 1911.

Para los apartados V y VI consúltense las *Historias* de la literatura de cada país y la bibliografía de los capítulos LVIII *(Teatro hispanoamericano anterior al romanticismo)* y LXX *(Teatro romántico en América)*.

CAPITULO LXXVII

LA PROSA POSTROMANTICA
A) NOVELAS DE TESIS

I. Direcciones y tendencias de la novela postromántica: *Reacción espiritualista. Notas y clasificación.*—II. La novela de tesis.—III. Pérez Galdós: *Datos biográficos. Obra literaria y clasificación. Los «Episodios Nacionales». Novelas españolas de la primera época de Galdós. Novelas contemporáneas: naturalistas, psicológicas, novelas-drama, idealistas. El teatro de Galdós. Estilo y técnica narrativa.*—IV. Pedro Antonio de Alarcón: *Datos biográficos y humanos. Obra literaria. Escritos varios. Crónicas de viajes. Cuentos y narraciones breves. Las novelas. «El sombrero de tres picos». Juicio crítico.*—V. Juan Valera: *Vida y carácter. Producción literaria. Obras menores. Crítica. La doctrina estética. Las novelas. Técnica y estilo.*—Notas.—Bibliografía.

I. DIRECCIONES Y TENDENCIAS

En el capítulo correspondiente hemos señalado los caracteres generales de la literatura de la segunda mitad del XIX, aludiendo de paso a la novela. Tócanos ahora precisar sus direcciones y tendencias.

Se ha dicho que el principal servicio que prestó el movimiento romántico a la literatura moderna fué el de provocar el realismo, como reacción a la falsa arqueología, al individualismo exacerbado y al mundo irreal que constituían los factores más destacados de aquél. Frente a un teatro y a una novela que no encarnaban los ideales de la época se buscó la identificación entre vida y literatura, según advertimos ya al hablar del teatro realista. Surge otra concepción de la vida y con ella nuevos sentimientos y problemas que requieren un nuevo lenguaje. Este tenía que ser forzosamente el común, el que se hablaba en la calle y en los talleres, en las oficinas y en los salones aristocráticos. Como el realismo exige la entrada en la vida literaria de todas las clases sociales, el novelista no desdeñará el empleo de voces vulgares y plebeyas, ni la frecuente inserción de aquellos extranjerismos—galicismos y anglicismos, principalmente—, con los que las clases privilegiadas de la época de la Restauración esmaltaban sus coloquios, de ordinario insustanciales. Se produce el divorcio entre lo que se venía llamando «lengua literaria» y la «lengua real», la viva, la hablada [1].

Llevar el lenguaje hablado a la literatura y dignificar un tanto el habla común es la máxima aspiración de la novela realista. Con esta incorporación lingüística vendrá también la de los temas: todos serán idénticos y de igual categoría literaria para el escritor. No habrá ya temas nobles y temas repudiables; y el novelista cifrará todo su empeño en la reproducción de la realidad. Pero esta reproducción de la vida y costumbres cotidianas desembocará pronto en el naturalismo [2]. No sabemos por qué especial capricho de su pontífice máximo, Emilio Zola, el naturalismo se limitó a reproducir los bajos fondos sociales, a escarbar el corazón humano en sus zonas más sombrías y repugnantes prescindiendo de la doble naturaleza del hombre como compuesto de espíritu y materia, y limitándose a estudiarlo en uno sólo de sus elementos. Por esa razón, el naturalismo, lejos de ser—como se pretendía—la expresión más avanzada de la realidad, quedó en algo incompleto, en la presentación de sola una faceta de esa misma realidad. El animal sigue la ley del instinto; pero en el hombre, al instinto se impone la razón, el alma racional, regidora de los apetitos desmandados y exponente de la voluntad. Nada más opuesto al credo naturalista de Zola que su propia obra. El novelista es libre para presentarnos tipos degenerados física o moralmente; lo que no puede hacer es elevar a dogma, con aspiraciones de rigor científico, lo que sólo es producto de su fantasía.

La supremacía del teatro y de la lírica sobre los otros géneros durante el romanticismo, pasa con el realismo a la novela, que se convierte en la forma literaria preferida de público y autores. El romanticismo había sido un movimiento internacional, sin fronteras: la nueva forma debía ser nacional. Pero el realismo no sólo es nacional; es, además, ya lo dijo Max Aub, provinciano y aún comarcal. Tiene una de sus más genuinas expresiones en la novela campestre.

Reacción espiritualista

Al calor de la Revolución del 68 se exacerba el liberalismo; y, en lógica contrapartida, con la restauración borbónica se manifiesta un vivo afán de espiritualidad. Surge la novela de tesis, religiosa y social, con ligera tendencia al análisis psicológico de «casos de conciencia». Luego, hacia 1890, se intensifica más y más la orientación idealista, precisamente por obra de aquellos escritores que más se habían distinguido en las técnicas naturalistas y en la sátira religiosa y clerical: Galdós, la Pardo Bazán, Palacio Valdés y Leopoldo Alas. El primero con *Angel Guerra, Nazarín* y *Halma*; doña Emilia, con *Una cristiana, La prueba* y *La sirena negra*; Palacio Valdés con *Los Majos de Cádiz, La alegría del capitán Ribot* y *Tristán o el pesimismo*; Valera, tan ático y equilibrado siempre, con *Morsamor,* y «Clarín», con *Su único hijo,* abren nuevos cauces a la novela finisecular y de los primeros años del xx.

Otra nota que distingue a la novela de esta época es su predilección por el tipo sacerdotal o religioso. La mayor parte de los novelistas han asistido en su juventud al cambio ideológico que supone la Revolución del 68, y aunque el florecimiento de la novela cronológicamente es algo más tardío, se acusan en ella los principios demagógicos y anticlericales que aquélla había hecho fermentar.

Notas y clasificación

Con estos caracteres: reproducción más o menos detallista de la realidad, ideología socializante y anticlerical, tesis docente o moralizadora, ligera proyección en muchos casos hacia un idealismo más o menos cristiano, no siempre exento de un pseudomisticismo morboso y fruto casi siempre de la escasa formación religiosa de los escritores, creemos que queda definida en líneas generales la novela de este período. Agréguese a ello la aportación personal de cada autor: minuciosidad descriptiva de los más complejos estados de alma, en Galdós; profundidad psicológica, ironía acre, con toques no siempre de buen gusto, ni acordes con la moral, aunque él se esfuerce por convencernos de lo contrario, en Leopoldo Alas; amable ironía, no exenta de ciertos ribetes pseudocientíficos, llaneza estilística y filosofismo casero, en Palacio Valdés; tradicionalismo ideológico, apego al terruño y profundo sentimiento de la Naturaleza, en Pereda; concepción escéptica y paganizante de la vida, preciosismo estilístico y maneras elegantes, en Valera; sujeción absoluta del arte a la moral y garbo narrativo, en Alarcón; robustez, colorismo descriptivo y afán excesivo de originalidad, que le lleva con frecuencia a lo digresivo, en doña Emilia Pardo Bazán.

Tales características nos facilitan el estudio de la novela postromántica, que puede resumirse en tres capítulos: primero, novela de tesis, representada por Pérez Galdós, Alarcón y Valera; segundo, novela de transición y triunfo del naturalismo, con la Pardo Bazán, Clarín, Blasco Ibáñez y otros de menor importancia; tercero, novela regionalista, con Pereda y Palacio Valdés. Junto a ellos, una serie de cultivadores de la llamada «novela corta», que pueden sintetizar todas las tendencias apuntadas en este epígrafe.

No se nos oculta lo poco preciso de tal agrupación. Novela de tesis o «tendenciosa» componen Pereda, Palacio Valdés y Blasco Ibáñez, mientras que sólo una parte de la obra galdosiana puede inscribirse en ese grupo; no obstante, atendiendo a la finalidad didáctica de nuestra obra, nos parece esta división la más indicada.

II. LA NOVELA DE TESIS

Se viene llamando así —«novela de tesis»— en manuales e historias literarias la que presenta conflictos o problemas de todo orden: religiosos, políticos, morales, sociales, etc. Tiene su período de mayor florecimiento en el último tercio del siglo pasado, por obra de Galdós, Valera y Alarcón.

Partiendo de la diferencia que establece Andrés González Blanco entre «novela de tesis» y «novela de tendencia» [3], cabe preguntar hasta qué punto se puede dar una obra del género que no contenga tesis. La contestación dependerá siempre de lo que por tesis se entienda. Una división amplia y general ha repartido la novela en dos grandes grupos, según predomine la aventura sobre la idea o viceversa. En el primer caso tenemos la típica novela de «acción» o «novela novelesca»; en el segundo, sin que se excluyan otras formas, nos encontramos ante la novela de tesis. En toda novela de este tipo se advierte, más o menos ostensible, un propósito docente y hasta polémico. Desde el punto de vista literario esto representa un fallo: el de la presencia del autor que, combatiendo por sus ideas, mueve a capricho a sus personajes para llegar a resultados preconcebidos. He aquí un procedimiento que siempre será de dudosa legitimidad. Como precedente del género, aparte de la novela filosóficosocial del siglo xviii, tenemos muchas de las obras de «Fernán Caballero».

De los tres representantes mencionados, y sin ser ninguno de ellos extraño al tema religioso, la novela de Alarcón reviste preferentemente carácter social; la de Valera, psicológico; la de Pérez Galdós, social y religioso. En éste concretamente la trascendencia de la tesis se amplifica: el problema religioso no se analiza desde un punto de vista individual, como problema íntimo de una persona—casos del padre Enrique o de doña Blanca en *Doña Luz* y *El comendador Mendoza,* de Valera; o de Fabián Conde, en *El escándalo,* de Alarcón—, sino en sus repercusiones sociales, locales y hasta nacionales, según se nos muestra en los personajes de *Gloria, Doña Perfecta* y *La familia de León Roch.* ¿Qué valor literario cabe otorgar a la novela de tesis? Indiscutiblemente, ni la ortodoxia ni el anticlericalismo de la obra pueden servirnos de módulo valorativo. Las obras citadas viven, no por la tesis que plantean, sino a

pesar de ella. Por el garbo, el simpático desaliño estilístico, la pasión enconada y el estudio psicológico, las de Galdós; por la trama novelesca, casi de folletín, complicación de lances y gracejo narrativo, las de Alarcón; por la belleza estilística, la galanura expresiva, la sutileza de los análisis y fina ironía, las de Valera. Para nuestro gusto, lo más logrado de los tres novelistas ha de buscarse en aquellas producciones en las que, libres de todo prejuicio religioso, social o filosófico y sin afán polemista o de secta, pretenden hacer lisa y llanamente novelas: *Juanita la Larga, El sombrero de tres picos, Fortunata y Jacinta,* de Valera, Alarcón y Pérez Galdós respectivamente.

III. PEREZ GALDOS

Galdós es el restaurador de nuestra tradición novelística [4]. En el capítulo correspondiente queda reseñado el panorama de la novela hasta ese momento. No puede negarse que obtuvo algún éxito el género histórico, aunque casi siempre se redujo a simple remedo de Walter Scott. Esfuerzo meritorio representa la obra de Fernán Caballero, en la que un excesivo afán moralizador y cierto tonillo dulzón disminuyen considerablemente el valor literario; los personajes, además, resultan con frecuencia caricaturas faltas de vida y sin alientos para convertirse en héroes de novela.

Galdós viene a reanudar la tradición española del Siglo de Oro. No dudamos en calificarle nuestro mayor novelista después de Cervantes, digno de emparejar con cualquiera de su siglo, aunque se llame Dickens, Balzac, Flaubert, Zola o Tolstoy [5]. Nadie puede competir con él en fuerza creadora. Si no ha alcanzado mayor renombre, débese principalmente a que entre nosotros se suele separar mal al hombre del escritor; y también a la crítica de la llamada «generación del 98», representada a la sazón por unos cuantos jóvenes que en los primeros momentos no vieron mejor camino para abrirse paso que la negación absoluta de todo lo consagrado. Hombre tan ecuánime como Menéndez Pelayo, y tan opuesto a Galdós ideológicamente, no vaciló en afirmar que «pocos novelistas de Europa le igualan en lo trascendental de las concepciones, y ninguno le supera en riqueza inventiva».

Datos biográficos

De familia acomodada, BENITO PÉREZ GALDÓS nació en Las Palmas el 10 de mayo de 1843 [6]. Cursa el Bachillerato en su ciudad natal; en 1862 pasa a Madrid para proseguir los estudios de Derecho, que termina al año siguiente de la Revolución (1869). Colabora en los periódicos *La Nación, Las Cortes* y *El Debate;* ensaya las primeras obras dramáticas: *La expulsión de los moriscos,* de carácter histórico, en verso y de matiz

romántico; *El joven de provecho,* comedia moralizadora escrita en prosa a la manera de Ayala y Tamayo. Viaja por el extranjero; en 1866 presencia la sublevación de los sargentos de San Gil, su proceso y muerte, hecho que, según el propio novelista, tuvo excepcional importancia en su rumbo literario. Tal vez fué a raíz de este suceso cuando Galdós concibió el proyecto de novelar nuestra historia del XIX y de estudiar los fundamentos de la vida religiosa, política y social de la época. Se da a conocer como novelista en 1870 con *La Fontana de Oro;* desde este momento no interrumpe su copiosa producción literaria hasta su muerte. Dirige la *Revista de España,* en la que inserta una serie de artículos sobre arte, política, crítica y literatura. En 1873 empieza a publicar los *Episodios Nacionales.* Viaja por Europa. 1886: Sagasta le otorga un acta de diputado por Puerto Rico. 1889: elegido académico de la Española, en la que no ingresa hasta 1897; a su discurso de ingreso sobre las relaciones entre el público y el novelista, contestó Menéndez Pelayo. Diputado republicano en distintas legislaturas — 1907 y 1910—. Muere en Madrid el 4 de enero de 1920.

Obra literaria y clasificación

Galdós es esencialmente novelista. Aunque compuso muchas obras dramáticas, su teatro o bien es una escenificación de su propia obra narrativa —*Doña Perfecta, Realidad, La loca de la casa, El abuelo, Zaragoza, Casandra*—, o bien está concebido según la técnica de la novela. Los éxitos que tuvo en este género (recuérdese el de *Electra*) se deben, más que al valor literario de las obras, a especiales circunstancias políticas que acompañaban al estreno.

El mismo autor ha dividido su obra novelesca en tres apartados: *a)* Episodios nacionales; *b)* Novelas españolas de la primera época, y *c)* Novelas españolas contemporáneas.

La novela de Galdós, a diferencia de la regionalista, es sobre todo de ambiente urbano. Pocas descripciones paisajísticas en su obra; y cuando las hay, se refieren generalmente a la meseta castellana. A Galdós le interesa, más que el medio en que viven sus personajes, la vida que llevan, sus reacciones, sus estados anímicos. Aun en casos como *Gloria*, cuya acción se desarrolla en Ficóbriga, pequeño puerto pesquero del Cantábrico, el autor está más atento al conflicto interno y a las consecuencias sociales y religiosas del mismo que a la descripción paisajística, realizada por otra parte con toques muy certeros. Nunca llega a identificar al ser humano con la naturaleza, ni otorga a ésta —a diferencia de otros novelistas: Pereda, Palació Valdés, la Pardo Bazán y Blasco Ibáñez— el poder de influir en la conducta de aquél o modificar sus acciones. Novelista de ciudad, los problemas que presente serán de índole industrial y burocrática. A ellos vendrá a sumarse, como resultado de las corrientes de la época, el religioso, preocupación constante de Galdós y más o menos latente en toda su obra.

«Episodios Nacionales»

Se componen de cinco series, la última incompleta [7]. Galdós emprende la publicación de los *Episodios* en 1873 y alcanza el vigésimo en 1879. Estos veinte volúmenes se agrupan en dos series de a diez. A partir de este momento anuncia que va a cultivar otro género de novela; y, en efecto, no reanuda su labor en los *Episodios* hasta 1898. Entre esta fecha y 1912 van apareciendo tres series más: la tercera, que consta de diez títulos; la cuarta, de otros diez; y la quinta, de seis. De este modo la colección de los *Episodios Nacionales* alcanza cuarenta y seis volúmenes.

Forman aproximadamente la mitad de la obra de Galdós; y, a pesar de la época de luchas políticas y pasiones violentas que describe, es su producción menos discutida, sin duda, por el espíritu ecuánime con que narra y comenta los hechos.

La idea de los *Episodios* fué tomada de Erckmann-Chatrian, autores de una serie similar de obras sobre la Revolución francesa y el imperialismo napoleónico. Aunque los escritores franceses tratan un tema más universal y sin duda más dramático y novelesco, quedan muy por bajo de nuestro novelista en el artificio de la fábula, en la fuerza descriptiva y en la pintura de los caracteres. Erckmann-Chatrian nos dan con frecuencia una seca crónica, mientras que Galdós funde admirablemente historia y novela [8].

Por su contenido abarcan desde la batalla de Trafalgar hasta la restauración borbónica: Primera serie, guerra de la Independencia; segunda, luchas entre liberales y absolutistas hasta la muerte de Fernando VII; tercera, inicio de las guerras carlistas hasta el matrimonio de Isabel II; cuar-

ta, matrimonio de la reina hasta la revolución de septiembre de 1868.

Puede señalarse cierto paralelismo temático entre estas series: la primera y la tercera son predominantemente de carácter épico, mientras que la segunda y cuarta son más bien dramáticas. La narración tiene menos vigor en las dos últimas, ya que la epopeya de la guerra de la Independencia, de carácter nacional, ofrecía al novelista más incentivos y un campo de acción más amplio que las luchas civiles entre isabelinos y carlistas; de la misma manera que los fermentos revolucionarios que llevan al destronamiento de Isabel II no revisten el dramatismo de las luchas entre liberales y absolutistas del primer tercio del siglo. Entre la primera y la tercera serie la guerra ha saltado de un asunto nacional de vida o muerte, de independencia como pueblo libre o de esclavitud, a una simple lucha de partidos, a una cuestión dinástica y familiar; ya no se discute la grandeza española, ni aun la forma de gobierno, sino el dominio de una u otra camarilla; los motivos religiosos y políticos han sustituído a los patrióticos. Al descender la categoría de los hechos narrados desciende en igual grado el interés de la narración.

La obra de Galdós en los *Episodios* ofrece otro gran interés: es una historia poética que nos describe cómo vivían y cómo pensaban los españoles de la época; auténtica historia interna, *Andrenio* elogia en ella la circunspección con que han sido tratados los diversos sucesos y la delicadeza con que se ha velado lo que de escandaloso podía haber en las crónicas librescas y clandestinas. Serenidad y templanza son las notas características de esta obra. Menéndez Pelayo pudo afirmar que los *Episodios* enseñaron historia a muchos que no la sabían.

El estilo, llano y familiar en las dos primeras series, se hace más cuidado en las restantes. Conforme se va perdiendo el carácter épico de la etapa inicial, aumenta el novelesco que se diversifica en múltiples acciones. La más trabada es la primera serie: la acción iniciada en el primer episodio, *Trafalgar*, se desenlaza en el último, *La batalla de los Arapiles*. En sentido amplio podemos decir que la primera serie abarca la epopeya antinapoleónica, y la segunda, las luchas que preparan el régimen constitucional, triunfante a la muerte de Fernando VII. Hay una excepción: *El equipaje del rey José*, primero de la segunda serie, describe la batalla de Vitoria y la retirada del rey intruso, mientras que *Cádiz*, octavo de la primera serie, atiende más que a las vicisitudes bélicas del sitio a la constitución de las Cortes, base del futuro régimen.

Los dos primeros, *Trafalgar* y *La Corte de Carlos IV*, nos presentan el estado social y la ideología de los españoles al producirse la invasión napoleónica; los restantes, excepción hecha de *Cádiz*, ya aludido, reproducen un ambiente de guerra: sitios, batallas, acción de los guerrilleros y del Ejército. El matrimonio de Gabriel Araceli con Inés, hija de la condesa de Amaranta, sirve de desenlace a la primera serie.

Con los últimos de la cuarta serie y los seis de la quinta entra ya Galdós en el terreno de los recuerdos personales. La época del Gobierno provisional se trata en *España sin rey*, que sobresale por la trama novelesca; *España trágica* se abre con el duelo entre el infante don Enrique y el duque de Montpensier y se cierra con el asesinato de Prim; completan la serie (ya hemos indicado que está inacabada), *Amadeo I*, *La primera República*, *De Cartago a Sagunto* y *Cánovas*.

«Novelas españolas de la primera época»

La división que el propio Galdós establece: «Novelas españolas de la primera época» y «Novelas españolas contemporáneas», sólo puede admitirse en líneas generales. No cabe adjudicar a cada grupo una temática exclusiva, ya que en el primero, dos por lo menos, *La Fontana de Oro* y *El audaz*, ofrecen gran semejanza con los *Episodios*; y tres, *Doña Perfecta*, *Gloria* y *La familia de León Roch*, abordan el complejo problema religiososocial, que aparecerá en varias narraciones de la segunda época. No obstante, puede señalarse en éstas una mayor morosidad descriptiva y cierta tendencia al naturalismo, tanto de fondo (aprovechamiento del dato fisiológico, relaciones de la psiquis y el temperamento), como de forma (minuciosidad descriptiva con técnica fotográfica, reproducción de ambientes bajos y de giros idiomáticos de ínfima clase social, análisis interno y externo de los personajes, etc.) Este naturalismo, hay que reconocerlo, se mantiene siempre dentro de límites moderados, con un aprovechamiento hábil de la parte más aceptable de la evolución naturalista. Dentro aún de la primera época nos queda *Marianela*, con la que se podría formar un nuevo grupo, si no queremos ver en ella el preludio de la manera idealista, cuyas máximas creaciones serán *Nazarín*, *Halma* y *Angel Guerra*.

La Fontana de Oro, historia del período liberal de 1820-1823, enlazada con un idilio amoroso de Clara y Andrés, nos ofrece un cuadro de la época y de los *clubs* de conspiradores, que luego aprovechó Galdós para la segunda serie de sus *Episodios*. *El Audaz*, con un subtítulo, «Historia de un radical de antaño» (1871), nos lleva a los inicios del siglo XIX; el revolucionario Martín Muriel, formado en los principios de la Revolución francesa, acaba loco y recluído, mientras su enamorada, la aristocrática Susana, se suicida. En ambas Galdós atiende más a la pintura de época que a la trama novelesca, por lo general desmayada y poco verosímil.

Las otras novelas de la serie desarrollan tres aspectos del problema religioso: *Doña Perfecta* (1876) refleja la influencia del clero en una ciudad de segundo orden; *Gloria* (1876-1877) plantea el conflicto amoroso entre dos individuos de distinta religión; y *La familia de León Roch* (1878) aspira a demostrar la infelicidad matrimonial originada por el fanatismo e intolerancia de los católicos.

No vamos a enjuiciar la labor literaria de un escritor desde el punto de vista ético. Pero sí incumbe a la crítica señalar la tendencia general de una obra o de un grupo de obras. En las que estamos examinando, esa tendencia es sectaria. A fuerza de exagerar los rasgos de los *católicos*, Galdós acaba por darnos simples caricaturas con escasa o nula consistencia. Sin contar con que muchas veces el problema se le escapa de las manos; doña Perfecta es un tipo execrable que, en aras del fanatismo, no duda en sacrificar a su propia hija y en provocar el asesinato de su sobrino, Pepe Rey. Pero la figura de éste no está mejor trazada; y, a pesar de la simpatía con que quiere presentárnoslo el autor, su petulancia e incomprensión de cuanto le rodea no le hacen menos despreciable. En la carlista doña Perfecta y en el liberal Pepe Rey quiere simbolizar Galdós la lucha de las dos Españas, llevada al seno de una familia.

Muy superior es *Gloria*. En ella la diferencia de religión sirve de clave a la obra. Gloria se ha enamorado del judío Daniel Morton, ignorando su fe religiosa; la irreductibilidad de ambos a abandonar las respectivas creencias, a pesar de haber fructificado sus amores, desemboca en tragedia: la muerte de Gloria y, poco más tarde, la de Daniel. Sobre el fanatismo—éste parece ser el aspecto simbólico que Galdós atribuye a su obra—, que es muerte y destrucción, se alza la vida representada en el hijo de los protagonistas. Por encima de la intención del autor resulta más simpática la figura de Gloria que la de Daniel. Mientras aquélla no quiere renunciar a su creencia por firme convicción, Daniel se resiste a hacerlo por vanagloria, por el temor al «qué dirán». Uno de los tipos más repulsivos es el de la madre de Daniel.

En *La familia de León Roch* la intransigencia de María Egipcíaca, esposa de León, aconsejada por su hermano Luis Gonzaga, provoca la tragedia: muerte de aquélla e infelicidad de su marido, que por una serie de circunstancias pierde el amor verdadero de Pepa Fúcar, su novia de la niñez.

Ya hemos aludido a *Marianela* (1878), trágico idilio en que la protagonista se enamora de un ciego de nacimiento, Pablo Penáguilas. Con la esperanza de que recobre la vista, se proyecta su enlace con su prima Florentina, de singular hermosura. Se realiza felizmente la operación y, al enterarse de que Pablo ha recobrado la vista,

Marianela, que le ama, huye de su presencia e intenta suicidarse; pero, rescatada, muere al poco tiempo, tras de haber sido reconocida por Pablo.

«Novelas españolas contemporáneas»

Comienza esta serie con *La desheredada* (1881), y las agrupamos en cuatro apartados:

a) Naturalistas: *La desheredada* (1881), *El amigo Manso* (1882), *El doctor Centeno* (1883), *La de Bringas* (1884), *Tormento* (1884), *Lo prohibido* (1885), *Fortunata y Jacinta* (1886-1887), *Miau* (1888), *Incógnita* (1888-1889).

b) Psicológicas: *Torquemada en la hoguera* (1889), *Torquemada en la cruz* (1893), *Torquemada en el Purgatorio* (1894), *Torquemada y San Pedro* (1895), *Tristana* (1892).

c) Dramáticas: *Realidad* (1889), *La loca de la casa* (1892), *El abuelo* (1897), *Casandra* (1905), *La razón de la sinrazón* (1915).

d) Idealistas: *Angel Guerra* (1890-1891), *Nazarín* (1895), *Halma* (1895), *Misericordia* (1897), *El caballero encantado* (1909).

Novelas naturalistas.—En todas las novelas de la serie, y especialmente en las naturalistas, se nos presenta la sociedad contemporánea en sus múltiples facetas. Si para los *Episodios* tomó la idea de Erckmann-Chatrian, para éstas pudo hallar modelos en Balzac, Dickens y Zola, si bien éste limita su serie a una familia, la de los Rougon-Macquart.

Galdós, concibiéndolas como piezas independientes, repite en unas personajes de otras, sin duda para dar mayor realce y verosimilitud a la narración: por ejemplo, *El doctor Centeno* nos refiere la historia de Pedro Polo y de Miquis; éste muere tuberculoso, mientras Polo se constituye en personaje central de *Tormento*, en cuyas páginas la fábula iniciada en aquella novela alcanza pleno desarrollo. En *Lo prohibido* nos enteramos incidentalmente del consentimiento dado por Federico Cimarra para que su esposa Pepa Fúcar viva maritalmente con León Roch. La más interesante del grupo es *Fortunata y Jacinta*. Presenta la vida madrileña de la burguesía en el período comprendido entre la revolución del 68 y la restauración borbónica. Sobresalen por el trazado de caracteres: Juanito Santa Cruz, esposo de Jacinta y amante de Fortunata, señorito vicioso, inútil, incapaz de reaccionar generosamente ante ninguna clase de estímulos; Fortunata, mujer de baja extracción social, víctima de su propio carácter apasionado que la empuja en brazos de Santa Cruz; Maximiliano Rubín, anormal y visionario, prefiguración de Nazarín, que desposa a Fortunata a sabiendas de su pasado, con un propósito de redención. Junto a ellos la dulce y resignada Jacinta, a quien Fortunata, moribunda, envía el fruto de sus amores con Santa Cruz;

Guillermina Pacheco, caritativa y piadosa; doña Lupe, Estupiñá y otros.

En *La desheredada* se nos ofrece el cuadro, tan frecuente en Galdós, de las clases bajas madrileñas: Isidora, engañada por Tomás Rufete, pretende pasar por heredera de la marquesa de Aransis; fracasada en sus pretensiones, cae sucesivamente en brazos de diversos amantes, hundiéndose definitivamente en el vicio, tras renunciar a sus pretendidos derechos al marquesado. *El amigo Manso*, idealiza el amor de un profesor hacia su discípula Inesita, a la que coloca primero de institutriz en casa de un hermano suyo y protege luego, favoreciéndola en su matrimonio con otro de sus discípulos. En *El doctor Centeno* se interfieren dos narraciones de tipo novelesco: la del propio Centeno, criado del clérigo don Pedro Polo, y la de Alejandro Miquis, estudiante de Leyes al que vemos morir tuberculoso. El inicio de la pasión sacrílega de Polo por Amparo Emperador, y la historia de la breve vida de Miquis, que Galdós describe con exquisita ternura, infunden gran interés a la obra. *Tormento,* continuación de la anterior, presenta la lucha interna de Amparo que, entregada a Polo, encuentra en el recuerdo de su desliz una constante tortura. Polo la persigue sin descanso, recordándole siempre su momento de debilidad. Convencido por el padre Nones, acepta un curato en Filipinas, y después de diversos lances, Amparo marcha a Burdeos con el millonario Agustín Caballero. En *La de Bringas* asistimos a la tragedia de la pequeña burocracia, víctima del afán de *aparentar*. *Lo prohibido* es la historia del rico solterón José María Bueno de Guzmán, que nombra heredera a Camila, la única de las tres primas que le ha mantenido a raya en sus pretensiones amorosas. *Miau* relata la misérrima vida de don Ramón Villamil, cesante de Hacienda y eterno aspirante a la reposición.

Novelas psicológicas.—Las cuatro sobre Torquemada funden felizmente la tendencia psicológica, tan en boga por aquellos años, con el ambiente costumbrista del Madrid de la Restauración. Aunque el aprendizaje del protagonista nos retrotrae hasta el año 1851, es en la época inmediata a la revolución septembrina cuando alcanza su máximo prestigio financiero y político. Las peripecias anteriores sirven sólo de prólogo. La creación del avaro Torquemada resulta genial y digna de parangonarse con los más logrados tipos de avaros de la literatura de todos los tiempos [9].

Presentación del personaje, primeros pasos en el camino de la usura y una magnífica etopeya del gran avaro encontramos en *Torquemada en la hoguera.* Viudo con dos hijos, la hacendosa Rufinita y el inteligente, aunque deforme, Valentín, ve cómo éste enferma gravemente, y en el curso de la dolencia piensa que puede ser un castigo del cielo por su avaricia; decide hacer alguna gracia a los deudores; muere el niño; y Torquemada reacciona desesperado, disponiéndose a no dejarse conmover por nadie. El amor que profesa a la familia viene a ser el único rayo de luz entre tantas negruras.

El gran mundo financiero se evoca en *Torquemada en la Cruz*. Se ha casado con Fidela del Aguila, dama de veintisiete años, de familia noble y arruinada, que tiene otros dos hermanos: Cruz y Rafael. Cruz es la que introduce a su cuñado en el mundo financiero, sabedora de su predisposición y habilidad para los negocios. Aunque el capital de Torquemada aumenta prodigiosamente, los continuos dispendios de Cruz para hacer de su cuñado una notabilidad desesperan al avaro.

En *Torquemada en el Purgatorio,* los Aguila se instalan en el palacio ducal de Gravelinas, adquirido en subasta. Cruz obtiene para su cuñado el nombramiento de senador y el marquesado de San Eloy. Nace un hijo, al que se impone el nombre de Valentín, en memoria del prodigio fallecido. Los mimos que prodigan al vástago producen una fuerte crisis nerviosa en Rafael, que se suicida.

Torquemada y San Pedro nos da el desenlace de este sombrío drama. A pesar del aumento prodigioso de riquezas, Torquemada no se siente feliz. Se va distanciando cada vez más de su cuñada Cruz; los bailes, fiestas y reuniones del palacio de Gravelinas sólo sirven para amargar al avaro, que ve con dolor la muerte de su esposa Fidela, y la deformidad de su hijo. Desesperado, quiere por una vez seguir sus antiguas costumbres: entra en una taberna y come con exceso, cayendo víctima de una indigestión. Asistido por el capellán de la casa, padre Gamborena, trata del asunto de su salvación como si fuera un negocio. Sus últimas palabras son: «Jesús..., salvación..., perdón..., exterior, tres por ciento..., conversión...» La última *conversión* no se sabe si se refiere a la de su alma o a la de los valores cotizables.

Novelas-drama.—Obedece la «novela-drama» o «novela-teatro» al afán en el autor de revestir su obra de mayor dinamismo y de lograr una síntesis estética: narración-descripción-acción [10]. Galdós sigue cargando la mano en la descripción y detallismo propios de su novela realista. Sin variar esencialmente la temática—algunos tipos y situaciones de *Casandra* recuerdan otras de *Doña Perfecta*—, va intensificando la presentación directa, con menor intervención del autor y mayor de los personajes. La máxima utilización de esta técnica está representada por *La loca de la casa, El abuelo* y *Casandra.* Aquí los personajes se definen por sus actos; las acotaciones sirven sólo para siluetear su aspecto externo. Señala Galdós este tipo literario como propio de la época, que recaba doble colaboración del teatro y de la novela, pidiendo de aquél mayor atención en los

análisis, y de ésta más dinamismo en el desarrollo y una concisión de hechos casi escénica. La última obra del grupo, *La razón de la sinrazón* (1915) es la más endeble y representa un notable retroceso con relación a las ya citadas. Todo es arbitrario en ella; en vano el autor se afana por ofrecernos un tipo de novela simbólica en torno a una idea noble: la lucha de la verdad contra la mentira y el triunfo definitivo de aquélla. La tesis queda sólo esbozada y los protagonistas, Alejandro y Atenaida, no consiguen animar este cuento que, queriendo ser trascendental, resulta infantil.

La serie de novelas dialogadas se abre con *Realidad,* segunda parte de *Incógnita.*

Por cartas del diputado Manuel Infante a un tal Equis, nos enteramos de su amor por Augusta, esposa de Orozco, y de sus dudas sobre la honorabilidad de la dama. Supone que tiene un amante, sin llegar a la certidumbre de si es el diplomático Malibrán o el joven Federico Viera, noble arruinado de quien se dice que acepta protección económica de su ex querida la Peri. Viera aparece muerto, y la maledicencia se ceba en Augusta, en Orozco y en Malibrán. *Realidad* nos ofrece la solución del conflicto anterior: Viera se ha suicidado; amante de Augusta y avergonzado de su conducta ante la caballerosidad de Orozco, tras de una entrevista con la dama, se ha dado muerte.

La loca de la casa y *El abuelo* están más logradas. En la primera don Juan de Moncada se arruina en sus negocios, por diversas causas. La salvación de la familia aparece en Pepet Cruz, hijo de un antiguo carretero de los Moncada, que ha regresado de América con una importante fortuna. Enamorado de Gabriela, hija menor de don Juan, es rechazado. Victoria, la otra hija, novicia en un convento, se aviene a casarse con aquél para salvar a su familia. Desavenencias, luchas, separación temporal y, al fin, el amor se impone: si Pepet no puede vivir sin Victoria, ésta tampoco sin Pepet. El nacimiento de un vástago lima todas las asperezas.

En *El abuelo,* el viejo conde de Albrit sabe por una carta que de las dos hijas, Nell y Dolly, que pasan por fruto del matrimonio de su primogénito con Lucrecia, una es legítima y la otra no. Albrit vive con la obsesión de averiguar cuál es la legítima. La atenta observación de las dos niñas no hace más que sumirle en nuevas dudas. En una entrevista con Lucrecia, Albrit le propone que quede con una de las dos muchachas y él con la otra; pero Lucrecia no acepta. Tras algunos lances se entera que Dolly es la bastarda, y es también por la que siente más afecto el conde. Albrit, Dolly y don Pío Coronado buscan refugio en una aldea próxima.

Cuando apareció *El abuelo,* la crítica recordó *El rey Lear,* de Shakespeare. Hay, en efecto, algunos detalles similares en ambas obras; pero la idea esencial en la de Galdós, o sea «el valor real de la voluntad buena, anulando preocupaciones civiles de legitimidad y bastardía, es cosa extraña a la tragedia de Shakespeare» (*Clarín*). Lo que en el dramaturgo inglés es simple problema de ingratitud filial, en Galdós se eleva a tesis sociológica. En ambas hay una acción secundaria: la de don Pío Coronado, en Galdós; la de Glocester, en Shakespeare.

Con *Casandra*, vuelve Galdós a los problemas religiosos; ya no en la forma idealista de su última época, sino analizando el fanatismo y la hipocresía, como lo había hecho en *Doña Perfecta*. Con ella presenta ciertas semejanzas la doña Juana Samaniego de *Casandra*. Su lectura cansa; sus personajes, a excepción de doña Juana y de Casandra, ofrecen escaso relieve. En los dos citados, las tintas se recargan con exceso. El mundo abigarrado de fantoches que introduce Galdós no es suficiente para animar el sombrío retablo, en que todos se mueven por un único y obsesionante acicate: el ansia de heredar [11].

Novelas idealistas.—*Angel Guerra* inicia esta modalidad, que triunfará con *Nazarín* y *Halma*. El revolucionario Angel Guerra, por influjo de Leré, se convierte al catolicismo; proyecta una fundación religiosa y muere cristianamente, apuñalado por los Babel, hermanos de Dulcenombre, amante de Guerra en su primera etapa de revolucionario.

En *Nazarín* nos presenta al sacerdote don Nazario Zajarín, de mediana edad, enjuto de carnes y caritativo, que da entrada y protección a cuantos llaman a su puerta. Su credo es la pasividad. Entre los acogidos figura Andara, moza de partido, acusada del asesinato de una compañera y a la que Nazarín se propone regenerar. Para borrar las huellas de su estancia, Andara incendia la casa de Nazarín. Este y la joven son perseguidos por la justicia; se les acusa de relaciones ilícitas; se habla de retirar a Nazarín las licencias; después de varias peripecias es apresado por la Guardia Civil e internado en un hospital, enfermo de fiebres tíficas.

La influencia de Tolstoy en *Nazarín* es clara. Su desenlace se nos da en *Halma*: Asistimos al proceso y absolución de Nazarín por el incendio de Andara. El proceso ha puesto en claro su vida ejemplar. El hecho se comenta en casa del marqués de Feramor, hermano de doña Catalina de Artal, viuda de un diplomático, decidida a alejarse de la vida social y entregarse a la caridad, por consejo del sacerdote don Manuel Flórez. Catalina, por otro nombre Halma, desea ver a Nazarín; aunque el tribunal le ha absuelto, los médicos recomiendan su internamiento en un sanatorio o asilo religioso; Halma consigue del obispo que pase a su castillo de Pedralba. Muere Flórez; Nazarín es nombrado director espiritual de la pequeña comunidad; aconseja el matrimonio de Catalina con su primo José Antonio, y cuando estima que su presencia ya no es necesaria en Pedralba,

va a la cárcel de Alcalá, donde Andara completa condena por el incendio de la posada de Nazarín.

Nos hallamos ante diversas modalidades de misticismo: puro y sincero, en Leré y Nazarín; mezclado con móviles humanos, en Victoria; como espejismo del sentimiento y como reflejo de la virtud que irradia de un personaje excepcional, en Angel Guerra, José Antonio Urrea, Daniel Malavella, Andara y Beatriz; finalmente, como alucinación producida por debilidad física, en Halma.

Misericordia ofrece uno de los tipos más nobles y emotivos de la novela universal en la señora Benigna o Nina que, encariñada con su antigua dueña, doña Francisca Juárez, recurre a la mendicidad para socorrerla. Ello da ocasión a Galdós para la pintura de los bajos fondos madrileños, con las artimañas de los mendigos y las costumbres del hampa. Una redada de la Policía lleva a Benigna, en compañía del moro Almudena, al asilo. Se pone de relieve la ingratitud de su antigua ama, que, habiendo heredado una fortuna, se limita a señalar una pensión de dos reales a la criada y a gestionar su ingreso en la casa de Misericordia.

El teatro de Galdós

La afición de Galdós al teatro fué constante a lo largo de su vida. Sus primeras obras literarias —ya lo hemos dicho—pertenecen a la escena. La ausencia de paisaje en las novelas revela su inclinación a los valores puramente humanos; únase a esto el hecho de que la novela de Galdós, como dice César Barja, «está gobernada por el principio más dramático de la suspensión del interés, revelaciones súbitas y desenlaces teatrales». De estas revelaciones hay varias en *Gloria*, *Marianela* y *Fortunata y Jacinta*. Carácter eminentemente dramático, o mejor, teatral, tienen la muerte de Gloria y el asesinato de Pepe Rey. Como muestra de esta afición podríamos mencionar, finalmente, la «novela-teatro», fase inmediata a la del auténtico drama, que en Galdós se manifiesta, tanto en el fondo o ideología como en la forma o diálogo, diametralmente opuesto al de Echegaray. Temas que éste resuelve con la muerte o con el desafío hallan muy distinto desenlace en Galdós; piénsese en *Realidad*. El teatro de Galdós descansa sobre tres móviles: el amor, el trabajo y la libertad, entendiendo por ésta la oposición a los convencionalismos sociales. En todo ello se refleja la influencia de Ibsen y Tolstoy.

Prescindiendo de las novelas que adaptó luego al teatro, sus principales obras dramáticas son: *Electra*, *La de San Quintín*, *Celia en los infiernos*, *Santa Juana de Castilla*, *Bárbara*, *Los condenados* y *Mariucha*.

Para Galdós la regeneración social está en la unión de aristocracia y trabajo por medio del amor, ante el cual deben rendirse todos los convencionalismos. Así, en *La loca de la casa*, con el matrimonio de Pepet y Victoria; en *La de San Quintín*, con el de la duquesa de este título y un obrero socialista y romántico. *Mariucha*, en el drama así titulado, sobreponiéndose a las conveniencias familiares, se dedica a los negocios y casa con León, especie de estoico al estilo de Orozco. La conciencia individual, que tiende a liberarse de las trabas sociales mediante una vida de trabajo y de amor o aceptando como expiación la renuncia de la propia libertad, sirve de tema a *Los condenados* y a *Bárbara*. Las dos obras que alcanzaron mayor éxito son *Santa Juana de Castilla* y *Electra*. En la primera asistimos a los últimos días de la reina doña Juana la *Loca*, de la que Galdós consigue hacer una creación de gran fuerza dramática, si bien falseando su carácter e ideas, incomprensibles en una reina española del siglo XVI. Galdós se hace eco del supuesto erasmismo de doña Juana, a la que dignifica su gran amor al pueblo. Junto a la figura de la reina destaca la del futuro San Francisco de Borja, a quien el emperador envía a Tordesillas para *convertir* a doña Juana.

El éxito de *Electra* ha de atribuirse a circunstancias de índole política y religiosa más que literarias: Electra, joven de dieciocho años, educada en un colegio religioso de Bayona, pasa a casa de sus tíos, don Urbano y doña Eleuteria. Aquí vive también otro sobrino del matrimonio, Máximo, educado en Londres, joven aún, aunque ya viudo con dos hijos. Electra es hija natural; su madre ha muerto arrepentida «abominando de su libertinaje horrible, monstruoso». Así planteado el drama, se reducirá a un forcejeo entre católicos fanáticos y librepensadores honorables para la conquista de Electra. Enamorada de Máximo, Pantoja quiere llevarla al claustro. Para lograrlo le sugiere que es hermana del galán, lo que ocasiona en la joven una crisis nerviosa que la lleva temporalmente a la locura. La evocación de la sombra de la difunta Eleuteria, que aconseja a su hija seguir los impulsos de su corazón y desmiente su hermandad con Máximo, da fin a la obra.

Caracteres desdibujados y falsos: Máximo, de puro sabio, resulta tonto. La obsesión religiosa constante en Galdós le lleva a los linderos de la caricatura en lo que podía ser un buen drama. La honradez, el talento, la caballerosidad y otras nobles prendas, como casi siempre en Galdós, están del lado de los incrédulos o indiferentes religiosos; el fanatismo, la malicia, la intransigencia, la traición, el engaño, del lado de los católicos. Argumentar que se trata de malos católicos es pueril, pues Galdós no sabe presentar otros.

Estilo y técnica narrativa

La técnica novelística nos ha sido dada por el propio Galdós en su discurso de ingreso en la Real Academia:

«Imagen de la vida es la novela, y el arte de componerla estriba en reproducir los caracteres humanos, las pasiones, las debilidades, lo grande y lo pequeño, las almas y las fisonomías, todo lo espiritual y lo físico que nos constituye y nos rodea, y el lenguaje, que es la marca de la raza, y las viviendas, que son el signo de la familia, y la vestidura, que diseña los últimos trazos externos de la personalidad; todo esto sin olvidar que debe existir perfecto fiel de balanza entre la exactitud y la belleza de la reproducción.»

A continuación exige del novelista que quiera realizar con éxito ese empeño, una atención constante a la vida, más que a los libros. Tal procedimiento, fácilmente observable en la serie de sus «Novelas españolas contemporáneas», tiene ventajas e inconvenientes; el mayor de éstos, cierta minuciosidad detallista que puede redundar en excesiva lentitud de la acción. Ventaja: la de hacer de cada novela galdosiana un archivo documental de inestimable valor para el conocimiento de la vida española de últimos del XIX. Apuntemos otra ventaja positiva: los personajes, con pocas excepciones, se mueven a impulsos de su psicología; y es muy difícil identificar al autor con ninguno de ellos. Galdós queda al margen de sus criaturas, lo que no deja de ser un gran acierto.

La crítica, que tantas páginas ha dedicado al análisis temático e ideológico de la obra galdosiana, ha preterido sistemáticamente el estudio de su estilo [12]. Sólo alguna ligera alusión, como nota marginal o apostilla; nunca un estudio sistemático, valorativo de la palabra, que señale aciertos o defectos de expresión; un estudio, en fin, que nos señale la correlación del trinomio: pensamiento-lengua-ambiente.

Galdós es un escritor de estilo sencillo y fácil, lo que no debe interpretarse, según alguna vez se ha hecho, como ausencia de estilo, sino «como una de sus calidades y más bien como garantía de un modo emocional y sintáctico posiblemente acreedor al disfrute de la vigencia ilimitada». Por este estilo fácil, reñido con las pomposas declamaciones oratorio-docentes características de don Ramón Nocedal, pudo enjuiciar éste tan duramente a Galdós: «Absolutamente carece de estilo malo ni bueno», nos dice Nocedal. Juicio que revela escaso talento crítico y explicable sólo en quien como el político integrista confundía la amena literatura con el catecismo del padre Astete, valorando a los escritores según sus ideas religiosas. En 1880 la Pardo Bazán, que acababa de hacer sus primeras armas en el campo de la novela, lo califica de muy distinto modo: «Es en general

—dice la gran escritora—tan fluído, gallardo y suelto, tan ajeno a afectado purismo y a desmayada flojedad, tan rico en vocablos castizos y en giros nacionales, tan exento de hinchazón e hipérbole, tan grato, en suma, que fuera muy exigente quien con él no se deleitase.» Y Ricardo Gullón, en el magnífico y extenso prólogo a *Miau*, hace alusión al lenguaje galdosiano, cuya «textura informa con inequívoca contundencia de los propósitos y limitaciones del novelista, en cuanto a la narración propiamente dicha y en cuanto a su concepto de la novela y del arte de escribir en general. Ciertos adjetivos empleados con profusión delatan sentimientos y a veces insuficiencias; sustantivos precisos responden a claridad de ideas; locuciones conversacionales tienden a reflejar la frescura viviente del habla popular; la dosificación de los verbos remansa o impulsa el movimiento de la prosa». Y en cuanto a la técnica descriptiva, el mismo Gullón apunta que aunque alguna vez se vale de la acumulación, con más frecuencia utiliza el proceso de selección, por aprovechamiento de aquellos rasgos que considera más significativos [13].

Cuando se muestra más aceptable el estilo galdosiano es al presentarnos el abigarrado mundo de la clase media española, en su variedad costumbrista. Llevado a la polémica religiosa y a la proclama política pierde muchos quilates, se teatraliza y se llena de tópicos y latiguillos.

En Galdós, como en casi todos los novelistas de la época, hay declarada o tácitamente una preocupación estilística; no diremos de minucia sintáctica, como en *Clarín*, pero sí de expresión verbal, de afán por revestir la frase de la máxima calidad expresiva y evocativa. En Galdós este afán se manifiesta principalmente en ese proceso que le lleva de la novela a la novela-drama y al drama. Galdós crea con ello un tipo literario: la «novela-drama», tendente a la supresión de todo lo superfluo en la línea narrativa. En tales obras puede señalarse un camino ascendente: *La loca de la*

casa nos da la psicología de los personajes mediante hechos y no monólogos o apartes, como en *Realidad*. El punto intermedio entre ambas técnicas está representado por *El abuelo*. Pero no sólo en estas obras puede observarse el progreso estilístico de Galdós. Sin recurrir a las «novelas-teatro» [14] se observa un notable progreso a partir de 1880, con la publicación de *La desheredada*; compárense novelas como *Gloria* y *Misericordia*, *Doña Perfecta* y *Fortunata y Jacinta*, y se observarán profundas diferencias de expresión.

Volviendo a la técnica, y sin que intentemos atribuir a Galdós la invención de procedimientos llevados a sus últimas consecuencias en la novelística actual, cabe subrayar el interés que en sus obras se concede al «monólogo interior» y a los «agonistas». Siempre es expuesto hablar de influencias y precedentes. No vamos a decir, por tanto, que Joyce o Faulkner hayan copiado procedimientos técnicos ni estilísticos de Galdós. Pero tampoco ha de silenciarse la frecuencia con que tropezamos en sus obras el tipo «agonista», el tipo del hombre que lucha y se produce en conflicto con la sociedad o, lo que es más grave, consigo mismo, como acontece, para poner un solo y elocuente ejemplo, con el Federico Viera de *Realidad*. En cuanto al «tempo lento» y al monólogo interior, que en Galdós recibe diversos nombres—«divagar a solas», «soledad de pensar», «voz interior»—, halla tan amplia representación en sus novelas que bien se puede decir que constituye una de sus características fundamentales.

Señalemos, finalmente, la importancia que Galdós concede al elemento sobrenatural y fantástico: sueños, insomnios, alucinaciones y estados neuróticos, más o menos prolongados. De los sueños se sirve para exponer algo que no se atrevería a contar en forma directa. Pero otras veces el sueño se da como compensación, y en ocasiones, también, como admonición. En este aspecto sería interesante el estudio de personajes anormales de todo tipo que aparecen en las novelas galdosianas.

IV. PEDRO ANTONIO DE ALARCON

Casi contemporáneo de los grandes maestros de la novela naturalista—Pereda, Galdós, la Pardo Bazán, Palacio Valdés—, pero mucho más cerca de «Fernán Caballero» en lo estilístico e ideológico, PEDRO ANTONIO DE ALARCÓN (1833-1891) se nos presenta como un novelista-puente entre el costumbrismo y el realismo. Su obra, llena por una parte de resabios románticos y no exenta por otra de didacticismo y de frecuentes toques realistas, se balancea entre dos escuelas o tendencias, sin inclinarse definitivamente por ninguna. Su novela más celebrada, *El escándalo*, está todavía por el tema y por la manera ingenua de tratarlo dentro de lo romántico; mientras otra de sus grandes

obras, grande por su calidad artística, aunque parva en extensión, *El sombrero de tres picos*, anuncia en su gracia, sobriedad y movimiento, formas literarias que no se habían de imponer hasta principios de nuestro siglo. Lo que salvará siempre la obra de Alarcón y la hará acreedora a la atención de los críticos es el arte con que está en ella todo narrado. Alarcón es, sobre todo, un consumado narrador.

Datos biográficos y humanos

Nace Alarcón en Guadix (Granada) en 1833. Estudia primero en el Seminario; después, en Granada, Bachillerato y parte de Derecho, carrera que tiene que suspender por falta de recursos, para volver otra vez al Seminario, cambiando la Jurisprudencia por la Teología. Sus padres, aunque de buena posición, no podían subvenir a los gastos de la prole, constituída por diez hijos. Pronto deja los estudios eclesiásticos para marchar a Madrid (1853), en busca de la gloria literaria. Fracasa y vuelve a Granada, donde ingresa como miembro de la célebre Cuerda Granadina, asociación de jóvenes literatos y artistas, un tanto bohemios en su mayor parte, a la que pertenecieron hombres famosos como Castro y Serrano, Manuel del Palacio, Riaño, Fernández y González, etc. La Cuerda se disolvió con la revolución de julio del 1854. Alarcón hace sus primeras armas en *El Eco de Occidente*, y pronto se coloca a la cabeza de los revolucionarios granadinos, aspirando a destacar en la política; publica un libelo, *La Redención*, violenta diatriba del Ejército y del clero. Nuevamente en Madrid, dirige *El Látigo*, periódico panfletario, antidinástico y anticlerical; sus feroces ataques a la reina Isabel II le reportan un duelo con Heriberto García de Quevedo [15]. Sufre una fuerte crisis moral, se retira a descansar en Segovia, y regresa a Madrid convertido en católico y conservador. Estrena en 1857 *El hijo pródigo*, con éxito de público y rotundo fracaso de crítica. Al sobrevenir la guerra de Africa (1859-1860), se incorpora como voluntario al batallón de Cazadores de Ciudad-Rodrigo, quedando adscrito al cuartel general. Regresa de la guerra con «un balazo, dos cruces—una de ellas la de San Fernando—y un libro». Este libro lleva por título *Diario de un testigo de la guerra de Africa* y reúne las crónicas de Alarcón sobre aquella campaña. La obra proporciona al autor extraordinaria notoriedad y mucho dinero. Emprende un viaje a Italia (1860), origen de su libro *De Madrid a Nápoles*; ya famoso y rico, se instala en Madrid, donde encuentra decidida protección de Pastor Díaz, O'Donnell y otros prohombres; se le abren las puertas del gran mundo. Interviene activamente en política, a la vez que cultiva las letras. En 1863 hace campaña en pro de la Unión Liberal; funda el periódico *La Política* y es elegido diputado por Cádiz. Contrae matrimonio, 1865, y el mismo año se le destierra a París. Vuelto a España, toma parte en la batalla de Alcolea y, triunfante la Revolución, que arroja del trono a Isabel II, se le nombra ministro plenipotenciario en Suecia, cargo que renuncia por un acta de diputado por Guadix. Apoya la candidatura del duque de Montpensier y, fracasada la dinastía de Saboya, aboga por Alfonso XII. En 1873 publica *La Alpujarra*, uno de sus mejores libros, al que siguen sus grandes triunfos de *El sombrero de tres picos* (1874), *El escándalo* (1875) y, cinco años más tarde, *El Niño de la bola*. El éxito de las dos primeras le abre las puertas de la Academia, versando su discurso de ingreso sobre «La moral en el arte»; se le nombra consejero de Estado; pero ya se le empieza a tachar de retrógrado y oscurantista. A partir del 1882 deja de escribir y se va alejando más y más de la vida pública, amargado por lo que él llamaba la «conspiración del silencio» contra su última novela, *La Pródiga*, que tuvo una crítica adversa. Murió en Madrid en 1891, tras larga y penosa enfermedad.

Alarcón, como hombre público, evolucionó de la extrema izquierda a la extrema derecha; y esa evolución se refleja en sus escritos. No fué nunca aquel ultramontano y fanático que quisieron presentar sus enemigos, sino simplemente un católico convencido en religión y un conservador en política. Viviendo en una época de materialismo se sentía idealista y romántico, agitado siempre por nobles inquietudes. Durante su juventud lucha sin tregua por la verdad o por lo que él cree la verdad. Esto le lleva, primeramente al periodismo batallador de *El Látigo*, después, a las jornadas gloriosas de los Castillejos, y, más tarde, al puente de Alcolea. Esto mismo mueve su pluma cuando redacta El *escándalo*. Más tarde, su figura de espesa barba negra, entre caíd moro y patricio andaluz, aparece con frecuencia por los pasillos del Congreso. Al fin, retraído y un poco desengañado, se recluye en su casa de Valdemoro para hacer vida patriarcal «en el magnífico despacho o celda prioral que se ha hecho construir entre un hermoso jardín y una frondosa huerta, que cultiva con sus propias manos» [16]. La amistad de Pastor Díaz, que lo trató como a un hijo, puso cierto grado de seriedad en aquel carácter jovial y amigo de la bulla; el tiro al aire de García de Quevedo le movió a reflexionar sobre los más hondos problemas del espíritu.

Como escritor, Alarcón fué un autodidacto. No tenía la formación de Valera, de la Pardo Bazán o de *Clarín*; ni siquiera la de Galdós. «Yo no soy discípulo de ningún don Alberto Lista, grande ni pequeño», pudo escribir en cierta ocasión. Había empezado dos carreras, sin terminar ninguna; había estudiado, sin profesor, francés; había leído mucho, pero desordenada y anárquicamente: Walter Scott, Víctor Hugo, Dumas padre, Balzac, Jorge Sand, Karr, etc. Esta anarquía trasciende a su obra, formada por grandes aciertos y grandes caídas. Lo mejor de ella, repitámoslo, es el arte narrativo.

Obra literaria

Puede resumirse en estos apartados:

a) Poesía, teatro y escritos varios.

b) Narraciones o crónicas de viajes: *Diario de un testigo de la guerra de Africa, De Madrid a Nápoles, La Alpujarra, Viajes por España.*

c) Cuentos o relatos breves: *Cuentos amatorios, Historietas nacionales y Narraciones inverosímiles.*

d) Novelas: *El final de Norma, El sombrero de tres picos, El escándalo, El niño de la bola, El capitán Veneno y La Pródiga.*

Escritos varios

Ni las poesías, ni el teatro, ni los varios trabajos sueltos, que publicó, en parte, reunidos bajo el título *Cosas que fueron,* merecen particular mención [17]. Las *Poesías serias y humorísticas* (1870), con un prólogo excesivamente laudatorio de Valera, no rebasan para bien ni para mal el nivel medio de tantos libros de verso publicados en la época y en los que alternan composiciones de marcado sabor romántico con otras de factura más moderna. La huella de Selgas y del primer Campoamor es visible en muchas de ellas; en otras alienta el espíritu de Zorrilla, particularmente en las briosas y brillantes octavas de *El suspiro del moro,* poema premiado en público certamen (Granada, 1867), donde Alarcón acierta a desplegar sus envidiables dotes descriptivas [18]. Tampoco su único drama en verso, *El hijo pródigo* (1857), acusa un temperamento dramático más allá de lo discreto. Tal vez por haberlo así reconocido el mismo Alarcón, o acaso desengañado por la crítica, que lo juzgó muy acerbamente, no se atrevió a insistir con nuevos ensayos. Es obra de caracteres borrosos y faltos de vitalidad, defectos de los que Alarcón intenta exculparse por el deseo de ofrecernos un antídoto «del exuberante lirismo de que adolecían entonces casi todas nuestras obras dramáticas».

Crónicas de viajes

En cambio, son francamente buenas sus crónicas y narraciones de viajes. A falta de esa cultura casi universal, que parece indispensable a los cultivadores del género, y de la que Alarcón en buena parte carecía, hay en él una retina capaz como pocas de captar el color y la música de la Naturaleza y una potencia para trasladarlo todo al libro y comunicárselo al lector verdaderamente asombrosa. A ello se deben éxitos como el de *Diario de un testigo de la guerra de Africa* (1860), uno de esos triunfos fulminantes que consagran a un autor en pocas horas [19]. En forma amena y con un estilo brillante, rápido y colorista, más propio de un reportero que de un profesional de la literatura, nos va narrando Alarcón las vicisitudes de la campaña africana, cargando hábilmente la mano en algunos episodios culminantes: la Nochebuena del soldado, la batalla de los Castillejos, la entrada en Tetuán. El segundo tomo describe las costumbres y vida de los moros y al final inserta una larga relación de todas las víctimas, tanto de las caídas en el campo del honor como de las causadas por el cólera.

En la misma línea encontramos *De Madrid a Nápoles* (1861), constituído por una serie de reportajes redactados sobre la marcha y en los mismos lugares que se nos van describiendo. Tal circunstancia, si da al escrito cierto matiz de cosa poco planeada y hasta a veces incoherente, le imprime en cambio una vivacidad y frescura que fascinan al lector desde las primeras líneas, atándolo al relato. *De Madrid a Nápoles* ha sido por estas razones el libro de viajes más leído en España durante el siglo XIX.

La Alpujarra (1873), más trabajada y con una mayor maduración intelectual, combina felizmente lo popular y lo artístico, lo histórico y lo legendario. Sobre un fondo histórico—la sublevación de Fernando Válor (Aben-Humeya)—, Alarcón va tejiendo un relato de varia urdimbre: tradiciones, leyendas, apuntes del folklore, costumbres, etc., para terminar dándonos un conjunto de extraordinario valor descriptivo. Si hemos de creer al propio Alarcón, *La Alpujarra,* aparte y por encima de su intención literaria, debía ser «un alegato en favor de la tolerancia religiosa». Pero el público de la época nunca quiso ver en tal libro sino sus altos valores literarios.

Cuentos y narraciones breves

Quizá habría que buscar en las obritas incluídas en este apartado lo mejor del arte narrativo de Alarcón, lo más en consonancia con sus dotes de escritor ameno, ágil, observador, con sus gotas de fino humorismo.

El mismo Alarcón agrupó estas obritas en tres series bien definidas: *Cuentos amatorios, Historietas nacionales* y *Narraciones inverosímiles,* en las cuales distingue el propio autor tres formas estilísticas o maneras: una de influencia francesa—Víctor Hugo, Dumas padre, Jorge Sand—, se caracteriza por el predominio de lo narrativo sobre lo reflexivo y filosófico; es también anterior a las otras en el orden cronológico y corresponde a su época de juventud, en Guadix [20]. La segunda manera se caracteriza por el predominio de lo humorístico y bufonesco, con evidente influjo de Alfonso Karr y una gran libertad de temas, que Alarcón procura suavizar con un desenlace ejemplificador, o bien resolviéndolo en una situación de chiste. La tercera manera es de tendencia netamente realista—Cervantes, Dickens, Balzac—, con hondo sentido humano.

Una alusión a los más importantes. A *Cuentos amatorios* pertenecen *La comendadora,* bellísima monja que se ve obligada a aparecer desnuda frente a un sobrino suyo, caprichoso y enfermizo, único heredero de un título nobiliario; *El coro de los ángeles,* en que la desdichada Casimira, víctima de las burlas que su fealdad suscita en un grupo de damitas, muere de dolor al saber que un apuesto galán le había hecho la corte sólo por ganar una apuesta; *Tic-tac,* con una acción de intenso dramatismo: un marido sorprende a la esposa con el amante; obligado éste a ocultarse en la caja de un reloj, al salir ha perdido la razón y repite siempre el alucinante grito onomatopé-yico; *Novela al natural*, fragmento de la vida de un suicida; *El clavo*, divulgada por el cine, con un argumento folletinesco y sugestivo: la protagonista mata a su esposo para casarse con el juez Joaquín Zarco; éste descubre el crimen, pero, ya en el patíbulo la procesada, logra su indulto. Ella muere de la impresión recibida; *La belleza ideal*: un joven se enamora de una bella compa-ñera de viaje; al llegar a Madrid, le lleva a su casa, que resulta ser una vulgar hospedería.

En *Historietas nacionales*, muchas de las cuales se basan en episodios de la guerra de la Independencia, sobresalen: *El carbonero alcalde*, con la heroica gesta de los vecinos de Lapeza, que a las órdenes de su alcalde Manuel Atienza derrotan y echan de aquella villa a los franceses; *La buenaventura*, en que a un bandolero, que sienta plaza de «miquelete» para burlar a la Justicia, le llega la hora de rendir cuentas a ésta; *Las dos glorias*, sobre una interesante anécdota del pintor Rubens; *El afrancesado*, con un boticario que se finge adicto a las fuerzas invasoras y no vacila en envenenarse para hacer caer en una celada al enemigo; *Dos retratos*, sobre una visita del duque de Gandía, ya convertido en el padre Francisco de Borja, a Carlos V en Yuste; alcanza acentos de emotiva intensidad el relato que de su amor por la emperatriz Isabel hace al César el jesuita; *¡Buena pesca!*, relativa a una historia de adulterio y venganza; *El rey se divierte*, sobre Carlos II el *Hechizado*; citemos finalmente *El corneta de llaves*, *El asistente*, *El Angel de la Guarda*, *El extranjero* y la graciosísima «historieta rural» *El libro talonario*, sobre el ingenioso medio de que se vale el tío Buscabeatas de Rota para descubrir al que le había robado unas hermosas calabazas de su huerta.

Entre las *Narraciones inverosímiles* destaca para nuestro gusto *El amigo de la muerte*, con un tema que se mete en el campo de lo onírico: el zapatero Gil Gil, muerto hace seiscientos años, sueña que asiste como médico a Luis I y que contrae matrimonio con Elena de Monteclaro. Otros relatos de la serie dignos de mención: *Lo que se oye desde una silla del Prado*, cuadro realista lleno de ingenio; *Los ojos negros*, *El año de Spitzberg* y *Soy, tengo y quiero*, sátira de la literatura vacía y pedantesca.

Novelas

Alarcón inaugura el ciclo muy breve de sus novelas—media docena de títulos—, en 1855, con *El final de Norma*. Con decir que el autor tenía entonces dieciocho años y que, según propia confesión, «sólo conocía del mundo y de los hombres lo que le habían enseñado mapas y libros», quedará justificado lo endeble e ingenuo de esta su primera tentativa novelística. Nadie la ha juz-gado mejor que el propio autor: «Obra de pura imaginación, inocente, pueril, fantástica, de obvia y vulgarísima moraleja y más a propósito para entretenimiento de niños que para aleccionamiento de hombres.» Pero si a los ojos del lector corriente *El final de Norma* carece de todo valor, a los del crítico puede tenerlo no escaso, en cuanto delata a un escritor de poderosa fuerza descriptiva y de fresca imaginación.

Solicitado por sus fáciles triunfos en otros géneros—el periodismo, el cuento, la literatura de viajes—, Alarcón no volvió a escribir o a publicar novelas hasta 1875. Bien es verdad que el año anterior había aparecido *El sombrero de tres picos*, la más famosa y la mejor también de sus obras; pero más que una novela *El sombrero de tres picos* es un cuento extenso y será objeto de párrafo aparte. En 1875, repetimos, Alarcón publica su segunda novela, *El escándalo*, objeto, al parecer, de largas y enconadas discusiones. Se censura por muchos la naturaleza del tema, que gira en torno a un grave caso de conciencia, y se ataca, sobre todo, la solución del mismo, agravada por la circunstancia de ser un padre jesuíta el que ofrece esa solución. En tiempos en que la batalla contra la Compañía de Jesús alcanzaba su mayor virulencia no se podía consentir, por lo visto, que uno de sus miembros, el padre Manrique, ofreciese soluciones de estricta justicia y moral cristiana. Al parecer, todos los jesuítas, al convertirse en materia literaria, debían ser hipócritas, recelosos y concupiscentes. Pero esta misma polvareda de *El escándalo*, que anuncia la que iba a levantar quince años más tarde el padre Coloma con *Pequeñeces*, contribuyó a dar a la obra una difusión enorme: difusión que, a decir verdad, no desmerecía por otros conceptos. *El escándalo*, en efecto, es una novela bien construída, de arquitectura perfecta, en que todas las situaciones se van encadenando lógicamente, todos los personajes reaccionan de un modo natural y acorde con su manera de ser y todo lo que ocurre sobreviene por sus pasos contados. El cuadro con que se abre la novela—una descripción del carnaval madrileño, con su bullicio impresionante, para saltar casi sin tomar respiro a la quietud de la celda del padre Manrique—es un acierto total. El mismo procedimiento de narración retrospectiva, mediante el cual se pone al lector en antecedentes del gravísimo problema que se agita en el alma del protagonista, es otro acierto no menor. El asunto sin duda es de fondo romántico; la misma historia del padre de Fabián Conde es un típico folletín, y mucho de folletinesco tienen varios episodios de la novela; pero la ambientación y el estudio de los procesos psicológicos, sobre todo el que se opera en el alma del protagonista, pertenecen a la escuela realista [21]. La narración avanza con ese ritmo de creciente interés a que nos tiene acostumbrados Alarcón en casi todas sus obras.

He aquí el asunto: Fabián Conde, aristócrata, rico y calavera, cuyos desórdenes han escandalizado a Madrid, piensa arrepentirse gracias al noble y puro amor de Gabriela. Cuando está a punto de rehabilitarse, el despecho de una mujer, que no vacila en propalar las más graves calumnias, le pone en trance de perder, con el honor, la fortuna y hasta la vida, renunciando de paso a un porvenir de felicidad. Consulta su problema con el padre Manrique y, siguiendo el consejo de éste, termina rehabilitándose a costa de enormes sacrificios.

Cinco años más tarde (1880) publica Alarcón *El niño de la bola,* otro de sus grandes éxitos. Se trata aquí de un drama rural—«drama romántico de chaqueta», dice el propio autor—, de pasiones violentas y elementales, con una acción trágica, encuadrada en un escenario agreste. Un viento de fatalismo a la manera griega pasa por las páginas de este libro, que por su desarrollo y desenlace acredita a su autor como novelista de rango. En la técnica y lenguaje está aún dentro de lo romántico; pero frecuentes pasajes episódicos lo encajan en el marco realista de su época. Alarcón, en *El niño de la bola,* quiso darnos una obra de tesis, y en parte lo logró [22].

El argumento es sencillo: El usurero don Elías, conocido con el mote de *Caifás,* se apodera de todos los bienes de don Rodrigo Venegas, a cuya muerte el cura don Trinidad Muley recoge y educa a su hijo Manuel. Este se enamora de Soledad, hija del usurero, y en una fiesta campestre ofrece cuanto tiene por bailar con la joven, lo que impide don Elías pujando la oferta y acusando a Manuel de deberle un millón de reales, que no pudo cobrar a la muerte de don Rodrigo. Manuel promete, ante todo el pueblo, que regresará para pagar la deuda y bailar con Soledad. Tras ocho años de ausencia, regresa al pueblo y halla a Soledad casada; intenta darle muerte; pero, aconsejado por Trinidad, decide alejarse nuevamente del pueblo. Soledad le incita al adulterio; regresa Manuel, y en la fiesta ofrece cien mil duros por bailar con ella; al abrazarla, cegado por la pasión, la aprieta hasta ahogarla, y sólo suelta su cuerpo al ser apuñalado por el marido.

El *capitán Veneno* (1881), más que una novela es, por su extensión, un cuento alargado. Una vez más Alarcón hace aquí gala de sus sorprendentes dotes narrativas. Agilidad, gracia y maestría para presentar como nuevo un tema muchas veces tratado con sus notas más acusadas. En el fondo se reduce a una nueva versión de *El desdén con el desdén,* de Moreto, con la consabida moraleja de que el amor termina por amansarlo todo. El amor aparece encarnado en Angustias, que emplea todas las tretas posibles e imposibles para apoderarse del corazón del misógino don Jorge de Córdoba, más conocido por «el capitán Veneno». Sugiere también cierto paralelo con la comedia *Don Tomás,* de Narciso Serra.

Cierra la serie novelística de nuestro autor *La Pródiga* (1882), que para unos representa poco más que un sermón sobre las funestas consecuencias del amor ilícito; para otros, una defensa de la moral conservadora al uso, y para el autor quería ser «un alegato en favor de las leyes divinas y humanas que rigen nuestra sociedad». A pesar de la fría acogida por parte de la crítica, que determinó, según se ha dicho, el alejamiento de Alarcón de toda labor literaria, *La Pródiga* encierra una serie de valores innegables. Tiene dramatismo, interés creciente y unos cuantos caracteres magistralmente trazados, aparte, claro es, de lo sugestivo del relato. Julia, la *Pródiga,* y Guillermo de Loja, su amante, son dos personajes bien observados; el suicidio de la protagonista cuando prevé el hastío de su amante es la lógica consecuencia de la tesis preconcebida de Alarcón.

«El sombrero de tres picos»

Es la obra maestra de Alarcón; la que más fama le ha dado; considerada por algunos como la joya de todos los cuentos españoles [23]. Basado en la tradición popular, que aflora en el romance *El molinero de Arcos,* Alarcón ha sabido ambientarlo en los comienzos del XIX—se supone la acción entre 1804 y 1805—, dándole de paso una gracia, una ligereza y un desenfado iniguales. Los tipos, indumentaria, ambiente y costumbres corresponden a últimos del XVIII; pero la fábula encaja perfectamente en cualquier época.

La acción transcurre en un molino próximo a cierta importante ciudad andaluza (Guadix). El corregidor don Eugenio de Zúñiga y Ponce de León, viejo libertino que frisa en los cincuenta y cinco años, se enamora locamente de la «señá» Frasquita, esposa del tío Lucas el molinero, guapa mujer de origen navarro, tan seductora como celosa de su honra. Para lograr sus favores, el corregidor hace que prendan al tío Lucas; pero éste, recelando lo que pasa, logra evadirse; vuela al molino, ve allí las ropas del corregidor puestas a secar en la chimenea (su merced había caído en el caz) y, sospechando una infidelidad en su mujer, trama la venganza. Vístese las ropas del corregidor y, haciéndose pasar por tal, acude a la casa de éste e intenta seducir a la corregidora. Uno y otro, corregidor y molinero, quedan chasqueados.

Alarcón recoge la anécdota tradicional, que dice haberla oído de labios de un pastor en cierta fiesta de cortijo; pero tiene la gran habilidad de suavizar el desenlace, dejando incólume el honor, tanto de la corregidora como de la molinera. El tipo de ésta es uno de los mejor logrados no sólo de la literatura española, sino de la universal. Aquella *señá* Frasquita, tan escultórica en lo físico como soberbiamente formada en lo espiritual, siempre atractiva, graciosa y hasta insinuante, con cierto dejo de malicia que nunca transgriede los límites de lo honesto, capaz de tener siempre a raya a sus incontables admiradores por muy corregidores que sean, es un tipo de mujer totalmente acabado. Hácenle juego las otras figuras principales: el tío Lucas, el corregidor, doña Mercedes. Hasta las figuras accesorias—Toñuelo, Garduña, el obispo, los canónigos—están tratadas con exquisito arte. *El sombrero de tres picos,* si por un lado hace pensar en las alegres escenas dieciochescas de Goya o de Ramón de la Cruz, por otro enlaza con la más sana tradición de la novela realista del Siglo de Oro.

Juicio crítico

A casi un siglo de distancia, Alarcón se nos muestra por una parte como un romántico rezagado: románticos, en efecto, son muchos de sus temas y romántica la manera de desarrollarlos.

Por otra parte, podemos descubrir en él poderosas anticipaciones, que sólo al calor de las ideas y sentimientos del 98 habían de tener plena realización. Así el sentido de farsa, que en nuestro siglo encontraría feliz desarrollo en Valle-Inclán, y que palpita germinalmente en todo el relato desenfadado, chispeante y ajeno a toda intención trascendental, del *Sombrero de tres picos.*

Lo que salva a este autor ante los ojos de la posteridad es, sobre todo, su arte narrativo. Alarcón es un excelente narrador; por eso lo mejor de su producción está en los cuentos, en los que un simple detalle, un rasgo, dan motivo para hilvanar un cuadro dramático, amable, intrascendente o cargado de intención, pero que nunca exige del autor un gran despliegue de imaginación ni el planteamiento y solución de hondas tesis. Cuando Alarcón se olvida del romanticismo que respiró en su juventud y tampoco se acuerda de si el arte tiene o no una función educadora, atento sólo a contarnos cosas, entonces se convierte en un literato de primer orden.

V. JUAN VALERA

«En el crepúsculo del siglo XIX—ha escrito Eugenio D'Ors—encontré en las cumbres de la literatura española a muchas figuras ilustres, sobre las cuales hoy empiezan a ejercitarse las funciones justicieras de la segunda revisión... Hubo un artista nada más en aquel tiempo, y el artista fué don Juan Valera.» Exagerado, sin duda, el juicio de D'Ors, revela al menos el concepto más difundido y la cualidad más relevante del autor de *Pepita Jiménez:* la de ser en todo momento y en las más variadas manifestaciones de su talento literario un consumado artista. Valera—ensayista y filósofo, novelista y poeta, crítico e historiador, aparte de su destacada actuación en el campo diplomático—se nos aparece en la totalidad de su figura como uno de los espíritus más finos de la Europa del XIX y, en el aspecto puramente literario, como el mejor estilista de la época.

Vida y carácter

Nace don JUAN VALERA Y ALCALÁ-GALIANO, de familia ilustre, en Cabra (Córdoba), el 18 de octubre de 1824. Su madre, doña Dolores Alcalá-Galiano, ostentaba el marquesado de la Paniega. Cursa filosofía en el Seminario de Málaga (1837-1840), y luego en el Sacro-Monte de Granada, para continuar Derecho en esta última ciudad y en Madrid. En 1844 se gradúa bachiller en Jurisprudencia; en 1846, licenciado. Alterna en la corte con lo más florido de la sociedad. Admirado pronto como poeta y hombre de mundo, se enrola en la carrera diplomática. En 1847 va a Nápoles como agregado de la Embajada, que desempeña el duque de Rivas; dos años largos de residencia en la ciudad partenopea, donde intima y aprende

griego con Lucía Palladi, marquesa de Bedmar y princesa de Cantacuceno, la «dama griega» o la *Muerta,* como gustaban de llamarla por la palidez de su rostro, con un remoquete puesto probablemente por el duque de Rivas. Vuelve a Madrid en el 49; pero la vida española, con su chabacanería y tosquedad, le impresiona desfavorablemente. Pasa por nuestras legaciones y embajadas de Lisboa, Río Janeiro, Dresde y Rusia (1857), donde actúa a las órdenes del ostentoso duque de Osuna. En todas partes ha ido ampliando su horizonte cultural, al contacto con los diversos pueblos. En Río Janeiro había conocido a Dolores Delavat, hija del ministro de España, y entonces una niña, con la que habría de casarse en 1867.

En 1858 es elegido diputado por Archidona, y a partir de esta fecha se suceden sus actuaciones en España y en el extranjero. Académico de la Española (1861); director general de Agricultura, Industria y Comercio (1864); nuevamente diputado; ministro plenipotenciario en Francfort (1865); subsecretario de Estado (1868); ministro de España en Lisboa, en Washington, en Bruselas, en Viena (1881-1893). Retirado de la vida pública y enfermo de la vista, casi ciego, pasa sus últimos diez años entregado a la redacción de numerosos trabajos y al cultivo de amigables tertulias, por las que sentía gran afición. Murió en Madrid, el 18 de abril del 1905. Pertenecía a varias academias. Su vida literaria había empezado (1844) con un libro, *Ensayos poéticos,* del que no se vendió ningún ejemplar. Había sido uno de los fundadores de la *Revista de España,* en la que aparecieron muchos de sus trabajos.

Valera, ya se deduce de la anterior reseña, es un hombre de mundo, cultísimo, elegante, lleno de sagacidad, de experiencia y de cordura. Su abolengo nobiliario le da una distinción ingénita, que se traduce tanto en lo espiritual como en lo físico, tanto en sus producciones literarias como en sus maneras sociales y hasta en su mismo atuendo. A su paso por los seminarios de Málaga y del Sacro-Monte recibe un baño de formación humanística, muy acorde por otra parte con su temperamento, y que había de inmunizarle contra todo contagio de modas pasajeras y de gustos más o menos pervertidos; su continuo peregrinar, finalmente, por legaciones y embajadas, le permite ver y contrastar los hombres, las cosas y hasta las ideas más dispares, situándolo en ese plano de comprensión al que sólo llegan algunos, muy pocos, espíritus superiores para los que la vida apenas tiene secretos. Los ojos de Valera están acostumbrados a mirar las cosas desde cien ángulos diversos y ello da a su visión un valor poco corriente. Añádase su nacimiento, aunque de elevada alcurnia, en un medio semipopular y campesino, y su acceso más tarde a los más selectos círculos sociales, circunstancias que nos explican ese doble mundo de aristocracia espiritual y de ambiente popular en que se desenvuelven sus novelas.

Con tales premisas no ha de extrañar que el dintorno humano de Valera esté netamente definido por unos cuantos rasgos en que se combinan el humanista y el filósofo, el esteta y el crítico, el provinciano que siente el tirón de la tierra y del alma andaluzas y el viajero incansable que aspira a una visión universalista de las cosas. Todo ello mezclado con una no pequeña dosis de escepticismo y de sentimiento epicúreo de la vida. Si hubiera que definir su carácter recurriríamos a aquella su concepción paganizante, que le hacía ser indulgente e irónico a la vez con cuanto le rodeaba. Datos reveladores: estudia griego, y su primera traducción es de las *Pastorales*, de Longo; se pone a comentar a un filósofo y escoge a Voltaire, cuyas *Obras selectas* prologa.

Producción literaria

Abundante, y más que abundante, variada:

Crítico-literaria: *Del Romanticismo en España y de Espronceda, De lo castizo de nuestra cultura en el siglo XVIII y en el presente, La poesía lírica y épica en la España del siglo XIX, Qué ha sido, qué es y qué debe ser el arte en el siglo XIX, La irresponsabilidad de los poetas y la purificación de la poesía, La originalidad y el plagio, Del chiste y de la amenidad en el estilo, De la moral y de la ortodoxia en los versos, Del misticismo en la poesía española, Del influjo de la Inquisición y del fanatismo religioso en la decadencia de la literatura española, Fines del arte fuera del arte, La moral en el arte,* etc.

Agréguense sus valiosos estudios sobre la novela: *De la naturaleza y carácter de la novela, Sobre las novelas de nuestros días, Con motivo*

de las novelas rusas, *Apuntes sobre el nuevo arte de escribir novelas, Consideraciones sobre el «Quijote» y las diferentes maneras de comentarle, Las novelas ejemplares de Cervantes,* etc.

Sus innumerables prólogos y recensiones de libros, que van siguiendo paso a paso toda nuestra literatura durante medio siglo y la hispanoamericana *(Cartas americanas)* de los últimos lustros del XIX.

Su agudo ensayo sobre *La libertad en el arte* recoge lo más personal de su teoría estética.

Histórico-política: *Sobre los varios modos de entender la Historia, La revolución y la libertad religiosa en España, Notas diplomáticas, De la revolución en Italia, España y Portugal.* Completó además, en varios volúmenes, la monumental *Historia de España* de Modesto Lafuente.

De carácter filosófico: *La enseñanza de la filosofía en las universidades, El racionalismo armónico, De la filosofía española, Metafísica a la ligera, La metafísica y la poesía, Psicología del amor,* etc.

Novelas: *Pepita Jiménez* (1874), *Las ilusiones del doctor Faustino* (1875), *El comendador Mendoza* (1877), *Pasarse de listo* (1878), *Doña Luz* (1879), *Juanita la Larga* (1896), *Genio y figura* (1897), *Morsamor* (1899). Algunas novelas breves: *Mariquita y Antonio* (1861), la incompleta *Elisa la Malagueña,* etc.

Cuentos y relatos breves: *Parsondes, El pájaro verde, El bermejino prehistórico, Garuda o la cigüeña blanca, La buena fama, La muñequita, El hechicero, Cuentos y chascarrillos andaluces.*

Teatro: *La venganza de Atahualpa, Lo mejor del tesoro, Asclepigenia* (diálogo filosófico), *Amor puesto a prueba, Estragos de amor y celos, Los telefonemas de Manolita.*

Poesía: *Ensayos poéticos* (1844), con una nueva edición aumentada (1858); *Canciones, romances y poemas* (1886) [24].

Obras menores

Llamamos así a todo lo que no es crítica ni novela en la producción de Valera. Como lírico ya fué estudiado en el Cap. LXXII y no vale la pena volver sobre ello. Insistimos únicamente en que se trata de una poesía fría, académica, clasicista, excesivamente trabajada en su forma, sin imágenes, sin adornos superfluos, sin calor humano también:

> Encontrar en iglesia luterana
> o en mis versos imágenes, es raro,

había de decirnos él mismo. Todavía, y por recordar algunos títulos, cabe citar: *A Luscinda, A Lelia, A la tumba de Laureta, A la muerte de Espronceda, A la maga de mis sueños, A Gláfira, Amor del cielo, Idilio, A mis amigos, Al mar.* El fondo clásico se transparenta a veces en el título: *Fábula de Euforión.* Es poesía auténtica a la que no cabe poner reparos; pero que ya pasó hace muchos años, hace siglos, y que sólo merece resucitar cuando se le incorpora—tal en los días de Petrarca, de Garcilaso o de Ronsard—algún elemento nuevo [25].

Tampoco el teatro de Valera ofrece especial interés sino en cuanto contribuye a completar su figura, dándonos aspectos inéditos de ella. Es después de todo una prueba más de su curiosidad intelectual que le lleva a cultivar todos los campos de las bellas letras. *Asclepigenia* y *Gopa* nos presentan una vez más al Valera humanista, empapado de la filosofía antigua, si bien filtrada por el tamiz de la duda metódica cartesiana y del racionalismo kantiano; *Amor puesto a prueba* es una comedia de corte clásico; *Estragos de amor y celos,* una parodia de tragedia escrita en verso, y *La venganza de Atahualpa* desarrolla aquel pensamiento de Gómara que le sirve de lema: «No hay que reprender a los que le mataron, pues el tiempo y sus pecados los castigaron después, ca todos ellos acabaron mal.» Mencionemos también *Lo mejor del tesoro,* zarzuela basada en un cuento de *Las mil y una noches,* en buenos versos, pero muy aparatosa, y el monólogo intrascendente *Los telefonemas de Manolita.* De toda esta producción sólo *Gopa* y *Asclepigenia* merecen breve recuerdo. Aquélla intenta ridiculizar, y en cierto modo lo consigue, al príncipe Sidarta (Budha), que abandonó la vida de placeres y el amor de su bella esposa para entregarse a la oración y al ascetismo; *Asclepigenia* contrapone dos doctrinas filosóficas, dos concepciones de la vida, la platónica y la epicúrea. Proclo, para salvar de toda impureza el amor que profesa a Asclepigenia, se decide a separarse de ella, y cuando cree haber superado el instinto y la misma Venus Urania le revela que ha desaparecido todo peligro, vuelve en busca de su amada y la encuentra prostituída con Eumorfo y con el rico Crematurgo.

Mayor atención reclaman los cuentos y narraciones breves. En ellos apunta y, mejor aún, se manifiesta el Valera de las grandes producciones novelísticas. Se le ha comparado en este sentido con Voltaire. Se parecen poco. Voltaire es un espíritu demoledor, corrosivo, escéptico, que gusta de infundir y difundir en su obra ese escepticismo. En su afán iconoclasta llega con frecuencia al sacrilegio, a la blasfemia. Valera sabe encubrir siempre sus dudas con una amable sonrisa. Irónico con frecuencia, su ironía rara vez lastima al lector. Los cuentos de Valera se mueven las más de las veces en un plano poético. Sus personajes pertenecen más al mundo de la fantasía que al real; «están hechos—dice uno de sus biógrafos—de esa materia tan sutil que escapa a la comprobación de nuestros sentidos. Príncipes hechizados, como el de *El pájaro verde;* muñequitas que, como la del cuento de este mismo nombre, poseen la virtud de trocar en oro lo que es... ruin desperdicio;

sabios como *Parsondes,* que se convierten en unos vividores; árboles que tienen por hojas esmeraldas y rubíes por fruta, y peces con las escamas de plata y de oro la cola» [26]. Así también *El hechicero* y la misma *Garuda o la cigüeña blanca,* en que la soñadora Poldy se enamora de un judío chamarillero.

Crítica

La crítica de Valera es siempre correcta, aguda y comprensiva. Su conocimiento perfecto de muchas lenguas y de muchas literaturas le permite enjuiciar la obra con gran serenidad y larga perspectiva. Su amplia base filosófica da a los juicios solidez y exactitud. Valera, no importa repetirlo una vez más, es clásico por los cuatro costados; pero, al igual que su gran amigo Menéndez Pelayo, con quien tantas analogías espirituales tiene, sabe calibrar y estimar en su valor lo mismo lo clásico que lo romántico, lo que cae dentro de su doctrina estética, como lo que está fuera de ella. Sus *Cartas americanas,* llenas de ironía y salpicadas de penetrantes intuiciones, nos revelan un crítico de primer orden. Valera se adelantó a todos los grandes críticos de su tiempo al señalar las posibilidades poéticas de Rubén Darío. Su crítica de *Azul* tiene en este sentido extraordinaria importancia. Aparte de los estudios citados anteriormente, debe consultarse para conocer a fondo el pensamiento de Valera su nutrida correspondencia con Cueto, Miguel de los Santos Alvarez, Menéndez Pelayo, etc. Son cartas llenas de ingenio, desenfado y penetración, redactadas en estilo que puede pasar por arquetípico dentro del género.

La doctrina estética

¿Se puede hablar de una doctrina estética, un sistema estético, de Valera? Creemos que sí. Como Menéndez Pelayo, como *Clarín,* como la Pardo Bazán, como Palacio Valdés y tantos otros, Valera había llegado a estructurar unos cuantos principios básicos, que en buena parte aplicó en sus propias obras y que tuvo también en cuenta al juzgar las ajenas. Algunos de estos principios son:

a) El arte es imitación; pero una imitación *sui generis,* una imitación de lo verosímil más que de lo real. En este punto su doctrina coincide en todo con la tradicional, desde Aristóteles al siglo XVIII, pasando por Santo Tomás. «La diferencia que media entre historia y poesía está en que la historia pinta las cosas como son y la poesía como debieran ser.» Para Valera, con un sentido puramente etimológico, poesía es sinónimo de creación artística en general.

b) El arte no tiene una finalidad fuera de sí mismo. No tiene otra misión que producir belleza. Puede comportar, y de hecho comporta casi siempre, otra finalidad ética o docente; pero esto no le es esencial. Con ser bello le basta. Sus atributos son «la manifestación sensible de la belleza y el puro y sano deleite que al percibirla se goza».

c) El arte se manifiesta por la *forma*; es ésta, por tanto, la que lo define y califica. Buscar en el arte zonas o aspectos ajenos a la forma es salirse de su área. Porque aun cuando se atienda al contenido, al sentimiento o a la idea del producto artístico, ello debe hacerse en función del aspecto formal.

d) En arte hay ciertos principios inmutables, válidos para todos los tiempos y para todas las latitudes. Cualesquiera que sean sus diferencias en el espacio o en el tiempo, al arte es uno y el mismo en esencia. Esas que Valera llama *modas* y nosotros *estilos* no deben afectar sino a lo más accidental.

e) Desechada, por tanto, la *historicidad* de los valores estéticos según se viene entendiendo en nuestros días, lo más que ha de admitirse es cierto *progreso* o *adaptación* a los distintos pueblos y épocas; pero siempre, entiéndase bien, dentro de unos principios básicos e inmutables.

f) Como el arte es uno y universal, aunque con matices diferenciales y con mayor o menor perfección, según los diversos pueblos, el artista, el escritor, viene obligado a conocer los productos extraños por si de ellos puede sacar algún provecho en orden a la mayor o menor perfección de su propia obra. España en esto anduvo equivocada; sólo tuvo ojos para la literatura francesa, cuando hay otras tan dignas de estudio e imitación como ésta. Valera aconseja, y él se adelanta a darnos ejemplo, el estudio de las literaturas inglesa, italiana, polaca, alemana, rusa, etc.

Las novelas

Valera llega a la novela un poco tarde. Cuando aparece su primera obra del género, *Pepita Jiménez* (1874), está remontando la cumbre de los cincuenta años. Con ello se confirma una vez más el conocido axioma de que la lírica es producto natural de espíritus juveniles; la novela, de almas experimentadas. Valera entonces ya era conocido como crítico y, en ciertos sectores, como poeta. Pero es en la novela donde va a adquirir su mayor renombre.

Pepita Jiménez fué su primera y probablemente su mejor novela. No es nuestro propósito aludir a las circunstancias en que se gesta, ni al hecho real o fantástico—en todo caso narrado por el mismo Valera—que determinó su génesis. Si hemos de creer al propio autor, no hubo en su principio intento de hacer una novela [27]. En forma epistolar casi toda, la obra se reduce al proceso de seducción seguido por la hermosa viuda que da su nombre a la novela, para casarse con el seminarista Luis de Vargas. Al aparecer *Pepita Jiménez* dominaba en España la novela de tesis, y, como

era lógico, la crítica se esforzó por desentrañar la que, sin género de duda, debía encerrar la de Valera. Todo se dijo; la hipótesis más sostenida fué que se trataba de una rechifla del misticismo mal entendido; hasta hubo quien proponía canonizar al autor por haber sabido señalar tan admirablemente los peligros de una débil vocación. Nosotros, sin desechar la hipótesis aludida, preferimos creer que Valera se propuso simplemente y ante todo hacer una obra de arte. A ello nos mueve, entre otras, la consideración de hallarnos ante un hombre que se pasó la vida defendiendo la teoría de «el arte por el arte» o del arte por sí mismo. En todo caso, con tesis o sin ella, se trata de una obra lograda. Valera, en plena madurez, conocedor del mundo y del corazón humano, un poco pagano y otro poco escéptico, sabe muy bien lo que hace y por qué lo hace. Al enfrentar a un místico con una sensual—dése a este vocablo su mejor sentido—, era seguro el fracaso del primero por falta de experiencia como por sobra de teoría. El joven Luis de Vargas, creyéndose con fuerzas para evangelizar a medio mundo, sucumbe pronto ante los encantos de la primera mujer que se interfiere en su camino. Bien es verdad que se trata de Pepita Jiménez, una viuda simpática, joven y apetitosa si las hay. El instinto maternal, que alienta en el corazón de toda mujer, suministra al autor ocasión para escribir hermosas páginas. En resumen, la primera novela de Valera resulta como producto artístico, por la gracia y belleza del estilo y la ponderada gradación de los afectos, uno de los grandes aciertos del siglo XIX.

Las ilusiones del doctor Faustino (1875), segunda en orden cronológico, es—perdónese la redundancia—la más «novelesca» de sus novelas. Aquí sí que hay una sátira manifiesta, la del materialismo de la época, empeñado en resolver con menguados recursos los grandes problemas de la vida y del espíritu. En tal sentido se puede decir que es copia de la realidad; el protagonista, «un doctor Fausto en pequeño, al decir del mismo Valera, sin magia ya, sin diablo y sin poderes sobrenaturales que le den auxilio», encarna con bastante fidelidad a tanto filósofo frustrado, a tanto pensador a quien le viene ancho su sayo, a tanto artista afanado inútilmente en traspasar las lindes del misterio. Tres mujeres, Constancia, Rosita y María, resumen en torno al protagonista ese mundo erótico, que tan bien conocía Valera, y al cual no le era fácil renunciar. Constancia simboliza el orgullo y el egoísmo; Rosita, el amor sensual; María, el afecto espiritualizado. Por una de esas paradojas frecuentes en Valera es precisamente esta última la que cede a los deseos de Faustino, dándole una hija que él reconoce, mediante casamiento *in articulo mortis*. El final es pesimista: repuesto de una grave enfermedad, Faustino se suicida ante la inutilidad y fracaso de su vida.

Menos idealista y acaso por ello mucho más humana es *El comendador Mendoza*, aparecida dos años después (1877). Basada en las relaciones adulterinas de doña Blanca Roldán con don Fadrique López de Mendoza, plantea un interesante conflicto de orden religioso, a la vez que afectivo y social. En doña Blanca se intenta personificar el fanatismo religioso; en Mendoza, el espíritu librepensador; dos ideologías muy acusadas, como se sabe, en la época. Del choque de los dos caracteres, bien perfilados, surge el conflicto. Se le señala como su mayor defecto el desenlace, que viene poco preparado. Valera, que tan bien suele atar todos los cabos, no justifica el matrimonio de don Fadrique con su sobrina Lucía [28].

Escaso interés ofrece *Pasarse de listo*, narración corta no exenta de encanto poético y en la que un don Braulio termina suicidándose, al creer que le engaña su mujer. Si el autor quiso demostrar los peligros a que está abocado un espíritu razonador y analítico con exceso, ha de reconocerse que sólo a medias lo consigue. En *Pasarse de listo* las sospechas de don Braulio están plenamente justificadas.

El conflicto místico-erótico de tan feliz solución en *Pepita Jiménez*, desemboca en un final trágico en *Doña Luz*. Véase su argumento:

A la muerte del marqués de Villafría, su hija doña Luz queda a vivir con don Acisclo, administrador de aquél y el que más ha contribuido a su ruina en beneficio propio. La dama, que anda rondando la treintena, ha desdeñado ya a varios pretendientes. Llega al pueblo, para reparar la salud quebrantada en las misiones de Asia, el padre Enrique, sacerdote de unos cuarenta años, con fama de virtuoso y de sabio, sobrino de don Acisclo. Los coloquios místicos del fraile con la dama se van transformando, sin que ellos mismos lo adviertan, en comunicaciones amorosas, palpitantes de honda pasión. Esta, velada algún tiempo, termina por estallar cuando llega a Villafría don Jaime Pimentel, que no tarda en ponerse en relaciones formales con doña Luz. Contraen matrimonio; muere el padre Enrique de un ataque cerebral, y aparece su *Diario*, en que se pone de manifiesto el amor hacia doña Luz y la intensa lucha para ahogarlo. La conducta de don Jaime provoca la separación conyugal, y doña Luz sigue manteniendo el recuerdo melancólico del padre Enrique, bautizando con este mismo nombre a su hijo.

Valera, tan devoto de «el arte por el arte», no vacila en asignar a *Doña Luz* una tesis y una tesis bien definida: la de que nadie, religioso ni seglar, está exento del amor humano [29].

Se ha querido comparar *Doña Luz* con otras novelas de la época que ofrecen temas análogos y personajes similares: *La regenta*, de *Clarín*; *La Fe*, de Palacio Valdés; *El crimen del padre Amaro*, de Eça de Queiroz; *La falta del abate Mouret*, de Zola. Sin duda, las coincidencias existen; pero la técnica es distinta. Estas cuatro novelas son plenamente naturalistas; la de Valera, aun con alguna ligera concesión al naturalismo, no puede encuadrarse en ese apartado. Lo que interesa a Valera sobre todo es el proceso psicológico de sus personajes; lo que interesa a aquéllos, aun en el caso de *La regenta*, tan cargada de análisis psicológico, es el ambiente, el medio que rodea a las criaturas humanas, para de este modo justificar o al menos explicar su conducta. Este determinismo, este supeditar los actos de la razón al mundo de la materia, es lo que no admite ni podía admitir Valera. Por ello las analogías de *Doña Luz* con las novelas citadas no pasan de simples coincidencias.

Ya septuagenario, en 1895, publica Valera su *Juanita la Larga*, encantadora narración llena de ingenio y sin duda la más humana de cuantas salieron de su pluma. En la vida y trazas de sus dos protagonistas, madre e hija, hay mucho del encanto, del amable humor, del alegre desenfado de las heroínas de la picaresca. Las dos Juanitas son un dechado de finura, sagacidad y juicio. Toda la trama se reduce a los ardides de que se vale Juanita la *Larga*, hija natural de Juana Gutiérrez y de un apuesto oficial de Caballería, de paso por Villalegre, para *cazar* en la red del matrimonio al viudo ya cincuentón don Paco, secretario de aquel Ayuntamiento. Siendo la novela más realista de Valera, se encuentra, sin embargo, a cien leguas del naturalismo al uso. Es realista; pero con un realismo espiritualizado, tamizado por el alma de un esteta.

Genio y figura (1897), con un tema un tanto escabroso, aunque muy suavizado en el fondo y en la forma, corrobora una vez más el juicio de *Clarín* cuando decía que el ideal de Valera era precisamente no tener ninguno. Se pasó media vida proclamando la «finalidad sin fin del arte» y, ya lo hemos visto, apenas escribió una novela sin su tesis correspondiente. La de *Genio y figura* se desprende del mismo título: inutilidad de luchar contra el carácter, contra la propia naturaleza. Relata las aventuras galantes de Rafaela, que pone fin a su vida al enterarse de que Lucía su única hija, ingresa en un convento, avergonzada de la conducta de su madre [30].

Con *Morsamor* (1899) se cierra el ciclo novelístico de Valera. Cuenta las peregrinaciones de un religioso franciscano, Miguel de Zuheros, que con su criado Tiburcio de Simahonda, a guisa de escudero, recorre diversos países. La odisea de Miguel y Tiburcio da pie a Valera para lucir sus conocimientos geográficos y sus excelentes dotes narrativas. El protagonista, desengañado del mundo, termina regresando al convento [31].

Estilo y técnica

Valera, por su larga vida, asiste a una serie de movimientos literarios—romanticismo, realismo, naturalismo y modernismo—sin quedar definitivamente adscrito a ninguno. Ecléctico en literatura y en arte sabe aprovechar de cada una de estas escuelas lo mejor. Clásico por temperamento y por educación, si no gozó las auras de la popularidad, tampoco vió agostarse los frutos de su ingenio con el advenimiento de nuevas modas. Sus novelas—*Pepita Jiménez, Doña Luz, Juanita la Larga*—resultan hoy tan actuales y sugestivas como en el momento de su aparición. Se le podrá tachar de excesivo atildamiento; pero esto que en otros puede ser un defecto, en Valera es una virtud, atendidas las circunstancias en que aparecieron sus obras. Téngase en cuenta que frente al estilo, muchas veces grosero y falto de toda delicadeza, del naturalismo, la mejor lección que se podía dar es esa que se desprende de las obras de Valera: la de una gran finura tanto de contenido como de expresión. Valera, hasta cuando trata temas populares, es un aristócrata. Viste siempre de etiqueta. Su estilo es cuidado, escogido, moderno y arcaico a la vez; nunca *arcaizante*; sencillo, pero con esa estudiada sencillez de los clásicos, que se traduce siempre en la más alta elegancia. «Valera —hacemos nuestro el juicio de Julián Marías—escribió la mejor prosa española del siglo XIX y la que más se ha salvado para nuestro gusto.»

Otro reproche se le hace: su intromisión constante en el relato. Se quiere decir con esto que Valera está personificado en Luis de Vargas y en Mendoza, en el doctor Faustino y en Miguel de Zuheros. Pero eso mismo ocurre con todos los grandes escritores, que acostumbran dejar jirones de su ideología y de su experiencia individual en los personajes de sus obras.

También se le acusa de escéptico. Lo es, pero con un escepticismo amable, un escepticismo que no hiere. Valera nunca pretende imponer su criterio al lector. Con un respeto absoluto para la opinión ajena, él va exponiendo las suyas, sin dogmatismos, y fruto casi siempre de una larga experiencia; y allá las deja, para que el que quiera las acepte y el que no, las rechace.

Su técnica se reduce a buscar primeramente un escenario para la acción, que suele ser la región andaluza, ciudad o campo; casi nunca el ambiente cortesano. Después, sitúa allí sus personajes, tomados de la vida real, pero muy idealizados; porque para él la novela, más que una copia, es una *recreación* del mundo y de los seres circundantes. Concede Valera capital importancia al análisis psicológico, y en esto sus novelas están muy por encima de toda la producción de la época; sólo admite parangón con ellas *La regenta*, de *Clarín*, en que la disección del alma de Ana Ozores y del magistral Fermín de Pas está hecha con una morosidad casi enfermiza. Valera también, como *Clarín*, busca una y otra vez en el alma de sus personajes, atento a sus más ligeras reacciones y convencido de que el hombre es suficientemente libre para reaccionar en un sentido u otro, para

inclinarse hacia el bien o hacia el mal. Es, pues, una técnica opuesta polarmente a la del naturalismo, en que la conducta suele venir determinada casi fatalmente por el medio y las circunstancias. Gracias a esa técnica, a ese exquisito cuidado en la disposición de la fábula y a ese lenguaje, modelo siempre del bien decir, pudo producir sus novelas y escribir el resto de sus obras, que si no alcanzan la categoría de lo genial, merecen siempre leerse como modelo de pensamiento y de buen estilo.

NOTAS

1. En 1882, el autor de *Fortunata y Jacinta* escribe: «Una de las mayores dificultades con que tropieza la novela en España consiste en lo poco trabajado y hecho que está el lenguaje literario para reproducir los matices de la conversación corriente. Oradores y poetas le sostienen en sus antiguos moldes académicos, defendiéndolo de los esfuerzos que hace la conversación para apoderarse de él; el terco espíritu aduanero de los cultos le priva de flexibilidad. Por otra parte, la Prensa, con raras excepciones, no se esmera en dar al lenguaje corriente la acentuación literaria, y de estas rancias antipatías entre la retórica y la conversación, entre la Academia y el periódico, resultan infranqueables diferencias entre la manera de escribir· y la manera de hablar, diferencias que son la desesperación y el escollo del novelista.»

2. El término *naturalista*, aplicado a un escritor español, debe entenderse dentro de los especiales caracteres atribuíbles a dicha escuela entre nosotros, siempre muy atenuados con la novelística francesa. En otro capítulo volveremos sobre esta cuestión.

3. «La novela de tesis—dice—tiene el defecto radical... de que es novela. Es una reunión de situaciones que el autor dispone para preparar un efecto consabido, que sirve a reforzar sus ideas particulares—anárquicas, católicas, socialistas, anticlericales, etc.—, tal como las expone en su obra. La novela de tendencia, por el contrario, es una fábula donde el autor tiene siempre la mira de un fin especial, que no busca, sino que encuentra ya dado en la naturaleza de las cosas. Así, pues, hablando el lenguaje escolástico, podríamos decir que el novelista de tesis persigue su fin inmediatamente y apoyándose en fútiles causas seguidas; y el de tendencia busca el fin de un modo mediato, con la mira puesta en una prima causa.» (*Historia de la novela en España desde el Romanticismo a nuestros días*, pág. 238.) Según esta discriminación, son de tesis, aparte las mencionadas, algunas novelas de Pereda: *El buey suelto..., De tal palo, tal astilla*, y hasta *La Montálvez*; mientras que podríamos calificar de tendenciosas *El sabor de la tierruca* y *Don Gonzalo González de la Gonzalera*, del mismo autor; *La fe, Tristán o el pesimismo*, y hasta *La aldea perdida*, de Palacio Valdés; sus novelas que integran el grupo llamado «de rebeldía», de Blasco Ibáñez, y varias de la Pardo Bazán. Creemos difícil la diferenciación de los términos «tesis» y «tendencia» aplicados a la novela. Si aceptamos la denominación de «tesis», es por seguir clasificaciones tradicionales, que resultan casi necesarias al no hallar otras que mejor califiquen determinados tipos narrativos.

4. «Entre ñoñeces y monstruosidades dormitaba la novela española por los años de 1870, fecha del primer libro del señor Pérez Galdós. Los grandes novelistas que hemos visto aparecer después eran ya maestros consumados en otros géneros de literatura, pero no habían ensayado todavía sus fuerzas en la novela propiamente dicha. No se habían escrito aún ni *Pepita Jiménez*, ni *Las ilusiones del doctor Faustino*, ni *El escándalo*, ni *Sotileza*, ni *Peñas arriba*.» (MENÉNDEZ PELAYO: Discurso de contestación al de ingreso de Galdós en la Real Academia, *Artículos y discursos de crítica histórica y literaria*, V, pág. 89.)

5. A este propósito escribe Federico C. Sainz de Robles: «Cerca de ocho mil personajes cautivan con sus existencias, llenas de sentidos y de sentimientos, la atención de cuantos lectores se pongan en contacto con ellos.» (Pról. a las «Obras completas» de Galdós, Edit. Aguilar.)

6. Su padre fué general de brigada. Sainz de Robles, aludiendo a los ascendientes del novelista, escribe: «¿Quién podrá pensar que Galdós, tan campechano, tan liberalote, tuviera una ascendencia materna de la más

pura cepa tradicionalista vasca?» (Pról. aludido, pág. IX.) Su abuelo, don Domingo Galdós y Alcorta, fué destinado a Las Palmas a finales del XVIII, como secretario de la Inquisición.

7. Los títulos son: 1.ª serie: *Trafalgar, La Corte de Carlos IV, El 19 de marzo y el 2 de mayo, Bailén, Napoleón en Chamartín, Zaragoza, Gerona, Cádiz, Juan Martín el Empecinado y La batalla de los Arapiles.* 2.ª serie: *El equipaje del rey José, Memorias de un cortesano de 1815, La segunda casaca, El Grande Oriente, El 7 de julio, Los Cien mil Hijos de San Luis, El terror de 1824, Un voluntario realista, Los apostólicos y Un faccioso más y algunos frailes menos.* 3.ª serie: *Zumalacárregui, Mendizábal, De Oñate a La Granja, Luchana, La campaña del Maestrazgo, La estafeta romántica, Vergara, Montes de Oca, Los ayacuchos y Bodas reales.* 4.ª serie: *Las tormentas del 48, Narváez, Los duendes de la camarilla, La revolución de julio, O'Donnell, Aita Tettauen, Carlos VI en la Rápita, La vuelta al mundo en la «Numancia», Prim y La de los tristes destinos.* 5.ª serie: *España sin rey, España trágica, Amadeo I, La primera República, De Cartago a Sagunto y Cánovas.*

8. El propio novelista ha explicado la fusión de novela e historia en sus *Episodios*: «Los íntimos enredos y lances entre personas que no aspiran al juicio de la posteridad son ramas del árbol que da la madera histórica con que armamos el aparato de la vida externa de los pueblos, de sus alteraciones, estatutos, guerras, paces. Con una y otra madera, acopladas lo mejor que se pueda, levantamos el alto andamiaje desde donde vemos en luminosa perspectiva el alma, cuerpo y humores de la nación.» Estos personajes anónimos o semianónimos, «que no aspiran al juicio de la posteridad», y que el novelista puede manejar a su antojo por ser productos exclusivos de su fantasía, son los que le sirven para reflejar la historia nacional; ellos intervienen en las más diversas peripecias, y sus actos, sus comentarios, su juicio del cotidiano acontecer, serán el reflejo real de la historia española.

9. A este propósito ha escrito Arthur L. Owen (*Torquemada of Galdós*, «Hispania», 1934): «En Torquemada, las dos pasiones paralelas de la tacañería y de la voracidad quedan cuidadosa y claramente diferenciadas; pero Galdós no ha hecho de él una caricatura, como el Harpagón de Molière, ni un monstruo, como el Père Grandet de Balzac... Torquemada es, a pesar de todo, un humano con derecho a nuestra simpatía... Sabe otras emociones independientes de su avaricia. Tiene temores, esperanzas, aflicciones, ¡hasta amia! Aquí se apoya la fuerza de la caracterización galdosiana, en que ha creado una figura de carne y hueso y no una abstracción.»

10. En el prólogo de *El abuelo* (1897) justifica el empleo del diálogo en la novela, ya que permite reducir las formas narrativa y descriptiva. Con el sistema dialogal se da—dice—«la forja expedita y concreta de los caracteres, pues éstos se hacen, se componen, imitan más fácilmente a los seres vivos, cuando manifiestan su contextura moral con su propia palabra, y con ella dan el relieve, más o menos hondo o firme de sus acciones; que con la virtud misteriosa del diálogo parece que vemos y oímos sin mediación extraña el suceso y sus actores, olvidando al artista oculto que nos ofrece una ingeniosa imitación de la naturaleza, si bien éste no desaparece nunca, ni acaban de esconderle a nuestra vista los bastidores del retablo, por bien construídos que estén, y se encuentra presente, tanto en los arrebatos de la lírica como en el relato de pasión o de análisis, ya que su espíritu es el fundente indispensable para que puedan entrar en el molde artístico los seres imaginarios que remedan el palpitar de la vida».

11. Argumento: Doña Juana, millonaria, viuda del marqués de Tobalina, odia a Rogelio, hijo natural del difunto marqués, que vive amancebado con Casandra, huérfana de un escultor, y de la que tiene dos hijos: Héctor y Aquiles. Rogelio, que practica la demonolatría, cree que doña Juana está dominada por Decaberia, demonio de los celos y rencores. En doña Juana se da un complejo, probablemente debido a su esterilidad. Proyecta ceder su fortuna a la Iglesia, a excepción de dos millones, que corresponden a Rogelio, al que quiere enderezar a una vida más honesta. Se entrevista con Casandra, aconsejándole que abandone a Rogelio, a lo cual no accede. Entonces doña Juana proyecta separar a Casandra de sus hijos, y ésta, para evitarlo, la mata de una puñalada. Como doña Juana no había reformado su antiguo testamento, el acto violento de Casandra pone a sus herederos en posesión de una fortuna.

12. Lo han hecho a última hora con bastante decoro R. OLBRICH: *Sintaktisck-stilische Studien über Benito Pérez Galdós* (Hamburgo, 1937), y R. GULLÓN: *Galdós, novelista moderno* (est. prelim. de «Miau», Ediciones de la Univ. de Puerto Rico, «Rev. de Occidente», Madrid, 1957).

13. R. GULLÓN: *Ob. cit.* en la nota anterior, pág. 235.

14. El profesor Díez-Canedo propuso la lectura sucesiva y comparativa de *Doña Perfecta*, novela, y *Doña Perfecta*, adaptación dramática, para percibir el progreso estilístico de Galdós.

15. García de Quevedo disparó al aire su pistola. Esta actitud caballeresca influyó notablemente en la vida de Alarcón.

16. Mariano Catalina, *Biografía de Pedro A. de Alarcón*, que figura al frente de las obras de éste en la «Colección de Escritores Castellanos».

17. Señalemos los titulados *La fea*, boceto psicológico del relato más extenso *El coro de los ángeles*, en el que va analizando la fealdad física de la mujer a través de las distintas etapas de su vida y la influencia que ejerce en su contextura moral: «... envejece sin haber vivido, como otoño sin primavera. Muere y nadie la llora»; *La Nochebuena del poeta*, *Lo que se ve con un anteojo*, contra la pena de muerte, etc. Muchos de estos artículos son auténticos cuadros de costumbres, con lo cual Alarcón —como en el resto de su obra—viene a actuar una vez más de puente entre el romanticismo y la novela realista; así, *El Carnaval en Madrid, Las ferias de Madrid, El año nuevo*, etc.

En *Juicios literarios y artísticos*, encabezados con el discurso de entrada a la Real Academia Española, sobre *La moral en el arte*, recoge su obra de crítico, a través de la cual no es difícil observar la inalterabilidad de su credo estético, como se puede ver en la diatriba contra la novela de Ernesto Feydeau, *Fanny*. Señalemos los artículos *Edgar Poe*, los relativos a la zarzuela, a la oratoria sagrada, etc. Ni estos libros ni el titulado *Ultimos escritos* agregan nada a su fama.

18. Dedicado a su hija primogénita Paulina, abunda en acentos de noble entonación, en especial en las evocaciones de Boabdil con que concluyen algunas octavas:

> ¡Era Boabdil, herido por el rayo
> que allá en Asturias fulminó Pelayo!
>
> ¡Era Boabdil, a quien su negro sino
> negó una tumba en suelo granadino!
>
> ¡Era Boabdil, a quien su suerte dura
> le negaba en la tierra sepultura!

Mencionemos, entre otros poemas destacados, los humorísticos *Dictamen pericial, Ayer y hoy, La cita soñada* e *Historia inverosímil*; los sonetos religiosos *Dios* y *El Viernes Santo*, y los descriptivos *Roma, Desde el Vesubio, Venecia* y *El Mont-Blanc*.

19. En pocos días se vendieron los 50.000 ejemplares de la primera edición, cifra fabulosa para aquellos tiempos, y aun para los nuestros, en España. Al editor le dejó un beneficio de 90.000 duros, y el autor recibió no menos de 20.000 cartas, que quemó en Tetuán a su regreso a la Península.

20. Sobre el realismo de la mayor parte de estos relatos escribe en *Historia de mis libros*: «La comendadora es totalmente histórica. Sólo he cambiado nombres y fechas y algún que otro pormenor inenarrable del empeño del niño. El caso ocurrió, efectivamente, en Granada... *Sin un cuarto* aconteció al pie de la letra, tal y como se refiere, por inverosímil que parezca el suceso... En *Tic-tac* no hay ni una sola palabra inventada por mí. Vivo está el héroe, suponiendo que el héroe sea el amante y no el propio marido. *El clavo* es, por lo tocante al fondo del asunto, una verdadera causa célebre que me refirió cierto magistrado granadino cuando yo era muy muchacho.» De los relatos que forman las *Historietas nacionales* escribe: «Son también históricos al pie de la letra. O los he oído contar a fidedignos testigos presenciales, o los he extractado de documentos incontrovertibles.» Nos interesa también destacar—tomándolo de la misma *Historia de mis libros*—la diferencia que establece Alarcón entre los relatos de viajes y los cuentos o novelas: «Nada hay en ellas—se refiere a los libros de viajes—que no sea cierto, natural y espontáneo; nada que no haya dimanado inmediatamente de la actualidad o presencia de los hechos, sin compostura ni artificio literario de ninguna especie... En esta crudeza y confusión, muy semejante a lo que hoy se llama *naturalismo*, estriba, en mi entender, la diferencia esencial, y que nunca se recomendará demasiado, entre las narraciones de viajes y las de mera imaginación. Los relatos de imaginación, particularmente las novelas, deben ser frutos de la realidad humana, sazonada por la refle-

xión, la filosofía y el arte; las confidencias del viajero deben parecer fotografías escritas.»

21. Alarcón declara que se basa en personajes reales, lo que dió pie a la crítica para tratar de identificarlos. La opinión de Gamallo Fierros, que ve en Diego un retrato de Pastor Díaz, nos parece insostenible. Una cosa es que el tipo de Fabián y hasta el de Diego se parezcan al Javier de la novela de Pastor Díaz *De Villahermosa a la China,* y otra muy distinta identificar al expósito de *El escándalo* con el autor de aquélla.

22. «¡Ya tengo el asunto sin necesidad de inventarlo! Me basta con recordar aquel *drama romántico* de chaqueta que presencié en Andalucía cuando niño... Escribamos, sí, con el título de *El niño de la bola,* una tragedia popular en que haya también su correspondiente cura, pero que no sea jesuíta ni tan siquiera un teólogo conservador, sino un ignorante cura de misa y olla, muy simpático entre los mismos liberales, y solamente aborrecido por los impíos de profesión, declarados enemigos del género humano. Pongamos enfrente de él a un mal bicho, como hay varios en las cloacas de la sociedad, que, por haber nacido pobre y feo y careciendo de familia que le prodigase abnegación y paciencia, se ha proclamado antagonista de todo bien, de toda virtud, de toda esperanza y, por consiguiente, apóstol del ateísmo, de la rebelión y del crimen. Coloquemos en medio una gran soberbia, una pasión desenfrenada, un amor loco, mezclado con ira, sed de venganza y los más rabiosos celos, al par que servido por las fuerzas y la arrogancia de un león, y hagamos ver de qué modo tan natural y sencillo ésta que llamaré *noble fiera humana* fluctúa y oscila entre los furores de la bestia y las generosidades del ángel, según que suenen en sus oídos palabras de Dios o sugestiones del demonio. Quedará entonces demostrada... la utilidad y necesidad de los sentimientos religiosos.»

23. La Pardo Bazán lo ha calificado de «rey de los cuentos españoles..., cuento no tanto por sus dimensiones cuanto por su índole y procedencia».

24. De *Dafnis y Cloe,* tradujo parte del *Fausto,* de Goethe, y *Poesía y arte de los árabes en España y Sicilia,* el conde de Schack.

25. Este hombre tan clásico y tan clasicista no dejó, sin embargo, de pagar su tributo a la moda reinante. Sus primeras rimas son cantos de corte romántico. El primer manuscrito, que no se llegó a publicar, contiene, según palabras del propio autor, poemas llenos de «pájaros de mal agüero, bultos con negro capuz, brujas y, sobre todo, desengaños y desesperación a lo Byron y a lo Espronceda, y elogio y rehabilitación de las comediantas y mujeres de mala vida, a la manera de Víctor Hugo, que entonces me enamoraba.»

26. Pedro Romero Mendoza: *Don Juan Valera: Estudio biográfico-crítico,* pág. 186, Madrid, 1940.

27. Vid. pról. para la ed. en inglés—inserto como apéndice en la ed. de *Pepita Jiménez,* «Clásicos Castellanos», LXXX—, hecha por la casa editorial Appleton, Nueva York, 1887.

28. Críticos excesivamente sagaces, como Revilla y *Clarín,* creyeron ver en esta novela una contrastis de *O locura o santidad,* el drama de Echegaray que por aquellos días alcanzaba memorable triunfo. Con decir que el drama se estrenó el 22 de enero de 1877 y que dos años antes ya tenía Valera trazado el plan de la novela, según se desprende de *Las ilusiones del doctor Faustino,* queda desvirtuada la hipótesis.

29. «Aunque la novela—escribe en la Dedicatoria a la condesa de Gomar—no divierta, creo yo que vale algo por las muy graves y severas lecciones que contiene... Me limito a la lección que se da, no ya sólo a los frailes, que al fin pocos hay en España ahora, sino por extensión a todo caballero cortesano, viejo o algo muchacho, que se enamora con amor vicioso.» Y en la Posdata de *Las ilusiones del doctor Faustino* insiste en el carácter doctrinal de la novela: «Aunque yo soy poco aficionado a símbolos y alegorías, confieso que el doctor Faustino es un personaje que tiene algo de simbólico o de alegórico. Representa, como hombre, a toda la generación mi contemporánea... Es un compuesto de los vicios, ambiciones, ensueños, escepticismos, descreimientos, concupiscencias, etcétera, que afligen o afligieron a la juventud de mi tiempo.»

30. Andrés González Blanco (*Historia de la novela en España desde el romanticismo a nuestros días,* página 341) escribe: «de una crudeza casi zolesca si no estuviese velada por ese que llaman risueño helenismo»; juicio exagerado, ya que Valera es lo más opuesto al naturalismo. Si bien parece deducirse de *Genio y figura* cierto determinismo, estriba éste más bien en el título;

en todo caso, el determinismo no es más que una postura filosófica que aprovechó Zola, pero no suficiente de por sí para identificarlo con el naturalismo.

31. Otras obras de menor importancia son *Mariquita y Antonio,* con recuerdos autobiográficos; *Don Lorenzo Tostado,* de la que nada puede decirse, puesto que Valera no pasó de las primeras páginas; *Elisa, la malagueña,* obra de senectud y de tendencia histórica, etc.

BIBLIOGRAFIA

I-II. J. Henry Amiel: *Réalisme et positivisme. Divergences entre l'esthétique positiviste et l'esthétique realiste,* The «Romanic Review», XXXIII, 1942.—M. Artigas y P. Sainz Rodríguez: Edición y notas de *Epistolario de Valera y Menéndez Pelayo,* Madrid, 1930.— M. Baquero Goyanes: *Los imprecisos límites del cuento,* «Rev. de la Univ. de Oviedo», enero-abril 1947; *La novela y sus técnicas,* «Arbor», XVI, 1950; *Tiempo y «tempo» en la novela,* «Arbor», septiembre-octubre 1948.— J. L. Pagano: *Al través de la España literaria,* II (Galdós, Valera), 3.ª ed., Barcelona, s. f.—A. Palacio Valdés: *Novelistas españoles* (Valera, Alarcón...), «Obras completas», II, M. Aguilar, Madrid, 1948.—Emilia Pardo Bazán: *Retratos y apuntes literarios* (Alarcón, Valera...), «Obras completas», XXXII.—G. Portnoff: *La literatura rusa en España,* «Hispanic Institute», Nueva York, 1932.—M. de la Revilla: *Obras* (Valera, Galdós y Alarcón...), Madrid, 1883; *Críticas,* 1.ª serie (Alarcón), Burgos, 1884; *Críticas,* 2.ª serie (Galdós, Valera...), Burgos, 1885.—J. Ixart: *El arte escénico en España,* 2 vols., Barcelona, 1894-1896.— J. Valera: *La moral en el arte,* «Obras completas», II, M. Aguilar, Madrid, 1942.—F. Vezinet: *Les maîtres du roman espagnol contemporain* (Valera, Galdós...), París, 1907.

III. A. Alarcón Capila: *Galdós y su obra,* Madrid, s. f.—L. Alas («Clarín»): *Galdós,* «Obras completas», I, Renacimiento, Madrid, 1912.—R. Alberti: *Un episodio nacional: «Gerona»,* «Cursos y Conferencias», Buenos Aires, octubre diciembre 1943.—A. Alonso: *Lo español y lo universal en la obra de Galdós,* «Materia y forma en poesía», Edit. Gredos, Madrid, 1955.—L. Antón del Olmet y A. García Caraffa: *Galdós,* Madrid, 1912.—F. Ayala: *Conmemoración galdosiana,* «Historionismo y representació», Buenos Aires, 1944.—R. Baeza: «*Fortunata y Jacinta»,* «Cursos y Conferencias», Buenos Aires, octubre-diciembre 1943.— M. Bataillon: *Les sources historiques de «Zaragoza»,* «Bull. Hispanique», XXIII, Burdeos, 1921.—H. Chonon Berkowitz: *La biblioteca de Benito Pérez Galdós,* Las Palmas de G. Canaria, 1951; *The Youthful Writings of Pérez Galdós,* «Hisp. Review», Filadelfia, I, 1933; *Benito Pérez Galdós: Story of a Spanish Man of Letters,* Madison; *Pérez Galdós: Spanish Liberal Crusader,* «Univ. of Wisconsin Press», Madison, 1948.—G. Brennan: *Introducción a The Spendthrifts,* Londres, 1953; *The Literature of the Spanish People,* Cambridge, 1951.—G. Boussagnol: *Sources et composition de «Zumalacárregui»,* «Bull. Hispanique», Burdeos, 1924.—D. F. Brown: *More lighton the mother of Galdós,* «Hispania», XXXIX, Baltimore, diciembre 1956.—J. M. Camacho Padilla: *Censo de los personajes que intervienen en la obra «Marianela»,* de Pérez Galdós, «Bol. de la Acad. de Córdoba», núm. 13, 1934.—A. Capdevila: *El pensamiento vivo de Galdós,* Edit. Losada, Buenos Aires, 1944.—Matilde Carranza Voliu: *El pueblo visto a través de los «Episodios Nacionales»,* San José de Costa Rica, 1942.—J. Casalduero: *Vida y obra de Galdós: 1843-1920,* Edit. Gredos, Madrid, 1951; *«Ana Karenina» y «Realidad»,* «Bull. Hispanique», XXXIX, Burdeos, 1937; *La creación galdosiana,* «Cuadernos», número 6, París, 1954; *Augusto Comte y «Marianela»,* XXI, Smith College, 1940.—J. Casares: *«Marianela», de Galdós. La novela. La adaptación,* «Crítica efímera», II, S. Calleja, Madrid, 1919.—Cirot: *Un grand romancier espagnol: B. Pérez Galdós,* «R. Ph. B.», XXIII, 1920.— M. B. Cossío: *Galdós y Giner,* «La Lectura», I, Madrid, 1920.—Rosa Chancel: *Un hombre al frente: Galdós,* «Hora de Galdós», núm. 2, Madrid, febrero 1937.—C. Eguía Ruiz: *El españolismo de Galdós,* «Razón y Fe», LVI y LVII, 1920.—S. H. Eoff: *The Novels of Pérez Galdós: The Concept of Life as Dynamic Process,* Washington Univ. Studies, Saint Louis, 1954.—E. L. Erickson: *The Influence of Charles Dickens on the Novels of B. Pérez Galdós,* «Hispania», XIX, California.—E. Fernández Villamil: *Comprobaciones sobre la documentación en Pérez Galdós: Valor histórico del episodio «El Gran Oriente»,*

«Correo Erudito», II, 1941.—J. Fradejas Lebrero: *Para las fuentes de Galdós*, «Rev. de Literatura», IV, Madrid, 1953.—P. Félix García: *Pérez Galdós*, «La Ciudad de Dios», El Escorial, 1920.—S. Gilman: *Realism and the Epic in Galdós' «Zaragoza»*, «Homenaje a A. M. Huntington», 1952.—F. Giner de los Ríos: *Un novelista español: Pérez Galdós*, «Obras completas», III, Madrid, 1919; *La familia de León Roch*, «Obras completas», XV, Madrid, 1926.—E. Gómez de Baquero («Andrenio»): *Los «Episodios Nacionales» de Pérez Galdós y otras de sus novelas*, «Novelas y novelistas», Calleja, Madrid, 1918.—G. Gómez de la Serna: *España en sus Episodios Nacionales: Ensayos sobre la versión literaria de la Historia*, Ediciones del Movimiento, Madrid, 1954.—R. Gómez de la Serna: *Pérez Galdós*, «Nuevos retratos contemporáneos», Buenos Aires, 1945.—González Fiol («El Bachiller Corchuelo»): *Benito Pérez Galdós*, «Por Esos Mundos», XX y XXI, 1910.—F. Grandmontagne: *Galdós, dramaturgo*, «Electra», número 4, Madrid, abril 1901.—J. Grau: *El teatro de Galdós*, «Cursos y Conferencias», Buenos Aires, octubre-diciembre 1943.—R. Gullón: Ed., estudio preliminar y bibliografía en *Miau*, de Benito P. Galdós, «Rev. de Occidente», Madrid, 1957; *Lenguaje y técnica de Galdós*, «Cuad. Hispanoamericanos», núm. 80, agosto 1956.—E. Gutiérrez-Gamero y de Laiglesia: *Galdós y su obra: I. Los «Episodios Nacionales»*, Madrid, 1933; *Galdós y su obra. II. Las novelas*, Madrid, 1934; *Galdós y su obra. III. El teatro*, Madrid, 1935.—Hayward Keniston: *Galdós interpreter of Life*, «Hispania», III, 1920.—F. M. Kerchewille: *Galdós and the New Humanism*, «Modern Language Journal», XVI, 1932.—R. Kisner: *Sobre «El amigo Manso», de Galdós*, «Cuad. de Literatura», núms. 22-24, Madrid, 1950; *Galdós' attitude towards Spain as seen in the characters of «Fortunata y Jacinta»*, «Modern Lang. Ass. of America», LXVI, Baltimore, 1951.—A. Lázaro: *La vuelta de Galdós*, «Nuestra España», núm. 5, La Habana, 1950.—G. Lenormand: *A propos de l'«Electra», de Galdós*, «Revue Hispanique», VIII, 1901.—S. de Madariaga: *Benito Pérez Galdós*, «Semblanzas literarias contemporáneas», Edit. Cervantes, Barcelona, 1924.—F. Madrid: *Don Benito y Ramón del Valle Inclán*, «Argentina Libre», 6 mayo 1943.—E. Martinenche: *El teatro de Pérez Galdós*, «Revue des Deux Mondes», XXXII, 1906.—A. Maura: *Don Benito Pérez Galdós*, «Bol. Real Acad. Esp.», Madrid, 1920.—G. Marañón: *Galdós en Toledo*, «Elogio y nostalgia de Toledo», Espasa-Calpe, Madrid, 1941.—J. Martínez Ruiz («Azorín»): *Galdós*, «Lecturas Españolas», Madrid, 1920.—G. Martínez Sierra: *El abuelo, de Galdós*, «Alma Española», núm. 16, Madrid, febrero 1904.—R. A. Mazzara: *Some fresh «perspectivas» on Galdós* «Doña Perfecta», «Hispania», vol. núm. 1, Baltimore, 1957.—M. Menéndez Pelayo: *Don Benito Pérez Galdós considerado como novelista*, «Est. y disc. de crít. hist. y lit.», V (es el discurso de contestación al de ingreso de Galdós en la R. Acad. Esp.).—R. Mesa: *Don B. Pérez Galdós: Su familia. Sus mocedades. Su senectud*, Madrid, 1920.—L. y A. Millares: *D. Benito P. Galdós. Recuerdos de su infancia en Las Palmas*, «La Lectura», III, 1919.—J. M.ª Monner y Sans: *Galdós y la generación de 1898*, «Cursos y Conferencias», Buenos Aires, octubre diciembre 1943.—G. G. Morley: Introd. a *Mariucha*, Nueva York, 1921.—P. Muñoz Peña: *Fortunata y Jacinta*, Valladolid, 1888.—R. Olbrich: *Syntaktischstilische Studien über B. Pérez Galdós*, Hamburgo, 1937.—F. de Onís: *Valor de Galdós*, «Nosotros», Buenos Aires, 1929; *El españolismo de Galdós, Ensayos sobre el sentido de la cultura española*, Madrid, 1932.—W. T. Pattison: *B. Pérez Galdós and the Creative Process*, University of Minneapolis, 1954.—P. Perdomo: *Don Benito y la novela nacional*, «Indice», número 59, Madrid, 1950.—R. Pérez de Ayala: *Las Máscaras*, I, Renacimiento, Madrid, 1924 (contiene los siguientes estudios: «Casandra», «El liberalismo y Sor Simona», «La loca de la casa», «Santa Juana de Castilla»); *Galdós y Giner. San Benito y San Francisco*, «Hispania», Buenos Aires, mayo 1943.—D. Pérez Minik: *Libre plática con Galdós*, «Novelistas españoles de los siglos XIX y XX», «Colec. Guadarrama», Madrid, 1957.—J. Pérez Vidal: *Galdós en Canarias: 1843-1862*, C. S. I. C., Madrid, 1952; *Galdós, crítico musical*, Madrid, 1956; *Pérez Galdós y la noche de San Daniel*, «Rev. Hispánica Moderna», XVII, Nueva York, 1951.—Portnoff: *The influence of Tolstoy's «Ana Karenina» on Galdós «Realidad»*, «Hispania», XV, California, 1932.—V. S. Pritchett: *Galdós*, «Books in general», Londres, 1953.—R. Ricard: *Note sur la genese de l'«Aita Tettauen», de Galdós*, «Bull. Hispanique», XXXVII, Burdeos, 1935.—A. del Río: *Galdós galdosianos*, «Bibl. del Hispanista», Zaragoza, 1953.—A. Reyes: *Galdós*, «Tertulia de Madrid», Buenos Aires, 1949.—L. Ruiz Contreras: *Memorias de un desmemoriado*, Ma-

drid, 1916.—H. Sáenz Sáenz: *Aspectos de la vida española a través de las obras de don B. Pérez Galdós*, Illinois Theses, 1932.—A. Sánchez Barbudo: *Nota sobre «Fortunata y Jacinta»*, «Letras de México», núm. 3, VII, 1943.—J. M.ª Salaverría: *Nuevos retratos*, Madrid, 1930.—F. C. Sainz de Robles: Pról. a las *Obras completas* de Pérez Galdós, Edit. Aguilar, Madrid, 1941.—S. Scatori: *La idea religiosa en la obra de B. Pérez Galdós*, Toulouse-París, 1927.—W. H. Schoemaker: Estudio prel. de «*Crónica de la quincena» by B. Pérez Galdós*, «Princeton Univ Press», 1948.—J. Serrailh: *Quelques sources du «Cádiz», de Galdós*, «Bulletin Hispanique», XXIII, Burdeos, 1921.—W. H. Schoemaker: *Galdós, «La de los tristes destinos» and its Shakesperian connections*, «Modern Language Notes», LXX, núm. 2, Baltimore, febrero 1956.—Douglas B. Swett: *A Study of the Carlist Wars as a Literary Theme in the «Episodios Nacionales» of B. Pérez Galdós*, Southern California, 1948.—R. M. Tenreiro: *Galdós, novelista*, «La Lectura», I, 1920.—G. de la Torre: *Galdós y su mundo novelesco*, «La Nación», Buenos Aires, 4 julio 1943; *Itinerario de Galdós*, «Sur», núm. 104, Buenos Aires, 1943; *Nueva estimativa de las novelas de Galdós*, «Cursos y Conferencias», Buenos Aires, octubre diciembre 1943.—J. Torres Bodet: *Tres inventores de realidad: Sthendal, Dostoyevski, Pérez Galdós*, Imp. Universitaria, Méjico.—C. Vázquez Arjona: *Cotejo histórico de cinco Episodios Nacionales de B. Pérez Galdós: «Trafalgar», «La Corte de Carlos IV», «Zaragoza», «Gerona» y «Cádiz»*, «Revue Hispanique», LXVIII, núm. 154, diciembre 1926; *Un Episodio Nacional de Galdós: «Bailén»: Cotejo histórico*, «Bull. of Spanish Studies», abril 1932; *Un Episodio Nacional de B. Pérez Galdós: «El 19 de marzo y el 2 de mayo». Cotejo histórico*, «Bull. Hispanique», XXXIII, 1931.—R. W. Waldeck: *Benito Pérez Galdós, Novelist, Dramatist and Reformer*, «The Critic», XLV, Nueva York, 1904.—L. B. Walton: *La psicologia anormal en la obra de Galdós*, «Bol. del Instituto Español», núm. 4, Londres, 1948; *Pérez Galdós and the Spanish Novel of the Nineteenth Century*, Londres, 1928.—J. Warshaw: Introd. a *La loca de la casa*, Nueva York, 1929; *Errors in biographies of Galdós*, «Hispania», XXI, California, 1928.—María Zambrano: *La muerte en la España de Galdós*, «Rev. Cubana», XXV, La Habana, 1943; *Misericordia», de Galdós*, «Hora de España», núm. 21, 1938.—María Teresa León: *Una mujer de Galdós que no está en sus novelas*, «Rev. de Col. Est. Superiores», Buenos Aires, 1943.—A. H. Obaid: *Sancho Panza en los «Episodios Nacionales» de Galdós*, «Hispania», vol. XLII, 1, The American Association, 1959.—A. Reyes: *Sobre Galdós*, «Cuadernos Americanos», núm. 4, 1943.—R. Ricard: *Deux romanciers: Ganivet et Galdós*, «Bull. Hispanique», LX, 4, 1958; *Galdós devant Flaubert et Alphonse Daudet*, «Bull. Inst. Français en Espagne», núm. 102, Madrid, 1958.—J. L. Sánchez Trincado: *Galdós*, Caracas, 1943.—E. Valera Hervías: *Cartas de P. Galdós a Mesonero Romanos*, Ayunt. de Madrid, 1943.—A. Yáñez: *Traza de la novela galdosiana*, «Cuad. Americanos», núm. 5, 1943.

En el núm. 82 de la rev. Insula (octubre 1952) se han publicado varios artículos sobre Galdós: *Revisión de Galdós*, por José Luis Cano.—*Un libro sobre Galdós*, de Ventura Doreste.—*Galdós, autor dramático*, de M. Fernández Almagro.—*Notas sobre la técnica de Galdós*, de Vicente Gaos.—*El mundo por la claraboya*, de Gregorio Marañón.—*Galdós y Balzac*, de Carlos Ollero.—*Galdós e Inglaterra*, de E. Salazar Chapela.—En el núm. 113 (mayo 1955) de la misma Revista: *Lo maravilloso en Galdós*, por Ricardo Gullón.

IV. L. Alas («Clarín»): *El Niño de la Bola», de Alarcón*, «Solos», Madrid, 1882; *Nueva campaña y Paliques*.—B. Ashcomm: *Verbal and conceptual parallels in the plays of Alarcón*, «Hispanic Review», XXV, Univ. of Pennsylvania, 1957.—W. C. Atkinson: *Pedro Antonio de Alarcón*, «Bull. of Spanish Studies», Liverpool, 1933.—J. A. Balseiro: *Novelistas españoles modernos*, Nueva York, 1933.—M. Baquero Goyanes: *«Adolphe» y «La Pródiga», de P. Antonio de Alarcón*, «Prosistas españoles contemporáneos», Rialp, Madrid, 1956.—A. Bonilla y San Martín: *Los orígenes de «El sombrero de tres picos»*, «Rev. Hispanique», XIII, 1905.—J. Fernández Montesinos: *Pedro Antonio de Alarcón*, «Bibl. del Hispanista», Zaragoza, 1955.—R. Foulché-Delbosch: *D'oú dérive «El sombrero de tres picos»*, «Rev. Hispanique», XVIII, 1910.—G. J. Geers: *Meesters der spaanse vertelkunst: Alarcón, Bécquer, Pardo Bazán*, Amsterdam, 1952.—A. González Blanco: *Pedro A. de Alarcón: Antología crítica de sus obras*, «La Novela Corta», año V, núm. 246, Madrid, 1920.—P. Salvador Gutiérrez: *Pedro Antonio de Alarcón*, «La Ciudad de Dios», CVII, El Escorial, 1916.—L. Louis-

LANDE: *Un romancier espagnol. P. Antonio de Alarcón*, «Revue des Deux Mondes», IX, 1875.—L. MARTÍNEZ KLEISER: *Don Pedro Antonio de Alarcón*, V. Suárez, Madrid, 1943; ed. y pról. de *Obras completas* de Alarcón, Edit. Fax, Madrid, 1943.—J. MARTÍNEZ RUIZ («Azorín»): *Alarcón*, «Andando y pensando», Madrid, 1929.—EMILIA PARDO BAZÁN: *Pedro A. de Alarcón. Estudio biográfico* (folleto), 1893.—«JULIO ROMANO»: *Pedro Antonio de Alarcón, el novelista novelable*, Espasa-Calpe, Madrid, 1933.—J. DEL ROSAL: *Pedro Antonio de Alarcón. Antología*, Edit. Nacional, Madrid.—A. SORIA ORTEGA: *Ensayo sobre Pedro Antonio de Alarcón*, «Bol. Real Acad. Esp.», XXXI y XXXII, 1951-1952.—J. VALERA: *«El Niño de la Bola» y «Curro Vargas»; Poesías de don Pedro Antonio de Alarcón*, «Obras completas», II, M. Aguilar, Madrid, 1942.—A. BAIG BAÑOS: *Cinco andaluces en Madrid* (uno de ellos, Alarcón), «Rev. Bibl., Arch. y Museos», V, 1928.—J. M.ª DE COSSÍO: *Bibliografía décimonónica: Zorrilla, la Avellaneda y Alarcón*, «Bol. Bibl. M. Pelayo», XXXIV, 3, 1958.—J. FERNÁNDEZ MONTESINOS: *Notas sobre la fortuna de Balzac en España*, «Revue de Lit. Comparée», XXIV, 1950.—W. L. FICHTER: *El carácter tradicional del «Afrancesado» de Alarcón*, «Rev. Filol. Hispánica», VII, 1945.—H. HESPELT: *Alarcón as editor of «El látigo»*, «Hispania», XIX, 1936.—A. H. KRAPPE: *The source of Pedro Antonio de Alarcón's «El extranjero»*, «Hispanic Review», XI, 1943; *The source of P. A. Alarcón's «El afrancesado»*, «Hispanic Review», XVI, 1936.—R. A. MAZZARA: *Dramatic variations of themes of «El sombrero de tres picos...»*, «Hispania», XLI, 2, 1958.—EDWIN B. PLACE: *The antecedens of «El sombrero de tres picos»*. Philological Quarterly, VIII, 1929.

V. E. AGUADO: *Juan Valera. Antología*, selec. y pról. de..., Edit. Nacional, Madrid.—L. DE ALDAMA: *Valera, la heterodoxia y la hispanidad*, «Rev. Univ. de Buenos Aires», XII, 1953.—I. B. ANZOÁTEGUI: *Don Juan Valera, novelista andaluz*, «Cuad. Hispanoamericanos», núm. 88, abril, 1957.—L. ARAÚJO COSTA: *«Obras completas» de Valera*, est. prel. de..., M. Aguilar, Madrid, 1942.—M. AZAÑA: *La novela de «Pepita Jiménez»*, «Cuad. Literarios», Madrid, 1928; *«Asclepigenia» y la experiencia amatoria de don Juan Valera*, «Plumas y palabras», CIAP, Madrid, 1930; *Valera, la invención del 'Quijote' y otros ensayos»*, Espasa-Calpe, Madrid, 1934; Pról. a la ed. de *Pepita Jiménez*, Clásicos Cast. de «La Lectura», LXXX; *Valera en Italia: Amores, política y literatura*, Edit. Páez, Madrid, 1929; *Valera en Rusia*, «Nosotros», LII, Buenos Aires, 1926.—R. ALTAMIRA: *«Genio y figura», por don Juan Valera*, «Rev. Crít. de Hist. y Lit.», mayo-junio, 1897.—L. ALAS («Clarín»): *«Juanita la Larga»*, «Las Novedades», Nueva York, 14 marzo, 1896; *«Un prólogo de Valera»*, *«El comendador Mendoza»*, *«Tentativas dramáticas»* y *«Doña Luz»*, «Solos», 4.ª ed., Madrid, 1891; *«Morsamor»*, «Los Lunes del Imparcial», 7 agosto 1899; *«Dafnis y Cloe»*, ídem, 26 marzo 1900; *«Genio y figura»*, ídem, 5 abril 1897.—R. A. BENÍTEZ: *Don Juan Valera y nuestros problemas espirituales*, «Rev. de Educación», III, La Plata, 1956.—J. BENDER: *La correspondencia de don Juan Valera*, «La Lectura», 1913.—L. BLENNERHASSET: *Der Moderne Spanische Roman: «Fernán Caballero», Don Juan Valera,*

P. Luis Coloma, «Deutsche Rundschau», B. 22, 1895.—F. BRUNETIÈRE: *La casuistique dans le roman*, «Rev. des Deux-Mondes», 15 noviembre 1881.—E. CARILLA: *Una novela de don Juan Valera*, «Cuad. Hispanoamer.», núm. 89, 1957.—CONDE DE CASAVALENCIA: *Necrología del excelentísimo señor don Juan Valera*, Madrid, 1905.—C. COELLO: *«Doña Luz» y las novelas de Valera*, «Ilustr. Esp. y Americana*, 8 agosto 1879.—A. CRUZ RUEDA: *Evocación de don Juan Valera*, «Rev. Nac. de Educación», núm. 68, Madrid, 1947.—A. C. CHRISTIANSON: *The women characters of Juan Valera*, Arizona, Theses, 1937.—J. FERNÁNDEZ MONTESINOS: *Valera o la ficción libre*, Edit. Gredos, Madrid, 1957.—EDITH FISHTINE: *Don Juan Valera, The Critic*, Bryp Mawr, 1933.—E. GÓMEZ DE BAQUERO: *Valera, humanista*, «De Valera a Unamuno», Edit. Mundo Latino, Madrid, 1926; *La última novela de don Juan Valera, ¿Nuevo Persiles?, El ocultismo en «Morsamor» y en otros libros del señor Valera*, «La Esp. Moderna», septiembre, 1899; *«Juanita la Larga»*, «La Esp. Moderna», febrero, 1896.—A. GONZÁLEZ BLANCO: *Juan Valera: Antología crítica de sus obras por...*, «La Novela Corta», año VI, núm. 272, Madrid, 1921.—L. GONZÁLEZ LÓPEZ: *Las mujeres de don Juan Valera*, Jaén, 1934.—CARMEN GRAVO VILLASANTE: *Idealismo y ejemplaridad de don Juan Valera*, «Rev. de Literatura», I, Madrid, 1952.—A. HERRERO MAYOR: *Don Juan Valera, maestro del idioma*, «Rev. de Educación», La Plata, 1956.—A. JIMÉNEZ: *Juan Valera y la generación de 1868*, Oxford, 1956.—J. JUDERÍAS: *Don Juan Valera*, «La Lectura», XIII y XIV, 1913-1914.—J. KRYNEN: *L'esthetisme de Juan Valera*, Univ. de Salamanca, 1946.—G. S. LANCASHIRE: *Juan Valera*, «The Manchester Quarterly», julio, 1917.—M. MENÉNDEZ PELAYO: Pról. a las *Poesías de Valera*, «Obras completas», Edit. M. Aguilar.—CONDE DE LAS NAVAS: *Don Juan Valera. Apuntes del natural*, Madrid, 1905.—E. PARDO CANALIS: *Valera y la sátira*, «Rev. de Ideas Estéticas», núm. 40, Madrid, 1952.—LUISA REVUELTA REVUELTA: *Valera, estilista*, «Bol. Real Acad. Ciencias de Córdoba», núm. 55. 1946.—J. M.ª ROCA FRANQUESA: *La personalidad poética de don Juan Valera*, «Rev. Univ. de Oviedo», 1947.—F. RODRÍGUEZ MARÍN: *Don Juan Valera, epistológrafo*, Madrid, 1925.—P. ROMERO MENDOZA: *Don Juan Valera. Estudio biográfico-crítico*, Edic. Españolas, Madrid, 1940; *Don Juan Valera*, Rev. «Alcántara», Cáceres, 1955.—C. SILVA: *Don Juan Valera*, Valparaíso, 1914.—J. VALERA: *Noticia autobiográfica*, «Bol. Real Acad. Esp.», I, Madrid, 1914.—L. V. VIDART: *Recuerdos de una polémica acerca de la novela de don Juan Valera «Pepita Jiménez»*, «Rev. de España», LIII.—MARQUÉS DE VILLAURRUTIA: *Don Juan Valera, diplomático y hombre de mundo*, Madrid, 1925.—J. ZARAGÜETA: *Don Juan Valera, filósofo*, «Rev. de Filosofía», XV, Madrid, 1956.—M. BAQUERO GOYANES: *Juan Valera y la generación de 1868*, «Arbor», XXXIV, 1956.—CYRUS C. DE COSTER: *Correspondencia de don Juan Valera (1859-1905)*, Edit. Castalia, Valencia, 1956.—J. JUDERÍAS: *Don Juan Valera y don Gumersindo Laverde*, «La Lectura», XVII, Madrid, 1917.—A. MELIÁN LAFINUR: *Valera, novelista*, «Bol. Acad. Argent. de Letras», núm. 85, 1917.—S. MONTOTO: *Las amarguras de don Juan Valera*, «El Sol», Madrid, 13-31 oct. 1926.—F. DE URMENETA: *Sobre la estética valeriana*, «Rev. de Ideas Estéticas», XIV, 1956.

CAPITULO LXXVIII

LA PROSA POSTROMANTICA
B) NOVELA REGIONAL

I. LA NOVELA REGIONAL.—II. JOSÉ MARÍA DE PEREDA: *Biografía y semblanza. Obra literaria. Cuadros de costumbres. Primeras novelas. Cuatro obras maestras: «El sabor de la tierruca», «La puchera», «Sotileza» y «Peñas arriba». Dos novelas de ambiente urbano: «La Montálvez» y «Pedro Sánchez». Técnica narrativa y valoración.*—III. LA FIGURA UNIVERSAL DE PALACIO VALDÉS: *Vida y perfil. Ideario estético. Palacio Valdés y «Clarín». Las dos épocas en la novela de Palacio Valdés. Novelas de ambiente asturiano. Novelas madrileñas. Novelas valencianas y andaluzas. Otras obras. Estilo, técnica narrativa, carácter y temática.*—NOTAS.—BIBLIOGRAFÍA.

I. LA NOVELA REGIONAL

En su discurso de entrada en la Real Academia Española, Pereda define la novela regional como aquella «cuyo asunto se desenvuelve en una comarca o lugar que tiene vida, carácter y color propios y distintivos, los cuales entran en la obra como parte principalísima de ella». Definición poco convincente, ya que «vida, carácter y color propios y distintivos» los tienen o deben tenerlos todas las creaciones de la novela universal. A raíz de tal discurso, el crítico Salvador Canals argumentó que la definición de Pereda era aplicable más bien a la novela campestre; y Galdós, encargado por la Academia de contestar al novelista santanderino, arguyó que sus propias novelas madrileñas cabían perfectamente en el concepto de lo «regional» esbozado por el autor de *Sotileza*.

La definición de Pereda, por tanto, no nos sirve para determinar este género. Prescindimos aquí del carácter político con que se ha enfocado por algunos críticos el contenido y objeto de la novela regional y que con frecuencia ha trascendido a lo literario, en especial en las regiones bilingües. Creemos que la «novela regional», junto a los caracteres señalados por Pereda, tiene otros: reproducción de voces y modismos populares y locales; simpatía del escritor por el ambiente que describe, sin que esto quiera decir que lo falsee, y una incorporación del paisaje, que difícilmente se da en la llamada novela cosmopolita o de ciudad, a no ser que tomemos por tal la descripción de casas y calles más o menos típicas. En la novela regional el paisaje es parte integrante de la obra y, con frecuencia, el móvil de la acción de los personajes. En su valoración se ofrecen notables diferencias, según escenarios y autores: Pereda cae en la hipertrofia—descripción minuciosa de la cajiga con que empieza *El sabor de la tierruca*—y entretiene morosamente el hilo del relato a través de páginas y más páginas. Sin negar la belleza de los cuadros peredianos, el sistema ofrece un inconveniente, empequeñecimiento y casi anulación del factor humano: el paisaje, llámese mar o montaña, pasa a ser el auténtico protagonista. El equilibrio entre paisaje y acción está representado, en cambio, por Palacio Valdés, maestro en la dosificación de los elementos integrantes de la novela. Sus personajes se perfilan sobre el escenario, y el paisaje es sólo un soporte que sincroniza admirablemente con la evolución sentimental de aquéllos.

II. JOSE MARIA DE PEREDA

El escritor que mejor ha encarnado en España el concepto de lo regional, elevándolo a una categoría estética en las páginas de sus obras, ha sido don JOSÉ MARÍA DE PEREDA (1833-1906). Sus pequeños cuadros costumbristas y sus narraciones largas, muy estimadas en otro tiempo, siguen siendo verdaderos modelos dentro del género por el vigor descriptivo, por la exactitud en el trazado de los tipos y por la acertada pintura del ambiente. Escritas siempre en un lenguaje digno, las novelas de Pereda siguen nutriendo las páginas de todas las antologías, como muestras del buen decir castellano.

Biografía y semblanza

De rancia familia montañesa, JOSÉ MARÍA DE PEREDA Y SÁNCHEZ DE PORRÚA, nació en Polanco el 6 de febrero de 1833. Su familia se traslada a Santander, en cuyo Instituto inicia los estudios de bachillerato en 1844. Para preparar su ingreso en la Academia de Artillería de Segovia, pasa a Madrid (1852), donde alterna por espacio de dos años los estudios matemáticos con la asistencia a tertulias literarias. Regresa a Santander y empieza a colaborar en el periódico *La Abeja Montañesa*, publicando (1864) sus *Escenas montañesas*, a las que añade unos años después *Tipos y paisajes*. Pasa un año en París e inicia la campaña periodística al advenir la revolución de septiembre de 1868. Al siguiente, contrae matrimonio con doña Diodora de la Revilla. Interviene en política y durante el reinado de Amadeo de Saboya es elegido diputado tradicionalista por Cabuérniga. Intima con Galdós, que hace un viaje ex profeso a Santander para conocerle[1]. La publicación de *Bocetos al temple* (1876) y *Tipos trashumantes* (1877) le alcanza gran notoriedad. Se radica definitivamente en la Montaña, de donde sale para realizar breves excursiones a Madrid, Barcelona, Portugal y Oviedo. En 1892 actúa de mantenedor en los Juegos Florales de Barcelona; el 2 de septiembre del año siguiente, cuando llevaba muy avanzada la composición de *Peñas arriba*, su hijo primogénito, Juan Manuel, se suicida en un rapto de locura. En 1897 ingresa en la Real Academia, de la que era correspondiente desde la publicación de *Tipos y paisajes*[2]. Su discurso—al que ya hemos aludido—produjo un alboroto político; fué contestado por Galdós y le fué impuesta la medalla de académico por su paisano el doctor José María Cos, obispo de Madrid-Alcalá. Con motivo del bautizo de su primer nieto pasa a Andalucía (1904); sufre un ataque de hemiplejía que le deja inválido, y muere en Santander el 1 de marzo de 1906. Tres años antes le había sido concedida, a la vez que a Menéndez Pelayo, la Gran Cruz de Alfonso XII.

Pereda es uno de los escritores en que mejor se observa la fusión íntima de vida y obra, no porque ésta tenga carácter autobiográfico, sino por presentársenos impregnada plenamente de las ideas sociales, políticas y religiosas del autor. Se trata de un escritor que combate por su ideario. Los cambios políticos y sociales que sufre España durante el período (1864-1896) en que se produce la obra de Pereda se reflejan hondamente en ella y le da cierto carácter polémico. Tradicionalista por herencia y formación, no busca el tema en las evocaciones del pasado, como otros novelistas; se interesa por el presente. Lo histórico para Pereda no es la crónica o el suceso buscado en un archivo; ni es la reconstrucción arqueológica de unas costumbres, de un lenguaje o de unas ideas, que poco o nada han de servir para el propósito del novelista, enderezado a la reproducción de la realidad con fin docente. Las costumbres cambian, las gentes se modifican en sus hábitos, y lo pasado, por ejemplar que sea, no puede ser de aplicación actual. Cree que la Historia se está produciendo constantemente y que, por tanto, no es aconsejable detenerla. Al novelista le basta con

sorprender el momento presente y sacar de él las consecuencias precisas. Lo más que cabe hacer en esta historia del momento es enraizarla en la tradición nacional, a la que sirve o puede servir de clave. Con razón ha podido escribir John van Horne que «las ideas tradicionales fueron la clave del credo político y social de Pereda. Una inclinación natural le llevó a la literatura como forma de expresión. Era inevitable, por tanto, que sus escritos estuvieran influídos y dominados por sus creencias profundísimamente arraigadas».

Este doctrinarismo más o menos latente, ya de orden religioso, ya de orden social y político, influyó grandemente en la crítica de su obra. Pereda, como Alarcón y Galdós, fué atacado y ensalzado no siempre a base de principios estéticos, aunque tengamos que reconocer que la «tesis» perjudica el valor literario de algunas de sus novelas. Sin duda, el novelista lo comprendió así, ya que fué moderando sus impulsos hasta lograr aquel equilibrio estético que casi hace imperceptible la «tendencia» de sus últimas novelas, como la apología del campo en oposición a la ciudad en *Peñas arriba*, o el providencialismo que hace desistir a Pachín González en su propósito de emigrar de la tierra que le vió nacer.

Obra literaria

Prescindiendo de artículos periodísticos, discursos y de algunas tentativas dramáticas juveniles[3], la obra de Pereda puede agruparse en dos apartados:

a) Cuadros descriptivos de tipos o costumbres, y *b)* Novelas. Ambos grupos pertenecen a dos épocas distintas, aunque la técnica y el procedimiento estilístico sean los mismos.

Al primero pertenecen: *Escenas montañesas* (1864), *Tipos y paisajes* (1871), *Bocetos al temple* (1876), *Tipos trashumantes* (1877), *Esbozos y rasguños* (1881).

Al segundo, las novelas: *El buey suelto* (1878), *Don Gonzalo González de la Gonzalera* (1879), *De tal palo, tal astilla* (1880), *El sabor de la tierruca* (1882), *Pedro Sánchez* (1883), *Sotileza* (1884), *La Montálvez* (1888), *La puchera* (1889), *Nubes de estío* y *Al primer vuelo* (1891), *Peñas arriba* (1895), *Pachín González* (1896).

Cuadros de costumbres

Están formados por las obras escritas entre 1864 y 1877; la última que figura en el grupo, *Esbozos y rasguños,* es en realidad una recopilación de trabajos anteriores y ya publicados en su mayor parte.

Para un gran sector de la crítica, en estas obras se halla lo mejor de Pereda, lo más íntimo y sentido. El hidalgo montañés reproduce tipos, paisajes y escenas observadas minuciosamente. Como no rehuye lo feo, plebeyo y desagradable, más de un crítico le incluyó en la nómina de los naturalistas. Con decir que las *Escenas montañesas* se publicaron (1864) cuando Zola probablemente no había dado a la estampa una sola línea, está refutada la tesis. Ese mismo año habían aparecido los *Contes a Ninon*, y al siguiente *Les confessions de Claude*; pero el Zola naturalista no empieza realmente hasta 1871, con *La fortuna des Rougon*, ya que *Thérèse Ranquin* sólo puede incluirse en el Naturalismo con muchas salvedades.

Las *Escenas montañesas* fueron prologadas por el almibarado Antonio de Trueba, que, seducido por la vida idílica y patriarcal de los montañeses, no existente más que en su imaginación, tacha a Pereda de pesimista. Ni su concepto del arte ni su temperamento le permitían comprender los tipos desastrados, sucios, misérrimos, pero verídicos, que presentaba Pereda: gente del hampa, granujillas como *Cafetera*, marineros que se consuelan de los peligros del mar vapuleando a sus mujeres o enterrando el jornal en la taberna, aldeanos avaros, mujeres ebrias, etc. Todos ellos arrancados de la realidad con una fuerza difícil de superar. Entre estos cuadros vigorosos destacan *La robla*, graciosa descripción de una feria montañesa, acabada en vino; *La leva*, de la que dijo Menéndez Pelayo que «desde Cervantes acá no se ha hecho ni remotamente un cuadro de costumbres por el estilo», con tipos como el *Tuerto* y, sobre todo, *Tremontorio*, «figura tan artística, tan grande—dice el padre Blanco—, que la hubiera envidiado Shakespeare». Cuadros de intensa vida y belleza son también *La costurera pintada por sí misma Arroz y gallo muerto, La noche de Navidad, Suum cuique* y *El fin de una raza*, continuación de *La leva*.

El prólogo de Trueba más perjudicó que favoreció a Pereda, aun entre sus mismos compatriotas, que preferían una visión paradisíaca de la Montaña. Al publicar *Tipos y paisajes* procuró el novelista sacarse la espina y poner las cosas en su punto: «Retratista yo, aunque indigno, y esclavo de la verdad, al pintar las costumbres de la Montaña, las copié del natural; y como éste no es perfecto, sus imperfecciones salieron en la copia. A este modo de pintar es a lo que se ha llamado, por algunos montañeses, delito de lesa patria.» Así se justifica en el «prólogo, advertencia, preludio... o lo que ustedes quieran», remachando luego su tesis con un curioso símil[4]. Entre los cuadros de esta serie debemos citar *Los chicos de la calle, Las brujas, La romería del Carmen, Para ser buen arriero*, con la moraleja: «Es más difícil que adquirir grandes riquezas el saber gastarlas»; *Blasones y talegas, Al amor de los tizones*, etc.

Bocetos al temple está formado por tres novelitas cortas: *La mujer del César, Oros son triunfos* y *Los hombres de pro*. El fin moralizador no hace decrecer en un ápice su belleza y galanura. En la primera sorprenden tanto la hondura psicológica en el carácter de Isabel, la protagonista, como el movimiento dramático, que la hacen sumamente apta para la escena. Pereda nos enfrenta con la llamada alta sociedad, poniendo al descubierto el arbitrario concepto que aquélla tiene de la moral: hipocresía, corrupción de costumbres y *snobismo* son sus mayores lacras. Contrapone a esta concepción la de un hidalgo montañés, cuñado de Isabel, que allana el conflicto, defendiendo el consabido axioma de que «la mujer del César no sólo debe ser honrada, sino parecerlo». *Los hombres de pro* es una sátira política no exenta de gracia, zurcida con las experiencias electorales del autor. Menos amarga y violenta que *Don Gonzalo González de la Gonzalera*, puede considerarse un anticipo o boceto de ésta. Finalmente *Oros son triunfos* pone de manifiesto el poder omnímodo del dinero en ciertos medios carentes de sólidos principios morales.

Completa la serie de los cuadros costumbristas *Tipos trashumantes*. Aquí, la impasible descripción de tipos, característica de las *Escenas montañesas*, se transforma en sátira de los veraneantes, población flotante de Santander muy poco del agrado del novelista. No busquemos en estos cuadros el vigor de *La leva* o la nota finamente irónica de *La robla*. Galería de tipos con perfil de héroes de sainete más que de drama, Pereda pone en solfa las ridiculeces y miserias de la politiquería y de la ciencia de la época, que para merecer el nombre de tal y disfrazar su vacuidad gusta de envolverse en un lenguaje ininteligible y despreciar todo lo nacional. Son cuadros admirables *Un sabio*[5], *Las de Cascajares, Las interesantísimas señoras, El barón de la Rescoldera, Las del año pasado* y *Un joven distinguido*.

Primeras novelas

En 1877 declara Pereda a Menéndez Pelayo que va a escribir una obra de tesis contraria a la que presentó Balzac en *Les petites misères de la vie conjugale*. A tal fin publica *El buey suelto* (1878)[6]. El tema venía preocupando de antiguo al novelista, ya que puede verse un esbozo de *El buey suelto* en el artículo inserto en *El Tío Cayetano*, en 1858, bajo el epígrafe de *Contigo, pan y cebolla*.

Desenlace ortodoxo: Gedeón se casa con Solita *in articulo mortis*, y legitima a los hijos de ésta, aunque no está seguro de su paternidad. Sátira de brocha gorda, *Clarín* calificó su trama de «pobre, desmadejada y lánguida». La verdad es que si Pereda se propuso hacer odiosa la vida del celibato masculino, no salió airoso del empeño. Gedeón no es un tipo, es un auténtico figurón y, como tal, no puede tomarse por modelo en una novela de tesis. La miserable vida que arrastra se debe, más que al celibato, a su carácter absurdo. De haberse casado, su vida hubiera sido igualmente desdichada y estéril. Los defectos no nacen de su situación, sino de su contextura moral. Por otra parte, caracteres y situaciones se repiten a lo largo de la obra: los tres solterones conocidos con los motes de *Anás*, el avaro; *Caifás*, el celoso, y *Herodes*, el atildado, son otras tantas facetas de un mismo tipo. Tal vez el único carácter sea el de Regla, viuda ignorante, pero avispada, que en un momento de debilidad de Gedeón, mete en la casa de éste a Merto, su hijo, brutal e ineducado.

Con *Don Gonzalo González de la Gonzalera* asistimos a la transformación del pueblecillo cántabro de Coteruco de la Rinconada por obra de la demagogia y de las corrientes revolucionarias. El propagandista de tales corrientes es el perdulario Colás, recién llegado de América, donde ha amasado una regular fortuna, que le permite cambiar su nombre por el altisonante de don Gonzalo González de la Gonzalera. Pereda ha querido poner de manifiesto la obra funesta del caciquismo, y elige para ello un pequeño marco montañés, sobresaliente por sus patriarcales virtudes y costumbres. La nueva posición del indiano hace olvidar a muchos que es hijo de un perdis local, motejado con el apodo de *Antón Bragas*. Las viejas y tradicionales costumbres del lugarejo, basadas en la paz, el trabajo, la camaradería y la religión, se ven turbadas por la llegada de don Gonzalo, que al ser despreciado en sus pretensiones amorosas por Magdalena, hija del caballeresco propietario don Román Pérez de la Llosia, no duda en aliarse con los golfantes Patricio, Gildo Rigüelta y Lucas, estudiante sempiterno y revolucionario en ciernes este último. La taberna, el juego, los discursos demagógicos, la calumnia y algún que otro ágape, sufragado siempre por el indiano, malean de tal forma el pueblo, que pronto se convierte en escenario de la revolución iniciada en Madrid, con toda la secuela de atropellos, robos, incendios, etc. La revolución culmina en el asesinato de Patricio Rigüelta a manos del mozo Poliar, por motivos electorales, y en el abandono del lugar por don Román, tras el matrimonio de su hija con el hidalgo don Alvaro.

A diferencia de lo que ocurre en *El buey suelto*, se trata aquí de un ambiente conocido por Pereda: a ello se debe el intenso realismo del cuadro, su vigor, su firmeza de líneas. De otra parte, la tesis surge de la simple presentación de los hechos, sin que el novelista tenga que esforzarse en demostrarla. Aplicando la distinción establecida por Andrés González Blanco y a la que hemos aludido en otro lugar, podemos decir que en *El buey suelto* hay una novela de tesis, y en *Don Gonzalo*, una de tendencia.

Si *El buey suelto* quiere ser la antítesis de la novela de Balzac *Pequeñas miserias de la vida conyugal*, otra de las buenas producciones de Pereda, *De tal palo, tal astilla*, se escribió para contrarrestar la tesis de *Gloria*, de Pérez Galdós [7]. No se trata ahora de un conflicto originado en la diversidad de creencias; el problema se plantea entre una joven, Agueda, católica a macha martillo, y el ateo Fernando. Para que se acuse mejor el contraste, Pereda adorna a Fernando de inmejorables cualidades: rico, buena presencia física, inteligente y con una brillante carrera. Su familia goza de poca simpatía entre los montañeses, por su incredulidad ancestral. Ello dificulta primero e imposibilita al fin la unión de los dos jóvenes y provoca el suicidio de Fernando, impotente para vencer su escepticismo y para dominar la creencia general de sus convecinos, que atribuyen su amor hacia la rica heredera Agueda a móviles interesados. Señala esta novela una evolución en el arte narrativo de Pereda. En las obras anteriores se ha preocupado casi exclusivamente de la presentación de tipos, caracteres y costumbres; en ésta cobra más interés la descripción paisajista. Se abre con el paso de la pavorosa Hoz, que separa los pueblos de Perojales y Valdecines, y se cierra con el suicidio de Fernando, arrojándose por el mismo precipicio. Entre los personajes destaca el espolique Macabeo, al que *Clarín* no dudó en comparar con el Renzo manzoniano. La última escena, entrevista del padre de Fernando con Agueda, en la que Pereda intenta resumir la tesis de la obra, aunque no exenta de nervio y de cierta grandeza, resulta tendenciosa con exceso. Sale del campo de la novela para entrar en el de la apologética.

Entre los personajes, aparte del mencionado Macabeo, citemos al hipócrita y malvado Sotero, que no duda en aconsejar a su sobrino la deshonra de Agueda; a la casquivana Tasia, a don César Peñarrubia, etc. El menos logrado es el de Agueda; Menéndez Pelayo, tras señalar que Pereda no sobresale en la presentación de tipos femeninos, se adelantó a poner de manifiesto sus faltas: «El carácter de Agueda está bien concebido; bien está su fe católica a la española; pero ¿era preciso para esto hacerla tan impasible, estoica y marmórea, cuando al fin era mujer y enamorada?»

En *Pachín González*, la novela que cierra la serie de temas montañeses, el autor se sirve del trágico incendio del vapor *Cabo Machichaco* para reafirmarse una vez más en la idea de apego al terruño.

El aldeano Pachín González se traslada a Santander en compañía de su madre con ánimo de embarcar para América en busca de fortuna; la explosión del vapor le hace desistir del viaje y vuelve a la aldea natal decidido a ganarse el sustento «destripando terrones».

Las cuatro obras maestras de Pereda

El sabor de la tierruca, La puchera, Sotileza y *Peñas arriba* señalan la cima del genio descriptivo de Pereda. La primera puede considerarse como novela-puente entre las dos tendencias predominantes en el escritor santanderino: sátira política y descripción costumbrista. En la mayor parte de sus producciones aparece como idea fundamental el tradicionalismo, en oposición a la demagogia. Pero este tradicionalismo, más que como idea política vinculada a un partido, se nos ofrece como defensa de las costumbres, creencias y prácticas ancestrales, que sirven de valladar a peligrosas innovaciones. Ante la invasión de la demagogia, Pereda proclama la necesidad de una novela combativa. En su arte hay impulso inicial de narrador, alma de novelista; pero el afán deliberado de poner estas cualidades sobresalientes e innegables al servicio de unos principios ahoga o aminora tales cualidades. El propósito aparentemente descriptivo, sin mayor trascendencia, que apunta en la primera de estas novelas [8], se intensifica y amplía en *Sotileza*; surge la comparación entre lo antiguo y lo moderno; y no hace falta decirlo, el autor se inclina por lo primero: «Cantar en medio de estas generaciones descreídas e incoloras las nobles virtudes, el mísero vivir, las grandes flaquezas, la fe incorruptible y los épicos trabajos del valeroso y pintoresco mareante santanderino.»

En *El sabor de la tierruca* destacan los contrapuestos caracteres de don Pedro Mortera, reflexivo, bondadoso, noble, y de don Juan de Prezanes, quisquilloso y suspicaz, aunque integérrimo en el fondo. Intimos amigos, viven enemistados de continuo a causa del carácter de don Juan, cuya intervención en la política es censurada por don Pedro. Completan el cuadro los amores de Pablo y Ana, hijos de don Pedro y don Juan, respectivamente. Como en todas las obras de Pereda, abundan los tipos dibujados de mano maestra y las descripciones logradas. Señalemos al alcalde Juan Garojos, conocido por *Juanguirle*, a causa de su estrabismo; al orate esparterista don Valentín Gutiérrez de la Pernia; al chulesco el *Sevillano*, y a la desgraciada bruja la *Rámila*. Las escenas de taberna, romería y mercado son modelos descriptivos de difícil superación.

Mayor fuerza dramática tiene *La puchera*, que a nuestro juicio no desmerece junto a *Sotileza* y *Peñas arriba*. Cuadro de costumbres montañesas, el análisis psicológico de algunos tipos acusa la penetrante mirada de Pereda, que nos da aquí algunas de sus más bellas páginas.

Argumento sencillo: don Baltasar Gómez de la Tejera—quinto o sexto hijo del Megañas—, alias el *Berrugo*, regresa a su aldea de Robleces enriquecido; se entrega de lleno a la usura y arruina a sus convecinos. Contrae matrimonio con Cruz

Hormigueros, que muere dejándole una hija, Inés. Con Baltasar e Inés vive Romana—la *Galusa*—, criada-manceba que, en su afán de asegurar el sustento propio («la puchera») y el de su desvergonzado sobrino Marcones, seminarista ansioso de dejar de serlo, introduce a éste en la casa so pretexto de instruir a Inés; pero en el fondo, con ánimo de casarlo con ella. La llegada de Tomás Quincanes, sobrino del mayorazgo de Robleces arruinado por el *Berrugo*, deshace la combinación. Enamorado de Inés la deposita judicialmente y se casa con ella.

Paralelo a esta acción principal se desarrolla el proceso amoroso del honrado y trabajador Pedro Juan con Pilara, pretendida también por Quilino. La obra termina con la trágica muerte del *Berrugo* al despeñarse en los acantilados de la costa, adonde le habían conducido su avaricia y su credulidad, en busca de un tesoro.

Las dos obras que más fama han dado a Pereda son *Sotileza* y *Peñas arriba*. No obstante si como obras descriptivas sólo merecen elogios, como narraciones novelísticas y exposición de hechos son muy discutibles, si bien *Sotileza* es superior en tal aspecto a *Peñas arriba*. La novela no puede reducirse a una serie de cuadros descriptivos, por admirables que sean. Toda la acción de *Peñas arriba* se reduce al proceso de lucha que se desarrolla en el alma del joven cortesano Marcelo Ruiz de Bejos para abandonar la corte y establecerse en la aldea montañesa de Tablanca. Digamos que no son sólo la belleza paisajística y la sencillez de las costumbres montañesas las causas que le deciden a cambiar las diversiones de Madrid por la pacífica vida de la aldea; en el cambio influye también el amor de la bella y hacendosa Lita (Margarita), nieta del alcalde del pueblo, don Pedro Nolasco.

Mayor consistencia novelesca y más interesante trama tiene *Sotileza*, la mejor para nuestro gusto de las novelas de Pereda. En ella, y como siempre, atento ante todo a la descripción, al detalle significativo, Pereda descuida un tanto el engarce total de los hechos; y esta falta de composición y de atención al conjunto afecta al desenlace, que tal como se nos da no aparece justificado. Silda o Sotileza igual puede casarse con Muergo que con Cleto o Andrés; a última hora, con la trágica muerte del primero, el autor nos descarta ya a uno de los pretendientes. Aun con estos reparos, en *Sotileza* está, como dice *Clarín*, «lo mejor que ha escrito su autor en materia de novela de pasión, de observación exacta y fuerte y de propiedad y vigor en el diálogo» Capítulos como la descripción de la galerna y los titulados *Un día de pesca, El perejil en la frente, El idilio de Cleto, Muergo de gala, Las hembras de Mocejón* y otros valen no por una, sino por muchas novelas. Debe señalarse cierta contradicción en el carácter de la protagonista, explicable en parte por el ambiente en que vive.

«La Montálvez» y «Pedro Sánchez»

Pereda en ellas abandona el escenario montañés para situar la acción en la corte. *La Montálvez* no mereció a nuestro juicio la hostilidad con que la recibió la crítica. Pereda, olvidando el escenario natal, nos traslada al Madrid isabelino y de la restauración. Como *La espuma*, de Palacio Valdés, *Insolación*, de la Pardo Bazán, y *Pequeñeces*, del padre Coloma, es una novela aristocrática. A la nobleza de la sangre o del dinero pertenecen sus personajes. Pero aun siendo idéntico el medio ambiente e idéntica la cotextura moral de todos ellos, son obras que difieren en el fondo. La más lograda es sin duda *Insolación*. *La Montálvez* fué tachada de inmoral; y fué precisamente el padre Coloma quien salió en defensa del autor y de la obra. Pereda quiso demostrar que era capaz de salir del recinto provinciano, de aquel escenario limitado aludido por la Pardo Bazán [9], como cinco años antes lo había demostrado ya a medias con *Pedro Sánchez*. El éxito sólo le acompañó a medias. Moralista al igual que el padre Coloma, no centra, como éste, su intención en la sátira de la nobleza, de su corrupción, de su venalidad política, de sus secretos manejos masónicos. Más reducido su cuadro, sólo alcanza a presentarnos una vida humana en particular, la de Verónica, Veronic o Nica Montálvez. También es distinta la técnica narrativa: el novelista santanderino desarrolla la obra en forma de *Apuntes* de la propia Verónica, que, arrepentida de sus escándalos, los ofrece en penitencia y para que sirvan de escarmiento. «Obra son de los impulsos de un alma atormentada estos *Apuntes* que escribo para lanzarlos al mundo. No creería nunca bastante barrida de gusanos la conciencia sin entregar los escándalos de mi vida a la abominación de todas las mujeres honradas.» Más que la corrupción de la nobleza, Pereda aspira a poner de manifiesto las funestas consecuencias de la educación y del ambiente. Verónica, la protagonista, es víctima de la inmoralidad reinante, de los consejos de su estúpida madre y de sus amigas Leticia y Sagrario. Sin duda, el autor recarga las tintas, ya que, a excepción del viejo contratista abuelo de Verónica, no aparece una sola persona decente en el medio en que se mueve la Montálvez. Como la Currita Albornoz de *Pequeñeces*, Verónica ve un castigo providencial de sus escándalos en la tragedia de su única hija [10].

Con *Pedro Sánchez*, novela cuya acción casi autobiográfica se desarrolla en la corte y en un ambiente bien conocido por el autor, asistimos a los altibajos de la política en los años inmediatamente anteriores a la restauración. Pereda nos adentra en las intimidades de la vida periodística; y como en tantas novelas del autor, se hace aquí la apología de la vida campesina de las aldeas cántabras, en oposición al ajetreo y a la hipocresía cortesana.

El protagonista, Pedro Sánchez, vive en un lugar de la Montaña sin más aspiraciones que las de alcanzar la secretaría del Ayuntamiento y la administración de los bienes que el duque del Infantado posee en el lugar. La llegada—en plan de veraneo—de don Augusto Valenzuela, alto personaje de la política, despierta su ambición y, por consejo de aquél, que le promete su influencia, pasa a la corte cuando apenas cuenta dieciocho años. Pronto se desengaña; entra en la redacción del periódico revolucionario *El Clarín de la Patria*; un movimiento le convierte en ídolo popular, a la vez que condena al destierro a Valenzuela. Desdeña el amor sincero de Carmen para contraer matrimonio con Clara, hija de Valenzuela. Nombrado gobernador civil, es víctima de los despilfarros de su mujer y de su suegra, en connivencia con su desaprensivo secretario. Nuevos cambios políticos le dejan cesante; descubre el adulterio de Clara y emigra a América. Viudo ya, regresa y contrae matrimonio con Carmen. La felicidad le dura poco; pierde a su esposa y a su único hijo, y se retira a su hogar natal, después de veinticinco años de ausencia, cuando ya las riquezas no ofrecen alicientes para él.

Técnica narrativa y valoración

Lo más sobresaliente del arte de Pereda es la creación de tipos y caracteres, la descripción paisajística y la reproducción de costumbres. De aquí que buena parte de la crítica prefiera las obras de la primera época: *Escenas montañesas*, *Tipos y paisajes*, *Bocetos al temple*, *Tipos trashumantes* y *Esbozos y rasguños*. El solo enunciado de estos títulos muestra bien a las claras las preferencias del escritor.

Pereda es un meticuloso observador de la realidad circundante, que sabe captar con ojo de artista. Mar y montaña de Santander constituyen el escenario de sus mejores obras; costumbres, virtudes y vicios son sus temas obligados; lenguaje y modismos de sus moradores, los recursos estilísticos.

Las novelas de Pereda son una serie de cuadros deliciosos y movidos, como las *Escenas montañesas*, o, salvando pocas excepciones, son extensos relatos que a la larga resultan lánguidos, fríos y sin otro interés, por lo común, que el que puedan prestarles la belleza del lenguaje y el garbo del estilo. Piénsese en las obras que le han dado más fama, *Sotileza* y *Peñas arriba*. Una y otra carecen de verdadera acción; lo interesante es en ellas lo descriptivo, la presentación del cuadro, ya sea una tertulia o la caza de un oso, ya la tempestad de nieve o la muerte del hidalgo don Celso, o la pintura del mar embravecido. Pensemos en las brillantes descripciones de *El sabor de la tierruca*, *De tal palo, tal astilla*, y hasta en las del mismo *Pachín González*. Queremos destacar un rasgo característico del estilo de Pereda, señalado ya por Gerda Outzen: el sentido dinámico. Con el paisaje apacible, de líneas ondulantes, frecuente en una *Fernán Caballero*, contrasta este paisaje viril, agreste, recio del escritor santanderino. Junto a este elemento paisajístico, los tipos, de poca variedad integral, pero con una gama interminable de matices.

Tal concepción de la novela ofrece una ventaja: la de abundar en páginas antológicas. Pero tiene un grave inconveniente: el de romperse a cada paso la línea narrativa, en detrimento del interés. El primor del cuadro sólo se obtiene a costa de la belleza del conjunto. Con Pereda nos ocurre lo contrario que con otros novelistas, en los que se pasa por alto la descripción para ir al diálogo. Por ello la acción suele ser débil y zigzagueante; es o parece ser un pretexto para el despliegue del cuadro descriptivo. El mismo desenlace de *Sotileza*, con ser una de las novelas más movidas del autor, es susceptible de variación, según queda arriba consignado. Descartado el brutal Muergo, ahogado en la galerna, la protagonista pudo casarse con Andrés o con Cleto. El novelista la casa con éste porque sí.

En cuanto a los tipos, son los del pueblo los más logrados; y entre ellos, los coterráneos del autor. Cuando Pereda sale del recinto santanderino y se introduce en la corte, o sustituye la calleja por el salón aristocrático, como en *La Montálvez*, su éxito es menos que mediano. Hay una excepción: *Pedro Sánchez*, pero aquí el recuerdo autobiográfico presta vida y calor al relato. Con razón ha dicho César Barja que «el realismo artístico de Pereda sube tanto más en grado y tanto más se eleva en naturalidad y en belleza, cuanto más el novelista desciende hasta

el pueblo»[11]. Marineros, gañanes, labriegos, curas de aldea, hidalgos solariegos, constituyen su verdadero mundo de artista. Lo mismo puede afirmarse que cuanto más se aparta de la tesis y del doctrinarismo es más novelista y creador. Porque Pereda, aun en sus obras de ambiente regional, es un escritor combativo. Manifiesta o latente siempre en sus novelas hay una tesis. Ese conjunto de buenas cualidades—color descriptivo, cuadros costumbristas de animada pintura, tipos soberbiamente presentados, todo ello con un estilo digno y de la mejor prosapia—hacen que nuestro juicio definitivo de Pereda difiera sustancialmente del formulado por Valbuena Prat, quien apenas ve en él más que un valor arqueológico. Desorbitados sin duda los elogios del padre Blanco García; desorbitados igualmente los de Menéndez Pelayo, en quien razones de paisanaje desfiguraron más de una vez la serena visión crítica; pero con todos sus defectos, que nosotros no hemos sido tardos en señalar, Pereda se nos ofrece como el primer costumbrista del xix, autor de obras que, como *Sotileza*, *La puchera* y *Peñas arriba*, abundan en páginas de una prosa castiza, como rara vez se había escrito desde el Siglo de Oro.

No creemos que valga la pena insistir sobre el supuesto naturalismo de Pereda. El determinismo materialista es el punto capital de la doctrina de Zola; y Pereda, por educación y por principios religiosos, no es ni puede ser determinista. Que no tiene Zola la exclusiva del naturalismo es indudable; pero no lo es menos que si al naturalismo se le resta la aportación zolesca, se reduce a un realismo. Y este realismo, tradicional en nuestra literatura, que no desdeña lo feo, pero que sabe idealizarlo por la fuerza del arte, es el de Pereda.

III. LA FIGURA UNIVERSAL DE PALACIO VALDES

Escritor regionalista como Pereda, si bien con una concepción del regionalismo mucho más amplia, es don ARMANDO PALACIO VALDÉS (1853-1938). Sus obras, acomodadas por el estilo y el tema a todos los públicos, alcanzaron en su tiempo extraordinaria difusión, tanto en España como en el extranjero, hasta el punto de que se puede afirmar que es el novelista español más leído y traducido después de Cervantes. La crítica de nuestros días, por razones que luego diremos, le ha vuelto la espalda, pero todavía sigue disfrutando de envidiable y bien merecida popularidad.

Vida y perfil

Nació ARMANDO PALACIO RODRÍGUEZ-VALDÉS[12] en Entralgo, aldea del concejo de Laviana (Asturias), el 4 de octubre de 1853. De familia aco-

modada, pasó su infancia en Avilés y Entralgo; estudió el bachillerato en Oviedo, donde trabó íntima amistad con *Clarín*. Pasa luego a Madrid para cursar la carrera de Derecho. Dióse a conocer como crítico, colaborando en la *Revista de España*, ocupación que abandonó pronto para entregarse de lleno al cultivo de la novela. En 1906 fué elegido académico para ocupar la vacante producida por la muerte de su amigo Pereda; pero no ingresó en la docta corporación hasta 1920. Antes, y durante la primera guerra europea, había actuado como corresponsal en París; sus artículos fueron recogidos en el libro *La guerra injusta*. En los años 1927 y 1928 se le propuso para el premio Nobel, que no le fué concedido por especiales circunstancias políticas. Al advenir la República (14 de abril de 1931) publicó una serie de artículos de carácter religioso-patriótico. Murió en Madrid en 28 de enero de 1938.

Palacio Valdés fué un hombre de vida apacible y patriarcal. Espíritu bondadoso y comprensivo, esa comprensión y bondad trascienden a lo mejor de su obra, que muchas veces no es sino una serie de retazos autobiográficos. Sabe vivir como un sabio, sabe estimar las buenas cualidades humanas y disculpar las flaquezas con una sonrisa indulgente; y, lo que vale más, sabe llevar a las páginas de sus libros su propia bonhomía, dejando en el alma del lector una luminosa estela de optimismo. Si quisiéramos resumir en seis o siete notas su figura como hombre y escritor, ya que ambas cosas se funden en él de modo entrañable, señalaríamos las siguientes: equilibrio entre narración y descripción, en lo que lleva innegable ventaja a Pereda, amenidad y garbo en el diálogo; espontáneo y sano humorismo de la mejor ley, que arranca limpias sonrisas y tiñe de suave alegría hasta los pasajes más escabrosos; delicadeza en el trazado de tipos, especialmente de los femeninos; y un estilo que no quiere saber nada de agostadas retóricas; un estilo fluido, fácil y sencillo, tan sencillo y tan fácil que cualquiera al leerlo se siente con fuerzas para escribir así, hasta que no tarda en darse cuenta de que, lejos de ser producto del desaliño y de la falta de técnica, no es sino el fruto sazonado de una larga experiencia como escritor.

En Palacio Valdés hay que distinguir dos facetas: la del novelista que crea y la del crítico que teoriza sobre su propio arte. Y todavía en el primer aspecto cabe señalar dos épocas perfectamente definidas, que, si no ofrecen cambios importantes de orden estilístico, lo ofrecen muy notable en el ideológico, dando lugar a derivaciones del mayor interés [13].

Ideario estético

Antes de darse a conocer como novelista, ejerció Palacio Valdés la crítica, circunstancia que reviste especial interés, porque, paralelamente al juicio que formula de los oradores, poetas, novelistas y dramaturgos de la época, trata los más variados puntos de estética literaria. En tal sentido, su postura es independiente y, casi siempre, una clara exposición teórica de lo que sería después su propia obra de novelista. Puede estudiarse ampliamente en el *Discurso* de ingreso en la Real Academia, en el *Testamento literario*, en *Album de un viejo*, y en los prólogos que figuran al frente de sus novelas *El idilio de un enfermo, Marta y María, La hermana San Sulpicio* y *Los majos de Cádiz*. A la crítica como tal consagró *Semblanzas literarias* [14] y *La literatura en 1881*, en colaboración con *Clarín*.

Considera misión del crítico defender el arte «contra los excesos de la pasión o las invasiones del espíritu didáctico» [15]. Debe ocuparse de «aclarar, difundir, popularizar las bellezas de las obras artísticas, llamar la perezosa atención del público hacia ellas», antes que «escudriñar las manchas o defectos que toda obra, por ser humana, ha de llevar forzosamente» [16].

Punto esencial y muy discutido es el de la filiación naturalista de Palacio Valdés. En la práctica sólo en algún rasgo muy externo y en muy pocas novelas de la primera época puede decirse que perteneciera a esa escuela. Y en teoría se opone a ella diametralmente. Rechaza el propósito didáctico, la minuciosidad descriptiva, el empleo de lo que llama «accesorios» y, sobre todo, el prurito de confinar la vida humana sólo en la parte animal: «Es más interesante estudiar al hombre como hombre que como animal, aunque otra cosa piense la escuela naturalista. El acto material de la procreación nos confunde con las bestias; pero el hombre ha añadido ya a este acto un elemento espiritual: el pudor [17].»

Como todo verdadero artista, muestra su predilección por una escuela determinada, que en este caso es el realismo tradicional español. Pero ello no le impide comprender y justificar todas las tendencias. Afirma que el valor de la obra de arte no depende de la escuela, sino del genio del artista, ya que en todas las épocas y estilos pueden producirse obras maestras junto a otras dignas del más piadoso olvido. Por ello cree que la obra de arte no debe juzgarse con un criterio cerrado, de acuerdo con los cánones de una estética determinada, sino a la luz de principios amplios y universales, válidos para todas las épocas y para todas las escuelas. Lo más acertado es examinarla en función de la sociedad que la produce. En su concepción del realismo está la mayor negación de la escuela naturalista. El realismo que defiende Palacio Valdés no debe entenderse como copia fiel de la realidad, sino como recreación poética de la misma: el artista depura lo que haya de bajo y repugnante en la vida. «No hay que olvidarse de que el novelista es, ante todo, un poeta. Copiar fielmente la vida ordinaria de los humanos podrá ser en ocasiones obra meritoria, pero no una obra romancesca [18].»

Creemos, como corolario de estas premisas, que no es lógico encuadrar a Palacio Valdés dentro de la escuela naturalista, aunque algunos rasgos esporádicos de sus primeras novelas hayan inclinado a cierta crítica en ese sentido. Profesa Palacio Valdés el realismo español; y al defender la «novela de circunstancias» en el discurso de ingreso en la Real Academia, entiende por tales «circunstancias» sólo aquellas de orden íntimo que de algún modo nos afectan en el curso de la existencia, esto es, «el espectáculo que nos impresiona, la aventura que nos preocupa, la desgracia que nos aflige, el temor que nos sobresalta; en una palabra, la vida misma pasando como un río a través de nuestra sensibilidad».

Palacio Valdés y «Clarín»

Se ha hablado de un especial carácter de la literatura asturiana, propenso a la ironía; y esta consideración ha llevado al estudio de las mutuas influencias entre Palacio Valdés y Leopoldo Alas, máximos representantes de esa literatura en la segunda mitad del siglo XIX. Creemos que tales influencias se han exagerado. Algún rasgo de El idilio de un enfermo puede verse en el cuento de Clarín ¡Adiós, Cordera!, y ciertas notas del Palacio Valdés crítico parecen eco del Clarín primitivo. También hay que rebajar algo en la tan cacareada y fraternal amistad entre ambos escritores. Escapa de los límites y de la finalidad de esta obra el descender a detalles. Ambos son críticos; pero la crítica de Palacio Valdés es bastante objetiva e imparcial; la de Clarín, agria, displicente, dictada más por el sentimiento y hasta por el resentimiento que por una serena consideración mental. Eran dos temperamentos antagónicos: Palacio Valdés, un humorista; Alas, un satírico; y sabido es que humor y sátira, aunque parezcan gemelos, no lo son. La colaboración no podía durar; y, en efecto, pronto se deshizo. El propio Palacio Valdés nos da la explicación: «Aquellas ingeniosidades agresivas, aquella literatura de flechas aceradas no infundían calor en mi alma. Los gemidos de las víctimas, las heridas manando sangre, los miembros palpitantes esparcidos por el suelo, me causaban grima en vez de alegría. Nunca fué de mi agrado el género satírico, que se aparta mucho del humorismo. Detrás del humorista hay un espíritu piadoso que sonríe melancólicamente al contemplar las deficiencias y contradicciones de la naturaleza humana. Detrás del satírico sólo hay un hombre que ríe malignamente y se goza con la miseria intelectual del prójimo [19].» A pesar de estas diferencias, no cabe duda que el espíritu de Alas influyó en la primera etapa del Palacio Valdés crítico, ya que el propio novelista lo declara; pero ocurrió que, andando el tiempo, Palacio Valdés se fué haciendo más humano, más comprensivo, más ecuánime; Clarín, por el contrario, se fué agriando más y más, hasta llegar al extremo de algunos Paliques, en que la auténtica crítica deja paso a la pirueta mordaz, vacua y lamentable.

Clasificación de las novelas [20]

Difícil establecer una clasificación. Desde 1881, fecha de la aparición de El señorito Octavio, hasta 1931, en que publica Sinfonía pastoral, la producción novelística de Palacio Valdés se desarrolla en dos docenas de obras de tema y ambiente distintos. Acaso la nota predominante sea lo regional y costumbrista; y atendiendo a ella, es decir, a los diversos escenarios en que se sitúa la acción, hemos establecido los siguientes grupos:

a) Novela asturiana: El señorito Octavio (1881), Marta y María (1883), El idilio de un enfermo (1884), José (1885), El cuarto poder (1888), La Fe (1892), El maestrante (1893), La aldea perdida (1903), Santa Rogelia (1926), Sinfonía pastoral (1931).

b) Novela madrileña: Riverita (1886), Maximina (1887), La espuma (1891), El origen del pensamiento (1894), Tristán, o el pesimismo (1906), Papeles del doctor Angélico (1911), Años de juventud del doctor Angélico, La hija de Natalia (1924).

c) Novela valenciana: La alegría del capitán Ribot (1899).

d) Novela andaluza: La hermana San Sulpicio (1889), Los majos de Cádiz (1896), Los cármenes de Granada (1927).

La división que Palacio Valdés establece de su propia obra, «novelas de costumbres» y «novelas» a secas, es arbitraria, ya que no responde a una diferencia de contenido ni de técnica. Según tal discriminación La hermana San Sulpicio es novela, y Tristán o el pesimismo, novela de costumbres. ¿En qué se diferencian? En realidad, y para nosotros, en nada. Acaso, y admitido el criterio de Palacio Valdés, La hermana San Sulpicio sería «novela de costumbres», ya que al estudio de los caracteres añade el tipismo regional andaluz. Y entonces, si alguna calificación especial conviene a Tristán es el de «novela de tesis».

Las dos épocas de la novela de Palacio Valdés

Antes de pasar al análisis de estas producciones, digamos algo sobre las dos épocas ya aludidas.

Evidentemente hay en Palacio Valdés una etapa de creación que tiende al realismo, mejor aún, al naturalismo, con una complacencia manifiesta por ciertos temas y situaciones. Y hay otra etapa de tendencia más depurada, más idealista, sin que ello suponga mayor o menor valor literario. Hasta el problema religioso ofrece aspectos muy distintos en una y otra etapa. Sería interesante un estudio del sacerdote tal como aparece en algunas novelas de Palacio Valdés anteriores a 1896, fecha de publicación de Los majos de Cádiz, y tal como aparece luego. Y ese estudio se podría extender a otras personas «excesivamente» religiosas; p. ej., al Godofredo Llot de El origen del pensamiento. En Marta y María, lo mismo que en La Fe, a pesar de las declaraciones a posteriori de su autor, éste se nos revela como hombre de convicciones religiosas poco firmes. Lo que no sucede en obras posteriores. Por otra parte, esa morbosa delectación naturalista, que se inicia en El idilio de un enfermo y se agudiza luego en El maestrante, alcanza su culminación en la galería de tipos poco gratos de La espuma. Pero nada mejor nos sirve para hacer patente la diferencia entre las dos épocas aludidas que el análisis de un mismo hecho, el adulterio: el de Amalia en *El maestrante* y de Clementina en *La espuma*, revelan la mayor perversión; mientras la Elena de *Tristán o el pesimismo* y la protagonista de *Santa Rogelia*, son almas superiores que terminan redimiéndose a impulsos del remordimiento y de la fe. Algo análogo ocurre con los personajes masculinos, si bien ha de reconocerse que Palacio Valdés fué menos afortunado en la pintura de hombres que en la de mujeres. No encontramos en la primera época nada que pueda compararse en dignidad con el capitán Ribot ni en altura moral con Angel Jiménez, el *Doctor Angélico*.

Existe, por tanto, un proceso de espiritualización, que si en Galdós o en la Pardo Bazán puede obedecer a influencias externas, en Palacio Valdés es resultado de una transformación íntima, de la que el propio novelista informa a *Clarín* en carta a raíz de su segundo matrimonio.

En consecuencia, puede hablarse de dos épocas o etapas de creación perfectamente diferenciadas. A la primera corresponderían *El señorito Octavio, Marta y María, El idilio de un enfermo, Riverita, Maximina, La fe, La espuma, El maestrante* y alguna otra; a la segunda, *La alegría del capitán Ribot, La aldea perdida, Tristán, La hija de Natalia, Santa Rogelia, Los cármenes de Granada* y *Sinfonía pastoral*. El punto de transición está señalado por *Los majos de Cádiz* [21].

Novelas de ambiente asturiano

En *El señorito Octavio*, junto a inexperiencias de principiante, hay aciertos descriptivos y rasgos de humor que constituirán luego notas características de Palacio Valdés. Aunque éste le califica de «novela sin pensamiento trascendental», lo que quiere decir que rehuye toda filiación naturalista, es una mezcla de todos los *ismos*: romanticismo trasnochado, realismo dominante y naturalismo incipiente. Palacio Valdés es temperamentalmente optimista; sobre las naturales flaquezas humanas y por encima de lo mezquino de la vida, tiende el velo de la esperanza, de la fe en un orden superior. Alguna vez presenta desenlaces desgraciados, trágicos; pero es obedeciendo a una ley moral y estética a la vez: «Todo predominio enérgico y exclusivo de una pasión—escribe en su *Testamento literario*—arrastra consigo la catástrofe como medio de restablecer el equilibrio y el respeto de la ley moral.» De ahí el desenlace trágico de la novela que nos ocupa, reiterado asimismo en *El idilio de un enfermo, El cuarto poder, Tristán* y *Los cármenes de Granada*. Octavio ha infringido la ley moral al delatar, por despecho, por celos, no por principio de honestidad, los amores adúlteros entre Laura y Pedro; y el remordimiento le empuja a buscar la muerte como expiación de su propia conducta. Octavio es un soñador inadaptado, como Emma Bovary o como la Luisa de *El primo Basilio*. Su temperamento hipersensible le acerca a estos tipos femeninos. Un paso más y Palacio Valdés entrará en la corriente naturalista, que a la sazón lo avasallaba todo, con *Marta y María* y *El idilio de un enfermo*. En aquélla se contraponen dos mundos: el de la acción y el de la meditación. La Marta y María evangélicas están representadas por las dos hermanas Elorza. María, prometida del joven Ricardo, marqués de Peñalta, sensible y romántica, va abandonando el amor humano para entregarse de lleno a las prácticas religiosas, que degeneran en una exaltación mística, para terminar—tras una grotesca aventura bélicopolítica—, en el claustro. Paralelamente al misticismo de María se desarrolla el amor de Marta por Ricardo, con quien acaba casándose. La acción se sitúa en la villa asturiana de Nieva (Avilés), y son de notar la descripción de la tertulia de los Elorza y la pintura de tipos: Isidorito, don Serapio, doña Gertrudis, etc.

El idilio de un enfermo, que tiene por escenario la imaginaria villa asturiana de Riofrío, narra el proceso de seducción de Rosa, gallarda aldeana, por el joven madrileño Andrés Heredia, que por curar una incipiente tuberculosis ha llegado a la mencionada aldea. Obligado a regresar a Madrid, el joven enferma de nuevo y muere al poco tiempo [22].

Con *José* aborda Palacio Valdés el tema marinero. La acción, situada en Rodillero (¿Cudillero? ¿Candás?) [23], puede considerarse un auténtico idilio, ya que lo cómico, lo trágico y lo humorístico en pocas novelas del autor alcanzan tan feliz maridaje. Sobre el fondo de la vida penosa de los marineros se alza el idilio de José y Elisa, llevado a féliz término gracias a la intervención del hidalgo pobre don Fernando de Meirá, una de las creaciones más geniales de la novela del XIX. José es uno de los libros españoles más conocidos y leídos en el extranjero. La sencillez de su lenguaje le hace muy apto para su lectura en centros de enseñanza.

El cuarto poder se mueve en torno al caciquismo y a la politiquería local. Radica su acción en Avilés, y es para nosotros una de las mejores novelas del escritor asturiano. Caracteres bien trazados, en especial los de las hermanas Cecilia y Venturita. Su técnica pone una vez más de manifiesto la habilidad del autor en el planteamiento de conflictos y en la solución de situaciones extremas. El procedimiento para ello es el que denominaríamos *retardado*. La escena del desafío del joven Gonzalo con el degenerado duque de Tornos, resuelta con un humorismo de la mejor ley, acredita un novelista de primera clase.

La fe, desarrollada en Peñascosa (Luanco), sigue el proceso de un conflicto religioso en el alma del joven sacerdote Gil Lastra. Novela discutida por buena parte de la crítica, atenta al enjuiciarla antes que nada a consideraciones de tipo moral, no creemos que merezca las graves censuras de que fué objeto. Escrita con decoro, nos traslada a un medio rural que casi todos hemos conocido y vivido. La tesis del novelista es que a la fe debe irse por la caridad. Los personajes son reales; y en tal aspecto sólo resta añadir que, por desgracia, abundan en la vida más de lo que fuera de desear. Probablemente la novela contiene muchos elementos autobiográficos; el proceso de incredulidad de don Alvaro Montesinos y del padre Gil parece guardar relación con el que se inicia por esos años en el alma del novelista. Pero es indudable que éste sabe tratarlo con todo el decoro exigible en esta clase de obras. Señalemos las creaciones magistrales de Obdulia, beata histérica y sensual; del padre Narciso, de don Joaquín y del mayorazgo don Alvaro, sobre el que pesa un complejo de fracaso, que se resuelve en la impiedad. La obra concluye con una sarcástica diatriba de la ciencia frenológica, tan en boga en la época, y que constituirá el tema de otra de las novelas de Palacio Valdés, *El origen del pensamiento* [24].

El maestrante es un auténtico melodrama: historia de adulterio que se sitúa en Lancia (Oviedo), señala el momento más bajo de Palacio Valdés como novelista y el punto más alejado de su tradicional técnica y procedimientos.

Con *La aldea perdida* nos ofrece Palacio Valdés un auténtico poema de la vida bucólica en la Asturias de su infancia [25]. La transformación de la Asturias agrícola y patriarcal en industrial y minera arranca al novelista acentos de noble indignación, que le valieron los duros calificativos de retrógrado y oscurantista. Los nombres de los personajes—Flora, Demetria, Plutón—indican bien a las claras el ideario del novelista.

Digno remate de la tesis planteada en *La aldea perdida* es *Santa Rogelia*, aparecida en 1926. Se viene a restablecer en ella ese equilibrio estético y moral, al que se acaba de aludir, y tan grato siempre al novelista. La mina da un producto innoble, carne de presidio, en Máximo. Pero, a la vez, de ella puede surgir otro producto de alta calidad, Rogelia, que nada tiene que envidiar a los mejores de otra clase social. En cierto sentido, la novela puede considerarse un complemento de *Marta y María*, por cuanto nos presenta una auténtica mística: Cristobalina. Para ésta, el misticismo consiste en arreglar lo espiritual sin entremeterse en aventuras terrenas como María. La dulzura y la santidad que irradian del alma infantil de Cristobalina llevan hacia su conversión a Rogelia. Los frutos del misticismo de Cristobalina son, por tanto, positivos, frente a los de María, carentes de toda trascendencia. Señalemos las escenas del presidio de Ceuta entre las más afortunadas de **Palacio Valdés**.

El ciclo de la novela asturiana se cierra con *Sinfonía pastoral*, escrita, según declara el autor, a la imperecedera memoria de Beethoven. Nada viene a añadir a la gloria del novelista, quien ya rondando los ochenta años evoca una vez más los paisajes y el ambiente de la infancia, y, una vez más también, pone en contraposición la vida campestre y la de la corte, resolviendo el dilema a favor de la primera. Cierta concesión a la caracteriología asturiana puede verse en el retrato de Antón Quirós.

Novela madrileña

En las obras de ambiente asturiano predominan la descripción paisajística y el estudio de campesinos, mineros y pescadores. Ahora la complejidad abigarrada de la Corte brinda a Palacio Valdés la oportunidad de adentrarse en los medios aristocráticos, políticos e intelectuales; bien entendido, que ni esta temática ni la de las obras anteriores es exclusiva de un grupo. Mientras *El maestrante*, aunque de localización asturiana, es de ambiente aristocrático, *La espuma*, *Riverita* y *Maximina* nos introducen en el mezquino mundo de la política y del periodismo que, en un plano más reducido, aunque no menos interesante, hemos visto ya en *El cuarto poder*.

Riverita y *Maximina* forman en realidad las dos partes de una sola obra. Aquélla nos relata la azarosa vida de Miguel Rivera, primero al lado de su madrastra doña Angela Guevara; luego, en el tétrico colegio de la Merced y en el diario *La Independencia*; y, finalmente, desposado ya con la encantadora Maximina. Sumamente pintoresco es el desfile de tipos que constituyen el profesorado de la Merced: el director, don Jaime, ex coronel de Artillería, obligado a pedir la licencia por «un asunto de honor en que el suyo no había salido bien parado»; don Leandro, profesor de Geografía e Historia, «de estado semisacerdotal»; don Benigno, que lo era de Lógica, reverso del anterior; el de Física y Naturales, señor Marroquín, «antiguo republicano de barricada»; el capellán, don Juan Vigil... La obra termina con una serie de interrogaciones sobre la mezquindad de la vida, el poder de la adulación y la ineficacia del proceder honrado, consideraciones que encontrarán respuesta parcial en *La fe* y su completa solución en *Papeles del doctor Angélico* [26]. Por aquellos días Palacio Valdés atravesaba grave crisis espiritual.

La vida matrimonial de Miguel, su ruina económica, la seducción de su hermanastra Julia y la muerte de su esposa constituyen la materia de *Maximina*. Es ésta, quizá, la novela más impregnada de sentimentalismo, la más entrañable de cuantas salieron de la pluma de don Armando. En la seductora Maximina se quiso ver un retrato de la primera esposa del novelista, especie que él no quiso nunca desmentir.

La espuma, que significa las máximas concesiones del autor al naturalismo, encierra una violenta sátira de la aristocracia del dinero en la época de la Restauración. Está protagonizada por el desvergonzado Salabert, duque de Requena—en quien cierta crítica vió al marqués de Salamanca—, y por su hija natural Clementina. Salabert, personaje de baja extracción social, llega a constituirse en árbitro financiero de la Corte.

La Pardo Bazán reprochó a Palacio Valdés el desconocimiento de los medios aristocráticos. Digamos en su favor que el novelista no centra la acción en la aristocracia de la sangre, sino en los arribistas plutócratas, enriquecidos al calor de especiales circunstancias políticas. También Valera reprochaba al padre Coloma el falseamiento de carácter de Currita Albornoz, y nadie podrá negar al ilustre jesuíta un conocimiento previo del terreno que pisaba.

El origen del pensamiento aspira a poner en solfa el darwinismo, la frenología y la concepción materialista del arte. De la misma manera que Cervantes encarna en la figura de un loco, Don Quijote, el afán redentor de la sociedad y la resurrección de los antiguos ideales caballerescos, Palacio Valdés quería encarnar en otro, don Pantaleón Sánchez, la propaganda de la pseudociencia. Capítulo interesante es el relativo al proceso de la creación artística. Como siempre, sobresale Palacio Valdés en la pintura de los tipos: don Pantaleón, Carlota, Mario, Adolfo Moreno, el furioso ácrata que reza diariamente el rosario; el cínico Romadonga, al que logra hacer entrar en vereda la chulapona Concha; y Miguel Rivera, que encarna la ideología del propio novelista.

Tristán o el pesimismo es para nosotros la mejor novela de Palacio Valdés. Contrapone el autor dos idearios, dos formas de vida, optimismo y pesimismo, representados por dos seres antagónicos, Germán y Tristán. Dotado éste de las mejores cualidades para ser feliz, labra su propia desgracia y la de las personas que le rodean, por su actitud egocentrista y su pesimismo desolador. Sus celos, sus dudas, su orgullo y su mezquindad crean un ambiente que acaba asfixiándole y que culmina con el abandono de su propia esposa, incapaz de sufrir sus impertinencias. Germán, en cambio, llega a la felicidad por el camino de la resignación.

Papeles del doctor Angélico, Años de juventud del doctor Angélico y *La hija de Natalia* forman una trilogía de la que sólo tienen carácter novelesco las dos últimas. La técnica ha variado. Palacio Valdés finge amistad con un hombre excepcional, Angel Jiménez, que a su muerte le hace depositario de una serie de manuscritos donde ha ido anotando lecturas y meditaciones por espacio de treinta años [27]. Los *Papeles*, de gran valor autobiográfico, encierran todo el ideario del novelista. Se descubren en esta obra ciertas contradic-ciones, debidas, sin duda, a su carácter de recopilación a lo largo de muchos años [28]. Mayor consistencia novelesca tienen los otros dos libros. En los *Años de juventud del doctor Angélico*, tras la presentación de muchos personajes y de la llegada a Madrid—alrededor de 1870—de Angel Jiménez [29], asistimos a la casa del general Reyes, de cuya segunda esposa, la hermosa Guadalupe, se enamora platónicamente Angel. Surge de aquí una enredada trama novelesca, que tiene su desenlace trágico en *La hija de Natalia*: protegida ésta, al quedar huérfana, por el matrimonio Pérez Vargas, inspira una gran pasión al marido, que provoca el suicidio de Leonor, su esposa, al enterarse.

Novela valenciana y andaluza

En 1899 aparece *La alegría del capitán Ribot*, en la que se reafirma la tendencia espiritualista de Palacio Valdés, ya iniciada unos años antes con *Los majos de Cádiz*. Apología de la amistad y de la dignidad conyugal, contrapone dos caracteres, el de Ribot y el de Castell, altruísta hasta el sacrificio el primero, egoísta y despiadado el segundo. Como en tantas obras del autor sobresalen los tipos femeninos, en especial el de Cristina, que podemos calificar de «perfecta casada».

Se abre la serie andaluza con *La hermana San Sulpicio*, la más popular de las novelas de Palacio Valdés y la que más ha contribuído a otorgarle un primer puesto entre los novelistas contemporáneos. La acción se sitúa en Sevilla, alrededor de 1870 (se alude a la inminencia de la guerra francoprusiana). El tema se centra en el proceso amoroso, resuelto mediante el consiguiente matrimonio, del simpático médico gallego Ceferino Sanjurjo y la hermosa e inquieta sevillana Gloria Bermúdez, «la hermana San Sulpicio». La obra refleja muy bien el ambiente andaluz, sin concesiones a la España de pandereta y de navaja, con capítulos rebosantes de luz, de gracia y de vigor. Sirva de ejemplo la descripción de la tertulia en casa de las de Anguita. Hoy parece exagerada la acusación de *volterianismo* que se le hizo en su día. El carácter de Gloria es lógico, dado su temperamento andaluz, su despego del claustro, su edad y el medio en que vive.

El ambiente achulado andaluz se refleja en *Los majos de Cádiz*, la novela preferida entre las suyas por el propio Palacio Valdés. Psicología bien observada, galería de tipos entre los que resaltan los de Soledad, su amante Velázquez y Manolo Uceda, «el caballero de Medina». La novela acredita la facilidad de Palacio Valdés para adaptarse a todos los ambientes y situaciones, sin caer en lo amanerado, en lo falso, en el pastiche.

Cierra el ciclo andaluz *Los cármenes de Granada*, aparecida en 1927. El contraste entre idealismo y realismo, entre espiritualismo y materialismo, sirve una vez más de punto de partida a Palacio Valdés y da la clave del fracaso del protagonista, Alfonso Aguilar. Joven, inteligente, de acomodada posición, adorado por su padre el noble y pundonoroso don Enrique, todo se conjuga para hacerle feliz. No obstante, la vida se le llega a hacer insoportable hasta el punto de que sólo acierta a encontrar una solución en el suicidio, tras descubrir el adulterio de su esposa con su mejor amigo, Paco. Alfonso, como el héroe de *El señorito Octavio*, es un temperamento soñador, alejado de la realidad circundante. Incapaz de faltar a deberes sagrados, no descubre la perversidad humana hasta que ésta le hiere de manera implacable. Contraviniendo los consejos de su padre, rompe su proyectado enlace con la angelical Ana María, para contraer matrimonio con una aventurera a la que acaba de conocer disfrazada de mora.

Otras obras

Aparte de las obras mencionadas, completan la producción de Palacio Valdés: *La novela de un novelista*, de carácter autobiográfico, historia de la infancia y juventud del autor hasta su llegada a Madrid para seguir los estudios de Derecho; *El gobierno de las mujeres*, con páginas de ingenio y fina observación; una serie de cuentos, entre los que queremos destacar *¡Solo!, Los puritanos, Los amores de Clotilde, El pájaro en la nieve*, con rasgos que hacen pensar en *El músico ciego*, de Korolenko; *Crótalus horridus*, mediocre y tremendista, y algunos relatos deliciosos, agrupados en el volumen *Tiempos felices*, en que se nos dan curiosos datos y observaciones sobre noviazgos y matrimonios.

Estilo, técnica narrativa, carácter y temática

Cuando empieza a escribir Palacio Valdés, el naturalismo se halla en pleno auge. Ya hemos aludido a la posición que toma. Más de un tercio de sus novelas se desarrolla en Asturias; el tema asturiano abre y cierra su producción. La abre *El señorito Octavio*; la cierra *Sinfonía pastoral*. La acción de estas novelas se sitúa en lugares no sólo conocidos, sino profundamente amados por el novelista: Oviedo, Avilés, Gijón, Entralgo, Laviana, Luanco, Candás, La Felguera, etc. Al evocarlos, se funden el artista y el hombre, encariñado con una tierra de tan gratos recuerdos. Por ello en esas novelas el paisaje entra plenamente, se mete en la vida de los personajes, influyendo en su psicología y modificando su idiosincrasia; gracias a la habilidad del novelista sus criaturas lo comprenden, lo viven y lo aman. El paisaje sirve a Palacio Valdés para justificar y explicar muchas cosas; no es un fin, es un medio: «Las descripciones—leemos en su *Testamento literario*—sólo se justifican cuando sirven para descubrir el lazo misterioso entre el ser humano y el ambiente, o para determinar la impresión que en un momento dado ejerce la Naturaleza sobre el personaje.» Novela de exaltación de los elementos de la Naturaleza, mar o montaña, valle o praderío, pone en contacto y en contraste dos tipos de vida y de civilización: la natural y la artificial, la ciudad y el campo. Nos hallamos, quizá sin propósito deliberado del autor, ante una novela de tesis desarrollada siempre con un idearío similar: apología de la vida campestre.

Se ha repetido hasta la saciedad que Palacio Valdés es esencialmente creador de personajes femeninos. En efecto, en su obra hallamos tipos masculinos interesantes y bien logrados: Ribot, don César de las Matas, Miguel Rivera, Tristán, Reinoso, Vilches, Quirós, etc.; pero es lo cierto que ninguno, ni los más felices, puede competir con los de Rogelia, Obdulia, Amalia, Clementina, Cristina o Gloria. A los hombres de Palacio Valdés parece que les falta algo; cuando el novelista no pretende darnos figuras cómicas o trágicocómicas, se nos antojan incompletos, hasta el extremo de que, en muchos casos, su personalidad no es sino el reflejo de la esposa. La ceguera para plantear los problemas, la inhabilidad para resolverlos y el escaso conocimiento del corazón femenino constituyen otras tantas características de los tipos masculinos en la novela de Palacio Valdés. Ahí están, entre tantos otros, Octavio, Ricardo, el conde de Onís, el padre Gil, Reinoso y hasta el mismo Angel Jiménez para dar fe de ello. Esta ceguera culmina con trágicas consecuencias en *El cuarto poder* y en *Los cármenes de Granada* [30].

En guardia siempre con los dogmas naturalistas, apenas concede atención a la tan traída y llevada «ley de herencia». En cambio le interesa destacar la importancia de la infancia y de la adolescencia como elementos formativos del carácter. No hay rasgo fundamental en ninguno de sus personajes que no sea pervivencia de esas etapas de la vida. Esto tal vez explica que no sea la voluntad la nota sobresaliente de sus criaturas; rara vez saben imponerse a las circunstancias; son más bien éstas las que se imponen y les dan resueltos los problemas. Sólo en contados casos, y obedeciendo a motivos poderosos—de índole religiosa en *Santa Rogelia*, o de tipo moral y social en *La alegría del capitán Ribot*—dejan de seguir los impulsos naturales y, sacudiendo la timidez y la abulia, hacen alarde de una voluntad firme y decidida.

Es difícil determinar hasta qué punto se puede hablar de tesis en la novela de Palacio Valdés. El es, ante todo, novelista; y, como tal, rechaza en teoría cualquier finalidad ajena al arte. «Lo único que debe proponerse un artista—escribía en cierta ocasión—es una obra de arte. Pero como el artista es un ser sensible, moral e intelectual, la obra reflejará indefectiblemente su modo de ser, su temperamento, sus ideas, sus odios y sus preferencias. La tesis preconcebida es inadmisible, pero tampoco hay que olvidar que la raíz de una obra de arte es siempre una representación, una idea.» Queda excluída, por tanto, la novela tendenciosa; no la que es exposición de una crisis religiosa o moral, como *La fe* y *La alegría del capitán Ribot*; y de un problema filosófico, como *Tristán o el pesimismo* y *El origen del pensamiento*. ¿Qué exige nuestro escritor en estos casos? Objetividad, lógica en los caracteres y en el desarrollo de la trama.

La novela de Palacio Valdés nos ofrece un amplio panorama de la vida española durante toda la segunda mitad del xix y primeras décadas del siglo actual. Casi todas las clases sociales y profesiones u oficios hallan en ella representación. Sorprende un poco en esta producción la ausencia de problemas políticos; sin duda Palacio Valdés considera la política como algo secundario en la vida de una nación, algo vinculado en sus manifestaciones al nivel cultural y moral del pueblo. Temperamento burgués—no en el sentido peyorativo que se viene dando a la palabra—, extiende su simpatía sobre todas las clases sociales. Con dos excepciones: los aristócratas y los «nuevos ricos». Aquellos son crueles, vesánicos, degenerados, malvados: el conde de Trebia, el duque de Tornos, el duque de Monterraigoso, etc. Otras veces Palacio Valdés nos los presenta abúlicos e inútiles, como el conde de Onís, el marqués de Peñalta y el del Lago. Sólo se salva la marquesa de Santa Clotilde, la angelical Cristobalina. La misma aversión siente por el «nuevo rico», cuyo tipo más representativo es el indiano, generalmente rudo, zafio, avaro y sensual.

Señalemos la importancia que tiene el elemento musical en la novela de este escritor. Con frecuencia es base de procesos amorosos: *Papeles del doctor Angélico*, *Los cármenes de Granada*; o bien sedante de espíritus atribulados: *Tristán o el pesimismo*, *El señorito Octavio*, etc. Subrayemos asimismo una sensibilidad exquisita, casi femenina, en la descripción de tipos infantiles y de animales. En algunas novelas, la clave del conflicto es un perro: *El señorito Octavio*, *El cuarto poder* y el cuento *Polifemo*.

A pesar de todos estos méritos, la estimación de Palacio Valdés como novelista ha sufrido un gran descenso en los últimos años. Sin duda ello se debe al profundo cambio operado en el concepto tradicional de la novela: para muchos críticos, la novela no es ya el producto literario de imaginación que tiene como finalidad primordial distraer al lector sumergiéndolo en un mundo de ficciones, sino un auténtico documento humano, de valor psicológico y, mejor aún, psicopatológico. Para otros, piénsese en Wilde, en France y

en nuestro Miró, es, ante todo, una obra de arte, entendiendo por tal la que viene redactada en un lenguaje elaborado, pulido y escogidísimo. Pero Palacio Valdés no fué, nunca quiso ser, ni una cosa ni otra; ni un estilista en el sentido corriente de este vocablo, ni un psiquíatra. Simplemente, se propuso entretener, distraer. Si de paso aventaba en el alma del lector ciertas inquietudes o planteaba ciertos problemas, mejor para él. La constante predilección del público y de buena parte de la crítica extranjera que lo sigue considerando como el mayor novelista español de los tiempos modernos, indican que acertó casi plenamente. El punto antagónico lo ocupa el historiador de nuestra literatura Valbuena Prat, quien no vacila en calificar sus novelas de *ñoñas*, verdaderos *cromos*. En general, se tacha a Palacio Valdés de descuido en el lenguaje y ausencia de hondura psicológica; lo que da un producto novelesco tomado en un ambiente de clase media y apto también para la clase media. Los que tal dicen suelen confundir la sencillez con la vulgaridad en lo referente al lenguaje y olvidan, por otra parte, que la clase media ha sido precisamente y en todo tiempo, desde Boccaccio a nuestros días, la mejor cantera de argumentos novelescos. No está probado aún que haya que acudir a estados patógenos del ser humano para producir buenas novelas, aunque en esos estados las haya excelentes. Sin contar con que algunas de las mejores producciones de Palacio Valdés se desarrollan precisamente en un medio rural.

NOTAS

1. Galdós había dedicado un artículo encomiástico a la obra de Pereda *Blasones y talegas*; y en el verano del mismo año, 1871, va a visitarle. En carta a *Clarín*, decía algún tiempo después el novelista santanderino: «Hablando, hablando, resultó que nos sabíamos de memoria, y desde aquel punto quedó arraigada entre nosotros una amistad, más que íntima, fraternal, que por mi parte considero indestructible, cuando lejos de entibiarse con las enormes diferencias políticas y religiosas que nos dividen, más la encienden y estrechan a medida que pasan los años.» En compañía de Galdós hace un viaje a Portugal en 1885; a su regreso por Galicia y Asturias, Pereda tuvo ocasión de conocer personalmente a *Clarín*.

2. Como el artículo 9.º de los Estatutos de la Real Academia exigía que los académicos de número residieran en Madrid, Menéndez Pelayo, Valera y Tamayo Baus tuvieron que desplegar toda su habilidad para persuadir al novelista que abandonara su rincón montañés, y al menos «oficialmente» residiera en la corte. Pereda sucedió a don José Castro y Serrano, y fué su sucesor Palacio Valdés.

3. «En 1869—escribe José María de Cossío—había publicado Pereda, en edición reducida a veinticinco ejemplares, y con el título de *Ensayos dramáticos*, las obras teatrales que habían sufrido sanción del público. El carácter privado de esta edición prueba claramente el afecto de Pereda a estos tanteos de su primera vocación literaria y su escasa fe en la trascendencia de ellos.» Se escribieron entre 1861 y 1866 y son costumbristas: *Tanto tienes, tanto vales*; ¡*Palos en seco*!, *Marchar con el siglo* y *Terrones y pergaminos*. *Mundo, amor y vanidad* lleva una vez más a las tablas la vida galante de Felipe IV.

4. «Un pintor del riñón de Castilla se decide un día a copiar en el lienzo a su país; pero tiende por él la vista y observa que el suelo es árido y monótono, que no le cruza un mal arroyo, ni le sombrea un árbol, ni le limita una montaña; teme que la representación de aquella sabana de tierra calcinada y de cardos agostados infunda

un sentimiento de repulsión en el ánimo del observador del cuadro y que por éste se adquiera mala idea de la poesía del famoso granero de España; y, sin pararse en barras, copia de todo lo que ve un grupo de casas que no ofrecen mal aspecto, dos recodos de una era, media docena de borregos y una mula, y echa por medio un río como el Mississippi que baja de unas montañas como los Andes, y adorna las orillas con sauces y naranjos, y tapiza el suelo con flores y césped, y hasta la puebla de zagales, cuyos modelos busca en un abanico. En seguida escribe debajo: *Panorama de Amusco*, y expone el paisaje al público como un cuadro de costumbres castellanas. ¿Sería este sistema de retratar la Naturaleza más patriótico que el mío? Sería lo que quisieran quieran; pero el sentido común siempre vería en un cuadro tal, con semejante rótulo, un embuste ridículo, una mentira muy ociosa.»

5. Parodia de la filosofía krausista, de su estilo enrevesado, su falta de creencias y su pedantería. Define a Dios como «el absoluto ser, en su total unidad e integridad, como lo que es y de lo que es, en la esencial sustantiva unión y compesición del ser del existir, del conocer y del pensar, dándose y determinándose en, dentro y debajo de la unidad, sabiéndose de sí, para sí y consigo, congrua, individual y homogéneamente, antes y sobre toda determinación concreta de la materia caótica en tiempo y espacio, medio en que lo objetivo y subjetivo recíprocamente comulgan». El cuadrito levantó una ruidosa polémica cuando un don J. A. Gavica censuró su tono tendencioso; en la contienda terció Menéndez Pelayo, poniéndose, como es natural, de parte de Pereda.

6. No fué recibida por la crítica, ni aun por aquella que, como *El Siglo Futuro* y *La Fe*, militaba en el campo del novelista. Tampoco Menéndez Pelayo, íntimo de Pereda y absorbido a la sazón por sus oposiciones a la cátedra de la Central, se ocupó de la obra. La verdad es que no lo merecía.

7. El carácter central de la novela lo había definido el propio novelista en una de sus cartas a Galdós: «Un carácter íntegro, que con amor a todas las personas es inquebrantable e intransigente con su fe.» Ejecutada la novela bajo estas normas, es una de aquellas de las que Menéndez Pelayo dijo que «el fin moral no llegó a vencer las asperezas de la forma». La obra, al igual que *Gloria*, fué objeto de las críticas más apasionadas, obedeciendo todas a motivos confesionales que impidieron valorarla juiciosamente. Octavio Feuillet había tratado un tema similar en *Sibylle*, que, al igual que Pereda, resuelve de acuerdo con el criterio católico.

8. «Dar una idea exacta de las gentes, de las costumbres y de las cosas; del país y sus celajes; en fin, del sabor de la tierruca.»

9. La condesa había escrito en *La cuestión palpitante*: «Puédese comparar el talento de Pereda a un huerto hermoso, bien regado, bien cultivado, oreado por aromáticas y salubres auras campestres, pero de limitados horizontes.» Disentimos de este juicio, por cuanto Pereda nos ofrece en *Sotileza*, *Peñas arriba* y *La puchera* novelas universales, si bien no se habían publicado cuando la condesa formuló su juicio.

10. Llevada al teatro por el escritor santanderino José María Quintanilla, fué representada en Madrid y Santander por la compañía de María Guerrero y Fernando Díaz de Mendoza.

11. Vid. *Libros y autores modernos*, pág. 207.

12. Fueron sus padres don Silverio Palacio Cárcaba y doña Eduarda Rodríguez-Valdés Alas. El novelista sustituye desde sus escritos iniciales el apellido materno, cambio que le fué otorgado por la Dirección General de los Registros y Notariado. La petición debió de hacerla en los últimos meses del 1923, ya que por ese tiempo se vió aquejado de una enfermedad que hizo temer por su vida. La autorización real para el cambio de apellido lleva fecha de 29 de diciembre de 1923.

13. La existencia de estas dos épocas, aunque no fundamentada en las razones que nosotros aducimos, fué señalada ya por Andrés González Blanco: «Con *La alegría del capitán Ribot* se inicia en Palacio Valdés una nueva era ideológica. Los procedimientos siguen siendo los mismos; la técnica, igualmente naturalista, por lo impersonal; la forma, idéntica en lo desigual y ruda, que a ratos tiene espasmos de prosa moderna y refinada, en ocasiones viste la cota clásica que la oprime y la embaraza, y, por lo general, se deja caer lánguida y desmayada con la flojedad y descuido de la prosa periodística de nuestros días... Pero al fondo, las ideas directrices de su labor novelesca han cambiado. *La alegría del capitán Ribot* señala una reacción espiritualista en el alma del autor, que tiende a cierto cristianismo renovado y purificado, como el de

Tolstoy, con algo de iluminismo apostólico y mucho de la ternura del Sermón de la Montaña el día que se lee a la luz de la aureola espiritual de la Gracia.» *(Historia de la novela en España desde el Romanticismo a nuestros días*, pág. 535.)

14. Bajo este título reunió las tres series de artículos: *Los oradores del Ateneo*, *Los novelistas españoles de hoy* y *Nuevo viaje al Parnaso*.

15. *Los novelistas españoles*, artículo «Fernán-Caballero».

16. *Nuevo viaje al Parnaso*, proemio.

17. Prólogo a la primera edición de *La hermana San Sulpicio*, pág. LXXVI. César Barja niega rotundamente la existencia de rasgos naturalistas en la obra de Palacio Valdés, apoyándose más en sus teorías que en su producción.

18. *Los novelistas españoles*, artículo «Castro Serrano».

19. *La novela de un novelista*, capítulo XXXIII: «El Ateneo».

20. Prescindimos en esta relación de los cuentos y novelas cortas, de las obras doctrinales o de aquellas en que lo doctrinal predomina sobre lo recreativo.

21. No deja de ser significativo como un dato más que nos permite señalar las diferencias entre las obras de las dos épocas el relato del mismo chiste en *El origen del pensamiento* y en *Santa Rogelia*. En ambas, uno de los personajes—Laureano Romadonga y Enrique Sanfrechoso, respectivamente—refieren cómo una infeliz ya entrada en años, antigua amante, hallándose en la mayor miseria, recaba su ayuda; uno y otro la despiden brutalmente, arguyendo que «no mantienen clases pasivas». El cambio que en el escritor se ha operado entre la publicación de las dos novelas—1894 y 1926—trasciende a éstas. El chiste es el mismo, pero ha variado el escenario, o las que podríamos denominar *el eco*, los oyentes y su contextura moral: en la primera, la grosería de Romadonga entre un grupo de amigos, en un *café-concert*, es aplaudida y celebrada como un rasgo de ingenio; en la segunda, relatada en el curso de un banquete que ofrece en su finca Sanfrechoso, es objeto de censura; el propio novelista lo califica de «feroz», mientras que pasa sin calificativo el de Romadonga. Las palabras que al final de *Los majos de Cádiz* dirige Manolo Uceda a Soledad señalan ya claramente un proceso de espiritualización de la novela de don Armando.

22. El argumento ofrece mucha semejanza con la novelita *Bucólica*, de la Pardo Bazán.

23. Se ha comparado con *Sotileza* y se ha dicho que la novela del santanderino había eclipsado a la de Palacio Valdés. Hoy, pasados setenta años, nos inclinamos por *José*, como más armónica y más humana, a pesar de su carácter localista. Con motivo del centenario del nacimiento de Palacio Valdés se entabló una viva polémica entre Candás y Cudillero sobre cuál de los dos pueblos de la costa asturiana era la cuna de *José*. La disputa trascendió a la Prensa diaria y en ella tomaron parte distinguidos literatos y hasta algún profesor de Universidad. A pesar de que la homofonía del nombre—Cudillero-Rodillero—, la descripción topográfica e incluso el testimonio en alguna carta del propio Palacio Valdés parecían dar la razón a los de Cudillero, las pruebas aportadas por los de Candás son tan convincentes que para nosotros no cabe la menor duda que es Candás, y no Cudillero, el escenario donde se desarrolla toda la acción de la novela.

24. En *La fe* plantea el problema de si el hombre puede llegar al conocimiento y al amor de Dios valiéndose únicamente de la razón, o si le es imprescindible la fe, la creencia en lo que no puede comprender. A través de los altibajos de la vida del simpático padre Gil, ¿podemos deducir que para nuestro novelista la fe está al final de un camino de dolor?

Creemos que no; la tesis de la obra, sin que excluya por completo esta suposición, es otra. Aunque el excusador de Peñascosa halle la fe, se ilumine de nuevo su espíritu en la soledad de la cárcel, la «regeneración» se ha iniciado en su alma desde algún tiempo antes, al final del capítulo IX. El padre Gil, para salir de las dudas que le atormentan, va a confesarse con el párroco de un lugar vecino, que goza fama de excelente teólogo; la confesión no alivia lo más mínimo su angustiado espíritu. Al anochecer regresa a Peñascosa y encuentra al padre Norberto, que ha sido golpeado brutalmente en un chalán cuando había ido a realizar una obra de auténtico apostolado. Ante la sencillez y mansedumbre del padre Norberto, el padre Gil «parecía como si le hubiesen aliviado de la carga que le abrumaba. Sintió suavizarse la honda melancolía que le había oprimido todo el camino y corrió por su ser una dulce inexplicable vibración de bienestar»

El ejemplo de caridad que le ofrece su compañero el padre Norberto le abre el camino de la luz. Esta es—para nosotros—la principal tesis de la obra.

25. Peseux-Richard ha señalado que *La aldea perdida* se compuso pensando en los poemas homéricos, en *Dafnis y Cloe* y en otras obras maestras de la literatura griega. Sólo una persona de amplias lecturas puede apropiarse el espíritu del clasicismo como lo hace Palacio Valdés en esta novela-poema, sin caer en el calco o en la caricatura. En los amores de Nolo y Demetria y en la descripción de las costumbres campestres hay mucho de idílico a la manera de Longo o Teócrito, y en las luchas de los mozos del concejo de Laviana—la obra comienza con un capítulo significativo: «La cólera de Nolo»—se ve revivir la antigua epopeya homérica. Para que la evocación resulte más exacta, el novelista toma con frecuencia el papel de viejo rapsoda y señala a sus personajes con acertados epítetos: Nolo, magnánimo e invencible como Aquiles; Quino, ingenioso y astuto como Ulises; Jacinto, bravo y hermoso como Patroclo.

26. «El cielo de nuestra conciencia sólo puede teñirse de dos colores: el rojo del egoísmo y el azul de la caridad... La razón no basta, es precisa la fe.»

27. Hasta qué punto debe considerarse a Palacio Valdés simple editor de estas obra y no autor, es problema que no vale la pena discutir. Las amplias lecturas del novelista dejan profunda huella en su espíritu, y de ahí surgen estas meditaciones y esbozos, con frecuencia contradictorios. Para dar unidad a ese montón de cuerpos dispersos, el autor se finge simplemente editor y la responsabilidad de las doctrinas sustentadas recae sobre el ya difunto Angel Jiménez. El espíritu y carácter de la obra nos lo da el autor en el prólogo: «Estos papeles, tomados en conjunto, resultan una biografía, aunque más interna que externa. Por ellos se verá con bastante claridad qué clase de hombre era el doctor Angélico; se comprenderá su espíritu, su ingenio, sus aficiones, sus odios, sus amores, sus opiniones y sus manías. Al terminar la tarea me hice cargo de que no había descifrado unos manuscritos, sino un carácter.»

28. Los mejores estudios sobre los *Papeles del doctor Angélico* se deben a don Maximiliano Arboleya y al padre Graciano Martínez, ambos íntimos amigos del novelista.

29. Se establece Angel Jiménez en la fonda de doña Encarnación, sita en la calle de Carretas. En la misma fonda se hospedan el elocuente y paradójico Sixto Moro y el sabio estudiante José Luis Pasarón, en los que cierta crítica creyó ver personificados a Moret y Menéndez Pelayo, respectivamente; Bruno y Manuel Mezquita, «dos seres insignificantes, tolerantes y tímidos para todo el mundo, menos para ellos mismos»; Pepe Albornoz, Jáuregui, espiritista y caballero de Calatrava, de rancia nobleza, que, «por un mandato de ultratumba», se casa con la hija de su lavandera.

30. Gonzalo, en *El cuarto poder*, y Ricardo, en *Marta y María*, son tímidos e ingenuos. El amor les ciega, pero esta ceguera reviste caracteres distintos en ambos. Ricardo se ve obligado a renunciar a María en contra de su voluntad; por ello el autor le otorga, en compensación, el amor de Marta; Gonzalo abandona a Cecilia por egoísmo, y el egoísmo es uno de esos vicios que no perdona nunca nuestro novelista. Gonzalo es cobarde y torpe; no sabe distinguir entre el amor puro, noble y desinteresado de Cecilia y el egoísta, falso y carente de escrúpulos de Venturita. No le bastan su coquetería y cinismo, y no le sirve de aviso el vergonzoso medio de que se vale Venturita para que sus padres consientan en el matrimonio. En la novela de Palacio Valdés, los hombres, salvo contadísimas excepciones, son siempre los seducidos, y las mujeres, las seductoras.

BIBLIOGRAFIA

I-II. J. M.ª Aicardo: *Pereda, novelista y literato: su escuela novelística*, «Razón y Fe», XV, XVI y XVII, Madrid, 1906-1907.—«Azorín» (José Martínez Ruiz): *Pereda*, «Andando y pensando», Madrid, 1929.—J. Camp: *José María Pereda: sa vie, son oeuvre et son temps*, París, 1937.—Clarín (Leopoldo Alas): *Nueva campaña* (Madrid, 1887), *Solos* (1891) y *Sermón perdido* (s. f.).—J. M.ª de Cossío: *La obra literaria de Pereda: su historia y su crítica*, Santander, 1934; «De tal palo, tal astilla»: origen y polémica de la novela de Pereda, «Cruz y Raya», núm. 12, Madrid, 1934; Est. prel. de «Obras completas» de Pereda, ed. Aguilar, Madrid, 1934.—A. Charro Hidalgo: *Pereda*, «Rev. Contemporánea», pág. 333, Madrid.—C. Eguía Ruiz: *Un*

novelista regional: don José María de Pereda, «Literaturas y literatos, Est. contemporáneos», 1.ª serie, Madrid, 1914.—R. Emerson Basset: Introd. a «*Pedro Sánchez*», Nueva York, 1917.—J. Fernández Luján: *Pardo Bazán, Valera y Pereda. Estudios críticos*, Barcelona, 1889.—E. Gómez de Baquero: *Crónica literaria: D. José María de Pereda*, «La España Moderna», Madrid, 1906.—R. Gullón: *Vida de Pereda*, Edit. Nacional, Madrid, 1944.—J. R. Lomba: *Don José María de Pereda*, «Cultura Española», agosto 1906.—L. Martínez Kleiser: *El mundo novelado de Pereda*, «Ilust. Esp. y Amer.», núm. 48 (suplemento), Madrid, 1907.—Maurine Mays: *A Sociological Interpretation of the works of José María de Pereda*, «The Culver-Stockton Quarterly», julio-octubre 1926.—M. Menéndez Pelayo: *Pereda*, «Est. y disc. de crít...», VI, Edición Nacional, Santander, 1942.—J. Montero: *Pereda: Glosas y comentarios de la vida y de los libros del Ingenioso Hidalgo Montañés*, Madrid, 1919.—Gerda Outzen: *El dinamismo en la obra de Pereda* (trad. del alemán por María Fernanda de Pereda y Torres Quevedo), Santander, 1936.—Emilia Pardo Bazán: *Pereda*, «Polémicas y estudios literarios».—B. Pérez Galdós: Pról. de *El sabor de la tierruca*, de Pereda, incluido en «Memoranda».—Ludwig Pfandl: *Pereda der Meister des modernen Spanischen Romans*, Hamburgo, 1920.—N. Roure: *Pereda. Su vida y sus obras*, «Bol. Biblioteca Menéndez Pelayo», VI, Santander, 1924.—E. Sherman: *Pereda's Realism: His Style*, Washington University, XIV, 1942.—Kurt Sibert: *Die Naturschilderungen in Peredas Romanen*, Hamburgo, 1932.—J. Simón Cabarga: *El Padre Apolinar: un retrato velazqueño de Pereda*, «Altamira», Santander, 1934.—Consúltense, además, los tratados generales de Literatura de Hurtado y González Palencia, Valbuena Prat, Cejador, P. Blanco García, Méndez Bejarano, González Ruiz, etc. Y los parciales sobre la novela citados en capítulos anteriores.—J. M.ª de Cossío: *José M.ª de Pereda: Selección y estudio*, Santander, 1957.—J. Pereda: *Cartas de Pereda a Palacio Valdés*, «Bol. Bibl. M. Pelayo», XXXIII, núms. 1 y 2, Santander, 1957.

III. G. M. Abad: *La literatura de hoy. Novelistas católicos: Armando Palacio Valdés*, «Razón y Fe», XLVIII, Madrid, 1924.—R. Altamira: *Palacio Valdés*, «Arte y realidad», Barcelona, 1921.—L. Antón del Olmet y José de Torres Bernal: *Los grandes escritores: Armando Palacio Valdés*, Madrid, 1921.—M. Andréu Valdés: *Un novelista católico: A. Palacio Valdés*, «Bol. Instituto Estudios Asturianos», núm. 19, Oviedo, 1953.—Maximiliano Arboleya: *Una obra intensa: Papeles del doctor Angélico*, «El Carbayón», Oviedo, 1911.—L. Astrana Marín: Pról. a las *Obras completas* de Palacio Valdés, Edit. Aguilar, Madrid, 1945.—J. Balseiro: *Novelistas españoles modernos: A. Palacio Valdés*, Nueva York, 1933.—Wildred A. Beardsley: *Priesthood and Religion in the Novels of Armando Palacio Valdés*, «Todd Memorial», I.—A. Berenguer Carisomo: *Armando Palacio Valdés. Esbozo de su novelística*, Ateneo Jovellanos, Buenos Aires, 1953.—E. W. Biechler: *The Special Microcosm of Palacio Valdés*, Ohio, 1939.—L. Bordes: *Armando Palacio Valdés*, «Bull. Hispanique», I, 1899; *Le paysanne dans les romans de Palacio Valdés*, «Bull. Hispanique», XXIV, 1922.—C. Cabal: *Esta vez era un hombre de Laviana*, «Bol. Instituto de Estudios Asturianos», núm. 19, Oviedo, 1953.—R. Cansinos Asséns: *Armando Palacio Valdés*, «La Nueva Literatura», IV, Madrid, 1927.—J. Casares: «*Años de juventud del Doctor Angélico*», «Crítica efímera», II.—A. Cruz Rueda: *Palacio Valdés: su vida y su obra*, 2.ª ed., Edit. Saeta, Madrid, 1949.—W. A. Drake: *Armando Palacio Valdés*, «Contemporary Writers», Nueva York, 1928.—L. Fernández Castañón: *Los homenajes a Palacio Valdés*, «Bol. Instituto de Estudios Asturianos», año VII, Oviedo, 1953.—C. C. Glacock: *Aesthetic Elements in the Art of Fiction as Advocated by Juan Valera, Pardo Bazán and Palacio Valdés*, «Hispania», California, 1927.—A. González Blanco: *El patriarca de la novela española*, «Nuestro Tiempo», agosto 1924; *Palacio Valdés: crítica de sus novelas*, «La Novela Corta», Madrid, 1920.—P. González Blanco: *Armando Palacio Valdés*, «La Lectura», I, Madrid, 1906.—N. González Ruiz: *Armando Palacio Valdés*, «En esta hora»: Ojeada a los valores literarios», Madrid, 1925.—A. Guillén: *Armando Palacio Valdés*, «La Linterna Mágica», Madrid, 1921.—Mary Therese Hoyle: *Some Ethical Aspects of the Women of Palacio Valdés*, «Southern Methodist», núm. 5, 1938.—P. Graciano Martínez: *Sobre «Tristán o el pesimismo»*, «Razón y Fe», Madrid, 1906.—J. M. Martínez Cachero: «*Clarín*», crítico de su amigo Palacio Valdés, «Bol. Instituto de Estudios Asturianos», núm. 19, Oviedo, 1953; *Cuarenta fichas para una bibliografía sobre Armando*

BIBLIOGRAFIA 1101

Palacio Valdés, «Bol. Instituto de Estudios Asturianos», núm. 19.—A. MARTÍNEZ OLMEDILLA: *Grandes figuras: Armando Palacio Valdés*, «Nuestro Tiempo», octubre 1924.— G. MARTÍNEZ SIERRA: *Palacio Valdés*, «La Lectura», I. Madrid, 1903.—S. MELÓN R. DE GORDEJUELA: *Tipos psicopatológicos en la literatura de Palacio Valdés*, «Rev. Universidad de Oviedo», 1944.—F. DE MIOMANDRE: *Armando Palacio Valdés*, «La vie des peuples», III, París.— R. NARBONA: *Palacio Valdés o la armonía*, Madrid, 1941.— R. PÉREZ DE AYALA: *En el centenario de Palacio Valdés*, «Hispania», Buenos Aires, 1953.—H. PASEUX-RICHARD: *Palacio Valdés*, «Rev. Hispanique», abril 1918.—C. PITOLLET: *Palacio Valdés*, «Bull. Hispanique», XL, 1938.—J. M.ª ROCA

FRANQUESA: *La novela de Palacio Valdés: clasificación y análisis*, «Bol. Instituto de Estudios Asturianos», Oviedo, 1953; *Notas para el estudio de la obra de A. Palacio Valdés*, «Bol. Instituto de Estudios Asturianos», Oviedo, 1949; *Palacio Valdés: técnica novelística y credo estético*, Instituto de Estudios Asturianos, Oviedo, 1951. — GRANT SHOWERMANN: *Palacio Valdés. A Spanish Novelist*, «Sewance Review», XXII, 1914.—P. VÉZINET: *Les maitres du roman espagnol contemporain*, París, 1907.—C. PITOLLET: *Recuerdos de A. Palacio Valdés*, «Bol. Bibl. M. Pelayo», XXXIII, núms. 1 y 2, Santander, 1957.—J. WESLEY Y CHILDERS: *Sources of Palacio Valdés, «Las burbujas»*, «Hispania», The America, XLI, 1958.

CAPITULO LXXIX

LA PROSA POSTROMANTICA:
C) NOVELA NATURALISTA

I. Caracteres de la novela naturalista.—II. Emilia Pardo Bazán: *«La cuestión palpitante». Datos biográficos. Obra crítica y erudita. Las primeras novelas. «Los pazos de Ulloa» y «La Madre Naturaleza». Novela espiritualista. Los cuentos. Estilo y técnica narrativa.*—III. El padre Coloma: *Datos biográficos. Obra literaria. «Pequeñeces» y otras novelas.*—IV. Otros novelistas del género: *Ortega Munilla y Octavio Picón.*—V. Leopoldo Alas («Clarín»): *Datos biográficos y humanos. «Clarín», novelista: «La Regenta». Influencias reales y supuestas. «Su único hijo». «Clarín», cuentista. «Clarín», crítico.*—VI. Vicente Blasco Ibáñez: *Datos biográficos. Obra literaria y clasificación. Novelas regionales. Novela arqueológica. Novelas de tesis. Novelas históricas. Novela americana. Cuentos y novela corta. Libros de viajes. Valoración de la obra de Blasco Ibáñez.*—VII. Descomposición del naturalismo: *La novela erótica. Felipe Trigo. Otros cultivadores de la novela erótica.*
Notas.—Bibliografía.

I. CARACTERES

Es difícil precisar en qué consiste el naturalismo. La doctrina que aconseja la imitación de la Naturaleza como método artístico viene de muy antiguo; pero sólo hacia la mitad del xix, al calor de las teorías deterministas de Hipólito Taine y de las científicas de Claudio Bernard, logró erigirse en escuela con sus dogmas y su credo. La dificultad de definirlo estriba en que el Naturalismo reviste matices distintos en cada uno de sus cultivadores. Si atendemos a Zola, su creador y máximo teorizante, el método del novelista moderno ha de ser idéntico al prescrito por el médico Claudio Bernard en su *Introducción al estudio de la medicina experimental*. Este método, sin más variación que la de sustituir *médico* por *novelista,* pasa a *Le roman experimental* del propio Zola. Su punto de partida es el determinismo más absoluto, tanto para los seres orgánicos como inorgánicos [1]. Y en este ciego determinismo está el fallo capital de la doctrina de Zola, como ya hizo notar la Pardo Bazán [2].

Reduciendo a esquema los caracteres del naturalismo zolesco y de sus seguidores, tendríamos:

a) Protesta contra la tiranía académica y abolición de las reglas clásicas.

b) Imitación de la Naturaleza como norma suprema del arte.

c) Minuciosidad descriptiva: el arte es una fotografía.

d) Descripción realista: observación y presentación de la vida según el temperamento del escritor: «La novela es la realidad vista a través de un temperamento.»

e) Supervaloración de lo patológico y morboso; elevación a dogma de la ley de herencia.

f) Anulación del elemento espiritual en el ser humano, que queda en poder de las fuerzas deterministas de la materia.

g) Pesimismo; preferencia por los ambientes bajos y por los tipos anormales.

h) Lenguaje populachero y estilo descuidado; ausencia de lirismo.

i) Anulación de los principios morales y sociales y apología del instinto.

j) Pseudocientificismo, que da a la novela carácter doctrinario; no se pretende divertir, sino enseñar.

En algún aspecto—el *a)*—, viene a coincidir con el romanticismo; en otros—el *b)*—se acerca al clasicismo, como ya hizo notar Revilla [3].

¿Qué pasó de este naturalismo a nuestros escritores? Mucho menos de lo que suele decirse. El naturalismo de la novela española es distinto del de la francesa; nunca reviste los caracteres brutales de Zola; nunca se hace la apología del ciego instinto ni se justifican sus excesos. Del naturalismo francés pasan a nuestra nación los caracteres puramente externos: minuciosidad descriptiva, tendencia a la presentación de bajos fondos sociales, empleo del lenguaje populachero y presión del ambiente sobre la conducta de los personajes. En casos aislados—alguna novela de Blasco Ibáñez—, un prurito docente y el afán de mostrar cierta cultura indigesta.

II. EMILIA PARDO BAZAN

La obra de la Pardo Bazán abarca dos aspectos: didáctico y literario o de imaginación. Al primero corresponde: historia, crítica literaria, filosofía, sociología, política, arte; al segundo: poesía, teatro, novela y cuento. Es tal, en cantidad y calidad, su obra didáctica, que el padre Blanco García se pregunta si no erraría al seguir el camino de la *Jorge Sand* con preferencia al de Sainte-Beuve. Los críticos siempre se han mostrado poco piadosos al juzgar la obra de sus compañeros de profesión; en tal aspecto se cebaron en doña Emilia, acusándola de plagiaria de Ozanam, Zola, Vogüé y otros. Con todo, es cierto que fué la primera en dar a conocer entre nosotros el movimiento literario francés desde el realismo; la novela rusa, y también el romanticismo de la vecina nación en aquel punto en que—dada la índole especial de la *Historia de las ideas estéticas*—lo había dejado Menéndez Pelayo. A falta de originalidad, hay que reconocerle una erudición de primera mano, suministrada por su ingente lectura, a la vez que le debemos la divulgación entre nosotros de las corrientes literarias europeas en el último tercio del XIX. Mientras Menéndez Pelayo permanecía voluntariamente alejado de la literatura europea del momento, sólo *Clarín* y la Pardo Bazán se ocupaban de ella, si bien la condesa con más método y en obras más ambiciosas. El autor de *La Regenta,* más sagaz y profundo, se limitaba a apuntar, a sugerir, sin decidirse como aquélla a estudiar en sendos tratados el naturalismo, la lírica, las literaturas de *transición* y *decadencia* del país vecino.

«La cuestión palpitante»

Antes de abordar el estudio de doña Emilia Pardo Bazán en sus novelas, parece conveniente aludir a uno de sus libros, *La cuestión palpitante,* por la importancia que su aparición tuvo en el proceso ulterior del naturalismo en nuestras letras.

Para Andrenio, la introducción del naturalismo «no fué un hecho de importación personal, sino un fenómeno de contigüidad espiritual, de vecindad e influencia de una literatura dotada de gran fuerza de expansión. Fué una de las varias manifestaciones de la influencia francesa, naturalísima por ser la literatura del país vecino la más leída y conocida entre nosotros, y al mismo tiempo la más expansiva y universal»[4]. En España, campo abonado al naturalismo por la tradición realista de nuestra literatura, la Pardo Bazán fué el paladín de la nueva escuela, en teoría con *La cuestión palpitante;* en la práctica, con sus novelas *Un viaje de novios, La Tribuna, Los pazos de Ulloa* y *La madre Naturaleza.*

Sin negar a doña Emilia el valor que le corresponde como introductora del naturalismo, ha de reconocerse que éste, al igual que el romanticismo medio siglo antes, estaba en el ambiente; pero ocurre que aquel movimiento de guerrillas defendido por algunos espíritus avizores, se unifica y forma escuela por obra de los emigrados liberales y por la de una dama aristocrática y católica a la par que egregia novelista. Doña Emilia, como Garcilaso, pudo predicar con el ejemplo. Rasgos naturalistas se encuentran en novelas de Alarcón y de Galdós anteriores a *La cuestión palpitante;* pero sólo en esta obra aparece—aunque con importantes restricciones—el credo de la nueva escuela entre nosotros.

La aparición de *La cuestión palpitante* (1883) promovió una gran polémica. Sin embargo, ni por su contenido ni por la escasa novedad del tema merecía tanto derroche de papel y tinta. No por el contenido, puesto que lo que acepta doña Emilia del naturalismo de Zola apenas se diferencia del realismo; menos aún por la novedad, ya que principios similares habían sido expuestos dos años antes en el prólogo de su novela *Un viaje de novios* (1881). Hoy, transcurridos setenta años, podemos juzgar con menos apasionamiento la significación de una obra que en el momento de su aparición fué piedra de escándalo y que provocó la irónica crítica de Valera en sus *Apuntes sobre el nuevo arte de escribir novelas,* al que ya nos hemos referido[5].

Unos breves textos serán suficientes para precisar la posición de la autora y el repudio que hace de lo más característico del sistema de Zola. La Pardo no acepta el fondo determinista ni su materialismo y utilitarismo: «Someter el pensamiento y las pasiones a las mismas leyes que determinan la caída de la piedra; considerar exclusivamente las influencias físicoquímicas, prescindiendo hasta de la espontaneidad individual, es lo que propone el naturalismo y lo que Zola llama en otro pasaje de sus obras mostrar y poner de realce la bestia humana. Por lógica consecuencia, el naturalismo se obliga—y éste es, a juicio de la escritora, el vicio capital de la estética zolesca—a no respirar sino del lado de la materia, a explicar el drama de la vida humana por medio del instinto ciego y la concupiscencia desenfrenada.» Propone la escritora una fórmula más amplia: el realismo: «Si es real cuanto tiene existencia verdadera y efectiva, el realismo en el arte nos ofrece una teoría más ancha, completa y perfecta que el naturalismo. Comprende y abarca lo natural y lo espiritual, el cuerpo y el alma, y concilia y reduce a unidad la oposición del naturalismo y del idealismo racional. En el realismo cabe todo, menos las exageraciones y desvaríos de dos escuelas extremas y, por precisa consecuencia, exclusivistas.»

Pero lo que se expone fácil y claramente en teoría no siempre puede fundirse artísticamente en la práctica; y la misma escritora, en alguna de sus novelas—*La madre Naturaleza*—, tiene que esforzarse mucho para conciliar esos extremos y aparecer tan ecléctica como en teoría se proclama.

¿Qué revolución estética traía *La cuestión palpitante?* Creemos sinceramente que ninguna. De no haberse escrito, nuestra novela habría seguido probablemente el mismo rumbo que siguió en la realidad.

Datos biográficos

En el seno de una familia aristocrática y en la Coruña vino al mundo doña EMILIA PARDO BAZÁN, el 16 de septiembre de 1851. En los datos autobiográficos insertos al frente de *Los pazos de Ulloa* se lee: «Tres acontecimientos importantes en mi vida se siguieron muy de cerca: me vestí de largo, me casé y estalló la revolución de 1868.» Al año siguiente se traslada a Madrid, al ser elegido su padre diputado de las Cortes Constituyentes. A raíz de su matrimonio con don José Quiroga inicia una serie de viajes por Francia, Italia y Austria. Tras unas poesías juveniles, que recoge posteriormente (1881) en su libro *Jaime,* se da a conocer como escritora en su *Estudio crítico de las obras del padre Feijoo;* luego, con diversos ensayos sobre el darwinismo y *Los poetas épicos cristianos.*

En 1879 publica su primera novela en la «Revista de España»: *Pascual López, autobiografía de un estudiante de Medicina.* Desde este momento entra de lleno en el campo de la novela. El naturalismo incipiente que se muestra en *Un viaje de novios* se manifiesta en la novela que sigue, *La Tribuna,* que, al decir de la propia autora, «descontentó a tirios y troyanos. Los republicanos se creyeron puestos en solfa, y los conservadores, gente almizclada, se sublevaron contra la descripción sincera y franca del pueblo y la vida obrera». Visita París; traba amistad con Víctor Hugo; en 1883 publica *La cuestión palpitante,* su obra más discutida y que levantó una gran polvareda. En 1892 es nombrada de la Comisión organizadora del Congreso pedagógico hispano-portugués-americano, y sucesivamente, presidente de la sección de Literatura del Ateneo y profesora de Literatura contemporánea (curso del doctorado) de la Universidad de Madrid. Murió en 1921, tras infructuosas y reiteradas tentativas para ser elegida académico de la Española.

Obra crítica y erudita

Ya hemos aludido a la amplitud de la obra crítica y erudita de la Pardo Bazán, obra que en cantidad iguala o supera acaso a los productos de imaginación y que se extiende a los más variados temas. Cabe preguntar cuál pudo ser el motivo que impulsó al espíritu insaciable de la condesa a explorar tantas zonas del pensamiento, del arte, de la geografía, de la historia y hasta de la religión; y, según algunos piensan, no pudo ser otro que su naturaleza femenina, su especial psicología que le llevaba a colocarse siempre y en todo en primera fila, como queriendo demostrar que en el terreno de las letras ella era muy capaz de llegar hasta donde llegasen los hombres más adelantados. Sólo así se explica la variedad y número de sus trabajos, tanto históricos como críticos, de los que se puede uno hacer idea con sólo repasar la siguiente lista: *Estudio crítico de las obras del padre Feijoo* (1876), *San Francisco de Asís* (1882), *La cuestión palpitante* (1883), *La revolución y la novela en Rusia* (1887), *Nuevo teatro crítico* (1891-1893), *Polémicas y estudios literarios* (1892), *Los poetas épicos cristianos* (1895), *Lecciones de literatura* (1906), *Retratos y apuntes literarios* (1908), *La literatura francesa moderna* (1910-1914), *Hernán Cortés y sus hazañas* (1914). Añádase su producción sociológica (*El darwinismo, La educación del hombre y la mujer*), histórica (*Los franciscanos y Colón*) y los innumerables prólogos y estudios que encabezan las obras publicadas por la «Biblioteca de la mujer», así como sus abundantes libros de viajes, y acaso ya no parezca tan extraña la actitud del padre Blanco García cuando se preguntaba si no habría errado la Pardo Bazán su camino al tomar el de la «Jorge Sand» con preferencia al de Sainte-Beuve.

¿Qué juicio cabría formular sobre esa ingente masa crítica de doña Emilia? Ante todo, hay que distinguir dos clases de estudios: aquellos en que se enjuicia a escritores españoles y contemporáneos, y aquellos otros en que se enjuicia a escritores extranjeros o de época lejana. En los primeros—*Nuevo teatro crítico, Polémicas y estudios literarios, Retratos y apuntes literarios*—el juicio suele ser firme, personal y directo, expresión de un credo estético o de las convicciones del momento; en los otros—*San Francisco de Asís, La revolución y la novela en Rusia, Los poetas épicos cristianos*—el juicio es menos personal y categórico. La condesa maneja escasa, pero selecta, bibliografía, y con ella y lo que otros han dicho sale del paso, casi siempre airosamente. Pero no satisfecha con la opinión ajena, suele dejar que se transparente la propia en apostillas, notas y comentarios. Hay una zona intermedia: la constituída por las lecciones sobre literatura francesa moderna, que profesó la insigne escritora en la Universidad de Madrid (1910-1914), publicadas luego en varios volúmenes: *El romanticismo, La transición, El naturalismo, La decadencia.* Aquí se mezcla el conocimiento directo con el indirecto. Aquél le había llegado por la amistad de Zola, Goncourt y otros relevantes escritores; el indirecto por el manejo continuo de las obras de Sainte-Beuve, Brunetière, Taine, etc. Para su *San Francisco* había seguido muy de cerca a Ozanam y Montalembert, superando a uno y otro en la viveza y color del estilo. En todo caso, sea su información de primera mano o venga de fuentes extrañas, siempre habrá que agradecer a la Pardo Bazán la curiosidad que le llevó a estudiar primero y difundir luego entre nosotros tendencias culturales europeas, desconocidas a la sazón.

Lectora asidua, su principal valor consiste en haber buceado zonas inéditas y habérnoslas mostrado a los españoles. Ella dió a conocer en España muchos escritores; y lo hizo con amenidad y brillantez, salpicando, además, su exposición con toques de psicología femenina que sólo ella podía conseguir. En un momento en que no había en España más que tres críticos de prestigio y sólida cultura—Valera, *Clarín* y Menéndez Pelayo—vino a ofrecer una crítica menos original, si se quiere, pero más sentida y espontánea. Con la Pardo Bazán sabemos siempre a qué atenernos; con Valera y *Clarín*, no. En los juicios de aquél se interfiere muchas veces el diplomático, el espíritu zumbón, el escéptico y hasta el hombre que sabe demasiadas cosas, todo lo cual nos obliga a leer con frecuencia entre líneas; y en los juicios de *Clarín* hay excesivo apasionamiento, cuando no hay excesiva bilis. Menos documentada que cualquiera de ellos, les supera en amenidad hasta tal punto, que algunos de sus trabajos críticos—el dedicado a los pensadores católicos franceses—o históricos—el *San Francisco de Asís*—se leen hoy con la misma fruición que una de sus novelas.

Punto intermedio entre la obra crítica y la recreativa, ocupan los libros de viajes, llenos de finas observaciones sobre usos, costumbres, vida y psicología de las regiones visitadas. Destacan *De mi tierra* (1888), *Al pie de la torre Eiffel* (1889), *Por la España pintoresca* (1895), *Cuarenta días en la Exposición* (1900) y *Por la Europa católica* (1902).

Las primeras novelas

Prescindimos de las tentativas dramáticas—*El vestido de boda, La suerte, Verdad, Cuesta abajo, Juventud, Las raíces* y *El becerro de metal*, en las que predomina el tono patético—y del poema *Jaime*, escrito a poco de nacer su primogénito [6], para analizar únicamente la novela y el cuento.

Su primera producción novelesca *Pascual López* (1879) desarrolla un asunto fantástico con moraleja final: condenación del egoísmo. Un profesor de Química, Onarro, que fabrica diamantes, muere en su laboratorio; su discípulo Pascual se apodera del secreto, y, llevado del egoísmo, prefiere su posesión al amor de su novia Pastora, que ingresa en un convento. Nos interesa destacar dos ideas contenidas en el prólogo: «obra sencilla y más o menos interesante—dice la autora—, con

alguna significación moral». Renunciando a terciar en la discutida polémica del «arte docente» y el «arte por el arte», anota que «toda obra bella eleva y enseña de por sí, sin que el autor pretenda añadir a la belleza la lección».

En *Pascual López* se mezcla el idealismo y el realismo; en *Un viaje de novios*, sin excluir el factor psicológico, se concede gran importancia a la parte fisiológica. No se propone dogmatizar; pero el detallismo con que se nos describe a Aurelio Miranda a través de otros personajes, es revelador de la posición de la escritora en este momento [7]. Aunque *Un viaje de novios* inicia en cierto modo la técnica naturalista, con la importancia dada al elemento fisiológico, a los detalles descriptivos, todavía predominan en ella las ideas y el ambiente de la sociedad conservadora y aristocrática a que pertenece la autora. Como tal puede considerarse el desenlace de la obra, la figura del jesuíta padre Arrigoitia y la evolución psicológica de Artegui, salvado *casualmente* del suicidio por la oportuna intervención de Lucía.

Dos años después (1883) aparece *La Tribuna*, «estudio de costumbres tomadas de la realidad» [8]. En el prólogo se hace renuncia de la escuela idealista a la manera de Trueba y Fernán Caballero. Antes de escribirla, la condesa se documentó convenientemente—y a tenor de las prescripciones de la moda—, visitando con asiduidad el ambiente que describe y estudiando la psicología, la vida y los avatares políticos de la época que presenta. Niega su intención satírica; pero ya reconoce un «propósito que puede llamarse docente». La doble acción de la novela: historia amorosa de Amparo, por un lado, y evolución política española durante la década de 1860-1870 por otro, distrae la línea argumental en perjuicio del interés y del dramatismo. Entre los aciertos, hay que señalar los capítulos XXIV, irónica y veraz exposición de la religiosidad popular, y XXXVII, materia escabrosa, cuya descripción se hace con finísimo tacto.

En 1884 publica *El cisne de Vilamorta*, mezcla de romanticismo y naturalismo en la pintura de los amores entre un poeta pobre y sentimental, imitador de Bécquer, y la maestra Leocadia Otero, que acaba suicidándose. Interesa el prólogo, en el que se aborda una vez más el discutido problema del idealismo y el realismo: «Yo sé decir que un autor rara vez produce adrede libros muy crudos o muy poéticos; lo cierto es, en mi opinión, que la rica variedad de la vida ofrece tanta libertad al arte, y brinda al artista asuntos tan diversos, cuanto son diferentes entre sí los rostros de las personas». La nota romántica aparece en la filiación poética de Segundo García, el *Cisne de Vilamorta*; y el naturalismo, en la pintura de sus amores con Leocadia.

«Los pazos de Ulloa» y «La Madre Naturaleza»

Aparte de *La Tribuna* y de algunos rasgos esparcidos acá y allá en otras novelas, la técnica naturalista—dentro siempre de las salvedades apuntadas—, halla su plena expresión en *Los pazos de Ulloa* y *La madre Naturaleza*. De tipo regionalista, reflejan ambas el ambiente gallego; como *Peñas arriba*, la montaña santanderina; *La barraca*, la huerta valenciana y *La aldea perdida*, la transformación de una zona de Asturias agrícola en minera.

En *Los pazos de Ulloa* (1886), considerada unánimemente por la crítica como la mejor novela de la Pardo Bazán, asistimos al derrumbamiento físico, material y moral de la nobleza rural gallega, representada en don Pedro Moscoso, marqués de Ulloa. Casado este noble con su prima, la delicada Marcelina, está amancebado con su criada Sabel, de la cual, antes del matrimonio, había tenido un hijo, Perucho.

La madre Naturaleza viene a desenlazar el conflicto anterior: Nucha, hija legítima del marqués, ya muerta su madre, se constituye en compañera inseparable de Perucho. La fuerza de la Naturaleza domina a la pareja y se produce el incesto; enterados de su parentesco, Perucho abandona el hogar, y Nucha, rehusando las proposiciones matrimoniales de su tío Gabriel, decide entrar en un convento.

Las dos obras rivalizan en el acierto de las descripciones, aunque es muy superior la primera en la pintura de los caracteres. La condesa ahonda en el análisis psicológico de los personajes, con la habilidad de hacerlo patente al lector por los hechos y no por discursos; en este aspecto, la novela es más *presentativa* que narrativa. Destaca el carácter del mayordomo Primitivo, tan ignorante como sagaz y ambicioso. No duda en apelar a cualquier medio para deshacerse de los que le estorban, convirtiéndose en el auténtico dueño de los pazos, hasta el extremo de llegar a decir don Pedro Moscoso: «¡Vale más ir a presidio que llevar esta vida!» La figura del marqués está trazada con cuatro palabras: «Magnífico ejemplar de una raza apta para la vida guerrera y montés de las épocas feudales, se consumía miserablemente en el vil ocio de los pueblos, donde el que nada produce nada enseña ni nada aprende; de nada sirve y nada hace» (cap. IX).

En contraste con *Los pazos*, un derroche de observación y de psicología con todos los caracteres de sus personajes admirablemente trazados, *La madre Naturaleza* (1887), repitiendo los mismos personajes, carece de consistencia y abunda en ociosas disquisiciones de toda índole. La figura del marqués, tipo de hidalgo orgulloso y de cacique pueblerino, tan entereza aún en *Los pazos*, al pasar a *La madre Naturaleza* ha quedado desvaída, desdibujada, hecha sombra de lo que fué. Novela de instintos primarios, no aparecen más que tres tipos sanos de cuerpo y alma: don Julián, abad de Ulloa, Perucho y Nucha [9].

En 1889 publica la condesa dos novelas, *Insolación* y *Morriña*. Dos historias amorosas, con desenlace feliz y trágico respectivamente. La primera se reduce a una aventura amorosa de la aristocrática dama Asís Taboada y el simpático gaditano Diego Pacheco. La aventura se resuelve en el ya presentido matrimonio; y se diría que la condesa se ha limitado a reproducir un hecho real sin añadir ni quitar nada.

En *Morriña*, doña Aurora, viuda de un magistrado, vive con su hijo Rogelio, adocenado y vulgar estudiante de Derecho. Toda la acción se reduce a los amores de Esclavitud, criada de la casa, con el joven. Esclavitud, muerto el cura en cuya casa había nacido y de quien se murmura que es hija, cede a sus parientes la herencia que le asignó el difunto, abandona Galicia y pasa a Madrid, donde bien pronto se ve invadida por la *morriña*. De aquí el título de la obra. Unas solteronas la recomiendan a doña Aurora, coterránea de la muchacha. El amor hace presa en Esclavitud y Rogelio. Descubiertos por doña Aurora, ésta decide separarlos, regresando con su hijo a Galicia y aconsejando a la criada que pase a servir al viejo y libidinoso don Gaspar Febrero. Esclavitud ve partir el tren que la separa de su adorado; regresa a su casa y se suicida [10].

Siguiendo el ejemplo de Galdós en sus «novelas contemporáneas» y con la tendencia social iniciada en *La Tribuna*, proyecta la Pardo Bazán una serie de obras, también de tipo costumbrista, bajo el título general de *Adán y Eva*. Sólo llega a publicar dos: *Doña Milagros* y *Memorias de un solterón*, ambas sobre la vida conyugal y familiar, y relacionadas con diversos aspectos sociales. En la segunda reproduce el desenlace de *La Tribuna*; matrimonio de Baltasar y Amparo, a la que ha tenido abandonada por espacio de varios años.

En *La piedra angular* (1891) se plantea el problema de la pena de muerte, sobre cuya doctrina jurídica se muestra documentada la autora. Buena novela, a la que perjudica el exceso de doctrinarismo. Destacan los retratos infantiles de Nené, hija del doctor Moragas, y Telmo, hijo del verdugo Juan Rojo, al que el desprecio de la sociedad y el conflicto psicológico-moral planteado por su propio hijo empujan al suicidio.

Novela espiritualista

Con *Una cristiana* y su continuación *La prueba* (1890), inicia la condesa un nuevo rumbo espiritualista que continuará en otras dos novelas: *La quimera* (1905) y *La sirena negra* (1908). En las dos primeras se trata de poner de manifiesto un cristianismo consistente, más que en el dogma, en la práctica de virtudes heroicas y en el vencimiento de los llamados «enemigos del alma»: mundo, demonio y carne. El autodominio de la voluntad se consigue mediante la renuncia de sí mismo por la práctica de la caridad. El argumento es sencillo:

Carmiña Aldao, llevada de los principios de la religión cristiana y en aras de la moral doméstica, a la vez que dócil a los consejos del padre Moreno, accede a casarse con un hombre al que no ama. Casada ya, su marido contrae la lepra; y el desvío de la esposa al marido sano y vigoroso se cambia en sincero amor cuando le ve aquejado de la terrible dolencia. No sólo le cuida con esmero y cariño, dominando la repugnancia, sino que resiste victoriosamente al asedio de su sobrino sano y se entrega por completo al cuidado de su esposo hasta que éste muere.

¿Puede hablarse de un cambio, de una orientación nueva en la condesa? Ya hemos indicado que la tendencia al espiritualismo es fenómeno general de la novelística española en el último tercio del XIX. Sea por hastío de tanto materialismo, sea por inclinación natural, lo cierto es que en la mayor parte de los autores, este fenómeno se da con carácter general. En cuanto a la Pardo Bazán, el cambio afecta más al fondo que a la técnica formal. La minuciosidad descriptiva continúa como antes. Lo que hace ahora en estas novelas es dar mayor entrada a los valores del espíritu.

Con *La quimera* y *La sirena negra* nos acercamos a la novela simbólica [11]. Si se comparan con aquellas que mejor representan la tendencia naturalista de la autora, veremos que lo que pierden en color local y en presentación de tipos lo ganan en valor humano. Silvio Lago, protagonista de la primera, deja de ser un personaje real para convertirse en un símbolo de la eterna aspiración. Diferentes ambas en acción, personajes, composición: la una complicada, llena de episodios, con multiplicidad de personajes y ambientes, de intensa lucha dramática; la otra, desnuda de ornamentación, de línea sumamente escueta, sin complicaciones y con escasos personajes. Presentan, en cambio, cierta similitud en el carácter extraño, diríamos anormal, de los protagonistas, y en los sentimientos que les guían; al uno la quimera del arte; al otro, la obsesión de la muerte. Su final también coincide: iluminación por medio de la fe, venciendo a la quimera y a la muerte. Finalmente, en ambas hay una especie de comentario alegórico: en una el mito de la Quimera y Belerofonte; en la otra, la medieval danza de la muerte. Y el fracaso sirviendo de remate a las dos obras.

Citemos finalmente *Dulce dueño* (1911), inspirada en la vida y la muerte de Santa Catalina de Alejandría, cuya protagonista, Lina, es una de las figuras femeninas más perfectas, bellas y seductoras que ha creado la Pardo Bazán [12].

Los cuentos [13]

Si como novelista la condesa es digna de parangonarse con los mejores representantes del género en el siglo XIX, como cuentista no conoce rival, tanto por el número de sus obras cortas como por la variedad temática. Tal o cual cuento de este o de aquel escritor, no negamos que supere a cualquiera de los de la Pardo Bazán; pero nadie en conjunto puede comparársele [14].

Despliega la misma variedad de tendencias que hemos visto al estudiar su novela. La concisión característica del género le hace suprimir lo accesorio y difuso, que alguna vez perjudica a la producción extensa de la escritora. Todos los temas hallan cabida en esta galería interminable de relatos trágicos y humorísticos, religiosos y profanos, sacros y morales, rurales y de ciudad, idealistas y naturalistas, psicológicos y amatorios, políticos y sociales, históricos y legendarios, simbólicos y exóticos. Cuentos que presentan la abigarrada vida humana con su esplendor y miseria, con propósito didáctico o puramente estético; y que nos trasladan del presente a la más remota antigüedad; del paisaje rural y gallego, a los países más distantes; del castillo medieval, con sus fiestas galantes, sus juglares y trovadores, a la sórdida taberna lugareña. Y con todo esto, los más variados y opuestos personajes y caracteres: ateos y creyentes, santos y réprobos, penitentes y cortesanas, aristócratas y plebeyos, católicos y budistas, intelectuales y zafios, artistas auténticos y decadentes, labradores y marineros. Realidad y fantasía se entrecruzan tan artísticamente que con frecuencia llegan a confundirse, y no sabemos qué admirar más si el toque colorista y delicado de los relatos fantásticos o la fuerza y vigor de los basados en la realidad.

Las colecciones de cuentos de la condesa —aparte de los que publicó sueltos en revistas— son muy copiosas: *Cuentos de Marineda, Un destripador de antaño, Cuentos de amor, Historias y cuentos de Galicia, Cuentos dramáticos, Cuentos sacro-profanos, Cuentos antiguos, Cuentos de la patria, Cuentos trágicos, Otros cuentos, Cuentos de Navidad y Reyes, Cuentos de Navidad y Año Nuevo, Cuentos nuevos, Cuentos de la tierra, Cuentos del terruño,* etc.

Esta simple enumeración indica que el grupo más numeroso está formado por los de ambiente regional: galería de costumbres gallegas de las que la novelista sabe sacar gran partido; el vago idealismo y la brutalidad más repugnante alternan en estos relatos en los que la autora no retrocede ante los detalles más escabrosos. Señalemos entre los del grupo costumbrista *La mayorazga de Bouzas* y *El nieto del Cid.*

Los principales cuentos son: *Primaveral moderna,* sátira de los poetas decadentes a los que afirma no comprender; *La leyenda de la torre,* sátira del romanticismo; *Los cabellos,* sobre Absalón; *La hierba milagrosa,* estratagema de que se vale una doncella para salvaguardar su honor de la lascivia de unos soldados que han asaltado la ciudad; *El tesoro de los Lágidas,* sobre la muerte de Cleopatra. De carácter social son *Durante el entreacto* y *El trueque,* sobre el tan repetido tema del cambio de niños de distinta posición económica. Las supersticiones y creencias hindúes dan tema a varios cuentos; señalemos *La tigresa.* Entre los de carácter religioso-moral, los más destacables para nuestro gusto son *Las tijeras* y *La lógica.* En el primero se compara el matrimonio con unas tijeras, sólo útiles cuando se juntan los dos brazos; en el segundo, el exceso del raciocinio aplicado a los dogmas religiosos hace que un padre dé muerte, primero, a su propio hijo, niño de pocos meses, y después, a su esposa cuando la supone en estado de gracia, para que no se condenen.

Estilo y técnica narrativa

Lo que más destaca en la obra de la Pardo Bazán es el poder colorista. Valera ha aludido a la gracia y plasticidad del estilo de la condesa; otros han hablado de su ductilidad. *Clarín* la parangona con los Goncourt [15].

Sin abusar de la descripción, como Pereda, consigue darnos la visión perfecta del paisaje gallego, que funde admirablemente con la psicología de los personajes, de forma que éstos en muchas ocasiones obran como reflejo de aquél. La «madre Naturaleza» no es sólo el título de una de las mejores novelas de la Pardo Bazán, sino que pesa constantemente en sus criaturas. En tal sentido, el principio del «medio ambiente», básico de la escuela de Medán, informa en mayor o menor grado buena parte de la producción de doña Emilia. Su estilo, menos castizo que el de Valera y Pereda, no cede al de éstos en amplitud y les iguala en el acierto de la selección de palabras y giros populares. Tal vez el único cargo que podríamos hacerle es el de abuso de extranjerismos, en especial franceses, a los que logra dar carta de naturaleza. También siente debilidad por los arcaísmos. Cejador, con notoria injusticia, ha tachado su lenguaje de «jerga que hoy corre, medio afrancesada, medio científica, plagada de abstractos, de tecnicismo culto». Nada mejor para enjuiciar el estilo de doña Emilia que acudir a su propio concepto de la técnica literaria y del fondo y forma de la novela, tal como se expone en el prólogo de *La dama joven* (1885):

«Mucho se ha debatido esta cuestión del estilo y forma, y tiene sus más y sus menos, y me da en qué pensar a veces. Suele acontecer que un estilo, por decirlo así, nielado y repujado, un estilo correcto, terso, intachable, lejos de ayudar a que el lector comprenda y vea patente lo que intenta mostrarle el autor, se interpone entre la realidad y la mirada como un paño de púrpura o un velo de gasa de oro—paños y velos al fin—, y fatiga al espíritu ansioso de percibir lo que el rico tejido encubre. No es imposible que debajo de esas sedas y joyas retóricas, que neciamente estimamos, perezca ahogada una hermosura, invisible por culpa de tanto adorno. Y no obstante, si van los autores al opuesto extremo de desdeñar el primor artístico en el desempeño de sus obras, cayendo en cierta flojedad y perezoso desaliño, el lector de gusto delicado no goza ni distingue el libro del periódico en cuanto a sabor literario. Por donde yo me hago mi composición de lugar, y es como sigue: Cuando habla el autor por cuenta propia, bien está que se muestre elegante, elocuente y, si cabe, perfecto; a cuyo fin debe enjuagarse a menudo la boca con el añejo y fragante vino de los clásicos, que remoza y fortifica el estilo; pero cuando haga hablar a sus personajes o analice su función cerebral y traduzca sus pensamientos, respete la forma en que se producen y no enmiende la plana a la vida.»

Posición ecléctica que podemos tomar como base de todo su arte literario. Y este eclecticismo estético se extiende también al orden ideológico. Todo el esfuerzo de la Pardo Bazán tiende—al menos durante varios años—a compaginar el naturalismo francés con su propio credo ortodoxo. Esto explica el hecho de que cuando más identificada parece con el ideario de Zola, una ráfaga de espiritualismo, una confesión de fe católica viene a restablecer el equilibrio. El providencialismo se opone al determinismo, y el sentimiento cristiano no sólo se halla en las novelas calificadas de «espiritualistas», como *Una cristiana, La prueba, La quimera* y *La sirena negra,* sino incluso en las tachadas de más naturalistas: *La Tribuna, Los pazos de Ulloa* y *La madre Naturaleza.* En ésta, apología de los instintos primarios y del influjo del ambiente, es un sacerdote, don Julián, el encargado de proclamar la fuerza de la Providencia y de la fe como únicas vencedoras de la Naturaleza [16].

Hábil creadora de caracteres y de conflictos dramáticos, queremos destacar el tipo de hombre insatisfecho por la carencia de ideas religiosas o por el convencimiento de la inutilidad de la vida, al no admitirse el fin sobrenatural de la misma. Tales son: Silvio Lago, de *La quimera;* Artegui, de *Un viaje de novios;* Gaspar, de *La sirena negra,* entregados voluntariamente a la muerte, a la que se sobreponen por una fuerza o circunstancia exterior que viene a llenar de contenido su vida. Mencionemos, por último, la ternura de algunos tipos infantiles: Rafaelito, Nené, Telmo; el profundo conocimiento de la psicología femenina y la habilidad con que sabe paliar la crudeza de ciertas escenas escabrosas.

III. EL PADRE COLOMA

El padre Luis Coloma (1851-1915) se dió a conocer hacia 1880 como costumbrista y autor de cuentos de tendencia moralizadora a través de la revista *El Mensajero del Corazón de Jesús*, dirigido por los padres de la Compañía. Estos relatos fueron reunidos bajo el título de *Lecturas recreativas* y publicados en varias series. Partiendo del realismo dulzón y tierno de su asesora literaria *Fernán Caballero*, se independiza bien pronto evolucionando hacia un realismo viril. Sus relatos se caracterizan por una mezcla de religiosidad y mundanidad o, mejor dicho, de profundo conocimiento de la vida y costumbres, así como por el tono moralizador que no se detiene ante la pintura fuerte y descarnada de las lacras sociales.

Datos biográficos

En el seno de una familia aristocrática, Luis Coloma nació en Jerez de la Frontera, el 9 de enero de 1851. A los doce años ingresa en la Escuela Naval, que abandona al poco tiempo para cursar la carrera de Leyes en la Universidad de Sevilla. Por este tiempo inicia sus aficiones literarias—*Solaces de un estudiante*—, bajo la dirección de «Fernán Caballero», y colabora en diversos periódicos: *El Tiempo*, de Madrid, y *El Porvenir*, de Jerez. Terminados sus estudios, pasa a Madrid y toma parte activa en la propaganda en pro de la restauración alfonsina, período y ambiente que después tan magistralmente retratará en su novela *Pequeñeces*. A los veintitrés años entra en la Compañía de Jesús, a consecuencia de un accidente que puso en grave peligro su vida [17]. En 1908 ingresa en la Real Academia Española, versando su discurso sobre el padre Isla. Muere en Madrid, en 1915.

Obra literaria

En la obra del padre Coloma podemos distinguir dos géneros o técnicas formales: *a)* Cuento, escena costumbrista y retrato psicológico-moral, todo a la manera de *Fernán Caballero*, pero acusando más vigorosa personalidad; *b)* Novelas extensas, ya históricas, ya de tesis, en las que el autor se independiza y entra de lleno en la corriente de la estética realista-naturalista.

En la temática del primer apartado podríamos establecer varios grupos: cuentos infantiles y maravillosos, político-sociales, legendarios, rurales, etcétera.

Entre los infantiles y maravillosos mencionemos *Ajajú*, variante popular de *La Cenicienta*; aquí se trata de una muñequita que expulsa oro. *Periquillo sin miedo*, que arranca de la fábula esópica de las dos alforjas. Periquillo las lleva, con los vicios propios, atrás; con los del prójimo, delante. Corre diversas aventuras sin sentir nunca miedo; en una ocasión le cortan la cabeza y se la pegan con un líquido mágico, pero al revés. Entonces, al contemplar los vicios propios, se asusta por primera vez en la vida. En *Porrita, componte*, se castiga la ambición.

De los político-sociales merecen citarse *Medio Juan y Juan y Medio*, *Caín* y *Mal Alma*; de sátira costumbrista: *Por un piojo*, *La Gorriona* y *Era un santo*. El primero, *Medio Juan y Juan y Medio* versa sobre un episodio de la guerra de la Independencia; en *Caín*, el revolucionario Roque, al frente de una barricada, da muerte a su hermano, que cumple el servicio militar y ha ido con otros soldados a sofocar la revuelta; *Mal Alma* refiere cómo unos revolucionarios intentan establecer la República federal en un pueblo, provocando un tiroteo en la plaza. Para sofocar la lucha, un grupo de mujeres aparece con la imagen del Nazareno; todos se mantienen respetuosamente en silencio menos el tío *Mal Alma*, que dispara contra la imagen, dándose seguidamente a la fuga; a poco es encontrado muerto con el pecho atravesado por una bala. *Por un piojo* presenta la contraposición de caracteres de la frívola y coqueta Pepita y la recatada y humilde Teresa; *Era un santo* combate la funesta manía social de no advertir a los enfermos de la necesidad de arreglar la conciencia, por temor de asustarlos. En *La Gorriona* nos traslada a un baile de Piñata dado por la condesa de Santa María, instigada por sus sobrinas. Por la época en que se sitúa la acción, por el ambiente aristocrático en que se desarrolla y por la licencia de algunos personajes, preludia *Pequeñeces*.

De carácter legendario es *Paz a los muertos*: un noble cuelga a su enemigo de la torre más alta de su castillo para que lo coman las aves de rapiña; su hijo Ferrant da sepultura al cuerpo, lo cual provoca el furor del noble y la huída del hijo, del castillo. Un día Ferrant encuentra en el bosque el cadáver de su padre; se dispone a darle sepultura, pero la tierra se niega a recibirlo; ruega a Dios, y la tierra se abre, humedecida por las lágrimas del hijo piadoso.

Los cuentos rurales tienen carácter trágico. Sobresalen *Ranoque* y *Juan Miseria*. Punto intermedio entre la novela y el cuento podemos considerar *Pilatillo*, mote que un jesuíta pone a cierto alumno del colegio. Interesa la descripción del ambiente andaluz de toreros, chulos y cante, bien captado y realista.

«Pequeñeces»

Aunque entre los cuentos que acabamos de reseñar los hay muy interesantes y bien logrados, no dieron al padre Coloma la fama que alcanzó con una sola novela: *Pequeñeces*. Publicada en 1891, colocó a su autor en el primer plano de la actualidad literaria. Sátira violenta de la aristocracia durante la época de la Restauración alfonsina, más estimable por los detalles que en su conjunto, fué una de las obras que mayor polvareda y escándalo provocaron en el siglo xix. Los caracteres están más bien esbozados; incluso el de la protagonista, Currita Albornoz, aparece con frecuencia ilógico y desconcertante. Su cambio, el paso de su vida disipada a la conversión, está poco explicado, dada la finalidad moralizadora que el novelista persigue en su obra. La crítica vió en ella una novela de clave y a eso debe en buena parte su popularidad: un crítico de la época pudo escribir que no haber leído *Pequeñeces* era como «salir a la calle sin sombrero». No se puede negar su dinamismo dramático ni la viveza descriptiva de muchos pasajes, en especial cuando se aplica la técnica del contraste.

Según testimonios de la época, los lectores no enjuiciaron el valor artístico de la obra, preocupados antes que nada en identificar a los personajes de la ficción. Se llegó a decir que el padre Coloma se había basado en unas memorias manuscritas de la duquesa de Nájera. Valera censuró con bastante dureza al autor por haber sacado a plaza pública personajes conocidos, aludiendo especialmente al «marqués de Butrón». Todo lo desmintió el padre Coloma al declarar que su único móvil fué el de ejemplarizar sirviéndose de la novela [18]. Sea de ello lo que fuere, la cosa tiene poco interés cuando se trata de enjuiciar el valor estético de la novela. Lo que no puede negarse es que al buen jesuíta se le fué la mano en la pintura de la aristocracia alfonsina, y que el afán moralizador le hace desmentir en alguna ocasión la bien cimentada fama de profundo psicólogo.

El lenguaje de estilo ágil y periodístico, no siempre se sujeta a las normas gramaticales; con sumo gusto suprimiríamos muchas expresiones extranjerizantes—sobre todo francesas e inglesas—de las que está plagada la novela. No se nos oculta que responde a un vicio real de la sociedad aristocrática de la época y al prurito realista del autor.

Más bien que de argumento podemos hablar de una serie de cuadros en torno a la vida y andanzas de la disoluta condesa de Albornoz en medio de una sociedad que poco puede echarle en cara. Las intrigas aristocráticas y los manejos de las sociedades secretas sirven de fondo a esta novela que abunda en contrastes y escenas de gran vigor: tales son la despedida del colegio, que abre la novela; la presentación de la protagonista, la muerte de Diógenes, el asesinato de Jacobo Sabadell, el encuentro de Currita y la marquesa de Villasis en la iglesia y la muerte de los niños Paco Luján y Alfonsito Téllez. En cuanto a los tipos, el padre Coloma nos ha ofrecido los dos extremos: o muy piadosos, como las marquesas de Villasis y Sabadell; o muy disolutos, como Currita Albornoz y su amante, Jacobo Téllez; junto a ellos, encantadores retratos infantiles, como Paquito y Lilí, hijos de Currita; Monina, nieta de la marquesa de Villasis, y Alfonso Téllez, hijo de los marqueses de Sabadell. Algunos caracteres rayan en la caricatura, y más que tipos reales son símbolos: tales, el marqués de Villamelón, Frasquito y, en más de un aspecto, el mismo Jacobo. La aludida presentación de la protagonista Currita Albornoz (capítulo II) es una de las buenas estampas de la novela del xix.

Hasta 1910 no volvió a tentar el padre Coloma la novela propiamente dicha con la publicación de *Boy*; en tanto, compuso una serie de relatos históricos: *Retratos de antaño*, 1895; *La reina mártir*, 1898, sobre María Estuardo de Escocia; se basó el padre Coloma en la *Historia del cisma de Inglaterra*, del padre Ribadeneyra, y en relaciones de otros jesuítas residentes en Inglaterra; *El marqués de Mora*, 1903, semblanza de este personaje, reflejo de las ideas volterianas de buena parte de la nobleza española en el reinado de Carlos III; y, finalmente, *Jeromín*, la más popular después de *Pequeñeces*, verdadera crónica de la vida de don Juan de Austria, conocido en la infancia con el nombre que da título a la obra; señalemos como capítulos más interesantes, la presentación de Jeromín ante su padre el emperador, en Yuste; su reconocimiento por Felipe II; historia amorosa del héroe con doña María de Mendoza; la campaña de las Alpujarras; los preparativos de la Santa Liga; la batalla de Lepanto; el gobierno de don Juan en Flandes y la entrevista con su madre Bárbara Blomberg.

Característica común a todas estas obras es la absoluta fidelidad histórica, por lo cual, más pueden considerarse crónicas que novelas. Cierra la serie *Fray Francisco*, 1914, sobre la vida del cardenal Cisneros.

IV. OTROS NOVELISTAS DEL GENERO: ORTEGA MUNILLA Y OCTAVIO PICON

JOSÉ ORTEGA Y MUNILLA (1856-1922) compartió con *Clarín*, durante algún tiempo, la crítica periodística [19]. Escritor fecundo, su obra se resiente de cierto apresuramiento, al que aludió el propio *Clarín* [20]. Un tufillo de filosofismo trascendental, no exento de candidez y pedantería, unido a una rica fantasía, son sus notas dominantes. Entre sus novelas, se leían en otro tiempo, *La cigarra*, con su continuación *Sor Lucila*, afeadas por su tendencia antirreligiosa; *Lucio Tréllez, Orgía de hambre, Idilio lúgubre, Cleopatra Pérez* y *La señorita de Cisniega*. Con frecuencia, el propósito docente y el filantropismo, a los que se muestra tan apegado, se diluyen en un colorismo facilón y detonante[21]. Mayor gracejo y soltura revela en sus cuadros de viajes: *Mares y montañas, Viñetas del Sardinero* y *Viajes de un cronista*, en los que da rienda suelta a sus aptitudes descriptivas; y en los cuentos *El yegüerizo, Fifina* y *El espejuelo de la gloria*. Este gusto por la nota colorista nos permite compararlo a los Goncourt, pero, naturalmente, más retórico, más falso y con menos dominio del estilo. Ortega y Munilla se distinguió como periodista ágil y penetrante, lo mismo cuando dirigía los más importantes diarios madrileños que cuando, ya en los últimos años de su vida, actuaba como colaborador. Hijo suyo fué el eminente literato y pensador don José Ortega y Gasset.

Mucho más atildado es otro seguidor del naturalismo, JACINTO OCTAVIO PICÓN (1852-1924), en quien hay que distinguir, como en los anteriores, la doble faceta del crítico y del novelista[22]. En el primer aspecto nos dejó unos *Apuntes para la historia de la caricatura* (1878), recopilación de lo más saliente de otros estudios sobre esta materia en la antigüedad y en el extranjero; *Vida y obras de don Diego Velázquez* (1898), y *El desnudo en el arte* (1902). En sus novelas debe más al romanticismo egolatrista y liberal de Dumas y Víctor Hugo que a la tradición española. Su defensa del amor libre, la reivindicación de la mujer caída y su ataque constante a las conveniencias e instituciones sociales, nos recuerdan a los dramaturgos y novelistas franceses de la transición al realismo. Mencionemos *Lázaro*, 1882; *Juan Vulgar*, 1885; *Dulce y sabrosa*, 1891; *La honrada*, 1890; *El enemigo*, 1887; *Sacramento* y *Juanita Tenorio*, 1909. En todas defiende la tesis de la redención por el amor, cuya más alta representación es *La dama de las camelias*, de Alejandro Dumas. Escribió asimismo narraciones breves: *Cuentos de mi tierra, Mujeres, Drama de familia*, etc. Con la misma ideología de la novela, da entrada, sin embargo, al elemento social y político; es interesante el titulado *La amenaza*, cuya tesis es la de que el pordiosero, al tender su mano, amenaza a la sociedad que permite la miseria del prójimo.

V. LEOPOLDO ALAS («CLARIN»)

«El provinciano universal» llamó a *Clarín* J. A. Cabezas, y eso fué en realidad. Como en el XVIII el padre Feijoo, *Clarín*, también a últimos del XIX, desde su apartado recinto ovetense, fué el crítico más discutido y leído; el que más al corriente estuvo de la literatura del momento en la nación vecina, no de la mundial, como más de una vez se ha dicho. *Clarín* repartió a unos patentes de inmortalidad y relegó a otros al olvido; todo ello a costa de la consideración que merecía su obra literaria, digna de figurar en primera línea en el frondoso bosque de nuestro siglo XIX.

Datos biográficos y humanos

Asturiano de ascendencia, LEOPOLDO ENRIQUE GARCÍA-ALAS UREÑA nació en Zamora, donde su padre desempeñaba el cargo de gobernador civil, en 1852. El mismo alude a esta circunstancia: «Me nacieron en Zamora.» Estudia en el colegio de San Marcos, de León, dirigido por los jesuítas; en 1859 se traslada con su familia a Oviedo, donde cursa el bachillerato, graduándose luego en Leyes. Oposita a la cátedra de Economía Política y Estadística, siendo pospuesto, a pesar de ocupar el primer lugar en la terna. En 1882 es nombrado catedrático de la Universidad de Zaragoza; al año siguiente, trasladado a la de Oviedo. Desde este momento apenas saldrá de su ciudad más que para algún breve viaje a Madrid. Colabora en diversos periódicos, se relaciona con el mundo literario de la época, tiene lances de honor (el más sonado, el de la Armada, provocado por uno de sus *Paliques*, no llegó a realizarse). Muere en Oviedo, 13 de junio de 1901.

En *Clarín* hay que separar al crítico del novelista y del autor de narraciones breves. En el primer aspecto lo estudiaremos más adelante. Si aludimos aquí a él es por la repercusión que su labor crítica tuvo en la apreciación de su obra, en sentido desfavorable. Practica una crítica «policíaca» e «higiénica», de tono violento y apasionado, lo que no quiere decir, ni mucho menos, que deje de ser sincera. El crítico ahogó al novelista, y *Clarín*, que se pasó la vida «desfaciendo entuertos», no tuvo la suerte de hallar un crítico imparcial y sereno para su obra. El enjuiciamiento de su labor literaria fué parcial y apasionado, como que se inspiraba más en motivos de orden religioso y político que estéticos. Hace unos años, en especial desde 1951, la crítica ha dibujado una «vuelta a *Clarín*», lanzándose por el camino abierto del ditirambo. La revalorización de *Clarín* como literato puro era necesaria y justa. Se corre el peligro, sin embargo, como en tantos otros «centenarios», de caer en la acera de enfrente. Antes se enjuició al autor de *La regenta* con sujeción a criterios extra literarios, ahora, al hacerlo, se prescinde de toda consideración moral y religiosa. Para nosotros es tan injusto esto como aquello.

La novela es un producto social y hay que estudiarla en toda su complejidad. Entre el *Clarín* del padre Blanco y el de algunos de sus actuales apologistas, existe un justo medio; hoy se trata de hacer de *Clarín* punto menos que un santo. Lo mejor y lo más humano sería no entrar en el sagrado recinto de la conciencia del prójimo.

«Clarín», novelista:
«La Regenta»

Dos novelas largas compuso *Clarín*[23] y le dieron merecida fama: *La Regenta* (1884) y *Su único hijo* (1891). De valor muy desigual, ni la primera es tan naturalista como ha dado en decir cierta crítica, ni la segunda señala tan claramente la tendencia espiritualista del autor. Andrés González Blanco, uno de los que con más profundidad ha analizado la novela española del XIX, escribe:

«Hay que decir que realmente *La Regenta* es, con *Fortunata y Jacinta*, de Galdós; *La alegría del capitán Ribot*, de Palacio Valdés; *Dulce y sabrosa*, de Picón; *Morriña*, de la condesa de Pardo Bazán; *Sotileza*, de Pereda, y *Pepita Jiménez*, de Valera, una de esas obras maestras que ha dejado el realismo en España y que (dicho sea en loor de toda sinceridad) no han sido superadas aún por nuestros modernos epígonos, ni por la generación del 98, ni por las que la han seguido[24].

De acuerdo con la segunda parte de este juicio, creemos que la novela de los grandes maestros del último tercio del siglo pasado no ha sido superada: pero vemos en *La regenta* una superioridad manifiesta en relación con las obras que se citan. Una diferencia notable las separa, surgida del distinto concepto que tiene *Clarín* de la técnica novelística: la novela como estudio de almas. Ninguna de las obras mencionadas la supera en amplitud y profundidad psicológica, en la variedad y caracterización de los personajes, en la riqueza de matices y en la concisión con que aquéllos se nos presentan. Agréguese la propiedad del lenguaje, adaptado a la cultura de cada uno; la impasibilidad aparente del autor al mover a sus criaturas, de manera tan lógica como fatalista y en fin, esa mezcla artística de odio y amor, de humor y sátira, de ironía y de piedad, de pesimismo y amargura, reflejo del alma atormentada de *Clarín*. Todas estas cualidades hacen de *La regenta* la más completa novela española del XIX, comparable a las mejores extranjeras de su tiempo.

Ante *La Regenta* cabe hablar de una doble técnica constructiva: la primera parte (15 capítulos de los 30 que tiene la obra) es predominantemente expositiva, de presentación de tipos; podríamos decir de antecedentes. Y esta exposición, esencial para la inteligencia del relato, explica el tiempo lento de la acción, que sólo abarca unas sesenta horas: a partir de la siesta del día 2 de octubre hasta la noche del día 4. Contrasta todo ello con la segunda parte, que abarca los sucesos de tres años. Esta es enteramente de acción. Y como puente entre ambas debemos situar el capítulo XVI,

clave de la novela, en el que se hace un espléndido análisis del *Don Juan Tenorio* de Zorrilla a través de la sensibilidad de Ana Ozores.

Prodigio de construcción toda la obra, hasta los episodios aparentemente más alejados de la idea central concurren a su mayor fijación y unidad. Tal sucede con el relato de la enfermedad y muerte del ateo don Pompeyo, que si por una parte brinda a *Clarín* la oportunidad de poner de manifiesto su constante preocupación por los más variados problemas—religión, muerte, libertad, etc.—, va encaminado, por otra, a perfilar más y más la figura del magistral.

Aparte de la maestría en el análisis psicológico, es de admirar la técnica narrativa y el estilo tan vigoroso como rico. Los personajes, numerosos y variados, van surgiendo conforme los necesita el autor. Y ello se hace por tres procedimientos: por referencia de otros, por sus propias palabras y por presentación directa del novelista. Y esta técnica, que abre la novela con la soberbia figura de Fermín de Pas, se va repitiendo en mayor o menor escala hasta en los personajes secundarios.

Para *Clarín*, el argumento no es más que la línea que le conduce en la exposición del pensamiento, acciones y reacciones de los personajes. El de *La Regenta* no puede ser más sencillo: Ana Ozores, joven dama de singular belleza, casada con el regente de Audiencia don Víctor Quintanar, se establece en Vetusta con su marido, que solicita la jubilación. La falta de hijos, quizá por diferencia de edad entre los cónyuges, deja en el alma de la esposa un vacío que trata de llenar inútilmente con las prácticas piadosas; temperamento apasionado y sensual, vive obsesionada por un tenorio provinciano, don Alvaro Mesía. El adulterio de la dama y la muerte de su marido en duelo con el cínico Mesía son el desenlace de la novela.

Más importante que el tema es en esta obra la manera de tratarlo, el proceso psicológico de los personajes, sobre los que pesa, influyendo en todos sus actos, como un personaje más, la ciudad de Vetusta (Oviedo), auténtica protagonista. Admirable como es la novela en su conjunto, lo es aún más en los cuadros y escenas aisladas: las tardes del casino, el «examen de conciencia» de Ana cuando se decide a tomar al magistral por confesor; la excursión al Vivero, la descripción de Vetusta a través del catalejo de don Fermín y la que cierra la novela, que aun desagradable e innecesaria, resulta llena de vigor y dramatismo.

Se viene adjudicando a *La regenta* el primer puesto en la novela naturalista española. Disentimos de tal estimación. Lo que aportó el naturalismo a la estética general fué su concepción de la materia, de la «bestia humana» como elemento predominante de sus creaciones. Mejor: la ausencia absoluta de los valores del espíritu. Pero he aquí que *La Regenta* pone al espíritu con

sus pasiones y reacciones como eje de toda la narración. Siguiendo una técnica naturalista, *Clarín*
se complace, es cierto, en minuciosidades descriptivas; pero estas descripciones son de almas; al
novelista le interesa la vida interior; lo externo,
cuando surge, va precedido de páginas y páginas
de análisis y hasta de autoanálisis. Quizá la nota
de tipo naturalista más acusada sea el ambiente.
Vetusta pesa sobre algunos personajes como una
losa de plomo; pero aun aquí el ambiente es
ayudado por otras circunstancias. Por ejemplo, lo
que empuja a Ana al adulterio es más que Vetusta, con la serie de factores provocativos, su agudo
y fracasado instinto de maternidad; se siente ago-
biada por su vida estéril: «Si yo tuviera un hijo
—dice—... ahora aquí, besándole, cantándole»;
la imagen del niño borra de su mente la de don
Alvaro, que la atenaza.

Creemos que la calificación de novela naturalista aplicada a *La Regenta* podría sustituirse por
la de novela psicológica; una magistral novela
psicológica.

Influencias reales y supuestas

El carácter complejo de la obra ha sido causa
de que se le buscaran múltiples antecedentes; a
veces, en novelas de composición y técnica distintas. Desde que Luis Bonafoux acusó a *Clarín*
de haber plagiado *Madame Bovary*, de Flaubert,
se ha venido admitiendo con más o menos salvedades tal afirmación. El carácter psicológico de
La Regenta ha hecho pensar asimismo en *Le Rou-
ge et le Noir*, de Stendhal, porque como en ésta
también en *La Regenta* lo de menos es la trama
o acción; lo esencial es el proceso, la presentación
de los personajes. Con todo, la diferencia no puede
ser mayor: madame Renal es la seductora y Ana
la seducida. La descripción de la vida provinciana
y de los medios eclesiásticos ha sugerido el paralelo con dos novelas de Eça de Queiroz: *El primo
Basilio* y *El crimen del padre Amaro*. Aquí, como
en *La regenta*, el cuadro de costumbres provincia-
nas se altera con un amor sacrílego; en *El primo
Basilio* se trata de una vulgar historia de adulterio a lo *Madame Bovary*, con algún tipo secundario que pudo influir en Alas: el de la criada
Juliana en Petra, doncella de Ana Ozores, carácter mucho más logrado y no menos complejo.
Posiblemente las concordancias entre el español y
el portugués más que un influjo directo provienen de una identidad de principios. Ni *Clarín*
ni Eça de Queiroz son puros naturalistas; psicó-
logos antes que nada, han superado la estética de
Zola y tienden más al análisis moral de los personajes que a su proceso fisiológico. En cuanto
a *Madame Bovary*, una diferencia fundamental la
separa de *La Regenta*: Emma, dentro de una vida
normal de matrimonio, busca el adulterio por te-
dioso romanticismo; Ana Ozores se siente empu-

jada a él porque su vida conyugal es un fracaso.
Y, sin embargo, hay una novela de Zola, anterior
en unos diez años a la de *Clarín*, cuya huella en
La regenta parece bastante perceptible: *La conquista de Plassans*.

Los procedimientos de captación de que se vale
el oscuro clérigo, padre Ovidio Faujas, para dominar primero a Marta Rougon y después erigirse en árbitro de Plassans y de la diócesis así como
la pasión místico-sensual de Marta por el sacerdote, nos hacen pensar en el magistral don Fermín
de Pas. Bien es verdad que aquí la eminencia gris
es su madre, uno de los tipos más vigorosos de la
novela del siglo XIX.

«Su único hijo»

Inferior a *La Regenta* es la segunda novela de
Clarín. Frente a la minuciosa localización de aquélla, sólo encontramos en ésta ligeras indicaciones;
pero tan precisas, que permiten señalar como escenario indiscutible de *Su único hijo* la misma
ciudad de Oviedo. Mariano Baquero, profundo
conocedor de la obra clariniana, retrae la acción
«hacia 1850 o poco después». Nosotros la fijaríamos alrededor de 1870. *Azorín* ha señalado que
«el mundo ideológico de la novela es sensiblemen-
te romántico»; más acertada parece la opinión de
Baquero cuando dice que la novela se mueve en
el doble plano romántico-realista. Lo ideal y lo
real se cruzan continuamente en la acción y proceso de los personajes.

Su único hijo ofrece bastantes analogías con *La
Regenta*. En ambas se nos ofrece una historia de
adulterio, doble en la novela que comentamos.
Pero la caída de Ana nos produce compasión; la
de Emma, asco. Las dos obras terminan en la
iglesia, si bien con desenlace opuesto. Bonis y
Ana acuden al templo henchidos de fe y de esperanza. Ana quiere reanudar su antigua amistad
espiritual [25]; Bonis, aunque escéptico, esperando
encontrar en la Iglesia cierto calor maternal; lo
que vió de ridículo en el bautismo de otros, ahora
le parece—en el de su hijo—sublime. A los dos
personajes se les hiere cruel, despiadadamente;
sólo que Bonis sabe hallar la luz de la fe; no una
fe meditada, sino infantil; una fe que surge de
la misma necesidad de tenerla. Otra coincidencia
de las dos obras: la proyección de lo ficticio en
lo real; una representación dramática, *Don Juan
Tenorio*, en *La regenta*; una ópera, en *Su único
hijo*. También aquí se diversifica el arte del novelista. El plano ideal y a la vez humano en que se
mueve Ana Ozores, se resuelve en sadismo repugnante en Emma Valcárcel.

En la zona de las analogías hay una que interesa destacar como clave de los dos personajes
centrales: el amor paterno-filial.

Como en *La Regenta*, lo de menos es aquí la
trama o argumento. Se reduce a esto: Bonifacio

Reyes, especie de «Apolo bonachón», de distinguida familia venida a menos, se casa con Emma Valcárcel, cuyo carácter despótico, atrabiliario y cruel se ceba en el malaventurado marido. Este llega a mantener relaciones adúlteras con la Gorgheggi, cantante de ópera, a la vez que Emma se enamora del barítono Minghetti. Emma va a dar a luz, fruto de sus amoríos; la idea de la paternidad imprime nuevo carácter en el pobre Bonis, que se siente orgulloso de su hijo, a pesar de que la Gorgheggi, en un rapto de despecho al verse abandonada por él, le descubre la traición de Emma.

«Clarín», cuentista

Baquero Goyanes distingue en la producción clariniana dos tipos de cuentos: «aquellos en que predomina la ternura, cuentos cordiales..., y aquellos otros tan próximos al quehacer crítico y satírico. Cuentos caricaturescos, construidos no tanto sobre una base argumental como sobre las peculiaridades grotescas de un tipo humano que suele ser, las más veces, un sabio grotesco y desvitalizado, como... el Eufrasio Macrocéfalo del espléndido relato La mosca sabia, tal vez la más lograda protesta clariniana—en forma de cuento—contra el cientifismo aséptico y en defensa de lo primariamente vital» [26]. Señala también en algunos la mezcla de las dos tendencias. Al primer grupo pertenecen los titulados Boroña, La trampa, El dúo de la tos, Un grabado, El Quin, Un viejo verde, Manín de Pepa-José, El torso, Pipá, La conversión de Chiripa, Cambio de luz, El Rana, etcétera. Al segundo: Un candidato, Bustamante, Zurita, Cuervo, Don Ermeguncio o la vocación, Doctor Pertinax, Doctor Sutilis, El señor Isla, Los señores de Casabierta, etc.

«La producción crítica de Alas—escribe Baquero—se inclina, claro es, al polo intelectual, ácido y satírico. La novelesca oscila entre ambos extremos, acercándose decididamente a lo crítico e intelectualizado, con preferencia a lo tierno, en el caso de Su único hijo, y debatiéndose angustiosamente—de ahí su dramatismo—entre ambos polos, en el caso de La regenta, la obra más personal de Clarín, aquella en que el conflicto es vivido más intensamente y más artísticamente. Pues el pleito campo-ciudad, vida-inteligencia, que tan nítidamente se percibe en «¡Adiós, cordera!, Boroña y Doña Berta, está más escondido en La Regenta, y sólo es perceptible en ciertos momentos... y a cargo de determinados personajes, en especial Frígilis» [27].

«Clarín», crítico

En su tiempo el autor de La Regenta fué conocido sobre todo como crítico. Sus reseñas de libros en la prensa de Madrid, publicadas bajo los títulos de Paliques, Mezclilla y Solos de «Clarín» eran leídas con avidez tanto en España como en América, llamando en todas partes la atención por su agudeza, causticidad y donaire. A veces con estas notas se mezcla una no pequeña dosis de humor, de malhumor mejor dicho. Entre 1879 y 1898 Clarín fué el crítico español más respetado, y también el más temido.

¿Qué clase de crítica era la suya? Sería un error no ver en él más que al censor agrio y desabrido que suelen presentarnos en los manuales, y al que nosotros también hemos aludido en más de una ocasión. Clarín en este sentido ofrece un lado negativo y otro positivo; junto a su crítica mordaz, escrita a vuela pluma y tendente a poner en la picota a hombres como Silvela, Cánovas del Castillo o Alejandro Pidal y Mon, está su crítica constructiva, reposada, enjuiciadora justa de méritos y valores. Aquéllos eran intrusos de las letras y como a tales había que tratarlos. Para esos políticos, moralistas y hasta financieros, metidos a literatos, Clarín utilizaba la crítica humorística y satírica que precisamente por su fondo festivo se leía con mayor fruición. Para los valores auténticos utilizaba la otra, la seria, la ecuánime, la que se contiene, por ejemplo, en las Revistas literarias, o en los Folletos, o en ese prólogo de Palique, del que se puede extraer toda una metodología crítica.

El que lea sin pasión estos trabajos habrá de reconocer en Clarín uno de los hombres más cultos de su época. En esas páginas se transparenta un espíritu muy sólidamente formado no sólo en letras clásicas y modernas, sino en filosofía y en historia. Sobre todo, se descubre un lector que está al día. Y en eso pocos españoles le aventajan. Ahí están para demostrarlo las listas de libros recibidos, incluídas al final de algunos «folletos». Sólo en la que figura en Museum encontramos anotados libros que se acaban de editar en Madrid, Barcelona, Manila, Buenos Aires, Santiago de Chile, Bogotá, Méjico, Roma, París, Nueva York y Berlín, en varias lenguas y sobre las más diversas materias.

Para Clarín hay dos críticas, según nos dice en Ensayos y Revistas: una superficial, sin conocimiento exacto del libro, y otra reflexiva, acertada o errónea, pero basada en el conocimiento a fondo de la obra que se juzga. La primera es más bien satírica, la otra seria; aquélla cumple una función higiénica o policíaca, la otra, una función orientadora y constructiva. En cuanto al método a seguir por el crítico, situado frente a la preceptiva tradicional y las nuevas tendencias de la ciencia positiva, contra lo que pudiera esperarse, Clarín, sin desdeñar las aportaciones de las más recientes teorías, proclama valientemente el valor de la preceptiva clásica. No menosprecia la crítica histórica de Sainte-Beuve, ni la sociológica de Guyau, ni la determinista de Taine, ni la científica de Hennequin, ni la fisiológica de Posnet; probablemente de haber vivido en nuestro tiempo tampoco hubiese menospreciado los métodos de Croce, Dilthey y Heidegger, porque era un espíritu más abierto de lo que a primera vista parece. Pero él distingue entre lo sustantivo y lo accidental: «Todo eso —habla de los sistemas críticos vigentes en su época—es, a poco que se levante el brazo, legítimo y oportuno, a su modo y en sazón; pero a condición de que cada clase de crítica deje vivir a las demás, que son tan legítimas como ella, y a condición de que se reconozca también que siempre merecerán mejor que los otros el nombre de «crítica literaria» aquellos géneros que sean: primero, *crítica,* es decir, juicio, comparación de algo con algo, de hechos con leyes, cópula racional entre términos homogéneos; y segundo, *literaria,* es decir, de arte, estética, atenta a la habilidad técnica, a sus reglas absolutas o relativas. Pensar que se puede prescindir de esta clase de crítica es sencillamente absurdo.»

Cree, por tanto, que el crítico al juzgar, como el artista al crear, debe atenerse a las reglas. Mirar, si se trata de un poema, al metro, a la rima, al acento, a todos los factores, en una palabra, que intervienen en el producto artístico y que lo hacen tal como es. Y, caso curioso, *Clarín* en esta exposición coincide exactamente con la de Menéndez Pelayo años antes en su *Memoria* para las oposiciones a cátedra. Como coincide también con el mismo Menéndez Pelayo en la exigencia de unos cuantos principios básicos e inmutables, sin los cuales ni la crítica ni el arte mismo podría subsistir.

Y del mismo modo que de las obras de *Clarín,* espigando aquí y allá, se extrae una metodología crítica, cabe extraer también un ideario estético. Su concepto de la belleza artística nos es dado en varios pasajes y más concretamente en la reseña sobre *El nudo gordiano,* de Sellés. La belleza no está en la tesis, tratándose de una novela, ni en la acción o en el desenlace, tratándose de un drama sino en la forma, en la expresión. En este orden nada está vedado al poeta, que puede extraer belleza de cualquier asunto; «hasta de la vida de los santos», dice rebatiendo a Revilla. Aunque a veces parece defender la primacía del «arte de tesis» sobre el «arte-arte», como entonces se decía, la verdad es que se halla más cerca de los defensores de éste que de aquél. Léanse los estudios sobre *La familia de León Roch* y *Marianela,* de Galdós. Y léase asimismo el que dedica a *El buey suelto,* de Pereda, donde se contraponen las dos formas antagónicas—idealismo y realismo—para sacar la atrevida conclusión de que, tratándose de crear belleza, «todo es legítimo en el arte». Reacciona contra los que confunden lo artístico con lo moral y llama «simonía del arte» al intento de suscitar, bajo la capa del fin moral, «una admiración sólo debida a la belleza». Al igual que Kant, concibe el arte bello como «una finalidad sin fin». Por último, establece con toda claridad el criterio de distinción entre lo bello y lo que no lo es, basado en la formación del *sentido estético,* que no ha de confundirse con el *gusto,* aunque sí supone a éste, y que es resultado de una serie de factores, entre los que cuentan en primer lugar el dominio de la técnica y una sólida formación filosófico-literaria.

VI. VICENTE BLASCO IBAÑEZ

En Blasco Ibáñez ha visto siempre la crítica al más típico representante del naturalismo francés. Repetidamente se le ha denominado «el Zola español». Bien es verdad que si en las novelas se parece al autor de *L'Assommoir,* en el cuento tiene mayores analogías con Maupassant. Lo de «Zola español» es verdad sólo a medias. En efecto, en Blasco se dan la mano la minuciosidad descriptiva, la preferencia por los tipos de bajos fondos sociales, el lenguaje tosco y hasta descuidado, el predominio de la acción sobre el análisis, la ausencia de todo elemento lírico, la concepción pesimista de la vida, la presentación de los personajes en su parte fisiológica con detrimento de la espiritual y el prurito adoctrinador. Estos caracteres se dan, es cierto, en las novelas de tipo regional y social; y como éstas fueron las primeras, el juicio, justo en principio, se extendió impropiamente al resto de su obra [28].

Datos biográficos

De familia oriunda de Aragón, VICENTE BLASCO IBÁÑEZ nació en Valencia, en enero de 1867. Abogado y periodista, es el típico hombre de acción; afiliado al partido republicano, es arrestado por un soneto contra los reyes. Antes había abandonado el hogar paterno para trasladarse a Madrid, donde actuó de secretario del famoso novelista Fernández y González. En 1890 se ve obligado a emigrar por sus actividades políticas. Regresa a Valencia al año siguiente; funda el diario *El Pueblo,* y es procesado varias veces por sus campañas periodísticas. Diputado en siete legislaturas, funda el partido blasquista, opuesto al sorianista (de Rodrigo Soriano). En 1909 renuncia al acta de diputado y pasa a Sudamérica, donde, después de actuar como conferenciante, se establece en la República Argentina y funda una colonia que bautiza con el nombre de Cervantes. Sus ideas políticas, aparte de encarcelamientos, procesos y destierros, le ocasionan varios desafíos, en alguno de los cuales es herido gravemente. El Gobierno francés le otorga la Legión de Honor, y al terminar la guerra europea, en la que había tomado decididamente el partido de los aliados, inicia un viaje triunfal por Norteamérica, donde es nombrador doctor *honoris causa* por la Universidad Jorge Washington. Obligado a abandonar España al advenir la Dictadura del general Primo de Rivera (1923), tiene que renunciar al deseo de ser elegido académico, aspiración patrocinada por Palacio Valdés. Muere en su finca de Menton (Francia) el 28 de enero de 1928.

Obra y clasificación

El mismo Blasco, en carta a Cejador, estableció cuatro grupos, que nosotros respetamos, agregando otros tantos y separa ndo previamente los cuentos, las novelas cortas y los libros de viajes:

NOVELA

1. Regional: *Arroz y tartana* (1894), *Flor de Mayo* (1895), *La barraca* (1898), *Entre naranjos* (1901), *Cañas y barro* (1902).
2. De tesis: *La catedral* (1903), *El intruso* (1904), *La horda* (1905), *La bodega* (1905).
3. Arqueológica: *Sónnica la cortesana* (1901).
4. Psicológicas: *La maja desnuda* (1906), *Sangre y arena* (1908), *Los muertos mandan* (1908), *Luna Benamor* (1909).
5. Cosmopolitas: *Los cuatro jinetes del Apocalipsis* (1916), *Mare Nostrum* (1918), *Los enemigos de la mujer* (1919).
6. Históricas: *El Papa del mar* (1925), *A los pies de Venus* (1926), *En busca del Gran Kan* (1928), *El caballero de la Virgen* (1929).
7. Americanas: *Los Argonautas* (1914), *La tierra de todos* (1922).
8. Aventuras: *El paraíso de las mujeres* (1922), *La reina Calafia* (1923), *El fantasma de las alas de oro* (1930).

Cuentos: *Cuentos valencianos* (1893), *La condenada y otros cuentos* (1896).

Novelas cortas: *El préstamo de la difunta* (1921), *Las novelas de la Costa Azul* (1927), *Las novelas del amor y de la muerte, El adiós a Schubert* (1927).

Viajes: *En el país del arte* (1896), *Oriente* (1907), *La Argentina y sus grandezas* (1910), *La vuelta al mundo de un novelista* (1925) [29].

Novelas regionales

Fueron compuestas entre 1894, en que aparece *Arroz y tartana*, y 1902, fecha de *Cañas y barro*. La pintura de ambientes y tipos populares es su nota más destacada. En ellas va Blasco desde la técnica naturalista hasta el esbozo psicológico de la burguesía y de la aristocracia rural. El pueblo, del que se ha dicho que representa en la escala social lo que el niño en la individual, está visto con amor y con profundo conocimiento: sus impulsos irreflexivos, que le hacen pasar de la rebelión anárquica a la sumisión más inconsciente; sus pasiones, mezquindad, vicios y virtudes, pintados de mano maestra, como obra de quien ha convivido largo tiempo con él. Algo recargadas las tintas con inevitable tendencia al pesimismo, fruto tanto del sistema estético que el autor aplica como de sus íntimas convicciones. Blasco se limita a

presentar la vida miserable de sus compatriotas sin permitirse iluminar el cuadro con el menor rayo de luz. Pero no falsea por eso ni los caracteres ni el ambiente.

En *Arroz y tartana*, la única zolesca—según declaración del autor—, nos presenta las funestas consecuencias de una vida de ostentación en un ambiente burgués cuando se carece de medios económicos. La víctima es un joven dócil, honrado y trabajador—Juanito—, que muere cuando descubre que su madre, doña Manuela, ha aceptado la «protección» de su antiguo dependiente, Cuadros. La admirada descripción del mercado con que se abre la novela es típicamente zolesca.

Flor de Mayo describe la vida de los pescadores levantinos, y puede compararse sin desdoro con *José*, de Palacios Valdés, y con *Sotileza*, de Pereda, cambiados, naturalmente, los escenarios. Tragedia familiar en la que el honrado Pascual, al enterarse de que su hermano Tonet, vago y vicioso, sostiene relaciones adúlteras con su esposa Dolores, lo invita a pescar y aprovecha una tempestad para deshacerse de él, apuñalándolo y arrojándolo a las olas. Obra de caracteres sostenidos, destaca la pintura de la tía Picota.

La barraca es, sin duda, la más bella del grupo y la mejor de Blasco. Novela de la huerta, desarrolla un cuento titulado *Venganza moruna*, distinto del que con este título figura en *La condenada*. De cruel realismo, simboliza la venganza de los huertanos cuando se creen atropellados en sus derechos: la barraca del tío Barret lleva diez años cerrada, desde la tragedia que costó la vida al usurero propietario don Salvador, con la consiguiente condena del asesino. Los huertanos, haciéndose solidarios de su antiguo ocupante, se niegan a arrendarla. Llega a ella Batiste con su mujer y sus cuatro hijos, y aquéllos, dirigidos por el vicioso y matón Pimentó, le hacen la vida imposible. Cuando la muerte de Pascualet, hijo de Batiste y víctima de las jugarretas de sus compañeros de escuela, parece haber calmado los ánimos, surge la riña entre Batiste y Pimentó, que resulta muerto a manos de aquél. El incendio de la barraca de Batiste es el epílogo con que responden los huertanos a la conducta de un hombre que pretendía ganarse la vida honradamente.

Entre naranjos suaviza la técnica naturalista para hacernos entrar en lo psicológico y en lo poemático, con influencias de Víctor Hugo. Describe la vida de la aristocracia rural, representada por el diputado Rafael Brull, abúlico e indeciso juguete en manos de su beata madre doña Ramona. Leonora, famosa cantante que ha resistido los galanteos de Rafael, cede al fin, en una noche de primavera, que repercute en su alma por el recuerdo del dúo de *Las Walkyrias*, y en su cuerpo por el enervante perfume de los naranjos en flor. Rafael la abandona por imposición materna: y cuando al cabo de unos años intenta reanudar sus viejas relaciones, Leonora le desprecia por su falta de carácter.

Cañas y barro cierra la serie de novelas regionales. Descripción de la vida de la Albufera con el mismo vigor y crudeza que la huerta en *La barraca*. Una tormentosa historia de amor entre Tonet y Neleta, y una pasión ahogada, sofocada, de la pobre *Borda*, dan argumento a Blasco para una de sus más intensas y bellas novelas. Señalemos la escena de Tonet y Neleta perdidos en el bosque (Cap. III), «aventura que fué el término de su niñez», y que nos recuerda otra similar de la infancia de Ana Ozores en *La regenta*[30].

Novela arqueológica

Blasco incluye en el grupo de «novelas valencianas» su *Sónnica la cortesana*. Nosotros, por su especial carácter, hemos preferido formar con ella grupo separado. El autor alude a los *vastos y monótonos estudios* que tuvo que realizar para componerla. La segunda guerra púnica—destrucción de Sagunto por Aníbal—sirve de marco a los amores de Sónnica y Acteón. Si en la novela regionalista presenta la Valencia actual, en ésta, la del pasado: «Había descrito ya la vida valenciana tal como puede verse directamente, y necesité realizar esta excursión por su pasado más remoto.» Pudo influir en esta evocación histórica—aunque el autor lo niega—el éxito reciente de novelas como *Quo Vadis?* y *Afrodita*. La crítica ha señalado la influencia de *Salambó*, de Flaubert. Blasco declara que se sirvió preferentemente del poema de Silio Itálico sobre la segunda guerra púnica, del que toma episodios y personajes.

Novelas de tesis

En otro capítulo hemos expuesto la diferencia entre la novela de tesis y la de tendencia. Escritas «con sinceridad y entusiasmo», responden a una clara finalidad docente: «Acabábamos de sufrir nuestra catástrofe colonial—escribe Blasco en la aludida carta a Cejador—; España estaba en una situación vergonzosa, y yo ataqué rudamente, pintando algunas manifestaciones de la vida soñolienta de nuestro país, imaginando que esto podía servir de reactivo.» No negamos el carácter tendencioso de estas obras. No obstante, la tesis suele escapársele al autor y hasta en ocasiones desembocar en una solución opuesta a la que él había imaginado. Así, las teorías revolucionarias expuestas en *La catedral* se vuelven contra su protagonista Gabriel Luna, que muere al oponerse al robo de las joyas de la Virgen. Tras una vida de agitador político y social, comprende su fracaso; y Blasco nos descubre el complejo de su personalidad con cuatro rasgos, en los que es fácil hallar algún eco autobiográfico:

«He rodado de un pueblo a otro, siempre luchando con el hambre y con la crueldad de los hombres... Yo soy un teórico; abomino de la acción por prematura e ineficaz... Empujado por la miseria y las persecuciones, mi existencia ha sido un infierno» (Cap. I). El ácrata Maltrana de *La horda*, que lucha por la igualdad social, convencido de que es una utopía, dedica toda su fuerza a alcanzar una sólida posición para su hijo. En la vida devota y en las prácticas religiosas halla su bienestar el Sánchez Morueta de *El intruso*. Completa el grupo *La bodega*, novela de los campos jerezanos, de tendencia socialista. La propaganda corre a cargo del agitador Fernando Salvatierra. Un conflicto de honor se resuelve con el asesinato del ofensor a manos de Fermín, hermano de María de la Luz, la ofendida.

Novelas psicológicas

Las más importantes del grupo son las que siguen: *La maja desnuda*, historia del pintor Mariano Renovales, que en algunos rasgos recuerda *La obra*, de Zola; *Sangre y arena*, típica españolada, con toreros de humilde extracción social y aristócratas caprichosas que se enamoran de ellos; la trágica muerte del espada Juan Gallardo en la plaza de Madrid pone fin a la novela; *Los muertos mandan*, formada en realidad por dos novelas distintas sin más unidad que la del protagonista Jaime Febrer; *Luna Benamor*, en la que asistimos a los amores del cónsul Luis Aguirre con la nieta de un acaudalado banquero judío, truncados por imposiciones raciales. La joven contrae matrimonio con su correligionario Isaac Núñez.

Novelas cosmopolitas

Se han denominado también «de la guerra Europea». Aunque literariamente mediocres, han sido las más difundidas y las que mayor renombre le dieron en el extranjero. En *Los cuatro jinetes del Apocalipsis* intenta darnos una visión de conjunto, tanto de la guerra como del reflejo de ésta en la sociedad contemporánea. Más interesante la primera parte con la descripción del pánico en París al sobrevenir la catástrofe. Obra endeble, sin caracteres ni auténtica trama novelesca, su principal valor está en la proyección de la guerra en las diversas clases sociales: banqueros, millonarios, artistas, intelectuales, universitarios, etc. Las típicas novelas del género—*El fuego*, de Barbusse, y *Sin novedad en el frente*, de Remarke—nos dan la vida de trincheras; Blasco prefiere darnos su reflejo en las grandes ciudades.

En 1918 Blasco publica *Mare Nostrum*, descripción de la vida submarina, que en algunos momentos alcanza entonación épica, y preludia ya la victoria aliada.

Carácter cosmopolita tiene también *Los enemigos de la mujer*, que responde al ambiente de gran mundo que por esta época frecuenta el novelista: «Yo produzco mis novelas—dice—según el ambiente en que vivo, y he cambiado de fisonomía literaria con arreglo a mis cambios de ambiente.» La novela describe la guerra en un medio de placer y de lujo refinado—Montecarlo—, y la psicología de un grupo de aristócratas viciosos que pretenden vivir al margen de la tragedia.

Novelas históricas

El gusto por lo histórico era antiguo en Blasco Ibáñez. El género había adquirido nueva técnica con la publicación de *Salambó*, de Flaubert. La novela romántica generalmente falseaba los caracteres y la reconstrucción arqueológica era muy deficiente; con Flaubert se hace auténtica reconstrucción de la vida y de las costumbres. Estas dos técnicas se observan en la novela histórica de Blasco. A la primera modalidad responden *El conde Fernán González* (1888) y las que dedica a la Revolución francesa, cuyos títulos—*En el cráter del volcán, La bella liejesa, La explosión* y *Guerra sin cuartel*—revelan a las claras su carácter folletinesco. Muy distintas son las de la segunda época. El autor se documenta y trata de revalorizar a personajes españoles difamados por la historia. En *El Papa del mar* hace la apología de Pedro Luna, cuya figura evoca con simpatía. La mezcla de los dos planos, antiguo y moderno, poniendo el relato en boca de un personaje actual, quita cierto interés a la narración. El mismo carácter reivindicador tiene su continuación, *A los pies de Venus*, sobre la familia de los Borgia; el punto más importante de tal reivindicación es el del descubrimiento y colonización del Nuevo Mundo: «El Papa Borgia fué el primero que hizo saber a los hombres, de una manera que puede titularse oficial, el descubrimiento de América..., y cuya verdadera naturaleza nadie había llegado a presentir.» Sin duda esta intención reivindicadora es causa de que en *En busca del Gran Kan* deje tan malparado a Colón, que «vivió y murió ignorando la existencia de América, convencido de que había llegado cerca del Asia oriental». *El caballero de la Virgen* cuenta las aventuras del conquistador Alonso de Ojeda.

Novela americana

La vasta epopeya americana que proyectó Blasco, iniciada con *Los Argonautas,* a la que siguieron años después *La tierra de todos* y otras, se interrumpe al sobrevenir la guerra europea. He aquí cómo el propio novelista explica su proyecto a Cejador: «*Los Argonautas* es un prólogo. Mi propósito era (y aún es) escribir una serie de novelas sobre los pueblos de América que hablan y piensan en español.» Después de *Los Argonautas* iba a escribir *La ciudad de la esperanza* (Buenos

Aires), *La tierra de todos* (el campo), *Los murmullos de la selva* (las tierras todavía vírgenes). Luego dos o tres novelas que tendrían por escenario Chile; otra del Perú: *El oro y la muerte,* y así pensaba seguir creando un bloque novelesco con personajes que paseasen toda la América de origen hispano; algo semejante a los personajes de *La comedia humana*, de Balzac. De este programa tan ambicioso sólo cumplió una mínima parte con *Los Argonautas* y *La tierra de todos.* En esta última la acción gira en torno a una mujer nefasta, «la bella Elena», que en una colonia de la Patagonia provoca, como su homónima de Troya, una guerra civil. También cabría inscribir en este grupo *La reina Calafia,* californiana de origen español, en quien el novelista reencarna a la reina del mismo nombre, de *Las sergas de Esplandián.*

Cuentos y novelas cortas

Entre las varias colecciones que publicó Blasco, sobresalen los de carácter regional: *Cuentos valencianos* y *La condenada.* Con las características de las novelas valencianas, su corta extensión les da mayor dramatismo. Generalmente de carácter trágico, son un precioso documento para conocer la psicología de los paisanos del autor. Señalemos *Dimoni, La caperuza, Guapeza valenciana, El Femater* y *Noche de bodas,* trágica historia del despertar de la sensualidad en un joven sacerdote al ver casada a una íntima compañera de la infancia, a la que había considerado siempre como una hermana. Recuerda en algún aspecto el de *Clarín, El Señor.* Todos ellos forman parte de los «cuentos valencianos». Entre los que integran *La condenada,* además del que da nombre a la colección, de gran originalidad, destacan *Primavera triste, Un funcionario,* protesta de la desconsideración social que pesa sobre el verdugo (de tesis análoga a *La piedra angular,* de la Pardo Bazán); *En la boca del horno, El maniquí, La pared, Venganza moruna* y *El ogro.*

De las «novelas de la Costa Azul» citemos *El sol de los muertos, El comediante Fonseca* y *Puesta de sol,* y de las «novelas de amor y de muerte», *El secreto de la baronesa, El réprobo* y *El despertar de Buda,* una de las primeras que compuso el novelista.

Libros de viajes

Adolecen de una erudición indigesta y superficial, ya que el autor no perdona ocasión de soltarnos cuanto ha leído en manuales de vulgarización y enciclopedias. *En el país del arte,* cuyo subtítulo reza «tres meses en Italia», mezcla en estilo desmañado descripciones históricas y comentarios personales no siempre de buen gusto. Superior es *Oriente,* colección de artículos publicados en diversos periódicos y luego recogidos en tomo, con impresiones rápidas sobre Ginebra, Berna, Constanza, Munich, Viena, Budapest, Constantinopla. El interés aumenta en *La vuelta al mundo de un novelista,* en que la variedad de escenarios da ocasión al autor para descripciones pintorescas y brillantes.

Valoración de la obra de Blasco Ibáñez

Lo primero que sorprende en Blasco es una grande, insobornable objetividad. Ello revela al menos un gran sentido artístico. Aun en los casos en que aborda la novela tendenciosa, un sentimiento superior se sobrepone hasta modificar la conducta primitiva de los protagonistas y, por tanto, la dirección ideológica de la obra. Así, el sentimiento del honor y del amor sirven para iluminar el fondo trágico de *La bodega;* el de la paternidad da bríos inusitados a Maltrana; que sólo por ello ya se ve en la vida una noble finalidad. Hombre de acción, Blasco busca los héroes de sus novelas en los luchadores políticos y sociales; o simplemente en los trabajadores anónimos, entregados con toda el alma a arrancar su sustento del mar, de la huerta o de la Albufera valenciana; las trabas que hallan en su camino les

sirven de acicate [31]. Fiel a este criterio, nos da tipos acabados en Rafael, de *La bodega;* Juan Gallardo, de *Sangre y arena;* Batiste, de *La barraca;* el tío Toni, de *Cañas y barro;* el *Retor,* de *Flor de mayo;* Sánchez Morueta, de *El intruso;* Ferragut, de *Mare Nostrum,* etc. Junto a éstos aparecen otros que actúan movidos por altos estímulos morales, como Renovales, de *La maja desnuda;* y no es de extrañar que el desprecio del novelista se cierna sobre el abúlico, como Rafael Brull, de *Entre naranjos.* Como contraste y a la vez complemento, aparece con frecuencia el vago, vicioso y chulesco, ya encarnado en el personaje de baja condición social —Tonet, de *Flor de Mayo;* Tonet, de *Cañas y barro;* Pimentó, de *La barraca*—, ya en el típico señorito —Luis Dupont, de *La bodega*—.

Tal vez esta preferencia por la «acción» explique su escasa aptitud para el humor, su falta de sentido para la ironía. En cambio, logra en algunas ocasiones precisos toques sentimentales. En los tipos femeninos es rara la nota romántica; sus mujeres se mueven principalmente a impulsos del instinto.

En resumen, Blasco es tanto más novelista cuanto sigue mejor el ambiente nativo, y desciende más en cuanto se mercantiliza y se aleja de lo típicamente regional.

VII. DESCOMPOSICION DEL NATURALISMO: LA NOVELA EROTICA

Ya hemos indicado que el naturalismo español alcanza su punto culminante en la novela regionalista de Blasco Ibáñez. A principios del xx, el Naturalismo, como había ocurrido en Francia entre el mismo grupo de Medan, se fracciona en distintas escuelas y tendencias. La principal de ellas es la que Gómez Baquero ha denominado «novela erótica», que llegó a alcanzar gran popularidad durante el primer cuarto del presente siglo.

Justo es reconocer que en este tipo de novela, representada por Trigo, Hoyos y Vinent, Zamacois, Belda, López de Haro, *El caballero audaz,* Insúa, Pedro Mata, etc., quedaron algunas —muy pocas— obras dignas de tenerse en cuenta. En su mayor parte, sin embargo, adolecen de un filosofismo trasnochado y de una obscenidad que nada tiene que ver con el alegre y vital realismo renacentista. Obras inspiradas más en un criterio comercial que literario. Justo es también señalar que algunos de estos escritores —Mata, Zamacois, Insúa, López de Haro— han evolucionado hacia más sanas tendencias; pero no es difícil descubrir en la mayor parte de esa producción todos los tópicos románticos de la independencia moral y social del individuo junto al prurito de reforma utópica de la sociedad, por unos procedimientos que sólo pueden llevar a la bestialización (léanse *Las Evas del*

Paraíso, de Felipe Trigo). En otros casos, ni eso; sólo la exposición de cuadros pornográficos, que, so capa de refinamiento decadentista, encubren la más descarada brutalidad. En resumen, manjar para viejos verdes, mujeres pervertidas y jóvenes estragados por el vicio.

Felipe Trigo

El creador del género y su más eximio representante es FELIPE TRIGO (1865-1916). En su primera obra, *Las ingenuas,* dramatiza el amor de un joven elegante (Luciano) con una hermana política (Flora). Apología del fatalismo y de la unión libre, su tesis es «mostrar la grandeza del amor universal y eterno, aposentándolo en un corazón que lo siente ilegítimo por la fuerza de las ideas recibidas». Trigo pretende hacer tabla rasa no sólo de los convencionalismos sociales, sino de todos los principios morales en que se basa la sociedad. Otras novelas son *La clave,* con escenas que recuerdan *Fecundidad,* de Zola; *En la carrera* y *El médico rural,* con muchos detalles autobiográficos; *Las Evas del Paraíso,* con una tesis similar a *Las afinidades electivas,* de Goethe, en la que se presenta la más repugnante promiscuidad sexual. Preferimos algunas narraciones breves: *El gran simpático*; *Así paga el diablo*, historia de un «casto José» moderno; *Además del frac*, donde se pone de relieve la importancia de vestir bien para triunfar en sociedad, aun siendo moralmente un ser deleznable.

¿Cómo enjuiciar a Trigo? Manuel Abril, Gómez de Baquero y hasta el mismo Cejador le consideran novelista genial y poco menos que un auténtico apóstol de la moral y la sociología. Valbuena, Alonso Cortés, Hurtado y otros silencian su nombre o apenas lo mencionan. No cabe duda que creó un género, en que el resultado distó mucho de la intención; juzgarle como un utopista neurótico es el máximo favor que se puede hacer a quien proclamó el instinto y las sensaciones primarias única norma de vida. Alcanzó—ya lo hemos dicho—un éxito enorme, debido, más que al valor literario, a la libre y brutal exaltación de la pasión erótica. Creemos que hoy la novela de Trigo tendría escasísimos lectores [32].

Otros cultivadores de la novela erótica

RAFAEL LÓPEZ DE HARO, de San Clemente (Cuenca, 1876), aúna su profesión de notario con el cultivo de las letras, que inicia bajo la influencia de Trigo, del que se aparta pronto para atender más al estudio psicológico de los personajes. Obras: *Dominadoras, Batalla de odios, La novela del honor, El salto de la novia, Poseída, Adán, Eva y yo, Yo he sido casada, La venus miente, El más grande amor, Entre todas las mujeres*, etc.

ANTONIO DE HOYOS Y VINENT, marqués de Vinent (Madrid, 1886-1940?), es sin duda el escritor más culto del grupo. Estudió en Oxford y Madrid, y por su preciosismo estilista, a la par que por su fuerza inventiva, más puede compararse a Gabriel d'Annunzio o a los decadentistas franceses, en especial a Lorraine, que a Trigo. Mencionemos de sus novelas: *Cuestión de ambiente, Del huerto del pecado, Obscenidad, La vejez de Heliogábalo, El monstruo, Las lobas del arrabal, El pecado y la noche*, etc.

ALBERTO INSÚA nació en la Habana, de padre español (1885). Estudió Derecho en Madrid, dándose a conocer como periodista, colaborando en *El Liberal, Blanco y Negro* y *Nuevo Mundo*. Durante la primera guerra mundial es corresponsal del *A B C* en Francia. Tras unas primeras novelas eróticas a la manera de Trigo, evoluciona hacia un realismo de tipo psicológico, del que es buen ejemplo *El negro que tenía el alma blanca*. Otras obras suyas: *La mujer, el torero y el toro, El triunfo, Las neuróticas, La mujer que necesita amar*. Ha escrito también para el teatro: *Amor tardío, Cabecita loca* y *Una mano suave*.

JOSÉ MARÍA CARRETERO NOVILLO, que ha popularizado su seudónimo de *El caballero audaz*, na-

ció (1890) en Montilla y murió en Madrid (1951). Se distinguió en la novela y en el periodismo, especialmente en el género de «interviu». El erotismo heredado de Trigo se alía con un sentimentalismo falso en novelas como *La bien pagada, Desamor, Alejandro Centellas, La sinventura, El ángel de la traición* y otras. Debemos mencionar su obra de carácter político-popular, publicada bajo el epígrafe general *Al servicio del pueblo*, y la réplica a Blasco Ibáñez por su campaña contra la Dictadura: *El novelista que vendió a su patria*.

JOAQUÍN BELDA (Madrid, 1880-1937?) es el humorista del grupo, aunque este humorismo sólo se muestra en los temas eróticos. *La diosa Razón, La suegra de Tarquino, Saldo de almas, Aquellos polvos, Más chulo que un ocho, Alcibíades Club, La piara, Memorias de un suicida*. etc., son sus novelas más conocidas.

Prescindiendo de Eduardo Zamacois y de Alfonso Hernández Catá, a los que estudiaremos entre los hispanoamericanos, mencionemos finalmente a JOSÉ FRANCÉS (1883) y a PEDRO MATA (1875-1946). Distinguido crítico de arte el primero, ha cultivado la novela naturalista y el teatro. Sus obras más logradas son *Miedo, El café donde se ama* y *Como los pájaros de bronce*.

El erotismo, no en su tendencia pornográfica, sino en la sentimental, tiene su mejor representante en Pedro Mata. Los conflictos amorosos son sus temas preferidos y sus novelas más logradas: *Irresponsables, Corazones sin rumbo* y *Un grito en la noche*, en la que nos presenta a madre e hija enamoradas del mismo hombre.

La mayor parte de estos escritores han alcanzado la popularidad gracias a su colaboración en publicaciones económicas, tales como *El Cuento Semanal, La Novela Corta, La Novela Mundial, La Novela de Hoy, La Novela de Bolsillo* y *Los Contemporáneos*.

NOTAS

1. «La ciencia—escribe Zola—prueba que las condiciones de existencia de todo fenómeno son las mismas en los cuerpos vivos que en los inertes, por donde la fisiología adquiere la misma certidumbre que la química y la física. Pero hay más todavía: cuando se demuestre que el cuerpo del hombre es una máquina cuyas piezas, andando el tiempo, monte a su experimentador a su antojo, será preciso pasar a sus actos pasionales e intelectuales, y entonces penetraremos en los dominios que hasta hoy señoraló la poesía. Tenemos física y química experimentales; en pos viene la fisiología, y después la novela experimental. Todo se enlaza; hubo que partir del determinismo de los cuerpos inorgánicos para llegar al de los vivos, y puesto que sabios como Claudio Bernard demuestran ahora que al cuerpo humano lo rigen leyes fijas, podemos vaticinar, sin que quepa error, la hora en que serán formuladas ya sus leyes del pensamiento y de las pasiones. Igual determinismo debe regir a la piedra del camino que al cerebro humano.»

2. «En la física el efecto corresponde estrictamente a la causa..., mientras que en los dominios del espíritu no existe ecuación entre la intensidad de la causa y el efecto, y el observador y el científico tienen que confesar... que lo psíquico es irreductible a lo físico.» *(La cuestión palpitante.)*

3. El naturalismo «coincide con el movimiento romántico en la protesta contra la rutina académica, la tiranía

de las reglas y preceptos y las imposiciones de la tradición clásica, y, por consiguiente, en el espíritu de libertad que la anima»; pero, y no obstante esta oposición al academicismo clásico, «enarbola la misma bandera que éste, y su programa en nada difiere del que desarrollaron los preceptistas del siglo XVIII. La imitación de la naturaleza, proclamada, aunque jamás realizada, por los clásicos, es el lema de la revolución novísima, lema que en nada se parece al idealismo desenfrenado que los románticos aclamaron como forma de emancipación».

4. *Novelas y novelistas* (ensayo), «La última manera espiritual de la condesa de Pardo Bazán», págs. 299-300, Madrid, 1918.

5. En las polémicas sobre el naturalismo no cabe duda que entró por mucho la circunstancia extraña de que fuera una mujer, y además católica y aristócrata, su divulgadora entre nosotros. Al naturalismo pesimista y descreído de Zola opone la Pardo Bazán —en el prólogo de *Un viaje de novios*— el realismo clásico español, «sano y verdadero, el que ríe y llora en *La Celestina* y en el *Quijote*, en los cuadros de Velázquez y Goya, en la vena cómico-dramática de Tirso y Ramón de la Cruz. Realismo indirecto, inconsciente, y por eso mismo acabado y lleno de inspiración; no desdeñoso del idealismo, y, gracias a ello, legítima y profundamente humano, ya que, como el hombre, participa de su materia y espíritu, tierra y cielo». En otra ocasión —*Retratos y apuntes literarios*— confiesa su eclecticismo estético: «Todo el que lea mis ensayos críticos comprenderá que ni soy idealista, ni realista, ni naturalista, sino ecléctica... Debo a Dios la suerte de poder recrearme con todo lo bueno y bello de todas las épocas y estilos.»

6. El conjunto de poemitas que reunió bajo este título fué editado en 1876 por don Francisco Giner, quien regaló la edición íntegra —300 ejemplares— a la autora. Andrés González Blanco escribe a propósito del mismo: «Ni mejor ni peor que cualquiera de los poemas que por aquella época se escribían... con arreglo a moldes prefijados, bien siguiendo las huellas de Zorrilla, bien a imitación de Núñez de Arce, ya *ad instar* de Campoamor. De Campoamor tenía más resabios que de otro alguno del poema de doña Emilia, aunque también se advierten en él influjos del poeta de Raimundo Lulio.» *(Juicio crítico de la condesa de Pardo Bazán*, pág. 9, Prensa Popular, Madrid, s. a.)

7. El médico Vélez de Rada pretende disuadir al señor Joaquín de que case a su hija con Aurelio Miranda: «¡Casar a su hija de usted con Miranda!... ¡Está usted loco!... ¡El mejor ejemplar de raza que de diez años a esta parte encontré! ¡Una niña que tiene glóbulos rojos en la sangre bastantes para surtir a cuantas muñequillas anémicas se pasean por Madrid!... ¿Sabe usted, sabe usted cuál es el deber del padre que tiene una hija como Lucía? Pues buscar, como otro Diógenes, un hombre que en constitución y riqueza de organismo la iguale, y unirlos. ¿Le parece a usted con este descuido que hay en los enlaces, con los sacrílegos consorcios que solemos presenciar entre naturalezas pobres, viciadas, enfermas y naturalezas sanas, es posible que muy pronto, a la vuelta de tres o cuatro generaciones, sobrevenga la decadencia fatal de estos pueblos de Europa? ¿A qué, ¿se puede transmitir impunemente a nuestros tataranietos veneno y pus en vez de sangre?» *(Un viaje de novios*, cap. II.)

8. Carlos Waternan la tradujo al francés, y la escuela de Zola la calificó de «demasiado poco naturalista».

9. Abundan *Los pazos* en animadas descripciones y diálogos sabrosísimos: la comida en que se emborracha a Perucho, los diálogos de Nucha y don Julián, los de éste y el cura de Naya, la pintura de los enredos caciquiles y las luchas electorales, que culminan en la derrota del marqués y el asesinato de Primitivo por sus propios correligionarios, a los cuales ha traicionado.

10. Una fina ironía pone punto final a la novela: «Si consultaras sobre este drama a don Manuel Pardo, que es amigo de generalidades pedantescas y se paga de malas razones por el afán de pretender explicarse todo, nos dirá que el extravío mental que conduce a la muerte voluntaria es muy propio del sombrío humor de la raza céltica, esa gran vencida de la historia; como si cada día y en cada provincia de España no trajese la prensa suicidios así.»

11. En el pról. de *La quimera* escribe: «Quise estudiar un aspecto del alma contemporánea, una forma de nuestro malestar, la *alta aspiración*, que se diferencia de la ambición antigua (por más que tenga precedentes en psicologías definidas por la Historia). La ambición propiamente dicha era más concreta y positiva en su objeto que esta dolorosa inquietud, en la cual domina

un exaltado idealismo. Es enfermedad noble y una de las que mejor patentiza nuestra superioridad de origen, acreditando las profundas verdades de la teología, el dogma de la caída y la significación del terrible árbol y su fruto. El mal de aspirar lo he representado en un artista que no me atrevo a llamar genial, porque no hubo tiempo de que desenvolviese sus aptitudes, si es que en tanto grado las poseía, pero en cuya organización sensible, afinada quizá por los gérmenes del padecimiento que le malogró la aspiración, revestía caracteres de extraña vehemencia.»

12. Completa la producción novelesca de la condesa *El tesoro de Gastón*, amena y un tanto infantil; *El niño Guzmán; El saludo de las brujas*, y *Misterio*, auténtico folletín con sus víctimas y verdugos, en que las primeras son Luis XVII, su hija Amelia y el marqués de Bresé, su enamorado, y los malos Luis XVIII y el barón de Lecazes. Entre las novelas cortas, *Dioses*, nueva interpretación del episodio bíblico de Judith y Holofernes; *En las cavernas, Belcebú, Bucólica, Un drama, La gota de sangre, Cada uno*, etc.

13. Aunque la Pardo Bazán califique el cuento de «género menor», le concede auténtica categoría literaria: «El cuento será, si se quiere, un subgénero, del cual apenas tratan los críticos; pero no todos los grandes novelistas son capaces de formar con maestría un cuento.» *(La literatura francesa moderna: III. El naturalismo*, pág. 153.)

14. «La escritora gallega poseía, como ningún otro escritor en nuestras letras, el arte de condensar la más fuerte vibración emocional en el más reducido número de páginas. Sus magníficas condiciones de narradora brillaron, sobre todo, en este género, a cuyo cultivo se dedicó durante toda su vida, escribiendo un tan gran número de cuentos como posiblemente no podría presentar ningún otro escritor mundial. Y lo más sorprendente y admirable es que la cantidad nunca supuso menoscabo de la calidad. El cuento era la forma narrativa más natural y apropiada al temperamento de la Pardo Bazán..., sensible a todas las preocupaciones y temas de su época, encarnándolos en maravillosos cuentos.» (MARIANO BAQUERO: *El cuento español en el siglo XIX*, Madrid, 1949.)

15. «Si algún día prospera tanto el género (novelesco) en España, que se pueda decir: éste es el Balzac español, éste es el Flaubert, éste es el Daudet, etc., a la señora Pardo Bazán le convendría la comparación con los hermanos Goncourt. De todos los novelistas del Naturalismo, son los Goncourt los que más pintan y los que más enamorados están del color. La señora Pardo Bazán es, de todos los novelistas de España, el que más pinta; en sus novelas se ve que está enamorada del color y que sabe echar sobre el lienzo haces de claridad como Claudio Lorena.» *(Sermón perdido*, pág. 113.)

16. «Lo que la Naturaleza yerra lo enmienda la gracia y el advenimiento de Cristo, y los méritos de su sangre preciosa fueron cabalmente para eso, para remediar la falta de nuestros primeros padres y sanar a la Naturaleza enferma. La ley de Naturaleza, aislada, sola, invóquenla las bestias; nosotros invocamos otra más alta... Para eso somos hombres, hijos de Dios y redimidos por Él.» (Cap. XXXV.)

17. «Poco antes de herirle el rayo de la gracia hiriole en el pecho una bala de revólver tan gravemente, que los médicos le concedían tres horas de vida no más. Este lance lo atribuyeron algunos a misteriosas causas; pero los más informados aseguran que Coloma se hirió a sí mismo involuntariamente en ocasión de estar limpiando el arma en su cuarto. Sea como quiera, y aún aceptando la última explicación por sencilla y verosímil, Luis Coloma vió la muerte muy de cerca, y al dejar el lecho del dolor, su resolución estaba formada, y era irrevocable su propósito de entrar en la Compañía de Jesús.» (PARDO BAZÁN: *El P. Luis Coloma: Biografía y estudio crítico*.)

18. En el pról. «Al lector» escribe: «Y si por acaso se maravilla que siendo yo quien soy me entre con tanta frescura por terrenos tan peligrosos, has de tener en cuenta que, aunque *novelista* parezco, soy *misionero*, y así como en otros tiempos subía un fraile sobre una mesa en cualquier plaza pública y predicaba desde allí rudas verdades a los distraídos que no iban al templo, hablándoles, para que bien le entendieran, su mismo grosero lenguaje, así también armo yo mi tinglado en las páginas de una novela, y desde allí predico a los que de otro modo no habían de escucharme, y les digo en su propia lengua verdades claras y necesarias que no podrían jamás pronunciarse bajo las bóvedas de un templo.» En una nota al cap. III del lib. I, dice: «Advertimos, desde

luego, al lector, que ni en éste ni en ninguno de los personajes que se presentan en los muchos episodios históricos de esta novela desempeñando cargos oficiales, se ha querido retratar, ni aun siquiera aludir, a los que realmente hubieran podido ocupar aquellos cargos en la época a que nos referimos.» (Afirmación en la que insiste en el cap. IV del lib. IV.)

19. Nació en Cárdenas (Cuba); se licenció en Leyes, y muy pronto se dió a conocer, colaborando en los más renombrados periódicos: La Iberia, El Debate, El Parlamentario, etc. Fué el primer director de la célebre hoja «Los lunes de El Imparcial». Académico de la Española desde 1902, entra en el campo de la novela cuando el naturalismo está en pleno auge entre nosotros. Murió en Madrid (1922). De joven cursó estudios eclesiásticos en el Seminario de Cuenca.

20. Le recomendaba tres cosas para ser buen novelista: «Estudiar mucho más, imitar mucho menos y no escribir a destajo.» (Sermón perdido.)

21 «Siempre han caracterizado al autor la falsa riqueza tropológica, lòs afeites postizos, la dislocación de la frase y el afán de ver en todas partes más de lo que realmente hay y de atormentarse a sí mismo y a sus lectores para hallar una comparación inaudita y extraña, un golpe de efecto o un período estudiadamente musical... Pocos habrá que sigan sin disgusto en las obras de Ortega Munilla la serie de brillantes vaciades y recursos pictóricos con que se esfuerza en suplir la ausencia de más altas dotes y en distraer la atención del objeto principal.» (P. BLANCO GARCÍA: La literatura española en el siglo XIX, II, pág. 538.)

22. Nació y murió en Madrid, se educó en Francia y se doctoró en Derecho en la Universidad Central. Diputado a Cortes en varias legislaturas, republicano, amigo y admirador de Salmerón y de Castelar, se dió a conocer como periodista y crítico de arte, colaborando en El Imparcial, la Revista de España, La Esfera, etc. Desempeñó los cargos de secretario y vicepresidente de la Sección de Literatura del Ateneo de Madrid y el de bibliotecario perpetuo de la Real Academia Española; perteneció asimismo a la de Bellas Artes de San Fernando. Sainz de Robles le califica como uno de los mejores novelistas españoles: «Prosista castizo—dice—, jugoso y acrisolado. Psicólogo profundo. Magnífico dibujante y colorista de caracteres y de ambiente. De un realismo fuerte—exagerado a veces—y muy español. De un estilo correcto y nítido, ático y personalísimo.» Sin negar ninguna de estas cualidades, se echa de menos en el autor la variedad temática, ya que la serie de sus novelas puede reducirse a dos tópicos: anticlericalismo y erotismo; este último llevado a tal extremo en algunas ocasiones, que sólo las cualidades estilísticas del autor nos le hacen incluir aquí y no en el apartado de la «Novela erótica».

23. Prescindimos de la incompleta Speraindeo, primer ensayo novelístico de Clarín, y del que sólo publicó tres capítulos en la «Revista de Asturias», núms. de 30 de abril, 30 de mayo y 15 de junio.

24. Leopoldo Alas («Clarín»): Juicio crítico de sus obras, «La Novela Corta», núm. 250, Madrid, 1920.

25. «Pidió de todo corazón a Dios, a quien claramente creia ver en tal instante; le pidió que fuera voz suya aquélla, que el magistral fuera el hermano del alma en quien tanto tiempo había creído, y no el solicitante lascivo que le había pintado Mesía el infame.» (Cap. XXX.)

26. Leopoldo Alas («Clarín»): Cuentos, pról., págs. 16-17, Oviedo, 1953.

27. Obra citada en nota anterior, págs. 17-18.

28. El mismo Blasco, en carta dirigida a Cejador (1918), muy interesante desde el punto de vista autobiográfico, protesta de tal encasillamiento: «Cuando publiqué mis primeras novelas las encontraron semejantes a las de la obra zolesca y me clasificaron para siempre. Esto es cómodo; así ya no existe en adelante la obligación de pensar ni averiguar. Yo, para muchos, escriba lo que escriba, aunque sufra en mi existencia literaria las más radicales evoluciones, siempre seré el Zola español. Los que tal dicen y repiten por perezoso automatismo, demuestran no conocer a Zola ni a mí o, a lo menos, si conocen las obras de ambos, las han leído de corrido, sin comprenderlas.» Se declara profundo admirador de Zola; pero reconoce que, pasada la primera etapa de su producción, le «quedan muy pocos puntos de contacto con su antiguo ídolo». Censura el prurito cientifista del escritor francés, basado en lo relativo a la herencia fisiológica, que «ha puesto de manifiesto la falsedad de la armazón interior de sus novelas». Acepta la definición zolesca de la novela como «la realidad vista a través de un temperamento», y la stendhaliana, como

«un espejo paseado a lo largo de un camino»; pero en la misma definición de Zola halla la clave de la gran variedad del género, por ser infinita la variedad de temperamentos, que, en fin de cuentas, son los que explican los estilos literarios: «Para mí lo importante en un novelista—dice—es su temperamento, su personalidad, su modo especial y propio de ver la vida. Este es verdaderamente el estilo en un novelista, aunque escriba con desaliño... Todo el que sea verdaderamente novelista, es él y nada más que él. Tendrá un parentesco lejano con otros novelistas; pero no forma familia con ellos.»

29. Podrían agregarse otros grupos: artículos sobre El militarismo mejicano; prólogos a las novelas francesas traducidas por él y publicadas por la editorial valenciana Prometeo, que recogió con el título de Estudios literarios; las novelas que repudió de la edición de sus Obras: La araña negra; Romeu, el guerrillero; Fantasías, etc. Mencionemos, finalmente, la Historia de la Gran Guerra europea en nueve volúmenes, de los que sólo los tres primeros corresponden a Blasco.

30. También cabe subrayar la escena final, similar a otra de El cuarto poder, de Palacio Valdés, ya aludida.

31. Una vez más acudimos a su carta a Cejador en busca de comprobación: «Las más de las veces, por mi gusto, haría novelas en realidad mejor que escribirlas sobre el papel... Yo soy un hombre que vive, y, además, cuando le queda tiempo para ello, escribe por una necesidad imperiosa de su cerebro... Creo proseguir la tradición española, noble y varonil. Los mejores genios literarios de nuestra raza fueron hombres, hombres verdaderos en el más amplio sentido de la palabra: fueron soldados, grandes, viajeros, corrieron aventuras fuera de España, sufrieron cautividades y miserias..., y, además, escribieron.»

32. Nacido en Villanueva de la Serena (Badajoz) de familia acomodada, estudia Medicina en Madrid, empezando su labor literaria como periodista. Voluntario en Filipinas, donde en una sublevación de tagalos prisioneros se le hiere gravemente, regresa a España. Ejerce la Medicina, y luego se retira a Mérida para dedicarse a la labor literaria, en la que adquiere una notoriedad tan asombrosa como efímera. En 1916 pone voluntariamente fin a su vida.

BIBLIOGRAFIA

I. M. AUB: Discurso de la novela española contemporánea, «Jornadas», Méjico, 1945.—M. DE ALMAGRO SAN MARTÍN: Biografía del 1900, Madrid.—J. A. BALSEIRO: Novelistas españoles modernos, Nueva York, 1933.—M. BAQUERO GOYANES: La literatura narrativa asturiana en el siglo XIX, «Rev. Univ. de Oviedo», núms. 49-50, 1948; El cuento español en el siglo XIX, C. S. I. C., Madrid, 1949.—EMILIA PARDO BAZÁN: La cuestión palpitante, Madrid, 1882.—A. BELLESORT: Littérature Etrangere: Espagne et Amérique espagnole, «La Correspondant», París, 1930.—J. CHABAS: Literatura española contemporánea: 1898-1950, Cultural S. A., La Habana, 1952.—L. DEFFOUX: Le naturalisme avec un florilege des principaux écrivains naturalistes, París, 1929.—J. FERNÁNDEZ LUJÁN: Estudios críticos: Pardo Bazán, Valera y Pereda, Barcelona, 1889.—J. FERNÁNDEZ MONTESINOS: Die Moderne Spanische Ditchtung.—MARQUÉS DE FIGUEROA: Del renacimiento literario y artístico de Galicia, «La España Moderna», febrero 1890.—D. GIFFORD: The critical reception of Naturalism in Spain before «La Cuestión palpitante», «Hisp. Review», Univ. of Pennsylvania, XXII, abril 1954.—C. C. GLASCOCK: Two Modern Spanish Novelists. Emilia Pardo Bazán and Armando Palacio Valdés, «Univ. of Texas Bulletin», julio 1926.—E. GÓMEZ DE BAQUERO («Andrenio»): Novelas y novelistas, Madrid, 1928; El renacimiento de la novela en el siglo XIX, Mundo Latino, Madrid, 1924.—R. GÓMEZ DE LA SERNA: Retratos contemporáneos, Buenos Aires, 1946.—A. GONZÁLEZ BLANCO: Historia de la novela en España desde el Romanticismo hasta nuestros días, Madrid, 1909.—U. GONZÁLEZ SERRANO: El arte naturalista, «Bibl. Económica Filosófica», XLI, Madrid, 1888.—E. LEVI: Figure della letteratura spagnola, Florencia, 1922.—S. DE MADARIAGA: España: Ensayo de historia contemporánea, Madrid, 1931.—H. PETRICONI: Die Spanische Literatur der Gegenwart seit 1870, Wiesbaden, 1926.—G. PORTNOFF: La literatura rusa en España, «Hispanic Institute», Nueva York, 1932.—M. DE LA REVILLA: Críticas, 2.ª serie, Burgos, 1885.—A. DEL RÍO y M. J. BERNARDETE: Concepto contemporáneo de España: Antología de ensayos: 1895-1931, Losada, Buenos Aires, 1946.—J. M.ª SALAVERRÍA: Retratos y Nuevos retratos, Madrid, 1926 y 1930, respectivamente.—G. TORRENTE BALLESTER: Literatura española contemporánea: 1898-1936, Afrodisio Aguado, Madrid, 1949.—J. VALERA ALCALÁ GALIANO: Apuntes sobre el nuevo arte de escribir novelas, «Obras completas», II, M. Aguilar, Madrid, 1942.—B. VARELA JÁCOME: Doña Emilia Pardo Bazán y las tendencias novelísticas de su época (tesis doctoral), Univ. de Madrid, junio 1956.—F. VEZINET: Les maîtres du roman espagnol contemporain, Paris, 1907.—E. B. WILLIAM: The Naturalistic Theories of Leopoldo Alas, LVII, P. M. L. A., 1942.—J. HENRY AMIEL: Rèalisme et positivisme. Divergences entre l'esthétique positiviste et l'esthétique réaliste, «The Rom. Review», XXXIII, 1942.— D. DAICHES: The Novel and the Modern World, Chicago, 1939.—E. BERRY BURGUM: The Novel and the World's Dilema, Nueva York, 1947.

II. L. ALAS («Clarín»): Emilia Pardo Bazán y sus últimas obras, «Folletos literarios», VII, Madrid, 1890; «El cisne de Vilamorta», «Paliques», Madrid, 1893.—A. ANDRADE COELLO: La condesa Emilia Pardo Bazán, Quito, 1922.— M. BAQUERO GOYANES: La novela naturalista española: Emilia Pardo Bazán, «Anales de la Univ. de Murcia», XIII, 1954-1955.—A. CANGA ARGÜELLES: Doña Emilia Pardo Bazán, «Ilust. Esp. y Amer.», 22 junio 1916.—CARMEN CASTRO: Emilia Pardo Bazán. Antología, Edit. Nacional, Madrid. — CENTENARIO de doña Emilia Pardo Bazán, C. S. I. C., Madrid, 1952.—M. DE LA CRUZ: E. Pardo Bazán, «Estudios literarios», Madrid, 1924.—J. J. DOMENCHINA: Emilia Pardo Bazán, «Almanaque literario», Madrid, 1935.—B. ERSKINE: E. Pardo Bazán, «Contemporary Review», CXX, 1921.—J. FRANCÉS: Les scénarios du roman espagnol: La Comtesse de Pardo Bazán et le paysage de ses romans galiciens, «Hispania», II, París, 1919.— M. GÁLVEZ: Emilia Pardo Bazán, «Nosotros», Buenos Aires, mayo 1921.—C. C. GLASCOCK: «La Quimera», «Hispania», California, marzo, 1926.—E. GÓMEZ DE BAQUERO («Andrenio»): La última manera espiritual de la condesa de Pardo Bazán, «Novelas y novelistas», ed. cit.; Los dos aspectos de E. Pardo Bazán, «De Gallardo a Unamuno», Edit. Mundo Latino, Madrid, 1926.—A. GONZÁLEZ BLANCO: Emilia Pardo Bazán, «La Lectura», I, Madrid, 1908.— E. GONZÁLEZ LÓPEZ: Emilia Pardo Bazán, novelista de Galicia, Hispanic Institute in the United States, Nueva York, 1944.—R. HILTON: Doña Emilia Pardo Bazán, Neo-Catholicism and Christian-Socialism, The Americas, Washington, 1954; Emilia Pardo Bazán's. Concept of Spain, «Hispania», XXXIV, California, 1951; E. Pardo Bazán et le mouvement féministe en Espagne, «Bull. Hisp.», Burdeos, LIV, 1952.—F. DE ASÍS ICAZA: Doña Emilia Pardo Bazán, serie de arts. en «El Sol», Madrid, a partir del 14 enero de 1925.—W. A. INSÚA: «Una cristiana», «Cosas de mi patria». La Coruña, 1891.—G. MARTÍNEZ SIERRA: La feminidad de E. Pardo Bazán, «Motivos», Madrid, 1920.—J. MONTERO PADILLA: La Pardo Bazán, poetisa, «Rev. de Literatura», III, Madrid, 1953.—MARGARITA NELKEN: En «Escritoras españolas», Colec. Labor, Barcelona, 1930.—D. PÉREZ MINIK: Las novelas de la condesa de Pardo Bazán, «Novelistas esp. de los siglos xix y xx», Colec. Guadarrama, Madrid, 1957.—M. DE LA REVILLA: E. Pardo Bazán y «Pascual López», Madrid, 1879.—F. C. SAINZ DE ROBLES: Emilia Pardo Bazán. Su vida. Su obra. Bibliografía, «Obras completas» de E. P. B., Edit. M. Aguilar, Madrid, 1947.— R. SEGADE CAMPOAMOR: «Los pazos de Ulloa», «Galicia», núm. 1, La Coruña, 1887.—A. E. SINGER: The influence of «Paul et Virginie» on «La madre Naturaleza», «West Virginia», IV, 1943.—R. M.ª TENREIRO: «La Sirena Negra», «La Lectura», I, Madrid, 1908.—A. DE TREVERET: La littérature espagnole contemporaine: Le roman et le réalism, «Le Correspondant», CXXXVIII, 1885.—M. M. VAL: Tentativas dramáticas de doña E. Pardo Bazán, Madrid, 1908.—B. VARELA JÁCOME: E. Pardo Bazán, Rosalía de Castro y Muguía, «Cuad. Est. Gallegos», VI, Santiago de Compostela, 1951; Pardo Bazán y su «Nuevo teatro crítico», «Cuad. Est. Gallegos», VII, Santiago, 1952.—H. KELLER JORDÁN: Emilia Pardo Bazán, «Beilage zur Allgemeinen Zeitung», núm. 129.—A. DE SABINE: Pról. a la trad. francesa de La cuestión palpitante, Paris, 1883.

III-IV-V. ARVEDE BARINE: Un Jésuite romancier. Le Père Luis Coloma, «Revue Bleue», XLIX, 25 junio 1892.—E. BOBADILLA («Fray Candil»): El P. Coloma y la aristocracia, «Críticas instantáneas», I, Madrid, 1891.—MARQUÉS DE FIGUEROA: La novela aristocrática, «La Esp. Moderna», septiembre, 1891.—R. M.ª HORNEDO: Menéndez Pelayo y el P. Coloma, «Razón y Fe», CLIII, junio, 1956; El escándalo de «Pequeñeces». En el centenario del P. Coloma, «Razón

y Fe», CXLIV, 1951.—C. MUIÑOS SÁENZ: La crítica de «Pequeñeces» y pequeñeces de la crítica, «Ciudad de Dios», XXIV, El Escorial, 1891.—M. DE PALAU «Pequeñeces», «Rev. Contemporánea», LXXXII, 1891.—EMILIA PARDO BAZÁN: El P. Luis Coloma. Biografía y estudio crítico.— P. PÉREZ CLOTET: Algunas notas sobre la Andalucía del P. Coloma, Cádiz, 1940.—J. VALERA: Pequeñeces. Currita Albornoz al P. Coloma, «Obras completas», II, ed. cit.— E. ALARCOS LLORACH: Notas a «La Regenta», «Archivum», Univ. de Oviedo, 1952.—M. BAQUERO GOYANES: Una novela de «Clarín»: «Su único hijo» y Exaltación de lo vital en «La Regenta», «Prosistas españoles contemporáneos», Madrid, 1956.—A. BRENT: Leopoldo Alas and «La Regenta». A Study in Nineteenth Century Prose, «The Univ. of Missouri Studies», XXIV, 1951.—J. A. CABEZAS: «Clarín», el provinciano universal, Espasa-Calpe, Madrid, 1936.—C. CLAVERÍA: Flaubert y «La Regenta», «Cinco estudios de la literatura moderna», Salamanca, 1945.—E. CLOCCHIATTI: «Clarín» y sus ideas sobre la novela, «Rev. Univ. de Oviedo», LIX y LX, 1949.—M. FERNÁNDEZ ALMAGRO: Crítica y sátira en «Clarín», «Archivum», Univ. de Oviedo, II, 1952.—T. FERNÁNDEZ MIRANDA: Actitud ante «Clarín», «Cuad. Hispanoamer.», núm. 14, Madrid, 1952.—M. GARCÍA BLANCO: «Clarín» y Unamuno, «Archivum», II, 1952.— F. GARCÍA PAVÓN: Leopoldo Alas, «Clarín», como narrador, tesis doctoral, Madrid; Crítica literaria en la obra narrativa de «Clarín», «Archivum», II, 1952; El problema religioso en la obra narrativa de «Clarín», «Archivum», V, 1955.—M. GÓMEZ SANTOS: Leopoldo Alas, «Clarín». Ensayo biobibliográfico, Inst. de Est. Asturianos, Oviedo, 1952.— A. GONZÁLEZ BLANCO: Leopoldo Alas, «Clarín». Juicio crítico de sus obras, «La Novela Corta», año V, núm. 250, Madrid, 1920.—R. GULLÓN: Aspectos de «Clarín», «Archivum», II, 1952; «Clarín», crítico literario, Zaragoza, 1949.—J. M.ª MARTÍNEZ CACHERO: Adiciones a una bibliografía sobre Leopoldo Alas, «Clarín», «Archivum», II, 1922; «Clarín» y «Azorín». Una amistad y un fervor, «Archivum», III, 1953; Crónica y bibliografía del primer centenario de Leopoldo Alas «Clarín», «Archivum», III. Oviedo, 1953; Los versos de Leopoldo Alas, «Archivum», II, 1952.—S. MELÓN DE GORDEJUELA: «Clarín» y el bovarysmo, «Archivum», II, 1952; «Clarín» y don Leopoldo Alas, «Archivum», II, 1952.—D. PÉREZ MINIK: Revisión de Leopoldo Alas, «Clarín», «Novelistas españoles de los siglos xix y xx», Colec. Guadarrama, Madrid, 1957.—KATHERINE REIS: Valoración artística de las narraciones breves de Leopoldo Alas, «Clarín», desde el punto de vista estético, técnico y temático, «Archivum», V, 1955.—P. SAINZ RODRÍGUEZ: La obra de «Clarín», disc. de apertura del curso 1921-1922 en la Univ. de Oviedo, Madrid, 1921.— EUGENIA SERRANO: Ideales estéticos de uno del sesenta y ocho: «Clarín», «Rev. Ideas Estéticas», X, Madrid, 1952.— G. DE LA TORRE: Presencia de «Clarín», «Archivum», II, 1952.—A. ALAS: Menéndez Pelayo y «Clarín». Epistolario, Madrid, 1953.—EDUARR J. GRAMBERG: Fondo y forma del humorismo de... «Clarín», Inst. de Est. Asturianos, Oviedo, 1958.—NAVARRO LEDESMA: «Clarín». Apuntes para un estudio psicográfico, «La Lectura», II, 1901.—L. SANTULLANO: Leopoldo Alas. Cincuenta años después, «Cuad. Americanos», núm. 5, Méjico, 1951.

CONCHA BRETÓN: Jacinto Octavio Picón, tesis doctoral, Univ. de Madrid, 23 sept. 1951.—A. GONZÁLEZ DE AMEZÚA Y MAYO: Apuntes biográficos de don Jacinto O. Picón, Madrid, 1925.—H. PESEUX-RICHARD: Jacinto Octavio Picón, «Revue Hispanique», XXX.—J. VALERA: Pról. al tomo II de las «Obras» de Picón, Madrid, 1910.

VI. A. ALCALÁ-GALIANO: Un novelista mundial: Blasco Ibáñez, «Figuras excepcionales», Madrid, s. f.—R. ALTAMIRA: Blasco Ibáñez, novelista, «Arte y Realidad», Barcelona, 1921.—J. AMADE: L'evolution d'un romancier valencien, «Etudes de Littér. méridionale», Toulouse, 1907.— M. AZNAR: Blasco Ibáñez, «Diario de la Marina», Habana, 29 enero 1928.—J. A. BALSEIRO: V. Blasco Ibáñez, hombre de acción y de letras, Puerto Rico, 1935; Blasco Ibáñez... Cuatro individualistas de España, The Univ. of North Carolina Press, 1949.—A. BELLESORT: Blasco Ibáñez, «Revue Bleue», julio de 1921.—CONDE DEL CASAL: Blasco Ibáñez y las novelas de la guerra, «Raza española», 1921.— J. CASARES: «Los cuatro jinetes del Apocalipsis», «Crítica efímera», II, S. Calleja, Madrid, 1916.—ELIZABETH CORBETT: V. Blasco Ibáñez was a Utopian Reformer, «The New-York Times Book Review», febrero, 1928.—E. DÍEZCANEDO: «Mare Nostrum», «Conversaciones literarias», Madrid.—R. EDEL: V. Blasco Ibáñez in seinem verhältnis zu einigen neueren französischen Romanschriftstellern, Gütersloh, 1935.—A. ELÍAS: Carta abierta a don V. Blasco Ibáñez, «Hispania», IX, California.—E. GASCÓ CONTELL: Los grandes escritores: V. Blasco Ibáñez, Madrid, 1957;

En el aniversario: Algunas novelas póstumas de Blasco Ibáñez, «La Gac. Literaria», 15 febrero 1930.—E. Gómez de Baquero («Andrenio»): *El caso de Blasco Ibáñez,* «De Gallardo a Unamuno», Edit. Mundo Latino», Madrid, 1926; *La filosofía de Sangonera y «La catedral»,* «Letras e ideas», Barcelona, 1905; *Las novelas de Blasco Ibáñez,* «Cultura española», XII, 1937.—N. González Ruiz: *Vicente Blasco Ibáñez,* «En esta hora, ojeada a los valores literarios», Madrid, 1925.—A. González Blanco: *Blasco Ibáñez,* «Rev. Contemporánea», Madrid, 1906; *V. Blasco Ibáñez: Juicio crítico de sus obras,* por..., «La Novela Corta», núm. 242, año V, Madrid, 1920.—Annedoerte Greiner: *V. Blasco Ibáñez, der spanische Zola?,* Jena, 1932.—Ezio Levi: *V. Blasco Ibáñez e il suo capolavoro, «Cañas y barro»,* Florencia, 1922.—G. Lewis Hind: *V. Blasco Ibáñez,* «More Authors and Y», Nueva York, 1922.—Olas K. Lundeberg: *The Sand-Chopin Episode in «Los muertos mandan»,* «Hispania», California, 1932.—R. Martínez de la Riva: *V. Blasco Ibáñez. Su vida. Su obra. Su muerte,* Madrid, 1929.—H. Mérimée: *Le romancier Blasco Ibáñez et la cité de Valence,* «Bull. Hispanique», XXIV, 1922.—C. Pitollet: *V. Blasco Ibáñez, ses romans et le roman de sa vie,* París, 1921 (trad. por Tulio Moncada y publicada en Edit. Prometeo, Valencia, s. f.).—M. Puccini: *V. Blasco Ibáñez,* Roma, 1926.—Catherine Reding: *Blasco Ibáñez and Zola,* «Hispania», VI, California, 1923.—A. Sánchez: *Antropología y literatura: Curiosa fuente de un pasaje de Blasco Ibáñez,* «Rev. Valenc. de Filología», I, 1951.—J. Schepelevith: *Blasco Ibáñez, novelista,* «La Lectura», 1904.—A. Solano: *V. Blasco Ibáñez,* «Repertorio americano», San José de Costa Rica, 25 febrero 1928.—W. Starkie: *Some Novelist of Modern Spain,* «The Nineteenth Century», septiembre, 1925.—L. Tailhada: *V. Blasco Ibáñez,* «Hispania», 1918.—M. Thiébaut: *V. Blasco Ibáñez,* «Revue de Paris», enero-febrero, 1928.—E. Zamacois: *Mis contemporáneos: V. Blasco Ibáñez,* Madrid, 1916.—E. Betoret: *El costumbrismo regional en la obra de Blasco Ibáñez,* Valencia, 1958.—E. Buceta: *El origen de un cuento de Blasco Ibáñez,* «Bol. Real Acad. Esp.», XX, 1931.—A. Carsi: *Vicente Blasco Ibáñez,* «Temas», V, núm. 27, Nueva York, 1953.—J. Cola: *V. Blasco Ibáñez, fundador de pueblos,* Madrid, 1931.—H. Corbató: *Some Outstanding and Recurring Themes in Valencian Literature,* «Hispanic», XIV, 1931.—M. A. Escalante: *Notas sobre el estilo de V. Blasco Ibáñez,* «Cultura», II, La Plata, 1950.—P. Luis Fullana: Disc. de ingreso en la Acad. Española, 1928.—E. Gascó Contell: *Genio y figura de B. Ibáñez, agitador, aventurero y novelista,* Madrid, 1957; *La obra literaria de B. Ibáñez,* Valencia, 1921.—I. Golberg: *B. Ibáñez. The Man and his Work,* «The Stratford», IV, 1919.—W. D. Wowells: *The Fiction of B. Ibáñez,* «Harpers», CXXXI, 1915.—J. Just Gimeno: *Blasco Ibáñez y Valencia,* Valencia, 1929.—E. Leavitt Sturgis: *Siete cuentos de Blasco Ibáñez* (Introduction), Nueva York, 1926.—P. T. Manchester: *«La barraca»* (Introduction), Nueva York, 1933.—J. Mas y Lagrera: *Blasco Ibáñez y la jauría,* Madrid, 1928.—E. Mérimée: *Blasco Ibáñez et le roman des moeurs provinciales,* «Bull. Hisp.», V, 1903.—J. Ortega: *V. Blasco Ibáñez,* «Studies in Lang. and Liter.», núm. 20, Univ. of Wisconsin, 1924.—J. Padín: *V. Blasco Ibáñez,* 1934.—Manuel G. A. Revilla: *El novelista Blasco Ibáñez,* Méjico, 1920.—J. O. Swain: *The Albufera thirty years after: Memories of «Cañas y barro»,* «Hispania», XVIII, 1935; *V. Blasco Ibáñez, exponent of Realism* (tesis doct.), University of Illinois, 1932.—A. Vázquez Cey: *«La barraca», novela mediterránea,* «Humanidades», Univ. del Plata, 1934.—Varios: *In memoriam. Libro-homenaje al inmortal novelista V. Blasco Ibáñez,* Valencia, 1929.

VII. M. Abril: *Felipe Trigo. Exposición y glosa de su vida. Su filosofía, su moral, su arte y su estilo,* Renacimiento, Madrid, 1917.—J. Casares: *«Un grito en la noche»,* de Pedro Mata; *«El árbol genealógico»,* por Antonio de Hoyos y Vinent; *«La espuma de Afrodita»,* por Felipe Sassone, etc., «Crítica efímera», II, S. Calleja, Madrid, 1919.—A. González Blanco: *Felipe Trigo: Antología crítica de sus obras,* ed. de «La Novela Corta», núm. 287, año VI, Madrid, 1921.—H. Peseux-Richard: *Felipe Trigo,* «Revue Hispanique», XXVIII.—F. C. Sainz de Robles: *La novela corta española: Promoción de «El Cuento Semanal»* (Trigo, Hernández Catá, José Francés, Picón, Insúa. Zamacois, etcétera); M. Aguilar, Madrid, 1952.

CAPITULO LXXX

REALISMO Y NATURALISMO EN LA PROSA AMERICANA

I. El Realismo: *Problemática y caracteres. El Naturalismo.*—II. Argentina: *La «generación del ochenta»: Mansilla, Cané, Wilde, etc. Los realistas: Ocantos y Grandmontagne. La novela naturalista: Argerich, Cambaceres y otros. «La bolsa», de J. Miró.*—III. Chile y Uruguay: *Alberto Blest Gana. Más novelistas chilenos. Los uruguayos.*—IV. Bolivia, Perú y Ecuador: *Prosistas bolivianos de la época. Peruanos. Ecuatorianos. «A la costa», de Luis A. Martínez.*—V. Colombia y Venezuela: *Carrasquilla, Marroquín y Vargas Vila. El venezolano Picón Febres.*—VI. Méjico: *La tendencia realista en Méjico: Rabasa, Delgado, López Portillo. La tendencia naturalista: Nervo, Gamboa y otros.*—VII. Antillas y Centroamérica.—Notas.—Bibliografía.

I. EL REALISMO

Hasta el último tercio del siglo pasado los movimientos literarios se producen en Hispanoamérica con evidente retraso respecto de los europeos. *María*, de Jorge Isaacs, uno de los productos más típicos del romanticismo americano, se publica en 1867, cuando el europec podía darse ya por enterrado hacía varios años. Alguna esporádica excepción, como la obra lírica y también la narrativa del argentino Esteban Echeverría, no sirve sino para confirmar esta regla general. Pero en las últimas décadas del xix el panorama cambia: las modas y modos europeos saltan a América y se aclimatan allí con mayor rapidez. Se sigue casi al día el teatro, la novela y la poesía no sólo de Francia, país siempre favorecido en este aspecto, sino también de España, Inglaterra, Alemania e Italia. Se remedan y copian todos esos géneros, si bien dándoles un sello propio. La técnica narrativa suele ser la misma que la del viejo continente: observación realista, minuciosidad descriptiva, cierto prurito seudofilosófico y una notoria predilección por los bajos fondos sociales. Pero a esa técnica se incorpora, o pretende incorporarse, una problemática americana. Los novelistas de aquel continente, aun siguiendo los pasos de los europeos, aspiran a crear obra propia. Cierto es que no siempre lo consiguen. Ténganse en cuenta las dificultades que entraña toda literatura naciente; y la americana, en el período a que nos venimos refiriendo, apenas llevaba medio siglo de existencia. Los novelistas finiseculares americanos—y esto podría aplicarse no sólo a los de habla hispánica, sino también y con mayor motivo a los anglosajones—no han aprendido aún el difícil arte de la contención. Lo describen y narran *todo*, en vez de describir y narrar *lo mejor*. Así se explica que en la línea del Naturalismo algunos, valga de ejemplo Cambaceres, exageren la nota hasta rayar en lo escatológico, mientras otros se despeñan en lo pornográfico, en lo melodramático y en lo socialistoide.

Se investigan las causas de esa asimilación inmediata de las modas europeas por parte de América y suelen apuntarse varias. Unas de tipo económico-social; otras de carácter literario. Entre las primeras debe anotarse la estabilidad de los Gobiernos, superada ya la anarquía de los primeros tiempos de la independencia; la eliminación de las formas de caudillaje, que tantos temas había suministrado a la novela americana del período romántico; la normalización de relaciones diplomáticas con los Estados europeos. Agréguese la prosperidad económica, el auge del capitalismo, el alumbramiento de nuevas fuentes de riqueza, la corriente inmigratoria. Y entre las de carácter cultural, el anhelo, muy explicable en todo pueblo joven, de imitar a los pueblos que considera más aventajados. Francia, por su tradicional prestigio, y España, por la identidad de lengua, atraen más y más cada día a los americanos [1]. Ya no son sólo los ricos terratenientes y políticos quienes visitan Europa; el deseo de ver y en lo posible asimilarse las viejas formas de la civilización invade a todos. Por otra parte, los países americanos han demostrado particular empeño en investir a sus hombres de letras con altos cargos diplomáticos. Y éstos han sido casi siempre los primeros y mejores intérpretes de las nuevas doctrinas.

Problemática y caracteres

Los fenómenos sociales que explican la aparición del Realismo en Europa nos sirven igualmente para Hispanoamérica, sólo que a esos fenómenos

1125

se unen aquí especiales circunstancias. A la industrialización creciente, al arribismo político y social, a la lucha de clases con los eternos conflictos entre capital y trabajo, al proceso de corrupción moral y a los problemas de toda índole, religiosos, económicos, etc., característicos todos ellos de la novela europea, hay que añadir los propios de América: lucha del elemento autóctono con el inmigrante o con el explotador extranjero, apoyado generalmente por indígenas amorales y corrompidos; diferencias raciales: mestizaje, esclavitud, indianismo, masa negra; choque del hombre con la Naturaleza, la que generalmente acaba por vencer; problemas de suburbios en las grandes ciudades. Y luego los de tipo político: períodos anárquicos más o menos transitorios; gobiernos dictatoriales; despotismo caciquil. Todo ello engendra una literatura que va de lo satírico a lo panfletario. Y sirviendo de fondo a esta temática o como escenario de ella, la geografía americana: pampa, selva, ríos inmensos y montañas, costa, tierras fertilísimas y tierras inhóspitas.

Si tratásemos de hallar un denominador común a toda la novela realista de Hispanoamérica, acaso no fuera difícil encontrarlo: es una novela doctrinal, una novela de tesis. Unas veces la intención del novelista es moralizadora; otras, satírica; otras, las menos, meramente expositiva. Durante cierto tiempo los novelistas americanos se dieron por contentos con la simple presentación de tipos y ambientes, por la novedad que esto suponía. Pronto, sin embargo, sus narraciones tuvieron que apoyarse en «un argumento» para alcanzar el «climax» humano exigible a toda novela. Pero ese argumento es generalmente americano. Y ya imite a Balzac o a Zola, a Galdós o a D'Annunzio, a Pereda o a Dickens, el novelista argentino, mejicano o chileno no pierde de vista su país y su época. La técnica, en una palabra, es europea; el tema y la ambientación, autóctonos.

El Naturalismo

Junto a la novela realista aparece en América, al igual que en Europa, la novela naturalista. Ya se sabe que ambas corrientes suelen ir juntas, hasta el punto de haber sido definido el Naturalismo como una intensificación del Realismo, a la manera que el Barroco es interpretado como una intensificación del Renacimiento. Lo que no quiere decir que sean una misma cosa. Hay, en efecto, en el Realismo muchos factores coincidentes con los del Naturalismo; pero hay en éste, a su vez, bastantes aspectos técnicos, estilísticos y hasta temáticos que se escapan de la concepción de la novela realista. Por lo pronto, el Naturalismo busca siempre el soporte científico o seudocientífico que no aparece en el Realismo.

Al escritor realista le interesa narrar, describir, presentar; al naturalista le interesa ante todo demostrar. Para ello se vale de unos cuantos principios, a los que él da validez de leyes y de axiomas: uno de ellos, el más utilizado, es la ley de la herencia. El ser humano se convierte así en animal de experimentación y demostración. Pero como al novelista le es difícil, imposible casi, mantenerse dentro de una problemática rigurosamente científica, resulta que el naturalismo químicamente puro en la novela no existe.

En América, como en Europa, no faltan escritores que, aun basándose en hechos y conflictos reales, han concebido a sus personajes como empujados por un ciego determinismo, por un fatalismo que rige sus actos, y que ellos quieren explicar, antes que por el clásico fatum de la tragedia antigua, por leyes de herencia y circunstancias ambientales. Esos escritores, muy numerosos, son auténticos discípulos de Zola. De él han aprendido la minuciosidad descriptiva; la atención a temas considerados antes tabú; el estudio fisiológico del hombre, con sus taras físicas y morales; las intimidades de alcoba, muchas veces repugnantes en el fondo y expresadas también en forma repugnante. Por otra parte, novelas como La terre, del apóstol de Medan, han dejado larga huella en la novelística americana, orientada con frecuencia a lo telúrico. Claro es que con solo Zola, ni aun agregándole Balzac, no queda explicado todo el proceso de la novela americana en este período. Muchos escritores reconocen por maestros a Turgueniev, Tolstoi y Gorki, entre los rusos; a Maupassant, Stendhal y Daudet, entre los franceses; a Verga y Pirandello, entre los italianos; a Valera, Pérez Galdós, Pereda y Palacio Valdés, entre los españoles. Y con estos nombres ya quedan casi agotadas las influencias por el momento. Luego vendrán, siempre en menor escala, Joyce, Proust, Kafka, etc.

No hace falta advertir que el deslinde entre las dos corrientes, naturalista y realista, es muy confuso. Coexisten las dos, ya no en una misma época y en un mismo país, sino en un mismo escritor [2]. Después de todo, el Naturalismo es o ha pretendido ser tantas cosas que no es difícil encontrar elementos naturalistas en novelas escritas precisamente con un propósito o bajo un signo opuestos. Recuérdese La maestra normal, del argentino Manuel Gálvez, encasillada por la crítica dentro del Naturalismo, no obstante ser una obra idealista y católica, una obra en que se proclama la formación religiosa como único remedio contra los peligros de la herencia y del ambiente. Todo ello nos induce a tratar juntos a los escritores realistas y a los naturalistas, incluídos en el mismo capítulo y, casi siempre también, en los mismos apartados.

II. ARGENTINA

La novela argentina de este período, signada con la nota del realismo más o menos naturalista, surge un poco exabrupto, sin que puedan señalársele precedentes inmediatos, ni más ni menos que había ocurrido con *Amalia,* de Mármol, en la época romántica. Aparentemente ni siquiera existe ese proceso de evolución preparatoria que necesita para imponerse todo nuevo estilo. Pero una vez surgida, la novela realista cobra tal vigor que oscurece y casi anula a todos los demás tipos narrativos y se perpetúa lozana hasta nuestros días. Hoy en Argentina, al igual que en el resto de Hispanoamérica, es ésta la novela que prevalece.

Tres agrupaciones cabe hacer con los novelistas argentinos del último tercio del XIX: la formada por aquellos escritores en quienes se acusa ante todo la nota realista; la formada con aquellos otros que, siempre dentro del Realismo, tienden más bien a la técnica naturalista; y la formada por los prosistas de la llamada «Generación del 80». Empecemos por este grupo.

La «generación del 80» en la prosa

En el capítulo dedicado a la lírica americana del período postromántico nos ocupamos por extenso de esta «Generación del 80», señalando de paso su génesis y caracteres. No hay por qué volver sobre ello. Baste advertir en relación con la prosa que, descartados Cambaceres, José Miró y, en menor escala, Martiniano Leguizamón, los demás no son auténticos novelistas. Se trata de un grupo de escritores ágiles, historiadores, costumbristas, biógrafos, conversadores de amenidad e ingenio inagotables, que saben dar a sus narraciones, cualquiera que sea la materia, excepcional interés. Lucio V. Mansilla, Lucio Vicente López, Miguel Cané, Eduardo Wilde, Sixto Alvarez, Leguizamón y Maciel son los más destacados. A Miró y a Cambaceres, por su especial significación, se les dedicará párrafo aparte.

Un tipo perfecto de hábil conversador y escritor ameno encontramos en el general Lucio V. Mansilla (1831-1913), sobrino del dictador Juan Manuel Rosas. No fué Mansilla un hombre de letras; pero su ingenio natural, la amplia experiencia de su vida política y militar y los frecuentes viajes tanto por su país como por el extranjero, le pusieron en condiciones de escribir una serie de libros, todos ellos del mayor interés para el estudio de las costumbres y de la vida política argentina de la segunda mitad del siglo pasado: *Retratos y recuerdos, Entre nos, Máximas y pensamientos, Mis memorias, Causeries del jueves, Rosas: ensayo históricopsicológico* y *Una excur-*

sión a los indios ranqueles. Estos dos últimos títulos merecen especial alusión. *Rosas* (1898) constituye una de las mejores semblanzas no sólo del dictador, sino del pueblo argentino en la época en que aquél ejercía su omnímodo poder. El parentesco de Mansilla con Rosas, si suministra al escritor un precioso e inestimable acervo de documentación procedente de los archivos familiares y negada antes a cualquier otro, no es óbice, en cambio, para que la figura del dictador sea estudiada y juzgada con plena objetividad. Mansilla trata naturalmente a su tío con el respeto debido a un familiar; pero no se deshace en elogios desorbitados. Y el que espere encontrarse con un apologista a ultranza, tropezará con un historiador imparcial, que reparte censuras y alabanzas entre amigos y enemigos sin oír otra voz que la que sale de los mismos hechos y de su propia conciencia. La misma objetividad preside la composición de su otra gran obra, *Una excursión a los indios ranqueles* (1879). Una circunstancia político-militar le brindó la oportunidad de redactarla. Bajo la presidencia de Sarmiento, es nombrado Mansilla jefe de fronteras en Río Grande. Se trata en el fondo de conquistar el territorio de los indios ranqueles. Mansilla firma al efecto un tratado; pero como aquéllos desconfían de los blancos, el general, sin armas y con una reducida escolta, se adentra en tierra de indios, convive con ellos y entabla relaciones de amistad con su cacique. El *Diario* de esta expedición constituye uno de los libros más amenos y valiosos en el aspecto informativo de toda la literatura argentina. Aparte de su valor en cuanto documento histórico y costumbrista, ofrece también interés como ensayo sociológico. La organización de los indios le inspira serias censuras de las instituciones en los pueblos civilizados. Mansilla es un escritor sencillo, de estilo suelto, a veces descuidado; pero siempre tan ajeno a la énfasis oratoria como a la expresión plebeya y vulgar. Completa la obra de Mansilla una comedia costumbrista y un drama romántico, algunas traducciones de Balzac y de Vigny y algún trabajo en colaboración con Sarmiento.

Vocación y talento literario son las notas que Giménez Pastor asigna a otro destacado miembro del Ochenta: Lucio Vicente López (1848-1894). Una temprana muerte—cayó en duelo a los cuarenta y seis años de edad—y una excesiva dispersión de sus actividades—periodismo, política, enseñanza, parlamento, foro—le impidieron dejar la obra consumada que cabía esperar de sus relevantes aptitudes. Lucio Vicente fué hijo de Vicente Fidel López, el romántico autor de *La novia del hereje* y *La loca de la guardia,* novelas aludidas en otro capítulo, y nieto de Vicente López y Planas, el poeta autor del *Himno nacional* argentino. Aunque nacido en Montevideo, durante la expatriación, Lucio V. López es argentino. Sus primeros ensayos literarios pertenecen a la poesía: versos balbucientes de ocasión, dentro del más fogoso romanticismo. Su actividad docente se resume en unas *Lecciones de historia argentina,* de escaso interés. Mayor lo ofrecen sus *Recuerdos de viaje,* impresiones y notas de su estancia en Europa, entre las que se insertan tres relatos —*Beatrice, Las anémonas* y *Don Polidoro*—, con rasgos satíricos a lo Daudet y cierta causticidad a lo Dickens. Su obra más notable, *La gran aldea,* publicada en folletín (1884) y escrita bajo la influencia de Balzac, da la impresión de un relato a vuela pluma, con escenas, cuadros y figuras amontonadas un poco atropelladamente. La fidelidad descriptiva es grande; pero la amplitud y variedad de episodios perjudica al conjunto. Con todo, ha de elogiarse la maestría con que se nos presenta el proceso evolutivo de la gran ciudad, Buenos Aires, a lo largo de cuatro lustros. El tránsito de pueblo semirrural a urbe cosmopolita, que los novelistas del Naturalismo nos ofrecen visto desde el ángulo de las finanzas o de la corrupción de la alta sociedad, se nos da aquí en toda su amplitud. En tal sentido, *La gran aldea* es una crónica perfecta.

Miembro destacado de esta «Generación del 80» es MIGUEL CANÉ (1851-1905), hijo del escritor del mismo nombre ya aludido; y como Lucio V. López, nacido en Montevideo durante la expatriación de su padre en Uruguay. Cané desplegó extraordinaria actividad, lo mismo en la política que en la enseñanza y en la diplomacia. Fué decano de la Facultad de Letras, ministro del Interior y de Relaciones Exteriores y encargado de varias Legaciones en América y Europa, entre ellas, la de Madrid. Esta actividad se refleja en su obra literaria, de carácter heterogéneo y fragmentario. Reiteradamente declara él mismo que escribe lejos de su patria, en el ocio de las Legaciones, circunstancia que si resta a su obra unidad y perfección, le da en cambio un alto valor documental y anecdótico, a la vez que contribuye a teñirla de cierto tono de nostalgia. *En viaje* (1884), *Charlas literarias* (1885), *Ensayos* (1887), *Notas e impresiones* (1901) y *Prosa ligera* (1903) resumen lo mejor de su labor. En todos estos libros se revela un escritor de espíritu selecto, que piensa con altura y describe con fluidez y elegancia. Su primera obra cronológica y literariamente es *Juvenilia* (1882), sugestiva evocación de la época de estudiante, realizada en forma que parece una novela. Es todo un documento de época, con retratos admirables, como el del profesor Amadeo Jacques.

Menos interés ofrece SANTIAGO ESTRADA (1841-1891), autor de algunas «fantasías» de carácter poético, pero cuya principal labor está en el campo de la crítica y del ensayo.

El temperamento humorístico e irónico de esta generación fué EDUARDO WILDE (1844-1913), escritor fecundísimo y repentista, a quien la enorme masa de papel escrito impidió realizar una obra perfecta. Parece que en él escribir era casi una función fisiológica. El mismo nos dice que al componer sus libros no intenta «llenar ninguna necesidad sentida, ni propagar principios sanos o enfermos, ni ilustrar puntos controvertidos, ni destruir errores, ni sacar cosa alguna del olvido, ni complacer a nadie...»; y que publica sus libros sencillamente para no tener tantos «papeles sueltos en casa». *Tiempo perdido* y *Páginas muertas,* dos de sus obras más conocidas, son títulos que pregonan a las claras esta postura inicialmente despreocupada y que le lleva a frecuentes paradojas sin otro objeto que el de hacer gala de su ingenio. Pero este hombre escéptico—«descreído, inconstante y mordaz escritor», le llamó Juan Pablo Echagüe—, este espíritu zumbón es capaz, llegado el caso, de hacer vibrar el alma de sus lectores con toques de la más rara sensibilidad. Esas vibraciones no podría él transmitirlas si antes no las hubiera sentido en su propia carne. Algunos relatos incluídos en la serie que titula *Prometeo y compañía*—*Tini, Sin rumbo, La lluvia,* entre otros— son buena prueba de ello. También escribió una autobiografía, *Aguas abajo,* interesante por los datos que suministra sobre la vida argentina de finales de siglo.

En JOSÉ SIXTO ALVAREZ (1858-1903) debemos saludar al más ameno narrador de esta Generación, tan rica en buenos narradores. Estudiante en la Normal de Paraná, tiene que abandonar su carrera por un conflicto estudiantil y pasa a Buenos Aires, donde se dedica al periodismo. Al principio de su vida literaria se oculta bajo el seudónimo de *Fabio Carrizo,* que cambia pronto por el de *Fray Mocho,* con el cual es generalmente conocido. Alterna su labor de prensa con la amena literatura, en forma especialmente de cuentos y reportajes. Su primera obra, *Esmeraldas,* contiene veinte narraciones breves. Luego van apareciendo *Un viaje al país de los matreros, Salero criollo, Memorias de un vigilante, Cinematógrafo criollo, Croquis fueguinos, En el mar austral, Cuentos de fray Mocho, Cuadros de ciudad, Fruta pintona,* etc. La técnica y carácter de todos estos relatos nos fué explicada por el propio autor en la página final de *Un viaje al país de los matreros:* «Me despedí de Ño Ciriaco, que volvió a sus pajonales y a su vida asendereada, mientras yo, subiendo a mi carruaje, volvía la espalda a la región maravillosa que, como un cinematógrafo, había desplegado ante mi vista los cuadros más hermosos de su vida apacible y misteriosa.» En efecto, los relatos de *Fray Mocho* no son sino eso: un desfile cinematográfico de escenas costumbristas y cuadros pintorescos, en los que la nota satírica surge espontáneamente de la mera comparación de la vida y tipos del campo con los de la ciudad. Todos contienen, dentro de su escaso argumento, páginas de gran poder sugestivo, al lado de un vocabulario de filiación popular, tan rico como ameno. La misma línea ruralista sigue MARTINIANO LEGUIZAMÓN (1858-1935), amoroso cultivador de los temas nativos, tanto en el teatro como en la novela y el cuento. En este último aspecto publica varias series de relatos con los títulos de *Recuerdos de la tierra, Alma nativa* y *De cepa criolla*. Se asoma a la novela con *Montaraz*, de asunto convencional: amores de un gaucho con la hija de un rico estanciero, con rasgos que recuerdan *Caramurú*, de Magariños Cervantes; también en Leguizamón la trama amorosa se absorbe en un marco histórico: el choque de las huestes de Artigas, jefe de los orientales, con los entrerrianos de Ramírez. Un tono nostálgico anima los relatos breves de Leguizamón; con frecuencia, la intriga es sólo un pretexto para la descripción de tipos nativos: el domador, el rastreador, el baqueano, el cantor, el curandero, etc. [3].

Los realistas: Ocantos y Grandmontagne

La novelística argentina de finales del XIX y principios del XX tiene un conspicuo representante en CARLOS MARÍA OCANTOS (1860-1949) [4]. Su larga vida, muere casi nonagenario, le permite asistir a toda la gran serie de movimientos que se han sucedido desde la aparición y triunfo del Realismo a nuestros días. Ocantos, sin embargo, permanece siempre dentro de las filas realistas, en que hizo sus primeras armas. Fiel a la línea de Balzac, concibe una serie de novelas con las que pretende abarcar todos los aspectos de la vida argentina durante un largo período. Con Cambaceres, de quien nos ocuparemos más adelante, coincide en la técnica costumbrista, de franca imitación francesa; y con Miró, otro escritor a quien también se aludirá en seguida, coincide en su atención al aspecto económico del país. Ocantos concede gran importancia al incremento del capital y a su repercusión en la vida y costumbres de la comunidad humana. Otra nota más que delata contactos con la estética naturalista. Su producción comprende, entre otros, los siguientes títulos: *La cruz de la falta* (1883), *Don Perfecto* (1885), con abundantes rasgos autobiográficos; *León Zaldívar* (1888), *Quilito* (1891), *Entre dos luces* (1892), *La Ginesa* (1894), *Tobi* (1896), *Promisión, Misia Jeromita, Pequeñas miserias, Nebulosa, La cola de paja* (de ambiente escandinavo), *Fray Judas, El peligro, Carmuncho* y *El locutor*. Añádanse las seis novelitas españolas de *El camión* y las otras seis danesas de *Frau Jenny*. La mayor parte de esta

novelística ha sido concebida por su autor como un amplio mosaico; de ahí el subtítulo: *La novela argentina*, que le da cierta semejanza con la obra de Galdós. Y a la verdad, más de una vez Ocantos se declara su discípulo y fiel seguidor [5]. También sigue a Pereda y a la Pardo Bazán, sin perder de vista a Zola, en la concepción de la obra como un todo cíclico; ni a Bourget en la minuciosidad de los análisis. Un tanto olvidado hoy, Ocantos mereció en su tiempo los mayores elogios de la crítica. Ricardo Palma le proclamaba, en 1895, el primero de cuantos en América cultivaban por aquella fecha la novela realista; Alfredo Coester le juzgó «el más grande novelista argentino»; y Blasco Ibáñez, coincidente con Palma, le colocaba, en 1922, a la cabeza de «los novelistas todos de la América de habla española». La fecha es bien significativa. Si el juicio de Palma es aceptable por la época en que se formuló, el de Blasco Ibáñez revela un desconocimiento casi total de la literatura americana del primer cuarto de siglo. Piénsese en que para esa fecha ya habían aparecido obras como *La gloria de don Ramiro*, de Larreta, y *Los de abajo*, de Azuela, y que habían visto la luz algunas de las mejores novelas de Payró y de Gálvez. Para nosotros, Ocantos es simplemente el mejor intérprete del realismo argentino entre los años de 1890 a 1910. Las largas ausencias del país natal no le permitieron seguir al día la evolución económica, moral y social de sus compatriotas. Y eso forzosamente había de traducirse en su obra, menos fiel que la de otros novelistas argentinos. Eso y un estilo que tiende con demasiada frecuencia hacia lo vacuo y declamatorio son sus mayores defectos.

En 1896 aparece *Teodoro Foronda*, del escritor FRANCISCO GRANDMONTAGNE (1866-1936) [6]. Se trata de una novela tendenciosa en el fondo, pero que revela en su autor dotes de observación nada vulgares. La vida social argentina en sus diversos estratos va desfilando a lo largo de las páginas del libro, que si de algo peca es en el abuso en las descripciones, llevadas casi siempre hasta los más nimios detalles. Sobre un argumento no carente de interés y hábilmente conducido—el hombre de alta posición que abusa de una mujer vulgar y luego, arrepentido, se casa con ella y reconoce a los hijos, llevado de un afán redentorista—, Grandmontagne traza unos cuantos cuadros movidos, si bien un tanto afeados por el prurito de ver sólo en la sociedad el lado sórdido, bajo y mezquino. Por otra parte, el afán de exactitud casi fotográfica le lleva al empleo de términos y frases fuera de lugar. Y a mayor abundamiento, ya lo observó Valera en su día, toda la obra adolece de excesivo didactismo, visible desde el subtítulo: *Evoluciones de la sociedad argentina*. Dos años más tarde y ambientada en el mundo de las finanzas como la anterior publicó *La Maldonada*. En cambio, con *Vivos, tilingos y locos lindos* consiguió una animada pintura simultánea de la ciudad y del campo.

Aplazada para otro capítulo la novela mitad folletinesca, mitad gauchesca de Eduardo Gutiérrez, queremos aludir aquí a una obra que despertó enorme curiosidad a principios de siglo. Nos referimos al relato *Stella* (1905), de EMA DE LA BARRA DE LLANOS (n. 1874). La novela fué dada a luz bajo el seudónimo de *César Duayen*. Pero pronto hubo de descubrirse a la verdadera autora, Ema de la Barra, figura relevante de la alta sociedad en el Buenos Aires finisecular. Más que por su valor literario—en definitiva, es un producto primerizo—, interesa *Stella* como revelación de un mundo ideológico y social casi inédito hasta entonces. La autora, en carta a una amiga, expuso con toda claridad el propósito y alcance de la obra: «Alejandra Hellen es para mí un ideal de mujer, tal como concibo la Eva futura, cuyo molde no es el de la emancipada, luchadora, soñando con los derechos del sufragio o predicando en la tribuna; ni la intelectual excéntrica, emancipada del hogar, sino la mujer de hogar preparada para defenderlo; la mujer tal como es la nuestra, pero amplificada por las conquistas del saber, que tendrá el derecho de conservar sólo para sí mientras no lo necesiten los suyos.» Nos hallamos, pues, ante una novela de tesis; una novela feminista, en la que es lo menos importante el argumento, que ofrece, dicho sea de paso, muchos puntos de contacto con la novela moralizadora del siglo XVIII. Lo fundamental aquí es la actitud ideológica de la autora, al proclamar la libertad de la mujer, sus derechos, su preparación, su tacto e inteligencia para desenvolverse en la vida. Así, la protagonista de *Stella,* que no es la delicada mujercita que da nombre al relato, sino su hermana mayor, Alex o Alejandra, sabe imponerse a todos por su educación, por su prudencia y por su virtud. El desenlace es, si se quiere, dulzón y acomodaticio; pero el original planteamiento del problema feminista salva la obra. Ema de la Barra publicó una nueva novela, *Mecha Iturbe,* también sobre el tema de la mujer. Las frecuentes concesiones al socialismo ambiente le restan interés.

La novela naturalista: Argerich, Cambaceres y otros

El iniciador del Naturalismo, teóricamente al menos, en Argentina fué JUAN ANTONIO ARGERICH (n. 1862), que en 1883 publicaba un estudio sobre el género, poniendo de relieve las estrechísimas relaciones existentes entre las ciencias naturales y la literatura. Dos años después, 1885, aparece su novela *Inocentes y culpables*; y en el extenso prefacio de la misma vuelve Argerich su atención hacia los temas y problemas de orden tanto científico como sociológico, cuyo planteamiento, desarrollo y solución deben ser el contenido de la novela. La suya, en verdad, a duras penas cumple este propósito, ya que se limita a una aplicación de las doctrinas eugenésicas en función del proceso inmigratorio.

Si Argerich es el primer teorizante del naturalismo argentino, quien lo lleva antes que nadie a la práctica es EUGENIO CAMBACERES (1843-1888), en sus cuatro novelas *Pot-pourri, Música sentimental* (París, 1883 y 1884), *Sin rumbo* y *En la sangre*. Abogado, político, parlamentario, actuación que le dejó «una ilusión menos y un desengaño más», hombre brillante, de sólida posición, Cambaceres pudo consagrarse sin ahogos a describir la sociedad argentina de su tiempo, no sólo de la capital, sino también del campo, que conocía muy a fondo. Su casa fué durante algún tiempo punto de cita y reunión de la aristocracia intelectual. «Parecía haber nacido bajo la protección de un hada bienhechora», escribe de él Cané. Lo tuvo todo: fortuna, dinero, ingenio y audacia. Una audacia que no se detenía ante los temas ni las situaciones más escabrosas. De Zola había tomado, juntamente con la técnica, una predilección manifiesta por los tipos tarados y los ambientes sórdidos. Cambaceres, lejos de atenuar, recarga más las tintas. Sus personajes favoritos son abúlicos, sádicos, vesánicos, locos, suicidas y, apenas hace falta consignarlo, adúlteros. Descreído él, lleva el escepticismo a toda su obra. Sobrepone a la ley de la herencia la fuerza de las circunstancias. Sus protagonistas son, por tanto, no ya sólo producto de las circunstancias, sino muñecos que se mueven a impulso del ambiente. Las situaciones, por muy arriesgadas que sean, no le asustan. Tampoco le asusta el léxico, que atropella a su gusto, incrustándolo de voces italianas y francesas y empedrándolo de modismos criollos. Arremete con el mismo garbo y la misma falta de escrúpulos contra las que él juzga conveniencias sociales, contra los principios éticos y contra los principios que regulan el uso del idioma. Por todo ello, sus novelas levantaron en el Buenos Aires del 80 enorme polvareda. Se dice que una que dejó manuscrita al morir fué quemada por su esposa a instancias del confesor. Con las cuatro que quedan basta y sobra para calificar a este escritor, incurso totalmente en el área del Naturalismo. *En la sangre*, con tema análogo al de *Inocentes y culpables,* de Argerich, parece que responde, al menos en su protagonista, a hechos reales. Un arribista sin conciencia que dilapida primero la fortuna elaborada por su padre a costa de mil sudores y luego seduce a una joven rica para casarse con ella y beneficiarse de su dinero. Hay buena presentación de ambientes y un desfile de tipos bien observados. Por la nota erótica fuertemente recargada se anticipa a Felipe Trigo; por su morosidad descriptiva recuerda a Zola. Es, en efecto, la más zoliana de las novelas de Cambaceres. Por ciertos análisis nos sugiere la escena de preseducción de *La Regenta,* de *Clarín,* cuando Alvaro Mesía y Ana Ozores asisten a la representación del *Tenorio* de Zorrilla. *Música sentimental* es la más descarnada, la que más abunda en descripciones de color subido. Su tema no es el amor, ha dicho acertadamente Anderson Imbert, «es el hastío después del orgasmo». Abunda en escenas truculentas y pueriles, incomprensibles en un hombre de talento y mundano como el autor; pero como *La gran aldea,* es un buen documento del tránsito del Buenos Aires provincial a un Buenos Aires cosmopolita. Hay un buen esbozo: el del *trasplantado,* el criollo obsesionado por el señuelo de París, tan frecuente en la literatura americana y que George Schanzer quiere derivar de la novela rusa [7]. *Sin rumbo,* la mejor concebida y desarrollada, con caracteres bien delineados y un argumento del mayor interés—el hombre abúlico e incapaz de autodisciplinarse que, tras sucesivos fracasos, desemboca en el suicidio—, abunda en logradas pinturas de la época post-rosista: el cuadro de la esquila con que se abre la novela, el viaje de Andrés al rancho de Donata, la seducción de ésta, la tormenta, etc. Su raíz naturalista se revela ya en el subtítulo: *Estudio.*

Un médico ilustre, MANUEL T. PODESTÁ (1853-1918), especialista en enfermedades mentales, quiso llevar a la novela sus conocimientos de la materia y sus experiencias clínicas. En 1889 publica *Irresponsable,* análisis minucioso de un caso de neurosis hereditaria. Lleva a su protagonista, devoto lector de Zola, a través de diversos medios —centros de disipación, manicomio, cárcel, hospital—, hasta la misma sala de disecciones. El rigor científico con que está seguido el proceso y la descripción de ambientes salva el interés de la obra, que más que una novela parece un tratado doctrinal [8]. Mejor construcción novelesca ofrece *Alma de niña.* Aquí se funde un ideario sentimental todavía romántico con una técnica narrativa propia del Naturalismo y patente sobre todo en el desenlace: la joven burlada, en vez de matar al novio o retirarse al claustro, recurre a la fácil solución del suicidio; pero no al suicidio desesperado del romántico, sino que obedece a una especie de *fatum,* y viene impuesto por la exacerbación de un histerismo hereditario.

FRANCISCO A. SICARDI (1856-1927), médico también, quiso incorporar a la literatura sus experiencias de laboratorio y sus teorías de cátedra. La confluencia del Romanticismo con el Naturalismo, que acabamos de ver en Podestá, aparece bien marcada en *Libro extraño,* integrado por cinco obras publicadas entre 1894 y 1902, y que forman en su totalidad una sola novela: la que da su título a la serie: *Genaro, Don Manuel de Paloche, Méndez* y *Hacia la justicia.* Siempre olfateando el rastro de Zola, aunque con más de un rasgo inspirado en Balzac, trata de ofrecernos una novela

cíclica y amasada con los más dispares elementos: disquisiciones estéticas, sociológicas y hasta religiosas; notas y recuerdos autobiográficos; experiencias clínicas; y tipos de toda clase: gauchos, criollos, indios, etc. Toda esta problemática se examina a través de un prisma psicopatológico, sin descuidar la evolución social y política del país: movimiento inmigratorio, lucha del capital y el trabajo, crisis religiosa, revoluciones y revueltas de finales del XIX. Es obra de «un talento extravagante y de una copiosa imaginación de psiquiatra», ha dicho Giménez Pastor. Sicardi, un poco más tarde, se acordó de que también llevaba en sí madera de dramaturgo; y ya cumplidos los sesenta años, en 1916, inició su labor teatral con *La hora heroica,* a la que siguieron otros seis títulos—*Misericordia, Abuelo Frénesen, Soledaíta, Ramiro el rey, La virtud mata* y *La fuente generosa*—que en nada alteran el signo de su obra narrativa. Novela y teatro esbozan los mismos tipos morbosos; y aunque hay escenas de alto sentido humano y el diálogo se mantiene casi siempre en un plano elevado, la falta de teatralidad y de movimiento escénico les resta interés para la representación [9].

«La bolsa», de J. Miró

Bajo el seudónimo de *Julián Martel* aparecía en 1891 una novela, *La bolsa,* que cierra con dignidad la última década del siglo [10]. Su autor JOSÉ MIRÓ (1867-1896) no dejó más obra narrativa que ésa; pero le basta para aspirar a un puesto, siquiera sea secundario, en la literatura de su país. *La bolsa,* su título lo indica, refleja el turbio mundo del agio y de las finanzas argentinas en un período de intensa ebullición. Miró conocía ese mundo en sus más íntimos escondrijos, ya que había sido algún tiempo redactor financiero en la prensa de la capital. Su novela, escrita a los veintidós años, tiene los fallos propios de toda obra de extrema juventud: personajes un poco desvaídos; afán moralizador; digresiones al margen de la acción, sobre el peligro judío, el arribismo político, la relajación de costumbres; y cierta preferencia por los contrastes. Opulencia de unos frente a miseria de otros; ambición y amoralidad en Glow y ejemplares virtudes en su esposa. Alguna frase, de cuando en cuando, revela ciertos resabios románticos, muy disculpables en un joven de veintidós años. Con todo esto, *La bolsa* es el mejor documento del mundo financiero argentino, comparable en tal aspecto a *El socio,* del chileno Genaro Prieto, sin la befa pirandelliana de éste.

Miró concibe su novela como narración y lección. Describe un estado social y procura sacar enseñanzas saludables. Destacan algunos cuadros: el desfile de carruajes en Palermo, el hipódromo, las sesiones de Bolsa. Su odio a los judíos, sin distinción de país de origen, le inspira las más acerbas diatribas. Lo mismo desprecia al alemán Mackser que al francés Leony. La influencia de *L'argent,* de Zola, está bien clara. Pero su mayor concesión a la estética naturalista está en la etiqueta con que la subtitula: *Estudio social;* es decir, la novela concebida como documento colectivo.

Cerramos este apartado de la novela argentina de finales de siglo con el nombre de PAUL GROUSSAC (1848-1929), escritor de múltiples facetas, francés de nacimiento y argentino de adopción. Groussac, al que hemos de aludir en otros capítulos, sobresalió en la crítica, la historia y el ensayo. Hizo también dramas y una novela, *Fruto vedado,* que por ser de tesis manifiesta, no dudamos en mencionar aquí. Su argumento se reduce a una histo-

ria autobiográfica de amor, con abundancia de análisis psicológicos. Al plantear, aparte de la trama novelesca, el problema de la doble nacionalidad, Groussac llevó a la literatura su propio problema. Escrita cuando el autor llevaba poco tiempo en Argentina, la obra se resiente de escasa fidelidad al medio ambiente. Groussac, dentro siempre de la línea psicológica y de tesis, escribió asimismo cuentos: *El hogar desierto,* con un tema que recuerda, aunque de lejos, *El tejado de vidrio,* de nuestro López de Ayala: reacción y sufrimiento moral de un hombre acostumbrado a burlar a su esposa, cuando sospecha que ella le es infiel; *La monja, La rueda loca* y *El número 9.090,* en el que describe el triunfo interior de un hombre que se siente acuciado por la tentación de robar.

III. CHILE Y URUGUAY

No tienen por esta época esos dos países una cantera de novelistas tan rica como la que hemos visto en Argentina; pero se presentan unas cuantas figuras merecedoras de recuerdo. Sobre todo, Chile puede vanagloriarse de haber dado a las letras, con Blest Gana, el novelista acaso más representativo de Hispanoamérica durante el último tercio del XIX. Con él, en efecto, se inicia, todavía en franca atmósfera romántica, la novela realista, y de él arranca buena parte de la actual novela en todo aquel continente de habla hispánica.

En Uruguay, las cosas no aparecen tan claras. El Romanticismo había arraigado con mayor fuerza que en Chile y había logrado persistir por más tiempo, gracias a ciertas figuras de relieve, como Magariños Cervantes y Zorrilla de San Martín. Por ello al asomar su cabeza el Realismo, y sobre todo la corriente naturalista, producto en cierto modo de aquél, muchos espíritus educados en la vieja escuela se pusieron en guardia. Primero fué recibido con recelo; luego, con manifiesta hostilidad. Y esta hostilidad no venía del Club Católico, como podría esperarse lógicamente, sino del lado opuesto, del lado del Ateneo. Tres ateneístas se apresuran a constituirse en paladines del idealismo literario, que vale tanto como decir del idealismo romántico, frente a la inundación naturalista: Melián Lafinur, Prudencio Vázquez Vega y Juan Carlos Blanco. Este último da la réplica a Zola en un libro que lleva el mismo título del evangelio naturalista: *La novela experimental;* y lo hace con gran brío y acopio de argumentos lógicos, morales y estéticos. Pero aunque atajada momentáneamente, la inundación terminó por triunfar, especialmente favorecida por la difusión y arraigo de ciertas doctrinas análogas, entre ellas la del positivismo de Spencer y de Comte. Mateo Magariños Solsona, en la última década del siglo, aplica a sus novelas la técnica naturalista, de

la que había dado ya algunos anticipos en el decenio anterior otro novelista paisano suyo: Eduardo Acevedo Díaz.

A. Blest Gana

Es, ya lo hemos dicho, ALBERTO BLEST GANA (1830-1920) [11] el novelista más representativo de la época. Con él nace en América el relato realista y gracias a él pasa de simple cuadro de costumbres al rango de auténtica novela.

Su obra se reparte en dos etapas cronológicas: una que empieza en 1853 y termina en 1864; y otra que se inicia, tras un paréntesis de más de treinta años, en 1897 y se cierra en 1913. A la primera pertenecen: *Una escena social, Engaños y desengaños, Los desposados. El primer amor, La fascinación, Un drama en el campo,* publicadas en diversos periódicos chilenos *(El Museo, Revista de Santiago, La Semana,* etc.) y las novelas *Juan Arias* (1859), *La aritmética del amor* (1860), *El pago de las deudas* (1861), *La venganza* (1861), *Mariluán* (1861), *Martín Rivas* (1862), *El ideal de un calavera* (1863) y *La flor de la higuera* (1864). A la segunda etapa corresponden: *Durante la Reconquista* (1897), *Los trasplantados* (1904), *El loco Estero* (1909) y *Gladys Feirfield* (1913). No es fácil sintetizar en un juicio único el valor de esta obra tan extensa y dispar. Ante todo, se descubre en Blest Gana un propósito decidido de nacionalizar los temas, tomándolos directamente de la realidad, pero de una realidad chilena. Frente a la corriente de afrancesamiento él busca su inspiración en la sociedad que le rodea. Sin evadirse por completo del tono doctrinario, característico de la novela americana en su tiempo, Blest procura ante todo presentar los hechos de manera objetiva; pero esta objetividad no le impide el empleo frecuente del tono irónico, humorístico, a veces sangriento. Léase en *Durante la Reconquis-*

ta la semblanza del enfatuado presidente Marcó del Pont.

Para mejor cumplir aquel propósito inicial él se ha buscado su modelo. Ese modelo es Balzac [12]. Nos lo dice el propio Blest Gana, y aunque no lo dijera, lo sabríamos con sólo atender a la estructura de sus obras, concebidas como otra «comedia humana»; la comedia humana de la sociedad chilena y de su evolución a lo largo del siglo XIX. Sólo que el novelista chileno queda a mucha distancia del francés. Por lo pronto carece de la amplia mirada de éste, de su visión sintetizadora, de su poder creador y, sobre todo, de aquella virtud casi milagrosa para acumular elementos heterogéneos, encajarlos en un mismo marco y darles unidad. En cambio, Blest Gana acierta en el trazado de caracteres y en la presentación de cuadros sueltos. Sus obras por ello pierden unidad, dando la impresión de esbozos mejor que de novelas estructuradas; pero esa misma afición a la escena suelta, al detalle, junto con la variedad de personajes que pone en movimiento, aporta a esas obras un valor inapreciable, en cuanto son el más fiel reflejo de la vida chilena en el pasado siglo. Bien es verdad que esa vida se nos da en aspectos parciales mejor que en su conjunto. Tres títulos importa subrayar en las obras de Blest Gana: *Martín Rivas, Los trasplantados* y *Durante la Reconquista*. En *Martín Rivas*, considerada la obra maestra de su autor, éste se sirve de un argumento tan sencillo como es el matrimonio de un joven de la clase media con una dama aristócrata para ofrecernos el más amplio y animado panorama de la sociedad chilena a mediados del XIX: fiestas de alta sociedad y reuniones populares, luchas políticas, costumbres. Todo es observado por Blest Gana y transcrito fielmente en su novela. *Los trasplantados* constituye una sátira muy acerba de aquellos americanos que los franceses llamaban despectivamente *rastaquouéres,* seres ilusos en su mayor parte que abandonaban hogar y patria para buscar en París una felicidad que casi nunca llegaba. París devoraba sus riquezas y sus vidas, y en el mejor de los casos los devolvía a su país convertidos en piltrafas humanas. Aquí, Mercedes, rica chilena *trasplantada,* sacrifica el amor de Patricio, por quien ella siente verdadero afecto, para casar con el príncipe alemán Rösprinbruck, sin otra finalidad que la de satisfacer los pujos nobiliarios de sus progenitores. Convencida de su error y del fracaso de su vida, se suicida en plena luna de miel. La antinomia campo-ciudad está perfectamente planteada y se resuelve, claro es, a favor del campo. Para Blest Gana la ciudad, abierta a todos los vientos renovadores, es la culpable de la relajación moral y, en el caso concreto de Chile, a ella ha de cargarse la pérdida y mixtificación de las esencias nacionales. El novelista ve en las viejas tradiciones la base de la grandeza de un pueblo.

La obra más ambiciosa de Blest Gana es *Durante la Reconquista*. Empezó a redactarla en 1864 y no la publicó hasta 1897. Durante seis lustros se dice que estuvo reuniendo materiales, tejiendo y destejiendo la trama, perfeccionando el estilo, en una labor meticulosa que recuerda a Flaubert antes que a Balzac. Así salió este libro que ha de considerarse más que novela una vasta epopeya en prosa; la epopeya de un pueblo en lucha por su independencia. Históricamente, se inspira en la *Historia general de Chile,* de Barros Arana, y recoge la vida tumultuosa del país en el cuatrienio 1814-1818. No hay en ella alardes eruditos, con lo que resulta más atractiva. Tampoco hay unidad de acción. Pero abunda en cuadros animadísimos y, sobre todo, en tipos insuperablemente logrados: el *roto* Cámara, el fiero San Bruno, el vacío Marcó del Pont, la ligera Violante, el severo Osorio y tantos otros. Todo el aire trágico de esta lucha despiadada está resumido en pocas palabras por el autor:

«En la contienda hispanoamericana, el encarnizamiento de la lucha había encendido entre los combatientes un odio ciego de razas. El dominador se llamaba *español, europeo;* para los americanos, el *godo.* El oprimido era el *perro insurgente.* Un furor de exterminio, más bien que una noble aspiración de victoria, arrojaba a un bando contra otro bando. Las prácticas de la humanidad de la guerra civilizada, muy escasas entonces todavía, eran sólo a los ojos de los beligerantes una ficción filosófica apenas aplicable a las guerras internacionales. Aquí, la ley que únicamente podía afianzar el triunfo era la muerte. Los prisioneros, por lo general, cuando eran tropas, formaban un estorbo en la marcha, imponían la necesidad de debilitar las fuerzas activas para custodiarlos. Respetarlos era conservar combatientes que el enemigo vendría pronto a emplear en ese vaivén incesante de victorias y reveses que se sucedían en cada campaña, como fenómenos naturales, en ejércitos igualmente bisoños de uno y otro lado.»

Con esta novela y las otras dos citadas, Blest Gana se sitúa en el puesto más avanzado de la novelística de su país. Mariano Latorre ha podido decir «que los novelistas posteriores no hicieron sino modernizar su técnica, variando la época y, lógicamente, los asuntos», pero siempre dentro de las líneas generales que él trazó. Blest Gana es fundamentalmente realista; las salpicaduras del naturalismo no lograron alcanzarle.

Más novelistas chilenos

Uno de sus primeros discípulos fué DANIEL BARROS GREZ (Colchagua, 1834-1904), de quien, aparte de su obra dramática ya aludida —*Como en Santiago, El vividor, La colegiata, El casi casamiento, El testamento* y *La vocación*—, en la que cultiva el costumbrismo de tono moralizador y sentimental, se recuerdan tres novelas interesantes: *Primeras aventuras del maravilloso perro «Cuatro Remos» en Santiago*, imitación de la picaresca española del XVII, y que más que ninguna obra de sus producciones revela la obsesión purista de Barros Grez que le lleva al empleo frecuente de arcaísmos; *El huérfano* (1881), con claras reminiscencias del *Quijote*, y la más importante, *Pipiolos y pelucones* (1876). Todas, especialmente las dos últimas, caen de lleno en esa zona movediza del tránsito del realismo al romanticismo, con muchos resabios de la vieja escuela. Quiere decirse con ello que lo folletinesco abunda y hasta lo truculento nos sale al paso alguna que otra vez. A pesar de su atuendo histórico—*Pipiolos y pelucones* aspira a recoger diversos episodios de la lucha entre liberales y conservadores en el Santiago de 1829—, se ve a las claras que el propósito primordial del autor es presentarnos cuadros de costumbres; el pintoresquismo, el detalle menudo, interesan más al autor que el acontecer histórico. El realismo con que lo hace, en un desfile de tipos heterogéneos arrancados de la vida real, y el detalle a que desciende, a veces excesivo, lo sitúan en la más clara línea del realismo. Hay tipos bien observados: la pareja de novios constituída por el joven militar Anselmo, *pipiolo* o liberal, y su amada Lucinda, hija de un *pelucón* o conservador; el consejero Ruiz Tagle; el futuro dictador Diego Portales, etc. Y hay episodios logrados: la falsa muerte de Tupper, la revolución de Urriola, el rapto de Lucinda por unos desconocidos capitaneados por Anselmo. Tal vez el mayor fallo de la obra sea el descarado partidismo del autor, que se coloca sin más en un bando, incapaz de disimular su fobia contra el otro; este partidismo le lleva a largas parrafadas declamatorias.

En la misma intersección del Romanticismo con el Realismo ha de colocarse a VICENTE PÉREZ ROSALES (1807-1886), hombre aventurero y díscolo, que en sus *Recuerdos del pasado* supo fundir hábilmente lo autobiográfico con lo novelesco, la crónica social y política con el reportaje costumbrista. Pérez Rosales tuvo una vida inquieta y andariega. Niño aún casi, un amigo de su familia, Owen-Glendowerm, lo recoge en Valparaíso a bordo de su fragata, con el pretexto de corregirlo y, por razones inexplicables, se lo lleva hasta Río de Janeiro, en cuya playa lo deja abandonado. Vuelve a Chile, pero en 1825 ya lo tenemos en Francia, como alumno del Liceo Hispano-Americano. De nuevo en su tierra es sucesivamente hacendado, minero y contrabandista. Más tarde se dedica a buscar oro por tierras de California. Aún lo encontramos actuando como agente de colonización en el Sur, estableciendo allí las primeras colonias alemanas; cónsul en Hamburgo y, por último, definitivamente establecido en su tierra, casado con una viuda rica y escribiendo tranquila-

mente sus *Recuerdos*. Por el libro desfilan, felizmente evocados, hombres de letras, políticos, artistas y tipos de toda clase. Porque, y ésta es su cualidad más destacable, Pérez Rosales fué un escritor de memoria tenaz, retina fidelísima y una pluma tan brillante como fácil. Completan su obra un *Ensayo sobre Chile* y un inconcluso *Diccionario del entremetido*.

Mayor categoría que los dos anteriores tiene en las letras chilenas LUIS ORREGO LUCO (1866-1948) [13], incurso ya más o menos claramente en la órbita del naturalismo. Como sus paisanos Barros Grez y Pérez Rosales, mezcla Orrego en sus obras lo histórico y lo costumbrista, pero apuntando siempre una intención moralizadora. Antepone a la descripción de la vida normal la descripción de las taras sociales, si bien ha de reconocerse que, puestos los ojos en los naturalistas españoles tanto o más que en los franceses, no acostumbra a recargar las tintas con exceso. Bajo el título general de *Recuerdos del tiempo viejo* escribe una serie de novelas, entre las que destacan *Playa negra, En familia, A través de la tempestad, Un idilio nuevo, Casa grande* y *El tronco herido*, descripción de la sociedad chilena a lo largo de más de medio siglo, de 1875 a 1930: fiestas, intrigas, negocios, amoríos, crímenes, arrivismo político o financiero; y aunque estilísticamente desgarbadas y demasiado uniformes, reflejan con bastante fidelidad la evolución de la vida chilena. Tanto como novela son un documento social. *Al través de la tempestad* (1914), sobre la hecatombe financiera de 1891, que tuvo por epílogo sangriento el suicidio del presidente Balmaceda, ofrece puntos de analogía con *Teodoro Foronda*, de Grandmontagne [14].

Los uruguayos

En espera de la brillante y más tardía floración de Carlos Reyles, Horacio Quiroga y Javier de Viana, la novela uruguaya de la época que venimos estudiando sólo ofrece dos nombres de cierto relieve: Magariños Solsona y Acevedo Díaz. A ninguno de los dos cabe colgarles la etiqueta naturalista, si bien ambos aplican la técnica de la escuela de Medán, siempre en forma muy atenuada.

EDUARDO ACEVEDO DÍAZ (1851-1924) constituye con Zorrilla de San Martín el valor más positivo de las letras uruguayas en el siglo XIX. Su obra, en opinión de Zum Felde, llena, aunque de manera incompleta, la ausencia de una epopeya nacional. *Ismael* (1888), *Nativa* (1890), *Grito de gloria* (1893) son eso: la epopeya en prosa de un pueblo que lucha por la independencia. Recogen los episodios más salientes de la vida uruguaya desde el levantamiento criollo contra los españoles hasta la batalla de Sarandí en 1825. A este tríptico homogéneo podría agregarse *Brenda* (1884) y *Lanza y sable* (1914), dos novelas que, sin formar unidad con las otras, completan en cierto modo el conjunto. Todas ellas merecerían ser encuadradas dentro de un tardío romanticismo si los elementos naturalistas que saltan a cada paso no revelaran un Acevedo Díaz con la mirada vuelta al pretérito, pero con los pies bien clavados en su época. Del romanticismo le queda el gusto por lo hiperbólico, el tono imprecatorio, la exaltación del ambiente rural y una notoria preferencia por la reproducción de escenas sangrientas. De otra índole es *Soledad*, «inspirado y original romance campero», escrito en una prosa maciza y bien cortada que recuerda la de Pereda; una prosa de la que dice Anderson Imbert que es «la mejor,

la más afinada a las tendencias artísticas de la novela europea de su tiempo» [15].

Cierta crítica ha querido ver en MATEO MAGARIÑOS SOLSONA (1867-1925) el iniciador del naturalismo uruguayo por sus novelas *Valmar* y *Las hermanas Flamaris* (1893), evidente imitación esta última de *Las hermanas Vatard*, de Huysmans. No puede negarse que Magariños parte de la escuela de Zola, cuyos métodos imita al principio, para derivar más tarde hacia un realismo templado. Su mejor obra, *Pasar* (1920), llena de lirismo y encanto poético, ya no puede llamarse naturalista, a pesar de las analogías que guarda con otras novelas de esta escuela, por ejemplo, con *Beba* y *El terruño*, ambas de Carlos Reyles.

IV. BOLIVIA, PERU Y ECUADOR

Pasado por alto el Paraguay, por no ofrecer en la época que venimos estudiando ningún novelista de relieve, cumple repasar someramente lo más representativo de la prosa narrativa en Bolivia, Perú y Ecuador. Los tres países aportan su contribución en mayor o menor grado a la novelística de la época. No tienen, es cierto, escritores de primera fila, como no sea el ecuatoriano Luis A. Martínez, considerado por la crítica americana el mejor novelista de su país, superior incluso a Jorge Icaza, opinión que compartimos plenamente. Los demás escritores a quienes vamos a referirnos en este apartado son de menos talla. Ninguno hay en el Perú comparable a lo que había sido durante el Romanticismo Ricardo Palma; ninguno en Bolivia comparable a lo que sería años más tarde Alcides Arguedas. Pero todos ellos merecen una mención, en cuanto llenan con bastante decoro los tres decenios que van desde la liquidación del romanticismo a la aparición de la novela actual.

Bolivianos

Incluídos Julio César Valdés, Lindaura Anzoátegui y Adela Zamudio en el capítulo correspondiente a la prosa romántica, sólo nos resta citar aquí a Nataniel Aguirre. La promoción de los grandes realistas, naturalistas, si se quiere, viene después, en la segunda y tercera década del siglo actual; los modernistas Rosendo Villalobos y R. Jaimes Freyre se estudian en otro capítulo.

En NATANIEL AGUIRRE (1843-1888) Bolivia nos ofrece la figura más relevante de sus letras en este período. Nacido en Cochabamba, perteneció a la llamada «Escuela Indagadora» [16], de la que fué el miembro más ilustre; y cultivó con idéntica buena fortuna la historia, la poesía, el teatro, el ensayo y la novela. Todavía le quedó tiempo para actuar en política, interviniendo en la vida de su país con altos cargos y representaciones

—diputado, ministro de Hacienda y de Relaciones Exteriores, jefe del partido liberal, etc.—. Ni sus dramas, de indisimulable corte romántico: *Represalia de héroe* y *Visionarios y mártires*; ni sus cuentos, *Don Ego* y *La Quintañona*; ni sus obras de carácter sociológico e histórico, *Biografía de Bolivia, Historia del Pacífico*, con encerrar indudable interés atraen nuestra atención por ahora. Lo que perdura de Nataniel Aguirre y le garantiza recuerdo dilatado en las letras de su país es la novela *Juan de la Rosa: Memorias del último soldado de la Independencia* (1885), bella estampa evocadora de la guerra de emancipación, referida al alzamiento de Cochabamba. La acción, que se desarrolla en esta provincia entre 1804 y 1812, es de contenido romántico. El autor reproduce con fidelidad y detalle, con frecuencia excesivo, la vida y costumbres de una época. Sabe narrar con estilo suelto y sabe transcribir con trazos fáciles las escenas callejeras. Mueve con habilidad a sus personajes, en especial al personajemasa, dejando traslucir bajo los actos individuales un transfondo colectivo. Buen ejemplo nos da en la descripción de la revuelta de las mujeres en el mercado de Cochabamba, cuando se sublevan contra la dominación española. Lástima que abuse del tono declamatorio y que la abundancia de citas de cronistas e historiadores entorpezca la lectura [17].

Peruanos

La novela en esta época del Perú sólo puede calificarse de naturalista con ciertas salvedades. Hasta en sus casos más extremos, cuando más pegada va a las técnicas de Balzac y de Zola, acusa una tendencia irreprimible de claro sentido idealista. Su nota más importante es lo social, pero lo social referido al indio. Las ruidosas campañas del poeta González Prada en favor de la raza aborigen, su protesta doctrinal ante las vejaciones de que el indio venía siendo objeto, se reflejan con trazos muy acusados en toda esta novelística, cuya más alta representación son dos mujeres: Clorinda Matto de Turner y Mercedes Cabello de Carbonera. Ambas se preocupan en su obra antes que nada del problema social; ambas hacen labor proselitista; y ambas también aparecen en lucha desigual contra el medio en que viven. La conciencia de su propio valer les lleva a la defensa de causas nobles, aunque no siempre se vean claras las razones de esa nobleza, y les lleva asimismo a extremar el ataque contra el bando opuesto. El bando opuesto es la sociedad y sus instituciones, que pugnan con el espíritu renovador de estas dos mujeres, dignas de atención tanto por su obra como por su actitud revisionista en una época en que la igualdad de sexos o no se admitía o sólo se admitía con muchas restricciones. La sociedad por ellas atacada no tardó en vengarse condenando a una al destierro y alejándose de la otra [18]. A sus nombres ha de unirse el Abelardo Gamarra, otro defensor del indio contra los abusos de los blancos.

CLORINDA MATTO DE TURNER (1854-1909), nacida en Cuzco, ardiente defensora de los grandes principios de la justicia social y los derechos de la mujer, escribe bajo la influencia de Ricardo Palma unas *Tradiciones cuzqueñas* (1884), que quedan a mucha distancia del modelo; es también autora de una pieza teatral de asunto incaico, *Hima-Sumac*; pero debe su fama principal a tres novelas: *Aves sin nido, Indole y Herencia*. La mejor de las tres, *Aves sin nido* (1889), ha sido compuesta a la luz de las ideas difundidas en el Perú de finales de siglo por el poeta y político González Prada, ideas que pueden resumirse en dos fundamentales: reivindicación del indio y abolición de cuanto significa historia y tradición—virreinato, aristocracia, colonia, cristianismo—; en fin, España. Parte la trama de un hecho al parecer real y escandaloso, ya novelado por Narciso Aréstegui en *El padre Horán* (1848)—el asesinato de una de sus penitentes por un clérigo celoso—; pero inmediatamente se despeña en un folletinismo poco artístico, mezclando dos acciones, la de un matrimonio que se constituye en defensor de los indios frente a las tropelías de los blancos explotadores y el idilio amoroso de una pareja de jóvenes, que luego resultan hermanos e hijos de un clérigo elevado a la dignidad episcopal. Apología del indio y desaforado ataque al clero son los dos sentimientos que parecen haber animado a la autora en la composición de la novela. Hay en ella frases significativas: «Nacimos indios, esclavos del cura, esclavos del gobernador, esclavos del cacique, esclavos de todos los que agarran la vara del mandón.» Y en otra parte: «Para el puma y el zorro tenemos la trampa de la piedra amarilla; pero de éstos no hay como libertarse.» *Aves sin nido* respira,

más que indignación, odio contra cierto estado de cosas; indica también en su autora falta de lógica. No se puede generalizar sin más un hecho particular. De la conducta de un sacerdote, por muy censurable que sea, no se puede extraer una condenación en bloque contra el clero; de los abusos de unos desalmados no es lícito tampoco concluir que todos los que traten con los indios son injustos y faltos de conciencia. Sin duda la intención es buena; y Clorinda Matto, en sus apreciaciones y juicios, sincera. Pero a sus sentimientos cristianos, en el fondo, se ha sobrepuesto el empacho de la ciencia. Cree ella de buena fe que en la educación está la panacea de todos los males y la solución de todos los problemas. Con este espíritu de claro optimismo está escrita, por ejemplo, *Herencia*, otra novela suya en que los factores hereditarios en relación con el carácter y conducta humana son sustituídos por factores educativos. *Indole*, en cambio, con la sierra por escenario, vuelve a la diatriba contra el clero corrompido. Lo que salva a la Matto, no obstante los errores señalados y algunos otros lunares, como el lenguaje falso y afectado, es la fidelidad de las descripciones y costumbres de los indios, a la vez que la influencia ejercida en la novela indigenista posterior, particularmente en *Wata-Wara*, del boliviano Alcides Arguedas; los peruanos César Vallejo y Ciro Alegría abordarán análogos problemas.

El ataque frontal de Clorinda Matto contra el clero se vuelve en ataque contra la aristocracia en la otra novelista peruana de este período, MERCEDES CABELLO DE CARBONERA (1847-1909). Revela esta mujer sus nada comunes dotes intelectuales en el círculo de doña Manuela Gorriti, cuando ésta se establece en Lima. Más culta que la Gorriti, y más que la misma Matto de Turner, Mercedes Cabello está al día en toda clase de problemas filosóficos, literarios y sociales. Ello confiere a cuanto escribe gran autoridad. Espíritu libre, se pronuncia abierta y duramente contra los prejuicios sociales, políticos, religiosos y éticos por los que se rige la sociedad de su tiempo; y esta posición de rebeldía la lleva a la descripción, primero, y luego, a la censura de las costumbres, cargando la mano en las clases más elevadas. Reconoce las lacras y miserias de las clases inferiores; pero, llevada de su intención reformista, piensa que el ejemplo, el saneamiento moral, ha de venir de arriba, de las clases privilegiadas. Sin rebozo alguno describe hechos y presenta tipos conocidos de sus compatriotas; y la práctica de los métodos naturalistas va precedida de un profundo conocimiento de la teoría —no en vano escribió un aceptable estudio sobre Emilio Zola—. A esta intención bien madurada responden *Blanca Sol* (1889), con el mismo problema que abordará años más tarde M. A. de Bedoya en *El hermano mayor,* la degeneración de una encopetada familia limeña caída en las mayores degradaciones por conservar su pasado prestigio; *Las consecuencias*, sobre los funestos resultados del juego; *El conspirador*, sobre el arribismo político (escrita en 1892, se subtitula *Autobiografía de un hombre público. Novela políticosocial*). La tesis queda patente en este subtítulo; tanto como poner al descubierto la pésima organización del país, la novelista se interesa por mostrarnos la funesta repercusión social de dicha organización que permite escalar los más elevados puestos a hombres ineptos y venales; en la persona del protagonista, el arequipeño Jorge Bello, vió la crítica el retrato de un destacado hombre público peruano. *Sacrificio y recompensa* (1888) y *Los amores de Hortensia* completan la lista de las novelas de Mercedes Cabello. En todas ellas, en mayor o menor grado, se descubre exceso de celo o, si se quiere mejor, falta de equilibrio. Su propio temperamento apasionado y, no hay por qué dudarlo, intencionalmente loable, le lleva a propasarse. La censura es a veces insulto. Literariamente, Mercedes Cabello pisa a la vez la zona del naturalismo y del psicologismo: funde a Zola con Tolstoi. Pero su influencia en la literatura peruana es innegable, hasta el punto de que recientemente un crítico no vacila en otorgarle el título de fundadora de la novela en su país.

La obra de ABELARDO GAMARRA (1857-1914), muy vinculada temáticamente a la de Clorinda Matto y Mercedes Cabello, no da derecho a que se le incluya entre los novelistas. Se trata de simples cuadros de costumbres, trazados con líneas duras y muy cargadas de tinta. *El Tunante*, nombre que suele adoptar Gamarra en sus escritos, se enfrenta con la realidad y la traslada a sus obras, trágica, desnuda. Con frecuencia no se sabe lo que quiere; pero se sabe siempre lo que no quiere. Cede la palabra a los explotadores del indio, gobernadores, prefectos y subprefectos; y por este procedimiento pone al descubierto su bajeza, la de esos explotadores y la del mismo indio que, al revés que en la Matto, se nos presenta en todo su atraso, su miseria y sus defectos. El sentido del paisaje en Gamarra es superior en hondura y amor al de las dos novelistas citadas.

«A la costa», del ecuatoriano Luis A. Martínez

Antes de aludir en concreto a la novela de Martínez, digamos que la prosa ecuatoriana de finales del xix y principios del xx se reparte entre el realismo naturalista y el modernismo. Son dos formas, la naturalista y la modernista, que coexisten en América, al igual que en España, sin estorbarse. Domina, es cierto, la primera; porque el modernismo, que dió en el Ecuador dos o tres poetas de algún nombre, no dió auténticos novelistas. Los escritores en prosa adscritos al moder-

nismo, como Bustamante o Zaldumbide, descollaron en otros géneros.

La gran figura de la novela ecuatoriana en este tiempo es LUIS A. MARTÍNEZ (1869-1909). A su lado otros novelistas paisanos y coetáneos suyos, a quienes luego aludiremos, quedan capitidisminuídos. Martínez siente su vida de escritor como misión. Le anima un propósito docente y le obsesiona el mejoramiento político, social y cultural de su país. Pertenece a la clase media y a la sierra; diversos avatares le hacen abandonar su terruño y pasar a la costa. Conoce, por tanto, el interior y la ribera; o sea, el escenario en que han de moverse luego sus personajes. Actúa en política y actúa con la pluma y en las luchas callejeras. Antes ha pasado por diversas etapas y ambientes, que le suministran hondo conocimiento de la vida y de los hombres. «Lo he sido todo—nos dirá él mismo—, desde peón y jardinero hasta gerente de grandes explotaciones agrícolas e industriales; desde teniente político de la más miserable parroquia, hasta ministro de Estado, cazador, ascensionista, pintor, escritor, etc.» Buen aprendizaje y rica experiencia, que no tardaría en reflejarse en su obra. Particularmente en *A la costa*. El título es muy significativo: alude a la tendencia de los serranos por instalarse en la costa, mucho más fecunda, más rica y atrayente. En el Ecuador el éxodo de las tierras altas hacia el mar parece haber constituído un problema; un problema grave que ha dado ocasión a más de una lucha de carácter civil[19]. Martínez recoge este problema y lo vincula a otros varios: formación de la juventud, choques políticos, burocracia, influjo del clero, peligros de la selva, etc. Un breve extracto de su argumento aclarará nuestra referencia:

Salvador, estudiante de Leyes e hijo de un abogado de clase media, se traslada con su familia, desde Ibarra, su ciudad natal, a Quito. Completa la familia su madre, doña Camila, católica hasta el fanatismo, y una hermana, Mariana, de quien se enamora Luciano, compañero de estudios de Salvador. La madre se opone a las relaciones por ser el pretendiente liberal; y Mariana, exasperada, se entrega a prácticas religiosas, terminando por caer en brazos de un padre Justiniano, que el autor nos presenta como una especie de tenorio con sotana. Muere el abogado; Salvador abandona los estudios para ocupar un empleo en que atender a sus familiares, empleo que pierde pronto a causa de la revolución alfarista (1895). Se enrola voluntario en las filas conservadoras, mientras su madre se dedica a la recluta de soldados gubernamentales, y Mariana pasa a ser la amante del padre Justiniano. Herido Salvador en un combate y a punto de ser degollado por un negro, es salvado por Luciano, que milita en las filas liberales. Hasta aquí la primera parte, desarrollada en el interior. La segunda nos traslada a la costa. Salvador, tras la renuncia definitiva a sus estudios, se emplea como mayordomo en una hacienda de cacao, El Bejucal. Un serrano, establecido largos años en la costa, le brinda su amistad. Salvador se enamora de Consuelo, hija del protector Gómez, y cuando éste muere asesinado en una revuelta, los jóvenes se casan. Parece haber llegado la paz: tiene un hogar, va a nacer un hijo, ha dominado la oposición de los costeños, se ha convertido al liberalismo, etc. Todo ilusión; el paludismo hace presa en él, le vence, y su última mirada, en el delirio de la fiebre, es para el Chimborazo, «que allá en el confín del paisaje inmenso resplandecía con los últimos rayos del sol».

Como se ve, no falta nada: cura libertino, amores contrariados, luchas civiles, fanatismo religioso, conservadores, liberales, revueltas de indios, asesinatos y hasta una fiebre palúdica a su debido tiempo para facilitar el desenlace. Claro está que si no hubiera más que esto, *A la costa* sería uno de tantos novelones vacíos de contenido y exentos de interés. Lo que realza el valor de esta novela, sacándola del área de lo folletinesco, para situarla en el plano de las verdaderas creaciones artísticas, es la fidelidad documental, la viveza descriptiva y el sentimiento del paisaje. *A la costa* es un arsenal de noticias sobre la vida estudiantil; la empleomanía o acuciante persecución de los cargos públicos, siempre a merced de los vaivenes políticos; los compadrazgos y componendas caciquiles; la vida de las plantaciones; el dominio avasallador de la Iglesia, etc. El paisaje, el de la sierra árida y el de la costa exuberante, está visto con exactitud; mejor aún, con amor. La rivalidad entre el costeño y el serrano se nos da en escenas llenas de vida o en frases concisas como ésta: «Matar un serrano es matar un puerco.» El autor, con un sentido amplio y de honda conciencia nacional, se pone desde luego del lado del serrano: «El peor capítulo de cargos era el ser serrano, como si la sierra no fuera parte del hermoso país de Atahualpa y de Sucre.» *A la costa*, a la vez que perpetuó en la literatura un problema palpitante, de trascendencia nacional, el de la rivalidad entre las regiones marítimas y las interiores, señaló para mucho tiempo la pauta de la novela realista en el Ecuador.

En cuanto a su credo estético, el propio Martínez se encarga de declararlo en pocas palabras:

«No pertenezco a ninguna escuela, soy profundamente realista y pinto a la Naturaleza como es y no como enseñan los convencionalismos. El paisaje no debe ser sólo obra de arte, sino un documento pictórico y científico. Mi maestro es la Naturaleza, pues todavía la estudio. Soy enemigo acérrimo del paisaje *bibelot*, de aquel género que es el socorro obligado de los que no tienen ni pizca de inspiración ni talento; género que, como una avalancha, inunda ahora a Europa y se ha trasladado al suelo de América, como todo lo malo: aumentado, desfigurado y... empeorado.»

Otros novelistas del Ecuador

Con más o menos fortuna cultivan por este tiempo la novela ecuatoriana: Carlos R. Tobar (1854-1920), médico, profesor—llegó a rector de la Universidad de Quito—, político—fué ministro varias veces—, diplomático y escritor. Aparte de su obra profesional y filológica (*Memorias sobre la hipocondría, Consultas al diccionario,* etc.), escribió dos novelas: *Timoleón Coloma* (1888), sobre la vida en los internados de los colegios católicos de su país [20], y *Relación de un veterano del tiempo de la Independencia* (1895), amalgama de historia y ficción en torno a los principales episodios de la lucha contra España, con fragmentos tan notables como el retrato físico y moral de Antonio Josep Sucre.

Alfredo Baquerizo Moreno (1859-?), político destacado que llegó a ocupar la presidencia de la República, gran conocedor de literaturas extranjeras y particularmente de la inglesa, dejó unas cuantas obras muy estimables de carácter narrativo: *Titania,* con los sueños de una novia en su primer noche de bodas; *Tierra adentro,* con la descripción de sangrientas escenas a que da lugar la campaña electoral en un pueblecito ecuatoriano; *Luz,* de tipo psicológico, influída, sin duda, por nuestro Valera; *El señor Penco,* con unos cuantos tipos bien logrados: Bernabé Torrijos, don Juan otoñal, adorador eterno de casadas; Pedro Pablo Penco, comilón y verborreico, y Alegría, *la Penquito,* inspirado según algunos en Juanita la Larga, del mismo Valera; y *Sonata en prosa,* la mejor producción de Baquerizo, en cuyas páginas se combinan a partes iguales realismo, romanticismo y psicologismo, en una trama amorosa bien pergeñada.

La novela *Carlota* (1900), del ilustre crítico Manuel J. Calle, interesa más por el propósito de captar un estado costumbrista y social que por el logro; la fobia anticlerical hace desmerecer por completo la más que novela panfleto, *Pancho Villamar,* de Roberto Andrave.

José Antonio Campos (1805-1884) lleva a sus relatos—*Dos amores, Rayos catódicos, Fuegos fatuos,* etc.—un tono humorista y chancero, de efectos más inmediatos que el de otros novelistas de empaque doctrinario y trascendental. Campos era guayaquileño y se hizo popular con el seudónimo de *Jack the Ripper.* Espíritu festivo sin la acritud de Campos, fué asimismo Eduardo Mera, hijo del autor de *Cumandá.* En sus *Serraniegas* (1914), colección de cuentos o novelas cortas, supo elevar el indigenismo idílico y falso a la categoría de cuadro costumbrista. El quiteño José Rafael Bustamante, político idealista y utópico, nos trazó en su novela *Para matar el gusano* (1912) la historia de un joven de la clase media que, a consecuencia de un desengaño amoroso, se entrega a la bebida. Interesa por la apreciación que el protagonista hace del mundo de los valores.

V. COLOMBIA Y VENEZUELA

Toda la novelística colombiana de esta época, descartada la obra de Vargas Vila, puede encuadrarse en el realismo; mejor aún, en el costumbrismo. Y está polarizada en dos núcleos importantes: Antioquía y Bogotá. Antioqueños son, en efecto, los más egregios cultivadores del género. Y los que no han nacido en esa región colombiana, tan abundante en tipos y costumbres susceptibles de un adecuado tratamiento literario, proceden de la capital. Por ser antioqueña en su mayor parte esa literatura es también regionalista y está cargada de elementos folklóricos, sin que el factor indio y el factor negro, tan fundamentales en el desarrollo de la novela de otros países americanos, haya ejercido en éste demasiada influencia. Como la raza, también la literatura se mantiene aquí libre de toda mezcla. Esto da su especial matiz a la novela colombiana, y no sólo a la de esta época, sino a la de todos los tiempos; esto, y cierta actitud eglógica, puesta ya de relieve por Luis A. Sánchez y de tan acusada manifestación en la mejor de las novelas de aquel país: en *María*, de Jorge Isaacs.

Podríamos aludir desde luego a una docena de excelentes narradores, que prestigian las letras colombianas de últimos del XIX y comienzos del XX. En esa docena deberían ser incluidos FRANCISCO DE PAULA RENDÓN (1855-1917), autor de varias novelas—*Inocencia, Lenguas y corazones y Sol*—, de escaso interés argumental, pero de altos valores descriptivos; EDUARDO ZULETA (1862-?), crítico y erudito, que llevó el tema social de los mineros antioqueños a una buena novela, *Tierra virgen*; la lucha de clases está presentada en toda su desnudez y fuerza trágica; JOSÉ MARÍA VERGARA Y VERGARA (1831-1872), buen poeta y excelente prosista, que dejó acertados bocetos de costumbres, llenos de gracia y viveza *(El chino de Bogotá, Las tres tazas, Un par de viejos)*; JOSÉ MARÍA RIVAS GROOT (1864-1923), historiador y político, que exploró asimismo con éxito el campo de la novela de sabor modernista *(El triunfo de la vida, Resurrección y Holocausto)*; RAFAEL MARÍA CAMARGO (1858-1926), fiel reproductor del habla y costumbres populares *(Escenas de la gleba)*; RICARDO SILVA (1836-1887), hombre de mundo y auténtico *gentleman*, que disparó sus dardos ligeramente empapados de ironía contra los pequeños defectos de la sociedad bogotana *(Tres visitas, Un domingo en casa, La niña Salomé)*; Camilo Botero Guerra, Juan José Bottero, Gabriel Latorre, etc. Todos estos narradores, que tendrían derecho en la historia literaria de su país a un lugar destacado, en la nuestra apenas merecen una simple mención. Por lo que limitamos nuestra referencia a los tres más representativos.

Carrasquilla, J. M. Marroquín y Vargas Vila

TOMÁS CARRASQUILLA (1858-1940), antioqueño de Santo Domingo, es el más ilustre representante de la novela colombiana a partir del realismo. «Era —nos dice Luis Alberto Sánchez—, como todos los antioqueños, hombre de sorna, buena salud, adverso a las mudanzas geográficas, y habría sido prolífico y ahorrador, de no haber abrazado la profesión de solterón, en que murió oliendo a soledad. Tuvo tiempo de estudiar y saborear deleitosamente el idioma y la realidad exterior.» Con lo que, a la vez que una semblanza humana, se nos traza un perfil de escritor. En efecto, Carrasquilla es un observador y luego un pintor de las costumbres. Y lo hace en un lenguaje macizo, clásico y perfecto, como pudo hacerlo Pereda. Como que más de una vez ha sido comparado con el autor de *Peñas arriba* [21]. En 1896, cumplidos ya los treinta y ocho años, publica su primer cuento, *Simón el Mago*. La fecha es significativa: Rubén Darío publicaba ese mismo año las *Prosas profanas* y *Los raros*; Guillermo Valencia perfilaba los *Ritos*, y José Asunción Silva, colombiano como el anterior y como el mismo Carrasquilla, se pegaba un pistoletazo. El modernismo había triunfado; se respiraba por todas partes atmósfera modernista, afrancesada, *decadente*. Pero Carrasquilla aparece inmune a toda renovación y sigue escribiendo, y lo que es más, sintiendo y pensando, en castellano viejo. Cuando toda la literatura de América avanza hacia lo cosmopolita, él se atrinchera en el rincón provinciano, y desde su pequeño observatorio va componiendo su obra. El mismo año de 1896 aparece *Frutos de mi tierra*, de tema localista, con influencias simultáneas de Pereda y de Valera; más tarde, en distintas fechas, que van del 1906 a 1928, el resto de su obra: *Entraña de niño, Dominicales, Grandeza, El Zarco* (nótese la identidad del título con la novela de Altamirano), *Ligia Cruz, Salve Regina, La marquesa de Yolombó, Blanca, San Antoñito, Dimitas Arias, Rogelio, El padre Casafús*, a lo que han de agregarse algunos cuentos o narraciones breves y un volumen de crítica literaria, *Homilías*. Aunque todas estas novelas acusan la misma mano e idéntico esmero en la descripción, preferimos destacar por sus análisis *Salve Regina*, la predilecta del autor; y por su valor en cuanto reconstrucción de la vida colonial a fines del XVIII, *La marquesa de Yolombó*. Carrasquilla, como buen discípulo de Pereda, atiende más al detalle que al conjunto; al marco, que a la distribución interna. Sabe escribir y describir admirablemente; falla en la estructura argumental. *Salve Regina* sería una novela excelente, perfecta, si estuviera mejor estructurada. Por eso gustan más sus cuentos: *El rifle*, *El ánima sola*, *En la diestra de Dios padre*, que exigen una armazón más simple. Por lo demás, en la presentación de tipos, en la transcripción de escenas y lugares, pocos aventajan a Carrasquilla. El dijo que *Frutos de mi tierra* estaba «tomada directamente del natural, sin idealizar en nada la realidad de la vida»; y la afirmación puede extenderse a toda su obra. Tan real y tan pegada al medio y tan influída por éste que, al igual que Pereda (ellos se hubiesen escandalizado al oírlo), casi resultan a veces incursos en el naturalismo. Su apego a las costumbres de la región nativa, sin rehuir lo que en ellas pueda haber de feo o antiestético, les conduce a tal extremo. Con los valores descriptivos, lo mejor de Carrasquilla es el lenguaje, siempre correcto, clásico y cuidado [22].

Correcto también, esmerado y clásico en el mejor sentido de la palabra, fué José Manuel Marroquín (1827-1908), llamado «el castellano de Yerbabuena», por el hogar heredado de sus mayores. Se había formado en la mejor escuela literaria, en la de los clásicos castellanos del Siglo de Oro y en la gramática de Bello. Con eso está dicho todo. Dueño de gran fortuna, mimado de la sociedad, pudo dedicarse en plena paz y sin inquietud alguna a sus ocios espirituales. De ellos vino a sacarle su elección para presidente de la República, tras un golpe de Estado. Marroquín hubo de refrendar los dos hechos más tristes en la historia de su país: la guerra de los tres años y la independencia de Panamá. Como escritor, aunque cultivó diversos géneros, sobresale en la crítica y la novela. Es la suya una novela esencialmente costumbrista: *Blas Gil* (1896), rica de tipos y con un protagonista que narra sus propias aventuras; *Entre primos* (1897), relato que encanta por su extraordinaria sencillez; *El moro* (1897), historia de un caballo, en que se pone de relieve la venalidad y malicia humanas; y *Amores y leyes* (1898), historia de una familia acomodada que cae en la miseria. Tiene, asimismo, deliciosos cuadros costumbristas: *Las bodas de Camacho*, *El azote de Bogotá*, *Las coronas*, etc. Marroquín es el mejor narrador del grupo bogotano, como Carrasquilla lo es del antioqueño [23].

Muy distinto de los dos anteriores se nos presenta José María Vargas Vila (1863-1933), escritor violento, desenfrenado y estrambótico, que tomó del naturalismo y del modernismo lo peor que cada uno de estos movimientos podía darle. Del primero, los temas descarnados, ingratos y de evidente mal gusto; del otro, las extravagancias, las *exquisiteces* morbosas y los desafueros en el lenguaje. Todo ello amalgamado con una sensualidad extrema y un odio incomprensible a lo humano y a lo divino. Sus novelas políticas—*La caída del condor*, *Judas Capitalino*, *Los césares de la decadencia*—parecen ser un simple subterfugio para dar salida a fobias irreprimibles; las otras novelas, que quieren ser copias del natural y resultan con frecuencia vulgares estampas pornográficas, aunque en su día alcanzaron inmensa popularidad, hoy no se leen sin asco. *Ibis*, *Aura o las violetas*, *Flor de fango*, *La simiente*, *La demencia de Job*, *Los estetas de Teópolis* y *El minotauro* fueron las más celebradas. Decimos fueron, porque hoy, si no es con un afán informativo, nadie las busca. Demasiado burdel en unas, demasiada violencia en otras, demasiada inmoralidad e irreverencia en todas para que tal tipo de relatos pueda satisfacer a un espíritu de hoy. Tuvo que concurrir todo el *decadentismo* de la literatura finisecular con el auge de las teorías naturalistas para que pudiesen aflorar estos engendros. Parece increíble que un nativo de Colombia, tan alejado como estuvo siempre el espíritu colombiano de todo extremismo, llegase a escribir estas extravagancias, por no decir enormidades. Bien es verdad que Vargas Vila se había formado en París, entre las *delicuescencias* de los simbolistas y los gritos estentóreos de los satanistas, y que luego había pasado la mayor parte de su vida fuera de la patria. Fué todo ello una pena, porque Vargas Vila, justo es reconocerlo, tenía excelentes dotes de narrador y de novelista: fresca inventiva, pluma fácil, pulso certero en el esbozo de tipos y caracteres y una gran habilidad para coger el hilo de la trama y llevarlo hasta el final sin mengua del interés. Novelas como *La demencia de Job* serían admirables documentos de psicología de la angustia, sin ese odio que respira por todas sus páginas, sin esa obsesión por demostrar una tesis preconcebida y sin esa constante y deliberada transgresión de la ortografía y de la sintaxis, a que llevan al autor un odio ciego contra todo lo estatuído y un afán inmoderado de singularidad.

El venezolano Picón Febres

Una mezcla híbrida de diversas tendencias, en que llevan partes alícuotas el romanticismo trasnochado, el realismo a la española y el naturalismo francés, sirve de base a la novela venezolana finisecular. No se puede comparar esa novela con la de otros países: la argentina, la mejicana, la misma venezolana de años más tarde. Es todavía pobre, porque Rómulo Gallegos no ha venido aún a darle el gran estirón que la colocará a la altura de las mejores del Continente. Por ahora tiene que conformarse con dos o tres autores de escasa categoría y uno solo de nota: Picón Febres. Los otros son: Manuel Vicente Romero García (1865-1917), que en su *Peonía* (a la que aludiremos en otro capítulo) dejó un buen relato histórico-costumbrista de la época del presidente Guzmán Blanco; José Gil Fortoul (1862-1943), que revive con arte y habilidad la del presidente Andueza Palacios, en *Escombros,* y ofrece sendos estudios psicológicos en *Julián* y *Pasiones;* MIGUEL EDUARDO PARDO (1868-1905), autor de *Villa Brava* y *Todo un pueblo,* dos buenas muestras del género costumbrista.

La compleja y variada obra de GONZALO PICÓN FEBRES (1860-1918) resulta de difícil clasificación. Ensayista, erudito, poeta, novelista, orador, filólogo, no sabe uno en qué género inscribirle. *El libro raro* nos da al crítico y al filólogo; *Literatura venezolana en el siglo XIX,* al erudito; *Caléndulas* y *Claveles encarnados y amarillos,* al poeta parnasiano, enamorado de la estrofa cincelada. El novelista se revela en *Fidelia, Ya es hora* (1895). *El sargento Felipe* (1899) *Flor* (1911), *Nieve y lodo* (1914). La mejor, verdadera obra de excepción en la novelística americana es *El sargento Felipe;* y en ella, la nota más destacada, el elemento paisajístico. El paisaje, en realidad, no es aquí un elemento más; no es el fondo de la acción, como en tantas otras novelas. Es, por decirlo así, el protagonista. No se despliega el paisaje en función de las criaturas que intervienen en la acción, sino que éstas se mueven y obran a merced del paisaje. Picón Febres utiliza lo humano como vehículo para internarse en lo vegetal, en lo telúrico, y darlo a conocer, y hacerlo sentir mejor. Esta sumisión del hombre al medio es consciente en el novelista, y sobre ella se pueden encontrar testimonios claros en la misma obra. Por ejemplo, las declaraciones que nos hace en el capítulo VII [24]. *El sargento Felipe* resume las virtudes y defectos de Picón. Virtudes: lirismo, emotividad, amor al terruño; defectos: retórica, hojarasca, fronda adjetival. El orador, Picón Febres lo fué en alto grado, tiende a imponerse al novelista.

VI. MEJICO

La novela mejicana de este período requiere atención especial. Los autores que la cultivan, aunque hayan logrado cada vez más deshacerse de gangas románticas, no terminan por entregarse del todo a las nuevas tendencias. Por eso, y porque no hay movimiento alguno literario que no conserve algo del anterior, la novelística mejicana de finales del siglo XIX aparece todavía más o menos adulterada con resabios románticos. Es una novela «con un rasgo *sui generis*—escribe Luis Alberto Sánchez—distinto al de los demás del Continente: sus argumentos dinámicos, el tono zumbón de sus protagonistas y la constante presentación de la muerte, la cual carece del perfil patético con que solemos presentarla en Brasil, Bolivia, Argentina, Perú, Ecuador, Colombia, etc.; y en España y Estados Unidos. Desde el *Periquillo Sarniento* hasta el héroe de *El luto humano,* pasando por los tipos de Cuéllar, Inclán, Payno, Altamirano, Riva Palacio, Gamboa, Delgado, Azuela, Rubén Romero, López Fuentes, Guzmán, Magdaleno, Muñoz, los personajes rurales o andariegos de la novela mejicana rebosan crudo buen humor, sangrienta alegría y ácida complacencia» [25].

A perfilar el carácter de esta novela contribuyen dos hechos: uno, la independencia del escritor; otro, la fundación de la Academia Mejicana, filial de la Española de la Lengua. Por el primero, los escritores de aquel país se alejan paulatinamente de la política para entregarse con más fruición a las tareas literarias. Por el segundo, escritores antes distanciados por motivos políticos o doctrinales se aproximan y realizan una obra más homogénea dentro de cada género. A la vez, se promueven los estudios históricos, filológicos, eruditos y críticos, con lo que el conocimiento de las corrientes estéticas europeas se hace más general.

La tendencia realista: Rabasa, Delgado y López-Portillo

El realismo mejicano tiene dos etapas: una, que surge en pleno dominio del positivismo y se extiende por un período de unos treinta años hasta 1910; otra, que iniciada en la lucha revolucionaria de ese mismo año, se prolonga casi hasta nuestros días. La primera, por coincidir con el triunfo del modernismo, se beneficia de algunas modalidades estilísticas de esta escuela poética. Su temática es amplia y variada. A esta primera etapa nos vamos a referir ahora exclusivamente, dejando la otra para ulterior estudio.

En 1885 aparece con el título de *Perico* la primera novela mejicana que, a juicio de Ralph E. Warner, merece el calificativo de realista [26]. Su autor, ARCADIO ZENTELLA PRIEGO, intenta hacer en ella la crítica de algunas instituciones sociales, en especial de la administración de justicia, subordinada a la política y al dinero. Para lograrlo no acude a procedimientos originales; una sencilla trama—la pareja de novios de humilde condición que han de vencer antes de unirse los mayores obstáculos—y una escueta enunciación de hechos. Eso es todo. Nada de sermones, nada de crítica directa. Y el cuadro de la simple narración brota lleno de vida y de humanidad.

Más metido en el realismo, EMILIO RABASA (1856-1930), a quien se suele considerar introductor de esta tendencia en México, nos dejó cinco novelas dignas de atención: *La bola, La gran ciencia, El cuarto poder, Moneda falsa* y *La guerra de tres años.* Las cuatro primeras forman una especie de tetralogía con argumento único: las andanzas del coronel Cabezudo, organizador de una *bola* local, y los amores de Juanito Quiñones con Remedios, sobrina de aquél. Sobre una trama tan insignificante Rabasa se las arregla para trazarnos un cuadro movidísimo de la sociedad mejicana en algunos aspectos, especialmente en los relativos al arribismo político y a la prensa. Son cuatro obras ricas en observación y llenas de agudos análisis. El autor se declara desde el principio libre de prejuicios románticos. «No hay temor —nos dice en *La bola,* por boca de Remedios— de que, ignorados sus padres, resulte luego hija del sultán de Marruecos». Con esta despreocupación y esta leve punta de ironía han sido escritas las cuatro novelas. La mejor, para nuestro gusto, es *El cuarto poder,* publicada el mismo año, 1888, que la de idéntico título de Palacio Valdés. Con este dato no queremos ni remotamente sugerir influencias recíprocas. Pudo ser simple casualidad. Porque la trama es distinta y el ambiente también, aunque ambos novelistas partan de un hecho común: la venalidad de la prensa. Si Palacio Valdés conocía, de ello no hay duda, el ambiente periodístico español, no conocía menos el mejicano Emilio Rabasa. Precisamente, en ese mismo año de 1888, fundaba con Reyes Spínola *El Universal,* uno de los grandes rotativos del país. En todo caso, insistamos en ello, la fábula de *El cuarto poder,* de Rabasa, es original y constituye un episodio, el último, de la tetralogía: el coronel Cabezudo, por los peldaños de la traición y del servilismo, ha llegado al generalato; pero la prensa, no obstante la mordaza con que él intenta açallarla, provoca su caída. Juanito Quiñones, siempre opuesto a los procedimientos de Cabezudo, se reconcilia con él junto al lecho de Remedios enferma. Con esta reconciliación y con el regreso de los fracasados políticos—la «moneda falsa»—a San Martín de la Piedra, concluye la obra. Lo más destacable en *El cuarto poder* es la sátira de la prensa servil, tan influyente en la sociedad moderna. En 1891 Rabasa publicó en *El Universal* otra novela, *La guerra de tres años,* que no obtuvo el éxito de las anteriores, y no apareció en tomo hasta el 1931, año siguiente al de la muerte de su autor. Completan su obra algunos relatos breves de sabor costumbrista, *Cuentos y narraciones* (1908).

El ambiente veracruzano de fin de siglo encontró un fiel y minucioso pintor en RAFAEL DELGADO (1853-1914), el novelista más representativo quizá del realismo mejicano y el de mayor éxito editorial [27]. Los más variados aspectos de la vida se reflejan en la obra de Delgado que, escrita un poco a la sombra de Galdós, puede considerarse verdadera crónica de costumbres. Un natural buen gusto le libra de caer en los abusos del naturalismo y cierto sentido providencialista lo mantiene en una zona de saludable espiritualidad. Lo mismo que a González Peña, de quien hablaremos a continuación. Dentro del realismo, Delgado ha de ser inscrito en la nómina de costumbristas regionales, que atienden ante todo al ambiente provinciano. El quiere mantenerse alejado por igual de todo extremo: ni romántico ni realista; o mejor, romántico y realista a la vez [28]. Odia sobre todo el sentimentalismo dulzón, las escenas descarnadas y las tesis preconcebidas. Teorizante a la vez que realizador, arremete contra los «críticos zahoríes, que adivinan o presumen adivinar las intenciones y propósitos de un autor»; cree que «la vida no es ni perfectamente buena ni perfectamente mala». Ecléctico, pues; realista, en definitiva, del mejor cuño. Cuatro novelas conocemos de él: *Angelina* (1893), *La Calandria* (1890), *Los parientes ricos* (1902) e *Historia vulgar. Angelina,* imitación de *María,* de Isaacs, es la más cargada aún de elementos románticos; *La Calandria,* más realista, y con un personaje central femenino que hace pensar en *La Gaviota,* de Fernán Caballero, interesa más que por el tema, muy repetido en literatura, por su color local; *Los parientes ricos* aborda una vez más el tema del *trasplantado* que, tras larga estancia en Europa, regresa a su país. Con tal motivo se ataca la hipocresía, la ostentación vana de riquezas, la tolerancia, o mejor, el descuido en la educación de los hijos y la manía imitativa de modas y costumbres extranjeras. Acaso lo mejor de Delgado sean los cuentos; y entre ellos, el que lleva el título *Por testar,* breve, intenso, aleccionador. Un padre moribundo, dueño de grandes riquezas, llama a sus cuatro hijos y declara que uno de ellos es ilegítimo, por lo que no tiene derecho a una parte de la herencia. Pregunta si prefieren que se escudriñe la ilegitimidad del supuesto hermano o que se haga idéntica repartición para todos. Los cuatro optan por la repartición.

Entre 1898 y 1919 publica su obra novelada JOSÉ LÓPEZ-PORTILLO Y ROJAS (1850-1923), crítico, poeta, profesor y periodista. Por ese inicial retraso de sus novelas, algunos quieren incluirlo entre los escritores de nuestro siglo. Pero erróneamente. Las fechas no deben engañarnos. Nada importa que *La parcela* aparezca en 1898; *Novelas cortas,* en 1900; *Los precursores,* en 1909, y *Fuertes y débiles,* en 1919. Todas estas narraciones, y hemos citado las mejores del autor, llevan un claro sello decimonónico. Están cortadas con arreglo a patrones realistas y hasta, si se apura un poco, en algún que otro caso, con sujeción a los últimos patrones románticos. Sus notas más destacables son: fe ciega en el progreso, idealización de personajes y situaciones, morosidad descriptiva, intención moralizadora y cierto sentimiento de piedad hacia los débiles y humildes. Más breve: romanticismo y realismo mezclados. De sus tres novelas largas, *Los precursores,* sobre la vida de unos asilados, con buenos bocetos de personajes de la clase menesterosa, es la más endeble. *Fuertes y débiles,* mejor construída, nos hace asistir al castigo final de un rico hacendado, déspota y autoritario, Juan Nepomuceno Bolaños, que se pasó la vida atropellando a los humildes. *La parcela,* anterior a las otras y, sin embargo, la más lograda, contrapone dos caracteres, el de don Pedro, leal y ecuánime, y el de don Miguel, falto de todo escrúpulo, que pleitean por una pequeña porción—*parcela*—de terreno. La caballerosidad de don Pedro allana las dificultades y facilita el desenlace del conflicto amoroso planteado entre Ramona, hija de don Miguel, y Gonzalo, hijo de su contrincante. Hay descripciones soberbias y un tonillo demasiado dulzón a veces, reliquia de un romanticismo no apagado del todo en la novelística mejicana. *La parcela* lleva un prólogo en que se aboga por la preferencia de los temas nacionales, a la vez que se aconseja al escritor el máximo cuidado del aspecto idiomático. «Nuestra literatura—dice—, en cuanto a la forma, debe conservarse ortodoxa, esto es, fidelísima a los dogmas y cánones de la rica habla castellana.» Ambos consejos tienen en su obra cumplida realización; por su temática, López-Portillo es enteramente mejicano; por su lenguaje, ha sido comparado con Pereda, de quien acusa claras influencias. Dentro del género narrativo—su labor crítica y sus versos no hacen ahora al caso—, tiene también leyendas (*La horma del zapato*), novelas breves (*El primer amor, El proscrito, El rector y el colegial*) y cuentos. Uno de éstos, el mejor, *Sor María Margarita,* recoge la tradición, tan repetida en los *Flos Sanctorum* y tan aprovechada luego por el teatro, de la religiosa que para evitar el acoso de un galán y su caída en pecado, no vacila en deformar su rostro o la belleza de su cuerpo. La protagonista de este relato se vacía los ojos en presencia del pretendiente.

Con menos éxito que los anteriores, pero siempre dentro de cierto decoro, cultivan la novela realista en este período otros tres o cuatro autores, cuyos nombres no debemos pasar por alto: González Peña, Frías, Salado Alvarez y Angel del Campo.

El ilustre crítico CARLOS GONZÁLEZ PEÑA (1885) dejó en *La chiquilla* (1906) una novela pesimista y llena de inexperiencias, como escrita a los veinte años; pero en *La fuga de la Quimera,* aparecida diez años después, camina ya con plena seguridad, y nos ofrece una obrita bien ambientada, con caracteres, especialmente los femeninos —Sofía, Rosa María y Julia Bringas—, bien trazados y hondos análisis psicológicos. La revolución mejicana—la acción transcurre entre 1910 y 1913—sirve de fondo a un enjambre de arribistas e inmorales, sobre los que destacan siempre algunos espíritus de intachable conducta. La huella de Galdós es muy visible en las dos novelas.

También se descubren influencias galdosianas en VICTORIANO SALADO ALVAREZ (1867-1931). Sólo que en González Peña era el Galdós de *Misericordia* y aquí es el de los *Episodios Nacionales.* A imitación de éstos, Salado escribió una serie de novelas (*De Santa Anna a la Reforma, La Intervención y el Imperio*) en las que en estilo suelto y ameno se nos traza una puntual referencia histórica de Méjico entre los años 1851 y 1867. Algo parecido se puede decir de HERIBERTO FRÍAS DÍAZ (1870-1928), con la diferencia de que Frías prefiere temas contemporáneos. Su primera novela, *Tomochic* (1894), publicada en *El Demócrata,* diario opuesto a la dictadura de Porfirio Díaz, le ocasionó un serio disgusto, con proceso por revelación de secretos militares y pérdida de la carrera. Después publicó *El último duelo, Leyendas históricas mejicanas, Episodios militares mejicanos, El amor de las sirenas, El triunfo de Sancho Panza, La vida de Juan Soldado* y los cuentos infantiles *Mariposas occidentales.* Más que novelista, ANGEL DEL CAMPO (1868), que popularizó el seudónimo de *Micrós,* es un cuentista que logró cuadros llenos de vida en sus colecciones *Ocios y apuntes, Cosas vistas,* etc. Busca motivo para sus narraciones en la clase media y el bajo pueblo, cuyos pequeños conflictos sabe elevar al rango de materia artística.

La tendencia naturalista:
Nervo y Gamboa

Naturalistas, lo que se dice naturalistas, sólo hay dos por esta época en las letras mejicanas: el poeta Amado Nervo y Federico Gamboa.

AMADO NERVO (1870-1919), el corifeo de la lírica modernista en su país, a cuya obra poética hemos de referirnos por extenso en otro capítulo, dejó dos novelas de neto perfil naturalista: *Pascual Aguilera* y *El Bachiller.* Dejó asimismo otras muchas narraciones—*Amnesia, El donador de almas, El sexto sentido, El diamante de la inquietud, El diablo desinteresado,* etc.—; pero sólo aquellas dos caen dentro del área del naturalismo. *Pascual Aguilera,* publicada a los veintidós años, historia de un erotómano que muere en plena satisfacción carnal, abunda en escenas desagradables y, lo que es peor, en períodos pomposos, giros rebuscados y adjetivación frondosa. El cadáver del protagonista parecía hablar y decir: «Ignotos ímpetus y tendencias hereditarias me llevaron... a la muerte. En el placer abrevé mi anhelo sitibundo... Ahora ya no desearé más, ya no sentiré más estremecimientos, ni me atormentarán más avideces. Digo a la podredumbre: Tú eres mi madre. Y a los gusanos: Vosotros sois mis hermanos y mis hermanas.» ¿Para qué seguir? Este es el tono. En cambio, en *El Bachiller,* sin salirse de la línea naturalista, ya se juega con otros elementos. La mística, fruto sin duda de la formación eclesiástica de Nervo, forma, como en tantos poemas del autor, una extraña amalgama con lo sensual. El argumento se reduce a la lucha de un seminarista por vencer sus deseos, lucha en que se llega al mayor sacrificio: la automutilación. El estilo, pasados los alardes moceriles, se ha hecho sobrio y elegante. Sabido es que Nervo se constituyó luego en el defensor más entusiasta de la sencillez [29].

En la extensa producción literaria—memorias, poesía, dramas, narraciones—de FEDERICO GAMBOA (1864-1939) destacan las novelas. Por ellas Gamboa queda elevado al primer puesto tal vez de la novelística mejicana en la época que estudiamos. Aquel «destierro de los ángeles románticos» a que alude Luis Alberto Sánchez, suplantados por la mujer de los prostíbulos, y que ya se inició en *La Calandria*, de Delgado, encuentra en las obras de Gamboa su realización definitiva. Esas obras son: *Apariencias* (1892), *Suprema ley* (1896), *Metamorfosis* (1899), *Santa* (1903), *Reconquista* (1908) y *La llaga* (1910). Todas naturalistas, todas iguales, como que están cortadas del mismo paño. Que las dos últimas—*La Reconquista* y *La llaga*—den mayor entrada a los problemas del espíritu, resolviéndolos dentro de la ortodoxia más exigente, no quiere decir sino que las convicciones católicas de Gamboa, de las que él nunca abdicó, se habían afianzado más y más. Pero la técnica en el fondo sigue ajustándose a la preceptiva de Zola, sin más que cambiar el impulso fatalista por cierto sentido providencial. *Apariencias*, la más antigua, plantea el tema nada nuevo del hijo adoptivo enamorado de la madrastra joven; y la morosidad a lo Bourget con que está analizado el proceso, así como el desenlace pacífico, tan fuera de lo corriente, acreditan a un buen novelista. *Suprema ley*, más lograda como evocación costumbrista que como estudio de caracteres, insiste demasiado en la tesis, encaminada a demostrar que en la vida el amor es la suprema ley y que el impulso sexual es capaz de anular todo raciocinio y aun toda norma ética y sociológica. En *Metamorfosis*, para nuestro gusto la mejor novela de Gamboa, se entrecruzan varios tipos muy repetidos en literatura. A pesar de ello es novela de poca acción, lo que permite al autor adentrarse más en los personajes mediante una serie de análisis y de procesos, presididos todos ellos por cierta especie de fatalidad. La joven Neoline lucha en balde contra el destino, que termina por vencerla. *Reconquista* es la historia del hombre que, perdida su fe, se afana por recuperarla. Ha sido comparada con *L'Oeuvre*, de Zola, con la diferencia de que éste basa la imposibilidad de su artista en razones físicas y Gamboa en motivos filosóficos. *La llaga* aborda un problema social tan generalizado como humano: la rehabilitación del delincuente, cumplida su condena. La más celebrada y también la más representativa entre las novelas de Gamboa es *Santa*. Su argumento, muy manido, recoge la historia de una muchacha campesina que, arrojada de su hogar, cae en el prostíbulo y lucha denodadamente por redimirse. Termina muriendo en un hospital, víctima de enfermedades contraídas en su anterior vida de disipación. No obstante lo reiterativo de algunas situaciones—Santa inicia tres veces su vida de burdel—, el interés no decae. Hay momentos de intenso dramatismo; valga de ejemplo el episodio del adolescente con la protagonista durante su tercera etapa de prostíbulo; hay detalladas descripciones de bajos fondos sociales; y hay, sobre todo, un deliberado propósito por parte del autor de justificar cualquier degradación con el pretexto de la ley de herencia. Determinismo puro. «Es de presumir—leemos—que en la sangre llevara gérmenes de muy vieja lascivia de algún tatarabuelo, que en ella resucitaba con vicios y todo. Rápida fué su aclimatación, con que a las claras se prueba que la chica no era nacida para lo honrado y derecho, a menos que alguien la hubiese encaminado por ahí, acompañándola y levantándola, caso que flaqueara.» Esta insistencia en los factores hereditarios y ambientales, junto con lo retórico del lenguaje, son los mayores defectos de Gamboa.

VII. ANTILLAS Y CENTROAMERICA

También en Centroamérica y en las Antillas domina en este período sobre los otros tipos narrativos la novela realista, con preponderancia del tema histórico y social. Sólo Cuba y Puerto Rico presentan algunos ejemplos de naturalismo en la prosa. Y uno de ellos es el de EMILIO BOBADILLA (1862-1921), que popularizó el seudónimo de *Fray Candil* en una crítica tan parcialista y violenta como ayuna de doctrina. En sus novelas—*A fuego lento, En la noche dormida*—, más que discípulo de Zola se reveló ciego pedísecuo de Felipe Trigo y de Octavio Mirbeau, sin la preocupación social del primero ni la agilidad mental del segundo. Novela escrita para halagar los más bajos apetitos, rezumando obscenidad por todas sus páginas, nada se escatima en ella de cuanto pueda contribuir al logro de aquel fin. Como Trigo en España, Bo- badilla dejó en América numerosos discípulos, que luego en su mayor parte derivaron hacia más sanas tendencias. Otro novelista cubano adscrito al naturalismo es CARLOS LOVEIRA (1882-1928), con una diferencia respecto de Bobadilla: éste constituye lo erótico, por no decir lo sexual, en eje de sus obras, mientras que Loveira, sin desdeñar ese aspecto que parece consustancial a toda la novelística de aquel país, lleva lo social a primer plano. Así es como en sus cuatro más celebradas novelas—*Los inmorales* (1919), *Los ciegos* (1922), *Generales y doctores* (1920) y *Juan Criollo* (1928)— consigue darnos una visión exacta, aunque quizá demasiado pesimista, de la Cuba finisecular. Para ello se vale de una técnica de claroscuro, con dominio evidente de lo negro y hasta de lo repulsivo. Toda la avaricia y la lujuria, todas las concupiscencias de que es capaz el corazón humano, afloran en estas novelas, de una sensualidad exacerbada, muy en armonía con el paisaje tropical que les sirve de fondo. Los siete pecados capitales parecen andar sueltos sobre la hermosa isla antillana en ese período de caos, cuyo final coincide con el tránsito de la colonia a la república. Loveira exagera la nota sin duda; pero su obra en todo caso constituye un alegato muy elocuente contra muchos vicios sociales.

A otro tipo corresponde la producción novelística de JESÚS CASTELLANOS (1878-1912), calificado por Rodó como uno de los narradores de más fina sensibilidad y más bello estilo del Continente. Eso es, en efecto, lo que nos dan sus novelas: un escritor preocupado antes que nada de los valores formales y del proceso interno de sus criaturas. Por eso sus obras abundan en agudos análisis de neta filiación bourgetiana. Son bastantes: *Los Argonautas, La manigua sentimental. De tierra adentro, Una heroína, Cabeza de familia, Naranjos en flor, Idilio triste, Corazones por triunfos* y, la mejor de todas, *La conjura*, de tesis pesimista [30].

Completan la novela cubana de la época EMILIO BACARDI (1884-1922), que en *Vía Crucis* acertó a fundir la exaltación romántica de Dumas con evocaciones históricas a lo Walter Scott y notas costumbristas a lo Galdós; LUIS RODRÍGUEZ EMBIL (1879), que tan pronto acude a lo histórico (*La insurrección*, sobre la guerra emancipatoria), como a lo psicológico, con ligera influencia modernista (*Gil Luna. artista* y *La mentira vital*, de 1908 y 1920, respectivamente); RAIMUNDO CABRERA (1852-1923), que en su trilogía *Sombras que pasan, Ideales* y *Sombras eternas* describe todo el proceso histórico de Cuba desde la guerra del 68, con abundantes elementos autobiográficos; MIGUEL DE CARRIÓN (1875-1929), cuya orientación y técnica narrativa se definen con el simple enunciado de sus dos más importantes obras: *Las honradas* y *Las impuras*, de 1918 y 1919, respectivamente, y NICOLÁS HEREDIA (1859-1901), de la ilustre familia de los Heredia, poeta también él, crítico y novelista. *Un hombre de negocios* y *Leonela* son, a la vez que ejemplo de excelentes dotes descriptivas, valiosos documentos sobre la sociedad cubana en los postreros años de la colonia.

Citemos también entre los novelistas cubanos a Zamacois y Hernández Catá. Ambos nacieron en la hermosa isla antillana, si bien pasaron la mayor parte de su vida y dieron a conocer casi toda su producción literaria en España. EDUARDO ZAMACOIS (n. 1876), hijo de padres españoles y nacido en Pinar del Río, vió transcurrir su niñez en Bruselas y en París, de donde pasó a la Península, para cursar aquí las carreras de Letras y de Medicina. Muy joven, antes que el mismo Trigo, publica novelas de un naturalismo descarnado, que dejan atrás a las del propio Zola: *La enferma* (1895), *Consuelo* (1896), *Punto negro* (1897), *Incesto* (1900), *Duelo a muerte* (1902), *El seductor* (1902), *Memorias de una cortesana* (1903), *Sobre el abismo, El otro, La opinión ajena*. Con el tiempo, el erotismo crudo de las primeras obras se mitiga y va derivando hacia un psicologismo minucioso: *Rick, Don Paco el Temerario*. Cada vez más exigente consigo mismo, Zamacois empieza a depurar el estilo y documentarse ampliamente. *Los muertos vivos* y *Memorias de un vagón de ferrocarril* responden a esta tercera etapa. Para escribir *Los muertos vivos* se encierra durante varias semanas en un presidio; para las *Memorias de un vagón* actúa durante un mes como ayudante de maquinista. Sus novelas, así como sus libros de viajes, crónicas, etc., son muy numerosas. Tiene varios de carácter autobiográfico: *Las confesiones de un niño decente* (1916), *Años de miseria y de risa* (1917). Tiene asimismo varias obras de teatro y narraciones breves, insertas en *El Cuento Semanal, Vida Galante, Los Contemporáneos* y otras publicaciones análogas, de las que Zamacois fué asiduo colaborador.

También lo fué ALFONSO HERNÁNDEZ CATÁ (1885-1940), otro cubano que, después de haber ingresado en el cuerpo diplomático y recorrido casi toda Europa, llegó a España hacia el año 1910 y fijó aquí su residencia. Catá cultivó con éxito la novela, el periodismo, la poesía y el teatro. En colaboración con Eduardo Marquina estrenó *Don Luis Mejía*; con su cuñado Alberto Insúa, *El amor tardío* y *En familia*; y como obras personales, sin colaboración, *La noche clara* y *La casa deshecha*. En sus novelas, aunque influido inicialmente influido por Trigo y por Oscar Wilde, el naturalismo aparece muy atenuado, sin llegar nunca ni al morboso sensualismo de aquél ni al displicente amoralismo de éste. *Pelayo González* (1909), *La juventud de Aurelio Zaldívar* (1912), *La muerte nueva, El placer de sufrir, El ángel de Sodoma, Manicomio* son narraciones que todavía pueden leerse con gusto, por la pulcritud del lenguaje hasta en las situaciones más escabrosas y por la sobriedad narrativa. Aún son mejores sus cuentos —*Los frutos ácidos, La voluntad de Dios, La madrastra, Cuentos pasionales*—, que sitúan a Catá en un puesto aventajado, casi a la par de *Clarín* y de la Pardo Bazán.

En Puerto Rico el escritor más representativo del Naturalismo es MANUEL ZENO GANDÍA (1855-1929). A la manera del Zola de los Rougon-Macquart, planea en una serie de novelas la biografía espiritual e interna de su país: *La charca, Garduña, El negocio, Redentores*. El autor los subtitula «Crónicas de un mundo enfermo»; y a la verdad, junto al recio panorama de la tierra, nos ofrece la psicología de sus habitantes cargando la mano en sus degradaciones físicas y morales. La visión de Puerto Rico trasmitida por Zeno Gandía es muy poco halagüeña. En *La charca*, su mejor novela, asistimos a un desfile de tipos verdadera mente lamentable: el que no es ladrón, es vago, lascivo, borracho o asesino. Las mujeres no salen mejor libradas. Su liviandad se descubre a la vuelta de cada página. Hasta hay un incesto para que nada falte. El autor, en su prurito doctrinal, quiere sacar una conclusión: toda esa sociedad pervertida no es sino el producto de una falta de educación, en que los principios éticos brillan por su ausencia. Como se ve, la intención no puede ser más loable; el logro, en cambio, queda muy por bajo de aquélla.

Leyenda e historia se amalgaman en las *Tradiciones y leyendas portorriqueñas,* de CAYETANO COLL TOSTE (1850-1930), compuestas a imitación de Ricardo Palma y que aspiran a reconstruir el pasado colonial de aquel país desde 1511 a 1801 (entre los relatos insertos en esta obra queremos destacar el titulado *El matón de Bermejales,* cuento trágico lleno de emoción y poesía). Coll escribió también unos *Anales de Puerto Rico* en doce abultados tomos.

En Nicaragua debe subrayarse el nombre de SANTIAGO ARGÜELLO (1872-1940), eminente personalidad de la política, la docencia y el foro —doctor en Leyes, presidente de la Corte de Justicia y del Congreso, director del Instituto Nacional de Managua, decano de la Facultad de Derecho, etc.—, lleva a la serie de relatos incluídos en *El libro de los apólogos* un lenguaje depurado y una sensibilidad muy del día.

Costa Rica, finalmente, ofrece por esta época hasta media docena de narradores dignos de mención: JENARO CARDONA (1867-?), que llevó a sus obras—especialmente *La esfinge del sendero*—una problemática nacional con profundos análisis; MANUEL GONZÁLEZ ZELEDÓN (1864-1936), jefe del grupo intelectual más selecto del país y muy conocido por su seudónimo *Magón*. Trazó animadas escenas de la vida costarricense en su colección de cuentos y novelas cortas que lleva por título *La propia.* En la que da nombre al libro nos relata la venganza que un acaudalado terrateniente toma de su amante cuando descubre que es infiel; otro cuento, *El clis del sol,* recuerda *¿Por qué era rubia?,* de nuestro Alarcón. JOAQUÍN GARCÍA MONJE (1881), fundador de la revista *Repertorio americano* y autor de narraciones de tendencia nativista (*La esclava, Abnegación, El moto*). Feliz amalgama de costumbrismo y psicologismo revelan sus cuentos *La mala sombra y otros sucesos,* en los que se percibe el influjo de Maupassant. CLAUDIO GONZÁLEZ RUCAVADO, cuyas *Escenas costarricenses* siguen la línea del anterior; y el más sobresaliente de todos), RICARDO FERNÁNDEZ GUARDIA (1863), un imitador más de Palma con sus *Crónicas coloniales,* las que, al igual que los *Cuentos ticos* y las narraciones novelescas—*Hojarasca* y *Magdalena*—, llaman la atención por lo emotivas, amenas y sueltas de estilo.

Entre los panameños es justo citar a JOSÉ OLLER

(1882), que en *Lienzo* nos ofrece una colección de leyendas, tradiciones y cuadros costumbristas, y a GUILLERMO ANDRAVE (1879), ilustre político y pedagogo, que destaca en el relato breve.

Dos nombres nos ofrece la novelística dominicana en este período: FEDERICO GARCÍA GODOY (1857-1924), que sigue la senda del relato histórico trazada por Manuel de Jesús Galván, y nos ofrece el proceso formativo de la República en tres novelas: *Rufinito, Alma dominicana* y *Guanuma;* y FRANCISCO GREGORIO BILLINI, que con *Bani* (1892) puede considerarse iniciador del criollismo en su país, modalidad que constituirá la nota más destacada de las letras americanas del período siguiente. Buen conocedor del alma popular, abusa del sentimentalismo un tanto ñoño y dulzón.

NOTAS

1. Francia había predominado hasta el último tercio del XIX, no sólo por la indudable superioridad de su novela, sino también por razones políticas. A partir de 1870, el influjo de los novelistas españoles, en especial de Galdós y Pereda, se va acentuando. Torres Rioseco señala a Emilio Rabasa, Luis Orrego Luco y Carlos María de Ocantos como imitadores de Galdós; y a Portillo Rojas, Rafael Delgado y Tomás Carrasquilla, entre los seguidores de Pereda.

2. No hay sólo interferencias del realismo con el naturalismo. Otras corrientes se entremezclan, sin posibilidad de una separación total: algunos residuos del romanticismo, ya en trance de liquidación; el modernismo, que empieza a apuntar en el penúltimo decenio de siglo; el psicologismo, etc. De todos modos, la tendencia más acusada, y no sólo en la época que estudiamos, sino también en la actual, es la realista-naturalista.

3. Nacido en Entrerríos, Leguizamón alterna la profesión de abogado y periodista con la docencia y los estudios históricos. En 1896 presenta la comedia de costumbres gauchescas *Calandria,* interesante por la verdad del colorido y el realismo de la observación costumbrista.

4. Nace en Buenos Aires (1860), de familia acomodada. Se licencia en Derecho y entra en la diplomacia. Sirve a su país en varias Legaciones. Desde 1886, en que se le destina a Madrid como secretario de Embajada, se puede decir que España es su segunda patria. Su casa es centro de reunión de relevantes figuras de la política y de las letras. Un ascenso en la carrera le lleva a Copenhague; después, a Río de Janeiro y otras capitales. Pero su residencia habitual es Madrid. Adquiere una finca en Aravaca, la Villa del Buen Retiro, donde, según él mismo «le hubiera gustado morir». Pero la guerra civil española le obliga a salir de la Península. Muere en 1949.

5. En un artículo publicado en el *Boletín de la Real Academia Española* (t. XXIV, septiembre-diciembre de 1945), con el título *Del arte de hacer novelas,* Ocantos llama a Galdós «su insigne maestro». Se trata de un artículo muy importante para el conocimiento de la técnica novelística del escritor argentino y de sus ideas sobre el género.

6. Nace en Barbadillo de los Herreros (Burgos) y muere en San Sebastián. Estudia las primeras letras en Fuenterrabía, y muy joven aún pasa a la Argentina, donde, en compañía con su paisano el vizcaíno José R. de Uriarte, funda la revista *La Vasconia.* Viajero infatigable, colabora asiduamente en diversos periódicos y revistas: *El País, Caras y Caretas, El Sol,* la *Revista de Occidente,* etc.

7. Vid. *Parallels betwen Spanish American and Russian novelistic themes.*

8. Nuestro Pedro Mata ha escrito unos relatos con el mismo título—*Irresponsables*—, dedicado a su abuelo, el doctor don Pedro Mata, ilustre psiquiatra. No sería imposible suponer que el novelista español hubiese conocido la obra de Podestá.

9. Dejó también dos largos poemas: *La inquietud humana* y *La canción del insomnio.* El primero, en dos tomos y trece cantos, es de corte filosófico, al estilo de

tantos como se escribieron en España y América, sobre el patrón de *La leyenda de los siglos*, de Víctor Hugo.

10. Se publicó en 1891, como folletín, en *La Nación*, de Buenos Aires, y en volumen aparte varios años más tarde, con prólogo de Julio Piquet, amigo íntimo de Miró.

11. Hijo de un médico irlandés establecido en Chile a principios de siglo y fundador de la Escuela de Medicina, nace Alberto Blest Gana en Santiago, en 1830. Sigue la carrera militar en su patria, y en 1847 es pensionado para ampliar estudios en Europa. Sigue cursos en la Escuela Preparatoria de Versalles y luego en la de Estado Mayor. De regreso en Chile, se le nombra profesor de la Escuela Militar (1852). Se le comisiona para el levantamiento de la carta topográfica de Chile y se le asciende a jefe de sección del Ministerio del Ejército. Pero en 1855 pide la baja en el mismo. Un año antes había contraído matrimonio. En 1860 obtiene el premio de novela con *Aritmética del amor*; sucede a don Juan Bello, el gran polígrafo don Andrés, en la Facultad de Humanidades, y con tal motivo pronuncia un discurso del mayor interés, por encerrar todo el programa de su obra novelística. Desempeña diversos cargos burocráticos, y en 1866 se le nombra encargado de Negocios en Washington. A partir de esta fecha y hasta su muerte, cincuenta años más tarde, en París, su vida transcurre en el extranjero, en el desempeño de diversas misiones diplomáticas. Falleció, ya nonagenario, en 1920. Durante su estancia en París estalló la revolución de 1848; y es extraño que de tal suceso no quede en su obra sino la alusión a ciertos tumultos callejeros. En general, Blest Gana, destacado militar y diplomático, rehuye el aprovechamiento del suceso político. Alberto es hermano de Guillermo Blest Gana, el poeta romántico aludido en el capítulo LXVI.

12. «Un día —nos confiesa—, leyendo a Balzac, hice un auto de fe en mi chimenea, condenando a las llamas las impresiones rimadas de mi adolescencia; juré ser novelista o abandonar el campo literario, si las fuerzas no me alcanzaban para hacer algo que no fuesen triviales y pasajeras composiciones. Desde entonces he seguido mi propósito, sin desalentarme por la indiferencia, sin irritarme por la crítica, sin envanecerme tampoco por los aplausos con que el público ha saludado mis últimas novelas. El secreto de mi constancia está en que escribo, no por culto a la gloria, que no existe ni aun con oropeles entre nosotros; no por ambición pecuniaria, porque sólo últimamente mis trabajos empiezan a producirme algún dinero, sino por necesidad del alma, por afición irresistible, por ese algo inmaterial, en fin, que nos lleva a apartarnos de los cuidados enfadosos de la vida, lanzando la imaginación a un campo en que nadie puede vedarnos los dulces frutos de la satisfacción intelectual.»

13. Internacionalista y político destacado, es notable su labor al frente del Ministerio de Instrucción Pública. Profesor de Derecho y diplomático, representó a su patria en diversos países.

14. Aunque fuera del marco cronológico de este tema, debemos mencionar a EMILIO RODRÍGUEZ MENDOZA, autor de *Santa Colonia* (1920), «excelente pretexto para desplegar las galas de su estilo plástico y a la vez tan clasicista». Entre lírico e irónico, ha sido calificado de «Valle-Inclán tropical y atrabiliario».

15. *Historia de la literatura hispanoamericana*, pág. 180.

16. «La escuela indagadora tiene dos cimas igualmente elevadas y dignas de estudio, si bien la crítica ha encomiado más a la segunda: una brota del valle; otra, del trópico: Nataniel Aguirre y Gabriel René Moreno. La eterna antítesis de Apolo y Dionisios; uno es el artista puro; otro, el escritor profesional. Maestro de belleza y profesor de energía. Ambos sienten, aman y expresan lo boliviano con rara intensidad, pero a través de métodos diferentes: Aguirre, con amor, con dolor, con sed de enaltecer lo propio; Moreno, con pasión de rebelde, de inconforme, mirando más al pasado que al porvenir. Los dos, entregados a la tarea de búsqueda con tenacidad de verdaderos creadores. (FERNANDO DÍEZ DE MEDINA: *Literatura boliviana*, Madrid, 1954, pág. 244).

17. «Dada esta concepción de la historia y de la política, *Juan de la Rosa* —como ha escrito Diez de Medina— aproxima mejor que diez textos de historia la gesta emancipatoria, la enciende, la ilumina, la transfigura en la comprensión de sus lectores.» (*Op. cit.*, pág. 246.)

18. La Matto de Turner tuvo que expatriarse y vivir los últimos años en la Argentina. A propósito de esto escribe Luis Alberto Sánchez: «A diferencia del Ecuador, el Perú se caracteriza como un país literariamente aséptico. Huye de los asuntos sexuales, o los atenúa hasta reducirlos a cero; teme los problemas sociales, se encoge ante la censura del ambiente, escapa de mencionar la

banca y el burdel. Cuando se atreve a algo, como en *Aves sin nido*, de la señora Matto de Turner, la reacción pública cébase en el atrevido y acaba expatriándolo, como en este caso; cuando pinta una escena de la sociedad limeña crudamente, con algunos nombres propios, como en *Duque*, de José Díez Canseco (1934), el autor deberá cantar su *mea culpa* y prometer enmienda, si no se resigna a sufrir los efectos de la proscripción social.» (*Proceso y contenido de la novela hispanoamericana*, Edit. Gredos, pág. 269, Madrid. Cf. asimismo: AUGUSTO TAMAYO VARGAS: *Perú en trance de novela*, Lima, 1940.)

19. Vid. sobre todo esto: ANGEL F. ROJAS: *La novela ecuatoriana*, Fondo de Cultura Económica, Méjico, 1948, págs. 102 y sgs. También puede consultarse: BERENGUER CARISOMO: *Medio siglo de literatura americana*, pág. 189.

20. Refiere cómo entra la literatura romántica en estos internados, y es curioso el juicio que Tobar formula de obras como *Pablo y Virginia* y *Atala:* «Ninguno de los malos libros que posteriormente he leído me ha sido tan perjudicial como los dos citados; ellos segaron la flor de mi corazón, abrieron de par en par las puertas al sinnúmero de sentimientos que constituyen no sé si el tormento de la vida o las delicias de la existencia.»

21. La influencia de Pereda es puesta en duda por Federico de Onís (Pról. a la ed. de «Obras completas» de Carrasquilla, Madrid, E. D. E. S. A., 1952), quien destaca, en cambio, la de Valera. Para nosotros, una y otra son indiscutibles.

22. En la *Autobiografía* explanó Carrasquilla su ideario estético, basado en un tolerante eclecticismo. «No tengo escuelas ni autores predilectos —dice, entre otras cosas—. Como a cualquier hijo de vecino, me gusta lo bueno en cualquier ramo.»

23. Usó Marroquín los seudónimos de «Pedro Pérez de Perales» y «Gonzalo González de la Gonzalera». Aparte de sus innumerables trabajos de filosofía, crítica, historia, religión, política, etc., publicó valiosos estudios gramaticales: *Diccionario ortográfico* y *Tratado de ortografía*. Hijo suyo fué Lorenzo Marroquín (1856-1918), novelista y erudito, al que aludiremos en el capítulo correspondiente a la prosa modernista.

24. «Pocos sufrimientos pueden compararse al de la ausencia del terruño, del calor de la familia, del dulcísimo rescoldo del hogar. El corazón lo mira todo desde lejos con un cariño exasperado y los afectos crecen en razón de la distancia... Las miserias de la vida, los sufrimientos que ella da, los dolores con que nos punzan el alma, se quedan sepultados en la sombra cuando estamos padeciendo el incurable mal de la nostalgia.»

25. *Proceso y contenido de la novela hispanoamericana*, pág. 64.

26. *Historia de la novela mexicana en el siglo XIX*, Méjico, 1953, Antigua Librería Robredo, pág. 91.

27. Delgado nace en Córdoba, Estado de Veracruz, el 20 de agosto de 1853. Estudia en el Colegio Nacional de Orizaba la carrera de maestro. Colabora en diversos periódicos y revistas y tienta todos los géneros —novela, cuento, ensayo, crítica, teatro—. Pasa a Méjico, donde se entrega a la labor periodística; profesor de Literatura, por consejo de su amigo López Portillo, gobernador a la sazón del Estado de Jalisco, ocupa la Dirección General de Educación de Guadalajara, cargo que se ve obligado a abandonar por motivos de salud. Muere el 20 de mayo de 1914.

28. En *Los parientes ricos* se desarrolla este diálogo entre Alfonso y Margarita: «Primita mía, escucha mi novela. —¿Realista? —Sí; y de buena cepa... Más bien romántica. —¿Romántica y realista? —No son términos antitéticos.»

29. En un artículo, *Nuestro tirano el adjetivo*, Nervo aboga por la vuelta a la limpidez, a la serenidad, al espléndido aislamiento del sustantivo; y en otro escrito, *La lengua y la literatura* (1907), escribe: «Pasada la tormenta romántica, el desordenado, el incontenible aguacero de imágenes, de adjetivos, de antítesis opulentas, de hiperbatones modosos, de sinónimos matizados, todos hemos vuelto a convenir en que la condición por excelencia de un bello estilo debe ser la sobriedad. Entendámoslo bien, la sobriedad; en modo alguno la pobreza. Decir lo que decir hemos sin hojarasca de palabras inútiles; que nuestra frase, mejor que abundante y opima, sea nítida, lisa, bruñida; que exprese lo que se proponga sin todos esos empavesados multicolores que fatigan la vista y ultrajan el ideal de elegante simplicidad que todos nos afanamos por alcanzar.»

30. El triunfo en la vida, según la tesis de la novela, sólo se puede alcanzar a base de la venalidad y de la carencia de escrúpulos.

BIBLIOGRAFIA

I-II. T. ANDERSON: *Carlos M.ª de Ocantos y su obra*, «Univ. Press», 1934.—E. MARIO BARREDA: *Lucio V. Mansilla*, «La Nación», Buenos Aires, octubre 1940.—J. CANTER: *Contribución a la bibliografía de Paul Groussac*, Buenos Aires, 1930; *Bibliografía de Martiniano Leguizamón*, «Bol. Inst. Invest. Hist.», XXVI.—H. V. COWES: *Sentido de la perspectiva en un texto literario de E. Wilde*, «Rev. Univ. Buenos Aires», núm. 4, 1956.—A. DURÁN: *Un poco de psicología sobre Mansilla*, «Tipos al trasluz», Buenos Aires, 1930.—F. ESCARDO: *Eduardo Wilde*, Buenos Aires, 1943.—M. GARCÍA MEROU: *«La gran aldea» y «Fruto vedado»*, «Libros y autores», Buenos Aires. 1886; *Las novelas de Cambaceres*, «Libros y autores», Buenos Aires.—A. GIMÉNEZ PASTOR: *Eugenio Cambaceres*, «El Diario», Buenos Aires, 1922.—M. MÚJICA LAÍNEZ: *Aspectos de la generación del 80*, «La Nación», Buenos Aires, diciembre 1939.—C. OYUELA: *«Mecha Iturbe», de César Duayen*, «Est. Liter.», Buenos Aires, 1915.—J. PIQUET: Pról. a *La bolsa*, Edit. La Nación, Buenos Aires.—E. RODRÍGUEZ DE MENDOZA: *Vicente Pérez Rosales*, Santiago de Chile, 1934.—L. A. SÁNCHEZ: *Vicente Pérez Rosales*, «Escritores representativos de América», I, Edit. Gredos, Madrid, 1957.—J. VALERA: *«Teodoro Foronda». Evolución de la sociedad argentina*, «Obras completas», I, Edit. Aguilar, Madrid, 1942.—M. J. LICHBLAN: *The Argentine Novel in the Nineteenth Century*, Publ. del Hispanic Institute, Nueva York.—R. M. REGUCCI: *Escritores de Hispanoamérica. Notas biográficas y críticas y antología anotada*, Buenas Aires, 1958.

III-IV. E. ACEVEDO DÍAZ (hijo): *La vida de batalla de Eduardo Acevedo Díaz*, El Ateneo, Buenos Aires. 1941.—H. DÍAZ ARRIETA («Alone»): *D. Alberto Blest Gana. Biografía y crítica*, Edit. Nascimento, Santiago de Chile, 1940.—R. SILVA CASTRO: *Alberto Blest Gana. Estudio biográfico y crítico*, Imp. Universitaria, Santiago de Chile, 1941; *La obra novelística del chileno A. Blest Gana*, «Cuad. Hispanoamericanos», núm. 90, 1957.—VARIOS: *Homenaje de la Univ. de Chile a don Luis Orrego y Luco*, Santiago de Chile, 1949.—V. E. WILSON: *Blest Gana's debt to Barros Arana*, «The Hisp. Amer. Historical Review», XIX, North Carolina, 1939.—R. A. LATCHAN: *Blest Gana y la novela realista*, «Anales Univ. de Chile», número 112, 1958.—W. W. MOSELEY: *Origins of the historical Novel in Chile*, «Hispania», XLI, núm. 2, 1958.

V. A. ANDRADE COELLO: *Vargas Vila*, Quito, 1912.—P. GENER: *Vargas Vila*, «Cervantes», núm. 2.—J. M.ª MARROQUÍN OSORIO: *Don José Manuel Marroquín, íntimo*, Bogotá, 1915.—C. FREDERIK MC. GEE: *Vargas Vila: The Man and some of his Worsk*, Oklahoma Theses, 1943.—J. MEJÍA DUQUE: *Obra y mensaje de don Tomás de Carrasquilla*, rev. «Bolívar», Bogotá, 1934.—L. M.ª MORA: *Biografía de don J. Manuel Marroquín*, «El Centro», 1897.—F. DE ONÍS: *Tomás Carrasquilla, precursor de la novela americana moderna*, XXXII, Univ. Antioquia, 1956.—A. RUBIÓ Y LLUCH: *José J. de Ortiz*, «Defensa Católica», Bogotá, 1892.—L. A. SÁNCHEZ: *Tomás Carrasquilla*, «Escritores representativos de América», II. Edit. Gredos, Madrid. 1957.—G. CADAVID URIBE: *El mundo novelesco de Tomás Carrasquilla*, «Univ. de Antioquia». XXXIII, núm. 137, 1957.—E. C. DE LA CASA: *La novela antioqueña*, Publ. del Hispanic Institute, Nueva York.—A. CURCIO ALTAMAR: *Evolución de la novela en Colombia*, Bogotá, 1957.—F. A. MARTÍNEZ: *Artículos dedicados al centenario de Tomás Carrasquilla*, «Bol. Acad. Colombiana». VIII, núm. 27, Bogotá, 1958.—DILLWYN F. RATCLIFF: *Venezuelan prose fiction*, Publ. del Hispanic Institute, Nueva York.

VI. A. ACEVEDO ESCOBEDO: Est. prel. a *«La bola»* y *«La gran ciencia»*, «Escrit. Mexic.», núm. 50, Edit. Porrúa, Méjico, 1948; est. prel. a *«El cuarto poder»* y *«Moneda falsa»*, «Escrit. Mexic.», núm. 51, Edit. Porrúa, Méjico, 1948.—RENÉ AVILÉS: *Heriberto Frías y la moderna novela mexicana*, «Suma Bibliográfica», IV, 1948.—A. DOTOR: *María Enriqueta: su vida y su obra*, Madrid, s. a.—R. GARCÉS ZAMUDIO: *Estudio sobre la obra novelesca de... José López-Portillo Rojas*, Méjico. 1936.—C. GONZÁLEZ PEÑA: *Rabasa y sus novelas*, «Claridad en la lejanía», Stylo, Méjico, 1947.—G. JIMÉNEZ: *Amado Nervo y la crítica literaria*, Méjico, 1919.—V. LIÉVANO: *El lic. Emilio Rabasa*, «Cuad. de Chiapas», núm. 10, 1946.—S. L. MILLARD ROSENBERG: *El naturalismo en Méjico y don Federico Gamboa*, «Bull. Hispanique», XXXVI, 1934.—F. MONTERDE: *Amado Nervo*, Méjico, 1929; pról. a *Rafael Delgado: cuentos*, «Bibliot. del Est. Univ.», núm. 39, Méjico, 1942.—A. MONTORI: *La obra literaria de Miguel Carrión*, «Cuba Contemporánea», núm. 48.—E. R. MOORE: *Rafael Delgado: notas bibliográficas y críticas*, «Rev. Iberoamericana», núm. 11, febrero 1943; *Bibliografía de obras y crítica de Federico Gamboa*, «Rev. Iberoamericana». II, abril 1940.—R. J. NIESS: *Zola's «L'Oeuvre» and «Reconquista» of Gamboa*, «Publications of the Modern Language Association of America», LXI, Menasha, Wisconsin, 1946.—C. OYUELA: *«Apariencias», novela de F. Gamboa*, «Estudios Literarios».—MARGARITA PÉREZ PIRÉ: *Don José L. Portillo y Rojas: su vida, su obra*, Méjico, 1949.—A. ROMERO: *Don Arcadio Zentella, intérprete de la novela social*, Club del Libro, Edit. Yucatanense, Mérida de Yuc., 1950.—L. A. SÁNCHEZ: *Joaquín García Monje, novelista ignorado*, «Cuad. Americanos», Méjico, mayo 1950.—F. TENA RAMÍREZ: *Silueta de don Emilio Rabasa*, «Cultura», Méjico, 1935.—J. LLOID READ: *The Mexican historical Novel*, Publ. del Hispanic Institute, Nueva York.

CAPITULO LXXXI

LA ERUDICION Y LA CRITICA EN EL SIGLO XIX

I. PANORAMA CULTURAL: *La vida literaria hasta 1850. Salones y revistas. Ultimas manifestaciones.*—II. GRUPOS INTELECTUALES: *Grupo parlamentario. Los católicos: Balmes, Donoso Cortés y otros. Los «institucionistas».*—III. CRÍTICA TRADICIONAL: *Neoclásicos y dogmáticos. Eclécticos y románticos.*—IV. ERUDITOS E INVESTIGADORES: *Gallardo, La Barrera, etc. La «Biblioteca de Autores Españoles». Principales colaboradores. Amador de los Ríos y su «Historia de la literatura». Eruditos y críticos catalanes. Historiadores y oradores.*—V. LA CRÍTICA DOCTRINAL: *Menéndez Pelayo. Vida y persona. Producción literaria. «Ciencia española», «Historia de los heterodoxos» e «Historia de las ideas estéticas». «Orígenes de la novela», «Estudios sobre Lope de Vega» y «Estudios de crítica literaria». La «Antología de poetas hispanoamericanos». «Bibliografía hispano-latina» y otros trabajos. Menéndez Pelayo, maestro de las letras.* NOTAS.—BIBLIOGRAFÍA.

I. PANORAMA CULTURAL

El siglo XIX, en lo ideológico, es heredero directo del anterior. Más exactamente, diríamos que no se trata de una herencia, sino de una continuación. En la aristocracia intelectual siguen dominando las ideas del despotismo ilustrado que tan hondo arraigo habían encontrado durante la centuria anterior en hombres como Jovellanos, Aranda y Campomanes. En los medios populares cultos persisten las corrientes democráticas y liberales puestas en circulación por los enciclopedistas y favorecidas luego por la gran Revolución francesa y por las invasiones napoleónicas. Quedaba el clero y las llamadas derechas; pero éstas se sentían todavía cómodas dentro de sistemas filosóficos y políticos ya periclitados en otros países y que en el nuestro seguían disfrutando de inexplicable aceptación. Hay que llegar a Balmes para encontrar dentro de esas derechas un espíritu que sienta la inquietud del momento y que se decida a poner al día unas doctrinas tan rezagadas como eran las de nuestros escolásticos a principios del XIX. Y esto lo hace Balmes sin salirse de la más estricta ortodoxia.

Las ideas revolucionarias vienen después, remontada ya la primera mitad del siglo. Entonces, con evidente retraso respecto a otros países, empieza a operarse esa honda revolución política y social que supone en la vida moderna el advenimiento de la burguesía. Con la instauración del sistema burgués, y como consecuencia necesaria del mismo, nace y se desarrolla la lucha de clases. Pero no es de esto de lo que aquí vamos a ocuparnos. Baste señalar, porque ello se relaciona con nuestros puntos de vista, un hecho significativo: mientras en lo literario—poesía, teatro, novela—el español ha realizado antes del 1840 esa gran

experiencia revolucionaria que se llama Romanticismo, en lo político y social permanece aún largo tiempo estacionario. Hay más: los más fogosos defensores de esa revolución artística—Rivas, Zorrilla—son precisamente los partidarios más tenaces del orden social establecido. De este modo, y por primera vez quizá en nuestra historia, hay un desajuste, una falta de adecuación entre la sociedad y el arte; en nuestro caso, entre la sociedad y los productos literarios. La poesía ha sido hondamente afectada por el seísmo romántico; el pensamiento y la vida apenas han cambiado.

No podemos entrar aquí en la descripción de esa vida y de ese pensamiento; mucho menos detenernos en las infinitas modalidades del mismo durante la pasada centuria; desbordaríamos con ello el área de una historia literaria para invadir campos que corresponden a otras disciplinas: filosofía, cultura, etc. Baste señalar algunos de sus rasgos en lo que tienen de común con la nuestra, reservando el mayor espacio para las manifestaciones propiamente literarias: la erudición y la crítica.

La vida literaria hasta 1850

No tiene nuestra vida literaria de principios del XIX la amplitud que en otras naciones, particularmente en Francia. Grandes zonas del bajo pueblo y de la clase media, que allí, y lo mismo en Inglaterra, se interesan por los problemas artísticos, siguen entre nosotros durante algún tiempo extrañas a toda inquietud de orden cultural. El cultivo y disfrute de las letras se deja para unos cuantos aristócratas y algunos señoritos de buena familia, que no saben en qué perder el tiempo [1].

Sólo el teatro, y no en todos sus géneros, sino en aquel que refleja ciertos medios sociales, llega a la masa del pueblo. En lo demás, éste se siente desvinculado del escritor, que, por otra parte, nada hace por aproximarse a él. Piénsese en poetas como Meléndez Valdés y en comediógrafos como Leandro F. de Moratín y se comprenderá que allí eso que llamamos la «gran masa de lectores» nada tenía que hacer. No se hable ahora de la tragedia neoclásica, género que nunca alcanzó arraigo ni siquiera entre los intelectuales y escogidos. Los escritores—poetas, dramaturgos y hasta ensayistas—redactan sus obras pensando siempre en un público muy limitado.

Con el Romanticismo, la cosa cambia. Surgen por todas partes cenáculos, sociedades y órganos de opinión que, al lado de los problemas políticos, airean y lanzan a la calle, sometiéndolos a pública controversia, los problemas literarios. Los dramas del duque de Rivas, Zorrilla, Hartzenbusch y García Gutiérrez, con su vistoso ropaje poético y su apasionado dinamismo, van atrayendo hacia el culto de las letras a un público cada día más numeroso, más ávido también de aprender y de enterarse. La prensa contribuye a fomentar las nacientes inquietudes. Ya no son sólo publicaciones especializadas; es el periódico diario el que lleva a sus páginas la reseña de la comedia estrenada el día anterior, la información sobre la última novela traducida del inglés o del francés, incluso la polémica surgida en torno a una obra.

Con la creación del Ateneo (1820), el horizonte cultural se ensancha. Clausurado en 1823 y vuelto a abrir en 1835, ya no como centro privado, sino como pública entidad, su tribuna queda abierta a las corrientes europeas, y lo que allí se dice, alcanza eco en toda la Península. En la vida intelectual de España durante un siglo (1835-1936), el Ateneo de Madrid, secundado luego por multitud de centros similares en provincias, ha venido ocupando, unas veces para bien y otras para mal, el puesto más avanzado y de mayor responsabilidad.

Salones y revistas

Al promediar el siglo, los grandes cenáculos literarios y las famosas tertulias quedan sustituídas por reuniones en casas de prohombres de la política o de la aristocracia. Al Liceo, en trance de desaparecer, y al Ateneo, en momentánea decadencia, suceden las recepciones. La más antigua era la que semanalmente se celebraba en casa de Patricio de la Escosura, en la calle del Amor de Dios. A ella concurrían, entre otros, don Juan Nicasio Gallego, Nocedal Pacheco, Donoso Cortés, Pastor Díaz, Bretón de los Herreros, Ventura de la Vega, Gabino Tejado, Rodríguez Rubí y algunos menos conocidos. Estos mismos, junto con

Amador de los Ríos, Gil y Zarate, A. Fernández-Guerra, Modesto Lafuente, Eugenio de Ochoa, Hartzenbusch y Navarro Villoslada animaban la recepción que daba todos los miércoles en su palacio el marqués de Molins. Análogas reuniones se celebraban en los domicilios del duque de Rivas, Cañete y Fernández-Guerra (don Aureliano). En esta última, los tertulianos alternaban la dedicación a las musas con altas disquisiciones de estética y comentarios de obras clásicas, antiguas y modernas [2].

Las corrientes filosófico-literarias de la época encuentran su más fiel reflejo en las publicaciones periódicas, sobre todo en las revistas ilustradas. Las había en gran número: *El semanario pintoresco* (que dejó de publicarse en 1857), *La Iberia* (1849-57), *El museo universal* (1857-1869), *La ilustración española y americana* (que perduró hasta fines de siglo). Y entre las no ilustradas: *Revista española de ambos mundos* (1853-55), *Crónica de ambos mundos* (1860-63), *Revista Hispanoamericana* (1864-1867), todas ellas de Madrid; y en provincias: *Revista de Cataluña* y *Revista de ciencias, literatura y artes* (Sevilla). Otras publicaciones: *El Clamor, Las Novedades, La Epoca, El pensamiento español*, sin cerrar sus puertas del todo a lo literario, atendían más al aspecto político. No debemos pasar por alto *El Contemporáneo*, que recogió trabajos de afamados escritores, entre ellos de Bécquer y de Valera [3].

Ultimas manifestaciones

Hacia el año 70 el Ateneo se revitaliza y de nuevo empieza a irradiar su influencia en varias direcciones. A su imitación se abren Ateneos y Liceos en casi todas las capitales de provincia y ciudades importantes. En ellos vuelve a polarizarse la vida espiritual de la nación, y por sus salas pasan las corrientes ideológicas recién llegadas de fuera. Ahora es Alemania la preferida por nuestros intelectuales; hay un momento en que parece que va a desbancar a la misma Francia en los más amplios sectores del pensamiento nacional. Es cuando Perojo y Sanz del Río introducen el neokantismo y el krausismo, llevándose tras sí buena parte de la juventud universitaria española; precisamente aquella que luego ha de influir decisivamente en los destinos de la nación.

Todavía son más interesantes para nuestro objeto las publicaciones periódicas. Persisten algunas del período anterior; pero las que mejor encarnan el espíritu de la época y traducen más fielmente sus ideas literarias son de nueva creación: *Revista de España*, surgida en 1868, coincidiendo con la revolución, de la que habría de ser intérprete por algunos años; *Revista Europea*, aparecida poco después (1871); la *Contemporánea*, que con la anterior se dedicó a divulgar entre nosotros infinitas traducciones alemanas, inglesas y francesas, convertida por obra de Perojo en el principal portavoz de la escuela neokantiana; la *Ilustración Española y Americana,* sucesora en 1870 del *Museo Universal;* la *Revista Hispanoamericana,* de efímera, pero fecunda vida; la *España Moderna,*

de menor aparato erudito, y el *Nuevo Teatro Crítico,* que editaba por sí sola doña Emilia Pardo Bazán. Otras publicaciones, cuya lista sería interminable—*Defensa de la Sociedad, La Ciudad de Dios, Revista de Madrid*—, aunque abundaban en estudios literarios, perseguían otros objetivos.

II. GRUPOS INTELECTUALES

Si en este panorama tan múltiple de aspectos quisiéramos poner alguna ordenación, acaso no sería difícil hacerlo con sólo encasillar a sus más notables representantes conforme a un criterio de afinidades ideológicas. Y así nos encontraríamos con una serie de grupos típicamente representativos: el parlamentario, el católico, el de la Institución Libre, etc. Dos palabras sobre cada uno.

Grupo parlamentario

Está representado casi exclusivamente por prohombres de la política: Castelar, Cánovas del Castillo, Pi y Margall, Salmerón, etc. Todos han gobernado o aspiran a gobernar; por eso, primero son políticos, y luego, oradores, historiadores, filósofos y hasta novelistas. EMILIO CASTELAR (1832-1899)[4] es el mayor orador parlamentario que ha tenido España; presidió el Poder Ejecutivo de la primera República e intervino destacadamente en la política de su tiempo, representando, dentro del partido republicano, la tendencia liberal y más moderada. Como escritor prefirió los temas histórico-filosóficos en obras de alto valor informativo, aunque de escasa precisión: *La civilización en los cinco primeros siglos del cristianismo, Tragedias de la Historia, Galería histórica de mujeres célebres, La fórmula del progreso, La revolución religiosa.* Hombre de amplísima cultura y de exquisita sensibilidad, se distingue por la frondosidad verbal y la brillantez de imágenes. Ultima resonancia del Romanticismo, su prosa, de amplio ropaje, llena de musicalidad y de color, responde por un lado a la rotunda estrofa de Núñez de Arce y augura por otro la poesía modernista de Rubén. «Castelar—ha podido escribir *Azorín*—ha hecho caminar un gran trecho la prosa castellana. La prosa castellana es otra desde Castelar.» Escribió también narraciones: *El suspiro del moro, Nerón, Fra Filippo Lippi, Un año en París, Recuerdos de Italia* y una *Autobiografía* que llega hasta 1870. Sus *Discursos,* a los que debe la máxima notoriedad, aparecieron en diversas colecciones.

También ANTONIO CÁNOVAS DEL CASTILLO (1828-1897)[5], en sus aficiones literarias, se inclinó preferentemente por la Historia, sin desdeñar otros géneros. Dotado de excepcionales aptitudes para el gobierno público, jefe del partido conservador durante el reinado de Alfonso XII y la regencia,

piedra angular de la restauración y tal vez el mayor político del siglo XIX español, Cánovas todavía encontraba tiempo para dedicarse a la literatura, en la que nos dejó obras dignas de tenerse en cuenta: *Estudios del reinado de Felipe IV, Historia de la decadencia de España;* una novela histórica, *La campana de Huesca;* tres volúmenes de ensayos y conferencias con el título de *Problemas contemporáneos,* y un libro de *Poesías,* de escaso mérito. En *El Solitario y su tiempo,* biografía de su tío Estébanez Calderón, nos legó su obra más interesante en el aspecto literario.

Don FRANCISCO PI Y MARGALL (1824-1901), el famoso hombre público y presidente de la primera República española, repartió su afición literaria en dos direcciones: ensayo crítico—*Joyas literarias, Observaciones sobre el carácter de Don Juan Tenorio, Cartas íntimas,* edición y estudio del padre Mariana para la Biblioteca Rivadeneyra—e historia—*Estudios sobre la Edad Media, Historia general de América, Historia de la pintura en España* y la *Introducción a la historia de España en el siglo XIX,* que terminó de redactar y publicó su hijo—. En Pi y Margall se transparenta una sólida formación humanística.

Los católicos: Balmes y Donoso Cortés

El pensamiento católico en la primera mitad del XIX está representado por dos egregios escritores: Balmes y Donoso Cortés. Más metódico, preciso y claro Balmes; más exuberante y expresivo, por ello también más literario, Donoso.

El presbítero catalán JAIME BALMES (1810-1848)[6] es el cerebro filosófico mejor formado de la España moderna. Tomista en el fondo, no vacila en apartarse de la doctrina escolástica cuantas veces ésta no va de acuerdo con la sana razón. Balmes es el filósofo del sentido común, que, sin salirse un ápice de la ortodoxia católica, sabe hermanar el pensamiento tradicional cristiano con los avances de la ciencia. Con influjos de Descartes y de Leibniz y manifiesta inclinación a la escuela escocesa, Balmes se nos presenta como un ecléctico. A la vez es un periodista destacado—«el mejor periodista político de la España del XIX», dice Menéndez Pelayo—y un formidable polemista. Su nombre llenó Europa en 1844, con la publicación de *El protestantismo comparado con el catolicismo,* soberbia réplica a la *Histoire de la civilisation de Europe,* de Guizot, en que rebate brillantemente todas las acusaciones formuladas por éste contra la Iglesia Católica. La obra de Balmes, traducida a todas las lenguas cultas, le dió extraordinaria celebridad. Al año siguiente aparece *El criterio* (1845), y un año después, la *Filosofía fundamental* (1846). Cada uno de estos libros refleja una faceta del autor: *El protestantismo comparado con el catolicismo* es toda una filosofía de la Historia; *El criterio,* uno de los libros más leídos en nuestra patria, un tratado de lógica expuesta con singular amenidad; la *Filosofía fundamental,* un tratado de metafísica, con el que Balmes intentaba atajar los avances de la filosofía racionalista. Lo que sorprende en Balmes, aparte del vigor dialéctico, es la claridad expositiva que le permite llevar al lector sin confusión ni esfuerzo visible a la entraña de los más hondos problemas. «Su prosa —ha escrito Julián Marías—carece de valor estético.» Creemos nosotros, por el contrario, que no es difícil encontrar en Balmes páginas de gran belleza. Escribió mucho; fallecido a los treinta y ocho años, sus *Obras completas* alcanzan treinta y tres volúmenes. Agreguemos a las citadas: *Cartas a un escéptico en materia de religión; Pío IX,* briosa defensa de aquel gran Pontífice; *Filosofía elemental,* y un sinnúmero de *Escritos políticos,* que transparentan su preocupación por los problemas del momento en que vivió.

Lo que en Balmes es análisis y precisión se hace en Donoso síntesis e intuición deslumbradora. JUAN DONOSO CORTÉS (1809-1853), marqués de Valdegamas[7], famoso un día en Europa y casi olvidado luego, ha vuelto a pasar al primer plano de la actualidad cultural, gracias, sobre todo, a los estudios que le han dedicado algunos teorizantes antiliberales de fuera, como E. Schramm y C. Schmitt. Con un rico bagaje de cultura filosófica e histórica, muy joven aún, se revela en el Parlamento como orador de alto vuelo y es enviado de embajador a París. Pronto llama la atención de los prohombres de la política internacional por su excepcional talento, y en 1851 publica el *Ensayo sobre el catolicismo, el liberalismo y el socialismo,* que, traducido al francés por Louis Veuillot, da la vuelta a Europa suscitando polémicas en España y en el extranjero. Donoso es un escritor retórico, arrebatado, brillante, que no duda en sacrificar muchas veces la exactitud en aras del mayor efecto literario. Con frecuencia se siente profeta y gusta de tronar sobre la Europa de su tiempo, augurando tremendas convulsiones. Al principio se creyó ver en esta actitud simple exhibicionismo; pero luego se ha comprobado que, por desgracia, estaba en lo cierto. Pesimista en el fondo, pero de ideas religiosas muy arraigadas, ve en el catolicismo la salvación única de la sociedad. Por su tono, por su grandilocuencia y hasta por su ideario, la prosa de Donoso armoniza perfectamente con la poesía de Tassara.

Al mismo grupo católico que propagaba sus creencias desde el periódico, el libro o la tribuna, pertenecen: el filósofo ORTI Y LARA; los dos NOCEDAL (Cándido y Ramón), excelentes parlamentarios; ALEJANDRO PIDAL Y MON; MANTEROLA; y, ya casi metidos en nuestro siglo, el padre MIGUEL MIR; el grupo de religiosos agustinos que bajo el magisterio del padre CÁMARA redactó la famosa *Contestación a Draper* y la benemérita revista *La Ciudad de Dios,* y el tribuno del tradicionalismo don JUAN VÁZQUEZ DE MELLA.

Los «institucionistas»

Menos conocidos en el exterior, pero mucho más influyentes que los católicos en el interior, se llaman así porque todos ellos pertenecen como fundadores o colaboradores a la famosa y discutida Institución Libre de Enseñanza.

Su inspirador, ya que no su creador, fué JULIÁN SANZ DEL RÍO (1814-1869)[8], que, enviado a ampliar sus estudios en Alemania, volvió de allí convertido en ciego admirador de la filosofía poskantiana, especialmente de la de Krause, cuyos libros y sistema divulgó entre nosotros desde su cátedra de la Universidad Central. Sanz del Río, de lenguaje abstruso y sibilino, que dió pie a Menéndez Pelayo para sangrientas burlas, tenía como contrapeso un insuperable poder de captación. Lo que había de oscuro en sus exposiciones teóricas quedaba ampliamente compensado con la pureza de su conducta y con los valores éticos que se transparentaban en su doctrina. Y así, muy pronto se formó en torno a él un núcleo de admiradores y discípulos, que dieron lugar al nacimiento de toda una escuela: el krausismo español. Sus obras, que por lo rebuscado del estilo parecen escritas para una secta de iniciados, tienen relevante matiz filosófico: *Ideal de la Humanidad para la vida, Lecciones para el sistema de la filosofía analítica de Krause, Sistema de la filosofía, Análisis del pensamiento racional, Filosofía de la muerte, El idealismo absoluto.* Ya se ha dicho que la oscuridad del lenguaje es su nota destacada, constituyendo el flanco débil por donde le atacaron sus muchos enemigos.

Discípulos de Sanz del Río y verdaderos fundadores de la Institución Libre, fueron FRANCISCO GINER DE LOS RÍOS (1839-1915) y GUMERSINDO DE AZCÁRATE (1840-1917). Ambos nos dejaron abundante repertorio de obras filosóficas y sociales, pero de escaso valor literario. En cambio, su influencia como pedagogos, tanto en la cátedra como en la Institución, fué definitiva. El ascendiente que ejercían sobre sus discípulos era tan enorme que a él se debe, en bien y en mal, la orientación de buena parte de la intelectualidad española en los últimos decenios del XIX y primeros del XX.

Lo que se proponían estos hombres con mejor intención que acierto era nada menos que la regeneración de España, mediante la reforma de su enseñanza y de sus métodos pedagógicos. Llenos del más loable optimismo, con la mira puesta en el futuro y desconfiando del pasado, aspiraban a captarse la juventud, para situarla en la vanguardia del progreso. Que en cierto modo consiguieron su propósito, nadie lo duda. Hasta cabe enlazar esta actitud con la representada por algunos sectores de la «generación del 98». Como quiera que sea, la Institución Libre encontró su mejor intérprete en uno de los discípulos de Giner, el prestigioso pedagogo MANUEL BARTOLOMÉ COSSÍO (1852-1935). Nadie ha sabido encarnar como él

lo que de movimiento puritano, de honestidad de vida e inquietud espiritual había en la naciente escuela. Nadie tampoco ha sabido representar tan bien ese papel de orientador *socrático* que parecía inherente a sus maestros. Bartolomé Cossío disfrutó hasta su muerte de un prestigio inalterable como pedagogo. En lo literario, su papel es más modesto: colaboración con Pijoán en la *Suma Artis,* obra de grandes ambiciones, pero poco sistemática y articulada; y el estudio sobre el *Greco* (1908), que marca, en efecto, una nueva interpretación del genial cretense.

III. CRITICA TRADICIONAL

A principios del XIX, y todavía durante bastantes años, nuestros críticos se siguen nutriendo en el extranjero. De nada les sirvieron las originales teorías expuestas por tratadistas españoles de primera fila, como el padre Arteaga o el abate Estala, aquél en sus *Investigaciones filosóficas sobre la belleza ideal,* ya aludidas en otro capítulo, y Estala en sus *Discursos* sobre la comedia y la tragedia griegas. Nuestros preceptistas y estetas se van por el más fácil camino de los manuales franceses, especialmente la *Retórica,* de Blair, y los *Principios de literatura,* de Batteux, cuando no prefieren acudir a las obras ya consagradas de Marmontel, Lemercier y La Harpe. Hay, con todo, algunos críticos, poetas en su mayor parte, que no se resignan a una simple imitación y, aun inspirados inicialmente en autores de fuera, procuran ponerse a tono con las más recientes teorías y hasta a veces aventuran ideas personales, que pronto se habían de convertir en principios universalmente admitidos. Pero los más, ya queda dicho, se mantienen fieles al credo neoclásico, de aceptación casi exclusiva en España hasta el triunfo del romanticismo.

Neoclásicos y dogmáticos

Destaca a principios del siglo don JOSÉ MANUEL QUINTANA, el egregio poeta ya estudiado en su lugar. Tanto en el ensayo didáctico *Las reglas del drama,* como en la *Vida de Cervantes* y en la introducción y notas que puso a las dos antologías de *Poesías selectas castellanas,* desde Juan de Mena hasta el siglo XVIII (1807), y de *Poemas heroicos (Musa épica,* 1833), o en los numerosos estudios sobre Francisco de Rioja, Juan de la Cueva, etc., hizo gala de una copiosa erudición junto con el gusto más depurado. Las deficiencias y omisiones de sus dos antologías, así como el desdén hacia los monumentos literarios de la Edad Media, no han de extrañar si se tiene en cuenta la época en que Quintana escribía y su formación neoclasicista. En todo caso, quedan compensados ventajosamente con la rehabilitación que hizo de figuras como el

padre Hojeda y Balbuena. Quintana es el primero que abarca de una mirada toda la historia de la poesía española y a él también se debe la primera colección de nuestros cancioneros y romanceros, si bien es verdad que su atención se centra preferentemente en los eruditos, con manifiesto desprecio de los populares. Hay que reconocerle de todos modos el mérito de haber sabido ver en ellos «nuestra poesía propiamente lírica».

Otros dos poetas, FRANCISCO MARTÍNEZ DE LA ROSA y ALBERTO LISTA, ya asimismo estudiados, aspiraron a erigirse en mentores de la juventud literaria española de principios del XIX. Martínez de la Rosa ilustró su *Poética,* inspirada en Horacio y en Boileau, con extensos apéndices y anotaciones que, al decir del padre Blanco, «honran más a su erudición y laboriosidad que a su talento crítico». En ellos aparecen las mismas vacilaciones doctrinales que inspiraron su política y aun toda su vida. Figuras como las de Lope de Vega, Calderón y Tirso resultan empequeñecidas; y es lo peor que durante algún tiempo los juicios de M. de la Rosa fueron aceptados como verdades incontrovertibles por la crítica extranjera; ejemplo, los *Études sur l'Espagne,* de Viardot.

A. Lista, en cambio, aunque más vinculado a la tradición neoclásica, da pruebas de un criterio mucho menos cerrado, junto con una formación más sólida. Poeta estimable, según pudimos ver en su lugar, demostró la rectitud de sus juicios en numerosos trabajos de índole doctrinal, no exentos de errores, por otra parte. Su labor como crítico y preceptista está contenida en las *Lecciones de literatura explicadas en el Ateneo de Madrid* (1822 y 1836), en las *Reflexiones sobre la dramática española de los siglos XVI y XVII,* publicadas en *El Censor* (1821), y en los múltiples *Ensayos literarios* recopilados por Joaquín de Mora con este título en 1844. Alternan, ya está dicho, aciertos y errores, con predominio de los primeros. Adivina Lista el trascendental papel de la novela en la literatura moderna, calificándola de «epopeya en prosa»; hace un análisis muy minucioso del romanticismo, al que pretende despojar de excesos y apasionamientos ridículos; sale por los fueros del teatro nacional, proclamando que Lope y Calderón son para nosotros tan clásicos como Sófocles para los griegos y para los franceses Racine. En cambio, empequeñece a Tirso, en quien no acierta a ver al psicólogo ni al creador de caracteres. En el terreno doctrinal sostiene la absurda tesis de que «el placer producido por la belleza pertenece exclusivamente a la imaginación». Lista, con su autoridad indiscutida y con su templado eclecticismo, ejerció una influencia beneficiosa en los jóvenes románticos, especialmente en Espronceda. Con sus *Reflexiones* alentó empresas como la de las colecciones dramáticas de la Biblioteca Rivadeneyra.

Otros compañeros de Lista en la escuela sevillana apenas merecen atención como críticos. Ni Reinoso, que explicó en 1815 un *Curso* de Bellas Letras, ni Manuel M. de Mármol, autor de un *Discurso* en que se proclama norma suprema del genio «la observancia de las leyes eternas del arte», aportan ideas personales.

En cambio, no pueden silenciarse los nombres de Hermosilla, Solís y Marchena. Don José Gómez Hermosilla (1771-1837) es la representación más genuina de la intolerancia literaria. Excelente gramático (*Principios de gramática general y Gramática analógica*), mediano helenista y retórico de vía estrecha, de él ha podido decirse muy bien que «confundía la perfección con la carencia de defectos». De nada le había servido su colaboración con Lista en *El Censor,* pues ciego discípulo de Moratín hijo, nos dejó en su *Arte de hablar en prosa y verso* (Madrid, 1826), en su *Curso de crítica literaria* y en la obra póstuma *Juicio de los principales poetas españoles de la última era* (Valencia, 1842), un conjunto de preceptos rígidos, que derivan del neoclasicismo francés más cerrado. Nicasio Gallego dió buena cuenta de este *Juicio* en un gracioso *Diálogo.*

El mismo implacable dogmatismo dictó al abate apóstata don José Marchena Ruiz de Cueto, ya aludido como lírico, sus *Lecciones de filosofía moral y elocuencia* (Burdeos, 1820). Marchena se ensaña en ellas contra Chateaubriand, que le había llamado «sabio inmundo y aborto lleno de talento»; y, de paso, contra la religión católica como fuente de inspiración épiconarrativa. Su estimación por los dos Luises, el de León y el de Granada, no justifica el desvío que manifiesta hacia la gran escuela mística española. Mucho más comprensivo y tolerante se nos muestra el poeta y dramaturgo don Dionisio Solís en el prólogo con que encabeza la traducción de *Orestes,* de Alfieri (Madrid, 1815). Menéndez Pelayo, con evidente exageración, lo quiere comparar con el del *Cromwell,* de Víctor Hugo. Sin ir nosotros tan lejos, hemos de destacar la defensa que allí se hace de la libertad artística. «El preceptista o crí-

tico—escribe Solís—que identifica los términos de un arte con los de su propia capacidad, y se instituye árbitro de la posibilidad de las cosas incurre e induce a los demás en un error funesto a la perfección de aquel arte.» Y antes había dicho: «Las máximas absolutas, a no ser en las ciencias abstractas, son en las demás cosas erróneas y falibles.»

Eclécticos y románticos

Dejando para otro apartado el nombre de Bartolomé J. Gallardo, más erudito que propiamente crítico, consignemos aquí los de unos cuantos escritores que, alcanzados de cerca por la corriente romántica, inician dentro de la preceptiva tradicional una tendencia más moderna.

Uno de ellos es don Manuel Silvela, amigo de Moratín. En colaboración con Pablo Mendívil publicó en Burdeos la *Biblioteca selecta de literatura española* (cuatro tomos, dos en prosa y dos en verso, 1819), con un discurso preliminar en que se manifiesta rebelde a toda tiranía literaria y procura disculpar los que entonces se consideraban defectos del genio nacional. El mismo criterio de rehabilitación inspira el examen que del teatro español hizo don Manuel B. García Suelto, en su *Colección general de comedias* (1826-1834); el *Discurso de ingreso en la Real Academia,* de don Javier García de Burgos, director de publicaciones tan importantes como la *Miscelánea de comercio, artes y literatura, El Imparcial* y *El Universal* (1819-1823), y los comentarios de don Diego Clemencín (1765-1834) al *Quijote,* tan luminoso en determinados aspectos relativos a la novela de caballerías y que aún hoy pueden prestar alguna utilidad.

El nombre de Agustín Durán (1793-1862) [9] merece mención aparte. Discípulo de Lista, amigo de Quintana, le corresponde la gloria de haber sido junto a los esposos Böhl de Faber el gran defensor de nuestro teatro del Siglo de Oro. Comprende antes que nadie la estrecha solidaridad del teatro y la poesía popular; valora las mutuas influencias de la historia, la literatura y la etnografía de un país, y avanzando en la empresa iniciada por Grimm, Depping y los Faber, nos deja en su *Romancero* la colección de nuestra típica poesía popular más extensa e importante lograda hasta entonces. Ya en el *Discurso sobre el influjo que ha tenido la crítica moderna en la decadencia del antiguo teatro español* (1828) combate las unidades dramáticas y establece principios tan revolucionarios como éstos: 1.°, el drama español antiguo, ni por su origen, ni por su técnica, ni por su desarrollo imita al griego clásico; 2.°, siendo distintos el drama clásico y el español, deben regirse por distintos principios y leyes; 3.°, estas leyes han de ser para el drama español, como más libre y poético, también mucho más libres. En su

Colección de sainetes de don Ramón de la Cruz extiende al popular madrileño la credencial de representante de nuestro teatro clásico; finalmente, ayuda a Hartzenbusch en la rehabilitación de Tirso de Molina. Su *Romancero*, que refundido y ampliado pasó a engrosar dos tomos de la «Biblioteca de Autores Españoles», aunque rectificado en alguna de sus teorías, conserva todavía valor por las notas eruditas que lo ilustran.

Con Agustín Durán se puede decir que la crítica había entrado en pleno romanticismo. Las bases de estimación cambian, y con ellas se modifica el punto de vista de autores y de público. Se aspira por unos, los más extremistas, a suplantar las rígidas normas neoclásicas por las libertades preconizadas por Hugo y sus discípulos; otros, más tolerantes o menos imaginativos, intentan concertar las tendencias reinantes con un moderado clasicismo, a la manera de Quintana o Lista, aunque partiendo de puntos opuestos.

Entre ellos merece mención el fogoso tribuno don ANTONIO ALCALÁ GALIANO (1789-1865), tío del famoso novelista Juan Valera, político destacado, doceañista en su juventud, asiduo concurrente de la Fontana de Oro, y amigo y compañero de emigración de Espronceda y Rivas, puso a *El moro expósito* de este último un prólogo que, según dijimos, era un auténtico manifiesto revolucionario. Alcalá Galiano había dado una vuelta en redondo: después de haber combatido en la prensa de Madrid y de Cádiz a los esposos Böhl de Faber, a quienes había llamado, entre otras cosas, «germano gaditano» y «amazona literaria», su trato con escritores extranjeros y el estudio de algunas literaturas europeas, particularmente de la inglesa, le convirtieron en fervoroso apologista del romanticismo y en admirador de nuestra literatura del Siglo de Oro. Sus trabajos críticos en la *Revista de Madrid*, la de *Ambos Mundos* y *El Laberinto*, así como sus discusiones en el Ateneo y la serie de lecciones contenidas en la *Historia de la litratura española, francesa, inglesa e italiana en el siglo XVIII* nos lo dan ya convertido al nuevo credo.

Más sólido y mucho más ponderado se mostró en sus reseñas críticas MARIANO JOSÉ DE LARRA (1809-1837), ya estudiado en su lugar con el espacio que merece. El malhumor y displicencia de otros escritos suyos apenas afectan a los de carácter crítico. Larra asiste al nacimiento del romanticismo, y aun llega a tiempo de saborear y juzgar sus primeros frutos. No sólo autores espa-

ñoles, como Martínez de la Rosa, Hartzenbusch y García Gutiérrez, sino los más conocidos poetas y novelistas extranjeros—Dumas, Hugo—son estudiados por él con la máxima consideración y autoridad. Sin ser romántico, antes repugnándole los excesos con que se manifiesta la nueva escuela, se adhiere a ella como el medio más indicado para derrocar sistemas estéticos ya caducos. Sabe que por malo que sea lo que viene, es superior a lo que se va. Aboga por una literatura que, por encima de clasificaciones y de escuelas, responda a su misión primordial de apostolado y propaganda dentro de la sociedad. Antes que nadie, sabe destacar el mérito y significado de obras como *Don Alvaro*, *El Trovador* o *Los amantes de Teruel*, llamadas en efecto a renovar nuestra escena. Su ideología literaria puede verse resumida en un artículo de *El Español* (18 de enero de 1836).

Menos importancia que en la lírica tienen en la crítica literaria Gil y Carrasco, Pastor Díaz y el marqués de Molíns. Hecha de ellos la oportuna mención como poetas, digamos aquí que ENRIQUE GIL Y CARRASCO nos dejó excelentes reseñas de piezas dramáticas estrenadas en su tiempo, entre las que sobresalen las dedicadas a *Doña Mencía*, de Hartzenbusch, y a *Macbeth*, de Shakespeare. También dedicó ponderados artículos a Zorrilla y Espronceda, y defendió, como Lista, que la única epopeya posible de los tiempos modernos es la novela; pero la novela de corte histórico, «tal como la entienden Walter Scott, Manzoni y algún otro». Es muy significativa su reacción contra los serviles imitadores del romanticismo francés y su simpatía por literaturas más afines a nuestro carácter: la inglesa, la alemana y la italiana.

NICOMEDES PASTOR DÍAZ, estimable lírico, llevó a sus ensayos críticos el tono solemne de sus campañas oratorias y de prensa, abogando por la misión trascendental del poeta «sobre la tierra maldita». El marqués de Molíns, don MARIANO ROCA DE TOGORES (1812-1889), otro poeta de segunda fila, sucesor de Lista en la cátedra del Ateneo, defendió, primeramente en las lecciones pronunciadas en este Centro y luego en los *Doce estudios sobre Dante* y en el libro sobre Bretón de los Herreros, un retorno a los modos y temas tradicionales de nuestra literatura.

Los estudios de Ochoa, Ferrer del Río y Escosura, aunque meritísimos en ciertos aspectos, caen dentro de la consideración erudita más que de la propiamente crítica.

IV.　ERUDITOS E INVESTIGADORES

Hacia mediados del siglo, o algo antes, la crítica empieza a respaldarse de gran aparato erudito. La investigación cosecha señalados frutos y alcanza un coeficiente más elevado que en las décadas anteriores. Verdad es que de ordinario se distingue más por la abundancia que por la calidad; a la magnitud de la labor desarrollada y al enorme acopio de materiales no siempre responde el acierto selectivo. Se acometen obras de tanta magnitud en el orden de la cultura literaria como la «Biblioteca de Autores Españoles», a la que aportan su esfuerzo docenas de beneméritos investigadores; y, si es cierto que en muchos aspectos ha sido superada y resulta ya inservible, en otros es fuente única todavía de información. En términos generales cabe afirmar que durante la segunda mitad del xix se dió un paso decisivo en la reconstrucción de nuestra historia literaria, quedando desbrozadas muchas zonas de la misma.

Gallardo, La Barrera y otros

La mayor parte de los autores citados en las páginas anteriores como críticos fueron a la vez excelentes investigadores: Quintana, Durán, Solís, etc. Aquí traeremos sólo los nombres de aquellos en quienes la labor erudita prevalece sobre la exposición netamente doctrinal.

Ya en los albores del siglo ejercía la sátira literaria con gran regocijo y no poco escándalo uno de los escritores más indisciplinados que ha tenido España, don BARTOLOMÉ J. GALLARDO (1776-1852), irreductible polemista, político y bibliotecario de las Cortes de Cádiz. «Hombre de inaudita afición a los libros y papeles viejos—escribe el padre Blanco—y nada escrupuloso en cuanto a los medios de allegarlos.» Apenas hubo entre sus contemporáneos quien se librase de sus dardos: Lista, Reinoso, Burgos, Durán, Quintana, Martínez de la Rosa, etc. También recibió duras réplicas, como la del célebre soneto de *El solitario* [10]. Aquí nos interesa como erudito, y aun más que erudito, como bibliógrafo, que eso era Gallardo en definitiva: un insaciable coleccionador de libros raros y documentos, que gracias a él se han salvado del olvido. Fué una pena que la mejor parte de sus escritos y colecciones se perdiera en Sevilla el 13 de julio de 1836. Aun así, nos quedan los cinco números de *El Criticón* (1835) y apuntaciones, que servirían a Zarco del Valle y Sancho Rayón para el *Ensayo de una biblioteca española de libros raros y curiosos.* Entre sus escritos polémicos merecen citarse los *Cuatro palmetazos bien plantados por el Dómine Lucas a los gaceteros* (Cádiz, 1830) y las *Letras de cambio a los mercachifles literarios* (Madrid, 1834). Contra Adolfo de Castro, y con motivo del supuesto *Buscapié,* de Cervantes, escribió el *Zapatazo a zapatilla y a su falso Buscapié un puntillazo* (Madrid, 1831).

En defensa de Castro y del *Buscapié,* inclinándose por la atribución a Cervantes, terció el erudito y crítico don CAYETANO ALBERTO DE LA BARRERA (1815-1872). Si se equivocó en este punto, en cambio sus investigaciones sobre el *Quijote* apócrifo, sus biografías de Rioja y de Lope de Vega, basada la de este último en la correspondencia con el duque de Sessa, y, sobre todo, su *Catálogo bibliográfico y biográfico del teatro antiguo español, desde su origen hasta mediados del siglo XVIII,* constituyen una de las más valiosas aportaciones a nuestra historia literaria.

Dentro del campo erudito, más que del crítico, caen los trabajos de ANTONIO GIL Y ZÁRATE (1796-1861), dramaturgo ya estudiado en otro lugar, cuyo *Manual de literatura* (Madrid, 1842), muy manejado en otros tiempos, se reduce en su primera parte a una exposición de las doctrinas corrientes; y en su segunda, a un resumen muy metódico y claro de la literatura castellana; los de EUGENIO OCHOA (1815-1872), también dramaturgo y traductor infatigable de novelistas franceses e ingleses (Hugo, Dumas, Soulié, W. Scott), a la vez que coleccionador de lo mejor de nuestros poetas y prosistas en sus famosos *Tesoros:* el de lírica, de teatro, de poemas épicos sagrados, burlescos, etc. Ochoa tiene en su haber de investigador los *Apuntes para una biblioteca de escritores españoles contemporáneos,* las *Rimas inéditas* de Santillana y de otros poetas del siglo xv y el *Catálogo de los manuscritos españoles de la Biblioteca Real de París* (París, 1844), en el que dió a conocer documentos tan importantes como la *Crónica rimada del Cid* y el *Cancionero,* de Baena. Como crítico, valoró las primeras producciones de «Fernán Caballero», contraponiendo a las fórmulas seudoliterarias de Dumas, basadas en la intriga, las de nuestra novela realista, derivadas de la vida y de la verdad de los caracteres.

Escaso mérito ofrecen el prólogo con que ANTONIO FERRER DEL RÍO (1814-1872) encabezó la edición de *La Araucana,* de Ercilla, publicada por la Real Academia Española (1886), y el estudio preliminar y análisis de cada pieza que PATRICIO DE LA ESCOSURA puso al *Teatro escogido de Calderón.* Ferrer, que hacía crítica en *El Laberinto* y en la *Revista Española de Ambos Mundos,* tenía más disposición para la historia, como lo demostró en la que hizo sobre Carlos III; y Escosura, que dejó estudios sobre Moratín, Espronceda y Vega, aunque furibundo romántico en sus versos, apenas supo en teoría superar las enseñanzas de Lista en el Colegio de San Mateo, al que acudió en su juventud al lado de Espronceda. Carácter histórico tienen asimismo los abundantes trabajos de don PEDRO JOSÉ PIDAL (1799-1865). En sus *Estudios literarios* (Madrid, 1890), continuando el camino del padre Sarmiento y de Antonio Sánchez, nos dejó atinadas observaciones sobre el Poema, la Crónica y el Romancero del Cid. Hoy todo ello está rebasado por la magna obra de Menéndez Pidal; pero en su día fué una aportación estimable. A don Pedro J. Pidal se debe, aparte de excelentes trabajos sobre Malón de Chaide, sobre el drama y las tres unidades, la publicación de algunos manuscritos valiosos: *Disputa entre el alma y el cuerpo*, *El libro de Apolonio*, *La vida de Santa María Egipcíaca* y la *Adoración de los Santos Reyes*. Vindicó para Juan de Valdés la paternidad del *Diálogo de la lengua*.

La «Biblioteca de Autores Españoles»

Es la obra de mayor empeño realizada hasta ahora en España, dentro de las de su clase. Débese la iniciativa al poeta y periodista catalán BUENAVENTURA CARLOS ARIBÁU (1798-1862), que, secundado entusiásticamente por el editor MANUEL RIVADENEYRA (1805-1872), se propuso editar una gran colección de los mejores clásicos castellanos. Para reunir los medios necesarios, Rivadeneyra marchó a Chile, donde hizo negocios de imprenta en Santiago y Valparaíso. A su regreso, inició la publicación de la «Biblioteca», figurando como director literario Aribau. El primer volumen salió a luz en 1846, dedicado a las obras de Cervantes; el último, en 1880, con los índices generales de obras y autores publicados. Durante estos años aparecieron 71 grandes tomos, que abarcaban las principales producciones en todos los géneros literarios, principalmente de los escritores del Siglo de Oro. En 1856, cuando la colección andaba por el tomo XXXVIII, las Cortes, ante la amenaza de suspender la publicación por falta de medios, acordaron adquirir un número elevado de ejemplares para garantizar su realización hasta el final.

Se ha censurado a esta «Biblioteca» la escasa atención que presta a la literatura medieval y a determinados géneros que apenas tienen en ella la más pequeña representación: libros de viaje, novela de caballerías, teatro anterior a Lope de Vega, tragedia neoclásica, etc. Pero con todas estas deficiencias, la «Biblioteca Rivadeneyra», que así también se llama, del nombre de su editor, supone una contribución muy considerable en la historia de nuestra cultura [11].

Colaboradores de la «B. A. E.»

Imposible reseñar los nombres de cuantos colaboraron en esta magna obra, con introducciones, prólogos y notas de muy distinto valor. Hubo algunos que redujeron su misión a la simple rebusca de datos; pero hubo otros que nos dejaron auténticos estudios, llenos de erudición y doctrina, sobre obras y autores que les habían sido encomendados.

ENRIQUE VEDIA y PASCUAL CAYANGOS pertenecen al primer grupo. Vedia había traducido la *Historia de la literatura española*, de Ticknor (Madrid, 1851-54), y coleccionó para Rivadeneyra los *Historiadores primitivos de Indias*; Gayangos, insigne orientalista y bibliófilo, que catalogó los manuscritos españoles existentes en el Museo de Londres, se encargó de prologar *La gran conquista de ultramar*, los *Escritores en prosa anteriores al siglo XV* y los *Libros de caballería*, sobre los que hizo un minucioso análisis, muy superado por Bonilla y San Martín en la «Nueva Biblioteca de Autores Españoles». HARTZENBUSCH, ya detenidamente estudiado como poeta y dramaturgo, se ocupó del teatro del XVII, al que puso breves prólogos y notas ilustrativas, en las que brilla más la labor del compilador y del erudito que el enjuiciamiento crítico. A don AURELIANO FERNÁNDEZ-GUERRA Y ORBE (1816-1891), estimable poeta dramático, se debe, aparte del esclarecimiento de la personalidad del bachiller Francisco de la Torre, confundido hasta entonces con Quevedo y con su homónimo Alfonso de la Torre, el tomo de Rivadeneyra consagrado a Moreto; también escribió un libro sobre Ruiz de Alarcón, con más abundancia de datos y noticias que sentido crítico, y recabó para Caro la *Canción a las ruinas de Itálica*, atribuída por todos a Rioja hasta entonces.

Don LEOPOLDO AUGUSTO DE CUETO, marqués de Valmar (1815-1901), que se había distinguido por sus artículos de crítica ligera en la prensa de Madrid y por sus brillantes estudios sobre Quintana y el duque de Rivas, leídos ambos en la Real Academia, se ocupó de coleccionar los *Poetas líricos del siglo XVIII*, encabezándolos con un extenso y documentado «Bosquejo histórico crítico», que es de lo mejor de la Biblioteca y fuente indispensable todavía para el estudio de la lírica en esa época. Valmar era uno de los hombres más enterados de las corrientes estéticas de su tiempo, conocedor a fondo de la literatura española y de otros países europeos. A don RAMÓN MESONERO ROMANOS, el famoso costumbrista, le correspondió ordenar los cuatro volúmenes de *Dramáticos contemporáneos a Lope de Vega*, sobre los cuales escribió un estudio preliminar, acompañado de sucintas noticias biográficas. También le pertenecen la introducción al tomo de comedias de Rojas Zorrilla y un *Indice alfabético de comedias, tragedias, autos y zarzuelas del antiguo teatro español*. El tomo 58, consagrado a los autos sacramentales, va precedido de un magnífico discurso de don EDUARDO GONZÁLEZ PEDROSO, donde se aclara el origen, significación y desarrollo de este género teatral, a la vez que se rebaten las tesis de Moratín y Sismondi.

Don Adolfo de Castro (1823-1898) tomó a su cargo la ordenación y selección de los *Poetas líricos de los siglos XVI y XVII*, que en la «Biblioteca de Autores Españoles» ocupan dos volúmenes. Censurado durante el primero por la crítica, en especial por el periódico satírico *Padre Cobos*, aparece en 1875 el segundo con unas curiosas observaciones, en las que alternan grandes aciertos con las mayores extravagancias. Hombre raro, de ideas originales e insólitas, aunque de extensa cultura, sabido es que Castro publicó en Cádiz (1848) un *Buscapié* que atribuyó a Cervantes, diciendo haberlo copiado de un manuscrito que encontró en cierta librería. La obra estaba zurcida con tal habilidad y tan bien imitado en ella el estilo del autor de *Don Quijote* que, además de engañar a la crítica, logró que fuese traducido a varias lenguas, hasta que don Cayetano A. de la Barrera lo desenmascaró, demostrándole que era pura invención del mismo Castro.

Por último, don Cayetano Rosell y López (1817-1883) fué tal vez el mayor colaborador de la Biblioteca; suyos son los prólogos que encabezan los tomos de *Poemas épicos, Novelistas posteriores a Cervantes, Historiadores de sucesos particulares, Obras no dramáticas de Lope de Vega* y *Crónicas de los reyes de Castilla*. Rosell escribió varias obras teatrales, comedias y zarzuelas, y tradujo algunos poemas épicos: *La divina comedia, El paraíso perdido* y *Orlando furioso*.

Otros colaboradores de la «Biblioteca» fueron: Cándido Nocedal, que prologó las obras de Jovellanos; Pedro F. Monláu, las del padre Isla; Vicente de la Fuente, las de Santa Teresa; Joaquín de Mora, las del padre Granada; Justo Sancha, los Romanceros y Cancioneros sagrados; Francisco Pi y Margall, las de Mariana, San Juan de la Cruz y fray Luis de León; Florencio Janer, los poetas anteriores al siglo xv, y Fernández de Navarrete, la novela española en general.

A principios del siglo actual, por iniciativa de Menéndez Pelayo, se crea la «Nueva Biblioteca de Autores Españoles», que viene a completar la de Rivadeneyra, subsanando sus deficiencias en los 26 volúmenes publicados. Pero esta obra de cultura corresponde más bien a la época siguiente y en ella se estudiará.

La «Historia de la Literatura» de A. de los Ríos

Entre 1861 y 1865 fueron apareciendo los siete grandes volúmenes que forman la *Historia crítica de la literatura española*, de José Amador de los Ríos (1818-1878), el mayor esfuerzo realizado hasta entonces para ofrecer un estudio conjunto de nuestras letras. Fué una pena que la obra no se continuase, ya que sólo alcanza, a pesar de su enorme extensión, hasta el reinado de los Reyes Católicos. Se ha criticado mucho esta *Historia,* que evidentemente ofrece lagunas y deficiencias muy notables. Pero ha de tenerse en cuenta que obras de esta índole, por su misma naturaleza, están más que cualesquiera otras sujetas a rectificaciones continuas. En todo caso sigue teniendo plena validez el juicio formulado sobre ella por Menéndez Pelayo, quien la califica de «trabajo herculeo», digno de ser saludado «como un venerable monumento de ciencia y paciencia, de erudición y patriotismo, imperfecto, sin duda, como todas las obras humanas, y más las de tan colosales proporciones, pero digno de todo respeto por la grandeza del plan, por la copia enorme de materiales nuevos, por la amplitud de la exposición, por los frecuentes aciertos de la crítica y aun por el vigor sintético de algunas clasificaciones». Amador de los Ríos, tan insigne historiador de la literatura como mediano poeta, abrió con su *Historia* ancho cauce a las investigaciones sobre la Edad Media, ofreciendo un cúmulo de referencias gracias a las cuales ha podido luego acometerse con éxito el estudio de ese largo período. A él se deben, asimismo, la publicación de las *Obras del marqués de Santillana* (1852) y excelentes *Estudios sobre los judíos en España* (1848).

Los eruditos y críticos catalanes

Al promediar el siglo, coincidiendo con el *renaixement català* [12], cuyo inicio está señalado por la *Oda a la Patria,* de Bonaventura Carles Aribau, cofundador de la «Biblioteca de Autores Españoles», se observa en toda Cataluña, y especialmente en Barcelona, un despertar de la erudición y de la crítica. Los que encarnan este movimiento, sin abdicar de la lengua materna que utilizan para las obras de creación, acuden al castellano para exponer el fruto de sus trabajos eruditos, aportando de paso un estimable refuerzo a la investigación nacional. Ya vimos en su lugar que uno de los más grandes poetas catalanes, Manuel de Cabanyes, había abierto el camino, al escoger para sus versos la lengua castellana. Lo mismo hace Pablo Piferrer, otro poeta ya aludido antes; y los mallorquines José María Quadrado y Tomás Aguiló, en sus excelentes estudios de investigación arqueológica. Los que vienen tras ellos, con un bagaje humanístico extraordinariamente valioso, preferirán la crítica erudita.

El puesto de honor corresponde en este sentido a Manuel Milá y Fontanals (1818-1884) [13], ya aludido como poeta catalán y castellano en el capítulo LXXIII. Los orígenes de las literaturas neolatinas, la formación de las epopeyas nacionales y, en general, todo lo referente a la Edad Media, han tenido en él un investigador tenaz y documentado. Su papel en nuestra épica corresponde al de Gastón París y León Gautier en la francesa, siempre dentro de la línea trazada por los alemanes a principios del XIX. Se le censura la sequedad y concisión del lenguaje, empedrado de citas y referencias, lo que hace ingrata su lectura. Con todo eso, sus obras están llenas de sugerencias y doctrinas. Opinaba Milá que la poesía popular no se llama así porque fuese al principio patrimonio de la plebe; que la palabra «romance» en su significado actual es más bien tardía; que la primitiva poesía castellana está muy influída por la francesa y que cantar de gesta y romance vienen a ser casi la misma cosa. «En el poema del Cid—escribe—no se hallan romances, sino que es una serie de romances, o si se quiere, un romance largo.» Sus obras más notables son: *Observaciones sobre la poesía popular* (1853), *Los trovadores en España* (1861), *La poesía heroico popular castellana* (1874) y una *Estética* y teoría literaria, escrita con criterio ecléctico y amplia base filosófica, tendente algunas veces al idealismo alemán, pero que más veces coincide con Santo Tomás y con las *Raggioni del bello*, del padre Taparelli.

Amigo de Milá era JOSÉ COLL Y VEHÍ (1823-1876)[14], cuyos *Elementos de literatura* (1857) han servido de texto de los Centros de Enseñanza Media hasta época reciente. Tiene un trabajo sobre *La sátira provenzal* y unos *Diálogos literarios* (1860) muy estimables por sus teorías sobre el acento, tono y cantidad en el verso castellano.

Otro catalán cuya obra ofrece análogas características a las de Milá fué JOAQUÍN RUBIÓ Y ORS (1818-1899), catedrático como aquél de la Universidad de Barcelona, que, después de contribuir con sus poesías en catalán a la *Reinaixença*, se dedicó a investigar sobre las primeras manifestaciones de aquella literatura. En lo referente a la nuestra sus trabajos más destacados son los *Apuntes para la historia de la sátira* y las memorias sobre Auxias March.

Cierra la lista de los eruditos catalanes ANTONIO RUBIÓ Y LLUCH (1856-1936), cuya contribución a la literatura regional ha sido muy considerable; en lo referente a la castellana debe citarse su *Memoria sobre el sentimiento del honor en el teatro de Calderón* (Barcelona, 1882). Como Milá, cuya tradición continúa, ha ejercido amplio magisterio en las letras catalanas.

Historiadores y oradores

En una obra más extensa que la nuestra deberían figurar dos apartados sobre la oratoria y la historia en el siglo XIX. Si no se los dedicamos es porque estamos convencidos de que una y otra habían perdido ya hace tiempo aquella superior categoría de géneros literarios que tuvieron en la antigüedad clásica y que tras el largo eclipse de la Edad Media habían recuperado en el Renacimiento.

Rara vez la historia durante el siglo XIX rebasa su finalidad primordial de fuente informativa y documental para elevarse al rango de producto artístico. Muchos cultivadores de la historia nacional y de la regional, de la religiosa y de la política encontramos a lo largo del siglo; muchos escritores de memorias; pero pocos literatos, en el sentido estricto de esta palabra. MODESTO LAFUENTE (*Historia de España*, 19 vols.; Madrid, 1850-1857); ANTONIO FERRER DEL RÍO (*Historia de Carlos III*, Madrid, 1856); M. DANVILA Y COLLADO (*Historia de Carlos III*, Madrid, 1891-94); JOSÉ M. QUEIPO DE LLANO, CONDE DE TORENO (*Historia del levantamiento, guerra y destrucción de España*, París, 1838); CÁNOVAS DEL CASTILLO (*Apuntes para la historia de Marruecos, Bosquejo histórico de la Casa de Austria, Estudios del reinado de Felipe IV, Historia de la decadencia de España desde el advenimiento de Felipe III al trono hasta la muerte de Carlos II*, etc.); y unos pocos más acertaron a revestir sus trabajos históricos de cierta dignidad y empaque literarios.

No ocurre lo mismo con la oratoria, que, sin alcanzar la raya a que había llegado con Avila y Granada, adquiere, sin embargo, un reflorecimiento notable. Circunstancias especiales—las Cortes, el Ateneo, las Academias—favorecían este desarrollo; y así vemos sobresalir a lo largo del siglo numerosos tribunos, no pocos de los cuales—Castelar, Donoso Cortés, Cánovas, Ríos Rosas—resisten la comparación con los mejores de su época en el extranjero. Bien es verdad que toda esa oratoria se resiente del vicio común a nuestra literatura del XIX; excesivo retoricismo, tanto más acusado aquí, cuanto el género se presta más a ello.

Destacaron notablemente: en la oratoria parlamentaria, TORENO, ARGÜELLES, MARTÍNEZ DE LA ROSA, MUÑOZ TORRERO, ALCALÁ GALIANO, MENDIZÁBAL, RÍOS ROSAS, OLÓZAGA, CASTELAR, PIDAL Y MON, los NOCEDAL, PI Y MARGALL, CÁNOVAS, SAGASTA, MAURA, CANALEJAS; en la académica, muchos de los citados y VALERA, MENÉNDEZ PELAYO, REVILLA, NÚÑEZ ARENAS, CAÑETE; en la forense, APARISI GUIJARRO, CRISTINO MARTOS, MANUEL CORTINA, los SILVELA, y en la religiosa, el cardenal MONESCILLO, MANTEROLA, TORTOSA, CAMARASA, CALPENA y el padre ZACARÍAS MARTÍNEZ. Algunos discursos de Castelar, de Donoso Cortés o de Cánovas del Castillo son auténticas joyas literarias.

V. LA CRITICA DOCTRINAL: MENÉNDEZ PELAYO

La alta crítica de la época que estamos estudiando corresponde a las postrimerías del siglo, y está representada por cinco o seis grandes escritores que, a la vez que teorizantes de las letras, son acaso sus más destacados intérpretes en el terreno de la creación. Esos escritores se llaman Juan Valera, Leopoldo Alas (Clarín), Armando Palacio Valdés, Pedro Antonio de Alarcón y doña Emilia Pardo Bazán. Todos ellos tenían su sistema estético estructurado, asentado en principios más o menos sólidos; pero siempre en absoluta adecuación con la realidad de su obra. En los capítulos correspondientes nos hemos ocupado por extenso de la doctrina crítica de cada uno de ellos, lo que nos exime de tratarlos nuevamente aquí.

En cambio, queremos cerrar este capítulo con la gran figura de don MARCELINO MENÉNDEZ PELAYO (1856-1912), síntesis de toda la cultura española del XIX y maestro incomparable de la crítica y de la historia nacionales. En él confluyen las corrientes más sanas del pensamiento nacional con las nuevas corrientes del espíritu moderno. Asistido por una memoria portentosa y en posesión de una mente privilegiada, con una visión amplia que le permitía dominar de un solo golpe las más diversas zonas del pensamiento, pudo revisar y poner al día todo el acervo de la cultura nacional, no sólo en el aspecto literario, sino también en el filosófico, en el político y hasta en el religioso.

Vida y persona

Nace en Santander el 3 de noviembre de 1856, en un «hogar de dorada medianía», al decir de su biógrafo Artigas. Por la línea paterna descendía de Castropol (Asturias); por la materna, del Valle de Pas, en la Montaña. Su padre era catedrático de Matemáticas en el Instituto santanderino. Muy joven, niño aún, despierta su inmensa afición a la lectura y da muestras de un talento superdotado. Antes de cumplir los diez años ingresa en el Instituto, donde sigue con excepcional brillantez los cinco cursos de que entonces constaba el bachillerato. Ya entonces, sin descuidar otros estudios, se manifiesta su inclinación hacia la filosofía, la historia y las letras. Al terminar el grado (1870), es todo un humanista y tiene redactados o en plan de redacción no pocos trabajos. Por motivos familiares se dirige a Barcelona para seguir estudios universitarios. Cursa el primer año de Letras con maestros tan prestigiosos como Milá y Fontanals, Llorens y Rubió, catedráticos, respectivamente, de Estética, Filosofía o Historia. Traduce (1873) las tragedias de Séneca, colabora en revistas literarias y escribe hermosos sáficos e incluso unos dísticos en latín. Continúa la carrera en Madrid, donde en vez de Milá y Llorens, tropieza con profesores tan distanciados ideológicamente de él como Castelar y Salmerón. Lee sin descanso y concibe, antes de cumplir los dieciocho años, el vasto plan de una Biblioteca de traductores españoles que, andando el tiempo, se habría de convertir en la soberbia Biblioteca hispanolatina clásica (diez volúmenes), con su complemento de Biblioteca de traductores. En el último curso de la carrera, y por discrepancias filosóficas, se indispone con Salmerón, viéndose obligado a trasladar la matrícula a Valladolid, en cuya Universidad obtiene la licenciatura y conoce de paso al catedrático Laverde Ruiz, que tanto había de influir en sus primeros trabajos. Durante el siguiente curso (1874-75) hace en Madrid el doctorado, obteniendo el premio extraordinario con su brillante tesis La novela entre los latinos.

Ya conocido en toda España por múltiples trabajos, obtiene sendas pensiones de la Diputación y del Ayuntamiento de Santander para ir en viaje de estudio al extranjero. Recorre las principales bibliotecas de Portugal, Italia y Francia, recogiendo valiosos materiales para las dos obras que entonces le ocupaban: Biblioteca de traductores e Historia de los heterodoxos españoles. Redacta al mismo tiempo los capítulos más importantes de Ciencia española. Cuando regresa (1878), famoso ya no sólo en su patria, sino en el extranjero, encuentra convocadas las oposiciones para la cátedra de Historia de la Literatura del doctorado, vacante en la Universidad de Madrid por muerte de Amador de los Ríos. Como tiene sólo veintiún años, y la edad mínima para opositar es de veinticinco, las Cortes, a propuesta de Cánovas del Castillo, votan una ley rebajando la edad. Obtiene la plaza en unas oposiciones brillantísimas, en que anula materialmente a sus contrincantes.

Siguen veinte años de labor fecunda, en que alterna la docencia con la investigación y la redacción de sus mejores obras. Escribe infinidad de artículos; prologa docenas y docenas de libros; inspira la publicación de una «Biblioteca clásica», para la que redacta los estudios introductorios a las obras de Virgilio y Cicerón. En 1881, la Real Academia Española le llama a su seno, e ingresa a los veinticinco años, con una lección magistral sobre la Mística. En el mismo año, con motivo del centenario de Calderón, pronuncia el célebre «brindis» de El Retiro, en defensa de las esencias más puras de la tradición, con lo que su nombre llega a los rincones más alejados. Es elegido diputado y desarrolla en las Cortes una brillante labor en pro de la docencia. Aún había de volver al Parlamento en 1891, como diputado por Zaragoza. Trabaja simultáneamente en varias obras de envergadura: la Historia de los heterodoxos (tomo I, 1880); la de las Ideas estéticas (tomo I, 1883); los Estudios sobre el teatro de Lope de Vega (tomo I, 1890); la Antología de poetas líricos (tomo I, 1890); la de Poetas hispanoamericanos (1893). Algunas de estas obras alcanzarían luego seis, ocho y hasta diez volúmenes. Brotan de su pluma incesantemente artículos, monografías, etc. En julio de 1898 se le nombra director de la Biblioteca Nacional, abandonando con tal motivo la docencia para consagrarse de lleno a la investigación.

La gran crisis nacional de ese año, en vez de aplanarle como a otros, le decide a trabajar más y más. Piensa—y sobre ello escribe páginas esperanzadoras—que el remedio de los males no está en estériles lamentaciones, sino en una tarea de verdadera regeneración. Crea la «Nueva Biblioteca de Autores Españoles», continuación de la de Rivadeneyra, muy mejorada, animando a sus discípulos a que colaboren y dando ejemplo él mismo con un concienzudo estudio sobre *Los orígenes de la novela*. Empieza a dirigir la edición de sus *Obras completas*, empresa irrealizable tal como él la concebía, puesto que al volver a sus manos, cada tomo se convertía en cuatro o cinco. En 1910 es nombrado director de la Academia de la Historia, y dos años después fallece (19 de mayo de 1912) en su ciudad natal, Santander, donde solía retirarse a trabajar largas temporadas. Sus últimas palabras son: «Qué pena morirse cuando queda tanto por aprender!»

Dejó un gran patrimonio: su biblioteca particular, reunida a costa de grandes esfuerzos a lo largo de su vida. Es una de las mejores del mundo en su clase.

La personalidad de Menéndez Pelayo ofrece doble cara: el hombre y el escritor. La primera ha sido hasta ahora totalmente preterida. Se veía en el polígrafo santanderino únicamente al sabio que había removido con su brazo todo el acervo de nuestra cultura, para sistematizarlo y ponerlo ante nuestros ojos, previamente clasificado y juzgado. Se olvidaba que debajo del erudito, del historiador, del crítico, latía un corazón humano, con las pasiones, las alegrías y afectos comunes a todos los demás. Poco a poco se va haciendo la luz y, al perfilarse los contornos de su figura y situárnosla más cerca, casi gana en humanidad y simpatía lo que pierde como fenómeno mítico. Menéndez Pelayo no fué un prodigio; fué, eso sí, un hombre dotado de excepcional inteligencia y aquejado por un afán constante de aprender. Fué, además, un trabajador infatigable; lector asiduo y escritor que no supo dar tregua a la pluma. Los setenta volúmenes de sus *Obras completas* demuestran con qué ahinco, con qué furiosa locura se debió de entregar a esa doble tarea un hombre que en punto a literatura, filosofía e historia parecía haberlo leído todo. Al repasar alguna de sus obras—las *Ideas estéticas*, por ejemplo—y ver el cúmulo de datos y referencias allí reunidos, no se concibe cómo cincuenta y cinco años de vida pudieron dar tanto de sí. Como cuesta trabajo creer que buena parte de los *Heterodoxos* estuviera escrita antes de los veinte y toda la obra publicada antes de los veintitrés.

Pero es que, a la vez que un sabio, Menéndez Pelayo se nos está revelando un hombre nada extraño a las solicitaciones y atractivos de la vida. Hoy se sabe que tuvo amores, noviazgos, etc.[15] Se conocen detalles de su vida que nos lo presentan, no como el ser misántropo y un poco excéntrico, confinado en su biblioteca y ajeno a toda relación social, sino como la persona normal en todos sus actos, que asiste a reuniones, alterna en tertulias, discute y hasta vocifera cuando llega la ocasión. Y entonces esa rica personalidad, que recuerda a los grandes humanistas del XVI, se agiganta de nuevo hasta producir en nosotros cierta inevitable sensación de pequeñez.

En lo literario su producción se explica por varios supuestos:

a) Una solidísima formación humanística, que arranca desde los más tiernos años y va ampliándose ilimitadamente a lo largo de su vida; *b)* una inclinación innata a los libros, seguida de una continuada entrega al estudio y fortalecida por una memoria extraordinaria, que le permiten archivar en el cerebro un caudal de conocimientos pocas veces visto; *c)* una independencia de criterio, felizmente aliada con el más insobornable amor a la verdad, que le capacita para perseguirla y reconocerla en cualquier campo en que se encuentre; *d)* un claro discernimiento para ver siempre el fondo de las cosas y de las doctrinas y un depurado gusto, adquirido en el continuo trato con lo mejor de arte y de la literatura universal, que le lleva a valorar casi siempre en sus justos términos las obras sometidas a examen; *e)* ciertos principios políticos y religiosos muy arraigados, aunque no tanto que lleguen a oscurecer su juicio cuando se trata de formular una opinión sobre personas o instituciones de otro país o de otros credos; *f)* una asombrosa capacidad de síntesis para, después de haber estudiado una época histórica, un género literario o un sistema ideológico, reducirlo a unos cuantos enunciados precisos y sacar de ellos la consiguiente conclusión, y *g)* una certera visión para descubrir y delimitar en todas las cosas lo fundamental de lo accesorio. Por ejemplo: él, que sabía de libros más que nadie en España, que demostró en sus dos bibliotecas—la de traductores y la hispano-latina—una dedicación constante a la bibliografía, no era un bibliómano al uso y siempre consideró esta clase de trabajos e investigaciones como simple instrumento para más altos fines.

La producción literaria

Es muy abundante. Empezó a escribir a los doce años y no terminó hasta la muerte. La edición por el C. S. I. C., alcanza ya a los sesenta volúmenes y se supone que rondará los setenta. Comprende filosofía, historia, teoría estética, traducciones, obras de creación poética y, sobre todo, crítica literaria. He aquí la enumeración, siguiendo el orden en que han sido publicadas:

Historia de las ideas estéticas en España (5 vols.); *Estudios y discursos de crítica histórica y literaria* (7 vols.); *Orígenes de la novela* (4 vols.); *Antología de poetas líricos castellanos* (10 vols.); *Historia de la poesía hispanoamericana* (2 vols.); *Es-*

tudios sobre el teatro de Lope de Vega (6 vols.); *Historia de los heterodoxos españoles* (8 vols.); *Estudios filosóficos* (1 vol.); *Bibliografía hispano-latina* (10 vols.); *Biblioteca de traductores españoles* (4 vols.). Completan la edición: *Ciencia española*; Poesías originales y traducidas; los interesantísimos epistolarios (con Valera, con *Clarín*, con Unamuno, etc.) y muchas memorias y traducciones.

«Ciencia española», los «Heterodoxos» y las «Ideas estéticas»

Ciencia española es el primer libro en grande publicado por Menéndez Pelayo, cuando andaba rondando los veinte años. Constituye una réplica a Gumersindo Azcárate, que en un artículo («El Self Gobernement y la Monarquía») de la *Revista de España,* e insistiendo en la conocida tesis de Masson, afirmaba la total ausencia de nuestra patria, desde hacía tres siglos, en la ciencia y el progreso europeos. Atribuía esa ausencia a motivos religiosos y políticos: concretamente, a la Inquisición y a la Monarquía. Menéndez Pelayo aduce una larga lista de sabios que durante aquellas centurias habían brillado en toda clase de disciplinas científicas, desde la metafísica a la botánica, pasando por la fisiología y la medicina. Intervienen en favor de Azcárate, desde las páginas de la *Revista Contemporánea,* el eminente crítico Manuel de la Revilla y el filósofo neokantiano José del Perojo. Menéndez Pelayo se lanza de nuevo a la lucha, abrumándolos materialmente con su asombrosa erudición. Su tesis es bien clara: el hecho de que en España se desconozcan los nombres de esos sabios no autoriza a nadie a negar su existencia [16].

Obra de polémica, escrita en el hervor de la juventud, *Ciencia española* tal vez peca por exceso de prueba. Se resiente, además, de excesiva violencia en el lenguaje. Tiene, sin embargo, el mérito de haber revelado a los españoles muchos nombres que yacían en el olvido (Raimundo de Sabunde, Gómez Pereira, el mismo Vives), obligándonos a poner la atención en ellos y de paso a revisar su obra. El mejor estudio y más extenso es el de la *Antoniana Margarita,* de Gómez Pereira. Redactado en forma epistolar, buena parte de este libro fué escrito en Italia, durante su viaje de estudios a este país.

El mismo tono polémico tiene la *Historia de los heterodoxos españoles* (1880). También obra de plena juventud y acaso la que más éxito tuvo y más fama le dió. Lo que había surgido en su mente de estudiante y por iniciativa de su profesor Laverde, como una serie de semblanzas, se convierte pronto en una magnífica historia de toda la vida espiritual de España, desde la época romana hasta mediados del XIX; los tres abultados tomos de la primera edición van aumentando en las sucesivas hasta alcanzar los ocho de que hoy consta la obra.

Una breve síntesis de las materias estudiadas en cada tomo indicará mejor que cualquier explicación la magnitud y alcance de esta obra. Volumen I: cuadro general de la vida religiosa en la Península antes de Prisciliano; estudio de los siglos IV y V (las escuelas gnósticas, los agapetas, el priscilianismo, los ithacianos, el origenismo, etc.); herejías de la época visigoda; artes mágicas y supersticiones de la antigüedad. Volumen II: herejías en el primer siglo de la reconquista y entre los mozárabes cordobeses (adopcionistas, acéfalos, antitrinitarios, antropomorfistas, iconoclastas, etc.); panteísmo semítico; herejías de los siglos XIII, XIV y XV (albigenses, cátaros, valdenses, bagardos, averroístas, etc.); hechicería y magia en España del siglo VIII al XV. Volumen III: detenido estudio del erasmismo y del protestantismo en España y fuera de ella, con especial referencia a los hermanos Valdés y a Miguel Servet. Volumen IV: proceso de Carranza; luteranismo en Sevilla; sectas místicas (alumbrados, quietistas, etc.); molinistas, judaizantes, moriscos; supersticiones del XVI y XVII. Volumen V: advenimiento de la dinastía francesa; regalismo, masonería; jansenismo regalista del XVIII; enciclopedismo. Volumen VI: heterodoxia entre los afrancesados; en las Cortes de Cádiz; en los reinados de Fernando VII e Isabel II; corrientes filosóficas del XIX, y Epílogo.

Se puede decir que con este brillantísimo Epílogo del volumen VI, uno de los pasajes más celebrados de Menéndez Pelayo, termina la obra. El volumen VII está compuesto de apéndices, y el VIII nos da un cuadro general de la vida religiosa en la Península antes del cristianismo.

Con la *Historia de las ideas estéticas en España* (1883), de menos éxito inmediato que los *Heterodoxos,* pero de más solidez y altura, Menéndez Pelayo entra de lleno en la etapa más interesante de su producción. El espíritu se ha serenado; el estilo se ha ido descargando de estorbos retóricos y todavía se habrá de clarificar más y más a lo largo de los cinco tomos, hasta llegar a una transparencia y precisión sorprendentes. Es la obra central del maestro. Ningún pueblo de Europa, en sentir de B. Croce, tiene nada parecido. El autor la venía madurando de ocho años atrás. Data de 1875 una carta de Laverde en que se alude a «las muchas y exquisitas noticias» que Menéndez Pelayo tiene sobre la estética en España. Pero aquel plan inicial, que probablemente se reducía a un estudio bibliográfico de las obras españolas sobre la materia, se va ensanchando y modificando hasta convertirse sustancialmente en una historia del pensamiento estético universal. Como en otras producciones, aquí también Menéndez Pelayo da más de lo que promete. Ofrece un estudio de la estética española y nos regala una soberbia síntesis de la estética europea.

La obra quedó inconclusa: a los cinco volúmenes actuales habrían de seguir, para dar cima al proyecto total, otros cinco por lo menos sobre las corrientes estéticas en Francia, Italia y demás países europeos con posterioridad al Romanticismo, deteniéndose especialmente en España, para terminar con una exposición de las ideas personales del autor. Incluso en lo referente a la estética española del XIX nos dejó un índice detallado de capítulos con la correspondiente bibliografía. A pesar de lo tentador que resulta para muchos reanudar la obra del maestro y ponerle remate, nadie hasta ahora se ha atrevido a hacerlo.

Resumen: Volumen I: doctrinas estéticas de todos los filósofos grecolatinos, desde Platón a Boecio y Casiodoro; filosofía cristiana sobre lo bello en la antigüedad y en la Edad Media; idea de los padres de la iglesia española durante los períodos romano y visigótico; ideas de árabes y judíos; especial estudio de Ramón Lull y de la teoría del arte en la época medieval. Volumen II: estética española del Renacimiento y del Barroco; corrientes platónicas; místicos; escolásticos; teorías acerca del arte literario en los siglos XVI y XVII; tratadistas del diseño y de la música durante el mismo período. Volumen III: reseña histórica del desarrollo de las doctrinas estéticas en Francia, Inglaterra y en Alemania prekantiana durante el siglo XVIII; estudio extenso del desarrollo de la misma en España durante idéntico período, sin excluir la estética del diseño y de la música. Volumen IV: dedicado íntegramente a la filosofía alemana e inglesa del XIX, con particular referencia a las doctrinas estéticas. Volumen V: el XIX francés, con magistral y detenido análisis del Romanticismo en este país.

«Orígenes de la novela», «Estudios sobre Lope» y «Crítica literaria»

Los *Orígenes de la novela* están formados con larguísimas «Introducciones» escritas por Menéndez Pelayo para los volúmenes I, VII y XIV de la «Nueva Biblioteca de Autores Españoles». En los cuatro tomos de que actualmente consta la obra, queda el tema casi totalmente agotado, no sólo en lo referente a España, sino en sus conexiones con la novelística universal. El apólogo y el cuento oriental, la novela en la literatura greco-latina, los libros de caballerías, tanto extranjeros como indígenas, la novela sentimental, la pastoril, la histórica y el relato corto son estudiados en sus orígenes y manifestaciones con aquella profunda intuición y aquel acopio de datos con que sólo Menéndez Pelayo podía hacerlo. Casi todo el tomo III va dedicado a la Celestina y el IV a sus imitaciones.

Nada menos que diez volúmenes abarca la *Antología de poetas líricos castellanos,* que en la primitiva edición tenía trece. Parece que Menéndez Pelayo la había concebido como un capítulo de aquella gran historia de la literatura española que pensaba escribir y que hubiera escrito de haber alcanzado más larga vida. Otro capítulo habría sido *Los orígenes* de la novela; otro, sus estudios sobre el teatro—*La Celestina,* Torres Naharro, Tirso, Calderón, Lope de Vega—; otro, la *Antología de los poetas americanos,* y otro, una antología épica que tenía planeada a imitación de la de Quintana. Tal como quedó la obra, llega sólo hasta Boscán, de quien se hace en el tomo X un estudio definitivo, acaso el más completo que salió de la pluma de don Marcelino. Se compone de tres partes: *a)* «Historia de la poesía española en la Edad Media»; *b)* «Tratado de los romances viejos»; *c)* «Boscán». A cada parte acompañan los textos antológicos correspondientes. La muerte le sorprendió redactando el libro sobre «Garcilaso», que, según carta a Farinelli, habría de llevarle un año. Esta *Antología,* lo mismo que su hermana menor, la *Antología de poetas hispanoamericanos* (2 volúmenes), acusa en su autor un período de lucidez y de serenidad mental inigualables. También el estilo revela el más absoluto dominio del lenguaje. Páginas hay, como las dedicadas al Arcipreste de Hita y a la Corte de Juan II de Castilla, que, a la vez que documentos históricos de valor extraordinario, constituyen verdaderas obras de arte.

La *Antología de poetas hispanoamericanos* es toda una historia de la poesía castellana en aquel continente y está formada por los prólogos destinados a encabezar los diversos ejemplarios poéticos. Dada a luz en 1893, el autor volvió sobre ella poco antes de su muerte (1911) y está considerada, aun pasado medio siglo, como la mejor fuente informativa en la materia. Escrita en días de gran apasionamiento, cuando los lazos entre la Península y sus antiguas colonias se habían relajado notablemente, Menéndez Pelayo nos da en sus páginas una soberbia lección de independencia, de equilibrio y de amor a la verdad, por encima de toda otra consideración. Este es el motivo de que sus juicios tengan aún plena validez y hayan sido casi sin excepción sancionados por la crítica actual americana.

Para la monumental edición que de las obras dramáticas de Lope de Vega empezó a publicar en 1890 la Real Academia Española, Menéndez Pelayo fué escribiendo una serie de prólogos y anotaciones (1890-1912) cuya recopilación ha pasado a integrar los seis volúmenes de sus *Obras completas* titulados *Estudios sobre el teatro de Lope de Vega.* En ellos se ordena, clasifica y enjuicia casi toda la enorme producción dramática del «Monstruo de la Naturaleza», aportando continuamente nuevos puntos de vista y nuevos datos. Se dan a conocer muchas comedias inéditas; se precisa la cronología exacta o aproximada y, en un soberbio esfuerzo de investigación y de estudio se analizan en sus antecedentes, génesis y derivaciones hasta 200 piezas del gran dramaturgo: todos los autos y coloquios; las comedias bíblicas, de santos, pastoriles y mitológicas; buena parte de las novelescas; la producción total de las basadas en historia clásica y extranjera, y todas las inspiradas en crónicas o leyendas de la historia nacional, que forman el grupo más nutrido. Falta el estudio de algunas novelescas, las fabulosas y las costumbristas, porque, al igual que otras altas empresas de don Marcelino, también ésta quedó truncada con su muerte. Lo que nos dejó en este aspecto basta, sin embargo, para calificar de una vez la ingente personalidad de Lope de Vega, que sale de estos *Estudios*—si ello es posible—más agigantada y excepcional. Con los dedicados al teatro anterior a Lope de Vega, al de Tirso de Molina y al de Calderón, incluídos en la serie de las «Críticas literarias», forman el más hermoso tratado aparecido hasta el día sobre el drama español.

De muy distinta índole son los trabajos que componen la serie de *Estudios y discursos de crítica histórica y literaria*. Todo lo que en las anteriores obras es unidad de tema y sistematización, aquí es dispersión y heterogeneidad. Más de cien trabajos—prólogos, reseñas bibliográficas, discursos, artículos de colaboración, impresiones del momento—han sido incluídos en los siete volúmenes de esta serie. Los hay que fueron escritos en la adolescencia, casi en la niñez, y los hay fechados poco antes de morir el autor. Esto en lo cronológico, y en lo temático, van desde lo puramente histórico—*El siglo XIII y San Fernando, Don Alvaro de Luna, Los historiadores de Colón*—hasta lo estrictamente literario y doctrinal. Ya se entiende que con tal variedad temática el mérito de todos no puede ser el mismo. Destaquemos, porque dentro de la diversidad temática de la obra tienen cierta unidad, los agrupados bajo los títulos: *Estudios cervantinos, Humanistas españoles del XVI, Calderón de la Barca y Estudios sobre el siglo XVIII*.

La «Biblioteca Hispano-latina» y otros trabajos

No puede decir que conoce enteramente a Menéndez Pelayo quien no haya hojeado alguna vez sus dos *Bibliotecas:* la *Hispano-latina* y la de *Traductores*. Si en las obras anteriormente citadas se nos revela el crítico, el historiador, el filósofo, el sabio en una palabra, en éstas aparece de cuerpo entero el investigador. No se comprenden, por ejemplo, ciertas síntesis luminosas de las ideas estéticas sino cuando se ve el inmenso acervo de materiales reunido en estas obras. Con razón pudo escribir Farinelli que Menéndez Pelayo valía él solo por diez Academias.

La *Biblioteca Hispano-latina clásica* fué la obra de toda su vida. Iniciada en la mocedad, casi en las autlas del Instituto, díía a día fué acumulando datos, fichas y apuntes para ella. Era ésta una

labor a que Menéndez Pelayo se sintió siempre inclinado. Humanista por formación y por temperamento, el estudio de los clásicos y de su proyección entre nosotros constituía para él un solaz y un descanso. Así nació su *Horacio en España*, compuesto en plena adolescencia; así el abundante material en que se han formado estos diez volúmenes, en los que la labor del maestro no se limita a lo simplemente - bibliográfico—códices, manuscritos, ediciones y traduciones de los autores clásicos—, sino que cada autor y obra se subraya con el oportuno comentario. Los autores van ordenados alfabéticamente, y de la amplitud con que se les estudia dará idea el hecho de que algunos —Cicerón, Horacio, Virgilio—ocupan más de 500 páginas. Ya se entiende, dada la naturaleza de la obra, que muchas noticias han quedado retrasadas y no pocas rectificadas. Aun así, estas *Bibliotecas*—la de *Traductores* y la *Hispano-latina*—siguen prestando un gran servicio.

No hemos de volver sobre la producción poética de Menéndez Pelayo, ya en otra parte enjuiciada. Digamos únicamente de sus traducciones—Esquilo, Cicerón, Séneca, Plauto, etc—que son tales como cabía esperar de su profundo conocimiento de los idiomas clásicos, asistido por su gusto depurado. Citemos, por último, el abundante epistolario—con Valera, *Clarín*, Unamuno, Laverde, Farinelli, etc.—, tan interesante como cualquiera de sus mejores obras, ya que a su alto valor como documento humano debe añadirse el que encierra como síntesis de las opiniones del autor sobre obras y escritores contemporáneos.

Menéndez Pelayo, maestro de las letras

Menéndez Pelayo se nos revela a través de su obra y de su vida como la más clara mente española del XIX. No basta definirlo, según lo hacen algunos, como un *esteta*. Es eso y mucho más. Además de un esteta, es un historiador, un filósofo, un pensador y un erudito. Tampoco basta decir de él que «enseñó a los españoles a mirar la verdad de su pasado, tantas veces oculta por los tópicos de la exaltación retórica»; que «predicó a los españoles el imperativo de la unidad» y que «advirtió a los españoles la necesidad de situarse ante el futuro con ánimo proyectivo, esperanzado y creador». Eso es mucho; pero no todo. Si Menéndez Pelayo se hubiera limitado a eso, su figura apenas rebasaría la talla de Ganivet. Menéndez Pelayo, además de buenos programas, nos dió excelentes realizaciones. Su obra positiva, real, no admite paralelo en su clase con la de ningún español de antes ni después. Acaso la única comparable, salvando las correspondientes distancias, sea la de su amigo y discípulo Menéndez Pidal.

Obra positiva, de afirmación, la de Menéndez Pelayo. Cuando todos o casi todos negaban, él afirmó. Con Cajal y otros pocos más se entregó a una labor de creación y de investigación auténticas, en medio del desánimo y del pesimismo circundantes. Lo que de esa labor salió está a la vista: no fueron sólo programas y orientaciones. Fueron obras; setenta volúmenes de obras, entre las cuales hay alguna—la *Historia de las ideas estéticas*—que, al decir de Croce, no tiene igual en otras literaturas. Muchas de sus afirmaciones son discutibles; muchas, rectificables y rectificadas. Pero en conjunto esa obra se nos ofrece como el más sólido monumento levantado a la grandeza espiritual de España. Imposible dar un paso en el campo de nuestra cultura literaria sin tropezar con él. Cuando se investiga cualquier punto de nuestro teatro, de nuestra novela, de nuestra poesía, es cuando uno se convence de la extraordinaria categoría de un hombre que se nos había anticipado en todos los caminos.

Su mirada abarcaba todas las zonas del intelecto. Pero donde más hondo caló fué en la crítica. Nutrido con las mejores savias del pensamiento aristotélico y platónico, no se aferra exclusivamente a la doctrina de los grandes maestros, sino que la va ampliando a lo largo de su vida con incesantes aportaciones. Y así siente la poesía y en general el arte romántico casi con el mismo fervor con que saborea lo mejor del clasicismo. Si un día pudo escribir:

En arte soy pagano hasta los huesos,
pese al abate Gaume, pese a quien pese...,

pronto demuestra que ese inicial paganismo se circunscribe casi exclusivamente al orden de las formas, no del espíritu. Porque pocos, acaso nadie, han escrito en España páginas tan bellas sobre la religión cristiana y su influencia en la creación artística. «Dondequiera que se encuentre el sello de lo genial y creador, allí está el aliento de Dios.» Pone por encima de toda actividad humana la creación poética, dando a este término toda la amplia significación de la «poesía» griega; y si por una parte estima que el artista debe reflejar siempre ideas universales, conforme al pensamiento aristotélico y a la verdad ideal preconizada por Hegel, por otra no se cansa de repetir que un arte sin contenido real, un arte cuyas raíces no estén clavadas en la vida, es un arte muerto. Si por formación se sentía inclinado a las más puras creaciones del mundo grecolatino y a su herencia renacentista, por su extremada amplitud de criterio, por su flexibilidad y buen gusto se encontraba en condiciones de saborear y elogiar a poetas tan distantes de su sensibilidad como Shelley o Heine.

Se le ha tachado de incomprensión ante los problemas contemporáneos. Se ha dicho que no llegó a entender a poetas como Verlaine y Baudelaire en el exterior y a espíritus como los de la generación del 98 entre nosotros. Acaso el reproche tenga fundamento. Sin embargo, ha de tenerse en cuenta que nunca Menéndez Pelayo se propuso enjuiciar a esos autores; conocía muy bien el riesgo que entraña una crítica realizada sobre el momento actual, sin la debida perspectiva histórica. Más de una vez alude a su deseo de mantenerse al margen de las corrientes ideológicas de su tiempo, incluso de las literarias. No era indiferencia, que en un espíritu tan ávido y curioso como el suyo habría sido casi imperdonable, sino modesto reconocimiento de su incapacidad para abarcarlo todo. Téngase en cuenta que los juicios formulados por él sobre obras y autores de las últimas promociones son esporádicos y de pasada, no el resultado de un estudio a fondo, como los que él solía realizar. Sus pesquisas e indagaciones se detuvieron deliberadamente en la novela naturalista: Galdós, Pereda, la Pardo Bazán. Más hacia acá no quiso venir. De haberlo hecho y haberse propuesto ahondar en la poesía simbolista y modernista, como hizo, por ejemplo, en la del romanticismo francés, en el tomo V de las *Ideas estéticas*, es casi seguro que sus juicios habrían sido distintos.

Algo que destaca a Menéndez Pelayo entre todos nuestros críticos es el sentido creador. Hasta cuando juzga está creando, y se siente artífice del lenguaje De aquí su estilo, que no tiene igual en nuestros historiadores y eruditos. Sus estudios, aun los que más se resisten a un tratamiento artístico —las bibliografías—, resultan siempre jugosos y agradables. Sabe dar colorido y encanto a las materias más áridas. Si es cierto que en algunas obras de su juventud—en *Ciencia española*, en los *Heterodoxos*—se manifiesta fiel al retoricismo de la época, pronto se deshace de él hasta alcanzar un estilo único, ni cortado con exceso ni en demasía trabado, sino limpio, exacto y abundante, como corresponde a la materia que trata. Estilo de exposición, lleno de claridad, de sencillez y de elegancia. «Para mí—escribía dos años antes de morir, en la reimpresión de los *Heterodoxos*—el mejor estilo es el que menos lo parece, y cada día pienso escribir con más sencillez; pero en mi juventud no pude menos de pagar algún tributo a la prosa oratoria y enfática que entonces predominaba.»

Aparte de la obra, nos dejó su magisterio. Discípulos suyos son, entre otros, Rodríguez Marín, los dos Menéndez Pidal (Ramón y Juan), doña Blanca de los Ríos, Bonilla San Martín, los dos Cotarelo (Emilio y Armando), Asín Palacios, Puyol, Estelrich, Serrano y Sanz, Bullón, Said Armesto, Rubió y Lluch, etc. Puede decirse que directa o indirectamente toda la investigación literaria española en lo que va de siglo gira en torno a su obra.

NOTAS

1. «La vida literaria española durante el siglo XIX—escribe Torrente Ballester—se parece escasamente a la francesa, es decir, al modelo europeo. El prestigio bastante escandaloso de escritores y artistas carece, entre nosotros, de un público vasto, preocupado y hostil. Esto se debe,

ante todo, a que la estructura social española decimonónica tiene muy poco que ver con la europea. En España no hay apenas burguesía, salvo en el rincón catalán. Precisamente por esto, nuestro romanticismo es pobre y vinculado a lo extranjero. El poeta romántico es siempre un hijo de familia a quien el bienestar paternal permite hacer locuras. Por otra parte, la burguesía nutre de público al poeta romántico, de público que aplaude o patea. La burguesía española se reduce a una clase media de escasos medios económicos, incapaz de sostener el disparate biográfico de ningún poeta romántico de veras... Los poetas andan siempre detrás de unas migajas presupuestarias. Esto les obliga a vivir en la corte y a ser cortesanos... La figura del intelectual puro es muy posterior.» *(Literatura española contemporánea*, págs. 87-88.) Como siempre que se generaliza, creemos que la nota está un poco exagerada. Ni todos los románticos vivían del presupuesto—piénsese en Larra, en Zorrilla, en Fernández y González, etc., que se nutrían del producto de sus obras, ni más ni menos que un Balzac—, ni todos los grandes literatos franceses, ingleses o italianos nadaban en la opulencia. Ahí está, entre muchos, el caso de Verlaine.

2. Famósa fué por este tiempo la que presidía y sostenía con cierta esplendidez don Gregorio Cruzada Villamil, amigo y compañero en la Embajada española de Berlín de don Eulogio Florentino Sanz. En 1854 llegaban a Madrid, procedentes de Granada, unos cuantos ingenios que no tardarían en darse a conocer en el campo de las letras: Castro y Serrano, Pedro Antonio de Alarcón, Manuel del Palacio, etc. Esta colonia andaluza, que empezó a reunirse en una casa de la calle de Lope de Vega, acrecida luego por el arribo de otros ingenios, como Luis de Eguílaz y Antonio Trueba, encontró pronto en Cruzada un auténtico mecenas, que facilitó un salón donde se celebraban veladas y daban recitales.

No menos célebre fué la tertulia del café de la Esmeralda, en la calle de la Montera, punto de cita un tiempo de la juventud literaria, constituída principalmente por periodistas, universitarios y algún que otro funcionario del Estado.

3. Véanse más detalles sobre Prensa y tertulias de la época en el padre Blanco García: *Literatura española del siglo XIX*, II, págs. 8-12, y en el Marqués de Molíns: *Bretón de los Herreros*, caps. XXXVI, XL y XLI.

4. Gaditano. Alumno de la Escuela Normal de Filosofía y catedrático de Historia de España de la Universidad de Madrid desde 1858. De 1866 a 1868 vive en París. Presidente del Poder Ejecutivo con la primera República (1873). Político afiliado al partido republicano; enormemente fecundo, escribió novela, filosofía, historia y destacó especialmente como orador. En este aspecto alcanzó fama universal.

5. Cánovas, la figura política más importante del XIX español, era malagueño. Su tío Serafín Estébanez Calderón lo llevó a Madrid, introduciéndole pronto en los círculos literarios y políticos de la corte. Amigo de Castelar, de Pastor Díaz y de otros, ya en 1854 redacta el famoso *Manifiesto de Manzanares*. Desempeña muchos cargos públicos—gobernador civil, director general, subsecretario—antes de ser ministro por primera vez. El año 74 forma Gobierno, y ya desde esa fecha, como jefe del partido conservador, alterna en el gobierno de la nación con Sagasta. Cánovas fué el alma, primeramente, de la Restauración durante el reinado de Alfonso XII, y luego, de la Regencia de María Cristina. Fué asesinado en 1897 por el anarquista italiano Angiolillo, hallándose tomando baños en Santa Agueda. Era hombre de amplia cultura, que dedicó al cultivo de las letras todo el tiempo que le dejaban libre sus ocupaciones políticas.

6. Se llamaba Jaime Luciano Balmes Urpiá y era natural de Vich, en cuyo Seminario estudió la carrera eclesiástica. Completó su formación en la Universidad de Cervera, y, ya sacerdote, fué nombrado catedrático de Matemáticas en su ciudad natal. Desde 1840 empezó a actuar muy intensamente en política; dirigió varias revistas *(La Civilización, La Sociedad, El Pensamiento de la Nación)*, e intentó la fusión de las dos ramas dinásticas mediante la boda de Isabel II con el conde de Montemolín.

7. Extremeño. Estudió en Cáceres y en Sevilla. Fué profesor de Humanidades en aquella ciudad; luego pasó a Madrid y empieza a actuar en política, destacando pronto como orador. Desempeña la Legación de España en Prusia, y en 1851 es nombrado ministro plenipotenciario en París. Muere dos años después, en plena juventud.

8. Riojano, de Haro. Profesor de Historia del Arte en la Universidad de Barcelona y después de Pedagogía en la Superior del Magisterio de Madrid. Director del Museo Pedagógico y figura máxima de la Institución Libre de Enseñanza.

9. Madrileño. Amigo de Lista, de Quintana y Gallardo, con quien después riñó, si bien hubo de influir en él muy hondamente, al igual que los otros dos. Fué director de la Biblioteca Nacional.

10. Por pura curiosidad y no por su valor literario, del que carece en absoluto, lo copiamos aquí:

> Caco, cuco, faquín, bibliopirata,
> tenaza de los libros, chuzo, púa;
> de papeles, aparte lo ganzúa,
> hurón, carcoma, polilleja, rata.
>
> Uñilargo, garduña, garrapata;
> para sacar los libros, cabria, grúa,
> Argel de bibliotecas, gran falúa
> armada en corso, haciendo cala y cata.
>
> Empapas un archivo en la bragueta,
> un Simancas te cabe en el bolsillo,
> te pones por corbata una maleta;
>
> juegas del dos, del cinco y por tresillo;
> y, al fin, te beberás como una sopa,
> llenas de libros, Africa y Europa.

El soneto, como se ve, es de ingenuidad desconcertante. No vemos por ninguna parte la malignidad ni el ingenio a que alude el padre Blanco.

11. Menéndez Pelayo, que reconoce en reiteradas ocasiones sus grandes méritos, reseñó sus más notables deficiencias en el prólogo a *Los orígenes de la novela* y en el programa de la «Nueva Biblioteca de Autores Españoles»

12. En el Renacimiento catalán tuvo mucha importancia *La Renaixença*, título de una revista literaria al principio y política después, que empezó a publicarse en Barcelona en 1871 y cuya vida se prolongó durante treinta años. Fueron sus primeros redactores Pedro Aldavert, Ivo Bosch y Javier Tobella, a los que posteriormente se agregó Guimerá. Andando el tiempo se convirtió en órgano de propaganda regionalista.

13. Natural de Villafranca del Panadés. Fué catedrático de Literatura en la Universidad de Barcelona, el primer provenzalista de España durante el siglo XIX y el más destacado maestro de Menéndez Pelayo.

14. Barcelonés. Fué catedrático de Retórica y Poética en el Instituto de San Isidro, de Madrid, de donde pasó a otro centro análogo de Barcelona.

15. Concha Espina ha podido escribir *Una novela de amor*, basada en el que ligó a Menéndez Pelayo con una dama santanderina.

16. «Ni este libro ni otro alguno de los míos tiende a presentar a España como nación cerrada e impenetrable al movimiento intelectual del mundo, sino, antes bien, a probar que en todas las épocas y con más o menos gloria, pero siempre con esfuerzos generosos y dignos de estudio y gratitud, hemos llevado nuestra piedra al edificio de la ciencia universal.»

BIBLIOGRAFIA

I. Cejador: *Historia de la lengua y literatura castellanas.*—Padre F. Blanco García: *La literatura española en el siglo XIX.*—J. le Gentil: *Les revues littéraires de l'Espagne pendant le première moitié du XIXe siècle*, Hachette, París, 1909.—F. Gutiérrez Lasanta: *Pensadores políticos del siglo XIX*, Edit. Nac. Madrid.—M. S. Oliver: *Revisiones y centenarios* (Jovellanos, Larra, Balmes, Menéndez Pelayo, etc.), Barcelona, 1919.—P. Sáinz Rodríguez: *Las polémicas sobre la cultura española*, Madrid, 1942.—J. Turner Reid: *Modern Spain and Liberalism*, California, 1937.

II. M. González Araco: *Castelar. Su vida y su obra*, Barcelona, 1900.—M. Boada y Balmes: *Emilio Castelar*, Nueva York, 1872.—R. Darío: *Castelar*, Madrid, s. a.—B. Herrera Ochoa: *Castelar*, Madrid, 1914.—B. Jarnés: *Castelar, hombre del Sinaí*, Espasa-Calpe, Madrid, 1936.—J. Octavio Picón: Disc. sobre Castelar en la Acad. Esp., Madrid, 1900.—Menéndez Pelayo: *Historia de los heterodoxos españoles*, V, passim.—A. Sánchez del Real: *Emilio Castelar. Su vida y su carácter*, Barcelona, 1937.—F. de Sandoval: *Emilio Castelar*, París, 1866.—E. C. Travenet: *Emilio Castelar, historien et orateur*, París, 1887.—*Obras escogidas de Castelar*, 8 vols., Madrid.—A. M. Fabié: *Cánovas del Castillo*, Barcelona, 1928.—M. Fernández Almagro: *Cánovas, su vida y su política*, «Rev. de Derecho Privado», Madrid, 1951.—M. G. Revilla: *Cánovas y las letras*, Méjico, 1898.—L. García Arias: *Antología de Cánovas del Castillo*, Edit. Nac., Madrid, 1944.—M. de Lema: *Cánovas, el hombre de Estado*, «Vidas españolas», t. XV.—J. del Nido: *Historia de Cánovas*, Madrid, 1946.—J. Pérez Guzmán: *Cánovas del Castillo, juzgado por sus libros*, «España Mod.», 1907.—A. Pons y Umbert: *Cánovas del Castillo*, Madrid, 1901.—J. Valera: *Ecos argentinos* (est. de Cánovas), 1901.—Gras y Elías: *Francisco Pi i Margall (Siluetes d'escriptores catalans del segle XIX)*, Barcelona, 1910.—Pujulá y Vallés: *Francisco Pi y Margall*, Barcelona, 1902.—A. Sánchez Pérez: *Francisco Pi y Margall*, Madrid, 1917.—Balmes y Donoso Cortés: Abundante bibliografía balmesiana en «Insula», núm. 33, Madrid, 1948.—A. Blanche-Raffin: *Balmes, sa vie et ses ouvrages*, París, 1849.—E. Bullón: *Jaime Balmes*, «Rev. Contemp.», I, 1902.—Padre Casanovas: Est. de Balmes que precede a la ed. de «Obras completas» (Bibl. de Autores Cristianos, 8 vols., Madrid, 1948) y que ocupa todo el t. I.—J. Corts Grau: *Jaime Balmes* (Antología), Edit. Nacional, Madrid.—J. Elías Molíns: *Balmes y su tiempo*, Barcelona, 1906.—E. la Orden: *Jaime Balmes, político*, Colec. «Pro Ecclesia et Patria», Madrid, 1942.—F. Lázaro Carreter: *Los problemas lingüísticos en el pensamiento de Balmes*, «Rev. de Filosofía», núm. 27, 1948.—Menéndez Pelayo: *Dos palabras sobre el centenario de Balmes*, «Ensayos de crítica filosófica».—L. Riva: *Balmes*, Vich, 1955.—J. M. Ruano y Corbó: *Balmes, apologista*, Santiago, 1911.—N. Roure: *La vida y las obras de Balmes*, Madrid, 1910; *Las ideas de Balmes*, Madrid-Gerona, 1910.—A. Soler: *Biografía de Balmes*, Barcelona, 1950.—M. Prados López: *Balmes, el buen amigo de la verdad*, «Bol. Real Acad. Esp.», Madrid, 1953.—J. Zaragüeta, I. González, S. Minguijón y J. Corts Grau: *Balmes, filósofo, social, apologista y político*, Madrid, 1945.—G. de Armas: *Donoso Cortés. Su sentido trascendente de la vida*, Edit. Rivadeneyra, Madrid, 1953.—R. M. Baralt: Discurso (sobre Donoso Cortés) en la Real Acad. Esp., 1861.—J. Chaix-Ruy: *Donoso Cortés, théologien de l'histoire et prophète*, Bibliothèque des Archives de Philosophie, París, 1956.—F. Escobar García: *Semblanza de Donoso Cortés*, «Rev. de Est. Extremeños», Badajoz, 1953.—S. Galindo Herrero: *Donoso Cortés en su paralelo con Balmes y Pastor Díaz*, «Rev. de Est. Políticos», LXIX, 1953; *Donoso Cortés en la última etapa de su vida*, «Arbor», Madrid, 1953.—Padre J. Iriarte: *Un Donoso románticamente filósofo*, «Razón y Fe», CXLVIII, Madrid, 1953.—Dr. Juretschke: Pról. y notas a las «Obras completas» de Donoso Cortés, Bibl. de Autores Cristianos, 2 vols., Madrid, 1946.—M. Menéndez Pelayo: *Historia de los heterodoxos españoles*, VI, (Donoso Cortés, págs. 407-11 y 343-44).—C. Schmit: *Interpretación europea de Donoso Cortés* (pról. de Angel López-Amo), «Bibl. del Pensamiento actual», vol. 13.—F. Suárez Verdeguer: *Donoso Cortés en el pensamiento europeo del siglo XIX*, Ateneo, Colección «O crece o muere», Madrid, 1954.—E. Schramm: *Donoso Cortés*, Espasa-Calpe, Madrid, 1936.—A. Tobar: Pról. a la Antología de Donoso Cortés, Edit. Nacional, 1940.—Eugenia Vegas Latapie: *Autoridad y libertad según Donoso Cortés*, «Arbor», 1953 (Institución Libre e institucionista).—F. de Llanos y Torriglia: *¿Cómo nació la Institución Libre de Enseñanza?* «Bol. Inst. L. E.», Madrid, 1925; *En el cincuentenario del «Boletín de la Institución Libre de Enseñanza»*, «Bol. Inst. L. E.», Madrid, 1926.—F. Camínero: *Examen crítico del krausismo*, «Rev. de España», Madrid, 1869-70.—J. López Morillas: *El krausismo español*, «Fondo de Cult. Económica», Méjico.—P. Jobit: *Les educateurs de l'Espagne contemporaine. I. Les Krausistes. II. Lettres inedites de D. Julián del Río*, París, 1936.—M. Menéndez Pelayo: «Krausismo y krausistas» en *Historia de los heterodoxos españoles*, VI, págs. 341-402.—R. Altamira: *Giner de los Ríos, educador*, Valencia, 1915.—F. de los Ríos Urruti: *La filosofía del Derecho en don Francisco Giner y su relación con el pensamiento contemporáneo*, Madrid, 1916.—N. Salmerón: Pról. a la *Filosofía y arte*, de Giner de los Ríos, Madrid, 1878.—A. García Garaffa: *Españoles ilustres: Azcárate*, Madrid, 1917.—*Número conmemorativo de Gumersindo Azcárate* (con artículos de Unamuno, Altamira, Ortega y Gasset, etc.), «Bol. Inst. E. L.», Madrid, 1918.—J. Xirau: *Manuel Bartolomé Cossío y la educación en España*, «Fondo de Cultura Económica», Méjico.

III-IV. F. Fernández y González: *Historia de la crítica literaria en España desde Luzán hasta nuestros días* (memoria premiada por la R. A. E.), Madrid, 1867.—Para Quintana, Lista, Martínez de la Rosa, Larra, etc., véanse los capítulos en que han sido estudiados como poetas y prosistas.—Para Durán, véase L. Ballesteros Robles: *Diccionario biográfico matritense*, Madrid, 1912.

F. Cutanda: *A la memoria de Agustín Durán*, «Memorias Acad. Esp.», I.—Para Alcalá Galiano, véase M. Menéndez Pelayo: *Heterodoxos*, VI, passim; *Apuntes para la biografía de Alcalá Galiano escritos por él mismo*, Madrid, 1865. F. de Sandoval: *Alcalá Galiano*, Espasa-Calpe, 1950.—Para Gallardo, consultar Andrenio (E. Gómez de Baquero): *Gallardo y su tiempo*, «De Gallardo a Unamuno», págs. 5-52, Edit. Mundo Latino, Madrid, 1926. M. Artigas: *Cartas de Gallardo*, «Bol. Acad. Esp.», 1931. M. Marqués Merchant: *Don Bartolomé José Gallardo*, Madrid, 1921. P. Sainz Rodríguez: *Bartolomé José Gallardo*, «Clásicos olvidados», Madrid, 1928; *Bartolomé José Gallardo y la crítica de su tiempo*, Madrid, 1921.—Biblioteca de Aut. Españoles y colaboradores: L. Vidart: *La Biblioteca de Autores Españoles y la historia literaria de España*, «Rev. Contemporánea», 1877.—M. Menéndez Pelayo: *Estudios de crít. lit.*, I, págs. 85-86.—Blanca de los Ríos: *El marqués de Valmar*, «Ilustr. Esp. y Amer.», I, 1901.—M. Menéndez Pelayo: *Estudios de crít. lit.*, IV (sobre el marqués de Valmar, págs. 315-29).—P. Sainz Rodríguez: *Biografía de Amador de los Ríos*, 1918.—G. Baret: *Observations sur l'histoire de la littérature espagnole de Amador de los Ríos*.—Eruditos catalanes: M. de Montolíu: *Cuatro etapas en la evolución de la literatura catalana moderna*, C. S. I. C., 1956; *Diccionario de escritores catalanes*, Barcelona, 1887. J. Comerma y Vilanova: *Historia de la literatura catalana*, Barcelona, 1924.—L. Segala y Estalella: *El renacimiento helénico en Cataluña*, Barcelona, 1911. F. Gras y Elías: *Siluetes d'escriptors cataláns*, Barcelona, s. a. Milá y Fontanáls: *Obras completas*, ed. de Menéndez Pelayo, Barcelona, 1888-1896. M. Artigas: *Catálogo de los papeles de Milá... en la Biblioteca de Menéndez Pelayo*, «Bol. Bibl. M. Pelayo», 1919. M. Menéndez Pelayo: *Semblanza literaria de Milá y Fontanáls*, «Estudios de crít. lit.», V, págs. 133-75. J. Rubió y Ors: *Noticias de la vida y escritos de Milá*, Barcelona, 1887. J. Roig y Roqué: *Bibliografía de Milá*, Barcelona, 1913. C. Vidal y Valenciano: *Milá* (Reseña biográfica), *Barcelona*, 1888. D. Perés: *Milá y Menéndez Pelayo*, «La Lectura», III, 1908. Jordán de Urríes y Azara: *Rubió y Ors, como poeta castellano*, Barcelona, 1912. C. Valenciano: *Discurso acerca de Rubió y Lluch*, Barcelona, 1889.

V. *Bibliografía de las obras de Menéndez Pelayo* (Aportación del Instituto Nacional del Libro Español... en el primer centenario de su nacimiento), Madrid, 1956.—I. Aguilera: *En torno al concepto de la estética de Menéndez Pelayo*, «Rev. Arch., Bibl. y Mus.», LXII, 1956.—D. Alonso: *Menéndez Pelayo, crítico literario (Las palinodias de don Marcelino)*, Edit. Gredos, Madrid, 1956.—L. Antón del Olmet y García Caraffa: *Menéndez y Pelayo*, Madrid, 1912.—L. Araquistáin: *Menéndez y Pelayo y la cultura alemana*, Jena-Leipzig, 1932.—M. Artigas: *La vida y la obra de Menéndez Pelayo*, Zaragoza, 1939.—M. Baquero Goyanes: *La novela española, vista por Menéndez Pelayo*, Edit. Nacional, Madrid, 1956.—A. Bonilla y San Martín: *Biografía y bibliografía de Menéndez Pelayo*, «Rev. de Arch., Bibl. y Mus.», 1912.—A. M. Cayuela: *Menéndez Pelayo, orientador de la cultura*, Barcelona, 1939.—E. Díez-Echarri: *La poesía española, vista por Menéndez Pelayo*, Edit. Nacional, Madrid, 1956.—J. M. Fernández: *Menéndez Pelayo, filósofo*, «Humanidades», VIII, 1956.—E. Frutos Cortés: *La filosofía de Menéndez Pelayo*, 1957.—R. García y García de Castro: *Criterios de Menéndez Pelayo*, Granada, 1956.—R. García y García de Castro: *Menéndez Pelayo, el sabio y el creyente*, edics. Fax, 1940.—M. García Romero: *Apuntes para la biografía de M. Pelayo*, 1897.—A. González Blanco: *Marcelino Menéndez y Pelayo*, Madrid, 1912.—Padre J. Iriarte: *Menéndez Pelayo y la filosofía española*, edics. Fax, Madrid.—L. Jenaro Mac Lennan: *Menéndez Pelayo y la estilística*, «Archivum», de la Facultad de Letras de Oviedo, VI, 1956.—Hans Juretschke: *Menéndez Pelayo y el romanticismo*, Edit. Nacional, Madrid, 1956.—P. Laín Entralgo: *Menéndez Pelayo: Historia de sus problemas intelectuales*, Madrid, 1944.—J. M. Martínez Cachero: *Menéndez Pelayo, crítico de la literatura de su tiempo*, «Archivum», de la Facultad de Letras de Oviedo, VI, 1956. E. Mérimée: *Don Marcelino Menéndez y Pelayo*, «Bull. Hisp.», 1912.—A. Muñoz Alonso: *Las ideas filosóficas de Menéndez Pelayo*, Edics. Rialp, 1956.—V. Palacio Atard: *Menéndez Pelayo y la historia de España*, Facultad de Letras, Valladolid, 1956.—J. M.ª Roca Franquesa: *Notas para el estudio de Menéndez Pelayo como crítico e historiador de la literatura española*, «Archivum», de la Facultad de Letras de Oviedo, VI, 1956.—E. Sánchez Reyes: *Don Marcelino, el úl-*

timo de nuestros humanistas, Aldus, Santander, 1957.—E. Sánchez Reyes: *Menéndez Pelayo y la Hispanidad*, 2.ª ed. aumentada, C. S. I. C., 1955.—R. Schevill: *Menéndez Pelayo y el estudio de la cultura española en los Estados Unidos*, Santander, 1919.—J. Simón Díaz: *Estudios sobre Menéndez Pelayo*, C. S. I. C., Madrid, 1954.—G. de Torre: *Menéndez Pelayo y las dos Españas*, Buenos Aires, 1943.—F. de Bonis: *Posición filosófica de M. Pelayo*, Barcelona, 1954.—Dr. R. Oroz: *Don M. M. Pelayo y la poesía lírica*, Edics. Auch, núm. 7 (serie roja), Santiago de Chile.—J. Loveluck: *M. Pelayo y la liter. española medieval*, Edics. Auch, núm. 8, Santiago de Chile.—V. E. Fernández-Vista: *M. Pelayo ante la poesía de Góngora*, «Rev. de Literatura», XIV, 1958.—L. A. Cueto: *Carta-prólogo a don Juan Valera*, «Estudios poéticos», de M. Pelayo.—C. Eguía Ruiz, S. I.: *¿Menéndez Pelayo, poe-* ta?, «Razón y Fe», 1912.—M. Antonio Caro: *Poesías de M. Pelayo*, «Obras completas» de M. A. Caro, III, Bogotá, 1921.—A. Berenguer Carisomo: *Un parnasiano español*, «Bol. Bibl. Menéndez Pelayo», 1948.—C. Oyuela: *M. Pelayo. Sus poesías*, «España. Versos y prosa», Buenos Aires, 1898.—J. Valera: Introd. a «*Odas, Epístolas y Tragedias*», de M. Pelayo; *Contestación al disc. de ingreso de M. Pelayo en la Real Acad. Esp.*—Ruggero Palmieri: *Menéndez Pelayo y la cultura italiana*, Santander, 1944.—Véanse asimismo las conferencias pronunciada sen la Univ. de Barcelona (Cátedra Ciudad de Barcelona); los homenajes de la Acad. Colombiana de Bogotá y de la Univ. de Antioquía (Colombia) con motivo del centenario (1956), y numerosas antologías, entre las que destaca la de la «Biblioteca de Autores Cristianos» (Madrid), con pról. del profesor J. M. Sánchez de Muniáin.

LITERATURA
CONTEMPORANEA

CAPITULO LXXXII

LITERATURA CONTEMPORANEA: GENERALIDADES

I. LA NUEVA ÉPOCA.—II. LÍMITES Y CRONOLOGÍA.—III. INFLUENCIAS EXTERIORES: *Las corrientes francesas. Inglaterra. Alemania, Rusia e Italia.*—IV. EL NUEVO ESTILO.—V. GÉNEROS NUEVOS Y VIEJOS: *La novela. El teatro. El ensayo. La lírica. La crítica.*—NOTAS.—BIBLIOGRAFÍA.

I. LA NUEVA EPOCA

Las corrientes ideológicas de finales del XIX, al penetrar en España, procedentes de diversos países, empiezan a crear un especial clima, particularmente propicio para la aparición y desarrollo de nuevas modalidades artístico-literarias. Una simple ojeada al panorama cultural de la época basta para demostrarnos que un cambio radical acaba de operarse en la esfera del espíritu. El positivismo, con toda su secuela de creaciones filosóficas, sociales y artísticas, está de capa caída. Como el romanticismo poco ha, como el neoclasicismo antes, tiene agotadas sus fórmulas. Se imponen otros modos de vida y de pensamiento, y, como siempre, la literatura atempera sus pasos a esos nuevos modos, cuando no les precede, abriéndoles camino. París sigue siendo el foco de la cultura universal y, por tanto, el punto de mira de nuestros literatos. De allí empiezan a venir en sucesivas oleadas nuevas doctrinas estéticas capaces de revolucionar el arte: parnasianismo, simbolismo, impresionismo, prerrafaelismo, decadentismo, etc. Unas afectan sólo a lo literario o sólo a lo plástico; otras, a todo el orden de la cultura. Con ellas se confunden nuevas corrientes que tienen tanto de filosofía como de estética y de ética: la doctrina de la voluntad de Schopenhauer, la de la angustia de Kierkegaard, la del superhombre de Nietzsche, el misticismo neocristiano de Tolstoi, el pragmatismo de William James, el trascendentalismo de Emerson, el intuicionismo de Bergson. Unase a esto la revolución introducida por Wagner en la música; por Ibsen y Maeterlinck, en el teatro; por Dostoyevski, en la novela; por Verlaine y Baudelaire, en la poesía; por Carlyle, Ruskin y Croce, en el ensayo y en la crítica. Todos ellos habían de influir en España, como veremos en su lugar; si bien, y siguiendo una norma que parece inherente a nuestro carácter, los escritores de lengua castellana—tanto españoles como americanos—, después de asimilar lo más sustancial de la cultura extranjera, terminarán por darle forma y contenido propios.

Frente a esa invasión de nuevos métodos e ideas.

la gente ya formada—Núñez de Arce y Campoamor, Pereda y Galdós, Echegaray y Dicenta—no sabría o no podría reaccionar. Todo lo más, como en el caso de Galdós, llegarían a una renovación en lo accesorio, permaneciendo fieles al pasado en lo fundamental. Pero los jóvenes que entonces se estaban formando, las nuevas generaciones que empezaban a encontrar vacíos de sentido los temas del progreso y de la fraternidad, respiran a pulmón abierto esta atmósfera renovada y se entregan a ella con una alegría creadora, que no se había vuelto a ver desde el Siglo de Oro. Ni siquiera el romanticismo puede presentar un cuadro de escritores tan brillante como los que prestigian las letras españolas, y también las americanas, en estos últimos cincuenta años. Mucho menos encontramos otra época comparable a la nuestra, con excepción de la que va de Garcilaso a Quevedo, en originalidad, variedad y mérito intrínseco de las creaciones[1].

La reforma alcanza a todo: teatro y novela, crítica y ensayo, poesía y prosa. Y afecta tanto al contenido como a la forma. Es en lo negativo una reacción contra las tendencias burguesas dominantes hasta finales de siglo: positivismo en la filosofía; naturalismo en la novela, la lírica y el teatro; conformismo en la vida. Y es en lo positivo una reafirmación de los valores del espíritu preteridos, o al menos postergados, durante el triunfo de las doctrinas positivistas. «Se afirma—escribe Angel del Río—la urgencia de una revisión total de los valores aceptados por las generaciones anteriores, la necesidad de un neoespiritualismo, la libertad creadora frente a fórmulas de escuela y, sobre todo, un retorno a la intimidad, como fuente de la conciencia, del pensamiento, de la creación y del arte»[2].

Resultado de cuanto acabamos de exponer es una nueva época que se abre en nuestras letras y que, para distinguirla de las anteriores, puede llamarse, y así se viene haciendo, «Epoca contemporánea».

1169

II. LIMITES Y FISONOMIA

Una vez más hemos de insistir en lo dicho tantas veces: los períodos literarios en lo cronológico no presentan fronteras definidas. Se funden con el precedente y con el posterior en una relación de efecto a causa y viceversa. Y esto, aun en el caso de que broten y se desarrollen como reacción contra las formas y modos existentes. Luego, un hecho destacado, de mayor o menor alcance social, político o estético, contribuye a su triunfo y estabilización, y a ese hecho queda referida la génesis del proceso. En la literatura española contemporánea ese punto de referencia sería la llamada «Generación del 98». En la americana sería la aparición de *Azul* (1888), de Rubén Darío, con el consiguiente triunfo del modernismo.

No obstante, cuando la «Generación del 98» toma cuerpo, el cambio de dirección en nuestra literatura se había ya operado; y así aquélla más que una causa de tal cambio se presenta como una circunstancia favorable que contribuye a su total realización, dándole de paso especiales perfiles. En tal caso lo que llamamos «literatura contemporánea» abarcaría un período de tiempo que va aproximadamente desde 1890 hasta el inicio de nuestra guerra civil, en 1936 [3]. Con este gran suceso de innegable repercusión en todos los órdenes de la vida nacional, la marcha a veces firme y a veces zigzagueante de nuestra cultura queda cortada bruscamente. No es éste el lugar de decir, ni ello sería posible dado lo reciente del hecho, si ese tajo, referido exclusivamente a lo literario, fué para mal o para bien. La realidad es que al cerrarse la contienda, casi tres años después (1939), nuestras letras, nuestro pensamiento, toda nuestra cultura, habían tomado otro rumbo. Como el proceso que en tal fecha se inicia no ha tenido aún su plenitud, e incluso puede afirmarse que se encuentra en período de gestación, cualquier juicio sobre la literatura, a partir de ese año (1939), resultaría por fuerza aventurado. Por ello nuestro estudio se ha de limitar en esta parte al período de tiempo comprendido entre 1890 y 1936. Lo que viene después no nos compete; el historiador sólo se ocupa de hechos pasados y nuestro libro es, ante todo, historia. Esto, en lo relativo a España. En América ya queda dicho que la fecha inicial puede anticiparse unos años, muy pocos; y la final retrotraerse por lo menos hasta 1940, ya que la contienda española no afecta a las letras de aquel Continente como a las peninsulares.

Si la limitación cronológica de la literatura contemporánea resulta hasta cierto punto fácil, no lo es tanto su caracterización y fisonomía. Y es que ésta se nos ofrece con una pluralidad de rasgos sorprendente. Es una sucesión vertiginosa de escuelas, mejor aún de estilos, ya que ni siquiera alcanzan el tiempo indispensable para constituirse en auténticas escuelas. Gómez de la Serna, en un libro ameno y estimable desde el punto de vista informativo, si bien demasiado superficial en su aspecto crítico, ha sorprendido esta ebullición de doctrinas estéticas en uno de sus momentos más intensos y ha llegado a describir hasta veintisiete grupos distintos [4]. Era la época de los «ismos». que todavía no se ha cerrado. Cada mañana en Alemania, en Inglaterra, en Italia, en Francia sobre todo, afloraba una nueva doctrina estética, acompañada de su correspondiente manifiesto, más o menos detonante y siempre de carácter combativo. No todos esos ensayos pasaron a España, aunque sí la mayor parte, acrecidos con otros de nuestra cosecha. Si en medio de esa confusión, que al cabo de los años ya no lo va siendo tanto, porque el tiempo se ha encargado de perfilar actitudes y agrupar estilos e ideas afines, quisiéramos buscar en lo doctrinal algunas notas comunes acaso las encontráramos sin más que oponer a cada categoría válida hasta entonces, otra de signo contrario:

a) Frente al *positivismo* del período anterior un *idealismo* templado y compatible, desde luego, con los datos de la experiencia.

b) Frente a lo *burgués* lo *aristocrático*, sin que este aristocratismo tenga que ver nada con lo que comúnmente se entiende por aristocracia en cuanto clase social. Aristocratismo como sinónimo de algo selectivo en el arte y en la vida.

c) Frente al tema *colectivo*—social, político o religioso—, el tema *individual*, en que los valores estéticos pasan a primer plano.

d) Frente a lo físico, especialmente en la novela, lo *psíquico*, determinando un cambio notable en el factor tiempo, que al convertirse en *lento*, hace la narración menos dinámica.

Tales notas, aunque comunes, predominan en unos géneros más que en otros y en unos grupos con mayor intensidad. Al igual que las relativas a la expresión o lenguaje—tan hondamente afectado por las innovaciones temáticas—, sólo alcanzan una correcta interpretación al ser estudiadas comparativamente con las de otras literaturas.

III. INFLUENCIAS EXTERIORES

No quiere esto decir, naturalmente, que la nuestra contemporánea sea un remedo de aquéllas. Debe quedar bien sentado que nunca, con excepción del XVII, nuestros escritores fueron ni más originales ni más independientes de toda inspiración y tutelas extrañas. Pero si esto es verdad, no lo es menos que de fuera nos llegaron sugestiones e influencias del más alto valor y que no pocos de nuestros poetas y escritores contemporáneos—tan representativos a veces como Valle-Inclán y Baroja—se inspiraron, al menos inicialmente, en modelos de fuera, sin menoscabo para el ulterior desarrollo de su estilo personal. Por ello una descripción a grandes rasgos de las literaturas europeas de la época se nos antoja no sólo conveniente, sino casi hasta indispensable, como natural preámbulo a la nuestra [5].

Las corrientes francesas

En la lírica, superando las últimas manifestaciones de algunos románticos rezagados, coexisten cómodamente *simbolistas* y *parnasianos;* más antiguos éstos *(Le Parnasse, recueil de vers nouveaux,* empieza a publicarse en 1866), reciben su inspiración de Théophile Gautier y tienen por jefes a Leconte de Lisle, José María de Heredia y Théodore de Banville. Con la mirada puesta en la antigüedad clásica, especialmente en Grecia, tratan de aplicar a la lírica la fórmula de «el arte por el arte», inventada ya por Gautier y oponen al desenfreno romántico el orden, la claridad y la perfección de la escultura helénica. Cada poema parnasiano es un prodigio de nitidez y exactitud. Influyeron hondamente en nuestros primeros vates modernistas, tanto americanos como peninsulares. Frente al grupo parnasiano, el simbolista, formado inicialmente por tránsfugas de aquél—los *Poèmes saturniens,* de Verlaine, obedecen a una técnica enteramente parnasiana—, aspira sobre todo a sugerir impresiones valiéndose de la música de la palabra y de la transparencia del símbolo. Tiene por oráculo a Stéphane Mallarmé, el autor de *L'Aprés-Midi d'un Faune,* y por jefes supremos, a Paul Verlaine, Arthur Rimbaud y Jules Laforgue. También aparece con huella muy marcada en nuestra lírica modernista.

Menos visible es la influencia de la novela francesa, que desde Stendhal hasta Proust, a través de Flaubert, sigue siempre una trayectoria firme y definida. Acaso lo más destacable que de esta novelística pasó a la nuestra es la técnica del «tempo lento» y el exquisito cuidado de la expresión, que por una parte desembocaría en la prosa cincelada de Miró, y por otra, en la elegancia barroca de Valle-Inclán, evidentemente inspirada en Barbey D'Aurevilly.

El teatro francés de la época no puede compararse ni en originalidad ni en pujanza con la novela y la lírica. Sólo en días próximos a los nuestros evoluciona hacia formas originales. Ni Rostand ni Maeterlinck—no obstante su indiscutible triunfo—llegan a la altura de los grandes poetas y novelistas. Sin embargo, fueron seguidos por algunos de los nuestros, especialmente Rostand, cuyo *Cyrano* alcanzó en España innegable popularidad.

Por último, la crítica. Siguen dominando en amplios sectores, tanto de Francia como de España, los métodos históricos de Sainte-Beuve y determinista de Taine, cuya *Filosofía del arte,* a varios años de distancia, ofrece aún elementos aprovechables. Pronto, sin embargo, la reacción se opera, por obra especialmente de Brunetière y Lemaitre; nuevos factores intervienen en la consideración crítica, pasando a ocupar el primer puesto los testimonios del propio escritor (Stendhal, Flaubert, Baudelaire), hasta llegar a los penetrantes análisis de un Gide, un Jaloux o un Charles du Bos.

Inglaterra

Insistir en consideraciones sobre la poesía, la novela o el teatro ingleses de últimos del XIX y principios del XX nos llevaría demasiado lejos. Su influencia en las letras españolas del mismo período es escasa y, huelga consignarlo, infinitamente menor que la francesa. Ni Thackeray, ni Ruskin, ni Kipling tienen entre nosotros huellas visibles. Menos aún los líricos, tan alejados por su hondura de nuestra característica exteriorización. Cuando la poesía castellana se adensa y hace profunda—Machado, Unamuno—, nada tiene que ver con los ingleses; bebe su inspiración directamente en el alma castellana; o, todo lo más, tiende a entroncarse— a veces inconscientemente—con uno de los lados más interesantes del barroco, el de la poesía filosófica de Quevedo y de la *Epístola moral.*

El único entre los novelistas ingleses que parece haber influido algo es Dickens, en ciertos aspectos de la obra de Baroja; y entre los dramaturgos, Oscar Wilde, cuyo diálogo intrascendente e ingenioso reaparece en Sassone, Suárez de Deza y, sobre todo, en Benavente. El teatro pesado, lento, fatigosamente intelectual de Bernard Shaw, con sus diálogos interminables y exentos casi de acción, tan del gusto inglés, no ha tenido fortuna entre nosotros.

Alemania, Rusia e Italia

Influyen casi siempre indirectamente, a través de traducciones francesas. En lo que toca a Alemania, escritores como Rilke y Haupmann no llegan a nuestro conocimiento hasta época reciente. En cambio, se acusa por todas partes la honda huella, verdadera garra de león, de Nietzsche, más como autor de *Zaratustra* que como creador de un estilo literario. El conocimiento íntegro de Nietzsche, pensador y artista, corresponde a la segunda generación del siglo, la de los ensayistas, con Ortega y Gasset a la cabeza. Con Nietzsche corre parejas el danés Sören Kierkegaard, de tan constante presencia en la obra de Unamuno. Tampoco Kierkegaard fué conocido sino muy parcialmente hasta nuestros días, y aun ahora no se puede decir que lo sea de manera directa, sino por conducto de los «existencialistas» franceses. La influencia de Heidegger, tan vinculada a Kierkegaard, es de hoy.

Rusia acusa la suya principal, o únicamente, por sus novelistas: Turgueniev y Gogol pesan poco entre nosotros; más importancia tienen Tolstoi y Dostoyevski, especialmente éste; más tarde se hace notar el influjo de Gorki. La presencia de Dostoyevski es notoria en Baroja y en las promociones de la posguerra: Cela, sobre todo. También la literatura rusa nos llegó desde París, si bien la Pardo Bazán ya nos la había revelado en uno de sus más famosos libros [6].

Italia, tan ligada culturalmente a España en otro tiempo, sólo se proyecta en nuestra literatura contemporánea por conducto de Croce y de D'Annunzio; aquél, en ciertas zonas críticas muy restringidas; y éste, en los artificios verbales de Valle-Inclán, empeñado en crear belleza sobre la única base de la palabra. Carducci, no desconocido entre nosotros, apenas suscitó imitadores, entre otras razones porque exigía una preparación clásica que no teníamos entonces, que no tenemos tampoco ahora y que no tuvimos desde el siglo XVI. Pirandello, más accesible, no encontró, con su humorismo de nota personalísima, el eco que cabía esperar en el teatro español.

IV. EL NUEVO ESTILO

En la esfera del lenguaje se opera durante el último medio siglo un cambio tan radical que, sin exageración, se puede hablar, y así se viene haciendo, de un *nuevo estilo*.

La prosa del XIX, tan retórica y sonora, trabada con toda clase de enlaces sintácticos, es sustituída casi siempre por otra prosa ágil, natural y escindida en pequeños párrafos. Al período amplio sustituye el breve y cortado; a la hipotaxis, la parataxis. Todavía lo ampuloso domina en los buenos escritores de últimos del XIX: Menéndez Pelayo, indiscutible maestro de la lengua, emplea aún con preferencia el período largo. Quizá el que más adelgaza la cláusula, rompiéndola en pequeñas oraciones, con una técnica estilística que se acerca mucho a la actual, sea *Clarín*. En Ganivet ya encontramos un escritor de transición que, sin renunciar del todo a los procedimientos usuales en su tiempo, imprime a la lengua vivacidad y rapidez. Unamuno, no obstante su personalísimo estilo, no acierta a desprenderse enteramente de ciertos usos y maneras decimonónicas. *Azorín*, en cambio, es el revolucionario del idioma en los tiempos modernos. La sintaxis ha salido de sus manos completamente transformada: las partículas conjuntivas, elementos indispensables en un sistema proposicional compuesto, han sido eliminadas o reducidas a su mínima expresión. Prosa de oración simple, casi puramente enunciativa, tan apta para el análisis y la descripción escueta como inservible al raciocinio.

Una vez decantado y clasificado el lenguaje en los libros de *Azorín*, media docena de grandes escritores—Ortega, D'Ors, Pérez de Ayala, etc.— se encargan, cada uno dentro de sus características personales, de darnos una prosa castellana como no se conocía desde la época de fray Luis de León o del padre Sigüenza: clásica y moderna, a la vez; sencilla y elegante, precisa y suficiente. Ortega y Gasset señala el ápice de la elegancia y del aticismo; más allá está lo conceptuoso y amanerado. Baroja marca el límite de la sencillez, pasado el cual se cae en la grosería, de la que el propio Baroja no siempre está exento. Porque entiéndase bien: esa prosa, admirable por su transparencia en muchos libros de *Azorín*, resulta blandengue y ñoña en sus imitadores y hasta en no pocos trabajos del mismo autor de *Los pueblos*. Y lo que en Ortega es casi siempre nota de precisión y originalidad, en los que intentan remedarle es puro galimatías.

El léxico a su vez se enriquece notablemente: términos ya en desuso que vuelven a ser puestos en circulación, no siempre con demasiada fortuna; giros idiomáticos nuevos de evidente originalidad y expresividad; y, sobre todo, un laudable afán por encontrar el vocablo más castizo, más propio y más lleno de significación. Consecuencia de todo ello: una lengua convertida en instrumento eficaz de la idea, a la vez que más y más flexible y capacitada para la expresión de los infinitos matices de la sensibilidad humana en nuestros días. Lengua, repitámoslo, que en manos hábiles se hace todo arte puro, mientras que en otras menos expertas se deshilvana en una serie de frases sin conexión y sin sentido.

V.   GENEROS VIEJOS Y NUEVOS

Siguen los mismos géneros del período anterior, si bien todos ellos con distinto carácter; y nace, o, mejor aún, se desarrolla, hasta alcanzar insuperable perfección, uno nuevo: el *ensayo*.

La novela

La novela naturalista de Alarcón, de Galdós y de la Pardo Bazán, basada en los problemas de la clase media y con un ambiente burgués o aburguesado, se orienta hacia otras ˉzonas; Baroja la hace descender a los más bajos fondos sociales, cargándola de mayor contenido humano, si bien despojada de ciertos aditamentos formales, en un desprecio, más aparente que real, de los factores estilísticos. Contrasta con él Valle-Inclán, en quien todo o muy buena parte se sacrifica a la forma, traducida en estudiadas sonoridades y armonías cromáticas. Todavía se acusa más esa preocupación formal en algunos novelistas de la generación siguiente: Pérez de Ayala y Miró, más ensayista el primero, más paisajista el segundo. En ambos, el atuendo, de indudable calidad estética, lejos de favorecer al tema, lo ahoga, casi lo anula. No son verdaderos novelistas, sino ensayistas, poetas, escritores admirables.

A partir de éstos, en la tercera generación, la novela apenas tiene exponentes. La prosa de Gómez de la Serna, tan sorprendente como atrevida, que en narraciones breves da su máximo rendimiento, en las largas se hace monótona y termina por cansar. Demasiado ingenio: la novela exige, ante todo, un hecho nuclear de interés suficiente para atenazar a lo largo de muchas páginas la atención de los lectores. Luego, terminada la guerra civil, ha surgido pujante, en varias direcciones: Cela, Agustí, Gironella, Carmen Laforet, etc., dominando la nota *tremendista,* que acaso tenga su origen en Baroja o, más lejos aún, en Gorki y en la subversión de los principios lógicos y éticos, subsiguientes a la segunda guerra mundial.

El teatro

Sigue algún tiempo en manos de Echegaray y Galdós. Pronto se adueña de él Benavente, dándole mayor elasticidad y desnudándolo de gangas décimonónicas. El diálogo engolado se hace natural y casi doméstico; a la declamación escénica sucede el coloquio. Sin embargo, la renovación expresiva no va acompañada por una renovación paralela de los temas o argumentos. Se nos siguen ofreciendo idénticos problemas, si bien tratados en forma mucho más familiar y comprensiva, en una especie de ˉamable discreteo. Los Quintero tampoco sienten especial inquietud, y lo más que

hacen, con evidente dignidad y gracia, es abrir la escena a la luz y a la música meridionales. Teatro ligero, encantador y superficial, que huye por igual de los grandes temas sociales y de los complicados conflictos psicológicos. El público, satisfecho, por otra parte, con lo que le daban, no pide más. Cuando un dramaturgo como Linares Rivas pretende llevar a las tablas obras de tesis, lo hace en forma declamatoria, falsa y hasta chabacana. Más tarde parece apuntar un intento de modernización, con destellos de sensibilidad nueva, en las comedias de Martínez Sierra o en los dramas de Unamuno, en que se afrontan graves conflictos humanos. Pero a Martínez Sierra le faltó nervio tanto como le sobró sensiblería; y Unamuno careció de la más elemental técnica dramática y no demostró habilidad alguna en el manejo de los personajes. Para una buena obra dramática no basta un gran tema; hace falta, sobre todo, saber desarrollarlo. Sin contar con que Unamuno, al escribir sus dramas, no tuvo en cuenta un factor tan esencial como el público y sus reacciones; y, como no se contaba con él, el público, el gran público, sin el cual no hay teatro posible, se desentendió a su vez de Unamuno, en el aspecto dramático.

Coexisten con las tendencias anteriores dos modalidades dignas de mención: el «teatro poético», más vinculado a Rostand que a la línea clásica española del XVII, aunque se proclamase su continuador: Villaespesa, Marquina, Enrique López Alarcón; más tarde, Pemán; y el «sainete», remozado por Carlos Arniches, que en algunos autores, como Muñoz Seca, degenera en caricatura y «astracán».

Allá por el año 30 asoman a las tablas las dos sugestivas figuras de García Lorca y Casona; pero la producción de aquél no llegó a madurar, y la de Casona, dada a conocer en su mayor parte en América y con posterioridad a nuestra guerra civil, cae fuera de los límites cronológicos de nuestro libro. No obstante, en su lugar serán estudiadas con el espacio que merecen.

El ensayo

Un género, si no nuevo, poco cultivado por nuestros compatriotas, atrae la preferencia de los escritores de esta época: el *ensayo*. Nada, en efecto, se adapta mejor a la especial contextura del espíritu moderno que esa clase de estudios asistemáticos y exentos de todo dogmatismo y pretensión exhaustiva que constituyen el ensayo. El maestro indiscutible del género entre nosotros, Ortega y Gasset, lo ha definido como «la ciencia, menos la prueba explícita». Y este hacer ciencia sin hacerla, este discurrir marginalmente sobre los más variados temas, a la manera que lo hizo en su día Montaigne, inaugurando de paso el género en su modalidad actual, ha sido muy del agrado de los españoles desde hace medio siglo. En manos de *Azorín*, de Ganivet, de Unamuno, de Maeztu, de Ortega y Gasset, de Eugenio D'Ors, el *ensayo* ha alcanzado perfección insospechada. Puede afirmarse que apenas habrá un solo problema de cuantos suelen afectar al hombre y a la vida que no haya sido abordado con más o menos acierto, y casi siempre con innegable originalidad. Cabe hablar con orgullo de los ensayistas españoles contemporáneos, cuya obra tiene derecho a uno de los más amplios capítulos de la literatura moderna, ya que en esa obra, a cambio de un fondo muchas veces discutible, el estilo, el lenguaje y la exposición suelen ser magistrales.

La lírica

Con el ensayo, ha sido el género preferido. La abundancia de sus cultivadores y la excelente calidad de algunas de sus producciones ha llevado a muchos críticos a comparar, con evidente hipérbole, nuestra lírica actual con la mejor del Siglo de Oro. No entraremos por ahora en la discusión de esta tesis: digamos sólo que esa poesía, sobre la que han caído en diluvio ditirambos y encomios, está muy lejos aún del enjuiciamiento imparcial y definitivo. En su apreciación han entrado factores extraños muchas veces a una crítica serena y exclusivamente literaria. Entre esos factores, el más significativo es el que poeta y crítico suelen coincidir en la misma persona, constituyéndose en juez y parte de la causa.

Aquí es también, en la lírica, donde se hace más difícil toda clasificación y sistematización, por el continuo sucederse de tendencias y de grupos, que van en lo formal desde el respeto de los poetas «modernistas» a los cánones tradicionales y su atildado cincelamiento de la estrofa hasta la disolución de los factores métricos y estilísticos, propia del «ultra»; y en lo temático, desde la densidad filosófica de Unamuno hasta las lucubraciones oníricas y casi freudianas de Aleixandre. Todavía en esa sucesión de escuelas a que acabamos de aludir cabe discriminar tres direcciones principales, a las que ajustaremos nuestro análisis: *a)*, un nutrido grupo, netamente «modernista», de excepcional importancia en la lírica americana, y sólo de interés secundario en la peninsular; *b)*, un grupo mucho más reducido, pero más importante, de poetas cuya vigorosidad escapa a todo encuadramiento de escuelas: Antonio Machado, Unamuno, Juan Ramón Jiménez; y *c)*, una floración simultánea de tendencias más o menos originales, que cronológicamente llenan los tres lustros de la primera posguerra: 1920-1939. En términos generales, esta tripartición es aplicable asimismo a la poesía americana.

La crítica

Queda, por último, la *crítica*. Desde la desaparición de Menéndez Pelayo no hemos tenido crítica de altura. Nuestros críticos de medio siglo a esta parte suelen ser más bien filólogos, lingüistas; a veces, ni eso, simples eruditos. En ninguno de ellos resplandece esa visión amplia, serena y casi universal, sin la que el juicio crítico no puede ofrecer garantías de validez ni de bondad. Mucho menos existe en nuestra crítica contemporánea una preparación estético-filosófica, tan indispensable en quien aspire a formular juicios sobre las obras bellas, de cualquiera clase que sean. Por eso no hemos tenido un Croce, un Dhiltey, ni siquiera un Vossler. La crítica se ha confundido unas veces con la mera investigación histórica; otras, con la gramática; no pocas se redujo a simple acopio de material erudito. De ahí esas obras que quieren pasar por críticas, en las que el aparato bibliográfico ahoga casi al texto. Se han hecho, eso sí, evidentes progresos en el análisis estilístico; pero aun en este aspecto, la minuciosidad y el detallismo, llevados a lo puramente externo, no ha conseguido en la mayor parte de los casos sino romper la magia divina de la obra de arte.

Existe, en cambio, y cultivada con evidente decoro, esa otra crítica, que pudiéramos llamar impresionista, en cuanto refleja la impresión del momento captada sobre el libro recién aparecido o la obra de teatro que acabe de estrenarse; crítica que se vuelca en el gran periódico diario o en la revista literaria dedicada a temar de cultura. Este género de crítica, orientadora del gran público y discriminadora a la vez, tiene entre nosotros actualmente excelentes cultivadores.

NOTAS

1. Anotemos por delante, y sirva esta observación para el enjuiciamiento de toda nuestra literatura contemporánea, que al hablar de «creaciones» nos referimos aquí a productos literarios en sentido general, no a la auténtica invención de grandes temas y argumentos, con su mundo de personajes viviendo, bullendo y quedando, a veces, como ejemplares arquetípicos de una época o de un pueblo. En este último sentido, nuestra literatura contemporánea ha sido, si no totalmente estéril, manifiestamente inferior a las de otros siglos. Fuera de dos o tres personajes de Benavente, no ha acertado a crear, no ya un Segismundo, un Guzmán, un don Hermógenes, o un don Félix de Montemar, pero ni siquiera nada comparable a cualquiera de los protagonistas de *El escándalo, Sotileza, La Regenta* o *La hermana San Sulpicio*.

2. *Historia de la literatura española*, vol. II, pág. 167.

3. Coincidimos en este, como en otros muchos puntos, con el culto profesor señor Torrente Ballester, cuya *Literatura española contemporánea* (Madrid, 1949) nos parece el mejor guía para el conocimiento de este período de nuestras letras.

4. Tales grupos son: *Apollinerismo, Picassismo, Futurismo, Negrismo, Luminismo, Klaxismo, Estantifermismo, Toulouselautrecismo, Monstruosismo, Archipenkismo, Maquinismo, Lotheismo, Simultaneismo, Jazzbandismo, Humorismo, Lipchitzsmo, Tubularismo, Ninfismo, Dadaismo, Charlotismo, Surrealismo, Botellismo, Riverismo, Novelismo, Serajismo, Ducassismo, Dalísmo.* Claro que la mayor parte de estas tendencias se refieren más bien al arte

plástico, en especial a la pintura. (Ramón Gómez de la
Serna: *Ismos*, 2.ª ed., Buenos Aires, 1947.)

5. Véase esto mismo con más detalle en Torrente Ballester, *ob. cit.*

6. *La revolución y la novela en Rusia.*

BIBLIOGRAFIA

C. Barja: *Libros y autores contemporáneos*, Nueva York,
1935.—A. Fitz-Gerald Bell: *Contemporany Spanish Literature*, Londres, 1926.—R. Blanco-Fombona: *Motivos y
letras de España*, Madrid, 1930.—R. Cansinos Asséns: *La
nueva literatura*, Madrid, 1916.—J. Casares: *Crítica efímera*, Madrid, 1919.—J. Cassou: *Panorame de la littérature espagnole contemporaine*, Paris, 1913.—C. Clavería:
Cinco estudios de literatura, 1948.—E. R. Curtius: *Spanische Perspektiven in Die Neue Rundschau*, 1924.—J. M.ª
Chacón y Calvo: *Ensayos de literatura española*, 1928.—
J. Chabás: *Literatura española contemporánea: 1898-1950*,
La Habana, 1952.—V. Chumillas: *Literatos y tópicos españoles*, Buenos Aires, 1924.—G. Díaz-Plaja: *La ventana
de papel*, Barcelona, 1939.—E. Díez Canedo: *Conversaciones literarias: 1915-1920*, Madrid, 1920.—J. de Entrambasaguas: *Filmoliteratura (Temas y ensayos)*, C. S. I. C.,
Madrid, 1954.—C. González Ruano: *Siluetas de escritores
contemporáneos*, Madrid, 1949; *Mi medio siglo se confiesa
a medias*, Barcelona, 1951.—N. González Ruiz: *La literatura española del siglo XX*, Madrid, 1941.—M. Henríquez Ureña: *El intercambio de influencias literarias entre España y América durante los últimos cincuenta años*,
«Cuba Contemporánea», La Habana, 1926.—B. Jarnés:
Feria del libro, Madrid, 1935.—E. Levi: *Figure della letteratura spagnola contemporanea*, Florencia, 1922.—S. de
Madariaga: *The genius of Spain*, Oxford, 1923; *Semblanzas literarias contemporáneas*, Barcelona, 1923.—J. Mas
y Pi: *Letras españolas*, Barcelona, 1911.—J. León Pagano: *A través de la España literaria*, Barcelona (h. 1902).—
M. Pérez Ferrero: *Ellos y nosotros*, Madrid, 1947.—
A. Reyes: *Simpatías y diferencias*, Madrid, 1925.—A. del
Río y M. J. Bernadete: *El concepto contemporáneo de
España*, Buenos Aires.—R. Rojas: *El alma española. Ensayo sobre la moderna literatura castellana*, Valencia,
1907.—L. Ruiz Contreras: *Memorias de un desmemoriado*, Madrid, 1917.—J. M.ª Salaverría: *Nuevos retratos*,
Madrid, 1930.—P. Salinas: *La literatura española. Siglo XX*, Méjico, 1941 (2.ª ed. aumentada, 1957).—A. Sawa:
Iluminaciones en la sombra, Madrid, 1910.—G. de Torre:
Literaturas europeas de vanguardia, Madrid, 1925.—G. Torrente Ballester: *Literatura española contemporánea
(1898-1936)*, Madrid, 1949 (hay 2.ª ed. ampliada).—B. de
Tannenberg: *L'Espagne littéraire. Portraits d'hier et d'aujourd'hui* (1.ª serie), 1903

CAPITULO LXXXIII

LA POESIA MODERNISTA EN ESPAÑA

I. APARICIÓN DE LA LÍRICA MODERNISTA : *Dualidad «modernismo-noventa y ocho».*
Temática y versificación. Innovaciones métricas.—II. EL GRUPO DE TRANSICIÓN:
Reina y Ricardo Gil. Salvador Rueda.—III. APOGEO DEL MODERNISMO : *Manuel*
Machado. Villaespesa. Valle-Inclán, poeta lírico.—IV. MÁS POETAS MODERNISTAS :
El grupo de los «bohemios». Los semimodernistas.—NOTAS.—BIBLIOGRAFÍA.

I. APARICION DE LA LIRICA MODERNISTA

La lírica representada por Núñez de Arce, Campoamor y Ferrari, agoniza ya en la última decena del siglo XIX. Era ley inevitable; antes se había agotado la de Zorrilla y Espronceda; y antes aún, la de Quintana y Meléndez Valdés. La sensación de este agotamiento era general, y a él aluden críticos de la época, como Ixart y *Clarín*[1]. Al apagarse la voz de aquellos poetas, que antes de 1880 lo habían dado todo o casi todo, no se veía por ninguna parte sustitutos. A la Francia de Verlaine, de Rimbaud, de Baudelaire, de Mallarmé o de Leconte de Lisle, España apenas puede oponer sino media docena de líricos de segunda fila, empeñados en repetir, cada vez más empequeñecidos, los ya gastados temas de *El vértigo* o de *El tren expreso*. Estaba Bécquer; pero sus discípulos, ya queda dicho, no sólo fueron incapaces de seguir la línea del maestro, sino que parecían más bien empeñados en desprestigiarle con sus acarameladas imitaciones.

Una vez más, los poetas españoles vuelven sus ojos al extranjero. Y acuden en busca de orientación, como siempre, a la literatura más cercana y por lo mismo más conocida. Las nacientes escuelas «parnasiana» y «simbolista», tan pujantes en París desde dos decenios atrás, y no del todo desconocidas para Núñez de Arce y Ferrari, ofrecen a nuestros líricos rumbos nuevos. Los poetas españoles se apresuran a imitarlas, si bien aportando desde el principio no escasas notas de originalidad. Justo es reconocer que en este camino se nos habían adelantado los americanos. Por primera vez, la América hispana, liberándose de tutelas e inspiraciones peninsulares, va directa a buscar su inspiración en Francia. Y aunque no pueda decirse en términos absolutos que el *modernismo* nos fué dado a conocer por los americanos, justo es reconocer que ellos se nos anticiparon y que fué un hispanoamericano, Rubén Darío, quien lo hizo triunfar tanto aquí como allá en forma definitiva.

Aceptado por todos que a finales de siglo se opera un cambio de orientación en la literatura y de modo especial en la lírica, importa ver cómo se realiza ese cambio, cómo se produce esa evolución hasta desembocar en lo que hemos dado en llamar poesía modernista o modernismo y cuáles son sus caracteres.

Dualidad «modernismo-noventa y ocho»

Ante todo, debe quedar constancia de dos hechos. Primero: el modernismo, al menos en la lírica, no es un movimiento totalmente nuevo, como se viene afirmando. Se fragua a lo largo de dos o tres décadas; tiene su inevitable período de preparación, con una serie de creaciones que se pueden calificar de «premodernistas», y antes de triunfar ha realizado sus tanteos, ni más ni menos que lo hicieron en su día el romanticismo y, mucho antes, la escuela neoclásica. Segundo: la poesía modernista no es, no lo fué nunca, una reacción contra la poesía anterior; mucho menos, una negación de ésta. En Núñez de Arce, en Ferrari, en otros líricos de la escuela, se descubren evidentes notas modernistas, al menos por el lado que mejor califica a la nueva poesía, el de la perfección formal, que busca la plasticidad del verso y el retoque de la frase. Por el contrario, en poetas francamente modernistas no es difícil descubrir huellas del estilo anterior. Nada, pues, de tajos verticales ni de revolución poética; más bien, evolución. Según ello, autores como Manuel Reina, en España, y José Othón, en América, inscritos hasta ahora en la época precedente, empiezan a ser encuadrados en el modernismo y, mejor aún, a ser estudiados como «poetas de transición». La que reaccionó violentamente no sólo contra la poesía, sino contra toda la cultura anterior, fué la *Generación del 98*, la cual no quiso darse por enterada de la lírica, del teatro ni de la novela que encontró al nacer. Pero el *Noventa y ocho*, ya lo veremos en otro capítulo, no es exactamente el *Modernismo*.

Por haber confundido los dos procesos se han dado del *modernismo* interpretaciones erróneas. Juan Ramón Jiménez ha visto en él nada menos que «el encuentro de nuevo con la belleza, sepultada durante el siglo XIX por un tono general de poesía burguesa»; Federico de Onís, dándole también un alcance a todas luces desorbitado, lo concibe como «la forma hispánica de la crisis universal de las letras y del espíritu, que inicia hacia 1885 la disolución del siglo XIX y que se había de manifestar en el arte, la ciencia, la religión, la política y gradualmente en los demás aspectos de la vida entera, con todos los caracteres de un hondo cambio histórico». Evidentemente, Onís piensa al escribir esto en el fenómeno conjunto *modernismo-noventa y ocho,* con la serie también conjunta de sus ulteriores consecuencias. Díaz Plaja nos da una definición más ambiciosa que precisa, al señalar al *modernismo* como «la posibilidad de valorización, en cierto sentido y momentos dados, de todos los hallazgos de la Historia, de la Poesía y del Arte» [2].

Nosotros, en un afán de clarificación de conceptos, desglosando en cuanto es posible la dualidad *modernismo-noventa y ocho,* nos atreveríamos a definir el primero como una renovación de nuestras letras operada en el último decenio del XIX, siguiendo las tendencias de la literatura extranjera, y particularmente de la francesa. Esa renovación se manifiesta unos años antes en América —entre 1880 y 1890—, afecta tanto al fondo como a la forma, y más que una solución de continuidad respecto de la poesía anterior, representa—al menos en España—una utilización de todos sus valores, junto con la aportación de otros desconocidos hasta entonces.

La inicial dependencia extranjera se va relajando con los años, y pronto lo autóctono se sobrepone a lo de fuera. De un *modernismo* afrancesado se pasa con relativa rapidez a un *modernismo* netamente español o americano. En el mismo Rubén, inevitable punto de referencia al estudiar estos temas, es fácil seguir esa evolución, que contrasta con la persistencia de otros modos y motivos franceses. Ya veremos en el capítulo siguiente cómo ninguno de estos rasgos son aplicables a la *Generación del 98,* que nace española y española se mantiene en todo momento.

Temática y versificación

Es donde más se nota el cambio operado por la línea modernista. Los temas sociales y filosóficos desaparecen. Surgen, en cambio, los de ambiente popular tratados con cierto aristocratismo y vistos siempre a través de un prisma estético. Se vuelve a la Historia, que también es observada de una manera convencional: primero, interesa el mundo entre galante y escéptico del siglo XVIII, particularmente el francés; luego, la edad imperial espa-

ñola, más en lo externo y anecdótico que en lo entrañable y sustancial; por último, ya bajo el influjo de los ensayistas del *98,* busca la inspiración en los sustratos raciales de la Edad Media, siempre, repitámoslo, con preferencia de la consideración estética sobre toda otra: teatro de Marquina, aspectos lírico-narrativos de Manuel Machado, etc. [3]. Y otra faceta poco destacada hasta hoy: los poetas modernistas, especialmente los líricos, resucitan—tras el largo paréntesis del Romanticismo—abundantes motivos del mundo clásico: Dianas y Panes, ninfas y centauros, canéforas y efebos, invaden una vez más alegremente nuestro parnaso. Claro que es un mundo entrevisto sólo indirectamente. Nada que se parezca al otro Renacimiento, al de los siglos XVI y XVII. Si bien se mira, nuestros poetas modernistas, incluídos los más calificados, sabían muy poco, si es que sabían algo, de Grecia ni de Roma. La mayor parte de ellos habían estudiado deficientemente el latín y desconocían totalmente el griego; en cambio, todos ellos se precian de conocer a fondo el francés y su literatura. París, con sus tertulias, les es tan familiar como Madrid. No es de extrañar que todo lo que trasciende de la mitología clásica a sus obras les haya venido de Francia, a través de Víctor Hugo y, mejor aún, de Heredia, de Mallarmé, de Leconte de Lisle y hasta del mismo Verlaine [4]. Otras fuentes de inspiración encuentra la lírica modernista en los primitivos españoles: Berceo, el Arcipreste de Hita, Jorge Manrique, los Cancioneros; y en algunos de los clásicos, particularmente en Góngora, aunque el culto de éste parece algo posterior. Sin embargo, sabida es la devoción de Rubén Darío por el autor de las *Soledades.*

Sería erróneo creer, no obstante, que el modernismo literario se limitó a una mera sustitución de temas y motivos. En poesía, como en toda manifestación artística, no hay nueva escuela, nuevo estilo, si la innovación no alcanza sobre todo a la forma. El modernismo renueva también la forma; y la renueva en el doble aspecto de la expresión y de la métrica. Aquélla se enriquece con matices inéditos, producto casi siempre de una sensibilidad hiperestésica y de un refinamiento espiritual deliberadamente buscado. Se aspira a encontrar en las cosas facetas desconocidas o poco vistas, y se hace todo lo posible para darlas a conocer de un modo original y llamativo. En cuanto a la métrica, puede afirmarse que, desde Boscán, el verso español no había sufrido transformación tan honda. No se desechan los esquemas tradicionales; pero se ensanchan, se amplían con nuevos módulos. Y estas innovaciones métricas afectan al verso y a la estrofa. He aquí los más importantes:

Innovaciones métricas

a) El *alejandrino* o *verso francés,* no cultivado sino esporádicamente durante los siglos de Oro y XVIII, resurge con el Romanticismo. Pero el alejandrino romántico, y también el de los poetas posteriores (ej., Ferrari), es de ritmo único y acentuación uniforme, en sílabas pares; o, para decirlo en términos técnicos, de ritmo binario predominantemente yámbico. El modernismo, sin desechar este módulo, lo sustituye unas veces por el ritmo terciario, de acentuación anapéstica (v. gr., la *Sonatina*, de Rubén), y otras veces, las más, hace alternar ambos ritmos en un mismo poema (ejemplo, *Cosas del Cid*). Esta feliz innovación, hecha primero deliberadamente, es aceptada por todos de una manera mecánica y perdura hasta nuestros días. Modernistas y no modernistas combinan los dos ritmos, casi siempre sin darse cuenta.

b) La *cesura*, esa breve pausa que divide al verso en dos hemistiquios, había sido observada con todo rigor en nuestra poesía hasta la aparición del modernismo. Los franceses, sobre todo a partir de los románticos, se venían ya tomando algunas libertades; pero entre nosotros nadie se había permitido la más leve transgresión. La cesura venía partiendo todo verso mayor de once sílabas, y a veces también los menores, con implacable regularidad. Los modernistas empiezan primero por atenuarla, mediante hábiles encabalgamientos; después desnaturalizan su sentido tradicional, haciendo oxítono el primer miembro, lo que nunca hubiera intentado el más audaz romántico; por último, nada de encabalgamientos ni sustituciones acentuales; suprimen totalmente la pausa, obligando al lector, si quiere mantener el ritmo, a una violenta lectura[5]. Con ello, el verso gana en cohesión, pero su estructura interna se relaja, dando pie para la disolución de todos los factores métricos, que no tardaría en ser proclamada por las nuevas escuelas.

c) El *dodecasílabo* corre la misma suerte que el alejandrino: sustitución del ritmo terciario y uniforme, residuo del verso de arte mayor, con su pesado caminar, por un ritmo más libre; alternancia de los dos ritmos; atenuación y, por último, supresión de la cesura[6].

d) La reforma del *endecasílabo* es más honda aún. Resucita con carácter erudito al bellísimo endecasílabo llamado de «gaita gallega», sólo empleado hasta entonces en la primitiva lírica popular y en alguna composición del XVIII con carácter esporádico: Leandro F. Moratín, Iriarte. Este verso se caracteriza por su rompimiento en dos hemistiquios desiguales, de cinco y seis sílabas, respectivamente, en contraste con el italiano, que forma siempre unidad perfecta, bien articule sus dos miembros a derecha e izquierda con la acentuación de la sílaba sexta en función de eje central, bien el acento recaiga—caso del sáfico—en cuarta y octava, equidistantes matemáticamente del principio y del fin. También aquí, en el endecasílabo de «gaita gallega», el ritmo predominantemente yámbico del endecasílabo tradicional se convierte en dactílico[7].

e) Se introduce un verso nuevo, que había de adquirir extraordinaria difusión: el eneasílabo francés. Nuestro eneasílabo romántico (véase en Zorrilla, *Carrera de Al-Hamar*, o en Espronceda, *Estudiante de Salamanca*) es el mismo decasílabo, pero acéfalo, con la primera sílaba amputada, de modo que el ritmo anapéstico se hace anfibráquico. El que se introduce ahora, de origen evidentemente francés, mucho más flexible y de acentuación más variada, casi en ninguno de los poetas modernistas, con excepción de Villaespesa, alcanza regularidad y armonía perfecta.

f) A imitación también de los franceses, y otras veces por iniciativa propia, la estrofa se enriquece con mil y mil combinaciones: se hacen sonetos eneasílabos y alejandrinos; se alterna este verso con el de once y el de nueve sílabas, con un resultado muy feliz; se recogen ritmos populares para intercalarlos hábilmente en la poesía culta. El romance, que siempre había preferido en la lírica la forma estrófica cuaternaria, no sólo abandona su estructura tradicional, sino que rompe el verso por la mitad, abriendo una sima en la unidad métrica, respetada hasta entonces[8].

g) Pero la mayor innovación afecta a la parte rítmica. Sustituído el concepto silábico por el concepto acentual, y aplicadas a nuestra métrica convencionalmente las denominaciones de los pies clásicos más importantes—yambos, troqueos, anapestos, dactilos y anfíbracos—, quedaba abierto el camino para las más arriesgadas experiencias. Por lo pronto, se podía prescindir del número de sílabas, porque bastaba poner seguida una serie de pies iguales, acentuados cada dos, cada tres, cada cuatro sílabas, para que el efecto rítmico se produjese. Y así, en verdad, se obtienen resultados sorprendentes: la *Marcha triunfal*, de Rubén Darío, no es de principio a fin sino una serie de pies métricos anfíbracos, o sea una sucesión de cláusulas trisílabas con el acento siempre en la central.

II. EL GRUPO DE TRANSICION: REINA Y R. GIL

Desde la producción de ciertos poetas, ya mencionados entre los discípulos de Núñez de Arce, a la lírica modernista no hay más que un paso. Así, p. ej., Reina.

MANUEL REINA (1856-1905), ya aludido en otro capítulo, nos ofrece—como en América González Prada, Othón y Gutiérrez Nájera—una poesía colorista y trabajada, que acusa por un lado la progenie andaluza de su autor y, por otro, su conocimiento y estudio directo de los parnasianos franceses[9]. Léase *La fiesta del Corpus en la aldea*, con versos como éstos:

Fulgura el sol en las tostadas frentes;
en las rejas, que brillan como plata;
abre el clavel sus hojas de escarlata
sobre los frescos labios sonrientes.
Llena de sencillez y poesía,
entre las vagas nubes del incienso,
pasa la procesión. Un grito inmenso
resuena de entusiasmo y de alegría.

Ese rompimiento del penúltimo verso es algo a que no nos tenían acostumbrados románticos ni posrománticos.

Análogo papel desempeña RICARDO GIL [10] (1855-1908), que, anticipándose en dos lustros a los grandes líricos modernistas, se nos presenta como un renovador. *De los quince a los treinta años* (1885), *La caja de música* (1898) y *El último libro* (1909) recogen lo mejor de su producción. Algunos poemas, *Tristitia rerum*, p. ej., revelan en su tono íntimo y recogido un espíritu selecto. A otros—*Va de cuento*—alcanza plenamente la influencia de las *Prosas profanas*, de Rubén.

Salvador Rueda

El precursor indiscutible del Modernismo español—pasados por alto nombres como el de Ruiz Contreras, Manuel Paso o Carlos Fernández Shaw, de escasa resonancia en la lírica—es el malagueño SALVADOR RUEDA (1857-1933) [11]. Con una fantasía típicamente meridional, una vena exuberante y un oído repleto de sonoridades, se constituye desde el primer momento en un renovador y revolucionario de la poesía castellana. Rueda es ante todo un poeta pictórico y musical, un poeta de los sentidos. Poca hondura y excesiva hojarasca retórica. Desempeña en la línea española finisecular un papel análogo al de Rubén Darío en la americana. Sólo que el gran poeta nicaragüense, gracias a su sentido de la medida y con una finísima intuición para lo bello, continuamente nos sumerge en el clima de lo poético, mientras que Rueda, llevado de su incontinencia verbal y desbordante imaginativa, casi nunca pasa la atmósfera de lo orquestal, lo declamatorio y colorista.

Rueda lo poetiza, o intenta poetizarlo, todo: brumas norteñas y soles andaluces; valses de Viena y zambras gitanas; escenas campesinas y cuadros de ciudad; motivos del mundo clásico y voces lejanas de la selva virgen. Se pasó la vida publicando libros de versos. Se adelanta a Rubén en varios años: *Noventa estrofas* y *Cuadros de Andalucía* datan de 1883; *Azul*, en cambio, no había de aparecer hasta 1888.

De su copiosa producción entresacamos los títulos más notables: *Noventa estrofas* (Madrid, 1883); *Cuadros de Andalucía* (1883); *Poema nacional* (1885); *Sinfonía del año* (1888); *Estrellas errantes* (1889); *Aires españoles* (1890); *Cantos de la vendimia* (1891); *En tropel* (1892); *La bacanal* (1893); *Camafeos* (1897); *Piedras preciosas* (1990); *Fuente de salud*, con prólogo de Unamuno (1906); *Trompetas de órgano* (1907); *Lenguas de fuego* (1908); *Cantando por ambos mundos* (1913); y así hasta una treintena de libros. Se han hecho varias *Antologías* de los versos de Rueda (Méjico, 1917, y Madrid, 1928), aparte de una edición de sus *Poesías completas* (Barcelona, 1910). Su último libro, *Claves y Símbolos*, ha sido publicado recientemente (1958) en Málaga.

Como se ve por esta enumeración, en Rueda la cantidad ahoga y mata la calidad. No obstante, en ciertas composiciones breves casi logra alcanzar la perfección. Ejemplo, el soneto alejandrino que encabeza un libro de Pichardo [12]. Ejemplos también algunos de la brillante serie *El friso del Partenón*. Pero aquí, como siempre, su vena se prodiga con exceso. Lo que ha de quedar de Rueda por más tiempo serán seguramente ciertas audaces innovaciones métricas, en las que el instinto poético se hizo triunfar en toda regla. Su influencia en tal aspecto ha sido enorme. A veces, su sentido del ritmo le empareja dignamente con Rubén:

Vibra el estruendo al chocar de las copas que enciende
                    [la orgía,
va la locura su tirso agitando de risa y misterio;
y bajo los techos, que el arte romano doró de alegría,
truenan las noches de vicio y lujuria del báquico Imperio.

(Los bárbaros en Roma.)

III. EL APOGEO DEL MODERNISMO

Triunfante el Modernismo, casi todos los poetas de últimos del XIX se aprestan a pagarle tributo. De una manera o de otra, es raro el que no se deja influir por él; unos, como Antonio Machado y Juan Ramón Jiménez, después de iniciar su marcha dentro del campo modernista, derivarán hacia zonas propias; otros se encontrarán perfectamente cómodos dentro de su credo estético; y los más, aun aspirando a moverse dentro de líneas tradicionales, acusarán en todo momento sus concomitancias y simpatías hacia la nueva escuela. Quizá sea Unamuno el único, al menos entre los

grandes poetas, que se mantiene totalmente apartado y limpio de toda mácula modernista.

De aquí surge una gran variedad de grupos, de distinta significación, según la mayor o menor fidelidad con que trasladan a su obra los principios básicos de la poesía modernista; los íntegros, por decirlo así, para quienes Rubén y Lisle son los modelos supremos; los que, educados en el modernismo y envenenados más tarde por el opio de Verlaine, aspiraban a conciliar ambas tendencias. Tal era el caso de Carrere y otros muchos. También encontramos el grupo de los eruditos

—Pérez de Ayala, Díez-Canedo, etc.—, modernistas por la fuerza del ambiente, pero tradicionales por su formación, que les arrastra hacia formas medievales de hondo sabor popular. Por último, no pueden soslayarse grupos como el constituído por los llamados «poetas regionales», en quienes el Modernismo apenas pasa de la epidermis, cuando alcanza a llegar a ella. Una nota general distingue a toda la poesía modernista española: la falta de líricos geniales. Muchos poetas mediocres, bastantes estimables, algunos hasta destacados; pero ninguno verdaderamente excelso. Los tres o cuatro grandes líricos de la época—Antonio Machado, Juan Ramón Jiménez, Unamuno—no son precisamente modernistas; al menos, lo mejor de su obra cae fuera de esta tendencia. Los que vienen después—Lorca, Guillén, Alberti—no sólo se sustraen al modernismo, sino que se presentan desde el primer momento en la más violenta reacción contra aquella escuela.

Los representantes más auténticos del Modernismo entre nosotros son Manuel Machado, Villaespesa y Valle Inclán. Los tres están influídos hondamente por Rubén: tanto como modernistas son rubenianos, sin que ello presuponga merma de su estilo personal.

Manuel Machado

Nadie representa en España la lírica modernista como MANUEL MACHADO Y RUIZ (1874-1947) [13]. Hermano del gran poeta Antonio y un año mayor que él, mientras éste busca con ahinco y llega a encontrar una nota personal y honda, Manuel se entrega en cuerpo y alma al modernismo, cultivándolo con indudable fortuna en lo que tiene de sutil, frágil y quebradizo. Sevillano de nacimiento y francés por formación, lejos de entrechocar dentro de su alma ambas tendencias, se entremezclan y conjugan de modo admirable. Luego sobreviene el elemento madrileño, en forma de elegancia casi velazqueña, y el aprovechamiento y exaltación de los temas populares andaluces, especialmente de los arrancados a la cantera inagotable del *cante jondo*. Todo ello—Rubén Darío y Verlaine mezclados, Castilla y Andalucía, popularismo y aristocracia—da como resultado una poesía un poco superficial y externa, si se quiere, pero indudablemente graciosa, musical y refinada. El sentido de la contención, tan acusado en los poetas sevillanos de todo tiempo, impide a Manuel Machado caer en los abusos descriptivos de Rueda. La vieja ascendencia árabe de la raza se acusa en cierta atmósfera de melancolía que envuelve la mayor parte de sus poemas y en ese tono fatalista que domina otros (*Adelfos* y *Retrato*), en los que el autor se nos presenta unas veces escéptico y otras simplemente resignado:

> Yo soy como las gentes que a mi tierra vinieron:
> soy de la raza mora, vieja amiga del sol...,
> que todo lo ganaron y todo lo perdieron.

> Tengo el alma de nardo del árabe español.
> Mi voluntad se ha muerto una noche de luna
> en que era muy hermoso no pensar ni querer..
> Mi ideal es tenderme sin ilusión ninguna...
> De cuando en cuando un beso y un nombre de mujer.
> ....
> Besos, ¡pero no darlos! ¡Gloria, la que me deben!
> Que todo como un aura se venga para mí;
> que las olas me traigan y las olas me lleven,
> y que jamás me obliguen el camino a elegir [14].

> *(Adelfos.)*

La producción literaria de Manuel Machado no es muy abundante está recogida con la de su hermano Antonio en las *Obras completas* (Madrid, 1951, 2.ª edición), y abarca prosa y verso. En prosa sólo merecen recordarse unas *Estampas sevillanas*, escritas con soltura y llenas de gracejo. En verso tiene entre otros libros *Alma* (1900), *Caprichos* (1905), *La fiesta nacional* (1906), *Museo, Cantares* (1907), *El mal poema* (1909), *Canciones y dedicatorias* (1915), *Cante hondo* (1916), *Sevilla y otros poemas* (1918), *Ars moriendi* (1921), aparte de seis obras dramáticas en colaboración con Antonio, a las que luego aludiremos.

Aunque los títulos son numerosos, la obra de Manuel Machado—ya se ha dicho—es exigua: unas doscientas páginas. En ella destacan como notas más constantes la sensualidad, sofrenada por un moderado epicureísmo; el humor, que con frecuencia se tiñe de vaga melancolía y andalucismo y que aspira a recoger los motivos más pintorescos del alma meridional en su más típica expresión: la guitarra, la copla y el vino. En este orden merecen recordarse la mayor parte de las composiciones incluídas en la serie *Cante hondo*, especialmente la titulada *Soleares*, integrada por medio centenar de coplas, muchas de las cuales han pasado ya al acervo popular. También son dignas de nota *La copla andaluza*, *Seguiriyas gitanas*, *El querer* y los veintiséis cantares que componen las *Malagueñas*. Esta proyección de la musa de Manuel Machado sobre el folklore andaluz ha hecho que algunos le consideren precursor en cierto modo de García Lorca.

En otros aspectos, la poesía del mayor de los Machado se centra en motivos históricos, bien del mundo clásico (como en el bello soneto *Oriente*, sobre los amores de Antonio y Cleopatra); bien en la Edad Media española (*Castilla*, sobre un episodio del Cid, para nuestro gusto lo mejor que produjo Manuel Machado) [15]; bien inspirado en personajes más modernos (*Museo*, retrato de Felipe IV en varios tercetos impecables, uno de los mayores logros de la lírica modernista). La colección *Caprichos*, con influencias evidentes de Verlaine, recoge hasta cuarenta composiciones, en que dominan los temas de la galantería y del amor, tratados con cierta erótica fruición. Otras veces, siempre siguiendo al autor de *Sagesse* y de *Les Fêtes galantes*, domina la nota melancólica. Las mismas características ofrecen las composiciones incluídas en *El mal poema*, en las que se acusa aún más, si cabe, la tendencia decadentista y escéptica señalada más arriba. En *La fiesta nacional* se vuelve a los motivos populares, aquí la corrida de toros, que nos es dada en siete aguafuertes de contraste violento y líneas apenas insinuadas. Balbuena Prat ha destacado acertadamente en Manuel Machado poderosas dotes pictóricas, que le convierten en el Gautier español de nuestros días. Y esto no sólo en la expresión, tendente siempre a los contrastes de la luz y del color, sino también en los temas. Léase para comprobarlo cualquiera de las bellísimas poesías incluídas en *Museo y Apolo*, dos libros que constituyen, sobre todo el segundo, verdaderas galerías de retratos hechos con la vista fija en algún pintor célebre. El subtítulo de *Apolo, Teatro pictórico*, revela mejor que nada esta tendencia. El mismo Valbuena subraya el viraje operado en el poeta en los últimos años con respecto a la religión, tal como se patentiza en algunas composiciones del libro *Horas de oro*, donde encontramos una serie de sonetos agrupados bajo el significativo título: *Domine, ut videam*. Ello nos indica que si Manuel Machado no llegó a las luminosidades de la fe, de la que tan alejado se nos muestra en su época anterior, al menos caminaba hacia ellas.

Se puede decir, no obstante, que, en general, su poesía ofrece el sello pagano y perfectamente amoral de los parnasianos y esteticistas; y que sus notas más destacadas son la elegancia de expresión y de pensamiento, la vivacidad, la gracia y una sinceridad que a cada paso nos pone su alma al desnudo, sin descender en ningún momento a la exhibición de miserias y lacras de mal gusto, como las que encontramos en ciertos líricos más recientes. Todo ello hace que a Manuel Machado se le considere «como uno de los poetas de primer orden de esta época» [16], inferior desde luego a su hermano Antonio, pero superior a cualquier otro de los llamados modernistas.

En el teatro, Manuel Machado no pasó la línea de lo discreto. Seis son las obras que dejó, todas ellas de producción tardía, y todas también hechas en colaboración con Antonio: *Desdichas de la fortuna, o Julianillo Valcárcel, Juan de Mañara, Las Adelfas, La Lola se va a los puertos, La duquesa de Benamejí* y *La prima Fernanda*. Pertenecen sin excepción al teatro poético, de tanto auge hace veinte o treinta años; y están escritas en verso, menos *La duquesa de Benamejí*, en la que el verso alterna con la prosa. Unas veces, como en *Julianillo Valcárcel*, domina el elemento histórico tratado libérrimamente; otros, como en *La Lola se va a los puertos*, triunfa lo popular; y hay casos, *La duquesa de Benamejí*, en que ambos elementos se asocian. En ningún momento los hermanos Machado lograron una obra dramática perfecta. Lo lírico mata a la acción; y esto aun en comedias como *La Lola se va a los puertos*, de éxito indiscutible.

Villaespesa

El mismo reproche ha de hacerse a otro poeta andaluz de esta época: FRANCISCO VILLAESPESA (1877-1936) [17]. Su teatro, de fulminante éxito momentáneo, se resiente por el exceso de lirismo y la endeblez de acción. Y es que Villaespesa fué ante todo un lírico, uno de esos líricos superdotados, en los que es tan fértil la tierra andaluza, y que, habiendo nacido para crear obra permanente, no alcanzan a crearla por dejarse llevar de sus portentosas facultades y del impulso inspirador de cada momento.

Hubo un instante en España en que pareció que Villaespesa se iba a constituir en árbitro de nuestra poesía. Armonioso, torrencial y fecundísimo, deslumbró al gran público, principalmente al del teatro, donde alcanzó éxitos incomparables mediante parlamentos líricos que solía intercalar en el cuerpo de la obra. Tal la célebre salmodia de *Las fuentes de Granada*, que hizo de *El alcázar de las perlas* uno de los grandes sucesos dramáticos de nuestra época. Pero el hechizo pasó pronto. Villaespesa, obligado unas veces por apremios económicos y arrastrado otras por su poder de improvisación, se dedicó, como antes Rueda y antes Zorrilla, a lanzar al mercado libros y más libros de versos, que si un día fueron acogidos con aplauso, hoy están casi olvidados. ¿Es justo este olvido?

Una lectura serena de la ingente producción de Villaespesa nos da como resultado un poeta de indudable inspiración y altas calidades. La facilidad con que triunfó, todavía adolescente, fué funesta para él. Halagado por el éxito, ya no se preocupó de concentrar ni de vigilar sus facultades. En vez de hacer obra personal, prefirió lanzarse por el camino de la imitación, que es mucho más cómodo. Así encontramos en Villaespesa una confluencia de corrientes y de estilos: Zorrilla, Rueda, Rubén. De los tres tiene mucho el autor de *El alcázar de las perlas*. Más que de nadie, de Zorrilla; porque Villaespesa es ante todo un romántico; un romántico rezagado que vino a recrear lo que el Romanticismo tenía de más decorativo y exótico—princesas melancólicas, jardines en penumbra, fastuosos salones, harenes, odaliscas, perlas, guzlas—, todo ese mundo, en fin, de falso orientalismo, expresado ahora en versos modernistas. Los títulos de algunos de sus libros son harto significativos: *El mirador de Lindaraja, El patio de los arrayanes, El jardín de las quimeras, El velo de Isis, Ajimeces de ensueño, La fuente de las gacelas, El encanto de la Alhambra...* Todos ellos indican que Villaespesa vivía en un mundo alejado de la realidad. Otros títulos—*Intimidades, Confidencias, Las horas que pasan, Saudades, A la sombra de los cipreses*—nos hablan del mal de su tiempo: la melancolía, que aquejaba al poeta. Por último, no faltan los testimonios de su bohemia impenitente: *La casa del pecado, El alto de los bohemios, Canciones del camino...*

Sin embargo, el verdadero Villaespesa, el mejor, está en aquellos otros libros en que deja hablar y gritar libremente a su corazón: *Rapsodias, Tristitia rerum, In memoriam.* Aquí encontramos poemas, en general muy breves, del más intenso lirismo: *La sombra de las manos, La hermana, Hastío, La rueca, Animae rerum, Paz, Humildad,* son poemitas dignos de recuerdo [18].

Aunque citadas ya algunas, ponemos a continuación, por orden cronológico, las más importantes de sus obras líricas: *Intimidades* (1898), *Flores de almendro* (1898), *Luchas,* con prólogo de S. Rueda (1899); *La musa enferma* (1901), *El alto de los bohemios* (1902), *Rapsodias* (1905), *Canciones del camino* (1906), *Carmen: cantares* (1907), *El mirador de Lindaraja* (1908), *El libro de Job* (1908), *El patio de los arrayanes* (1908), *Viaje sentimental* (1909), *El jardín de las quimeras* (1909), *Las horas que pasan* (1909), *Saudades* (1910), *In memoriam* (1910), *Retablo medieval* (1910), *Bajo la lluvia* (1910), *Andalucía* (1911), *Torre de marfil* (1911), *Los remansos del crepúsculo* (1911), *Jardines de plata* (1912), *El balcón de Verona* (1912), *Palabras de ensueño, Lámparas votivas* (1913), *Ajimeces de ensueño* (1914), *El reloj de arena* (1914), *Los nocturnos del Generalife* (1915), *La fuente de las gacelas* (1916), *Paz* (1916), *Amor* (1916), *Sonetos amorosos* (1918) *La casa del pecado* (1919), *El encanto de la Alhambra* (1922), *Panderetas sevillanas* (1927), etc. Tiene, además, varios libros inspirados en motivos americanos: *Las tardes de Xochimilco, Los conquistadores, Tierra de encanto y maravilla, Poema del Panamá,* etc.

Su teatro, una veintena de títulos, se estudiará en otro lugar.

También escribió Villaespesa hasta una docena de libros en prosa. Ninguno de ellos ofrece particular interés. La colección de sus *Obras completas* (Madrid, Mundo Latino) alcanza varios volúmenes.

Valle-Inclán, poeta lírico

En don RAMÓN MARÍA DEL VALLE-INCLÁN (1869-1936), uno de los grandes escritores de nuestro siglo, converge la doble modalidad del poeta y del prosista. Como prosista, será estudiado en otro lugar, con el espacio que merece [19]. Como escritor en verso—poeta siempre lo era, tanto en sus relatos novelescos como en las composiciones propiamente líricas—, tiene su mejor acomodo entre los modernistas, si bien se aleja de ellos en no pocos aspectos.

Parte Valle-Inclán del Modernismo para llegar a su estilo y modo personales. Demasiado artista para escribir según pautas ajenas, aun en los momentos en que más cerca se le ve de las fórmulas modernistas, aparece bien clara su manera característica. No quiere ello decir, naturalmente, que esté libre de influencias. Las de Barbey, Casanova y D'Annunzio son indiscutibles en su prosa; las mismas junto con las de Baudelaire, Verlaine y Rimbaud, en su verso. Pero, reconocidas estas inspiraciones, insoslayables desde luego, su originalidad está fuera de dudas. La trayectoria, al menos en su lírica, es bien patente; del modernismo al costumbrismo poético, pasando por los simbolistas. Mejor aún: de la concepción musical de la poesía, a una concepción eminentemente pictórica. Con razón ha señalado Onís este proceso transformativo del Valle-Inclán músico en el Valle-Inclán pintor. Así, *Aromas de leyenda,* su primer libro de versos (1907), es de franca inspiración rubeniana, con preferencia por los motivos medievales, vistos a través de brumas galaicas. Ya toda esta poesía se nos da penetrada de una blandura húmeda y esponjosa, a que el modernismo no nos tenía acostumbrados. El paisaje es de égloga; pero una égloga norteña: cauces de agua tranquila, molinos, vacadas, maizales y verdes caseríos:

> El aire se embalsama con aromas de heno,
> y los surcos abiertos esperan el centeno,
> y en el húmedo fondo de los verdes herbales
> pacen vacas bermejas entre niños zagales,
> cuando en la santidad azul de la mañana
> canta húmeda de aurora la campana aldeana.
>
> *(Geórgica.)*

Todavía en *El pasajero,* publicado trece años más tarde (1920), encontramos los mismos motivos intensificados. La huella de Rubén y de los «malditos» franceses es aquí, si cabe, más acusada. Repásense poemas como *La rosa del reloj, La trae un cuervo, Rosa de Job* y *Alegoría,* en las que los temas propios del modernismo aparecen envueltos en fórmulas mágicas. En otras, la visión del paisaje se estiliza y aclara, a la manera de Machado:

> Alamos fríos en un claro cielo
> —azul con timideces de cristal—;
> sobre el río, la bruma como un velo
> y las dos torres de la catedral.
> Los hombres secos y reconcentrados,
> las mujeres, deshechas de parir:
> rostros oscuros llenos de cuidados,
> todas las bocas clásico el decir.
> La fuente seca. En torno al vocerío,
> los odres a la puerta del mesón,
> y las recuas que bajan hacia el río,
> y las niñas que acuden al sermón.
> ¡Mejillas sonrosadas por el frío,
> de Astorga, de Zamora, de León!

En su segundo libro de versos, *Voces de gesta* (1912), domina el ambiente medieval, trasladado a Galicia casi siempre y expresado en un lenguaje arcaico y moderno a la vez, que recuerda con frecuencia, por su desgarro y frescura, al del *Libro del buen amor:*

> Pero el vino, moza, ¿lo querrás añejo?
> Y a las barbas blancas pedirás consejo
> si tienes la oveja con alferecía
> o pierdes la senda de la serranía.

Si buscas la yerba para la cuajada,
o lugar seguro para la tenada,
o manera cierta de pasar los puertos,
si están, como ahora, de nieve cubiertos.

(Voces de gesta.)

De esta crudeza a los cuadros impresionistas de *La pipa de Kif* (1919) sólo hay un paso. Valle-Inclán está aquí de cuerpo entero. Ha dejado la lira de cuerdas, aun tan duras como las de *Voces de gesta*, y ha cogido la brocha del pintor; pero de un pintor caricaturesco, monstruoso, de guiñapos humanos, más que de hombres; un Solana trasladado al verso [20]. En un proceso paralelo al que había de operarse en su prosa, al pasar de la maravilla musical de las *Sonatas* al lenguaje agrio de los «esperpentos», Valle-Inclán llega también en el verso a estos otros asombrosos «esperpentos» de *La pipa de Kif*. Es un mundo alucinante de coimas, jaques, mendigos, ajusticiados y viejas astrosas que se mueven en un escenario de casas de fieras, circos, lupanares y salas de máscaras [21]. Valle-Inclán, poniendo a prueba su dominio del léxico y de todos los resortes del idioma, se crea

para mejor escribirlo un estilo propio, lleno de giros originalísimos: exhuma locuciones, inventa voces, como ya lo había hecho antes Quevedo, con quien tiene tantas analogías en este aspecto; un estilo en el que se dan la mano los más asombrosos arcaísmos con las más refinadas expresiones de la lírica moderna, todo ello entreverado brutalmente de voces del argot y frases del arroyo, que no se sabe en qué escuela pudo aprender nuestro escritor.

Pero aun aquí, como en todo el resto de su obra, la poesía de Valle-Inclán está falta de calor humano. Es una poesía que halaga el oído o que impresiona los ojos, sin adentrarse en el corazón. De aquí que le haya bastado un cuarto de siglo para caer casi en olvido.

Así como la bibliografía en prosa de Valle-Inclán es abundante, las obras en verso son pocas: *Aromas de leyenda* (Madrid, 1907), *Cuento de abril,* escenas rimadas de una manera extravagante (1910); *Voces de gesta,* tragedia pastoril (1912); *La pipa de Kif* (1919), *El pasajero* (1920), *Claves líricas* (1930). En 1944 aparecieron las *Obras completas,* en dos vols.

IV. MAS POETAS MODERNISTAS

Sin alcanzar el tono de los tres anteriores, la lírica de principios de siglo nos ofrece una lista de poetas, cuyos nombres no pueden silenciarse en una obra como la nuestra. Todos ellos se mueven cómodamente dentro de las grandes líneas modernistas y reconocen por maestro y oráculo a Rubén Darío, hasta el punto de que a varios, los más rezagados en el tiempo, se les ha llamado por algún crítico «rubenianos tardíos». Los más notables son:

CRISTÓBAL DE CASTRO (n. 1878), periodista, crítico teatral y autor de crónicas históricas; su producción poética, recogida en los dos libros *Cancionero galante* y *El amor que pasa,* acusa una fina sensibilidad y un absoluto dominio de las formas métricas. ANDRÉS GONZÁLEZ BLANCO (1888-1924), más conocido por su labor crítica, en el único libro de versos, *Poemas de provincia,* delata junto con técnicas modernistas la influencia de Campoamor, a quien había estudiado muy por extenso. GREGORIO MARTÍNEZ SIERRA (1881-1947), famoso por sus obras dramáticas, en sus poemas, recogidos bajo el título *La casa de la primavera,* se nos muestra con exceso dulzón, blandengue y casi femenino, así como en el resto de su producción. ANTONIO RUIZ DE SOTO (n. 1879), que en sus tres libros de versos—*Falenas, Nidos de áspides* y *El crisol del alquimista*—nos dió una poesía orquestal, brillante, casi d'annunziana. ALEJANDRO MAC-KINLAY (1879-1938), malagueño, de origen escocés, menos estimado de lo que merece

por sus libros—*Poemas, Horizontes* y *Hai-Kais*—de acusado corte simbolista.

Entre los que hemos llamado «rubenianos tardíos» debemos mencionar: ALFONSO CAMÍN (n. en 1892), camorrista de garrote, capa y chambergo; poeta rotundo y fácil, como lo demostró en *Cien sonetos, Carteles* y otros libros. ALBERTO VALERO MARTÍN (n. 1882), que, dentro siempre del modernismo, derivó hacia temas rurales de emoción directa e inspiración fácil, en *Poesía de los miserables, Castilla madre* y *Andariegas.* LUIS DE OTEYZA, periodista y viajero, autor de *Flores de almendro, Brumas* y *Baladas,* en los que cultiva una poesía espectacular. ENRIQUE LÓPEZ ALARCÓN [22], otro poeta de los de capa y espada, descriptivo y rotundo como lo demostró en su libro *Constelaciones.* MAURICIO BASCARISE, hijo de padre francés, y como tal, muy pegado a la poesía finisecular de aquel país, aunque con un sentido más cercano a nuestros gustos; *Los Estados Mayores, Ruiseñor* y *Luna de miel* son composiciones muy estimables. LUIS FERNÁNDEZ ARDAVÍN, que, aunque ha cosechado sus mejores triunfos en un teatro preciosista de ambiente decimonónico, en algunos libros de versos—*Meditaciones, Láminas de folletín y de misal, La eterna inquietud, A mitad del camino*—se mantiene fiel a los modos rubenianos, con ecos de un romanticismo ya periclitado. FERNANDO DE LA QUADRA SALCEDO, vate culto y nobiliario, seguidor de la línea esteticista del primer Valle-Inclán, que prologó *El versolari.* Tiene además Quadra una colección de sonetos a los generales carlistas, y *El libro de los abuelos.* TOMÁS

BORRÁS Y EZEQUIEL ENDÉRIZ, cultivadores de una poesía de copla y guitarra, que les acerca a una de las maneras más típicas de Manuel Machado.

El grupo de los «bohemios»

Sin salirse del modernismo, antes bien entregados a él en cuerpo y alma, nos enfrentamos con el grupo muy nutrido que podemos llamar de los «malditos», de los «lunáticos». Viven todos ellos una bohemia más o menos convencional y ficticia; algunos incluso arrastran una existencia deplorable. Se emborrachan de sueños, de luna y de café con media tostada, ya que el ajenjo, en Madrid, no se consume, o se consume muy poco. Cultivan una poesía de hambre y de ilusiones desvanecidas. Oficlan de noche, en pequeños cenáculos que se reúnen en viejos cafés de la Puerta del Sol, Preciados y San Bernardo. Todos viven en Madrid; unos, los menos, desahogadamente y fingiendo una penuria que no padecen en realidad; los más, angustiosa, trágica y desgarradamente. Aparentan pasar hambre y la pasan. Algunos—Heliodoro Puche, Buscarini—llegan en tal sentido a extremos increíbles. Reconocen por maestro a Darío; pero su admiración va más allá, hacia Gerard de Nerval y Paul Verlaine. Como ellos, se dejan crecer el pelo; huyen del agua, del jabón y de la máquina de afeitar; lucen chalina, amplio chambergo y capa deshilachada. Madrid los veía pasar por sus calles como un elemento de atracción más; famélicos, soñadores, noctámbulos. La revolución del 36 los tragó súbitamente y, pasada nuestra guerra civil, sólo pervivió algunos años Carrere, con su pipa y su cara abacial de luna llena.

Algunos de los citados en el párrafo anterior cabrían perfectamente en este grupo: Ezequiel Endériz, Camín, el mismo Valero Martín, no obstante disfrutar de una posición más desahogada todos ellos. Pero el exponente máximo del grupo fué Carrere.

EMILIO CARRERE (1880-1947), madrileño, hijo al parecer de un cura protestante, paseó durante cuarenta años por la capital su silueta de bohemio impenitente e irreductible. Seguramente su pobreza cultivada escondía un espíritu burgués de gustos refinados: cuando, tras largos años de ayuno, heredó de un pariente clandestino una pequeña fortuna, Carrere se instaló en una confortable vivienda y se rodeó del mayor número posible de comodidades. Eso sí, sin abandonar el chambergo, la pipa y el plastrón, porque hubiera sido tanto como renunciar a su persona y a su gran popularidad.

Sería, sin embargo, injusto ver sólo en Carrere al hombre que quiere hacer de su bohemia un medio de vida. En él latía un poeta de extremada sensibilidad y finísimo oído. Hizo de la noche y sus misterios la musa inspiradora; la mujer caída, el hospital, la miseria y la muerte son sus temas

preferidos. Cantó también el Madrid de los barrios bajos, todo ello en un tono morboso y decadente, que recuerda a Rimbaud, a Nerval y a Verlaine, de quien había sido traductor. Escribió numerosos libros, que fueron muy leídos: *Románticas, El caballero de la muerte, Nocturnos de otoño, Del amor, del dolor, del misterio, Dietario sentimental, La copa de Verlaine, Los jardines de la noche, Panderetas de España, La canción de la calle y otros poemas*, etc. Composiciones suyas muy celebradas son: *Madrid morisco, Horas, Schopenhauer, Nulla est redemptio, Sonatina de abril, Romance de la princesa muerta*, y, sobre todas, *La musa del arroyo* [23].

Sin alcanzar el tono de Carrere y sin que su nombre trascendiese fuera del ámbito madrileño, existen otros «bohemios» dignos de recuerdo.

HELIODORO PUCHE, murciano, que un mal día se decidió a la conquista de Madrid, donde arrastró la más negra y desesperada miseria, hasta que el alcohol y el hambre lo convirtieron en un guiñapo humano. Tradujo también a Verlaine, a quien imitó en su *Libro de los elogios galantes* y en *El corazón de la noche*. Tiene poemas logrados: *Espíritu, Vago como un fantasma, El poeta de la noche*. Otros, como *Embriaguez*, a la manera de Juan Ramón Jiménez, demuestran lo que hubiera podido hacer Puche de haber encontrado un ambiente menos hostil.

ARMANDO BUSCARINI, melenudo, tísico, ebrio de sueños de gloria, vendía por Sol y Alcalá sus versos alucinantes, que recogió en un librito: *Ensueños*. En medio de la miseria más atroz y víctima de las burlas de los transeúntes, cantaba a los hampones, las prostitutas y el hospital, que conoció más de una vez.

El malagueño PEDRO LUIS DE GÁLVEZ. Hombre de vida siniestra y aventurera: seminarista en su adolescencia; soldado en Grecia; presidiario en Ocaña. Cínico, borracho y amoral. En un estilo duro y diamantino hizo sonetos perfectos: un *Autorretrato, Antinoo, Don Quijote*.

También era andaluz FERNANDO VILLEGAS ESTRADA, médico rural, que abandonó el pueblo para hundirse en la miseria, alucinado por la gloria de Carrere. Representa con Puche el lado más negro de la bohemia madrileña. Hizo sonetos buenos; el mejor quizá, *Café de barrio*.

Otros «malditos» son: el cartagenero JOSÉ PÉREZ BOJART, que en su libro *Micropoemas* cantó amores románticos, deslumbrantes bellezas femeninas y placeres tan refinados como inaccesibles para él. El orensano XAVIER BÓVEDA, perpetuo cliente de los cafés de la Puerta del Sol y emigrante después en América; empieza cantando según la pauta de Rubén (*Recuerdo haberte visto*) y termina aproximándose a Juan Ramón. ARTURO CASANUEVA, santanderino, que no necesitó ir a Madrid para hacer su vida de bohemio; le bastaron los barrios oscuros que rodean el puerto de su ciudad natal; en *Vía Crucis*, con prólogo de Unamuno, nos dejó versos estimables.

Los semimodernistas

Son llamados así, «semimodernistas», unos cuantos poetas, más que poetas eruditos, literatos y hasta humanistas en el sentido más directo de la palabra, que oponen a los excesos y fáciles logros del modernismo su formación clásica de raigambre netamente castellana. No desechan las conquistas del modernismo, pero tampoco se entregan a él definitivamente. Su gusto, formado en lo mejor de la literatura española y extranjera, no queda satisfecho con las policromías y orquestaciones puramente sensoriales que dominan la poesía de su tiempo. Buscan algo más hondo: si lo encuentran o no es cosa discutible. Prefieren los temas campestres de un bucolismo estudiado y casi académico. En la forma intentan fusionar lo nuevo y lo antiguo; en el fondo aspiran a elevar los pequeños cuadros locales a un plano universal. Saben demasiado para ser espontáneos y en ellos casi siempre el artificio queda al descubierto. Los más notables son Pérez de Ayala y Díez Canedo. Algunos ponen sus nombres en el umbral del «posmodernismo».

En RAMÓN PÉREZ DE AYALA (n. 1881) se nos dan juntos el novelista, el ensayista, el crítico y el poeta. Como novelista y ensayista se le estudiará en el lugar correspondiente [24]. Como poeta es autor de tres o cuatro libros, en los que, a falta de auténtica inspiración y fluencia, nos da una poesía trabajada, correcta y con exceso intelectual. «Sus versos—se ha dicho certeramente—más que buenos son de buena escuela y mejor oficio» [25]. En *La paz del sendero* (1903), el más metido en clima modernista, hay un regusto arcaico de las leyendas de Berceo, a quien imita hasta en la disposición métrica del tetrástrofo monorrimo [26]. Pérez de Ayala se las arregla bien para darnos una primera sensación de ingenuidad y de pureza prístina que desaparece al primer análisis. El trasfondo conceptual y de elaboración estudiada de sus versos se hace aún más patente en el segundo y tercero de sus libros: *El sendero innumerable* (1916) y *El sendero andante* (1921), que simbolizan respectivamente el mar y el río; más lírico, más jugoso aquél; más meditado y filosófico éste. Y, como en todas sus obras—verso y prosa—, carente de emotividad o, al menos, tan disfrazada que no se la ve. Se han señalado en Ayala influencias de Rubén, Machado, Valle-Inclán, Berceo, el Arcipreste de Hita, entre los castellanos, y de Walt Withman, Francis James y otros, entre los extranjeros. No creemos difícil rastrear huellas de autores grecolatinos.

Casi todo lo que se acaba de decir es aplicable a ENRIQUE DÍEZ-CANEDO (1879-1944) [27], crítico de indiscutible valía y poeta de corto vuelo. Empezó como todos los de su época imitando a Rubén Darío; pero su inquietud y su conocimiento a fondo de otras literaturas le llevaron a emanciparse pronto, bien que nunca acertó con el tono y la expresión reveladores de un auténtico poeta. Sobriedad, cordura y toda la prudente contención de quien sabe que no puede remontarse muy alto, son sus notas más acusadas. La crítica moderna, por no atreverse a llamarle poeta de segundo o tercer orden, formula un juicio eufemístico diciéndonos que «su carácter más saliente es el equilibrio entre las cualidades intelectuales y las artísticas» [28]. Otras veces nos hablan de su sabiduría y buen gusto [29]. La verdad es que si como crítico gozó de merecido prestigio, como poeta nunca llegó a ser estimado. Sus libros de versos son: *La visita del sol, La sombra del ensueño, Versos de las horas, Imágenes, Algunos versos* y *Epigramas americanos.* Conocedor a fondo del francés y del inglés, tradujo a varios poetas y prosistas.

NOTAS

1. «No tenemos poetas jóvenes... No hay jóvenes que tengan nada particular que decir en verso... El arrebato lírico no lo siente nadie.» («CLARÍN»: *Apolo en Pafos,* Madrid, 1887.) En idénticos términos se expresa José Ixart en *El arte escénico en España,* vol. I, 1893.
2. Véanse FEDERICO DE ONÍS: *Antología de la poesía española e hispanoamericana,* Introducción, pág. XV; GUILLERMO DÍAZ-PLAJA: *Modernismo frente al noventa y ocho,* pág. 11; JUAN R. JIMÉNEZ: *El concepto contemporáneo de España. Antología de ensayos,* págs. 24-25.
3. La preocupación por la forma entre los líricos modernistas es notoria. Sin salirnos de Rubén Darío, *facile princeps,* encontramos textos tan elocuentes como los que siguen: «La forma es lo que primeramente toca a las muchedumbres.» *(Cantos de vida y esperanza,* Prefacio.) «Como cada palabra tiene su alma, hay en cada verso, además de la armonía verbal, una melodía ideal.» *(Prosas profanas.)* «La forma poética no está llamada a desaparecer; antes bien, a extenderse, a modificarse, a seguir su desenvolvimiento en el eterno ritmo de los siglos.» *(Canto errante.* «Dilucidaciones».)
4. Rubén Darío nos ha hecho a este respecto una preciosa confesión:

    Amo, más que la Grecia de los griegos,
    la Grecia de la Francia, porque en Francia,
    al eco de las risas y los juegos,
    su más dulce licor Venus escancia.

5. De los tres procedimientos encontramos ejemplos en cualquier poeta modernista y, singularmente, en Darío. Léase *Canto de esperanza:*

    ¡Oh Señor Jesucristo! ¿Por qué tardas? ¿Qué espera tender *tu mano de luz* sobre las fieras [peras
    y hacer brillar al *sol* tus divinas banderas?

Y antes había dicho:

    ¿Ha nacido el apocalíptico Anticristo?;

y todavía en otro verso:

    el soñador, imperial meditabundo...,

en los que el hiato impuesto por la cesura no puede ser más forzado.
6. Sin remontarse a los románticos, basta comparar dos composiciones casi coetáneas (*De blanco,* por Gutiérrez Nájera, y *Va de cuento,* de Ricardo Gil). La primera está aún métricamente dentro de la línea romántica; a la segunda alcanzan ya las innovaciones modernistas. Dice Gutiérrez Nájera:

    ¿Qué cosa más blanca que cándido lirio?
    ¿Qué cosa más pura que místico lirio?
    ¿Qué cosa más casta que tierno azahar?
    ¿Qué cosa más virgen que leve neblina?
    ¿Qué cosa más santa que el ara divina
    de gótico altar?;

y así a lo largo de los sesenta versos, sin romper una sola vez la monótona acentuación. Y dice, en cambio, R. Gil, con una hábil combinación de ritmo binario y ternario:

> Un cuento me pides, claro se adivina
> en tus grandes ojos al mirarme atentos.
> ¿Va de cuento? Vaya. Será mi heroína
> la princesa rubia de los rancios cuentos.
> La princesa rubia de ojos parecidos
> a los tuyos, Laura, grandes, pensadores,
> que daba sus joyas a los desvalidos
> y se alimentaba con jugo de flores...

7. Y no *anapesto,* como lo vienen denominando casi todos los tratadistas, siguiendo en ello a Milá y Fontanals. Manuel Blecua, en su *Manual de literatura,* le llama por su verdadero nombre.

8. Así lo vemos ya en *Primaveral,* el bello romance con que se abre *Azul* (1888), de Rubén Darío:

> Amada, ven. El gran bosque
> es nuestro templo; allí ondea
> y flota un santo perfume
> de amor. El pájaro vuela
> de un árbol a otro y saluda
> tu frente rosada y bella
> como un alba; las encinas...

9. El movimiento «parnasiano» al que nos estamos refiriendo frecuentemente viene de Francia. Surgió en la segunda mitad del xix y debe su nombre al título de la revista donde aparecieron los primeros poemas: *Le Parnase Contemporaine* (tres períodos de publicación: 1866, 1871, 1876). Persigue la perfección formal del verso, la precisión, y el corte irreprochable. De ahí su preferencia por los modelos grecolatinos y por los temas del mundo clásico. Sus principales representantes son Leconte de Lisle, Prudhomme y Heredia. Algunos simbolistas, los mejores, proceden de las filas parnasianas.

10. Murciano. Fué periodista y político. Viajó por Francia, donde se dejó influir por el movimiento parnasiano.

11. Malagueño, de humilde origen. Viajó mucho por España y el extranjero, alcanzando inmensa popularidad. Rueda se consideraba a sí mismo el auténtico fundador de la escuela modernista, por cuyos principales cultivadores se sentía injustamente postergado. Véase la carta dirigida a N. Alonso Cortés, que éste reproduce en sus *Artículos históricoliterarios.*

12. Son catorce versos casi dignos de *Les Trophées,* de Heredia. Véanse los dos cuartetos:

> La voz de toda América le pides a Darío,
> la voz de toda España le pides a mi acento,
> al cisne desplegando las alas en el viento
> y al pavo real abriendo la cola como un río.

> Quiere de las dos aves tu egregio señorío
> hacer un áureo escudo de gloria a tu talento,
> en que deslíe el cisne su blando movimiento
> y en que la cola estalle de rosas y de brío.

13. Sevillano. Hijo del prestigioso folklorista don Antonio Machado Alvarez y hermano del gran lírico Antonio. Pasa la infancia en Sevilla; a los nueve años se traslada con su familia a Madrid y se educa en la Institución Libre de Enseñanza. Muy joven, entra de lleno en la bohemia madrileña, a la que aporta el sello de su señoritismo andaluz. A finales de siglo (1898-1901) le encontramos en París, donde recibe las encontradas influencias de las escuelas en boga: parnasistas, esteticistas, simbolistas. De 1902 a 1911 publica lo mejor de su obra lírica. Cae en una gran depresión y, sustrayéndose a la vida bohemia, ingresa en la vida profesional como bibliotecario. Ha prestado sus servicios en la Biblioteca universitaria de Santiago de Compostela, en la Nacional y en la Biblioteca y Museo Municipal de Madrid, de cuya revista fué mucho tiempo director. Ha cultivado el periodismo, principalmente como crítico teatral, y ha traducido y adaptado obras extranjeras y comedias clásicas.

14. Y en *Retrato* leemos:

> Esta es mi cara y ésta es mi alma; leed:
> Unos ojos de hastío y una boca de sed...
> Lo demás... Nada... Vida... Cosas... Lo que se sabe...
> Calaveradas, amoríos... Nada grave.
> Un poco de locura, un algo de poesía,
> una gota del vino de la melancolía...
> ¿Vicios? Todos. Ninguno...

15. He aquí los versos, de enorme intensidad, con que se abre el pequeño poema:

> El ciego sol se estrella
> en las duras aristas de las armas,
> llaga de luz los petos y espaldares,
> y flamea en las puntas de las lanzas.

> El ciego sol, la sed y la fatiga.
> Por la terrible estepa castellana,
> al destierro, con doce de los suyos
> —polvo, sudor y hierro—, el Cid cabalga.

16. Onís: *Antología de poetas españoles e hispanoamericanos,* pág. 245.

17. Nació en Laujar (Almería). Hizo sus estudios en la Universidad de Granada, y en 1897 fué a Madrid, donde triunfó rápidamente como poeta. Salvador Rueda y Juan Ramón Jiménez, entre otros, le dedicaron grandes elogios. Colabora en las principales revistas literarias de aquel tiempo: *Vida y Arte, La Revista Nueva, Germinal, La Revista Ibérica, Cervantes.* Desde 1898, en que publica su primer libro, *Intimidades,* hasta 1911 no cesa de lanzar colecciones de versos. En ese año triunfa plenamente en el teatro. Poco después parte para América y la recorre triunfalmente, ganando sumas fabulosas, que derrocha con la misma facilidad con que las gana. Enfermo y pobre regresa a España, en 1931, para morir cinco años después en la mayor penuria. «Cada día—escribe González Ruano, que lo visitaba en los últimos meses—vendía un mueble, una manta, una ilusión o un soneto de su juventud, que cambiaba un poco para hacerlo pasar por nuevo. Era impresionante aquella ruina de capitán de la picaresca, de príncipe mal traducido del Renacimiento.» (*Antología de poetas españoles contemporáneos,* Barcelona, 1946.)

18. O éste, que se titula *El poeta recuerda:*

> Sus frases nunca me hirieron
> y siempre me consolaron...
> ¡Heridas que otros me abrieron
> sus propias manos cerraron!

> Aun cuando penaba tanto,
> tan buena conmigo era
> que hasta me ocultaba el llanto
> para que yo no sufriera.

> Con su infinita ternura
> mi más inmensa amargura
> supo siempre consolar...

> ¡Y qué buena no sería
> que al morirse sonreía
> para no verme llorar!

19. En el capítulo XCIII. Véase allí su biografía.
20. El mismo lo cree así:

> Un bandolero (¡qué catadura!)
> cuelga la faja de su cintura.
> *Solana sabe de esta pintura.*

Y antes había dicho:

> Azul de Prusia son las figuras
> y de albayalde las cataduras
> de los ladrones. *Goyas a oscuras.*

Tampoco falta la referencia a otro gran pintor:

> Crimen horrible, pregona el ciego,
> y el cuadro muestra de un pintor lego,
> que acaso *hubiera placido al Griego.*

> (*El crimen de Medinica.*)

21 He aquí unos pocos ejemplos:

> El gato dormita en la silla,
> da un círculo al techo el quinqué;
> la cornuda luz amarilla
> dice en el cuarto su anké.

> Jergón con colcha floreada,
> Recogida en el banquillo azul.
> Una mujer acurrucada
> posa la sien en el baúl...

> (*La coima.*)

> El patíbulo destaca
> trágico, nocturno, gris;
> la ronda de la petaca
> sigue a la ronda de anís;
> pica tabaco la faca
> y el patíbulo destaca
> sobre el alba color gris.

....

El reo espera en capilla,
reza un clérigo en latín,
llora una vela amarilla
y el sentenciado da fin
a la amarilla tortilla
de hierbas. Fué a la capilla
la cena del cafetín.

(Garrote vil.)

En la cocina tienen doblada
dos hombres negros a la criada.
Moño colgante, boca- crispada...

Boca con grito que pide tila,
ojos en blanco, vuelta pupila.
¡Una criada del *Dies illa!*...

(El crimen de Medinica.)

La llama arrebola la negra cocina,
pone Maritornes magras de cecina
en las sopas cáusticas de ajo y pimentón.

El jaque se vuelve templando el guitarro;
a la moza tose porque sirva un jarro
y oprime los trastes pulsando el bordón.

La jeta cetrina, zorongo a la cuca,
fieltro de catite, rapada la nuca,
el habla rijosa, la ceja en breñal...

(El jaque de Medinica.)

22. Un curioso anecdotario de estos poetas se podría entresacar de las breves reseñas biográficas que les dedica González Ruano en su *Antología*. A ella remitimos a nuestros lectores.

23. Transcribimos las dos primeras estrofas:

Cruzábamos tristemente
las calles llenas de luna
y el hambre bailaba una
zarabanda en nuestra mente.
Al verla triste y dolida,
yo la besaba en la boca.
—¿Por qué aborreces la vida,
Risa Loca?

No llores, rosa carnal,
que yo robaré un tesoro
de la tiara papal
para tus cabellos de oro.
Y un espíritu burlón
que entre las sombras había,
al escuchar mi canción,
se reía, se reía.

24. Capítulo XCIV. Véanse allí datos biográficos.
25. GONZÁLEZ RUANO: *Antología*, pág. 177.
26. Compruébense por estas estrofas:

Con sayal de amarguras, de la vida romero,
topé tras luenga andanza con la paz del sendero.
Fenecía del día el resplandor postrero.
En la cima de un álamo sollozaba un jilguero.

No hubo en lugar de tierra la paz que allí reinaba.
Parecía que Dios en el mundo moraba; [naba.
y los sones del pájaro que en lo verde cantaba
morían en la esquila que a lo lejos temblaba.

27. De Badajoz. Residió en su juventud en Barcelona; después fué a Madrid, donde pasó casi toda su vida entre el Ateneo, las redacciones y las tertulias de los cafés, hasta que la guerra civil lo aventó a tierras americanas. Había sido largos años profesor de la Escuela Central de Idiomas. Murió en Méjico (1944).
28. *Diccionario de la Literatura española*, artículo correspondiente.
29. ONÍS: *Antología*, pág. 625.

BIBLIOGRAFIA

Antologías.—C. GONZÁLEZ RUANO: *Antología de los poetas españoles contemporáneos*, Madrid, 1946.—F. DE ONÍS: *Antología de la poesía española e hispanoamericana*, Madrid, 1934.—F. C. SAINZ DE ROBLES: *Historia y antología de la poesía castellana* (siglo XX, págs. 1.023-1676), Madrid, 1946, ed. Aguilar, Colec. «Obras Eternas».
I. D. ALONSO: *Poetas españoles contemporáneos*, Edit. Gredos, Madrid, 1952.—«ANDRENIO» (E. Gómez de Baquero): *Pen Club, I: Los poetas*, Madrid, 1929.—J. M.ª

ALONSO GAMO: *Poesía y poética del siglo XX*, «Rev. Española», núm. 2, 1953.—J. BRISSA: *Parnaso español contemporáneo*, Barcelona, 1911.—J. L. CANO: *De Machado a Bousoño*, 1945.—R. CANSINOS ASSÉNS: *Poetas y prosistas del novecientos*, Madrid, 1919.—E. CARRERE: *La corte de los poetas*, Madrid, 1906.—L. CERNUDA: *Estudios sobre poesía española contemporánea*, Madrid, 1957.—P. CRESPO: *Los mejores poetas contemporáneos*, Madrid, s. a.—G. DÍAZ PLAJA: *La poesía lírica española*, Barcelona, 1937.—E. DÍEZ CANEDO: *Relaciones entre la poesía francesa y la española desde el romanticismo*, «Rev. de Libros», núm. 8, Madrid, 1914.—F. DONOSO: *Al margen de la poesía*, París, 1927.—A. GONZÁLEZ BLANCO: *Los contemporáneos*, París, 1907-1910.—F. M. KERCHEVILLE: *A study of tendencies in modern and contemporary Spanish Poetry from the modernist movement to the present time*, New Mexico, 1933.—J. F. MONTESINOS: *Die Moderne Spanische Dichtung*, Leipzig, 1927.—A. MORENO: *Poesía española actual*, Madrid, 1946.—EMILIA PARDO BAZÁN: *Les poètes espagnols du XXe siècle*, «Revue», XLIII, 1906.—R. SEGURA DE GARMILLA: *Poetas españoles del siglo XX*, Madrid, 1922.—J. TORRES BODET: *Contemporáneos*, Méjico, 1918.—«ANDRENIO» (E. Gómez de Baquero): *Poetas modernistas y no modernistas*, «La España Moderna», CLIX, 1902.—R. BLANCO-FOMBONA: *El modernismo y los poetas modernistas*, Madrid, 1929.—M. BLANCO GARCÍA: *Los voceros del modernismo*, Barcelona, 1908.—V. BORGHINI: *Rubén Darío e il modernismo*, Instituto Universitario di Magistero, Génova, 1955.—S. CABALLERO: *El modernismo en España*, Méjico, 1911.—E. DÍEZ CANEDO: *Los comienzos del modernismo en España*, «España», núm. 21, Madrid, 1923.—B. GARNELO: *El modernismo literario español*, «La Ciudad de Dios», XCIII, El Escorial, 1913.—R. GHIL: *Les dates et les oeuvres: Symbolisme et poesie scientifique*, 1923.—E. GÓMEZ CARRILLO: *El modernismo*, Madrid, 1905 y 1914.—A. GÓMEZ LOBO: *La literatura modernista*, Ciudad Real, 1908.—M. HENRÍQUEZ UREÑA: *Breve historia del modernismo*, «Fondo de Cultura Económica», Méjico, 1952.—E. LLACH: *El modernismo en literatura*, Sevilla, 1914.—F. DE ONÍS: *Sobre el concepto del modernismo*, Puerto, Rico.—R. D. SILVA UZCATEGUI: *Historia crítica del modernismo (Psicopatología de los corifeos del modernismo)*, Barcelona, 1925.—A. TORRES RIOSECO: *Precursores del modernismo*, Madrid, 1925.—A. ZEREGAFOMBONA: *Le symbolisme française et la poësie espagnole moderne*, «Le Mercure de France», CXXXV, 1919.—R. CASTELLTORT: *La poesía española del siglo XIX*, Barcelona, 1957.—E. DÍEZ-ECHARRI: *Métrica modernista*, «Rev. de Literatura», XI, núms. 21-22, 1957.—M. HENRÍQUEZ UREÑA: *Breve historia del modernismo*, Méjico, 1954.

II. E. DÍEZ DE REVENGA: *Ricardo Gil, Balart*, «Artículos adocenados», Murcia, 1930.—E. MARTÍ: *Glorias de Murcia olvidadas: el poeta R. Gil*, «La Verdad», dic. 1924.—A. AGUILAR CANO: *Manuel Reina (Estudio biográfico)*, Puente Genil, 1897.—E. DE ORY: *Manuel Reina (Estudio biográfico)*, Cádiz, 1916.—A. GONZÁLEZ BLANCO: *Los grandes maestros Salvador Rueda y Rubén Darío (Estudio cíclico de la lírica española en los últimos tiempos)*, Madrid, 1908.—G. RUIZ ALMODÓVAR: *Salvador Rueda y sus obras*, Madrid, 1891.—A. MARTÍNEZ OLMEDILLA: *Salvador Rueda. Su significación, su vida y sus obras*, Madrid, 1908.—E. SALAZAR Y CHAPELLA: *Salvador Rueda*, «La Gaceta Literaria», Madrid, 1929.—A. ANASTASI: *Salvador Rueda*, «Cuad. Hispanoamericanos», núm. 109, Madrid, 1959.—J. M. MARTÍNEZ CACHERO: *Salvador Rueda y el modernismo*, «Bol. Bibl. M. Pelayo», año XXXIV, Santander, 1958.—M. PRADOS Y LÓPEZ: *Salvador Rueda. Su vida y su obra*, Málaga, 1941.

III. R. FERRERES: *Manuel Machado*, «Cuadernos de Literatura Contemporánea», núm. 2, Madrid, 1942.—N. GONZÁLEZ RUIZ: *Manuel Machado y el lirismo polifónico*, «Cuadernos de Literatura Contemporánea», 1942.—M. PÉREZ FERRERO: *Vida de Antonio Machado y Manuel*, Madrid, 1947.—JOSEFINA ROMO ARREGUI: *Bibliografía de Manuel Machado*, «Cuadernos de Literatura Contemporánea», núm. 2.—M. DE UNAMUNO: Pról. a *Alma, Museo, Los cantares*, de M. Machado, Madrid, 1907.—J. ALVAREZ SIERRA: *Francisco Villaespesa (Vida, episodios y anécdotas de este genial poeta)*, Editora Nacional, Madrid, 1949.—F. DE MENDIZÁBAL: Pról. a las *Novelas completas* de F. Villaespesa, Edit. Aguilar, colec. «Crisol», Madrid, 1951; Est. prel. de *Poesías completas* de F. Villaespesa, Edit. Aguilar, colec. «Joya», Madrid, 1953.

Para Valle-Inclán y Pérez de Ayala, vid. bibliografía en los caps. XL y XLI, en que se les estudia como novelistas.

CAPITULO LXXXIV

EL MODERNISMO EN AMERICA:
A) CARACTERES GENERALES

I. Aparición del Modernismo: *Razón de un nombre.*—II. Aspectos diversos: *Notas negativas. El lado positivo.*—III. Fuentes, influencias, etc.: *Temas preferidos. Los motivos.*—IV. Cronología.—Notas.—Bibliografía.

I. APARICION Y CARACTERES

En las postrimerías del siglo XIX, más concretamente, al iniciarse su último tercio, se abren paso en los países americanos de habla española diversas tendencias literarias que vienen a plasmar en el movimiento renovador llamado Modernismo. Casi a la vez ocurre idéntico fenómeno en España, según ha podido verse en el capítulo anterior. Ya se dijo allí que este fenómeno no era sino la traducción al castellano de otros movimientos similares que por esas mismas fechas, o algo antes, habían invadido la literatura y en general el arte europeos. Particularmente se reflejaban en él dos tendencias o escuelas poéticas francesas: la parnasiana y la simbolista. También se anticiparon referencias sobre su génesis y caracteres generales. No hay, pues, motivo para volver aquí sobre ello.

Pero no se trata ahora del modernismo español, sino del hispanoamericano; y, aunque los dos coincidan en el fondo, este último presenta peculiares perfiles que conviene conocer.

Por lo pronto—ya repetidas veces hemos aludido a ello—, América en esta ocasión y por primera vez en el curso de la historia literaria se anticipa a la Península. «Aunque en España no falten intentos en el mismo sentido—escribe Federico de Onís en el prólogo de su valiosa *Antología*—, esta transformación y avance hacia una poesía nueva fué obra de poetas americanos que, independientemente de España y en gran medida los unos de los otros, en Méjico, en Colombia, en Cuba, en el Perú, de 1882 a 1895, renovaron la poesía en tal forma que, cuando el genio sintético de Rubén Darío llevó a España en su propia obra los frutos últimos y más maduros de aquella evolución poética, fué considerada como la primera contribución americana a la literatura de nuestra lengua común que, cambiadas las tornas, ejerció en la hasta entonces metrópoli literaria un influjo decisivo en un aspecto esencial de la literatura. En el cuadro general de la literatura modernista de España, al lado de los españoles que renovaron el teatro, el ensayo y la novela, tendrá que figurar siempre Rubén Darío como el principal renovador de la poesía» [1].

En las épocas neoclasicista, romántica y hasta postromántica, ya lo hemos visto, los escritores americanos, especialmente los poetas, son, con pocas excepciones, deudores de sus colegas peninsulares. Bello y Heredia, Olmedo y Pardo, Mármol y Obligado ajustan su canto, aun cuando se inspiren en temas americanos, al compás de los españoles. Ahora no: Rubén se pone a la cabeza, se constituye en director de coro, y durante veinte o veinticinco años todos los poetas de habla española obedecen su batuta. Hasta aquellos vates dotados de voz propia y de una personalidad poética tan definida como la del mismo Darío, antes de elaborar su obra original, empiezan por acatar el magisterio del gran nicaragüense. Tal es el caso de Antonio Machado y de Juan Ramón Jiménez.

¿Quiere decir esto que de no haber aparecido Rubén el movimiento modernista hubiese fracasado? No; porque respondía a un anhelo renovador, que venía agitando de tiempo atrás muchos espíritus y que ya empezaba a germinar en multitud de poetas, tanto españoles como americanos, antes de publicarse *Prosas profanas* (Buenos Aires, 1896), que consolidaron el triunfo de la nueva escuela, y aun antes de surgir con *Azul* (Valparaíso, 1888) la primera manifestación poética francamente modernista. La serie de poetas llamados «precursores»—Ricardo Gil, Manuel Reina, Salvador Rueda—, de que dábamos cuenta al estudiar los inicios del Modernismo en España, y los que en este mismo capítulo denominamos «poetas de transición»—Gutiérrez Nájera, González Prada, Othón, etc.—, indica claramente que, con Darío o sin él, se iba a una revolución no sólo en los dominios del verso, sino también en los de la prosa. Lo que hizo Rubén Darío es acelerar esa revolución y resellarla con su impronta. Sin Rubén Darío el modernismo se habría impuesto, sin duda, del mismo modo que, más tarde o más temprano, el romanticismo habría terminado por triunfar sin

1188

el duque de Rivas; pero quizá aquél no hubiera seguido sin Rubén la trayectoria que siguió. Porque si es cierto que los movimientos literarios, como los cambios artísticos, son cosa fatal, también lo es que no todos llegan a cubrir su trayectoria y a definirse con categoría estética propia, bien porque otro movimiento más fuerte los ha desplazado antes de completar su ciclo o bien porque no encontraron el brazo que les imprimiese impulso suficiente. Si el neoclasicismo se nos aparece como algo ambiguo en el panorama general de nuestras letras es porque no encontró un genio que, al trasplantarlo a España, acertase a infundirle savia propia. No sucede esto con el modernismo. Rubén Darío lo ve casi nacer y lo va llevando con pulso firme a través de diversas etapas, asistiendo, a pesar de que la vida del poeta fué relativamente breve, al nacimiento, al triunfo y al ocaso de su propia escuela. Porque el modernismo, como la mayor parte de los movimientos literarios, tuvo una existencia corta: aproximadamente de un cuarto de siglo.

Razón de un nombre

Y antes de pasar adelante queremos, aunque sea de una manera marginal, referirnos a la denominación de *modernismo* con que se ha querido bautizar a este movimiento. Modernistas son realmente todas las escuelas y tendencias cuando nacen. ¿Por qué, pues, se ha reservado con un criterio antonomástico tal nombre para el movimiento que estamos estudiando? Henríquez Ureña ha seguido con puntual precisión este problema en todas sus fases [2].

Parece que la iniciativa corresponde a Rubén Darío. Ya en 1888—no se olvide que en ese mismo año apareció *Azul*—empleaba este vocablo como equivalente de *expresión moderna*, contraponiéndolo al estilo entonces vigente. Esto lo hacía en un artículo publicado en la *Revista de Arte y Letras*, de Santiago de Chile, y refiriéndose al escritor mejicano Ricardo Contreras. En forma más concreta, dos años más tarde (1890), vuelve a emplear el vocablo *modernismo* para calificar el «espíritu nuevo» de que se siente animado un grupo de escritores y poetas hispanoamericanos, entre los que cita a Gutiérrez Nájera, Díaz Mirón, al salvadoreño Gavidia y al guatemalteco Domingo Estrada. Se trataba ahora de un comentario a la visita realizada poco antes a Ricardo Palma, comentario publicado en forma de artículo en *El Perú Ilustrado*, de Lima (8 de noviembre de 1890). Poco tiempo después, en un prólogo al libro de Jesús Hernández Somoza, *Tres años del Gobierno Sacasa* (1893), nos dice que el escritor nicaragüense Modesto Barrios «traducía a Gautier y daba las primeras nociones de *modernismo*». Pronto se apoderan del rótulo los partidarios de la nueva escuela y empiezan a darle difusión. A ello contribuye especialmente Darío Herrera, quien en un artículo escrito ese mismo año, a propósito del libro de Gómez Carrillo *Sensaciones de arte*, alude a la aportación con que han sabido enriquecer la musicalidad española hombres como el mismo Carrillo, Nájera, Rubén y Soto Hall, introduciendo en ella la gracia, la concisión y toda clase de giros y rarezas exóticas en que abunda tanto la moderna literatura gala. «De esta conjunción adorable—escribe Herrera—ha nacido y se ha desarrollado en América lo que generalmente se llama *modernismo*, que no es otra cosa que el verso y la prosa castellanos pasados por el fino tamiz del buen verso y de la buena prosa francesa.»

El vocablo, sin embargo, no se impuso sin antes pasar por una terrible prueba. El amaneramiento en que incurren algunos de sus cultivadores suscitó la rechifla de la crítica y de los empedernidos amantes del orden estatuído, quienes durante algún tiempo se dedicaron a poner en la picota a los innovadores. El Modernismo, como todo nuevo movimiento, entrañaba una revolución, una negación de las normas existentes y acatadas por la mayoría. La implantación de sus postulados, en pugna con el sentir general, no podía hacerse sin lucha y sin que el viejo orden opusiera más o menos resistencia.

A los afiliados a la nueva escuela se les llamó primero en forma despectiva «decadentes», aludiendo a su filiación francesa y más o menos vinculada con la actitud poética representada por Verlaine y Baudelaire. Contra los «colibríes decadentes» dispara sus dardos en la *Sinfonía color de fresa con leche*, precisamente uno de los primeros representantes de la nueva escuela, José Asunción Silva. Y todavía en 1899, la Real Academia Española, en la 13.ª edición del *Diccionario de la Lengua*, define el modernismo de acuerdo con este criterio peyorativo: «Afición excesiva a las cosas modernas, con menosprecio de las antiguas, especialmente en arte y literatura» [3]. A nadie ha de extrañar esta postura de repulsa primero y de recelo más tarde, por parte de los representantes de la poesía tradicional, si se tiene en cuenta que muchos entre los primeros modernistas incurrieron en excesos y aberraciones francamente vituperables. Ningún nuevo estilo o modalidad artística tiene derecho a la consideración de los demás hasta que no demuestra con obras que es portadora de algo efectivamente nuevo y digno de atención. El Modernismo no se hizo acreedor a ese respeto público hasta que con Rubén Darío acreditó su legitimidad como forma de arte auténtico, y no, según ocurre con tantas otras tendencias, como simple tentativa llamada al fracaso.

II. ASPECTOS DEL MODERNISMO

Hecha esta digresión, se impone decir en qué consiste el Modernismo o, al menos, cuáles son sus notas más acusadas. Ya en otro lugar anotábamos tres intentos de definición: la de Juan Ramón Jiménez, la de Onís y la de Díaz-Plaja. Insistamos aquí en que ninguna de ellas nos satisface por entero. Y es que entraña dificultades casi insalvables la definición de un movimiento tan complejo.

Porque, aun tratándose, como queda dicho, de un fenómeno único y que se manifiesta casi simultáneamente en España y en América, y aun habiéndolo encarnado poco menos que íntegramente una sola personalidad poética, la de Rubén Darío, la verdad es que no presenta ni en todas sus fases ni en todos sus intérpretes una faz uniforme. Como todos los movimientos que empiezan por subvertir los valores existentes y por erigir la voluntad—póngase, si se quiere, inspiración—individual en única norma de creación artística, el Modernismo, coincidente en muchos aspectos generales, es el terreno más propicio para la germinación de singularidades más o menos acusadas y más o menos estimables artísticamente. «Por eso—concluye Onís—es equivocada y parcial toda interpretación de la literatura de esta época que trate de identificarla con cualquiera de los modos literarios que en ella prevalecieron. A menudo se cae en este error cuando la denominación de modernismo se aplica exclusivamente al tipo de poesía caracterizado por ciertas formas y espíritu que puso en circulación Rubén Darío, sin pensar que no son características ni exclusivas de este autor siquiera. Rubén Darío, como Unamuno, Benavente, *Azorín,* Valle-Inclán, Juan Ramón Jiménez y los demás grandes escritores modernistas, lleva hondas contradicciones dentro de sí mismo, se rectifica constantemente a través de sus varias obras y sólo puede ser definido por la unidad de su propia individualidad» [4]. Así es. Y fuera de que estimamos poco acertada la inclusión de Unamuno en la *élite* modernista, en cuanto establece cierta confusión del Modernismo con el 98—dos procesos simultáneos, pero casi extraños y hasta antagónicos, como hemos demostrado en otro lugar—, todo lo demás merece nuestra aprobación.

Notas negativas

Pero si el Modernismo, por su propia naturaleza fluida y multiforme, rechaza cualquier clase de definición, no por ello deja de ofrecer a la mirada del crítico una serie de notas o aspectos que lo caracterizan y hasta cierto punto también lo definen, distinguiéndolo de cualquier otro proceso literario más o menos parecido. A falta, pues, de una definición se puede intentar una caracterización.

Y la primera nota, como acontece casi siempre en estos casos, es de carácter negativo. El Modernismo se nos presenta ante todo como una reacción. ¿Contra quién o contra qué? Contra las tendencias vigentes por aquellas fechas: contra la poesía demasiado cargada de razón y de logicismo de Núñez de Arce y Campoamor, por una parte; contra los excesos de un romanticismo trasnochado y oliendo a naftalina, por otra. El Modernismo si bien con menos acritud que otros movimientos y con mayor respeto a los ídolos consagrados,

ante cuyas aras él mismo había empezado por quemar incienso, quiere levantar otros altares. Para ello hay que derribar los que tiene delante. Y así empieza por destruir las efigies más representativas del arte y de la poesía anterior; el único que se salva es Bécquer. «El punto de partida del modernismo—leemos en Henríquez Ureña—fué simplemente negativo: rechazar las normas y las formas que no se avinieran con sus tendencias renovadoras y representaran, en cambio, el viejo retoricismo que prevalecía en la literatura española de aquel momento. Hacer la guerra a la frase hecha, al clisé de forma y al clisé de idea. Modernista era todo el que volvía la espalda a los viejos cánones y a la vulgaridad. No venía el Modernismo con pruritos de imposición ordenancista; no era lo que solemos llamar una escuela. Era más bien un anhelo, al principio algo difuso, de renovar los temas, los modos expresivos y, sobre todo, la sensibilidad.»

El lado positivo

Frente al carácter negativo y un poco iconoclasta que acabamos de señalar, he aquí su lado positivo. Renovación de temas: los que nutrían la poesía de la época no sólo estaban gastados, sino que eran los menos idóneos para provocar la emoción estética; eran temas prosaicos y robados en campos extraños a la auténtica poesía; temas políticos, filosóficos, sociales. Renovación expresiva: las viejas metáforas habían quedado inservibles, al cabo de tanto uso; el espíritu moderno exigía otras formas estilísticas más ágiles, más frescas, más ricas y originales. En este orden hay que reconocer que el Modernismo cosechó frutos muy copiosos. Las imágenes nuevas, luminosas y estallantes de gracia y de belleza, los epítetos recién acuñados y henchidos de expresividad saltan por todas partes. Basta abrir un libro de versos de Darío, de Nervo o de Valle-Inclán para comprobarlo:

> Yo soy aquel que ayer no más decía
> el verso azul y la canción profana,
> en cuya noche un ruiseñor había
> que era alondra de luz por la mañana
> ....
> En mi jardín se vió una estatua bella;
> se juzgó mármol y era carne viva;
> un alma joven habitaba en ella,
> sentimental, sensible, sensitiva.

En estos dos cuartetos con que Rubén Darío encabeza sus *Cantos de vida y esperanza* (1905) se nos da en buena parte resumido el ideal del Modernismo. «Alma sentimental, sensible, sensitiva», es la de todo poeta modernista que se estime; alma en que predomina lo sensorial sobre lo ideológico, degustadora de goces nuevos, captadora de matices exquisitos. Ya hemos señalado al Modernismo como derivación en parte de las dos tendencias más acusadas en la poesía francesa de la época, la parnasiana y la simbolista. De la primera toma el culto de la forma; de la segunda, el culto o cultivo de la sensibilidad. Un ansia vehemente de exquisiteces y novedades impulsa a los partidarios de la nueva doctrina hacia la búsqueda de sensaciones desconocidas y capaces de provocar estados anímicos también desconocidos. La duda, la melancolía, el desencanto y la evasión a mundos irreales, que habían sido motivos inspiradores del Romanticismo en una de sus fases más interesantes, vuelven a surgir, aunque en forma menos espectacular y más subterránea, sin las gesticulaciones de que antes se acompañaban. Se recrean estos temas, pero más en cuanto pueden ser generadores de belleza que en cuanto problemas humanos y trascendentes. La postura ante ellos del poeta modernista es puramente estética y da la impresión de que los vuelve a tomar sólo porque pueden inspirarle frases y sensaciones refinadas. Luego esos mismos temas adquirirán hondura, y en la última etapa de Rubén Darío los encontraremos tratados desde un punto de vista fundamentalmente humano:

Dichoso el árbol, que es apenas sensitivo,
y más la piedra dura, porque ésa ya no siente:
que no hay dolor más grande que el dolor de ser vivo
ni mayor pesadumbre que la vida consciente...

Pero esto sólo al final, próximo ya a cerrarse el ciclo modernista. Entre tanto, el poeta verá en la duda, en el desencanto y en la angustia vital simples solicitaciones hacia nuevas posturas y nuevos estilos.

De aquí también, de esta primacía otorgada a lo sensorial, nacen los juegos de sinestesias a que tan inclinado fué siempre el modernismo y con él toda la poesía contemporánea. Gautier, en el prefacio a las *Flores del mal,* de Baudelaire, había intuído en el estilo de Tertuliano el negro esplendor del ébano, afirmando a renglón seguido que las palabras alcanzan por el sonido un valor que los diccionarios son incapaces de determinar. Las palabras no sólo comportan armonía, sino también color, olor y hasta temperatura. Baudelai-

re nos había hablado de perfumes verdes; Carducci había aplicado el mismo epíteto al silencio; D'Annunzio había escrito:

Canta la nota verde d' un bel limone inflore.

¿Y quién no recuerda el célebre soneto de Rimbaud:

A-noir, E-blanc, I-rouge, U-Vert, O-bleu...?

Esta lección, en la que se nos enseña una verdadera metátesis o transmutación de estimulos sensitivos, fué muy bien aprendida por los poetas modernistas. Ya hemos oído a Rubén llamar a su verso *azul* («... ayer no más decía — el verso azul y la canción profana»); unas estrofas más abajo nos dirá que *sus rosas tienen fragancia de melancolía.* El camino para toda clase de licencias e innovaciones en este sentido estaba abierto. Los modernistas no vacilaron en lanzarse a ellas.

Y con las innovaciones estilísticas vinieron las innovaciones métricas. Nuevos temas y nuevas formas postulan siempre en poesía nuevos ritmos. Nunca en nuestra literatura desde Boscán se había operado un cambio tan hondo de la métrica. Con la diferencia de que entonces la reforma afectó sólo a un verso, el endecasílabo, y ahora se extiende a todos, y no exclusivamente al verso, sino a las combinaciones estróficas también. Como esta reforma la hemos encontrado hecha y consolidada, las generaciones siguientes no han acertado a estimarla en lo que vale. Pero hay un hecho indiscutible, y es que todos, absolutamente todos los poetas, desde el Modernismo hasta la hora actual, se han beneficiado de ella. Y esto sin excluir a representantes de otras tendencias, como Antonio Machado y Juan Ramón: el alejandrino de éstos, el mismo endecasílabo, el romance, cuando usan estos metros, tiene en ellos el ritmo que le imprimió previamente la escuela modernista. En el estudio del modernismo español señalábamos las principales innovaciones métricas realizadas por Rubén y sus discípulos. El lector nos excusará de repetir lo que allí quedó ampliamente expuesto.

III. FUENTES, INFLUENCIAS, ETC.

Son muy numerosas. El Modernismo empieza, ya está dicho, imitando lo que tiene más a mano: la poesía francesa. Esta había llegado a la América hispana por dos conductos, ya de antiguo conocidos: los diplomáticos acreditados en París, principales portadores de la buena nueva en sus respectivos países, y el libro francés, muy solicitado en todas las repúblicas de habla española desde el Romanticismo, y aun antes, desde la época de la emancipación.

Hasta el momento las letras españolas habían podido hacer la competencia a las francesas, porque a los poetas, novelistas y dramaturgos más re-

presentativos del vecino país podían oponer otros poetas, novelistas y dramaturgos de indudable altura; y así pudimos ver cómo durante el Romanticismo, aun en aquel sector en que la presencia francesa se hizo más notoria, como sucedía en las riberas del Plata, la voz cantante correspondía a los españoles, y en poetas tan relevantes como Mármol el eco de Zorrilla se percibe a cada paso. Pero ahora, extinguida la fiebre romántica y apagado el relumbrón de Campoamor y Núñez de Arce, ¿qué nuevos modelos dignos de imitación podíamos ofrecer a los americanos, cuando los mismos españoles se iban a beber en fuentes extranjeras? En la poesía parnasiana y simbolista encontraron de momento algo y aun mucho de lo que buscaban. Encontraron en la primera, insistamos en ello una vez más, la preocupación por los primores y acicalamientos de la forma, y en la segunda, un misterioso mensaje que les llegaba cargado de nuevas excitaciones. No conviene, sin embargo, exagerar esas influencias, ni mucho menos ver en el modernismo hispanoamericano un apéndice de aquellas dos escuelas. La filiación francesa del Modernismo es muy relativa: el impulso inicial llegó de París; pero pronto, tanto en España como en América, se le imprimió un ritmo acorde con nuestra lengua y nuestro modo de ser. Federico de Onís y Alfonso Reyes, desde distintos ángulos, han reaccionado contra la ya tópica costumbre de presentarnos el Modernismo como un afrancesamiento de las letras hispánicas «cuando precisamente—dice el primero—es el momento en que éstas logran liberarse de la influencia francesa, dominante y casi única en los siglos XVIII y XIX, para entrar de lleno en el conocimiento no sólo de las grandes literaturas europeas: inglesa, alemana e italiana—que ciertamente no eran antes ni podían ser totalmente desconocidas, sino de otras literaturas como la rusa, la escandinava, la norteamericana, las orientales y antiguas, las medievales y primitivas, que, por lo mismo de ser remotas y extrañas por motivos diversos, atrajeron en todo el mundo a los hombres que empezaban a reaccionar contra el siglo XIX y la civilización normal europea...»[5].

He aquí cómo el cuadro de influencias se ensancha. Junto a Verlaine y Baudelaire hay que colocar a Edgar A. Poe y a Walt Whitman, a D'Annunzio y a Oscar Wilde, al germano Heine y al portugués Eugenio de Castro. Los raudales que engrosan la corriente modernista son, por tanto, múltiples y procedentes de las más diversas cordilleras. A Poe le conocieron los hispanoamericanos por las excelentes traducciones que de él hicieron el venezolano Juan Antonio Pérez Bonalde y el guatemalteco Domingo Estrada; aquél, de *El cuervo,* y Estrada, de *Las campanas.* Al mismo Pérez Bonalde se debe la difusión de Heine, merced a la inspirada versión del *Intermezzo lírico* (1877), seguida ocho años más tarde por la del *Cancionero* íntegro (1885), si bien la obra del genial romántico pudo llegar a los primeros modernistas por las anteriores traducciones del español Eulogio F. Sanz y del cubano Francisco Sellén. José Martí se había encargado ya en 1887 de divulgar en todo el continente de habla española la obra de Walt Whitman, a quien Rubén Darío consagraba un soneto en 1890 y una semblanza literaria en *Los raros,* poco después. También en *Los raros* figuraba una referencia de Eugenio de Castro, cuyo ejemplo fué seguido por los primeros modernistas, especialmente en la adopción de metros de gran flexibilidad. D'Annunzio atrajo sobre

todo a los prosistas, más en América que en España.

Aún cabría agregar la irresistible devoción del Modernismo por los primitivos. Nos feferimos especialmente a Berceo, al Arcipreste de Hita y a Santillana. Los giros, ritmos y metros utilizados por éstos fueron insistentemente repetidos por los cofrades de la nueva escuela; en Rubén Darío y Nervo, sobre todo, hay continuas remembranzas en este sentido. Y todavía queda Góngora: el autor de las *Soledades,* con su verso diamantino e iridiscente, por fuerza había de ejercer sobre aquéllos irresistible atracción. Recordemos entre cien el soneto de Darío:

> En tanto pace estrellas el Pegaso divino,
> y vela tu hipogrifo, Velázquez, la Fortuna,
> en los celestes parques al Cisne gongorino
> deshoja sus sutiles margaritas la luna...

Temas preferidos

El Modernismo, al igual que todo movimiento al nacer, desecha unos temas y cultiva con preferencia otros. Por lo pronto no quiere saber nada de los altos problemas filosófico-sociales que venían inspirando a los máximos poetas de la generación anterior: Núñez de Arce en España u Olegario V. Andrade en América. Se desentiende también del tema amoroso, lo mismo a lo Bécquer que a lo Espronceda, lo mismo a lo Musset que a lo Avellaneda o a lo Carolina Coronado. Lo religioso, al menos lo religioso cristiano, brilla en él por su ausencia; en tal aspecto el Modernismo es indiferente o, dicho con más exactitud, es enteramente pagano. La patria y el país natal tampoco tienen nada que hacer en esta poesía, que desconoce fronteras e instituciones estatales. Los poetas modernistas, en cuanto poetas, son ciudadanos del mundo, o mejor, no lo son de ninguna parte. Sólo en su última fase, ya muy avanzado el movimiento y en trance de periclitar, el sentimiento, más que de patria, de raza se manifiesta en unos pocos vates: el Rubén de la *Salutación del optimista* y del *Canto a la Argentina,* o el Santos Chocano de *Alma América.*

En cambio, encuentra en el pasado histórico solicitaciones continuas. Empieza, no se olvide su arranque francés, por la Corte de los Luises, especialmente por la galante Corte del XVIII, acaso como repercusión de las *Fêtes galantes,* de Verlaine, o de los estudios realizados sobre Watteau por los hermanos Goncourt; pasa luego a la evocación de épocas lejanas en países exóticos, con preferencia del extremo Oriente: China y Japón. El inspirador pudo ser Teófilo Gautier con su libro *L'Orient* (1877). Ha de advertirse, sin embargo, que la literatura oriental en Francia por aquellas fechas era abundantísima: Luis Bouilhet, Edmond de Goncourt, Judith Gautier, la esposa de Catule Mendès, Pierre Loti y otros muchos la cultivaban con éxito. Entre los modernistas americanos se manifiesta en Julián del Casal, José Juan Tablada, Efrén Rebolledo, los hermanos Uhrbach, Guillermo Valencia y, no hace falta recordarlo, en numerosas composiciones de Rubén Darío. Todos estos poetas y otros varios nos dejaron libros con títulos y temas chino-japoneses. Del extremo Oriente el modernismo salta a la India, que inspiró una parte de la obra de Amado Nervo; a Siam y a otros países asiáticos.

La preferencia de la poesía modernista por el mundo clásico requiere una explicación, y ya la dimos en su lugar. Allí se dijo que los modernistas españoles no conocían de ese mundo más que Grecia, y una Grecia no vista directamente, sino a través de París y de Versalles; allí se recordó la preciosa confesión de Rubén Darío:

> Amo más que la Grecia de los griegos
> la Grecia de la Francia...

No es que la amase más; es que no conocía otra. Y lo mismo ocurrió a sus discípulos, a esa turbamulta de poetas que llenaron el Parnaso hispánico de *sátiros bicornes*, de *canéforas púberes* y de *centauros nervudos*. Todo esto lo habían aprendido en Leconte de Lisle, en Luis Ménard, en Maurice de Guérin y en José María de Heredia, el autor de *Les Trophées*, y lo habían aprendido tan bien, hay que confesarlo, que a veces nos asombran por la precisión y autenticidad aparente de su espíritu helénico:

> Cabe una fresca viña de Corinto
> que verde techo presta al simulacro
> del dios viril, que artífice de Atenas
> en intacto pentélico labrara,
> un día alegre, al deslumbrar al mundo
> la armonía del carro de la Aurora,
> y en tanto que arrullaban sus ternezas
> dos nevadas palomas venusinas
> sobre rosal purpúreo y pintoresco,
> como olímpica flor de gracia llena,
> vi el bello rostro de la rubia Eunice.
> No más gallarda se encamina al templo
> canéfora gentil, ni más riente
> llega la musa a quien favor prodiga
> del divino Sminteo, que mi amada
> al tender hacia mí sus tersos brazos.

> (R. Darío: *Friso.*)

Gusta también el Modernismo de cultivar temas de la mitología escandinava, que no conoce o conoce escasamente, pero que como tantas otras cosas intuye y aprovecha con relativo acierto. A esta tendencia responden libros como la *Castalia bárbara*, de Ricardo Jaimes Freyre, del mismo modo que algunos poemas de Guillermo Valencia están inspirados en viejas leyendas del cristianismo primitivo. La historia de España, finalmente, brindó a los poetas modernistas múltiples inspiraciones; pero con una particularidad: mientras los modernistas españoles—Villaespesa, Marquina, Manuel Machado—buscan argumentos a lo largo de

toda esa historia y singularmente en la época de los Austrias, los americanos prefieren centrar su atención en el ciclo cidiano.

Queda el elemento típicamente indígena. Pareció durante algún tiempo que los poetas de aquel continente, con Rubén a la cabeza, habían vuelto la espalda a los temas americanos. A este sentir general responde la frase de Rodó, aludiendo a Darío cuando aparecieron las *Prosas profanas* (1896): «¡No es el poeta de América!» La afirmación era injusta. Rubén Darío venía cantando temas americanos desde su juventud: *Del trópico, Tutecotzimí, Caupolicán, Momotombo, A Colón* y otros títulos de poemas análogos son buen testimonio de ello. Hay que convenir, no obstante, en que la mayor parte de esas composiciones sólo se conocieron más tarde y ya publicadas las *Prosas*; también es cierto que hubo una época, que va desde *Azul* casi hasta *Cantos de vida y esperanza* (1888-1905), en que el poeta pareció desentenderse de su tierra y de su raza. Que no los abandonó por completo lo demuestran los títulos indicados. Pero ya en los *Cantos de vida y esperanza* y en los libros posteriores vuelve a ellos con renovado ahinco, y en poco tiempo queda consagrado como el heraldo lírico de la raza. Su ejemplo es seguido por Chocano, Lugones y Guillermo Valencia, entre otros.

Los motivos

En toda escuela o manifestación literaria y artística hay unos cuantos «motivos», al parecer de uso casi obligado, y que si no le imprimen carácter, por lo menos contribuyen a completar su fisonomía. El Romanticismo tuvo la luna, los cipreses, la noche, las ruinas y hasta alguna que otra enfermedad de moda, como la tuberculosis; el postromanticismo se las arregló muy bien con los tópicos de la razón humana, el progreso y otros similares. El Modernismo nunca picó tan alto; le bastaron unos cuantos símbolos de los que usó y abusó hasta que quedaron arrinconados, como los cachivaches con que se decora una escena.

Recordemos los más frecuentes: a) *El cisne*, cuya gallarda silueta aparece ya temprano en las letras españolas. Lo encontramos en la segunda y tercera églogas de Garcilaso. Resucitado ahora por los simbolistas franceses—Baudelaire, León Dierx, Sully-Prudhomme, Mallarmé, Rimbaud, Vielé-Griffin, Rodenbach—, salta a nuestra poesía, que lo utiliza en todas las formas y colores: cisnes blancos, cisnes negros, cisnes azules... Cisnes ebúrneos, eucarísticos, unánimes... Cisnes símbolo de pureza y símbolo de gracia, de suavidad, de ensueño... Cisnes que anuncian el crepúsculo y que son heraldos de esperanzas. Recordemos por todos aquellas cuatro admirables composiciones que Rubén dedica a Juan Ramón Jiménez y que titula así, *Los cisnes*:

¿Qué signo haces, ¡oh Cisne!, con tu encorvado cuello
al paso de los tristes y errantes soñadores?
¿Por qué tan silencioso de ser blanco y ser bello,
tiránico a las aguas e impasible a las flores?
....

Y un Cisne negro dijo: «La noche anuncia el día.»
Y uno blanco: «¡La aurora es inmortal, la aurora
es inmortal!» ¡Oh tierras de sol y de armonía!
¡Aun guarda la Esperanza la caja de Pandora!

b) Junto al cisne, el *pavo real*. Sin alcanzar nunca la categoría simbólica de aquél, el pavo real sirve constantemente de elemento decorativo a centenares de poemas modernistas. Desde el *triunfo de los pavos reales* que pueblan el jardín de la princesita en la *Sonatina*, hasta los últimos libros de versos, Rubén no deja de aprovechar este motivo. También lo emplean reiteradamente Julián del Casal, Santos Chocano y muchos más.

c) La *flor de lis*. La afición al empleo de este símbolos les viene a los modernistas de su prefe-

rencia inicial por los temas de la Corte francesa del XVIII. Henríquez Ureña ha encontrado el lis en catorce composiciones por lo menos de Rubén Darío.

d) *Flores exóticas:* anémonas, lotos, nelumbos, asfódelos. La misma inclinación que sienten por los paisajes del mundo oriental les lleva a poblar esos paisajes de una fauna y de una flora casi totalmente desconocidas entre nosotros. Y ese afán siempre acuciante les obliga a la vez a sembrar sus poemas con un verdadero derroche de gemas, esmaltes, camafeos y toda clase de refulgencias y pedrerías. Barajando estos motivos los modernistas alcanzaron efectos de gran armonía y vistosidad:

Este era un rey que tenía
un palacio de diamantes,
una tienda hecha del día,
un rebaño de elefantes.
Un quiosco de malaquita,
un gran manto de tisú...

IV. CRONOLOGIA

Imposible señalarlos. Insistamos en lo dicho tantas veces: un movimiento literario no brota en un solo día; no tiene una fecha fija de nacimiento. Requiere un período de preparación más o menos largo y sólo cuando el ambiente está a punto se manifiesta y da a conocer en una obra de cierta categoría y ya encajada dentro del nuevo estilo. Así ocurrió en el Renacimiento, con las *Eglogas*, de Garcilaso; así en el Romanticismo, con el *Don Alvaro*, del duque de Rivas.

Conforme a este criterio, el ciclo modernista debió de quedar abierto, en 1888, con la publicación de *Azul*, en Valparaíso, y clausurado hacia 1910, en que Rubén Darío nos da el *Canto a la Argentina*, su último gran poema. Antes de *Azul* habían aparecido ciertamente en España y América composiciones líricas que querían acercarse al nuevo estilo; pero ninguna de ellas se nos muestra como cosa lograda y definida. Cuando Rubén Darío lanzó desde Chile su *Azul*, todo el mundo hispánico quedó un poco sobrecogido, como ante la aparición de algo nuevo. Don Juan Valera, tan clasicista él, en una famosa crítica saluda a su autor como un gran temperamento lírico, no parecido a ningún otro poeta antiguo ni moderno; y el mismo Menéndez Pelayo, vuelto de espaldas deliberadamente a la poesía contemporánea y decidido a no formular juicio alguno sobre autores aún vivos, quebranta por una vez este propósito y escribe un poco marginalmente en la *Historia de la poesía hispanoamericana*: «Una nueva generación literaria ha aparecido en la América Central, y uno, por lo menos, de sus poetas ha mostrado serlo de verdad.» Y en nota puesta a la segunda edición agrega: «Claro es que se alude al nicaragüense don Rubén Darío, cuya estrella poética comenzaba a levantarse en el horizonte cuando se hizo la primera edición de esta obra, en 1892. De

su copiosa producción, de sus innovaciones métricas y del influjo que hoy ejerce en la juventud intelectual de todos los países de lengua castellana, mucho tendrá que escribir el futuro historiador de nuestra lírica.» En cuanto a la fecha terminal, 1910, hay, aparte de la razón ya apuntada, otra no menos poderosa que nos mueve a señalar ese año como decisivo para la liquidación del modernismo. Fué precisamente en 1910 cuando un poeta mejicano se dispuso a dar el golpe de gracia a la poesía representada por Rubén. Un americano había traído al mundo hispánico la buena nueva y la había llevado en triunfo hasta los últimos rincones, y otro americano venía a extenderle acta de defunción. Enrique González Martínez, nacido a la vida poética en plena efervescencia del Modernismo, no tarda en reaccionar contra él y, dándose cuenta de que el cisne es su símbolo más representativo, convoca a las generaciones nuevas para que de una vez arrinconen ese elemento de simple decoración, con toda la poesía pintoresca y externa que él representa, y lo sustituyan por otra poesía más honda, más seria y recatada:

Tuércele el cuello al cisne de engañoso plumaje,
que da su nota blanca al azul de la fuente;
él pasea su gracia no más, pero no siente
el alma de las cosas ni la voz del paisaje.

Después del *Canto a la Argentina* y después del famosísimo soneto de González Martínez, la poesía modernista se siguió cultivando tanto en la Península como en toda América; pero estaba ya herida de muerte, y en todo caso había cumplido su misión, que era la de renovar el ambiente literario, dando entrada en él a nuevas formas, nuevos ritmos y nuevos aires.

Se suelen señalar en el Modernismo dos etapas: una, de predominio de lo preciosista, lo orquestal, con profusión excesiva de los motivos antes apuntados: cisnes, pavos, lises y anémonas. En ella, los grandes temas del hombre y de la vida quedan, si no absolutamente preteridos, al menos soslayados. Y otra segunda etapa, más reflexiva, más honda, y en la que, sin abandonar por entero las preocupaciones formales, aquellos temas encuentran una expresión, a veces muy personal e íntima, en la voz de algunos poetas. Acaso la línea divisoria de las dos etapas podría establecerse en 1905, con la aparición de los *Cantos de vida y esperanza*. En ellos, en muchos de ellos, la voz de Rubén ha adquirido una hondura y una densidad que nadie hubiese imaginado en el autor de la *Sonatina* y de las *Prosas profanas*. Y todavía cabría hablar de otra etapa posterior: la de la invasión en la temática modernista de las grandes inquietudes raciales:

> La América del grande Moctezuma, del Inca;
> la América fragante de Cristóbal Colón;
> la América católica, la América española;
> la América en que dijo el grande Guatemoc:
> «Yo no estoy en un lecho de rosas»; esa América
> que tiembla de huracanes y que vive de amor...

Y como siempre a todo lo largo del Modernismo, es Rubén Darío el que va jalonando etapas.

Cabe hablar aún de la prosa modernista. Pero teniendo en cuenta que sus características generales, temas, motivos, etc., son idénticos a los de la poesía, referirse a ella por separado equivaldría a repetir lo anteriormente expuesto. En todo caso, la prosa modernista nunca alcanzó en América la importancia del verso, a pesar de haber tenido algún cultivador de altura, como Rodó; ni siquiera ofrece el interés de esa misma prosa en España, ya que en los países americanos rara vez trascendió del ensayo para pasar a otros géneros. Cuando se aplica a la novela, como sucede en Vargas Vila, no llega ni con mucho a la plenitud estética de las obras de Miró y Valle-Inclán.

●

NOTAS

1. *Antologia de la poesía española e hispanoamericana*, págs. XVI-XVII, Madrid, 1934.
2. *Historia de un nombre*, «Breve historia del modernismo», págs. 156-69, Fondo de Cultura Económica, Méjico, 1954.
3. El ataque más serio, porque venía de la más alta esfera intelectual, fué, sin duda, el de Emilio Ferrari, uno de los pocos poetas que a finales de siglo se repartía con Campoamor y Núñez de Arce el aplauso del público español. Ferrari había sido elegido académico de la Real Española de la Lengua, y para su discurso de ingreso (30 de abril de 1905) escogió por tema «La poesía en la crisis literaria actual». Su lección se reduce a un enjuiciamiento demasiado parcialista del *modernismo*, con

la consiguiente condena de cuanto tuviese relación con la nueva tendencia. «Se ha originado—dice—lo que ahora se llama *dilettantismo*, linaje de corrupción o refinamiento intelectual que consiste en ver en todo un simple juego del espíritu convirtiendo el austero amor del saber en estragamiento vicioso, y de donde ha nacido en las artes el denominado *modernismo*, que es la resurrección de todas las vejeces en el Josafat de la extravagancia.» También fué ridiculizado en el teatro. Recordemos, entre otras piezas, *Mater dolorosa* (1904), de Leopoldo Cano, en la que los personajes llevan nombres alusivos a la escuela modernista: Cosmópolez, Sérpulo, Nenúfar, etc., y no se desaprovecha ocasión de satirizar el «arte novísima», y el *Tenorio modernista* (1906), donosa sátira de Pablo Parellada, más conocido por su seudónimo de *Melitón González*, sainete escrito en *lapsos* en vez de actos (lapso prístino, lapso bis, lapso trino), con rasgos de cuando en cuando graciosos, aunque casi siempre rozando lo caricaturesco.
4. *Ob. cit.*, pág. XVI.
5. «... lo cierto es—afirma, por su parte, Alfonso Reyes—que aquellos hijos de Francia brotados en América son muy diferentes de sus padres, acaso muchas veces a pesar suyo, aun cuando ellos mismos declaren la filiación. Este fenómeno de independencia involuntaria es lo más interesante que encuentro en el modernismo americano, y lo que todavía está por estudiar.»

BIBLIOGRAFIA

Antologías: La mejor sigue siendo la de F. DE ONÍS: *Antología de la poesía española e hispanoamericana* (con introd.), Madrid, 1934.—Puede utilizarse también con provecho la de L. PANERO: *Antología de la poesía hispanoamericana*, con introd. (II, Desde Rubén Darío hasta nuestros días), Madrid, 1945.

Estudios: A. AITA: *El significado del modernismo*, «Nosotros», LXXI, Buenos Aires, 1931.—«ANDRENIO» (E. Gómez de Baquero): *El modernismo en América*, «El Sol», Madrid, mar. 1929.—S. ARGÜELLO: *Modernismo y modernistas*, Guatemala, 1935.—R. BLANCO-FOMBONA: *Ensayo sobre el modernismo en América*, «Rev. de América», París, ene. 1913; *Caracteres del modernismo: lo que debe ser el arte en América*, «El Sol», Madrid, mayo 1924; *El modernismo y los poetas modernistas*, Madrid, 1929.—M. BLANCO GARCÍA: *Los voceros del modernismo*, Barcelona, 1908.—A. BERENGUER CARISOMO: *Medio siglo de literatura americana*, Edics. Cultura Hispánica, Madrid, 1952.—A. COESTER: *El movimiento modernista en la literatura hispanoamericana*, «Bol. Institución Libre de Enseñanza», Madrid, 1926.—E. DÍEZ-ECHARRI: *Métrica moderna: innovaciones y renovaciones*, «Rev. de Literatura», núms. 21-22, Madrid, 1957.—V. GARCÍA CALDERÓN: *Del romanticismo al modernismo*, París, 1910.—E. GÓMEZ CARRILLO: *El modernismo*, Madrid, 1914.—A. GÓMEZ LOBO: *La literatura modernista*, Ciudad Real, 1908.—A. GONZÁLEZ BLANCO: *Los contemporáneos. Estudios para una historia de la literatura hispanoamericana a principios del siglo XX*, 3 vols., París, 1907-1909.—M. HENRÍQUEZ UREÑA: *Breve historia del modernismo*, «Fondo de Cultura Económica», Buenos Aires-Méjico, 1954.—A HUERTAS MEDINA: *Base filosófica del modernismo*, «Rev. Calasancia», Madrid, 1914.—J. R. JIMÉNEZ: *El modernismo poético en España y en Hispanoamérica*, «Rev. de América», VI, núm. 16, París.—E. LLACH: *El modernismo en literatura*, Sevilla, 1914.—A. LLAMBIAS DE AZEVEDO: *El modernismo*, Montevideo.—V. PÉREZ PETIT: *Los modernistas*, Montevideo, 1903.—R. D. SILVA UZCÁTEGUI: *Historia crítica del modernismo en la literatura castellana*, Barcelona, 1925.—A. TORRES RIOSECO: *Precursores del modernismo*, Madrid, 1925.—R. VALDÉS: *Una opinión sobre el lirismo modernista*, «Rev. Chilena», año II, t. IV, 1918.—SONA RAIZZIS: *La poésie américaine «moderniste», 1910-1940*, París, 1948.—Más bibliografía en el capítulo anterior.

CAPITULO LXXXV

EL MODERNISMO EN AMERICA:
B) PRIMERAS MANIFESTACIONES

I. Precursores y protomodernistas: *González Prada. Díaz Mirón. Gutiérrez Nájera. Manuel J. Othón. Francisco A. de Icaza. Julián del Casal. Asunción Silva.*—II. Aparición y desarrollo en los diferentes países: *Buenos Aires-Montevideo. Otros países sudamericanos. América Central, Antillas y Méjico.*—III. José Martí: *Vida y persona. La obra literaria.· Martí, prosista. El poeta. Juicio crítico.*—Notas.—Bibliografía.

I. PRECURSORES Y PROTOMODERNISTAS

No todos los poetas aludidos en este apartado son simples «precursores». Algunos, los más, si bien inician su trayectoria poética en otros campos. pronto los abandonan para avanzar hacia las zonas del Modernismo, donde se encuentran más a gusto, y en las que realizan su obra más destacada. Sólo, pues, en cuanto cronológicamente se anticipan a los demás en el deseo de encontrar nuevos caminos, y en cuanto son los primeros que ponen pie en ellos, pueden llamarse «precursores». Con la misma razón se los podía llamar iniciadores o protomodernistas. Por lo demás, están tan entregados a la nueva estética como los grandes maestros de la escuela, a quienes, por lo mismo que son neófitos, aventajan muchas veces en fervor. Entre ellos, los más comedidos suelen ser los mejicanos, con esa finura espiritual que caracteriza a los poetas de aquel país, tan enemigos casi siempre de estridencias y tan pegados a las formas clásicas. Ejemplos de ello, en el grupo que vamos a estudiar: Gutiérrez Nájera e Icaza. La voz más estridente es la del peruano González Prada.

No importa que la obra de estos poetas aparezca coleccionada con posterioridad a la aparición de *Azul* (1888), primer libro típicamente modernista. Hay un hecho concreto: esa obra estaba ya escrita en buena parte y hasta publicada con anterioridad. Y otro hecho aún más significativo: sus autores se nos muestran ya formados cuando Rubén Darío se revela como el primer gran poeta modernista. Es más: sin el ejemplo y la previa labor de desbroce de estos poetas sería difícil explicar un triunfo tan fulminante como el del gran nicaragüense. Entre esos poetas, aun siendo todos modernistas o, al menos, simpatizantes con el modernismo, los hay más o menos vinculados a la nueva escuela. Unos son simples parnasianos y se detienen en el puro culto de la forma; otros, como Asunción Silva, penetran ya en la región, mitad romanticismo, mitad simbolismo, del misterio; y

alguno, tal es el caso del dominicano Fiallo, aun oteando de cerca la tierra de promisión, no se decide a penetrar en ella, y apenas logra superar el estadio en que se movían los imitadores de Bécquer. Varios críticos incluyen en el grupo «premodernista» al argentino *Almafuerte*. Nosotros no vemos motivo alguno, como no sea el meramente cronológico, para hacerlo. *Almafuerte*, en el aspecto ideológico, está perfectamente encajado en la poesía representada por Campoamor y Andrade, cada uno en su plano; y en el aspecto formal, en la representada por Núñez de Arce. Y así quedó estudiado en el capítulo LXXIII.

González Prada

En el peruano Manuel González Prada (1848-1918) encontramos unidos un excelente prosista y un poeta original [1]. Respetado, y más que respetado, temido por sus contemporáneos, su figura va ganando en dimensión conforme pasa el tiempo. Y si de una parte está ya considerado como uno de los grandes pensadores americanos de finales del xix, por otra se nos revela factor decisivo en la evolución poética operada por las mismas fechas.

Hombre disconforme y virulento, la emprendió en prosa y verso contra todo lo que significaba tradición y dogma, de cualquier clase que fuera. No hace falta decir que entre sus odios más arraigados figuraban España y toda la labor realizada por ella en América. Ateo y anarquista como era, atacó creencias e instituciones sin distingos, empezando por la Iglesia, para pasar luego al Estado, al Ejército, etc. Bajo el lema «Los viejos, a la tumba; los jóvenes, a la obra», pregona una revisión total de valores; y esta revisión ha de llevarse también a la lengua y a la literatura. La lengua española, que Prada quiere encarnar principalmente en Castelar y Valera, está pidiendo a gritos una renovación. La literatura postula también nuevos modos y estilos. «Dejemos las andaduras de la infancia—escribe—, y busquemos en otras literaturas nuevos elementos y nuevas impulsiones.» Estos afanes, no siempre claramente discernidos, cristalizan en multitud de obras, unas aparecidas en vida del autor y otras después de su muerte: *Horas de lucha* (1908), *Bajo el oprobio* (1933), *Anarquía* (1936), *Nuevas páginas libres* (1937), *Figuras y figurones* (1938), *Propaganda y ataque* (1939). Todas ellas delatan en sus títulos el tono combativo en que están redactadas. En una serie de artículos—*Nuestros conservadores, Nuestros liberales, Nuestros aristócratas,* etc.—se constituye o aspira a constituirse en el gran debelador de mitos: el mito de la democracia, el de la aristocracia, el racial, el de la inmigración y el de la latinidad. La población peruana, afirma a este propósito, es más india y mestiza que latina. Hay que reconocer que todas estas obras o estudios si, doctrinalmente, son pobres y defensoras de tesis casi siempre rechazables, desde el punto de vista literario, acusan un estilista de primer orden, dueño de un lenguaje vibrante, cortado y sumamente moderno.

Su poesía no vale menos. Escrita casi toda en la juventud y publicada en la vejez, hubo de estar sometida muchos años a continuos retoques, hasta que plasmó en esos poemitas llenos de perfección y de finura que integran las dos series de *Minúsculas* (Lima, 1901) y de *Exóticas* (1911). Prada, que, a pesar de su aversión a todo lo español, había empezado imitando a fray Luis de León, los Argensola y otros sumos vates del Siglo de Oro, para saltar luego a Heine y Bécquer, acierta a compaginar de modo admirable su clasicismo inicial con las exigencias de la más reciente sensibilidad:

> Suspira, ¡oh corazón!, tan silencioso,
> que nadie sienta el eco del suspiro.
> Por no turbar los sueños del dichoso,
> suspira, ¡oh corazón!, tan silencioso.
> Fingiendo la alegría y el reposo,
> en la quietud y sombra del retiro,
> suspira, ¡oh corazón!, tan silencioso,
> que nadie sienta el eco del suspiro.

Increíble parece que este delicioso *triolet* (así quiso él llamarlo) que encontramos entre sus *Poesías selectas* (París, sin año) haya brotado de la misma pluma que trazó las *Presbiterianas* (1909), las *Libertarias* (1938) y otras colecciones de versos más o menos cáusticos y detonantes. Su obra poética, dada a conocer en parte con carácter póstumo, se completa con *Trozos de vida, Balada y Baladas peruanas.* En estas últimas aborda insistentemente el tema del indio oprimido.

Lo que ante todo llama la atención en Prada es su preocupación métrica. Ha sido él, sin duda, uno de los grandes revolucionarios del verso español, y el primero tal vez de los modernistas que se aventuró a introducir ritmos desconocidos o desusados en nuestra lengua:

> Sueño con ritmos domados al yugo de rígido acento,
> libres del rudo carcán de la rima...,

proclamaba, procurando reproducir el movimiento del verso alkmánico. Luchó por aclimatar entre nosotros tipos franceses, como el *rondel,* en su triple forma de *triolet, rondó* y *rondel* propiamente dicho; ingleses, como la *spenserina;* italianos, como la *balata* y el *estornelo.* Ideó composiciones nuevas: *gacelas, laudes;* y todos estos escarceos no le impidieron ser un poeta exquisito, que, a la vez que ensanchaba el horizonte de nuestra métrica, abría a los futuros vates un camino. Acaso sea éste, para el crítico, el lado más interesante de su personalidad.

Díaz Mirón

El mejicano SALVADOR DÍAZ MIRÓN (1853-1928) es, como hombre y como poeta, un ser orgulloso, arisco e independiente [2]. Su vida, llena de violencias, se refleja en una obra también violenta, impulsiva y hasta contradictoria.

Dos etapas cabe distinguir en esa obra: una primera, de inspiración romántica, con influencias marcadas de Byron, Hugo y acaso de Núñez de Arce; y otra segunda, de orientación hacia el modernismo, en que el verso se adelgaza y ahonda, se precisa y alcanza casi siempre la expresión exacta que el poeta andaba buscando. Los frutos de la primera etapa fueron dados a conocer en *Poesías,* que, aunque no aparecieron publicadas hasta 1886, habían sido escritas varios años antes. Son poemas enfáticos, declamatorios, de exaltación o de anatema:

> ¡Rompe en un himno que parezca un trueno!
> El mal impera de la choza al solio;
> todo es dolor e iniquidad o cieno:
> pueblo, tropa, Senado y Capitolio.
> ¡Canta la historia del porvenir que asoma,
> como Suetonio y Tácito la escriben!
> ¡Cántala así, mientras en esta Roma
> Tiberios reinen y Seyanos priven!

Estas dos estrofas corresponden a *Sursum,* lo mejor sin duda que hizo antes de su conversión al modernismo. Del mismo corte son: *A Byron, Al zar de todas las Rusias, A Víctor Hugo.* Poesía tribunicia, ya cultivada con popular aplauso por Andrade en la Argentina, por Núñez de Arce y Tassara en España. De cuando en cuando lo personal se interfiere en estos temas de amplio ámbito social, y entonces el poeta se nos revela tal como es, en su indomable temperamento. Los conocidos cuartetos, o serventesios, *A Gloria* constituyen en este sentido una preciosa y precisa declaración. Allá, en aquellos versos duros y diamantinos, está reflejado todo un carácter:

No intentes convencerme de torpeza
con los delirios de tu mente loca:
mi razón es al par luz y firmeza,
firmeza y luz como el cristal de roca.
....

Fiado en el instinto que me empuja,
desprecio los peligros que señalas.
«El ave canta, aunque la rama cruja:
como que sabe lo que son sus alas.»
....

Los claros timbres de que estoy ufano
han de salir de la calumnia ilesos.
Hay plumajes que cruzan el pantano
y no se manchan... ¡Mi plumaje es de ésos!

Hacia 1894, Díaz Mirón toma otro rumbo. Un encarcelamiento de cuatro años, por homicidio en legítima defensa, le hace meditar sobre su producción anterior. No importa que esa producción le hubiese ganado admiradores en toda la América española y que el mismo Darío le hubiese elogiado en uno de los *Medallones*[3], que figuran en la segunda edición de *Azul* (1890), y hasta que se decidiera a imitarle en la composición titulada *A un poeta*. Díaz Mirón reniega de su obra pasada; y ahora se encamina hacia una poesía sobria, escueta, infatigablemente trabajada, y en la que todos los factores de expresión, estilo, ritmo, rima, etcétera, están cuidados con la mayor meticulosidad. Se ha hablado, refiriéndose a ella, de poesía parnasiana. Pero no hace falta acudir a nuevas influencias. En el viejo barroco español tiene ya antecedentes; culteranismo más conceptismo, con un poco de retórica y un mucho de lima, nos dan la clave exacta. No queremos con ello dar a entender que Díaz Mirón sea del todo extraño a la nueva escuela, y en tal sentido no haya de ser considerado un premodernista; sugerimos simplemente que, cuando buscaba una renovación poética, lo hacía pensando más en Quevedo y en Góngora que en Leconte de Lisle o Mallarmé. «No hay allí ripios—afirma, aludiendo a una de sus composiciones de esta segunda hora—ni repetida ninguna vocal acentuada, tónica u ortográficamente, en el mismo verso; ni rimas de adjetivos con otros; ni de inflexiones verbales entre sí; ni reiteración de palabras, excepto de partículas, por supuesto. Quevedo dijo con razón: «*Mudar de vocablos es limpieza.*» Y yo agregaré: y gallardía.» El resultado de esa elaboración fué *Lascas* (1901), su segundo libro de versos. En ellos, Díaz Mirón parece complacerse en acumular dificultades técnicas por el solo placer de vencerlas. Pero no sabríamos decir si en definitiva el poeta, el auténtico poeta, ha dado un paso hacia adelante o hacia atrás. Hay un hecho cierto: lo que ganan las composiciones de *Lascas* sobre las anteriores en sobriedad y pureza lo han perdido en arrebato lírico y verdadera inspiración. Y aunque en este segundo libro encontremos poemas tan logrados como *Duelo*, *A Tirsa*, *El muerto*, *El fantasma* y *La oración del preso*, el auténtico poeta que se llamó Salvador Díaz Mirón ha de buscarse toda-

vía en los de la primera juventud: *Voces interiores, A Gloria, Sursum*. Después de *Poesías* y de *Lascas* escribió poco, si bien dos libros anunciados tenía: *Triunfos* y *Melancolías y cóleras*. Algunos poemas que hemos leído destinados a *Triunfos* revelan una regresión hacia los grandes modelos del Siglo de Oro.

Gutiérrez Nájera

Díaz Mirón y Nájera son dos caras de la misma medalla; sólo que aquél es el anverso, y éste, el reverso, o al contrario. Los dos mejicanos, los dos contemporáneos, los dos premodernistas; y, pareciéndose en tantas cosas, en nada coinciden. Díaz Mirón es el hombre arisco, orgulloso y solitario; MANUEL GUTIÉRREZ NÁJERA (1859-1895) es el espíritu de la exquisitez, la amabilidad y la finura encarnado en forma humana[4]. No estuvo nunca en Europa, ni siquiera en Francia, y era un parisiense de los pies a la cabeza. Como dijo Ignacio M. Altamirano, había conquistado el derecho de ciudadanía de la gran urbe «con la punta de su estilo». Nájera se había bañado desde niño en la mejor corriente en que puede bañarse un escritor de lengua castellana: en fray Luis de León y Santa Teresa, en San Juan de la Cruz y Malón de Echaide. Esta preferencia por la mística se explica por el deseo de sus padres de hacerle sacerdote. Después amplía sus lecturas a todos nuestros clásicos y a los poetas y novelistas contemporáneos: Zorrilla, Bécquer, Alarcón y Galdós. Bien pertrechado de letras castellanas, pasa al francés, cuya literatura, tanto clásica como moderna, demuestra conocer a fondo. Y entonces empieza a escribir. Desde los dieciocho años, por lo menos, produce verso y prosa. En verso: *Poesías, Amor y lágrimas*; en prosa: *Viajes extraordinarios de sir Job, duque*; *Cuaresmas del duque Job, Hojas sueltas, Cuentos, Cuentos frágiles, La vida en Méjico, Cuentos color de humo*, etc.

Lo que define a Nájera como prosista es ante todo la gracia; una gracia aprendida en nuestros mejores clásicos y filtrada luego por el alambique preciosista de París; prosa alada, matizada de ingenio, teñida de humorismo sano. Es la que podemos ver en los *Viajes extraordinarios de sir Job*, esas amenas crónicas en que Gutiérrez Nájera nos cuenta sus andanzas por tierras de Méjico; o en las dos series de artículos dominicales que vinieron luego a formar las *Cuaresmas*; o bien en esos deliciosos *Cuentos frágiles*, que acaso sirvieron de precedentes y de modelo a Rubén Darío para las narraciones incluídas en *Azul*. Sabido es que el poeta nicaragüense creía de buena fe haber introducido en nuestra literatura lo que él llamaba «cuento parisiense»; pero esto ocurría hacia 1888, cuando llevaban cinco años rodando por América los de Nájera; los cuales, aunque no tengan a París por escenario, están escritos en un estilo enteramente parisiense.

La producción poética es más escasa, lo que no le resta importancia, ya que sus dos colecciones de versos—*Poesías, Amor y lágrimas*—señalan en algunos aspectos el comienzo de la nueva escuela poética, del mismo modo que los *Viajes extraordinarios* y los *Cuentos frágiles* habían señalado el de la prosa modernista. Por lo pronto, es Nájera el primero que aprovecha en multitud de poemas —*Musa blanca* (1886), *Blanco, pálido, negro* (1888), *De blanco* (1888)—el elemento cromático. Hay una composición, *El hada verde*, en que, junto al color, aparecen otros motivos que el modernismo no tardará en hacer suyos. Está escrita en 1887, y lleva por principio y fin, respectivamente, estas dos estrofas:

> ¡En tus abismos negros y rojos,
> fiebre implacable, mi alma se pierde;
> y en tus abismos miro los ojos,
> los ojos verdes del hada verde!
> ....
> Son ojos verdes lo que buscamos,
> verde el tapete donde jugué,
> verdes absintios los que apuramos,
> y verde el sauce que colocamos
> en tu sepulcro, ¡pobre Musset!

Aparte del interés métrico—el decasílabo bipartito, que tanto habían de prodigar el mismo Nájera y luego todos los modernistas sin excepción—, nos sorprende el tema de los «verdes absintios» y el de Musset; el primero nos introduce en el sector bohemio del modernismo, al que no fueron ajenos poetas como Casal, Villaespesa y el mismo Rubén; el segundo relaciona las nuevas tendencias con el más puro romanticismo francés. No sólo de Musset, también de François Coppée y de otros poetas contemporáneos franceses recibe influencias Gutiérrez Nájera. Lo cual no debe llevarnos a ver en él un galicista de tantos. Pocos han sabido armonizar como él lo antiguo y lo moderno, lo foráneo y lo propio. «¿Lees mucho a los autores franceses?—preguntaba a José Juan Tablada—. Haces bien. Pero no descuides a los clásicos griegos y latinos, ni a los españoles.» De aquí salió esa poesía suya tan comedida, tan elegante, tan llena de melancolía y profundidad:

> En dulce charla de sobremesa,
> mientras devoro fresa tras fresa
> y abajo ronca tu perro *Bob*,
> te haré el retrato de la duquesa
> que adora a veces el duque Job.
> ....
> ¡No hay en el mundo mujer más linda!
> Pie de andaluza, boca de guinda,
> *sprit* rociado de Veuve Clicquot;
> talle de avispa, cutis de ala,
> ojos traviesos de colegiala,
> como los ojos de Louise Theó.
> Agil, nerviosa, blanca, delgada,
> media de seda bien estirada,
> gola de encaje, corsé de ¡crac!,
> nariz pequeña, garbosa, cuca,
> y palpitantes sobre la nuca
> rizos tan rubios como el coñac.

Estas estrofas, pertenecientes a *La duquesa de Job*, la más conocida de las composiciones de Nájera, definen hasta cierto punto su estilo poético. Hasta cierto punto sólo; porque al lado de esa poesía ligera, garbosa y colorista, nos dejó otra más honda, más seria y trascendente. Es la que podemos disfrutar con la lectura de *Pax animae, Mis enlutadas, Odas breves, Después, Para entonces* y tantas otras en las que quedó plasmado un mundo de inquietudes, particularmente de orden religioso, y parecido al que, años más tarde, había de turbar la musa de Amado Nervo. Pero aun en esos momentos, en que el verso es reflejo de una lucha interior, la musa de Nájera no se descompone y sabe por encima de todo mantener la más noble elegancia.

Manuel J. Othón

Otras dos figuras de relieve aporta Méjico al movimiento modernista en esta primera hora: Othón e Icaza. El primero recuerda en algunos aspectos a Salvador Díaz Mirón; el segundo tiene por su delicadeza y sutil encanto ciertas analogías con Nájera. Uno y otro se mantienen voluntariamente al margen de ciertas innovaciones y en íntimo contacto con las tendencias anteriores, aunque sin desdeñar del todo la nueva poética.

La producción en verso de MANUEL JOSÉ OTHÓN (1858-1906)[5] está recogida en tres libros principales: *Poesías* (1880), *Poemas rústicos* (1890-1902) y *El himno de los bosques* (1908). A ellos deben añadirse los dos grandes poemas titulados *Noche rústica de Walpurgis* y *En el desierto*. Es una poesía la de Othón a la vez religiosa y sensual; religiosa, con un fondo panteísta y casi místico, cuando se inspira en la contemplación de la Naturaleza; sensual, cuando busca motivaciones en la ciudad. Aquélla suele ser la mejor. Porque Othón es el gran cantor de la naturaleza mejicana: valles, llanuras, selvas y montañas del país nativo encuentran en él un intérprete insuperable. Había aprendido el arte descriptivo en los grandes clásicos: Virgilio, Garcilaso, Chénier, cuya influencia en la poesía de Othón es manifiesta. Pero esa influencia sólo afecta a lo externo. En el fondo, su voz es personal. El mismo afirmaba que, si nos dejamos llevar por «ajenos temperamentos..., ya no será nuestro espíritu quien hable, y mentimos a los demás, engañándonos a nosotros mismos». Por ello busca el contacto directo con las cosas, de las que aspira a darnos, junto con la descripción, el alma y el acento. «No debemos expresar nada que no hayamos visto», era su fórmula poética. Y él empezó por verlo todo, identificándose en un goce panteísta con el mundo físico que le rodeaba.

Para escuchar estos sentimientos, que más de una vez aparecen teñidos de hondo misticismo, Othón no busca, como los demás premodernistas y modernistas, nuevos ritmos. Le bastan, y aun casi le sobran, los ya existentes. Cuando le ponderan la belleza del moderno alejandrino, con la flexibilidad que supo darle Rubén Darío, él contesta que ese metro con idéntica acentuación y cesura es casi tan antiguo como la misma lengua y que lo hallamos ya empleado en Gonzalo de Berceo. Y es verdad. El se mueve muy bien dentro de los moldes tradicionales: octosílabos y endecasílabos. Sobre todo, el soneto. Tiene Othón algunos, muchos, definitivos. Tampoco se afana por beneficiarse de los temas y motivos puestos en circulación por la nueva escuela. En el sentimiento es un romántico; en la expresión y en la técnica, un clásico. Sin embargo, y bien a pesar suyo, está más cerca del modernismo de lo que él mismo piensa. Y es que no se puede andar metido en un ambiente sin respirar su atmósfera. Véase:

¿Por qué a mi helada soledad viniste,
cubierta con el último celaje
de un crepúsculo gris? Mira el paisaje,
árido y triste, inmensamente triste.

Si vienes del dolor y en él nutriste
tu corazón, bien vengas al salvaje
desierto, donde apenas un miraje
de lo que fué mi juventud existe.

Mas si acaso no vienes de tan lejos,
y en tu alma aun del placer quedan los dejos,
puedes tornar a tu revuelto mundo.

Si no, ven a lavar tu ciprio manto
en el mar amarguísimo y profundo
de un triste amor o de un inmenso llanto.

Este espléndido soneto, ni mejor ni peor que los otros siete que forman el *Idilio salvaje*, nos da la calidad de voz de este poeta, antiguo y nuevo a la vez, clásico y romántico, con alguna que otra intuición modernista. Una voz, sobre todo muy honda y muy sincera. Escribió también Othón excelente prosa, que quedó al morir él dispersa por diarios y revistas, y que luego fué recogida en el tomo segundo de sus Obras: *Cuentos de espanto, Novelas rústicas*, etc. Dejó asimismo varios dramas de corte romántico, que le colocan entre los buenos cultivadores del teatro de la época. A ello se aludirá en su lugar.

Francisco A. de Icaza

La vida de FRANCISCO ASÍS DE ICAZA (1863-1925) transcurre casi por entero en Europa, con misiones oficiales [6]. Había venido a España como diplomático en 1886, y apenas ya regresa a su país sino para pasar pequeñas temporadas. París, Berlín y sobre todo Madrid absorben su actividad. «Es el poeta artista que tiene España, prestado por América, mientras brota uno propio», había escrito Rubén. Europa, en efecto, conforma su espíritu y atempera su voz, dándole una sorprendente claridad y precisión. No obstante, la procedencia mejicana aparece en todos sus poemas y cuando menos se espera. Con Gutiérrez Nájera y González Martínez forma un trío muy entonado, sin las exorbitancias de Díaz Mirón ni el acusado matiz localista de Othón. Un ejemplo:

Este es el muro, y en la ventana,
que tiene un marco de enredadera,
dejé mis versos una mañana,
una mañana de primavera.

Dejé mis versos, en que decía
con frase ingenua cuitas de amores;
dejé mis versos, que al otro día
su mano blanca cubrió de flores.

Poesía, como se ve, limpia, mesurada y extraña a modas exóticas; si bien, llegado el caso, no las rechaza totalmente. Los libros de verso de Icaza —su actividad crítica e investigadora será aludida en el capítulo correspondiente—son: *Efímeras* (1892), *Lejanías* (1899), *La canción del camino* (1905) y *Cancionero de la vida honda y de la emoción fugitiva* (1922). Las fechas de su publicación interesan, en cuanto cada volumen va señalando un mayor acercamiento a las tendencias modernistas. De todos modos, Icaza nunca pasó de lo que suele llamarse un «poeta de transición». Insistimos en que, al lado de su producción poética, ha de tenerse en cuenta su labor de erudito, con meritísimos trabajos sobre Cetina, Juan de la Cueva, Mateo Alemán, Cervantes, Lope, etc.

Julián del Casal

Entre 1863 y 1893 se desarrolla la torturada vida de JULIÁN DEL CASAL (1863-1893) [7], cuya obra poética debe señalarse sin duda entre las que más contribuyeron a la difusión y triunfo del modernismo. Hombre de naturaleza enfermiza y castigado por continuas penalidades, sin excluir el hambre, Casal lleva a sus versos todo el hastío, el dolor y la desesperanza que iban poco a poco minando su existencia. «Rara vez ha alcanzado tal fuerza de verdad la expresión del dolor radical de la naturaleza humana», ha escrito Federico de Onís. Poesía amarga, negra, desesperada a veces:

Y sólo me sonríe en lontananza,
brindándome consuelo a mi amargura,
la boca del cañón de una pistola...,

leemos en cierto pasaje. Y en otro, expresado más poéticamente:

Ansias de aniquilarme sólo siento
o de vivir en mi eternal pobreza
con mi fiel compañero, el desaliento,
o mi pálida novia, la tristeza.

Casal había estudiado muy a fondo el francés; conocía y había asimilado a los mejores líricos de aquella literatura; pero sus preferencias se orientaron hacia Verlaine y Baudelaire. El rastro de éste aparece continuamente en los versos del cubano, sobre todo en los de su última época. Casal introduce en la poesía modernista multitud de temas baudelarianos y se convierte él mismo en el primer «poeta maldito» de nuestra lengua. Con la vista fija en París, no sueña sino con Europa. Pero Europa parece alejarse más y más, y su viaje al continente, largamente preparado, no pasa de una rapidísima visita a España.

La evolución poética de Casal nos viene dada en sus tres libros de versos: *Hojas al viento* (1890), *Nieve* (1892), *Bustos y rimas* (1893). En el primero es un romántico declarado, con mucho de Bécquer y Zorrilla y tal cual gota de Leopardi y de Heine. Pero ya se anuncian lecturas de parnasianos y simbolistas franceses. En *Nieve,* la influencia de éstos es decisiva. Hay innovaciones métricas, mayor cuidado de la forma y una técnica colorista, pictórica, muy en consonancia con la nueva estética. Por último, *Bustos y rimas* es la entrega total al modernismo. Casal aprovecha aquí todas las conquistas formales de éste: estrofas monorrimas *(En el campo)*; eneasílabos de acentuación francesa *(Tardes de lluvia)*; dodecasílabos con hemistiquios desiguales, siete más cinco *(Recuerdo de la infancia)*, etc. Esto en lo formal; en cuanto al contenido, siempre lo mismo: tristeza, desencanto, vacío, nada. Hay que reconocer que estos sentimientos, expresados ya en *Hojas al viento* con una voz crispada y rota por continuos ayes, ahora se sedimentan, convirtiendo la poesía en una especie de lago hondo y transparente:

> De mi vida misteriosa.
> tétrica, desencantada,
> oirás contar una cosa
> que te deje el alma helada.
> Tu faz de color de rosa
> se quedará demacrada
> al oír la extraña cosa
> que te deje el alma helada.
> Mas sé para mí piadosa,
> si de mi vida ignorada,
> cuando yo duerma en la fosa,
> oyes contar una cosa
> que te deje el alma helada.

¿Es modernista este poemita, escrito en forma de *rondel* e incluído por Casal en *Bustos y rimas,* al lado de otros similares? No sabríamos decirlo. En cambio, sí que lo es este otro:

> Pero ¿qué piensa la hermosa dama?
> ¿Es que su príncipe ya no la ama
> como en los días de amor feliz,
> o que en los cofres del gabinete
> ya no conserva ningún billete
> de los que obtuvo por un desliz?
> ¿Es que la rinde cruel anemia?
> ¿Es que en sus búcaros de Bohemia
> rayos de luna quiere encerrar,
> o que con suave mano de seda
> del blanco cisne que amaba Leda
> ansia las plumas acariciar?

Si se tiene en cuenta que tales versos, y otros análogos, fueron escritos, o al menos publicados,

tres años antes que las *Prosas profanas,* se entenderá con cuánta razón es incluído Casal en la lista de promotores del modernismo.

Asunción Silva

Razones muy parecidas asisten al colombiano JOSÉ ASUNCIÓN SILVA (1865-1896) para su inclusión en el grupo premodernista [8]. Su vida no fué más dilatada ni más feliz que la de Casal. Parecía nacido para toda clase de venturas y anduvo siempre acosado por la desgracia. Gran señor, espiritual y físicamente; rico, elegante, culto, la suerte, a pesar de ello, le persiguió con encono. Pierde muy joven al padre y a tres hermanos; se hace cargo del negocio familiar y sobreviene la ruina; pone su afecto en una hermana, y la ve morir en lo mejor de su edad; y, último eslabón de esta cadena de infortunios, ve desaparecer su obra literaria en un naufragio. Incapaz de resistir más contratiempos, Silva pone fin a su vida pocos meses más tarde, con un pistoletazo en el corazón. La noche anterior había estado en la consulta de un médico amigo para que le señalase en el pecho el lugar exacto de la víscera, a fin de no errar el tiro.

En la poesía de Silva, poco conocida antes de su muerte, hay de todo: Campoamor, Bécquer, Bartrina, entre los españoles: Heine, Leopardi, Poe, Baudelaire, entre los de lengua no castellana. Había leído a los principales poetas y prosistas de su época, sin excluir a filósofos como Nietzsche y Schopenhauer. Pero la primera impresión que produce esa poesía es la de cosa no totalmente lograda. Silva, cuando decidió poner fin a su vida, no había llegado a su madurez. Que la habría alcanzado pronto lo demuestran poemas como *Nocturno,* publicado dos años antes de su muerte, y revelador de un gran temperamento poético. Por otra parte, como tantos modernistas y en mayor grado que cualquiera de ellos, Silva se sentía acuciado por la búsqueda de formas y modos expresivos originales:

> Soñaba en ese entonces con forjar un poema
> de arte nervioso y nuevo, obra audaz y suprema...

Un somero análisis de su producción nos señala el camino recorrido desde que empieza a poetizar, a los diez años—*Primera comunión* data de 1875—, hasta la víspera de su muerte. Las primeras influencias corresponden a Bécquer y a Heine: *Estrellas fijas, Crisálidas, Risa y llanto, Notas perdidas.* Cae pronto bajo la órbita de Bartrina; en *Gotas amargas* la huella del catalán es evidente. Sólo que las hieles y el sarcasmo blasfemo de Bartrina, al pasar a los versos de Silva, se diluyen en un pesimismo resignado y casi inocuo. Bartrina es tajante, brutal, y por eso mismo más expresivo; Silva gusta de escamotear el problema con unos esguinces más o menos elegantes. Por lo demás, tan prosaico es el uno como el otro:

> Y así se sacrifica y martiriza,
> y su pecho a puñadas descuartiza
> ¡para hallar en el cielo su consuelo!
> ¿Y si luego resulta que no hay cielo?
>
> (BARTRINA: *Una duda.*)

> No; sé creyente fiel, toma otro giro
> y la razón prosterna
> a los pies del absurdo; compra un giro
> contra la vida eterna;
> págalo con tus goces; la fe aviva;
> ora, medita, impetra;
> y al morir pensarás: «¿Y si allá arriba
> no me cubren la letra?»
>
> (SILVA: *Filosofías.*)

En 1883, Silva embarca para Europa, y cuando regresa a su patria, tras dos años de permanencia en Londres, París y Suiza, es otro poeta. Nuevas influencias actúan sobre él. La duda se ha convertido en melancolía, en sueño, en tristeza. Silva será ya para siempre, dentro del modernismo, el poeta de la noche. A esta tercera etapa responden sus mejores y más afamadas composiciones: *Día de difuntos,* con gran variedad de metros, y posiblemente influída por *The bells,* de Poe; *Serenata, Ronda, Luz de luna, Nocturno* y aquella bellísima, sin título, que empieza:

> Estrellas, que entre lo sombrío
> de lo infinito y de lo inmenso
> asemejáis en el vacío
> jirones pálidos de incienso...

No se puede hablar de José Asunción Silva sin aludir a *Nocturno,* poema que, aun no mereciendo el calificativo de «sublime» que le adjudican algunos críticos americanos, sin duda marca etapa en la poesía modernista. *Nocturno* se publicó a mediados de 1894, en una revista provinciana, *La Lectura,* de Cartagena de Indias; y de momento no llamó la atención. Pero la muerte de su autor, dos años más tarde, en las trágicas circunstancias ya conocidas, situó su obra en primer plano y destacó entre todos este poema [9]. *Nocturno* fué aprendido de memoria por los jóvenes aficionados a las letras, no sólo de América, sino de España también, y comentado e imitado de mil maneras. Realmente lo merecía, ya que se trata de algo nuevo en el fondo y originalísimo en la forma. He aquí sus primeros versos:

> Una noche,
> una noche toda llena de murmullos, de perfumes
> una noche   [y de músicas de alas;

> en que ardían en la sombra nupcial y húmeda
>   [las luciérnagas fantásticas;
> a mi lado, lentamente, contra mí ceñida toda,
>   [muda y pálida,
> como si un presentimiento de amarguras infinitas
> hasta el más secreto fondo de las fibras te agitara,
> por la seda florecida que atraviesa la llanura
> caminabas;
> y la luna llena
> por los cielos azulosos, infinitos y profundos es-
> y tu sombra,   [parcía su luz blanca;
> fina y lánguida,
> y mi sombra,
> por los rayos de la luna proyectadas,
> sobre las arenas tristes
> de la senda se juntaban;
> y eran una,
> y eran una,
> y eran una sola sombra larga,
>   y eran una sola sombra larga,
>   y eran una sola sombra larga...

Lo de menos es la fina sensibilidad que se transparenta en estos versos; lo que importa es la música, el ritmo hasta entonces nunca oído, a que van plegándose sin esfuerzo. El cómputo silábico ha sido sustituído por cláusulas rítmicas de igual extensión, aquí tetrasílabas, que se desarrollan en series desiguales, con el acento incidiendo siempre, o casi siempre, en el mismo lugar dentro de cada cláusula. El resultado es una armonía distinta a la que percibimos en el verso corriente. Este ya no debe constar de un número fijo de sílabas; el poeta parte de una cláusula rítmica o pie de tres, cuatro, cinco sílabas, y le basta ir repitiendo esa cláusula cuantas veces lo desee para que el ritmo se produzca. Aquí Silva parte de un pie tetrasílabo, acentuado en tercera:

> por los ciélos / azulósos, / infinítos / y profúndos /
>   [esparcía / su luz blánca...

El poeta pudo lo mismo haber elegido una base trisílaba o pentasílaba. Rubén, Chocano, Valencia, Nervo, el mismo Gabriel y Galán, tan alejado del modernismo, y cien poetas más se beneficiarán del hallazgo. Por cierto que Silva declaró haberse inspirado donde menos podría sospecharse: en aquella fabulita de Iriarte:

> A uña móna / muy taimáda / dijo un día / cierta
>   [urráca...

Idéntico ritmo, como se ve. En lo que difieren es en la calidad estética. De este modo, José Asunción Silva, a la vez que feliz descubridor de nuevas zonas del sentimiento, se nos revela un revolucionario del verso.

II. APARICION Y DESARROLLO EN LOS DIFERENTES PAISES

Con los nombres anotados en el apartado anterior está dada la lista de los grandes «precursores» o, si mejor se quiere, «iniciadores» del modernismo. Muchos otros podrían agregarse; pero el índice valorativo general apenas subiría algún grado.

La voz de estos escritores, a los que hay que añadir, no hace falta decirlo, el nombre de Rubén Darío, aureolado desde el primer momento de un prestigio inmenso, se deja oír en los más apartados rincones del continente americano. No todos los países responden, sin embargo, del mismo modo y al mismo tiempo a la llamada. Unos, como Méjico, se incorporan al movimiento renovador inmediatamente, de modo que allí «precursores» y modernistas auténticos casi se confunden; otros, como Perú y Chile, se muestran más reacios. Y eso que en Chile había aparecido el evangelio de la nueva escuela, que ese significado tuvo la publicación en Santiago (1888) de *Azul*, el primer libro decididamente modernista.

He aquí a grandes rasgos el panorama de la poesía hispanoamericana en esta primera etapa del movimiento.

Buenos Aires-Montevideo

Agrupamos bajo el mismo epígrafe las dos naciones del Plata, Argentina y Uruguay, no sólo por afán de simplificación, sino por la trayectoria paralela que, al igual que en períodos anteriores, recorren en éste los dos países.

Rubén aparece en Buenos Aires en 1893. La capital, queremos decir la sociedad literaria de la capital, se le entrega desde el primer momento. Hacía cinco años que había salido *Azul*; y tanto este libro como las frecuentes colaboraciones de su autor en *La Nación*, del que era corresponsal desde 1888, le habían granjeado extensa popularidad. Guido Spano se apresura a saludarle en un soneto; Rafael Obligado le abre las puertas de su señorial mansión, que vale tanto como ponerle en contacto con las más representativas figuras de las letras y del arte; Calixto Oyuela, *Almafuerte*, y Groussac, el crítico de más prestigio de Argentina por aquellas fechas, cada uno desde su acera, le brindan amistad. No es entre ellos, sin embargo, donde Rubén encontraría imitadores. Guido, lo mismo que Oyuela y Obligado, estaban ya hechos como poetas; pisaban terreno propio, y aunque dieran su conformidad a la nueva escuela o no le opusieran reparos mayores, no tenían por qué abandonar un camino en que habían cosechado estimables triunfos. Ni el mismo *Almafuerte*, a quien no sabemos por qué razones se le viene incluyendo entre los modernistas, creyó conveniente enrolarse en la leva rubeniana. *Almafuerte* convivió cómodamente con los modernistas, de quienes recibió elogios y consideraciones—el propio Rubén le enalteció en un artículo de *La Nación* (1895)—; pero poéticamente pertenece a la promoción anterior. Los verdaderos protomodernistas argentinos son otros: Roberto Payró, Antonino Lamberti, Alberto Ghiraldo, Juan Bautista Ambrosetti, Carlos Correa Luna, Diego Fernández Espiro, José Ingenieros, Leopoldo Díaz, Luis Berisso, Eugenio Díaz Romero y varios más que formaban el grupo de asiduos contertulios de Rubén

en el café Monti, en el Luzio y en el Auer's Keller, donde el egregio nicaragüense pontificaba durante las últimas horas de la tarde y parte de la noche, distribuyendo de paso credenciales de poeta.

En la prensa, el Modernismo también tuvo inmediata repercusión. Varias revistas de vida efímera, como suele ser la de estas publicaciones, fomentaban la siembra de la nueva estética: *La Revista de América*, fundada en 1894 por el propio Rubén, en colaboración con Jaimes Freyre; *La Biblioteca*, creada dos años más tarde (1896) por Paul Groussac, y en la que aparecían trabajos en prosa y verso acomodados a las nuevas tendencias; *El Mercurio de América*, imitación del *Mercure de France*, y que sirvió de hogar espiritual al grupo desde 1898 hasta 1900, en que dejó de publicarse.

No todos los componentes del grupo eran poetas: Ambrosetti se inclinaba a la arqueología; Correa Luna tendía hacia la historia. Ni siquiera todos se habían revelado aún. Ghiraldo y Jaimes Freyre, aunque ya poetizaban por estas fechas, dieron su mejor fruto años más tarde. Quedan como poetas representativos de esta primera etapa del modernismo Leopoldo Díaz, Berisso y Díaz Romero. Ninguno de los tres rebasa la línea de lo discreto.

A LEOPOLDO DÍAZ (1862-1947) le suelen hacer todos los críticos parnasiano, como si el ser parnasiano difiriese en mucho de ser modernista. ¿No habíamos quedado en que el modernismo se nutre en principio de «parnaso» y de «símbolo»? Díaz fué uno de los grandes madrugadores en el cultivo de la poesía de imitación francesa postromántica. Cuando se incorpora al grupo de Rubén contaba con dos tomos de versos—*Fuegos fatuos* (1885) y *Sonetos* (1888)—, más algunas composiciones sueltas, todo ello de clara inspiración parnasiana. En *Bajorrelieves* (1895) toma por maestro a Heredia, el francés, el de *Les Trophées*. Los mismos temas; la misma sucesión por cuadros y épocas; y la misma estrofa, el soneto. Otro tanto puede observarse en *Las sombras de Hellas* (1902), y en una colección de poemas tan alejada cronológicamente como *Las ánforas y las urnas* (1923). Todo ello indica que la devoción de Leopoldo Díaz por Leconte de Lisle, Heredia y otros maestros del «parnaso» no había sufrido mengua. Su metro favorito, al igual que el de aquellos poetas franceses a quienes tan de cerca seguía, fué siempre el soneto. Pero ello no le impidió ensayar otras combinaciones, alternando a veces metros distintos. Tal en *Las Valquirias* [10]. Gusta asimismo de temas exóticos y de ambiente americano, aunque su mundo preferido es el de la mitología griega. En *Baladas en prosa* ensayó el pequeño poema en prosa, ya acreditado por Baudelaire en Francia y por Rubén en Hispanoamérica. Hizo, por último, algunas excelentes traducciones de Víctor Hugo, Poe, Leconte de Lisle, Carducci, Guerra Junqueiro,

D'Annunzio, etc. EUGENIO DÍAZ ROMERO (1877-1927) militó siempre en el ala derecha o menos revolucionaria del modernismo. Admirador de la poesía francesa, a principios de siglo se trasladó a París, donde estuvo encargado de la sección de literatura hispanoamericana del *Mercure de France*. Su obra poética está recogida en *Arpas en el silencio* (1900), *La lámpara encendida* (1911) y *El templo umbrío* (1920). La obra crítica, en *Horas escritas* (1913). LUIS BERISSO (1866-1944), a falta de obra propia, aportó al movimiento modernista una buena traducción de *Belkiss*, de Eugenio de Castro, y un libro integrado por treinta y cinco semblanzas de intelectuales hispanoamericanos, entre ellos algunos modernistas: Nájera, Chocano, Díaz Mirón, etc.

La trayectoria del Uruguay dentro del modernismo es muy parecida a la de Argentina, si bien algo posterior. La sombra de Zorrilla de San Martín seguía pesando en los círculos poéticos uruguayos de fin de siglo, y acaso por ello los primeros modernistas del país son escritores en prosa: José E. Rodó, Carlos Reyles, Javier de Viana, Pérez Petit, Horacio Quiroga y otros. Los poetas aparecen un poco más tarde, encabezados por Herrera y Reissig, cuyos primeros cantos—A España, A Lamartine, A Castelar—, escritos en las postrimerías del XIX, todavía conservan el énfasis de las anteriores escuelas. El despuntar de la poesía modernista uruguaya coincide con la apertura del siglo y está marcado por *Las Pascuas del Tiempo* (1900), del mismo Reissig. Quiere esto decir que Uruguay se incorpora al Modernismo cuando este movimiento va ya avanzado en otros países del continente. Esa incorporación fué favorecida por la *Revista Nacional de Literatura y Ciencias Sociales*, que se venía publicando desde 1895 por los hermanos Martínez Vigil, por Pérez Petit y José E. Rodó. Luego, las famosas reuniones de partidarios de la nueva estética en casa de Horacio Quiroga y en la de Julio Herrera y Reissig, bautizadas, respectivamente, con los nombres de «Consistorio del Gay Saber» y «Torre de los Panoramas», decidieron el triunfo del movimiento. Pero esto pertenece ya a la segunda etapa modernista.

Otros países sudamericanos

En Venezuela, la época de transición, antes de llegar a Blanco-Fombona, verdadero propulsor del modernismo venezolano, está representada por MANUEL PIMENTEL CORONEL (1863-1907), en cuyos *Primeros versos* (1897), y mejor aún en los titulados *Vislumbres* (1905), se observa la huella parnasiana de Leconte de Lisle; por GABRIEL MUÑOZ (1864-1908), parnasiano también; al menos en multitud de temas inspirados en el mundo helénico: *Himno de las bacantes, La muerte de Pan*, etc.; y por ANDRÉS MATA (1870-1931), para algunos

críticos el mejor poeta venezolano, sin excluir a Pérez Bonalde. Mata, en una trayectoria inversa a la recorrida por tantos otros, va del tono tribunicio, inspirado en Andrade o Núñez de Arce, al tono semimodernista de Díaz Mirón; y de aquí, en una aparente regresión, camina hacia un romanticismo tenue, inspirado en Bécquer, o quizá más directamente, en Juan Ramón Jiménez: *Arias sentimentales, Música triste, Alma y paisaje*, son títulos reveladores. Otros poetas venezolanos que se aproximan al modernismo, sin entregarse a él, son Juan Santaella, Juan E. Arcia y Víctor Recamonde.

En Colombia, aparte de Asunción Silva, y en espera del máximo representante, Guillermo Valencia, la etapa de transición está señalada por varios poetas, ya mencionados en el cap. LXXIII como colaboradores de *Lira Nueva*: Antonio José Restrepo, Rivas Frade, Enrique Wenceslao Fernández, Diego Uribe, Enrique Alvarez Henao, Ismael Enrique Arciniegas, Julio Flórez, etc. Todos ellos pisan aún la zona romántica o postromántica; pero, cultos en su mayor parte y bien informados de la poesía europea, especialmente de la parnasiana, de cuando en cuando se aventuran por tierras modernistas con novedades de expresión y audacias métricas, tan gratas siempre a los poetas colombianos.

Perú pasa del Romanticismo al Modernismo casi sin solución de continuidad; y fuera de González Prada no hay figuras que marquen el tránsito. Cuando adviene el gran modernista Santos Chocano, la nueva escuela está consolidada.

También en Chile los modernistas vienen algo rezagados. Han surgido todos al calor de Rubén Darío; pero no del Rubén de la primera hora, como cabría esperar. *Azul* (1888), que tuvo una proyección tan extensa como rápida en todos los países de habla hispánica, apenas encontró en Chile resonancias inmediatas. Hubo, eso sí, un grupo de literatos, prosistas casi todos, que saludaron en Rubén al creador de una nueva estética: Pedro Balmaceda Toro, Manuel Rodríguez Mendoza, Alejandro Parra, Abelardo Varela y Narciso Tondráu, ya mencionado en otro lugar. Este Tondráu mereció elogios de Rubén Darío por su libro *Penumbras* (1887). El mismo Rubén prologó otro libro de hondo sabor modernista, *Gotas de absintio* (1895), de PEDRO ANTONIO GONZÁLEZ (1863-1905), un bohemio empedernido, maestro de profesión, espíritu orgulloso y huraño, que ya se había ensayado en la poesía civil, al modo de Núñez de Arce, y que ahora ponía todo su empeño en otra poesía preciosista, basada en juegos de palabras y en combinaciones métricas, que él juzgaba originales, y que de ordinario no tenían otro mérito que el de yuxtaponer en una misma línea versos de cinco, seis o más sílabas, que antes se escribían con el mismo ritmo, pero separados Así en éstos, que él llamó *tripentálicos*, y que no son sino series de quince sílabas, formadas por tres pentasílabos:

Era la noche. Sembraba el miedo con el desmayo
la cauda oscura de un pavoroso, fatal querube;
zumbaba el noto, rugía el trueno, vibraba el rayo...

González terminó cayendo bajo la influencia de Lugones. *Campo lírico* responde a esa influencia. Francisco Contreras, Pezoa Velis, Magallanes Moure y otros que se apresuraron a recoger de manos de González la antorcha poética, pertenecen a la siguiente generación.

Ecuador, Bolivia y Paraguay tampoco ofrecen «precursores» de nota. El movimiento modernista llega a los tres países con retraso. R. Crespo Toral, César Borja, Antonio C. Toledo y otros poetas ecuatorianos ya aludidos, de finales de siglo, persisten en una poesía becqueriana o nuñezdearcesca, no obstante el afán de innovaciones métricas que se manifiesta en alguno de ellos. Los propagandista del Modernismo en el Ecuador son los hermanos Gallegos del Campo, con la publicación de *América modernista* (1898); al abrigo de ella surge un grupo de poetas del que nos ocuparemos oportunamente. Bolivia, aunque fué la cuna de uno de los más grandes intérpretes del Modernismo. Ricardo Jaimes Freyre. no conoce este movimiento hasta principios de siglo. Freyre residió buena parte de su vida en Argentina, donde se les extendió carta de ciudadanía en 1917, si bien cuatro años más tarde hubo de reintegrarse a su país natal. En cuanto a Paraguay, víctima de violenta dictadura en la primera mitad del XIX, y empeñado después en la más tremenda lucha, no pudo crearse una literatura propia hasta época posterior. Por ello, el Modernismo sólo arraiga en suelo paraguayo cuando ya se encuentra en trance de liquidación en casi todos los países de aquel continente.

América Central, Antillas y Méjico

Algo análogo cabe decir de América Central. En Nicaragua, la patria de Rubén Darío, hubo una voz anticipada, la de Modesto Barrios, quien según el mismo Darío, «traducía a Gautier y daba las primeras lecciones de modernismo»; pero poetas por esta época no los hubo. Los que surgen después, más bien de escasa voz, pertenecen al período triunfal del movimiento. El mismo Santiago Argüelles, buen prosista, no tuvo éxito en el verso. También corresponden a la segunda generación modernista los grandes escritores guatemaltecos, encabezados con la figura prócer de Gómez Carrillo; los hondureños Juan Ramón Molina y Froilán Turcios; los costarricenses Rafael Angel Troyo, más prosista que poeta, y Roberto Brenes Mesén; y los panameños Ricardo Miró, Darío Herrera y otros. En cambio, El Salvador ofrece una figura que no puede pasarse por alto

en una referencia por somera que sea a esta fase inicial del modernismo: la de FRANCISCO GAVIDIA (n. 1863), el cual alentó a Rubén Darío en la imitación de metros franceses, particularmente del alejandrino. Gavidia, que en su primer libro de versos, *Poesía* (1884), e igualmente en su teatro —*Deuda antigua, Júpiter, Ursinos, Lucía, Lazo*— se había mostrado claramente romántico, a partir de la traducción de *Stella*, de Víctor Hugo, empieza a buscar nueva expresión para su poesía, encontrándola principalmente en el metro. Suyos son los primeros alejandrinos de corte netamente francés—atenuación de la cesura, primer hemistiquio en aguda o esdrújula, alternancia de ritmo yámbico y anapesto, etc.—, que pronto adoptaría Rubén y aclimataría en nuestro parnaso. En otro libro, *Los argonautas,* ensaya también la adaptación del hexámetro a nuestra lengua, con el mismo éxito, con la misma falta de éxito, mejor dicho, con que lo han hecho todos desde Villegas hasta nuestros días [11]. Cultivó asimismo la poesía indigenista en *Musa maya;* pero aunque abogó por una renovación de la expresión lírica, él siempre se mantuvo romántico en el fondo.

Cuba no recoge de inmediato la buena nueva; mejor aún, la recoge, pero pronto se extingue. Hubo un momento en que pareció que se iba a situar en la vanguardia del Modernismo. Casal y Martí se habían anticipado a incorporarse al movimiento renovador: Casal en el verso; Martí más bien en la prosa. Las reuniones en casa de los Borrero, por otra parte, hacían presagiar cambios definitivos en la lírica cubana. Pero la guerra engulló a unos y dispersó a otros, impidiendo una acción renovadora de conjunto. Fuera de esos dos grandes iniciadores, apenas cabe citar en esta primera etapa modernista sino los nombres de dos de las seis hermanas Borrero, Juanita y Dulce María, y los de los hermanos Uhrbach. JUANITA BORRERO (1877-1896), fallecida antes de cumplir los veinte años, fué un caso admirable de precocidad. Sus *Rimas* (1895) revelan honda ternura y una sensibilidad extremada, que se desahoga en versos muy afines aún a la manera becqueriana. Es una romántica que todavía no ha sabido despojarse, no obstante su amistad con Casal, de las formas anteriores. Su alejandrino es el de Zorrilla y la Avellaneda. Pero sus versos chorrean el mejor lirismo, el auténtico, el que sale del alma. «Virgen triste», la llamó Casal, y ésa fué la impresión que dejó al morir entre sus muchos amigos y admiradores. DULCE MARÍA BORRERO (1883-1945) empieza a escribir en la emigración; obtiene éxitos tempranos con poemas como *¡Fué un beso!* Pero cogida de lleno por el vórtice modernista, abdica de sus primeras veleidades románticas y se pasa a la nueva escuela, aunque nunca de modo absoluto. En *Horas de mi vida* (Berlín, 1912) domina el tono de la nueva escuela, pero aún se oye de cuando en cuando un lejano eco romántico. *Promesa* es un claro soneto simbolista; *Estrofas* corresponde al romanticismo de Bécquer. Sus mejores poemas acaso sean *Remanso*, soneto dodecasílabo, y *Nueva vida*.

Los hermanos CARLOS PÍO (1872-1897) y FEDERICO UHRBACH (1873-1931) se revelan en 1894 con el volumen de poesías titulado *Gemelas*. Ambos, roto todo vínculo con la poesía de tipo tradicional se muestran ya netamente modernistas. Pío murió prematuramente, sin dar sino una mínima parte de lo que llevaba dentro. Sin embargo, casi todos los poemas de *Gemelas* son suyos. Federico sigue el camino emprendido, y en 1907 acrece su cosecha lírica con un nuevo libro, *Oro*, en el que recoge los poemas anteriores con otros nuevos. Todavía en 1916 publica *Resurrección*, con metros y motivos típicos de la nueva escuela. *Campanas de Noel, Samaritana, Los aguinaldos*, son poemas que marcan época en esta primera fase del modernismo cubano. A esa misma época podrían adscribirse los nombres de AUGUSTO DE ARMAS (1859-1893), que pasa buena parte de su corta vida en París, afiliado a la escuela parnasiana, cuya poética cultiva en lengua francesa—*Rimes byzantines* (1891)—, no sin haber dado antes pruebas de su aptitud para el cultivo del verso en nuestra lengua; ANICETO VALDIVIA (1859-1927), traductor de Víctor Hugo y de Barbier, admirador y panegirista de parnasianos y simbolistas franceses, que en castellano nunca se decidió a pasar el Rubicón, manteniéndose inexplicablemente dentro de los cánones tradicionales *(Melancolía, Los vendedores del templo* lo demuestran); y MANUEL DE LA CRUZ (1861-1927), prosista barroco, muy influído por la técnica modernista en sus *Cromitos cubanos* (1892).

Imposible hablar del inicio del modernismo en Cuba sin aludir a *El Album*, revista que tuvo la virtud de agrupar un núcleo de jóvenes literatos, llamados a influir en la cultura de su país. Había sido fundada en Matanzas (1887) por el novelista Nicolás Heredia; pero el más destacado del grupo fué BONIFACIO BYRNE (1861-1936), que llamó la atención como poeta por su original libro *Excéntricas* (1893). Emigrado a Tampa, publicó en Filadelfia otro segundo libro, *Efigies* (1896), con sonetos de tono patriótico. Ese mismo tono domina en la colección de poemas *Lira y espada*, que Byrne publicó ya de regreso a su país (Habana, 1900). Destaca entre todas sus composiciones *Mi bandera*, en cuartetos decasílabos de ritmo himnario, francamente inspirados. Byrne es con todo un poeta de transición, vinculado espiritualmente a los nuevos, pero con tendencia, que en la práctica no supo dominar, hacia los viejos. Admiraba a Rubén, e imitaba a Bécquer y a Heine. De todas formas es lírico de altura, que mereció de sus compatriotas el título de «poeta de la guerra».

No es éste el caso de otro poeta cubano de aquella hora, EMILIO BOBADILLA (1862-1920), enemigo doctrinal de Rubén Darío, a quien hizo blanco de frecuentes ataques. Trasladado a España todavía muy joven, empezó a firmar sus mordaces críticas con el seudónimo de *Fray Candil*. La aversión al modernismo no le impidió beneficiarse de sus conquistas, especialmente de las relacionadas con el metro. Algunas composiciones de su libro *Vórtice* (1903) delatan la influencia de José Asunción Silva; otras, la de Herrera y Reissig, aunque las huellas más permanentes corresponden a Núñez de Arce y Campoamor. En libros anteriores *(Relámpagos*, 1884; *Fiebres*, 1889) no había acertado a sustraerse a las solicitaciones románticas. Con los nombres de Horta y de García de Cisneros se puede cerrar esta primera fase, un poco retrasada, del modernismo cubano. EULOGIO HORTA (1865-1912), amigo de Casal y admirador de los simbolistas franceses, cuya obra tradujo y en buena parte divulgó por América, fué mejor prosista que poeta. FRANÇOIS G. DE CISNEROS (n. 1877), también prosista, empezó cultivando un lenguaje llamativo, sembrado de adjetivaciones arbitrarias y de imágenes rebuscadas, para orientarse definitivamente hacia una prosa sencilla, elegante y clara. La terminación de la guerra (1898) abre la segunda etapa del modernismo en Cuba, con una nutrida lista de poetas, a los que aludiremos en otro capítulo.

También en Santo Domingo la aparición de este movimiento es tardía. El primer libro con que se abre la nueva escuela, *Notas y escorzos*, de TULIO MANUEL CESTERO, está fechado en 1898; y los primeros poetas que responden a la llamada de Rubén—Bartolomé Olegario Pérez, Gastón Deligne, Fabio Fiallo, etc.—pertenecen a principios de siglo. Aun estos primeros modernistas lo son sólo a medias. Mayor éxito tuvo de momento la prosa, remozada al modo de Gutiérrez Nájera y de Rubén, en manos del citado Cestero, Rafael Octavio Galván, Miguel Angel Garrido, Apolinar Perdomo, Américo Lugo y Pedro Henríquez Ureña. Todos ellos tendían, especialmente al principio, hacia una prosa leve, miniaturista, trabajada, «poética»; en una palabra, una prosa inspirada tanto en Oscar Wilde como en Catulle Mendès.

En Puerto Rico la aparición del Modernismo casi coincide con su declive en otros países. Hacia 1910 empiezan a oírse las primeras voces claramente modernistas. La larga etapa de transición, casi medio siglo, que va del ocaso romántico hasta aquella fecha, se ve jalonada por unos cuantos poetas empeñados en repetir modos y temas gastados: Rafael del Valle, Lola Rodríguez de Tió, a quien los cubanos recaban para sí, por haber vivido mucho tiempo entre ellos; Manuel Zeno Gandía, que descolló más en la novela; Manuel María Sama, Vicente Palés y Anés, Ferdinand R. Vesteros, Joaquín González Camargo, Manuel Fernández Juncos, etc. Todos ellos seguían teniendo por «dioses mayores» a Bécquer, Campoamor y Núñez de Arce. Y eso que no les faltaban razones para cambiar de ídolos. Ya en 1876, por iniciativa de Manuel Elzaburu, se había fundado el Ateneo puertorriqueño. Elzaburu traduce entre otros a T. Gautier; y un contemporáneo suyo, José Negrón Sanjurjo, da a conocer entre sus compatriotas a los más ilustres simbolistas: Sully Prudhomme, François Coppée, etc.; al mismo tiempo que los mejores líricos estadounidenses —Poe, Whitman—eran vertidos al castellano por Francisco Javier Amy. Con todo, Puerto Rico no da al modernismo de la primera hora ni un solo poeta digno de mención.

A Méjico no hace falta aludir. Hemos citado ya entre los grandes «precursores» a Othón, Díaz Mirón, Gutiérrez Nájera e Icaza. Con ellos el modernismo queda aclimatado en el país de tal modo que a esta promoción temprana sucede sin intervalo visible otra segunda y no menos importante, la formada por Valenzuela, Nervo, Urbina, Tablada, González Martínez, Rebolledo y otros de menor fuste. Todos ellos tendrán su mención en el capítulo siguiente. Agreguemos que el portavoz del movimiento, suspendida la *Revista Azul* en 1896, fué, desde el año siguiente, la *Revista Moderna de Méjico,* fundada por .Valenzuela. Esta publicación se constituyó desde el principio y hasta que dejó de editarse (1911) en el vocero máximo del modernismo en todo el continente hispánico.

III. JOSE MARTI

¿Dónde incluir al gran poeta y prosista cubano JOSÉ MARTÍ (1853-1895)? Suele figurar su nombre entre los percursores del Modernismo; y no está mal, si se tiene en cuenta que su poesía, despegada bruscamente de la de casi todos sus coetáneos, se aventura con frecuencia hacia zonas inexploradas del sentimiento y de la expresión; y que su prosa, magnífica siempre, preludia y en buena parte anticipa aquella otra prosa nueva, rica, acariciante y fresca de Darío, Gómez Carrillo y José Enrique Rodó. Si se piensa, por otra parte, en que el verso martiniano, aun siendo tan personal y nuevo, va siempre ajustado a ritmos y estrofas tradicionales, casi vacila uno a la hora de la clasificación. ¿Un modernista anticipado o un romántico tardío? [12]. En todo caso, si se persiste en esta última etiqueta—«¿Quién que es no es romántico?», había escrito Rubén—habrá que reconocer que es el de Martí un romanticismo de la mejor ley, de la única clase aceptable; un romanticismo que ha empezado por deshacerse de toda ganga verbal e ideológica, para quedarse con la pura sustancia poética. Nosotros, siguiendo un criterio, ya al parecer admitido por todos sus exégetas, lo encuadramos sin más entre los iniciadores del movimiento modernista.

Vida y persona

Nace JOSÉ MARTÍ en la Habana el 28 de enero de 1853. Hijo de españoles. Su padre, Mariano Martí, era valenciano; su madre, Leonor Pérez, canaria. Va a la Península con sus padres a los cuatro años, para volver a Cuba a los seis. Primeras letras en el Colegio de San Anacleto. En 1865 pasa a la Escuela Municipal de Varones, dirigida por Rafael María Mendive, quien desde el primer instante descubre el talento del joven y, a la vez que en mentor, se convierte en amigo y mecenas suyo. Mendive lo matricula en el Instituto de la Habana, y se ofrece a sufragar todos los gastos. Martí le corresponde con renovado afecto y gratitud: una de sus primeras composiciones está inspirada por la muerte de una hija de su protector. Cuando éste funda el Colegio de San Pablo, Martí colabora allí como ayudante; y al ser encarcelado Mendive, con motivo de los sucesos del teatro Villanueva, Martí es su visitante más asiduo.

Ya por esas fechas (1869) empieza a colaborar en *El Diablo Cojuelo,* editado por Fermín Valdés Domínguez; funda *La Patria Libre,* en cuyas páginas inserta el poema dramático *Abdala.* Pero deportado Mendive, cerrado su Colegio y presos también los hermanos Valdés, acude al Instituto como oyente. Una carta comprometedora hace que le detengan y encarcelen. Se le condena a seis años, que le son conmutados, primero por un confinamiento en la Isla de Pinos, y luego por un traslado a España. En Madrid intima con distinguidos cubanos y españoles. Se matricula en la Universidad Central para cursar Derecho, aunque no tenía terminado el Bachillerato; traslada la matrícula a Zaragoza, en cuya Universidad se gradúa bachiller (1874), licenciado en Leyes y en Filosofía y Letras. De la capital aragonesa, que dejaría en su alma grato recuerdo, pasa a París; de aquí, a Méjico (1875), donde le esperaban sus familiares. Dos años en Méjico, entregado al periodismo y cultivando amistades: Justo Sierra, Acuña, Peza, Altamirano, Riva Palacio, etc. Allí conoce a aquella Rosario de la Peña, que había inspirado el *Nocturno* al pobre Acuña y de la que también Martí pareció estar' enamorado. Conoce asimismo a Carmen Zayas Bazán, de distinguida familia camagüeyana, y con la que casaría dos años más tarde. 1877: paso de incógnito por la Habana y regreso a Méjico. Va a Guatemala, donde se le nombra profesor de la Escuela Normal y de la Facultad de Letras. García Granados le acoge en el seno de su familia, y Martí inspira honda pasión a María, hija de su protector [13]. 1878: estancia en Cuba, donde asombra a sus compatriotas por sus dotes de orador, poeta y dirigente político. Le nace un hijo. Nueva detención basada en sus actividades políticas clandestinas. Es deportado a España. 1880: tras breve estancia en Madrid y París, embarca para Nueva York. Intensa actividad periodística, en castellano y en inglés, como crítico de arte de *The Hour* y *The*

Sun. Se le unen la esposa y el hijo, aunque ya empieza a enfriarse el afecto conyugal. Apoyado económicamente por *The Sun* se traslada a Caracas. Funda la *Revista Venezolana*; pero incompatibilidades con el presidente de la República le obligan a abandonar el país, a los cinco meses, para reintegrarse a Nueva York.

A partir de este momento (1881) y hasta el final la vida de Martí es una sucesión ininterrumpida de actividades de todo orden. Fija su residencia habitual en Nueva York, con frecuentes escapadas a Cuba, Costa Rica, la Florida, Haití, Jamaica, Méjico, Panamá, etc. Colabora en varios periódicos: *La Nación,* de Buenos Aires; *El Latino Americano,* de Nueva York; traduce libros ingleses; escribe obras originales; pronuncia conferencias; asume representaciones consulares: Uruguay, Argentina, Paraguay; enseña español en la Escuela Central Superior de Nueva York; participa en congresos y asambleas; crea periódicos políticos, como *Patria,* o infantiles, como *La Edad de Oro,* y, sobre todo, lucha con todos los medios a su alcance por la independencia de Cuba. Murió el 19 de mayo de 1895, en una acción de guerra, la de Dos Ríos, viendo cumplida su voluntad de caer «cara al sol», luchando por lo que siempre había sido su ideal [14].

Cualesquiera que fueran sus actividades políticas y sus relaciones con España, cuyo enjuiciamiento no nos incumbe, Martí se nos revela en su vida y en su obra como un espíritu superior. Si quisiéramos resumir todas sus buenas cualidades en una sola, diríamos que *fué un hombre;* o con frase unamuniana ya topificada: «nada menos que todo un hombre». «Ser hombre—había escrito él—es en la tierra dificilísima y pocas veces lograda carrera.» Martí cursó esa carrera hasta alcanzar su grado máximo. En el bellísimo elogio de Acuña —una de las más hermosas páginas de lengua castellana escritas en América—, al comentar el suicidio del pobre poeta mejicano, enamorado de la misma mujer que Martí, lo hace con palabras reveladoras de que la cobardía para él no es un derecho y, en cambio, la valentía sí que es un deber. «Yo le habría explicado qué diferencia hay entre las miserias imbéciles y las tristezas grandiosas; entre la energía celeste y la decrepitud juvenil. Alzar la frente es mucho más hermoso que bajarla; golpear la vida es más hermoso que abatirse y tenderse en tierra por sus golpes... Yo le habría enseñado cómo renacer tras rudas tormentas el vigor en el cerebro, la rubustez y el placer en el corazón.» Pensamiento y acción en una pieza. Y aún le quedaba tiempo para soñar.

Apóstol de la independencia cubana, nunca se sintió antiespañol. Más que a una raza, cuya sangre le hervía en las venas, atacaba a un orden de cosas. Y al enjuiciarlo en este aspecto no queremos hacerlo desde nuestro punto de vista, que podría parecer tendencioso, ni desde el punto de vista de la crítica cubana, que también podría parecerlo, sino desde el ángulo de un juez imparcial. «Martí—escribe el argentino Leguizamón— no enfrentaba a España como categoría distinta de lo nacional. Una cosa era la situación política y otra el espíritu. La filial comprensión de lo hispánico, la tierra amada,

> donde rompió su corola
> la poca flor de mi vida,

asoma claramente en *Versos sencillos:*

> Para Aragón, en España,
> tengo yo en mi corazón
> un lugar, todo Aragón,
> franco, fiero, fiel, sin saña [15].

La obra literaria

Asombra por lo copiosa; más aún si se tiene en cuenta lo breve y agitado de la vida de su autor. Nada menos que setenta volúmenes alcanza la edición de las *Obras completas* recopiladas por la Editorial Trópico. En esos volúmenes hay de todo: prosa y verso, en cantidad notablemente mayor la prosa; teatro, oratoria, crítica, periodismo, epistolario. Martí no dejó estudios sistemáticos; no se cuidó de agrupar ni de corregir su obra. La muerte temprana y las intensas agitaciones de su vida no le dejaron ocasión de hacerlo. De ello se han ocupado sus biógrafos y comentaristas, que los ha tenido por docenas. El sólo recogió la parte poética en tres libros: *Ismaelillo* (1882), *Versos sencillos* (1891) y *Versos libres.* Estos últimos se publicaron con carácter póstumo, si bien estaban escritos hacía bastantes años, entre 1878 y 1882, según parece. Se sabe también que preparaba otro poemario, cuyo contenido databa de 1887-1888: *Flores del destierro.* Sus editores han formado otras colecciones: *Versos escritos en álbumes, La Edad de Oro* (con los poemas extraídos de la revista infantil de este título), *Otros versos,* etc.

Los títulos de sus estudios críticos, históricos, políticos, conferencias, semblanzas o simples impresiones, son innumerables: *El presidio político en Cuba, La república española ante la revolución cubana, Venezuela y sus hombres, Las dos polémicas, Vindicación de Cuba, Nuestra América, Cecilio Acosta, Heredia, Discurso sobre Echegaray,* etcétera, etc. En teatro dejó tres obras completas y varios bocetos, «núcleos de dramas»; las piezas terminadas son: *Abdala* (Habana, 1869), *Adúltera* (Madrid, 1872-74), y *Amor con amor se paga* (Méjico, 1875). En el género narrativo, aparte de algún cuento infantil, pergeñó una novela, *Amistad funesta,* que fué apareciendo durante el año 1885 en *El Latino Americano,* de Nueva York. Hizo asimismo muchas traducciones: *Mis hijos,* de Víctor Hugo; *Antigüedades griegas* y *Antigüedades romanas,* de J. M. Mahafy; *Misterio,* de M. H. Conway; *Nociones de lógica,* de W. S. Jackson; etc. Su epistolario, modelo del género, es muy nutrido.

Se observará la preferencia de Martí por los géneros menores: artículo, ensayo breve, semblanza, carta, poemita lírico. Del teatro, que exige mayor extensión, sólo se ocupa en la juventud. Los tres dramas citados están compuestos antes de cumplir los veintidós años. Y es que, no obstante la asombrosa facilidad de Martí para las letras, la lucha constante en que estaba empeñado no le daba sosiego para acometer obras de mayor empuje. Con esa limitación y todo, es uno de los escritores más fecundos de su país.

Martí, prosista

Es uno de los mejores que ha tenido la lengua en América. Conocía muy a fondo nuestros clásicos; y al decir clásicos, comprendemos a todos los maestros del idioma, desde el severo canciller Ayala hasta el novelista Valera, y desde Fernando de Rojas a Mesonero Romanos, pasando naturalmente por las cumbres del Siglo de Oro. Hurtado, Mariana, los dos Luises, Santa Teresa, Cervantes y Mateo Alemán le eran familiares. Gusta preferentemente de los grandes prosistas del Barroco: Quevedo, Fajardo, Gracián. Con Gracián se le ha comparado más de una vez; y no faltan razones para hacerlo, ni escasean en la obra de Martí pasajes que por su apretada concisión y enjundia de concepto recuerdan al famoso aragonés. Jovellanos, Leandro Fernández de Moratín, Capmany y otros prosistas del XVIII ejercían sobre él particular atracción. Singularmente Jovellanos, con su lenguaje lleno de noble elegancia y contenido. Unía a todo eso una información al día de las literaturas extranjeras, especialmente de la francesa.

Con este bagaje cultural, medularmente español y clásico—parece que dominó el latín y no le fué desconocido el griego—, muy acrecido por lecturas francesas, inglesas, italianas y alguna que otra germánica, supo Martí crearse una prosa personal, antigua y moderna; cortada unas veces y trabada otras; rica, jugosa, abundante en metáforas suyas, recién acuñadas; una prosa relampagueante, oscura y densa ahora, atravesada luego por geniales chispazos de expresión; pero siempre noble y clara. Muy difícil de calificar esa prosa, porque aun llevando siempre el sello del autor y siendo la misma en lo sustancial, cambia de aspecto a cada paso. Al lado de una frase castiza, de un aforismo viejo, la imagen audaz, nueva y sugestiva; al lado del párrafo largo, remansado, aprendido en Granada o en el padre Mariana, unas frases cortantes, híspidas, clavadas en serie como cuchillos o arrojadas una tras otra como teas encendidas. El mejor calificativo para esa prosa es el de «nueva», en el sentido que dieron a esta palabra los modernistas, es decir, en cuanto delata la búsqueda constante de nuevos cauces expresivos, sin salirse del sistema lingüístico tradicional, del que Martí no quiso nunca apartarse. «Escribir con la clara limpieza y elegancia sabrosa y giros gallardos del idioma castellano» fué su máxima aspiración. Y hay que reconocer que supo realizarla en la práctica.

Si tras esta impresión de conjunto pasamos a estudiarlo por géneros, pronto veremos que Martí fué auténtico maestro en cuantos cultivó. Su obra periodística y de ensayo, que casi viene a ser la misma, y que ocupa las cuatro quintas partes de su producción impresa, revela una pluma agilísima, movida por un espíritu agudo y perspicaz, e igualmente dotado para la crónica de actualidad que para el comentario social, histórico o político; para la apostilla puesta al margen del más trivial suceso cotidiano, que para la editorial de empaque y denso contenido. Martí se sentía periodista y llevaba a sus artículos para la prensa diaria el mismo afán de seriedad y de perfección estilística que a sus restantes trabajos. Su increíble facilidad no le impedía poner en ellos toda el alma. «La prensa—había escrito—no es aprobación bondadosa o ira insultante; es proposición, estudio, examen y consejo.» Muchos de sus artículos periodísticos ofrecen el cuidado y la armonía de un poema en verso.

Algo parecido puede decirse de sus discursos. Martí fué orador *a nativitate*. Para muchos, y desde luego para todos sus contemporáneos, fué esta su faceta más acusada. Vargas Vila, Luis G. Urbina y otros, que le oyeron, destacan sus extraordinarias dotes para el género. En la tribuna Martí se transfiguraba, se agigantaba. Su gran capacidad de improvisación y la excesiva fluencia verbal e ideológica hacen que en ocasiones los conceptos aparezcan algo embrollados; pero sólo ocurre al principio y muy raras veces. Pronto Martí disciplina conceptos y palabras; y la precisión juntamente con la claridad se abre paso. En general, como acontece a casi todos los grandes tribunos de su tiempo, es más sentimental que lógico, más intuitivo que discursivo, más poeta que retórico. Conmueve, encanta y seduce antes que convencer. Lo que no quiere decir que careciera de dotes dialécticas. Martí demostró en muchas ocasiones—sirva de ejemplo por todas su famosa defensa en el Hardman Hall—que era consumado polemista.

Como crítico literario se mostró benévolo con exceso. Es probable que no tuviese un sistema estético estructurado con que basar y apuntalar sus juicios. Al menos, si lo tuvo, no lo aplicó. De ordinario es la suya una crítica impresionista, sin sujeción a principios previos, o sujeta sólo a las normas, demasiado elásticas, del buen gusto. El hablaba de llevar «en una mano la espada y el bálsamo en la otra». La verdad es que utilizó muy poco la primera y abusó del segundo.

No fué novelista; ni quiso serlo [16]. La única muestra que dejó del género, *Amistad funesta* (Nueva York, 1885), novela escrita a instancia de un amiga sobre un vulgar tema de amor y celos, no le delata como rival de Balzac. El mayor mérito de esta narración ha de buscarse en su prosa, abierta ya de par en par al modernismo. Cultivó, en cambio, el género epistolar con singular maestría. Cartas políticas, literarias, familiares, de amistad, íntimas; muchas cartas de toda clase, que encierran incalculable valor estético y humano. En las cartas y en los versos es donde aquel hombre, acostumbrado a vaciarse todo en cada línea y en cada frase, se nos descubre en su plena autenticidad. Unamuno decía que donde se le había descubierto el gran escritor y el gran hombre que era Martí había sido sobre todo en sus cartas. Especialmente las últimas, dirigidas a su hija María, a Carmita Miyares de Montilla, a Gonzalo Quesada y a Manuel Mercado, son impresionantes. Y lo mismo ha de decirse de sus *Diarios,* complemento de aquéllas.

El poeta

Martí es, ante todo, poeta. Lo demuestra en sus dramas y en todas y cada una de sus composiciones líricas, especialmente en las que integran las tres colecciones hechas por él: *Ismaelillo, Versos sencillos* y *Versos libres.* Las obras teatrales, tanto o más que al dramaturgo en ciernes, que por razones obvias no llegó a madurar, delatan al poeta. Y no es que le falte habilidad para urdir la fábula, crear situaciones llenas de interés o inventarse unos personajes dramáticos, sino que al ser obras de juventud, casi de adolescencia, forzosamente han de dar la impresión de frutos en agraz. *Abdala,* pieza en un acto, con un guerrero que se sacrifica por la patria, está versificada briosamente, si bien resulta declamatoria con exceso. *Adúltera,* en tres actos, quiere ser un drama filosófico, inspirado al parecer en un suceso personal. Su trama se reduce a un episodio de honor y de adulterio, con una solución mixta por parte del marido ofendido, que mata al ofensor y perdona a su mujer. Los personajes llevan unos simbólicos: Geist, Freund, Fleisch (Espíritu, Amigo, Carne). Martí empezó a componerlo en Madrid, en 1872, y lo terminó en Zaragoza dos años más tarde. Se le vienen señalando influencias de Calderón; y, mucho más cercanas, de Tamayo y Baus, cuyo *Drama nuevo,* de éxito reciente, pudo ver Martí en la capital de España; y también de Echegaray, por quien el poeta cubano sentía viva admiración. Las frecuentes lecturas del teatro clásico español le inspiran la obrita en un acto y dos solos personajes, ella y él, titulada *Amor con amor se paga.* Se estrenó con éxito en el Teatro Principal de Méjico, en diciembre de 1875, y está escrita en verso fluído, que recuerda el de Calderón. Dejó Martí asimismo varios apuntes o guiones, calificados por él de «núcleos de drama», que nunca llegó a desarrollar.

Mejor que todo lo anterior es su producción lírica, resumida especialmente en *Ismaelillo, Versos sencillos* y *Versos libres.* En todos y en cada uno de estos libros Martí se revela poeta de fácil vena y alta inspiración. *Ismaelillo* (Nueva York, 1882) responde al alborozo que le ha producido la llegada del primer hijo. Se trata de una serie de poemitas en verso romanceado de cinco, seis, siete y ocho sílabas, traspasados de ternura, y en los que el cariño paternal se derrite en una sucesión continua de imágenes tan bellas como originales:

> Por las mañanas
> mi pequeñuelo
> me despertaba
> con un gran beso.
> Puesto a horcajadas
> sobre mi pecho,
> bridas forjaba
> con mi pañuelo.
> Ebrio él de gozo,
> de gozo yo ebrio,
> me espoleaba
> mi caballero.
> ¡Qué suave espuela
> sus dos pies frescos!
> ¡Cómo reía
> mi jinetuelo!
> ¡Y yo besaba
> sus pies pequeños,
> dos pies que caben
> en sólo un beso!
>
> *(Mi caballero.)*

Del mismo corte son *Príncipe enano, Sueño despierto, Hijo del alma* y muchas otras.

Versos sencillos (1891) responden plenamente a su título. Pocas veces con elementos tan parcos —no pobres— se ha conseguido poesía tan auténtica. Metro, el más corriente en nuestra lengua: octosílabos en romance, cuartetas, redondillas y combinaciones similares. Tema, el de siempre: amor, nostalgia, recuerdo. Todo ello, como se ve, muy gastado. Pero en manos de Martí resulta nuevo. Ya dijo Gabriela Mistral que «la sencillez de Martí no es nunca primarismo, es decir, facilidad de primer plano y ahorro de hondura... Esta sencillez nada tiene de simple». Y Rubén Darío había anticipado: «La sencillez de Martí es de las cosas más difíciles.» Es lo tradicional, lo de siempre; pero con un sentido muy moderno. Acaso sea éste el libro en que la musa de Martí se manifiesta más retozona, simpática y espontánea. Poemas como los dedicados a «La niña de Guatemala» [17] y a la bailarina española, o los que empiezan: «Yo soy un hombre sincero», «Si quieres que en este mundo», «Para Aragón en España», «Cultivo una rosa blanca», «Mucho, señora, daría», por no citar sino unos pocos, son dignos de figurar en la antología más exigente. Nadie ha sabido decir mejor la calidad de su verso que el propio Martí:

Si ves un monte de espumas,
es mi verso lo que ves:
mi verso es un monte y es
un abanico de plumas.
Mi verso es como un puñal
que por el puño echa flor:
mi verso es un surtidor
que da un agua de coral.
Mi verso es de un verde claro
y de un jazmín encendido:
mi verso es un ciervo herido
que busca en el monte amparo
Mi verso al valiente agrada:
mi verso breve y sincero
es del vigor del acero
con que se funde la espada.

Así son los *Versos sencillos*; los *Versos libres* son otra cosa. No conocemos en castellano, con anterioridad a Unamuno, poesía más rasgada, más punzante, de aristas más duras. Con una diferencia respecto de Unamuno: que Martí es infinitamente más natural y espontáneo; porque el cubano era, demostró siempre serlo, un versificador consumado, mientras el autor de *El Cristo de Velázquez* nunca llegó a dominar la técnica versificatoria. No diremos que en la obra poética de Martí los *Versos libres* sean lo mejor; sí nos atrevemos a afirmar que son los más originales, los que menos se parecen a ningún otro. Júzguese por este brevísimo poema:

¿Que como crin hirsuta de espantado
caballo, que en los troncos secos mira
garras y dientes de tremendo lobo,
mi destrozado verso se levanta?
Sí, pero ¡se levanta! A la manera
como cuando el puñal se hunde en el cuello
de la res sube al cielo hilo de sangre.
Sólo el amor engendra melodías.

(Crin hirsuta.)

Véanse estos otros:

¡Oh verso amigo,
muero de soledad, de amor me muero!
No de amor de mujer; estos amores
envenenan y ofuscan. No es hermosa
la fruta en la mujer, sino la estrella.
La tierra ha de ser luz, y todo vivo
debe en torno de sí dar lumbre al astro.
¡Oh estas damas de muestra! ¡Oh estas copas
de carne! ¡Oh estas siervas ante el dueño
que las enjoya y estremece, echadas!
¡Te digo, oh verso, que los dientes duelen
de comer esta carne!

(Hierro.)

Y estos poemas se dice, se sabe con certeza, que fueron escritos antes que los *Versos sencillos*, antes que el mismo *Ismaelillo*, entre 1878 y 1881, cuando su autor andaba rondando los veinticinco años.

Juicio crítico

Buen poeta Martí; o, mejor, poeta original, sin entronques visibles con la poesía de su tiempo, o con los entronques sólo indispensables. Más que modernista, moderno. Poesía la suya de ayer, de hoy y de mañana. Rezumando humanidad; sentida siempre, vivida, casi sangrada. ¿No fué Martí quien dijo que para componer sus versos «no zurció de éste y de aquél, sino que sajó en sí mismo»? ¿No dijo también que iban «escritos no en tinta de Academia, sino en su propia sangre»? Tenía una asombrosa facilidad; le brotan, le fluyen. Y, sin embargo, los hace duros cuando quiere; «hirsutos» los llamó él:

a sus mejores
hijos desgracia da Naturaleza:
fecunda el hierro al llano, el golpe al hierro.

Pero, también cuando quiere, los hace suaves, sedosos, agamuzados:

Mucho, señora, daría
por tender sobre tu espalda
tu cabellera bravía,
tu cabellera de gualda:
despacio la tendería,
callado la besaría.

A veces hay en estas composiciones primores y acicalamientos propios del modernismo. Con todo, ya queda dicho, no se le puede encuadrar sin más ni más dentro de ese movimiento. De ordinario, sin salirse de cauces conocidos, acierta a llevar a su poesía un tono y una expresión auténticamente modernas.

NOTAS

1. Nace Prada en Lima, en el seno de una familia aristocrática, de origen español. Primera formación en Chile, adonde aquélla se había trasladado. En el Colegio Inglés de Valparaíso se familiariza con los idiomas modernos. Vuelta la familia a Lima, los padres quieren dedicarlo a la Iglesia; pero él se evade del Seminario a los trece años. Sigue estudios de ciencias; luego de Leyes, que abandona porque no le gusta el Derecho. A los veinte se da a conocer con traducciones del alemán. Se recluye durante ocho años en una hacienda familiar del interior, donde se dedica a leer y escribir. Sus trabajos llaman la atención por el tono extremista: antiespañol, antirreligioso y antipolítico. Interviene en la guerra contra Chile; forma en Lima un círculo literario, que se convierte pronto en partido político: Unión Nacional. Casado con una dama francesa, viene a Europa (1887) y permanece en el viejo continente siete años. A su regreso encuentra en Lima el partido deshecho y se recluye en la soledad. Durante algún tiempo predica el obrerismo, el internacionalismo, y ataca la poesía imperialista de Kipling. Un grupo de escritores jóvenes le sigue. Cuando muere (1918) es director de la Biblioteca Nacional, cargo en que había sucedido a Ricardo Palma.

2. Natural de Veracruz. Ocupó varias veces un escaño en la Cámara de Diputados y tuvo una vida muy accidentada. Durante las elecciones generales de 1892 fué agredido por Federico Wólter. Mirón se defendió con el revólver, dejando tendido en tierra al adversario. Este lance, a pesar de la eximente de legítima defensa, le valió cuatro años de prisión. En 1911 tuvo en plena Cámara otro lance personal con el diputado Juan Chapital, y nuevamente fué a la cárcel, aunque por poco tiempo. Fué director del Colegio Preparatorio de Jalapa, donde residió varios años. También lo fué de *El Imparcial*, de Méjico. Durante el largo periodo revolucionario se trasladó a España, y de aquí a la Habana, donde se dedicó a dar clases. La muerte le sorprendió en Veracruz, su pueblo natal, dirigiendo el Colegio Preparatorio, en 1928.

3. Es el que empieza:

Tu cuarteto es cuadriga de águilas bravas
que aman las tempestades, los oceanos;
las pesadas tizonas, las férreas clavas,
son las armas forjadas para tus manos.

4. Nació en la ciudad de Méjico, de padres bien acomodados. Alumno de una escuela regentada por profesores franceses, pronto se aficionó a la lengua de Pascal, que llegó a dominar plenamente. También dominaba el latín. Lo mismo que a González Prada, los padres de Nájera intentaron dedicarle al sacerdocio, intento que no llegó a cuajar. En su adolescencia lee a los positivistas, que influyen poco en su espíritu, naturalmente inclinado al misticismo. Antes de los veinte años empieza su carrera periodística, que no abandonaría hasta la muerte, ocurrida en 1895. Siete años antes había casado con Cecilia Maillefert, de sangre francesa. De esa unión nacieron dos hijas. Actuó en política esporádicamente y fué diputado por el Estado de Méjico.

5. De San Luis de Potosí. Pasó casi toda su vida en el campo, en contacto directo con la Naturaleza. De cuando en cuando gustaba ir a la capital, donde frecuentaba la tertulia que habitualmente se reunía los domingos en casa de Valenzuela.

6. Natural de Méjico, ciudad. Ingresó en la diplomacia muy joven, en 1886. Inmediatamente salió para Europa, donde pasó la mayor parte de su vida. Su residencia habitual fué Madrid. También representó a su país en Alemania.

7. Nació en la Habana, de padre vizcaíno y de madre isleña. Estudios en el Colegio de Belén, donde despunta su afición por los clásicos. Con otros compañeros de colegio funda el periódico El Estudiante, en cuyas páginas aparecen sus primeros artículos. Mermada la fortuna familiar y recién acabados los estudios de bachillerato, se ve obligado por muerte del padre a desempeñar una modesta plaza de escribiente en Hacienda. Concurre a tertulias literarias y colabora en La Habana Elegante con el seudónimo de «Conde Camors». A imitación de la escritora francesa Juliette Lambert, publica una obra, La sociedad de la Habana, cuyo primer artículo, ofensivo para la autoridad, le ocasionó la pérdida del empleo. Empieza una vida de estrecheces. Traba muchas amistades: Valdivia, Del Monte, el mismo Rubén. En 1890 publica su primer libro de versos: Hojas al viento; dos años después, el segundo: Nieve. Viene a España; pero las estrecheces económicas persisten. Vuelto a Cuba, se recrudece la hemoptisis que de antiguo venía padeciendo, y muere el 21 de octubre de 1893. Martí y Rubén, entre otros, le dedicaron grandes elogios.

8. Nació en Bogotá el 27 de noviembre de 1865. Su padre, el costumbrista don Ricardo Silva, gozaba de una posición acomodada. En su casa, convertida en centro de reunión de hombres de letras—J. Isaacs, R. Pombo, J. M. Marroquín, etc.—, le nace la afición a la poesía. Sin terminar estudios secundarios abandona el colegio para ayudar a su padre en los negocios. A los dieciocho años embarca para Europa: Francia, Inglaterra, Suiza. Cuando regresa (1886), los negocios paternos van de mal en peor. En 1887 queda al frente de la casa comercial por muerte de su padre. Durante siete años lucha inútilmente por sacarla a flote. Al fin, abrumado de deudas, acepta la secretaría de la Legación de su país en Venezuela. Su permanencia en Caracas fué fecunda: contactos con el grupo vanguardista de «Cosmópolis», redacción de poemas, etc. En 1895 regresa a Colombia; quiere reanimar los negocios, pero fracasa. El 24 de mayo lo encuentran en su cama con el corazón atravesado por un balazo.

9. A propósito de Nocturno se ha intentado forjar una leyenda absurda y de mal gusto. Baldomero Sanín Cano ha puesto las cosas en claro. El Nocturno es una evocación tierna de su hermana Elvira, con la que Silva paseó más de una vez por el campo, a la luz de la luna. Todo lo que sea querer descubrir en el poema otra intención más o menos inconfesable entraña una ofensa para la memoria del poeta.

10. Vaya de ejemplo una estrofa:

> Brilla el sol de medianoche
> sobre la estepa callada;
> sobre la estepa solemne, donde sus muros exaltan
> mil alcázares de llamas,
> mil alcázaras en donde los manes de los guerreros
> de Walhalla
> beben hidromiel en cuernos de oro,
> beben hidromiel en anchas copas de ámbar,
> beben hidromiel y cantan.

11. Júzguese por estos dos versos iniciales:

> Gigantesca libélula en las ondas de los aires mi-
> [ríáptera,
> la Rosa de los Vientos en los ámbitos agita el ho-
> [rizonte.

Cualquiera que tenga la más ligera noción de métrica clásica sabe que ni aplicando el método cuantitativo a la manera de don Sinibaldo de Mas, aplicación por otra parte totalmente arbitraria, ni utilizando la convencional sustitución de acento por cantidad, tales versos tienen posible encaje dentro del esquema del hexámetro.

12 «¿En qué sentido podría defenderse la tesis de Martí, precursor del modernismo? La pregunta tal vez está mal formulada: en vez de modernismo habría que escribir renovación literaria. Y entonces sí que habría que insistir en ciertas conquistas, o, por lo menos, prédicas de Martí: defensa y prédica de la libertad formal, el toque leve, el olvido de lo inmediatamente anterior, aunque a veces ese olvido no sea más que regreso a lo clásico.» (Alfonso M. Escudero, O. S. A.: Páginas escogidas. José Martí, Colec. Austral, Buenos Aires, 1953.)

13. Aquella María García Granados, hija del general y ex presidente de este nombre, que, enamorada locamente de Martí, y al comprobar la imposibilidad de ser correspondida, por estar ya él formalmente comprometido, fué agostándose poco a poco, hasta caer herida de muerte. El poeta llevó siempre clavado en lo más hondo el recuerdo de aquella pasión, que le había de inspirar el más bello acaso de todos sus poemas: La niña de Guatemala.

14. El vaticinio está en uno de sus poemitas de Versos sencillos (el XXIII):

> No me pongan en lo oscuro
> a morir como un traidor:
> yo soy bueno, y como bueno
> moriré de cara al sol.

15. Historia de la literatura hispanoamericana, II, pág. 273.

16. Su declaración en este sentido es terminante: «El autor, avergonzado, pide excusa... El género no le place, porque hay mucho que fingir en él, y los goces de la creación artística no compensan el dolor de moverse en una ficción prolongada; con diálogos que nunca se han oído, entre personas que no han vivido jamás.»

17 Se refiere a la ya aludida María García Granados:

> Quiero, a la sombra de un ala,
> contar este cuento en flor:
> la niña de Guatemala,
> la que se murió de amor.
> Eran de lirio los ramos,
> y las orlas, de reseda
> y de jazmín; la enterramos
> en una caja de seda.
> ....
> Se entró de tarde en el río;
> la sacó muerta el doctor:
> dicen que murió de frío;
> yo sé que murió de amor.
> Allí, en la bóveda helada,
> la pusieron en dos bancos;
> besé su mano afilada,
> besé sus zapatos blancos.
> Callado, al oscurecer,
> me llamó el enterrador.
> ¡Nunca más he vuelto a ver
> la que se murió de amor!

Es, dice Gabriela Mistral, «el poema más donoso, el de ritmo más cimbreante que se haya escrito en la América latina».

BIBLIOGRAFIA

I. R. Haya de la Torre: Mis recuerdos de González Prada. «Repertorio Americano», San José de Costa Rica. agosto de 1927.—G. Leguía y Martínez: M. González Prada, «Mercurio Peruano», año I, vol. I, Lima, 1918.—L. Alberto Sánchez: Elogio de don M. González Prada, Lima, 1922; M. González Prada, «Escrit. represent. de América», II, Edit. Gredos, Madrid, 1957.—R. G. Mead: M. González Prada. El prosista y el pensador, Publ. del Hisp. Inst. of New York.—J. E. Garro: M. González Prada (Ideas para un libro sobre creadores de la peruanidad), Publ. del Hisp. Inst. of New York.—R. Blanco-Fombona: Pról. a Los mejores poemas de S. Díaz Mirón, Edit. América, Madrid, s. a.—A. Méndez Plancarte: Díaz Mirón, poeta y artífice, Méjico, 1954.—R. Meza Fuentes: De Díaz Mirón a Rubén Darío, Santiago de Chile, 1940.—C. Pereyra, M. Jiménez, J. J. López y A. Mediz Bolio: Estudios sobre Díaz Mirón, «Repert. Americano», núms. correspondientes a sept. de 1928, jun. de 1928, feb. de 1916 y jun. de 1928.—L. Alberto Sánchez: *Díaz Mirón*, «Escrit. represent. de América», II.—E. Velázquez Bringas y N. L. Weisinger: Notas sobre Díaz Mirón, «Hispania», XI, Stanford, 1928.—R. Blanco-Fombona: Pról. a *Las mejores poesías de Gutiérrez Nájera*, Madrid, 1916.—F. A. de Icaza: *Poetas modernos de Méjico. Manuel Gutiérrez Nájera y Salvador Díaz Mirón*, «Nuestro Tiempo», año I, Madrid, 1921.—A. Nervo: Pról. a las *Obras* de Gutiérrez Nájera, Méjico, 1903.—Y. Schulman: *Función y sentido del color en la poesía de M. Gutiérrez Nájera*, «Rev. Hisp. Moderna», año XXIII, enero de 1957.—Nell Walker: *The Life and Works of M. Gutiérrez Nájera*, The University of Missouri Studies, 1927.—E. K. Mapes: *Obras inéditas de Gutiérrez Nájera*, Publ. del Hisp. Inst. of New York.—V. Agüero: *Don Manuel José Othón*, pról. a sus *Poesías*, Méjico, 1880.—R. M. Campos: «*Poemas rústicos*, de Manuel José Othón, «Rev. Moderna», Méjico, oct. de 1902.—A. Loera Chávez: Pról. a *Poemas escogidos de M. J. Othón*, Méjico, 1917.—E. A. Chávez: *Manuel José Othón*, «Abside», vols. XXII-XXIII, Méjico, 1958.— *Homenaje a Manuel José Othón*, «Cuadrante», Revista de la Univ. de San Luis de Potosí, VI, núm. 2.— J. López Portillo y Rojas: *Elogio de D. Manuel J. Othón*, Méjico, 1907.—M. Bacarisse: *Don Francisco A. de Icaza*, «Rev. de Occidente», VIII, Madrid, 1925.—E. Díez Canedo: *Don Francisco A. de Icaza*, «El Sol», Madrid, mayo de 1925.—C. de Figueiredo: *Francisco A. de Icaza*, «O. Reporter», Lisboa, 1892.—P. Henríquez Ureña: *Dos escritores de América: Icaza, García Godoy*, «Nosotros», I, Buenos Aires, 1925.—E. J. Varona: «*Efímeras*, por Francisco A. de Icaza, «Rev Cubana», 1892.—A. R. de Carricarte: *Julián del Casal*, «El Fígaro», octubre de 1912.— M. de la Cruz: *Julián del Casal*, «Obras», III. Madrid, 1924.—J. J. Creada: Introd. a *Poesías selectas de Casal*, Colec. «Libros Cubanos», Habana, 1931.—J. Martí: *Julián del Casal*, «Hombres», Habana, 1906.—R. Meza: *Julián del Casal*, «Rev. de la Fac. de Letras y Ciencias», XI, Habana, 1910.—M. Elbert Nunn: *The Life and Works of Julián del Casal*, Illinois Theses, 1939.—J. A. Portuondo: *Angustia y evasión de Julián del Casal*, Habana, 1937.— R. Blanco-Fombona: *José A. Silva*, «Rev. de América», año II, vol. II, 1913.—A. Cortina Aravena: *José Asunción Silva. Tres aspectos de su obra*, «Humanidades», X, La Plata, 1925.—R. A. Estenger: *José Asunción Silva*, «Cuba Contemporánea», XXIII, 1920.—C. García Prada: *José Asunción Silva, poeta colombiano*, «Hispania», VIII, Stanford, California, 1925.—A. Holguín: *El sentido del misterio en Silva*, «Rev. de Indias», t. 28, núm. 90.— G. G. King: *A citozen of the twilight, José A. Silva*, Nueva York, 1921.—J. E. Manrique: *José A. Silva*, vRev. de América, año III, vol. I, París, 1914.—A. A. Roggiano: *José a Silva*, «Cuad. Hispanoamericanos», núm. 9, 1949.— L. Alberto Sánchez: *José A. Silva*, «Escrit. represent. de América», II.—B. Sanín Cano: *José A. Silva*, «Rev. de Indias», t. 28, núm. 89.—A. Torres Rioseco: *José Asunción Silva (1865-1896)*, «Nosotros», XLIV, Buenos Aires, 1923.—M. de Unamuno: Introd. a las *Poesías de José A. Silva*, Barcelona, 1908, y Edic. Aguilar, Madrid, 1951.— «Universidad», número dedicado a Silva, Bogotá, 1928.— D. Arango: *J. A. Silva y el modernismo*, «Rev. de Indias», núm. 90, 1946.

II. Aparte de las obras sobre el Modernismo reseñadas en el capítulo anterior, pueden consultarse: V. García Calderón: *Semblanzas de América*, 1919.—A. Melina Lafinur: *Literatura contemporánea*, Buenos Aires, 1918.— C. Oyuela: *Antología hispanoamericana*, III.—A. de la Peña y Reyes: *Muertos y vivos*, Méjico, 1896.—R. O'Connor: *Los poetas argentinos*, 1904.—P. P. Figueroa: *Antología chilena*, 1908.—J. A. Cova: *Máximos y menores poetas venezolanos*, Buenos Aires, 1942.—J. Planchart: *Tendencias de la lírica venezolana a fines del siglo XIX*, Caracas.—M. Puga y Acal: *Los poetas mejicanos contemporáneos*, Méjico, 1888.—C. G. Améxaga: *Poetas mejicanos*, Buenos Aires, 1896.—R. Domínguez: *Los poetas mejicanos*, Méjico, 1912.—L. de Gasperi: *Leopoldo Díaz*, «Nosotros», año LXVI, Buenos Aires, 1927.—F. Contreras: *Pedro Antonio González*, «Nuevo Mercurio», París, 1908.— A. Donoso: *Vida de Pedro Antonio González* (Introd. a las *Poesías de P. A. G.*), 1917.—Para el resto de los poetas aludidos en este apartado véanse las *Historias de la literatura* de cada país anotadas en la Bibliografía general.

III. José Martí. De la copiosísima bibliografía martiniana escogemos sólo los títulos más extensos y relativos exclusivamente al aspecto literario: L. A. Baralt: *Martí y el teatro*, «Rev. Universidad», Habana, 1934.—A. Batres Jáuregui: *José Martí*, ed. Quesada, Habana, 1913.— Emilia Bernal: *Martí por sí mismo*, Habana, 1934.— R. Blanco-Fombona: *José Martí*, «Nuestra América», Habana, 1909.—J. Burell: *José Martí*, «Norteamericanos», ed. Quesada, Habana, 1909.—N. Carbonell: *Autobiografía de Martí*, Habana, 1952.—Lilia Castro de Morales: *Diccionario del pensamiento de Martí*, Habana, 1953.— G. Díaz-Plaja: *Lenguaje, verso y poesía en J. Martí*, «Cuad. Hispanoamericanos», XIV, 1953.—J. M. Cortina: *Apología de Martí*, Habana, 1930.—R. Estenger: Selc., pról. y notas a «Obras escogidas» de Martí, Habana, Edit. Aguilar (Madrid), 1953.—M. García Kohly: *La personalidad de José Martí*, Madrid, 1929.—R. García Martí: *Martí, Biografía familiar*, Habana, 1938.—R. Garrigó: *América. José Martí*, Habana, 1911.—D. Herrera: *Martí, iniciador del modernismo americano*, «Rev. Dominicana de Filosofía», I, Ciudad Trujillo, 1956.—A. Hernández Catá: *Mitología de Martí*, Madrid, 1929.—A. Iduarte: *Martí, escritor*, Méjico, 1945.—R. Infiesta: *El pensamiento político de Martí*, Habana, Universidad, 1953.—R. Lazo: *Martí. Su obra literaria*, Habana, 1929.—F. Lizaso: *Epistolario de J. Martí*, 3 vols., Colec. Libros Cubanos, Habana, 1900; *Proyección humana de J. Martí*, 2 vols., Habana, 1953; *Martí*, Buenos Aires, 1940.—J. Mañach: *Martí*, Madrid, 1953.—C. Márquez Sterling: *Martí, maestro y apóstol*, Habana, 1942.—I. Méndez: *José Martí*, Habana, 1941.—F. de Onís: *Valoración de Martí*, «Nueva Democracia», XXXVI, Nueva York, 1956.—J. A. Portuondo: *Martí, crítico literario*, Washington, Unión Panamericana, 1953.—G. de Quesada y Aróstegui: Introducciones a los tomos de la ed. dirigida por él, Habana, «Trópico».— J. J. Remos: *Deslindes de Martí*, Habana, 1953.—M. de Unamuno: Sobre los «Versos libres» de Martí, «Cuba», ed. Quesada.—M. Vitier: *Martí: su obra política y literaria*, Matanzas, 1911.

CAPITULO LXXXVI

EL MODERNISMO EN AMERICA:
C) APOGEO Y DECADENCIA

I. Apogeo del Modernismo.—II. Los grandes poetas rioplatenses: *Lugones.*
Jaimes Freyre. Herrera y Reissig. A. Vasseur.—III. Poetas del Pacífico: *Santos*
Chocano. G. Valencia. Pezoa Velis y Blanco-Fombona.—IV. Los mejicanos:
Amado Nervo. Luis G. Urbina y J. J. Tablada. González Martínez.—V. Otros
poetas modernistas: *Argentina y Uruguay. Chile, Perú y Bolivia. Venezuela,*
Colombia y Ecuador. Las Antillas. Centroamérica y Méjico.
Notas.—Bibliografía.

I. APOGEO DEL MODERNISMO

El Modernismo, cuyos caracteres, aparición y primeras manifestaciones han sido señalados en capítulos anteriores, tiene su máxima vigencia entre 1895 y 1910. En esos quince años aparecen libros tan reveladores como *Castalia bárbara,* de Jaimes Freyre; *Los crepúsculos del jardín, Lunario sentimental* y *Odas seculares,* de Lugones; *Perlas negras* y otros poemarios, de Nervo; *Ingenuas,* de G. Urbina; *El poema finisecular, Cantos del Pacífico* y *Alma América,* de Santos Chocano; *Pequeña ópera lírica,* de Blanco-Fombona; *Cantos augurales,* de Armando Vasseur; *Pascuas del tiempo* y *Los éxtasis de las montañas,* de Herrera y Reissig; *Ritos,* de G. Valencia; *El florilegio,* de José J. Tablada; todo ello, y sólo reseñamos lo más representativo, encabezado por cuatro obras miliarias de Rubén: *Prosas profanas* (1896), *Cantos de vida y esperanza* (1905), *Canto errante* (1907) y *Poema del otoño* (1910). No hace falta decir más para comprobar que a esos tres lustros está vinculado el triunfo del modernismo. Y esto no sólo en América, sino también en España. Algunos de los libros citados fueron impresos en Madrid o en Barcelona; y por los mismos días daban a conocer su mejor cosecha lírica los más ilustres representantes del modernismo peninsular: Villaespesa, Valle-Inclán, Marquina y Manuel Machado.

Un coro de voces tan nutrido como pocas veces había sonado en el parnaso hispánico, y acaso tampoco en ningún otro país, acompaña por esos años la voz indiscutible de Rubén Darío. Este, ya queda dicho, se constituye desde el primer momento en corifeo y maestro. No importa que en su mayor parte los integrantes del grupo sean coetáneos suyos; todos le obedecen, lo mismo en España que en América, y lo mismo en Méjico que en Buenos Aires. Todos están atentos a su batuta; todos, expresa o tácitamente, se le declaran subordinados. Pero con una subordinación relativa, ya que cada uno, dentro del conjunto, canta con voz propia y mantiene su personalidad. Al mismo Rubén le habría desagradado encontrarse con un sometimiento ciego; nadie ha recabado con más empeño para sí y para los demás el derecho a una omnímoda libertad en lo tocante a la creación artística. Es un magisterio voluntariamente aceptado, en cuanto que, aun siendo varios de ellos altísimos poetas, nadie discute la superioridad de Rubén. Superioridad cuantitativa y cualitativa, ya que la voz del vate nicaragüense tiene más registros que ninguna y un estremecimiento lírico superior a todas ellas. Tampoco acatan consignas ni tienen manifiestos. No en vano el modernismo ha sido interpretado entre sus más recientes exégetas como una regresión a las maneras románticas; y en algún aspecto lo es: hay mucho de romanticismo en la lírica modernista, empezando por la liberación de toda norma impuesta al poeta *a priori.*

La nómina de vates modernistas es inacabable. Habremos de limitar, por lo pronto, nuestra referencia a los diez o doce más notables, dejando para otro apartado una escueta mención de los de segundo y tercer orden. Los que forman la plana mayor, llamémosla así, del modernismo son una docena; y en su enumeración no caben dudas; el tiempo, cuyo fallo en estas materias es definitivo e inapelable, se ha encargado de darnos la lista: Leopoldo Lugones, Ricardo Jaimes Freyre, Julio Herrera y Reissing, Alvaro Armando Vasseur, Carlos Pezoa Velis, José Santos Chocano, Rufino Blanco-Fombona, Guillermo Valencia, Amado Nervo, Luis González Urbina, José Juan Tablada y Enrique González Martínez. Hay otros cien, ya que rara vez las musas castellanas se han mostrado tan fecundas. En los citados, sin embargo, creemos que se encierra lo mejor que dió de sí la poesía modernista. Ni siquiera todos tienen idéntico valor, si bien cualquiera de ellos, por uno u otro motivo, es digno de especial mención. Por eso se la damos aquí, no sin advertir que, aun siendo cada uno de voz y tono distintos, hay algo en ellos, aparte de ser todos declaradamente modernistas, que los unifica, dándoles cierta homogeneidad. Berenguer Carisomo [1] les señala dos notas comunes: tendencia a la universalización de los temas y «regresión a una nacionalización trascendental que permitió, por primera vez dentro de la historia literaria continental, encontrar lo más auténtico del ser americano». Aún agrega luego otra tercera circunstancia: cierto anhelo de retorno al sentimiento cristiano, que atempera el paganismo inicial de la escuela, quedando sólo de ese paganismo los elementos formales.

II. LOS GRANDES POETAS RIOPLATENSES

Sólo por razones de claridad expositiva, y atendiendo a un criterio puramente geográfico, agrupamos bajo el mismo epígrafe a cuatro poetas del Río de la Plata—Lugones, Freyre, Herrera y Reissing y Vasseur—, sin que ello presuponga analogías o relaciones de ninguna especie: Son todos ellos rioplatenses, y eso basta. El único que podía sustraerse al grupo, Jaimes Freyre, como nacido en Bolivia, pasó lo mejor de su vida en Buenos Aires, y allí se formó y se dió a conocer poéticamente.

Lugones

LEOPOLDO LUGONES (1874-1938) [2], nacido en la provincia de Córdoba, donde empezó practicando periodismo, aparece en Buenos Aires a finales de siglo, dispuesto a conquistar el éxito. Se hace oír con *Las montañas del oro* (1897), y no cesa de publicar libros en verso y prosa hasta su muerte. Ya Rubén Darío lo llama «el formidable Lugones», porque su aparición en el horizonte poético fué impresionante y grandiosa. Para algunos es Lugones no sólo el mejor poeta argentino de la época, sino el mejor de todos los tiempos. Por lo menos hay que reconocer que es el más rico, el que más cuerdas ha pulsado, el que ha explorado más zonas del sentimiento. Empezó siendo romántico; pasó luego al Clasicismo, al Modernismo; se incorporó ocasionalmente a las tendencias vanguardistas conforme iban apareciendo, y, por último, derivó hacia un tipo de poesía sencilla y natural, de neta raíz castellana. Y en cada una de tales estancias dejó poemas muy valiosos. La escala de influencias también es reveladora: Poe y Laforgue, al principio; clásicos grecolatinos, después; Pascoli, más tarde; Rubén, y, por último, Juan Ramón Jiménez. Todo ello sin menoscabo de su originalidad y con una inspiración ajena muy relativa. Lo mejor de su poesía, lo más acendrado, supo extraerlo de su propio espíritu, ya que Lugones siempre y en cualquier modalidad era un poeta de alto numen.

Su producción es muy extensa, tanto en prosa como en verso. Aquélla nos importa ahora menos. Basta decir que cultivó la novela, la historia, la didáctica, la estética y hasta la filosofía, todo ello con dignidad y escogido lenguaje. Por su dominio del idioma, por la soltura, las libertades con que lo maneja y dislocaciones a que lo somete, Lugones ha sido comparado con Quevedo [3]. Repetimos que la prosa aquí sólo importa en segundo grado. Interesa más el verso, con el enunciado de las diversas colecciones poemáticas en que fué apareciendo, toda vez que ellas nos señalan la trayectoria recorrida por el poeta en su constante afán por encontrar nuevos panoramas. Lugones, antes de revelarse como lírico de aliento en *Las montañas de oro*, el libro con que los críticos suelen abrir la lista de sus producciones, había publicado un largo poema de 300 versos, *Los mundos,* escrito en silva. Pero su primera revelación, repitámoslo, fué *Las montañas de oro* (1897), de voz amplia victorhuguesca, con alguna influencia de Poe y de Baudelaire. A este primer libro siguen otros nueve, por este orden: *Los crepúsculos del jardín* (1905), más parnasiano y con evidente huella de Verlaine; *Lunario sentimental* (1909), funambulesco, pirotécnico, lleno de audacias métricas y expresivas; *Odas seculares* (1910), más personal, de tono heroico, inspirado en la patria y la tierra natal; *El libro fiel* (1912), intimista, casi doméstico, con aparición del elemento femenino, que hasta entonces sólo había tenido en la obra de Lugones un reflejo erótico; *El libro de los paisajes* (1917), visión directa de la naturaleza argentina; *Las horas doradas* (1922), rico también en intimidades y teñido de cromatismo otoñal; *Romancero* (1924), tributo a la poesía tradicional, escrito preferentemente en metro octosílabo; *Poemas solariegos* (1928), y *Romances del Río Seco* (1930), con notorio predominio de inspiraciones y motivos nativistas.

La vinculación más estrecha de Lugones al Modernismo está representada por *Los crepúsculos del jardín,* en los que se oye cantar a un poeta exquisito, de voz aterciopelada y finísima modulación. Son poemas cincelados afanosamente, miniaturizados a veces con exceso, pulidos y repulidos, especialmente la serie de sonetos titulada *Los doce goces* [4]. Vaya un ejemplo:

> La tarde, con ligera pincelada,
> que iluminó la paz de nuestro asilo,
> apuntó en su matiz crisoberilo
> una sutil decoración morada.
> Surgió enorme la luna en la enramada;
> las hojas agravaban su sigilo,
> y una araña en la punta de su hilo
> tejía sobre el astro, hipnotizada.

Poblóse de murciélagos el combo
cielo, a manera de chinesco biombo;
tus rodillas exangües sobre el plinto
manifestaban la delicia inerte,
y a nuestros pies un río de jacinto
corría sin rumor hacia la muerte.

No siempre la poesía de Lugones es eso. A veces se manifiesta desnuda, brutal, incisiva [5]. Pero aun en estos casos, enormemente trabajada.

Si quisiéramos en esa copiosa producción destacar algunos títulos, señalaríamos de *Las montañas del oro*, los poemas *La voz contra la roca*, *A Histeria*, *Metempsicosis* y *El viento*; de *Crepúsculos del jardín*, *Los doce goces*; de *Lunario sentimental*, *Plegaria de Carnaval*, *Nocturno*, *Fuegos artificiales*; de las *Odas seculares*, *A los gauchos* y *A la patria*; de *Libro fiel*, *La blanca soledad* y *Paseo sentimental*; y de *El libro de los paisajes*, *Salmo pluvial* y *Las cigarras*. Muy difícil de todos modos una selección en la obra de Lugones; raro es el poema que no merece citarse por su valor en un aspecto u otro. Difícil asimismo formular un juicio aplicable a toda la obra, ya que se trata de un poeta en constante evolución, una personalidad proteica [6]. «Su arte—escribe Federico de Onís—, tanto en la grandilocuencia romántica de *Las montañas del oro*, como en los refinamientos decadentes de *Los crepúsculos del jardín*, la ironía extravagante de *Lunario sentimental*, la serenidad tradicional de las *Odas seculares*, la límpida sencillez del *Romancero*, o la grandeza vernacular de *Poemas solariegos*, es siempre un arte culto, «culterano», diríamos más bien usando el viejo término clásico, en el que el amaneramiento es natural y hasta el prosaísmo es afectado y complicada la sencillez. Es un arte intelectual, de fría pasión y esfuerzo heroico, de rebuscada y sabia expresividad» [7]. Este arte, agregamos por nuestra cuenta, se compagina muy bien con el ideario estético del poeta, ideario que, si no quedó sistematizado en ningún estudio, está disperso en numerosos pasajes de sus obras. Todo parece indicar que Lugones, después de haber asignado al arte una finalidad concreta de orden cívico o social, recaló en la concepción del llamado «arte por el arte», o mejor, arte por la belleza. «Todo acaba en tumba sobre la tierra, menos la palabra hermosa», escribe en cierta ocasión.

Jaimes Freyre

Al nombre de Lugones puede muy bien vincularse el del profesor y diplomático boliviano RICARDO JAIMES FREYRE (1868-1933) [8], amigo de aquél, que le prologó algún libro, y de Rubén Darío, con cuya colaboración fundó, en 1892, la *Revista de América*, de mucha importancia en la difusión del modernismo. Cultiva Freyre una poesía esencialmente «poética», valga la redundancia, es decir, una poesía desligada de la realidad, mediante la evasión a mundos imaginarios. De aquellas inspiraciones y motivaciones buscadas por el modernismo en lo exótico remoto—lo griego, lo oriental, lo árabe, lo hispano, lo gótico, lo renacentista, lo germánico y hasta lo escandinavo—, prefiere el poeta boliviano estas últimas. De ahí la tenebrosidad e hiperboreidad de su poesía. Cultor incansable de la forma, Freyre persigue sin descanso la rima difícil, el vocablo nuevo, el giro insólito, sin salirse, no obstante, de los cánones admitidos como válidos por la nueva doctrina. Porque Freyre es ante todo un modernista con todas las consecuencias. Pero dentro del modernismo le atrae lo tenebroso, lo lejano, lo extraño: la Edad Media más que el Renacimiento; lo germánico más que lo helénico.

Así le encontramos en su primera obra, *Castalia bárbara* (1897), inspirada sin duda en los *Poèmes barbares*, de Leconte de Lisle, y con sugerencias acaso, en cuanto a la libertad del metro, de las *Odi barbare*, de Carducci. *Castalia*, junto con *Prosas profanas* y *Las montañas de oro*, constituyó el triple acontecimiento, casi simultáneo, que ofreció el modernismo al Buenos Aires finisecular. Poesía extraña la de *Castalia*: por el tema se encardina al sector modernista que busca lo exótico; aquí, la mitología escandinava, con personajes arrancados de las viejas leyendas: Odín, la sabiduría; Lok, el mal; Thor, la guerra. Por la forma cae dentro del parnasianismo. Sólo que mientras éste prefiere en sus mejores intérpretes la simetría del verso y de la estrofa—el soneto, sobre todo—, en Freyre metros y rimas forman una danza alucinante, sin menoscabo de la armonía fundamental. Estos juegos métricos son muy del gusto del poeta boliviano, que ensayó con fortuna versos de quince, dieciséis y diecisiete sílabas, atendiendo más al período prosódico que al cómputo de aquéllas. Y acaso aquí radica su mayor significación dentro del modernismo, en cuanto ha intentado renovar nuestra métrica, no sólo prácticamente en sus poemas, sino también teóricamente en su famoso estudio sobre las *Leyes de versificación castellana*. Y aunque su importancia haya sido notoriamente exagerada—no se puede afirmar, como lo hace Jouhin Colombres, que el estudio de las leyes de la versificación en nuestra lengua se debe exclusivamente a Freyre—, ha de reconocerse que ese tratado versificatorio supone un considerable avance en la preceptiva moderna, avance mejor asimilado hasta ahora por los poetas que por los tratadistas de métrica.

Insistamos en que su poesía es demasiado fantástica, demasiado vaga e irreal:

Un dios misterioso y extraño visita la selva.
Es un dios silencioso que tiene los brazos abiertos.
Cuando la hija de Thor espoleaba su negro caballo,
le vió erguirse de pronto a la sombra de un añoso fresno.
Y sintió que se helaba su sangre
ante el dios silencioso que tiene los brazos abiertos.

De la fuente de Imer, en los bordes sagrados, más tarde,
la noche a los dioses absortos reveló el secreto;
el águila negra y los cuervos de Odín escuchaban,
y los cisnes que esperan la hora del canto postrero;
y a los dioses mordía el espanto
de ese dios silencioso que tiene los brazos abiertos...

(Aeternum vale.)

Castalia bárbara tuvo una continuación muy tardía en *Los sueños son vida* (1917), con mayor interferencia de lo personal y subjetivo. En uno y en otro libro, Freyre dejó una curiosa modalidad, dentro siempre del estilo modernista: un modo de poetizar que a veces recuerda, por lo fantástico y grandioso, la música de Wagner. Y, en efecto, de «wagneriana» ha sido calificada esta poesía por Berenguer Carisomo [9], en cuanto, siendo de inspiración fundamentalmente pagana, late en ella, especialmente en las composiciones de última hora, cierto preludio de retorno al elemento cristiano.

Herrera y Reissig

Precisamente con una serie de *Wagnerianas* se estrenó, hacia 1900, en su país el uruguayo JULIO HERRERA Y REISSIG (1975-1910), en quien algunos pretenden ver el poeta máximo de América [10]. Que es tan original como el que más y superior a todos en algunos aspectos, más bien imaginativos, nadie lo pone en duda. Que sea el mejor poeta de habla hispánica, ni siquiera el mejor de su tiempo —un tiempo en que andaba por el mundo un lírico del rango de Rubén Darío—, es menos que probable. Y aun vacilaríamos nosotros mucho antes de otorgarle la primacía entre los vates de su país. Si por poesía se entiende hiperestesia, metaforismo desaforado, ilogicismo, nebulosidad y buceo ciego en las zonas del subconsciente, desde luego Herrera y Reissig es un lírico inigualable. Pero estamos muy distantes de creer que en eso, o sólo en eso, consista la poesía. «Ametralladora metafórica», le llama Anderson Imbert, y no sin motivo. Porque nadie ha sembrado tan a voleo, tan sin ton ni son, tan irracionalmente —¿por qué no decirlo?— la imagen y la metáfora. Para Guillermo de Torre, su prologuista y agudo intérprete, es Herrera y Reissig el poeta que «encarna quizá con significación más cabal la manera modernista», superior al mismo Darío, el cual, aun siendo más poeta, no representó el modernismo con tanta fidelidad. La misma unidad o uniformidad de su obra lírica, que para otros críticos sería motivo de limitación, es para sus panegiristas un tanto más que añadir en su favor, al haberse sabido mantener durante su breve vida en una misma línea, sin posibilidad de evolución.

La obra poética de Herrera está ligada íntimamente a su vida, de la que es reflejo fidelísimo. Perteneciente a ilustre familia venida a menos, con una formación, al parecer bastante amplia

—hay más, sin embargo, en su verso de cultura de acarreo que de sólida base humanística—, orgulloso, displicente, en pugna siempre con el medio social, sin posibilidad de evadirse, como otros, a Europa con una misión diplomática, este espíritu egocéntrico se recluye en su torre de marfil, y desde ella va lanzando a los cuatro puntos cardinales, con cierta indiferencia, su mensaje, que al mundo —la verdad sea dicha—de momento parece interesarle muy poco. Lo de la torre de marfil no es un símil, es una realidad. Esa torre de marfil, en que Herrera se recluyó voluntariamente, tuvo su existencia y su nombre: se llamaba la *Torre de los Panoramas*, y desempeñó un papel muy importante en la difusión y proceso del modernismo uruguayo. Zum Felde y César Miranda, aparte de otros, nos la han descrito con toda clase de detalles. Se trataba de un cenáculo literario donde Herrera congregaba diariamente a sus amigos y admiradores, casi todos más jóvenes que él, les leía sus versos, escuchaba sus aplausos y, llegado el caso, les daba el espaldarazo de poetas. En aquel altillo, que apenas levantaba unos metros del nivel de las próximas azoteas, sito en el número 235 de la calle de Ituzaingó, en una pobre habitación exóticamente decorada, se discutían problemas estéticos, se escuchaba música, se cantaba, se hacían prácticas de espiritismo y, sobre todo, se rendía culto a las musas con libertad absoluta de forma y fondo. El primero en dar ejemplo era el jefe del cenáculo y dueño del local, quien a fines de 1902, con ocasión de una polémica literaria, lanza a los cuatro vientos este *Decreto:* «Abomino de la promiscuidad del catálogo. ¡Solo y conmigo mismo! Proclamo la inmunidad literaria de mi persona. *Ego sum imperator.* Me incomoda que ciertos peluqueros de la crítica me hagan la barba... ¡Dejad en paz a los dioses! Yo, Julio. Torre de los Panoramas.»

Nos hemos detenido en esta peripecia, extraña al parecer a nuestro asunto, porque ella nos da la clave de toda la poesía de Herrera y Reissig. Esa poesía es antes que nada simbolista, con todo el misterio, vaguedad, difuminación e imprecisión que caracterizan a la escuela. Empieza Herrera escribiendo cantos *A España, A Castelar, A Lamartine, A Guido Spano*, etc. Esto ocurre en 1898. Nos hallamos, naturalmente, ante un romántico. Pero dos años más tarde, en unas *Wagnerianas*, ya aludidas, publicadas en *La Revista*, que él mismo dirige, ha cambiado de tono. Vienen inmediatamente *Las Pascuas del Tiempo*, incluidas en el *Almanaque artístico del siglo XX*, que señalan su conversión total al modernismo. Y a continuación: *Los maitines de la noche* y *Las manzanas de Amarylis* (1902); *Los éxtasis de la montaña* (1904); *Poemas violetas, Sonetos vascos y Opalos* (1906); *Atomos* (1907); *Los parques abandonados* (1908); *Los extasis de la montaña*, segunda serie; *Clepsidra, Pianos crepusculares* (1910).

Y en prosa, *Conferencias, El Renacimiento en España, El círculo de la muerte,* etc.

Dos fases capitales, salvando siempre la unidad de la obra, señala Guillermo de Torre[11] en la poesía de Herrera y Reissig: «Una de línea barroca, con intenciones semimetafísicas, de fondo subconsciente y expresión por veces abstrusa, que comienza en el poema *La vida* (1900), pasa por *Desolación absurda,* de *Los maitines de la noche* (1902) y termina patéticamente en *La tertulia lunática,* de *La torre de las Esfinges* (1909). Otra fase de carácter menos complejo, de inspiración pastoral, de tema idílicoeclógico, donde se hallan quizá sus páginas de más puro y perdurable valor lírico, que comienza en el poema *Ciles alucinada* (1903), para llegar a su plenitud en los rosarios de sonetos *Los éxtasis de la montaña,* en los *Sonetos vascos* (1906), y conocer su declive en *Los parques abandonados* (1908). Al margen quedan los sonetos amorosos de la primera serie de *Los parques abandonados,* la suite exótica de las *Clepsidras* (1910) y la espléndida pieza final, *Berceuse blanca* (1910).»

Falta agregar, y lo hacemos por nuestra cuenta, que de esas dos maneras, la pastoral o idílica y la decadente o barroca, es la primera la mejor, con finura de expresión y aciertos metafóricos innegables, si bien no dista mucho de lo que hacían por las mismas fechas otros modernistas: Lugones, Freyre y Nervo, por ejemplo. Pero la que define a Herrera y Reissig con un estilo personal, muy diversamente valorado, es la otra, la simbolista. Un simbolismo el suyo alucinante, demencial, que cae de lleno dentro de las zonas psicopatológicas, con mucho de ilogicismo, mucha extravagancia y mucho, muchísimo, de eso que con un flagrante galicismo solemos llamar «pose». Los simples títulos de algunos poemas ya nos informan de su naturaleza, y no decimos de su contenido porque no lo tienen: *Idealidad exótica, Transpiración macabra, Epitalamio ancestral, Oblación abracadabra* y esa *Psicologación morbopanteísta* con que se abre *La torre de las esfinges:*

> En túmulo de oro vago
> cataléptico faquir
> se dió el tramonto a dormir
> la unción de un Nirvana vago...
> Objetívase un aciago
> suplicio de pensamiento,
> y como un remordimiento
> pulula un sordo rumor
> de algún pulverizador
> de músicas de tormento.
> El cielo abre un gesto verde,
> y ríe el desequilibrio
> de un sátiro de ludibrio
> enfermo de absintio verde...

Así a lo largo de medio centenar de décimas. Hay quien a esta acumulación de incoherencias, con sus ripios correspondientes, le da un mérito supremo. Nosotros no se lo quitamos del todo,

si bien creemos que no es muy difícil ensartar metáforas, rimas y expresiones, más o menos originales, siempre que se autorice de antemano para prescindir de cuanto significa ilación y buen sentido. Lo que no quiere decir que Herrera y Reissig no fuera un temperamento poético de primer orden. Lo fué; lo demostró en multitud de poemas, y muy especialmente en los *Sonetos vascos,* que son para nosotros lo mejor de su obra. Sólo que prefirió con demasiada frecuencia lanzarse por el fácil camino de la extravagancia. Por eso no ha faltado quien le señalase como precursor de las tendencias subsiguientes: del ultraísmo, del creacionismo, del surrealismo. Escasa gloria, que aun le regatean quienes, como Huidobro, se consideran los introductores de estos modos poéticos.

A. Vasseur

Allá a fines del xix y principios del xx irrumpe en las tertulias literarias de Montevideo otro joven poeta, que antes de llegar a las veintena ya había frecuentado los círculos literarios bonaerenses regidos por Rubén Darío. Este poeta, de origen francés, no es otro que Alvaro Armando Vasseur (n. 1878), quien en su afán de reclamo y de atraer sobre sí la atención de las gentes se hacía pasar por hijo adulterino del conde de Lautreamont[12].

Su primer libro de versos, *Cantos augurales* (1904), levantó bastante ruido, ya que en él parecía anunciarse un poeta inspirado y hasta cierto punto original. Luego, cuando se comprobó que la originalidad no existía, porque en aquellos versos había inspiración muy directa de poetas tan conocidos como Walt Whitman y *Almafuerte,* y que la novedad se reducía a ciertas audacias de fondo y forma, el prestigio de Vasseur decayó rápidamente, y ni siquiera entre sus paisanos pudo mantenerse en pie durante algún tiempo. En realidad, Vasseur a duras penas logra escaparse de ese círculo en que solemos incluir a los poetas de segundo orden. Elevado circunstancialmente a un rango que no le correspondía, la crítica más reciente se ha cuidado de reducirle a su lugar exacto. Porque en definitiva se trata de un poeta extravagante, incorrecto y—no vacilamos en decirlo—pedestre. Extravagancias e incorrecciones que antes que al prurito de ensayar nuevos modos, como pudiera creerse, obedecen a incapacidad de creación. Debiendo imitar a los franceses, a quienes conocía bien por el doble motivo de la sangre y del idioma, se dejó influir por autores extraños, alemanes y sajones sobre todo, Poe, Hearn, Wilde, Whitman, Nietzsche, para despeñarse luego por la pendiente de una poesía cerebral y desconcertante. Quiso decir en verso cosas que están mejor dichas en prosa corriente. Y anticipándose al «ultra», se empeñó en darnos como poesía nueva una sarta de incoherencias en las que no alienta el menor soplo lírico:

> Huella
> del numen, abracadabra,
> dinos sin palabra
> lo que no otros con ella...
> Honda ciencia de gracia leve,
> capaz de trocar la nieve
> en mármol de eternidad,
> dinos
> los sortilegios divinos
> de tu intensidad...

Esto se titula *Beata sencillez.*

En sus primeros libros—*Cantos augurales* (1904) y *Cantos del Nuevo Mundo* (1906)—cultiva una poesía de tema social y acento profético, casi apocalíptico. En los restantes—*Cantos del otro Yo* (1909), *A flor de alma* (1908), *El vino de la sombra* (1917), *Hacia el gran silencio* (1924)— gusta de perderse por las nebulosidades del subconsciente, sin acertar con esa expresión diáfana en medio de su vaguedad, y toda tremante de lirismo, que caracteriza a otros poetas surrealistas, como Vicente Aleixandre. Con frecuencia, Vasseur quiere ser irónico; pero es la suya una ironía agriada, antipática y vulgar.

III. POETAS DEL PACIFICO

Los países del Oeste suramericano, los que dan la cara más bien al Pacífico, también han aportado al Modernismo su nutrida lista de poetas. Pero sólo descubrimos en esa lista cuatro valores de primer orden: Santos Chocano, Guillermo Valencia, Rufino Blanco-Fombona y Pezoa Velis. Todos los demás no son sino el coro de estas voces.

Santos Chocano

La voz de JOSÉ SANTOS CHOCANO (1875-1934) [13], el máximo poeta del Perú, cuya vida sería el mejor tema para una novela amoroso-picaresca, se parece bastante a la de Freyre. Su leyenda de hombre pendenciero y aficionado a negocios no muy claros le viene perjudicando en el juicio de la posteridad. La primera impresión que como poeta produce en los lectores es más bien negativa: acento huguesco, grandilocuente; efectismo; mucha sinceridad y mucha falsedad; mucho sentimiento limpio y mucha retórica. Después, a poco que se rasque, se topa con una vena no escasa de emoción humana. Santos Chocano era por naturaleza teatral, desmesurado y romántico, y traducía a sus cantos su manera de ser. Freyre había llenado sus versos altisonantes con los mitos del mundo germano y escandinavo; Chocano llena los suyos con los grandes mitos—o si el nombre parece irreverente, pongamos leyendas—, tradiciones y motivos de América: los Andes, la conquista, los imperios, los cóndores, las selvas, las pampas, los ríos que unen naciones y los mares que enlazan continentes. El mismo se creyó intérprete providencial de todo ese mundo, mitad indio y mitad hispánico. «Walt Whitman tiene el Norte, pero yo tengo el Sur», llegó a decir en verso memorable.

¿Cómo era su poesía, si no toda, al menos la que mejor le define? Esta estrofa con que empieza un poema escrito «a la manera yanqui» nos le va a revelar:

> Los Estados Unidos, como argolla de bronce
> contra un clavo, torturan de la América el pie,
> y la América debe, ya que aspira a ser libre,
> imitarlos primero e igualarlos después.

Muy prosaico, ciertamente; pero revelador. Y aludiendo al problema racial, escribe:

> No podrá ser la raza de los rubios cabellos
> la que al fin rompa el Istmo... Lo tendrán que romper
> veinte mil antillanos de cabezas oscuras
> que hervirán en las brechas cual sombrío tropel.
> Raza de las Pirámides, raza de los asombros,
> faro de Alejandría, templo en Jerusalén;
> raza que exprimió sangre sobre el romano circo
> y que exprimió sudores sobre el canal de Suez.

Aunque sea éste el tono más frecuente, en su lira hay otras cuerdas. En la madurez sobre todo, Santos Chocano llega a tocar fibras muy sensibles. El indio, que él había soñado acometedor y capaz de magnas realizaciones, se le ofrece ahora resignado, indiferente, casi conforme con su destino:

> Indio que asomas a la puerta
> de esa tu rústica mansión:
> ¿para mi sed no tienes agua?
> ¿Para mi frío, cobertor?
> ¿Parco maíz para mi hambre?
> ¿Para mi sueño, mal rincón?
> ¿Breve quietud para mi andanza?
> —¡Quién sabe, señor!
> ....
> Corre en mis venas sangre tuya,
> y por tal sangre, si mi Dios
> me interrogase qué prefiero:
> cruz o laurel, espina o flor,
> beso que apague mis suspiros
> o hiel que colme mi canción,
> responderíale dudando:
> —¡Quién sabe, señor!

Tres épocas bien marcadas cabe distinguir en la producción de Chocano. Empieza a escribir verso muy pronto. Antes de los quince años ya había publicado algunos. Cuando, recién cumplidos los diecisiete, va a dar con sus huesos en la cárcel, ya estaba en trance de editar un libro, *En la aldea*, que no apareció hasta 1895, al mismo tiempo que *Iras santas*, su segundo volumen. *En la aldea* iba impreso en tinta azul; *Iras santas*, en tinta roja. En ambos, Chocano se muestra discípulo aventajado de Hugo, de Andrade, de Díaz Mirón, sobre el que había escrito a los diecisiete años un artículo altamente admirativo, y de Núñez de Arce, al que en una dedicatoria de su puño y letra llama «el Magno». Esta dedicatoria va fechada en septiembre de 1895. Consignamos la fecha por ser muy reveladora, ya que de ella se deduce que Chocano, al frisar en la veintena, estaba más próximo del autor de los *Gritos del combate* que de Rubén Darío. Y, en efecto, la huella del poeta vallisoletano aparece clara en muchos pasajes, especialmente de *Iras santas:*

> Y cuando caiga yo, la canción rota
> y roto el corazón; y cuando caiga,
> después de fulminar mi última nota...
> *(Lucha y trabajo.)*

> Y logrando aplastar a los perversos,
> los hundiré en la cárcel de mis versos...
> *(En la mazmorra.)*

Con razón nos dice Prada en el prólogo que Chocano había aparecido «fulminando himnos batalladores y revolucionarios». Pero al lado de esta poesía «de cóleras y odios, de imprecaciones y diatribas», que hace pensar en el Barbier de los *Yambos,* o en el Hugo de *Los castigos,* una poesía plástica de altos valores descriptivos. Con estas dos colecciones se puede decir que termina su primera época.

La segunda casi debe interpretarse como continuación de aquélla. Está representada por el canto heroico *La epopeya del Morro* (1899), el poema *El derrumbe* (1899), *La selva virgen* (1900), *El canto del siglo,* «poema finisecular» (1901), *El fin de Satán* (1901) y los *Cantos del Pacífico* (1904). La misma voz apocalíptica, el mismo verbo grandilocuente, sólo que con mayor intervención de elementos—motivos, temas, versificación—modernista. Resalta el empeño en la búsqueda, a veces con positivo resultado, de nuevos metros o de nuevos ritmos dentro de metros ya conocidos: verso de quince sílabas, formado por triple pentasílabo; de diecisiete, formado por siete más diez, éste escindido en dos hemistiquios; de dieciocho, por tres exasílabos, con las cesuras muy marcadas; series rítmicas, a la manera de Silva, etc. Como en González Prada, en Nervo, Freyre, Darío y en casi todos los grandes modernistas, las innovaciones métricas constituyen en Santos Chocano una obsesión:

> Musa, prende nuevos ritmos en las liras,
> nuevas formas, nuevos triunfos, nuevas palmas...
> *(El nuevo dodecasílabo.)*

La tercera y última etapa se abre con la publicación en Madrid de *Alma América* (1906). Tal importancia concede Chocano a esta colección, que, al igual que antes Díaz Mirón, llegó a declarar: «Ténganse por no escritos cuantos libros de poesía aparecieron antes con mi nombre.» Observación innecesaria, ya que *Alma América,* si en algún punto superficial se puede considerar

distinto de las obras anteriores del autor, en conjunto no es sino una reiteración de los mismos temas, motivos y hasta técnica versificatoria. Una vez más, la musa inspiradora ha sido América; y no sólo en sus historias, que le dicta cantos de elevado tono *(Ciudad colonial, Ciudad conquistada),* sino en su naturaleza, que le sugiere páginas afortunadas: *El maíz, Los cocuyos,* etc. [14]. Una de las composiciones más bellas por la elasticidad del metro y lo plástico de la descripción es la titulada *Los caballos de los conquistadores:*

> ¡Los caballos eran fuertes!
> ¡Los caballos eran ágiles!
> Sus pescuezos eran finos, y sus ancas
> relucientes y sus cascos musicales...

También están bien logrados algunos sonetos, como *Blasón,* que se inicia con el famoso alejandrino: «Soy el cantor de América, autóctono y salvaje»; y el tríptico heroico *Caupolicán-Cuacthemoc-Ollanta,* inspirado sin duda en Heredia, el autor de *Los trofeos.*

Si tuviéramos que resumir la poesía de Chocano en tres o cuatro notas, señalaríamos éstas: lo racial, que se manifiesta sobre todo en *Alma América* y en *Fiat Lux* (1908); lo intimista, que domina en *Azahares* y en *Selva virgen;* y lo descriptivo, disperso por toda la obra, especialmente en *El derrumbe* y *En la aldea.* En este último aspecto, por su paleta colorista, por su exuberancia verbal, así como por los efectos musicales extraídos sobre todo de la rima, puede parangonarse con Zorrilla:

> Jardines sin confines, de músicas y olores,
> con baños bullidores que calman los ardores
> de cuerpos tentadores y pájaros cantores
> que dicen sus mejores amores a las flores
> en trinos cristalinos y finos surtidores,
> que brincan en las tazas de arcos de colores...

Quiso ser Chocano el poeta de América; él mismo se proclamó tal y creyó que lo era. Recorrió el continente desde Méjico a Chile recitando sus poemas. Escuchó ensordecedores aplausos. De todo ello ha quedado poco. Le sobraba voz; le faltaba, en cambio, espíritu, ese espíritu que sabía infundir a su verso Rubén Darío, a quien bastó un poema—*A Roosevelt*—para convertirse en el verbo de la raza.

G. Valencia

Todo lo que hay de exuberancia y complejidad en la poesía de Chocano se reduce a la más sobria expresión en la de GUILLERMO VALENCIA (1873-1943), el mayor lírico colombiano del siglo actual [15]. Si no resultara un poco paradójico, nos atreveríamos a llamarle *el clásico del Modernismo.* Antioqueño, hijo de familia noble y acaudalada, llevando como disuelta en la sangre esa distinción que aleja al espíritu por igual del dandismo amanerado y de la plebeyez disfrazada de ciencia, gran señor, aristócrata y demócrata a la vez, deportista, jinete, maestro en esgrima, Valencia es el prototipo del poeta que no da importancia a su obra, lo que no quiere decir que deje de cuidarla con el mismo esmero que pone en todas sus cosas. «Hubiera preferido ser un buen general o un buen médico», solía afirmar. Sin embargo, su fama está vinculada a la poesía. Le bastó un solo libro, *Ritos* (1898), para escalar uno de los más altos puestos del parnaso moderno colombiano y aun del hispánico en general. El público descubrió en aquellas composiciones tan pulcras, tan mesuradas, de un lenguaje tan selecto, un parnasiano. Pero un parnasiano que se había nutrido tanto de los autores griegos, estudiados directamente, como de los franceses. A unos y otros tradujo. Queremos decir que el clasicismo de Valencia es auténtico, bebido en las mismas fuentes, como lo es el de la gran escuela colombiana—la de Caro, Pombo y Cuervo—, en la que Valencia se había educado. Así resulta que bajo el mármol de sus versos late un alma finamente sensible; y así sucede que tanto como la perfección formal de sus poemas nos atrae la gracia, la vaguedad y el misterio en que vienen envueltos.

Parnasiano sin duda, acaso el más parnasiano de los modernistas, Valencia se distingue de todos ellos por haber llevado a la frialdad marmórea de la escuela un pálpito de espiritualidad, un calor cristiano que en balde buscaríamos en cualquier otro. Porque el autor de *Ritos* era cristiano, se sentía cristiano, con un cristianismo activo y operante. He aquí una de sus notas más acusadas. Y luego, el misterio, la melancolía, la nostalgia. Todo aquel mundo que intuyó de manera vaga Asunción Silva se nos da reflejado ahora en una poesía límpida, serena y armoniosa. Precisamente pensando en el autor de *Nocturno* hizo Valencia uno de sus más bellos poemas, acaso el que más fielmente refleja su pensamiento, su manera y su estilo:

> ¡Oh Señor Jesucristo! Por tu herida del pecho,
> ¡perdónalo, perdónalo! ¡Desciende hasta su lecho
> de piedra a despertarlo! Con tus manos divinas
> enjuga de su sangre las ondas purpurinas...
> Pensó mucho: sus páginas suelen robar la calma...
> Sintió mucho: sus versos saben partir el alma.
> ¡Amó mucho!: circulan ráfagas de misterio
> entre los negros pinos del blanco cementerio...

Pertenecen estos dísticos al poema *Leyendo a Silva*, uno de los mejores de *Ritos*. Excelentes son también *Los camellos, Palemón el Estilista, Las dos cabezas, Salomé y Yokatán, El caballero de Emmaús, Antonio y el centauro, Cigüeñas blancas, Anarkos...* Valencia no quiso prodigarse. «La belleza—había escrito—no se realiza por adición, sino por sustracción, y tal vez el arte supremo es el silencio supremo.» Así en el prólogo de *Ritos*, único volumen de versos originales, aumentado considerablemente en una segunda edición (Londres, 1914). Su otro libro de versos, *Catay* (1928),

es más bien una adaptación de poesías chinas traducidas del francés. Rica imaginería, adjetivación nueva, cromatismo, son las cualidades formales que más destacan en la exigua producción poética de Guillermo Valencia.

Pezoa Velis y Blanco-Fombona

No alcanzan la talla de Chocano ni de Valencia otros dos poetas del Pacífico, chileno el uno y venezolano el otro, los cuales son, sin embargo, la más alta representación del modernismo en sus países respectivos. Estos poetas se llaman C. Pezoa Vélis y R. Blanco-Fombona.

Cultivó CARLOS PEZOA VELIS (1879-1908) [15] en su no muy nutrida producción, recopilada en 1912, cuatro años después de su muerte, la poesía modernista en tres aspectos: la del preciosismo refinado y abundante ornamentación, tan característica de la primera fase del movimiento, tal como la vemos en *Pergamino clásico*:

> De frac y guante blanco, con paje y escudero,
> a la moderna justa penetra el leal doncel;
> las flores han cantado las glorias de su acero,
> las damas le enaltecen, las aves hablan de él...

La de tema social, con inclinación irresistible hacia los ambientes humildes, desamparados y hasta sórdidos, ambientes tan bien conocidos por Pezoa Velis, a causa de una vida llena de contratiempos y privaciones, agravadas por la mortal tuberculosis que le llevó al hospital. En este orden tal vez sea su mejor composición *El perro vagabundo*:

> Flaco, lanudo y sucio; con febriles
> ansias roe y escarba la basura;
> a pesar de sus años juveniles,
> despide cierto olor a sepultura.

Y la de tema populista, bien inspirada directamente, bien recogida de la tradición. A este grupo pretenecen, entre otras, *Pancho y Tomás. Una astucia de Manuel Rodríguez* y la deliciosa y picaresca *Teodorinda*:

> Tiene quince años ya Teodorinda,
> la hija de Lucas el capataz;
> el señorito la halla muy linda;
> tez de durazno, boca de guinda...
> ¡Deja que crezca dos años más!
> Carne, frescura, diablura, risa;
> tiene quince años no más..., ¡olé!,
> y anda la moza siempre de prisa,
> cual si a la brava pierna maciza
> mil cosquilleos hiciera el pie...

Pasan por los mejores poemas de Pezoa los titulados *El pintor Pereza* y *Tarde en el hospital*. En ambos se ha cebado la crítica, señalándolas, al parecer con fundamento, inspiraciones ajenas. Armando Donoso descubre en *El pintor Pereza* influencias directas de *El solterón*, de Lugones; Arturo Torres-Rioseco considera *Tarde en el hospital* simple adaptación del poemita *Nevicata*, de

Ada Negri, incluído ya por ésta en su libro *Fatalitá* (1912). Un cotejo minucioso parece indicar que la similitud de tipo y situaciones entre *El pintor Pereza* y *El solterón* podrían ser casuales. En cambio, las semejanzas entre *Tarde en el hospital* y *Nevicata* son de tal índole, que exceden el área de lo fortuito. Sin duda, la poetisa italiana influyó directamente sobre el vate chileno. Aun así, admitida la falta de originalidad de una y otra pieza, quedan en Pezoa méritos bastantes para considerarle el más alto exponente del modernismo poético en Chile. Supo llevar al cosmopolitismo modernista, que cultivó él mismo en su primera fase, una honda nota de dolor y desencanto, con ciertos atenuados toques de ironía. Su figura, casi olvidada en vida, se ha ido agrandando después de muerto, y hoy está considerado Pezoa uno de los más altos valores de la poesía chilena.

Sobre RUFINO BLANCO-FOMBONA (1874-1944) [17], narrador y crítico, cronista e historiador, hemos de volver en otro lugar. Quede aquí sólo constancia de su actividad poética. En tal sentido puede juzgársele como el propulsor del modernismo en Venezuela, ya que no su introductor, mérito que en justicia ha de repartirse entre los fundadores de la revista *Cosmópolis* (1894-98): Pedro Emilio Coll, Pedro César Domínici y Luis Manuel Orbaneja Achelpohl. Pero éstos sobresalen más como prosistas, y el mismo Blanco-Fombona cultivó más intensamente la prosa que el verso. De su obra literaria, integrada por más de veinticinco títulos, sólo cinco corresponden a la poesía: *Trovadores y trovas* (1899); *Pequeña ópera lírica* (1904); *Cantos de la prisión y del destierro* (1911); *Cancionero del amor infeliz* (1918), y *Mazorca de oro* (1943). En todos ellos domina un lirismo personal y sentido, lleno de emoción, aunque esa emoción vaya de ordinario refrenada y como subterránea, sin estallidos ni excesos. Tampoco se excede en el empleo de colorismos, ni abusa de elementos decorativos, a que tan inclinados se mostraban los modernistas de todos los países, incluída España.

Trovadores y trovas, libro de juventud, ofrece escaso mérito. Lo tienen y en no pequeño grado las otras colecciones: *Pequeña ópera lírica, Cancionero del amor infeliz* y *Cantos de la prisión y del destierro*. He aquí tres libros que constituyen una especie de diario del poeta, tanto del lado sentimental e íntimo como del lado público. En los dos primeros domina el tema erótico, siempre dentro de la máxima discreción. En los *Cantos de la prisión y del destierro*, el tema político. Algunas composiciones son auténticos anatemas fulminados contra el general Juan Vicente Gómez, dictador de Venezuela y enemigo personal de Blanco-Fombona. Recuerdan por su tono las imprecaciones de Mármol contra Rosas, sin la inspiración del poeta argentino. Fombona, casi no hace falta decirlo por tratarse de un modernista, se preocupó mucho de la métrica, ensayando combinaciones y ritmos. Hasta llegó a decir que él había dado al eneasílabo yámbico «sones que nunca le dieron otros poetas». No era cierto; lo mismo en América que en España, ese tipo de eneasílabo había sido ya empleado con fortuna y muy reiteradamente. Es verdad, en cambio, que tanto ese eneasílabo yámbico o de base bisílaba con acentuación en par, como el anfibráquico, o de base trisílaba con acentuación en la segunda de cada pie, salieron de sus manos muy perfeccionados y seguros. Blanco-Fombona los maneja con gran dominio, sin la menor vacilación acentual, lo que no hacen otros poetas, empezando por Rubén Darío.

IV. LOS MEJICANOS

El meridiano poético de Hispanoamérica, que hacia 1890 pasaba por Buenos Aires, súbitamente se desplaza hacia el Norte, para fijarse a últimos de siglo en Méjico. La partida de Rubén para Europa, con la consiguiente dispersión del grupo, señala el inicio de este cambio. Méjico se constituye en principal foco del Modernismo, gracias a *La Revista Moderna* (1896), que vino a sustituir en cierto modo a la *Revista Azul*, convirtiéndose en el más entusiasta propulsor de la nueva estética. Al calor de aquella publicación surge un enjambre de poetas que, unas veces formando grupo y otras cantando cada uno por su lado, dan a la lírica mejicana, durante quince años, indiscutible primacía en todo el continente. De esos poetas, que pueden contarse por docenas, son los más notables A. Nervo, L. G. Urbina, J. J. Tablada y E. González Martínez.

Amado Nervo

AMADO NERVO (1870-1919) [18] es la figura más relevante del Modernismo en Méjico, como lo son Valencia en Colombia, Chocano en Perú y Lugones en Argentina. Asociado a Valenzuela en la fundación de *La Revista Moderna* (1896), era ya conocido por su novela *El bachiller*, publicada un año antes, y que había llamado la atención tanto por la finura de su prosa como por la crudeza de algunas situaciones. Dos años más tarde inicia la publicación de su obra en verso, que no terminaría hasta la muerte. El ciclo poético de Nervo se abre con *Perlas negras* y *Místicas* (1898), para cerrarse veinte años más tarde, con *El estanque de los lotos* (Buenos Aires, 1919). Entre esos dos poemarios fueron apareciendo: *Poemas* (París, 1901); *Lira heroica* (Méjico, 1902); *El éxodo y las flores del camino*, prosa y verso (1902); *Las voces* (París, 1904); *Los jardines interiores* (Méjico, 1905); *En voz baja* (París, 1909); *Serenidad* (Madrid, 1914); *Elevación* (1917); *Plenitud* (1918), aparte de algunos poemas de circunstancias, amparados por el rótulo nada comprometedor de *Varia*. Con carácter póstumo vieron la luz dos de sus mejores libros poéticos: *La amada inmóvil* (Madrid, 1920) y *El arquero divino*. Total: unos setecientos poemas [19].

A través de toda esa obra, Nervo aparece como continuador de Gutiérrez Nájera, a quien, sobre todo al principio, intenta imitar. La misma finura, la misma elegancia espiritual, la misma delicadeza de concepto y gracia de expresión. Sólo que con una hondura que sería en balde buscar en *El duque Job*. Nervo, dentro de esa clásica contención que parece inherente a los mejores poetas mejicanos, fruto indudable de una firme tradición humanística, empieza por darnos una poesía sensorial, rica en cromatismos y acordes; claro es que sin llegar nunca a los excesos de un Lugones, un Freyre o un Herrera y Reissig; o a los de un Villaespesa, por citar también algún español. Ni siquiera en poemas como los incluídos en *Las voces* y *Lira heroica*, que por su mismo asunto parecen requerir un tono engolado, pierde este poeta la cabeza. Abusa, eso sí, en sus primeros libros de exotismos, morbideces y argentería de baratillo. Canta con exceso para los sentidos exteriores. Pronto su poesía se va desnudando de oropeles; la voz se hace más honda, más sincera y confidencial. *En voz baja* es el título bien significativo de uno de sus mejores libros. Y así, en un tono de soliloquio a veces, de amable coloquio otras, están escritos la mayor parte de sus versos.

Dos temas inspiran fundamentalmente a Nervo: el amor, expresado casi siempre en forma recatada, aunque no faltan páginas de sombrío erotismo y gesticulaciones de mal gusto (léanse *Lubricidades tristes*), y la nostalgia del más allá. El primero le inspira libros tan llenos de espiritualidad y sentimiento como *La amada inmóvil*, alusivo a sus amores con Ana Cecilia Daillez, la inseparable compañera durante diez años, que tan honda huella dejarían en su alma [20]. El segundo le dicta los ciento cinco poemas de *Serenidad* y los sesenta y seis de *Elevación*, todos ellos envueltos en una atmósfera sutil de melancolía y de misterio; atmósfera deliberadamente creada, ya que el mismo Nervo gusta de retratarse

> hilando la hebra de oro del misterio
> en la rueca de la melancolía...

El título del primer libro, *Místicas*, hizo creer a muchos que el Modernismo había por fin encontrado en Nervo una de las cuerdas que desde el principio le faltaban: la cuerda religiosa. Hasta se habló y se sigue hablando todavía de la profunda religiosidad del poeta mejicano. Vayamos con cautela: Nervo es religioso, sin duda; pero con esa religiosidad nebulosa, vaga, hecha de tristezas

y desencantos, de quien ha perdido la fe de sus mayores y no encuentra nada con que sustituirla. Es místico; pero con un misticismo panteísta. Creía en Dios, lo necesitaba; pero esa creencia no llega a concretarse en una fe, mucho menos en una dogmática definida. De ahí sus contradicciones. A veces se expresa como un escéptico; a veces, muchas más, como un creyente. En *Místicas* hasta parece hablarnos un católico; en otros libros, un alma triste, desamparada, que presiente algo del otro lado de la tumba, pero que no está muy segura de la naturaleza de ese «algo». Tan pronto acude a Dios como a un padre y amigo; tan pronto le apostrofa, pidiéndole explicación sobre el dolor humano. Tan pronto invoca a Cristo, como a Brahma o Alá. Ya canta los espasmos de la carne como única fecilidad asequible al ser humano, ya los abomina en nombre de un ideal ultraterreno:

> Carne, carne maldita, que me apartas del cielo...
>
> *(Místicas, XIV.)*

«Su obra es, como él, un tanto contradictoria y desigual; pero siempre amable, noble y sincera, y en sus mejores momentos, llena de profundo y sencillo sentido humano.» Así le juzga Onís. Falta subrayar el hecho de que, no obstante sus continuas caídas en el desaliento, Nervo casi siempre sabe reaccionar, y un leve rayo de esperanza termina por proyectarse sobre el conjunto de la obra. Su actitud ante la vida y la muerte está expresada con bastante fidelidad en dos poemitas, uno de *Místicas*, escrito en la mocedad, otro de *Serenidad*, escrito en la madurez. Dice el primero:

> Ha muchos años que busco el yermo,
> ha muchos años que vivo triste,
> ha muchos años que estoy enfermo.
> ¡Y es por el libro que tú escribiste!
> ¡Oh Kempis! Antes de leerte, amaba
> la luz, las vegas, el mar Oceano;
> mas tú dijiste que todo acaba,
> que todo muere, que todo es vano.
> . . . .
> Mas, como afirman doctores graves
> que tú, maestro, citas y nombras,
> que el hombre pasa como las naves,
> como las nubes, como las sombras...,
> huyo de todo terreno lazo,
> ningún cariño mi mente alegra,
> y con tu libro bajo del brazo
> voy recorriendo la noche negra...
> ¡Oh Kempis, Kempis, asceta yermo,
> pálido asceta! ¡Qué mal me hiciste!
> ¡Ha muchos años que estoy enfermo,
> y es por el libro que tú escribiste!

Y dice el segundo:

> No sé si es bueno el mundo... No sé si el mundo es
> [malo;
> pero sé que es la forma y expresión de Dios mismo.
> Por eso, ya al influjo de azote o de regalo,
> nada en el fondo extingue mi tenaz optimismo.
> Santo es llorar..., y lloro si tengo alguna pena;
> santo es reír..., y río si en mi espíritu hay luz;
> mas mi frente se comba siempre limpia y serena,
> ya brille al sol o ya sude hielo en la cruz.

Casi no debería aludirse a su preocupación métrica. La tuvo Nervo y en tanto grado como el que más. Utilizó toda clase de versos, los tradicionales y los introducidos por la nueva escuela, y en todos demostró absoluto dominio. Sintió especial preferencia por el dodecasílabo bipartito, bien en los dos hemistiquios desiguales, de siete más cinco sílabas, bien en dos miembros simétricos, de seis:

> El metro de doce son cuatro donceles,
> donceles latinos de rítmica tropa;
> son cuatro hijosdalgo con cuatro corceles;
> el metro de doce galopa, galopa...

> *(El metro de doce.)*

Escribió alguna poesía en latín (*Hymnus*, XXXII de *Místicas*); varias en francés, lengua que conocía a fondo. Su aspiración un tiempo fué emular al autor de *Les Trophées*:

> Aprisionar con impecable mano
> todo el lustre del ritmo castellano
> en la malla real de tu soneto,

decía en un poema dedicado a Heredia. Después esta preocupación formal pasó a segundo plano. «Busco—llegó a confesar—el tono discreto, el matiz medio, el colorido que no detona.» Y aún llegó a decir: «De hoy más sea el silencio mi mejor poesía.»

Escribió también prosa, abundante prosa. De los veintiocho volúmenes de sus *Obras completas,* escrupulosamente preparadas por Alfonso Reyes, dieciséis corresponden a la prosa. De ella nos ocuparemos en otro lugar. Anticipemos aquí que, sin llegar a las excelencias de la de Rubén Darío, cuyas huellas pretende Nervo seguir, su prosa se distingue por la sencillez y elegancia.

L. G. Urbina y J. J. Tablada

También imitó a Gutiérrez Nájera, o al menos se situó dentro de la línea de aristocratismo y finura por él inaugurada, otro mejicano, LUIS GONZAGA DE URBINA (1868-1934), de quien ha llegado a decirse que es «el menos moderno» entre los buenos poetas de aquel país[21]. Si no de todos, lo es sin duda de cuantos integran su generación. Urbina se nos aparece a través de su obra como un romántico injerto en modernista, o al revés. Sin desvincularse de su época, lleva en la voz un claro dejo romántico. Ha heredado del romanticismo lo mejor: la melancolía y la ternura; y ha tomado del Modernismo también lo mejor: ciertos temas y motivos delicados, junto con la exquisitez formal y la técnica depurada del verso. Urbina—como todos los grandes vates modernistas, por supuesto— llega a dominar de tal modo la técnica versificatoria, que el esfuerzo en la elaboración del poema, si lo hay, no se nota. Por lo demás, nada de inquietudes innovadoras; se da por satisfecho con los módulos existentes al llegar él, y dentro de

ellos se mueve con plena libertad. Tampoco evoluciona: desde su primer libro, *Versos* (1890), hasta el último, *El cancionero de la noche serena,* publicación póstuma (1941), sigue fiel a su manera inicial. Esta manera se caracteriza por la espontaneidad, el sentimiento, nunca desbordado, y la contención. Alguna nota de humor, que salta aquí y allí, queda diluída pronto en una sonrisa llena de simpatía. Véase este soneto:

> ¿Que si me duele? Un poco; te confieso
> que me heriste a traición; mas, por fortuna,
> tras el rapto de ira vino una
> dulce resignación... Pasó el acceso.

> ¿Sufrir? ¿Llorar? ¿Morir? ¿Quién piensa en eso?
> El amor es un huésped que importuna;
> mírame cómo estoy: ya sin ninguna
> tristeza que decirte. Dame un beso.

> Así; muy bien; perdóname; fuí un loco;
> tú me curaste—gracias—, y ya puedo
> saber lo que imagino y lo que toco.

> En la herida que hiciste pon el dedo.
> ¿Que si me duele? Sí; me duelo un poco;
> mas no mata el dolor... No tengas miedo.

Este poemita, titulado *Humorismos tristes,* pertenece al libro de versos *Ingenuas* (1902). Tiene Urbina otras colecciones de alto valor: *Puestas de sol* (París-Méjico, 1902); *El glosario de la vida vulgar* (Madrid, 1916); *El corazón juglar* (Madrid, 1920); *Los últimos pájaros* (Madrid, 1924). Urbina es uno de los pocos modernistas más estimados después de muerto que lo había sido en vida. Poemas como *Vespertinas, Así fué..., El ruiseñor cantaba, Matinal, Pequeña meditación, Confesión, Vieja lágrima, Tríptico crepuscular,* a los que hay que agregar los dieciséis sonetos de *El poema del lago,* figurarán durante largo tiempo en toda antología del Modernismo. Su producción en prosa, recogida por el propio autor en seis volúmenes (tres de crónicas, cuentos y reseñas de libros y autores, y otros tres de impresiones de viajes), recuerda por su gracia y frescura la de Gutiérrez Nájera. Dejó también Urbina un estimable volumen de crítica: *La vida literaria en Méjico* (1917).

JOSÉ JUAN TABLADA (1871-1945)[22] representa dentro de su generación, todavía modernista, la inquietud y constante aspiración por otear nuevos horizontes. En contraste con otros mejicanos de su tiempo—Icaza, Nervo, Nájera y Urbina—, tan parcos en innovaciones y tan sólidamente aferrados a modos tradicionales, Tablada no se siente cómodo en ninguna doctrina o escuela, y va saltando de una a otra experiencia poética con envidiable optimismo, persuadido siempre, claro está, de que la última es la mejor. En tal sentido ha podido decirse de él que «condensa la biografía literaria del Méjico moderno». Se inicia con *El florilegio* (1899), un libro de poemas que se hace notar por su afrancesamiento y por la persistencia en los temas exóticos, especialmente en el japonés:

> ¡Aureo espejismo, sueño de opio,
> fuente de todos mis ideales!
> ¡Jardín que un raro caleidoscopio
> borda en mi mente con sus cristales!
>
> Tus teogonías me han exaltado,
> y amo ferviente tus glorias todas.
> ¡Yo soy el siervo de tu Mikado!
> ¡Yo soy el bonzo de tus pagodas!

Esto vale poco, como se ve. Y, además, es reflejo, casi copia, del orientalismo de Goncourt. Pero Tablada tuvo la suerte o la desgracia de encontrar quien fomentase sus exóticas inquietudes. Asociado al grupo de *La Revista Moderna,* donde sus poemas eran acogidos con aplauso, pronto encuentra un mecenas, el millonario Jesús Luján, que le financia un viaje al Japón, en 1900. De allí vuelve, al cabo de un año, con un manojo de poesías de ambiente japonés en la maleta. Pero ni éstas ni sus posteriores libros—*Al sol y bajo la luna,* 1918; *Un día,* 1919; *Li-Po y otros poemas,* 1920; *Un jarro de flores,* 1922; *La feria,* 1928—remontan la línea poética señalada ya por *El florilegio.* Son más originales, más modernas, no más modernistas; pero menos inspiradas. En *La feria* cultiva preferentemente temas mejicanistas; en *Li-Po* y en algunos *Jaikais* se entrega de lleno a los excesos del «ultra»; finalmente, no es difícil señalar entre sus últimas composiciones algunas que caen dentro del área del surrealismo [23]. El doble mérito, siempre en grado muy relativo, de Tablada consiste en haber introducido, primero por sugerencia francesa y luego directamente, el japonesismo en nuestra lírica, y en haberse constituido en el vigía avanzado de todos los movimientos poéticos del primer tercio de siglo, señalando a los jóvenes una ruta. En el fondo era un escéptico, vacío de todo sentimiento y emoción, como puede comprobarse con la lectura de su mejor poema, *Onix.* Agreguemos a éste como los más logrados: *Soneto Watteau, Gallo habanero, La Conga, Canción de las escalas de Oriente, Tianguis, Nocturno alterno* y algunos *Jaikais* [24]. Escribió amenas crónicas: *Los días y las noches de París;* historia contemporánea: *La defensa nacional;* un libro de Memorias: *La feria de la vida;* dos de crítica: *Hiroshige, pintor de la nieve y de la lluvia* e *Historia del arte en Méjico;* y una novela: *La resurrección de los ídolos.*

González Martínez

La obra poética de ENRIQUE GONZÁLEZ MARTÍNEZ (1871-1952) está representada por una veintena de títulos, alguno de los cuales marca hito en nuestra lírica contemporánea [25]. Se inicia con *Preludios* (Mazatlán, 1903) y se cierra, medio siglo después, con *El nuevo Narciso* (1952). Como Tablada, también González Martínez recorre, a través de sucesivas etapas marcadas por la serie de sus libros, un largo trayecto [26]. Sólo que, a diferencia de aquél, no lo hace a saltos, pasando bruscamente de una a otra estética, sino de manera metódica y progresiva. No cabe, pues, hablar aquí de cambio, sino más bien de evolución; o, si se quiere mejor, de depuración, dentro siempre de los mismos procedimientos.

Sus dos primeros libros—*Preludios* (1903) y *Lirismos* (1907)—, escritos y publicados en el rincón provinciano, respetan en todo los cánones modernistas, que también el modernismo tuvo sus cánones, ni más ni menos que cualquier escuela, y responden fielmente a las maneras poéticas dominantes en Méjico a principios de siglo: motivos pintorescos, abundante decoración, armonía verbal, cromatismo y, sobre todo, una preocupación constante por la forma, pulida y castigada como podría hacerlo el más exigente parnasiano. Después, su autor renegaría hasta cierto punto de ambos libros y los llamaría «la hora inútil», dando a entender que consideraba el tiempo en ellos empleado como totalmente perdido. Pero ahí estaban, delatando un temperamento poético lleno de finuras y exquisiteces, si bien todavía ahogadas en hojarasca verbal. En 1911, González Martínez va a la capital de la República, donde se instala definitivamente. Pero antes había lanzado a la circulación otros dos libros—*Silenter* (Mocorito, 1909) y *Los senderos ocultos* (Mocorito, 1911)—que entrañan un cambio de dirección, o más bien, de postura y valoración estética. La mirada, fija hasta entonces en lo externo, se vuelve al interior; el elemento decorativo se simplifica y hasta desaparece para ceder paso a valores más sustantivos:

> Busca en todas las cosas un alma y un sentido
> oculto; no te ciñas a la apariencia vana;
> husmea, sigue el rastro de la verdad arcana,
> escudriñante el ojo y aguzado el oído.
> . . . .
> Ama todo lo grácil de la vida, la calma
> de la flor que se mece, el color, el paisaje.
> Ya sabrás poco a poco descifrar su lenguaje...
> ¡Oh divino coloquio de las cosas y el alma!

Esta invitación, formulada en uno de los primeros poemas de *Los senderos ocultos,* este exhortar a un adentramiento en el alma de las cosas sin detenerse en la corteza, no se dirige tanto a los demás como a sí mismo. A tenor de ello, la voz de González Martínez desde aquel momento se va asordinando, la expresión se aligera, el tono se afina y, sin descuidar en modo alguno la perfección formal, cada vez más sencilla y pura, el poema empieza a cargarse más y más de contenido:

> Cuando sepas hallar una sonrisa
> en la gota sutil que se rezuma
> de las porosas piedras, en la bruma,
> en el sol, en el ave y en la brisa;
>
> cuando nada a tus ojos quede inerte,
> ni informe, ni incoloro, ni lejano,
> y penetres la vida y el arcano
> del silencio, las sombras y la muerte;

> cuando tiendas la vista a los diversos
> rumbos del cosmos, y tu esfuerzo propio
> sea como potente microscopio
> que va hallando invisibles universos;
>
> entonces en las llamas de la hoguera
> de un amor infinito y sobrehumano,
> como el santo de Asís, dirás: «Hermano...»
> al árbol, al celaje y a la fiera.

Todavía en este poema de *Silenter*, la idea se nos da con exceso recargada; pero ya anuncia aquella desnudez casi total que encontraremos pronto en ciertas composiciones de *Las parábolas* (1918), de *El romero alucinado* (1923) y de *Las señales furtivas*.

En *Los senderos ocultos* figura el famosísimo soneto del cisne, considerado como el responso entonado ante el cadáver del modernismo. González Martínez, un poco defraudado de preciosismos inútiles y de músicas vacías, y un mucho enamorado de la música interna, se decide a dar la batalla al modernismo, bajo cuya etiqueta se venía ocultando tanto oropel disfrazado de oro puro. Ve en el cisne simbolizada toda la estética modernista, y contra él arremete en aquellos versos memorables:

> Tuércele el cuello al cisne de engañoso plumaje
> que da su nota blanca al azul de la fuente;
> él pasea su gracia no más, pero no siente
> el alma de las cosas ni la voz del paisaje...

Como sustituto del ave cara a los modernistas —y que el mismo González Martínez había de seguir usando con sorprendente frecuencia—, propone al buho, símbolo de la meditación y del silencio:

> Mira al sapiente buho cómo tiende las alas
> desde el Olimpo, deja el regazo de Palas
> y posa en aquel árbol el vuelo taciturno...
> El no tiene la gracia del cisne; mas su inquieta
> pupila, que se clava en la sombra, interpreta
> el misterioso libro del silencio nocturno.

No interesa aquí, o interesa en mínimo grado, averiguar si esa invitación está o no inspirada en Verlaine («prends l'éloquence et tords lui le cou», había escrito el gran simbolista francés en su *Art poétique*); tampoco importa si encierra una alusión directa a Rubén Darío. En todo caso, al genial nicaragüense tal consejo no podía afectarle, ya que, sin anunciar «retorcimientos», él ya había prescindido del cisne como elemento decorativo hacía varios años; exactamente desde que lanzó al mundo sus *Cantos de vida y esperanza* (1905), en los cuales el cisne vuelve a surgir, es cierto; pero no como simple adorno poético, sino con un valor sustantivo de honda significación. Importa más comprobar cómo González Martínez, aun en el momento de lanzar su anatema contra el modernismo, se nos presenta modernista auténtico, incapaz de despojarse por entero del atuendo de la escuela, ya que el soneto en cuestión tiene un corte y un aire netamente modernistas.

Y esta fidelidad, más o menos forzada, aparece a lo largo de toda su obra lírica. Hasta en aquellos libros que, como *Las señales furtivas* (1925) o *Poemas truncos* (1935), más se alejan de su estética juvenil, en su intento de aproximación a nuevas maneras —creacionismo, ultraísmo—, se descubre esa raíz modernista que le ata al pasado, impidiéndole entregarse a excesivas libertades. Cultiva, sí, el versolibrismo, pero no termina por prescindir de la rima y tampoco, casi nunca, del ritmo acentual: *Anfora rota*, *Sábado*, *Las campanas del diablo*, *Ultimo viaje*, *Hora fracta*, *El sonido X*, son testimonio de ello. No está aquí ciertamente su mejor poesía. Los más sazonados frutos líricos de González Martínez han de buscarse en *Los senderos ocultos*, *La muerte del cisne*, *Parábolas y otros poemas* y *El romero alucinado*. En cualquiera de estos libros encontraremos ejemplos de esa poesía desnuda, sencilla, llena de sentido humano, por la que venía suspirando su autor desde la publicación de *Silenter*, en 1909, y que, en efecto, él mismo llegó con frecuencia a realizar.

V. OTROS POETAS MODERNISTAS

Un coro nutridísimo de voces acompaña la de los maestros aludidos en los apartados anteriores. América ofrece a últimos del xix y principios del xx tal cantidad de poetas derramados por todas las naciones sin excepción, que su escueta nómina, sin otro comentario, nos llevaría varias páginas. Hasta la pequeña Nicaragua, a la que podría bastar y aun sobrar para su gloria el nombre de Rubén Darío, se constela con unos cuantos líricos que, sin alcanzar, es claro, la línea del maestro, serían suficientes, a falta de éste, para otorgarle un puesto decoroso en las letras hispánicas. Ya se entiende que no en un libro como el nuestro, ni siquiera en un estudio monográfico del moder-

nismo, habría posibilidad de dar cabida a todos. Limitamos la referencia a unos pocos, los que juzgamos más importantes en cada país.

Argentina y Uruguay

Soslayados aquí los nombres de Roberto Jorge Payró y de Manuel Ugarte, más eminentes en la prosa que en el verso, quedan por aludir en Argentina: Alberto Ghiraldo (1874-1946), autor de narraciones y obras teatrales de tema nativista, que en su juventud había cultivado una poesía de tipo social y expresión no muy cuidada y hasta prosaica (obra: *Fibras*, *Música prohibida*, *Triunfos nuevos)*; EDMUNDO MONTAGNE (1880-1941), aficionado a las rarezas tipográficas y metros de original factura, con lo que pretende llenar una ausencia casi total de inspiración (obras en verso: *Pordiosero de amor, El bazar del iluso* y *Letra para cuarenta cantos de música clásica)*; PEDRO G. NAÓN, cuyo verso plenamente modernista no llegó a superar la fase más facilona de la escuela, la del rabioso cromatismo y musicalidad verbal (obra: *Eglantinas, Trovas breves)*; CARLOS ORTIZ (1870-1910), amigo de alternar metros de distinta clase en su abundante obra lírica *(El poema de las mieses, El grito de los fuertes, Cantos de amor, de esperanza y de duda)*, muy influída por Banville, Moréas, Semain y otros franceses a quienes tradujo; MARTÍN GOYCOECHEA MENÉNDEZ (1877-1906), bohemio impenitente, autor de cuentos y de alguna comedia, a la vez que cultor de la poesía modernista en sus dos libros *Los primeros* y *Poemas helénicos;* DIEGO FERNÁNDEZ ESPIRO (1870?-1912), muy elogiado por Rubén, sin que ello le dé derecho a otro calificativo que el que le adjudica Henríquez Ureña: «Rimador destinado a quedarse en la antesala del modernismo»; MARIO BRAVO (1882-1944), cuyos tres libros—*Cantos del sendero, Poemas del campo y de la montaña* y *Canciones y poemas*—acusan la influencia inequívoca de Lugones; y RICARDO ROJAS (1882-1959), crítico e historiador antes que poeta. Su lírica anda vacilando entre el Modernismo, al que rindió culto en la juventud, y las tendencias ulteriores, a las que no acaba de entregarse. Ello hace que Rojas casi nunca encuentre su expresión personal. *La victoria del hombre, Los lises del blasón, Canciones* y *Poesías* resumen su labor poética. De su prosa se hablará más adelante. Otros argentinos de principios de siglo, como Miguel A. Camino, Evar Méndez, Fernán Félix de Amador, Pedro Miguel Obligado, González Carbalho, Córdoba Iturburu, E. Mario Barrada, etc., que en una historia de la literatura nacional postularían la correspondiente mención, aquí no tienen cabida.

Los modernistas uruguayos se forman, ya queda dicho, en torno a la *Revista Nacional de Literatura y Ciencias Sociales,* y en aquellos dos cenáculos que se llamaban el «Consistorio del Gay Saber» y la «Torre de los Panoramas, regidos por Quiroga y Herrera y Reissig. Aludido extensamente éste y también Vasseur, sólo nos queda mencionar como poetas—los prosistas no entran aquí— a EMILIO FRUGONI (n. 1880), cuya lírica, siempre de noble contenido, se inicia bajo un amable tono romántico *(Bajo tu ventana, De lo más hondo)* para saltar pronto a la poesía civil con reminiscencias de Verhaeren *(Los himnos, Los poemas montevideanos, La epopeya de la ciudad)* y culminar en *La canción humana* y *La elegía unánime;* ANGEL FALCO (n. 1885), autor de tres libros de verso—*Cantos rojos, Vida que canta, Breviario galante*--, que revelan un poeta enfático y frondoso, con los peores resabios de la poesía socializante y modernista; y MANUEL PÉREZ Y CURIS (1884-1920?), imitador y discípulo de Vargas Vila. Se dió a conocer con *Poemas de la carne, La canción de las crisálidas* y *Heliotropos;* pero, habiendo derivado luego hacia la investigación y la crítica, dejó un buen estudio sobre *Arquitectura del verso* y una excelente monografía sobre *El marqués de Santillana.* De algunas poetisas—Delmira Agustini, Eugenia Vaz Ferreira, Juana de Ibarbourou—que empiezan a destacar por estos años nos ocuparemos más adelante. Y en cuanto al grupo que coreaba a Herrera y Reissig, aunque muy nutrido, no encontramos en él voces de calidad. Carlos López Rocha, Julio Lerena Juanicó, César Miranda, Andrés A. Demarchi, Toribio Vidal Velo, Pablo Minelli González y otros de tan escaso relieve como éstos, cumplieron la misión no del todo desdeñable de dar tono a una época. El mismo Zum Felde, que empezó escribiendo verso *(Domus aurea),* no tardó en abandonar la poesía para emplearse en la crítica literaria.

Sobre la esterilidad de las letras en el Paraguay y las causas que la provocaron—aquel «horroroso vacío, que aterra el espíritu al sólo pensarlo», en frase de José S. Decoud—algo se dijo en el capítulo anterior. Agreguemos que el panorama apenas había cambiado, cuando ya el modernismo se hallaba en todas partes en trance de disolución. Con buena voluntad se puede recordar a cuatro o cinco líricos, ninguno de los cuales remonta la línea de lo discreto: Alejandro Guanes, Roberto Velázquez, Manuel Ortiz Guerrero, Juan Natalicio González, etc. Superior a todos éstos fué ELOY FARIÑA NÚÑEZ (1882-1929), cuyo *Canto secular* es acaso el poema de más aliento en las letras paraguayas. En otro libro—*Vuelo de flamencos*— también se revela poeta inspirado.

Chile, Perú y Bolivia

Iniciado el Modernismo en Santiago de Chile por Pedro Antonio González, según quedó apuntado, con el libro de versos *Ritmo* (1895), pronto le salen por todas partes imitadores, como si la poesía chilena quisiera resarcirse de su tardía incorporación con una nutridísima lista de vates, más o menos representativos. El más ilustre de esa promoción, que no ha de confundirse con las dos posteriores, representadas por Gabriela Mistral y Pablo Neruda, respectivamente, es Carlos Pezoa Velis, ya aludido. Otros poetas dignos de cita son: MIGUEL LUIS ROCUANT (n. 1877), que en sus libros *Brumas, Poemas* y *Ceniza de horizonte* se hizo notar por su elegancia expresiva; DIEGO DUBLÉ URRUTIA (n. 1878), que representa dentro del modernismo chileno la línea moderada y exenta de efectismos; MANUEL MAGALLANES MOURE (1878-1924), poeta recatado y afectivo, que supo armonizar en su obra *(Facetas, Matices, La jornada, La casa junto al mar)* cierta vaguedad bacqueriana con una clara nota modernista; FRANCISCO CONTRERAS (1880-1932), que provocó vivas discusiones con su libro de versos juveniles, *Esmaltines,* y con · el poema *Raúl,* influído el primero por Gautier y Banville, y el segundo, por *Rolla,* de Musset; JORGE GONZÁLEZ BASTÍAS (n. 1879), en cuyos versos palpita un sentimiento de la naturaleza de hondo sabor juanrramoniano; y SAMUEL LILLO (n. 1870), muy pegado a formas decimonónicas, no obstante su trato continuo con los vates modernistas. La nota clásica domina en los libros *(Albores, Vida interna, La fiesta del camino,* etc.) de ERNESTO GUZMÁN (n. 1877), a cuyos versos llegan de cuando en cuando salpicaduras de la nueva escuela. Asimismo está influído por el Modernismo, sin decidirse a entrar en él, JULIO VICUÑA CIFUENTES (1865-1936), más conocido por sus trabajos sobre versificación castellana que por su obra poética. La poesía ingenua de profundo sentimiento religioso, aunque vaciada en moldes modernistas, encontró por estas fechas feliz intérprete en el párroco rural LUIS FELIPE CONTARDO (1880-1921); la sentimental e íntima, siempre sin salirse de los citados cauces, está representada en Chile a principios de siglo por CARLOS MONCADA (1881-1928); y la revolucionaria, con telón de fondo de miseria y barrio bajo, por VÍCTOR DOMINGO SILVA (1882), cantor de suburbios y de existencias agitadas. Los que vienen luego—Max Jara, Pedro Prado, Hübner, Sienna, etc.—pertenecen a la promoción siguiente, la del grupo de «Los Diez», integrado más bien por prosistas, grupo al que no fué extraño uno de los vates mencionados: Magallanes Moure.

Contrasta la floración poética chilena con la penuria del Perú por estas mismas fechas. Es Perú, entre los grandes países hispanoamericanos, el que menor contingente lírico dió al Modernismo. De suerte que casi resulta justificada la apreciación de Henríquez Ureña: «Chocano es el único poeta peruano en quien el modernismo se manifiesta con todos sus elementos característicos.» Chocano, en efecto, y González Prada, al que hay que considerar más como precursor que como auténtico modernista, son las dos figuras señeras de la época. Los demás poetas coetáneos—se puede entresacar hasta media docena de nombres—carecen de relieve. La revista *Modernismo,* fundada en 1900 por Domingo Martínez Luján, no tuvo la suficiente virtud de despertar el entusiasmo por la nueva estética en un país de siempre muy apegado a las formas tradicionales. El elenco poético del Perú durante el período modernista puede resumirse en estos nombres: JOSÉ LORA Y LORA, muerto prematuramente en 1908, y que en su único libro, *Anunciación,* cultivó el tema galante; ALBERTO URETA (n. 1885), voz melancólica que rememora en sus poemarios *(Rumor de almas, El dolor pensativo)* el tono meditativo de Francis

Jammes; LEÓNIDAS YEROVI (1883-1917), que ridiculizó los amaneramientos y exotismos de la escuela, a los que él no fué del todo extraño; ENRIQUE BUSTAMANTE BALLIVIÁN (1884-1936), muy influído por los simbolistas franceses, particularmente por Samain; JOSÉ GÁLVEZ (n. 1885), que reaccionó contra la poesía aparatosa y orquestal de Chocano, intentando sustituirla con una lírica asordinada de tono menor, muy parecida a la del Juan Ramón Jiménez de la primera época; y ADÁN ESPINOSA SALDAÑA, que al intentar evadirse de la zona modernista, va a caer también bajo la órbita de Juan Ramón. No citamos a Felipe Sassone, que, aun nacido en el Perú, pertenece a España por su vida y su obra. Con José María Eguren, cuya producción poética corresponde a la segunda decena de siglo, se inicia la liquidación del modernismo en el Perú.

En Bolivia hay que anotar, aparte de Freyre, o más bien a su lado, el nombre de MANUEL MARÍA PINTO (1871-1938?), residente como aquél durante largo tiempo en la Argentina. En sus tres libros —*Versos, Palabras y Viridario*—, publicados a finales del XIX, Pinto, que no carece de inspiración, se lanza por los fáciles derroteros del efectismo musical, logrado con los juegos malabarescos de la rima. Pero ni Freyre ni Pinto ejercen influencia inmediata en su país natal; y todavía por esas fechas, que corresponden a la última decena del siglo pasado, los máximos poetas bolivianos—Rosendo Villalobos, Ricardo Mujía, Arturo Ablitas, etc.—se manifiestan opuestos a las nuevas tendencias, y eso que alguno de ellos, concretamente Villalobos, conocía y había traducido a poetas franceses tan caros al modernismo como Heredia, Coppée, Moréas y Verlaine. Con los albores del XX, sin embargo, la escuela rubendariana termina por abrirse paso, y no tardan en formarse dos grupos importantes y ya netamente definidos dentro de la nueva estética: el de Sucre, congregado en torno a las mesas de café, y el de La Paz, que tenía por domicilio el Círculo de Bellas Artes. Al primero pertenecen, entre otros de menos fuste, GREGORIO REYNOLDS (1882-1941), cultivador de una poesía de fondo romántico e íntimo lirismo (obra: *El cofre de Psiquis, Horas turbias, Prismas),* y CLAUDIO PEÑARANDA (1884-1924), en cuyo *Cancionero vivido* van mezcladas con notas de dudoso gusto no pocas reminiscencias de Edgar Poe. En el segundo grupo, el paceño, destacan JUAN FRANCISCO BEDREGAL (n. 1883), más conocido por sus narraciones costumbristas en prosa *(Figuras animadas, Don Quijote en la ciudad de La Paz)* que por su obra lírica; ARMANDO CHIRVECHES (1881-1926), novelista y poeta de clara filiación rubeniana; ABEL ALARCÓN (n. 1881), traductor de Rabindranath Tagore y también poeta de creación original, crítico y novelista; RAÚL JAIMES FREYRE, hermano de Ricardo, cuyo vuelo intenta seguir, si bien queda a muy larga distancia; JOSÉ EDUARDO

GUERRA (1893-1943), que tanto en el poema *El caminante* como en *El florido silencio* cultiva una poesía melancólica muy afín a la de Amado Nervo; y FRANZ TAMAYO (n. 1880), considerado por algunos como la figura más relevante del modernismo boliviano. Tamayo se inicia a los dieciocho años con un libro de *Odas,* de tono huguesco; luego se entrega a las tendencias del día: escribe *Nuevos rubayat, Scherzos,* unas tragedias líricas muy engoladas *(La Prometheida* o *Las Oceánidas, Scopas, La Aquileida,* etc.) y unos *Epigramas griegos* «de extrema sonoridad», a juicio de Hax Henríquez Ureña. La verdad es que Tamayo, sin carecer de dotes poéticas, nos da una obra demasiado artificiosa:

> ¡Hilo de agua tranquilo
> que en la sombra deslíes
> mis dulces frenesíes
> y el cristal que destilo!
> ¡Hilo de agua tranquilo!
> Si sabes el sigilo
> que en mis trinos instilo,
> ¡oh!, dilo, acuátil hilo;
> dulce hilo, ¡dilo, dilo!

Venezuela, Colombia y Ecuador

La prosa modernista dió en Venezuela mejor cosecha que el verso. Aludidos en el capítulo anterior Pimentel Coronel, Gabriel Muñoz y Andrés Mata como poetas de transición, y estudiado en éste Blanco-Fombona, sólo nos queda citar aquí a CARLOS BORGES (1875-1932), sacerdote expulsado del seno de la Iglesia, y luego arrepentido, cuya poesía es reflejo fiel de la vida del autor, con lamentables caídas de grosero sensualismo y aletazos de mística espiritualidad; a RAFAEL BENAVIDES PONCE, que prefirió para su *Florilegio* (1901) el verso musical y barrocamente decorado del Rubén de las *Prosas profanas;* a JOSÉ TADEO ARREAZA CALATRAVA, tan pronto inclinado a la nota sensualista ensombrecida por la angustia del vivir *(Cantos de la carne y del reino interior),* como lanzado al tono altisonante, casi épico, de unos *Cantos civiles,* y a ALFREDO ARVELO LARRIVA (1883-1934), que busca motivos de inspiración para sus *Sones y canciones* en la vena inagotable del alma criolla.

El Modernismo recorre n Colombia cuatro o cinco etapas: primero es *La Lira Nueva,* esa valiosa antología de que ya se hizo mención, publicada en 1886, y en cuyas páginas van incluídos hasta tres docenas de poetas, muchos de los cuales, también se dijo, anuncian el advenimiento de la nueva estética, y triunfante ésta, se incorporan a ella con armas y bagaje; luego, la *Revista Gris,* dirigida por Maximiliano Grillo, y que durante cuatro años (1892-96) acoge colaboraciones de numerosos jóvenes adictos ya al Modernismo; algo más tarde, a principios de siglo, La Gruta Simbólica, centro de reunión de los amantes de las letras, especialmente de los jóvenes que entonces hacían sus primeras armas en el campo de la poesía; y, por último, *La Revista Contemporánea,* del ilustre ensayista Sanín Cano, y *Trofeos,* de Londoño, convertidas en portadoras y difusoras de las últimas doctrinas. De todas estas manifestaciones culturales la más importante para nuestro objeto es La Gruta Simbólica, especie de cenáculo o tertulia que solía reunirse en casa del aventajado periodista Rafael Espinosa Guzmán y a veces también en el domicilio del poeta Rivas Frade. La Gruta, cuya organización recuerda mucho al viejo Mosaico por la flexibilidad de su reglamento y por la tolerancia con toda clase de opiniones, inició su actividad en 1900 y se disolvió en 1904. Tuvo también su revista con el mismo título de *La Gruta.* Porque entre los contertulios ´dominaban los admiradores del simbolismo, recibió el apellido de *Simbolista.* Allí han de buscarse, citado ya Guillermo Valencia, los más conspicuos representantes del modernismo colombiano: MAXIMILIANO GRILLO (n. 1868), director de la *Revista Gris,* cuentista, crítico dramaturgo y poeta declaradamente parnasiano; VíCTOR MANUEL LONDOÑO (1876-1936), quien, extinguida La Gruta, recogió su herencia en la revista *Trofeos;* ALFREDO GÓMEZ JAIME (n. 1878), en cuya obra lírica *(Aves viajeras, Cantos de gloria, Rimas del trópico, Rosario lírico)* alternan temas galantes con los de ambiente americano; CARLOS VLLAFAÑE (n. 1882), orientado asimismo hacia temas nativistas, al igual que RICARDO NIETO (n. 1873) e ISMAEL LÓPEZ (n. 1880), cantores los tres del valle de Cauca. Ismael López, más conocido por el seudónimo de *Carnelio Hispano,* no se limitó a la creación lírica, casi toda vaciada en moldes parnasianos, sino que extendió la actividad literaria a la historia *(Crónicas de Bretaña),* al relato *(De París al Amazonas)* y a la traducción de páginas escogidas; ejemplo, la que hizo de *La oración en el Acrópolis,* de Renán. Unase a los anteriores el nombre de LUIS CARLOS LÓPEZ (1883-1950), representante de la nota humorística dentro del modernismo.

En el Ecuador el movimiento modernista encontró a finales del XIX y principios del XX varios instrumentos de divulgación: la revista *América Modernista* (1898), de los hermanos Emilio y Joaquín Gallegos del Campo; *Altos Relieves,* dirigida por Aurelio Falconi y Luis Felipe Veloz; *Letras,* fundada por Isaac J. Barrera. Las tres fueron apareciendo sucesivamente en Quito. En Cuenca se publicaba *Lapislázuli,* bajo la dirección de Aurelio Bayas. Todos ellos, lo mismo los hermanos Gallegos del Campo que Falconi, Veloz, Bayas y Barrera, fueron poetas más o menos estimables y, desde luego, entusiastas propagadores de la nueva literatura. Por los mismos días—primera década del siglo—Francisco Fálquez Ampuero traducía a los grandes parnasianos y simbolistas franceses. Todo ello provocó una floración lírica, en la que, si bien no destaca ningún poeta de primer orden, hay tres o cuatro merecedores de recuerdo: ARTURO BORJA, en cuya lírica se descubren constantes ecos de Rimbaud y Mallarmé; ERNESTO NOBOA Y CAAMAÑO, más influído por Verlaine y Samain; HUMBERTO FIERRO, que en sus dos colecciones de verso—*El laúd del valle* y *Velada palatina*—se revela decidido simbolista, lo mismo que el malogrado MEDARDO ANGEL SILVA (1902-1920), muy influído por Verlaine.

Las Antillas

En otro capítulo se hizo referencia a los primeros poetas modernistas de Cuba: Juanita y Dulce María Borrego, los hermanos Uhrbach, Augusto de Armas, Manuel de la Cruz, Byrne, Bobadilla, etcétera. Corresponden todos a la etapa inicial del movimiento. En la segunda, que se abre con la terminación de la guerra de independencia (1898), tuvo excepcional importancia *El Fígaro*, periódico dirigido por Manuel Serafín Pichardo hasta 1909, y a partir de esa fecha, por Ramón A. Catalá. Era Pichardo poeta más bien de transición, lo que no le impedía alentar y acoger en las páginas de su publicación los trabajos de la gente moza, entregada por entero a las nuevas doctrinas. Pronto los jóvenes tienen también sus órganos de expresión: la revista *Azul y Rojo* (1902-1905), a la que sustituyó *Letras*, de larga duración, dirigida por los hermanos José Manuel y Néstor Carbonell. Agreguemos a estos nombres los de Fernando Zayas, Juan Guerra Gómez, René López, Diwaldo Salom, Francisco Javier Pichardo, y habremos nombrado la más autorizada representación del modernismo en la Habana por los años que van desde 1900 a 1920. En la Habana decimos, porque también en provincias se formaron nutridos grupos, especialmente en Manzanillo, Matanzas y Santiago de Cuba. De cualquiera de esos grupos puede extraerse hasta una docena de nombres de escasa significación, ya que iniciados casi todos en la poesía, la mayor parte derivaron luego hacia otros géneros. Como auténticos poetas merecen citarse tres: REGINO E. BOTI (n. 1878), autor de cuatro libros de poemas—*Arabescos mentales, El mar y la montaña, Kodak ensueño* y *Kindergarten*—que reflejan con bastante fidelidad su evolución desde los ritmos amplios y orquestales de los primeros poemas, muy en la línea de Rubén Darío, hasta las audacias métricas y expresivas de los últimos, lindantes ya con los movimientos de vanguardia; JOSÉ MANUEL POVEDA (1888-1926), que también parte del Modernismo para refugiarse en un simbolismo hermético a la manera francesa, con cierto prurito de originalidad, delatado en el título de su colección *Versos precursores;* y AGUSTÍN ACOSTA (n. 1886), acaso la figura más representativa de la poesía cubana de la época. Empieza bajo el signo de Rubén (*Ala,* 1915, y *Hermanita,* 1923);

evoluciona pronto hacia una poesía de tipo social (*La zafra,* 1926); pero, en vez de detenerse ahí, persigue acuciosamente en libros posteriores una expresión más íntima, más desnuda y más libre.

Puerto Rico accede al Modernismo tardíamente. Las primeras manifestaciones de lírica modernistas, todavía muy atenuadas, aparecen en los libros de José Jesús Esteves, Antonio Pérez Pierret y Jesús María Lago, a principios de siglo; pero el salto desde la poesía influída por Bécquer, Campoamor y Núñez de Arce a la de signo claramente rubeniano no se da hasta 1913, con la aparición de la *Revista de las Antillas,* dirigida por Luis Llorens Torres. Poetas principales: el mismo TORRES (1878-1944), descriptivo, brillante y orquestal, tanto en los poemas inspirados en motivos criollos y «jíbaros» como en los dedicados a exaltar las gestas de la independencia americana; EVARISTO RIVERA CHEVREMONT (n. 1896), cuya poesía, iniciada a la sombra de *Prosas profanas,* con profusión de cisnes, lagos, pajes y princesas, se orienta luego hacia tendencias de vanguardia, para volver nuevamente al punto de partida en *La hora del orífice* y *Color;* CARLOS N. CARRERAS (n. 1897), influído a la vez por Rubén y por Herrera y Reissing; VIRGILIO DÁVILA (1869-1943), todavía romántico en *Patria* (1903), pero modernista de la mejor ley en *Aromas del terruño* (1916) y *Pueblito de antes* (1917), con inspiraciones tomadas directamente de la vida provinciana; y JOSÉ I. DE DIEGO PADRÓ, en cuyo volumen *La última lámpara de los dioses* predomina una temática pagana, con sátiros, ninfas y sistros, sin que falte en el aspecto métrico ni una sola de las innovaciones del Modernismo. De Diego Padró quiso crear en unión de otro modernista, Luis Palés Matos, una nueva escuela literaria, bautizada con el rótulo de «diepalismo», anagrama formado con las primeras letras del apellido de los dos cofundadores, escuela que tuvo una vida tan efímera como el «pancalismo» y el «noísmo», fundados por los mismos días por Lloréns Torres y Vicente Palés Matos, hermano de Luis. Este merecerá siempre un recuerdo en la historia de las letras castellanas por haber sido uno de los primeros cultivadores, si no el primero, de la llamada «poesía negra o afroantillana», en sus composiciones de *Pueblo negro* (1926), llenas de colorido y de logrados efectos onomatopéyicos. Menos importancia tienen Luis Antonio Miranda, José S. Alegría, Fernando Torregrosa, Antonio Nicolás Blanco, F. Negroni Mattei y otros varios poetas, más o menos afines al movimiento modernista. Lo que viene después, a partir de la tercera década de siglo, corresponde a otras tendencias.

«Los primeros poetas que en Santo Domingo responden a la llamada de Rubén—afirmábamos en el capítulo precedente—son Bartolomé O. Pérez, E. Deligne y F. Fiallo, y pertenecen a principios de siglo.» Responden a la llamada, queremos agregar ahora, pero sólo a medias. FERNANDO DELIGNE (1861-1913), que había empezado satirizando a los modernistas en su *Ars nova scribendi* (1897), adopta luego algunas novedades, especialmente métricas, de la nueva escuela; BARTOLOMÉ OLEGARIO PÉREZ (1877-1900) se sitúa ya más cerca del modernismo en composiciones de fondo melancólico que delatan la presencia de Gutiérrez Nájera; y FABIO FIALLO (1866-1942), el mejor de los tres, renuente a toda evolución, no obstante su íntima amistad con algunos jerifaltes modernistas, entre los que hay que contar al propio Rubén Darío, se recluye en una poesía fina, elegante y cordial, casi siempre de corte becqueriano, que todavía se deja leer con evidente agrado. Su obra poética, iniciada en 1902 con *Primavera sentimental,* está casi íntegramente coleccionada en *La canción de una vida* (1926). Interesa subrayar que ninguno de los tres se entregó de lleno al Modernismo. Los verdaderos modernistas dominicanos, prescindiendo ahora de algún excelente prosista, como Américo Lugo y Pedro Henríquez Ureña, son VALENTÍN GIRÓ (1883-1949), autor de unos *Ecos mundanos,* que revelan un vate desigual, con fugaces momentos de inspiración; OSVALDO BAZIL (1884-1946), sentimental y fino, con reminiscencias de Bécquer, no obstante su acento definidamente modernista; APOLINAR PERDOMO (1882-1918), modernista en el metro, pero romántico en el fondo; y RICARDO PÉREZ ALFONSECA (1892-1950), amigo de alardes retóricos. En *Mármoles y lirios* se revela casi parnasiano; en *Finis Patriae* aspira, aunque no le acompaña el éxito, a la trompa heroica, y en *Palabras de mi madre y otros poemas* ensaya un lirismo íntimo y sosegado que le va mucho mejor.

Centroamérica y Méjico

Si de las Antillas saltamos a Centroamérica, nos encontramos con que Nicaragua, la patria de Rubén Darío, ofrece por estas calendas dos poetas estimables: Argüello y Pallais. SANTIAGO ARGÜELLO (1872-1942), perteneciente a una dinastía de literatos, se manifestó poeta elegante, natural y fino, sin caídas censurables en extravagancias ni preciosismos, a lo largo de una abundante producción lírica, que le llevó la juventud y buena parte de la edad madura: *Primeras ráfagas, La tierra cálida, El poema de la locura, Ojo y alma, Ritmo e idea,* etc. Después, Argüello derivó por los caminos del ensayo y de la crítica, dos géneros en que escribió libros importantes. AZARIAS H. PALLAIS, «francés de sangre y de educación», como él mismo se autoproclama, cultivó con relativa fortuna el simbolismo en sus dos libros titulados *Caminos* y *Bello tono menor.* Otros vates nicaragüenses de la época, como Roberto Barrios, Eduardo Avilés Ramírez, Alberto Ortiz, Alberto G. Trigueros y Manuel Tijerino, son de escasa talla. En Guatemala, fuera del eximio prosista Gómez Carrillo, se

puede citar a MÁXIMO SOTO HALL (1871-1944), que describe un largo camino desde su primer volumen, *Poemas y rimas* (1893), todavía influído por poetas peninsulares como Núñez de Arce, hasta el último, *En la estepa* (1910), plenamente modernista, después de pasar por zonas más o menos becquerianas; a RAFAEL ARÉVALO MARTÍNEZ (n. 1884), uno de los más originales narradores de América, que en cuanto poeta *(Maya, Los atormentados, Las rosas de Engaddí)* gusta de pulsar una cuerda íntima y emotiva, con tal cual nota de sutil ironía. Alberto Rubio, Rodolfo Calderón Pardo, Carlos Martínez, Alberto Velázquez y Carlos Wyld Ospina son poetas que en una obra de más amplitud que la nuestra merecerían comentario. Honduras tiene dos excelentes poetas modernistas en Molina y Turcios. JUAN RAMÓN MOLINA (1875-1908), hombre de vida tan breve como agitada, lleva a sus versos, coleccionados con el título de *Tierras, mares y cielos* (1911), su nostalgia de un mundo pagano que no le fué dado vivir, entrevisto a través de los parnasianos franceses principalmente; FROILÁN TURCIOS (1878-1943), colector de los poemas de Molina, y hombre como él de existencia muy movida, fué un ingenio precoz a quien todo sonrió desde la cuna. Sus *Hojas de otoño,* entre las que figuran unos *Cuentos crueles* inspirados, al menos en cuanto al título, en los de Villiers de l'Isle Adam, le dieron amplia nombradía. Mejor prosista aún que poeta, su obra en una y otra modalidad se distingue por la elegancia. Junto a Turcios y Molina hay otros poetas hondureños merecedores de recuerdo: Julián López Pineda, Alfonso Guillén Celaya, Rafael Heliodoro Valle, etcétera. El mejor de todos es Valle, que se hace notar por lo depurado y musical del lenguaje tanto en verso como en prosa.

El modernismo salvadoreño, que tuvo con Gavidia, según queda dicho, un propulsor de excepcional valía, cuyo influjo había de trascender fuera de las fronteras del país natal, se prestigia con dos o tres poetas de relieve. El principal es ARTURO AMBROGI (1878-1936), llamado por Max Henríquez Ureña «el benjamín del Modernismo, no sólo de El Salvador, sino de toda América», y calificado de «enfant terrible» por Darío. Cultivó con preferencia la prosa; una prosa que en su juventud aparece llena de audacias expresivas, rebuscada, deliberadamente abstrusa y exótica, en fuerza de querer ser original, pero que en la madurez se clarifica y sedimenta hasta alcanzar positivo valor. A su generación pertenecen VICENTE ACOSTA (1867-1907), cuya *Lira joven,* prologada por Rubén Darío, revela un lírico tan elegante como espontáneo; ROMÁN MAYORGA RIVAS (1862-1926), nicaragüense que residió largos años en El Salvador, cultivando un lirismo de tono discreto; y otros varios de menor fuste, como Manuel Alvarez Magaña, Rafael García Escobar, Salvador J. Erazo, Armando R. Portillo y el colombiano Isaías Gamboa, a quien por su larga residencia en el país se puede reputar salvadoreño. En Costa Rica el poeta representativo del modernismo es, aparte de otros menos calificados, ROBERTO BRENES MESÉN (1874-1949), ensayista, esteta, filósofo, pedagogo y lírico, todo en una pieza. Como poeta gustó de llevar a su amplia producción en verso *(Hacia nuevos umbrales, En el silencio, Voces del ángelus, Pastorales y jacintos)* todas las libertades métricas y de expresión puestas en boga por el Modernismo. Otros vates costarricenses de principios de siglo —Lisímaco Chavarría, Emilio Pacheco, José María Alfaro Cooper, Justo A. Facio y Aquileo J. Echevarría— ocupan más bien una zona de transición entre las viejas escuelas del XIX y el Modernismo. Echevarría, el más destacado del grupo, es más bien un poeta regional. Panamá, de reciente creación en cuanto Estado autónomo, apenas ha tenido tiempo de dar a las letras nombres ilustres. Sin embargo, y una vez constituído en nación independiente, parece como que el Panamá tenía prisa por situarse, y lo logra hasta cierto punto, al nivel de los países más progresivos en el orden de la cultura. Panameño fué DARÍO HERRERA (1869-1914), uno de los grandes prosistas del modernismo, poeta al mismo tiempo nada desdeñable. Cultivó Herrera en su juventud un verso lleno de artificios, a base de cláusulas rítmicas, tales como las que forman la *Marcha triunfal,* de Rubén, o el *Nocturno,* de Silva, obteniendo por este procedimiento efectos bien logrados. Luego abandonó el verso por la prosa, de la que llegó a tener absoluto dominio. En 1904, un año después de lograr la independencia, se creó en la capital de Panamá la revista *El Heraldo del Istmo,* a la que en 1907 sustituyó en cierto modo *Nuevos Ritos,* publicaciones ambas de matiz claramente modernista. La primera estaba dirigida por Guillermo Andreve; la segunda, por RICARDO MIRÓ (1883-1940), la más relevante figura poética de Panamá hasta el momento actual. Aunque simpatizante con tendencias posteriores, Miró supo mantenerse en general dentro de ese modernismo ponderado que representan en América Guillermo Valencia y Luis G. Urbina. Otros poetas panameños del momento son León A. Soto, Adolfo García, Simón Rivas, Hortensio de Icaza y Enrique Greenzier.

En Méjico, aludidos ya extensamente los primates del Modernismo—Othón, Nájera, Nervo, Icaza, Urbina, etc.—, sólo nos resta aumentar la relación con media docena de nombres de menor relieve: JESÚS VALENZUELA (1856-1911), ya citado como fundador y director de *La Revista Moderna,* más acreedor a nuestro recuerdo por su mecenazgo sobre las gentes de letras que por su obra poética, no exenta totalmente de méritos; EFRÉN REBOLLEDO (1877-1929), poeta colorista y exótico, que repartió su temática entre el mundo helénico, del que se proclamaba ardiente enamorado, y el mundo japonés, que conocía por haber desempeñado

la Secretaría de la Legación de Méjico en Tokio; BALBINO DÁVALOS (1866-1951), más digno de nota por sus traducciones de poetas franceses e ingleses del XIX que por su producción original; RUBÉN M. CAMPOS (1876-1945), poeta parnasiano en sus comienzos, que pronto derivó hacia la prosa; y LUIS ROSADO VEGA (n. 1876), imitador tan pronto de Nervo como de Chocano, sin que en ninguna de las dos maneras llegase a un clima de altura poética. En 1906 aparece la revista *Savia Moderna,* dirigida por Alfonso Gravioto y Luis Castillo Ledón; viene a sustituir a la *Revista Moderna,* como ésta había sustituído a la *Revista Azul.* Gracias a *Savia Moderna* el movimiento rubeniano, ya en trance de liquidación, prolonga su vida por algunos años. En torno a ella se forma un grupo de poetas; pero ya ninguno tiene la importancia de los citados. Los que vienen después dignos de nota pertenecen a otras tendencias.

NOTAS

1. *Medio siglo de literatura americana,* pág. 74, Madrid, 1952.
2. Nace Lugones en Villa de Santa María del Río Seco, limítrofe casi con la paramera de Santiago del Estero. Estudia en Córdoba; hacia los veinte años va a Buenos Aires en plan de conquista de la gran ciudad. Con Ingenieros funda (1897) un periódico quincenal, *La Montaña,* de ideas avanzadas, que le ocasionan multas y condenas. El mismo año publica *Las montañas del oro,* que le dan celebridad como poeta. Su vida luego se desliza sin alteraciones, dedicado al periodismo y al desempeño de cargos sin relieve: empleado de Correos, inspector de Enseñanza Secundaria, encargado de redactar una memoria sobre el territorio de Misiones, etc. No tuvo la suerte de ostentar representaciones oficiales, como Darío, Nervo, Chocano, Fombona y tantos otros. El único cargo de esa clase fué el de delegado de Cooperación Intelectual en la Liga de Naciones. Vino a Europa tres veces; pero por poco tiempo. En 19 de febrero de 1938 se suicidó; se desconocen los motivos. Había sido premio Nacional de Literatura (1926), y al morir desempeñaba la Dirección de la Biblioteca del Consejo Nacional de Educación.
3. Principales títulos en prosa: *Reforma educacional,* 1903; *El imperio jesuítico,* 1904; *La guerra gaucha,* 1905; *Las fuerzas extrañas,* 1906; *Piedras liminares,* 1910; *Didáctica,* 1911; *Historia de Sarmiento,* 1911; *Elogio de Amaghino,* 1913; *El ejército de la Ilíada,* 1915; *El payador,* 1916; *La torre de Casandra,* 1919; *Estudios helénicos,* 1924; *El ángel de la sombra* (novela), 1926; *La patria fuerte,* 1930.
4. Ya que citamos estos sonetos, no queremos pasar por alto la polémica originada en torno a los mismos. BLANCO-FOMBONA (pról. a *Los peregrinos de piedra,* de Herrera y Reissig) puso en entredicho la originalidad de Lugones al acusarle de haber plagiado al poeta uruguayo. Según él, los sonetos de *Crepúsculos del jardín* estaban inspirados, calcados, en los del libro de Herrera *Los éxtasis de las montañas.* La acusación parecía apoyarse en pruebas definitivas: los sonetos de Herrera habían sido escritos entre 1900 y 1904; los de Lugones se publicaron en 1905. ¿Quién copió a quién? Un compatriota de Herrera, el erudito Pereira Rodríguez, refutó la acusación en un folleto titulado *Una audacia de Blanco-Fombona;* otro uruguayo, Horacio Quiroga, también sale por los fueros de la justicia y el honor de Lugones. La argumentación de éstos no tiene vuelta de hoja: Lugones no reunió sus sonetos en libro hasta 1905; pero ya andaban publicados en revistas desde 1898. No obstante, la polémica continúa, y de cuando en cuando adquiere virulencia en las páginas de la prensa americana. Parece—ésta al menos es la opinión de GUILLERMO DE TORRE (pról. a las *Poesías completas* de Herrera y Reissig, Buenos Aires, 1942)—que no hubo tal plagio, sino simple coincidencia: ambos, Herrera y Lugones, habían abrevado en la misma fuente.

5. Por ejemplo, aquel irreverente *Soneto ditirámbico que alaba las excelencias de la castidad,* lanzado por el poeta contra el intendente que acababa de imponerle una multa. El soneto se hizo muy popular. Empieza así:

El señor intendente, don Francisco Ascobendas, tiene pudor. Es una virtud muy singular el pudor ....

El respeto a los lectores nos impide transcribir el resto.

6. Por esta evolución ha sido tachado Lugones de versátil. Y el calificativo se ha extendido a su actividad política y a su ideario social. Revolucionario y demócrata hasta bien entrado en años, hacia 1923 Lugones cambia de dirección y empieza a pregonar «la hora de la espada». Fué muy combatido por ello, y en el fondo sin razón. De lo que abdicó Lugones en su edad madura no fué de la libertad, que la quería para todos, altos y bajos, sino del abuso de esa libertad. Deseaba la elevación del pueblo por la cultura, sin que esa elevación pudiera confundirse nunca con un aristocratismo cerrado o una oligarquía.

7. *Antología de la poesía española e hispanoamericana,* págs. 370-71.

8. Hijo de Julio Lucas Jaimes y de Carolina Freyre, nace en Tacna siendo su padre cónsul de Bolivia en esta ciudad. Pasa muy joven a Río de Janeiro, y más tarde se afinca en Buenos Aires, incorporado al grupo modernista de Rubén, Lamberti, Lugones, etc. Después de popularizar en la capital argentina el seudónimo de *Brocha Gorda* como cronista de *La Nación,* se traslada a Tucumán, donde pasa parte de su vida como profesor de Letras en varios centros oficiales. Allí publica varias obras de carácter histórico: *Tucumán en 1810, Historia de la República de Tucumán, El Tucumán del siglo XVI, El Tucumán colonial, Historia del descubrimiento de Tucumán,* etc. En 1917 se le extiende carta de ciudadanía argentina; pero cuatro años más tarde sale de su retiro provinciano para Bolivia, su patria, donde colabora con el presidente Bautista Saavedra. Desempeña altos cargos: ministro de Instrucción Pública, de Relaciones Exteriores, representante de su país en la Sociedad de Naciones, ministro de Bolivia en Chile, en Estados Unidos, en Brasil. En 1926 se presenta candidato a la presidencia de la República; pero, elegido Hernando Siles, con cuya política Freyre está en desacuerdo, renuncia a su cargo diplomático (1927), y vuelve a la Argentina, donde muere en 1933.

9. *Ob. cit.,* pág. 90.

10. Nace en Montevideo en enero de 1875, de familia criolla, de hondo arraigo en el país. Su tío, Julio Herrera y Obes, ostentó la más alta representación política como jefe que era del partido «colorado». El sobrino nunca se aprovechó de ello. Infancia y juventud en ambiente de holgura; educación burguesa en los mejores colegios. Pero a los veinte años sobreviene el hundimiento del «herrerismo». El futuro poeta tiene que limitarse a vivir modestamente de la prensa y del desempeño de cargos secundarios: empleos en la Aduana de Montevideo, en la Inspección de Enseñanza Secundaria, etc. Un mes antes de morir había sido nombrado bibliotecario. Sólo sale de su país en 1905 para ir a Buenos Aires, donde trabajó en la Oficina del Censo durante ocho meses. Murió de ataque cardíaco en julio de 1910. Dos años antes había casado con doña Julieta de la Fuente, quien le cuidó con afecto en vida y le guardó, después de muerto, la mayor fidelidad. En 1907 había solicitado un puesto de cónsul, que naturalmente se le negó, ya que la carta en que lo pedía estaba redactada en tales términos, que más que instancia parecía imposición y exigencia.

11. *Poesías completas de Herrera y Reissig,* pág. 19, Buenos Aires, 1942.

12 Uruguayo, hijo de padres franceses. Frecuenta de muy joven los cenáculos intelectuales rioplatenses. Con sus melenas rubias y su empaque de Don Juan trastorna a varias mujeres, entre ellas a la poetisa María E. Vaz Ferreira. Ingresado luego en la diplomacia, actúa en Madrid varios años como cónsul de su país. CANSINOS ASSENS, que lo trató por esa época, nos lo describe haciendo una vida sedentaria, ajeno a la literatura y hasta despreocupado de toda inquietud poética, diciendo «las cosas más tristes y desoladas en un café elegante... ante uno de esos *cock-tails* que él llama «San Martín» en honor del bravo general de la epopeya americana». (*Letras americanas,* colec. «Crisol», Madrid, 1947.) Tradujo a Hearn, a Whitman y a Wilde; escribió en prosa desaliñada varios ensayos: *Origen y desarrollo de las instituciones, El memorial, La leyenda evangélica, Filosofía*

y crítica existenciales, Almafuerte y otros mártires, etc.

13. Nacido en Lima; padre militar, tacneño; madre trujillana, de origen español. El se decía descendiente nada menos que del Gran Capitán. Infancia en Chorrillo, casi recluído en la casa paterna, a causa de la guerra. «Yo no jugué de niño», había de lamentarse más tarde. Estudios primarios en el Gimnasio Alemán; secundarios, en el Colegio de Lima. Versos, amores, deportes y el estudio de las matemáticas, a las que manifiesta gran afición, absorben su adolescencia. En 1891 pasa a la Universidad. Primeras colaboraciones en periódicos de tono revolucionario. Seis meses en la cárcel antes de cumplir los veinte años. Empieza a viajar: misiones consulares en Colombia y países centroamericanos. Va a Buenos Aires con un encargo secreto del presidente de Nicaragua. Luego, a Madrid, donde se le dispensa excelente acogida. Bruscamente abandona España. ¿Motivos? se habla de negocios turbios, incluída una falsificación de giros presentados al cobro. Recorrido semitriunfal por las Antillas, Méjico y Centroamérica. El presidente Estrada Cabrera le ofrece su amistad y protección. Pancho Villa, también. Interviene en grandes empresas, pero fracasa. En 1922 vuelve al Perú, donde es glorificado. Nueva odisea por Colombia, Venezuela, etc. Augusto B. Leguía, presidente del Perú, le encarga la composición de un gran poema sobre el Libertador, en seis cantos; Chocano sólo escribe el IV: *Ayacucho.* 1925: se suscita viva polémica con motivo de un discurso de Lugones; Edwin Elmore, joven escritor, se pone del lado de Vasconcelos, contrincante de Lugones; Chocano, de parte de éste. Elmore y el poeta se encuentran en el vestíbulo del diario *El Comercio,* discuten y un tiro de revólver de Chocano deja a Elmore malherido. Llevado al hospital, muere a los dos días. Total: un año de cárcel. 1927: va a Chile y allí permanece hasta su muerte, ocurrida trágicamente el 13 de diciembre de 1934. Chocano iba en el tranvía, y un individuo, a quien el poeta había comprometido en la búsqueda de cierto tesoro oculto, sintiéndose defraudado, lo abordó y mató a cuchilladas. Había casado tres veces, sin molestarse en anular los vínculos anteriores: con la peruana Consuelo Bermúdez; con Margarita Batres, guatemalteca, y con Margarita Aguilar, costarricense.

14. Aún publicó *Fiat Lux* (1908); *Ayacucho y los Andes* (Lima, s. a.), canto III de la epopeya indoamericana encargada por Leguía; *Primicias de oro de Indias,* largo poemario que empezó en Chile y que debía abarcar nueve libros, de los que sólo publicó cuatro; *Tierras mágicas* (poemas panteístas), *Las mil y una noches de América* (poemas maravillosos), *Alma de virrey* (poemas galantes) y *Corazón aventurero* (poemas vitales). Con carácter póstumo apareció el *Poema del amor doliente* (1937).

15. Vida sencilla. Nace en Popayán, capital de Antioquia, donde había de pasar la mayor parte de su vida y a cuya región dedicó uno de sus mejores cantos, en hexámetros. Educación clásica en el Seminario de su ciudad natal. A los veintitrés años aparece en Bogotá como diputado, sin haber cumplido la edad mínima exigida para serlo. Pronto se hace notar por su oratoria como uno de los grandes tribunos de aquel país tan rico en parlamentarios. Joven aún, viene a Europa con misiones diplomáticas, pero no tarda en regresar a su país, donde desempeña altos cargos: ministro de Hacienda, gobernador de Antioquia, rector de la Universidad de Cauca, etc. Dos veces candidato a la presidencia de la República. Militó siempre en el partido conservador. Aparte de su producción en verso, dejó varios volúmenes en prosa conteniendo discursos, artículos y otros trabajos.

16. Vida breve y desdichada la de Pezoa. Tras una juventud llena de privaciones, logra un puesto de secretario en el Municipio de Viña del Mar. Pero no disfruta largo tiempo del empleo: en el terremoto de 1906 sufre graves lesiones, que terminarían por minar su organismo, complicándose con la enfermedad que le llevó a la tumba. En 1912, y con el título de *Alma chilena,* aparecieron recopilados por primera vez sus versos. En 1927 se publicó en Santiago de Chile toda su obra: *Poesía y prosa completa.*

17. Vida tan novelesca y agitada la de Blanco-Fombona como la de Chocano. El mismo nos ha trazado su autobiografía en los tres volúmenes del *Diario de mi vida.* Hijo de familia acomodada, pierde muy joven a sus padres y pasa a educarse bajo la tutela de su tío Manuel Fombona Palacio, también escritor. Estudios en la Academia Militar y primeras armas para combatir al presidente Andueza. Derrotado éste, pasa Blanco-Fombona cónsul en Filadelfia (1896); pasa a Holanda (1896) y vuelve pronto al país natal. A partir de este momento, duelos, cárceles y hasta algún homicidio se suceden con increíble rapidez. Se expatría a Nueva York, donde vive dando

lecciones de español. Es nombrado secretario general del Estado de Zulia; pero, enfrentado con el presidente Ruiz e intimidado por el coronel Iturzaeta para que se rinda a prisión, Fombona saca el revólver, mata al coronel y deja malheridos a dos acompañantes. 1901-1904: cónsul en Amsterdam, con frecuentes viajes a París; duelo a espada en la capital francesa con Binet-Valmer, y a pistola con Albert Erland. 1905: gobernador del territorio del Amazonas; colisiones con los caciques locales, que le llevan a la cárcel; enemistad con el presidente Castro, al que ataca en fogosos discursos; enemistad también con Vicente Gómez, sucesor de Castro. Gómez lo sepulta en una mazmorra durante un año. Liberado en 1910, viene por cuarta vez a España, para no regresar hasta un cuarto de siglo más tarde, a la muerte del general, a quien combate ferozmente con la pluma, llamándole *Juan Bisonte* y *Judas Capitolino*. En París empieza la publicación de las obras de los grandes escritores americanos; en Madrid funda la Editorial «América», foco de difusión de la cultura del Nuevo Continente. Se acoge a la Constitución republicana española, que concedía a los americanos nuestra nacionalidad, y es nombrado gobernador de Almería. Muerto Gómez, regresa a Venezuela. Todavía desempeña alguna misión diplomática. Recorre varios países; en la Argentina intenta reanudar sus actividades editoriales, pero la muerte le sorprende en Buenos Aires a fines de 1944.

18. Su verdadero apellido era Ruiz de Nervo. Nació en Tepic, Estado de Nayarit. Primeros estudios en Yacona; luego, en el Seminario de Zamora (Michoacán). Abandona la carrera eclesiástica para abrazar el periodismo, que ejerce primeramente en Mazatlán, a orillas del Pacífico. 1894: va a Méjico; 1895: se da a conocer como poeta en los funerales de Gutiérrez Nájera. 1896: funda con Valenzuela *La Revista Moderna de Méjico;* 1900: el diario *El Imparcial* lo envía a París. Conoce a egregias personalidades de las letras: Rubén Darío, de quien se hace amigo íntimo; G. Valencia, Moréas, Oscar Wilde, Catulle Mendès. Encuentro con Cecilia, su gran amor. 1903: regreso a Méjico, donde desempeña cargos de profesor en la Escuela Nacional de Literatura y de inspector de Enseñanza. 1905: acceso, previo examen, a la carrera diplomática. Se le destina a Madrid, donde se gana el afecto de las máximas figuras de las letras. 1914: es declarado cesante por razones políticas; declina la ayuda oficial que los intelectuales españoles habían gestionado para él de las Cortes, y es reintegrado a su cargo dos años después. 1918: ministro plenipotenciario en Argentina, Uruguay y Paraguay. Muere en Montevideo el 14 de marzo de 1919. Conducidos sus despojos mortales hasta Méjico a bordo de un crucero, con la escolta de buques de diversas naciones americanas, fué enterrado en la Rotonda de Hombres Ilustres.

19. En la edición de *Poesías completas* (Madrid, 1952), a cargo de Jenaro Estrada, van distribuídos en los siguientes quince apartados: *Perlas negras, Místicas, Poemas, Las voces, Lira heroica, Otros poemas, El éxodo y las flores del camino, Los jardines interiores, En voz baja, Serenidad, La amada inmóvil, Elevación, El estanque de los lotos, El arquero divino, Poesías varias.*

20. «Encontrada en el camino de la vida el 31 de agosto de 1901. Perdida—¿para siempre?—el 7 de enero de 1912», escribe al frente del libro. Y a la vuelta, en *Ofertorio:*

Dios mío, yo te ofrezco mi dolor.
¡Es todo lo que puedo ya ofrecerte!
Tú me diste un amor, un solo amor,
¡un gran amor! Me lo robó la muerte
... y no me queda más que mi dolor.
Acéptalo, Señor.
¡Es todo lo que puedo ya ofrecerte!

Compárese este acento lleno de resignación con el grito de protesta de Antonio Machado en análogo trance:

Tu voluntad se hizo, Señor, contra la mía...

21. Nace en Méjico y muere en Madrid. Muy joven, cultiva el periodismo. Luego desempeña cargos públicos: secretario de Justo Sierra, siendo éste ministro de Instrucción Pública; profesor de la Escuela Nacional Preparatoria, director de la Biblioteca Nacional. En 1915 se expatrió a la Habana; en 1916 es enviado a Madrid como corresponsal de *El Heraldo de Cuba;* en 1917 va a la Argentina, donde desarrolla un ciclo de conferencias sobre literatura mejicana. Pronto vuelve a España y aquí permanece hasta su muerte, ocurrida en 1934.

22. Mejicano, de la capital. Desde muy joven, como todos sus compañeros de promoción poética, se consagra

al periodismo. En 1900, *La Revista Moderna* le envía al Japón para que estudie el arte y la industria. Desempeñó cargos oficiales: diputado en el Congreso de la Unión, director del *Diario Oficial,* ministro en Venezuela, etc. Murió en Nueva York en 1945.

23. Algunos subtítulos son reveladores: *Li-Po,* «versos ideológicos»; *Jarro de flores,* «disociaciones líricas»; *La feria,* «poemas mejicanos».

24. El «jaikai» es una estrofa japonesa en tres versos de metro menor. Tablada se vanagloriaba de haber sido su introductor en castellano. He aquí dos ejemplos:

Sin cesar gotea
miel el colmenar;
cada gota es una abeja...

(Las abejas.)

Tierno saúz,
casi oro, casi ámbar,
casi luz...

(El saúz.)

25. Nace González Martínez en Guadalajara (Jalisco) en 1871. Pasa los primeros veinticinco años en la tierra natal. A los veintidós obtiene el título de doctor en Medicina, profesión que ejerce con éxito en Sinaloa y en Mocorito. Con la medicina alterna la colaboración, prosa y verso, en varios periódicos. Traduce a Shakespeare y a Edgar Poe, y publica, antes de trasladarse a la capital, cuatro libros de versos. En 1911, ya conocido en los medios intelectuales, va a Méjico, decidido a dedicarse de lleno a las letras. Funda las revistas *Argos* y *Pegaso;* antes había dirigido en Mocorito otra publicación, *Arte.* Ingresa en la Redacción de *El Imparcial;* da clases de Literatura en la Escuela Nacional Preparatoria y en la de Altos Estudios. En 1920 se adscribe al servicio diplomático. Actúa como ministro de su país en Chile, Argentina y España. En 1931, hallándose en Madrid, donde representaba a Méjico hacía siete años, pide el retiro. Vuelve a Méjico y allí vive querido y respetado por todos hasta su muerte, en febrero de 1952.

26. Obra poética: *Preludios* (Mazatlán, 1903), *Lirismos* (Mocorito, 1907), *Silenter* (Mocorito, 1909), *Los senderos ocultos* (Mocorito, 1911), *La muerte del cisne* (1915), *El libro de la fuerza, de la verdad y del ensueño* (1917); *Parábolas y otros poemas* (1918), *La palabra del viento* (1921), *El romero alucinado* (Buenos Aires, 1923), *Las señales furtivas* (Madrid, 1925), *Poemas truncos* (1935), *Ausencia y canto* (1937), *El diluvio de fuego* (1938), *Poemas* (1940), *Bajo el signo mortal* (1942), *Poesías completas* (todo lo publicado anteriormente, más un nuevo título: *Tres rosas en el ánfora,* 1944), *Segundo despertar* (1946), *Vilano al viento* (1948), *Babel* (1949), *El nuevo Narciso* (1952). Publicó, además, un libro de versiones, *Jardines de Francia* (1915), y dos de prosa, con fondo autobiográfico: *El hombre del búho* y *La apacible locura.*

27. *Breve historia del modernismo,* pág. 344, Méjico-Buenos Aires, 1954.

BIBLIOGRAFIA

I. Para estudios generales, véase cap. XXXII.

II. Rioplatenses (Lugones, J. Freyre, Herrera y Reissig y Vasseur): J. M. CARBONELL: *Alrededor de un gran poeta: Leopoldo Lugones,* Habana, 1912.—M. CASARTELLI: *La poesía didáctica de L. Lugones,* «Cuad. Hispanoamericanos», núm. 93, sep., 1957.—J. FINGERIT: *Un enemigo de la civilización: Leopoldo Lugones,* Río de Janeiro, 1916.—J. MAS Y PI: *L. Lugones y su obra,* Buenos Aires, 1911.—J. PEREIRA RODRÍGUEZ: *El caso Lugones-Herrera y Reissig,* «Repertorio Americano», San José de Costa Rica, 1925.—M. PICÓN-SALAS: *Para una interpretación de Lugones,* «Rev. Nac. Cultura», año VIII, núm. 59.—A. D. PLÁCIDO: *L. Lugones. Su formación, su espíritu, su obra,* Montevideo.—H. QUIROGA: *El caso Lugones-Herrera y Reissig,* «Reper. Amer.», 1925.—RUBÉN DARÍO: *Caretas* (Lugones), Madrid, 1919.—G. URIARTE: *La obra intelectual de Lugones,* «Nosotros», XXXI, Buenos Aires, 1918.— *Obras poéticas completas* de L. Lugones, con pról. de P. MIGUEL OBLIGADO, colec. «Joya», Edit. Aguilar, Madrid.—E. JAUBIN COLOMBRES: Est. prel. de las *Obras completas* de J. Freyre, 1944.—L. LUGONES: Pról. a *Castalia bárbara,* de J. Freyre (La Paz, 1918).—B. GICOVATE: *Julio Herrera y Reissig and the Symbolists,* «University of California Press», 1956.—H. HERRERA Y REISsig: *Julio Herrera y Reissig. Grandeza en el infortunio*, Montevideo.—J. Mas y Pi: *Herrera y Reissig*, «Nosotros», Buenos Aires, marzo, 1914.—C. Miranda: *Herrera y Reissig* (conferencia), Salto, 1913.—V. A. Salaverri: Est. prel. de las *Prosas* de H. y R. (Valencia, 1918).—G. de Torre: Est. prel. de *Obra poética completa* de H. y R. (Buenos Aires, 1943).—Idea Vilariño: *Julio Herrera y Reissig. Seis años de poesía*, Montevideo.—V. A. Salaverri: *A propósito de Vasseur*, «El Siglo», Montevideo, marzo, 1923.

III. Poetas del Pacífico (S. Chocano, G. Valencia, Pezoa Véliz y Blanco-Fombona): J. Cejador y Frauca: *Chocano y los demás poetas jóvenes de América*, «La Lectura», año VII, vol. II, Madrid, 1907.—E. Elmore: *Vasconcelos frente a Chocano y Lugones*, Lima, 1926.—A. González Blanco: *J. Santos Chocano, el poeta*, «Escritores representativos de América», Edit. América, Madrid.—D. Rubio: *Un gran cantor de Suramérica* (J. S. Chocano), «Modern Language Journal», VII, Menasha, Wisconsin, 1923.—L. A. Sánchez: *J. Santos Chocano*, «Escrit. Represent. Amér.», Edit. Gredos, Madrid, 1957.—G. W. Umphrey: *J. Santos Chocano, el poeta de América*, «Hispania», III, Stanford, California, 1920. — A. Duarte French: *Guillermo Valencia*, Bogotá.—G. Ellauri-Obligado: *Reminiscencias literarias. La iniciación poética de G. Valencia*, «La Palabra», Córdoba, abril, 1929.—*Obras poéticas completas* de G. Valencia, con estudio de L. C. Iragorri, colec. «Joya», Edit. Aguilar, Madrid.—R. Maya: *Guillermo Valencia, poeta*, «Universidad», 146, Bogotá, 1929.—G. Porras Troconis: *El alejandrismo de G. Valencia*, «Cuba Contemporánea», VIII.—B. Sanín Calvo: Pról. a *Obras* de G. Valencia, Edit. Aguilar, Madrid, 1948.—Sonja Karsen: *G. Valencia, Colombian Poet*, Public. of Hispanic Institute, Nueva York.—S. A. Lillo: *Vida de Pezoa Véliz*, «El Mercurio», Santiago, 1912.—E. Montenegro: Pról. a *Alma chilena*, de Pezoa Véliz (Santiago, 1912).—L. Pena: Pról. a *Campanas de oro*, de Pezoa Véliz (París, 1921).—A. Torres Rioseco: *Carlos Pezoa Véliz*, «Repert. Americ.», San José de Costa Rica, abril, 1922.—A. de Undurraga: *Pezoa Véliz (Biografía. Crítica. Antología)*, Santiago, 1950.—J. M. Aguiar: *José Enrique Rodó y Rufino Blanco-Fombona*, Montevideo-Buenos Aires, 1925.—F. Carmona Nenclares: *Vida y literatura de Blanco-Fombona*, Madrid, 1928.—H. B. Macdonald: *Rufino Blanco-Fombona (Su vida, su obra y su actitud para Estados Unidos)*, Nueva York, 1925.—P. Pillepich: *Scrittori americani: Rufino Blanco-Fombona*, Roma, 1928.—J. de Silva Bías: *Blanco-Fombona*, Río de Janeiro, 1916.

IV. Mejicanos (A. Nervo, Urbina, Tablada y González Martínez): Sarah Bollo: *La poesía de Amado Nervo*, «Rev. Nac.», año VI, t. 23, Montevideo.—A. Celso Tindaro: *A. Nervo. Acotaciones a su vida y obra*, Buenos Aires, 1919.—J. Estrada: *Bibliografía de Amado Nervo*, Méjico, 1925.—F. González Guerrero: *A. Nervo, prosista*, Edit. Aguilar, Madrid, 1952.—J. L. Martínez: *Situación de A. Nervo*, «Letras de México», año VII, vol. I, t. 22.—Concha Meléndez: *Amado Nervo*, Hispanic Institute, Nueva York, 1926.—A. Méndez Plancarte: *Amado Nervo, poeta*, II, Edit. Aguilar, Madrid, 1952.—Roderik A. Molina: *Amado Nervo. His Misticism and Franciscan Influence*, «América», vol. VI, núm. 2.—B. Ortiz de Montellano: *Figura, amor y muerte de A. Nervo*, Méjico, Edics. Xochitl, 1943.—E. de Ory: *Amado Nervo*, Cádiz, 1918.—A. Quijano: *Amado Nervo, el hombre*, 1919.—A. Rusconi: *Las metamorfosis poéticas de A. Nervo*, «Rev. Nac.», Montevideo.—J. León Suárez y R. Monner Sans: *Homenaje a la memoria de A. Nervo*, Buenos Aires, 1919.—E. Talero: *Amado Nervo*, Buenos Aires. 1919.—A. Torre Ruiz: *La poesía de A. Nervo*, Valladolid, 1924.—Esther Turner Welman: *Amado Nervo: México's Religius Poet*, Hispanic Institute, Nueva York, 1936.—G. Alfaro: *Dos libros nuevos de Luis G. Urbina*, «Renovación», Buenos Aires, agosto, 1923.—L. Domínguez: *Urbina*, «Cervantes», núm. 7, Madrid, 1916.—M. Gutiérrez Nájera: *L. G. Urbina*, «Revista Azul», Méjico, junio, 1895. — G. Sánchez Galarraga: *Un poeta crepuscular (L. G. Urbina)* (conferencia), Habana, 1918.—E. Hernández: *El florilegio*, versos de J. J. Tablada, «Rev. Moderna», Méjico, oct., 1904.—L. G. Tablada: *«Máscaras»*, de J. J. Tablada, «Rev. Moderna», feb., 1903.—N. Alonso Cortés: *E. González Martínez*, «Hispania», XI, Stanford, California, 1928.—F. Benge: *La biografía lírica de E. González Martínez*, Méjico, 1925.—E. Colin: *Verbo selecto* (sobre E. G. Martínez), Méjico, 1922.—P. Henríquez Ureña: *La poesía de E. González Martínez*, «Cuba Contemporánea», VIII, Habana, 1915.—F. A. de Icaza: *Letras americanas* (sobre E. G. Martínez), «Rev. de Libros», Madrid, enero, 1914.—L. Luisi: *La poesía de González Martínez*, Montevideo, 1923.—S. Osuna: Pról. a *Silenter*, de E. G. Martínez (1909).—P. Pillepich: *Un grande poeta messicano: E. G. Martínez*, «Colombo», V, Roma, 1930.—A. Reyes: Est. prel. de *Los senderos ocultos*, de E. G. Martínez (1916).—J. Torres Bodet: *La obra de E. González Martínez*, «Repert. Americ.», San José de Costa Rica, feb., 1926.—Esther Avila Torrés: *El poeta E. González Martínez*, «Rev. Humanidades», I, Univ. San Luis de Potosí, 1959.

V. Para otros poetas modernistas, aparte de las Historias generales de literatura hispanoamericana tantas veces citadas y las particulares de cada país, puede consultarse: R. Cansinos Asséns: *Poetas y prosistas del novecientos*, Madrid, 1919.—A. Carrasco: *Letras hispanoamericanas*, 1919.—F. Contreras: *Les écrivains contemporains de l'Amérique espagnole*, París, 1920.—A. Dotor: *Mirador*, Madrid, 1929.—J. Estrada: *Poetas nuevos*, Méjico, 1916.—V. García Calderón: *Semblanzas de América*, Madrid, 1920.—F. García Godoy: *Americanismo literario*, Madrid, 1918.—A. González Blanco: *Escritores representativos de América*, Madrid, 1917.—«Luxar» (Crispo Acosta)': *Motivos de crítica hispanoamericana*, Montevideo, 1914.—A. Melián Lafinur: *Literatura contemporánea*, Buenos Aires, 1918.—M. Ugarte: *La joven literatura hispanoamericana*, París, 1906.—R. F. Giusti: *Nuestros poetas jóvenes*, Buenos Aires, 1911.—I. Pereda Valdés: *Antología de la moderna poesía uruguaya*, «El Ateneo», Buenos Aires, 1927.—R. P. Casanova: *Ojeada crítica sobre la literatura en Chile (1840-1912)*, Santiago, 1913.—A. Donoso: *Los nuevos*, Valencia, 1912.—M. Picó-Salas: *Ciclo de la moderna poesía venezolana (1880-1940)*, Univ. de Puerto Rico, serie 12, núm. 2.—R. Helidoro Valle: *Indice de la poesía centroamericana*, Santiago de Chile, 1941.—J. de J. Núñez y Domínguez: *Los poetas jóvenes de México*, Méjico, 1918.—J. L. Martínez: *Literatura mexicana. Siglo XX (1910-1949)*, 2 vols., «Clásicos y Modernos», Méjico, 1950.—J. E. Valenzuela: *Los modernistas mejicanos*, «Revista Moderna», Méjico, 1898.—Max Henríquez Ureña: *Breve historia del modernismo*, Méjico-Buenos Aires, 1954.

Para todos los poetas estudiados o aludidos en este capítulo, sigue siendo la mejor fuente informativa y crítica la *Antología de la poesía española e hispanoamericana*, de Federico de Onís, Madrid, 1934.

CAPITULO LXXXVII

EL MODERNISMO EN AMERICA:
D) RUBEN DARIO

I. El hombre, la vida y la obra: *Datos biográficos. Perfil humano. Rubén Darío, prosista.*—II. La obra poética: *Primeros pasos. «Azul». «Prosas profanas». «Cantos de vida y esperanza». El resto de la producción poética.*— III. Pensamiento y forma: *El cantor de la raza. Ideario estético.*—IV. Métrica rubeniana: *La estrofa. El verso. Intentos de versificación cuantitativa.* V. Proyección y fama.—Notas.—Bibliografía.

I. EL HOMBRE, LA VIDA Y LA OBRA

La figura de Rubén Darío (1867-1916), anclada en el centro del movimiento modernista, según se viene estudiando en los capítulos precedentes, se nos ofrece como la más relevante no sólo de la poesía hispanoamericana, sino de toda la poesía de habla española en la edad contemporánea. Habrá, sin duda los hay, quienes le aventajen en algún aspecto parcial: Antonio Machado, en hondura de sentimiento; Unamuno, en densidad conceptual; Lugones, Guillermo Valencia y Herrera Reissig, en artificios formales; Juan Ramón Jiménez, en pureza poética. Pero Rubén, en conjunto, los supera a todos. Nadie desde los tiempos de Lope ha tenido su potencia lírica, ni una voz con tal variedad de registros, ni un acento de tan extensa vibración. Añádase a esto su indiscutible valor en cuanto intérprete de los sentimientos de la raza y su significación, la más neta tal vez desde Boscán hasta nosotros, en la reforma del verso castellano. Algo de lo mucho que Rubén hizo en este sentido se verá más adelante. Por ahora baste decir que todos los poetas posteriores, aun los más alejados de él formal o ideológicamente, se han beneficiado poco o mucho de su reforma.

Datos biográficos

Nace Rubén Darío en Metapa (Nicaragua) el día 18 de enero de 1867; pero su fe de bautismo está fechada en León. Por ella sabemos el verdadero nombre del poeta: Félix Rubén García Sarmiento, que él cambió por el más conocido de «Rubén Darío»[1]. Ascendencia criolla y sangre mestiza, que influirían hondamente en su vida y en su obra. Niño aún, y por desavenencias de los padres, es llevado a León para que se eduque al lado de unos tíos. Formación católica, que aflorará en los momentos cruciales de su vida, imponiéndose al clima de escepticismo que parecía envolverle. Primeros estudios en los Jesuítas; enseñanza secundaria en los mismos Jesuítas y en el Instituto Nacional. Pronto pasa con un empleo a la Biblioteca de la nación. A los doce años empieza a escribir versos, que se publican en *El Ensayo* y en *El Termómetro,* a la vez que en *La Verdad* aparecen sus primeras producciones en prosa. Primeras experiencias de amor y primeros desengaños. Acaso éstos le animaron a expatriarse a El Salvador (1881), donde conoce a Francisco Gavidia. Traductor éste de Víctor Hugo, se apresura a ponerle en contacto con los grandes escritores franceses contemporáneos, poetas y prosistas. Rubén aprende de ellos un nuevo tratamiento del verso y un nuevo estilo para la prosa. Vuelto a su país, da a la imprenta en Managua un libro de versos, *Primeras notas: epístolas y poemas* (1885), que no había de aparecer hasta tres años más tarde (1888).

En 1886, llevado del ansia de descubrir otros horizontes, va a Chile. Allí traba amistad con varios hombres de letras, entre ellos con Pedro Valmaceda Toro, hijo del presidente de la República, don José Manuel Valmaceda. En la biblioteca de este amigo, muerto prematuramente (1889)[2], Darío sacia su sed de lecturas, particularmente de autores franceses. Colabora en *La Epoca* y *El Mercurio,* de Santiago, y en *El Heraldo,* de Valparaíso. Publica algunos libros: *Canto épico a las glorias de Chile* (1887), *Abrojos* (1887), *Rimas* (1888) y *Azul* (1888). Este último estaba llamado a tener enorme repercusión en todos los países de habla hispana, sobre todo desde que Valera le dedicó una crítica excepcionalmente elogiosa. Es nombrado corresponsal de *La Nación,* de Buenos Aires, a cuya redacción quedó adscrito de por vida; y regresa a Nicaragua.

Entre 1888 y 1890, obligado por las alternativas de la política, reside en varias Repúblicas de Centroamérica: El Salvador, Guatemala, Costa Rica. 1890: casa en El Salvador con la hondureña doña Rafaela Contreras. 1892: es designado por su país representante oficial en España para las fiestas del IV Centenario del Descubrimiento. Viene a la Península, donde es bien acogido por políticos y hombres de letras: Castelar, Valera, Núñez de Arce, Menéndez Pelayo, doña Emilia Pardo Bazán. Al regreso de España se detiene en Cuba, y traba amistad con Casal; y en Cartagena de Indias, donde conoce al presidente de Colombia, don Rafael

1236

Núñez, quien lo nombra cónsul general de esta República en Buenos Aires. El viaje a la Argentina lo realiza pasando por Europa, como solía hacerse por aquellos años; con lo que Rubén tiene ocasión de conocer Nueva York, donde trata a Martí; y París, una de sus grandes ilusiones. Visita a Verlaine e intima con Charles Maurice y Moréas, entre otros. A finales de 1893 llega a Buenos Aires. Antes había perdido a su primera esposa y había sido obligado a casarse en estado de inconsciencia con doña Rosario Murillo, con quien el poeta no llegó a compenetrarse.

La estancia en Buenos Aires (1893-1898) se caracteriza por una intensa actividad. Darío se rodea de un nutrido grupo de escritores, que desde el primer instante le reconocen por maestro: Lugones, Berisso, Ricardo J. Freyre, Leopoldo Díaz, Estrada, Ghiraldo, etc.; funda con Freyre la *Revista de América*, de singular importancia en los anales del modernismo, y publica algunos de sus libros más representativos: *Los raros* (1896), *Prosas profanas* (1896). A finales del 1898 *La Nación* le envía de corresponsal a España, pero encuentra un ambiente distinto. Los viejos maestros, que conociera en su primera estancia, se hallan en decadencia; una nueva generación invade el mundillo de las letras: Benavente, *Azorín*, Unamuno, Machado, Villaespesa, Valle-Inclán, etc. Le reciben con los brazos abiertos y le proclaman su jefe. Rubén se deja querer y, a la vez que colabora en sus revistas, publica más libros: *España contemporánea* (1901), *Peregrinaciones* (1901). En ese mismo año se traslada a París, donde fija su residencia durante un lustro, con esporádicas escapadas a Bélgica, Italia, Alemania, Inglaterra y Austria-Hungría. En 1906 vuelve a América para asistir a la Conferencia panamericana del Brasil, y aprovecha el regreso para visitar Buenos Aires, y luego, su país natal, tras dieciocho años de ausencia. Entre tanto ha publicado varios libros, alguno de ellos muy importante: *La caravana pasa* (1903), *Tierras solares* (1904), *Opiniones* (1906), *Parisiana* (1908), todos ellos en prosa. Y en verso: *Cantos de vida y esperanza* (1905), *Oda a Mitre* (1906), *El canto errante* (1907). A partir de este momento las vicisitudes de su vida se suceden con rapidez. 1908: es nombrado ministro de Nicaragua en España. 1910: parte para Méjico, como enviado extraordinario en las fiestas de la Independencia; pero antes de cumplir el encargo recibe noticia de su destitución, consecuencia de un cambio de Gobierno. De nuevo en Europa, publica *Poema del otoño y otros poemas* (1910), *El viaje a Nicaragua* y algunos trabajos de menor importancia. 1911: dos hombres de negocios, los hermanos Guido, sugieren a Rubén la publicación y dirección de una revista, *Mundial*, redactada en castellano y orientada principalmente a los pueblos de América. El primer número, que obtuvo excelente acogida, apareció en abril del mismo año. 1912: inicia con los Guido una jira de propaganda por España y América; durante el viaje el poeta recibe los más cálidos homenajes; pero al regreso se siente totalmente agotado. Pasa una temporada en Baleares, reponiendo la salud. 1914: aparece su último libro de versos: *Canto a la Argentina y otros poemas*. Al estallar la guerra europea, un compatriota suyo, Alejandro Bermúdez, dispuesto a explotar en provecho propio la gloria del poeta, le propone una nueva excursión por América, como propagandista de la paz. Rubén acepta; sale con su empresario para Estados Unidos; pero en Nueva York una pulmonía viene a agravar su estado de salud, ya muy quebrantada. Se suceden días malos; Bermúdez desaparece, y Rubén sale para Guatemala, correspondiendo a una invitación del presidente Estrada Cabrera. Poco después, sintiendo cercana la muerte, se traslada a Nicaragua, y muere en León el 6 de febrero de 1916.

Había tenido dos hijos: Rubén Darío Contreras, de su primera esposa, doña Rafaela, y Rubén Darío Sánchez, de una humilde pueblerina llamada Francisca Sánchez, que había acertado a consolar y ayudar al poeta en sus días más difíciles [3].

Perfil humano

A la primera ojeada, Rubén Darío se nos ofrece como lo que era: un auténtico producto de la raza. Indio y español, de ambos tiene vicios y virtudes. Del indio, la sensualidad y la melancolía; del español, el ímpetu, la imprevisión y la nobleza. Temperamento ardiente, supo gozar de la vida y expresar luego la acidez consecuente al goce de los sentidos: «¡Y en el placer hay la melancolía!»

Vivió desordenadamente; supo de frutos vedados y de la angustia del alma insatisfecha. Fué un bohemio, pero bohemio elegante; porque llevaba ínsita en el alma una nota de elegancia que casi siempre se confundía con la aristocracia del espíritu. Olvidado de Dios en períodos intermitentes de su vida, vuelve a El con renovado afán de encontrarle. Alejado, más que real aparentemente, en sus primeros libros de los temas raciales, cuando se decide a inspirarse en ellos pone un fervor inigualable. Por encima de todos los devaneos se descubre en su poesía, en la última, en la mejor, un corazón que sufre y un alma preocupada por los más hondos problemas.

Pedro Salinas nos le describe ebrio, con dos formas de embriaguez: la sensual y la alcohólica [4]. En su autobiografía, el propio Rubén nos habla de precoces iniciaciones eróticas, ya en la escuela primaria. «La mejor musa es la de carne y hueso», había de proclamar reiterativamente más tarde. Y el elogio de la mujer y de la belleza física humana es el motivo más frecuente de su obra poética. Por otra parte, el alcohol hace acto de presencia en momentos trascendentales de su vida. Se sabe que a sus catorce años gastaba en bebidas todo el dinero que recibía de su protector, el presidente Zaldívar. Inconsciente por el abuso de alcohol, los hermanos de Rosario Murillo le obligan a contraer matrimonio [5]. Su explotador Bermúdez acude asimismo a la bebida para decidirle a embarcar rumbo a América. Y en Nicaragua, sus amigos, creyendo complacerle, le suministran licores sin tasa, con los que sólo consiguen apresurar su muerte.

No tuvo amores en el verdadero sentido de la palabra. Más que de proceso amoroso ha de hablarse, tratándose de Rubén, de anécdotas o episodios galantes. Más que de pasión, de erotismo. El amor a lo Musset no debió de conocerlo; tampoco debió de sentir un amor elevado y noble, como el de Nervo por Ana Cecilia. Su confidente Soto Hall afirma concretamente que Rubén no amó nunca; y, aunque esto parece exagerado, todo induce a pensar que no encontró en su camino una de esas mujeres capaces de llenar la vida de un hombre y de proyectarla hacia una meta definida. Sus relaciones con Domitila en Chile, con la uruguaya Margarita en Buenos Aires y con Marion Delorme en París no debieron de rebasar la índole de esas fáciles aventuras que se ofrecen en cualquier gran capital a todo joven provisto de fama y de algún dinero. El mismo sentimiento del poeta hacia Francisca Sánchez parece más inspirado en la gratitud que en un amor auténtico.

En *Historia de mis libros*, Rubén alude a la lucha por la existencia, que hubo de sostener desde niño y sin apoyo de nadie. Los términos en que se expresa parecen exagerados. No tuvo, es cierto, patrimonio familiar como otros poetas americanos, por ejemplo, Guillermo Valencia; ni una carrera fácil, como otros. Pero, en general, no le faltaron apoyos a lo largo de su vida y se le abrieron con facilidad todas las puertas. Rubén ganó dinero. ¿Mucho o poco? El suficiente para haber vivido con relativo desahogo. La verdad, no obstante, es que vivió mal; comido de deudas. Pero esto no por falta de ingresos, sino por incapacidad administrativa. «Tener deudas es cosa de gente grande», había escrito ya en 1886. Era demasiado rumboso. Cuando disponía de fondos, los gastaba sin tasa. La necesidad de unos ingresos fijos le llevó al periodismo; y, en efecto, su corresponsalía de *La Nación* se los suministró bien saneados. Pero no bastaban. Pareció que la representación oficial del Gobierno de Nicaragua ante el Estado español aliviaría su situación; lejos de ello, aún tenía que subvenir Rubén con su bolsillo particular el mantenimiento del cargo con el mínimo decoro [6]. Tampoco los versos llenaban la diferencia entre gastos e ingresos; los versos le dieron inusitado renombre, pero raquítico provecho. Se sabe que en 1906, cuando Darío estaba ya en el cenit de su gloria, un editor le ofreció quinientas pesetas por la edición conjunta de *Azul, Rimas* y *Cantos de vida y esperanza*. En definitiva, nuestro poeta vivió del periodismo: continuadamente, de las colaboraciones de *La Nación*; accidentalmente, con el producto nada despreciable, según confesión propia, que le dejaba su cargo de director de *Mundial* y de *Elegancias*.

Rubén Darío, prosista

La aureola del poeta oscureció en Rubén la fama que en justicia le corresponde como escritor en prosa. Rubén lo fué en alto grado. Un escritor fértil, elegante, originalísimo y con inagotables recursos expresivos; uno de los mejores prosistas de la época. Valera, que tanto alabó su poesía, no tuvo menores elogios para su prosa. «Espontánea, fácil, precisa, concisa y extremadamente elegante» la encuentra en las breves narraciones que integran la primera parte de *Azul*. Y esto cuando Darío apenas contaba veinte años. «Hay en usted —le dice—una poderosa individualidad de escritor, ya bien marcada, y que si Dios da a usted la salud que yo le deseo y larga vida, ha de desarrollarse y señalarse más con el tiempo en obras que sean gloria de las letras americanas.» El vaticinio de Valera sólo se cumplió a medias en cuanto a la prosa, porque el genial nicaragüense era y se sentía antes que nada poeta, y a la poesía consagró sus mejores momentos.

Aun así hay en la obra en prosa de Rubén muchas páginas del más alto valor. Están casi siempre inspiradas en la prosa francesa de su tiempo; pero con evidente sello de originalidad. «No hay autor en castellano más francés que usted», le decía el mismo Valera; y, a renglón seguido, luego de subrayar la asombrosa capacidad del joven escritor para asimilarse todos los elementos del espíritu francés sin haber salido de América, ponía de relieve «la forma española que aúna y organiza esos elementos convirtiéndolos en sustancia propia». Rubén, al principio, no parecía hacer ascos al rótulo de «galicista» que le colgaba el viejo maestro de la crítica y de la novela españolas; hasta se diría que alardea de ello. En algún pasaje se vanagloria de haber sido el introductor del *cuento parisiense* en la literatura castellana. No era del todo cierto. Gutiérrez Nájera había publicado ya, en 1883, sus *Cuentos frágiles*, que aunque no por el ambiente, son *parisienses* por su técnica y estilo. Es dudoso que Darío, al redactar los veintitantos *Cuentos en prosa* incluídos en *Azul*, se hubiese inspirado en Nájera; más bien parece haber bebido directamente en fuentes galas. Y, en efecto, Max Henríquez Ureña ha señalado puntualmente la influencia o influencias probables de cada relato: Catulle Mendès, René Maizeroy, Armand Silvestre, Louis Bouilhet, los Goncourt, etc. Tales influencias en nada amenguan el mérito de estas narraciones, que, repitámoslo, tienen su sello personal bien definido y son tanto por el fondo como por la forma deliciosas. Algunas—*El rey burgués. Un cuadro de Watteau, La ninfa, El rubí, La muerte de la emperatriz de la China, El sátiro sordo,* estas últimas introducidas en la segunda edición, de 1890—servirán por mucho tiempo de modelo de buena prosa moderna.

Otro tanto ha de decirse de *Los raros* (1896), colección de semblanzas sobre figuras literarias muy conocidas. Rubén las había venido publicando de años atrás en *La Nación*, de Buenos Aires, y ahora se daban reunidas en volumen. La mayor parte corresponde a poetas franceses del simbolismo: Villiers de l'Isle Adam, Verlaine, Lautréamont, Richepin, etc. Nuestro vate se enorgullecía de haber dado a conocer el movimiento simbolista en América. Y no le faltaba razón. Pero más que eso interesa ahora el garbo, la soltura y acierto con que están trazadas esas siluetas, garbo y soltura que anuncian un nuevo estilo, común ya a todos los libros ulteriores en prosa de Darío.

Un aspecto interesante de Rubén es su actividad periodística. Ya se ha dicho que cultivó el periodismo casi desde niño y que en él había encontrado su principal fuente de ingresos. Para algunos, Pedro Salinas entre ellos, esta dedicación del poeta a la labor diaria de la prensa fué fatal. Nosotros, en cambio, no vemos la menor interferencia, y mucho menos incompatibilidad, entre las actividades periodísticas y la creación poética pura. Pensamos que el poeta puro no existe; el poeta es, a la vez que poeta, sacerdote o soldado, diplomático o profesor, como en el caso del propio Salinas, sin que la creación poética haya de entenderse como una actividad funcional más, sino como un estado de gracia accidental y transitorio. Y así, «estado de gracia», se le viene llamando por algunos. Rubén ejerció el periodismo con el mayor decoro, llevando a sus artículos de la más variada índole esas notas de finura, espontaneidad y elegancia que caracterizan todos sus trabajos, tanto en verso como en prosa.

II. LA OBRA POETICA

Ya queda dicho que Darío empieza su producción en verso, casi niño aún, cuando andaba frisando en los doce años. En 10 de julio de 1881 está fechado un cuaderno manuscrito, que recoge poesías y artículos anteriores publicados en periódicos locales. Algunas de esas composiciones —A ti, Una lágrima, Epitafio a una niña, Desengaño—datan de 1880. Demuestran ya en su autor lecturas de clásicos castellanos, latinos y algún poeta francés. A partir de ese momento, la musa de Rubén no cesa de alumbrar poemas de toda clase, que se van sucediendo sin interrupción hasta su muerte. Su número puede calcularse en el millar. Actualmente hay ya recogidas y clasificadas unas ochocientas composiciones [7].

La trayectoria poética de Rubén puede seguirse con bastante precisión: hay unos cuantos títulos en su repetorio que sirven de jalones y simbolizan con toda exactitud las diferentes etapas de su quehacer estético: Primeras notas, Azul, Prosas profanas, Cantos de vida y esperanza y El canto errante. Entre Azul y El canto errante se desarrolla lo más valioso y representativo de su obra. Todo lo que cae del lado de allá de Azul (1888) está aún en la fase de formación y de tanteo, de cosa sin cuajar; todo lo que cae del lado de acá de El canto errante (1907), aun con geniales chispazos de inspiración de cuando en cuando, señala un claro descenso. La gran época de Rubén Darío corre a través de esas dos décadas—1888 a 1907—, que a la vez resumen el apogeo del Modernismo, tanto en la Península como en América. Interesa seguirle por ese camino.

Primeros pasos

Tenemos ante todo el Rubén que precede a Azul, el Rubén de los doce a los veinte años. Escribe mucha poesía, centenares de composiciones que van apareciendo en periódicos y revistas de carácter local, parte de las cuales queda luego recogida en libros publicados por aquellas fechas: Epístolas y poemas (1885), Abrojos (1887), Otoñales (1887); otra parte ha sido exhumada por biógrafos y comentaristas después de muerto el poeta; y es de suponer que no pocos poemas habrán desaparecido. Son simples balbuceos de una musa que todavía carece de voz propia. Las alas de Rubén son aún demasiado tiernas, y se le ve fácilmente vinculado a las últimas lecturas. Como éstas son sucesiva y desordenadamente fray Luis de León o Góngora, Santillana o Lope, Quevedo o Quintana, Zorrilla o Bécquer, es decir, todos los autores castellanos de más renombre, desde Berceo a Campoamor, acrecidos por algún romántico francés—Musset, Hugo, etc.—, Rubén se siente imitador de todos ellos, con manifiesta inclinación por el último que cae en sus manos. Allí hay de todo: liras, décimas, sonetos, octavas (no reales), ovillejos, alejandrinos de corte romántico, doloras a lo Campoamor, silvas patrióticas y patrioteras a lo Quintana y las inevitables piececillas de circunstancias. Solamente con estas últimas, sus colectores han podido hacer un nutrido apartado: Albumes y abanicos.

Si no hubiera escrito más que eso, a pesar de su abundancia, Rubén Darío no habría rebasado en una historia de la literatura castellana ese espacio exigüísimo de dos o tres líneas que se reserva para los autores llamados del montón. Para nosotros, y por tratarse de quien se trata, es con todo muy digna de estudio esta primera fase de la producción poética rubeniana, en cuanto que en ella ya se ven apuntar muchas de las notas que luego han de definir toda la poesía modernista y muy particularmente la del mismo Rubén: dominio del metro, facilidad versificatoria, lujo metafórico, exotismo, profusión de música y de color; color y música que, por cierto, no se parecen al cromatismo y musicalidad a que nos tenían acostumbrados los grandes maestros románticos, empezando por Zorrilla. Ahora es un desbordamiento de río americano, una fronda lujuriante de bosque tropical, con una orgía de sugerencias muy antiguas y muy modernas:

¿Cuentos quieres, niña bella?
Tengo muchos que contar:
de una sirena del mar,
de un ruiseñor, de una estrella,
de una cándida doncella
que robó un encantador;
de un gallardo trovador
y de una odalisca mora
con sus perlas de Basora
y sus chales de Lahor.

Cuentos dulces, cuentos bravos
de damas y caballeros,
de cantores y guerreros,
de señores y de esclavos,
de bosques escandinavos
y alcázares de cristal;
cuentos de dicha inmortal,
divinos cuentos de amores
que reviste de colores
la fantasía oriental.

(La cabeza del rawi.)

No sabemos el valor que pueda tener en sí esta mezcla de motivos árabes y cristianos, escandinavos y asiáticos, en abigarrada confusión. Lo que sí puede afirmarse es que ya se anuncia en ellos el poeta de la *Sonatina*.

«Azul»

Aparece este libro, ya queda consignado repetidas veces, en Valparaíso, el año 1888. Se trata de un pequeño opúsculo en prosa y verso: docena y media de cuentos brevísimos, ya aludidos en el párrafo anterior, y siete composiciones poéticas: *Primaveral, Estival, Autumnal, Invernal, Pensamientos de otoño, A un poeta* y *Anagke*. En la segunda edición (Guatemala, 1890) fueron añadidos unos pocos cuentos y nueve sonetos: tres de ellos bajo el rótulo general de *Sonetos áureos*, y seis bajo el rótulo también general de *Medallones*. A partir de esta segunda edición, el libro suele llevar como prólogo la interesante carta, fecha 22 de octubre de 1888, dirigida por Valera al autor [8].

¿Por qué desde el principio aquel alboroto, tanto en América como en España, ante la aparición del minúsculo volumen, alboroto que en nada se refleja tan bien como en la aludida carta de Valera? Lo que llama la atención de éste por encima de todo en la poesía y en la prosa de Darío es «el carácter cosmopolita de sus escenarios y el tono afrancesado dentro de unas líneas perfectamente castellanas; y, sobre todo, que esto se haya logrado por un joven de veinte años, que apenas ha puesto el pie sino en unas pocas repúblicas hispanoamericanas». ¿Cómo, se pregunta el gran crítico español, ha podido este muchacho asimilar tantos elementos extraños y convertirlos en sustancia propia? ¿Cómo tan temprano ha logrado ese absoluto dominio de la lengua, escribiendo sobre una pauta extraña? Porque «la mayor originalidad de *Azul*—comenta por su parte Federico de Onís—estriba en la modernización de elementos estilísticos tomados de otras literaturas, especialmente de la francesa». Junto a esta nota, Valera destaca también el sentimiento de la naturaleza, un sentimiento ciego que, al decir del mismo Valera, «raya en adoración panteísta». Y todavía nosotros señalaríamos otra tercera nota, de no menor interés: el nuevo tratamiento del verso. El de Rubén, ajustado hasta entonces a patrones tradicionales, se rasga ahora, se aligera o adensa, se desarticula a voluntad del poeta, sin perder por ello musicalidad. Un ejemplo: el poema con que se abre *Azul*, que lleva por título *Primaveral* y va escrito en romance.

¿Cómo había sido tratado hasta entonces el romance en la lírica española? Como algo cerrado. El romance se venía desarrollando siempre o casi siempre en series cuaternarias: cuatro versos, otros cuatro, etc. Cada estrofa clausurada en sí misma; cada verso constituido en unidad propia, sin permitirse el salto o «encabalgamiento» sobre el siguiente [9]. Rubén no vacila en dar ese salto, en romper el verso por la mitad o por donde le viene en gana, en liberarle de toda clase de trabas. Sólo respeta una cosa: el ritmo. Vale la pena observarlo en un ejemplo:

Mes de rosas. Van mis rimas,
en ronda, a la vasta selva
a recoger miel y aromas
en las flores entreabiertas.
Amada, ven. El gran bosque
es nuestro templo; allí ondea
y flota un santo perfume
de amor. El pájaro vuela
de un árbol a otro, y saluda
tu frente rosada y bella
como a un alba; las encinas
robustas, altas, soberbias,
cuando tú pasas agitan
sus hojas verdes y trémulas,
y enarcan sus ramas como
para que pase una reina.
¡Oh amada mía! Es el dulce
tiempo de la primavera.

(El año lírico: Primaveral.)

Obsérvese en primer lugar el rompimiento de los versos 1, 5, 8 y 11. Obsérvese asimismo el ágil encabalgamiento del 15 sobre el 16:

y enarcan sus ramas *como*
para que pase una reina.

Muy sencillo y natural esto para nosotros; pero en 1888 constituía casi una revolución. Como también lo era el mezclar alejandrinos de ritmo yámbico y de ritmo anapesto; y el introducir en una serie de endecasílabos también yámbicos alguno que otro de acentuación dactílica; y el intento, pronto coronado por el éxito, de aclimatar entre nosotros el eneasílabo francés. Tales audacias, que ya habían tenido algún vago precedente en los primeros modernistas, no aparecen todavía en *Azul*. Pero la libertad con que se mueve Darío en los poemas de este libro permiten augurar toda clase de inmediatas reformas.

«Prosas profanas»

Y estas reformas llegaron con *Prosas profanas*. Aquí, en las treinta y dos composiciones que integran este poemario en su primera edición de 1896, y en las veinte agregadas a la segunda edición de 1901, se nos da el modernismo en su auténtica sustancia. El título de *Prosas* no debe inducirnos a engaño; es todo verso y verso modernista. Aquellas notas de índole sensorial que definen al modernismo de las primeras décadas; aquella mezcolanza de temas exóticos, clásicos y medievales, indígenas y españoles, imaginarios e históricos; aquella profusión de motivos—lagos, cisnes, princesas, lises, fauna rara y flora sorprendente—, encuentran en estos poemas su más fiel expresión. Son las *Prosas profanas*, en lo formal, un aprovechamiento de cuantas aportaciones léxicas, métricas, estróficas y expresivas se venían ensayando por Nájera, Silva y demás protomodernistas; un aprovechamiento y una intensificación al mismo tiempo. Y en lo temático son la realización plena de una poesía que aspiraba ante todo—el mismo Rubén lo sugiere en el prefacio de este libro—a la recreación de mundos idos y de ambientes imaginarios, con menosprecio de la época actual [10]. En esa recreación entra, es cierto, la fantasía más que la historia: la Grecia de Rubén aparece deformada por los jardines y salones de Versalles [11]; la América indigenista no es menos convencional; y alguna que otra estampa medieval que nos sale al paso—*Cosas del Cid, Dezires, layes y canciones*—, aunque mejor ambientada, no por ello da mayor sensación de cosa vivida o sentida directamente. Con todo, *Prosas profanas*, insistamos en ello, es el libro que representa la parte más conocida, si bien no ciertamente la mejor, del modernismo. La parte más conocida, porque ninguna otra poesía se mete tanto como ésta por los ojos y el oído. Poesía llena de lagos, de cisnes, de príncipes rubios, de góndolas y de princesas melancólicas, por un lado; de Dianas desnudas, efebos y sátiros, por otro. Es la poesía de la *Sonatina*, ese delicioso e inmarcesible poema que ni el paso de los años ni el manoseo continuo de las muchedumbres han podido ajar; la poesía del *Era un aire suave*, de la *Canción de Carnaval*, del soneto *A Margarita* y de los impolutos decasílabos de *Blasón*:

> El olímpico cisne de nieve
> con el ágata rosa del pico
> lustra el ala eucarística y breve,
> que abre al sol como un casto abanico.

Es también la poesía de más alto aliento y sentido enigmático del *Coloquio de los centauros*; y la intensamente pagana del *Responso a Verlaine*. Y es, por último, la poesía de las *Recreaciones arqueológicas: Palimpsesto, Cosas del Cid* y ese deslumbrador *Friso*, todo en verso blanco, donde el endecasílabo castellano se despliega con una majestad y euritmia de procesión partenopea:

> Cabe una fresca viña de Corinto,
> que verde techo presta al simulacro
> del dios viril, que artífice de Atenas
> en intacto pentélico labrara,
> un día alegre, al deslumbrar al mundo
> la armonía del carro de la Aurora,
> y en tanto que arrullaban sus ternezas
> dos nevadas palomas venusinas,
> sobre rosal purpúreo y pintoresco,
> como olímpica flor de gracia llena,
> vi el bello rostro de la rubia Eunice...

Muchos piensan que el Modernismo fué sólo eso, o que fué eso principalmente. Muchos poetas modernistas, en efecto, se detuvieron ahí. Pero Rubén, sin recusar su técnica anterior, antes bien utilizando todos los elementos recogidos hasta entonces, se siente llamado a otra poesía más honda, más sentida y humana.

«Cantos de vida y esperanza»

Aparecen en Madrid, en 1905, y señalan no sólo la plenitud poética de Rubén Darío, sino la de todo el modernismo, tanto español como americano. Entre las *Prosas profanas* y estos *Cantos* se ha operado un cambio trascendental en el alma del poeta. Más que de cambio convendría acaso hablar de evolución hacia una poesía menos convencional y preciosista, menos pagana también; más reflexiva, más entrañada, por tanto, y auténtica. Esta evolución nos viene dada y hasta cierto punto explicada casi como en un manifiesto en los endecasílabos introductorios del libro:

> Yo soy aquel que ayer no más decía
> el verso azul y la canción profana,
> en cuya noche un ruiseñor había
> que era alondra de luz por la mañana.
>
> El dueño fuí de mi jardín de sueño,
> lleno de rosas y de cisnes vagos;
> el dueño de las tórtolas, el dueño
> de góndolas y liras en los lagos;
>
> y muy siglo diez y ocho, y muy antiguo,
> y muy moderno; audaz, cosmopolita,
> con Hugo fuerte y con Verlaine ambiguo,
> y una sed de ilusiones infinita.
>
> Yo supe de dolor desde mi infancia;
> mi juventud..., ¿fué juventud la mía?
> Sus rosas aun me dejan su fragancia,
> una fragancia de melancolía...

Las marquesas, abates y demás personajes pintorescos ceden paso a figuras más graves:

Don Gil, don Juan, don Lope, don Carlos, don Rodrigo,
¿cúya es esta cabeza soberbia, esa faz fuerte,
esos ojos de jaspe, esa barba de trigo?
Este fué un caballero que persiguió la muerte.

(*Retratos*, I.).

El tema galante se ve suplantado por otros más hondos. Todavía, aquí y allá, se buscan efectos coloristas y musicales: *Helios, Tarde de Trópico, La marcha triunfal*; esta última, sobre todo, con los más felices rítmicos acaso de toda la poesía castellana:

¡Ya viene el cortejo!

¡Ya viene el cortejo! Ya se oyen los claros clarines.
La espada se anuncia con vivo reflejo;
ya viene, oro y hierro, el cortejo de los paladines...

Pero la *Marcha triunfal* estaba escrita desde 1895, lo que vale tanto como decir que, aun incluída en los *Cantos de vida y esperanza*, corresponde a época anterior. Todavía aparecen de cuando en cuando los cisnes; pero son unos cisnes tristes, enigmáticos, portadores de inquietud:

Cisnes, los abanicos de vuestras alas frescas
den a las frentes pálidas sus caricias más puras,
y alejen vuestras blancas figuras pintorescas
de nuestras mentes, tristes, las ideas oscuras.

Brumas septentrionales nos llenan de tristezas,
se mueren nuestras rosas, se agostan nuestras palmas;
casi no hay ilusiones para nuestras cabezas,
y somos los mendigos de nuestras pobres almas.

En verdad que este Rubén no parece el de *Azul* y el de las *Prosas profanas*. Algo muy hondo se ha derrumbado en el alma del poeta. Sin embargo, él ya antes nos había hecho una valiosa confidencia en los bellísimos versos de la introducción:

Como la esponja que la sal satura
con el jugo del mar, fué el dulce y tierno
corazón mío, henchido de amargura
por el mundo, la carne y el infierno.

Esta amargura rebosa ahora por todos y cada uno de sus versos. El tono dominante de la colección y ya de toda la poesía rubeniana será el de la melancolía y la incertidumbre: melancolía del pasado, incertidumbre ante el futuro. Ejemplo de lo primero, esa *Canción de otoño en primavera*, cuyos versos se han hecho tan populares:

¡Juventud, divino tesoro!
¡Ya te vas para no volver!
Cuando quiero llorar, no lloro...,
y a veces lloro sin querer.

Y ejemplo de lo segundo, los tercetos alejandrinos del titulado por antonomasia *Canto de esperanza*:

¿Ha nacido el apocalíptico Anticristo?
Se han sabido presagios y prodigios se han visto,
y parece inminente el retorno de Cristo.

La tierra está preñada de dolor tan profundo,
que el soñador imperial, meditabundo,
sufre con las angustias del corazón del mundo...

El tema racial, casi soslayado en la obra anterior, hace su aparición y se manifiesta, ya en los exultantes hexámetros de la *Salutación del optimista*; ya en los sonetos a Velázquez, a Góngora, a Cervantes; o ya en los poemas *Al rey Oscar, Cyrano en España* y, más significativamente, en el dedicado *A Roosevelt*, donde el poeta se revuelve contra la inquietante sombra que el coloso del Norte proyecta sobre las tierras hispánicas:

Los Estados Unidos son potentes y grandes.
Cuando ellos se estremecen hay un hondo temblor
que pasa por las vértebras enormes de los Andes.
Si clamáis, se oye como el rugir de un león.
Ya Hugo a Grant le dijo: «Las estrellas son vues-
(Apenas brilla, alzándose, el argentino sol   [tras.
y la estrella chilena se levanta...) Sois ricos.
Juntáis al culto de Hércules el culto de Mammón;
y alumbrando el camino de la fácil conquista
la Libertad levanta su antorcha en Nueva York.
....

Y, pues contáis con todo, falta una cosa: Dios.

Y junto al tema de la raza, en que habla la voz de la sangre, el tema del misterio, del más allá, en que quiere dejar oír su voz el alma de un cristiano que casi ha perdido la fe. La muerte es la obsesión del poeta. Ella le inspirará en lo sucesivo los mejores versos: *¡Ay triste del que un día!, Caracol, Thánatos, A Phocás el campesino,* los dos *Nocturnos*[12] y ese estremecedor poemita *Lo fatal,* con que el libro se cierra:

Dichoso el árbol que es apenas sensitivo,
y más la piedra dura, porque ésa ya no siente;
pues no hay dolor más grande que el dolor de ser
ni mayor pesadumbre que la vida consciente.   [vivo,
Ser, y no saber nada; y ser sin rumbo cierto,
y el temor de haber sido y un futuro terror...,
y el espanto seguro de estar mañana muerto,
y sufrir por la vida y por la sombra y por
lo que no conocemos y apenas sospechamos,
y la carne que tienta con sus frescos racimos,
y la tumba que aguarda con sus fúnebres ramos,
¡y no saber adónde vamos,
ni de dónde venimos...!

Rubén quiso a menudo reaccionar contra esta ola de pesimismo que amenazaba anegarle, y en poemas incluídos en esta misma colección—*Programa matinal, ¡Aleluya!, Ofrenda, Leda*—abordó el tema del placer con un sentido epicúreo. Inútil todo: los días de la juventud habían pasado, dejándole el más amargo regusto; y ese amargor había de acibarar luego toda su obra, aun la aparentemente superficial y cascabelera.

El resto de la producción poética

Está representado por el *Canto errante* (1907), el *Poema de otoño y otros poemas* (1910), el *Canto a la Argentina* y una larga lista de composiciones no reunidas en libro hasta después de muerto el poeta. Ninguno de estos títulos aporta nada nuevo; aunque hay, lo mismo en el *Canto*

errante que en el *Poema de otoño*, piezas muy
valiosas: *Sum, La canción de los pinos, Nocturno* («Silencio en la noche»), *Balada en honor de
las musas de carne y hueso, Soneto a Valle-Inclán*,
etcétera, en *Canto errante*. Y en *Poema de otoño:
A Margarita Debayle, Retorno* y la que da título
y comienzo al libro:

> Tú, que estás la barba en la mano,
> meditabundo,
> ¿has dejado pasar, hermano,
> la flor del mundo?

En el *Canto a la Argentina*, largo poema, de
mil versos, Darío rememora en brillantes tiradas
todo el pasado de la gran nación del Plata, para
terminar auspiciándole, bajo la égida del trabajo
y de la paz, un futuro de gloria. En la segunda
edición, en 1914, agregó al *Canto* varios poemas,
alguno de los cuales han alcanzado justificada
nombradía: *La cartuja, La canción de los osos*
y *Los motivos del lobo*:

> El varón que tiene corazón de lis,
> alma de querube, lengua celestial,
> el mínimo y dulce Francisco de Asís
> está con un rudo y torvo animal...

Aún cabría espigar en colecciones póstumas no
pocos dignos de mención. Acaso los más expresivos sean los seis, muy breves, que dedica *A
Francisca*, la humilde campesina abulense, a quien
conoció Rubén en una pensión de Madrid y que
había de acompañarle en sus últimos años:

> Ajena al dolo y al sentir artero,
> llena de la ilusión que da la fe,
> lazarillo de Dios en mi sendero,
> Francisca Sánchez, acompáñame...

y aquellas impresionantes *Divagaciones*, último
poema que se conoce del vate nicaragüense, escrito, según todos los indicios, pocos días antes
de morir:

> Mis ojos espantos han visto,
> tal ha sido mi triste suerte;
> cual la de mi Señor Jesucristo.
> mi alma está triste hasta la muerte...

III. PENSAMIENTO Y FORMA

El estudio de la obra y de la vida de Rubén
Darío sugiere inevitablemente, y al margen de la
simple recensión histórico-crítica, la consideración
de una serie de aspectos, sin el conocimiento de
los cuales la personalidad del poeta podría quedar
en penumbra. Esos aspectos afectan unas veces al
lado puramente humano; y otras, al lado poético;
y pueden referirse tanto a la ideología como al
estilo, tanto a las influencias recibidas como a
las que él mismo ejerció. Cabe también hablar
del Rubén Darío político, estético y religioso.
Nuestra referencia se limita a los cuatro o cinco
aspectos que consideramos más salientes y más
directamente entroncados con la prospección literaria del poeta.

El cantor de la raza

El carácter cosmopolita y universalista del modernismo, al que Rubén se entrega desde muy
temprano, hizo creer a muchos que los temas raciales y, sobre todos, el gran problema americanista, el de la raza latina amenazada de absorción
por la sajona, no habían penetrado en su alma.
A esta creencia obedece el reproche de Rodó en
su excelente ensayo sobre las *Prosas profanas*.
Rodó niega terminantemente a Darío el título de
poeta de América, basándose en que los temas
americanos están ausentes de su obra. Y, en efecto,
aunque a través de *Prosas profanas*, como antes
a través de *Azul*, se descubre un temperamento y
una sensibilidad americanos—«no es una obra más
americanista—ha dicho Federico de Onís—porque
trate temas inspirados en América»—, hay que
convenir en que el ensayista uruguayo llevaba ra-

zón. Algún *soneto áureo (Caupolicán)* o algún
medallón (A Díaz Mirón), incluídos en la segunda
tirada de *Azul*, no invalidan el aserto de Rodó,
porque en realidad nada significan al lado de
aquella avalancha de temas, motivos e inspiraciones foráneos. Como tampoco significan nada el
Canto épico a las glorias de Chile (1887) y las
cien composiciones de circunstancias, inspiradas en
tal gesta o tal héroe americano, que Rubén, antes de cumplir los veinte años, había ido sembrando en los periódicos de todas las capitales por
donde pasaba. Esas composiciones, de escaso valor, eran casi desconocidas y respondían a una
exigencia del momento más que a la llamada de
la sangre. Los dos libros que entonces contaban
en la obra del poeta, *Azul* y *Prosas profanas*, son
cosmopolitas; mejor aún, son franceses. Sin haber estado en Francia, Rubén ya soñaba con ella
al escribir sus versos. Conocido luego París, su
francofilia aumenta. Y él no lo disimula: «El
abuelo español de barba blanca me señala una
serie de retratos ilustres: «Este—me dice—es el
gran don Miguel de Cervantes Saavedra, genio y
manco; éste es Lope de Vega; éste, Garcilaso;
éste, Quintana.» Yo le pregunto por el noble
Gracián, por Teresa la Santa, por el bravo Góngora y el más fuerte de todos, don Francisco de
Quevedo y Villegas. Después exclamo: ¡Shakespeare! ¡Dante! ¡Hugo!... (Y en mi interior:
«Verlaine!...) Luego, al despedirme: «Abuelo,
preciso es decíroslo: mi esposa es de mi tierra;
mi querida, de París.»

Pero, ya se ha visto antes, al publicar los *Cantos de vida* (1905), el panorama afectivo del poeta
está cambiado. La voz de la sangre, casi apagada

en los turbulentos años anteriores, se deja oír imperativa y tiránica. Sigue Rubén soñando con Francia y hasta cantándola en versos que delatan tanta admiración como afecto. París, sin embargo, ya no lo es todo; ni siquiera es lo primero. En la escala de los valores antes que lo francés está lo hispánico, y antes que lo europeo, lo americano. Se pueden conjugar muy bien estos afectos; pero, llegado el momento de elegir, antes que nada la sangre. En *Historia de mis libros*, como si quisiera hacernos olvidar sus juveniles veleidades con París, confiesa: «En el fondo de mi espíritu, a pesar de mis visiones cosmopolitas, existe el inarrancable filón de la raza; mi pensar y mi sentir continúan un proceso histórico y tradicional.» En otro lugar se declara «español de América y americano de España»; y reiteradamente funde en uno solo su amor a la patria natal, Nicaragua, con el amor de la América hispana y el amor de la Madre Patria:

> Yo siempre fuí, por alma y por cabeza,
> español de conciencia, obra y deseo;
> y yo nada concibo y nada veo
> sino español por mi naturaleza.
>
> *(Español.)*

Este sentimiento racial, acrecido y exacerbado día a día, le lleva a considerarse ciudadano de todas y cada una de las repúblicas de habla hispana. «Yo he sido acogido en diferentes naciones como si fuese hijo propio de ellas. Yo guardo en mi gratitud los nombres de Chile, de Costa Rica, de El Salvador, de Guatemala y de Colombia; sobre todo de esa generosa, grande y aun actualmente eficaz República Argentina, que ha sido para mí adoptiva y singular patria.»

Tiembla Darío ante el porvenir de la raza, lleno de incertidumbres. Se rebela frente a la expansión incontenible del pueblo yanqui y no quiere morir sin que quede bien clara su postura. «Mañana podremos ser yanquis, y es lo más probable—escribe en el prefacio de los *Cantos*—; de todas maneras, mi protesta queda escrita sobre las alas de los inmaculados cisnes...» Se refiere a los cuartetos del poema de ese título, dedicado a Juan Ramón Jiménez:

> La América española, como la España entera,
> fija está en el oriente de su fatal destino;
> yo interrogo a la Esfinge que el porvenir espera
> con la interrogación de tu cuello divino.
> ¿Seremos entregados a los bárbaros fieros?
> ¿Tantos millones de hombres hablaremos inglés?
> ¿Ya no hay nobles hidalgos ni bravos caballeros?
> ¿Callaremos ahora para llorar después?
>
> *(Los cisnes.)*

Este tono pesimista, dominante en otros poemas—*A Colón, A Roosevelt*—, se transforma en himno esperanzador en el *Canto a la Argentina* y en la *Salutación del optimista*. Aquí es donde Rubén ha sentido más entrañablemente el grito de la sangre portadora de faustos destinos:

> Un continente y otro, renovando las viejas prosapias,
> en espíritu unidos, en espíritu y ansias y lengua,
> ven llegar el momento en que habrán de cantar nuevos
> La latina estirpe verá la gran alba futura... 13.   [himnos.

Ideario estético

¿Lo tuvo Rubén? Sin duda alguna. Como Antonio Machado, como Juan Ramón Jiménez, como Unamuno y como todos los grandes poetas, aunque no siempre lleguen a formularlo por escrito, Rubén Darío rechazó siempre cuanto pudiera parecer código o manifiesto. Lo rechazó en los demás, y, con más razón, referido a sí mismo. «Después de *Azul*—escribe en *Palabras liminares*—, después de *Los raros*, voces *insinuantes*, buena y mala intención, entusiasmo sonoro y envidia subterránea—todo bella cosecha—, solicitaron lo que en conciencia no he creído fructuoso ni oportuno: un manifiesto.» A pesar de ello, su pensamiento estético está tan claro, así en el verso como en la prosa, que basta seguir al hilo alguna de sus composiciones más notables y, sobre todo, basta completar la lectura de esas mismas *Palabras liminares* de las *Prosas profanas* con la del *Prefacio* de los *Cantos de vida* y las *Dilucidaciones* puestas al frente del *Canto errante* para extraer sin más un puñado de principios, que resumen toda la teoría estética del poeta. En líneas generales, podría formularse así:

a) Proclamación de una estética ácrata, es decir, liberada de todo código y modelo.

b) Creación de un arte personal. «Lo primero no imitar a nadie.»

c) Preferencia, sobre todo al principio, de temas y motivos exóticos, alejados en lo posible del tiempo y circunstancias actuales. «Yo detesto la vida y el tiempo en que me tocó nacer; y a un presidente de la República no podré saludarle en el idioma en que te cantaría a ti, ¡oh Helogabal!, de cuya corte—oro, seda, mármol—me acuerdo en sueños...»

d) Interés por determinadas épocas y ambientes: de América interesa el indio; de Europa, lo decadente. «Si hay poesía en nuestra América, ella está en las cosas viejas: en Palenke y Utatlán, en el indio legendario y en el inca sensual y fino, y en el gran Moctezuma de la silla de oro...»

e) Preocupación constante por la métrica y el ritmo. De esto se hablará más adelante.

Tal credo estético, apenas hace falta decirlo, no fué mantenido por Rubén sino en alguna de sus partes. En 1906, sin cambiar fundamentalmente, ha sufrido sensibles retoques. En el *Prefacio* aludido se insiste en la originalidad como nota esencial del poeta creador: «Cuando dije que mi poesía era *mía, en mí*, sostuve la primera condición de mi existir, sin pretensión alguna de causar sectarismo en mente o voluntad ajena, y en un intenso amor a lo absoluto de la belleza.» Recalca el tono aristocrático que debe informar el arte:

«Mi respeto por la aristocracia del pensamiento, por la nobleza del arte, siempre es el mismo. Mi antiguo aborrecimiento a la mediocridad, a la mulatez intelectual, a la chatura estética, apenas si se aminora hoy con una razonada indiferencia.» Con tanta o mayor atención escucha la voz de su sangre española que la que pueda haber en sus venas de indio; la gesta de la España civilizadora le atrae ahora más que el mismo imperio de los incas y de los mayas, aun sintiéndose hijo a la vez de éstos y de aquélla. Por este lado, pues, su interés por determinadas épocas y ambientes se ha desplazado hacia otros meridianos históricos.

Defiende, y realiza en buena parte, la creación de un estilo nuevo, mediante la apertura de vías intransitadas tanto al metro como a la sintaxis y al léxico. Introduce ritmos no conocidos en castellano; inventa neologismos, traídos unas veces de las lenguas clásicas y otras del francés; siembra su verso de voces desusadas y su prosa de términos poéticos.

En *Dilucidaciones* insiste una vez más en la importancia de la forma y nos da en síntesis su concepción del artista y del proceso creador: «La poesía existirá mientras exista el problema de la vida y de la muerte. El don del arte es un don superior que permite entrar en lo desconocido de antes y en lo ignorado de después, en el ambiente del ensueño o de la meditación. Hay una música ideal, como hay una música verbal. No hay escuelas, hay poetas. El verdadero artista comprende todas las maneras y halla la belleza bajo todas las formas. Toda la gloria y toda la eternidad están en nuestra conciencia.»

IV. LA METRICA RUBENIANA

Rubén nos habló muchas veces de su preocupación por el verso. Aunque no lo hubiese dicho, lo habríamos deducido de su obra, en la que se ve un continuado esfuerzo por ensanchar y renovar en lo posible los moldes métricos. Nadie en tal sentido ha realizado obra más eficaz, duradera y extensa. Con una circunstancia que le honra: al ensayar nuevos esquemas no prescinde de los antiguos, antes los reconoce como válidos, sin dejar un momento de aprovecharlos junto con las nuevas adquisiciones.

En la primera fase de su obra poética, cuando aún no se había aventurado por las zonas del parnasismo francés, Rubén se limita, naturalmente, al empleo de los metros y combinaciones estróficas ya conocidas en nuestra lengua. Pero ya entonces su inquietud en este orden es tal, que no existe un solo metro ni una sola estrofa de las admitidas por la poética anterior en que él no ponga la mano. Lo mismo le da a Rubén la métrica medieval que la renacentista; la neoclásica que la romántica o postromántica. En sus colecciones de versos anteriores a *Azul* hay de todo: décimas y romances, tercetos y sonetos, liras y estancias de corte petrarquista; coplas de pie quebrado y seguidillas; versos de dos sílabas, de tres, de cuatro, etc., hasta las dieciséis. Todo el repertorio métrico anterior al modernismo está contenido aquí. Hay, sobre todo, dos composiciones, correspondientes a esta temprana época de los diecisiete a las veinte años, muy reveladoras: son las tituladas *Tú y yo* y *La poesía castellana*. En la primera, a imitación de Espronceda en la Introducción de *El diablo mundo* y de Zorrilla en la *Carrera de Alhamar*, Darío parte de las series rimadas de dos sílabas para seguir hasta las de catorce y descender al punto de partida [14]. En la otra, *La poesía castellana*, mucho más interesante, va rememorando a nuestros máximos vates, desde el anónimo autor del *Cantar de Mío Cid* hasta sus contemporáneos—Mármol, Campoamor, Núñez de Arce—, sin olvidar, claro es, a Berceo, Santillana, Manrique, Mena, Garcilaso, León, Lope, Góngora, Quintana, etc. Lo curioso es que las alusiones correspondientes están hechas en el metro o estrofa favoritos de cada poeta, resultando de este modo quince metros distintos [15].

Con todo, hasta entonces Rubén Darío se mantiene dentro de una poética tradicional. El mismo verso de *Azul*, fuera de los hiatos internos y encabalgamientos aludidos, no ofrece novedades sensibles. Es en *Prosas profanas* donde empieza a manifestarse claramente original, innovador y hasta revolucionario, con el respeto ya señalado a la tradición. En los libros posteriores, las innovaciones se acentúan. No era sólo un afán de novedad lo que le llevaba a tantear continuamente nuevos ritmos y combinaciones; era antes que nada un noble intento de enriquecer nuestra métrica, cuyos moldes estaban ya con exceso gastados. A ello le movía también el convencimiento de que una nueva escuela o modalidad poética no puede producirse, y mucho menos imponerse, sin llevar aparejada la renovación del metro. Nuevo espíritu comporta nueva forma; y la forma típica de la poesía, ya que no su forma esencial, es el verso. Le ayudaba asimismo en esta labor innovadora el ejemplo de algunos protomodernistas que habían iniciado, no sin fortuna, una poética de ritmos originales. Entre esos protomodernistas acaso fuera Silva, con su *Nocturno*, el que más le sugestionaba. Contaba, por otra parte, con su conocimiento a fondo de los poetas contemporáneos franceses. La métrica de éstos, tan flexible y tan rica, no podía pasar inadvertida a un oído tan fino como el de Rubén. A mayor abundamiento, estaba su culto, casi idolatría, por los clásicos grecolatinos. No importa que nuestro poeta no fuese lo que se llama un filólogo; no siempre los filólogos están más capacitados para captar la belleza y, sobre todo, el ritmo de un sáfico o de un pequeño asclepiadeo. Rubén, que debía de saber más latín del que aparenta a primera vista y mucho menos griego que latín, tuvo, si no un maestro, por lo menos un mentor insuperable en estas cuestiones: don Marcelino Menéndez Pelayo, uno de los hombres que más han sabido y mejor han escrito de estos problemas. Con tales precedentes no ha de extrañar que se lanzara a la reforma de nuestra métrica lleno de audacia, optimismo y esperanza.

¿Correspondieron los resultados al propósito inicial? En buena parte, sí. El alejandrino actual, con su libertad de acentuación y cesura; el endecasílabo, con su maleabilidad rítmica; y el eneasílabo de tipo francés; y tantas otras adquisiciones de la poética de nuestros días, aun no siendo invención de Darío, le deben su aclimatación en castellano. No es preciso discutir si al advenir Rubén esas y otras formas estaban o no ya ensayadas. Lo fundamental es que él les puso su impronta y, gracias a ella, tienen carta de naturaleza en nuestra lengua. También el endecasílabo italiano y hasta el soneto habían sido ensayados en el siglo XV; pero tuvo que venir Boscán, y luego Garcilaso a darles validez. También en el XVIII aquel originalísimo versificador que fué don Tomás de Iriarte escribió alejandrinos franceses—los pretendidos versos de trece sílabas—y, lo que es más, endecasílabos dactílicos. Sin embargo, como no hubo un poeta capaz de insuflarles vida, pasaron casi inadvertidos.

Rubén Darío es el poeta que ha fijado en forma definitiva la métrica castellana, no sólo modernista, sino moderna. Pasará, ha pasado ya casi totalmente, el Modernismo en lo que tiene de contenido; pero los moldes en que se vació quedan ahí. Ya nadie escribe el alejandrino como Zorrilla o la Avellaneda; ni siquiera como Ferrari, que está más cerca de nosotros. Nadie escribe el endecasílabo como Espronceda o Núñez de Arce, aunque ambos lo escribían magistralmente. Las libertades acentuales que en este metro introdujo Darío han pasado al dominio público, y hasta un don Miguel de Unamuno, el hombre más refractario a novedades de esta índole, no vacila en romper por medio un endecasílabo, cuando así le conviene, o encabalgarlo sobre otro, si estima que con ello la expresión poética ha de ganar.

He aquí en detalle algunas novedades.

La estrofa

Resucita Rubén la «cuaderna vía»; emplea el pareado, el terceto, el cuarteto, el quinteto y el sexteto alejandrinos; este último en formas muy variadas y alternando con metros menores de toda clase: endecasílabos, eneasílabos, heptasílabos—la alternancia más corriente y lógica—, exasílabos y pentasílabos.

Cultiva el soneto de catorce, doce, once, diez, nueve y ocho sílabas. Combina en forma múltiple los cuartetos y los dos tercetos. Por probarlo todo, hasta ensaya un «Soneto de 13 versos», caso único tal vez en la poesía castellana.

Tiene octavas de toda clase, y con las rimas combinadas de mil maneras; otro tanto hace con las sextinas, que las emplea en verso alejandrino, dodecasílabo, endecasílabo, decasílabo, eneasílabo, octosílabo, heptasílabo, etc. No recordamos, en cambio, haber encontrado en todo su abundante repertorio un solo ejemplo de octava real.

El ovillejo, los versos con eco, los de pie quebrado y los mil alardes métricos de los viejos *Cancioneros* son aprovechados por Darío a cada paso. También aprovecha las estrofas de origen italiano, sin excluir la *balada*, que tiene en su poemario un tratamiento especial. Es curioso observar que todas las *baladas* de nuestro poeta están escritas en décimas, pero décimas de invención propia: tres o cuatro estrofas de este tipo, seguidas de un «envío». Sólo excepcionalmente se sirve de la décima clásica o espinela. Darío inventa para sus baladas nuevos tipos de décima: la famosa *En honor de las musas de carne y hueso* está en décimas endecasílabas; y en el mismo metro está la titulada *La sencillez de las rosas perfectas*. La dedicada a Valle-Inclán ensaya un nuevo endecasílabo con cesura entre 6.ª y 7.ª, que no ha prosperado:

> Del país del sueño, tinieblas, brillos,
> donde crecen plantas, flores extrañas,
> entre los escombros de los castillos,
> junto a las laderas de las montañas...

Otras van en décimas eneasílabas (*Balada en loor del «Gilles» de Watteau, Balada de la Bella Niña del Brasil, Balada en elogio del poeta Díaz Romero*); otras (*Balada a Leopoldo Díaz*), en decasílabos bipartitos. La única vaciada en la décima tradicional u octosílaba (*Balada del rebaño de Hugo*) data de los años anteriores a *Prosas profanas*.

El verso

Ya queda dicho que Rubén agota todas las posibilidades en cuanto al cómputo silábico e introduce no pocos cambios en el ritmo. Estos cambios afectan especialmente al alejandrino, al eneasílabo y al endecasílabo.

El *alejandrino*. Es al principio en Rubén el típicamente yámbico, con su tradicional acentuación en sílaba par, cesura bien marcada, siempre tras el primer hemistiquio grave, y pausa versal. A partir de *Prosas profanas* Darío adopta el alejandrino de ritmo anapéstico o acentuación en tercera y sexta sílabas, bien en su forma pura—como lo encontramos en la *Sonatina*—, bien mixtificado hábilmente con el yámbico. Este es el tipo que termina por prevalecer, el que emplean todos los poetas actuales. La cesura se atenúa cada vez más, hasta su total desaparición en no pocos casos. Abundan los finales de hemistiquio agudos, al modo francés; la pausa se desvirtúa mediante encabalgamientos, a veces violentísimos, y no sólo el verso, sino la misma estrofa, se resiente en su unidad.

El *dodecasílabo*. Experimenta una transformación análoga. El dodecasílabo se venía usando en su doble forma, de dos hemistiquios iguales, seis sílabas más seis; o dos hemistiquios desiguales, siete más cinco, con la correspondiente cesura muy marcada. Este segundo tipo apenas sufre cambio. Pero el otro, el constituído por cuatro pies o miembros trisílabos iguales, con acentuación en la segunda, que era ni más ni menos el famoso *verso de arte mayor* arrumbado por la métrica italianizante y resucitado por los modernistas, recibe ahora un tratamiento mucho más libre, al incidir el acento en primera y tercera sílabas:

> Éra un áire suave de pausádos giros...
> íban fráses vagas y vágos suspiros...

La cesura también se relaja, si bien no llega a anularse como en el alejandrino.

El *decasílabo*. También tenía dos tipos: de forma himnaria (llamado así porque casi todos los himnos nacionales están escritos en este metro), con claro ritmo anapéstico y acentuación en 3.ª, 6.ª y 9.ª sílabas; y de dos hemistiquios —cinco más cinco—, con tendencia al ritmo dactílico. El primer tipo, aunque no experimenta cambios sensibles en su estructura acentual, se aligera notablemente por la frecuencia de voces proparoxítonas:

> El *olímpico* cisne de nieve,
> con el *ágata* rosa del pico...

El segundo, el de los dos hemistiquios iguales, se mueve con mayor libertad y ve atenuarse su cesura hasta la anulación en algún caso:

> ¡Antes de todo, gloria a ti, Leda!
> ¡Tu dulce vientre cubrió de seda
> el Dios! ¡Miel y oro sobre la brisa!,
> sonaban *alternativamente*
> flauta y cristales...

El *eneasílabo*. En los románticos se reducía a un decasílabo acéfalo o con supresión de la primera sílaba. Pero ya los primeros modernistas le habían opuesto el eneasílabo francés, de acentuación más libre. Rubén recoge este verso, todavía vacilante, y gracias a su frecuente empleo logra aclimatarlo en nuestra lírica:

> Plural ha sido la celeste
> historia de mi corazón...

El *endecasílabo*. Es el verso que sufre más hondas transformaciones, el que sale de las manos de Rubén más enriquecido y remozado. Resucita por lo pronto Darío el endecasílabo mal llamado anapesto —su verdadero ritmo es dactílico—, o «de gaita gallega», que tantas posibilidades ofrece, por cierto no aprovechadas por los poetas posteriores. Rubén lo emplea en dos composiciones: *Pórtico* y *Gaita galaica*. En la primera, que sirvió de prólogo al libro de Salvador Rueda *En tropel*, se nos da en su forma pura; en la segunda, seguido de algunos dodecasílabos bipartitos. Creía el poeta nicaragüense haber descubierto un metro nuevo; Menéndez Pelayo le advirtió que los versos del famoso *Pórtico* no eran sino la forma culta del

viejo verso «de gaita gallega». Y el poeta se apresuró a reconocerlo así. El endecasílabo corriente, de ascendencia italiana, anquilosado en formas acentuales rígidas, entre los dedos de Rubén se adelgaza, quedando con el mínimo soporte acentual exigido por el ritmo:

> sus rosas aun me dejan su fragancia,
> *una fragancia de melancolía...*

Otras veces se combina con endecasílabos acentuados en séptima, verdaderos endecasílabos dactílicos, que si en principio introducen dentro de la secuencia lírica cierta aritmia, terminan pronto por imponerse al oído, dando al conjunto una armonía y variedad imprevistas:

> Nada mejor para cantar la vida,
> y aun para dar sonrisas a la muerte,
> que la áurea copa en donde Venus vierte
> *la esencia azul de su viña encendida.*
> *Por respirar los perfumes de Armida*
> y por sorber el vino de su beso,
> vino de ardor, de beso y de embeleso,
> *fuérase al cielo en la bestia de Orlando.*
> ¡Voz de oro y miel para decir cantando:
> La mejor musa es la de carne y hueso!

Series rítmicas. Casi no hace falta recordar que Darío se aprovechó de la modalidad introducida por Asunción Silva, consistente en prescindir del número de sílabas fijas, para desarrollar el verso en series o pies bisílabos, trisílabos, tetrasílabos, etcétera, en forma ilimitada. Rubén cultivó esta modalidad sobre bases distintas, y obtuvo efectos rítmicos tan definitivos como el de la *Marcha triunfal*, de ritmo ternario anfibráquico, o el del poema *Desde la Pampa*, de ritmo cuaternario:

> ¡Yo os salúdo / desde el fóndo / de la Pámpa! / Yo os
> bajo el grán sol / argentíno!...   [salúdo

Intentos de versificación cuantitativa

Sobre los ensayos rubenianos de métrica clásica, y concretamente sobre los pretendidos hexámetros de la *Salutación del optimista*, se ha escrito bastante. Dos palabras más por nuestra cuenta.

Rubén sintió, como tantos otros poetas de Italia, Francia, Alemania, Portugal, etc., y como no pocos españoles, la tentación de aclimatar la métrica clásica en lenguas romances. No vió las dificultades francamente insuperables de tal adaptación, y no las vió porque no llegó a penetrar nunca en el secreto de aquella métrica. En otra parte hemos escrito sobre esto y señalado los límites hasta los que puede llegar esa adaptación, que vienen impuestos por el doble carácter del verso latino [16]. Existe, en efecto, un verso latino variable en cuanto al número de sílabas, por admitir sustitución de pies: un espondeo por un dáctilo, y viceversa, un yambo por un espondeo; y existe otro verso invariable, por no admitir sustitución de ningún género. El hexámetro pertenece al primer tipo. Es un verso de ritmo impreciso para nuestro-oído, digan lo que quieran en contra filólogos y lingüistas, que aún pretenden distinguir acústicamente sílabas largas y breves; es un verso de indeterminado número de sílabas y que, al perder el factor cuantitativo, único elemento que daba uniformidad a los diferentes tipos de hexámetros, ha quedado reducido a sombra de lo que fué. Si todavía nos sigue sonando vagamente es porque, dentro de su indecisión acentual y de su indeterminación silábica, mantiene una pequeña parte constante: la dipodia final, que viene a representar la suma de un dáctilo más un espondeo; o, para usar de una terminología más corriente, un esdrújulo más una bisílaba llana.

Rubén Darío hizo un hexámetro arbitrario; claro está que no más arbitrario que el de Villegas, Gualberto González, don Sinibaldo de Mas y tantos otros que le habían precedido en estos ensayos. Su tentativa no era nueva ciertamente; él lo sabía. Pero en vez de respaldarla con el ejemplo de los españoles y americanos, precursores suyos en tales tanteos, prefirió acudir a las literaturas extranjeras. «En todos los países cultos de Europa—escribe en el *Prefacio* de los *Cantos de vida y esperanza*—se ha usado del hexámetro absolutamente clásico, sin que la mayoría letrada y, sobre todo, la minoría leída, se asustasen de semejante manera de cantar. En Italia, ha mucho tiempo, sin citar antiguos, que Carducci ha autorizado los hexámetros; en inglés, no me atrevería

casi a indicar, por respeto a la cultura de mis lectores, que la *Evangelina,* de Longfellow, está en los mismos versos en que Horacio dijo sus mejores pensares [17].» Pero Rubén no estaba en conocimientos clásicos al nivel de Carducci, ni manejaba, como Longfellow, una lengua en que el factor cuantitativo todavía tiene un valor estimable. Escribía en castellano, e hizo lo que buenamente pudo, que fué colocar una tras otra cláusulas rítmicas de extensión aproximada a la de los hexámetros. Que esas clásulas se correspondan con el noble metro clásico es muy discutible, y desde luego, nosotros nos permitimos ponerlo en duda. Como tampoco vemos auténticos hexámetros en la *Salutación del águila,* integrada casi totalmente por series de dos hemistiquios, de 7 u 8 sílabas el primero y de 10 el segundo:

¡Dinos, águila ilustre, / la manera de hacer multitudes,
que hagan Romas y Grecias / con el jugo del mundo pre-
[sente,
y que potentes y sobrias / extiendan su luz y su imperio,
y que, teniendo el águila / y el bisonte y el hierro y el oro,
tengan un áureo día / para darle las gracias a Dios!

¿Que a esto se le quiere llamar hexámetros? Por nuestra parte no hay inconveniente; y hasta ha de reconocerse en estas cláusulas cierta andadura clásica, aliento y armonía. Lo mismo cabe decir del *Canto de Varo,* cuya primera parte, en dísticos alternantes de hexámetro y pentámetro, suele pasar inadvertida a los ojos de la crítica.

V. PROYECCION Y FAMA

En las *Dilucidaciones* tantas veces citadas, y en otros pasajes de su obra, Rubén parece quejarse de su suerte. «Tanto en Europa como en América se me ha atacado con singular y hermoso encarnizamiento. Con el montón de piedras que me han arrojado pudieron bien construirme un rompeolas que retardase en lo posible la inevitable corriente del olvido.» El reproche no está justificado o lo está sólo a medias. Rubén, tanto en vida como después de muerto, ha tenido infinitamente más admiradores que detractores. Ante la inmensa muchedumbre de aquéllos, nada significan unas pocas voces discordantes. La verdad es que en Santiago de Chile, en Buenos Aires, en la Habana, en Madrid, se le abrieron sin dificultad todas las puertas. «Se equivocan los que afirman que yo no he sido bien acogido por los dirigentes anteriores», dice textualmente en el prólogo del *Canto errante.* Y enumera las infinitas pruebas de admiración que había recibido a su llegada a Madrid, de parte de Valera, Campoamor, Núñez de Arce, Cánovas del Castillo, Canalejas, Manuel del Palacio, Narciso Campillo, Menéndez Pelayo, etc. «Me apresuro a decir—aclara—que yo tenía la grata edad de veinticinco años.»

Esto con referencia a la generación anterior. La suya—la de los Machado, Rueda, Villaespesa, Lugones, Nervo, Chocano, Benavente, Marquina, etcétera—se volcó en loas y homenajes, tanto en España como en América, y desde el primer momento le proclamó su jefe. La crítica, por otra parte, desde Valera hasta hoy, no se ha cansado de alabarle. El norteamericano E. K. Mapes reconoce en Darío «un gran poeta español, un incomparable artista, un sabio innovador cuyas búsquedas han traído a la lengua española numerosos elementos de valor permanente». Para Luis G. Urbina «fué acaso, más que un innovador, un sabio reconstructor». Enrique Díez Canedo descubre en su obra «una amplificación, una anexión de elementos hasta él extraños: una incorporación de nuevos medios expresivos que coexisten con los tradicionales». Según Alfonso Reyes, «desató la palabra mágica en que todos habíamos de reconocernos como herederos de igual dolor y caballeros de la misma promesa». En opinión de Federico de Onís, «a nadie puede aplicarse con tanta justicia como a él el título de ciudadano hispánico». Max Henríquez Ureña ve integrado en su obra todo el proceso del Modernismo, en todas y cada una de sus etapas, de suerte que, al morir Darío, aquel magno movimiento, cumplida su misión, murió también con él. Por último, René Bazín resume su juicio sobre el poeta nicaragüense con estas palabras: «Fué necesario un sentido profundo de lo que es América, un sentido profundo de todos los valores latinos, franceses y españoles, un sentido profundo de lo que son las luchas y problemas interiores del alma humana, un sentido profundo de lo que es una nueva lengua, una nueva prosa y un nuevo verso, fué necesario todo esto para producir un poeta como Rubén Darío.»

NOTAS

1. Rubén, probablemente por lo eufónico; y Darío, porque era una especie de gentilicio aplicado a la familia desde que así se llamó un tatarabuelo del poeta.

2. Darío consagró a su memoria un folleto, que lleva por título el seudónimo empleado por el amigo fallecido: *A. de Gilbert* (1889).

3. El 6 de febrero de 1941, al cumplirse los veinticinco años de su muerte, todos los pueblos de la América hispana se unieron para tributar homenaje de admiración y afecto al poeta máximo de la raza. Fiestas, certámenes y desfiles fueron organizados con tal motivo. Una lluvia de flores y de hojas impresas con sus más bellos poemas cayó desde los aviones sobre la tierra que guarda los restos de uno de los hijos más preclaros del Nuevo Continente. Recientemente el Estado español, por mediación de su Ministerio de Educación Nacional, ha rescatado un gran baúl, que estaba en poder de Francisca Sánchez, repleto de documentos—manuscritos, cartas, borradores, etcétera—del poeta. El valor de estos documentos, cerca de siete mil, es incalculable. De su clasificación ha sido encargado el profesor y poeta don Antonio Oliver. En cuanto a Francisca Sánchez, que vivía casi olvidada y ya anciana en un pueblecito de Avila, ha sido instalada en Madrid, en casa propia costeada por el Gobierno español, y agraciada con una pensión vitalicia por el mismo Gobierno.

4. *La poesía de Rubén Darío*, pág. 12, Buenos Aires, 1948.

5. «Esta segunda esposa, con la que apenas si vive, se le convertirá en un torcedor constante, ocasión de innúmeros contratiempos, e inspiró, ya que no poemas a Darío, una ley de Divorcio al Congreso de Nicaragua, forjada expresamente para liberar al poeta de su yugo.» (PEDRO SALINAS: *Ob. cit.*, pág. 15.) ¡Quién iba a decirle a Darío que esta misma mujer sería la única en acompañarle y consolarle durante sus últimos días!

6. El Gobierno de Nicaragua le adeudaba 9.000 dólares. Rubén Darío, dos meses antes de morir, fué a reclamarlos a la capital; pero sólo recibió 200. Fué una pesadumbre más que añadir a las muchas que le aquejaron en sus últimos días.

7. La edición mejor que conocemos es la de *Poesías completas de Rubén Darío* (Aguilar, S. A., Madrid, 1952, 1.ª ed.), con introducción, notas e índices muy cuidados de Alfonso Méndez Plancarte.

8. ¿Origen del título del libro? Valera lo relacionó con una frase de V. Hugo: *L'art c'est l'azur*, frase que Darío confesó no conocía antes; Max Henríquez Ureña sugiere que pudo inspirarse en el grito de Mallarmé: *Je suis hanté! L'Azur! L'Azur! L'Azur!...*, o bien en aquellos versos del mismo Hugo:

> *Adieu, patrie...,*
> *l'onde est furie!*
> *Adieu, patrie!...*
> *Azur!*

9. Casi no hace falta advertir que nos referimos exclusivamente al romance lírico, no al narrativo, y mucho menos al romance llevado a la escena, donde siempre ha tenido un tratamiento mucho más libre.

10. «¡Qué queréis!, yo detesto la vida y el tiempo en que me tocó nacer!; y a un presidente de República no podré saludarle en el idioma en que te cantaría a ti, ¡oh Halogabal!, de cuya corte—oro, seda, mármol—me acuerdo en sueños...»

11. Amo más que la Grecia de los griegos
la Grecia de la Francia, porque en Francia
al eco de las risas y los juegos,
su más dulce licor Venus escancia.

(Divagación.)

12. Aludimos, casi sobra la aclaración, al que empieza:

Quiero expresar mi angustia en versos que abolida
dirán mi juventud de rosas y de ensueños...;

y al más conocido y más hondo quizá de todos sus poemas:

Los que auscultasteis el corazón de la noche,
los que por el insomnio tenaz habéis oído
el cerrar de una puerta, el resonar de un coche
lejano, un eco vago, un lejano ruido...

13. Conviene, con todo, no desorbitar su americanismo. Conocida es la anécdota llamada por los biógrafos «escándalo del Aguila». Rubén había sido comisionado por el doctor Madriz, presidente de Nicaragua, para representar a este país en las fiestas conmemorativas de la Independencia de Méjico. Al llegar a Veracruz procedente de la Habana se enteró de que el nuevo presidente de Nicaragua, general Estrada, se negaba a convalidarle las credenciales, por lo que el Gobierno mejicano ya no podía recibirle con carácter oficial. El hecho tuvo amplia repercusión y suscitó vivos comentarios. Se supuso que Estrada había obrado bajo la impresión de la lectura de la oda *A Roosevelt*, de contenido claramente antiimperialista. No recordaba, o no quería recordar, que el mismo Rubén había escrito otra oda, ésta en hexámetros, formulando votos por la prosperidad de Norteamérica:

¡Bien vengas, mágica Aguila de alas enormes y fuertes,
a extender sobre el Sur tu gran sombra continental...,

con lo que quedaban ahuyentados todos los recelos por parte de Estados Unidos. Por cierto que esta *Salutación del Aguila* acarreó al poeta duros ataques. Unos atribuyeron su composición a móviles interesados; otros, al deseo de «quedar bien» en las esferas diplomáticas; otros, a un cambio de actitud en sus relaciones con el mundo sajón. Pero del contexto del poema no puede sacarse conclusión alguna ni de fervor imperialista ni de un pretendido enfriamiento en sus fervores raciales. Se trata de un natural y lógico deseo de concordia entre las naciones todas de América. Rubén, en esta coyuntura, supo conducirse con la mayor prudencia. Sabedor de que en la capital mejicana se le iba a hacer objeto de actos de desagravio, que revestirían caracteres apoteósicos, y que podrían dar lugar a actitudes hostiles contra Estados Unidos, cambió de rumbo y se dirigió a Jalapa, para pasar unos días en la grata compañía de Salvador Díaz Mirón. El Gobierno mejicano envió una Comisión que le acompañase a la Habana y le atendiera convenientemente hasta su partida para Europa.

14. Preferimos hablar de *series rimadas* de dos y tres sílabas, porque sabido es que no hay ni puede haber verso menor de cinco. La demostración no es de este lugar.

15. Un ejemplo:

Lvego Johan de Mena con graçia no poca
fiço las sus trovas tyernas, querellosas,
e fveron entonçe ya mui dinas cosas
trovas que cantava la su dolçe boca...

16. Vid. E. DÍEZ ECHARRI: *Teorías métricas del Siglo de Oro* (C. S. I. C., 1949), cap. VIII: «Metros de imitación clásica. Límites de adaptación».

17. Y en *Historia de mis libros*: «Lo que han hecho Voss y otros en alemán, Longfellow y tantos otros en inglés; Carducci, D'Annunzio y otros en Italia; Villegas, el padre Martín y Eusebio Caro el colombiano; y todos los que cita Eugenio Melé en su trabajo sobre *La poesía bárbara en España*, bien podíamos continuarlo otros. aristocratizando así nuestros pensares. Y bella y prácticamente lo ha demostrado después un poeta del valer de Marquina.»

BIBLIOGRAFIA

La bibliografía de Rubén Darío es copiosísima. Aparte de los estudios sobre el poeta incluídos en las obras de carácter general dedicadas al Modernismo, obras en las que, naturalmente, R. D. ocupa el lugar más destacado, recomendamos al lector los siguientes títulos:

G. Alemán Bolaños: *La juventud de Rubén Darío*, Guatemala, 1923.—E. de la Barra: *El endecasílabo dactílico. Crítica de una crítica del crítico «Clarín»* (sobre los famosos versos del «Pórtico» rubeniano), Rosario, 1895.— E. de Carvalho: *Rubén Darío*, Río de Janeiro, 1906.— T. M. Cestero: *Rubén Darío, el hombre y el poeta*, Habana, 1916.—F. Contreras: *Lettres hispanoamericaines*, «Le Mercure de France», CXLVII, 1921; *Rubén Darío. Su vida y su obra*, Barcelona, 1930.—G. Díaz Plaja: *Rubén Darío, su vida, su obra, su escuela*, Barcelona, 1930.—E. Díez Canedo: *El «Canto errante», por Rubén Darío*, «La Lectura», Madrid, 1907; *Relaciones entre la poesía francesa y la española desde el romanticismo*, «Rev. de Libros», Madrid, 1914.—A. Donoso: *La juventud de Rubén Darío*, «Nosotros», XXXI, Buenos Aires, 1919.— J. G. Olmedilla: *La ofrenda de España a Rubén Darío* (colec. de art. y poesías dedicadas al poeta), Madrid, 1916.—M. Henríquez Ureña: *Rubén Darío*, «Cuba Contemporánea», Habana, 1918.—E. Gómez Carrillo: *Con Rubén Darío en Guatemala*, «Obras» de G. C., vol. X.— A. González Blanco: *Salvador Rueda y Rubén Darío*, Madrid, 1908.—F. Huezo: *Ultimos días de Rubén Darío*, Managua, 1925.—Lauxar: *Rubén Darío y J. Enrique Rodó*, Montevideo, 1924.—L. Lugones: *Rubén Darío*, Buenos Aires, 1919.—E. K. Mapes: *L'influence française dans l'oeuvre de Rubén Darío*, París, 1925; *Innovation and French influence in the metrics of Rubén Darío*, «Publications of the Modern Language Association of America», Wisconsin.—A. Marasso Rocca: *«El coloquio de los centauros»*, Buenos Aires, 1927.—J. J. Martínez: *Consideraciones sobre el cerebro y la personalidad de Rubén Darío*, Managua, 1916.—A. Reyes: *Rubén Darío en México*, «Nuestro Tiempo», Madrid, 1916.—J. E. Rodó: *Rubén Darío (Su personalidad literaria, su última obra)*, Montevideo, 1899.—R. Rojas: *El alma española* (sobre R. D., págs. 203-34), Valencia, 1908.—R. Silva Castro: *Rubén Darío y Chile*, Santiago de Chile, 1930.—M. Soto Hall: *Relaciones íntimas de Rubén Darío*, Buenos Aires, 1925.— J. Valera: *Cartas americanas* (1.ª serie), Madrid, 1889.— J. A. Cabezas: *Rubén Darío. Un poeta y una vida*, Madrid, 1914.—J. Saavedra Molina: *El verso que no cultivó Rubén Darío*, «Anales de la Univ. de Chile», 1933; *Los hexámetros castellanos, y en particular los de Rubén Darío*, «Anales de la Univ. de Chile», 1935.—A. Marasso: *Rubén Darío y su creación poética*, La Plata, 1934.— D. Carbonell: *Lo morboso de Rubén Darío*, Caracas, 1943.—A. Torres Rioseco: *Vida y poesía de Rubén Darío*, Buenos Aires, 1944.—E. Anderson Imbert: *Rubén Darío, poeta*, «Estudios sobre escritores de América», Buenos Aires, 1954.—A. Berenguer Carisomo: *Influencia de Rubén Darío en la literatura española*, «Nosotros» (2.ª época), junio-julio, 1942.—P. Antonio Cuadra: *Introd. al pensamiento vivo de Rubén Darío*, «Cuad. Hispanoamericanos», núms. 5-6, 1948.—J. M.ª de Cossío: *Rubén Darío y Menéndez Pelayo*, «Bol. Bibl. M. Pelayo», 1926.—C. G. Espresati: *Resonancias becquerianas en la lira de R. D.*, «Cuad. de Lit.», VII, 1950.—J. Icaza Tejerino: *Los «nocturnos» de Rubén Darío*, Granada de Nicaragua, 1954.— J. B. Jaramillo Mesa: *R. D. y otros poetas. Impresiones personales*, Manizales, 1947.—Erika Lorenz: *R. D. bajo el divino imperio de la música*, Hamburgo, 1956.—A. Méndez Plancarte: *Introd. a Poesías completas de R. D.*, Edit. Aguilar, colec. «Joya».—R. Meza Fuentes: *R. D., poeta clásico*, «Anales Univ. Chile», XCIII, 1935.—T. Navarro Tomás: *La cantidad silábica en unos versos de R. D.*, «Rev. Filol. Esp.», Madrid, 1922.—S. C. Rosemberg: *Darío, Murger y «La vie de bohème»*, «Rev. Hisp. Moderna», núm. 2, Nueva York, 1956.—P. Salinas: *La poesía de R. D. Ensayo sobre el tema y los temas del poeta*, Buenos Aires, 1948.—L. Alberto Sánchez: *Rubén Darío*, «Escrit. representativos de América», II, Edit. Gredos, Madrid, 1957.—R. Silva Castro: *Rubén Darío a los veinte años*, Edit. Gredos, Madrid.—E. Torres: *La dramática vida de Rubén Darío*, Méjico, 1956.

CAPITULO LXXXVIII

LA PROSA CONTEMPORANEA:
A) GENERACION DEL NOVENTA Y OCHO

I. LA GENERACIÓN DEL 98: *Importancia del grupo. Elementos integrantes. No-*
venta y ocho y Modernismo. Características. Factores positivos.—II. LOS
«PRECURSORES» DEL 98: *Costa, Picavea y «Silverio Lanza». Ganivet.*—III. «AZO-
RÍN»: *Vida y persona. Obra literaria. Los géneros azorinianos. La novela.*
Cuento y teatro. Ideario, técnica y estilo.—IV. UNAMUNO Y MAEZTU: *Biogra-*
fía y perfil de Unamuno. Obra literaria. Novela y teatro. Unamuno, poeta.
Ensayo, ideología y estilo.—NOTAS.—BIBLIOGRAFÍA.

I. LA GENERACION DEL NOVENTA Y OCHO

En otro lugar (cap. LXXXII) señalábamos el
ensayo, juntamente con la lírica, como la más alta
expresión de la literatura española contemporánea. Ni nuestro teatro nacional, a pesar de Benavente, puede compararse en originalidad y fuerza
creadora con el del siglo anterior, ni nuestra novela, a pesar de Baroja, sufre parangón en fecundidad y amplitud de temas con la representada
simultáneamente en el último tercio del XIX por
Valera, Alarcón, Pérez Galdós, la Pardo Bazán,
Pereda, Palacio Valdés y *Clarín,* por no citar sino
a los dioses mayores. El ensayo, sí. En manos de
Azorín, Unamuno, Ortega, Marañón y D'Ors ha
alcanzado cimas que hace sólo medio siglo parecían inaccesibles.

Pero un análisis del ensayo español en lo que
va de siglo, que vale tanto como decir un análisis de la mejor prosa española moderna, no
puede acometerse sin un encuadramiento previo
de sus más relevantes figuras dentro del correspondiente cuadro cronológico. Quiere decirse que,
aun siendo el ensayo español en su modalidad actual de tan reciente aparición, tiene ya sus ciclos
o fases diferenciadas. Más claro: que a todo estudio sobre nuestros grandes prosistas contemporáneos debe preceder una visión de conjunto sobre la generación o generaciones en que aquéllos
aparecen inscritos. Y hablamos de generaciones en
plural porque, aparte del 98, la más destacada y
favorecida por la crítica, sabido es que antes de
esa fecha famosa han aflorado otros grupos gene-
racionales, que también tienen derecho a nuestra
consideración y estudio. Antes, la católica, de mediados del XIX, encabezada por hombres como
Balmes y Donoso Cortés, y continuada por Aparisi, Nocedal, Mon, etc.; la del 76, integrada por
Valera, Menéndez Pelayo, Milá y otros críticos de
relieve; la «ginerista» o «institucionista», de larga
duración, con figuras como Sanz del Río, Francis-

co y Hermenegildo Giner de los Ríos, Bartolomé
Cossío, etc. Y después, la que se manifiesta públicamente hacia el año 10, a la que pertenecen inteligencias tan dispares como Ortega y Gasset, Marañón y Eugenio d'Ors; la que aparece quince años
más tarde, llamada por algunos de «la dictadura»
por haber coincidido su floración con el Gobierno
dictatorial de Primo de Rivera, llamada por otros
«generación del 25», y por otros, más atinadamen-
te, «generación del 27», atendiendo a que en este
año se conmemoraba el tercer centenario de la
muerte de Góngora, y la mayor parte de los
componentes de aquélla eran poetas y muy ligados estéticamente al autor de las *Soledades;* y
por último, la de nuestra postguerra, con escritores como Laín Entralgo, Marías y Aranguren, entre varios más. De los grupos anteriores al 98 se
hizo mención en el capítulo LXXXI; de los posteriores a esa fecha se tratará oportunamente. Dos
palabras ahora sobre la generación del 98.

Importancia del grupo

Lo que sorprende ante todo en el 98 es la importancia que se le viene asignando tanto en lo
literario como en lo ideológico. Mientras las otras
generaciones a que acabamos de aludir, en cuanto
tales generaciones, son casi preteridas en la consideración de la crítica, que atiende más a personalidades aisladas que a su estudio de conjunto,
la del 98 cuenta con un acervo bibliográfico impresionante: docenas de libros y centenares de trabajos monográficos. Sin embargo, es dudoso que
en determinados aspectos la generación del 98
ofrezca mayor interés que las otras. Por lo pronto,
se descubre mayor unidad de criterio y de acción en el grupo «institucionista», que manejó casi
como señor absoluto la Universidad y la alta cultura española durante un período de cerca de

cuarenta años. Tampoco es seguro que los hombres del 98 influyesen más que otros en la vida nacional. Posiblemente Ortega ha dejado una huella más honda que cualquiera de aquéllos; acaso también Menéndez Pelayo tenga en otro sector tantos admiradores y discípulos como el más ilustre de los noventaiochistas. Y sabido de todos es cuánto contribuyeron al triunfo del régimen republicano aquellos intelectuales que se inscribieron bajo el rótulo «Al servicio de la República», allá por los años 30 y 31, todos ellos pertenecientes a la generación del 10.

¿Por qué, pues, la importancia aludida? Por varias razones. En primer lugar, porque la generación del 98 se perfila más netamente que ninguna otra en lo cronológico con una fecha inicial fija, fecha ligada entrañablemente al acontecer histórico de España; porque los hombres que la integran, por encima de discrepancias ideológicas y estéticas y aunque ellos mismos se resistan a integrarse en grupo, se sintieron agitados por idénticos problemas y adoptaron ante éstos las mismas actitudes; y, sobre todo, porque en lo literario, que suele ser culturalmente lo que más pesa o al menos lo que más impresiona al gran público, tuvieron una inmensa proyección. Un escritor nada afecto al 98, Gonzalo Fernández de la Mora, señala esa generación como «el más apasionante período de nuestra reciente historia literaria». Y aunque el mismo Fernández de la Mora deseche el método generacional aplicado a la historia de la cultura, basándose en la imprecisión que comporta consigo, en su evidente inestabilidad y en que, son sus propias palabras, «fragmenta el continuo histórico y lo mutila..., colectivizando lo más individual de la creación», casi todos los críticos persisten, y con ellos también nosotros, en aplicar ese método, sobre todo en el sector que ahora nos ocupa, no como el mejor, pero sí como el menos imperfecto y, desde luego, el que nos puede conducir con más seguridad a una interpretación de la cultura española en los tiempos modernos y a la formulación de juicios exactos sobre los hombres que mejor representan ese período; en nuestro caso, sobre los hombres que encarnan la generación del 98.

Elementos integrantes

¿Quiénes son esos hombres? No hay unanimidad ni en cuanto al número ni en cuanto a la significación de los componentes del 98. El criterio cronológico no sirve: habría que incluir en el grupo a todos los escritores que por aquellas fechas se dieron a conocer, con lo que irían juntos novelistas tan dispares como Pío Baroja y Ricardo León; o líricos tan distanciados como Antonio Machado y Villaespesa. Tampoco es aplicable un criterio estético: habría que excluir del grupo por incompatibilidad de gustos a Unamuno y a Azo-

rín, a Baroja y al mismo Machado, tan distintos y distantes entre sí. Al principio la generación del 98 abarcaba para algunos críticos a todos los escritores de fin de siglo y principios del actual, incluídos hombres como Blasco Ibáñez y Juan Ramón Jiménez. Luego, tal ocurre en el estudio de Laín Entralgo, la lista se concreta a Baroja, Unamuno, Azorín, Antonio Machado y Valle-Inclán, en primer término; y en un segundo plano, a Ganivet, Maeztu, Manuel Machado y Benavente. Por último, teniendo en cuenta la ulterior orientación de los dos últimos, el elenco ha quedado reducido a los seis componentes del anagrama VABUMG; es decir, Valle-Inclán, Azorín, Baroja, Unamuno, Antonio Machado y Ganivet. Pero ni esta enumeración puede darse por fija; menos aún, por completa [1]. Por lo pronto, falta en ella una figura relevante, a la que nadie vacila ya en calificar de noventaiochista: Maeztu, el cual, fueran cuales fuesen sus ulteriores derivaciones, no cabe duda que inicialmente, y luego durante bastante tiempo, estuvo adscrito al grupo. De otra parte, Baroja no quiere saber nada de la flamante generación: rechaza de plano ese nombre, y hasta niega toda influencia de los llamados «precursores del 98»: Costa, Macías Picavea, Silverio Lanza y hasta del mismo Ganivet, que precisamente murió ese año: 1898.

«Yo no creo—escribe Baroja en sus Divagaciones apasionadas [2]—, yo no creo que haya habido ni que haya una generación de 1898. Si la hay, yo no pertenezco a ella, yo no me encuentro tener relación alguna. Ni yo colaboré con ella, ni tuve influencia alguna en ella, ni cobré ningún sueldo de los gobiernos de aquel tiempo ni de los que le han sucedido. Ni por tendencias políticas y literarias, ni por concepto de la vida y del arte, ni siquiera por la edad hubo entre nosotros carácter de grupo. La única cosa común fué la protesta contra los políticos y los literatos de la Restauración. Una generación que no tiene puntos de vista comunes, ni aspiraciones iguales, ni siquiera el nexo de la edad, no es generación; por eso la llamada generación del 1898 tiene más carácter de invento que de hecho real.»

En efecto, el gran novelista estaría en lo cierto si las cosas hubiesen ocurrido tal como él pretende exponerlas. Pero da la casualidad de que no sucedieron así. El mismo Baroja alude a renglón seguido a ciertas influencias extranjeras que por aquellas fechas actuaron sobre un grupo de escritores—Unamuno, Valle-Inclán, Azorín, Benavente, Manuel Bueno, Maeztu, etc.—, los cuales precisamente solían coincidir en los mismos lugares —Café de Levante, Café Inglés, Café de Madrid—, y se ocupaban de idénticos problemas. A mayor abundamiento esos escritores, a cuya lista debe agregarse el nombre del propio Baroja, inseparable por aquellas calendas de Maeztu y de Azorín, reaccionan—ya lo hemos visto—del mismo modo ante el mismo estado de cosas, sienten las mismas influencias y publican en colaboración las mismas revistas: *Mercurio, Vida Nueva, Madrid Cómico, Vida Literaria* (1898); *Revista Nueva, Helios, Alma Española, Juventud, Electra*, etc. (entre 1899-1903). Como si todo esto no bastara, se manifiestan juntos en público y en reiteradas ocasiones: en 1901 *Azorín*, Baroja y Maeztu—«la Trimurti», que dijo Ramón Gómez de la Serna—emprenden juntos un viaje a Toledo y se declaran anarquistas nada menos que en la sala de sesiones de aquel Gobierno Civil; el mismo año inician también juntos la campaña pro erección de un monumento a Juan Español («El soldado desconocido»), monumento que, en efecto, fué levantado en la Moncloa poco después; y por las mismas fechas los tres, acompañados de otros amigos y admiradores, con chistera y ramilletes de violetas en la mano, se dirigen al cementerio de San Nicolás, donde estaba la tumba de Larra, para proclamarlo «maestro de la juventud presente». La juventud presente, no hace falta decirlo, eran ellos y sus amigos. Y todavía un año más tarde, en 1902, con motivo de la publicación de la novela barojiana *Camino de perfección*, otra vez se congregan en un restaurante de Madrid y dan a la prensa una reseña en la que todos ellos, ya no sólo la aludida «Trimurti», sino también Manuel Bueno, Valle-Inclán, Machado y otros muchos, proclaman su identificación ideológica y su absoluta disconformidad con el orden político y literario existente. «Las almas jóvenes—se dice al final de ese manifiesto—protestan y se revuelven contra los que consideran dilapidadores de la herencia nacional, y confunden en un mismo anatema a los políticos, a los pensadores, a los soldados y a los poetas; en fin, a cuantos forman la generación que está desapareciendo.»

Si esto es así, si hay tantos testimonios que hablan de la conciencia de grupo de estos escritores, ocurre preguntar qué interpretación ha de darse a las declaraciones de Baroja antes anotadas. Y sólo se encuentra una: la de un acto de instintiva defensa y protección de la propia personalidad; la expresión manifiestamente exagerada de la conciencia individual, nota característica por otra parte, pronto hemos de verlo, de todos los noventaiochistas, que el temor de quedar absorbidos en una generalización, con el consiguiente menoscabo del individuo aislado.

Por lo demás, una cosa es indudable: que a fines del xix cierta especial inquietud agita el espíritu de varios jóvenes escritores, y esa inquietud se había de proyectar intensamente en las promociones sucesivas. Como el fenómeno coincide con una fecha tristemente célebre de la historia de España, una fecha que actúa de revulsivo en las almas de aquellos escritores, poniendo en tensión todas sus facultades, se ha pensado que nada mejor que esa fecha para calificarlos. Fué, según

parece, Gabriel Maura el que aplicó la denominación de «98» por vez primera; pero fué *Azorín* el que divulgó el nombre de «generación del 98» y esbozó su concepto en unos artículos publicados en el diario *A B C*, de Madrid, en 1913. No vale la pena, por tanto, discutir si existió o no la famosa generación. Baroja y Maeztu, cada cual por sus particulares motivos, lo niegan. Pedro Salinas ha demostrado su existencia con sólo aplicar al mencionado grupo los caracteres de orden cronológico, geográfico y espiritual que Petersen en un libro ya clásico ha señalado como constitutivos de una generación, caracteres que se dan íntegramente en el grupo a que nos estamos refiriendo [3]. Para nosotros la polémica ya no tiene objeto: todo el mundo habla de la generación del 98 como si hubiera existido; por tanto, sólo nos queda abordar el doble problema de su naturaleza y caracterización.

Noventa y ocho y Modernismo

La generación del 98, ya lo hemos anticipado (capítulo LXXXIII), suele venir confundida con otro movimiento similar, el llamado Modernismo. Es frecuente en nuestros textos de literatura contemporánea la confusión de ambos conceptos. Se habla casi indistintamente de «modernistas» y de «escritores del 98». Todavía en obras tan divulgadas como la *Antología*, de Federico de Onís, con su magistral estudio preliminar, o como la *Historia de la literatura*, de Angel del Río, publicada no hace mucho en Norteamérica, y hasta en el soberbio estudio de Laín Entralgo, los dos procesos aparecen insuficientemente deslindados. Contribuye sin duda a tal confusión la simultaneidad casi cronológica de ambos, con la posible adscrición de algunos escritores, por ejemplo Valle-Inclán, tanto al uno como al otro. Y decimos casi simultaneidad, porque no la hubo en términos absolutos, ya que el Modernismo estaba triunfando cuando los 98 empezaban a darse a conocer. Las *Prosas profanas*, de Rubén Darío, apogeo del modernismo, datan de 1896. Este sólo dato basta para comprobar cómo el Modernismo no debe nada al 98; ni, por supuesto, el 98 al Modernismo. Han sido Pedro Salinas primeramente y Guillermo Díaz Plaja más tarde quienes han intentado deslindar ambos procesos, sin lograrlo enteramente. He aquí las analogías y diferencias que nosotros puntualizamos en una primera observación.

Modernismo y generación del 98 coinciden en una zona más bien negativa, la de ser como todos los movimientos culturales una reacción contra lo anterior. Si todo movimiento no entrañase una ruptura con el orden precedente, quedaría reducido a una continuación de éste; por tanto, no sería un movimiento nuevo. Esa ruptura es mucho mayor, más violenta, del lado de los hombres del 98, como luego habremos de ver, que del lado de los modernistas, ya que éstos, poetas en su mayor parte, admiten la validez de la lírica anterior y hasta conviven amigablemente con aquellos a quienes pretenden sustituir. Rubén Darío, pontífice máximo del modernismo, convive con Campoamor, Núñez de Arce, Valera, Menéndez Pelayo, y hasta a veces los imita y elogia. Coinciden además en que ambos procesos, con el pequeño anticipo ya señalado del Modernismo, afloran y tienen su máxima vigencia en la última década del xix y primera del xx. Difieren, en cambio, en varios aspectos fundamentales.

Primero: el Modernismo viene de fuera, de Francia; y se manifiesta antes en América que en España. Con él, y por primera vez, la literatura peninsular, en especial la lírica, se deja influir hondamente por la ultramarina. El Modernismo es una escuela, o si este nombre de escuela parece muy ancho, pongamos corriente literaria, inspirada en dos escuelas francesas: *parnasianismo* o *parnasismo* y *simbolismo*. De la amalgama de ambas los poetas americanos—Othón, Gutiérrez Nájera, Julián del Casal, González Prada, Silva—, acostumbrados a mirar a París más que a Madrid, extraen la nueva poesía que, asimilada por el genio de Rubén, es elevada al rango de estética nueva, impuesta no sólo en el continente americano, sino también en la Península. No se puede afirmar, nadie osaría afirmarlo, que el modernismo español deba su vida a Rubén Darío; pero sí cabe demostrar que sin él ese movimiento en España habría tenido distinto signo. Lo indudable es que el Modernismo trae su origen de fuera. El 98 es típica e integralmente español. El Modernismo mira a París, a través de América, aunque luego aquí en España, como ocurre siempre en estos procesos, haya evolucionado, adquiriendo carta de naturaleza. El 98 mira a Castilla [4].

Segundo: el Modernismo es un movimiento estético y exclusivamente literario. Recordemos a Villaespesa, a Manuel Machado, a Salvador Rueda, entre nosotros; a Guillermo Valencia, a Nervo, a Herrera y Reissig, entre los americanos. Ningún problema que trascienda de lo puramente estético les inquieta. Para ellos la vida es una obra de arte y hay que entenderla así. Bella o no bella, eso es todo. Una indiferencia, un decadentismo de buen tono, un displicente desinterés por cuanto no sea arte, hermosura, placer. Lo ha dicho por todos Manuel Machado, tan distinto en esto de su hermano:

Yo soy como las gentes que a mi tierra vinieron:
soy de la raza mora, vieja amiga del sol...,
que todo lo ganaron y todo lo perdieron.
Tengo el alma de nardo del árabe español.
Mi voluntad se ha muerto una noche de luna,
en que era muy hermoso no pensar ni querer;
mi ideal es tenderme sin ilusión ninguna.
De cuando en cuando, un beso y un nombre de mujer.

(Adelfos.)

Tal es el programa del Modernismo. Compárese con el de los hombres del 98. Todos los problemas que afectan al ser humano en su más honda esencia son planteados y replanteados ahincadamente, aunque no encuentren para ellos solución. Y es que el 98, si bien literario en su génesis, tuvo luego un alcance universal, y se extendió a lo político, lo social, lo económico y hasta lo religioso.

Tercero: el Modernismo es conservador hasta donde puede serlo una nueva escuela. En métrica, por ejemplo, introduce nuevos esquemas versificatorios, pero sin desechar los vigentes. Utiliza todo el acervo tradicional y hasta acierta a darle una supervaloración. Rubén Darío revitaliza motivos y estrofas del «mester de clerecía» y del folklore popular. Y lo mismo hacen sus incontables discípulos. El 98 es implacablemente destructor; no quiere, sobre todo en sus comienzos, saber nada del orden existente. Su iconoclasia, en Baroja, en el *Azorín* de la primera época y en otros, alcanza límites de verdadera incomprensión.

Cuarto: el Modernismo se orienta al exterior del ser humano, al mundo sensorial; cultiva el ritmo fácil, la forma sugestiva, lo que puede halagar los sentidos. El 98, unas veces sin despreciar la forma, con manifiesto deprecio de la misma otras, va directo al alma. Aquél, el Modernismo, persigue por medio de imágenes, símbolos y sinestesias el adormecimiento psíquico, sumergiendo al lector en una atmósfera irreal. El 98, atacando al meollo mismo del hombre, lo convulsiona y remueve en su más íntimo ser.

Quinto: el Modernismo se reduce a uno de tantos movimientos literarios como vienen aflorando en el campo de las letras en estos últimos setenta años. Más importante, es cierto, que ninguno de ellos; más que el ultraísmo, el impresionismo, el creacionismo, el surrealismo o el neopopulismo; pero de vida casi tan efímera como la de éstos. Sus huellas, sobre todo en su aspecto formal, todavía son visibles; pero su trascendencia en el orden de la vida fué casi nula. Movimiento, ya queda dicho, fundamentalmente estético. La proyección del 98 en todos los órdenes de la vida nacional ha sido amplísima; acertada o no, con valor positivo o negativo—de esó no se trata ahora—, la visión del arte de los hombres del 98, su concepción de la historia, de la raza, todavía siguen sirviendo de enfoque y guía a cuantos se ocupan de estos problemas.

Características

Hecho este deslinde entre el 98 y el Modernismo ya se puede intentar una caracterización de aquél, no una definición, que en fenómeno tan complejo como el 98 sería casi imposible. Y empecemos por decir que el primero en esbozar esa caracterización fué el propio jefe del grupo, *Azorín*, en cuatro artículos publicados en *A B C* en 1913, particularmente en el último, ya que los tres primeros se reducen a una simple retractación de juicios formulados anteriormente sobre escritores de la segunda mitad del xix. En el cuarto artículo *Azorín* pretende, sin conseguirlo, darnos una semblanza de su generación, la del 98, y de sus más conocidos componentes. No lo logra. Unicamente acierta a señalar dos notas fundamentales, y aun éstas muy vagamente enunciadas: la de pertenecer todos ellos a una comunidad concreta de vivencia y de acción, y la del rango espiritual que caracteriza también a todos ellos. Por otra parte quedan excluídos del grupo escritores que debieran ir a él adscritos y, por el contrario, se incluye a varios que, según ha podido verse luego, pertenecen más bien a las filas modernistas. Sin embargo, esos artículos de *Azorín* suponen ya un avance considerable en el estudio del 98.

Mucho más importantes y precisas son las que señala Torrente Ballester, profundo conocedor de este período literario, y las que subraya Ortega y Gasset, quien de manera tangencial aludió en varias ocasiones a la Generación del 98.

Las que señala el profesor Ballester son más bien accidentales. Todos los miembros de la generación del 98, viene a decirnos, proceden de la clase media; todos son antiburgueses; aun habiendo estudiado en la Universidad e investidos de títulos académicos, todos son autodidactas; casi todos proceden de la periferia: Unamuno, Maeztu y Baroja son vascos; *Azorín,* levantino; Valle-Inclán, gallego; Antonio Machado y Ganivet, andaluces. Todos tienen prisa por llegar, por destacar, sea como fuere. Como se ve, estas circunstancias puramente externas pueden explicar determinadas actitudes, pero no nos llevan a la entraña misma del asunto.

Y, en efecto, el mismo Torrente Ballester *(Literatura española contemporánea,* págs. 152-154) estudia sagazmente esas actitudes en cuatro aspectos o relaciones: en relación con el paisaje, en relación con el nombre, en relación con la palabra o expresión y en relación con lo europeo.

Ortega señala como denominador común cierto «afán de singularidad». Y Baroja, el propio Baroja, sin advertir que como integrante del grupo la nota le afecta tanto como al que más, nos habla del «snobismo» como del matiz más destacado de estos escritores. En efecto, son gentes que quieren llamar la atención, atraer hacia sí las miradas de todos. Chocan o aparentan chocar con el mundo circundante, sobre todo cuando ese mundo no repara en ellos. Tienen que imponerse de algún modo, y como todavía carecen de méritos propios por ser demasiado jóvenes, acuden al grito estridente, a la crítica negativa, a la propaganda escandalosa y a otros recursos más propios de charlatanes de feria que de profesionales de las letras; *Azorín,* a su paraguas rojo y a su monóculo; Unamuno, a su chaleco cerrado hasta el cuello y a sus pajaritas; Valle-Inclán, a su barba fluvial y su autobiográfica leyenda; Baroja, a sus destemplan-

zas. Son todos excéntricos, todos «antis». Alimentan fobias terribles y que más que en divergencias doctrinales se basan en una premeditada actitud de jugar a «revolucionarios». En este sentido el ejemplo más elocuente es *Azorín,* tan vocinglero y ácrata de joven, tan ecuánime y templado luego. En el fondo esa rebeldía contra todo—religión, arte, literatura, instituciones sociales, etc.—es más teórica que práctica. Cuando ese Estado al que tanto detestan, cuando esos organismos que ellos atacan, cuando esos hombres de quienes se declaran incompatibles, se deciden a llamarlos, ellos, los del 98 acuden con una docilidad que asombra: Maeztu, a una Embajada; *Azorín,* a la poltrona de una subsecretaría o a los escaños del Parlamento; Baroja, al sillón de la Academia Española; Valle-Inclán, a la dirección de la de Bellas Artes de Roma; Unamuno, a una cátedra universitaria. Pero entre tanto, y hasta bien entrado nuestro siglo, la disconformidad de estos hombres alcanza a todo: ni siquiera están de acuerdo, ya lo hemos visto, en cosa tan fundamental como su propia existencia en cuanto grupo.

Factores positivos

Ya se entiende que con estas notas, en su mayor parte negativas, no hay posibilidad de estructurar una generación, y menos aún una generación tan importante como la que estamos estudiando. Si los hombres del 98 no hubiesen sido más que eso estarían hoy tan justamente olvidados como lo están otros grupos no menos excéntricos y alborotadores. Por ejemplo, el grupo del «ultra», que en 1919 irrumpió en el área cultural española, arrasándolo todo. Hoy nadie se acuerda de aquellos hombres que firmaron el famoso «Manifiesto a la juventud literaria» y riñeron violentas batallas por los cafés de la Puerta del Sol, como no sea de Guillermo de Torre; pero a éste se le recuerda no como firmante del «ultra», sino como estimable crítico, que ha realizado una gran labor de divulgación cultural en la Argentina. En cambio, los hombres del 98 están presentes en la memoria de todos y tienen reservado un capítulo de los más interesantes en nuestra historia literaria.

Y es que el 98 ofrece a los ojos del crítico una doble faz: la negativa, que acabamos de ver, y otra positiva, resultante de la aportación de una serie de valores nuevos, de valores auténticos, a nuestra cultura. Acaso se haya exagerado por algunos el alcance de esos valores; pero su realidad es indiscutible. El replanteamiento del problema español sobre una base nueva; la revelación, casi el descubrimiento, del paisaje; la meditada actitud ante la vida; la clarificación del lenguaje y con ello los nuevos cauces abiertos a la expresión literaria. He aquí cuatro aspectos positivos, entre varios de menor relieve, cuatro evidentes aportaciones de los hombres del 98.

a) *El replanteamiento del tema español.* Los hombres del 98, desconcertados, abrumados por la catástrofe colonial, se reconcentran en sí mismos para formularse la angustiosa pregunta: *¿Qué va a ser de España?* Solos, sin aliados, sin colonias, sin fuentes de riqueza..., ahora *¿qué va a ser de España?* Y para mejor contestar al interrogante empiezan por estudiar la auténtica naturaleza y ser de la patria, en el doble plano histórico y geográfico. En lo histórico, saltando por encima de los grandes siglos, encuentran la esencia de la patria, la «infraentraña», en la Edad Media, cuando el pueblo español no había sido desviado de su natural destino por desorbitadas empresas imperiales. Sabido es que los hombres del 98 eran antiimperialistas, y esta actitud habían de mantenerla todos ellos hasta el fin, con excepción de Maeztu, quien ya en edad madura derivaría hacia un concepto misionero y ecuménico de España. En lo geográfico, dato curioso si se observa que todos ellos proceden de la periferia, creen descubrir la esencia de España en Castilla, la austera, la dura, la concentrada, la que había de cantar Antonio Machado en versos inolvidables:

> ¡Castilla, España de los largos ríos,
> que el mar no ha visto y corre hacia los mares;
> Castilla de los páramos sombríos,
> Castilla de los negros encinares!

Esa es la Castilla que aman los hombres del 98. De ahí su afán andariego y su empeño por rebuscar en las viejas ciudades y poblachos todo recuerdo, todo vestigio del alma de la raza.

b) *El paisaje.* Esas continuas andanzas les darían una inesperada revelación: el paisaje. Sus ojos se encuentran con panoramas insospechados. La llanura inmensa, el cielo inmenso, el sol implacable, la tierra dura, los roquedales, los pinos, las ciudades muertas, con siglos y siglos estancados en calles y plazuelas; las posadas, los caminos, los castillos en ruinas. Ellos lo ven todo, lo admiran, lo sienten y lo transcriben; y, al transcribirlo, nos enseñan a verlo y sentirlo a nosotros. Sin duda en esa visión, sobre todo al principio, hay algo de convencional; pero hay más, muchísimo más, de vibración directamente provocada y sentida. Y un hecho es cierto: después de *Azorín*, Machado, Unamuno y Baroja algunas regiones españolas son para nosotros totalmente distintas. Soria, Salamanca, Segovia, la Mancha, se nos ofrecen con otra tonalidad. Ellos nos han enseñado a verlas y a mirarlas con otros ojos.

c) *La problemática vital.* Ante la vida y las cosas adoptan actitudes diversas, pero siempre personales y trascendentes. *Azorín*, «el pequeño filósofo», nos enseña la lección del orden, del análisis y del minúsculo detalle. Nos enseña también la lección del «tiempo». Nadie como él ha sabido valorarlo, según tendremos ocasión de ver más

adelante. Ganivet intenta darnos una radiografía del alma española y casi lo consigue en su *Idearium* y en el *Pío Cid;* Maeztu, arrancándonos a las groseras preocupaciones cotidianas, nos eleva a un plano trascendental para desplegar ante nosotros el cuadro de los destinos de la patria; Machado, con la mirada honda y el oído siempre alerta, aspira a percibir los latidos de la naturaleza para acompasarlos con los más íntimos de su propia alma. Es admirable, casi milagrosa, la fusión que el poeta establece entre la naturaleza y el espíritu del observador; y esto de la manera más sencilla, sin delicuescencias o efusiones panteístas:

> Yo voy soñando caminos
> de la tarde. ¡Las colinas
> doradas, los verdes pinos,
> las polvorientas encinas!
> ¿Adónde irá el camino irá?
> Yo voy cantando, viajero,
> a lo largo del sendero...,
> la tarde cayendo está.

Unamuno, con los ojos clavados a la vez en lo interior y en lo exterior, en lo eterno y en lo fugaz, revuelve insistentemente los grandes problemas de Dios, del alma, de la continuidad del ser humano; vive en perpetua zozobra y, gracias a su especial modo de escribir, hace vivir en la misma zozobra a sus lectores. Entre esos problemas hay alguno, ya lo veremos más adelante, que para él constituye verdadera obsesión.

d) *Y el lenguaje.* Para esa visión ingenua, directa, casi virginal, a la que se acaba de aludir, hacía falta otro lenguaje. El de finales de siglo comportaba demasiada hojarasca retórica. En manos de los escritores del 98 la lengua se va desnudando más y más hasta quedar en su máxima simplicidad. Huyendo de la ciudad populosa esos hombres han ido al pueblo, y éste les ha enseñado unas formas elocutivas mucho más simples, más puras, más cargadas de expresión. En el pueblo han aprendido los del 98 la selección del vocablo preciso, la sencillez y la sinceridad. Y así ha resultado la prosa descriptiva de *Azorín*, tan límpida, tan natural y tan bella; y la prosa narrativa y ejemplar de Baroja; o la prosa quebrada, fulgurante y siempre llena de expresividad de Unamuno.

Una vez más y con absoluta claridad se va perfilando esta generación del 98, que si en el orden social apenas acertó a dar sino unos brillantes utopistas, en lo literario, en cambio, dió magníficos escritores. Es sólo en este aspecto como nosotros los vamos a estudiar, aludiendo en el presente capítulo a los «precursores» y a tres de sus más destacados miembros: *Azorín*, Unamuno y Maeztu. Quedan para el capítulo dedicado a la novela del siglo XX Baroja y Valle-Inclán; y para el dedicado a la lírica, Antonio Machado.

II. «PRECURSORES» DEL NOVENTA Y OCHO

Los historiadores y comentaristas de esta generación han ido buscando sus precedentes a lo largo de la historia y se puede decir que los han encontrado en todos los tiempos, desde los siglos más remotos. Sin duda pueden pasar por sus antecesores Larra en el siglo XIX, Cadalso en el XVIII y Quevedo en el XVII. Los propios componentes del grupo remontan su filiación mucho más allá y por boca de uno de sus más insignes representantes, *Azorín*, se proclaman descendientes de nuestros poetas primitivos: Berceo, el Arcipreste de Hita y Santillana, cuya visión ingenua y fresca del mundo pretenden imitar. Más cerca viene señalándose a *Clarín*, con su crítica destemplada, su evocación paisajística del ambiente rural y sus finos matices de estilo. Y también, rozándoles en el tiempo, debió de influir en ellos la actitud meditativa y disconforme de los miembros de la «institución».

Pero al hablar de «precursores del 98» no se alude precisamente a éstos. Hay otros escritores cuya presencia está mucho más clara en la vida y en la obra de *Azorín*, de Unamuno, de Baroja; y esos escritores se llaman Joaquín Costa, Macías Picavea, *Silverio Lanza* y Angel Ganivet.

Costa, Picavea y «Lanza»

Los agrupamos juntos, no porque existan entre ellos contactos directos, sino por las analogías de su obra, que en varios aspectos se entronca con la más característica de los hombres del 98.

JOAQUÍN COSTA MARTÍNEZ (1844-1911), «el león de Graus», fué un aragonés fiero e independiente, que se pasó la vida clamando por la regeneración y europeización de España. Suya es la célebre consigna de «cerrar con siete llaves el sepulcro del Cid» y la no menos célebre de «escuela y despensa». Quería Costa a todo trance arrancar a los españoles de la región de los sueños y de la inefable visión de las glorias pasadas; para incorporarlos a la corriente progresiva de la época; volverlos de espalda a toda empresa quimérica, sobre todo las de orden colonial y conquistador, para aplicar todo el esfuerzo a la reconstrucción del hogar patrio. En ese aspecto es un precursor claro del 98. Su influencia, pasando por *Azorín*, llega a Ortega y Gasset. Escribió mucho, sin preocupaciones estéticas: de literatura (*La poesía popular española*, 1881, y *Mitología y literatura celtohispana*, 1888); de temas rurales (*El colectivismo agrario*); jurídicos (*La ignorancia del derecho, Teoría del hecho jurídico, individual y social*); etc. Fué Costa hombre de extraordinaria cultura: maestro superior, delineante, agrimensor, doctor en Derecho y en Letras, abogado del Estado, notario.

Coincide con Costa en puntos fundamentales el catedrático del Instituto de Valladolid RICARDO MACÍAS PICAVEA (1847-1899). También aspira en su libro más conocido, *El problema nacional: hechos, causas y remedios* (1891), a sacar al pueblo español de la postración en que se encuentra. Escribió asimismo poesía y varias novelas. La más famosa de éstas, *Tierra de Campos*, ofrece una visión paisajística ya propia del 98.

De otra categoría es JUAN BAUTISTA AMORÓS (Madrid, 1856-Getafe, 1912), más conocido por el seudónimo de *Silverio Lanza*, con que firmó sus libros y colaboró en varias revistas: *Alma Española, Revista Nueva, Prometeo*. Hombre excéntrico, paradójico e inclasificable, abandonó la Marina de Guerra a que pertenecía para recluírse en Getafe, donde vivió distanciado de la sociedad hasta su muerte. Como escritor es originalísimo, agudo y sugestivo, aunque escasamente conocido. Por su egotismo, por su disconformidad con el orden existente y por su intuición de un nuevo estilo de vivir y de ser, se le considera precursor inmediato del 98. Tiene ensayos, pequeñas narraciones (*Cuentecillos sin importancia, Cuentos para mis amigos*, etc.), y una novela (*El año triste*), sólo conocida de sus íntimos. Ramón Gómez de la Serna se declara admirador y discípulo suyo. *Azorín* ve en él un antecesor de la novela psicológica.

Ganivet

El granadino ANGEL GANIVET GARCÍA (1862-1898) [5], más que precursor, es ya miembro, y bien destacado, del 98. Su muerte en este mismo año le impidió desempeñar dentro de la generación un papel tan importante como el de Baroja, *Azorín* o Unamuno. De los tres tenía mucho Ganivet, que si en la novela se anunciaba como un Baroja, con extraordinarias dotes narrativas y descriptivas, en el ensayo no cedía a Unamuno, dada su preparación humanística y la densidad de su pensamiento, y en la sensibilidad para el paisaje sigue de cerca al mejor *Azorín*. De más sólida formación que cualquiera de ellos, incluído Unamuno, no les alcanza como escritor, porque la muerte deliberadamente buscada se lo llevó antes de hacerse dueño del instrumento de la palabra. Sus compañeros de promoción llegaron a dominar el lenguaje; tienen su estilo. Ganivet, en cambio, en vez de estilo tiene estilos. Lo que no quiere decir que alguno de esos estilos no alcance el más alto nivel literario.

La obra de Ganivet se proyecta, según su excelente biógrafo Fernández Almagro, en tres direcciones: preocupación estética, referida a su ciudad natal; preocupación política, referida a España; preocupación moral, referida a sí mismo. Y está representada singularmente por tres obras de importancia: *Granada la bella, Idearium español* y *Pío Cid,* esta última en doble modalidad: *La conquista del reino de Maya por el último conquistador español, Pío Cid,* y *Los trabajos del infatigable creador Pío Cid.*

Granada la bella (1896) es la visión apasionada de su ciudad natal, en una feliz combinación de sensibilidad y cerebro, de nostalgia del pasado y anhelo de un porvenir progresivo. El *Idearium español* (1897) nos encara con el problema nacional y, prescindiendo de cualquier ditirambo a las glorias pretéritas, nos sumerge en la consideración de las causas de la actual decadencia, que radican en nuestro modo de ser y de comportarnos: improvisación, falta de plan previo y de elaboración, cansancio, ausencia de estímulos para terminar lo empezado; en una palabra: senequismo, quijotismo. *La conquista del reino de Maya* (1897), en forma novelada, contrapone humorísticamente la vida española y europea de fines del XIX a la de ciertas tribus de Africa, para terminar afirmando la aptitud conquistadora de los españoles y su ineptitud colonizadora. *Los trabajos del infatigable creador Pío Cid* (1898), también novelesca y con abundantes elementos autobiográficos, es en

conjunto una dura crítica de las costumbres españolas de fin de siglo, que el autor enjuicia a la luz de sus ideas personales. El ansia reformista de Pío Cid, en quien está encarnado el propio Ganivet, transpira por todas las páginas de este libro, considerado por Ortega y Gasset como uno de los productos más valiosos de nuestra novelística moderna. La obra de Ganivet, muy considerable para su corta vida, se completa con *La España filosófica contemporánea*; unas *Cartas finlandesas,* llenas de sagaces observaciones; *Hombres del Norte,* donde nos da su opinión sobre algunos literatos escandinavos; un *Epistolario* interesantísimo, y el original «drama místico», en verso, *El escultor de su alma,* con un simbolismo que quiere recordar a Calderón y que queda muy lejos del modelo. Escribió Ganivet también algunas poesías.

«Grande y sentido amor a España y a Granada; fe decidida en el espíritu español; extraordinaria admiración por Séneca, cuyas tendencias renueva y armoniza con lo moderno; hondo sentido de la Naturaleza; la idea tomada como fuerza creadora; perpetua inclinación al estudio del espíritu..., todo ello expresado con profundidad e ingenio, con naturalidad y a veces entre rasgos de humorismo y de gracia andaluza»; tales son los caracteres que descubren en Ganivet los señores Hurtado y González Palencia.

III.   «AZORIN»

El escritor más representativo de la generación del 98, y el que si no la bautizó con ese nombre contribuyó más que nadie a divulgar su fama, es José Martínez Ruiz (n. 1873), más conocido por el seudónimo de *Azorín.* Los otros miembros del grupo, o se sienten extraños a él, como Baroja y Maeztu, o, identificados al principio, siguen luego cada uno su camino, sin preocuparse de los demás. Tal es el caso de Benavente, de Valle-Inclán, del mismo Unamuno. *Azorín* permanece siempre fiel al ideario inicial, si es que lo hubo; tiene conciencia de la misión reformadora que a los del 98 compete, y en lo que está de su parte, procura llenar esa misión. *Azorín* se siente desde el primer momento un reformador. Y lo es: ha reformado por lo menos el lenguaje.

Vida y persona

Nace José Martínez Ruiz en Monóvar (Alicante) en 1873. Padres: Isidro Martínez Soriano, abogado, y Luisa Ruiz, maestra. Primera formación muy cuidada y propia de la buena clase media española. Estudios de Bachiller en el colegio de los Padres Escolapios de Yecla, pueblo murciano que dejaría hondo recuerdo en su espíritu y larga proyección en su obra literaria. Estudios universitarios de Derecho en Valencia y Granada desde 1888,

y en Salamanca finalmente (1894). Ya en Valencia colabora en *Las Provincias* y hace crítica teatral en *El Mercantil.* Llegada a Madrid el 25 de noviembre de 1896. Pronto empieza sus colaboraciones en la Prensa de la capital, particularmente en *El País.* A principios de 1897 el gran crítico *Clarín* le da el espaldarazo de escritor en uno de sus célebres *Paliques;* le presagia buen éxito y de paso le orienta con algunos consejos. *Azorín* hace relaciones y se va abriendo camino.

La fecha clave de 1898 le sorprende en la redacción de *El Progreso,* como encargado de la sección de «Avisos» de este diario. 1899: publica *Alma castellana,* primer libro con el que se adentra en el paisaje de Castilla, y que había de merecer el beneplácito de Menéndez Pelayo y del mismo *Clarín.* 1902: redactor de *El Globo,* periódico republicano y anticlerical. Publica *Voluntad,* que con otras obras aparecidas en años inmediatos contribuye a su renombre en toda España. A partir de este momento escribe libros y artículos sin interrupción; colabora en *España, Alma Española, Revista Nueva, Juventud* y *Arte Joven.* Luego le abren sus páginas los diarios de mayor circulación: *El Imparcial, ABC,* etc. Simultanea la literatura con la política: cinco veces diputado del Congreso, entre 1907 y 1919; dos veces subsecretario de Instrucción Pública. Viajes frecuentes por España. En 1924 es elegido académico de la Real Española de la Lengua. Entre 1936 y 1939, época de la guerra de Liberación, vive preferentemente en Francia. Regresa a España y reanuda sus colaboraciones y publicación de libros hasta que cumple los ochenta años. Al llegar a esa edad se despide de la pluma; pero todavía de cuando en cuando deleita a sus innumerables lectores con algún breve trabajo. Recientemente, y ya cumplidos los ochenta y seis años, ha publicado un libro (*Postdata*, 1959), en cuyas páginas recoge numerosos trabajos inéditos, en su mayor parte evocaciones y retratos de gente conocida.

José Martínez Ruiz casi siempre ha firmado sus escritos con seudónimo. Primero adoptó el de *Cándido*, y con éste firmó en 1893 su libro *La crítica literaria en España*; al año siguiente firma otro libro, *Buscapiés*, con el de *Arhimán*; finalmente, ya entrado el siglo, aparece al pie de *Las confesiones de un pequeño filósofo* el seudónimo definitivo: *Azorín*.

Azorín como hombre es sencillo, apacible, mesurado. Su actitud contrasta con la de otros componentes del grupo. Más cortés, menos estrepitoso y anecdótico. Ni la brusquedad de Baroja, ni la teatralidad de Valle-Inclán, ni el exhibicionismo de Unamuno, ni siquiera las ingeniosidades de Benavente.

Creemos, sin embargo, que su modestia y apacibilidad se vienen exagerando. *Azorín* apareció en escena tronando firme y en un plan de «niño terrible», iconoclasta y anárquico que para sí quisieran otros revolucionarios del 98. Ni autoridad, ni religión, ni Estado, ni cosa que lo valga existían para él. Léase lo que escribió en *Arte Joven*, allá por el año 1901; y léase también su artículo «Somos iconoclastas», publicado en *Alma Española* poco después [6]. En ellos, junto a un inmoderado afán de significarse, palpita una rebeldía tan inconsciente como violenta. Verdad es que al principio, en esta etapa de demagogia, no sabe bien lo que quiere. Sus escritos de aquel tiempo, lo mismo que su programa crítico formulado cuando sólo contaba veinte años (*La crítica literaria en España*, 1893), delatan un pandemonium de ideas y de sistemas sin digerir. La circular ya aludida y suscrita por la «Trimurti»—*Azorín*, Baroja y Maeztu—se reduce a una serie de incongruencias que no dicen nada, que no prometen nada. El lector se queda sin saber qué buscan o qué quieren sus redactores. Verdad es que aquel furor, aquel desequilibrio nervioso en hombre tan bien templado como *Azorín* dura poco tiempo; el indispensable para darse a conocer y llamar la atención. Ya *Clarín*, al censurar esas salidas de tono, esa fiebre demagógica, en el *Palique* arriba citado, presiente que es enfermedad momentánea: «Pasará el sarampión, que acaso es salud, y quedará un escritor original, independiente.»

El tiempo dió pronto la razón al autor de *La regenta*. Pasadas las estridencias iniciales, *Azorín* recupera su auténtico ser, su personalidad inconfundible, y queda convertido para siempre en ese hombre de espíritu superior, equilibrado, lleno de comprensión, de cordura y de sencillez que todo el mundo conoce. Un Montaigne, sólo que con una sensibilidad muy de nuestros días. Por algo *Azorín* admira tanto al autor de los *Ensayos*.

Obra literaria

Variada y copiosa. Téngase en cuenta que *Azorín* no ha hecho en su larga vida otra cosa que escribir y, durante cierto tiempo, recorrer España. Esa obra pertenece a diversos géneros: novela, teatro, crítica y, sobre todo, ensayo, y ofrece varias fases sucesivas y bien diferenciadas.

a) Una primera fase de incertidumbre, de titubeos, que se da en todo escritor, aun en los que tienen un temperamento tan definido como *Azorín*. A ella corresponden, aparte de la labor periodística anterior a 1900, *La crítica literaria en España*, *Buscapiés* y *Alma Española*.

b) Una segunda fase de maduración. El escritor levantino ha encontrado al personaje que necesita. Como antes Ganivet había hallado a Pío Cid, ahora José Martínez Ruiz halla a *Azorín*, y es tan feliz el hallazgo, que el personaje imaginario se apodera del real, lo anula, y ya José Martínez Ruiz será para siempre y para todos *Azorín*. A esta etapa de autobiografismo corresponden *La voluntad* (1902), *Antonio Azorín* (1903), *Las confesiones de un pequeño filósofo* (1904), *Los pueblos* (1905).

c) A partir de esta fecha una tercera y prolongada etapa de plenitud creadora, en la que *Azorín* escribe sus mejores libros: *La ruta de Don Quijote* (1905), *España* (1912), *Castilla, Lecturas españolas*, *Clásicos y modernos* (1912-13), *Los valores literarios* (1914), *Al margen de los clásicos*, *El licenciado Vidriera* (1915), *Rivas y Larra*, *Un pueblecito: Riofrío de Avila* (1916), *El paisaje de España visto por los españoles* (1917), *Fantasías y devaneos* (1920), *Los dos Luises y otros ensayos* (1921), *Don Juan* (1922), *De Granada a Castelar* (1922), *Una hora de España* (1924), *Doña Inés* (1925).

d) Un período que abarca el decenio 1926-1936, en que *Azorín* se aventura por las zonas de la novela y del teatro surrealista, en intentos casi siempre malogrados de renovación artística. Pertenecen a este cuarto período obras teatrales como *Old Spain*; *Brandy, mucho brandy*; *Comedia de arte*; *El Clamor* (en colaboración con Muñoz Seca); la trilogía *Lo invisible* («La arañita en el espejo», «El segador» y «Doctor Death, de 3 a 5»); *Cervantes o la casa encantada* y *Angelita*; la narración *Félix Vargas*, y libros como *Superrealismo*, *Pueblo*, *Blanco en azul*, etc.

Y *e)* Ultima etapa, que señala el retorno a su manera tradicional: *Españoles en París, Pensando en España, El escritor, Cavilar y contar, Sintiendo a España, Con permiso de los cervantistas, Memorias inmemoriales*, y los relatos novelescos *María Fontán* y *Salvadora de Olbena*. Durante toda su vida de escritor—más de sesenta años—*Azorín* no ha cesado de colaborar en revistas y en la prensa diaria.

Los géneros azorinianos:
Crítica

Azorín empezó, ya queda dicho, por la crítica. Una crítica la suya, como toda su obra, impresionista, historicista, evocadora, carente casi en absoluto de principios teóricos y, desde luego, exenta de toda sistematización. Por ser impresionista, esa crítica se basa en el gusto y temperamento del que la ejerce; por ser historicista y evocadora, tiende a recrear la obra literaria en el ámbito espacial en que fué concebida y a retrotraerla al momento en que nació en el alma del artista. Para *Azorín*, lo sabemos por el juicio que formuló sobre Leopoldo Alas, «crítico literario es el que entra dentro de las obras, que nos dice cómo están construídas, que las descompone en sus menudas piezas..., y luego las vuelve limpiamente a montar». No hace falta decir que con una base tan movediza, llevado sólo de la impresión momentánea, sin un firme agarradero que le libere del gusto propio y del gusto, muchas veces pervertido, de los demás, el crítico está expuesto a equivocarse. *Azorín* se equivoca con harta frecuencia, sobre todo en sus primeros años. Su visión del teatro del duque de Rivas es arbitraria; su juicio inicial sobre Menéndez Pelayo, sencillamente injusto; su concepto sobre la literatura inmediatamente anterior al 98, en gran parte equivocado. Después, justo es reconocerlo, ha ido modificando y hasta rectificando sus opiniones primitivas, con una nobleza y sinceridad que le honran [7]. Entre *Rivas y Larra* (1916) y *De Granada a Castelar* (1922), aunque separados sólo por un lustro, hay enorme distancia. Había aparecido *Azorín*, al igual que Baroja y Maeztu, a finales de siglo, tirando por tierra a todos los ídolos consagrados a la sazón, sin distinción de ideologías ni de credos; ante él habían caído envueltos en el mismo anatema Menéndez Pelayo y Valera, Campoamor y Alarcón, Echegaray y el mismo Pérez Galdós. Luego, a quince años de distancia, en uno de los mencionados artículos del *A B C*, ya se proclama su discípulo y hasta continuador de su obra, «La generación de 1898—escribe—no ha hecho en suma sino continuar el movimiento ideológico de la generación anterior: ha tenido el grito pasional de Echegaray, el espíritu corrosivo de Campoamor y el amor a la realidad de Galdós. Ha tenido todo eso, y la curiosidad mental por lo extranjero y el espectáculo del desastre—fracaso de toda política española—han avivado su sensibilidad y han puesto en ella una variante que antes no había en España.» Tres lustros habían bastado a *Azorín* para revelarle una verdad reconocida como axioma por toda crítica que aspire a formular juicios definitivos; y es ésta: que ninguna generación, por muy desvinculada que se crea de la anterior, es totalmente autónoma; en otras palabras, que toda generación debe a la anterior, aunque no se dé cuenta de ello, mucho más de lo que ella misma aporta.

Azorín ha recogido sus impresiones críticas en multitud de libros: *Clásicos y modernos, Al margen de los clásicos, Los valores literarios, De Granada a Castelar, Los dos Luises y otros ensayos, Los Quintero*, etc. Y esas impresiones siempre enseñan algo, siempre traen algo nuevo; porque, aun no siendo *Azorín* un crítico en el sentido estricto de la palabra, hay que reconocerle finura de observación y una especialísima sensibilidad.

Novela

Al estudiar la novela azoriniana ha de tenerse en cuenta el personal concepto que del género tiene nuestro autor. *Azorín* concibe la novela como «una serie de notas vivaces e inconexas, como es la realidad». Así lo dice en las *Confesiones de un pequeño filósofo*. Y en *La voluntad* afirma que el relato novelesco debe dársenos en forma de *fragmentos de vida, sensaciones separadas*, todo ello en torno a un mínimo argumento. Sobre todo, eso: argumento exiguo; el indispensable para prender de él aquellas notas fragmentarias a que ha hecho referencia. Y nada de fábula; «la vida —insiste—no tiene fábulas»; es diversa, multiforme, ondulante, contradictoria..., todo menos simétrica, geométrica, rígida, como aparece en las novelas». De ahí su admiración por los Goncourt; su tendencia al análisis, su despreocupación por la trama argumental. *Azorín* busca un motivo cualquiera en la realidad o en la historia, y sobre él va hilvanando pensamientos, impresiones, episodios minúsculos. ¿Es todo eso novela? Para algunos, no. Gómez de Baquero califica las novelas de *Azorín* de «simples ensayos novelados, donde el diálogo es el vehículo de las ideas, y las figuras son apoderados o procuradores de los pensamientos». El mismo juicio le merecen a Werner Mullert; y A. González Blanco llega a negar al escritor levantino capacidad para el género: «Las grandes síntesis que se llaman el teatro y la novela (especialmente la primera) le son ajenas en absoluto... Martínez Ruiz—insiste—no tiene noción de la novela; no quiere tenerla. Esto es lo que le singulariza» [8].

Hasta sus más ciegos admiradores—*Azorín* los tiene a millares—deben reconocer en él ciertas carencias y limitaciones. Por lo pronto, carece de imaginación creadora; imaginación creadora decimos, que no reproductora. Carece también de habilidad constructiva, que no la necesita, dada la escasez de materiales que maneja. Sus relatos novelescos—desde *La voluntad* a *Salvadora de Olbena*, pasando por *Antonio Azorín, Las confesiones, Don Juan, Doña Inés, Félix Vargas*—tienen el mínimo soporte argumental para que sobre él pueda sostenerse una narración. La vida transcurre con una actividad externa casi nula; en cambio, hay dinamismo interno, análisis de lugares y de personas. Todo dentro de una gran morosidad, en un «tempo lento», que a veces resulta excesivo. El paisaje llena la mitad del relato: paisaje interior y exterior; de almas y de lugares. La otra mitad aparece perfectamente colmada con los pensamientos y soliloquios de los personajes, pensamientos y soliloquios que casi siempre son los del propio autor, ya que *Azorín* gusta de volcarse espiritualmente en sus novelas. En este sentido, cuál más, cuál menos, todas son jirones autobiográficos. Al hilo de estas narraciones podría seguirse puntualmente toda la vida interna y externa de *Azorín*.

La primera cronológicamente es *La voluntad*, publicada en 1902. Luego, con intervalo de un año, aparecieron *Antonio Azorín* (1903) y *Las confesiones de un pequeño filósofo* (1904). Íntimamente relacionadas entre sí por nexos autobiográficos, forman una verdadera trilogía. *La voluntad* nos cuenta en su primera parte las andanzas de *Azorín* por Yecla, y en la segunda, su llegada a Madrid y la lucha por darse a conocer. Lleva un epílogo formado por una serie de cartas de Martínez Ruiz a Baroja. *Antonio Azorín* se puede considerar continuación de la anterior. Ahora se nos traslada a Monóvar, el pueblo natal del autor, y se nos describe toda la vida del lugar en un desesperante «tempo lento». Luego, en la segunda parte, se ameniza con los amores entre el protagonista y Pepita Sarrió. Y en la tercera se nos hace asomar de nuevo a la vida de la corte. El autor se cansa pronto de ella y se lanza a recorrer los pueblos de Castilla. *Las confesiones de un pequeño filósofo* se reduce a una serie de recuerdos de la infancia y juventud: la escuela, los maestros, los amigos, los juegos, etc., primeramente en Monóvar y luego en el colegio de Escolapios de Yecla. La narración termina con una visita que hace a Yecla años más tarde, en la que comprueba que todo va cambiando y todo es lo mismo que ayer. El factor tiempo, entendido como un continuo retorno, se introduce ya en la obra de *Azorín* y no la abandonará en ningún instante: «Vivir es ver volver.»

Dentro de la parvedad argumental de la obra azoriniana, *Don Juan* (1922) y *Doña Inés* (1925) ofrecen una trama más consistente. Don Juan, viejo pecador arrepentido, ahora hombre sencillo y generoso, vive en una pequeña ciudad provinciana, cuyo ambiente se nos describe como sabe hacerlo sólo *Azorín*. Su título no debe inducirnos a establecer comparaciones con el clásico tipo del Burlador. Se trata de un don Juan «como todos los hombres. Ni alto ni bajo, ni delgado ni grueso», nos dice su autor. Ama, pero no es correspondido. Tampoco doña Inés tiene analogías con la heroína de Zorrilla. Es una «historia de amor»—así se subtitula la novela—llena de ternura y de romanticismo. La protagonista renuncia al objeto de su pasión antes que ver el primer síntoma de cansancio en el amado. La vida de Segovia, donde transcurre buena parte de la acción, está reflejada con morosidad y acierto. Para Cristóbal de Castro *Doña Inés* resume las tres direcciones literarias

más importantes del XIX: romanticismo, simbolismo y naturalismo. De todas ellas se hace una síntesis, que viene a ser la culminación de la primera época novelística de *Azorín,* con varias notas comunes: observación de la realidad, entusiasmo por las formas coloristas, detallismo, proyección de sus propios sentimientos sobre cosas y personas y una preocupación manifiesta por el factor «tiempo». En don Pablo, tío de Inés, el escritor esboza a grandes rasgos un autorretrato.

Pasadas por alto otras narraciones—*Félix Vargas, Superrealismo, El escritor, Capricho* y *El enfermo*—más interesantes en cuanto expresión de la ideología del autor y de su incorporación a las nuevas corrientes estéticas, llegamos a *María Fontán* (1944) y *Salvadora de Olbena* (1945), dos libros que cierran el ciclo novelístico de *Azorín. María Fontán,* con un argumento extraño y un desenlace convencional, nos sitúa ante una mujer de exquisita sensibilidad, un alma rica en matices y con unas reacciones siempre interesantes e inesperadas. *Salvadora de Olbena* evoca por su fondo romántico a doña Inés, de la novela de este nombre. Como ella, Salvadora es sensible, bella, reposada y se nos presenta ya en los umbrales de la madurez. Viuda, vuelve a Olbena, su pueblo natal, y ello da ocasión a *Azorín* para una de sus magistrales descripciones de la vida provinciana. Como en las anteriores novelas, y más acaso que en ellas, la acción externa es insignificante.

Toda esta obra novelística, o como se la quiera llamar, está presidida por unas cuantas coordenadas fundamentales, a cuyo desarrollo se ajusta con matemática precisión: detallismo minucioso de carácter psicológico y emotivo; atención a las partes sobre el todo, lo que hace que, leída y analizada por capítulos independientes, resulte casi perfecta; predominio evidente de la descripción sobre la acción; morosidad narrativa; cierta acomodación y hasta subordinación de lo externo a lo interno; cierta tendencia a lo poético, que acaba por desrealizar los seres, sumiéndolos en un clima de ensueño; cierta insistencia valorativa del factor tiempo; y una pluralidad de posibles desenlaces. Aun en los casos en que la novela acaba con un desenlace concreto, la puerta queda abierta para otras soluciones. A veces, y deliberadamente, esas soluciones son apuntadas por el propio autor. Tal ocurre, por poner un solo ejemplo, en *Capricho* [9].

Cuento y teatro

Todo ello es aplicable también a los cuentos de *Azorín*. He aquí un aspecto de su obra casi soslayado por la crítica. Y bien merece una mayor atención. *Azorín* ha escrito muchos cuentos; centenares de pequeñas narraciones deliciosas, sugestivas, han ido brotando de su pluma en todo tiempo y no son las que menos han contribuido a consolidar su fama. De esas narraciones, en su mayor parte brevísimas e intrascendentales, unas han quedado incorporadas en forma de capítulos a sus libros de ensayos y otras han visto la luz en colecciones y en forma de cuentos. En *Los pueblos*, en *Castilla* y en varias obras análogas encontramos numerosos pasajes de carácter narrativo, a los que, sin forzar demasiado el concepto del género, podemos aplicar la denominación de cuentos. Tales son en *Castilla* los titulados *La fragancia del vaso*, *Lo fatal*, *Carrera, carrera*, *Una flauta en la noche*, *Lucecita roja* y, sobre todos, el tan conocido pasaje de *Las nubes*, maravillosa evocación de la *Celestina*, con un desenlace imprevisto. Pero no se trata ahora de tales narraciones interpoladas, sino de libros de cuentos, auténticas colecciones de cuentos, así concebidas y llamadas por su autor. La más antigua, *Bohemia*, se remonta a 1897, y es ciertamente de escaso valor. Mejores son los que reunió muchos años más tarde (1929) bajo el título de *Blanco en azul*, y posteriormente (1942) en *Cavilar y contar*. En ambas recopilaciones, así como en la publicada en 1956 bajo el epígrafe general de *Cuentos*, hay muestras del género ciertamente logradas. Naturalmente, el cuento de *Azorín*, como la novela, no se adapta a la definición y concepto tradicionales del género. Nada de argumento, o argumento tan tenue que queda ahogado por la descripción y el análisis. De ordinario, el escritor parte de una anécdota real o imaginaria, un recuerdo, un episodio cualquiera por minúsculo que sea; y en torno a él va devanando su impresiones, pensamientos, sugerencias, hasta convertirlo en una narración. Y, como siempre, un tema fundamental: el tiempo; junto a éste, otro tema gemelo: la muerte [10].

Como dramaturgo, *Azorín* no tuvo éxito. Sin duda, el gran escritor soñó más de una vez con triunfar en el teatro, y hasta quiso presentarse como renovador de la escena. «He hecho teatro que creo que será representado cuando no se representen muchos teatros que ahora son muy aplaudidos», llegó a decir. El público no quiso darle la razón. Sus obras representadas fueron, no vale disimularlo, un auténtico fracaso. ¿Por qué?... Porque para crear una buena obra dramática no basta un tema trascendental—*Azorín* los aborda tan inquietantes como el de la vida y la muerte, el tiempo, la felicidad humana—, ni un diálogo más o menos ingenioso y escogido, ni unas cuantas situaciones hábilmente buscadas; hace falta, además y sobre todo eso, un argumento, una acción de conjunto, llevada desde la primera escena a la última con brío, con decisión, con eso que podríamos llamar pulso dramático. El teatro es acción y es espectáculo, dos cosas reñidas fundamentalmente con el temperamento de *Azorín*, en quien la acción es casi nula y lo espectacular brilla por su ausencia. El teatro o es teatro o no es nada. Si, además de teatro, es psicología, mejor; si, además es trasunto de la vida, mucho mejor. Pero ante todo debe ser teatro, farsa; y esa farsa

debe apoyarse en un argumento bien trabado, y ese argumento debe interesar desde el principio al fin al espectador. Sin contar con que la visión analista, detallista, fragmentaria de *Azorín* es la menos indicada para el teatro, que requiere capacidad de síntesis y mirada de largo alcance. *Azorín* presentó su obra dramática como algo revolucionario; «teatro surrealista», según sus propias palabras, «teatro sin sensiblerías ni filosofías». Torrente Ballester, en agudo análisis, demuestra que ni *Brandy, mucho brandy*, ni *Old Spain*, ni *Angelita*, ni la *Trilogía* (*La arañita en el espejo*, *El segador*, *Doctor Death, de tres a cinco*), ni ninguna otra de sus piezas dramáticas traen materiales nuevos. «Sus obras teatrales—termina diciendo—constituyen el testimonio de un esfuerzo noble y renovador que se quedó en puro esfuerzo, y cuyo fracaso no encajó *Azorín* con la debida elegancia» [11].

Si *Azorín* no es crítico, ni novelista, ni dramaturgo, ¿qué es y a qué se debe su bien merecido prestigio? La respuesta es sencilla: nos hallamos ante un gran paisajista y un gran escritor. Paisajes, forzoso es repetirlo, de la naturaleza y de las almas. Obras descriptivas trabajadas sin prisa, sin atropellamiento, con una fruición de orfebre; artículos periodísticos que equivalen a miniaturas; visiones de España—Castilla, Levante, Vascongadas—en que la mirada se ha detenido complaciente y comprensiva; retratos y fisonomías humanas con toda la pureza y sobriedad de líneas compatibles con el más nimio detalle. Y siempre, y todo en un estilo limpio, clarificado, sin el menor aditamento retórico

Ideario, técnica y estilo

Tratándose de *Azorín*, casi no cabe hablar de ideario. Ya hemos aludido a sus errores y rectificaciones. En todo caso, se le puede asignar el ideario común a la Generación del 98, que en el fondo es no tener ninguno. Los grandes problemas del mundo y del espíritu, que parecieron inquietarle al principio, pronto se sustraen a su mirada, que sólo tiene poder para las cosas pequeñas. No se busque en él ni en sus compañeros de promoción, por supuesto, nada que signifique sistematización de principios metafísicos, políticos o morales. Puestos a rastrear en su obra, lo más que puede sacarse en relación a España es un porfiado ahinco por volver a lo genuino y racial, pasada la fiebre de «europeización» de sus primeros libros; y en relación a la vida, cierto amable escepticismo, aprendido sin duda en Montaigne, a quien tanto admira. Ultimamente se ha declarado «católico firme, limpio y tranquilo», aludiendo asimismo a sus ideas «justas, serenas, ortodoxas y españolísimas».

Su técnica, revelada por él mismo, corresponde a su visión especial del mundo y de las almas. *Azorín* es el espíritu analítico por excelencia; el hombre del detalle, del orden. Las cosas minúsculas de la Naturaleza y de la vida, tan importantes a veces, encuentran en su alma comprensión y ternura; adquieren relieve al pasar por su conciencia camino de la pluma, y se incorporan a las cosas grandes hasta dar a éstas plenitud y fisonomía propias. Es así—por el esquilón que tañe en la mañana cristalina, por el pino que se cimbrea, por la mujeruca que pasa camino de la tienda, por el pájaro que picotea en el pilón de la fuente o por el perro que se desperza al sol— como Azorín hace revivir en sucesivos planos el paisaje, la cuidad, el pueblo. Y luego, Castilla o Levante; y luego, toda España. Al principio, esta visión directa y simplista, sin interferencias ópticas que la desfiguren; este encararse con la atonía, con el estatismo, suscita en su espíritu las ansias regeneracionistas tan características de los hombres del 98, ansias que alientan todavía en muchas páginas de La voluntad y de Antonio Azorín. Pero pronto al sociólogo se sobrepone el literato, el artista, y en ese «no hacer nada» encuentra una sobrecogedora belleza. Antes habría querido que una ola de progreso barriera todos esos restos de épocas pasadas. Ahora, su mirada se ha llenado de admiración y de ternura, tal como apunta en algunos pasajes de Los pueblos y estalla gozosa en El paisaje de Castilla. El solo pensamiento de que esto pueda cambiar le causa pena.

Un factor fundamental en la obra de Azorín, y fuente de inesperadas emociones estéticas, es el «tiempo». Nadie como él ha sabido valorar y aprovechar ese factor. Para Azorín, el tiempo es el ahora visto en el pretérito y proyectado hacia el futuro. En sus obras, lo pasado se actualiza y lo actual se carga de pasado. Vivir es ver volver... Gusta de mirar hacia atrás para hacer surgir en el recuerdo cosas, personas, hechos, incorporándolos a la vida actual. Lo ve todo como si no hubiera pasado; o mejor, como si estuviera volviendo a pasar. El mismo confiesa: «A saber lo que es el tiempo he dedicado largas meditaciones.» En Castilla, en el tan recordado pasaje de Las nubes, se complace en evocar a Calixto y Melibea como si no hubieran perecido víctimas de trágico destino y continuaron viviendo, casados ya hace dieciocho años, con una hija, «viendo pasar las nubes». Las nubes son la imagen del tiempo. Para Azorín, la mayor tragedia del alma es sentir que pasa el tiempo. El no lo siente, porque todo lo ve actualizado. El tiempo es el leit-motiv más constante de su obra literaria, ha escrito César Barja. Está presente lo mismo en los libros de su juventud, como Las confesiones de un pequeño filósofo, que en los de su madurez, como Don Juan y Doña Inés. El tiempo le ha inspirado un auto de corte pirandelliano, Angelita, y sirve de fondo a sus más bellos ensayos: Una flauta en la noche, Una ciudad y un balcón. No se ha de ver, sin embargo, en esta concepción del tiempo

un perpetuo retorno, un andar y desandar estéril por los mismos caminos: un continuado acto de presencia de lo pretérito, sin salida hacia nuevos horizontes. «En Azorín—ha dicho muy bien el profesor Clavería—no es el pasado quien finge presencia y actualidad, sino el presente quien se sorprende a sí mismo como habiendo pasado ya, como siendo un haber sido» [12].

Esa visión detallista y fragmentaria antes aludida requiere un estilo especial. Azorín lo ha encontrado, y de paso nos ha dado muy fecundas lecciones sobre el modo de escribir, sobre su modo de escribir. Primero nos dice que el verdadero estilo consiste «en no tenerlo». Después parece que se inclina por la eliminación de lo superfluo como el medio más indicado para llegar a la perfección literaria: sencillez, precisión, sobriedad. En este orden, el Discurso del método, de Descartes, sería su mejor modelo. Pero de pronto, y así como de pasada, nos revela un gran secreto: «Haced lo siguiente y habréis alcanzado de golpe el gran estilo: colocad una cosa después de otra. Nada más: esto es todo.»

Es lo que él realiza con resultados sorprendentes. Sólo que esa norma estilística, de pequeños toques que se traducen en una sucesión paratáxica de frases cortadas, de tan eficaz aplicación en escritores de temperamento analítico como el Azorín, no es válida con carácter general. Hay temas que requieren por su naturaleza una visión sintética, con exposiciones y descripciones de amplio trazo, en que las cláusulas se subordinen en el mismo orden y con la misma soldadura que los pensamientos. Y para esos temas, el estilo azoriniano es el menos indicado.

El gran acierto de Azorín ha sido arrancarnos a las grandes lucubraciones de conjunto que dominaban a últimos del XIX, enseñándonos a ver las cosas por todas sus facetas y en sus mínimos detalles; esa predilección por lo pequeño, por lo vulgar, que él transverbera llenándolo de flúido, y que luego se nos da expresado con un arte enjuto, digno, elegante y contenido, en que se calla más que se dice; y se suele decir mucho. Por ello, Azorín es uno de nuestros mayores estilistas de todos los tiempos. Sin haber estudiado griego, por temperamento y finura espiritual es un ático. Su mayor error, y más aún el de sus incontables admiradores y discípulos, es creer que no hay otra forma de escribir, otro estilo, que ése; o que dentro de esa técnica cabe todo, que puede expresarse todo. Reconozcamos en Azorín un ejemplo de equilibrio, de sensatez, de exactitud para lo pequeño, que no por serlo carece de importancia; pero reconozcamos también que ese amor a lo pequeño le ha llevado con frecuencia, sobre todo en los últimos años, a caer en lo vulgar, lo anodino, lo carente de relieve. Se peca por más, como por menos; por exceso retórico, como por ausencia de toda retórica; por empeñarse en ver sólo lo descomunal como por atender exclusivamente a lo minúsculo. *Azorín*, a veces, ha desmenuzado tanto que se ha quedado con la nada entre las manos. Y algo más grave: al prescindir casi en absoluto de los nexos conjuntivos, en una elocución simplicísima de oraciones yuxtapuestas o, lo que es peor, de oraciones desligadas y separadas por puntos, la corriente expositiva se corta en mil pedazos, y el autor nos da la sensación de que no sabe adónde va.

Por fortuna, esto sucede pocas veces; por lo que el juicio definitivo debe serle favorable. *Azorín* ha clarificado el idioma; le ha dado una precisión casi cartesiana; nos ha enseñado a ver las cosas de una manera apacible, serena, comprensiva; y en ángulos de la vida cotidiana hasta ahora inadvertidos nos ha ido señalando esos pequeños detalles, tan cargados a veces de belleza, y a los que con una frase ya tópica viene llamándose los «primores de lo vulgar».

IV. UNAMUNO Y MAEZTU

Otra gran figura del 98 es MIGUEL DE UNAMUNO Y JUGO (1864-1936), tan destacado ensayista como *Azorín*, a quien, por lo demás, en nada se parece. *Azorín* es la claridad, el método, el orden y, pasada la etapa inicial, es también la modestia personificada. Unamuno es el hombre de la lucha, de la contradicción y del escándalo. Busca la fama y el aplauso: interviene en política; ataca y es atacado. Tampoco en lo literario se parecen entre sí: el estilo de *Azorín* es límpido, sereno, cortado por frecuentes pausas y muy puesto al día; el de Unamuno, duro, crespo; lacónico unas veces hasta la exageración, difuso otras con exceso, desconcertante, siempre enormemente expresivo y con ciertos resabios decimonónicos. Su inclusión en el 98 se debe a que, aun llevando por delante algunos años a los otros miembros del grupo, empezó a escribir y a darse a conocer cuando ellos.

Biografía y perfil

Nace Miguel de Unamuno en Bilbao en 29 de septiembre de 1864. Hijo de familia vasca: «Soy vasco por los dieciséis costados», había de escribir. A los seis años (1870) pierde a su padre; tres años después (1873) presencia el sitio de Bilbao por los carlistas, y de este suceso, que había de constituir su primera gran experiencia, nos dejaría interesantes descripciones en *Recuerdos de niñez y mocedad* y en *Paz en la guerra*. Entre 1875 y 1879 cursa en el Instituto Vizcaíno estudios de segunda enseñanza; y entre 1880 y 1884, superiores de Filosofía y Letras en Madrid. La capital de España no le gusta. El mismo año de 1884 se doctora con una memoria sobre el vascuence. Regresa a su villa natal, donde pasa varios años dedicado al estudio, a la docencia privada y a la preparación de oposiciones a cátedras de Universidad. Fracasa varias veces: primero, en las de Psicología, Lógica y Etica; luego, en las de Metafísica; a continuación y por dos veces, en las de Latín. Por fin, con un tribunal del que forman parte Valera y Menéndez Pelayo, obtiene la de Lengua y Literatura griegas de Salamanca. Su incorporación a la cátedra (1891) marca una etapa decisiva en su vida. Hasta entonces no ha hecho más que prepararse, recoger materiales; ha escrito poco. Ahora y en lo sucesivo Unamuno será un infatigable escritor.

Salamanca le brinda condiciones excepcionales para el desarrollo de su talento y actividad. La vieja y ennoblecida ciudad le revela a Castilla, y por Castilla, a España. El vasco áspero que siempre fué Unamuno, encuentra allí la fórmula maravillosa para fundir en uno dos grandes amores: el de España y el de su tierra aborigen. Los dos lustros que van de 1891 a 1901 señalan su primer gran período de creación. Todavía no ha llegado la madurez, que coincide con el inicio del siglo y se prolonga hasta su muerte. 1901: es nombrado rector de la Universidad salmantina; se reserva la cátedra de Lengua Española, no por inclinación a los estudios lingüísticos solamente, sino antes que nada por razones económicas. Sus inclinaciones le llevan principalmente a la filosofía, a la novela, al ensayo, la poesía, la política y también, aunque en grado menor, a la filología. 1914: sus actividades políticas le acarrean uno de los frecuentes contratiempos: destitución del cargo de rector. En la guerra europea escribe a favor de los aliados y en contra de la monarquía española. La violencia de los ataques le origina un proceso, del que sale condenado a seis años de cárcel. 1919: candidato a diputado a Cortes por el partido republicano, no obtiene acta. 1923: se enfrenta con la dictadura del general Primo de Rivera en una serie de artículos virulentos, que culminan en una carta publicada por el periódico *Nosotros*, de Buenos Aires. El Gobierno lo destierra a la isla de Fuerteventura (Canarias). Medio año más tarde es libertado por monsieur Dumey, director de *Le Quotidien*, e indultado, se niega a volver a España, instalándose primeramente en París y después en Hendaya, cerca de la frontera. Allí permanece hasta la caída de la dictadura. Vuelve a España el 9 de noviembre de 1930, y su entrada en Madrid, entre las aclamaciones de todos los enemigos de la Monarquía, constituye una apoteosis. En 1931, proclamada la República, se le devuelve la cátedra y se le nombra rector vitalicio de la Universidad de Salamanca. Se crea en esta misma Universidad una cátedra, «Miguel de Unamuno». Con ocasión del cuarto aniversario del régimen republicano (14-IV-1935) se le confiere el título de ciudadano de honor. Al empezar la guerra de Liberación Unamuno se pronuncia contra el comunismo. Pero un discurso pronunciado en Salamanca poco después le acarrea la destitución del rectorado. Murió—«desnació»—pocas semanas más tarde en su amada Salamanca, el 31 de diciembre de 1936.

La figura de Unamuno, como hombre y como escritor—ambos se funden en una pieza—, es la más discutida sin duda de toda la literatura española en la época moderna. Los juicios formulados sobre él como hombre no pueden ser más dispares; tampoco coinciden los formulados sobre su obra, si bien todos admiten en ella relevantes méritos. Desde César Barja, que le considera «la más grande figura de la España intelectual contemporánea», hasta Ortega y Gasset, que le llamó «energúmeno» y «morabito», pasando por Torrente Ballester, que lo define como un «francotirador político y literario», y por Ernest Curtius, que lo califica de «histrión», hay opiniones para todos los gustos [13].

Figura de controversia en vida y después de muerto, la nota más destacada de su personalidad es ésta: contradicción. Vasco, se expresa y siente en castellano; republicano, muchas veces parece monárquico; alejado del dogma, siente tanto como el que más los grandes problemas religiosos; revolucionario, busca en la tradición más remota la sustancia de la patria; práctico, a cada paso nos sorprende con chispazos del más elevado espiritualismo; normal, cuando menos se espera estalla en exabruptos. Unamuno es una antinomia viviente, una paradoja constante. Sus fluctuaciones en todos los órdenes de la vida se han hecho proverbiales.

Lo mismo pasa en su obra. La incertidumbre es continua; la contradicción, frecuente. No se sabe bien si es filósofo, poeta, novelista, filólogo o dramaturgo. Para algunos es todas esas cosas en grado máximo; para otros no es nada de eso. Para todos es un grande escritor, uno de los más grandes escritores con que cuenta nuestra lengua. Dice y se desdice; enseña y oculta tanto como enseña. Nunca se puede decir: el pensamiento de Unamuno es éste; porque no ha terminado una exposición cuando ya afirma lo contrario. «Aborrezco la engañosa diafanidad latina», había escrito en carta a su amigo Ilundain; y en otra parte: «Dicen que lo helénico es definir, distinguir, separar; pues lo mío es indefinir, confundir.» Y lo logra. Recaba para sí el derecho a contradecirse, a ser versátil [14]. Ataca a todo y a todos. *Contra esto y aquello* se titula uno de sus más conocidos ensayos. No quiere opinar como los demás, aunque los demás opinen razonablemente. Tampoco quiere que se le inscriba en ningún «ismo» ideológico, político o literario; ni que se le catalogue en escuela alguna. El mismo se proclamó «especie única».

Todo esto revela un gran temperamento, dotado de singulares y excelentes cualidades; pero revela también un innegable defecto. *Frivolidad* le llama su gran admirador Julián Marías. Lo mismo se le podría llamar orgullo. Esa frivolidad, ese orgullo, o como se quiera calificar, ese querer destacar, individualizarse siempre y en todas partes, informa el conjunto de su obra, su actitud, su vida y hasta su apariencia y atuendo externo. A él se deben las excentricidades que todos conocemos en el vestir y en el comportamiento social. Unamuno se había creado un personaje de ficción, que era él mismo; y a representar el papel de ese personaje se dedicaba cada hora del día, cada minuto. Su ensayo *Cómo se hace una novela* es todo él un alegato en pro de esta ficción que debe realizar en sí mismo cada hombre. Allí se nos habla reiteradamente de «el actor del drama de su vida». El fué siempre ese actor. Sus pajaritas, su chaleco negro y cerrado hasta el cuello, sus «salidas», hasta sus mismos escritos, y en mayor grado éstos que todo lo demás, eran expresión viva de esa comedia. No vamos a discutir si en ese personaje pesan más las cualidades positivas que las negativas. Para nosotros, indudablemente sí.

Obra literaria

Unamuno empieza a escribir, a publicar, mejor dicho, tarde, a los treinta años. Su producción, sin embargo, es muy extensa y multiforme: ensayo, novela, drama, poesía, crítica, filología, política, etcétera. Predomina en ella el ensayo, que va desde el estudio ocasional y de reducido número de páginas al libro voluminoso, como *El sentimiento trágico de la vida*. No menos variada es la temática, que se extiende a todos los problemas que pueden afectar al espíritu humano. No obstante la disparidad de materias, hay en el conjunto de la obra unamuniana cierta insistencia en determinados temas, que nos permiten calificarla como fundamentalmente filosófica, y hasta descubrir en ella, según quiere Julián Marías, «una singular mezcla de dispersión y unidad». He aquí, agrupados por géneros, los principales títulos:

Ensayo breve: *Ciudad y campo, En torno al casticismo, La vida es sueño, El secreto de la vida, Cómo se hace una novela, Mi religión y otros ensayos, Recuerdos de niñez y mocedad, Andanzas y visiones españolas, Paisajes del alma, Lecturas españolas clásicas, La lengua española en América, Temas argentinos*, etc.
Ensayo largo: *Vida de Don Quijote y Sancho Panza* (1905), *El sentimiento trágico de la vida* (1912), *La agonía del cristianismo* (1925).
Teatro: *Fedra, Sombras de sueño, El otro, El hermano Juan o El mundo es teatro, La esfinge, Soledad, Raquel*, etc.
Novela: *Paz en la guerra* (1897), *Amor y pedagogía* (1902), *El espejo de la muerte* (novelas cortas, 1913), *Niebla* (1914), *Abel Sánchez* (1917), *Tres novelas ejemplares y un prólogo* (1920), *La tía Tula, San Manuel Bueno mártir y tres historias*. La más famosa de estas narraciones novelísticas, *Nada menos que todo un hombre*, está incluída en las *Tres novelas ejemplares*.
Verso: *Poesías* (1907), *Rosario de sonetos líricos* (1911), *El Cristo de Velázquez* (1920), *Andanzas*

y visiones españolas (sólo en parte poemas, 1922), *Rimas de dentro* (1923), *Teresa* (1923), *De Fuerteventura a París* (1925), *Romancero del destierro* (1928), *Cancionero* (póstumo, 1953).

Varia: Innumerables trabajos publicados en la prensa española y americana, y buen número de conferencias, que luego fueron reunidos en libros con diversos títulos: *Paisajes, De mi país, Soliloquios y conversaciones,* etc. Algunas de estas colecciones constituyen auténticos ensayos [15].

Novela y teatro

Es curioso lo que ocurre con Unamuno al querer estudiarle en los distintos géneros que cultivó. El que busca al filósofo se encuentra con el novelista; el que busca al novelista se encuentra acaso con el dramaturgo; y el que busca al dramaturgo se encuentra con el poeta, con el novelista, con el filósofo. Pero siempre se encuentra algo distinto de lo que se busca, por la razón sencillísima de que el explorador, en nuestro caso, el crítico, suele ir con un concepto previo de este o aquel género, y ese concepto no se adecua a la creación unamuniana. Ninguna obra más alejada de la tradicional clasificación de géneros que la suya. Así sucede que, para Julián Marías, «la novela es lo más importante de la obra de Unamuno, el género literario en que alcanzó más originalidad y hondura». Otros, en cambio, opinan que hay que estirar ilimitadamente el concepto generalmente admitido de la novela para poder aplicarlo a los productos que Unamuno nos dió bajo ese título.

«Lo primero que choca a quien de pronto penetra en el mundo de libros de Unamuno es que haya escrito novelas; que un gran profesor de Filología, y con un constante aguijón filosófico, se entretuviese en esa serie de relatos, muchas veces de enorme ingenuidad.» La afirmación es de uno de sus comentaristas [16]. No; más que el hecho de escribir novelas, lo que sorprende es la calidad, o mejor, la naturaleza de esas novelas. Ni por su técnica, ni por su estilo, ni por su estructura se suelen parecer a las que por aquella época, primer cuarto de siglo, se escribían en España o en el extranjero. Y es que Unamuno tiene de la novela un concepto personalísimo, y ese concepto se traduce fielmente en la narración. Por lo pronto, no quiere saber nada de la novela vigente en su tiempo. Ve en ella, según nos lo dijo en el prólogo de *Tres novelas ejemplares*, «maniquíes vestidos, que se mueven por cuerda y que llevan en el pecho un fonógrafo que repite las frases que su maese Pedro recogió por calles y plazuelas». Naturalmente, tal género de novela no podía satisfacerle. Quiere algo más hondo, más humano, «relatos dramáticos, acerantes, de realidades íntimas, entrañables, sin bambalinas ni realismos, en que suele faltar la verdadera, la eterna realidad». Eso es lo que postulaba desde el

prólogo de la segunda edición de su *Paz en la guerra.*

Y eso es lo que él llevó a la práctica con evidente fidelidad y honradez. Sólo que para muchos eso no es la novela, no es al menos toda la novela. Eso que él llama «bambalinas y realismos» es a veces tan necesario casi como los mismos personajes, como la misma acción. Que Unamuno tenía excepcionales aptitudes para la novela, nadie puede negarlo. Brevedad, desnudez narrativa, multiplicidad de perspectivas, interpolación hábil de menudos relatos, opacidad y hermetismo de los personajes, «envueltos siempre en inescrutable arcano», son cualidades que Julián Marías destaca en Unamuno, y que nosotros gustosamente le reconocemos. Insistimos en que eso no basta. Al arrancarlos de la realidad circundante, al privarles de la atmósfera y circunstancias que los envuelven—esos «detalles triviales, cotidianos, anodinos», a que alude Marías; esas «bambalinas», a que se refiere el mismo Unamuno—, los personajes se deshumanizan y quedan un poco reducidos a esqueletos [17]. Porque el personaje de una novela no es sólo él; es él con el mundo que le rodea; mundo del cual no puede impunemente prescindirse. Con ideas sólo y narración—la de Unamuno es soberbia—se puede hacer una novela interesante y hasta una gran novela; pero no una novela perfecta. ¿Quiere decir esto que Unamuno no es novelista? Antes al contrario, creemos que *Paz en la guerra, Niebla, San Manuel Bueno, La tía Tula* son excelentes narraciones, que son muy buenas novelas, que se leen con creciente interés y verdadero deleite. Dentro de la técnica especial y de la concepción unamuniana del género, hasta son irreprochables. Pero es muy discutible que esa técnica y esa concepción sean las mejores.

Unamuno inventó un término nuevo, «nivola», para designar estas narraciones [18]. En general son breves; las más extensas *(Paz en la guerra, Niebla)* apenas alcanzan 300 páginas. Las demás corresponden en su mayor parte al tipo de la llamada «novela corta».

Paz en la guerra (1897), la primera cronológicamente, se sitúa en Bilbao durante la guerra carlista; y es un himno a la tranquilidad y al quehacer cotidiano. El verdadero protagonista es Bilbao.

Amor y pedagogía (1902) recoge el fracaso de la educación finisecular, representada en un joven preparado por sus padres «para genio», y que termina suicidándose.

Niebla (1915), para algunos la mejor narración de Unamuno, representa también el fracaso, el hastío de lo cotidiano. Su protagonista, Augusto Pérez, encarna las ideas personales de Unamuno, con sus constantes paradojas y contradicciones. Sumamente interesante es el momento en que este personaje se revuelve contra el autor porque se le quiere hacer desaparecer y no se le consiente seguir viviendo. Es un anticipo de la técnica pirandelliana de los *Seis personajes en busca de autor.*

En *Abel Sánchez* (1917) se aborda el tema fratricida encarnado en dos amigos, Abel y Joaquín; en *La tía Tula* (1921), el de la maternidad; y en *San Manuel Bueno, mártir* (1933), el del confusionismo ideológico de fines del XIX, encarnado en un humilde clérigo, heterodoxo y gineriano. La narración en todas las novelas de Unamuno se lleva a *tempo* rápido, sin estorbos que demoren la marcha rectilínea.

Algo parecido hemos de decir del teatro. En términos generales se resiente de excesivo esquematismo y abstracción. Pero el conflicto suele estar bien planteado, siempre de frente, sin soslayar pasos difíciles; y la acción camina directa hacia su fin. No hay diálogos superfluos ni digresiones. Todo lo cual da innegable calidad a las piezas dramáticas de Unamuno. Para algunos esas piezas dramáticas, ese conjunto teatral, no ha sido debidamente enjuiciado por la crítica. La verdad es que el teatro de Unamuno merece mayor atención que la que suele otorgársele. Sin duda se le pueden hacer reparos; pero, sin duda también, los dramaturgos actuales encontrarían valiosos elementos para la renovación de la escena que todo el mundo postula. Encontrarían por lo pronto pasión, intensidad, clima trágico. Descubrirían al mismo tiempo algunos defectos: el mayor, esa abstracción antes señalada. Al privarle de la atmósfera circundante, en un intento de darle universalidad dentro del tiempo y del espacio, el personaje dramático queda como aislado en una campana neumática. Porque el teatro es humano; pero lo humano no es el hombre sólo, ya queda dicho antes, sino «el hombre y sus circunstancias», que por el simple hecho de tener contacto con el hombre se humanizan a su vez. Unamuno quiso construir sin apenas artificio ni técnica—sin la clásica «carpintería»—un género que es todo técnica y artificio; quiso darnos «figuras vivas por dentro, en la viva realidad de su íntimo ser», olvidando que las figuras de la escena deben serlo *por dentro* y *por fuera*; quiso prescindir de toda clase de recursos plásticos en un terreno donde la plasticidad representa un importante papel. Aun así, con estas limitaciones deliberadamente buscadas, dejó unas cuantas piezas dramáticas, que el público desconoce y que son merecedoras del mejor recuerdo [19]. Un estudio a fondo sobre ese teatro está haciendo falta.

Fedra moderniza el personaje de Eurípides, tomando de éste sólo lo eternamente humano, despojado de todo atavío circunstancial; *Sombras de sueño* aborda el tema de la soledad, sugerido por el exilio en Fuerteventura; *El otro* reproduce la tragedia provocada por el odio en la novela *Abel Sánchez*; *El hermano Juan* nos da la figura manoseada del seductor, pero vista por un espíritu del 98.

Unamuno, poeta

Desde que Rubén Darío le confirió este título, en un artículo publicado en *La Nación,* de Buenos Aires (1909), la figura de Unamuno poeta ha ido ganando jerarquía hasta convertirse para muchos en uno de los temperamentos líricos más recios y originales que ha tenido España. Temperamento que tuvo ocasión de manifestarse en una abundante producción poética—nos referimos, claro es, a la escrita en verso—, de contenido denso, de acento desgarrado, sólo comparable a la que tres siglos antes había brotado del alma sombría y también angustiosamente torturada de Quevedo. No obstante, en los últimos años empiezan a apuntar dudas sobre la calidad poética de nuestro autor. Algunos se la rebajan considerablemente; otros simplemente se la niegan [20]. ¿Qué decir de esto?

Ante todo una afirmación categórica y que nos exime de suspicacias por parte de los panegiristas ciegos de Unamuno: vemos en el autor de *El Cristo de Velázquez* un gran poeta, uno de los más grandes poetas que ha producido España en todos los tiempos. Si tuviéramos que elegir media docena de poetas de habla española en nuestro siglo, dentro de esa media docena estaría incluído Unamuno. Esto sólo ya atenuará en gran parte los reparos que luego hayamos de ponerle. Porque ese concepto elevadísimo que tenemos de su poesía no debe impedirnos, no nos impide en manera alguna, ver en ella ciertos lunares. Con la misma sinceridad con que reconocemos sus altos méritos, nos vemos obligados a señalar sus defectos. Hay quien cree que un poema por el simple hecho de llevar al pie la firma de Unamuno es ya perfecto, hondo e intocable. Pues bien: Unamuno escribió muchos, muchísimos poemas indignos de su nombre. Si un antologista se propusiera demostrar que Unamuno es un vate ramplón y pedestre encontraría en su copiosísima producción en verso ejemplos sobrados con que respaldar su aserto; si otro intentara demostrar lo contrario, es decir, que Unamuno es un lírico del más excelso numen, también le sobrarían testimonios.

Algunas aclaraciones tal vez no estén de más. Unamuno empieza a escribir verso, al menos a publicarlo, cuando otros terminan. Tenía cuarenta y tres años al aparecer su primer libro en líneas cortas: *Poesías* (1907). Ya sabemos por su diligente biógrafo y escoliasta el profesor García Blanco que escribió verso desde muy joven [21]. Es natural. Pero su producción poética más estimable, su quehacer metódico y regular en este sentido, corresponde a la edad madura. Esta vocación tardía puede explicarnos algunas cosas, entre ellas su incapacidad para «hacerse» con las formas métricas. Nunca llegó a dominar Unamuno la técnica del verso, que, dígase lo que se quiera, es una técnica más, y por serlo necesita aun en los mejor dotados de un largo aprendizaje. Y otra aclaración: una vez que le toma el gusto al verso, ya no deja de escribirlo hasta el instante preciso de su muerte. Unamuno tenía que escribir a diario su poema o sus poemas [22]. Pero da la casualidad que no siempre el espíritu inspirador acude a la llamada. Ni el mismo Lope de Vega, acaso el hombre de más inspiración que haya existido, gozó de este privilegio. Mucho menos Unamuno, que en punto a inspiración no era precisamente un Lope.

¿Qué movió a Unamuno, a este ensayista y filósofo ya conocido en todo el mundo, a entregarse tan en cuerpo y alma a la poesía? La misma intención obstinada que fué el móvil de toda su vida. Sus versos—ha dicho José María Cossío—son «el resultado trascendente de una sola preocupación» [23]. Y esta afirmación de Cossío ni es corroborada por el mismo Unamuno con reiterada insistencia. Ensayo, novela, teatro, poesía, todo brota de la misma ansia, del mismo anhelo, de la misma necesidad: la necesidad de continuar viviendo, aunque sea sólo en el alma del lector, la necesidad de no morir del todo. En este sentido, su obra poética está íntimamente soldada al resto de la producción. Persigue idéntico fin, si bien con miras más altas. Cree Unamuno, ni más ni menos, que sus versos van a inmortalizarlo:

> Del tiempo en la corriente fugitiva
> flotan sueltas las raíces de mis hechos,
> mientras las de mis cantos prenden firmes
> en la rocosa entraña de lo eterno [24].

La idea de que lo confiado al metro es más duradero que lo confiado a la prosa está en su mente tan arraigada que, una vez metido en versos, ya no abandona la tarea de hacerlos hasta su muerte. Piensa Unamuno, y así lo dice, que las vivencias expuestas en prosa están en peligro de disociarse, de perderse. Atadas con los vínculos del ritmo ofrecen más garantías de perpetuidad. Por otra parte, la poesía es el recipiente de lo inefable, que sólo se deja captar en imágenes y metáforas; finalmente, la sintonía entre el alma del escritor y la del lector, que siempre buscó Unamuno, es más hacedera en la forma poética. Por el hilo del verso la corriente emocional pasa con más facilidad. De ahí que durante treinta años Unamuno no haya cesado de escribir verso, o poesía, según él pensaba. A los sesenta publica *Teresa*, de corte becqueriano, que más que producto de un hombre maduro parece fruto primerizo de un adolescente. Sus amigos cuentan que llevaba consigo un cuadernito en el que iba anotando al minuto los poemas o sugerencias poemáticas que le ocurrían. Y entre el 26 de diciembre de 1928 y el 28 de diciembre de 1936 compuso las 1.775 poesías de que consta el *Cancionero*, publicado en 1953 con carácter póstumo, sin contar otras muchas producciones en verso hechas en el mismo período. El subtítulo de «Diario poético» que lleva el *Cancionero* indica bien a las claras ese quehacer cotidiano y semiobligado [25].

En ese inmenso acervo, que constituye la obra en verso de Unamuno, hay de todo: composiciones mediocres, composiciones deleznables y composiciones espléndidas; baches lamentables y aletazos de águila. Pasajes hay en *El Cristo de Velázquez* ante los cuales el mayor detractor de la poesía de Unamuno no tiene más remedio que inclinar la cabeza. Por ejemplo, todo el número II de la segunda parte, que empieza:

> «¡Se consumó!», gritaste con rugido
> cual de mil cataratas...,

y que termina:

> ¡A tu postrer gemido respondía
> sólo a lo lejos el piadoso mar!

Todo él es de sobrecogedora belleza. O aquel otro en que culmina el XXIII de la tercera parte:

> ¡Del Calvario en la cima un agujero
> picó la Cruz al ser plantada en tierra,
> ombligo por donde entra a nuestra madre,
> tupida de dolor, sangre de Dios!

Lo que sorprende en Unamuno es su lucha titánica, continuada, por alcanzar el dominio de las formas métricas. Una lucha en que algunas veces, bastantes, no le acompaña el éxito. Indudablemente tenía escaso sentido del ritmo. Cuesta trabajo concebir que un hombre, conocedor como él de griegos y latinos, compusiera ciertos sáficos, densos, sí, de contenido, pero de un movimiento tan desgarbado, sobre todo en el adónico final, que para encontrar algo parecido hay que retroceder hasta Caramuel o el Pinciano. No se diga que acaso se apartó deliberadamente de los esquemas métricos; porque entonces la cosa se pone peor, ya que acusaría en el poeta un oído deplorable y una manifiesta ineptitud para combinar versos de distinta medida. Y eso es lo admirable: que siendo métricamente tan inarmónicos esos sáficos todavía nos sorprendan y deleiten, gracias a la levadura poética que fermenta en su entraña. Aludimos, ya se comprenderá, a las estrofas tan conocidas dedicadas a *Salamanca*. No se hable de tantos sonetos en los que el ripio salta a cada paso, de tantos endecasílabos duros, pedernosos, insufribles. Ya sabemos que Unamuno trata de curarse en salud. Para él—nos lo dice insistentemente—la poesía no es *melodía verbal*, no es *música*. «Algo que no es música es la poesía», escribe en su *Credo poético* [26]. Y en carta a Bernardo G. de Candamo decía: «El consonante me repugna. Me parece un artificio de música tamborilesca, de hotentotes o de bechuanas» [27]. Bien; pero otros que son tan poetas como él, de una sensibilidad indiscutiblemente definida —Verlaine, Poe—, nos dicen lo contrario. Todo induce a creer que Unamuno despreciaba la forma musical y rimada porque no podía dominarla; que su desdén hacia ciertas galas y artificios era más que reflejo de un sentimiento auténtico, testimonio de incapacidad [27]. Es extraño de todos modos que un hombre que afecta tal desprecio por el artificio y la rima vaya a escoger con preferencia la estrofa más artificiosa y más sujeta a rima de cuantas tenemos en castellano: el soneto, que cultivó con insistencia, con auténtica predilección. Sólo en el *Rosario de sonetos líricos* encontramos 128 estrofas de este tipo.

El hecho es que la poesía de Unamuno se resiente con frecuencia de exceso de concepto, de dureza de expresión, de escaso dominio del verso, de retorcimiento de ideas, que no sabe a veces cómo encajar en la delicada trama del metro. Unamuno, ya no hace falta decirlo, es un poeta conceptista. También Quevedo lo fué; pero el autor de las *Nueve musas*, con quien Unamuno tiene tantas analogías, fué un genial lírico, *a pesar de su carga conceptual*; Unamuno es menos de lo que pudiera haber sido, *a causa de esa misma carga*. Y, desde luego, un versificador deficiente. «El metro—y el estro—le son rebeldes—escribe Camille Pitollet—. Nunca alcanza a dominar del todo la medida, y la inspiración se le frustra. Así le vemos jadear en el empeño, abusar de las licencias, rendirse ante el vano esfuerzo de convertir en once las sílabas que no pasan de diez o suman doce» [28]. Algo exagerado nos parece el juicio, sobre todo en lo referente a la inspiración, que si con frecuencia, en efecto, «se le frustra», con mayor frecuencia aún se manifiesta pujante, indiscutible.

Obra copiosa, según se ha dicho: *Poesías* (1907), «libro impregnado de místicas inquietudes» (Valbuena Prat), de cariño a la tierra natal, de penetrantes visiones de arte.

Rosario de sonetos líricos (1912), integrado por ciento veintiocho composiciones de tema vario y muy diversa calidad. Los hay logrados y los hay tan desdichados como los dos que abren y cierran la colección.

El Cristo de Velázquez (1920), largo poema en cuatro partes, juzgado por José María Cossío como «el más importante poema religioso escrito en castellano desde nuestros grandes siglos literarios». Hay pasajes del más alto lirismo; también los hay, en menor abundancia, prosaicos, fríos, descoloridos. Escrito en endecasílabo blanco, la liberación de la rima permite al autor moverse con más libertad.

Teresa (1924) señala en los temas y en el modo de tratarlos estrecha dependencia de Bécquer y de Querol, de los que Unamuno se declara tributario, así como de Campoamor y otros poetas del XIX. La huella de Bécquer es la más clara y persistente.

Poemas de dentro, De Fuerteventura a París, Romancero del destierro completan la producción. Ultimamente (1953) ha aparecido el poemario más nutrido y acaso el más representativo de Unamuno: *Cancionero*, donde al lado de composiciones muy inspiradas hay otras de escasísimo valor. Consta de mil setecientos setenta y cinco poemas, en general muy breves, y lleva un excelente prólogo de Federico de Onís.

Ensayo, ideología y estilo

Para nosotros Unamuno es sobre todo un ensayista. En el ensayo es donde con más libertad y más dominio se mueve, donde alcanza logros comparables a los de Ortega y Gasset. Tenía que ser así; espíritu tan rebelde como el suyo a toda sistematización, en ninguna otra parte habría de encontrarse tan cómodo como en esta parcela de la literatura, tan imprecisa en sus temas y libre en sus formas. Aquí cabía todo cuanto quisiera decir y pensar Unamuno, que ciertamente era mucho. Así tiene ensayos largos y breves; de historia, de política, de literatura, de arte, de filología, de religión, de moral. Lo que él escribiese sobre cualquier suceso o problema podría adoptar esta forma de comentario marginal, asistemático y libre. Un tratado de filosofía o de lingüística no se concibe en espíritu como el de Unamuno, en eterno cambio y contradicción.

Los ensayos de Unamuno van escritos casi siempre en primera persona. Esto ya les confiere un alto interés humano. Quiere decirse que todos los problemas van referidos al *yo*, que en este caso es un ser concreto: Unamuno. *Mihi quaestio factus sum*, dice repitiendo palabras de San Agustín en las *Confesiones*. Pero al abordar un tema nunca pretende darnos ciencia. Mucho menos aún razonarnos su tesis o hipótesis. Sabido es su menosprecio por la razón. Se limita a una serie de reflexiones, con frecuencia contradictorias y hechas en voz alta, como en un soliloquio. Cuando comprende que ha caldeado al lector y le ha interesado en la materia, le lanza una verdad, la que él cree *su verdad* en aquel momento, que puede muy bien estar en contradicción con otras verdades suyas de otros momentos, y se la clava en el corazón o en el cerebro como un dardo encendido. Unamuno aparece así ante el lector como protagonista de su obra y, una vez lograda la atención de aquél, empieza a darle sugerencias, incitaciones. Nunca soluciones. Los principales ensayos son: entre los largos, *La vida de Don Quijote y Sancho Panza*, exaltación de la figura del caballero manchego, con quien él se identifica, ofreciéndolo como símbolo de las más altas virtudes raciales; *El sentimiento trágico de la vida*, en que se plantea con gran hondura el problema de la inmortalidad y el conflicto entre la razón y la fe, sin posibilidad de encontrarle solución; *La agonía del cristianismo*—tomada la palabra «agonía» en su sentido etimológico de «lucha»—, en que se nos da más desnuda que en ninguna otra obra el alma del autor. Para Unamuno el móvil de toda vida religiosa es la lucha, el desasosiego; la duda, incluso. De ahí sus autores preferidos: San Agustín, San Pablo, Pascal, Kierkegaard...

Un análisis, por breve que fuera, de los ensayos breves nos llevaría demasiado espacio.

¿Se puede hablar de la ideología de Unamuno?

Si por tal se entiende un sistema, no. Si se entiende una serie de principios aislados, pero mantenidos a lo largo de una vida y de una obra, tampoco. Es esto algo que repugna a la naturaleza de su ser en cuanto hombre y pensador. Sabida es su postura, radicalmente opuesta a la razón y al dogma. Sabida su versatilidad. Pero, aunque no se pueda extraer de sus obras una temática definida, mucho menos una sistemática, nos es fácil señalar en ella una serie de temas predominantes, casi diríamos obsesionantes. El primero de estos temas, que para Unamuno se convierte en un problema axial, es el de la inmortalidad: ¿quién soy?, ¿de dónde vengo? y, sobre todo, ¿adónde voy? Y como su razón no sabe respuesta, acude al sentimiento. De ahí la zozobra, la inquietud permanente, que Unamuno vive y quiere transmitir a sus lectores. El problema de la inmortalidad, tan íntimamente ligado al de la creencia y al de la fe, lleva a Unamuno a plantearse de frente el problema religioso y el de la existencia de Dios. Religión y Dios son dos interrogantes que lleva clavados en el corazón y en el cerebro. «Como Pascal, no comprendo al que asegura no dársele un ardite de este asunto; y ese abandono en cosa que se trata de ellos mismos, de su eternidad, de su todo, me irrita más que me enternece, me asombra y me espanta, y el que así siente es para mí, como para Pascal, un monstruo.»

No entra en nuestro propósito hacer un análisis del pensamiento de Unamuno en relación con este y otros problemas. Basta decir que les da soluciones distintas y hasta contradictorias. Tampoco podemos entrar en el examen de su filosofía, que cae más de lleno dentro de la historia de la cultura o del pensamiento español. Queda asimismo fuera de nuestra consideración el enjuiciamiento de Unamuno desde el punto de vista religioso. En este aspecto no sufre un análisis serio. La correspondencia con su íntimo amigo el navarro Ilundáin, residente en París, testimonia un espíritu creyente; pero a veces nos encontramos con auténticas blasfemias. «Kant—afirma en un lugar—trituró las pruebas de la existencia de Dios.» «El espíritu y el dogma—escribe en otro—son las dos cosas más incompatibles.» «Muerto Cristo—leemos en otro pasaje—, los cristianos se tomaron la libertad de contradecirse; variaban entre ellos los conceptos de Jesús y de su obra, y cada cual escogía su doctrina para darle forma y acomodarla a sus necesidades psíquicas.» Los textos podrían aumentarse hasta el infinito. No obstante, la impresión que se deduce de la lectura de su obra, la que deducimos nosotros al menos, es favorable: Unamuno, si no católico, era profundamente religioso y estaba muy penetrado del espíritu cristiano.

Tampoco en relación con nuestra lírica es consecuente. Desde los encendidos ditirambos a los místicos hasta su conocida frase «nuestros clásicos son unos charlatanes», su obra ofrece las más contradictorias opiniones.

Merece unas palabras el estilo. El de Unamuno tiene un sello inconfundible. Sin ser totalmente moderno ni totalmente arcaico, reúne las buenas cualidades de lo uno y de lo otro. Hay que reconocer que en general, es duro, áspero y de acusada nervatura. El mismo, en carta a Ruiz Contreras (7-VI-1899), calificó su prosa de «algo angulosa y didáctica». Pero tiene intensidad, tiene expresividad y sabe comunicar tono, color y vida a cuanto toca. En esto, en despertar el espíritu del lector y sumergirlo en la entraña misma del problema, Unamuno se parece a Kierkegaard y a ciertos existencialistas. Literariamente tiene asimismo analogías con Pirandello. Gusta del párrafo amplio, pero desnudo; cuando hace falta, también sabe romperlo en frases cortantes, esquinadas, de fina arista. A veces se derrama en cláusulas casi oratorias, siguiendo la marcha sosegada del pensamiento. En esto se diferencia de *Azorín*, que es el escritor del estilo único, del párrafo breve. Por eso a *Azorín* le han salido tantos imitadores; a Unamuno, casi nadie. Su vocabulario, extremadamente rico, alterna vulgarismos y cultismos. Sin embargo, hay en el lenguaje de Unamuno cierta sequedad y dureza, que no proceden sólo del deliberado propósito de adensar la frase, como lo hicieron en otro tiempo los conceptistas, sino más bien acaso de raíces étnicas. Piénsese que casi todos los escritores vasco-navarros, y la nota puede también extenderse con carácter general a los aragoneses, denotan cierta falta de fluidez y flexibilidad. Por otra parte, Ortega y Gasset sugiere la observación de que, siendo el castellano para Unamuno «idioma aprendido», los vocablos tenían que rebelársele más de una vez, confundiendo su significación etimológica con la actual. Unamuno, que a cada paso incrusta en su prosa un término castizo, no siempre se da cuenta del cambio de sentido que la evolución semántica ha introducido en él. Por encima y al margen de estos pequeños reparos, reconocemos en Unamuno un escritor de la más alta jerarquía y un gran pensador [29].

Maeztu

Otra figura representativa del 98 es la de RAMIRO DE MAEZTU Y WHITNEY (1874-1936). Aunque no tiene literariamente la importancia de otros escritores del grupo, bien merece una mención [30]. Su obra, cargada de matices políticos, sigue fielmente la trayectoria de su vida y de su pensamiento. De acusada formación inglesa, sobre un fondo racialmente español, Maeztu empieza como todos los de su generación haciendo ostensible el desagrado ante la España de su tiempo. Muy influído por Nietzsche al principio y, a la vez, por la atmósfera respirada durante su larga permanencia en Inglaterra, sueña para su patria algo parecido a lo que ve realizado en el Reino Unido. Así entiende él la «europeización», dentro de una postura negativa que concuerda plenamente con los postulados del 98. Pero pronto su pensamiento hace crisis, y Maeztu se deja arrastrar por las corrientes tradicionales, hasta desembocar en un patriotismo y catolicismo, que en algún aspecto recuerdan a Balmes y a Donoso Cortés; patriotismo y catolicismo exacerbados durante los últimos años de su vida por la postración en que cree sumida a España. Se ha llegado a hablar de una «conversión» de Maeztu al dogma católico, si bien parece comprobado que nunca salió de él. Sus contactos en Inglaterra con Chesterton y con Hilaire Belloc, así como algunas páginas de la *Crisis del humanismo*, en las que se propone a la Iglesia Católica como institución modelo y única capaz de salvar al hombre, inducen a creer que siempre se mantuvo dentro de una sana ortodoxia.

Las obras más conocidas de Maeztu son: *Hacia otra España* (1899); *Inglaterra en armas, Don Quijote, Don Juan y la Celestina; La función del arte, La brevedad de la vida en nuestra poesía lírica, En vísperas de la tragedia, La crisis del humanismo,* y *Defensa de la hispanidad* (1934). Esta última es la que mejor la califica. Se compone de una serie de ensayos aparecidos en *Acción Española*, revista de la que fué Maeztu fundador, y director desde finales de 1931. Supone una retractación de sus primeras ideas. En tono exaltado y mesiánico truena contra las doctrinas extranjerizantes que invadieron España durante los siglos XVIII y XIX; aboga por el retorno a los principios básicos de la nacionalidad: patria, fe, idioma, cultura; sueña con vincular a todos los pueblos «hispánicos» de uno y otro lado del Atlántico en una tarea común de progreso y de destino. Lo que distingue la *Defensa de la hispanidad*, enobleciéndola de paso, hasta en algunas apreciaciones injustas, es la cerrada defensa que allí se hace de los valores todos del espíritu.

Literariamente tienen mayor interés *La crisis del humanismo* y el triple ensayo *Don Quijote, Don Juan y la Celestina*. En este ensayo se estudia a estas tres grandes figuras partiendo principalmente de su significación político-social.

Maeztu no es propiamente un literato. Su preocupación por los valores formales y estilísticos es casi nula. Su lenguaje es digno, macizo y lleno de jugo, tan alejado del énfasis del XIX como de la afectación esteticista de muchos de sus contemporáneos. La única finalidad de Maeztu es predicar una doctrina y dejarla clavada en la mente del lector. Esto lo consigue casi siempre. Por ello su influencia en las últimas promociones ha sido muy profunda.

NOTAS

1. No nos determinamos a seguir la ordenación generacional formulada por el profesor Díaz-Plaja (*Modernismo frente a noventa y ocho*, pág. 117), que si en un estudio monográfico puede resultar válida y hasta fecunda, en obras como la nuestra, atenida por su carácter didáctico a una discriminación previa de géneros, daría lugar a interferencias continuas. Preferimos, aunque no la encontramos absolutamente clara, la de Torrente Ballester. La agrupación de Díaz-Plaja es así:

Generación del 98 (1.ª promoción): Unamuno (1864), Ganivet (1865).

Generación modernista (1.ª promoción): Benavente (1866), R. Darío (1867), Valle-Inclán (1869).

Generación del 98 (2.ª promoción): Baroja (1872), *Azorín* (1873), Maeztu (1874), A. Machado (1876).

Generación modernista (2.ª promoción): M. Machado (1874), Villaespesa (1877), Marquina (1879), J. R. Jiménez (1881), M. Sierra (1881).

Ortega y Gasset, partiendo de otro criterio, la fecha de nacimieto, ha señalado una generación del 67, a la que pertenecerían Unamuno y Gavinet, y otra del 72, que agruparía a otros más jóvenes: Darío, Valle-Inclán, etc.

2. Madrid, 1927.

3. SALINAS: *El concepto de generación literaria aplicado a la del 98*, «Rev. de Occidente», IV, pág. 249, Madrid, 1935. El libro de Petersen a que se alude en el texto es el que lleva por título *Die literarischen Generationen*, Berlín, 1930.

4. No importa que los primeros noventaiochistas, siguiendo la corriente de la Institución Libre, abogaran por una época previa de «europeización». En el fondo, sentían y pensaban todos ellos a la española, si bien deseaban una España abierta a todos los aires de fuera. El caso de *Azorín*, ahogando sus ansias reformistas de la primera hora en un estático conformismo, es bien elocuente. Y todavía lo es más el de Unamuno, con su desprecio por el progreso material de algunos países: «¡Que inventen ellos!»

5. Nace en Granada, en cuya Universidad estudia Derecho y Filosofía y Letras. Adquiere una sólida formación humanística. En su ciudad natal formó parte de La Cuerda Granadina, famosa tertulia literaria de la época, y colaboró en *El Defensor de Granada*. Ejerció la abogacía, ganó por oposición plaza de archivero del Estado y luego ingresó en la carrera consular, habiendo representado a España en Helsingfors, Amberes y Riga. En 1898 se arrojó a las aguas del Dwina.

6. Tomamos al azar sólo dos párrafos del mencionado artículo *Somos iconoclastas:* «No; no admiramos, ni aun siquiera recordamos nada de esto. Escandalícese el señor Novo y Colson. Y horrorícese mucho más si añadimos que nuestra indiferencia llega a más altas cumbres. Podemos asegurar que ninguno de los jóvenes del día ha leído a Calderón, a Lope, a Moreto (al menos, si los han leído, no los volverán a leer; lo juramos), y que no son pocos los que sienten un íntimo desvío hacia Cervantes. Seamos sinceros: ¿por qué vamos a negar en público lo que confesamos en privado? Además, estas cosas de las execraciones y las negaciones no pueden ser delitos espantables. Dentro de algunos siglos, los eruditos que estudien estas épocas se extrañarán del horror que ahora se siente hacia un hombre a quien no le gusta Cervantes o Lope de Vega. Y de que a una fe—la religiosa—va sucediendo otra, y que a unos santos van sucediendo otros santos... Viejos y jóvenes son habitantes de distintos planetas. Nosotros conocemos muy bien las obras de nuestros antecesores; pero ¿cuántos son los viejos que han entrado en una librería a comprar un libro nuestro? No conocen ni nuestra obra ni aun nuestros nombres... ¿Cómo no encontrar natural que, en tales condiciones, a este desvío se conteste con el ataque brutal y despiadado?»

7. «En esos librillos míos hay demasiada injusticia. Se arremete en ellos contra instituciones y personas, contra hechos y cosas dignas de respeto, de admiración y de amor, creyéndolos, insensatamente, manchegos molinos, encubridores de gigantes. El tiempo, que dicen tan breve en tiempos que nos parecen tan largos, nos trae la paz al corazón, la verdad al alma y la ecuanimidad al criterio.» (Vid. Entrevista con F. S. R., que figura al frente de las «Obras completas», Edit. Aguilar, Madrid, 1947.)

8. *Historia de la novela en España desde el Romanticismo a nuestros días*, Madrid, 1909. Casi no hace falta aludir a la crítica despiadada de Julio Casares: «Aunque el pronóstico es prematuro y, por tanto, muy arriesgado —escribía en su *Crítica profana*, 1916—, casi me atrevería a afirmar desde ahora que nuestro autor no llegará a triunfar ni en el cuento, ni en el teatro, ni en la novela, ni en ningún otro género principalmente imaginativo».

9. En esta novela cierto caballero abandona en una casa, con ocasión de estar ausentes sus moradores, una gran cantidad de dinero. «¿Qué pasó después?—pregunta el autor—. ¿Qué pasa después que se produce en la vida universal o en la particular un acontecimiento enorme e

inesperado, que trastorna lo habitual y cotidiano?» Y *Azorín*, a través de los redactores de un periódico, apunta hasta ocho soluciones distintas, para terminar formulando la suya propia.

10. «¿Existe el tiempo?... ¿Hemos vivido ya otras veces? Diríase que en una vida anterior, de la que no podemos tener ni la menor conciencia, a veces se hace un pequeño resquicio; la luz de una vida pretérita penetra en la presente; un fulgor de conciencia nos llega de lejanías remotas e insospechadas. Y entonces, en un momento de certeza, en un momento de angustia suprema, sentimos que este momento de ahora lo hemos vivido ya, y que estas cosas que ahora vemos por primera vez las hemos visto ya en una existencia anterior.» (*Doña Inés*, cap. XXXVII.) «La preferencia de *Azorín* por el cuento—escribe BAQUERO GOYANES (*El cuento español en el siglo XIX*, pág. 137)—se explica, ante todo, por ser escritor que gusta del período breve.»

11. *Literatura española contemporánea*, pág. 266.

12. *Cinco estudios de literatura española moderna*, Salamanca, 1945.

13. Ortega llama a Unamuno «morabito» en su trabajo *Sobre los estudios clásicos*, y «energúmeno» en el artículo *Sobre una apología de la inexactitud*. Ni uno ni otro epíteto están empleados en sentido peyorativo. El texto del primero es: «Contra la desviación africanista inaugurada por nuestro maestro y morabito don Miguel de Unamuno...» Y el texto del segundo reza: «Unamuno, el político, el campeador, me parece uno de los últimos baluartes de las esperanzas españolas... Y, aunque no esté conforme con su método, soy el primero en admirar el atractivo extraño de su figura, silueta descompasada de místico energúmeno.» Bien es verdad que en *Unamuno y Europa, fábula* le llama «energúmeno» sin reticencias ni paliativos.

14. «¿Que Fulano cambia de ideas como de casaca, dices? Feliz él, porque eso arguye que tiene casacas que cambiar... Lo importante es pensar, sea como fuere, con estas o con aquellas ideas; lo mismo da: ¡pensar!, ¡pensar!, y pensar con todo el cuerpo y sus sentidos, y sus entrañas; con su sangre, y su medula, y su fibra, y sus celdillas todas, y con el alma toda y sus potencias, y no sólo con el cerebro y la mente: *pensar vital y no lógicamente*.» (*La ideocracia*.) El subrayado es nuestro.

15. Están publicándose las *Obras completas* de UNAMUNO (Madrid, Afrodisio Aguado), con excelentes prólogos de Manuel García Blanco. Van hasta ahora cinco volúmenes: I, *Recuerdos de niñez y mocedad*, seguido de dieciocho trabajos más, en su mayor parte impresiones de viaje. II, contiene toda su producción novelística, desde *Paz en la guerra* a *Una historia de amor*. III, ensayos: *En torno al casticismo, Mi religión y otros ensayos, Soliloquios y conversaciones, Contra esto y aquello*. IV, siguen los ensayos: *Vida de Don Quijote y Sancho, Del sentimiento trágico de la vida, La agonía del cristianismo* y siete trabajos más. V, estudios o ensayos de tema literaria: *La raza vasca y el vascuence, En torno a la lengua española*, etc.

16. Vid. N. S.: *Unamuno, novelista*, al frente del t. II de las «Obras completas».

17. Hay que advertir que tal ausencia de descripciones, de atmósfera, es deliberada en Unamuno: «Fácil me hubiera sido—escribe en el prólogo de *Andanzas*—distribuir entre mis novelas las descripciones de tierras y de villas, de montañas, valles y poblados, que aquí recojo; pero no lo he hecho por darles ligereza y a la vez densidad. El que lee una novela, como el que presencia la representación de un drama, está pendiente del progreso del argumento, del juego de las acciones y pasiones de los personajes, y se halla muy propenso a saltar las descripciones de paisajes, por muy hermosos que en sí sean, como no sea que el campo llegue a ser un verdadero personaje de la acción o de la pasión, lo que ocurre muy pocas veces.»

18. El término lo emplea Víctor Goti, uno de los personajes de *Niebla*, por boca del cual declara Unamuno que, al llamar «nivola» a una novela, «nadie tendrá derecho a decir que deroga las leyes de su género». Además, ello le da la absoluta libertad de movimiento, «porque inventar un género—sigue diciendo—no es más que darle un nombre nuevo, y le doy las leyes que me place».

19. No se crea que sin el cultivo del teatro fué fenómeno esporádico de Unamuno. Escribió obra dramática casi a lo largo de toda su vida, y en esa obra tenía puestas grandes ilusiones. Su correspondencia con directores de teatro y de compañía, entre éstos con Fernando Díaz de Mendoza, revela un decidido empeño de hacer teatro, y teatro original. Integran su producción dramática trece obras acabadas: *La esfinge, La venda, La princesa doña Lambra, La difunta, El de la de López, Fedra, El pasado que vuelve, Soledad, Raquel, Sombras de sueño, El otro, El hermano Juan y Medea* (versión de Séneca); dos obras comenzadas: *Maese Pedro* y *La muerte de Sancho*, y dos proyectadas simplemente: *Nuevo Prometeo* y *Don Quijote y don Juan*.

20. Por ejemplo, CAMILLE PITOLLET, el cual, en un artículo publicado en el núm. IV de *Cuadernos de la cátedra Miguel de Unamuno* (Salamanca, 1953), escribe textualmente: «En este párrafo me abstendré de hablar de las poesías de Unamuno posteriores a su *Cristo de Velázquez* (1920), ya que nada añaden a lo que pudo ser su estro poético, si no es que aquilatan esta verdad como un templo, a saber: que la poesía de don Miguel es una poesía, si no positivamente malograda, a lo menos, no lograda.» Luego afirma que Unamuno fué «un gran poeta infuso», pero «un gran poeta sin lograrse», y califica sus versos de «duros, leñosos, vid en invierno, sin fronda y sin racimos». También Rubén Darío los llamó «demasiado sólidos», a lo que replicaba Unamuno: «Prefiero esto a que sean demasiado gaseosos, a la americana.»

21. M. GARCÍA BLANCO: *Don Miguel de Unamuno y sus poesías. Estudio y antología de textos poéticos no incluidos en sus libros*, VIII, Facultad de Filosofía y Letras, Salamanca, 1954. García Blanco, el más profundo conocedor acaso de la vida y obra de Unamuno, demuestra que algunas composiciones de las publicadas en *Poesías* (1907), su primer libro de verso, estaban escritas siete años antes. Y cita una, *Arbol solitario*, cuya fecha de composición data de 1884.

22. Los testimonios son numerosos:

Cojo al alma al rato que pasa
y la encierro en una canción...

(Cancionero, núm. 1.363.)

He aquí mi confesión,
este rimado diario...

(Idem, 1.466.)

Aquí quedáis, mis momentos;
con el ritmo aquí os fijé...
Dios mío, este yo, ¡ay de mí!,
se me está yendo en cantares...

(Idem, 1.663.)

Y en la núm. 896 nos dice que así como de niño coleccionaba sellos, santos, botones, canicas, etc., ahora colecciona canciones. Las citas podrían multiplicarse.

23. J. M. DE COSSÍO: *Antología poética de Unamuno*, Colec. «Austral», Buenos Aires. «Lo que busco, lo que busca todo escritor, todo historiador, todo novelista, todo poeta: vivir en la duradera y permanente historia, no morir», escribe el propio UNAMUNO en *Cómo se hace una novela*. («Obras completas», t. IV.)

24. ¡Id con Dios! Y antes, en la misma composición, y refiriéndose siempre a sus versos, había dicho:

Vosotros apuráis mis obras todas;
sois mis actos de fe, mis valederos.

La ilusión con que mira sus versos y la esperanza que tiene puesta en ellos aparece desde primera hora. «Sólo cultivo los primeros (trabajos intelectuales) para afianzar y ensanchar mi firma y poder pasar bajo ella los segundos (los poéticos)», dice en carta a Ruiz Contreras de 22 de junio de 1899, y en la misma, después de llamar a su poesía «lo más mío», confiesa: «Lo que más me preocupa y obsiona, hoy por hoy, son mis poesías, y no estaré tranquilo hasta que las eche fuera.» Poco después, en carta a Maragall de 6 de junio de 1900, escribe: «Será una debilidad de padre; pero en nada he puesto tanto cariño como en mis poesías.» Y aún es más explícito en carta a su íntimo amigo y semipaisano Ilundáin de 24 de mayo de 1899: «Estoy harto de que me llamen sabio, que es palabra fea, y que se empeñen en recluirme en la ciencia... Y como luchador bregaré por imponer mi poesía, mi modo de entenderla y de hacerla.» Esta debilidad, obsesión o como quiera entenderse, lejos de atenuarse con los años, fué en aumento contante hasta su muerte.

25. *Cancionero (Diario poético)*, ed. y pról. de Federico de Onís, Edit. Losada, Buenos Aires, 1953.

26. En el cual insiste una vez y otra sobre lo mismo:

¿Arte? ¿Para qué arte?
Canta, alma mía,
canta a tu modo...,
sin hacer caso alguno de sus músicas...

Y en otro lado:

> No te cuides con exceso del ropaje;
> de escultor y no de sastre es tu tarea...

Todo lo cual puede entroncarse con su concepto de la poesía pura o culterana—Unamuno identifica los dos términos—, a la que llama «mucho Océano y pocas aguas».

27. Si alguien encuentra demasiado fuertes nuestras apreciaciones, le aconsejamos que repase detenidamente el *Rosario de sonetos líricos*. Allí descubrirá, al lado de algunos innegablemente buenos, bastantes flojos, y otros que, tras caídas lamentables, llegan a un final entonado. Da la impresión de que Unamuno los ha hecho con un Rengifo a mano, cazando como buenamente puede las rimas y encajándolas a martillazos en el esquema métrico. El libro (no se dirá que vamos eligiendo) se abre con este cuarteto:

> No de Apenino en la riente falda,
> de Archanda nuestra, la que alegra el boche,
> recogí este verano a troche y moche
> frescas rosas en campo de esmeralda...

Y se cierra con estos dos tercetos (soneto 126):

> Mientras seguís en vuestra vieja farsa,
> yo aquí en mis soledades me chapuzo,
> donde para bregar me ajusto el cincho;
>
> no he menester entrar en la comparsa,
> pues sé que cual bichero así mi chuzo
> soldado lleva el gancho junto al cincho.

El mismo Unamuno, un poco asustado por lo de *boche*, aclara, en nota, que no se trata de «un ripio para colocar una rima», sino de un regionalismo vasco. Es igual. No hablemos de aquella

> académica palanca
> de mi visión de Castilla

con que saluda a su querida ciudad salmanticense, a la que, dicho sea en honor de la verdad, supo cantar otras veces con acentos de encendida emoción.

Cuando, no satisfecho con los ritmos habituales en nuestra métrica, acude a los franceses, su fracaso es manifiesto. Oigámosle en *Madrigal de las Altas Torres:*

> Ruinas perdidas en campo
> que lecho de mar fué antes de hombres,
> tus cubos mordieron el polvo,
> Madrigal de las Altas Torres.
> Tú, la cuna de Isabel, tumba
> de don Juan, fatídico brote;
> cayó en Salamanca dorada
> y en Avila, hoy fúnebre corte...

Compensan de estos baches, en los que la poesía no aparece por ninguna parte, numerosas composiciones auténticamente inspiradas: *Salamanca* (si bien, ya queda dicho, el ritmo sáfico se 'le escapa), *La catedral de Barcelona, Razón y fe, Junto a la laguna de Gredos, En un cementerio de lugar castellano, El Cristo yacente de Santa Clara, Aldebarán* y *Vendrá de noche*, que, con algunos pasajes de *El Cristo de Velázquez*, es, para nuestro gusto, lo más inspirado.

En términos generales, parece coincidir con nosotros el poeta y profesor don GERARDO DIEGO, quien, en un artículo sobre *Cervantes y la poesía* («Rev. Filol. Esp.», XXII, 1948), escribe: «A otro Miguel hemos conocido aún más duro que Cervantes de oído (porque lo era además de oído receptivo y enteramente, según propia confesión, negado a la música). Y este otro gran Miguel, don Miguel de Unamuno, fué, como prosista, mucho menos artista que Cervantes; pero en la prosa se movía mucho más en su nativo elemento que en el verso, aunque en los últimos años llegase a metrificar a veces con completa felicidad.»

28. *Cuadernos de la cátedra de Miguel de Unamuno*, núm. IV, pág. 24.

29. Para confirmar en parte nuestro juicio sobre Unamuno queremos acudir a críticos tan imparciales como Julián Marías y Ortega y Gasset. MARÍAS, después de subrayar su «innegable propensión a la desmesura y el capricho», señala la *versatilidad* como su nota más acusada *(La filosofía española actual*, pág. 10); ORTEGA, en artículo necrológico publicado en *La Nación*, de Buenos Aires (4 enero 1937), se refiere a «su pretensión de ser

poeta», y luego de afirmar que «en su corriente vertiginosa, junto a algunas sustancias de oro (hay) muchas cosas inútiles y malsanas», aconseja leerlo con «fauces discretas».

30. Nace en Vitoria, de padre vasco y madre inglesa. Terminado el Bachillerato, se traslada a París, y de allí a Cuba, donde trabaja con su padre en un ingenio. De nuevo en España, cultiva el periodismo en Bilbao y Madrid, colaborando en las revistas representativas del 98. Con *Azorín* y Baroja forma una especie de triunvirato. En 1905 va como corresponsal de prensa a Inglaterra, y durante la primera guerra mundial lo encontramos de periodista en el frente aliado. Vuelve a España, para continuar su labor en diarios y revistas. En 1928 es nombrado, por la Dictadura de Primo de Rivera, embajador de España en la Argentina. Antes su pensamiento había hecho crisis, convirtiéndose en fervoroso apologista de la tradición. Como tal actuó durante la República, en la que fué diputado monárquico y principal promotor del grupo Acción Española. Fué asesinado en Madrid en la primera etapa de la guerra de Liberación (octubre de 1936). Perteneció a las Academias de Ciencias Morales y de la Lengua. Tuvo Ramiro dos hermanos ilustres: María, destacada escritora, y Gustavo, pintor muy estimable.

BIBLIOGRAFIA

Generación del 98: «ANDRENIO» (Gómez de Baquero): *De Gallardo a Unamuno*, Madrid, 1926.—*Arbor* (Rev. general del C. S. I. C.), número extraordinario, conmemorativo del 98 (Madrid, 1950).—«AZORÍN»: *La generación del 98*, «Clásicos y Modernos», Madrid, 1919.—J. A. BALSEIRO: *Cuatro individualidades de España: Pío Baroja, Blasco Ibáñez, Unamuno, Valle-Inclán*, pról. de Nicholson B. Adams, Nueva York, 1939.—J. CEPEDA: *El 98 en Madrid*, C. S. I. C., Madrid, 1954.—G. DÍAZ-PLAJA: *Modernismo frente a Noventa y ocho*, Madrid, 1951.—G. DIEGO: *Los poetas de la generación del 98*, «Arbor», diciembre de 1948.—DOLORES FRANCO: *La preocupación de España en su literatura*, Madrid, 1944.—M. FERNÁNDEZ ALMAGRO: *En torno al 98. Política y literatura*, 1948.—M. GAMBOA PLANA: *Biografía y bibliografía de Costa*, Huesca, 1911.—H. JESCHKE: *Die Generation von 1898 in Spanien*, Halle, 1934 (hay trad. española, Madrid, 1954).—H. JURETSCHKE: *La generación del 98. Su proyección crítica e influencia en el exterior*, «Arbor», 1948.—P. LAÍN ENTRALGO: *Las generaciones en la Historia*, Madrid, 1945; *La generación del noventa y ocho*, Colec. Austral; *España como problema*, Madrid, 1949.—S. DE MADARIAGA: *España. Ensayo de historia contemporánea*, Madrid, 1934.—J. MARÍAS: *El método histórico de las generaciones*, Madrid, 1949.—L. MONTERO: *Don Juan en el 98*, «Escorial», Madrid, 1944.—M. DE MONTOLÍU: *Los periodos literarios*, «Elucidario crítico», Barcelona, 1947.—F. MOTA: *Papeles del 98*, Madrid, 1950.—J. PETERSEN: *Die literarischen Generationen*, Berlin, 1930.—W. PINDER: *Das Problem der Generation in der Kunstgeschichte Europa*, Berlin, 1926.—A. DEL RÍO y M. BERNARDETE: *Concepto contemporáneo de España. Antología y ensayos 1895-1931*, Buenos Aires, 1945.—J. SARRAILH: *Prosateurs espagnols contemporains*, París, 1927.—G. DE TORRE: *La generación española de 1898 en las revistas del tiempo*, «Nosotros», Buenos Aires, 1941.—D. DE FUENMAYOR: *El secreto de la generación del 98*, Barcelona, 1944.—H. PEYRE: *Les générations littéraires*, París, 1948.—J. M. SALAVERRÍA: *Retratos*, 1926; *Nuevos retratos*, 1930.—R. GÓMEZ DE SERNA: *Retratos contemporáneos*.—J. MARÍAS: *La filosofía española actual*, Buenos Aires, 1948.—J. SOREL: *Los hombres del 98*, Madrid, 1914.—M. AZAÑA: *Plumas y palabras*, Madrid, 1930.—A. SEQUEROS: *Determinantes históricas de la generación del 98* (1953).

Precursores: G. AZCÁRATE: *Necrología del señor don Joaquín Costa Martínez*, Madrid, 1919.—L. BELLO: *Las ideas de Costa*, «La Lectura», Madrid, 1919.—J. GARCÍA-MERCADAL: *Ideario de Costa*, pról. de Luis de Zulueta, Madrid, 1936.—E. GONZÁLEZ BLANCO: *Joaquín Costa*, «Nuestro Tiempo», Madrid, 1913.—V. CIGES APARICIO: *Joaquín Costa, el gran fracasado*, Madrid, 1932.—H. INFANTE PÉREZ: *La obra de Costa*, Sevilla, 1916.—L. A. DEL OLMET: *Costa*, Madrid, 1917.—«AZORÍN»: Referencia a «Silverio Lanza», «Clásicos y modernos», Madrid, 1919.—R. GÓMEZ DE LA SERNA: Pról. a la *Antología* de «Silverio Lanza», Madrid, 1919

Ganivet: C. ARMANNI: *Angelo Ganivet e la Rinascenza Spagnola dal 98*, Nápoles, 1934.—M. AZAÑA: *El «Idearium»* de Ganivet, «Plumas y Palabras», 1930.—A. Bonilla y San Martín: Angel Ganivet, Nueva York, 1922.—A. Gallego Burín: Ganivet, 1921.—A. Espina: Ganivet. El hombre y la obra, Colec. Austral.—M. Fernández Almagro: Vida y obra de Ganivet (2.ª ed.), Madrid, 1952; Pról. y notas a las «Obras completas» de Ganivet, Colec. Joya, Edit. Aguilar.—F. García Lorca: Angel Ganivet, Buenos Aires, 1952.—H. Jeschke: Angel Ganivet. Seine Persönlichkeit und Hauptwerke, «Rev. Hispanique», París-Nueva York, 1928.—P. Laín Entralgo: Visión y revisión del «Idearium español», de Angel Ganivet, 1940; Pról. al Idearium español, ed. Fe, 1942.—M. Legendre: El cristianismo español según Angel Ganivet, 1909.—J. Díaz Martín Cabrera: Angel Ganivet. Datos biográficos y genealógicos, Granada, 1920.—L. Rosales: Angel Ganivet. Antología, Edit. Nacional, Madrid.—R. Salamero: Angel Ganivet, Valencia, 1905.—Q. Saldaña: Angel Ganivet, Madrid, 1930.— M. León Sánchez: Angel Ganivet. Su vida y su obra, Méjico, 1927.—Inge Schradex: Ganivets Ideenwelt, Zurich, 1955.—F. Elías de Tejada: Ideas políticas de Angel Ganivet, 1939.—P. Van Vielt: Angel Ganivet, Madrid, 1949.—C. Láscaris Commeno: Las ideas estéticas de Angel Ganivet, «Rev. Ideas Estéticas», IX, Madrid, 1951.—G. Sobejano: Ganivet o la soberbia, «Cuad. Hispanoamericanos», núm. 104, Madrid, 1958.—F. E. Spínola: Ideas políticas de Angel Ganivet, Gráf. Univ., Madrid, 1939.

«Azorín»: J. Alfonso: «Azorín» íntimo. Lo ignorado de «Azorín», Madrid, s. a.; «Azorín». De su vida y de su obra, Valencia, 1931.—J. Casares: «Azorín», «Crítica profana», págs. 85-150, Colec. Austral, núm. 469.—M. Baquero Goyanes: Elementos rítmicos en la prosa de «Azorín», «Prosistas españoles contemporáneos», págs. 253-84. Madrid, 1956.—A. Cruz Rueda: Introd. y notas a las «Obras completas» de «Azorín», Colec. Joya, Edit. Aguilar, Madrid, 1946-1952; Bibliografía de «Azorín», «Cuad. de Literatura Contemporánea», núms. 16-17. 1945.—H. Denner: Das Stilproblem bei «Azorín», Zurich, 1932.—E. Díez-Canedo: «Azorín», 1930.—R. Gómez de la Serna: «Azorín» (1.ª ed.), «La Nave», Madrid, 1930.—C. González Ruano: «Azorín», Baroja. Nuevas estéticas y otros ensayos, Madrid, 1923.—Anna Krause: «Azorín», the Little Philosopher, California Philology, 1948 (hay trad. española—Espasa-Calpe—, Madrid, 1955).—Frances Elizabeth Lambert: The Social and Political Ideas of «Azorín», «Southern Methodist», núm. 3, 1936.—W. Mulertt: «Azorín». Contribución al estudio de la literatura española a fines del siglo XIX, Madrid, 1930 (es trad. del alemán, Halle, 1926).—J. Ortega y Gasset: Referencia a «Azorín» en El Espectador, II.—L. Porto: «Azorín». El hombre y la obra, Córdoba (Argentina), 1936.—Marguerite Rand: Castilla en «Azorín», «Rev. de Occidente», Madrid, 1956.— L. Villalonga: «Azorín». Su obra, su espíritu, Madrid, 1931.—A. P. Cifarelli: Azorín e il surrealismo in terra di Spagna, «Riv. Letter. Moderne», año VII, Bolonia, 1957.— A. Cruz Rueda: El artista y el estilo (est. de la vida y obra de «Azorín»), colec. «Crisol», Madrid, 1946.—A. Cruz Rueda: Realidad y fantasía en los personajes de «Azorín», «Rev. Nac. Educación», núm. 99, Madrid, 1950.— G. Díaz Plaja: El teatro de «Azorín», («El arte de quedarse solo y otros ensayos», Barcelona, 1936).—M. Granell: Estética de «Azorín», Bibl. Nueva, Madrid, 1949.— L. S. Granjel: Retrato de «Azorín», Madrid, Eds. Guadarrama, 1958.

Unamuno: Andrenio: De Gallardo a Unamuno, Madrid, 1926.—J. A. Balseiro: El vigía, 1928 (Unamuno, en el tomo II).—A. Barea: Unamuno, Cambridge, 1952.—M. Bataillon: L'Esence de l'Espagne (pról. a los Ensayos de Unamuno), París, 1923.—H. Benítez: El drama religioso de Miguel de Unamuno, 1950.—B. A. Candamo: Ed. y notas a los «Ensayos completos», Colec. Joya, Edit. Aguilar.—M. Carayon: Unamuno et l'esprit de l'Espagne, «Revue Hebdomadaire», 1923.—C. Clavería: Temas de Unamuno, Edit. Gredos, Madrid, 1953.—J. E. Crawford Flitch: Introd. a los «Essays and Soliloquies», Nueva York, 1925.— R. Darío: Unamuno, poeta, art. en «La Nación», Buenos Aires, 1909, y pról. a la ed. de Teresa, «Renacimiento», Madrid.—G. Diego: Poetas del Norte: Miguel de Unamuno, «Rev. de Occidente», 1923.—A. de Esclasans: Miguel de Unamuno, Barcelona, 1948.—M. Fernández Almagro: La poesía de Unamuno, «Insula», núm. 14, 1947.—J. Ferrater Mora: Unamuno. Bosquejo de una filosofía, Buenos Aires, 1943.—M. Gálvez: La filosofía de Unamuno, «Síntesis», Buenos Aires, 1928.—D. García Bacca: Nueve grandes filósofos contemporáneos y sus temas, Méjico, 1947.—M. García Blanco: Don Miguel de Unamuno y sus poesías, «Filosofía y Letras», VIII, 1954.—R. Gómez de la Serna: Retratos contemporáneos, Buenos Aires, 1944.—

N. González Caminero: Miguel de Unamuno, Santander, 1948.—C. González Ruano: Vida, pensamiento y aventuras de Miguel de Unamuno, 1930.—J. Grau: Unamuno y la España de su tiempo, Buenos Aires, 1943.—E. Guerrero: La agonía de Miguel de Unamuno, «Razón y Fe», 1941.— J. Izquierdo Ortega: Miguel de Unamuno, Cuenca, 1932.— J. Ramón Jiménez: Españoles de tres mundos, Buenos Aires, 1943.—P. L. Lansberg: Reflexiones sobre Unamuno, «Cruz y Raya», núm. 31.—M. Legendre: Don Miguel de Unamuno, «Rev. des Deux-Mondes», 1922.—S. de Madariaga: Est. preliminar a la trad. inglesa de Del sentimiento trágico de la vida, Londres, 1921.—F. Madrid: Genio e ingenio de don Miguel de Unamuno, Buenos Aires, 1943.— J. Marías: Miguel de Unamuno (1.ª ed. en 1943; luego, varias en Colec. Austral); Lo que ha quedado de Miguel de Unamuno, «La Nación», Buenos Aires, 1954.—F. Meyer: L'ontologie de Miguel de Unamuno, París, 1955.— M. Oromi: El pensamiento filosófico de Unamuno (Filosofía existencial de la inmortalidad), Madrid, 1943.—M. Ramis Alonso: Don Miguel de Unamuno. Crisis y crítica, Murcia, 1953.—M. Romera Navarro: Miguel de Unamuno, Madrid, 1928.—H. R. Romero Flores: Unamuno, Madrid, 1941.—Q. Saldaña: Mentalidades españolas: I, Miguel de Unamuno, Madrid, 1919.—S. Serrano Poncela: El pensamiento de Unamuno, Méjico, 1953.—J. Sorel: Los hombres del 98: Unamuno, Madrid, 1917.—I. F. Vivanco: Pról. a la ed. de «Escorial», 1942.—A. Wills: España y Unamuno, «Hisp. Institute», Nueva York, 1938.—«Andrenio» (E. Gómez de Baquero): Unamuno, novelista, «Novelas y novelistas», págs. 271-80, Edit. Calleja, Madrid, 1918.—J. Casares: «Abel Sánchez». Una historia de pasión, «Crítica efímera», II, págs. 75-82, Madrid, 1919.— M. García Blanco: Italia y Unamuno, «Archivum», IV, págs. 183-219, Fac. de Letras de Oviedo.—L. S. Granjel: Retrato de Unamuno, Edit. Guadarrama, Madrid, 1957.— J. M. de Azaola: El humanismo en el pensamiento de M. de U., «Rev. S. de Amigos del País», San Sebastián, 1948.—J. A. Balseiro: Blasco Ibáñez, Unamuno, Valle-Inclán y Baroja. Cuatro individualidades de España, «The Univ. of North Carolina Press», 1949.—A. Basave Jr.: Unamuno y Ortega y Gasset. Estudio valorativo, Méjico, s. a.—A. Benito Durán: Intr. al est. de pensamiento de Unamuno, Granada, 1953.—C. Blanco Aguinaga: Unamuno, teórico del lenguaje (tesis doctoral), Col. de Méjico, 1954.—E. Brenes: The tragic sense of life in M. de Unamuno, Toulouse, 1931.—Carla Calvetti: La fenomenologia della credenza in M. de Unamuno, Marzorati, Milán, 1935.—J. Cassou: Portrait d'Unamuno, pról. a la trad. franc. de «Cómo se hace una novela».—I. Elizalde: Unamuno en la interesante correspondencia con un ateo pamplonés, Rev. «Príncipe de Viana», LXIX, 1957.—C. A. Erro: Unamuno y Kierkegaard, «Sur», número 49, Buenos Aires, 1938.—M. García Blanco: De la correspondencia de M. de Unamuno, Publ. del Hispanic Institute, Nueva York.—F. Huarte Mortón: El ideario lingüístico de M. de Unamuno, «Cuad. de la Cátedra Unamuno», V, 1954.—J. Iriarte: Heidegger y Unamuno, «Razón y Fe», 1937.—W. D. Johnson: Vida y ser en el pensamiento de Unamuno, «Cuad. de la Cátedra Unamuno», V, 1954.—J. Kessel: Die Grundstimmung in Unamuno's Lebensphilosophie, Düsseldorf, 1937.—R. Marill Alberes: M. de Unamuno (trad. del francés por Patricia Matthews), Buenos Aires, 1955.—P. Quintín Pérez: El pensamiento religioso de Unamuno frente al de la Iglesia, Sal Terrae, Santander, 1947.—J. Roig Gironella: Filosofía y vida. Cuatro ensayos sobre actitudes: Nietzsche, Ortega y Gasset, Croce, Unamuno, 2.ª ed., Barcelona, 1950.—G. Ribbans: Unamuno and the younger writers in 1904, «Bull. of Hisp. Studies», XXXV, Liverpool, 1958.— F. Sevilla Benito: La idea de Dios en don M. de Unamuno, «Rev. de Filosofía», XI, 1952.—B. Villarrazo: Miguel de Unamuno, Edit. Aedos, Barcelona, 1959.

Las ediciones más aconsejables de Unamuno son: Obras completas, A. Aguado, Madrid, en publicación; Obras selectas, ed. Julián Marías, Edit. Pléyade, Madrid, 1946; Ensayos, Edit. Aguilar (2 vols.), Colec. Joya, Madrid, 1947 (2.ª ed.); Antología poética, recopilada por Luis F. Vivanco, Edit. Nacional, Madrid, 1942.

Maeztu: Amplia bibliografía sobre el pensador vasco en A. del Río y M. J. Bernardete: Concepto contemporáneo de España. Antología de ensayos. 1895-1931, Buenos Aires, 1946. Y, además, véase: D. Gamallo Fierros: Hacia un Maeztu total, «Cuad. Hispanoamericanos», números 33-34.—A. Naranjo Villegas: Semblanza mística de Ramiro de Maeztu, 1938.—V. Marrero: Maeztu, Edics. Rialp, Madrid, 1955.—M. Nozick: An Examination of Ramiro de Maeztu, «Publ. of Modern Language...», LXIX, Baltimore, 1954.

CAPITULO LXXXIX

LA PROSA CONTEMPORANEA: B) EL ENSAYO

I. POSTNOVENTAIOCHISMO: *Segunda y tercera generación.*—II. ORTEGA Y GASSET: *Vida y perfil. Obra literaria. «La rebelión de las masas» y otros libros. La «metafísica de la razón vital». El pensamiento estético de Ortega. Estilo y proyección.*—III. EUGENIO D'ORS Y GREGORIO MARAÑÓN: *La prosa erudita del doctor Marañón.*—IV. RAMÓN GÓMEZ DE LA SERNA: *Datos biográficos y humanos. Producción literaria. Teatro, novela y crítica. La «greguería». El estilo de Gómez de la Serna.*—V. OTROS ENSAYISTAS.—NOTAS.
BIBLIOGRAFÍA.

I. EL POSTNOVENTAIOCHISMO

Si al hablar de los escritores de la segunda y tercera generación los designamos con un sobrenombre referido al 98 es sólo por razones cronológicas. En ninguna manera queremos establecer relaciones de dependencia, que sí las hay, aunque evidentemente mucho más débiles de lo que pudiera pensarse a primera vista. Que Ortega y Gasset, Bergamín, Gómez de la Serna, Giménez Caballero y otros deben algo a los de la primera generación, no hay quien lo niegue; que esa deuda afecte a lo fundamental de su obra, sí que puede y hasta debe discutirse. Ortega habría sido probablemente lo que es aunque no hubieran existido antes Unamuno, Ganivet ni *Azorín*; Gómez de la Serna escribiría poco más o menos como escribe sin el antecedente de esos autores. No hablemos de Eugenio d'Ors, cuya ideología y estilo se desenvuelven al margen de cualquier influencia.

Reseñados en el capítulo anterior los caracteres del 98, vamos a decir en éste breves palabras sobre las dos generaciones subsiguientes, con especial alusión a sus más calificados representantes. Estos son, en primera línea, Ortega y Gasset, Eugenio d'Ors, Ramón Gómez de la Serna y el doctor Marañón. A larga distancia, pero siempre en fila, una larga lista de autores que han repartido su actividad literaria entre el ensayo, la crítica, la erudición y, a veces, el teatro, la lírica y la novela.

Segunda y tercera generación

Al correr el primer decenio de siglo apuntan nuevas corrientes, encarnadas en una serie de escritores que, sin formar grupo homogéneo, se puede decir que integran otra segunda «generación» con el mismo derecho que los del 98. No está apenas ligada a la anterior; o lo está en menor grado del que se cree comúnmente. Los autores que la integran—Gasset, D'Ors, Pérez de Ayala, Gómez de la Serna, Marañón, Miró—son más cultos, más pensadores, menos poetas. Son también menos autodidactas; ofrecen mayor seguridad de criterio; mejor información sobre lo que hablan; más respeto al orden estatuído, más universalidad. Los del 98 miraban al interior; éstos se orientan más al exterior.

Cronológicamente no tiene fecha fija. El sobrenombre con que la bautizó Unamuno, «generación de nuestros nietos», no parece poco exacto. Son en todo caso nietos que conviven con los abuelos, aunque se influyan menos de lo que pudiera creerse a primera vista. Ya Torrente Ballester advirtió que Pérez de Ayala está más ligado a la técnica novelesca de *Clarín* que a la de Baroja.

Si buscamos la nota común a todos los escritores de esta segunda generación la encontraremos al momento: el ensayo. Son ellos los típicos ensayistas. No suelen ser novelistas, ni poetas, ni dramaturgos, aunque escriban mucho y bien sobre la novela, la poesía y el teatro, y aunque algunos de ellos hagan dramas, novelas y versos. En general—con excepción de Marañón y, en parte, de Ortega y de D'Ors—, en la obra de estos escritores la forma supera al fondo; la expresión vela lo expresado, relegándolo a segundo plano. Miró y Ayala son, ya lo dijimos en otro lugar, ensayistas, aunque hagan buenas novelas. El fracaso de Gómez de la Serna en las tablas es elocuente; demuestra que con sólo ideas y palabras, aderezadas con ingenio, no se hace un drama. A pesar de todo, ellos han venido dirigiendo la cultura española en lo que va de siglo con tanto o más derecho que los del 98.

Con menos gesticulaciones, menos escándalo y menos «pose» que ellos, quizá han influído más. En todo caso, su actitud ha sido de signo positivo frente a la actitud negativa más bien del grupo anterior. Compárese a Ortega con Unamuno, a D'Ors con *Azorín*, a Marañón con otro cualquiera. Donde más se separan los componentes de ambos grupos es en lo ideológico; lo que en unos es crítica negativa, en los otros es tarea constructiva. Donde más se acercan es en lo formal, en el estilo: todos lo cuidan, lo miman, lo pulen, aun teniendo cada uno el suyo personal.

También esta generación tiene su lado negativo. Intelectuales todos, auténticos humanistas del XX, el humanismo se les sube con frecuencia a la cabeza. Lo que en los del 98 era *snobismo*—barba, monóculo, chaleco—, en éstos es *dilettantismo*, y hasta en algunos, no ciertamente de los más significados, afán de lucimiento con sus pujos de pedantería. Con todo, el mérito excepcional de casi todos ellos está fuera de dudas: Marañón, D'Ors y Ortega son figuras señeras de nuestra cultura nacional.

Todavía encontramos otra tercera generación. Acaso a ella corresponde mejor que a la anterior la etiqueta de Unamuno: «los nietos del 98». Porque su madurez coincide con la dictadura de Primo de Rivera (1923-1930) se la conoce por «generación de la dictadura». Y por haber sido la *Revista de Occidente* su órgano de expresión, se le podría llamar también «occidentista». Nace como tal generación a raíz de la paz de Versalles y ofrece dos etapas bien definidas: hasta el año 30 y de esta fecha a nuestra guerra civil. En la primera etapa predominan los poetas. Es el período de los «ismos», que en otra parte (capítulos XCI y XCII) serán estudiados con la debida extensión: ultraísmo, creacionismo, neopopulismo, etc. En la segunda etapa predominan los críticos. Sus componentes son asimismo universitarios; suelen empezar escribiendo verso y derivan luego hacia la crítica literaria. Salinas, Guillén, Dámaso Alonso y varios más. Unos y otros, poetas y críticos, tendrán su mención más adelante. Ahora limitamos nuestro comentario a los ensayistas.

II. ORTEGA Y GASSET

La obra de Ortega y Gasset (1883-1955), iniciada brillantemente hace más de cuarenta años e incrementada día tras día con aportaciones cada vez más valiosas, significa en conjunto la incorporación de los problemas europeos a la vida de España y la inmersión de ésta dentro de la corriente espiritual contemporánea. Sin alharacas de «europeización» estilo 98, Ortega y Gasset ha hecho más por incorporarnos al pensamiento del resto de Europa que todos los de aquella generación en bloque. Ha sabido, además, elevar el ensayo a una altura difícilmente revasable, constituyéndose en todo momento en el semáforo más sensible de las pulsaciones de dentro y fuera de la nación. El radar de su inteligencia siempre despierta ha ido detectando, minuto tras minuto, la última teoría filosófica, el último sistema estético, político, social y hasta pedagógico, aparecido en cualquier latitud—Berlín o Nueva York, Londres o Roma—, para dárnoslo al punto convertido en magistral exposición del más alto valor didáctico. Por Ortega y Gasset los españoles hemos conocido en buena parte a Europa y Europa ha conocido también en buena parte a España.

Vida y perfil

Nace JOSÉ ORTEGA Y GASSET en Madrid, en 1883, en el seno de una familia acomodada. Su padre, José Ortega y Munilla, fué periodista brillante, autor de novelas a las que ya hemos aludido, y persona de rango en el mundo de las letras, como copropietario y director de *El Imparcial*, el periódico más destacado de principios de siglo. Su madre pertenecía a la familia Gasset, de gran ascendiente político en Málaga y su región. Estudia el bachillerato en el Colegio de Jesuítas de Miraflores del Palo (Málaga); de aquí pasa al de Deusto, también de la Compañía. Entre 1898 y 1902 cursa en Madrid los estudios oficiales de Filosofía y Letras. A los veinte años se gradúa doctor con una tesis sobre *Los terrores del año mil (Crítica de una leyenda)*. En 1905 marcha a Alemania y sigue estudios en las universidades de Leipzig, Berlín y Marburgo, recibiendo en esta última las lecciones de Henmann Cohen, a cuyo lado se convierte en fervoroso neokantiano [1]. Vuelto a España, profesa en la Escuela Superior del Magisterio, sobresaliendo desde el primer momento por su claridad de exposición, su elegancia y su cultura. En 1910 gana la cátedra de Metafísica de la Universidad Central, con lo que queda convertido en el maestro supremo de la filosofía española hasta 1936, fecha en que la guerra le obliga a suspender una fructífera docencia de más de veinticinco años.

Entre tanto, y al margen de la cátedra, su actividad ha sido inmensa. En 1902 se inician sus colaboraciones periodísticas; su primer libro, *Meditaciones del Quijote,* data de 1914. En 1916 hace el primer viaje a América, de donde regresa lleno de honores y prestigio; por las mismas fechas emprende la publicación de *El espectador,* que en 1934 alcanzaba ya ocho volúmenes de ensayos sobre temas muy diversos. Al terminar la primera guerra mundial funda el semanario *España,* abriendo sus páginas con un criterio ampliamente progresivo a buen número de jóvenes pensadores y literatos. Luego, durante algunos años, es el alma del gran diario *El Sol;* crea la *Revista de Occidente,* que se convierte pronto en una de las publicaciones europeas más prestigiosas; dirige para la Casa Editora Calpe una *Biblioteca de ideas del siglo XX,* formada por traducciones de grandes obras extranjeras, con prólogos y notas oportunas, y se convierte durante varias décadas en el mentor de la juventud española.

En las postrimerías del régimen monárquico Ortega y Gasset, demócrata circunstancial y aristócrata por formación y temperamento, encabeza un grupo heterogéneo de intelectuales, que se autodenominó *Al servicio de la República*; pero, proclamada ésta, pronto se le enfrenta Ortega, acusándola de haber desvirtuado su esencia y su sentido, en una serie de artículos y discursos, que recogió en su libro *Rectificación de la República*. Al estallar la guerra de Liberación, Ortega se dirige a Francia, y de aquí a la Argentina. Vive en Buenos Aires varios años escribiendo y dando conferencias. Durante la segunda guerra mundial regresa a Europa; se establece primeramente en Portugal y desde 1945 reparte su vida entre esta nación y España. En 1948 fundó en Madrid un Instituto de Humanidades, con la colaboración de sus más destacados discípulos. Murió en octubre de 1955.

Del cuadro sinóptico que acabamos de trazar se deduce una cosa: que Ortega y Gasset es un hombre nacido bajo signo favorable. Ni en su obra ni en su vida hubo nunca dificultades. El nada ha sabido de la lucha por llegar, de las estrecheces, de las penurias, de los obstáculos que suelen salir al paso a cualesquiera otros hombres en su camino hacia la meta. Hijo de escritores, se encontró escritor nada más nacer. Hasta tuvo a mano un gran periódico donde hacer sus primeras armas. Las puertas del gran mundo se le abren también sin dificultad. Hubiera seguido la carrera política o la diplomática, y habría llegado igualmente a los más altos puestos. A este «nacimiento afortunado»—así lo califica cierto biógrafo [2]—atribuyen algunos su veleidad, su contradicción, que para nosotros es más aparente que real. Se le acusa de aspirar, por una parte, a presentarse como un hombre liberal, demócrata y comprensivo, capaz de recoger y hasta de explicar las más avanzadas teorías de la ciencia, de la política y del arte; y por otra, incapaz de desprenderse de ciertos principios ideológicos que le convierten en un auténtico aristócrata, con insoslayable desdén hacia el pueblo. En otras palabras, de haber alentado en ocasiones ciertas actitudes rebeldes, cuando todos sabemos, porque así nos lo dicen sus escritos con insistente reiteración, que en el fondo añora una sociedad regida por una minoría de selectos. Pero en ello nosotros no vemos contradicción; en todo caso, si la hay, no nos corresponde enjuiciarla en sentido favorable ni desfavorable.

Para nosotros, Ortega es ante todo un escritor y un pensador; y en este aspecto le debemos estudiar. Educado en la filosofía dominante a principios de siglo, con una formación tan sólida como extensa, respirando desde la niñez un ambiente de cultura, ya se entiende que las soluciones que ofrecía el krausismo a los problemas planteados no podían satisfacer a un espíritu tan exigente como el suyo. Pronto encuentra demasiado estrecho el círculo en que se mueve la mentalidad española de

la época, y su paso por las aulas alemanas de Leipzig, Berlín y Marburgo tiene todo el carácter de un Jordán purificador. Cuando, pasados sólo dos años, regresa a España, es un verdadero maestro. Su voz se escucha con una justificada mezcla de admiración y repeto. Cuanto él dice, adquiere de día en día más resonancia. Ortega no sólo diserta sobre los más variados temas con originalidad, agudeza y elegancia, sino que—y en ello aventaja a los del 98—lo hace con perfecto conocimiento del asunto. Ortega es todo un pensador. Su acceso a la cátedra de Metafísica de la Universidad de Madrid confiere a su magisterio la máxima autoridad.

Obra literaria

Es muy considerable. No acertamos a comprender por qué la Enciclopedia Italiana, refiriéndose a sus producciones, las califica de reducidas en número: «non molte». Siete gruesos volúmenes, que constituían hace ya varios años la edición de sus *Obras completas*, no son cosa despreciable. Mucho más si se tiene en cuenta la calidad de esos trabajos y su amplitud temática.

Ortega—otra diferencia con los del 98—no ha escrito literatura de ficción, de creación: ni novela, ni teatro, ni poesía. Su forma preferida ha sido siempre el ensayo, al que ha sabido dar especiales perfiles. Empieza hacia el año 1902, con artículos de varia índole, preferentemente de crítica, en revistas y diarios (*Vida Nueva, El Imparcial, El Faro, Europa*); después, su campo se va ampliando, sobre todo desde su retorno de Alemania, y se extiende a todos los órdenes de la cultura: política, historia, pedagogía, paisaje, geografía, arte, sociología, crítica, ética, etc. Todo ello enfocado con un criterio eminentemente filosófico y con un sentido muy de nuestra época. Por esa variedad y por ese enfoque de los problemas tan actual y tan hondamente humano hay quien le considera el prototipo del «humanista del siglo xx», y, en efecto, no falta quien, salvadas las distancias de sensibilidad y de época, le ha comparado con Erasmo.

Por materias, debemos destacar:
Históricas: *La historia como sistema, Del Imperio romano* y sus numerosos estudios sobre generaciones.
Políticas: *Vieja y nueva política, La pedagogía social como programa político*.
Estéticas: *Arte de este mundo y del otro, La voluntad del Barroco, El realismo en la pintura, La deshumanización del arte e ideas sobre la novela*.
Crítica literaria: *Ideas sobre Baroja, Ideas sobre «Azorín»*.
Sociológicas: *El genio de la guerra, Sobre el fascismo, La rebelión de las masas*.
Pedagógicas: *Sobre el estudiar y el estudiante, Misión de la Universidad*.

De ética: *Introducción a una estimativa de los valores.*

De filosofía: *Ideas y creencias, Kant, Ensayos y estudios filosóficos.*

De geografía y paisaje: *Libros de andar y ver, Notas de andar y ver.*

Hasta en temas aparentemente ajenos a toda inquietud espiritual, como el *golf* y la caza, se ha proyectado su mirada, descubriendo de paso en ellos aspectos originales e insospechados nexos con lo social o lo político.

Con carácter póstumo se están publicando numerosos trabajos hasta ahora inéditos: *El hombre y la gente* (1957), *¿Qué es filosofía?* (1958), *Idea del teatro* (1958), *La idea del principio en Leibniz* (1958), *Meditaciones del pueblo joven* (1958) y varias más.

«La rebelión de las masas» y otros libros

Las obras que más renombre le han dado en España y en el extranjero son las *Meditaciones del Quijote* (1914), *España invertebrada* (1921), *El tema de nuestro tiempo* (1923) y *La rebelión de las masas* (1930).

En las *Meditaciones del Quijote* se encuentra ya el elemento nuclear del pensamiento filosófico orteguiano; allí, el autor investiga las causas y el sentido del quijotismo, sosteniendo una tesis diametralmente opuesta a la de Unamuno.

España invertebrada es una larga meditación sobre el ser y la naturaleza de nuestro pueblo en cuanto colectividad nacional. El análisis que hace Ortega de España no puede ser más despiadado y pesimista. Aparentemente es menos sombrío que el de las reflexiones de Unamuno o el de las poesías de Antonio Machado; pero en el fondo es más desolador. España no es una nación decadente, por la sencilla razón de que para decaer hace falta llegar a lo alto; y España nunca ha llegado a su plenitud; «España no ha tenido nunca salud..., no cabe decir que ha decaído.» España es un pueblo cuya vida se ha frustrado; un pueblo enfermo de siempre: su enfermedad se llama «aristofobia u odio a los mejores». ¿Manera de curarlo? Una «purificación y mejoramiento étnico» del pueblo mismo, mediante el gobierno de una minoría selecta. Sometido siempre el pueblo español al «imperio imperturbable de las masas», por lo que nunca ha podido llegar a hacerse, necesita unas cuantas personalidades egregias que se constituyan en rectoras y le devuelvan a su ser. «Todo otro influjo o *cracia* de un hombre sobre los demás que no sea autónoma emoción suscitada por el arquetipo o ejemplar en los entusiastas que le rodean, son efímeros y secundarios.» La instintiva tendencia de Ortega a lo aristocrático y su aversión también instintiva a lo democrático están bien patentes, pero entiéndase que se trata de una aristocracia del espíritu y no de la sangre; y de una democracia que casi se confunde con la demagogia. «El plebeyismo, triunfante en todo el mundo, tiraniza a España. Tenemos que agradecer el advenimiento de tan enojosa tiranía al triunfo de la democracia.»

Con estos supuestos a nadie debe extrañar la antipatía de Ortega, odio casi, hacia el siglo XIX, el siglo de *La rebelión de las masas*. En el libro de este título se amplía y desarrolla la tesis de *España invertebrada*, haciéndola extensiva a la Europa actual, que pierde nobleza y el control de sí misma al sacrificar en aras de los principios democráticos los de jerarquización y orden en que hasta entonces se había inspirado. En *La rebelión de las masas*, sin duda su libro más coherente y logrado, Ortega trata de articular todo un sistema de interpretación filosófica de la historia, inspirándose en sus formas de gobierno. Para Ortega, sólo hay uno aceptable: el de las minorías selectas. Estas son las únicas que pueden y saben crear, porque «crear es enaltecer, elevar, y la faena del hombre masa se caracteriza por el instinto de rebajamiento, de nivelación, de indiferenciación». El hombre egregio es el solo factor determinante de la historia; es el protagonista; la masa es el coro. «Ya no hay protagonistas—afirma Ortega con dolor—; sólo hay coro.» «Hoy asistimos—dice en otro lugar—al triunfo de una hiperdemocracia en que la masa actúa directamente sin ley, por medio de materiales presiones, imponiendo sus aspiraciones y sus gustos.»

En *El tema de nuestro tiempo*, de fecha anterior (1923), aparece ya esbozado a grandes rasgos todo el sistema filosófico de Ortega, si es que lo tiene, afirmación que muchos ponen en duda. Ortega, superada la crisis neokantiana, se formula la pregunta de cuál puede ser la realidad radical del hombre, aquella a la cual han de referirse todas las otras realidades; e insatisfecho con las soluciones dadas por la filosofía tradicional en su doble forma de idealismo y realismo, señala una tercera vía: *la razón vital*. Esta razón es una y misma cosa con vivir. Pero vivir no es ni pensar ni ser sólo, sino también estar en el mundo, en determinadas circunstancias. De ahí su famoso principio: *Yo soy yo y mi circunstancia.* «El tema del tiempo de Sócrates—escribe Ortega—consistía, pues, en el intento de desalojar la vida espontánea para suplantarla con la pura razón... *El tema de nuestro tiempo* consiste en someter a razón la vitalidad, localizarla dentro de lo biológico, supeditarla a lo espontáneo.» En otro ensayo posterior, *Ni vitalismo ni racionalismo*, perfila más y más su pensamiento, rebatiendo de paso a los que le tachan de falta de originalidad.

La «metafísica de la razón vital»

¿Es Ortega un filósofo? La pregunta se viene formulando a cada paso. No entra en nuestro propósito responder a ella, entre otras razones porque carecemos de competencia en la materia.

Las opiniones se dividen, y están representadas en sus puntos extremos por el padre Joaquín de Iriarte, S. I., que, aun reconociendo en el autor de *La rebelión de las masas* una inteligencia de primer orden, le considera en cuanto filósofo poco más que un *dilettante,* y Julián Marías, que ve en él uno de los cerebros filosóficos mejor estructurados de todos los tiempos.

Parece que, siguiendo con atención el desarrollo del pensamiento orteguiano a través de su obra escrita, se puede extraer de ella «un sistema original de filosofía», basado en la consideración de la vida humana como «realidad radical». Según eso, toda la filosofía debería partir del *yo,* como en Sócrates, como en San Agustín y en Kant; pero estando el *yo* inmerso en el fluir de la vida, al estudio de ese *yo* tendría que acompañar el de la misma vida en que aquél se desenvuelve. Nos encontramos, pues, como siempre, con el ya citado axioma: *yo soy yo y mis circunstancias.* De este modo, el hombre queda encardinado en la vida; y como ésta cambia al fluir del tiempo, también deberá quedar encardinado en la historia. Esto lleva a Ortega, primero, al estudio de la *razón vital;* luego, al de la *razón histórica,* para desembocar, por último, en la teoría de las generaciones, como el introito más indicado para la inteligencia de una y otra *razón.* Se puede por tanto hablar de una «metafísica de la razón vital», referida al pensamiento filosófico de Ortega.

El pensamiento estético

Está diseminado en multitud de ensayos; es muy rico en sugerencias; pero con harta frecuencia se nos da en forma de principios contradictorios. *La deshumanización del arte* e *Ideas sobre la novela* son en este aspecto sus estudios más definidos. Por otra parte, su influjo en la generaciones de entreguerras ha sido enorme. Extractemos algunos de sus principales enunciados:

a) El producto artístico es sólo artístico en cuanto se aleja de la realidad.

b) El arte es un producto de nobleza, de aristocratismo, de privilegio; todo arte debe ser *impopular, más aún, antipopular.*

c) El arte no tiene función social; es un puro juego. El arte es algo exquisito, y «todo lo exquisito... es socialmente ineficaz».

d) El arte debe estilizarse; pero «estilizar es deformar lo real. Estilización implica deshumanización».

e) El arte, pues, debe deshumanizarse; debe tender a una «eliminación progresiva de los elementos humanos que dominaban en la producción romántica y naturalista».

f) El arte no debe buscar al lector vulgar que «tiene el alma hueca y cuya única actividad es el eco».

g) La novela como la poesía debe eliminar todo elemento grávido y terreno, toda peripecia humana o social; porque la «ocupación con lo humano de la obra es, en principio, incompatible con la estricta fruición estética».

Como se ve, Ortega aspira a imponer, y en gran parte lo logra, una preceptiva aséptica, una preceptiva de limitaciones. Bien es verdad que en otros ensayos formula principios diametralmente opuestos, llegando a rechazar todo producto que no vaya cargado de elemento humano; porque «el arte—nos dice en *Adán en el Paraíso*—es el reino del sentimiento». Mucho más precisas, más sólidas y, sobre todo, más fértiles en consecuencias son sus ideas sobre el estilo, la crítica, los géneros literarios, etc. Torrente Ballester, que las estudia con cierta detención opina que, reunidas y ordenadas convenientemente, podrían componer todo un sistema estético. He aquí un brevísimo extracto:

Crítica literaria: tiene por objeto, no «discernir lo bueno y lo malo de un autor», sino «potenciar su obra», obtener de ella «un máximo de reverberaciones culturales», buscar todo lo que en ella ha querido aquél poner.

Estilo: es una selección operada por el escritor dentro de la fauna léxica y gramatical. El estilo supone una deformación de lo real, de lo común, en aras de lo subjetivo y personal; porque «el realismo..., invitando al artista a seguir dócilmente la forma de las cosas, le invita a no tener estilo. Cada época debe tener su estilo».

Forma y contenido: son inseparables; «la forma es el órgano y el fondo la función que lo va creando».

Géneros literarios: en la antigua poética se definían como formas o esquemas; pero son más bien temas radicales, verdaderas categorías estéticas, que dicen relación al contenido. La epopeya, el teatro, la lírica, no son modos de decir, sino cosas distintas que sólo tienen su expresión plena en una u otra categoría.

Poesía: es un «mundo interior», de recreación. «El poeta aumenta el mundo añadiendo a lo real, que ya está ahí por sí mismo, un irreal continente.»

Teatro: «la obra escénica consiste primordialmente en un suceso plástico y sonoro, no en un texto literario». Ese suceso debe acaecer en otro mundo, en el mundo irreal, en el mundo de la fantasmagoría. Arrancar al público de sus preocupaciones cotidianas y sumergirlo en un país de ensueño [3].

Estilo y proyección

Si en la estimación filosófica de la obra de Ortega y Gasset puede haber disparidad de criterios, no la hay en su apreciación literaria. Todos coinciden en estimarle como el gran expositor, el estilista insuperable, el primer escritor castellano tal vez de nuestro siglo.

Beneficiándose de todas las innovaciones introducidas en la lengua por los ensayistas del 98, con un conocimiento pleno del idioma y una asombrosa facilidad para adaptar a los nuevos conceptos formas ya usadas, Ortega ha logrado crearse un lenguaje en que la precisión, la elegancia y la expresividad alcanzan límites insospechados. El estilo de Ortega es a la vez novísimo y antiguo, revolucionario y clásico, popular y aristocrático. Popular; nunca vulgar ni plebeyo. Es el estilo ideal del ensayo. Gracias a ese estilo, los temas más vulgares se ennoblecen, se transfiguran y se cargan de interés y humanidad. Ortega, ha dicho alguien, es un mago de la palabra; agreguemos que esa magia se extiende también al orden conceptual, porque su juego de prestidigitador con las palabras no es sino reflejo de otro juego paralelo con los conceptos. Manipula en el riquísimo tesoro del idioma y, sin esfuerzo, como la cosa más natural, extrae siempre el término más justo, la frase más adecuada, la metáfora más feliz y expresiva. En la obra de este escritor, la metáfora desempeña un papel primordial; Ortega la incrusta al principio, en el centro o al fin de una exposición, y ella sola vale por un largo comentario. A veces, la disertación entera se ilumina gracias a una de esas metáforas, llenas de originalidad y dinamismo, que Ortega siempre encuentra a mano en los recovecos de su cerebro. Vocablos ya en desuso son exhumados por él y son puestos en circulación, y al llenarse de nuevo contenido, parecen inventados en aquel momento; por el contrario, términos inéditos van saltando aquí y allí para expresar conceptos también nuevos, sin que en ningún instante nos den la sensación de un abuso de neologismos.

Una de las cosas que más llaman la atención en Ortega es la claridad expositiva; el pensamiento surge siempre nítido del fondo de la frase, sin sombra de oscuridad ni confusión. Claridad, a la que se juntan una elegancia, un ingenio y una penetración difícilmente superables. Hasta cuando acude para expresarse a términos castizos, su lenguaje es digno y noble. En esto también difiere de Unamuno, que casi nunca acertó a incorporar el habla vulgar y castiza a la corriente literaria.

Doctrinalmente podremos o no estar conforme con él—su *Deshumanización del arte,* tan luminosamente escrita, nos parece en el fondo sofística—; pero todos habremos de convenir en que Ortega y Gasset es un pensador que nos hace pensar y, lo que vale más para nosotros, un escritor que siempre nos deleita con cosas nuevas, expresadas en forma insuperable. Por este motivo, su influencia en el pensamiento español de las últimas décadas es la más extendida y profunda.

III. EUGENIO D'ORS Y GREGORIO MARAÑON

Hombre como Gasset, de inmensas lecturas y de polifacética actividad literaria. EUGENIO D'ORS Y ROVIRA (1882-1954)[4] ocupa con él uno de los primeros puesto en el ensayo contemporáneo. Más vinculado a la tradición española que *Azorín* o que Unamuno y, no hace falta decirlo, mucho más que Ortega, se siente, por otra parte, incorporado al concepto de europeidad, de la que es uno de los más ardientes defensores. A la vez que español, D'Ors es ciudadano de Europa; pero de una Europa más bien occidental, grecolatina. Entre los sajones y Francia, prefiere a ésta; entre Alemania e Italia, se queda con Italia. D'Ors es un clásico; pero un clásico que tiene ciertas debilidades por lo barroco, de cuyo arte ha hecho los más originales y sagaces análisis.

Su obra, abundante, como la de Ortega, se inicia en la lengua catalana y en forma de artículos periodísticos, recogidos luego en el *Glosari* (1906). Pronto populariza el seudónimo de *Xenius,* que alcanza máximo renombre con la brillante narración alegórica *La ben plantada* (1912), uno de los aciertos definitivos de este personalísimo escritor. Contribuye con estos primeros trabajos, de contenido estético y filosófico preferentemente, al movimiento intelectual del Institut d'Estudis Catalans. Pero espíritu inquieto, hacia 1920 se separa del grupo y empieza a preferir para sus obras el idioma castellano. Se puede decir que, a partir de este momento, lo mejor de su obra está redactado en la lengua nacional. Tiene también algunos trabajos en francés, idioma que domina casi a la perfección.

He aquí sus principales obras: de arte, *Poussin y el Greco, Goya, Mi salón de otoño, Tres horas en el Museo del Prado, El Barroco, Cézanne, Pablo Picasso;* de materia varia, *Cuando yo esté tranquilo, De la amistad y del diálogo, Aprendizaje y heroísmo, Grandeza y servidumbre de la inteligencia, Ecos de los sentidos, La civilización en la Historia;* de filosofía, *La fórmula biológica de la lógica, Una primera lección de filosofía, Las aporías de Zenón de Elea y la noción moderna del espacio tiempo* y su libro más maduro y reciente, *El secreto de la filosofía.* Muchos de sus mejores trabajos están integrados en el *Glosario* y en el *Novísimo glosario.*

Para su exposición doctrinal, D'Ors ha preferido un género que, si no es invención suya, debe a él su actual naturaleza. Nos referimos a la *glosa,* especie de «ensayo segmentado» o «esquema de ensayo»[5], como quiere Valbuena Prat, esbozado a propósito de un dicho o hecho de carácter particular y anecdótico, que gracias al comentario del escritor se eleva a categoría universal. La glosa oscila entre el ensayo a la manera de Unamuno u Ortega y el aforismo. Ni tan extensa como aquél, ni tan enjundiosa y breve como éste. La anécdota, casi siempre tomada de la vida real, no es sino pretexto para hilvanar una serie de consideraciones sobre cualquier punto de arte, de ética, de filosofía o de historia. Cada glosa forma unidad dentro de sí misma; y, a la vez, un conjunto de glosas se articula en torno a ciertos temas nucleares, formando verdadero sistema. Porque, y en esto también difiere de los ensayistas estudiados hasta ahora, D'Ors es un hombre sistemático, consecuente, de principios arraigados. A través de su obra entera se puede seguir perfectamente el desarrollo de ciertas idas o motivos básicos, sobre los que descansa toda su construcción ideológica. Uno de esos motivos estaría representado por la antinomia razón-sentimiento, que para D'Ors no es tal antinomia, puesto que puede resolverse, y de hecho se resuelve, en perfecta concordia. «También la razón tiene sus sentires que el corazón no comprende», escribe agudamente, volviendo del revés el conocido pensamiento pascaliano, tan caro a Unamuno. Otro sería la noción de «permanencia» en el área de la cultura; y otro, el más interesante, el de las «constantes históricas o culturales», de tan fecunda aplicación en el arte, y que ha llevado a D'Ors a estructurar toda una morfología de la cultura universal.

Aun no siendo el castellano su idoma nativo, sino lengua de adopción, D'Ors llegó a dominarla plenamente. Se puede decir que el castellano, no obstante ser lengua adoptiva, no tiene para él dificultades. Pero este dominio pleno, este absoluto conocimiento del idioma, lejos de llevarle a la redacción fácil y espontánea, le obliga cada vez más a pesar, a medir, a tamizar cada palabra y hasta cada letra, de modo que hay glosas suyas que son auténticas miniaturas trabajadas hasta la exageración. Algunas veces, el afán de novedad y el excesivo retocamiento del estilo se traduce en un lenguaje barroco, digno de Quevedo o de Gracián, con la consiguiente fatiga del lector. De ordinario es todo lo contrario: un estilo preciso, límpido, del más puro corte clásico, aunque compatible con los gustos actuales; lleno de originalidad, de ingenio y de viveza.

Donde Eugenio d'Ors se mueve con más libertad es en la crítica de arte. El arte plástico en sus diferentes modalidades, y hasta en el aspecto técnico, ha encontrado en D'Ors un glosador incomparable. Observaciones suyas sobre pintores clásicos y modernos—Mantegna, Tiziano, Velázquez, Poussin, el *Greco*, Cézanne, Picasso—sólo pueden ser fruto de un conocimiento a fondo de la pintura universal y del gusto más depurado. *El arte de Goya, Poussin y el «Greco», Cézanne, Pablo Picasso* y, sobre todo, *Tres horas en el Museo del Prado* y *El Barroco* son estudios llamados a dejar rastro permanente en la historia del arte. No es de extrañar que Eugenio d'Ors haya llegado a ser un prestigio europeo, tan conocido en algunas naciones del continente—Francia, Italia o Suiza—como en su misma patria; tampoco ha de extrañar que el belga André Molitor le haya comparado con Erasmo, y que el crítico italiano Tentori le considere «una de las mentes más lucidas, uno de los espíritus más abiertos y generosos que existen».

La prosa erudita del doctor Marañón

Sin alcanzar en lo estrictamente literario la categoría de Ortega y de D'Ors, pero con títulos sobrados para un alto puesto en la historia de la cultura española, se nos presenta el doctor don GREGORIO MARAÑÓN Y POSADILLO (n. 1887) [6]. No es un literato propiamente dicho; es más bien un sabio y un eminente divulgador de la ciencia. Médico de prestigio universal, su actividad se orienta en primer lugar hacia los temas de su profesión y, paralelamente, hacia la historia, la sociología y la ética, en lo que estas disciplinas se relacionan con la ciencia médica general y con la psicopatología en particular.

Lo sorprendente en Marañón, y lo que le hace acreedor a un amplio recuerdo, es su estilo; un estilo terso, espontáneo, sin trabas y, al mismo tiempo, de alto valor científico, que le permite poner al alcance de todo el mundo los últimos descubrimientos de la ciencia médica, sin caer en oscuridad por exceso de tecnicismos ni, menos aún, en pedantería. Al doctor Marañón le pueden leer todos, técnicos y no técnicos, ya que en ningún momento la claridad expositiva se entorpece ni empaña por la acumulación de materiales científicos.

Como aquel padre Feijoo a quien tanto admira, Marañón siente una curiosidad científicoliteraria insaciable. Esa curiosidad le impide recluirse en el círculo cerrado de su profesión y le empuja a las más arriesgadas exploraciones por el campo de la historia, de la literatura, de la psicología y del arte, en busca de personajes o de mitos en quienes encarnar sus teorías. A este propósito responden libros como *Amiel, un estudio sobre la timidez; Ensayo biológico sobre Enrique IV de Castilla y su tiempo; El conde-duque de Olivares, o la pasión de mandar; Tiberio, o historia de un gran resentimiento; Antonio Pérez, el hombre, el drama y la época; Don Juan, ensayos sobre el origen de su leyenda; Luis Vives, o un español fuera de España.*

Más encajados en su profesión médica, aunque no menos sugestivos, Marañón ha escrito ensayos que han alcanzado fama universal: *Amor, conveniencia y eugenesia; Gordos y flacos; Las ideas biológicas del padre Feijoo*, y los *Tres ensayos sobre la vida sexual*, sin duda su libro más conocido y original.

Completan el catálogo de sus obras las tituladas *Vida y decoro de España, Vocación y ética,*

Vida e historia, Crónica y gesto de la libertad, Tiempo viejo y tiempo nuevo, Elogio y nostalgia de Toledo, Ensayos liberales.

Ideológicamente, Marañón es un hombre del 98; pero con mayor sentido de la tolerancia y una visión optimista, tal vez excesivamente optimista, de la vida. Como antes Cajal, aunque con mayor criterio estético, ha sabido incorporar a nuestra literatura temas que hasta ahora le eran extraños, armonizando hábilmente la ciencia biológica, en sus últimos adelantos, con el interés artístico. Su poder evocador confiere a los libros históricos especial sugestión. Marañón es uno de esos escritores que saben crear atmósfera y meter de lleno en ella, primero, a su personaje y, luego, al lector. De ahí el enorme atractivo de todos sus libros, redactados sin excepción en una prosa limpia, elegante y natural.

Solidez científica, información de primera mano y amenidad expositiva son sus notas más acusadas. Algunas de sus opiniones han sido muy discutidas, especialmente las relativas a *Don Juan*; pero no por ello pierden originalidad ni interés.

IV. RAMON GOMEZ DE LA SERNA

Un escritor inclasificable, sólo incluído aquí por razones cronológicas, como podía estarlo en cualquier otro apartado—novela, teatro, etc., contemporáneo—, es RAMÓN GÓMEZ DE LA SERNA (n. 1891), conocido antonomásicamente por *Ramón*. Al igual que sucede con otros escritores, p. ej., con Unamuno, para los novelistas es un gran dramaturgo; para los dramaturgos, un gran ensayista; y para los ensayistas, un incomparable autor de narraciones y novelas. El, por su parte, no se ufana de ser lo uno ni lo otro. Simplemente escribe.

Datos biográficos y humanos

Gómez de la Serna nos ha dado su propia biografía por extenso; pero no sabríamos separar lo que hay en ella de real y de fantástico e inventado [7]. Nace en Madrid (1891), en el seno de una familia acomodada. Su padre era magistrado. Estudia leyes; pero pronto deriva a la literatura y a ella se consagra por entero. Se puede decir que carece de biografía: ni milita en política, ni aspira a un sillón en las Academias, ni siquiera establece contactos con la vida oficial. Ha vivido casi siempre en Madrid, donde su tertulia de Pombo era muy frecuentada por artistas noveles, sobre los que ejercía verdadera fascinación. De cuando en cuando, una escapada a París o a Roma, como un baño de cosmopolitismo. Con su capa, sus patillas, su pipa y su aire de detective era uno de los personajes más conocidos de la capital de España. La guerra de Liberación lo aventó hacia América, para terminar estableciendo residencia en Buenos Aires.

Difícilmente encontraremos un caso tan patente de escritor puro, escritor por vocación, sin ulteriores finalidades políticas, sociales o éticas. Por no tener preocupaciones, ni siquiera las tiene de orden estético. Conocido en Europa y América y estimado como uno de los más originales autores, en toda su vida no ha hecho más que hablar y escribir. Hombre pintoresco, excéntrico, de un dinamismo incomparable y de una fecundidad casi prodigiosa, sus libros se acercan ya al centenar.

Ha hablado en todas partes y en las circunstancias más inverosímiles: desde su cátedra instalada en la mesa de un café—la famosa «cripta de Pombo»—; colgado en un trapecio; subido en un elefante pintado de blanco y negro; en lo alto de un farol de gas; con la mesa de la conferencia adosada a las caderas; amenazado por la pistola de un chulo, dispuesto a disparar, etc. Y ha escrito todo lo que le ocurre, que es mucho, y publicado todo lo escrito: de arte, de crítica, de teatro, novela larga y breve, paisaje, biografía, impresiones... Eso sí, siempre de una manera intrascendente, porque sí, por una necesidad casi fisiológica de echar afuera sus ideas y sentimientos.

Porque este hombre, que ha cultivado el exhibicionismo como cualquier escritor del 98—Unamuno, *Azorín*, Valle-Inclán—y más intensamente que cualquiera de ellos, no da importancia a nada: ni siquiera a sus escritos, ni a su misma vida. Habla de lo que quiere y escribe lo que le viene en gana, sin tratar de convencer ni de agradar a los demás, e importándole un ardite de lo que sobre él digan y piensen los que le leen o escuchan. El mismo nos dice que es la suya «una vida fuera de concurso, una vida sin pedantería ni ambición, entre de espectador, de transeúnte y de actor, una vida optimista y desgarradora, porque se la ve ir paso a paso hacia la muerte con la ingenua alegría de no ir». Y en otro lugar se define como «el hombre que no quiso ser amanerado, un simple mortal... que se salvó a todo ismo, sin dejar de comprenderlos todos, y de admirar muchos de ellos...; un pasajero más, que intentó decir algunas cosas de su tiempo con sabor de novedad» [8]. Hasta qué punto es exacta esa autodefinición nos lo revela su obra, en la que por todas partes encontramos humorismo, ingenio, sugestiones, ideas; pero en ninguna podremos rastrear nada que se parezca a eso que llamamos «tesis» o doctrina. Los libros de Gómez de la Serna entretienen, sorprenden; a veces, muchas, excitan la hilaridad y hasta arrancan la carcajada; otras, orientan; pero no enseñan. Su autor nunca ha pretendido enseñar nada.

Producción literaria

Así, libre de todo prejuicio estético, ideológico y moral, Gómez de la Serna ha ido lanzando al mundo desde el 1904, fecha en que recibe su bautismo de escritor con el libro *Entrando en fuego*, obras y más obras, hasta coronar esa alta montaña de 89 títulos que figuran al final de su *Automoribundia*. Reseñemos las más importantes:

Novela «grande» (así las califica él): *La viuda blanca y negra* (1819), *El doctor inverosímil* (1912), *El Gran Hotel* (1922), *El incongruente* (1922), *La quinta de Palmyra* (1923), *El chalet de las rosas* (1926), *Cinelandia* (1927), *El torero Caracho* (1927), *La mujer de ámbar* (1927), *El caballero del hongo* (1928), *Policéfalo y señora* (1932), *La Nardo* (1934), *¡Rebeca!* (1936), etc.

Biografías: *John Ruskin* (1918), *Oscar Wilde* (1921), *«Azorín»* (1923), *Goya* (1928), *Efigies*—Baudelaire, Nerval, Villiers de l'Isle—(1929), *El Greco* (1935), *Don Ramón del Valle-Inclán* (1942), *Gutierrez Solana* (1943), *Lope de Vega* (1944), *Mi tía Carolina Coronado*, etc.

Crítica de arte: *Sur del renacimiento escultórico español* (1911), *El cubismo y todos los ismos* (1931), *Retratos contemporáneos* (1947), *Nuevos retratos contemporáneos*, *Ismos*, etc.

Novela corta: *La hiperestésica*, *El regalo al doctor*, *La roja*, *El vegetariano*, y las *Seis. falsas novelas*.

Libros de impresiones del momento, que tal vez son lo más granado de su producción: *El Rastro*, *Senos*, *Pombo*, *El circo*, *Gollerías*, *Elucidario de Madrid*, *Los muertos, las muertas y otras fantasmagorías*, *Lo cursi*, etc.

Obras dialogadas, como *El drama del palacio deshabitado*, *La utópica Beatriz*, *La corona de hierro*, *El lunático*, piezas teatrales, de las que alguna —*Los medios seres*—al ser estrenada fracasó rotundamente, y una curiosísima y extensa autobiografía—*Automoribundia*—en la que a lo largo de 800 grandes páginas nos va narrando su vida con gran derroche de ingenio y de fantasía.

Teatro, novela y crítica

Quien al repasar la lista anterior piense encontrarse en Gómez de la Serna con un novelista, un crítico de arte, un biógrafo, un historiador o un ensayista, a la manera de *Azorín*, Unamuno o D'Ors, está equivocado. Ramón no es nada de eso y es todo eso junto. Para ser novelista le sobra imaginación, ingenio e ideas; en cambio, le falta capacidad para inventar una fábula y llevarla a lo largo de una narración en forma continuada y de acuerdo con un plan previamente concebido. Sus novelas, tanto «grandes» como cortas, son más bien una serie de anécdotas yuxtapuestas, sin más ligamento entre ellas que la identidad de un personaje. Ello hace que el interés vaya decayendo paulatinamente y que, a pesar del alarde de ingenio que desde el principio hasta el fin despliega el autor, la novela vaya perdiendo mérito al faltarle el soporte de una acción que aglutine y centre en sí todas aquellas anécdotas, que en la obra van surgiendo en forma desligada. Ello hace también más estimables y logradas sus narraciones breves, al no necesitar éstas de un andamiaje tan complicado como las largas. Su acción mucho más simple permite al autor esa morosidad descriptiva, llena de humorísticas observaciones, en que Gómez de la Serna es maestro inigualable.

Otro tanto puede decirse del teatro. La excesiva fronda anecdótica ahoga la acción principal, cuando la hay; y, por otra parte, la irresistible propensión de Gómez de la Serna al humorismo priva a los personajes de aquella mínima dosis de humanidad que deben tener para interesar al espectador.

Tampoco en la crítica y en la biografía—tan abundante en la obra de *Ramón*—hay que buscar sino lo que él quiso poner. Es la suya una crítica impresionista, sin rigor científico, sin método; sobre todo, sin pretensión académica profesoral. Ramón dice sobre los artistas y sobre los productos de arte su impresión personal más que su opinión. No le importa si esa impresión va o no de acuerdo con el sentir general; le tiene sin cuidado la preceptiva tradicional y la preceptiva al uso. Da su primera visión, descompuesta en mil matices —él, como Quevedo, no sabe ver las cosas por un lado; tiene que mirarlas por veinte caras distintas—, y la deja en el libro bullendo, relampagueando, para que el que quiera la acepte, y el que no, la deje. Y da la casualidad de que muchas veces también acierta, y en tres o cuatro rasgos, que llevan el sello inconfundible de su estilo, nos deja condensado lo más característico de una obra o de un artista. De este modo, ensayos como *La cursi*, *Pombo*, *Ismos*, etc., se hacen indispensables en todo estudio de la literatura y el arte de nuestra época. Con frecuencia, en una larga serie de páginas no encontramos otra novedad que la siempre grata del lenguaje, lleno de giros inesperados y enormemente expresivos; pero cuando menos se espera nos sorprende con las afirmaciones más atrevidas y que, sin embargo, revelan una intuición para el arte verdaderamente excepcional.

Para la biografía, *Ramón* prefiere tipos únicos o poco normales: Goya, el *Greco*, Valle-Inclán, Oscar Wilde... Excéntrico él, piensa, y está en lo cierto, que se halla mejor capacitado que otros para entender y explicar la vida de estos hombres. Así resultan unas biografías amenísimas y del mayor interés, exentas de todo aparato documental y de todo método cronológico. Los hechos se acumulan casi sin orden; las anécdotas se multiplican; y, sobre esa maraña de hechos y anécdotas, el autor va exponiendo sus impresiones, de las que los lectores sacarán luego la conclusión que más les plazca.

La «greguería»

El fuerte de Ramón Gómez de la Serna, donde él despliega todo su ingenio inagotable y donde se cimenta su fama, que ha traspasado todas las fronteras, es la *greguería*. Creación suya personal, género muy predilecto, la *greguería* no se sabe bien en qué consiste. El ha intentado definirla muchas veces: en un lugar nos dice que «es un matiz entre los matices, el matiz de un plural»; en otro nos da a entender que es «la flor de todo; lo que queda, lo que vive, lo que surge entre el descreimiento, la acidez y la corrosión, lo que lo resiste todo». Ya la compara con la *urna cineraria* destinada a conservar las cenizas cotidianas; ya, con «esas flores de agua que vienen del Japón, y que siendo, como son, unos ardites, echadas en el agua se esponjan, se engrandecen y se convierten en flores». En general, puede afirmarse que la *greguería* es la antítesis de la máxima; todo lo que tiene ésta de apodíctico, de trascendental, de verdad probada y comprobada, lo tiene aquélla de momentáneo, fugaz e inconsistente. El mismo *Ramón* nos ha dado la fórmula: humorismo + metáfora = *greguería*. Entraña ésta un cambio de visión en las cosas, un disloque de su función peculiar para asumir otras funciones. Gómez de la Serna nos dice que escogió el término, lo inventó, «por lo eufónico». Fué esto en 1910, y a partir de ese momento las greguerías han brotado de su pluma por cientos, por millares, inundando toda su obra. Unas veces se reducen a simples chistes; otras son auténticas metáforas; tan pronto quedan resueltas en un juego conceptual como en una paradoja. Su factor más frecuente, casi indispensable, es el humor.

Unos ejemplos aclaratorios: «En otoño debían caer las hojas de los libros»; «El alba riega las calles con el polvo de los siglos»; «El arco iris es la cinta que se pone la Naturaleza después de haberse lavado la cabeza»; «El grillo mide las pulsaciones de la noche»; «Los cuervos se tiñen»; «Las violetas son las ojeras del jardín»; «El jardín se fuma en pipa las hojas caídas»; «El rayo es una especie de sacacorchos encolerizado»; «El cocodrilo es un zapato desclavado»; «Las conchas de la playa son los restos de los arroces que se come Neptuno».

Hasta aquí tenemos meras enunciaciones. Otros ejemplos en que la observación ahonda más, hasta dar con similitudes sorprendentes: «El acordeonista hace a veces el gesto súbito y arrebatado de aquel a quien se le cae una pila de libros»; «¡Qué gesto como de acordarse de alguien, de no sabe quién, pone el que saborea una copa de licor!»; «Las calvas iluminan el patio de butacas. Son la batería de candilejas de la sala»; «Es tan humorístico el *miau* de los gatos que parece que los gatos maúllan en broma, imitándose a sí mismos, en son de burla».

El estilo

Gómez de la Serna, que maneja un vocabulario tan rico como el que más, no concede importancia alguna al factor estilo. Unas veces, su frase es cortada, rápida; otras se expande larga, morosamente, jugando con los vocablos, en inconcebibles retruécanos y trasposiciones. De ordinario es un barroco, que ni en la idea ni en la palabra conoce contenciones o parsimonias. Llevado de su innata verborrea, expresa la misma cosa de mil modos, sin asustarse de repeticiones ni asonancias, sin evitar la terminología demasiado vulgar ni rehuir los tecnicismos. Escribe como piensa, sin filtrar el lenguaje; cuando no encuentra un término suficientemente expresivo, se lo inventa. Lo mismo que en la biografía tiene personajes predilectos, tiene también temas de preferencia para sus relatos: el cine, el circo, el toreo, los estudios cinematográficos, las mujeres de vida airada; en fin, todo lo que se relaciona con la ficción y espectáculo ha encontrado un sagaz comentarista en Gómez de la Serna. Acaso porque en tales ambientes encuentra en mayor abundancia esos personajes mitad hombres, mitad muñecos, a los que él vacía de humanidad, como un nuevo Quevedo, devolviéndolos convertidos en seres mecánicos, acartonados, mediante unos aguafuertes literarios que hacen pensar en Goya, en Zuloaga, en Solana. No se olvide que del primero y del último *Ramón* nos ha dejado sendas biografías.

V. OTROS ENSAYISTAS

Con éxito dispar y en modalidades diversas, que van desde el artículo periodístico hasta el tratado casi doctrinal, han cultivado el ensayo: GABRIEL ALOMAR (n. 1873) *(Verba, El frente espiritual, La formación de sí mismo)*, afín por su ideología a los prohombres del 98; POMPEYO GENER (1848-1919) *(La muerte y el diablo, Miguel Servet)*, amigo de Renán y muy influído por sus doctrinas, aunque con un enorme confusionismo de ideas y de sistemas; JOSÉ MARÍA SALAVERRÍA (1873-1940) *(Vieja España, Las sombras de Loyola, España vista desde América, Martín Fierro y el criollismo)*, pensador por cuenta ajena, en cuya obra voluminosa destacan los temas americanistas; MANUEL AZAÑA (1880-1941), último presidente de la República española, que tanto en su producción novelística *(El jardín de los frailes)* como en la dramática *(La corona)* y en los ensayos *(Tres generaciones del Ateneo, Plumas y palabras, Valera en Rusia)* se reveló escritor demasiado académico, aunque de gran precisión y sobriedad; MANUEL BUENO (1874-1936), que orientó su actividad preferentemente hacia el periodismo y la crítica literaria *(Teatro contemporáneo, Teatro en España, Acuarelas).*

Más próximos a nosotros, por su edad, encontramos a JOSÉ BERGAMÍN (n. 1897), inpirador de la revista *Cruz y Raya,* con inevitable tendencia al conceptismo y a la paradoja: *Mangas y capirotes, El cohete y la estrella, Disparadero español, Arte de birlibirloque,* etc. ERNESTO GIMÉNEZ CABALLERO (n. 1899), fundador de la *Gaceta literaria.* Popularizó el seudónimo de *Robinsón literario de España* y acertó a alentar desde las páginas de su revista no pocas inquietudes juveniles; sus obras más conocidas son: *Genio de España, Carteles, Yo, inspector de alcantarillas* y *En torno al casticismo.* SALVADOR DE MADARIAGA (n. 1886) ha escrito en francés, inglés y castellano, lenguas que domina con toda perfección, algunos libros que han ejercido extensa influencia en el extranjero: *Shelley and Calderon and other essays on English and Spanish poetry; Guía del lector del «Quijote»; Ingleses, franceses, españoles; España, ensayo de historia contemporánea;* etc. Madariaga, escritor trilingüe, a quien Unamuno por eso calificó de «tonto en tres idiomas», es más brillante y ameno que sólido; «sus libros —ha dicho un crítico— son buenos guías para el turista de la cultura, pero no pasan de ahí» [9]. EUGENIO NOEL (1885-1936), especie de Solana literario, reformista, autodidacta, bohemio y andariego, mitad novelista y mitad novelero, nos dejó en su obra *(Piel de España, Aguafuertes ibéricos, España nervio a nervio, Las capeas, Pan y toros)* una visión pesimista, casi caricaturesca de nuestro país, característica por otra parte de los hombres del 98. RAFAEL SÁNCHEZ MAZAS (n. 1894), del grupo católico de *Cruz y Raya,* con sólida formación humanística, se siente impulsado hacia el mundo cultural italiano y hacia un lenguaje, tanto en verso como en prosa, de insoslayable corte clásico. JOSÉ ANTONIO PRIMO DE RIVERA (1903-1936), muy influído por Ortega y Gasset, a pesar de sus profundas divergencias ideológicas, reveló en sus discursos *(España y la barbarie, Ante una encrucijada en la historia del mundo, Ante la patria en ruinas)* junto a un estilo directo y lleno de viveza, una extraordinaria lucidez intelectual.

Agreguemos los ensayistas, colaboradores de la *Revista de Occidente:* BENJAMÍN JARNÉS, más notable como novelista, aunque también ha cultivado el ensayo, nutriéndolo de ideas tan originales como inconsistentes; ANGEL SÁNCHEZ RIVERO, cuya obra, de gran finura y profundidad, se conserva casi íntegra en las páginas de la citada revista; ANTONIO MARICHALAR, conocedor a fondo de las últimas corrientes estético-literarias en el extranjero, sobre las cuales ha ido dando puntual y documentada información; ANTONIO ESPINA, incorporado al grupo de los anteriores, biógrafo, narrador, crítico y poeta del grupo ultraísta, ganado con exceso a las modas y estilos de la época de «entreguerras».

Una mención especial debemos hacer aquí del ilustre histólogo e investigador SANTIAGO RAMÓN Y CAJAL (1852-1934), premio Nobel de Medicina, cuyos ensayos de múltiples matiz corren parejas en amenidad e interés con sus estudios de especialización. Cajal sintió ante los problemas de la época la misma inquietud que otros contemporáneos suyos, como Galdós, Costa o Menéndez Pelayo; y acertó a comunicarnos su actitud y pensamiento en buen número de libros escritos en prosa diáfana, de gran exactitud y movilidad. En tal sentido, Cajal es uno de los precursores del 98. Por otra parte, es el que inicia esa brillante serie de médicos escritores, que cuenta ya con literatos tan prestigiosos como Novoa Santos, Pittaluga, Pi Suñer, Vallejo Nájera, Turró y el ya estudiado y célebre doctor Marañón. Las obras literarias de Cajal, no obstante el tiempo transcurrido desde que fueron publicadas, se leen con creciente deleite y provecho. Citemos como las más conocidas: *Recuerdos de mi vida, Cuentos de vacaciones, Reglas y consejos de investigación científica, Psicología de Don Quijote y el quijotismo, Cuando yo era niño. El mundo visto a los ochenta años* y, sobre todas, *Charlas de café,* colección de anécdotas y confidencias muy entretenidas.

En los años anteriores a la guerra civil y en el decenio subsiguiente (1940-50) hemos visto surgir muchos y buenos cultivadores del ensayo, vinculados más o menos directamente al 98 y a las generaciones posteriores: Alfonso García Valdecasas, Eugenio Imaz, José Ferrater Mora, María Zambrano, José Antonio Maravall, Ramiro Ledesma Ramos, Leopoldo Eulogio Palacios, Rafael Calvo Serer, Juan Beneyto, Manuel Cardenal, Pedro Laín Entralgo, Torcuato Fernández-Miranda, Francisco Javier Conde, Julián Marías, etc. En una historia de la cultura española habría que reservar sendos puestos a los sabios profesores de la Universidad de Madrid MANUEL GARCÍA MORENTE y XAVIER ZUBIRI. La labor del primero como traductor de los grandes filósofos modernos (Kant, Leibniz, Husserl, Spengler, Pfänder, Wörringer y otros) o como expositor de sus propias ideas *(Fundamentos de filosofía. Ensayos)* ha dejado huella en las últimas promociones de España y de Sudamérica. Zubiri se ha hecho notar por su vigor dialéctico, su penetración y su profundidad. Pero las obras de uno y otro caen al margen de lo literario.

NOTAS

1. Lo confiesa el propio Ortega: «Durante diez años he vivido dentro de pensamiento kantiano. Lo he respirado como una atmósfera y ha sido a la vez mi casa y mi prisión.» («Obras completas», V: *Kant, 1724-1924; Reflexiones de un centenario.)*

2. J. CHABÁS: *Literatura española contemporánea, 1898-1950.* pág. 348.

3. Véase sobre esto J. CHABÁS: *ob. cit.,* págs. 365-68, y G. TORRENTE BALLESTER: *ob. cit.,* págs. 333-41.

4. D'Ors nace en Barcelona en 1882, hijo de padre ca-

talán y de madre cubana. Estudia Filosofía en su ciudad natal, en cuya Universidad se gradúa doctor, y completa sus estudios en Francia, Bélgica, Suiza y Alemania. Ha dado cursos y conferencias en muchas capitales de Europa y América; ha desempeñado cargos públicos, entre ellos el de director general de Bellas Artes; pertenece como miembro a varias Academias, entre ellas a la de la Lengua y de Bellas Artes. Su actividad de escritor empezó ya en 1899, año en que salió a luz su primer libro, *Mort de Isidre Nonell*, en catalán. También en esta lengua redactó sus abundantes trabajos y las *Glosas* hasta 1922, en que sus *Glosari* se convierten en «Glosario». Primeramente hizo popular el seudónimo *Xenius;* luego adoptó el de *Octavio de Roméu*. En castellano casi siempre ha firmado con su nombre verdadero. En 1952, como premio a su labor y para celebrar el septuagésimo aniversario de su nacimiento, se creó una cátedra de Cultura en la Universidad Central que le fué encomendada a él. Falleció D'Ors el 25 de septiembre de 1954.

5. «La glosa—escribe Cassou—es un todo completo en el interior de otro todo. Los elementos que la constituyen, y entre los cuales es preciso contar un estilo seductor, lleno de ironía y tallado en facetas sutiles, están perfectamente dosificados y calculados.»

6. Nace en Madrid en 1887. Estudia Medicina, y pronto adquiere prestigio nacional e internacional en el campo de la Endocrinología, su especialidad médica. Profesa una cátedra de esta materia en la Universidad de Madrid; y tanto como por sus trabajos de índole profesional, destaca desde hace años por sus estudios literarios e históricos. Es académico de la Lengua, de la Historia y de Medicina. Goza de una reputación no discutida por nadie.

7. *Automoribundia*, larga narración de su vida en más de 800 páginas.

8. Prólogo de *Automoribundia*.

9. TORRENTE BALLESTER: *ob. cit.*, pág. 344.

BIBLIOGRAFIA

I. Para la bibliografía general de este capítulo, véase la citada en el anterior y en el LXXXI: «Literatura española contemporánea. Rasgos generales»; y, además, L. J. NAVASCUÉS: *De Unamuno a Ortega y Gasset*, Nueva York, 1950.

II. Ortega y Gasset: M. ABRIL: *Sobre la deshumanización del arte*, «Cruz y Raya», 1933.—E. R. CURTIUS: *José Ortega y Gasset*, «Europäische Revue», 1926.— V. CHUMILLAS: *¿Es don José Ortega y Gasset un filósofo?*, Buenos Aires, 1940.—B. DIEBOLD: *Ortega will des Leben*, «Morgenblatt der Frankfurter Zeitung», 1928.— M. GARCÍA MORENTE: *El tema de nuestro tiempo*, «Rev. de Occidente», 1923.—Padre J. IRIARTE: *La novísima visión del pensamiento de Ortega y Gasset*, 1046.—B. JARNÉS: *Notas a «El espectador»*, «Gac. Literaria», 1927.—J. MAÑACH: *Dualidad y síntesis de Ortega*, «Papeles de Son Armadans», Palma de Mallorca-Madrid, 1957.—J. MARÍAS: *Ortega y tres antípodas*, 1950.—M. OSORNO: *La filosofía de Ortega y Gasset*, 1949.—H. L. NOSTRAND: Introd. a

Mission of the University, 1944.—RAMIS ALONSO: *En torno al pensamiento de Ortega y Gasset*, Madrid, 1946.— Y. RENOUARD: *La theorie des generations de Ortega y Gasset*, «Bull. Hispanique», 1951.—A. REYES: *José Ortega y Gasset*, «Cuba Contemporánea», 1918; *Apuntes sobre Ortega y Gasset*, «Los dos caminos», 1923.—J. SÁNCHEZ VILLASEÑOR: *Ortega y Gasset. Pensamiento y trayectoria*, Méjico, 1945.—W. STARKIE: *A Philosopher of Modern Spain*, «Contemporary Review», 1926.—G. DE TORRE: *Las aventuras y el orden* (sobre Unamuno y Ortega), Buenos Aires, 1943.—F. VELA: Prólogo-conversación a la ed. de *Goethe desde dentro*, 1933.—M. VITIER: *José Ortega y Gasset*, Habana, 1933.—FERRATER MORA: *La filosofía de Ortega y Gasset*, 1958.—A. GÓMEZ GALÁN: *El estilo de Ortega*, «Arbor», XXXIII, 1956.—Padre SANTIAGO MARÍA RAMÍREZ: *La filosofía de Ortega y Gasset*, Madrid, 1958; *Un orteguismo católico*, Madrid, 1958.—G. DE TORRE: *Ortega, teórico de la literatura*, «Papeles de Son Armadans», XIX, 1957.—F. URIARTE: *Ortega, filosofía y circunstancia*, Edics. Auch, núm. 2, Santiago de Chile.

III. Eugenio d'Ors: J. ARANGUREN: *La filosofía de Eugenio d'Ors*, Madrid, 1945.—J. CASSOU: *La pensée d'Eugène d'Ors*, «Revue de Genève», 1929.—M. GARCÍA MORENTE: *La filosofía de Eugenio d'Ors*, «Revista de Indias», 1941.—J. GUILLÉN: *Eugenio d'Ors*, «Hispania», 1921.— A. M. SCHNEEBERG: *Eugène d'Ors, le philosophe et l'artiste*, París, 1920.—M. DE UNAMUNO: *Una discusión sobre la filosofía de «La Ben Plantada»*, «La filosofía del hombre», 1941.—E. VOGEL: *Xenius, der Sokrates des modernen Spanien*, «Allgemeine Rundschau», 1917.—L. ANCESCHI: *Eugenio D'Ors e il nuovo classicismo*, Rosa e Ballo, Milán, 1946.

IV. Ramón Gómez de la Serna y Santiago Ramón y Caja: J. CASSOU: *La significación profunda de Ramón Gómez de la Serna*, «Revue Européenne», 1928.—M. FERNÁNDEZ ALMAGRO: *La generación impersonal de Gómez de la Serna*, «España», 1923.—E. GIMÉNEZ CABALLERO: *Fichas sobre el ramonismo*, «El Sol», 1928.—B. JARNÉS: *Los tres Ramones*, «Proa», 1924.—VALÉRY LARBAUD: Ens. que precede a la ed. francesa de *Echantillons*, París, 1923.— L. NOVOS CALVO: *Ramón, el inhumano; mi incursión a Pombo*, «Rev. Bimestre Cubana», 1932.—M. PÉREZ FERRERO: *Vida de Ramón*, Madrid, 1935.—A. REYES: *Ramón Gómez de la Serna*, «Hispania», París, 1918.—G. DE TORRE: *Paralelismos entre Picasso y Ramón*, «Síntesis», Buenos Aires, 1928.—J. ALVAREZ SIERRA: *Ramón y Cajal*, Edit. Nacional, Madrid.—P. LAÍN ENTRALGO: *Cajal y el problema del saber*, «Crece o muere», núm. 8.—G. MARAÑÓN: *Ramón y Cajal y su tiempo*, Madrid, 1951.—A. DEL OLMET y GARCÍA GARAFA: *Los grandes españoles. Ramón y Cajal*, Madrid, 1913.—F. C. SAINZ DE ROBLES: Pról. a las «Obras literarias» de Ramón y Cajal, Edit. Aguilar, Madrid, 1950.

V. Para el resto de los autores citados en este capítulo, véanse las «Historias de la literatura española contemporánea» de Nicolás González Ruiz, Juan Chabás y Gonzalo Torrente Ballester. Abundante bibliografía en A. DEL RÍO y M. BERNARDETE: *Concepto contemporáneo de España. Antología de ensayos, 1895-1931*, Buenos Aires, 1946.

CAPITULO XC

LA POESIA ESPAÑOLA DE PRINCIPIOS DE SIGLO

I. Los grandes poetas de la época.—II. Antonio Machado: *Biografía y perfil. Obra literaria. Trayectoria poética. Los temas machadianos. Preceptiva.*—III. Juan Ramón Jiménez: *La vida. El proceso creador. Hacia una lírica esencial. El poeta de «Eternidades». Técnica y proyección.*—IV. Otras tendencias: *Lírica tradicional: Marquina, Enrique de Mesa y otros poetas tradicionales. El grupo regional: Gabriel y Galán, Vicente Medina, Basterra y otros. Los cantores del mar: T. Morales. «Alonso Quesada» Saulo Torón, etc.*—Notas.—Bibliografía.

I. LOS GRANDES POETAS DE LA EPOCA

Tres poetas de altura prestigian la lírica del primer cuarto de siglo en España, dándole una calidad comparable a la de sus mejores días: Antonio Machado, Juan Ramón Jiménez y Unamuno. Cualquiera de ellos tiene personalidad propia y, desde luego, escapa a esas clasificaciones en serie que suelen formularse para el estudio de la lírica modernista.

Poco deben éstos al modernismo, como no sea el arranque inicial, y en el caso de Unamuno, ni eso. Siguió cada cual su camino, y en él los tres acertaron a encontrar una poesía personalísima, de valor excepcional, aunque de muy distinto signo. El más completo de ellos, el más poeta a nuestro juicio, es Machado; el menos completo, hasta el punto de parecer algunas veces—valga la paradoja—*apoético*, Unamuno. A Juan Ramón Jiménez, para aceptarlo en su integridad, habría que hacerle muchos reparos, que en una obra como la nuestra no tendrían justificación. La crítica, toda sin excepción, le ha conferido un puesto privilegiado en la lírica actual, y no seremos nosotros quien se lo discuta. Con Unamuno, Machado y

García Lorca—tan dispares entre sí—forma la plana mayor de la poesía castellana peninsular en lo que va de siglo. No hace falta establecer comparaciones y menos afirmar, como hacen algunos, que son los mejores líricos que ha producido España. Españoles eran Garcilaso y fray Luis de León, Lope de Vega y San Juan de la Cruz, Góngora y Quevedo. Basta, pues, con decir que son poetas de primer orden, con todo el cúmulo de excelsas calidades que ello comporta, con las limitaciones y fallas de que no exime el serlo [1].

De Unamuno ya nos ocupamos por extenso en otro lugar, al hacer el estudio de los grandes «ensayistas»; porque para nosotros, a sabiendas de que disentimos en esto de la opinión general, Unamuno es más prosista y pensador que poeta. De García Lorca, como encuadrado cronológicamente en las promociones posteriores, se hablará en otro capítulo. Aquí nos vamos a referir particularmente a A. Machado y J. R. Jiménez, a la vez que completamos el esbozo de la lírica en este período con algunos grupos de menor importancia.

II. ANTONIO MACHADO

Se nos ofrece desde el primer momento como un poeta pleno; queremos decir, un poeta que siempre está inspirado o, mejor aún, que sólo escribe cuando siente de verdad la inspiración y la necesidad de efundir al exterior sus sentimientos. Poeta, por tanto, humano; intensamente humano; que busca en la expresión poética lo único que puede y debe dar de sí: el soporte indispensable de las vivencias más íntimas del espíritu. De ahí la desnudez casi absoluta de esa poesía; la ausencia casi total de toda retórica y elemento superfluo.

Biografía y perfil

Nace Antonio Machado y Ruiz en Sevilla, en 1875, o sea un año más tarde que su hermano y también poeta Manuel. A los ocho años se traslada con la familia a Madrid y, como aquél, estudia en la Institución Libre de Enseñanza. Pero mientras Manuel vuelve a Sevilla para cursar en aquella Universidad Filosofía y Letras, Antonio hace la misma carrera en la de Madrid, hasta graduarse de doctor. He aquí el primer factor diferencial de los dos hermanos, que llevará al uno hacia el jubiloso cascabeleo del alma andaluza y al otro hacia la honda sobriedad del espíritu castellano. Entre 1898 y 1901 reside en París, donde trabaja en traducciones para la Casa Garnier y circunstancialmente desempeña el cargo de vicecónsul de Guatemala. Conoce a Rubén Darío, con quien intima, a pesar de la diferencia de gustos. Vuelve a España y en 1907 obtiene la cátedra de francés del Instituto de Soria. Conoce a Leonor, con quien casa (1909), aunque es apenas una chiquilla de dieciséis años. Va con ella a París, para seguir en aquella Universidad cursos de literatura y filosofía con Bédier y Bergson respectivamente. De nuevo en Soria, se convierte en el enfermero de su mujer, que muere en 1912, dejándole en el alma una herida incurable. Soria se le hace insoportable y pide el traslado a Baeza, donde profesa su asignatura de francés hasta 1919. Pero no se ha dado cuenta de que consigo lleva un recuerdo permanente, Castilla, que se le ha metido para siempre en el corazón. Pasa después a Segovia, lo que le permite repartir su vida entre la docencia en aquel Instituto y Madrid. En 1926 empieza la colaboración de obras teatrales con su hermano Manuel. En 1927 es nombrado académico. Cuatro años más tarde se le destina al Instituto Calderón, de Madrid. La guerra le sorprende en la capital de España y pasa a Valencia, para salir en febrero del 1939, con su madre y otros familiares, rumbo a Francia. Agotado, enfermo, es acogido en el hotel Quintana, de Colliure, donde fallece al poco tiempo. Tres días después moría su madre.

Vida sencilla, modesta, de profesor español de Enseñanza Media en una provincia de tercer orden. Exenta de todo aparato externo y aparentemente pobre de contenido, pero en el fondo intensa, riquísima de pensamiento y de emoción. Antonio Machado pasó por el mundo sin atraer apenas la atención; era humilde, recogido, un poco triste y taciturno. «Viejo, pero con una vejez infantil», dice Federico de Onís. «Misterioso y silencioso», le llamó R. Darío; y él mismo confesaba que sus más caras aficiones eran «pasear y leer» [2].

Hay varios hechos decesivos en esta vida orientada siempre al interior: su formación primera en la Institución Libre; su permanencia en Madrid, mientras Manuel marcha a cursar sus estudios en Andalucía; su destino en Soria; la prematura muerte de su mujer. Del paso por la Institución le quedaría ese aire de «monje laico» y esa insobornable austeridad, que si en algunos de los que se educaron en aquel centro era pura fachada, en Antonio respondía a una forma auténtica de pensar y de vivir. Con su estancia en Madrid, precisamente durante esos años de la juventud en que el hombre adquiere un modo de ser definitivo, el elemento castellano se superpone al racial andaluz, sin anularlo del todo, pero relegándole al más ínfimo plano. Todavía viene Soria, lo más austero, duro y desnudo de Castilla, a consolidar esta transformación del alma del poeta, sin que el paso por París haya dejado en él huellas visibles. Por

último, su casamiento con Leonor, casi una niña, y la muerte tan temprana de ella, le reconcentran más y más en sí mismo, hasta hacer del mundo interior de sus recuerdos tema predominante para su poesía. En los últimos meses de matrimonio, en las frías tardes de sol castellano, se veía al poeta conduciendo el carrito en que se consumía su esposa, inmóvil por la dolencia.

Obra literaria

No abundante. En verso: *Soledades* (1903), *Soledades, galerías y otros poemas* (1907), *Campos de Castilla* (1912), *Nuevas canciones* (1925). A partir del 1917 publica la colección, que se va acreciendo con otros títulos *(Del camino, Humorismos, fantasías, apuntes; Elogios)*; finalmente, el *Cancionero apócrifo*. Total, poco más de 200 páginas.

En prosa: *Abel Martín y Juan de Mairena*, dos personajes imaginarios a quienes hace intérpretes de su propio pensamiento estético, filosófico y religioso. De lectura indispensable para quien aspire a conocer la ideología, por otra parte interesantísima en algunos aspectos, de Machado. En las *Obras completas* figuran al final una serie de escritos, hasta hace poco inéditos, sobre literatura rusa, poesía en general, etc.

Teatro: las seis obras en verso ya citadas en el capítulo LXXXIII al estudiar a su hermano: *Julianillo Valcárcel, Juan de Mañara, Las Adelfas, La Lola se va a los puertos, La duquesa de Benamejí* y *La prima Fernanda*. Todas ellas, ya se dijo, hechas en colaboración con Manuel.

Trayectoria poética

Pueden señalarse casi en sucesión cronológica, aunque sin deslinde preciso, cinco o seis etapas, que marcan con bastante claridad la marcha del pensamiento y de la intención poética de Machado. No se trata de una evolución o tránsito hacia formas distintas, sino más bien de la intensificación de un mismo procedimiento; porque la poesía de Machado—no está de sobra advertirlo una vez más—es siempre la misma, y forma desde que se inicia hasta el final un ciclo cerrado. En ella, lo más que puede distinguirse son aspectos variables de un todo único. Los temas, la manera de tratarlos, los recursos expresivos, persisten casi inalterables a lo largo de toda la obra, con mayor o menor predominio de unos sobre otros, según el poeta se aleje o no de Andalucía o de Castilla, esos dos polos que atraen magnéticamente su corazón. Según eso, distinguimos cinco fases:

a) Una primera etapa de influencias andaluzas y acusado perfil modernista. Como Juan Ramón, tampoco Machado pudo sustraerse por entero a la voz de la raza y al medio ambiente [3]. Viene dada en muchos pasajes de *Soledades (En el entierro de un amigo, Recuerdo infantil, Cante hondo, Horizonte, Preludio,* etc.); y había de retoñar de cuando en cuando a lo largo de su obra, especialmente durante la época de profesorado en

Baeza. Pero aun en esta primera etapa ya se adivina, se encuentra, el Machado grave, concentrado, desnudo, de los años posteriores.

b) *Etapa de plenitud:* Campos de Castilla. Machado ha encontrado lo que buscaba; se ha encontrado a sí mismo. «Cinco años en la tierra de Soria orientaron mis ojos y mi corazón hacia lo esencial castellano.» Alejamiento gradual de lo puramente externo; desnudez de la frase; ausencia de toda palabra, no ya innecesaria, sino poco expresiva. Poesía rumiada, meditada, que cuando sale al exterior lo hace del modo más perfecto. Así, en otro orden, la de fray Luis de León, la de Horacio. Ejemplos: *A orillas del Duero, Por tierras de España, El hospicio, El dios ibero, Las encinas, Amanecer de otoño, Campos de Soria...*

c) Andalucía otra vez, con su paisaje, con su sol, con su cielo. Pero entre los ojos del poeta y el mundo circundante, interponiéndose en forma de recuerdo, Castilla. Sus poemas de esta época de Baeza están llenos de nostalgia. La palabra recuerdo se desliza casi sin querer el poeta una y otra vez. Y si los temas típicamente andaluces no están ausentes de su obra—*Los olivos, Coplas por la muerte de Don Guido, La saeta, Noviembre de 1913, La mujer manchega*—, el corazón se le escapa sin poderlo remediar hacia Castilla: cigüeñas de la tierra, álamos junto al río, labriegos miserables, tierras pardas, pueblos pardos, almas pardas:

> ¡Castilla, España de los largos ríos
> que el mar no ha visto y corre hacia los ma-
> ¡Castilla de los páramos sombríos,   [res!
> Castilla de los negros encinares!
> Labriegos transmarinos y pastores
> trashumantes—arados y merinos—,
> labriegos con talantes de señores,
> pastores del color de los caminos.
> Castilla de grisientos peñascales,
> pelados serrijones,
> barbechos y trigales,
> malezas y cambrones...

Esto va firmado en Baeza, en 1913. Detrás hay —¿quién lo duda?—bastante topiquería de la suscitada por los del 98. Pero también hay mucha devoción, mucho amor. El mismo se llama «extranjero» en su propia tierra[4]. Y, en efecto, cuando se pone a escribir poesías *en andaluz*, lo hace en aquella forma que más se acerca a lo castellano: *proverbios, cantares, apuntes.* Lo más escueto, lo más sobrio y desnudo del arte andaluz.

d) Otra vez Castilla. Paseos solitarios por la gran ciudad (Madrid) y evasiones frecuentes a Segovia. El reencuentro de sí mismo: *Nuevas canciones.* Ni mejores ni peores que *Campos de Castilla*; simple insistencia en los mismos temas. Cada vez más sobrio, más condensado, con un despego mayor de la forma. A veces, reducido el poema a mera insinuación, a rápidos apuntes:

> A la hora del rocío
> de la niebla salen
> sierra blanca y prado verde.

> ¡El sol en los encinares!
> Hasta borrarse en el cielo
> suben las alondras.
> ¿Quién puso plumas al campo?
> ¿Quién hizo alas de tierra loca?
>
> *(Viejas canciones.)*

e) Este desvío de la palabra y de la forma artística, junto con su obsesión por llenar más y más sus versos de contenido conceptual, lleva a Machado de los últimos años a un género de poesía escueto, sentencioso, paramiológico: ejemplo, los *Proverbios y cantares*, dedicados a Ortega y Gasset. No negaremos que alguna de esas breves series de tres y cuatro versos contenga cierta poesía y hasta «un saber que rezuma de ellos y crea un silencio sonoro», según la afortunada frase de J. Marías. Pero en otras, todo hay que decirlo, la poesía brilla por su ausencia.

Los temas machadianos

Son principalmente tres: *la tierra, el paisaje* y *la patria.* A estos tres conceptos o motivos primarios corresponde un triple orden de solicitaciones y amores: la tierra se identifica precisamente con Andalucía y Castilla, es decir, con el suelo natal y el suelo de adopción; el paisaje queda corporizado en Soria y en todo lo que Soria comporta para el poeta: unos amores, una esposa, una vida feliz; la patria está limitada a España, una España algo deformada por la Institución y el 98, de perfiles demasiado agrios, pero no más convencional que la cantada por los de la acera de enfrente:

> La España de charanga y pandereta,
> cerrado y sacristía,
> devota de Frascuelo y de María,
> de espíritu burlón y de alma quieta...

En torno a estos tres grandes motivos se mueve toda la poesía de Antonio Machado. Pero con un elemento nuclear: el *yo*; el propio poeta metido en el cogollo de la tierra, del paisaje, de la patria; diluído, por decirlo así, en sus cantos. Y al incorporar, al meter su alma en cada poema, dándole de este modo levadura humana, Machado realiza una obra mucho más importante: la de convertirse en intérprete de los demás. Sus angustias, sus esperanzas, sus temores y sus moderadas alegrías son las mismas alegrías, esperanzas y temores nuestros. Sólo que expresados en una forma que nosotros apenas pudimos más que barruntar. Véase qué cuatro versos le arranca la pérdida de la esposa:

> Señor, ya me arrancaste lo que yo más quería.
> Oye otra vez, Dios mío, mi corazón clamar.
> Tu voluntad se hizo, Señor, contra la mía.
> Señor, ya estamos solos mi corazón y el mar.

Pero a renglón seguido brilla la esperanza:

> Late, corazón... No todo
> se lo ha tragado la tierra.

Preceptiva

Este hombre tan metódico, tan meditativo, tan consciente de su obra, ¿tuvo alguna preceptiva o poética personal y propia? ¿Escribió sus poemas de manera espontánea, o más bien los hizo con arreglo a unos cánones más o menos formulados de modo sistemático? Hoy es indudable que Machado tenía su *poética*; una poética elaborada ya de antiguo y que vino aplicando hasta la hora de su muerte. En un artículo crítico sobre Moreno Villa, en el prólogo a sus versos para la *Antología* de G. Diego, en sus dos obras en prosa, *Abel Martín* y *Juan de Mairena*, y en *Notas sobre poesía*, A. Machado expone con toda claridad e insistentemente su pensamiento estético, que puede resumirse en unos pocos puntos fundamentales:

La poesía moderna arranca, en parte al menos, de Edgar Poe y viene impuesta por dos imperativos: esencialidad y temporalidad. Por el primero, el poeta debe ser fiel a sí mismo; es decir, convertir su obra en reflejo del *yo*. Por el segundo, el poeta está obligado a encardinar ese *yo* en el tiempo en que vive, convirtiéndose de este modo en intérprete de sus angustias, esperanzas, impaciencias e ideas. «Todo producto del arte, por humilde que sea, estará siempre dentro de la ideología y de la sentimentalidad de una época», escribe en un lugar; y en otro: «Al poeta no le es dado pensar fuera del tiempo, porque piensa su propia vida que no es, fuera del tiempo, absolutamente nada.» Se trata, por tanto, de una poética historicista; mejor aún, existencialista, formulada con este mismo término mucho antes que se hablara del existencialismo, al menos como teoría aplicada al arte. Oigámosle: «El poeta profesa, más o menos conscientemente, *una metafísica existencialista,* en la cual el tiempo alcanza un valor absoluto.»

La poesía para Machado necesita conceptos e intuiciones; elementos lógicos y emotivos; pensamientos y sentimiento. Todo ello, claro está, hábilmente combinado y dosificado. Aquéllos, los elementos lógicos, un poco ocultos; éstos, los emotivos, más al descubierto; pero unos y otros esenciales al poema. «No es la lógica lo que en el poema canta, sino la vida; aunque *no es la vida la que da estructura al poema, sino la lógica.*» Y en otra parte: «Abel Martín no pone en verso sus ideas, aunque éstas le acompañan siempre.»

No cree en la *poesía pura*. Estima lo peor para un poeta «meterse en casa con la pureza, la perfección, la eternidad y el infinito». Se siente «en desacuerdo con los poetas del día» y, sobre todo, con los que abusan de la imagen. «Disto mucho de estos poetas que pretenden manejar imágenes puras (limpias de concepto (!) y también de emoción), sometiéndolas a un trajín mecánico y caprichoso, sin que intervenga para nada la emoción.» Finalmente, admira la poesía clásica, que «es esencialmente sustantiva y adjetiva» [5].

¿Cómo responde la obra de Machado a estos principios teóricos? Del equilibrio de aquellos dos elementos antes señalados, el concepto y la intuición, nace esa poesía de *Soledades, Galerías, Campos de Castilla* y *Nuevas canciones,* la más limpia, honda y serena que ha corrido por España desde los días de Bécquer. Monótono a veces, con innegables prosaísmos, pero con una sinceridad y desnudez integrales, Antonio Machado se nos ofrece en esos libros como el más alto exponente lírico de la edad contemporánea. Y lo asombroso en él es que, como en fray Luis de León o en Bécquer, esa poesía está construída con la menor cantidad de elementos: ni metáforas rebuscadas, ni expresiones originales, ni términos poéticos. Una idea, un sentimiento y las palabras precisas, indispensables, para transcribirlo al papel:

> Anoche, cuando dormía,
> soñé, ¡bendita ilusión!,
> que una fontana fluía
> dentro de mi corazón.
> Di: ¿por qué acequia escondida,
> agua, vienes hacia mí,
> manantial de nueva vida
> en donde nunca bebí?
> . . . .
> Anoche, cuando dormía,
> soñé, ¡bendita ilusión!,
> que era Dios lo que tenía
> dentro de mi corazón.

III. JUAN RAMON JIMENEZ

Mientras Machado es primero hombre y luego poeta, lo que vale tanto como decir que la nota más saliente de su obra es su profunda humanidad, JUAN RAMÓN JIMÉNEZ (1881-1958) es primeramente y ante todo poeta y después, muy remotamente hombre, como si la poesía en él fuese lo esencial y el ser hombre puramente accesorio, pudiendo lo mismo haber sido nube, pájaro, rosa o estrella. Ello hace que A. Machado, ya lo hemos dicho, sólo cante en momentos de plenitud emocional, en que la carga de sentimientos y de conceptos que pesan sobre su alma necesita esta especie de *catarsis,* que es nuestra vivencia traducida al exterior en forma de poema; por el contrario, Juan Ramón Jiménez da la impresión de que canta a todas horas y *porque sí,* sienta o no el soplo inspirador. Para él, la razón vital no es la misma vida, sino la poesía. De esta dedicación, de esta entrega absoluta al arte, nacen sus mayores virtudes y también, no hay por qué callarlo, sus mayores defectos.

La vida

«Nací—nos cuenta él mismo—en Moguer (Andalucía) (¡qué nombre!)—la noche de Navidad de 1881. Mi padre era castellano y tenía los ojos azules; mi madre es andaluza y tiene los ojos negros. La blanca maravilla de mi pueblo guardó mi infancia en una casa vieja de grandes salones y verdes patios. De estos dulces años recuerdo muy bien que jugaba muy poco y que era gran amigo de la soledad; las solemnidades, las visitas, las iglesias, me daban miedo. Los once años entraron de luto en el colegio que tienen los Jesuítas en el Puerto de Santa María; fuí tristón porque ya dejaba atrás algún sentimentalismo: la ventana por donde veía llover sobre mi jardín, mi bosque, el sol poniente de mi calle.»

A partir de este momento su biografía está perfectamente acotada por fechas:

1892-96: Universidad de Sevilla: pintura, poesía (Romanticismo).

1896-98: Primeras publicaciones en revistas de Huelva y Sevilla.

1898-01: Modernismo; primer viaje a Madrid; contacto con Rubén Darío.

1901-02: Salida al exterior; sudoeste de Francia, con excursiones a Suiza (simbolismo y resonancias de Verlaine, D'Annuzzio, Carducci).

1902-05: Otra vez Madrid; sanatorio; domingos poéticos; amistad con Machado, Villaespesa, Valle-Inclán, Martínez Sierra; Institución Libre de Enseñanza, que mostraría por el poeta, «su poeta», particular afecto. Lecturas de clásicos griegos y latinos; estudio de inglés y de alemán.

1905-12: Soledad en Moguer. Epoca creadora; lecturas.

1912-16: Madrid otra vez; Residencia de Estudiantes, hijuela de la Institución; segundo intento de dominar el griego y el latín.

1916-27: Viaje a América del Norte. Casamiento (1916) con Zenobia Camprubí Aymar, traductora de R. Tagore y ya desde entonces colaboradora del poeta. Epoca de intensa creación y lectura (irlandeses). Empieza la corrección y depuración de su obra, que pronto se convertiría en la Obra, con mayúscula. Lucha «con los ruidos del Madrid de la calle», para aislarse en la región de la «soledad sonora». Se inicia su fama. Viaje por toda España en coche; más español y más universal cada día. Intento de orientar a la juventud por medio de revistas: Sí, Indice, Ley. Hastío del nombre, que desemboca en el proyecto de una revista—Anonimato—que no llega a cuajar. Proyecto de publicar la Obra en páginas sueltas: Unidad.

1927-30: Cansancio, desaliento, desvío de una juventud que peca de «aparatismo, modería y truqueo». Esperanza en otra juventud mejor. Más viajes por España. Tanteo de residencia en Sevilla. Desgana. Ansia de empezar de nuevo, separando hombre y obra.

1930-36: Preparación de la «millonaria labor de treinta años»; transformación, corrección; necesidad de veinte años más «de complemento».

La guerra de Liberación le sorprende así. Más por necesidad de calma que por cualquier otro motivo, emigra a América: estancias en Puerto Rico, la Florida y, más definitivamente, en Washington. Ya no «el retraído», sino el «cansado de su nombre».

1957: En Puerto Rico, actuando como profesor de aquella Universidad, le sorprende en noviembre la concesión del Premio Nobel. Muere el día 29 de mayo de 1958.

Esta es la vida de Juan Ramón Jiménez, trazada a grandes rasgos y casi con sus propias palabras. Como se ve, obra y vida andan en él no ya sólo revueltas, sino sustancialmente unidas, de suerte que—ya se advirtió al principio—el poeta se confunde con el hombre y el hombre con el poeta. Hasta físicamente parece haber nacido para el arte. El retrato que figura en la Antología de G. Diego nos da un hombre abstraído, alejado de la realidad, la mirada perdida en no sabemos que imposibles lejanías. Y los últimos aparecidos con ocasión del Premio Nobel y de la muerte del poeta nos lo presentan con un perfil más demacrado, frente despejada, amplia calva, rostro magro, surcado por dos grandes arrugas que van desde las aletas de la nariz a la comisura de los labios; gafas de concha, bigote canoso y recortada barbilla.

Obra

Muy abundante. Verso: Almas de violeta (atrio de Villaespesa, 1900); Ninfeas (atrio de R. Darío, 1900); Rimas (1902); Arias tristes (1903); Jardines lejanos (1905); Elegías puras (1908); Elegías intermedias (1908); Olvidanzas: las hojas verdes (1909); Elegías lamentables (1910); Baladas de primavera (1910); La soledad sonora (1911); Pastorales (1911); Melancolía (1912); Laberinto (1913); Estío (1915). Hasta aquí la que se puede considerar primera época, con ecos de Rubén Darío, Bécquer, Verlaine, Rimbaud, Laforgue, Shelley, Keats y del mismo Góngora. A partir de este momento, con la publicación de Poesías escojidas (Nueva York, 1917—los otros libros estaban editados todos en Madrid—) se desarrolla su segunda época, más personal, más lírica, en obras como Sonetos espirituales (1917); Eternidades (1918); Piedra y cielo (1919); Poesía (1923); Belleza (1923); Luces de mi copla (Méjico, 1945), Animal de fondo (Buenos Aires, 1949), y las varias Antologías, siempre renovadas y continuamente corregidas a partir de la de 1917.

Prosa: Platero y yo, Diario de un poeta recién casado, La poesía cubana en 1936, Política y poética, Poesía y literatura, Españoles de tres mundos, etcétera.

Ha sido creador y animador de varias revistas minoritarias. Ha prologado obras de poetas jóvenes. Ha colaborado en periódicos de España y América, especialmente en El Sol, de Madrid, hace años, y en La Nación, de Buenos Aires, en época reciente [6].

El proceso creador

Nos lo va a explicar él mismo en unas declaraciones hechas hace bastantes años:

«1. Influencia de la mejor poesía «eterna» española, predominando el Romancero, Góngora y Bécquer. Soledad.

»2. El «modernismo» con la influencia principal de Rubén Darío. Soledad.

»3. Reacción brusca a una poesía profundamente española, nueva, natural y sobrenatural, con las conquistas formales del «modernismo». Soledad.

»4. Influencias generales de toda la poesía moderna. Baja de Francia. Soledad.

»5. Anhelo creciente de totalidad. Evolución consciente, seguida, responsable, de la personalidad íntima, fuera de escuelas y tendencias. Odio profundo a los ismos y a los trucos. Soledad.»

Obsérvese como rehuye el nombre de Rabindranah Togore, a pesar de que el gran poeta hindú ha influído—¡y cuánto!—en su mejor producción; obsérvese también la insistencia machacona con que deja caer esta palabra, *soledad*, clavándola a io largo de su vida como un hito repetido, al que se ve obligado a volver siempre los ojos. ¿Quería decir, como ya lo había dicho Cervantes, que la soledad es la mejor inspiradora del poeta; o quería, más bien, significar que en esa lucha titánica, porfiada, por alcanzar la perfección se ha sentido siempre solo, irremediablemente solo?

Sea lo que fuere no encontramos a lo largo de nuestra historia literaria una vida más totalmente entregada a la búsqueda de la belleza. En fray Luis, en Garcilaso, en el mismo Góngora, la poesía es, por encima de todo, anécdota; si acaso cuando más—Bécquer—sirve para ir subrayando y perpetuando los momentos íntimos del alma. En Juan Ramón la poesía es fin. Cree en ella como en una csa tangible, que puede poseerse y casi gozarse con los sentidos. Vive para poetizar y poetiza para vivir [7].

En esta comunión con la belleza nada le importa—o aparenta no importarle—que le acompañen o no. Se siente satisfecho con la «inmensa minoría»; y, si ésta falla, da lo mismo:

> Sólo la frente y el cielo.
> ¡Los únicos universos!
> ¡Mi frente, sólo y el cielo!
> Entre ellos, la brisa pura,
> caricia fiel, mano única
> para tantas plenitudes.
> ....
> Nada más.
>
> (*Estío.*)

En este coloquio espiritual con la poesía ha habido sus fases. El mismo nos las ha descrito, como acabamos de ver. Ha pasado de Bécquer a Rubén; de Rubén a los «ismos» franceses; de éstos a la exploración personal «consciente, seguida, responsable». Y siempre: soledad. Un poema brevísimo, uno de esos poemas que son un acierto desde la primera a la última palabra, nos describe esta evolución de la manera más precisa. Se titula *La poesía*:

> Vino, primero, pura,
> vestida de inocencia;
> y la amé como un niño.
> Luego se fué vistiendo

> de no sé qué ropajes;
> y la fuí odiando, sin saberlo.
> Llegó a ser una reina,
> fastuosa de tesoros...
> ¡Qué iracundia de yel y sin sentido!
> ...Mas se fué desnudando.
> Y yo la sonreía.
> Se quedó con la túnica
> de su inocencia antigua.
> Creí de nuevo en ella.
> Y se quitó la túnica,
> y apareció desnuda toda...
> ¡Oh pasión de mi vida, poesía
> desnuda, mía para siempre!

Hacia una lírica esencial

Nos encontramos primero, por tanto, con un Juan Ramón modernista. «Benjamín de la generación del 98» le llama Torrente Ballester y Mathilde Pomés abre con él su antología de *Poètes espagnols d'aujourd'hui*. Pero el modernismo fué para muchos una meta (Manuel Machado, Villaespesa, Carrere), mientras para otros era simple etapa de paso hacia caminos y modos personales. A éstos pertenece Juan Ramón Jiménez. El mismo nos dice en 1936: «En realidad, mi relación con Villaespesa había terminado, en 1902, con mi modernismo.» Se puede decir que esta etapa dura tres años y plasma en otros tantos libros iniciales: *Almas de violeta*, *Ninfeas* (ambos del 1900) y *Rimas*. En algunos pasajes ya parece apuntar su voz personalísima. El más propiamente modernista, *Ninfeas* (con el conocido «atrio» de Rubén), por su estilo, métrica y tema nos recuerda a Rueda, a Villaespesa. a cualquiera:

> ... Hace un frío tan horrible
> que hasta el cielo se ha vestido con su veste más   [compacta,
> cae la nieve en incesante lagrimeo,
> como el llanto sin consuelo de algún alma dolo-
> de algún alma que en los aires   [rida,
> vaga triste sin hallar dulce reposo...

Esto, naturalmente, no podía satisfacer a un espíritu como el de Juan Ramón. El buscaba otra cosa. Y la halla pronto. Ya en *Almas de violeta* encontramos nada menos que este «Azul»:

> Ya estoy alegre y tranquilo:
> ¡sé que mi virgen me adora!
> ¡Ya en el rosal de mi alma
> abrieron las blancas rosas!
> Fuera, en el mundo, hace frío;
> el otoño triste llora;
> más ¿qué me importa que caigan
> de los árboles las hojas?

De nada de esto se quiso acordar Juan Ramón en sus dos grandes *Antolojías*. Y eso que aún encontramos allí unos pocos versos, reunidos bajo el título de «Anunciación» y que él da como de 1898 a 1900, «corregidos», evidentemente, con arreglo a la nueva manera del autor. Dice así en «Adiós»:

¡Primero, con qué fuerza
las manos verdaderas!
La verja se ha cerrado.
Se cruzan solitarios
el corazón y el campo.
¡Con qué porfía luego
las manos del recuerdo!

Esto es otra cosa. Pero no nos engañemos: aunque fechados en 1900, son versos «arreglados». Hay aquí demasiada desnudez, demasiada pureza, demasiada poesía, en una palabra. Para llegar a ella hacían falta muchos meses y aun años. Tampoco debe engañarnos el juicio del autor: «Pienso que entre tanta frondosidad y tanta indiferencia, lo mejor, lo más puro e inefable de mi alma, está tal vez en esos dos primeros libros.» Antes de llegar a esa que Diez-Canedo llamó «primera plenitud de Juan Ramón» había de pasar éste por un proceso lento, consciente, doloroso, un auténtico calvario creador. Oigámosle:

«Me llené de un misticismo inquieto y avasallador: fuí a las procesiones; rompí un libro—Besos de oro—de versos profanos, me llevaron al sanatorio de Castel de Andorte, Bordeaux. Allí, en un jardín, escribí Rimas, que publiqué en Madrid el año siguiente. Era el libro de mis veinte años. A fines de 1901 sentí nostalgia de España; y, después de un otoño en Arcachón, me vine a Madrid, al sanatorio del Rosario, blanco y azul, de Hermanas de la Caridad bien ordenadas. En ese ambiente de convento y jardín he pasado dos de los mejores años de mi vida. Algún amor romántico de una sensualidad religiosa, una paz de claustro, olor a incienso y flores, una ventana sobre el jardín, una terraza con rosales para las noches de luna... Arias tristes. Una larga estancia en las montañas del Guadarrama me trae Pastorales; después viene un otoño galante—azul y oro—que da motivo a un Diario íntimo y a muchos Jardines lejanos. Este es un período en que la música llena la mayor parte de mi vida. Publico Jardines lejanos—febrero, 1905—y pienso Palabras románticas y Olvidanzas. La ruina de mi casa acentúa nuevamente mi enfermedad y es una época lamentable en que no trabajo nada... Frío, cansancio, inclinación al suicidio. Otra vez el campo me envuelve con su primavera: Baladas de primavera. Ahora esta vida de soledad y meditación entre el pueblo y el campo, con el rosal de plata, experiencia en flor, la indiferencia más absoluta para la vida y el único alimento de belleza para el corazón: Elegías.»

Con Arias tristes (1903) se puede dar por iniciada la parte de la obra definitiva, la que él mismo llamaría «primera juventud». Notas distintivas de esta fase, ya señaladas por Rubén Darío: suavidad melancólica; reserva y sinceridad a un tiempo; anhelo de imposibles y «un espíritu fino como el diamante y deliciosamente sensitivo». Heine, Verlaine, Rimbaud..., pero modernizados aún más, aligerados, sutilizados a través de un alma andaluza. En lo formal todavía no ha roto las trabas: sonetos endecasílabos y alejandrinos, romances, etc.

El poeta de «Eternidades»

Pronto—pasando por Estío. Sonetos individuales, Diario de un poeta recién casado—llegamos a Eternidades (1917). Cada artista, cada lírico, tiene su cima, su punto más alto, que no siempre coincide con el momento culminante de su vida. Rubén lo alcanzó en los Cantos de esperanza; Machado, en Campos de Castilla; otros nunca llegan a él; los más, una vez tocado, empiezan a bajar. Para Juan Ramón ese clima poético está en Eternidades. Después, Piedra y cielo, La estación total, Canciones de nueva luz, Animal de fondo, etc., serán puras reiteraciones. En Eternidades se nos revela el «poeta esencial» en la forma y en el fondo. Por lo pronto él tiene que decirlo todo, recrearlo todo:

Voz mía, canta, canta;
que mientras haya algo
que no hayas dicho tú,
tú nada has dicho.

A esta suprema misión se entrega con un afán, una disciplina y una asiduidad ejemplares. Durante años las horas del poeta están repartidas en estos tres quehaceres: crear, depurar y ordenar:

¡Con qué deleite, Obra,
te contengo en un abrazo magistral,
aunque me hieras, implacable,
con tus mil puntas libres de oro y fuego!

Ajeno a todo, va revisando, puliendo, perfilando la obra hasta encontrarla perfecta:

¡No la toques ya más,
que así es la rosa!

Y se encamina hacia la conquista de la belleza, siguiendo el bello símil de Goethe, que sirve de lema a varios de sus libros; «como la estrella, sin precipitación y sin tregua».

Así obtiene logros imprevistos. Más que a reflejar el mundo pasivamente, aspira a recrearlo a su imagen y semejanza, en sentido soberbiamente poético:

Plenitud de hoy, es
ramita en flor de mañana.
Mi alma ha de volver a hacer
el mundo como mi alma.

Pero siente la falta de materiales:

No sé con qué decirlo,
porque aún no está hecha
la palabra.

Y en otro lugar:

¡Inteligencia, dame
el nombre exacto de las cosas!
...Que mi palabra sea
la cosa misma
creada por mi alma nuevamente.
Que por mí vayan todos
los que no las conocen, a las cosas;
que por mí vayan todos
los que ya las olvidan, a las cosas;
que por mí vayan todos
los mismos que las aman, a las cosas...

En ocasiones es una poesía riente, esperanzadora:

> Tira la piedra de hoy,
> olvida y duerme. Si es luz,
> mañana la encontrarás,
> ante la aurora, hecha sol...

a veces desolada:

> ¡Espera, luz, espera!
> —y corro ansioso, loco—.
> ¡Espera, luz, espera!
> ....
> —Y me hecho al suelo como un niño,
> llorando por mí, y sin verla ya...

a veces tan profunda que da vértigo:

> Es verdad ya. Mas fué
> tan mentira, que siempre
> sigue siendo imposible...

Aquí nos enfrentamos, bien se ve, con una poesía tan desnuda, tan exenta de artificio, que casi ya no parece poesía. En este rasgar velos, desechar formas, palabras, sentimientos, el poeta experimenta un placer casi divino:

> ¡Qué goce, corazón, este quitarte
> día tras día tu corteza,
> este encontrar tu verdadera forma
> tierna, desnuda, palpitante!...

Dentro de esta segunda época, aparte de los libros citados, hay que encuadrar *Belleza* (1917), *Unidad* (1925) y *Canción* (1935).

Técnica y proyección

¿Cómo ha llegado Juan Ramón Jiménez a estas depuraciones y de qué materiales se ha servido? De todos los lugares por donde pasó ha ido extrayendo, como la abeja, los mejores néctares. De su prosapia castellano-andaluza, la severidad y la finura; del modernismo, la elegancia formal; del simbolismo, cierta musicalidad, cierta melancolía y una predilección manifiesta por el claro-oscuro; y de las teorías de la «poesía pura», tan en boga hace unos años, el desprecio por el ornato innecesario.

Claro es que con todo ello nada o muy poco hubiera logrado, a no intervenir para combinar todos estos factores un espíritu tan refinado, tan poético, tan ultrasensible como el suyo. A veces —todo hay que decirlo—Juan Ramón se excede: en su afán de depurar más y más la poesía, la somete a una alquimia de la que sale desprovista

de carne, de sentimiento y de palpitación humana. Y, en vez de darnos esa cosa ingrávida y cristalina que él pretende, nos da algo seco, duro, absurdo, ininteligible... Porque esas manipulaciones lo mismo pueden dar un precipitado purísimo, que convertir lo que estaba llamado a ser un buen soneto en una puerilidad o, lo que es peor, en un simple galimatías. En Juan Ramón esto viene sucediendo con cierta frecuencia [8]. Y no somos nosotros los primeros en decirlo. Torrente Ballester alude al «período de galimatías críptico» en la obra de este lírico y, sin dejar de reconocerle excepcionales dotes—sensibilidad, capacidad intuitiva, gusto refinado, sentido musical—, termina por negarle la más indispensable de las cualidades que debe tener un poeta: calor humano. «La poesía de Juan Ramón, la mejor—afirma—, está hecha para ser gustada como un objeto bello, pero no sirve para que un hombre carente de palabras conmovidas exprese con ellas su amor, su entusiasmo o su nostalgia; que es, en definitiva, el destino de la gran poesía y la medida de su grandeza. Todo lo demás es historia literaria» [9].

En cuanto a la proyección de su obra reconozcamos que pocos poetas, acaso ninguno, haya ejercido una influencia tan inmediata, tan profunda y tan extensa entre sus contemporáneos. Respetado y admirado por todos, más allá del bien y el mal, superior, según parece, a todas las veleidades de la crítica, ha merecido ser respetado hasta por aquellos que empezaban por hacer tabla rasa de todos los valores artísticos, los fanáticos del «ultra». Por boca de su máximo teorizante, Guillermo de Torre, reconocen en Juan Ramón «un maestro indiscutible». De aquí que el número de sus imitadores haya sido casi igual al de los poetas surgidos en las generaciones subsiguientes. Hubo un momento en que el «juanrramoniano» constituía verdadera plaga; y lo malo es que, como ocurre siempre con los imitadores, en vez de seguir al maestro en el áspero camino de pureza, los más se perdieron en los oscuros laberintos de la inanidad, de la puerilidad, del aparentar que se siente y se dice algo, cuando no se dice nada. El lujo de prescindir de ciertas cosas—rima, ritmo, ideas y sentimientos en el verso—sólo se lo pueden permitir ciertos seres privilegiados; pero éstos, después de demostrar que saben hacer las cosas conforme a los cánones más exigentes del arte: Juan Ramón, en poesía; Picasso, en pintura. Y aun en ellos—ya lo hemos visto—el riesgo de perderse es muy grande.

IV. OTRAS TENDENCIAS

Federico de Onís señala como un fenómeno de reacción frente a las fórmulas modernistas la existencia de una serie de poetas que, más o menos extraños a los modos dominantes, persistieron durante el primer tercio del siglo en el cultivo de una

lírica conforme a los módulos tradicionales. Incluso los reparte en dos grupos: «reacción hacia la tradición clásica» y «reacción hacia el Romanticismo» [10]. Nosotros creemos que más que enfrentarse con las normas vigentes lo que hicieron fué desconocerlas en unos casos y subestimarlas en otros. Ni sería difícil encuadrar a varios de ellos en las filas del modernismo, ya que en la larguísima serie—siempre susceptible de aumentar con nuevos nombres—los hay para todos los gustos: desde aquellos que, como Enrique de Mesa y Tomás Borrás, no desdeñarían una filiación rubeniana, hasta aquellos otros que, como Ricardo León, harían gala de una impermeabilidad absoluta a toda corriente renovadora. El caso más general es el de aquellos que por su formación literaria o por tendencias ingénitas añoran la mejor poesía del pasado y vuelven los ojos a ella, sin renunciar por eso a los logros positivos de la actual. Tampoco cabe hablar de grupo, porque nada hay que dé unidad a estos ingenios, si estimables en su conjunto, ninguno por separado de excepcional categoría. Por eso nosotros hablamos de «serie».

La lírica tradicional: Marquina y Enrique de Mesa

Don Eduardo Marquina (1879-1946) [11], de tan extendido renombre en el teatro, inició su carrera literaria en el campo de la lírica. De esa época de juventud nos quedan ocho o nueve libros que acreditan un temperamento poético de signo eminentemente clasicista. Los títulos de algunos de esos libros son bien reveladores: *Odas, Eglogas, Elegías, Vendimión*... Clasicismo de buena ley; no un clasicismo cerrado y pétreo, sino luminoso, mediterráneo, abierto a todas las caricias de la vida y del arte; y, lo que vale más, compatible con las últimas fórmulas de la estética.

Marquina sabe conciliar perfectamente los refinamientos formales de la poesía modernista con la sobriedad manriqueña y hasta horaciana. Una sólida formación humanística le permite asimilar la técnica del simbolismo [12], sin caer en sus excesos y, sobre todo, sin llegar a parecernos nunca extranjerizante ni decadente. Se le ha tachado el exceso de retórica y el abuso de metáforas. Sin duda ese abuso existe en no pocos de sus poemas. Se ha dicho asimismo que es un poeta cívico, un poeta de multitudes; y también es verdad, especialmente si se piensa en *Canciones del momento* y *Tierras de España*. Sin embargo, por encima de estos reproches, la poesía de Marquina se nos ofrece sincera, equilibrada, digna, de empaque señorial y grave serenidad. Sus temas preferidos son, como indican los títulos, la familia, el campo, el mar, todo ello interpretado con un optimismo sano. En *Elegías* se interfiere el tema del dolor, aunque velado, casi ahogado, por la resignación. *Vendimión* expresa un aspecto panteísta del alma del poeta, satisfecho con el simple goce de vivir y fundirse en la euforia universal. Por último, *Canciones del momento* dan la nota patriótica en cuanto evocación de las grandes gestas de nuestra historia, que Marquina ha sabido exaltar en sus dramas como ningún otro poeta moderno.

Lo admirable en este ingenio catalán y lo primero que hacen resaltar cuantos de él se ocupan es la inmediata y total entrega al cultivo de una lengua que no era la suya, hasta dominarla plenamente y convertirla en instrumento dócil de su fervor y admiración a España.

Obra lírica: *Jesús y el Diablo*, poema (Barcelona, 1899); *Odas* (1900); *Las vendimias* (1901); *Eglogas* (Madrid, 1902); *Elegías* (1905); *Vendimión*, poema (1909); *Canciones del momento* (1909); *Tierras de España* (1914); *Juglarías* (1914). Su producción dramática, con medio centenar de títulos, se estudiará en el capítulo correspondiente.

Con una sensibilidad también moderna, aunque arropada en formas clásicas, florece por los mismos días otro poeta: Enrique de Mesa (1879-1929) [13]. Gran conocedor de la mejor literatura de nuestro Siglo de Oro y más aún de la medieval del Arcipreste de Hita y de los Cancioneros, su escasa producción tenía por fuerza que resentirse de la influencia de todos ellos. *Flor pagana, Tierra y alma, Andanzas serranas, Cancionero castellano, El silencio de la Cartuja* (premio Fastenrath), *La posada y el camino*, son libros que delatan un espíritu, muy antiguo y muy moderno a la vez, enamorado de la soledad, del campo y de sus delicias más elementales. «La poesía de Mesa—ha escrito Onís—, tradicional y moderna, pictórica y subjetiva, representa una definida emoción muy española por el espíritu y por la visión concreta de realidades hechas de tierra parda y cielo claro, de dulzura y de aspereza, de dureza y de elegancia» [14]. Como nota negativa añadiríamos por nuestra cuenta que el bucolismo de Mesa es un tanto convencional y su arcaísmo algo forzado. No obstante, poesías como las que llevan por título *Autosemblanza, Voz del agua, El poema del hijo* y *Dulzamara* merecen pervivir en el recuerdo de todos. Mejores son aún *Velazqueña, Agosto* y *La hora dulce*, en la mejor línea de Antonio Machado. En cambio, no nos gusta *Egloga*, aunque figura en varias antologías. Demasiada estudiada, fría y de un clasicismo huero.

Más poetas tradicionales

Ricardo León (1877-1943), conocidísimo por sus novelas de exaltación de los valores raciales, que estudiamos en otro lugar. En sus dos únicos libros de verso—*Lira de bronce* y *Alivio de caminantes*—cultivó una poesía académica, declamatoria y vacía de auténtica emoción. Las décimas de su sátira *Contra los pedantes* no carecen de ingenio.

Rafael Blanco Belmonte, poeta de Juegos Florales y de épica vena, autor de *La lanza de Don Quijote* y del *Romancero de Cervantes*; Manuel

DE SANDOVAL, académico de la Lengua, que exaltó los temas patrios en verso de altisonante aliento; FRANCISCO RODRÍGUEZ MARÍN, nuestro gran erudito, que en *Madrigales y sonetos* hizo gala de un ingenio exquisito que lo entronca con la mejor escuela sevillana; ADOLFO BONILLA SAN MARTÍN, destacado investigador, que publicó un tomo de poemas titulado *Prometeo y Arlequín*; DIEGO SAN JOSÉ, recalcitrante repetidor en prosa y verso de los temas y modos españoles de los siglos XVI y XVII (en verso tiene el *Libro de diversas trovas*); MARCIANO ZURITA, palentino, enamorado de la tierra castellana, a la que cantó en poemas de noble empaque (*Pícaros y donosos, La musa campesina*); MANUEL DE GÓNGORA, versificador fácil, que arrea sus poemas con todas las galas de la escuela andaluza; JUAN DE CONTRERAS, marqués de Lozoya, catedrático e historiador del arte, vinculado como poeta a la más sana tradición. Su libro *Poemas*, recopilado de varios volúmenes anteriormente publicados, nos ofrece una poesía de clásico corte castellano, arquitectural, llena, un poco arcaica [15].

El grupo regional:
Gabriel y Galán,
Medina y Basterra

La vida del campo castellano o levantino, no entrevista a través de la literatura y en visión fugaz, como en Mesa y Díaz-Canedo, ni desfigurada por los bucólicos del clasicismo, sino palpada directamente, respirada, vivida en toda su plenitud, ofrece unos cuantos intérpretes de inspirada vena, que alcanzaron a principios de siglo amplia popularidad. Alguno de ellos, Gabriel y Galán, sigue siendo uno de los poetas favoritos del gran público; y con Vicente Medina forma la pareja que mejor ha sabido expresar los sentimientos del alma regional: Gabriel y Galán, la de Castilla y Extremadura; Medina, la de Levante.

A JOSÉ MARÍA GABRIEL Y GALÁN (1870-1905) [16] le bastó una poesía, *El ama*, premiada en los Juegos Florales de Salamanca (1901), para alcanzar las cimas del éxito. La crítica le saludó como lo que era, un poeta de primer orden, capaz de sentir y de expresar las mil y mil emociones de la vida campesina con un acento tan hondo como nadie lo había hecho entre nosotros hasta entonces. Luego esa misma crítica, a la que inmediatamente le sucedió, se dedicó a buscarle puntos vulnerables y se puede decir que el juicio de los que se dan por enterados le es hoy totalmente adverso. Resulta que Gabriel y Galán tiene arte para versificar, domina el idioma, que en sus manos se transforma en instrumento dúctil y armonioso; siente el paisaje y el alma castellana; es sencillo, expresivo; vigoroso o blando, rudo o suave, según los casos. Pero carece de la exquisita sensibilidad de los líricos modernos; deriva, sin poderlo evitar, hacia el retoricismo fácil y la expresión

vulgar y, sobre todo, es demasiado ingenuo. Esto de la ingenuidad interpretado como defecto no deja de sorprender en una crítica acostumbrada a destacarlo en los poetas de su devoción como una virtud más. Por otra parte, se le censura el no haber sabido salirse de las formas métricas consagradas—quintilla, redondilla, silva, romance—; lo cual no es exacto, porque, sin la variedad de un Rueda o de un Villaespesa, su versificación no cede en riqueza a la de cualquier otro poeta de su tiempo.

No negaremos que todos estos reparos sean más o menos fundados; especialmente el que atañe a la precipitación excesiva y a la falta de retoque de alguno de sus poemas. Estaría uno tentado a creer que Gabriel y Galán, presintiendo su prematuro fin, deseaba por todos los medios dejar a la posteridad una obra poética considerable. De todos modos, y por encima de cualquier defecto, encontramos en él uno de los grandes cantores del alma castellana y aun española, en lo que Castilla tiene de sustrato racial y eterno: la familia, la fe, la tierra... No vale compararle en este aspecto, como se ha hecho alguna vez, con fray Luis de León; mucho menos, con Unamuno. La Castilla de Unamuno está trascendida de historia, de arte y hasta de filosofía; la vida campesina que canta fray Luis es la misma de Horacio y sus versos, aplicables a cualquier región. La Castilla de Gabriel y Galán es la ancha, la recia que vemos todos cuando cruzamos con el tren camino de Madrid. Sus campos no son trasladables a otro clima o ambiente; son los de Salamanca, León o Avila:

> Los de las pardas, ondulantes cuestas;
> los de los mares de enceradas mieses,
> los de las mudas perspectivas serias,
> los de las castas soledades hondas,
> los de las grises lontananzas muertas...

Sus versos huelen a tomillo y a cantueso recién cortado; a pan recién sacado del horno; a brazadas de mies que se acaba de segar; a leche recién ordeñada, a sudor campesino, a establo... Los *argumentos* de sus poemas, si se puede hablar de argumentos y no de puras motivaciones anecdóticas, están arrancados del vivir cotidiano en los medios rurales: el viejo que da consejos a la moza casadera; el montaraz que requiebra a la montaraza; el vaquerillo que llora el desvío de la zagala; la madre postrada sobre la tumba del hijo [17], que era su único sustento; el rentero que, mientras empuña la mancera del arado, va calculando las rentas que debe al señor; y «el ama», que al morir ha llenado de luto la alquería.

En la producción de Gabriel y Galán hay dos aspectos distintos: los poemas escritos en castellano, que son los más, y los redactados en dialecto leonés oriental, que aspira a reproducir la jerga de ciertas comarcas de Extremadura. Al primero corresponden las series tituladas *Castellanas* (1902), *Nuevas castellanas* (1905), *Religiosas* y

Campesinas (1904); al segundo, las agrupadas bajo el título de *Extremeñas* (1902). Para nuestro gusto las mejores composiciones pertenecen a *Castellanas,* y las más endebles a *Religiosas.* Algunas de las *Extremeñas*—«El Cristu benditu», «Varón», «El embargo»—se han hecho famosas con justo motivo. Entre las *Castellanas* merecen citarse: «Lo inagotable», «Cuentas del tío Mariano», «Ganadero», «Mi montaraza», «Presagio», «Castellana», «Ana María» y, sobre todas, «El ama», que basta sola para prestigiar a un poeta. En *Campesinas,* dentro siempre del ambiente y de los temas rurales, apunta un intento de asimilación de las fórmulas modernistas, especialmente en lo que se refiere a la estrofa amplia, a la manera de Rubén y de Salvador Rueda; intento que no pudo llegar a su pleno desarrollo por la muerte del poeta en plena creación. Ejemplo, «Los pastores de mi abuelo»:

He dormido en la majada sobre un lecho de lentiscos,
embriagado por el vaho de los húmedos apriscos
y arrullado por murmullos de mansísimo rumiar.
He comido pan sabroso con entrañas de carnero
que guisaron los pastores en blanquísimo caldero
suspendido de los llares sobre el fuego del hogar.

En un tono análogo, pero más discreto y con menos variedad de temas, el murciano VICENTE MEDINA (1866-1937) [18] cantó a su tierra de Levante, caliente y generosa. Sólo que mientras Gabriel y Galán va ampliando su visión regionalista y cada nuevo libro nos trae un aspecto también nuevo de Castilla, Medina agota su vena, puede decirse, en sus primeros poemas, los que lo resto son meras repeticiones. Como a Galán, la crítica, por boca de *Azorín,* Maragall, *Clarín* y Unamuno lo saludó con los más altos elogios [19]. No era para menos: extraño a la revolución modernista y sin querer saber nada de ella, Medina traía una poesía fresca, llana y emotiva, de agua bebida en el mismo manantial; poesía formulada del modo más simplista, con frecuencia casi en forma de cantares y en el mismo lenguaje rústico del pueblo. Sus primeras creaciones, *Aires murcianos,* «son —escribe Onís—, dígase lo que se quiera, obras maestras de un arte humano y humilde que vivirán siempre, y que no han sido superadas ni por su autor ni por sus numerosos imitadores». Consignemos el título de sus mejores poemas: «Cantares», «Siempre le conocería», «Carmencica», «¡Pobretico!», «Cansera», «Jactancia», «Luchador», «En busca del pan».

Obra: *Aires murcianos* (1.ª serie, con pról. de *Azorín,* todavía J. Martínez Ruiz, 1898; 2.ª serie, 1900); *Alma del pueblo* (1900); *La canción de la vida* (1902); *La canción de la huerta* (1905); *Poesía* (1908); *Canciones de guerra* (Rosario de Santa Fe, 1914); *Abanico* (Montevideo, 1917); *Canciones para niño y viejo cantar* (1919); *La compañera, Sin rumbo, Sed tengo; Mujer, ¡Dios te salve!, Pavesa* (todos s. a.); *En la ñora, Aires murcianos* (1926); *Aires argentinos* (1927).

La emoción del paisaje vasco y el culto a las tradiciones de la tierra natal que transparenta su poesía, hace que traigamos aquí, por no saber dónde encajarlo, el nombre del recio bilbaíno RAMÓN DE BASTERRA (1888-1928) [20]. Lo que en Medina y Galán es simplicidad, sencillez y toma directa de contacto con la Naturaleza, se hace en Basterra reflexión y artificio; la libertad e incontenible fluencia de aquéllos se convierte aquí en norma y corriente represada. Sin embargo, también Basterra es retórico y aun a veces barroco, que el retoricismo tanto puede proceder de la falta de estudio como del sobrado acicalamiento. Como buen vasco, ama Basterra las costumbres patriarcales de los valles pirenaicos; como buen latino, mira a Roma; como buen español, siente el culto de las empresas universales: las de Trajano, las de Loyola y las de las grandes compañías comerciales... Con estos elementos cincela una poesía viril, un poco áspera, clásica en la forma y llena de ebulliciones románticas. Porque Basterra, en el fondo, es un soñador como cualquier otro. Aunque afecta desdén por las fórmulas modernistas, implícitamente las aplica en sus versos, y hasta la angustia del 98 le inspira alguno de sus mejores poemas. Léase el magnífico soneto *A los jóvenes dolorosos* [21]. La vida y la obra de Basterra se nos presentan así como algo fatal, como un destino ineludible: el del hombre que suspira por vivir en la tranquila tierra de sus mayores y a quien su profesión, su formación, sus estudios, empujan hacia rutas universales [22].

De ahí que su poesía cuanto más cosmopolita se nos antoje menos sincera; y, en cambio, nos parezca casi lograda cuando alude al viejo campanario, al pequeño frontón donde se juega a la pelota; a los bueyes uncidos a la carreta, a las doncellas de mejillas sonrosadas, camino de la iglesia. Léanse: «Domingo», «Aldeanos», «Oficios», «Tímido», «La pelota».

Obra: la producción, llamémosla así, de ambiente regional, aunque siempre con evasiones hacia temas universales, se manifiesta en sus primeros libros: *Las ubres luminosas* (Bilbao, 1923); *La sencillez de los seres* (Madrid, 1923); *Los labios del monte* (Madrid, 1924). Su sentido ecuménico e imperialista de la raza, que le hace soñar una Sobrespaña antes que surgiese la idea de la Hispanidad, está contenida en *Vírulo* (primera parte: *Las mocedades,* 1924; segunda parte: *Mediodía,* 1927), un personaje mítico, en quien simboliza Basterra sus más altos ideales: la fuerza, la tradición romana y la tradición católica española. Tiene en prosa *La obra de Trajano,* fruto de su permanencia en Rumania, y *Los navíos de la Ilustración,* de su paso como diplomático por Venezuela.

Más poetas regionales

El extremeño LUIS CHAMIZO, que gozó de renombre momentáneo por su fuerte drama de ambiente rural *Las brujas*, es un imitador de Gabriel y Galán, con mayor dominio en su obra de voces dialectales y un dramatismo mucho más acusado. Publicó *El miajón de los castúos* y *Extremadura*.

También pueden descubrirse influencias de Galán en el popular poeta madrileño ANTONIO CASERO, que en *Los gatos, Los castizos, El pueblo de los majos* y *La musa de los Madriles* supo recoger lo mejor del alma barriobajera, dándole sabor y color local. Casero es un discípulo aprovechado de JOSÉ LÓPEZ SILVA, otro madrileñista castizo, más conocido por su producción teatral, ya que forma con Arniches y García Álvarez la tríada de los grandes sainetistas contemporáneos.

Citemos, para cerrar este apartado, a MIGUEL MÁRQUEZ SOLER, de Almería, poeta fácil y simpático, en cuyas composiciones hay ecos inconfundibles de Gabriel y Galán, de Rueda y de Vicente Medina.

Los cantores del mar

Bajo este epígrafe de «cantores del mar» suelen darse agrupados hasta media docena de poetas, todos ellos de mucha solvencia y alguno de alto empaque, que han hecho del mar, con sus escenas y paisajes, tema predilecto y casi exclusivo para sus cantos. Se distinguen de los del grupo anterior en que están más afectados por las fórmulas de la nueva escuela. Mejor aún: por la manera de sentir y de expresarse son fracamente modernistas. Todos cantan el Atlántico; pero tres de ellos en su luminosidad radiante de las islas Canarias; los otros tres, en las brumas espesas y tormentosas del Cantábrico.

La poesía de TOMÁS MORALES (1885-1921)[23] está calificada por Federico de Onís como «la más rica, amplia y brillante de la fase postmodernista de España». Son los suyos poemas de hondo resuello, polifónicos y deslumbrantes, con reminiscencias simultáneas de D'Annunzio, Rubén y Verdaguer. Motivos predilectos: la vela lejana, la voz misteriosa de las sirenas, el eco de las caracolas, los relatos de los *lobos de mar*, la escuadra de grises trasatlánticos que acaba de arribar, el muelle dormido bajo el disco rojo de la luna, el malecón. La voz de Morales adquiere a veces tonalidades pictóricas:

> Es una inmensa concha de vívidos fulgores;
> cuajó el marismo en ella la esencia de sus sales,
> y en sus vidriadas minas quebraron sus colores
> las siete iridiscentes lumbreras espectrales.
> Incrustan sus costados marinos atributos
> —nautilos y medusas de nacaradas venas—,
> y, uncidos a su lanza, cuatro piafantes brutos
> con alas de Pegaso y colas de sirenas...
>
> *(Oda al Atlántico.)*

Y al lado de este Morales, no poco retórico, de los *Poemas del mar*, del *Canto a la ciudad comercial*, de la *Oda al Atlántico*, el otro Morales, emotivo, sencillo e íntimo, tal como se nos revela, por ejemplo, en *Vacaciones sentimentales*. Tiene además la gloria de haber sido promotor de todo un período lírico en las islas Canarias; a imitación suya, una legión de vates ha reverdecido los lauros poéticos en aquellas islas: Fernando González, Claudio de la Torre, Agustín y José María Millares, Ventura Doreste, Pedro Lazcano[24].

Publicó: *Poemas de la gloria, del amor, del mar* (Madrid, 1908), *Las rosas de Hércules* (Madrid, 1919), muy aumentado en su segunda edición de 1922.

Conterráneos de Morales y exactamente de la misma edad, otros dos poetas, Saulo Torón y *Alonso Quesada*, hacen del mar tema para sus cantos, bien que en tono mucho más modesto y sin el aparato mitológico de aquél. «ALONSO QUESADA» (1886-1925)[25], seudónimo de Rafael Romero, revela en sus dos libros de poemas, *El lino de los sueños* (1915, prólogo de Unamuno) y *La umbría* (1923), un espíritu melancólico y enfermizo, con rasgos de resignada ironía. Centra su atención en lo cotidiano y vulgar —la oficina, el paseo junto al mar, la vacación de fin de semana—, tratando de descubrir en estos hechos de la vida corriente el ángulo más poético o menos prosaico[26]: *El sábado, El balance, La compañía nueva* y *Una inglesa ha muerto* sus sus composiciones más representativas.

SAULO TORÓN[27] (1885), del mismo grupo, aunque con una sensibilidad más afín a la nuestra, también prefiere un tono menor, que por su desnudez expresiva le acerca a veces a Juan Ramón Jiménez y por lo sentencioso y grave hace recordar la última manera de Antonio Machado. *Las monedas de cobre* (1919), *El caracol encantado* (1926) y *Canciones de la orilla* resumen su labor poética. Ha estrenado asimismo en su tierra natal algunos sainetes de ambiente canario.

Tres son también los poetas, los tres santanderinos, enamorados del mar Cantábrico, al que han consagrado sus mejores cantos: José del Río, Jesús Cancio y Luis Barreda. De ellos el más conocido y el de más vuelo es JOSÉ DEL RÍO SÁINZ (n. 1886)[28], que navegó como piloto por varias aguas y continentes, teniendo ocasión de conocer razas, costumbres y lenguas diversas. En su poesía, que recoge la vida a bordo, las travesías interminables y las arribadas a los puertos, hay insoslayables huellas de Tomás Morales y un evidente aprovechamiento de todos los recursos modernistas, incluído lo aparatoso y orquestal. *Versos del mar y de los viajes* (1912), *La belleza y el dolor de la guerra* (1922), *Hampa* (1923), *La amazona de Estella y otros poemas* (1927), resumen su obra poética. «El mar de las Antillas», «El vino de España», y «Las tres hijas del capitán», son excelentes sonetos. «San Sebastián de Carabandal», con influencias valleinclanescas, es acaso su poema más logrado.

JESÚS CANCIO (n. 1885), algo anterior a Del Río,

prefiere el tono ingenuo y sencillo del habla popular que, sin caer en las formas típicamente dialectales, resulta más adecuado a los motivos inspiradores de sus versos: la vida marinera en sus clases más humildes; escenas de pescadores; lucha de las lanchas con el mar... La inundación modernista apenas logra alcanzarle, hasta tal punto, que algunos lo incluyen en el grupo de los poetas regionales. *Olas y cantiles* y *Brumas norteñas* contienen lo más granado de su producción.

Tampoco se ha pegado nada del modernismo a LUIS BARREDA (n. 1874), cuya inspiración aparece repartida entre el mar y la tierra montañesa que le vió nacer. Es un lírico delicado, hondo, de gusto depurado, que se mueve cómodamente dentro de los módulos tradicionales. Su voz es en verso réplica de la prosa de Pereda, a quien se le ha querido comparar por sus descripciones de los valles, caminos y aldeas montañesas. Sólo que Barreda es mucho más íntimo y emocionado. Nos dejó su obra en *Cancionero montañés* (1898), *Valle del Norte* (1901), *Roto casi el navío* (1915) y *El báculo* (1923).

NOTAS

1. Estamos convencidos de que una revisión objetiva e imparcial, con el consiguiente enjuiciamiento, no amenguaría la gloria de estos poetas, y, por el contrario, contribuiría a dejarlos situados en el lugar exacto que les corresponde.

2. He aquí la autosemblanza:

Ni un seductor Mañara, ni un Bradomín he sido
—ya conocéis mi torpe aliño indumentario—;
mas recibí la flecha que me asignó Cupido,
y amé cuanto ellas pueden tener de hospitalario.

Hay en mis venas gotas de sangre jacobina;
pero mi verso brota de manantial sereno,
y, más que un hombre al uso que sabe su doctrina,
soy, en el buen sentido de la palabra, bueno.

Y aun mejor, aludiendo a su natural retraimiento:

Converso con el hombre que siempre va conmigo
—quien habla solo espera hablar a Dios un día—,
mi soliloquio es plática con este buen amigo...

3. A ellas alude en la misma composición citada en la nota anterior:

Mi infancia son recuerdos de un patio de Sevilla
y un huerto claro donde madura el limonero;
mi juventud, veinte años en tierra de Castilla;
mi historia, algunos casos que recordar no quiero.

(Retrato.)

4. Cfr. el poema de *Campos de Castilla*, señalado con el número XXIX en la ed. de «Obras completas»:

En estos campos de la tierra mía,
y extranjero en los campos de mi tierra
—yo tuve patria donde corre el Duero
por entre grises peñas...

5. Sobre estos mismos conceptos había de insistir en el precitado *Retrato*:

Adoro la hermosura, y en la moderna estética
corté las viejas ramas del árbol de Ronsard;
mas no amo los afeites de la actual cosmética
ni soy un ave de esas del nuevo gay-trinar.

Desdeño las romanzas de los tenores huecos
y el coro de los grillos que cantan a la luna.
A distinguir me paro las voces de los ecos,
y escucho solamente, entre las voces, una.

¿Soy clásico o romántico? No sé. Dejar quisiera
mi verso como deja el capitán su espada:
famosa por la mano viril que la blandiera,
no por el docto oficio del forjador preciada.

6. Tiene asimismo algunas traducciones: *Vida de Beethoven*, de Romain Rolland; *La luna nueva, El jardinero, El cartero del rey, Pájaros perdidos, La cosecha, El asceta, Ofrenda lírica* y otros muchos poemarios de Rabindranath Tagore, todos ellos en colaboración con su esposa, Zenobia Camprubí.

7. En el prefacio autobiográfico de las composiciones recogidas en la *Antología* de G. DIEGO (pág. 110) figura esta *profesión poética*: «POESÍA: Creo en la realidad de la poesía. Y la entiendo como la eterna y fatal Belleza Contraria que tienta con su seguro secreto a tal hombre de espíritu ardiente.—POETA: Creador oculto de un astro no aplaudido.—RELACIÓN: Yo tengo escondida en mi casa, por su gusto y el mío, a la Poesía. Y nuestra relación es la de los apasionados.»

8. No hace falta acumular ejemplos; basta uno entre tantos:

¡No!
El mar dice un momento
que sí, pasando yo.
Y al punto
que no, cien veces, mil
veces, hasta el más lúgubre infinito:
No, ¡no!, ¡¡no!!, ¡¡¡no!!!, cada vez más
fuerte con la noche...
Se van uniendo
las negaciones suyas, como olas
—¡no, no, no, no, no, no, no, no!—,
y, pasado por él, allá hacia el Este,
es un inmenso, negro, duro y frío
¡no!

9. Antes había dicho: «J. R. J. escribió de una vez y para siempre «No la toques ya más; así es la rosa...». Desoyendo su propio consejo, embalado en un desatinado intento de pureza, de simplificación, de corrección, la rosa de su poesía fué tocada, retocada y, finalmente, destrozada por su «evolución consciente, seguida, responsable», por su «angustia dominadora de eternidad», o por lo que estas formas encubren y disfrazan. La inconsciencia casi infantil, el escribir sin saber por qué y sin pensarlo siquiera, es el don maravilloso de los poetas. Juan Ramón, demasiado consciente, demasiado absorto y preocupado por la obra, quemó la más jugosa de sus dotes...» (TORRENTE BALLESTER: *Literatura española contemporánea*, pág. 286.)

10. Vid. *Antología*, págs. 687 y 737.

11. Nació en Barcelona, de familia aragonesa, y allí, con los jesuitas, estudió el Bachillerato. Luego, en la Universidad, inició Derecho y Filosofía y Letras, que abandona por el periodismo. Da a conocer sus primeras poesías en *La Publicidad*; animado por los elogios de *Clarín* y Valera, se traslada a Madrid (1900), para regresar de nuevo a Barcelona e instalarse definitivamente en la capital de España. (1907). Viaja por Italia, Francia, Inglaterra, Alemania. En 1908 obtiene su primer gran éxito teatral con la egregia actriz María Guerrero, quedando desde entonces hasta su muerte consagrado como el primer poeta dramático de la época. En 1916, viaje a Sudamérica. Académico de la Lengua. Murió en Nueva York (1946) cuando se disponía a regresar de una misión diplomática. Carácter optimista, franco, sincero y efusivo.

12. Tradujo a varios poetas franceses, entre ellos a Baudelaire.

13. Madrileño, periodista, crítico teatral de enorme prestigio, secretario del Ateneo y presidente de su Sección de Literatura. Hombre tradicionalista en todo, menos en política y religión.

14. A veces nos da anticipaciones de lo que había de ser luego Guillén; así, en *Agosto* leemos:

Quema el sol. Y los ojos
sólo ven la llanada
infinita, surcada
de amarillos rastrojos.

Primavera con lluvia,
junio libre de piedra.
¡Cómo se colma y medra
la troje de mies rubia!

15. En una Historia de la Literatura más amplia que la nuestra deberían tener cabida otros poetas no menos

dignos de mención, Concha Espina, Rogelio Pérez Olivares, José Rincón Lazcano, Manuel Verdugo, Luis Martínez Kleiser, Juan Pujol, Rafael González Castell, José
García Vela, Salvador de Madariaga, Rafael Sánchez
Mazas, Rafael Lasso de la Vega; algunos agustinos:
padre R. del Valle, padre Muiños, padre Graciano Martínez; algunos jesuitas, como los padres Risco y Alarcón, y hasta el mismo Pío Baroja, cuyos tardíos romances, coleccionados bajo el título *Canciones del suburbio*
(1944), acusan, según Azorín, «un tradicionalista mucho
más veraz que todos los poetas que desde el Renacimiento
han venido».

16. Hijo de padres labradores, nacido en Frades de
la Sierra, pueblecito de Salamanca, y muerto en Guijo
de Granadilla (Cáceres) el 6 de enero de 1905. Hizo con
singular brillantez la carrera del Magisterio, que ejerció desde los dieciséis años en El Guijuelo (Salamanca)
y en Piedrahíta (Ávila). A los veinticuatro años contrae
matrimonio y abandona la escuela, para dedicarse al
cultivo de las tierras de su esposa, aquella mujer sana
y ejemplar a quien cantó en versos inolvidables:

> Una sencilla labradora, humilde,
> hija de oscura, castellana aldea;
> una mujer trabajadora, honrada,
> cristiana, amable, cariñosa y seria,
> trocó mi casa en adorable idilio
> que no pudo soñar ningún poeta.

Y antes nos había descrito su hogar, lleno de venturas:

> Compartían mis únicos amores
> la amante compañera,
> la patria idolatrada,
> la casa solariega,
> con la heredada historia,
> con la heredada hacienda.
> ¡Qué buena era la esposa,
> y qué feraz la tierra!
> ¡Qué alegre era mi casa,
> y qué sana mi hacienda,
> y con qué solidez estaba unida
> la tradición de la honradez a ella!

Cuando murió, en plena gloria y juventud, era probablemente el poeta más leído de España. Todavía sigue
siendo, con Bécquer y Rubén, el autor predilecto del
gran público. «Era más bueno, sencillo y sincero que sus
mismos versos, con serlo éstos mucho...», afirma F. de
Onís.

17. A los que sólo conocen el Gabriel y Galán superficial les aconsejamos que lean las dieciocho apretadas
estrofas de *Lo inagotable*:

> De rodillas delante de la fosa,
> donde se pudre el mocetón garrido,
> la pobre vieja sin moverse pasa
> la tarde del domingo.

> Una tarde otoñal, helada y muda,
> de cielo muy azul, campiña yerta,
> y un sol amarillento que se muere
> de frío y de tristeza...

18. Murciano, de clase humilde, vivió siempre lleno
de privaciones. De niño vendía periódicos por la calle; a
los dieciocho años sentó plaza de voluntario. Luego fué
a Filipinas, donde tampoco tuvo suerte. Vuelto a España,
abrió un pequeño comercio; pero, no yéndole bien las
cosas, hubo de colocarse en una oficina. Siempre en
busca de la fortuna, que parecía rehuirle, emigra a la
Argentina, donde pasa veinte años como maestro de
escuela en Rosario de Santa Fe. A pesar de su enorme
popularidad, murió tan pobre como había vivido.

19. Nada menos que Maragall, el gran lírico catalán,
escribía al frente de las *Extremeñas*: «Los clásicos españoles del xx que a mí me parece descubrir ya, son:
Vicente Medina, que allá en un rincón de Murcia canta
el alma murciana en su dialecto, y este José María Gabriel y Galán, que en el ya glorioso lugar de Guijo de
Granadilla compuso este libro. Y ¡ay del porvenir de la
literatura castellana si sus futuros clásicos son los otros
y no éstos!»

En alguno de estos breves poemas Medina llega a una
sorprendente simplicidad. He aquí un ejemplo: «Voy / por
mi camino... / Si tú me dices «Adiós», «Adiós» te
digo; / si tú me gritas, / te grito; / si tú me silbas, / te
silbo; / canto si cantas, / y pongo / a tu cantar mi
estribillo... / Si rumbas, rumbo; / si maldices, maldi-

go. / Llevo la plata / y el arma al cinto; / juego si
juegas; / ¿naipe o cuchillo?» *(Jactancia.)*

20. De la casa solariega de Camposena de Butrón, en
la ría de Plencia. Primeras letras en San Antonio de Bilbao y Jesuítas de Orduña. Derecho en varias Universidades, para graduarse en Salamanca. Vocación literaria
desde la niñez; pero desemboca en la carrera diplomática. Reside en Tours, Bruselas, Weimar y Londres. Sirve
en nuestras Legaciones de Rumania y Venezuela. En 1928
le sobreviene un ataque de locura, y muere poco después
en el Sanatorio de Santa Águeda.

21. Es así:

> ¡Oh joven doloroso, joven triste
> que sufres como yo del mal de España
> y una negación honda en tu entraña
> tienes clavada contra lo que existe!

> Tu virgen corazón vibra de saña,
> de santa saña, porque no tuviste
> lo que pidió tu amor cuando naciste:
> de la patria una idea y una hazaña.

> La general inepcia fué el veneno
> que atosigó tu juventud vehemente,
> y de asco y de dolor yo te sé lleno.

> Mas el futuro es nuestro, y esa gente
> que hizo nuestra desgracia se va al cieno.
> Hermano, aquí va un ósculo en tu frente.

22. El mismo lo reconoce:

> Veredas inocentes a que asoma el helecho,
> la pálida flor de árgoma y el madroño encendido,
> mis vías naturales por donde hubiese ido
> de poner al unísono de humildad a mi pecho.

> ....

> Más de una vez con lágrimas interrogo al Destino,
> que me adueña del uso habitual de las cosas.
> ¡Pobre de mí, dulce hábito de las manos mimosas,
> por osar rumbos fuera del trillado camino!

> Víctima y elegido de raros pensamientos
> y singulares penas, hollando el rumbo al día,
> pienso en las vidas quietas que hacia la dicha guía
> la costumbre, lucero de parpadeos lentos...

Así, en *El sacrificador de sí mismo*, un título muy
expresivo. Y en *El romero de las montañas*:

> So los robles de Vizcaya
> yacía el corazón mío,
> y de los montes ancianos
> en que dormitan los siglos,
> querencias de luz le empujan
> al pavimento latino...

23. Nacido en Moya, pueblecito costero de la Gran Canaria. Primeros estudios en Las Palmas. Carrera de Medicina en Cádiz y Madrid. Ejerce su profesión en la villa
de Agaete hasta 1918, en que va a Madrid, ya conocido
como poeta por su primer libro, prologado por Salvador
Rueda. Vuelto a Canarias, muere poco después. En Las
Palmas se le erigió un monumento, obra de V. Macho.

24. Agreguemos los nombres de Luis Benítez Inglot,
Pedro Bethencourt, Domingo Rivero, Luis Rodríguez-Fi-
gueroa, Félix Delgado, Francisco Izquierdo, Francisco
González-Díaz, Ramón Gil Roldán, José Hernández Amador, Matías Real, Vicente Jiménez, Vicente Mújica, Vicente Boada. (Cfr. González Ruano: *Antología*, pág. 229.)

25. De Las Palmas. Vida oscura de empleado de oficina en una compañía inglesa. Hombre triste, enfermizo,
humilde; como su poesía. Colaboró en la prensa de su
tierra y en *La Publicidad* de Barcelona. También en revistas minoritarias *(España*, de Madrid; *Alfar*, de La Coruña).

26. Vayan dos breves fragmentos:

> Estos cuarenta ingleses esta noche se juntan
> para hacer un balance, porque termina el año.
> El trabajo nocturno, si es trabajo de números,
> tiene para estos hombres un voluptuoso encanto.
> Van llegando puntuales. Sobre las altas mesas
> van uniformemente los libros colocando;
> luego sacan sus pipas; reposados encienden,
> y antes de dar comienzo beben un *whisky* agrio...

> *(De El balance.)*

Hoy ha muerto una inglesa. La han llevado
al cementerio protestante...
Un pastor anglicano le ha leído
toda una historia, al destapar la caja...
La colonia británica, elegante,
discreta y grave, no torcía el ceño...

. . . .

Y la muerta a la tierra fué tornada...
Sola, al país del sol llegará un día,
y ni amantes ni hermanos los azules
ojos cerraron... ¡Los azules ojos!
¡Todo lo azul de esta Britania grave!

(De *Una inglesa ha muerto.)*

27. Nacido en Teide, ciudad de Las Palmas, donde
pasa toda su vida. No hizo estudios oficiales. Como «Quesada», estuvo empleado en las oficinas de una compañía
comercial inglesa, y también colaboró en revistas de
vanguardia: *España* y *La pluma,* de Madrid; *Alfar,* de
La Coruña; *Castalia* y *La Rosa de los Vientos,* de Tenerife. Hermano de Julián Torón y tío de Montiano Placeres, ambos poetas.

28. Santanderino. Estudió Náutica y viajó a bordo de
Sardinero y otros vapores por Francia, Inglaterra, Holanda, los países bálticos, Rusia, Africa y América. Luego derivó al periodismo, sin abandonar por entero su
profesión marina, ya que seguía figurando como capitán
de la draga *Cantabria,* «barco burócrata que no zarpaba
nunca». (G. Ruano.) Fué director de *La Atalaya,* de Santander, y fundador de *La Voz de Cantabria,* donde hizo
famoso su seudónimo *Tick.*

BIBLIOGRAFIA

I. Antologías: Valen para este capítulo todas las citadas en el LXXXIII, y, además, G. DIEGO: *Poesía española (1915-1931),* Madrid, 1932.—D. ALONSO: *Poetas españoles contemporáneos,* Edit. Gredos, Madrid, 1952.—J. L.
CANO: *De Machado a Bousoño, notas sobre poesía esp.
contemporánea,* «Insula», Madrid, 1955.—O. ECHEVERRI ME-
JÍA: *La poesía esp. en los últimos cuarenta años,* «Bol.
Acad. Colombiana», VIII, núm. 29, Bogotá, 1958.—J. MA-
RÍA REY: *Sobre la poesía española,* «Ensayos sobre poesía», Inst. Urug. de Cultura Hispánica, Montevideo,
1956.—L. F. VIVANCO: *Introd. a la poesía esp. contemporánea,* Eds. Guadarrama, Madrid, 1957.

II. Para A. Machado: J. CASSOU: *Trois poetes: Rilke,
Milosz, Machado,* Paris, 1954.—*Cuadernos Hispanoamericanos* (número en memoria de A. Machado), Madrid,
1949.—CONCHA ESPINA: *De Antonio Machado a su grande
y secreto amor,* Madrid, 1950.—EZIO LEVI: *Antonio Machado,* «Hispania», 1928.—S. MONTSERRAT: *Antonio Machado, poeta y filósofo,* Buenos Aires, 1940.—E. ALLISON
PEERS: *Antonio Machado,* Oxford, 1950.—M. PÉREZ FERRE-
RO: *Vida de Antonio Machado y Manuel,* Madrid, 1947
(otra ed., Buenos Aires, 1953).—R. DE ZUBIRÍA: *La poesía
de Antonio Machado,* Edit. Gredos, Madrid, 1955.—A. SÁN-
CHEZ BARBERO: *El pensamiento de «Abel Martín» y «Juan
de Mairena» y su relación con la poesía de A. Machado,*
«Hisp. Review», XXII, 1954.

III. Para J. R. Jiménez: C. BO: *La poesía de Juan
Ramón Jiménez* (edizioni di rivoluzione), Firenze, 1941

(trad. española de Isabel de Ambía, Madrid, 1943).—SOR
MARY CYRIA: *A Bibliography of J. R. J.,* The Catholic
University of America, Washington, 1945; *J. R. J. Theory
of Poetry* (tesis doctoral), The Catholic University,
Washington, 1945.—E. DÍEZ-CANEDO: *J. R. Jiménez en su
obra,* «Fondo de Cultura Económica», Colegio de Méjico,
1944.—G. FIGUEIRAS: *Juan Ramón Jiménez, poeta de
lo inefable,* Montevideo, 1944.—DONALD F. FOCELQUIST:
*The Literary Collaboration and Personal Correspondence
of Rubén Darío and Juan Ramón Jiménez,* «Hispanic
American Studies», núm. 13, año 1956, Univ. of Miami.—
P. HENRÍQUEZ UREÑA: *La obra de Juan Ramón Jiménez,*
Buenos Aires, 1919.—THELMA LAMB ORTIZ DE MONTELLANO:
Juan Ramón Jiménez (tesis doctoral), Universidad Nacional, Méjico, 1950.—EMMY NEDDERMANN: *Die Symbolitis-
chen Stilemente in Werk von J. R. J.,* «Hamburger Studien», t. 20, 1935.—GRACIELA PALÁU DE NEMES: *Vida y
obra de Juan Ramón Jiménez,* Edit. Gredos, Madrid,
1957.—ROSEMARY SOUBIRÓN: *Juan Ramón Jiménez,* Universidad Nacional, Méjico, 1948.—MERCEDES PESADO: *Influencia de Juan Ramón Jiménez en el Grupo de los
Contemporáneos,* Universidad Nacional, Méjico, 1940.—
Números de homenaje dedicados a Juan Ramón Jiménez:
Orto, año XXVIII, La Habana, mayo, 1939; *Repertorio
Americano,* año XX, Costa Rica, enero 1940; *Poética,*
año I, La Plata, 1943; *Los Anales,* año III, Buenos Aires,
1948; *Poetry,* vol. 82, Chicago, julio 1953.—G. DÍAZ-PLAJA:
J. R. Jiménez en su poesía, Madrid, 1958.—C. FEAL: *J. R.
Jiménez, poeta del infinito,* «Cuad. Hispanoamericanos»,
núm. 100, Madrid, 1958.—E. FERNÁNDEZ MARQUÉS: *La poe-
sía de J. R. Jiménez,* «Bol. Soc. Castellonense», 1946.—
F. GARFIAS: *Moguer en la poesía de J. R. J.,* «Cuad. de
Literatura», VIII, 1950.—H. T. YOUNG: *Silver and Steel:
Two translations of «Platero y yo»,* «Hispania», XLI, 2,
1952.—*Insula,* número-homenaje, julio-agosto 1957, dedi-
cado a Juan Ramón Jiménez.

IV. Para otros poetas: E. JULIÁ MARTÍNEZ: *Eduardo
Marquina, poeta lírico y dramaturgo,* «Cuadernos de Li-
teratura Contemporánea», núm. 3, 1942.—E. GÓMEZ CA-
RRILLO: Pról. al *Cancionero del momento,* de Marquina.—
Sobre Enrique de Mesa, véase ANDRENIO: *Pen Club: I,
Los nuevos,* págs. 69-72, Madrid, 1929. R. CANSINOS ASSÉNS:
Poetas y prosistas del 900. DÍEZ-CANEDO: *Enrique de
Mesa, poeta español,* «El Sol», 12 jul. 1928. A. ESPINA,
en *Revista de Occidente,* XXI, 1928. F. DE ONÍS: *Anto-
logía,* págs. 690-91.—V. GUTIÉRREZ MACÍAS: *Biografía de
Gabriel y Galán,* «Publicaciones Españolas», 1957.—F. IS-
CAR PEIRA: *Gabriel y Galán, poeta de Castilla.*—C. LÓPEZ
BUSTOS: *Clima, paisaje y naturaleza en la poesía de
Gabriel y Galán,* «Alcántara», núms. 90-92, Cáceres, 1955.—
A. REVILLA MARCOS: *J. M. Gabriel y Galán, su vida y sus
obras* (estudio crítico con pról. de M. de Unamuno),
Madrid, 1923.—EMILIA PARDO BAZÁN: *José M. Gabriel y
Galán* (discurso), Madrid, 1905.—UNAMUNO, SÁNCHEZ RO-
JAS y HENRÍQUEZ UREÑA: *Estudios críticos sobre Gabriel y
Galán* en *Rev. de Arch., Bibl. y Museos,* Madrid.—Sobre
Vicente Medina, véase AZORÍN y CLARÍN: Juicios críticos
en *El Rento,* Cartagena, 1907. A. GONZÁLEZ BLANCO,
en *Los Contemporáneos,* 1.ª serie, París, 1906. M. UNA-
MUNO: Pról. a *Viejo cantar,* Rosario de Santa Fe, 1909.—
G. DÍAZ-PLAJA: *La poesía y el pensamiento de Ramón
de Basterra,* 1941.—S. DE LA NUEZ: *Tomás Morales. Su
vida, su tiempo y su obra* (2 tomos), Public. de la Univ.
de La Laguna, 1957.—A. VALBUENA PRAT: *La poesía canaria,* Barcelona, 1937.

CAPITULO XCI

LA POESIA ESPAÑOLA DE ENTREGUERRAS
(1920-1939)

I. El arte nuevo: *Poesía en crisis. Subversión de valores.*—II. Ultraísmo y creacionismo: *Larrea y Gerardo Diego. Otros poetas del «ultra» y creacionistas.*—III. Los poetas puros: *Salinas. Jorge Guillén. Dámaso Alonso. Otros «puristas».*—IV. El retorno a lo popular: *Alberti, Villalón y Pemán.*—V. García Lorca y su grupo: *Vida y perfil de Lorca. Obra literaria. Presupuestos. Trayectoria poética. El «Poema del cante jondo» y el «Llanto». El «Romancero gitano». El teatro de Lorca. Técnica y estilo. El grupo lorquiano.*—VI. Surrealismo y otras tendencias: *Vicente Aleixandre. Otras tendencias; Moreno Villa, Cernuda, Altolaguirre. Miguel Hernández. Ultimas manifestaciones.*—Notas.—Bibliografía

I. EL ARTE NUEVO

«Al final de la guerra del 14—escribe el profesor Moreno Báez—se notan entre nosotros los primeros síntomas de una completa renovación. Los escultores y los poetas, los músicos y los pintores, se ven asaltados por una inquietud que les lleva a poner en práctica las teorías más revolucionarias y a cultivar los estilos más variados. Esto hace que las más opuestas tendencias se sucedan con rapidez y que se haga mayor el desequilibrio espiritual..., consecuencia del romanticismo. Desequilibrio en las almas, cuyas facultades son caprichosamente subordinadas, y en el arte, en el que, según las escuelas, los valores de un orden se sacrifican a los de otro. Podríamos decir que si el romanticismo fué la libertad, el arte contemporáneo es la anarquía. Ello no significa su condenación ni el desconocimiento de sus valores, que entre nosotros son considerables, ya que en las últimas décadas la poesía española ha alcanzado un florecimiento como no lo tenía desde mediados del XVII»[1].

Esta renovación a que alude el culto profesor no aparece en España hasta pasada la primera guerra y se manifiesta al principio, como todas las nuevas tendencias en el arte, en forma de negación de lo anterior. Sólo que ahora ese poder anulador del orden precedente se ejerce sobre sí mismo; y así toda la poesía—y aun casi todo el arte—de esa época se presenta a los ojos del observador como una vertiginosa sucesión de grupos y de escuelas, que surgen repentinamente con sus revistas[2], sus manifiestos, sus teorías más o menos revolucionarias, ocupan por breve tiempo, a veces meses, las trincheras del arte y, al punto, empiezan por batirse en retirada ante la aparición de nuevos grupos. Es la época de los famosos

«ismos», a que aludimos en otro capítulo, tan detalladamente estudiados por Ramón Gómez de la Serna en el libro de este título y por Guillermo de la Torre en el suyo *Literaturas europeas de vanguardia.* Se ha querido inventariar con una sola etiqueta toda esta poesía tan abundante y tan variada, que va desde 1918 a 1936; pero el nombre justo no ha aparecido. Federico de Onís sale del paso llamándola *postmodernista*; nosotros, atendiendo a que ha perdido ya buena parte de esa actualidad e incapaces de encontrar un título más apropiado, la designamos con el nombre un poco impreciso de *poesía de entreguerras,* aludiendo, naturalmente, al período comprendido entre las dos grandes conflagraciones universales (1918-1939).

Tendencias más importantes

Tampoco están de acuerdo los autores sobre las principales tendencias o manifestaciones. José F. Cirre[3] distingue cuatro fases: *sublimación de la realidad* (Guillén y Salinas), *sublimación de elementos populares* (Alberti, Lorca), *creacionismo-superrealismo* (G. Diego, V. Aleixandre) y *trascendentalismo poético* (Cernuda). Díaz-Plaja[4] encierra todos los fenómenos poéticos de esta época en tres grandes grupos: a) *movimientos hacia la libertad expresiva* (utraísmo, superrealismo, existencialismo); b) *formas de contención* (neopopularismo, restauración de la estrofa, poetas de cancionero, Góngora, Garcilaso), y c) *los caminos de la poesía pura* (manera íntimo-afectiva y manera intelectualista). Otros esquemas—González Ruano, Valbuena Prat—son menos precisos. Nosotros, siguiendo a Cirre en sus líneas generales, estructuramos así el cuadro de la poesía española durante el período 1918-1936:

Ultraísmo y creacionismo.
Poesía pura.
Popularismo.
Surrealismo o superrealismo.

Y la advertencia de siempre: no se trata de compartimentos estancos; tal poeta neopopulista —ejemplo, Alberti—puede perfectamente y bajo distinto aspecto ser encuadrado en el «ultra»; tal poeta del «ultra» podría figurar con derecho propio entre los puristas, al lado de Guillén.

Poesía en crisis

Si difícil la clasificación de esta poesía, mucho más lo es su calificación. Examinada imparcialmente, se nos presenta como una floración espléndida e inusitada, que revela una fecundidad insuperable de nuestra raza para el arte. Después de la brillante cosecha del modernismo, cuando cabía pensar que el espíritu se encontrara agotado, empiezan a surgir aquí y allá, en el Norte y en el Sur, en Galicia y en Levante, grupos, escuelas, fórmulas, en inacabable proliferación. En tal sentido las palabras de Moreno Báez—«un florecimiento como no lo tenía desde mediados del XVII»—están plenamente justificadas. Pero, a poco que se ahonde, se verá que una buena parte de esa producción se tradujo en una serie de intentos frustrados. Los logros no corresponden ni con mucho al esfuerzo y cantidad de energías derrochadas; y aun en poetas tan indiscutibles como Guillén o Salinas se acusa una falta de nervio, de «numen», de vibración humana suficientemente reveladoras de que no es ésa la poesía que la humanidad actual está todavía esperando. El desvío del público hacia ella, interpretado por los propios poetas como una falta de sensibilidad en ese mismo público, cuando acaso debieran interpretarlo como una incapacidad propia para captar y cantar lo que la hora presente exige, es un alegato más en pro de nuestra tesis. Cuando surge un poeta que sabe tocar la fibra del gran público, éste se entrega. Y da lo mismo que ese poeta sea un romántico como Zorrilla o Espronceda; un intimista como Bécquer; un modernista como Rubén; un populista como Lorca, o antipopulista como Machado. Porque el lector no quiere saber nada de etiquetas; busca emoción y pálpito. Pero si al poeta le da por perderse en el mundo nebuloso de la subconsciencia o por buscar esa cosa descarnada que se llama el «arte puro», por muy poeta que sea, por mucho que la crítica lo elogie, el público se desentenderá de él.

Ya un crítico, tan complaciente con los poetas de este período y tan bien inclinado en su favor como Federico de Onís, señaló el flaco de esta poesía, calificándola—acaso sin querer—con la nota más infamante que se puede aplicar a un producto de arte: la de ser fruto de *decadencia*. «Se trata, según todos los indicios—escribe—, del acabamiento de una época y del principio de otra; pero durante este proceso, ¿quién puede decir cuáles de las nuevas manifestaciones son producto del esfuerzo de la agonía o de la germinación; cuáles son, en una palabra, un principio o un fin? La suprema calidad artística que en algunos de sus poetas alcanza la poesía nueva no sería obstáculo para considerarla como el fin del largo y rico proceso de la poesía del siglo XIX, que arranca del Romanticismo, más bien que como el principio de algo radicalmente nuevo. En las decadencias es cuando se llega a la última superación de la perfección lograda y a los más exigentes y elevados florecimientos literarios, de lo que es alto ejemplo nuestro culteranismo del siglo XVII, con el cual tiene la poesa nueva tanta relación y semejanza.»

Esto en 1934. Pasados veinte años, todavía la interrogación de Onís no ha encontrado respuesta. La *crisis poética* [5], abierta con la extinción del modernismo, subsiste sin encontrar salida. Desde entonces han surgido, cada vez en número más creciente, docenas y hasta centenares de poetas, cada uno con su «mensaje». Muchos de ellos estimables; algunos, francamente buenos. Pero no ha surgido el gran innovador que abra de una vez la puerta hacia nuevos estilos, nuevas formas de creación. Ni un Boscán-Garcilaso, ni un duque de Rivas, ni un Rubén. La misma multiplicidad de estilos indica que no tenemos estilo; la misma multiplicidad de grupos revela que no hay uno con suficiente fuerza renovadora para atraer a los demás.

Subversión de valores

Tal estado de cosas empieza, ya se ha dicho, a raíz de la primera contienda mundial y plasma de momento en una serie de manifiestos detonantes, en los que se ataca con una virulencia nunca conocida todo el orden existente en los dominios del arte. Sólo Juan Ramón Jiménez entre los nuestros se salva de la quema. Todo lo demás debe ser arrumbado y hecho desaparecer en nombre del arte nuevo. Y no sólo en poesía: lo mismo en pintura, en escultura, en música. Causa estupor y al mismo tiempo es motivo de risa la seriedad con que aquel grupo de jóvenes irresponsables en su mayor parte echa sobre sí la carga nada menos que de crear un arte nuevo; mejor aún, un arte auténtico, ya que el vigente hasta entonces—desde Grecia hasta nosotros—había sido para ellos un producto falsificado. Y, como siempre, empiezan por destruir, mejor dicho, por subvertir, todos los valores. Ni rima, ni ritmo, ni verso, ni estrofa, ni siquiera gramática y construcción lógica les hace falta. Oigamos a uno de ellos:

> Deshaced ese verso;
> quitadle los caireles de la rima,
> el metro, la cadencia,
> y hasta la idea misma.
> Aventad las palabras,
> y si después queda algo todavía,
> eso
> será la poesía [6].

Lo que fué la poesía, verificada esa operación demoledora, se ve en las producciones de aquellos poetas que con más celo y ahinco la llevaron a cabo: los componentes del «ultra», a los que luego aludiremos. Y es que no se puede hacer una revolución en el arte a base sólo de elementos negativos; junto al edificio que se destruye hay que construir otro nuevo; pero esto no es posible si antes no se preparan materiales. Nuestros iconoclastas del «ultra», movidos sin duda del más noble anhelo, una vez que prescindieron de la rima, de la cadencia, de la lógica, del sentimiento, se encontraron con el vacío. Y, como primera medida, pensaron llenarlo de metáforas. «La poesía es el álgebra superior de las metáforas», se había inculcado a la nueva promoción; y a la caza de metáforas, a veces absurdas e incongruentes, se lanzaron los jóvenes vates con renovado ahinco. Pero olvidaban que todas las metáforas del mundo, puestas una detrás de otra, no dan un gramo de poesía si debajo de ellas no alienta otra cosa. Porque la metáfora es un vestido, algo accesorio a la verdadera poesía [7].

Menos mal que los propios poetas fueron los primeros en darse cuenta de que por allí no se iba a ninguna parte; y los más, los mejores, empezaron a derivar pronto, unos hacia la poesía tradicional, no cultivada ni entendida como copia mimética de lo que había sido en siglos anteriores, sino remozada y afinada tras la experiencia de los últimos años; otros, hacia la lírica popular, también modernizada y coloreada con nuevos matices; y otros, finalmente, hacia una depuración de elementos formales que los acerca, o así al menos lo creían ellos, a la poesía desnuda, esencial.

El tricentenario de la muerte de Góngora, con la consiguiente remembranza del genial lírico (1927), si por un lado provoca el retorno a la metáfora con los abusos ya señalados, por otro es una llamada, sobre todo al grupo de los poetas universitarios, para que se vuelva al gusto por los esquemas clásicos—el soneto, la décima, el romance—y, lo que vale más: a la lucha por el ritmo, la música y el color [8].

¿Quiere decir todo esto que el movimiento del «ultra» no sirvió para nada? Lejos de creerlo así, pensamos que vino a cumplir doble misión: por lo pronto, la de liquidar el modernismo, en lo que éste tenía—y era mucho—de retórico y convencional; luego, la de engendrar en el espíritu de los nuevos vates una exigencia cada vez mayor en la depuración de sus ideas y sentimientos, paralela a un desvío también mayor cada día por cuanto significase aparato externo o frondosidad superflua.

II. ULTRAISMO Y CREACIONISMO

El *ultraísmo* nace en España en 1919 [9]. Corresponde al *dadaísmo* francés y aspira a recoger las principales corrientes renovadoras del arte en el extranjero. Según Guillermo de Torre, que lo bautizó con ese nombre, el *ultraísmo* persigue «la reintegración lírica, la rehabilitación genuina del poema». Para ello aconseja métodos más bien negativos, como es la supresión de todo lo parasitario: anécdota, tema, efusión lírica. En otro orden más externo: el abandono del verso, de la rima, del ritmo, entendido como cadencia. En cuanto a la grafía, proscribe la puntuación por inútil; «ata, pero no precisa». Intenta la sustitución de las cualidades auditivas por las visuales: el poema tendrá en vez de sonoridades musicales, relieves plásticos: una obra de arquitectura. La imagen no será ya comparativa, sino de identidad. La poesía, que hasta ahora fué desarrollo, será en adelante síntesis, simultaneísmo, velocidad espacial.

Todo esto, como se ve, es muy confuso. Pero si intentamos precisar más su concepto y acudimos al testimonio de sus propios fundadores, nos encontramos con una serie de definiciones que parecen decir algo y no dicen nada. No es extraño que a los cuatro años (1923), después de haber levantado tanta polvareda, su principal progenitor, Guillermo de Torre, lo diese por extinguido. No traía nada dentro; y su única justificación es el natural anhelo de unos cuantos jóvenes, animados de mejor intención que genio natural, de incorporarse en un salto a las vanguardias del arte europeo.

Este grupo de jóvenes estaba formado inicialmente por los siete poetas que firmaron el célebre ULTRA, manifiesto a la juventud literaria [10]: Xavier Bóveda, César A. Comet, Guillermo de Torre, Fernando Iglesias Caballero, Pedro Garfias, J. Rivas Panedas y J. de Aroca. Pronto el grupo se ve acrecido con varios poetas más, y algunos tan destacados como Gerardo Diego y Juan Larrea, de modo que, no obstante su vida efímera, se puede decir que apenas hubo un poeta en la tercera década de siglo que antes de estabilizarse en una zona fija no pasase por el «ultra». Rastros «ultraístas» y muy acusados encontramos en Alberti y hasta en Lorca.

Ninguno de los siete mencionados merece otro recuerdo que el de haber sido copartícipes en la creación de este movimiento. Unicamente puede hacerse una excepción con JOSÉ RIVAS PANEDAS, el más representativo del grupo, autor de un único libro, *Cruces* (¿1922?), y con GUILLERMO DE TORRE (n. 1900), su más ilustre progenitor. Torre era por esta época secretario de *Cosmópolis*, la gran revista dirigida por Gómez Carrillo, y había traducido a Max Jacob y a Verlaine. Más que por su obra poética, recogida en *Hélices* (1923), interesa como expositor de las tendencias de la época en su libro *Literaturas europeas de vanguardia*. Después, Guillermo de Torre, emigrado a la Argentina, ha publicado multitud de trabajos, tanto en la prensa periódica como en libros, especialmente de crítica. En todos ellos se revela fino catador de estilos y uno de los hombres mejor informados de las corrientes culturales contemporáneas.

Relacionado íntimamente con el «ultra», encontramos otro movimiento, el *creacionismo*, tan parecido a él en sus métodos y finalidad que la mayor parte de los poetas del primero están también adscritos al segundo. Se discute la prioridad cronológica de uno y otro. También se polemiza en torno a su presunta paternidad, que unos adjudican al francés Pierre Reverdy y otros al chileno Vicente Huidobro. Lo único cierto es que Huidobro lo introdujo y aclimató—por breve tiempo, claro—en España y América. El creacionismo, como el «ultra», aspira a infundir en la obra de arte vida propia e independiente. «En vez de cantar la rosa—aconseja Huidobro en su *Arte poética*—, hazla florecer en el poema.» Muestra la misma preferencia que todos estos movimientos de vanguardia por la metáfora, venga o no a cuento; se afana por renovar el léxico y también prescinde, naturalmente, de cuanto huele a lógica y coherencia de conceptos. En el capítulo siguiente volveremos sobre esto, al ocuparnos de Huidobro.

Larrea y G. Diego

Muchos son los poetas que por aquellos lustros se inscribieron en la nueva escuela y anduvieron saltando del «ultra» al *creacionismo* y viceversa, obsesionados por crear casi *ex nihilo*, por «hacer un poema—sirvámonos de la frase de su propio inventor—como la Naturaleza hace un árbol». Entre ellos sobresalen con perfiles propios y acusado relieve Juan Larrea y Gerardo Diego.

La personalidad de JUAN LARREA (n. 1895) estuvo durante algún tiempo envuelta en brumas, hasta al punto de que hubo quien lo juzgaba puro seudónimo inventado por Gerardo Diego para encajar algunas de sus composiciones en la famosa *Antología*. González Ruano nos ha dado, sin embargo, puntual relación de su vida y circunstancias. No reunió sus poemas en libro; y lo que de él conocemos por las citadas *Antologías* de Diego y de Ruano nos revela un poeta desarticulado en ideas, y sentimientos de indudable originalidad, pero carente del menor control. Él dice que sabe adónde va; y hasta puede ser que lo crea. La realidad es que se pierde siempre en un barullo de cláusulas que nada expresan y, lo que es peor, que nada sugieren ni hacen sentir. Así tenía que ser en quien empieza por decirnos que «inteligencia y sensibilidad son enemigas... en cada interior humano». Citemos, por citar algo: *Tierra al ángel cuanto antes, Diente por diente, El mar en persona, Otoño IV el obsequioso* y *Posición de aldea,* al que pertenecen estas líneas:

> Condesciende, sé frágil a lo largo
> de las mieses
> más calientes que un acto de presencia.
> Un gallo aconsejado de gris por el horizonte
> escarba entre mis cabellos y hace tiempo
> bajo el ala
> de los brazos del reloj desciende
> a grandes rasgos
> antes de que la noche nos rocíe de frente,
> y mariposa
> yo me siento invadido por un principio de sendero.

GERARDO DIEGO (n. 1896) [11] es otra cosa. Si lo estudiamos aquí no es porque lo consideremos un simple creacionista, mucho menos un fiel discípulo del «ultra». Lo mismo podía ser inscrito en el grupo de los juanramonianos o en el superrealismo, al lado de Vicente Aleixandre; o, mejor aún, dentro de la línea restauradora de la poesía tradicional, siempre filtrada con un fino sentido modernista. Afortunadamente para él, ni el «ultra» ni el creacionismo podían ofrecerle suficiente espacio vital. Y así, después de merodear por diversos campos, espigando lo mejor de cada uno, le vemos recalar en una poesía auténticamente castellana, de insuperable perfección formal, tal vez demasiado fría; pero siempre sugestiva, musical y noble.

Arranca de Juan Ramón Jiménez, como es natural, si se tiene en cuenta que sus primeros versos—*Romancero de la novia,* 1920—datan de 1918, fecha en que el autor de *Eternidades* tocaba a su más alto punto.

> No. De noche, no. De noche
> no, porque me miran ellas.
> Sería un mudo reproche
> el rubor de las estrellas.

En esta simple cuarteta ya se adivina la preocupación del autor por una métrica impecable. Luego, muy pronto, en *Imagen* (1922), se siente atraído fuertemente por los modos creacionistas:

> Sentado en el columpio
> el ángelus dormita.
> Enmudecen los astros y los frutos.
>
> Y los hombres heridos
> pasean sus surtidores
> como delfines líricos.
>
> Otros más agobiados,
> con los ríos al hombro,
> peregrinan sin llamar en las posadas.

Sobre *Soria* (1923) se proyecta la sombra grave de Machado, con particularísimos matices puestos por el autor y lejanas resonancias gongorinas:

Río Duero, río Duero,
nadie a acompañarte baja;
nadie se detiene a oír
tu eterna estrofa olvidada,
sino los enamorados,
que preguntan por sus almas
y siembran en tus espumas
palabras de amor, palabras.

Con *Manual de espumas* (1924) y la *Fábula de Equis y Zeda* (Méjico, 1932), Gerardo Diego se sitúa de un salto en la vanguardia del movimiento ultracreacionista, aprovechando de él todo lo legítimamente aprovechable. *Manual de espumas* supone la ruptura total con la preceptiva al uso, en una anarquía absoluta de imágenes y metáforas. Sólo se conserva, sin que sepamos por qué, en medio de la destrucción más absoluta, un leve esbozo de estrofas aconsonantadas:

Cautivos del bar.
la vida es una torre
y el sol un palomar.
Lancemos las camisas tendidas a volar.
Por el piano arriba
subamos con los pies frescos cada día.

De un lado a otro del mundo
los arcoiris van y vienen
para vosotros todos
los que perdisteis los trenes...

En cambio, la *Fábula de Equis y Zeda* nos ofrece en una sucesión ininterrumpida de imágenes disparatadas y deliciosos despropósitos un conjunto de sextetos tan musicales, tan pintorescos y garbosos, que no hubiera dudado en firmarlos el mismo Góngora. Pocas veces se ha logrado tal efecto poético con mayor desprecio de la razón y de la lógica.

Y mientras va grisando los secretos
de confesión por brazos y por ríos
e ilumina los triples parapetos
la batería gris de los rocíos,
su barca el arquitecto abre y bifurca
y a bordo de ella costas de arpa surca.
A bordo de ella, góndola en dos puntas,
góndola barba al viento que se estira
hasta llegar por láminas adjuntas
a limitar al sur con la mentira,
a bordo de su barba navegaba
sobre el jardín de curvatura brava [12].

Ya se comprende que esto no es la poesía; si lo fuera habría motivos para tomarla un poco en broma. Pero no se negará que aquí se revela un alto poeta. Ese poeta está en los sonetos de impecable corte clásico con sensibilidad actual *(El ciprés de Silos, La Giralda, Insomnio, A Debussy)* [13]; en las décimas, sin duda frías y demasiado elaboradas, pero absolutamente perfectas, de *La reconvención amistosa* y del *Viacrucis;* en ciertos romances como *El Júcar* y *El Duero,* y en no pocas composiciones escritas en metro corto—seguidillas, letrillas, endechas—, donde lo más sabroso del alma popular se conjuga con el más estudiado academicismo.

Lo sorprendente en Gerardo Diego es que no

siempre estos estilos, modos o tendencias, tan distintos y hasta contradictorios, se dan en su obra de forma sucesiva, sino que de ordinario aparecen en forma simultánea. Y entonces tenemos el caso realmente asombroso de un poeta que mientras juega a subvertir todos los valores estéticos, como el más rabioso «ultraísta», se consagra también a una creación poética, la más exigente y depurada desde el punto de vista formal. El se respalda con el ejemplo de Góngora, Strawinski, Bartok y Picasso, que también simultanearon dos formas o técnicas opuestas [14]. En todo caso arguye una inquietud, digna ya no de respeto sólo, sino también de elogio. La cualidad más encomiable de Gerardo Diego es su preocupación por la pureza de la forma; su mayor defecto, esa frialdad, ya señalada anteriormente, que volveremos a encontrar en poetas como Guillén y Salinas, y que en determinados casos—*Más celos* y *Viacrucis*—dé la impresión de que aquellas décimas impecables han sido hechas por puro pasatiempo.

Obra: *El romancero de la novia* (1920), *Imagen* (1922), *Soria* (1923), *Manual de espumas* (1924), *Versos humanos* (1925), *Viacrucis* (1931), *Fábula de Equis y Zeda* (1932), *Poemas adrede* (1932), *Angeles de Compostela* (1940), *Romances* (1941), *Alondra de verdad, Iniciación, La sorpresa, La suerte o la muerte, Limbo* (1951), *Amazona* (1955), *Egogla de Antonio Bienvenida* (1956), *Paisaje con figuras* (1956), *Amor solo* (1958), *Evasión* (1958) y *Canciones a Violante* (1959). Con un criterio personalísimo y excluyente ordenó en 1932 su *Antología española,* en la que sólo da cabida a diecisiete poetas.

Otros poetas del «ultra» y creacionistas

Más o menos vinculados a las nuevas doctrinas, encontramos los siguientes: ROGELIO BUENDÍA, modernista evolucionado, que colaboró en las principales revistas de vanguardia; cultivó el ultraísmo en *La rueda de color, Naufragio en tres cuerdas de guitarra* y *Diagramas del sueño.*

JOSÉ DE CIRIA Y ESCALANTE, traductor de algunas composiciones de Apollinaire, demuestra su entusiasmo por las tendencias del «ultra» en un libro de poemas, publicado después de su muerte por los amigos; *Momento, Velero, Verbena* son sus poemas más característicos.

PEDRO GARFIAS, fundador de la revista de vanguardia *Tableros,* se mostró decidido partidario del «ultra» en sus dos libros *El ala del Sur* y *Coloquio de las torres de Ecija.*

También reflejan la influencia del creacionismo, en sus primeros libros sobre todo, EUGENIO MONTES, ISAAC DEL VANDO VILLAR, EDUARDO DE ONTAÑÓN, fundador de la revista burgalesa *Parábola* (1923); GIL COMÍN Y GARGALLO, en cuyas *Aleluyas de la ciudad* se adivina la presencia de la *Fábula de*

Equis y Zeda, de G. Diego; ALFREDO MARQUERÍE, con un sentido menos revolucionario e inevitables evasiones hacia modos más sentimentales; ANTONIO ESPINA, con su convencional tipografía [15] de *Umbrales* y *Signario*; CÉSAR GONZÁLEZ-RUANO y ANGEL VALBUENA PRAT.

González-Ruano ha explorado todos los campos de la literatura: poesía, periodismo, ensayo, novela, historia, biografía y teatro; y en todos ellos nos ha dejado obras muy estimables; algunas, francamente buenas. Sólo en poesía ha publicado cerca de veinte libros. Empezó en el «ultra» y, sin abdicar por completo de aquella doctrina, ha ido derivando hacia formas tradicionales, tratadas con una técnica muy moderna. *La flor de la ador-*

midera, Me gustan estas tardes... y los sonetos *Sueños de la casa y de la muerte, Oslo, Cuando tú andas desnuda* acusan un temperamento poético de primer orden.

Valbuena Prat, el prestigioso historiador de nuestra literatura, también parte del creacionismo; pero pronto su sólida formación clásica se sobrepone a todas las veleidades innovadoras y le empuja hacia una poesía de profunda vibración religiosa y hasta mística, expresada con un dramatismo que recuerda nuestra vieja imaginería barroca. A la primera manera responden poemas como *Voz de paz en la guerra* y *Funerales de la blanca rosa*; a la segunda, muchos de los hermosos sonetos recogidos en su libro *Dios sobre la muerte*.

III. LOS POETAS PUROS

Los intentos, ya llevados muy adelante por Juan Ramón Jiménez, de llegar a una poesía esencial y totalmente desnuda, encuentran por estos años unos cuantos entusiastas continuadores. Es admirable la honradez y la constancia con que estos hombres cumplen lo que ellos juzgan una alta misión: la de purificar la poesía, aun a sabiendas de que se juegan de antemano una fácil popularidad. Encastillados en sí mismos, ajenos a cuanto no sea la misma poesía, se entregan gozosamente a una labor de asepsia que dará como resultado, ellos al menos así lo creen, la lírica en sí, pura y simple, tantas veces perseguida y nunca alcanzada.

El ambiente parecía favorable. En la tarde del 24 de noviembre de 1925, el abate Brémond leía bajo la cúpula de la Academia Francesa su ya célebre discurso de ingreso, abogando por una poesía en que lo esencial, más que las palabras, sea el misterio, lo inefable [16]. Se plantea de frente y con una altura desconocida hasta entonces el gran problema poético, que por designarlo de alguna manera se viene desde entonces llamando «la poesía pura». Agrias polémicas del abate Brémond; dos sustanciosos libros [17]; la intervención de un poeta como Paul Valéry y de un pensador como Maritain, dan carácter de cosa nueva a una teoría que viene ya desde antiguo. En España había encontrado defensores como Carrillo y Sotomayor y Góngora a principios del XVII; en Francia había tenido un lúcido expositor en el abate Dubois, a mediados del XVIII; y para los poetas simbolistas —Mallarmé, Baudelaire, Edgar Poe—venía siendo poco menos que artículo de fe.

¿Qué entendía el abate Brémond por *poesía pura*? Poesía pura quiere decir purificada, aislada de elementos superfluos e innecesarios, reducida a su misma esencia. Para lograr esto, y según la interpretación del supremo maestro del grupo, Paul Valéry, la poesía debía ser sometida a una verdadera operación química. Por tanto—ya lo dijo por

su parte uno de nuestros «puros», Jorge Guillén—, *pura* es igual a *simple* químicamente [18].

Ya se entiende el peligro que esto entraña; peligro de quedarse con algo así como con un esqueleto desprovisto de músculos y de nervios. De aquí a la deshumanización del arte hay un solo paso. Y, en efecto, ya nos hemos encontrado en Juan Ramón Jiménez, y nos vamos a encontrar de nuevo ahora con poemas tan vaciados de todo elemento humano y tan evadidos de lo real, que el interés que despiertan en el lector, en cualquier clase de lectores, aun los más refinados, es enteramente nulo. Menos mal que la sólida formación de estos «puristas» les impidió llegar a extremismos análogos a los que habían desacreditado al «ultra». Con amplia cultura clásica y conocedores de las conquistas de Rubén, Machado y Juan Ramón Jiménez, que se apresuraron a asimilar en su mejor parte, sabían que la poesía no arranca en el mundo de 1898, y muchos menos de 1919, como creían entonces y aún parecen seguir creyendo algunos incautos. Sabían, además, otra cosa más importante: que el poema, diga lo que quiera Brémond, es *poesía y varias sustancias más,* algunas de ellas muy poco puras. Es muy significativo que la plana mayor del grupo esté compuesta por catedráticos de Universidad: Salinas, Guillén, Dámaso Alonso.

Salinas

Ya en esa línea de *poesía pura,* hay quien persigue la pureza por los caminos de la inteligencia, y hay quien la busca por los caminos de la sensibilidad. En el primer caso tendremos una lírica eminentemente conceptual; en el segundo, una lírica afectiva, sin excesiva efusión al exterior, más bien contenida y frenada, pero siempre cargada de emotividad. Es una poesía—escribe Díaz Plaja— «cuya depuración no ha sido hecha eliminando retórica, sino cantidad; poesía reducida a lo tenue, sutil expresión de lo íntimo, de lo balbuciente, de lo sentimental, con el mínimo gesto preciso»[19]. Está representada por Pedro Salinas.

La poesía de PEDRO SALINAS (1892-1951)[20] sigue una línea ascensional desde su primer libro, *Presagios* (1923), hasta el último que conocemos, *La voz a ti debida* (1934). Esa línea tiene su punto de arranque en Juan Ramón Jiménez, de quien Salinas fué íntimo amigo. Pero inmediatamente se aparta de él; mientras Juan Ramón Jiménez atiende más en el poema a la eliminación de lo formal y lo retórico, Salinas, que ya empieza con una gran simplicidad de elementos formales, persigue una mayor depuración de contenido. Y así se puede decir que toda su poesía gira en torno de un único tema: el amor. En este sentido se le entronca sin dificultad con Garcilaso y Bécquer. Con una diferencia, naturalmente: Bécquer expresa el amor humano de todos los tiempos, lo que le hace un poeta a la vez popular y de selección; Salinas adelgaza, refina más y más su amor, hasta dárnoslo quintaesenciado, con lo que resulta un poeta minoritario. El amor de Garcilaso o de Bécquer—celos, esperanza, gozo, deseo y desesperación—es el mismo de todos los siglos; el de Salinas es un amor asordinado, casi estudiado y, sobre todo, un amor de nuestro tiempo. Porque lo primero que ha hecho el poeta para retrotraernos a este momento es introducir en su lírica una serie de objetos—relojes, teléfonos, automóviles, trenes, playas—aparentemente apoéticos y prosaicos, pero sublimados por su contacto con la mujer amada.

> La materia que te gusta,
> que tocas todos los días
> y que ves ya sin mirar
> a tu alrededor, las cosas
> —collar, frasco, seda antigua—
> que cuando tú echas de menos
> preguntas: «¡Ay! ¿Dónde está?...»

De este modo, Salinas se crea su propio clima poético, que es tan amplio como el mundo y que abarca a todos los seres. En medio está la *amiga*, con quien sostiene ese diálogo conmovido y prolongado que son sus poemas. Salinas todo lo refiere a la persona amada; y no se trata de un amor correspondido, sino de un amor compartido, gozoso, en que todo se va diciendo y, sin embargo, queda todo por decir:

> ¡Qué diálogo angustiado!
> Y, sin embargo,
> por decir casi todo.

Para la expresión de sus vivencias prefiere Salinas el verso breve: seis y siete sílabas; también los tiene mayores. Rara vez hace uso de formas estróficas regulares—al contrario que Guillén—, ni de la rima perfecta; la misma asonancia, cuando se emplea, tiene una distribución irregular y muy arbitraria.

La poesía de Salinas resulta, sobre todo al principio, difícil; sin embargo, ofrece un particular atractivo y una limpidez siempre cristalina. En general, está hecha de ausencias, porque aun cuando la amada esté presente, el poeta la contempla en una posible lejanía:

> No está ya aquí. Lo que veo
> de ti, cuerpo, es sombra, engaño.
> El alma tuya se irá
> donde tú te irás mañana...
>
> *(La distraída.)*

> Todo yo a recomponerte
> con solos recuerdos vagos:
> te equivocaré la voz;
> el cabello, ¿cómo era?;
> te pondré los ojos falsos...
>
> *(Amada exacta.)*

Se viene creyendo que el amor de Salinas carece de las aristas de la angustia y de los gestos patéticos. Nada de eso. Lo que pasa es que esa angustia y esos gestos quedan diluídos en una suave resignación:

> Jamás palabras, abrazos,
> me dirán que tú existías;
> que me quisiste, jamás.
> Me lo dicen hojas blancas,
> mapas, augurios, teléfonos;
> tú, no.
> Y estoy abrazado a ti,
> sin preguntarte, de miedo
> a que no sea verdad
> que tú vives y me quieres...

Lo ordinario en él es el gozo de amar por amar, sin inquirir, sin querer saber nada:

> Y cuando me preguntes
> quién es el que te llama,
> el que te quiere suya,
> enterraré los nombres,
> los rótulos, la historia.
>
> *(Ibidem.)*

Obras en verso: *Presagios* (1923), *Seguro azar* (1929), *Fábula y signo* (1931), *Amor en vilo* (1933), *La voz a ti debida* (1934), *Razón de amor* (1936). Toda ella fué reeditada en Buenos Aires con el título de *Poesía junta*. Después: *El contemplado* (Méjico, 1946), *Todo más claro* (Buenos Aires, 1949). En prosa: *Vísperas de gozo* (1926) y estudios sobre literatura española del siglo XX, sobre Jorge Manrique, Rubén Darío y Meléndez Váldez. Este último sirve de introducción a las poesías de este poeta, publicadas por «Clásicos castellanos». Tiene, asimismo, algunas traducciones del inglés y varios ensayos publicados con el título de *El defensor* (Bogotá, 1948). Recientemente Aguilar ha publicado (Madrid, 1956) su teatro.

Jorge Guillén

Un solo libro, *Cántico* (1928), acrecido en sucesivas ediciones, ha bastado a JORGE GUILLÉN (n. 1893)[21] para situarse entre la media docena de nuestros buenos líricos contemporáneos. Guillén es el clásico por excelencia. Un viejo poeta, de la mejor estirpe—Góngora—, y tres grandes poetas modernos—Mallarmé, Valéry y Juan Ramón Jiménez—han conformado su espíritu, sin restarle por ello un ápice de personalidad. Esta personalidad se revela ante todo por una fruición, un goce sensorial de las cosas, que inmediatamente queda traducida en puro verso. Si el mundo de Salinas es interior, el de Guillén es externo; el mundo que se palpa con las manos, el que se bebe con los ojos: luz, sol, aire, captados a pleno pulmón:

> Gozos, masas, gozos,
> masas, plenitud,
> atónita luz
> y rojos absortos.

El lo encuentra todo bien, con una complacencia absoluta en lo creado:

> Dije: Todo ya pleno.
> Un álamo vibró...
> Dije: Todo completo.
> ¡Las doce en el reloj!

En efecto, su reloj poético siempre señala las doce; un mediodía de luz, de color, de orden, de cosas en su punto:

> Yo vi la rosa: clausura
> primera de la armonía,
> tranquilamente futura.

Esta poesía tan pensada, tan matemática, tan cerebral, sólo puede hacerla un hombre en quien la emoción interna—eso que llamamos dolor, esperanza, celos—no existe; y si existe, es tan tenue que inmediatamente queda sofocada entre la balumba de impresiones que suministran los sentidos. Así es como en definitiva Guillén se nos revela un poeta perfecto en la forma, docto en originales metáforas, técnico del verso, pero escaso de profundidad. El sentimiento, el verdadero sentimiento humano, que es al fin lo que queda, resbala, casi rebota en esas superficies niqueladas, diamantinas, que son sus versos. Nadie ha retorcido, ha estrujado tanto la imagen hasta lograr una similitud que casi es identidad. Nadie ha limado y pulido más y más la estrofa. Desgraciadamente, aquí el esfuerzo, la «difícil facilidad», se ve. Y sin querer piensa uno en cosas extrañas al poema que está leyendo; por ejemplo, en los sudores que han debido costarle décimas como ésta:

> Sola silba y se desliza
> la longitud del camino
> por el camino. ¡Qué fino!
> Mas ¡cómo se profundiza
> la presencia escurridiza
> del país, aunque futuro,
> tras el límite en apuro
> del velocísimo Ahora,
> que se crea y se devora
> la luz de un mundo maduro!

Naturalmente que no siempre es así. De ordinario—Guillén es todo un poeta—, el verso nítido, impecable, salta al primer golpe:

> Salir, por fin, salir
> a glorias, a rocíos
> (certera ya la espera,
> ya fatales los ímpetus),
> resbalar sobre el fresco
> dorado del estío;
> ....
>
> lanzar, lanzar sin miedo
> los lujos y los gritos
> a través de la aurora
> central del paraíso,
> ahogarse en plenitud
> y renacer clarísimo
> (¡rachas de espacios vírgenes,
> acordes inauditos!),
> feliz, veloz, astral,
> ligero y sin amigo.

Obra poética: *Cántico,* con cuatro ediciones hasta ahora (1928, 1936, Méjico; 1945; Buenos Aires, 1950). Sucesivamente el volumen ha ido aumentando hasta las quinientas y pico páginas del actual, que fácilmente pueden desglosarse en seis o siete libros. Las 75 composiciones de la edición primera han aumentado hasta las 332 de la última.

Después de esta edición de *Cántico*—«primera parte»—ha publicado Guillén varias colecciones de versos, que nos han sido dadas como anticipos de un poemario más amplio: *Clamor.* Esas colecciones se titulan: *Huerto de Melibea* (1955), *Del amanecer y el despertar* (1956), *Maremagnum* (1957) y *Viviendo y otros poemas* (1958).

Pareció a muchos que con la edición de *Cántico* de 1950 se cerraba un ciclo poético guilleniano y que con *Huerto de Melibea* se iniciaba otro distinto. En otras palabras: que el poeta castellano, un poco hastiado quizá de la poesía pura y aséptica cultivada por él hasta entonces, demasiado cerebral, volvía por los fueros de una poesía más humana, con amor, con pasiones, con estremecimientos casi románticos. En lo que no hacía sino llevar a la práctica una aspiración formulada hacía muchos años en carta a Fernando Vela, cuando abogaba por «una poesía compuesta, compleja; por el poema con poesía y otras cosas humanas». Y, en efecto, hay en el *Huerto* muchas composiciones impregnadas de un patetismo, de un intimismo sobrecogedor y al que no estaban acostumbrados los lectores de Guillén. Pero es todo espejismo momentáneo. Y ya en la serie siguiente, *Del amanecer y el despertar,* el lector se encuentra con el Guillén de siempre, preciso, sensorial, luminoso, ajeno a toda turbulencia pasional y en constante fruición del mundo circundante:

> Abril, domingo, mañana,
> vaivén de ensueño a sopor,
> fuerte luz en la ventana.
> ¿Yo? Más: el mundo exterior.

Con lo que la continuidad del quehacer poético queda a salvo, y el poeta, instalado en su propio mundo: el real, el tangible, en sus aspectos más felices.

Dámaso Alonso

Los primeros versos del eminente crítico DÁ-
MASO ALONSO (n. 1898)[22] traían un inconfundible
aire juanramoniano. Así tenía que ser, si se repara en la fecha de su publicación (1921). Universitario y familiarizado con lo mejor de nuestros
clásicos, Dámaso Alonso mal podía prestarse a
las alocadas experiencias del «ultra» y de otros
«ismos»; su sólida formación le protegía, al igual
que a Guillén y a Salinas, contra toda clase de
veleidades. De aquí que en sus *Poemas puros:
Poemillas de la ciudad* (1921) encontremos una serie de composiciones—casi siempre vaciadas en
molde clásico—, cuyas notas más salientes son la
gracia y la finura. Una finura y una gracia bebidas en Góngora y filtradas en Juan Ramón. *Los
contadores de estrellas, Tarde, Cancioncilla, Tormenta* y particularmente el soneto *¿Cómo era?*
reflejan un anticipado anhelo de pureza, llevado a
la práctica por Dámaso Alonso antes que por
Guillén y el mismo Salinas.

Luego, ese agudo crítico que hay en él le aleja
la pura creación hacia los campos de la investigación y de la cátedra, y cuando al cabo de veinte
años de aparente desvío parecía olvidado de toda
experiencia poética, nos sorprende casi simultáneamente con dos libros—*Oscura noticia* e *Hijos de
la ira* (1944)—que revelan un poeta nuevo. La
voz velada y aun tímida de los *Poemas puros* se
aborrasca aquí, sobre todo en *Hijos de la ira*, hasta
descomponerse con frecuencia en gritos desgarrados. Los temas intrascendentes han dejado sitio
al grande, al eterno tema metafísico de Dios y del
hombre; la angustia religiosa a lo Unamuno se
apodera del alma, y mejor aún, del corazón del
poeta, que se cree obligado a preguntar el cómo
y el porqué de muchas cosas. Es una poesía tumultuosa, delirante, aparentemente desordenada.
Aparentemente sólo; porque el autor, aun en los
momentos de mayor excitación, ha sabido canalizar las emociones y disciplinar sus ideas de modo
que los lectores se dan cuenta de que cada pensamiento y cada palabra están siempre en su sitio.
Ni siquiera la anarquía métrica es tan grande
como pudiera pensarse. En buena parte de estos
poemas no hay tal «versolibrismo»; y si el lector
tiene la sensación de que existe, se debe casi siempre a la disposición tipográfica. Por ejemplo, uno
de los más conocidos, *Elegía a un moscardón azul*,
está en endecasílabos con su corto, el heptasílabo;
lo mismo puede decirse de *Voz del árbol* y de
otros. En cambio, hallamos bastantes irreducibles
a esquemas métricos conocidos. Y no hay por
qué ocultarlo: la ruptura con el verso en estos
últimos rebaja su calidad poética al nivel de una
prosa cualquiera.

Pero Dámaso Alonso, siempre insatisfecho de sí
mismo y en exploración constante por las zonas
de su universo poético, tras un silencio de diez

años, rompe a cantar de nuevo y ofrece a sus lectores ese *Hombre y Dios* (1955), que marca un
hito en la lírica española actual. No estamos de
acuerdo con quienes ven en *Hijos de la ira* la culminación del quehacer poético de Dámaso Alonso.
Para nosotros es *Hombre y Dios* no sólo su libro
más inspirado, sino el poemario más hondo, original e impresionante de cuantos han aparecido en
España desde la guerra civil. Gracias a él, Dámaso
Alonso queda elevado a un primerísimo puesto,
acaso el más alto, de la lírica presente. *Hombre
y Dios* sintetiza todas las tendencias afloradas en
la poesía peninsular durante los veinticinco últimos años, desde el surrealismo de Alberti (*Sobre
los ángeles*), Lorca (*Poeta en Nueva York*) y Aleixandre (*Espadas como labios*), hasta esas manifestaciones de carácter social o de angustia religiosa
que burbujean más o menos tumultuosamente en
los versos de Blas de Otero, Nora, Celaya y Valverde. Con una diferencia: que lo que en ellos
es muchas veces simple intuición, atisbo o vaga
nebulosa, es en Dámaso Alonso concreción y consciente logro, y lo que allí es raudal atropellado,
es aquí corriente remansada, que el poeta encauza
y lleva a donde le place. Hay en *Hombre y Dios*
poemas, especialmente sonetos, que por lo conceptuales y hondos sostienen la comparación con los
de Unamuno, pero de un Unamuno que hubiese
aprendido algo que nunca supo el sabio profesor
de Salamanca, y es que un soneto, para ser perfecto, requiere una «cauda» o remate en que estalle
toda la fuerza lírica condensada desde el primer
verso del poema:

> ¡Oh Dios, no me aniquiles,
> tú, flor inmensa que en mi insomnio creces.
> Yo soy tu centro para ti, tu tema
> de hondo rumiar, tu estancia y tus pensiles.
> Si me deshago, tú desapareces.

Todo el libro, tan vario dentro de su compacta
unidad, gira en torno a un pensamiento, el que se
enuncia en el *Segundo comentario*:

> Creación tiene un polo: hombre se llama.
> Allí donde hay un hombre se anuda el universo.
> ¡Oh tiranía, oh fuerza del hombre aun a Dios mis-
> En mi cerebro bulle enorme, misteriosa   [mo.
> (última idea, en último rincón, de última causa),
> esta palabra: «Dios».
> Todo, todo, sí, aun Dios, el Dios inmenso,
> va a centrarse en mi mente.

Y frente a Dios, el hombre, insignificante. Pero,
dentro de su pequeñez, todo un mundo:

> Dios es inmenso lago sin orilla,
> salvo en un punto tierno,
> minúsculo, asustado,
> donde se ha complacido limitándose:
> Yo.

Y hay también composiciones en que el júbilo
vital rompe incontenible, hedonístico casi:

Hombre, toca, toca
lo que te provoca,
seno, pluma, roca.

Pues mañana es cierto
que estarás ya muerto,
tieso, hinchado, yerto.

Toca, toca, toca,
¡qué alegría loca!
Toca. Toca. Toca.

Donde se nos revela más claramente la gran vena lírica que corre por las páginas de *Hombre y Dios* es en *Ese muerto*, un poema que resume toda el ansia humana de vivir, de ser simplemente, de seguir siendo, como sea; y no de seguir siendo en otro mundo ultrasensible, sino en éste de masas, de luz, de días y de noches. Es una composición que nosotros llamaríamos telúrica, de raíces elementales que pugnan por seguir agarradas al peñasco de la vida, negándose a la destrucción:

Viviría en la náusea, el estertor, el crimen;
en cavernas sin sonda, taponadas de fango,
en atarjeas fétidas, entre ratas blancuzcas:
furtivos, hoscos dioses.

Aunque fuera sin dueño, sin amor, sin amigo,
sin un perro, una casa, una luz, una silla;
solo tras los desiertos; o, en la jungla del tigre,
inerme, tierno, solo.

Viviría lombriz, sí, viviría hormiga,
instintiva potranca, absorto buho inmóvil,
o molusco sin ojos, donde en roca mar bate
(o torpísima ameba).
....
¡Ay, si le dierais vida (con miseria o con gozo),

Insistamos en que este y otros poemas del mismo corte y calidad confieren a Dámaso Alonso, acaso, el primer puesto de nuestra lírica actual.

Otros «puristas»

Hacia una poesía abstracta, que los acerca más o menos a Guillén y Salinas, se ha orientado asimismo la producción de otros poetas menores: JUAN JOSÉ DOMENCHINA, frío y exigente consigo mismo en libros como *Del poema eterno*, *Las interrogaciones del silencio*, *El tacto fervoroso* y otro de título tan significativo como *La corporeidad de lo abstracto*; ROSA CHACEL, que acusa más contenido conceptual que verdadera inspiración en sus composiciones coleccionadas bajo el título *A la orilla de un pozo*; PEDRO PÉREZ CLOTET, que tan pronto recuerda a Guillén como a fray Luis de León y a Góngora (libros: *Signo del alba*, *Trasluz*, *A la sombra de mi vida* y, posteriormente, *Invocaciones*, *Presencia fiel*); ERNESTINA DE CHAMPOURCIN, más próxima a Juan Ramón que los anteriores, aunque siempre dentro de lo abstracto (libros: *El silencio*, *Ahora*, *La voz del viento*).

IV. EL RETORNO A LO POPULAR

La poesía adensada, desnuda, de Guillén y Salinas, con su carga emotivo-conceptual, encuentra su réplica en otra poesía más ligera, más alada y también más musical y colorista. Aquélla buscaba su entronque en lo clásico culto; ésta se orienta asimismo hacia lo clásico, pero en sus manifestaciones populares, en la inextinguible vena de eso que ahora se viene llamando el *folklore*. Guillén y Salinas, no se olvide, son castellanos; los poetas a quienes ahora vamos a referirnos han salido de Andalucía, y de allí han sacado la mejor materia prima para sus versos. Bien es verdad que esa materia prima nos la devuelven refinada, purificada de cuantas máculas en ella había ido dejando la mano del pueblo, y resellada con una marca de gracia y aristocratismo muy andaluz. Lo que distingue a estos poetas es ante todo una gran riqueza imaginativa, un sentido finísimo del ritmo y un especial tacto para seleccionar entre la enorme masa *folklórica* precisamente, y sólo, lo más puro y poético.

Dos Andalucías—baja y alta—se suelen distinguir, y las dos han encontrado, dentro de esta tendencia, sus poetas de calidad. «La baja Andalucía —llanuras, ríos, marismas—(escribe José F. Cirre) resuena ancha y abierta en un aire poblado de naranjos. Su horizonte se curva en invitación a la lejanía. Sus flechas apuntan al Océano. Desbordada sobre la tierra y el mar. La otra Andalucía —montaña, valle, costa brava—limita su paisaje horizontal y se repliega sobre tesoros inéditos. Por encima de las sierras altoandaluzas, las breves brisas giran en torno a los olivos, y su cadencia se pierde más arriba de los picos nevados. Un pueblo —crisol de razas y culturas—ha acumulado milenios de civilización en las dos vertientes andaluzas. Ha hecho una poesía del lenguaje diario, y no poesía de cualquier clase, sino de la especie más lograda y límpida. En los gustos y estilos de esa comunidad humana se encuentra tal grado de depuración que, en rigor, no puede hablarse de «popularismo», dándole el significado de arte de mayorías. Lo popular de Andalucía es, a fuerza de siglos y pulimentos, complejo, simbólico, refinado [23].»

A este concepto general responde la producción de poetas mayores, como Alberti y García Lorca, así como la de otros de menor categoría que, sin embargo, han contribuído con ellos al remozamiento de buena parte de nuestra lírica moderna.

Alberti

RAFAEL ALBERTI (n. 1903) [24] se reveló muy joven aún como el cantor de la Andalucía baja: mar gaditano de albas espumas, barcos cimbreantes y ágiles marineros acariciados por la brisa:

Gimiendo por ver el mar,
un marinerito en tierra
iza al aire este lamento:

«¡Ay, mi blusa marinera!
Siempre me la izaba el viento
al divisar la escollera.»

En sus primeros libros, *Marinero en tierra*
(1925), *La amante* (1926), *El alba en el alhelí*
(1927), nos sorprende con un raudal de poesía
fresca, graciosa y pinturera, de la mejor estirpe
andaluza; *poesía «popular»*—ha dicho muy bien
Juan Ramón—; *pero sin acarreo fácil.* Ello significa que Alberti ha ido a beber en los entresijos
del alma del pueblo, para luego pasarla por el
alambique de la suya y devolvérnosla hecha cristal
y oro derretido:

¡Tan bien como yo estaría
en una huerta del mar,
contigo, hortelana mía!
En un carrito tirado
por un salmón, ¡qué alegría
vender bajo el mar salado,
amor, tu mercadería!
«Algas frescas de la mar.
¡algas, algas!»

En *Cal y canto* (1929), junto a reminiscencias
gongorinas, se adivina ya al poeta surrealista de
Sobre los ángeles. Hay muchos que prefieren esta
poesía oscura, arrancada de las zonas sombrías del
subconsciente, a la otra tan cascabeleante, tan luminosa y alegre. El mismo Alberti condenó toda
su primera producción al calificarla como «contribución... irremediable a la poesía burguesa».
Sobre los ángeles (1929) es, a la vez que un tributo a las corrientes del momento, el reflejo de
una evolución del alma del autor hacia temas que
consideraba más trascendentales. Sus poemas están escritos con toda la vaguedad de forma y de
concepto a que nos tienen acostumbrados los poetas surrealistas:

Fué cuando la flor del vino se moría en penumbra
y dijeron que el mar la salvaría del sueño.
Aquel día bajé a tientas a tu alma encalada, húmeda.
Y comprobé que un alma oculta frío y escaleras
y que más de una ventana puede abrir con su eco otra
[voz, si es buena..

Respetando el criterio opuesto, hemos de confesar que esta poesía nos dice muy poco. Todavía
nos dice menos la última modalidad de Alberti,
aquella en que, según confesión propia, su obra
y su vida «están al servicio de la revolución y del
proletariado internacional». Y no porque creamos
que el tema en sí sea apoético; quizá un espíritu
de otra contextura psíquica le pudiera sacar amplio partido. Pero ese espíritu no es el de Alberti,
al cual—digámoslo de nuevo—le va mejor el tono
ligero de sus primeras composiciones. Ultimamente
parece que el exilio le ha dictado otra clase de
poemas llenos de dolor, de nostalgia, de amargura
y de honda vibración humana:

Duras las tierras lejanas.
Ellas agrandan los muertos,
ellas.
Triste, es más triste llegar
que lo que se deja.
Ellas agrandan el llanto,
ellas.
....

Se dice: «Mira qué árbol
como aquel...»
                    Todos recelan.
¡El mar! ¡El mar! ¡Cuántas olas
que no regresan!

Obra: *Marinero en tierra* (1925), *La amante* (1926),
El alba del alhelí (1927), *Cal y canto* (1929), *Sobre los ángeles* (1929, *Consignas* (1933), *Verte y
no verte* (1935), *Trece bandas y cuarenta y ocho
estrellas. Poema del mar Caribe* (1936), *Pleamar,
Entre el clavel y la espada* (1938), *Poesía* (antología que recoge los poemas escritos entre 1924 y
1937), *A la pintura. Poema del color y de la línea* (1948), *Retorno de lo vivo lejano* (1952), *Ora
marítima* (1953).

Resonancias de Alberti o simples concomitancias
temáticas y formales se encuentran en ANTONIO
OLIVER BELMÁS, cartagenero, que lleva a su levantino Mediterráneo la gracia alada del mar gaditano (libros: *Mástil* y *Tiempo cenital*); ALEJANDRO
COLLANTES, fundador, con Rafael Laffon, de la
revista *Mediodía*, con inspiraciones muy directas
de Lorca y del primer Alberti; JOSÉ MARÍA MO-
RÓN, que también los sigue muy de cerca en su
Minero de estrellas; CONRADO BLANCO, que, aunque castellano, siente el tirón de Andalucía en lo
que ésta tiene de más declamatorio y brillante; y
JOSÉ CARLOS DE LUNA, representante del andalucismo fácil y pegadizo, en composiciones como
Solearilla y *Tanguillo del Campo de Gibraltar*. En
un plano muy superior a éstos encontramos a
Villalón y a Pemán.

F. Villalón y J. M. Pemán

FERNANDO VILLALÓN DAÓIZ Y HALCÓN (1881-
1930) [25] fué un aristócrata andaluz que vivió en
plan de «señorito» y ganadero rico la intensa poesía de su tierra natal—marismas, anchas dehesas,
olivares verdes y caminos polvorientos bajo el sol—,
hasta que un poco tarde (1927) se decidió a co-
municárnosla en los más garbosos y pintorescos
poemas que ha podido inspirar la musa andaluza.
Estos poemas están recogidos en sus tres libros:
Andalucía la baja (1927), *La toriada* (1928) y
Romances del 800 (1929). Arranca Villalón del
género costumbrista; en *La toriada* deriva hacia
lo culto, con indisimulables dejos gongorinos; la
moda surrealista le contagia, como a casi todos
los poetas de su época; y en los *Romances* vuelve
a su tono personal, para dejarnos una serie de
estampas trazadas con un color local, un vigor y
una soltura de líneas pocas veces superada. Alguno de estos romances—*Diligencia de Carmona*;

Giralda, madre de artistas [26]—se han hecho merecidamente populares.

La obra del gaditano JOSÉ MARÍA PEMÁN (1898) [27] se hace notar más por la profusión que por la calidad, aun siendo ésta con frecuencia de muchos quilates. Escritor polifacético, ha cultivado casi todos los géneros: novela, cuento, periodismo, ensayo, lírica, épica, oratoria, teatro; y, dentro de éste, la comedia de costumbres y el drama histórico, la obra de tesis y hasta la tragedia clásica. Naturalmente, todo ello ha tenido que perjudicar al conjunto. De esta prodigalidad, de este apresuramiento con que forzosamente escribe, aunque dotado de una asombrosa facilidad, tiene que resentirse la obra total. Pemán, como lírico—en su aspecto dramático se le estudiará en otro lugar—, ha venido siendo preterido unas veces y otras menospreciado por la crítica. No se ha querido reconocer en él hasta última hora lo que en realidad es: uno de los temperamentos poéticos más impresionables y proteicos de nuestro tiempo. Se le censura su adhesión a modos y formas ya pasados, cuando la verdad es que pocos han sabido tan bien como él ir evolucionando y plegándose a las diversas tendencias, sin abdicar, eso sí, de aquello que él, y con él otros muchos, consideran esencial al poema. Libros como *De la vida sencilla*, *Nuevas poesías*, *A la rueda, rueda...* y *La señorita del mar* bastan para certificar a un alto poeta. El *Poema de la Bestia y el Angel*, a pesar de innegables aciertos transitorios, creemos que quedó muy por debajo del propósito inspirador. En cambio, en cualquiera de las obras citadas se podrán encontrar composiciones que rivalizan con las mejores de nuestro tiempo. Elegancia, sencillez, facilidad y un arte especial para destacar ciertos mínimos detalles, que por gracia de la poesía quedan situados en primer plano, con sus dotes más estimables. *Nocturno a Margarita*, *La cieguecita*, *Aquella morena clara...*, *Entre los geranios rosas...*, *La casa de siete pisos*, *Soledad*, *Tarde de toros* y *Meditación* se pueden citar entre sus mejores poemas.

Obra lírica: *De la vida sencilla* (1923); *Nuevas poesías* (1924); *A la rueda, rueda* (1929); *El barrio de Santa Cruz* (1931); *Elegía de la tradición de España* (1933); *Señorita del mar* (1934); *Poema de la Bestia y el Angel* (1938). Hay una selección antológica que comprende de 1923 a 1937. También está en curso la publicación de sus *Obras completas*; y recientemente (Madrid, 1959) ha aparecido una colección de sus mejores composiciones líricas: *Poesías*.

De su producción teatral se hablará en el capítulo XCIX.

V. GARCIA LORCA Y SU GRUPO

Como Alberti es el poeta de Andalucía baja, la del mar, Lorca lo es de Andalucía alta. En la estimación de este poeta, tal vez el temperamento más apasionante y apasionado de la lírica española contemporánea, han entrado en juego factores ajenos a la misma poesía. Ellos han contribuído sin duda a darle una popularidad que de otro modo no habría alcanzado. Al menos, no en su actual dimensión; su fama acaso no hubiera trascendido las fronteras españolas con el estrépito que todos sabemos, hasta alcanzar categoría de valor universal. Precisamente Lorca es, debe ser, un poeta difícil para los extranjeros. Su verso, construído con imágenes tan felices como rebuscadas, elaboradísimo siempre, no es el más apto para la lectura por un extraño a nuestra lengua; menos aún para la traducción a otro idioma. Tratándose de hablantes en castellano, la cosa cambia; lo que tiene de cultismos y de rebuscamiento queda compensado con lo que hay en él de pictórico y musical, dos elementos, música y pintura, que siempre impresionan favorablemente. Lorca, como Góngora, es a la vez un músicopoeta y un poetapintor de primer orden.

Vida y perfil

Nació FEDERICO GARCÍA LORCA en Fuente Vaqueros (Granada), en 1898 según unos, en 1899 según otros [28]. Hijo de familia acomodada, estudia Derecho y Filosofía y Letras en las Universidades de Granada y de Madrid. En 1923 obtiene la licenciatura en Letras. Desde 1919 residía ya en la capital de España, con largas estancias en Granada. En Madrid tiene ocasión de respirar el aire, cosmopolita y a la vez profundamente ibérico, de la Residencia de Estudiantes, donde se daban cita por aquellas fechas los más finos ingenios de nuestras letras. Presencia la aparición del *Ultra*, sin dejarse ganar por su estridente algarabía. Establece muchas y buenas relaciones. Su primer mentor literario fué el poeta don Eduardo Marquina, a quien Lorca admiraba mucho; luego se deja aconsejar por Martínez Sierra y Juan Ramón Jiménez. Pianista y amante del *folklore*, recorre buena parte de España al frente del teatro universitario La Barraca. Pintor estimable y amigo de Dalí, concurre con sus cuadros a una exposición en Barcelona. Da muchas conferencias sobre arte y literatura. Viaja por Europa. Hacia 1926 piensa en preparar una cátedra de literatura, idea en que persiste varios años, hasta que el triunfo en el teatro le hace desistir de su intento. Viaja por Europa y parte de América (1929-30). Colabora en revistas de minorías y funda una de éstas, *Gallo*. Obtiene éxitos resonantes en el teatro: *Bodas de sangre*, *Yerma*. Otro viaje triunfal por América, donde cosecha triunfos y homenajes. La guerra de Liberación le sorprende en Granada y cae víctima de los primeros momentos de confusión (1936).

Federico de Onís, que debió de conocerle e intimar con él a su paso por Nueva York, nos retrata a Lorca como un «artista completo, temperamento pródigo y generoso, que marcha por todas partes defendido por su perpetua infantilidad genial, irresponsable, simpática». Igualmente, las *Cartas* que, en número de cuarenta y dos, dirigió a sus amigos[29] nos revelan el niño grande, de espíritu ingenuo y candoroso, que siempre fué Lorca. Dámaso Alonso alude, por su parte, a la irresistible atracción que ejercía en cuantos le trataban; y todos los que le conocieron y han escrito sobre él están conformes en que, junto con su innegable «gracia» poética, era la simpatía personal su nota más acusada.

Obra literaria

Abundante, si se tiene en cuenta su corta vida. Ha sido publicada en edición completa, primeramente en Buenos Aires, bajo la dirección de Guillermo de Torre (siete vols.); luego en Madrid, en un solo y nutrido volumen, prologado y epilogado, respectivamente, por Jorge Guillén y Vicente Aleixandre[30]. Abarca prosa, verso y teatro (verso y prosa), conforme a este cuadro:

Prosa: *Impresiones* (dos breves trabajos); *Narraciones* (seis íd., íd.); *Conferencias* (cinco, asimismo muy breves); *Impresiones y paisajes* (veintiséis íd., íd.); *Varia* (cinco íd., íd.).

Teatro: *El maleficio de la mariposa*; *Los títeres de Cachiporra* (tragicomedia); *Mariana Pineda* (romance popular en tres estampas); *La zapatera prodigiosa* (farsa violenta); *Amor de don Perlimplín con Belisa en su jardín*; *Retablillo de don Cristóbal* (farsa para guiñol); *Así que pasen cinco años*; *Bodas de sangre* (tragedia); *Yerma* (tragedia); *Doña Rosita la Soltera, o El lenguaje de las flores*; *La casa de Bernarda Alba* (tragedia);

Teatro breve: *El paseo de Buster Keaton*; *La doncella, el marinero y el estudiante*; *Quimera*; *El público* (escenas de un drama en cinco actos).

Poesía: *Libro de poemas, Poema del Cante Jondo, Primeras canciones, Canciones, Romancero gitano, Poeta en Nueva York, Llanto por Ignacio Sánchez Mejías, Seis poemas galegos, Diván del Tamarit, Poemas sueltos*.

Lo más representativo de esta obra es la lírica. Ni el teatro, más digno de estudio por lo que prometía que por su auténtico valor, ni la prosa, bien cortada y de enorme expresividad, llegaron a cuajar en creaciones de indiscutible calidad. Es a la lírica, por tanto, a la que dedicaremos nuestro análisis, sin desdeñar los otros aspectos.

Presupuestos

Al enjuiciar a Lorca como poeta han de tenerse en cuenta varios datos. Primero: Lorca es granadino. Ser granadino significa venir al mundo con una predisposición para captar los matices más finos de la Naturaleza: estar enamorado del juego maravilloso del agua, del rumor de las fuentes, del aire delgado de la sierra, de la nieve lejana, del color, del olor denso de los claveles, de todo el pintoresquismo gitano que se respira en la ciudad del Darro. Después, este pintoresquismo o andalucismo se podrá extender a Córdoba, a Sevilla, tal vez hasta Málaga y Cádiz; pero su raíz está en Granada. Segundo: Lorca vive entre 1899 y 1936; pero poéticamente se ha formado en los años de la primera posguerra. Juan Ramón Jiménez está en su apogeo; el modernismo ha pasado, dejando tras sí lo único que podía dejar: cierta aristocrática elegancia verbal; coexisten las solicitaciones del «ultra» con los intentos de acercamiento a la poesía pura. Tercer dato: Llega Lorca a tiempo de presenciar el fracaso del creacionismo y de comprobar los raquíticos frutos cosechados en el campo de la poesía pura. El «retorno a lo popular» va ganando el ánimo de los mejores; entre ellos se sitúa Lorca, que no tarda en ocupar el primer puesto.

Y aquí, en este volverse a lo popular, nos encontramos frente al Lorca más auténtico. Su mejor fuente de inspiración es, en efecto, el pueblo. Busca al pueblo, y el pueblo termina buscándole a él. Pero no se habla ahora de ese pueblo zafio y grosero, al que aludía Manuel Machado al decir que el pueblo no inventa nada; sino a ese otro finísimo, agudo, dotado de increíble intuición poética, que ha sabido hacer de una seguidilla o de una copla el más vivo instrumento de su sentir y de su pensar. Es éste el pueblo andaluz, que suele hablar por imágenes; imágenes siempre originales, desconcertantes, inesperadas. Ya lo observó el mismo Lorca en un artículo publicado en la revista *Residencia*, y bien se cuidó él de imitarlo.

Trayectoria poética

Empieza Lorca, como todos, con ciertos titubeos y sin saber qué tono adoptar. Sus primeros versos son, tenían que ser necesariamente, imitación de los poetas en boga. El *Libro de poemas* (1921) responde a esta etapa inicial: influencias de Juan Ramón Jiménez (*Canción primaveral, Canción menor, Balada ingenua*); de A. Machado (*Tarde, Encina*); modernistas (*Lluvia, Elegía de doña Juana*); hasta Salvador Rueda (*Invocación al laurel*).

Primeras canciones (escrito por el año 1922, aunque publicado mucho después) anuncian al poeta de las metáforas sorprendentes y de los motivos populares sabiamente aprovechados. *Canciones* (1927) nos dan el poeta cuajado, dueño de todos los resortes de un arte propio, cada vez más simplificado y con una mayor tendencia a lo esquemático, a lo ligero y musical. La deliciosa *Canción china* y las no menos deliciosas de *El lagarto* y de *El mariquita* revelan un espíritu que ha sabido adentrarse en lo más sensible del alma popular[31]

Pasamos por alto los *Seis poemas galegos* (1935), la *Oda a Salvador Dalí,* de impecable factura, y la serie de composiciones recogidas bajo el título *Poeta en Nueva York,* ineludible tributo a la tendencia poética reinante por aquellas fechas, y que, no obstante el signo de subversión estética bajo el que fueron escritas, acusan un temperamento siempre sereno, exquisitamente sensible y equilibrado. Tampoco podemos detenernos en el *Diván del Tamarit* (1936), que en sus «gacelas» y «casidas», de corte a la vez oriental y modernísimo, nos ofrece un Lorca intimista y confidencial; ni en los *Poemas sueltos,* inestimable ejemplario de todos los géneros y temas cultivados por Lorca: desde la grave lira garcilasiana (*Soledad: homenaje a fray Luis de León*) hasta el surrealismo versolibrista (*Luna y panorama de los insectos*); y desde la décima, trabajada a lo Guillén (*Normas*), hasta la retozona seguidilla a la manera de Alberti (*Canto nocturno de los marineros andaluces*), pasando por la copla popular, por el soneto clásico, si bien cortado a la moderna, por algún que otro romance (el *Apócrifo de don Luis a caballo*), que parece escapado del *Romancero gitano:*

> Un rumor de galopines
> galopantes, galopando,
> entre los olivos vienen,
> con los trabucos terciados.

El «Poema del cante jondo» y el «Llanto»

Señalan con el *Romancero gitano* la plenitud poética de Lorca. No es que sus otros poemas valgan menos; es que son más impersonales. Los sonetos a que acabamos de aludir revalidan a un gran poeta; pero podían ir firmados por Dámaso Alonso, Gerardo Diego o algún otro entre los que se han beneficiado de las exquisiteces formales de Góngora, por tercera o cuarta vez descubierto. El *Poema del Cante Jondo,* el *Llanto por la muerte de Ignacio Sánchez Mejía* y el *Romancero gitano* sólo pueden ser de Lorca.

El *Poema del Cante Jondo* arranca de sus primeras composiciones de 1921; pero no fué dado a conocer en su forma actual hasta diez años más tarde (1931). Consta de la *Baladilla de los tres ríos,* uno de los más finos poemas del autor, y de otras cincuenta composiciones, casi todas muy breves, agrupadas bajo estos títulos: *Poema de la seguiriya gitana, Poema de la soleá, Poema de la saeta, Gráfico de la petenera, Dos muchachas, Viñetas flamencas, Tres ciudades y Seis caprichos.* Son, ya está dicho, apuntes muy rápidos (el balcón, el baile, el cafetín, la riña, etc.) de ambiente andaluz, trazados con cuatro rasgos, en metro siempre corto y de hondo sabor popular. Algunos, en romance octosílabo, anuncian los cuadros impresionantes del *Romancero gitano;* sólo que aquí todo es más nervioso, más condensado y lírico.

Para nuestro gusto, los mejores poemitas son: *Sorpresa, Soleá, Balcón, Camino, Muerte de la Petenera;* las dos siluetas de *Lola* y *Amparo; Crótalo,* con su original musicalidad de efectos onomatopéyicos; y la ya mencionada *Baladilla de los tres ríos,* con que el libro se abre:

> El río Guadalquivir
> va entre naranjos y olivos.
> Los dos ríos de Granada
> bajan de la nieve al trigo
> *¡Ay amor,*
> *que se fué y no vino!*

> El río Guadalquivir
> tiene las barbas granates.
> Los dos ríos de Granada,
> uno llanto y otro sangre.
> *¡Ay amor,*
> *que se fué por el aire!*

El *Llanto por Ignacio Sánchez Mejías* es un poema elegíaco de ancho aliento, que en nada recuerda al concepto clásico del género. Dividido en cuatro breves tiempos —*La cogida y la muerte, La sangre derramada, Cuerpo presente, Alma ausente*—, en cualquiera de ellos se revela un poeta de primer orden. La primera, *Cogida y muerte,* aspira a dejar clavado tanto en la mente como en la retina del lector el momento preciso en que ocurrió la tragedia. De ahí la reiteración, que al principio puede parecer monótona, pero que en definitiva se resuelve en eficacísimos efectos:

> Eran las cinco en punto de la tarde.
> Un niño trajo la blanca sábana
> *a las cinco de la tarde.*
> Una espuerta de cal ya prevenida
> *a las cinco de la tarde.*
> Lo demás era muerte y sólo muerte
> *a las cinco de la tarde.*

Como si no bastara la larga letanía, el poema en esta primera parte se cierra con los tres insistentes endecasílabos:

> ¡Ay, qué terribles cinco de la tarde!
> ¡Eran las cinco en todos los relojes!
> ¡Eran las cinco en sombra de la tarde!

La segunda parte —*Sangre derramada*— se basa en análogos recursos reiterativos:

> ¡Que no quiero verla!
> Dile a la luna que venga
> que no quiero ver la sangre
> de Ignacio sobre la arena.
> ¡Que no quiero verla!

para continuar con el panegírico fervoroso del torero:

> ¡Qué gran torero en la plaza!
> ¡Qué gran serrano en la sierra!
> ¡Qué blando con las espigas!
> ¡Qué duro con las espuelas!
> ¡Qué tierno con el rocío!
> ¡Qué deslumbrante en la feria!
> ¡Qué tremendo con las últimas
> banderillas de tiniebla!

Las dos últimas partes son un treno prolongado sobre el cuerpo y el alma del caballero y amigo:

> Tardará mucho tiempo en nacer, si es que nace,
> un andaluz tan claro, tan rico de aventura.
> Yo canto su elegancia con palabras que gimen
> y recuerdo una brisa triste por los olivos.

El «Romancero gitano»

Apareció (1928) un año después que las *Canciones* y tres antes que el *Poema del Cante Jondo*. Sólo él bastaría para conferir a Lorca un puesto de honor entre los cultivadores de este metro popular, al lado de Lope de Vega, de Quevedo y de Góngora. Nunca desde el Siglo de Oro el romance se había manejado con tanta maestría y tanto sentido de lo auténticamente popular; nunca tampoco se había llenado de tanta sustancia poética. Podría pensarse que era el tema, lo gitano o *calé* en sí, el que aportaba esa sustancia; pero no hace falta ahondar demasiado para llegar a la conclusión de que un tema, por muy sugestivo que sea, no se convierte en obra de arte, y menos en obra de arte de superior categoría, sin el soplo creador. Y esto es lo asombroso en Lorca. Con un instinto que sólo puede tener el genio, se apoderó de una materia que estaba a disposición de todos, un bien mostrenco, manipuló con ella y nos la dió ennoblecida y transfigurada en arte puro. Sus gitanos, sin dejar de ser tales, pierden lo que tienen de individual para convertirse en símbolos. La muerte de Antonio Camborio [32], asesinado por sus cuatro primos, dentro de la parvedad de la materia, es de una magnitud trágica que sobrecoge. Por el contrario, motivos extraños al ambiente gitano quedan como sumergidos en él y saturados de su atmósfera. Hasta los santos adquieren perfil *calé*: los tres arcángeles que personifican respectivamente a Córdoba, Sevilla y Granada—San Rafael, San Miguel y San Gabriel—tienen en los romances un cierto perfil agitanado, sin que por ello pierdan su aureola celestial.

Todos los poemas del libro, con excepción de uno solo—*Burla de Don Pedro a caballo*—están escritos en metro romanceado. Y desde el primer momento sorprende un detalle: el respeto del poeta a la unidad estrófica; el carácter cuaternario tradicional en el romance lírico no se rompe, o se rompe muy rara vez. Otro detalle: en una época en que se venía aconsejando la máxima asepsia poética y se luchaba por eliminar toda anécdota o alusión a la vida ordinaria que pudiera lastrar la poesía, Lorca acude precisamente, y siempre, a una anécdota de la vida real para que sirva de soporte a sus mejores poemas. Esto, el buscar un suceso real o imaginario como núcleo de inspiración, podría inducirnos a pensar en los romances históricos del duque de Rivas y, más cerca de nosotros, en «La tierra de Alvargonzález», de Machado. Pero no se trata de eso. Nada de historias roman-

ceadas. En Rivas y en Machado lo narrativo, en tales casos, domina a lo lírico. En Lorca lo lírico se sobrepone desde el primer momento. La acción no ha hecho más que insinuarse vagamente, como simple motivo o choque con la realidad que provocó la chispa.

Consta el *Romancero* de dieciocho poemas. Algunos críticos distinguen en él tres mundos distintos o, mejor, tres planos de un mismo mundo, que a veces se interfieren: *a)* el de las criaturas de carne y hueso, con sus penas y alegrías, sus amores y sus odios; hasta con sus nombres concretos: Antoñito Camborio, Soledad Montoya, Juan Antonio el de Montilla. *b)* el mundo ultratelúrico y celeste, al que se siente tan vinculada el alma gitana, tal como se nos muestra en los tres romances aludidos de San Rafael, San Miguel y San Gabriel, o en el dedicado al martirio de Santa Olalla. *c)* el trasmundo del misterio, de lo inaprensible, tan arraigado en la psiquis andaluza, con sus presentimientos, sus venganzas y su fatalismo. A él corresponden los mejores poemas del libro: *Romance de la luna, luna; De la pena negra; Del Emplazado; Preciosa y el aire; Reyerta*, etc. Frente a este triple plano, en violentísimo contraste, el de la sociedad capitalista, encarnada un poco arbitrariamente en la Guardia Civil, a la que se alude a cada paso y concretamente se le dedica uno de los romances más densos, más sombríos y más audaces en el empleo de la metáfora.

Varios de estos poemas han alcanzado la máxima notoriedad y están en la memoria de todos. No siempre el público ha preferido los mejores. A veces, como en el de *La casada infiel*, la preferencia se basa en motivos ajenos a la calidad poética: la expresión descarnada, la voluptuosidad, el sensualismo desenfrenado que se derraman por todo el poema en forma excitante y que no bastan a velar las más rebuscadas imágenes.

El teatro de Lorca

Obtuvo en su día muy favorable acogida y puede resumirse en dos palabras: *poesía dramática*. No porque todo él esté escrito en verso, las mejores piezas están en prosa, sino por el hálito poético en que va envuelta la acción hasta en las piezas más realistas. Abarca este teatro tres formas:

1. De inspiración romántica, con evocaciones del siglo XIX: *Mariana Pineda* y *Doña Rosita la soltera o El lenguaje de las flores*.

2. De pura farsa, con predominio de lo caprichoso y burlesco: *La zapatera prodigiosa* y *Amor de Don Perlimplín con Belisa en su jardín*.

3. De tema popular y ambiente trágico: *Bodas de sangre, Yerma* y *La casa de Bernarda Alba*.

Ni *Mariana Pineda*, ni *Doña Rosita la soltera*, ni *La zapatera prodigiosa*, estampas de un neorromanticismo bastante ingenuo, revelan el temperamento dramático de Lorca, a pesar de ciertos momentos de indiscutible belleza, coincidentes casi siempre con la introducción de motivos populares muy hábilmente aprovechados. Al Lorca dramático, más que dramático, trágico de tensa fibra, hay que buscarlo en las tres obras finales: *Bodas de sangre, Yerma* y *La casa de Bernarda Alba*. Y éstas más que por lo que llevan en sí, por lo que significan. Lorca es, sin duda alguna, el primero, casi el único dramaturgo de su generación; pero es un dramaturgo que no llegó por desgracia a la madurez, aunque iba camino de ella. En *Bodas de sangre* hay todavía excesivo lirismo; en *Yerma* ya lo hay menos; *La casa de Bernarda Alba*, limpia casi de gangas líricas, marcha rápida y rectilínea hacia el desenlace. Las tres son tragedias; pero tragedias entendidas al modo clásico, con cierto viento de fatalismo que sopla sobre los personajes, empujándolos ciegamente hacia la acción. El protagonista no es el hombre o la mujer, sujetos de pasión, que luchan contra ella y logran vencer o son vencidos tras un proceso agónico; es más bien la misma pasión, constituida en sujeto de la obra y que desde el principio manda y se enseñorea de todo y de todos. De este modo la lucha no existe.

Drama popular y aristocrático a la vez el de Lorca, como toda su poesía, nadie busque en él refinamientos ni complicaciones psicológicas. Los temas, siempre elementales, se tratan de manera directa; el lenguaje, a tono con los temas, suele también ser directo; a veces brutal y hasta ofensivo para el pudor de los espectadores. Suele decirse que los personajes de Lorca sólo se mueven por instintos primarios. Agreguemos que en las tres obras que comentamos esos instintos se reducen a uno solo: el instinto sexual. En *Bodas de sangre* la protagonista, acallando las voces del deber, abandona a su esposo el mismo día de su boda y huye con un antiguo novio; *Yerma* es la tragedia de la casada infecunda, que se pasa los tres actos culpando al marido de su esterilidad; y en *La casa de Bernarda Alba* se oyen rugir, entre estériles esfuerzos por hacerlos callar, los tigres furiosos del más bajo apetito. Insistimos en que, a pesar de estas limitaciones, las tres obras revelan el primer temperamento dramático de nuestro tiempo.

Técnica y estilo

García Lorca ha sido calificado por unos como «criatura de creación», queriendo significar con ello que es ante todo un creador, en el sentido que suele aplicarse tal palabra a un Goethe, un Shakespeare o un Lope de Vega; por otros ha sido calificado de «poeta intuitivo», aludiendo sin duda a su facilidad para captar las formas poéticas de la vida; por otros, finalmente, como el intérprete del alma popular en una de sus más típicas expresiones: lo gitano andaluz. Contra las tres

interpretaciones reaccionó el mismo Lorca reiteradas veces. Nunca quiso aparecer como poeta espontáneo o fácil; y no lo es. Como todo gran artista debe mucho a la Naturaleza; pero no es menos lo que debe a la técnica, al talento. El no se cansa de decirlo. «La verdadera poesía—declaraba en carta a J. Guillén—es amor, esfuerzo y renunciamiento.» Y en otra parte: «Que soy poeta por la gracia de Dios (o la del Diablo)..., también lo soy por la gracia de la técnica y del esfuerzo.» Y todavía más: «Yo me admiro cuando pienso que la emoción de los músicos (Bach) se apoya y está envuelta en una perfecta matemática.» Da muy poco valor a los tan traídos y llevados «estados de gracia o creación poética»; para Lorca no hay más obra de arte que la que está realizada: «Cuando digo voz, quiero decir poema. El poema que no está vestido, no es poema, como el mármol que no está labrado no es estatua.» La repulsa a las teorías en boga no puede ser más terminante [33].

Tampoco quiso saber nada de ciertos fáciles pintoresquismos. El sambenito de cantor de la raza *calé* le molestaba y se lo sacudió de un papirotazo: «Mi gitanismo es un tema literario y un libro. Nada más.» Algunos, no sabiendo cómo explicar esa poesía suya tan fresca, tan pintoresca y *cañí*, se dedicaron a buscarle en la familia una ascendencia gitana. Inútil tarea. La poesía lorquiana se explica con sólo atender a los ingredientes de que está elaborada. Es una poesía en que «lo *artístico*—ya lo advirtió T. Ballester—predomina sobre lo *poético*»; lo sensorial, agregamos nosotros, sobre lo lírico y emotivo. Poesía escrita con los cinco sentidos y para los cinco sentidos. Los poemas de Lorca se gustan, se paladean, se palpan y hasta se huelen. No hablemos de sus factores musicales y cromáticos. Alguien ha dicho, pensando en ellos, que su complemento es la recitación. Es poesía que entra por los ojos, por los oídos y hasta por el tacto. Colores fríos y opacos: blanco, negro y verde, por este orden de menos a más. Sabores ásperos, con predominio del amargo. Sensaciones táctiles duras y lisas. Y una fauna extraña en que predominan peces, toros y caballos. Luego, como motivo casi constante, la luna. Y un juego de metáforas de increíble originalidad; metáforas recién hechas, virginales, con toda la pureza de lo que acaba de nacer.

Lorca era un enamorado de la imagen poética; y un convencido de su valor. Todo su bellísimo discurso sobre Góngora es un alegato en este sentido. «La eternidad de un poema depende de la calidad y trabazón de sus imágenes», nos dice. Y a renglón seguido repite la frase de M. Proust: «Sólo la metáfora puede dar una suerte de eternidad al estilo.» Porque él lo creía así y porque había nacido dotado de una excepcional capacidad de creación «imaginífica», siembra toda su obra de estos recursos metafóricos. A veces se excede; a veces también resulta oscuro, y el nexo indispensable entre la imagen y su objeto sólo se descubre después de largo análisis. Pero siempre son sorprendentes y nuevas, y hasta cuando parecen ininteligibles el efecto se produce y contribuye a crear «clima». En este aspecto Lorca es el mejor de nuestros poetas modernos. También lo es por su feliz aprovechamiento de temas y motivos populares y por su constante aportación al verso de factores llenos de musicalidad [34]. Lorca es hoy el poeta español más conocido, leído y admirado en el extranjero.

El grupo lorquiano

Lorca, no hace falta decirlo, ha tenido muchos discípulos. Su poesía, basada en buena parte sobre elementos externos y sensoriales, se prestaba como ninguna a fáciles imitaciones. El

> Verde que te quiero verde;
> verde viento, verdes ramas...

pronto se convierte en «azul, que te veo azul»; «grana, que parece grana»; «negro, que venía negro»... Y, sólo con cambiar adjetivaciones por nombres o verbos: «Luna, que te ve la luna»; «corre, que te corre el agua»; etc. En boca de su creador suponía un feliz hallazgo; repetido por espíritus mediocres, empalaga. Deslumbrados por el éxito de Lorca y creyendo equivocadamente que todo él se debía al empleo afortunado de las metáforas, muchos jóvenes poetas se lanzaron a la caza de éstas con redoblado ahinco. Resultado: una poesía furiosamente barroca unas veces, por

el abuso de imágenes; o bien enclenque y ñoña, en fuerza de querer ser infantil, quedándose en puro artificio lo que se nos daba por copia directa de la realidad.

Varios de los poetas ya citados en otros epígrafes—J. Carlos de Luna, Adriano del Valle, etc.— podrían sin esfuerzo ser incluídos en este grupo. Aumentemos la lista con tres o cuatro nombres más, escogidos entre muchos: EMILIO PRADOS, malagueño, fundador con Altolaguirre de la revista *Litoral*; sufre primero la influencia Lorca-Alberti, pero pronto evoluciona hacia una poesía más abstracta (obras: *Tiempo, Canciones del farero, Vuelta, Tres cantos*). RAFAEL LAFFÓN, de Sevilla, acusa como el anterior la huella del *Romancero gitano*; por ejemplo, en el poema «Arcángel San Rafael», donde encontramos versos de este corte:

> Cristales de estrellas frías
> hieren ya al alba el tacón...

en que la imitación de Lorca está bien clara. No tarda, sin embargo, en orientarse hacia zonas de mayor sencillez y ternura; ALEJANDRO COLLANTES, asimismo sevillano y cofundador con Laffón de la revista *Mediodía*, se inclina en sus *Versos* (1926), bien a Lorca o bien al Alberti de la primera época, según se hizo notar en el apartado anterior. Otro tanto puede decirse de JOSÉ MARÍA MORÓN, en cuyo *Minero de estrellas* (Sevilla, 1933) lo popular aparece, como en Alberti y en Lorca, filtrado por lo culto y artificioso. La influencia de Lorca no termina en la guerra civil, se proyecta tan intensa como antes en nuestros mismos días.

VI. SURREALISMO Y OTRAS TENDENCIAS

Las últimas manifestaciones de la poesía española anteriores a la guerra civil tienen un claro sello surrealista.

Nada fácil es definir el *surrealismo, superrealismo* o *suprarrealismo*, que de las tres maneras se dice, aunque va prevaleciendo la primera. Está ya admitido por todos que se trata de una postrera evolución del dadaísmo entre los franceses y del creacionismo entre nosotros. Aspira, lo dice su nombre, a superar la realidad, trascendiéndola, buscando en ella ángulos de visión, voces y solicitaciones insospechadas para el común de las gentes. Para ello, ya lo advirtió Aragon, el teórico y poeta del surrealismo, acude al «empleo inmoderado del narcótico de la imagen, o mejor dicho, de la provocación sin control de la imagen por sí misma y por todo lo que supone, en el dominio de la representación, de perturbaciones imprevisibles y de metamorfosis»; rompe todas las formas del discurso, destruye las canalizaciones normales del sentimiento y, como ha dicho uno de sus definidores André Breton, reduce el proceso creador a *un automatismo psíquico puro*. Los estados cre-

pusculares, el mundo de lo subconsciente y de lo onírico, apenas hace falta advertirlo, suministran la mejor materia para esta clase de poesía. Es un movimiento subversivo y disgregador que se presta maravillosamente a toda clase de falsificaciones y de falacias. Negado todo contacto con la realidad, suprimida toda norma, nada más fácil que hacer pasar por personalísima y genial actitud poética lo que en el fondo no es muchas veces sino extravagancia e incongruencia. Ya lo subrayó Guillermo de Torre, a quien en todo lo relacionado con estas tendencias hay que dar la máxima autoridad: «Si la lírica se precipitase por ese desfiladero, quedaría reducida a ya sólo a una música de ritmos, de palabras, de imágenes, como antes, sino a una armonía ilógica de sueños descabalados» [35].

En España este movimiento tuvo mucha aceptación, y todavía la tiene, como sucede siempre con toda tendencia que empieza por relajar y hasta negar cualquier clase de principio lógico o estético, para dar rienda suelta a la libertad creadora. De algunos poemas ultraístas y creacionistas al surrealismo apenas hay un paso. Poetas como

Alberti, Lorca y el mismo Dámaso Alonso han pasado por una etapa surrealista. Es sin duda de todos los movimientos vanguardistas el que más perdura y el que más derecho tiene a perdurar. En algunos autores el surrealismo es puro afán de excentricidad; pero en otros pocos obedece a una actitud poética sincera ante la vida y el mundo.

Vicente Aleixandre

Uno de estos pocos es VICENTE ALEIXANDRE [36], poeta que empieza, como todos los de su generación, por Rubén y Amado Nervo, que pasa pronto a la zona de influencias de Machado y Juan Ramón Jiménez, hasta encontrar clima propio. En lo formal también partió de la estrofa para llegar a la llamada prosa poética. Esa prosa aparece de cuando en cuando escindida en trozos rítmicos —endecasílabos, alejandrinos, etc.—, que, aparte de su belleza intrínseca, le dan cierta externa armonía. Hablar, como alguien lo ha hecho [37], de dáctilos y anapestos referidos a la poesía de Aleixandre nos parece un poco extraño; en ella no hay mayores reminiscencias de la métrica clásica que las que puedan hallarse en cualquier trozo de prosa poética. Creemos que Aleixandre está a muchas leguas de esa métrica y, aún más, que la desconoce casi totalmente.

Su poesía, que es lo que más importa, tiene un leve temblor de cosa primitiva, al tratar del amor, de la angustia y del misterio, que son sus temas axiales. En cierto sentido se liga con los existencialistas, mientras por otro lado se vincula a los románticos. Hay quien la entronca con Rilke; pero Aleixandre nunca ha sentido la comezón de lo filosófico. Mejor lo interpreta la crítica más reciente—Díaz Plaja, Torrente Ballester, Chabás— al ver en él un romántico; claro está que un romántico *sui generis*. Aleixandre es poeta que busca en sí mismo, en las regiones caliginosas de lo subconsciente, en busca de las raíces de lo primariamente humano. A veces, a fuerza de querer trascender la realidad, se pierde en un vacío poblado sólo de palabras, y eso que Aleixandre empieza por afirmar que «la poesía no es cuestión de palabras» [38]. Otras veces encalla en un verdadero panteísmo místico, como al referirse al mar:

¡Un corazón de Dios sin muerte, late!;

pero de ordinario se desborda por los cauces de un subjetivismo exasperado:

¿Te acuerdas? He vivido dos siglos, dos minutos,
sobre un pecho latiente;
he visto golondrinas de plomo triste anidadas en
y una mejilla rota por una letra.   [ojos
La soledad de lo inmenso mientras medía la capa-
Hecho pura memoria,   [cidad de una gota.
hecho aliento de pájaro,
he volado sobre los amaneceres espinosos,
sobre lo que no puede tocarse con las manos.

(Acaba.)

Esta poesía de lo telúrico, lo freudiano, ha tenido y tiene grandes apologistas. No le negamos nosotros, no puede nadie negarle, ciertas virtudes, especialmente de orden formal: imágenes fulgurantes, estilo limpio y diamantino, desnudez y claridad expresivas; pero irremediablemente, al enfrentarnos con ella, nos acordamos de Croce y de la magnífica defensa que hizo del arte como expresión de estados psíquicos normales. La de Aleixandre ciertamente no entra en ese concepto.

Obra: *Ambito* (1928); *Espadas como labios* (1932); *Pasión de la tierra* (1935); *La destrucción o el amor* (1935, premio nacional de Literatura 1935); *Sombra del paraíso* (1944); *Mundo a solas* (1950); *Nacimiento, e historia del corazón* (1954); *Los encuentros* (semblanzas en prosa, 1958).

Otras tendencias

Están representadas por unos cuantos poetas en parte vinculados a las anteriores corrientes y en parte también dotados de acento personal, que les da relieve y categoría. Estos poetas son Luis Cernuda, el citado Emilio Prados, Altolaguirre, Moreno Villa y Miguel Hernández.

JOSÉ MORENO VILLA (n. 1887), malagueño y el más antiguo de ellos, resume todas las orientaciones poéticas desde el modernismo al surrealismo. En muchos de sus poemas es un precursor, tanto por su sentido y aprovechamiento de lo popular como por sus anticipaciones surrealistas:

Hoy el hacha ha tocado casi mi nacimiento.
Por esa boca roja se va todo mi anhelo.
Ya menguaron las ansias vehementes y confusas,
una hacha congelada sobre mi sien fulgura.
Besos de cielo, azules; besos de estrella, cálidos...

Como se ve, todavía siente el tirón de la métrica regular y rimada; pero ya respira la misma atmósfera en que nos había de sumergir Aleixandre. Moreno Villa tradujo *Los conceptos fundamentales de historia del Arte,* de H. Wölfflin, porque, a la vez que poeta, es pintor estimable.

Ha publicado: *Garba* (1913); *El pasajero* (1914); *Luchas de pena y alegría* (1915); *Evoluciones* (1918); *Colección* (1924); *Carambas* (1931); *Puentes que no acaban* (1933); *Salón sin muros* (1936), todos impresos en España. Y en América: *Puerta severa* (1941); *La noche del verbo* (1942); *Vida en claro* (1944), autobiografía), y *La música que llevaba* (1949, antología).

La poesía de LUIS CERNUDA (n. en Sevilla, 1904) se resiste como pocas a cualquier pretensión de encasillamiento. Tan pronto parece empeñarse en un logro de purezas líricas absolutas, a la manera de Guillén, como pugna por abismarse en las frías regiones de lo subconsciente, a la manera de Aleixandre o del Alberti de *Sobre los ángeles*. Ejemplos de una y de otra:

Sólo la rosa asume
una presencia pura,
irguiéndose en la rama tan altiva,
o equívoca se sume
entre la fronda oscura,
adolescente, esbelta, fugitiva...

(Egloga.)

Un anillo tuve de luna
tendida en la noche a comienzos de otoño;
lo di a un mendigo tan joven
que sus ojos parecían dos lagos.
Me ahogué, en fin, amigos.
Ahora duermo donde nunca despierte;
no saber de mí mismo es algo triste...

(Déjame esta voz.)

Su gran sentido de lo tradicional y de lo clásico impide a Cernuda caer en ciertas aberraciones. De ordinario, su voz es afinada, y hasta cuando canta el dolor de vivir, el abandono y la soledad—su tema preferido—, sabe mantener un tono mesurado y digno. Dígalo esa sentidísima *Elegía española*, en que la nostalgia de la patria ausente queda reflejada en notas de dolor y de resignación a mismo tiempo:

Ya la distancia entre los dos abierta
se lleva el sufrimiento, como nube
rota en lluvia olvidada, y la alegría,
hermosa claridad desvanecida...
....

¡Si nunca más pudieran estos ojos
enamorados reflejar tu imagen!
¡Si nunca más pudiera por tus bosques,
el alma en paz caída en tu regazo,
soñar el mundo aquel que yo pensaba
cuando la triste juventud lo quiso!...

He aquí un poeta que, sin desertar de las últimas avanzadas, ha sabido mantenerse fiel al espíritu tradicional.

Obra: *Perfil del aire* (1927); *La invitación a la poesía* (1933); *Donde habite el olvido* (1935); *El joven marino* (1936); *La realidad y el deseo* (antología, 1936); *Ocnos* (Londres, 1942); *Como quien espera el alba* (1947).

También ha hecho de la soledad tema preferido el malagueño MANUEL ALTOLAGUIRRE (n. 1905), director como Prados y José María Hinojosa de la revista *Litoral*. Altolaguirre, que había empezado acatando el magisterio de Juan Ramón Jiménez, se emancipa pronto y va sin vacilaciones hacia una poesía muy personal, espontánea y humana, hecha de reminiscencias clásicas y barrocas, con una insolayable propensión a lo romántico. En esa poesía es el dolor y la rumia de internos pesares la principal fuente de inspiración. Se le han señalado afinidades con Bécquer, con Espronceda y con Enrique Gil y Carrasco. Lo mismo se le podrían señalar con algunos poetas del barroco. Altolaguirre publicó una *Antología de la poesía romántica española* y una traducción del *Adonais*, de Shelley.

Obra poética: *Las islas invitadas* (1926); *Ejemplo* (1927); *Escarmiento, Vida poética, Lo invisible* (1930); *Soledades juntas* (1931); *La lenta libertad* (1936), todas en España; *Un día, Amor* (París, 1931); *Nube tempora* (Habana, 1939); *Poemas de las islas invitadas* (Méjico, 1944); *Fin de un amor* (Méjico, 1949).

Miguel Hernández

En las postrimerías de la época que estamos estudiando aparece la figura solitaria y un poco extraña de MIGUEL HERNÁNDEZ (1910-1942). Solitaria, porque no se le descubren vinculaciones con ninguna de las escuelas entonces en boga; extraña, porque apenas se explica el carácter de su producción poética sino por un milagro de aislamiento y de autodidactismo, que se da muy raras veces. De origen campesino y humilde, nacido en Orihuela, sin más formación literaria que la obtenida en la escuela elemental, dedicado en sus años juveniles al pastoreo y al cultivo de la tierra, Hernández, llevado sólo de su decidida vocación, logra una cultura literaria muy apreciable, que le permite familiarizarse con nuestros autores clásicos desde Garcilaso hasta Calderón. Y cuando podría esperarse, dada la índole de sus lecturas, que incurriría en un academicismo trasnochado, he aquí que nos sorprende con una poesía a la vez muy vieja y muy nueva, que sin deber nada, o debiendo muy poco, a las tendencias vanguardistas, es tan de vanguardia como la que más. Poesía pura, desordenada y un tanto salvaje. Con grandes aciertos de expresión y con grandes caídas. Desordenada, insistimos, pero no en cuanto a la forma, que se mantiene fiel a los cánones tradicionales más ortodoxos—soneto, terceto, redondilla—, sino en el fondo. En toda ella late una fibra religiosa, esencialmente cristiana, a la vez que un utópico anhelo de igualdad y de justicia sociales. Porque sus motivos temáticos son preferentemente campestres se la ha calificado de égloga. Es, sin embargo, la de Hernández una égloga concebida de muy extraño modo. La égloga de Virgilio, de Garcilaso o de Gil Polo calza chapines; la de Hernández, esparteñas. No tienen una y otra más de común sino que ambas se refieren al campo. Pero el campo de Hernández no es el escenario de tiernos idilios pastoriles, sino la tierra áspera, ingrata, amasada de sudor humano.

Poesía un tanto salvaje, repetimos. He aquí una muestra, tomada de la más lograda acaso de sus composiciones, la *Elegía a Ramón Sijé:*

En mis manos levanto una tormenta
de piedras, rayos y hachas estridentes,
sedienta de catástrofes hambrientas.

Quiero escarbar la tierra con los dientes,
quiero apartar la tierra parte a parte,
a dentelladas secas y calientes.

Quiero mirar la tierra hasta encontrarte
y besarte la noble calavera
y desamordazarte y regresarte.

Volverás a mi huerto y a mi higuera;
por los altos andamios de las flores
pajareará tu alma colmenera.

Sin duda hay aquí vena pujante y hervor poético; pero hay también un ímpetu excesivo, que estaba pidiendo contención. Que Hernández habría terminado por encontrarla nos lo dice este maravilloso cuarteto final del mismo poema:

A las aladas almas de las rosas
del almendro de nata te requiero,
que tenemos que hablar de muchas cosas,
compañero del alma, compañero.

La muerte se lo llevó a los treinta y dos años, cuando estaba a punto de alcanzar su madurez.

Ultimas manifestaciones

Todavía cabe establecer un apartado para la nueva generación poética que parecía insinuarse en los aledaños de nuestra guerra civil. Por haber sido truncada su labor al estallar el conflicto bélico ha sido llamada por Ricardo Gullón la «generación escindida»; y porque empezó a manifestarse entre los años 1931 y 1936, es decir, en pleno régimen republicano, Torrente Ballester la denomina «promoción de la República». En efecto, durante ese lustro van apareciendo una serie de libros en verso, cuyos autores coinciden en su reacción contra la poesía vigente por aquellas fechas. Son esas autores los dos Panero, Juan y Leopoldo; Luis F. Vivanco, Luis Rosales, Germán Bleiberg, José A. Muñoz Rojas, Dionisio Ridruejo y otros de menor cuantía. Universitarios todos ellos, se habían impuesto la misión de renovar la poesía. Pasado el período accidental de la estética deshumanizadora y de los juegos vanguardistas, «productos del entusiasmo vital, un tanto atolondrado, de la primera postguerra», al decir de Angel del Río [39], y superada ya la fase demasiado estéril de la poesía pura, quieren imponer otra más humana, de mayor contenido y que, sin renunciar a las conquistas formales realizadas en los últimos años, respondiera mejor al espíritu tradicional. Góngora se ve sustituído por Garcilaso; la metáfora deja vía libre al lenguaje directo, no por eso menos cuidado; se abandona el versolibrismo y se vuelve a la métrica regular. No hay duda que, a no sobrevenir la guerra, estos poetas habrían cumplido la tarea propuesta, porque, en efecto, se anunciaban portadores de opimas cosechas. Pero el drama nacional los sorprendió en pleno quehacer y aun alguno quedó absorbido por la vorágine de la lucha. Cuando, terminada ésta, quisieron reanudar la tarea interrumpida, se encontraron rebasados por las nuevas promociones. Aun así su paso por nuestra lírica dejó profunda huella y sus nombres no deben faltar en la lista de los buenos poetas de la época.

JUAN PANERO (1908-1937), muerto en la lucha, muestra en su único libro, *Cantos del ofrecimiento* (1936), predilección por los metros clásicos, que sabe llenar de dramático contenido. LEOPOLDO PA-NERO (n. 1909), hermano del anterior, publica en revistas algunas composiciones, que luego recogió en libro: *Escrito a cada instante* (1949). Con anterioridad había aparecido *La estancia vacía* (1944), y nueve años después, *Canto personal* (1953), que quiere ser una réplica del *Canto general*, de Pablo Neruda. Las fechas citadas no deben engañarnos, ya que Panero se había revelado poeta, y excelente poeta, antes de la guerra. Busca Panero, ante todo, la sencillez, y extrae su temática de lo vulgar y cotidiano, convencido de que todo puede volverse poesía cuando pasa por un espíritu tan refinado como el suyo. Otro poeta del grupo es LUIS FELIPE VIVANCO (n. 1907), arquitecto y licenciado en Letras, que inicia su peregrinaje poético, un poco vacilante, con *Cantos de primavera* (1936), para terminar encontrando su camino personal en *Tiempo de dolor* (1940), *Continuación de la vida* (1948) y *El descampado* (1957). Poesía filosófica y honda la de Vivanco, ha sido comparada por algunos críticos con la de Unamuno. La nota religiosa, muy acusada en casi todos los poetas del grupo, se deja oír especialmente en la obra de LUIS ROSALES (n. 1910), granadino, que se reveló un alto lírico, de tono personalísimo, con *Abril* (1935). Después ha publicado *Retablo sacro del Nacimiento del Señor* (1940), *La casa encendida* (1949) y *Rimas* (1951), en los que se aúna la nativa elegancia andaluza con la fina expresión de los afectos más íntimos. También en JOSÉ ANTONIO MUÑOZ ROJAS (n. 1909), malagueño, se adivina el trasfondo andaluz, que da a sus versos, aparentemente sencillos, especial relieve y profundidad. *Versos de retorno* (1929), *Sonetos de amor a un autor indiferente* (1942), *Abril del alma* (1943) y *Cantos a Rosa* (1945) delatan, ante todo, un poeta hondo y exigente consigo mismo. GERMÁN BLEIBERG (nació 1915), madrileño y benjamín del grupo, es autor de unos *Sonetos amorosos* (1936), cristalinos, translúcidos, fríos por fuera, pero con vetas de lava en su interior. Sin embargo, en *Más allá de las ruinas* (1947), *El poeta ausente* (1948) y *La mutua primavera* (1948), sin renunciar a la tersura estilística de los primeros momentos, Bleiberg aborda temas trascendentales y hasta se aventura de cuando en cuando por las zonas del surrealismo. En cambio, DIONISIO RIDRUEJO (n. 1912), soriano de nacimiento, se mantiene casi sin desviarse un punto dentro del neoclasicismo mitigado, que presta a su verso, muy moderno a pesar de todo, serenidad y nobleza. *Plural* (1935), *Primer libro de amor* (1939), *Poesía en armas* (1940), *Fábula de la doncella y el río* (1943), *Sonetos a la piedra* (1943), *En la soledad del tiempo* (1944) y *Elegías* (1948) nos hablan de un consumado artífice del verso, un poeta perfecto, pero quizá demasiado frío.

Aquel principio de Diderot de que «los acontecimientos trágicos reverdecen los lauros de Apolo» no ha tenido confirmación en nuestra guerra. Se habla con razón de una novela de guerra, y hasta acaso se podría hablar, aunque con menos fundamento, de un teatro de guerra en España; lo que no se puede afirmar es que nuestra contienda haya dado origen a una poesía. La que se publicó de uno y otro lado durante los tres años de lucha es de baja calidad: *Brigadas de amanecer*, de Agustín de Foxá; *Poema de la Bestia y el Angel*, de Pemán; un *Romancero*, de Federico de Urrutia; *De un momento a otro*, de Alberti, y algunos otros poemas de escaso valor.

Terminada la contienda, la «generación escindida» se ve reemplazada por otra más decididamente clásica y hasta, si cabe, más tradicional. No se enfrenta con la anterior; simplemente recoge su mensaje y lo lleva a las últimas consecuencias. Es el grupo llamado de la «Juventud creadora», que se apiña en torno a la revista *Garcilaso*, fundada por José García Nieto en 1943. A su lado se alinean casi todos los poetas anteriormente citados y otros nuevos, que dan tono a la lírica española en los primeros años de la postguerra. Domina la poesía reglada, perfecta, de ejecución cuidadísima. Se escriben sonetos, tercetos, décimas en cantidad asombrosa, y todos ellos de impecable factura. Por desgracia, se parecen demasiado entre sí y el lector saca la impresión de que están todos hechos con arreglo a una pauta única e invariable. Hay verdadera efervescencia poética. A imitación de *Garcilaso*, cada día y en cada rincón del país surge una revista nueva: *Halcón, Acanto, Norte, Proel, Mensaje, Ifach*, etc. Todas ellas de selección; todas consagradas al verso, que se cultiva bien, casi excesivamente bien. Entre todas estas publicaciones sobresale por su importancia y continuidad *Adonais*, una colección de poesía fundada por el crítico y también poeta José Luis Cano, casi al mismo tiempo que *Garcilaso*, y cuyo éxito desde el primer momento superó todas las previsiones. Nada menos que un centenar de números llevaba editados en 1953, al cumplir su primer decenio de vida. Con tal motivo salió a luz una interesantísima *Antología de «Adonais»*, integrada con dos poemas de cada uno de los autores españoles que hasta aquella fecha habían publicado libros en la colección. No hace falta subrayar el interés de esa crestomatía en cuanto síntesis de la mejor poesía española de la postguerra.

No hay por qué aludir aquí al *Postismo*, una de tantas corrientes poéticas aparecidas por esos años, y que, prohijada por Carlos Edmundo de Ory, desapareció sin pena ni gloria, como que no llevaba en su programa contenido positivo alguno; ni al *Introvertismo*, otra modalidad, apadrinada por José Albi, y que por los mismos motivos murió, sin dejar rastro, apenas nacida. El *introvertismo* se anunciaba como una nueva fase del surrealismo. Este sí que continuó vigente y todavía continúa, con cultivadores de nota, como Juan Eduardo Cirlot, gran

sembrador de imágenes, y Joaquín de Entrambasaguas, el eminente investigador, a quien se aludirá en otro capítulo. Entrambasaguas llevó al surrealismo cierta punzante nota de ironía.

Mayor importancia tuvo un movimiento que surgió poco después en León, capitaneado por Victoriano Cremer, a quien asistían el poeta Eugenio de Nora y el crítico don Antonio de Lama, sacerdote. Entre los tres fundan en mayo de 1944 la revista *Espadaña*, cuya influencia en la generación poética naciente había de ser muy ostensible. Tanto Cremer como sus compañeros se enfrentan decididamente con la promoción garcilasiana y postulan desde el primer momento una poesía de contenido social. Creen que la poesía, tal como ellos la han encontrado, está vuelta de espaldas al drama del hombre y debe encararse con los grandes problemas de la época, que en definitiva se reducen a uno solo: el problema de la angustia vital. La poesía, para Cremer, coincidente en ello con Aleixandre, debe ser ante todo «comunicación», mensaje; pero mensaje cargado de experiencia humana. Y como el hombre vive en sociedad, la poesía tiene que ser eminentemente social. Para Cremer, «ese afán de lanzar gorgoritos rítmicamente, mientras el hombre a secas trabaja, sufre y muere, es un delito». Nace en consecuencia al abrigo de *Espadaña* y se extiende luego por toda la Península una ola de poesía social, y hasta política, que alcanza sus mejores intérpretes en el mismo Victoriano Cremer, en Eugenio de Nora, en Leopoldo de Luis, en Salvador Pérez Valiente, en Gabriel Celaya, ingeniero guipuzcoano, para quien «la belleza es un ídolo metafísico» y «la poesía no es un fin en sí misma, sino un instrumento para transformar el mundo». Muy difundida esta corriente, encuentra eco en la obra de Blas de Otero, bilbaíno y uno de los más altos poetas de la España actual. Su llamada «a la inmensa mayoría», en contraste con «la inmensa minoría» de Juan Ramón Jiménez y demás poetas puristas, dice bien a las claras la intención de su quehacer poético. Suya es también aquella confesión de fe: «Creo en la poesía social, a condición de que el poeta sienta estos temas con la misma sinceridad y la misma fuerza que los tradicionales»; y suya la terminante declaración:

> Yo doy todos mis versos por un hombre
> en paz...

Hacia 1950, mitigada la fiebre «tremendista» de Cremer y sus amigos, se dibuja con netos contornos una nueva promoción. Como la del 27, está formada por universitarios, profesores en su mayor parte: Carlos Bousoño, Vicente Gaos, José María Valverde. Traen a la poesía cierta hondura espiritual y una sustancia metafísica de que había carecido hasta entonces. Sin llegar al respeto por la forma, que señalábamos en la «Juventud creadora», trabajan el verso con cuidado y buscan la novedad y elegancia en la expresión. Con este grupo aparece vinculado estrechamente el de José Hierro, José Luis Hidalgo y Julio Maruri, tres santanderinos nacidos a la vida poética al arrimo de la revista *Proel* (creada por Maruri), que optaron por una lírica grave, reposada y de duras raíces psicológicas.

Aún cabría señalar el grupo andaluz, heredero en parte de García Lorca y Alberti, y en parte continuador de Antonio Machado, con poetas tan representativos como Rafael Montesinos, Ricardo Molina, Juan Ruiz Peña y José Luis Cano, cada uno con su estilo personal y su técnica distinta; y del grupo religioso, que tiene su precedente en los citados poetas de la «generación escindida». Una ancha vena de lírica religiosa y casi mística se derrama por los libros de los citados Maruri *(Los años, Las aves y los niños)*, Hidalgo *(Raíz, Los animales, Los muertos)* y José María Valverde *(Hombre de Dios, Salmos, elegías y oraciones; La espera, Versos del domingo)*; a los cuales podrían agregarse el nombre de Rafael de Balbín Lucas *(Días con Dios)* y los de algunos sacerdotes, como el jesuíta padre Victoriano Rivas, el carmelita fray Augusto de la Inmaculada y el reverendo don Miguel Melendres.

Finalmente, la poesía femenina está muy dignamente representada por la ya aludida Ernestina de Chapurcín *(En silencio, Ahora, La voz en el viento, El cántico inútil)*, Carmen Conde *(Brocal, Memoria, Ansia de la gracia, Mujer sin edén, etc.)*, Concha Zardoya, chilena, formada literariamente en España *(Dominio del llano, La hermosura sencilla, Los signos, etc.)*; Susana March *(Ruta, Ardiente voz, El viento, La tristeza)*, Juana García Noreña *(Dama de soledad)*, Pino Ojeda *(Niebla de sueño, Como el fruto en el árbol)*, Pilar Paz Pasamar *(Mara, Los buenos días)*, Angela Figuera *(Mujer de barro, Los días duros, El grito inútil, Víspera de la vida)* y Angeles Villarta, que, al igual que las anteriores, alterna sus ocios poéticos con la narración y la crítica. En todas ellas domina la nota intimista, con un sentimentalismo a veces exacerbado.

Fieles a nuestro porpósito—ya enunciado en otro lugar—de no rebasar la fecha de 1936, nos abstenemos de todo juicio crítico sobre los autores anteriormente citados. Unicamente interesa registrar el hecho verdaderamente confortador e inesperado de que, tras el período confusionista llamado «de vanguardia», la poesía española ha entrado en una etapa de producción feliz y muy fecunda. El número de poetas en la actualidad es realmente muy elevado y la calidad de sus producciones muy estimable. No queremos incurrir en la ya tópica denominación de «nuevo Siglo de Oro», aplicado a la lírica actual. Siempre ha habido muchos poetas, y siempre han creído ellos, y con ellos la crítica,

que aquella poesía era la mejor. Pero, aun prescindiendo de fáciles ditirambos, hay que reconocer que la poesía española pasa en la actualidad por un buen momento. Lo que sobra son poetas, y hasta poetas buenos; lo que faltan son poetas geniales, personalidades agregias, de esas que dan tono a un época. Gerardo Diego, uno de los grandes apologistas de la poesía actual, después de decirnos que «no se había conocido desde el siglo de los Felipes un Parnaso más bulliciosamente poblado», reconoce «la escasez de nuevos *tenores de cielo* que anulen con su voz de timbre aterciopelado y desconocido el legítimo y considerable canto de toda su cercanía a la redonda» [40].

NOTAS

1. *Antología de la poesía lírica española*, Madrid, 1952, Introducción, pág. LVI.

2. Anotamos las más importantes: *Litoral* (Málaga), *Verso y prosa* (Murcia), *Carmen* (Gijón-Santander), *España y La Pluma* (Madrid). Ultraístas: *Grecia* (Sevilla-Madrid), *Cervantes y Ultra* (Madrid). Juan Ramón Jiménez inspiró *Indice, Ley, Sí y Diario Poético*. Abiertas a todas las tendencias: *Horizonte, Alfar* (La Coruña-Montevideo), *Mediodía* (Sevilla), *Papel de Aleluyas* (Huelva-Sevilla), *Parábola* (Burgos), *Gallo* (Granada), *Manantial* (Segovia), *D. Dooss* (Valladolid), *Poesía* (Málaga-París), *Sudeste* (Murcia); aparte de la *Nueva Revista* y *La Gaceta Literaria* (Madrid).

3. *Forma y espíritu de una lírica española (1920-1935)*, Méjico, 1950.

4. *Historia de la poesía lírica española* (2.ª ed.), página 394, Barcelona, 1948.

5. No quisiéramos que a esta palabra, *crisis*, se le diese un sentido peyorativo. En otra parte, aludiendo al mismo problema, lo hemos explicado así: «La poesía no avanza, no progresa; no va, a través del tiempo, de menos a más, y de modos imperfectos a modos de perfección. Simplemente evoluciona. Mejor, se manifiesta. Si esa manifestación se da en forma precisa, más o menos rica en valores estéticos, pero siempre dentro de un tono uniforme o dominante, estamos en época de creación. Si se da en forma imprecisa, de modo que no llegue al logro de ese tono o nota dominante, diremos que la poesía está en crisis. La palabra *crisis* no debe inducirnos a prejuzgar sobre el valor interno de las producciones que corresponden a esa época; la palabra *creación*, tampoco. Crisis indica sólo vacilación, tanteo, afán, casi siempre noble, de encontrar postura. Creación indica hallazgo, conciencia en el poeta de que está cantando como lo exige la época en que vive y el público que le escucha.» Y pocas páginas después: «Crisis, vamos a repetirlo una vez más, no es carencia. Epoca de crisis fué en la literatura griega el período alejandrino, y nunca hubo tantos poetas, alguno de la talla de Teócrito. Epoca de crisis para la literatura romana, la Edad de Plata del Imperio, y jamás se hicieron discursos tan perfectos como los que salían de la escuela regentada por Quintiliano. Con una sola diferencia: la oratoria de Cicerón, de César o de Marco Antonio era viva, palpitante, auténtica; la otra, una simple esgrima de la palabra, un juego escolar sin alcance alguno.» (E. DÍEZ-ECHARRI: *¿Poesía en crisis?*, lección inaugural del curso 1951-52 en la Universidad de Oviedo, 1951.)

6. León Felipe. Ya es extraño que el propio poeta, al dar su consejo, no se haya creído obligado a prescindir de lo mismo que abomina.

7. La misma vaguedad e imprecisión con que nos hablan de la poesía indica que no estaban muy seguros del terreno que pisaban. «La poesía es una aventura hacia lo absoluto», dice uno. «La poesía es un fervor y una claridad», afirma otro. «La poesía es un estado de gracia», sentencia un tercero. Y el cuarto: «La poesía es el sí y el no; el sí en ella y el no en nosotros... Es la encrucijada del Norte-Sur-Imaginación-Inteligencia con el Este-Oeste-Sensibilidad-Amor. La poesía no es Algebra. Es Aritmética, aritmética pura. El álgebra es la Filosofía...»

8. Un año antes (1926) ya Gerardo Diego había convocado, en una Epístola dirigida a los más grandes poetas de España—Machado, Valle-Inclán, Juan Ramón, Basterra, Moreno Villa, Dámaso Alonso—para la conmemora-

ción de la famosa efemérides. Coincidiendo con ella despierta también la atención de los grandes investigadores, que centran sus preferencias en el autor de las *Soledades*, hasta desembocar en lo que Díaz-Plaja califica de «exagerado babieguismo gongorino». Recuérdense los estudios de M. Artigas, A. Reyes, J. M. Cossío y, sobre todo, los luminosos de Dámaso Alonso.

9. Exactamente el 19 de febrero, fecha de aparición en la Prensa madrileña del célebre «Manifiesto». Véase sobre esto F. C. SAINZ DE ROBLES: *Los movimientos literarios*, Colec. Crisol, Madrid, 1948.

10. Rezaba así: «Los que suscriben, jóvenes que comienzan a realizar su obra, y que por eso creen tener un valor pleno de afirmación futura, de acuerdo con la orientación señalada por Cansinos Asséns en la *interview* que en diciembre último con él tuvo Xavier Bóveda en *El Parlamentario*, necesitan declarar su voluntad de un arte nuevo que supla la última evolución literaria: el novecentismo. Respetando la obra realizada por las grandes figuras de este movimiento se sienten con anhelos de rebasar la meta alcanzada por estos primogénitos y proclaman la necesidad de un *Ultraísmo*, para el que invocan la colaboración de toda la juventud literaria española... Nuestra literatura debe renovarse; debe lograr su «ultra», y en nuestro credo cabrán todas las tendencias, sin distinción, con tal que expresen un anhelo nuevo. Más tarde estas tendencias lograrán su núcleo y se definirán.» La verdad es que, a pesar de su aparente transigencia y del «respeto hacia las grandes figuras», el «ultra» se presentó desde el primer momento en un plan de subversión total y ciega. Fué un «movimiento sísmico», afirma Sainz de Robles; que lo tocó de cerca: escandalizó, destruyó y no guardó respeto a nada ni a nadie. Rubén Darío, Pérez de Ayala, Marquina, el mismo Machado, sufrieron sus feroces ataques. Tampoco «los jóvenes que empezaban» *se definieron*, según prometían en su pomposa declaración. A no ser que llamemos definiciones a una serie de metáforas que, en el fondo, apenas dicen nada: «El ultraísmo es una ráfaga de aire puro que entra en una habitación soñolienta.» «Es un ventilador que ha enloquecido en un ambiente rarefacto.» «Es la enseñanza de todo cuanto no se debe decir.» «Es el tren que pasa siempre: hay que subir y bajar en marcha.» «Es la rana que cría pelos.» «Es la caja de las sorpresas.» «El pleno de las exorbitancias.» Etc., etc.

11. Natural de Santander. Estudió en los Jesuítas de Deusto; y en Salamanca y Madrid, Filosofía y Letras. Catedrático de Instituto en Soria a los veinticuatro años (1920). Después, en Gijón, Santander y actualmente en Madrid. Fundador y director de la revista *Carmen* (1927-1931). Premio Nacional de Literatura (1924-25), junto con Rafael Alberti por sus *Versos humanos*. Conferenciante y ensayista; ha viajado por varios países de Europa y de América.

12. Gerardo Diego gusta de jugar a un juego de metáforas, casi siempre en un alarde de gracia y colorido:

> Venid a oír de rosas y azucenas
> la alborotada esbelta risa,
> venid a ver las rosas sin cadenas,
> las azucenas en camisa.
> Venid las amazonas del instinto,
> los caballeros sin espuelas,
> aquí el jardín injerto en laberinto
> de girasoles y de vielas.
> Una música en níquel sustentada
> cabellos curvos peina urgente,
> y hay sólo una mejilla acelerada
> y una oropéndola que miente.

(Azucenas en camisa.)

13. Véase este último: *A C. Aquiles Debussy:*

> Sonidos y perfumes, Claudio Aquiles,
> giran al aire de la noche hermosa.
> Tú sabes dónde yerra un son de rosa,
> una fragancia rara de añafiles.
>
> con sordina de crótalos sutiles
> y luna de guitarras. Perezosa
> tu orquesta, mariposa a mariposa,
> hasta noventa te abren tus atriles.
>
> Iberia, Andalucía, España en sueños,
> lentas Granadas, frágiles Sevillas,
> Giraldas tres por ocho, altas Gomares.
>
> Y metales en flor, celestes leños
> elevan al nivel de las mejillas
> lágrimas de claveles y azahares.

La presencia de Góngora no puede estar más patente

14. «Yo no soy responsable—escribe—de que me atraigan simultáneamente el campo y la ciudad, la tradición y el futuro; de que me encante el arte nuevo y me extasíe el antiguo; de que me vuelva loco la retórica hecha y me torne más loco el capricho de volver a hacérmela —nueva—para mi uso personal e intransferible.»

15. Un ejemplo: *Con tu mano:*

> Con tu mano le prendiste
> la gardenia en el ojal.
>
> El, Werther, muy Werther. ¡Claro!
> Tú, un algo Manon Lescaut.
> *Leve suspiro,*
> un tiro   Hizo mal.
> al corazón.
> *Con tu mano le pusiste*
> *la gardenia en el ojal.*

O este fragmento de *El bello desconocido*, del mismo poeta:

> ¿Relámpago,
> alcohol?...
> ¿O
> luz de resol,
> o
> un
> girasol?

16. *Tout poème*—escribe Brémond—*doit son caractère proprement poétique à la présence, au rayonnement, à l'action transformante et unifiante d'une réalité mistérieuse que nous appellons poésie pure.*

17. *Poesía pura* y *Poesía y plegaria*, trad. castellana, Buenos Aires, 1947.

18. Vid. la *Carta a Fernando Vela*, de Jorge Guillén, que reproduce Gerardo Diego en su *Antología*, páginas 194-96.

19. *Historia de la poesía lírica española*, pág. 417.

20. Nació en Madrid, en cuya Universidad estudió, hasta doctorarse, la carrera de Letras. Lector de español de la Sorbona (1914-17); catedrático de la Universidad de Sevilla (1918); luego, de Murcia. Secretario de la Universidad Internacional de Santander (1933-36). A partir de esta última fecha se establece en los Estados Unidos como profesor de la Johns Hopkins University (Baltimore). Falleció en 1951.

21. Vallisoletano. Estudia en España, Suiza y Alemania. Filosofía y Letras en Madrid y en Granada. Licenciatura (1913); doctorado (1924). Lector de español en la Sorbona (1916-23); catedrático de Literatura en la Universidad de Murcia (1925-28); lector en Oxford (1929-31); catedrático de Sevilla (hasta 1938), en que pidió la excedencia para establecerse en Estados Unidos.

22. Madrileño. Desde los veintitrés años (1921) pertenecía, cursados los estudios de Letras, al Centro de Estudios Históricos. Seis años de docencia en el extranjero: Berlín, Cambridge (Inglaterra), Stanford University (California), Hunter College, Columbia University (Nueva York) y Oxford. Catedrático de Universidad y uno de los puntales básicos de la *Revista de Filología Española*. Alterna la creación poética con serios trabajos de investigación filológica y crítica, materias en que es una de nuestras primeras autoridades. Académico de la Española de la Lengua.

23. J. F. CIRRE: *Forma y espíritu de una lírica española* (1920-1935), págs. 71-72, Méjico, 1950.

24. Natural del Puerto de Santa María (Cádiz). Inicia en los Jesuítas del pueblo natal el Bachillerato, que abandona al tercer curso. Cultiva temporalmente la pintura. Motivos de salud le obligan a vivir en la sierra del Guadarrama, cerca de Madrid, donde empieza a escribir poesía. Primeras colaboraciones en *Horizonte* y *Alfar* (1922). Premio nacional de Literatura con *Marinero en tierra* (1924-25). Excepcionalmente entre sus compañeros de promoción poética, carece de títulos académicos. Viaja por el extranjero. Durante la guerra española emigra a América, y allí reside en la actualidad. Ha escrito, con escasa fortuna, para el teatro: *El hombre deshabitado*, *Santa Casilda*, *La pájara pinta*. Aparte de las obras citadas en el texto, tiene: *Dos oraciones a la Virgen* (1931); *Verte y no verte* (1936); *Entre el clavel y la espada* (Buenos Aires, 1941); *¡Eh!..., los toros* (1943); *Pleamar* (1944), etc.

25. Conde de Miraflores de los Angeles. Nació en Morón de la Frontera (Sevilla), y estudió con Juan Ramón Jiménez en los Jesuítas del Puerto de Santa María. Vivió casi siempre en su Andalucía natal, entregado al cuidado

de sus campos, de su ganadería y a las más variadas
y extravagantes lecturas: cosmogenia, espiritismo, tauromaquia, con pequeñas dosis de vieja y nueva poesía.
Murió en un sanatorio de Madrid el 8 de marzo de 1930.

26. Recuérdese el principio de *Diligencia:*

> Diligencia de Carmona,
> la que por la vega pasas,
> caminito de Sevilla,
> con siete mulas castañas:
> cruza pronto los palmares,
> no hagas alto en las posadas;
> mira que tus huellas huellan
> siete ladrones de fama.
> Diligencia de Carmona,
> la de las mulas castañas...

O el de *Giralda,* no menos lleno de dinamismo:

> Giralda, madre de artistas,
> molde de fundir toreros:
> dile al giraldillo tuyo
> que se vista un traje negro.
> Malhaya sea el *Perdigón,*
> el torillo traicionero.
> Negras gualdrapas llevaban
> los ocho caballos negros;
> negros son sus atalajes
> y negros son sus plumeros.
> De negro los mayorales
> y en la fusta un lazo negro.
> . . . .
> Ocho caballos llevaba
> el coche del Espartero.

27. Gaditano. Estudios de Derecho y Letras. Desde
muy joven ha figurado en las avanzadas del pensamiento católico, del que se ha constituido siempre en fervoroso propagandista. Ha obtenido triunfos en la tribuna
y, sobre todo, de forma casi ininterrumpida, en el teatro a lo largo de veinte años. Es académico de la Española de la Lengua, al frente de la cual figuró varios
años como director.

28. «La fecha exacta del nacimiento es de 5 de junio
de 1898, en Fuentevaqueros, según nos comunica Juan
Guerrero, que ha visto la partida de bautismo.» (ANGEL
DEL RÍO: *Vida y obras de Federico García Lorca* (nota
a la nueva ed. de Zaragoza, 1952.) Y, en efecto, en la
recentísima de sus *Obras completas* (Aguilar, Madrid, 1954) así se consigna como cosa definitiva (página 1610).

29 Ediciones Cobalto, 1950. Van dirigidas a S. Gasch,
Guillermo de Torre, Ana María Dalí, Angel Ferrant y
Juan Guerrero Ruiz.

30. F. GARCÍA LORCA: *Obras completas,* Edit. Aguilar,
Madrid, 1954. La cronología de la producción lorquiana
varía en los distintos autores. Vid. ANGEL DEL RÍO:
Ob. cit., pág. 34. Nosotros seguimos la de Guillermo de
Torre.

31. Véase la combinación de lo popular y lo culto en
Canción china en Europa:

> La señorita
> del abanico
> va por el puente
> del fresco río.
> Los caballeros,
> con sus levitas,
> miran el puente
> sin barandillas...

Y esto mismo, fundido con lo infantil:

> El lagarto está llorando.
> La lagarta está llorando.
> El lagarto y la lagarta,
> con delantalitos blancos.
> Han perdido sin querer
> su anillo de desposados.
> ¡Ay su anillito de plomo!
> ¡Ay su anillito plomado!

32 Estampa de un dramatismo insuperable:

> Antonio Torres Heredia,
> Camborio de dura crin,
> moreno de verde luna,
> voz de clavel varonil:
> ¿quién te ha quitado la vida
> cerca del Guadalquivir?

> Mis cuatro primos Heredias,
> hijos de Benamejí.
> Lo que en otros no envidiaban,
> ya lo envidiaban en mí.
> Zapatos color corinto,
> medallones de marfil,
> y este cutis amasado
> con aceituna y jazmín.
> . . . .
> Tres golpes de sangre tuvo
> y se murió de perfil.
> Viva moneda que nunca
> se volverá a repetir.

33. Cfr. J. GUILLÉN: Pról. a las «Obras completas» de
la Edit. Aguilar, págs. LI-LVI.

34. Téngase presente el dato ya consignado: Lorca
era pintor y músico. Ilustró con dibujos algunas de sus
obras, e incluso hizo proyectos decorativos para otras.
También dejó la música para varias canciones, entre
ellas las intercaladas en *Mariana Pineda* y *Bodas de
sangre.*

35. El término *surrealismo* se aplicó por primera vez
a *Les Mamelles de Tiresias,* de Apollinaire. A este propósito escribe Albert-Birot: «En la primavera de 1917
redactábamos el programa de *Les Mamelles,* bajo cuyo
título habíamos escrito *drama.* Yo le propuse a Apollinaire que añadiésemos alguna cosa a esta palabra. El
me dijo: «En efecto: añadamos *supranaturalista*;» pero
yo me rebelé contra la adjetivación, que no convenía por
varias razones. Apollinaire me dejó decir más, y, dándose
cuenta de la impropiedad de su primera proposición,
dijo: «Entonces, digamos *suprarrealista.»* La palabra
conveniente estaba hallada. «Está hecho (el surrealismo)
—sentencia, por su parte, Ribemont-Dessaigne—de una
costilla de Dadá.» Véase sobre esto el agudo análisis de R. GÓMEZ DE LA SERNA: *Ismos,* págs. 269-332,
Buenos Aires, 1947.

36. Nace en Sevilla (1900), pero pasa su infancia en
Málaga. Su adolescencia y juventud, en Madrid. Cursa
estudios de Derecho en la Universidad Central, y mercantiles en la Escuela Superior de Comercio. Ya graduado, trabajó en una compañía industrial; pero pronto
se decidió por la poesía. Sufre una grave enfermedad
que le obliga a vivir en la Sierra larga temporada, interrumpida con frecuentes viajes a Madrid. En 1926, ya
muy mejorado, empieza a darse a conocer al público
culto con colaboraciones en la *Revista de Occidente, Litoral, Carmen, Mediodía,* etc. Desde entonces vive entregado totalmente a la poesía. Como Gerardo Diego y Dámaso Alonso, también Aleixandre es académico de la
Real Española de la Lengua.

37. CARLOS BOUSOÑO en su interesante estudio *La poesía de Vicente Aleixandre,* Edit. Gredos, Madrid, 1951.

38. Su «poética» puede verse en la *Antología 1915-1931,*
de Gerardo Diego, págs. 401 y 402.

39. *A los sesenta años del nacimiento de un poeta que
no llegó a cumplirse,* «Papeles de Son Armadans», XI,
núms. 32-33, 1959.

40. *La última poesía española,* «Arbor», VIII, 1947.

BIBLIOGRAFIA

I. Estudios generales: R. ALBERTI: *La poesía popular
en la lírica española contemporánea,* Jena, 1933.—D. ALON-
SO: *Poetas españoles contemporáneos,* Edit. Gredos, Madrid, 1952.—A. J. BATTISTESSA: *Del simbolismo a la «poesía pura»* (Cours. de conférences), 1933.—J. L. CANO:
Antología de poetas andaluces contemporáneos, Madrid,
1952.—R. CANSINOS ASSÉNS: *La nueva literatura,* Madrid,
1927.—R. GÓMEZ DE LA SERNA: *El Suprarrealismo,* «R.
Hab.», 1930.—P. SALINAS: *Literatura española* (siglo XX),
Méjico, 1947.—G. DE TORRES: *Literaturas de vanguardia,*
Madrid, 1925.—J. L. CANO: *Antología de la nueva poesía
española,* Edit. Gredos, Madrid, 1958.—L. F. VIVANCO:
Introducción a la poesía española contemporánea, Edics.
Guadarrama, Madrid 1957.—L. RODRÍGUEZ ALCALDE: *Vida
y sentido de la poesía actual,* Madrid, 1956.—J. GONZÁLEZ
MUELAS: *El lenguaje poético de la generación Guillén-
Lorca,* Edics. Insula, Madrid, 1955.—Véase también la Bi-
bliografía general de los capítulos LXXXIII y XC.

II-III. D. ALONSO: *La poesía de Gerardo Diego,* «Poetas españoles contemporáneos», págs. 244-70, 1952.—MI-
LLEDDA D'ARRIGO: *Gerardo Diego, il poeta di versos humanos,* Universitá, Turín, 1955.—G. BERBERINI: *La situa-*

ción poética de Gerardo, «Clavileño», núm. 25, 1954.—
A. GALLEGO MORELL : Vida y poesia de Gerardo Diego,
1956.—R. GULLÓN : La veta aventurera de Gerardo Diego,
«Insula», VIII, núm. 90, 1953.—A. DEL RÍO : El poeta
Pedro Salinas.—J. MARICHAL : Ed. preparada y revisada
de Poesias completas de Pedro Salinas, Edit. Aguilar,
Madrid.—A. ALONSO : Jorge Guillén, «La Nación», Buenos Aires, 1929.—D. ALONSO : Los impulsos elementales
en la poesia de Jorge Guillén, «Poetas españoles contemporáneos», págs. 207-43, 1952.—J. BERGAMÍN : La poética de Jorge Guillén, «La Gaceta Literaria», 1929.—
J. M. BLECUA y R. GULLÓN : La poesia de Jorge Guillén,
Zaragoza, 1949.—J. CASALDUERO : «Cántico», de Jorge Guillén, Madrid, 1953.—F. AVERY PLEAT : The poetry of Jorge
Guillén, including Some Traslations, «Princeton Univ.
Press», 1942.—F. LÓPEZ ESTRADA : Dos resonancias del último «Cántico» de Guillén, «An. Univ. Hispalense», XI,
1950.

IV. J. GONZÁLEZ MUELA : Poesia amorosa en «Sobre los
Angeles», «Insula», VII, 1952.—M. HERNÁNDEZ AGUIRRE :
Rafael Alberti, gran poeta universal, «Ars», núm. 2, San
Salvador, 1952.—F. OLIVERO : Su «Sobre los Angeles» di
Rafael Alberti, «Quaderni Ibero-Americani», núm. 13, Tu-
rín, 1953.—J. M.ª DE COSSÍO : Pról. a las Obras de Fer-
nando Villalón, Madrid, 1944.—M. HALCÓN : Recuerdos de
Fernando Villalón, Madrid, 1941.—Para Pemán (sólo poe-
sía) : A. CRUZ RUEDA : La poesia de Pemán, «Cuadernos
de Literatura Contemporánea», núm. 8, Madrid, 1943.

V. MARÍA TERESA BABÍN : El mundo poético de Federico
Garcia Lorca, «Biblioteca de Autores Puertorriqueños»,
San Juan de Puerto Rico, 1954.—A. BERENGUER CARISOMO :
Las máscaras de Federico Garcia Lorca, 1941.—I. CAMP-
BELL y D. ROY : Lorca. An Appreciation of his poetry,
Cambridge, 1952.—G. DÍAZ-PLAJA : Federico Garcia Lor-
ca. Su obra e influencia en la poesia española, colec.
«Austral», Buenos Aires, 1954.—J.-L. FLECNIAKOSKA : L'uni-
vers poètique de Federico Garcia Lorca, 1952.—JEROSLAW
M. FLYS : El lenguaje poético de Federico Garcia Lorca,
Edit. Gredos, Madrid, 1955; «Poeta en Nueva York», la
obra incomprendida de F. G. L., «Arbor», núm. 114. -
A. DE LA GUARDIA : Garcia Lorca, persona y creación,
1941.—H. HONIG : García Lorca, Norvalk, 1944.—A. DEL
HOYO : Recopilación de las Obras completas de F. G. L.,
Edit. Aguilar, Madrid, 1954.—OFELIA MACHADO BONET : Fe-
derico García Lorca. Su producción dramática, Montevi-
deo, 1951.—C. MORLA : En España con Federico Garcia
Lorca, Edit. Aguilar, Madrid, 1957.—A. DEL RÍO : Vida y
obras de Federico Garcia Lorca, Zaragoza, 1952.—J. SCHON-
BERG : Federico Garcia Lorca. La vie et l'oeuvre, 1956.—
D. DEVOTO : Notas sobre el elemento tradicional en la obra

de G. L., «Filologia», II, Buenos Aires, 1950.—CHRISTOPH
EICH : F. G. Lorca, poeta de la intensidad (trad. G. Sobejano), Madrid, 1958.—E. GARCÍA LUENGO : Revisión del
teatro de G. L., «Cuad. de Politica y Literatura», Madrid,
1951.—J. GUERRERO ZAMORA : El teatro de G. L., «Raiz»,
núms. 1-2, 1948.—MARIE LAFRANQUE : F. Garcia Lorca. Textes en prose tirés de l'oubli, «Bull. Hisp.», LV-LVI, 1953-
1954.—EDWIN S. MABY : G. Lorca in Sweden, «Hisp. Review», XIV, 1946.—A. W. PHILLIPS : Sobre la poética de
G. L., «Rev. Hisp. Moderna», XXIV, núm. 1, Nueva York,
1958.—R. G. SÁNCHEZ : G. Lorca. Estudio sobre su teatro,
Madrid, 1950.—J. W. ZDENEK : La mujer y la frustración
en las comedias de G. Lorca, «Hispania», Nueva York,
1955.

VI. D. ALONSO : La poesia de Vicente Aleixandre y
Aleixandre en la Academia, «Poetas españoles contemporáneos», págs. 281-332, 1952.—L. ALONSO SCHÖKEL : Trayectoria poética de Aleixandre, «Rev. Javeriana», XLII,
Bogotá, 1954.—C. BOUSOÑO : La poesia de Vicente Aleixandre, Edit. Gredos, Madrid, 1951.—L. LANDÍNEZ : Cara
y cruz en la poesia de Vicente Aleixandre, «Rev. Univ. de
Oviedo», 1950.—J. A. VALENTE : La sinestesia en la poesia
moderna. Gerardo Diego, Aleixandre, Zubiaurre, «Indice»,
núms. 68-69, 1953.—CONCHA ZARDOYA : Los tres mundos
de Vicente Aleixandre, «Rev. Hispánica Moderna», XX,
págs. 67-73, 1954.—J. GUERRERO ZAMORA : Miguel Hernández. Poeta (1910-1942), colec. «El Grifón», Madrid, 1955.—
A. DEL HOYO : Pról. a Obras escogidas de Miguel Hernández, Edit. Aguilar, Madrid, 1952.—L. DE LUIS : Poesia de
Miguel Hernández, «Insula», VI, núm. 71, 1951.—A. RO-
DRÍGUEZ SEGURADO : Dolor y soledad en la poesia de Miguel Hernández, «Rev. Univ. de Buenos Aires», XI, páginas 571-95, 1952.—R. SIJE : Miguel Hernández. Poesia del
hombre y su esperanza, «Univ. de Antioquia», Antioquia
(Colombia), XXX, 1954.

Para el estudio de la poesía actual, es decir, la posterior a 1939, puede consultarse : Antologia de «Adonais»,
con pról. de Vicente Aleixandre, Madrid, 1953; Antologia
consultada de la joven poesia, Valencia, 1952; Poesia
femenina española viviente, recopilada por Carmen Conde, Madrid, 1954; Veinte poetas españoles, de Rafael
Millán, Madrid, 1955; De Machado a Bousoño, de José
Luis Cano, «Insula», Madrid, 1955; Diez años de poesia
española (1938-1948), de Carmen Conde, «Cuad. de Literatura», IV, 1948; La última poesia española, de G. Diego,
«Arbor», VIII, 1947; Algunos caracteres de la nueva poesía española, de V. Aleixandre, Madrid, 1956; El sentido
religioso en la lirica española actual, del padre Victoriano
Rivas, «Humanidades», II, Comillas, 1950.

CAPITULO XCII

LA POESIA AMERICANA DEL MODERNISMO
A NUESTROS DIAS

I. MARCO GENERAL: *Caracterización. Aspecto cronológico.*—II. LÍRICA POST-
MODERNISTA: *Principales grupos. Poetas representativos.*—III. LA POESÍA DE
VANGUARDIA: *Argentina y Uruguay. Países del Pacífico y Venezuela. Antillas.
Centroamérica y Méjico.*—IV. LOS GRANDES POETAS POSTMODERNISTAS: *Huido-
bro. Vallejo. Neruda. Marechal y otros argentinos.*—V. POESÍA FEMENINA:
*Gabriela Mistral. Alfonsina Storni. Delmira Agustini y Juana de Ibarbou-
rou. Otras poetisas.*—VI. POESÍA NEGRA: *Técnica, motivos y expresión. Prin-
cipales intérpretes.*—NOTAS.—BIBLIOGRAFÍA.

I. MARCO GENERAL

El panorama de la literatura americana, en especial de la poesía, conforme avanza el siglo actual se va haciendo más confuso y heterogéneo.
Esa confusión y heterogeneidad nacen sobre todo
del infinito número de autores que cultivan la lírica, desde Méjico a Buenos Aires, y de la multiplicidad de corrientes que se mezclan por todas
partes, haciendo cada vez más difícil todo intento
de clasificación. Poner un orden entre tantas voces
y señalar direcciones definidas entre tantas tendencias resulta para el crítico—aquí no puede hablarse ya de historiador—empresa ardua, por no
decir imposible. Como en tantas ocasiones, y valga la frase aunque tópica, los árboles nos impiden
ver el bosque. Los árboles aquí son docenas, centenares de poetas, que en cada rincón de aquel
Continente cantan con su voz propia y en un
intento no siempre logrado de hacerse oír. El resultado es una masa imponente de voces, vocecci-
llas las más de las veces, que al simple espectador le desconciertan con su estrépito.

Todavía en la novela y en el teatro es posible
una ordenación. Una y otro siguen nutriéndose de
la savia europea en cuanto a la técnica, aunque la
temática beba en fuentes autóctonas. Con dos o
tres nombres—realismo, naturalismo, esteticismo—
se puede etiquetar cualquier producto de esa novelística o de ese teatro. Pero las etiquetas necesarias para la poesía serían tantas en número como
han sido los «ismos» aparecidos en Europa durante las cuatro últimas décadas, aumentados con
algunos de procedencia americana: auguralismo,
creacionismo, afrocubanismo, etc. Y todos sabemos que el número de tales «ismos» es casi infinito.

Caracterización

Anticipemos que en general la poesía contemporánea hispanoamericana no alcanza la altura a

que llegó en la época anterior. No faltan poetas
de voz personal e indiscutible mérito, pero ni
aun ésos pueden compararse, al menos en nuestra opinión, con los grandes maestros modernistas. Un Neruda, un Vallejo, un Borges o un
Molinari responden mejor a la sensibilidad de nuestro tiempo. Ello, sin embargo, no significa que su
lírica sea superior a la otra. Nos atrevemos a sentar que es inferior en calidad y en ámbito de
resonancia. Precisamente el signo de la época
actual se llama confusión, vaguedad, incoherencia, angustia, si se quiere; y a tal signo se adecua perfectamente esa poesía. En todo caso, y
tras la prueba de fuego a que ha sido sometida
la poesía modernista desde la muerte de Darío
hasta nuestros mismos días, los poetas de aquella
escuela siguen siendo los maestros indiscutibles de
cada país: Argentina ve en Lugones su poeta más
representativo, como Uruguay lo ve en Herrera y
Reissig, Bolivia en Jaimes Freyre, Perú en Chocano, Colombia en Guillermo Valencia y Méjico
en Nervo. El caso de Chile con la Mistral habría
que considerarlo aparte. Hay muchos más elementos modernistas en la gran poetisa que los que
vulgarmente se dice, y desde luego, nos atrevemos
a afirmarlo, su obra está infinitamente más vinculada al movimiento rubeniano de última hora que
a las tendencias subsiguientes. Del dadá, del surrealismo, del ultra, nada o muy poco llegó a
Desolación, el libro más representativo de la Mistral. Lo que sucede es que nos hemos empeñado
en ver sólo el modernismo la primera fase, la de
los cisnes y princesas, y esta limitación nos ha impedido establecer nexos, por otra parte bien patentes. La Mistral, luego habremos de verlo, se benefició por lo pronto de toda la métrica modernista, de
la que no supo o no quiso desprenderse, y en cambio, no utilizó, o sólo utilizó muy moderadamente,
los recursos métricos y estilísticos de las poéticas
posteriores.

Y otra nota que va implícita en la anterior: la poesía contemporánea es imprecisa. Queremos decir con esto que no tiene una línea definida y clara. ¿Hasta qué punto va ello en detrimento de su calidad? No es éste el momento de decirlo. Pero el crítico, el simple observador, encuentra aquí un nuevo obstáculo para formular su juicio, al no poder encuadrar a determinado autor dentro de una tendencia o escuela determinada, viéndose obligado a seguirlo a saltos de una a otra zona, sin poder decir que haya hecho estancia en ninguna.

Por último, una tercera nota. La poesía contemporánea, al igual en España, es minoritaria. Deliberadamente unas veces, si hemos de creer a los propios poetas; bien a pesar suyo casi siempre, aunque ellos digan lo contrario. La verdad es que la poesía actual y la inmediatamente anterior no han logrado interesar a extensas capas sociales. El número de adictos o de los que se dicen adictos sin serlo, y por simple afán de «snobismo», es limitadísimo. El público, hasta el público culto, le ha vuelto la espalda. No la entienden, dicen los propios poetas; no la sienten. Y lo malo es que dicen verdad. Falta saber si esa ausencia de intelección y de sentimiento procede de incapacidad de los lectores o de carencia de los más elementales estímulos en la misma poesía. Porque ocurre, siempre ha ocurrido, que cuando el poeta habla un lenguaje adecuado, por muy alto que sea, el público—nos referimos, naturalmente, a un público culto—escucha y recoge el mensaje.

Aspecto cronológico

Si la caracterización de la poesía contemporánea hispanoamericana es difícil, no lo es, en cambio, su ordenación cronológica. Desde el primer momento cabe distinguir tres fases o períodos:

a) Un período que algunos definen como época de transición, que otros conciben como liquidación del modernismo y que Federico de Onís, indiscutible autoridad en la materia, llama simplemente *postmodernismo*. Abarca aproximadamente la segunda decena del siglo (1910-1920) y se caracteriza por una producción lírica que en parte continúa la anterior y en parte se orienta hacia nuevas modalidades.

b) Otro segundo período que se extiende durante tres lustros (1920-1935), siempre hablando en términos de aproximación. Es la época típica de los «ismos», algo rezagada en América respecto

to de Europa; época de las «literaturas de vanguardia». La poesía ofrece un perfil revolucionario, iconoclasta y libre de todo nexo con la de épocas anteriores.

c) Un tercer período, que comprende los últimos veinte años. La poesía, sin abdicar por entero de los afanes renovadores de la época precedente, aparece animada de un espíritu más conservador, que se acusa sobre todo en el retorno a las formas métricas tradicionales.

A esta última fase apenas habremos de aludir en el presente estudio, porque, al igual que a la poesía peninsular, también a la de Hispanoamérica debe ponerse un tope cronológico. En aquélla fué la guerra civil; en ésta puede serlo el inicio de la segunda guerra mundial. Todo lo que cae del lado de allá del último conflicto ha sido ya cribado por el tiempo y constituye objeto de historia; todo lo que cae del lado de acá es simple tentativa, ensayo o como se quiera llamar. Los poetas que encarnan esta última poesía son frutos agraces y hay que esperar su madurez. Sin contar con que la mayor parte viven aún en plena producción, y una elemental cortesía nos impide formular sobre ellos juicios definitivos. El mismo temor a incurrir en omisiones nos afianza en este propósito de silenciación, ya aplicado a las últimas promociones literarias de la Península.

Al margen de los autores incluídos en los apartados anteriores y más o menos relacionados con ellos, se ofrecen a nuestra consideración otros tres grupos:

d) El formado por unas cuantas poetisas, sudamericanas en su mayor parte, que han venido a dar a la lírica del primer tercio de siglo un tono de innegable altura: Gabriela Mistral, Alfonsina Storni, Delmira Agustini, Juana de Ibarbourou, etcétera.

e) El integrado por media docena o poco más de personalidades señeras, sin relación entre sí, y que escapan por su valor o por su significación a todo otro encasillamiento: Neruda, Huidobro, Vallejo, Borges, Molinari, etc.

f) El representado por la llamada «poesía negra» o «afrocubana», que si bien de escasa calidad estética, pide en cuanto fenómeno literario su registro en toda historia de la literatura hispánica.

Con lo que tenemos ya de antemano estructurado el presente capítulo: postmodernismo, poesía de vanguardia, poesía femenina, poetas representativos de «entreguerras» y «poesía negra»[1].

II. LIRICA POSTMODERNISTA

Se nos presenta la poesía postmodernista como una reacción frente al modernismo vigente en la primera década de siglo. Se trata de una reacción muy moderada o, como quiere Federico de Onís, una reacción «conservadora». Quiere decir esto

que no rompe con la poética encarnada por Rubén; se limita a la introducción de nuevos elementos estéticos y a la ampliación del cuadro de posibilidades creadoras, llevando la sensibilidad poética a zonas ignoradas por el modernismo: la vida campesina, el suburbio, la intimidad hogareña, etc. Recursos abolidos o casi abolidos por el modernismo reaparecen ahora; por ejemplo, la ironía. El verso se desnuda más y más de atuendo retórico; el lenguaje se humaniza y, al humanizarse, desciende a lo prosaico. Se escriben poemas sobre las cosas más vulgares y en tono a veces demasiado bajo. Por huir de Rubén se cae con frecuencia en Campoamor. Ciertas composiciones de Fernández Moreno podrían ir firmadas por el autor de las *Doloras*. Es poesía, por lo general, de escasa calidad; muy variada en la temática y más afín que la modernista a los modos tradicionales. La nota más alta durante esos años la dan las poetisas, varias de las cuales revelan una personalidad lírica sorprendente. Por eso les dedicamos párrafo aparte.

Principales grupos

Ya queda dicho que, rota la unidad del modernismo, la poesía se canaliza en múltiples corrientes. Anderson Imbert en nuestros días, y antes Federico de Onís, han tratado de reducirla a unos cuantos grupos o tendencias:

«Algunos poetas—escribe Imbert—se desvían hacia un trato más directo con la vida y la Naturaleza. Son sencillos, humanos, sobrios (Fernández Moreno). Otros tienen un aire de sabiduría, de haber ido lejos y estar de vuelta con muchos secretos clásicos (Alfonso Reyes). Otros, los más efusivos, confiesan sinceramente lo que les pasa: angustias, exaltaciones (Mistral, Sabat Ercasty). Están los de sentido humorístico, como si los hijos sospecharan que había algo de ridículo y cursi en la tradición familiar modernista (Luis Carlos López). Los hay cerebrales, fríos, recatados, especulativos (Martínez Estrada). Y los criollistas, los nativistas, los apretados contra su tierra (Silva Valdés, Alfredo R. Bufano). Y los de emoción civil y política (Emilio Frugoni). Por último, los «raros», funambulescos y extravagantes; los que se deshumanizan (o se rehumanizan) en piruetas metafóricas e idiomáticas inesperadas y se juntan con la generación siguiente, la de los que han de declarar caducas las normas del modernismo (León de Greiff, Mariano Brull, Oliverio Girondo, Julio J. Casal, Vicente Huidobro, César Vallejo).» Como se ve, una temática muy variada y unos procedimientos no menos variados. Advirtamos que algunos de los poetas incluídos en los grupos anteriores, como Huidobro y Vallejo, corresponden más bien, en opinión nuestra, a la época siguiente.

La clasificación de Onís es más precisa. Parte de un supuesto previo: el de considerar la poesía modernista como una *reacción*, y así establece cinco *reacciones* o grupos. Helos aquí resumidos con sus autores representativos: a) *Modernismo refrenado o reacción hacia la sencillez lírica* (Magallanes Moure, Pedro Prado, Max Jara, Evar Méndez,

Alberto Ureta, González Carbalho, etc.); b) *Reacción hacia la tradición clásica* (Enrique Banchs, «Cornelio Hispano», Arturo Marasso, Alfonso Reyes, Vicuña Cifuentes, etc.); c) *Reacción hacia el romanticismo* (Miguel Angel Osorio, Ricardo Rojas, Roberto Brenes Mesén, Luis Lloréns Torres, Arturo Capdevila, Jorge Hübner, Angel Gruchaga, Carlos Sabat Ercasty, Rafael Heliodoro Valle, etcétera); d) *Reacción hacia el prosaísmo sentimental* (Héctor Pedro Blomberg, Federico de Ibarzábal, Evaristo Carriego, Emilio Frugoni, Alfredo R. Bufano, Felipe Pichardo Moya, etc.); y e) *Reacción hacia la ironía sentimental* (Luis Carlos López, Carlos Arévalo Martínez, Baldomero Fernández Moreno, Pedro Sienna, José Z. Tallet, Ezequiel Martínez Estrada, etc.) [2].

Muchos de los autores incluídos en la nómina anterior tuvieron ya su alusión en el capítulo dedicado al triunfo del modernismo. Otros no caben en una obra de síntesis como la nuestra. Vaya una brevísima mención de los restantes.

Poetas representativos

En la Argentina llevan la voz cantante por esta época HÉCTOR PEDRO BLOMBERG (n. 1890), autor también de cuentos y novelas, que cultiva una poesía de mar, parecida a la de Tomás Morales y José del Río Sainz, entreverada de naturalismo y romanticismo (obra: *La canción lejana, A la deriva, Gaviotas perdidas, Bajo la cruz del Sur,* etc.); BENJAMÍN TABORGA (1889-1918), nacido en España y aclimatado en Argentina, cuyo único libro de verso, *La otra Arcadia,* se distingue por la serenidad y emoción concentrada; EZEQUIEL MARTÍNEZ ESTRADA (n. 1895), que si en *Oro y piedra* (1918) sigue aún fiel a los cánones modernistas, en libros posteriores—*Nefelibal, Motivos del cielo, Humoresca,* etc.—apunta hacia nuevas rutas, especialmente las que conducen al «ultra»; RAFAEL ALBERTO ARRIETA (n. 1889), director que fué de la revista literaria *Atenea,* y poeta de expresión sobria, serena, no incompatible con la hondura del sentimiento, un tanto sofrenado a la manera clásica (obra: *Alma y momento, El espejo de la fuente, Las noches de oro, Fugacidad,* etc.); PABLO DELLA COSTA (n. 1884), que llevó a su libro de poemas *Obsesión del instinto* (1922) un tono entre irónico y burlesco, inspirado por la contemplación de los vicios sociales. Más relieve tuvieron por las mismas fechas Moreno Fernández, E. Banchs y A. Capdevila.

Aunque pertenece a la generación modernista, y en cierto modo lo es él también, ENRIQUE BANCHS (n. 1888) siente el tirón de lo clásico en cuanto prefiere para su verso no sólo formas métricas tradicionales, sino una expresión sencilla, desnuda y exenta de todo aparato externo. Deja poca obra: tres o cuatro libros (*Las barcas, Los elogios, El cascabel del halcón, La urna*) compuestos antes de cumplir los veintitrés años. Luego su voz enmudece hasta 1930, en que publica *Ayer*. Para Berenguer Carisomo los sonetos de *La urna* constituyen «una de las joyas líricas continentales más exquisitas después de los *Cantos de vida y esperanza*»; y Federico de Onís califica a Banchs como «el primero de los grandes poetas argentinos que surgen después de Lugones». De tono bien distinto es la voz de BALDOMERO FERNÁNDEZ MORENO (1886-1950). Canta en estilo reposado, íntimo y libre de preocupaciones formales las cosas más vulgares de la vida, sin que ello quiera decir que su poesía adolezca sino muy raras veces de vulgaridad: el hogar, la calle, el despacho, la esposa, los hijos, los libros, las visitas profesionales—él era médico—, las vacaciones, el trabajo. Pero su voz pone en todo, por trivial que parezca, un pálpito humano lleno de emoción. Hijo de españoles, había pasado en España parte de su infancia y de allí llevó a la Argentina un puñado de recuerdos que luego quedaron poetizados en *Aldea española*. Su obra es copiosa: *Las iniciales del misal, Intermedio provinciano, Ciudad, Por el amor y por ella, Campo argentino, Versos de Negrita, Nuevos poemas, Canto de amor, de luz y de agua, Mil novecientos veintidós, El hogar en el campo, Sonetos,* etcétera. Todos estos títulos y otros más fueron apareciendo desde 1915 hasta poco antes de su muerte. Su profesión médica no le impidió la dedicación constante a la poesía, de la que hizo un diario íntimo. El estilo directo, desnudo y espontáneo es la nota más acusada de este poeta, uno de los más leídos en la Argentina. Abundante es asimismo la obra poética de ARTURO CAPDEVILA (n. 1889); y más abundante aún la obra no poética, porque este ilustre profesor casi ha escrito de todo: ensayo, teatro, narración, impresiones de viaje, crítica, periodismo, historia, etc. Como poeta se nos antoja fácil, excesivamente fácil; un hombre que se deja llevar de la imaginación, sin molestarse en ponerle diques. Muy en la línea rubeniana en sus primeros libros (*Jardines solos, Melpómene, El poema de Nenúfar*), escritos y publicados entre 1912 y 1915; más contenido y sobrio en sus romances de carácter histórico (*Romances argentinos*). Hay algunos plenamente logrados: el de «Mariquita Sánchez», el de «Las bodas», el de «El general San Martín». En *El tiempo que se fué* (1926), acaso su mejor libro de verso, encontramos composiciones llenas de finura y que casi justifican el calificativo de «gran poeta» que le adjudicó Gabriela Mistral. De ordinario, Capdevila, como la mayor parte de los americanos, y también de los españoles, peca por exceso. Cree que al acumular más metáforas acumula más bellaza, y la consecuencia es lógica: en aquellos versos hay más lucimiento que sentimiento verdadero. Suenan demasiadas veces a hueco. Ahí está para demostrarlo ese interminable *Canto de augur*, tan lleno de felices expresiones,

tan bien escrito y... tan vacío. Capdevila nos gusta más en la prosa; en sus magníficas exploraciones por la historia, por la estética, por la sociología y hasta por la lingüística española, de cuya pureza se ha constituído desde joven en el más árdido defensor. Es el suyo un estilo depurado, elegante y señorial.

Por los mismos días los poetas máximos del Uruguay, pasado el estrépito de Vasseur y Herrera y Reissig, son Oribe y Sabat Ercasty. EMILIO ORIBE (n. 1893) fué evolucionando a lo largo de su obra (*Alucinaciones de belleza, Letanías extrañas, El castillo interior. El halconero astral, La colina del pájaro rojo, La transfiguración del cuerpo,* etc.), publicada entre 1912 y 1930, desde una poesía de factura netamente parnasiana hasta los movimientos «de vanguardia», pasando por el simbolismo, la abstracción y otras latitudes poéticas. No en vano Oribe había traducido a los modernos poetas franceses, desde Leconte de Lisle a Paul Valéry. Sin embargo, en ninguna zona se excede; y fantasía y emoción aparecen siempre frenadas por el buen gusto. También empezó componiendo poemas decadentistas y parnasianos CARLOS SABAT ERCASTY (n. 1887); pero en 1912 los entregó al fuego, y en sus obras posteriores—*Pantheos, Poemas del hombre* (tres series: «Libro de la Voluntad, del Corazón y del Tiempo», «Libro del Mar», «Libro del Amor»), *Eglogas y poemas marinos, Vidas, Los adioses,* etc.—se lanzó hacia los grandes temas del hombre, del tiempo, de Dios, con un sentido vago, difuso y un tanto panteísta. Imita a veces a Walt Whitman, y lo imita bien:

¡Alegría del mar! ¡Alegría del mar! ¡Alegría del mar!
¡Los vientos resalados danzan, corren, asaltan!
¡Los vientos anchos muerden las grandes aguas locas!
Ruedan ebrias las olas,
blancas hileras de espuma señalan
los peñascos negros bajo las olas verdes.
¡Alegría del mar! ¡Alegría del mar! ¡Alegría del mar!
¡Las bocinas del viento
hinchan los caracoles de las islas duras
con largos cantos ágiles!

Según algunos, esta lírica hinchada, retórica—tan retórica como pueda ser la de Víctor Hugo o Núñez de Arce, sólo que de un retoricismo mucho más fácil—, ha influído en Neruda. De algunas poetisas uruguayas correspondientes a este período se tratará más adelante.

En Chile ya se dejaba oír por estas calendas la voz gravemente serena de Gabriela Mistral y la voz patética de Pablo Neruda, que tendrán su comentario aparte. A sus nombres han de unirse los de MAX JARA (n. 1886), hombre de vida solitaria y poeta concentrado que busca la inspiración en sí mismo, en los recovecos más íntimos del alma, logrando a veces notas de extremada sencillez y hondura, dentro de temas populares (obra: *Juventud, Poesía? Asonantes*); PEDRO PRADO (n. 1886-1952), más digno de atención por sus prosas poemáticas que por el verso, en el que tiende a la expresión desnuda, fría y excesivamente intelectual (obra: *Flores de cardo, El llamado del mundo, Los pájaros errantes*); JORGE HÜBNER (n. 1892), creador de una poesía sincera, intimista y penetrada de dolor, de la que da testimonio *Plegaria*, una de sus más bellas composiciones; PEDRO SIENNA (n. 1893), cuyos poemas resabiados de modernismo en la forma tienen en su fondo un amargo sabor de desencanto (obra poética: *Muecas en la sombra, El tinglado de la farsa*); y JUAN GUZMÁN CRUCHAGA (n. 1896), que prefiere para sus versos el tono vago, melancólico y sentimental del Juan Ramón de la primera época (obra poética: *Junto al brasero, La mirada inmóvil, Chopin, Lejana, La fiesta del corazón, Agua de cielo*).

Los poetas peruanos más importantes de este período quedaron ya mencionados en el capítulo «Otros poetas modernistas». Eguren, Vallejo y algunos de menor fuste pertenecen a la promoción siguiente. Otro tanto cabe decir de los ecuatorianos; mencionemos de pasada a MEDARDO ANGEL SILVA (1898-1920?), cuya poesía, penetrada de pesimismo aparece muy influída de románticos ingleses y alemanes. Silva era mulato y de poca salud, lo que unido a sus múltiples calamidades determinó su suicidio (obra: *El árbol del bien y del mal*). Tampoco en Venezuela y Bolivia, citados en anterior capítulo los representantes máximos del modernismo, quedan por estas fechas poetas de nota. En cambio Colombia los tiene con cierta abundancia. He aquí los más notables: JOSÉ EUSTASIO RIVERA (1888-1928), el celebrado autor de *La vorágine*, una de las mejores novelas americanas, que en *Tierra de promisión* dejó una serie de sonetos de inspiración modernista y factura parnasiana, sobre los ríos, montañas, cielos, fauna y flora de su tierra nativa; EDUARDO CASTILLO (1889-1939), que en *El árbol que canta* se reveló poeta de escasa voz, pero llena de suavidades y delicadezas; AURELIO MARTÍNEZ MUTIS (n. 1884), de acento más elevado y verso más pulido, como lo exigía la índole de los temas que cantaba (obra: *La epopeya del cóndor, Mármol*); y MIGUEL ANGEL OSORIO (1880-1942), más famoso por el seudónimo de *Porfirio Barba Jacob*. Fué *Barba Jacob* hombre de espíritu inquieto y vida aventurera, que le llevó a discurrir por diversos países de América: Costa Rica, Cuba, Guatemala, Honduras, El Salvador, Méjico. En ninguno de ellos echó raíces, porque su especial sentido de independencia le impedía acomodarse a las normas sociales y políticas vigentes. El mismo se llamó «pomposo romántico, engreído, delirante y prestidigitador». Se cree que sirvió de modelo a Rafael Arévalo Martínez para la famosa novela *El hombre que parecía un caballo*. Su poesía, que arranca del modernismo con tendencia hacia más libres formas, está transida de dolor, desesperación y de ansias insatisfechas. Diseminada por periódicos y revistas, fué recogida en libro por el mismo Arévalo Martínez (*Rosas negras*, 1932), y acusa un temperamento lírico de altura. Se ocultó también Osorio bajo los seudónicos de *Maín Ximénez y Ricardo Arenales*. En *Canción sin nombre* nos dió un fidelísimo autorretrato:

Decid cuando yo muera (¡y el día esté lejano!):
—Soberbio, desolado, lúbrico y turbulento,
de mortales deliquios en tiniebla insaciado,
era una llama al viento...

A la larga lista de poetas cubanos mencionados en el capítulo LXXXVI se puede añadir los nombres de FEDERICO DE IBARZÁBAL (n. 1894), buen narrador en prosa además de poeta, que busca inspiración en temas portuarios y rincones de las viejas ciudades coloniales (obra: *Huerto lírico, El balcón de Julieta, Gente del Heraldo, Gesta de héroes, Una ciudad del trópico*); JOSÉ Z. TALLET (n. 1893), que supo diluir en el sentimentalismo noble de sus versos tal cual gota de ironía amarga; y MANUEL NAVARRO LUNA (n. 1894), uno de los primeros poetas cubanos que se aventura a internarse en las vanguardias literarias. Asimismo a la nómina de poetas modernistas dominicanos dada en el capítulo citado agréguense Domingo Moreno Jiménez, de escasa significación y los dos hermanos Henríquez Ureña, Pedro y Max, sobre los que volveremos al estudiar la prosa crítica y erudita.

Los tres más altos poetas de Centroamérica por estas fechas quedaron ya aludidos en el capítulo tantas veces citado del modernismo: Rafael Heliodoro Valle, R. Arévalo Martínez y Brenes Mesén. Muchos de los incluídos en el mismo epígrafe corresponden también a esta época. En Méjico ocurre algo semejante. Extinguido el grupo del «Ateneo de la Juventud» y la influencia de la revista *Savia Moderna*, gracias a la cual—ya queda dicho—el movimiento rubeniano había tenido una inesperada prolongación, surgen nuevas formas, gracias a dos poetas de calidad: López Velarde y Carlos Pellicer. Pero de ellos se hablará más adelante, al exponer el cuadro de la poesía mejicana desde la liquidación del modernismo a nuestros días. Por ahora baste aumentar aquella lista con el nombre de ALFONSO REYES (n. 1889), una de las inteligencias más señeras que ha producido América. De su obra en prosa, ensayo y crítica sobre todo, nos ocuparemos por extenso en otro lugar. Anticipemos que como poeta cultiva una lírica clásica y moderna a la vez; clásica, porque su formación es fundamentalmente humanística; moderna, porque su sensibilidad le impide situarse al margen de nuestro tiempo (obra en verso: *Huellas, Ifigenia cruel, Pausa, 5 casi sonetos*, etc.).

III. LA POESIA DE VANGUARDIA

Hacia 1918, en Europa y un poco más tarde en América, estalla una auténtica revolución que afecta a todas las esferas del arte. En lo literario esa revolución o subversión se viene llamando «movimientos de vanguardia» y también «literatura de postguerra». El conflicto europeo del 14 al 18 no fué su causa determinante, puesto que la revolución se venía fraguando de tiempo atrás, casi desde los inicios del siglo. La guerra europea sólo sirvió para provocar su aparición y acelerar el proceso.

Ya en los capítulos dedicados a la «Poesía española contemporánea», y más concretamente en el XCI, se habló de esto. Cuanto dijimos allí sobre aparición de arte nuevo, «poesía en crisis», subversión de valores, etc., es aplicable ahora a la poesía americana. Insistamos, eso sí, en el carácter caótico y extravagante de esa poesía. Todos los experimentos están permitidos; todas las audacias toleradas. La extravagancia queda elevada muchas veces al rango de lo genial. Es la «inundación del sin sentido», de que nos habla Anderson Imbert. En Francia se disfrazaba de «dadá»; en Italia, de «futurismo»; en España, de «ultra». América no podía ser menos; también inventa sus escuelas o modos: auguralismo, estridentismo, creacionismo. Todo eso duró poco. Del mismo modo que en España se le declaraba difunto por boca de uno de sus máximos pontífices, Guillermo de Torre, un lustro después de nacer, así también en América otro de sus conspicuos, Borges, lo daba por muerto ya en 1932. Realmente así debía ser, puesto que nada llevaba dentro. Su signo era la negación; su sustancia, si así puede llamarse, la inanidad. Cualquier talento más o menos mediocre se hacía pasar por genio. A muchos les bastó para lograrlo hacer y decir lo contrario de lo que siempre se ha hecho y dicho; otros prefirieron llamar la atención por el camino de la extravagancia, ya que por el camino recto nadie repararía en ellos. Algunos, Lugones por ejemplo, se sintieron momentáneamente atraídos hacia esta poesía que se presentaba con afán renovador, pero pronto le volvieron la espalda al comprobar su vaciedad. Los desatinos se pusieron a la orden del día y fueron llamados genialidades. Poeta hubo que pensaba haber escalado la cumbre del arte con sólo hilvanar una serie de metáforas incoherentes; y no faltaron críticos que asintieron o aparentaron asentir a todo eso. Un poeta cubano, Mariano Brull, disparataba así:

> Filiflama alabe cundre,
> ala olalúnea alífera,
> alveólea jitanjáfora,
> liris salumba salífera...

Y se quedaba tan tranquilo. Otro, por cierto no exento de inspiración, César Vallejo, escribe cosas como éstas:

> Destila este dos en una sola tanda,
> y entrambos lo apuramos.
> Nadie me hubo oído. Estría urente,
> abracadabra civil.
> La mañana no palpa cual la primera,
> cual última piedra ovulandas
> a fuerza de secreto. La mañana descalza.
> El barro a medias
> entre sustancia gris más o menos.
> Caras no saben de la cara ni de la
> marcha a los encuentros.
> Y sin hacia cabecee el exergo.
> Yorra la puente del afán.

Algunos *snobs* al leer esto ponían los ojos en blanco. Y algunos críticos, o que pasaban por tales, les hicieron coro. Pero el lector sensato pensó que la poesía era otra cosa y volvió displicente la espalda. Como hacer poesía de ese tipo es tan fácil, ya que basta tener audacia suficiente para acumular frases y palabras sin orden, ritmo ni concierto, el número de vates es infinito. Hay algunos buenos, no por haber cultivado tal lírica, sino a pesar de ello. Ya los recordaremos más adelante. Queda el inmenso bosque formado por centenares, acaso miles, de poetas sin relieve, sin interés, sin atractivo alguno, poetas a quienes nadie leyó por la sencillísima razón de que eran ilegibles. Para algunos, para los mejores—insistamos en que también los hay buenos—, se inventa un término nuevo: «poesía hermética». Así, Amado Alonso, respecto de Pablo Neruda, quien es más poeta cuanto más se olvida de hermetismos. Escoger en ese bosque los más representativos es tarea ardua, y nosotros apenas osamos acometerla. Preferimos en vez de eso ofrecer un cuadro sintético de la poesía americana en los principales países durante la tercera y cuarta décadas de siglo, reservando un apartado a los verdaderamente dignos de nota, que son los menos [3].

Argentina y Uruguay

«En 1921—escribe Evar Méndez—hace su aparición en Argentina el ultraísmo (más allá de todos los ismos), que no quiere ser escuela ni encasillarse en doctrinas unilaterales, sino superarlo todo en poesía, y que es, por otra parte, reacción antirrubendariana—menos contra Darío que contra sus serviles imitadores—y contra el prosaísmo terrible y el amaneramiento aniquilador de nuestra poesía. De 1922 a la fecha—Méndez escribe esto en 1927—se difunde entre nosotros una nueva orientación del lirismo; aparece con libros o colaborando en revistas una serie de poetas cada vez más numerosa, hasta constituir un robusto movimiento literario...; una agitación verdaderamente reconfortante para el sentimiento del orgullo nativo y amor del país, pues pone en evidencia el grado superior de nuestra cultura intelectual.» Y antes había dicho: «Marchábamos con un retraso de siete lustros. Desde 1890 todo fué rubendarismo, más o menos matizado de orientación simbólica. Habíamos perdido la ruta señalada por Rubén Darío, no en imitarle, pero sí en orientarnos por su guía: Walt Whitman, E. A. Poe, Laforgue, Lautréamont, Rimbaud, Mallarmé; que a todos estos poetas nos mostró como ejemplo hace cerca de medio siglo. Por fortuna, de 1908 a 1915 comienzan a presentarse los primeros síntomas de una evolución: hay poetas que pugnan por libertarse de las dos o tres grandes influencias dominantes en la lírica sudamericana y algún aspecto nuevo imprimen a nuestra poesía con su personalidad o su obra, diferenciadas de Darío, Lugones, Herrera Reissig. El primero de todos es Carriego; luego, Banchs. En un intermedio estridente aparece Lascano Tegui, en 1910; en 1911 se revela a unos pocos Chabrillon; en 1915 Güiraldes nos llega con su *Cencerro de cristal,* que ya es un tipo de escritura muy semejante al que tiene boga hoy; es decir, una buena anticipación. Del 1915 al 1921, empero, sigue el dominio de la poesía tradicional, que va del lugonismo a la imitación de Banchs o de Fernández Moreno hasta la crisis fatal y desoladora del sencillismo...»

El cuadro no está mal. Y estaría mejor si el poeta y crítico argentino (Méndez es autor de cuatro libros de verso muy estimables: *Palacios de ensueño, Canción de la vida en vano, El jardín secreto* y *Las horas alucinadas)* no se prometiera frente a la nueva poesía tan felices resultados. Precisamente de cuantos nombres él cita sólo quedan en la memoria de los lectores los dos poetas del «sencillismo», que él dice, Banchs y Fernández Moreno; y junto a ellos, Güiraldes, pero no por ese *Cencerro de cristal,* del que nadie se acuerda, sino por su obra narrativa.

Completemos el cuadro diciendo que no todo era poesía revolucionaria y vanguardista por aquellas fechas en la Argentina. La mayor parte de las poetisas, y conste que hay un momento en que ellas llevan la voz cantante en las orillas del Plata, permanecen fieles casi por entero a los módulos del modernismo, tomando sólo de las nuevas tendencias el simbolismo, nunca hermetismo, de la imagen. La misma poesía vanguardista se escinde desde el primer momento en dos frentes, que adoptan el título de las calles Boedo y Florida. El grupo de Boedo es más revolucionario y tiene por órganos de difusión *Claridad, Los pensadores* y *La extrema izquierda.* El de Florida, izquierdista y revolucionario en la expresión, conservador en el fondo, tuvo por órganos *Proa* y *Martín Fierro.* Precisamente Evar Méndez fué uno de los directores de esta última revista. En torno a ella se agruparon numerosos colaboradores y simpatizan-

tes que forman la plana mayor del vanguardismo. Otros, bastantes, quedan al margen. Vaya una mención de los más destacados de uno y otro sector, el de vanguardia y el que podría llamarse de tradición.

José Luis Borges es el primero en significarse, allá por el 1921, y a su regreso de España, donde había militado en las filas del «ultra»; pero de él se hablará más adelante, junto con Molinari, Marechal y Bernárdez, que reclaman comentario aparte. CONRADO NALÉ ROXLO (n. 1898) se sitúa ya en 1923 en la vanguardia del «ultra» con su libro *El grillo,* apartándose más y más de la poesía modernista que había informado su juventud, en libros posteriores: *Claro desvelo* (1927), *De otro cielo* (1952). Roxlo se acreditó más como dramaturgo de ingenio. CARLOS MASTRONARDI (n. 1901) es otro de los militantes del «ultra», aunque sin grandes entusiasmos. En *Conocimiento de la noche* canta los campos, los pueblos y las gentes de su provincia de Entre Ríos. En cambio, LUIS L. FRANCO (n. 1898) se sintió satisfecho en la zona poética inmediatamente anterior, en la de Lugones. *La flauta de caña, Libro del gay vivir, Coplas del pueblo, Nocturnos* y otras colecciones de versos revelan un poeta natural, fresco, rico de imágenes y plenitud vital, con influencias de Pascoli y Carducci. También desertó pronto del «ultra» hacia formas poéticas normales HORACIO REGA MOLINA (n. 1899), uno de los más estimables vates de aquella hora. Merecedores de recuerdo son asimismo Juan Carlos Dávalos, José Pedroni, Héctor Díaz Leguizamón, Javier Villafaña y algunas poetisas, aludidas más adelante. La antología de Alvaro Yunque y Humberto Zarrilli incluye nada menos que 110 poetas uruguayos y argentinos posteriores todos ellos a Lugones.

En Uruguay, ya queda dicho, tanto Uribe como Sabat Ercasty supieron detenerse en los umbrales del «ultra», sin decidirse a entrar. El primer poeta francamente «ultraico» es VICENTE BASSO MAGLIO, influído en sus comienzos por Juan Ramón Jiménez, y que no tarda en situarse en las fronteras de la vanguardia lírica con libros como *El diván y el espejo, Canción de los pequeños círculos y de los grandes horizontes,* abundantes de simbolismos, que vuelven oscura, por no decir ininteligible, su poesía. Junto a Basso debe ir JULIO J. CASAL (n. 1889), residente en España como cónsul de su país en La Coruña, desde 1909 a 1925. Aquí, tras algunos tanteos tímidamente modernistas, se entregó en cuerpo y alma al «ultra», para volver más tarde nuevamente a la sencillez (obra: *Arbol, Colina de música, Cielos y llanuras, Humildad, Cincuenta y seis poemas,* etc.); Casal había iniciado en La Coruña una revista, *Alfar,* que luego continuó publicando en Montevideo. JUAN CARLOS ABELLÁ (*Vanidad, Tiempo, Andén*); FERNANDO NEBEL (*Color de las horas, Viajes, Estampas*); MARIO FERREIRO (*El hombre que se comió un autobús,*

o *Poemas con olor de nafta*); SANTIAGO VITURGIERA
(*La siega del musgo*); HUMBERTO ZORRILLA (*Libro
de imágenes*); FUSCO SANSONE (*La trompeta de las
voces alegres*), por no citar sino unos pocos, son
los militantes más entusiastas del «ultra» y tendencias afines en el Uruguay. De *Panal de piedra*,
de CARLOS MAESO TOGNOCHI, otro de los entusiastas, ha dicho Zum Felde que «es el libro de
poemas más oscuro y desconcertante que se haya
publicado en el país y tal vez en América».

Frente a ellos mantienen la antorcha del modernismo y de formas poéticas aún más tradicionales,
aparte del ya citado Sabat Ercasty y de varias poetisas de altura (Luisa Luisi, Delmira Agustini, Raquel Sáenz), un grupo no menos nutrido de líricos,
todos de escasa talla: Guzmán Papini, Juan José
Morosoli, Junio Aguirre, Homero Martínez Albín,
Eduardo Dualde y Fernando Pereda.

Quedan por citar dos poetas que encarnan la
tendencia nativista en Uruguay y Argentina, respectivamente: Alonso Trelles y M. A. Camino.
JOSÉ ALONSO Y TRELLES (1857-1925), nacido en
Asturias (España) y afincado en Uruguay, cultiva
con éxito cierta poesía gauchesca, que no responde por entero a la del siglo XIX, ya estudiada en
otro lugar, puesto que intenta adaptarse en contenido y forma al gaucho contemporáneo, más
refinado y transformado por la civilización. Gracias a su larga permanencia en el campo logró
compenetrarse de tal modo con los hábitos, lenguaje y vida rural del país, que los poemas de
«El Viejo Pancho»—éste es el seudónimo adoptado
por Trelles—se han hecho populares en Uruguay
y en toda América, convirtiendo a su autor en una
especie de Gabriel y Galán o Vicente Medina rioplatense. En su colección de versos *Paja brava*
encontramos composiciones tan logradas dentro de
su peculiar estilo como *La güeya*, *Tiento sobao* y
¡Hopa, hopa, hopa!:

> Casi anochecido, cerquita e mi rancho,
> cuando con mis penas conversaba a solas,
> sentí ayer ruidaje, como de pezuñas
> y el grito campero de ¡hopa!, ¡hopa!, ¡hopa!

Análoga significación tiene en Argentina MIGUEL
A. CAMINO (1877-1944). Después de trabajar en el
periodismo y en la administración municipal, y
tras dos estancias en Europa, se dedica a tareas
ganaderas en el Neuquén, cerca de la frontera
chilena, lo que le permite familiarizarse con el
ambiente de aquella remota comarca. Del nombre
de un árbol muy abundante en esa región, el «cha-
cay», toma el título del más famoso de sus libros:
Chacalayeras (1921); y del término con que se
designa en araucano las «cuentas de collar» saca
el título de otro libro: *Chaquiras* (1926). En estas
dos colecciones se resume lo mejor de su poesía,
que se distingue por la hábil mezcla de lo popular
argentino con los elementos suministrados por el
folklore local, amasado todo ello con gracia y finura. Para Onís, la obra de Camino, comparable

también a la de Medina y Gabriel y Galán, «es
la única que significa una superación de la poesía
regional de 1900, y tanto por esto como por su
fecha se encuentra fuera y más allá de la época
modernista» [4].

Países del Pacífico y Venezuela

El poeta más insigne de Chile en esta hora es
Vicente Huidobro, más digno de nota por su papel
dentro de los movimientos de vanguardia que por
su poesía, totalmente hermética; y el poeta chileno
más destacado de la época siguiente es Pablo Neruda, que forma con Gabriela Mistral el gran dúo
de la poesía chilena en nuestro siglo, aunque la
voz de una y otro no pueda ser más distinta. De
los tres hablaremos en otro apartado. Junto a
ellos, si bien en peldaños inferiores, coloquemos
a Max Jara, ya aludido; CARLOS ACUÑA (n. 1886),
más inclinado a la poesía vernácula que a las nuevas formas (obra: *A flor de tierra*, *Vaso de arcilla*, *Capachito*, *Baladas criollas*, etc.), y PABLO
DE ROKHA (n. 1894), «figura desconcertante y funambulesca», según Leguizamón, y en busca siempre de una poesía de altura, que no llegó a captar (obra: *Los gemidos*, *Satanás*, *Gran temperatura*, etc.). La tendencia tradicional está representada en el Chile de 1920 a 1940 por Roberto Mera
Fuentes, Armando Ulloa, Domingo Gómez Rojas
y Joaquín Cifuentes Sepúlveda, todos ellos de bajo
tono.

En Perú, la nueva literatura se considera iniciada por Eguren, aunque no falta quien le discute
esta primacía. La verdad es que Eguren vino a
dar con sus *Simbólicas* nuevo tono a la poesía;
y en los libros siguientes encarnó tanto como el
que más la reacción contra el modernismo y el
postmodernismo. Como en Argentina y otros países, también en Perú tuvo esta poesía sus órganos
propagandísticos, entre los que hubo de señalarse
Colónida (1916), cuya esfera de acción desbordó
lo literario para entrar en lo político. En torno
a *Colónida* se agrupa un coro de disidentes, como
son el mismo Eguren, Alberto Hidalgo, Enrique
Bustamante Ballivián, uno de los fundadores de
Contemporáneos, revista literaria anterior a *Colónida*; Andrés Spelucín, Juan Parra del Riego y
Abraham Valdelomar. El mismo año de *Colónida*
(1916) se integra en el grupo la revista *Amauta*,
dirigida por José Carlos Mariátegui, con una orientación preferentemente social y revolucionaria. Por
aquellas fechas se señalan en el panorama poético peruano tres corrientes: subjetivista, con tendencia al purismo, encarnada por Xavier Abril,
Carlos Oquendo y E. A. Westphalen; socializante,
con intérpretes como Emilio Armaza, Alejandro
Peralta y César Vallejo; impresionista, de temática dominante peruana, con el mismo Vallejo, Ricardo Peña y Alberto Guillén. Hacia 1930 apunta

otra nueva promoción, integrada por Luis Valle Goicoechea, Ciro Alegría, Carlos Cueto y otros. De todos los citados sólo queremos detenernos en José María Eguren (1882-1942), hombre de sólida formación clásica y amplia cultura moderna, que pudo dedicarse a ciertos ocios del espíritu, como la pintura y la poesía, sin apremio de tiempo ni urgencias de otro orden. Eguren fué hombre acaudalado, en contacto directo con el campo, donde halló la visión ingenua y prístina para su verso. Su educación humanística y la familiaridad con los clásicos españoles y extranjeros le impidieron ciertos desvaríos en que solían caer cuantos no tenían esa base. Su adscripción, por otra parte, a las últimas tendencias le permitió utilizar, siempre moderadamente, imágenes y recursos propios del creacionismo. Eguren, aun militando en la vanguardia, era un romántico por el sentimiento, un clásico por el lenguaje y un simbolista por la expresión (obra: *Simbólicas, La canción de las figuras, Sombra, Rondinelas*, etc., toda publicada entre 1911 y 1929).

En Bolivia, ya queda dicho, la poesía modernista andaba repartida en dos grupos, que se llevaban entre sí armónicamente: el de la Paz y el de Sucre. También se aludió a los principales representantes de cada grupo. Luego, por la época que estamos estudiando, aparece una promoción de vanguardistas constituída, entre otros, por los Díez de Medina, Lucio y Fernando; Oscar Cerruto, Octavio Capero Echazú y Julio A. Ramallo. Sobre todos ellos, más conocidos en otros sectores de las letras, se eleva la voz de Franz Tamayo (n. 1880), de una formación más que clásica, clasicista, que se traduce en una obra demasiado pretenciosa y engolada: *Odas, Proverbios, Las Oceánidas*, ancladas casi sin excepción en aguas parnasianas.

El puente de tránsito del modernismo a las poéticas de vanguardia está representado en Ecuador por las revistas *Letras*, de Quito, y *Renacimiento*, de Guayaquil; y por poetas como Ernesto Noboa, Arturo Borja, Humberto Fierro, José María Egas, ya citados, y todos de escaso relieve. Tampoco lo tienen en alto grado Aurora Estrada, José Alfredo Llerena y Enrique Gil Gilbert. Más categoría alcanzan: Miguel Angel León (n. 1890), que acertó a conciliar exigencias vanguardistas con formas tradicionales; Jorge Reyes (n. 1903), muy pegado a temas nativistas en obras como *Quito, arrabal del cielo*; Gonzalo Escudero (n. 1903), empeñado en una difícil poesía filosófica, para la que no tenía alientos suficientes; y Angel Romeo Castillo (n. 1904), adscrito a modos y metros populares, que no le impiden abordar de cuando en cuando temas de mayor empeño. El primero en rebelarse contra la estética modernista en Ecuador fué Hugo Mayo (n. 1898), quien pasó sin dejar huella. En cambio, sí la dejó, y bien honda, Jorge Carrera Andrade (n. 1903), uno de los buenos poe-

tas hispánicos de nuestro tiempo. Es Carrera Andrade espíritu cosmopolita, conocedor de países y culturas, muy al tanto de las corrientes poéticas europeas, sin exceptuar el surrealismo, y dueño absoluto de la técnica del verso. Pero su obra, si por la elegancia y corte clásico recuerda al Bello de las *Silvas americanas*, a las que se aproxima también por la materia netamente nativista, por otro lado revela en las imágenes, llenas de gracia y pureza primitivas, un espíritu que no se asusta de las audacias de vanguardia. Poeta «indofuturista», le llamó la Mistral, atendiendo sin duda a ese doble aspecto. De ambos estilos hay abundantes muestras en su producción: *El estanque inefable, Guirnalda del silencio, Boletines de mar y tierra* y un *Registro del mundo*, que no es sino la antología de los tres libros anteriores (1922-39).

En Colombia, donde las tendencias poéticas de la época estaban reflejadas en la revista *Letras*, se puede decir que el vanguardismo apenas ha tenido seguidores de nota, al menos en sus manifestaciones extremas. Una tradición clásica, ya reiteradamente subrayada en las páginas de nuestro libro, había frenado los excesos modernistas, como poco antes impidiera el desmelenamiento romántico. Ahora, la misma contención se impone a los devotos del «ultra» y demás «ismos». Poetas como Aurelio M. Mutis, Eduardo Castillo, Gregorio Castañeda, Miguel Rasch, Angel María Céspedes, Genaro Muñoz, que son los más destacados de esa hora, se mueven cómodamente dentro del alejandrino, el octosílabo, el endecasílabo y otros metros tradicionales, en ritmo más o menos modernizado. Dígase otro tanto de algunos aún más próximos a nosotros, como Germán Pardo, Rafael Vázquez, Antonio Llanos, Ricardo Nieto y Juan Lozano. Los únicos que se sienten vanguardistas por encima de todo son acaso Luis Vidales y León Greiff. El mismo Rafael Maya (n. 1897), considerado por algunos el máximo exponente de la lírica colombiana de la postguerra, procede del campo clásico, y bien se nota su abolengo en la elegante factura de los versos. Cuando se siente tentado a hacer incursiones por zonas de vanguardia, Maya las realiza siempre sin excesos ni alharacas. Su riqueza verbal es grande, y el dominio métrico, también. (Obra: *La vida en la sombra, Coros del mediodía, Después del silencio*.) A su lado deben figurar el ya citado León Greiff (n. 1895), jefe del grupo formado en torno a la revista *Panida*. De Greiff, figura extravagante físicamente, con su enorme pipa y espesa barba, se lanzó de un lado hacia la poesía grandilocuente de formas libres y ritmos melódicos, a lo Whitman o a lo León Felipe; y de otro, hacia la expresión sencilla y delicada. De todo hay en su obra: *Tergiversaciones, Libro de signos, Variaciones alrededor de nada*, etc. Un grupo aún más reciente es el de «Piedra y Cielo», integrado por Arturo Camacho Ramírez, Carlos Martín, Alberto Angel Montoya y Eduardo Carranza, entre varios más. Carranza, sin necesidad de renunciar al modernismo, si bien con una sensibilidad puesta al día, ha escrito poemas muy estimables. Pero su producción cae al margen de nuestro libro.

A Venezuela las corrientes vanguardistas llegan tarde. Hay que esperar hasta 1930 para que revistas como *Válvula*, *El Ingenioso Hidalgo* y *La Gaceta de América* abran la puerta a nuevas tendencias. Todavía en la década del 20 al 30, la lírica es fundamentalmente modernista y aparece representada por Carlos Borges, Arvelo Larriva y otros poetas ya citados. La transición está señalada por Andrés Eloy Blanco, Fernando Paz Castillo, Luis Enrique Mármol, Julio Morales Lara, Héctor Cuenca y Pedro Sotillo, para culminar en Angel Miguel Queremel, que había estado en España, y al lado de Gerardo Diego, Alberti y García Lorca había aprendido nuevas formas, luego importadas a su país. Queremel fué el fundador de *Viernes*, revista que influyó en el cambio de la lírica venezolana. Pero de todos ellos el más insigne es ANDRÉS ELOY BLANCO (n. 1897), poeta cuyo acento, romántico y clásico a la vez, con vibraciones del día, trascendió de su país y resonó en toda América e incluso llegó hasta España. Es Blanco tal vez el más inspirado lírico de Venezuela en la actualidad; desde sus primeros libros de verso, *El huerto de la epopeya* (1919) y *Tierras que me oyeron* (1921), hasta el último, *Giraluna* (1955), pasando por *Poda* (1934). *Bares de piedra* (1937) y *A un año de luz* (1950), ha mantenido una línea de alta tensión poética, alimentada por los temas elementales y a la vez universalistas del amor, el hogar, los hijos y la tierra natal. *A un año de tu luz* está considerado como uno de los más logrados poemas escritos en Venezuela, comparable por su difusión a las *Silvas americanas*, de Andrés Bello, y a la *Vuelta a la Patria*, de José Antonio Pérez Bonalde.

Antillas

En Cuba el tránsito del modernismo a la vanguardia está representado, según queda dicho, por Ibarzábal, Tallet y Navarro Luna. Agréguese a ellos el nombre de RUBÉN MARTÍNEZ VILLENA (1899-1936), quien no obstante su anhelo de romper trabas, no acertó a manumitirse por entero de las fórmulas modernistas, manifestándose siempre anárquico en el fondo, pero conservador en la expresión. Ya decididamente vanguardistas se nos revelan JUAN MARINELLO (n. 1899), organizador con Martínez Villena de la *Revista de Avance* (1927-1930), que recoge y canaliza en la tercera década del siglo las ansias renovadoras, y REGINO PEDROSO (n. 1897), poeta autodidacto, cuya *Antología* (Habana, 1939) ofrece composiciones netamente vanguardistas: *Hermano negro*, *Parábolas*, *Elegía del hombre infinito*. Luego,

en el cuarto decenio tras la promoción de *Avance*, surge un nutrido grupo que se integra en torno a JOSÉ LEZAMA LIMA (n. 1912), fundador de *Verbum* (1937), *Espuela de plata* (1939), *Orígenes* (1944) y otras publicaciones de vida más o menos efímera. Todos los componentes del grupo están lanzados en cuerpo y alma a la aventura de la poesía nueva, con influencias claras de Vallejo, Huidobro, Lorca y Alberti, entre los de habla hispánica; y de Whitman, T. S. Eliot y Valéry, entre los extranjeros. Componen el grupo, entre otros, el mismo Lezama, Angel Gaztelu, Virgilio Piñera, Justo Rodríguez Santos, Gastón Baquero, Eliseo Diego y Cintio Vitier. Los más próximos a la manera tradicional son Baquero y Rodríguez Santos. Este último hasta se permite el lujo de emplear alguna que otra vez la lira garcilasiana. En los demás domina el tono hermético, tan acusado en Vallejo y Neruda, sin los chispazos geniales de éstos.

En la lírica dominicana del siglo actual, los dos fenómenos más destacables son el *postumismo* y la llamada *poesía sorprendida*. Parece como si aquel país, rezagado poéticamente respecto de los otros de América, y deseoso de ganar etapas perdidas, se hubiese lanzado a un vertiginoso proceso de creación. Antes que el «ultra» en España, aparece en Santo Domingo el *vedhrinismo*, inventado por Vigil Díaz, figura de escaso relieve, pero que tuvo un seguidor de cierta importancia en Zacarías Espinal. Del *vedhrinismo* quieren hacer arrancar algunos el *postumismo*, corriente mucho más poderosa, inaugurada hacia 1921 por DOMINGO MORENO JIMÉNEZ (n. 1894), poeta de temas hondos y trascendentales, pero de expresión pobre e insuficiente. Publicó muchas colecciones de verso, cerca de medio centenar, y aspiraba a

escribir un canto,
sin rima ni metro;
sin armonía, sin ilación, sin nada
de lo que pide a gritos la retórica.

Lo logró, porque evidentemente eso se logra sin más que proponérselo. El *postumismo*, casi no hace falta decirlo, pesó sin pena ni gloria; y aunque atraídos por Moreno Jiménez, se enrolaron en él muchos poetas—Rafael Augusto Zorrilla, Andrés Avelino, Rafael Andrés Brenes, Manuel Llanes, Rafael Américo Henríquez, Pedro Troncosa Sánchez, Francisco Ulises Domínguez, etc.—, ninguno dejó obra medianamente estimable. Mayor importancia y cariz muy distinto ofrece el grupo de la *Poesía sorprendida*, con su espíritu abierto a todas las corrientes renovadoras, pero sin abjurar de ninguna conquista del pasado. Lo que en el *postumismo* había de iconoclasia, de incomprensión, y no había más que eso, lo hay en la *Poesía sorprendida* de comprensión y tolerancia. No se trata de aferrarse a modos ya periclitados, sino de incorporarse a la vanguardia con un rico bagaje de valores irrenunciables. La promoción de la

Poesía sorprendida se completa con *Los nuevos,* grupo creado por los mismos días en La Vega Real, y también de carácter universalista, con aceptación previa de todo lo válido, sin reparar en «ismos» ni etiquetas. Poetas notables de esa promoción son, entre otros: RAFAEL AMÉRICO HENRÍQUEZ (n. 1899), ya citado, de expresión depuradísima y lenguaje colorista, salpicado de metáforas que hacen pensar en Herrera y Reissig; TOMÁS HERNÁNDEZ FRANCO (1904-1952), cantor del placer y de los goces sensuales bajo el sol del trópico; MANUEL DEL CABRAL (n. 1907), una de las voces más inspiradas de América en la actualidad y feliz intérprete de los problemas que suscita en las Antillas la presencia del negro o de ese otro subtipo étnico que se llama el mulato; y FRANKLIN MIESES BURGOS (n. 1907), cabeza del grupo de la *Poesía sorprendida,* y cuyo magisterio reconocen todos en el actual parnaso dominicano. Mieses Burgos lleva a sus poemas un recio impulso vital y una imaginación enriquecida de continuo con nuevos hallazgos. Aunque en sus poemas la presencia del Alberti de *Sobre los ángeles* y del Aleixandre de *Espadas como labios* es casi constante, ello no disminuye la originalidad y valor de los mismos. Aún cabría agregar a esos nombres los de ANTONIO FERNÁNDEZ SPENCER, excelente poeta y crítico; FREDDY GASTON ARCE (n. 1920), quien, después de haberse asomado al mundo de lo demoníaco, a la manera de Tristán Corbiere y de Rimbaud, sale a la luz para cantar la hermosura de las cosas creadas, y a Dios mismo, con acentos, que recuerdan a Péguy y a Paul Claudel; y HÉCTOR INCHAUSTEGUI CABRAL (n. 1912). voz de ancho aliento que gusta de emplearse en temas de carácter social—la mujer caída, la tierra, el trabajo—, a los que pretende llevar su espíritu de justicia y su amor a los humildes.

No menos copiosa es la nómina de los poetas portorriqueños posteriores al modernismo. Nada menos que treinta y cuatro incluye L. Hernández Aquino en su *Antología* [5]. En ella hay de todo: desde poetas como José de Diego (1866-1918), inspirados en Rubén y aun en Núñez de Arce, hasta poetas como Antonio Corretjer (n. 1908), atraídos por la más reciente lírica norteamericana, pasando por el *pancalismo* de Llorens Torres, primer intento de renovación poética en la isla o por el *diepalismo* de Luis Palés Matos. Imposible citar todos en una obra como la nuestra. Baste aludir a unas cuantas figuras señeras, que den idea de la inquietud poética de un país llegado a las bellas letras un poco tarde, pero que al paso que lleva hace sospechar que pronto se pondrá en la vanguardia del Continente. Puerto Rico ha dado en esta primera mitad de siglo dos docenas al menos de excelentes poetas.

LUIS MUÑOZ MARÍA (n. 1898) se distingue por su acuciante búsqueda de metáforas originales, que casi siempre cuajan en felices logros:

Se nublaron los lagos bajo un cielo de hulla,
y un viento de cristal cruzó mi carne fría,
.... y los días sin pan,
con tallos de silencios, mojados en los vinos
de los aburrimientos...

Modernista en algunos poemas *(New York, Paisaje metropolitano),* demuestra en otros haber saltado a las avanzadas del «ultra» *(Jíbaro desnudo, Escúchanos).* Algo parecido ha de decirse de LUIS PALÉS MATOS (n. 1899), a quien volveremos a encontrar más adelante, al hablar de la poesía negra. Matos fundó con José I. de Diego Padró el movimiento *diepalista,* de breve duración, cuyo objetivo era dar la impresión de lo real mediante el empleo de la onomatopeya. Su hermano VICENTE PALÉS MATOS (n. 1903), fundador del *euforismo* y cofundador del *noísmo,* prefiere los temas pueblerinos, domésticos, cotidianos—la nodriza negra, el borriquillo—a los que sabe llevar un fuerte soplo de poesía fácil e ingenua. En JOSÉ JOAQUÍN RIVERA CHEVREMONT (n. 1897), hermano de Evaristo, ya citado, hay una mezcla de elementos románticos y de vanguardia, diluídos en un fondo netamente modernista. Su metaforismo es de vanguardia; pero el sentimiento persiste romántico, si bien de un romanticismo muy tamizado. Así es que su primer libro de versos se titula *Elegías románticas,* y los que siguen, *Lámpara azul, Barandales del mundo, Breviario de vanguardia.* De ANTONIO CORRETJER (n. 1908) ya se ha dicho que imita la poesía norteamericana actual, y prefiere para ella los temas progresistas y sociales—la telegrafía sin hilos, el autobús, el pionerismo—, que suele celebrar en metro alejado de todo canon, si bien, cuando quiere, sabe versificar con el más depurado arte. (Obra lírica: *Agueybana, Ulises, Cántico de guerra, El leñero, El buen borincano).* En la poesía de FRANCISCO MANRIQUE CABRERA (n. 1908), el docto profesor de literatura de la Universidad de Puerto Rico, se adivina un intento generoso de sintetizar en una sola palabra vivencias distintas, y como la expresión verbal adecuada falla, se acude a recursos de composición muy originales:

Allá jadea.
Luego camina-piensa
los pasos que lo aplastan
y que en golpes de sangre-carne-tierra
le hacen cantar-sentir
latidos nuevos
a luz-vida-esperanza.

Ya se ve que Manrique Cabrera figura en la vanguardia poética, sin que ello signifique abjuración de lo tradicional, y menos aún aceptación de lo ilógico e incoherente, como en tantos otros. Obra lírica: *Poemas de mi tierra, tierra, Huella-sombra y cantar, Antología infantil.* FRANCISCO HERNÁNDEZ VARGAS (n. 1914) cultiva el tema telúrico, con toques costumbristas y visibles influencias lorquianas, en libros como *Música criolla, La vereda,*

Brazos. FRANCISCO MATOS PAOLI, proteico y brillante, refleja simultáneamente las más diversas tendencias, casi siempre dentro de una métrica regular, exacta:

> Isla clarividente.
> Horaro en sol. Estío.
> La palmera me irradia
> de esbeltez. Cauce en vilo.

Lo que hay aquí de Jorge Guillén salta a la vista; pero otras veces nos encontramos con un garcilasiano, de sonetos tallados en cristal de roca; o con un neogongorino, a lo Miguel Hernández; o con un surrealista, que ha asimilado la lección de Aleixandre, aplicándola a temas trascendentales—tiempo, carne, existencia, muerte—elevados a un plano de altísimo lirismo. Obra lírica: *Cardo labriego, Signatario de lágrimas, Teorías de olvido, Habitante del eco*. En cambio, toda la vena lírica de SAMUEL DE LUGO (n. 1905) fluye por un paisaje espiritual arropado en penumbras. Sombra, silencio, ruinas, lluvia y humedad son los motivos más frecuentes de sus poemas, calificados por Valbuena Briones de «grandes ventanales del sueño». Su canto es un monólogo musitado, rezado casi, en un estado crepuscular del alma. Obra: *Donde caen las claridades, Yumbra Ronda de la llama verde*. También el paisaje es el máximo inspirador de LUIS HERNÁNDEZ AQUINO (n. 1907), cofundador con otros poetas del *atalayismo*, primero, y del *integralismo*, después. Doctorado en Letras por la Universidad de Madrid, Hernández Aquino se enrola desde el primer momento en la poesía española de nuestro tiempo, en la mejor poesía española actual—la de Juan Ramón, la de Machado, la de Aleixandre—, y aprende a cantar con voz cristalina en lo externo, si bien en el fondo esa voz está transida de turbaciones y de angustia. Su temática preferida, el paisaje, le lleva a hondas meditaciones sobre la soledad, la muerte, la paz y el silencio. Obra: *Niebla lírica, Agua de remanso, Poemas de la vida breve, Isla para la angustia, Voz del tiempo*. JOSÉ A. BALSEIRO (nacido 1900) brujulea entre el modernismo (*Las palomas de Gros, La copa de Anacreonte*) y la poesía de vanguardia, sin terminar de abandonar aquél ni decidirse por la poesía nueva. Lo mismo le pasa a JOSÉ ANTONIO DÁVILA (n. 1899), en cuyo libro de versos, *Vendimia*, encontramos sonetos de corte modernista y estilo puesto al día: *Garcilaso, Juan Boscán*.

Centroamérica y Méjico

Ya se aludió en otro capítulo a poetas como Rafael Heliodoro Valle y Rafael Arévalo, exponentes respectivos de Honduras y Guatemala; también tuvieron su oportuna mención los panameños Ricardo Miró, Darío Herrera y otros. La poesía vanguardista panameña tiene por primer intérprete a ROGELIO SINÁN (n. 1904), cuya colección de versos *Onda* (Roma, 1929) señala hasta cierto punto el arranque de la nueva lírica en su país. «Rogelio Sinán» es seudónimo de Bernardo Domínguez Alba. Más que en el verso destacó Sinán en la prosa narrativa, con obras tan originales como *Plenilunio* (1943). El camino abierto por él fué seguido, entre otros compatriotas, por Ricardo Bermúdez, Demetrio Herrera y José Adolfo Campos.

En Costa Rica, citados ya Lisímaco Chavarría y Aquileo J. Echevarría, que sirven de tránsito entre el modernismo y la «vanguardia», quedan por mencionar a ROGELIO SOTELA (n. 1896), poeta y crítico de las letras de su país; Rafael Estrada (1901-1934) y Max Jiménez, todos tres ya fácilmente inscribibles dentro de la poesía actual.

Honduras, que tuvo en Froilán Turcios, en Juan Ramón Molina y en Valle excelentes intérpretes del modernismo, está representada en la poesía posterior por una docena de nombres, entre los que sobresalen los de Jorge Federico Zepeda, Adán Coello, Ramón Ortega, Manuel Escoto, Rubén Bermúdez y Joaquín Soto. De los seis es Ortega el más pegado a las formas tradicionales, aunque en el fondo atempera sus sentimientos a la poética más reciente.

Guatemala se había prestigiado en la época anterior con poetas como Máximo Soto Hall, Domingo Estrada y Rafael Arévalo, más conocido por su obra narrativa en prosa. Todavía dentro del modernismo encontramos a María Cruz (1876-1915), Alberto Rubio, Carlos Martínez y Rodolfo Calderón Pardo, todos de escasa talla; y en una evolución poética más avanzada, a Luis Cardoza y Aragón, Miguel Angel Asturias, destacado escritor en prosa; Antonio Morales Nadler y Horacio Espinosa Altamirano.

En El Salvador, a la voz modernista de Francisco Gavidia Vicente Acosta y Román Mayorga, sucede el acento mucho más puesto al día de GILBERTO GONZÁLEZ Y CONTRERAS (n. 1904), en cuyos libros *(Trinchera, Piedra india)* destaca sobre toda otra la nota indigenista.

Párrafo aparte merece Nicaragua. Rubén Darío tuvo allí un discípulo aplicado en LINO ARGÜELLO, perteneciente a la larga dinastía de los Argüello, que cuenta por lo menos con media docena de poetas más o menos estimables. Lino lo fué en alto grado. De espíritu apacible y melancólico, cantó en sus *Versos* (París, 1922) los barrios humildes, las novias enfermas y las amarguras corrientes de la vida. Bécquer y Baudelaire se reparten la influencia en este poeta, que también debe mucho a Rubén Darío. Los demás seguidores de éste en Nicaragua, según confesión de un crítico del país, «no valen nada» y son simples «buitres de los desperdicios» del gran poeta. En cambio, hay hasta media docena o más de líricos, pertenecientes a las promociones posteriores, que mantienen muy alta la antorcha poética en la patria de Rubén: Azarías Pallais ya citado en capítulo anterior; SALOMÓN DE LA SELVA (n. 1893), poeta de cuerpo entero tanto en lengua española como inglesa, con una sólida formación humanística, que se revela en poemas como *Evocación a Horacio* y que no le impide entregarse a las mayores audacias vanguardistas; ALFONSO CORTÉS, en cuya poesía *(Tardes de oro, Poemas eleusinos)* hay ecos directos y constantes de Rubén Darío, del mejor Rubén Darío se entiende, del poeta de los *Nocturnos*. Acaso nadie en la poesía americana ha sabido salpicar sus versos con metáforas tan atrevidas ni con tan originales sinestesias [6].

En la tercera década de siglo, concretamente en 1925, ocurre en Nicaragua un hecho que afectaría hondamente al proceso ulterior de su poesía: el regreso a la patria de José Coronel Urtecho y de Luis Alberto Cabrales. Urtecho venía de Estados Unidos, en cuyas Universidades había seguido estudios; Cabrales, de París. Ambos se apresuran a izar la bandera de la revolución poética en las revistas *Semana* y *Crisol,* de cuyas páginas saldría un movimiento que había de consolidarse poco tiempo después en otra revista, *Vanguardia.* Muchos jóvenes poetas se agrupan en torno a tales publicaciones; entre ellos descuellan el mismo JOSÉ CORONEL URTECHO (n. 1906), periodista, novelista, dramaturgo, historiador y lírico que ha transitado los más diversos caminos: poesía de reto *(Oda a Rubén, La noche apuñalada),* popular *(Cantada número 1, Pequeña oda a tío Coyote),* clásica *(La cazadora, Nihil novum),* surrealista y hermética *(Hipótesis de tu cuerpo, Lo dicho, dicho),* pero siempre de paso firme, como quien sabe adonde va y sin caer en los desmanes frecuentes en otros poetas de mayor fuste [7]. Con Urtecho comparte los laureles poéticos de su país en los últimos años PABLO ANTONIO CUADRA (n. 1912), incansable viajero y no menos incansable escritor. Su obra está desperdigada en múltiples revistas dirigidas y creadas por él *(Reacción, Trinchera, Orden, Los lunes de la prensa, Cuadernos del taller de San Lucas),* en varios libros, animados por el más alto espíritu de la hispanidad *(Hacia la Cruz del Sur, Breviario imperial, Promisión de Méjico, Entre la Cruz y la espada);* en numerosas obras de teatro *(El árbol seco, Satanás entra en escena, La legua),* y, aparte sus tareas periodísticas, en unos cuantos libros de poemas: *Canto temporal, Poemas nicaragüenses, Libro de las horas, El hijo del hombre.* Como lírico se inspira principalmente en su tierra natal. En tal sentido ha podido decirse que Cuadra es el más nicaragüense de los poetas. Su poesía transpira por todas partes el americanismo del autor, pero no un americanismo en abstracto, sino precisamente el que se exhala del país nativo, de la misma Nicaragua. Si agregamos a los dos anteriores el nombre de JOAQUÍN PASOS (n. 1915), tendremos la

triada del grupo nicaragüense de vanguardia. Pasos, cuya obra recogió Cuadra *(Breve Suma,* 1947), se revela desde las primeras composiciones—*Canción de las boinas, Odeta al Arco-Iris*—poeta original y muy humano. Su obra está llena de color, de fragancia de selva, de olor de frutas tropicales y, sobre todo, de acre perfume de tierra y de mujer. Un júbilo dionisíaco recorre y estremece todos sus poemas coleccionados bajo títulos diversos: *Poemas de un joven que no ha viajado nunca, Poemas de un joven que no ha amado nunca, Poemas de un joven que no sabe inglés, Misterio indio.*

El panorama de la poesía mejicana en los últimos treinta años es en extremo interesante. Y, aunque en su mayor parte se sale del cuadro cronológico que nos hemos trazado, no estará de más dar una visión de conjunto. En 1919 se forma un nuevo «Ateneo de la Juventud», integrado por Carlos Pellicer, Ortiz de Montellano, Enrique González Rojo, José Gorostiza, Jaime Torres Bodet y otros poetas de menor significación. Este segundo «Ateneo» se disuelve pronto, pero sus miembros, o la mayor parte de ellos, se agrupan en torno a la revista *Falange* (1922-1923), capitaneada por Bodet y Montellano. Luego, otro grupo se apiña en la redacción de *Ulises* (1927-1928), que editan Xavier de Villaurrutia y Salvador Novo. Unidos todos finalmente, publican *Los Contemporáneos* (1928-1931), que da nombre al grupo. No hay por qué detenerse en el «estridentismo», un movimiento que metió mucho ruido y que dió escaso fruto, a pesar de estar dirigido por un buen poeta, Manuel Maples Arce, a quien acompañaban en esta aventura poética otros ingenios de menor cuantía: Germán List, Salvador Gallardo, Luis Quintanilla, Arqueles Vela, etc. Vivió entre 1923 y 1926 y no dejó más rastro que el libro *Urbe* (1924), del mismo Maples, con algunos poemas estimables. Hacia 1940, o un poco antes, advienen otras promociones encabezadas por los nombres de Octavio Paz, Efraín Huerta, Rafael Solana, Alberto Quintero Alvarez, Rafael Vega Albela, Neftalí Beltrán, Leopoldo Zea, Alí Chumacero. Tienen como vehículo de su expresión las revistas *Taller* (1938-1941) y *Tierra Nueva* (1940-1942), en la capital, a las que hay que unir varias de provincias: *Indice, Prisma y Ariel,* de Guadalajara; *Estilo y Cuadrante,* de San Luis de Potosí; *Cauce y Papel de poesía,* de Coahuila, y varias más. No debe pasarse por alto la corriente religiosa, encarnada en Alfonso Junco, Manuel Méndez Plancarte, Francisco Alday, Manuel Ponce, Joaquín Antonio Peñalosa y Alfredo R. Palencia, entre varios más; ni la lírica femenina, con su buen plantel de poetisas: María del Mar (n. 1906), llena de sensibilidad; Concha Urquiza (1910-1945), de signo trágico, semejante al de la argentina Storni; Emma Godoy, en cuyos versos se perciben hondas resonancias clásicas: Gloria

Riestra, con una inspiración transida del misticismo de la mejor ley; Margarita Michelena, Rosario Castellano y Dolores Castro, por citar sólo algunos nombres.

Entre los poetas antes mencionados hay media docena digna de especial alusión. RAMÓN LÓPEZ VELARDE (1888-1921), popular y selecto a la vez, se manifiesta en su obra (Poesías completas, 1953) tan alejado de las orquestaciones modernistas como de las extravagancias del «ultra». Cantó los halagos de la carne, los anhelos del alma y el misterio del más allá en un lenguaje tan filtrado como correcto. Su mejor poema, La suave patria, más que sobre el Méjico histórico y legendario está construído sobre una tierra familiar y pintoresca. En sus libros de verso (La sangre devota, 1916; Zozobra, 1919; El son del corazón, 1932; El minutero, 1923) dominan la nota religiosa, una religiosidad de raíz erótica, como advierte muy bien Anderson Imbert, y el sentimiento amoroso. En la expresión está muy influído por Lugones, a quien Velarde admiraba profundamente. CARLOS PELLICER (n. 1899), que se había revelado poeta sensorial y jugoso en su primer libro de versos, Colores en el mar y otros poemas (1921), alcanza la madurez poética en Piedra de sacrificio. Después, en Seis y siete poemas (1924), Hora y 20 (1927), Camino (1929), Hora de junio (1937), Recinto (1941) y Subordinaciones (1948) confirma plenamente sus dotes de poeta musical y pictórico, que se pasea con absoluta libertad lo mismo por los predios vanguardistas (Estudio, Deseos, Segador) que por las zonas de lo clásico, entendido a la moderna: Horas de junio. JOSÉ GOROSTIZA (n. 1901) es un poeta exigente, de gran pureza lírica, que le ha llevado a salvar de su obra en verso sólo dos libros, y éstos muy reducidos: Canciones para cantar en las barcas (1925) y Muerte sin fin (1939). Pero esos dos libros son suficientes para conferirle uno de los más altos puestos en la poesía actual de su país. Hay en Gorostiza mezcladas influencias de Góngora y de Juan Ramón Jiménez, con lo que su poesía siempre sutil y trabajada resulta a las veces un tanto oscura. Perteneció al grupo de Los Contemporáneos. En el cual debe inscribirse también JAIME TORRES BODET (n. 1902), el poeta acaso más representativo de Méjico en la hora actual. Aquel ideal de «un equilibrio justo, una concordia entre la tradición y la novedad», que él mismo se propone como meta, se cumple en sus versos plenamente. Son los de Bodet ejemplo de lo que puede hacer un espíritu imbuído en todos los secretos del

arte del pasado, pero con el oído atento a las palpitaciones de la hora actual. Para ello se ha formado su estilo propio, con metáforas y hasta conceptos de empleo exclusivo, no por desconcertantes menos expresivos. Obra: Fervor (1918), El corazón delirante (1922), Canciones (1922), Nuevas canciones (1923), La casa (1923), Los días (1924), Poesías (1924), Biombo (1925), Poesías (Madrid, 1926), Destierro (1930), Cripta (1937) y Sonetos (1949). El dramaturgo XAVIER VILLAURRUTIA (1903-1950), del que nos ocuparemos en otro lugar, también cultivó intensamente la poesía lírica, en libros como Reflejos (1926), Dos nocturnos (1931), Nocturnos (1936), Nostalgia de la muerte (1939), Décima muerte y otros poemas (1941) y Canto a la primavera y otros poemas (1948). De ordinario la inspiración de Villaurrutia fluye por los cauces de la estrofa tradicional; pero en ocasiones también le gusta alborotarse y volar sin rumbo prefijado, como ocurre en el poema Pueblo. Se trata siempre de una poesía honda, de larga meditación, excesivamente cerebral a veces, aunque siempre tersa, limpia, diamantina. Pasados los furores del «estridentismo», a que se aludió más adelante, MANUEL MAPLES ARCE (n. 1898) se acoge a fórmulas revolucionarias todavía, pero más en consonancia con las dominantes por aquellas fechas (1923-25) en América y en España. En definitiva, esas fórmulas son las del «creacionismo» y las del «ultra». Ya se entiende que dentro de tales movimientos, cuya sustancia propia se reduce a la inanidad y la extravagancia, poco podía esperarse de un poeta, por mucha que sea su inspiración. Maples no carecía de ella, ciertamente, como lo demostró en las pocas ocasiones en que se alejó del «ultra» para incidir en el modernismo. Ejemplo, ese lindo poemita, Mensaje, que hasta cierto punto da la medida de su temperamento lírico. Su obra poética está recogida en Rag (1920), Andamios interiores (1922), Urbe (1924), Poemas interdictos (1927) y Memorial de la sangre (1947).

Completan el cuadro de la poesía mejicana contemporánea: Octavio Paz (A la orilla del mundo), de estilo macerado y transparente lenguaje; Manuel Ponce (Ciclos de Vírgenes, Cuadragenario y segunda Pasión), cuya lírica de altura tiende hacia los grandes temas religiosos; Efraín Huerta (Cantos de abandono), en quien se percibe un eco de pesimismo que hace recordar a Neruda; y Alí Chumacero (Páramos de sueño, Imágenes desterradas), autor de poemas bajo cuyo ropaje moderno se adivina fácilmente una andadura clásica.

IV. LOS GRANDES POETAS POSTMODERNISTAS

La plana mayor de la lírica americana desde el modernismo a nuestros días está integrada por una docena de poetas, de méritos más o menos estimados por la crítica, pero de categoría indiscutible, y cuya relevante personalidad escapa a toda clasificación. Son poetas en su mayor parte nacidos en el hemisferio Sur, aunque su figura llena todo el Continente y aun se extiende hasta

España. Gracias a ellos la poesía americana se mantiene casi a la misma altura que en los buenos tiempos de Rubén y de Lugones. Casi a la misma altura, decimos, porque ya queda apuntado que para nosotros el período máximo de esa poesía es el que va desde la publicación de las *Prosas profanas* (1896) hasta la muerte del mismo Rubén. Durante esos veinte años resuena en la América hispana un coro de voces como no se había oído antes ni después. Pero, extinguido ese coro, hay un compás de espera, el del caótico dominio del «ultra» y de otros ismos similares; no tardan, sin embargo, en percibirse otras voces más frescas y totalmente nuevas, que terminarán por dar su signo a la lírica americana de la tercera y cuarta décadas de siglo.

Huidobro

La primera de esas voces es la del chileno VICENTE HUIDOBRO (1893-1948) [8], un hombre magníficamente dotado para la poesía, con un temperamento lírico de la mejor calidad, y que en su afán de novedades se frustró artísticamente de la manera más lamentable. Pasa Huidobro por el inventor del creacionismo, primera reacción a fondo contra la técnica modernista y aun contra toda la poesía anterior, de cualquier género y modalidad que fuese, ya que las protestas de González Martínez y otras análogas no pasaron de simples insinuaciones. Durante mucho tiempo la paternidad del creacionismo ha sido adjudicada al francés Pierre Réverdy, compañero y colaborador de Huidobro en la revista *Nord-Sud*. Pero Antonio de Undurraga, en el soberbio estudio introductorio de las obras del poeta chileno, ha demostrado que fué éste quien se anticipó a todos en la invención y difusión de la nueva escuela [9]. Ya en su libro *Pasando y pasando* (1914), integrado con artículos y reseñas publicados dos años antes, rompe decididamente con la poesía vigente por aquellas fechas y proclama la «superioridad del verso libre sobre el monótono compás antiguo». Poco después lee en el Ateneo de Santiago el manifiesto *Non serviam*, desde cuyas páginas postula una poética muy afín al creacionismo: «Nunca hemos creado realidades como ella (la naturaleza) lo hace o lo hizo en tiempos pasados, cuando era joven y llena de impulsos creadores». En el prefacio de *Adán* (1916) anticipa que quiere escribir una «estética del futuro»; y, finalmente, en su discurso de Buenos Aires (1916), considerado por el mismo Undurraga el acta de nacimiento del creacionismo, tirando por tierra la base misma de toda la poética tradicional desde Aristóteles, defiende que la misión del poeta no es imitar, sino crear: «La primera condición del poeta es crear, la segunda crear, y la tercera crear.»

¿Y qué es crear para Huidobro? «Os diré lo que entiendo por un poema creado. Es un poema en que cada parte constitutiva y todo el conjunto presentan un hecho nuevo, independiente del mundo externo, desligado de toda otra realidad que él mismo...; este poema es algo que no puede existir en otra parte que en la cabeza del poeta...» Porque «el poeta—afirma—es un pequeño Dios.» «Hay que hacer un poema como la naturaleza hace un árbol.» Creía Huidobro de buena fe que su poesía era la poesía del porvenir: «El viento inclina mi flauta hacia el futuro»; y que toda la poesía anterior «estaba enferma de retoricismo». En vez de imitar, él quería hacer; en vez de describir una rosa, «hacerla florecer en el poema.» Demasiado confuso, como se ve. Sin embargo, Gerardo Diego nos dice, aludiendo a su obra:

> Plantaba una letra en la estepa
> y florecía un poema ecuatorial.

Pero el mismo Gerardo Diego terminaría por reconocer que «a la larga el creacionismo puro había de resultar irrespirable para pulmones humanos y pecadores» [10]. Y, en efecto, la obra de Huidobro, hecha a la luz de tales doctrinas, es tan original como carente de interés. «Culto, cerebral y afrancesado», le llama Luis Alberto Sánchez; y Leguizamón lo más que acierta a decir de él es que «representa una conciencia definida o una voluntad de estilo.» Demasiado poco para quien venía precedido de tantos truenos y relámpagos.

Esa obra está contenida en *Espejo en el agua* (Buenos Aires, 1916), *Ecuatorial* (Madrid, 1918), *Poemas árticos* (Madrid, 1918), *Altazor o el viaje en paracaídas, Poema en siete cantos* (Madrid, 1931), *Ver y palpar* (Santiago de Chile, 1941, escrito entre 1923 y 1933), *El ciudadano del olvido* (Santiago, 1941, escrito entre 1924 y 1934), *Ultimos poemas* (Santiago, 1948). Todos estos libros están cortados poco más o menos por el mismo patrón. Lo más representativo acaso sea *Ecuatorial*; pero lo más estridente es *Altazor*.

Era el tiempo en que se abrieron mis párpados sin alas.
Y empecé a cantar sobre las lejanías desatadas
Saliendo de sus nidos
               Atruenan el aire las banderas
LOS HOMBRES
      ENTRE YERBA
           BUSCABAN LAS FRONTERAS
Sobre el campo banal
          el mundo muere
De las cabezas prematuras
          brotan alas ardientes
Y en la trinchera ecuatorial
            trizada a trechos
Bajo la sombra de aeroplanos vivos
Los soldados cantaban en las tardes duras
Las ciudades de Europa
           Se apagan una a una
Camino del destierro
El último rey portaba al cuello
Una cadena de lámparas extinta
Las estrellas
        que caían
Eran las luciérnagas del musgo
Y los afiches ahorcados
          pendían a lo largo de los muros

Una sombra rodó sobre la falda de los montes
Donde el viejo organista hace cantar las selvas
el viento mece los horizontes
colgados de las jarcias y las velas.

Así empieza *Ecuatorial*; y así poco más o menos sigue todo el libro. Suprimiendo signos de puntuación, rompiendo la frase por donde buenamente quiere, dejando blancos aquí y allá, Huidobro se proponía, por lo visto, renovar la poesía [11]. En los versos transcritos aún hay algo de coherente, algo que parece decirse, aunque no se diga. Con frecuencia los versos son simples aleluyas:

Yo te digo que eras fiel
como una pieza de hotel.

O una especie de «greguerías», a lo Gómez de la Serna:

El océano es verde
de tanta
esperanza ahogada.

Casi siempre ni eso. Frases sin ilación, despropósitos, naderías. Tiene razón Gerardo Diego: «Irrespirable para pulmones humanos.» Pero la prosa, sobre la cual apenas repara la crítica, ya es otra cosa a nuestro parecer. Se trata de una prosa enjundiosa, nutrida y muy bien cortada. *Mío Cid*, con una serie de estampas sobre la vida del gran guerrero medieval, es un libro que acredita a un buen escritor.

Vallejo

Otro poeta fracasado, en opinión nuestra, es el peruano CÉSAR VALLEJO (1892-1938) [12], a quien no sabríamos si llamar tránsfuga deliberado del modernismo o espíritu inconformista. De cualquier manera, es la de Vallejo una poesía bronca, rebelde, áspera y sin terminar. Poesía de impulsos, de corazonada, de ramalazos subsconscientes y manotazos a ciegas en un mundo de tinieblas.

Escribió Vallejo cuatro libros en verso y alguno en prosa. Sólo aquéllos nos interesan por ahora, y son: *Los heraldos negros* (1918), *Trilce* (1922), *Poemas humanos* (1925-1938) y *España, aparta de mí este cáliz* (1937-1938). Total: 243 poemas, en su mayor parte muy breves, si no hemos errado el cómputo. El libro dedicado a España, y concretamente inspirado en motivos de la guerra civil, apenas merece comentario, y no por el contenido, sino por la índole de los poemas, declamatorios, vacuos, retóricos, que también la literatura proletaria, a la que esos poemas pertenecen, tiene su retórica tan vacía como la llamada burguesa y casi siempre de peor gusto.

Los heraldos negros (repartido en seis subtítulos: «Plafones ágiles», «Buzos», «De la tierra», «Nostalgias imperiales», «Truenos» y «Canciones de hogar») representan lo mejor de la producción poética de este vate peruano. No lo más logrado,

porque en Vallejo no hay poemas perfectos. Estaba *haciéndose* cuando escribió este libro, y con la madera que en él había sin duda hubiese llegado a logros definitivos, de no haberse perdido voluntariamente en el bosque sin salida del creacionismo, del «ultra» y de otros ismos aún más abstrusos e indeterminados. Volviendo a *Los heraldos negros*, lo primero que en ellos se advierte es una voz muy personal, un acento desgarrador que nos llega de un alma removida por el dolor en sus mismas raíces:

Hay golpes en la vida tan fuertes... ¡Yo no sé!
Golpes como del odio de Dios; como si ante ellos
la resaca de todo lo sufrido
se empozara en el alma... ¡Yo no sé!
....
Y el hombre..., ¡pobre, pobre!..., vuelve los ojos como
cuando por sobre el hombro nos llama una palmada:
vuelve los ojos locos, y todo lo vivido
se empoza, como un charco de culpa en la mirada.
Hay golpes en la vida tan fuertes... ¡Yo no sé!

No todo en *Los heraldos negros* es así. Estos versos corresponden a la primera composición del libro, la más representativa probablemente. En lo demás, dominan los poemas de corte modernista, si bien de un modernismo evolucionado y tendente a modos más libres. Hay influencias claras de Rubén (*Nochebuena*, *Sauce*); de Lugones (*Ausente*, *Avestruz*, *Bajo los álamos*); de Herrera y Reissig (*Nostalgias imperiales*). Hay también mucha cosecha propia; y, sobre todo, se observa un intento loable de explorar nuevas zonas: *La copa negra* y *Deshora*, de claros matices surrealistas. Con *Truenos* entra de lleno en el «ultra»:

Al encogerse de hombros los linderos
en un bronco desdén irreductible,
hay un riego de sierpes
en la doncella plenitud del 1.

Trilce señala una ruptura completa con todo lo precedente. Ya el título carece de sentido. Es una poesía descoyuntada, incoherente, ininteligible y, no hay que asustarse del calificativo, absurda. Frases sin contenido, imágenes desquiciadas, agrupaciones de sílabas y letras carentes de toda significación. Vallejo, sugestionado sin duda por el ejemplo de los dadaístas franceses, de los ultraístas españoles y de los creacionistas americanos, con menor base cultural que todos ellos, quiso demostrar que él no era menos. Merece la pena oírle:

999 calorías.
Rumbbb... Trrrraprrrr rrach... char
Serpentínica u del biscochero
en jirafada al tímpano.
....
1.000 calorías.
Azulea y ríe su grandeza cachaza
el firmamento gringo. Baja
el sol empavesado y le alborota
los cascos al más frío.
Remeda al cuco: Roooooooeeeis...
Aire, aire.... ¡Hielo!
Si al menos el calor (—Mejor,
no digo nada.

No es un fragmento escogido. Todo el libro—setenta y siete poemas—es poco más o menos del mismo corte. Confesamos nuestra incapacidad para enjuiciar esto. No falta quien a esta forma de expresarse le llama «hondura y trascendencia». El mismo Vallejo nos habló de su fórmula poética, que se reducía, según él, «a la desnuda y primitiva insinuación de las imágenes y de las palabras».

En *Poemas humanos* se despeña por idénticos precipicios, si bien hay tal cual composición en que, respondiendo al título del libro, la carga emocional se sobrepone al hermetismo del lenguaje y hasta llega a traducirse en alguna que otra palpitación humana. Es entonces cuando el hombre y el poeta que sin duda Vallejo llevaba dentro domina al «snob», a la caza de espectaculares vanguardismos. Tal ocurre en *Piedra negra sobre piedra blanca*:

> Me moriré en París...

o en otros poemas, como el que empieza:

> ¡Y si después de tantas palabras
> no sobrevive la palabra!

Pero eso sucede pocas veces. De ordinario, Vallejo se pierde en un mar de incongruencias y nonadas, braceando inútilmente por salir a flote. Y es una pena ver cómo se malogró un auténtico poeta por incapacidad de resistencia a unas corrientes que llevaban en su seno la anulación de todo brote de humanidad y de belleza.

Neruda

Otra cosa es Neruda. Ante el chileno Neftalí Ricardo Reyes, más conocido por el seudónimo de PABLO NERUDA (n. 1904)[13], caben tres actitudes: proclamarlo sin más un vate genial, y aun el más alto lírico que ha tenido América, como hacen muchos admiradores; negarle, también sin más, categoría de poeta superior, basándose en su ideología y confundiendo al escritor con el hombre, como hacen otros; o bien acercarse a su obra sin prejuicios en contra ni a favor, y atenerse a lo que de ella resulte. Pero es el caso que en una producción tan abundante como la de Neruda es difícil aventurar un juicio que pueda abarcarla totalmente. Lo que se diga de *Veinte poemas de amor y una canción desesperada* puede no acomodarse al *Canto general*, y las características que se señalen a *Residencia en la tierra* acaso no coincidan con las de *Odas elementales*. Tal vez lo más acertado sea estudiar al poeta—anticipamos que para nosotros lo es de alta calidad—en sus obras más representativas. Porque, aun siendo éstas producto de un *proceso* único y consecuente, y aun delatando todas el mismo cuño de origen, cabe distinguir en ese proceso varias etapas o modos: una primera etapa de timbre claramente modernista *(Canción de fiesta, Crepusculario)*; otra segunda, de voz más personal, sincera e íntima *(Veinte poemas de amor y una canción desesperada)*; una tercera fase de poesía críptica y hasta absurda *(Tentativa del hombre infinito, El hondero)*, a la que sigue la expresión oscura, desarticulada, libre de *Residencia en la tierra*. Y todavía encontramos la orientación política de la *Tercera residencia*, y el *Canto general*, con su acento de alcance casi cósmico, y las *Odas elementales*, en que se aspira a convertir en materia poética todo lo que vive, es o puede alcanzar de algún modo existencia.

La poesía auténtica de Neruda empieza con *Veinte poemas de amor y una canción desesperada* (1924), ya que lo demás, como escrito en plena adolescencia, no puede ser materia de juicio. Cuando escribió este libro Neruda tenía veinte años. Ya la primera composición, *Cuerpo de mujer*, nos da la tónica de todo el poemario, con su sensualidad—sexualidad mejor—desenfrenada. Es una toma de posesión no sólo de la mujer, sino del mundo circundante, por parte del poeta:

> ¡Mi sed, mi ansia sin límite, mi camino indeciso!
> Oscuros cauces donde la sed eterna sigue,
> y la fatiga sigue, y el dolor infinito.

Una mezcla de júbilo donisíaco, casi feroz, y de angustia desesperante, de paraísos entrevistos y disipados, lo invade todo. Y hay, no cabe negarlo, por dondequiera que se abre, espesos torrentes de lirismo.

> Soy el desesperado, la palabra sin ecos,
> el que lo perdió todo y el que todo lo tuvo,

nos dice en «Abeja blanca zumbas...» Y en otro sitio:

> Voy, duro de pasiones, montado en mi ola única,
> lunar, solar, ardiente y frío, repentino,
> dormido en la garganta de las afortunadas
> islas blancas y dulces como caderas frescas.

Así de patética, de nueva y de expresiva es la poesía de los *Veinte poemas*.

Con *Tentativa del hombre infinito* (1925) inaugura la poesía oscura, hecha de intuiciones geniales y de atisbos, y que había de culminar en *Residencia en la tierra* (vol. I, 1933), el libro que acaso define mejor a Neruda. Es la de *Residencia* una poesía romántica por la exacerbación del sentimiento, surrealista por los constantes buceos en el subconsciente, expresionista por la forma abrupta de manifestarse y muy personal por el fantástico despliegue de imágenes, en las que el poeta chileno es maestro inigualable. No se trata de una poesía hecha, sino de una poesía en gestación, violenta y desigual, imperfecta y angustiosa, como la vida misma que pretende reflejar. Es la misma poesía de ramalazos, que señalábamos en Vallejo, pero menos tosca, más cuajada, como que ha brotado del corazón de un hombre más culto y que, en definitiva, sabe lo que quiere y a dónde va. Esta poesía tiene sus procedimientos expresivos propios, que no suelen ser los de la poética normal, y que la hacen con frecuencia poco inteligible. Poesía, pues, enigmática, y por ello mismo, en nuestro sentir, menos lograda. Poesía oscura y de *trobar clus*, que ha existido siempre, pero que en nuestra época y en castellano ha recibido de Neruda un perfil especial, mediante ciertos procedimientos expresivos, que afectan al ritmo, a la sintaxis y a la forma. En lo relativo al ritmo Neruda sustituye casi siempre el verso regular, tal como lo vemos empleado aún en los *Veinte poemas de amor*, por los llamados «versetes» o versículos, sin sujeción a normas fijas. Gusta del ritmo en cadena o acumulativo, ya mediante un auténtico metralleo de metáforas, ya amontonando variaciones sobre el mismo tema, o ya insistiendo una vez y otra sobre la misma idea o sobre la misma palabra:

> Si solamente me tocaras el corazón;
> si solamente pusieras tu boca en mi corazón,
> tu fina boca, tus dientes;
> si pusieras tu lengua como una flecha roja
> allí donde mi corazón polvoriento golpea;
> si soplaras en mi corazón, allá cerca del mar, llo-
> [rando,
> sonaría con un ruido oscuro, con sonido de rue-
> como aguas vacilantes,   [das de tren con sueño,
> como el otoño en hojas,
> como sangre,
> con un ruido de llamas húmedas quemando el cielo,
> sonando como sueños o ramas o lluvias,
> o bocinas de puerto triste;
> si tú soplaras en mi corazón, cerca del mar,
> como un fantasma blanco,
> al borde la espuma,
> en mitad del viento,
> como un fantasma desencadenado, a la orilla del
> [mar llorando...
>
>   (Barcarola.)

En el aspecto sintáctico, aparte un deliberado abuso de gerundios, que relaja los nexos lógicos entre los miembros de la frase, se observa en Neruda una constante y deliberada alteración del orden gramatical, que desemboca en coordinaciones anómalas, en frecuentes anacolutos, en mutilaciones de la cláusula, de modo que el sentido queda como colgando en el aire, y en construcciones totalmente en pugna con el sistema de la lengua. Por todo ello, como dice Amado Alonso en un sagaz comentario [14], la poesía de *Residencia* «aparece deslavazada, zafia, sin dibujo y como pintada a manchas y al leerla recibimos la impresión de hallarnos ante una poesía traducida en prosa, o, para ser más justos, traducida en verso, pero con frecuentes dificultades invencibles para aunar en la traducción las condiciones de sentimiento, de pensamiento y de ejercicio rítmico del original, por lo cual el verso no llega a veces más que a medioverso, y otras se queda en prosa».

> Como cenizas, como mares poblándose,
> en la sumergida lentitud, en la informe,
> o como se oyen en lo alto de los caminos
> cruzar las campanadas en cruz,
> teniendo ese sonido, ya aparte del metal,
> confuso, pesado, haciéndose polvo
> en el mismo molino de las formas demasiado lejos.
> o recordadas o no vistas,
> y el perfume de las ciruelas que rodando a tierra
> se pudren en el tiempo, infinitamente verdes...
>
>   (Galope muerto.)

El libro de más empeño de Neruda, más aún que las mismas *Odas elementales,* es, sin duda alguna, *Canto general* (Santiago de Chile, 1950). Se compone de gran número de poemas, que tienen por tema común América en sus más variados aspectos: naturaleza, historia, razas, pueblos, etnografía, mares, fauna y hasta flora. El poeta ha aprovechado los 15.000 o más versos de que consta *Canto general*, según nuestros cómputos, para volcar allí su ideología, sus admiraciones, sus amores y, también, sus grandes odios. Esto quiere decir que por debajo de aquellos rimeros de versos apretados a lo largo de cuatrocientas páginas circula una vena no siempre oculta de propaganda política y social. Y, dado el ideario del autor, totalmente identificado con el credo comunista, apenas hace falta advertir quién lleva allí la peor parte. La España del descubrimiento y de la colonización está pintada con los tonos más sombríos; no hay pellada de lodo acumulado por la «leyenda negra» durante cuatro siglos que Neruda no recoja para lanzarlo de nuevo contra nuestro país. Todos los conquistadores fueron sanguinarios, ignorantes y viciosos; todos los gobernantes, sádicos y venales. Cierto que no salen mejor parados los gobernantes nativos, y menos aún los oligarcas «yanquis». En contraste con este cuadro tenemos la América precolombina, virginal, idílica, paradisíaca, donde hombres, animales y elementos viven en la más feliz concordia. Neruda nada sabe del canibalismo, de los sacrificios humanos y de otras monstruosidades de que nos hablan los viejos cronistas. Hay que reconocer, no obstante, una ancha vena lírica que bulle en todo el *Canto general* y que salta a borbotones en cualquiera de sus páginas:

> Amada de los ríos, combatida
> por agua azul y gotas transparentes,
> como un árbol de venas es tu espectro
> de diosa oscura que muerde manzanas:
> al despertar desnuda entonces,
> eras tatuada por los ríos,
> y en la altura mojada tu cabeza
> llenaba el mundo con nuevos rocíos.
> Te trepidaba el agua a la cintura.
> Eras de manantiales construida,
> y te brillaban lagos en la frente.

Así empieza la parte consagrada a los grandes ríos. No todo el libro es de este tono. Abundan los pasajes pedestres, y, como no puede menos de suceder, dada la materia de algunos cantos—*La*

Standard Oil Co., La Anaconda Copper Mining Co., La United Fruit Co.—, el lenguaje se arrastra a veces por lo más vulgar. No faltan tampoco exabruptos y «salidas de tono» del peor gusto. Métricamente, el *Canto general* ocupa un término medio entre los *Veinte poemas de amor,* escritos en alejandrino regular con rima asonante, y la *Residencia,* de verso enteramente libre: series de siete hasta catorce sílabas, exentas de rima, y con manifiesto predominio del metro endecasílabo.

El último libro que conocemos de Neruda son las *Odas elementales* (Buenos Aires, 1954), con sus dos continuaciones: *Nuevas odas elementales* (1955) y *Tercer libro de las odas* (1957). En ellos, como lo indica el título, Neruda se constituye en cantor de las cosas vulgares y más corrientes: *Oda al aire, Oda a la cebolla, Oda al ritmo, Oda al cobre, A la claridad, Al edificio, A la energía, A la pobreza, Al pan, Al otoño,* etc. Así hasta llenar las 68 composiciones de que consta la primera parte. En la que abre el libro *El hombre invisible,* nos da una especie de programa:

> Yo me río,
> me sonrío
> de los viejos poetas;
> yo adoro toda
> la poesía escrita:
> luna, diamante, gota
> de plata sumergida,
> ....
> y yo paso, las cosas
> me piden que las cante.

Neruda en sus *Odas elementales* utiliza el verso libre, o mejor, la cláusula rítmica muy breve, de dos a siete sílabas, con algunos endecasílabos sembrados aquí y allá. Pero la irregularidad métrica es más bien aparente, ya que al primer golpe de vista se observa que dos o más cláusulas se agrupan para formar metro:

> Guatemala,
> hoy
> te
> canto.
> Sin varón,
> sin objeto,
> esta mañana
> amaneció
> tu nombre
> enredado
> en mi boca...

Obsérvese con qué facilidad se reduce esto a métrica regular:

> Guatemala, hoy te canto.
> Sin varón, sin objeto,
> esta mañana amaneció tu nombre
> enredado en mi boca...

Muchas, muchísimas veces, el gran lírico que es Neruda aparece en las *Odas elementales,* y la metáfora—el poeta chileno es maestro en su empleo—surge nítida, iluminada, fragante; y el verso salta limpio, como tallado en cristal de roca. Pero otras veces, bastante, delira, y simplemente se limita a decir cosas absurdas, sin ilación y, lo que es peor, sin gracia. En su afán de metrificarlo todo, traslada a sus poemas auténticas vaciedades, que no hay por qué admitir ni aun tratándose de un poeta como Neruda.

> Si pudiera llorar de miedo en una casa sola,
> si pudiera sacarme los ojos y comérmelos...

Esto dice en el comienzo de su *Oda a Federico García Lorca.* Y en otra parte leemos:

> Llego yo con Oliverio, Norah,
> Vicente Aleixandre, Delia,
> Maruca Malva, Marina, María Luisa y Lares,
> La Rubia, Rafael Ugarte,
> Cotapos, Rafael Alberti,
> Carlos, Bebé, Manolo Altolaguirre,
> Molinari,
> Rosales, Concha Méndez
> y otros que se olvidan...

Estas caídas, por desgracia demasiado frecuentes, no deben impedirnos ver en Neruda un poeta de primer orden, tal vez el más inspirado lírico americano del momento actual. (Obras: *La canción de la fiesta,* 1921; *Crepusculario,* 1923; *El hondero entusiasta,* 1923-1924; *Veinte poemas de amor y una canción desesperada,* 1924; *Tentativa del hombre infinito,* 1925; *Anillos,* 1926; *Residencia en la tierra,* primer vol. 1933; *Residencia en la tierra,* dos vols. 1935; *España en el corazón,* 1937; *Tercera residencia,* 1947; *Canto general,* 1950; *Odas elementales,* 1954; *Nuevas odas elementales,* 1955; *Tercer libro de las odas,* 1957.)

Marechal y otros argentinos

Argentina presenta, aparte de los ya mencionados en este mismo capítulo, cinco o seis poetas de altura, cuyos nombres deben desglosarse de la turbamulta de versificadores que nutren las antologías al uso. Pertenecen todos a la misma promoción cronológica, como nacidos en los aledaños del 1900, pero cada uno ofrece sus características personales.

JORGE LUIS BORGES (n. 1899) es el más antiguo. Hombre de asombrosa cultura, había vivido en Europa—Suiza y España—durante los años mozos. De la Península se llevó a su país en 1921 la buena o mala nueva del ultraísmo, que intentó aclimatar a orillas del Plata. En compañía de González Lanuza, Norah Lange, Guillermo Juan Borges y Francisco Piñero publica la revista mural *Prisma,* a la que sigue inmediatamente otra revista, *Proa.* Ninguna de las dos tuvo éxito; pero alcanzaron, en cambio, su finalidad primordial de dar a conocer en aquellas latitudes las corrientes poéticas europeas de vanguardia. No hace falta decir, con tales antecedentes, que la primera poesía de Borges es de sello ultraico. Pero pronto se arrepiente de haber compuesto «áridos poemas de la secta, de la equivocación ultrista». Esos poemas, hay que reconocerlo, son todo lo buenos que cabe dentro de la técnica del «ultra», si es que el «ultra» tenía alguna técnica, y en ellos se compagina hasta donde ello es posible la modernidad—que no modernismo—de ese movimiento con la sólida formación clásica del autor. Gusta Borges de cantar la recatada belleza de las cosas humildes, los barrios apartados, las casas patinadas por el tiempo, los patios, los viejos suburbios, el puerto, el río, con buen lujo de metáforas, pero de metáforas nuevas y nada estridentes porque ya él mismo advirtió que en toda metáfora sacrificaba lo insólito a lo eficaz. Así están escritos sus principales poemarios: *Fervor de Buenos Aires* (1923), *Luna de enfrente* (1925), *Cuaderno de San Martín* (1929). Luego ese gran poeta que había en Borges cede el paso al erudito, al crítico, al pensador y al cuentista y nos regala con una serie de trabajos en prosa maravillosamente escritos y hondamente pensados: *Inquisiciones, El tamaño de mi esperanza, Discusión, Historia universal de la infamia, Ficciones, El Aleph,* y una serie de cuentos. *La muerte y la brújula,* en que hay narraciones tan originales como *Tlön, Uqbar, Orbis Tertius* y *Funes el memorioso.*

Otro de los buenos poetas argentinos actuales es RICARDO E. MOLINARI (n. 1898), dos años más viejo que Borges, pero de aparición más tardía en el campo de la lírica. También procede del «ultra», y hasta tuvo contactos con Borges. Sin embargo, su inspiración se nutre de temas más hondos, casi metafísicos; o, si se quiere, de temas vulgares, pero tratados con hondura metafísica. Se nos presenta Molinari como un poeta introspectivo, de rica vida interior, con una obra elaborada día a día, sin alharacas ni concesiones al éxito. Esa obra se alimenta, ya está dicho, de temas corrientes: la pampa, la esposa, el hogar, el cielo, los ríos, el amor, la muerte, el recuerdo; todo ello visto a través de su alma y con una especial luz de amanecida. Quiere esto decir que la poesía de Molinari es trabajada y traslúcida. En tal sentido es bien significativo el título de uno de sus libros, *Mundos de madrugada.* En contraste con Borges, persigue Molinari la metáfora difícil y hasta oscura (*Esta oscura rosa del aire* se titula el último libro de poemas que conocemos); pone su devoción en los grandes poetas culteranos: Góngora, Bocángel, Carrillo de Sotomayor, y ama la expresión hermética y simbolista. Ello le impide ser tan popular como debiera, si bien disfruta entre los jóvenes de alto prestigio. Insistamos en que Molinari se inspira en el paisaje circundante, llevando a él su voz interior en una sincronía parecida a la de Antonio Machado, cuando acordaba y fundía su emoción interior con el estado de las cosas. La producción poética de Molinari está contenida en *El imaginero* (1927), *El pez y la manzana* (1929), *Panegírico* (1930), *Delta* (1932), *Nunca*

(1933), *Cancionero del príncipe de Vergara* (1933), *Hostería de la rosa y el clavel* (1933), *Una rosa para Stefan George* (1934), *El desdichado* (1934), *El tabernáculo* (1934), y así hasta cerca de treinta títulos.

También es muy copiosa la producción lírica de LEOPOLDO MARECHAL (n. 1898), miembro del «ultra» en su juventud, aunque nunca se entregó con demasiado fervor a los excesos vanguardistas. Empezó tomando por tema preferente de su poesía la pampa inmensa, con sus motivos dominantes: el hombre, en primer lugar, o sea el gaucho:

> Hombre sin ciencia, mas escrito
> de la cabeza hasta los pies con leyes
> y números, a modo
> de un barro fiel...;

jinete solitario, cuya mirada

> en la llanura vuela
> de horizonte a horizonte;

después, el caballo, inseparable compañero del hombre, y la tierra, esa tierra del Sur, ubérrima, de horizontes despejados y llanuras sin fronteras, sobre la cual una naturaleza elemental desata a veces la destrucción, que afecta por igual a cosas y a personas. Luego, sin renunciar a estos temas, aborda otros mucho más graves, de modo que el lector se da cuenta inmediatamente de que, por bajo de aquella poesía en apariencia formalista, circula mucha sangre y late un corazón en perpetua vigilia:

> Yo tuve un corazón
> derramado; tocaba
> las tierras y los hombres
> con un filo de ala.

Lo que caracteriza a primera vista la poesía de Marechal es su gran lujo de metáforas y una cierta incontinencia verbal. «Poeta brillante de fondo romántico», le llamó en 1934 Federico de Onís, quien añade que «su misma exuberancia le ha impedido llegar todavía al equilibrio de sus cualidades poéticas». Aclaremos que Onís, por razones cronológicas, sólo pudo conocer la primera parte de su obra: *Los aguiluchos* (1922), *Días como flechas* (1926), *Odas para el hombre y la mujer* (1929). En sus libros posteriores—*Laberinto de amor, Cinco poemas australes, Sonetos de Sophia, El centauro,* etc.—Marechal aparece cuajado y en la plenitud de sus facultades poéticas. Sus octavas reales de *El viaje de la primavera*—que por su gracia, frescor y novedad, recuerdan las sextinas de la *Fábula de Equis y Zeda,* de Gerardo Diego—y sus sonetos *A Sophia* acusan un pulso firme y una vena tan abundante como bien encauzada [15]. A cada golpe de la gubia va saltando el verso limpio, centelleante y perfecto:

> En su secreta dársena de flores,
> a la hora en que baila todavía
> la Venus mañanera o entre albores
> abre su huevo de paloma el día,

despiertos ya sus mástiles cantores,
tumbo timón y proa en armonía,
tascando el ancla, si no el freno, espera
la briosa nave de la Primavera.

Parecida trayectoria ha seguido EDUARDO GON-
ZÁLEZ LANUZA (n. 1900), natural de España (Santander), aunque nacionalizado en la Argentina
de de los nueve años. Como Marechal, Borges y
Molinari, perteneció a *Prisma* y a *Proa*, y fué colaborador de *Nosotros, Sur* y *Martín Fierro*. Como
ellos, se deshizo pronto de gangas ultraístas y se
aplicó a la composición de poemas trabajados y
meditados casi con exceso:

Trastienda del silencio y a trasmano,
donde cuelgan palabras en racimos
y todo gesto de piedad es vano.

Paz y negrura sólo descubrimos.
Espejo del naufragio de las horas,
nacia ti vamos y de ti venimos,

y de tus aguas purificadoras
irrumpe de la entraña de la muerte
el manantial de todas las auroras.

(Al olvido.)

Así de concentrada es la poesía de este lírico, tan
exigente consigo mismo, y para quien «el arte
es la conquista de lo aposible». Encuentra sus
temas predilectos en la fugacidad de las cosas, en
la inanidad de la vida y en la limitación del intelecto humano. Con tales supuestos parece que la
lírica de González Lanuza debería resultar difícil
y oscura; pero no lo es, antes bien, se nos da
traspasada de luz, armoniosa y hasta casi optimista. Aunque acude a la métrica libre en ocasiones,
prefiere casi siempre la estrofa regular, con rima
perfecta. *Prismas* (1924), *Treinta y tantos poemas*
(1932), *La degollación de los inocentes* (1938), *Puñado de cantares* (1940), *Transitable cristal* (1943)
y *Canto a la alegría* (1950), integran su producción
lírica. Ha escrito también narraciones en prosa
(Aquelarre), monografías *(Horacio Butler)* y teatro *(Mientras dan las seis, El bastón de Polichinela, Ni siquiera el diluvio)*.

FRANCISCO LUIS BERNÁRDEZ (n. 1900) es otra de
las figuras más relevantes de la actual poesía argentina. Toda su larga obra lírica, producto de
treinta y cinco años de intensa labor, aparece resellada con una clara impronta: el sentimiento religioso. Bernárdez es católico ferviente y, al igual
que Gálvez en sus relatos, también él en los versos quiere dejar constancia de sus creencias. Esto
da a su poesía una gran difusión en todos los
países de habla hispánica, ni más ni menos que
ocurre—sólo que por motivos opuestos—con los
libros de Neruda. Esto hace también que algunos
críticos lo comparen con otros poetas católicos,
como Campbell, La Tour du Pin y Paul Claudel.

Como éste, emplea Bernárdez en sus poemas un
verso amplio, inventado por él mismo, de rima
asonante y que se presta a la expresión de conceptos elevados. Se trata de series rítmicas de veintidós sílabas, fácilmente reducibles a dos hemistiquios de nueve más trece, con cesura muy marcada entre los dos:

Dulce tarea es contemplarte, noche que me has
acompañado sin descanso.
Dulce tarea es contemplarte desde la tierra con los
ojos desvelados.
¿Por qué razón me da tristeza la muchedumbre
silenciosa de tus astros?
¿Cuál es la causa de mi angustia cuando me pierdo
entre tus mundos solitarios?

(La noche.)

Buena parte de su producción ha sido compuesta
en ese metro; y hay que reconocer que ha sido un
gran acierto. Como por otra parte la expresión es
de suma sencillez, una sencillez casi prosaica, nunca plebeya, el público ha quedado prendido en
la armonía de sus poemas. Para intensificar los
efectos expresivos Bernárdez acude con frecuencia a procedimientos de infalibles resultados: la
reiteración y la concatenación. Véase un ejemplo
de esta última:

Este poema tiene un día dormido entre los brazos;
este día se vuelve poniente al oeste del pecho;
este poniente siente una calle pasar por sus venas;
esta calle sube al cielo formando una casa;
esta casa abre las alas cuando yo llamo...

Sería un error no ver en Bernárdez sino al cantor
de los grandes misterios y dogmas católicos, como
lo sería limitar su métrica a las cláusulas ondulantes ya aludidas. El amor, la vida y la Naturaleza, en sus múltiples aspectos, encuentran también en sus versos amplia resonancia; y al lado
de los versículos de propia invención encontramos toda clase de metros conocidos. Pocos han
trabajado el soneto como él. *Homenaje a Garcilaso,
Soneto al Niño Dios, Soneto de Córdoba, Soneto
ausente, Soneto unitivo, Soneto lejano, Soneto a
Mozart, Soneto a Beethoven, Soneto a Schuman*,
así como las liras de *El buque*, son, en su género,
composiciones perfectas. Bernárdez, que, como los
anteriores, había empezado pagando su tributo al
«ultra», pronto se libera de amarras vanguardistas
para consagrarse a la poesía racional, lógica y
equilibrada. Al primer período pertenecen libros
como *Bazar* (1922), *Orto* (1922), *Kindergarten*
(1924) y *Alcándara* (1925). Después vienen *El buque* (1935), *Cielo de tierra* (1937), *La ciudad sin
Laura* (1938), acaso su libro más conocido; *Poemas elementales, Poemas de carne y hueso, La
estrella, La flor*, etc., hasta *El arca*, aparecido en
1954.

V. POESIA FEMENINA

Repetidas veces hemos aludido a las poetisas americanas del postmodernismo. Su aparición en las letras de aquel Continente a principios de siglo constituye uno de los hechos más notables de toda la historia de la cultura hispánica. Y no sólo por la calidad de los productos, que rivalizan con los mejores de la época anterior, sino también por la cantidad, que se puede sin exageración calificar de asombrosa. Ya Matilde Muñoz, en su *Antología,* incluye ciento quince poetisas de diversos países, y todas ellas posteriores al modernismo; y recientemente ha podido publicarse un estudio sobre la poesía femenina argentina con referencias de más de ciento cincuenta autoras [16]. Ya se entiende que aquí sólo podemos citar a las más notables.

Gabriela Mistral

Abre la serie de las grandes poetisas hispanoamericanas, aunque sólo sea por razones cronológicas, la chilena Lucila Godoy Alcayaga (1889-1957), más conocida por el seudónimo de GABRIELA MISTRAL, cuyo nombre, ya muy difundido por todos los países de habla hispánica desde la segunda década de siglo, alcanzó categoría universal al serle adjudicado en 1945 el premio Nobel de Literatura [17]. Su producción lírica no es muy extensa, pero reúne tales méritos que es considerada por algunos críticos como la más alta expresión de la poesía femenina en lengua castellana. Así la juzga, entre otros, el eminente crítico don Enrique Díez-Canedo.

Maestra desde sus más tiernos años en algunas aldeas de los Andes, pronto se da a conocer en composiciones sueltas que publican las revistas del país y algunas extranjeras, como *Elegancias,* de París, desde cuyas páginas Rubén Darío, ya en 1913, la saluda con palabras encomiásticas. Dos años después (1915) alcanza la flor natural en unos Juegos Florales de Santiago con tres de sus *Sonetos de la muerte,* y en 1921 el profesor y crítico español Federico de Onís, de la Universidad de Columbia, en Nueva York, elige la poesía de Gabriela Mistral para una disertación en el Instituto de las Españas, y es tal el interés que despierta en su auditorio, compuesto de profesores y alumnos de español, que al enterarse de que los poemas andaban dispersos aún por diversas publicaciones, deciden coleccionarlos y editarlos en forma de libro. Es así como nace *Desolación* (Nueva York, 1922). Antes de esta fecha, y aparte de sus colaboraciones en diarios y revistas, Gabriela Mistral había publicado cincuenta y cinco trozos, prosa y verso, incluídos por Manuel Guzmán Maturana en *Primer libro de lecturas* (Santiago de Chile, 1916); unas veinte composiciones, recogidas en la *Selva lírica* por Molina Araya (Santiago de Chile, 1917); y seis comentarios, tres en verso y tres en prosa, con que ilustró las *Obras* de Rabindranath Tagore recopiladas por Raúl Ramírez (Santiago de Chile, 1917). Casi toda esta cosecha con nuevas aportaciones fué a integrar luego las páginas de *Desolación.* Más tarde viene *Ternura* (Madrid, 1924), formado casi en su totalidad con materiales de *Desolación,* si bien en su segunda edición de Buenos Aires, 1945, aparece aumentado con treinta poemas nuevos; y, finalmente, *Tala* (1938).

Lo mejor de la poesía de Gabriela Mistral, lo más íntimo y valioso, ha de buscarse en *Desolación.* Gracias a este libro, y sólo a él, su autora es, sin duda, una de las mejores poetisas, acaso la mejor, de lengua española de todos los tiempos. Es un libro escrito con sangre. Un corazón llagado ruge, crepita, ruega, se desespera y reza en esos poemas, algunos de las cuales, bastantes, no tienen par en lírica alguna:

> Padre nuestro que estás en los cielos,
> ¿por qué te has olvidado de mí?
> Te acordaste del fruto en febrero,
> al llagarse su pulpa rubí.
> ¡Llevo abierto también mi costado,
> y no quieres mirar hacia mí!
>
> *(Nocturno.)*

Inspiraba estos poemas un suceso no por frecuente y vulgar menos trágico: el hombre a quien ella amaba, el único hombre que ella amó, se había enamorado de otra mujer y, a punto de casarse con esta otra, se descerraja un tiro en la sien y muere. Cómo acibaró esta sangre derramada la de la humilde maestrita; cómo le removió el alma hasta sus más hondas raíces, y qué gritos le arrancó:

> El pasó con otra;
> yo le vi pasar.
> Siempre dulce el viento
> y el camino en paz.
> ¡Y estos ojos míseros
> le vieron pasar!
>
> El, amando a otra
> por la tierra en flor.
> Ha abierto el espino;
> pasa una canción.
> ¡Y él va amando a otra
> por la tierra en flor!
>
> El besó a la otra
> a orillas del mar;
> resbaló en las olas
> la luna de azahar.
> ¡Y no untó mi sangre
> la extensión del mar!

El irá con otra
por la eternidad.
Habrá cielos dulces
(Dios quiere callar).
¡Y él irá con otra
por la eternidad!

«En estos cien poemas—nos lo dice la misma Mistral—queda sangrando un pasado doloroso, en el cual la canción se ensangrentó para aliviarme.» Pero ese amor por un hombre determinado no tarda en ensancharse, en extenderse y purificarse. Ya no es sólo el hombre, sino los hombres, y el Creador de esos hombres, Dios, el motivo inspirador. Es así como la poesía de *Desolación* alcanza con frecuencia cimas místicas. Y luego, la Naturaleza, y lo más tierno, lo más débil dentro de la Naturaleza: los niños. Gabriela Mistral ha cantado a los niños, al hijo frustrado, al hijo que toda mujer espera y que ella no tuvo, con acentos de infinita ternura. *Poema del hijo, La mujer estéril, El niño solo, Poemas de las madres*, y todas las *Canciones de cuna*, y gran parte de las agrupadas bajo el rótulo de *Infantiles*, no son sino la expresión externa de ese sentimiento, de ese anhelo continuo, indisimulable, de maternidad.

¡Un hijo, un hijo, un hijo! Yo quise un hijo tuyo
y mío, allá en los días del éxtasis ardiente,
en los que hasta mis huesos temblaron de tu arrullo
y un ancho resplandor creció sobre mi frente.

Decía: «¡Un hijo!», como el árbol conmovido
de primavera alarga sus yemas hacia el cielo...

Así clama en el *Poema del hijo*. Y en *La mujer estéril* confiesa:

La mujer que no mece un hijo en el regazo,
cuyo calor y aroma alcance a sus entrañas,
tiene una laxitud de mundo entre los brazos,
todo su corazón congoja inmensa baña.
. . . .
¡Y una mendiga grávida, cuyo seno florece
cual la parva de enero, de vergüenza la cubre!

Al calor de estos afectos hacia la infancia se desenvuelve gran parte no sólo de su obra poética, sino también de sus actividades profesionales. Publica trabajos de orientación pedagógica y desarrolla en organismos oficiales una intensa labor educativa. Para los niños escribe numerosos poemas y a los niños vascos expatriados durante la guerra civil española dedica ella, «mestiza de vasco», según su propia calificación, el producto de *Tala*, que da a la imprenta con este solo fin. «Alma tremendamente apasionada—escribe Federico de Onís—, grande en todo, después de vaciar en unas cuantas poesías el dolor de su desolación íntima, ha llenado ese vacío con sus preocupaciones por la educación de los niños, la redención de los humildes y el destino de los pueblos hispánicos. Todo esto en ella no son más que otros modos de expresión del sentimiento cardinal de su poesía; su ansia insatisfecha de maternidad,

que es a la vez instinto femenino y anhelo religioso de eternidad» [18].

A esos sentimientos responde planamente *Desolación*. Pero *Tala* ya es otra cosa. «Libro hermético», ha sido llamado por uno de los más sagaces biógrafos y comentaristas de la Mistral [19]. Sorprende que la misma pluma que trazó poemas como *Los sonetos de la muerte, Vergüenza, Extasis, Dios lo quiere, Interrogaciones, Ruego, Nocturno, Caras eternas. La espera inútil* y tantos y tantos traspasados de lirismo que estábamos acostumbrados a leer en las páginas de *Desolación*, haya escrito estos otros de *Tala*, tan cerebrales, tan abstractos. A la poetisa chilena también habían llegado las salpicaduras vanguardistas, y aunque afirma que «este libro lleva algún pequeño rezago de *Desolación*», la verdad es que los nexos entre éste y *Tala* son tan imperceptibles que no parecen hermanos. *Desolación* es todo vida, espontaneidad y arrebato; *Tala* es todo cerebro. Hay, cierto, algunos poemas en que la huella de la leona aparece: *La memoria divina, El aire, La ley del tesoro, Deshecha*. Pero son los menos. Pronto el lenguaje críptico se adueña del libro y los poemas dan la impresión de cosa forzada o escasamente sentida. Al lector, al menos, no le impresionan.

El lenguaje de la Mistral tiene grandes altibajos. Unas veces se nos ofrece claro, terso, preciso y casi clásico; otras, enturbiado y, mejor aún, afeado, con expresiones poco correctas. Se nota la falta de formación literaria de su autora, falta que no han podido suplir las copiosas lecturas. Se observa asimismo cierto prurito de originalidad en léxico y construcciones, no siempre acordes con el sistema de la lengua. Un crítico, por poco exigente que sea, encontrará tanto en la obra en prosa como en la producción en verso de la Mistral abundantes puntos vulnerables. Pero esto mismo, aunque no la acredite de escritora modelo, viene a demostrar la altura de su poesía, que con esos defectos y otros muchos es, sin embargo, de la más inspirada, honda y sincera que tenemos en castellano.

Alfonsina Storni

También lo es la poesía de ALFONSINA STORNI (1892-1938), sólo que por otros motivos [20]. Nacida en Lugagnia (Suiza italiana), había ido, niña aún, a la Argentina, donde se naturalizó años más tarde. En su niñez se autorretrata «colorada, redonda, chatilla y fea». Con la pubertad y la juventud no aumentaron sus atractivos físicos. Ella lo sabía, y no fué la conciencia de esta insignificancia como mujer el menor torcedor de su vida. Había cursado estudios de magisterio, como la Mistral; luego se había empleado en una casa de comercio, para volver más tarde a la docencia, como profesora de enseñanza media. Pero esto nada nos dice de su poesía, que en contraste con esta vida vulgar es independiente, personalísima, casi salvaje. «Soy un alma desnuda en estos versos», confiesa, refiriéndose a los que integran el libro que lleva por título *Irremediablemente*. Y esa confesión podría extenderse a todos sus otros poemas, que son simple y exacta traducción, sin veladuras ni disfraces, de su lucha interior, de sus esperanzas, de sus fracasos, de sus pequeños triunfos y desalientos. Pocas veces un alma se nos ha dado tan brutalmente desnuda. En pugna con las convenciones sociales, ella no quiere ni puede ocultarnos nada. Hay ocasiones en que habla la razón, es cierto; pero hay otras, muchas más, en que habla sólo el instinto. Espíritu rebelde y en estado semisalvaje, choca contra todo. Le acibara la vida el pensar que ha nacido mujer y que por serlo se encuentra o cree encontrarse supeditada al varón. Pero, por otra parte, su temperamento ardiente y sensual la empuja a los brazos de ese mismo hombre, a quien desprecia y, a la vez, desea y envidia:

> En los ojos, la carga de una enorme tristeza;
> en el seno, la carga del hijo por nacer;
> al pie del blanco Cristo, que está sangrando, reza:
> «¡Señor, el hijo mío que no nazca mujer!»

«Soy superior al término medio de los hombres que me rodean—explica ella—, y físicamente, como mujer, soy su esclava, su molde, su arcilla. No puedo amarlo libremente: hay demasiado orgullo en mí para someterme.» Sin embargo, sabe que es incapaz de resistir. Con qué amargura lo reconoce:

> Corazón que me vienes de mujer,
> hay algo superior al propio ser
> en las mujeres: su naturaleza.

Y en otro poema:

> Con mayúscula escribo tu nombre y te saludo,
> Hombre, mientras depongo mi femenino escudo
> en sencilla y valiente confesión de derrota.
> Omnívoro: naciste para llevar la cota,
> y yo el sexo, pesado como carro de acero.

Le contrista verse encerrada entre las cuatro paredes de una oficina comercial, ahogándose entre un montón de cosas vulgares—el tranvía, las facturas, la voz del jefe, la máquina de escribir—, ella, nacida para retozar como un potro al aire y al sol.

> Vulgaridad, vulgaridad me acosa.
> ¡Ah! Me han comprado la ciudad y el hombre.
> Hazme tener la cólera sin nombre:
> ya me fatiga esta misión de rosa.

Una rosa que pide campo abierto, que en la ciudad se muere lenta, «irremediablemente». Nos lo dice una vez y otra en todos sus libros y con mayor insistencia en *Mundo de siete pozos*:

> Podría tirar mi corazón
> desde aquí, sobre un tejado:
> mi corazón rodaría
> sin ser visto...

Y en otro lugar:

> Se alza
> debajo,
> enorme,
> la rosa de cemento,
> la ciudad,
> inmóvil en su tronco
> de sótanos sombríos.
>
> Ahogados
> por las llamas de la hoguera,
> y perdidos
> entre los pétalos
> de la rosa,
> invisibles casi,
> de un lado a otro,
> los hombres...
>
> Descoloridas, heladas,
> las casas
> —nichos en hilera—
> se aprietan unas
> contra otras.

Y antes, en otro libro, *El dulce daño*, había escrito:

> Casas enfiladas, casas enfiladas,
> casas enfiladas.
> cuadrados, cuadrados, cuadrados.
> Casas enfiladas.
> Las gentes tienen el alma cuadrada,
> ideas en fila
> y ángulo en la espalda.
> Yo misma he vertido ayer una lágrima,
> Dios mío, cuadrada.

Ni en la forma ni en el fondo suele ser éste su tono. Es mucho más hondo, más humano y delirante. Quisiera ella dar rienda suelta a todos sus impulsos vitales, atropellando fórmulas, rompiendo convencionalismos, y, al no poderlo hacer en la realidad, lo hace en el mundo de su fantasía, en el mundo poético de sus sueños:

> Pudiera ser que todo lo que en verso he sentido
> no fuera más que aquello que nunca pudo ser.
> no fuera más que algo vedado y reprimido
> de familia en familia, de mujer en mujer.
> ....
> A veces en mi madre apuntaron antojos
> de liberarse; pero se le subió a los ojos
> una honda amargura y en la sombra lloró.
> Y todo ese mordiente vencido, mutilado,
> todo eso que se hallaba en su alma encerrado,
> pienso que sin quererlo lo he libertado yo.

Una serie de estados contradictorios—depresión y optimismo, esperanza y desasosiego, ansia de goces carnales y náusea inmediata—se va apoderando sucesivamente del alma de Alfonsina, y la domina toda hasta que se libera de ellos, volcándolos en sus libros. Son éstos siete: *La inquietud del rosal, El dulce daño, Irremediablemente, Languidez, Ocre, Mundo de siete pozos* y *Mascarilla y trébol. La inquietud del rosal* (1916), romántico, con inspiraciones rubenianas, anuncia en algunos chispazos poéticos la gran hoguera. En el poema que da título al libro ya parece presagiarse el triste destino de la autora:

¡Fijaos en las rosas que caen del rosal!
¡Tantas son, que la planta morirá de este mal!
El rosal no es adulto y su vida impaciente
se consume en dar flores precipitadamente.

Sigue, un bienio más tarde, *El dulce daño* (1918), donde ya la poetisa ha encontrado su acento lleno de sinceridad, de violencia y de amargura:

Hice el libro así,
gimiendo, llorando, soñando, ¡ay de mí!

Irremisiblemente (1919) marca la máxima presión de su numen poético. El alma de Alfonsina se desnuda más y más y se ofrece al lector en todas sus facetas, tan pronto tersa, tan pronto turbia, oscurecida y encrespada por las más violentas pasiones:

Me vienen estas cosas del fondo de la vida:
acumulado estaba, yo me vuelvo reflejo...
Agua continuamente cambiada y removida:
así como las cosas es mudable el espejo.

Momentos de la vida aprisionó mi pluma,
momentos de la vida que se fugaron luego,
momentos que tuvieron la violencia del fuego
o fueron más livianos que los copos de espuma.

Con *Languidez* (1920), libro hecho más de recuerdos y meditaciones que de vivencias actuales, se cierra el primer ciclo poético, el mejor, el más sentido y humano. Ella misma lo advirtió: «Este libro cierra una modalidad mía. Si la vida y las cosas me lo permiten, otra ha de ser mi poesía de mañana.» Y, en efecto, con *Ocre*, aparecido cinco años más tarde (1925) se inicia un nuevo rumbo poético. ¿Mejor? ¿Peor? A nuestro juicio, menos íntimo, menos personal; lo que en definitiva vale tanto como decir menos auténtico y sincero. La tónica de *La inquietud del rosal* había sido la esperanza; la tónica de *El dulce daño* había sido la angustia; la tónica de *Irremediablemente*, el desencanto, y la de *Languidez*, la resignación, el recuerdo. En todos esos libros dominaba el ímpetu; ahora, en *Ocre*, nos encontramos con una poesía reposada, reflexiva. Nos habla una mujer que ha fracasado en el amor y en la vida, y que a ratos parece haber encontrado la felicidad suprema en el arte, en la palabra: «¿Qué fuera de mi vida sin la dulce palabra?» La ruta emprendida en *Ocre* continúa en *Mundo de siete pozos* (1934) y en *Mascarilla y trébol* (1938), con una lírica exenta de arrebatos, llena de simbolismos y abstracciones, y en la que el cerebro mata al sentimiento, la idea anula a la emoción. Antes, en esos dos lustros que van desde *Ocre* a *Mundo de siete pozos*, Alfonsina había probado suerte en la escena con un drama en tres actos, *El amo del mundo* (1927) y *Dos farsas pirotécnicas* (1932). No tuvo éxito.

Un día, no pudiendo ya con la carga de su vida llena de contradicciones y desencantos, sin el asidero de una creencia religiosa que le permitiese resistir las borrascas de su turbulento espíritu, Alfonsina Storni se fué al mar y se arrojó a las olas. Su cadáver apareció flotando frente a la playa en Mar del Plata. Había soñado muchas veces, y así lo había dicho en sus versos, con una sepultura marina. Pocos días antes de tomar su fatal decisión había escrito un soneto: *Voy a dormir* [21]. Y mucho antes había compuesto para la tumba su propio *Epitafio*:

Aquí descanso yo: dice «Alfonsina»
el epitafio claro al que se inclina.

Aquí descanso yo, y en este pozo,
pues que no siento, me solazo y gozo.

Los turbios ojos muertos ya no giran;
los labios, desgranados, no suspiran.

Duermo mi sueño eterno a pierna suelta;
me llaman y no quiero darme vuelta.

Tengo la tierra encima y no la siento;
llega el invierno y no me enfría el viento.

El verano en mis sueños no madura;
la primavera el pulso no me apura.

El corazón no tiembla, salta o late:
fuera estoy de la línea de combate.

....

«La mujer que en el suelo está dormida
y en su epitafio ríe de la vida,

como es mujer, grabó en su sepultura
una mentira aún: la de su hartura.»

El suceso ocurrió a la una de la mañana del 25 de octubre de 1938. Un mes más tarde la Cámara de los Diputados acordaba erigir un mausoleo a su memoria en el lugar mismo en que apareció el cadáver. Alfonsina Storni quedaba de este modo incorporada a las glorias nacionales argentinas como lo que es: una de las más inspiradas poetisas de lengua española, y la mayor, sin duda, de su país.

Delmira Agustini y Juana de Ibarbourou

En el coro, muy nutrido, de poetisas uruguayas destacan dos voces de calidad: las de Delmira Agustini y Juana de Ibarbourou. Un signo trágico, parecido al de la Storni, presidió también la vida de DELMIRA AGUSTINI (1890?-1914) [22]. Hija de familia rica, se había educado en el mejor ambiente para el cultivo de la poesía y de la música, sus dos aficiones dominantes. Por sus venas corría sangre de razas diversas: uno de sus abuelos era francés; otro, alemán; sus dos abuelas, uruguayas. Ella era rubia y hermosa. Con un temperamento ardiente y una inteligencia precoz, soñó con exprimir de la vida los mejores zumos. Todavía adolescente, casi una niña, asombró y escandalizó a la burguesa sociedad rioplatense con unos cuantos libros de versos (*El libro blanco*, 1907; *Cantos de la mañana*, 1910; *Los cálices vacíos*,

1913), en los que, saltando todas las barreras del pudor, se cantaba al amor en sus más turbadores momentos. Por vez primera una mujer joven y bella abría su corazón con impúdica desenvoltura, y en un lenguaje tan audaz como poético y sugestivo sacaba a luz sus más íntimos sentires: anhelos sexuales, ansias frenéticas de goces, concupiscencias larvadas; en una palabra, libido. Hasta entonces todo eso aparecía en la poesía femenina simplemente insinuado o, a lo más, arropado en pudibundas metáforas. Pero Delmira no vacila en confesárnoslo con tan inusitada sinceridad que unos, como Carlos Vaz Ferreira, lo suponen, dada la edad de la poetisa, producto de un estado de creación inconsciente, y otros, como Federico de Onís, lo juzgan reflejo de estados intuidos más bien que de realidades vividas, ya que del amor erótico que constituye el tema, la obsesión diríamos, de sus primeros libros «no parece haber tenido ninguna experiencia hasta la trágica y misteriosa de su matrimonio»[23]. De cualquier manera es el mismo Eros quien inspira aquellos poemas crepitantes de deseos y satisfacciones carnales, que algunas veces rozan las fronteras del delirio místico. Y así, *El rosario de Eros* se rotula una de las más conocidas composiciones:

> Yo, la estatua de mármol con cabeza de fuego
> apagando mis sienes en frío y blanco ruego...
>
> Engarzad en un gesto de palmera o de astro
> vuestro cuerpo, esa hipnótica alhaja de alabastro,
> tallada a besos puros y bruñida en la edad;
> sereno, tal habiendo la luna por coraza,
> blanco, más que si fuerais la espuma de la Raza,
> y desde el tabernáculo de vuestra castidad
>
> elevad a mí lises hondos de vuestra alma;
> mi sombra besará vuestro manto de calma,
> que creciendo, creciendo, me envolverá con vos.
> Luego será mi carne en la vuestra perdida...;
> luego será mi alma en la vuestra diluída...;
> luego será la gloria... y seremos un dios.
>
> —Amor de blanco y frío,
> amor de estatuas, lirios, astros, dioses...,
> ¡Tú me lo des, Dios mío!

Aparentemente, todo era voluptuosidades, júbilos y pasión vital en esta mujer nacida para el amor:

> Hoy partió hacia la noche, triste, fría,
> rotas las alas mi melancolía;
> como una vieja mancha de dolor
> en la sombra lejana se deslíe...
> ¡Mi vida toda canta, besa, ríe!
> ¡Mi vida toda es una boca en flor!

Mentira. Espejismo puro. El goce, sobre todo el carnal, lleva en el fondo un poso de tristeza, y esa tristeza, inseparable del placer, se derrama, quiéralo o no la poetisa, por todos y cada uno de sus versos, aun de aquellos más aparentemente despreocupados:

> Con tristezas de almas
> se doblegan los cuerpos,
> sin velos, santamente
> vestidos de deseo.

Así canta en *Mis amores*. Y en *Lo inefable:*

> Yo muero extrañamente... No me mata la Vida,
> no me mata la Muerte, no me mata el Amor;
> muero de un pensamiento mudo como una herida...
> ¿No habéis sentido nunca el extraño dolor
> de un pensamiento inmenso que se arraiga en la vida
> devorando alma y carne y no alcanza a dar flor?

¿Presagiaba Delmira en estos versos su trágico fin? Lo cierto es que casó con un hombre vulgar y corriente, que sin duda la quería, pero que no llegó a comprenderla. Realmente debía de ser muy difícil comprender a un alma tan compleja como la de Delmira Agustini. Se separaron a los pocos días; pero aún siguieron reuniéndose a hurtadillas, como amantes ilegítimos. Un día él la citó para una entrevista; la mató y acto seguido se suicidó. Hay en la poesía de la Agustini, que se beneficia de todas las conquistas formales del modernismo, evidentes influencias de Rubén Darío, y aun más evidentes de D'Annunzio. Pero hay también en ellas un estilo personal, un estilo que se caracteriza por el lenguaje tempestuoso y lleno de fuego. Sin embargo, ese torrente abrasador no ha pasado directo del corazón al poema. Antes de plasmarse en éste, ha sido filtrado por el cerebro, de modo que toda esa poesía, amasada con el barro humano más grosero, queda, en virtud del arte, ennoblecida, casi purificada y transformada en materia estética de la más alta calidad. Poemas como *Plegaria, Lo inefable, Mis amores, El intruso, Las alas, Desde lejos, Nocturno, La sed* y el citado *Rosario de Eros*, merecen figurar al lado de los mejores de nuestra lengua.

Contrasta con esta voz atormentada el acento cristalino, de timbre matinal, todo frescor y alegría, de otra excelsa poetisa uruguaya, JUANA DE IBARBOUROU (n. 1895), consagrada en 1929 públicamente, en solemne acto oficial, como «Juana de América»[24].

> Caronte: yo seré un escándalo en tu barca.
> Mientras las otras sombras recen, giman o lloren,
> y bajo tus miradas de siniestro patriarca
> las tímidas y tristes en bajo acento oren,
>
> yo iré como una alondra cantando por el río,
> y llevaré a tu barca mi perfume salvaje,
> e irradiaré en las ondas del arroyo sombrío
> como una azul linterna que alumbrara en el viaje.
>
> Por más que tú no quieras; por más guiños siniestros
> que me hagan tus dos ojos, en el terror maestros,
> Caronte, yo en tu barca seré como un escándalo.
>
> Y extenuada de sombra, de valor y de frío,
> cuando quieras dejarme a la orilla del río
> me bajarán tus brazos cual conquista de sándalo.

Así dice en *Rebelde*, uno de sus primeros poemas. Y en otros sitios se autodescribe «libre, sana, alegre, juvenil y morena». Su primer libro de poemas, *Las lenguas de diamante* (1919), publicado con prólogo del ilustre novelista argentino Manuel Gálvez, cuando la poetisa contaba veinticuatro años, fué un auténtico deslumbramiento. Un viento de pagana alegría agitaba aquellos poemas en los que la autora se ofrecía al lector en toda la deslumbradora belleza de sus negros cabellos y su piel fragante y morena, ora retozando desnuda como una nereida, ora cabalgando como una bacante sobre el macho cabrío de su retadora juventud. Su verso es una tentación constante, subrayada por el más delicioso narcisismo:

> Tómame ahora, que aun es temprano
> y que llevo dalias nuevas en la mano.
>
> Tómame ahora, que aun es sombría
> esta taciturna cabellera mía.
>
> Ahora, que tengo la carne olorosa
> y los ojos limpios y la piel de rosa.
>
> ....
>
> Ahora, que en mis labios repica la risa
> como una campana sacudida aprisa.
>
> Después..., ¡ah!, yo sé
> que ya nada de eso más tarde tendré.
>
> Que entonces inútil será tu deseo
> como ofrenda puesta sobre un mausoleo.
>
> ¡Tómame ahora, que aun es temprano
> y que tengo rica de nardos la mano!
>
> Hoy y no más tarde. Antes que anochezca
> y se vuelva mustia la corola fresca.
>
> Hoy y no mañana, ¡oh amante! ¿No ves
> que la enredadera crecerá ciprés?
>
> *(La hora.)*

Nunca, al menos en castellano, el *carpe diem* había tenido un intérprete como éste. Nunca se habían escrito tales versos en nuestra lengua. Los hay en *Las lenguas de diamante* que expresan un júbilo dionisíaco; los hay que delatan la satisfacción plena de vivir, un hedonismo integral, y los hay también que constituyen una ofrenda de goces, una auténtica invitación:

> Crecí
> para ti.
> Tálame. Mi acacia
> implora a tus manos un golpe de gracia.
>
> Florí
> para ti.
> Córtame. Mi lirio
> al nacer dudaba ser flor o ser cirio.

Así empieza *El fuerte lazo*. Y en otro poema dice:

> Te doy mi alma desnuda,
> como estatua a la cual ningún cendal escuda.
>
> Desnuda con el puro impudor
> de un fruto, de una estrella o de una flor.
>
> De todas esas cosas que tienen la infinita
> serenidad de Eva antes de ser maldita.
>
> De todas esas cosas,
> frutos, astros y diosas.

> Que no sienten vergüenza del sexo sin celajes,
> y a quienes nadie osara fabricarles ropajes.
>
> ¡Sin velos, como el cuerpo de una diosa serena,
> que tuviera una intensa blancura de azucena!
>
> ¡Desnuda, y toda abierta de par en par
> por el ansia de amar!
>
> *(Te doy mi alma...)*

En el mismo tono están escritos poemas como *La espera, Implacable, Amémonos, La cita, Dulce milagro* y tantos otros. «Castísima desnudez espiritual», llamó a esta poesía Unamuno. Nosotros la llamaríamos simplemente plenitud de vida. Es Juana de Ibarbourou en este su primer libro, el más personal y definitivo, la mujer satisfecha de sí misma, que se encuentra perfecta, tanto en lo corporal como en lo psíquico, nadando a brazadas en el mar sin fondo de la Naturaleza y queriendo hacer partícipes a los demás de su júbilo rebosante. De haberla conocido Rubén Darío la habría identificado con aquella «musa de carne y hueso», la mejor musa, la que él soñaba para sus mejores poemas.

Esta alegría jocunda, este goce de los sentidos se transmite a sus dos libros siguientes: *El cántaro fresco* (1920), colección de prosas poemáticas, y *Raíz salvaje* (1922). No más que en la segunda composición de este poemario nos encontramos con versos como los que siguen:

> ¡Parece que tuviera en mis armarios
> preso al verano!
>
> Ese perfume es mío. Besarás mil mujeres
> jóvenes y amorosas; mas ninguna
> te dará esta impresión de amor agreste
> que yo te doy.
>
> ....
>
> Mi piel está impregnada
> de esa fragancia viva.
> Besarás mil mujeres; mas ninguna
> te dará esta impresión de arroyo y selva
> que yo te doy.

Pero no todo es así. Junto a poemas como *Noche de lluvia, La sed, Carne inmortal, La pesca, Sol fuerte, El pozo, La tarde,* en los que el ansia de vivir y la satisfacción narcisista de sentirse bella aparecen bien acusadas, hay otros que auguran los estados crepusculares del alma: carne marchita, nostalgia de horas bellas, angustia, muerte. Sin embargo, es tal la vitalidad de esta mujer, que hasta en la misma muerte encuentra motivos de goce:

> He visto a la muerte de cerca, de cerca.
> Era tal como una mariposa negra.
>
> ....
>
> ¡Vamos a buscarla, vamos a buscarla!
> Mi sangre de nuevo torna a ser de llama.
> ¡Y yo necesito sentir la frescura
> que dan sus dos alas de gamuza negra!
>
> *(Fiebre.)*

Luego, más adelante, Juana de Ibarbourou cae en la tentación de renovarse, de emprender nuevos rumbos poéticos. A este anhelo responde *La rosa de los vientos* (1930), con la misma temática que los libros anteriores—amor, naturaleza, sueños, gozos de vivir, agua, aire, mar—, pero en un lenguaje distinto, más trabajado, menos espontáneo, menos sentido, con cierta despreocupación por las formas métricas y ciertos toques surrealistas, que no traen nada nuevo. Todavía en 1950 había de publicar *Perdida*, un poemario en cuyas páginas el temor a la muerte y a ver convertidas en polvo tantas bellezas, que ya apuntaba en *Raíz salvaje*, y la angustia de vivir, que dominaba en *La rosa de los vientos*, se transforma en desencanto, tristeza y melancolía. Ella, la poetisa, que tan cómoda y tan bien encajada se sentía en el mundo, se encuentra al cabo de pocos años desplazada y, como reza el título del libro, perdida. Nos lo dice en la primera composición:

> Me enfrento a ti, ¡oh vida sin espigas!,
> desde la casa de mi soledad.
> Detrás de mí anclado está aquel tiempo
> en que tuve pasión y libertad.
> ....
> Sombras ahora, sombras sobre el tallo,
> y no sentir ya más,
> en la cegada clave de los pétalos,
> aquel ardor de alba, miel y sal.
> Criatura *perdida*
> en la maleza de la antigua mies...
>
> *(Tiempo.)*

Alguien ha querido comparar la obra poética de la Ibarbourou a las cuatro estaciones del año: *Las lenguas de diamante* serían la primavera; *Raíz salvaje*, el estío; *La rosa de los vientos*, el otoño, y *Perdida*, el invierno. No está mal; pero es un simbolismo innecesario y, sobre todo, inexacto. Lo que domina en la poesía de Juana de Ibarbourou es la primavera matinal: el júbilo, la explosión pagana de la vida. Tiene asimismo la poetisa uruguaya algunos trabajos en prosa: *Los loores de Nuestra Señora* (1934), bellos comentarios a las advocaciones de la letanía mariana; *Estampas de la Biblia* (1934), animadas siluetas de los principales personajes del libro sagrado; *Chico-Carlo* (1944), con noticias autobiográficas de gran interés, y *Los sueños de Natacha* (1945), delicioso teatro infantil. Es la de Juana de Ibarbourou una prosa rica, brillante y armoniosa; una prosa plenamente modernista, parecida por su colorido y luminosidad a la de nuestro Gabriel Miró.

Otras poetisas

Otras muchas poetisas han florecido en Hispanoamérica en lo que va de siglo, aunque pocas, claro es, alcanzan la talla de las citadas en los párrafos anteriores. No es difícil, sin embargo, extraer de la lista casi interminable a que aludíamos más arriba, hasta media docena de nombres que en nada desmerecen de los ya mencionados, si bien la falta de espacio nos impide consagrarles la atención debida.

MARÍA EUGENIA VAZ FERREIRA (1873-1924), uruguaya, es la primera voz femenina de tono personal que sonó en las orillas del Plata. Antes que la Storni, la Ibarbourou y Delmira Agustini, dióse a conocer la Vaz Ferreira como autora de inspirados poemas. Para Montero Bustamente «es, sin disputa, la primer poetisa de América, y la más grande que ha tenido el país». Federico de Onís, en cambio, alude a su vida, de la que dice que «fué un fracaso como mujer y como escritora». Su existencia, rica de anécdotas y excentricidades, transcurrió en perpetuo conflicto; el provocado por su formación católica y tradicionalista a ultranza, de una parte, y por sus pujos de mujer moderna, demasiado orgullosa para someterse a cualquier yugo impuesto por el sexo contrario, aun cuando fuese el dulce yugo del amor, de otra. A pesar de todo, dejó en *La isla de los cánticos*, libro publicado con carácter póstumo, una serie de poemas en los que late un lirismo tan intenso como trágico. El mismo Onís reconoce que «sus cualidades extraordinarias se salvan en unas cuantas poesías, en las que expresó de modo muy intenso y original la elevación y grandeza de su fracaso y su desesperación». Citemos, por citar algunos: *Fantasía del desvelo, El regreso, Desde la celda. Unico poema, La estrella misteriosa* y *El ataúd flotante*. Otra poetisa uruguaya compartía con los anteriores los honores de la fama a principios de siglo: LUISA LUISI (1897?), que en su primer libro de versos, *Sentir* (1916), se reveló espíritu poético de altura. El público, que acogió con aplauso ese primer libro, y la crítica, que le dedicó encendidos elogios, no se vieron defraudados. Los poemarios siguientes—*Inquietud* (1922) y *Poemas de la inmovilidad* (1926)—la confirmaron como poetisa, por cuyos versos corría una ancha vena de lirismo tan hondo como emotivo. Espíritu abierto a las caricias de la vida, impulsivo y pasional, ha sido comparada con Delmira Agustini. Y, en efecto, como a ésta, los versos le brotan del corazón y a veces del instinto; pero no afloran al exterior sin antes pasar por el cerebro. Luisa Luisi es autora asimismo de numerosos estudios de crítica y ensayo: *A través de libros y autores, Dos grandes maestros: Rodó y Reyles, Educación artística, La poesía de E. González Martínez*, etc.

No deben pasarse por alto dos poetisas cubanas de indiscutible calidad y que continúan muy dignamente la línea de la Avellaneda y de Juana Borrero: MARÍA VILLAR BUCETA (n. 1898), una mujer que se definió a sí misma «ejemplar de una especie asexual, inclasificable», y que en el fondo no era sino un gran temperamento poético arrastrado y enturbiado por las corrientes vanguardistas; y DULCE MARÍA LOYNAZ (n. 1903), mucho más definida en su obra, y acaso la voz poética más pura de la actual lírica americana. Se distingue la poesía de Dulce María por su intimismo suave, su misterio y su tono confidencial. Se diría que canta sólo para sí misma; pero sus sentimientos propios, su angustia, sus vivencias, todo su mundo interior están tan bien expresados, que el lector encuentra en sus poemas un eco de su mismo sentir. Todo, repitámoslo, en voz de soliloquio y en una forma difícil y hermética, que no le resta atractivo. *Versos* (Habana, 1938) y *Juegos de agua* (Madrid, 1947) compendian su mejor obra lírica. Tiene también Dulce María una novela, *Jardín* (Madrid, 1951), reflejo de su mundo interior, muy elogiada por la crítica española, y *Poemas sin nombre*, prosa poética (Madrid, 1953).

Tampoco ha de olvidarse el nombre de MARÍA ENRIQUETA CAMARILLO Y ROA DE PEREYRA (n. 1875), conocida en estudios y antologías por su simple nombre: María Enriqueta. Mujer de amplísima cultura, casada con el historiador Carlos Pereyra, recorrió, en compañía de éste, toda Europa antes de establecerse en Madrid, donde ha residido varios años. En Madrid también ha publicado muchas de sus obras. Estas se reparten en prosa y verso. Como prosista lo es de primer orden, sobre todo en el género narrativo con cuentos y novelas breves tan logradas como *Mirlitón, Girón de mundo, Lo irremediable, El arca de colores* y *Rosas de la infancia*, cuatro volúmenes de lecturas infantiles, adoptadas como texto en las escuelas de Méjico. Como poetisa se nos presenta en *Rumores de mi huerto* (1908), *Rincones románti-cos* (1922) y *Album sentimental* (1926), igualmente alejada de las fáciles efusiones románticas que de los artificios del modernismo. Prefiere la expresión directa, sencilla y clásica—no clasicista—, para unos temas que también están tomados de la vida vulgar: el gato que se despereza, la marmita que hierve en el hogar, el afilador, el sendero transitado todos los días.

Si añadimos los nombres de las argentinas MARGARITA ABELLA CAPRILE, de inspiración muy sostenida; NORAH LANGE, decididamente vanguardista, y NYDIA LAMARQUE, ardorosa, angustiada y pasional como la Storni, tendremos alineada ante nuestros ojos la plana mayor de la poesía femenina en la primera mitad de siglo.

Todavía la lista podría incrementarse con los nombres de Olga Azevedo, María Rosa González y María Monvel, chilenas; Aurora Estrada Ayala y María Ramona Cordero León, ecuatorianas; Angélica Estensoro, boliviana; Magda Portal y Delia Colmenares, de Perú; Enriqueta Gómez Sánchez, de Paraguay; María Arias Bernal, Uva Jaramillo Gaitán y Susana Rubio, de Colombia. Las Antillas estarían representadas por las puertorriqueñas María Cadilla de Martínez, Concha Meléndez y Julia de Burgos; Centroamérica, por Auristela G. de Jiménez, costarricense, Clementina Suárez, hondureña y María Olimpia de Obaldía, panameña. Las principales poetisas mejicanas han sido citadas en párrafo anterior.

VI. POESIA NEGRA

Por el campo de la literatura americana contemporánea corre una amplia vena de poesía folklórica caracterizada por el predominio de temas y motivos afrocubanos. Es la llamada «poesía negra», cuyo auge y desarrollo coinciden con la difusión alcanzada por el arte negro en todas las manifestaciones: música, pintura, danza, etc. No es pura casualidad que Nicolás Guillén, el más conspicuo intérprete de esa poesía, cante en tonos distintos al negro y sus problemas; en el fondo no hace sino responder al mismo imperativo que lanza a las tablas a Josefina Baker, y que agita las sonatas y timbales de tantos negros o blancos dedicados por las salas de fiestas de todo el mundo al cultivo del «jazz». Sin salirse de Cuba, meca indiscutible de este arte, el maestro Lecuona ha podido plasmar en ritmos llenos de nostalgia y emotividad aspectos musicales de ese arte exótico y fascinador: p. ej., en su *Danza negra* o en su *Danza Lucumi*.

Esta poesía no es nueva. Ya Ramón Guirao ha podido hacer un estudio sobre su cultivo en la época esclavista. Pero ahora se alude a otras manifestaciones más recientes, más estrechamente vinculadas con lo racial africano. Su presencia en el área poética ha sido anunciada con voz llena de temblores de alba por el citado Guillén:

> ¡Aquí llegamos!
> La palabra nos viene húmeda de los bosques,
> y un sol enérgico
> nos amanece entre las venas.
> ....
> Traemos el humo de la mañana
> y el fuego sobre la noche,
> y el cuchillo como un duro pedazo de luna,
> apto para las pieles bárbaras;
> traemos los caimanes en el fango,
> y el arco que dispara nuestras ansias,
> y el cinturón del Trópico,
> y el espíritu limpio.
> Traemos
> nuestros rasgos al perfil definitivo de América.
>
> *(Llegada.)*

Se trata de una poesía que se da en todas las latitudes de América, pero de modo especial en las Antillas. Cuba es su centro más floreciente. Y la razón es clara: En las naciones continentales, el indio, el indígena, todavía suministra material para una poesía folklórica importante. «Pero en las Antillas, sobre todo en Cuba—escribe Ballagas—, donde las razas indígenas desaparecieron sin dejar huellas que, como en el continente, enriquecieran la psique del criollo, la poesía de carácter folklórico busca inspiración—y la halla, cuando la halla—en temas y motivos negros, en el aporte popular de las gentes traídas de Africa para servir de máquinas en la colonización.» El título de «afrocubana» aplicado a esta poesía no es exacto, ya que no todos sus cultivadores han nacido en Cuba; los hay de otros países de América, y también algún español, como García Lorca y Méndez Herrera; el primero la cultivó ocasionalmente; Méndez Herrera, de modo más constante y deliberado. Tampoco es exacta ·la denominación de «poesía negra», ya que lo africano o negro se mezcla en ocasiones con lo mulato y lo criollo.

Técnica, motivos, expresión

«La poesía folklórica, la negra principalmente, se sirve en muchos casos del juego libre de la poesía pura, de la imagen infantil cercana al disparate lírico, de la jitanjáfora, de la onomatopeya audaz», según anota Ballagas, uno de sus exegetas y más fieles cultores. Quiere decir esto que la «poesía negra» prescinde en absoluto, o al menos prescinde con frecuencia, de los esquemas métricos tradicionales, y sólo respeta algunos, como el romance o la letrilla, en cuanto sirven de base al ritmo. Sin embargo, el trasfondo erudito de buena parte de esta poesía y lo que hay en ella de artificio, bajo un aparente velo de primitiva ingenuidad, salta a la vista a poco que se la observe. Puede afirmarse que sus mejores intérpretes son poetas cultos, que ponen sus conocimientos literarios y hasta fonéticos al servicio del género:

> Rompen los junjunes en furiosa u.
> Los gongos trepidan con profunda o.
> Es la raza negra, que ondulando va
> en el ritmo gordo del mariyandá.
>
> . . . .
>
> Pasan tierras rojas, islas de betún:
> Haití, Martinica, Congo, Camerún;
> las papamientosas Antillas del ron
> y las patoalesas islas del volcán,
> que en el grave son
> del canto se dan.
>
> (Luis Palés Matos: Danza negra.)

En este caso, y en otros análogos, la poesía afrocubana se reduce, está claro, a una nueva forma, por cierto algo tardía, del modernismo exótico. Sólo que ahora, en vez de ser lo oriental japonés, como en Tablada; o lo indio, como en Nervo; o lo hiperbóreo y escandinavo, como en Jaimes Freyre, es lo africano, tan desconocido o más para el poeta que lo canta como para esos otros poetas los motivos citados. Otras veces, la inspiración está más cercana. García Lorca, con su Romancero gitano, se halla presente en la mitad, por lo menos, de todos estos poetas, que no vacilan en servirse

de las mismas imágenes, las mismas lunas, la misma modalidad cromática y, sobre todo, la misma sensualidad:

> Y desgarraron tu bata
> navajazos de miradas.
>
> (J. A. Portuondo: Mari Sabel.)
>
> La cuchilla de los dientes
> corta el canto en dos pedazos.
>
> (I. Pereda Valdés: La guitarra de los negros.)
>
> Los niños de las esquinas
> forman la ronda catonga,
> rueda de todas las manos
> que rondan la rueda ronda.
>
> . . . .
>
> Las estrellas forman ronda
> cuando juegan con el sol,
> y en el cadombe del cielo
> la luna es un gran tambor.
>
> (I. Pereda Valdés: La ronda catonga.)

A veces, la inspiración lorquiana es tan visible como en Velorio de papa Montero, de Guillén, auténtica contaminación de varios romances del poeta granadino, cuya presencia se descubre ya desde el mismo título; o como en la Balada del güije, compuesta a imagen y semejanza de nuestro poeta.

No todo, sin embargo, es copia o inspiración ajena. La «poesía negra» tiene asimismo recursos propios. Y entre ellos, el más frecuente es la onomatopeya: hemaforibia, guaricandá, macumba, uenibamba, yombondombo son, entre otras muchas, voces que nada dicen, aunque sugieran bastante. A veces, la onomatopeya se extiende a toda la estrofa:

> Retumba la rumba,
> hierve la balumba,
> y con la calunga
> arrecia el furor.
> Rembombiando viene,
> rembombiando va...
> La conga rembomba
> rueda en el tambor.
> La conga matonga
> sube su clamor,
> ronda que rondando,
> ¡ronca en el tambor!
>
> (E. Ballagas: Comparsa habanera.)

Otro recurso frecuente es la aliteración, utilizada casi siempre a manera de estribillo:

> Zumba, mamá, la rumba y tambó,
> mabimba, mabomba, mabomba y bombó.
> Chaqui, chaqui, chaqui, charaqui,
> chaqui, chaqui, chaqui, charaqui.
>
> (J. Zacarías Tallet: La rumba.)

Aun sin salirse del castellano, tiene esta poesía su vocabulario propio: batey (plazoleta), bemba (labios), etc.; y cuando lo estima conveniente, acude a una jerga convencional:

Endoco, endiminoco,
efímere bongó.
Enkiko baragofía,
¡yamba ó!

(ALEJO CARPENTIER: *Liturgia.*)

Con frecuencia utiliza metáforas rebuscadas:

Envuelve José la música
en un ovillo de claves.

(E. BALLAGAS: *El baile del
papelote.*)

O bien penetra en zonas surrealistas:

Peces de sueño navegan
el mundo de las caderas.
Eclípticas encendidas
de pereza ciñe el trópico...

(E. BALLAGAS: *Hombres negros
en el son.*)

O se interna en los dominios del «ultra»:

Al tiqui-t de las claves
las parejas ahondan cielos concéntricos de con-
[tacto...

(E. BALLAGAS: *Hombres negros
en el son.*)

Agita la maraca de su risa
con los dedos de leche de sus dientes...

(RAMÓN GUIRAO: *Rumbera.*)

En cuanto a los temas, el más frecuente es el baile entendido y descrito de una manera sensualista, con un lenguaje crudo, que no duda en servirse de las más gráficas expresiones, lindantes con la procacidad. Otro tema es el social, el del negro explotado y vejado por el blanco. Y otro tercero, bastante frecuente, el de la nostalgia de la selva. Esta no siempre se nos presenta como algo ingenuo y atrayente; muchas veces se nos da en pleno estado de barbarie, rebosante de crueldad, magia y supersticiones. Así la encontramos, p. ej., en *Ñam-Ñam,* de Luis Palés Matos:

Ñam-ñam. Los fetiches abren
sus bocas negras; ñam-ñam.
En las pupilas del brujo
un solo fulgor; ñam-ñam.
La sangre del sacrificio
embriaga al totem; ñam-ñam.
Y Nigricia es toda dientes
en la tiniebla; ñam-ñam.

Está claro, pues, que aun siendo en el fondo una misma la «poesía negra», ofrece diversos aspectos temáticos y formales. En un estudio más a fondo se podrían señalar hasta cuatro direcciones claramente definidas: *a)* Una «poesía negra» de carácter erudito, que se beneficia de la técnica y de los metros del modernismo y tiene por máximos representantes al cubano José Manuel Poveda, al uruguayo Ildefonso Pereda Valdés y, sobre todos, al portorriqueño Luis Palés Matos. *b)* Otra dirección de carácter indigenista, llena de aparente ingenuidad, que tiende a nutrirse de mo-

tivos tomados directamente del mundo africano: ritos, supersticiones, etc. Su principal intérprete es Ignacio Villa; *c)* Otra tercera dirección, que aspira a recoger ritmos y temas del *folklore* popular, casi siempre exagerándolos. Halla su mejor expresión en Alejo Carpentier. *d)* Una cuarta tendencia de neto perfil social, en cuanto aspira a la dignificación del hombre de color y a su rehabilitación. Nicolás Guillén, que ha cultivado todas las formas de la «poesía negra», destaca también en esta dirección.

Principales intérpretes

Con los nombres enunciados tenemos casi hecha la lista de los más autorizados intérpretes de «poesía negra».

El más representativo es el cubano NICOLÁS GUILLÉN (n, en Camagüey, 1903), que en 1930 se reveló como poeta racial de hondo sentimiento y expresión personalísima con su libro *Sóngoro-Cosongo.* Cultiva la poesía afrocubana en todas sus formas: folklórica, nativista, social y culta. Ha merecido elogios de hombres como Unamuno. En *West-Indies* (1934) domina el tono social de acento dramático.

Cubano también y de raza, como Guillén, es MARCELINO AROZARENA (n. en la Habana, 1912), autor de una *Canción negra sin color,* de clara intención social, y de una *Caridá,* de carácter folklórico. Paisanos suyos, si bien de raza blanca, son EMILIO BALLAGAS (n. 1910), que, después de cultivar la poesía pura en *Júbilo y fuga,* pasó a la que estamos estudiando en un librito de poemas folklóricos, *Cuaderno de poesía negra,* rico en valores musicales y pictóricos; ALEJO CARPENTIER (n. 1907), autor de la novela afrocubana *Ecué-Yamba-O* y de una colección de *Poèmes des Antilles,* integrada por nueve piececitas, con música de Marius François Gaillard; VICENTE GÓMEZ KEMP (n. 1915), que ha sabido llevar a su librito *Acento negro* un gracioso ritmo de poesía popular; RAMÓN GUIRAO (n. 1908), que recogió los poemas de este tipo en un volumen titulado *Bongó,* de hondo sabor afrocubano; JOSÉ MANUEL POVEDA (n. 1888), cuyos *Versos precursores* se distinguen, sin salirse del género que estudiamos, por su factura modernista y forma depurada; y JOSÉ ZACARÍAS TALLET (n. 1893), a quien se puede considerar por su poema *La rumba,* gráfico, descarnado y sensual, uno de los primeros cultivadores de la «poesía negra».

A los anteriores nombres ha de añadirse el del portorriqueño LUIS PALÉS MATOS (n. 1898), el poeta que acaso haya sabido llevar a sus composiciones más hondo sabor africano: *Pueblo negro, Ñam-Ñam, Majestad negra, Lamento* y, sobre todas, la *Danza negra,* popularizada por el recitador español González Marín; e ILDEFONSO PEREDA VALDÉS (uruguayo), que en sus dos libros, *Raza negra* (1929) y *La guitarra de los negros* (1926), canta al negro americanizado con una gran riqueza de colorido y ritmo. También han cultivado la poesía afro-indigenista el panameño DEMETRIO CORSI (n. 1899), en *Cumbia*, y JORGE ARTEL, colombiano, en *Tambores en la noche* (1940).

NOTAS

1. Quien desee informarse al día sobre la poesía hispanoamericana y sus más ilustres representantes puede acudir a las excelentes compilaciones publicadas, o en vía de publicación por el Instituto de Cultura Hispánica: *Nueva poesía dominicana, Nueva poesía de Puerto Rico*, etcétera. Se trata de amplias antologías, precedidas de estudios bien documentados.

2. A. IMBERT: *Historia de la poesía hispanoamericana*, pág. 261; F. DE ONÍS: *Antología de la poesía española e hispanoamericana*, págs. VIII-X.

3. En modo alguno quisiéramos que se interpreten nuestras palabras como subestimación de la poesía hispanoamericana en la época actual. Recuérdese que el mismo juicio nos merecía la española en ese periodo. En todo caso, invitamos a nuestros lectores a que repasen lo que sobre aquélla dice Anderson Imbert en su *Historia*, tantas veces citada, págs. 319-20.

4. Un cuadro bastante completo y sistematizado puede verse en LEGUIZAMÓN, *ob. cit.*, II, cap. XVIII: «La poesía de la postguerra», págs. 391-455.

5. *Nueva poesía de Puerto Rico*, Edics. Cultura Hispánica, Madrid, 1953.

6. No exageramos. He aquí unos pocos ejemplos, que podrían multiplicarse hasta lo infinito:

> En los tejados de las almas
> mayan los ruidos de la tierra.
>
> *(Angelus.)*

> Desenvainando acentos como espadas de llanto,
> y sacudiendo trémulas banderas de sonidos.
>
> *(Clarín.)*

> El lebrel de la noche está ladrando.
>
> *(Ocaso.)*

> Luz antigua en sollozos estremece el abismo,
> y el silencio nocturno se levanta en sí mismo.
> Los violines del éter pulsan su claridad.
>
> *(La danza de los astros.)*

> Porque Dios no ha alcanzado a
> pellizcar tan lejos la piel de la
> noche.
>
> *(Canción del espacio.)*

Lástima que un desequilibrio mental obligase a recluir a tan gran poeta en el manicomio de Managua.

7. Lo que no le impide ensayar formas verbales que constituyen auténticas revoluciones. Así, las conjugaciones amorosas del final de *Hipótesis de tu cuerpo*: «Tesómosme», «mesómoste»... Urteche, excelente traductor de poesía anglosajona, ha aclimatado en su país las que los ingleses llaman *Nursey-Rimes*, que nosotros venimos llamando *rimas internas* y que en Nicaragua, donde este pueril artificio tiene de siempre gran aceptación, han sido bautizadas con el nombre de *rimas chinfónicas*:

> Yo soy un hombre duro como un duro,
> yo soy un hombre puro como un puro,
> con un solo pecado olvidado:
> un pedazo de beso tieso, como un botón de beso,
> dado a una criada bruta como una fruta...

8. Hombre de excelente formación y amplia cultura. Muy joven, empezó a colaborar en publicaciones literarias. A los dieciséis años llega a París, donde se incorpora al núcleo de la revista *Sic*. Antes había pasado por Buenos Aires y hecho propaganda de su poética revolucionaria. En 1917 pasa de *Sic* a la Redacción de *Nord-Sud*, donde colabora y alterna con poetas como Apollinaire, Réverdy, Dermée, Tristán Tzara, Max Jacob y otros. Su paso al año siguiente por Madrid y su estancia en la capital fué para muchos jóvenes un verdadero des-

lumbramiento. Se puede decir que él inició al grupo del «ultra» en la poesía nueva vigente en París por aquellas fechas. Cansinos Assens registró este hecho en un artículo de *Cosmópolis*.

9. A. DE UNDURRAGA: *Teoría del creacionismo*, estudio preliminar a la Antología, *Poesía y prosa*, de Vicente Huidobro, Edit. Aguilar, Madrid, 1957.

10. *Vicente Huidobro*, revista «Atenea», núms. 295-296, Santiago de Chile, 1950.

11. Sus audacias asombrarían muchas veces, si no hiciesen reír.

> ai a i ai a i i i i i o ai.

Esto es un verso. Ya se comprende que esta «poesía», o lo que sea, no merece tomarse en serio.

12. Nace en Santiago de Cuzco (Perú), provincia andina del departamento de La Libertad, al norte del país. Hijo de padre gallego y de madre chimú. A los veinticinco años abandona su ciudad natal, cuando ya había publicado *Los heraldos negros*. Va a Lima; ante la indiferencia del público, que le desconoce o aparenta desconocerle, tiene que emplearse en diversos oficios: peón, arriero... A esta época pertenece *Trilce*. Viene luego un período de bohemia: rebeldía, alcohol, opio... Vuelta al hogar. Sufre prisión en Trujillo. En 1923 sale para Europa. Reside en París y en Rusia, y en 1930 viene a España. Muere en París el 15 de abril de 1938.

13. Nacido en Parral (Chile) en 1904. Su madre era maestra, y su padre, maquinista de tren. Cursa estudios secundarios en el Liceo de Temuco. Empieza muy temprano a escribir, adoptando desde sus primeros trabajos el seudónimo de «Pablo Neruda», acaso en recuerdo del cuentista checo de ese nombre. En 1921 se traslada a Santiago y se hace profesor del Instituto Pedagógico. Poco después inicia sus actividades consulares. Pasa varios años en Oriente: Siam, Birmania, Anam, China, Japón y la India. Vive dos años en Colombo. En 1934 llega a Barcelona, como cónsul de su país, y al año siguiente, con el mismo cargo, a Madrid. En 1936 regresa a Chile.

14. *Poesía y estilo de Pablo Neruda*, Edit. Losada, Buenos Aires, 1940.

15. He aquí un soneto que muy bien pudiera firmar el mismo Gerardo Diego:

> Entre los bailarines y su danza
> la vi cruzar a mediodía el huerto,
> sola como la voz en el desierto,
> pura como la recta de una lanza.
>
> Su idioma era una flor en la balanza:
> justo en la cifra, en el regalo cierto,
> y su hermosura, un territorio abierto
> a la segura bienaventuranza.
>
> Nadie la vió llegar; entre violines
> festejaban oscuros bailarines
> la navidad del fuego y el retoño.
>
> ¡Ay, sólo yo la he visto a mediodía!
> Desnuda estaba, y al pasar decía:
> «Mi señor tiene un prado sin otoño.»
>
> *(De Sophia.)*

16. *Antología de poetisas hispanoamericanas*. Selección y prólogo de MATILDE MUÑOZ, Edit. Aguilar, Colec. «Crisol», Madrid, 1946. *La poesía femenina argentina*, por ELENA PERCAS, Edics. Cultura Hispánica, Madrid, 1958.

17. Lucila Godoy Alcayaga—«Gabriela Mistral»—nació en Vicuña, pequeña aldea del valle de Elqui, al norte de Chile, el 6 de abril de 1889. Su padre, maestro de primeras letras, abandonó el hogar cuando Lucila contaba tres años. Fué auténtica autodidacta. Sin título, y sólo por vocación, se dedicó a la enseñanza primaria desde 1905 en varias localidades: La Compañía, La Cantera. En 1906 empieza el episodio amoroso que inspiraría sus mejores versos. En 1910 da estado oficial a su carrera y actúa como profesora en centros de enseñanza media. Publica algunos poemas en periódicos de la capital. En 1914 obtiene la Flor Natural en unos Juegos Florales de Santiago. Su nombre empieza a sonar. En 1921, el profesor español Federico de Onís la da a conocer en la Universidad de Columbia (Estados Unidos). En 1922 aparece *Desolación*, su mejor libro de versos. Ese mismo año va a Méjico, donde se le tributan grandes honores. Toma parte luego en la reforma educativa de Vasconcelos. Viaja por Norteamérica, Italia y España. Vuelve en 1925 a Chile, pero no tarde en venir de nuevo a Europa como encargada de misiones diplomáticas. En 1945, encontrán-

dose en Estados Unidos, se entera de que le ha sido otorgado el Premio Nobel. Rodeada de universal admiración y aprecio, muere el 10 de enero de 1957.

18. FEDERICO DE ONÍS: *Antología de la poesía española e hispanoamericana*, pág. 920, Madrid, 1934.

19. JULIO SAAVEDRA MOLINA: Prólogo a *Poesías completas de Gabriela Mistral*, «Bibl. de Premios Nobel», Aguilar, Madrid, 1958.

20. Nacida en Lugagnia, cantón Ticino, Suiza italiana, el 29 de mayo de 1892. Trasladada muy niña a la Argentina, vive y se educa en San Juan y en Coronda (Santa Fe). De aquí pasa a Buenos Aires, con un hijito en brazos. Da lecciones de primera y segunda enseñanza y luego entra como empleada en una oficina comercial. En 1921, ya conocida como poetisa, se crea para ella una cátedra en el Teatro Municipal Lavardén. En 1930 viaja por Europa. Y en 1938, el 25 de octubre, se arroja al mar en la playa de Mar del Plata.

21. Este soneto, en verso blanco, dice así:

Dientes de flores, cofia de rocío,
manos de hierba, tú, nodriza fina,
tenme prestas las sábanas terrosas
y el edredón de musgos escardados.

Voy a dormir, nodriza mía, acuéstame.
Ponme una lámpara a la cabecera;
una constelación, la que te guste;
todas son buenas; bájala un poquito.

Déjame sola; oyes romper los brotes...
Te acuna un pie celeste desde arriba
y un pájaro te traza unos compases

para que olvides... Gracias... ¡Ah!, un en-
si él llama nuevamente por teléfono, [cargo:
le dices que no he insista, que he salido.

(Voy a dormir...)

22. No se sabe qué año nació. Zum Felde afirma que murió a los treinta años, por lo que tuvo que nacer en 1884. Otros dan como fechas de su nacimiento las de 1886 y 1887. Nosotros seguimos la de Federico de Onís, quien la supone nacida, pero sin certeza, en 1890. Vivió admirada y agasajada y murió asesinada por su esposo, según se dice en el texto, a los tres meses de matrimonio.

23. FEDERICO DE ONÍS: *Ob. cit.*, pág. 907.

24. Su nombre de pila es Juanita Fernández Morales. Hija de padre gallego y de madre uruguaya, de origen andaluz. Nació en Melo, capital del departamento uruguayo de Cerro Largo, el 8 de marzo de 1895. De talento precocísimo, ya que a los ocho años escribía y publicaba algunos versos. Cursó estudios primarios en un colegio religioso y luego en centros del Estado. A los diecinueve años contrajo matrimonio con el capitán Lucas Ibarbourou, de origen vasco-francés, cuyo apellido tomaría ya para siempre. Con él recorrió varias ciudades: Rivera, Tacuarembó, Rocha, Canelones. En 1917 les nace un hijo, «su mejor poema», «el poema vivo». Un año más tarde se instala en Montevideo. Antes, durante sus andanzas de ciudad en ciudad, había ido componiendo versos, que, publicados por *La Razón*, de Montevideo, y editados luego (1919) con el título de *Las lenguas de diamante*, le abrirían las puertas de la fama de par en par. A partir de ese momento la vida de Juana de Ibarbourou ha sido una sucesión ininterrumpida de triunfos y distinciones: consagración como «Juana de América» en el Palacio Legislativo de Montevideo (1929); medalla de oro Francisco Pizarro, del Perú (1935); Orden del Cóndor de los Andes, de Bolivia (1937); Orden del Sol, del Perú (1938); Orden del Crucero del Sur, del Brasil (1945); Cruz de Comendador del Gran Premio Humanitario, de Bélgica (1946); miembro de número de la Academia de Letras del Uruguay (1947); Huésped de honor permanente de la Ciudad de Méjico (1951); Orden de Carlos Manuel de Céspedes, de Cuba, 1951), etc.

BIBLIOGRAFIA

I. Marco general: *Historias* de la literatura hispanoamericana e *Historias* particulares de cada país citadas en la Bibliografía general.

II. Lírica postmodernista: L. A. GULLA: *La poesía postmodernista*, 1930.—A. YUNQUE y A. ZARRILLI: *La moderna poesía lírica rioplatense (Desde Julio Herrera y Reissig y Leopoldo Lugones hasta nuestros días)*, Buenos Aires, 1944.—E. MÉNDEZ: *Diez poetas nuevos*, «Síntesis», Buenos Aires, 1927.—C. M. BONET: *Orientación estética dominante en la actual literatura argentina*, Buenos Aires, 1928.—C. FERNÁNDEZ MORENO: *Poesía argentina desde 1920*, «Cuad. Amer.», año V, vol. 29.—N. IBARRA: *La nueva poesía argentina (1921-29)*, Buenos Aires, 1930.—J. CARRERA ANDRADE: *Guía de la joven poesía americana: Uruguay*, «Hoja Literaria», Madrid, enero de 1933.—G. DE TORRE: *Panorama de la nueva poesía uruguaya*, «Gac. Literaria», Madrid, febrero de 1927.—S. BUZÓ GÓMEZ: *Índice de la poesía uruguaya*, Buenos Aires, 1943.—V. DÍAZ PÉREZ: *La literatura del Paraguay*, «Hist. Univ. de la Literatura», de Prampolini, XII, Buenos Aires, 1940.—C. RENÉ CORREA: *Figuras de la moderna poesía chilena* «Atenea», año XXIII, t. 84.—O. PLATH: *Literatura chilena moderna*, «Rev. Brasil», año VI, núm. 56.—H. DEL SOLAR: *Índice de la poesía chilena contemporánea*, Santiago, 1937.—G. DE TORRE: *Esquema panorámico de la nueva poesía chilena*, «Gac. Literaria», Madrid, agosto de 1927.—H. ZAMBELLI: *Trece poetas chilenos (1938-1948)*, Valparaíso.—E. NÚÑEZ: *La literatura actual del Perú*, «Repert. Americano», año XXIV, t. 40.—A. URETA: *Panorama de la joven poesía peruana*, «Rev. Americana de Buenos Aires, XLIX, 1934.—C. ANDRADE Y CORDERO: *Ruta de la poesía ecuatoriana contemporánea*, Ecuador, 1951.—M. JIMÉNEZ: *El Grupo «Elan»* (Ecuador), «Biografía y crítica», Quito, 1933.—P. DÍAZ SEIJAS: *Breve panorama de la joven poesía venezolana*, «Rev. Nac. Cult.», año VII, núm. 55.—J. RAMÓN MEDINA: *Examen de la poesía venezolana contemporánea*, Ministerio de Educación, Caracas, 1956.—D. OSSOLA: *Antología de la moderna poesía venezolana*, Caracas, 1940.—J. CARRERA ANDRADE: *Guía de la joven poesía americana: Colombia*, «Hoja Liter.», Madrid, marzo de 1933.—E. AVILÉS RAMÍREZ: *Panoramas de la poesía en Cuba*, «Gac. Liter.», Madrid, agosto de 1927.—P. G. BÁEZ: *Poetas jóvenes cubanos*, s. a.—R. E. BOTI: *La nueva poesía en Cuba*, «Cuba Contemp.». XLIV, Habana, 1927.—C. VITIER: *Diez poetas cubanos (1938-1948)*, Habana, 1948.—E. CHEVREMONT: *Antología de poetas jóvenes de Puerto Rico*, San Juan, 1918.—A. VALBUENA BRIONES y L. HERNÁNDEZ AQUINO: *Nueva poesía de Puerto Rico*, Edic. Cultura Hispánica, Madrid, 1952.—P. RENÉ C. AYBAR: *Notas a la poesía dominicana*, Ciudad Trujillo, 1947.—A. FERNÁNDEZ SPENCER: *Nueva poesía dominicana*, Edic. Cultura Hispánica, Madrid, 1953.—E. CARDENAL: *Nueva poesía nicaragüense*, Madrid, 1949.—MARÍA TERESA SÁNCHEZ: *Poesía nicaragüense*, Managua, 1948.—J. FELIPE TORAÑO: *Índice de poetas de El Salvador en un siglo (1840-1940)*, San Salvador.—J. ESTRADA: *Poetas nuevos*, Méjico, 1916.—J. M. GONZÁLEZ DE MENDOZA: *Las tendences de la jeune littérature mexicaine*, «Revue de l'Amerique Latine», X, Paris, 1925.—M. MAPLES ARCE: *Antología de la poesía mejicana moderna*, Roma, 1940.—L. MONGUIÓ: *Poetas postmodernistas mejicanos*, «Rev. Hisp. Mod.», año XII, núms. 2-3.—X. VILLAURRUTIA: *La poesía de los jóvenes de Méjico*, Méjico, 1924.—A. GUILLÉN: *Poetas jóvenes de América*, Edit. Aguilar, Madrid, s. a.—C. GONZÁLEZ SALAS: *La poesía mexicana actual*, «Cuad. Hispanoamericanos», núm. 104, Madrid, 1958.

III. Poesía de vanguardia: E. BALLAGAS: *Los movimientos literarios de vanguardia*, «Cuad. Univ. del Aire», núm. 24, 1933.—J. GIL FORTOUL: *Alrededor del vanguardismo poético*, «Cult. Venezolana», LXXXVI, Caracas, 1928.—A. GRUCHAGA SANTA MARÍA: *Los poetas de vanguardia en Chile*, Santiago, 1930.—P. HENRÍQUEZ UREÑA: *En busca del verso puro*, «Valoraciones», La Plata, 1928.—E. MONTAGNE: *La poética nueva. Sus fundamentos y primeras leyes*, Buenos Aires, 1922.—A. MONTOYA: *Las nuevas tendencias literarias*, Lima, 1932.—A. PACHECO ITURRIZAGA: *La función actual de la poesía*, La Paz, 1932.—J. RUMAZO GONZÁLEZ: *Nuevo clasicismo en la poesía*, Quito, 1932.—G. DE TORRE: *Literaturas europeas de vanguardia*, Madrid, 1925.—F. VELA: *La poesía pura*, «Rev. de Occidente», XIV, 1926.—A. ZUM FELDE: *Estética del novecientos*, Buenos Aires, 1927.—J. L. MARTÍNEZ: *La poesía mejicana contemporánea*, «Rev. de Guatemala», año I, vol. 3; *La literatura mejicana en 1942*, «Letras de Méjico», año VII, vol. I.—G. LIST ARZUBIDE: *El movimiento estridentista*, Jalapa, 1926.—G. DE TORRE: *Nuevos poetas mejicanos*, «Gac. Liter.», Madrid, marzo de 1927.—L. A. SÁNCHEZ: *José María Eguren*, «Escrit. Represent. de América», vol. II, Edit. Gredos, Madrid, 1957; *Andrés Eloy Blanco*, «Escrit. Represent. de América», II.—A. ARGÜELLO: *El diabólico Porfirio Barba Jacob*, «Univ. Antioquia», t. XIII, núm. 51.—A. A. ROGGIANO: *Eduardo Carranza y la nueva poesía colombiana*, «Univ. Antioquia», Medellín, t. XXXII, núm. 124.—J. M. GONZÁLEZ DE MENDOZA: *La obra de Bernardo Ortiz de Montellano*, «Cuad. Amer.», año VIII, núm. 46.—G. Posada Mejía: *El pensamiento poético de Porfirio Barba-Jacob*, «Thesaurus», XII, Bogotá, 1957.— A. Borrero: *El poeta ecuatoriano J. Carrera Andrade*, «Cuad. Hispanoamericanos», núm. 121, Madrid, 1950.

IV. Poetas ultraístas, creacionistas y surrealistas: «Alone» (Hernán Díaz Arrieta): *El poeta chileno Pablo Neruda, según el crítico español Amado Alonso*, «Rev. Nac. de Cult.», año II, núm. 26.—A. Alonso: *Poesía y estilo de Pablo Neruda*, Edit. Losada, Buenos Aires, 1940.— D. Arango: *Carta a Pablo Neruda*, «Rev. de Indias», 2.ª época, t. XVIII, núm. 56.—A. Cardonapeña: *Pablo Neruda. Breve historia de sus libros*, «Cuad. Amer.», año IX, núm. 6.—C. Finlayson: *Poesía de Neruda. Significación de elementos*, «Univ. Cat. Bolivariana», vol. V, núm. 15.—C. D. Hamilton: *Itinerario de Pablo Neruda*, «Rev. Hisp. Mod.», Nueva York, julio-octubre de 1956.— C. Miró: Pról. a las *Poesías completas* de César Vallejo, Edit. Losada, Buenos Aires, 1953.—A. Fernández Spencer: *César Vallejo o la poesía de las cosas*, «Cuad. Hispanoamericanos», núm. 14.—F. Izquierdo Ríos: *Vallejo y su tierra*, Lima, 1950.—L. Monguió: *César. Vallejo. Vida y obra*, «Rev. Hisp. Mod.», núm. 14, 1950.—L. A. Sánchez: *César Vallejo*, «Escrit. Represent. de América», II.—J. M.ª Valverde: *Notas de entrada a la poesía de César Vallejo*, «Estudios sobre la palabra poética», Madrid, 1952; *César Vallejo y la palabra inocente*, ob. cit.—Elsa Villanueva: *La poesía de César Vallejo*, Lima, 1951.—G. Diego: *Vicente Huidobro*, «Atenea», año XXVII, t. 96.— L. A. Sánchez: *Vicente Huidobro*, «Escrit. Represent. de América», II.—A. de Undurraga: *Introducción-estudio a Poesía y prosa de V. Huidobro*, Edit. Aguilar, Madrid, 1957.—Cedonil Goic: *La poesía de V. Huidobro*, Edics. Auch, núm. 2, Santiago de Chile.—*Obra poética de Pablo Neruda*, 10 vols., Santiago de Chile, 1947-48.—L. García Abrines: *La forma en la última poesía de Neruda*, «Rev. Hisp. Moderna», año XXV, núm. 4, Nueva York, 1959.— R. Benítez Claros: *La poesía de Ricardo Molinari*, «Archivum», IV, Oviedo, 1954.

V. Poesía femenina: G. González y Contrera: *Interpretación de la poesía femenina*, «Rev. Nac. Cult.», año XXI, núm. 23.—C. González Ruano: *Literatura americana...: I, Poetisas modernas*, Madrid, 1924.—Sidonia Carmen Rosenbaum: *Modern Women Poets of Spanish America*, Hispanic Institute, Nueva York, 1945.—M.ª Pilar Torre Temprano: *La poesía femenina hispanoamericana*, «Mujeres en la Isla», Palma de Gran Canaria, núm. 1.—Julieta Carrera: *Tres poetisas argentinas (Alfonsina Storni, Elvira de Alvear y Norah Lange)*, «Rev. Iberoamericana», vol. VIII, núm. 15.—«Alone» (Hernán Díaz Arrieta): *Gabriela Mistral*, Santiago de Chile.— E. Allison Peers: *Gabriela Mistral. A tentative evaluation*, «Bull. Span. Stud.», vol. XXIII, núm. 90.—Margot Arce de Vázquez: *Vida y poesía en G. Mistral*, «Asonante», año II, vol. 2.—A. Donoso: *Gabriela Mistral, un poeta representativo*, «La otra América», Madrid, 1925.— Lagos Carmona: *G. Mistral en México. Biografía y antología*, Méjico, 1945.—C. Clavería: *El americanismo de G. Mistral*, «Bull. Span. Stud.», vol. XXIII, núm. 90.— A. Gamucio Harriet: *G. Mistral y el Premio Nobel*, Santiago de Chile.—E. Matte: Pról. a la *Antología de G. Mistral* (Santiago, 1941).—Magdalena Petit: *Biografía de G. Mistral*, Santiago.—A. R. Romera: *Estudio crítico de G. Mistral* en *Poemas de las madres*, S'antiago, 1950.— J. Saavedra Molina: *G. Mistral. Su vida y su obra*, «Anales Univ. Chile», 4.ª serie, núms. 63-64.—Varios: *Homenaje a G. Mistral*, Madrid, 1947.—A. Capdevila: *Alfonsina Storni o la inquietud de un rosal*, «Rev. Nac. de Cult.», año VIII, núm. 59.—Julieta Gómez Paz: *Los antisonetos de A. Storni*, «Cuad. Amer.», año IX, núm. 3.— M.ª Teresa Orosco: *Alfonsina Storni*, Buenos Aires, 1940.—Varios: *Homenaje a Delmira Agustini*, «Repert. Amer.», marzo, 1929.—L. Ruidavets de Montes: *Poesía de Mujer: I, D. Agustini*, «Gaceta Literaria», julio, 1931.— R. Brenes Mesen: *Los dioses vuelven: Juana de Ibarbourou*, «Nosotros», L, 1925.—A. Andrade Coello: *J. de Ibarbourou*, «Cuba Contemporánea», XXVI. 1921.—Dora Isella Rusell: *Noticia biográfica y anotaciones de las Obras completas de J. de Ibarbourou*, Edit. Aguilar, Madrid, 1953.—Elena Percas: *Poesía femenina argentina (1810-1950)*, Edics. Cultura Hispánica, 1947.—Alonso María Rosa: *La poetisa cubana Dulce María Loynaz*, «Cuad. de Literatura», II, 1947.—J. Sigüenza: *Una nueva poetisa americana: M. Villar Buceta*, «Nos», LIV, 1926.

VI. Poesía negra: E. Ballagas: *Mapa de la poesía negra americana*, Buenos Aires, 1946; *Antología de la poesía negra*, Madrid, 1935.—A. Basave: *Poesía afroantillana*, «Nueva Democracia», Nueva York, 1954.—Aida Cometta Manzoni: *Trayectoria del negro en la poesía de América*, «Nosotros», año V, Buenos Aires.—H. P. Blomberg: *La negra y la mulata en la poesía americana*, «Atenea», LXXX, 1945.—J. A. Fernández de Castro: *El tema negro en las letras de Cuba (1608-1935)*, La Habana.—R. Guirao: *Poetas negros y mestizos de la época esclavista*, «Bohemia», La Habana, 1934.—M. Moreno Fraginals: *El problema negro en la poesía cubana*, «Cuad. Hispanoamer.», núm. 3, Madrid, 1948.—F. Ortiz: *La poesía mulata*, «Rev. Bimestre Cubana», 1944.—J. Labarthe: *El tema negroide en la poesía de Luis Palés Matos*, «Hispania», Washington, XXXI, 1948.

CAPITULO XCIII

LA NOVELA ESPAÑOLA CONTEMPORANEA:
A) DOS MAESTROS

I. PERSPECTIVA EN GENERAL: *¿Novela en crisis? Repercusión en España y grupos.*—II. PÍO BAROJA: *Vida y persona. Obra literaria. Análisis y comentario. Las «Memorias» y el teatro de Baroja. Ideario, técnica y estilo. Juicio crítico.*—III. VALLE-INCLÁN: *Biografía y máscara. Producción literaria. Análisis de las novelas. «Femeninas» y las «Sonatas». «Flor de santidad», «La guerra carlista» y otros relatos. El teatro de Valle-Inclán. Ideario, técnica y valoración.*—NOTAS.—BIBLIOGRAFÍA.

I. PERSPECTIVA GENERAL

La corriente naturalista, que alimenta casi toda nuestra novela de últimos del XIX, penetra todavía pujante en el XX, gracias a las últimas obras de la Pardo Bazán, Palacio Valdés y, sobre todo, a la copiosa producción de Blasco Ibáñez y de sus muchos seguidores. Pero ya desde el mismo inicio de siglo tiene que sufrir la competencia de otras formas, menos consistentes acaso como tales productos novelísticos, pero más en consonancia con el espíritu de nuestra época. La novela característica del XIX, con su sano realismo, no desaparece por completo en ningún instante; se limita a eclipsarse ante la aparición de tipos narrativos nuevos, para resurgir vigorosa, en los años inmediatos a la guerra de 1936. La reacción que se observa en nuestra novelística a partir de 1910, con Miró y con Pérez de Ayala especialmente, y que antes se había manifestado ya en Valle-Inclán, más que contra un tipo dominante por aquellas fechas va contra los excesos de un naturalismo que estaba degenerando en copia grosera de los más bajos fondos sociales y en descripción apologética de los más brutales instintos del ser humano.

Lo cierto es que, junto a la vieja y tradicional estructura de la novela, tal como la venía concibiendo el mundo desde Cervantes y tal como la realizó espléndidamente el siglo XIX, han empezado a levantarse otras estructuras, sin salirse del área señalada siempre al género narrativo. No se trata de una sustitución, como ha ocurrido en otros géneros, con la poesía romántica, por ejemplo, respecto de la neoclásica, a la que tiene que desplazar primero para imponerse en su lugar. Se trata simplemente de una coexistencia de formas múltiples, aunque haya de reconocerse que las formas advenedizas se imponen a las tradicionales, sobre todo en algunos países, acaso porque se adaptan mejor a la complicada contextura del

alma moderna. Francia es tal vez el país donde la novela tradicional—la de Balzac, la de Flaubert, la de Zola—se ha resentido más en sus elementos básicos.

¿Novela en crisis?

Todo esto ha inducido a varios críticos al planteamiento de un dilema previo: el de la pervivencia o desaparición de la novela como género literario. La «crisis de la novela» es uno de los tópicos más generalizados en nuestros días; y un tratadista de estética tan sagaz como Wladimir Weidlé ha podido hablarnos largamente, en su *Ensayo sobre el destino actual de las letras y las artes*, del «ocaso de los mundos imaginarios».

Weidlé aplica este concepto, *mundos imaginarios*, a ese extenso domino de la república de las letras que los ingleses designan con la palabra *fiction*—no en el sentido despectivo de *ficticio*—, y que se caracteriza por un despliegue de las fuerzas creadoras del espíritu, capaz de inventar acciones, personajes y formas enteras de vida al margen de lo real. Lo que para Weidlé pone en peligro el porvenir de la novela, así como el del relato o el del cuento, es la sustitución de ese impulso creador por una razón pura, muy indicada para ciertos análisis a la manera de Proust o para ciertas frías construcciones lógicas al modo de Joyce, pero impotente para imaginar un mundo aparte con seres que se muevan dentro de él, y, sobre todo, incapaz de insuflarles esa segunda vida, que el novelista auténtico sabe crear, y que no es posible reducir a una suma de procedimientos o de fórmulas preestablecidas. Esto era la novela, y ha dejado de serlo desde que su campo se ha visto invadido por nuevos modos narrativos, que vinieron a restringir más y más cada día el papel asignado a la imaginación creadora. Primero fué

1361

Proust, en su intento de reducir la novela a meros y fugaces recuerdos, anegando la personalidad humana en el fluir inagotable de la memoria; luego Joyce, Svevo, Andrés Bielyj, Aldous Huxley, Martín du Gard, Jules Romains y tantos otros, cada uno con su aportación más o menos original. No se trata ahora de indagar en qué consisten esas aportaciones. Basta con saber que, gracias a ellas o por culpa de ellas, según algunos, la arquitectura uniforme de la novela vigente hasta fines del siglo XIX se ha visto alterada por una multiplicidad de formas, que para unos suponen un enriquecimiento del género, y para otros, casi una disolución de sus factores esenciales. Weidlé, por ejemplo, ve en la obra de Proust y de Joyce «la negación de la novela como forma espontánea de la vida hecha arte y de la realidad transfigurada en poesía»[1], mientras otros se preguntan si con la invasión de las nuevas formas no se habrán abierto a ese mismo espíritu creador horizontes ilimitados, toda vez que, según el mismo Weidlé reconoce, la vieja técnica no ha caído en desuso y sigue alternando, a veces en un mismo autor, con los nuevos procedimientos.

Acaso el mayor peligro está por otro lado: en la competencia que le hacen géneros afines, como el relato histórico, la biografía novelada, el libro de viajes, la información periodística en grande. Pero aun estos géneros no son enteramente nuevos, y su coexistencia con la novela, así como el deslinde entre aquéllos y ésta, es un hecho comprobado. Todo permite augurar que, pasado el leve eclipse anteriormente aludido, la novela grande, la novela como obra de ficción, seguirá perviviendo durante mucho tiempo, porque, como dice muy bien Pío Baroja, «no se ve en lontananza ninguna forma literaria que pueda sustituirla». Podrá contraerse o alargarse; será filosófica, psicológica, existencial, episódica, folletinesca; pero todas estas formas y otras muchas no desbordarán las fronteras de un género que, al decir del mismo Baroja, «es un saco donde cabe todo»[2].

Repercusión en España y grupos

Si hacemos estas breves reflexiones es porque las consideramos indispensables para afrontar el estudio de nuestra novela en el primer tercio del siglo actual. Vamos a encontrarnos, en efecto, con un tipo o unos tipos de novela que se alejan bastante del módulo a que nos tenían acostumbrados los grandes cultivadores del género en el siglo anterior; tropezaremos con escritores—Miró, Pérez de Ayala—ante quienes el primer problema que se nos plantea es el de discriminar si son o no auténticos novelistas, si su obra encaja en el concepto de novela o más bien debe incluirse en otros géneros. Y eso que hasta España sólo ha llegado de una manera muy tenue la influencia de ciertos novelistas extranjeros, de aquellos precisamente cuya obra, dentro del campo novelístico, ha sido más revolucionaria. Ni Aldous Huxley, ni Proust, ni Joyce han tenido entre nosotros imitadores de altura, como los tuvieron Balzac, Jorge Sand o Zola. Acaso por influencia del «modernismo» y de la prosa modernista, los autores extranjeros que más boga alcanzaron entre nosotros, dentro de la novela, y los que más imitaciones suscitaron, sean aquellos que atendían primordialmente al estilo, a la expresión, convirtiendo su obra en verdaderos poemas en prosa: Catulo Mendes, D'Annunzio, Barbey D'Aurevilly, etc. La misma preocupación esteticista de éstos preside el proceso creador de un Gabriel Miró o de un Ramón del Valle-Inclán, cada uno dentro de su manera muy personal.

En menos palabras: el panorama novelístico español del XX no ofrece ni la homogeneidad ni la faz, hasta cierto punto única, de nuestra novela anterior. Más bien se escinde en pequeños compartimentos, sin límites fronterizos entre sí o con límites comunes poco precisos. Tampoco ofrece nuestra novela, a partir de 1900, una lista de autores de primera fila comparable a la que prestigió el género en la época anterior, con Galdós, Valera, Pereda, la Pardo Bazán, Palacio Valdés, *Clarín* y Blasco Ibáñez, que, aunque alcanzase larga vida del siglo actual (como Palacio Valdés), por su técnica e ideología deben ser estudiados, y así lo hicimos nosotros, en el precedente. Sólo dos autores de primera fila encontramos en la novelística del novecientos dignos de emparejar con ellos: Pío Baroja y Valle-Inclán. Los demás, muy numerosos y a mucha distancia de los dos citados, forman un conjunto heterogéneo, dentro del cual no es nada fácil establecer una clasificación. Como ésta se impone, aunque sólo sea por razones de claridad, en una primera ojeada podemos distinguir los siguientes grupos:

a) Dos novelistas de primer orden, los cuales, aun teniendo indudables conexiones con algunos autores extranjeros, ofrecen una personalidad muy acusada: Baroja y Valle-Inclán. Baroja puede relacionarse con Dostoyevski; Valle, con D'Annunzio y Barbey D'Aurevilly.

b) Dos epígonos del 98, que sin llegar a la altura de los anteriores, desempeñan un papel brillante en la prosa narrativa del primer cuarto de siglo: Pérez de Ayala y Gabriel Miró; en orden inferior, Cansinos Assens. En estos escritores pesa más la consideración del estilo que la del asunto o trama, la forma que el contenido; virtuosos de la palabra y de la frase, que cincelan, forjan o pulen con amorosa solicitud.

c) Los que, cuidadosos también del estilo, si bien a su manera, persiguen ante todo una finalidad moral, intentando oponer a la tendencia naturalista una novela espiritualista y cristiana, sin que este intento les impida caer de cuando en cuando en los mismos excesos que dicen condenar:

Ricardo León, Concha Espina, Muñoz Pabón y otros.

d) Una clara corriente humorística, si bien de un humor casi siempre desorbitado y rayano en la caricatura. Fernández Flórez, Camba y Jardiel Poncela son sus más conspicuos representantes.

e) Una muy larga lista de autores difícilmente clasificables. Unos (Díez de Tejada, López Pinillos, Carmen de Burgos) parecen inclinarse más bien hacia el realismo o, mejor, hacia un naturalismo mitigado; otros (Arturo Reyes, Antonio Reyes Huertas, el mismo Muñoz Pabón, ya citado) prefieren la pintura de costumbres; y algunos (López Ballesteros, por ejemplo) persiguen un psicologismo que no ha llegado a cuajar por completo en nuestra novela.

f) Novela de preguerra: agrupamos bajo este epígrafe una serie de escritores que representan un afán innovador; se inician y florecen en la década que va de 1924 a 1934, aproximadamente. Las dificultades que supone toda nueva técnica —en cuanto a la aceptación popular— y el impacto de la guerra civil, que dejó truncada esta generación, han contribuído a que se juzgue su obra como un laudable intento, pero no como escuela o técnica lograda.

II. PIO BAROJA

El novelista más representativo no sólo del 98, sino de la novela española en lo que va de siglo, es Pío Baroja (1872-1956). Por la calidad y la cantidad de su obra, Baroja es la gran figura de la novela española en los últimos cincuenta años. Al hablar de cantidad damos a este término su significación más directa; al hablar de calidad, en cambio, no aludimos a factores puramente estéticos, sino a otros aspectos que caen fuera de lo que se suele entender por expresión literaria. Baroja se constituye en heredero de la novela un poco anquilosada de últimos del XIX, le insufla un nuevo espíritu, la vivifica a su modo, la remoza y la hace caminar con paso firme a lo largo de toda la primera mitad del XX. Sin técnica ni estilo propiamente dichos, acierta a imprimirle nueva fisonomía; y puede decirse que, sin desmentir su origen de pura cepa española, nuestra novela sale de sus manos modernizada y apta para acomodarse a las exigencias del género en cualquiera de sus tipos más recientes. Todo lo que las generaciones literarias de los últimos años nos presentan como algo original e inédito, incluído el tremendismo de nuestra postguerra, está ya contenido en las obras de Baroja correspondientes a la primera década de siglo.

Vida y persona

Nace Pío Baroja y Nessi en San Sebastián, el 28 de diciembre de 1872, hijo de padre vasco y de madre de origen italiano[3]. En 1879 se traslada con su familia a Madrid, y dos años más tarde (1881) pasa a Pamplona, ciudad de la que guarda múltiples recuerdos. 1886: nuevo traslado a Madrid, donde termina los estudios de Bachillerato. Inicia la carrera de Medicina, que acaba en Valencia. Se doctora en Madrid y pasa a ejercer su profesión en Cestona; pero pronto se cansa y renuncia a su plaza de médico para volver a Madrid. Regenta durante algún tiempo una panadería, propiedad de una hermana de su madre; y esta ocupación le da oportunidad para conocer tipos y ambientes de la vida madrileña, que luego han de pasar a sus novelas. Al mismo tiempo se dedica al periodismo, colaborando en diarios y revistas de carácter más bien revolucionario: *El País, Germinal, Arte joven.* Lee mucho: primeramente, durante los años de bachillerato y principios de la carrera, sus autores favoritos son Víctor Hugo, Eugenio Sue, Balzac, Jorge Sand, Zola, Espronceda y Bécquer; luego, en Valencia y Cestona, sus preferencias van hacia Schopenhauer, Poe, Baudelaire y Gautier; ya en Madrid de nuevo, Dickens, Stendhal, Turguenief, Tolstoi, Dostoyevski, Ibsen y Nietzsche.

1899: Inicia sus viajes al extranjero. Frecuenta las tertulias literarias madrileñas, y con el nuevo siglo (1900) aparecen sus dos primeros libros: *Vidas sombrías* y *La casa de Aizgorri.* A partir de este momento, la actividad literaria de Baroja no se interrumpe. Va a Tánger (1902), como corresponsal de *El Globo;* a Londres (1905-1906), donde pasa una larga temporada; a Italia (1907); nuevas escapadas a París, etc. Interviene momentáneamente en política, como candidato a concejal por Barcelona y a diputado a Cortes. Sigue publicando libros; y en 1934 es elegido académico de la Española. Su discurso de ingreso, sobre *La formación psicológica de un escritor,* fué leído el 12 de mayo de 1935. Proyecta un viaje a América, que no llegó a realizar; y en 1941 empieza la publicación de sus interesantísimas *Memorias.* Desde hacía muchos años Pío Baroja residía habitualmente en Madrid, aunque pasaba largas temporadas en su caserón de Itzea, en Vera del Bidasoa. Ha muerto recientemente en Madrid: 30 de octubre de 1956.

En la caracterización, ya comúnmente aceptada, de los más relevantes miembros del 98, Pío Baroja suele llevar siempre la peor parte. La etopeya que de él nos vienen trazando en nada le favorece. Si Unamuno es el paradójico; Valle-Inclán, el extravagante, y *Azorín,* el afectadamente modesto, Baroja es el hombre disconforme y hasta cierto punto insociable. Su carácter agrio, su mal humor constante, la independencia de su espíritu, inmune siempre a toda clase de halagos y lisonjas, le convierten en el escritor más impopular de España, entendiendo ahora por impopularidad la falta de afecto y simpatía entre sus lectores, entre esos mismos lectores que, en cuanto novelista, le admiran y le aprecian sinceramente. ¿Es exacto este retrato? No puede negarse que el mismo Baroja ha hecho lo posible para que le juzguemos así. La sinceridad sorprendente, y con frecuencia brutal, de la mayor parte de sus escritos; los juicios emitidos siempre con innecesaria acritud, trátese de amigos o de enemigos; su aversión al sexo débil, llevada a límites de verdadera misoginia; su fobia contra toda clase de instituciones; su anticlericalismo rabioso; y, en fin, esa incomprensión de que suele hacer alarde para cuanto pueda haber de bello en el alma humana, nos dan un perfil poco recomendable. Agréguese su preferencia por lo bajo, lo mezquino, lo repelente a veces: el propio Baroja confiesa haber visto más cadáveres de ajusticiados que ningún otro hombre de su tiempo, y hasta parece vanagloriarse de ello. Ni amor, ni sacrificio, ni virtud, ni otros estímulos que no sean los puramente materiales existen para él. El más desolador egoísmo y la más negra desconfianza agitan en sus obras a la mayor parte de los personajes. Había leído en su juventud—también es confesión suya—a Schopenhauer y a Nietzsche, y hay que reconocer que aprendió bien las lecciones. De aquí en buena parte su escepticismo, su misantropía, su mal humor.

Sin embargo, los que dicen conocerle bien niegan que tal semblanza corresponda a la realidad. Prefieren ver en Baroja el «hombre humilde y errante», como él se autodefinió. Según ellos, su típico mal humor, su displicencia y misantropía no son sino la máscara que pretende encubrir un espíritu más bien débil y pusilánime, que recela de todos y de todo y que se ha fabricado una corteza erizada de púas para defender su propia personalidad. Hiere para que no le hieran; insulta y vitupera antes que le insulten a él. Probablemente a poco que se rasque en esa corteza tropezaremos con un corazón tierno, sencillo y hasta tímido. Así sus admiradores. Claro que es difícil compaginar tal retrato con el testimonio que sus obras nos ofrecen.

Ya en esta zona de apreciaciones favorables, Marañón aplaude en Baroja la «noble persistencia en el gesto a través de toda su vida de escritor», y ese repertorio ideológico, que podrá ser aceptado o no, pero que delata un espíritu consecuente e íntegro. Por su parte, Ortega y Gasset, después de alabar su ilimitada libertad, que le lleva a decir siempre lo que siente y a sentir siempre lo que vive, nos le presenta «señero, ausente de todos los partidos políticos o doctrinales, que facilitan el éxito y hasta la congrua sustentación». Laín Entralgo se afana por descubrir en el alma de Baroja cierta vaga religiosidad, cierto deísmo de tinte unamuniano, que se esconde larvados «bajo la espesa costra de su anticlericalismo», consecuencia «de una verdadera crisis religiosa». Por último, César González Ruano, sin duda el hombre que mejor conoce a Baroja por haber recibido de éste las mayores pruebas de confianza y afecto, nos le retrata solitario, extraño a todo, desilusionado, «por la razón tremenda y un poco melancólica de que cree en muy pocas cosas» [4].

Obra literaria

Es muy copiosa. Desde que en 1900 aparecen sus dos primeros libros, *Vidas sombrías* y *La casa de Aizgorri*, Baroja no ha cesado de publicar obras de diverso género, preferentemente novelas. Los títulos de sus libros se acercan al centenar. Tiene un volumen de poesías (*Canciones del suburbio*), ya en otro lugar aludido; ensayos dramáticos o semidramáticos (*La leyenda de Jaun de Alzate, Nocturno del hermano Beltrán, Todo acaba bien... a veces, El horroroso crimen de Peñaranda del Campo, Arlequín mancebo de botica*, etc.); ensayos propiamente dichos (*Ciudades de Italia, La obra de Pedro Yarza, A orillas del Duero, Cuadros del «Greco»*, etc); pequeños ensayos (*El diablo a bajo precio, Blasco Ibáñez, Audacia y timidez*, etc.); cuentos (*La dama de Iturbi, El charcutero, La caja de música*, etc.); impresiones de viajes, artículos periodísticos coleccionados, biografías y las interesantísimas *Memorias* (publicadas entre 1944 y 1949), que alcanzan siete volúmenes. Pero la producción más netamente barojiana, ya queda dicho, es la novelística, que él mismo ha querido agrupar en series de tres títulos, bajo una rotulación general más o menos arbitraria. He aquí las «trilogías» más notables:

Tierra vasca: *La casa de Aizgorri, El mayorazgo de Labraz, Zalacaín el aventurero.*
La vida fantástica: *Camino de perfección, Aventuras y mixtificaciones de Silvestre Paradox, Paradox, rey.*
La raza: *La dama errante, La ciudad de la niebla, El árbol de la ciencia.*
La lucha por la vida: *La busca, Mala hierba, Aurora roja.*
El pasado: *La feria de los discretos, Los últimos románticos, Las tragedias grotescas.*
Las ciudades: *César o nada, El mundo es ansí, La sensualidad pervertida.*
El mar: *Las inquietudes de Shanti Andía, El laberinto de las sirenas, Los pilotos de altura.*
Agonías de nuestro tiempo: *El gran torbellino del mundo, Las veleidades de la fortuna, Los amores tardíos.*
La selva oscura: *La familia de Errotacho, El cabo de las Tormentas, Los visionarios.*
La juventud perdida: *Las noches del Buen Retiro, El cura de Monleón, Locuras de Carnaval.*

Agréguese a todo esto veintidós volúmenes de carácter históriconovelesco, agrupados bajo el epígrafe general *Memorias de un hombre de acción*, que tienen por protagonista al conspirador don Eugenio de Aviraneta (títulos más importantes: *El aprendiz de conspirador, Con la pluma y con* el sable, *La ruta del aventurero, La veleta de Gastizar, Los caudillos de 1830,* etc.); agréguese también una serie de estudios críticos, más dignos de nota por la violencia de las opiniones en ellos expuestas que por su valor intrínseco *(Juventud y egolatría, Vitrina pintoresca,* etc.), y tendremos idea de la ingente producción literaria de Baroja.

Análisis y comentario

En la imposibilidad de extender nuestro análisis a toda la obra barojiana—de su escasa labor poética ya se habló en otro capítulo—, vamos a limitarlo a unos pocos títulos, sin duda los más representatitvos.

La trilogía *Tierra vasca,* formada por *La casa de Aizgorri* (1900), *El mayorazgo de Labraz* (1903) y *Zalacain el aventurero* (1909), tiene el nexo común de su localización en el país vasco-navarro. Interesa sobre todo porque ya ofrece las constantes que informarán luego la obra de Baroja. En *La casa de Aizgorri* asistimos a la degeneración de una familia de señores feudales, entre conquistadores y bandoleros, uno de cuyos miembros ha montado en el pacífico pueblo de Orbea una destilería, con grave perjuicio para sí y para el vecindario, que por este motivo ve de pronto turbada su bucólica paz. Del estigma degenerador que pesa sobre la familia sólo se salva la joven Agueda, hija del jefe de la casona, don Lucio. Hay escenas de huelga, de vesania y de cobardía. Destaquemos las figuras de don Julián, el médico, en quien el autor ha puesto ciertos rasgos autobiográficos; la ya citada Agueda y la del obrero Mariano, que se casa con la joven, en una unión simbólica de trabajo y alcurnia. El libro está escrito en forma dialogada, procedimiento muy generalizado a últimos del XIX, y que había recibido carta de naturaleza gracias a la pluma de Galdós, en obras como *Realidad, Casandra* y *El caballero encantado.* No nos atrevemos a calificar *La casa de Aizgorri* de novela de tesis, porque conocemos bien la repugnancia de Baroja a cualquier clase de obras con tesis preconcebida. Sin embargo, ha de reconocerse que la novela está planteada y resuelta con arreglo a dos ideas fundamentales, muy difundidas a principios de siglo: la desaparición de la paz y de las virtudes primitivas de nuestros medios campesinos ante el avance de la técnica, idea que, tres años más tarde, inspiraría a Palacio Valdés *La aldea perdida;* y la fusión de la sangre y del trabajo en una aristocracia nueva y superior, tema caro a Galdós, si bien por ahora no ha de pensarse en *La loca de la casa,* sino en otras obras del mismo novelista. *El mayorazgo de Labraz,* sobre un fondo más pesimista y amargo, se mueve en un ambiente folletinesco. Novela de sangre y fatalidad, responde por entero al concepto de la España negra, tan explotado por los escritores del 98. «Aguafuerte de tonalidades duras y som-

brías, en que la sangre, la voluptuosidad y la muerte, en trilogía fatal, juegan un papel importante», lo ha llamado A. González Blanco. La más interesante y movida del grupo, y una de las más logradas del autor, es *Zalacain el aventurero.* Se nos dan aquí diversos episodios de la guerra carlista, urdidos sobre la vieja enemistad de Carlos Olando con su cuñado Zalacain, que cae asesinado a manos de Cacho. Tres novelistas contemporáneos han tratado este tema de la guerra carlista: Valle-Inclán, el más artista de todos, e interesado antes en el ambiente que en la peripecia de sus personajes, toma la historia como fondo de una acción, embellecida más y más con el milagro de su prosa trabajada y magnífica; Unamuno, con algo del filosofismo tolstoiano de *La guerra y la paz,* atiende a las ideas y a los móviles de los hechos más que a estos hechos mismos; Baroja, despreocupándose por igual de ideas y de estilo, se va directo a la acción, que queda narrada en forma escueta, fría y objetiva, pero con una expresividad inigualable. Con un lenguaje vulgar y hasta desaliñado, Baroja se las arregla para introducirse o introducirnos en los más hondos complejos psicológicos de sus personajes. En el asesinato del protagonista, por instigación de su cuñado, se desarrolla todo un proceso atávico. El propio Baroja incluyó a *Zalacain* entre las más «bonitas y perfiladas» novelas que han salido de su pluma. Y es cierto. Lástima que esté afeada por esos ribetes anticlericales y demagógicos, que parecen consustanciales a toda la obra del novelista vasco.

La *Vida fantástica* comprende tres novelas: *Camino de perfección* (1902), *Aventuras y mixtificaciones de Silvestre Paradox* (1901) y *Paradox, rey* (1906). Las dos últimas, unidas por el vínculo del mismo protagonista, se pueden considerar como un poema dramático en prosa, de fondo anarquista. En ellas, quiéralo o no, especialmente en *Paradox, rey,* Baroja reincide en la novela de tesis. El proceso contrapuesto civilización-barbarie nos es presentado a través de un argumento escasamente original: tras una serie de aventuras, Paradox es nombrado rey de la tribu negra de Bu Tata, a la que gobierna paternalmente, hasta que una columna expedicionaria francesa arrasa el caserío, introduciendo de paso entre los indígenas todos los vicios y lacras morales del mundo civilizado. Tema, como se ve, ya tratado por Gracián en el *Criticón,* y que constituye uno de los puntos básicos del ideario roussoniano. Pero Baroja no debió de tener presentes a ninguno de los dos, sino que su tesis parece inspirada en *La conquista del reino de Maya,* de Ganivet, un escritor a quien los «grandes» del 98 deben mucho más de lo que pudiera suponerse a primera vista. «Los verdaderos personajes de este libro—ha escrito *Andrenio*—son las ideas.» Ideas, apenas hace falta insistir en ello, rabiosamente antisociales. La misma fobia contra la sociedad se respira en *Camino de perfección*, que hasta cierto punto puede pasar por el breviario ideológico de algunos miembros de la generación del 98. Al menos lo es en buena parte del pensamiento del autor. De escasa acción, reducida a las andanzas de Fernando Osorio por diversos parajes castellanos, esta novela exuda el mismo amargor, el mismo sentimiento de fracaso, la misma angustia inmotivada que cualquiera de las obras de Baroja ya aludidas. El protagonista se autodefine como «un histérico y un degenerado», atribuyendo estas taras a dos factores: herencia y educación. Herencia: una hermana de su padre, loca; un primo, suicida; un tío, imbécil; otro, alcoholizado. Educación: sobre la base de una sensualidad seudomística. Con tales antecedentes no han de extrañar las reacciones de Osorio, que corresponden, como es lógico, a las de un ser tarado y anormal. La superación proyectada para su hijo, a quien desea educar en forma que resulte apto para la lucha con la vida, nos lleva a un desenlace similar al de *La horda*, de Blasco Ibáñez. También el Maltrana de esta novela fracasa y aspira a hacer de su hijo uno de los vencedores. Lo mejor de *Camino de perfección* son las descripciones del paisaje castellano, «mucho sol, mucho polvo». Castilla está vista y sentida como sólo han sabido hacerlo los hombres del 98.

Tres narraciones han sido agrupadas bajo el epígrafe *La raza: La dama errante* (1908), *La ciudad de la niebla* (1909) y *El árbol de la ciencia* (1911). Las dos primeras desarrollan un mismo y único argumento: las andanzas del doctor Aracil y de su hija María, simpatizantes ambos con el ideario anarquista. Baroja inicia el relato con el atentado contra los reyes llevado a cabo por Morral en la calle Mayor de Madrid, pocas horas después de haber contraído matrimonio la augusta pareja. La contrafigura de Morral no se da en Brull. El doctor Aracil y su hija, complicados en el atentado, huyen de España y se refugian en Londres, «la ciudad de la niebla». El regreso del doctor a España y el matrimonio de María con su primo Venancio ponen fin al relato. Desligada de las anteriores en la fábula, *El árbol de la ciencia* también lo está en cuanto al fondo, que en este caso quiere revestirse de atuendo filosófico. El título deriva de un diálogo entre Andrés Hurtado y su tío el doctor Iturrioz acerca del problema del conocimiento. La vida de Hurtado, desde que empieza sus estudios de Medicina hasta que, aplanado por la muerte de su esposa, Lulú, decide suicidarse, juntamente con el proceso ideológico del protagonista, suministran débil soporte argumental a esta novela, considerada por el mismo Baroja, y no sin razón, como una de sus mejores obras. En la resolución final de Hurtado podemos ver el fracaso de la vida activa, uno de los temas aludidos con más frecuencia por Baroja. Hurtado

se identifica de tal modo con Lulú, que cuando ésta le falta se decide también él a desaparecer, puesto que la vida ya no puede ofrecerle aliciente alguno.

Para algunos críticos, *La busca, Mala hierba* y *Aurora roja*, integradoras de la trilogía *La lucha por la vida* (1904), señalan el momento culminante de la producción barojiana. Novelas de suburbio, en ellas los alrededores de Madrid, con su pintoresquismo y su miseria, han sido captados por la retina de Baroja con esa hosquedad y exactitud casi brutales a que nos tenían acostumbrados los grandes maestros de la novela realista del XVII. La trascendencia de las «vidas vulgares», que siempre han atraído la atención de nuestro novelista, alcanza aquí un clima de exacerbado realismo, que no pocas veces invade la zona de lo pintoresco. La impresión que produce la lectura de *La busca* y de sus dos continuaciones no puede ser más desoladora: aquel hacinamiento de seres humanos, aquel pulular de almas y de cuerpos llenos de lacras, de egoísmo y de dolores, remacha una idea muy reiterada antes y después en otros libros del autor: que la vida es algo ilógico, cargante, bestial y sin sentido. Para estas tres novelas, mejor que para su primera colección de escritos, debiera haber guardado Baroja, según quería Unamuno, el título de *Vidas sombrías*. Porque lo son hasta el fondo, sin que el más leve rayo baje a iluminar aquellas existencias desdichadas. Pero al lado de este aspecto negativo podemos y debemos subrayar factores dignos de atención. Por lo pronto, «la trilogía de *La lucha por la vida*—escribe Carlos Clavería—nos ofrece toda la gama de problemas que ha presentado su obra al historiador de la literatura en lo que va de siglo, desde lo político a lo estético, desde lo sociológico a lo meramente lingüístico.» Baroja refleja con exactitud no sólo las costumbres, sino también el diálogo de sus personajes, haciéndoles hablar «el lenguaje que les corresponde, según su clase y extracción social, y emplear el «mot juste», el «mot propre», aun a costa del lenguaje literario[5].

Las «Memorias» y el teatro

Desde que en 1913 inició Baroja las *Memorias de un hombre de acción* con *El aprendiz de conspirador* hasta que las cerró en 1935 con *El sueño de las calaveras*, la serie fué creciendo año tras año, hasta alcanzar nada menos de veintidós volúmenes. Todos ellos tienen por principal protagonista a un personaje del reinado de Fernando VII, Eugenio de Aviraneta, al que Baroja hace pasar por los más variados lugares y circunstancias. Pero se engañaría quien quisiera ver en las *Memorias de un hombre de acción* amplios cuadros históricos a la manera de los *Episodios nacionales*, de Pérez Galdós. En la obra de éste, lo histórico es lo fundamental, y el propósito de exaltación patriótica, manifiesto. En las *Memorias* de Baroja lo novelesco domina a lo histórico, y sólo responde a una realidad el sujeto actuante, sin que los sucesos, ambientes y circunstancias en que éste se mueve hayan tenido más consistencia histórica que la que el escritor ha querido darles. El mis..o Aviraneta no es muchas veces sino el propio Baroja pensante y actuante. Habla y opera como lo haría el novelista puesto en idénticos trances. Los tipos secundarios que sirven de comparsería también son invención suya. Ello no obstante, las *Memorias de un hombre de acción*, si como documento histórico ofrecen escaso valor, lo tienen excepcional en cuanto reflejo de una época, de unas costumbres y, sobre todo, de unos lugares que Baroja ha sabido transcribir de mano maestra.

Las otras *Memorias*, las agrupadas bajo el título *Desde la última vuelta del camino*, entrañan mayor atractivo, como que en ellas Baroja se nos da en toda la plenitud de su ser; y al dársenos en su vida y en su obra, incorpora al relato todo el mundo de personas y sucesos en que esa vida se ha movido. Empezó a publicarlas en 1943 y las dió por acabadas en 1949. Constan de siete tomos: *El escritor según él y según los críticos; Familia, infancia y juventud; Final del siglo XIX y principios del XX; Galería de tipos de la época; La intuición y el estilo; Reportajes; Bagatelas de otoño*. La simple enunciación de los títulos dice bien alto sobre el interés de la serie. Hombres, hechos y lugares desfilan por estas páginas en alborozada mezcolanza, descritos unas veces con nimio detalle; apuntados, esbozados simplemente, otras veces. Recuerdos personales y familiares se mezclan con alusiones a la política, la literatura, la filosofía. Juicios y opiniones propios alternan con los extraños. Son estos siete volúmenes un cajón de sastre, en el que todo anda revuelto, pero en el que todo también reclama nuestra atención. Porque nunca Baroja se ha revelado tan escritor, tan dueño de la narración y del estilo—de ese estilo suyo personal e intrasferible—como aquí. Desde la atalaya de sus setenta y cinco años, con esa milagrosa capacidad de observación y de oteo que le califica parigual a su incapacidad imaginativa, Baroja ha ido revisando toda su vida en función de las cosas y de los hombres con ella relacionados. Nadie busque aquí orden ni método. El viejo escritor narra, describe, juzga u opina sin plan previo, según van surgiendo los recuerdos en su memoria. Tampoco medita mucho en lo que dice, bien se trate de otros o de sí mismo. Por ello, las *Memorias* son de una sinceridad impresionante. Podrá fallarle a veces el recuerdo; la que no le falla nunca es la buena fe, el deseo de decir las cosas como fueron, o por lo menos tales como él las ve mientras las está rememorando. Por lo demás, nada de arreglos ni disimulos. Escritores

hay que cuentan lo favorable y silencian lo desfavorable. Baroja, no; en el prólogo de las *Memorias* nos anticipa ya que «no sabe mentir». Y confiesa algo que tiene más valor: «Si alguna vez he mentido, cosa que no recuerdo, habrá sido por salir de un mal paso.» De aquí el fondo enormemente humano de este hombre. De aquí su sinceridad, rayana más de una vez en la descortesía. Así como las *Memorias de un hombre de acción* carecen de valor histórico, estas otras *Memorias* lo tienen en tal grado, que convierten a su autor en el intérprete más fiel, y bien a pesar suyo, de los hombres y de las ideas del 98.

Y dos palabras sobre la obra dramática. Dos palabras sólo, porque la endeblez de las producciones de Baroja destinadas al teatro no requiere mayor atención. Ni *La leyenda de Juan de Alzate*, ni *El nocturno del hermano Beltrán*, aunque inscritas bajo el epígrafe «teatro» y redactadas en diálogo, son fácilmente representables. Baroja, que acaso no carece de aptitudes para el teatro, no logra hacer obras dramáticas, por su insumisión a toda «norma» o precepto. Esta libertad de construir como a uno le viene en gana puede dar resultado en la novela, y en el caso de Baroja está visto que lo da, pero no en el teatro, donde la observación de ciertos principios es indispensable. Sin duda, *Adiós a la bohemia*, inserta en un *Nuevo tablado de Arlequín*, es su obra más teatral. El mismo Baroja intervino en la representación, encarnando el papel de «Un señor que lee el *Heraldo*». La acción, sencilla y rápida, casi vertiginosa, se desarrolla en un café. Dos jóvenes que se aman tienen que separarse, porque él ha fracasado en sus aspiraciones de llegar a ser un artista de renombre. Los tipos de Trini, Manuel y Ramón están bien vistos y confirman una vez más la extraordinaria capacidad de observación que acompaña siempre a Baroja, escriba novela o teatro.

Ideario, técnica y estilo

No vamos a entrar en el ideario político-filosófico y religioso de Baroja, que ya implícitamente quedó apuntado al aludir a su perfil humano. Basta decir—y ello podría comprobarse con infinito número de citas—que el novelista vasco se nos presenta como un perfecto enemigo de la religión en general, y particularmente de la cristiana; de la sociedad, tal como él la ve constituída; y de los principios básicos en que se apoya la filosofía tradicional desde los griegos hasta nosotros. Y esta ideología, francamente ácrata, trasciende a cada momento a sus libros. Pero con una flagrante contradicción: pensando como un anarquista, vive como un perfecto burgués; enemigo de dogmatismos, pocos ponen tanto empeño como él en dogmatizar, venga o no a cuento. Bien es verdad que su escasa formación intelectual se nos revela a la vuelta de cada página. Ideológicamente, el cerebro de Baroja es un caos de lecturas mal digeridas: Kant, Schopenhauer, Nietzsche. Los argumentos que acumula muchas veces contra la religión, por ejemplo, en *La leyenda de Jaun de Alzate,* además de trasnochados, son de una endeblez que haría sonreír a cualquier estudiante de primer año de teología.

Insistimos en que desde nuestro punto de vista, primordialmente literario, eso apenas interesa. En cambio, nos importa, y mucho, su ideología estética, los principios básicos de su novela, su técnica, su estilo. Como buena parte de los novelistas del XIX, Baroja también nos ha legado, dispersa por multitud de pasajes, la teoría de su propio arte y hasta no pocas opiniones sobre el arte de los demás. En tal aspecto tienen imponderable valor las *Memorias,* particularmente el tomo V, del que extraemos algunos puntos fundamentales.

La generación del 98. Baroja no cree en ella; al menos aunque hubiera existido, él se desvincula del grupo. Fué un simple invento de *Azorín.* Para que haya generación literaria exige Baroja una serie de supuestos que no se dan en el 98: puntos de vista afines, aspiraciones comunes, solidaridad espiritual, edad aproximada de sus componentes. Ya en el capítulo LXXXVIII, apartado I, se aludió por extenso a estas ideas barojianas.

El estilo. Es el aspecto fundamental de toda obra literaria. Dos tipos de estilo: interno y externo. El primero es manifestación de la persona humana; el segundo se basa en una serie de reglas gramaticales y retóricas, que pretenden servir para dar forma literaria a un escrito. El interno también se exterioriza por medio de la claridad, y el externo, a su vez, puede tener un gran fondo, basado en la psicología del autor.

El lenguaje. Tiene como condiciones esenciales la claridad y la exactitud. Si, además, es elegante, resultará mucho mejor. Pero la primera condición es la exactitud. El lenguaje está vinculado estrechamente con el léxico. Hay un léxico natural, aprendido casi inconscientemente, y otro forzado, que da la impresión de artificio. El escritor debe preferir aquél, porque es el que tiene «sabor especial de verdad, de autenticidad». También va ligado el lenguaje con el idioma. Cada lengua tiene su forma típica, aun habiendo varias formas dentro de una lengua. La castellana prefiere expresar, «la visión directa, analítica e impresionista». «El idioma es como un río, que toma de aquí y de allí grandes corrientes.»

Forma literaria. Nunca es caprichosa. «La forma que emplea cada uno es la consecuencia de su raza y de su cultura.» La división de fondo y forma es retórica y arbitraria; sólo contiene una verdad muy relativa. «La forma, el estilo, no es como un gabán..., es como la piel de un animal que tiene su determinación interior.» La perfección formal, «o a lo menos cierta clase de perfección, aburre».

En general, tales principios son perfectamente lógicos y aceptables. Más discutibles son los que Baroja ha formulado sobre la novela.

Pervivencia del género. Reacción contra los que auguran a la novela una vida corta. Baroja no acierta a ver nada que la sustituya. «La novela se acortará, se alargará, se hará filosófica, puramente episódica, folletinesca; no creo que desaparezca. Es un saco donde cabe todo. Claro que hay un tipo de novela que pasa, y lo sustituye otro; pero el género no desaparece, no creo que pueda desaparecer.»

Novela de tesis. Nuestro novelista la rechaza de plano. «Nunca he creído que haya una solución general en asuntos sentimentales, que sirva lo mismo a Juan que a Pedro, a María o a Fernanda. Eso de la tesis me ha parecido una tontería.»

Falta de plan. Lo que se llama argumento y plan general no existen para Baroja, o sólo existen en último término. «Muchos novelistas—Galdós entre ellos, por lo que él me dijo—pensaban un plan y luego lo proyectaban sobre un lugar, una ciudad, un paisaje o un campo. Este procedimiento me parece de novelista dramático. Yo no procedo así. A mí, en general, es un tipo o un lugar lo que me sugiere la obra. Veo un personaje extraño que me sorprende, un pueblo o una casa, y siento el deseo de hablar de ellos. Yo escribo mis libros sin plan. Si hiciera un plan no llegaría al fin.»

Importancia del detalle. Dada la dificultad, imposibilidad casi, de crear situaciones y argumentos nuevos, Baroja piensa, como Stendhal, que la originalidad del novelista reside en los detalles. «El desenlace no me interesa. Y necesito escribir entreteniéndome en el detalle, como el que va por el camino distraído, mirando este árbol, aquel arroyo y sin pensar demasiado adónde va.»

Idealismo y realismo. Baroja se inclina por el segundo. La novela es un producto de la observación, de la vida vista y, si es posible, vivida. «El fabricante de novelas es, sin duda, y ha sido siempre, un tipo de rincón, agazapado, observador, curioso y tenaz.»

Invención literaria. Dos métodos: «Uno, el de leer lo antiguo y repetir los tipos y las tramas y, a poder ser, modernizarlos, complicándolos, o, por lo menos, cambiándolos. El otro es colocarse como observador de la vida y del ambiente, simplificándolo y estilizándolo.» No hace falta decir que Baroja prefiere el último, si bien reconoce que ninguno de los dos sistemas «puede utilizarse completamente puro». «A mí me gusta más—confiesa—recoger historias en la calle para contarlas que no irlas sacando de la literatura ya escrita.» Y en otro lugar: «Yo nunca he sido partidario de ir del libro a las cosas de la vida, sino de ir de las cosas de la vida al libro.» Las citas podrían multiplicarse, y fácilmente se demostraría que la mayor parte de los personajes barojianos son tipos tomados de la realidad, aunque más o menos alterados por el novelista.

Juicio crítico

¿Hasta qué punto se adapta Baroja a su propio credo? Con una fidelidad casi absoluta. Por tanto, nada de plan preconcebido en sus obras. Toma un personaje, real o imaginario, lo lanza en el primer capítulo y lo deja caminar a través de múltiples peripecias, hasta que se cansa de él. En torno de este que pudiéramos llamar protagonista pululan mil y mil tipos; éstos, sí, tomados siempre de la vida real. Baroja los utiliza mientras le hacen falta para dar novedad, interés y vida al relato; nos da de ellos los más nimios detalles, y cuando parece que les va tomando afecto o hace que el lector se lo tome, se despreocupa de ellos con la misma facilidad que del personaje principal. De aquí que las novelas barojianas no tengan propiamente argumento ni desenlace; de aquí también que no tengan una acción, sino múltiples acciones. El protagonista—de alguna manera hay que llamarle—suele ser el mismo Baroja. Entendámonos: el mismo Baroja, en el supuesto de que le hubiera sido dado vivir la vida de su personaje. Porque, y ésta es otra nota señalada ya por la crítica, Baroja se considera a sí mismo un hombre fracasado. El, tan poco dinámico, quisiera haber sido hombre de acción, acaso por creer en principio que la vida del hombre no tiene objeto, y que tal esterilidad sólo puede olvidarse mediante una acción continua. Mientras actúa, el hombre se olvida de pensar. Baroja ha soñado más de una vez en ser anarquista militante y actuante, jefe de una partida en la guerra, aventurero, marino, acaso contrabandista. Y su posible actuación en tales casos habría sido la que asigna a sus personajes. Estos personajes irremediablemente fracasan, como fracasa en definitiva el que carece de ideales; y Baroja, ya queda dicho, no los tiene, al menos de orden trascendente.

La novela de Baroja deja, por tanto, un regusto amargo. Porque prefiere los ángulos negros de la vida; porque sus criaturas se mueven en un círculo cerrado; porque piensan todas como su creador; es decir, son escépticas, desabridas y pesimistas. Pues con estos inconvenientes—sin plan, sin argumento, sin estudio psicológico—todavía las novelas de Baroja son en su clase obras maestras. Y es que Baroja se nos revela siempre como un escritor consumado. Diga lo que diga, cuente lo que cuente, de máximo o de nulo interés, siempre lo hace de manera magistral. Se pregunta, y nos preguntamos nosotros, dónde puede residir el secreto de esta magia narrativa. Y no sabemos contestar. Hay quien habla de estilo. Efectivamente, puesto que no está en el asunto, en el estilo tiene

que buscarse. Pero ¿cuál es el estilo de Baroja? Porque resulta que si por estilo se entiende una forma de expresarse, previamente estudiada y elaborada, Baroja no tiene ninguno. Ahora bien: si llamamos estilo a una adecuación perfecta entre lo que se dice y la forma de decirlo, esa *piel de animal que tiene su determinación interior,* para usar del símil del propio Baroja, entonces hay que confesar que pocos han logrado un estilo tan personal, tan vivo, tan atrayente como el suyo. Baroja escribe en una forma espontánea y directa; «impresionista», nos dice él. Su léxico es abundante y siempre expresivo. No importa que muchas veces, menos veces desde luego que las que dicen sus detractores, olvide y hasta atropelle la gramática. El sabe que ciertas irregularidades están permitidas cuando a cambio de ellas la expresión gana en claridad, exactitud o interés. En este aspecto, en el arte narrativo, pocos pueden compararse con Baroja, si es que alguno le iguala entre nuestros escritores contemporáneos. Tampoco es fácil superarle en la ambientación. El mismo nos dice que no sabría escribir sobre un lugar, una cosa o un hombre sin haberlos visto antes. Pero, una vez vistos, con tres plumazos se las arregla para darles su atmósfera propia, su clima.

Esta atmósfera comprende un área muy extensa. El escenario en que se mueven sus personajes se extiende a casi toda la Península y a ciertas zonas de fuera. Contrasta con el de otros escritores—Miró, Ayala—, reducido casi a la corte y a su tierra natal. También en Baroja domina, es cierto, el país vasco. Pero luego se amplía hacia Levante (*El árbol de la ciencia, Camino de perfección*), Cataluña (*Humano enigma, Las furias*), Andalucía (*La feria de los discretos, El nocturno del hermano Beltrán, Los pilotos de altura*), Aragón (*César o nada, El cabo de las tormentas*), Castilla la Vieja, Castilla la Nueva, Galicia y hasta Inglaterra, Francia e Italia. Junto al país vasco el escenario preferido es Madrid. «Tengo—escribe—dos pequeñas patrias regionales: Vasconia y Castilla... Todas mis inspiraciones literarias proceden de Vasconia o de Castilla.» Evidentemente queda corto; su escenografía es mucho más variada, y esta variedad constituye un atractivo más en sus novelas.

III. VALLE-INCLAN

A don RAMÓN DEL VALLE-INCLÁN (1866-1936) como poeta hemos aludido por extenso en otro lugar (capítulo LXXXIII). Cúmplenos considerarlo aquí en el triple aspecto de novelista, dramaturgo y hombre. También como hombre, ya que el perfil humano en Valle-Inclán reviste tanta importancia casi como su misma producción literaria. Si lo traemos a este capítulo, a continuación de Baroja, es

simplemente porque ambos, el gallego y el vasco, componen el gran dúo de la novelística española de su generación, sin que esto quiera decir que haya entre ellos más puntos de coincidencia que los puramente cronológicos, o a lo más, aquellas afinidades que han de existir siempre entre escritores coetáneos, por muy distanciados que estén en ideología y estilo. Valle-Inclán en tal aspecto es antípoda de Baroja, como lo es de *Azorín*, de Unamuno y demás miembros del 98. Lo que pueda tener de común con éstos, siempre en mínimo grado, tendremos ocasión de verlo más adelante, lo que le distancia de ellos también. Basta por ahora subrayar el hecho de que Valle-Inclán es ante todo un escritor modernista, pero no un modernista cualquiera, sino el intérprete más calificado entre nosotros del modernismo en la prosa narrativa.

Biografía y máscara

En la vida de Valle-Inclán ficción y realidad se funden de manera que ha sido muy difícil deslindar ambos elementos. Todo es fantástico en este hombre, que a lo largo de su existencia se ocupó de hacerse una autobiografía como quien hace una obra de arte. Por fortuna la crítica ha logrado ya precisar casi con exactitud lo que pertenece a la realidad y lo que es pura fantasía. Veamos una y otra.

«Apenas cumplí la edad que se llama juventud —nos dice—y como final a unos amores desgraciados, me embarqué para Méjico en la *Dalila*, una fragata que al siguiente viaje naufragó en las costas de Yucatán. Por aquel entonces era yo algo poeta, con ninguna experiencia y harta novelería en la cabeza. Creía de buena fe en muchas cosas que ahora pongo en duda y, libre de escepticismos, dábame buena prisa a gozar de la existencia. Aunque no lo confesase, y acaso sin saberlo, era feliz: soñaba realizar altas empresas, como un aventurero de otros tiempos, y despreciaba las glorias literarias. A bordo de la *Dalila*—lo recuerdo con orgullo—asesiné a sir Rober Jones. Fué una venganza digna de Benvenuto Cellini. Os diré cómo fué, aun cuando sois incapaces de comprender su belleza; pero mejor será que no os lo diga, seríais capaces de horrorizaros. Básteos saber que a bordo de la *Dalila* solamente el capellán sospechó de mí. Yo lo adiviné a tiempo, y confesándome con él pocas horas después de cometido el crimen, le impuse silencio antes que sus sospechas se convirtieran en certeza, y obtuve, además, la absolución de mi crimen y la tranquilidad de mi conciencia. Aquel mismo día la fragata dió fondo en aguas de Veracruz y desembarqué en aquella playa abrasada, donde desembarcaron antes que pueblo alguno de la vieja Europa los aventureros españoles»[6]. Así nos describe su viaje a Méjico. No menos fantaseado nos da su nacimiento entre Puebla de Caramiñal y Villanueva de Arosa (Pontevedra), precisamente en medio de la ría y en un galeón que hacía el trayecto de uno a otro pueblo. Pierde el brazo—prosigue la leyenda—en unas circunstancias algo menos heroicas que aquellas que le convierten en asesino, pero no menos románticas: andando en cierta ocasión por la selva americana se ve acosado por un feroz león; Valle adivina que la fiera tiene hambre y, sin vacilar y para salvar su vida, corta el propio brazo y lo arroja a la fiera, que se entretiene en devorarlo, mientras él se pone a salvo. Así la autoleyenda. La realidad es menos poética.

Nace don Ramón en Villanueva de Arosa, el 28 de octubre de 1866. Su verdadero nombre era Ramón de Valle y Peña. Estudia Bachillerato en Pontevedra y Leyes en Santiago. Abandona la carrera en 1890, por muerte de su padre y tras haber fracasado en la asignatura de Hacienda Pública. A principios de 1892 embarca en El Havre rumbo a Veracruz, donde viven unos parientes dedicados al comercio. En Méjico actúa como periodista y, al parecer, también como soldado. Regresa a España, y tras una estancia en Pontevedra, que le da ocasión para conocer la literatura extranjera, en una especie de cenáculo que allí existía por aquella época, aparece en Madrid (1895), llamando la atención con su sombrero, su larga melena, sus barbas fluviales y sus quevedos atados a la solapa con una cinta negra. Este pergeño le acompañará ya toda la vida. Desempeña un cargo burocrático de escasa importancia, que abandona pronto para entregarse de lleno a una semibohemia, mantenida siempre con digna elegancia, y al cultivo de las letras. Publica las primeras obras, que dan a conocer su nombre entre un público reducido. Poco a poco, su fama va en aumento. Agresivo, polemista, independiente, en 1899, en cierto lance callejero con Manuel Bueno, pierde un brazo, con lo que su perfil se hace aún más inconfundible. En 1910 pasa a América del Sur como director artístico de la compañía teatral de María Guerrero. Viaja por Francia; profesa en 1917 la cátedra de Estética de la Escuela de Bellas Artes. Su vida se reparte entre Madrid y Galicia. Durante la Dictadura de don Miguel Primo de Rivera, al que atacó reiteradamente, fué encarcelado (1929). El Gobierno republicano le nombró director de la Escuela de Bellas Artes de Roma. Murió el 5 de enero de 1936. Se había casado con la actriz Josefina Blanco, de la que tuvo varios hijos.

«Era—nos dice Ramón Gómez de la Serna—la mejor máscara a pie que cruzaba la calle de Alcalá.» Se hacía pasar por carlista, y su carlismo se reducía a una actitud puramente estética y convencional. Algo análogo ha de decirse de sus sentimientos religiosos y políticos. «Eximio escritor y extravagante ciudadano» le llamó con acierto Primo de Rivera. Su silueta estrafalaria y casi grotesca atraía la atención de los transeúntes. Su conversación maldiciente y aguda llenó durante muchos años el recinto de varios cafés madrileños, adonde acudían muchos a gozar de su sabrosa charla. El mismo intentó retratarse, y lo hizo con la exuberante imaginación que ponía en todas sus cosas: «Este que veis aquí de rostro español y quevedesco, de negra guedeja y luenga barba, soy yo: don Ramón del Valle-Inclán. Estuvo el comienzo de mi vida lleno de azares. Fuí hermano

converso en un monasterio de Cartujos y soldado en tierra de Nueva España. Una vida como la
de aquellos segundones hidalgos que se engancha-
ban en los tercios de Italia para buscar lances de
amor, de espada y de fortuna...»

Producción literaria

Maeztu ha dividido la obra valleinclanesca—novela, teatro y lírica—en dos grandes grupos: la
anterior a 1905, en que las *Sonatas* serían lo más
representativo; y la posterior a esa fecha, caracterizada por los *Esperpentos*. En realidad, tanto
en la novela como en el teatro, Valle-Inclán sigue
una línea única, de modo que las obras ulteriores
no son sino intensificación y desarrollo en cierto
modo de las precedentes. «La figura humana de
la comedia—ha dicho César Barja—se deforma en
la marioneta de la farsa, y la marioneta de la farsa se deforma en el fantoche del esperpento.»

Pasada por alto su obra lírica—*Aromas de leyenda, La pipa de Kif* y *El pasajero*—, aludida en
otro capítulo, y omitida la que el propio autor repudió, la producción literaria de Valle puede resumirse en los siguientes títulos:

Novela:

Flor de santidad (Historia milenaria); *Jardín umbrío* (Historias de santos, de almas en
pena, de duendes y de ladrones, en dieciséis
relatos); *Una tertulia de antaño*; *Corte de
amor* (Florilegio de honestas y nobles damas).

Cuatro sonatas: *Sonata de primavera* (1904),
Sonata de estío (1903), *Sonata de otoño* (1902),
Sonata de invierno (1905).

Una trilogía carlista: *Los cruzados de la
causa* (1908), *El resplandor de la hoguera*
(1909), *Gerifaltes de antaño* (1909).

Tres narraciones de ambiente isabelino: *La
Corte de los Milagros* (1927), *¡Viva mi dueño!* (1926) y *Baza de espadas* (1958).

Una de ambiente mejicano: *Tirano Banderas* (1926).

Teatro:

Seis piezas de varia índole: *El yermo de
las almas* (Episodios de la vida íntima); *El
marqués de Bradomín* (1907); *Cuentos de
abril* (1910); *Voces de gesta* (1912); *La marquesa Rosalinda* (1912); *Divinas palabras*
(1920).

Tres «comedias bárbaras»: *Cara de plata* (1922); *Águila de blasón* (1907); *Romance
de lobos* (1908).

Tres farsas bajo el título de «Tablado de
marionetas» (1927): *Farsa de la enamorada
del rey, Farsa de la cabeza de dragón, Farsa
y licencia de la reina Castiza*.

Cinco piezas con el título general de «Retablo de la avaricia, la lujuria y la muerte»
(1913): *Ligazón, La rosa de papel, El embrujado, La cabeza del Bautista, Sacrilegio*.

Cuatro esperpentos: *Luces de bohemia*
(1924), *Las galas del difunto, Los cuernos de
don Friolera, La hija del capitán.*

Varia:
La lámpara maravillosa, La media noche.

Análisis de novelas

En la novelística de Valle cabe distinguir tres
etapas: una inicial, de marcado preciosismo, en la
línea de Barbey D'Aurevilly, D'Annunzio y Oscar
Wilde, representada por los primeros relatos breves y las cuatro *Sonatas*; otra final, de plena madurez—acaso sería más acertado decir de vejez—,
representada por *Tirano Banderas*, y las dos piezas de *El ruedo ibérico*; y otra intermedia, representada por la trilogía de *La guerra carlista*. Cada
etapa supone en el novelista una técnica distinta,
con una sola condición: la ausencia o, más propiamente, superación de lo real. En Valle-Inclán
lo real aparece siempre tergiversado, bien a fuerza de «literatura» y artificiosidad, como en las *Sonatas*; bien por una hipérbole y superación de
las notas personales que convierten las figuras de
ficción en simples muñecos carentes de sustancia
humana, como en las piezas de *El ruedo ibérico* y
Tirano Banderas. No se trata propiamente de una
resurrección de la técnica picaresca, tal como la
encontramos en las obras maestras del género, sino
de algo más deshumanizado, más sarcástico y negativo. Si acaso queremos buscarle algún precedente, habría que remontarse hasta Quevedo. Es
la misma visión grotesca de los *Esperpentos*, sólo
que aplicada a la novela. Valle-Inclán da muestras
de absoluto desvío hacia sus personajes, lo que le
sitúa en el polo opuesto de *Azorín* y Unamuno,
en cuyas obras los protagonistas sufren, piensan y
sienten a compás del autor, obligando a los lectores a sentir y pensar con ellos. Los de Valle no
inspiran simpatía ni afecto; para amarlos sería
preciso que antes los hubiera amado su creador;
pero éste los desprecia y se inhibe ante sus problemas.

«Femeninas» y las «Sonatas»

En 1895 publica Valle una colección de novelas cortas que titula *Femeninas: La condesa de
Cela, Tula Varona, Octavia Santino, La niña Chole, La generala* y *Rosarito*. Con ellas y algunos
títulos posteriores (*Historias perversas, Epitalamio*)
formaría más adelante el volumen *Corte de amor*.
A todas sirve de soporte el mismo tema erótico,
presentado casi siempre bajo la forma de adulterio. Con el relato *Una tertulia de antaño* y las
cuatro *Sonatas* integran la producción feminista
de Valle; lo que no quiere decir que la mujer esté
ausente del resto de sus novelas, sino que ya no
es en ellas, como en las de esta primera época,
elemento esencial.

Las *Sonatas* llevan por subtítulo *Memorias del marqués de Bradomín*. Es este un tipo donjuanesco, al que Valle-Inclán hace hablar en primera persona para distraernos con el relato de sus fantásticas aventuras. El mismo Valle nos lo presenta como un don Juan «feo, católico y sentimental», tres notas que no coinciden precisamente con el concepto que tenemos del Burlador ideado por Tirso y ya admitido en todas las grandes literaturas [7]. Bradomín es «feo», cuando don Juan es gallardo y de arrogante apostura. El acicalamiento y la elegancia del tipo tradicional son exageradas por Bradomín de tal forma que con frecuencia nos parece un botarate. Bradomín es «católico» y a cada paso hace alarde de ello. También don Juan lo es, pero de distinta manera. El catolicismo de Bradomín es puramente decorativo: un elemento estético más que contribuye a realzar la calidad de la obra. El de don Juan, soterrado y casi apagado de ordinario, reaparece de cuando en cuando, aunque sea en forma de blasfemia. Hasta en su constante *leit motiv* de «Tan largo me lo fiáis...» hay cierta afirmación de temor de Dios. Bradomín, con la continua y sacrílega conculcación de sus creencias, demuestra que en el fondo no cree en nada. Bradomín es, según su creador, «sentimental»; don Juan es «cínico» en opinión de las gentes. Pero ya Oscar Wilde contrapuso estos dos conceptos: sentimental es el hombre que sin conocer el precio de nada da valor a todo; cínico, el que conociendo el precio de todo no da valor a nada. Con lo que resulta que el verdadero sentimental es don Juan; y Bradomín, un cínico que se coloca más allá del bien y del mal, sin más preocupación que la de satisfacer su vanidad y sus instintos. Bradomín no «conquista», como don Juan; «aprovecha» la ocasión, que es cosa distinta. Su única «conquista», la María del Rosario en *Sonata de primavera*, se le esfuma. Pese a todo, Valle-Inclán ha logrado crear un tipo cuya actividad se desarrolla en cuatro épocas y escenarios distintos. Frente a este tipo masculino único presenta cuatro tipos de mujer en consonancia con las cuatro estaciones del año.

En su publicación las *Sonatas* no se adaptan a un riguroso orden cronológico: *Otoño* (1902), *Estío* (1903), *Primavera* (1904) e *Invierno* (1905). Nuestro análisis, sin embargo, seguirá el ritmo vital del protagonista y de las estaciones del año.

En la *Sonata de primavera*, muy influída por Casanova y D'Annunzio, Bradomín, guardia noble de Su Santidad, es designado para que lleve el capelo cardenalicio al obispo de Betulia, que se encuentra agonizante en el palacio de su hermana la princesa Gaetani. Bradomín intenta la conquista de María del Rosario, joven de veinte años, hija de la princesa, y que se disponía ya a ingresar en un convento. La conquista fracasa por un episodio fortuito, que en la mente mística de María del Rosario cobra caracteres de sobrenatural: para librarse del acoso de Bradomín requiere aquélla la presencia de una hermanita de cinco años, en un intento de que la inocencia venza a la sensualidad. La niña, sentada en la ventana, cae y se mata. Se deshace el hechizo, y la prenovicia huye, gritando horrorizada: «¡Fué Satanás! ¡Fué Satanás!»

Reconozcamos en esta novela, una de las mejores de Valle-Inclán, excepcionales dotes narrativas y una extremada habilidad en el desenlace. La seducción de María del Rosario, ajena a todas las artimañas del seductor e ignorante de las malicias del mundo, no podía menos de presentarse como empresa fácil para un hombre maduro, cínico y experimentado como Bradomín. Las otras amantes del marqués son mujeres bien entrenadas en toda clase de ardides y lances amorosos. María del Rosario es la única ingenua y por ello probable presa del seductor. Pero Valle-Inclán evita su caída, no mediante un largo proceso de lucha interior, que valdría tanto como incidir en la novela de tesis —algo reñido, como veremos más adelante, con el ideario estético de nuestro novelista—, sino en virtud de un suceso inesperado, que cada cual puede calificar a su gusto: providencialismo, los que estén del lado de María del Rosario; fatalismo, los que compartan el pensamiento de Bradomín.

La *Sonata de estío* es una fervorosa exaltación de la sensualidad desenfrenada. Todos los principios éticos y barreras sociales quedan arrasados en nombre del instinto. Trata el mismo tema de *La niña Chole*, una de las narraciones de «Femeninas», sólo que ahora, tergiversando la acción, nos presenta a la protagonista unida incestuosamente con su padre, el general Bermúdez. Sitúa la acción en Méjico, «tierra caliente», dice el novelista en plan de justificación; como si la naturaleza o el medio ambiente pudiese amparar ni siquiera atenuar ciertas monstruosidades. Por el papel preponderante que se otorga a las bandas de los «plateados», cabe fechar el desarrollo de la novela entre 1860 y 1863.

En las otras dos *Sonatas*, la de *Otoño* e *Invierno*, topamos con damas casadas: Concha y María Antonieta. Ambas son, cómo no, infelices en su matrimonio, histéricas por vicio o por naturaleza, y una de ellas, tuberculosa. El novelista pretende encubrir lo escabroso de las situaciones con una capa de «exquisiteces» y la socorrida mampara de la «incomprensión matrimonial». Se trata de amores otoñales; el extinguido ímpetu se convierte en un ansia morbosa que busca en los refinamientos la pérdida de intensidad. La *Sonata de otoño* tiene por escenario Galicia y abunda en escenas de dudoso gusto y hasta de ingrata lectura, escenas que acaso parecieran originales si no conociésemos ya *La hechizada* y *Las diabólicas*, de Barbey d'Aurevilly. Aludimos, por ejemplo, al pasaje en que Concha muere en brazos de Bradomín y éste, con el cadáver a cuestas, recorre las estancias y pasillos del vetusto palacio hasta depositar en la alcoba su macabra carga.

La *Sonata de invierno* nos transporta al ambiente de la guerra carlista, que luego dará tema a una trilogía. Valle establece cierto paralelismo entre la agonía de la causa y la del proceso amoroso de Bradomín. El amor del *dandy* marqués se extingue lentamente como el espíritu combativo del carlismo. La novela se abre con una confidencia melancólica: «Como soy muy viejo, he visto morir a todas las mujeres por quienes en otro tiempo suspiré de amor: de una cerré los ojos; de otra tuve una triste carta de despedida; y las más murieron siendo abuelas cuando ya me tenían olvidado. Hoy, después de haber despertado amores muy grandes, vivo en la más triste y más adusta soledad del alma.» He aquí una confesión que ahuyenta toda sombra de «donjuanismo» en el protagonista. Al final de esta *Sonata de invierno* se alude a un antiguo amor de Bradomín, la ex danzarina Carmen. Fruto de ese amor ha sido una niña «feúcha», Maximina, que en nada se parece a su madre. Sensible y espiritual, se educa en un convento. Bradomín, que ha perdido un brazo—nuevo detalle autobiográfico del autor—, la enamora, y la niña cae enferma.

¿Qué quedará de todo esto? La magia verbal, la musicalidad, la lluvia de metáforas y la elegancia indiscutible de su prosa, que puede servir de testimonio de toda una época ya periclitada. Y poco, muy poco más. Si acaso, la conclusión desoladora del fracaso de la carne; aquella «tristeza atroz de la carne inmunda», a que se refería D'Annunzio. Pero dudamos de que Valle-Inclán quisiera llevar a su tetralogía tan aleccionadora advertencia.

«Flor de santidad», «La guerra carlista» y otros relatos

Frente al sentido aristocrático de las *Sonatas*, el popularismo de *Flor de santidad: historia milenaria*. Integrada por cuatro secuencias, es una obra de alucinación. Su peripecia central se reduce a la historia de una tal Adega, huérfana de doce años, alma sencilla y mística, con una desviación manifiesta del sentido religioso. Ve en un peregrino la imagen de Nuestro Señor, se entrega a él y llega a concebir. No hace falta extenderse más en su argumento para descubrir el fondo desagradable del relato, que se mueve casi por entero en un ambiente de superstición y de milagrería: baños a la luz de la luna de las mujeres posesas, entre las que se encuentra Adega.

La trilogía de «La guerra carlista»—*Los cruzados de la causa, El resplandor de la hoguera, Gerifaltes de antaño*—nos lleva a otros escenarios. La peripecia en las tres novelas es mínima, reducida a sendas estampas de la lucha fratricida. El personaje central ya no es Bradomín, aunque éste aparece aún en *Los cruzados de la causa,* sino Miguel Montenegro, hijo segundón de aquel don Juan Manuel Montenegro, héroe de las *Comedias bárbaras,* a que luego aludiremos.

Los cruzados de la causa tiene un argumento sencillo: el viejo marqués de Bradomín, tras veinte años de ausencia, regresa a su casa solariega de Viana del Prior, en Galicia, para convalecer de una herida «alcanzada en la guerra» y recaudar fondos para el sostenimiento de la lucha. Visita a su prima Isabel Montenegro y Bendaña, abadesa del monasterio de Viana, donde se guarda un alijo de armas destinadas a los facciosos de Navarra. *Cara de Plata,* el segundón de don Juan Manuel de Montenegro, que ha solicitado del marqués medios para levantar una partida carlista, queda encargado de llevar las armas a su destino.

Hay en la obra tipos bien observados y episodios interesantes, como el registro del monasterio por una patrulla liberal y la muerte de un marinero desertor de las filas republicanas por instigación de su madre. Pero lo fundamental en esta novela, y que la distingue de las otras dos del grupo, es la ambientación de la lucha, concebida como algo popular, que trasciende a todas las capas sociales y desborda la visión puramente localista. «Yo soy partidario—dice Bradomín a *Cara de Plata*—de extender la guerra como un gran incendio, no de convertirla en hogueras pequeñas.» Esa visión general se desvanece en las otras dos partes: los ideales se han enfriado; la guerra se ha empequeñecido hasta convertirse en un continuo jugar al gato y al ratón. Lo que empezó siendo un hondo problema religioso, ideológico y social ha degenerado en simple cuestión dinástica y mero pleito familiar. Así lo reconocen los propios liberales: «Atacaremos a los carlistas; pero no para vencerlos, sino para justificar una propuesta de recompensas» (cap. VII). Idéntica desilusión se apodera de los carlistas: la abadesa Isabel de Montenegro, que ha pasado a la Corte de don Carlos para cuidar heridos, sufre un tremendo desencanto al encontrar en vez de aquella «hoguera de lenguas de oro, sagrada como el fuego de un sacrificio», en que ella estaba dispuesta a quemarse, una lenta y gris agonía sin destellos apenas de heroísmo. Los dirigentes de uno y otro bando parecen decididos a restar grandeza a la lucha. Por ello el tipo más definido y humano, dentro de su violencia casi vesánica, es el cura de Santa Cruz, con su intento de agrupar todas las partidas bajo su único mando, para dar a la lucha un alcance general. No quiere decir esto que la trilogía carezca de interés y grandeza; antes al contrario, a falta de brillantes acciones militares, abunda en escenas de intenso dramatismo que levantan y unifican la acción hasta convertirla casi en una sencilla epopeya. Por otra parte, tipos y rasgos encontramos ya aquí, que perdido el refinado artificio de las *Sonatas* anuncian las próximas figuras deshumanizadas y esperpénticas de *Tirano Banderas* y de *El ruedo ibérico*. De este modo la trilogía de «La guerra carlista» viene a ser el punto de enlace entre las dos técnicas novelísticas de Valle-Inclán: de un lado, el preciosismo recargado de las *Sonatas*, en las figuras de Bradomín e Isabel Montenegro; de otro, la nota cruda, pintoresca y violenta, en los tipos de Roquito, Miquelo, Egosque y el cura de Santa Cruz.

Al ciclo isabelino, ya aprovechado en el teatro con la *Farsa y licencia de la reina castiza*, dedicó Valle-Inclán tres novelas: *La Corte de los milagros, ¡Viva mi dueño!* y *Baza de espadas*. Con otras seis más, que Valle no llegó a escribir, estaban destinadas a integrar la serie de *El ruedo ibérico* [8]. Historia caricaturesca de las postrimerías del reinado de Isabel II; personajes de farsa trazados con rasgos burlescos y en los que la figura humana se difumina para dar paso al fantoche; estilo nervioso, recortado, de concisión telegráfica muchas veces; y una especial habilidad para definir y caracterizar a un personaje con un solo plumazo. Estas son las virtudes, si se pueden llamar así, de los tres relatos de *El ruedo*. «Menudo y rosado—nos dice del rey consorte don Francisco—, tenía un lindo empaque de bailarín de porcelana... En la Cámara real, vasta, cuadrada, solemne, su voz recibía una mengua jocosa, de fantoche que sale al tablado vestido de manto y corona de rey de baraja.»

Tirano Banderas, dentro del mismo tono caricaturesco, nos traslada a un escenario distinto: Santa Fe de Tierra Firme. Es la novela del tiranuelo y de la revolución en cualquier país hispanoamericano, si bien el léxico y ciertos rasgos peculiares nos permiten localizarla en Méjico. Escasa acción y mucho diálogo. Santos Banderas mantiene a fuerza de vejaciones y fusilamientos el poder, que alcanzó por la violencia. La oposición, dirigida por el coronel Gandarita, triunfa gracias a las deserciones que se producen en las filas del tirano. Santos muere, tras degollar a su propia hija para que no sea vejada por los vencedores. Léxico, sintaxis, estilo, están en la misma línea de las tres novelas del ciclo isabelino. También como en ellas los personajes de *Tirano Banderas* se nos dan deshumanizados y en caricatura. Los mejores momentos para nuestro gusto son la reunión del Cuerpo Diplomático y el retrato del embajador español.

El teatro

Es altamente dramático, pero poco apto para la representación por la crudeza de léxico y lo descarnado de algunas situaciones. Supone con todo una notable aportación a la escena española de principios de siglo y un esfuerzo muy digno de loa para sacarla de su estancamiento. Algunas piezas más que auténtico teatro son novelas dialogadas: *Cenizas*, reelaboración de la novelita *Octavia San-*

tino, de *Femeninas*; *El marqués de Bradomín*, nueva versión de la *Sonata de otoño*, con distinto desenlace: Concha renuncia a su amor para consagrarse al cuidado de su esposo y a la educación de sus hijas.

En las *Comedias bárbaras* uno es el origen de publicación y otro el orden lógico o sucesión de los hechos. Este debiera establecerse así: *Cara de plata* (1922), *Aguila de blasón* (1907) y *Romance de lobos* (1908). Vienen a representar estas comedias en la producción teatral valleinclanesca lo que la trilogía de «La guerra carlista» en la novelística. Fuertemente realistas, nos adentran en la psicología del alma gallega; de una Galicia, queremos decir, feudal y supersticiosa, violenta, mística y legendaria. Ya se sabe que al margen de esta Galicia hay otra; pero aquélla existe también. Y Valle-Inclán nos la presenta con trazos más vigorosos aún que los de la Pardo Bazán en *Los pazos de Ulloa* y en *La madre Naturaleza*. Por su técnica corresponden a ese género híbrido «de novelas dialogadas» o, si se prefiere, «dramas novelados», con una diferencia respecto de otras producciones análogas, por ejemplo, las de Galdós, o la misma *Celestina*: que en éstas el escenario no se echa de menos, bastando con la lectura; mientras las de Valle, por su intenso dramatismo, están pidiendo a gritos la representación. La figura central de las tres *Comedias bárbaras* es don Juan Manuel Montenegro, hidalgo vinculero, con todos los vicios del señor feudal—despotismo, violencia, carácter mujeriego—y todas las virtudes de la vieja aristocracia—sentido del honor y de la justicia, generosidad y desprendimiento—. Don Juan Manuel es un hombre que vive con varios siglos de retraso, y, aunque sobre su conciencia pesan graves delitos, el mayor de todos la muerte de su esposa, su conducta en muchos aspectos es correcta y hasta ejemplar. No puede decirse otro tanto de sus hijos, que sólo han heredado los vicios del progenitor, sin ninguna de sus virtudes. El padre resulta un anacronismo; los hijos, simplemente unos bandidos. En *Aguila de blasón* una partida de forajidos, al mando del primogénito, asalta la casa paterna con intención de robarla. El conflicto entre padre e hijos se precipita por la muerte de la esposa de aquél y madre de éstos, doña María. Juan Manuel reparte su hacienda entre los hijos, no por amor, sino en evitación de que acaben sus días en un cadalso. Les impone como única condición que la casa esté siempre abierta para los mendigos. Pero cuando él mismo se presenta con un grupo de mendigos, es vejado y abofeteado. Un leproso de cuerpo gigantesco se abalanza sobre el ofensor y abrazado con él rueda sobre el fuego, mientras los mendigos exclaman: «¡Era nuestro padre! ¡Era nuestro padre!»

En *Divinas palabras* el verdadero protagonista es la masa anónima, el pueblo; si bien al final la acción se centra en la mujer adúltera, a quien defiende su propio marido. Entre 1910 y 1913 Valle-Inclán escribe tres obras—*Cuento de abril, Voces de gesta* y *La marquesa Rosalinda*—de muy distinto carácter. En la primera, *Cuento de abril* (1910), nos asomamos a la refinada corte de Provenza. Un infante de Castilla ha acudido a esa corte para contraer matrimonio con la princesa Imberal; pero la diversidad de costumbres y el contraste entre el temperamento recio y noble de Castilla y las exquisiteces de Provenza provocan la ruptura. El infante vuelve a Castilla sin desposarse. El ambiente, como factor modificativo del carácter, se nos da en *La marquesa Rosalinda* (1913): el viejo Marqués, tan «comprensivo» con los devaneos de su esposa en la corte versallesca, se hace duro e intransigente en Castilla, castigando lo mismo que antes había tolerado. *Voces de gesta* (1912) parece un trozo arrancado de nuestros viejos poemas épicos. Todo, verso, léxico y expresión, respira grandeza, contribuyendo a envolver la acción en una atmósfera de bárbara tragedia. El rey Carlino, huyendo del usurpador del trono, hace vida pastoril. La zagala Ginebra, ultrajada y mutilada bárbaramente por un capitán del rey intruso, vaga ciega y pobre durante diez años buscando la venganza. Logra encontrar a su ofensor, córtale la cabeza y se la presenta a Carlino como anuncio de días felices:

mientras queden brazos que muevan una honda,
mientras queden piedras en los pedregales,
mientras tenga ramas esta vieja fronda
donde cortar picas para tus zagales;
mientras en tu pro se mueva una lanza,
rey, para tu gloria hay una esperanza.

De las cinco piezas—*Ligazón, La rosa de papel, El embrujado, La cabeza del Bautista* y *Sacrilegio*—incluídas en el «Retablo de la avaricia, la lujuria y la muerte», la mejor, sin duda, es *El embrujado*. El embrutecimiento de Anxelu, incapaz de resistir al hechizo de la Galana, la fatalidad del pecado y la voz de la conciencia, establecen una lucha que en ocasiones roza el clima de la auténtica tragedia. Las tres *Farsas* del «Retablo de marionetas» son eso: verdaderas farsas, sin más alta pretensión. La titulada *Licencia de la reina castiza* sigue la línea de las últimas novelas, las de «El ruedo ibérico». Por último, los «Esperpentos», dentro del tono deshumanizado y caricaturesco propio del género, revisten carácter de sátira: sátira social, política y literaria de España, en *Luces de bohemia*; sátira del honor y de la vida militar en *Los cuernos de don Friolera*; sátira política casi exclusivamente en *Las galas del difunto* y *La hija del capitán*.

La lámpara maravillosa y *La media noche* son las dos obras agrupadas bajo el epígrafe de «Varia». La primera se reduce a una serie de disquisiciones sobre estética; la segunda intenta, según confesión del autor, «condensar en un libro los varios y diversos lances de un día de guerra en Francia».

Ideario, técnica y valoración

Valle-Inclán es, sin duda, el máximo representante de la prosa modernista. Viene a desempeñar un papel parecido al de Rubén en el verso. Ha sabido aunar las esencias del modernismo, que no se reducen—como algunos quieren—a la brillantez de la forma y al exotismo de los temas, sino que, por derivar de una compleja serie de movimientos y de credos estéticos, sintetizan muy diversos valores. Lo de menos es que la mayor parte de esos valores fueran accidentales y, por serlo, estén pasados de moda. Lo fundamental es que en su día cumplieron una finalidad, la de renovar nuestra prosa, dando nuevos cauces a la expresión literaria. Siendo el artista más puro del modernismo, es también Valle-Inclán el primero que supera la fase inicial y se lanza por otros derroteros. De esta manera, barajando lo trágico y lo cómico, lo irónico y lo humorístico, lo satírico y lo burlesco, llega a una deformación de las cosas y, sobre todo, de la persona humana. Deformación que, al darnos muñecos en vez de hombres, reproduce la parte negativa de la sociedad, observada por el novelista con una lente empañada por el pesimismo.

Valle-Inclán, adscrito por muchos a la «generación del 98», tiene con ésta menos semejanzas que divergencias. Por lo pronto, el afán crítico, el lastre intelectualista y la tendencia ideológica de los conspicuos del 98 no rezan con él. Valle ni dogmatiza ni enseña. Ni siquiera critica. Y cuando lo hace, como en sus últimas obras, obedece más que a una intención moralista a un prurito estético. Porque, eso sí, para él no existe otro principio de creación artística que el de «el arte por el arte». Como Oscar Wilde siente que no hay libros buenos ni malos, sino simplemente libros bien o mal escritos. Ello hace imposible todo enjuiciamiento de su obra desde el punto de vista ético, ya que moralidad e inmoralidad son para él palabras carentes de sentido. Por tanto, la belleza de la obra de Valle-Inclán no ha de buscarse en el fondo, sino en la forma. La selección de las palabras, su engarce dentro del esquema oracional, su sonoridad y poder expresivo, su virtud evocativa, su capacidad para provocar sensaciones. He ahí los elementos que han de valorarse en la obra de este escritor a la hora de formular un juicio crítico. Son los únicos que él quiso llevar a su obra. «Las ideas jamás han sido patrimonio exclusivo de un hombre, las sensaciones, sí», nos dirá en *Breve noticia*. Este prurito estilístico, este afán depurador del lenguaje hasta topar con la forma expresiva más adecuada, nos explica también la táctica seguida por Valle en buena parte de su obra; repetición de temas, de motivos y de personas, ya señalada por Julio Casares en *Crítica profana* [9]. Valle-Inclán se encariña con una situación o un personaje, y ya no sabe dejarlos. No es pereza mental ni incapacidad para imaginarse o crearse otros, es simplemente que los encuentra poetizables y quiere ofrecerlos por todos sus costados hasta agotar las posibilidades en cuanto entes de creación.

El esfuerzo, realmente titánico, de Valle-Inclán por dominar el estilo, por renovarlo y enriquecerlo, apenas tiene parigual en nuestras letras contemporáneas. «Desde hace muchos años—escribe en *La lámpara maravillosa*—, día a día, en lo que me atañe, yo trabajo cavando en la cueva donde enterrar esta hueca y pomposa prosa castiza que ya no puede ser la nuestra cuando escribamos, si sentimos el imperio de la hora.» Valle busca una nueva prosa, y ha de reconocerse que la encuentra. Que esa prosa sea la mejor es discutible; que es más rica, más sugestiva y atrayente que la otra, aquella de finales de siglo a la que venía a sustituir, nadie puede negarlo. Valle-Inclán dignifica el lenguaje, lo decora y ennoblece. Sus aciertos en el orden de la adjetivación son definitivos. Tiene rasgos estilísticos también personales y únicos. Por ejemplo, la aplicación de términos religiosos y litúrgicos al tema erótico, herencia decadentista sin duda, pero que contribuye a la belleza del conjunto [10].

NOTAS

1. *Ensayo sobre el destino actual de las letras y las artes*, 2.ª ed., Buenos Aires, 1951. Véase todo el capítulo I, págs. 13-17.
2. *Memorias*, t. V, pág. 153.
3. Es curioso señalar que, excepto el primer apellido materno, todos los demás de nuestro escritor son auténticamente vascos: Baroja, Zornoza, Goñi, Arrieta, Eizaguirre, Arrola. El Nessi materno procede de Como, en Lombardía.
4. Véase la revista *Indice*, número-homenaje a Pío Baroja (enero-febrero) de 1954), págs. 15-16. «Opiniones». Muy interesante también en la misma revista: «El novelista visto por sus contemporáneos», pág. 27.
5. *Significado y estilo de una trilogía*, en el número extraordinario de *Indice*, pág. 6.
6. *Autobiografía*, «Alma Española», 27 dic. 1903.
7. «Estas páginas—acota Valle-Inclán—son un fragmento de las *Memorias amables*, que, ya muy bella, empezó a escribir en la emigración el Marqués de Bradomín. Un Don Juan admirable. ¡El más admirable tal vez! Era feo, católico y sentimental.»
8. Valle concibió una serie de nueve novelas en agrupaciones tripartitas; pero sólo llegó a publicar tres, correspondientes a la primera serie: «Los amenes de un reinado». La tercera de esta serie, *Baza de espadas*, apareció en 1958, unos veintidós años después de la muerte del escritor. Las dos trilogías restantes debían titularse: *Aleluyas de la gloriosa* y la *Restauración borbónica*, y todas ellas compondrían *El ruedo ibérico*, visión de la historia de España, «resuelta de acuerdo con el criterio estético y técnico propio del esperpento».
9. Curioso el guión de aprovechamiento de temas que hace el ilustre académico: «Como ya supongo—escribe—que puede haber quien no conozca las obras todas de Valle-Inclán y se anime a leerlas con ocasión del presente estudio, me considero obligado, para evitar quebraderos de cabeza, a publicar ciertas fórmulas algebraicas... *Femeninas*: igual a *La condesa Cela*, más *Tula Varona*, más *Octavia*, más *La niña Chole*, más *Rosarito. Epitalamio*: igual a *Augusta*. *Corte de amor*: igual a *Augusta*, más *Eulalia*, más *Beatriz*, más *Rosita*. *Historias perversas*; igual a *Femeninas*, más *Beatriz*, más *Augusta*. *Cofre de Sándalo*: igual a *Femeninas*, menos *La niña Chole*, menos *Rosarito*, más *Antonia*. *Jardín novelesco*: igual a *Jar-*

dín umbrío, más *Geórgicas*, más *Fué Satanás*, más *Egloga*, más *Hierbas olorosas*, más otros nueve cuentos... En las fórmulas siguientes las igualadas no son, como hasta aquí, materialmente exactas. Muchas páginas son traslado literal, y los asuntos son los mismos; pero algunos se presentan ligeramente inflados, en otros se utiliza como relleno ciertos materiales nuevos que no siempre proceden de la cosecha del autor. *Sonata de otoño*: igual a *Hierbas olorosas* (literalmente), más *El miedo* (una parte), más *Eulalia* (transformada), más *Le rideau cramoisi* (el final). *Sonata de estío*: igual a *La niña Chole* (con variaciones). *Sonata de primavera*: igual a *Fué Satanás*, más *Le Capucin* et *la sorcière*, más varias páginas nuevas. *El yermo de las almas*: igual a *Octavia* (ampliada). *Una tertulia de antaño*: igual a fragmentos de *Sonata de invierno*. *El marqués de Bradomín* (teatro): igual a fragmentos de *Flor de santidad* y de las *Sonatas de invierno* y de *primavera*.»
10. Unas muestras tomadas sólo de *Sonata de primavera*:
María Rosario tiene «la gracia eucarística del lirio»; «manos divinas como la hostia»; «ojos tristes, suplicantes, guarnecidos de lágrimas, como oraciones purísimas». Su lecho «es como un altar de lirio albo»; «al contemplarla, yo sentía que en mi corazón se levantaba el amor ardiente y trémulo, como una llama mística». Y así se podrían aumentar los ejemplos interminablemente.

BIBLIOGRAFIA

I. J. M.ª AICARDO: *De literatura contemporánea*, Madrid, 1901-1905.—J. DEL ARCO: *Novelistas españoles contemporáneos*, Madrid-Burgos, 1944.—AUB MAX: *Discurso de la novela española contemporánea*, «Jornadas», núm. 50, Méjico, 1945.—M. BAQUERO GOYANES: *Problemas de la novela contemporánea*, «Ateneo», colec. «O Crece o Muere», Madrid, 1951; *La novela y sus técnicas*, «Arbor», núm. 54, Madrid, 1950.—C. BARJA: *Libros y autores contemporáneos*, Victoriano Suárez, Madrid, 1935.—R. BAROJA: *Gente del 98*, Barcelona, 1952.—A. COMFORT: *La novela y nuestro tiempo*. Edit. Realidad, Buenos Aires, 1949.—H. JESCKE: *La generación del 98 en España*, Madrid, 1945.—MARÍA DE MAEZTU: *Antología siglo XX: Prosistas españoles. Semblanzas y comentarios*, «Colec. Austral», Buenos Aires, 1948.—D. PÉREZ MINIK: *Novelistas españoles de los siglos XIX y XX*, «Colec. Guadarrama», Madrid, 1957.—F. YNDURÁIN: *Antología de la novela española*, C. S. I. C., Madrid, 1954.—W. WAIDLE: *Ensayo sobre el destino actual de las letras y las artes*, Edit. Emecé, Buenos Aires, 1943.

II. A. DE AZCÁRRAGA: *La timidez sentimental de Baroja. El cine, ¿séptimo arte?, y otros ensayos*, Valencia, 1947.—«AZORÍN» (J. Martínez Ruiz): *Ante Baroja*, Zaragoza, 1946.—F. BENANDALLA: *Mis conversaciones con Pío Baroja*, Méjico, 1953.—F. CARMONA NENCLARES: *Pío Baroja: Estudio crítico*, Madrid, 1921.—J. CARO BAROJA: *La soledad de Pío Baroja*, Méjico, 1953.—J. CASARES: «*Juventud y egolatría*», *Crítica efímera*, II, S. Calleja, Madrid, 1919.—C. CASTRO: *Pío Baroja o el burgués antiburgués*, «La Esfera», Madrid, 24 enero 1925.—CORPUS BARGA: *Una novela de Baroja*, «Rev. Occidente», III, Madrid, abril 1925.—H. DEMUTH: *Pío Baroja. Das Weltbild in seinen Werken*, Hagen, 1937.—Y. ELIZALDE: *Pío Baroja a hombros de la crítica. El hombre*, «Razón y Fe», núms. 707, diciembre 1956, y 710, marzo 1957.—J. GARCÍA MERCADAL: *Pío Baroja en el banquillo: I, Tribunal español; II, Tribunal extranjero*, Zaragoza, 1949.—F. GARCÍA SANCHIZ: *Pío Baroja*, Valencia, 1905.—B. GARNELO: *La obra literaria de Baroja*, «La Ciudad de Dios», 1913.—GÓMEZ DE BAQUERO (Andrenio): *Baroja y su galería novelesca*, «De Gallardo a Unamuno», Edit. Mundo Latino, Madrid, 1926; *Las novelas de Baroja*, «Novelas y novelistas», Edit. Calleja, Madrid, 1918.—J. B. GONZÁLEZ: *Aspectos de la obra de Pío Baroja*, «Nosotros», LIV, 1926.—A. GONZÁLEZ BLANCO: *Pío Baroja: Antología crítica de sus obras*, ed. de «La Novela Corta», Madrid.—C. GONZÁLEZ RUANO: *Azorín, Baroja: Nuevas estéticas. Anotaciones sentimentales*, Madrid, 1923.—L. S. GRANJEL: *Retrato de Pío Baroja*, Edit. Barña, Barcelona, 1945.—R. JAÉN: *Pío Baroja y Azorín, dos modernos escritores españoles*, «Nuestro Tiempo», Madrid, 1917.—S. DE MADARIAGA: *Pío Baroja*, «Semblanzas literarias contemporáneas», Edit. Cervantes, Barcelona, 1924.—F. MATÉU LLOPIS: *Autores contemporáneos: Baroja y Azorín*, Barcelona, 1945.—G. MUÑOZ MEDINA:

Pío Baroja, autor dramático, «Rev. Chilena», XV, 1922.—
F. DE ONÍS: Pról. de *«Zalacaín el aventurero»*, Nueva
York, 1929.—H. ORSCHEL: *El humor en la prosa española
de los siglos XIX y XX*, Greifswald, 1932.—J. ORTEGA Y
GASSET: *Una primera vista sobre Baroja e Ideas sobre
Pío Baroja*, «El espectador», Bibl. Nueva, Madrid, 1950.—
A. L. OWEN: *Concerning the Ideology of Pío Baroja*.
«Hispania», 1932.—M. PÉREZ FERRERO: *Pío Baroja en su
rincón*, Santiago de Chile, 1940.—H. PESEUX-RICHARD: *Un
romancier espagnol: Pío Baroja*, «Rev. Hispanique»,
XXIII, 1910.—F. PINA: *Pío Baroja*, Valencia, 1928.—J. A.
VAN PRAAG: *Algunas noticias sobre Pío Baroja, su vida
y su obra*, Amsterdam, 1927.—A. REYES: *Bradomín y
Aviraneta*, «Simpatías y diferencias», 2.ª serie, Madrid,
1921.—J. A. RIAL: *Pío Baroja, precursor del existencialismo*, «Rev. Nac. de Cultura», año XIX, núm. 119, Caracas, 1956.—F. ROMERO: *Notas a Baroja*, «Nosotros»,
XXXIII, 1919.—J. SAMPELAYO: *Baroja, amigo*, «Cuad. Hispanoamericanos», núm. 85, enero 1957.—D. L. SHAW: *The
concept of «Ataraxia» in the later novels of Baroja*,
«Bull. of Hisp. Studies Univ. of Liverpool», vol. XXXIV,
núm. 1, 1957.—R. SILVA CASTRO: *Pío Baroja. El hombre
y el escritor*, «Atenea», IV, 1927.—J. B. TREND: *Pío Baroja an his novels*, «A Picture of Modern Spain», 1921.—
J. URIBE ECHEVARRÍA: *Pío Baroja. Técnica, estilo, personajes*, «Anales de la Univ. de Chile», año CXIV, número 103, 1956.—F. VALDÉS: *Tres fechas sobre Baroja*, «Letras: Notas de un lector», Espasa-Calpe, Madrid, 1933.

III. A. ALCALÁ GALIANO: *El hidalgo de las letras, don
Ramón del Valle-Inclán*, «Figuras excepcionales», Renacimiento, Madrid, 1939.—A. ALONSO: *Estructura de las «Sonatas» de Valle-Inclán*, «Verbum», XXI, 1923.—E. ANDER-
SON IMBERT: *El escamoteo de la realidad en las «Sonatas»
de Valle-Inclán*, «Realidad», julio-agosto, 1948.—BEATRIZ
M. ARREGUI OLAECHEA: *La frase siglo XX en «Flor de
santidad»*, «Bol. de Invest. Literarias», Fac. de Humanidades de la Plata, vol. V, 1949.—CH. V. AUBRUN: *Les
débuts littéraires de Valle-Inclán*, «Bull. Hispanique», LVII,
Burdeos, 1955.—M. AZAÑA: *El secreto de Valle-Inclán*, «La
invención del «Quijote» y otros ensayos», Espasa-Calpe,
1934.—J. A. BALSEIRO: *Valle-Inclán, la novela y la política*, «Hispania», XV, California, 1932.—C. BARJA: *Ramón del Valle-Inclán*, «Libros y autores contemporáneos»,
Suárez, Madrid, 1935.—R. BAROJA: *Valle-Inclán en el café*,
«La Pluma», VI, Madrid, 1923.—R. BLANCO-FOMBONA: *«Tirano Banderas»*, «Motivos y letras de España», Edit. Renacimiento, Madrid, 1930.—J. L. BROOKS: *Valle-Inclán
and the «Esperpento»*, «Bull. of Hispanic Studies», Univ.
of Liverpool, XXXIII, 1956.—R. CANSINOS ASSENS: *Valle-
Inclán*, «La Nueva Literatura», I, Edit. Calleja, Madrid,
s. f.—J. CASARES: *Ramón del Valle-Inclán*, «Crítica profana», Colec. Austral, núm. 469, Buenos Aires, 1944.—
J. CAUMÉ: *Don Ramón del Valle-Inclán*, «Mercure de France», CVIII, 1914.—C. A. DISANDRO: *Grotescos en el teatro
de Valle-Inclán*, «Logos», III, 1944.—J. DE ENTRAMBASAGUAS:
Leyendo a Valle-Inclán: Notas al margen, «Cuad. de Literatura Contemporánea», núm. 18, Madrid, 1946.—M. FER-

NÁNDEZ ALMAGRO: *Vida y literatura de Valle-Inclán*, Ma-
drid, 1943.—W. L. FICHTER: *Primicias estilísticas de Valle-
Inclán*, «Rev. Hisp. Moderna», VIII, 1942; *Publicaciones
periodísticas de Valle-Inclán anteriores a 1895*, Colegio de
Méjico, Méjico, 1952.—E. GÓMEZ DE BAQUERO («Andrenio»):
Valle-Inclán: «Las novelas de la guerra carlista», «Nove-
las y novelistas», Edit. Calleja, Madrid, 1928.—G. GÓMEZ
DE LA SERNA: *Las dos Españas de don Ramón María del
Valle-Inclán*, «España en sus episodios nacionales», Edics.
del Movimiento, Madrid, 1954; *Don Ramón María del
Valle-Inclán*, Buenos Aires, 1944; *La personalidad fantas-
magórica de don Ramón*, «La Pluma», VI, 1923; *Algunas
versiones de cómo perdió el brazo don Ramón María del
Valle-Inclán*, «Muestrario», Bibliot. Nueva, Madrid, 1918.—
A. GONZÁLEZ BLANCO: *Don Ramón del Valle-Inclán*, «Los
Contemporáneos», 3.ª serie, Garnier, París, 1910.—JANE
HAMILTON CORY: *Las guerras carlistas en la literatura
contemporánea*, tesis doct. leída en la Univ. de Madrid
en junio de 1954.—G. HEINRICH: *El arte de don Ramón
María del Valle-Inclán*, Rostock, 1938.—D. LAGMANOVICH:
La visión de América en «Tirano Banderas», «Humani-
tas», núm. 6, Univ. de Tucumán, 1955.—S. DE MADARIAGA:
Ramón María del Valle-Inclán, «Semblanzas literarias»,
Edit. Cervantes, Barcelona, 1924.—F. MADRID: *La vida al-
tiva de Valle-Inclán*, Poseidón, Buenos Aires, 1943.—
J. MILLÉ JIMÉNEZ: *Valle-Inclán y el milagro del monje
Heisterbach*, «Religión y cultura», El Escorial, 1933.—
J. ORTEGA Y GASSET: *«Sonata de estío»*, «La Lectura», I,
1904.—A. L. OWEN: *Sobre el arte de don Ramón del
Valle-Inclán*, «Hispania», VI, Stradford, California, 1923.—
C. PITOLLET: *Don Ramón María del Valle-Inclán y Monte-
negro*, «La Renaissance d'Occident», VIII, Bruselas, 1923;
La nouvelle oeuvre de Valle-Inclán «Cara de Plata», en
la misma revista, X, 1924.—A. REYES: *La parodia trágica («Divinas palabras»)*, «Simpatías y diferencias», 2.ª
serie, Madrid, 1921; *Apuntes sobre Valle-Inclán*, «Los dos
caminos», Madrid, 1923.—J. ROGERIO SÁNCHEZ: *El teatro
poético: Valle-Inclán y Marquina*, Madrid, 1914.—R. DA-
RÍO: *Algunas notas sobre Valle-Inclán*, «Todo al vuelo»,
Edit. Renacimiento, Madrid, 1912.—ANTONIA SANZ CUA-
DRADO: *«Flor de santidad» y «Aromas de leyenda»*, «Cuad.
de Literatura», Madrid, 1946.—P. SALINAS: *Significación
del «esperpento» o Valle-Inclán, hijo pródigo del 98*, «Cuadernos Americanos», VI, 1947.—J. SERRAILH: *Note sur
Stendhal et Valle-Inclán*, «Enquêtes romantiques: France-
Espagne», París, 1933.—J. M.ª VARGAS VILA: *Elogio de
don Ramón del Valle-Inclán*, «El marqués de Bradomín»,
Madrid, 1907.—A. ZAMORA VICENTE: *Las «Sonatas» de
Valle-Inclán*, Edit. Gredos, Madrid, 1955.—MARION A. ZEIT-
LIN: *Don Ramón del Valle-Inclán*, «Modern Lang. Fo-
rum», XVIII, 1933.—E. S. SPERATTI PIÑERO: *Génesis y
evolución de «Sonata de otoño»*, «Rev. Hisp. Moderna».
Nueva York, año XXIV, núm. 4, 1958.—G. MENCIONI: *Gli
esperpenti (a proposito del teatro di R. del Valle-Inclán)*,
«Letteratura Moderna», Bologne, 1958.—P. MORET: *Le
théâtre poétique de Valle-Inclán*, Buenos Aires, 1941.—
R. DEL VALLE-INCLÁN: *Obras completas*, Madrid, 1952.

LA NOVELA ESPAÑOLA CONTEMPORANEA:
B) TENDENCIAS VARIAS

I. Pérez de Ayala: *Vida y persona. Obra literaria. Crítica y ensayo. Novelas breves. Novelas extensas. Ideología y técnica.*—II. Gabriel Miró: *Biografía y semblanza. Producción literaria. Relatos breves y largos. La «Figuras de la Pasión del Señor». Técnica, estilo y valoración.*—III. Tendencia espiritualista: *Ricardo León. Concha Espina. Otros escritores (Muñoz Pabón, Pérez Lugín, Gamero, etc.).*—IV. Tendencia humorística: *Fernández Flórez. Julio Camba y otros autores.*—V. La novela corta y otras manifestaciones: *Psicologistas, costumbristas, realistas. Intentos renovadores.*—VI. La novela de la postguerra: *La «novela de guerra». Tendencias realistas y costumbristas. Tendencia espiritualista. Otras tendencias.*—Notas.—Bibliografía.

I. PEREZ DE AYALA

Estudiados en el capítulo anterior los caracteres generales de nuestra novela en el siglo actual y la obra de sus dos máximos representantes: Baroja y Valle-Inclán, sólo nos queda en el capítulo presente una alusión a las principales tendencias y a los hombres que las encarnan. Y empezamos por las figuras de Pérez de Ayala y Miró, teniendo en cuenta que son, al lado de Valle y de Baroja, lo más granado de nuestra novelística de principios de siglo, estrechamente ligados en algún aspecto, en el estilístico al menos, a los escritores del 98.

Vida y persona

Nace Ramón Pérez de Ayala en Oviedo el 9 de agosto de 1881. Estudia el bachillerato en Carrión de los Condes (Palencia) y en los Jesuítas de Gijón. Sigue Leyes en Oviedo, teniendo por maestro a *Clarín*. Pasa a Madrid, donde cursa también la carrera de Filosofía y Letras. Pronto se da a conocer como escritor agudo por sus colaboraciones en diversos periódicos: *La Lectura, Hojas Selectas, Alma Española, Blanco y Negro, El Sol, A B C, El Imparcial, El Gráfico, España,* etcétera. Con Pedro González Blanco, Gregorio Martínez Sierra y Juan Ramón Jiménez funda la revista *Helios*. Publica libros de verso, crítica, ensayo y novela. En 1928 es elegido académico de la Real de la Lengua. Forma con Ortega y Gasset y otros el grupo «Al servicio de la República». Instaurada ésta, se le nombra embajador en Londres. Durante la guerra de Liberación pasa a la Argentina, donde reside por espacio de unos quince años. Actualmente vive en Madrid.

Alguien ha dicho que Pérez de Ayala no tiene biografía. No la tiene en verdad si por biografía se entiende esos avatares políticos o sociales, esas

anécdotas o extravagancias que sitúan a un hombre al margen de lo normal para caer en lo pintoresco. Ni barba a lo Valle-Inclán; ni diatribas a lo *Azorín* cuando no era aún tal *Azorín*; ni malhumor concentrado a lo Baroja; ni disconformidad perpetua y egolatría desmesurada a lo Unamuno, si bien ha de reconocerse que Ayala no es un dechado de modestia. El calificativo de «señorito», que le adjudica Torrente Ballester [1], no ha de entenderse en sentido peyorativo. Entraña más bien un concepto de distinción, de refinamiento espiritual, con alguna que otra gota de pesimismo de buen tono y cierto elegante desprecio hacia la garrulería y estrechez mental de la mayor parte de sus semejantes. Antonio Machado nos lo ha retratado física y espiritualmente en un soneto:

> ... rostro enjuto
> sobre el rojo manchón de la corbata,
> bajo el amplio sombrero; resoluto
> el ademán, y el gesto petulante
>
> —un sí es no es—de mayorazgo en corte,
> de *bachelor* en Oxford o estudiante
> en Salamanca; señoril el porte.

Pérez de Ayala no ha tenido que luchar para ganarse el pan. El tiempo que otros emplean en situarse él lo ha gastado en estudiar y en darse a conocer. Empieza a escribir pronto, y sus primeros escritos delatan ya una morosidad y una complacencia, como de quien no tiene prisa por llegar. Antes que nada le interesa demostrar que sabe cosas y, lo que vale más aún, que sabe decirlas con elegancia. Desde el principio sus obras aparecen teñidas, o mejor, empapadas de cierto regusto espiritual. Fijémonos en Alberto Díaz de Guzmán, uno de sus primeros personajes y encarnación hasta cierto punto del propio Ayala.

No vamos a discutir ahora si esto perjudica o favorece a su novelística en conjunto. Nos basta con apuntar el hecho frecuentísimo de un relato escindido a cada paso por disquisiciones sobre moral, estética, filosofía, literatura, política, filología y hasta sociología. Pérez de Ayala, que tiene amplia cultura, no sabe resistir a la tentación de demostrarlo por boca de sus personajes en las novelas, o directamente en el ensayo.

Obra literaria

Abarca diversos géneros—poesía, crítica, ensayo, novela breve, novela larga—y está resumida, sin contar una extensa labor periodística, en los siguientes títulos:

Poesía: *La paz del sendero* (1903), *El sendero innumerable* (1916), *El sendero andante* (1921).
Ensayo: *Las máscaras* (dos volúmenes, 1917 y 1919), *Política y toros* (1918), *Hermann, encadenado* (1924) y *El libro de Ruth* (1930).
Novela breve: *Prometeo, Luz de domingo, La caída de los limones* (1916), *Bajo el signo de Artemisa* (1924), *El ombligo del mundo* (1924).
Novela larga: *Tinieblas en las cumbres* (1907), *A. M. D. G.* (1910), *La pata de la raposa* (1912), *Troteras y danzaderas* (1913), *Belarmino y Apolonio* (1921), *Luna de miel, luna de hiel* (1923), *Los trabajos de Urbano y Simona* (1923), *Tigre Juan* (1926), *El curandero de su honra* (1926).

De su producción poética nos hemos ocupado en otro lugar; allí se la calificó de «poesía trabajada, correcta y con exceso intelectual». No tenemos por tanto que volver sobre ella. Digamos unas palabras sobre el resto de su obra, antes de analizar su género preferido, la novela.

Crítica y ensayo

Con el sinnúmero de artículos que Pérez de Ayala ha ido publicando a lo largo de su vida en la prensa de España y de América se podrían formar varios gruesos volúmenes de amena y provechosa lectura. A veces los artículos se agrupan en torno a un tema, constituyendo verdadero ensayo. La calidad de ese ensayo, y en general de cualquier trabajo periodístico de Pérez de Ayala, está fuera de duda. Tiene nuestro escritor la virtud de dignificar cuanto trata, elevándolo a un alto plano estético y cultural. Un estilo clásico y depurado, junto con un fondo rico en sugerencias, avalora más y más todos sus escritos, de la índole que sean. No importa que la materia sea baladí, porque él se da maña para revestirla de interés mediante lo escogido del lenguaje y lo fecundo de la doctrina. A Pérez de Ayala se le lee siempre con gusto y provecho, ya que no hay un solo trabajo suyo, por breve que sea, que no constituya una lección de buen hablar y de bien discurrir. Se le censura por ahí el prurito de ostentación erudita; hasta se llega a hablar por algunos de pedantería. Digamos en descargo suyo que es una pedantería, si la hay, muy disculpable. Pérez de Ayala tiene mucho que decir y sabe decirlo siempre de manera insuperable. Su dominio de lenguas clásicas y modernas, que en otros puede ser un estorbo, se traduce aquí en una exigente perfección idiomática y en una gran precisión de conceptos.

Formando volumen ha publicado varios libros de crítica y ensayo: *Hermann, encadenado,* sobre «el espíritu y el arte italianos»; *Política y toros,* con valiosas apreciaciones sobre las más destacadas figuras de principios de siglo: Maura, Romanones, Joselito, el *Gallo,* Belmonte, etc.; y, sobre todo, *Las máscaras,* obra en dos volúmenes, de interés capital para conocer la ideología dramática del autor. Adelantemos que en estas reseñas sobre Galdós, Benavente, Linares Rivas, los Quintero, Arniches, Lope de Vega, Shakespeare, Ibsen, Oscar Wilde y otros, nuestro crítico se muestra con exceso apasionado. Fobias y filias, muchas veces inmotivadas, se reparten sus juicios, expuestos de ordinario con insólita acritud. Mientras a Benavente le niega el agua y la sal, se vuelca en elogios desorbitados sobre la «tragedia grotesca» de Arniches y el alegre teatro de los Quintero [2]. Pieza de éstos tan mediocre como *Don Juan buena persona* queda elevada al rango de lo genial. En obras de carácter narrativo, como *Troteras y danzaderas,* encontramos también muchos pasajes que tienen categoría de auténticos ensayos.

Novelas breves

En *Prometeo,* aparte del relato de este título, figuran *Luz de domingo* y *La caída de los limones.* La primera con rasgos similares al *Amor y pedagogía,* de Unamuno, plantea el problema de la selección de la especie mediante un matrimonio sano. Un profesor de Universidad, Marco de Setiñano, rehuye el amor de Federica, viuda de un indiano rico, para unirse en matrimonio a Perpetua Meana, joven lozana y un tanto metida en carnes, a la que conoce en circunstancias similares a las de Ulises respecto a Nausicáa. El ideal helenístico de Setiñano fracasa, porque el fruto de la unión es un ente ridículo, tarado moralmente y caprichoso, cuyas aberraciones y precoz sexualidad desembocan en suicidio. *La caída de los limones* y *Luz de domingo* recogen con certeros rasgos el ambiente caciquil provinciano de principios de siglo. En la primera el castigo de los culpables, que expían en la horca sus abusos, viene a restablecer el equilibrio. En *Luz de domingo* los criminales, tanto Becerriles como Chorizos, quedan impunes, mientras las víctimas de su violencia, Castor y Balbina, hallan en la muerte, rumbo a América, el único reposo. «Confundidas las dos almas en un aliento, volaron al país de la Suma

Concordia, en donde no existen Becerriles ni Chorizos y brilla eternamente la pura e increada luz dominical.»

Seis novelitas han sido recogidas en el volumen que lleva por título *Bajo el signo de Artemisa*. Las más antiguas son *El otro padre Francisco* y *Cruzado de amor*; siguen *Artemisa*, *Exodo*, *Padre e hijo* y *El anticristo*. *El otro padre Francisco*, «con cierto carácter de ejercicio o gimnástica o *scherzo* literarios», como apunta el propio autor, sugiere conceptos y situaciones análogas a las de *Belarmino y Apolonio*. El sanguíneo padre Francisco, suplantando en la hornacina al Seráfico Fundador, para echar en cara a sus hermanos en religión su conducta poco ajustada a la regla, está en la línea racionalista, no exenta de sinceridad, de ciertos tipos posteriores de Ayala[3]. *Cruzado de amor*, tomada de la *Historia de los trovadores*, de Víctor Balaguer, novela los legendarios amores del poeta provenzal Jofre Rudel, enamorado de la princesa Melisendra. No obstante lo romántico del tema, la nota irónica apunta con frecuencia, sobre todo al final[4]. *Artemisa*, evocación de la leyenda mitológica de Apolo y Diana, se mueve en una atmósfera altamente dramática. La pasión mutua e inconsciente de dos hermanos, Clara y Alfredo, es la clave de la obra, que se precipita hacia un desenlace trágico, con homicidio y muerte voluntaria de la homicida. La narración está bien llevada, con alusiones al mundo de los sueños y de la superstición. *Padre e hijo*, subtitulada por el propio autor «tragicomedia», interesa como esbozo psicológico de caracteres contrapuestos. Sobre un tema de adulterio, con hijo ilegítimo, domina aquel tono despectivo hacia la nobleza hereditaria, que ya hemos visto a últimos del XVIII en las obras de Cadalso. «No hay grandeza comparable—dice aquí el protagonista—a la de mi propio nombre, mondo y lirondo, rapado de todo lo que no es mío, sino podre y reliquia de los muertos. Cristóbal y con el don por delante, eso sí.» Cierra la serie *El anticristo*, acaso el más personal de los seis relatos, con ligeras reminiscencias de la comedia galdosiana *La loca de la casa*. El matrimonio de un anarquista y de una religiosa que, llegado el momento, no ratifica sus votos, sirve de base a la narración.

En los cinco relatos que integran el volumen *El ombligo del mundo* predomina la nota satírica. Por su hondura de sentimiento sobresale *El profesor auxiliar*, excelente narración cuyo feliz desenlace en nada amengua la amargura del fondo. En la misma línea cabe situar *La triste Adriana*. Sale del área de lo humorístico para caer en lo satírico *Grano de Pimienta y Mil Perdones*, con logrados toques picarescos; así como también *Don Rodrigo y don Recaredo*, que por su tono anticlerical y la insensibilidad afectiva con que está escrita preludia algunas novelas intelectuales de

la segunda época del autor. *Clib*, la quinta de la serie, interesa por el análisis psicológico del protagonista, Generoso[5].

Novelas extensas

Cabe repartirlas en dos grupos: el formado por las cuatro narraciones de carácter autobiográfico: *A. M. D. G.*, *Tinieblas en las cumbres*, *La pata de la raposa* y *Troteras y danzaderas*, y el formado por las cinco restantes: *Belarmino y Apolonio*, *Luna de miel, luna de hiel* y su continuación, *Los trabajos de Urbano y Simona*, *Tigre Juan*, y su segunda parte, *El curandero de su honra*.

A. M. D. G. es una de tantas diatribas contra los métodos educativos de las órdenes religiosas y más concretamente de los Jesuítas. Rellena de tópicos, carente casi de trama y sin otro interés que el puramente libelístico, recoge toda la «leyenda negra» acumulada contra la Compañía de Jesús a lo largo de los siglos. Para que el cuadro quede completo no falta el lego estuprador; ni el sádico profesor que idea los más raros castigos para regodearse con el sufrimiento de los niños; ni el libidinoso hermano enfermero; ni, en fin, el feroz director espiritual, atónito ante las manifestaciones eróticas de un muchacho de quince años, a quien está a punto de negar la absolución. Abundan las convulsiones y los desmayos de los chicos, aterrados por la práctica de los ejercicios espirituales. En una palabra, el cuadro, además de calumnioso y falso, resulta altamente desagradable. No sabemos qué secretas ofensas al autor por parte de los Jesuítas le movieron a diluir en la desdichada narración tanta bilis; es probable que hoy, en la serenidad de sus setenta y ocho años, lamente haber escrito este relato. El único episodio novelesco, la conversión de la bella inglesa Ruth, esposa de un ingeniero, y el subsiguiente suicidio de éste, se nos antoja falso y postizo[6].

Con *Tinieblas en las cumbres* inaugura Pérez de Ayala sus novelas «lupanarias», a las que una excesiva licencia en lenguaje y situaciones no lugra privar de cierto encanto poético. Sin acudir a la antigüedad clásica ni siquiera al Renacimiento, la novela «lupanaria», tal como la concibe Ayala, tiene múltiples precedentes en la literatura moderna. Por ejemplo, *La maison Tellier*, de Guy de Maupassant. Bien es verdad que este tipo de novela, si quiere adaptarse a la época actual, tiene que despegarse de los modelos clásicos. La cortesana o hetaira culta y refinada, tal como la concibió la antigüedad y en menor grado el Renacimiento, no existe en nuestro tiempo. Ni una Friné, ni una Aspasia, ni una Lesbia, son productos actuales que puedan inspirar al novelista. En su lugar éste ha de limitarse a reproducir el estrecho y podrido ambiente en que se desarrollan las mujeres de vida más o menos *airada*. He aquí el primer obstáculo con que había de tropezar un escritor intelectualista como Pérez de Ayala. Percatado de la imposibilidad de tratar el tema lupanario como lo hicieran en sus respectivas épocas Petronio o el Aretino, y repugnando por otra parte las procacidades de un Mirbeau, un Paul de Kock o un Pitigrilli, tira por el camino de en medio: aprovecha de la técnica antigua lo único aprovechable, el intelectual que se convierte en director de la hetaira; y aporta lo mejor de la técnica moderna, mediante la sublimación e idealización de bajos fondos sociales. *Tinieblas en las cumbres* apenas tiene argumento: una «excursión» de varios hombres, acompañados por un grupo de mujeres alegres, a lo alto del Pajares, con motivo de un eclipse. A esta débil trama se une la historia de Rosina, muchacha lugareña, a la que encontraremos en obras posteriores convertida en amante de un ministro; *entretenida* de gran rumbo o artista más o menos ocasional. *La pata de la raposa*, continuación de la anterior, relata las excentricidades de Alberto Díaz de Guzmán, hombre culto y exquisito, que abandona a su dulce novia Josefina o Fina para unirse a una compañía de circo y pasar a Londres, donde intima con grotescos personajes. La quiebra fraudulenta de su banquero, Hurtado, le devuelve a la aldea natal; se reconcilia momentáneamente con Fina; pero nuevamente la abandona para ir a Lugano e iniciar un estrambótico idilio con Margarita, hija de un tal Bob, a quien había conocido en Londres. Pobre de trama, *La pata de la raposa* adolece de ciertas novedades lingüísticas que caen de lleno en el área de la afectación. Mayor interés ofrece *Troteras y danzaderas*, como reproducción acertada de la vida literaria española en la primera década de siglo. Novela de clave, su autor convierte al protagonista, como en las anteriores, en educador o mentor de la hetaira. Aquí las hetairas son dos: Rosina, la misma lugareña de *Tinieblas en las cumbres*, sólo que convertida en mujer refinada y de sensibilidad a flor de piel, y Verónica. Dos momentos cumple destacar: la visita de Rosina al Museo del Prado, acompañada por el poeta modernista Teófilo Pajares, y la lectura del *Otelo* ante Verónica. En la visita al Prado se nos da una popular interpretación de *Las Meninas*; en la lectura de la tragedia shakespeariana, Verónica, ayuna de toda cultura, se explaya en sabrosas disquisiciones de crítica literaria, tras las que se adivina inmediatamente el pensamiento del autor.

Una breve alusión a las restantes novelas. *Belarmino y Apolonio*, con su trama endeble—fuga de un seminarista, hijo de Apolonio, con una sobrina de Belarmino; abandono de la joven y redención de la misma por su antiguo amante, ya convertido en sacerdote—, es, sin duda, la obra más original de Pérez de Ayala. Los protagonistas, dos humildes zapateros, alcanzan a lo largo

de esta novela categoría de símbolos. Belarmino es el zapatero filósofo, a la busca siempre de la palabra más idónea para expresar sus ideas; Apolonio, el zapatero poeta dramático, enamorado de la gloria, de las actitudes brillantes, de la representación [7]. El problema del *comprender* y del *expresar*, aun encarnado en dos seres de ínfima clase social, se eleva de este modo al rango de lo trascendente. *Luna de miel, luna de hiel* y *Los trabajos de Urbano y Simona* son un intento de implantar entre nosotros la técnica del *tempo lento*, antes que se difundiesen aquí los métodos de Proust y de Joyce. En el fondo de estos dos relatos hay una novela de tesis, con el planteamiento de un problema acuciante de la vida española: el problema sexual. Los protagonistas nada saben del amor; lo desconocen hasta después de casados, consecuencia todo ello de una equivocada educación. Sólo tras largo período de aprendizaje llegarán a cumplirlo de una manera normal.

También consta de dos partes la otra gran novela de Ayala: *Tigre Juan* y *El curandero de su honra*. Simbólica como *Belarmino y Apolonio*, aunque con otra clase de simbolismo. *Tigre Juan*, es decir, la caracterización del español: tigre, por lo sanguinario; Juan, por lo aventurero y galanteador. Y luego: *Curandero de su honra*. Curandero es el intruso que ejerce la medicina al margen de la ley. Estamos ante una interpretación más del honor. Sólo que Pérez de Ayala, escritor de sólida formación y novelista intelectual, ha calado muy hondo en la esencia de nuestro carácter y del donjuanismo a la española. A diferencia del don Gutierre calderoniano de *El médico de su honra*, el protagonista se mueve aquí en un ambiente plebeyo y debe convertirse en «curandero» de su honor. El «don Juan» es un vulgar corredor de comercio, regordete y afeminado, que lleva por nombre Sebastián Cebón. La esposa de Tigre Juan, atraída momentáneamente por Cebón, reacciona no por circunstancias exteriores, sino por un simple proceso racional: le basta comparar con las cualidades del pretendido seductor las de su marido: un auténtico hombre. Pérez de Ayala coincide con el doctor Marañón en su concepto de don Juan y del donjuanismo.

Ideología y técnica narrativa

Más que en los mismos ensayos, la ideología de Pérez de Ayala ha de buscarse en las obras novelescas, particularmente en *Troteras y danzaderas*. Todo un programa estético puede extraerse de ésta y otras narraciones. He aquí algunos puntos fundamentales:

a) Formación clasicista, o mejor clásica, como base indispensable para escribir bien. El demuestra a cada paso que la tiene; difícilmente se ha llará un artículo suyo en que no haya alguna alusión mitológica y alguna cita latina o griega.

b) Lírica personal. En *Troteras y danzaderas*, con motivo de la lectura de un soneto, censura el mimetismo de la poesía modernista: «Una docena de poetas, por lo menos, conozco yo, que pudieron haber compuesto el soneto que has recitado sin quitarle ni añadirle una tilde.»

c) El hecho primario de la actividad estética, «el hecho estético esencial», consiste en «vivir por entero en la medida de lo posible las emociones ajenas, y a los seres inanimados saturarlos de emoción, *personificarlos*».

d) Importancia de la cultura, no sólo de la clásica, en el proceso de la creación: «Querido Teófilo, créeme que Pegaso es el rocín más rocín, tirando a asno, cuando el que lo cabalga no lleva acicate; y el acicate es la cultura.»

e) Menosprecio absoluto del «teatro poético», tan predominante en el primer cuarto de siglo; y, en general, manifiesta subestimación de todo el teatro español: «Tu drama me parece estúpido... Palabras, palabras, palabras. Tus versos no son versos ni cosa que se le parezca, sino rimbombancia y estropajosidad; suenan mucho, pero suenan a hueco... ¿Qué será que los españoles no abren la boca sino para caer en el énfasis, la ampulosidad, la garrulería?... No vayas a creer que me ensaño en tu drama; no lo considero mejor ni peor que la mayor parte de los dramas y comedias de nuestro teatro clásico.» Así se expresa por boca de Alberto Díaz de Guzmán en *Troteras y danzaderas*.

En cuanto a la técnica narrativa, digamos ante todo que Pérez de Ayala concibe la novela con estricto rigor intelectual. Intuye o, mejor, razona un tipo de protagonista, y luego le va añadiendo notas hasta formar con él un personaje en quien centrar la narración. El resultado suele ser escasamente novelesco. Por ello resultan más logrados, en cuanto tipos, los personajes secundarios. La

sólida formación humanística, que en otros géneros, el ensayo o el periodismo, contribuyen a realzar las calidades de este escritor, perjudican su novela. Pérez de Ayala cae inevitablemente en el error de hacer hablar a sus personajes, a muchos de sus personajes, en un estilo que no les corresponde. Como Valera, con quien tiene tantos puntos de contacto, Ayala se coloca muchas veces fuera de lo real y aun fuera de la novelística de su tiempo. Sus relatos llevan demasiado lastre intelectualista para que se los pueda considerar auténticas novelas. Lo que Miró consigue a fuerza de sensaciones, sobre todo de color, intenta lograrlo Pérez de Ayala a fuerza de cerebro. No se busque, por tanto, en sus novelas una intriga, un argumento trabado, la historia de una vida o un proceso psicológico, moral o social. Se limita nuestro novelista a la descripción de estados psíquicos sueltos, sin que puedan engañarnos ciertos procedimientos «paralelísticos», como el que nos ofrece en *El curandero de su honra*, al darnos a doble columna y en una especie de bifrontación temporal las reacciones de Tigre Juan y de Herminia.

Sabemos que estos juicios nuestros van a contrapelo de la crítica al uso, acostumbrada a ver en Ayala un genio de la novela. Nada menos que «una de las dos cumbres» del género veía en él César Barja allá por el año 1935. La otra cumbre era Baroja [8]. Nosotros, aun reconociéndole méritos innegables, no acertamos a ver en él un auténtico novelista; o más exactamente, descubrimos en sus obras antes al escritor que al creador de tipos y situaciones; antes al gran estilista, que al narrador. Eso es Pérez de Ayala: un estilista consumado; un conocedor a fondo del idioma. Pocos lo han manejado en nuestros días con tan pleno dominio; pocos lo han llenado de tanta sustancia ideológica.

II. GABRIEL MIRO

Estilista también, aunque con otra clase de estilo, es el levantino Miró. Frente al intelectualismo de Ayala y el retoricismo vacuo de Ricardo León, a quien aludiremos inmediatamente, Miró es un impresionista; más que escritor, un pintor, de enorme fuerza plástica, de rica paleta llena de color y de luz mediterránea. La luz en él lo invade todo, y con tal intensidad y profundidad, que el escritor se ve apurado para darle cabida en el estrecho límite de sus cuadros, debiendo, por tanto, proceder a una selección en aquella catarata lumínica que se le mete por la retina. En este sentido, se ha dicho por alguien, y no sin acierto, que Miró es un escritor contenido. El mismo nos iba a confesar que en su ciudad natal, y ya desde la cuna, los ojos se llenan de luz; tanta luz, que los colores en ella quedan casi siem-

pre disueltos. Por ello, aun siendo muy rica en cromatismo, su obra se hace notar ante todo por la luminosidad.

Biografía y semblanza

Nace GABRIEL FRANCISCO VÍCTOR MIRÓ FERRER en Alicante en 28 de julio de 1879. Hijo de un ingeniero, al igual que Baroja. Estudia en los Jesuitas de Orihuela, ciudad que dejaría honda huella en su alma. Se gradúa de bachiller en Alicante y de abogado en Granada. Coincidiendo casi con su licenciatura en Leyes publica su primer libro, *La mujer de Ojeda* (1901), que luego repudiaría en la edición de sus *Obras completas*. *Hilván de escenas*, publicado un año más tarde, corre idéntica suerte. Contrae matrimonio con una hija del cónsul de Francia en Alicante. Colabora en revistas de provincias. Oposita sin éxito dos veces a Judicatura. Por fin, decide entregarse de lleno a las letras. 1908: publica *La novela de mi amigo* y obtiene con *Nómada* el premio de «El cuento semanal»; 1909: empieza su colaboración en *Caras y Caretas*, de Buenos Aires; 1911: es nombrado cronista de Alicante; 1914: traslado a Barcelona, donde la editorial Vechi y Ramos le encarga de dirigir una *Enciclopedia sagrada*, que a causa de la guerra europea no llegó a publicarse. Esta labor, sin embargo, le familiarizó con los estudios bíblicos, poniéndole en condiciones de escribir poco después sus *Figuras de la Pasión*. Durante su estancia en Barcelona desempeñó varios cargos burocráticos en la Diputación y en el Ayuntamiento. 1920: va a Madrid, meta de sus ilusiones, con un humilde cargo que el político don Antonio Maura le ofreció en el Ministerio de Trabajo; colabora en varios periódicos *(El Sol, La Voz, La Nación)*; obtiene (1925) el premio «Mariano de Cavia», y sigue publicando libros hasta que muere, el 27 de mayo de 1930.

«Gabriel Miró era un guapo mozo, de noble apostura y ademán amplio, acogedor. Su cabeza merecía ser acuñada en medallas. El cabello fino, sedoso, cayendo en crencha indisciplinada sobre la pálida y despejada frente; y el color entre bronce y oro... Sus ojos eran glaucos, y su mirar dulce, sereno. La boca de hombre sensual, y las manos alargadas, finas, bien modeladas; manos aristocráticas; y aunque se mostraba en su trato lleno de afabilidad y sencillez, todo su porte trascendía a señorío.» Así nos le retrata en lo físico su amigo y biógrafo José Guardiola [9]. En lo moral fué hombre sencillo, bueno y dulce; de vida retraída y gustos refinados; incapaz de ofender a nadie de palabra ni de obra; tan ajeno a grupos y capillas literarias como a partidos políticos. Muy amante del hogar. Su única aspiración, que sólo pudo ver realizada en parte y a lo último de su vida, era vivir tranquila y modestamente del producto de la pluma. Amigo de todo el mundo, no le faltaron con todo enemigos que entorpecieron su triunfo, difundiendo una falsa imagen del escritor.

La producción literaria

Miró, en contraste con Ayala, Valle-Inclán y otros de su generación, sólo escribió literatura narrativa. He aquí las principales obras:

Del vivir (1904), *La novela de mi amigo* (1908), *Nómada* (1908), *La palma rota, El hijo santo y Amores de Antón Hernando* (1909), *Las cerezas del cementerio* (1910), *El huerto provinciano, La señora, los suyos y los otros* (1912)—título que más tarde se convertirá en *Los pies y los zapatos de Enriqueta*—; *Los amigos, Los amantes y la muerte, El abuelo del rey* (1915); *Dentro del cercado* y primer tomo de *Figuras de la Pasión del Señor* (1916); segundo tomo de las *Figuras de la Pasión del Señor y El libro de Sigüenza* (1917); *El humo dormido* (1919); *El ángel, el molino y el caracol del faro* (1921); *Nuestro padre San Daniel* (1921); *Niño y grande* (1922); *El obispo leproso* (1926); *Años y leguas* (1928).

A lo largo de esta producción, de la que hemos eliminado aquellos títulos que el propio escritor repudió al preparar la edición definitiva de sus obras, cabe distinguir tres etapas: *a)* Una de formación, que va de los veinte a los treinta años, y en la que predomina la novela corta: *Del vivir, Nómada*, etc.; *b)* Otra de creación, desde los treinta a los cuarenta, con los títulos más representativos: *Las cerezas del cementerio, El humo dormido, El libro de Sigüenza, El abuelo del rey, Nuestro padre San Daniel*, las *Figuras de la Pasión*, etc.; *c)* Otra tercera, de escasa fecundidad y claro declive: *Niño y grande, El obispo leproso, Años y leguas*. Nada dice en contra de esta discriminación tripartita la publicación en 1926 de *El obispo leproso*, sin duda una de las mejores narraciones de Miró. *El obispo leproso* estaba ya implícito en *Nuestro padre San Daniel*, libro del que constituye una segunda parte. La realidad que la curva que se inicia con *Las cerezas del cementerio* (1910) había llegado a su cenit con las *Figuras de la Pasión del Señor* (1917). Después de esta obra, sin duda la más característica de Miró, nada nuevo había de salir de su pluma ni en cuanto a estilo ni en cuanto a técnica.

Relatos breves y largos

Limitamos nuestro análisis a los más representativos. Y entre los breves queremos destacar *Nómada*, una de las más bellas narraciones de Miró, con la presentación de un temperamento abúlico que, después de haber rodado por distintos ambientes y países, se encuentra al cabo de los años con la inanidad absoluta de su existencia; *La palma rota*, con un buen estudio psicológico de los protagonistas, el joven escritor Aurelio Guzmán y la ensimismada y un tanto egolátrica Luisa, inasequible meta de su amor; *El humo dormido*, emocionante recuerdo de «los días que se quedaron detrás de nosotros», revividos con una técnica morosa que nos mete de lleno en la manera de Proust; y *El ángel*, uno de los cuentos incluidos en el libro titulado *El ángel, el molino y el caracol del faro*. Un exultante goce de sentirse hombre domina esta narración, en la que un espíritu angélico, después de actuar como guardián de varios seres humanos, reencarna en uno de ellos y se resiste a reintegrarse al cielo. «¡Qué dulce es sentirse cerca del cielo desde la tierra!»

Narraciones extensas son, entre algunas más que pasamos por alto: *Las cerezas del cementerio, La novela de mi amigo, Niño y grande, El abuelo del rey, Nuestro padre San Daniel, El obispo leproso* y las *Figuras de la Pasión del Señor*. En *Las cerezas del cementerio*, publicada en 1910, pero escrita, destilada más bien página a página y gota a gota años antes, resplandecen ya todas las magnificencias y alardes de la prosa mironiana. Una trama simplicísima—los amores románticos y hasta cierto punto incestuosos entre Félix Valdivia y su madrina doña Beatriz, amores que terminan con la muerte del irreflexivo e impetuoso joven—da ocasión a Miró para el despliegue de sus portentosas dotes descriptivas. Lo de menos es el argumento; lo principal son las descripciones, y entre ellas la de la Almina, el pueblo natal de Félix, y las de Aitana, la «cumbrera», la montaña imponente, fuerte y eterna de los Hebreos, vigía aquí de Alicante y sus contornos. Un aire de voluptuosidad refinada sopla por las páginas de *Las cerezas del cementerio* del principio al fin; pero el escritor ha sabido siempre velar lo crudo de las situaciones con palabras tan bellas y escogidas, que el oído más cauto no puede darse por ofendido [10].

Más sencilla aún de trama es *La novela de mi amigo*. El protagonista, uno de tantos seres abúlicos e incapaces de luchar que encontramos en las obras de Miró, fracasado en su matrimonio y ante la muerte de su única hija, minada de la tuberculosis, busca la liberación en el suicidio. Tampoco *Niño y grande*, con la evocación de escenas infantiles por parte de un acaudalado joven de la huerta murciana, ofrece, dentro de su vulgaridad y de un romanticismo más o menos trasnochado, otro aliciente que el del estilo siempre depurado de Miró. En cambio, *El abuelo del rey*, sin ser obra de excepcional valor, nos ofrece una construcción novelesca más cuidada; y por la presentación de tipos, por la variedad de situaciones y hasta por la hábil mezcla de ironía y sentimiento, se deja leer con interés y deleite.

La novela que más renombre ha dado a Miró —las *Figuras de la Pasión* no pertenecen propiamente al género novelesco—es *El obispo leproso*, continuación o segunda parte de *Nuestro padre San Daniel*. Ya en ésta se nos da el escenario y los personajes o tipos que luego encontraremos en *El obispo leproso*. El escenario es Oleza, con su palacio episcopal, hervidero de ecónomos y capellanes; con la tertulia en casa de don Magín; con su patrono San Daniel, obrador incansable de prodigios; con sus jesuítas, sus rencillas, sus comidillas, sus pasiones. Se publicó en 1921, en Barcelona. En ella, Miró no hace historia; pretende sólo dar impresiones rápidas: de personajes, de sentimientos, de sensaciones, de colores, de olores. Todo ello en un tono un sí es no es anticlerical; en un tono de sátira asordinada: sátira de los curas; del partido carlista, «la buena causa», que él dice; de la piedad oscura; de la beatería, encubridora de flaquezas y hasta podredumbres morales.

Cinco años después, Miró da a la estampa *El obispo leproso*. Gran acierto de título, aunque sólo sea como reclamo comercial. Bien es verdad que,

leída la obra, no aparece del todo justificado. Tres o cuatro alusiones de pasada a la enfermedad, lepra o no, del obispo no constituyen motivo suficiente. Pero un prelado aquejado de tan terrible dolencia siempre excita la curiosidad del público lector. Digamos en honor de la verdad que *El obispo leproso*, aun eliminado su título, tiene sobradas calidades para acreditar a su autor de escritor de primer orden: hay descripciones insuperables; hay cuadros que no se borran de la memoria; hay tipos, muchos tipos, magistralmente delineados. María Fulgencia, la ahijada del deán, la que confunde sus fiebres eróticas con los arrebatos místicos, hasta que, pasados éstos, se muestra propicia a casarse «con el primero que llegue»; Elvira Galindo, histérica y viciosa, constituída en ángel malo y mandona del hogar de su hermano don Alvaro, y cuyo dominio termina con una escena tan grotesca como vergonzosa: intenta atraer a su sobrino en un procedimiento análogo al de la mujer de Putifar; doña Purita, «lozana y espléndida, demasiado decente para lo que algunos quisieran y demasiado libre para esposa»... Y luego, la representación del sexo fuerte: el señor deán, entregado a sus pericias caligráficas; el ridículo y avejentado don Amancio Espuch; los condes de Lóriz y su hijo Máximo; el glacial y enfatuado don Alvaro Galindo; su hijo Pablito, protagonista en cierto modo de la obra; el pomposo y benevolente don Magín; el padre Bellod; don Roger; don Hugo; el obispo, víctima propiciatoria por los pecados de sus ovejas. Todos ellos moviéndose y bullendo dentro de Oleza, la ciudad levítica comparable a la Orbajosa de *Doña Perfecta*, de Galdós, o a la Vetusta de *La Regenta*, de *Clarín*; sólo que con más luz y más difuminados contornos. Y aquellos padres jesuítas, «que siempre dicen quizá sí, quizá no; tal vez sí, tal vez no»; y aquellas solemnidades religiosas y litúrgicas de Jueves y Viernes Santos; y aquel Corpus tardío y esplendoroso, «que llegó en la plenitud de junio..., pórtico del verano, tan azul, tan esenciado de emociones». ¿Que todo esto no basta para hacer una buena novela? Desde luego; y juzgada así, en cuanto narración novelesca, *El obispo leproso* nos merece el mismo juicio que mereció en su día a Ortega y Gasset. «Me desazona sobre manera —escribe el gran ensayista—decir resueltamente... que *El obispo leproso* no queda avecindada entre las buenas novelas [11].»

Las «Figuras de la Pasión del Señor»

Otro tanto cabría afirmar de *Figuras de la Pasión del Señor*, la obra maestra de Miró, y en la que éste desplegó todos sus inagotables recursos estilísticos. Se trata, ya lo dice el título, de una serie de estampas o escenas en torno a Jesús y al drama del Calvario. Miró siempre sintió la atracción de la literatura bíblica, especialmente del Nuevo Testamento, así como la sugestión de las solemnidades litúrgicas de la Iglesia. En sus obras, la Semana Santa y el Corpus son motivos reiterados de inspiración. *Humo dormido* y *Nuestro padre San Daniel* nos ofrecen sendas descripciones de la Semana Santa en un pueblo levantino. También en *Las cerezas del cementerio* y en *El obispo leproso* encontramos cuadros análogos. Su sensibilidad a flor de piel, sus ojos, oídos y olfato, siempre despiertos y a la busca de excitaciones, tenían por fuerza que sumergirse gozosamente en el océano de luces, aromas y salmodias que es una Semana Santa levantina. Por otra parte, su actuación en Barcelona como director de la frustrada *Enciclopedia sagrada* le permitió reunir abundante material para la obra; y la contemplación, por último, de su tierra natal, tan parecida en muchos aspectos a Palestina, le suministró el escenario: palmerales de Elche, quebradas abruptas del barranco del Agua y del Mascaret, huertos recogidos de Polop, de la Nucía, de Callosa de Ensarriá, con sus naranjos, sus almendros y sus colmenas de miel. Miró no tuvo que hacer sino copiarlos y mover en ellos sus figuras. Para ello disponía de una paleta riquísima en matices y de un instrumento, su alma, capaz de devolver centuplicados los más leves rumores. Así salieron estas *Figuras de la Pasión* tan polifónicas y tan policromas, tan llenas de contrastes, tan henchidas de arte y de emoción [12].

Se ve que el autor las trabajó con auténtica devoción, con amor, con mimo. Y no sólo las descripciones paisajísticas, en las que pone en juego todos los recursos estilísticos de que es susceptible nuestra lengua, sino en el tallado de los personajes: Jesús, un poco alejado siempre y con una presencia que se intuye más que se ve; el Bautista, terrible como un trueno y subiendo del Jordán al palacio de Herodes «como un león de su bañadero»; el Discípulo Amado, suave como un ángel de Salzillo; las mujeres: «María Salomé, huesuda, rígida, abrasada, las pupilas profundas con un fulgor azul, el velo doblado bajo el anillo de oro de su nariz anhelante. Susana, cetrina, enfermiza, ahogada por la negrura invasora y áspera de sus cabellos. Juana, esposa de Choiza, criado del tetrarca, curtida, brava, de sonrisa fría y aguda como el acero. María de Josef, la madre del Rabbi, marchita, envejecida, que se alza y ladea buscando el Koifieh de su hijo. María y Marta de Bethania, que sólo muestran los ojos largos, dulces y mociles entre el blancor de su tocado y la resplandecencia de los joyeles. María de Magdalena, de carne de manzana y de ámbar, que mueve, que infla como una brisa de gracia su túnica y su manto cenicientos.» A veces, las figuras están delineadas con infinita delicadeza, sin que se sienta apenas el roce del pincel sobre el lienzo: tal la estampa de la Samaritana, llena

de emoción, con que se cierra la obra. A veces, por lo lacerantes y patéticas, recuerdan las ilustraciones de los viejos sermonarios o las esculturas de la escuela clásica de nuestros imagineros: la *Dolorosa, Cristo en el Huerto, Cristo coronado de espinas* [13]. Hay pasajes del más intenso dramatismo; y hay otros de estremecedora unción. En tal sentido, como obra descriptiva, acaso las *Figuras* no tengan rival en castellano ni en ninguna lengua. La crítica, tanto nacional como extranjera, les ha otorgado en ese aspecto un lugar preeminente. Otra cosa es su fidelidad histórica: entendidos en estudios bíblicos les han hecho serios reparos.

Técnica, estilo y valoración

Miró, ya lo ha señalado acertadamente Virginia de Mayo, es el escritor que aspira a decir las cosas por insinuación. De aquí el valor que tiene en toda su obra la metáfora [14]. De aquí también su escaso contenido novelesco. En todas ellas, lo descriptivo predomina sobre lo narrativo; la forma, sobre el fondo; el ambiente, sobre la acción. No busquemos en él textura de un tema, ni concatenación lógica de sucesos, ni planteamiento ni soluciones de conflictos; no busquemos, en fin, nada de aquello por lo que la novela era lo que era hace medio siglo. Miró es un impresionista, y como tal ha de juzgársele. Lo fundamental en su obra es la belleza, originalidad y fuerza del estilo, así como el poder evocador de sensaciones: sensaciones de toda clase, incluidas las táctiles. Esta evocación se revela en múltiples detalles: uso preferido del tiempo presente, lo que hace que veamos las cosas no como pasadas ya, sino como si estuvieran pasando; cinestesias continuas; imágenes audaces de color, de olor, de sabor, tan abundantes, tan apretadas unas contra otras que apenas hemos gustado la belleza de la primera cuando ya se nos viene otra a los ojos o a las manos. Humaniza Miró lo que es inanimado, y lleva un estatismo de roca, árbol o planicie a los seres humanos. Por todo esto, así como por su visión evocadora de la España levantina y por el sentimiento vivo del paisaje, Miró es un escritor que viene directamente del 98. Al igual que Machado en Juan de Mairena y Martínez Ruiz en Antonio Azorín, también Miró nos ha dado su contrafigura en Sigüenza. Es éste un doble sin disfraz, que encarna la psicología del escritor levantino con la misma fidelidad con que Alberto Díaz de Guzmán, por ejemplo, encarna la de Pérez de Ayala. En esto también se acerca a los del 98.

Esa técnica arriba aludida encuentra su más perfecta realización en la forma de *estampas* o *cuadros*, que Miró se cuida de darnos en desfile discontinuo y estático, a la manera de un museo, en vez de hacerlo en movimiento, como los vemos en el cine. De ese modo, advierte Madariaga, «esos cuadros vienen a ser a modo de brillantes bocetos, fieles pero no fotográficos, porque su fidelidad se debe a una hábil selección de los detalles esenciales y significativos, y su brillantez, a la iluminación de estos detalles por medio de un estilo siempre claro» [15]. Con lo que, en último término, al valorar la obra de Miró se centra el análisis en el estilo. Es, en efecto, el estilo lo que da a su obra las más altas calidades, y a su figura literaria, rasgos inconcebibles: estilo tan trabajado, tan pulido, tan «impecable e implacable», que muchas veces surte efectos contraproducentes. Cada página, cada párrafo, nos da la impresión de ser algo concluso y acabado en sí mismo, sin que nos sugiera el deseo de seguir más adelante. Lo ha dicho muy bien Ortega y Gasset: «He sorbido unas líneas, tal vez una página, y me he quedado siempre sorprendido de lo bien que estaba. Sin embargo, no he seguido leyendo. ¿Qué clase de perfección es ésta, que complace y no subyuga, que admira y no arrastra? ¿Es una perfección estática, paralítica, toda en cada trozo de sí misma, y que por esta razón no invita a completar lo que ya vemos de ella, apeteciendo lo que aún nos falta? Cada frase gravita sobre su propio aislamiento, sin dispararnos sobre lo que sigue ni recoger el zumo de la precedente.» Añádase la dificultad de su lectura por el uso y abuso de popularismos, arcaísmos, dialectalismos, tecnicismos y de voces raras y exóticas, que convierten el relato en una fraseología de laboratorio, restando al conjunto espontaneidad e interés [16]. El afán purista y preciosista convierte a Miró en un escritor minoritario, cuyas obras, bellísimas sin duda, sólo pueden leerse a pequeños trancos y con un buen diccionario al alcance de la mano.

III. TENDENCIA ESPIRITUALISTA

Contra los excesos de un naturalismo que en muchos casos había degenerado en novela abiertamente pornográfica, para solaz de viejos verdes y jóvenes delicuescentes se observa en la primera década del siglo una tendencia más depurada, tanto en la selección de temas como en el estilo. En el primer aspecto, el relativo a los temas, acusa un entronque con la tradición realista de la novela nacional, que pudo ser libre y hasta desvergonzada, pero nunca fué morbosa; en el segundo, se ve, a gusto o disgusto de sus cultivadores, la influencia del 98, o de los hijos más directos de esa generación: Pérez de Ayala y Gabriel Miró. También los novelistas con quienes vamos a enfrentarnos ahora aspiran a una dignificación del lenguaje, si bien por otros caminos. Hay en ellos, sin embargo, al menos en los más representativos, una formación rígidamente ortodoxa, que les distingue del espíritu liberal e iconoclasta, característico del 98. Son, pues, en este sentido, conservadores y devotos de la tradición.

El calificativo de *espiritualista*, que le aplicamos al principio, no significa la aparición de un nuevo género de tipo moral. Alude simplemente a la elevada intención de estas novelas, al buen gusto que en ellas domina y a la preponderancia evidente de lo psicológico sobre lo fisiológico. El ser humano se mueve aquí, en contraste con lo que venía sucediendo en la novelística de inspiración francesa, por resortes más nobles que los puramente animales. Se estudia y se presenta al hombre como compuesto de alma y cuerpo; y siempre se otorga a aquélla la mejor parte. Los conflictos se explican por la inevitable y eterna lucha entre los instintos animales y el espíritu. Los autores que representan esta tendencia suelen ser más objetivos que los del 98, menos inclinados a la «tesis».

Sus modelos más visibles son los escritores realistas del último tercio del XIX. Pero han heredado, quieran o no, algo del 98; y ese algo es el fondo pesimista y la conciencia del fracaso ante la vida; fracaso que ellos explican algunas veces por el materialismo dominante en la sociedad, y otras veces, las más, por el carácter abúlico de los personajes.

Ricardo León

Es RICARDO LEÓN Y ROMÁN (1877-1943), al lado de Concha Espina, el que mejor encarna esta tendencia [17]. Estamos ante un escritor en cuya prosa, llena de sonoridades, colorismo y rotundidad, se percibe un prurito perseverante de imitación de los clásicos. Se percibe asimismo una continua nota de falsedad. El estilo de Ricardo León es falsamente clásico. A primera vista se despliega como un manto cuajado de oro y pedrería; pero, a poco que uno se acerque, se da cuenta de que todo aquel recamado es falso, hecho de bisutería y oropeles. Ricardo León, que carecía casi en absoluto de formación humanística, y para quien la palabra contención rara vez tuvo sentido, quiso ir a una dignificación de la prosa castellana por un camino equivocado: el de la imitación, el calco, de nuestros grandes escritores del Siglo de Oro. Se olvidó de que no se puede escribir en el siglo XX como escribía Cervantes; y aunque se pudiera, no debería hacerse. Cada época exige su estilo. Así, el de Ricardo León, que en un primer momento puede deslumbrar y hasta sugestionar, resulta a la larga anacrónico e inaguantable. Valera también imitaba a los clásicos; pero su gusto depurado y amplia cultura le decía hasta dónde podía llegar; Pérez de Ayala hizo lo mismo;

pero sabiendo insuflar siempre a su prosa un hálito moderno. «Cuando la gente está disparando con ametralladora sobre el propio corazón de España, Ricardo siente el noble afán de defenderlo, y para ello toma un arcabuz y una tizona y sale a la calle vestido de chambergo y capa colorada [18].» La frase, de Nicolás González Ruiz, no puede ser más aguda y acertada. No puede ser más acertada, si con ella se alude a la forma, al lenguaje arcaizante de nuestro novelista; nunca aplicada al fondo, al ideario que anima sus novelas. Mucho menos, a los temas que suelen estar bien encajados en la vida actual. Y esto nos lleva a resaltar los factores positivos de Ricardo León. Si su prosa, zurcida de palabras rimbombantes y hasta empedrada de largas series de endecasílabos, no puede merecer nuestra aprobación, en cambio, no hemos de negarle el mérito que le pueda caber en cuanto apologista de las que él juzga esencias de la tradición y del alma españolas. Cristiano de verdad y a la vez tocado de cierto pesimismo, si en algún caso lleva a sus personajes al borde de la desesperanza, pronto sabe hacerlos reaccionar a impulsos de la fe.

La obra literaria de Ricardo León es copiosa. Dos libros de verso (*Lira de bronce*, 1901, y *Alivio de caminantes*, 1911); diecisiete novelas largas (*Casta de hidalgos, Comedia sentimental, Alcalá de los Zegríes, El amor de los amores, Los centauros, Amor de caridad, Humos de rey, El hombre nuevo, Los trabajadores de la muerte, Jauja, Varón de deseos, Las niñas de mis ojos, Desperta ferro, Las siete vidas de Tomás Portolés, Bajo el yugo de los bárbaros, Roja y gualda y Cristo en los infiernos*); varios cuentos: *Olla podrida, El amor eres tú, Mañana de estío, El racimo de uvas, Lazarín, Lelia-Rosa, El secreto del magistrado*, etc.; y cuatro libros de materia varia: *La voz de la sangre, Europa trágica, La escuela de los sofistas y Los caballeros de la Cruz*. Las novelas fueron publicadas entre 1908 y 1942, en el orden con que van enunciadas: la primera, 1908, *Casta de hidalgos*; la última, 1942, *Cristo en los infiernos*.

De su poesía ya se dijo en otro lugar que era «académica, declamatoria y generalmente vacía de auténtica emoción». *La escuela de los sofistas* nos da, en forma de diálogos, la ideología del autor en múltiples materias: estética, arte, amor, espíritu; tiene especial interés el diálogo final, *Examen de ingenios*, donde se defiende la tesis de que la esencia de la lengua se conserva en los medios rurales. En *La voz de la sangre* están incluidos varios discursos del autor, entre los cuales destaca el de ingreso en la Real Academia Española, sobre el tema *La lengua clásica y el espíritu moderno*. *Europa trágica: Del Tajo al Rin* incluye numerosas crónicas sobre la guerra europea, en las que Ricardo León se muestra fervoroso germanófilo. Por último, *Los caballeros de la Cruz* es una síntesis del ideario político, religioso y social del novelista; ideario que se identifica con el de la España tradicional, monárquica, católica y tridentina.

Las novelas, queremos insistir en esto, recogen en su mayor parte problemas palpitantes de la vida actual. Están, pues, al día en su argumento y desarrollo; en lo que no lo están es en el lenguaje. En *Humos de rey* se hace sátira de la frivolidad religiosa y del indiferentismo, presentándolos como una plaga de la sociedad moderna; en *Las siete vidas de Tomás Portolés* se ridiculiza donosamente las modernas teorías psicoanalíticas y frenopáticas, aplicadas al derecho penal; y en *Jauja* se pone en solfa la vulgaridad de la vida moderna, carente de altos ideales. *Los trabajadores de la muerte* es una fuerte diatriba contra los amorales capitalistas, forjadores de guerras; *El hombre nuevo* arremete contra el tópico moderno del progreso; *Amor de caridad*, contra el cinismo y conculcación de los principios morales; y *Las niñas de mis ojos* aborda el problema feminista con un sentido tradicional y cristiano.

La vida española en la época de la República suministra a Ricardo León materia para la trilogía *Bajo el yugo de los bárbaros, Roja y gualda y Cristo en los infiernos*. El novelista prescinde aquí en parte de la prosa hinchada de sus anteriores obras, y en tres relatos ceñidos, apretados y violentos nos da una visión, su visión, de España desde la revolución del 31 al estallido de la guerra civil en 1936.

Las novelas de más éxito de nuestro autor han sido *Casta de hidalgos, El amor de los amores, Comedia sentimental, Alcalá de los Zegríes y Los centauros*. *Casta de hidalgos*, con Santillana del Mar por escenario, refiere el proceso espiritual de Jesús Ceballos, hijo del hidalgo montañés don Juan Manuel. Tras una juventud borrascosa, Jesús vuelve al hogar paterno y casa con su prima Juliana. La inutilidad de su vida y la conciencia del fracaso le llevan a una muerte resignada y cristiana. Tiene pasajes emotivos y un desenlace espectacular. *El amor de los amores*, con una trama interesante, nos enfrenta con un quijote moderno, al que la desgracia empuja a una vida de renunciación y penitencia. Novela muy sugestiva, está afeada por parrafadas altisonantes, al margen del relato, y por un prurito clasicista que lleva al autor a copiar expresiones del modelo: «Dichosa edad y siglos dichosos...»; «La del alba sería...»; «Puesto el pie en el estribo...» Sencilla y bien trazada, *Comedia sentimental* refleja con bastante exactitud el proceso vital del soltero cincuentón que, enamorado de una jovencita de quince años, termina por darse cuenta de lo absurdo de sus ilusiones y vuelve a su antigua vida. *Alcalá de los Zegríes*, drama pasional romántico, se mueve sobre una doble trama: amorosa y política. El tópico del nacimiento del amor, al socaire de un sentimiento de compasión, parece ser la tesis de esta novela, cuya acción, movida y muy interesante, se desarrolla en Ronda, Madrid y Barcelona. Tiene tipos bien observados: Daniel Zegrí, el poetastro Venegas, el maestrante don Pedro, doña Beatriz, etcétera. Con una técnica distinta de las anteriores, prescindiendo hasta cierto punto de la trama para sustituirla con una serie de figuras y cuadros discontinuos, Ricardo León aspira a darnos en *Los centauros* la «novela picaresca del siglo xx». Así al menos la subtitula, no sin cierta ambición. Su propósito no se logra. Todo lo más que consigue es una galería de tipos—politiquillos, caciques, aventureros, periodistas venales—, que dan la impresión de muñecos, sin vida ni consistencia real.

Todas estas novelas, al igual que las anteriores, gozaron en el segundo y tercer decenio de siglo de innegable popularidad. Ricardo León tuvo muchos lectores en España y en América. Sus libros se editaron repetidamente. A ello contribuían dos factores: el haberse presentado nuestro novelista desde el primer momento como campeón de la novela católica, frente a otros tipos de novela vetados por la Iglesia; y las características de su prosa, tan deslumbradora, tan sugestiva y pegadiza para lectores poco exigentes, más numerosos siempre que los otros.

Concha Espina

En la línea depuradora de Ricardo León debe colocarse a la escritora montañesa CONCHA ESPINA (1877-1955)[19]. Dentro de su producción, bastante copiosa e integrada por cuatro piezas teatrales, dos libros de verso, cinco de estudios, biografía y crónicas, ocho de cuentos y una veintena de novelas, destacan estas últimas. Algunos títulos —*La niña de Luzmela, La esfinge maragata, El metal de los muertos, Altar mayor*—colocan a su autora entre los buenos narradores de nuestra época. Muerta la Pardo Bazán, y en espera de que surgiese la brillante promoción de escritoras de la postguerra, Concha Espina ha llenado con toda dignidad ese bache de la literatura femenina que va desde 1910 a 1940. En 1909 se daba a conocer como escritora fina, de exquisita sensibilidad y en posesión de toda clase de recursos estilísticos, con *La niña de Luzmela,* un relato sencillo de ambiente montañés, en el que se acusan ya aquellas notas de intimidad, gracia poética y dulzura que serían constantes en todas sus narraciones. *La esfinge maragata* (1913), de carácter más realista y vigorosos trazos ambientales, delata ya una novelista de pulso firme, que ha sabido hacerse con el secreto de la narración sin abdicar de ninguna de sus cualidades femeninas. *Altar mayor* (1926), con el santuario de Covadonga por fondo, es otra de sus más brillantes realizaciones, sobre una trama de amor y celos, muy bien conducida. Pero la novela más lograda entre las extensas,

para nuestro gusto, es *El metal de los muertos*; y entre las cortas, *El jayón.*

El metal de los muertos (1920), en la que algunos críticos pretendieron ver un alegato socialista, carece de tesis; y, si alguna tiene, es la simple denuncia de las injusticias sociales características de nuestro tiempo. Injusticias de ambas partes, porque si no se halaga, antes bien se ataca, y muy duramente, al capitalismo, tampoco se hace la apología a tontas y a locas del trabajador. Concha Espina elige por escenario las minas de Riotinto; y al filo de una acción llevada con suma habilidad para que no decaiga en ningún momento el interés, nos va ofreciendo cuadros, descripciones y personajes, todo ello trazado de mano maestra. La búsqueda de Charol por Aurora (caps. III a V), la descripción del Vaivén (café, juego y baile), el relato de la huelga, son páginas de antología. También lo es la presentación de algunos personajes: el líder socialista Rogelio Echea, el minero Vicente Rubio, etc. *El jayón,* incluída en la serie de novelas breves *Ruecas de marfil,* y escenificada más tarde, es uno de los más deliciosos cuentos que tenemos en castellano. El matrimonio Andrés y Marcela vive feliz con un hijo de tierna edad. Una noche es sorprendido por el llanto de otro pequeñín, abandonado a la puerta de la casa. Le adopta; pero su parecido físico es tal, que sólo Marcela los sabe distinguir. Ella también averigua que el recogido es hijo de Andrés e Irene, antigua novia de éste. Marcela descubre con la natural sorpresa que su hijo es contrahecho y se da maña para cambiarle por el adoptivo, logrando hacer víctima del engaño al esposo. Crecen los niños, y un día en que van al monte con Andrés son sorprendidos por una fuerte nevada. Muere el hijo verdadero; Marcela reacciona, confiesa el trueque y abandona el hogar para que Andrés quede con su hijo y su antigua novia.

Concha Espina se distingue por lo escogido y abundante del léxico; pocos escritores en nuestra lengua han manejado un vocabulario tan rico. Se distingue asimismo por la honda emoción que pone en cuanto escribe, sabiendo llevar estremecimientos humanos no sólo a sus personajes, sino también a los animales y hasta a los seres inanimados. El paisaje tiene en ella un intérprete felicísimo. Todas las voces y rumores de la Naturaleza encuentran amplia resonancia en el alma de esta escritora, que ha sabido envolver sus relatos en una atmósfera de suavidad, de melancolía y de tristeza. Por este tono de dulzura estarían algunos tentados a incluir a Concha Espina entre las cultivadoras de la «novela rosa». La inclusión no podría ser más injusta. Concha Espina es tierna y dulce, mujer al fin; pero no dulzona; es sentimental, pero no frívola ni sentimentalista. Todavía sería más injusto, basándose en ciertos cuadros de fuerte y hasta descarnado realismo, inscribirla en la escuela naturalista. Nada más lejos de su mente que deducir una enseñanza o sentar una tesis. Esta y aquélla, cuando existen, se desprenden de la escueta exposición de los hechos. Cierto, por otra parte, que la tristeza y el dolor penetran de ordinario hasta la raíz misma de sus narraciones; pero son una tristeza y un dolor sofrenados, porque Concha Espina es profundamente cristiana. «Todo lo que en esta obra es fuerte y tremendo va ungido por la gracia, por la piedad y por la fe», nos ha dicho su hijo Víctor de la Serna; y la propia novelista abre su ensayo *Mujeres del Quijote* con estas palabras: «El dolor es el padre de la poesía, y su madre, la misericordia. Del infortunio y la piedad, estrechamente abrazados en las almas próceres, nacieron los más sabrosos frutos del ingenio, esas creaciones inmortales que al cabo de los siglos conservan todavía la gracia» [20].

Otros escritores

Dentro de la tendencia espiritualista a que venimos aludiendo deben ser incluídos unos cuantos escritores que contribuyeron con sus obras a mantener el decoro de nuestra novelística en las primeras décadas de siglo. Ya se entiende que al hablar de decoro aludimos exclusivamente al aspecto moral. Son muchos y de diversas tendencias y estilos, si bien todos coinciden en su preocupación por la forma, canalizada siempre dentro de un lenguaje pulcro, y en su alejamiento de las técnicas y modos del naturalismo. Aludimos sólo a los más conocidos.

JUAN FRANCISCO MUÑOZ PABÓN (1866-1920), sevillano, canónigo y académico de la Real de Buenas Letras de su ciudad natal, cultiva una novela costumbrista, de sano realismo y leves conflictos sentimentales. Por la suave ironía con que ridiculiza, más que los vicios, los pequeños defectos sociales, se parece a los hermanos Quintero; por la captación del ambiente andaluz, el tono moralizador y el desenlace feliz o resignado, a *Fernán Caballero.* Sus novelas más conocidas—*Justa y Rufina,* continuada en *Paco Góngora; El buen paño, La millona, Javier Miranda, Oro de ley, Temple de acero*—tuvieron muchos lectores en el sector llamado «de derechas». Escribió asimismo Muñoz Pabón poesía (*Trébol, Menudencias épicas, El romancero del Niño de Nazaret*) y cuentos (*Colorín colorado, De guante blanco,* etc.).

Uno de los escritores más leídos en el primer tercio de nuestro siglo ha sido ALEJANDRO PÉREZ LUGÍN (1870-1926). Madrileño, de origen gallego, después de cursar el Bachillerato en los Agustinos de El Escorial y Leyes en Santiago de Compostela, Pérez Lugín entra de lleno en la vida periodística, especializándose ante todo en temas taurinos, género en que se hizo famoso con el seudónimo de *Don Pío.* En 1915 se revela consumado costumbrista en *La casa de la Troya,* novela premiada por la Real Academia Española, y basada en un idilio amoroso, tierno, pacífico y sencillo. Pero lo que granjeó inusitada popularidad a la novela de Lugín no fué el argumento, trivial y manido como el que más, sino la sugestión de toda la obra en cuanto cuadro evocador de la vida estudiantil compostelana. *La casa de la Troya* es una buena novela de costumbres gallegas, como lo es de costumbres andaluzas—y más que andaluzas, taurinas—la otra famosa novela de Lugín, *Currito de la Cruz.* En ambas, risas y lágrimas, tristeza y júbilo, éxitos y fracasos, van combinados y dosificados hábilmente; los tipos están bien vistos; las costumbres, bien observadas; y toda la narración, llevada con agilidad y buen ritmo. Tanto *La casa de la Troya* como *Currito de la Cruz* fueron adaptadas a la escena por Linares Rivas. Otras dos novelas, póstumas, *Arminda Moscoso* y *La Virgen del Rocío ya entró en Triana,* de ambiente galaico y andaluz, respectivamente, no aportan nada nuevo [21].

Otros novelistas dignos de cita son EMILIO GUTIÉRREZ GAMERO (1844-1936), ameno y correcto, lo mismo en sus novelas (*Sitilla, El ilustre Manguindoy, La olla grande El conde Perico*) que en sus interesantísimas Memorias: *Mis primeros ochenta años* y *Lo que me dejé en el tintero,* llenas de noticias del mundillo literario madrileño de la segunda mitad del siglo XIX; ARTURO REYES AGUILAR (1864-1913), escritor colorista y brillante, que busca con preferencia para sus narraciones —*Cartucherita, El niño de los caireles, Sangre gitana, Sangre torera, El lugar de la viñuela*—los peligros, tragedias y avatares de la vida taurina. Como poeta, sigue la tendencia popular y regionalista, rindiendo moderado culto al modernismo: *Intimas, Otoñales, Béticas, Romances andaluces,* etcétera. ANTONIO REYES HUERTAS (n. 1887), de Badajoz, que supo darnos en sus novelas—*La ciénaga, Lo que está en el corazón, La sangre de la raza, Fuente serena* y *La colorina*—una recia visión de los campos extremeños, junto con una penetración psicológica nada vulgar del alma de sus personajes; SALVADOR GONZÁLEZ ANAYA (1879-1955), malagueño y académico de la Española, que sigue en su obra novelesca, nutrida de geografía andaluza—*El castillo de irás y no volverás, Las brujas de la ilusión, Nido de cigüeñas, La oración de la tarde, Nido real de gavilanes,* aparecidas entre 1921 y 1931—, la escuela costumbrista de Estébanez Calderón, con todo el gracejo de éste y sin caer en sus exageraciones estilísticas arcaizantes; y JOSÉ MÁS (1885-1940?), andaluz también, de Ecija, viajero infatigable, periodista de fama y novelista desigual, en cuya producción se acusan lamentables altibajos. En unas obras nos sorprende por el vivo colorido y fresca imaginación (*Soledad, Sacrificio, La bruja, La Estrella de la Giralda, Hampa y miseria, Por las aguas del río*); en otras le vemos deslizarse hacia las charcas de lo truculento y macabro: *El baile de los espectros, El sueño de un morfinómano.* Los títulos de por sí ya indican la tendencia de Más al folletín. El

éxito de sus novelas en el extranjero—están traducidas al alemán, inglés, francés, italiano, holandés y portugués—no presupone valor intrínseco de las mismas [22].

IV.   TENDENCIA HUMORÍSTICA

¿Tendencia humorística o satírica? Para nosotros casi es igual; no porque en el fondo sean una misma cosa, sino por ir sátira y humor mezclados de ordinario en las obras de nuestros escritores. Buena parte de la crítica sostiene que el humorismo no existe en la literatura española. A juzgar por lo que algunos escriben, no es planta llamada a germinar en nuestro país. Durante mucho tiempo casi se llegó a creer que era producto exclusivo de los pueblos germánicos y sajones, estándonos vedado a los demás ese rasgo, mitad de ingenio, mitad de agudeza, en que suele hacerse consistir el humorismo. Lo de Cervantes no era humor; lo de Quevedo, tampoco. Era sátira indulgente o sátira despiadada; como si los límites entre humor, sátira e ironía estuviesen ya de antemano deslindados. Los países del Norte, sobre todo los anglosajones, han monopolizado de tal manera la nota humorística, que no dejan a los demás la posibilidad de emplearla, recordando más de una vez aquel «satyra tota nostra est» de que alardeaban los romanos. Luego nos encontramos con que Pirandello es italiano y Eça de Queiroz portugués. Y empezamos a sospechar que el concepto de humor no es tan restringido, al menos étnicamente, como quieren los ingleses; y puede muy bien hablarse de un humor británico, un humor alemán, un humor escandinavo, un humor francés, italiano o español, con notas distintivas específicas, aunque sin salirse de la concepción genérica del humor.

Esta consideración viene a cuento de que nuestros críticos apenas se atreven a hablar de novela humorística. Reconocen en muchas narraciones, sobre todo de la literatura española contemporánea, rasgos de ingenio, más o menos teñidos de ironía, piruetas conceptuales y verbales; pero se resisten a poner nada de eso bajo el rótulo del humorismo. Y ha sido precisamente uno de nuestros grandes humoristas, Fernández Flórez, el que más ha contribuído a divulgar este concepto restrictivo del humor [23]. En su opinión, se abusa de la palabra humor, metiendo en ella «como en saco de trapero los productos más heterogéneos: los chistes, el sarcasmo, las payasadas, la ironía, un libro de Quevedo y una *salida* de cualquier excéntrico de circo». Para Fernández Flórez, el verdadero humor entraña bondad y sonrisa; el autor debe *compadecerse* de los personajes. Nosotros confesamos que no hemos descendido aún a tales matizaciones. Encontramos demasiado fluídas y confusas las fronteras del humor, la sátira y la ironía. Sabemos que son categorías distintas; pero

las hallamos tan mezcladas en la realidad, que en presencia de ciertos escritores no sabemos de cuál echar mano. Humorista se viene considerando a Cervantes; y humoristas a Quevedo, a Larra y a Valera, aunque por diversos conceptos. Y en la novelística española del siglo actual encontramos unos cuantos escritores a quienes, sin forzar con exceso el concepto corriente del humor, se les puede aplicar esa misma calificación.

Fernández Flórez

Entre esos escritores, el más representativo es Wenceslao Fernández Flórez (n. 1886?), coruñés, que empezó muy joven haciendo periodismo en su tierra, para trasladarse pronto a Madrid, donde se da a conocer inmediatamente como autor de novelas y periodista consumado. Durante cerca de cincuenta años, Fernández Flórez ha venido colaborando en la prensa española con millares de artículos, crónicas y reseñas, en los que ha derrochado ingenio, agudeza y humor a manos llenas. Suele decirse que ese humor es más bien agrio, y es verdad. Agrio y todo, no obstante, ha excitado la hilaridad de millones y millones de lectores. Día tras día y año tras año, Fernández Flórez ha ido poniendo su comentario, irónico casi siempre, mordaz muchas veces, a todo suceso, todo aspecto, toda anécdota de la vida nacional y hasta de la vida extranjera. Juegos, deportes, toros, política, guerras, instituciones y costumbres han ido sometiéndose al análisis despiadado de un espíritu que ha sabido siempre descubrir en cuanto cae bajo el área de su lente todos los puntos vulnerables o susceptibles de comicidad. Muchas de sus glosas a la actualidad han dado la vuelta a España; y algunas, como las dos series de *Acotaciones de un oyente,* especialmente la segunda, con que fué subrayando la vida parlamentaria de la República de 1931, pueden quedar como ejemplo de periodismo ligero a la vez que intencionado.

No menos sugestivas son sus novelas. En general, la crítica le ha sido adversa. Se resisten los glosadores de nuestra literatura contemporánea a ver en Fernández Flórez un novelista. No hay en sus obras, según ellos, una construcción sólida; no hay trama ni ensamblaje de partes; los personajes son poco humanos; el propio autor no los toma en serio. Los desprecia, los satiriza, los ridiculiza. Su humor es más bien mal humor, es ironía, a veces sarcasmo. Su ideología es demoledora. Su visión de las cosas, negativa, parcial y errónea; se limita a descubrir en primer lugar y ofrecer luego al lector en forma abultada cuanto hay en el mundo de grotesco, deleznable o defectuoso. Su técnica, la más simplista que puede aplicar un escritor, consiste en pergeñar una serie de cuadros y escenas, sin trabazón interna o con una trabazón mínima, y una vez alcanzado cierto número de páginas, estampar la palabra «Fin». ¿Qué más? Hasta el estilo, cuya indiscutible calidad parece fuera de duda, ha merecido los reproches de la crítica. «El estilo de Fernández Flórez —leemos en Torrente Ballester— es correcto, superior en la crónica, a veces desmayado en la novela, ágil en la narración corta, *nunca brillante ni seductor*, rico en reminiscencias. Fernández Flórez es uno de los escritores españoles más impermeables a la sensibilidad moderna [24].»

He ahí un pliego de cargos que nosotros no podemos admitir en bloque, aun reconociéndolos justificados en buena parte. Fernández Flórez tiene narraciones —*Volvoreta, La novela número 13, Una isla en el mar Rojo, Las siete columnas*— magistralmente construídas; su sensibilidad aflora con frecuencia a lo largo de las narraciones, especialmente en muchos pasajes de *El bosque animado*. El estilo no es *brillante*, en efecto, ni acaso conviene que lo sea, dada la índole de las obras; pero es siempre vivo, sugestivo y fácil. La agudeza y el ingenio —llámese humor, ironía, sátira o como se quiera— saltan en cada línea como de fuente irrestañable. Fernández Flórez sabe despertar la atención del lector y mantenerla tensa hasta lo último, porque lo que cuenta interesa de por sí, y la manera de contarlo es siempre original. El lector sabe que no va a leer tres líneas seguidas sin tropezar con un rasgo de humor, con una interpretación desconcertante o con una apostilla sutil. Ese gallego agudísimo y penetrante que es Fernández Flórez sabe ver en las cosas aspectos inadvertidos por los demás. Que esa visión sea pesimista con exceso se explica fácilmente por el espectáculo que el mundo ofrece a los ojos de cualquier observador; cuando el horizonte está oscuro, es difícil trazar cuadros luminosos; cuando los principios morales están en quiebra, nuestra concepción del hombre como espíritu superior se debilita. Fernández Flórez se encuentra ante un estado de cosas que no le gustan y no sabe demostrar su disconformidad sino poniéndolas en ridículo. Evidentemente exagera las tintas; todos los escritores satíricos las han exagerado, más o menos. Es demoledor; pero él mismo lo ha dicho, «demoledor de lo que estaba ya muerto, y no lo sabía». Vaya una alusión a sus novelas más conocidas:

Volvoreta, premiada por el Círculo de Bellas Artes en 1917, alude a una humilde aldeana gallega, de alma ingenua o abúlica, cuya degradación se opera sin un proceso previo de resistencia. Federica no es inmoral, ni viciosa, ni mala. Es simplemente amoral; carece de principios, y la problemática de su alma está reducida a cero.

«Ella había cedido a todo, sencillamente, sin arrebatos ni hipocresías, con la fluidez con que una fuente mana, y con la indiferencia con que deja a unos labios acercarse y beber.»

Sobre las fantasías del espiritismo, adobadas con cierta salsa del floklore gallego, están zurcidas las *Visiones de neurastenia*, agradables, no obstante su carácter irreal, por la gracia y ternura que rebosan. Los tres relatos que llevan por título *El calor de la hoguera*, y por subtítulo *Apuntes para la historia de un pueblo español durante la guerra europea*, son exactamente eso: el reflejo de la contienda entre nosotros con agudas observaciones de psicología nacional. *Silencio*, mediante la descripción de sucesivos estados de ánimo, nos da la definición de todo un carácter. *Los mosqueteros*, en torno a un desafío, ofrecen una pintoresca galería de espadachines; la nota cómica se hace trágica en el desenlace, tan violento como inesperado. En la línea de los tres relatos cabe situar *Los que no fuimos a la guerra*, una de sus narraciones más conocidas. En *Relato inmoral*, aguda crítica de la obsesión erótica de los españoles, aunque con trazos exagerados, refleja bien el concepto ético de una sociedad que hace girar casi exclusivamente su conducta mala o buena en torno al sexto mandamiento, como si en el Decálogo no hubiese otros preceptos. *Por qué te engaña tu marido* es una serie de casos de infidelidad conyugal, con penetrantes observaciones de carácter psicológico. *El bosque animado*, conjunto de narraciones muy elogiadas por la crítica, abunda en notas de ternura y en bellísimas descripciones paisajísticas.

Sobre el fondo de la guerra de Liberación escribió Fernández Flórez *Una isla en el mar Rojo*. Las vicisitudes que pasan unos perseguidos políticos, obligados a refugiarse en una Embajada de Madrid durante los primeros meses de la guerra, dan base al novelista para hilvanar unos cuantos episodios tan emotivos como reales. Aquí «los dolores —lo advierte el autor— no son inventados». Hay cuadros impresionantes: el de la joven idealista Irene, víctima de la violencia por parte de aquellos a quienes tan desinteresadamente quería ayudar; el gato muerto de hambre al sellar los milicianos una casa; la visita al depósito de cadáveres; el asesinato de Pinet, mozo de hotel; la aparición de Elena, esposa de un acaudalado banquero, como amante de un jefe de milicias populares. Sobre toda clase de episodios destaca una idea fundamental: la del poder transformador y depurador de la guerra. La guerra nos ofrece una gran lección: nos enseña a conocernos y a conocer a los demás, sacando a la superficie todas nuestras virtudes y también nuestras flaquezas. Otras narraciones interesantes de Fernández Flórez son: *La novela número 13, El secreto de Barba Azul, Las gafas del diablo, El malvado Carabel* y, sobre todo, *Las siete columnas*. Su argumento merece ser extractado por entrañar una tesis de hondo contenido moral. El ermitaño Acracio dialoga con el demonio, que se lamenta de que en el mundo ya no tiene a quien tentar, puesto que nadie le hace caso. La aparición de los siete pecados capitales da a la vida humana un dinamismo y aliciente de que antes carecía. El ermitaño, en nueva entrevista, propone a Satanás que sean retirados del mundo esos siete pecados; el demonio accede. Pero ocurre que, al desaparecer los estímulos del mal, la vida pierde todo su interés. El aburrimiento y la apatía son generales; y la existencia se hace insoportable, al retirarle esas «siete columnas» que la venían sustentando. La obra termina con una peregrinación a la Montaña Negra y con el ruego a Satanás, formulado por el propio ermitaño Acracio, para que vuelva a implantar los siete pecados.

Fernández Flórez, antes de dedicarse a la novela, hizo un provechoso aprendizaje en la poesía y en el periodismo. Considera nuestro escritor que «no es posible llegar a ser un buen prosista sin haber realizado durante algún tiempo la maravillosa gimnasia de la poesía». Con ella se educa el oído y «se aprende a dar a la prosa lo que es de la prosa», dejando para el verso lo que es propio del verso. No menos fructífera es la práctica del periodismo, «que debiera figurar en la preparación de todo literato», ya que allí se aprende el difícil arte de la claridad, la brevedad y la condensación. Son éstas, en efecto, las tres cualidades que más destacan en la prosa dinámica, sugestiva y siempre correcta del autor de *Las siete columnas*.

Julio Camba y otros autores

Gallego también, nacido en Villanueva de Arosa, en 1882, JULIO CAMBA es antes que un novelista un articulista ingenioso, agudo y desenfadado. No sabe o no quiere saber nada de argumentos planteados *a priori* y llevados a lo largo de una narración extensa. Prefiere el comentario ligero, al vuelo del suceso del día o de la anécdota intrascendente. Y todo ello en un tono amable y graciosamente irónico. Lo que en Fernández Flórez es mal humor, se convierte aquí en buen humor; los golpes de bisturí de aquél, en pinchazos de alfiler, lo cual no es negar ni mucho menos la profundidad de alguno de sus ensayos. Tras varios años de residencia en la República Argentina y en otros países—Estados Unidos, Francia, Alemania, Inglaterra, Turquía—como corresponsal de prensa, Camba llega a conquistar un alto puesto por sus libros de carácter humorístico o simplemente satírico. Casi todos ellos son colecciones de artículos: *Las alas de Icaro, Alemania, Londres, Playas, ciudades y montañas; Un año en el otro mundo, La rana viajera, Sobre casi todo, Sobre casi nada, Aventuras de una peseta, La casa de Lúculo, o el arte de bien comer; La ciudad automática, Haciendo la República*, etc. [25].

Menos cáustico que Fernández Flórez y que el mismo Camba, aunque con mayor dosis de ternura y sentimiento, se nos aparece FERNANDO MEANA, en cuya producción literaria hay que distinguir el simple artículo periodístico sobre la actualidad, a la manera de Camba, si bien con un espíritu más comprensivo, y la novela larga, al estilo de *La dama de los peces de colores, El asesino de la muñeca, El hijo de papel, El monumento a Goro* y *El asno encantado*. Fernando Meana, más conocido por su seudónimo de *Tirso de Medina*, era un escritor sencillo y espontáneo, que nunca tuvo que violentar las cosas ni deformarlas para distraer a sus lectores. Totalmente distinto, ENRIQUE JARDIEL PONCELA (1901-1952), afortunado comediógrafo, que como tal será aludido en el capítulo correspondiente, nos dejó en sus novelas—*Amor se escribe sin hache; Espérame en Siberia, vida mía; La turné de Dios; Pero ¿hubo alguna vez once mil vírgenes?*—un testimonio definitivo de los excesos a que puede llegar un escritor cuando no persigue más fin que excitar la hilaridad de sus lectores, mediante cualquier clase de procedimientos, incluída la chacota de todo lo humano y lo divino. A Jardiel Poncela no se le puede negar ingenio, gracia natural, dominio del lenguaje e inventiva. Pero acumula de tal manera los absurdos y las incoherencias, que, a pesar de ese derroche de ingenio, termina por cansar. *Amor se escribe sin hache*, dentro siempre de un humorismo desorbitado, es la más comedida. *La turné de Dios*, en cambio, es grotesca, irreverente y ofensiva para cualquier espíritu medianamente educado. Un humorismo desorbitado también, aunque con otra clase de excentricidad, informa la obra narrativa de ANTONIO ESPINA (n. 1894), ya citado como poeta y ensayista, empeñado en llevar a su prosa el mismo desquiciamiento y la misma subversión que a sus poemas, ya en otra parte aludidos. La crítica suele ver en Espina un romántico rezagado, pero un romántico de máscara y caricatura, una especie de Goya o de Solana, amante de la deformación, que traza sus cuadros e inventa sus personajes por puro capricho, cuidando ante todo de vaciarlos de humanidad y de lógica. *Pájaro pinto, Luna de copas, Selfa, carne de cera* y *Divagaciones* son sus libros más representativos. No queremos aludir aquí a Ramón Gómez de la Serna, ya ampliamente estudiado en otro capítulo; y casi nos resistimos a estampar el nombre de JUAN PÉREZ ZÚÑIGA (1860-1930), madrileño, escritor no exento de vis cómica, que confundió casi siempre el humorismo con una chabacanería salpimentada de chistes de brocha gorda. Sus narraciones—*Doña Tecla en Pomatú, El chápiro verde, Villapelona de abajo, La familia de Noé* y *Viajes morrocotudos*—fueron agotadas edición tras edición por un público de gustos poco depurados.

V. LA NOVELA CORTA Y OTRAS MANIFESTACIONES

Las generaciones actuales desconocen lo que fué y representó en la vida española del primer cuarto de siglo la llamada «novela corta». Posiblemente no exista en la literatura moderna un género que haya obtenido tanto éxito. Exito de autores y de público lector. Para juzgar del interés que suscitó basta citar entre sus colaboradores, allá por los años de 1905 a 1920, a Miró, Pérez de Ayala, Ricardo León, Concha Espina, Felipe Trigo, Alberto Insúa, Gómez de la Serna, Dicenta, Salaverría, Marquina, Pedro Mata, Zamacois, etc. Se puede afirmar que apenas ninguno de nuestros grandes escritores de principios de siglo dejó de prestarle su concurso. Y en cuanto a su difusión, baste recordar que *El cuento semanal* llegó a tirar 75.000 ejemplares; *La novela de hoy*, 300.000; y *La novela corta*, 400.000; cifras impresionantes, si se tiene en cuenta la escasa receptibilidad lectora de nuestro país. Su carácter amplio, en que cabían todas las tendencias y estilos, favorecía la difusión. *La novela corta* (1906-1925), *El cuento semanal* (1907-1912), *Los contemporáneos* (1909-1916), *El cuento galante* (1913), *El cuento popular* (1914), *La novela de bolsillo* (1914), *La novela de hoy* (1922-1930), *La novela del jueves* (1924), *La novela mundial* (1926), *La novela de la noche, La novela popular, La novela para todos, La novela quincenal, La novela de una hora, Nuestra novela,* etc., fueron las colecciones más conocidas. Hacia 1925 empezó a decaer, y cuantos intentos se han venido haciendo para resucitar este género han resultado inútiles. ¿Causas de la decadencia? Acaso la primera y principal, esa crisis de los mundos imaginarios a que aludimos en otro capítulo; habría que agregar también el cambio de gustos. *La novela corta* responde a una época muy en consonancia con las características del género: época de calma, sin grandes inquietudes, de vida fácil y exenta de complicaciones. Como quiera que fuese, la «novela corta» constituye un género de exigua entidad en sí, pero tan legítimamente literario como otro cualquiera. En las colecciones citadas el curioso lector hallará mucha bazofia; pero al lado de eso hallará piezas del más alto valor; como que muchos de sus colaboradores eran literatos de la mejor firma. Sobre todo, «la novela corta» tiene para nosotros importancia excepcional en cuanto representación de una época. Y en este sentido aludimos aquí a ella y damos a continuación los nombres de sus principales colaboradores, prescindiendo de aquellos ya mencionados en páginas precedentes.

Luis Antón del Olmet (1836-1923), bilbaíno, asesinado en el saloncillo del teatro Eslava por su colaborador Vidal y Planas, fué, además de novelista, escritor parlamentario y autor de excelentes biografías—las de Alfonso XIII, Galdós, Menéndez Pelayo, Canalejas, María Guerrero, Costa, Maura, etc.—. Director de *El Debate* y *El Parlamentario,* cuenta con novelas tan interesantes como *El encanto de sus manos, Hieles, La risa del fauno, El veneno de la víbora, El marqués de la Quimera, Corazón de leona, La verdad en la ilusión* y otras. El mismo Alfonso Vidal y Planas, que obtuvo un triunfo tan resonante como escandaloso e inmerecido con su drama de bajos fondos *Santa Isabel de Ceres.* Carmen de Burgos, más conocida por el seudónimo de *Colombine,* profesora de la Escuela Normal de Madrid y ardiente feminista, a quien se debe, entre muchas más obras—las novelas *Los anticuarios, La malcasada, El último contrabandista, Todos menos ése,* de ligero matiz socialista—, una buena biografía de Larra y otra de Leopardi. Manuel Bueno (Pau, Francia, 1874-1936), aludido como ensayista, brillante periodista y ameno narrador en *A ras de tierra, Corazón adentro, Los nietos de Dantón, En el umbral de la vida.* José García Mercadal (Zaragoza, 1883), director de *La novela mundial* y Premio Nacional de Literatura en 1935 por su mediocre *Historia del romanticismo español.* Rafael Cansinos Asséns, sevillano (1883), agudo crítico, conocedor a fondo de las literaturas extranjeras, de las que nos ha dejado excelentes traducciones; espíritu tan ágil como comprensivo, miembro de la Academia sevillana, destaca por la originalidad de sus relatos *La novia escamoteada* y *La que tornó de la muerte.* Federico García Sanchíz, académico de la Española de la Lengua, en quien el conferenciante o charlista de verbo fácil y brillante ha oscurecido al novelista, que quiso ser al principio; debemos no obstante mencionar su novela *La sulamita,* sobre la bohemia artística; obra de clave—como *Troteras y danzaderas,* de Pérez de Ayala—, hasta el punto de que un crítico actual ha podido escribir: «Muchos de sus personajes, con sólo cambiarles el nombre, quedarían convertidos en retratos de gente conocida.» Artemio Precioso, creador de *La novela de hoy,* una de las colecciones más difundidas del género y colaborador asiduo de la misma. José Ortiz de Pinedo, poeta, ensayista y novelista de sano realismo y amena prosa, como lo muestran *El perdón de los muertos, Los cabellos grises* y *La otra orilla.* Joaquín Belda, Tomás Borras, Emilio Carrere, Vicente Díez de Tejada, José Francés, Pedro Mata, Eugenio Noel, Pedro de Répide, Diego San José, Antonio Zozaya, Antonio de Hoyos y Vinent, E. Ramírez Angel, J. Camino Nessi, Luciano de Taxonera, Leopoldo López de Sáa, etcétera. La lista de colaboradores es interminable. La mayor parte de ellos han destacado en otros géneros.

Falta advertir que, no obstante su amplitud de temas y estilos, la «novela corta» manifestó una inevitable tendencia hacia el naturalismo; y dentro de éste, hacia aquellas zonas que más se aproximan a lo erótico y «decadentista». Muchos de los colaboradores citados son francamente pornográficos. Y acaso esto fué lo que más contribuyó a su enorme difusión, unido a lo insignificante del precio.

Psicologistas, costumbristas y realistas

Los avances del psicoanálisis y de la psicopatología no han dejado de repercutir en nuestra novela, siquiera no hayan tenido en ella la proyección que en otros países. Lo poco que en este aspecto ha llegado a nosotros ha sido por conducto de Francia y muy adulterado luego por las corrientes realistas, de tan constante tradición en nuestras letras.

Un novelista en cuya obra se reflejan aquellas tendencias es LUIS LÓPEZ BALLESTEROS (Mayagüez, Puerto Rico, 1869-1933), a quien una continuada dedicación a la política y a la prensa no impidió escribir algunas novelas de excelente factura: *El crimen de don Inocencio, La cueva de los buhos, Lucha extraña, Junto a las máquinas.* En todas ellas el análisis psicológico se antepone a la acción, y está llevado con singular tino, huyendo por igual de la truculencia y de esas lobregueces del subconsciente que tanto atraen a algunos escritores de nuestros días. La más interesante es *Lucha extraña,* que gira en torno a la vida del joven pintor Pepe Aguilar; ha tenido amores, siendo muchacho, con Juana. Pasa luego a Madrid y de aquí a Roma, para perfeccionarse en su arte; al cabo de unos años regresa, busca a la muchacha, a la que encuentra en Málaga. Bajo el nombre de Fernando Moncada es presentado a ella; la galantea y consigue hacerla olvidar por completo el amor juvenil.

La misma tendencia, si bien con trazos más realistas, se observa en la obra narrativa del marqués de Torrehermosa, MAURICIO LÓPEZ ROBERTS (Niza, 1873-Madrid, 1940), político y diplomático ilustre. Sus novelas—*Noche de ánimas, Las de García Triz, La cantaora, La familia de Hita, Doña Martirio* y, sobre todo, *El verdadero hogar*—están construídas sobre un argumento sencillo, casi siempre de «penas conmovedoras y vulgares», según el propio autor. Roberts se acerca a las bajas clases del pueblo madrileño, sin afán redentorista, a lo Galdós; y limitándose a exponer hechos y trasladar escenas copiadas directamente de la vida, sin sermoneos ni intenciones de orden ético o social, sabe conmovernos y excitar nuestro interés. *El verdadero hogar,* con tema análogo al de *Padres e hijos,* de Turguenief, al de *Casta de hidalgos,*

de Ricardo León y al de *La educación de los padres,* de Fernández del Villar, es una novela digna de elogio, que mereció el premio Fastenrath en 1917.

Novelista, periodista y dramaturgo de nota fué JOSÉ LÓPEZ PINILLOS (1875-1922), citado más adelante, y a quien una obra de teatro, *El caudal de los hijos,* bastó para ponerle al lado de los grandes dramaturgos de su tiempo: Benavente, Linares Rivas, los hermanos Quintero. Tanto en sus piezas teatrales como en sus novelas *Parmeno,* que así gustaba él de firmar, se distingue por el intenso realismo. «Su advenimiento a nuestras letras—ha escrito Cansinos Assens—se marca por un largo surco de palabras ásperas y duras, de arcaísmos violentos, rudos, antiestéticos y hasta impúdicos, que trazan sobre todas sus páginas la línea de un ancho y negro entrecejo.» *La Sangre de Cristo, Doña Mesalina, Las águilas, Frente al mar, Ojo por ojo, Cinta roja* y *El luchador,* publicadas en el decenio que va de 1907 a 1916, recogen la *manera* violenta, agria y torturada de este escritor. *El luchador* quiere reflejar el cuerpo de redacción de un periódico madrileño; pero los tipos que lo integran son de tal catadura moral, de tal cinismo y desvergüenza, que uno se resiste a tomarlos como copias de la realidad. La lente ahumada con que *Parmeno* solía observarlo todo le ha hecho una vez más deformar cosas y personas.

Intentos renovadores

En la tercera década de siglo y hasta el inicio de nuestra guerra de Liberación, la novela experimenta un franco descenso; descenso en la producción y descenso en la estimación de los lectores. Siguen nutriendo el repertorio novelesco los autores ya consagrados en el período anterior: Palacio Valdés, ya en franca decadencia; Baroja, Valle-Inclán, Pérez de Ayala, Concha Espina, Ricardo León y Fernández Flórez, por citar sólo las grandes figuras; pero no se acusa la presencia de valores nuevos. Hay, sí, unos pocos escritores más dignos de nota por sus altos propósitos que por sus logros efectivos; unos pocos escritores que aspiran a incorporar a nuestras novelas el estilo, la técnica y la tónica predominantes en Europa desde principios de siglo. Han leído a Marcel Proust y a Joyce, tal vez también a Kafka; y se deciden a imitarlos cuando alguno de ellos estaba periclitando en su propio país. Pérez de la Ossa, Claudio de la Torre, Mauricio Bacarisse, Benjamín Jarnés y Antonio Espina son los autores que mejor responden a esta tendencia. Ninguno de ellos logró llegar al público mayoritario ni romper esa capa de indiferencia con que el público español se defiende de todo escritor que intenta imponer algo nuevo. En el caso presente la indiferencia casi estaba justificada; se trataba de escritores originales, pero de escaso poder creador. Junto a ellos, debemos mencionar el grupo de los que, iniciando su obra hacia el 1930, corresponden por su estilo a la época actual. Son Sebastián Juan Arbó, Bartolomé Soler, Zunzunegui, Francisco Ayala y alguno más.

HUBERTO PÉREZ DE LA OSSA (1897), crítico, director de teatro y poeta, obtuvo el premio nacional de Literatura en 1924 con su novela *La santa duquesa*, a la que había precedido en 1921 *El ancla de Jasón* y a la que siguieron en años sucesivos *La lámpara del dolor*, *La casa de los masones* (1927) y las dos que señalan la cumbre de su producción novelesca, *Obreros, zánganos y reinas*, de carácter político social, y *Los amigos de Claudio*. En todas ellas se acusa una extremada concisión formal, junto a la hondura de contenido y a un cuidado estudio de los procesos psicológicos. Escritor de múltiples facetas es también CLAUDIO DE LA TORRE (n. 1897), canario, que ha cochado estimables triunfos en el teatro con obras en las que palpita un generoso espíritu renovador: *El viajero*, *Tic-tac*, *Paso a nivel*, antes de la guerra; y después, *Hotel Terminus*, *En el camino negro*, *Tren de madrugada*, *El collar*, etc. Su permanencia en Inglaterra, como lector de español de la Universidad de Cambridge, le hizo asomarse a otros horizontes literarios, y a ese afán de ensayar nuevas fórmulas responde su exigua producción novelística: *Alicia, al pie de los laureles* y *Viento del Sur*. Claudio de la Torre ha llevado al cine sus inquietudes estéticas, dirigiendo películas en Francia y España: *Pour vivre heureux*, *Primer amor*, *La blanca paloma*, *Misterio en la marisma*, etcétera. MAURICIO BACARISSE (1895-1931), que en *Mitos* y otros libros de versos se había revelado un lírico estimable, aunque de tono menor, y siempre dentro de la órbita modernista, alcanza el Premio Nacional de Literatura en 1931 con la novela *Los terribles amores de Agliberto y Celedonia*. Su interés más que en mérito intrínseco reside en lo que prometía en cuanto anticipo de una nueva técnica narrativa, malograda por la muerte del autor. *Los terribles amores...*, sin men-

gua de su originalidad, acusan una marcada influencia de Pérez de Ayala.

Superior a los anteriores es BENJAMÍN JARNÉS (1888-1949), zaragozano, en quien se funden un crítico, un ensayista, un novelista y un biógrafo. Como crítico, gusta más de la descripción de obras que de la formulación de juicios; del análisis que de la síntesis. Como biógrafo nos dejó excelentes bosquejos de las vidas de Zumalacárregui, sor Patrocinio, Castelar y Bécquer; y aunque en ellas falte la verdadera reconstrucción histórica y rara vez se llega a lograr el cuadro de época, abundan en detalles de gran interés. Como ensayista, su obra quedó reflejada en las páginas de la revista *Alfar*, de la *Gaceta Literaria* y de la *Revista de Occidente*, a cuyo cuerpo de redactores perteneció algún tiempo. El paso por esta prestigiosa publicación, feudo ideológico de Ortega y Gasset, no fué indiferente para nuestro autor. Tanto en el estilo como en la doctrina, Jarnés es un orteguiano; y como buen discípulo del autor de *La deshumanización del arte*, lleva a sus novelas esa frialdad, ese alejamiento de la realidad cotidiana, esa ausencia de calor y de cordiales latidos preconizada por el maestro. *El profesor inútil*, *Mosén Pedro*, *El convidado de papel*, *Paula y Paulina*, *Locura y muerte de Nadie*, *Viviana y Merlín*, *Lo rojo y lo azul*, *Tántalo*, *Venus dinámica* y *Eufrosina o la Gracia* son narraciones de escaso o nulo argumento. Sus personajes, «incurables narcisos de su conciencia solitaria»—según el calificativo de un crítico ilustre—, viven ausentes de la tierra y atentos a unos problemas insignificantes, que en ningún caso excitan la curiosidad del lector. Todos los alardes de introspección y análisis del autor resultan baldíos y casi ridículos ante la intrascendencia de aquellas vidas vulgares y más que vulgares, artificiales. El tono irónico y la escasa simpatía con que el propio novelista nos presenta a sus muñecos contribuye a hacérnoslos menos amables. Lo único que se salva en Jarnés es el estilo, siempre selecto, pulcro y elegante. No en balde había recibido durante su juventud un buen baño de humanidades en las aulas del seminario.

VI. LA NOVELA DE LA POSGUERRA

Tras el colapso parcial del género en la tercera y cuarta décadas de siglo, la novela española empieza a renacer y a vitalizarse en los años que siguen a nuestra guerra de Liberación. Una muchedumbre de escritores la cultivan con decoro en sus más variados tipos: novela de guerra, costumbrista, realista, espiritualista, humorista, histórica y hasta policíaca. No vamos a hacer un estudio detallado de cada una de estas tendencias, y menos aún de obras y autores. Bastará dar una somera noticia

de las principales direcciones, como se ha hecho con la lírica en el capítulo XCI, sin entrar en detalles y, sobre todo, sin formular juicios críticos [26].

Novela de guerra

Es la primera en aparecer y ofrece dos tipos de relato: el del combatiente que se siente escritor y que, arma al brazo, ha vivido la lucha; y el del espectador que se ha limitado a contemplarla desde la retaguardia, tocando más o menos directamente sus consecuencias. La primera es la clásica «novela de guerra», compuesta sobre el mismo frente de batalla, con apuntes tomados del natural. Pasa ante nuestros ojos a manera de cinta cinematográfica, en cuadros o secuencias muy movidas, rápidas, casi galopantes. Es de construcción deficiente; de estilo descuidado, incorrecto y, con frecuencia, pedestre. Sus autores, sobre los que pesa con exceso la sombra de *Sin novedad en el frente*, de Remarke, en el afán un poco ingenuo de dar mayor verismo a la narración no vacilan en afearla con expresiones crudas, empedrándola de voces ofensivas no sólo al pudor, sino también al oído y al olfato. Ejemplo típico es *La fiel infantería*, de Rafael García Serrano, Premio Nacional de Literatura de 1943, que a poco de publicarse hubo de ser retirada a petición de los Metropolitanos, «por considerar improcedentes algunas expresiones puestas en boca de los soldados...» Otras muestras del género son *Raza*, de Jaime de Andrade; *Legión, 1936*, de Pedro García Suárez; *Se ha ocupado el kilómetro 6*, de C. Benítez de Castro; *El puente*, de José Antonio Giménez Arnau; *Aquellas banderas de Aragón*, de José Pablo Muñoz; *Cuerpo a tierra*, de R. Fernández de la Reguera; *Con la muerte al hombro*, de José Luis Castillo Puche, y *Cada cien ratas, un permiso*, de Pedro Alvarez Gómez. La otra, la «de retaguardia», está escrita por personas que no han intervenido directamente en la contienda, aunque los azares bélicos les hayan afectado de alguna manera. Son obras en su mayor parte de autores consagrados con anterioridad: *Una isla en el mar Rojo*, de W. Fernández Flórez; *Retaguardia*, de Concha Espina; *Cristo bajó a los infiernos*, de Ricardo León; *Checas de Madrid*, de Tomás Borrás, todas ellas construídas desde el ángulo visual de la llamada «derecha». Y del ángulo de enfrente: *El laberinto mágico*, trilogía de Max Aub; *La forja de un rebelde*, de Arturo Barea. Otra diferencia cabe señalar entre los dos tipos: mientras la típica «novela de guerra» es casi siempre objetiva, y está redactada con singular respeto para el combatiente enemigo, al que considera más bien descarriado ideológico o víctima de las circunstancias, la «de retaguardia» se complace en acumular escenas de violencia, con gran abundancia de tipos sádicos e infrahumanos. El novelista se desata a cada paso en improperios contra «la horda»—que será fascista o comunista, según la especial ideología del escritor—. Técnicamente estas novelas del segundo tipo valen más que las del primero, como que están hechas por hombres que conocen el oficio.

Todavía podría establecerse otro grupo con aquellas novelas que, teniendo por telón de fondo la guerra de Liberación, buscan su argumento en la vida española anterior o posterior inmediatas a la contienda. De ordinario se trata de obras escritas con deliberada intención política o social. Y aunque sus autores suelen dar muestras de gran objetividad, la envergadura de los problemas que tocan es tal que en vano intentan sustraerse a ellos, lo que les obliga a inclinarse de uno u otro bando. En este grupo deberían incluirse algunas de las ya citadas. Pero el ejemplo más definido es *Los cipreses creen en Dios*, de José María Gironella, la narración novelesca de mayor empuje aparecida en España durante los veinte últimos años. A ella pueden agregarse: *Madrid, de Corte a checa*, de Agustín de Foxá; *El rey y la reina*, de Ramón J. Sender, y *Testamento en la montaña*, de Manuel Arce. Con este grupo se halla íntimamente relacionada la que podríamos llamar «novela del repatriado»: *La ciudad perdida*, de Mercedes Fórmica; *El desconocido*, de Carmen Kurtz; *La juventud no vuelve*, de Manuel Pombo Angulo; *Embajadores en el infierno*, de Luca de Tena y del capitán Palacios.

La tendencia realista-costumbrista

Constituye con mucho el grupo más amplio de la novelística española actual. El número de autores que escriben esta clase de novela es elevadísimo. Unos propenden hacia el tema social; otros hacia la dscripción de procesos psicológicos; otros hacia el simple cuadro costumbrista. Pero todos lo hacen dentro de la técnica del realismo. Un realismo en ocasiones tan exagerado, tan propenso a la pintura de situaciones fuertes y a la exhibición de tipos extremos que hasta se habla de un nuevo género de novela—el «tremendismo»—, para designar el relato que se complace en los ángulos más duros de la vida. Ciertamente en ello no hay novedad alguna: el «tremendismo», tal como ahora se entiende, no es sino una deformación de la novela realista; se encuentra ya implícito en Quevedo, y más cerca de nosotros, en Pío Baroja. De éste, sin duda, por exageración de algunos procedimientos, lo han aprendido nuestros literatos actuales.

La novela de soledad, de angustia y de conciencia de fracaso, puestas de moda y llevadas a primer plano, que no inventadas, por la filosofía existencial, también han tenido en España amplia repercusión y muchos imitadores. Pero siempre, conviene repetirlo, dentro de la técnica narrativa del realismo. Es en esta zona de las letras donde se han obtenido y se siguen obteniendo los mayores triunfos. He aquí unos cuantos nombres que dan alto relieve a nuestra novela, algunos de los cuales pasarán, sin duda, a la historia literaria: Bartolomé Soler, que gozaba de merecida fama antes de la guerra (obra: *Marcos Villarí, La vida encadenada, Patapalo, Alma de cristal*, etc.); Sebastián Juan Arbó, que se dió a conocer primero en catalán y luego pasó a escribir en castellano (obra:

L'inútil combat, Tierras del Ebro, Sobre las piedras grises, Tino Costa, etc.); Ignacio Agustí, cuya *Mariona Rebull* le dió extraordinaria celebridad (otras novelas: *Los surcos, Desiderio, El viudo Rius*, continuación de *Mariona Rebull*); Manuel Pombo Angulo, médico y periodista, que ha demostrado excelentes dotes narrativas en *La juventud no vuelve, Hospital general, El agua amarga, Sol sin sombra*, etc.; Emilio Romero, que igualmente podría figurar en el epígrafe anterior por su relato *La paz empieza nunca*, sobre la vida española desde la instauración de la República hasta 1950 (otra obra: *El vagabundo pasa de largo*); Juan Goytisolo, autor de narraciones de fuerte contenido social: *Juegos de manos, Duelo en el paraíso, El circo, Fiestas*; José Luis Castillo Puche, de rica temática (obras: *Sin camino, Con la muerte al hombro, El vengador*); Ignacio Aldecoa, gran pintor de escenas pesqueras (obra: *Con el viento solano, Gran sol*, etc.); Miguel Delibes, uno de los más firmes valores de la actual novela española, con obras como *La sombra del ciprés es alargada, Diario de un cazador, Siestas con viento Sur, Los raíles, El loco, Diario de un emigrante* y varias más; Darío Fernández Flórez, que se dió a conocer en 1950 con *Lola, espejo oscuro*, imitación probable de *La Romana*, de Moravia, y a la que siguieron pronto otras muchas: *Alta costura, Frontera, La hora azul, Memorias de un señorito*; Juan Antonio Zunzunegui, gran conocedor y pintor del ambiente bilbaíno (*El barco de la muerte, La úlcera, La quiebra, ¡Ay, estos hijos!*), y también del madrileño (*El supremo bien, Esta oscura desbandada, El camión justiciero*); y, por no alargar la nómina, Camilo José Cela Trulock. Es Cela sin duda uno de los primates de nuestra prosa narrativa, a la que sabe infundir vigor, amenidad y desenfado. Muerto Baroja, con quien tiene tantos puntos de contacto, es probablemente el más expresivo de nuestros escritores. Ingenioso, dueño de un vocabulario preciso y rico, con un gran poder de observación y unas dotes descriptivas insuperables, Cela no necesita para mantener su bien ganado prestigio de ciertas actitudes teatrales y ciertos «desplantes» que le han hecho famoso. Su obra entraña suficiente mérito y no precisa respaldarse con fáciles propagandas. Y aunque con excesiva frecuencia tiende a la paradoja y al humorismo caricatural, hay que reconocer que literariamente es siempre de buena calidad. Esa obra se compone de novelas extensas (*La familia de Pascual Duarte, Pabellón de reposo, Nuevas andanzas y desventuras de Lazarillo de Tormes, La colmena, Mrs. Caldwell habla con su hijo, La Catira*); narraciones breves (*Esas nubes que pasan, El bonito crimen del carabinero, El gallego y su cuadrilla, Baraja de invenciones, El molino de viento*, etc.); y algunas memorias e impresiones de viaje, que para nuestro gusto son lo más logrado de su producción.

Mención especial merecen las novelistas. En ninguna época de las letras hubo tantas mujeres que cultivasen el género y, menos aún, que lo hiciesen con tanta brillantez. Y si es verdad que entre ellas no ha surgido una Pardo Bazán, ha de reconocerse que hay por lo menos media docena de narradoras muy estimables. No podemos detenernos en el análisis de causas que hayan podido dar ocasión a este hecho, uno de los más significativos en las letras españolas de la posguerra. Podría pensarse en la gran cantidad de valiosos premios instituídos para galardonar esta clase de obras, premios que en buena parte han sido discernidos a novelistas del sexo femenino; podría también hablarse, y creemos que con mayor motivo, de la invasión de la mujer en la vida universitaria, con la consiguiente capacitación para un mayor cultivo de las letras. Hay de todas formas un hecho indiscutible: la mujer española desde hace veinte años hace la competencia al hombre, y la hace con indiscutible dignidad, en lo que se refiere a literatura de creación. Abrió la serie Carmen Laforet, que se situó en el primer plano de la actualidad, a los veintitrés años, con su novela *Nada*, galardonada con el Premio Nadal en 1944, y a la que siguieron otras narraciones: *La isla y los demonios, La mujer nueva* y varios relatos breves, como *El viaje divertido, Los empleados, La niña* y las cuatro novelitas incluídas en *La llamada*. El camino abierto por Carmen Laforet fué continuado por Ana María Matute, cuya nota más acusada es el pesimismo (obra: *Los Abel, Pequeño teatro, Fiesta al Noroeste, La pequeña vida, Los hijos muertos*, etc.); Dolores Medio Estrada, en cuya obra—también de fondo pesimista— se interfiere el doble plano de lo actual con la evocación del pasado (novelas: *Nosotros, los Rivero, Funcionario público, El pez sigue flotando*); Angeles Villarta, poetisa excelente y periodista (novelas: *La mujer fea, Por encima de las nieblas, Un pleno de amor, Muchachas que trabajan, Con derecho a cocina*); Eulalia Galvarriato, que cultiva con gran finura la novela breve (*Raíces bajo el agua, Sólo un día cualquiera, Final de jornada, Tres ventanas*), aunque también ha demostrado su aptitud para el relato extenso (*Cinco sombras*); Elena Quiroga, la novelista acaso de más nervio entre las actuales, que sabe fundir lo psicológico con lo realista, a la manera de la Pardo Bazán, en *Viento del Norte*, y cultiva la técnica del *tempo lento* en *La careta* y *La enferma* (otras narraciones: *La sangre, La soledad sonora, Algo pasa en la calle*); Mercedes Fórmica, ilustre reivindicadora de los derechos de la mujer en relatos como *A instancia de parte* (obra: *Monte de Sacha, Bodoque, La ciudad perdida*); Carmen Conde, poetisa, biógrafa y crítica, que lleva a sus relatos llenos de dramatismo la problemática social (obra: *Bodas contra el espejo, Soplo que va y no vuelve, En manos del silencio,*

Las oscuras raíces, Cobre); Eva Martínez Carmona, aguda observadora y crítica de la vida barcelonesa entre la alta burguesía con obras como *Cuerpo sin sombra*; Susana March, también poetisa (obra: *Canto rodado, Nido de vencejos, Niña, El velero cautivo* y *Algo muere cada día*); Elena Soriano, cruda expositora de temas amorosos y sexuales (obra: *Mujer y hombre*, trilogía; *Caza menor, El perfume, El testigo falso, La abuela loca*); y Elisabeth Mulder, que, aunque pertenece a la generación anterior, está enraizada en la novelística actual. Distingue a la Mulder una imaginación brillante y un gran esmero estilístico. Sus relatos más notables son *El hombre que acabó en las islas, Alba Grey, Crepúsculo de una ninfa, El vendedor de vidas, Este mundo* y *Preludio de muerte*.

Tendencia espiritualista

También constituye un importante círculo dentro de nuestra novelística actual. Y la llamamos así, espiritualista, por no llamarla religiosa, ya que estimamos que entre nosotros, al menos hasta ahora, la novela religiosa no existe. Sin duda muchos de nuestros novelistas, al escribir sus relatos, basados en una «conversión» súbita o en una peripecia ejemplar, con el ineludible castigo del malo y el consiguiente premio del bueno, piensan haber hecho una novela religiosa y hasta católica. La verdad es que con una problemática tan pobre y tan de «andar por casa» no puede ni pensarse en la creación de una novela de esa clase. Con un ateo que sin motivo alguno pasa a creer, con una adúltera más o menos cursi, que sin haber pensado nunca en Dios se siente de pronto invadida por la gracia y se arrepiente de sus lozanías, con un ladrón que sólo se acuerda de restituir lo que no es suyo cuando ve próxima la muerte, y un clérigo apóstata y disoluto, y un analfabeto, que no sabemos si es bueno o malo, si hace milagros o no los hace, aunque sí nos consta que es tonto, nuestros novelistas que se llaman católicos creen tener resueltos todos los problemas. No es cosa de comparar aquí esta problemática con la que manejan los grandes narradores de otros países: un Mauriac, un Green. Sin salir de la literatura de habla española ahí está el argentino Manuel Gálvez que hace ya más de treinta años ha planteado por lo menos en cinco de sus novelas—*Miércoles Santo, La sombra del convento, Cautiverio, La noche toca a su fin, Cántico espiritual*—una problemática ortodoxa y de gran altura. Un error en que han caído frecuentemente nuestros novelistas es el de pensar que la novela religiosa para merecer este título ha de terminar premiando a los buenos y castigando a los malos; otro error es la creación de un «providencialismo» acomodado a la mentalidad de los tontos y granujas, y otro tercero, el de identificar la novela religiosa con la novela sacerdotal, como si sólo en el alma de los clérigos pudieran surgir los conflictos de vida, los conflictos de conciencia y los conflictos de fe. José Luis Aranguren ha enumerado en un libro ya célebre los principales problemas que puede abordar un novelista católico, y que ciertamente hasta ahora han quedado al margen de nuestra novela [27].

Novela espiritualista, y con mayor o menor contenido religioso, han escrito, entre otros: Rafael Sánchez Mazas (*La vida nueva de Pedrito de Andía*); Angel Marqués, quien llevó a *Miralta* el proceso psicológico de un obrero que pierde la fe en el ambiente de Barcelona y la recobra tras un período de claudicaciones; José L. Martín Vigil, en *La vida sale al encuentro*, con el brusco despertar de la adolescencia ante las seducciones de la carne; José Antonio Giménez Arnau, en *El canto del gallo*, sobre la apostasía y rehabilitación de un sacerdote; Carmen Laforet, ya citada en el epígrafe anterior, autora de *La mujer nueva*, en cuyas páginas asistimos a la conversión de una adúltera en circunstancias poco verosímiles, y José Luis Martín Descalzo, sacerdote, que en *La frontera de Dios* aborda el tema del milagro, con un éxito muy discutible. Todos estos autores han cultivado también otros tipos de novela.

Otras tendencias

La novela humorística, que muchas veces no es tal, sino simple sátira de costumbres, ha sido muy cultivada durante los últimos años en su doble modalidad: novela de pura diversión o entretenimiento y novela trascendente o de intención moralizadora. En uno y otro caso suele estar escrita con un humor acerbo, caricaturesco y desorbitado. Entre los novelistas que no persiguen en sus narraciones finalidad ulterior alguna, sino el puro pasatiempo, descuellan Evaristo Acevedo, autor de *Los ancianitos son una lata*; Antonio de Lara, «Tono», que, aparte de algunas piezas teatrales de singular gracejo, tiene novelas como *Los caballeros las prefieren castañas* y *Romeo y Julieta*); Jorge Llopis (*Lo malo de la guerra es que hace ¡pum!*); Mercedes Ballesteros (*La cometa y el eco*); Jaime de Armiñán (*La niña, su novio y el diablo*); Antonio Mingote, el popular caricaturista (*Las palmeras de cartón* y *Los revólveres hablan de sus cosas*); Alvaro Antonio de la Calle (*Veinte aspectos del amor*), y Alvaro de Laiglesia, sin duda el más leído de nuestros humoristas actuales. Alvaro de Laiglesia es director de *La Codorniz*, la conocidísima revista de humor que ha hecho sonreír a todos los españoles, y el más fecundo de nuestros escritores del género: *El baúl de los cadáveres, La gallina de los huevos de plomo, Una mosca en la sopa, Dios le ampare, imbécil, Más allá de tus narices, Una pierna de repuesto, Todos los ombligos son redondos, ¡Qué bien huelen las* señoras!, *En el cielo no hay almejas.* Y al segundo grupo, al de aquellos autores que, a la vez que la distracción, persiguen la sátira de vicios y corrección de costumbres, deben adscribirse las obras de Jacinto Miquelarena, prestigioso periodista y agudísimo observador *(Don Adolfo el libertino)*; Enrique Azcoaga *(El empleado)*; Santiago Loren *(Una casa con goteras, El verdugo cuidadoso, Cuerpos, almas y todo eso)*; Francisco José Alcántara *(La muerte sienta bien a Villalobos)*; Torcuato Luca de Tena *(La otra vida del capitán Contreras, Míster Thomson en Nueva York)*; Miguel Villalonga *(El tonto discreto, Miss Giacomini)*, y Noel Clarasó Daudi. Clarasó maneja una temática muy variada, pero siempre tiñéndolo todo de humorismo: desde *Hay sangre en las rosas,* con un argumento enteramente policíaco, hasta *La mujer de plata,* de clara tendencia psicológica. Obras suyas muy leídas son: *Campeones de golf, Los herederos de Santa Tecla, Treinta años y un día, El espectro de mi difunta esposa, Mi barrio feo, La batalla de las Termo-Pilas, La gran aventura de un hombre pequeño.*

La novela histórica o de evocación de épocas pasadas, que parecía extinguida con el romanticismo, ha tenido en nuestros días un reflorecimiento digno de subrayarse, gracias a unos cuantos escritores enamorados del género. Sobresale entre ellos Alejandro Núñez Alonso, autor de una voluminosa tetralogía, de la que van publicados los tres primeros tomos *(El lazo de púrpura, El hombre de Damasco y El denario de plata)* y para fecha próxima está anunciado el cuarto y último: *La piedra y el César.* Núñez Alonso, que ha estudiado a fondo el primer siglo del Imperio romano, nos ofrece una reconstrucción documentada y amena, en la que los detalles de época lejos de servir de lastre a la acción la agilizan más y más, de modo que el lector tiene la impresión de estar asistiendo a hechos reales y dentro de una sociedad todavía viva. En un plano inferior han cultivado también este tipo de novela: Luis Torres Quevedo *(La novia de Gadir)*; Pedro A. Gómez Lozano *(Amor y gloria,* sobre la conquista de Valencia por Jaime I); Antonio Montoro Sanchís *(Agorista de Mantinea,* sobre la guerra de Tebas contra Esparta); Francisco José Orellana *(Locura de amor,* un toque más al episodio pasional de Juana la Loca); Matilde Bourdón *(Herencia de mártires,* sobre las persecuciones cristianas de los primeros siglos de nuestra Era), y Rafael Pérez y Pérez, el infatigable productor de «novelas rosa», que asimismo ha demostrado su prolífica vena en esta clase de relatos: *El valido del rey, Los caballeros de Isabel la Católica, Cabeza de Estopa.*

Casi no hace falta aludir a la novela de aventuras, ni a la policíaca, ni a la «novela rosa», dada la baja calidad literaria de la mayor parte de las producciones de cada uno de estos géneros. En la primera se han distinguido Manuel Mur Oti, Luis

de Castresana, Marcial Lafuente Estefanía, J. de Cárdenas, J. León y José Mallorquí, creador de *El Coyote* y *Dos hombres buenos,* con una producción que sobrepasa probablemente los 300 títulos. En la policíaca han empleado su actividad literaria Juan José Mira, Mario Lacruz y Jaime Ministral Masía. Y en la «novela rosa», injustamente preterida casi siempre, destacan Concha Linares Becerra, María Mercedes Ortoll y Carmen de Icaza. Hay que reconocer en estas tres escritoras excepcionales dotes de narración y de estilo, gracias a las cuales un género tan desprestigiado como el «rosa» ha adquirido dignidad y categoría literarias.

NOTAS

1. *Literatura española contemporánea: 1898-1936;* páginas 352 y sgs., Afrodisio Aguado, Madrid.

2. «Son obras—escribe a propósito de *La noche del sábado, La princesa Bebé* y *La escuela de las princesas*— que producen inquietante impresión, pero una impresión truncada, como si les faltase algo. Les falta la música de vals. Serían excelentes libretos de opereta. En ellas no hay argumento, o, si lo hay, es una mínima aprensión de argumento, diluída en la vena quebrada de lo pintóresco.»

3. La obrita abunda en irreverencias y expresiones de gorda sátira rabelesiana. «Fetiche por fetiche, tanto vale ese mísero costal de malicias, pecados y altos pensamientos, que es el pobre padre Francisco, como aquel vaso de pureza y santidad que fué el Pobrecito de Asís, el seráfico Francisco...» Ante una señal del prior, «cuatro frailes se encaraman en el retablo y aprehenden al diabólico hermano, que con sacrilegio y blasfemia ha interrumpido los sagrados rezos». Lo apalean ferozmente, y, magullado y maltrecho, es auxiliado por algunos campesinos asistentes a la función litúrgica. «Entre ellos viene Juanita, la buena moza amada del padre Francisco.» La escena que sigue, con toda la licencia expresiva de una página del Aretino, carece, sin embargo, de la gracia de éste.

4. «Tuvo, además, la fortuna de que la señora de sus pensamientos jamás cerca de él le dió celos con otro, ni le puso mala cara, ni le dijo una simpleza, ni le causó una decepción. Ventajas de amar una amada remota, que es como enamorarse del ideal que uno mismo ha engendrado. Y si la novia de nuestros sueños se hallase en la luna, mejor. Es decir, esa novia perfecta siempre está en la luna.»

5. Recientemente (1959) la Edit. Losada, de Buenos Aires, ha recogido y publicado, bajo el título de *La revolución sentimental,* cuatro obritas: la que da título a la colección y *La araña, Pandorga* y *Justicia,* todas ellas dadas a conocer en revistas hace bastantes años. Fuera de la primera, que por su carácter de sátira social ofrece relativo interés, las novelitas de esta colección nada añaden a la gloria de Ayala como escritor.

6. *A. M. D. G.* fué adaptada a la escena por Juan López de Carrión y Manuel M. Galeano. Se estrenó en Madrid, y constituyó un éxito de circunstancias, tan ruidoso como efímero.

7. El profesor Baquero Goyanes *(La novela como tragicomedia,* «Insula», pág. 110, 1955) ha aludido sagazmente a la contextura teatral de casi todas las novelas de Pérez de Ayala; contextura que se extiende no sólo a los temas, sino a las situaciones, diálogos y, sobre todo, al talante de los personajes. Estos se nos ofrecen frecuentemente, más que viviendo, *representando.* Por su parte, Salvador de Madariaga *(Semblanzas literarias)* ha puesto de relieve el predominio en nuestro escritor de lo conceptual sobre lo emotivo: «Ayala observa las cosas más que las siente, y las ve más con los ojos del intelecto que con los del alma... Es, además, un hombre culto, a quien gusta repensar lo pensado por otros, y es escritor de y para un pueblo que ha perdido la tradición universitaria y en cuya literatura se mezclan, por tanto, las ideas nuevas y originales con las nociones básicas establecidas ya en otros pueblos como lugares comunes de la cultura.»

8. *Libros y autores contemporáneos,* pág. 439.

9. *Biografía íntima de Gabriel Miró: El hombre y su obra,* 1935. Prólogo.

10. Véase la escena en que los dos amantes claudican: «Había un tronco cortado, tendido, hundiendo la felpa viciosa de la hierba; y lo hicieron almohada, pasando cruzados sus brazos para reclinar sus cabezas. Y se acostaron viendo el cielo entre el follaje blanco y estremecido de un álamo.»

11. *Obras completas*, III, pág. 541.

12. He aquí un ejemplo: el encuentro del Bautista y de Herodías frente a frente:

«Llegó también su rugido a Herodías, y vistióse una sola túnica de cendal purísimo que la desnudaba gloriosamente dentro de su niebla, y presentóse al solitario cuando el crepúsculo incendiaba todas las cumbres.

»La siguió Antipas, escondiéndose por lo fragoso.

»Y el león del Jordán y la hermosa se miraron.

»Los ojos del hombre pasaban iracundos sobre la mujer, y parecía crepitar la breña de su cuerpo; ella durmió los suyos como palomas en aquel árbol virgen, sintiéndose chiquita, femenina, dulce, menesterosa.

»Herodes mordió la roca, bañándola de lágrimas.

»Sonó un clamor del hombre vestido con pieles de fieras ahogadas con sus dedos. La mujer le llamaba arrullándole. Una risa de alarido se arrastró por los torrentes y la prolongaron las cavernas.

»Y sintióse Herodías desdeñada por toda la noche.»

13. «La única voz contra ellos, la voz del nuevo Elías. Mackeronte temblaba escuchándola. Calló en la noche del 10 de abril. Temblaba el hacha al segarla. No pudo rebanar a cercén la garganta del Bautista; necesitó muchos intentos, porque nunca daba el filo en el mismo corte.» Así nos describe la muerte de Juan, que rugía como un león en el matadero. Y así la escena de la Coronación: «Trajeron a Jesús. La congestión le había roto los vasos de las encías, de los oídos, de la nariz. Estaba tejida su corona con un aro recio de juncos, y del borde salían, combándose en forma de alcatraz o mitra de los reyes caldeos, las zarzas de zizifus y cambroneras, erizadas de espolones de púas. Un tallo verde, al desplegarse, le arrancó un trozo de párpado que le colgaba de una espina delante del mismo globo desnudo.»

14. En las *Figuras* y en todos los libros de Miró las metáforas frescas, recién salidas de las manos, se encuentran a docenas: *La luna*: «Encendida como un disco de cobre en ignición; la luna con gotas de sangre, luna que brilla con siniestros resplandores...» «Luna de enero se cincela con frío la sierra...» *La noche*: «Les pareció que toda la noche se les echaba en brazos, asustada por el viento del amanecer...» *Las nubes*: «Nubes redondas, translúcidas en las frentes de los montes. Plateaban escarchados los olivos; se estremecían las higueras y las vides cristalizadas de frío...» «Una nube roja, escapada como un monstruo de los abismos de Gehenna, había cegado la luna y apagó la noche...» «Apagóse la luna enrojecida y aciaga. Y la madrugada quedó fosca...» *Los luceros*: «Y por una pared rota bajaba muy grande el lucero...» «Caminaba en el cielo la dulce ascua de un lucero. Y comenzó a mostrarse la palidez del alba.» «Y se quedó sola en el campo una colina húmeda como una ermita infantil. Encima temblaba la gota de un lucero.» *La ciudad*: «Jerusalén había tendido en sus techos y cúpulas un tocado de novia, de nieblas y de luna. Era como un inmenso almendral en flor...» «Y llegaron entre palmeras y marismas a Tiro, la sabidora de galanías, de invenciones y molicies. Sus hijos cuajan el fuego en primores de vidrio. En las huecas columnas de cristal de sus templos paganos arden luces perennes; y, de noche, Tiro semeja labrada de piedras preciosas...» «La ciudad se asomaba encima de tres oteros, insignes y hermosos; todas sus casas, blancas; y el sol, grande y bueno, la besaba en su cumbre, que tenía la graciosa desnudez de la mañana...» «Galilea está toda gozosa de pueblos tan juntos que se oyen unos a otros; y todos se cogen como de los brazos de sus veredas y de la cintura de sus huertas...» «De las cúpulas y de los umbráculos bajaba un convite de silencio y reposo de siesta...» Jardines, ríos, llanuras, montañas, etc., le inspiran toda clase de imágenes.

15. Vid. *Semblanzas literarias*, pág. 221.

16. En las dos primeras páginas *Del vivir* encontramos estos sustantivos: Cardenchas, liños, eriazo, abrigaño, barcina, cardizales, dornajos, alcarraza, argueñas; y estos adjetivos y verbos: espartañedos, albirrolos, livorosa, negral, aljofifaba, bultearon, mañaneó, oxaba, asperjaban, patojear..., aparte de numerosos cultismos. En contraste con esta riqueza –harto buscada y poco natural– no es difícil hallar algunos galicismos y hasta incorrecciones gramaticales.

17. No nació en Málaga, como se viene diciendo habitualmente, sino en Barcelona (15 de octubre de 1877). Hijo de un militar, queda huérfano, y niño aún se traslada a Málaga, donde cursa el bachillerato. Se dedica al periodismo y frecuenta las tertulias malagueñas. Obtiene un empleo en el Banco de España, y en 1901 es trasladado a la sucursal de Santander. Aquí conoce a Galdós, Pereda, Menéndez Pelayo y otros. Colabora en *El Cantábrico* y conoce la Montaña, especialmente Santillana del Mar, que le inspira su primera novela: *Casta de hidalgos* (1908). Pronto es trasladado a la central del Banco, en Madrid. En 1911 obtiene el Premio Fastenrath con *El amor de los amores*. En 1912 es elegido miembro de la Real Academia Española, aunque no ingresa hasta 1915. Durante la guerra europea actuó como corresponsal de Prensa madrileña en Alemania. A partir de su llegada a Madrid, y hasta el advenimiento de la República (1931), vivió en la capital entregado a las letras, en un ambiente de la más cómoda burguesía. Murió en su casa de Torrelodones en 1943.

18. Contra este concepto reacciona el propio novelista en el prólogo de *Los centauros*: «Aunque algunos desapacibles colegas me reprochen la gran afición que tengo a mil preciosas antiguallas, y aun me motejen de trasnochado y añejo, soy harto mozo y hombre de mi siglo como el que más, ya que en él nací y en él caben todos los amores, ideales, virtudes y picardías de los tiempos pasados, presentes y futuros. Ni visto gregüescos y jubón para andar por casa, ni estoy metido entre libros y papeles viejos; antes bien, quiso la adversidad o la fortuna traerme a vivir en lo más bullicioso y activo de las disputas y negocios humanos, donde sólo a fuerza de imaginación y de espíritu logro silencio y soledad. Claro es que procuro siempre cubrir mis humildes obras con la mayor decencia posible y aderezarlas al uso castellano, sin pedirle novedades ni bizarrías a las modas forasteras.»

19. Nació en Santander. Sus primeros trabajos, poesías, aparecieron en *El Atlántico*, periódico de su ciudad natal. Pasa parte de su juventud en Chile, con frecuentes colaboraciones en la Prensa americana. Ya de regreso a la Península, se da a conocer como novelista, género en que ha obtenido varios premios y, lo que vale más, el favor muy merecido del público. En 1927 se le otorgó el Premio Nacional de Literatura; y en ese mismo año fué propuesta, juntamente con Palacio Valdés, para el Premio Nobel. Murió en mayo de 1955. Concha Espina es la fundadora de una larga dinastía de escritores, entre los que sobresalen Víctor de la Serna, uno de los más ágiles periodistas que ha tenido España, y Josefina de la Maza, que, entre otros libros, nos ha dado una puntual y amena biografía de su madre. Las obras de Concha Espina, por géneros, son: Novela larga: *La niña de Luzmela, Despertar para morir, Agua de nieve, La esfinge maragata, La rosa de los vientos, El metal de los muertos, Dulce Nombre, El cáliz rojo, Altar mayor, La virgen prudente, La flor de ayer, Retaguardia y Victoria, en América*. Novelas cortas: *Ruecas de marfil, Tierras del aquilón, Llama de cera, Cura de amor, Las niñas desaparecidas, Nadie quiere a nadie, Candelabro, Luna roja*. Cuentos, agrupados bajo los títulos siguientes: *Simientes, Pastorelas, Cuentos, Siete rayos de sol, De los amores, De los prodigios, De la guerra, Del candor*. Teatro: *El jayón, Moneda blanca, La otra, Tiniebla encendida*. Verso: *Entre la noche y el mar, La segunda mies*. Estudios, biografías, crónicas: *Mujeres del «Quijote», Casilda de Toledo, Princesas del martirio, Copas de horizontes y Al amor de las estrellas*.

20. Vid. *Obras completas de Concha Espina*, pág. 1.684, Ediciones Fax, Madrid, 1944. Prólogo de Víctor de la Serna.

21. Publicadas después de la muerte del autor, que las dejó incompletas. Fueron terminadas por dos buenos amigos de Pérez Lugín: *Arminda Moscoso*, por Alfredo García Ramos, vicepresidente que fué del Tribunal Supremo; *La Virgen del Rocío ya entró en Triana*, por el ilustre pedagogo don Manuel Siurot.

22. La lista podría aumentarse con los nombres del gijonés Francisco Acebal, el gerundense José Fernández Bremón, el murciano Francisco Fernández Villegas, que popularizó el seudónimo de «Zeda»; los santanderinos Enrique Menéndez Pelayo, hermano del gran polígrafo, y Ramón Solano y Polanco; el navarro Federico Urrecha, el onubense José Nogales, autor de cuentos tan sugestivos como *Las tres cosas del tío Juan*; el conquense Manuel Polo y Peyrolón, uno de los buenos discípulos de Pereda; el aragonés Valentín Gómez, que tentó con buena fortuna el melodrama; Alfonso Danvila, animador de cuadros históricos, especialmente de la guerra de Sucesión. A ellos cabría agregar los de otros autores que, habiéndose distinguido en géneros distintos –poesía, erudición, crítica, periodismo, ensayo–, quisieron explorar también esporádicamente el campo de la novela: José Rogerio Sánchez, Armando y Emilio Cotarelo, Adolfo de Sandoval, Blanca de

los Ríos, Angel Salcedo Ruiz, Micaela Peñaranda, Alejandro Sawa, José Zahonero, Julio Nombela, etc.

23. *El humor en la literatura española*, discurso de ingreso en la Real Academia Española de la Lengua.

24. *Literatura española contemporánea: 1898-1936*, 1.ª edición, págs. 298-99.

25. Destaquemos *Sobre casi todo y Sobre casi nada*, con artículos tan logrados como «Sobre el arte rupestre», «Sobre la pornografía», «Sobre la literatura inmoral» y «Sobre los nuevos ricos», en el primero; y «Sobre los académicos», «Sobre las cenas de etiqueta» y «Sobre el feminismo», en el segundo.

26. La inclusión de unos nombres y la omisión de otros en este apartado no supone mayor ni menor categoría literaria. Los nombres que se citan no tienen más valor que el puramente informativo.

27. *Catolicismo día tras día*, Madrid, 1955.

BIBLIOGRAFIA

I. F. AGUSTÍ: *Ramón Pérez de Ayala. Su vida y sus obras*, Edit. Páez, Madrid, 1927.—M. AZAÑA: «*Belarmino y Apolonio*», «La Pluma», II, 1921; «*Luna de miel, luna de hiel*», «*Los trabajos de Urbano y Simona*», «La Pluma», IV, 1923.—M. BACARISSE: *Dos críticos: Casares y Pérez de Ayala*, «Rev. de Libros», Madrid, 1920.—J. A. BALSEIRO: *Ramón Pérez de Ayala, novelista*, «El Vigía», I, Madrid, 1928.—M. BAQUERO GOYANES: *La novela como tragicomedia* (Pérez de Ayala), «Insula», núm. 110, Madrid, 1955.— M. BATAILLON: «*Belarmino y Apolonio*», «Bull. Hispanique», XXIV, 1922.—R. BLANCO-FOMBONA: *En torno a dos novelistas: Pío Baroja y R. Pérez de Ayala*, «Motivos y letras de España», Madrid, 1930.—C. BARJA: *Ramón Pérez de Ayala*, «Libros y autores contemporáneos», Madrid, 1935.—R. CANSINOS ASSENS: *R. Pérez de Ayala: 1916-1927*, «La Nueva Literatura», IV, Madrid, 1927.—J. CEJADOR Y FRAUCA: *Don Ramón Pérez de Ayala*, «De la tierra, colección de artículos», Madrid, 1914.—E. ROBERT CURTIUS: *Ramón Pérez de Ayala*, «Die Literatur», XXXIV, 1931-1932.—M. DURÁN: *La técnica de la novela y la generación del 98*, «Rev. Hisp. Moderna», año XXIII, Nueva York, enero, 1957.—RUTH C. GILLESPIE: *R. Pérez de Ayala, precursor de la revolución*, «Hispania», XV, 1932.—E. GÓMEZ DE BAQUERO («Andrenio»): *Las novelas de Pérez de Ayala*, «Novelas y novelistas», Calleja, Madrid, 1928.— A. GONZÁLEZ BLANCO: *R. Pérez de Ayala*, «Los Contemporáneos», Madrid, 1906.—N. GONZÁLEZ RUIZ: *La obra literaria de D. Ramón P. de Ayala*, «Bull. of Spanish Studies», IX, Liverpool, 1932.—J. IBARRA: *R. Pérez de Ayala*, «La Gaceta Literaria», 15 octubre 1930.—S. DE MADARIAGA: *Ramón Pérez de Ayala*, «Semblanzas literarias», Barcelona, 1924.—J. MARTÍNEZ RUIZ («Azorín»): *El intelectualismo de Pérez de Ayala*, «El Tiempo», Bogotá, 1924.— H. MÉRIMÉE: «*El ombligo del mundo*», «Bajo el signo de Artemisa», «Bull. Hispanique», XXVII, 1925.—J. ORTEGA Y GASSET: *Al margen del libro «A. M. D. G.»*, «Personas, obras, cosas», Madrid, 1916.—D. PÉREZ MINIK: *Ramón Pérez de Ayala*, «Novelistas españoles de los siglos XIX y XX», Colec. Guadarrama, Madrid, 1957.—M.ª DEL CARMEN BOBES: *Notas a «Belarmino y Apolonio», de Pérez de Ayala*, «Bcl. I. D. E. A.», núm. XXXIV, Oviedo, 1958.

II. ISABEL DE AMBÍA: *Junto a Gabriel Miró*, «Cuad. de Liter. Contemporánea», Madrid, 1942.—R. BAEZA: *Gabriel Miró, prosista*, «La comprensión de Dostoyevski y otros ensayos», Barcelona, 1935.—J. CHABÁS: *Gabriel Miró*, «Vuelo y estilo», 1930.—F. GARFIAS: *El misterio de la obra de Gabriel Miró*, «Rev. de Literatura», II, Madrid, 1952.— J. GIL ALBERT: *Gabriel Miró. El estilo y el hombre*, Valencia, 1931.—J. GUARDIOLA ORTIZ: *Biografía íntima de Gabriel Miró. El hombre y su obra*, Imp. Guardiola, Alicante, 1935.—G. KAUL: *El estilo de Gabriel Miró*, «Cuad. de Literatura», IV, Madrid, 1948.—A. LIZÓN GADEA: *Léxico y estilo de Gabriel Miró*, «Cuad. de Liter. Contemporánea», Madrid, 1942.—S. DE MADARIAGA: «*Azorín», Gabriel Miró*, «Semblanzas literarias contemporáneas», ed. cit.— G. MARAÑÓN: Pról. al t. III de la ed. «Amigos de Miró», 1934.—M. DE MAYO: *Gabriel Miró. Vida y obra*, «Rev. Hisp. Moderna», II, 1936.—FRANCO MEREGALLI: *Gabriel Miró*, Milán, 1949.—C. MIRÓ y J. GUERRERO: *Bibliografía de Gabriel Miró*, «Cuad. de Liter. Contemporánea», Madrid, 1942.—CLEMENCIA MIRÓ: *Biografía de Gabriel Miró*, «Cuad. de Liter. Contemporánea», Madrid, 1942.—A. OLIVER BELMAS: *Naturaleza y poesía en la obra de Gabriel Miró*, «Rev. Hisp. Moderna», II, 1936.—M. PARR: *El concepto modernista de la palabra en Gabriel Miró*, «Hispa-

nia», XXXIX, Baltimore, marzo, 1956.—D. PÉREZ MINIK: *Otra vez Gabriel Miró*, «Novelistas españoles de los siglos XIX y XX», ed. cit.—J. P. RAMOS: *El arte de Gabriel Miró*, «Nosotros», LXXX, 1944.—V. RAMOS: *Vida y obra de Gabriel Miró*, colec. «El Grifón», 1957.—S. C. ROSEMBAUM y J. GUERRERO RUIZ: *Bibliografía de Gabriel Miró*.— F. VALDÉS: *Recordando a Miró*, «Letras: Notas de un lector», Espasa-Calpe, Madrid, 1933.—R. VIDAL: *Gabriel Miró: Le Style. Les Moyens d'Expression*.—A. W. BECKER: *El hombre y su circunstancia en las obras de Gabriel Miró*, «Rev. de Occidente», Madrid, 1958.— L. J. WOODWARD: *Les images et leur fonction dans «Nuestro Padre San Daniel» de G. Miró*, «Bull. Hisp.», LVI, 1954.

III. J. CASARES: *Ricardo León*, en «Crítica profana», «Colec. Austral», núm. 469, Buenos Aires, 1944.—R. CANSINOS-ASSÉNS: *Poetas y prosistas del novecientos: R. León*, Madrid, 1919.—M. ASÍN PALACIOS: *Don Ricardo León*. «Bol. de la R. Acad. Esp.», XXIV, enero-abril 1945.— G. DIEGO: *La poesía de Ricardo León*, «Cuad. de Lit. Contemporánea», Madrid, 1943.—E. D'ORS: *Estilo y cifra de Ricardo León*, pról. a «Obras completas» de R. L., vol. I, Biblioteca Nueva, Madrid, 1952.—E. GÓMEZ DE BAQUERO («Andrenio»): *Las novelas de Ricardo León*, «Novelas y novelistas», Edit. Calleja, Madrid, 1918.—S. GONZÁLEZ ANAYA: *Los costumbristas malagueños* (R. León, Arturo Reyes, etc.) (disc. de ingreso en la R. Academia), Málaga, 1948.—*Infancia y mocedad de Ricardo León*, pról. a «Obras completas» de R. L., vol. II, Bibl. Nueva, Madrid, 1945.—E. JULIÁ MARTÍNEZ: *Biografía de Ricardo León*, «Cuad. de Lit. Contemporánea», núms. 11-12, Madrid, 1943; *Nuevos datos sobre Ricardo León*, «Cuad. de Lit. Contemp.», núms. 13-14, Madrid, 1944.—A. MAURA: *Discurso de contestación al de ingreso de R. León en la R. Acad. Española*, Madrid, 1915.—JOSEFINA ROMO ARREGUI: *Ricardo León: Bibliografía*, «Cuad. de Lit. Contemporánea», núms. 11-12, Madrid, 1943.—J. M.ª G. DE LA TORRE: *Ricardo León o el genio de la lengua*, Edit. Voluntad, Almería, 1939.

ISABEL DE AMBÍA: *Concha Espina*, «Cuad. de Lit. Contemporánea», núm. 1, Madrid, 1942.—IRENE BEHN: *La obra de Concha Espina*, «Cuad. de Lit. Contemp.», núm. 1, Madrid, 1942.—J. BOUSSAGNOL: *Mdme. Concha Espina*, «Bull. Hispanique», 1923.—R. CANSINOS-ASSÉNS: *Literatura del Norte: Concha Espina*, Madrid, 1924.—CONCHA ESPINA: *De su vida, de su obra literaria a través de la crítica universal*, Renacimiento, Madrid, 1928.—FRÍA LAGONI: *Concha Espina y sus críticos*, Toulouse, 1927.—JOSEFINA ROMO ARREGUI: *Biografía de Concha Espina*, «Cuad. de Lit. Contemp.», núm. 1, Madrid, 1942.—M. ROSENBERG: *Concha Espina*, Los Angeles, 1927.—JOSEFINA DE LA SERNA Y ESPINA: *Vida de mi madre, Concha Espina*, Edit. Marfil, Alcoy, 1957.—V. DE LA SERNA Y ESPINA: *Concha Espina*, pról. a la ed. de «Obras completas» de C. E., Ed. Fax, Madrid, 1944.

R. CANSINOS-ASSÉNS: *Las novelas sevillanas de José Mas*, Madrid, 1922.—J. CASARES: *Necrología de Gutiérrez Gamero*, «Bol. R. Acad. Esp.», XXIII, 1936.—A. MUÑOZ TORRADO: *Discurso necrológico de J. Muñoz Pabón*, Acad. Sevillana de Buenas Letras, 1921.—F. GONZÁLEZ RICOBERT: *José Mas*, «Vida moderna», Cádiz, 1936.—E. SEGURA: *Para un estudio crítico-biográfico del novelista Antonio Reyes Huertas*, «Rev. de Est. Extremeños», Badajoz, 1953.— J. VALERA: *El regionalismo literario en Andalucía: Muñoz Pabón*, «Obras completas» de J. V., vol. II, M. Aguilar, Madrid, 1942; «*El buen paño*», ob. cit.; «*La Goletera*», por Arturo Reyes, obs. cit.; «*Mariquita León*», de José Nogales, ob. cit.—A. BARREIRO: *Alejandro Pérez Lugín*, pról. a «Obras completas» de A. P. L., Edic. Fax, Madrid, 1953.

IV. J. CASARES: «*Volvoreta*», «*Silencio*», «Crítica efímera», II, Madrid, 1919.—C. CONSIGLIO: *W. Fernández Flórez, como definidor del humorismo*, «Cuad. de Literatura», núm. 7, Madrid, 1948.—J. DE ENTRAMBASAGUAS PEÑA: *Fernández Flórez en «El bosque animado» de su humorismo*, «Cuad. de Literatura», núm. 7, Madrid, 1948.— C. FERNÁNDEZ CUENCA: *Fernández Flórez y el cine*, «Cuad. de Literatura», núm. 7, Madrid, 1948.—W. FERNÁNDEZ FLÓREZ: *El humor en la literatura española* (disc. de ingreso en la R. Acad. Española), 1945; *Prólogo* a «Obras completas», 5 tomos, M. Aguilar, Madrid, 1950.—P. PILLEPICH: *Scrittori spagnoli: Wenceslao F. Flórez*, «Colombo», IV, 1929.—F. VALLE DE JUAN: *Notas para la biografía de W. Fernández Flórez*, «Cuad. de Literatura», núm. 7, Madrid, 1948.—J. BONET GELABERT: *El discutido indiscutible Jardiel Poncela: los que le ensalzan, los que le menosprecian y los que le imitan*, Bibl. Nueva, Madrid, 1946.—

D. Pérez Minik: *Ramón Gómez de la Serna*, «Novelistas españoles de los siglos XIX y XX», Madrid, 1957.—J. Arrabas: *Fernández Flórez, el periodista, el novelista y el hombre de humor*, «Cuad. de Lit.», III.—Josefina Romo Arregui: *Bibliografía de F. Flórez*, «Cuad. de Lit.», III.

V.   J. Casares: «*El luchador*», por López Pinillos, «Crítica efímera», II, S. Calleja, Madrid, 1919; «*El verdadero hogar*», por M. López Roberts, «Crítica efímera», edic. cit.—O. Pérez Solís: *Macías Picavea*, Imp. Castellana, Valladolid, 1947.—D. Pérez Minik: *Introducción a la novela actual*, «Novelistas españoles de los siglos XIX y XX», edic. cit.—F. Carlos Sainz de Robles: *La novela corta española. La promoción de «El Cuento Semanal»*, Edit. M. Aguilar, Madrid, 1952.—J. Valera: *Novelas recientes* (López Roberts, Ortiz de Pinedo, etc.), «Obras completas», II, ed. cit.

P. Cabañas: *Camilo José Cela, novelista: Notas de lectura*, «Cuad. de Liter.», t. II, Madrid, 1947.—J. Murillo: *Al margen de un libro de Carmen Laforet: «Paulina o la sinceridad»*, «Cuad. Hispanoamericanos», núm. 76, abril de 1956.—R. Roig: *El primer Premio Menorca. Leyendo «La mujer nueva», de C. Laforet*, «Razón y Fe», t. 153, núm. 700, mayo de 1956.

VI.   M. Baquero Goyanes: *La novela española de 1939 a 1953*, «Cuad. Hispanoamericanos», núm. 67, 1953; *La guerra española en nuestra novela*, «Ateneo», 1 marzo 1952.—M. Fernández Almagro: *Esquema de la novela española contemporánea*, «Clavileño», núm. 5, 1950.—J. A. Fernández Cañedo: *Le joven novela española: 1936-1947*, «Rev. de la Univ. de Oviedo», núms. XLIX y L, 1958; *La guerra en la novela española: 1936-1947*, «Arbor», núm. 37, Madrid, 1949.—O. P. Ferrer: *La literatura española tre-*

mendista y su nexo con el existencialismo, «Rev. Hispánica Moderna», año XXII, Nueva York, julio-octubre de 1956.—G. Gómez de la Serna: *España en sus episodios nacionales* (especialmente los capítulos III, IV y V), Ediciones del Movimiento, Madrid, 1954.—R. M. Hornedo: *La novela católica española en 1956*, «Razón y Fe», números 716-17, 1957.—A. de Hoyos: *Ocho escritores actuales* (C. Laforet, José M.ª Gironella, Elena Quiroga, Ana M.ª Matute, Camilo J. Cela, Manuel Delibes, Dolores Medio y F. Alemán), Edics. «Aula de Cultura», Murcia, 1954.—Y. Iglesias: *La actual novelística española*, «Cuad. del Congreso por la libertad de la Cultura», núm., septiembre-diciembre 1953.—E. Gómez de Baquero («Andrenio»): «*Paz en la guerra» y los novelistas de las guerras civiles*, «De Gallardo a Unamuno», Madrid, 1926.—J. Mancisidor: *La literatura española bajo el signo de Franco*, «Cuad. Americanos», Méjico, mayo-junio, 1952.—J. M.ª Martínez Cachero: *Novelistas españoles de hoy*, Oviedo, 1945.—A. Roig del Campo: *La actual novela como diagnosis*, «Razón y Fe», vol. 153, junio 1956.—Serrano Poncela: *La novela española contemporánea*, 1953.—T. Salvador: *La novela española en la postguerra*, Publicaciones Españolas, Madrid, 1955.—A. F. Soria: *Ganivet y los costumbristas granadinos*, «Cuad. de Literatura», V, Madrid, 1949.—J. Vila Selma: *Tres ensayos sobre literatura y nuestra guerra*, Edit. Nacional, Madrid, 1956.—M. Aub: *Discurso de la novela española contemporánea*, Edics. Colegio de Méjico, 1945.—C. Bousoño: *Novela española en la postguerra*, «Rev. Nacional de Cultura», núm. 124, Caracas, 1957.—E. Correa Calderón: *El costumbrismo en la literatura española actual*, «Cuad. de Literatura», IV, 1948.—D. L. Shaw: «*Humorismo» and «Angustia» in Modern Spanish Literature*, «Bull. of Spanish Studies», XXV, Liverpool, 1958.

CAPITULO XCV

LA PROSA AMERICANA DEL XX
A) PAISES DEL PLATA

I. PRELIMINARES.—II. ARGENTINA: *Payró.*—III. MANUEL GÁLVEZ: *Novela social. Novela psicológica y de tendencia religiosa. Novela histórica.*—IV. TENDENCIA GAUCHESCA EN LA NOVELA ARGENTINA: *E. Gutiérrez. Lynch. Güiraldes. Gerchunoff.*—V. LARRETA Y OTROS NOVELISTAS ARGENTINOS: *La poesía de Larreta. La obra dramática. Las novelas: «Artemis», «La gloria de don Ramiro», «Zogoibi». Ultimas producciones. Martínez Zuviría. Cancela y otros.*—VI. URUGUAY: *Reyles. Javier de Viana. Quiroga. Zavala, Fonseca, Amorim y otros.*
NOTAS.—BIBLIOGRAFÍA.

I. PRELIMINARES

El tránsito de la prosa narrativa del XIX al XX se opera sin brusquedades ni saltos. La novela americana contemporánea no es sino la misma de la época anterior, evolucionada y puesta al día. Quiere esto decir que el signo que preside el desarrollo de esa novela durante el siglo actual es el mismo que había presidido el de los últimos decenios del XIX, y que nos viene expresado en la síntesis realismo-naturalismo, con predominio de uno u otro factor, según latitudes y autores. Por lo demás, temática, técnica y hasta intención siguen siendo las mismas, si bien con un enfoque más moderno. También sigue siendo idéntico el lenguaje, sin otra aportación nueva, y ésta en grado muy escaso, que la de la prosa modernista, con su preferencia por el colorismo y lo ornamental; prosa que si en el ensayo pudo alcanzar altas calidades, en la novela no tuvo tanta fortuna, como no sea en Larreta y en algún otro escritor de menos talla. Una revolución como la provocada en España por los prosistas del 98 no ha llegado a realizarse en la novela hispanoamericana; y si se ha realizado, no reviste la importancia de la peninsular. Lo más destacado de esta novelística—sobre todo a partir del segundo tercio del siglo actual—es el matiz socialista y hasta comunista que toma. Quede apuntada esta nota para su desarrollo en otro capítulo.

En términos generales puede decirse que cuanto ha dado de sí, y es mucho, la novela americana desde principios de siglo estaba ya en germen y hasta en buena parte desarrollado en la novelística anterior. Se afirma, y es verdad, que sólo en nuestro siglo el escritor americano acaba por descubrir su propio mundo: pero no se trata de un auténtico descubrimiento, sino de un proceso de autonomía ya iniciado en el romanticismo, considerablemente avanzado después, y que ahora encuentra su culminación. Dígase otro tanto del escenario. Selva, pampa, estepa, minas y ríos habían sido incorporados de tiempo atrás a la novela americana como elementos autónomos. De lo que se trata ahora es de darles nueva interpretación y de ofrecérselos al lector en visión más directa. Y si es verdad que la reiteración de esos temas y paisajes da a la novela de aquel Continente cierta uniformidad y monotonía, no lo es menos que desde principios de siglo América ha producido una serie de escritores narrativos que rivalizan con los mejores de la Península y aun de cualquier nación europea. A diferencia de la época anterior, en que sólo unas pocas naciones podían ufanarse de algún novelista de primer orden, en el siglo actual casi todos los países, incluídos los más modestos, cuentan con narradores de altura; y alguno de esos países—Méjico, Argentina, Chile—los tienen en gran abundancia. Esa misma abundancia nos impone una limitación en el recuento. Como siempre, habremos de reducir nuestra referencia a los más representativos de cada país; y también como siempre, empezaremos por el Sur, para seguir por las Antillas y Centro, hasta Méjico.

II. ARGENTINA

Es muy brillante y heterogéneo el cuadro que la novelística argentina ofrece desde principios de siglo; y difícil, casi imposible, su clasificación. Se podría considerar de un lado la novela realista; de otro la indigenista o gauchesca; de otro la histórica, la social, la modernista, la psicológica, etc. Pero siempre incidiríamos en repeticiones y reparticiones inexactas; entre otros motivos porque hay interferencias de corrientes en un mismo escritor, que casi siempre cabalga sobre dos o más técnicas. Por ejemplo: Gálvez cultiva la novela social en *Nacha Regules*; la psicológica pura en *El mal metafísico*; la religiosa en *Cautiverio, La noche toca a su fin*; la histórica en las diez narraciones de los ciclos rosista y de la guerra del Paraguay. Y así, en menor grado, se podría citar a otros. Cabe, es cierto, señalar una dirección bien definida: la de los novelistas gauchescos. Pero aun éstos invaden casi siempre otros campos. Por todo ello dedicamos párrafo aparte a cada uno de los grandes narradores: Payró, Gálvez, Larreta; otro, a los más destacados cultores del género gauchesco; y otro, a todos los demás, sin especial discriminación.

Payró

La personalidad de ROBERTO J. PAYRÓ (1867-1928) [1] tiene casi tanto interés en lo sociológico como en lo literario. Hacia finales de la primera guerra europea Payró se constituye en mentor de un grupo de jóvenes argentinos, a los que encauza y alienta. Misión ingrata en que, según confesión propia, dejó muchas energías y no pocas ilusiones. Pero había algo que le empujaba a la labor social orientada siempre por un sentido patrio y una intención altamente moralizadora. Vive Payró la problemática argentina de su tiempo; como buen periodista—su profesión básica era ésa—, conoce las costumbres del país, sus virtudes y defectos, y aspira en la medida de sus fuerzas a corregir estos últimos. Para ello no acude, como tantos otros, a la sátira mordaz, ni siquiera al enojoso sermoneo. Prefiere el ridículo. Sacar a la luz las cosas, tales como son, con entera objetividad, y ellas por sí mismas darán la lección. De ahí que su género predilecto sea la novela, que tanto se presta al desfile de tipos ridiculizables; y dentro de ésta, la picaresca. Sus mejores narraciones, en consecuencia, son de pícaros. Las tiene también de otro carácter (*Antígona*); y poesía, cuentos (*Scripta, Novelas y fantasías*); teatro, a que se aludirá más adelante; crónicas y reportajes (*Las tierras de Inti*); ensayos (*La Australia argentina*), etc., hasta completar una producción de veintitantos volúmenes.

Pero lo interesante es su novela, que se puede repartir en dos grupos: obras de carácter histórico, en las que asistimos al despertar del espíritu criollo: *Chamijo, El falso inca. Mar Dulce, El capitán Vergara y Los tesoros del rey Blanco,* y obras picarescas: *El casamiento de Laucha, Pago Chico, Divertidas aventuras del nieto de Juan Moreira.* Las primeras se apoyan en una reconstrucción histórica, llevada a cabo con toda meticulosidad, y en ellas se hermana el interés del relato con la rapidez y concisión del estilo. En algunos de sus personajes apuntan ya los rasgos

—simpatía, listeza, desahogo, inventiva—que definirán luego a los protagonistas del segundo grupo. *Mar Dulce,* subtitulada «Crónica novelesca del descubrimiento del Río de la Plata», nos ofrece la vida aventurera de Juan de Solís; en *El capitán Vergara y Los tesoros del rey Blanco,* epopeya y tragedia se unen en estrecho maridaje para integrar una narración del mayor interés; *Chamijo y Falso inca,* visión amena, pintoresca y bien documentada del Perú de fines del XVII, constituyen un relato picaresco en dos partes, aunque con un solo protagonista. Véase en síntesis su argumento:

Chamijo, simpático bribón, deserta de la guarnición española en que servía como soldado y, acompañado de una chola joven y hermosa, Carmen, huída de un correccional, vase a Lima, para trabajar ambos de acuerdo: él por los garitos, engañando a hidalgos y aventureros; ella atrapando con su palmito a los incautos por plazas y paseos. Chamijo usurpa el nombre de un don Pedro Bohórquez Girón, muerto en Potosí, y se hace pasar por su heredero. Fíngese conocedor de un gran tesoro, que ofrece al virrey, marqués de Chinchón; y éste le da escolta para recuperarlo. La empresa, como es natural, fracasa. El de Chinchón, enterado del engaño y de la auténtica personalidad del embaucador, ordena su captura; pero Chamijo, por consejo de su coima, pasa a Buenos Aires. Vida de holganza, amoríos, juego, engaños y, al final, la cárcel. Sustituído el de Chinchón por el marqués de Mancera y enterado de ello Chamijo, engaña al corregidor de Buenos Aires y regresa a Lima. Otra vez embauca al nuevo virrey; nueva expedición en busca del tesoro con idéntico resultado que la primera; nuevo encarcelamiento y nueva evasión de la cárcel de Valdivia, donde se le ha reunido Carmen. Hasta aquí la primera parte. *El falso inca* sigue narrando las aventuras de Chamijo, quien, después de haberse proclamado descendiente y heredero de los incas, cae en manos de los españoles y termina purgando sus fechorías en la horca. Su amante, para vengarle, intenta envenenar al gobernador; pero, perseguida y a punto de ser alcanzada, se despeña por un barranco. «En esto, como en muchas otras manifestaciones, imitó a las heroicas y salvajes calchaquíes que seguían a la guerra a sus máridos con los hijos atados a la espalda, y que, en caso de derrota, se lanzaban sin vacilar al abismo.»

Con ser muy sugestivos esos relatos, lo son más todavía los tres del segundo grupo. *El casamiento de Laucha* (1906) es un trozo arrancado de nuestra picaresca del Siglo de Oro y actualizado en la Argentina. Para que el «pícaro» sea más auténtico hasta nos cuenta sus aventuras en forma autobiográfica. Laucha es un digno continuador de Guzmán. Avispado, amoral e hipócrita, como él; cínico, pero con un cinismo no exento de simpatía. Se establece, tras mucho rodar, en Pago Chico; conquista a cierta viuda, Carolina, propietaria de una pulpería; casa con ella fraudulentamente, ayudado por el cura napolitano Papagna, tan pícaro como él, aunque mucho más perverso [2]. Cuando ha gastado el último céntimo de Carolina, la abandona; y ella se ve obligada a ingresar de enfermera en el hospital. Frente a esta picaresca de baja estofa, Payró, por boca de Laucha, pone de relieve otra picaresca infinitamente peor y más funesta para la sociedad, la de los clubs y la política: «Hacen lo mismo que hice yo, y peor; que, como ellos lo hacen, no parece tan malo y nadie les saca el cuero.» Después de todo, Laucha a lo más que aspira es a vivir sin trabajar. *Pago Chico* y *Nuevos cuentos de Pago Chico* están constituídos por una serie de estampas trazadas magistralmente por un pintor tan observador como objetivo. Todo un mundo de politiquillos, caudillejos, tiranuelos, diputados, periodistas audaces, comadres, etc., rebulle aquí y se agita sin otra obsesión que el medro personal. Su programa «era el rudimentario quítate para que yo me ponga». Portavoces de la lucha son *El Justiciero*, órgano oficial, y *La Pampa*, su opositor político. El edén de Pago Chico se convierte en el «infierno grande» del mismo Pago Chico, gracias a la política y al caciquismo. Como presentación de tipos y denuncia de la corrupción administrativa la obra encierra innegable valor. El boticario don Silverio, el médico Pérez Cueto, el gaucho matón Camacho, el comisario Barraba, el mismo cura Papagna, que en cierta solemnidad «cantó un *Te Deum* como hubiera podido roncar un *De profundis*», constituyen una fauna que había prolificado en todo el país. Pago Chico se convierte así en el trasunto de cien pueblos del interior, con las mismas lacras de todo género. Payró, sin embargo, no se limita a ridiculizar los vicios de los medios rurales; lleva su proyector a la ciudad y allí alumbra idénticas corruptelas, idénticas ambiciones, idénticas lacras. *Divertidas aventuras del nieto de Juan Moreira,* su novela más renombrada, es eso: el mismo cuadro de *Pago Chico* trasladado a Buenos Aires. Ahora el pícaro se llama Mauricio Gómez Herrera; lleva un «don» por delante y escala altos puestos políticos y sociales. Pero da lo mismo: tan cínico como Laucha y mucho más rastrero. Sus armas son el disimulo, la hipocresía y, si a mano viene, la calumnia [3]. Es así, por una escala de sucesivas indignidades, como llega desde su oscuro rincón provinciano a importante figurón político y hasta a ministro plenipotenciario en cierto país de Europa. Todo «un hombre de presa».

Las novelas de Payró se caracterizan por su fuerte realismo. Una larga actividad periodística le puso en contacto con las más diversas clases sociales, suministrándole de paso una tipología humana del mayor interés. Lo demás lo puso él.

Y hay que reconocer que su capacidad de observación y de retentiva era realmente asombrosa. Sociólogo y psicólogo a la vez, se ocupa más del hombre que del paisaje; y entre los varios tipos que le suministra el elemento humano, prefiere el pícaro y el arribista. Su larga estancia en Europa le permite, por otra parte, estar al tanto de las últimas tendencias y desvincularse hasta donde era posible del naturalismo dominante en América cuando él empezó a escribir. De la escuela de Medan acepta sólo la exactitud y la precisión, sin querer saber nada del seudocientífico lenguaje con que esa escuela suele etiquetar sus productos. Periodista nato, de ahí le viene el estilo rápido, espontáneo, fresco e impresionista; estilo lleno de soltura y expresividad, en que a veces basta un solo rasgo para definir un personaje. Payró, ya queda dicho, esconde siempre tras sus relatos una intención moral; pero esa intención va envuelta y como velada por el humor; casi nunca amonesta, mucho menos recrimina. Deja a los hechos que hablen y a los personajes que caigan envueltos en el ridículo. Le parece que ese es el mejor método de corregir, y está en lo cierto.

El teatro de Payró queda muy lejos de la novela. También está hecho con un propósito sociológico y moralizante: la presentación de una serie de problemas localistas que, gracias al arte, se elevarían al rango de tesis generales aplicables a cualquier país y época; *Fuego en el rastrojo,* drama de la vejez contemplada desde ángulos distintos; de la previsión, buscando una compañera prudente; del enfatuamiento, soñando hazañas de tenorio decrépito; del pesimismo, etc. *Vivir quiero conmigo* (1923), drama del egoísmo que pretende disfrazarse con las más nobles pasiones; *Alegría,* escenificación de las aventuras de un payaso de circo, que llega a gobernador de Santa Cruz; *El triunfo de los otros,* con muchos elementos autobiográficos, reproduce el tema que había tratado en el cuento *Mujer de artista:* la tragedia del escritor que vende la obra en beneficio ajeno; *Renata,* basado en una novelita de Zola. Pero ni estas obras, ni las dos que la crítica considera las más logradas, *Marco Severi,* sobre el derecho de extradición, y *Sobre las ruinas,* un nuevo toque al viejísimo tema de la lucha entre civilización y barbarie, otorgan a Payró lugar destacado en la escena rioplatense. A pesar de la fidelidad de observación, del cuidado del lenguaje, de la nobleza y hondura de los sentimientos, no podemos hablar de teatro logrado; les falta eso, teatro, situaciones dramáticas, dinamismo, acción; les sobra diálogo y razonamiento: el novelista, y sobre todo el sociólogo, se han impuesto al dramaturgo, y éste a fuerza de lógica ha ahogado la emoción.

III. MANUEL GALVEZ

Uno de los más ilustres escritores argentinos y acaso el más completo de los novelistas de aquel país, tanto por la cantidad como por la calidad de su producción, es MANUEL GÁLVEZ (n. 1882)[4]. Con él las divisiones usuales de la novela no rezan, ya que la suya no es regional, ni naturalista, ni idealista, ni psicológica, ni de tesis; o quizá sea todas esas cosas a la vez. Como, además de la novela, ha cultivado el verso, la crítica, el ensayo, la biografía, la historia y el teatro, su encasillamiento no es nada fácil. Se puede, no obstante, salir del paso diciendo que Gálvez ante todo es novelista, porque esa es la faceta que mejor le define. Su obra alcanza docenas de títulos: poesía (*El enigma interior, Sendero de humildad* y *Poemas para la recién llegada*); crítica, ensayo y sociología (*El diario de Gabriel, La vida múltiple, El solar de la raza, La Argentina en nuestros libros, España y algunos españoles, La inseguridad de la vida obrera, El espíritu de aristocracia y otros ensayos*, etc.); biografía (*Fray Mamerto Esquiú, Hipólito Irigoyen, Juan Manuel Rosas, Domingo Faustino Sarmiento, Gabriel García Moreno, Aparicio Saravia, José Hernández y Francisco de Miranda*); teatro (*Nacha Regules*, adaptación de la novela de este título; *El hombre de los ojos azules y Calibán*); memorias (*Amigos y maestros de mi juventud*)[5], cuentos y novelas. A estas últimas se va a limitar nuestra referencia.

Agrupamos la producción novelística de Gálvez en tres apartados: novela psicológica, novela social y novela histórica[6]. Al primero pertenecen: *El mal metafísico* (1916), *La sombra del convento* (1917), *La tragedia de un hombre fuerte* (1922), *Cántico espiritual* (1923), *Miércoles Santo* (1930), *Cautiverio* (1935), *La noche toca a su fin* (1935) y *Las dos vidas del pobre Napoleón* (1954); al segundo: *La maestra normal* (1914), *Nacha Regules* (1919), *Historia de arrabal* (1922), *La pampa y su pasión* (1927), *Hombres en soledad* (1938) y su continuación, *El uno y la multitud* (1955), y *Tránsito Guzmán* (1956); en el grupo de las históricas incluimos: *Los caminos de la muerte* (1928), *Humaitá* (1929) y *Jornadas de agonía* (1929), que constituyen la trilogía de la guerra de Paraguay; *La muerte en las calles* (1949), y las siete del ciclo rosista: *El gaucho de los Cerrillos* (1931), *El general Quiroga* (1932), *La ciudad pintada de rojo* (1948), *Tiempo de odio y angustia* (1951), *Han tocado a degüello* (1952), *Bajo la garra anglo-francesa* (1953), *Y así cayó don Juan Manuel* (1954). Completan la producción narrativa de Gálvez los dos libros de cuentos, *Luna de miel y otras narraciones* (1920) y *Una mujer muy moderna* (1927).

¿Características de esta producción? Artista por excelencia, temperamento refinado y espíritu de amplia cultura, Gálvez, lo mismo cuando aborda la problemática de nuestro tiempo que cuando vuelve sus ojos al pretérito, sabe calar en los hechos, ambientarlos, auscultar las almas y bucear en el complejo de sentimientos, ideales, pasiones y miserias que las dominan. Por eso sus novelas, a la vez que consumados estudios de psicología individual, lo son de psicología social y hasta de costumbres; pero no de costumbres a la manera puramente expositiva de *Fernán Caballero*, o del mismo Pereda, sino de «filosofía de las costumbres». Toda la vida argentina de últimos del xix y principios del xx está recogida en sus primeras novelas; y todo el proceso histórico de la época rosista, tan importante y definitivo para el futuro de la nación, está contenido y explicado en otras; hasta la fermentación social producida por el régimen peronista y la caída del dictador se nos ofrece en sus últimas producciones: *El uno y la multitud* y *Tránsito Guzmán*. Como a Unamuno España, también se puede decir que a Gálvez «le duele la Argentina». Conoce sus virtudes y tanto como éstas sus defectos; intenta formular su diagnosis y aportar la medicina. Por eso no retrocede ante nada. Sus descripciones a veces son crueles, despiadadas, casi demasiado realistas.

Novela social

Del montón de títulos enunciados apartaríamos unos pocos, no por mejores, sino por más representativos. *Nacha Regules*, por ejemplo, la novela que elevó a Gálvez al rango de prestigio universal, la más discutida y celebrada, es simplemente la historia de la redención de una muchacha caída[7]. Pero este tema, tan manoseado ya en cualquier literatura, brinda ocasión al autor para trazarnos un cuadro descarnado del Buenos Aires inmediatamente anterior a la gran guerra y de la estructuración social que hace posible tal estado de cosas. No importa que aquel ambiente haya sido en parte superado; *Nacha Regules* siempre será el símbolo de una época y de un país, o si no de todo un país, al menos de una clase social. La crítica quiso ver en la protagonista una hermana de la Sonia, de Dostoyevski. La verdad es que si algún tipo de la novela nos recuerda a Sonia no es Nacha precisamente, sino Irene, la hija de Moreno, la que se enamora de Montsalvat. Sin contar que no hace falta acudir a la novelística rusa para encontrar influencias; el mismo Gálvez las ha dado: León Bloy, en especial con *La femme pauvre*; Romain Rolland, Galdós, Baroja. Lo que es *Nacha Regules* en lo colectivo lo es en lo particular *Historia de arrabal*, análisis de la desgraciada vida de una joven que, dominada hipnóticamente por un malvado, llega a matar al hombre en quien tenía puestas sus esperanzas.

Mejor aún para nuestro gusto es *La maestra normal*, similar en algunos aspectos a la novelita del mismo Gálvez, *Una santa criatura*. Sobre el animado cuadro de la vida provinciana—la acción se sitúa en La Rioja—, se alza la denuncia del caciquismo y la arbitrariedad dominantes en los centros de enseñanza. La pobre Raselda es víctima del ambiente tanto como de la falta de principios morales. La técnica de Gálvez es aquí naturalista; pero sólo la técnica, ya que, el propio Gálvez lo dice, la obra «tiene un fondo espiritualista y aun católico». La influencia de Zola se advierte no sólo en la importancia que se atribuye al medio, como determinativo de la conducta, sino en la que se asigna a la herencia. En tal aspecto, el análisis a que se somete a Raselda, después de su caída, no puede ser más significativo. «Su suprema justificación —se dice—es que ella llevaba en sí misma la razón de su falta. La había heredado de su madre. ¡Ah, ahora comprendía esa ley de la herencia de que tanto hablaban en clase algunos profesores! Ella no era sino víctima de su herencia y... no hacía sino cumplir su destino, realizar aquella invencible fatalidad de su ser» (parte II, cap. VIII). La cosa está clara. Cierto que Gálvez, católico confeso y convicto, no podía dejarla así, y sobre el determinismo naturalista pone la eficacia de la fe y el consuelo de la religión. «Había comprendido que la religión era la única defensa contra el pecado. Ahora pensaba que si ella hubiera sido una verdadera creyente se habría salvado. En la escuela nunca le hablaron de Dios, y algunos profesores hasta le enseñaron a despreciar la religión. Ahora creía que esa enseñanza de la escuela, en vez de darle fuerzas para vencer los instintos, la había predispuesto para el mal al quitarle el apoyo de las eficaces defensas que tiene la religión contra el pecado. Y en cuanto a su fe de ahora, renacida a causa de su sufrimiento, comprendía que estaba muy lejos de lo que hubiera sido su fe de la infancia, fortalecida por largos años de disciplina religiosa y moral» (parte III, capítulo III). Más importante que el análisis psicológico y que la misma trama argumental es en esta obra la descripción de ambientes y estados colectivos. Con una morosidad que Gálvez irá atenuando en narraciones sucesivas, se nos ofrece el más amargo cuadro de la vida provincial. «Mi actitud—escribe él mismo—es la de evocar ambientes, vastos panoramas. No soy, me parece, un creador de caracteres individuales.» Demasiada modestia; en la producción de Gálvez se pueden espigar unos cuantos caracteres, especialmente femeninos, plenamente logrados. Sin contar con que ese amplio cuadro, ese «vasto panorama» a que alude el novelista, acaso alcanza su culminación precisamente en la serie de psicologías individuales que, debidamente armonizadas, conducen a la perfección del conjunto.

Hombres en soledad, con su segunda parte, *El uno y la multitud*, plantea el problema del argentino desarraigado, deseoso de vivir en Europa y víctima al fin de su temperamento. Gálvez hace un agudo análisis de la sociedad argentina del primer tercio de siglo, moviéndose entre el materialismo, el goce físico entendido como única razón de existir y un espiritualismo degenerado, que suele convertirse en misticismo vago y morboso. El novelista satiriza por igual ambas tendencias destructoras de la auténtica personalidad del hombre, y señala como remedio la búsqueda de una razón moral que sirva de soporte a la acción: «Mi salvación estaría en Dios, pero creo poco. O en la acción, pero no sirvo para eso. Mi drama no es individual, es el de los argentinos de más rica sensibilidad... El mal está en que el espíritu no es un valor entre nosotros.» Hay tipos bien trazados: Melchor, político influyente que, huyendo de la soledad, pretende llenar el vacío del alma con aventuras de mujeres fáciles; Loira, arribista y adulón, para quien casi sería un honor que su esposa le engañara con el príncipe de Gales; Ezequiel, también materialista y mujeriego; el viejo Claraval, magistrado intachable y furibundo creyente, capaz de echar del hogar a su propia hija al enterarse de su seducción; Block, el idealista que se suicida al comprobar que la revolución no era lo que él había soñado. Y entre las mujeres, Andrea, Flavia, Brígida, etc. En algunas opiniones de Roig el autor quiso darnos las suyas propias. Los mismos personajes reaparecen en *El uno y la multitud*, cuya acción se desarrolla en los años que van de 1942 a 1947; el reflejo de la segunda guerra mundial tiene la virtud de dividir al pueblo de Buenos Aires. En la obra se completa el proceso psicológico del protagonista, Gervasio Claraval, que de la incredulidad y abulia llega a una sincera conversión; queremos destacar el interés que despiertan algunos personajes, en especial Amanda y Tito. *Tránsito Guzmán* nos traslada a los días de la caída del régimen peronista; se trata, pues, de una ficción novelística a base de hechos reales, de los que el autor es testigo presencial a partir de la persecución religiosa iniciada en noviembre de 1954. Gálvez expone con claridad y valentía, y si censura a los perseguidores, no salen mejor parados ciertos grupos de católicos que sienten el incendio de la Curia, no por el salvajismo y vesania que supone, sino porque guarda materiales para el investigador; y que defienden de mejor gana el Casino que cualquier templo.

Novela psicológica y de tendencia religiosa

Más interés que las novelas que denominamos «sociales» y que acabamos de analizar ofrecen las «psicológicas», en cuanto reveladoras del ideario tanto estético como moral y sociológico del autor.

En su mayor parte estas novelas son auténticas obras de tesis, vaciado este término del sentido peyorativo que suele tener. Y hay entre ellas un bloque—el constituído por *Cautiverio, La noche toca a su fin, Miércoles Santo, La sombra del convento* y *Cántico espiritual*—en que se abordan conflictos de orden religioso o moral desde un ángulo católico y con gran independencia de juicio. Por la técnica y por la forma en que se tratan esos problemas puede incluirse al autor entre los precursores de la actual novela católica, no a la manera deliquescente y morbosa con que la cultivan algunos escritores del día, especialmente peninsulares, sino con un sentido franco, noble y valiente. Como no cabe atribuir al autor experiencia personal de los diversos estados psíquicos por los que hace pasar a sus personajes, forzoso es reconocerle dotes nada comunes de observador. En este aspecto disentimos de Anderson Imbert cuando afirma que al insistir Gálvez «en su catolicismo, su arte fué también achabacanándose» [8]. *El mal metafísico*, la novela del autor preferida por muchos, nos hace asistir a las tertulias literarias del Buenos Aires de principios de siglo, informándonos de paso sobre autores, corrientes, personajes, etc. Esto es lo de menos, con ser mucho. Lo principal es que, mediante una trama simplicísima—la historia de un escritor fracasado—, se contraponen dos conceptos de vida diametralmente opuestos: la real y la soñada. El protagonista, Carlos Riga, indeciso, bueno, soñador, muere asfixiado por el medio social. Su rectitud choca en todas partes contra el muro de lo real. Sufre una dolencia espiritual—«el mal metafísico»—y esa dolencia se llama ensueño; y otra corporal y física—la tuberculosis—. En lo externo y anecdótico se ha querido encontrar a esta novela analogías con la de Pérez de Ayala *Troteras y danzaderas*. En cuanto obra de clave, en cuanto descripción de ambientes intelectuales, en cuanto exposición de teorías estéticas, puede, en efecto, sostenerse el paralelo. Más allá, no. La de Gálvez tiene un alcance social que en vano buscaríamos en la de Pérez de Ayala.

Metidas de lleno en el clima religioso o moral hallamos: *La noche toca a su fin, Cautiverio, La sombra del convento, Cántico espiritual* y *Miércoles Santo*. Las cinco giran en torno a procesos de reedificación moral, o simplemente en torno a crisis de conciencia. *La noche toca a su fin* relata la vuelta al catolicismo de un periodista, Claudio Vidamor. El autor hace arrancar el proceso de un recuerdo trágico de la infancia que, al avivarse en la edad adulta, provoca la conversión; este recuerdo es «aquella mirada, mezcla de reproche tristísimo, de horror, de desesperación contenida, de infinita desolación» de su padre agónico, «al ver que sus compañeros de logia impiden la entrada de un sacerdote». Aquí también, como en tantos héroes de Gálvez, la falta de principios religiosos y morales empuja al protagonista, apenas salido de la infancia, a la mayor depravación. *Cautiverio* es la tragedia de la carne, siempre al acecho; creemos que es la menos lograda del grupo. *Cántico espiritual* describe las fases principales de la creación artística, desde sus formas elementales y más toscas hasta las más idealizadas, en busca siempre de la belleza absoluta. Es una obra de fondo simbólico en la que se pone de manifiesto el poder depurador del arte y la importancia de la conciencia estética. *Miércoles Santo*, una de las obras más densas e importantes de la literatura americana, pese a su corta extensión, es también de las más difíciles de interpretar; describe la jornada de un confesor ante cuya presencia van desfilando todas las miserias y bajezas humanas; su tragedia íntima—el recuerdo de un pecado juvenil, el único de su vida—le sigue atormentando a lo largo de dieciséis años. Al fin, ante la presencia de aquella jovencita que fué la causa de su pecado, vence a la tentación y muere ante la dulce mirada que le dirige la imagen de la Virgen. *La sombra del convento* nos traslada a la Córdoba de principios de siglo. Allí asistimos al proceso de conversión de José Alberto Flores, «escéptico, envejecido moralmente a los treinta años», quien en parte por hastío de su propia vida, en parte por un análisis de principios filosóficos y morales y en parte también por el contraste de la conducta de los incrédulos con la conducta de los creyentes, termina volviendo al seno de la Iglesia. Gálvez, que es católico militante y tiene a gala el serlo, no es tendencioso; deja a sus personajes obrar y discurrir libremente, nunca recurre a lo sobrenatural; y lo mismo en el caso de Flores que en los de otras novelas, siempre se llega a la fe por caminos lógicos, comprensivos y humanos. Con tal naturalidad y veracidad artística describe los procesos psicológicos de sus personajes, que tentados estaríamos a pensar que no hace más que describir estados anímicos de sí mismo.

Novela histórica

Profundo conocedor de la historia de su país —como lo acreditan la serie de documentadísimas biografías de argentinos ilustres con que honra su producción—, Gálvez ha dedicado a la guerra del Paraguay tres narraciones novelescas y siete al período dictatorial de Rosas. En estas últimas se puede decir que está resumida toda la vida argentina desde 1826 hasta 1852, año de la batalla de Caseros y de la subsiguiente caída del dictador. Prescindiendo de lo anecdótico de las tramas, digamos que Gálvez se enfrenta con Rosas animado de la mejor intención. No simpatiza, claro es, con sus métodos; pero tampoco se desata en denuestos como Mármol en su *Amalia*, o Sarmiento en su *Facundo*. Bien es verdad que Gálvez cuenta con una mayor perspectiva para enjuiciar la obra de don Juan Manuel; pero también es cierto que, dada su formación y su sentido de la filosofía de la historia, puede enjuiciar con más objetividad y con menos pasión. En estas novelas del ciclo rosista no es el político el que habla, sino el historiador y sociólogo. Y, a fuer de tal, intenta, ante todo, comprender a su hombre (lo que no pudieron o no supieron hacer Mármol, Sarmiento ni Echeverría). Gálvez explica la hegemonía de Rosas por la concurrencia de dos factores: la habilidad del «gaucho» Juan Manuel y el individualismo anárquico de sus enemigos, los *unitarios*, incapaces durante mucho tiempo de unirse para una acción común. En tal sentido la objetividad de Gálvez es absoluta. Así, en la «Advertencia» que figura al frente de *Han tocado a degüello* ha podido escribir: «Estas novelas no son precisamente históricas, sino de ambiente histórico. Argumentos y personajes han sido inventados por mí. Pero, eso sí, los acontecimientos reales están en absoluto acuerdo con la verdad.»

Y esta misma objetividad ha presidido la composición de la trilogía *Escenas de la guerra del Paraguay*: «He concebido aquella contienda como una guerra civil. He tratado con igual simpatía a las cuatro naciones—Argentina, Uruguay, Brasil y Paraguay. No he procedido en ningún momento con espíritu patriotero...; reflejo con fidelidad ambientes históricos. No es el autor quien habla, sino sus personajes.» De ahí que la figura del dictador paraguayo López esté trazada con el mismo amor histórico que la de Rosas en la serie anterior. López es un genio; el genio de la independencia, que sabe mantener en constante vilo a su pueblo, mitad por terror, mitad por admiración. Pero esta objetividad no le impide ser humano. Gálvez lleva un hálito cordial a todos los personajes, por insignificantes que sean. Ejemplo, ese Eusebio de *Humaitá*, en cuya alma escudriña el novelista hasta desnudarla y ofrecerla al lector en sus más íntimos pliegues. Lo importante en las obras de Gálvez es, ya lo hemos dicho, el reflejo de ambientes, de estados de alma colectivos, que se obtiene a fuerza de profundizar en cada uno de los individuos. La sinfonía de conjunto se logra a base de notas individuales sin que ninguna resulte superflua. El ambiente de extremismos, de pasiones idolátricas y de odios bestiales que provo-

ca el mariscal López, y que se refleja a lo largo de la trilogía, hace que las figuras secundarias pierdan en interés dramático y pasión lo que ganan en valor humano. La violencia de la lucha domina toda la obra recargada de cuadros fuertes. Apenas se encuentran a lo largo de la trilogía elementos idílicos o simplemente apacibles; incluso las escenas amorosas están envueltas en una atmósfera de tragedia, y las obligadas fiestas que impone el mariscal para evitar la desmoralización de la derrota, se hallan presididas por el dolor y el miedo: se funden con frecuencia las notas de la orquesta con el retumbar de las descargas que anuncian la muerte de los sospechosos. En cuanto a la técnica, tanto en las siete novelas rosistas como en las tres de la guerra del Paraguay, es siempre idéntica: la lucha, los avatares políticos, se reflejan a través de dos familias antagónicas.

Gálvez, y no podemos detenernos en sus cuentos, algunos de los cuales (*Un buen negocio, Luna de miel, Una santa criatura*) son perfectos en su clase, es, en definitiva, el narrador máximo con que cuenta ahora la gran nación del Plata. «Con él—ha escrito Eduardo Barrios—empieza la verdadera novela argentina. Tiene una robustez de composición, una amplitud para abarcar temas, una riqueza de observación para los ambientes, una alta inmutabilidad, en fin, para mirarlo todo desde el plano superior del gran novelista que, leyéndolo, sentimos en la conciencia algo así como un grito que desde antiguo deseábamos dar: ¡Al fin, verdadera novela realista en América!» Aclaremos por nuestra parte que el realismo no agota ni con mucho la novelística de Gálvez. Y digamos en cuanto a su estilo que es el ideal para la prosa narrativa: espontáneo, suelto y sin alardes literarios. Tal como él lo quería; tal como él lo aconsejaba por boca de Solís en *La maestra normal*, su primera novela: «Es preciso escribir como se habla.» Y antes había aludido a los escritores enfermos de literatura, los sensualistas del estilo; los «buscadores de palabras bonitas y nada más»; los que van a la caza del «período rotundo con el inevitable golpe de fin de párrafo». Literatura poco sincera; prosa sin vida. Habría que volver al ascetismo literario. Tal es el programa de Gálvez en lo que atañe al estilo. Y él suele cumplirlo al pie de la letra [9].

IV. TENDENCIA GAUCHESCA EN LA NOVELA ARGENTINA

La narración de tema gauchesco, dentro de la prosa, está representada por cuatro escritores notables: E. Gutiérrez, Lynch, Güiraldes y Gerchunoff. Pero ha de advertirse que la inscripción de estos cuatro novelistas en un mismo apartado no supone contactos recíprocos ni influencias mutuas; ni siquiera alude a similitud de técnicas. Simple-

mente se refiere al tema; los cuatro llevaron a sus novelas en uno u otro modo materia gauchesca. También lo gaucho dió base a Larreta para algunas narraciones; pero el tratamiento del tema, ya lo veremos en su lugar, es muy distinto. Por lo demás, cuanto se dijo en otro capítulo sobre la aparición del gaucho en las letras, sus caracteres, su significación social, etc., es válido para éste. Sólo que ahora todo aquello debe aplicarse a la novela.

E. Gutiérrez

Folletinesco a lo Dumas y a lo Fernández y González, aunque con menos fibra de novelista, el argentino EDUARDO GUTIÉRREZ (1853-1890) tiene derecho a una mención en la historia de las letras americanas como creador de un tipo, el del gaucho Juan Moreira, que de la novela saltaría al teatro para llenar un capítulo de la dramaturgia rioplatense. Sin salir del área de la novela, ya hemos visto el jugo que supo sacarle Payró en *El nieto de Juan Moreira.* Gutiérrez no había sido tan afortunado. Su gaucho es una especie de Diego Corrientes pampeano, sin la nobleza y el perfil simpático del bandido español. Juan Moreira, una vez puesto fuera de la ley al no obtener la debida justicia de los organismos encargados de administrarla, se lanza por los caminos del crimen y comete tantos asesinatos que provoca náuseas. *Juan Moreira* (1880), sin embargo, abrió camino. Publicó Gutiérrez durante su breve vida hasta treinta novelas. Las más célebres son: *El jorobado, Un capitán de ladrones* y *Juan Coello.* En las tres, al igual que en las restantes, se conjugan elementos reales y fantásticos, buscando casi siempre la emoción por el camino de la truculencia.

Lynch

A otro rango pertenece la producción novelística de BENITO LYNCH (1885-1951). Escritor realista, observador directo y veraz del campo argentino, cuyo ambiente, circunstancias y tipología reproduce con toda exactitud. Como que Lynch conocía muy bien la pampa por haber vivido en ella mucho tiempo. Su documentación, por tanto, es de primera mano. Así su obra se distingue tanto de la de otros novelistas de la pampa. Aludimos a Güiraldes, a Larreta y al mismo Reyles; más literatos, si se quiere, pero mucho menos auténticos. Imbuídos del espíritu europeo, nos dan una visión más o menos deformada del gaucho y de su ambiente. La visión de Lynch es exacta. Pero esa exactitud no le impide observar las cosas con ojos impregnados de humor. Un humorismo, es cierto, bondadoso, lleno de afecto. No en balde Lynch era de origen irlandés, lo que vale tanto como decir un espíritu apasionado. Precisamente en esto se aparta de otros novelistas argentinos; por ejemplo, de Payró. Este, con la socarronería propia del criollo, se burla de sus personajes, los desprecia; si por alguno siente simpatía es por el pícaro Laucha. Lynch, en cambio, los compadece, los ama; como que ha vivido con ellos y ha tenido tiempo de conocerlos en su integridad.

Esa visión tan exacta como humana a que se acaba de aludir resplandece en toda la obra de Lynch, lo mismo en los cuentos y narraciones breves—*La evasión, El paquetito, Palo Verde, El antojo de la patrona, Locura de honor,* etc.—, publicadas entre 1922 y 1926, que en las novelas extensas—*Plata dorada* (1909), *Los caranchos de la Florida* (1916), *Raquela* (1918), *La mal callada* (1923), *El potrillo ruano, El inglés de los güesos* (1924) y *El romance de un gaucho* (1930). Todas ellas reflejan trozos de la vida argentina; todas están escritas con la misma fidelidad; en todas los personajes se expresan en un idioma lleno de calor, de vida; a veces con metáforas tan inesperadas—ya se sabe la importancia de la metáfora en los medios rurales—como henchidas de evocación; todas están construídas con arte consumado, arte que no se acusa al exterior, pero que se adivina en toda la marcha y proceso de la novela. A veces, con mucha frecuencia, los análisis de estados internos que ofrece Lynch delatan un maestro de la novela psicológica; a veces nos sorprende el realismo de las descripciones. Léase la del incendio en *Raquela,* que ha sido comparada con las mejores de Pereda. Para algunos—Anderson Imbert—su obra maestra es *El inglés de los güesos,* construída sobre una trama tan sencilla como original: la muchachita alegre, vivaracha y un tanto coquetuela, que se enamora de míster James, antropólogo que llega a la pampa en busca de osamentas de indios. El gaucho Santos Telma, novio de la joven, hiere al inglés en un acceso de celos. Balbina lo cuida y el trato aumenta su amor. Pero el inglés ha de regresar a su patria y la joven, desesperada, se suicida. Otros—Vicente Salaverri, Cejador—dan preferencia a *Los caranchos de la Florida,* basada en la incompatibilidad de caracteres entre don Francisco Suárez Oroño, rico hacendado, y su hijo Panchito; incompatibilidad que tiene un desenlace no por imprevisto menos verosímil: la muerte violenta de ambos. En *El inglés de los güesos* el gaucho sigue siendo el hombre aferrado a la pampa y su lenguaje sentencioso y apicarado corresponde al concepto tradicional que tenemos de lo gauchesco. En *Los caranchos de la Florida* nos encontramos con un gaucho refinado, culto, que filtró sus ideas y sentimientos en Europa, pero que, a pesar de todo, no ha conseguido dominar los impulsos primitivos. En ambos casos nos hallamos ante personas de carne y hueso.

Para Cejador *Los caranchos de la Florida* es una de las mejores novelas escritas en castellano durante los últimos tiempos. No falta, por último, quien otorga la primacía a *Raquela* (1918). Gálvez descubre en esta narración valores artísticos—gracia y sal fina—, ausentes en las otras. Todavía cabría referirse a los cuentos: *La evasión,* ese sangriento relato en que se conjuga una historia amorosa, la de Mabel y Jaime, con las tropelías llevadas a cabo por un grupo de evadidos del presidio; *El paquetito,* sátira social de costumbres depravadas; *El antojo de la patrona,* deliciosa estampa hogareña, en que una esposa sacrifica sus gustos por complacer a su marido; y *Palo Verde,* historia de un joven bondadoso y pusilánime que siente renacer su hombría al contacto del amor y mata al pendenciero que intentaba arrebatarle el afecto de su novia. En todos ellos Lynch se acredita de observador, que sabe captar cuadros de vida, retenerlos en la memoria y luego transcribirlos en un estilo demasiado llano a veces, pero siempre henchido de expresividad.

Güiraldes

Todo lo que hay en Lynch de copia directa del natural, lo hay de artificio en Ricardo Güiraldes (1886-1927), con quien la novela gauchesca cobra un tinte especial. Esencialmente psicólogo, la continuada lectura de los simbolistas franceses, unida a influencias modernistas, da a su prosa un tono poemático, en el que si de una parte son dignas de admirar la concisión del relato y la audacia de las imágenes, de otra no puede menos de sorprender cierta inadecuación entre los personajes y su forma de expresarse. Y es que Güiraldes antes que nada era poeta; un poeta que ya en 1915, con sus versos *El cencerro de cristal,* se incorporaba a las tendencias más avanzadas de aquella hora, constituyéndose en auténtico precursor del «creacionismo» y del «ultra». Los *Cuentos de muerte y de sangre,* que publica el mismo año, si no son cosa lograda, anticipan al escritor enamorado del campo argentino, en donde él iría a buscar sus mejores obras. Estas son: *Raucho* (1917), *Rosaura* (1922), *Xaimaca* (1923) y *Don Segundo Sombra* (1926).

En *Raucho*—anotemos el nombre de su protagonista, Raucho Galván, cuyas iniciales corresponden a las del mismo Ricardo Güiraldes—se nos da un análisis doloroso, punzante, de la juventud argentina que, atraída por el espejuelo de París, abandona el suelo natal para residenciarse en Europa. Raucho viene a ser una especie de hijo pródigo. Los placeres parisinos no logran saciar su alma atormentada, sin duda por no haber logrado desasirse enteramente de lo que en su sangre lleva de gaucho. Fracasado en su ideal, dice a su amigo Rodolfo: «Cuando vuelvas a la tierra, al primer gaucho que veas dale un abrazo.» Al regresar, tras una enfermedad, a la casa paterna, lleva en lo más hondo del alma cierta aversión contra París. La obra no fué bien recibida por la crítica, que desde el primer momento descubrió en ella lo inadecuado de la expresión. El mismo Cejador, que calificó a su autor de «escritor suelto..., colorista y veloz», no pudo menos de censurar las «salidas extravagantes y enteramente gongorinas». *Xaimaca,* más lograda, es una narración impresionista y poemática, en que lo tenue de la trama—viaje de Buenos Aires a Jamaica, amenizado con una aventura amorosa— queda ampliamente compensado por el autoanálisis que el protagonista realiza sobre su propia alma, en cuanto ésta va sirviendo de espejo al mundo exterior. Concebida en forma de «diario», género el más apto para la evocación, plantea el eterno problema de la lucha entre la sensualidad y el misticismo. Frases como «las cosas se inscribirán en mí según mi idiosincrasia» podrían hacer pensar en una técnica naturalista, concretamente en aquella de «la realidad a través de un temperamento», pero nada más alejado del naturalismo que la técnica sugeridora de Güiraldes. Con *Rosaura,* un idilio apacible y sin estridencias—así la tituló al principio: *Idilio de estación*—, Güiraldes nos dió la novelita apacible, sentimental, sencilla, casi una «novela rosa», si no fuese por el tono impresionista y el matiz imperceptiblemente irónico con que está redactada; el propio autor nos dice que la escribió «para satisfacer el deseo de las jovencitas de la familia, que le reprochaban escribir cosas que todavía no les era permitido leer».

Por último, *Don Segundo Sombra* colocó a Güiraldes en el plano de los grandes valores literarios, otorgándole, no sólo en la Argentina, sino también en el extranjero una credencial de escritor de primer orden. Desde su publicación en 1926 viene siendo considerada obra paralela al *Martín Fierro.* Este sería el gran poema en verso de la vida gauchesca; *Don Segundo Sombra,* el gran poema en prosa. En rigor es la cima del arte expresivo de Güiraldes; y su héroe, don Segundo, sin perder su naturaleza de carne y hueso, es todo un símbolo. «Aquello que se alejaba era más una idea que un hombre», se nos dice al final. Torres Rioseco opina que a Güiraldes le faltó la «perspectiva sociológica y política de la vida gauchesca». Más bien parece que dejó a un lado deliberadamente esos aspectos, atento sobre todo al alma de su personaje y a la evolución que en ella se opera. Es lo mismo que hicieron nuestros escritores de la picaresca—Mateo Alemán y Quevedo—, que, conscientes del momento y de la transmutación sufrida por el género, se desinteresan de lo social y político para ahondar más y más en lo psicológico. Güiraldes se nos aparece así como la síntesis y culminación de la novela gauchesca. Su gaucho reacciona de otro modo: ni acude al crimen como en Lynch, ni deserta como en Reyles, ni se suicida por incapacidad de adaptación como en *Zogoibi,* de Larreta. Simplemente se refina y procura adaptarse al medio. De ahí su modo de expresarse, tan distante y distinto de los anteriores. Sin que esto quiera decir que haya de aprobarse íntegramente el lenguaje de *Don Segundo Sombra.* Hay demasiada metáfora, demasiada poesía y, también, demasiada intervención de lo sobrenatural.

Entre los cuentos de Güiraldes subrayaremos: *Facundo, Don Juan Manuel, Venganza, Compasión, El Zurdo* y *El capitán Funes.* Notas dominantes en todos ellos son la violencia y la obsesión sexual. Mayor interés que los mencionados —la mayoría se reducen a simples anécdotas—tienen los cuatro relatos que integran *Aventuras grotescas,* con algún innecesario rasgo anticlerical, y los de la *Trilogía cristiana,* en especial *Güelé,* sobre la conversión de un sanguinario caudillo indio al cristianismo.

Gerchunoff

Casi no nos atrevemos a incorporar a la lista de narradores gauchescos el nombre de ALBERTO GERCHUNOFF (1884-1951?); pero el simple título de su obra más conocida, *Los gauchos judíos,* nos induce a ello. Fué Gerchunoff un escritor brillante y prolífico, si bien la mayor parte de su obra quedó dispersa en las planas de los periódicos, sin alcanzar su integración en volúmenes separados. Judío militante, se constituyó en el campeón de su raza dentro de la Argentina, lo que no le impidió convertirse al mismo tiempo en un «criollo criollísimo», al decir de Mújica Láinez. Gracias también a ello, a esta aclimatación absoluta al país adoptivo, Gerchunoff pudo observar con ojos desapasionados el proceso de adaptación de su raza a la sociedad y tierra argentinas, para estudiarlo primeramente y ofrecerlo después a nuestra consideración en sus rasgos esenciales.

Su novela más importante, *Los gauchos judíos,* tiene ese significado. A través de diversas estampas el lector puede seguir todo el proceso incorporativo de una raza, la hebrea, a otro medio social distinto, con la consiguiente amalgama y creación de un nuevo tipo étnico: el gaucho-judío. A lo largo de la novela asistimos a la estéril lucha de los rabinos por conservar la pureza de sus leyes, usos, costumbres y creencias religiosas. Los hijos de esos mismos rabinos van adoptando trajes y prácticas de vida propios de la región en que viven; aprenden a «enlazar» potros y a «bolear»; pierden el respeto a la festividad sabática; entran con desgana en la sinagoga; elogian y admiran al criollo y buscan su amistad. Las jóvenes hebreas aceptan el amor de los criollos y hasta lo prefieren con frecuencia al de sus hermanos de raza. En las veladas se mezclan las evocaciones de la cautividad de Babilonia con el relato de las hazañas de aquel gaucho que mataba tigres a facón en la selva de Montiel. Todo ello expresado en un lenguaje colorista, sensorial, típicamente bíblico y dentro de una transmutación de tonos, que permite pasar al autor casi insensiblemente de lo grave y trascendental a lo jocoso e irónico. Gerchunoff reparte por igual la simpatía entre judíos y criollos. Junto al rabí venerable aparece el recio boyero don Remigio, capaz de romper la cabeza a su hijo por retroceder en una riña. Lejos, pues, e' dramatismo que subrayamos en el drama del mismo título—*El gaucho judío*—de Carlos Schaefer Gallo. Aquí domina un clima de bonanza y todo va disuelto en un ambiente eglógico, que plasma en la fusión pacífica de las dos razas. Son de notar los toques descriptivos, no por breves menos bellos: esa zona entrerriana, donde todos trabajan y el cristiano no odia «porque allí el cielo es distinto y en su alma habitan la piedad y la justicia». Cuadros magistrales: la recolección del primer trigo; el cuento de las brujas; la destitución del alcalde; las bodas truncadas de Raquel y Pascual Liskas. Y tipos soberbios: el médico Yarcho, el rabí matarife, don Estanislao Benítez, don Remigio Calamaco; la muchacha judía que huye con el peón criollo; el peoncito Jacobo que canta vidalitas; etc.

Otras narraciones de Gerchunoff son: *El hombre que habló en la Sorbona* (1926) y *El hombre importante* (1934), sátiras políticas escritas en forma despreocupada, suelta y sugestiva, con ese leve matiz de humorismo que Gerchunoff acertó a llevar a toda su obra.

V.   LARRETA Y OTROS NOVELISTAS ARGENTINOS

Con Gálvez, Payró, Güiraldes y Lynch forma ENRIQUE RODRÍGUEZ LARRETA (n. 1873) [10] la plana mayor de la novela argentina contemporánea. Es el típico representante de la prosa modernista aplicada a la novela. En tal aspecto llena un vacío análogo al de Rubén Darío en el verso. Con la natural distancia. Porque por mucho que queramos agrandar la figura de Larreta, y nosotros no tenemos inconveniente en hacerlo, siempre ha de quedar por debajo de Rubén. Hombre de mucha cultura y bien apuntalada de estudios clásicos, conocedor del latín y del griego—fué algún tiempo profesor de esta lengua—y no menos conocedor del castellano, al que ha sabido imprimir con frecuencia un cuño clasicista de la mejor marca, Larreta cuenta en su haber con una lista de obras, especialmente novelas, muy dignas de estudio. Su sólida situación económica le ha permitido redactarlas morosamente, sin apremios, puliéndolas y repuliéndolas día a día y casi año tras año. Alguno de sus dramas ha tenido hasta tres versiones: *La lampe d'argile, Roma* y *Pasión de Roma,* tres títulos distintos y una sola pieza verdadera. Sus frecuentes contactos con Europa—ha vivido largas temporadas en Francia y en España—han abierto su espíritu a las corrientes ideológicas más avanzadas, dando a sus escritos un alcance universalista y trascendental, que no tendrían de haber permanecido el autor encerrado en las orillas del Plata. Pero este universalismo no está reñido con un gran sentido de la tradición, como no lo está su expresión moderna, modernista, si se quiere, con el empleo de un lenguaje selecto y castizo, que hace recordar a los mejores prosistas del Siglo de Oro. Incurso en la retórica del modernismo, se puede comparar, aunque sólo sea por su actitud esteticista frente a la realidad, con Ramón del Valle-Inclán, sin que la comparación pueda rebasar nunca la línea de lo puramente formal. Porque en el fondo, difícilmente encontraremos dos escritores más opuestos: Valle-Inclán no persigue fin alguno más allá de la simple expresión artística: sus personajes, auténticos peleles, están vacíos de humanidad; Larreta plantea problemas hondamente humanos, con personajes que son verdaderos agonistas. No importa que su complejo vital se resuelva casi siempre en el fracaso.

La poesía de Larreta

Ha escrito Larreta poesía, ensayo, teatro y novela. En este último género ha de buscarse lo mejor de su producción. Como poeta, su único libro de verso, *La calle de la vida y de la muerte* [11], integrado por ochenta y ocho sonetos, mitad aproximadamente endecasílabos y mitad alejandrinos, apenas nos da sino un vate de segundo orden. Hay en ellos más cerebro que emoción; más técnica que estro. Tienen, eso sí, un alto valor en cuanto expresión de la ideología, tanto estética como filosófica y hasta religiosa, del autor. Si no supiésemos que todo poema lírico debe ser trasunto del alma del poeta, diríamos que son sonetos autobiográficos. En este orden completan el ensayo *Tiempos iluminados,* del mismo Larreta, y nos documentan ampliamente sobre sus gustos e ideas. Iniciada la serie con el afán de evasión de los tres *Preludios,* continúa con los alusivos a recuerdos infantiles y de la adolescencia; pasa luego al plano cultural, con reminiscencias del mundo helénico; y seguidamente, a España, con su complejo mundo. España, como encrucijada de civilizaciones, razas y creencias, es uno de los grandes temas de Larreta, lo mismo en la novela que en el ensayo. Aquí, en la lírica, España se sintetiza en tres latitudes geográficas: Granada, Vasconia y Avila. Para Larreta, esta última ciudad es el símbolo más acabado de la España del siglo XVI. No faltan los poemas inspirados en la conquista de América: fundación de Buenos Aires, don Pedro de Mendoza, etc.; ni los referentes a la patria argentina, a su tierra, a su destino. Una temática, como se ve, bastante amplia. Lástima que, a través de lo rebuscado de las imágenes y de lo escogido de la adjetivación, se transparente demasiado la

técnica; poemas, en fin, que revelan lo que sabe el autor, que no es poco, mucho más de lo que siente, que es bastante menos.

Obra dramática

En el teatro, aun teniendo obras muy estimables, Larreta tampoco aporta nada nuevo. Pareció que con *Tres films* se iniciaba una nueva técnica; y el mismo autor debió de creerlo así. En efecto, la rapidez del diálogo, el escenario en continua mutación, a la manera del cine, suponen un experimento, por otra parte ya ensayado tanto en América como en Europa. Anticipemos que ninguna de las tres obritas—*Fuerte como la pampa, La huerta* y *En la tela del sueño*—tienen levadura suficiente como para renovar el teatro. Se trata de tres dramas, a los que sirve de tema el binomio amor-muerte. Por cierto que esta idea del amor y de la muerte como inseparables compañeros es constante en la obra de Larreta. Es la más persistente y arraigada de cuantas ideas de raíz española se agitan en su espíritu, tan clásico por otra parte. Ahora se nos da el amor a través de tres situaciones que marcan un ritmo ascendente, tanto en lo moral como en lo físico. En *Fuerte como la pampa,* el amor-pasión que, rompiendo convencionalismos, llega al asesinato por celos; en *La huerta,* el amor matrimonial, inicialmente sereno, que, turbado también por los celos e incapaz de recobrar la antigua calma, se entrega voluntariamente a la muerte, como única liberación; *En la tela del sueño,* el proceso amoroso que se resuelve en ficción, en irrealidad. El triunfo está en la fuga, en un cerrar los ojos al mundo circundante para abrirlos al mundo del ensueño, que podemos fabricar nosotros mismos, y en el que nos es dado crear una vida más noble y pura. «Para una buena imaginación, un solo árbol vale toda una selva; una sola rosa, toda la gracia del mundo... ¿La verdad? ¿Para qué? ¿Qué importa la verdad? La verdad hay que dejársela a los esclavos.»

Menor interés tiene el resto de las obras dramáticas de Larreta: *La lampe d'argile, Roma* y *Pasión de Roma*—tres refundiciones, ya queda dicho, de un mismo drama simbólico—, sobre la fusión del mundo pagano-cristiano, representada por el abrazo de Pablo y Soledad; *La que buscaba Don Juan* (estrenada, en 1923, con el título de *La luciérnaga),* de carácter histórico y en verso, con una intriga de amor que se desarrolla en las cárceles del tirano Rosas; *Santa María del Buen Aire,* en forma de estampas, sobre la primera fundación de Buenos Aires, por Pedro de Mendoza; *Tenía que suceder,* especie de novela dialogada a la manera de algunas piezas de Galdós, de acción lenta, y por ello poco apta para la representación; *El Linnyera,* drama rural y de tono simbólico; *Jerónimo y su almohada,* probablemente la más pesimista de cuantas ha escrito Larreta.

Las novelas: «Artemis», «La gloria de don Ramiro», «Zogoibi»

Un párrafo aparte merecen las novelas. Es en ellas donde reside el mérito y la fama de Larreta. Su primera narración, ya en 1896, fué *Artemis*, una novelita, mejor diríamos un cuento, en que se nos traslada a «la Grecia de los sofistas» y se nos narra la pasión de la hetaira Mircia por el atleta Dryas de Mesenia. La hetaira cita a su amado en el bosque de Artemisa, para ofrecerle su amor; pero cuando está a punto de sucumbir, la visión de la diosa le libera del sortilegio de la bella. El atleta huye, se presenta en el estadio y gana la victoria. A pesar de su brevedad, no excede de dieciséis páginas, interesa la obrita como anticipo de un estilo y un ideario. El estilo se refleja en la prosa tersa, colorista, severa y cuidada, que pasará luego a toda la producción de este autor; el ideario se polariza en torno a un problema básico no sólo en la novela, sino en el teatro de Larreta: la lucha del hombre entre los instintos y el ideal; mejor aún, la eterna dualidad del alma y del cuerpo.

En 1908 aparece *La gloria de don Ramiro*, que lleva el subtítulo *Una vida en tiempos de Felipe II*. Novela ésta que cae de lleno en la técnica impuesta al género por Flaubert en su *Salambó*; que aspira, por tanto, a la reconstrucción de un período histórico. Aquí, esa época es, nos lo ha dicho el subtítulo, la del reinado de Felipe II. Poca intriga novelesca y amplia información. Ya lo confirmará el autor: «Cuando me puse a escribir *La gloria de don Ramiro* contaba yo con gran acopio de autobiografías, algunas de las cuales eran entonces casi ignoradas, de crónicas locales, de cartas particulares, publicadas o inéditas; de ejecutorias, de probanzas de limpieza de sangre y hasta de papelotes notariales, hallados algunos en los cajoncillos de los contadores o bargueños que me vendían los anticuarios; todo ello agregado al tesoro de la novela picaresca, desde las más famosas hasta las más desconocidas y ramplonas, que también solían contener, estas últimas, su algo de bueno, según la observación de Cervantes sobre toda clase de libros [12].» Significa esto que a la elaboración de la novela precedió un meticuloso y abundante acopio de material informativo. Así, resulta *La gloria de don Ramiro* una obra perfecta en su género y, desde luego, más interesante por el cuadro o panorama social que despliega ante el lector que por la trama. Aquel «generoso esfuerzo de Larreta por penetrar en el alma de la España del siglo XVI», a que aludió Unamuno, tuvo un resultado feliz. En la novela se viven y respiran todos los ideales de la época evocada. Aunque don Ramiro nace un año antes de Lepanto, y la acción comienza todavía en plena gloria imperial, precisamente dos días después de la muerte de Santa Teresa, Larreta nos hace asistir ya a todo el proceso del declive español, tal como se concibe y admite por los modernos historiadores. El mundo árabe y el cristiano aparecen fundidos en Ramiro, hijo de cristiana y morisco. Las múltiples coyunturas por las que pasa el protagonista—estudiante, caballero, ermitaño y mendigo, cortejador de damas y bandolero—y los diversos escenarios en que se mueve, desde su nacimiento en Avila hasta su muerte, casi en olor de santidad, allá en tierras peruanas, suministran a Larreta ocasión para ofrecernos la vida española del XVI en los más distintos planos. Berenguer Carisomo ha comparado la obra de Larreta con la de Flaubert, y encuentra que el procedimiento estilístico de las dos novelas, *La gloria de don Ramiro* y *Salambó*, es el mismo; pero la evocación histórica es más lograda en Larreta, sin duda por la proximidad mayor del tema y por la abundancia de fuentes documentales [13]. No puede negársele cierto carácter tendencioso; Larreta simpatiza más con los moriscos que con los cristianos viejos. La misma prosa que emplea, aunque muy moderna y muy clásica a la vez—bisagüelo, agora, ponelle, aína, mesmo, sabidor, cobdicia—, no está exenta de lunares; donde menos se piensa saltan ciertos americanismos, que desentonan en un lenguaje tan prócer y cuidado: cuadra, pinchóle (en el sentido de hirióle con arma blanca). Pero todo puede perdonarse fácilmente ante la belleza de las descripciones y la grandeza del conjunto.

Zogoibi (1926) es la otra gran novela de Larreta. Ni mejor ni peor que *La gloria de don Ramiro*, simplemente distinta. Se concibió y planeó durante la primera gran guerra, como la historia del joven argentino que se enrola en la Legión Extranjera para regresar luego a su tierra natal. Larreta hasta llegó a documentarse puntualmente sobre la vida de trincheras para ambientar mejor la acción. Más tarde cambió de plan, y el protagonista no salió de su país. Dejemos que el mismo autor nos lo diga: «El protagonista no saldría de su tierra, y sería la vieja Europa la que vendría hacia él, en los labios pintados de una mujer, para desbaratarle su felicidad y hundirle en la tragedia. Sería también, en cierto modo, *Zogoibi* la humillada agonía del gaucho, en la verdad actual de esa pampa, que muchos en Buenos Aires sólo conocen por lecturas anacrónicas [14].» La alusión final es reveladora. El gaucho de Larreta no es el mismo de Gutiérrez, ni siquiera el de Lynch. Se trata del espíritu refinado, culto y sumamente sensible que sufre a la vez el tirón de la tierra ancestral y el atractivo de la civilización, encarnada en el progreso y en las estimulantes delicias que éste comporta. Una vez más, la lucha entre instinto y deber; una vez más también, el conflicto entre progreso y tradición. Tampoco aquí la intriga novelesca es fundamental. Se reduce a una historia de seducción: el joven e inexperto Federico Ahumada—¿no sugiere el apellido el recuerdo de Santa Teresa, la gran admiración de Larreta?—cae en las redes de una experimentada cortesana, Zita Wilburns, perdiendo con ello el amor de su novia Lucía. Abandonado por Zita, que parte para Europa, y por su novia, Federico se suicida. Buenos tipos: el cínico Maldonado; el generoso Pepe Domínguez, opiómano y víctima, como Federico, del señuelo de París; el padre Torres, tan conocedor del corazón humano y de los peligros que lo acechan; el mismo Federico. El proceso de éste, siempre luchando por rehabilitarse moralmente y siempre terminando por claudicar, está llevado con pulso firme y honda penetración psicológica.

Ultimas producciones

Orillas del Ebro (1949) nos ofrece un desenlace diametralmente opuesto. Cierto joven alavés, de rancia alcurnia, peregrina por la península—Andalucía y Castilla—tanto en busca de una razón de existencia como de un remedio contra la soledad. Hijo de vasco y de andaluza, ha heredado el recio temple del padre y la sensibilidad casi enfermiza de la madre. A todo ello se unen algunas salpicaduras ideológicas de su generación, que es, ni más ni menos, la del 98. Amores, aventuras galantes propias del joven adinerado, entrega esporádica al arte, en cuanto portillo de evasión, y, al fin, el matrimonio con una joven segoviana, de noble familia, y de la que se ve obligado a separarse por incompatibilidad de caracteres. La trágica muerte de un hijo natural del marido, años después, aproxima a los esposos, que terminan afincándose en el solar nativo. Al final vemos a los dos «cenceños, erguidos, señoriles», paseando por el camino que va desde Páganos a Laguardia. El propio autor ha calificado *Orillas del Ebro* de «novela breve, o cuento largo, o como quiera llamársele, de forma ceñida, estricta, concentrada, sin la rémora de las transiciones retóricas, y en cuyo desarrollo el secreto va enhebrando silencios... Es decir, todo lo contrario de lo que está ahora de moda en materia de novelas».

En sus dos últimas narraciones, *Gerardo o la torre de las damas* y *En la pampa* (1953 y 1955), nuevamente Larreta nos enfrenta con un personaje que inicia su vida de aventuras en la península para acabarla en América; y nuevamente busca la esencia de España en la superposición de dos mundos y culturas, la musulmana y la cristiana, o si se quiere, de dos concepciones de la vida: sensualidad y ascetismo. Ahora es un caballero de nuestros tiempos, Gerardo, el que encarna ese dualismo. Gerardo es argentino, pero de ascendencia española; toma parte en la guerra de 1936, del lado de la República; cae prisionero; se le libera, y después de muchas vicisitudes, desengañado, maltrecho espiritual y físicamente, regresa a Buenos Aires, para internarse después en las soledades de la pampa y acabar allí su vida. Gerardo es un fracasado; la causa de ese fracaso se llama autoanálisis. Piensa demasiado y, lo que es peor, sueña también demasiado. Berenguer Carisomo, sin duda el mejor comentarista de la obra de Larreta, pone de relieve la importancia del elemento femenino en esta y otras novelas del autor [15]. Nada menos que seis mujeres pasan por la vida de Gerardo; con cualquiera de ellas, menos María Franca, ya casada, podría haber unido su destino y haber sido feliz. Sin embargo, por un exceso de análisis, todas dejan en su alma idéntico poso de amargura.

En general, la obra de Larreta se adecua a un ideario estético previo. Este ideario nos ha sido esbozado con bastante detalle por el propio escritor en prólogos, discursos y, sobre todo, en la serie de ensayos agrupados bajo el título de *La naranja*. Y observamos, en primer lugar, cuánto influyeron en él las corrientes literarias de la época, especialmente el modernismo y ' el esteticismo. Porque no se olvide que el novelista argentino publica su primera novela, *Artemis,* el mismo año que Rubén sus *Prosas profanas,* es decir, en 1896. Con lo que no queremos, naturalmente, establecer paralelo entre ambos libros; sólo subrayar la identidad de influencias que debieron de pesar sobre ambos escritores, en especial las de origen francés, muy atenuadas en Larreta por su conocimiento directo de las literaturas clásicas. Esas influencias, aunque tempranas, habían de perdurar, en mayor o menor grado, toda la vida. «Soy de los que piensan—escribe—que en el estudio de cada escritor, de cada artista, habría que escudriñar sobre todo sus impresiones de infancia. Esa edad encierra casi siempre el secreto de las inspiraciones futuras.» Concretamente, por lo que hace al teatro, Larreta empieza admirando a D'Annunzio, y bajo su signo escribe *Pasión de Roma.* Pronto le encuentra «más ornamental que profundo, más sensual que filosófico». Y ello le lleva a españolizar esa misma *Pasión de Roma.* Estima que el acierto y perfección dramática reside en el ensamblaje de *idea* y *situación.* Juzga en lo referente al estilo que nada hay para formarlo tan provechoso como la lectura de los clásicos. «La mejor gramática, la de los grandes autores. Saturarse de buen idioma, aguzar en la continua lectura el propio sentido artístico del idioma, y luego, escribir naturalmente, instintivamente. La obsesión gramatical produce en nuestro oficio el peor de los calambres.» Respecto al protagonista, aconseja sobriedad narrativa, y lo mismo en cuanto al desenlace. «Para mí, todo protagonista—escribe en *La naranja,* epígrafe 54—, y en especial todo desenlace, tienen que ser una condensación, una cifra. Componer para componer, sin aquella intención de superlenguaje, es tarea que no me ha tentado nunca y que sólo admito en los demás cuando el arte es de calidad excelsa.»

Entre «la elegancia y la eficacia», entre «el delicado movimiento y la fuerza expresiva», no hace
falta decirlo, opta por la eficacia y la fuerza.

Martínez Zuviría

Dos novelistas de muy distinto signo, si bien
merecedores ambos de atento estudio, son Martínez Zuviría y Arturo Cancela. La crítica se viene
mostrando ya no adversa, sino despiada e injusta,
con GUSTAVO MARTÍNEZ ZUVIRÍA (n. 1883), más
conocido por el seudónimo de Hugo Wast, entre
otras razones porque no se ha preocupado de poner ni su lenguaje ni la temática de sus obras a
la orden del día. No se olvide que el grueso de
su producción aparece entre 1910 y 1935, en pleno
dominio del esteticismo, por una parte, y del psicologismo, por otra. Más claro aún: Hugo Wast
no ha querido saber nada de preciosismos estilísticos ni de complicaciones psicológicas a lo Proust,
a lo Gide o a lo Kafka, razón bastante para ser
condenado al ostracismo tanto por quienes persisten en confundir una novela con una joya de or-
febrería como por aquellos otros que la reducen a
la historia detallada de un caso clínico. De ahí la
proscripción de Hugo Wast; y de ahí que haya
historias de la literatura americana en que un
autor de cerca de cuarenta novelas, acaso las más
leídas en todo el territorio de habla hispánica, no
merezca una simple alusión. Se podría creer que
tales novelas carecen de rango literario, como incursas en ese género deplorable que hemos dado
en llamar «novela rosa»; o, lo que sería peor, que
están escritas sin el mínimo decoro y abordan
temas de nulo interés. Pues no; las narraciones
de Hugo Wast están redactadas en estilo limpio,
espontáneo y hasta elegante casi siempre; y giran en torno a problemas tan hondos y radicalmente humanos como son los celos, la venganza,
la ambición, la pasión política, etc. Se trata de
un tipo de novela legítimo, tan legítimo como el
que más; una novela, valga la redundancia, «muy
novelesca», lo que quiere decir con sólida armazón, bien construída, bien llevada en su intriga
y siempre en interés ascendente. Que haya tenido
entre el público americano y peninsular tan grande
de éxito no debe inducirnos a valorarla en más;
pero tampoco a desvalorarla. Hugo Wast no es
ciertamente un Dickens ni un Balzac, ni siquiera
un Palacio Valdés. Y el que le juzgue así pecará
tanto como el que quiera reducirle a un fabricante de relatos por entregas. En su copioso repertorio, que abarca los géneros más conocidos
—novela de tesis, histórica, sentimental, costumbrista, político-social, etc.—, se puede meter la
mano y extraer hasta una docena de obras muy
logradas. Alegre, la primera en orden cronológico,
historia de un negrito transportado a América, que
se enrola como grumete y perece en un naufragio;
Novia de vacaciones, idilio de un joven de la ciu-

dad con una muchacha campesina; Flor de du-
razno, patética narración en torno a una de las
más bellas figuras imaginadas por Hugo Wast, la
de Rina, atrayente joven burlada por un cínico;
Fuente sellada, también enmarcada en un ambiente rural; Valle negro, de intensa acción, que contrasta con el tono de apacibilidad dominante en la
obra de Wast; Ciudad turbulenta, ciudad alegre,
estampa veraz de la vida de Buenos Aires, con
alternancia de sátira, humor e ironía; Pata de zorra,
ameno relato sobre las aventuras de un catedrático de Derecho, don Triboniano, empeñado en
casar a la cursilona de su hermana con alguno de
sus discípulos. Entre las novelas de signo providencialista cabe citar Los ojos vendados, El vengador y La que no perdonó; entre las históricas,
La corbata celeste, sobre la época rosista; Lucía
Miranda, leyenda de la conquista, harto repetida
en todos los géneros; y la trilogía formada por
Myriam, la conspiradora, El jinete de fuego y
Tierra de jaguares; y entre las de intención apologética—Hugo Wast es militante católico—, El sexto sello, Juana Tabor y 666. Alude esta última
al año 2000, durante el reinado del Anticristo.
Este se vale como poderoso auxiliar de Juana Tabor, enamorada suya y encargada de fomentar la
apostasía, especialmente entre los sacerdotes. Dignos de mención son los estudios biográficos (novelados) de don Bosco, Alma romana y Su segunda
patria, aparte de Vocación de escritor, sobre la
técnica literaria en general y la creación artística.

Cancela y otros

De muy distinto carácter es la obra de ARTURO
CANCELA (n. 1892), novelista de pura cepa hispana.
Por su ascendencia celta y su innata propensión
al humorismo se podría emparejar con nuestro
Wenceslao Fernández Flórez. Cancela sabe también ver y observar el mundo para darnos luego
la visión de un hombre desengañado, un hombre
lleno de agudeza, que muestra su disconformidad
con el orden social y político, diluyéndola en un
raudal de bueno o mal humor. Por la pulcritud
del estilo, la observación del detalle y la impasibilidad ante su propia fantasía ha sido comparado
con Sterne [16]. Su mejor obra está recogida en Tres
relatos porteños, que se nos dan como otras tantas
facetas del Buenos Aires de principios de siglo.
Cancela rara vez glosa o comenta; deja que los
hechos hablen por sí mismos. Cuando apostilla,
lo hace sobre la marcha y rápidamente, con un
golpe de ingenio: «El embajador que, a pesar de
ser diplomático de carrera, tenía imaginación viva...» Los tres relatos se titulan: El cocobacilo
de Herrlin, Una semana de holgorio y El culto
de los héroes. El primero se refiere a la extinción
de una plaga de conejos mediante la inyección de
un bacilo descubierto por el profesor Herrlin. Se
asignan millones; se monta un complicado apa-

rato burocrático, con docenas y centenares de empleados; y cuando, por haber triunfado la oposición, se espera que todo venga abajo, el doctor Vértiz, nuevo presidente del país, declara que el tinglado debe continuar: «Es cierto que el conejo carece de existencia real; pero, en cambio, los empleados de la Protección Agrícola son una realidad tangible.» No se los puede abandonar a su suerte. *Una semana de holgorio*, mejor aún que la anterior, alude a la semana maximalista de Buenos Aires. El joven despreocupado Julio Narciso Dillón se ve de pronto convertido en peligroso agitador comunista. La sublevación se resuelve en una ensalada de tiros, con su correspondiente víctima: un viejecito que al oír la voz de «alto» sólo levanta el brazo izquierdo, por lo que cae acribillado a balazos. Observan su cuerpo y se percatan de que es manco. Cierra la serie *El culto de los héroes*, superior a las precedentes. Cuenta la historia de uno de tantos emigrantes enriquecidos a fuerza de sordidez y privaciones, que lucha ahora con alma y vida por hacer olvidar lo humilde de su origen. El afilador Juan Martín y su hija Juana María son dos tipos definitivos. En la misma línea humorística están *Tres cuentos de la ciudad* y la *Historia funambulesca del profesor Landormy*.

No queremos dejar en el olvido los nombres de ciertos escritores que, aunque más destacados en otros géneros, han dado a la prosa narrativa argentina de nuestro tiempo alto prestigio. Tales son Juan P. Echagüe, Manuel Ugarte, Carlos Octavio Bunge y Carlos A. Leumann. JUAN PABLO ECHAGÜE (1875-1950), nacido en San Juan y muerto en Buenos Aires, pertenece a una familia de rancio abolengo; se da a conocer pronto como crítico teatral competentísimo y deja como narrador dos obras de mérito: *Tradiciones, leyendas y cuentos argentinos* y *La tierra del hambre*. Es ésta una novela histórica en que se evocan, con un sentido muy español y en una perfecta ambientación, las andanzas y luchas de nuestros colonizadores, en su intento de fundar nuevas ciudades—Córdoba, Santiago, Tucumán—y abrir nuevas vías al progreso, transformando en tierra de bienestar una «tierra de hambre». La intriga amorosa que unifica los episodios; el estilo cortado, conciso, casi periodístico; y una gran belleza descriptiva contribuyen a dar mayor interés al relato. MANUEL UGARTE (1878-1951), político, orador, crítico, sociólogo e historiador notable, cuyas campañas en pro de la unión de los pueblos hispánicos alcanzaron amplia resonancia en América y Europa, también escribió buena y abundante prosa narrativa: *La sombra de la madre*, *La leyenda del gaucho*, *Tarde de otoño* y, sobre todo, unos *Cuentos de la pampa*, entre los que hay alguno tan logrado como *El curandero*, feliz contraposición del indio bárbaro con el indio ya civilizado. CARLOS OCTAVIO BUNGE (1875-1918), más erudito que literato,

escribió obras dramáticas—*Los colegiales* y *La primera batalla*—, varias novelas—*La novela de la sangre*, *Los envenenados*—y colecciones de relatos breves—*El sabio y la horca*, *La sirena* y *El capitán Pérez*—. Para nuestro gusto, su mejor producción es *El sabio y la horca*, serie de cuentos y leyendas basadas en nuestro acervo medieval. Así desfilan por estas páginas de amena literatura refundiciones de Berceo, Juan Manuel, el Arcipreste de Hita, Ayala, Villena, etc., sin olvidar, naturalmente, la inagotable cosecha del Romancero. Bunge compuso esta rica crestomatía de viejas leyendas con la sana intención de que «los jóvenes que no leen a los antiguos oigan de ellos». Sencillez y amenidad son sus notas más relevantes.

La tendencia psicológica de Gálvez es seguida por CARLOS ALBERTO LEUMANN (1883-1952), crítico en las páginas consagradas al estudio de *Martín Fierro*, poeta en *El libro de la duda y de los cantos ingenuos*, dramaturgo en *El novicio* y novelista en *La vida victoriosa*, *Trasmundo*, *El empresario del genio* y *Adriana Zumarán*. Esta y *Trasmundo* son las mejores. En *Adriana Zumarán* y *La vida victoriosa* se nos ofrecen acabados tipos de la mujer porteña, cuyo corazón ha sabido explorar Leumann con mirada penetrante y amorosa. Marta Zapiola, de *La vida victoriosa*, y Adriana Zumarán, de la novela de este título, son dos creaciones de gran novelista. Nada menos que Eugenio D'Ors ha escrito: «Para alcanzar revelaciones así se nenecesita la madera de un Stendhal, y acaso una madera más rara y de más precio.» Se diría que en una y otra novela el autor se complace en presentar casos de complicada psicología y de difícil análisis. Especialmente en *Adriana Zumarán*, en la que se sigue a la protagonista desde sus primeras sensaciones, envueltas en cierta atmósfera de fatalismo, hasta que la deja retirada y tranquila—con la tranquilidad del fracaso—en su propio hogar, viviendo sólo de recuerdos: «El matrimonio equivale para ella a la paz de un retiro conventual.» La técnica psicológica característica de su novela informa también la pieza dramática *El novicio*, con clara influencia de Ibsen, y que en algún momento hace pensar en el fatalismo consustancial a la tragedia griega; sólo que aquí el *fatum* es sustituído por la fuerza de las pasiones humanas:

Dalmiro, sobre el que pesa la implacable herencia de la degeneración, obedeciendo mandatos familiares, entra de novicio en un convento; abandona el amor que siente por Raquel, su compañera de juegos infantiles y novia actual, para no enfrentarse con su familia. En el convento sufre frecuentes alucinaciones eróticas, en las que se le presenta la imagen de su prometida. Antes de formular votos perpetuos obtiene permiso para visitar a sus padres; Raquel le insta para que salga del convento, pero, aconsejado por su hermana, regresa y pronuncia los votos. Cada vez más enfermo, cae en la herejía y es expulsado y excomulgado. Regresa al hogar, donde es acogido amorosamente por su madre, arrepentida de haberle sacrificado inconscientemente, y por la siempre enamorada Raquel. Minada su naturaleza por conflictos de índole física y moral, muere.

Sólo cabe hacer una breve mención de una serie de novelistas que presentan una amplia problemática: social, política, costumbrista, de tesis, religiosa y de protesta, que en algunos casos llega a la novela «proletaria». MIGUEL ANGEL CORREA (1882-1943), que en *La ciudad cambió de voz* nos ofrece la historia de la ciudad de Rosario a finales del XIX y principios del XX. Participa de lo costumbrista y de lo social, aspecto este último que puede resumirse en la frase de uno de los personajes: «Con perseverancia y contrabando juntaría millones.» El defecto más notable es el exceso de periodismo y la minuciosidad con que se describe la formación de Rosario, centro de anarquistas europeos que se transformarán luego en burgueses conservadores. CARLOS B. QUIROGA (1890), autor de relatos indigenistas—*La raza sufrida*—y costumbristas—*El lloradero de las piedras* y *Tormento sublime*—. ALBERTO GHIRALDO (1874-1946), más notable y conocido como poeta, y que en la novelas *Humano ardor* retrata a la sociedad porteña, con sus clandestinos y fanáticos anarquistas en sus luchas callejeras y declamaciones ácratas; el

tránsito de lo agrario a lo industrial, con un amplio sentido literario, se reflejan bien en esta novela. BERNARDO GONZÁLEZ ARRILI (1892), afortunado cuentista que ha sabido fundir ironía y ternura en relatos como *Protasio Lucero, La Venus calchaquí, La Virgen de Luján, Calle Corrientes entre Esmeralda y Suipacha*. Arrili ha cultivado asimismo la novela histórica—*La invasión de los herejes*—y la de tipo social—*Los charcos rojos*—. ALVARO YUNQUE (1893) muestra especial predilección por la vida de los humildes, y nos ha dejado un buen libro de psicología del niño desvalido en *Bichofeo*. La misma tendencia sigue ELÍAS CASTELNUOVO (1893).

El problema inmigratorio ha sido tratado por PABLO ROJAS PAZ (1896) en *Hasta aquí no más*, de carácter antiimperialista, y cuya acción se desarrolla en una hacienda azucarera de Tucumán; por ALCIDES GRECA (1896) en *La pampa gringa*; y por JOSÉ GABRIEL LÓPEZ en *La fonda*; la novela telúrica, por JUAN GOYANARTE (1900) en *El lago argentino*, con un desenlace de fracaso humano frente a la Naturaleza, análogo al de *La vorágine*, de José Eustasio Rivera, aunque sin el lirismo de éste; y el cuadro de costumbres y tradiciones halla un buen representante en JUAN CARLOS DAVALOS (1887), que en los *Cuentos y relatos del norte argentino* cosechó una antología de sus mejores narraciones [17].

VI. URUGUAY

Se puede afirmar en términos generales que la novela uruguaya de este período es por el tema novela rural, o si se quiere mejor, gauchesca, y por la técnica, naturalista. No es que no maneje otra técnica o no emplee otros temas, sino que ese procedimiento y esa temática la califican fundamentalmente y le dan fisonomía. Hasta aquellos narradores que, como Horacio Quiroga, arrancan del modernismo, pronto evolucionan hacia un naturalismo descarnado y llevado con frecuencia a su límite extremo. Lo que no ha de inducirnos a prejuzgar sobre la calidad de esa novelística, que en sus mejores representantes suele alcanzar alto rango.

Reyles

Es CARLOS REYLES (1868-1938) [18] el novelista uruguayo que mejor encarna la evolución del género desde el naturalismo a nuestros días. Preocupado del movimiento intelectual de la época, lector asiduo y viajero infatigable, lleva a la novela sus propios problemas, que casi siempre vienen a confundirse con problemas del hombre contemporáneo. Su afán renovador trasciende desde el campo literario al ideológico y al social. Novelista, quiere recoger en su obra las tendencias más señaladas

del género; rico hacendado, lucha por incorporar a la agricultura y la ganadería los últimos avances de la técnica. Su hacienda fué considerada a principios de siglo como la más progresiva del país. Pero, al mismo tiempo, ese señorito huérfano y millonario que era Carlos Reyles se dedica con afán innovador al cultivo de las letras, y en plena juventud escribe varios cuentos y narraciones largas, que habían de culminar en *La raza de Caín* (1900), novela que le consagra como el primer escritor del género en su patria. Antes había publicado su primera novela, *Beba* (1894), a la que siguieron *Primitivo* (1896), *El extraño* (1897) y *El sueño de rapiña* (1898), tres relatos impresos bajo el título general de *Academias*. Tras un paréntesis de dieciséis años y notablemente espaciadas aparecen: *El terruño* (1916), *El embrujo de Sevilla* (1922) y *El gaucho Florido* (1923). La última novela de Reyles, *A batallas de amor..., campos de pluma*, se publicó con carácter póstumo, en 1939. Tiene también alguna pieza de teatro y varios ensayos: *La muerte del cisne, Diálogos olímpicos, Incitaciones*. Pero no era el ensayo su fuerte. La vocación de Reyles estaba en la novela.

Las primeras muestras del género con que se da a conocer, *Por la vida* y *Beba*, delatan influencias de Zola. *Beba,* con una hacienda uruguaya por escenario, tiende a poner de manifiesto los perniciosos frutos de la unión entre consanguíneos. Tema naturalista, como se ve, con lo fisiológico en primer plano. En cambio, *Raza de Caín,* escrita bajo el influjo de Stendhal, Barrés y Nordau, casi prescinde de la consideración somática, para internarse por los caminos del análisis. Los tiene muy buenos: el de la coquetería de Laura, por ejemplo; o el de la envidia de Cacio, que anticipa en algún rasgo el Abel Sánchez de Unamuno. Psicología, pues, en vez de fisiología; pero psicología de tipos anormales, que buscan la evasión en un clima de extraños refinamientos, abocado primeramente al asesinato y luego al suicidio. Dentro del modernismo, más por el tema que por el lenguaje, están los tres relatos de *Academias,* juzgados en su día despectivamente por Juan Valera. *Primitivo* se mueve dentro del consabido triángulo esposo-amante-marido, con escasa originalidad; *El extraño* nos presenta un tipo de tenorio, Julio Guzmán, amante a la vez de Sara y de su hijastra Cora, con la cual se allana a casarle aquélla; con esta conducta amoral sólo consigue hacer desgraciadas a las dos mujeres. «Insufrible, degollante y apestoso», le llamó Valera. Tampoco *El sueño de rapiña* ofrece novedad. Pero con *El terruño,* Reyles da un salto y otra vez se pone a la altura de *Raza de Caín.* La vida activa del campesino y la contemplativa del intelectual están acertadamente contrapuestas en dos tipos bien definidos: Mamagela y su yerno Tocles. Mientras éste es un intelectual fracasado, que sueña con replicar al *Así hablaba Zaratustra,* de Nietzsche, con un *Así respondió Pérez González, un cerebro perdido en las penumbras del autoanálisis,* Mamagela es la mujer práctica, que ha acertado a condensar toda su filosofía en tres máximas escuetas: «Estar bien con Dios, no vivir a costillas del prójimo y tener el intestino corriente.» El conflicto encuentra una solución de compromiso: viendo Tocles que la suegra no está dispuesta a abdicar de sus principios, opta por conjugar ambas formas de vida, la del campo y la ciudad.

El embrujo de Sevilla, no obstante el desmesurado elogio de Unamuno—«jamás se ha hablado del alma española con tanta novedad y profundidad»—, apenas rebasa aquella línea de estampa bonita, si se nos apura mucho diremos de «cromo», lograda ya por los hermanos Quintero en el teatro y por Palacio Valdés en la novela. Ni siquiera la pondríamos al lado de *Currito de la Cruz* o de *La Virgen del Rocío ya entró en Triana,* de Pérez Lugín. La fábula está amasada con los tópicos de siempre: señorito arruinado y metido a torero; rivalidad con otra gran figura de la tauromaquia; amores, celos y, porque no falte nada, navajada de Pura, «la cantaora», quien hiere gravemente al torero cuando está a punto de ahogar a Pitoche,

antiguo amante de aquélla. Arrepentimiento de la moza; presentación a la justicia; penitencia con pies descalzos en la inevitable procesión de Semana Santa y doble boda final. Con ser la obra corta y la trama nada simple, aún queda espacio al autor para disquisiciones filosóficas, artísticas y sociales, salpicadas por tal cual exégesis, rara vez acertada, de la psicología española.

Tampoco en *El gaucho Florido* encontramos una novela perfecta; tiene tipos bien observados: Florido, Mangacha, Micaela, el sultanesco Ramón; la vida, costumbres y psicología del gaucho se nos dan bien trazadas; el mundo de ancestrales supersticiones en que se mueven los personajes ambienta perfectamente la acción. Pero ésta se distiende con frecuencia; por otra parte, las reacciones de Florido son demasiado violentas. Claro es que ya se nos anticipa en el subtítulo que se trata de la novela «de la estancia cimarrona y el gaucho crudo». La escena en que Florido se venga del calumniador, cosiéndole a puñaladas, cortándole la lengua y arrojándola ante la casa de Mangacha, será todo lo realista que se quiera, pero resulta un tanto desagradable. La tesis está resumida en las palabras de Florido a su amigo Sabana, cuando don Fausto, el patrón, les ofrece trabajo y ellos rehusan: «¡Ta esto tan cambiau! Los gauchos de nuestra laya no tienen cuasi qu'haser en las entansias grandes d'aura. Ya no se bolea, el laso poco se usa, los apartes se hasen en los bretes, no hay que lidiar con hasiendas chúcaras, las tropas las lleva el tren, los baguales se doman díabajo. Hay que agringarse pa' vivir. Y nosotros, a la que te criaste no ma. ¡Qué le vamo haser!... Tal ve éramo demasiau gauchos, enemigos de tuita sujesión.» Acaso en este proceso incorporativo del gaucho libre a la vida legal y civilizada, y en el acierto con que tal proceso se describe, está la mayor virtud de la novela que comentamos.

Con lo dicho no queremos descalificar la obra novelística de Reyles, obra en la que, aparte de los señalados, encontramos otros positivos valores: lenguaje fácil y brillante; mucho colorismo; sabia amalgama de la lengua académica con el habla popular; y un realismo en general de buena especie, aprendido directamente en su propia existencia, repartida entre el campo y la ciudad. Su mayor defecto en lo formal es el uso y abuso de extranjerismos, especialmente galicismos. El ser fundamentalmente un novelista de tesis, si por una parte le perjudica, ya que el propósito doctrinal aparece demasiado claro, en detrimento casi siempre del factor estético, por otra confiere a su obra un alto valor personal, ya que no se trata de un dogmatismo teórico cerrado, sino de unos cuantos principios que brotan y se nutren de la misma práctica. «La obra de Reyles—ha escrito Zum Felde—se presenta, pues, con un carácter muy personal e íntimamente vinculado con su propia vida. Hay mucho de autobiográfico en sus novelas. El Tilo de *Beba* es Reyles mismo; Guzmán, de *La raza de Caín*, es Reyles también. Y Tocles, hasta el propio Tocles, de *El terruño*, es asimismo Reyles en buena parte, ya que el autor pone en boca de sus personajes sus mismos discursos y les atribuye algunos de sus actos más notorios [19].»

Javier de Viana

Otro escritor uruguayo que repartió su vida entre la ciudad y el campo e hizo de éste principal tema de sus obras fué JAVIER DE VIANA (1872-1925) [20]. «Mi padre, como mi abuelo—escribió en sus apuntes—, era estanciero, y yo me crié en la estancia, aprendiendo a andar a caballo al muy poco tiempo de haber aprendido a caminar. En aquel medio agreste, teniendo por educadores al capataz y a los peones gauchos, que me divulgaron todos los secretos de la religión patriótica, aprendí a comprender las maravillas de la Naturaleza. Hasta la edad de once años permanecí en la estancia, sin ninguna contaminación con el ambiente de los poblados, chicos o grandes.» Queda por agregar que luego cursó estudios universitarios—latín, griego, francés, inglés, italiano, portugués «y hasta algo de castellano»—y siguió, no sabemos si llegó a terminarla, la carrera de Medicina. Dato este último muy importante. Porque Viana se nos revela desde el primer momento en su obra como un escritor incorporado al naturalismo, un escritor que aplica al cuento o la novela los métodos aprendidos en el laboratorio, especialmente los principios derivados del medio vital y de la herencia. Y de ese medio vital, que para él es el campo uruguayo, elige los ínfimos estadios, aquellos en que se mueve el gaucho degenerado, convertido por las continuas luchas y por el continuo expolio en bandido errabundo y al margen de la ley. La miseria y atraso del paisanaje, su perversidad y lujuria desenfrenadas, tanto por temperamento como por la total ausencia de principios morales, suministran a Viana amplia temática para sus narraciones. Así resultan ellas de duras, violentas y descarnadas; y así se nos ofrece el escritor, inmisericorde con sus personajes, no sabemos si por fidelidad a los principios preconizados por Zola o por la convicción que tiene de que esos personajes han descendido a tal grado de abyección, que pueden considerarse como irredentos.

De su copiosa obra narrativa—veinte volúmenes de cuentos y novelas—cabe extraer algunos títulos: *En familia* (recuérdese el drama del mismo nombre, de Florencio Sánchez), excelente descripción de un rancho misérrimo; *Pájaro bobo*, con la acción localizada en una ciudad del interior, y cuyo centro de atracción es el prostíbulo; *Mariquita*, tragedia del gauchaje; *Yuyos, Carlos, Macachines, Campo, Leña seca* y, sobre todo, *Gaucha*,

única novela de cierta extensión, estimada la mejor de cuantas escribió por el vigor de las descripciones y el relieve de los tipos. Al lado de *Gaucha*, y acaso en lugar más alto, hay que colocar *Gurí y otras novelas* (1901), nutrida serie de relatos, entre los que cabe subrayar: *En las cuchillas*, fuga y persecución de un caudillo blanco; *Sangre vieja, Las madres*, alegato sentimental en defensa de las madres que ven desaparecer a sus hijos a causa de las continuas guerras civiles; *La yunta de Uruboli, La azotea de Manduca* y, muy especialmente, el que da nombre y encabeza la colección: *Gurí*. Sobre un fondo de hechizos y supersticiones, proyecta dos figuras altamente sugestivas: Juan Francisco y Clara. Durante su estancia en Argentina escribió Viana y publicó varias obras de teatro—*La Nena, Puro campo, La marimacho, Los chingolos*—, que no tienen la importancia de su obra narrativa.

Su prosa, abundante en neologismos, es concisa, relampagueante y estriada. Está tan lejos del academicismo de las viejas escuelas como de las delicuescencias modernistas. Abunda en imágenes; pero son imágenes frescas, nuevas, inspiradas en el mundo rural circundante, con motivos tomados de la fauna y la flora que tenía ante sus ojos.

Quiroga

Tampoco es propiamente un novelista el otro gran narrador uruguayo de nuestra época. Aludimos a HORACIO QUIROGA (1879-1937) [21], cuyas obras deben calificarse de cuentos más que de novelas. Un signo trágico preside la vida de este hombre desde la cuna al sepulcro, y aun se puede decir que precede a su nacimiento y se prolonga más allá de su muerte. Siendo niño, su padre muere al dispararsele una escopeta; en otro accidente muere su hermano mayor; su padrastro fallece también en circunstancias trágicas. A los veintidós años, hallándose con su amigo íntimo Federico Ferrando manejando una pistola o enseñándole a manejarla, se le dispara el arma y mata al compañero. Su primera mujer, Ana María, de quien Quiroga parecía estar locamente enamorado, se suicida con una fuerte dosis de veronal. El propio escritor, aquejado de una dolencia al parecer incurable, pone fin a su vida ingiriendo cianuro. No termina aquí la cadena. Años después, su hija Egle sigue el camino del padre y de la madre. Este *fatum* por fuerza había de reflejarse en la obra literaria de Quiroga, que se mueve casi siempre en una sombría atmósfera de violencia y dramatismo. Especialmente, los relatos de la segunda y tercera etapa. Porque en Quiroga se pueden señalar tres etapas bien definidas: una primera, que corresponde a los veinte años y se manifiesta en su primer libro, verso y prosa, *Los arrecifes de coral*, muy modernista en el verso y muy influído en la prosa por Poe; una segunda, que va de 1904 a 1908, y se refleja en narraciones como *El crimen del otro, Los perseguidos* e *Historia de un amor turbio*, con reminiscencias, especialmente la última, de Dostoyevski; y una tercera etapa, mucho más prolongada, que empieza en 1917, con los *Cuentos de amor, de locura y de muerte*, continúa con los deliciosos *Cuentos de la selva* (1918) y va acreciéndose con otros muchos libros: *El salvaje* (1920), *Anaconda* (1921), *El desierto* (1924), *Los desterrados* (1926), *El regreso de Anaconda* (1926), la novela en buena parte autobiográfica *Pasado amor* (1929) y *Más allá* (1934). Todo ello sin contar algún esbozo dramático—*Las sacrificadas*—, algunas publicaciones póstumas—*El remate del Imperio romano, Una cacería humana en Africa*—e infinitos trabajos diseminados en diarios y revistas, todavía sin recoger.

De este acervo, en que predominan las narraciones de fondo patológico y alucinante, debe extraerse, porque constituyen excepción, los *Cuentos de la selva*. Auténticos relatos infantiles—*Para niños*, reza el subtítulo—, en ellos el autor despliega sus dotes de imaginación e inventiva, realmente asombrosas. Con frecuencia, la fábula transparenta el propósito aleccionador, y la enseñanza surge espontánea del fondo del relato. La más reiterada es la del sentimiento de gratitud: gratitud de la tortuga que el hombre le salvó la vida—*La tortuga gigante*—; de la gama al cazador que curó su cría—*La gama ciega*—; del loro hacia su dueño —*El loro pelado*—; de las rayas y otros peces del río Yabebirí al hombre que impidió su exterminio. De bien distinto tipo son los *Cuentos de amor, de locura y de muerte*. Aquí nos enfrentamos ya con el Quiroga buceador de temas morbosos y alucinatorios: la madre histérica que, para seguir su vida de vicio, no vacila en prostituir a su propia hija—*Una estación de amor*—; el orfebre Kassim, enfermizo y apocado, que asesina a su esposa clavándole un alfiler en el corazón—*El solitario*—; los cuatro hermanos que degüellan a su hermanita, única sana y normal de la familia, para repetir una escena que han visto antes en el corral—*La gallina degollada*—; el hombre devorado por las hormigas en la selva —*La miel silvestre*—. Sobre fenómenos de transmigración, locura y telepatía versan los relatos de *Más allá*. El primero alude a un cadáver que vuelve a la vida y relata su pasión imposible, realizada momentáneamente en el suicidio; otro nos habla del maquinista que va perdiendo la razón conforme el tren acelera su marcha—*El conductor del rápido*—; otro, del presentimiento de un padre que ve a su hijo con la frente perforada por una bala, presentimiento que luego se confirma en la realidad. Interesantes son también los titulados *La bella y la bestia, El ocaso, La ausencia, La señorita leona*. Las dos colecciones de *El salvaje* y *El desierto* nos introducen más y más en la Naturaleza. Quiroga, espíritu refinadísimo, amaba el campo, la selva, el bosque en su estado virgen. De ahí sus frecuentes evasiones de la ciudad y sus reiterados intentos, una vez y otra fracasados, de vivir en la selva explotando algún negocio. Pocos han conocido la selva como él, y pocos la han amado tanto. Se diría que las costumbres de las fieras le son tan familiares como las del hombre. En *Anaconda* nos describe una asamblea de serpientes de los más diversos tipos, reunidas para acordar la futura actuación frente al hombre que ha invadido sus dominios; en *El regreso de Anaconda* se relatan las hazañas de una boa que, gravemente herida, convive luego con los hombres.

Quiroga, que tantos cuentos escribió, nos dejó expuesta su teoría sobre el género en varios trabajos: *Ante el tribunal, La retórica del cuento* y, sobre todo, el *Decálogo del perfecto cuentista*. El primer precepto de este decálogo es muy significativo: «Cree en un maestro como en Dios mismo.» Pero él no se conforma con uno solo y busca cuatro modelos: Poe, Maupassant, Kipling y Chejov. De los cuatro tiene mucho el narrador uruguayo: de Poe, la alucinación y misterio; de Maupassant, la sabia conducción del relato, de modo que el interés vaya siempre *in crescendo*; de Kipling, la admiración, que a veces raya en fetichismo, por la Naturaleza; y de Chejov, el tono duro, agrio, de corte casi proletario, más atento a la acción y a su desarrollo que a la forma. Aquí está el principal fallo de Quiroga: descuidos estilísticos, que a veces degeneran en confusión; desaliño de lenguaje, que raya en lo pedestre. De ahí que, aun siendo un gran narrador, haya dejado pocos cuentos perfectos; lo cual no deja de ser una paradoja en quien había empezado su labor literaria en la línea del modernismo y del esteticismo.

Zavala, Fonseca, Amorim y otros

Los tres nombres que encabezan este epígrafe corresponden a tres novelistas que, sin tener la categoría de los anteriores, se les acercan en méritos, y por ello no deben pasar sin una alusión.

JUSTINO ZAVALA MUNIZ (n. 1898), que había cultivado el tema gauchesco en una obra de teatro ampulosa y retórica, *La cruz de los caminos*, utiliza el mismo tema para sus historias noveladas, *Crónica de Muñiz* (1921), *Crónica de un crimen* (1926) y *Crónica de la Reja* (1930). En la primera, escrita con el evidente propósito de rehabilitar a su abuelo, acusado de traición, asistimos a una serie de episodios, en los que la sangre corre con excesiva abundancia; en la segunda, continuación en cierto modo de la anterior, vemos evolucionar al gaucho desde su actitud salvaje, pero heroica, hasta una vida de crímenes y violencias, que acaba por asquear al lector; en la última, *Crónica de la Reja*, el gaucho es un mero recuerdo, una sombra del pasado, inmerso ya en la corriente del progreso. Lo que avalora la obra de Zavala Muniz y le da carácter dentro del género gauchesco es precisamente esta ligazón íntima entre el gaucho y la evolución política y social del país. Zavala no sólo incorpora al gaucho en el proceso evolutivo del Uruguay, sino que le confiere una categoría histórica, continuando de este modo la obra de Lynch y de Reyles.

A RODOLFO L. FONSECA (n. 1895) le bastó una novela, *Turris Eburnea*, premiada en concurso internacional, para alcanzar en América y en España inusitado renombre. El jurado que discernió el premio estaba integrado por Eugenio D'Ors, Sommerset Maugham, José María de Cossío, Walter Starkie y Fernando Gutiérrez. *Turris Eburnea* (1947) es en verdad una novela que se aparta del patrón corriente y que plantea un tema universal y muy humano: el de la maternidad. Lástima que para desarrollarlo haya tenido el autor que acudir a profanaciones de monjas, apostasías y otros excesos, no del todo inverosímiles, pero sí poco frecuentes, como no sea en las circunstancias descritas en el relato. La obra abunda en inexperiencias, y eso que el autor parece haberla redactado en plena madurez, pasados ya los cincuenta años. Los caracteres están exagerados, incluso el de Juana—fracaso de la maternidad—, que cae en lo melodramático. Los personajes son santos o demonios; el autor no conoce el término medio. La bondad suele ser bobalicona; la maldad, una maldad de opereta. No obstante, ha de reconocerse al autor buena intención y el propósito noble de dar un mensaje altamente humano [22].

Más cuajado como novelista que los dos anteriores ENRIQUE AMORIM (n. 1900), a quien se puede considerar tan argentino como uruguayo [23], se da a conocer muy joven, con el libro de versos *Veinte años*. Poco después, *Tangarupá* le revela como un excelente indigenista, de la cuerda de Reyles y de Quiroga. Quiroguiana es, en efecto, la visión de la Naturaleza. Pero Amorim sabe escribir por cuenta propia, y pronto se independiza del modelo. La Naturaleza, que en Quiroga lo era todo y absorbía a hombres y animales, pasa ahora a segundo plano. Amorim mira al campo; pero antes y con más intensidad mira al hombre que habita en ese mismo campo. También mira a la ciudad. De aquí que sus obras tengan el doble escenario telúrico y urbano. Esas obras, aparte de la citada *Tangarupá*, son: *Tráfico, La edad despareja, Las Quitanderas, El asesino desvelado, La luna se hizo agua, El paisano Aguilar, La carreta, El caballo y su sombra*; las más originales son las tres últimas y *El asesino desvelado*. Esta, la más tardía cronológicamente, no es, en rigor, una novela policíaca, aunque por su trama lo parezca. El dibujante árabe Tito Hassán abandona París al acercarse los alemanes, en la última guerra, y embarca para Argentina, su tierra natal.

Durante la travesía conoce a Gloria Levi, con la que contrae matrimonio al llegar a Madeira. Una fonocarta le revela ciertos antiguos amoríos de la esposa y, aquejado por los celos, la mata. Sólo que, cuando creía él haberla asesinado, estaba ya muerta. Todo era producto del insomnio. Tiene, por tanto, muchas analogías con la *Historia de un hombre contada por su esqueleto*, de Fernández y González, si bien en ésta, la alucinación se debe a la morfina. *El paisano Aguilar* se parece a *Don Segundo Sombra*, en cuanto ambas constituyen la transformación del gaucho y el análisis de su conducta en eje de la narración. Con *La carreta* se nos da un cuadro trazado según la técnica naturalista, de lo más crudo. La vida de las cortesanas trashumantes («quitanderas») se expone con un grafismo que da náuseas. Estupros, violaciones, asesinatos, etc., se encuentran a la vuelta de cualquier página. Sólo el acierto en la presentación de algunos tipos—Florita, don Caseros, las hermanas «Felipe», Marcelino Chaves—salva en parte la obra. Muy superior, *El caballo y su sombra* constituye un auténtico trasunto de la vida rural, con escenas tan impresionantes como la muerte de Azara a manos de Toribio.

Narradores destacados de Uruguay en nuestra época son asimismo ADOLFO MONTIEL BALLESTEROS (1888), que sobresale en la pintura de costumbres y en la reproducción del paisaje—*Cuentos uruguayos, Alma nuestra, Rostros pálidos, La raza, Fábulas y cuentos populares, Montevideo y su cerro* y *Castigo de Dios*—; empieza su labor literaria como poeta en *Primavera del jardín, Emoción* y *Savia*. VICENTE SALAVERRI, español de nacimiento y uruguayo de adopción, renovador de la prosa periodística, y que para sus relatos prefirió el género gauchesco—*Cuentos del Río de la Plata, El manantial* y *El hijo del león*—. ALBERTO LASPLACES (1887), muy inclinado a los temas nativos. OTTO MIGUEL CIONE (1875), que, nacido en Paraguay, adoptó la nacionalidad uruguaya y cultivó con relativo éxito la novela—*Maula, Caraguatá, Chola se casa* y *Lauracha*—. FERNÁN SILVA VALDÉS (n. 1887), que tuvo ya su mención como poeta nativista, y aquí también la merece como autor de unos *Cuentos del Uruguay*, en que se mezclan mitos, tradiciones, leyendas, misterio, magia y agüería. EDUARDO ACEVEDO DÍAZ (1882), hijo del gran novelista de la independencia y de las guerras civiles de Uruguay, y novelista él también de costumbres regionales—*Ramón Hazaña*—, si bien queda a bastante distancia de su padre.

NOTAS

1. Nacido en Mercedes (Buenos Aires) en 1867. Estudia en el Colegio de San José y se da a conocer como escritor a los veinte años, con *Novelas y fantasías*, colección de cuentos de diverso carácter. En 1899 funda la revista humorística *Arlequín*, y luego, en Bahía Blanca, el periódico *La Tribuna*; más tarde pasa a *La Nación* como redactor. En la primera guerra europea (1914-1918) actúa como co-

rresponsál de aquel gran diario, en Bruselas. Ardiénte aliadófilo, es perseguido y encarcelado por los alemanes, y hay momentos en que se llega a temer por su vida. Vuelto a Buenos Aires, se consagra totalmente al periodismo y a la literatura. Muere en 1928.

2. «Hay algunos—le dice Papagna—que quieren casarse, sí, pero que no les pongan el casamiento en el libro... Entonces yo les hago un certificado con un papel suelto y se lo doy para que lo guarden... Si la mujer es buena, ellos lo guardan; pero si no es buena, lo rompen y se mandan mudar si quieren, y la mujer no puede hacer nada... Yo tengo permiso para casar así, pero nadie tiene que saberlo, porque es un secreto de la Iglesia... y también es mucho más caro que el otro casamiento.»

3. Ya en el calificativo *Divertidas* salta a la vista la sátira del autor; el protagonista se autodefine en los siguientes términos: «Desde niño he logrado, detalle más, detalle menos, todo cuanto soñaba o quería, porque nunca me detuvo ningún falso escrúpulo, ninguna regla arbitraria de moral, como ninguna preocupación melindrosa, ningún juicio ajeno. Así, cuando una criada o un peón me eran molestos o antipáticos, espiaba todos sus pasos, acciones, palabras y aun pensamientos, hasta encontrarlos en falta y poder acusarlos ante el tribunal casero, o—no hallando hechos reales—imaginaba y revelaba hechos verosímiles, valiéndome de las circunstancias y las apariencias sutilmente estudiadas.»

4. Nacido en Paraná, en 1882, en el seno de una familia prócer, descendiente de Juan de Garay, el fundador de Buenos Aires y de Santa Fe. «No tiene gota de su sangre que no sea española», según confesión propia. Estudia la carrera de Leyes, que no ejerce, y se da a conocer pronto como poeta y sociólogo. A diferencia de tantos escritores americanos consagrados a la política, a la diplomacia, etc., Gálvez es íntegramente hombre de letras. Cuando se interesa por la política es en función de la sociología o la literatura. En 1903 funda la revista *Ideas;* viaja por Europa: París, Roma, Florencia, Berlín, Madrid, donde traba amistad con los más ilustres escritores. Contrae matrimonio con Delfina Bunge, notable escritora. En 1913 obtiene el primer éxito con *El solar de la raza,* libro muy elogiado y que revela el ferviente españolismo de Gálvez; al año siguiente publica *La maestra normal,* su primera novela. Desde este momento no interrumpe la tarea literaria: obtiene los Premios Municipal y Nacional con *Nacha Regules* y *El general Quiroga.* Fundador del Pen Club, de Buenos Aires; candidato al Premio Nobel; académico de la Argentina de Letras y correspondiente de la Española. A los setenta y ocho años sigue escribiendo con el mismo garbo y lozanía que en su juventud.

5. Esta obra (Buenos Aires, Edit. Kraft, MCMXLIV) es de sumo interés, no sólo para el conocimiento de los primeros pasos del autor en el campo de las letras, sino como información sobre la vida y psicología de muchos escritores argentinos. Obra en cuatro tomos, según el proyecto de Gálvez, se ha publicado el primero, que abarca los años 1900-1910.

6. Tal clasificación obedece únicamente a una finalidad didáctica; los temas de la ordenación se establece se entrecruzan: lo psicológico se mezcla con lo costumbrista y hasta con lo histórico: *Tránsito Guzmán,* por ejemplo, es novela espiritualista, psicológica, social, y hasta, si se quiere, histórica; lo mismo ocurre con *El uno y la multitud.* Gálvez está atento al mundo que le rodea, es esencialmente realista, y, por tanto, en su novela, como en la vida, se dan mezcladas las más diversas facetas.

7. La crítica atribuyó al autor las más diversas filiaciones políticas. «Me creyeron—dice el mismo Gálvez—convertido al bolcheviquismo. Sin embargo, a los pocos meses de aparecida la novela, y a propósito del libro de Vells *Rusia in the shadows,* publiqué un artículo violentamente adverso al régimen instalado en Moscú. No faltó quien me supusiera dispuesto a incorporarme al partido sindicalista. Lo hubiera hecho si no fuese que yo, católico, no podía aceptar de ningún modo el materialismo histórico, el determinismo y la tendencia antirreligiosa de ese partido.» (Prólo a *Nacha Regules,* Edit. Losada, Buenos Aires, 1950.)

8. *Historia de la literatura hispanoamericana,* pág. 293. Fondo de Cultura Económica. Méjico-Buenos Aires, 1954.

9. Vid. *La maestra normal,* parte II, cap. V. En prensa ya esta *Historia,* tenemos noticia de la aparición de otra novela de Gálvez, *Perdido en su noche* (1958) en la que el escritor argentino, fundiendo, según su técnica, lo psicológico, lo costumbrista y lo social, censura la conducta de muchos que se llaman católicos y que con su orgullo y falta de caridad hacen desgraciados a cuantos

les rodean. También sabemos que tiene en el telar una extensa novela cíclica, *La gran familia de los Laris,* historia social de Buenos Aires a lo largo de medio siglo.

10. Vió la luz en Buenos Aires en 1873. Estudios secundarios en el Colegio Nacional de la ciudad del Plata, y superiores en la Universidad, con doctorado en Jurisprudencia y Ciencias Sociales. Publica ensayos y verso en *La Nación;* y en 1896, su primera novela: *Artemisa.* Actúa como profesor de Historia en el Colegio Nacional de Buenos Aires, y luego ingresa en la diplomacia. Residencia de varios años en España, preferentemente en Avila. Entre 1910 y 1918 sirve a su país como ministro plenipotenciario en Francia, donde conoce a los mejores escritores de la época. En 1949 obtiene el Premio Nacional de Novela con la titulada *Orillas del Ebro.* Desde hace varios años reside en Buenos Aires, con largas temporadas en España. Es miembro de la Academia Argentina, correspondiente de la Real Española y del Colegio de Francia. Ha sido candidato al Premio Nobel.

11. Llamado así por el nombre de una calle de Avila.

12. *La naranja,* epíg. 67.

13. *Los valores eternos en la obra de Enrique Larreta,* parte I, cap. II.

14. Del libro de ensayos *Tiempos iluminados.*

15. Vid. Prólogo a la edición del *Gerardo,* Espasa-Calpe, Colec. Austral, núm. 1.276.

16. MAX DAIREAUX: *Littérature hispano-americaine.*

17. Otros novelistas argentinos que han alcanzado éxitos estimables son Roberto Cache, Enrique Méndez Calzada, Justo P. Sáez, Guillermo Estrella, Julio Aramburu, Roberto Glusberg, Conrado Nale Roxlo (ya citado entre los líricos), Florencio Escardó, Juan Filloy, Carlos M. Bonet, Héctor Eandi, Roberto Mariani, etc.

18. Su nombre completo es Carlos Claudio Reyles Gutiérrez. De padre sajón y madre andaluza, nace en Montevideo en 1868. Sin preocupaciones económicas, su vida se reparte durante mucho tiempo entre el cuidado de su hacienda, los viajes, el estudio y la literatura. Viaja mucho por Europa; pero sus últimos años fueron ingratos. Había sufrido reveses de fortuna a partir de 1910. Vende su famosa estancia El Paraíso y va a la Argentina con el proyecto de restablecer sus grandes negocios agrícolas. Pero al cabo de unos años se ve obligado a vender cuanto tenía en la Argentina también, incluída la estancia El Charrúa, única propiedad que le quedaba. Ultimamente tuvo que acogerse al desempeño de cargos oficiales: enviado del Uruguay en la Exposición de Sevilla (1929), profesor de la Facultad de Filosofía y Letras, en sustitución de Vaz Ferreira, que acababa de ser jubilado; presidente de los servicios de Radiodifusión, etc. Murió en su ciudad natal en 1938.

19. Vid. *Crítica de la literatura uruguaya.*

20. Descendiente por vía recta de José Joaquín de Viana, gobernador político y militar de Montevideo desde 1751 a 1764. Como Reyles, también Viana conocía directamente el campo uruguayo, y buena parte de su vida transcurrió en el medio rural.

21. Vió la primera luz en Salto en 1879. Hijo del cónsul de la Argentina en esa ciudad, por lo que algunos le consideran tan argentino como uruguayo. Quiroga, sin embargo, a pesar de su ascendencia y a pesar de haber pasado la mayor parte de su vida en territorio argentino, nunca quiso abandonar su nacionalidad uruguaya. Fué profesor en Buenos Aires y desempeñó cargos dentro de la carrera consular, siempre al servicio del Uruguay. Publicó sus primeros trabajos literarios con el seudónimo de «Guillermo Enyhartd», tomado del protagonista de *El mal del siglo,* de Max Nordau. Muy joven, ostentó la jefatura del Consistorio del Gay Saber, a que hemos aludido en otro lugar. Avido de emociones y hombre emprendedor, inició en la Argentina, en el Chaco Austral y en Misiones, varias empresas de explotación agrícola que acabaron por fracasar. Fué también profesor de la Escuela Normal número 8 de Buenos Aires y cónsul del Uruguay en San Ignacio. Abrumado por la adversidad, acabó suicidándose en 1937.

22. El tema de esta novela ofrece cierta semejanza con el cuento de Pirandello *Inocentes,* inserto en la serie *Primera noche y otros cuentos.* Fonseca pertenece a la Escuela de Ingenieros y durante algunos años ha sido profesor de Física en la Universidad de Montevideo. Además de la novela mencionada, ha escrito varios cuentos y relatos breves.

23. Nacido en Salto (Uruguay), casi toda su obra se desarrolla en la Argentina.

BIBLIOGRAFIA

Véase bibliografía general en los caps. LVII, LXVIII, LXIX y LXXX. Y además:

E. Anderson Imbert: *Tres novelas 'e Payró con pícaros en tres miras*, Fac. de Filosofía y Letras de Tucumán, 1942.—P. Echagüe: *Roberto Payró*. «Escrit. de la Argentina», Emecé Editores, Buenos Aires, 1945.—R. F. Giusti: *La obra literaria de Roberto Payró*, Buenos Aires.—R. Larra: *Payró. El hombre y la obra*, Edit. Claridad, Buenos Aires, 1938.—P. Rojas Paz: *Payró y su tiempo*, «Nosotros», núm. 75, Buenos Aires, 1942.—R. Cansinos Assens: *Novelistas de América: Manuel Gálvez*, «Verde y dorado de las letras americanas», Colec. Crisol, Aguilar Edit., Madrid, 1947.—M. García Blanco: *El escritor argentino Manuel Gálvez y Unamuno: historia de una amistad*, «Cuad. Hispanoamericanos», núm. 53.—H. Green Otis: *Manuel Gálvez: «Gabriel Quiroga» y «La maestra normal»*, «Hispanic Review», vol. 11.—A. Lévison: *Manuel Gálvez y su Iliada argentina*, «La Nación», septiembre de 1930.—A. Torres Rioseco: *Manuel Gálvez*, «Grandes novelistas de América», II, Univ. California Press, 1943.—A. M. Oteiza: *Payró y la Argentina*, Buenos Aires, 1958.—J. Collantes de Terán: *«Rosaura» en el estilo literario de Ricardo Güiraldes*, «Rev. Literatura», 27-28, Madrid, 1958.—J. Caillet-Bois: *Temas y perspectivas en la novela rural de Linch*, «Rev. Univ. Buenos Aires», 2, 1958.—S. Jaroslavsky: *A. Gerchunoff. Vida y obra*, «Rev. Hisp. Moderna», XXIII, Nueva York, 1959.—

A. Jansen: *La crítica ante «La gloria de don Ramiro»*, «Rev. Hisp. Moderna», 1959, núm. 3.—R. S. Whitehouse: *La naturaleza en las novelas de Hugo Wast*, «Bol. Acad. Argentina de Letras», XXI, Buenos Aires, 1956.—Arturo Sergio Visca: Pról. y notas de *Cartas inéditas de Horacio Quiroga*, Montevideo, 1959.

J. Alvares: *Las últimas palabras de Juan Moreira*, «La Prensa», Buenos Aires, abril de 1927.—C. Octavio Bunge: *El Derecho en la literatura gauchesca*, Buenos Aires.—J. Emory Davis: *Los americanos en la novela «El inglés de los güesos»*, Tulane Theses, 1946.—E. García Velloso: *Eduardo Gutiérrez*, «Memorias de un hombre de teatro», Buenos Aires, 1942.—R. Giusti: *Un folletinista argentino*, «Literatura y vida», Edit. Nosotros, Buenos Aires, 1939.—Pilar Lusarreta: *Un novelista malogrado: Eduardo Gutiérrez*, «La Nación», Buenos Aires, diciembre de 1941.—A. Montarce Lastra: *El fondo español en lo gauchesco*, «Cuad. Hispanoamericanos», núm. 4, 1948.—J. Santamaría: *Vida y muerte de Juan Moreira*, «Renovación», Buenos Aires, 1942.—C. Andrés Seri: *Lo gauchesco en la literatura*, «Primeras Jorn. de Lengua y Liter. Hispanoamericana», X, Salamanca, 1956.—A. Torres Rioseco: *Ricardo Güiraldes*, «Los grandes novelistas de América hispana», Univ. California Press, 1943; *Benito Lynch*, «Los grandes novelistas...»; *Don Segundo Sombra*, «Ensayos sobre liter. latino-americana», Fondo de Cultura Económica, Méjico, 1953.—M. Wallis Nichols: *The Gaucho: Cattle-Hunter, Cavalryman, Odeal of Romance*, Duke University, 1942.

CAPITULO XCVI

LA PROSA AMERICANA DEL XX
B) PACIFICO Y ECUADOR

I. CHILE: *D'Halmar, Edwards Bello y Latorre. Eduardo Barrios. La tendencia costumbrista (Federico Gana, Maluenda, Marta Brunet, Santiván, Lillo y Prieto Letelier).*—II. BOLIVIA, PERÚ Y ECUADOR: *Arguedas, Mendoza, Chirveches y otros bolivianos. La novela del Chaco. Perú y Ecuador.*—III. VENEZUELA Y COLOMBIA: *Blanco Fombona, Picón-Salas, Febrés Cordero y otros. Rómulo Gallegos. José Eustasio Rivera. Uribe, Osorio Lizarazo y otros colombianos.*
NOTAS.—BIBLIOGRAFÍA.

I. CHILE

Chile es un país multiforme. Como ha demostrado Mariano Latorre[1], comprende en sí siete u ocho países distintos: la pampa salitrera, la cordillera de los Andes, la cordillera de la costa, el norte chico, las selvas del sur, Chiloé y sus islas, Magallanes y sus estepas. ¿Hasta qué punto la novela chilena de nuestro siglo refleja esta diversidad?

Empecemos por reconocer que en Chile no se ha dado hasta ahora una novelística que, como el *Don Segundo Sombra,* en Argentina, o *Doña Bárbara,* en Venezuela, sintetice el alma del país en sus rasgos esenciales. Pero, a falta de eso, reconozcamos también que Chile ha producido en lo que va de siglo una buena cantidad de narraciones y novelas de todo tipo, que recogen con fidelidad aspectos parciales de la vida nacional. La novelística de D'Halmar, Edwards Bello, Latorre, Barrios, Santiván, Maluenda y otros menos conocidos coloca a Chile si no en el puesto de vanguardia, por lo menos a la altura de los países más avanzados. Y esto no sólo atendiendo a la cantidad de autores y de obras, sino también a la diversidad de temas abordados. De ahí que cada día nos parezca menos exacto el juicio de Rómulo Nano Lottero, al querer compendiar toda la literatura chilena del siglo actual en tres nombres: Gabriela Mistral, para la poesía; Armando Donoso, para la crítica; y Eduardo Barrios, para la novela[2]. Si la afirmación de Lottero parece excesivamente restrictiva, tratándose de la poesía, aplicada a la novela realista resulta evidentemente inexacta. Chile cuenta con una docena de narradores tan representativos como los de cualquier otro país. Silenciarlos en una obra como la nuestra sería cometer una injusticia.

D'Halmar, Edwards Bello y Latorre

He aquí tres escritores que, aun coincidentes en muchos aspectos, encarnan personalmente una tendencia distinta: D'Halmar atiende primordialmente a los factores estilísticos; Edwards Bello, a la problemática o factores de fondo; Latorre, a los descriptivos.

AUGUSTO GOEMINNE THOMSON (1882-1950), más conocido con el seudónimo de «Augusto D'Halmar»[3], inicia su obra narrativa bajo el signo naturalista de Zola, para derivar pronto al espiritualismo de Tolstoi y recalar en un costumbrismo o «criollismo» moderado, sin eludir el análisis psicológico. *Juana Lucero* (1902), historia de los bajos fondos santiaguinos, está compuesta con una técnica zolesca y gran lujo de detalles. Pronto sustituye a éstos la fantasía, en ciertos relatos de fondo costumbrista y ambiente campesino, por el estilo del titulado *Gatica.* Más tarde hará del análisis y de la contraposición de caracteres el eje de su obra, tal como lo vemos en uno de sus mejores libros, *Pasión y muerte del cura Deusto* (1924), sobre un caso de degeneración achacado a un sacerdote. Sin duda, en este proceso evolutivo de D'Halmar han influido sus viajes al extranjero, y su estancia en diversos países: India, Japón, Egipto, etc. La nota imaginativa y de ensueño afecta tanto al contenido como a la forma, y aun alcanza a los mismos títulos de ciertas narraciones: *La sombra del humo en el espejo, La lámpara en el molino, Capitanes sin barco, Nirvana.* En las historias de viajes refleja influencias de Pierre Loti. Gusta D'Halmar del estilo castigado y pulido; y acaso sea éste su mayor defecto. Algunas de sus páginas dan la impresión de que el autor se desentiende del fondo para atender sólo

1425

a los primores de la frase. Metáforas, paradojas y retruécanos sustituyen con frecuencia a la inspiración directa, pasando en la mente del escritor de elementos accesorios a elementos esenciales. *La Mancha de Don Quijote*—lleva por título uno de sus libros, escrito a imitación de *La ruta de Don Quijote*, de *Azorín*. De esa preocupación formal se evaden, aparte de su primera novela, *Juana Lucero*, un delicioso cuento—*En provincia*— y el ya citado relato *Pasión y muerte del cura Deusto*. Por cierto que sería curioso comparar esta obra con *El embrujo de Sevilla*, de Reyles, y establecer un paralelo entre las dos visiones de la ciudad andaluza, la del chileno y la del uruguayo. La de Reyles nos parece más superficial, más de pandereta y folklore.

También fué saltando de escuela en escuela, pero con una despreocupación casi absoluta del estilo, otro novelista chileno, nacido el mismo año que D'Halmar. Aludimos a JOAQUÍN EDWARDS BELLO (n. 1882)[4], descendiente por línea materna del famoso polígrafo don Andrés. En su producción literaria, compuesta por algún libro de verso—*Metamorfosis*—, algún ensayo sociológico—*Nacionalismo continental*—, numerosos trabajos periodísticos—*Crónica, La nación y otros ensayos, El bombardeo de Valparaíso*, etc.—; destacan las novelas, en número de doce, aproximadamente: *El inútil* (1910), *El monstruo* y *La tragedia del «Titanic»* (1912), *La cuna de Esmeraldo* (1918), *El roto* (1920), *La muerte de Vanderbilt* (1922), *El chileno en Madrid* (1928), *Cap Polonio* (1929), *Valparaíso, la ciudad del viento* (1931), *Criollos en París* (1933), *La chica del crillón* (1935) y *En el viejo almendral* (1943). No todas estas obras son del mismo mérito, naturalmente. Las hay buenas, las hay mediocres y las hay peores. En general, se ve que Edwards Bello escribe un poco por capricho y otro poco, o mucho, por eso que hemos dado en llamar «snobismo». Instintivamente tiende a la ironía, a la sátira; y de ordinario se da por satisfecho con una visión rápida y superficial. Esto hace que su obra periodística ofrezca tanto interés como sus narraciones, o mayor tal vez. El prurito intelectualista, por otra parte, su obsesión seudofilosófica, que le lleva a generalizaciones carentes de toda base, le restan calidad literaria, dañando al curso del relato y encajando a éste casi siempre en el área del naturalismo. «Nació para pintor y quiere ser filósofo», se ha dicho de él. Y este juicio es exacto; porque Edwards Bello, que demostró ampliamente sus cualidades descriptivas y sus excelentes dotes de pintor de costumbres, no necesitaba complicar su obra con problemas científicos. Sus seis más importantes narraciones: *El inútil, El monstruo, El roto, Cap Polonio, Criollos en París* y *El chileno en Madrid*, nos dan eso: un buen costumbrista. *El inútil*, que provocó un alboroto en la alta sociedad santiaguina, nos presenta a un aristócrata degenerado; *El*

monstruo aborda una vez más el tema del «trasplantado»: aquí, un chileno educado en Oxford, que, tras dilapidar en París juventud, ilusión y dinero, vuelve a su país natal, donde contrae matrimonio con una primita; *El roto* alude a un aventurero sin escrúpulos que, en su afán de medro, acepta la dirección de un garito y hasta una partida de matones. Es, entre las novelas de Edwards Bello, la más determinista, por la importancia que concede al medio ambiente y a la fuerza de la sangre o herencia. «Novela ideológico-social» es el subtítulo. *Criollos en París* vuelve sobre el tema de los trasplantados; *Cap Polonio*, sobre el de los nuevos ricos; y *El chileno en Madrid* nos enfrenta con un cuadro costumbrista de la mejor escuela española. Tanto por la trama novelesca, perfectamente urdida, como por la feliz ambientación recuerda al Galdós de *Fortunata y Jacinta*, al Blasco Ibáñez de *La horda*, y al Baroja de la trilogía *La lucha por la vida*. Tipos como Angustias, Carmencita y el «Curriquiqui» están tomados del natural. Es sin duda la mejor novela del autor. Del mismo paño que *El chileno en Madrid* están cortados los *Cuentos de todos los colores*.

Con unos *Cuentos del Maule* inició su obra narrativa, en 1912, MARIANO LATORRE COURT (n. 1886), quien en esta producción primera se revelaba un costumbrista consumado[5]. Sus obras posteriores, hasta una docena entre cuentos y novelas, vinieron a confirmar la primera favorable impresión. «Es un escritor para quien Chile existe verdaderamente», se dijo de él. Y, en efecto, toda su producción literaria, o al menos lo mejor de ella, va referida al campo chileno. El naturalismo de aquel país había soslayado el campo; Latorre se complace en escogerlo para escenario de sus narraciones, dándonos, junto con una vivaz descripción paisajística, la más variada galería de tipos del país[6]. En este sentido, Latorre es un innovador y hasta un precursor; precursor de un género que ha tenido amplio desarrollo no sólo en Chile, sino en las principales naciones del continente. Téngase en cuenta que *Zurzulita*, la novela más representativa de ese género en Chile, se publicó en 1920, antes que lo fueran en sus respectivos países *La vorágine, Canaima* y *Don Segundo Sombra*.

Al mencionar *Zurzulita*, queda de paso mencionada la mejor obra de Latorre; tiene otras: *Cuna de cóndores* (1918), *Ully y otras novelas del Sur* (1923), *La confesión de Tognina* (1926), *Chilenos del mar* (1929), *On Panta* (1935), *Hombres y zorros* (1937), *Chile, país de rincones* (1947), etc. Insistimos en que *Zurzulita* es la mejor, con animadas descripciones del valle de Millavoro, donde se desarrolla; con buenos tipos y una trama de creciente interés, que empieza en idilio y termina en tragedia. *Zurzulita* cae de lleno dentro del campo naturalista; no por lo que pueda haber en ella de tesis preconcebida, que no la hay, sino por la importancia decisiva que se otorga al factor ambiente y al factor herencia. «Milla—leemos en cierto pasaje—se dejaba arrastrar por esa costumbre ancestral hecha instinto. Consideraba al hijo (habido de Mateo) como de ella solamente, y el terrón donde nació la atraía ahora con las mismas raíces que a su padre. Era como las vainas de los frutos que se abren automáticamente en una época del año, para dejar caer la pelotita coriácea de la semilla a los pies mismos del árbol en que germinaron.» Y en otro sitio: «En la entrega de la niña había más de siesta cálida del bosque en primavera que de su voluntad. Aquellas piedras puntiagudas daban a los hombres una complexión egoísta y astuta, como a los zorros de los risqueros.»

Advirtamos que Milla y Mateo son los protagonistas. Latorre plantea en *Zurzulita* un problema caro a los novelistas americanos: el conflicto entre civilización y barbarie, sin decidirse categóricamente por uno u otro bando. Psicológicamente, tiene tipos logrados: Tencha Espejo, alma de manceba; Milla y su hermano Quincho; el idiota Samuelón; On Rulo, el bandido; el sensual y duro Lobos; el cura Olguín, y Mateo, idealista y generoso, capaz de luchar y vencer frente a frente, pero derrotado al fin por la astucia. También en *Hombres y zorros* se nos ofrecen tipos sugestivos, de una psicología elemental: la del campesino chileno, especialmente la del huaso, hombre de una mentalidad primaria y reservona. En *La confesión de Tognina*, en cambio, se atiende menos al paisaje que al elemento humano. «Era necesario ser paisajista—nos dice en el prólogo de esta novelita, aludiendo a su cambio de rumbo—, pues el gran personaje es aquí la Naturaleza, y me hice paisajista. Creo que en este sentido he innovado en la novela nacional. El paisaje literario no existía; a lo sumo, era una simple decoración para fijar el ambiente. No tenía la importancia que debía tener. En esos lejanos parajes, la Naturaleza domina sobre el hombre, pues no ha sido aún vencida por el esfuerzo de la civilización. Esto no quiere decir que la vida de la ciudad no me interese. Continuaré mi pintura de la vida chilena interpretando el alma urbana. Uno de mis primeros ensayos es la novelita *La confesión de Tognina*. Esta vez no hay paisajes, porque en la vida de la ciudad interesa más la interpretación psicológica de los individuos que el lugar en que viven y luchan.»

El cambio que anuncia en esta obra se logra plenamente en *Ully y otras novelas del Sur,* con logrados análisis de la hipocresía y el remordimiento. Lo mejor de Latorre—además de la citada *Zurzulita*—está en los cuentos de las dos series *Chile, país de rincones* y *Cuentos del Maule*. La primera, integrada por nueve relatos, cuya acción se desarrolla en otros tantos «rincones» o escenarios del país, ofrece un desfile de tipos de la más compleja psicología, tal vez buscados de propósito por el autor con la intención de hallar un auténtico especimen racial. Pero, en vez del ejemplar único que buscaba, Latorre se encuentra con tres bien distintos: el enraizado en la tierra, de fondo conservador, constituído principalmente por el *huaso*; el anárquico o *roto*, amigo del vagabundeo; y otro tercero, a todas luces falso, que pretende ser la fusión de los dos anteriores. *Cuentos del Maule* es una sentida evocación de la tierra natal, que Latorre quiere perpetuar literariamente antes que el progreso se lleve por delante toda una forma de vida, convirtiendo en balneario de lujo o lugar de recreo para veraneantes ociosos la que hasta hace poco había sido cuna de marinos y bogueros. Por la minuciosidad descriptiva, su autor ha sido comparado con Pereda.

Eduardo Barrios

La actividad literaria de EDUARDO BARRIOS (nació en 1884) [7], uno de los mayores novelistas de Chile, si no el primero de aquel país, se canaliza en tres direcciones principales: teatro, cuento y novela. El teatro, sin ofrecer importancia excepcional, destaca por su contextura dramática. *Lo que niega la vida* es su obra más relevante en este género. En las colecciones de cuentos—*Del natural, Y la vida sigue, Páginas de un pobre diablo*—cabe subrayar algunos, como *La antipatía* y *Canción*, notables por la hondura psicológica. Mucho más interesante su obra novelística, ofrece desde el principio dos tipos: el que atiende principalmente a lo psicológico; y el que, sin desdeñar ese aspecto, se preocupa ante todo de lo social. En este último, lo costumbrista ocupa también un primer plano. Porque no se olvide que Barrios se forma como escritor precisamente en pleno triunfo del modernismo, y esta escuela había de influir de uno u otro modo en su obra. Por otra parte, Barrios es de esos escritores que han vivido mucho, que ha visto mucho, y esa experiencia personal y directa también tenía que reflejarse en sus novelas. «Logró primero vivir, y luego supo filosofar», dijo de él Armando Donoso. En este segundo aspecto, pocos hombres hallaremos con tal cúmulo de experiencias: «Recorrí media América —nos dice él mismo—. Hice de todo. Fuí comerciante, expedicionario a las gomeras en las montañas de Perú; busqué minas en Collahuasi; llevé libros en las salitreras; entregué máquinas por cuenta de un ingeniero en una fábrica de hielo de Guayaquil; en Buenos Aires y Montevideo vendí estufas económicas; viajé entre cómicos y saltimbanquis; y como el atletismo me apasionó a un tiempo, hasta me presenté al público como discípulo de un atleta de circo, levantando pesas. He caído, he levantado, he sufrido hambre, he gozado hartanzas. Y siempre, en medio de todo, me respeté... porque soy un sentimental.»

Su primera narración larga, *El niño que enloqueció de amor* (1915), se mueve en un plano ideológico y sentimental. Es el estudio de un temperamento de niño hipersensible, que a los nueve años se enamora ciegamente de una mujer, enferma por ella y termina por volverse loco. El niño va consignando en un Diario todas sus impresiones de recato, celos, dudas, etc., en un estilo y con una precisión de análisis que resultan en definitiva inverosímiles, dada la edad del protagonista. Recuerda hasta cierto punto *Una página de amor*, de Zola. En la misma línea psicológica ha de situarse *El hermano asno*, que por el tono sensualista dominante refleja clara influencia de Anatole France *(Thais)* y de Francis James *(La manzana de anís)*. Decadentismo puro. Se contraponen en *El hermano asno* dos temperamentos o psicologías: la de fray Lázaro, intelectual y orgulloso, que llega a avergonzarse de su hábito por antiestético; y la de fray Rufino, alma ingenua que trata de llevar a su última consecuencia la doctrina del «poverello». Ambos pertenecen a la Orden franciscana. Fray Lázaro no acierta a desprenderse totalmente de los vínculos mundanos; sigue recibiendo la visita de una hermana de su antigua novia y hasta se siente enamorado de ella. Fray Rufino, por su parte, creyendo no merecer la fama de santidad de que goza entre los frailes y la gente del pueblo, intenta pasar por pecador, y para ello no encuentra mejor procedimiento que asaltar a la poven, aparentando propósitos de violación. De ese modo será «el hermano asno», que es como él llama a su cuerpo. María Mercedes, que tal es el nombre de la joven, silencia la personalidad del presunto ofensor; la culpa cae sobre fray Lázaro; y fray Rufino muere en olor de santidad. Poco verosímil, como se ve, el argumento. De darse en la realidad tal caso, fray Rufino dejaría de ser humilde para convertirse en necio. De todos modos, hay buenos estudios psicológicos; el ambiente conventual está bien visto; y las vacilaciones de fray Lázaro, incapaz de romper las ligaduras mundanas, interesan al lector.

Más logradas son para nuestro gusto las novelas costumbristas. Como que en ellas Barrios no tenía que hacer más que ir copiando cuadros observados por sus propios ojos y retenidos más o menos fielmente en la memoria. Así fué escrita *Tamarugal* (1944), visión de la vida miserable en las salitreras del norte de Chile; así fué escrita *Los hombres del hombre* (1950), sobre la íntima tortura del esposo que duda de su paternidad; y así, por último, fueron compuestas *Un perdido* (1917) y *Gran señor y rajadiablos* (1948). *Un perdido* puede concebirse como una tragedia con triple escenario: Quillota, Iquique y Santiago. Dentro del más puro realismo nos presenta a un abúlico, hijo de padre despreocupado y de madre

neurótica. Mal educado por sus abuelos, que no han sabido contradecirle en nada, va dando tumbos del cuartel a la Academia, de la Academia al lupanar, y de éste a la taberna, hasta convertirse en una piltrafa humana. Es el drama del hombre sin formación ni voluntad; la obra va avalada con bastantes datos autobiográficos.

Gran señor y rajadiablos, la mejor obra del autor, nos describe a lo largo de cinco estampas o «evocaciones» —*Temple de acero, Amor y aventura, Hechos y fechorías del tarambana, Amo y señor* y *Aguila vieja*— todo el proceso vital de un estanciero chileno de ascendencia española, don José Pedro Velarde, desde la niñez hasta la muerte, ya octogenario. Con interesar mucho la vida del protagonista, interesa más aún el amplio panorama social que en torno a la misma se desarrolla. Toda la evolución de Chile a lo largo de tres cuartos de siglo aparece sintetizada en estas páginas. No hay sólo presentación de tipos y análisis de almas; hay junto a eso, y por encima de eso, todo un problema político-social, que afecta a la vida del país como nación. José Pedro Velarde es un espejo que reproduce la evolución del pueblo entero. Es el representante de una casta que se va; una casta autoritaria, casi feudalista, despótica si se quiere, pero rica de virtudes, paternal, comprensiva y animada de espíritu caballeresco. El problema se plantea en el seno de su propia familia: sus hijas Rosa y Chepita, al contraer matrimonio con dos jóvenes diplomáticos, abren la puerta a nuevos modos de vida. Barrios ha tallado en el protagonista un tipo de una pieza: valiente, generoso, insobornable e independiente. Este amor a la independencia y a realizar siempre su santísima voluntad le lleva a raptar a su primera esposa, Crepita; o a oponerse a las partidas de malhechores, protegidos por gobernantes y políticos venales; e incluso a enfrentarse con las leyes, cuando éstas le parecen injustas o van contra algún interés legítimo. «Era un católico que traía el medievo en sí; y lo era por ancestro, cuna y crianza», se nos dice en la novela. Aun reconociendo algunas ventajas, se opone al maquinismo porque viene a destruir costumbres dignas de respeto. «Lo único adverso a la máquina resulta su tristeza en la faena. Si antes toda labor de campo fué mezcla de trabajo y fiesta, en lo venidero sólo habrá esfuerzo, monotonía, fatiga... Se acabarán las meriendas con arpa y guitarra, y las cuecas a era barrida.» José Pedro Velarde quería, en una palabra, volver la espalda al tiempo. De aquí el drama; de aquí también el interés de esta novela, cuyo mérito, aparte de su estilo natural y espontáneo, reside principalmente en esa habilidad con que se hace girar toda la vida de un país en torno a un solo personaje. Alguna vez —muy pocas—, el autor nos ofrece su propio pensamiento, lo cual le valió la calificación de «burgués y retrógrado», por parte de cierta crítica. Barrios reconoce el valor de la dialéctica, pero se pronuncia contra la demagogia y la vacuidad retórica, tan en boga en nuestros tiempos; ante la visita de dos diputados a la hacienda del protagonista, acota Barrios: «¡Qué limitados estos individuos que peroran sobre la libertad del pensamiento y ven al hombre sólo como un ser biológico y social!»

La tendencia costumbrista

La narración costumbrista o, si se quiere mejor, la simplemente descriptiva, que atiende ante todo a reflejar ambientes, relegando a segundo plano los factores psicológicos, pero sin desentenderse de los sociales, está representada en Chile, durante esta época, por cuatro o cinco autores de relatos breves—Federico Gana, Maluenda, Marta Brunet, Santiván. Lillo—y un novelista de altura: Jenaro Prieto.

FEDERICO GANA (1868-1926), abogado en su país y secretario de Legación en Londres, dejó en periódicos y revistas diseminada su escasa obra, que luego fué recogida en dos series: *Días de campo* (1916) y *Manchas de color* (1926). Despreocupado, caballeroso, arrastrando una vida de pobrezas y de disimulados desconsuelos, según la semblanza que de él nos hace Armando Donoso [8], apenas pudo realizar sino a medias su ideal literario. No obstante, lo poco que nos queda de él, esas dos colecciones de artículos y cuentos, acreditan un espíritu sensible, dotado de innata elegancia y que sabe llevar a cuanto escribe, dentro de un lenguaje sobrio, correcto y escogido, un fondo de auténtica ternura y de elevada moral. Persona y paisaje son, por otra parte, típicamente chilenos. En otro aspecto se distingue asimismo de la mayor parte de sus compatriotas: todo ocurre en estas novelitas o cuentos de manera normal, sin acudir a estridencias y mucho menos al cultivo de lo morboso. Hasta lo trágico, cuando aparece, termina resolviéndose en resignada tristeza. *Una señora*, el más logrado de sus cuentos, es una conmovedora apología de la gratitud.

Contrasta este tono moderado de Gana con el espíritu combativo y el fondo violento e iconoclasta con que empezó su carrera literaria RAFAEL MALUENDA (n. 1885), otro de los buenos narradores chilenos. Empezó, hemos dicho, porque luego en la novelística, aun sin salirse de los límites más estrictos del naturalismo, deriva hacia una serie de tipos idealizados y abstractos. Concretamente, Maluenda tiene dos maestros: Ibsen, para el teatro; y Gorki, para la novela. Del naturalismo ha tomado lo que hay en él de *fatum*, de destino inevitable; de Ibsen, la penetración psicológica y cierto tono sentimental; de Gorki, finalmente, su preferencia por los aspectos agrios de la vida. Maluenda—lo ha observado Armando Donoso—intenta aprisionar en fórmulas lo que apenas son excepciones individuales; quiere decirse que personajes, problemas y hasta soluciones proceden antes del cerebro que de la vida real. Por ello no debe incluírsele, sin muchos atenuantes, entre los cultivadores del criollismo. Sus descripciones son más imaginativas que reales; sus tipos, más inventados que vistos; sus campesinos, más literarios que verídicos. Uns pocos tipos bien trazados—Macheteado, Bocanegra—no son bastante para calificarle de observador veraz. Aristócrata del talento, no se resigna a simpatizar con la plebe; hasta se diría que ésta le repugna con su socarronería, su zafiedad y rudeza. De ahí que sus campos, lares y paisajes carezcan de fisonomía propia; y sus personajes, lo mismo. Sienten, piensan y hablan como podrían hacerlo los de cualquier otro país. Son, para decirlo de una vez, almas desdibujadas. Pero, aunque irreal y hasta si se quiere antojadiza, la obra de Maluenda nunca es vulgar. Cuentos como *Eloísa, Las dos* y *Héroes*, dramas como *La suerte* y novelas como *Confesiones de una profesora, Colmena urbana* y *Armiño negro*, delatan un espíritu que sabe meterse en las interioridades de la conciencia de los personajes para seguirlos a lo largo de su proceso. Este proceso suele ser con frecuencia amoroso, o, si se quiere mejor, erótico. En Maluenda domina sobre toda otra problemática del amor. Su libro más conocido es el que lleva por título *Escenas de la vida campesina* (1909-1919), que, no hace falta decirlo, recoge diferentes aspectos de ambiente rural, siempre fantaseándolos. Junto a la influencia de Gorki y de Ibsen encontraremos en algunas obras la más reciente de Sommerset Maugham.

Una serie de títulos—*Montaña adentro* (1923), *Bestia dañina* (1926), *María Rosa, la flor de Quillén* (1929), *Reloj de sol* (cuentos, 1930), *Aguas abajo* (1943), *Humo hacia el Sur* (1946), *Raíz de sueño* (1948)—han conferido a MARTA BRUNET, nacida en Chillán, en 1901, un amplio y merecido crédito de buena narradora. Fino temperamento, observadora perspicaz, sus relatos sobresalen por la veracidad de la visión y por el halo poemático en que envuelve a sus entes de ficción, no obstante el signo fatalista que pesa sobre ellos. Poder descriptivo y realismo son los rasgos más acusados de sus cuentos y novelas. Los personajes están arrancados de la vida circundante, aunque casi siempre se mueven en medios sórdidos y miserables. Marta Brunet está, pues, en la línea de Latorre, sólo que con una novedad: la de enfocar los temas desde un ángulo femenino, no feminista. La mujer protagoniza todos los relatos, en los que el hombre queda rebajado al papel de mero comparsa. Junto a su destreza para esbozar tipos femeninos ha de subrayarse en esta escritora la importancia que da al ambiente y que la lleva a un determinismo ciego, e inspirado no tanto en principios de escuela como en la observación de la vida y de ciertos estratos sociales. Se trata de algo fatal, ineludible, que convierte a los personajes en materia inerte o seres sin voluntad, dispuestos a aceptar la desgracia cuando llega, e impotentes para soslayarla cuando se vislumbra. «Indiferente al calor y al cansancio—leemos en *Montaña adentro*—, Cata se aislaba en sí misma. Tenía la muchacha ese fatalismo que hace acogerlo todo con igual calma. Dichas, pesares, enfermedades, muerte son para ella poderes contra los cuales no vale rebelarse. ¿Para qué, si es el Destino? Ignorancia, miseria, malos instintos, el crimen mismo, son para ella poderes contra los cuales no vale luchar.» Y, en efecto, en la misma novela, Pedro Pereira, después de asesinar por celos a Osés, espera con los brazos cruzados que le aprese la justicia. «¡Sería mi destino!», dice por toda justificación. Un defecto hemos de señalar en el lenguaje, siempre fácil y correcto, de Marta Brunet, y es la frecuencia con que hace hablar directamente a la Naturaleza: aguas, flores, árboles, ríos y estrellas tienen su lenguaje como los seres humanos. Recurso tan válido sin duda como otro cualquiera; que si en ocasiones contribuye a elevar el tono poético del relato, usado con exceso lleva irremediablemente al amaneramiento. «Fuscias rojas, violáceas y blancas sacaban burlescamente la lengua a las humildes azulinas que estrellaban el tapiz de verde musgo»; en otra parte, los árboles, después de haber deliberado en grupos, «musitan al oído frases que luego los agitan en reír gozoso». Mencionemos entre los buenos cuentos de esta escritora *Doña Santitos*, sobre los recursos de que se vale una vieja para que no le burle el hombre que con ella convive; y entre las novelas, *Bestia dañina*, en que un honrado carpintero termina asesinando a la mujer que ha destruído su hogar, y *María Rosa, flor de Quillén*, con sagaces estudios de psicología femenina. La protagonista ve cambiarse en odio el amor que sentía hacia Pancho Ocares al comprobar que éste intentó seducirla por ganar una apuesta.

FERNANDO SANTIVÁN (su verdadero nombre era Fernando Santibáñez) nace en Arauco, en 1886. Estudia en el Instituto Nacional y luego en la Escuela de Artes y Oficios; entra en el periodismo, en el que actúa desde corrector de pruebas hasta director. En 1909 obtiene un buen éxito con su libro de cuentos *Palpitaciones de vida*, que recuerda la técnica de Dostoyevski; a esta obra sigue una nueva serie de cuentos, *En la montaña*, entre los que destaca *¡Era tan lindo!*, fino y delicado análisis de ternura femenina: una madre refiere a la vecina la muerte de su hijo, víctima de la miseria. Como novelista, escribe *La hechizada* (1916), estudio del ambiente campesino del Valle central; *Charca* (1934), reflejo realista de las costumbres sureñas; *Ansia*, a la que sirve de fondo las luchas de intelectuales y artistas de clase

media; en *El crisol* y *Robles Blume y compañía* aborda el tema urbano. No puede considerarse como novela *Recuerdos de Enrique Samaniego*, de interés autobiográfico. Lo mejor de su producción está en *Ansia*, historia de un abúlico y desarraigado, víctima de la educación y de la herencia, y en el cuento *El vengador* [9], rápido, intenso y fuertemente dramático.

Hacia 1904 apareció en Chile una serie de cuentos o narraciones breves en torno al trabajo y la vida de las minas, serie de cuentos que venían a ser la revelación de un auténtico costumbrista. Su autor, BALDOMERO LILLO (n. en Lota, 1867), que había pasado la infancia bajo el cuidado materno, pronto tuvo ocasión de conocer el escenario para su obra, ya que muy joven aún hubo de reunirse con su padre, encargado de la dirección y explotación de un yacimiento minero. La vida literaria de Lillo se había iniciado con cuentos y artículos costumbristas, publicados en *El Mercurio* y recogidos más tarde en volumen, bajo el título de *Relatos populares*, por su amigo y biógrafo J. S. González Vera. Lo que dió, sin embargo, fama a Lillo es la serie aludida de cuentos mineros. Lillo los publicó en libro con el título de *Sub terra*, y en ellos lo primero que se echa de ver, aparte de la impresión de cosa vivida y observada directamente, es el fondo eminentemente humano con que están escritos y sentidos. La técnica es desde luego la propia del naturalismo; pero de un naturalismo mitigado por la más piadosa comprensión del dolor ajeno. Esa piedad lleva al narrador a tal cual exageración, sobre todo en la pintura del hombre explotador, p. ej., míster Davis, en quien sin duda quiere Lillo presentarnos el prototipo del patrón y negociante desalmado. La atmósfera que envuelve estos relatos, entre los que hay algunos tan logrados como *El chiflón del diablo, El pago* y *La compuerta número 12*, es muy parecida a la que respiramos en determinadas novelas de Tolstoi, Dostoyevski y Turguenief, tres narradores muy leídos por Lillo. Hay en estos cuentos algo y aun mucho que se asemeja a la religión del sufrimiento tan consustancial a los escritores rusos mencionados; y hay también algo que establece una diferencia fundamental entre Lillo y otros costumbristas hispanoamericanos: Lillo narra, se compadece; pero no predica; nada de doctrinas redentoristas. Expone su piedad hacia el humilde, el explotado, el sacrificado y confía en despertar idéntica piedad en el alma de sus lectores. Pero no es ésta su única nota, con ser la más importante. Cuentos hay en Lillo que por su tono finamente humorístico parecen más bien inspirados en Dickens. Ejemplo, los titulados *Mis vecinos, Cañuela y petaca, Caza mayor*. Tres años después que *Sub terra* apareció otra colección: *Sub sole* (1907). Son relatos más cuidados, más perfectos; pero de menos vigor. Entre los fallos de este autor ha de señalarse cierto descuido en el lenguaje, originado tal vez en su afán de exactitud. Entre las virtudes, la observación fiel, la emoción humana y la sobriedad descriptiva.

Una sola obra, *El socio* (1920), ha bastado a JENARO PRIETO LETELIER (1889-1946) para elevarse al primer plano de la sátira criolla. Ya conocido como humorista cáustico y excelente pintor de costumbres por sus colaboraciones en la prensa, pasa a la novela y logra con *El socio* una de las obras más definitivas del género no sólo en América, sino en toda el área de habla española. *El socio* puede relacionarse con *La bolsa*, del argentino José Miró, en cuanto ambas novelas aspiran a reflejar el mismo ambiente, el agitado mundo bursátil. Pero con tono muy distinto: de ironía despiadada en Prieto; de crítica seria en Miró. Una breve síntesis del argumento nos revelará mejor que nada la índole de esta novela:

Julián Pardo, escritor y poeta (obsérvese que sus iniciales se corresponden con las del autor), al borde de la miseria, decide consagrarse a los negocios. Pero en todas partes se ve rechazado por falta de garantías; en menos palabras, no tiene «un socio» que le respalde. Si tuviera «socio» y ese «socio» fuera extranjero, encontraría ayuda y se le abrirían todas las puertas. Ante esta situación, Pardo, en vez de buscar colaborador que dé título a la empresa, se lo inventa: su «socio» es míster Walter Davis. Con esta garantía se presenta ya en público; se le abren todas las puertas; se le dispensa toda clase de ayudas, y sus negocios van viento en popa hasta llegar a convertirse en el centro de las finanzas de la capital chilena. Pardo especula, gana dinero, y hasta se permite el lujo de una amante de alto rango, Anita, esposa de un poderoso financiero. Sin embargo, todos sus triunfos son atribuídos al «socio», de quien en el concepto público

Pardo no es más que simple secretario. Llega el momento en que su mujer, sus amigos, su propia amante, que ha puesto con él para ocultar las relaciones un simulado negocio de modas—Madame Duprés. Modes—, le invitan a que les presente a míster Davis, tachándole de mal amigo y falto de cortesía por no haberlo ya hecho. Tan obligado se ve, que finge una ruptura con su colaborador. Y entonces viene nuevamente la falta de confianza por parte de los amigos, el alejamiento, el fracaso. Viéndose sin salida, Pardo recurre al suicidio, no sin antes fingir una carta amenazadora del presunto «socio». Junto al cadáver aparece la carta, de la que todo el mundo deduce que Davis ha asesinado a Pardo. «Desde entonces la Policía busca a Davis.» Con este rasgo de ironía termina la obra.

Nos hallamos, pues, ante un tipo de sátira trascendental, que se nos da envuelta en una dura crítica de la idiosincrasia criolla. Aquella máxima de que nadie es profeta en su tierra parece servir de eje a la novela. El fetichismo de ciertos pueblos hispánicos, o de cierta clase social, por todo lo que huele a exótico y extranjero. Es el caso de los Pérez que no triunfan en el cine o el arte mientras no se llaman Peter. Sobre este tema, Prieto ha logrado una obra de enorme interés. Julián Pardo merece hombrearse con los tipos más famosos de la picaresca universal. Se le han señalado analogías con *La importancia de llamarse Ernesto*, de Oscar Wilde; con *El difunto Matías Pascal*, de Pirandello, y con *Niebla*, de Unamuno. Sin negar esas analogías, digamos que *El socio* tiene méritos suficientes para ser considerada obra original. Menos valor ofrece la otra novela de Prieto, *Un muerto de mal criterio*.

II. BOLIVIA, PERU Y ECUADOR

De los tres países es Bolivia el que ofrece una producción narrativa más interesante. Y es concretamente el período liberal de 1900 a 1920 el que brinda la nómina más brillante de escritores, en su mayor parte novelistas. Luego, la guerra del Chaco dará motivo a otra segunda floración, tan copiosa, pero de menor empeño y calidad literaria. Anticipemos que las dos tendencias dominantes en la narrativa boliviana del primer tercio del XX son el realismo y el exotismo; dos tendencias que, ya lo advierte Díez de Medina [10], lejos de excluirse, «fluyen paralelas, juntando a trechos sus aguas». Adviértase también que en casi todos los narradores bolivianos domina lo descriptivo sobre lo psicológico o humano, de suerte que casi siempre el paisaje importa más que el hombre. Otra nota es la actitud revisionista; los escritores de aquel país, como ha escrito un crítico contemporáneo, «tomaron seriamente la tarea de hacer nación». De ahí que en muchas novelas domine el

tono panfletario. Pero todavía en lo que va de siglo, Bolivia puede presentar media docena de estimables narradores.

Arguedas, Mendoza Chirveches y otros

Uno de ellos es ALCIDES ARGUEDAS (1879-1946), abogado, que luego militó en política y sirvió a su país como diplomático en varias Legaciones: París, Londres, Madrid. Se dió a conocer primero con dos novelines: *Pisagua* y *Wata-Wara*; revalidó sus credenciales de narrador con *Vida criolla* (1905) y se situó en la vanguardia de la novelística americana con *Raza de bronce* (1919), uno de los libros más representativos del género en aquel continente. *Vida criolla*, cuya acción se desarrolla sobre un doble plano psico-sociológico, tiene mucho de autobiografía. El protagonista, Ramírez, pesimista, desencantado como Arguedas, todo lo ve negro; y esta negrura empaña el conjunto de la novela, abundante por otra parte en excelentes descripciones—fiestas, tertulias, carnavales, etc.—de la vida paceña. *Raza de bronce* es o quiere ser el drama del indio frente al blanco usurpador. Relata la tragedia de la hermosa india Wata-Huara o Wata-Wara, que antes le había dado materia para una narración breve. Wata es asesinada a golpes por el blanco Pantoja, al fracasar en su intento de poseerla. Las figuras de Agiali y Manuno realzan la belleza del cuadro. Pero todo esto no pasa de un episodio, aunque ese episodio señale el punto culminante del relato. Este se basa, ante todo, como queda dicho, en el choque violento entre dos razas y dos formas de vida. Los indios del altiplano que bajan al valle para vender sus productos; la vida costumbrista de aquéllos; la rapacidad de los blancos; la rebelión violenta de los explotados, son otros cuadros tomados del natural y trazados con líneas firmes por la mano de un hombre que lo ha visto y lo ha sentido antes. En esa rebelión de los indios había de inspirarse Ciro Alegría al escribir, años después, su novela *El mundo es ancho y ajeno*. La de Arguedas constituye una denuncia no sólo contra determinados organismos, sino contra unos gobiernos y un estado social, despreocupados del gravísimo problema que afecta a la raza india, y que en términos generales se llama incultura, atraso. Hay en *Raza de bronce* demasiados discursos, demasiadas apelaciones a la justicia; hay demasiado patetismo; hay también evidente exageración de contrastes: el indio siempre es bueno; el blanco, malo. Faltan caracteres definidos; falta asimismo un hilo que hilvane ciertas escenas un poco deshilvanadas; falta, sobre todo, un estilo literario. Pero estos fallos se compensan con el hondo sentimiento de compasión hacia el indio, que anima toda la novela; con el ardor que el autor pone en su defensa; y con los brillantes cuadros paisajísticos y costumbristas que amenizan la obra. Precisamente, la presencia del paisaje y de la tierra será la más valiosa aportación de Arguedas al indigenismo; y este paisaje quedará vinculado inseparablemente a ese tipo de novela. De las restantes obras de Arguedas citemos el relato breve *Venganza aimara*, un proceso de amor que termina en asesinato del rival; *La danza de las sombras*, verdaderas Memorias del autor; y *Pueblo enfermo* (1909), un tratado sociológico en que Arguedas enjuicia a su país con una actitud que recuerda la de nuestros escritores del 98. La crítica boliviana le acusa de haber contribuído con este libro a formar toda una leyenda negra en torno a Bolivia.

Bien distinta es la actitud de JAIME MENDOZA (1874-1941), poeta, novelista, sociólogo, historiador y geógrafo, todo en una pieza. Domina en su producción el género narrativo; y dentro de éste, lo sentimental sobre lo fríamente costumbrista. Arguedas quería ser antes que novelista, sociólo-

go; Mendoza, historiador y geógrafo. Por ello la naturaleza se impone al personaje en sus relatos, y el tema queda subordinado al paisaje. Incluso las acciones y reacciones de aquéllos dependen en gran parte del ambiente. Esto se observa en *El lago enigmático* (1936), con una trama amorosa que se desarrolla en las orillas del lago Poopó, antigua sede de los indios chipayas. El joven poeta Gabriel, enterado por la india Angela de que en cierta isla vive un tal don Andrés, acompañado de su hija Filomena, acude a visitarlos. Nace el amor entre los jóvenes; pero una llamada urgente de Margarita, su antigua novia, le obliga a abandonar la isla temporalmente. Filomena se entera del antiguo noviazgo y se suicida; Gabriel se entrega a la bebida; y don Andrés—desenlace frecuente en la novelística americana—desaparece sin rumbo fijo. *En las tierras del Potosí* (1911) nos describe en lengua descarnada la vida de los mineros; *Páginas bárbaras* (1917) nos cuenta la explotación de las caucherías. Por su intensidad y dramatismo se adelanta a *La vorágine*, del colombiano José E. Rivera. Sólo que el estilo literario de Mendoza, carente de brillo y de perfección, queda muy por lo bajo del otro. Rivera, a la vez que un novelista es un excelente poeta —sus sonetos de *Tierra de promisión* así lo pregonan—; en Mendoza, por el contrario, el moralista, el pedagogo, el historiador se imponen al literato. El resto de su obra—*Memorias de un estudiante, El mar del Sur, El macizo boliviano*, etcétera—así lo demuestran.

La temprana muerte de ARMANDO CHIRVECHES (1883-1926) truncó la obra de un novelista llamado a ser quizá el mejor de su generación y de su país. Chirveches se suicidó en 1926. Había acreditado en el periodismo desde muy pronto innegables dotes de imaginación y expresividad; luego se da a conocer como buen poeta de corte romántico y como narrador adscrito a la técnica realista. Toda su obra en ambos aspectos está dominada por una idea central: la exaltación del nacionalismo. Esa obra, que prometía ser copiosa, está reducida a media docena de títulos: *Celeste* (1905), *La candidatura de Rojas* (1909), *Casa solariega* (1916), *Flor de trópico* (1916), *A la vera del mar* (1926) y *La Virgen del Lago* (1926). Lo mejor está en *Casa solariega*, donde asistimos, en un mundo de personajes abúlicos e inadaptados, al proceso de descomposición y decadencia de una rancia familia vencida por el progreso; y en *La candidatura de Rojas*, acerba sátira político-social motivada por unas elecciones a diputados. La posición extremadamente tendenciosa del autor resta objetividad a la novela, y, sin embargo, es un buen documento de costumbres. En *La Virgen del Lago* se nos ofrece una reconstrucción arqueológica de especial interés. Chirveches se aparta del tema indigenista para cultivar el cuadro social de las clases alta y media, con indisimulable intención satírica. Sabe captar como nadie el rasgo característico, el perfil típico de sus compatriotas; y éste es su mérito más relevante. En cambio, falla en la unidad argumental: con frecuencia los episodios se escapan de la línea narrativa.

El costumbrismo boliviano fué cultivado también por JUAN FRANCISCO BEDREGAL (n. 1883), cuyas obras—*La máscara de estuco, Figuras animadas, Don Quijote en la ciudad de la Paz*—se distinguen por la doble nota del sentimiento y la ternura. Bedregal es, además, un escritor limpio y castizo. Otros narradores bolivianos son DEMETRIO CANELAS, autor de la novela *Aguas estancadas,* excelente estudio de la sociedad de principios de siglo, con buenos análisis psicológicos y algunos toques de mal gusto, perfectamente innecesarios; y ABEL ALARCÓN (n. 1881), cuya colección de cuentos *De mi tierra y de mi alma* representa una fina interpretación del alma boliviana. Alarcón, eminente figura de las letras y de la política de su país, fué también poeta—*El imperio del Sol*—, crítico—*La literatura boliviana: 1515-1916*—y novelista histórico—*En la Corte de Yauar-Huacac*—.

La novela del Chaco

La guerra entre Bolivia y Paraguay (1929-1936), llamada guerra del Chaco, y promovida, según algunos, por un viejo pleito de fronteras; según otros, por oscuros e inconfesables intereses capitalistas, produce un fuerte impacto en la juventud intelectual boliviana y da ocasión para una literatura de carácter polémico, muy cargada de odio al capitalismo y de fuertes reacciones nacionalistas. La producción novelística en torno a la hoguera chaquense es abundante, especialmente por parte de Bolivia, que en la contienda llevó mayores pérdidas. Luis Alberto Sánchez se pregunta por qué una guerra de proporciones no mayores que la tripartita del Paraguay, la segunda del Pacífico o la de Méjico contra los Estados Unidos suscitó tal interés en el campo literario. Y apunta varias razones: la mayor madurez de los pueblos comprometidos; la vinculación al conflicto de un sentido social; y unos fondos del espíritu nacionalista agitados por las doctrinas comunistas. El hecho es que las novelas en torno al conflicto, sus orígenes y desarrollo brotaron en número extraordinario. De ellas se han salvado pocas; la mayor parte han desaparecido junto con la circunstancia bélica que provocó su nacimiento. Del lado del Paraguay se recuerda *El infierno verde,* pero ésta no corresponde a un nativo, sino a un centroamericano; del lado de Bolivia encontramos hasta media docena de autores merecedores de recuerdo.

OSCAR CERRUTO (n. 1907), crítico, poeta y narrador, aspiró a reconstruir en *Aluvión de fuego,* con un sentido épico, todo el proceso de la contienda; pero, más lírico que novelista, el tema se le escapa y se empequeñece en una serie de divagaciones sociológicas. AUGUSTO GUZMÁN en *Prisionero de guerra* quiso darnos una novela y nos regaló un Diario de inestimable valor documental: muy influído por la literatura rusa. Guzmán respira por todos sus poros solidaridad y pacifismo. El mejor narrador del conflicto chaquense es sin duda AUGUSTO CÉSPEDES (n. 1904). Su prosa robusta, su estilo ágil, aunque no siempre correcto, su visión exacta de las cosas y la interpretación del medio en que se mueve, junto con el sentido del paisaje y la hondura de los análisis, le confieren un puesto de honor entre los literatos de su país. Más que *El metal del diablo,* novela de ambiente minero, en que el político traiciona al novelista, haciéndole respirar odio contra Patiño, el famoso «rey del estaño», nos gusta la serie de nueve relatos breves titulada *Sangre de mestizos.* Integran el panorama más amplio, exacto y completo que se nos ha dado de la guerra del Chaco; y hay entre ellos algunos tan felizmente logrados como *La coronela, El milagro* y *El pozo.* Otros narradores del conflicto fueron Aquiles Vergara Vicuña, Luis Toro Ramallo y el paraguayo José Villarejo.

Paralelamente a la dirección realista se desarrolla en Bolivia la novela política, con doble tratamiento: como crítica de sistemas y principios generales, con cierta tendencia a la utopía y universalización de tesis; y como sátira personal, diatriba casi siempre, contra políticos venales y caudillejos incapaces de mantenerse en el poder sino mediante la tiranía. Algunos autores citados en el párrafo precedente cultivaron también este tipo de novela; ejemplo: Céspedes, en *Metal del diablo.* Agréguese a este nombre los de JOSÉ AGUIRRE ACHA (n. 1877), publicista especializado en problemas internacionales y poeta ramplón que ideó en *Platonia,* novela tan densa de concepto como falta de interés, un estado utópico semejante al de la *República,* de Platón, o *La ciudad del sol,* de Campanella; ENRIQUE FINOT (n. 1891), que aborda el tema del mestizo politiquero y arribista en *El cholo Portales,* y el del inadaptado en *Tierra adentro,* en ambos casos con un sentido truculento y un estilo artificioso; CARLOS MEDINACELI, que en *La Chaskañawi* logró un estudio costumbrista de alto valor. El conflicto del cholo blancoide absorbido por la chola está bien planteado y resuelto. El coprotagonista—la protagonista auténtica es Claudina García, la *Chaskañawi*—es un tipo abúlico que sucumbe a los estragos del alcohol y de los encantos de Claudina, síntesis ésta de las virtudes y vicios del mestizaje. La ambientación está lograda, y el lenguaje, salpicado de modismos, contribuye a la mayor exactitud del cuadro. Un solo fallo tiene a nuestro entender: exceso de tono negro. Es el defecto de casi todos estos narradores. Citemos, sin comentarlos, a Gustavo Adolfo Otero, Gustavo A. Navarro, José Eduardo Guerra y RAÚL BOTELHO GOSÁLVEZ (nació en 1917). Este es uno de los postreros cultivadores de la novela indigenista. *Loca, Altiplano sediento, Vale un Potosí, El hombre cerril* y *Borrachera verde* son narraciones cortas casi logradas. La mejor, *Borrachera verde,* que da título a la colección, es un cuento intenso, brutal, sobre la selva y las caucherías, comparable, aun dentro de su breve extensión, a *La vorágine,* de José E. Rivera.

Perú y Ecuador

Ni en uno ni en otro país la prosa narrativa de esta época alcanza considerable altura. Con la única excepción de Angélica Palma, la hija del autor de *Tradiciones peruanas,* los narradores son más felices en el cuento o relato breve que en el extenso. Novelista, lo que se dice novelista de talla, no encontramos ninguno en este período en Perú ni en Ecuador. Acaso el narrador de más fuste sea ENRIQUE LÓPEZ ALBUJAR (n. 1872), que, aunque escribió novelas semilogradas (*Matalaché,* de ambiente colonial; *El hechizo de Tomaiquichúa,* costumbrista), destacó más en la narración breve: *Cuentos andinos* y *Nuevos cuentos andinos,* de 1920 y 1937, respectivamente. Como cuentista, puede ponerse al lado de V. García Calderón. Al igual que éste, prefiere los temas regionalistas, que trata con una riqueza de expresión y vigor extraordinarios. Hay relatos, como *El campeón de la muerte,* que hacen daño de puro feroces en el fondo y descarnados en el lenguaje. La venganza del viejo Tucto y la justicia implacable de los yayas se nos expone en unos términos y con un detalle que inspiran más que horror, repugnancia. Aquellos seres no son hombres: son alimañas sedientas de sangre. Cuando el realismo llega a estos límites deja de ser literatura para convertirse en cualquier otra cosa. Muy distinta es la producción de ANGÉLICA PALMA (1883-1935).

También está presidida por el signo realista; pero se trata de un realismo equilibrado, sano, de la mejor veta española, influído por Galdós, y de un costumbrismo de fondo moralizador, a la manera de *Fernán Caballero.* Por cierto que de esta insigne escritora andaluza nos dejó una interesante biografía Angélica Palma. Escribió, además, varias novelas tan simpáticas como discretas: *Por senda propia, Uno de tantos, Contando cuentos,* y una graciosa reconstrucción histórica, al estilo de las *Tradiciones* de su padre: *Coloniaje romántico.*

A CÉSAR VALLEJO (1892-1938) aludimos por extenso en el capítulo dedicado a la poesía contemporánea. Queda por citar, simplemente citar, *Tungsteno* (1930), una novela sin lograr, en la que se nos presenta una vez más el indio víctima de patronos y gamonales, aliados éstos con los «yanquis» en nombre del progreso. Novela de minas, el doctrinarismo marxista ahoga el escasísimo valor literario de una narración inhábilmente llevada.

En Ecuador, entre la generación modernista y la de escritores doctrinarios aparecidos después de 1930, hay un pequeño bache. Todavía, sin embargo, pueden recordarse algunos nombres. El más prestigioso tal vez es FERNANDO CHÁVEZ, por su novela *Plata y bronce* (1927), que ha servido de esquema a varias narraciones ulteriores de asunto indigenista. El título es simbólico: plata o amo blanco; bronce o mujer india. Un cura fanático y dominador; un político que obra al dictado de los grandes latifundistas; un amo blanco que explota a los indios y abusa de sus mujeres e hijas: eso es todo. Como se ve, ya bastante manido. Pero no carece de méritos literarios y hasta se la ha comparado con *Raza de bronce,* de Arguedas. Otros narradores ecuatorianos de la época: Leopoldo Benítez—*Mala hora*—; Sergio Núñez—*Un pedagogo terrible, o el vientre de una revolución*—; Benjamín Carrión—*El desencanto de Miguel García*—; Pablo Palacio—*Un hombre muerto a puntapiés*—.

III.   VENEZUELA Y COLOMBIA

Agrupamos a los dos países únicamente por razones de propincuidad geográfica, sin que ello presuponga relaciones o analogías literarias. Aludidos los escritores modernistas venezolanos en otro lugar, réstanos citar aquí a los postmodernistas, que, iniciados en el modernismo, evolucionan luego hacia el realismo. Dos figuras de singular relieve reclaman nuestra atención: Rufino Blanco-Fombona y Rómulo Gallegos. En Colombia, aparte otros de menor cuantía, también ofrece la prosa narrativa de este período otras dos figuras representativas: la del poeta y novelista José Eustasio Rivera y la de José A. Osorio Lizarazo. Por

lo demás, y casi no hace falta insistir en ello, Colombia sigue en esto como en todo, y al igual que en épocas anteriores, su línea nunca rota de equilibrio y tradicionalismo clásicos.

Blanco Fombona, Picón-Salas, Febrés Cordero y otros

Del poeta RUFINO BLANCO-FOMBONA (1874-1944) se habló extensamente en el capítulo LXXXVI. Allí mismo se aludió a su agitada vida, una de las más turbulentas en la literatura americana de estos últimos años. Réstanos decir algo del escritor narrativo. Su obra en este aspecto comprende novelas y cuentos. Novelas: *El hombre de hierro* (1907), *El hombre de oro* (1917), *La bella y la bestia* (1927), *La mitra en la mano* (1931) y *El secreto de la felicidad* (1933). Cuentos: *Cuentos americanos* y *Cuentos de poeta*. Como novelista, Blanco-Fombona parte del modernismo para arribar al naturalismo. La sociedad colonial, deshaciéndose poco a poco en una atmósfera «decadente», se nos presenta en *El secreto de la felicidad*; las luchas de banderías y el estado del pueblo bajo un régimen dictatorial, en *La bella y la fiera*; la vida de un burócrata infeliz, en *El hombre de hierro*; y la picardía y la chunga, en *El hombre de oro*. Ninguna de estas narraciones es cosa lograda. Realidad y ficción se mezclan, sin poder precisarse hasta qué punto. Muchos personajes son simples caricaturas; muchas descripciones, exageradas. La ideología, la pasión política y hasta el odio personal del autor se interfieren en la creación artística, desvirtuando casi totalmente los méritos literarios. Más acertado anduvo Blanco-Fombona en sus cuentos; y aunque con frecuencia en ellos la realidad aparece deformada, y cuando no están inspirados por rencores personales lo están por la obsesión sexual, todavía se pueden extraer de las dos colecciones seis u ocho aceptables: *El santo anacoreta y el mal monje, Molino de maíz, El catire, Idilio roto, Jaimito, Recién casados* y *La lección del padre Irástegui*.

A TULIO FEBRÉS CORDERO (1860-1938) se le viene considerando, y no sin motivo, el patriarca del cuento venezolano. Muchas de sus narraciones aparecieron en periódicos y se caracterizan por el tono docente, resumido en una moraleja final. Ejemplo: *La regla del carpintero*. Febrés ha sabido recoger en narraciones llenas de interés y amenidad las costumbres, tradiciones y leyendas andinas, desde la época más remota hasta mediados del siglo XIX; y las ha entregado a su pueblo en una prosa llana y con un sentido del relato al alcance de todo el mundo. Tal es la significación de sus *Tradiciones y leyendas*. Trabajó también con provecho en la investigación histórica: *Don Quijote en América* y *Décadas de la historia de Mérida*.

En el mismo plano de erudición y creación literaria se encuentra MARIANO PICÓN SALAS (nació en 1901), tan interesante por sus estudios literarios e históricos como por los de pura imaginación: *Odisea en Tierra Firme, Vida, años y pasión del trópico, Registro de huéspedes*, etc. Su obra más personal es *Viaje al amanecer*, en que se amalgaman perfectamente recuerdos, sueños e ilusiones de la adolescencia, casi autobiográficos, con tradiciones y costumbres venezolanas de comienzos de siglo. JOSÉ RAFAEL POCATERRA (n. 1888) intentó mezclar costumbrismo y política en unas cuantas narraciones largas—*Vidas oscuras, Tierra*

del sol amada, Memorias de un venezolano de la decadencia—y en sus *Cuentos grotescos*, todo ello escrito con una técnica realista dura y exacerbada. Por último, MANUEL VICENTE ROMERO GARCÍA (1865-1917), salido de las filas románticas, había ensayado con su *Peonía* (1890) la novela rural venezolana, en una especie de réplica de *María*, de Jorge Isaacs. También aquí asistimos al idilio amoroso entre una doncella campesina y su primo, un joven ingeniero, que naturalmente representa el progreso. Pero Romero García, al igual que los anteriores, quedan muy lejos de su propósito. Les falta visión panorámica y les sobra oratoria, doctrinarismo e intención política.

Rómulo Gallegos

La novela venezolana alcanza plenitud y universalidad en RÓMULO GALLEGOS (1884)[11], en cuyas obras se alían felizmente un gran paisajista, un gran literato y un gran observador. Anticipemos que Gallegos es ante todo un novelista típicamente nacional; y, por serlo tanto, es también un novelista universal. Ya está archidemostrado que un poeta, un artista, se proyecta en ámbitos tanto más amplios cuanto mejor responde a la especial idiosincrasia de su raza, de su pueblo y de su hora. La obra toda de Rómulo Gallegos, con excepción de su última novela, *La brizna de paja en el viento*, se halla firmemente enraizada en la vida y en el proceso tanto político como cultural y social de Venezuela. Pero esto nos interesa por ahora menos que el análisis de esa obra. Prescindiendo de trabajos político-doctrinales, al margen de nuestro estudio, atendamos aquí a sus cuentos y novelas. Unos y otras ofrecen el mismo ideario, la misma temática y hasta idénticos procedimientos. Los cuentos, aparte del valor literario, siempre considerable, y del valor folklórico, entrañan un hondo valor humano. Las criaturas de ficción de Gallegos responden siempre a criaturas reales, que viven, gozan, luchan y sufren. Sufren, sobre todo; porque una nota común a todos estos cuentos es el concepto pesimista del mundo y de los hombres, inspirado sin duda en el espectáculo de un pueblo, moral y materialmente miserable. Tal lo vemos, por ejemplo, en *Peguijal*. «La gente de Peguijal—se nos informa—es gente hosca, pachorrenta, roída por minúsculos rencores de una hoguera de odios ancestrales, en cuyo rescoldo escarban los espectros de las razas irreductibles, minada por un pesimismo hecho de indolencia y misantropía, propensa a las marejadas de las pasiones violentas y fugaces, trágica hasta en la alegría.» Hay relatos en que predomina el tema social: *Los aventureros*, sobre la inconsciencia de las hordas soliviantadas por un intelectual resentido; *Los Mengánez*, sátira contra los advenedizos; *El maestro*, profunda lección de moral pública; *Una resolución enérgica*, etc. En otros se impone el análisis psicológico, sin rehuir, cuando el caso lo exige, las exploraciones de tipo freudiano: *Sol de antaño*, sobre el hastío de un alma redimida gracias al sentimiento de la paternidad; *La rebelión*, sobre la fuerza de la herencia; *Estrellas sobre el barranco*, basada en el ansia sexual, representada en un leproso que atenta contra el pudor de su propia hermana; *El paréntesis, La liberación*, etc. El paisaje que pesa sobre el hombre, hasta producirle una sensación de asfixia, informa *La ciudad muerta* y *Marina*; el contraste entre la maternidad física y la moral se expone en *La hora menguada*, que por su rapidez, intensidad y léxico recuerda ciertas narraciones de Unamuno. En *Los emigrantes* se plantea el problema de la doble patria, la nativa y la de adopción; en *El milagro del año* se asiste a la reparación de la injusticia por el odio, buscando el camino del amor; y en *Pataruco*, uno de los más interesantes relatos de Gallegos, nos asomamos al proceso de la creación artística, que se nos ofrece analizado en sus más finos matices.

La producción novelística está integrada por nueve títulos: *El último Solar* (1920)—que a partir de la reimpresión de 1930 se llama *Reinaldo Solar*—, *La trepadora* (1925), *Doña Bárbara* (1929), *Canaima* (1932), *Cantaclaro* (1934), *Pobre Negro* (1935), *El forastero* (1945), *Sobre la misma tierra* (1947) y *La brizna de paja en el viento* (1952).

Se ha podido observar en la creación de Gallegos tres etapas: una—*Reinaldo Solar* y *La trepadora*—, en que el análisis psicológico lleva la mejor parte; otra—*Doña Bárbara, Canaima* y *Cantaclaro*—, en que las circunstancias externas (sabana, ríos, selva, Naturaleza en una palabra) se imponen al hombre, llegando a condicionar sus actos y a convertirse en auténtico protagonista; y otra tercera—*Pobre Negro, El forastero*, etc.—, en que los dos elementos aparecen casi equilibrados: el paisaje juega un papel importante, pero prevalece el análisis, si bien ya no es, como en las novelas de la primera época, un análisis individual, sino más bien colectivo; más exacto, un análisis múltiple. Mientras Reinaldo Solar e Hilario Guanipa, de las dos primeras obras, se llevan toda la atención del autor y de los lectores, en la última, *La brizna de paja en el viento*, la atención se reparte entre varios personajes—Mauricio, Florencia, Juan Luis, Luciente—, tan representativos como el mismo protagonista, Justo Rigores.

Dos palabras ahora sobre cada novela. *Reinaldo Solar*, todavía influída por el decadentismo de fin de siglo, nos presenta un tipo imaginativo, último vástago de una honorable familia, que consume en sueños y en quiméricos proyectos toda su energía destinada a la acción. «Perder el tiempo escribiendo lo que debería vivir», tal es su sino. Solar camina por la vida de fracaso en fracaso por no haberse dado cuenta de que la exis-

tencia humana, además de idea, es lucha y acción. Fracasa dentro de su país en su intento de crear una Asociación Civilista para la reedificación moral; fracasa en Madrid, al querer estrenar una tragedia [12], y fracasa en sus amores con Rosaura. Reinaldo muere con la sensación de haber vivido una vida absolutamente inútil. Pero en la novelística de Gallegos tiene excepcional importancia simbólica, en cuanto primer ejemplar de todo un linaje de caciques feudales, abúlicos y crueles, llamados a desaparecer entre las oleadas del progreso y de la revolución. Detrás de los Solar vendrán los Montiel, los Ardavín, los Vargas, etc. Uno de ellos es don Jaime del Casal, representante de una sociedad feudalista, a cuyo desmoronamiento asistimos en *La trepadora*, novela tan simbólica como todas las de Gallegos. Victoria—obsérvese el nombre—personifica la unión de dos ramas, legítima e ilegítima, de una misma familia.

En 1929 se publica *Doña Bárbara*, la mejor novela sin duda de Rómulo Gallegos. La más naturalista también, ya que en ella como en ninguna otra queda puesto de relieve el determinismo físico y la influencia consiguiente del medio. Ambiente, personajes y trama se alían perfectamente en esta narración, basada en la implacable aversión de una mujer hacia los hombres. Esa aversión tiene un origen, si no justificativo, al menos explicativo: la brutal ofensa que en su juventud habían perpetrado esos mismos hombres; aquel «festín de su doncellez» a que alude el novelista. Desde ese momento doña Bárbara no respira sino para vengarse; el dominio sobre el macho, la humillación de éste, será el único móvil de su vida. Para ello pondrá en juego todas sus artes, buenas y malas, que son muchas. Su víctima más notoria es Lorenzo Barquero, al que despoja de la hacienda. Su propia hija, en quien ve un triunfo del hombre, no se libra del odio feroz. Su conducta es una mezcla «de hirviente sensualidad y tenebroso aborrecimiento al varón». Pero a Bárbara le sale un digno competidor: Santos Luzardo. Las armas con que éste lucha son más sutiles, más refinadas y eficaces. En un medio donde Bárbara campa a sus anchas, matando, fascinando o esclavizando a todo el mundo, él quiere imponer la ley y los ideales del hombre civilizado. Desprecia a Bárbara, que se ha enamorado de él y, en cambio, seduce a Marisela, la hija de aquélla. Bárbara intenta asesinar a la pareja; pero el recuerdo de un amor de adolescencia despierta su dormida sensibilidad. Entonces, derrotada, abandona la hacienda y desaparece sin que jamás se vuelva a saber de ella. Tal es en síntesis el argumento; pero lo mejor de la novela no es esto, sino la prosa en que está escrita, ondulante, grave y fastuosa como la sabana de Venezuela; los análisis de las almas, buídos y penetrantes; los caracteres, tallados a golpes de gubia, y las soberbias descripciones, tanto del paisaje como de las costumbres.

La selva del Orinoco, la lucha despiadada con la Naturaleza, el terror del caciquismo, el ansia de riquezas y dominio constituyen el tema de *Canaima,* novela que en intensidad dramática corre parejas con *Doña Bárbara.* Ahora es Marcos Vargas el «hombre de presa», que acaba con el despotismo de los Ardavines, no animado de un propósito civilizador como Santos Luzardo, sino movido por una fuerza natural, por una necesidad de lucha y sin otra finalidad ulterior que la de sobrevivir. Con *Cantaclaro* alcanza Rómulo Gallegos la cima de su estilo poético. Más que una novela es un poema en prosa, el poema de la sabana vivificada por la copla popular que viene a darle categoría estética. Esa copla no es otra que la que lleva dentro del alma el pueblo, reflejo del sufrimiento del criollo y de la ahogada rebeldía del negro. Como idea matriz, el trágico destino de Venezuela, siempre en busca de un jefe noble, justo y comprensivo, y como telón de fondo, el paisaje, el llano, incitando a la violencia, a la montonera, hasta que las gentes que transitan por esa llanura se vean sustituídas por otras de espíritu más elevado, deseosas al menos de un mundo mejor.

Pobre negro, su nombre lo indica, aborda un mortificante problema racial. Romanticismo y costumbrismo se reparten por igual esta novela, cuya acción transcurre entre 1820 y 1860. El conflicto entre las fuerzas oscuras de la tierra y el hombre está magníficamente trazado. La Naturaleza, con su hechizo misterioso, con sus supersticiones, termina por anular al hombre. Hay personajes inquietantes: Ana Julia, Pedro Miguel, los dos Cecilios, el viejo y el joven; Luisana, el padre Mediavilla; pero todos terminan sucumbiendo al medio, incapaces de resistir la misteriosa llamada de la selva. Obra de realismo crudo, abunda en escenas violentas, trazadas con detallismo fotográfico, aunque llenas de vigor y envueltas en un clima de tragedia. Léanse, por ejemplo, en la jornada IV, las tituladas «Aquella visión» y «Venezuela». *El forastero* es la típica novela urbana, que nos introduce en el mundo corrompido de la politiquería y el caciquismo. También aquí se enfrentan dos mundos: el de los arribistas, los opresores, los asesinos a sueldo, y el de los idealistas, luchadores por una sociedad mejor. Hay menos descripción que en otras obras, y los personajes, más numerosos, están bien caracterizados. En *Sobre la misma tierra* vuelve Gallegos a los amplios escenarios campestres y selváticos. Vuelve asimismo a la técnica naturalista. Después de presentarnos con cuatro trazos enérgicos a Demetrio Montiel, el protagonista, y símbolo como Solar o Vargas de toda una generación, el autor nos hace asistir a la explotación petrolífera del país o, lo que es lo mismo, a la lenta transformación de su vida agrícola en industrial. Y al lado de esa transformación, el aniquilamiento implacable de la raza aborigen, los indios iramas, sin posible salvación. Pero Gallegos, objetivo casi con exceso, no prorrumpe en diatribas contra los explotadores; se limita a reseñar los hechos, dejando que el lector formule el fallo. También aquí tropezamos con caracteres bien definidos: Remigio, Selmira, Alejandro Weimar, Venancio Navas, el lúbrico Gadea, Hardman y, sobre todos, Renata Montiel. La última novela de Gallegos, *La brizna de paja en el viento,* se desarrolla en Cuba. Ha cambiado de escenario y al cambiar ha perdido en grandeza, a nuestro juicio. Sin embargo, la acción, constituída por las agitaciones sociales durante la crisis del azúcar (1931), en los últimos años del presidente Machado, está llevada con pulso firme. El simbolismo, tan acusado en la novelística de Gallegos, se extiende aquí a casi toda la onomástica: Justo Rigores, Leal, Luciente, Florencia, etc.

Unas observaciones finales. Rómulo Gallegos nos ofrece a través de sus novelas todo el proceso formativo de Venezuela a raíz de su independencia; proceso formativo que alcanza a lo político, a lo social, a lo económico, a lo moral y hasta a lo religioso. La transmutación de los hábitos heredados de la Colonia, hábitos buenos y malos, en formas de vida actuales, se refleja de una manera objetiva, sin gazmoñerías ni falso patriotismo, en una serie de obras que constituyen una de las más valiosas aportaciones de Hispanoamérica a la novelística mundial. Gallegos se da cuenta de que no hay proceso formativo sin acción; de ahí que establezca a ésta, a la acción, como elemento básico de su obra. Y, en contraste con la acción, la abulia. Abúlicos y activos se reparten todo el desarrollo de sus novelas. Pensemos en los epígrafes de algunos capítulos: «El hombre de presa», «La voluntad abolida», «La furia», «El imperio de la ley», «La voluntariosa». Y en algunos personajes: Reinaldo Solar, Marcos Vargas, Demetrio Montiel, Santos Luzardo, doña Bárbara. Esta acción, sin embargo, carece de valor si no va acompañada de una norma de conducta. Sólo la persistencia triunfa; la indecisión y la abulia conducen al fracaso. Entre abulia y acción mal dirigida se mueve el alma venezolana; y esos son sus dos grandes peligros. Nos lo dice claramente un personaje de *El forastero:* «Alguien ha escrito por ahí que los venezolanos, como las armas de fuego de mecanismo descompuesto o imperfecto, o nos disparamos solos o no disparamos nunca.» Cualquiera ante esto pensaría que Rómulo Gallegos es un novelista de tesis preconcebida. Y no; expone hechos, presenta personajes y deja que éstos actúen, sin interferirse en su modo de ser, de obrar y de pensar: «El que refiere una novela—nos dice en *El forastero*—no debe meterse nunca en ella para que el que oye sepa cómo piensa él.» Gallegos, al componer las suyas, antes que político e ideólogo quiere ser literato; antes que otra cosa busca la belleza. En sus narraciones esa belleza brota de la fusión de lo lírico con lo objetivo. El mira el mundo circundante como espectador y poeta; de ahí la calidad estética de su obra; de ahí también su valor documental. Para Gallegos el prejuicio no existe; el odio al «gringo» y la exaltación del indígena, tan frecuentes en la novela americana, en la suya no aparecen. El nos presenta nativos buenos y malos; «gringos» ejemplares y perversos. Le interesa ante todo el hombre y el paisaje, que en algunas de sus novelas, en las primeras, pesa tanto como aquél. Ese paisaje es unas veces la selva cauchera *(Canaima)*; otras veces, la llanura devoradora de hombres *(Doña Bárbara)*; otras, el solar en que se agitan los indios iramas *(Sobre la misma tierra)*. Y al lado del paisaje, las fuerzas atávicas, la Naturaleza inmisericorde enloqueciendo, matando, anulando *(Pobre negro)*. Por esta gravitación del elemento telúrico sobre el humano, por estos irresistibles tirones de la sangre y del destino, muchos quieren ver en Gallegos un escritor claramente determinista. Y, en efecto, Taine no dejaría de encontrar en sus novelas múltiples ejemplos con que respaldar la tesis. Pero Gallegos, que ha empezado por constituir la acción humana en base de sus creaciones, sabe que esa acción también puede ser movida por la voluntad y que esa voluntad puede terminar por imponerse a todo: «¡Llanura venezolana! ¡Propicia para el esfuerzo como lo fué para la hazaña, tierra de horizontes abiertos, donde una raza buena ama, sufre y espera» *(Doña Bárbara).*

José E. Rivera

El terror de la Naturaleza y la lucha por vencerla son tan constantes en buena parte de la novelística americana que se pueden señalar esas dos notas como uno de los caracteres más típicos de las letras en aquel Continente. Y esto no solamente en las de habla española, sino también en las brasileños. En estos casos no cabe hablar de imitación europea. Porque el novelista para inspirarse no necesita salir de su país. Le basta observar; poner sus ojos en las interminables llanuras solitarias, en las selvas casi impenetrables, en los grandes ríos. Y luego, copiar; con más o menos fidelidad; con mayor o menor dramatismo; pero copiar. Es lo que hace el colombiano JOSÉ EUSTASIO RIVERA (1889-1928) [13] en *La vorágine*, uno de los documentos más impresionantes de esa lucha entre la Naturaleza y el hombre, a que se acaba de aludir. Rivera había sido nombrado miembro de una comisión de límites entre Venezuela y Colombia, lo que le dió ocasión para visitar las selvas del Orinoco, Río Negro y la zona de Casiquiare y conocer a fondo la vida de las caucherías. Es lo que nos da en *La vorágine* (1924); pero con un impresionismo tal que aquello más que cuadros reales parece visiones de pesadilla. La trama es mínima: la aventura de un joven que ha huído con su novia y, perseguido por los familiares, se ve obligado a internarse en la selva, en el infierno verde. Este, casi no hace falta decirlo, termina tragándose al protagonista. Con todo, antes de este previsto desenlace, Rivera nos hace asistir a tal serie de horrores, nos obliga a contemplar tales cuadros, que al acabar la obra el lector piensa haber pasado por un proceso febril. Y no; todo aquello es real; ha sucedido y está sucediendo. Aquellos hombres locos de no saben qué, aplastados por una fuerza superior, que roban, matan y mueren como la cosa más natural, están allí, en las caucherías, perdidos en un océano de selva. Hay episodios escalofriantes: muerte de Millán, asesinato de Zubieta; y hay descripciones dantescas; invasión de las tambochas. Y bien; cualquiera se sentiría tentado a ver en Rivera un novelista más entre los muchos que han cultivado este tipo de narración. Sin embargo, hay entre él y los otros una diferencia fundamental. Rivera antes que nada es un poeta, es un lírico; por ello *La vorágine,* sin carecer de rasgos realistas y hasta naturalistas, es, sobre todo, un documento poético. Y un poeta, un romántico, un descontento espiritual, es también el protagonista de su novela, Arturo Cova. Lo que no le impide, antes le facilita, el ser comprensivo y compasivo. Y así, junto a las tragedias de la selva y la vesania y codicia de los explotadores, se nos ofrece la explicación de su conducta: «Hay un valor magnífico en la epopeya de estos piratas que esclavizan a sus peones, explotan al indio y se debaten contra la selva. Atropellados por la desdicha, desde el anonimato de las ciudades, se lanzaron a los desiertos buscándole un fin cualquiera a su vida estéril. Delirantes de paludismo, se despojaron de la conciencia, y, connaturalizados con cada riesgo, sin otras armas que el winchester y el machete, sufrieron las más atroces necesidades, anhelando goces y abundancia, al rigor de las intemperies, siempre famélicos y hasta desnudos, porque las ropas se les pudrían sobre la carne.»

Naturalismo descriptivo y romanticismo psicológico se funden en esta narración, vaciada en una prosa que Gómez Restrepo ha calificado de «gráfica, pintoresca y expresiva». Su defecto principal acaso sea el corte rítmico, ya perceptible en estribillos como «los devoró la selva». Ello no ha de extrañar si se tiene en cuenta que Rivera antes que como narrador se dió a conocer como poeta en *Tierra de promisión* (1921); y poeta de tanta altura como lo demuestran los sonetos «El cóndor», «El tigre», «La paloma», por no citar sino unos pocos.

Uribe, Osorio Lizarazo y otros colombianos

En la línea de *La vorágine* ha de situarse *Toá* (subtítulo: *Narraciones de caucherías* 1934), de CÉSAR URIBE PIEDRAHITA (1897-1953). Fué éste un bacteriólogo ilustre, autor de estudios científicos sobre protozoarios y de estudios estéticos sobre el arte aborigen, y representante de su país en muchos congresos internacionales. Con estos datos casi no hace falta decir que su obra reviste un propósito inicial sociológico-docente. Para mejor cumplirlo Uribe encarna a su protagonista en un intelectual que, por ajeno al rudo trabajo de la cauchería, puede formular con más libertad su denuncia contra abusos y explotaciones inicuas. Menos aún que en *La vorágine* encontramos en *Toá* un argumento. En vez de éste se nos da una sucesión de escenas hilvanadas por el hilo único del protagonista, Antonio de Orrantia, médico encargado de informar sobre la vida de las caucherías. Su testimonio es descarnado, sombrío, menos poético que el de Rivera, pero más eficaz, más contundente. La selva lo devora todo; y el propio Orrantia queda absorbido por ella en un lento proceso de anulación y aplatanamiento. Sus amores con Toá dan a la narración un sentido simbólico, que contribuye a su mayor efecto. Otra narración de Uribe, *Mancha de aceite*, sobre la vida en los yacimientos petrolíferos, aunque mejor construída novelísticamente, ofrece menos interés.

Sobre un fondo costumbrista, aunque surcado por tendencias doctrinarias, se desarrolla casi toda la obra de uno de los más vigorosos novelistas colombianos de nuestra época: JOSÉ A. OSORIO LIZARAZO (n. 1900). Había iniciado su carrera literaria en 1920 como periodista, acreditándose de espíritu combativo; en 1927 publica la primera novela, *La cara de la miseria*, a la que siguen *La casa de vecindad, El criminal, Barranquilla 2132, Hombres sin presente, Garabato* y *El hombre bajo la tierra*. Para algunos la mejor es *Garabato*; para otros, *El hombre bajo la tierra*, reproducción realista de la vida de los trabajadores en las minas de oro. De cualquier manera, Osorio Lizarazo gusta de los ambientes sórdidos, los temas de crimen, taras fisiológicas y alcoholismos, males que atribuye tanto a la ignorancia de las clases humildes como a los vicios de la burguesía. Como a Uribe, le anima un propósito ético-social. Tiene sobre otros novelistas de su país y aun del Continente americano una ventaja: que sabe construir, sabe escoger las piezas que han de integrar luego el relato y ensamblarlas hábilmente. En él hay un buen paisajista, un buen escritor y un buen narrador. La prosa fluye de su pluma espontánea, rica, jugosa. Tiene un defecto, a nuestro parecer: el doctrinarismo, excesivamente marcado. Osorio Lizarazo se siente con demasiada frecuencia predicador.

Tres nombres más queremos agregar a la lista de narradores colombianos: FRANCISCO GÓMEZ ESCOBAR (1873-1938), más conocido por *Efe Gómez*, que cultivó con éxito la novela corta y el cuento, preferentemente basados en temas campesinos *(Guayabo negro, Mi gente, Almas rudas)*; JESÚS DEL CORRAL (1871-1931), rico ganadero y agricultor del valle de Cauca, luego alto funcionario del Estado, que describe en relatos llenos de humor y de sana picardía popular las costumbres, anécdotas y consejas de su país *(El huracán de Enciso, El ornitorrinco, El ingeniero de Lieja, Que pase el aserrador,* etc.), y EDUARDO ARIAS SUÁREZ (n. 1896), médico de profesión y periodista por gusto, que ha sabido observar finamente y describir con soltura, no exenta de intención satírica, muchos aspectos de la vida colombiana *(Envejecer, Bajo la luna negra, Cuentos espirituales)*. Costumbristas de cierto relieve son asimismo Eduardo Talero *(Ecos de ausencia)* y Noel Ramírez *(Tipos raciales: cuentos y leyendas)*.

NOTAS

1. Cf. *Chile, país de rincones*, pról., págs. 11-13, Colec. Austral, núm. 680.

2. *Polémica sobre literatura chilena*, Montevideo, 1927.

3. Nacido en Santiago de Chile en 1882. Sus primeros escritos, que vieron la luz en diarios y revistas, tratan de crítica de arte. En 1907 ingresa en la carrera consular y sirve a su país en la India y en el Perú. Pronto pide la baja, y se dedica a recorrer Europa. La primera guerra mundial (1914-18) le sorprende en París, de donde pasa a Madrid. Vive en España varios años, lo que le permite conocer nuestras costumbres y psicología. En 1942 obtiene el Premio Nacional de Literatura. Muere en 1950.

4. En plena juventud fué a Europa, no se sabe si huyendo del estrecho ambiente de su país o en busca de exotismos. En París se relaciona con su primo Vicente Huidobro, el afortunado descubridor del «creacionismo». Hacia 1920 aparece por Madrid ostentando el pomposo título de «President Dadá au Chili», que le acaba de ser conferido por Tristán Tzara. Colabora con versos ultraístas y poemitas bilingües en revistas de vanguardia: *Grecia, Cervantes*. Requerido por asuntos familiares se reintegra a su país, y en 1922 publica un libro, *La muerte de Vanderbilt*, cancelando su época juvenil, de iconoclasia y despreocupación. Desde entonces firma sencillamente con su nombre, sin acordarse para nada de su presidencia del Dadá. Todavía vuelve a España con un cargo diplomático, y aquí publica (1928) una de sus mejores obras: *El chileno en Madrid*.

5. Vió la primera luz en Cobquecura, provincia del Maule, en 1886. Realiza estudios en el Liceo de Talca y en el Instituto Pedagógico de Santiago, del que más adelante sería profesor de Literatura y, finalmente, director. Algunos viajes por su propio país y por el extranjero, una continuada labor docente y la producción literaria, que comentamos en el texto, es cuanto da de sí la vida de este escritor, alejada de toda política y representación oficial. En 1944 obtuvo el Premio Nacional; y desde la publicación de sus primeros libros viene siendo uno de los escritores más prestigiosos y leídos de Chile.

6. La ausencia de elementos nativos en la novelística chi'ena ha sido puesta de manifiesto, entre otros, por Emilio Vaisse—«Omer Fmeth»—en sus *Estudios críticos* de aquella literatura. «En Chile—escribe—no escasean los escritores, pero muchos de ellos viven en su país como si no existiese. De Chile, ¿qué rastros hay en sus obras? Una y otra vez, a tiempo y a destiempo, he señalado, deplorándola amargamente, la falta de chilenidad que se advierte en la novela nacional. El escenario en que ésta suele desarrollarse y los personajes que en aquel escenario exhiben sus pasiones no tienen el sello de la tierra ni de la raza. Son *cualesquiera*; a veces parecen emigrados de Madrid o de París; a veces son verdaderos *passe-*

partout, tan buenos para un barrido en Buenos Aires o Nueva York como para un fregado en Pekín o en Yokohama. Y esto se explica sin dificultad si advertimos que los novelistas, imbuidos de lecturas y penetrados hasta la médula por el extranjerismo, escriben sin experiencia propia, sin observación personal y con meros recuerdos de novelas francesas y españolas.» A continuación alaba a Mariano Latorre porque ha sabido extraer sus relatos de la cantera nacional, porque «ha visto Chile». *(Estudios críticos de literatura chilena,* págs. 310-11, Santiago, 1940.)

7. Nace en Valparaíso en 1884. Huérfano de padre a los cuatro años, pasa la infancia en el Perú, en el hogar de su abuelo materno y en compañía de su madre, hija de alemán y vasca. Ingresa en la Academia Militar, cuyo ambiente reflejará en *Un perdido;* pero dificultades económicas le obligan a abandonarla y le enfrentan con la vida, dándole ocasión para conocer las más diversas clases sociales. Después de haber sido comerciante, viajante, oficinista, cómico, etc., se dedica a la literatura. Obtiene un cargo administrativo en la Universidad, y en 1927 es nombrado director general de Bibliotecas, y posteriormente, ministro de Educación. Actualmente, apartado de la política, vive entregado a las letras.

8. A. DONOSO: *Los nuevos,* F. Sempere, Valencia (1912?) y «Omer Emeth»: *Estudios críticos de literatura chilena,* ed. cit.

9. Armando Donoso, tras calificar el cuento *El vengador* de «trágico, sombrío, desesperante», añade: «Todo en él acusa lo inquieto. Los diálogos tienen una precisión matemática: cada palabra da la sensación de un gesto tenebroso. El ambiente se dijera que es el de una historia de Poe o el de una esotérica narración índica. Maeterlinck no la hubiera escrito más honda e impresionante. Y, sin embargo, el cuento es de una sencilla realidad. Los que hayan vivido en algún pueblo de la frontera, donde las noches tediosas pesan sobre las almas, podrán verificar la realidad sorprendente de este relato vigoroso, hondamente conmovedor. Puede el estilo a veces adolecer de cierto desaliño; mas, en cambio, la descripción, sintética y evocadora, salva todas las deficiencias... Le basta una frase oportuna para dar la sensación del instante... Las palabras tienen la precisión de la angustia y del misterio.» *(Los nuevos,* pág. 198.)

A la lista de narradores chilenos contemporáneos añádanse: Armanda Labarca (1886) y Guillermo Labarca Hubertson (1886), Ernesto Montenegro (n. 1885), Guillermo Koenenkampf (n. 1891), Luis Durand (n. 1894). Y más cercanos a nosotros: Manuel Rojas, José Santos González, Carlos Sepúlveda Leyton, Salvador Reyes y Rubén Azócar.

10. F. DÍEZ DE MEDINA: *Literatura boliviana,* capítulos XI, XII y XIII, M. Aguilar, Madrid, 1954.

11. Nacido en Caracas en 1884. Desde joven se dedica a la política y a la enseñanza. Profesor de Matemáticas y de Filosofía, influye poderosamente en el pensamiento de su país. A la caída del presidente Gómez se le nombra ministro de Educación. Expatriado luego, viene a España y reside en Madrid (1932-1936), donde escribe sus novelas *Canaima* y *Cantaclaro.* Vuelto a Venezuela, ocupa la presidencia de la República en 1947; pero un año después se le destituye en un golpe militar, viéndose obligado a emigrar nuevamente. Desde entonces ha pasado temporadas en Cuba, Méjico y otros países de Hispanoamérica.

12. He aquí las palabras con que le disuade el cónsul de Venezuela, a quien Solar ha recurrido en busca de apoyo: «Yo no quisiera desanimarlo. Su tragedia es muy hermosa y su propósito bastante bizarro. Pero no se haga ilusiones: no logrará usted que se la pongan en escena. *Aquí, como en todas partes, hay círculos cerrados en los cuales no entra fácilmente el extranjero. Para nosotros, los venezolanos, esos círculos se convierten en fortalezas inexpugnables.* Aquí nadie cree que podemos ser artistas o escritores dignos de atención; el pedestal sobre el cual nos levantamos, nuestra pobre patria, es demasiado pequeño, demasiado chato.» De propósito hemos subrayado algunas frases por la notoria injusticia que entrañan. Ningún hispanoamericano de auténtico valer ha encontrado cerradas las puertas en España. Los nombres de Avellaneda, Ventura de la Vega, Heriberto García de Quevedo,

Rubén Darío, Amado Nervo, Blanco-Fombona, Gómez Carrillo, Felipe Sassone, Gabriela Mistral, Pablo Neruda, etcétera, son testimonio más que suficiente. Pero hay un ejemplo de excepción: el propio Gallegos, cuya novela *Doña Bárbara* recibió la más alta consagración oficial a que puede aspirarse, y precisamente de parte de un Jurado compuesto por cinco miembros españoles: José M.ª Salaverría, Ramón Pérez de Ayala, Eduardo Gómez de Baquero, Gabriel Miró y Enrique Díez-Canedo.

13. Nace en la aldea de Neiva, orillas del Magdalena, en 1889. Estudia Magisterio y luego Leyes. Se da a conocer en 1921 con el libro de sonetos *Tierra de promisión.* Vida intensa y dramática. Desempeña cargos públicos y misiones oficiales. Desde 1924 residía en Nueva York, donde le sorprendió la muerte en 1928. Su novela ha sido llevada a la pantalla.

BIBLIOGRAFIA

Obras generales: vid. capítulo anterior.

I. D. F. BROWN: *A Chilean «Germinal», Zola and Baldomero Lillo,* «Modern Language Notes», LXV, Baltimore. 1950.—R. CANSINOS ASSÉNS: *J. Edwards Bello: «El Chileno en Madrid»,* «Verde y dorado de las letras americanas» («Colec. Crisol», Aguilar, Madrid, 1947).—EDTA. COLL: *Chile y los chilenos en la novela de J. Edwards Bello,* Edit. Lex, Habana, 1947.—A. DONOSO: *Eduardo Barrios y la novela,* «La otra América» («Colec. Contemporánea», Calpe, Madrid, 1925); *Rafael Maluenda,* «Los nuevos», Edit. Sempere, Valencia, s. a.; *Baldomero Lillo,* «Los nuevos», ed. cit.—R. A. LATCHAM: *El criollismo de Latorre,* «Colec. Crisol», Aguilar, Madrid, 1949.—A. TORRES RIOSECO: *Joaquín Edwards Bello,* «Grandes novelistas de la América Hispana», Univ. California Press, 1943; *Eduardo Barrios,* «Grandes novelistas...», ed. cit.—E. VAISSE («Emer Ometh»): *Joaquín Edwards Bello,* «Estudios críticos de literatura chilena», I, Edit. Nascimento, Santiago de Chile, 1940; *Eduardo Barrios,* págs. 44-63, ob. cit.; *Federico Gana,* págs. 357-62, ob. cit.; *Mariano Latorre,* págs. 303-21, ob. cit.; *Baldomero Lillo: «Sus terra»,* páginas 374-80, ob. cit.; *Marta Brunet,* págs. 65-70, ob. cit.

II. WILLIS KNAPP JONES: *Literature of the Chaco War,* «Hispania», Nueva York, 1938.—MARÍA DE VILLARINO: *La novela chaqueña,* «Sur», núm. 41, Buenos Aires, 1938.

III. R. CANSINOS ASSÉNS: *Rufino Blanco-Fombona,* «Verde y dorado de las letras americanas», «Colec. Crisol», Edit. Aguilar, Madrid, 1947.—HELEN MOFFIT CURRY: *The characters in the Fiction of R. Blanco-Fombona,* Arizona Theses, 1944.—J E. ENGLEKIRK: *«Doña Bárbara», Legend of the Llano,* «Hispania», XXXI, agosto, 1948.—J. FABBIANI RUIZ: *Los cuentos de Blanco-Fombona,* «Rev. Nacional de Cultura», núm. 82-83, Caracas, 1950.—A. GONZÁLEZ BLANCO: *Rufino B. Fombona, el polígrafo,* «Escritores representativos de América», Edit. América, Madrid, 1917.—M. MAGDALENO: *Imágenes poéticas de Rómulo Gallegos,* «Cuad. Americanos», núm. 6, Méjico, 1951.—A. MORALES: *La naturaleza en la obra de Rómulo Gallegos* (tesis doctoral leída en la Univ. de Madrid, curso 1951-1952).—J. DE LA J. NÚÑEZ DOMÍNGUEZ: *La novela contemporánea en Hispanoamérica y Rómulo Gallegos,* Méjico, 1944.—A. G. PIPER: *El yanqui en las novelas de Rómulo Gallegos,* «Hispania», XXXIII, noviembre, 1949.—PLA Y BELTRÁN: *Un escritor de América: M. Picón Salas,* «Rev. Nacional de Cultura», núm. 119, Caracas, 1956.—J. DA SILVA BIAS: *Blanco-Fombona,* Río de Janeiro, 1916.—A. TORRES RIOSECO: *Rómulo Gallegos,* «Los grandes novelistas de la América Hispana», I, Univ. de California Press, 1941.—J. VILA SELMA: *Procedimientos y técnicas en Rómulo Gallegos,* colec. «Mar Adentro», Sevilla, 1954.—J. AÑEZ: *De «La vorágine» a «Doña Bárbara»,* Bogotá, 1944.—L. A. SÁNCHEZ: *José Eustaquio Rivera,* «Escritores representativos de América», II, Edit. Gredos, Madrid, 1957.—A. TORRES RIOSECO: *José Eustasio Rivera,* «Grandes novelistas de la América Hispana», I, ed. cit.

CAPITULO XCVII

LA PROSA AMERICANA DEL XX
C) MEJICO, ANTILLAS Y CENTRO

I. LA NOVELA DE LA REVOLUCIÓN MEJICANA: *Primer período: Azuela. Martín L. Guzmán, López y Fuentes, Rafael F. Muñoz y Rubén Romero. Segundo período: Magdaleno, Miguel Angel Menéndez y Jorge Ferretis.*—II. OTROS TIPOS DE LA NOVELA MEJICANA: *Biografía novelada. Los «colonialistas».*—II. ANTILLAS Y CENTRO: *Puerto Rico, Cuba, Santo Domingo. Estados Centrales. Guatemala: Miguel Angel Asturias.*—NOTAS.—BIBLIOGRAFÍA.

I. LA NOVELA DE LA REVOLUCION MEJICANA

Uno de los hechos más salientes de las letras mejicanas en lo que va de siglo es la llamada «Novela de la Revolución». Esta revolución no es otra que la provocada por la larga dictadura de Porfirio Díaz, quien por espacio de treinta años gobernó al país casi como un auténtico señor feudal (1880-1910). Si en el aspecto político, la protesta se dirigía contra un tipo de gobierno determinado; en el social iba principalmente contra los terratenientes y la Iglesia. Tanto por la cantidad como por la calidad de algunas de sus producciones, la literatura creada en torno a ese proceso histórico reclama la atención del historiador. Hasta trescientas hace ascender Ernesto Moore las narraciones que tocan de lejos o de cerca el tema de la Revolución [1]; y aunque la mayor parte, como productos ocasionales, han perdido todo interés, quedan algunas, bastantes, merecedoras de mención, no ya sólo en una historia literaria del país, sino en una general, como la nuestra.

Notas comunes a todas esas producciones son: *a)* Su carácter fragmentario o episódico. No hay una sola que abarque el hecho en todo su conjunto, desde su inicio al final; mucho menos encontraremos una obra que recoja las consecuencias de la Revolución. *b)* Su valor documental antes que estético. Los autores prefieren la idea al relato; cuidan más del contenido que de la forma, y aunque no faltan narraciones bien construídas, de ordinario la arquitectura novelesca se resiente. *c)* Su técnica periodística. Antes y más bien que novelas, son en su mayor parte informaciones, diarios, reportajes; lo que si en cuanto al contenido humano les confiere un alto valor, atendiendo al aspecto literario se lo resta. *d)* El tono amargo y, más que amargo, pesimista. Los autores de esas novelas, y no sólo los novelistas, sino también los que, como Vasconcelos, han dado en filosofar en torno a ese hecho revolucionario, llegan casi, sin

excepción, a conclusiones negativas. El sacrificio ha sido inútil; la cruenta lucha sólo ha servido para que unos cuantos arribistas escalasen los más altos puestos de la política y de la economía.

Cronológicamente se distinguen dos períodos: revolucionario y posrevolucionario. Los novelistas del primero no sólo han visto la Revolución, sino que han vivido y actuado dentro de ella; son los mejores, con nombres como Azuela, Guzmán, López Fuentes, Rubén Romero y Rafael Muñoz. Los del segundo, de menos relieve literario—Mancisidor, Ferretis, Revueltas, Xavier Icaza, etc.—, ni han vivido ni han visto la lucha, aunque han tocado sus consecuencias. Los primeros, sin renunciar del todo al contenido doctrinal, están más atentos a la acción, a la exposición de los hechos; los segundos, situándose desde el principio en el terreno de la política y del pensamiento social, se esfuerzan por dar a la Revolución un contenido que no tuvo, al menos en sus primeros años. Una alusión a las figuras más importantes de uno y otro grupo.

Primer período: Azuela

Y es la primera por su calidad literaria MARIANO AZUELA (1873-1952) [2], cuya producción novelística, aparte algunos ensayos y algún cuento o relato breve—*De mi tierra, Víctimas de la opulencia,* etc.—, se resume en los siguientes títulos: *María Luisa* (1907), *Los fracasados* (1908), *Mala hierba* (1909), *Andrés Pérez, maderista* (1911), *Sin amor* (1912), *Los de abajo* (1916), *Los caciques* (1917), *Las moscas, Las tribulaciones de una familia decente, Domitilo quiere ser diputado* (1918), *La malhora* (1923), *La luciérnaga* (1932), *Pedro Moreno, el Insurgente* y *Precursores* (1935), *San Gabriel de Valdivias* (1936), *Nueva burguesía* (1941), *El hombre masa, La Marchanta, Regina Landa, La mujer domada.*

1441

Tres etapas cabe señalar en esta labor, idénticas en cuanto a técnica y estilo la primera y la tercera; distinta la segunda. La primera, que culmina en 1916, con *Los de abajo,* se caracteriza por la concisión estilística, los análisis psicológicos y la tendencia costumbrista; la segunda, cuyo más claro exponente es *La luciérnaga,* de 1932, acusa en cuanto al fondo un prurito doctrinario por parte del autor, y en el estilo antilógico y oscuro se resiente de las influencias del «dadá», el «ultra» y otras novedades del momento; la tercera, que va desde *Pedro Moreno, el Insurgente* a *Sendas perdidas* (1935 a 1949), acusa un claro retorno a la manera inicial.

Los de abajo está integrada por una serie de cuadros, a los que da unidad la figura del protagonista, Demetrio Macías, uno de tantos jefes surgidos al calor de la lucha. El panorama que en ella nos presenta Azuela no puede ser más amplio. Allí vemos los móviles más ocultos de la Revolución, junto con las aspiraciones y problemas de cuantos en ésta tomaron parte. Una sencilla trama argumental, bien llevada desde el principio y bien rematada, basta al autor para meternos en el cogollo mismo del proceso y extraer de éste las naturales consecuencias. Azuela, en tal aspecto, no puede ser más pesimista: la Revolución en el fondo es un fracaso; y éste se debe a que ninguno de cuantos la hicieron o dirigieron era en realidad auténtico revolucionario, capaz de aunar las diversas aspiraciones de la masa; todos fueron a la lucha por motivos personales, más bien mezquinos; todos buscaban en ella el provecho propio, cuando no la venganza de una ofensa. He aquí el argumento de *Los de abajo:*

Unos soldados vejan al campesino Demetrio Macías e incendian su casa. Para vengarse, Demetrio se lanza a la sierra, donde se le une un grupo de amigos que le eligen su jefe. La derrota que inflige a las tropas federales hace crecer prodigiosamente su fama y pronto sus exiguas filas aumentan hasta constituir un verdadero ejército. El antiguo campesino se autonombra general; pero la envidia y la sedición no tardan en minar sus efectivos militares. Traicionado al fin, su partida es aniquilada y él mismo cae en la lucha al lado de sus fieles amigos Anastasio, Venancio y Meco.

En esta obra, en todas las de la primera etapa, Azuela contempla la Revolución con ojos realistas, casi naturalistas. Del naturalismo tiene, en efecto, lo fatal, lo irremediable. «Nada importa saber adónde van y de dónde vienen—escribe en cierto lugar—; lo necesario es caminar, caminar siempre, no estacionarse jamás, ser dueños del valle, de las planicies, de la sierra, de todo cuanto la vista abarca.» La carencia de ideales no puede estar más clara; la falta de móviles que justifiquen la lucha, o al menos su prolongación, también es evidente. Cuando Demetrio regresa momentáneamente al hogar, tras dos años de ausencia, la esposa, prematuramente envejecida por los sufrimientos, le pregunta: «¿Por qué pelean ya?» Y «Demetrio, las cejas muy juntas, toma distraído una piedrecita y la arroja al fondo del cañón. Se mantiene pensativo, viendo el desfiladero, y dice: —Mira esa piedra cómo ya no se para.» Es, pues, un determinismo ciego el que empuja a Demetrio, y a tantos Demetrios, hacia la lucha y le lleva inexorablemente a la muerte. Pero la Revolución en el fondo ha sido una inmensa estafa. Literariamente, *Los de abajo,* sin ser obra que se distinga por el trazado de caracteres, debe incluirse entre las novelas bien escritas y bien estructuradas. Hay cierta simetría entre el comienzo y el fin, simetría que contribuye a la armónica belleza del conjunto: la proclamación de Macías por sus fieles se corresponde con la muerte de todos ellos en el mismo lugar de sus triunfos. Anastasio Fernández, que se negaba a admitir el caudillaje por estimar en Demetrio mayores méritos, muere momentos antes que él. La muerte del protagonista impresiona como todo gran espectáculo de la Naturaleza: «Las cigarras entonan su canto imperturbable y misterioso; las palomas cantan con dulzura en las rinconadas de las rocas; ramonean apaciblemente las vacas. La sierra está de gala; sobre sus cúspides inaccesibles cae la niebla albísima, como un crespón de nieve sobre la cabeza de una novia. Y al pie de la resquebrajadura, enorme y suntuosa como pórtico de vieja catedral, Demetrio Macías, con los ojos fijos para siempre, sigue apuntando con el cañón de su fusil...»

Otras novelas destacables de esta primera etapa son: *Los fracasados,* sobre un fondo de vida provinciana inmediatamente anterior a la Revolución; *Mala hierba,* coincidente en el título con otra de Baroja, si bien la de Azuela, planeada para atacar los abusos de los grandes hacendados, posiblemente nada tiene que ver en cuanto a inspiración con la del novelista vasco; *Andrés Pérez, maderista,* primera narración en que Azuela aborda de frente el tema revolucionario; *Las moscas,* cuadro satírico de la burocracia, con personajes caricaturescos, como el general Malacara, el enfatuado Ríos, Moralitos, Matilde, etc.; y *Sin amor,* un relato puramente costumbrista, alejado de la problemática revolucionaria, con las andanzas de una muchacha artesana; que, gracias a los ardides de la madre, consigue entrar en la buena sociedad mediante un matrimonio ventajoso. Entre las narraciones de la segunda etapa—más doctrinaria y con un cambio radical en el lenguaje, según queda dicho—cabe subrayar *La malhora* y *La luciérnaga.* Las dos adoptan un tono satírico: contra el capitalismo, contra la hipocresía religiosa, contra la inmoralidad administrativa.

La luciérnaga es acaso, después de *Los de abajo,* la novela más lograda de Azuela. En las producciones de la tercera etapa vuelve, ya se ha consignado, a los procedimientos técnicos y estilísticos de la primera, con cierta intensificación en el estudio de caracteres, a costa casi siempre del panorama de conjunto. *El hombre masa* pone de relieve la nefasta actuación de las multitudes cuando carecen de un cerebro dirigente; *Los caciques del Llano Hos* satiriza el oportunismo político de ciertos aprovechados, dispuestos siempre a enrolarse en las filas del vencedor; *Pedro Moreno, el Insurgente* exalta al caudillo honrado que no vacila en sacrificar la vida por el triunfo de sus ideales; *La Marchanta* se desarrolla en un ambiente lupanario; *Regina Landa*, en el doble plano de vida rural y urbana, poniendo en contraste ambas. En las dos últimas, así como en *La mujer domada*, lo costumbrista prevalece sobre lo psicológico y lo social. Porque Azuela, y esto interesa subrayar ante todo, es más que nada un escritor costumbrista. Por serlo, tiene mucho de Balzac; pero no tiene menos de Zola, a quien sigue en el detallismo de ciertas descripciones, y de manera especial, en el determinismo que condiciona la actuación de los personajes. También se le ha comparado con Lizardi, el iniciador de la novela en Hispanoamérica. Costumbristas los dos e intencionadamente moralizadores, hay en ellos evidentes puntos de contacto. Pero hay también fundamentales diferencias: Azuela, médico profesional, lleva a la obra literaria su formación positivista; imagina sus personajes, los pone en marcha; pero, pasado el impulso inicial, los abandona a las fuerzas ciegas del medio y del instinto. Lizardi los va siguiendo hasta el fin, sin soltarlos un momento, y gusta de extraer de sus actos las más provechosas enseñanzas.

Guzmán, López y Fuentes, Rafael F. Muñoz y Rubén Romero

La novela revolucionaria mejicana, pasado el hervor de la primera hora, alcanza especiales matices en cada uno de estos escritores. MARTÍN LUIS GUZMÁN (1887) [3] es el intelectual afanado en orientar la Revolución hacia altos propósitos políticos y morales. *El águila y la serpiente* (1928), su primera novela y acaso la mejor, es un libro de recuerdos personales del bienio 1913-1915, con retratos de Villa, Carranza, Obregón y otros personajes de fuste, muy conocidos del autor. La carencia de contenido ideológico de la Revolución y la misera moral de sus más destacados factores, ya señalada por Azuela, es puesta más y más de relieve por Martín Luis Guzmán. Pero no se busque en *El águila y la serpiente* construcción novelesca a la manera tradicional; búsquense, y se encontrarán a cada paso, cuadros llenos de vida sobre la vesania, arbitrariedad y caciquismo de los jefes, sobre la pasividad e indiferencia del pueblo. Búsquese también amenidad en el relato, porque toda la obra está escrita en estilo rápido,

fascinante, casi periodístico. Menos vigorosa en contornos, si bien mejor construída, *La sombra del caudillo* (1929), con el régimen de Calles por telón de fondo, interesa como exposición de costumbres políticas relatadas en tono de sátira, evidentemente exagerada. Junto a estas dos obras deben figurar las *Memorias de Pancho Villa* (iniciadas en 1938), vivaz y jugosa narración en primera persona sobre uno de los personajes más inquietantes que hasta ahora ha producido el continente americano. Guzmán no puede disimular la admiración que siente por Villa, aun reconociendo sus defectos. Y es conmovedora también la fe del novelista o narrador en el destino de la Revolución, fe que no le impide retratar a sus protagonistas en plena desnudez. Más conocido en España quizá que en su propio país, cierta crítica se apresuró a ver en él la máxima representación de la novela mejicana de este período. Insistamos en que Guzmán es un gran «reporter», un magnífico cronista, de estilo irreprochable, de precisión asombrosa, que expone con claridad meridiana y retrata con cuatro pinceladas definitivas. Para ser novelista auténtico le falta imaginación, técnica constructiva y dominio del diálogo.

En este sentido es muy superior a él GREGORIO LÓPEZ Y FUENTES (n. 1897) [4], autor de unas cuantas narraciones en torno a la Revolución, que tanto o más que de doctrinarias podrían calificarse de obras de tesis. Su consagración como narrador data de 1931, en que publica *Campamento*. Antes habían aparecido sin pena ni gloria *El vagabundo* y *El lama del poblacho*; después de consagrado da a luz, sucesivamente, *Tierra* (1932), *Mi general* (1934), *El indio* (1935), *Arrieros* (1937), *Huasteca* (1939), *Acomodaticio* (1943), *Los peregrinos inmóviles* (1944) y *Milpa, potrero y monte* (1951). En todas ellas domina el tema indigenista, bien enfocado al margen de la Revolución o bien visto a través y desde el fondo de ésta. Particularmente interesantes son en el primer aspecto *Los peregrinos inmóviles* y *El indio*. En aquélla se aspira a resumir en amplio panorama todo el proceso de la raza aborigen, en su presente y en su pasado; en *El indio*, obra maestra de la literatura mejicana, se formula, a través de varias estampas, que valen en su conjunto por todo un drama, el más valiente alegato a favor de un pueblo secularmente explotado y oprimido. No hay aquí personajes definidos; o si los hay, aparecen innonimados. Se llaman simplemente «el cazador», «el brujo», «el líder», «el lisiado», con lo que parecen lograr mejor caracterización, al adquirir categoría de verdaderos arquetipos. López y Fuentes expone una realidad que conoce acaso como nadie; y esa realidad es desalentadora, amarga. El indio respeta al blanco, le tolera porque no puede hacer otra cosa; pero en el fondo desconfía de él; «siempre los hemos engañado —escribe—, y ahora no creen más que en su desgracia». Con *Campamento*, el indígena se incorpora a la Revolución. Y hallamos aquí, junto a los cuadros de vesania, desorden, falseamiento de principios, brutalidad e inconsciencia, característicos de toda esta novelística, el mismo afán redentor de las novelas citadas. En definitiva, la verdadera víctima de la Revolución, la víctima propiciatoria, es el indio; es él quien más ha contribuído a la lucha y quien menos se ha beneficiado de ella. «La Revolución se está haciendo con sangre de indio», se dice en cierto pasaje. López y Fuentes no disimula su simpatía por la raza oprimida, y a cada paso suelta su perorata, muy a tono con las ideas filantrópicas de cierto liberalismo del XIX, ya del todo trasnochado: «Mi teoría radica en reintegrarles la confianza. ¿Cómo? A fuerza de obras benéficas, pues, por fortuna, el indio es agradecido.» Luego habla de vías de comunicación, escuelas, etc. Todo ello muy hermoso, especialmente en teoría. La instrucción es para Fuentes una panacea milagrosa de todas las dolencias sociales. Pero si en este sentido abusa, y hay que apuntarle el afán moralizador como defecto, por cierto no muy grave, en cambio, su prosa merece toda clase de alabanzas. López y Fuentes es un artista del lenguaje. Su abolengo periodístico se le ve a cada paso: descripciones rápidas, impresionistas, de un solo plumazo; voces recogidas de la calle; imágenes nuevas, que revelan un espíritu observador: «... juntos, como las aves que en medio de la ciudad son conducidas al mercado, fueron (los indios) por las calles directamente al templo». Y en otra parte: «Eran como grandes y morenas hormigas llevando en peso un trozo de madera hacia el nido.» Otras obras suyas que merecerían comentario: *Mi general,* de clara intención política y fondo costumbrista; *Huasteca,* sobre la explotación petrolífera de Veracruz; *Acomodaticio,* en que se vuelve una vez más a la reivindicación social del indio; y *Tierra,* protagonizada por el jefe revolucionario Emiliano Zapata. Aborda con valentía el problema agrario y nos describe el ambiente de una hacienda rural entre 1910 y 1920.

También lleva a sus novelas un estilo periodístico e impresionista RAFAEL F. MUÑOZ (n. 1899)[5], y también las salpica abundantemente de discursos morales y políticos. En lo primero sigue la línea de casi todos los escritores de la Revolución, que empezaron por el periodismo o terminaron en él; en lo segundo se parece a Azuela, Fuentes y a otros varios. Muñoz conoció en su juventud a Pancho Villa, del que, andando el tiempo, se constituiría en biógrafo y reportero. En las *Memorias de Pancho Villa,* escritas en colaboración con el doctor Ramón Puente, a raíz del asesinato del terrible aventurero (20 de julio de 1923), y en *¡Vámonos con Pancho Villa!,* nos dejó Muñoz documentos importantísimos para el estudio interno de la Revolución. El estilo es cortado, conciso, de gran fuerza dramática y ligeramente irónico.

Muñoz nos adentra en la psicología del jefe, a quien podemos ver en toda su vesánica grandeza a lo largo de unos capítulos que tanto como horror inspiran repugnancia. El asesinato de la esposa e hija de Tiburcio, el de los ciento setenta y dos carrancistas prisioneros, la muerte de Becerrillo, la escena del vagón 7.121, son episodios que, una vez leídos, ya nunca se olvidan. Como casi todos los escritores de la Revolución, Muñoz es pesimista. «Sintió ganas de arremeter contra todos aquéllos, y contra los que iban con fusil al hombro, raídos y contentos, a las posiciones; gritarles que iba a ser inútil su sacrificio, que la guerra era infame, y los hombres que la hacían, ingratos y sanguinarios.» *(El vagón 7.121.)* Mejor estructurada novelísticamente, *Se llevaron el cañón para Bachimba* (1941) relata una serie de episodios centralizados en un muchacho de trece años, que está haciendo el aprendizaje revolucionario en las filas de los «colorados», frente al gobierno de Madero, allá por el año de 1912. Por la idealización del paisaje, por la belleza de las imágenes y por el tono caballeresco de que se tiñe la narración recuerda, aunque de lejos, el *Don Segundo Sombra,* de Güiraldes. Como *¡Vámonos con Pancho Villa!,* abusa del discurseo, que desentona aún más si se piensa en que Marcos Ruiz es una persona inculta y nada refinada y se le hace hablar como a un universitario. Tiene asimismo Muñoz dos colecciones de cuentos —*El feroz cabecilla* y *Si me han de matar, mañana*— y alguna biografía.

Picardía, comicidad y humor se reparten por igual casi toda la obra novelística de JOSÉ RUBÉN ROMERO (1890-1952)[6]; casi toda, decimos, sin atrevernos a extender esas cualidades a la producción íntegra del autor, porque alguna de sus novelas, la más lograda quizá, *La vida inútil de Pito Pérez,* más que una comedia es una tragedia, la del pueblo mejicano de la postrevolución. Pito Pérez es el símbolo de un pueblo que ha ido a la lucha con los más altos ideales y ha salido de ella profundamente decepcionado. Pero aun en este drama de tonos sombríos, la picardía del autor retoza aquí y allí, sin poder contenerse. Claro es que domina el tono imprecatorio. El testamento de Pito es bien elocuente: «Para los pobres, por cobardes, mi desprecio, porque no se alzan y lo toman todo en un arranque de suprema justicia. ¡Miserables esclavos de una Iglesia que les predica resignación y de un Gobierno que les pide sumisión, sin darles nada en cambio!» No es éste el tono más frecuente en Rubén Romero. De ordinario prefiere el humor, tal como lo vemos en *Anticipación a la muerte* (1939), donde el autor nos cuenta su propio óbito y las reacciones ante el hecho de amigos o enemigos, parientes y familiares, con un dejo de ironía que si en parte recuerda al Stefan Zweig de *Veinticuatro horas de la vida de una mujer,* de otro lado hace pensar en el Machado de Assis de *Memorias póstumas de Braz Cubas*. La obra de Romero rezuma mejicanismo y humanidad por todos sus poros; es el narrador por excelencia de la clase media, cuya quieta e incolora vida provinciana nos describe en *Apuntes de un lugareño, Pueblo inocente, Mi caballo, mi perro y mi rifle, Rosenda*, etc., sonriendo unas veces, y otras semillorando. El mismo nos ha dicho que sus novelas son «románticas, picarescas y realistas», y que sólo se puede leer en ellas «que su autor amó, soñó, rió, increpó y lloró».

Segundo período: Magdaleno, Miguel A. Menéndez y Ferretis

Los novelistas de esta segunda etapa de la revolución, o más propiamente, de la postrevolución, atienden menos al costumbrismo y a la anécdota bélica que al propósito socializante. Sus obras antes que narraciones son vehículos de propaganda; van dirigidas a la masa, con una gran carga ideológica. Los hay más o menos moderados, siempre dentro de un programa claramente revolucionario; los hay comunistas netos y hasta anarquistas. Técnicamente están en la misma línea de los anteriores; es decir, cultivan una narración concisa, rápida, periodística. Limitamos la referencia a los más importantes.

MAURICIO MAGDALENO (n. 1906) aspira, y en buena parte lo logra, a darnos en su teatro y novela todo el trasunto de la vida mejicana en la primera mitad del siglo actual. De su teatro nos ocuparemos en otro lugar. De su novela empecemos por decir que está cargada de intención social. Antilatifundista decidido, su credo se resume en esta frase: «La tierra es del que la trabaja.» En 1932 funda, con Bustillo Oro, el grupo denominado «Teatro de ahora», animado siempre del mismo espíritu revolucionario y con intención de airear los más candentes problemas de la política y de la tierra. Sobre todo, la tierra; el problema agrario es básico en su obra, tanto narrativa como dramática, y es el que le preocupa fundamentalmente. Su novela más lograda lleva el significativo título *La tierra grande* (1949) y gira toda ella en torno a ese problema. Magdaleno cree que la Revolución no podrá justificarse y aparecerá frustrada mientras no desaparezca totalmente el feudalismo agrario. Lo único que le impide condenar las violencias y excesos de la Revolución es la fe esperanzada en que ese momento llegue pronto. Lo augura Florencia: «La tierra grande de los amos se acabó. ¡Deja que nazca la otra, la que no será tuya, ni mía, ni de los que asesinaron a papá, sino de todos!» También *El resplandor* (1937), otra de sus buenas novelas, afronta el problema social: nos presenta a los indios en actitud de protesta y de esperanza a la vez, pero

sin excesivas concesiones a la demagogia. En cambio, *Sonata* (1941), con indudables elementos autobiográficos, se orienta a lo político, con alusiones claras a eminentes personalidades mejicanas del momento (1920-1930). En *Concha Bretón* (1936) domina lo costumbrista, con tipos femeninos muy bien trazados: la misma Concha, Rosenda, etcétera.

En 1941, el Jurado Nacional Mejicano premiaba la novela *Nayar*, de MIGUEL ANGEL MENÉNDEZ. Su tesis central es el fracaso de los ideales revolucionarios, tesis harto frecuente, ya se ha visto, en la novelística de la época. Se preguntan los personajes en este tipo de novela por qué se lucha, y la respuesta es siempre la misma: nadie lo sabe. A lo sumo, se intuye que luchan pobres contra pobres, siempre en beneficio de otro, del poderoso. Pero en la suya, Miguel Angel Menéndez cala más hondo: tras habernos señalado la obra destructiva de la Revolución, nos traslada a una tribu de indios coras, y allí nuevamente plantea el binomio civilización-barbarie, sólo que invertidos los términos. Los civilizados son los indios, gentes de costumbres puras —no faltaba más—; los bárbaros, ya se adivina, dada la índole de la novela, son los militares, los magistrados, los terratenientes y, cómo no, los curas. *Nayar*, a pesar de todo, es una novela bien escrita y que revela en el autor un gran fondo de ternura. Como en *El Indio*, de López y Fuentes, la actitud de recelo de la raza indígena hacia el blanco y el mestizo se justifica por los engaños y vejaciones de que ha sido objeto.

Más importancia tiene la obra narrativa de JORGE FERRETIS (n. 1902), como que está mucho más íntimamente vinculada al proceso revolucionario. Dos novelas revisten en tal aspecto particular interés: *Tierra caliente* (1931) y *Cuando engorda el Quijote* (1937). La primera, con un subtítulo: *Los que no saben pensar*, señala el contraste entre idealismo y realismo. De la fusión o coordinación de ambos elementos nacería la salvación. Por no saber coordinarlos fracasa el protagonista, Ibáñez, «el que sólo sabe pensar». Con la acción, muy escueta, se mezclan largos discursos, que casi ahogan la parte narrativa. El libro tiene un doble propósito, polémico y moralizador. La Revolución ha fracasado; hay que ir a la reforma social, y ésta, una vez más, ha de venir del indio. Las virtudes ancestrales de la raza indígena constituyen la mejor levadura para la formación de una sociedad perfecta, ya que esa raza carece de uno de los elementos básicos de corrupción: el egoísmo. *Cuando engorda el Quijote*, novela anticaudillista mejor que antirrevolucionaria, aspira a satirizar el aburguesamiento de quienes tal vez fueron a la lucha con un ideal que, terminada aquélla, quedó adulterado. Abunda en digresiones ideológicas y moralizantes; pero poco convencido de que la lección surja, como debía ser, de la misma trama, nos la adelanta en el prólogo: «Esta era una Revolución fermentada con anafalbetos, cacareada por merólicos y usufrúctuada por ladrones.» Otras narraciones de Ferretis son: *San Automóvil*, de carácter más bien psicológico; *Carne sin luz*, localizada en el trópico y con buenos esbozos de figuras femeninas; *En la tierra de los pájaros que hablan*, historia de una prófuga reclamada por la justicia norteamericana; *Cuando bajan los cuervos*, sobre la situación de los trabajadores japoneses en Méjico durante el régimen de Madero; *Lo que llaman fracaso*, con la evolución de un revolucionario, maquinista de tren, que, conver-

tido en aduanero, cae en las mismas corruptelas administrativas antes censuradas.

En torno a la revolución mejicana han escrito también: el *Dr. Atl* (Gerardo Murillo), destacado crítico de arte y autor de narraciones en que se combina lo popular con lo político y social; K. Lepino (*Sangre y humo* o *El tigre de Huasteca*, uno de los primeros relatos de la lucha); Alfonso Taracena (*Los abrasados*); María Luisa Ocampo (*Bajo el fuego*, sobre la lucha en el Estado de Guerrero), y la impetuosa poetisa Nellie Campobello (*Cartucho*, impresiones sobre la revolución en el norte del país).

II. OTROS TIPOS DE LA NOVELA MEJICANA

Paralelas a la novela revolucionaria se desarrollan en Méjico otras formas narrativas. Varias de ellas, sólo con ciertas salvedades, pueden inscribirse bajo el epígrafe de auténticas novelas. Tenemos la novela biográfica, la arqueológica, la costumbrista o folklórica, etc., con numerosos cultivadores en cada una de estas formas, aunque casi ninguno de nota. No hace falta decir que todas estas narraciones suelen ganar en construcción arquitectónica, en contenido histórico y hasta en depuración léxica lo que pierden en sustancia o contenido social. Méjico, y en general la América hispana, con todos estos tipos narrativos no hace sino ponerse a compás de las corrientes literarias europeas de última hora.

La biografía novelada

La novela biográfica o biografía novelada alcanza su culminación en la década 1930-1940. Es entonces cuando están en pleno éxito las obras de Emil Lugwig, Stefan Zweig, Hilaire Belloc, Lytton Strachey, Octavio Aubry y otros maestros del género. Se ha tratado de explicar ese éxito por la decadencia de la novela tradicional; pero la explicación parece suponer un círculo vicioso: ¿triunfó la biografía porque decayó la novela, o decayó ésta ante el desarrollo y triunfo de aquélla? Da lo mismo. El hecho es que el género, híbrido por su misma naturaleza, se impone pronto en todos los países de Europa y no tarda en saltar al continente americano. En 1930 publica Luis Alberto Sánchez *Don Manuel*, que pasa por la primera obra americana en su género; siguen inmediatamente *Martí, el apóstol*, de Mañach; *El santo de la espada*, de Ricardo Rojas; *El libertador San Martín*, de Samuel W. Medrano; *Rubén Darío, un bardo rey*, de Arturo Capdevila; *Ventura de Pedro de Valdivia*, de Jaime de Eyzaguirre; y ciento más, firmadas por plumas tan ilustres como las de Angélica Palma y Manuel Gálvez. Todas ellas van de lo histórico a lo novelesco o viceversa, con una gran libertad de técnica y estilo.

En Méjico, este tipo de obras alcanzó enorme difusión y tuvo cultivadores tan aventajados como Victoriano Salado, Artemio del Valle Arizpe, Héctor Pérez, Teja Zabre y José Vasconcelos. Sólo a éste nos interesa aludir ahora, ya que los otros, por la modalidad de su obra, encajan mejor en otro tipo de novela más restringido aún, el llamado «colonialista». El mismo JOSÉ VASCONCELOS (1881-1959) [7] más que novelista e historiador es filósofo; o si resulta ancho el calificativo, pongamos ensayista. Como ensayista, le hemos de incluir efectivamente en otro capítulo. Quede constancia aquí de su labor polifacética, derramada en multitud de gruesos volúmenes de historia, estética, crítica, moral, geopolítica, etc. Y quede asimismo constancia de algunos relatos costumbristas —*El gallo giro, Es mejor fondearlos, El fusilado*—, en los que se revela narrador de primer orden y agudo intérprete del alma mejicana, del mismo modo que en las *Memorias* se nos aparece como un reconstructor formidable de la historia de su país en el medio siglo que va desde 1881 a 1932. Los dos primeros volúmenes de esas *Memorias*—*Ulises criollo* y *La tormenta*—alcanzaron éxito resonante, gracias, entre otras razones, a la valentía de exposición y al estilo realmente innovador. Algunos capítulos, p. ej., los que dedica al despertar de la adolescencia, tienen la fuerza de un Rousseau y la sugestión de un Amiel. El tono decae bastante en los volúmenes tercero y cuarto: *El desastre* y *El preconsulado*.

Los «colonialistas»

El impacto de la Revolución sacude de tal forma la vida intelectual del país, que la gente culta, los intelectuales, ya no se conforman con estudiar el presente y buscan la explicación y clave de lo actual en el pasado. Es así como muchos de ellos, con dotes de historiadores o sin ellas, vuelven los ojos al pretérito, deteniéndose con especial delectación en la vida colonial. La lista de estos narradores es casi interminable [8]; pero aquí sólo vamos a referirnos a tres de ellos, los más relevantes.

ARTEMIO DEL VALLE ARIZPE (n. 1888), prototipo del hidalgo y alto diplomático que ha servido a su país en puestos de responsabilidad (Bélgica, Holanda, España), gusta de revolver el polvo de los archivos para exhumar bellas leyendas que pasan a sus libros convertidas en agradable literatura: *En Méjico y en otros siglos, Leyendas mejicanas, Del tiempo pasado, Virreyes y virreinas de la Nueva España, Libro de estampas, Doña Leonor de Cáceres y Acevedo, Andanzas de Hernán Cortés y otros excesos, Historias de vivos y muertos,* etc.; todo ello narrado en un estilo arcaizante que recuerda el de Ricardo León y el de Diego de San José. Su libro más logrado, verdadera novela, es *El Canillitas* (1942).

Por los mismos territorios anda FRANCISCO MONTERDE (n. 1894), a quien se puede considerar el creador de la novela colonialista de su país por dos obras: *Madrigal de Cetina* y *El secretario de la Escala.* Trata la novela histórica avalada con veraz documentación en *Moctezuma, el de la silla de oro* y *Moctezuma II, señor de Anáhuac;* y el relato breve, en *El temor de Hernán Cortés.* Su labor investigadora y crítica es muy destacada: *Bibliografía del teatro en Méjico, Amado Nervo, Gutiérrez Nájera, Algunos novelistas mejicanos,* etcétera. También ha hecho poesía y teatro.

Junto a los dos anteriores merece figurar EMILIO ABREU GÓMEZ (n. 1894), poeta, dramaturgo e historiador, que ha sabido llevar a los viejos documentos un soplo de alta poesía. Inicia su labor literaria con obras dramáticas: *Viva el rey* (1921), *Humanidades* (1924), *Romance de reyes* (1926), todas ellas de tema colonial; sigue años más tarde cultivando el teatro: *Un juego de escarnio* (1943), *Un loro y tres golondrinas* (1945); pero ya en nuestros mismos días salta a la novela con *Naufragio de indios* (1951), cuya acción se sitúa en un pueblo de indios sublevado contra los franceses en la época de Maximiliano. El título se explica en las páginas finales, al hundirse el barco francés que transporta indios prisioneros. Otras narraciones de Abreu son: *Canek, Juan Pirulero, Tres nuevos cuentos de Juan Pirulero, El Cacique, Quetzalcoatl,* etc. Es muy estimable su labor en el estudio de los clásicos, en especial de sor Juana Inés de la Cruz.

III. ANTILLAS Y CENTROAMERICA

Exigua es la representación de la prosa narrativa portorriqueña en esta época. Ya un crítico de aquella isla, Antonio S. Pedreira, señaló el contraste entre la superpoblación real del país (485 habitantes por milla cuadrada) y la «pavorosa despoblación literaria». Pasado por alto el nombre de Enrique Laguerre, que pertenece a la época anterior, sólo nos queda citar aquí los de A. COLLADO MARTELL, sagaz crítico y fácil narrador *(Cuentos absurdos,* 1931), a quien una muerte prematura le impidió llegar a ser el mejor cuentista de aquella isla; NEMESIO R. CANALES, que en obras como *Hacia un lejano sol* y *Mi voluntad ha muerto* se revela hábil psicólogo y agudo observador; y MARÍA CADILLA DE MARTÍNEZ (1886-1951), doctora en Letras por la Universidad de Madrid, y autora de unos deliciosos *Cuentos a Lilián.*

Mejor plantel de narradores presenta Cuba, y eso que los más sobresalientes ya fueron aludidos en otro capítulo. Pero todavía nos quedan seis u ocho dignos de mención. Insistamos en lo ya dicho anteriormente: las notas distintivas de la novelística cubana en todas las épocas son las mismas: violencia, insatisfacción y, sobre todo, erotismo, que con frecuencia degenera en franca pornografía. La exaltación pasional, sensual diríamos mejor, ha sido la constante más acusada de esta literatura. Punto intermedio entre la biografía y la novela representan las obras de LINO NOVAS CALVO (n. 1905). En *El negrero, vida novelada de Pedro Blanco Fernández de Trava* nos ofrece, en estilo viril y rápido, sin detenerse ante las mayores crudezas, un alucinante cuadro del comercio de esclavos entre los años 1914 y 1940. La narración va aderezada con toda clase de salsas excitantes: violencias, asesinatos, abordajes, violaciones, venganzas. Todo narrado al galope y con una imponente pasividad por parte del autor. El amontonamiento de episodios origina cierta confusión. Literariamente acaso ofrecen más interés *La noche de los ñáñigos, Cayo Canas* y *La luna nona* y *otros cuentos.* JOSÉ A. RAMOS (1885-1946), notable dramaturgo citado en otro lugar, supo mantener el equilibrio entre el naturalismo descarnado y el experimentalismo psicológico a lo Nordau, en obras como *Las impurezas de la realidad.* El folklore negroide, con su cúmulo de mitos, supersticiones y leyendas, encontró su expresión novelística en obras como *Ecué-Yamba-O,* de ALEJO CARPENTIER (1904), ya aludido entre los poetas del género afro-cubano; y *Por qué,* de LYDIA CABRERA (n. 1900). Novelista y cuentista de fuste es ENRIQUE SERPA (n. 1899), en obras como *Contrabando, Felisa y yo, Noche de fiesta, Odio, Prostitución, La ruptura, El desertor* y *Hombres sin mujer,* esta última de ambiente carcelario. Celos, lujuria, adulterio y protesta social se reparten la temática de este escritor, cuyo lenguaje se distingue por lo expresivo y tajante. A veces, como en *La deuda,* una frase brutal da la solución. El agraviado pregunta a la esposa sobre un supuesto adulterio; «Castroncito, esas cosas no se preguntan», contesta ella. Y él se suicida. En *Odio* toda la carga trágica del relato se resuelve en la invitación de la madre a su hijo: «Vamos a afilar tu machete». LUIS FELIPE RODRÍGUEZ (n. 1888) dejó trozos de vida campesina en sus novelas *(Cómo opinaba Damián Paredes* y *La ciénaga)* y en sus cuentos *(La Pascua de la tierra natal, Marcos Antilla)*, mejores aún que las novelas. Nos hallamos ante un género regionalista expuesto con objetividad y sin estridencias. El tema del trasplantado, tan frecuente en la novelística americana—recuérdese *Criollos en París*, de Edwars Bello, y *Los argonautas*, de Castellanos—, tentó a ALBERTO LAMAR, quien lo llevó a su novela *En los cañaverales*. La acción se sitúa en París: el maduro cubano Gonzalo Maret bebe los vientos por la francesita Paulette, que halla sobradas ocasiones para engañar al marido y al amante. Aún se podría aumentar la lista con Flora Díaz Parrado y Federico de Ibarzábal, cuentistas ambos destacados.

En la República Dominicana casi toda la novelística desde 1910 hasta nuestros días gira, como ha observado Berenguer Carisomo, en torno a los problemas de la tierra y los problemas políticos, estos últimos referidos principalmente al conflicto con Estados Unidos. Junto a estos dos tipos se cultiva también la novela histórica. He aquí los autores más destacados: FEDERICO GARCÍA GODOY (1857-1924), sobre las huellas de Pérez Galdós, aspira a reconstruir el nacimiento e infancia de la República en sus tres novelas: *Rufinito, Alma dominicana* y *Guanuma*. MAX HENRÍQUEZ UREÑA (n. 1885), que con su hermano Pedro es el más alto exponente de la investigación y la crítica de su patria, también quiso en los *Episodios dominicanos* («La independencia efímera», «La conspiración de los alcarrizos» y «El arzobispo Varela») ofrecernos en grandes cuadros la historia de su país en el siglo XIX. En cambio, a RAFAEL DAMIRÓN (n. 1882) parece atraerle más el género costumbrista: *La sonrisa de Concho, Estampas, Cronicones de antaño*. RAFAEL A. DELIGNE (1863-1902), hermano del poeta Gastón Fernando, dramaturgo, periodista y poeta también, se va con preferencia hacia el relato greve: *Cuentos del lunes, Cosas que son y cosas que fueron*. El costumbrismo entreverado de leyendas nutre los *Cuentos del Sur*, de SÓCRATES NOLASCO; el tema rural presentado con viveza y exactitud informa la novela *Cañas y bueyes*, de FRANCISCO MOSCOSO; y un sano costumbrismo, salpicado de notas sentimentales, inspira la producción de FRANCISCO GREGORIO BILLINI y VIRGINIA ELENA ORTEA.

Estados Centrales

De las Repúblicas Centroamericanas, sólo Guatemala presenta en el siglo actual una novelística estimable. En las demás los narradores son pocos y de escasa talla.

En Panamá hemos de citar a Méndez Pereira y Salvador Calderón. OCTAVIO MÉNDEZ PEREIRA (nacido en 1885), político y diplomático ilustre, ha cultivado la crítica, la historia y la pedagogía. Como narrador merecer recordársele por *El tesoro del Debaide*, serie de relatos sobre la época de la Conquista y en torno a la figura de Vasco Núñez de Balboa. *El tesoro del Debaide* tiene su continuación en *Tierra-Firme, el tesoro de Morga*. SALVADOR CALDERÓN se inclina asimismo hacia el relato histórico, que en *Caciques y conquistadores* alcanza momentos de calidad, al glosar en estilo limpio y ameno las más bellas leyendas del país, adornadas con documentados análisis costumbristas. Calderón ha sido considerado por la crítica el Palma panameño.

La figura más relevante de las letras salvadoreñas en este período es SALVADOR SALAZAR ARRUÉ (n. 1899), más conocido por el seudónimo-anagrama *Salarrué*. Tiene la virtud este escritor de infundir poesía a cuanto toca; y así, las escenas más vulgares de la vida campesina quedan elevadas por arte de magia en los *Cuentos de barro* a cuadros de alto valor artístico. Es realista, pero con un realismo natural, ingenuo. Señalemos como sus cuentos más notables: *El miquero avispado, Bajo la luna, La petaca, El serrín de cedro, El viento*. Otras obras suyas son: *El Cristo negro, El señor de la burbuja* y *La vuelta del pasado*. A cierta distancia de Salazar Arrué encontramos al poeta y periodista JULIO E. AVILA (nacido en 1900), autor de libros en prosa como *El vigía sin luz* y *El mundo de mi jardín*; ARTURO AMBROGI (1873-1936), cuyo fuerte está en el género costumbrista: *El libro del trópico, El segundo libro del trópico, El jetón* (novela); y MANUEL MAYORA, que en cuentos como *¡Oh, las mujeres sabias!* hace alarde de su irónico temperamento.

Costa Rica sólo aporta tres nombres, los tres en la línea del costumbrismo claramente realista: CARMEN LIRA (1888-1949), seudónimo de María Isabel Carvajal, que en los *Cuentos de la tía Panchita* nos legó un modelo de exactitud en la descripción de costumbres vernaculares; MOISÉS VICENCI, el más fecundo de los novelistas costarricenses, que en *Elvira*, su mejor narración, se acredita de prosista ágil y cuidado; y FABIÁN DOBLES, cuya novela *Aguas turbias* (1943) delata un espíritu preocupado por la problemática social.

Tres son también las figuras dignas de mención en la prosa narrativa de Nicaragua: Robleto, Orozco y Rubén Darío hijo. HERNÁN ROBLETO (n. 1895) sigue en su obra la línea del antiyanquismo, tan frecuente en la novelística hispanoamericana. *Sangre del trópico* (1931), «novela de la intervención yanqui en Nicaragua», como reza el subtítulo, lleva esta simple declaración: «Este no es libro de odios, a pesar de que hay muchos motivos para odiar.» Redactada en estilo seco, cortado, más que narración seguida es una serie de cuadros o escenas unidas entre sí por la persona del protagonista: el revolucionario Héctor Romero. En el mismo plano se mueve JOSÉ ROMÁN OROZCO, cuya mejor obra, *Cosmapa*, no es sino la novela de los campos bananeros dominados por compañías extranjeras y terratenientes criollos. Relato truculento, que recuerda los melodramas europeos de finales del XIX, abunda en escenas brutales y en expresiones crudas, aunque no carece de tipos bien delineados, como el del hacendado don Nicolás y el de su víctima, Juana Corrales. RUBÉN DARÍO (n. 1891), hijo del patriarca del modernismo y de Rafaela Contreras, médico, periodista y diplomático, ha hecho provechosas excursiones por los campos de la poesía, el ensayo y la crítica. Como narrador nos ha dado dos novelas: *La amargura de la Patagonia* (1950) y *El manto de Nangasasu*, esta última sobre las conquistas de Pedro Alvarado. Considerado salvadoreño por su larga residencia en San Salvador, el poeta, historiador y novelista JUAN FELIPE TORUÑO debe, sin embargo, figurar aquí como nacido en Nicaragua. Toruño ataca al relato breve en *De dos tierras*, y la novela larga en *El silencio*, sobre las andanzas de un fugitivo político que había atentado contra la vida del presidente de la República. En uno y otro libro, aprovechándose del fondo folklórico, logra acabados cuadros costumbristas.

En Honduras hay que citar antes que a nadie a RAFAEL HELIODORO VALLE (n. 1891), profesor, poeta, polígrafo, ya antes aludido. Aquí no lo recordamos ni por sus libros de verso (*El rosal del ermitaño, Unísono, Amor*), de ágiles ritmos y alegre cascabeleo; ni por sus trabajos eruditos (*Poesía de América, Primicias de la civilización mejicana, Historia pintoresca de Honduras*), sino por su colección de relatos *Honduras rotaria* (1947), ricos de folklore, de leyendas, de tipos y de paisajes. ARTURO MEJÍA NIETO es otro novelista hondureño, tal vez el más difundido del país. Sus altos cargos políticos —ha sido ministro plenipotenciario en Buenos Aires— no le han impedido dedicarse a las letras en su modalidad narrativa, con especial tendencia a la descripción de ambientes urbanos y al análisis de almas, especialmente femeninas: *Zapatos viejos, El solterón, Liberación, El Tunco, Una madre*, etc. Por último, MARCOS CARIAS REYES (n. 1905) se distingue por sus descripciones de ambiente rural. En *La heredad* (1932), una de sus novelas más representativas, funde con acierto lo social con lo político. Ha escrito también narraciones breves —*Cuentos de gatos, Cuentos de perros*—, llenas de emoción e interés.

Guatemala: Miguel Angel Asturias

MIGUEL ANGEL ASTURIAS (n. 1899) no es sólo el mejor novelista de su país, sino uno de los más destacados de América. A sus méritos de narrador une los de poeta de tono múltiple (*Sien de alondra*, con la selección de sus mejores poemas hasta 1954; *Ejercicios poéticos en forma de soneto*, etc.). Pero su fama está vinculada a la obra narrativa: *Leyendas de Guatemala*, evocación del pasado mitológico del país con motivos del folklore maya y que, traducidas al francés por Miomandre, obtuvieron en Europa envidiable éxito; *Rayito de estrella*, recuerdos de infancia, cuando su buena madre le exaltaba la imaginación hablándole de los espíritus pobladores de la selva misteriosa; *Tohil*, y sobre todo, las tres novelas *El señor presidente, Viento fuerte* y *Hombres de maíz*. La primera, *El señor presidente* (1933) pertenece al género político, bien difundido en las letras americanas. Describe un país dominado por la dictadura de un déspota criminal, a quien por cierto la crítica ha querido identificar con la persona de Manuel Estrada Cabrera, cuya jefatura al frente del Estado se extendió desde 1898 hasta 1920. No cabe duda que el autor escribe animado de los mejores propósitos: denuncia de inmoralidades y señalamiento de remedios. Sólo que todo queda en eso, en propósitos. El camino que toma para corregir los males no es el más indicado. Por lo pronto sus personajes no pueden tomarse en serio. No son personas de carne y hueso; son esperpentos, para usar una terminología grata a Valle-Inclán. Por cierto que del autor de las *Sonatas* tiene mucho Asturias, particularmente en esta novela. Personajes, pues, exagerados, caricaturizados. La intriga es inconsistente de puro simple. Pero el medio en que se desarrolla la acción revela demasiada podredumbre tanto física como moral. Mucha basura, mucha intriga, mucho servilismo, mucha crueldad. Y todo expresado con un lenguaje excesivamente gráfico. Y es una pena; porque Asturias es de los que dominan la lengua y sabe, cuando quiere, narrar y describir con soltura. El lector, que esperaba conmoverse estéticamente, deja el libro con un poco de náusea.

En *Viento fuerte* (1950), primera parte de una trilogía cuya continuación son *El Papa Verde* y *Los ojos de los enterrados*, Asturias aborda el tema social. La trama gira en torno a la lucha de los nativos contra la compañía yanqui que los explota; esta compañía no es otra que la Tropical Platanera, S. A. La defensa del nativo y la denuncia contra el yanqui está hecha nada menos que por un miembro de la propia compañía, quien se entrevista con el administrador general, el *Papa Verde*, para decirle: «No somos honestos, no respetamos las leyes de los países en que operamos. No se nos quiere mal porque seamos norteamericanos, sino porque somos norteamericanos malos... Todo lo creemos legítimo porque tenemos la fuerza del dólar. Pero yo creo, sostengo, defiendo, que si la situación mundial alguna vez nos fuera adversa, el odio de esos pueblos nos acompañaría multiplicado por los racimos que hoy rechazan nuestros inspectores todos los días.» Sobre la vida y costumbres de los indios guatemaltecos está redactada *Hombres de maíz* (1954), serie de relatos algo confusos porque Asturias, al querer apartarse de la técnica corriente en las obras de este tipo, acude a imágenes superrealistas poco apropiadas al asunto. Todavía hace muy poco ha publicado una crónica dramática, *La audiencia de los confines*, sobre los tiempos primitivos de la Conquista, con una tesis idéntica a la del padre Las Casas respecto de los indios. Obra movida, interesante, bien estructurada, falla en el lenguaje y en el ideario, más apropiado al de finales del XVIII, cuando ya se había hecho la proclamación de los «Derechos del hombre». Completemos esta breve referencia añadiendo que Asturias es un escritor típicamente americano. Enraizado en los usos, vida y costumbres de su país, su temática es enteramente nativa. Si buena parte de las novelas hispanoamericanas podrían haber sido escritas por europeos, las de Asturias no. Hay que reconocerle ciertas virtudes: facilidad en la narración; buena presentación de tipos; conocimiento de los temas. Y ciertos defectos: excesiva libertad en el lenguaje y hasta en las situaciones. Alguno de sus relatos no perdería nada, antes saldría ganando, con algún que otro corte. Por ejemplo, nosotros suprimiríamos de buen grado la historia de Tury Duzin y de su amiga Nelly Alcántara en *Viento fuerte*, y no por inmoral, sino por razones de buen gusto. También en el lenguaje anotamos de cuando en cuando incorrecciones sintácticas, fácilmente subsanables.

La novela *El tigre*, de FLAVIO HERRERA (n. 1895) es considerada por la crítica como una de las mejores muestras de la literatura criolla después de *La vorágine*, de Rivera. Abundan aquí descripciones brutales y tipos de una psicología elemental y primaria: Fernando, el simple macho, atento sólo a la satisfacción de sus instintos; Alicia, la criolla lasciva; Margarita, mezcla de sensualismo e ingenuidad. Pero aún valen menos los personajes que el ambiente, la atmósfera enrarecida en que se mueven. Otras obras de Herrera son *La tempestad*, *Mujeres*, *Cenizas* y *La lente opaca*. El tema folklórico ha encontrado en Guatemala dos buenos explotadores: CARLOS SAMOYOA CHINCHILLA (nacido en 1898) y CARLOS WILD OSPINA (n. 1892). Samoyoa es autor de *Leyendas y tradiciones de Guatemala* y varios libros de cuentos: *Madre milpa*, *La casa de la muerte*, etc. Wild Ospina, aparte del costumbrismo (*La tierra de los Nahuyacas*), cultiva el tema histórico en *El solar de los Gonzaga*, sobre el proceso de decadencia de una ilustre familia, inadaptada al medio en que le ha tocado vivir. MÁXIMO SOTO HALL (1871-1944) aborda la novela histórico-biográfica en *Don Diego Portales*, sobre un episodio del dictador chileno de ese nombre: el proceso y condena del capitán Wright.

NOTAS

1. *Bibliografía de novelistas de la Revolución mejicana*, Méjico, 1941.

2. Nace en Lagos de Moreno (Estado de Jalisco) en 1873. Hijo de modesto comerciante, inicia sus estudios en el Liceo de Varones del padre Guerra y cursa luego Medicina en Guadalajara; se doctora en 1908. Antes se había dado a conocer como ensayista: *Impresiones de un estudiante* (1896) y *Esbozo* (1897). Al estallar la revolución (1910) se le persigue por adversario del general Díaz; pero al triunfar Madero se le nombra jefe político de Lagos. En la lucha entre convencionales y carrancistas actúa como teniente coronel médico en las filas de aquéllos. Esta circunstancia le permite conocer a fondo al general Medina, muchos de cuyos rasgos pasarán a Demetrio Macías, el protagonista de *Los de abajo*, la mejor novela de Azuela. Desempeña altos cargos públicos; pero el avance de las fuerzas carrancistas le obliga a emigrar a Tejas (1915), de donde vuelve a Méjico. Apartado de la política, dedica los últimos treinta años de su vida a las actividades profesionales y literarias. Muere en 1952.

3. Nacido en Chihuahua en 1887. Muy joven, se traslada a Méjico, por haber sido nombrado su padre profesor del Colegio Militar. En 1913 se licencia en Leyes. Bajo el gobierno de Madero ocupa un cargo de Obras Públicas. Milita en el partido de Carranza, pero al romper éste con Villa es apresado en Méjico. Al ser derrotado el partido villista por Obregón, abandona la capital y pasa a España, donde publica su primer libro: *La querella de Méjico*. Tras unos años de residencia en Madrid se traslada a Nueva York, donde publica otro libro: *A orillas del Hudson*. En 1920 regresa a su país; interviene en política y todavía sufre otro destierro a Estados Unidos y España. Nuevamente reintegrado a su patria (1934), abandona la política y se dedica por entero a las letras.

4. Vió la luz en el rancho El Mamey (Estado de Veracruz) en 1897. Hijo de modestos campesinos, pasa la niñez en el campo; luego se traslada a Méjico para cursar el Magisterio. El 1914 publica su primer libro de versos, *La siringa de cristal*, de claro abolengo modernista. Al ocupar Veracruz los norteamericanos, Fuentes abandona la Normal para luchar contra los invasores. En la ruptura de Carranza y Pancho Villa, milita al lado del primero. Regresa a Méjico y se dedica al periodismo, llegando a ser director de *El Universal*. En 1922 publica *Claros de selva*, su segundo libro de versos; y en 1924, sus dos primeras novelas, *El vagabundo* y *El lama del poblacho*, que no llamaron la atención. A partir de la publicación de *Campamento* (1931), López y Fuentes empezó a disfrutar del favor del público.

5. Nacido en Chihuahua, como Guzmán. Hijo de rancheros. Pasa a Méjico para continuar estudios, pero pronto se ve obligado a reintegrarse al rancho paterno. Convive con Villa y le trata a fondo; luego se hace partidario de Obregón, por lo que se ve obligado a emigrar (1916) a Estados Unidos. Reintegrado a Méjico, colabora en los grandes periódicos y revistas y desempeña cargos en diversos departamentos ministeriales.

6. Nació en Cotija de la Paz (Michoacán), en 1890, de familia acomodada de comerciantes. Muy joven, ingresa en las filas revolucionarias, pasando por diversas vicisitudes. A la muerte de Madero es aprehendido y condenado a muerte, de la que le salva su padre mediante rescate. Se dedica durante cinco años al comercio; luego conoce a Obregón, con quien traba amistad, y empieza su carrera de altos cargos: representante del Gobierno de Michoacán ante el Ejecutivo Federal; alto funcionario de Relaciones Exteriores; cónsul dos veces en España; ministro en Uruguay, Brasil, Habana. En 1945 se retira de toda actividad pública y muere en 1952.

7. Nacido en Oaxaca en 1881. Se licencia en Derecho y ejerce temporalmente la abogacía. Fiscal luego en Durango, cargo que abandona para entregarse a la política. Entre 1908 y 1909 actúa como agente de los Estados Unidos al servicio de Madero; pero, al ser éste asesinado, pasa al partido de los convencionalistas y es sucesivamente consejero del presidente Gutiérrez, secretario de Educación y rector de la Universidad Nacional. Su fracaso a la presidencia de la República le aleja de la política; viaja por Europa y América; reside en Perú y Estados Unidos. Al regreso a su país se le nombra director de la Biblioteca Nacional.

8. En ella figurarían, entre otros, Jenaro Estrada, Julio Jiménez Rueda, Manuel Horta, Andrés Henestrosa, Luis González Obregón, Manuel Orozco Berra, Gregorio Torres Quintero, Antonio Méliz Bolio, Luis Rosado Vega, el ilustre historiador Carlos Pereyra, Paulino Novelo Erosa, Fer-

nando Ramírez de Aguilar, Gabriel López Chiñas, Jesús Romero Flórez, José Castillo Piña, Esteban Maqueo Castellanos, Martín Cortina, Lucio Marmolejo, Dolores Bolio, Alfonso Taracena, José Pérez Moreno, Alfredo Ibarra y Arturo Monzón. Algunos de estos nombres ya nos han salido al paso en otros capítulos; otros nos saldrán todavía en sucesivos apartados.

BIBLIOGRAFIA

D. CAMPA: *La novela de la Revolución mejicana*, Berkeley (Estados Unidos), 1940 (tesis doctoral).—J. L. MARTÍNEZ: *La novela de la Revolución*, «Liter. mejicana del siglo XX», Ant. Libr. Robredo, Méjico, 1949.—CONCHA MELÉNDEZ: *Novelas históricas de Méjico*, «El Libro del Pueblo», XIII, núm. 3, Méjico, 1935.—E. MEOUCHI: *La novela indigenista de Méjico*, «Primeras Jorn. de Lengua y Literatura Hispanoamer.», I, Salamanca, 1956.—E. R. MOORE: *Bibliografía de novelistas de la Revolución mejicana*, Méjico, 1941; *The Novel of the Mexican Revolution*, «Mexican-Life», Méjico, julio de 1940; *Novelists of the Mexican Revolution*, «Mexican-Life», Méjico, septiembre de 1940.—J. REA SPELLE: *Mexican Society of the Twentieth Century as Portrayed by Mariano Azuela*, Inst. of Latin American Studies of the Univ. of Texas, 1943.—J. SILVA HERZOG: *La Revolución mejicana en crisis*, «Cuad. Americanos», número 5, septiembre-octubre de 1943.—A. TORRES RIOSECO: *La evolución social y la novela en Méjico*, «Ensayos sobre Literatura Latinoamericana», Fondo de Cult. Económica, Méjico, 1953.—J. URIBE ECHEVERRÍA: *La novela de la Revolución mejicana y la novela hispanoamericana*, «An. de la Univ. de Chile», Santiago, 1935.—E. ABRÉU GÓMEZ; *Martín Luis de Guzmán. Crítica y bibliografía*, «Hispania», XXXV, núm. 1, Baltimore, 1952.—GEGGY BOURDE: *Un glosario de los provincialismos contenidos en dos novelas hispanoamericanas: «Los de abajo», de M. Azuela, y «La vorágine», de José E. Rivera*, Tulane Theses, 1942.—J. DELGADO: *Las novelas de Mariano Azuela*, «Rev. de Liter.», IV, julio-diciembre de 1954.—J. E. ENGLEKIRK: *El «descubrimiento» de «Los de abajo».—S. EOFF: Tragedy of the unwanted person, in thres versions: Pablos de Segovia, Pito Pérez, Pascual Duarte*, «Hispania», XXXIX, núm. 2, Baltimore, mayo de 1956.—G. GONZÁLEZ Y CONTRERAS: *Rubén Romero, el hombre que supo ver*, Impr. La Verónica, Habana, 1940.—HELEN GRIMSLEY: *The Mexican Indian in the Novels of Mariano Azuela and Gregorio López Fuentes*, Ohio Masters, 1943.—M. LATORRE: *Méjico. Dos novelas sobre la Revolución: «Tirano Banderas» y «Los de abajo»*, «Informaciones», XII, págs. 689-94, Madrid, 1927.—PAULINA MARSHALL: *La novela indianista de López Fuentes*, «Primeras Jornadas...», op. cit., págs. 431-39.—J. L. MARTÍNEZ: *La obra de Martín Luis de Guzmán*, «Liter. mej. del siglo XX», ed. cit., págs. 193-99.—F. MONTERDE: *En defensa de una obra y una generación (Azuela)*, Méjico, 1935.—P. ROGERS: *Escritores contemporáneos de Méjico, with and Introduction, notes..., by...*, Boston, Honghton Mifflin, 1949.—L. A. SÁNCHEZ: *José Ruben Romero*, «Escrit. representativos de América», págs. 263-72, Edit. Gredos, Madrid, 1957.—F. TAINTER RUSSLER: *Contemporary Mexico as Portrayed in recent Novels of Mariano Azuela*, Arizona Theses, 1946.—A. TORRES RIOSECO: *Mariano Azuela*, «Grandes novelistas de la América hispana», págs. 3-40, Univ. of California Prees, 1941.—J. L. MARTÍNEZ: *La obra literaria de José Vasconcelos*, «Liter. mej. del siglo XX», ed. cit., págs. 265-79.—L. AYCINENA: *Novela y dolor de Guatemala* (sobre «El señor presidente»), «Cuad. Hispanoamericanos», núm. 14, marzo-abril, 1950.

Muy importante para este capítulo, como obra de consulta, es *Literatura mejicana del siglo XX (1910-1947)*, de JOSÉ LUIS MARTÍNEZ, en dos volúmenes. El segundo va dedicado íntegramente a «guías bibliográficas».

CAPITULO XCVIII

LA PROSA AMERICANA DEL XX:
D) MODERNISMO Y ULTIMAS TENDENCIAS

I. LA PROSA MODERNISTA EN SUDAMÉRICA: *Argentina y Chile. Perú y Ecuador. Colombia y Venezuela.*—II. MÉJICO, CENTROAMÉRICA Y ANTILLAS: *Guatemala: Gómez Carrillo, Arévalo Martínez y F. Herrera. Santo Domingo.*—III. ULTIMAS TENDENCIAS: *Eduardo Mallea. Ciro Alegría. Mújica Láinez y Jorge Icaza. Más narradores actuales.*—NOTAS.—BIBLIOGRAFÍA.

I. LA PROSA MODERNISTA EN SUDAMERICA

En pleno auge del realismo aflora en América un grupo de escritores, hijos espirituales en su mayor parte de la cultura francesa, cuyo afán de perfecciones formales salta a la vista y cuyo prurito de despertar sensaciones no es menos notorio. Son los llamados modernistas. Están vinculados muy estrechamente con los poetas de la misma escuela, de quienes se habló por extenso en los capítulos LXXXIII-LXXXVI; y sólo se diferencian de ellos en que prefieren la prosa para sus trabajos. Por lo demás, aceptan en lo fundamental el mismo credo estético. La morbosidad, no exenta de cierta grandeza, característica de Poe; el refinamiento sensualista de D'Annunzio, el satanismo de Baudelaire, la mezcla de voluptuosidad y misticismo de Berbey D'Aurevilly o de Huysmans, el amoralismo de Oscar Wilde, la sátira irreverente de Queiroz, el yoísmo de Barrès, el psicologismo de Bourget, son ingredientes que en mayor o menor grado nunca faltan en las obras de estos escritores.

No son propiamente novelistas, porque ya queda dicho que el modernismo es fundamentalmente un movimiento poético. Los pocos autores de novelas procedentes de él son estilistas antes que narradores, atienden a la forma antes que al fondo; y aunque no aparezcan totalmente despreocupados de la trama novelesca o de la construcción de la fábula, se ve desde luego que les interesa más la manera de narrar que la misma narración. Frente al «escribir como se habla» de los realistas, ellos proclaman la depuración y ennoblecimiento de la prosa. Es el suyo un estilo ágil, trabajado, decantado como un precioso licor y, a veces, pulido y repulido hasta la exageración. Por lo demás, ninguna preocupación de orden ético o social les inquieta. Ello no impide que, huyendo de la moralidad, caigan muchas veces y hasta casi siempre en lo inmoral; y que, al tratar de evitar toda intención socializante, vayan a dar de lleno en lo antisocial y demagógico. Los modernistas, no obstante su desinterés más aparente que real por cuanto significa «tesis» o exposición de principios de la clase que sean, gustan de adentrarse en las reconditeces del ser humano tanto como cualquier discípulo de Zola; con una diferencia respecto del autor de *L'Assommoir*, que mientras éste acepta como válido para su obra cualquier trozo de vida, el modernista siempre preferirá ejemplares física o psíquicamente anormales, con una proclividad indisimulable hacia lo amoral, lo erótico, lo lascivo. Cuando, siguiendo el ejemplo de Pierre Louys, intentan alguna reconstrucción arqueológica que sirva de fondo a la acción, siempre eligen aquella época, aquel personaje, aquel ambiente que habla más de cerca a la sensualidad. No suele ser este el caso de los modernistas americanos, como no sea en la novelística de Vargas Vila, ya estudiada en su lugar.

La influencia del modernismo en Hispanoamérica ha sido muy extensa; y no sólo en la poesía, según pudo verse en los capítulos a ella dedicados, sino también en la prosa. Se puede afirmar que la mayor parte de los novelistas de las últimas promociones, a quienes se hizo referencia en los capítulos anteriores, proceden del modernismo. Influencias modernistas aparecen en la prosa de José Eustaquio Rivera, Enrique Larreta, Carlos Reyles, Horacio Quiroga, Ricardo Güiraldes y otros. Modernista integral fué Vargas Vila; y también lo fueron los más grandes poetas de principios de siglo, cuando escribían. en prosa: Rubén Darío, Amado Nervo, Rufino Blanco Fombona, Luis G. Urbina, y antes, Gutiérrez Nájera, Martí, etc. Aludidos en su correspondiente lugar, no hay por qué volver ahora sobre ellos. Más bien hemos de limitar nuestra referencia a unos cuantos autores, casi todos de segundo o tercer orden, no citados anteriormente y que merecen una mención, siquiera muy superficial.

Argentina y Chile

La prosa modernista ha tenido en Argentina excelentes cultivadores durante las últimas décadas. Sin contar novelistas como Larreta o Güiraldes, ya aludidos, cabe mencionar tres nombres de cierta categoría: Estrada, Chiappori y Macedonio Fernández. ANGEL ESTRADA (1872-1923), fué un temperamento aristocrático y solitario, cuya novela *Redención* vale más en sus detalles que en conjunto. Los personajes, carentes de realidad, parecen diseñados por el autor a su imagen y semejanza, moviéndose en un mundo de bellezas inasequibles, como sólo se encuentran en los museos o historias del arte. Más logradas nos parecen sus crónicas: *El color y la piedra, Formas y espíritus,* reveladoras de un artista refinadísimo. Dentro de esa zona de horror y fantasmagoría inaugurada por Poe, Villiers y Hoffman, debe situarse el libro de cuentos *Borderland* (1907), en que su autor ATILIO CHIAPPORI (n. 1880) eleva a categoría artística ciertos estados morbosos del alma humana. Idéntica nota se nos da en la novela *La eterna angustia* (1908), con ciertos anticipos del existencialismo, y en los cuentos que integran la colección *La isla de las rosas rojas* (1925). Tampoco es propiamente novelista MACEDONIO FERNÁNDEZ (1874-1952), uno de los escritores más originales de Argentina en lo que va de siglo. En sus obras (*No todo es vigilia, La de los ojos abiertos, Papeles de Recienvenido, Una novela que comienza, Elena Bellamuerte, Continuación de la Nada*) se entremezclan humor, paradoja y divagación por partes iguales. Hay análisis penetrantes y hay también acrobacias verbales y conceptuales que lindan en lo absurdo. A veces quiere acercarse a la «greguería» de Gómez de la Serna, pero sin llegar a ella. El ingenio que en Ramón se nos da encapsulado en una sola frase, precisa y comprimida, en Macedonio Fernández se diluye en toda una cláusula explicativa. Con lo que la acidez queda evaporada. Se empeña este escritor en ver las cosas de diferente manera que los demás, a través de la doble lente de la metafísica y del humor. Su obra, por ello, resulta una especie de sistemática del disparate; y esta sistemática ha querido llevarla a la novela con un éxito muy discutible. No obstante, su influencia en los escritores argentinos de la tercera década de siglo ha sido grande.

Ni Uruguay, citados ya Reyles y Quiroga y reservado para otro capítulo Rodó, ni Paraguay ofrecen prosistas de calidad dentro del género que estamos estudiando. Acaso podría traerse aquí el nombre de RAFAEL BARRET (1872?-1910), paraguayo, autor de relatos tan deliciosos como *Cuentos breves* y *Diálogos y conversaciones,* escritos en prosa suelta y depurada. Pero el lugar adecuado de Barret está en la crítica, y mejor aún en la psicología y la historia, con libros como *El dolor paraguayo, El terror argentino* y *Lo que son los yerbales,* en los que la exposición adquiere muchas veces tal tono de violencia que más que otra cosa parecen panfletos.

Chile, sin contar a Barrios y D'Halmar, tiene un buen narrador modernista en el poeta PEDRO PRADO (1886-1952). Perteneció al grupo de «Los diez», tan influyente en el proceso cultural del país y, sin abandonar sus tareas diplomáticas, pasó la vida entregado al estudio y a las bellas letras. En sus libros de verso—*Flores de cardo, La casa abandonada, Pájaros errantes*—se revela francamente antimodernista. Al margen de modas y escuelas, en pleno triunfo de los «ismos», compone sonetos perfectos. Pero su aversión al modernismo no le impide aprovechar de éste algunos elementos, entre ellos, el estilo poemático, que traslada a la prosa con excelente resultado. Gusta también de la exploración psicológica, del lenguaje metafórico y de la alegoría. De aquí, por esa falta de ubicación en el lugar y el espacio, que sus obras sean en su mayor parte simbólicas. En *Alsino* (1920) aspira a darnos una versión actualizada del mito de Icaro. Alsino, un muchacho chileno que siente deseos de volar, cae al suelo y resulta corcovado; pero luego observa que de la corcova le nacen alas, con las que reemprende su vuelo hasta ir a sumergirse en el seno de Dios, no sin haber antes despertado la pasión de Abigail, hija de un rico hacendado. La tesis se nos da resumida en estas palabras: «Una de mis alas llévame a la derecha; y la otra, a la izquierda; mi peso, a la tierra; y mis ojos, hacia todos los ámbitos.» El mismo carácter simbólico tiene *Androvar* (1925), ambicioso poema dramático en el que se aspira a expresar toda la angustia de las limitaciones humanas; y *La reina de Rapa Nui* (1914), simbolización de la intriga triunfando sobre el amor. En una línea más realista hay que poner *Un juez rural* (1924), con bellas descripciones paisajísticas. Prado es un buen prosista, cuyos méritos no han sido valorados como merecen.

En esa misma línea de intersección entre poema y novela en que se mueve Prado, ha de colocarse la obra de otro chileno también ya citado, FRANCISCO CONTRERAS (1877-1933), cuyos poemarios en verso—*Esmaltines, Toison, Romances de hoy*—acusan evidente influjo francés. Interesan aquí más sus obras narrativas—*Almas y panoramas* (1910), *Tierra de reliquias* (1912), *Los países grises* (1916), *El pueblo maravilloso* (1927), etc—, en cuanto señalan un paso decisivo hacia la literatura de ambiente criollista, sin incurrir en realismos exagerados y siempre dentro de un insoslayable anhelo de formales depuraciones.

Perú y Ecuador

Aludidos en otro lugar Jaimes Freyre y Rosendo Villalobos, nada destacable ofrece la prosa modernista boliviana de este período. Perú, en cambio, presenta tres nombres de cierta importancia: Valdelomar, Clemente Palma y García Calderón. En ABRAHAM VALDELOMAR (1888-1919), poeta, novelista, ensayista y autor dramático, encontramos un típico ejemplar del género a que nos venimos refiriendo. Fundador de «Colónida», cuyo título rezuma modernismo, se encuentra a la mitad del camino que va de la tradición encarnada por Ricardo Palma hasta las actitudes subversivas de Manuel González Prada. Con muchas ideas y ningún método, al igual que su revista, Valdelomar escribió poemas, impresiones, cuentos y novelas, en las que se funden como pueden D'Annunzio y Oscar Wilde, Catulo Mendès y Ramón del Valle Inclán. Acaso lo mejor de su obra sea la serie de cuentos encabezados por El caballero Carmelo, con descripciones morosas, trabajadas y brillantes. Refiere la historia de un gallo de pelea y nos presenta al protagonista con estas palabras: «...esbelto, magro, musculoso y austero; su afilada cabeza roja era la de un hidalgo altivo, caballeroso, justiciero y prudente. Agallas bermejas, delgada cresta de encendido color, ojos vivos y redondos, mirada fiera y perdonadora». Otros dos cuentos interesantes dentro de la misma serie son Los ojos de Judas y El vuelo de los cóndores. Notoriamente danunzianas son La ciudad muerta y La ciudad de los tísicos, si bien en la segunda se acusa cierta atención al elemento criollo. El tema indigenista, con afortunadas evocaciones de la época incaica, inspira Los hijos del Sol; y el tema histórico colonial, La mariscala. En Belmonte, el trágico, el interés decae, al quebrarse la línea narrativa con frecuentes disquisiciones extrañas al relato. CLEMENTE PALMA (1872-1946), hijo del ilustre autor de las Tradiciones peruanas, creador de revistas, como Prisma; director de otras, como Variedades y La Crónica, continuó hasta cierto punto la obra paterna en la novela histórica La nieta del Oidor, a la que llega, si bien en parvísima cantidad, la vena regocijada de su padre. Luego, atraído por lo esotérico y espeluznante, empezó a publicar hacia 1896 una serie de narraciones disparatadas, que coleccionó en un volumen titulado Cuentos malévolos (1904). Magia, espiritismo, inverosimilitud y alucinación se dan la mano en estos engendros, en los que cabe rastrear la huella de Poe y de Gorki, de Villiers y de Hoffmann, con no pocas influencias de Wells. Allí topamos con un príncipe alacrán, una danza macabra de cucarachas y escarabajos, un choque del mundo con el cometa Halley, el descubrimiento de un «quinto evangelio», etc. Con Corrales vuelve Clemente Palma a la zona de lo ameno y pintoresco; pero nuevamente se aleja de ella, para internarse cada vez más en el mundo de las alucinaciones, con Mors ex vita (1922), Historietas malignas (1924) y Xyz (1935).

Superior a los anteriores es VENTURA GARCÍA CALDERÓN (1886), en quien ya Cejador veía a principios de siglo una «autoridad competente» y a quien por las mismas fechas (1913) saludaba Gonzalo Zaldumbide como «el mejor prosador de prosa artística que ha dado la juventud hispanoamericana en los últimos años». Sólo que García Calderón [1] no quiso limitar su actividad al género narrativo—esa «prosa artística», de que nos habla Zaldumbide—, sino que la extendió a la poesía, el ensayo, la erudición y la crítica. Y es aquí precisamente, en la crítica, donde más ha descollado con obras como Parnaso peruano, Los mejores cuentos americanos, Del romanticismo al modernismo, Biblioteca de la cultura peruana (13 volúmenes), y donde ha de buscarse acaso su labor más meritoria. Ello no quiere decir que sus narraciones carezcan de interés. Lo tienen hasta tal punto que por ellas está considerado como el gran maestro del cuento americano en la edad contemporánea. Publica entre 1914 y 1919 dos colecciones: Dolorosa y desnuda realidad y La venganza del cóndor. Son cuentos decadentistas, sensuales, románticos si se quiere, pero con un romanticismo actualizado: en Un beso nada más el protagonista acaba por no saber si ha vivido su aventura o la ha soñado simplemente; en El profesor de amor, historia de un conde exquisito y decadente, éste se autoproclama «profesor o maestro de lujuria». Distinto carácter tienen, siempre dentro de la técnica modernista, los relatos que integran La venganza del Cóndor. Aquí ya el elemento indigenista, en forma de folklore, tradición o superstición, representa un papel importantísimo. Destacan La momia, vigoroso cuadro de costumbres ancestrales; El alfiler, con un concepto del honor típicamente calderoniano: el suegro que da a su yerno, juntamente con su hija, el alfiler con que debe asesinarla el día que le resulte infiel. Más tarde García Calderón publica Sang plus vite y Danger de mort, en francés, que luego traduce al castellano; Cantilenas (1919), mezcla de prosa y verso, donde el lenguaje de este escritor alcanza la máxima expresividad; y una serie de relatos inspirados en la historia y en la tradición de su país: Yacu-Mama, El escultor de la Virgen, Luna de miel, La selva que llora, En los cañaverales, La cabeza reducida, etcétera. En todos ellos, lo mismo que en los citados anteriormente, saltan a la vista las notas que califican toda la producción de este gran escritor peruano: elegancia estilística, armonía constructiva, finura de expresión y cierta ironía que en vez de manifestarse claramente se insinúa sólo, sin descomponer la nobleza del conjunto.

En Ecuador la prosa modernista está representada por el grupo de los «trasplantados». Así se llama a unos cuantos escritores de aquel país que fueron a buscar inspiración y, casi siempre también, temas para sus relatos novelescos en el extranjero, y preferentemente en Europa[2]. Son, entre otros, EUDÓFILO ALVAREZ, autor de narraciones como *Abelardo* y *Ocho cartas halladas*, ambas en forma epistolar, de trama amorosa y con evidentes influjos del *Werther*; MIGUEL ANGEL CORRAL, que apenas alcanza una discreta medianía en novelas como *Las cosechas* y *Voluptuosidad*, obras lindantes ya con la franca pornografía[3]; NICOLÁS AUGUSTO GONZÁLEZ, que, no obstante haber vivido siempre en la más sórdida bohemia, se empeñó en trasladar a sus novelas—*Thea, El último hidalgo, La herencia del dolor*—un mundo de grandezas y placeres totalmente desconocido para él; VÍCTOR M. RENDÓN, académico, diplomático y hombre de sólida fortuna, que en *Lorenzo Cilda*, escrita en francés, dejó la novela más estimable de las letras ecuatorianas, dentro del modernismo; y GONZALO ZALDUMBIDE, hijo del poeta Julio Zaldumbide, y autor de algunas narraciones, como *Egloga trágica*, merecedora de recuerdo. Gonzalo Zaldumbide descuella más como crítico y orientador de la cultura de su país.

Colombia y Venezuela

Colombia tuvo tres afamados escritores modernistas en Marroquín, Vargas Vila y J. Eustasio Rivera, ya aludidos anteriormente. A bastante distancia quedan EMILIO CUERVO MÁRQUEZ (1873-1937), que fué a inspirarse para su *Phinée* en *Salambó*, de Flaubert, y en *Afrodita*, de Pierre Louys, si bien quedó muy lejos de sus modelos; EVARISTO RIVAS GROOT (1864-1923), siempre fluctuante entre el modernismo y el realismo; y su hermano JOSÉ MARÍA RIVAS GROOT (1863-1923), diplomático, gobernante, historiador y poeta. Cantó altos ideales religiosos y patrios con voz un poco trasnochada, que recuerda a Víctor Hugo y a Lamartine; dejó obras de investigación y crítica merecidamente estimadas: *Víctor Hugo en América, Historia de la gran Colombia*, etc.; y también escribió algunos relatos, dentro de la técnica modernista vigente en las primeras décadas de siglo: *El triunfo de la vida, Holocausto, Julieta, Resurrección*. De los cuatro, el mejor es el último; el sentimiento religioso, católico en este caso, penetra todas sus páginas y le da un carácter en cierto modo apologético. Los personajes, artistas casi todos, discuten sobre literatura, música y arte en general. No se olvida el mundo del subconsciente, ni las exploraciones por las vastas zonas de la neurastenia, el sueño y hasta lo irracional. Tollo ello al servicio de la estética; y ésta, a su vez, al servicio de la religión católica, que queda proclamada como una fuente de belleza y de emoción artísticas. Porque Rivas Groot fué un católico practicante en la vida y en sus libros.

Venezuela es acaso la república americana con mayor floración de prosistas en este período. A ello contribuyó en gran medida la revista *Cosmó-*

polis, creada en 1894, con sus páginas abiertas a todas las tendencias, aunque predominase en ellas con mucho la prosa artística propia del modernismo. Pasado por alto Blanco Fombona, buen poeta y prosista ya aludido en otros capítulos, todavía pueden entresacarse de la larga nómina de escritores modernistas hasta cinco o seis escritores dignos de recuerdo. LUIS MANUEL URBANEJA ACHEPOHL (1874-1937), educado en el modernismo y sin salirse de él, acierta a cultivar el tema nativista, tanto en sus novelas como en sus narraciones cortas. *En este país* (1914), coincidente por su título con uno de los más conocidos artículos de Larra, y *La casa de las cuatro pensas* (1937), reproducen con bastante fidelidad el ambiente y costumbres de Venezuela[4]. En tal sentido puede decirse que su autor pertenece a la escuela de Zola; pero su prosa artística y cuidada lo vincula más estrechamente al modernismo. Ciertas gotas de humor diluídas aquí y allí en todos sus escritos lo emparejan, por otra parte, con Oscar Wilde. Las preferencias de PEDRO EMILIO COLL (1872-1947) le llevan hacia el mundo de lo morboso y anormal, ese mundo en que abundan los tipos abúlicos y desarraigados. *Palabras* (1896), *El castillo de Elsinor* (1901) y *La escondida senda* (1927) delatan un temperamento analítico, que gusta sondear en las profundidades del subconsciente. A veces, como en *Opoponax*, narración incluída en *El castillo de Elsinor*, se acerca a la manera psicológica de Bourget; a veces recuerda a Freud, como en *El diente roto*, detalladísimo estudio de un proceso obsesivo, que guarda cierta semejanza con *San Automóvil*, del mejicano Jorge Ferretis. También son bien claros los modelos de PEDRO CÉSAR DOMINICI (1872-194?): para la reconstrucción arqueológica de *Dyonisos* se inspiró, sin duda, en Pierre Louys y Be1taut; para *El triunfo del ideal* y *La tristeza voluptuosa* tuvo presentes a D'Annunzio y Lorrain, con su irrealidad y desenfreno pasional característicos.

Sin salirnos de Venezuela ni de la modalidad que estudiamos, aún podemos tropezar con dos narradores de positivo mérito: Teresa de la Parra y Manuel Díaz Rodríguez. ANA TERESA PARRA SANOJO (París, 1890-Madrid, 1936), más conocida por Teresa de la Parra, es una escritora simpatiquísima y deliciosa. Había nacido en París, de padres venezolanos, y repartió su vida entre las grandes capitales europeas y su país de origen, brillando en todas partes y en la mejor sociedad por su talento, hermosura y distinción. Pero, enferma de tuberculosis pulmonar, hubo de pasar largas temporadas en diferentes sanatorios, aprendiendo y rumiando todas esas cosas que suelen inspirar a los espíritus privilegiados el silencio, la soledad y la lectura meditada. Fruto de aquellas experiencias mundanas y de estos soliloquios fueron dos relatos publicados con intervalo de un bienio y que constituyen en realidad una sola novela: *Dia-*

rio de una señorita que se fastidia (1922) e *Ifigenia (Diario de una señorita que escribió porque se aburría)* (1924). Agréguese a estos relatos las *Memorias de mamá Blanca*, aparecidas cuatro años más tarde (1928), y tendremos las tres obras que han dado a su autora un prestigio muy merecido, no sólo entre los novelistas venezolanos, sino entre todos los de aquel Continente. El tema de los tres libros es también único: su propia experiencia vital. María Eugenia, joven caraqueña, regresa desde Europa a Venezuela. La acoge amorosamente su abuela; pero pronto, al otear el panorama social, se da cuenta de que, joven y rica, no le queda más disyuntiva que el matrimonio o la soltería: «Estoy en venta. ¿Quién me compra?» Pero el ambiente en que se mueve no es el mejor estímulo del matrimonio. Su amiga más íntima, Mercedes, refiere su fracaso conyugal; ella misma, Eugenia, se enamora del marido de otra amiga. Comprende que en esta sociedad de tedio, de pequeñas miserias, la mejor solución es sacrificarse como la Ifigenia de la tragedia clásica. De ahí el título. Todo esto narrado, contado en voz baja, confidencial, amable, con finísimas observaciones y análisis, en una prosa fácil, casi ingenua, y tan alejada del énfasis como de la cursilería. Intimismo, simpatía, calor humano y cierta morosidad aprendida sin duda en Proust [5] son las notas que distinguen a esta simpática escritora venezolana, cuya influencia se ha dejado ya percibir en la novelística femenina de Hispanoamérica: *Guetaro*, de su paisana Trina Larralde; *Puertas verdes, caminos blancos*, de la chilena Chela Reyes; *Pueblo de niebla*, de la argentina María de Villarino.

Partiendo de la estética modernista y encaminándose lentamente hacia el naturalismo de la novela criolla, encontramos un notable escritor, considerado por algunos críticos como el mejor novelista venezolano de su generación: MANUEL DÍAZ RODRÍGUEZ (1868-1927). En su producción narrativa cabe distinguir tres etapas o fases: una primera de claro influjo europeizante, representada por obras como *Confidencias de Psiquis, Sensaciones de viaje* (1896), *De mis romerías* (1898) y *Cuentos de color* (1899). Más que de auténticas novelas se trata de cuadros impresionistas, carentes de trama. La huella de D'Annunzio y de Barrés aparece en cada página. América brilla por su ausencia; Europa, con sus modas, gustos y costumbres, lo llena todo. Viene una segunda fase, de rabioso esteticismo, pero con una acción repartida entre París y Venezuela. A ella corresponden *Idolos rotos* (1901) y *Sangre patricia* (1902). Son novelas en que los protagonistas, abúlicos, decadentes, amigos de paraísos artificiales, y por ello encajados en la refinada civilización europea, sienten, sin embargo, el tirón de su tierra natal, a la que regresan animados de las más vivas ansias regeneradoras. Naturalmente, el choque con la realidad es violentísimo; frente a la masa bárbara, su espíritu aristocrático cae como un «ídolo roto». Díaz Rodríguez, cada vez más enamorado del tema racial, en los últimos años de su vida entra de lleno en la novela criolla con una narración, *La peregrina o el pozo encantado*, que abre dentro de su novelística una tercera y postrera etapa. El subtítulo «Novela de rústicos del valle de Caracas», indica bien a las claras que su autor, libre de influencias esteticistas, aspira a darnos, y lo consigue, una visión realista del campo venezolano.

II. MEJICO, CENTROAMERICA Y ANTILLAS

La prosa modernista mejicana está representada por los colaboradores de la *Revista Azul* y de la *Revista Moderna,* dos publicaciones que, ya quedó dicho, señalan el tránsito a la nueva escuela y su triunfo, tanto en el verso como en la prosa. Esos colaboradores ya nos son conocidos en su mayor parte, pues se trata de poetas estudiados, o al menos aludidos, en anteriores capítulos: Gutiérrez Nájera, Othón, Amado Nervo, Rubén M. Campos, Rebolledo, Alfonso Reyes, etcétera. No hay por qué volver sobre ellos. Unicamente, eso sí, debe recordarse que, de acuerdo con la tónica general del modernismo, ninguno de ellos es propiamente novelista. Cuentistas deliciosos y delicados; autores de afortunadas impresiones de viajes o de cuadros costumbristas; excelentes reporteros; todo lo que se quiera, menos constructores de un relato novelesco en grande. Así, por ejemplo, en los *Cuentos frágiles* y en los *Cuentos color de humo,* de MANUEL GUTIÉRREZ NÁJERA (1859-1895) nos sorprende la finura de observación, la ironía, la elegancia y la captación del pequeño detalle, sin llegar a estructurarse la narración en auténtica novela. Lo mismo ocurre con *Cuentos variados, Crónicas soñadas, Estampas de viaje* y otros libros en prosa del poeta LUIS G. DE URBINA (1868-1954), que se reducen a eso: simples estampas, bocetos de la vida real, observada con ojos modernistas, que casi equivale a decir con ojos románticos. En cambio, MANUEL JOSÉ OTHÓN (1956-1906), acorde con su manera poética enjuiciada en otro lugar, lleva a su prosa—*Cuentos de espanto, La gleba*—un tono desgarrado y crudo que, sin alejarse totalmente del modernismo, le aproxima en cierto modo a la técnica naturalista. La antítesis se nos ofrece en otro poeta, también ya citado, EFRÉN REBOLLEDO (1877-1929), en cuyos relatos novelados—*Estela, El enemigo, Hojas de bambú* y *Saga de Sigfrida la Blonda*—, así como en la serie de cuentos *El desencanto de Dulcinea* (1916), el decadentismo literario de origen francés aflora por todas partes. Prosa modernista es la que emplean asimismo el excelente dramaturgo CARLOS DÍAZ DUFOO (1861-1941), fundador con Gutiérrez Nájera de la *Revista Azul*, en sus *Cuentos nerviosos*; el eminente ensayista y poeta ALFONSO REYES (n. 1889), en los diálogos y narraciones que integran *El plano oblicuo*; y JUSTO SIERRA (1848-1912), hijo del novelista romántico del mismo nombre, en la colección de breves narraciones que lleva por título *La sirena*. Pero posiblemente el escritor mejicano mejor dotado para este género narrativo, impresionista, rápido y un tanto superficial, sea RUBÉN M. CAMPOS (1876-1945), poeta ya citado, investigador y crítico. Su obra narrativa se resume en *Claudio Oronoz, Cuentos mejicanos, Atlanz, tierra de garzas* y *Tradiciones y leyendas mejicanas.*

Honduras tiene un estimable prosista en FROILÁN TURCIOS (1877-1943), ya aludido como lírico. Fué Turcios hombre público, periodista distinguido, fundador y director de revistas—*Esfinge, Ariel*—, poeta y narrador. Su mejor novela, *El vampiro*, en estilo sencillo y con una concepción casi romántica, constituye un bien observado cuadro de costumbres. En los *Cuentos del amor y de la muerte* (que inevitablemente traen a la memoria los *Cuentos de muerte y de sangre*, de R. Güiraldes, y *Cuentos de amor, de locura y de muerte*, de H. Quiroga), ya se nos muestra más metido en la prosa modernista, con visibles influjos de Poe. El más logrado es el que lleva por título *La mejor limosna*. Otras obras de Turcios son: *Mariposas*, prosa y verso; *Renglones*, cuentos, prosa y verso; *Tierra maternal*, cuentos y poesía; *El fantasma blanco*, novela; *Prosas nuevas, Floresta sonora, Impresiones de viaje*, etc.

Guatemala: Gómez Carrillo, Arévalo Martínez y F. Herrera

El mejor prosista centroamericano de la época es, sin duda, el guatemalteco ENRIQUE GÓMEZ CARRILLO (1875-1927). Hijo de padre español y de madre francesa, Carrillo se forma enteramente en París, de acuerdo con las costumbres y modos de finales de siglo [6]. Así resulta un escritor de gustos refinados, a la vez que un espíritu frívolo, elegante, imaginativo y personalísimo. Vivió casi siempre en la capital de Francia y su existencia se parece mucho a una novela con aventuras de Casanova y de Don Juan. Tuvo duelos, amores y devaneos. Amigo de célebres artistas, entre ellas de la famosa Mata-Hari, algo y aún mucho no podía haber dicho sobre el trágico fin de la hermosa espía, aparte de lo que sabemos por el libro que le dedicó. Colaboró en los principales periódicos de América y de España: *El Liberal*

y el *A B C*, de Madrid; *La Razón*, de Buenos Aires; el *Diario de la Marina*, de la Habana. Viajó mucho, y aún le quedó tiempo para escribir artículos, novelas, impresiones, en cantidad incalculable. A veintiséis volúmenes ascendían sus obras publicadas entre 1923 y 1926 por la Editorial Mundo Latino; pero quedaban muchas por editar. En todas ellas campea un estilo brillante, sugestivo, de altas calidades líricas y enormemente impresionista. Gómez Carrillo tenía, no cabe duda, un alma *sentimental, sensible y sensitiva*, como autodefinió la suya propia Rubén Darío. Cada viaje que hacía, cada país, cada ciudad que visitaba le inspiraban una obra: *Japón heroico y galante, Fez o la nostalgia andaluza, Vistas de Europa, La Grecia eterna, La Rusia actual, La sonrisa de la Esfinge* (Egipto), *Jerusalén y la Tierra*; cada personaje, una estampa; cada libro, una crónica. Y lo bueno es que muchas de esas crónicas escritas a vuela pluma eran infinitamente superiores al libro comentado. Entre todas sus obras él prefería una novela: *El evangelio del amor*, escrita bajo la influencia conjunta de Anatole France y de Eça de Queiroz, con un argumento basado en la vida y hazañas del conde Teófilo Constantino Nicéforos, y teniend por fondo la Bizancio decadente del 1300. El quiso ser novelista; pero no lo era. Fué, eso sí, un «cronista genial», émulo de los mejores «journalistes» de París, a quienes sin duda tomó por modelos. Y a este género menor de la «crónica» supo llevar un estilo vivaz, desenvuelto, elegante y rapidísimo, que, imitado luego por muchos, ha renovado la prosa periodística, tanto en España como en América. Otras obras de Gómez Carrillo son: *Maravillas*, sobre vidas de artistas; *Safo, Friné y otras seductoras. El misterio de Mata-Hari, El valor de amar, Novelas y novelistas, Letras e ideas, Guignol, Pen Club, Pirandello y Compañía, El triunfo de la novela, El renacimiento en la novela del siglo XIX, De Gallardo a Unamuno, Escenas de la vida moderna, Cartas a Amaranta.*

También partió del modernismo, aunque pronto se desligó de él, otro gran escritor guatemalteco, RAFAEL ARÉVALO MARTÍNEZ (n. 1884), a quien ya se aludió anteriormente como autor de *Las rosas de Engaddi* (1914), un poemario de versos sencillos, mitad románticos, mitad modernistas [7]. Pero Arévalo Martínez no podía, no quería sentirse cómodo en aquella concepción un poco superficial de las cosas, que había impuesto el modernismo. Amigo de lo desconcertante, de lo raro, pronto se dedica a bucear en los oscuros estratos de lo subconsciente hasta llegar a las raíces mismas de la animalidad. Así es como compone esa narración, *El hombre que parecía un caballo* (1914), calificada por alguien como el cuento más original aparecido en América en el primer tercio de siglo. Las diez ediciones agotadas en poco tiempo son prueba del interés que despertó. «No es ni Poe, ni Lorrain—sentenció Rubén Darío al leerlo—. Es algo nuevo y maravilloso.» Algo delirante, en que, partiendo de lo psicológico humano, se va adentrando en lo puramente zoológico, con un procedimiento que se anticipa en varios años al utilizado por Kafka. Se dice que para esa visión de pesadilla tuvo el autor un modelo: el poeta colombiano Miguel Angel Osorio, más conocido por su seudónimo de «Barba Jacob». Aun así, la originalidad del autor al crear ese monstruoso hombre-equino es indiscutible. Algo parecido intentó al escribir *El trovador colombiano* (1914), con un personaje hombre-perro, y *El señor Monitot* (1922), que podría muy bien subtitularse «El hombre que parecía un tigre». Años más tarde, Arévalo Martínez ensayó la narración utópica, a la manera de Swift en *Gulliver*. Frutos de tal ensayo son las novelas *El mundo de los maharachías* (1938) y *Viaje a Ipanda* (1939), dos partes de un argumento único. Gulliver encuentra criaturas semejantes a caballos y superiores en civilización al hombre; el náufrago Manuel también halla seres que aventajan al hombre. Pero ahora son monos. *Ni el mundo de los maharachías*, ni *Viaje a Ipanda* son narraciones logradas. La realización ha quedado muy lejos del propósito. Lo son, en cambio, *La signatura de la Esfinge* (1933), *El hechizado* y *Ecce-Pericles*, contra el régimen del dictador Cabrera, que había de inspirar a Miguel Angel Asturias una de sus mejores narraciones: *El señor Presidente*.

Otro ejemplo de escritor que empieza en la prosa casi poemática del modernismo para terminar en un crudo lenguaje naturalista es el también guatemalteco FLAVIO HERRERA (n. 1895), que había escrito en su juventud unos poemas *(El ala de las montañas,* 1921) y unas colecciones de cuentos *(La lente opaca,* 1921; *Ceniza*s, 1923) llenos de metáforas y en un estilo trabajado, como cumple a un perfecto modernista. Pero pronto se cansa; y en una serie de novelas posteriores *(Caos, La tempestad, Bulbuxya, El tigre)*, publicadas en el año 1934, se manifiesta adicto fervoroso de Zola, con indisimulable preferencia por los tipos enfermizos, degenerados y lascivos. Estas narraciones ya quedaron aludidas en el capítulo anterior.

Santo Domingo

Citados, bien como poetas o bien como novelistas, los principales escritores antillanos de este período, sólo resta aludir aquí a los dominicanos Fiallo y Cestero, ambos mencionados también como líricos en el capítulo dedicado al modernismo. FABIO FIALLO (1865-1942) une a sus laureles de poeta *(Primavera sentimental, La canción de una vida, Canciones de la tarde, Cantaba el ruiseñor, El balcón de Psiquis)* otros no menos estimables como prosista y narrador. Si como poeta pasa por el mejor de su país, como autor de cuentos no merece menor consideración. *Cuentos galanos* y *Cuentos frágiles* (Nueva York, 1908), no obstante comportar una pesada carga romántica, revelan en su autor excepcionales dotes narrativas. El mejor de todos es *El castigo*, que recuerda el arranque de la famosa novela de Pedro A. de Alarcón, *El escándalo*. También el poeta TULIO A. CESTERO (n. 1877) llevó a sus libros en prosa la distinción y atildamiento propios del modernismo, pero con una tendencia a la técnica realista que se manifiesta bien en la descripción exacta de lugares *(La ciudad romántica,* 1911), o bien en el trazado de algunos tipos *(La sangre,* 1917).

III. ULTIMAS TENDENCIAS

Al hablar de últimas tendencias en la prosa americana nos referimos particularmente a la novela y cuento, ya que la prosa actual de los otros géneros—ensayo, crítica, etc.—se estudiará más adelante. Y, fieles al propósito, ya aplicado en la novela y teatro españoles, de no enjuiciar obras que por su proximidad no ofrezcan suficiente perspectiva, limitaremos nuestra referencia a unos pocos autores de cada país, anticipando una alusión más amplia sobre aquellos escritores, muy pocos, cuya producción es francamente meritoria y de valor indiscutible: Eduardo Mallea, Ciro Alegría y Jorge Icaza.

No hace falta repetir que durante el primer tercio de siglo la novela hispanoamericana sigue de cerca los modelos europeos—realismo, naturalismo, modernismo—, con un ligero retraso, e incorporándoles su propia problemática. Influyen en ella sobre todo, ya queda dicho, Francia con Zola, Italia con D'Annunzio y Rusia con Dostoyevski. Pero, a partir del 1930, el cuadro de influencias se ensancha considerablemente. La homogeneidad anterior, presidida por el realismo, se agrieta; y empiezan a surgir modos y técnicas diversas en tal cantidad que imposibilitan toda impresión de conjunto. Esta multiplicidad de escuelas no es sino reflejo del mismo fenómeno en Francia, con escritores como Proust, Mauriac, Gide, Jaloux, Montherland, Giraudoux, Martin du Gard, Cocteau y Romains, por no citar sino unos pocos, que van señalando en su país y transmitiendo a Europa todos los puntos posibles del horizonte literario. Unanse a estas influencias las de otras naciones y, sobre todo, las de tipo político, social, económico, religioso y étnico, y se comprenderá cómo el panorama literario de América tiene que aparecer forzosamente multiforme y en perpetuo cambio. Todo esto sin aludir a la exacerbación de nacionalismos, germen de revoluciones y «golpes de estado», que si en Europa han repercutido en la novela, no han ejercido menor influjo en América. Piénsese también en la aparición de una nueva filosofía, es decir, una nueva concepción de la vida: el existencialismo. La proyección de esta doctrina filosófica en las letras ha sido inmensa; y no sólo por lo que afecta a los valores del espíritu, que con ella han sufrido un vertical descenso, sino a la subversión de los valores estéticos. La tabla de estos valores ha quedado profundamente alterada y hasta casi invertida. Ya no sólo puede escribirse de cualquier cosa, sino también de cualquier manera. Todo se llamará arte. Algunos escritores hasta tienen a gala «escribir mal», sin duda porque es más fácil y más cómodo que escribir bien.

Está, por otra parte, lo que se llama «escritor comprometido»; el escritor forzado a encuadrarse en un bando u otro, poniendo su pluma al servicio de éste o de aquél. Y, como consecuencia inevitable, obligado a la protesta contra todo. En la novelística americana de los últimos años esa protesta llena infinidad de libros y se extiende a todas las zonas de la vida: formas políticas, grandes «trusts», capitalismo nacional y extranjero, relaciones laborales, burguesía, teocracia, explotación de la tierra. Son consideraciones éstas en cuya explicación no hace falta extenderse, pero que deben estar presentes en el estudio de la actual novela hispanoamericana.

Eduardo Mallea

En EDUARDO MALLEA (n. 1903), uno de los grandes escritores argentinos del día, se funden un pensador y un novelista de calidad [8]. Novela y ensayo son en su obra dos caras de la misma moneda. Ni la novela de Mallea se entiende sin el ensayo, ni éste sin aquélla. Se complementan y, al complementarse, definen una recia personalidad.

Sus mejores ensayos son: El sayal y la púrpura e Historia de una pasión argentina (1935). Sus mejores novelas y narraciones: Cuentos para una inglesa desesperada (1926), Fiesta en noviembre (1938), La bahía del silencio (1940), Todo verdor perecerá (1941), Los enemigos del alma (1950), Simbad (1957) y la trilogía formada por Las águilas, La torre y La tempestad, cuyo primer volumen data de 1943. Tiene otras narraciones—La ciudad junto al río inmóvil, Nocturno europeo, Rodeada está de sueño, El vínculo, El retorno—. Pero con las citadas arriba basta.

Interesan los Cuentos para una inglesa desesperada, publicados cuando el autor sólo tenía veintitrés años, porque son a la vez revelación de un escritor de fibra y augurio de óptima cose-

cha. Lo mismo en Argentina que en España estos relatos poemáticos fueron saludados con júbilo. Guillermo de Torre los elogió desde las páginas de la prestigiosa Revista de Occidente, y en esta misma publicación encontraba cabida poco después La angustia, incluída más tarde en La ciudad inmóvil junto al río, y comentada por Unamuno en carta a Nin Frías. Luego viene Nocturno europeo, en que Mallea, por boca de Adrián, vuelca sus sentires y pensares, en un anticipo confidencial que alcanzará su pleno desarrollo con El sayal y la púrpura y con Historia de una pasión argentina.

Es aquí, en esta Historia de una pasión, donde ha de buscarse al mejor Mallea, al hondo pensador de los soliloquios, al espíritu meditativo, que lucha por plantearse, replantearse, lo que pudiéramos llamar el ser y la esencia de la argentinidad. En este sentido Mallea realiza en su país una vivisección análoga a la llevada a cabo con España por algunos escritores del 98. Pero Mallea, al meditar sobre la vida, las circunstancias y la misma naturaleza del país, no lo hace como quien opera sobre algo ajeno, sino como quien rasga en su propia carne, ya que empieza por sentirse, a la vez que miembro de la comunidad humana, hombre de su raza y de su tiempo y, como tal, aquejado de la angustia que en mayor o menor grado a todos nos alcanza. Mallea es un discursivo y un intuitivo al mismo tiempo; un idealista y un realista; un ciudadano de su país y un espíritu universal. Al tratar de precisar los valores raciales, abomina, como es natural, del pintoresquismo al uso que ha querido reducir el alma de su país a un organillo y un poncho, un cantador de tangos, un gaucho y una guitarra. En su búsqueda de lo íntimo y radical del alma argentina se va nada menos que a nuestros místicos, a la mejor raíz española. «Con éstos estaba, casi sin notarlo, en la raíz de España. Tocando este nervio atormentado, yo mismo, con el cuerpo sin sueño, los ojos arrebatados, toda mi inteligencia transportada... Y al estar en la raíz de España estaba en la raíz de mi tierra, cerca de mi propia raíz.» Así se explicaba en Historia de una pasión. En cierto modo se encuentra también en la línea senequista, postulada para España por Angel Ganivet. No falta quien por su rigor y claridad expositiva le compara con Descartes [9]. Otras veces, por los procedimientos que aplica, nos recuerda a Ortega: «El hombre es su necesidad—escribe—; pero, además, lo que rodea su necesidad.» Una cosa que llama la atención del lector es la preferencia de Mallea por lo ético, antepuesto siempre a todo otro valor, incluído el arte. «Todas las aspiraciones de mi vida han sido dirigidas en un sentido estético y en un sentido moral, pero la primera de esas vías ha ido volcándose cada vez más en el camino de la segunda, a fin de hacerse una sola cosa. En realidad, esto no es un cambio de dirección, sino el natural progreso de todo camino que empieza a caminarse bien. La propia belleza es siempre, sabiéndola mirar y sabiéndola pensar, una categoría religiosa» [10]. Otra cosa que también sorprende en Mallea es su insobornable sinceridad, su afán de no engañar a los demás ni engañarse a sí mismo. Y todavía más: su decidida participación en la vida, con una actitud militante. No concibe al artista puro; menos aún, al puro intelectual. El retiro, la huída, la abstracción y el ensimismamiento pudieron ser actitudes válidas en tiempo de los griegos o en la época de Montaigne; pero «el imperativo presente exige que este ensimismamiento creador se transforme en una *participación cradora*». Sobre la problemática del arte y del hombre en particular tiene Mallea páginas hermosas; y de esa problemática pasa a la consideración de la Patria, ya que ésta es, en definitiva, lo que sean sus elementos rectores.

Las novelas de Mallea son como una continuación y desarrollo dialogado de ese monólogo interior que eran sus ensayos. Así desde la aparición de *La bahía del silencio* (1940) hasta la última novela que conocemos, *Simbad* (1957), asistimos a un desfile de personajes que no son sino el mismo Mallea en distintas situaciones. «Por variados que sean los personajes y sus actitudes ante la vida—escribe Anderson Imbert—, siempre están habitados por Mallea, que desde cada alma creada persigue su propia indagación de qué es ser hombre, ser mujer, en una situación vital argentina» [11]. Ya *Nocturno europeo* (1934) planteaba el agudo problema de la soledad, del hombre que se siente desarraigado e incomprendido, en medio de una muchedumbre materialista, vacía e hipócrita. Sobre el mismo tema están construídos los relatos que integran *La ciudad junto al río* (1936). A partir de este momento, sin abandonar del todo el monólogo interior, Mallea empieza a construir sus novelas en forma dialogada. *Fiesta de noviembre,* con doble trama argumental, aspira a proclamar la independencia del espíritu frente a ese mundo de dictadura y de vesania que impone normas de pensamiento, a la vez que de conducta; *Todo verdor perecerá* es la historia de dos caracteres contrapuestos, Agata y Nicanor, con sorprendentes buceos en el alma de los protagonistas. Pero el mejor relato de Mallea y el de más empeño es la trilogía que lleva por título *El mundo de los Ricarte*, y que, ya queda dicho, se abre con *Las águilas* en 1943 y se continúa en *La torre* y *La tempestad.* Arranca de la llegada a Buenos Aires en 1853 (un año después de la batalla de Caseros), de don León Ricarte, especie de fundador de toda una dinastía, que se va perdiendo en lo agónico de su propia existencia. Una tesis se deduce de la obra: la necesidad de sustituir la renuncia y el análisis por la acción [12].

Ciro Alegría

Tres narraciones de carácter novelesco constituyen la obra literaria de CIRO ALEGRÍA (n. 1909), el escritor acaso más reputado del Perú en el momento actual [13]. Esas tres narraciones se titulan *La serpiente de oro* (1935), *Los perros hambrientos* (1939) y *El mundo es ancho y ajeno* (1941). Con ellas le basta a su autor para figurar en la primera fila de los novelistas de Hispanoamérica. En todas tres desarrolla un tema análogo, sólo que visto desde un ángulo distinto: la vida del indio o cholo, condenado a ser destruído por las fuerzas del «progreso». En la primera son los balseros del río Marañón protagonistas y agonistas del drama; en la segunda, los pastores del altiplano; en la tercera, los humildes campesinos de una pequeña comunidad indígena, la de Rumí, víctimas de la avaricia de los terratenientes.

En 1935 publica Ciro Alegría *La serpiente de oro,* con escenas de la penosa vida de los balseros del Marañón. Es un relato tejido con diversos elementos de varia procedencia: recuerdos infantiles del propio autor; tradiciones folklóricas, costumbres, fiestas y leyendas. Alegría conoce el ambiente; lo ama y sabe trasladarlo a la novela con las mejores tintas. *La serpiente* de oro pasó por tres redacciones: primero se concibió como un cuento, *La balsa,* destinado al periódico *Crítica;* pero resultó extenso para cuento y breve para novela. Luego se concibió como novela corta: *Marañón.* Pero un concurso convocado por Nascimiento aconseja la ampliación del primitivo relato, y surge la novela tal como la conocemos en la actualidad. En el cuento se aludía sólo a la vida de los balseros; en la novela corta ya el río aparece como un personaje más, y acaso el de mayor importancia; por último, en la novela extensa se incorporan nuevos elementos, entre ellos el forastero, ávido de riquezas y deseoso de fundar una compañía explotadora del oro. La presencia del ingeniero primeramente y luego de los guardias, con la consiguiente efusión de sangre, interrumpen la pacífica existencia de los vallinos, arrastrándolos a la rebelión.

Los perros hambrientos, segunda novela de Alegría, parte de un tema idílico: la vida de unos canes pastores y de una niña, Antuca, guardiana del ganado de su padre. Pero gracias al arte del narrador estas existencias elementales cobran interés y son elevadas a un alto grado de emoción humana. Los perros Wanka—nombre de una aguerrida tribu de origen incaico—, Zambo, Güeso y Pellejo adquieren a los ojos del lector auténticos valores humanos. Pronto el cuadro inicial se enturbia y complica: la muerte de los perros Mauser y Tinto, el uno volado por la dinamita y el otro bajo los dientes del feroz Raffles; el enrolamiento obligatorio de Mateo en la milicia; la pérdida del Güeso, robado por los Celdonios;

el asesinato de éstos por una estratagema del «Culebrón»; la sequía, la pérdida de las cosechas, el hambre; la huída de los perros, después de devorar, acosados por la necesidad, el mismo ganado que habían guardado hasta entonces; la muerte del niño Damián; el asalto de los granjeros..., son cuadros alucinantes y magistralmente pintados, que introducen en el relato un singular dinamismo. Hasta que vuelve la lluvia, prometedora de nuevas cosechas, y los irracionales regresan al hogar.

En *El mundo es ancho y ajeno* (1941), la descripción de la vida de los indios peruanos hecha por Ciro Alegría, alcanza más amplias perspectivas. El autor nos declara que la obra «es parte fundamental de su vida misma». Y, en verdad, que desde el primer momento se ve que está construida toda ella con experiencias de la niñez y de la juventud. «Mujeres de raza milenaria—dice Alegría—me acunaron en sus brazos y ayudaron a andar; con niños indios jugué de pequeño; siendo mayor alterné con peones indios y cholos en las faenas agrarias y en los rodeos. En brazos de una muchacha trigueña me alboreó el amor como una amanecida quechúa. Y en la áspera tierra de surcos abiertos bajo mis pies aprendí la afirmativa ley del hombre andino.» Sabido esto, no hace falta subrayar el valor documental de la novela, ni su propósito manifiesto, que no puede ser otro que «la reivindicación del indio». Entre las dos posturas, hispanista e indigenista, Ciro Alegría se mantiene independiente. El problema del indio es para él ajeno a la historia; es un problema de tipo económico y social. La novela nos cuenta la paulatina destrucción de la pequeña comunidad de Rumi, condenada a desaparecer, no obstante la justiciera actuación de su alcalde, Rosendo Maqui, uno de los tipos más logrados en la obra de Alegría. Sequías, depredaciones, impuestos, van agotando la resistencia de los pobres indios. Por último, el caciquismo y el soborno terminan la obra destructora. *El mundo es ancho y ajeno* vale más como conjunto de estampas o cuadros que como construcción novelesca. Después de todo, eso es lo que quiso darnos el autor: una serie de escenas sobre la vida y la muerte paulatina de los indios, presentadas con la mayor veracidad posible. Por ello, como presentación de tipos, la novela resulta insuperable. Fiero Vásquez, a quien un homicidio en defensa propia pone al margen de la ley; Doroteo Quispe, convertido en bandolero para vengar un estado de injusticia; Rosendo Maqui, el alcalde juicioso, paternal y siempre recto; Benito Castro, que en su anhelo de justicia opta por la violencia; Zenobio García, el gobernador venal; Bismarck, el «Sapo», don Malaquías, son todos ellos personas de carne y hueso, arrancados de la inagotable cantera humana. Y este fondo de humanidad, junto con la nobleza de la causa que defiende,

es lo que confiere su mayor valor tanto a *El mundo es ancho y ajeno* como a las otras dos narraciones largas de Ciro Alegría.

Mújica Laínez y Jorge Icaza

Otros dos novelistas, de muy distinto signo, merecen nuestra alusión: el argentino Mújica Lainez y el ecuatoriano Icaza. MANUEL MÚJICA LAINEZ (n. 1910) es uno de los escritores más finos de su país. Su novela, trabajada y elaborada largamente, es poco a propósito para llegar a las grandes masas. Esto quiere decir que su popularidad no está en razón directa de su mérito. Entre las producciones de Mújica sobresalen *Los ídolos* (1953), *Los viajeros* (1955), *Invitados en el paraíso* (1957) y *La casa* (1954), sin duda la más original de sus narraciones. Con una técnica análoga a la de nuestra Elena Quiroga en *La sangre*, Mújica se sirve de un personaje inanimado—«la casa»—para contarnos la evolución física y espiritual de los seres que la habitan. La variedad de caracteres y la hondura de los análisis, así como la habilidad con que se soslayan ciertas situaciones delicadas, revelan en Mújica Lainez un novelista consumado. La casa se humaniza, y sus quejas y dolores nos llegan como si procediesen de un ser vivo.

Otros son los temas, otro el estilo y otra la técnica de JORGE ICAZA (n. 1906), el novelista ecuatoriano que mayores éxitos ha logrado en los últimos años. Hay que aclarar que esos éxitos en manera alguna se deben a razones de tipo estético, y que deben explicarse únicamente, o principalmente, por la temática comunista y el carácter socializante y panfletario de sus obras. Una de las más conocidas, *Huasipungo* (1934) sobrepasa la docena de ediciones. En ella, como en *Tungsteno*, del chileno César Vallejo, los buenos y pacíficos indios son explotados, quemados sus ranchos y asesinados sin piedad en nombre de la civilización, representada por el capitalismo nacional aliado con el norteamericano. Dos intelectuales, los hermanos Rauta, y un cura completan el cuadro de «los blancos». El argumento no puede ser más trivial; el valor literario, casi nulo; pero el tono, de franca diatriba, y algunos caracteres no mal delineados, salvan la obra para el público poco exigente. Mejor nos parece Icaza como autor de cuentos y narraciones breves: *Seis relatos* y *Barro de la sierra*. Otras novelas suyas son *Cholos*, *En las calles* y *Huairapamushcas*.

Más narradores actuales

No podemos detenernos en la enumeración de cuantos cultivan el cuento o la novela actualmente en Hispanoamérica. La lista sería interminable. Vayan unos pocos nombres de cada país, sin comentario.

En la Argentina: Luis Gudiño Kramer, David Viñas, Ernesto Sábato, María de Villarino, Sylvina Buldrich Palenque y, sobre todo, Adolfo Bioy, Jorge Luis Borges y Manuel Peuroy. En chile la novela actual está representada principalmente por Francisco A. Coloane y Juan Marín, observador fiel y hábil paisajista el primero (con una interesantísima colección de cuentos: *Cabo de Hornos*), hábil explotador de temas marítimos el segundo *(Naufragio, Paralelo 53 Sur, Viento negro)*. Paraguay tiene sus mejores narradores en Gabriel Casaccia y Juan Estefanich; y Uruguay, en Luis Castelli, Francisco H. Espínola, Julio C. da Rosa y Juan José Morosoli.

La literatura narrativa peruana es cultivada con cierto decoro por César Falcón, Reinaldo Oscar Bolaños, Gustavo A. Valcárcel, Juan Seoane, Rosa Arciniegas, José María Arguedas y Pedro Dávalos Lissón. La ecuatoriana, por Fernando Chaves, Enrique Gil Gilbert, Joaquín Gallegos Lara, Humberto Salvador, José de la Cuadra y Demetrio Aguilera. La boliviana, por Manuel Frontaura Argandoña, Jesús Lara y Jesús B. Coimbra, por citar sólo los más conocidos. Y la colombiana, por Eduardo Zalamea Borda, Eduardo Arias Trujillo, Jaime Ibáñez y Germán Arciniegas. En Venezuela sobresalen Arturo Uslar Pietri, Miguel Otero Silva, Ramón Díaz Sánchez y Julián Padrón.

Citados en el capítulo anterior los narradores más notables de Méjico, Antillas y Centroamérica sólo quedarían para éste algunos nombres de escasa significación. Fácil nos sería aumentar la lista con varias docenas de nombres; pero entonces nuestro libro dejaría de ser historia para convertirse en un catálogo.

NOTAS

1. Nacido en 1886, García Calderón se dedica desde muy joven al periodismo, colaborando asiduamente en publicaciones de Nueva Orleáns, Nueva York y Madrid. Su larga estancia en París y el profundo conocimiento de los medios literarios y de las corrientes culturales europeas le permiten formarse un estilo personal.

2. Vid. ANGEL F. ROJAS: *La novela ecuatoriana*, página 139.

3. A pesar de lo cual, *Las cosechas* fué galardonada con el primer premio en el concurso celebrado en París (1914). El tribunal estaba formado por Rubén Darío, como presidente, y Ricardo León, Gómez Carrillo, Amado Nervo y E. Martinenche, como vocales. Obra «intensa, fuerte, con dulce sabor local, en cuyas páginas palpita un original temperamento», escribió de ella Ricardo León.

4. *En este país* fué publicado en 1916 y obtuvo el tercer premio en el «Concurso de novelas americanas» convocado un año después (1917) por el Ateneo de Buenos Aires. El primer premio fué para *La casa de los cuervos*, de «Hugo Wast».

5. Luis Alberto Sánchez *(Escritores representativos de América*, II, pág. 258) ha querido descartar toda influencia de Proust en Teresa de la Parra, basándose en que ésta publicó su *Ifigenia* en 1924 y la revelación avasalladora de Proust no se realizó hasta 1927. «Las posibles similitudes entre ambos—concluye—se deben a la cuasi identidad de situaciones materiales.» No estamos conformes. Cierto que el gran éxito de Proust fuera de Francia coincide con la fecha señalada por Alberto Sánchez; pero mucho antes ya era conocido en su país; hacia 1912 empieza a destacar con narraciones como *De côté de chez*

Swann, y ya en 1919 recibe su consagración definitiva con el premio Goncourt, otorgado a su novela, publicada un año antes, *A l'ombre des jeunes filles en fleur*. Y no se olvide que Teresa de la Parra residía por estos años largas temporadas en París y estaba al tanto de toda la literatura francesa de la época.

6. Gómez Carrillo debió de ir a París hacia los doce años, y allí pasó la mayor parte de su adolescencia y juventud. No estudió carrera alguna, siendo, por tanto, un verdadero autodidacto. Su cultura debió de iniciarse muy pronto y se completó mientras colaboraba en la redacción del *Diccionario enciclopédico* de la Editorial Garnier, en París. Ya en 1898 desempeñaba la corresponsalía de *El Liberal*, de Madrid, diario que había de dirigir más tarde, hacia 1916.

7. Arévalo Martínez, en quien se dan la mano un buen poeta, un ensayista notable y un excelente novelista, ha viajado mucho por Europa y ha vivido algún tiempo en España. Es director de la Biblioteca Nacional de su país, catedrático de Gramática castellana, presidente del Ateneo y miembro correspondiente de la Real Academia Española de la Lengua.

8. Nacido en Bahía Blanca en 1903. Director algún tiempo del suplemento literario de *La Nación*. En 1928 vino a Europa, y volvió en 1934 para dar conferencias en Roma y Milán. Ha obtenido los más altos premios de su país: el Municipal de Prosa, el Nacional de Literatura, el de Honor de la Sociedad Argentina de Escritores. Ha representado a su país en varios Congresos; y sus libros han sido editados por las casas más importantes: Knopf, de Nueva York; Hougton Mifflin, de Boston; Bompiani, de Milán; O Globo, de San Pablo.

9. FRANCISCO ROMERO: «Nuevo discurso del método», prólogo a *Historia de una pasión argentina*, Colec. Austral, Buenos Aires, 1945.

10. *El sayal y la púrpura*, epígrafe «Carta al hermano menor».

11. *Historia de la literatura hispanoamericana*, páginas 346-47, Breviarios del Fondo de Cultura Económica, Méjico, 1954.

12. Aludiendo a la idea que preside esta trilogía, ha escrito el propio Mallea: «En el primero, *Las águilas*, quise narrar la historia de una familia desde su fundación hasta su decadencia. En el segundo he querido contar los viajes y las dudas del tercer agonista. Es el largo pasaje de la vacilación a la acción: el protagonista aparecerá buscando su camino entre los caminos, consumando su torre íntima, escapando del círculo que lo abarca, desapareciendo a veces ante las circunstancias y sacando a veces sobre ellas la cabeza; pero siempre dudoso e indeterminado. Casi no hace más que juntar escrúpulos, razones morales a los tantalizadores titubeos, matices del alma a los matices de conciencia. Sólo en el libro III, *La tempestad*, desatará sus cadenas y comenzará la verdadera acción: entonces el escrupuloso habrá batido sus hesitaciones, habrá superado las circunstancias, se habrá lanzado directamente a la lucha con su destino. Pero antes tendrá que recorrer la larga fase de que este libro, *La torre*, es crónica y relato.»

13. Nace (noviembre de 1909) en Quilca, distrito de Sartibamba, provincia de Huamachuco. A los cuatro años se traslada a la hacienda Marcabal Grande, junto al río Marañón. A los siete pasa a Trujillo, al lado de su abuela materna. En 1920 enferma de paludismo y regresa a los Andes. Estudia en el Instituto de Cajabamba. Pasa unos años en la hacienda paterna conviviendo con los indios. En 1924, nuevo viaje a Trujillo para continuar estudios. En 1926 muere su madre, y empieza a abrirse camino como escritor. Ingresa en la Facultad de Letras de Lima, de la que es expulsado por intervenir en un movimiento subversivo. Colabora en periódicos, actúa en política y es encarcelado. Puesto en libertad en 1933, reanuda sus campañas en la prensa y se le obliga a pasar a Chile. Colabora en *Crítica*, de Buenos Aires, con cuentos de ambiente peruano. Publica *La serpiente de oro*, que en 1935 será premiada por la Editora Nascimento. En 1936 enferma de tuberculosis, y aprovecha sus dos años de sanatorio en San José de Maipo para redactar *Los perros hambrientos*, galardonada por Zig-Zag en un concurso de la Sociedad de Escritores de Chile. Falto de recursos, un grupo de amigos le pasa cierta cantidad mensual, y, gracias a esta «beca del aprecio y la generosidad», a la que él llamó así, puede dedicarse a la redacción de *El mundo es ancho y ajeno*, premiada con cinco mil dólares en 1941. Hasta 1949 reside en Estados Unidos. De aquí pasa a Puerto Rico, en cuya Universidad profesa cursos de literatura, y de Puerto Rico a La Habana.

BIBLIOGRAFIA

Consúltense las obras generales de los tres capítulos anteriores, y además: M. Calvillo: *Manuel José Othón: Paisaje* (introd. y selec. de...), Méjico, 1943.—A. Caso: *Justo Sierra*, «Rev. de México», 1914.—E. Castro: *Elogio de Abraham Valdelomar*, Lima, 1920.—E. Chávez: *Ensayo crítico sobre el diálogo crítico de don Justo Sierra y don Joaquín Arcadio Pagaza*, Méjico, 1940.—C. Díaz Dufoo: *De Manuel Gutiérrez Nájera a Luis G. Urbina*, Méjico, 1935.—R. Díaz Sánchez: *Teresa de la Parra: Clave para una interpretación*, Edit. Garrido, Caracas, 1954.—J. Fabriani Ruiz: *La obra narrativa de Pedro Emilio Coll*, «Rev. Nac. de Cultura», núm. 80, mayo-junio, 1950, Caracas.—R. Gómez de la Serna: *Macedonio Fernández*, «Nuevos retratos contemporáneos», Edit. Sudamericana, Buenos Aires, 1941.—H. Holland: *Manuel Díaz Rodríguez y la significación de su obra literaria* (tesis doctoral leída en la Univ. de Madrid), 1951-1952.—F. Monterde: *Manuel Gutiérrez Nájera*, Méjico, 1925.—J. de la J. Núñez Domínguez: *Ventura García Calderón*, Méjico, 1938.—L. A. Sánchez: *Teresa de la Parra*, «Escrit. repres. de Amér.», edic. cit.; *Macedonio Fernández*, op. cit., págs. 197-208.—R. Scalabrini Ortiz: *Macedonio Fernández, nuestro primer metafísico*, «Nosotros», Buenos Aires, mayo, 1928.—A. Torres Rioseco: *Rafael Arévalo Martínez*, «Grandes nov. de la Amér. hisp.», op. cit., págs. 2-20; *Manuel Díaz Rodríguez*, «Grandes...», op. cit., págs. 61-90; *Pedro Prado*, «Grandes...», op. cit., págs. 163-200.—Adelina Vidal de Kaul: *Teresa de la Parra: «Memorias de Mamá Blanca»*, «Cuad. de Literatura», Madrid, vol. V, 1949.—J. Zavala: *Manuel José Othón: Su vida y su obra* (al frente de «Obras completas» de Othón), Méjico, 1945.

CAPITULO XCIX

EL TEATRO ESPAÑOL CONTEMPORANEO

I. Direcciones y tendencias.—II. Jacinto Benavente: *Vida y obra. La producción dramática. El drama rural. Las comedias de carácter. Las comedias fantástico-simbólicas y las infantiles. Comedias de sátira social. Obras de tesis. Juicio crítico.*—III. La escuela benaventiana: *Linares Rivas. Martínez Sierra y Suárez de Deza. Serrano Anguita, Oliver y López Pinillos. Otros comediógrafos.*—IV. Evolución del sainete: *Los hermanos Quintero: sainetes, comedias y dramas. Carlos Arniches. Otros cultivadores del sainete.*—V. El astracán: *Muñoz Seca: Colaboradores y continuadores de Muñoz Seca.*—VI. Teatro poético: *Marquina y sus «retablos históricos». El lirismo dramático de Villaespesa. Pemán, dramaturgo. Ardavín, Dicenta (hijo) y otros.*—VII. Teatro independiente: *Jacinto Grau.*—VIII. Intentos de renovación: *Casona. Jardiel Poncela. Otros autores.*—IX. El teatro de la postguerra.—Notas.—Bibliografía.

I. DIRECCIONES Y TENDENCIAS

En el panorama de nuestra literatura en lo que va de siglo, la opinión internacional, avalada por el fallo del tribunal del Premio Nobel, otorga rango preferente al teatro. Tres veces—como es sabido—ha gozado España de tal distinción; y dos de ellas ha sido concedida a dramaturgos: en 1904, a Echegaray, que lo compartió con el poeta lemosín Federico Mistral; en 1922, a Benavente. Tal valoración de la dramaturgia a costa de los otros géneros nos induciría a considerar nuestro teatro como el género señero de la moderna literatura. Pero, sin negar las excelencias de Benavente—ya hemos expuesto el juicio que nos merece el teatro de Echegaray—, creemos que nuestra mejor expresión literaria está en la novela y en la lírica [1].

Las direcciones de ese teatro son múltiples y variadas. Van casi siempre encabezadas por algún nombre insigne y luego continuadas por un grupo de seguidores de mayor o menor mérito. Señalemos una tendencia general al *costumbrismo*, representado unas veces por la comedia urbana—antigua «alta comedia»—y otras por el sainete en su doble modalidad madrileña y andaluza. El primero prefiere los problemas acuciantes de la sociedad contemporánea, aunque abordados con una visión particular, en vez de elevarse a las grandes generalizaciones que caracterizaron al teatro de la segunda mitad del siglo anterior. El segundo, el sainete, se centra en la presentación de tipos populares: viene a reanudar una modalidad típicamente española, que con don Ramón de la Cruz mantuvo la bandera de la tradición en medio del afrancesamiento general del XVIII. Junto a estas tendencias cabe mencionar la que denominamos

«evasiva»: un tipo de teatro, casi siempre en verso que, desentendiéndose de la problemática del momento, busca sus mejores inspiraciones en la evocación de sucesos y personajes pasados o en la presentación de países lejanos y costumbres exóticas. Incluso este teatro toca, con relativa frecuencia, problemas actuales; y en tal aspecto le cabe el honor de haber revestido de cierto halo poético el drama rural. Por otra parte, los recientes estudios psicoanalíticos de Freud y Adler han movido a algunos dramaturgos a explotarlos con más o menos fortuna.

A partir de 1930 se observa una crisis achacable a varias causas. Entre éstas no es la menor el auge del cine sonoro. Su mayor economía, la superioridad de medios y de variedad temática—sin esas trabas del teatro que se llaman decoración, multiplicidad de escenarios, psicología de los actores, etcétera—han contribuído a excitar la curiosidad del público que, como el de la época de los Austrias, se siente ávido de novedades. Ello impulsa en los autores la producción a ritmo acelerado, lo que se traduce en la escasa consistencia de las obras, que rara vez rebasan la línea de lo mediocre. Para obviar tales inconvenientes se recurre a las colaboraciones; en ninguna época de nuestra historia literaria se ha prodigado tanto este procedimiento; los mejores dramaturgos actuales no desdeñan esta especie de creación mancomunada: Marquina, los Machado, Villaespesa, Fernández Ardavín, Muñoz Seca, Arniches, y otros menos populares: Paso, Abati, López Alarcón, etcétera. Todo ello redunda en detrimento del producto, que casi siempre se resiente de esa múltiple paternidad.

Todavía ha dado peores frutos la creación de premios en público concurso: se puede afirmar que hasta hoy de estos certámenes no ha salido un solo dramaturgo de primera fila.

Esquematizadas las principales tendencias del teatro contemporáneo, pueden resumirse en estos apartados:

a) Benavente y su escuela.
b) Transformación del sainete: los Quintero y Arniches.
c) El astracán: Muñoz Seca.
d) Teatro poético.
e) Teatro independiente: la orientación psicológica.
f) Intentos de renovación y últimas tendencias.

II. JACINTO BENAVENTE [2]

En los últimos años del pasado siglo y por obra de Jacinto Benavente (1866-1954), se lleva a cabo una renovación de nuestra escena. Frente al dramatismo de Echegaray y su escuela se preconiza un teatro desnudo de intriga: el simple acontecer, el diálogo más o menos cargado de intención y de ironía constituirán su base. Una serie de personajes aparecerán ante el espectador; comentarán sus problemas particulares, murmurarán elegantemente, sin estridencias; y cuando se estime que ha pasado el margen de tiempo concedido a esta clase de obras, caerá el telón y la comedia habrá terminado. A la aparatosidad neorromántica, a las tesis melodramáticas, suceden los conflictos internos, más emotivos, pero también de ámbito más reducido; conflictos de familia, sin su reflejo exterior. Este tipo de teatro, característico de Benavente, trajo también una innovación en la crítica literaria: para el análisis de tales producciones estaban de más los tradicionales tópicos de «caracteres enérgicos y viriles», «conflictos de conciencia», «conmociones sociales», etc., y demás zarandajas retóricas tan del gusto de los críticos del XIX. Cuanto ocurría en escena podía ocurrir de igual modo en cualquier hogar español, con una sola diferencia: el drama hogareño era enriquecido por el dramaturgo con unas gotas de ironía, con unos consejos y unos discursos de moral casera, mezcla de vago cristianismo y de espíritu mundano, todo en un estilo no siempre exento de énfasis, pero llano y sobrio, en contraste con las vacías peroratas de Echegaray o del socialismo anarquizante de Dicenta.

Vida y obra

Hijo de un famoso médico, JACINTO BENAVENTE nace en Madrid el 12 de agosto de 1866. Estudia el Bachillerato en el Instituto de San Isidro y Derecho en la Universidad. Huérfano de padre a los diecinueve años y en posición desahogada, se da a los viajes y al estudio. Colabora en *El Imparcial* y dirige la revista *Vida Literaria*. Elegido académico a la muerte de Menéndez Pelayo (1912), obtiene el premio Nobel en 1922. Diputado a Cortes, es galardonado últimamente con la Cruz de Alfonso X el Sabio. Murió en Madrid el día 14 de julio de 1954. Con él perdió España el dramaturgo más representativo del siglo actual.

Aunque la nota acusada de Benavente es el teatro, creemos oportuno dar breve noticia de algunas otras obras, que contribuyen a perfilar con más precisión su personalidad literaria.

En 1893 aparece el librito *Versos* [3], donde se rehuye el tono declamatorio de la lírica de Núñez de Arce, del mismo modo que en el teatro había de rehuir el pasional y verboso de Echegaray. Sin embargo, todavía le queda como motivo preferente uno de los temas característicos del autor de *El vértigo:* la duda; una duda que, degenerando con frecuencia en escepticismo, habrá de introducirse en buena parte de su producción escénica. Es extraño que, publicado ya *Azul*, Benavente no se sienta afectado en absoluto por la nueva escuela. Más bien toma por modelos a Bécquer, Campoamor y Balart, modificados con ciertos toques de amargo humorismo que recuerdan a Heine. Mencionemos *Improvisación, Galería de máquinas* y *Embriaguez*, que celebra los paraísos artificiales de Baudelaire y en la que no es difícil descubrir huellas de Verlaine [4].

Completan la obra benaventiana, ajena al teatro, seis series tituladas *De sobremesa* (crónicas, discursos, conferencias); la novela *Para que el gato sea limpio*; las deliciosas *Cartas de mujeres*; muchos prólogos a libros de otros autores, y una infinidad de artículos periodísticos, en que campea la agudeza, el ingenio y el absoluto dominio del idioma que siempre caracterizaron a nuestro primer dramaturgo contemporáneo.

La producción dramática

Es muy abundante. Desde 1894, en que estrenó su primera comedia, *El nido ajeno*, ha ido lanzando sin interrupción hasta el día de su muerte tres o cuatro obras por año. Esta cantidad, a la vez que su variedad, hace difícil una agrupación temática. La sátira social más o menos declarada es la nota más destacable y común a casi todas; junto a ella las relaciones de los dos sexos en la vida matrimonial, con sus conflictos y sus choques, las aspiraciones de la clase media, la disipada vida de la aristocracia, todo ello en un tono de suave ironía que no pocas veces se quiebra en duras aristas, y en medio de una gran fluctuación ideológica, que hace casi imposible saber a qué carta quedarse cuando se trata de determinar los principios estéticos o morales del autor. Sólo, pues, con una finalidad didáctica nos arriesgamos a dar la siguiente clasificación, seguida de un breve análisis sobre cada grupo:

Drama rural:

Señora ama, La Malquerida, De cerca.

De carácter:

Rosas de otoño, La Inmaculada de los Dolores, Pepa Doncel, La honra de los hombres, Cuando los hijos de Eva no son los hijos de Adán, El mal que nos hacen, El nido ajeno, La gata de Angora, Sacrificios, El collar de estrellas, etc.

Sátira social:

Gente conocida, Lo cursi, Por las nubes, La losa de los sueños, La comida de las fieras.

Fantástico-simbólicas:

La noche del sábado, Escuela de princesas, La princesa Bebé, El dragón de fuego, La princesa gitana.

Infantiles:

El príncipe que todo lo aprendió en los libros. Ganarse la vida, Y va de cuento, La Cenicienta, El nietecito.

Psicoanalíticas:

Nieve en mayo, La Infanzona.

De tesis:

Los intereses creados, La ciudad alegre y confiada.

Históricas:

La Vestal de Occidente.

El drama rural

Tiene su mejor expresión en *Señora ama* y *La Malquerida.* La primera es una briosa apología del amor materno. Dominica, «el ama», goza con los triunfos galantes de su marido hasta que se siente madre, con lo que se abre una nueva finalidad a su vida propia y a la del esposo. Desde ese momento sus ansias se polarizan en la felicidad del hijo.

La Malquerida, obra de un solo bloque, es uno de los dramas más recios del teatro benaventiano y aun de todo el teatro español, aunque cierta crítica la califique de *tremendista.* En ella el autor se aparta de sus procedimientos habituales y echa por el camino de la máxima desnudez expresiva, que se traduce en máximo dramatismo. El dolor de Raimunda, casada en segundas nupcias, postergada por el amor que siente su marido hacia la hija del primer matrimonio, se manifiesta en un lenguaje descarnado y tajante. Por fin, incapaz de cortar aquella pasión correspondida por su propia hija Acacia y antes que se traduzca en hechos consumados, no duda en sacrificar su vida para salvar el honor de aquélla. En un momento en que la

joven y su padrastro van a abrazarse, se interpone entre los dos y cae víctima del marido: «¡Bendita esta sangre, que salva como la sangre de Nuestro Señor!», exclama Raimunda agonizando. Entre la hija y el padrastro queda con ello anulada toda posibilidad de futuras relaciones. Benavente ha huído del discreteo para ir directo a la acción. Cada escena, cada palabra, se encamina sin titubeos hacia el desenlace. Los caracteres están perfilados desde el principio con dos o tres rasgos geniales. Pocos personajes encontraríamos en el copioso teatro de Benavente como «el Rubio», digno de emparejar con el «Crispín» de *Los intereses creados.* La acción está sintetizada en la famosa copla:

> El que quiera a la del Soto
> tiene pena de la vida;
> por quererla quien la quiere,
> la llaman la «Malquerida».

En estos dramas rurales se refleja la influencia del Feliú y Codina de *La Dolores* y *María del Carmen,* como en los de sátira social la de Enrique Gaspar.

Comedias de carácter

Podríamos denominarlas también psicológicas. El profesor Entrambasaguas ha formulado sobre el teatro de Benavente un juicio muy laudatorio, resaltando como sus cualidades más acusadas la «observación de lo coetáneo, analizada con una penetrante sensibilidad interpretativa y... una técnica irreprochable, audaz muchas veces y conseguida siempre, aun en aquellas obras en que, acaso por discordancia entre el tema y su realización, perdiera su armonía habitual»[5]. Este juicio debe aplicarse más que a ningún otro al grupo que analizamos. En *La Inmaculada de los Dolores* nos presenta a una muchacha pobre y hermosa, prometida de un joven enfermizo, único hijo de un matrimonio noble. Cuando van a casarse, muere el novio y la muchacha queda como viuda efectiva e hija en casa de los padres de aquél. El tiempo va transformando en el alma de la joven la idea del novio en otro ser ideal, al que se consagra gustosa. La producción mejor del grupo y una de las más discutidas del autor es *Pepa Doncel,* sátira de la mojigatería. La protagonista, que da nombre a la comedia, ha tenido una juventud borrascosa; se ha casado luego con un caballero de rancio abolengo y vive ya viuda y acompañada de su hijo en la benaventiana y levítica Moraleda. Todos la respetan, todos la estiman y la toman como ejemplo. El prelado mismo la distingue con su afecto. Hasta que cierto día, durante la visita de una antigua compañera, surge la evocación nostálgica de aquella etapa de vida airada. Como en tantas obras, Benavente no se nos define. Tal vez la única moraleja deducible de *Pepa*

Doncel sea la de que «antes pierde la zorra el rabo que las costumbres». *Cuando los hijos de Eva no son los hijos de Adán,* tema tratado en la novela *La ninfa constante,* muestra los conflictos de todo orden que surgen de la convivencia de hijos de diversos amores. *Rosas de otoño* viene a ser la apología del amor conyugal; aquí, de la esposa por su marido, tesis cara a Benavente. El esposo podrá buscar fuera del hogar amores fáciles, pero si la mujer sabe mostrarse hábil y digna, acabará por reconquistar su afecto. *La honra de los hombres,* en evidente desacuerdo con la psicología española, no tiene más defensa que la de haberse situado la acción en Islandia, donde no dudamos que las mujeres puedan tener el concepto de la honra que les otorga el autor y que los hombres hacen muy bien en rechazar.

Comedias fantástico-simbólicas e infantiles

Las comedias incluídas en el apartado «fantástico-simbólicas» se distinguen por la aparatosidad escenográfica y por lo abigarrado de los personajes, lo que ha inducido a Pérez de Ayala a calificarlas de «excelentes libretos de opereta», sin argumento o con un argumento mínimo «diluído en la vena quebrada de lo pintoresco». No obstante, en alguna de ellas, por ejemplo, *La noche del sábado,* encontramos recios caracteres, como el de Imperia, la mujer que no vacila en sacrificar su ambición en aras del amor maternal. En *El dragón de fuego* se quiso ver un alegato condenatorio de las prácticas esclavistas inglesas.

Benavente ha sentido siempre simpatía y tierno afecto hacia los niños. «Quizá sea tarde para mejorar a los hombres; por eso hemos de pensar más en los niños», escribe en una de sus *Acotaciones,* donde se duele de la escasa atención que nuestros clásicos han prestado a la infancia; sólo en la poesía de Lope se encuentran ciertos rasgos de ternura en tal sentido. Ello sin duda le ha impulsado a la creación de todo un ciclo de obras infantiles. Pero la verdad es que apenas han alcanzado éxito, quizá porque en ellas puso el autor demasiado ingenio, demasiado cerebro. Las más notables son *La Cenicienta* y *El príncipe que todo lo aprendió en los libros.*

Sátira social

Sobresalen entre las comedias de este grupo *Gente conocida,* cuyos lejanos ecos deberíamos buscar en *Las personas decentes,* de Enrique Gaspar, o en *Los hombres de bien,* de Tamayo; *La ley de los hijos,* contra la preocupación social del «qué dirán»; *Una señora,* contra la ingratitud. En *De muy buena familia* presenta la tortura de un joven víctima del vicio nefando, que acaba suicidándose ante el horror que siente de sí mismo. *La comida de las fieras,* supuesta alusión a la caída de la casa de Osuna, fué considerada sin fundamento plagio de *Le repas de lion.* Citemos finalmente *Lo cursi,* en la que ridiculiza el afán de parecer elegante sin serlo; *Los andrajos de la púrpura,* sobre la vida y la muerte de Eleonora Duse; y *Santa Rusia,* obra de circunstancias, evocación de la Rusia leninista, producto de una de tantas veleidades del autor.

Obras de tesis

Aquí han de incluirse las comedias más logradas de Benavente. Con *Los intereses creados* (1907) vuelve, como dice el propio autor, «el tinglado de la antigua farsa», aquella farsa que reunía a todas las jerarquías sociales igualándolas con el mismo rasero; que como moderna *commedia dell'arte* hace pensar y reír, deleita y estremece de ira, y que debe tanto a la improvisación como al estudio. Es una farsa hecha para agradar a todos, porque todos tenemos idénticos pensamientos y nos sentimos movidos por los mismos hilos con que el autor mueve sus personajes; farsa tanto más real cuanto es más fantástica. Odios, engaños, pasiones, venganzas, todo es lícito para alcanzar lo que se propone el maquiavélico Crispín, capaz de convertirse de rufián y lacayo en señor de «la ciudad alegre y confiada». Toda su moral se reduce a esta tesis: «es más importante crear intereses que afectos». Bien es verdad que el autor contrapone a esta tesis materialista de *Los intereses creados* la ejemplar y esperanzadora de *La ciudad alegre y confiada,* que es como el complemento de aquélla. La conclusión no puede ser más bella: los intereses son materia y, como tal, efímera, deleznable. El que se dedica a crearlos termina, más pronto o más tarde, fracasando. Sólo quedan en pie las ideas no movidas por el interés, los afectos. Se hunde la alegría juvenil, la riqueza, el poder; pero restan la Patria, la Belleza, la Amistad, el Amor que ante la muerte lo perdona todo y solloza con Silvia y Julia entre la alegría y la tristeza. Hundimiento total que no se descubre hasta *La ciudad alegre y confiada;* sentimiento trágico encarnado en la grandeza de alma del desterrado, que lo sacrifica todo por su patria. El constructor de la inmensa farsa, Crispín, caerá, víctima de su propia ambición, con el tablado que él animó: «Conviene que el pueblo crea que hace justicia; con la ilusión de que sus males han terminado se levantará su abatido espíritu. Dejadle creer que con Crispín y Polichinela los Crispines y Polichinelas terminaron» [6]. Sobre el mundo de *Los intereses creados* se levanta el afán de eternidad representado en el amor de Leandro y Silvia; sobre el de *La ciudad alegre y confiada,* el ardiente patriotismo del Desterrado.

Las modernas teorías psicoanalíticas han sido aprovechadas en *Nieve en mayo* y *La Infanzona,* melodrama truculento, con incesto y demás aparato propio del género. La «infanzona», Isabel, arrastra a su hijo, que ignora su origen, a escenas desagradables de terror y venganza. Réstanos mencionar la comedia histórica *La Vestal de Occidente*, sobre Isabel I de Inglaterra y sus amores con el conde de Essex, que tiene por precedente en nuestro teatro clásico la preciosa comedia de Coello *El conde de Sex o dar la vida por su dama*. El mismo tema ha sido llevado modernamente al teatro francés por Josat en *Isabel, la mujer sin hombre*.

Juicio crítico

El teatro de Benavente se nos presenta en conjunto como una mezcla de valores positivos y negativos, con predominio absoluto de aquéllos. La crítica—hay que reconocerlo—no siempre le ha sido favorable. Pocos autores se han visto vapuleados con mayor dureza. Y, no obstante, hay en él una serie de magníficas cualidades que sólo un espíritu obcecado por la pasión puede desconocer. Agilidad en el diálogo, gracia finísima, ingenio, ironía, que con frecuencia se convierte en mordacidad, y ese dominio de la técnica teatral que hace de cada pieza suya un prodigio de construcción dramática; y ese ahondar en el corazón humano hasta remover las más escondidas fibras como con un estilete. No acierta uno a entender dónde pudo estudiar Benavente tanta psicología experimental. Pocos han conocido como él las reacciones y contrarreacciones del corazón del hombre, y más aún del de la mujer; y casi nadie, al menos entre nosotros, ha sabido darle tan feliz expresión. Algunos de sus personajes, sobre todo femeninos, son auténticas criaturas que viven la vida que él quiso darles.

Gracias a Benavente nuestro teatro en lo que va de siglo puede compararse con el de otros países. Algo ha de haber en él de muy positivo y firme cuando ha logrado crear escuela, ha merecido el Premio Nobel, ha sido traducido a todos los idiomas cultos y, después de cincuenta años, sigue deleitando como el primer día. Las obras de arte que no tienen sustancia poética, aunque triunfen de momento, envejecen pronto. El teatro de Benavente, al menos buena parte de él, conserva su lozanía, porque debajo de lo puramente circunstancial vibra con pasiones de todos los tiempos. Se le ha censurado por alguien la inconsistencia de la trama; se ha querido reducir su mérito a la galanura, fluidez y maestría del diálogo; se ha dicho también que en muchas de estas obras la acción brilla por su ausencia. Pero nadie pretenderá la condenación de todo teatro en que no aparezcan condes ultrajados, esposas adúlteras, moribundos en trance de hacer espeluznantes declaraciones, pócimas que aniquilan la voluntad o esa caterva de ricos sin entrañas y obreros pundonorosos, tal como se veía en las obras de Echegaray, de Dicenta y del mismo Galdós. Precisamente es eso lo que quiso desterrar nuestro dramaturgo. El teatro puede ser historia, costumbrismo, lección jurídica y hasta psicología; pero, ante todo, y por encima de esto, debe ser arte; que el arte es en definitiva el que le da categoría estética.

En el «debe» del teatro benaventiano hemos de cargar: un exceso de literatura y de técnica, si en esto puede haber exceso, que convierte algunas de sus piezas en verdaderas «teatralizaciones» del propio teatro; un afán de hacer frases ingeniosas y de asombrar al auditorio con pensamientos tan sutiles que se quiebran de puro delgados o se reducen a simples cláusulas sin sentido [7], y un prurito admonitorio que en principio se acepta dócilmente, pero que a la larga cansa. Benavente nos dice que el dramaturgo se ha de proponer como única finalidad interesar y distraer. Pero él lo olvida con demasiada frecuencia y, sin poderlo evitar, se siente predicador laico, que increpa y satiriza, aconseja, reprende y, hasta si llega el caso, perdona. Todo ello sin acritudes, sin violencias, con una gran comprensión para las debilidades humanas. Pero con todos estos fallos, repitámoslo, la obra de Benavente es la mayor aportación realizada a la escena española desde el Siglo de Oro.

III. LA ESCUELA BENAVENTIANA

El nuevo rumbo impreso al teatro por Benavente dió lugar a la formación de un grupo de dramaturgos que, aunque dotados de recia personalidad, siguen más o menos de cerca sus huellas. Destacan Linares Rivas, Martínez Sierra y Suárez de Deza.

Linares Rivas

Don MANUEL LINARES RIVAS (1878-1938) [8] ha dejado más de setenta obras. Sobresalen *La mala ley*, *La garra* y *Primero vivir*, que el propio autor denomina «obras de pelea» por tratarse de piezas en las que se saca a colación «las miserias de los hombres y las desdichas injustas de las pobres mujeres». *La garra*, alegato en favor del divorcio, fué la de mayor éxito. En *La mala ley* pone de manifiesto la ingratitud de los hijos. Otras comedias dignas de mención son *El caballero lobo*, fábula escénica de animales, procedimiento muy imitado después y cuya obra más excelente es *Chantecler*, de Rostand. Moraleja: el amor y la bondad son los únicos valores capaces de hacer convivir al lobo con la cordera. ¿Y lo demás? La verdad en un lado de la montaña es mentira en el opuesto; lo que unos permiten, otros niegan; lo que es sublime aquí, es burlesco allá. ¿Por qué preocuparnos, si «todas esas tradiciones y esos respetos, formados por nosotros mismos, no son más que las hojas del árbol de la vida, y el árbol es lo que importa y no las hojas»? *Cobardías* desarrolla la tesis de que los malos triunfan en la sociedad gracias a la falta de decisión de los buenos; recuerda *Los hombres de bien,* de Tamayo. Citemos finalmente *El abolengo, La cizaña,* el drama rural *Cristobalón;* el melodrama *Sancho Avendaño; La raza, Como buitres, Fantasmas, La fuerza del mal, Como hormigas, María Victoria* y el drama romántico, en verso, *Lady Godiva.*

A principios de siglo Linares Rivas gozó de tanta o más popularidad que Benavente; popularidad que ha ido decreciendo a medida que se vió la falsedad de muchas de sus tesis. El teatro de Linares, aun arrancando, como el de Benavente, de problemas contemporáneos, se centra más en el terreno jurídico-social y religioso. Teatro bien construído, sin otros defectos que su excesiva teatralidad y el abuso de la intención docente. «Linares Rivas—escribe Sainz de Robles—prefiere la sátira a la ironía; el didacticismo al costumbrismo; el diálogo removedor y crudo al frívolo e ingenioso; el ataque rectilíneo a la crítica solapada»[9]. El lenguaje chispeante y lleno de finura adquiere mayor calidad cuando el dramaturgo prescinde de tesis y posiciones preconcebidas. En este aspecto puede servirnos de ejemplo la escenificación de la novela de Pérez Lugín, *La casa de la Troya.*

Ha compuesto también algunas novelas: *El caballero Pedrín Páez de los Pedreles, Lo que no vale la pena* y *Lo difícil que es ir al cielo.*

Martínez Sierra y Suárez de Deza

De líneas más delicadas, que no excluyen situaciones fuertemente patéticas, es el teatro de GREGORIO MARTÍNEZ SIERRA (1881-1947)[10]. Como tantos escritores de la época, su actividad literaria se polariza en distintos géneros: novela, cuento, periodismo, teatro, etc. En 1898 da su primera obra *El poema del trabajo*[11]. Como dramaturgo mencionemos *Mamá, Canción de cuna, La sombra del padre, Los pastores, Juventud, divino tesoro, Madame Pepita, Lirio entre espinas, El reino de Dios, Primavera en otoño, El pobrecito Juan, El ama de la casa, La suerte de Isabelita, Hechizo de amor,* etcétera. Para nosotros su pieza más lograda es *Don Juan de España,* nueva versión del tema del Burlador. En *La sombra del padre* nos presenta el triste panorama de un hogar sin autoridad; *Canción de cuna* es la historia de una niña abandonada en el torno de un convento y recogida y educada por la Comunidad hasta su matrimonio.

Para Valbuena Prat se reduce a «un cromo bonito, dulce, cursi, borroso, sin trama dramática ni acción compleja». Sin embargo, alcanzó enorme difusión ayudada, sobre todo, por su adapción al cine. Fitz Maurize-Kelly nos habla de la «figura casi femenina» de Martínez Sierra, nota que ya había señalado la crítica al aludir a la posible colaboración de su esposa, y que el interesado, por otra parte, nunca se ocupó de desmentir. No se le puede negar a Martínez Sierra sensibilidad y conocimiento de los recursos dramáticos. Elige sus personajes entre la clase media, revistiendo de poesía, con frecuencia sensiblera y dulzona, el ambiente circundante. Bajo una apariencia de profundidad se oculta, sin embargo, una ideología mediocre. Inútil buscar en su teatro grandes caracteres; ni en los casos más logrados—*Canción de cuna, Lirio entre espinas, El reino de Dios*—consigue impresionarnos. Ternura y apostolado social, concepción amable de la vida, dulzonería mezclada con cierto cursilismo, proclamación del poder de la fantasía, son sus caracteres distintivos. Aunque sólo ocasionalmente emplea el verso, su teatro, por las notas señaladas, merece el calificativo de poético con mayor propiedad que muchas comedias agrupadas bajo este epígrafe.

Nacido en la República Argentina (1906), ENRIQUE SUÁREZ DE DEZA es de formación española. Obtuvo su primer gran éxito, apenas cumplidos veinte años, con *Ha entrado una mujer,* en la que se vislumbran las cualidades que luego han de caracterizar su producción: amenidad en el diálogo, conocimiento de los recursos escénicos y reminiscencias fáciles de señalar. Este éxito inicial más que favorecer a Suárez de Deza le perjudicó, ya que, en vez de autodisciplinarse y buscar una creciente perfección, se lanzó por el camino fácil del cine y de las lecturas novelescas, en busca de temas para su teatro, que alcanza un volumen considerable. En él se pueden señalar influencias diversas, en especial de Oscar Wilde. Su temática multiforme va desde la «farsa de buen humor», como *¡Catalina, no me llores!,* a la comedia dramática, como *Dan* y *Ambición,* pasando por la que él llama «novela escénica», del tipo de *La millona,* o por las obras de tesis, al estilo de *Aquellas mujeres, Los sueños del Silvia, Las furias, El pelele* y *F. B.* En esta última se plantea el conflicto entre el individualismo absoluto y el interés general. La predisposición del autor para convertirse en eco de incitaciones y novedades ajenas, le lleva al aprovechamiento de ambientes exóticos, con una técnica que se aproxima bastante a la empleada por el cinema. Suárez de Deza, que ha obtenido en España señalados triunfos, los ha cosechado aún mayores en América, especialmente en Buenos Aires, su ciudad natal.

Serrano Anguita, Oliver y López Pinillos

Lugar muy destacado merece el sevillano FRAN-
CISCO SERRANO ANGUITA (n. 1887). Periodista notable, colaborador asiduo de *La Voz, Heraldo, Informaciones, La Tribuna, El Sol*, nos ha dejado, en
tre otras, cuatro comedias justamente estimadas:
*Manos de plata, Papá Gutiérrez, Tierra en los
ojos* y *El divino pecado*. Junto a éstas ha escrito
otras menos logradas: *Los nietos del Cid, La paz
de Dios, La dama del antifaz. El último episodio,
Simpatía*, etc. En colaboración con Manuel de
Góngora ha cultivado la comedia folklórica en *La
Petenera*.

Dramaturgo vigoroso y original se revela FE-
DERICO OLIVER Y CRESPO (Chipiona, Cádiz, 1879).
Excelente escultor, obtiene la segunda medalla en
la exposición de Bellas Artes de 1897. Al año siguiente estrena su primera pieza dramática, *La
muralla*, y en 1900 contrae matrimonio con la
actriz Carmen Cobeña. Director escénico de varias compañías, en 1914 se hace cargo del teatro
Español. Destaca por el vigor del lenguaje, por
el patetismo de las situaciones y por el cultivo de
temas sociales, en los que rara vez prescinde del
tono moralizador. *La Neña*, de ambiente popular
asturiano; *Los semidioses*, sobre la vida y psicología de los toreros; *Los pistoleros*, sobre las luchas sindicales barcelonesas; *Los cómicos de la
legua*, con típicos personajes del teatro; *Lo que
ellas quieren*, en la que pone de manifiesto el influjo de la mujer en la vida del hombre; *El crimen de todos*, sátira del matonismo del que hace
responsable a toda la sociedad; *Han matado a
don Juan, Oro molido, Susana y los viejos, Atocha*, etcétera, son también obras notables. El teatro
de Oliver cae de lleno bajo la denominación de
«teatro de tesis». Preocupado por la formación de
la conciencia política nacional, aboga por un periodismo consciente como medio de despertar nuestra abulia característica.

Otros comediógrafos

Más o menos fieles a las líneas generales del
teatro benaventiano, encontramos una larga lista
de autores, entre los que sólo podemos citar a
los más representativos.

JUAN IGNACIO LUCA DE TENA (Madrid, 1897),
marqués de este título, abogado, periodista y académico, ha cultivado también el teatro con comedias como *El sombrero de tres picos*, adaptación
del conocido cuento de Alarcón; *La condesa María, Las hogueras de San Juan, Las canas de don
Juan, El dilema, El dinero del duque*, y la más
famosa de todas, *¿Quién soy yo?* (distinguida en
1935 con el Premio Piquer), y su continuación, *Yo
soy Brandel* [12]. En los últimos años ha derivado
su atención hacia el cuadro histórico inmediato;

y fruto de ella han sido obras como *¿Dónde vas,
Alfonso XII?* y su continuación, *¿Dónde vas, triste de ti?*, de éxito muy notable. Nuestra última
contienda le inspiró *El cóndor sin alas*, poco lograda, a pesar de haber obtenido el Premio Pujol. La
sátira del mundo de las finanzas le sugiere *Míster
Morrison*, que recuerda *El socio*, la famosa novela
del chileno Jenaro Prieto, ya analizada por nosotros en capítulo anterior; y el prurito de adaptación de costumbres y usos extranjeros se ridiculiza en *Dos mujeres a las nueve*. En colaboración con Luis Escobar ha compuesto *El vampiro
de la calle de Claudio Coello*; y en colaboración
con su hijo Torcuato, *La otra vida del capitán
Contreras*, «de argumento inverosímil, disparatado e irreal», según los propios autores. Lo que
distingue a Luca de Tena es la habilidad constructiva, el dominio pleno de eso que se viene
llamando la «carpintería teatral». Otra nota muy
acusada es su preocupación por el paso del tiempo, que en una producción tan variada como la
suya se nos da en múltiples formas.

Comediógrafo de matices finos y de hondura
psicológica, bien disimulada casi siempre bajo una
aparente frivolidad, fué HONORIO MAURA Y GA-
MAZO (1886-1936), que escribió, entre otras piezas,
*Susana tiene un secreto, Eva indecisa, Julieta com-
pra un hijo, La muralla de oro, Corazón de mujer, La duquesita y su bailarín, Raquel, Por sus
pasos contados, Hay que ser modernos, El balcón
de la felicidad, Como la hiedra al tronco*. En algunas de estas obras tuvo por colaborador a Martínez Sierra.

Sobrina del anterior, y nieta del gran estadista
don Antonio, es JULIA MAURA (1910), autora de comedias como *La sin pecado, Dónde está la verdad,
Lo que piensan los hombres, El hombre que volvió
a su casa* y *La mentira del silencio*, en las que
brilla más el ingenio y la sensibilidad que el talento dramático.

Claridad de exposición y viveza en el diálogo
son las notas que distinguen al fino ensayista y
crítico literario alicantino LUIS GONZÁLEZ LÓPEZ,
autor de comedias como *Papá no quiere que sal-
gas, Las hijas de Barrigón, La voluntad de Dios,
La vida por ella*, y la emocionante tragedia *Santa
del Valle*. Como crítico obtuvo en 1933 el Premio
Juan Valera por su obra *Las mujeres de don
Juan Valera*.

Tal vez no debiéramos citar en este apartado a
dos famosísimos comediógrafos que se dieron a conocer en los años inmediatamente anteriores a la
guerra y que alcanzaron entonces y después éxitos
casi sin precedentes. Se trata de ADOLFO TORRADO
y LEANDRO NAVARRO, coruñés el primero y madrileño el otro. Empezaron escribiendo en colaboración y con una manifiesta tendencia hacia el
lado cómico de la vida, lo que les coloca entre
el sainete de Arniches y la comedia de sociedad
de Benavente. A su época de colaboración co-

rresponden *La Papirusa,* con influencias del Wilde de *El abanico de Lady Windermere;* Dueña y señora, con un tipo de criada gallega—Tonecha— bien perfilado; *Los hijos de la noche, Los pellizcos, Los niños sevillanos,* etcétera. En casi todas ellas se cultiva una gracia populachera. Ya separados, Torrado se inclinó por los temas de ambiente gallego, tratados en tono melodramático y con un humorismo burdo, con miras a lo comercial. *Chiruca, La duquesa Chiruca, La madre guapa, Sabela de Cambados, El famoso Carballeira, Un caradura, La infeliz vampiresa, Mosquita en Palacio, Un beso de madrugada,* etcétera, han sido aplaudidas en teatros de Madrid y provincias durante meses y aun años consecutivos, a pesar de tratarse de manjares condimentados para mentalidades poco cultivadas, o quizá por eso mismo.

Mayor respeto al público culto, mayor estudio y contención revelan las obras de Leandro Navarro: *Las colegialas, Los novios de mis hijas, La llave, Como tú me querías* y *Con los brazos abiertos,* galardonada con el Premio Piquer de la Real Academia Española en 1946.

Más original y de más talla que los anteriores fué el sevillano JOSÉ LÓPEZ PINILLOS (1875-1922), que popularizó el seudónimo de *Parmeno* en dramas de estilo crudo y recio, con notas de sarcasmo y de profundo pesimismo. Aunque un crítico contemporáneo afirma que el mayor mérito de su teatro consiste «en no parecerse a nadie», la verdad es que está entroncado con el de Benavente, y aun más acaso, con el de Galdós. Censura las costumbres y vicios con iracundia implacable. Los títulos de sus producciones son ya de por sí elocuentes: *El vencedor de sí mismo, Hacia la dicha, La casta, El pantano, La otra vida, A tiro limpio, Esclavitud, Los senderos del mal* y *El caudal de los hijos,* acaso su obra más lograda. También ha cultivado el periodismo—redactor de *El Globo* y de *España,* de Madrid; director de *El Liberal,* de Bilbao—y la novela, con un ideario similar al que expone en el teatro: *La sangre de Cristo, Doña Mesalina, Las águilas, Frente al mar, Ojo por ojo, El luchador, Cintas rojas.*

IV. EVOLUCION DEL SAINETE

El sainete, que a finales del pasado siglo fué la modalidad más típica del llamado «género chico», casi siempre de corta extensión (un acto dividido en dos o tres cuadros), se transforma y amplía hasta lograr categoría de comedia corriente, perdiendo de paso la parte musical.

Artífices de esta innovación son los hermanos Quintero y Carlos Arniches. Las obras de estos autores ofrecerán cierto parecido con la comedia costumbrista; sólo que en ellas lo esencial será la presentación de tipos. Más tarde el sainete degenera en el llamado «astracán», que reconoce su máximo representante en Muñoz Seca.

Dos grupos importantes cabe distinguir en el sainete contemporáneo: el andaluz y el madrileño. De más rancio abolengo éste, ya que se prestigia con antecedentes de la talla de don Ramón de la Cruz, de quien Carlos Arniches, el mejor sainetero de la primera mitad de siglo, es descendiente por línea directa; de menos tradición el andaluz, que, representado por los Quintero y algunos comediógrafos de segunda fila, apenas puede aducir más precursor que Ignacio González del Castillo, único que puede parangonarse a Ramón de la Cruz en la segunda mitad del siglo XVIII, aunque menos fecundo y con escasa variedad temática.

Lo que caracteriza a este tipo de sainete, junto con la presentación de tipos ya aludida, es la comicidad. En el andaluz, esta comicidad salta de las situaciones; en el madrileño, en cambio, predomina lo cómico verbal, con frecuencia a base de palabras cultas, imágenes y metáforas, en contraste con los ademanes chulescos de los personajes.

Los hermanos Quintero

Los hermanos SERAFÍN y JOAQUÍN ALVAREZ QUINTERO [13] nos ofrecen el caso más constante de colaboración literaria en la historia de las letras. Una bondad ingénita, sana alegría y cierto concepto pagano de la vida son las notas características de su teatro, que entre piezas breves, sainetes, comedias, zarzuelas y dramas, alcanza, aproximadamente, doscientas obras. Pueden éstas repartirse en tres series: *a),* sainetes; *b),* comedias, y *c),* dramas. A esta tripartición se puede añadir un cuarto grupo: obras de circunstancias y adaptaciones. A las producciones circunstanciales corresponden *La rima eterna,* sobre Bécquer; *Pepita y don Juan,* loa conmemorativa del centenario del nacimiento de Valera; *Los grandes hombres,* en honor de Cervantes, y otras. Entre las adaptaciones encontramos las de *Rinconete y Cortadillo,* de Cervantes, y de *Marianela,* de Galdós.

a) Sainetes [14].—Escribieron muchos; entre ellos destacan *La reina mora, El chiquillo, Los piropos* y *El ojito derecho,* dechados de gracia y observación. En especial el último, cuyo asunto se reduce a la venta de un borrico entre gitanos, tuvo enorme éxito de público y de crítica. «Prefiero *El ojito derecho,* con burro que no habla, a muchos dramas con tesis que rebuznan», escribía *Clarín.*

b) *Comedias.*—Buen número de ellas son auténticos sainetes ampliados. Señalemos *El patio*, que tiene como argumento las disensiones y consiguiente reconciliación de una pareja de enamorados; el patio andaluz puede considerarse protagonista de la obra, ya que ejerce decisivo influjo no sólo en los protagonistas, sino en todos los que lo frecuentan. *Puebla de las mujeres*, en un ambiente femenino que fomenta el amor de los jóvenes; *El centenario*, pintura magistral de una familia en la celebración de los cien años del abuelo; *El genio alegre* y *Cinco lobitos*, en los que, sin abandonar el tono jovial del sainete, apunta la comedia de tesis. En ambas se preconiza la alegría y la acción como maestras de la vida y clave de la felicidad. En *Las de Caín*, complemento de *Cinco lobitos*, asistimos a la lucha heroica de un matrimonio escaso de bienes para casar a sus cinco hijas [15]. *Los mosquitos* son simplemente los celos, concebidos no a la manera trágica de *Otelo*, sino como tormento constante y ligero, como molestia sólo superable con la conciencia de la propia conducta y de la visión amable de la vida. *La prisa* es una sátira del ajetreo cotidiano, que anula el gozo de vivir; *Tuyo y mío* ridiculiza el egoísmo y excesivo apego a los bienes materiales; *Ramo de locura* se refiere a la falta de discernimiento y fatales consecuencias de quienes se dejan llevar del primer impulso.

c) *Dramas.*—Dentro del plano de la comedia dramática con predominio de lo sentimental, nos han dejado los Quintero piezas admirables: *Las flores*, que, al igual que las mujeres, según la tierra en que nacen, según el cultivo y cuidados que reciben, brillan o se marchitan; *Malvaloca*, inspirada en una copla andaluza, es el drama de la redención por amor de mujer caída, víctima de las circunstancias; *Cabrita que tira al monte*, de cierto tono fatalista, en que lo temperamental se sobrepone a lo espiritual; *Los Galeotes* no se limita —como en más de un caso se ha dicho—a una adaptación del episodio del *Quijote*, sino que es el aprovechamiento de la idea cervantina en un medio moderno: los favorecidos (aquí unos Galeote de apellido) se vuelven contra su protector. De ideario un poco amargo, es una de las comedias mejor dialogadas de los Quintero, rica en esos tipos episódicos y aparentemente insignificantes, en los que tanto abunda su obra. *Pipiola*, *La boda de Quinita Flores*, *Doña Clarines*, *Amores y amoríos*, *El mundo es un pañuelo*, *Cancionera*, constituyen otros tantos éxitos del extenso repertorio quinteriano.

La definición que los Quintero dan del sainete, reducido a un cuadro brillante, alegre y claro de la vida, con ligeras gotas de humor y alguna que otra lagrimilla, ampliada a toda su producción, ha hecho que fuese calificado por algunos como «teatro de bondad». En efecto, es esa visión optimista y sonriente de la vida lo que le da el tono; y si alguna vez, como en *Malvaloca* o *Los Galeotes*, el cuadro se ensombrece, pronto el amor se encarga de restablecer el equilibrio, y las lágrimas se secan como por encanto. Dos títulos entre el inmenso repertorio de su obra resumen esta concepción dramática: *La cuestión es pasar el rato* y *Don Juan, buena persona*. Concepto un tanto paganizante de la vida, cuyo principal objeto es vivirla. Cuando se contraponen dos notas como las de bondad y donjuanismo, los Quintero saben aunar perfectamente la antítesis gracias, precisamente, a esta concepción paganizante y optimista. Esto y un ingenio chispeante, de inagotable gracia andaluza, de la mejor clase, ha dado a ese teatro una acogida pocas veces superada, no solamente en España, sino en el extranjero. Resaltemos una vez más como su principal cualidad la reproducción de costumbres y de tipos andaluces en toda su variedad psicológica. Lo de menos es el argumento, reducido casi siempre a un simple motivo para ir engarzando escenas llenas de gracia e intención.

Arniches

Un continuador felicísimo del «género chico» —sainete musical o cuadrito de costumbres típicas y populares—, de tanta aceptación en el teatro por horas, encontramos en el alicantino CARLOS ARNICHES BARRERA (1866-1943) [16]. A pesar de su origen levantino, supo adentrarse en el alma madrileña e interpretar como nadie su psicología. Lo que representan los Quintero para el pueblo andaluz, lo representa Arniches respecto al madrileño, tan perfectamente reflejado en sus comedias, que con frecuencia ha adoptado giros, frases y ademanes de ellas. Se viene discutiendo si es mayor la influencia de Madrid en Arniches o la de éste en Madrid.

Como en la obra de los Quintero, cabe también aquí distinguir tres modalidades: «género chico», sainete extenso y «tragedia grotesca». A la primera corresponden, entre otras, *El santo de la Isidra*, *El puñao de rosas*, *El pobre Valbuena*, *El amigo Melquiades* y la archiconocida *Alma de Dios*, milenaria en nuestra escena.

En lo cómico, con tendencia sentimental, salpicado de rasgos melodramáticos, citemos *La chica del gato*, *Don Quintín el amargao*, *El tío Miseria*, *La casa de Quirós*, *La sobrina del cura*, *Doloretes*, etc. Y en la misma línea de lo cómico, con una insoslayable inclinación al llamado «astracán», *El señor Badanas*, *La condesa está triste*, *Las veleidades de Elena* y *La venganza de la Petra*.

Una modalidad en que Arniches tuvo excepcional fortuna es la «tragedia grotesca». En los dos géneros anteriores—sainete y comedia—sigue la tradición, aunque felizmente modernizada en la tipología y el lenguaje. En la «tragedia grotesca» es un auténtico creador. Tal vez la crítica le ha superestimado, especialmente Pérez de Ayala. De todas formas, el tránsito del sainete a la «tragedia grotesca», tal como se realiza en Arniches, revela en éste una profunda intuición dramática. El hecho de suscitar la emoción del espectador, no ya por lo patético directo, sino por lo fingido, por lo grotesco y arbitrario, supone una novedad que entronca al teatro español de nuestros días con los conceptos más originales y novísimos del teatro europeo, haciéndonos pensar en ciertas obras de Pirandello y de Andreief. Con este último le compara, en efecto, Fernández Almagro, quien, aparte la remota semejanza del tema, descubre un espíritu similar entre *Es mi hombre* y *El hombre que recibe las bofetadas*. Una comparación, dentro del mismo Arniches, entre las obras que podríamos llamar tragicomedias y la «tragedia grotesca», nos daría como resultado el predominio en estas últimas de lo arbitrario, de lo antitético. El protagonista suele ser lo que se llama comúnmente «un pobre hombre», bondadoso, apocado, insignificante, puesto por las circunstancias en el trance de tomar resoluciones heroicas, que acaban coronadas por el éxito. Hay, pues, una diferencia fundamental entre el héroe trágico y el grotesco: aquél, en condiciones favorables, fracasa; éste, sin aptitudes para lo heroico, triunfa. Arniches ha tenido, además, la habilidad de adornar a esos héroes grotescos, sin despojarlos de su natural poquedad, con un atuendo de sentimientos nobles que son —según el momento y circunstancias— causa de sus desventuras o de sus éxitos. Tal ocurre con el amor entrañable que los protagonistas de *La locura de don Juan* y *Es mi hombre* profesan a sus hijas respectivas, y que es como un resorte capaz de hacer saltar en su alma insospechadas energías.

Señalemos en esta modalidad, la más típica de Arniches, obras como *La señorita de Trevélez*, drama de la solterona pueblerina, burlada por unos desalmados, a la vez que simpática apología del amor fraternal, en una serie de escenas en que se combina muy hábilmente lo sentimental y lo ridículo; *La diosa ríe,* no exenta de una comicidad de brocha gorda, pero con un argumento amable y aleccionador: el pobre muchacho enamorado de una artista famosa y que, aun correspondido contra todo lo previsible, termina por convencerse de la imposibilidad de tal amor; *Es mi hombre,* la más famosa y también la más exagerada en tipos y situaciones, protagonizada por un ser tímido en el fondo, a quien el peligro que corre su hija de ser burlada por unas tahures infunde un valor real inesperado; *La locura de don Juan,* en la que un espíritu apocado, que ve venir la ruina de los suyos por su falta de decisión para atajar el despilfarro y desorden del hogar, finge un ataque de locura y se hace respetar y temer no sólo de sus familiares, sino de unos «vividores» que pretendían timarle, robándole de paso la felicidad de su hija.

Mención especial merece *Que viene mi marido,* a la que perjudica no poco el excesivo prurito de excitar la hilaridad del espectador por medio del chiste buscado a toda costa.

Una síntesis del argumento servirá mejor que muchas explicaciones para comprender este tipo de obras: Carita, instituída heredera por su padrino, millonario que acaba de morir, no podrá disponer de la fortuna hasta que case y enviude, con gran desesperación de la joven y de su novio, Luis, estudiante de Medicina. Un compañero de éste, Hidalgo, aporta la solución: en el hospital ha ingresado un enfermo en estado preagónico; se le casa con Carita «in articulo mortis», y como la viudez no se hará esperar, la joven entrará en posesión de la herencia. Pero los acontecimientos se desarrollan de muy distinta manera. Bermejo, el moribundo, una vez casado, ha ido restableciéndose, de forma que pronto se convierte en un hombre rebosante de salud. Los parientes traman diversas artimañas para matarle. Naturalmente, todo ello se mueve en el plano de lo grotesco. Cuando parece que el conflicto es ya insoluble y que Carita quedará casada con un hombre al que aborrece, el autor lo desenreda todo con un truco legítimo: Bermejo es un «fresco»; su enfermedad no era sino una de tantas ficciones a las que está acostumbrado; con ánimo de vivir sin trabajar, ha simulado en diversas ocasiones las más insólitas enfermedades para ingresar en el hospital. En esta ocasión había utilizado una cédula falsa, y con nombre supuesto contrajo el matrimonio. La cédula pertenecía a un individuo muerto después de casarse Bermejo. Con ello, Carita queda viuda y entra en posesión de la herencia.

Un análisis somero del teatro de Arniches nos daría una doble serie de valores, positivos y negativos. A los primeros correspondería el gran fondo de humanidad que late en toda su obra, y la admirable fusión de lo trágico y lo cómico, de humor suave y de pesimismo, que coloca alguna de sus comedias en la misma línea de simpatía y calor en que se encuentran ciertas películas de Charlot, como *La quimera del oro.* Esta fusión brota del contraste entre el carácter del personaje, maravillosamente trazado casi siempre desde las primeras escenas, y el papel que por fuerza de las circunstancias se ve obligado a encarnar. Dentro de la comedia de la vida, los protagonistas de Arniches son auténticos comediantes, con la conciencia plena de que están viviendo y representando una farsa. Y lo curioso es que, despreciados y ridiculizados por todos, terminan por imponerse y erigirse en árbitros de la situación. Añádase la gracia del mejor estilo, el ingenio, el chiste casi siempre espontáneo, la ocurrencia originalísima y el diálogo fácil y chispeante, junto con una sana intención moral que convierte cada pieza en un

verdadero apólogo, en que triunfan indefectiblemente la virtud y la honestidad. ¿Defectos o valores negativos? También los hay. Melodramatismo
exagerado con frecuencia; inclinación y hasta caída de lo sentimental en lo sensiblero; excesivas
concesiones a la galería; repetición de unos mismos «trucos» para cualquier clase de soluciones,
y, sobre todo, abuso del retruécano hasta su agotamiento, de tal modo que si todavía en el mismo
Arniches es prueba de ingenio y sorprende por
su novedad, en sus imitadores degeneró en algo
insoportable, que contribuyó más que nada a la
decadencia y extinción del género.

Otros cultivadores del sainete

Los hay que se inclinan por la manera de los
hermanos Alvarez Quintero, con predominio de
lo andaluz; y los hay que prefieren seguir la línea
de Arniches, con acusados matices madrileños.

Entre los primeros, hemos de mencionar a AN-
TONIO QUINTERO (Jerez de la Frontera, 1895) y
PASCUAL GUILLÉN (Valencia, 1891), que cultivaron,
casi siempre en colaboración, un teatro de doble
modalidad: comedia asainetada y tema folklórico.
En este segundo género, que era el tema era sólo
pretexto para engarzar unas cuantas canciones más
o menos populares y siempre de tipo «flamenco»,
se hicieron célebres La novia de Reverte y La
copla andaluza; en la comedia asainetada, de una
gracia plebeya y con una técnica especial que no
se detenía ante las mayores inverosimilitudes, fueron muy aplaudidas por un público poco exigente:
La Marquesona, Mayo y abril, La luz, Veinte mil
duros, Los caballeros, Mi hermana Concha y, más
que ninguna, Morena Clara, historia de una gitana que llega a casarse nada menos que con el
fiscal que la había condenado por hurto. El cine
le dió una gran popularidad.

En la misma línea, aunque infinitamente superiores por la expresión, por lo humano del tema
y por el estudio de situaciones y caracteres, encontramos a los hermanos JORGE y JOSÉ DE LA
CUEVA (1884 y 1887), críticos de profesión, que
iniciaron brillantemente su carrera teatral en 1909,
con Aquí hase farta un hombre, sainete del más
puro corte andaluz, que en nada desmerece de los
mejores de los Quintero. Derivan hacia la comedia en Agua de mayo y Creo en ti, de tema resbaladizo esta última, aunque tratado con exquisita
habilidad. Otras comedias de los hermanos Cueva
son: Jaramago, Las ranas, El ancla y Fino Lerma.

Uno de los mayores éxitos de la escena espa-
ñola durante el siglo actual fué el obtenido por
El niño de oro, sainete cómico del granadino José
MARÍA MARTÍN LÓPEZ (1896), más conocido por
José María de Granada. La nota populachera es
lo que distingue las obras de este escritor, que,

aparte de la citada, ha estrenado: La Virgen del
Rocío, La guapa y La hija de Juan Simón. Todas
·ellas se hicieron centenarias en los carteles.

Dentro de la modalidad de Arniches, los saineteros y comediógrafos más estimables son: PI-
LAR MILLÁN ASTRAY (1879-1949), autora de obras
de éxito ruidoso, como Los amores de la Nati,
El millonario y la bailarina, La galana, Made-
moiselle Naná y, sobre todo, La tonta del bote.
FRANCISCO RAMOS DE CASTRO (Madrid, 1890),
periodista agudísimo y autor de libretos para zarzuelas; en el género asainetado ha obtenido triunfos con Más bueno que el pan, A ras de las olas,
El concejal, Viva Alcorcón, que es mi pueblo, y
la mejor para nuestro gusto, en verso, Pare usted
la jaca, amigo. LUIS FERNÁNDEZ DE SEVILLA, que,
en colaboración con varios autores, ha cultivado
diversos géneros: con Luis Tejedor, la comedia
chulapona—Un moreno y un rubio, Eran tres:
un gitano y un marqués—; con Anselmo C. Carreño, el sainete bufonesco—Los marqueses de
Matute, La capitana—; con Rafael Sepúlveda, la
comedia sentimental, de chiste rebuscado y toques
melodramáticos—Madre Alegría, Estudiantina, Las
ermitas—; y con DORA SEDANO DE BEDRIÑANA, La
diosa de arena, agraciada con el premio Pujol

El principal cultivador del sainete madrileno
después de Arniches es ANGEL TORRES DEL ALA
MO (Madrid, 1880), que nos dejó una vistosa ga
lería de tipos populares en Margarita la Tanagra,
Las pecadoras, La Mary-Tormes, Sole «la Pele-
tera», Los hijos de la verbena, Lorenza «la Seria»,
Rocío «la Canastera», Las tentaciones y El chico
del cafetín, tal vez la mejor, escrita en colaboración con Antonio Asenjo. Muy populares se han
hecho asimismo los hermanos Paso [17], aludidos
más adelante.

Otros autores que han venido abasteciendo la
escena durante el primer tercio de siglo son: JOSÉ
FERNÁNDEZ DEL VILLAR, de gracia fina, que nunca
cae en lo chocarrero: El caprichito, Mimí Valdés Mi casa es un infierno, La vieja rica, Lola
y Lolo, La educación de los padres, conmovedora-
mente aleccionadora; ANTONIO CASÁS BRICIO, que
empieza por el tema flamenco: Tú gitano y yo
gitana, para llegar a la comedia dramática de
asunto un tanto resbaladizo: Gloria Linares; LUIS
DE VARGAS, que ha triunfado en La de los claveles dobles, Seis pesetas, El señorito Pepe, Los
Lagarteranos, Las pobrecitas mujeres y otras; LO-
RENZO LÓPEZ DE SAA se inclina a los temas de
Historia contemporánea: La española que fué
más que reina, sobre Eugenia de Montijo, La
muerte del ruiseñor, sobre la vida anecdótica de
Julián Gayarre; JOSÉ DE LUCIO, cuya gracia chocarrera le acerca al «astracán». Citemos finalmente
a Antonio Estremera, Rafael España, José Tellae-
che, José Juan Cadenas, Gutiérrez Roig, Fernández Lepina, entre otros.

V. EL ASTRACAN: MUÑOZ SECA

Tan popular y fecundo como Arniches, al que no cede en inventiva ni en *vis* cómica, si bien con menos quilates literarios, es el gaditano don PEDRO MUÑOZ SECA (1881-1936)[18].

En su teatro cabe distinguir tres tipos de obras: la comedia sentimental, la parodia y el «astracán» propiamente dicho, que es el género típico de este autor, el que mejor le califica y le dió fama y dinero. Al grupo de las obras sentimentales pertenecen *El conflicto de Mercedes* y *Las hijas del rey Lear,* con ribetes melodramáticos y un tema de ingratitud filial trasladado al ambiente moderno.

Más destacadas son las parodias teatrales *El filón* y *La venganza de don Mendo.* Esta última, especialmente dentro del género, es algo casi perfecto. Se suele decir que en ella Muñoz Seca intentó ridiculizar el tono grandilocuente del teatro clásico español, cuando es en realidad una parodia del llamado «teatro poético», tan en boga durante las primeras décadas de siglo, y representado por obras de insufrible engolamiento, como *La leona de Castilla, La tizona, El doncel romántico,* etc. En este sentido hay que reconocer que *La venganza de don Mendo* es un total acierto. Verso altisonante, palabras sesquipedales y una hinchazón de dignidad y orgullo en los personajes, que contrasta admirablemente con lo falso y ridículo de las situaciones[19].

El género que define a Muñoz Seca, ya está dicho, es el «astracán». No tenemos un concepto muy claro de esta clase de comedias; quizá lo fundamental en ellas es la falta de lógica. En cuanto se pretende buscar una razón de las situaciones a que nos hace asistir el autor, la obra se desmorona. Ni estudio de personajes, ni trama encadenada, ni lógica. Nos enfrentamos con fantoches en vez de hombres. Todo arranca de un supuesto falso y estrambótico, admitido el cual, ya lo demás viene y se desarrolla por sus propios pasos[20]. Muñoz Seca sintió predilección por estas obras, entre las que hay unas, correspondientes a la primera época, escritas sin más finalidad que la de entretener; y otras, de manifiesta tendencia político-social, en que el «astracán» se convierte en arma política, arma de ataque a instituciones y personas, mucho más temible que cualquier otra. A la primera serie corresponden: *La barba de Carrillo, La frescura de Lafuente, Los misterios de Laguardia, Pastor y Borrego, El verdugo de Sevilla, El último Bravo, La tela, Usted es Ortiz, Los extremeños se tocan,* etc. Obsérvese el «quid pro quo» que se hace derivar ya desde el mismo título. La segunda época, coincidente con la proclamación de la República en España, está representada por *El Jabalí, La Oca, Anacleto se divorcia, El Ex...*, *Cataplún,* etcétera.

Un breve esquema del contenido de alguna de ellas explicará mejor la técnica y naturaleza del «astracán»: en *La tela* un grupo de frescos cae como plaga de langosta sobre una familia de nuevos ricos; en *El último Bravo,* cierto desaprensivo se aprovecha de la fingida amnesia de un hombre al que cree acaudalado para hacerse pasar por pariente suyo; *La barba de Carrillo* se refiere a una mixtura de tal fuerza adhesiva que lo que con ella se pega tarda siete años en despegarse; en *Pastor y Borrego* un personaje se finge cadáver con tal perfección que nadie se da cuenta del engaño; *El verdugo de Sevilla* es una continuada sucesión de equívocos a que da lugar el invento de un señor para matar conejos y la existencia de unos criminales que llevan este mismo apellido, Conejo, y a los que aquél debe ejecutar; *Los extremeños se tocan* es una parodia de opereta, y *Usted es Ortiz* se basa en la coexistencia de dos almas en una misma persona.

En la segunda serie: *La Oca*—anagrama de una Libre Asociación Obreros Cansados y Aburridos—satiriza de una parte al obrero falto de formación, que no sabe estar a la altura de las circunstancias y de otra a ciertas asociaciones de damas seudocatequistas, carentes de comprensión humana y de inteligencia; *El Ex...* ridiculiza al diputado zafio y cretino, despreciado por todo el mundo menos por sus propios correligionarios; *Anacleto se divorcia* es un ataque a la ley de separación conyugal que acababan de votar las Cortes republicanas. En las piezas de este tipo la intención política y la alusión casi personal a veces atenúa lo que hay en ellas de astracanada, de disparatado y absurdo.

¿Qué hemos de decir de este teatro? Las comedias de circunstancias, provocadas por una situación política o social determinada, desaparecieron con la misma situación que les dió vida; las de puro disparate, si de momento alcanzaron una aceptación inmensa, proporcionando a su autor las mayores liquidaciones que se conocen en las oficinas de la Sociedad de Autores, también se esfumaron sin dejar rastro, porque nada hay que muera tan pronto como lo absurdo, cuando no va acompañado del menor pálpito humano. Quedan de Muñoz Seca las parodias y, sobre todo, *La venganza de don Mendo.* Aquí ha de reconocérsele un acierto total. Algunos versos de *Don Mendo* han pasado, ya que no a las antologías, a la memoria de todos. En conjunto, el teatro de Muñoz Seca carece de la menor consistencia, debiendo por ello ser estudiado más como fenómeno social que como producto estético. En tal sentido ha de reconocerse que supo, como pocos, entretener y divertir a un público multitudinario, levantar admiraciones y odios, llevar a las tablas todo un período de la vida nacional, parodiándolo en sus más salientes aspectos y empleando la escena como

tribuna política, mucho más eficaz por cuanto utilizaba para convencer el ridículo, mezclado con
la sal más gorda que se ha derramado en la escena española.

Colaboradores y continuadores
de Muñoz Seca

Prescindiendo de la colaboración puramente ocasional en *El Clamor* (1928) con un espíritu tan
dispar como *Azorín*, los más asiduos colaboradores de Muñoz Seca han sido PEDRO PÉREZ FER-
NÁNDEZ y ENRIQUE GARCÍA ALVAREZ. El primero
apenas tiene más obra que la hecha con Muñoz
Seca; el segundo, en cambio, tiene sainetes originales y otros en colaboración con Arniches, Paso
y Abati: *La alegría de la huerta, La marcha de
Cádiz, El pollo Tejada, El perro chico, Alma de
Dios, El trust de los tenorios,* popularizados en

gran parte gracias a su música pegadiza y popular.
JOAQUÍN ABATI Y DIAZ (1865-1936) nos dejó un
teatro gracioso, natural y espontáneo, tanto por el
diálogo como por las situaciones; en colaboración
con Paso estrenó comedias asainetadas: *El orgullo de Albacete* y *El gran tacaño,* y libretos de
zarzuela tan populares como *El asombro de Damasco.*

Pero el autor más destacado del grupo es ANTO-
NIO PASO, granadino, comediógrafo de asombrosa
fecundidad y capaz de abastecer a varios teatros
simultáneamente. Sus obras—comedias, sainetes y
zarzuelas—pasan de doscientas, y se distinguen por
su gracia natural, si bien demasiado basta, y por
su inventiva inagotable. *El arte de ser bonita, La
marcha de Cádiz, El niño judío, El asombro de
Damasco, La alegría de la huerta, El orgullo de
Albacete, Genio y figura, La alegre trompetería* y
El pícaro mundo figuran entre las más conocidas.

VI. TEATRO POETICO

Viene a reanudar la tradición del verso, interrumpida por la obra de Galdós, Benavente, Dicenta, los Quintero y Muñoz Seca. Muestra preferencia por el tema histórico, sin desdeñar el costumbrista, el simbólico-fantástico y hasta, en contadas ocasiones, la parodia y la farsa cómica.

La denominación de «poético» se debe exclusivamente a que está escrito en verso, ya que casi
nunca alcanza ese clima espiritual que necesita
una obra para merecer que se la considere auténtica poesía. No basta para ostentar tan noble
título que, a propósito de una espada, un mantón
o un escudo, se desate el autor con una tirada de
versos más o menos relumbrantes y que en lo demás el diálogo se desarrolle en líneas cortas, mejor
o peor medidas. Que eso son, aproximadamente,
la mayor parte de las obras que vamos a estudiar:
brillantes tiradas de versos fáciles y pegadizos, sin
concepto de lo que es la Historia y sin el menor
estudio de los sentimientos y reacciones de los
personajes. Al leer tales piezas se descubre a la
legua la pretensión por parte del autor de deslumbrar a los espectadores con un despliegue maravilloso de ritmos y colores. Así, pasado el primer
momento de fascinación, la obra pierde todo su
atractivo, y es rara la que ha podido sobrenadar
en la riada de los nuevos gustos. La aceptación
inmensa que este teatro tuvo durante un cuarto
de siglo sólo se explica por el triunfo del modernismo, que también llevó a primer plano los factores sensoriales, auditivos y cromáticos. Desaparecidas las circunstancias que favorecieron su génesis y desarrollo, el teatro «poético» se hundió,
sin que apenas puedan salvarse de los escombros
sino media docena de obras, dignas de recuerdo
más por lo que se alejan del género que por su
parentesco con él.

Sus máximos representantes son Marquina, Valle-Inclán, los Machado, Villaespesa, Fernández
Ardavín, Dicenta (hijo), Pemán y otros. De alguno de ellos—Valle-Inclán y los Machado—ya se
hizo mención en este aspecto. Dos palabras sobre
los otros.

Marquina y sus «retablos»
históricos

Don EDUARDO MARQUINA (1879-1946), cuya poesía quedó enjuiciada en otro lugar (capítulo XC),
debe su fama principalmente a la producción dramática, más abundante y amplia de temas que la
de cualquier otro cultivador del género [21]. Se reparte esa producción en obras de carácter histórico, costumbrista, psicológico, fantástico-simbo-
lista, de ambiente rural y traducciones. Lo mejor
se encuentra en el grupo de lo histórico. Gusta
Marquina de brillantes evocaciones de figuras geniales—Santa Teresa, Lope de Vega, Benvenuto
Cellini, el Cid—, cuya actuación complica, para
dar mayor interés y consistencia a la fábula, con
alguna trama amorosa. Suele presentar con dignidad y justeza los personajes, aunque alguna vez
cae en lamentables falseamientos, como en *El
Gran Capitán,* donde se nos da un Gonzado de
Córdoba fanfarrón, una reina Isabel coqueta y un
Fernando el Católico tan inepto como cerril. El
drama histórico de Marquina, tan alejado del teatro romántico como del clásico, se mantiene de
ordinario en un plano de dignidad que le impide
descender a ciertas concesiones y latiguillos, a que
tan proclive es ya el género de por sí. Sólo en
alguna obra de circunstancias, como *La Santa
Hermandad,* encontramos esas claudicaciones. En
lo demás, el lenguaje suele ser digno e irreprochable.

Señalemos en este grupo: *Las hijas del Cid*, no exenta de anacronismos, en que se nos presenta al héroe castellano en todo su vigor, contribuyendo a darle cierto gusto primitivo el mismo verso de gesta; *Doña María la Brava*, con las intrigas de la corte de Juan II y la privanza de don Alvaro de Luna; *Las flores de Aragón*, de tema análogo al de *El mejor mozo de España*, de Lope; *Por los pecados del rey*, sobre la vida galante de Felipe IV; *La Santa Hermandad*, exaltación de la política de los Reyes Católicos al aplastar las sediciones de la nobleza; *Teresa de Jesús, Benvenuto Cellini* y *La Dorotea*, cuyos títulos indican a las claras el argumento. La que más éxito tuvo fué *En Flandes se ha puesto el sol*, que, aun abundante en efectos de relumbrón, sobre todo al final de cada acto, refleja felizmente el arrojo de nuestros tercios y la galantería española.

Grupo parejo con el histórico forma el legendario, en que Marquina ha escrito obras de cierto valor: *Don Luis Mejía*, en colaboración con Hernández Catá, acertado complemento del mito del Tenorio; *El estudiante endiablado*, variante de la famosa leyenda, con un desenlace más humano, si bien menos dramático; *El rey trovador*, evocación de las cortes meridionales del XII y del XIII, y *El retablo de Agrellano*, con un tercer acto emotivo, que constituye uno de los mejores trozos del teatro «poético».

Al género fantástico corresponden *El pavo real* y *Era una vez en Bagdad*, evocación brillante de los cuentos de las *Mil y una noches*; y al simbólico, *El monje blanco* y *María la Viuda*. La primera, sugestiva estampa del franciscanismo primitivo, aborda sin afán didáctico problemas de creación artística naturalmente vinculados al desarrollo de la obra, y nos presenta figuras tan ingenuas como fray Can y de perfiles tan vigorosos como Orsina y Hugo del Saso; la segunda, con una tesis similar a la de Tirso en *El condenado por desconfiado*, nos presenta en un medio rural a María, protectora del asesino de su hijo. La abadesa Paula, que se cree el espíritu más perfecto, encuentra que hay una mujer mucho más virtuosa: María, «la viuda».

En ambiente rural se desarrolla asimismo la acción de *Salvadora*, cuya protagonista apuñala a su antiguo amante; *Una mujer*, exaltación de las virtudes femeninas; *Ni horca ni cuchillo*, drama intenso de una muchacha lugareña enamorada de su joven señor, y *La ermita, la fuente y el río*, la más lograda del grupo, con caracteres bien estudiados, como el de Manuel, mozo fachendoso, pero bueno en el fondo, que en un rapto de obcecación hiere a su protector, y el de Deseada, capaz de sacrificar su amor en aras de la felicidad de su hermana.

Completan la producción de Marquina otras piezas de inferior calidad—*La reina del mundo*, *Fuente escondida, Los Julianes*, etc.—y varias traducciones del teatro alemán, francés, italiano y catalán [22].

El lirismo dramático de Villaespesa

También en el teatro cosechó sus mejores triunfos FRANCISCO VILLAESPESA (1877-1936). Novelista y lírico a la vez que dramaturgo, en los dos primeros aspectos ya quedó calificado en otro lugar [23]. Las características de su poesía: fastuosidad, cromatismo y fluidez, se pueden muy bien extender al teatro, que adolece de una falta casi absoluta de nervio, gran pobreza de acción y un lirismo exaltado y morboso. No obstante estas deficiencias, algunas obras de Villaespesa alcanzaron éxitos resonantes, que en buena parte sin duda habría que atribuir a los intérpretes: *El Alcázar de las perlas*, la más famosa, fué representada por María Guerrero. Hoy el eco de aquellos aplausos se ha extinguido; y sólo quedan en la memoria de algunos de la época tres o cuatro fragmentos líricos interpolados en el cuerpo de las obras: la elegía de «Las fuentes de Granada», en el citado *El Alcázar de las perlas*; el «Canto a la bandera», en *La maja de Goya*. Algún rasgo de poesía popular puede hacer aceptable *Aben-Humeya*. Las piezas mencionadas, con *El rey Galaor, El halconero, Bolívar, La leona de Castilla* y la tragedia bíblica *Judith*, resumen lo mejor del teatro de Villaespesa. Tradujo el *Hernani* y adaptó *El burlador de Sevilla*.

Pemán, dramaturgo

Sin ceder en nada a Marquina y muy superior en varios conceptos a Villaespesa se nos ofrece la figura de JOSÉ MARÍA PEMÁN Y PEMARTÍN (nacido en 1889). Ya hemos hablado en otra parte de su excepcional capacidad para asimilarse los más diversos estilos y cultivar todos los géneros: periodismo y oratoria, ensayo y lírica, novela y teatro [24]. En todos ha dejado obras de calidad. En el teatro, aspecto que interesa ahora, su producción se polariza en dos direcciones principales: primero cultivó exclusivamente lo histórico; luego ha demostrado su preferencia por lo costumbrista; y ha hecho también exploraciones muy afortunadas por el difícil campo del teatro clásico griego.

Pemán en lo histórico tiene un sentido de época y de ambientación superior a todos los autores que en nuestros días han cultivado este género y, no hace falta decirlo, infinitamente más ajustado a la verdad que el de los poetas románticos. Tal vez ello obedezca a que casi siempre vincula al hecho histórico una tesis ideológica, para defender la cual es indispensable un estudio previo y a fondo del medio en que vivían los personajes.

Cisneros, San Ignacio, San Francisco Javier, las costumbres y vida española durante la guerra de la Independencia están reflejados en sus obras no sólo con gran respeto arqueológico, sino, lo que vale más, con un profundo sentido humano. Se podrá discutir el valor del verso, casi siempre digno; el acierto mayor o menor de las situaciones; pero no cabe poner en duda la veracidad y humanidad de esas figuras, alguna de las cuales —San Ignacio de *El divino impaciente*—han sido trazadas de mano maestra [25].

El divino impaciente se estrenó (1933) en circunstancias muy favorables. A ellas exclusivamente han querido referir algunos el éxito inmenso, sin precedentes acaso, de la obra. No hubo rincón de España en que no se representara ni persona medianamente enterada que no supiera algunos de sus versos. Sin duda, el momento de su estreno, de hondas agitaciones religiosas, y el asunto, la vida de San Francisco Javier con su entrega al apostolado, influyeron en su éxito. Pero sería injusto atribuirlo todo a estos factores. Con sus defectos—la apoteosis final es un cromo adaptado al gusto de gentes devotas—, *El divino impaciente* reúne calidades estéticas para hacerlo estimable por sí mismo, prescindiendo de las circunstancias en que venía arropado; y, sobre todo, revelaba la aparición de un dramaturgo dueño de todos los resortes escénicos. El hecho de presentarnos la vida del Santo como una sucesión de estampas—estudios en París, ingreso en la Compañía, estancia en Portugal y peregrinaciones por Asia—supone un gran acierto. Para esta clase de obras es la técnica más adecuada. Si algún rasgo del protagonista parece un tanto brusco, queda compensado con la suavidad del San Ignacio y casi se justifica al pensar que se trata de un carácter navarro. La fábula escénica—enemistad de don Alvaro de Atayde y Javier, relaciones amorosas de aquél con doña Leonor, dama de la reina, etcétera—, aunque de escasa complicación, contribuye a dar amenidad a la obra. Como en todas sus piezas versificadas, Pemán, temperamento andaluz, se escapa a veces por el camino fácil de la retórica. Para nuestro gusto, la mejor escena, la más sobria, es la de los consejos de Ignacio al joven misionero.

Menos éxito alcanzó Pemán en *Cisneros* y *Cuando las Cortes de Cádiz*. Esta, salpicada con bellos fragmentos de poesía popular, intenta reaccionar contra los procedimientos seudodemocráticos de los doceañistas; *Cisneros*—muy buena la estampa del cardenal—, a vuelta de escenas tan logradas como la «audiencia», adolece de cierto prosaísmo, acaso porque el autor, pegado con exceso a la verdad histórica, no se atrevió a dejar volar su imaginación como otras veces. *La santa virreyna* dramatiza la conocida leyenda del descubrimiento de la quina, entonando de paso un fervoroso himno a la acción civilizadora de España. *Por la Virgen Capitana*, en torno a los «sitios» de Zaragoza en la guerra de la Independencia, quiere ser, según palabras del propio autor, «un auto religioso y un drama romántico». Para mejor lograrlo, se hace intervenir a la Virgen, como un personaje más, entre los defensores de la plaza.

Con la comedia de costumbres, Pemán, sin desdeñar la misión recreativa inherente a cualquier género dramático, ha perseguido siempre una finalidad éticodocente. Recuérdese lo dicho en otro lugar sobre su inscripción previa en un bando político y en una confesión religiosa determinada. Antes que poeta y dramaturgo, antes que periodista y orador, Pemán es un católico de acción, deseoso de propagar los principios básicos de su fe. A este deseo responde en buena parte su teatro. No diremos que sea eso sólo lo que le impulsa a escribir comedia tras comedia, con una fecundidad sólo comparable a la de los grandes maestros; pero sí que ése es uno de los móviles más importantes. Con cada comedia, Pemán nos da, o intenta darnos, una lección de moral cristiana y de sanas costumbres. Si, además, hace pasar el rato deliciosamente, y esto lo logra él como pocos, mucho mejor. Se le suele tachar de poco exigente consigo mismo; no despierta inquietudes, dicen algunos. Tampoco creemos que se lo haya propuesto; y en todo caso, habría que definir qué clase de inquietudes tiene que despertar en el alma del espectador el dramaturgo; porque si han de ser del orden morboso de las de un Sartre, entonces ni Pemán las despierta ni lo ha intentado nunca. Su punto de mira está más al alcance: quiere simplemente esbozar ante nuestros ojos el proceso de la vida vulgar, casi siempre de un ambiente familiar, casi siempre también de la clase media, y sacar de allí la oportuna moraleja. Para ello dispone de recursos poco comunes: una imaginación fresca que le suministra continuamente nuevos asuntos; un conocimiento nada vulgar del corazón humano; un dominio absoluto del diálogo, siempre ocurrente, siempre agilísimo; un humorismo tenue de la mejor veta andaluza, que a veces es puro cosquilleo y a veces fino estilete. Con tales elementos y un problema que sirve de eje a la acción, Pemán ha compuesto un teatro de pocas ambiciones, pero delicioso, amable y muy del gusto de ciertos públicos; teatro que oscila entre el fácil discreteo, ligeramente irónico, de Benavente y la gracia luminosa de los Quintero.

A él pertenecen: *Julieta y Romeo*; *La danza de los velos*, con un tutor que se enamora de su pupila, y rasgos análogos a los de Paquita de *El sí de las niñas*; *Almoneda*, acre censura de la excesiva tolerancia. En la «Autocrítica» que la precede nos dice Pemán que se propuso pintar «la almoneda de todos los valores europeos—orden, autoridad, jerarquía, belleza—entregados a precio de saldo a todo lo más selvático, bárbaro e inferior»; *La casa*, en que se nos presenta el hogar como único refugio de la familia cristiana; *La verdad*, con la original e inquietante tesis de las relaciones matrimoniales, que se han de basar en una mutua y absoluta sinceridad; *Hay siete pecados*, hermosa lección de comprensión y generosidad por parte de una esposa que, enterada de los amoríos de su marido con una joven, facilita a ésta recursos para una vida digna, al no poder reparar de otro modo el daño; *En tierra de nadie*, de indudables rasgos autobiográficos, con la angustia del escritor que se ve arrastrado por las circunstancias al campo político. La acción funesta de los celos avivados por la fuerza de la Naturaleza en ciertas noches de verano, se escenifica en *Noche de Levante en calma*; admirablemente versificada, adolece de un final poco de acuerdo con la psicología de los personajes; concesiones de tipo moral han impedido, seguramente, al autor que ésta sea una de sus mejores obras. Citemos, finalmente, *El testamento de la mariposa*, de sentido simbólico, y *Metternich*, de hondo análisis psicológico.

En la adaptación de dramas clásicos—*Antígona, Edipo, La Orestiada, Tyestes, Electra*—, Pemán ha triunfado en toda la línea. Difícilmente se puede alcanzar, como él lo ha hecho, la doble finalidad de mantener, sin desvirtuarlo, el espíritu de la tragedia griega y acomodarla a la sensibilidad y gustos modernos. Se le podrán censurar ciertas libertades en la disposición de la trama y una mayor complicación amorosa. Pero todo se ha hecho con el máximo respeto al texto original. Pocas veces el verso castellano se ha movido con tanta majestad ni se ha cargado de mayor sustancia helénica.

Ardavín, Dicenta hijo y otros

También ha sido el teatro el que ha dado fama al madrileño LUIS FERNÁNDEZ ARDAVÍN (n. 1891), lírico ya aludido en otro lugar y encajado como tal dentro de las corrientes modernistas, a las que nunca ha sabido ni querido sustraerse. Como dramaturgo, empezó cultivando el tema histórico, para derivar hacia otros tipos sin duda más lucrativos y de éxito inmediato. Júzguese por estos títulos: *Prostitución, El bandido de la sierra, Estampas de la Pasión de Nuestro Señor Jesucristo, Vía Crucis*. Aborda el drama rural en *La hija de la Dolores* y *Una santa*; el caballeresco, en *La espada del hidalgo*; el romántico-folletinesco, en *El doncel romántico*, sobre el fondo tan manoseado del hijo enamorado de la propia madre; la zarzuela, en *La parranda*. Adapta obras extranjeras: *Los tres mosqueteros*, en colaboración con Valentín de Pedro. Pero cosecha sus mejores lauros en lo

histórico: *La vidriera milagrosa, Rosa de Francia, La florista de la reina* y *La dama del armiño*. Esta última dramatiza la pasión desenfrenada de Catalina, hija del *Greco*, con el judío Samuel. El teatro de Ardavín se resiente de todos los defectos inherentes a las obras del género: inconsistencia dramática, énfasis, anacronismo, etc. Pero no todo en Ardavín es negativo. Pasado el sarampión modernista, también acertó a escribir dramas de verso contenido, en que se abordan problemas actuales, como *Huracán*; y hasta obras en prosa, de diálogo ajustado y sobrio, como *La sombra pasa*, en que se plantea y resuelve en un plano de dignidad cierto conflicto matrimonial muy frecuente en estos últimos años.

Madrileño también es JOAQUÍN DICENTA (n. 1893), hijo del famoso autor de *Juan José*, y que se dió a conocer como poeta en 1912, con *El libro de mis quimeras, Lisonjas* y *Lamentaciones*. En 1925 estrena *Son mis amores, reales*, en torno a la aventurera vida del conde de Villamediana. Hay en esta pieza versos muy sueltos, garbosos y de fino empaque. Inferior para nuestro gusto, *Leonor de Aquitania*, premio del Ayuntamiento de Madrid, con un fondo de pasiones fuertes en el ambiente de la corte de Enrique Plantagenet. Simultanea el tema histórico con el costumbrista orientado al medio rural en *La tía Javiera* y *Nobleza baturra*.

Moviéndose también en el doble plano de lo popular—copla andaluza, folklore, etc.—y lo histórico, encontramos al fino poeta granadino MANUEL DE GÓNGORA (1889-1953). Muy descriptivo en lo lírico—*Polvo de los siglos* y *Dolor y resplandor de España* son sus mejores libros—, aspira en lo dramático a entroncar con nuestra mejor tradición clásica, con obras como *Y el ángel se hizo mujer*, sobre el viejo tema del sacrificio y redención por amor, y *Un caballero español*. La veta costumbrista andaluza se manifiesta en *La petenera*.

Una sola obra dramática, y dentro de esa obra un solo soneto del más puro corte modernista, hizo famoso a ENRIQUE LÓPEZ ALARCÓN (1881-1948), periodista malagueño que ya había alcanzado cierto renombre por sus crónicas sobre la guerra de Africa (1909). *La tizona*, que es el drama a que se acaba de aludir, fué escrita en colaboración con Ramón de Godoy, y fuera del soneto citado, nada ofrece digno de atención. También colaboró con Cristóbal de Castro en *Gerineldo*. Otras obras de López Alarcón: *Dictadura* y *Juguetes cómicos*.

De JOSÉ RINCÓN LAZCANO (n. 1880), periodista como los anteriores, sólo merece recuerdo *La alcaldesa de Hontanares* (1917), fundado en una tradición segoviana, y *Espigas de un haz*. Otras comedias suyas: *Capullito de rosa, Después de misa*, etcétera, pasaron sin pena ni gloria.

VII. TEATRO INDEPENDIENTE: JACINTO GRAU

Uno de los valores más sólidos de nuestra dramaturgia moderna es el barcelonés JACINTO GRAU DELGADO (n. 1877). La primogenitura de su producción literaria corresponde a la novela *Trasuntos*, muy elogiada por el poeta Maragall, que ya señaló en ella las cualidades y defectos que definirán permanentemente a este escritor: poetización del natural, tendencia a filosofarlo todo, exuberancia de estilo, con su correspondiente vacuidad. El éxito de la obra no le impidió variar de género, y en vez de consagrarse a la novela, prefirió el teatro. Estrena en 1903 *Las bodas de Camacho*, a la que siguen *El tercer demonio* (1908), *Don Juan de Carillana* (1913) y muchas más.

Nunca llega Grau en sus realizaciones escénicas a la altura de sus proyectos. De fuerte dramatismo, con caracteres vigorosos, y por eso mismo poco dúctiles, de construcción excesivamente cerebral, con un lenguaje poco movido y una gran premiosidad expositiva, todas estas notas explican, aunque no justifiquen, la escasa aceptación de sus obras en España, frente a la buena acogida del público extranjero, en particular del de Francia y Alemania. Grau se siente atraído por los grandes temas universales, a los que procura vincular su doctrina filosófica. En vano declara insistentemente que su teatro, alejado de toda tesis, quiere ser sólo eso: teatro. Su preocupación didáctica salta a la vista. Lo más interesante es el análisis psicológico de los personajes, análisis que se pone de manifiesto tanto en las acciones como en el diálogo. Podemos o no estar de acuerdo con sus ideas y su técnica; lo que no podemos negar a Grau es el loable propósito de huir de lo vulgar, así en la elección de temas como en su desarrollo. Y esto, aun tratándose de problemas actuales. Este prurito de originalidad, esta ansia evasiva de lo prosaico, le lleva—como hemos dicho—a la elección de temas universales, extraídos de muy distintas vetas: de la Biblia—*El hijo pródigo*—; del Romancero—*El conde Alarcos*—; de la comedia de arte—*El señor de Pigmalion*—; del mito de Don Juan—*El burlador que no se burla* y *Don Juan de Carillana*—. Autor inteligente, adivina los choques pasionales y los conflictos eternos de dolor y amor, y nos presenta el ser humano en constante lucha consigo mismo: *Los tres locos del mundo* (la Ilusión, el Destino y la Muerte, a los que habría que añadir un cuarto compañero, el Pecado); *La señora guapa, El caballero Varona.* Toda esta temática se halla dominada por tres grandes fuerzas: el Amor, el Dolor y el Pecado, en lucha constante y trágica con las criaturas.

Señalemos la concepción feliz de algunas obras: *El señor de Pigmalion*, rechazada en España y acogida con gran éxito en París, Praga y Berlín, en que el viejo mito de la criatura que se rebela contra su creador se representa por unos muñecos, extraídos de la mejor tradición folklórica española: Juan el Tonto, don Lindo, Pero Grullo, Mingo Revulgo, el tío Paco y, sobre todo, Pedro Urdemalas, encarnación de la hipocresía, de la traición y de la maldad.

El Burlador que no se burla y *Don Juan de Carillana* nos ofrecen nuevas interpretaciones del mito de Don Juan, encarnado en ésta por un noble cincuentón al que la realidad llama al orden, al enfrentarle en su camino de seducción, con una dama hermosísima, fruto de sus amores juveniles. En aquélla asistimos a la génesis, vida, aventuras y proyección, después de muerto, de un Don Juan actual, que el autor nos sitúa en los más distintos ambientes. La innovación de Grau radica en la insensibilidad del héroe ante el dolor ajeno, y su proyección, ya difunto. Una joven, aludiendo al seductor, dice: «Me parece verlo pasar aprisa por las calles, escapándose, sin dejarse coger nunca, como la felicidad.»

El hijo pródigo, basado en la conocida parábola bíblica, contrapone los caracteres de dos hermanos: Lontán, el pródigo e idealista, y Osén, el mezquino, envidioso y apegado a la realidad. La simpatía del autor se inclina hacia el pródigo, que sabe extraer de la vida la felicidad. De inspiración bíblica también, aunque muy inferior a *El hijo pródigo*, es *La redención de Judas*.

En un ambiente de grandeza, de brusquedad y reciedumbre se desenvuelve *El conde Alarcos*, tragedia familiar, afeada por un lenguaje rebuscado. En ella, como en otras piezas, el autor, libre de prejuicios, reviste a sus personajes de una sinceridad brutal. Sirva de ejemplo *Entre llamas*, en la que el protagonista Florencio, tipo de resentido a causa de sus defectos físicos, llega a lo grosero y antihumano. Sin duda, muchos espectadores, puestos en las mismas circunstancias, reaccionarían como él; pero antes tendrían que hacer tabla rasa de las más elementales normas de convivencia social.

VIII. INTENTOS DE RENOVACION

Hacia 1930 se vislumbraron en España ciertos intentos de renovación dramática. Intentos sólo, porque por unas causas u otras no llegaron a cuajar después en obra definitiva.

Casona

Figura destacada en el grupo de «renovadores» es ALEJANDRO RODRÍGUEZ ALVAREZ («Alejandro Casona»), nacido en Besullo (Asturias) en 1903. Ensayista y poeta, debe la popularidad singularmente a su obra dramática. En 1934 obtiene el premio Lope de Vega, del Ayuntamiento de Madrid con *La sirena varada*, tentativa de fuga de los caminos trillados, a la vez que revelación de un conocimiento a fondo de la técnica dramática, gusto depurado y hondura psicológica. Al año siguiente (1935) estrena *Otra vez el diablo*, amena y discreta comedia, con rasgos de parodia romántica y suaves toques de ironía; y poco después, *Nuestra Natacha*, de éxito clamoroso, que no responde a su valor literario. Lo de menos es en ella la propaganda demagógica y las constantes concesiones a la galería; lo peor es lo manido del tema, que no puede disimular su longevidad, no obstante el esfuerzo del autor para dárnoslo como nuevo. Aceptable y muy movido el primer acto. Luego, Casona siente prisas por exponer su tesis, una tesis tan original y del día como la bondad natural del hombre y su corrupción por la sociedad. Previa la defensa de los desheredados, que sin excepción son óptimos y generosos, y tras una andanada de diatribas contra «un señoritismo ebrio de *champagne*», la obra entra de lleno por los cauces de lo revolucionario, de lo falso y hasta de lo cursi.

Otras comedias de Casona, que sólo mencionamos por caer fuera del período que nos hemos fijado en la presente obra, son: *Prohibido suicidarse en primavera* (1937), *Romance de Dan y Elsa* (1938), *Sinfonía inacabada* (1940), *Las tres perfectas casadas* (1941), *La dama del alba* (1944), *La molinera de Arcos, La barca sin pescador* (1945), *Los árboles mueren de pie* (1949). Lo que califica a Casona, a falta de pujanza creadora, es su habilidad para aprovechar motivos populares magníficamente encajados en la trama de la obra y la atmósfera idealista en que sabe envolver los personajes y situaciones, espiritualizando de paso cuanto toca con su pluma; buen ejemplo de esto nos lo ofrece en *La molinera de Arcos* (1947), sobre el conocido tema del corregidor y la molinera; *La dama del alba*, sobre tradiciones asturianas, y *El entremés del mancebo que casó con mujer brava*, escenificación del cuento de Don Juan Manuel. La afición didáctica y el prurito pedagógico de Casona se observan claramente en su

«teatro infantil»: *El lindo don Gato, ¡A Belén, pastores!* Aborda asimismo el tema histórico, con profunda psicología y original interpretación, en *Corona de amor y muerte*, nueva versión de la aprovechada leyenda de Inés de Castro.

La obra literaria de Casona se completa con el libro de poemas *La flauta del sapo* y *Flor de leyendas* (Premio nacional de Literatura en 1934). Casona en este último libro ha sabido recoger con lenguaje claro, sencillo y emocionadamente lírico las más hermosas tradiciones de la cultura antigua y medieval: Sakuntala, Héctor y Aquiles, Lohengrin, los Nibelungos, Roldán, el Cid, Tristán e Iseo...

La crítica ha coincidido en considerar *Flor de leyendas*, junto con las comedias *La dama del alba* y *La barca sin pescador*, las obras más logradas de Casona [26].

Jardiel Poncela

Mayor fuerza renovadora tiene ENRIQUE JARDIEL PONCELA (1901-1952) [27], que ha triunfado plenamente en el género humorístico, tanto en la novela como en el teatro. De gran talento, viene a personificar el último tipo de bohemio hispano. En su teatro, la gracia de las situaciones hace pasar con frecuencia el verdor subido de la frase. De imaginación desbordante, parte siempre en su teatro de una situación desesperada. Al levantarse el telón parece que el drama no pueda ya dar más de sí; no obstante, a fuerza de ingenio, de paradoja, consigue distraer. Debuta en el teatro en 1927, con *Una noche de primavera sin sueño*, que obtiene un verdadero éxito. Otras obras son: *El cadáver del señor García* (1930); *Margarita, Armando y su padre* (1931), parodia de la novela de Dumas hijo *La dama de las camelias*; *Usted tiene ojos de mujer fatal* (1933); *Angelina, o el honor de un brigadier* (1934), parodia no del Romanticismo, como más de una vez se ha dicho, sino de los dramas de Echegaray y su escuela [28]; *Las cinco advertencias de Satanás* (1935); *Cuatro corazones con freno y marcha atrás* (1936); *Un marido de ida y vuelta* (1939); *Eloísa está debajo de un almendro* (1940); *Blanca por fuera y rosa por dentro* (1943); *Las siete vidas del gato, Es peligroso asomarse al exterior, Los ladrones somos gente honrada, El pañuelo de la dama errante, ¡Madre, el drama padre!*, etcétera. De Jardiel Poncela, como autor de narraciones nos hemos ocupado en el capítulo XCIV.

Al mismo propósito renovador responde la creación del teatro universitario llamado «La Barraca». García Lorca y Eduardo Ugarte fueron los creadores de una agrupación integrada por actores no profesionales, estudiantes en su mayoría de la Facultad de Filosofía y Letras, que, recorriendo las provincias españolas, dieron a conocer el repertorio de Calderón, Lope de Vega y Cervantes. Idéntica finalidad se proponían las «Misiones pedagógicas», subvencionadas por el Gobierno de la República y llamadas a divulgar nuestro primitivo teatro entre la gente humilde de pueblos y aldeas.

Junto a estas agrupaciones hay que mencionar otras, que alcanzaron éxitos más o menos pasajeros: «El Caracol», de Cipriano Rivas Cherif; «El Mirlo Blanco», de doña Carmen Monné de Baroja; el teatro «Fantasio», de doña Pilar Valderrama; «El teatro mínimo», de Josefina de la Torre; y ciertas campañas de orientación dramática moderna, como las realizadas por Gregorio Martínez Sierra, en el Eslava; Josefina Díaz y Santiago Artigas, en el Reina Victoria; y Margarita Xirgu, en el Español.

Citemos, finalmente, tres o cuatro autores en quienes alentaban sin duda ansias renovadoras. MAX AUB (n. 1903), escritor español, de origen alemán, paradojal y estrambótico, que ha estrenado en Méjico sus más importantes producciones, en las que se funde lo irónico con el patetismo más extraviado: *El desconfiado prodigioso, Una botella,* etc.; MIGUEL HERNÁNDEZ (1910-1942), el original poeta ya estudiado en otro lugar, que, siguiendo las huellas del Lorca popular, alcanzó en *El labrador de más aire* una obra de finos matices; y VALENTÍN ANDRÉS ALVAREZ (n. 1891), sabio profesor de ciencias económicas, que de cuando en cuando hace incursiones por el campo de las letras, para escribir una novela tan sorprendente como *Sentimental Dancing* o una comedia como *Tararí,* reconocida por toda la crítica como una de las piezas de humor más logradas del teatro español en lo que va de siglo.

IX.   EL TEATRO DE LA POSGUERRA

Cerramos este capítulo con una somerísima referencia de nuestro teatro actual, sin detenernos en el estudio de obras y autores y sin formular juicios sobre ellos.

Al igual que en la novela y en la lírica, la guerra española abrió en el teatro un obligado paréntesis. Con una diferencia, sin embargo, que, terminada la lucha, aquellos dos géneros empiezan inmediatamente a renovarse, buscando nuevos temas y nuevos cauces de expresión, mientras el teatro persiste en modos y temas anteriores. Lo que para la poesía y la prosa narrativa fué un tajo vertical, se redujo en el teatro a una simple pausa. Durante varios años nuestra escena se sigue nutriendo con producciones de Benavente, Marquina, Pemán, Arniches, Jardiel Poncela y otros de menos categoría, aunque ya conocidos anteriormente, como Torrado y Leandro Navarro. Hay que esperar un decenio para ver apuntar nuevos valores; pero aun éstos no lo son de primer orden ni traen tampoco grandes innovaciones. Las generaciones actuales no han visto aparecer un Benavente, y, fallecido éste, el teatro español se ha quedado sin jefe. Hay algunos comediógrafos excelentes; muchos, discretos—nos referimos, claro es, a los surgidos después de la guerra—; pero ninguno genial, que pueda ufanarse de encarnar nuestra época como encarnaron las suyas respectivas un Leandro F. de Moratín, un duque de Rivas, un López de Ayala o, simplemente, un Echegaray.

Hasta hemos visto desaparecer casi por completo dos modalidades de nuestra escena: el teatro poético y el lírico o musical. Todavía en el decenio 1940 a 1950 algunos autores ya consagrados, como Marquina y Pemán, se aventuran a cultivarlo esporádicamente: *María la viuda,* del primero, y *La santa virreina,* del segundo. Pero ya

es muy revelador el hecho de que el mismo Marquina se lance a la traducción de obras extranjeras, como *La enemiga,* y Pemán abandone el teatro en verso, en el que había cosechado tan grandes éxitos, para derivar por otros caminos. Todavía persisten algunos en el cultivo del teatro poético: Mariano Tomás estrena en 1942 *La mariposa y la llama,* sobre el general carlista Cabrera; Agustín de Foxá obtiene un estimable triunfo con *Baile en capitanía,* muy lograda de ambientación, y Luis Felipe Vivanco y Luis Rosales componen *La mejor reina de España,* «figuración dramática», según ellos mismos la califican, en la que es de admirar más el lenguaje que la contextura dramática. Pero con estos y otros ejemplos de menor cuantía, el teatro poético estaba herido de muerte. En el siguiente decenio apenas se escriben obras de este género.

También empieza a descender y se arrastra con una vida lánguida la zarzuela, suplantada por otros géneros: revista, folklore. No sabríamos decir si ello se debe a la falta de libretistas o de músicos; o, acaso más probablemente, a la desaparición de aquellas circunstancias que tanto contribuyeron a su difusión a finales del XIX y principios del XX.

En cambio, el teatro costumbrista en sus múltiples formas, que van del sainete fino a la tragedia y de la comedia amable al drama intenso, se ha mantenido con pujante vitalidad, aunque sin aportaciones originales. Luis Delgado Benavente nos ofrece en *Jacinta* un fuerte drama de ambiente marinero; Juan Mas en, *Tres domingos de otoño,* parece inclinarse a la comedia urbana; José Suárez Carreño, en *Condenados,* acierta con un tema de intenso dramatismo; Alfredo Marqueríe, el ilustre crítico teatral, logra un clima patético en el breve diálogo *El agua hierve,* y aborda la comedia de sociedad en *Cuatro en el juego.* Y se inclinan más bien a la comedia, salpicada con acentos dramáticos y tal cual nota de sátira aguda, Leandro Navarro (hijo) en *Secretos de alcoba;* Carlos Muñiz *(Telarañas),* Juan Germán Schroeder *(Estrictamente familiar),* M. Iribarren *(La otra Eva),* Isabel Suárez de Deza *(Buenas noches),* Julio Alejandro *(Barriada),* Mercedes Ballesteros *(Las mariposas cantan),* Claudio de la Torre *(Quiero ver al doctor, El collar, En el camino negro).*

De la lista nutridísima de comediógrafos y dramaturgos actuales cabe extraer media docena de nombres altamente representativos. Por estar ahora todos ellos en plena producción sería temerario formular juicios definitivos sobre su obra; pero, cualquiera que sea su labor futura, los historiadores de las letras habrán de tenerlos presentes y dedicarles especial atención. Esos autores son: Calvo Sotelo, Buero Vallejo, Ruiz de la Fuente, López Rubio, Alfonso Sastre, Edgar Neville y Alfonso Paso.

JOAQUÍN CALVO SOTELO (n. 1905), coruñés, es un autor de temática amplia y variada. Tiene comedias de tipo costumbrista, con toques humorísticos: *La visita que no tocó el timbre, La mariposa y el ingeniero, Una muchacha de Valladolid;* dramas de angustia: *La cárcel infinita, Criminal de guerra;* y obras atentas a problemas que se han dado en llamar «de tensión diaria», en cuanto afectan a lo social, lo político y hasta lo religioso: *La ciudad sin Dios, El jefe, Milagro en la plaza del Progreso.* Un lugar señalado merece *La muralla,* obra de éxito inigualable, que levantó doble polvareda por lo delicado del tema y por habérsela considerado plagio de otra comedia de Dicenta. Pero de ello ya se habló en otro capítulo. ANTONIO BUERO VALLEJO (n. 1916), de Guadalajara, se anunció con *Historia de una escalera* como un gran dramaturgo. Sus obras posteriores—*La tejedora de sueños, Casi un cuento de hadas, En la ardiente oscuridad, Madrugada, Hoy es fiesta, Las cartas boca abajo*—casi llegaron a confirmar las altas esperanzas que en él se habían puesto. Son originales; están muy bien dialogadas, y siempre traen algo nuevo, aunque no excepcional. Acaso lo más logrado de Buero Vallejo sea *Un soñador para un pueblo,* bellas estampas de la vida española en la época de Carlos III. HORACIO RUIZ DE LA FUENTE (n. 1905), coruñés como Calvo Sotelo, prefiere para sus obras los problemas violentos, de alta tensión, que suele resolver con la intervención de pocos personajes (en varios dramas, con uno solamente), y casi siempre anormales. El «yo» interior angustiado, y ansioso de sacar al exterior esa angustia, es el que suele llenar el teatro de este dramaturgo, cuya obsesión por huir de los caminos trillados es evidente. *La muñeca muerta, El rescate, Aurora negra, Morfina, Almas muertas, El alma prestada, El hombre que mató a nadie,* son títulos de algunas de sus obras más conocidas. Carácter bien distinto ofrece JOSÉ LÓPEZ RUBIO (n. 1903), granadino, y uno de los más fieles intérpretes de aquel teatro que en el siglo XIX se dió en llamar de «alta comedia». López Rubio prefiere el tono confidencial al grito estridente y la sonrisa y la meditación, al estupor. *Celos del aire, Alberto, Veinte y cuarenta, Cena de Navidad, La otra orilla, Un trono para Cristy* y *La venda en los ojos,* integran su mejor repertorio. En el teatro de ALFONSO SASTRE se advierte un decidido empeño de ponerse a tono con la escena contemporánea universal. La angustia que domina en este teatro informa también toda la obra de este autor, sin cuajar aún, pero de quien cabe esperar grandes realizaciones. *Escuadra hacia la muerte, Ana Kleiber, La mordaza, La sangre de Dios,* por no citar sino algunas de sus obras más conocidas, delatan un dramaturgo de fibra y probablemente el que más se acerca a la problemática que rige la escena en otros países. EDGAR NEVILLE (n. 1899), que ya se había dado a conocer en los años anteriores a la guerra con alguna obra como *Margarita y los hombres,* ha confirmado posteriormente sus aptitudes para la comedia fina y humorística con varias piezas, entre las que sobresalen *Veinte añitos, Alta fidelidad, Adelita, Prohibido en otoño* y *El baile.* Esta última, dialogada con gracia y soltura, ha sido uno de los mayores éxitos del teatro español contemporáneo. Por último, ALFONSO PASO (n. 1926), madrileño, siguiendo la tradición familiar, ha enriquecido la escena nacional con una obra tan heterogénea como copiosa. Es Alfonso Paso, no obstante su juventud, uno de los comediógrafos más variados y fecundos que ha tenido nuestra patria en los últimos tiempos. La diversidad de su obra impide encajarla en ningún grupo determinado, si bien en ella se acusan dos notas persistentes: agudeza, que casi siempre se reviste de tono satírico, y sentimentalismo. *Juicio contra un sinvergüenza, Cuarenta y ocho horas de felicidad, El cielo dentro de casa, Hay alguien detrás de la puerta* y *Veneno para mi marido,* son hasta ahora sus mayores éxitos.

No sabemos si en una historia del teatro español contemporáneo debería abrirse un apartado a la tendencia espiritualista, evidente en algunos autores. Creemos que no, y mucho menos estimamos que se haya logrado, aunque hubo algunos generosos intentos en tal sentido, un teatro religioso. Sin embargo, obras como *Todos los días,* de Julio Manegat; *El sol sale para todos,* de Francisco Casanova; y algunas de Pemán—*Yo no he venido a traer la paz, Por el camino de la vida, La luz de la víspera*—, aportan a la escena española una fuerte corriente de espiritualismo, en cuanto postulan un alto concepto ético-cristiano como norma de vida. Más encajadas dentro de un clima religioso están los *Retablos de la carreta,* de José Antonio Laiglesia; *Si llevara agua,* de

Carmen Troitiño; *¡Milagro!,* de N. Manzari y A. Lozano Borroy; *El silencio de Dios,* del citado Julio Manegat; *Fuera es de noche,* de Luis Escobar, y *La señal,* del catedrático de Salamanca Fernando Lázaro Carreter. Característica común a todas estas obras es el decoro del estilo y la honradez de procedimientos, extraños siempre a todo halago de la galería, especialmente en los dramas de Escobar y Lázaro.

Queda por aludir el teatro humorístico, que, sin aportar nada nuevo, ha tenido en los últimos años afortunados cultivadores. Unos, como los citados Alfonso Paso y Edgar Neville, se mantienen dentro de un tono moderado, entre comedia amable y sainete; otros casi rozan la astracanada, continuando el camino abierto por Muñoz Seca; y no faltan quienes prefieren el humor intrascendente, a la manera de Jardiel Poncela, sólo que con modalidades muy personales. Entre los primeros hay que citar a Víctor Ruiz Iriarte, que nada entre la comedia y la farsa asainetada, con obras como *La cena de los tres reyes, El landó de seis caballos, La vida privada de mamá, La soltera rebelde, Las mujeres decentes* y *El gran minué.* Entre los últimos abundan comediógrafos de acreditado ingenio: Alvaro de Laiglesia, Gonzalo Azcárraga, Antonio de Lara—*Tono*—, Jorge Llopis, Luis Maté y Miguel Mihura. Varias obras de *Tono*—*Francisca Alegre y Olé, Tiíta Rufa*—y de Mihura—*El caso de la señora estupenda, Tres sombreros de copa*—se han hecho centenarias en las carteleras y acreditan inagotable vis cómica. Ocupando un lugar medio entre la comedia y la farsa astracanesca encontramos a Carlos Llopis, autor de piezas tan conocidas como *Vacaciones forzosas, Nosotros, ellas y el duende, La cigüeña dijo sí, Por cualquier puerta del Sol.*

NOTAS

1. Figuras tan egregias en el campo de la lírica como Antonio Machado, y en el de la novela como Pérez Galdós, la Pardo Bazán y Palacio Valdés (presentado en dos ocasiones al mencionado premio), creemos que bastan para relevarnos de todo comentario. La reciente concesión del Nobel a Juan Ramón Jiménez apenas resta fuerza a nuestra tesis.

2. Se abre el presente capítulo con Benavente, cuyas primeras obras se estrenaron en el último decenio del siglo XIX: *El nido ajeno* (1894), *Gente conocida* (1896), rigurosamente coetáneas con otras de Galdós: *Doña Perfecta* (1896); de Dicenta: *Juan José* (1895), y de Feliú y Codina: *María del Carmen* y *La real moza* (1896). En cambio, no se alude a obras aparecidas a principios de este siglo, como algunas de Galdós: *Electra* (1901) y *El abuelo* (1904), o de Dicenta: *Daniel* (1906), *Sobrevivirse* (1911) y *El lobo* (1914), ya estudiadas anteriormente.

3. En 1892 publica *Teatro fantástico,* esbozos dramáticos, del que interesa destacar el diálogo «Modernismo». Allí, por boca de uno de los personajes, define esta escuela o modalidad estética con las siguientes significativas palabras: «En moral, como en arte, sólo hay una expresión honrada: la sinceridad. Si somos buenos, la expresión de nuestra vida será la bondad; si somos artistas, la expresión de nuestro arte será la belleza; pero seamos sinceros siempre.» El libro contiene, además, la loa *Amor de artista,* el diálogo *El encanto de una hora* y las comedias *Los favoritos* y *Cuento de primavera.*

Al año siguiente, 1893, publica *Versos,* que, al decir de Andrés González Blanco, «tiene un valor sintomático en

la labor total de Benavente. Es el primer y único libro de paganía en un literato que había de ser luego profundamente cristiano, rompiendo todo vínculo con la antigüedad pagana, ni aun conservando este vago y vano lazo de la alusión mitológica». A nuestro entender, *Versos* ofrece escasísima originalidad.

4. Apuntan en sus páginas los rasgos que mejor definen al genial dramaturgo: ironía, escepticismo y sátira; ingenio inquieto, de múltiples facetas, y que, por lo mismo, escapa a todo encasillamiento. Es él quien lo dice:

> Mas, ¡ay!, dentro de mí, tenaz, se agita
> un diablillo burlón, procaz, impío,
> que destroza las almas donde habita.
> El se posa en la mente enardecida,
> y en pago vil de la ilusión soñada,
> representó con saña maldecida
> el eco de burlona carcajada...

Véase esta imitación, casi calco, de una rima de Bécquer:

> En mi mano se elevan las espinas
> de una encendida rosa,
> mientras al presentársela rendido,
> Julia aspira su aroma.
> Mis dedos manan sangre,
> y ella en tanto sonríe con fruición.
> «Mira—le dije al fin—, esta es la imagen
> de nuestro amor.»

Y ahora esto, que parece copiado de Campoamor:

> Tiene una doble faz esta comedia,
> y así es el mal de amor cuando acomete:
> para mí que lo paso, una tragedia;
> para ti que lo miras, un sainete.
> Cuando más elocuente me persuades,
> dudo y temo. ¿Te admiras?
> ¡Ay!, porque de tu boca las verdades,
> por lo dulces, me suenan a mentiras.
> Habla tú. ¿De que no hable yo te admiras,
> tú que el talento a la belleza añades?
> Habla tú, que en tu boca las mentiras
> me parecen más dulces que verdades.

5. Vid. «Cuadernos de Literatura Contemporánea», número 15, Madrid, 1944, artículo *Don Jacinto Benavente en el teatro de su tiempo,* págs. 220-21.

6. Escena XI del cuadro III.

7. A veces este afán de originalidad salta a los mismos títulos de la obra: *Cuando los hijos de Eva no son los hijos de Adán.*

8. Nace en Santiago de Compostela el 3 de febrero de 1878. Estudia la carrera de Derecho, y oposita a la Judicatura, que abandona luego para dedicarse de lleno al teatro. Afiliado al partido conservador, es diputado a Cortes varias veces y senador vitalicio en 1920. Al año siguiente fué elegido académico de la Española. Murió en 1938.

9. Pról. a la ed. de *Linares Rivas: Obras escogidas,* pág. 13, Edit. Aguilar, Madrid, 1947.

10. Natural de Madrid. Funda revistas literarias: «Vida Moderna», «Helios» y «Renacimiento». Durante muchos años dirigió la Biblioteca Renacimiento, de Madrid. Fundador también del primer «Teatro de Arte». Es calificado por Sainz de Robles como «el mejor director artístico con que ha contado el teatro español».

11. Aunque su atención preferente se orienta hacia el teatro, ha rendido tributo a otros géneros: en 1907 publica el libro de poesías *La casa de la primavera;* las novelas *Pascua florida* (1900), *Sol de la tarde* (1904) y *Tú eres la paz* (1906). Colaborador de «Blanco y Negro» y «Nuevo Mundo», acude con *Mamá* (una de sus comedias de mayor éxito) al concurso dramático convocado por «El Liberal», y que es declarado desierto.

12. Luca de Tena ingresó en la Academia Española en 1944, y su discurso de entrada versó sobre el tema *Sevilla y el teatro de los Quintero.*

13. Nacidos en Utrera (Sevilla): Serafín, en 1871, y Joaquín, en 1873. Desde muy jóvenes empezaron a escribir para el teatro. Siendo todavía estudiantes en Sevilla, y sin haber cumplido veinte años, estrenaron su primera obra, *Esgrima y amor* (1888). Fallecieron en Madrid en 1938 y 1944, respectivamente. Pocos autores han conseguido en las tablas tantos y tan continuados éxitos. Ambos fueron académicos de la Lengua.

14. Los mismos autores han definido así el sainete:

Algo brillante, alegre,
limpio, risueño,
recogido, gracioso,
claro, pequeño;
que lleva en sí perfumes,
sales y soles,
de tipos y lugares
archiespañoles.
Y si en sus sales viertes
desparramadas
algunas lagrimillas,
también saladas,
di para tu capote:
«Miel sobre hojuelas»,
y repica de gozo
tus castañuelas.

15. Los autores no resuelven claramente la tesis propuesta. Pero parecen inclinarse por la mujer como reina del hogar. Las palabras finales, en boca de Marisa, así parecen indicarlo: «Mi corazón está combatido por aires contrarios; mi simpatía la comparto entre los dos hombres, y mis ideas se mezclan confusamente y cambian de rumbo y de luz. ¿Qué hago? ¿Qué resuelvo? A uno de esos dos hombres no le repugna que yo trabaje; al otro, sí. ¿A cuál de los dos sigo? Nuestro trabajo ¿nos acerca a los hombres o nos separa de ellos? ¿No ha originado entre los sexos como una sorda hostilidad que antes no existía? La obligación fuera de casa, la responsabilidad de un deber como el de los hombres, ¿no ahuyentarán de nuestro corazón el santo deseo de los hijos? Eramos cándidas ovejas, y la vida nos convirtió en lobos..., en lobitos..., y luego fué el hombre quien nos sacó del bosque en el invierno y nos obligó a llegar a poblado para disputarle la presa a los pastores. ¿Seguirá ese norte nuestra vida con sacrificios dolorosos? ¿Es mentira o es cierta la felicidad de nuestra independencia femenina? No sé. Sólo sé que la noche pasada soñé que tenía un hijo... y que le cantaba la sencilla canción de madre de los cinco lobitos.»

Los rasgos fundamentales de la obra están señalados en unos versos preliminares:

Se engendró esta comedia de los *Cinco lobitos*
en feliz maridaje de humorismo y ternura...
Son cinco muchachuelas que haciendo de hombrecitos,
afrontan los rigores de la existencia dura.

16. Nació en Alicante. Muy joven se trasladó a Barcelona, donde colaboró en «La Vanguardia»; al poco tiempo se establece en Madrid y se consagra por completo a la labor teatral. Murió en Madrid en 1943.

17. Antonio Paso y Cano, granadino, 1870; cursa el Bachillerato en su ciudad natal, y luego la carrera de Derecho. Muy joven se traslada a Madrid, donde dirige diversas compañías teatrales, colabora en la prensa y toma parte activa en la fundación de la Sociedad de Autores Españoles. Su teatro oscila entre el sainete a la manera de Arniches y el «astracán» a la de Muñoz Seca, autores con los que colabora en varias obras: zarzuelas, sainetes, comedias, etc. Mencionemos entre las más destacadas *El orgullo de Albacete, El gran tacaño, Pasta flora, Los perros de presa, El tren rápido, El infierno, Genio y figura, La alegría de la huerta*, etc.

Su hermano Manuel—Granada, 1866; Madrid, 1901—, aunque no desdeñó el cultivo del teatro—*Después del combate* y los dramas líricos *Curro Vargas y La cortijera*—, se distinguió más como poeta: *San Francisco de Borja, El canto a la Alhambra, Nieblas, Zahara*, etc.

18. Nació en Puerto de Santa María, y murió asesinado en Madrid en 1936. Estudia el Bachillerato con los padres jesuitas de su ciudad natal; cursa luego Derecho y Filosofía y Letras en Sevilla, y se doctora en Madrid. Ejerce la docencia particular en las disciplinas de griego y latín, y temporalmente es pasante en el bufete de don Antonio Maura. Colabora en diversos periódicos y revistas: «Blanco y Negro» «Nuevo Mundo», «La Ilustración Española y Americana», etcétera. Jefe superior de Administración, el éxito alcanzado en 1904 con *El contrabando*, escrita en colaboración con Sebastián Alonso, le empuja definitivamente al teatro.

19. Júzguese por estos dos fragmentos:

Tu dote es colosal, cual mi fortuna,
y es tan alta tu cuna,
es nuestra estirpe de tan alta rama,
que esto grabé en mi torre de Porcuna:
«La cuna de los Mansos de Jarama,
en fuerza de ser alta cual ninguna,
más que cuna dijérase que es cama.»

¡Mora en otro tiempo atlética
y hoy enfermiza y escuálida,
a quien la pasión frenética
trocó, de hermosa crisálida,
en mariposa sintética!...

¡Puñal de puño de aluño,
puñal de bruñido acero,
orgullo del puñalero
que te forjó y te dió bruño!

¡Puñal que en mi mano empuño,
en cuyos finos estríes
hay escritas con rubíes
dos frases a cuál más bella:
«Si hay que luchar, no te enfríes»;
«Si hay que matar..., descabella»!

20. Cfr. Nicolás González Ruiz: *La cultura del siglo XX: la literatura española*, cap. XI, Edic. Pegaso, Madrid, 1943. «El astracán—escribe González Ruiz—supone la máxima exageración de los recursos del juguete cómico.»

21. Datos biográficos en el cap. XC.

22. Aparte de varios poetas franceses, como Baudelaire, ha traducido alguna obra italiana: *La enemiga*, de Nicodemi.

23. Su biografía en el cap. LXXXIII.

24. Datos biográficos de Pemán en el cap. XCI.

25. He aquí el retrato físico y moral de San Ignacio:

Desmedrado: más bien mala
la presencia y la estatura;
la color trigueña oscura;
la barba corrida y rala,
y unos ojos de carbón
que tanto al mirar afinan,
que, más que ver, adivinan
de penetrantes que son.
....
Según ha dado a entender,
ahora anda en trance de ir
a Roma, con intención
secreta de conseguir
licencia de fundación,
pues, según parece, sueña
no sé qué empeño futuro.
Y triunfará de seguro,
pues cuando en algo se empeña,
paso a paso, bien o mal,
repartiendo por igual
la suavidad con el mando,
cojeando, cojeando,
llega siempre hasta el final.

26. Vid. *Alejandro Casona: Obras completas*, vol. I, pról. de Federico Carlos Sainz de Robles (págs. 9-109), Edit. Aguilar, Madrid-México-Buenos Aires, 1954.

27. Nace y muere en Madrid (1901-1952). Inicia sus actividades literarias en el periodismo en 1922. Escribe al mismo tiempo alguna novela: *El plano astral*, presentada al concurso del Círculo de Bellas Artes y ventajosamente calificada. Se dedica luego al género policíaco, y, por último, a la novela humorística y al teatro. Entre los años 1928 y 1936 obtiene señalados triunfos con sus comedias. Va a Buenos Aires al frente de una compañía teatral para dar a conocer su propia obra. A su regreso a Madrid estrena varias piezas con menor éxito que en años anteriores. En 1949, su última comedia, *Los tigres escondidos en la alcoba*, es acogida con frialdad por público y crítica, a la que Jardiel venía tratando con manifiesta acritud. Son interesantísimas, para conocer no sólo el teatro de Jardiel, sino las interioridades de la escena española entre 1930 y 1945, las notas que él mismo puso al frente de la ed. de sus *Obras teatrales escogidas*, M. Aguilar, Madrid, 1948.

28. «La manera de hacer—escribe Jardiel—me la brindaron con su tierna ridiculez Eugenio Sellés y Leopoldo Cano, y en *El nudo gordiano* y *La Pasionaria* hallé tal cúmulo de sugestiones, que ya inspiran otra obra de la época, de las releídas después, me añadió una más. Singularmente *La Pasionaria* puede considerarse el alcaloide del género, ido ya por desgracia para los empresarios de compañías cómicas, amasado con cursilería, efectismo, versificación infame y contrastes estúpidos, de una estupidez impresionante.» Véase en la ed. cit. de Aguilar «Circunstancias en que se ideó, se escribió y se estrenó *Angelina o el honor de un brigadier*».

BIBLIOGRAFIA

I. M. Bueno: *Teatro español contemporáneo* (Benavente, Linares Rivas, los Quintero...), Madrid, 1909.—R. Cansinos Asséns: *La nuevca literatura*, 2 tomos, Madrid, 1917.—J. R. Castellano: *El teatro español desde 1939*, «Hispania», Stanford, California, vol. XXXIV, 1951.—G. Díaz-Plaja: *Modernismo frente a Noventa y Ocho*, Fsdasa-Calpe, Madrid, 1951.—E. García Luengo: *Madrileñismo y andalucismo teatrales*, «Cuad. de Lit. Cont.», núms. 9-10, Madrid, 1943.—A. González Blanco: *Los dramaturgos españoles contemporáneos*, 1.ª serie, Valencia, Fdit. Cervantes, 1916.—N. González Ruiz: *En esta hora: Críticas*, Madrid, 1925.—S. Ignatov: *El teatro europeo en los tiempos modernos*, Buenos Aires, Edic. Futuro, 1947.—A. Marquerie: *Pról. a «Teatro de vanguardia»: Quince obras de arte nuevo. Estudio de A. Rodríguez de León*, Madrid, 1949.—J. M.ª Monner y Sans: *Panorama del nuevo teatro*, Ed. Losada, Buenos Aires, 1942.—D. Pérez Minik: *Debates sobre el teatro español contemporáneo*, Santa Cruz de Tenerife, Fdit. Goya, 1953.—F. C. Sainz de Robles: *Historia y antología del teatro español*, vol. VIII, M. Aguilar, Madrid, 1947.—G. Torrente Ballester: *Teatro español contemporáneo*, Edic. Guadarrama, Madrid, 1957.—A. Valbuena Prat: *Teatro moderno español*, Zaragoza, 1944.

II. L. Araújo Costa: *El teatro de Benavente*, «Cosmópolis», 2 enero 1928.—P. Baroja: *Divagaciones apasionadas*, Madrid, 1927.—A. Bonilla y San Martín: *Sobre Jacinto Benavente*, «Ateneo», 1906.—E. Buceta: *En torno a «Los intereses creados»*, «Hispania», 1931.—J. Calvo Sotelo: *El tiempo y su mudanza en el teatro de Benavente* (discurso académico), Madrid, 1955.—C. Fguía Ruiz: *Un dramaturgo en la Academia: D. Jacinto Benavente*, «Literaturas y literatos», Madrid, 1914.—J. de Entrambasaguas: *Don Jacinto Benavente en el teatro de su tiempo*, «Cuad. de Lit. Contemp.», Madrid, 1944.—A. González Palencia: *Don Jacinto Benavente*, «Tic-Tac», noviembre, 1944.—C. González Ruano: *Siluetas de escritores contemporáneos*, Edit. Nacional, Madrid, 1949.—N. González Ruiz: *La cultura española en los últimos veinte años: El teatro*, Inst. de Cult. Hisp., Madrid, 1949.—A. Guardiola: *Benavente: Su vida y su teatro portentoso*, Madrid, Edic. Espejo, 1954.—L. Guarner: *La poesía en el teatro de Benavente*, «Cuad. de Lit. Contemp.», núm. 15, Madrid, 1944.—E. Juliá Martínez: *Don Jacinto Benavente: Biografía y El teatro de Jacinto Benavente*, «Cuad. de Lit. Contemp.», núm. 15, Madrid, 1944.—A. Lázaro: *Jacinto Benavente. Su vida y su obra*, Madrid, 1925.—L. López Roselló: *Jacinto Benavente*, «Rev. Calasancia», 1916.—J. Mallo: *La producción teatral de Jacinto Benavente desde 1920*, «Hispania», vol. XXXIV, febrero, 1951.—F. de Onís: *Jacinto Benavente. Estudio literario*, Hispanic Institute, Nueva York, 1923.—E. Osete Robles: *Don Jacinto Benavente y sus anécdotas*, «Cuad. de Liter. Contemporánea», núm. 15, Madrid, 1944.—G. L. de Palacio: *Jacinto Benavente*, «La Société Nouvelle», Mons, 1914.—R. Pérez de Ayala: *Las máscaras*, vol. I (Benavente: *El collar de estrellas, La ciudad alegre y confiada, La Princesa Bebé, El mal que nos hacen, Los cachorros, Mefistófela, La Inmaculada de los Dolores, La honra de los hombres.—Benavente y mis críticas*), Edit. Renacimiento, Madrid, 1924.—María Luisa Pinto Alvarez: *Mujeres benaventianas*, «Bol. de la Univ. Nacional de La Plata», núm. 6, 1934.—J. Rogerio Sánchez: *Estudio sobre «La Malquerida»*, Madrid, 1914.—Josefina Romo Arregui: *Jacinto Benavente. Bibliografía*, «Cuad. de Liter. Contemp.», núm. 15, Madrid, 1944.—F. C. Sainz de Robles: *Jacinto Benavente*, Madrid, 1954.—F. Santander: *Comentarios a «La Malquerida»*, Valladolid, 1914.—W. Starkie: *Jacinto Benavente*, Londres-Oxford, 1924.—J. Vila Selma: *Benavente, fin de siglo*, Edic. Rialp, Madrid, 1952; *Limitaciones del teatro de Benavente*, «Arbor», XXII, Madrid, 1952.—K. Vossler: *Jacinto Benavente*, «Corona», I.—J. M.ª Viqueira Barreiro: *Así piensan los personajes de Benavente*, M. Aguilar, Madrid, 1958.—R. Lemaire: *Le théatre de Benavente*, París, 1937.—*Obras completas* de Benavente, 11 vols., Aguilar, Madrid, 1942-1946.

III. F. Douglas: *Gregorio Martínez Sierra*, «Hispania», V-VI, California, 1922-1923.—C. M.ª Abad: *La obra literaria de Martínez Sierra*, «Razón y Fe», tomos 63-64, El Escorial.—J. Cejador y Frauca: *Martínez Sierra*, «Rev. Quincenal», Madrid-Barcelona-París, julio de 1917.—A. Serrate Goldsborough: *Gregorio Martínez Sierra. Retrato personal y literario*, tesis doct. leída en la Univ. de Madrid, 11 junio 1954.—María Modesta Díaz Rouco: *Vida y obra de Manuel Linares Rivas*, tesis doctoral.—F. C. Sainz de Robles: *Linares Rivas. Obras escogidas*, nota preliminar de..., M. Aguilar, Madrid, 1947.—G. Torrente Ballester: *Juan Ignacio Luca de Tena*, «Teatro español contemp.», ed. cit.

IV. R. Altamira: *Joaquín y Serafín Alvarez Quintero*, pról. a la ed. del teatro de estos autores, París, 1916.—M. Carpi: *L'Opera dei fratelli Quintero*, Roma, 1930.—Gabriela Corcuera: *Serafín y Joaquín Alvarez Quintero*, «Cuad. de Liter. Contemp.», núms. 13-14, Madrid, 1944.—F. Cuenca: *Teatro andaluz contemporáneo. Artistas líricos y dramáticos*, Habana, 1940.—E. García Luengo: *Los hermanos Alvarez Quintero fuera de su ambiente*, «Cuad. de Liter. Contemp.», núm. 13-14, Madrid, 1944.—E. Juliá Martínez: *Andalucía en el teatro de los Quintero*, «Cuad. de Liter. Contemp.», núms. 13-14, Madrid, 1944.—R. León: *Discurso de contestación al de ingreso en la Real Acad. Española de S. Alvarez Quintero* (21 nov. 1920), Madrid, 1920.—J. Martínez Ruiz («Azorín»): *Los Quintero y otras páginas*, Madrid, 1925.—E. Mérimée: *Le théâtre du Alvarez Quintero*, «Bull. Hispanique», XXVIII, 1926.—Josefina Romo Arregui: *Serafín y Joaquín Alvarez Quintero. Bibliografía*, «Cuad. de Liter. Contemp.», núms. 13-14, Madrid, 1944.—R. Urbano: *Hacia el entendimiento de Andalucía por los personajes del teatro de los hermanos Quintero*, «Cuad. de Liter. Contemp.», núms. 13-14, Madrid, 1944.—M. Cardenal Iracheta: *Don Carlos Arniches al sesgo*, «Cuad. de Liter. Contemp.», núms. 9-10, Madrid, 1943.—A. Marquerie: *Sobre la vida y la obra de don Carlos Arniches*, «Cuad. de Liter. Contemp.», núms. 9-10, Madrid, 1943.—R. Pérez de Ayala: *«Don Juan, buena persona», de los Quintero, «Las máscaras»*, II, Renacimiento. Madrid, 1924; *La tragedia grotesca: «La señorita de Trévelez», «Las máscaras»*, ed. cit.—E. M. del Portillo: *Carlos Arniches. Teatro completo. Prólogo biográfico-crítico* (volumen I), *Arniches y el estilo* (vol. IV), M. Aguilar, Madrid, 1948.—Josefina Romo Arregui: *Carlos Arniches. Bibliografía*, «Cuad. de Liter. Contemp.», núms. 9-10, Madrid, 1943.—G. Torrente Ballester: *«La señorita de Trevélez»*, «Teatro español contemporáneo», ed. cit.

V. G. Torrente Ballester: *El teatro de Muñoz Seca. Intermedio sobre «el fresco». Conformismo de Muñoz Seca*, «Teatro español contemporáneo», ed. cit.—J. Montero Alonso: *Pedro Muñoz Seca*, Madrid, 1940.—*Obras completas* de Muñoz Seca, Madrid, Edics. Fax.

VI. E. Díez-Canedo: *Pról. al libro Meditaciones y otros poemas*, Madrid, 1913.—Pilar Díez Jiménez Castellanos: *Las mujeres en el teatro de Marquina*, Zaragoza, 1948.—P. García Díaz: *Introducción a la vida y al teatro de Eduardo Marquina*, tesis doctoral, Madrid.—E. Juliá Martínez: «Cuad. de Liter. Contemp.», núms. 3-4, Madrid, 1942.—J. M.ª Martínez Cachero: *En la muerte de don Eduardo Marquina*, «Cuad. de Liter.», Madrid, febrero de 1947.—J. Mas y Pi: *Eduardo Marquina*, «Nosotros», IV, 1909.—G. Maura y Gamazo: *Discurso de contestación al de ingreso de E. Marquina en la Acad.*, «Bol. Real Acad. Esp.», XXV, Madrid, 1946.—J. M.ª Pemán y Pemartín: *Don Eduardo Marquina*, «Bol. Informativo», núm. 65. Madrid, 1947; *Eduardo Marquina*, «Bol. Real Acad. Fsp.», XXV, 1946.—J. Rogerio Sánchez: *El teatro poético: Valle-Inclán, Marquina*, Edit. Hernando, Madrid, 1914.—G. Albareda: *Pemán, orador*, «Cuad. de Liter. Contemp.», núm. 8, Madrid, 1943.—A. Cruz Rueda: *La poesía de Pemán*, «Cuad. de Liter. Contemp.», núm. 8, Madrid, 1943.—J. de Entrambasaguas: *José M.ª Pemán*, «Cuad. de Liter. Contemp.», núm. 8, Madrid, 1943.—N. González Ruiz: *El teatro de José M.ª Pemán*, «Cuad. de Lit. Contemp.», núm. 8, Madrid, 1943.—M. Linares: *Pemán, dramaturgo*, «Razón y Fe», núm. 587, diciembre de 1946.—Josefina Romo Arregui: *José M.ª Pemán. Bibliografía*, «Cuad. de Liter. Contemp.», núm. 8, Madrid, 1943.—F. C. Sainz de Robles: *Pról. a tres obras teatrales de Pemán*, M. Aguilar, Madrid, 1944.—E. Segura Covarsi: *José M.ª Pemán. Retorno a la vida sencilla*, «Cuad. de Liter.», núm. 6. Madrid, noviembre-diciembre, 1947.—G. Torrente Ballester: *José M.ª Pemán*, «Teatro español contemporáneo», ed. cit. J. Domínguez Bordona: *Ardavín*, «La Lectura», Madrid, febrero, 1914.—F. C. Sainz de Robles: *Tres comedias de L. Fernández de Ardavín*, pról. de..., Colec. Crisol. M. Aguilar, Madrid, 1944.—M. de Unamuno: *La eterna inquietud*, de L. F. Ardavín, pról. de... Madrid. J. Alvarez Sierra: *Francisco Villaespesa. Vida, episodios y anécdotas de este genial poeta*, Edit. Nacional, Madrid, 1949.—F. de Mendizábal: *Novelas completas de Villaespesa*, pról. de..., M. Aguilar, Colec. Crisol, Madrid.

1951; *Poesías completas de Villaespesa*, estudio de..., M. Aguilar, Madrid, 1953.—R. Pérez de Ayala: *Coloquio con ocasión de «una terrible leona»* (Villaespesa), «Las máscaras», I, Renacimiento, Madrid, 1924.

VII-VIII. A. Bianchi: *El teatro de Casona*, «Nosotros», Buenos Aires, 1936.—J. Caso González: *Fantasía y realidad en el teatro de Alejandro Casona*, «Archivum», V, Univ. de Oviedo, 1955.—J. Casou: *Le théâtre de Jacinto Grau*, «Mercure de France», CLIV.—W. Giulano: *A Spanish Version of the Authentic Don Juan* (sobre «El burlador que no se burla»), «Hispania», XXXIV, Stanford, California, 1951.—E. Jardiel Poncela: *Obras teatrales escogidas*, notas prel. del autor, M. Aguilar, Madrid, 1948.—A. Marquerie: *El teatro de Jardiel Poncela*, Madrid, 1946.—J. Bonet Gelabert: *Jardiel Poncela: el discutido indiscutible*, Biblioteca Nueva, Madrid, 1948.—F. C. Sainz de Robles: *Obras completas de Alejandro Casona*, I, pról. de..., M. Aguilar, Madrid-Méjico-Buenos Aires, 1954.—

G. Torrente Ballester: *Dos visiones de lo cómico: Jardiel Poncela y Miguel Mihura; y Don Juan, tratado y maltratado* (Jacinto Grau, Unamuno, los Machado, los Quintero, Martínez Sierra), «Teatro español contemporáneo», ed. cit.

Sobre Alejandro Casona pueden consultarse valiosos prólogos de traducciones de sus comedias al inglés: William H. Shoemaker: *«Nuestra Natacha»*, Edit. Appleton, Nueva York, 1947.

IX. Para este apartado, además de las obras generales que figuran al principio de la Bibliografía, puede consultarse: A. Valbuena Prat: *Teatro español*, capítulos XXXVI, XXXVII y XXXVIII (Barcelona, 1956); y, sobre todo, las antologías que con el título de *Teatro español* viene publicando anualmente F. C. Sainz de Robles, Edit. Aguilar, Madrid. En cada volumen se incluyen seis u ocho obras, las de más éxito de cada año, con estudios, notas y detallada información de piezas y autores.

CAPITULO C

EL TEATRO ACTUAL EN HISPANOAMERICA

I. DRAMATURGIA RIOPLATENSE: *Cuatro argentinos: Nalé Roxlo, Eichelbaum, Gorostiza e Imbert. Otros dramaturgos. Uruguay, Chile y Paraguay.*—II. EL TEATRO EN EL PACÍFICO Y EN LAS ANTILLAS: *Bolivia, Colombia. Venezuela. Cuba y Puerto Rico.*—III. EL TEATRO MEJICANO EN LA ACTUALIDAD: *Xavier Villaurrutia. Usigli. Teatro poético. Teatro de la Revolución: Bustillo Oro, Magdaleno, Madero y List.*—NOTAS.—BIBLIOGRAFÍA.

I. DRAMATURGIA RIOPLATENSE

Agrupamos bajo este epígrafe—«Teatro actual en Hispanoamérica»—una serie de autores no incluídos en el anterior capítulo del Teatro Postromántico, y cuya producción dramática corresponde casi por entero al segundo cuarto de nuestro siglo. En algún caso, tal ocurre con el venezolano Ayala Michelena, la obra ya venía iniciada desde el período anterior, pero fué en éste cuando recibió la consagración oficial. Desde luego, una discriminación absoluta entre ambos períodos resultaría muy difícil de hacer, por no decir imposible.

¿Insistiremos una vez más en la decadencia del teatro, ya por todos admitida, y en las causas de la misma? Que el teatro de habla hispánica—obsérvese que no excluímos a España—atraviesa un período de crisis, nadie puede negarlo. Con logros muy estimables, con intentos muy generosos, con una juventud ávida de explorar nuevos sectores de la vida, un hecho es evidente: hoy no se ve por parte alguna aquella docena de dramaturgos que llenó en su día decorosamente toda la época romántica, ni aquella otra docena que en la época siguiente le sucedió. Creemos que al teatro alcanza en mayor grado que a cualesquier otros sectores la crisis general de las bellas letras. La guerra de 1914-1918 canceló un período histórico; y cuando se iban afirmando ya nuevas direcciones, sobrevino la otra gran conflagración, la de 1939-1945, cuyas consecuencias estamos sufriendo. El estado moral de la postguerra se ha reflejado ampliamente en la literatura; y justo es reconocer que se viene atendiendo más a lo propagandístico que a lo estético.

Que el cine es el principal culpable de tal estado de cosas, ya lo hemos indicado, y se ha repetido hasta la saciedad. La gran masa de público tiende al mínimo esfuerzo; quiere que le den todo hecho. Ante la pantalla, el espectador no tiene que torturar su imaginación. Por otra parte, el cine es más económico; llega a los más humildes rincones, sin necesidad de movilizar compañías. Una caja conteniendo dentro unos metros de celuloide es suficiente. De aquí los negocios fabulosos; porque aun siendo grande el coste inicial de una película, se amortiza fácilmente y permite pagar bien a cuantos en ella intervienen: guionistas, actores, empresarios, etc. La desbandada de los profesionales del teatro hacia un campo de más fácil cultivo y más remunerador era inevitable. Y también la desbandada de actores. Parecía lógico que la crisis teatral engendrase un afán de superación en cuantos se dedican a la escena; sin embargo, nunca se han visto conjuntos tan mediocres. Agréguese el público. Avido de novedades, prefiere el cine, que satisface su curiosidad constantemente con nuevos temas [1]. En la España del siglo XVII, y hasta en épocas cercanas a nosotros, era el mismo público quien con renovadas exigencias espoleaba la fecundidad de nuestros dramaturgos.

Cabe hacerse la pregunta de si es o no probable un florecimiento del arte dramático. No negamos que puedan surgir nuevas formas, y de hecho han surgido algunas; pero no precisamente en la escena española ni en la de Hispanoamérica. En todo caso, el teatro como espectáculo de masas, no parece tener hoy muchas posibilidades. Cine sonoro y televisión le van minando cada día más el terreno y acaso acaben por eliminarlo totalmente. Tampoco se pueden esperar grandes cosas de ese otro teatro llamado «de ensayo» o «de cámara». Sin negarle en ciertos casos alta calidad estética, creemos que siempre será un teatro minoritario.

Estas observaciones previas no deben impedirnos reconocer un hecho concreto: pobre o rico, precario o vigoroso, con originalidad o sin ella, el teatro en este segundo cuarto de siglo es una realidad. Está respaldado por una serie de obras, a las que en un libro como el nuestro es inevitable aludir. Sus autores, al menos los más destacados, exigen también una referencia. Otra cosa sería pedirnos la caracterización de ese teatro. No es posible hacerla; al menos nosotros no vemos la manera de llevarla a cabo. Si hay alguna tendencia definida, como la del teatro revolucionario mejicano, que analizaremos más adelante, se trata sólo de una excepción incapaz de alterar el cuadro general de la dramaturgia hispanoamericana en la actualidad. Ese cuadro es muy heterogéneo, y de ordinario se nos ofrece como un trasunto de las técnicas europeas, si bien aplicadas ahora a una problemática propia. No se trata ya—andamos por el segundo tercio del siglo—de trasplantar los conflictos y temas europeos, situarlos en un pago, en la selva, en una chacra, y adornar la escena con un organillo que chirríe tangos y milongas, introducirnos de paso en el diálogo alguna que otra frase de sabor criollo y en la indumentaria alguna que otra prenda más o menos autóctona; se escenifican, desde luego, sin salirse de la técnica europea, problemas propios, y los dramaturgos se preocupan de reproducir con mayor fidelidad la psicología de sus compatriotas. En este sentido, pues, el teatro de Hispanoamérica acusa un decidido avance. Sólo en este sentido, porque en otros aspectos, obras y autores de auténtica valía, más bien señala un descenso. Muchos dramaturgos, pero ninguno de la talla de un Florencio Sánchez o un Peón y Contreras.

Damos a continuación la noticia de los más representativos, partiendo como siempre del Río de la Plata, para llegar por el Pacífico y las Antillas hasta Méjico.

Cuatro autores argentinos: Nalé Roxlo, Eichelbaum, Gorostiza e Imbert

CONRADO NALÉ ROXLO (n. 1898) se da a conocer como poeta en 1923 con *El grillo*, libro que mereció cálidos elogios de Leopoldo Lugones. Ya en estos primeros poemas ofrece una feliz amalgama de sinceridad, sentimiento y humor, tres notas que darán luego carácter a toda su literatura. Su otro libro de versos, *Claro desvelo* (1938), adopta un tono más reflexivo y amargo. En su producción dramática despliega un fino sentido poético. Obras como *La cola de la sirena* (1941), con un complicado conflicto psicológico, que desemboca en el sacrificio por amor[2]; o como *Una viuda difícil* (1944), inverosímil a fuerza de acumular situaciones anormales, aunque de gran valor informativo sobre el Buenos Aires anterior al 1810, ponen el nombre de Nalé Roxlo entre los primeros dramaturgos argentinos de nuestra época. La más lograda, a la vez que una de las mejores piezas del teatro argentino, es *El pacto de Cristina* (1945), notable tanto por lo escogido del diálogo como por el logrado mundo de fantasía y realidad

en que se ambienta. Nalé Roxlo se las arregla muy bien para revitalizar y dar carácter de novedad a un tema tan viejo y archisobado como el pacto con el Demonio. Cristina, enamorada de Gerardo, un caballero que parte para Tierra Santa, con objeto de asegurarse su amor, no vacila en pactar con el Diablo, estipulando como premio a la fidelidad del caballero «una rosa, la primera que se abra en su jardín». Cuando ya casada con Gerardo se da cuenta de que esa rosa es un hijo, que debía concebir la misma noche de bodas, se suicida antes de llegar al tálamo nupcial. He aquí cómo un asunto trivial puede ennoblecerse, tocado por la gracia de un auténtico poeta. Prosista ágil, Roxlo ha compuesto asimismo humorísticos relatos de costumbres bonaerenses y cuentos tan sugestivos como *El cuervo del arca*, original interpretación del relato bíblico del diluvio.

Muy elogiado por la crítica argentina, SAMUEL EICHELBAUM (n. 1894) se nos viene presentando como el más alto exponente del teatro rioplatense en la actualidad. De creer a esa crítica en la obra de Eichelbaum se habría realizado la más perfecta fusión de realidad dramática y fondo poético, circunstancia más digna de tener en cuenta por el ambiente mesocrático, y hasta de clase humilde, en que tal fusión se realiza. Eduardo Mallea no vacila en afirmar que este teatro ofrece para los argentinos las mismas notas de autenticidad y novedad que puede ofrecer a los rusos el de Gogol, a los suecos el de Strindberg y a los norteamericanos el de O'Neill. «Drama de espíritus» es tal vez la calificación que mejor le cuadra. Gusta Eichelbaum del planteamiento de conflictos en el seno de la familia. La problemática familiar, casi siempre al margen del concepto cristiano del matrimonio y con evidentes influjos de Ibsen y de Strindberg, constituye el fondo de sus principales dramas. Bien es verdad que con una concepción menos anárquica de derechos y deberes y con una solución menos violenta de las que suelen dar a sus obras los dos autores escandinavos. Por otra parte, las heroínas de Eichelbaum no suelen ser intelectuales, sino mujeres de corazón, más fácilmente adaptables a la prosa de la vida. En esta zona de conflictos domésticos encontramos *La mala sed* (1920), *Un hogar* (1922), *La hermana terca* (1924), *Señorita* (1930), *Soledad es tu nombre* (1932), *Pájaro de barro* (1940), *El gato y su selva*, *Vergüenza de querer*, *Dos brasas*, etc. Pero las piezas en que Eichelbaum ha rayado a más altura son *Un guapo del novecientos* (1940), de marcado sabor local, y *Un tal Servando Gómez* (1942), lo mejor en nuestra opinión de este repertorio. El argumento, crudo y áspero de por sí —una mujer maltratada brutalmente por su marido y arrojada del hogar, que se refugia en casa de un antiguo amigo y enamorado, con quien hace vida conyugal—está llevado con sumo tacto y delicadeza. Por ninguna parte la marcha del diálogo se altera con la más leve estridencia ofensiva al pudor, ni mucho menos con alguna de esas soflamas sobre el amor libre a que son tan propensos los autores de esta clase de dramas. Las alusiones de Felisa y Servando a la mutua simpatía, casi amor, que inconscientemente se inspiraban antes de contraer ella matrimonio, vienen revestidas de tan elevado tono poético, que casi logra depurar lo que de bajo y censurable hay siempre en un amancebamiento. La conducta de Servando, desde su propio punto de vista y también desde el punto de vista del autor, no puede ser más noble. Que nosotros no aceptemos la solución psicológica que delata el hecho de poner en cer que, dentro de su personal ideología, ha sabido darle un giro digno y decoroso. La evocación del subconsciente de los personajes y la fina percepción psicológica que delata el hecho de poner en boca del protagonista una apología del arte como evasión, como descarga emotiva del individuo, son otros dos aciertos que realzan el mérito de la obra [3]. Eichelbaum ha simultaneado su actividad teatral con el cultivo de otros géneros, particularmente la crítica. En este aspecto hemos de recordar sus dos valiosos trabajos sobre los dramaturgos Florencio Sánchez y Ernesto Herrera [4].

Al lado de Roxlo y de Eichelbaum merece figurar CARLOS GOROSTIZA (n. en Buenas Aires, 1920). Cinco lustros más joven que ellos, esta diferencia cronológica tiene que reflejarse forzosamente también en su técnica contructiva. El teatro de Gorostiza es ante todo experimental. Preocupado de hondos problemas humanos, trata de llevarlos a la escena en dos tipos de teatro: el infantil o de títeres, cuya representación más viva es *La clave encantada*; y el verdadero drama, de fuerte realismo y honda intensidad, que alcanza su más alta expresión en *El puente* (1949). Se mueve la acción de este drama en dos planos paralelos: la calle y una casa de esta misma calle. Un grupo de amigos jóvenes, después de comentar sus preocupaciones y pequeños problemas, mientras las campanas de la próxima iglesia llaman a misa de domingo, para su atención en la ausencia de Andresín, que trabaja en las obras del puente y no ha regresado a casa como otros sábados ni mandado aviso justificativo. El temor de algún suceso grave va calando en el ánimo de todos, para convertirse poco a poco en sombra de tragedia. Al mismo tiempo, en el hogar del ingeniero se desarrolla un cuadro análogo. El estallido no se hace esperar: la grúa se desprendió del puente y sepultó a todos en el agua. Gorostiza nos ofrece un drama realista, altamente humano y en el que el alma de los personajes, sin complicaciones ni recovecos, se nos muestra tal como es desde la primera escena. El interés se logra mediante la intensificación paulatina del pequeño conflicto inicial y gracias a las distintas y hasta contrapuestas reacciones de los personajes en un mis-

mo momento y ante idénticos sucesos. Es así como el autor obtiene y brinda al espectador una serie de interesantísimos diagramas psicológicos: el de Elena, esposa del ingeniero, histérica y engreída; el de Rodolfo, su hermano, idiota y haragán; el del padre de ambos, pusilánime e incapaz de imponer su autoridad cuando hubo ocasión de hacerlo. Ese proceso de intensificación permite a Gorostiza pasar insensiblemente, sin brusquedades, de lo trivial, como preocupación de cada uno, a lo trascendente, como problema colectivo. Todos los personajes viven a su manera y de acuerdo con su idiosincrasia la tragedia, porque los efectos de ésta en todos repercuten con mayor o menor fuerza. El diálogo cortado, aparentemente falto de dinamismo, se adapta perfectamente al curso de le acción. Otros problemas de índole social gratos al autor—capital y trabajo, educación de los hijos, etc.—son abordados siempre en lenguaje comedido y sin estridencias partidistas. Aunque no disimula su simpatía por los pobres, los desheredados de la vida, suele abstenerse de discursos y comentarios más o menos fáciles. Prefiere presentar los hechos de manera objetiva y que el espectador saque las consecuencias.

Una de las últimas revelaciones del teatro argentino ha sido JULIO IMBERT (n. en Rosario, 1918). Su producción dramática es tan reciente que en realidad falta perspectiva para juzgarla. No obstante, se puede anticipar una impresión general. Al igual que tantos otros, Imbert se da a conocer primeramente como lírico. Inicia su ciclo poético con *El camino* (1941) y lo cierra, diez años después, con *Número* (1951). A partir de ese momento se lanza al teatro. *La lombriz* (1951), *Este lugar tiene cien fuegos, La mano* (1952), *El reloj que no mide el tiempo* (1953), *La punta del alfiler, El diablo despide luz* y *El diente* (1954), son los títulos que de él han llegado a noticia nuestra. Pieza muy inquietante y representativa *El diente*, con una acción que se desarrolla entre personajes simbólicos: el hombre-flor, el hombre-animal, el hombre-caña, el hombre-mujer, y viceversa, la mujer hombre. En tales símbolos, y haciendo actuar los más complejos procesos psicológicos, el autor aspira a encarnar la humanidad en toda su rica gama de pasiones y sentimientos: desde el más puro amor hasta los más bajos instintos. La tesis puede resumirse en el viejo «homo homini lupus». «Hay momentos—escribe el autor en el prólogo—en que no puedo figurarme al hombre sino como un diente; un diente enorme, agudo, incisivo» [5]. Pero al lado de esta idea primordial, otra no menos inquietante ha movido la pluma del dramaturgo: «el fenómeno de la acromatopsia o daltonismo, es decir, la dificultad de percibir algunos colores, confundiéndolos, me ha interesado siempre y a menudo me ha hecho meditar en sus posibles consecuencias. Lo he utilizado en la argumentación de mi obra». Así el propio Imbert. Conjugando esas dos motivaciones, aparentemente ajenas entre sí, ha logrado un drama menos pesimista de lo que pudiera pensarse en una primera intención y hasta casi aleccionador y confortante. Para Imbert existe una fuerza capaz de conciliar las posiciones extremas: el amor y la comprensión. Esta fuerza nos viene simbolizada en el Hombre-flor, que en medio del abandono y la desesperanza aún encuentra modo de cantar a la, fraternidad humana y de crear un poema: «Se trata de pasar estos momentos con los espíritus abrazados. Uno se alienta así. Pasan mejor las horas. Y en algo podemos servirnos, acaso... De cualquier manera, el hecho de sabernos unidos, de no hacernos nada, de respetarnos, ya es algo, mucho.» Junto a este ideario presenta, ya lo hemos dicho, la psicología del daltónico y la influencia que ejerce este defecto óptico en quien lo padece: Antonio intenta ingresar como empleado en ferrocarriles; a causa de su daltonismo fracasa en el examen y no es admitido; fracaso y defecto visual le llevan al homicidio; el tintero del Hombre-flor, al verterse, ha manchado a Antonia; el esposo toma por sangre el color verde de la tinta y da muerte al Hombre-flor. Señalemos, finalmente, la fina observación de Imbert sobre el sentimiento de amor paterno. Julio Imbert ha cultivado la crítica en obras como *Florencio Sánchez: vida y creación*, del mayor interés para el estudio del teatro rioplatense.

Otros dramaturgos

Agreguemos a los cuatro nombres anteriores los de Pablo Palant, Héctor Pedro Blomberg, Marcos Bronemberg, Carlos Damel, Octavio Rivas Rooney, Amado Villar, José María Fernández Unsaín, Eduardo González Lanuza, César Tiempo, Roberto Mariani, Román Gómez Masía, Horacio Rega Molina, Juan Oscar Ponferrada, que más o menos intensamente han cultivado el teatro en las últimas décadas. Algunos merecen un breve comentario, siquiera sea un poco al margen.

HORACIO REGA MOLINA (n. 1899), afiliado en principio al grupo ultraísta, que no tardó en abandonar, dejó varias obras dramáticas de clara influencia europea: *La posada del león* (1936), *La vida está lejos* (1941), *Polifemo o las peras del olmo* (1945). ROMÁN GÓMEZ MASÍA, con sus dos originales piezas *Temístocles en Salamina* y *El Señor Dios no está en casa*, acerba sátira ésta de intención política, religiosa y social, representa un momento culminante de la crisis ideológica por là que ha pasado el mundo en estos últimos años. JUAN OSCAR PONFERRADA, de fuerte temperamento poético, revela en *El carnaval del diablo* (1943) y *El trigo es de Dios* manifiesto influjo de Giraudoux y de García Lorca. Como en *Bodas de sangre* y en *Yerma*, un ambiente rústico enmarcado por cierta poesía de tipo popular sirve de fondo a una intensa tragedia sexual.

Uruguay, Chile y Paraguay

Intimamente ligada, como siempre, a la dramaturgia argentina, se nos ofrece la uruguaya de la época actual. Cabe señalar en ella una corriente surrealista encarnada en *La fuga en el espejo* (1937), comedia de Francisco Espínola (n. 1901), más conocido por sus narraciones de tema gauchesco y de bajos fondos sociales. En la misma zona se mueven Víctor Pérez Petit, Edmundo Bianchi (n. 1888), con *Los sobrevivientes*, que obtuvo el premio nacional de teatro en 1939 [6], y otros. Junto a esta corriente se podría descubrir otra de regresión manifiesta hacia formas anteriores: la comedia de corte benaventiano, o el drama en verso de tipo modernista, aunque de tema criollo. Yamandú Rodríguez es su principal representante.

Sin embargo, el dramaturgo más destacado de aquel país en la actualidad es probablemente JACOBO LANGSNER, hombre de espíritu inquieto, que le lleva a explorar e imitar las más variadas formas del teatro europeo contemporáneo. Esto, si da a sus obras cierta audacia y le suministra no pocas ocasiones de lucir el ingenio, en cambio le resta originalidad: no es nada difícil irle subrayando situaciones y motivos espigados casi siempre en ajeno predio. En *La rebelión de Galatea*, por ejemplo, su obra más lograda, los personajes se sublevan contra el autor, ni más ni menos que en los dramas de Pirandello y Jacinto Grau. Frente a las instituciones sociales, Langsner alardea de un anticonformismo que hasta cierto punto le hace coincidir con el ideario existencialista, si bien de tono muy moderado.

Otros dramaturgos uruguayos—Carlos Denis Molina, Antonio Larreta, Arturo René Despouey, Sebastián Alejandro Peñasco—son aún promesas en agraz, sobre las que sería aventurado formular juicios definitivos. Acaso podría hacerse una excepción con Roberto Alejandro Talice (n. 1902), autor de *Ciudadano del mundo* (1941).

Del teatro chileno en lo que va de siglo, apenas cabe citar sino los nombres de Moock y Acevedo Hernández. ARMANDO L. MOOCK (1894-1943) pertenece más bien, por su técnica y temario, al período anterior; sus mejores piezas habían sido estrenadas antes de 1930. Su mérito reside en una superación de localismo, tan patente aún en sus obras iniciales, para elevarse luego a un plano de proyección universal [7]. Muy joven, a los veinte años, obtiene un buen éxito con *Isabel Sandoval, modas* (1914), a la que siguen *Crisis económica, Pueblecito* y *Un negocio*. Se trata de piezas alegres, intrascendentes, costumbristas, de marcado corte quinteriano. Pronto, a los veinticinco años, por disconformidad con el ambiente conservador de Santiago, o tal vez por razones de índole sentimental, se traslada a Buenos Aires, donde fija su residencia definitiva. Con el cambio de ambiente se opera también un cambio en su producción dramática. Mayor hondura, mayor análisis psicológico, conflictos más dramáticos y una gran sobriedad de recursos. A esta segunda época corresponden *La serpiente*, admirable estudio del tipo llamado «vampiresa»; *Natacha* (1925), su mayor triunfo; *Canción de amor, Alzame en tus brazos, La luna en el pozo, Rigoberto, Mr. Ferdinand Pontac, Los hombres no lloran, Del brazo y por la calle*. Esta última tuvo en España buena aceptación. En *Señorita Charleston* y *Un casamiento a lo yenkee*, domina el tono del humor. ANTONIO ACEVEDO HERNÁNDEZ alcanza éxitos halagüeños con *Almas perdidas, Camino de flores, Irredentos, Chanarcillo* y *Joaquín Murieta*.

No puede hablarse en rigor de teatro paraguayo en la actualidad. La inestabilidad política ha impedido la creación de un clima propicio al desarrollo de la escena. Con excepción de Eloy Fariña Núñez, ya citado en el capítulo del teatro postromántico, apenas encontramos otro autor de nota que JOSÉ ARTURO SALSINA (n. 1900), argentino de nacimiento, si bien paraguayo de adopción. Sus dramas *La marca de fuego, Flor del Estero, La tempestad, Evangelista* y *El derecho de nacer*, aunque no exentos de mérito, se resienten de abuso de dramatismo, que unas veces degenera en lo truculento y otras cae en lo sensiblero. Acaso la aportación más original, y desde luego la más valiosa desde el punto de vista estético, dentro de la dramaturgia paraguaya, sea el intento de creación de un teatro en lengua guaraní, paralelo al desarrollo de la lírica en esa misma lengua. El propulsor más notable de ese tipo de teatro ha sido Julio Correa.

II. EL TEATRO EN EL PACIFICO Y EN LAS ANTILLAS

Se puede decir que con el estudio del teatro ríoplatense, y casi exclusivamente con el del teatro argentino, queda expuesto lo más importante sobre el desarrollo actual de este género en la América del Sur. Todo lo demás, si en obras circunscritas a un país o un estado puede y hasta debe tener amplia acogida, en un trabajo como el nuestro sólo merece lugar muy secundario.

Bolivia

El conflicto internacional del Chaco (1932-1935) había abierto en la conciencia del pueblo boliviano un ancho surco, originando de paso un brusco cambio que afectó a lo político, lo ideológico y hasta lo social. Este cambio, que según vimos en otro lugar repercutió en las letras, especialmente en el género narrativo, apenas trascendió al teatro. La curva descendente, ya señalada en el período anterior, se va acentuando más y más hasta borrarse el menor rasgo de lo que pudiéramos llamar teatro autónomo. La escena boliviana vive más atenta a las innovaciones europeas que a la auscultación de los problemas propios. De aquí que no pueda ofrecernos nada nuevo [8]. En este orden de inspiraciones foráneas debe citarse a ERNESTO VACA GUZMÁN, fácil y ameno humorista, que intentó el teatro experimental en *Berenice* y dejó en *Mirando atrás* y *Trece de artillería* dos comedias aceptables; a RAÚL SALMÓN, que evolucionó desde la pieza chabacana de sabor arrabalero —*Condehuyo* y *La escuela de los pillos*— hasta el drama histórico de manifiesta intención política y poética: *Viva Belzú*; y el más fecundo de todos, JOAQUÍN GANTIER, catador de los más diversos géneros: drama rural, *El molino*; comedia dramática y psicológica, *Con el alma de cristal*; tragedia en verso, *Angélica*, etc.; en la misma línea cabe citar a ALBERTO SÁNCHEZ ROSELL, autor de una buena comedia psicológica, *El precio del triunfo*. En todos ellos es fácil seguir el rastro de autores europeos: Benavente, Pirandello, Kaiser, Bernstein y hasta algún que otro poeta del teatro clásico español.

Colombia

Sin duda el más digno representante del teatro colombiano es ANTONIO ALVAREZ LLERAS (n. 1892). Una diferencia fundamental entre Lleras y los dramaturgos citados hasta aquí: mientras éstos se consagran a los más diversos géneros, siendo poetas, novelistas o críticos tanto como autores teatrales, Lleras, con la única excepción de la novela *Ayer, nada más* (1930), orientó toda su actividad al teatro. *Alma joven, El fuego extraño, Los mercenarios, La toma de Granada, Alejandría la pagana, Como los muertos* y *El zarpazo*, son los títulos que más le honran. Esta última, *El zarpazo* (1927), por su diálogo entonado y su recia contextura, le dió envidiable nombradía.

Cabía esperar, después de los triunfos de Alvarez Lleras y como fruto de su ejemplo, una reacción favorable al teatro colombiano. Lejos de ello, la decadencia se agrava, según reconocen los propios críticos de aquel país [9]. Surgieron, es cierto, continuadores; pero ninguno de talla. Aún cabría citar a ANGEL MARÍA CÉSPEDES, que lo mismo podría haber figurado en el capítulo anterior. Céspedes es en Colombia el introductor, nos resistimos a llamarle creador, de un teatro de fuertes tonalidades líricas, muy próximo al que venimos llamando poético o versificado. *Las alas, La comedia de los disfraces*; algún cuento escénico, como *El tesoro*; algunas piezas menores, como *El congreso de las musas, El regimiento pasa* y *Escenas de la escuela*, constituyen lo mejor de su repertorio. Influencia freudiana se observa en el *regreso de Eva* (1927), de JORGE ZALAMEA, notable también por sus ensayos.

No faltan en Colombia intentos de creación de un teatro nacional, o mejor, regional, ya basado en el género costumbrista o ya en el histórico. A tales intentos debe adscribirse el nombre de CARLOS MEJÍA ANGEL; y, más próximo a nosotros, el de JAIME IBÁÑEZ (n. en 1919), polifacético ingenio que ha desarrollado su actividad en los campos de la novela, el cuento, la crítica y el teatro. En este último género se apuntó un buen éxito con *La saliva de Dios* (1949), tragedia en cuya elaboración concurren cierta novedad de estilo, cierta elevación de concepto y un léxico penetrado de hondo lirismo. No siempre, es cierto, logra plenamente el simbolismo propuesto; el mundo en que se mueven los personajes nos hace pensar en un ambiente autobiográfico. De sus novelas—*No volverá la aurora, Donde moran los sueños, Cada voz lleva su angustia*—, de sus narraciones breves—*El cielo está azul*—, o de sus ensayos—*Ideas sobre la literatura y el arte social*—no nos compete hablar aquí. En un estudio más detallado sobre el teatro colombiano había que incluir asimismo a Enrique Osorio—*La ciudad alegre y coreográfica, El amor de los escombros, Flor tardía,* etc.—; a Emilio Franco y a José Luis Restrepo.

Venezuela

Nada digno de mención ofrece el teatro ecuatoriano de nuestros días, y muy poco el peruano. Autores como Felipe Sassone (1884-1959) o Manuel A. Bedoya (1889-1941), aunque nacidos en Perú, corresponden íntegramente a España, por haber desarrollado en la Península toda su actividad literaria. Citemos, no obstante, el nombre de tres peruanos: Sebastián Salazar Bondi (m. 1947), Juan Ríos (m. 1946) y Gibson Parra, que en nuestros días han alcanzado éxitos estimables en un tipo de teatro que va desde la farsa a lo poético-sentimental [10]. En cambio, Venezuela aporta a la escena dos figuras de cierto prestigio: Ayala Michelena e Ida Gramcko.

LEOPOLDO AYALA MICHELENA es un autodidacta, de escasa formación y abigarrada cultura, que empieza pidiendo a la vida los materiales con que ha de construir luego su teatro. Comedias, por tanto, al menos las primeras, fruto de la observación. Su amigo Luis Peraza nos lo presenta empleado en una agencia de casas de alquiler, tomando en el talonario de recibos anotaciones de cuanto ve y oye por la calle. Ausente de los medios literarios e intelectuales, pero muy aficionado al teatro, lee, por otra parte, sin método ni discriminación: Shakespeare, Molière, Sudermann, Strindberg, Ibsen, Benavente, etc. El resultado es ese repertorio ya bastante nutrido, en el que hay de todo: el retablo callejero, de pincelada rápida e intención humorística: *La barba no más* y *La taquilla*; la comedia vaudevillesca: *La alquilada*; la de fondo sentimental, encaminada a poner de relieve ciertas virtudes hogareñas: *Al dejar las muñecas, Eco, Emoción*; el drama intenso, con su correspondiente proceso psicológico: *Almas descarnadas, Dánsole hoy*. Si a tales títulos agregamos *La respuesta del otro mundo, Amor por amor* y *Bagazo*, habremos citado lo más representativo del teatro de Ayala Michelena. Vaya para su mejor conocimiento una breve noticia.

Al dejar las muñecas, con leves toques freudianos, plantea el despertar amoroso en una jovencita de trece años, Otilia. El idilio, iniciado inocentemente, se rompe por la ausencia del galancete, que marcha a Europa para continuar sus estudios. Un encendido canto al matrimonio y otro al trabajo subrayan convenientemente el tema. *La respuesta del otro mundo* (representada en 1939) es una sátira del espiritismo. El desaprensivo Blanquilla fracasa en su intento de timar a dos viejas avaras, Claudia y Mamerta. La superchería de aquél recibe ejemplar castigo. *Eco*, inspirada en *La balada del rey ausente*, de Emilio Carrere, se reduce a una fantasía de tono melancólico sobre la muerte de un rey que partió para la guerra.

Emoción, Amor por amor, Bagazo y *La alquilada* son obras más complejas y en las que entra ya en juego el análisis, para desembocar casi siempre en lección ejemplar, por no decir en la comprobación de una tesis previa. *Emoción* analiza el hastío en una joven, Elena, que ha despertado el amor de un paralítico. El complejo sentimental e ideológico de la protagonista se sintetiza en una frase: «¡Quién poseyera una de estas supremas mentiras, misticismo, arte... capaces de llenar la vida!» Alguna frase suelta podría hacernos pensar que el autor se pronuncia contra el intelectualismo femenino: «Las mujeres no debemos aspirar sino a saber nociones de las cosas. Con ser mujeres nos basta... Esta hija mía, desde chiquita, ese amor por los libros; se ha llenado la cabeza de paparruchas y se hace y me hace la vida insoportable.» *Amor por amor*, sobre la educación de la infancia, sería una comedia casi perfecta sin el desenlace, inverosímil de puro ingenuo. *Bagazo* refleja en unas cuantas escenas emotivas y logradas la vida de un pobre empleado que muere sobre los libros comerciales de un gran almacén, sin suscitar en su patrono más comentario que éste: «¡Haberse muerto sin siquiera calcular la factura de los machetes, y sin terminar el balance del mes!» Pese a su tono picaresco e intrascendente, *La alquilada* es una buena diatriba contra el adulterio y una defensa del verdadero honor: «Mi honor—dice Stüve, el marido ultrajado—está por sobre un sandio como Ulleda y una mujer de aberraciones como Vestalia. Mi honor es hijo de mis actos.»

El dramatismo de Ayala Michelena culmina en

Dánosle hoy y *Almas descarnadas,* dos piezas de tema agrio y aristas hirientes. En *Dánosle hoy,* una familia venida a menos se ve obligada a empeñar un crucifijo de marfil y oro, última reliquia de sus antepasados, para poder comer un día más. De vuelta a casa, el padre se entera de que un hijo de diez años acaba de ser atropellado y muerto por un coche. El dueño de éste, apesadumbrado, da unos billetes a la familia. La frase con que se cierra la obra es cruelmente irónica: «Vamos a comer. Será horroroso. ¡Como si nos estuviéramos comiendo a Alfredito!» El falso anuncio de un siniestro, que arruina a una familia acomodada y sirve para poner de manifiesto el verdadero carácter de los personajes, suministra el argumento de *Almas descarnadas,* también de fondo muy amargo.

Desde que en 1914 se da a conocer con su primera comedia, *Al dejar las muñecas,* hasta sus últimas obras, Ayala Michelena ha seguido un proceso de intensificación dramática manifiesto. Sus primeras piezas, ligeras, casi sin argumento, están reducidas a simples cuadros tomados de la realidad; las últimas, ya cargadas de intención, entrañan una tesis definida. Pero en unas y otras resaltan como principal mérito su capacidad de observación y el acierto para trasladar a la escena los cuadros y experiencias de la vida real.

IDA GRAMCKO, la fina poetisa que ha llevado a sus libros de verso—*Umbral, Cámara de cristal, La vara mágica*—el más estremecido lirismo ensaya también un teatro de carácter simbólico en sus dos piezas *Belén Silvera* y *La hija de Juan Palomo.* La primera lleva el subtítulo de «auto sacramental», a nuestro parecer con muy poco acierto; y no por falta de elementos simbólicos, condición indispensable del género «auto», sino por la excesiva amplitud y el sentido demasiado hermético de ciertos simbolismos, que la convierten en pieza de difícil clasificación en la preceptiva al uso. El hondo sentido telúrico, patrimonio exclusivo hasta ahora de la novela—Gallegos, Rivera, Azuela, Arguedas, Güiraldes—, pasa al teatro en este «auto» lleno de imágenes tan atrevidas como originales:

> En el desnudo corazón del monte
> un hombre extraño quiebra la enramada,
> y alza el machete contra el horizonte,
> queriendo degollar la madrugada.
>
> *(Acto II.)*

Poco teatral, ya se ve; pero poético. Belén, símbolo de la tierra ansiosa de fecundidad—«Yo tengo sed de amor, aunque me hiera»—, abandona el hogar en busca de esa satisfacción:

> Yo sé que un hombre en el raudal me espera,

y muere en la laguna. Pero su espíritu pervive en Baltasar, reencarnación de la tierra venezolana, libre y fecunda, opuesta al invasor extranjero,

contra quien lucha hasta perecer. Su sacrificio, sin embargo, no ha sido inútil, ya que Estrella y Gabriel terminan proclamando la libertad de su tierra. *La hija de Juan Palomo,* también con su correspondiente subtítulo, «cuento infantil», nos sugiere análogos reparos. Es muy difícil que a la mente de un niño pueda llegar su sentido interno ni su poesía. De todos modos es una pieza lograda, en la que Ida Gramcko ha sabido aprovechar elementos folklóricos, amalgamándolos con motivos de la leyenda fáustica, todo ello en una atmósfera llena de musicalidad y de poesía. No se trata aquí del trágico pacto con el diablo; es más bien un pasatiempo que entra en la zona de la bufonería. Cucufate, grotesco pinche de cocina, para lograr el amor de Margarita, la bella hija de Juan Palomo el ventero, acude a una bruja ofreciéndole tortas y pasteles a cambio de su ayuda. Fausto es el galán favorecido por la joven. Pero al fin triunfa el amor, gracias a la protección del duende Mirabel. Obra de felices efectos escénicos, interesa destacar los versos de *La voz* subrayando el dúo amoroso entre Fausto y Margarita en la escena inicial.

Sin salir de Venezuela, y en plano inferior, encontramos hasta media docena de dramaturgos dignos de mención. LUIS PERAZA, amigo y colaborador de Ayala Michelena, obtuvo éxito con *El hombre que se fué* (1938) y *Mala siembra* (1940). JULIÁN PADRÓN, que había contribuído al triunfo de la novela indigenista con *La Guaricha,* escribe para el teatro dos dramas aceptables, *Fogata* (1938) y *Parásitas negras* (1939). JULIO PLANCHART, crítico y poeta, se asoma a las tablas con una buena comedia, *La república de Caín* (1936). Leoncio Martínez, Víctor Manuel Rivas y Rafael Guinaud orientan su actividad hacia la comedia costumbrista, con deliberado propósito moralizante, ambientándose preferentemente en la clase media o en los estratos más humildes de la sociedad.

Cuba y Puerto Rico

Tres direcciones pueden señalarse al teatro actual en Cuba: *a)* tendencia socializante, bajo el signo de Sudermann, Strindberg, Ibsen y hasta de Chejov, con un fondo urbano o rural, y con las consiguientes prédicas sobre la libertad y emancipación de la mujer; *b)* tendencia histórica, que busca sus temas en el campo autóctono, valiéndose de lo histórico casi siempre para enfrentar dos ideologías, y *c)* tendencia innovadora o progresista, que busca la incorporación de técnicas y problemas del día: zonas morbosas, oníricas y estados anormales del hombre [11].

Entre los cultores de la primera modalidad ocupa un lugar destacado JOSÉ ANTONIO RAMOS (1885-1946), con obras como *Almas rebeldes, El hombre fuerte, Calibán Rex, Libertá, Satanás, En las manos de Dios, La leyenda de las estrellas* y *Tem-*

bladera. Domina en todas ellas la sátira, que casi siempre se convierte en diatriba violentísima, contra los explotadores y arribistas. También cultiva el tema feminista, situándose siempre del lado de la mujer. El mayor defecto de Ramos es el tono declamatorio y la excesiva carga ideológica, que le hace olvidarse con frecuencia de que es un dramaturgo y no un *leader* socialista. También domina el discurseo socialistoide en el teatro de MARCELO SALINAS (n. 1889), perteneciente, como Ramos, a la generación finisecular; pero con una diferencia respecto de él: que mientras Ramos es un espíritu fino, cultivado y universitario, Salinas es un autodidacta, que todo lo que sabe lo ha aprendido en la lucha callejera, en la proscripción y en la cárcel. No hace falta decir después de esto que su teatro es el perfecto teatro «de tesis». *El mulato*, sobre un joven mestizo enamorado de una mujer blanca; *La santa «caridad»*, durísimo ataque contra las personas que entienden a su manera el precepto cristiano de amarse los unos a los otros; *El poder*, alegato en favor de la educación moral y cívica del pueblo; *El vagón de tercera, Y llegaron los bárbaros. Secuestro, Alma guajira*, son sus piezas más importantes. Al segundo grupo, el histórico, debe adscribirse LUIS A. BARALT (Nueva York, 1892), doctor en Letras y una de las figuras más representativas de la intelectualidad cubana en nuestros días. *Tragedia indiana* es su obra más representativa; pero en otras piezas, como *La luna en el pantano* y *Junto al río*, no vacila en cultivar el tema costumbrista. Baralt, director escénico además de autor, ha traducido y adaptado obras extranjeras. La tercera tendencia, la más reciente, está representada por RENEE POTTS (1908), cuya mejor producción se resume en estos títulos: *Domingo de Quasimodo, Los umbrales del arte, Cena de Navidad, Buen tiempo de amor, Camila o la muñeca de cartón* e *Imagíname infinita*; CARLOS FELIPE (n. 1905), que en obras como *El chino, Capricho en rojo, Ladrillos de plata, Tambores* y *El travieso Jimmy*, refleja las más variadas influencias (Pirandello, O'Neill, Giraudoux, Anouilh); y JOSÉ CID PÉREZ (n. 1906), que ha sabido impregnar de simpatía y emoción humanas sus mejores producciones: *Altares de sacrificio, Cadenas de amor, Y quiso más la vida, Hombres de dos mundos, La comedia de los muertos*.

En Puerto Rico el autor teatral más afortunado es RENE MARQUÉS, que había tenido dos precursores en Menéndez Ballesteros y Sierra Berdecía. Marqués estrenó en Madrid hace pocos años (1956) su mejor obra, *La carreta*, en la que se acusan múltiples influencias, sobre todo de Lorca y de John M. Synge. Antes su espíritu inquieto había explorado varos campos: *Hombre perdido*, de tema unamunesco; *Los condenados*, con un fondo existencialista; *El sol y los Mac Donald*, recreación del complejo de Edipo. Una alta intención moral es la nota más destacada de este teatro.

III. EL TEATRO MEJICANO EN LA ACTUALIDAD

Méjico, en cambio, presenta un teatro original y propio, de valores positivos y comparable por su calidad y volumen al teatro ríoplatense; concretamente al argentino. Sus direcciones son varias; pero se acusan con más vigor tres: la del «teatro de la Revolución», con representantes tan destacados como Mauricio Magdaleno, Juan Bustillo Oro, Germán List Arzúbide, Luis Octavio Madero, José Revueltas y otros; la del grupo de escritores que en 1928 se reúne en torno al teatro «Ulises», llevados por un afán de novedades escénicas y un propósito deliberado de superar las técnicas dramáticas de fin de siglo; y la del grupo «Orientación», que surge cuatro años más tarde (1932), y muestra decidida preferencia por un teatro «literario, culto, inteligente». El grupo «Ulises» da a conocer obras de Cocteau, Pirandello, Vildrac, O'Neill y otros dramaturgos de aquella hora. Al grupo «Orientación» pertenece una de las figuras más relevantes de las letras mejicanas en lo que va de siglo: Xavier Villaurrutia. Del «teatro de la Revolución» hablaremos al final.

Xavier Villaurrutia

Es XAVIER VILLAURRUTIA (1903-1950)[12], para nuestro gusto, el más alto exponente del teatro hispanoamericano en las dos últimas décadas. Poeta depurado y agudo ensayista, lleva a sus piezas dramáticas la misma elegancia, la misma desnudez y graciosa ironía que caracterizan su obra en verso. Teatro aparentemente realista por los problemas que plantea, pero intelectual e idealista por la forma de tratarlos; comedias más para leídas que para representadas. Los personajes, sin llegar al rango de abstracciones, casi son entes ficticios, en cuanto todo lo deben a la imaginación del autor. Este prefiere arrancarlos del mundo de la fantasía antes que de la cantera de la vida, si bien luego los vincula a un problema real. Por ello en el teatro de Villaurrutia se puede hablar de «personajes» antes y mejor que de «personas». En vez de ajustar su obra a la realidad, trata de que ésta se adapte a la ficción. La concisión verbal que caracteriza su poesía influye, por otra parte, en el teatro de este escritor, que se distingue por la continencia verbal con que frena toda posible efusión sentimental y la estudiada justeza y elegancia con que se expresan sus personajes.

Casi no hace falta subrayar la escasa importancia que en esta clase de obras se asigna a la trama argumental. La exposición, tal como suele entenderse, no existe en algunas de ellas. En otras es difícil señalar aquella marcha lenta, pero firme e intensificada, que en las mejores obras de nuestro teatro clásico, por ejemplo, nos lleva al desenlace. En Villaurrutia éste llega cuando él lo juzga conveniente, no cuando el espectador o lector lo esperan en virtud de unos supuestos y como solución lógica a un estado de cosas. Con frecuencia, dada una situación, y en vez de ir a su normal desenlace, el autor se recrea en presentarla a nuestros ojos con las más variadas facetas, en un derroche de ingenio. Esto, si confirma el talento de Villaurrutia, da a su teatro cierta nota de «escogido» que lo hace poco adecuado para el gran público. Teatro paradójico, de juego de ideas, pero falto de doctrinarismos. La obra o bien se inicia ya en pleno conflicto, con una técnica análoga a la de Racine en sus tragedias, o bien está concebida toda ella como un desenlace prolongado. Significativas son a este propósito las calificaciones de algunas piezas breves de Villaurrutia: Parece mentira («enigma en un acto»), En qué piensas («misterio), Ha llegado el momento («epílogo»). Estas piezas no son sino ensayos preliminares de sus obras extensas: La hiedra (1941), La mujer legítima (1943), Invitación a la muerte (1944), El yerro candente (1945), El pobre Barba-Azul (1948) y Juego peligroso (1950). Una brevísima apostilla a las más importantes.

En qué piensas, en su concepción de la vida como presencia permanente, nos recuerda Un día de octubre, de Kaiser. Ha llegado el momento es una apología del recuerdo en cuanto fuente perpetua de felicidad. Mercedes y Antonio deciden suicidarse, hastiados de la vida; la simple evocación de las horas felices que pasaron juntos les hace desistir. El ausente pone de manifiesto el grave error y la incalificable torpeza del hombre que abandona su hogar. Sea usted breve, la más original e interesante de estas piececitas, plantea el problema de la natalidad restringida; pero en esta pieza, lo mismo que en las tres anteriores, el propósito nihilista inicial se resuelve en desenlace feliz, un verdadero canto a la vida.

Si pasamos a las obras mayores veremos que en ellas se abordan problemas casi siempre de índole familiar, desarrollados con cierta preocupación psicológica y social.

La hiedra, sabia recreación del viejo mito de Fedra, replantea una vez más el tema de las relaciones entre hijastro y madrastra. El proceso transformativo de odio en amor está tratado con decoro, y se resuelve muy dignamente mediante el sacrificio de la madrastra. En La mujer legítima

la neurosis materna se manifiesta en una hija, Marta, empeñada en labrar la infelicidad del hogar, cuando el padre, ya viudo, contrae matrimonio con una antigua amante. En Juego peligroso un marido no vacila en calumniar a su esposa para lograr el amor de otra mujer también casada. La conducta del acusador encuentra el castigo en el desprecio de todos. En El yerro candente la disyuntiva de la filiación carnal o espiritual suministra una vez más el tema para una comedia. Antonia, joven de singulares dotes, al descubrir la verdad de su origen, prefiere seguir con el que creía hasta entonces su padre, recusando al verdadero progenitor. Barba-Azul es una farsa simpática y alegre, salpicada de rasgos irónicos con tal cual gota sentimental: una joven se finge enamorada de otro hombre para excitar los celos de un pretendiente indeciso.

Está claro que en Villaurrutia lo de menos son los temas, todos muy conocidos y tratados, así en la escena extranjera como en la española. Lo interesante es la técnica, y también el diálogo. Villaurrutia se complace en presentar a los personajes desde varios ángulos; y este procedimiento permite al lector—del espectador sólo se puede hablar aquí en muy segundo término—hacerse una idea exacta de cuantos intervienen, hombres o mujeres, en la obra. En otros autores basta una frase o una reacción al principio del drama para que se nos revele un ser en toda su plenitud, porque se trata de caracteres enteros, de una pieza. Aquí, por el contrario, como se juega más bien con abstracciones, el alma de cada personaje se nos va descubriendo en planos sucesivos y parciales. El autor da la impresión de que se sumerge una vez y otra en el alma de sus criaturas, para surgir de cada inmersión con una nueva perspectiva. Y ese bucear insistente, ese dar la razón y hasta explicación cumplida de todos y cada uno de sus actos, lleva al lector en definitiva a una plena comprensión. Se interesa por los personajes; y si no llega a amarlos a todos, cuando menos goza con sus alegrías y se compadece de su dolor. Villaurrutia intenta «justificarlo» todo en nombre de ciertos principios, que si no siempre son plenamente cristianos, por lo menos son de ética general. Cuando el personaje no procede conforme a esos principios es una simple víctima de herencia patológica. Así la responsabilidad moral parece menor, al diluirse entre varios individuos. Con lo que podemos observar que hasta en un teatro tan alejado del naturalismo finisecular como el de Villaurrutia han dejado su rastro ciertas tendencias de origen escandinavo. A Villaurrutia le sobra ingenio y le falta grandeza, pero—como dice José Luis Martínez—«esa mesura, esa minuciosa perfección, esa solución tan intencionada como perspicaz, son ya dotes envidiables»[13].

Usigli

Junto al nombre de Villaurrutia debemos mencionar el de otro poeta y dramaturgo, RODOLFO USIGLI (n. 1905). Poeta adicto a Eliot, ensayista y crítico brillante y apasionado, novelista en algún relato policíaco, es sin duda en el teatro donde ha obtenido los mejores éxitos. En este género aborda los más diversos temas, desde la tragedia histórica—*Corona de sombras*, 1944—, hasta el drama enraizado en las modernas teorías neuropatológicas—*El niño y la niebla*, 1951—, pasando por la comedia de sátira social, ya de la clase media—*Medio tono*, 1937—, ya aristocrática—*La familia cena en casa*, 1942—o de marcada intención política—*El gesticulador*, 1944—, sin desdeñar lo psicológico, más o menos presente en todo su teatro, pero de un modo especial en *Otra primavera*, 1945.

Su obra más ambiciosa, *Corona de sombra*, ha merecido el siguiente juicio de un crítico mejicano:

«(El autor) ha sabido imponer por igual las marcas de su vivo sentido teatral, de su habilidad en el manejo de los diálogos y de las situaciones escénicas, de su cultura y aun de su acometividad. *Corona de sombra*, cuyo tema es el episodio trágico que Carlota y Maximiliano vivieron en Méjico, es una pieza excepcional. Concebida en ur escenario doble, atendido alternativamente, y articulada por el hilo de la rememoración, la obra de Usigli recrea los hechos conocidos y adivina sus entretelas psicológicas con maestría dramática. La sobriedad de sus materiales históricos, el intachable tratamiento escénico, la densidad y viveza de su lenguaje, enriquecido con penetrantes atisbos sobre el mejicano, el ventajoso aprovechamiento de una alegoría persistente, que cruza y enlaza toda la pieza, y el empleo de la original técnica dramática, todo se suma para hacer de *Corona de sombra* una de las contadas obras de primera categoría que posee nuestro teatro»[14].

La trama no puede ser más sencilla. Lo verdaderamente interesante es la interpretación de la historia mejicana posterior al fusilamiento del emperador Maximiliano que nos ofrece Usigli: el historiador mejicano Erasmo Ramírez obtiene una entrevista con la demente emperatriz Carlota Amalia momentos antes de la muerte de ésta. Recobra su lucidez, y le refiere la historia íntima del Imperio. Ramírez, por su parte, le cuenta la historia mejicana a partir de 1865. El conocimiento de la vida íntima del Imperio sirve al historiador para ofrecernos una interpretación de la vida, la psicología y el proceso histórico del pueblo mejicano.

Mayor éxito que *Corona de sombra* obtuvo *El gesticulador*, inspirada en la Revolución. Aquí entra de lleno en la problemática de la época, al plantear cuestiones fundamentales de la organización política y social del pueblo mejicano: un profesor universitario fracasado, César Rubio, ve la posibilidad de cambiar el rumbo de su vida presentando la candidatura de gobernador de su estado natal, en suplantación de un famoso revolucionario homónimo suyo. No le empuja la ambición; se mueve más bien a impulsos del amor paternal, ya que espera ayudar a sus hijos, también en trance de fracasar en la vida. Antes de la elección es muerto por unos esbirros a sueldo del político, que ya había asesinado anteriormente al César Rubio revolucionario. Pero el profesor ha logrado ya con la realización de su impostura conquistar la gloria de los mártires y de los héroes y poner de relieve los crímenes de una política corrompida.

Con un diálogo sobrio y natural en el que alternan ironía y humor, *Medio tono* nos ofrece una comedia realista en un ambiente de clase media. Una familia complica sus insignificantes problemas hasta que cada uno de los hijos se siente acuciado por uno suficientemente serio para olvidarse de bagatelas. Problema individual que se ve agravado por las dificultades económicas que afectan a toda la familia. El buen sentido de los padres soluciona todos los conflictos.

La familia cena en casa, aunque ofrece un admirable primer acto conducido con pulso firme, no se puede considerar obra lograda. Lo que prometía ser excelente sátira de la gente acomodada se diluye luego en menudencias casi intrascendentes y en varios problemas que sólo sirven para restar unidad e interés al conjunto. Tal vez lo más loable sea el lenguaje, hábilmente matizado de términos y locuciones populares, y el humor de la frase, generalmente incisivo y duro con los vicios y costumbres que quiere satirizar. En una familia de la llamada «buena sociedad», el primogénito, Carlos, sospecha equivocadamente que su padre es un hombre indigno, un ladrón. Se rebela contra unas instituciones sociales que se fundamentan sólo en las apariencias; para deshacer de un golpe todo el prestigio social y lo que cree vida hipócrita de su familia, finge casarse con una mujer de *cabaret*, a la que presenta en su casa durante una fiesta familiar. La madre quiere frustrar su intención, y suplica a la supuesta nuera que se quede con ellos. Después se aclara que el padre, lejos de ser lo que Carlos creía, es una persona dignísima y generosa. Cuando Carlos, enamorado de la joven, le pide que permanezca en el hogar, ésta rehusa; marcha para contraer matrimonio con un joven escritor, que le ofrece una vida más sincera y al margen de tanto convencionalismo e hipocresía social. Un humor «que va del matiz sarcástico a la pincelada empapada de humana emoción», es la nota característica de esta pieza.

Con *Otra primavera* nos hallamos ante el argumento más poético y cargado de finura de Usigli. Se trata de una apología del amor conyugal, pero lograda sin discursos ni estridencias; sólo por la fuerza de la acción. Cierta familia se ve sorprendida por una doble desgracia: la pérdida de sus bienes, que coincide con la aparición de una enfermedad mental en el padre. En esta ocasión la madre muestra toda su presencia de ánimo: obliga a los hijos a tomar un camino en la vida, y ella, fingiéndose loca, se encierra con su marido dispuesta a morir con él o a salvarlo; de esta forma vivirá «una nueva primavera de amor».

En las modernas teorías neuropatológicas se fundamenta *El niño y la niebla*. Para nosotros no es una obra lograda; le sobra truculencia y le falta nervio dramático, contextura humana en los personajes, cuya categoría moral y psicológica es producto no de la observación, sino de la imaginación del autor. Una mujer casada, víctima de su temperamento neurótico—explicable por la herencia—, busca lenitivo en la compañía de un amante platónico, amigo de la casa. Incita a su propio hijo—aprovechando uno de los frecuentes estados de sonambulismo que aquejan al muchacho—, a que dé muerte a su padre; el joven resuelve su lucha interior suicidándose. Muerto el hijo, Marta renuncia a su proyectada fuga con el amante, y decide quedar junto a su esposo y cerca de la tumba de su hijo. Es la propia Marta quien nos confiesa que todas sus rarezas «son debidas a la locura hereditaria que han padecido todos los miembros de su familia».

A la vez que creador dramático, Usigli ha sido un teorizador; en este sentido, el *Itinerario del autor dramático* (1940) es interesante para el conocimiento de su credo estético.

Teatro poético

El teatro poético, de inspiración popular—incorporación de leyendas, cantos, tradiciones, etcétera—, tiene un buen representante en MIGUEL N. LLERA, autor de *El camino y el árbol, Linda* (1940) y *La muñeca Pastillita* (1942), obra esta última de carácter infantil. Nacido en 1905, se asoma a la comedia costumbrista de crítica social en *Vuelta a la tierra* (1938). El subtítulo, «Suceso en cuatro actos», señala el propósito informativo del autor, a la vez que otorga a la obra un carácter eminentemente realista: Isabel, prometida de Lucio, queda encomendada a Andrés, hermano de éste, cuando Lucio, poco antes de celebrarse la boda, se ve precisado a pasar a la capital. Andrés abusa de ella y, temiendo la venganza del pueblo, le da luego muerte.

En la línea del teatro social—socialista y hasta comunista en algunos casos—, cabe citar algunas obras y autores: EDMUNDO BÁEZ—*Ausentes*—, y LUIS G. BASURTO (n. 1917)—*Voz como sangre, El anticristo*, ambas de 1942, y *Frente a la muerte*, 1952—, con un argumento trágico que roza el melodrama: una mujer que admite en su casa a una hermana adulterina. Esta seduce al marido de aquélla; la esposa burlada mata a la hermanastra de un balazo. Luego, se entrega a la Justicia.

Teatro de la Revolución

Ofrece una faceta muy interesante dentro de la dramaturgia hispanoamericana actual, y desde luego representa el aspecto más sugestivo del teatro mejicano. También se llama «teatro de ahora». El título de «revolucionario» se justifica por el espíritu de violenta rebeldía que palpita en todos los dramas escritos bajo su órbita de influencias. Rebeldía contra la injusticia social en todos los aspectos: caciquismo de los grandes terratenientes, mercantilismo y agio de las poderosas compañías extranjeras, arrivismo político, etcétera. En una palabra, el «teatro revolucionario» aborda todos los problemas político-sociales que han ido surgiendo en Méjico durante el primer tercio de siglo. No es teatro de altas calidades estéticas; más bien suele adoptar un tono pedestre y con frecuencia populachero. Pero sería injusto negar a sus cultivadores, Bustillo Oro, Magdaleno, List Arzúbide o José Revueltas, tanta habilidad constructiva como nervio en la defensa de sus doctrinas. Hasta cuando se basan en los tópicos más conocidos del socialismo humanitario al uso, no dejan de producir efecto en el espectador. Teatro impresionista, desarrollado en una sucesión de estampas fulminantes, casi instantáneas, que apenas dan tiempo al público para el análisis de la doctrina que cada pieza defiende. Porque, eso sí, nos hallamos ante un teatro de tesis, con un apuntamiento de hechos, con una formulación de soluciones. Teatro de tesis, insistimos, sobre un fondo preferentemente costumbrista. El subtítulo, «Reportaje dramático en tres tiempos y un final», que Bustillo Oro pone a uno de sus mejores dramas, *Masas*, indica a las claras la técnica dominante en las obras de este grupo. Miradas en conjunto esas obras se nos aparecen como un intento o una serie de intentos, más o menos logrados, para dar contenido ideológico a la Revolución mejicana. La impresión que se saca de su lectura no puede ser más pesimista, ya que el desenlace siempre es idéntico: triunfo de la violencia, de la injusticia, de la traición, frente a la honorabilidad, el derecho y la fraternidad humanas.

Tres autores, Bustillo Oro, Magdaleno y List Arzúbide—amén de otros de menor importancia—, han encarnado plenamente estas tendencias revolucionarias. La obra de JUAN BUSTILLO ORO (Méjico, 1904) gira en torno a tres temas axiales: el social agrario, el político y el jurídico. Cada una de sus piezas capitales—*Los que vuelven, Masas* y *Justicia, S. A.*—se centra en uno de esos tres temas. *Los que vuelven* es la epopeya con aires de tragedia de los repatriados, víctimas de la sociedad capitalista. Problema de crisis de trabajo, encarnado en José María Toro, cuya obsesión, perdida toda esperanza, es «salvar los huesos para la tierra». Muere a manos de un oficial, al que intentó agredir en un acto de locura, con la torturante impresión de ver a su hijo destrozado y a su hija casada con un «gringo» que les desprecia y abandona. *Masas* sintetiza la tragedia del liderismo honrado, del hombre que se entrega de buena fe al ideal redentorista y cae víctima de la traición. Máximo Forcada, obrero íntegro, cae asesinado en lucha contra el poder público, a la vez que su cuñado, antiguo obrerista, escala el puesto de presidente, en vergonzoso contubernio con el general Almonte, del que en realidad es sólo un juguete. La sedición obrera, ahogada en sangre, sólo sirvió para sustituir una tiranía por otra peor: la revolución, iniciada bajo el doble signo de socialización de industrias extranjeras y supresión de latifundios, fracasa totalmente. Tanto por su tensión dramática como por sus valores psicológicos, la mejor pieza de las tres es *Justicia, S. A.* Sírvele de tema la venalidad de un juez, Santos Gálvez, esclavo del cacique Hilario Salgado, que es el verdadero administrador de la justicia, o, más exactamente, de la injusticia. Para mantenerse en su puesto Gálvez se somete a todos los caprichos del cacique, no vacilando incluso en firmar sentencias de muerte contra los enemigos políticos de su «protector».

En MAURICIO MAGDALENO (n. 1906) encontramos, al lado del dramaturgo, el crítico; y antes que el crítico y el autor teatral, el novelista. Sus dotes de crítico resplandecen en *Fulgor de Martí* (1940) y en *Imágenes políticas de Rómulo Gallegos* (1951). De sus novelas—*Mapimí, 37, El compadre Mendoza, Campo Celis, Concha Bretón, El resplandor, La tierra grande, Sonata,* etcétera—se habló en otro lugar. Advirtamos aquí que el teatro de Magdaleno, con una temática más restringida que el de Bustillo Oro, no es sino el complemento de su producción novelística. En ésta y en aquél—aunque con excesiva palabrería—se afronta con valentía el problema de la propiedad del suelo, nervio vital de todo el organismo mejicano en cuanto nación independiente. Enemigo Magdaleno de latifundios e imperialismos, su credo puede resumirse en la consabida frase: «La tierra es del que la trabaja.» De ahí su actitud hostil ante las compañías yanquis, explotadoras de fuentes de riqueza mejicanas. *Pánuco, 137; Trópico* y *Emiliano Zapata* constituyen tres valientes alegatos en este sentido. El protagonista de la primera, *Pánuco, 137,* es la tierra, «que gime y protesta bajo las botas de los invasores rubios», empeñados en transformar los campos agrícolas en yacimientos petrolíferos. El imperialismo yanqui impone su dominio, gracias a la fuerza del dólar y a la corrupción de los malos mejicanos. Una frase del protagonista, Rómulo Galván, nos da la clave del problema: «¡Arrancarle a un pobre la migaja de tierra que apenas le da para mal comer! ¡Y todo porque han sacado que tiene petróleo y que...!» El territorio de San Juan de Vaca queda así convertido en el pozo 137 de la Pánuco River Oil Company. James Allen y el ingeniero White despojan de sus tierras por la fuerza a Galván, que se negaba a venderlas. El asesinato de su yerno y el ultraje inferido a la esposa de éste por el *Perro,* ensombrecen todavía más este drama tan inten-

samente áspero. La ironía del autor se pone de manifiesto en la escena entre Helen, hija de Allen, y el *Perro,* matón al servicio de los yanquis. La misma intención de defensa telúrica y de ataque al invasor, disfrazado de hombre de negocios, encontramos en *Trópico.* Con una diferencia: en *Pánuco, 137,* la tierra es la vencida; aquí resulta vencedora. El trópico se convierte en arma de la tierra contra el invasor, representado por míster Bond, presidente de la American Tropical Gum; se rebela contra él, lo domina, lo enloquece. La Pánuco River Oil Company de la pieza anterior es ahora la United Fruit Company. Rosarito, Marcelino, el malvado Chico Díaz, el cínico Sunter, son caracteres de una pieza, cuyo trazado acusa un pulso vigoroso. En *Zapata* se exalta al caudillo de la revolución campesina encabezada por este célebre jefe, e interrumpida por la traición que pone fin a su vida. Magdaleno hace de él un mártir y un héroe.

En un plano más modesto cabe citar entre los cultivadores del «teatro de ahora» o «revolucionario» a Octavio Madero y Germán List. LUIS OCTAVIO MADERO jn. 1909) nos ofrece en *Los alzados* (drama estrenado en 1935), y sobre un fondo costumbrista, el panorama revolucionario entrelazado con una historia amorosa. A diferencia del teatro de Bustillo Oro y de Magdaleno, Luis Octavio analiza los motivos personales que impulsaron a los rebeldes a entrar en la Revolución, con lo cual nos ofrece una de las obras más interesantes desde el punto de vista psicológico. En la línea de *Pánuco, 137* debemos mencionar *Israel* (1948), del ilustre novelista estudiado en otro lugar, José Revueltas (n. 1913). Pone de manifiesto la opresión de los explotadores de los campos petrolíferos: la muerte de una mujer blanca ocasiona una terrible represalia contra los trabajadores negros del campo. Dentro del ideario, abiertamente comunista, debemos situar el teatro de GERMÁN LIST ARZÚBIDE (1901), cuyas obras más representativas son: *El nuevo diluvio* (1933), *El último juicio* (1930) y *Las sombras* (1933). En la primera nos ofrece una violenta sátira de la sociedad burguesa, en la cual los distintos oficios y profesiones están representados por animales; Noé es el contratista feroz que explota y veja a los trabajadores (ovejas); pero un día éstos se insubordinan y, convirtiéndose en lobos, arrasan cuanto encuentran en su camino. *El último juicio* se basa, según cierta crítica, en un proceso llevado a cabo en la U. R. S. S. Un grupo de sacerdotes de distintas religiones y de obreros se reúnen para llegar a las siguientes conclusiones: que no hay Dios; que es necesario acabar con sus representantes y que el lugar que las creencias ocupan en el espíritu humano debe ser sustituido por el afán de saber, especialmente por procedimientos experimentales. Menos interés ofrece *Las sombras,* que se reduce al problema archirrepetido de los pobres atropellados por los ricos.

En resumen, contrariamente a lo que ocurre con el teatro de Villaurrutia y de Usigli—que es un teatro más para ser leído que representado—, el «teatro de ahora» apenas puede tener vida si no es en las tablas. Leído, salta inmediatamente a la vista la inconsistencia de las ideas y, a menudo, lo irreal de los tipos. En cambio, visto, representado, no puede negarse su éxito.

NOTAS

1. «Hace treinta años que el teatro nacional ha entrado en crisis; pero en la última década la decadencia ha tomado caracteres angustiosos. No hay salas teatrales, absorbidas por el cine; ha disminuido el número de los grandes intérpretes, ganados unos por la pantalla, otros muertos; los auténticos dramaturgos no escriben, y si lo hacen, deben acomodarse al género que practican las escasas compañías, a la calidad que impone el capitalista que oficia de empresario, al paladar de un público de gusto pervertido por el cine, por las angustias de la guerra y la postguerra, por la falta de cultura teatral y por treinta años de decadencia escénica.» (R. H. CASTAGNINO : *Esquema de la literatura dramática argentina*, pág. 114, Buenos Aires, 1950.) Las palabras de Castagnino pueden hacerse extensivas a todos los demás países de habla española e incluso a la misma España.

2. El joven Patricio se ha enamorado de la sirena Alga; ésta sacrifica su cola por el amor del joven; al poco tiempo, Patricio se enamora de Gloria—buscada en la sirena la originalidad, lo maravilloso; por eso, al perder la cola, Alga pierde todo su encanto—. La sirena se reintegra al mar; las palabras que dirige a Patricio nos dan la idea de la obra: «No comprendes tú lo humillante que era para mí que me amaras por mi cauda de plata, por mi prestigio de mito marino, y no por mi alma de mujer. Jugué y perdí.»

3. «Si yo cantara no haría política con mi canto. Me daría el gusto y se lo daría a mi gente, mientras me aguantasen. A mí me parece que el saber cantar es como una gracia que le han dado a uno por que sepa decir lo que lleva en el alma. ¿Y qué le importa a los demás de mi alma?» Admite, no obstante, en otros pasajes, el canto como exhibición.

4. *Ernesto Herrera*, «Cuad. de Cultura teatral», Instituto Nacional de Estudios del Teatro, 1936; *Florencio Sánchez*, «Bol. de Estudios del Teatro», núm. XI.

5. Y antes había escrito: «La penosa impresión que me produce la enemistad del hombre y, sobre todo, la falta de solidaridad humana, especialmente en momentos en que la desgracia debería, por razones obvias, unir y hermanar, son los motivos que me han impulsado a escribir *El diente.*

6. Un grupo de hombres se reúne periódicamente en torno de una mesa en cumplimiento de una promesa juvenil. A lo largo del tiempo se ponen los mismos cubiertos del banquete inicial, aunque vayan faltando los comensales. Al final acude uno solo: *Máximo Augusto.* En una alucinante visión contempla a sus antiguos comensales, no con la alegría juvenil de otros días, sino con la trágica apariencia de seres que desde su eternidad le miran con odio y rencor. Augusto se sobrepone a la trágica visión, al tiempo destructor de ilusiones y esperanzas, y brinda por la eternidad. Cae; entre tanto, afuera, se oye una canción de cuna y el toque de las campanas que anuncian el goce de la vida.

7. Vid. R. H. CASTAGNINO : *Op. cit.*, pág. 109.

8. Cr. F. DÍEZ DE MEDINA : *Literatura boliviana*, página 342, Madrid, 1954.

9. Véase, por ejemplo, el *Resumen de la literatura colombiana*, de OTERO MUÑOZ, 2.ª ed., Bogotá, 1937.

10. Las obras más destacadas son: *Esa luna que em-*

pieza, de Gibson Parra ; *Don Quijote*, de Juan Ríos, ambas de 1946; y *Amor, gran laberinto* (1947), de Sebastián Salazar.

11. Vid. *Teatro cubano*, ed. y notas de JOSÉ CID PÉREZ y DOLORES MARTÍ DE CID, Edit. Aguilar, Madrid, 1959.

12. Vid. *Poesía y teatro completos de Xavier Villaurrutia*, pról. de Alí Chumacero, Fondo de Cultura Económica, Méjico, 1953.

13. Vid JOSÉ LUIS MARTÍNEZ : *Literatura mejicana siglo XX, 1910-1949*, primera parte, págs. 113-14, Méjico, Antigua Librería Robredo, 1949. La actividad de Villaurrutia como ensayista y crítico se echa de ver en *Textos y pretextos* (1940); destaquemos las páginas consagradas a la crítica de teatro y pintura y el estudio sobre López Velarde.

14. Vid. JOSÉ LUIS MARTÍNEZ : *Op. cit.*, pág. 39.

BIBLIOGRAFIA

Para la bibliografía general, véase el capítulo LVIII: «Teatro americano anterior al Romanticismo».

I-II. F. W. CHANDLER : *Aspects of modern drama*, Nueva York, 1918.—J. ERSKINE : *The People's Theatre*, «Rev. Tomorrow», marzo, 1943.—A. DE LA GUARDIA : *El teatro contemporáneo*, Buenos Aires, s. f.—J. W. KRUTCH : *The American drama since 1918*, Nueva York, 1939.—J. MARIAL : *El teatro independiente*, Buenos Aires.—M. NADEAU : *Storia del surrealismo*, Roma, Macchia, 1948.—I. J. ODENA : *¿Crisis del teatro?*, rev. «Argumentos», Buenos Aires.—P. PALANT : *La crisis de los teatros independientes*, «Nueva Revista», Buenos Aires, marzo, 1943.—A. DEL SAZ : *La farsa dramática moderna* («Cuad. Hisp.», núm. 89, marzo, 1957.—E. SEILLIERE : *L'evolution passionelle dans le théatre contemporain*, París, 1925.— G. TORRENTE BALLESTER : *Razón y ser de la dramática futura*. 1937, s. l.—R. ARLT : *Los autores independientes en los teatros comerciales*, «La Hora», Buenos Aires, 2 diciembre, 1941.—A. G. BRAGAGLIA : *El nuevo teatro argentino*, Edit. Roma, Buenos Aires, 1930.—H. CAMPOS CERVERA : *Julio Correa, creador del teatro guaraní*, «Asunción», núm. 4, Buenos Aires, enero, 1941.—B. CANAL FEIJOO : *Samuel Eichelbaum: Cuatro obras teatrales* (pról. de), Edit. Sudamericana, Buenos Aires, 1952.—A. DE LA GUARDIA : *Raíz y espíritu del teatro de Eichelbaum*, rev. «Nosotros», año III, Buenos Aires, abril, 1938.—R. LARRA : *Ubicación de Roberto Arlt*, rev. «Argumentos», Buenos Aires.—R. MARIANI : *Roberto Arlt*, rev. «Conducta», núm. 21, Buenos Aires, julio-agosto, 1942.—J. PLAZA : *Función y destino del teatro independiente en Buenos Aires*, «Argentina Libre», Buenos Aires, 30 enero, 1941.—A. YUNQUE : *La literatura social en la Argentina.*—A. BERENGUER CARISOMO : *Teatro argentino contemporáneo*, Aguilar, Madrid, 1959.—J. S. MURGA : *Teatro peruano contemporáneo*, Aguilar, Madrid, 1959.—J. CID PÉREZ y DOLORES MARTÍ DE CID : *Teatro cubano*, Aguilar, Madrid, 1959.—L. AYALA MICHELENA : *Teatro seleccionado de...* (pról. de Luis Peraza), Edit. «El Creyón», Caracas, 1950.—E. BLANCO AMOR : *Ida Gramcko: Obras* (pról. de...), «Colec. Aut. Venezolanos», Aguilar, Madrid, 1955.

III. E. ABRÉU GÓMEZ : *Xavier Villaurrutia*, «Sala de retratos», México, 1946.—A. CHUMACERO: *Poesía y teatro completos de Xavier Villaurrutia*, Letras Mexicanas, Fondo de Cult. Económica, México, 1953.—C. GOROSTIZA: *El teatro de Xavier Villaurrutia*, «Cuadernos Americanos», año XI, número 2, marzo-abril, 1952.—M. GUARDIA : *El teatro de Villaurrutia*, suplemento dominical del diario «Novedades», núm. 102, México, 14 enero, 1951.—J. L. MARTÍNEZ : *Con Xavier Villaurrutia*, «Tierra Nueva», año I, núm. 2, México, marzo-abril, 1940.—A. MAGAÑA ESQUIVEL : *Imagen del teatro*, México, 1940.—F. NAVARRO : *Teatro mexicano*, Madrid, Espasa-Calpe, 1925.—ANNA L. OURSLER : *El drama mexicano desde la Revolución hasta el año 1940* (tesis doctoral).—R. USIGLI : *Xavier Villaurrutia*, «Letras de Méxicoc», núm. 4, Méjico, 15 marzo, 1937; *México en el teatro*, Méjico, 1932; *Caminos del teatro en México*, Méjico, 1933.—A. ESPINA : *Teatro mexicano contemporáneo*, Aguilar, Madrid, 1959.

CAPITULO CI

LA ERUDICION Y LA CRITICA ESPAÑOLAS
EN EL SIGLO XX

I. La escuela de Menéndez Pelayo: *Discípulos y continuadores. La «Nueva Biblioteca de Autores Españoles».*—II. Los arabistas.—III. Los hispanistas: *Hispanistas alemanes. Franceses. Ingleses y norteamericanos. Italianos y de otros países.*—IV. Críticos e historiadores de la literatura: *Cejador, Hurtado y Palencia, Valbuena Prat y Díaz-Plaja. Otros críticos contemporáneos: Gómez de Baquero, Fernández Almagro, González Ruiz, etc. Astrana Marín, Casares, Entrambasaguas, Amezúa y otros. Los periodistas.*—V. Menéndez Pidal: *Vida y persona. Obra. El filólogo, el crítico y el historiador. Método y estilo.*—VI. Los discípulos y continuadores de Menéndez Pidal: *Navarro Tomás y Américo Castro. Amado Alonso, Dámaso Alonso y otros.*—Notas.
BIBLIOGRAFÍA.

I. LA ESCUELA DE MENENDEZ PELAYO

La investigación española durante el primer tercio del siglo sigue su desarrollo normal por el ancho cauce que le abrió en su día Menéndez Pelayo, acrecido por la valiosa contribución filológico-literaria de Menéndez Pidal y de su escuela.

En general, y hasta época muy reciente, la erudición y la búsqueda de datos dominó sobre la verdadera crítica y sólo en el terreno de la lingüística y de la filología se ha notado verdadero avance. Los estudios filosóficos y estéticos, base de toda crítica seria que aspira a formularse con garantías de acierto, han tenido pocos devotos en el primer cuarto de siglo; y cuando alguno los ha cultivado—Ortega, D'Ors—, su crítica se orientó más bien del lado de las artes plásticas que del propiamente literario.

En la imposibilidad de resumir en unos pocos enunciados toda la labor desarrollada, especialmente en el campo de la investigación, limitamos nuestro estudio a los grupos más importantes: discípulos de Menéndez Pelayo, historiadores de la literatura, hispanistas, arabistas, etcétera, dejando un apartado especial para la máxima figura de la filologí española, don Ramón Menéndez Pidal.

Discípulos y continuadores

No constituyen verdadera escuela. Más bien se trata de una serie de investigadores, críticos y eruditos en quienes se proyecta en grado más o menos visible el influjo del sabio santanderino, bien por obra y gracia de un magisterio directo o bien por haber continuado en algún aspecto su labor. El más notable de todos es Adolfo Bonilla y San Martín (1875-1926), catedrático de Historia

de la Filosofía en la Universidad de Madrid, jurisconsulto, historiador e investigador eminente, que repartió su actividad en esa triple dirección. Aparte de una *Historia de la filosofía española* (dos vols., 1911), que sólo alcanza hasta el siglo XII, dejó muy luminosos estudios sobre Vives y sobre las influencias de Erasmo en España. La historia literaria le debe, entre otros trabajos, un buen estudio de los libros de caballerías, varias ediciones críticas de textos medievales y del Siglo de Oro y la valiosísima de las obras de Cervantes, hecha en colaboración con el hispanista norteamericano R. Schevill.

Doña Blanca de los Ríos y Nostench (1862-1956), viuda de Lampérez, después de haberse distinguido como poetisa (*La novia del marinero, Romancero de don Jaime, Esperanzas y recuerdos*) y como narradora (*La niña de Sanabria, Melita Palma, La rondeña*), centró su atención en los grandes escritores del XVI y XVII, particularmente en Tirso de Molina. Al estudio de la vida y obras de éste ha dedicado más de medio siglo: primeramente nos dió el *Estudio biográfico y crítico de Tirso de Molina*, al que han seguido el *Don Juan y Las mujeres de Tirso*. Durante largo tiempo trabajó en la preparación de las obras completas del insigne mercedario. Ha estudiado también a Santa Teresa y tiene un libro sobre la mística.

Emilio Cotarelo y Mori (1857-1936), secretario que fué de la Real Academia Española e infatigable investigador, publicó estudios sobre Enrique de Villena, Rodrigo de Cota, Diego de San Pedro, Montoro, Alvarez Gato, Villamediana, etcétera. Su libro sobre Iriarte es modelo en el género. Pero su mayor actividad se orientó hacia el estudio del teatro: editó, con buenos prólogos, comedias de

Tirso y de Lope de Vega; dirigió la publicación de textos de Juan del Encina y Rueda; escribió monografías críticas sobre Rojas Zorrilla, Jiménez Enciso, Diamante, Cubillo de Aragón, Antonio Coello y otros dramaturgos del XVII, y apiló una extensísima documentación sobre el arte escénico del XVIII y sobre sus principales intérpretes. Sus obras más estimadas son *Don Ramón de la Cruz* (1899), *Iriarte y su época* (1897) y *Ensayo sobre la zarzuela*.

A su hijo, ARMANDO COTARELO VALLEDOR (1879-1950), debemos un estudio concienzudo sobre el teatro de Cervantes y monografías sobre varias cantigas de Alfonso el *Sabio*, sobre fray Diego de Deza y sobre la leyenda de «la desdichada Estefanía».

Lo que ha dado mayor fama a FRANCISCO RODRÍGUEZ MARÍN (1855-1943), poeta, folklorista, investigador y crítico, son los trabajos sobre Cervantes. Como poeta *(Madrigales, Sonetos)* ya en otro lugar quedó encuadrado dentro de la lírica academicista de finales del XIX; como folklorista ha logrado catalogar en los *Cantos tradicionales españoles*, en las *Dos mil quinientas voces castizas* y en otras colecciones un buen acervo de cantares, refranes y modismos, especialmente andaluces, que le otorgan puesto de honor en esta clase de estudios. Como investigador ha arrojado viva luz sobre ciertas figuras de las escuelas cordobesa, sevillana y antequerano-granadina: Pedro Espinosa, de quien nos ha dado una biografía completísima; Barahona de Soto, Baltasar del Alcázar, etc.; como cervantista, con sus ediciones críticas de algunas *Novelas ejemplares* y, sobre todo, con la del *Quijote*, se ha colocado R. Marín a la cabeza de los investigadores cervantinos. Sus obras son ya de consulta obligada en esta clase de estudios. Avaladas con extensos comentarios, todas ellas van redactadas en un estilo ameno, suelto y castizo, que no excluye la más severa documentación.

JOAQUÍN HAZAÑAS Y LA RÚA (1862-1934), catedrático de la Universidad de Sevilla, investigó sobre Gutierre de Cetina, el *Tenorio* y los *Rufianes de Cervantes*; JOSÉ RAMÓN LOMBA PEDRAJA, que lo fué de la de Oviedo, estudió preferentemente literatos del XIX: Somoza, Larra, Gil y Carrasco, Arolas y la leyenda de Don Juan; MANUEL SERRANO Y SANZ (1868-1932), de la de Zaragoza, publicó una interesante *Biblioteca de escritoras españolas desde 1401 a 1833*, aparte de las obras de Villalón, Saavedra y Fajardo y Valladares de Valdelomar; JULIO PUYOL ALONSO (1865-1937) ha contribuído al esclarecimiento de la literatura medieval con una reconstrucción de la *Gesta de Sancho II de Castilla* y trabajos sobre la *Crónica particular del Cid* y sobre el Arcipreste de Hita; también estudió a Cervantes y al autor de *La pícara Justina*. VÍCTOR SAID ARMESTO (1871-1914), profesor de literatura galaico-portuguesa en Madrid, mostró predilección por temas relacionados con esa literatura, sin desdeñar los de la castellana, particularmente en sus relaciones con el folklore: *La leyenda de don Juan, Tristán y la literatura*; ELOY BULLÓN Y FERNÁNDEZ (1879-1957) ha sabido compaginar sus investigaciones de historia, filosofía y derecho *(Los precursores de Bacon y Descartes, Alfonso de Castro y la ciencia penal, Jaime Balmes y sus obras, Miguel Servet y la geografía del Renacimiento)* con los literarios *(Cristóbal de Castillejo y la influencia renacentista en la poesía castellana)*.

La «Nueva Biblioteca de Autores Españoles»

Fué creada por Menéndez Pelayo para completar en unas partes y suplir en otras a la de Rivadeneyra, de la que hicimos ya amplia mención. El primer tomo, encabezado por el mismo Menéndez Pelayo, apareció en 1907. A partir de ese momento se han publicado 26 volúmenes (el VII en dos tomos) y han colaborado en ellos, bien como investigadores o bien como simples recopiladores, hombres tan eminentes como Bonilla y San Martín, Cotarelo y Mori, Menéndez Pidal, Serrano Sanz y el padre Mir.

La «Nueva Biblioteca de Autores Españoles» comprende las siguientes materias: *Los orígenes de la novela*, con amplios estudios de Menéndez Pelayo (vols. I, VII, XIV y XXI); *Monografías y memorias*, por Serrano Sanz (II); *Sermones y escritores místicos españoles*. reunidos por el padre Miguel Mir (III y XVI); *Comedias de Tirso de Molina*, extensamente prologadas por Cotarelo y Mori (IV y IX); *Primera crónica general de España*, con breve nota introductoria de Menéndez Pidal (V); *Libros de caballerías: ciclo artúrico, ciclo de los Palmerines y extravagantes*, con variaciones, índices y glosarios de Bonilla y San Martín (VI y XI); *Historia de la Orden de San Jerónimo*, por el padre Sigüenza, con introducción de Juan Catalina González (VIII y XII); *Crónicas del Gran Capitán*, reunidas por Antonio R. Villa (X); *Historiadores de Indias*, recopilación de Serrano y Sanz (XIII y XV); *Colección de entremeses*, con espléndidos estudios de Cotarelo y Mori (XVII y XVIII); *Cancionero castellano del siglo XV*, a cargo del benemérito hispanista Foulche-Delbosc (XIX y XXII); *Obras místicas de fray Juan de los Angeles*, con extenso estudio biográfico por el franciscano padre fray Jaime Sala (XX y XXIV); *Sainetes de don Ramón de la Cruz*, prologados por Cotarelo y Mori (XXIII y XXVI); *Orígenes de la dominación española en América* (XXV), por Serrano y Sanz.

En nuestros días, a partir de 1954, se ha reanudado la «continuación» de la primitiva Biblioteca Rivadeneyra, que en el momento en que escribimos estas líneas ha publicado medio centenar de volúmenes [1].

II. LOS ARABISTAS

Durante el siglo XIX y en lo que va del actual se observa un reflorecimiento de los estudios árabes en España; y, si bien las investigaciones de los semitistas se orientan preferentemente del lado de la historia y de la lingüística, no dejan por ello de tener interés en el aspecto literario, en cuanto iluminan amplias zonas de nuestra poesía o de nuestra novela, especialmente en el largo período medieval.

Entre los precursores de este movimiento, que enlaza con los grandes orientalistas del XVI—Tamarid, Diego de Urrea, el padre Guadix—ocupa el primer puesto PASCUAL GAYANGOS Y ARCE (1809-1897), profesor de árabe en Madrid, autor de la *Historia de las dinastías mahometanas en España* y de un estudio sobre la *Crónica del moro Rasis*. Pero el principal promotor fué FRANCISCO CODERA ZAIDIN (1836-1917), docto en letras clásicas y semíticas, que nos dejó entre sus obras la *Biblioteca arábigohispánica* (10 tomos) y alentó con su labor docente a un grupo de jóvenes dispuestos a canalizar sus actividades en este sentido, creando de paso una escuela muy floreciente. A ella pertenecen, entre otros, Ribera y Asín.

JULIÁN RIBERA Y TARRAGÓ (1858-1934), catedrático de árabe en las Universidades de Zaragoza y Madrid, estudió la cultura islámica en sus aspectos docente y jurídico *(La enseñanza entre los musulmanes españoles, Bibliófilos y bibliotecas de la España musulmana, Historia de los jueces de Córdoba)*, y demostró en esta última obra y en el *Cancionero de Abencuzman* la coexistencia, entre los mozárabes españoles, del dialecto románico con el árabe literario.

Discípulo dilecto del anteror y como él catedrático de árabe en la Universidad de Madrid fué MIGUEL ASÍN Y PALACIOS (1871-1844), sin duda el más ilustre de nuestros arabistas modernos. Ha consagrado su vida especialmente al estudio de la filosofía y de la teología islámicas en relación con la cristiana en libros como *La espiritualidad de Algazel y su sentido cristiano, Averroísmo teológico de Santo Tomás*, en monografías de Aben Massara y de Aben Tofail y, sobre todo, en su última gran obra, *El Islam cristianizado* (1930). Pero la que le dió fama universal, suscitando larga controversia en Europa, fué la titulada *Escatología musulmana de la Divina Comedia* (1919), en que se intenta demostrar las influencias musulmanas en Dante Alighieri, totalmente comprobadas en algunos aspectos: el viaje al infierno. Asín fundó la revista *Al-Andalus,* dedicada a esta clase de estudios, y nos dejó un *Glosario de voces romances registradas por un botánico hispano-musulmán (siglos XI y XII)*, riquísima fuente informativa para el estudio del español preliterario y de los dialectos mozárabes.

La primacía de estos estudios en la actualidad corresponde con pleno derecho a EMILIO GARCÍA GÓMEZ (n. 1905), catedrático de la Universidad de Granada primeramente y luego de la de Madrid, alumno aventajado de Asín y Palacios. En García Gómez concurren, junto a un conocimiento muy a fondo de la lengua y literatura árabes, excepcionales dotes de escritor. Ha traducido multitud de textos poéticos; nos ha dado una brillante antología de *Poemas arábigoandaluces* (1930); ha establecido zonas de coincidencia entre Aben Tofail y Gracián; finalmente, sus investigaciones sobre las «jarchas» han revolucionado las tesis mantenidas hasta ahora sobre la lírica española primitiva. Los estudios de García Gómez, aparte del contenido, llaman la atención por su estilo elegante, ágil y suelto.

Arabistas de nota son asimismo Angel González Palencia, a quien volveremos a encontrar como historiador de la literatura; Maximiliano Alarcón, Nemesio Morata, Pedro Longas, Jaime Oliver Asín y MANUEL GÓMEZ MORENO (n. 1870), maestro de toda una generación de historiadores y críticos de arte, que ha orientado su labor preferentemente hacia el campo de la arqueología mozárabe.

III. LOS HISPANISTAS

Desde que, coincidiendo con el movimiento romántico, destacados escritores extranjeros—Schlegel, Tieck, Byron, Hugo, Gautier—se decidieron a buscar temas de inspiración en nuestra historia, el gusto por las cosas españolas fué aumentando de tal modo, que ha podido formarse un nutrido grupo de investigadores—franceses, alemanes, ingleses, norteamericanos, italianos, holandeses, etcétera—, cuya labor no ha podido ser más fecunda para nuestras letras. Son los llamados «hispanistas». En algún aspecto—por ejemplo, la métrica—los frutos no corresponden al esfuerzo realizado; en otros, que constituyen la mayor y mejor parte de sus trabajos, han resultado altamente beneficiosos y no pocas veces superiores en calidad a los de nuestros mismos compatriotas. Piénsese en los estudios de Bataillon sobre el erasmismo en España.

En cualquier caso los nombres de estos beneméritos investigadores no pueden faltar en un capítulo como éste, dedicado a la investigación y crítica contemporáneas. La nómina es muy nutrida, por lo que habremos de limitar nuestra mención a los más importantes.

Hispanistas alemanes

Abre la lista ADOLFO FEDERICO SCHACK (1815-1894), que tras un viaje por España para estudiar la cultura árabe, se convirtió en fervoroso admirador de nuestra literatura. Tradujo, en colaboración con Geibel, varias piezas de nuestro teatro (*Spanisches Theater*) y un *Romancero hispano-portugués*; pero sus dos grandes obras, todavía de obligada consulta, son *Poesíe und Kunst der Araber in Spanien und Sizilien* y *Geschichte der dramatischen Literatur und Kunst in Spanien*. En lo tocante a Calderón, Shack es una autoridad de primer orden. JUAN FASTENRATH (1839-1908), muy conocido en España por el premio que lleva su nombre, interesa menos por su labor investigadora que por las traducciones y propaganda de libros españoles. Vertió al alemán obras de Echegaray, Bretón de los Herreros, Balaguer, Núñez de Arce y Zorrilla; escribió libros sobre Calderón y los trovadores catalanes, así como obras de divulgación sobre España (*Granadische Elegien, Maravillas hispalenses, Ecos de Andalucía,* etc.). A LUDWIG PFANDL (1881-1942) le han dado fama entre nosotros, aparte de sus múltiples artículos y ensayos sobre temas españoles, dos libros que estudian amplia y concienzudamente nuestra literatura clásica: *Introducción al Siglo de Oro* e *Historia de la literatura nacional española en la Edad de Oro*. A uno y otro hemos tenido ocasión de aludir frecuentemente en nuestro estudio de aquella época. Pfandl mostró especial cariño por la mística y el teatro castellanos. El eminente filólogo alemán KARL VOSSLER (1872-1949), después de haber consagrado buena parte de su vida a las literaturas francesa e italiana, mostró preferencia en sus últimos años por la española. Fruto de sus trabajos fueron *Lope de Vega y su tiempo* (1932) y *Poesie der Einsamkeit in Spanien* (1935), dos obras capitales de nuestra investigación. Su *Fray Luis de León* es de menos valor.

Hispanistas franceses

Los más destacados son: Foulché-Delbosc, Morel-Fatio, los dos Merimée, Martinenche y Bataillon. RAIMUNDO FOULCHÉ-DELBOSC (1864-1929), profesor de lengua española en París y gran rebuscador de fondos españoles en las principales bibliotecas de Europa, tiene en su haber la fundación y dirección de la *Revue Hispanique,* que a lo largo de cuarenta años (1894-1933) fué el portavoz más calificado del hispanismo internacional. La obra de Foulché-Delbosc—más de 200 trabajos

originales y 171 reproducciones de textos—está reflejada en las páginas de la *Revue*. Aneja a ella se publicó una *Biblioteca hispánica,* con multitud de ediciones de clásicos: el *Lazarillo,* Góngora, Jorge Manrique, etc. Parecida labor realizó desde las páginas del *Bulletin Hispanique* ALFREDO MOREL-FATIO (1850-1924), que estudió las relaciones culturales entre Francia y España, deteniéndose particularmente en nuestro teatro del XVII: Calderón, Tirso, etc. Editó el *Libro de Aleixandre,* tradujo el *Lazarillo* y dejó un utilísimo *Catálogo de manuscritos españoles y portugueses de la Biblioteca Nacional de París,* aunque su obra más notable fueron las cuatro series de *Etudes sur l'Espagne,* publicadas entre 1888 y 1904. A ERNESTO MARTINENCHE (1870?-1939), profesor de lengua y literatura españolas en la Sorbona, se deben valiosos estudios sobre temas hispánicos, particularmente los relacionados con los orígenes del teatro español y las conexiones entre nuestros dramaturgos y los franceses; a ERNESTO MERIMÉE (1846-1924), fundador con Pierre Paris del Liceo francés de Madrid, ensayos sobre Quevedo, Guillén de Castro y traducciones francesas del *Poema del Cid* y del *Romancero,* aparte de un *Manual de historia de la literatura española;* a ENRIQUE MERIMÉE (1878-1926), hijo del anterior y profesor en Montpellier y Toulouse, numerosos trabajos de erudición publicados en el *Bulletin Hispanique* y en otras revistas, y estudios muy documentados sobre poetas y dramaturgos de la escuela valenciana[2]. Por último, MARCEL BATAILLON (n. 1895) se ha distinguido por sus traducciones de escritores españoles modernos (Unamuno, Sarmiento) y por sus trabajos sobre el erasmismo en España. Ha reivindicado para Alfonso Valdés la paternidad del *Diálogo de Mercurio y Carón* y nos ha dado con su *Erasme et l'Espagne* la mejor obra sobre la materia.

Ingleses y norteamericanos

Merece encabezar la lista JAIME FITZMAURICE-KELLY (1857-1923), que, después de profesar en las Universidades de Cambridge y Liverpool, regentó en la de Londres la cátedra de Cervantes creada por él. Dedicó parte de su vida al estudio de Cervantes; editó a Garcilaso; escribió libros sobre fray Luis de León y Lope de Vega; pero su obra más renombrada es la *Historia de la literatura española,* que, traducida pronto al español y al francés, alcanzó varias ediciones. JUAN BRANDE TREND (n. 1887), también profesor de Cambridge y colaborador de la *Enciclopedia británica,* en lo referente a la literatura española, ha traducido *La vida es sueño* y publicado interesantes estudios sobre la poesía y la música españolas, tanto en el medievo como en el siglo XVII y en la época moderna; EDWARD MERYON WILSON (n. 1906), profesor de lengua y literatura españolas en la Universidad de Londres, ha dedicado particular atención a Góngora, cuyas *Soledades* tradujo soberbiamente al inglés; EDGARD ALLISON PEERS (n. 1894), que regenta la cátedra de español en la Universidad de Liverpool, después de hacer estudios sobre literatura francesa, se encariñó con la española y ha publicado valiosos trabajos sobre el duque de Rivas, Manuel de Cabanyes y, últimamente, sobre Raimundo Lulio, los místicos y el romanticismo. Finalmente, AUBREY F. G. BELL (1881) ha investigado a fondo la cultura renacentista española, escribiendo multitud de monografías sobre sus figuras más representativas: Gil Vicente, Arias Montano, *El Broncense*, Ginés de Sepúlveda, fray Luis de León, Gracián, etc., hasta cuajar todas ellas en su espléndido libro *El renacimiento español*, que pone término a la polémica entablada en torno a este apasionante problema. Para Bell no sólo hubo Renacimiento en España, sino que éste fué más duradero (1400-1700), más fecundo, más variado y más original que en cualquier otro país [3].

Entre los «hispanistas» estadounidenses, cada día más numerosos, JORGE TICKNOR (1791-1871) mereció bien de España por su *History of Spanish Literature* (1849), que, aun adoleciendo de falta de seguridad ·en los juicios, prestó un gran servicio con su copiosa documentación y bibliografía. RUDOLPH SCHEVILL (1874-1946), profesor de la Universidad de California, se ha distinguido por sus monografías cervantinas, que quedaron sintetizadas en su libro *Cervantes*. En unión de Bonilla y San Martín inició la edición completa de las obras de Cervantes, que prosiguió y terminó al morir su colaborador. Gracias a Schevill disponemos de una edición crítica de nuestro primer novelista, avalada con notas muy estimables. Schevill ha colaborado incansablemente en las principales revistas de la especialidad (*Romanische Forschungen, Revue Hispanique, Modern Language Notes*, etc.) y ha editado y estudiado numerosos autores clásicos y modernos: Lope de Vega, Vélez de Guevara, Timoneda; Valera, Núñez de Arce, P. A. de Alarcón. Su primer libro de tema hispánico fué *Ovid and the Renascense in Spain*. No menos valiosa para las letras españolas ha sido la aportación de HUGO ALBERT RENNERT (1858-1927), en cuya abundante bibliografía destacan los tres estudios sobre la novela pastoril (*The Spanish Pastoral Romancer*), sobre la escena y compañías cómicas en España (*Stage in the time of Lope de Vega*) y sobre nuestro inmenso dramaturgo (*The life of Lope de Vega*), en colaboración este último con Américo Castro.

Italianos y de otras naciones

Mencionamos sólo tres: Croce, Rajna y Farinelli. El gran filósofo y esteta Benedetto Croce ha tenido ocasión, en su voluminosa obra, de acercarse a muchos escritores españoles a los que ha enjuiciado casi siempre con espíritu no exento de cierta xenofobia.

Más nos importa en este aspecto el que fué ilustre profesor de la Universidad de Florencia PÍO RAJNA (1847-1930), que, al indagar en los orígenes de la épica medieval, hubo de adentrarse en problemas relacionados con la lingüística y la literatura castellanas; y mucho más nos interesa aún ARTURO FARINELLI (1867-1948), a quien corresponde la palma entre todos los «hispanistas» contemporáneos. La obra de Farinelli, orientada en su mayor parte al estudio de las literaturas comparadas, es muy voluminosa y está escrita en italiano, francés, alemán y español. Sólo en lo relativo a la nuestra, sus libros alcanzan las dos docenas: *Grillparzer und Lope de Vega, Baltasar Gracián, Deutschlands und Spanien literarische Beziehungen, Boccaccio in Spagna, Petrarca in Spagna, Dante in Spagna, Calderón y la música en Alemania, Guillaume de Humboldt et l'Espagne, Goethe et l'Espagne, Ensayos y discursos de crítica literaria hispano-europea, Italia e Spagna, Divagaciones hispánicas, Scienza e vita llena, Spagna contemporánea*, etc. Farinelli es tal vez el extranjero que con más entusiasmo y cariño ha estudiado nuestra literatura.

Entre los hispanistas belgas sobresalen los profesores de Lovaina Groult, autor de un libro sobre mística, y Carnoy, a quien corresponde la conocida obra *Le latin d'Espagne d'après les inscriptions;* y el director de la Biblioteca Nacional de Bruselas, doctor Vauthier, que tiene un valioso trabajo sobre nuestro teatro del Siglo de Oro. En Portugal destacan Rodrigues Lapa, ilustre investigador de la lírica medieval, y Luis F. Lindley Cintra, autor dc ediciones de Crónicas, de los Fueros leoneses y de un Atlas lingüístico. De los hispanistas brasileños debemos citar a Serafín de Silva Nieto y Celso Ferreira da Cunha, director de la Biblioteca General de Río, y editor del Martín Codax y otros Cancioneros. Por último, una mención especial merecen los hispanistas holandeses, entre los que destacan C. F. A. van Dan, de Utrecht, y J. A. van Praag, de Amsterdam. Van Praag es autor de medio centenar, por lo menos, de trabajos sobre literatura española (Cervantes, María de Zayas. Quevedo, Alemán) y estimables traducciones de novelistas actuales, como Fernández Flórez.

IV. CRITICOS E HISTORIADORES DE LA LITERATURA

La crítica retrospectiva o del pasado sigue a principios de siglo en las manos firmes de Menéndez Pelayo. La de las producciones del día era ejercida con mayor o menor decoro por Ixart, Pompeyo Gener, Eduardo Bustillo, Luis López Ballesteros, Fernández de Villegas (Zeda) y otros. Pronto van a ser reemplazados por una promoción de críticos más jóvenes y por ello también dotados de otro gusto y otra sensibilidad. Como que sobre ellos actuaban simultáneamente los ensayistas del 98 y las tendencias filológicas de la escuela de Menéndez Pidal. A la vez que la crítica, la erudición se mantiene en pleno desarrollo y sus frutos cuajan pronto en una inacabable serie de estudios monográficos, casi siempre en forma de ensayos y sin la conexión mínima indispensable para llegar a constituir verdaderas historias. Se trata más bien de referencias sinópticas sobre tal o cual género: teatro, novela, lírica. Nunca, o casi nunca, de libros de alcance general a la manera de los estudios de Menéndez Pelayo, Amador de los Ríos, marqués de Valmar y padre Blanco García. Para encontrar algo parecido hay que acudir a un «hispanista» como Pfandl. Nuestras historias literarias, publicadas en el siglo xx, son, salvo la de Cejador, compendios más o menos amplios; o bien, monografías de géneros. Vaya una enumeración de los autores más importantes.

Cejador, Hurtado y Palencia, Valbuena Prat y Díaz-Plaja

El citado Julio Cejador y Frauca (1864-1927) nos legó en los 14 volúmenes de su Historia de la lengua y literatura castellana gran copia de datos sobre autores y obras, tanto antiguos como modernos. Sin embargo, la historia de Cejador ha de consultarse con reservas. En sus páginas alternan aciertos y errores, juicios atinados e hipótesis disparatadas. Cejador era hombre de talento y erudición extraordinarios; conocedor a fondo de lenguas y literaturas semíticas, clásicas y modernas; de grandes virtudes; pero también de enormes defectos: tozudo, pagado siempre de sus opiniones por infundadas que fuesen. Ello le llevó a abandonar la Compañía de Jesús, a la que pertenecía. Su obra, tanto crítica como de investigación, es considerable: La lengua de Cervantes, Tesoro de la lengua castellana, Embriogenia del lenguaje, etc. Dirigió ediciones de clásicos de La Lectura: Mateo Alemán, Arcipreste de Hita, Lazarillo y otros.

De otra índole son las Historias de la literatura española de los señores Hurtado-González y Valbuena Prat. La primera, escrita en colaboración por Juan Hurtado Jiménez de la Serna (1875-1944) y Angel González Palencia (1889-1949), catedráticos de la Universidad de Madrid, se ha convertido en manual indispensable de estudiantes facultativos de letras, gracias sobre todo a su abundante información bibliográfica; la segunda, del catedrático Angel Valbuena Prat (nacido en 1900), menos metódica que la anterior, es también de obligada consulta en nuestros centros universitarios, y está redactada con mayor espíritu crítico. González Palencia fué también un arabista destacado, que dió a conocer muchos textos de escritores musulmanes y publicó entre otros libros una Historia de la España musulmana y otra de la Literatura hispanoarábiga. Valbuena Prat, cuya mencionada Historia abarca en su última edición tres gruesos volúmenes, es autor de notables estudios sobre Poesía española contemporánea, La vida española en la Edad de Oro, Poesía sacra española, Novela picaresca y dos libros muy justamente encomiados sobre el teatro, que Valbuena conoce mejor que nadie acaso entre nosotros: Los autos sacramentales de Calderón y Literatura dramática española.

Bajo la dirección de Guillermo Díaz-Plaja (n. 1909), está en vías de publicación una monumental Historia de las literaturas hispánicas, de la que han aparecido los cinco primeros volúmenes de gran formato, que alcanzan hasta el Romanticismo. Colaboran en ella calificados profesores y hombres de letras, especialistas todos ellos en las diferentes materias. Aunque la mayor parte de sus capítulos son de alto valor, la historia se resiente en su conjunto de falta de unidad y acusa esas diferencias de estilo y enjuiciamiento inevitables en una obra encomendada a tantas manos. Díaz-Plaja, en quien concurren el poeta lírico, el ensayista, el erudito, el investigador y el crítico, es autor de numerosos libros, algunos de ellos francamente buenos: El arte de quedarse solo y otros ensayos, Rubén Darío, Introducción al romanticismo, La poesía lírica española, El espíritu del barroco, Modernismo frente a 98, etcétera.

Otros críticos contemporáneos

Deben mencionarse: Eduardo Gómez de Baquero (1866-1929), más conocido por el seudónimo de Andrenio con que colaboraba en la prensa diaria. Ponderación de juicio y claridad expositiva fueron sus más preciadas cualidades. Escribió ensayos (Literatura y periodismo, Letras e ideas, Cartas a Amaranta, Nacionalismo e hispanismo, De Gallardo a Unamuno) y libros de crítica (Novelas y novelistas, El renacimiento de la novela en el siglo XIX, El triunfo de la novela). Como se ve, *Andrenio* orientó su actividad crítica por el lado de la novela. También fué la novela zona preferida por ANDRÉS GONZÁLEZ BLANCO (1888-1924), cuya obra, tanto original como de traducción, es muy extensa. Difundió entre nosotros la literatura portuguesa con estudios y traducciones; escribió libros sobre autores del XIX (Palacio Valdés, Campoamor, etc.) y dejó tres obras de innegable mérito y utilidad: *Historia de la novela en España, Los dramaturgos españoles contemporáneos* y *Escritores representativos de América.*

Más cerca de nosotros, MELCHOR FERNÁNDEZ ALMAGRO (n. 1893), miembro de la Real Academia Española de la Lengua, ha repartido su actividad entre la historia política de España y la crítica literaria, desempeñada con gran decoro desde las páginas de la prensa diaria—*El Sol. ABC*—y del libro. Tiene interesantes estudios sobre escritores del 98: *Vida y obra de Angel Ganivet, Vida y literatura de Valle-Inclán, En torno al 98.* En el aspecto histórico, sus obras más importantes son: *Orígenes del régimen constitucional en España, Historia del reinado de Alfonso XIII, Repúblicas centro y sudamericanas* (tomo XXXIX de la *Historia Universal,* de Oncken), *Catalanismo y República española, Historia de la República española.* Todas ellas están avaladas por la más amplia información, sin que ésta entorpezca en ningún momento el interés de su lectura, gracias al estilo de corte clásico y actual a la vez con que están redactadas. JOSÉ MARÍA DE COSSÍO (n. 1893), académico de la Lengua, ha publicado en revistas y periódicos importantes estudios críticos, recogidos en libro con los títulos de *Poesía española, Siglo XVII, El romanticismo a la vista,* y nos ha dado en *La obra literaria de Pereda* una hermosa semblanza del insigne novelista montañés. LUIS ARAUJO COSTA (n. 1885) ha enriquecido la crítica moderna con obras en que demuestra amplia cultura y dominio del estilo: *El escritor y la literatura, El arte, la literatura y el público, El siglo XVIII en España: su literatura, El Quijote y sus notas,* etc. La obra de Araujo Costa, de hondo sabor humanístico, se mueve entre la crítica y el ensayo.

En cambio, son más propiamente eruditos que críticos MIGUEL SANTOS OLIVER, autor de una *Vida y semblanza de Cervantes;* RICARDO BAEZA, infatigable traductor de grandes literatos extranjeros: Oscar Wilde, D'Annunzio, Nietzsche, O'Neill, Ludwig, etc.; NARCISO ALONSO CORTÉS, académico de la Lengua, editor de Moreto, Villegas y otros, a la vez que profundo conocedor de temas literarios relacionados con la Corte española de Valladolid; MIGUEL ARTIGAS, director de la Biblioteca Menéndez Pelayo, de Santander, y más tarde de la Nacional; autor de documentadísimos estudios sobre Góngora, Ulloa y Pereira, etc., y de una valiosa biografía de Menéndez Pelayo. CRISTÓBAL PÉREZ PASTOR, rebuscador incansable de datos en archivos y bibliotecas; publicó innumerables documentos inéditos sobre Calderón, Cervantes, Lope de Vega, y dejó abundante documentación bibliográfica para la historia de la imprenta en Medina, Toledo y Madrid; ANTONIO PAZ Y MELIÁ, eminente archivero, a quien se debe el *Catálogo de las piezas de teatro manuscritas de la Biblioteca Nacional* y la edición de multitud de textos: Rodríguez del Padrón, Gómez Manrique, Juan de Castellanos, el *Cancionero del Castillo,* la *Crónica de Enrique IV,* por A. de Palencia, etc.

Citemos, por último, entre los críticos actuales, a NICOLÁS GONZÁLEZ RUIZ (n. 1897), cuya pluma, fácil y brillante, se ha empleado en los más variados géneros: crítica literaria (*En esta hora, Antología de la literatura periodística, Lope de Vega* (biografía espiritual), *La literatura contemporánea, El duque de Rivas*); biografías y ensayo (*La trayectoria de una revolución, Azaña, Azel de Fersen, La Caramba* y los once volúmenes de *Vidas paralelas*); novela y narración breve (*El polígamo inocente, Cuentos del pasado glorioso*), y traducciones de obras dramáticas (*María Estuardo,* de Schiller; *Eduardo III, Macbeth, Romeo y Julieta,* etc., de Shakespeare). González Ruiz es uno de los más felices adaptadores de obras extranjeras que ha tenido nuestro teatro. Más que adaptaciones sus arreglos son auténticas recreaciones dramáticas. Pero donde más sobresale este escritor fecundísimo y agudo es en su labor periodística, bien en forma de comentarios de actualidad, bien en reseñas críticas de libros y estrenos teatrales. Agudeza, gracia natural, espontaneidad y un sano eclecticismo, que no excluye la firmeza de juicio, son las notas más acusadas de Nicolás González Ruiz.

Astrana Marín, Casares, Sainz de Robles, Entrambasaguas y otros

Cerremos este apartado con cinco o seis nombres en quienes concurren cualidades muy distintas que, por eso mismo, escapan a todo encuadramiento: Astrana Marín, Julio Casares, Sainz de Robles y Entrambasaguas, Amezúa, etc.

LUIS ASTRANA MARÍN (1889-1960) es, a la vez, un eminente traductor e investigador destacado. Ha traducido y comentado con profundos análisis las obras de Shakespeare, del que tiene también una biografía muy estimable. Conocedor, como pocos, de nuestros clásicos, ha biografiado a Lope de Vega y a Quevedo, cuya edición de obras completas ha enriquecido con multitud de originales inéditos e ilustrado con valiosas anotaciones. Desde hace algunos años Astrana Marín está consagrado principalmente al estudio de Cervantes, y tiene en curso de publicación una monumental vida del autor de *Don Quijote,* que es hasta ahora lo más completo y definitivo que existe sobre la materia.

En JULIO CASARES (n. 1877), secretario de la Real Academia Española y jefe de la Interpretación de Lenguas del Ministerio de Asuntos Exteriores, encontramos a la vez un crítico, un filólogo y un gramático. Su *Crítica profana* y *Crítica efímera*, donde se enjuicia con bastante dureza a ciertos escritores de principios de siglo, le acreditan de profundo conocedor de la literatura antigua y moderna; *Cosas del lenguaje* nos da al filólogo y gramático, y en el *Diccionario ideológico de la lengua española* se descubre uno de los mejores semantistas de nuestro tiempo.

La personalidad literaria de JOAQUÍN DE ENTRAMBASAGUAS (n. 1904), catedrático de la Universidad de Madrid, se reveló con la magnífica tesis doctoral *Una guerra literaria del Siglo de Oro: Lope de Vega y los preceptistas aristotélicos* (1932). Después ha ido enriqueciendo sin cesar su producción, que hoy es muy considerable: *Una familia de ingenios: los Ramírez de Arellano, Vida de Lope de Vega, Miguel de Molinos, La determinación del romanticismo español y otras cosas*; monografías sobre Moreto, Ramírez de Prado, Adam de la Parra, etc. Entrambasaguas es primero un investigador y crítico de altura; después se nos ha revelado como ensayista fino y original: *Las manos de la Gioconda, Ruinas, Arquitectura y paisaje de Gaudí, El alma sorprendida*, y, al fin, como poeta de honda sensibilidad. Sus trabajos sobre Lope de Vega le colocan a la cabeza de los investigadores del genial dramaturgo.

Otro lopista ilustre es AGUSTÍN GONZÁLEZ DE AMEZÚA (1881-1956), crítico literario e incansable investigador. Dueño de una de las mejores bibliotecas particulares de España, y en posesión de una sólida fortuna, Amezúa pudo dedicar al cultivo de las letras, por las que sintió desde niño manifiesta inclinación, todo el tiempo que le dejaban libre sus asuntos financieros. Fruto de esa dedicación es su obra crítica, que se distribuye principalmente en dos géneros: historia propiamente dicha (*La batalla de Lucena y el verdadero retrato de Boabdil, El marqués de la Ensenada, Isabel de Valois, Las primeras ordenanzas municipales de Madrid*) e historia literaria (*Fases y caracteres de la influencia del Dante en España, Menéndez Pelayo y la ciencia española, La novela cortesana, Cómo se hacía un libro en nuestro Siglo de Oro, Fantasías y realidades del viaje a Madrid de la condesa de D'Aulnoy, Juan Rufo y el apotegma en España*, etc.). En relación con Lope, y aparte de otros trabajos de menos monta, dejó el *Epistolario*, reunido en cuatro tomos; y en relación con Cervantes, la «Introducción» a la edición crítica de las *Novelas ejemplares*, en cinco volúmenes. Investigador concienzudo y documentadísimo, en sus obras la claridad de exposición corre pareja con la amenidad y galanura del lenguaje, siempre preciso y brillante. Fué González de Amezúa académico de la Real Española de la Lengua y director de la Real de la Historia.

La abrumadora producción de FEDERICO CARLOS SAINZ DE ROBLES (n. 1899), que alcanza ya varias docenas de títulos, se extiende a las materias más variadas. Se inició con libros de poesía modernista (*La soledad recóndita, El ritmo interior*), pasa luego a la novela, bien de tendencia psicoanalítica (*Mario en el foso de los leones*), bien de matiz irónico (*La decadencia de lo azul celeste*), para saltar, finalmente, a las obras de tipo históricocrítico: *Obras completas de Galdós, Historia y antología de la poesía castellana, Teatro español* y tantas otras; todas redactadas con garbo y con abundante documentación. Una faceta destacada de Sainz de Robles es el madrileñismo. Pocos han estudiado la capital de España con tanto amor y tan profundo conocimiento. Es un heredero de Mesonero Romanos, pero con más cultura y gusto más refinado.

Cerramos este epígrafe con los nombres de Sainz Rodríguez y de Morales Oliver, catedráticos ambos de la Facultad de Letras de la Universidad de Madrid. PEDRO SAINZ RODRÍGUEZ (n. 1897), de cuyo extraordinario talento y erudición asombrosa tanto cabía esperar, ha malogrado parte de su vida con la dedicación a la política, en la que intervino muy activamente durante varios años. Aun así, la literatura española le debe una serie de meritísimos trabajos, en los que se hace admirar por su sólida cultura no menos que por la originalidad de concepto y la galanura de lenguaje: *La obra de «Clarín»* (1921), *Gallardo y la crítica literaria de su tiempo* (1921), *Documentos para la historia de la crítica literaria en España, La mística española* (1926), *Ascetismo y humanismo en la literatura española* (1928). También ha dedicado a la mística atención preferente el profesor de Literatura Hispanoamericana en Madrid LUIS MORALES OLIVER (n. 1895). Conferenciante brillantísimo y escritor tan documentado como ameno, su labor crítica e investigadora se ha volcado en numerosos estudios históricos y literarios: *Arias Montano y el problema político de Flandes, Los místicos de la época de Carlos V, La Asunción de la Virgen en la literatura, Poetización del mundo en «Don Quijote», La poesía religiosa de Quevedo, El centro del alma en la mística carmelitana, Consideraciones en torno de la poesía y su esencia*, etc.

Los periodistas

No suele prestarse la debida atención en las historias de la literatura al periodismo. Es, sin embargo, un género tan encajado dentro de lo literario como otro cualquiera, y con el mismo derecho a ocupar un sitio que la novela, el ensayo o el teatro. Bien es verdad que las figuras más sobresalientes del periodismo en España, y lo mismo ocurre en otros países, suelen destacar en otras actividades literarias, y al aludir a éstas han tenido ya la oportuna referencia. Así, en el siglo XIX ocurre, entre otros, con Balmes, Navarro Villoslada, Pedro A. de Alarcón, Núñez de Arce, Larra, Selgas, Zapata; y en el nuestro, con Blasco Ibáñez, Palacio Valdés, *Azorín*, Ortega y Gasset, D'Ors, Maeztu, Ricardo León, Fernández Flórez, Pemán, por no citar sino unos pocos. Hay, con todo, algunos escritores cuyo perfil más acusado es el periodismo, en el que han dejado una obra tan benemérita y tan digna de recuerdo como pueda serlo una comedia bien escrita o una excelente novela. «Gran parte de la literatura española de los siglos xix y xx —ha escrito Fernández Almagro— duerme y alienta en las hemerotecas, no sólo porque grandes escritores han colaborado, a título de tales, en la Prensa, con artículos, ensayos breves, cuentos, novelas cortas e incluso composiciones poéticas, sino también y sobre todo, porque el periodismo es, de por sí, un género literario, y sus cultivadores han contribuído a enriquecer y abrillantar la lengua y las letras españolas, ejerciendo en determinados casos una cierta influencia sobre la evolución de la prosa hacia formas directas, rápidas y fáciles.»

Entre esos cultivadores a que alude el ilustre crítico, y que son legión, cabe citar los nombres de ISIDORO FERNÁNDEZ FLORES (1840-1902), gran satírico, que popularizó los seudónimos de *Fernanflor* y *Un Lunático* en diarios y revistas, y fundó las famosísimas hojas literarias de *Los lunes del Imparcial*; JULIO BURELL (1859-1919), cordobés, escritor de extraordinario ingenio y pluma facilísima, que entre los años 1880 y 1890 llegó a escribir más de cinco mil artículos, algunos tan sensacionales como *Cristo en Fornos* y *La caída del coloso*, que se hicieron populares en toda España; LUIS BONAFOUX Y QUINTERO (1855-1918), uno de los cronistas más leídos a finales de siglo, crítico agudísimo y controversista temible, que, aparte de sus incontables trabajos periodísticos, dejó hasta dos docenas de excelentes libros sobre literatura y política; FRANCISCO NAVARRO LEDESMA (1869-1905), toledano, archivero y catedrático insigne, que alternó su labor investigadora y docente (*Lecciones de literatura general, El ingenioso hidalgo don Miguel de Cervantes, Lecturas literarias*) con una asidua colaboración en los mejores diarios y revistas; CÁNDIDO NOCEDAL (1821-1885), coruñés, colaborador de *El Padre Cobos* y fundador de *El Siglo Futuro*, tan ilustre por sus discursos en el Parlamento como por sus artículos en la Prensa; FRANCISCO SILVELA (1845-1905), madrileño, autor de obras de crítica (*Introducción al epistolario de la madre María de Jesús de Agreda, Orígenes, historia y caracteres de la Prensa española, El mal gusto literario en el siglo XVIII*) y de incontables trabajos periodísticos que destacan por su estilo selecto y reposado; su hermano MANUEL SILVELA (1830-1892), nacido en París, editor de las obras de Leandro F. de Moratín y tan buen periodista

como Francisco; MIGUEL DE LOS SANTOS OLIVER Y TOLRÁ (1864-1919), mallorquín, poeta y crítico literario, además de periodista de primer orden, cuyas colaboraciones eran solicitadísimas por los diarios de mayor difusión. Dirigió el *Diario de Barcelona* y *La Vanguardia*.

Más cercanos a nosotros encontramos otras figuras del periodismo no menos insignes: JOSÉ CUARTERO (1869-1946), de Albacete, editorialista insuperable, cuyos artículos sin firmar en el *A B C*, de Madrid, fueron siempre leídos con el mayor interés; EDUARDO GÓMEZ DE BAQUERO (1886-1929), madrileño, ya citado como crítico, que en sus incontables artículos firmados con el seudónimo de *Andrenio* se distinguió por la elegancia y sutileza, no exenta d ec*iertas* gotas de escepticismo; VÍCTOR DE LA SERNA (1896-1958), hijo de la novelista Concha Espina, muy celebrado por sus comentarios periodísticos, escritos siempre en una prosa ágil, llena de jugo y de ingenio; FERNANDO CASTÁN PALOMAR (n. 1898), zaragozano, novelista, crítico y biógrafo (*Vida de Francisco Goya, Tirso Escudero, La bohemia*, etc.), y que ha popularizado su nombre en toda España con la sección «¿Qué hizo usted ayer?», por la que han desfilado las figuras más sobresalientes del mundo de la política, la cultura, las artes y el deporte; CÉSAR GONZÁLEZ RUANO (n. 1903), aludido ya como poeta, comentarista de estilo personal e inagotable ingenio; Augusto Assía, Jacinto Miquelarena, Eugenio Montes y otros.

Queremos cerrar la lista con el nombre de MARIANO DE CAVIA (Zaragoza, 1855-Madrid, 1920). Es acaso Cavia la máxima figura del periodismo español en su tiempo. Llegado a Madrid a los veinticinco años, después de haber cursado Leyes y de haber trabajado en la prensa de su ciudad natal, pronto se da a conocer por sus colaboraciones amenas, interesantes y llenas de fino humor. Con el seudónimo de *Sobaquillo* firma sus crónicas taurinas, que inmediatamente dan la vuelta a toda España; y con el de «Un chico del Instituto», sus glosas y comentarios sobre usos y abusos de la lengua. Un artículo suyo, *El incendio del Museo del Prado*, aparecido en *El Liberal* (1891), produjo tal impresión en el público, que el Gobierno tuvo que apresurarse a reforzar las medidas defensivas de nuestra gran pinacoteca. Con el título *Despachos del otro mundo* publicó durante años una sección en la que hacía intervenir a famosos personajes fallecidos, para que diesen su opinión sobre sucesos de actualidad. Las crónicas de Cavia se distinguieron siempre por su lenguaje correcto, castizo, sin incurrir en excesos arcaizantes, suelto e ingenioso. Unas gotas de causticidad muy bien dosificada y cierto tinte del mejor humorismo contribuían a darles mayor atractivo. Cavia era una autoridad en materias gramaticales, por lo que fué llamado a un sillón de la Academia, sillón que no llegó a ocupar.

V. MENENDEZ PIDAL

Lo que Menéndez Pelayo representó para la erudición y la crítica del xix, lo representa Menéndez Pidal en la cultura de nuestro siglo. También aquí confluyen las corrientes más vivas del pensamiento tradicional con las exigencias más apretadas del espíritu moderno. Sólo que en Menéndez Pidal se hace análisis y especialización lo que en el autor de las *Ideas estéticas* eran síntesis geniales y horizontes ilimitados. Menéndez Pidal abre a los españoles las puertas de la filología y de la lingüística actuales con la misma dignidad con que Menéndez Pelayo les había abierto las de la crítica literaria y la erudición histórica de su tiempo. Investiga antes que nadie los orígenes y desarrollo de nuestro idioma, no ya con métodos intuitivos, sino conforme a los más severos cánones del procedimiento histórico. Partiendo del estudio de la lengua, se introduce en el de la literatura, y luego, en el de la historia medieval, que ilumina casi en su totalidad. Y algo también muy importante: con su magisterio y su ejemplo forma en España una escuela filológica, que desde hace cuarenta años viene cosechando los mejores frutos.

Vida y persona

Nace RAMÓN MENÉNDEZ PIDAL en La Coruña, en 1869, descendiente de asturianos. Estudia en la Universidad de Madrid, donde destacó como discípulo de M. Pelayo. Desde muy joven colabora en diversas revistas con trabajos de erudición literaria e histórica, que llaman la atención de los investigadores. En 1893 la Real Academia Española premia su estudio sobre el *Poema del Cid,* que no se publicó hasta más tarde. Tres años después, la Academia de la Historia galardona su primera gran obra publicada, *La leyenda de los infantes de Lara* (1896); con ella Menéndez Pidal se coloca a la cabeza de los investigadores de nuestra épica medieval, siguiendo la trayectoria de Milá y Fontanals, a quien supera en rigor, precisión y originalidad. 1899: obtiene la cátedra de Filología Románica de la Universidad de Madrid, donde desarrolla hasta su jubilación fecundísima labor. 1901: ingreso en la Real Academia Española, con un discurso sobre *El condenado por desconfiado,* de Tirso de Molina; le contesta Menéndez Pelayo. 1908-12: publicación del *Cantar de Mio Cid: texto, gramática y vocabulario* (tres vols.), que le confiere reputación universal, situándole a la cabeza de los romanistas. 1907: creación de la Junta para Ampliación de Estudios y del Centro de Estudios Históricos, donde continúa, intensifica y amplía su labor de cátedra. 1912: ingreso en la Academia de la Historia con un discurso sobre la *Crónica general de Alfonso el Sabio.* 1914: fundación de la *Revista de Filología Española,* en la que colaboran sus mejores discípulos y muchos investigadores extranjeros, convirtiéndola en una de las mejores publicacio-

nes en su género. 1925: es elegido director de la Real Academia Española, cargo que desempeña hasta 1939; en el mismo año de 1925, con motivo de sus bodas de plata con el profesorado, los discípulos y admiradores de todo el mundo le dedican un *Homenaje* (tres volúmenes de estudios con 135 colaboradores). 1926: publica los *Orígenes del español,* obra en que se estudia el período preliterario de nuestra lengua con toda claridad y precisión. 1947: es reelegido director de la Real Academia, cargo que ostenta en la actualidad.

Menéndez Pidal ha recibido gran número de homenajes y distinciones, tanto nacionales como extranjeras. Es doctor *honoris causa* entre otras Universidades de las de Bruselas, Hamburgo, Lovaina, Oxford, París, Toulouse y Tubinga.

Tipo perfecto, como se ve, de sabio, de investigador, hombre entregado totalmente a su tarea, Menéndez Pidal no ofrece perfiles anecdóticos. Empieza a escribir y trabajar muy joven, y, ya nonagenario, sigue escribiendo y trabajando con el mismo entusiasmo y la misma fe de su juventud. Su vida en este aspecto es un ejemplo único. Su personalidad puede definirse en pocas palabras: es modesto, sencillo; gusta poco del boato y ruido exterior y siempre está dispuesto a enseñar a los demás.

Obra

Muy abundante. Los títulos más destacados son: *La leyenda de los infantes de Lara* (1896), *Manual de gramática histórica española* (1904), *L'Epopée castillane a travers la Littérature Espagnole* (1910), *Cantar de Mio Cid: texto, gramática y vocabulario* (1908-12), *La España del Cid* (dos vol. 1920), *Poesía juglaresca y juglares, Aspecto de la historia literaria y cultural de España* (1924), *Orígenes del español, Aspecto lingüístico de la Península Ibérica hasta el siglo XI* (1926).

Otras obras de Menéndez Pidal, no por más reducidas menos importantes, son: *Documentos lingüísticos de España, La lengua de Cristóbal Colón, Estilo de Santa Teresa y otros estudios sobre el siglo XVI, El poema del Cid y las crónicas generales de España, La unidad del idioma, De Cervantes y Lope de Vega, El «Condenado por desconfiado», de Tirso de Molina* (discurso de ingreso en la Real Academia Española); *Estudios literarios, Poesía árabe y poesía europea,* con otros estudios de literatura medieval. *Reliquias de la poesía épica española, El rey Rodrigo en la literatura, El Romancero: teorías e investigaciones, Los romances de América y otros estudios, Tres poetas primitivos: Elena y María, «Roncesvalles», Historia troyana polimétrica, Antología de prosistas españoles, La unidad del idioma, Castilla, la tradición y el idioma; Idea imperial de Car-*

los V, Los Reyes Católicos según Maquiavelo y Castiglione, Romancero hispánico (hispano-portugués, americano y sefardí), dos vol.

Ha editado, ilustrándolos de paso con inapreciables anotaciones, numerosos textos: *Primera crónica general, Crónicas generales, Cancionero de romances, s. a., de Amberes; La leyenda del abad don Juan de Montemayor.* Ha publicado una *Flor nueva de romances viejos recogidos de la tradición antigua y moderna* y una *Floresta de leyendas heroicas españolas* (1925-27) en tres volúmenes. Por último, ha dirigido una monumental y documentadísima *Historia de España,* de la que van publicados cuatro tomos: I, *España prehistórica;* II, *España romana;* III, *España visigoda,* y IV, *España musulmana.*

M. Pidal filólogo, crítico e historiador

En Menéndez Pidal, basta repasar la anterior lista de títulos, concurren el filólogo, el crítico, el historiador y el maestro. En este último aspecto su actividad ha quedado amplia y hondamente proyectada en la brillante escuela a que aludiremos en seguida.

Como filólogo y lingüista, ocupa el primer puesto entre los españoles y uno de los primeros en la filología universal. Gracias a él, la lingüística románica, que en lo referente a España permanecía a principios de siglo estacionada en el punto en que la había dejado Federico Diez, echa a andar y se coloca pronto en primera fila, al lado de la italiana y la francesa, y en ciertos aspectos, por delante de las dos. Su *Gramática histórica española* (1904), perfeccionada y acrecida en sucesivas ediciones, está considerada por los romanistas como la exposición más clara y metódica de la evolución fonética y morfológica de una lengua. Los *Orígenes del español,* por otra parte, nos ofrecen con toda claridad y precisión el panorama lingüístico de las diversas regiones peninsulares durante el largo período preliterario en que se estaba formando nuestro idioma. «Con ser grande el valor de esta obra para el conocimiento de los orígenes de nuestro idioma—escribe Gili Gaya—, es mayor aún su importancia metódica, que ha sido señalada por todos los romanistas, en cuanto conjuga orgánicamente los factores de tiempo y espacio, y nos presenta con clara novedad las leyes fonéticas como una uniformidad tan sólo lograda de un modo secundario a través de diversas etapas cronológicas y geográficas.»

Su labor crítico-literaria se refleja en las amenas y documentadísimas páginas de *Poesía juglaresca y juglares,* donde revive todo un mundo poético de la España medieval, casi ignorado hasta ahora; en los sabrosos estudios sobre *Roncesvalles y Elena y María;* en la magistral introducción al *Cancionero de romances,* y, sobre todo, en esos dos hitos grandiosos de la investigación medieval: *La leyenda de los Infantes de Lara y El cantar del Mio Cid.* Esta última obra, tal vez la más lograda del autor, en que se combinan felizmente las dotes del lingüista, del paleógrafo, del historiador y del crítico, es en su género perfecta. Sin retroceder ante ninguna dificultad, empleando incluso reactivos químicos para mejor fijar el texto, aplicando los métodos más rigurosos de la investigación histórica y de la interpretación lingüística, M. Pidal ha conseguido restablecer totalmente el poema, no sólo en su integridad literaria, sino en su sentido y alcance histórico, de tal modo que, al decir de Menéndez Pelayo, ya «nadie leerá en él más que lo que el señor Menéndez Pidal haya leído». En cuanto a *La leyenda de los Infantes de Lara,* que en otras manos se habría reducido a un simple estudio monográfico, en las de M. Pidal se convierte en toda una teoría, aplicable con carácter general al esclarecimiento de la génesis y desarrollo de nuestra épica.

Si M. Pidal ha podido realizar tan concienzudamente su labor es porque, al lado del filólogo y del crítico, hay en él un historiador de primera clase. Buen testimonio de ello tenemos en *La España del Cid,* síntesis brillante de uno de los períodos cruciales de nuestra historia. Respaldada con un examen minucioso de los documentos y enfocada con total comprensión de los problemas, en opinión de Vossler, ha venido a modificar el concepto que teníamos sobre la sociedad y elementos constitutivos de la Edad Media. Al lado de la *España del Cid* pónganse tantas y tantas obras—*Castilla, la tradición, el idioma; Los Reyes Católicos, según Maquiavelo y Castiglione; El rey Rodrigo en la literatura*—, en las que lo histórico se interfiere con lo literario, no sólo sin estorbarse mutuamente, sino más bien completándose y dándose recíproca comprobación.

Método y estilo

Menéndez Pidal inaugura con excelentes resultados un método de investigación acorde con las técnicas más modernas. Este método se basa en el análisis a fondo de los textos: análisis, primero, del aspecto paleográfico; luego, del lingüístico; después, del literario; y por último, del histórico, en función de la sociedad y del medio en que nacieron. Es decir, que este método pone a contribución del espíritu investigador todos los avances de la historiografía, por un lado, y los de la crítica literaria y filológica, por otro. Método, como se ve, de extraordinaria precisión y de un rigor absoluto; que si en manos de ciertos discípulos, más atentos a lo accesorio que a lo fundamental, ha podido convertirse, y de hecho se ha convertido, en una estéril preceptiva del ápice y del cómputo de letras sordas y sonoras, cerradas y abiertas; en cambio, en manos del maestro y de buena parte de los alumnos que han sabido aprovechar sus lecciones, ha terminado por producir los mejores frutos. Por este procedimiento de enfocar primero un aspecto y luego otro, estudiándolos sucesivamente hasta agotarlos, se ha hablado de especialización. Pero ha de entenderse bien este concepto, referido a M. Pidal. La especialización de este gran maestro no conduce a visiones fragmentarias e inconexas del problema objeto de estudio; por el contrario, siempre tiene en cuenta el resultado final y se encamina a una concepción unitaria del problema. Es un análisis que desemboca en la síntesis. Así, sus estudios parciales de la Edad Media, exhaustivos cada uno en su aspecto—lírica, épica, documentos históricos—, terminan armonizándose en esa soberbia unidad que se titula *La España del Cid*; del mismo modo que sus investigaciones y trabajos críticos sobre autores del Renacimiento plasman en *La idea imperial de Carlos V*. Menéndez Pidal sabe que no puede construirse nada perfecto y completo sin haber seleccionado y acumulado antes los materiales precisos. Así es cómo, con un rigor implacable en que no cabe la menor concesión a la fantasía ni al *dilettantismo*, ha podido darnos esas obras acabadas, soberbiamente acabadas, que son *El cantar del Mío Cid*, *La leyenda de los Infantes de Lara*,

La poesía juglaresca, o esos definitivos prólogos de los diversos tomos de la *Historia de España*, en que el lector no sabe qué estimar más: si la agudeza interpretativa, la solidez del juicio, la hondura de pensamiento o la perfección del lenguaje.

Porque en esto del lenguaje también ha de hacerse una aclaración. El lenguaje, el estilo de M. Pidal, resulta ciertamente en una primera lectura poco brillante y casi seco, sobre todo si se lo compara con el de otros críticos, y en especial, con el de Menéndez Pelayo. A poco que se ahonda, sin embargo, se verá que esa sobriedad, esa implacable poda de toda hojarasca con que se ofrece a nuestros ojos, era no sólo conveniente, sino necesaria. El estilo lo da tanto el asunto como el especial enfoque de éste. Y lo mismo que en aquellas admirables síntesis del autor de los *Heterodoxos* encontramos justificada cierta entonación un poco retórica, así también en estos análisis depurados de M. Pidal agradecemos y hasta exigimos la desnudez y sobriedad expresiva con que él los trata. El estilo de M. Pidal es, en consecuencia, el más congruente y adaptado al tema.

VI. LOS DISCIPULOS DE MENENDEZ PIDAL

Ya Menéndez Pelayo, en 1902, auguraba al entonces joven maestro de la filología románica un largo y fecundo magisterio. En términos generales se puede decir que toda nuestra crítica e investigación literarias durante el siglo actual procede de Menéndez Pelayo, de Menéndez Pidal o bien de la feliz fusión de las enseñanzas de ambos. La rama menendezpelayista se orientó preferentemente, según pudimos ver en otro apartado, hacia la crítica y la historia literaria. La de M. Pidal, sin desdeñar esos aspectos de la cultura, atendió más a la filología y la lingüística. La cátedra del maestro en la Universidad Central y su labor de ampliación en el Centro de Estudios Históricos reunió en torno a él un nutrido equipo de colaboradores y discípulos que han llegado a formar escuela y que representan sin duda el más alto exponente de la cultura española en lo que va de siglo. Especializados cada cual en su correspondiente disciplina, han ido sometiendo a revisión severa y poniendo al día los principales problemas de la lingüística y de las letras.

Limitaremos nuestra mención a los más importantes:

Navarro Tomás y Américo Castro

Tomás Navarro Tomás (n. 1884) es el fundador de la moderna fonética española. Su *Manual de pronunciación* y sus *Estudios de fonología* están considerados como los mejores libros existentes sobre la materia; en ellos se aplican a esta importantísima rama de la lingüística los más recientes métodos de la investigación y de la experimentación. Navarro Tomás había dirigido el Laboratorio de Fonética del Centro de Estudios Históricos; ha publicado numerosos trabajos de su especialidad en la *Revista de Filología Española* y ha sido el colector de los materiales previos para la confección que actualmente se hace del *Atlas Lingüístico de España*. Tiene también estudios de dialectología y ediciones críticas de Santa Teresa y Garcilaso.

Uno de los mayores puntales del Centro de Estudios Históricos fué Américo Castro y Quesada (n. 1885), catedrático un tiempo de la Universidad de Madrid y en la actualidad de la de Princeton (Estados Unidos). Su actividad, muy intensa, se reparte entre la filología y la crítica literaria. Ha estudiado y editado glosarios latinoespañoles de la Edad Media; ha traducido, enriquecida con amplias notas, la *Introducción a la lingüística romance*, de Meyer-Lübke; y ha publicado numerosos comentarios de autores clásicos españoles, a los que interpreta con un criterio original y siempre seguro. Merecen citarse, entre otras, las ediciones de Quevedo, Rojas y Tirso de Molina; los estudios sobre los erasmistas; los ensayos sobre Santa Teresa, Mal-Lara y otros; y, especialmente, su libro capital, *El pensamiento de Cervantes*. Castro replantea con una visión nueva y muy europea los problemas cervantinos, a los que da la solución más a tono con la cultura actual. Hombre de gran pasión, preocupado por lo hispánico, ha logrado plasmar lo mejor de su pensamiento en una obra reciente, *España en su historia: cristianos, judíos y moros*, donde intenta demostrar que nuestra idiosincrasia nacional es el producto de las tres culturas: cristiana, árabe y hebrea. Tesis ciertamente discutible, pero que Castro desarrolla con brillante argumentación. Ha traducido al castellano, ampliándola notablemente, la *Vida de Lope de Vega* del hispanista Hugo A. Rennert.

Amado Alonso, Dámaso Alonso y otros

Acaso el discípulo que mejor ha sabido aprovechar en el aspecto filológico las enseñanzas de Menéndez Pidal ha sido AMADO ALONSO (1896-1952). Navarro de nacimiento, se forma en Madrid, en el Centro de Estudios Históricos, como los anteriores; pasa luego a Hamburgo y a Buenos Aires, donde dirige algún tiempo el Instituto de Filología de aquella Universidad; y va, por último, de profesor a la de Harvard, donde ha fallecido recientemente. Su gran preocupación consistió en incorporar a la crítica castellana los métodos de Vossler, Spitzer y Hatzfeld, en una superación de lo puramente histórico y positivo. Aspira, son sus palabras, «a subir por los hilos capilares de las formas idiomáticas más características hasta las vivencias estéticas originarias que las determinaron». Es, en otros términos, una interpretación crítica basada en las formas verbales. A tal intención responden sus estudios sobre Lope de Vega, Valle-Inclán, Larreta, Guillén, Neruda, Güiraldes, etc. En el terreno lingüístico nos dejó trabajos sobre el artículo, el diminutivo, la lengua colonial, y aspectos varios del castellano en América—*Problemas de dialectología americana, El problema de la lengua en América, La Argentina y la nivelación del idioma, La identidad del fonema, Una ley fonológica del español*—. Ha traducido a Vossler, Saussure y Bally, enriqueciendo la obra de estos sabios lingüistas con valiosas introducciones; fundó la *Revista de Filología Hispánica* (Buenos Aires) y la *Nueva Revista de Filología Hispánica* (Méjico). En colaboración con Pedro Henríquez Ureña publicó una *Gramática castellana*, tan sucinta como enjundiosa.

Su homónimo DÁMASO ALONSO (n. 1898), ya estudiado como lírico en otro lugar, tiene análoga significación y representa en cuanto crítico la tendencia más depurada del grupo. Se aúnan en él un filólogo eminente, un estilista y un buen poeta. Su interpretación de Góngora es sin duda la más penetrante y mejor orientada de cuantas se han hecho hasta ahora. La versión prosificada de las *Soledades* y el libro sobre *La lengua poética de Góngora* le confieren la máxima autoridad en

estos temas. Ha estudiado asimismo con gran finura la poesía de San Juan de la Cruz y la de los principales líricos españoles del día, a los que agrega algún extranjero, como Hopkins, en *Poetas españoles contemporáneos*. Con la *Vida y obra de Medrano*, construída según los cánones más exigentes de la investigación y de la crítica, ha hecho revivir una de las figuras más interesantes y menos conocidas del XVI. Finalmente, en libros como *Poesía española* y *Seis calas en la expresión literaria española*, este último en colaboración con el poeta Carlos Bousoño, ensaya con evidente fruto un nuevo método de crítica, haciendo intervenir en la valoración estilística factores hasta hoy no considerados: correlaciones poéticas, sintagmas y pluralidades paralelísticas, conjuntos semejantes y otros medios de expresión que si, por un lado, caen de lleno en el campo de la filología, por otro no son extraños a la investigación psicológica y literaria.

A los nombres anteriores deben agregarse los de JOSÉ FERNÁNDEZ MONTESINOS (n. 1897), que ha orientado su atención preferentemente hacia Lope de Vega, Gracián y los erasmistas españoles; ANTONIO G. SOLALINDE (1892-1937), profesor y conferenciante ilustre en las principales Universidades de Norteamérica, y autor de excelentes monografías sobre Berceo, Alfonso el *Sabio* y otros escritores medievales; ANGEL DEL RÍO, profesor asimismo en los Estados Unidos, destacado antologista e historiador de nuestras letras; HOMERO SERÍS (nacido en 1879), discípulo en París de Morel-Fatio y Martinenche, y, como los anteriores, profesor de español en los Estados Unidos, gran investigador y ensayista de mérito, cuya labor principal ha de buscarse en el campo de la bibliografía; PEDRO SALINAS (1892-1951), que a su producción lírica, ya enjuiciada en otro lugar, supo agregar una estimable obra de carácter crítico; y FEDERICO DE ONÍS (n. 1886), de cuya soberbia *Antología* tantas veces nos hemos servido en el estudio y enjuiciamiento de los poetas contemporáneos. Onís, que había desempeñado cátedra de literatura en las Universidades de Salamanca y de Oviedo, pasó en 1916 a la de Columbia (EE. UU.), como encargado del departamento de español en aquel centro. Antes de salir de España había publicado ediciones críticas de la *Vida de Torres Villarroel* y de *Los nombres de Cristo*, de fray Luis de León, aparte de otros estudios, como los *Ensayos sobre la cultura española*. Ya en América, pone valiosos prólogos a las obras de Baroja, Galdós, *Azorín*, Juan Ramón Jiménez y otros escritores contemporáneos; dirige la *Revista de Estudios Hispánicos* y la *Hispánica Moderna*, y publica su *Antología de la poesía española e hispanoamericana (1882-1932)*, que por sus valiosos comentarios y copiosa información bibliográfica ha quedado como obra modelo entre las de su clase. Es Onís uno de los profesores que más han contribuído a la difusión de nuestra lengua y literatura en los Estados Unidos.

A esta generación de investigadores y críticos, discípulos directos de Menéndez Pidal, y cuya principal labor se desarrolla antes de nuestra guerra sigue la que podría llamarse «generación de la posguerra». Está constituída por una larga nómina de profesores universitarios y de segunda enseñanza, jóvenes aún casi todos, que han sabido aprovechar las lecciones de los dos grandes maestros: Menéndez Pelayo y Menéndez Pidal. El temor a incurrir en omisiones nos impide aludir a ninguno de ellos en particular, y, sobre todo, formular juicios acerca de sus obras. En todo caso sus nombres nos han salido más de una vez al encuentro a lo largo de estas páginas y sus obras quedan ampliamente reflejadas en la bibliografía que figura al fin de cada capítulo de nuestro libro [4].

NOTAS

1. He aquí sus títulos: *Obras del Padre José de Acosta*, vol. 73 (ed., pról. y estudio del P. Francisco Mateos, S. I.); *Obras completas de Enrique Gil y Carrasco*, vol. 74 (ed., pról. y notas de Jorge Campos); *Obras de don Martín Fernández de Navarrete*, vols. 75-77, (ed. y estudio preliminar de Carlos Seco Serrano); *Vida y obra de Serafín Estébanez Calderón*, vols. 78-79 (ed., pról. y notas de Jorge Campos); *Fray Prudencio de Sandoval: Historia de la vida y hechos del emperador Carlos V*, vols. 80-82 (ed. y estudio preliminar de Carlos Seco Serrano); *Obras escogidas de Alcalá Galiano*, vols. 83-84 (ed. y pról. de Jorge Campos); *Obras publicadas e inéditas de Jovellanos*, vols. 85-87 (ed. y estudio preliminar de Miguel Artola); *Memorias del Príncipe de la Paz*, vols. 88-89 (ed. y estudio preliminar de Carlos Seco Serrano); *Autobiografías de soldados del siglo XVII*, vol. 90 (ed. y estudio preliminar de José María de Cossío); *Obras del Padre Bernabé Cobo*, vols. 91-92 (ed. y estudio preliminar del P. Francisco Mateos); *Obras de don Amós de Escalante*, vols. 93-94 (estudio preliminar de Menéndez Pelayo e introd. bibliográfica de Helen S. Nicholson); *Obras escogidas de Fray Bartolomé de las Casas*, volúmenes 95-96, 105-106 y 110 (est. crítico preliminar de Juan Pérez de Tudela); *Memorias de tiempo de Fernando VII*, vols. 97-98 (ed. y estudio preliminar de Miguel Artola); *Comentarios de la guerra de España e historia de Felipe V por el Marqués de San Felipe*, vol. 99 (ed. y estudio preliminar de Carlos Seco Serrano); *Obras completas del Duque de Rivas*, vols. 100-102 (ed. y pról. de Jorge Campos); *Obras del Padre Nieremberg*, vols. 103-104 (ed. y estudio preliminar de Eduardo Zepeda Henríquez); *Historiadores de Indias: Venezuela*, vol. 107 (ed., est. y pról. de Guillermo Morón); *Sor María de Jesús de Agreda: Epistolario*, vols. 108-109 (estudio preliminar de Carlos Seco Serrano); *Obras escogidas del Padre Luis de La Puente*, vol. 111 (ed., est. y notas del P. Camilo María Abad); *Obras de Alvaro Flórez Estrada*, vols. 112-113 (estudio preliminar de Miguel Artola); *Andrés Muriel: Historia de Carlos IV*, vols. 114-115 (ed. y estudio preliminar de Carlos Seco Serrano); *Prosistas castellanos del siglo XV*, vol. 116 (ed. y estudio preliminar de Mario Penna); *Gonzalo Fernández de Oviedo: Historia General y natural de las Indias*, vols. 117 a 121 (ed. y estudio preliminar de Juan Pérez de Tudela); *Luis Capoche: Relación general de la villa de Potosí y Concolorcorvo: «El Lazarillo de los ciegos y caminantes»*, vol. 122 (estudio preliminar de José J. Real Díaz); *Fray Antonio de Yepes: Crónica general de la Orden de San Benito*, vol. 123 (ed. y estudio preliminar de fray Justo Pérez de Urbel).

2. *Biografía de Gaspar de Aguilar, Un romance de Carlos Boyl, Biografía del canónigo Francisco Tárrega, Gaspar Mercader, El prado de Valencia, El arte dramático en Valencia, Espectáculos y comediantes valencianos*, etc.

3. Vid. cap. XIII, apartado II (El Renacimiento en España).

4. Estos nombres son, entre otros: Samuel Gili Gaya, José María Castro Calvo, Juan Manuel Blecua, Emilio Orozco Díaz, Manuel Muñoz, Cortés, Martín de Riquer Morera, Emilio Alarcos García, Francisco Maldonado de Guevara, Enrique Moreno Báez, Antonio Gallego Morell, Rafael de Balbín Lucas, Emilio Alarcos Llorach, Francisco Induráin Hernández, Manuel Criado del Val, Mariano Baquero Goyanes, Carlos Clavería Lizana, Francisco López Estrada, Alberto Navarro González, Rafael Benítez Claros, Francisco Sánchez Castañer, César Real de la Riva, Fernando Lázaro Carreter, Evaristo Correa Calderón, Juan Antonio Tamayo, Antonio Rodríguez Moñino, J. Filgueira Valverde, Dionisio Gamallo Fierros, Eugenio Asensio Barbarín, Gonzalo Torrente Ballester, Alonso Zamora Vicente, etcétera.

BIBLIOGRAFIA

I. Escuela de Menéndez Pelayo: J. Puyol: *Adolfo Bonilla y San Martín. Su vida y su obra*, Madrid, 1927.—M. L. Solano: *Doña Blanca de los Ríos*, «Hispania», XIII, 1931.—G. Diego: *En memoria de Emilio Cotarelo*, «Bol. Real Academia Española», XXXVII, 1957.—R. Menéndez Pidal: *Necrología* (de Emilio Cotarelo), «Bol. Acad. Esp.», XXIII, 1936.—J. Filgueira Valverde: *Don Armando Cotarelo y los estudios gallegos*, «Cuadernos de Est. Gall.», VI, 1951.—A. Baig-Baños: *Rodríguez Marín, documentador cervantino*, Madrid, 1916.—A. Baig-Baños: *Rodríguez Marín, anotador del «Quijote»*, Madrid, 1931.—A. González de Amezúa: *Rodríguez Marín, comentador de Cervantes*, 1948.—Homenaje al Excmo. Sr. D. Francisco Rodríguez Marín, Madrid, C. S. I. C., 1943.—M. Menéndez Pelayo: *Don Francisco Rodríguez Marín*, «Est. de Crit. Lit.», V, págs. 37-76.—G. M. del Río y Rico: *Biografía y bibliografía de don Francisco Rodríguez Marín*, Madrid, 1947.—C. Bermúdez Pleata y A. Camacho Baños: *Disc. en honor de J. Hazañas* (Sevilla, 1936).—*Notas bibliográficas*, por varios (sobre Serrano y Sanz).—*Apuntes bibliográficos* (sobre Julio Puyol Alonso), «Archivos Leoneses», XIII, 1953.—J. Subirá: *En el centenario de don Emilio Cotarelo*, «Rev. Literatura», XII, Madrid, 1957.—F. Induráin: *La crítica spagnola contemporanea*, «Convivium», XXIV, 1956.

II. Grupo de arabistas: E. Ibarra: *In memoriam* (de Gayangos), 1917.—M. Asín y Palacios: *Pról. a Disertaciones y opúsculos*, de Julián Ribera, 1928.—E. García Gómez (sobre Ribera): *«Al-Andalus»*, II, 1934.—Para Asín Palacios, vid. J. Ribera: *Disc. de contestación* (al de Asín) en la Real Acad. Esp., 1919.—A. González Palencia: *Necrología*, «Arbor», 1944.—E. García Gómez: *«Al-Andalus»*, 1944.—M. Menéndez Pelayo: *Pról. a Algazel*, Zaragoza, 1901.—Sanz Escartín: *Disc. de recepción en la Acad. de Ciencias Morales y Políticas*, Madrid, 1914.

III. Hispanismo e hispanistas: Para este apartado véase el *Catálogo de la Exposición de Bibliografía Hispanística*, celebrada en la Biblioteca Nacional (Madrid, 1957). En él se encuentra, ordenada por épocas y países, abundantísima referencia no sólo de libros, sino también de publicaciones periódicas. Puede consultarse, además: M. Bataillon: *Les études hispaniques en France avant 1940*, «Rev. de l'Enseignement Super.», 1956.—Ch. V. Aubrun: *L'état et la place des études hispaniques dans l'Université française*, «Rev. de l'Enseignement Super.», 1953.—S. A. Cecil Coutu: *Hispanism in France from Morel Fatio to the present* (1875-1950), «The Catholic University of Washington», America Press, 1954.—E. Martinenche: *Les Études Hispaniques*, «La Sciencia Française», 1935.—«Andrenio» (E. Gómez de Baquero): *Un gran hispanista: Alfredo Morel-Fatio*, «De Gallardo a Unamuno», págs. 128-43, Madrid, Edit. Mundo Latino. 1926.—A. Pastor: *Breve historia del hispanismo inglés*, Madrid, C. S. I. C., 1948.—M. Romera-Navarro: *El hispanismo en Norteamérica*, Madrid, Renacimiento, 1917.—Tiemann Hermann: *Das spanische Schrifttum in Deutwchland von der Renaissance bis zur Romantitk*, «Ibero-Amerikanische Studien», t. VI, 1936.

IV. Historiadores de la literatura: R. F. Giusti: *Crítica y polémica* (sobre Cejador), IV, 1930.—A. González Palencia: *Miguel Artigas. Necrología*, «Bol. Acad. Esp.», XXVI, 1947.—*Número homenaje* (a Miguel Artigas) del «Bol. de la Biblioteca Menéndez Pelayo», XXIII, 1947.—M. Bacarisse: *Dos críticos* (sobre Julio Casares), «Rev. de Libros», IV, 1920.—González Palencia: *Disc. en la Acad. Esp.* (sobre Alonso Cortés), 1946.—P. Gómez Nisa: *Esque-

ma de Entrambasaguas, «Rev. de Literatura», VI, 1954.—
P. CABAÑAS: El mundo poético de Entrambasaguas, «Cuad.
de Literatura», núm. 1, Madrid, 1947.—N. GONZÁLEZ
RUIZ: Antología de literatura periodística, Madrid, 1934.—
E. PARDO CANALIS: Mariano de Cavia. Antología y estu-
dio, Inst. Fernando el Católico, Zaragoza, 1959.

V-VI. Menéndez Pidal y su escuela: D. CATALÁN ME-
NÉNDEZ PIDAL: La escuela lingüística española y su concepción del lenguaje, Madrid, 1955.—H. SERIS: Bibliografía de Menéndez Pidal, «Homenaje a M. P.», 1925, adicionada en ed. de Nueva York, 1938.—A. DEL RÍO y M. J.
BERNARDETE: El concepto contemporáneo de España. Antología y ensayos (1895-1931) (contiene bibliografía, notas
y artículos sobre Menéndez Pidal).—F. GARCÍA CALDERÓN:
Menéndez Pidal y la cultura española, Santiago de Chile,

1905.—M. MENÉNDEZ PELAYO: Disc. en la Real Academia
Española, 1902.—W. STARKIE: Homenaje a don Ramón
Menéndez Pidal, «Estudios dedicados a Menéndez Pidal»,
III, págs. 535-53, Madrid, 1953.—M. ARTIGAS: Disc. en
Acad. Española (sobre Navarro Tomás), 1935.—C. A. PAS-
TOR: Américo Castro, «Universitario», IV, 1927.—ANDERSON
IMBERT: Américo Castro, «Sur», VII, 1937.—A. LEFEVRE:
Escuela española de estilística (sobre Dámaso Alonso),
«Correo Literario», II, 1951.—Labor del doctor Amado
Alonso en el Instituto de Filología de la Universidad de
Buenos Aires, «AICE», III, 1953.—Noticia biográfica de
Amado Alonso, «Insula», VII, 1952.—ARCE DE VÁZQUEZ:
Amado Alonso. In memoriam, «Asonante», San Juan de
Puerto Rico, 1952.—M.ª ROSA LIDA: Amado Alonso, «Insu-
la», VII, 1952.—A. REYES: Amado Alonso, «Nueva Rev. de
Filol. Hisp.», VII, 1953.

CAPITULO CII

EL ENSAYO, LA ERUDICION Y LA CRITICA EN HISPANOAMERICA

I. EL ENSAYO EN SUDAMÉRICA: *Sarmiento, Juan Montalvo. Rodó. Mariátegui, Martínez Estrada y A. Korn.*—II. EL ENSAYO EN LAS ANTILLAS Y MÉJICO: *Hostos, Ureña y Varona. A. Caso, Vasconcelos y Reyes. Otros ensayistas.*—III. HISTORIA, ERUDICIÓN Y CRÍTICA: *Historiadores. Eruditos y críticos. Los humanistas: Miguel A. Caro, Rufino J. Cuervo, Antonio G. Restrepo Rafael María Earat.*—NOTAS.—BIBLIOGRAFÍA.

I. EL ENSAYO EN SUDAMERICA

Nace el ensayo en Hispanoamérica cuando los pueblos que la habitan han adquirido conciencia de su personalidad. La autodeterminación y el autoconocimiento son condiciones previas para la aparición de este género, producto de madurez social y política, y que en su forma moderna sólo alcanza desarrollo en el seno de los pueblos libres. Por todo ello, la plenitud del ensayo americano coincide con la plenitud del «modernismo»; es decir, con los seis lustros que van desde la publicación de *Azul* (1888) a la muerte de Rubén Darío (1916). No es que antes América no haya dado ensayistas, y buenos ensayistas; ni es que no los haya producido después. Es simplemente que las vicisitudes por las que pasaron los pueblos de habla castellana durante ese período constituían el clima más propicio para el cultivo del género. Añádase la transformación operada en la lengua por esa misma época, transformación que introduce en nuestro idioma nuevos factores estilísticos y expresivos, dejándolo apto para recoger en su malla todos los infinitos matices y sutilezas de pensamiento que exige el ensayo moderno. Se puede afirmar que lo mejor del ensayo americano está escrito en prosa modernista. En lo cual se diferencia del peninsular, tan parecido al otro en los demás aspectos. Ni *Azorín*, ni Unamuno, ni Ortega, ni D'Ors escriben prosa modernista, aunque sí la escriben muy moderna. También en Hispanoamérica los ensayistas de la hora siguiente, en especial los mejicanos, reaccionarán contra el estilo finisecular, hasta desembocar en un lenguaje limpio, ceñido y denso, que no sólo ideológica, sino también formalmente, los empareja con los grandes escritores de la Península. Pero hasta ese momento los ensayistas americanos aparecen inscritos en el modernismo. Lo que no presupone inferioridad ni demérito de unos respecto de otros. Es un hecho simplemente, y como tal se señala aquí.

Al principio, el signo bajo el que se desenvuelve este ensayo es el *americanismo*, en el sentido de que sus cultivadores persiguen ante todo la incorporación de sus respectivos países al progreso de América, entendiendo por tal el de los Estados Unidos. Se nutren de savia ideológica europea; pero consideran al viejo Continente ya gastado y un poco caduco. Sin renegar de su origen latino —«pertenecemos al Imperio romano», afirmaba por todos Sarmiento—, sienten en lo hondo la llamada telúrica, si bien esa llamada no significa afán de retroceso, sino firme e inquebrantable atadura al suelo en que nacieron. Queriendo ser espiritualmente europeos, antes que nada son americanos. Miran al porvenir más que al pasado. Adoptan una actitud de desdén hacia España, cuya gestión en América no llegan a comprender. Pero no hay que recriminarlos por ello, ni acusarlos de sordos a la voz de la sangre: muchos españoles, con la mejor intención, les habían precedido en esa actitud.

Luego, a principios del xx, el signo cámbia. A la consideración del progreso en general sucede la del progreso dentro de las ineludibles leyes de la Historia. Los pueblos hispanos, a la vez que naciones autónomas, son comunidades vinculadas entre sí por lazos de sangre, lengua y destino, formando una gran familia. Y esa familia, aun debiendo y pudiendo vivir en total armonía con los sajones del Norte, constituye un mundo étnico aparte. El concepto de hispanidad se introduce de este modo en la mente de los mejores. El positivismo del xix no lo resolvía todo; por encima del triunfo de la mecánica está el del espíritu. España misma, en su historia civilizadora de América, estaba pidiendo una revisión. No todo había sido malo en la Conquista y en la Colonia. También dentro de las ideas básicas que constituyen la aportación española a la cultura universal cabe el progreso y el normal desenvolvimiento de un pueblo, por avanzado que sea. A este nuevo concepto responde el más reciente ensayo americano: el de Rodó, Vasconcelos, Reyes y Mallea.

Ya se entiende que, siendo muy numerosos los cultivadores del género, nuestra referencia ha de limitarse a los más importantes. Muchos autores, ya citados como novelistas, poetas, dramaturgos, etcétera, escribieron ensayo; otros, incluídos en este mismo capítulo bajo la etiqueta de la historia o de la crítica, podrían figurar en este mismo epígrafe. Por estas razones quedan excluídos nombres como los de Bello, Martí, J. Sierra, González Prada, Mallea y tantos otros ya aludidos anteriormente.

Sarmiento

Del argentino DOMINGO FAUSTINO SARMIENTO (1811-1888) hemos hablado incidentalmente en el cap. LXVIII a propósito de su obra capital, *Facundo Quiroga*. Allí se adelantaron asimismo juicios de conjunto sobre el escritor [1]. Réstanos decir dos palabras acerca del ensayista, que eso fué en fin de cuentas Sarmiento: un ensayista con toda la falta de sistema, con todas las fluctuaciones y hasta contradicciones que el género implica por su propia naturaleza. «Hombre multiforme y paradojal», según el doble calificativo de Leguizamón; «hombre contradictorio», según intentó demostrar Ricardo Rojas. Autodidacta, lector atropellado, con una cultura tan vasta como desordenada, con una curiosidad insaciable; devoto, más bien fanático, de los ideales dominantes en Europa a mediados del XIX; espíritu intuitivo más que discursivo; más hecho para el ataque que para la demostración; dueño de un lenguaje torrencial que lleva de todo: puro e impuro, castizo y espúreo. Todo eso fué Sarmiento. Se sintió desde el principio protagonista de un destino histórico: el de instruir a su pueblo y, mediante la educación, arrancarlo primero de la barbarie e incorporarlo después a las corrientes civilizadoras. A esto obedece toda su vida y también su obra. Toda su vida de intensísima acción: militar, político, periodista, gobernante, maestro de primeras letras, legislador, minero, proscrito, presidente de la República, hasta administrador de una pulpería. Y su obra, no menos rica y variada: historia, biografía, didáctica, novela, estudio doctrinal, sociológico, filosófico, geografía, etc. En una palabra: ensayo.

A cincuenta y dos volúmenes asciende la edición de sus *Obras completas*. He aquí unos títulos: *Mi defensa* (1843); *El general fray Félix de Aldao* (1845); *Facundo* (1847); *Viajes por Europa, Africa y América* (1849); *Argirópolis* (1850); *Recuerdos de provincia* (1850); *Campaña del Ejército Grande* (1853); *Las ciento y una* (cartas polémicas con Alberdi); *Comentarios de la Constitución* (1853); *La vida de Dominguito, su hijo* (1866); *Vida de Lincoln*; *Las escuelas, base de la prosperidad y de la República de los Estados Uni-*

dos (1870); *Conflictos y armonías de las razas de América* (1883); aparte de infinito número de conferencias, cartas, artículos, críticas, etc. Si en esta balumba de letra impresa queremos rebuscar algo de auténtico valor, no nos será difícil hallarlo. Demasiado modesto se nos antoja el propio Sarmiento cuando afirma que en sus escritos hay «algo bueno entre mucho indiferente». La bondad alcanza a millares de páginas, y hay bastantes que pueden calificarse de óptimas. Sobre todo, tiene cuatro libros merecedores de constante memoria: *Viajes por Europa, Africa y América*; *Recuerdos de provincia*; *Campaña del Ejército Grande*, y el *Facundo*, estimado por Pedro Henríquez Ureña como «la obra maestra de su tiempo en América» [2]. Pero sobre ella ya dijimos bastante.

Los *Viajes* (1849), escritos en forma epistolar, revelan, a la vez que un observador capaz de recoger cuanto de característico ofrecen las comarcas, ciudades y personas que encuentra al paso, un escritor de enorme fuerza plástica que sabe hacerlo revivir todo al contacto de su pluma. Cada carta es un vasto cuadro de costumbres, en que la consideración filosófica y la historia se interfieren para extraer fecundas consecuencias. La vida de las naciones tiene, como la de los individuos, sus altos y sus bajos; sus momentos, a veces siglos, de actividad y depresión. En ese devenir de los pueblos, Europa, según Sarmiento, camina hacia su ocaso; y otra civilización, la representada por los Estados Unidos, sustituye a la del viejo Continente. Los Estados Unidos, con su libertad política y su bienestar económico, deben servir de ejemplo a las jóvenes democracias americanas.

En *Recuerdos de provincia* (1850), refundición y ampliación de *Mi defensa* (1843), Sarmiento sale por su honor en un noble intento de vindicar su nombre frente a las calumnias de Rosas y sus adláteres. Dentro de un tono confidencial de alto valor autobiográfico, evoca el ambiente provinciano en que se desenvolvió su juventud, procurando encardinar su vida a la del pueblo en cuyo seno había nacido. De este modo, su existencia ya no tiene el simple valor de la persona humana, sino otro valor trascendental, en cuanto miembro de una comunidad social y política. Dentro de esa comunidad, Sarmiento se autoasigna una misión rectora. El libro abunda en pasajes de gran belleza descriptiva, que a veces se rompe para dar paso a emocionados sentimientos familiares, como en la evocación del retrato de su madre.

Las acciones del ejército de Urquiza, que en la batalla de Caseros (1852) venció a Rosas, inaugurando con ello un nuevo período en la historia argentina, inspiraron a Sarmiento otro de sus mejores libros: *La campaña del Ejército Grande* (1853). Sarmiento se había incorporado a las fuerzas de Urquiza en 1851; pero luego, decepcionado, se volvió a Chile. El libro, no obstante su falta de método, que le priva de todo rigor histórico, relegándolo a la categoría de mero anecdotario, es de apreciar por la abundancia documental y por el estilo fogoso y espontáneo en que está redactado.

Las obras restantes de Sarmiento tienen menor interés. Lo que es de apreciar en este incansable polígrafo, aparte de su gestión pública, que le coloca entre los grandes constructores de naciones americanas [3], y aparte también de su doctrina, que puede sintetizarse en dos palabras, *idealismo romántico*, es el lenguaje; un lenguaje que, por encima de incorrecciones y barbarismos, convierte al autor de *Facundo* en uno de los mejores prosistas de América. Se le ha tachado de galicista; y, en efecto, lo es. Pero no mucho más que tantos otros que presumen de puristas. Se han censurado sus frecuentes transgresiones de la gramática, que dieron pie a Menéndez Pelayo para llamarle «gaucho de las letras», y a Groussac para aplicarle el remoquete de «montonero de la batalla intelectual». Y aquí sería ocasión de aludir a sus dos polémicas: una contra Bello, para quien llegó a pedir «la ley del ostracismo», y otra contra Lastarria. En la primera defendía, como habría de hacerlo González Prada años después, la proscripción y olvido de los clásicos, entendiendo por tales los grandes maestros de la lengua en el Siglo de Oro español, como único medio de dar paso a la lengua moderna exigida por los nuevos tiempos. En la segunda abogaba por un romanticismo integral, con moldes nuevos y sin conexión alguna con las formas lingüísticas anteriores. Pero de esto ya hemos hablado en su lugar.

Insistamos ahora en que Sarmiento, con todos sus defectos, tan innegables y palmarios, dimanantes en su mayor parte de una formación deficiente, es un gran escritor. Su estilo lleva casi siempre el sello de lo genial. Es expresivo, apasionado, personalísimo; abunda en voces criollas, lo que aún le da mayor interés. No es puro; no es castizo, en el sentido que suele darse a esta palabra; mucho menos, académico. Pero está lleno de humanidad y de fuerza. El mismo lo calificó de «colonial». Pues sí; no hay inconveniente en aceptarlo con tal etiqueta. A veces acierta con expresiones definitivas: el doctor Francia, tirano del Paraguay, «muerto en la quieta fatiga de estar inmóvil pisando un pueblo sumiso». A veces condensa en un mínimo de palabras pensamientos que parecen requerir larga exposición: cuando nos habla de «la labor del minuto» para alcanzar «el prodigio del año». En nuestro análisis del *Facundo* hemos señalado las notas más acusadas de ese estilo. A él nos atenemos.

Juan Montalvo

Un idealista romántico fué, al igual que el anterior, el ecuatoriano JUAN MONTALVO (1832-1889) [4]. No desempeñó un papel importante, como Sar-

miento, en el Gobierno de su país; pero dejó obras, y buenas obras, de ensayo para la posteridad. Durante algún tiempo esa obra ha sido valorada en grande, y su autor incluído entre los próceres del pensamiento americano. Ultimamente la crítica empieza a escatimarle elogios, dejando a Montalvo en lo que fué realmente: un estilista, un maestro del idioma, capaz de componer una página con los mismos giros e idéntica elocución con que lo habría hecho Cervantes. En lo doctrinal, su aportación es menos valiosa. «Como pensador—lo dice P. Henríquez Ureña—no fué muy original ni muy atrevido; no hizo sino repetir principios viejos, claros y sencillos: justicia, honestidad, tolerancia.» [5].

Empezó haciendo literatura combativa. Sus primeros escritos—artículos de *El Cosmopolita*, *La dictadura perpetua*, el drama *El dictador*, etc.—levantaron mucha polvoreda, e iban dirigidos contra el presidente del Ecuador, doctor García Moreno. Cuando éste cae asesinado (1875) por un grupo de jóvenes admiradores del propio Montalvo, el escritor, que se hallaba confinado en Ipiale, no puede contener su júbilo y exclama: «Mía es la gloria; mi pluma le mató.» El mismo tono polémico tienen sus *Catilinarias* (1880), contra Veintimilla, sucesor de Moreno. No es en estos trabajos, sin embargo, donde hemos de buscar a Montalvo. Su fama se cimenta en dos obras, que nada o muy poco tienen que ver con las citadas: *Siete tratados* (1883) y *Capítulos que se le olvidaron a Cervantes*. Libros ambos de ensayo; más netamente el primero.

Montalvo se había acreditado ya como polemista, y ahora abordaba este nuevo género, que tan bien le iba a un hombre como él, nacido para el monólogo, con un pesado fardo de ideas que estaban pidiendo una red en que prenderse. Y ninguna red como esta del ensayo para aprisionar ideas dispersas y heterogéneas. Aprovecha el ocio que le imponen primeramente su confinamiento en Ipiale y más tarde su voluntario exilio en Europa, para rumiar y componer esos dos libros. Los *Siete tratados* explicitan el pensamiento del autor sobre otros tantos temas de interés general —*De la nobleza, De la belleza en el género humano, Réplica a un sofista seudocatólico, Del genio, Los héroes de la emancipación sudamericana, Los banquetes de los filósofos* y *El buscapié*—. Están escritos sobre la pauta de Montaigne y ofrecen una estructura parecida. El hilo del discurso se quiebra a cada paso con digresiones más o menos alejadas de la idea principal. Pero esto, ya lo sabemos de siempre, parece algo consustancial al ensayo. Lo que define la obra de Montalvo y le diferencia de su modelo francés ha de buscarse en el estilo, más trabajado, menos espontáneo. Se le ve a cada paso más atento al *cómo* que al *qué*; menos preocupado quizá de lo que dice que del modo de decirlo. En los *Capítulos que se le olvidaron a Cervantes* quiere ser novelista, narrador, y resulta también un ensayista. «Lo que del libro queda vivo, caliente, son los fragmentos de ensayismo, ajeno al ámbito de Don Quijote», ha escrito Anderson Imbert [6]. Consideraciones interpoladas en el relato, sobre la locura, el agua, el árbol, la pobreza, etc., intensifican la nota ensayística del conjunto. No era, en efecto, Montalvo un gran narrador, aunque él llegase a creérselo alguna vez; tampoco era un pensador profundo. Pero pensaba bien; tenía ideas claras; y, sobre todo, había logrado hacerse un estilo. Frente a la campaña encabezada por Echeverría y Sarmiento en pro de un lenguaje desligado de la tradición clásica, Montalvo enarbola la bandera del clasicismo. Y empieza por dar ejemplo. Pocas veces la lengua castellana ha sido escrita con mayor pureza; y eso sin rasgarse las vestiduras ni lloriqueos tontos frente a la invasión de nuevas ideas y formas. Montalvo es un romántico que escribe como un clásico. Si su ideario es el de la época en que le tocó vivir, su expresión es la del Siglo de Oro español; entendámonos: la del Siglo de Oro modernizada, impregnada de fina sensibilidad. Por lo primero, por su sentido de la lengua, se le propuso en Madrid para académico de la Real Española [7]; por lo segundo, le viene considerando la crítica un precursor de la prosa modernista. En los últimos años de su vida inició la publicación de una serie de ensayos breves, que fué reuniendo en cuatro volúmenes (1886-1888), bajo el título de *El espectador*. Doctrinalmente, estos ensayos tienen menos interés que los *Siete tratados* y que los *Capítulos que se le olvidaron a Cervantes*. Estilísticamente, también valen menos.

J. E. Rodó

Clásico, pero de otra manera, fué asimismo el uruguayo JOSÉ ENRIQUE RODÓ (1871-1917) [8]. «Paseante de altos niveles clásicos», le llamó Juan Ramón Jiménez, aludiendo sin duda a la elegancia de dicción y altura de pensamiento. Rodó es una figura que se escapa del área de su país natal para constituirse en símbolo de todo el continente de habla hispánica. Educado en las doctrinas positivistas del XIX, pronto, y sin abdicar por entero de su inicial ideario, se encamina hacia zonas más idealistas: Maine de Biran, Boutroux, Bergson. Su formación estético-literaria, muy amplia y flexible, va desde los clásicos griegos a los grandes maestros modernos. Es un hombre que mira por un lado a Grecia y por otro a la Europa más avanzada del siglo. Por su estilo está dentro del modernismo, y él mismo había de proclamarlo así, no sin cierto orgullo. «Yo soy un modernista también», nos dice en su estudio sobre las *Prosas profanas*, de R. Darío. Pero de las dos caras que ofrece el modernismo—parnaso y símbolo—atiende más a la primera. Rodó es parnasiano. Había leído mucho

en la juventud: alemanes, ingleses, yanquis, italianos, franceses y algún español. En la lista de cuarenta y un autóres que Luis Alberto Sánchez ha entresacado de sus libros, catorce son franceses y sólo tres españoles: Cervantes, Calderón y Gracián. Poca cosa. Hasta en eso se revela modernista. Su autor favorito, de quien aprendió mucho y cuya lectura aconseja constantemente a sus discípulos, es Renán. De él bebió aquel condescendiente escepticismo y aquel respeto, que a veces quiere disfrazarse de fervor, hacia los símbolos de la religión cristiana. «Por fortuna—dice, aludiendo a la filosofía ególatra de Nietzsche—, tales ideas no prevalecerán mientras en el mundo haya dos maderos que se puedan colocar en forma de cruz.» La frase, como se ve, es muy bella y delata, a la vez que un estilo literario, toda una actitud vital.

Se puede seguir a Rodó con bastante exactitud en su quehacer literario: Primeros trabajos en verso, que ven la luz en *Montevideo noticioso*, a principios de 1895, y en *La carcajada*, algo más tarde. Pronto opta por la prosa y publica algunos estudios estimables, que, sin embargo, no llegan al gran público culto: *La gesta de la forma*, *La novela nueva*, *El que vendrá*. Ahora es la crítica lo que le atrae, y con un libro de crítica empezaría su reputación: el comentario a las *Prosas profanas*. Estamos a finales de siglo, precisamente en 1899. Se trata de una glosa muy aguda, que acredita en su autor extraordinarias dotes expositivas, con ideas básicas que, a medio siglo de distancia, siguen en pie. En 1900 llega su gran triunfo con *Ariel*, el libro que llena pronto América y buena parte de Europa, con una ininterrumpida serie de ediciones, que se suceden cada año. Y a partir de *Ariel* hasta la muerte, la etapa intensamente creadora: *Liberalismo y jacobinismo* (1906); *Los motivos de Proteo* (1909); *El mirador de Próspero* (1913); *Cinco ensayos* (1915); *El camino de Paros* (1917). Etapa de intensa creación, insistimos; no por la fecundidad, sino por el valor intrínseco. Rodó nunca fué abundante; no fué fácil ni espontáneo. Más bien gustaba de disciplinar, ordenar y filtrar con toda calma sus ideas y, a tenor de éstas, macerar y repulir la expresión. De sus manos, la prosa salía tersa e impoluta como una estatua helénica.

Ariel está escrito en forma de monólogo; el monólogo del maestro que, tras un año de tarea docente, se despide de sus discípulos. Al componerlo, Rodó tuvo sin duda ante los ojos el *Calibán*, de Renán. Ariel, ya se sabe, es el genio sutil y obediente a la voz de Próspero—otro nombre aprovechado por nuestro escritor para rotular una de sus obras—, que aparece ante el espectador en *La tempestad*, de Shakespeare. La antítesis de Ariel es Calibán. Ello quiere decir que en el fondo se trata de una obra simbólica y, como tal, sugeridora de uno o varios principios de aplicación práctica. La lección que se extrae de ese simbolismo puede resumirse en una acuciante llamada a la juventud americana, a la de origen latino, se entiende, para que, abandonando los caminos de Calibán, siga los de Ariel; o más concretamente, para que, vuelta la espalda al materialismo utilitarista que amenaza anegar las más ricas zonas de espíritu, oriente su mirada hacia el mundo del ideal, de la belleza y de la gracia. Ese mundo no es pura ilusión; ha tenido concreción histórica en algunos momentos claves del devenir humano; como en aquella fausta coyuntura en que se daban la mano el espíritu clásico y el espíritu del naciente cristianismo, cuando el apóstol San Pablo fundaba las primitivas iglesias de Tesalónica y de Filipos. A ese mundo de realidades espléndidas, no ajenas, pero sí superiores, a las del mundo del progreso, convoca Rodó a cuantos sienten una inquietud que rebasa el nivel del grosero interés material. Se suelen distinguir en *Ariel* tres aspectos o partes: una defensa del hombre como realidad integral, frente a la especialización que le deforma y amputa; una apología de las minorías selectas, frente a la invasión de la masa niveladora; y una aplicación práctica, con especial referencia a los Estados Unidos, como expresión del imperio de esa masa y del progreso material. Por último, se ha querido ver en *Ariel* un ataque a la estructuración de la vida yanqui. Pero no hay que exagerar esa actitud. Rodó intenta demostrar simplemente que el avance de la técnica no lo es todo; y en particular que, al margen y hasta por encima del pragmatismo sajón, los pueblos de raigambre latina pueden encontrar en su propio seno sustancia suficiente para estructurar elevadas formas de vida.

Motivos de Proteo (1909), el libro más trabajado estilísticamente de Rodó, no ofrece la unidad doctrinal ni la sólida contextura de *Ariel*. No por ello es menos interesante. En su lema «reformarse es vivir» viene encerrado todo su contenido, que se desarrolla en forma de parábolas. Rodó encarrila su pensamiento sobre dos ejes fundamentales: el hombre debe cambiar a tenor de los tiempos y circunstancias; mas ese cambio no ha de ser inmotivado ni brusco, sino paulatino y presidido siempre por la razón; la voluntad debe estar presente en toda manifestación humana, que nunca ha de revestir la forma de automatismo, sino de actuación personal y deliberada. Por este segundo concepto, Rodó, tan adicto al modernismo como el que más, reacciona contra la morbosa indiferencia y apatía de ciertos modernistas de la primera hora. El libro tuvo una segunda parte en *Nuevos motivos de Proteo*; y una tercera, en *Ultimos motivos de Proteo*, publicadas ambas con carácter póstumo en 1927 y 1932, respectivamente.

En *El mirador de Próspero* (1913), Rodó incluyó cerca de cincuenta breves ensayos sobre crítica, historia, filosofía, arte y moral. Una vez más, a pesar de su formación modernista, lo que vale

tanto como decir europeizante, el autor afirma su fe en el genio y destinos de la raza. «Por mucho que los pueblos hispanoamericanos adelanten y se engrandezcan y alcancen a imprimir a su cultura sello personal y propio, el vínculo filial que los une a la nación gloriosa que los llevó en las entrañas de su espíritu ha de permanecer indestructible.» Esa vinculación viene avalada por todo un pasado histórico común, y garantizada en lo por venir por una identidad de idioma: «La persistencia insensible del idioma importa y asegura la del genio de la raza, la del alma de la civilización heredada, porque no son las lenguas hermanas ánforas vacías donde pueda volcarse indistintamente cualquier sustancia espiritual, sino formas orgánicas del espíritu que las anima y que se manifiesta en ellas.»

De las restantes obras de Rodó hay que mencionar *Cinco ensayos* (1915), en los que se incluye el comentario ya aludido de las *Prosas profanas* y *Ariel*, acrecido con dos estudios sobre Montalvo y Bolívar y con unas cartas ya publicadas en 1906, bajo el título de *Liberalismo y jacobinismo*. Estas cartas fueron redactadas para defender la permanencia del crucifijo en las escuelas y otros establecimientos públicos, y revelan en su autor un gran fondo de comprensión y tolerancia. *El camino de Paros* (1917) recoge crónicas del viaje de Rodó por Europa.

Mariátegui, Martínez Estrada y A. Korn

Más cerca de nosotros, y todavía sin salirnos del hemisferio Sur, cabe citar al peruano Mariátegui y a los argentinos Martínez Estrada y Korn.

JOSÉ CARLOS MARIÁTEGUI (1891-1930) encarna la tendencia socializante del ensayismo americano, con un sentido análogo al de González Prada, y también al de Santos Chocano en el verso. Postula una revaloración del indio y un cambio radical en la economía. Su doctrina social quedó reflejada en los *Siete ensayos de interpretación de la realidad peruana*; y su ideario estético, en la revista *Amauta* (1926-1930), fundada por él, y con las páginas abiertas a todas las inquietudes de las jóvenes promociones dadaístas, surrealistas, ultraístas, etc. Desempeñó *Amauta* en Perú análoga función a la llevada a cabo por la revista *Martín Fierro* en Argentina y por los *Contemporáneos* en Méjico.

EZEQUIEL MARTÍNEZ ESTRADA (n. 1895), después de haber destilado en varios libros de verso su poesía cerebral, imperceptiblemente irónica y deshumanizada —*Oro y piedra, Humoresca, Motivos del cielo, Títeres de pies ligeros*—, se orientó hacia el ensayo. En *Radiogramas de la Pampa* (1933) y en *La cabeza de Goliat* (1940) dejó dos análisis tan penetrantes como sombríos de la realidad argentina en el campo y en la capital. Para Anderson

Imbert, la *Radiografía* es «el libro más amargo que se haya escrito» en aquel país; «libro triste, entristecedor; libro de humor trágico, taciturno, severo, sin perdón». Estrada ve las cosas con doble lente, a la vez de aumento y disminución; de aumento, para los lados negativos; de disminución y deformación, para los favorables. *La cabeza de Goliat* es una «microscopia de Buenos Aires», hecha con el mismo espíritu demoledor. Lo que salva estos libros y les da cierto relieve dentro del panorama hispánico es su lenguaje barroco, lleno de metáforas audaces y de expresiones tan precisas como insólitas.

El ensayo propiamente filosófico aparece en las obras de ALEJANDRO KORN (1860-1936), argentino como el anterior, y representante del movimiento llamado «Reforma Universitaria», iniciado en Córdoba en 1918, con ulteriores repercusiones en los centros docentes de Hispanoamérica. Korn es un filósofo que arranca de Kant y va evolucionando insensiblemente hasta llegar a Bergson. Su obra maestra, *Libertad creadora*, constituye, ya lo indica el título, una apología de la libre actividad humana, lo mismo en los dominios de la materia que en los del espíritu. *Apuntes filosóficos, Filósofos y sistemas, Ensayos críticos* (arte, ciencias, letras, etc.) son otros tantos libros que vienen a definir el pensamiento de este ensayista filósofo, cuya prosa expresiva y pungente tiene a menudo rasgos comunes con la de Martínez Estrada. Pero Korn, al revés que éste, hace siempre alarde de un confortador optimismo.

II. EL ENSAYO EN LAS ANTILLAS Y MEJICO

Como en el Sur, también en el Norte y en las Antillas el ensayo ha tenido dignos representantes. Esos representantes se llaman Eugenio María Hostos, José E. Varona, Pedro H. Ureña, Alfonso Reyes, Antonio Caso y José Vasconcelos. Cabría aumentar la lista con nombres como los de Martí y Heredia, si estos grandes poetas no hubiesen sido ya estudiados en sus principales aspectos.

Hostos, Ureña y Varona

Cada uno de los países insulares de habla hispana ofrece, aparte de varios ensayistas de menor cuantía, uno por lo menos de cierta altura.

En Puerto Rico, el más notable cultivador del género ha sido EUGENIO MARÍA DE HOSTOS (1839-1903) [9]. ¿Hasta qué punto merece Hostos el calificativo de ensayista? Para muchos no lo es, como tampoco es propiamente narrador ni poeta, aunque de ambos géneros haya dejado testimonios en su abundante producción. Luis Alberto Sánchez se niega a otorgarle las credenciales de lírico y novelista y hasta le regatea las correspondientes al ensayo, dejándole en lo que fué realmente: un escritor didáctico y sociólogo, que utilizó el ensayo como el instrumento más adecuado para la difusión de sus ideas. A esa intención didáctica se encaminan casi todas sus obras, sin exceptuar *La peregrinación de Bayoán*, ese relato noexponer su doctrina tanto política como social velesco de su juventud, ya en otro capítulo aludido. Como Hostos, de todos modos, acertó a en estilo elegante y lleno de altas calidades literarias, no debe haber inconveniente en adscribirle a la nómina de los grandes ensayistas de Hispanoamérica. En tal sentido, lo mejor de su obra, lo más literario, es el *Ensayo crítico sobre Hamlet*, muy elogiado por Bartolomé Mitre y por Blanco-Fombona, para quienes la interpretación del portorriqueño a la obra inmortal de Shakespeare es superior a cuantas se habían hecho hasta entonces, incluída la del mismo Goethe. Carácter ensayístico ofrecen también los volúmenes titulados *La cuna de América, Crítica, Hombres de ideas* y *Forjando el porvenir americano*. Lo demás, hasta completar los veinte volúmenes de las *Obras completas*, va dedicado al *Diario*, cartas, temas de sociología, ética, derecho, etc. Por su espíritu filosófico, su magisterio y su amplitud de conocimientos ha sido Hostos comparado con Bello; por su constante lucha por la independencia de su patria, con el cubano Martí.

PEDRO HENRÍQUEZ UREÑA (1884-1946), dominicano, que inició su actividad literaria en Méjico, para arraigar durante veinte años en Argentina como profesor, se distinguió tanto por la solidez de juicio como por el caudal de sus conocimientos y por la sobriedad y elegancia de expresión. Un estilo ceñido y siempre el más congruente con las materias de que trata caracteriza las obras de este concienzudo investigador, que ocupa uno de los primeros puestos entre los historiadores de la cultura hispanoamericana. Pocos, en efecto, han logrado calar más hondo en los procesos culturales que se han venido sucediendo en aquella vasta área geográfica desde la Conquista a nuestros días. Ya un trabajo de su mocedad, *Horas de estudio* (1910), había excitado la curiosidad de los sectores eruditos de ambos lados del Atlántico. Más tarde, libros como *Las corrientes literarias de la América Hispánica*, muy aprovechado por nosotros, o la *Historia de la cultura en Hispanoamérica*, han venido a confirmar plenamente los primeros favorables augurios. Henríquez Ureña es uno de los grandes guías del pensamiento americano. Su objetividad en el enjuiciamiento de los hechos es ejemplar. En otro orden de estudios se le debe un tratado sobre *La versificación irregular castellana* (2.ª edic., 1933), que puede servir de modelo en esta clase de investigaciones.

A ENRIQUE JOSÉ VARONA (1849-1933), una de las glorias más netas de la cultura cubana, se le puede incluir lo mismo entre los ensayistas que entre los historiadores, los críticos o los poetas. De todo tuvo este ingenio polifacético, que a su actividad literaria realmente meritísima unió pareja actividad política y docente. Como Hostos, laboró Varona incansable por la independencia de su patria. Sólo que en este aspecto no nos compete estudiarle aquí. Su pensamiento doctrinal, de raíz positivista, se encuentra desarrollado en las *Conferencias filosóficas* dictadas en la Academia de Ciencias durante los cursos de 1880, 1888 y 1889. En ellas se replantean los graves problemas de la ética, la psicología y la lógica con un sentido claramente racionalista y experimental. Varona se muestra tan alejado del idealismo de Hegel o de Kant como afín al determinismo de Taine o al evolucionismo de Darwin. No es hombre que disimule sus ideas; rechaza cuanto huele a metafísica, y sólo acepta las verdades respaldadas por la experiencia o por la realidad histórica. Más interés tiene para nosotros, claro es, su producción literaria. *Artículos y discursos, Desde mi Belvedere, Violetas y ortigas, Ojeada sobre el movimiento intelectual de América, Poetas cubanos, Estudios literarios,* entre varios libros más, delatan un espíritu de sólida formación, gusto depurado, extensa cultura y criterio tan personal como objetivo. En *Estudios literarios,* por ejemplo, encontramos ensayos de literatura comparada, redactados cuando el autor andaba rondando los veinticinco años: *El personaje bíblico de Caín en las literaturas modernas* (1873); *La escuela de los maridos* y *El marido hace mujer,* sobre las respectivas comedias de Molière y de Antonio de Mendoza; *Los Menecmos de Plauto y sus imitaciones modernas,* etc. Varona se sintió siempre atraído por la filología, y en este sector dejó algunos trabajos estimables: *Provincialismos cubanos, Nombres propios personales, Observaciones lexicográficas y gramaticales, Etimologías históricas, El iotismo en la pronunciación del griego clásico, Sinónimos castellanos, Lenguas antiguas y lenguas modernas, Cómo se hace un diccionario,* etc. También escribió verso, aunque como poeta rayó a escasa altura.

Caso, Vasconcelos y Reyes

Los tres son mejicanos, y con unos pocos más integran la «élite» de la intelectualidad de Méjico en lo que va de siglo. Los tres asimismo han sabido erigirse en mentores de las últimas promociones culturales de aquel país.

ANTONIO CASO (1883-1946) es uno de los primeros, junto con Vasconcelos, Reyes y Henríquez Ureña, en reaccionar desde la tribuna del Ateneo de la Juventud contra las corrientes positivistas dominantes en Méjico a últimos del XIX. En tal aspecto, Caso es idealista y se le puede equiparar a Rodó. Sólo que en la obra del mejicano se descubre un rigor sistemático que en vano buscaríamos en el gran escritor rioplatense. Lo que éste aventaja a Caso en brillantez y preciosismo lo suple el mejicano en método y claridad. En pocos escritores de nuestro tiempo el pensamiento se revela con mayor transparencia. Entre sus obras destacan la *Filosofía de la intuición; La existencia como economía, como desinterés y como caridad;* y *El problema de Méjico.* Sus mejores ensayos, sin embargo, han de buscarse en las que llevan por título *La persona humana y el Estado totalitario* y *El peligro del hombre.* Caso fué muy combatido en su país; pero esos ataques en nada debilitaron su autoridad, una de las más decisivas en Hispanoamérica. *murió — 1959*

Cierto sentido profético, a la vez que un emocionado fervor de raza, palpita en toda la obra de JOSÉ VASCONCELOS (n. 1882), otro de los grandes rectores de la intelectualidad mejicana y destacado orador del Ateneo de la Juventud, según queda dicho. En su obra, integrada por unos treinta títulos, hay que deslindar por lo menos cinco áreas distintas: la narrativa, que se manifiesta en *Prometeo vencedor, Los robachicos, Ulises criollo, La tormenta, El desastre* y otros relatos, ya aludidos, que le dieron justa celebridad; la filosófica, que se distingue por su poder de síntesis: *Etica, Tratado de metafísica, Manual de filosofía, Historia del pensamiento filosófico, Lógica orgánica;* la histórica: *Breve historia de Méjico, Hernán Cortés, Simón Bolívar,* etc.; la estética, con excelentes ensayos sobre el arte y la belleza; y la étnica o racial, que en *Raza cósmica* resume acaso lo más sustancioso del pensamiento de Vasconcelos. Siguiendo la trayectoria de Spengler, Bardiaeff y Keyserling, y avanzando en ella algunos estadios, formula Vasconcelos la originalísima teoría de que, en trance de cerrarse el ciclo de la cultura occidental, el porvenir corresponde a otra raza, la «cósmica», originada por la fusión de todas las actuales: la blanca, la amarilla, la negra y la cobriza. A pesar de este sentido universalista, en que parece concebirse a la Humanidad entera como una «ecumene», sin distinción de sangre ni colores, la verdad es que en el fondo del alma de Vasconcelos late despierto siempre un admirativo fervor hacia España y su cultura. «No seremos grandes —afirma en este mismo libro—mientras el español de América no se sienta tan español como los hijos de España.» La *Breve historia de Méjico* (1944), lleva un prefacio que parece eco del brillante epílogo puesto por Menéndez Pelayo a la *Historia de los heterodoxos.* El mismo panorama, la misma coyuntura, los mismos razonamientos, sólo que aplicados a Méjico [10]. Vasconcelos ha tenido participación muy directa y relevante en la vida pública, habiendo desempeñado con singular eficacia durante varios años la secretaría de Educación y Bellas Artes.

En ALFONSO REYES (n. 1889-1948), miembro cofundador, como los anteriores, del Ateneo de la Juventud, hemos de ver ante todo, y dentro de su plural actividad, un consumado ensayista. El alude al «historiador que lleva en el bolsillo». Lo mismo podría aludir al poeta—lo es en grado sumo—, al filólogo, al crítico o al humanista. Todas estas facetas, y alguna más, coinciden en Reyes para hacer de él una de las mentes más lúcidas que ha producido el Nuevo Mundo, y como ha escrito Federico de Onís, «el más alto ejemplar que quizá existe hoy del americano europeo, universal». Desde sus puestos diplomáticos en París, Buenos Aires y Río de Janeiro; desde su permanencia en Madrid, incorporado al Centro de Estudios Históricos y a la gran prensa española; desde su dirección del «Colegio de Méjico», esa ejemplar escuela donde se han formado tantos filólogos, historiadores y críticos, Reyes ha ido lanzando sin cesar durante medio siglo libros, ensayos, artículos de toda clase. La lista de sus obras anda rondando el medio centenar. Imposible aludir ni siquiera a las más importantes. Subrayemos, al margen de su labor poética, estudiada en otro lugar, los libros titulados *La experiencia literaria*, auténtico breviario de orientación crítica y de buen gusto; *El deslinde, La crítica en la Edad Ateniense, Simpatías y diferencias, Cuestiones estéticas, Cuestiones gongorinas, Letras de la Nueva España, Los trabajos y los días*. Y citemos en otro orden *Las vísperas de España*, su obra más lograda, a juicio de muchos. Sin soslayar el lado erudito y documental, antes bien respaldando cuanto dice con buen aparato crítico, Reyes sabe llevar a los más áridos temas un hálito de poesía y de espiritualidad. La transparencia de su estilo contribuye por otra parte a la lectura agradable de estos libros, que han encontrado en América y España merecida estimación.

Otros ensayistas

En Argentina: JOSÉ INGENIEROS (1877-1925), cuya obra se orienta primordialmente hacia la política, la psiquiatría y la sociología—*Al margen de la ciencia, La simulación en la lucha por la vida, Hacia una moral sin dogmas*—; FRANCISCO ROMERO (n. 1891), profundo pensador y elegante prosista—*Teoría del hombre*—; ARTURO CAPDEVILA (n. 1889), estimable poeta, ya aludido, y fecundo escritor en prosa. Por la variedad de temas y agilidad de concepto, Capdevila es un auténtico ensayista. Agréguense: JOSÉ MARÍA RAMOS MEJÍA (1849-1914), preocupado del estudio de procesos anormales—*La neurosis de los hombres célebres, La locura en la Historia, Los simuladores del talento*—; JUAN AGUSTÍN GARCÍA (1862-1923), autor de dramas, novelas y ensayos, estos últimos redactados con soltura y amenidad; y CARLOS OCTAVIO BUNGE (1875-1918), también novelista y drama-

turgo. Su mejor ensayo, de fondo filosófico, lleva por título *Nuestra América*.

En Uruguay: CARLOS VAZ FERREIRA (n. 1873), espíritu analítico y muy original, cuyo pensamiento está reflejado en multitud de obras, y de modo especial en *Fermentario*; EMILIO ORIBE (n. 1893), más conocido como poeta, si bien en el ensayo alcanza asimismo altas calidades—*Poética y plástica, Teoría del Nous*—.

En Paraguay: MIGUEL GONDRA y J. NATALICIO GONZÁLEZ son los más autorizados representantes del género, aunque destacasen a la vez en otros sectores: el primero, en la crítica; el segundo, en la historia literaria. Gondra alcanzó alta reputación con un ensayo sobre Rubén Darío—*En torno a R. D.*, 1899—; y Natalicio González con su *Síntesis sociológica*.

En Chile: han sobresalido, entre otros, NICOLÁS PALACIOS NAVARRO y MANUEL E. HUBNER, ya que al eminente polígrafo José T. Medina se le reserva para otro apartado.

En Perú: aparte de los citados González Prada y Mariátegui, debe recordarse a VENTURA GARCÍA CALDERÓN (n. 1886), cuya vasta cultura se ha extendido asimismo al campo de la crítica literaria y de la investigación histórica. De todo ello nos hemos ocupado en otro lugar.

Ecuador ha tenido en JOSÉ MODESTO ESPINOSA (1833-1916), ROBERTO ANDRADE (n. 1852) y GONZALO ZALDUMBIDE (n. 1885) tres ensayistas de nota, que hacen honor a la patria de Montalvo.

A Venezuela corresponden dentro del género ensayístico: CÉSAR ZUMETA (n. 1860), que en *La ley del cabestro* y en *El continente enfermo* abordó valientemente el problema racial frente a la absorción anglosajona; SAMUEL DARÍO MALDONADO (1870-1925), que en *Tierra nuestra* supo hacer el «inventario emocional» de su patria; y MARIANO PICÓN-SALAS (n. 1901), ya aludido por su obra narrativa. Picón Salas es autor asimismo de valiosos ensayos—*Intuición de Chile, Preguntas a Europa, Problemas y métodos de la historia del arte*, etcétera—concebidos con amplia perspectiva.

En Colombia han brillado más los filólogos y humanistas que los cultores del ensayo. No le faltan, sin embargo, ensayistas de mérito: BALDOMERO SANÍN CANO (n. 1868), espíritu inquieto y universalista, catador de culturas—*La civilización manual, Crítica y arte, Indagaciones e imágenes, Ensayos*—, a la vez que impulsor entusiasta del movimiento modernista: LUIS LÓPEZ DE MESA (n. 1884), cuya producción narrativa se completa con varios títulos de carácter ensayístico—*La civilización contemporánea, Disertación sociológica*—; y CARLOS ARTURO TORRES (1867-1911), dramaturgo de cierto empaque en *Lope de Aguirre*, y pensador profundo en *Idola fori*, obra que inspiró a Rodó uno de sus más sagaces análisis.

De la lista de ensayistas cubanos, muy nutrida, sólo queremos entresacar a MARIANO ARAMBURU

Y MACHADO (1870-1942), orador, crítico y jurisconsulto de nota—*Literatura crítica, Impresiones y juicios, Arte de buen vivir*—; al doctor FERNANDO ORTIZ (n. 1881), entusiasta animador de inquietudes culturales, que se aplicó con igual fortuna a la oratoria, la historiografía y el ensayo, y dentro de éste, abordó toda clase de temas —*Entre cubanos, Ni racismos ni xenofobias, Las fases de la evolución religiosa, La reconquista de América*—; y a JOSÉ MARÍA CHACÓN CALVO (nacido en 1893), en cuyo espíritu, abrevado en las mejores fuentes de la tradición, se funden un erudito, un poeta y un artista del lenguaje. Chacón Calvo llamó la atención en su juventud con estudios sobre la Avellaneda, Heredia, Cervantes y otras figuras de las letras; continuó en España su labor erudita; y hoy, tras medio siglo de incesante producción, puede ofrecer una obra que acaso no tenga parigual en su clase dentro de la literatura cubana: *Ensayos sentimentales, Ensayos de literatura española, La experiencia del indio, Ensayos heredianos, Criticismo y colonización*, etc.

III. HISTORIA, ERUDICION Y CRITICA

No queremos aludir a otros géneros, como la oratoria y el periodismo, que aun teniendo sin duda el mismo derecho que los anteriores a figurar en la historia literaria, suelen quedar excluidos de ella por su carácter circunstancial y efímero, que los hace poco aptos para cualquier disciplina histórica. La misma crítica, así como la erudición y la historiografía, sólo con ciertas salvedades pueden incluirse en nuestro estudio. Limitamos por ello la referencia, al igual que se hizo en la literatura peninsular, a aquellos autores que acertaron a llevar a su obra, tanto de investigación como de crítica, cierta intención y rango literario. Por lo demás, el simple intento de citar a cuantos se han distinguido en este sector de las letras, convertiría el presente capítulo en una lista interminable. Precisamente la historiografía tiene en América una remotísima y gloriosa tradición, que le viene de los primeros cronistas de Indias, tradición que, una vez alcanzada la independencia, se reanuda brillantemente hasta nuestros días.

Historiadores

Empezamos, como siempre, por el Sur. La historiografía argentina del XIX se abre con el glorioso nombre de Bartolomé Mitre. Antes, y a su lado, encontramos otros historiadores dignos de recuerdo: PEDRO DE ANGELIS (1784-1859), napolitano afincado en Buenos Aires, que reunió en sus dos *Colecciones* (la de «Obras impresas» y la de «Documentos del Plata») abundantísimo material, de mucha utilidad para los historiadores sucesivos; ANDRÉS LAMAS (1817-1891), uruguayo de nacimiento, pero de nacionalidad argentina, también rebuscador incansable y de análoga significación que el anterior; VICENTE FIDEL LÓPEZ (1815-1903), que si en la novela histórica (*La novia del hereje, La loca de la guardia*) sólo puede aspirar a un puesto modestísimo, en la historia ocupa lugar aventajado. Su *Memoria* sobre contribución de los pueblos al proceso de la cultura y su *Introducción a la historia de la República Argentina*, aunque se resienten de excesivo dogmatismo en cuanto da por probado lo que intenta demostrar, son dos obras excelentes en su género.

Mejor historiador que ellos es BARTOLOMÉ MITRE (1821-1906), uno de los máximos rectores de la nación argentina, con quien el mismo López sostuvo larga polémica en torno al sentido y método de la historia. Defendía López una interpretación libre de los hechos, a la luz de la filosofía; Mitre, por el contrario, se aferraba al estudio de los documentos como premisa fundamental y a las conclusiones que de ellos objetivamente se desprendiesen. Hay que reconocer que, pasadas las brillantes lucubraciones históricas del XIX, los métodos actuales dan la razón a Mitre. Y es que todo lo que faltaba a éste como poeta, novelista y dramaturgo—cultivó los tres géneros—le sobraba como historiador. En la *Historia de Belgrano y de la independencia argentina* y en la *Historia de San Martín y de la emancipación americana* dejó dos obras fundamentales. Exploró también el campo de la lingüística y de la arqueología: *Ollantay, Las ruinas de Tiahuanaco, El Zoque, El araucano, Catálogo razonado de las lenguas americanas*, son frutos sazonados de esas exploraciones.

La historia del Uruguay durante la dominación española se debe a FRANCISCO BAUZÁ (1850-1899), autor asimismo de unos *Estudios literarios* de carácter histórico-crítico; la del Paraguay, en lo que se refiere a la época moderna, ha sido escrita por JUAN SILVANO GODOI (n. 1850). Chile puede exhibir cinco o seis historiadores beneméritos: DIEGO BARROS ARANA (1830-1907), polígrafo eminente, en cuya copiosa producción destacan los trabajos sobre cronistas de Indias y la *Historia general de Chile*; RAMÓN SOTOMAYOR VALDÉS (1830-1903), de más parca producción, orientada casi toda hacia el estudio de Chile en la época moderna; BENJAMÍN VICUÑA MACKENNA (1831-1886), el más fecundo de los historiógrafos chilenos, con más de ciento sesenta trabajos sobre acontecimientos y personajes de su país; y los hermanos MIGUEL LUIS (1828-1888) y GREGORIO VÍCTOR AMUNÁTEGUI (1830-1899), cuya labor, conjunta casi siempre, se canaliza en la doble dirección histórica y literaria: *Juicio de algunos poetas hispanoamericanos, La reconquista española, Apuntes para la historia de Chile,* etc.

En la historiografía boliviana, que se prestigia con nutrida lista de escritores (Sánchez de Velasco, Manuel María Uzcullu, Santiago Vaca Guzmán, Modesto Omiste, Valentín Abecia, Sabino Pinilla, etcétera), sobresale GABRIEL RENÉ MORENO (1836-1909), bibliógrafo, sociólogo e historiador, cuya producción abundantísima es indispensable para el conocimiento político y cultural de Bolivia.

La historia del Ecuador ha sido trazada por FEDERICO GONZÁLEZ SUÁREZ (1884-1917), iniciador de estos estudios en su patria; PEDRO FERMÍN CEVALLOS (1812-1893) y CELIANO MONGE (1857); la de Venezuela, encabezada por el eminente filólogo Rafael María Baralt, de quien nos ocuparemos más adelante, fué continuada por JUAN VICENTE GONZÁLEZ (1810-1866), hombre de sólida base y múltiple actividad: poeta, periodista, narrador y crítico; la de Colombia, por JOSÉ MARÍA VERGARA Y VERGARA (1831-1872) y por JOSÉ MARÍA SAMPER (1828-1888), poetas ambos de vuelo, a la vez que polígrafos eminentes; la de Centro-América, por LORENZO MONTÚFAR, autor de una documentada y extensa *Reseña histórica de Centro-América,* y por ALEJANDRO MURUBE, a quien se debe un *Bosquejo de las revoluciones de Centro-América desde 1811 hasta 1834.*

Cuba tiene buena cantera de historiadores. Los más afamados son Ramiro Guerra, Emeterio S. Santovenia, Herminio Portell y Enrique Zas, entre los autores de tratados extensos; Rafael Martínez Ortiz, Manuel Márquez Sterling, Joaquín Llaverías, Emilio Roig, Francsico González del Valle y José Manuel Pérez Cabrera, entre los de estudios monográficos. Santo Domingo cuenta con JOSÉ GABRIEL GARCÍA (1834-1910), autor de una historia que abarca la era colonial y el período de república independiente de aquel país; CASIMIRO NEMESIO MOYA (1849-1915), de cuya extensa *Historia de Santo Domingo,* en siete volúmenes, sólo ha visto la luz el primero, y EMILIO TEJERA (1841-1923), que ha centrado principalmente sus investigaciones en la figura del Descubridor.

En Méjico se han significado CARLOS MARÍA DE BUSTAMANTE (1874-1948), con su *Cuadro histórico de la revolución mejicana* y su *Historia del emperador don Agustín de Itúrbide,* libros ambos tan incorrectos de estilo como ricos de información; LUCAS ALAMÁN (1792-1853), cuya abundante obra está consagrada sobre todo a la época de la Independencia del país; LORENZO DE ZAVALA (1788-1836), que también estudió los primeros años de aquella República, y JOSÉ FERNANDO RAMÍREZ (1804-1871), que bien pertrechado de conocimientos arqueológicos aplicó su atención a la época colonial.

Se habrá observado que todos o casi todos los autores que acabamos de citar corresponden al siglo XIX. En el nuestro la historia ha sufrido en su concepción y estructura un cambio radical. De disciplina literaria se ha convertido en disciplina científica. Sus nexos con los géneros de creación, si no han quedado rotos, se han visto sustancialmente relajados. Se busca el hecho y se expone escuetamente, en un lenguaje lo más claro, simple y sistemático posible, sin preocuparse o preocupándose muy poco del atuendo estético. Con lo que el género va quedando cada día más y más desplazado del área literaria. Por ello los historiadores actuales no interesan aquí o sólo interesan por motivos extraños a la misma historia.

Por ejemplo, no sería justo silenciar en una obra como la nuestra el movimiento revisionista iniciado recientemente por meritísimos investigadores que se han propuesto, y en buena parte ya lo han conseguido, esclarecer todo el pasado colonial, cimentando la historia de América sobre bases ciertas y alejadas de todo prejuicio. Gracias a ellos el sentido de la conquista y colonización de América está alcanzando una interpretación nueva, y numerosos errores, acumulados durante siglos en torno a esos dos magnos hechos, se van desvaneciendo. En esta labor de rectificaciones históricas se han distinguido, entre muchos, los argentinos Guillermo Furlong (S. I.), José Torre Revellos y Vicente D. Sierra; los peruanos Rubén Vargas Uriarte (S. I.) y Guillermo Lohmann Villena; los venezolanos C. Parra Pérez y Caraciolo Parra León, y los mejicanos Francisco Fernández de Castillo y Carlos Pereyra. Este último, junto con el argentino Rómulo D. Carbia, merece especial mención. CARLOS PEREYRA (1871-1942) ha consagrado su larga vida a la rehabilitación de España en sus relaciones con América. Sin perdonar molestia, en una lenta labor de búsqueda por archivos y cancillerías, ha ido reconstruyendo el pasado de los pueblos americanos desde la Conquista a nuestros días. Libros como *La hora de España en América, Hernán Cortés y la epopeya del Anáhuac, Las huellas de los conquistadores, La Constitución de los Estados Unidos como elemento de dominación plutocrática* y la *Historia de la América Española,* figuran en todas las bibliotecas y se han hecho indispensables para cualquier estudio de carácter histórico relacionado con América. RÓMULO D. CARBIA, que orientó sus primeras investigaciones hacia la historiografía *(La crónica oficial de las Indias Occidentales),* pronto deriva al campo revisionista con un espíritu batallador. Continuando el camino iniciado por Juderías, y con nueva y más rica documentación, replantea con miras a una solución definitiva el siempre alucinante problema de «la leyenda negra», que después del magistral estudio de Carbia *(Historia de la leyenda negra hispanoamericana,* Buenos Aires, 1943) ha quedado reducida a puro fantasma.

Eruditos y críticos

Aquí debería ir una lista detallada de los más ilustres historiadores de las letras americanas en conjunto y por países. Pero en el curso de esta obra se ha hecho tantas veces referencia a ellos que huelga toda mención. Los nombres de Luis Alberto Sánchez, Enrique Anderson Imbert, Julio A. Leguizamón, Arturo Torres-Ríoseco, Arturo Berenguer Carisomo, Mariano Picón Salas, Alberto Zum Felde, Arturo Enrique Pastor, Juan J. Remos Rubio, Enrique Finot y tantos otros, que el lector puede encontrar en la «Bibliografía general» puesta al frente de nuestro libro y que ya deben de serle familiares, nos eximen de nuevas alusiones. El simple hecho de haber acudido a sus obras con tanta frecuencia en plan de consulta y orientación demuestra la alta estima que nos merecen. Hay, no obstante, al margen de estos beneméritos historiadores de las letras, un grupo de eruditos dignos de recuerdo, siquiera éste sea breve. Son investigadores en quienes la erudición no se limita al mero acopio de datos, sino que suele ir mezclada con un hondo sentido crítico y un respetuoso culto hacia la forma. Son los polígrafos que, salvadas las distancias, desempeñan en sus países respectivos función análoga a la de Menéndez Pelayo en España. Se llaman, orillados otros de menor relieve, José Toribio Medina, Juan María Gutiérrez, Joaquín García Icazbalceta, Francisco A. de Icaza, Enrique Piñeyro, Paul Groussac y Ricardo Rojas.

José Toribio Medina (1852-1930) es el maestro de la bibliografía no sólo en Chile, de donde era nativo, sino en toda la América hispana. A lo largo de una vida de intensa rebusca por bibliotecas, archivos y fondos privados logró reunir materiales inmensos, que cuajaron en cerca de 400 títulos a que alcanzan sus publicaciones, editadas en imprenta propia. Destacan la *Biblioteca Hispanoamericana* (7 vols.), la *Biblioteca Hispanochilena*, el *Diccionario biográfico colonial de Chile* y la *Historia de la literatura colonial de Chile*. Toribio Medina era ante todo investigador.

A Juan María Gutiérrez (1809-1878) lo hemos encontrado ya entre los poetas «proscriptos». Allí mismo se dijo que, aun siendo estimable poeta, su mejor acomodo estaría en la crítica. Gutiérrez había nacido para ella; tenía gusto depurado, hondo sentido de la belleza y, por si estas dotes nativas no bastaban, extensa cultura y una formación humanística completa. Lástima fué que todo esto se orientara hacia una literatura todavía incipiente, como era entonces la argentina. No pueden hacerse grandes cosas con parva materia; y Gutiérrez vió limitado el vuelo de su espíritu crítico por la estrechez del horizonte en que había de moverse. Aun así, dejó estudios casi definitivos: sobre la literatura de Mayo, sobre Esteban de Luca, sobre Juan Cruz Varela, Esteban Echeverría,

Juan Ramón Rojas, Barco Centenera, etc. Su colección de la *América poética,* aunque demasiado voluminosa para la fecha en que se publicó (1846), coloca a su autor a la cabeza de los antologistas americanos y sólo fué superada medio siglo más tarde por la de Menéndez Pelayo. Este mismo maestro insigne de la crítica, después de aludir al empedernido volterianismo de Gutiérrez y a su sistemática aversión contra España, reconoce en él «al más completo hombre de letras que hasta ahora—tal juicio se formulaba a finales del xix—ha producido aquella parte del Continente». No fué tan afortunado en el género narrativo; sus ensayos novelescos *El capitán de patricios* y *El hombre hormiga* son mediocres.

En franco contraste con el anterior, el mejicano Joaquín García Icazbalceta (1825-1894) fué antes que nada erudito y bibliófilo. La biografía de fray Juan de Zumárraga, primer prelado de Méjico; las dos *Colecciones de documentos* para la historia del país, la *Bibliografía mejicana del siglo XVI*, con un catálogo de los libros impresos antes de 1600, son base indispensable para toda investigación y enjuiciamiento de la vida mejicana del primer siglo de la Colonia. Icazbalceta llegó a formar una biblioteca de más de doce mil libros raros. Más cerca de la verdadera crítica se encuentra otro mejicano, ya aludido como poeta, Francisco Asís de Icaza (1863-1925), en quien la labor del erudito y del investigador casi oscurece la producción poética, con ser ésta muy valiosa. Exploró e iluminó Icaza sectores oscuros de nuestras letras: *La tía fingida (De cómo y por qué «La tía fingida» no es de Cervantes); Sucesos reales que parecen imaginados de Gutierre de Cetina, Juan de la Cueva y Mateo Alemán; Supercherías y errores cervantinos; Lope de Vega, sus amores y sus odios,* etc. Dejó uno de los mejores estudios que hay en castellano sobre las *Novelas ejemplares,* y no menos de tres libros de ensayo *(De los poetas y de la poesía; La risa, la muerte y el hambre; Paisajes sentimentales),* aparte de un *Diccionario autobiográfico* sobre conquitadores y pobladores de Nueva España. Todo lo cual hace de este poeta, crítico y erudito una de las personalidades más señeras de aquel país.

La crítica cubana, que durante el siglo xix se prestigia con nombres como los de Rafael María Merchán, Manuel Sanguily, Nicolás Heredia, Emilio Bobadilla, Ricardo del Monte, Esteban Borrero Echevarría, Manuel de la Cruz y José de Armas, ya conocidos en su mayor parte por otros géneros, alcanza su más alta expresión en Enrique Piñeyro (1839-1911). Pasó la primera mitad de su vida fuera de Cuba, sirviendo en diversas misiones a la causa de la independencia; y la otra mitad, también alejado de la isla natal, en la Legación de su país en Francia. Pero este alejamiento no le impidió dedicar lo mejor de sus actividades a las letras. Su primer libro de crítica,

Poetas famosos del siglo XIX (Madrid, 1883), con estudios sobre Byron, Shelley, Schiller, Lamartine, Hugo, Leopardi, Espronceda y otros primates románticos, delata sólida formación y exquisito gusto. Siguen otras obras no menos interesantes: *Manuel José Quintana, Vida y escritos de Juan Clemente Zenea, Hombres y glorias de América, El romanticismo en España, Biografías americanas,* etc. Se debe estimar en Piñeyro la pureza y elegancia de estilo; se le acusa, en cambio, de cierta frialdad expresiva.

Próximos ya a nosotros, dos argentinos, Groussac y Rojas, han llevado a la crítica un sello de honestidad e independencia realmente encomiable. PAUL GROUSSAC (1848-1929), oriundo de Francia, había llegado a Buenos Aires a los dieciocho años, y allí vivió hasta el fin de sus días, sin lograr un efectivo arraigo, según parece. Llevaba a Francia en lo más hondo del alma; pero ello no fué obstáculo para que dedicase a la Argentina sus mejores servicios y su más entrañable afecto. La verdad es que se puede amar a dos patrias: la de origen y la adoptiva. Desde sus cátedras, la del Colegio Nacional de Buenos Aires y la de Tucumán, ciudad ésta donde residió durante diez años; desde la inspección de Enseñanza Secundaria y desde la dirección de la Biblioteca Nacional, cargo que ocupó por espacio de cuarenta años, Groussac supo servir a la Argentina con honestidad y noble decoro. Su primer gran logro fué el aprendizaje de la lengua castellana, que llegó a dominar como un nativo. Ya dueño del instrumento idiomático, consagró su actividad a los géneros más en boga: poesía, teatro, historia y crítica. Fué en los dos últimos donde más éxito alcanzó, con estudios de índole varia y subido valor: *Ensayo histórico sobre el Tucumán, Santiago Liniers, Mendoza y Garay, Ensayo crítico sobre Cristóbal Colón, Crítica literaria, Del Plata al Niágara, El viaje intelectual, Une enigme littéraire,* etcétera. Una abultada *Historia de la literatura argentina* (4 vols.) nos obliga a traer a este lugar el nombre de RICARDO ROJAS (n. 1882), que lo mismo podría figurar entre los ensayistas, los poetas o narradores. Durante medio siglo Rojas ha desplegado una actividad literaria asombrosa y sólo comparable a su labor docente en la cátedra de la Facultad de Filosofía y Letras y en la de Ciencias de la Educación, de la Universidad de La Plata. Sus obras, de tema múltiple, se cuentan por decenas: *El país de la selva, El alma española, Cosmópolis, Cartas de Europa, Los arquetipos, La argentinidad, Eurindia, Cervantes,* etc., todo esto al margen de sus poemas, conferencias y narraciones. Se le tacha por algunos de escritor engolado y enfático; Groussac llegó a calificar su prosa de «gerundiana». Y, aunque no falte razón del todo a sus censores, hay que reconocer en Rojas un infatigable investigador y un sembrador de ideas de primer orden.

Los humanistas

América los ha producido en gran número, especialmente en el siglo XIX. En una historia general de la cultura ocuparían lugar destacado; aquí sólo puede darse cabida a cuatro o cinco, en su mayor parte de Colombia. A ellos se debe el sentido de contención y de ática pureza que suele informar las producciones literarias de aquel país, desde el romanticismo a nuestros días.

La serie de los humanistas colombianos se abre con MIGUEL ANTONIO CARO (1843-1909), hijo del inspirado poeta José Eusebio Caro, y poeta asimismo, si bien más frío, más reglado y académico que el padre. Lo que mantiene vivo en Colombia y aun en toda la América hispana el nombre de Antonio Caro es su actividad en el campo de la filología. Con Cuervo y Bello compone Caro el trío de los estudios humanísticos en el Nuevo Continente. Su traducción de la *Eneida* ha sido proclamada por Menéndez Pelayo la mejor entre cuantas tenemos, y son muchas, en nuestra lengua. Prescindiendo de sus incontables artículos, discursos y trabajos sobre derecho, sociología, historia y política, subrayemos el valor permanente de obras como *Tratado del participio, El contradiálogo de las letras, Del uso en sus relaciones con el lenguaje, Americanismo en el lenguaje, Estudio sobre el Quijote* y *Del verso eneasílabo,* definitivas cada una en su género.

Al nombre de Caro debe ir unido el de otro colombiano, RUFINO JOSÉ CUERVO (1844-1911), maestro del idioma y del que América se enorgullece con plena justicia. Continúa Cuervo la tradición filológica de Bello, a quien moderniza, perfecciona y en no pocos aspectos supera. Es para Menéndez Pelayo «el filólogo más insigne que produjo la raza española en el siglo XIX», y para Rodolfo Lenz es su obra «el eje de toda la revolución filológica en América». Su *Gramática latina,* escrita en colaboración con Caro, estaba reputada por la Academia como la mejor que se había compuesto hasta principios de siglo. Después, naturalmente, ha sido superada. Las notas a la *Gramática castellana* de Bello siguen, en cambio, siendo insuperables, y no sólo realzan el mérito de la obra en su conjunto, sino que la exceden en originalidad. Las *Apuntaciones críticas sobre el lenguaje bogotano,* el estudio sobre *Castellano popular y castellano literario* y, sobre todo, el *Diccionario de construcción y régimen de la lengua castellana* son obras de gran empaque, elaboradas con todo rigor y con una abundancia de materiales superior a cuanto se había visto antes entre nosotros.

Todavía sin salir de Colombia se debe fijar la atención en ANTONIO GÓMEZ RESTREPO (1869-1947), prosista elegante y fino poeta, cuya actividad literaria se ha derramado por las más diversas zonas. A los diecisiete años ya llamaba la atención de los doctos con un sagaz *Ensayo sobre los estudios críticos de Rafael M. Merchán,* y a partir de tan temprana iniciación no ha cesado de publicar trabajos, especialmente de crítica, que le confieren un puesto de honor en el magisterio colombiano. Mencionemos sólo sus traducciones de Leopardi, su estudio preliminar a las Obras Completas de Rafael Pombo y una monumental *Historia de la literatura colombiana,* de la que van publicados tres volúmenes.

En el venezolano RAFAEL MARÍA BARALT (1810-1860), por encima del frío y correctísimo poeta, alienta un espíritu crítico, aunque de un criticismo estrecho, sin la flexibilidad de su paisano Bello o la amplitud de mirada de nuestro Menéndez Pelayo. Preocupado con exceso de las perfecciones formales, se echa de menos en sus obras, y no sólo en las poéticas, sino en las simplemente eruditas, ese calor y esa emotividad indispensables en todo producto humano que aspire a cierta pervivencia. Así, la *Historia de Venezuela* está redactada con una desesperante frialdad, como si su autor permaneciese deliberadamente alejado de las cosas y los personajes. Aun con esas limitaciones, Baralt es acreedor a nuestro recuerdo por su *Diccionario de galicismos* y por su inconcluso *Diccionario matriz de la lengua castellana,* dos obras que habrá de tener presentes todo el que quiera penetrar en el mecanismo del idioma [11].

NOTAS

1. Nace Sarmiento en San Juan el 15 de febrero de 1811. Descendiente de familia de conquistadores venida a menos. En *Recuerdos de provincia* no dejó detalles de su juventud. Educado por el sacerdote Domingo José Oro, a quien sigue al destierro de San Francisco del Monte. Oro influyó en su máxima vocación: el magisterio. Sarmiento abre una escuela para los campesinos del lugar. Pretende una beca para continuar estudios en Buenos Aires. y, al serle negada, se coloca en una tienda como dependiente. A los diecisiete años sirve como subteniente en la lucha contra Quiroga, y es encarcelado. Prisionero de los federales, logra la libertad por intervención de Oro, y emigra a Chile. Allí actúa de maestro, bodegonero, empleado de comercio, encargado de minas, etc. En San Juan había soldado francés con Mr. Lémonie, viejo soldado de Napoleón; e inglés con un tal Richard en Valparaíso. Vuelve a San Juan. Se dedica a la docencia y funda el periódico «El Zonda», que le da serios disgustos. Nuevo exilio en Chile; colabora en «El Mercurio» y sostiene polémicas con Jotabeche, Bello y Lastarria. 1842: el ministro chileno Montt le encarga de organizar la Normal, cuya dirección asume. Comisionado para estudiar métodos pedagógicos, va a Europa y Estados Unidos. Se enrola en el ejército de Urquiza, y, vencido Rosas en Caseros (1852), se traslada a Buenos Aires. Pero, enemistado pronto con Urquiza, se expatria por tercera vez a Chile. En 1855 regresa definitivamente a la Argentina e inicia su brillante carrera política: senador, ministro, gobernador de San Juan, plenipotenciario en varias capitales, presidente de la República (1868-1874). Murió en Asunción (Paraguay) en 11 de septiembre de 1888.

2. *Las corrientes literarias de la América Hispánica,* «Fondo de Cultura Económica», Méjico-Buenos Aires, 1949.

3. Poco antes de su muerte pudo escribir estas palabras significativas: «Dejo tras de mí un rastro duradero en la educación y columnas miliarias en los edificios de escuelas, que marcarán en la América la ruta que seguí. Hice la guerra a la barbarie y a los caudillos en nombre de ideas sanas y realizables, y, llamado a ejecutar mi programa, si bien todas las promesas no fueron cumplidas, avancé sobre todo lo conocido hasta aquí en esta parte de América.»

4. Juan María Montalvo y Fiallos nace en Ambato (Ecuador), ciudad cercana a Quito, en 1832. Estudia en el Convictorio de San Fernando y en el Seminario de San Luis, de Quito. En 1851 se gradúa de maestro en Filosofía; ingresa en la Universidad y permanece en ella hasta 1854. Escribe primeramente verso romántico; luego, prosa. En 1856 el ex presidente Urbina lo lleva consigo a Roma como secretario de su Legación. Conoce, con tal motivo, Francia, Suiza e Italia. En 1858 se establece en París como secretario de la Embajada. Un año después regresa al Ecuador y se enfrenta con el presidente García Moreno, al que ataca ferozmente. Sale confinado para Ipiale, lugar inhóspito de la frontera, donde permanece hasta 1876. Asesinado Moreno, se reintegra a la capital. Nuevo confinamiento por incompatibilidad con Veintimilla, sucesor de Moreno. Se expatria voluntariamente, y entre 1880 y 1882 publica en Panamá las *Catilinarias* contra el nuevo presidente. Va a París, y, con ocasionales residencias en Madrid, permanece en Francia hasta su muerte, el 17 de enero de 1889. Hombre altivo e irreductible, de él se cuentan anécdotas curiosas: aguanta estoicamente y sin querer anestesiarse una dolorosa operación de estómago; cuando siente aproximarse la hora de la muerte, él, que vive en extrema pobreza, viste de frac para recibir a «la dama que nunca falta a la cita».

5. *Ob. cit.,* pág. 156.

6. *Historia de la literatura hispanoamericana,* «Breviarios del Fondo de Cultura Económica», Méjico-Buenos Aires, 1954.

7. La propuesta (1883) iba firmada por cinco ilustres escritores: Núñez de Arce, Campoamor, Castelar, Valera y doña Emilia Pardo Bazán.

8. Vida sin relieves anecdóticos la de Rodó. Nace en Montevideo en 1871, hijo de catalán y uruguaya, en el seno de familia adinerada. Mal estudiante en sus primeros años, aunque lector infatigable. En 1895 funda, con los hermanos Martínez Vigil y con Pérez Petit, la *Revista Nacional de Literatura y Ciencias Sociales,* donde publica sus primeros trabajos. Tres años más tarde es nombrado catedrático de Literatura de la Universidad de Montevideo, no obstante carecer de títulos académicos. Entra en política: durante los trienios legislativos 1902-1905 y 1908-1911 fué miembro del Congreso Nacional por el partido Colorado. En 1910 se le comisiona, en unión del poeta Zorrilla de San Martín, para que represente al Uruguay en el centenario de la independencia de Chile. En 1916, el semanario argentino *Caras y Caretas* le da una corresponsalía en Europa. Rodó visita España y buena parte de Italia, enviando crónicas al semanario. Pero en el camino le sorprende el tifus y muere en Palermo el 1 de mayo de 1917. Luis Alberto Sánchez nos hace de él este retrato: «Hombre macizo, grandote, silencioso; de ojos miones, cuasi nictálope en apariencia; de bigotes chorreados, a lo buen burgués de Francia; llovido en el penacho sobre la frente; lector impenitente; guardaba en su interior a un chafado orador.» (Vid. *Escritores representativos de América,* II, pág. 196, Edit. Gredos, Madrid.)

9. Nace Hostos en Río Cabañas (Mayagüez) el 11 de enero de 1839. Español por la doble línea paterna y materna: Hostos Bonilla. A los trece años viene a la Península y estudia en Bilbao; regresa a Puerto Rico, y nuevamente en España, sigue Derecho en la Universidad de Madrid. En 1863 inicia su campaña, que no tiene éxito, en pro de una Federación hispano-antillana. En el Ateneo madrileño destaca como orador brillante. Rechaza un acta de diputado por Puerto Rico y el Gobierno civil de Barcelona. En 1868, en memorable discurso del Ateneo, rompe con España y emigra a Nueva York. Estancias en Perú y Chile; viajes por Argentina, Cuba, Venezuela, Estados Unidos, Santo Domingo, etc., entre 1873 y 1879. Larga etapa luego, la más fecunda de su vida, al servicio de Chile. En 1898, al estallar la guerra entre España y Estados Unidos, se reintegra a Puerto Rico; y entre 1901 y 1902 lo encontramos en Santo Domingo, consagrado a tareas educativas. Se puede decir que su vida se canalizó en estas dos actividades: educación y lucha por la independencia.

10. Júzguese por estos párrafos: «La historia de Méjico empieza como episodio de la gran odisea del descubrimiento y ocupación del Nuevo Mundo. Antes de la llegada de los españoles Méjico no existía como nación: una multitud de tribus separadas por ríos y montañas y por el más profundo abismo de sus trescientos dialectos habitaba las regiones que hoy forman el territorio patrio. Los aztecas dominaban apenas una zona de la meseta en constante rivalidad con los tlaxcaltecas, y al Occidente los ta-

rascos ejercitaban soberanía independiente; lo mismo por el Sur los zapotecas. Ninguna idea nacional emparentaba las castas; todo lo contrario: la más feroz enemistad alimentaba la guerra perpetua, que só'o la conquista española hizo terminar... Por fortuna, fueron españoles los que primero llegaron a nuestro suelo, y gracias a ello es rica la historia de nuestra región del Nuevo Mundo, como no lo es la de la zona ocupada por los puritanos... Imagine quien no quiera reconocerlo qué es lo que sería nuestro continente de haberlo descubierto y conquistado los musulmanes. Las regiones interiores del Africa actual pueden darnos una idea de la miseria y de la esclavitud, la degradación en que se hallarían nuestros territorios... Ingresamos en la fila de la civilización autónoma que hubiera sido la víctima de nuestra naciona'idad mejicana, es decir. hispanoindígena... ¿Fn qué espíritu nacional podríamos recaer nosotros si prescindiésemos del sentir castellano que nos formó la colonia? ¿Fxiste acaso en lo indígena, en lo precortesiano, alguna unidad de doctrina, o siquiera de sentimiento capaz de construir un a'ma nacional?... Nada destruyó España, porque nada existía digno de conservarse cuando ella llegó a esto̦s territorios, a menos que se estime sagrada esa mala hierba del alma que son el canibalismo de los caribes, los sacrificios humanos de los aztecas, el despotismo embrutecedor de los in̦cas... El más grave daño moral que nos han hecho los imperialistas nuevos es el habernos habituado a ver en Cortés un extraño. ¡A pesar de que Cortés es nuestro en grado mayor de lo que puede serlo Cuauhtémoc! La figura del conquistador cubre la patria del mejicano desde Sonora hasta Yucatán, y más allá, en los territorios perdidos por nosotros, ganados por Cortés. En cambio, Cuauhtémoc es, a lo sumo, el antepasado de los otomíes, de la meseta del Anahuac, sin ninguna relación con el resto del país.» (Prólogo a la *Breve historia de Méjico*, Edics. Botas, Méjico, 1944.)

11. Fn una historia más extensa que la nuestra deberían figurar los paraguayos José Segundo Decoud y Manuel Domínguez, los bolivianos José Rosendo Gutiérrez y Emeterio Villamil de Rada, los colombianos José María Samper y Marcos Fidel Suárez, el mejicano José María Vigil, el portorriqueño Enrique Alvarez Pérez, etc. Santo Domingo merecería párrafo aparte con críticos y eruditos como Manuel de Jesús Peña, Rafael Alfredo Deligne, Max Henríquez Ureña y Joaquín Balaguer. Max H. Ureña, de la dinastía de los Ureña, es autor. entre otros libros, de una excelente *Historia del modernismo*, de gran valor documental y seguro juicio crítico; y Joaquín Balaguer, de varios muy estimables sobre literatura dominicana y de uno̦s magníficos *Apuntes para la historia de la métrica española*, que en esta parcela tan poco atendida de nuestras letras llenan un ancho vacío.

BIBLIOGRAFIA

I. Obra̦s generales: PILAR A. SANJUÁN : *El ensayo. hispánico* (Estudio y antología), Fdit. Gredos. Madrid. 1954.— M. VITIER : *Del ensayo hispánico*, ed. Fondo de Cultura Económica, Méjico, 1945.—R. BLANCO-FOMBONA : *Grandes escritores de América*, Edit. Renacimiento. Madrid. 1917.— A. GONZÁLEZ BLANCO : *Escritores representativos de América*, Fdit. América. Madrid, 1917.—M. SÁNCHEZ MORENO : *Pensadores de América*, Fdics. Imp. Universitaria, Méjico, 1937.—A. REYFS : *Pasado inmediato y otros ensayos*, Edics. Colegio de Méjico. Méjico, 1942.—V. G. CALDERÓN : *Semblanzas de América*, Edit. Renacimiento. Madrid. 1919.— L. ZEA : *En torno a una filosofía americana*, Edics. Colegio de Méjico, Méjico. 1945.—R. A. GRISMFR : *A Bibliography of Articles and Essays on the Literatures of Spain and Spanish-America*, Edit. Perine Book Co., Minneapolis, 1935.—J. RAMÓN JIMÉNEZ : *Españoles de tres mundos*, Edit. Losada, Buenos Aires, 1942.—J. GAOS : *Pensamiento de lengua española*, Edit. Stylo, Méjico, 1948.

II. A. BELÍN SARMIENTO : *El joven Sarmiento*, Saint Cloud, 1929 ; *Sarmiento, anécdotico*, Saint C'oud. 1929.— M. GÁLVEZ : *Vida de Sarmiento*, Buenos Aire̦s. «Emecé», 1945.—G. GUERRA : *Sarmiento, su vida y sus obras*, Santiago de Chile. 1901.—J. V. LASTARRIA : *Recuerdos literarios* (1.ª serie), Santiago de Chile, 1878.—L. LUGONES : *Sarmiento*, Buenos Aires, 1911.—C. M. ONETTI : *Cuatro*

lecciones sobre Sarmiento escritor. Tucumán. 1939.—A. PALCOS : *Sarmiento*, Buenos Aires, 1919.—N. PINILLA : *La generación chilena de 1842*, Santiago de Chile. «Prensas de la Universidad», 1942 ; *La polémica del romanticismo*, Buenos Aires, «Americalce», 1943 ; *La controversia filológica de 1842*, Santiago de Chile. «Prensa de la Universidad», 1945.—A. PONCE : *Sarmiento*, Madrid; Fspasa-Calpe, 1932.—R. ROJAS : *La literatura argentina* (t. III. «Lo̦s proscriptos», 1.ª ed., 1920) ; *El pensamiento vivo de Sarmiento*, Buenos Aires, Losada, 1941 ; *El profeta de la Pampa*, Buenos Aires. Losada. 1946.—L. A. SÁNCHEZ : *Escritores representativos de América* (Sarmiento, en páginas 253-69), Edit. Gredos, Madrid, 1957.

R. AGRAMONTE : *Juan Montalvo. Figura y carácter*. Habana, 1937 ; *Panorama cultural de Montalvo*, Ambato, 1935.—ANDFRSON IMBERT : *El arte de la prosa en Juan Montalvo*, Méjico. 1948.—R. BLANCO-FOMBONA : *Grandes escritores de América*, Madrid. Renacimiento, 1917.—O. E. REYES : *Vida de Juan Montalvo*. Quito. «Ediciones Grupo de América», 1937.—J. E. RODÓ : *Montalvo*, «El mirador de Próspero», Barcelona. 1917.—L. A. SÁNCHEZ : *Escritores representativos de América* (Montalvo, en págs. 281-95. I), Fdit. Gredos, Madrid. 1957.—G. ZALDUMBIDE : *Cuatro clásicos americanos* (José E. Rodó, Monta'vo, fray Gaspar de Villarroel y P. J. B. Aguirre Montalvo, en págs. 127-83). Fd. Cu'tura Hispánica. 1952.

J. M. AGUIAR : *José Enrique Rodó y Rufino Blanco-Fombona*, Montevideo, 1925.—H. D. BARBAGELATA : *Rodó y sus críticos*, París, 1920.—V. E. CALDERÓN : *Semblanzas de América*, Madrid, 1919.—M. H. UREÑA : *Rodó y Rubén Darío*, Fdic. Cuba Contemporánea. Habana. 1918.—IAUXAR : *Rubén Darío y José E. Rodó*, Montevideo. 1923.— E. ORIVE : *El pensamiento vivo de Rodó*, Edit. Losada, Buenos Aires, 1944.—RUBÉN DARÍO : *Cabezas* (Rodó, en págs. 9-15), Buenos Aires. 1916.—E. SCARONE : *Bibliografía de Ru̦dó*, Montevideo. 1930.—G. ZALDUMBIDE : *Cuatro clásicos americanos* (Rodó, Montalvo, Fr. G. Villarroel y P. Aguirre), Edic. Instituto de Cultura Hispánica. Madrid, 1952 (Rodó, en págs. 11-123).—J. A. ZUBILLAGA : *Estudios y opiniones críticas* (Rodó, en t. III). Montevideo. 1933.— G. ALBARRÁN PUENTE : *El pensamiento de José E. Rodó*, Edics. Cultura Hispánica. Madrid, 1953.

B. CANAL FEIJOO : *E. Martínez Estrada*, «Revista Sur», VII. núm. 37, Buenos Aires. 1937.—F. LÓPEZ MERINO : *Ezequiel Martínez Estrada*, «Revista Síntesis». III. Buenos Aires, 1927.—F. DE ONÍS : *Martínez Estrada*, «Antología de la poesía española e hispanoamericana».—A. SEGUNDO, G. DEL MAZO y J. F. ROMERO : *Alejandro Korn*, Fdit. Universidad Popular A. Korn, Buenos Aires, 1941.—C. BARJA : *Alejandro Korn*, «Revista Iberoamericana», II. núm. 4, págs. 359-82, Méjico, 1940.—F. ROMERO. A. VASALLO y L. AZNAR : *Alejandro Korn*, Edit. Losada, Buenos Aires, 1940.

II. A. S. PEDREIRA : *Hostos, ciudadano de América*, Fspasa-Calpe. Madrid, 1932.—*América y Hostos* (ed. conmemorativa del Gobierno de Puerto Rico), La Habana. 1939.— A. CASO : *Eugenio M. de Hostos*, Hispanic Institute in the United States (monografías biográfico-críticas).—L. ZEA : *Antonio Caso, maestro de maestros*, «Rev. Letras de Méjico», abril, 1946.—J. GAOS : *Antonio Caso. El peligro del hombre*, «Rev. de la Facultad de Filosofía y Letras», núm. 7. Méjico, 1942.—E. GARCÍA MAYNEZ : *Antonio Caso y su obra*, «Rev. Mexicana de Sociología», VIII. 1946.— A. O. DEUSTUA : *La estética de José Vasconcelos*, Lima, 1937.—J. IRIARTE : *Vasconcelos o el filósofo del trópico*, «Razón y Fe», Madrid, 1944.—J. SÁNCHEZ VILLASEÑOR : *El sistema filosófico de Vasconcelos*, Fd. Polis. Méjico. 1939.— *Bibliografía de Alfonso Reyes*, «Letras», Méjico, 1938. número 25.—J. CASSOU : *Alfonso Reyes*, «Revue de l'Amerique Latine», VII, París, 1924.—R. AGRAMONTE y E. M. VITIER : *Enrique José Varona. Su vida, su obra y su influencia*, Habana, 1937.

III. Historia, erudición, crítica y humanismo : J. TORRE REVELLO : *Los maestros de la bibliografía en América*, Buenos Aires.—R. D. CARBIA : *Historia crítica de la historiografía argentina*, Buenos Aires, 1940.—D. CARBONELL : *Escuelas de historia en América*, Buenos Aires. 1953.— J. M. NIÑO : *Mitre*, Buenos Aires, 1906, 2 vols.—M. URIEN : *Mitre. Contribución al estudio de...* B. M., Buenos Aires, 1919.—Más bibliografía sobre Mitre en J. LEGUIZAMÓN : *Historia de la literatura hispanoamericana*, t. II, pág. 37. nota.—R. A. ORGAZ : *Vicente F. López y la Filosofía de la historia*, Córdoba (Argentina), 1938.—A. BENELLI : *Bibliografía general de Vicuña Mackenna*, Santiago de Chile, 1940.—V. M. CHIAPPA : *Noticia de los trabajos intelectuales de J. Toribio Medina*, Santiago de Chile,

1907.—J. GALINDO VILLA: *Notas biográficas y bibliográficas de don Joaquín García Icazbalceta*, Méjico, 1886.—A. DE LAFERRERE: *Noticia preliminar* a «Páginas de Groussac», Buenos Aires, 1918.—Número extraordinario de la rev. «Nosotros» (núm. 242) con motivo de la muerte de Paúl Groussac.—Sobre Ricardo Rojas, vid. *La obra de Rojas: XXV años de labor literaria*, Buenos Aires, 1928.—

Epistolario de don Miguel Antonio Caro..., Edit. Centro, Bogotá, 1941.—J. M. DIHIGO: *Rufino José Cuervo*, Habana, 1912.—R. P. FRAY PEDRO FABO, A. R.: *Rufino José Cuervo y la lengua castellana*, 3 vols., Bogotá, 1912.—P. FÉLIX RESTREPO: *Obras inéditas de R. J. Cuervo*, Bogotá, 1934.—J. M. NÚÑEZ PONTE: *R..M. Baralt, celador de los tesoros... de la lengua*, Caracas, 1958.

INDICES ALFABETICOS

INDICE DE AUTORES CITADOS
EN LAS BIBLIOGRAFIAS

INDICE DE AUTORES CITADOS
EN EL TEXTO